MINJUNGSEORIMS

ESSENCE KOREANISCH-DEUTSCHES WÖRTERBUCH

民 衆 書 林

엣센스韓獨辭典

韓國獨語獨文學會 編

辭書專門
民 衆 書 林

머 리 말

한국 독어독문학회는 이제 이처럼 방대하고 체계적인 한독사전을 세상에 내놓을 수 있게 된 데 대해서 진심으로 기뻐해 마지 않는 바입니다. 돌이켜 보면 지금으로부터 거의 10년전인 1972년 여름 한국 독어독문학회는 희망과 용기에 부풀어 우리나라에서는 처음으로 종합적인 한독사전을 만들 계획을 세웠읍니다. 물론 이 계획은 모험적이고 무모한 면을 지니고 있었읍니다. 우리는 무척 어려운 재정적 역경과 아직 정비되지 않은 학문적 여건 속에서 이 어려운 작업을 수행해야만 했읍니다. 그러나 우리는 이 모든 난관을 극복하고 오늘 이처럼 우리의 실정에 맞는 한독사전을 완성하게 된 것입니다.

이 사전이 빛을 보기까지는 한국 독어독문학회의 거의 모든 회원들이 수고를 하였읍니다. 특히 그간의 한국 독어독문학회를 책임져왔던 회장단들은 이 사전을 위해 혼신의 노력을 아끼지 않았읍니다. 또한 문교부와 서독 폴크스바겐 재단의 재정적 지원이 없었다면 우리들의 사업은 성공하지 못하였을 것입니다. 한편 민중서림의 열성적인 지원도 잊을 수가 없읍니다. 그리고 폴크스바겐 재단의 재정원조는 서울의 독일대사관이 중계역할을 해주었읍니다. 이렇게 보면 이 사업은 한국과 독일 양국 정부의 국제적 협력에 의하여 이룩된 모범적 사례라고 할 수 있을 것입니다.

학문적으로나 재정적으로나 이 사전의 발간을 위해서 수고해주신 여러분들에게 다시 한번 충심으로 감사를 드립니다.

10년간의 노고끝에 완성된 이 사전에 대해 우리들은 어느 정도는 만족하고 있읍니다. 그러나 여기에서 미비한 점은 앞으로 점진적으로 보완되어 갈 것입니다. 이제 이 사전은 독일어를 배우는 모든 사람들에게 활용될 뿐만 아니라 한독간의 긴밀한 문화관계를 촉진시키는 데에도 기여하리라 믿습니다.

1981년 12월

한국 독어독문학회

VORWORT

Alle Mitglieder der Koreanischen Gesellschaft für Germanistik freuen sich sehr, heute zum ersten Mal ein umfangreiches und systematisches Koreanisch-Deutsches Wörterbuch herausgeben zu können.

Im Sommer 1972 begannen wir voller Mut und mit großen Hoffnungen unseren Versuch, ein Koreanisch-Deutsches Wörterbuch herauszugeben. Dieses Unternehmen war einfach abenteuerlich. Wir sahen uns in die Lage versetzt, unter sehr schwierigen finanziellen Bedingungen und darüberhinaus damals noch unorganisierten wissenschaftlichen Arbeiten ein unseren Bedürfnissen entsprechendes Koreanisch-Deutsches Wörterbuch erstellen zu müssen. Wir haben allen Schwierigkeiten zum Trotz nicht aufgegeben und bis heute an dem Wörterbuch gearbeitet.

An der Bearbeitung des Wörterbuches haben fast alle Mitglieder der Koreanischen Gesellschaft für Germanistik mitgewirkt. Nur so konnte heute ein so umfangreiches und sorgfältig bearbeitetes Wörterbuch aufgelegt werden. Besonders die jeweils verantwortlichen Präsidenten der Gesellschaft haben sich der Vollendung dieses Wörterbuches mit großem Einsatz gewidmet. Ohne die finanzielle Unterstützung des Erziehungsministeriums unserer Regierung und der Volkswagen-Stiftung der Bundesrepublik Deutschland wäre es nicht möglich gewesen, unser Unternehmen durchzuführen. An dieser Stelle ist auch noch die intensive Unterstützung des Minjung-Verlags zu erwähnen. Die finanzielle Hilfe der Volkswagen-Stiftung wurde durch die Deutsche Botschaft in Seoul vermittelt. Die Herausgabe dieses Wörterbuches darf insofern zu Recht als ein Musterbeispiel von binationaler Zusammenarbeit zwischen der koreanischen und der deutschen Regierung bezeichnet werden. Deswegen sei allen denen nochmals herzlich gedankt, die sich, sei es wissenschaftlich, sei es mit finanziellen Mitteln, um die Herausgabe dieses Wörterbuches verdient gemacht haben.

In zehnjähriger mühevoller Arbeit haben wir uns der Vervollkommnung dieses Wörterbuches gewidmet und sind nun so weit, daß wir mit dem

일 러 두 기

1. 표제어

(1) 자체　표제어는 고딕체 활자로 표시하였으며 그것이 한자어(漢字語)인 경우에는 그 한자를 ( ) 속에 병기하였다.

보기: 눈보라, 공군(空軍).

(2) 배열 순서

(a) 표제어의 배열은 가나다 순으로 하였다.

(b) 동음 이의어는 우리말, 한자어, 외래어, 접두어, 접미어 등의 순으로 하였다.

보기: ㉠ 공, 공(公), 공(功), 공(空), 공.
㉡ 당(堂), 당(黨), 당-(當), -당(當).

(c) 우리말 표제어 중 글자와 음이 같은 말에는 그 말 오른편 어깨에 각각 1, 2, 3, …의 번호를 매겨 딴 낱말에서 참조시킬 때 편리를 도모하였다.

보기: 고비[1], 고비[2], 고비[3].

(3) 철자

(a) 표제어의 철자는 「맞춤법 통일안 개정안」에 따랐으나, 관습상 되게 발음되는 한자어나 한자어와 우리말의 합성어는 원음대로 적어주되, 합성어 중의 한자(漢字)가 한 자(字)인 경우에는 윗글자에 「ㅅ」을 달아 주었다.

보기: 내과(內科), 깃대(旗—).

(b) 관습상 되게 발음되는 한자어 중 윗글자에 예외적으로 「ㅅ」을 달아 준 것도 있다.

보기: 돗수(度數), 숫자(數字), 싯가(時價).

(4) 접두어·접미어　표제어 중 접두어·접미어에는 그 앞 뒤에 「-」을 붙였다.

보기: 가-(假), -가(家).

(5) 한자어와 우리말의 합성어　표제어 중 일부가 한자어이고 일부가 우리말인 경우에는 한자와 「—」를 ( ) 속에 병기하였다.

보기: 냉가슴(冷—), 달력(—曆).

2. 본　문

(1) 어의 분류(語義分類)

(a) 한 표제어가 두 가지 이상의 뜻을 가지고 있는 경우에는 ①②③… 등의 번호를 매겨 이를 분류하였다.

보기: 각(角) ① 《뿔》 Horn.... ② 《네모》 Viereck.... ③ 〖수학〗 Winkel....

(b) 뜻을 분류함에 있어 ①②③… 등을 쓰지 않고 《 》로 만 구분한 경우도 있다.

보기: 개정(改正) 《수정》 Verbesserung...; 《변경》 Änderung....

(2) 표제어의 형용사꼴이나 동사꼴은 ∼하다로 표시하였다.

보기: ㉠ 형용사꼴 간단(簡單) Einfachheit....... ∼하다 einfach....... (sein).
㉡ 동사꼴 간섭(干涉) Einmischung....... ∼하다 [4]sich ein|mischen.......

(3) 역어(譯語)(독일어)

(a) 명사　원칙적으로 관사를 붙이지 않고 명사를 들고, 독한사전에 준하여 성(性), 단수 2격(여성명사에서는 생략), 복수 1격을 보여 주었다.

보기: Vater ***m.*** -s, ⸗; Sohn ***m.*** -(e)s, ⸗e; Kind ***n.*** -(e)s, -er; Frau ***f.*** -en.

㉠ 형용사·분사를 명사화한 것은, 정관사(원칙적으로 der)를 붙여 주고, 단수 2격과 복수 1격을 보여 주었으며, 낱말의 오른편 어깨에 *표를 붙였다.

보기: der Kranke*, -n, -n; der Verwandte*, -n, -n.

㉡ 동사의 부정형을 명사화한 것은, 정관사 das를 붙여 주고, 단수 2격을 보여 주었으며, 낱말의 오른편 어깨에 *표를 붙였다.

보기: das Ausgehen*, -s; das Melken*, -s.

㉢ 복수형으로만 쓰이는 명사에는 《*pl.*》을 붙였다.

보기: Eltern 《*pl.*》; Ferien 《*pl.*》.

㉣ 지명(나라 이름·산이름·강이름 등)은, 정관사를 필요로 하는 남성·여성·복수 명사에 한하여 정관사를 붙였고, 또 복수 명사에는 《*pl.*》도 붙였다.

보기: die Schweiz; der Rhein, -(e)s; die Niederlande 《*pl.*》.

㉤ 한 표제어 속에 같은 역어가 다시 나올 경우에는, 원칙적으로 성·단수 2격·복수 1격을 생략하였다.

(b) **형용사** 표제어가 형용사인 경우에는 (sein)을 역어 끝에 붙임으로써 형용사임을 밝혔다. 다만 우리말 품사는 형용사이나 독일어로는 동사로 밖에 새길 수 없는 것은 동사를 역어로 했다. 또한 서술적으로 쓰인 경우에는 괄호 없이 sein을 보여 주었다.

보기: ㉠ **가냘프다** zart; schwach; ...... (sein).
㉡ **가뜬하다** leicht (sein); 《마음이》 ^{4}sich erleichtert ...... fühlen.
㉢ **가능(可能)**....... **~하다** möglich (sein); können*; imstande sein.

(c) **대명사·수사** 어형 변화하는 대명사·수사 따위에는 오른편 어깨에 *표를 붙였다.

보기: ich*; dieser*; der erste*.

(d) **동사**

㉠ 불규칙 변화를 하는 동사에는 오른편 어깨에 *표를 붙이고, 규칙·불규칙 두 가지 변화를 하는 동사에는 오른편 어깨에 (*)표를 붙였다.

보기: gehen*; tragen*; senden(*).

다만 sein, werden, haben에는 원칙적으로 *표를 생략하였다.

㉡ 완료의 조동사로 sein을 취하는 자동사에는 [s]를 붙이고, 뜻에 따라 sein이나 haben을 취하는 동사에는 [s,h] 또는 [h,s]를 붙였다.

보기: sterben*[s]; reiten*[s,h]; fliegen*[s,h].

다만 sein과 werden에는 [s]를 생략하였다.

㉢ 분리동사는 전철과 기간동사 사이에 |을 넣어 분리됨을 밝혔다.

보기: aus|gehen*[s]; an|erkennen*.

㉣ 비인칭 동사는 주어 es를 넣어 표시하였다.

보기: es regnet; es hungert *jn.*

㉤ 재귀동사에는 sich를 붙였다.

보기: sich erinnern; sich setzen.

(4) **격표시(格表示)** 낱말의 오른편 또는 왼편 어깨에 ^{1}, ^{2}, ^{3}, ^{4}를 붙여 격을 표시하였다.

(a) 어떤 낱말이 몇 격인가를 보여 줄 때에는, 그 낱말의 왼편 어깨에 번호를 붙였다.

보기: ^{1}Arzt werden; guter ^{2}Laune sein; ^{3}sich an|eignen; ^{4}sich beeilen.

(b) 어떤 낱말이 몇 격의 보족어를 필요로 하는 가를 보여 줄 때에는, 그 낱말의 오른편 어깨에 번호를 붙였다.

보기: sich enthalten^{*2}; während^{2}; folgen^{3}; nach|gehen^{*3}; arm 《*an*^{3}》; mit^{3}; tragen^{*4}; nehmen^{*4}; stolz 《*auf*^{4}》; für^{4}.

(c) 격지배가 일정하지 않을 경우에는, 어깨 번호 사이에 「·」을 찍어 병기하거나 또는 ( ) 속에 보여 주었다.

보기: trotz$^{2\cdot3}$; spotten$^{(2)}$ 《*über*^{4}》 (=spotten 《*über*^{4}》 또는 spotten^{2}); ^{4}sich erinnern$^{(2)}$ 《*an*^{4}》 (=^{4}sich erinnern 《*an*^{4}》 또는 ^{4}sich erinnern^{2}).

(d) 동시에 두 개의 보족어를 필요로 하는 경우에는 ^{3}과 ^{4} 또는 ^{4}와 ^{4} 따위를 그대로 병기하였다.

보기: opfern^{34}; nennen^{*44}; trennen^{4} 《*von*^{3}》.

다만 두 보족어 중의 하나가 사람임을 밝혀 줄 필요가 있을 때에는 아래와 같이 보여 주었다.

보기: lehren 《*jn.* ^{4}*et.*》; danken 《*jm.* *für*^{4}》; berauben 《*jn.* ^{2}*et.*》 또는 *jn.* berauben^{2}.

(5) **용례** 역어의 활용과 이해를 돕기 위하여 용례를 보였다.

(a) 용례는 ¶표로 시작하였다.

보기: **각도(角度)** Winkel *m.* -s, -. ¶30도의 ~로 mit e-m Winkel von 30 Grad / ~를 재다 e-n Winkel messen* / ....

(b) 복합어에 있어서의 용례는 복합어의 역어 뒤에 「:」표를 붙이고 보여 주었다.

보기: **간호(看護)** Krankenpflege *f.* -n. ....
‖ **~병**....... **~원** Kranken¦schwester *f.* -n 〔-pflegerin *f.* ..rinnen〕: 수~원

Oberschwester *f*. -n / 수습 ～원 Probeschwester *f*. -n / ....

(c) 큰 항목 표제어의 용례 중 같은 말이 되풀이되는 번잡을 덜기 위해 되풀이되는 말을 고딕체로 하고, 「:」으로 구분하여 간결을 도모한 것도 있다.

보기: 눈[1] ① 《일반적》 Auge *n*. -s, -n. ....

눈이: 좋다 〔나쁘다〕 gute 〔schlechte〕 Augen 《*pl.*》 haben;...... / 멀다 das Gesicht 〔Augenlicht〕 verlieren*;...... / 날카롭다 scharf blicken; adleräugig sein (= ¶ 눈이 좋다 〔나쁘다〕...... / 눈이 멀다...... / 눈이 날카롭다......).

(6) 복합어

(a) 복합어는 원칙적으로 그 기본 표제어의 용례 다음에 고딕체 활자로 넣고, 「‖」표로 시작하였다.

(b) 외자로 된 표제어의 복합어는 그 항의 용례로 넣거나, 따로 표제어로 내세웠다.

(c) 표제어에 상당하는 부분은 「～」표를 써서 간략화하였다.

(d) 복합어는 「표제어+명사」, 「명사+표제어」, 「명사+표제어+명사」 유형의 순서로 배열하되, 각각 가나다 순으로 하였다.

보기: **개발**(開發) 《개척》 Entwick(e)lung *f*. -en;.......

‖ **～교육** Entwick(e)lungserziehung *f*. -en. .... **경제～** wirtschaftliche Entwicklung, -en:....... **우주～계획** Raumforschungsprogramm *n*. -s, -e.

3. 기호(記號)

～ 표제어를 대신한다: **공사**(工事)....... **～하다**=공사하다;...... ¶ ～를 시작하다=공사를 시작하다;...... ‖ **～계**=공사계;...... **～비**=공사비.

¶ 용례가 시작됨을 가리킨다.

‖ 복합어가 시작됨을 가리킨다.

( ) 생략될 수 있음을 나타낸다: (ver)kürzen=verkürzen, kürzen; (auf dem) Piano spielen =auf dem Piano spielen, Piano spielen.

《 》 우리말의 뜻을 구분해 줄 때 쓴다.

[ ] 발음을 보여 줄 때 쓴다.

〔 〕 대체될 수 있음을 나타낸다: gern 〔lieb〕 haben=gern haben, lieb haben.

《 》 문법상, 어법상의 관계를 보이기 위해 전치사, 보족어 따위를 기입할 때 쓴다.

〖 〗 문법적인 설명을 보여 줄 때 쓴다.

〘 〙 학술어 기타 전문 용어임을 표시할 때나 속어 따위를 보여 줄 때 쓴다.

[◄|] 약어(略語)의 원말을 보여 줄 때 쓴다.

- 반복기호. 바로 아래의 두 기호를 참조할 것.

¦ (a) 합성어를 열거할 때: Gedenk¦rede 〔Gedächtnis-〕=Gedenkrede; Gedächtnisrede. Neben¦bahn 〔Lokal-〕 (*od.* -linie)=Nebenbahn, Lokalbahn, Nebenlinie, Lokallinie. (b) 문장을 다른 표현으로 바꾸어 쓸 수 있음을 나타냄.

| 분리동사의 분리되는 곳을 표시함: an|fühlen 〔-|hören; -|merken; -|sehen*〕=an|fühlen; an|hören; an|merken; an|sehen*. (|은 이 경우에 ¦의 역할도 함).

/ 용례가 둘 이상일 때 그 사이를 구분한다.

※ 보충 설명을 해 줄 때 (본문의 기화(奇禍) 참조).

☞ 「…을 보라」의 뜻.

Ⓗ 완료의 조동사로 haben 을 취하는 동사.

Ⓢ 완료의 조동사로 sein 을 취하는 동사.

s,h / h,s 완료의 조동사로 haben 과 sein 양쪽 다 취할 수 있는 동사.

} **2.** (3) (d) Ⓛ 참조.

약어표(略語表)

a.	Adjektiv 형용사
adv.	Adverb 부사
conj.	Konjunktion 접속사
e-e	eine
e-m	einem
e-n	einen
e-r	einer
e-s	eines
[1]*et.*	etwas 의 1격
[2]*et.*	etwas 의 2격
[3]*et.*	etwas 의 3격
[4]*et.*	etwas 의 4격
f.	Femininum 여성명사
j.	jemand
jm.	jemandem
jn.	jemanden
js.	jemandes
k-e	keine
k-m	keinem
k-n	keinen
k-r	keiner
k-s	keines
m.	Maskulinum 남성명사
m-e	meine
m-m	meinem
m-n	meinen
m-r	meiner
m-s	meines
n.	Neutrum 중성명사
od. (*od.*)	oder
pl.	Plural 복수명사
p.p.	participium perfecti 과거분사
präp.	Präposition 전치사
s-e	seine
sing.	Singular 단수명사
s-m	seinem
s-n	seinen
s-r	seiner
s-s	seines
u. (*u.*)	und
usw.	und so weiter
v.	Verbum 동사
v.i.	V. intransitivum 자동사
v.t.	V. transitivum 타동사
vgl.	vergleiche 참조하라

가[1] 〖음악〗 A [a] *n.* -, -. ¶ 가조(調) A-Ton *m.* -(e)s, ⸚e / 가장조 A-Dur *n.* - 《기호: A》/ 가단조 a-Moll *n.*- 《기호: a》/ 내림 가 As *n.* -, - (장조); as *n.* -,- (단조) / 올림 가 Ais [á:ɪs] *n.* - ,- (장조); ais *n.* -, - (단조)/가장조로 in A.

가[2] ① 《끝》 Ende *n.* -s, -n; Grenze *f.* -n (한계); Schranke *f.* -n (한계). ¶ 가없는 바다 grenzenloser Ozean, -s, -e. ② 《가장자리》 Rand *m.* -(e)s, ⸚er (외곽); Ecke *f.* -n (모서리끝); Kante *f.* -n (끄트머리); Seite *f.* -n (곁); Nähe *f.* -n (근처). ¶ 길가 Weg¦rand (Straßen-) *m.* -(e)s, ⸚er / 물가 Wasser¦rand (-seite); Ufer *n.* -s, - / 바닷가 Meeres¦küste (See-) *f.* -n; Meeres¦strand (See-) *m.* -(e)s, -e / 바닷가에서 am Meer; an der See; an der Küste; am Strand / 연못가에서 in der Nähe des Teiches; am Teiche / 입가에 미소를 띄우고 mit e-m Lächeln um den Mund / 길가의 집들 die Häuser an der Straße/창가에 서 있다 am Fenster stehen* / 한길가에 있다 an der Straße liegen*.

가(可) 《성적》 《als Schulnote》 ausreichend; 《찬성》 das Für (Pro; Ja); 《옳음》 gut; geeignet. ¶ 가하다고 하다 《찬성》 dafür sein; billigen[4]; zu|stimmen[3]; gut|heißen*[4] (인가) / 영어(과목)에서 가를 받다 im Englischen „Ausreichend" bekommen* / 그는 성적표에 가가 셋이다 Er hat im Zeugnis drei „Ausreichend". / 가가 50 부가 10이다 《투표에서》 Da sind 50 Ja- u. 10 Neinstimmen.

가[3] 〔조사〕 ¶ 머리가 아프다 Ich habe Kopfschmerzen. / 그는 독일어가 능통하다 Er ist des Deutschen mächtig. / 저녁에 댄스 파티가 있다 Abends wird getanzt. / 〔전치사와 함께〕 크기가 같다 gleich an Größe sein/ 어깨가 넓다 breit an den Schultern sein.

가-(假) ① 《임시의》 vorläufig; einst¦weilig (zeit-); provisorisch; temporär; vorübergehend; zeitlich. ¶ 가건축 der vorläufige (provisorische) |Bau, -(e)s / 가영업소 das zeitweilige Büro, -s, -s / 가진급 die probeweise Versetzung, -en. ② ☞ 가짜.

-가(家) ① 《사람》 Meister *m.* -s, -; Fachmann *m.* -s, ..leute; Spezialist *m.* -en, -en; Kapazität *f.* -en; Autorität *f.* -en. ¶ 공상가 Phantast *m.* -en, -en; Träumer *m.* -s, - / 낙천가 Optimist *m.* -en, -en / 무용가 Berufs¦tänzer (Kunst-) *m.* -s, -/음악가 Musiker *m.* -s, - / 자본가 Kapitalist *m.* -en, -en / 혁명가 Revolutionär *m.* -s, -e. ② 《집안》 Familie *f.* -n. ¶ 케네디가 die Familie Kennedy; die Kennedys 《*pl.*》.

-가(哥) 《성 밑에》 ¶ 내 성은 남가요 Mein Familienname ist *Nam.*

-가(街) ① 《거리》 Straße *f.* -n; Avenue [..ný:] *f.* -n; Allee *f.* -n [..lé:ən]. ¶ 보니퍼가 (쾨니히가) 6번지 Boniverstraße (Königsallee) 6 / 번화가 Hauptgeschäftsstraße *f.* -n/명륜동 4가 *Myeongryundong* 4. ② 《특수지구》 Viertel *n.* -s, -. ¶ 중국인가 Chinesenviertel *n.* -s, - / 홍등가 Hurenwinkel *m.* -s, -; Freudenviertel *n.* -s, -.

-가(歌) 《…노래》 Lied *n.* -(e)s, -er; Gesang *m.* -(e)s, ⸚e. ¶ 농부가 Bauernlied *n.* -(e)s, -er/ 애국가 Nationalhymne *f.* -n / 자장가 Wiegenlied *n.* -(e)s, -er.

-가(價) 《…값》 Preis *m.* -es, -e. ¶ 공정가 der offizielle Preis / 최저가 Minimalpreis *m.*

가가대소하다(呵呵大笑—) laut (auf|)lachen; in ein Gelächter aus|brechen*; herzlich lachen.

가가호호(家家戶戶) jedes Haus, -es; 〔부사적〕 von Tür zu Tür; an jeder Tür; von Haus zu Haus. ¶ 그는 ~ 찾아다니며 구걸했다 Er bettelte die ganze Straße ab.

가감(加減) 〖수학〗 Addition 《*f.* -en》 u. Subtraktion 《*f.* -en》; 《증감》 die Zu- u. Abnahme; 《조절》 Reg(e)lung *f.* -en; Regulation *f.* -en; 《고려》 Berücksichtigung *f.* -en. ~하다 〖수학〗 addieren u. subtrahieren; hinzu|zählen u. ab|ziehen*; 《증감》 zu- u. ab|-nehmen*; 《조절》 regeln[4]; regulieren[4]; 《고려》 berücksichtigen. ¶ 그의 이야기는 ~해서 들어야 한다 Was er sagt, muß man mit Vorbehalt aufnehmen.

‖ ~기(器) 《저항의》 Regulator *m.* -s, -en; Regler *m.* -s, -; Rheostat *m.* -(e)s, -e (*m.* -en, -en) (전기의). **~법** die Methode des Addierens u. Subtrahierens. **~승제** die vier Regeln 《*pl.*》 der Arithmetik.

가건물(假建物) das provisorische Gebäude, -s, -; Behelfs¦bau (Not-) *m.* -(e)s, -ten.

가게 Laden *m.* -s, ⸚; Geschäft *n.* -(e)s, -e; Bude *f.* -n (노점). ¶ ~ 보는 사람 Verkäufer *m.* -s, - (남자); Verkäuferin *f.* -nen (여자); Ladenaufseher (지키는 사람) / 잘되는 ~ der populäre Laden / ~를 내다 (벌이다) 《개업》 e-n Laden eröffnen; ein Geschäft auf|machen / ~를 닫다 《폐업》 e-n Laden zu|machen; ein Geschäft auf|geben*; 《폐점》 den Laden schließen* (zu|machen) / ~를 열다 den Laden öffnen (auf|machen) / ~를 보다 den Laden hüten / 그 ~는 7시에 닫는다 Das Geschäft schließt um 7 Uhr. / 저 ~는 싸다 《물건값이》 Jener Laden ist billig.¦In jenem Laden kauft man billig. / 저희 ~에서는 핸드백은 취급하고 있지 않습니다 Handtaschen führen wir nicht.

‖ ~주인 Laden¦inhaber (-besitzer) *m.* -s, -; Chef [ʃɛf] *m.* -s, -s. 가겟방 Geschäfts¦stube *f.* -n (-zimmer *n.* -s, -).

구멍~ Kramladen. 모퉁이~ Eckladen. 식료품~ Kolonial(waren)laden.

가격(價格) Preis *m.* -es, -e; Wert *m.* -(e)s, -e (가치). ¶ ~을 매기다 (부르다) Preis bestimmen (Preis nennen*) / ~에 따라서 gemäß dem Preise; ad valorem / ~이 얼마요 Was kostet das? / ~ 여하에 달렸다 Es kommt auf den Preis an.

‖ ~변동(동요) Preisschwankung *f.* -en. ~

인상 Preiserhöhung *f.* -en. ～인하 Preisabbau *m.* -s (-herabsetzung *f.* -en); die Herabsetzung des Preises: ～ 인하 단행《게시》 Herabgesetzte Preise! ～조정 Preisregelung *f.* -en. ～차 Preisunterschied *m.* -(e)s, -e. ～표 Preisliste *f.* -n. ～표기 Wertangabe *f.* -n: ～ 표기 우편물 Wertbrief *m.* -(e)s, -e (-paket *n.* -(e)s, -e) / ～ 표기 우편으로 해 주시오 Ich möchte es mit Wertangabe senden. ～협정 Preisvereinbarung *f.* -en. ～형성 Preisbildung *f.* -en. 견적～ Angebots¦preis *m.* -es, -e (-wert *m.* -(e)s, -e); Schätzungswert *m.* -(e)s, -e. 공정～ der offizielle Preis; Richtpreis. 규정～ der festgesetzte Preis. 도매～ Großhandelspreis. 생산～ Produktionspreis. 소매～ Einzel¦preis (Detail-; Laden-). 소비자～ (End)verbraucherpreis; Ladenpreis. 시장～ Marktpreis. 정찰～ der feste Preis. 최고～ Höchstpreis. 최저～ Mindest¦preis (Minimal-). 할인～ der herabgesetzte (ermäßigte) Preis. 협정～ der verabredete (vereinbarte) Preis.

가결(可決) das Durchgehen*, -s; Bewilligung *f.* -en; Verabschiedung *f.* -en. ～하다 durch|bringen*[4]; verabschieden[4] (법률, 법안을); an|nehmen*[4] (채택); bewilligen[4]. ¶ ～되다 durch|gehen* ⓢ; angenommen (verabschiedet) werden; bewilligt werden / 동의는 80 대 20 으로 ～되었다 Der Antrag ging mit 80 zu 20 Stimmen durch (wurde mit 80 zu 20 Stimmen angenommen). / 법안은 국회에서 ～되었다 Die Gesetzvorlage wurde vom Parlament verabschiedet. / 원안대로 ～되었다 Der Gesetzantrag ging glatt durch. / 동의는 ～되었읍니다 Der Antrag (Die Motion) ging durch.

가결의(假決議) 《임시결의》 der vorläufige Beschluß, ..lusses, ..lüsse; die provisorische Resolution, -en.

가경(佳景) die schöne (herrliche) Landschaft, -en.

가경(佳境) die schöne (herrliche) Landschaft, -en (경치좋은); der fesselnde (mitreißende; packende; spannende) Teil, -(e)s, -e 《der Erzählung》 (이야기의). ¶ 이야기는 점점 ～에 들어간다 (점입 ～이다) Die Erzählung wird immer spannender.

가계(家系) Geschlecht *n.* -(e)s, -er; Stamm *m.* -(e)s, ⸚e; Familie *f.* -n.

‖ ～도 Stammbaum *m.* -(e)s, ⸚e; Ahnentafel (Stamm-) *f.* -n; Geschlechtsregister *n.* -s, -; Genealogie *f.* -n.

가계(家計) Wirtschaft *f.* -en; Haus¦halt *m.* -(e)s (-stand *m.* -(e)s; -haltung *f.* -en). ¶ ～를 돕다 im Haushalt helfen* / ～를 유지해 나가다 die Wirtschaft (die Hauswirtschaft; den Haushalt) führen; ([3]sich) sein Brot (s-n Unterhalt) verdienen (스스로) / ～가 넉넉하다 es gut haben; warm sitzen* / ～가 곤란하다 es geht *jm.* wirtschaftlich sehr schlecht; nicht auf Rosen gebettet sein.

‖ ～부 Haushaltungsbuch *n.* -(e)s, ⸚er. ～부기 Haushaltungsbuchführung *f.* -en. ～비 Haushaltungskosten 《*pl.*》.

가계약(假契約) Präliminarvertrag *m.* -(e)s, ⸚e; der provisorische Vertrag.

가계정(假計定) Interimskonto *n.* -s, -s (..ten *od.* ..ti).

가곡(歌曲) 《곡조》 Melodie *f.* -n; Weise *f.* -n; 《노래》 Gesang *m.* -(e)s, ⸚e; Lied *n.* -(e)s, -er.

‖ ～집 Liedersammlung *f.* -en; Liederbuch *n.* -(e)s, ⸚er. 소～ Ariette *f.* -n; Liedchen *n.* -s, -.

가공(加工) Bearbeitung *f.* -en; Verarbeitung *f.* -en; Fertigung *f.* -en. ～하다 bearbeiten[4]; verarbeiten[4]; fertigen[4]. ¶ 이 금속의 ～은 쉽다 Dieses Metall ist leicht bearbeitbar. ¦Dieses Metall läßt sich leicht verarbeiten.

‖ ～비 Herstellungskosten 《*pl.*》; Spezifikationskosten 《*pl.*》. ～품 der bearbeitete (behandelte) Gegenstand, -(e)s, ⸚e; die fertige Ware, -n; Fabrikware *f.* -n; Manufakturware *f.* -n: 반～품 Halberzeugnis *n.* ..nisses, ..nisse.

가공(架空) ¶ ～의 《공중에 매달린》 Hänge-; Luft-; Schwebe-; hängend; schwebend; 《가공적》 imaginär; ausgedacht; erfunden; erdacht; erdichtet; utopisch; aus der Luft gegriffen.

‖ ～삭도 Seilschwebebahn *f.* -en. ～선 Antenne *f.* -n; Luftleiter *m.* -s, -; Luftdraht *m.* -(e)s, ⸚e; Oberleitung *f.* -en (전차의). ～인물 die imaginäre (erdichtete) Person, -en. ～전선(電線) Luftleitungsdraht *m.* -(e)s, ⸚e. ～지선 der oberirdische Erddraht. ～철도 Hängebahn *f.* -en.

가공사(假工事) der provisorische Bau, -(e)s; Behelfswerk *n.* -(e)s, -e.

가공적(架空的) imaginär; ausgedacht; erfunden; erdacht; erdichtet; utopisch; aus der Luft gegriffen. ¶ ～ 이야기 Erfindung *f.* -en; Erdichtung *f.* -en / ～ 인물 die imaginäre (erdichtete) Person, -en.

가과(假果) 〖식물〗 die blumenartige Frucht, ⸚e.

가관(可觀) Anblick *m.* -(e)s, -e (경치); ein schöner (sehenswerter) Anblick; Sehenswürdigkeit *f.* -en; Schauspiel *n.* -(e)s, -e; Spektakel *n.* -s, -. ¶ 그녀의 넘어진 꼴이란 참 ～이었다 Es lohnte sich zu sehen, wie sie fiel.

가교(架橋) Brückenbau *m.* -(e)s, -ten. ～하다 e-e Brücke schlagen* (bauen).

‖ ～공사 Brückenbau *m.* -(e)s.

가교(假橋) Not¦brücke (Behelfs-) *f.* -n; die provisorische Brücke, -n; Pontonbrücke [..tɔ̃:..] (선교).

가교사(假校舍) das provisorische (vorläufige) Schul¦haus, -es, ⸚er (-gebäude, -s, -).

가구(家口) Haus¦halt *m.* -(e)s, -e (-haltung *f.* -en); Familie *f.* -n (가족). ¶ 20 ～ 사는 마을 ein Dörfchen von 20 Familien.

‖ ～수 die Zahl der Haushalte (Familien). ～주 Haushaltungsvorstand *m.* -(e)s, ⸚e; Familienhaupt *n.* -(e)s, ⸚er; Famili-en¦vater (Haus-) *m.* -s, ⸚.

가구(家具) Möbel *n.* -s, -; Mobiliar *n.* -s, -e; Zimmereinrichtung *f.* -en; Möbelstück *n.* -(e)s, -e (낱개의). ¶ ～ 딸린 방 ein möbliertes Zimmer, -s, - / ～ 딸린 셋집 ein möbliertes Mietshaus, -es, ⸚er / ～를 만들다 Möbel an|fertigen / ～ 딸린 집에 사십니까 Wohnen Sie möbliert? ¦Wohnen Sie in einer Wohnung mit Möbeln?

‖ ～상 Möbelladen *m.* -s, ⸚ (-) (가게); Möbelhändler *m.* -s, - (사람). ～장이 Möbeltischler *m.* -s, -. ～점 Möbelladen; Möbel¦lager *n.* -s, - (-magazin *n.* -s, -e).

가권(家眷) die ganze Familie, -n; Sippe *f.* -n; die Seinigen* 《*pl.*》.

가규(家規) Hausordnung *f.* -en; Familienbrauch *m.* -s, ⸗e (가풍).

가극(歌劇) Oper *f.* -n; Singspiel *n.* -(e)s, -e. ‖ ～단 Operntruppe *f.* -n. ～대본 Libretto *n.* -s, -s〔..ti〕; Operntextbuch *n.* -(e)s, ⸗er. ～배우〔가수〕 Opernsänger *m.* -s, -(남자); Opernsängerin *f.* ..rinnen(여자). ～작곡자 Opernkomponist *m.* -en, -en. ～장 Opernhaus *n.* -es, ⸗er; Oper *f.* -n. 대～ die große Oper. 소～ Operette *f.* -n. 희～ die komische Oper; die musikalische Komödie, -n; Operette *f.* -n; Buffooper *f.* -n.

가금(家禽) Geflügel *n.* -s; Federvieh *n.* -s. ¶ ～을 기르다 Federvieh züchten〔halten*〕. ‖ ～상 Geflügelhändler *m.* -s, -(사람).

가급적(可及的) möglichst; so ...wie möglich; nach besten Kräften. ¶ ～이면 wenn möglich; womöglich; wenn die Umstände es erlauben / ～ 빨리 so bald〔schnell; früh〕 wie möglich〔wie (es) nur irgend möglich (ist)〕; mit größtmöglicher Beschleunigung; baldmöglichst / ～ 빨리 오너라 Komm möglichst schnell! / ～이면 오늘 와 주셨으면 좋겠읍니다 Kommen Sie womöglich heute schon.

가긍스럽다(可矜—) arm; erbärmlich; bemitleidenswert; jämmerlich; kläglich; elend; armselig; traurig (sein). ¶ 가긍스런 정상 die kläglichen Verhältnisse《*pl.*》/ 가긍스럽게 여기다 Mitleid〔Erbarmen〕 haben《*mit*[3]》; bemitleiden[4]; bedauern[4].

가기(佳期) ①《좋은 때》 die gute〔günstige〕 Zeit, -en; die schöne Jahreszeit, -en. ②《혼기》 das heiratsfähige Alter, -s.

가기(家忌) die Kulthandlung《-en》 zu Ehren der Ahnen.

가기(歌妓) Singmädchen *n.* -s, -; Geisha *f.* ⌈-s (기생).

가까스로 mit (knapper) [3]Mühe (u. Not); kaum; eben gerade; knapp; schwerlich. ¶ ～ …하다 es kaum fertig bringen*《[4]*et.* zu *tun*》/ ～ 연명해 가다 [4]sich kümmerlich durch|schlagen*; [3]sich mühsam durch|helfen*; nur mit Not seinen Lebensunterhalt verdienen / ～ 합격하다 [4]sich durch das Examen schlängeln / ～ 빠져나오다 mit knapper〔genauer〕 Not entkommen*[3] 〔davon|kommen*〕 Ⓢ / ～ 기차 시간에 대 갔다 Ich habe gerade noch den Zug erreicht. / ～ 익사를 면했다 Um ein Haar wäre er ertrunken. / ～ 도망쳐 왔다 Wir sind mit knapper Not entkommen.

가까와오다 ＝가까와지다 ①.

가까와지다 ① [4]sich nähern[3]; ([4]sich) nahen[3]; heran|kommen* Ⓢ; in die Nähe kommen* Ⓢ; nahe〔näher〕 kommen*. ¶ 연말이 가까와지면 wie das Jahresende herannaht〔heranrückt〕; mit dem Herannahen〔Heranrücken〕 des Jahresendes / 종말에 ～ dem Ende zu|gehen* / 육지에 ～《배가》 [4]sich dem Lande nähern / 시험이〔시험때가〕 가까와졌다 Das Examen ist nahe〔steht vor der Tür〕. ②《교제》(näher) bekannt werden《*mit*[3]》; [4]sich an|freunden《*mit*[3]》; Freundschaft schließen*《*mit*[3]》; [4]sich unter die Leute mischen.

가까이 ①《시간》 bald; in kurzem. ②《거리》 dicht dabei; nahe〔dicht〕 bei[3]; nebenan; in der Nachbarschaft〔Nähe〕《*von*[3]》; unfern[(2)] 〔unweit[(2)]〕《*von*[3]》; nicht weit (entfernt)《*von*[3]》. ¶ 우리집 ～에 in der Nähe meines Hauses; unfern〔unweit〕 m-r Wohnung / 그는 바로 ～에 산다 Er wohnt in m-r nächsten Nachbarschaft. / ～서 보니 그다지 예쁘지도 않은데 In der Nähe gesehen, ist sie nicht so schön. ③《거의》 beinahe; ungefähr; fast; etwa; nahe an; gegen. ¶ 천 명 ～ etwa eintausend Menschen / 정오 ～ gegen Mittag / 5킬로 ～ etwa〔ungefähr〕 fünf Kilometer / 쉰 살 ～ 되다 an die〔gegen〕 fünfzig Jahre alt sein; beinahe〔fast〕 fünfzig Jahre alt sein / 춘부장께서 돌아가신 지도 벌써 3년 ～ 되었지요 Seit dem Tod Ihres Vaters sind beinahe drei Jahre verflossen, nicht wahr?

가까이하다 ① näher an [4]sich bringen*[4]; näher herankommen〔herantreten〕 lassen*[34]. ②《교제》 e-n engeren Umgang pflegen*《*mit*[3]》; in s-r Nähe leiden*《*jn.*》. ¶ 가까이하지 않다 von [3]sich fern|halten*[4] / 가까이하기 쉬운 leicht zugänglich / 가까이하기 어려운 unzugänglich; unnahbar / 그런 사람들 가까이 하지 마시오 Halten Sie sich von solcher Gesellschaft fern. ¦ Verkehren Sie nicht mit solchen Menschen. / 그는 여자를 가까이한 적이 없다 Er hat sich immer der Frauen enthalten〔von den Frauen fern gehalten〕. / 그 여자는 가까이하지 않는 것이 좋다 Halt(e) dich lieber fern von ihr!

가깝다 ①《거리》 nahe《näher, nächst》; benachbart; dabei; daneben; nebenan;《썩》 in nächster Nähe (sein). ¶ 가까운 길 der kürzere〔kürzeste〕 Weg, -(e)s, -e / 가까운 예 ein naheliegendes〔bekanntes〕 Beispiel, -(e)s, -e / 서울(에서) 가까운 곳에 in der Nähe von Seoul / 제일 가까운 정거장 die nächste Station / 어느 길이 제일 가까운가 Welches ist der kürzeste Weg? / 우체국은 여기서 아주 ～ Das Postamt befindet sich ganz nahe von hier.
②《시간》 früh(e); baldig; kurz《kürzer, kürzest》; nächst; zeitig (sein). ¶ 가까운 장래에 bald《eher, ehestens; (드물게) balder〔bälder〕, baldest〔bäldest〕》; nächstens; binnen〔in〕 kurzem; in kurzer Zeit; in naher Zukunft / 세 시가 ～ Es ist bald drei Uhr. / 벌써 여덟 시가 ～ Es geht auf acht. / 시험 때가 가까왔다 Die Prüfung ist nahe〔steht vor der Tür〕. / 가까운 장래에 찾아뵙겠읍니다 Nächster Tage besuche ich Sie.
③《관계》 nah(e); eng; innig; gut《besser, am besten》 befreundet; intim; vertraut (sein). ¶ 가까운 친구 der vertraute Freund, -(e)s, -e / 가깝게 지내다 auf freundschaftlichem〔vertrautem〕 Fuße stehen*《*mit*[3]》; in dicker Freundschaft leben《*mit*[3]》/ 가까운 친척 der nahe〔enge〕 Verwandte*, -n, -n / 그와는 그리 가까운 친척은 아니다 Ich bin mit ihm nicht so eng verwandt.
④《거의》 beinah(e); fast; ungefähr nahe (sein). ¶ 나이 오십에 ～ an die〔gegen〕 fünfzig Jahre alt sein; beinahe〔fast〕 fünfzig Jahre alt sein / 그것은 완성에 ～ Es ist beinahe vollendet. ¦ Die Vollendung steht unmittelbar bevor. / 보랏빛에 가까운 청색 das Blau《-s》, welches sich dem Purpur nähert; das in Purpur übergehende〔spielende〕 Blau / 미치광이에 ～ beinahe wahnsinnig sein; fast verrückt sein / 완전에 ～ fast vollkommen sein; an Vollkommenheit grenzen / 원숭이는 사람에 ～ Der Affe ist dem Menschen nahe verwandt. / 질투는 선망에 가까운 감정이다 Die Eifersucht ist dem Neide nahe verwandt. ¦ Eifersucht

und Neid wachsen auf einem Holz.

가꾸다 ①《식물 따위를》 ziehen*[4]; bauen[4]; pflegen[4]; kultivieren[4]. ¶꽃을 ~ Blumen an|bauen (züchten) / 채소(양배추)를 ~ Gemüse (Kohl) an|bauen / 뜰을 ~ die Gartenarbeit machen; im Garten arbeiten; den Garten pflegen. ②《꾸미다》 schmücken[4]; (ver)zieren[4]; dekorieren[4]. ¶외양을 ~ [4]sich zieren; [4]sich schmücken; [4]sich putzen.

가꾸로 ☞ 거꾸로.

가끔 ①《종종》 ab u. zu; hin u. wieder; von Zeit zu Zeit; manchmal; gelegentlich (때에 따라). ¶그런 일은 ~ 있다 Das kommt manchmal (ab u. zu) vor. / 그로부터 ~ 소식이 있다 Ich höre von ihm dann und wann. ②《이따금·드문드문》 in langen Zwischenräumen; (nur) selten; nicht häufig; nicht oft. ¶~ 오는 손님 der seltene Gast, -(e)s, ⸚e / 그는 나에게 ~ 가다 편지를 한다 Er schreibt mir in langen Zwischenräumen. ③《자주》 oft; öfters; häufig; mehrmals; wiederholt (되풀이해서). ¶~ 해 보다 oftmals versuchen / 금년에는 ~ 지진이 있었다 Wir hatten dieses Jahr oft Erdbeben. / 당신들은 ~ 만납니까 Sehen Sie sich oft?

가끔가다(가) dann u. wann; ab u. zu; von Zeit zu Zeit.

가나 《나라이름》 Ghana *n.* -s; Republik 《*f.*》 G. ¶~의 ghanaisch.
‖~사람 Ghanaer *m.* -s, -.

가나다 das (koreanische) Alphabet, -(e)s; 《초보》 ABC [..tsé] *n.* -, -; Anfang *m.* -(e)s, ⸚e. ¶~순으로 nach dem koreanischen Alphabet / ~ 순으로 하다 nach dem koreanischen Alphabet an|ordnen; alphabetisch (in alphabetischer Reihenfolge) ordnen / ~도 모르다 ganz unwissend sein / ~부터 배우다 mit dem Alphabet an|fangen*[4]; von Anfang an lernen[4].

가나오나 wo man auch hinkommt; wohin man auch geht; wo auch immer.

가난 Armut *f.*; (Be)dürftigkeit *f.*; Mangel *m.* -s, ⸚; Not *f.* ⸚e. **~하다** arm; (be)dürftig; mittellos (재산없는); notleidend (sein). ¶마음이 ~한 arm an Geist; geistlich arm/찢어지게 ~하다 blutarm (äußerstarm) sein; arm wie e-e Kirchenmaus sein / ~한 사람 =가난뱅이 / ~해지다 arm werden; in Armut geraten* ⓢ; verarmen ⓢ / ~속에 죽다 arm (in Armut) sterben* / ~하게 살다 in Armut leben; ein armes (bedürftiges; kümmerliches) Leben (Dasein) führen (fristen) / ~한 집에 태어나다 in e-r armen Familie geboren werden; zur Armut geboren werden / ~에 시달리다 Not leiden* / ~하면 걸신스러워진다 Not treibt zu allem.¦Armut macht gemein. / 부지런해서 ~한 법 없다 Armut kann den Fleiß nicht einholen.¦Fleiß läßt keine Armut aufkommen. / ~할 때 친구가 진정한 친구 Ein Freund in der Not ist ein Freund im Tod.¦Freunde erkennt man in der Not. / ~하면 친구도 준다 „An der Armut will jedermann die Schuh wischen.“¦„Freunde in der Not geh(e)n hundert auf ein Lot.“ / ~은 수치가 아니다 Armut ist k-e Schande (schändet nicht).
‖~살이 ein armes (bedürftiges) Leben, -s, -. 인물~ Mangel 《*m.* -s, ⸚》 an Talenten.

가난들다 knapp werden (sein); spärlich werden (sein); Mangel haben (leiden*) 《*an*[3]》. ¶요즈음은 식모 가난이 들었다 In diesen Tagen sind Küchenmägde sehr schwer zu bekommen.

가난뱅이 der Arme* (Notleidende*) -n, -n; der arme Schlucker, -s, -; Ärmling *m.* -s, -e; arme Leute 《*pl.*》. ¶~ 쉴 새 없다 Arme haben keine Zeit. / ~로 태어나다 arm geboren werden; zur Armut geboren werden.

가납(嘉納) Annahme *f.* -n; 《시인》 Billigung *f.* -en; Gutheißung *f.* -en; Genehmigung *f.* -en. **~하다** an|nehmen*; 《시인》 billigen; gut|heißen*; genehmigen. ¶선물을 ~하다 ein Geschenk mit Freude an|nehmen*; anzunehmen geruhen (임금이).

가납금(假納金) Hinterlegung *f.* -en; Depositum *n.* -s, ..siten (..sita).

가납사니 ①《수다장이》 Schwätzer *m.* -s, -; Plauderer *m.* -s, -; Plapperhans *m.* -es, ⸚e. ②《다툼장이》 Händelsucher *m.* -s, -; Streitbold *m.* -(e)s, -e; Krakeeler *m.* -s, -. ③《구변 좋은》 der Zungenfertige* (Beredte*) -n, -n; der Redegewandte*, -n, -n.

가납세(假納稅) die provisorische Steuerzahlung, -en; die Steuerzahlung unter [3]Protest.

가내(家內) Familie *f.* -n; Familienkreis *m.* -es, -e. ¶~의 Familien-; Haus-; häuslich / 온 ~ die ganze Familie / ~ 모두 mit der ganzen Familie; mit Weib u. Kind; mit Kind u. Kegel.
‖~공업 Hausindustrie *f.* -n. **~부업** Heimarbeit (Haus-) *f.* -en. **~안전** der häusliche Friede(n), ..dens, ..den; das Wohl 《-es》 der Seinen. **~화합** die Eintracht (Harmonie) der Familie; Hausfriede *m.* -ns, -n.

가냘프다 zart; schwach; schmächtig; dünn; schlank (sein); 《허약하다》 schwächlich; gebrechlich; hinfällig (sein). ¶가냘픈 아가씨 ein zartes (schlankes) Mädchen, -s, - / 가냘픈 몸매 schlanker (schwächlicher) Körperbau, -s / 가냘픈 아이들 zarte (schwächliche) Kinder 《*pl.*》 / 가냘픈 목소리로 mit schwacher (dünner) [3]Stimme / 가냘픈 여자의 손으로 mit den zarten Händen der Frau.

가년스럽다 armselig; schäbig (sein).

가누다 beherrschen[4]; im Zaum halten*[4]; 《제 자신을》 [4]sich beherrschen; [4]sich selbst besiegen; [4]sich aufrecht halten* (몸을 똑바로). ¶정신을 ~ [4]sich fassen; [4]sich sammeln / 머리를 바로 ~ den Kopf aufrecht tragen*.

가느다랗다 (sehr) dünn; fein; mager (야위어); 《가늘고 길다》 schlank (sein). ¶가느다란 목 der schlanke (magere) Hals, -es, ⸚e / 가느다란 실 der feine (dünne) Faden, -s, ⸚ / 가느다란 목소리 die dünne (feine) Stimme, -n / 가느다란 손가락 der spitze Finger, -s, - / 가느다란 팔 der dünne (schwache) Arm, -(e)s, -e.

가느스름하다 etwas dünn (fein); ziemlich dünn; schmal; schlank (sein). ¶가느스름하게 자르다 dünn (schmal) schneiden*[4].

가는귀먹다 etwas schwerhörig sein; nicht gut hörend (vermindert hörfähig) sein; etwas schlecht hören.

가늘다 fein; dünn; schmal; 《끝이》 spitz (sein). ¶가는 목소리 die dünne Stimme, -n / 가는 목 der schlanke (magere) Hals, -es, ⸚e / 가는 선 die feine Linie, -n / 가는 손가락 der spitze Finger, -s, - / 가는 베 feines Leinen,

-s, - / 가는 실 feiner (dünner) Faden, -s, ⸚/ 가는 붓 der feinschreibende Pinsel, -s, - / 가는 글씨 die feine (dünne) Handschrift, -en / 가는 팔 der dünne Arm, -(e)s, -e / 가는 허리 die dünne Taille, -n; die schmale Hüfte, -n / 허리가 가는 schmalhüftig; mit schlanker Taille / 가늘어지다 dünner (mager) werden; ab|magern [s] / 끝이 가늘어지다 spitz (in eine Spitze) zu|laufen* / 가늘게 하다 dünner (schmaler) machen^4; verdünnen^4 / 눈을 가늘게 뜨고 보다 mit halb geschlossenen Augen sehen*.

가늠 ① 《겨냥》 das Zielen*, -s; Visierung *f.* -en; Ziel *n.* -(e)s, -e (목표). **~하다, ~보다** zielen 《*auf*^{4}》; visieren$^{(4)}$ 《*nach*^{3}》; an|visieren^4; aufs Korn (Visier) nehmen*^{4}. ¶ ~이 틀리다 falsch zielen; das Ziel verfehlen / 잘 ~해서 쏘다 gut (genau) zielen und (ab|-) feuern. ② 《어림》 Mutmaßung *f.* -en; Vermutung *f.* -en; Vorstellung *f.* -en; (Ab-) schätzung *f.* -en. **~하다** mutmaßen^4; vermuten^4; (ab|)schätzen^4. ¶ ~을 잡을 수가 없다 Ich habe ja k-e Ahnung (gar k-n Schimmer).¦Ich kann mir gar k-e Vorstellung davon machen.¦Das sind mir böhmische Dörfer. / 형세를 ~하다 die Lage (Situation) beobachten; sehen*, wie der Hase läuft; sehen*, wie sich das Ding (eine Sache) entwickeln wird.

‖ **~쇠** (Visier)korn *n.* -(e)s, ⸚er. **~자** Visier *n.* -s, -e. **~좌** Kornfuß *m.* -es, ⸚e.

가능(可能) Möglichkeit *f.* -en. **~하다** möglich (sein); können*; imstande sein. ¶ 실행이 ~한 ausführbar; tunlich / ~한 일 Möglichkeit *f.* -en / ~하다면 wenn möglich; womöglich; wenn die Umstände es erlauben / ~한 한 möglichst; so... wie (als) möglich; so gut als ich kann / ~한 한 빨리 möglichst schnell; so schnell wie möglich / 나는 그 일이 ~하다고 믿는다 (생각한다) Ich glaube, daß es möglich ist.

가능성(可能性) Möglichkeit *f.* -en; Wahrscheinlichkeit *f.* -en. ¶ 실패할 ~ Möglichkeiten 《*pl.*》 zum Fehlschlagen* / ~이 있는 möglich; tunlich (실행의) / ~이 없는 nicht möglich; unmöglich / ~이 충분하다 leicht möglich (sehr wahrscheinlich) sein / 전혀 ~이 없다 ganz (völlig) unmöglich sein / 그를 구출할 ~은 전혀 없다고 생각한다 Ich sehe keine Möglichkeit, ihn zu retten. / 한 달 안에 복구될 ~이 있다 Es besteht die Möglichkeit, daß alles binnen e-m Monat wiederhergestellt wird.¦Möglicherweise kommt alles binnen vier Wochen wieder in Ordnung. / 빨리 복구될 ~은 없다 Man kann keine Möglichkeit absehen, daß alles schnell wieder in Ordnung ist.¦Unmöglich kann alles schnell wiederhergestellt werden.

가다 ① 《…을 향해》 gehen* [s] 《*nach*^{3}; *zu*^{3}; *auf*^{4}; *in*^{4}》; ^{4}sich begeben* 《*nach*^{3}; *zu*^{3}; *auf*^{4}》; kommen* [s]; fahren* [s] 《*nach*^{3}; *zu*^{3}》 (차로); reisen [s] 《*nach*^{3}》; fliegen* [s] (비행기로); 《떠나다》 (fort|)gehen* [s]; weg|laufen* [s]; ^{4}sich entfernen; verlassen*^{4}; auf|brechen* [s]; ab|fahren* [s]; ab|reisen [s]; 〖속어〗 ab|hauen* [s]; 《방문》 besuchen^4; auf|suchen^4; vor|-sprechen* 《*bei*^{3}》; vorbei|kommen* [s] 《*bei*^{3}》; bei|wohnen^3 (열석하다); 《차·하물 따위가》 bestimmt sein 《*für*^{4}》; gehen* [s] 《*nach*^{3}》; 《길이》 führen 《*nach*^{3}; *zu*^{3}》. ¶ 서울가는 기차 der Zug nach Seoul / 영국가는 우편(물) nach England bestimmte Post / 인천에서 부산으로 가는 배 das Schiff von Incheon nach Busan / 걸어(서) ~ zu Fuß gehen* [s]; laufen* [s] / 전차 (기차) 로 ~ mit der (elektrischen) Bahn (mit dem Zug) fahren* / 육로 (수로, 해로, 배) 로 ~ zu Land (zu Wasser, zu See, zu Schiff) gehen* (reisen) / 시내 (시골, 역, 우체국, 학교, 대학, 전쟁터) 에 ~ in die Stadt (aufs Land, auf den Bahnhof, auf die Post, zur Schule, auf die (zur) Universität, ins Feld) gehen* / 쇼핑 (낚시질, 수영하러, 식사하러, 자러) ~ einkaufen (angeln, schwimmen, essen, schlafen) gehen* / 말타고 ~ zu Pferde reiten* / 모임에 ~ der ^{3}Versammlung bei|wohnen / 오른쪽으로 ~ nach rechts gehen* / 곧바로 ~ geradeaus gehen* / 지름길로 ~ den kürzeren Weg nehmen* / 소풍 ~ einen Ausflug machen / 군(대)에 ~ ^{4}sich zum Heer (zur Armee) begeben* / 동대문까지 ~ bis (nach) *Dongdaemun* gehen* / 2등으로 (2등차로) ~ zweiter (^{2}Klasse) fahren* [s] / 하루 40리 길을 ~ täglich vierzig *Ri* gehen* / 몇 등으로 가십니까—3등으로 갑니다 Welcher Klasse fahren Sie ?—Ich fahre dritter Klasse. / 곧 갑니다 Ich komme schon (gleich). / 어딜 갔다 왔어 Wo kommst du her ?¦Wo bist du gewesen ? / 저리 가라 Weg (da)!¦Fort mit dir! / 앞으로 가 《구령》 Vorwärts, marsch! / 수원으로 가려면 어느 길로 가야 합니까 Welchen Weg soll ich nach *Suweon* gehen (nehmen; einschlagen)? / 이길로 가면 어디로 빠집니까 Wohin führt dieser Weg ? / 은행에 가려면 이 길로 가면 됩니까 Kommt man so zur Bank ? / 저 배는 어디로 갑니까 Wohin fährt (geht) das Schiff da? / 이젠 집에 가야 합니다 Nun muß ich heimgehen (nach Haus gehen). / 걸어서 15 분이면 갈 수 있읍니다 Es ist nur ein Weg von fünfzehn Minuten. / 내 책이 어디 갔을까 Wo ist (steckt) denn mein Buch ? / 사흘 전에 가 버렸다 Seit drei Tagen ist er weg. / 독일에 간 일이 있읍니까 Sind Sie einmal in Deutschland gewesen ?

② 《죽다》 sterben* [s]; die Augen für immer schließen*; hinüber|schlummern; hin|scheiden* [s]; verscheiden* [s]. ¶ 그는 가고 없다 Er ist nicht mehr.

③ 《전깃불 따위가》 aus|gehen* [s]; (er)löschen* [s]; verlöschen* [s]. ¶ 전깃불이 갔다—아, 또 왔다 Das Licht ging aus.—Ach, es zündete sich wieder.

④ 《없어지다》 (dahin|)schwinden* [s]; entschwinden* [s]; verschwinden* [s]. ¶ 천의 때가 ~ der Schmutz geht aus dem Stoff heraus / 맛이 ~ an Geschmack verlieren*; verderben*; sauer (fade; schal) werden / 포도주가 맛이 갔다 Der Wein hat (an Geschmack) verloren.

⑤ 《시간이》 vergehen* [s]; dahin (vorüber|-) gehen* [s]; verfließen* [s]; verstreichen* [s]; 《시계 따위가》 gehen* [s]. ¶ 가는 봄 der scheidende Frühling / 얼마 안 가서 in (binnen) kurzem; bald / 세월이 감에 따라 mit der Zeit, im Verlauf der Zeit / 시간이 ~ die Zeit vergeht (verfließt) / 시간 가는 줄을 모르다 den Verlauf der Zeit nicht merken; 《재미가 있어서》 ^{3}sich die Zeit verkürzen / 여름도 다 갔다 Der Sommer ist vorbei (vorüber). / 또 한 해가 갔다 Es ist

wieder ein Jahr vergangen (vorbeigegangen). / 재미 있게 놀면 시간이 빨리 간다 Vergnügen verkürzt die Zeit. / 네 시계는 안 간다 Deine Uhr steht. / 내 시계는 하루에 3분(씩) 빨리(더) 간다 Meine Uhr geht täglich drei Minuten vor.
⑥ 《소요되다》 brauchen⁴; in ⁴Anspruch nehmen*⁴; kosten⁴; erfordern⁴. ¶ 손이 많이 가야 한다 Es erfordert viel Mühe.
⑦ 《값이 나가다》 kosten; wert⁴ sein; geschätzt werden 《*auf*⁴》. ¶ 집이 천만 원 간다 Das Haus ist zehn Millionen *Won* wert. / 한 개 백 원 간다 Ein Stück kostet hundert *Won*. / 이런 모자 같으면 천 원 이상 갈거야 Ein Hut wie dieser wird wohl über tausend *Won* kosten.
⑧ 《지탱》 (⁴sich) halten*; dauern; ⁴sich tragen*. ¶ 오래 ~ (lange) dauern; bestehen; ⁴sich (lange) halten*; dauerhaft (haltbar) sein; von Dauer sein / 천이 오래 ~ das Zeug ist dauerhaft; der Stoff hält (sich) gut / 이 옷은 오래 간다 Dieser Anzug trägt sich lange. / 현 내각은 오래 못 갈거야 Das gegenwärtige Ministerium wird sich nicht halten. / 이 기계는 수명이 얼마나 갑니까 Was ist die Lebensdauer dieser Maschine?
⑨ 《짐작 따위가》 kommen* 《*auf*⁴》. ¶ 납득이 가도록 설명하다 bis zu *js.* Zufriedenheit erklären⁴ / 전혀 짐작이 안 간다 Ich habe ja k-e Ahnung. ¦ Ich habe gar k-n Schimmer. ¦ Ich kann mir gar k-e Vorstellung davon machen.
⑩ 《등급 등》 stehen*; rangieren [rɑ̃ʒíːrən]. ¶ 으뜸(첫째) ~ obenan stehen*; der beste sein / 한국에서 제일 가는 부자 der reichste Mann in ganz Korea / 뮌헨의 유수한 명소 중에서도 독일 박물관이 으뜸간다 Unter den Sehenswürdigkeiten Münchens steht das Deutsche Museum obenan.
⑪ 《기타》 ¶ 결국에 가서는 schließlich; am Ende / 금이 ~ Risse (Sprünge) bekommen* / 마음이 ~ 《아무에게》 ⁴sich von *jm.* angezogen fühlen; zu *jm.* Zuneigung haben (empfinden*) / 손해가 ~ Verlust (Schaden) erleiden*; zu Schaden kommen* ⓢ / 주름(살)이 ~ ⁴sich falten; Falten 《*pl.*》 werfen* / 흠이 ~ verletzt (beschädigt) werden / 줄이 ~ lin(i)iert (gestrichen) sein / 백 원 손해 갔다 Ich habe hundert *Won* verloren. / 그것이 천 원 같으면 사도 손해는 안 간다 Es für tausend *Won* zu kaufen, ist kein schlechtes Geschäft.
⑫ 〖조동사〗 ¶ 달은 점점 둥그래져 간다 Der Mond ist im Wachsen. / 회원수는 계속 늘어가고 있다 Die Anzahl der Mitglieder ist stets im Wachsen.

가다가 《이따금》 ab u. zu; hin u. wieder; von Zeit zu Zeit; bisweilen; gelegentlich; in Zwischenräumen. ¶ ~ 휴식도 필요하다 Ab u. zu muß man sich auch mal ausruhen. / 그런 일도 ~는 있다 Das kommt auch vor. ¦ Das ist auch nicht ausgeschlossen.

가다귀 Eichenreisig *n.* -s.

가다듬다 ordnen⁴; in ⁴Ordnung bringen*⁴; zurecht|machen⁴; 《정신을》 an|spannen⁴; sammeln⁴; zusammen|nehmen*⁴; 《마음을》 beruhigen⁴; besänftigen⁴; stillen⁴. ¶ 정신을 ~ die Aufmerksamkeit spannen; ⁴sich an|spannen; ⁴sich sammeln; ⁴sich zusammen|nehmen* / 마음을 ~ ⁴sich beruhigen (besänftigen) / 목소리를 ~ hüstelnd die Kehle klären; ⁴sich räuspern / 생각을 ~ s-e Gedanken zusammen|nehmen*.

가다랭이 〖어류〗 Bonite *m.* -n, -n; Bonitfisch *m.* -es, -e.

가다루다 〖농업〗 bestellen⁴; bebauen⁴; bearbeiten⁴.

가닥 Streifen *m.* -s, -; 《끈가닥》 Strang *m.* -s, ⸚e; Strähne *f.* -n; 《길 따위의》 Gabelung *f.* -en. ¶ 한 ~ 길 der einzige Weg, -(e)s / 명주실 한 ~ ein Faden Seide / 한 ~의 연기 ein Streifen Rauch; ein Rauchfaden / 한 ~의 빛 ein Lichtstreifen; ein Strahl / 한 ~의 희망 ein Hoffnungsschimmer; e-e schwache Hoffnung / 두 ~으로 꼰 실 aus zwei Fäden zusammengedrehtes Garn, -(e)s, -e.

가단성(可鍛性) Streckbarkeit *f.*; Dehnbarkeit *f.*; Hämmerbarkeit *f.*

가담(加擔) 《원조》 Hilfe *f.* -n; Mithilfe *f.* -n; Unterstützung *f.* -en; 《편듦》 Beistand *m.* -(e)s; 《참여》 Teilnahme *f.* 《*an*³》; Beteiligung *f.* 《*an*³; *bei*³》; 《공모》 (Mit)verschwörung *f.* -en. ~하다 《원조함》 helfen*³; unterstützen⁴; 《편들다》 Partei ergreifen* 《für *jn.*》; 《참여하다》 teil|nehmen* 《*an*³》; ⁴sich beteiligen 《*an*³; *bei*³》; ⁴sich (mit)verschwören* 《*zu*³》 (공모). ¶ 나는 어느 쪽에도 ~하지 않는다 Ich nehme nicht Partei. / 그런 계획에는 ~ 못 하겠다 Ich möchte mich nicht an solch einem Unternehmen beteiligen. / 적에 ~하다 ⁴sich mit dem Feinde verschwören*; den Verräter spielen / 그는 그 사건에 ~하여 투옥되었다 Er war bei der Affäre mitbeteiligt und wurde ins Gefängnis gesetzt.
‖ ~자 der Beteiligte* ((Mit)verschworene (공모자)) -n, -n; Komplice [..(t)sə].

가당(可當) ~하다 angemessen; gültig; passend; richtig; geeignet; vernünftig (sein). ~찮다 ungerecht; unbillig; unfair [únfɛːr]; ungebührlich; unpassend; ungehörig; ungerechtfertigt; unvernünftig (불합리); 《터무니없다》 unsinnig (sein); 《지나침》 übermäßig (-spannt); übertrieben (sein); 《대단하다》 schrecklich; ungeheuer (sein). ¶ ~찮은 요구 die überspannte (übertriebene; unsinnige) Forderung, -en / ~찮은 값 der schreckliche (unsinnige) Preis, -es, -e / ~찮은 비용 die ungeheueren (großen) Kosten 《*pl.*》 / 추위가 ~찮다 Es ist schrecklich (grimmig) kalt.

가대(家垈) Haus u. Hof, des - u. -(e)s; *js.* Besitzung *f.* -en; das Wohnhaus 《-es, ⸚er》 mit dem dazu gehörigen Grundstück.

가댁질 das Haschen*, -s. ~하다 Haschen spielen.

가도(家道) 《가계》 das Haushalten*, -s; Haushaltung *f.* -en; 《가정도덕》 Haustugend *f.* -en; 《가풍》 Familienbrauch *m.* -s, ⸚e; Familientradition *f.* -en; Haussitte *f.* -n; Hausordnung *f.* -en (가규); Hausgesetz *n.* -es, -e (가법).

가도(街道) Landstraße *f.* -n; Chaussee [ʃɔséː] *f.* -n; Fernstraße *f.* -n (도시 사이의).
‖ 경인~ die *Gyeongin*-Landstraße.

가독(家督) 《상속인》 Erbe *m.* -n, -n; 《상속재산》 Erbe *n.* -s; Erbschaft *f.* -en; 《유산》 Vermächtnis *n.* -ses, -se; Hinterlassenschaft *f.* -en; 《상속권》 Erb(folge)recht *n.* -(e)s, -e. ¶ ~을 상속하다 e-e Erbschaft an|treten*.
‖ 법정 ~ 상속인 der gesetzliche Erbe.

가돈(家豚) mein Sohn *m.* -(e)s, ⸚e.

가동(可動) ¶ ~(성)의 bewegbar; beweglich. ‖ ~관절 Diarthrose *f.* -n. ~성 Beweglichkeit *f.* -en; Bewegbarkeit *f.* -en. ~장치 Schiebevorrichtung *f.* -en; Verstellvorrichtung *f.* -en.

가동(家僮) ① 《종》 Diener *m.* -s, -. ② 《어린》 der junge Diener; Page [pá:ʒə] *m.* -n, -n.

가동(稼動) Betrieb *m.* -(e)s. ¶ ~시키다 betreiben*^{4}; in Betrieb bringen* 〔setzen〕^{4} / ~중이다 in Betrieb sein / ~을 중지시키다 außer Betrieb setzen^4.
‖ ~율 《기계의》 der Prozentsatz 《-es》 der in Betrieb befindlichen Maschinen.

가동거리다 mit Beinen zappeln; strampeln.

가동이치다, 가동질하다 ☞ 가동거리다.

가두(街頭) Straße *f.* -n. ¶ ~에서 auf der Straße / ~로 진출하다 auf die Straße gehen* ⓢ / ~에서 선전하다 auf der Straße propagieren / 수일간 폭도들이 ~를 점거했다 Die Aufständischen beherrschten einige Tage die Straße.
‖ ~녹음 Straßenaufnahme *f.* -n. ~모금 Straßensammlung *f.* -en. ~상인 Straßenhändler *m.* -s, -. ~선전 Straßenpropaganda *f.* ~설교 Straßenpredigt *f.* -en. ~연설 Straßenrede *f.* -n; Wahlrede(선거의): ~연설자 Straßenredner *m.* -s, -; Volksredner; Wahlredner / ~연설을 하다 e-e Rede auf der Straße halten*. ~행진 Straßenaufzug *m.* -s, ⸚e.

가두다 ein|schließen*^{4} 〔-|sperren^4〕 《*in*^{4}》; in ^{4}Haft 〔Gewahrsam〕 nehmen* 《*jn.*》; ein|kerkern 《*jn.*》; gefangen|halten* 《*jn.*》; internieren 《*jn.*》; ein|pferchen^4 (우리에). ¶ 방에 ~ in ein Zimmer ein|sperren; *jm.* Stubenarrest auf|erlegen / 옥에 ~ *jn.* ins Gefängnis werfen*; *jn.* hinter ^{4}Schloß u. Riegel bringen*.

가두리 《그릇 따위의》 Rand *m.* -(e)s, ⸚er; 《천·옷 따위의》 Saum *m.* -(e)s, ⸚e; Kante *f.* -n; Borte *f.* -n; Besatz *m.* -es, ⸚e; 《둥근 것의》 Kranz *m.* -es, ⸚e; 《장식》 Krause *f.* -n.

가드 《농구의》 Wächter *m.* -s, -.
‖ ~레일 Leitschiene *f.* -n(철도의); Schutzgeländer *n.* -s, - (도로 따위의).

가드락- ☞ 거드럭-.

가득 voll; bis zum Rande voll; überfüllt (넘칠듯이). ¶ ~ 채우다 voll|füllen^4; voll|machen^4; überfüllen^4 (넘칠만큼) / ~ 차다 angefüllt werden 《*mit*^{3}》; voll 〔überfüllt〕 werden 《*von*^{3}》 / ~ 따르다 《술 따위를》 voll|gießen*^{4} 《*mit*^{3}》; bis an den Rand füllen 《ein ^{4}Glas mit ^{3}Wein》 / ~ 담다 voll|packen^4 《*mit*^{3}》; aus|füllen^4 《*mit*^{3}》 / 그녀의 눈에는 눈물이 ~ 괴었다 Ihre Augen waren voll von Tränen. ¦ Ihre Augen flossen (von Tränen) über. / 광장에는 사람들이 ~차 있었다 Der Platz war (von Menschen) überfüllt. / 배가 ~ 찼다 Ich bin satt 〔voll〕.

가득하다 voll 《*von*^{3}》; erfüllt 《*mit*^{3}; *von*^{3}》; angefüllt 《*mit*^{3}》; vollgepackt 《*mit*^{3}》 (sein); 《넘칠듯이》 überfüllt 《*von*^{3}; *mit*^{3}》; bis zum Rande voll (sein). ¶ 가득해지다 angefüllt werden 《*mit*^{3}》; voll 〔überfüllt〕 werden 《*von*^{3}》 / 가득하게 하다 voll|füllen^4; voll|machen^4; überfüllen^4 (넘치도록) / 방에 연기가 ~ Das Zimmer ist mit Rauch erfüllt. / 컵에 물이 ~ Das Glas ist voll Wasser. / 광장에는 사람들이 가득했다 Der Platz war (von Menschen) überfüllt. / 그녀의 눈에는 눈물이 가득했다 Ihre Augen waren voll von Tränen.

가득히 voll; überfüllt. ☞ 가득. ¶ ~ 채우다 voll|füllen^4; voll|packen^4 《*mit*^{3}》; aus|füllen^4 《*mit*^{3}》 / 잔에 술을 ~ 따르다 ein Glas mit Wein voll|gießen*.

가든그리다 ☞ 거든그리다.

가든하다 ☞ 가뜬하다.

가등(街燈) ☞ 가로등.

가등기(假登記) die provisorische Eintragung 〔Registrierung〕 -en.

가뜩 ① ☞ 가득. ② ☞ 가뜩이나.

가뜩이나 überdies; obendrein; außerdem; dazu noch; auch noch dazu; und was noch mehr ist; 《가뜩이나 곤란한데》 um das Unglück voll zu machen; um die Sache noch zu verschlimmern; was noch schlimmer ist. ¶ ~ 무일푼이었다 Obendrein hatte ich keinen Pfennig Geld bei mir. / ~ 곤란한데 비까지 오기 시작했다 Und was noch schlimmer ist, es hat angefangen, zu regnen.

가뜩하다 ☞ 가득하다.

가뜩한데 um allem Unglück die Krone aufzusetzen; um das Unglück voll zu machen. ¶ ~ 또 아버지까지 여의었다 Um seinen Kummer voll zu machen, verlor er auch noch seinen Vater.

가뜬하다 leicht (sein); 《마음이》 ^{4}sich erleichtert 〔wohl; erfrischt〕 fühlen. ¶ 가뜬한 복장을 하고, 가뜬하게 차리고 leicht gekleidet / 몸〔마음〕이 가뜬해지다 *jm.* wird eine Last abgenommen; *jm.* fällt eine Stein vom Herzen; ^{4}sich erleichtert fühlen / 여행에는 가뜬한 차림이 좋다 Bei Reisen ist eine leichte Ausrüstung empfehlen.

가뜬히 leicht; mit Leichtigkeit; mühelos; ohne ^{4}Mühe. ¶ ~ 차리고 leicht gekleidet / 몸 ~ 여행하다 mit wenig Gepäck reisen / 커다란 돌을 ~ 들어올리다 einen großen Stein mühelos auf|heben*.

가라말 schwarzes Pferd, -(e)s, -e; Rappe *m.* -n, -n.

가라사대 《der Heilige, der Weise》 sagt, daß.... ¶ 공자 ~ Konfuzius sagt, daß... / 성경에 ~ die Bibel sagt, ...; es steht in der Bibel, daß....

가라앉다 ① 《밑으로》 (ver)sinken* ⓢ; unter|gehen* 〔-|sinken*; -|tauchen〕 ⓢ; sacken ⓢ; ^{4}sich sacken (침하하다); ^{4}sich senken. ¶ 가라앉고 있는 배 das sinkende 〔untergehende〕 Schiff, -(e)s, -e / 가라앉은 배 das gesunkene 〔untergegangene; versunkene〕 Schiff / 바다 깊이 ~ auf den Boden des Meeres sinken* / 보트가 가라앉으려고 한다 Das Boot droht zu sinken.
② 《잠잠해지다》 ruhig 〔still〕 werden; ^{4}sich beruhigen; zur Ruhe kommen* ⓢ; ^{4}sich legen (풍파가); nach|lassen*; gedämpft werden; unterdrückt 〔niedergehalten; niedergeworfen〕 werden (반란 따위가). ¶ 바람이 가라앉았다 Der Wind hat sich gelegt. ¦ Der Wind hat nachgelassen. / 폭동이 가라앉았다 Der Aufruhr wurde gestillt. / 폭풍이 곧 가라앉을 게다 Der Sturm wird bald aufhören.
③ 《마음이》 zur Ruhe kommen* ⓢ; s-e Geistesgegenwart gewinnen*; s-e fünf Sinne wieder beisammen haben. ¶ 성이 ~ besänftigt werden; ^{4}sich erweichen lassen* / 마음이 가라앉지 않다 ^{4}sich unruhig fühlen / 흥분이 가라앉았다 Die Erregung hat sich beruhigt. / 흥분했던 신경이 곧 가라

앉았다 Die aufgeregten Nerven kamen bald zur Ruhe.
④《고통 따위가》ab|nehmen*; nach|lassen*; sinken* ⓢ; ^{4}sich legen; ^{4}sich vermindern (감퇴);《종기·부기 따위가》zurück|gehen*; ^{4}sich zerteilen. ¶ 부기가 ~ die Anschwellung geht zurück / 고통이 가라앉았다 Der Schmerz ließ nach. / 종기가 가라앉았다 Die Geschwulst ist zurückgegangen (hat sich zerteilt). / 이 약을 드시면 고통이 가라앉을 겝니다 Wenn Sie diese Arznei einnehmen, wird der Schmerz gestillt werden. / 열은 가라앉았읍니까 Hat das Fieber nachgelassen?

가라앉히다 ①《물체를》(ver)senken^4; unter|-tauchen^4; in die Tiefe sinken lassen*^{4}; unter ^{4}Wasser setzen^4; zum Untergehen bringen*^{4}. ¶ 배를 ~ ein Schiff versenken; ein Schiff in den Grund bohren (격침). ②《소동·흥분·고통 따위를》stillen^4; beruhigen^4; besänftigen^4; zur Ruhe bringen*^{4}; dämpfen^4; nieder|halten*^{4} (-|werfen*^{4}) (반란 따위를); unterdrücken^4 (반란 따위를); beschwichtigen^4 (노염 따위를) / 마음을 ~ ^{4}sich beruhigen (besänftigen) / 고통을 ~ die Schmerzen stillen / 분노를 ~ js. Ärger besänftigen; seinen Ärger besänftigen (자기의) / 흥분을 ~ die Aufregung beruhigen (besänftigen) / 그의 노여움을 가라앉히는 데 혼이 났다 Wir hatten viel Mühe, s-n Zorn (ihn) zu besänftigen.

가라즈 《차고》Garage [..ʒə] *f.* -n.

가락^1 ①《물레의》Spindel *f.* -n. ¶ ~ 모양의 spindelförmig. ②《엿 따위의》Stäbchen *n.* -s, -; Stück *n.* -(e)s. ¶ 젓~ (Eß)stäbchen *n.*

가락^2 ①《노래의》Melodie *f.* -n [..dí:ən]; Ton *m.* -(e)s, ⸚e; Tonart *f.* -en; Weise *f.* -n; Lied *n.* -(e)s, -er (노래);《장단·박자》Takt *m.* -(e)s, -e; Rhythmus *m.* -, ..men. ¶ 바이올린의 부드러운 ~ der zarte Ton der Geige / ~이 고운 wohlklingend; harmonisch; melodiös; melodisch / ~이 (잘) 맞다 richtig gestimmt sein / ~이 안 맞다 falsch singen* (노래의); verstimmt sein (악기의) / 한 ~ 뽑다 ein Lied singen*. ②《일 따위의》Schwung *m.* -(e)s, ⸚e; Zug *m.* -(e)s, ⸚e;《솜씨》Geschicklichkeit *f.* -en; Tüchtigkeit *f.* / ~이 나다 in ^{4}Schwung (Zug; Schuß) kommen* ⓢ; ^{4}sich gewöhnen《*an*^{4}》/ 일을 방금 시작하여서 아직 ~이 나지 않는다 Da ich eben erst angefangen habe, bin ich noch nicht im rechten Zuge (in Schuß).

가락국수 (koreanische) Nudel, -n.

가락지 Ring *m.* -(e)s, -e; Fingerreif *m.* -(e)s, -e. ¶ ~를 끼다 e-n Ring an|stecken / ~를 빼다 e-n Ring vom Finger ziehen* (ab|-streifen) / ~를 끼고 있다 e-n Ring (am Finger) tragen*.

가람(伽藍) der buddhistische Tempel, -s, -; Kathedrale *f.* -n; Münster *n.*(*m.*) -s, -.

가랑-^{1} ☞ 글그렁-.

가랑-^{2} ☞ 그렁-.

가랑눈 der leichte (lockere) Schnee, -s; Pulverschnee *m.* -s.

가랑니 Läuschen *n.* -s, -; Nisse *f.* -n.

가랑무우 der unten gegabelte (in zwei Spitzen auslaufende) Rettich, -(e)s, -e.

가랑비 Sprühregen *m.* -s, -; der feine („nieselnde") Regen. ¶ ~가 온다 Es regnet fein. ¦Es nieselt. ¦Feiner Regen fällt.

가랑이 Verzweigung *f.* -en; Gabel *f.* -n. ¶ ~지다 ^{4}sich gabeln; ^{4}sich gabelförmig teilen; ^{4}sich verzweigen / ~를 벌리다 die Beine spreizen / ~를 벌리고 서다 mit gespreizten Beinen (Füßen) stehen*.

가랑잎 ① das dürre (verwelkte) Blatt, -(e)s, ⸚er (des breitblätterigen Baums). ②《떡갈잎》Eichenblatt *n.* -(e)s, ⸚er.

가래^1 《농구》Spaten *m.* -s, -; Schaufelpflug *m.* -(e)s, ⸚e.
‖ 가랫날 Pflugschar *f.* -en; Spatenblatt *n.* -(e)s, ⸚er. 가랫대 Pflugsterz *m.* -es, -e; Spatenstiel *m.* -s, -e.

가래^2 《담》Schleim *m.* -(e)s, -e; Auswurf *m.* -(e)s, ⸚e; Sputum *n.* -s, ..ta. ¶ 피 섞인 ~ der blutige Auswurf (Schleim) / ~를 뱉다 Schleim aus|werfen* ((aus|)spucken) / ~가 자꾸 나오다 viel Schleim aus|werfen*; starken Auswurf haben / ~가 목에 걸렸다 Der Hals ist mir verschleimt.

가래다 unterscheiden*^{4}《*von*^{3}》;《규명》untersuchen^4; prüfen^4. ¶ 시비를 ~ Recht von Unrecht unterscheiden*; das Richtige vom Falschen unterscheiden*;《규명》Recht und Unrecht der Sache untersuchen.

가래침 Speichel *m.* -s, -; 〖속어〗Spucke *f.* -n. ¶ ~을 뱉다 speien*; spucken / 마루에 ~을 뱉지 마시오 Nicht auf den Fußboden (auf die Diele) spucken (speien)! ¦Es ist untersagt, auf den Fußboden zu speien!

가량(假量) 《쯤》ungefähr; etwa; beinahe; fast. ¶ 백 원 ~ so um 100 *Won* herum; etwa (ungefähr) hundert *Won* (전후); fast (beinahe) hundert *Won* (가까이) / 2 주일 ~ etwa vierzehn Tage / 마흔 살 ~ 된 남자 ein Mann von ungefähr 40 Jahren / (비용이) 얼마 ~ 들겠읍니까 Wieviel wird es ungefähr kosten? / 5 천 원 ~ 들겝니다 Das kostet wohl etwa 5000 *Won.* / 여기서 서울까지 (거리가) 얼마 ~이나 됩니까 Wie weit ist es ungefähr von hier bis Seoul?

가량스럽다 unschicklich; unkleidsam (sein).

가려잡다 heraus|lesen*^{4} (-|nehmen*^{4}); e-e Auswahl treffen*《*unter*^{3}》.

가려하다(佳麗—) schön; hübsch; nett; niedlich; fein; zierlich; elegant (sein).

가력되다 vom Erdrutsch (von der Lawine) begraben werden.

가련하다(可憐—) erbärmlich; jämmerlich; kläglich; mitleiderregend; arm; armselig; elend (sein). ¶ 가련한 신세 die kläglichen Verhältnisse《*pl.*》/ 가련히 여기다 Mitleid haben (fühlen)《*mit*^{3}》; Erbarmen haben (fühlen)《*mit*^{3}》; bemitleiden^4; ^{4}sich erbarmen$^{(2)}$《*über*^{4}》/ 가련한 친구로군 Ich bedauere ihn. ¦Er ist ein miserabler Kerl.

가렴(苛斂) ~하다 schwere (ungerechte) Steuern《*pl.*》bei|treiben* (erheben*); erpressen (착취). ‖ ~주구 Erpressung *f.* -en; Beitreibung *f.* -en.

가렵다 ①《피부가》jucken; kribbeln; kitzeln; 〖형용사적〗juckend; kitzelnd. ¶ 가려운 곳을 긁다 ^{4}sich (an der juckenden Stelle) kratzen; ^{4}sich jucken / 가려운 곳을 긁어주다 *jn.* jucken; *jn.* kitzeln;《비유》nichts zu wünschen übrig lassen / 등이 ~ Es juckt mir (mich) auf dem Rücken. ¦Es kitzelt mich auf dem Rücken. / 온 몸이 ~ Mich juckt's am ganzen Leibe. / 다친 데가 몹시 ~ Die Wunde juckt gewaltig. ②《다랍다》kleinlich; schäbig; geizig (sein). ¶ 가려운 녀석 ein schäbiger gemeiner Kerl, -(e)s, -e.

가령(假令) 《이를테면》 zum Beispiel; um ein Beispiel anzuführen; 《가령 …라 하더라도》 wenn auch; obwohl; obgleich; obschon; wenn auch immer〔gleich〕; sei es, daß...; selbst wenn; auch wenn; und wenn; wie auch (immer); 《가령 …라고 가정하더라도》 selbst zugegeben〔angenommen; vorausgesetzt〕, daß.... ¶ ~ 그렇다 하더라도 selbst zugegeben, es sei so / 가령 …라고 한다면 wenn; falls; angenommen〔vorausgesetzt〕, daß... / ~ 내가 그것을 할 수 있다손 치더라도 selbst wenn ich es könnte / ~ 이렇게 한다면 어떻게 될까 Wie wäre es, wenn wir es auf diese Weise täten? / ~ 내가 자네 입장에 있었더라면 그렇게는 하지 않았을 게야 An deiner Stelle hätte ich nicht so gehandelt. / ~ 그게 사실이라고 하더라도 역시 자네가 나쁘다 Gesetzt, es sei wahr, so hast du immer noch unrecht.

가례(家禮) Familiensitte *f.* -n; Familien(ge)brauch *m.* -(e)s, ⸚e.

가로 ① 《세로에 대한》 Quere *f.* -n; Breite *f.* -n (폭); die waagerechte〔horizontale〕Richtung (방향). ¶ ~가 3 미터이다 3 Meter breit sein; 3 Meter in der Breite sein / 이 풀은 세로 25 미터, ~ 10 미터이다 Das Schwimmbecken ist 25 Meter lang u. 10 Meter breit. ② 〔부사적〕 quer; der ^{3}Quere nach; in die ^{4}Quere. ¶ ~ 보나 세로 보나 vom Scheitel bis zur Sohle; durch u. durch / ~눕다 ^{4}sich (in voller Länge) hin|legen〔nieder|legen〕/ ~ 뉘어 놓다 auf die Seite legen^4 / ~ 건너다 gehen* [s]〔fahren* [s]〕《*quer über*^{4}》; kreuzen^4; überschreiten^{*4}; überqueren^4 / ~ 자르다 quer durch|schneiden^{*4} / 고개를 ~ 젓다 den Kopf schütteln; nein sagen / ~ 지나 세로 지나 매한가지다 Zwischen den beiden ist fast kein Unterschied.

‖ **~다지**: ~다지로 놓다 auf die Seite legen^4. **~닫이** Schiebetür(e) *f.* ..ren. **~대** Quer|stange *f.* -n〔-baum *m.* -(e)s, ⸚e; -holz *n.* -es, ⸚er; -balken *m.* -s, -; -latte *f.* -n〕; Querachse *f.* -n (횡축); Waagebalken *m.* -s, -(저울의). **~쓰기** die waagerechte Schreibart, -en: ~쓰기하다 von links nach rechts schreiben*. **~장** Quer|stange *f.* 〔-baum *m.*; -holz *n.*〕. **~줄** e-e waagerechte〔horizontale〕Linie, -n; Querstrich *m.* -(e)s, -e: ~줄무늬 Querstreifen *m.* -s, -; das quergestreifte Muster, -s, -. **~지(紙)** die Querfaser 《-n》 des Papiers (종이결); das in der Breite längliche Papier, -s, -e(가로 넓은 종이). **~획** der waagerechte Federstrich, -(e)s, -e; Quer(feder)strich *m.*

가로(街路) Straße *f.* -n; Gasse *f.* -n; Allee *f.* -n; Avenue [..nýː] *f.* -n.

‖ **~등** Straßenlaterne *f.* -n. **~수** Straßenbaum *m.* -(e)s, ⸚e; Baumreihe 《*f.* -n》 der Straße: ~수길 Straße zwischen ^{3}Baumreihen; Allee *f.* -n [..léːən]. **~청소부** Straßenkehrer *m.* -s, -; Straßenfeger *m.* -s, -; Straßenreiniger *m.* -s, -.

가로놓다 (quer) legen^4〔nieder|legen^4; hin|legen^4〕.

가로놓이다 (quer) liegen*; 《장애 따위가》 *jm.* im Wege sein. ¶ 장대가 길에 ~ e-e Stange liegt quer auf dem Wege / 우리들의 전도에는 아직도 많은 곤란이 가로놓여 있다 Wir haben noch viele Schwierigkeiten vor uns.

가로누이다 nieder|legen^4; 《서 있는 것을》 (etwas Stehendes) auf die Seite legen^4; um|legen^4.

가로되 sagen, daß.... ¶ 옛 속담에 ~ ein altes Sprichwort sagt, daß...; nach einem alten Sprichwort / 성경에 ~ die Bibel sagt, ...; es steht in der Bibel, daß....

가로막다 (ver)sperren^4 (길 등을); (be)hindern^4 (방해); stören^4 (방해); unterbrechen^{*4} (중단); kreuzen^4 (가로질러). ¶ 남의 말을 ~ *jn.* beim Reden unterbrechen* / 길을 ~ *jm.* im Wege liegen*〔sein; stehen*〕; *jm.* den Weg ab|schneiden*〔verlegen; vertreten*; versperren〕/ 입구를 ~ *jm.* die Tür sperren; in der Tür stehen* / 가는 사람을 ~ *jn.* im〔am〕Gehen hindern.

가로막히다 gesperrt〔versperrt; abgesperrt〕werden. ¶ 지붕이 가로막혀 저쪽 경치가 보이지 않는다 Die Aussicht ist durch das Dach versperrt.

가로맡다 übernehmen^{*4}; auf ^{4}sich nehmen^{*4}. ¶ 책임을 ~ die Verantwortung übernehmen*《*für*^{4}》; ^{4}sich verantwortlich machen 《*für*^{4}》; die Verantwortung auf ^{4}sich nehmen*《*für*^{4}》/ 부채를 ~ ^{4}sich für e-e Schuld verantwortlich machen.

가로새다 (^{4}sich) davon|schleichen* 《*aus*^{3}》〔sich 없으면 [s]〕; ^{4}sich weg|stehlen*《*aus*^{3}》; ^{4}sich auf französisch empfehlen*; entschlüpfen^3[s]. ¶ 수업 중에 ~ ^{4}sich während des Unterrichts heraus|schleichen* / 그는 어느 틈에 가로새 버리고 말았다 Er hat sich unbemerkt davongemacht.

가로세로 ① 〔명사〕 (die) Länge u. (die) Breite. ② 〔부사〕 der Länge u. Breite nach; in die Länge u. Breite; nach der Länge u. Breite; kreuzweise (열십자로). ¶ ~ 열십자로 kreuz u. quer; (in) die Kreuz u. Quer / ~ 줄을 긋다 Linien senkrecht u. waagerecht ziehen*〔zeichnen〕. ③ 《사방팔방으로》 überall; allenthalben; allerseits; an allen Ecken u. Enden; in jeder Richtung; nach〔in〕allen Richtungen; weit u. breit. ¶ ~ 마구 찌르다 rechts u. links nieder|stoßen^{*4} / 철도가 전국을 ~ 통하고 있다 Ein Netz von Eisenbahnen überzieht das Land.

가로지르다 《건너지르다》 quer〔kreuzweise〕legen〔stecken〕^{4}; 《건너다》 kreuzen^4; durchschneiden^{*4}; quer durch ^{4}*et.* gehen* [s]; überqueren^4. ¶ 빗장을 ~ den Riegel vor|schieben*〔zu|machen〕/ 길을 가로질러 가다 quer über die Straße gehen* [s]; die Straße überqueren / 사막을 자동차로 ~ über die Sandwüste fahren* [s].

가로차다 *jm.* weg|nehmen^{*4}; 《도중에》 unterwegs ab|fangen^{*4}〔auf|fangen^{*4}〕; 《애인 등을》 *jm. jn.* abspenstig machen. ¶ 남의 아내를 ~ *jm.* die Frau ab|gewinnen*〔abspenstig machen〕/ 남의 편지를 ~ einen an einen andern gerichteten Brief (unterwegs) ab|fangen* / 왕위를 ~ den Thron (die Krone) usurpieren〔an ^{4}sich reißen*〕.

가로채다 ① 《피동》 weggenommen〔entrissen〕werden; 《도중에》 unterwegs abgefangen〔aufgefangen〕werden. ¶ 여편네를 ~ Hörner bekommen* / 그에게 천 원 가로챘다 Er hat mich um tausend *Won* gebracht. ② ☞ 가로차다; 《사취》 *jn.* um ^{4}*et.* bringen*; *jn.* um ^{4}*et.* prellen. ¶ 이익의 일부를 ~ e-n Teil des Gewinns veruntreuen〔in die Tasche stecken〕.

가로채이다 ☞ 가로채다 ①.

가로퍼지다 ^{4}sich (weit) aus|breiten〔verbreiten); seitwärts wachsen*; 《사람이》 untersetzt; gedrungen (sein). ¶가로퍼진 사람 ein Mann 《*m.* -(e)s, ⸚er》 von untersetzter 〔gedrungener〕 ^{3}Gestalt; untersetzte Person, -en.

가뢰 〖곤충〗 Blasenkäfer *m.* -s, -; die spanische Fliege, -n; Kantharide *f.* -n.

가료(加療) die ärztliche Behandlung, -en. ¶~ 중이다 unter 〔in〕 (ärztlicher) Behandlung sein 〔stehen*〕; in ^{3}Kur sein 《bei *jm.*》.

가루 《분말》 Pulver *n.* -s, -; Staub *m.* -(e)s, (드물게) -e (⸚e); Mehl *n.* -(e)s, -e (곡식가루). ¶~를 내다 (zu Pulver) mahlen^{4} 〖*p.p.* gemahlen〗; zermahlen^{4}; zerreiben*^{4}; pulverisieren^{4}.

‖~눈 Pulverschnee *m.* -s. ~분 Puder *m.* -s, -. ~붙이 Backwerk *n.* -(e)s, -e; Gebäck *n.* -(e)s, -e; Mehlspeise *f.* -n (가루음식). ~비누 Seifenpulver *n.* -s, -. ~약 Pulver *n.*; die pulverisierte Arznei, -en. ~우유, 우유~ Trockenmilch *f.*; die pulverisierte Milch. ~음식 Mehlspeise *f.* -n. ~치약 Zahnpulver *n.* -s. 메밀~ Buchweizenmehl *n.* -s, -e. 사탕~ Staubzucker *m.* -s. 옥수수~ Maismehl *n.* -s, -e.

가류(加硫) =가황(加黃).

가르다 ① 《분할》 teilen^{4} 《*in*^{4}》; trennen^{4}; ab|teilen^{4} 《*in*^{4}》 (구분하다); zerteilen^{4} (세분하다); scheiteln^{4} (머리를). ¶배를 ~ ^{3}sich den Bauch auf|schlitzen / 셋(넷, 반)으로 ~ in drei 〔in viere, in gleiche Teile〕 teilen^{4} / 머리를 오른쪽〔왼쪽, 가운데〕로 ~ ^{3}sich das Haar rechts 〔links, in der Mitte〕 scheiteln / 방을 간막이로 ~ den Raum durch e-n Verschlag ab|teilen. ② 《분리》 (ab|-) trennen^{4} 《*von*^{3}》; ab|sondern^{4} 《*von*^{3}》. ¶갈라 놓다 auf die Seite legen^{4}; beiseite|legen^{4} / 석탄과 돌을 ~ Kohle von Bergen lesen*; Kohle auf|bereiten. ③ 《분류》 klassifizieren^{4}; sortieren; ein|teilen^{4} 《*in*^{4}》. ¶크게 둘로 〔두 종류로〕 ~ in zwei ^{4}Hauptgruppen teilen / 상품을 품별로 ~ Waren sortieren. ④ 《분배》 teilen^{4} 《*mit*^{3}; *unter*^{3}》; aus|teilen^{4} 《*unter*^{3}; *an*^{4}》; verteilen^{4} 《*unter*^{3}; *an*^{4}》; zu|teilen^{34}. ¶똑같이〔공평히〕 ~ gleichmäßig verteilen^{4} 〔zu|teilen^{4}〕 / 음식을 갈라먹다 sein Essen mit anderen teilen / 재산을 자식들에게 갈라 주다 sein Eigentum 〔Hab u. Gut〕 unter seinen Kindern verteilen / 그들은 이익을 둘이서 갈랐다 Sie teilten den Gewinn unter sich. ⑤ 《사이를》 trennen^{4}; entzweien; auseinander|bringen*^{4}. ¶친구 사이를 ~ e-n Keil zwischen die beiden Freunde treiben*; die Freunde auseinander|bringen*.

가르치다 《교수》 lehren 《*jn.* ^{4}*et.*》; unterrichten 《*jn.* *in*^{3}》; Unterricht geben* 〔erteilen〕 《*jm.* *in*^{3}》; bei|bringen*^{34}; unterweisen* 《*jn.* *in*^{3}》; 《교육》 erziehen*; (aus|)bilden; 《교훈》 belehren 《*jn.* *über*^{4}》; *jn.* zurecht|weisen*; *jn.* ermahnen (훈계); 《설교》 predigen; 《훈련》 schulen 《*jn.* *in*^{3}》; ein|üben 《*jm.* ^{4}*et*》; üben 《*jn.* *in*^{3}》; 《말해줌·알림》 sagen^{34}; unterrichten 《*jn.* *von*^{3}; *jn.* *über*^{4}》; in Kenntnis setzen 《*jn.* *von*^{3}》; 《지도》 unterweisen* 《*jn.* *in*^{3}》; an|leiten 《*jn.* *in*^{3}》; 《비결 따위를》 ein|weihen 《*jn.* *in*^{4}》; 《교시》 zeigen^{34}; weisen*^{34}. ¶독일어를 ~ Deutsch lehren 《*jn.*》; in Deutsch unterrichten 《*jn.*》 / 노래를 〔춤을, 수영을〕 ~ singen 〔tanzen, schwimmen〕 lehren 《*jn.*》 / 장사의 비결을 ~ in die Geheimnisse des Geschäftslebens ein|weihen 《*jn.*》 / 검술을 ~ im Fechten üben 〔schulen〕 《*jn.*》; das Fechten ein|üben 〔bei|bringen*〕 《*jm.*》 / 가르쳐 본 경험이 있다 Erfahrungen im Unterrichten haben / 어찌된 일이오, 까닭을 가르쳐 주시오 Was ist los? Sag es mir! / 헤엄치는 법을 좀 가르쳐 주시오 Bitte, lehren Sie mich die Schwimmbewegung! | Bitte, zeigen Sie mir, wie man schwimmt! / 학생들에게 책임 관념을 가르쳐야 한다 Wir müssen den Studenten den Sinn für Verantwortlichkeit beibringen. / 나는 가르쳐 준 집을 금방 찾았다 Ich fand bald das mir beschriebene Haus. / 이 비밀은 가르쳐 줄 수 없다 Das Geheimnis kann ich nicht verraten.

가르침 《교훈》 Lehre *f.* -n; Belehrung *f.* -en; Unterricht *m.* -(e)s, -e (교수, 교육); Unterweisung *f.* -en (지도); Ermahnung *f.* -en (훈계); 《교의》 Lehre *f.* -n; Doktrin *f.* -en; Glaubenslehre *f.* -n; Lehrsatz *m.* -es, ⸚e; Dogma *n.* -s, ..men. ¶공맹의 ~ die Lehren von Konfuzius u. Menzius / 불타의 ~ die Lehre Buddhas; Buddhismus *m.* -/(…의) ~을 받다 bei *jm.* lernen 〔Unterricht haben〕; gelehrt werden; bei *jm.* studieren (대학에서) / 부모님의 ~에 따르다 den Ermahnungen seiner Eltern folgen.

가름 《쪼갬》 das Schneiden*, -s; Teilung *f.* -en; 《분류》 Klassifikation *f.* -en; 《분배》 Verteilung *f.* -en; 《분리》 Trennung *f.* -en. ~하다 ☞ 가르다.

가리^{1} 《고기잡는》 (Fisch)reuse *f.* -n.

가리^{2} 《더미》 Miete *f.* -n; Schober *m.* -s, -. ¶~를 가리다 mieten; schobern; in Schober setzen; auf|schichten. ‖건초~ Heuschober *m.* -s, -; Heumiete *f.* -n. 노적~ Getreide|schober 〔Korn-〕 *m.* -s, - (im Freien); Getreidediemen *m.* -s, - (im Freien).

가리^{3} 《갈비》 die Rippe 《-n》 des Rindes; das Rippenstück 《-(e)s, -e》 des Rindes. ‖~구이 Rippenbraten *m.* -s, -; das gebratene Rippenstück.

가리^{4} ☞ 가리새.

가리가리 in ^{4}Stücke; in ^{4}Fetzen. ¶~ 찢다 in ^{4}Stücke zerreißen*^{4}; in ^{4}Fetzen reißen*^{4} / 격분한 나머지 그는 편지를 ~ 찢어 버렸다 In s-r Wut riß er den Brief entzwei.

가리개 《두폭 병풍》 der zweiflügelige Wandschirm, -(e)s, -e.

가리다^{1} 《감추다》 verdecken^{4}; verhüllen^{4}; verschleiern^{4}; 《덮어》 bedecken^{4}; (ein|)hüllen^{4}. ¶얼굴을 두 손으로 ~ das Gesicht mit den Händen bedecken / 베일로 얼굴을 ~ das Gesicht mit e-m Schleier verhüllen; ^{4}sich verschleiern / 햇빛을 ~ ^{4}*et.* gegen die Sonne schützen / 나무가 해를 ~ die Bäume halten die Sonne ab / 아무의 눈을 ~ *jm.* die Augen verbinden*; 《비유》 *jn.* verblenden 〔täuschen〕 / 결점을 ~ seinen Fehler bemänteln 〔verschleiern; verhüllen〕 / 비밀에 가려져 있다 in ein Geheimnis verhüllt sein; im Dunkeln liegen* / 해가 구름에 가려져 있다 Die Sonne ist durch eine Wolke verdunkelt. / 구름이 달을 가렸다 Die Wolken haben den Mond verschleiert.

가리다^{2} ① 《고르다》 (aus|)wählen^{4}; (aus|)erwählen^{4}; (aus|)lesen*^{4}; aus|sondern^{4} (선별); 《음식 따위를》 wählerisch sein 《*in*^{3}》; eigen im Geschmack sein; mäkeln 《*an*^{3}》; 《낯을》 schüchtern sein 《vor *jm.*》. ¶쌀의 겨를 ~ die Spreu vom Reis scheiden* 〔sondern〕 /

수단(방법)을 가리지 않다 in Mitteln u. Wegen gewissenlos sein; vor nichts zurück|scheuen / 음식을 ~ im Essen u. Trinken wählerisch sein / 저 애는 낯을 가려서 큰일이다 Das Kind fürchtet sich vor Fremden.¦Das Kind ist vor Fremden schüchtern. / 이 애는 낯을 가리지 않는다 Das Kind ist an Menschen gewöhnt.¦Das Kind ist nicht schüchtern. / 그 여자를 위해서라면 나는 물불을 가리지 않는다 Ich gehe für sie durchs Feuer. ② 《분별》 unterscheiden* 《⁴*et. von*³; *zwischen*³》; auseinander|halten*⁴. ¶ 장소도 가리지 않고 ohne ⁴Rücksicht auf die Umgebung (Stelle) / 선악을 ~ Gutes u. Böses unterscheiden* / 시비(진위)를 ~ Recht u. Unrecht (das Wahre vom Falschen) unterscheiden* / 지척을 가릴 수 없을 만큼 어두웠다 Es war so dunkel, daß man nicht die Hand vor den Augen sehen konnte. ③ 《셈을》 (be)zahlen⁴; begleichen*⁴; aus|gleichen*⁴; entrichten⁴; ab|rechnen⁴. ¶ 셈(빚)을 ~ e-e Rechnung (Schuld) bezahlen (begleichen*) / 이삼일 중으로 셈을 가려 드리지요 Ich werde mit Ihnen in einigen Tagen abrechnen. ④ 《머리를》 entwirren⁴. ¶ 빗으로 머리를 ~ ³sich mit dem Kamm durchs Haar fahren / 헝클어진 머리를 ~ die verfitzten Haare 《*pl.*》 entwirren.

가리다³ 《쌓다》 mieten⁴; schobern⁴; in Schober setzen⁴; auf|schichten⁴.

가리마 《머리의》 (Haar)scheitel *m.* -s, -. ¶ ~ 타다 die Haare 《*pl.*》 scheiteln (teilen) / ~를 왼쪽으로(오른쪽으로, 한가운데로) 타다 ³sich das Haar links (rechts, in der Mitte) scheiteln.

가리비 〖조개〗 Kammuschel *f.* -n.

가리새 〖조류〗 Löffelreiher *m.* -s, -.

가리어지다 bedeckt werden; verdeckt (verhüllt; verschleiert) werden. ¶ 해가 구름에 가리어져 있다 Die Sonne ist durch eine Wolke verdunkelt.

가리온 《말》 das weiße Pferd 《-(e)s, -e》 mit schwarzer Mähne.

가리우다 ☞ 가리다¹.

가리이다 ☞ 가리어지다.

가리키다 zeigen 《*auf*⁴; *nach*³》; hin|weisen* 《*auf*⁴》; deuten 《*auf*⁴》; hin|deuten 《*auf*⁴》; mit dem Finger zeigen (weisen*; deuten) 《*auf*⁴》. ¶ 방향을 ~ die Richtung zeigen / 손가락으로 그 글자를 ~ auf die Schrift mit dem Finger zeigen ((hin|)weisen*) / 그것은 너를 가리켜 한 말이다 Damit bist du gemeint. / 특별히 누구를 가리켜 한 말은 아니다 Ich habe niemand besonders gemeint.¦Meine Bemerkung war ganz unpersönlich. / 시계 바늘은 12시를 가리키고 있다 Der Zeiger der Uhr weist auf zwölf.¦Die Uhr zeigt (auf) 12. / 그는 입구 쪽을 가리켰다 Er zeigte auf die Tür (hin). / 온도계는 영하 3도를 가리키고 있었다 Das Thermometer zeigte drei unter Null.

가린스럽다 geizig; knickerig; knauserig; filzig; schäbig (sein).

가린주머니 Geiz¦hals *m.* -es, ⸚e (-kragen *m.* -s, -; -drache *m.* -n, -n), Knicker *m.* -s, -; Knauser *m.* -s, -; Filz *m.* -es, -e; Pfennigfuchser *m.* -s, -.

가마¹ ① 《벽돌·도자기 따위를 굽는》 (Brenn-)ofen *m.* -s, ⸚; 《화덕》 Herd *m.* -(e)s, -e. ¶ 벽돌(기와)~ Ziegelofen *m.* -s, ⸚; Ziegelbrennerei *f.* -en / 빵굽는 ~ Backofen *m.* -s, ⸚ / 숯~ Kohlenmeiler *m.* -s, -. ② 《가마솥》 der (große) Kessel, -s, -; der (große) Kochtopf, -(e)s, ⸚e. ¶ ~ 밑이 노구솥 밑을 검다 한다 《속담》 Ein Esel schilt (nennt) den andern Langohr.

가마² 《머리의》 (Haar)wirbel *m.* -s, -.

가마³ ☞ 가마니. ¶ 쌀 다섯 ~ fünf Sack (Ballen) Reis 《*pl.*로 하지 않음》.

가마⁴ 《타는》 Sänfte *f.* -n; Trag¦sessel *m.* -s, -(-stuhl *m.* -s, ⸚e). ¶ ~를 타다 in e-e Sänfte ein|steigen*ⓢ; auf e-n Tragsessel steigen* ⓗ,ⓢ; auf e-m Tragsessel sitzen*; ⁴sich auf e-e Sänfte setzen / ~를 메다 e-e Sänfte (e-n Tragsessel; e-n Tragstuhl) tragen*.
‖ ~꾼 Sänften¦träger (Sessel-) *m.* -s, -.

가마니 Strohsack *m.* -(e)s, ⸚e; der Sack 《-(e)s, ⸚e》 aus (von) Stroh. ¶ ~에 넣다 in einen Strohsack (hinein|)tun*⁴.
‖ 쌀~ der Reissack (aus Stroh).

가마득하다 sehr fern; weit entfernt (sein).

가마리 Zielscheibe *f.* -n; Gegenstand *m.* -(e)s, ⸚e.
‖ 걱정~ der Gegenstand der Sorge. 웃음~ die Zielscheibe des Gelächters (des Spottes): 웃음~가 되다 die Zielscheibe des Spottes werden; zum Gegenstand des Gelächters werden; ⁴sich lächerlich machen.

가마무트름하다 ☞ 거머무트름하다.

가마솥 ☞ 가마¹ ②.

가마우지 〖조류〗 Kormoran *m.* -s, -e.

가막쇠 Schließhaken *m.* -s, -.

가막조개 =바지락(조개).

가만 ☞ 가만히. ¶ ~ 있자 nun; also; nun aber; Warten Sie mal!¦Lassen Sie mal sehen! (간투적으로).

가만가만 ☞ 가만히.

가만두다 auf ³sich beruhen lassen*⁴; ⁴*et.* so (gut) sein lassen*; unangetastet lassen*⁴; 《방임》 gehen (laufen) lassen*⁴; ³*et.* freien Lauf lassen*; *jn.* in Ruhe lassen*. ¶ 그대로 가만두어라 Laß es so sein, wie es ist. / 그 녀석을 가만 두었다가는 무슨 짓을 할 지 모른다 Er kann alles tun, wenn man ihn gehen (gewähren) laßt. / 두고 봐, 가만두지 않을 테야 Warte mal! Du wirst (kannst) noch was von mir erleben.

가만있다 《움직이지 않고》 ⁴sich nicht bewegen⁽*⁾; regungslos sein (bleiben*) ⓢ; 《조용히》 ⁴sich ruhig (still) (ver)halten*; 《말하지 않다》 reinen Mund halten*; verschweigen*³⁴; 《굴종하다》 nach|geben*³; ³sich gefallen lassen*⁴; 《묵과하다》 mit Stillschweigen übergehen*⁴; nach|sehen*³⁴ (übersehen*³⁴). ¶ 가만 있을 수 없다 《참을 수 없다》 nicht dulden (aushalten) können*⁴; 《간과할 수 없다》 nicht hingehen lassen (still (mit) ansehen) können*⁴ / 그는 한시도 가만 있질 못한다 Er ist ein sehr unruhiger Kopf.¦Er ist immer auf den Beinen. (활동가다)/ 불안해서 가만 있을 수가 없었다 Die Angst hielt mich in Unruhe. / 가만있는 것은 찬성을 뜻한다 Stillschweigen bedeutet Zustimmung.

가만히 ① 《조용히》 ruhig; sanft; still; sacht; leicht; leise; (still)schweigend (말없이); bewegungslos (움직이지 않고) ¶ ~ 있다 ruhig bleiben*; ☞ 가만있다 / ~ 만지다 leicht berühren / ~ 걷다 leise auf|treten*(schleichen*) / ~ 문을 두드리다 leise an die Tür klopfen / ~ 생각해 봐 Überleg dir das in einer stillen Stunde! / 그는 ~ 있어도 매달

10만 원씩의 수입이 있다 Er bekommt jeden Monat hunderttausend *Won*, ohne dafür zu arbeiten. / 이렇게 학대를 받고서는 ~ 있을 수 없다 Ich kann mir eine so schlechte Behandlung nicht gefallen lassen. / 성실한 사람은 ~ 있어도 알아 준다 Ein redlicher Mann wird hochgeschätzt, auch wenn er sich nicht vordrängt. / ~ 있으면 기어오른다 Gib ihm den kleinen Finger, und er nimmt die ganze Hand. ② 《몰래》 heimlich; geheim; unauffällig; unter der Hand; verstohlen; unbemerkt. ¶ ~ 돈을 쥐어 주다 unauffällig Geld in die Hand drücken 《*jm.*》 (hinein|schlüpfen lassen*) / ~ 엿보다 unauffällig e-n Blick werfen* 《*auf*[4]》; verstohlen an|blicken[4] / ~ 집에서 빠져나오다 aus dem Hause hinaus|schleichen* ⓢ / ~ 다가오다 angeschlichen kommen* / ~ 달아나다 [4]sich davon|schleichen*; [4]sich heimlich aus dem Staube machen / ~ 뒤를 밟다 *jm.* heimlich auf Schritt u. Tritt folgen / ~ 귀띔하다 *jm.* (vertraulich) ein|blasen*[4] / ~ 남의 속을 떠보다 *jm.* auf den Zahn fühlen.

가말다 führen[4]; leiten[4]; besorgen[4]; verwalten[4]; verrichten[4]; erledigen[4]; sorgen 《*für*[4]》.

가망(可望) Hoffnung *f.* -en; Aussicht *f.* -en; Möglichkeit *f.* -en; Wahrscheinlichkeit *f.* -en. ¶ ~ 있는 hoffnungsvoll; aussichtsreich; vielversprechend / ~ 없다 hoffnungslos (aussichtslos) sein; es besteht k-e Hoffnung mehr / (회복될) ~ 없는 환자 der hoffnungslose Kranke*, -n, -n / ~ 없는 일을 (시도)하다 etwas Aussichtsloses unternehmen* (versuchen) / 이 일은 충분히 성공할 ~이 있다 Das Geschäft hat (eine) gute Aussicht auf Erfolg. / 그는 이제 (회복될) ~이 없다 Bei ihm will nichts mehr anschlagen. / 금년은 풍년이 들 ~이 있다 Es besteht dieses Jahr Aussicht auf eine gute Ernte. | Es steht dieses Jahr eine gute Ernte in Aussicht. / 날씨가 좋아질 ~은 거의 없다 Es ist kaum möglich, daß das Wetter besser wird.

가맣다 ① 《검다》 schwarz; dunkel (sein). ② ☞ 가마득하다.

가매장(假埋葬) das einstweilige Begräbnis, -ses, -se. **~하다** einstweilig begraben* 《*jn.*》.

가매지다 schwarz werden.

가맹(加盟) Beitritt *m.* -(e)s, -e. **~하다** bei|treten*[3] ⓢ; ein|treten* ⓢ 《*in*[4]》; [4]sich an|schließen*[(3)] 《*an*[4]》; Mitglied werden 《*in*[3]》. ¶ 국제 연맹에 ~하다 dem Völkerbund bei|treten*; [4]sich dem Völkerbund an|schließen* / 일본은 국제 연합에 ~했다 Japan ist Mitglied in den Vereinten Nationen geworden. | Japan hat die Mitgliedschaft der Vereinten Nationen erworben.
‖ **~국** Mitglied(s)staat *m.* -es, -en: 국제 연합 ~국 ein Mitglied 《*n.* -(e)s, -er》 der Vereinten Nationen. **~선언** Beitrittserklärung *f.* -en. **~자** Mitglied *n.*

가면(假面) Maske *f.* -n; Larve *f.* -n; Schein *m.* -(e)s, -e (가장); Verstellung *f.* -en (거짓). ¶ 우정의 ~ 밑에 (을 쓰고) unter der Maske der Freundschaft; unter dem Schein der Kameradschaft / ~을 쓰다 [4]sich als [4]*et.* maskieren (vermummen); 《위선》 seinen wahren Charakter verbergen*; heucheln; [4]sich verstellen / ~을 벗다 《정체를 드러내다》 die Maske von [3]sich werfen* (fallen lassen*) / ~을 벗기다 《정체를 밝히다》 *jn.* entlarven; *jm.* die Maske (die Larve) vom Gesicht reißen*; *jm.* die Maske (die Larve) ab|reißen*. ‖ **~극** Maske *f.* -n; Maskenspiel *n.* -(e)s, -e. **~무도회** =가장무도회.

가면허(假免許) provisorische Erlaubnis, -se; die Fahrerlaubnis mit Auflagen (자동차의).

가멸(지)다 reich; bemittelt; vermögend; wohlhabend (sein).

가명(佳名) der gute Name(n), ..ens, ..en; der gute Ruf, -(e)s.

가명(家名) die Ehre 《-n》 (der Ruf, -(e)s) der Familie; Familienname *m.* -ns, -n (성씨). ¶ ~을 더럽히다 die Ehre der Familie beflecken; den Namen der Familie besudeln / ~을 드날리다 dem Namen s-r Familie Ehre machen 〖사람이 주어〗; [3]sich e-n Namen machen 〖성씨·가족명 등이 주어〗 / ~을 더럽히지 않도록 해야 한다 Die Ehre der Familie muß gewahrt bleiben.

가명(假名) der falsche (angenommene) Name, -ns, -n; Deckname *m.* -ns, -n; Pseudonym *n.* -s, -e. ¶ ~으로 unter falschem Namen; anonym; inkognito / ~을 쓰다 (으로 행세하다) e-n falschen Namen an|nehmen*; unter falscher Flagge segeln ⓢ,ⓗ.

가무(歌舞) das Singen* u. Tanzen*, des -(s) u. -s. ¶ ~음곡 Singen* u. Tanzen* mit Musik; Lustbarkeit *f.* -en; Vergnügen *n.* -s, -.

가무러지다 ☞ 까무러지다.

가무리다 heimlich entwenden[4]; stibitzen[4]; lange Finger machen; mausen[4]; 〖우스개〗 kaufen[4], wenn niemand im Landen ist.

가무스름하다 ☞ 거무스름하다.

가문(家門) Familie *f.* -n; Geschlecht *n.* -(e)s, -er (-e); Clan [kla:n] *m.* -s, -e (-s); Sippe *f.* -n. ¶ ~의 명예 die Ehre 《-n》 (der Stolz, -es) der Familie / ~이 좋은 사람 ein Mann 《-(e)s, ⸗er》 aus guter Familie / ~이 좋다 aus guter Familie sein; von hoher (edler; guter; vornehmer) Geburt (Abkunft) sein / ~이 좋지 않다 aus schlechter Familie sein; von niedriger Geburt (Abkunft) sein / ~을 더럽히다 der [3]Familie [4]Schande machen (bringen*) / ~을 자랑하다 auf seine Herkunft stolz sein / 장가갈 때에는 여자의 ~을 잘 보아야 한다 Du mußt dich nach der Familie des Mädchens, das du heiraten willst, erkundigen.

가문(家紋) Familienwappen *n.* -s, -.

가문비 Rottanne *f.* -n; Fichte *f.* -n.

가물 Dürre *f.* -n; Trockenheit *f.* ☞ 가뭄. ¶ ~에 콩나기 sehr selten sein / 그거야말로 ~에 단비 만난 격 das wahre Manna sein 《für e-n Durstigen*》; wie e-e willkommene Oase in der Wüste sein 《*für*[4]》. ‖ **~철** Trockenzeit *f.* -en; die trockene Jahreszeit, -en.

가물가물 《불빛이》 flackernd; flimmernd; 《희미하게》 verschwommen; unklar.

가물거리다 ① 《불빛이》 flackern; flimmern. ¶ 가물거리는 불빛 das flackernde Licht, -(e)s, -er / 멀리서 불빛이 가물거렸다 Ich sah einen Lichtschimmer in der Ferne. ② 《희미하다》 unklar (trüb(e); neb(e)lig; verschwommen; traumhaft) sein; schimmern. ¶ 정신이 ~ ganz benommen sein; [4]sich verwirrt fühlen; ein verworrenes (undeutliches) Bewußtsein haben / 나이를 먹으면 눈이 가물거린다 Unsere Augen werden mit dem Alter matt (schwach). /

조그만 섬이 아침 안개 속에 가물거린다 Man sieht eine kleine Insel verschwommen im Morgennebel.

가물다 《날씨가》 die Dürre dauert fort; die Trockenheit hält an. ¶ 가문 날씨 trockenes Wetter, -s, -.

가물들다 ① 《날씨》 die Dürre 〔Trockenheit〕 setzt ein. ② 《피해》 unter der Trockenheit leiden*; an Regenmangel leiden*.

가물음 ☞ 가뭄.

가뭄 das anhaltend trockene Wetter, -s, -; Dürre *f.* -n; Trockenheit *f.*; Wasserarmut *f.*; Regenmangel *m.* -s. ¶ 계속되는 〔오랜〕 ~ die anhaltende Dürre / ~이 계속되고 있다 Die Dürre dauert fort. ¦ Die Trockenheit hält an. / 이런 ~은 근래 없었다 E-e solche Trockenheit ist lange nicht dagewesen. / ~으로 고생이 심하다 Unter der Trockenheit haben wir sehr zu leiden.

가뭇가뭇하다 schwarz gefleckt 〔gesprenkelt〕 sein.

가뭇없다 nirgends zu finden sein; verschollen 〔vermißt〕 sein; k-e Spur hinterlassen*; spurlos verschwinden* ⓢ.

가뭇하다 schwärzlich; dunkel (sein).

가미(加味) 《맛의》 das Würzen*, -s; Würzung *f.* -en; 《부가》 Hinzusetzung *f.* -en; Hinzufügung *f.* -en; 《혼합》 (Ver)mischung *f.* -en. **~하다** an|machen[4] 《*mit*[3]》; würzen[4] 《*mit*[3]》; salzen[4] (소금, 독설 따위를); hinzu|tun*[4]; hinzu|setzen[4]; hinzu|fügen[4]; (ver-)mischen[4]. ¶ 해학을 ~한 담화 das mit Scherz gewürzte Gespräch / 법에 인정을 ~하다 das Recht mit Barmherzigkeit aus|üben / 문학적인 색채를 ~하다 [4]*et.* mit Poesie würzen.

가발(假髮) Perücke *f.* -n; das falsche Haar, -(e)s, -e (다리). ¶ ~을 쓰다 e-e Perücke 〔falsches Haar〕 tragen*.
‖ **~공** Perückenmacher *m.* -s, -.

가방 《손에 드는》 (Schul)mappe *f.* -n; (Akten)tasche *f.* -n; 《접는》 Portefeuille [pɔrtfœ:jə] *n.* -s, -s; 《여행용》 (Reise)koffer *m.* -s, -; Mantelsack *m.* -(e)s, ⸚e; Reisetasche; 《등에 메는》 (Schul)ranzen *m.* -s, -. ¶ ~에 넣다 [4]*et.* in den Koffer tun* 〔stecken〕; [4]*et.* in die Mappe tun* / ~을 들다 e-n Koffer 〔e-e Mappe〕 tragen*.

가배당(假配當) Interimsdividende *f.* -n.

가법(加法) 〖수학〗 Addition *f.* -en; das Zusammenzählen*, -s. ☞ 덧셈.

가법(家法) Hausgesetz *n.* -es, -e; Hausordnung *f.* -en(가규); Familientradition *f.* -en.

가변(可變) Veränderlichkeit *f.* ¶ ~성의 veränderlich; wandelbar; wandlungsfähig; 《바꿀 수 있는》 wechselbar; vertauschbar.
‖ **~비용** variable Kosten 《*pl.*》 **~자본** das variable Kapital, -s, -e (-ien). **~축전기** Drehkondensator *m.* -s, -en.

가볍다 ① 《무게》 leicht; nicht schwer; von geringem Gewicht (sein). ¶ 가벼운 짐 leichte Bürde, -n 〔Last, -en〕 / 체중이 ~ wenig 〔leicht〕 wiegen* / 내가 그보다 3 킬로 ~ Ich wiege (um) drei kg weniger als er. ② 《간편·경쾌》 leicht; einfach (sein). ¶ 가벼운 읽을거리 leichte 〔unterhaltende; angenehme; nicht inhaltschwere〕 Lektüre, -n / 가벼운 음식 die leichte Speise, -n / 가벼운 아침식사 das einfache Frühstück, -(e)s, -e / 가벼운 마음으로 mit leichtem Herzen; leichten Herzens / 가벼운 걸음으로 mit leichten Schritten. ③ 《경미》 leicht; unbedeutend; ungefährlich (sein). ¶ 가벼운 감기 leichter Schnupfen, -s, - / 가벼운 상처 leichte Wunde, -n 〔Verletzung, -en〕 / 가벼운 벌 leichte Strafe, -n / 가벼운 범죄 das leichte Verbrechen*, -s; Vergehen *n.* -s, - / 가볍게 보다 〔여기다〕 gering|achten[4] (-|schätzen[4]); links liegen lassen* 《*jn.*》; nicht viel halten* 《*von*[3]》. ④ 《경박》 leicht; leicht¦fertig (-sinnig); frivol (sein). ¶ 가벼운 사내 leichtsinniger 〔unbesonnener〕 Mensch, -en, -en / 입이 ~ geschwätzig 〔redselig; schwatzhaft〕 sein; eine lose Zunge haben / 가볍게 굴다 leichtsinnig 〔eilfertig〕 handeln.

가보(家譜) Stammbaum *m.* -(e)s, ⸚e; Genealogie 《*f.* -n》 e-r Familie; Geschlechtsregister *n.* -s, -.

가보(家寶) Erbstück *n.* -(e)s, -e; Haus¦schatz 〔Familien-〕 *m.* -es, ⸚e. ¶ 이 칼은 대대로 내려오는 ~다 Dieses Schwert ist ein Schatz, der sich seit Generationen in der Familie vererbt hat.

가본(假本) Imitation *f.* -en; Kopie *f.* -n; Abklatsch *m.* -(e)s, -e; Fälschung *f.* -en. ¶ 그림의 ~ das verfälschte 〔gefälschte; nachgemachte; unechte〕 Gemälde, -s, -.

가봉(加俸) (Gehalts)zulage *f.* -n; Zuschuß *m.* ..schusses, ..schüsse; dreizehntes Gehalt, -(e)s (보너스). ¶ 연 10만 원의 ~을 지급하다 *jm.* jährlich ein Extra von hunderttausend *Won* geben*.
‖ **연공~** Dienstalterszulage *f.* -n.

가봉(假縫) das Heften*, -s; Anprobe *f.* -n. **~하다** heften[4]. ¶ ~이 끝나다 zur Anprobe fertig sein / ~은 언제 됩니까 Wann sind Sie zur Anprobe fertig? ¦ Wann werden Sie mit dem Heften fertig sein?

가봉 《나라 이름》 Gabun *n.* -s; Republik 《*f.*》 G. ¶ ~의 gabunisch.
‖ **~사람** Gabuner *m.* -s, -.

가부(可否) ① 《옳고 그름》 recht od. unrecht; richtig od. unrichtig; gut od. schlecht; gut od. nicht; geeignet od. nicht (적부). ¶ ~간 ob es recht od. unrecht ist; auf gut Glück; auf jeden Fall (좌우간) / 남녀 공학의 ~를 논하다 disputieren, ob gemeinschaftlicher Unterricht ratsam ist od. nicht. ② 《찬부》 ja od. nein; für od. wider 〔gegen〕; Pro u. Kontra. ¶ ~ 동수 Stimmengleichheit *f.* / ~ 투표 die Stimmen 《*pl.*》 für u. gegen / ~ 동수인 경우에는 im Falle der Stimmengleichheit / ~를 논하다 über das Für u. Wider disputieren; das Pro u. Kontra erörtern 〔disputieren〕 / ~를 묻다 fragen, ob man dafür od. dagegen ist; 《투표로》 abstimmen lassen* 《*über*[4]》; zur Abstimmung bringen*[4] / (투표로) ~를 결정하다 durch Abstimmung entscheiden*[4] 〔beschließen*[4]〕 / ~가 상반하다 Die Stimmen für u. wider 〔Die Ja- u. Neinstimmen〕 sind gleich. / 회의는 ~를 결정짓지 못한 채 산회했다 Die Versammlung wurde aufgelöst, ohne daß man zu irgend einem Beschluß kam. / 나는 ~를 분명히 말할 수가 없다 Ich kann weder ja noch nein sagen.

가부(家父) mein 〔unser〕 Vater, -s, ⸚.
‖ **~장** Patriarch *m.* -en, -en; ~장 정치 die patriarchalische Regierung; Vaterherrschaft *f.* / ~장 제도 das patriarchalische System, -s.

가분가분 leicht; 《언행이》 leichtfertig; leichtsinnig. **~하다** leicht; leichtsinnig (sein).

가분수(假分數) der unechte Bruch, -(e)s, ⸚e.
가분하다 leicht; nicht schwer (sein). ¶ 몸이 ～ ⁴sich wohl fühlen / 마음이 ～ ⁴sich erleichtert fühlen / 목욕을 하면 몸이 가분해진다 Wenn man ein Bad nimmt, fühlt man sich körperlich erfrischt.
가불(假拂) die vorläufige (Be)zahlung, -en; 《선불》 Vorschuß *m.* ..schusses, ..schüsse; Vorauszahlung *f.* -en. ～하다 vorläufig bezahlen; e-n Vorschuß leisten (zahlen); vor|schießen*⁴; voraus|zahlen⁴; im (zum) voraus zahlen⁴. ～받다 e-n Vorschuß nehmen*; voraus|beziehen*⁴; sein Gehalt im voraus bezahlt bekommen* (월급 따위를). ¶ 봉급을 ～해 주다 Löhne voraus|bezahlen / 월급에서 만 원 ～받다 zehntausend *Won* vom Gehalt auf (als) Vorschuß nehmen*.
가불가(可不可) ☞ 가부(可否).
가불거리다 ☞ 까불거리다.
가붓하다 etwas (ziemlich) leicht (sein).
가빈하다(家貧—) aus armer Familie sein (stammen).
가뿐하다 ☞ 가분하다.
가쁘다 《숨이》 schwer|atmig (kurz-); außer ³Atem; atemlos (sein); schwer atmen; keuchen; schnaufen; 《일 따위가》 schwer; mühsam; mühselig; hart; unbequem (sein). ¶ 가쁜 숨 der schwere Atem, -s, - / 가쁜 일 harte (mühselige) Arbeit, -en / 환자가 숨이 가쁜 모양이다 Dem Kranken scheint das Atem schwer zu fallen.
가사(家事) häusliche Angelegenheiten; Familienangelegenheiten; häusliche Geschäfte 《이상 *pl.*》; 《가정(家政)》 Haushalt *m.* -(e)s; Haushaltung *f.* -en. ¶ ～를 돌보다 e-n Haushalt führen; haus|halten* / ～를 돕다 im Haushalt helfen* / ～에 쫓기다 von häuslichen Angelegenheiten in ⁴Anspruch genommen sein / ～ 형편으로 wegen e-r ²Familienangelegenheit.
‖ ～경제 häusliche Ökonomie.
가사(袈裟) Schärpe 《*f.* -n》 (des buddhistischen Priesters). ¶ 중이 미우면 ～도 밉다 Wenn man den Priester haßt, haßt man sogar seine Schärpe.|An e-r Person, die man haßt, findet man alles schlecht.
가사(假死) 《상태》 Scheintod *m.* -(e)s, (드물게) -e; Asphyxie *f.* -n [..ksí:ən]; Dämmerzustand *m.* -(e)s, ⸚e; Starre *f.*; anhaltende Bewußtlosigkeit. ¶ ～ 상태에 있다 in einem scheintoten Zustande sein.
가사(歌詞) Text *m.* -es, -e; Worte 《*pl.*》. ¶ ～ 모씨작 Text von N.N. / 그 노래의 ～는 하이네, 곡은 슈베르트작이다 Der Text des Liedes ist von Heine u. die Komposition von Schubert.
가산(加算) Addition *f.* -en; Zusammenzählung *f.* -en; Einrechnung *f.* -en (산입). ～하다 addieren⁴; zusammen|zählen⁴; zu|-zählen³·⁴; ein|rechnen⁴ (산입). ¶ 원금에 이자를 ～하다 die Zinsen 《*pl.*》 zum Kapital addieren. ‖ ～기 Additionsmaschine *f.* -n. ～세 die hinzugerechnete Steuer, -n.
가산(家産) Eigentum *n.* -(e)s, ⸚er; Hab u. Gut; Habseligkeiten 《*pl.*》; das ererbte Vermögen, -s. ¶ ～을 탕진하다 all sein Familienvermögen vergeuden (verschwenden) / ～을 일으키다 sein Vermögen vergrößern / ～을 물려주다 *jm.* sein Vermögen übertragen* / ～이 기울다 sein Vermögen ist im Abnehmen begriffen.
가산호(假珊瑚) imitierte (unechte; künstliche) Koralle, -n.
가상(家相) die Lage 《-n》 eines Gebäudes (Hauses).
가상(假象) Schein *m.* -(e)s, -e; Erscheinung *f.* -en.
가상(假想) Hypothese *f.* -n; Annahme *f.* -n; Voraussetzung *f.* -en. ～하다 an|nehmen*⁴; voraus|setzen⁴. ¶ ～의 angenommen; fiktiv; imaginär; mutmaßlich; vermutlich / 이런 경우를 ～해 봐라 Nimm einmal e-n solchen Fall an!
‖ ～적(군) der angenommene (imaginäre; vermutliche) Feind, -(e)s, -e. ～전 Scheinkrieg *m.* -(e)s, -e. ～천체 der erdichtete Stern, -(e)s, -e.
가상(假像) Trugbild *n.* -(e)s, -er; Erscheinung *f.* -en; Gespenst *n.* -es, -er; 《광석 결정의》 Pseudomorphose *f.* -n.
가새지르다 übers Kreuz legen⁴; in Kreuzform übereinander|legen⁴; kreuzen⁴. ¶ 깃대를 ～ die Fahnenstangen kreuzweise übereinander|legen; die Fahnen kreuzen.
가새표(—標) Kreuz *n.* -es, -e 《×》; Malzeichen *n.* -s, - 《×》. ¶ ～를 하다 an|kreuzen⁴.
가새풀 ＝톱풀.
가석방(假釋放) provisorische Freilassung, -en (Entlassung, -en); die Freilassung (Entlassung) auf ⁴Ehrenwort. ～하다 provisorisch (auf Ehrenwort) frei|lassen*⁴ (entlassen*⁴). ¶ ～되다 provisorisch frei gelassen (entlassen) werden; auf Ehrenwort frei gelassen (entlassen) werden.
‖ ～자 der provisorisch frei Gelassene* (Entlassene*) -n, -n; der frei Gelassene* (Entlassene*) auf Ehrenwort.
가석하다(可惜—) bedauerlich; bedauernswert; beklagenswert; schade (sein).
가선(—線) Saum *m.* -(e)s, ⸚e; Borte *f.* -n; Besatz *m.* -(e)s, ⸚e. ¶ ～을 두르다 (ein|)säumen⁴; umsäumen⁴; umborten⁴.
가선(架線) Drähte 《*pl.*》; Drahtleitung *f.* -en.
‖ ～공 Leitungsmann *m.* -(e)s, ⸚er. ～공사 Drahteinlassungsarbeit *f.* -en.
가설(架設) Bau *m.* -(e)s; Errichtung *f.* -en; Konstruktion *f.* -en; das Legen*, -s. ～하다 bauen⁴; errichten⁴; konstruieren⁴; legen⁴. ¶ 전화를 ～하다 das Telephon legen (lassen*) / 철교를 ～하다 e-e eiserne Brücke schlagen* / 전선을 ～하다 e-e elektrische Leitung legen / ～중이다 im Bau begriffen sein.
‖ ～비 Einrichtungskosten 《*pl.*》 (전화 따위의); Baukosten 《*pl.*》 (교량 따위의). 교량 ～공사 Brückenbauarbeit *f.* -en.
가설(假設) ① 《임시의》 provisorischer Bau, -(e)s; vorläufige Errichtung, -en (Einrichtung, -en). ～하다 provisorisch bauen⁴ (errichten⁴; ein|richten⁴). ② 《가정의》 Hypothese *f.* -n; Annahme *f.* -n; Voraussetzung *f.* -en. ～하다 an|nehmen*; voraus|-setzen; supponieren; assumieren.
‖ ～교(橋) die provisorische Brücke, -n. ～적(敵) der markierte Feind, -(e)s, -e. ～정거장 der provisorische Bahnhof, -(e)s, ⸚e.
가설(假說) Hypothese *f.* -n; Annahme *f.* -n; die bloße Behauptung, -en; Vermutung *f.* -en. ¶ ～적(的) hypothetisch; angenommen; vermutlich / ～을 세우다 Hypothesen bilden; e-e Hypothese auf|stellen.
가성(苛性) 〖화학〗〖형용사적〗 kaustisch.
‖ ～도(度) Kaustizität *f.* -en. ～석회 der

가외(可畏) ☞ 두렵다. ¶후생이 ~라 Er ist zu Großem bestimmt. ¦ Er hat eine große Zukunft.

가외(加外) ¶~의 Extra-; überschüssig; überflüssig; zusätzlich / ~에 außerdem; (noch) dazu; obendrein.

‖**~수입** Neben¦einkünfte 《*pl.*》 (-einnahme *f.* -n). **~일** Extraarbeit *f.* -en: ~일을 하다 Extraarbeit machen. **~지출** zusätzliche Ausgabe, -n; Extraausgabe *f.* -n.

가요(歌謠) Lied *n.* -(e)s, -er; Gesang *m.* -(e)s, ⸗e. ‖**대중~** populärer (volkstümlicher) Gesang, -(e)s, ⸗e; Schlager *m.* -s, -(히트곡).

가용(家用) ① 《씀씀이》 Hausausgaben 《*pl.*》; Haushaltungs(un)kosten 《*pl.*》. ¶~을 절약하다 Hausausgaben ein|schränken. ② 《자가용》 häuslicher Gebrauch, -(e)s, ⸗e; Privatgebrauch *m.* -(e)s, ⸗e.

가용성(可溶性) Löslichkeit *f.*; Auflösbarkeit *f.* ¶~의 auflösbar; löslich.

가용성(可鎔性) 《금속의》 Schmelzbarkeit *f.* ¶~의 schmelzbar.

가우(假寓) vorübergehender Wohnsitz, -es, -e; zeitweilige (provisorische) Wohnung, -en; zeitweiliger Aufenthaltsort, -es, -e. **~하다** vorübergehend wohnen 《*in*^{3}; *bei*^{3}》; ^{4}sich auf|halten* 《*in*^{3}; *bei*^{3}》.

가우스¹ 《독일의 수학자》 Carl Friedrich Gauß (1777-1855).

가우스² 〖물리〗 Gauß *n.* -, -(전자 단위).

가운(家運) Schicksal 《*n.* -(e)s, -e》 (Glück u. Verfall) e-r ^{2}Familie. ¶~을 돌이키다 die häuslichen Verhältnisse wieder|her|stellen / 그의 ~은 기울고 있다 S-e Familie ist im Verfall begriffen.

가운 Robe *f.* -n; Talar *m.* -(e)s, -e.

가운데 ① =안¹. ② 《복판·중간》 Mitte *f.* -n; Zentrum *n.* -s, ..tren. ¶~형 der mittlere Bruder, -s, ⸗/가운뎃손가락 Mittelfinger *m.* -s, - / ~토막 Mittelstück *n.* -(e)s, -e / ~를 취하다 die Mitte nehmen*; die (rechte) Mitte halten* / 길 ~를 걸어가다 in(auf) der Mitte des Weges gehen* / ~를 싹독 자르다 in der Mitte durch|schneiden*. ③ 《중에·속에》 in^3; zwischen^3; unter^3; von^3; mitten in^3. ¶우리들 ~ 제일 키가 큰 사람 der größte unter uns / 내 친구 ~ 둘이 zwei von m-n Freunden / 다섯 사람 ~서 두 사람을 뽑다 von fünf Personen zwei (heraus|)wählen / 그들 ~ 영웅이 한 사람 있다 Unter ihnen ist ein Held. / 그는 형제들 ~ 제일 똑똑하다 Er ist der klügste der Brüder.

가운데열매껍질 〖식물〗 Mesokarp *n.* -(e)s, -e.

가웃 (u.) einhalb. ¶넉 자 ~ vier u. ein halber Fuß; fünfthalb (viereinhalb) Fuß. ※ 도량형을 나타내는 남성·중성 명사는 복수 없음.

가위¹ Schere *f.* -n; Gartenschere *f.* -n(전정가위); Knipszange *f.* -n (개찰가위). ¶~한(두) 자루 e-e Schere (zwei Scheren) / ~로 자르다, ~질하다 mit der Schere schneiden*^{4}; scheren*^{4}; stutzen^4; putzen^4 (정원수 따위를); trimmen^4 (개털을 자르다).

‖**~바위보** Fingerspiel *n.* -(e)s, -e 《*Wettkampf durch drei Figuren der Finger*》; Handspiel: ~바위보로 정하다 durch Fingerspiel entscheiden*^{4}; aus|knobeln^4. **가윗밥** Schnitzel *n.* -s, -.

가위² ☞ 한가위.

가위눌리다 Alpdrücken haben; e-n schweren (furchtbaren) Traum haben.

가으내 den ganzen Herbst (hindurch); den Herbst über. ¶~ 시골에 있었다 Den ganzen Herbst über war ich auf dem Lande.

가을 ① 《철》 Herbst *m.* -es, -e; Spätjahr *n.* -(e)s, -e. ¶~의 (같은) herbstlich / ~비 (바람) Herbstregen *m.* -s, - (Herbstwind *m.* -(e)s, -e) / 쾌청한 ~ 날씨 das schöne Herbstwetter, -s,-; der klare Herbsttag -(e)s, -e / 초 ~ Frühherbst *m.* -es, -e / 늦~ Spätherbst *m.* -es, -e. ② 《추수》 das Herbsten*, -s; (Herbst)ernte *f.* -n. **~하다** ernten^4; die Ernte ein|bringen* (halten*); ein|ernten^4. ¶~하기에 분주하다 mit der Ernte sehr beschäftigt sein.

‖**~걷이** Herbsternte *f.* -n: ~걷이하다 = ~하다. **~경치** Herbstlandschaft *f.* -en. **~단풍** Herbstfärbung *f.* -en. **~보리** im Herbst gesäte Gerste, -n. **~장마** Landregen 《*m.* -s, -》 (anhaltender Regen) im Herbst. **~철** Herbstzeit *f.* -en; Herbst *m.*

가을갈이 〖농업〗 ① 《추경》 das Pflügen* 《-s》 im Herbst. **~하다** im Herbst pflügen$^{(4)}$. ② 《파종》 Herbstsaat *f.* -en; das Pflanzen* 《-s》 im Herbst. **~하다** im Herbst säen$^{(4)}$ (pflanzen^4).

가을일 die Erntearbeit 《-en》 im Herbst; das Ernten* 《-s》 im Herbst. **~하다** den Acker (das Feld) ab|ernten; die Ernte ein|bringen*.

가을카리 ☞ 가을갈이.

가이거계수관(一計數管) 〖물리〗 Geiger-Zähler *m.* -s,-.

가이거뮐러계수관(一計數管) 〖물리〗 Geiger-Müller-Zähler *m.* -s, -.

가이드 《안내자》 Fremden¦führer (Bären-) *m.* -s, -; Cicerone *m.* -(s), -s (..ni).

‖**~북** 《여행의》 Reiseführer m. -s, -.

가이아나 《나라 이름》 Guayana *n.* -s. ¶~의 guayanisch. ‖**~사람** Guayaner *m.* -s, -.

가인(佳人) schöne Frau, -en; schönes Mädchen, -s, -; die Schönheit, -en.

‖**~박명**(薄命) Schönheit u. Glück vertragen sich selten.

가인(家人) Hausgenossen 《*pl.*》; Familienmitglieder 《*pl.*》; Familie *f.* -n.

가인(歌人) Dichter *m.* -s, -; Dichterin *f.* ..rinnen (여자).

가일(佳日) der glückliche (glückbringende) Tag, -(e)s, -e (길일); der hocherfreuliche Festtag, -(e)s, -e (가절). ¶~을 택하다 e-n glücklichen Tag wählen.

가일층(加一層) noch mehr; (um so) mehr; noch (um so)+비교급. ¶~ 노력하다 ^{4}sich noch mehr an|strengen / 그건 ~ 곤란하다 Das ist noch schwieriger. / 그 여자는 얼굴이 희어서 ~ 미인으로 보인다 Ihre weiße Gesichtsfarbe erhöht noch ihre Schönheit.

가입(加入) Ein¦tritt (Bei-) *m.* -(e)s, -e; Anschluß *m.* ..schlusses, ..schlüsse; Aufnahme *f.* -n; Beteiligung *f.* -en. **~하다** ein|treten* Ⓢ 《*in*^{4}》; bei|treten*^{3} Ⓢ; ^{4}sich an|schließen* 《*an*^{4}》; ^{4}sich beteiligen 《*an*^{3}》; aufgenommen werden 《*in*^{4}》, ^{1}Mitglied (^{1}Teilnehmer) werden; Mitgliedschaft (Teilnehmerschaft) erlangen. ¶만국 우편 연합에 ~하다 dem Weltpostverein bei|treten* / 전화에 ~하다 Telephonteilnehmer werden; ^{3}sich ein Telephon legen lassen*.

‖**~금** Eintritts¦gebühr *f.* -en (-geld *n.* -(e)s, -er). **~신청** die Bewerbung 《-en》 um ^{4}Eintritt; die Anmeldung 《-en》 zur Erlangung der Mitgliederschaft. **~자** Mitglied *n.* -(e)s, -er; der Beteiligte*, -n, -n; Subskribent *m.* -en, -en; Teilnehmer *m.* -s, -: 전화~자 Telephonteilnehmer *m.* -s, -. **강제~** Beitritts|zwang (Eintritts-) *m.* -(e)s. **공동~선** 〖전화〗 Sammel|anschluß (Neben-) *m.* ..schlusses, ..schlüsse. **조약~국** Signaturmächte (Vertrags-) 《*pl.*》.

가입학(假入學) die probeweise Zulassung 《-en》 e-s Studenten; die Aufnahme 《-n》 e-s Studenten auf [4]Probe. ¶ ~을 허가하다 e-n Studenten probeweise (auf [4]Probe) zu|-lassen* 《*zu*[3]》 (auf|nehmen* 《*in*[4]》).

가자미 〖어류〗 Plattfisch *m.* -(e)s, -e; (Stein-) butt *m.* -(e)s, -e.

가작(佳作) Meister|stück (Glanz-) *n.* -(e)s; -e; die glänzende Leistung, -en. ¶ 선외~ das gute, aber nicht preisgekrönte Stück, -(e)s, -e; die zwar nicht mit e-m Preis gekrönte, doch gut gelungene Arbeit, -en.

가잠나룻 der kurze u. dünne Backenbart, -(e)s, ⸚e.

가장(家長) ① Familienhaupt *n.* -es, ⸚er; Patriarch *m.* -en, -en; Hausherr *m.* -n, -en. ¶ 여기서는 ~이 전단(專斷)하고 있다 Hier herrscht Patriarchat. ② 《남편》 mein Mann, -(e)s.

‖ **~권** das Recht des Hausherrn. **~정치** die patriarchalische Regierung; Vaterherrschaft *f.* **~제도** das patriarchalische System, -s, -e.

가장(假裝) ① 《변장》 Verkleidung *f.* -en; Verkappung *f.* -en; Vermummung *f.* -en; Kostümierung *f.* -en. **~하다** [4]sich verkleiden; [4]sich verkappen; [4]sich vermummen; [4]sich kostümieren. ¶ ~을 하고 in [3]Verkleidung; verkleidet / 여자로 ~하다 [4]sich als Frau verkleiden. ② 《거짓》 Verstellung *f.* -en; Heuchelei *f.* -en; Vorspiegelung *f.* -en. **~하다** [4]sich (ver)stellen; heucheln[4]; vor|-geben* (-|täuschen)[4]; simulieren[4]. ¶ …을 ~하고 unter dem Schein (der Maske) von… / 사랑을 ~하고 unter der Maske der Liebe / 귀머거리를(로) ~하다 [4]sich taub stellen / 평정(태연)을 ~하다 Gelassenheit heucheln.

‖ **~무도회** Masken|ball (Kostüm-) *m.* -(e)s, ⸚e (*od.* -fest *n.* -(e)s, -e); Maskerade *f.* -n. **~순양함** Hilfskreuzer *m.* -s, -. **~행렬** Masken|zug *m.* -(e)s, ⸚e (-parade *f.* -n).

가장(假葬) 《임시의》 das einstweilige Begräbnis, ..nisses, ..nisse; die temporäre Beerdigung, -en. **~하다** einstweilig begraben* 《*jn.*》; temporär beerdigen 《*jn.*》.

가장 meist; größt; besonders (특히); äußerst; höchst (매우). ¶ ~ 좋은 것 das (Aller)beste*, -n / ~ 큰 größt / ~ 아름다운 schönst / ~ 좋다 (나쁘다) am besten (schlechtesten) sein / ~ 유명하다 am berühmtesten (bekanntesten) sein / 그것이 ~ 좋을 것이다 Das wäre das beste (am besten). / 지금까지 본 중에서 ~ 이쁜 아가씨다 Das ist das schönste Mädchen, das ich je gesehen habe. | Das ist ein schönes Mädchen, wie mir noch keines begegnet ist.

가장귀 Gabel *f.* -n; Gabelung *f.* -en; Verzweigung *f.* -en. ¶ ~지다 [4]sich gabeln; [4]sich gabelförmig teilen; [4]sich verzweigen / ~진 나무 der gegabelte Baum, -(e)s, ⸚e (수목) / ~진 나뭇가지 Gabelast *m.* -es, ⸚e / ~진 작대기 Gabelstange *f.* -n.

가장이 Zweig *m.* -(e)s, -e; Ast *m.* -es, ⸚e; Reis *n.* -es, -er.

가장자리 Rand *m.* -(e)s, ⸚er; Grenzstreifen *m.* -s, -; Kante *f.* -n; Saum *m.* -(e)s, ⸚e (의복 따위의). ¶ ~까지 차란차란 bis zum Rand(e) (bis an den Rand) voll / 책상 ~ Tischkante *f.* -n / ~까지 차란차란 잔에 물을 붓다 ein Glas bis an den Rand mit Wasser voll|füllen; ein Glas bis zum Rande mit Wasser voll machen.

가재 〖동물〗 Bach|krebs (Fluß-) *m.* -es, -e.

가재(家財) Hab u. Gut, des - u. -(e)s; Eigentum *n.* -(e)s, ⸚er; 《가구》 Möbel *n.* -s, -; Hausgerät *n.* -(e)s, -e; Habseligkeiten 《*pl.*》. ¶ ~를 챙겨 이사하다 mit Sack u. Pack um|ziehen* [s] / 불속에서 ~를 건지다 vor (aus) dem Feuer Hab u. Gut retten.

가재걸음 Krebsgang *m.* -(e)s; Rückgang *m.* -(e)s, ⸚e. **~치다** rückwärts (krebslings) gehen* [s] (kriechen* [s,h]); den Krebsgang gehen* [s].

가전(家傳) die Überlieferung 《-en》 in einer Familie. ¶ ~의 [4]sich in einer Familie vererbend; vom Vater auf den Sohn überliefert / ~의 보도 ein Schwert 《*n.* -(e)s, -er》 als Familienerbstück / ~의 비방약 ein altes, gutes Hausmittel, -s, -; ein altüberliefertes, wunderwirkendes Familienrezept, -(e)s, -e.

가절(佳節) ① 《명절》 der hocherfreuliche Festtag, -(e)s, -e; die freudevolle Zeremonie, -n ② 《때》 die schöne Jahreszeit, -en. ¶ 양춘~ die schöne Frühlingszeit, -en.

가정(苛政) Tyrannei *f.* -en; Tyrannenherrschaft *f.* -en; die tyrannische (despotische) Regierung, -en; Despotie *f.* -n; Despotismus *m.* -.

가정(家政) (Haus)wirtschaft *f.*; Haus|halt *m.* -(e)s, -e (-haltung *f.* -en; -stand *m.* -(e)s, ⸚e; -wesen *n.* -s, -); Haushalts|führung (Wirtschafts-) *f.*

‖ **~경제** Hauswirtschaft *f.* **~과** der Kursus 《-, ..se》 (Lehrgang, -(e)s, ⸚e) der Haushaltung; die Abteilung 《-en》 für [4]Haushaltungskunde (Haushaltungslehre). **~부** Haushälterin *f.* ..rinnen; Wirtschafterin *f.* ..rinnen. **~학** Haushaltungs|kunde *f.* (-lehre *f.*; -kunst *f.*).

가정(家庭) Heim *n.* -(e)s, -e; Familie *f.* -n; Haus *n.* -es, ⸚er; Herd *m.* -es, -e. ¶ ~에서 am häuslichen Herde; im häuslichen Kreise; im Kreis der Familie / ~의 häuslich; Familien-; Haus- / ~적 häuslich; anheimelnd (내집같이 편한); heimelig / ~을 이루다 (갖다) sein eigenes Haus (Heim) *od.* e-n eigenen Herd (Hausstand; Haushalt) gründen; [4]sich häuslich ein|richten / ~생활을 영위하다 ein häusliches Leben führen / 원만한 ~ e-e harmonische Familie / 청소년의 타락은 대개 ~에 책임이 있다 Der Verderb der Jugend ist in den meisten Fällen der Familie zuzuschreiben.

‖ **~교사** Haus|lehrer *m.* -s, - (-lehrerin *f.* -nen (여자)): ~교사를 하다 als Hauslehrer wirken / ~교사를 두다 e-n Hauslehrer in Dienst nehmen* / ~교사 자리를 구하다 e-e Hauslehrerstelle suchen. **~교육** Familienerziehung (Haus-) *f.* -en. **~극** Familienstück *n.* -(e)s, -e. **~난** Spalte 《*f.* -n》 für Familien- u. Erziehungsangelegenheiten. **~법원** Gericht 《*n.* -(e)s, -e》 für Familienangelegenheiten. **~사정** Familienverhältnisse 《*pl.*》: ~사정으로 aus familiären Rücksichten. **~상비약** Haus|apotheke *f.* (-arznei *f.* -en). ~생활 Familien¦leben (Haus-) *n.* -s, -. ~용품 Haushalts¦bedarf *m.* -(e)s (-gegenstände 《*pl.*》). ~쟁의 Familienzwist *m.* -es, -e; Hauskreuz *n.* -es, -e. ~평화 Hausfriede *m.* -ns, -n.

가정(假定) Annahme *f.* -n; Voraussetzung *f.* -en; Hypothese *f.* -n (가설); 〖철학〗 Postulat *n.* -(e)s, -e (필연의 가정); 〖법〗 Fiktion *f.* -en. ~하다 an|nehmen*; voraus|setzen; supponieren; assumieren. ¶ …라고 ~하면 unter der [3]Voraussetzung, daß…; angenommen ((voraus)gesetzt) daß…; in der [3]Annahme, daß…. / ~적 hypothetisch; mutmaßlich; angenommen; vorausgesetzt; 〖법〗 fiktiv; präsumtiv; 《잠정적인》 provisorisch; vorläufig / 그렇다고 ~하고 angenommen, daß es so sei / 그게 사실이라고 ~하면 angenommen, daß es wahr sei / 그런 경우가 있다고 ~하고 e-n solchen Fall angenommen.

‖ ~법 〖문법〗 Konjunktiv *m.* -(e)s, -e 《생략: Konj.》 (접속법).

가정거장(假停車場) der vorläufige Bahnhof, 「-(e)s, ⸗e.

가정관(假定款) die zeitweilige Satzung, -en; das provisorische Statut, -(e)s, -en. 「-n.

가정류소(假停留所) die vorläufige Haltestelle,

가정부(假政府) Interimsregierung *f.* -en; die provisorische Regierung.

가제 Gaze [..zə] *f.* -n.

‖ 소독~ die sterilisierte Gaze.

가져가다 davon|tragen*[4]; fort|bringen*[4] (-|schaffen[4]; -|tragen*[4]); mit|nehmen*[4]. ¶ 집으로 ~ [4]*et.* nach Hause bringen* / 도시락을 ~ s-e Mahlzeit mit|nehmen* / 누가 내 책을 가져갔다 Jemand hat mein Buch mitgenommen.

가져오다 ① 《지참》 bringen*[4]; her|bringen*[4]; (herbei|)holen[4]; mit|bringen*[4]; mit|nehmen*[4]; tragen*[4]. ¶ 책장에(가)서 책을 ~ ein Buch aus dem Bücherschrank holen / 그 책을 가져오너라 Bring das Buch her! / 그걸 가져왔읍니다 Ich habe es mitgebracht. / 물 한 그릇 가져오너라 Bringen Sie mir ein Glas Wasser! / 아버지께서 술을 가져오라 하셨다 Der Vater hat nach *Sul* gerufen. ② 《초래》 bringen*[4]; herbei|führen[4]; hervor|bringen*[4] (-rufen*[4]); verursachen[4]; mit [3]sich bringen*[4] (결과적으로). ¶ 좋은 소식을 ~ e-e gute (frohe) Nachricht bringen* / 불행을 ~ ein Unglück herbei|führen (verursachen) / 의외의 결과를 ~ ein unerwartetes Resultat hervor|rufen*; zu e-m unerwarteten Resultate führen.

가조(一調) 〖음악〗 A (a) *n.* -, -.

‖ 가단조 a-Moll *n.* - 《기호: a》. 가장조 A-Dur *n.* - 《기호: A》.

가조(佳兆) das gute Omen, -s, ..mina; das gute Vorzeichen, -s, -.

가조약(假條約) Präliminar¦vertrag *m.* -(e)s, ⸗e; die vorläufige Abmachung, -en.

가조인(假調印) [illegible] Vertrag 《-(e)s, ⸗e》 paraphieren.

가족(家族) Familie *f.* -n; (Mit)glieder 《*pl.*》 der Familie (구성원). ¶ 내 ~ m-e Familie; m-e Angehörigen* 《*pl.*》; die Meinigen* 《*pl.*》 / 5인 ~ e-e Familie mit 5 Personen / 전 ~ die ganze Familie / ~의 일원 Familien(mit)glied *n.* -(e)s, -er / ~이 많다 (적다) e-e große (kleine) Familie haben / ~의 일원이다 zur Familie gehören.

‖ ~경제 Familienwirtschaft *f.* -en. ~관계 Familienverhältnis *n.* ..nisses, ..nisse. ~법 Familienrecht *n.* -(e)s, -e. ~석 Plätze 《*pl.*》 für Familien. ~수당 Familienzuschuß *m.* ..schusses, ..schüsse; Familienzulage *f.* -n. ~재산법 Familiengüterrecht *n.* -(e)s, -e. ~제도 Familiensystem *n.* -s. -e. ~탕 Familienbad *n.* -(e)s, ⸗er; Einzelbad (독탕). ~회의 Familienrat *m.* -(e)s.

가주권(假株券) Interims¦aktie *f.* -n (-schein *m.* -(e)s, -e).

가주소(假住所) der vorübergehende (zeitweilige) Wohnort, -(e)s, -e; die provisorische Wohnung, -en (Adresse, -n).

가죽 《짐승의》 Haut *f.* ⸗e; 《모피》 Fell *n.* -(e)s, -e; Pelz *n.* -es, -e (우스개로); Leder *n.* -s, - (무두질한). ¶ ~으로 만든 ledern; Leder- / ~을 다루다 eine Haut gerben / ~을 벗기다 (ab|)häuten[4]; schinden*[4] / 뼈와 ~만 남아 있다 zum Skelett abgemagert sein; nur Haut u. Knochen sein / 그는 사람 ~을 쓴 짐승이다 Er ist ein Biest in Menschengestalt.

‖ ~가방 Leder¦mappe (-tasche) *f.* -n. ~구두 Lederschuh *m.* -(e)s, -e. ~끈 (Leder)riemen *m.* -s,-; Lederstreifen *m.*-s, -. ~띠 Ledergürtel *m.* -s, -. ~부대 Ledersack *m.* -(e)s, ⸗e; Schlauch *m.* -(e)s, ⸗e. ~숫돌 Streichriemen *m.* -s, -. ~신 Lederschuh *m.* -(e)s, -e. ~장갑 Leder¦handschuh (Glacé-[glasé:-]) *m.* -(e)s, -e. ~제품 Lederware *f.* -n. ~집 Lederscheide *f.* -n (칼집 따위); Pistolenhalfter *f.* -n (권총의). ~채(찍) Lederpeitsche *f.* -n. ~표지 der lederne Deckel, -s, -; Leder(ein)band *m.* -(e)s, ⸗e (책). ~허리띠 Ledergürtel *m.* -s, -. 살~ Haut *f.* ⸗e; 〖속어〗 Fell *n.* -(e)s, -e.

가죽나무(假一) 〖식물〗 Ailant(h)us *m.* -, -.

가중(加重) 《형량 따위의》 Aggravation *f.* -en; Erschwerung *f.* -en. ~하다 aggravieren[4]; erschweren[4].

가중하다(苛重一) übermäßig; übertrieben; (zu) hart; (zu) schwer (sein). ¶ 가중한 조세에 시달리다 unter der schweren Last der Steuern stöhnen (seufzen) / 정부는 가중한 수입세를 부과했다 Die Regierung belegte die Einfuhrwaren mit einer hohen Steuer.

가증서(假證書) das provisorische Zeugnis, ..nisses, ..nisse; der provisorische Beweisschein, -(e)s, -e.

가증하다, 가증스럽다(可憎一) gehässig; hassenswert; abscheulich; verabscheuungswürdig; verhaßt (sein). ¶ 가증한 처사 die gehässige Behandlung, -en / 참으로 가증스런 녀석이로군 Was für ein abscheulicher (widerwärtiger) Kerl!

가지[1] 《나무의》 Zweig *m.* -(e)s, -e; Ast *m.* -es, ⸗e (큰); Gerte *f.* -n (어린); Reis *n.* -es, -er (작은); Rute *f.* -n (긴); Sproß *m.* ..rosses, ..rosse; Sprößling *m.* -(e)s, -e. ¶ ~를 치다 (자르다) e-n Zweig beschneiden* (ab|-schneiden*; stutzen); aus|schneiden*; e-n Baum lichten / ~를 꺾다 e-n Zweig (ab|-)brechen* / ~를 뻗다, ~치다 Zweige (Schößlinge) treiben*; [4]sich verzweigen. 「-n.

가지[2] 〖식물〗 Eierpflanze *f.* -n; Aubergine *f.*

가지[3] 《종류》 Art *f.* -en; Sorte *f.* -n. ¶ …은 가짓수가 많다 Es gibt viele Arten (Varietäten) von[3]… / 물건의 가짓수가 많다 《가게의》 (e-e) große (reiche) Auswahl (von (an) [3]Waren) haben; viele (verschiedene) Artikel führen / 그것은 다섯 ~가 있다 Es gibt fünf Arten (davon). / 벼는 풀의 한 ~다 Die Reispflanze ist e-e Art Gras. / 방법이 두 ~ 있다 Es gibt zwei Methoden dazu 〔dafür〕. / 한 ~ 청이 있읍니다 Ich habe Sie um e-n Gefallen zu bitten. / 여러 ~로 비용이 든다 Es kostet allerlei. / 몇 ~ 말씀드릴 것이 있읍니다 Ich habe einiges 〔etwas〕 mit Ihnen zu sprechen.

가지가지 verschieden; mehrere; divers; 〖무변화〗 allerhand; allerlei; vielerlei. ¶ ~ 경험 verschiedene Erfahrungen 《pl.》 / ~ 크기의 신발 Schuhe 《pl.》 verschiedener ²Größe / ~ 이유로 aus verschiedenen 〔mehreren〕 ³Gründen / ~ 인간 verschiedene 〔allerlei〕 Menschen 《pl.》 / 세상은 ~다 《세상엔 별의 별 사람이 다 있다》 Es muß allerlei Menschenkinder geben.

가지각색(一各色) Verschiedenheit *f.* -en; Mannigfaltigkeit *f.* -en; Vielerlei *n.* -s. ¶ ~의 verschieden(artig); mannigfaltig; vermischt; bunt; 〖무변화〗 allerlei; allerhand; vielerlei / ~의 꽃 bunte Blumen / ~의 사람들 allerhand Leute 《pl.》 / ~의 물건 allerlei Waren 《pl.》; allerhand Gegenstände 《pl.》.

가지고 ① 《…을》 ¶ 며느리를 ~ 못 살게 굴다 die Schwiegertochter schlecht behandeln. ② 《…으로》 mit³; (ver)mittels²; 《재료》 von³; aus³. ¶ 공을 ~ 놀다 Ball 〔mit dem Ball〕 spielen / 밧줄을 ~ 끌어올리다 vermittels e-s Seiles empor|ziehen* / 금을 ~ 만들다 aus Gold machen / 하찮은 일을 ~ 싸우다 über Kleinigkeiten streiten*; um des Kaisers Bart streiten* / 그 봉급 ~ 살아갈 수 있느냐 Können Sie mit dem Gehalt auskommen? / 이봐, 권총 ~ 장난하지 마 Ei, spiele nicht mit der Pistole!

가지다 ① 《손에》 (in der Hand) haben⁴; nehmen*⁴; halten*⁴; 《소지》 tragen*⁴; bei ³sich haben. ¶ 가져 오다 mit|bringen*⁴; holen⁴ / 가지고 가다 mit|nehmen*⁴; mit|tragen*⁴ / 가지고 다니다 tragen*⁴ / 가지러 보내다 holen lassen*⁴ 《durch *jn.*》; *jn.* schicken 《nach ³*et.*》 / 채찍을 가지고 있다 e-e Peitsche in der Hand tragen* / 무기를 가지고 있다 Waffen tragen* / 돈 가진 것이 있느냐 Hast du eben etwas Geld bei dir? / 강도는 식칼을 가지고 있었다 Der Einbrecher war mit e-m Küchenmesser bewaffnet. ② 《소유》 haben⁴; besitzen*⁴; inne|haben*⁴. ¶ 토지를 가지고 있다 ein Grundstück 〔ein Land〕 besitzen*; Grundbesitz haben / 그는 서울에 가게를 가지고 있다 Er besitzt 〔hat〕 in Seoul e-n Laden. ③ 《인격·소질을》 haben⁴; besitzen⁴; begabt sein 《*mit*³》. ¶ 이성을 가지고 있다 mit Vernunft begabt 〔versehen〕 sein / 알레르기성 체질을 가지고 있다 (e-e) Anlage zu allergischen Krankheiten haben / 그 청년은 훌륭한 소질을 가지고 있다 Der Junge hat gute Anlagen 〔Begabung〕. ④ 《품다》 hegen⁴; haben⁴; pflegen⁴; nähren⁴; verwahren⁴. ¶ 자기 의견을 ~ s-e eigene Meinung haben / 의심(욕망, 호의, 원한)을 ~ Zweifel 〔e-n Wunsch nach³, Freundschaft, Groll〕 hegen / 희망을 ~ e-e Hoffnung nähren 〔pflegen〕 / 이상을 ~ ein Ideal hegen 〔haben〕. ⑤ 《임신》 schwanger werden 〔sein〕; tragen*⁴. ¶ 어린애를 ~ ein Kind (unter dem Herzen) tragen*; von *jm.* schwanger sein (아무의) / 새끼를 ~ ein Junges tragen*.

가지런하다 von gleicher Größe 〔Länge〕 sein; gleichmäßig; regelmäßig (sein); in Ordnung sein. ¶ 가지런히 gleichmäßig; regelmäßig; in Ordnung / 책을 가지런히 세우다 die Bücher in Ordnung stellen 〔bringen*〕 / 치열이 ~ eine regelmäßige Zahnreihe haben / 높이가 ~ Sie sind von gleicher Größe 〔Höhe〕. ¦ Sie sind gleich in der Größe.

가지방(加地枋) 〖건축〗 (Tür)schwelle *f.* -n.

가지치다¹ 《번다》 Zweige 〔Schößlinge〕 treiben*; ⁴sich verzweigen.

가지치다² 《베다》 e-n Baum lichten 〔beschneiden*; aus|schneiden*; stutzen; aus|putzen〕.

가직하다 (ziemlich) nahe; nicht weit 〔entfernt〕 (sein). ¶ 가직하게, 가직히 nahe; in der Nähe 《이하 모두 *von*³》; unfern⁽²⁾; unweit⁽²⁾; nicht weit 〔entfernt〕.

가진급(假進級) die probeweise Versetzung, -en; die Versetzung auf ⁴Probe. ¶ ~시키다 probeweise 〔auf Probe〕 versetzen 《*jn.*》.

가집행(假執行) provisorische Vollstreckung, -en. ~하다 provisorisch vollstrecken⁴. ¶ 압류(押留) 처분을 ~하다 e-e vorläufige Beschlagnahmung aus|führen.
‖ ~선언 die Verfügung der vorläufigen Vollstreckung.

가짜(假一) 《모조품》 Imitation *f.* -en; Kopie *f.* -n; Abklatsch *m.* -(e)s, -e (그림 따위의); Nachahmung *f.* -en; Nachbau *m.* -(e)s, -e (ohne Lizenz); 《위조품》 Fälschung *f.* -en; Falsifikat *n.* -(e)s, -e; Simili *m.* 〔*n.*〕 -s, -s (보석 등); Talmi *n.* -s. ¶ ~의 falsch; gefälscht; unecht; 《모조의》 nach¦geahmt 〔-gebaut; -gemacht〕; einfach kopiert / ~에 조심하시오 Vor Imitationen 〔Nachahmungen; Fälschungen〕 wird gewarnt! ¦ Man hüte sich vor Fälschungen! / 저 진주목걸이는 ~다 Jene Perlen(hals)kette ist nicht echt 〔ist e-e Imitation〕. / 그놈은 ~였다 Das war ein Blender 〔nicht der Richtige〕.
‖ ~대학생 der vorgebliche Student, -en, -en; der sich für e-n Studenten Ausgebende*. ~도장 der gefälschte Stempel, -s, -. ~돈 das falsche Geld, -(e)s, -er; gefälschte Banknote, -n (지폐). ~보석 der falsche 〔imitierte; künstliche〕 Edelstein, -(e)s, -e. ~서명 die gefälschte 〔nachgeahmte〕 Unterschrift, -en. ~의사 Quacksalber *m.* -s, -; Kurpfuscher *m.* -s, -. ~증서 〔문서〕 der gefälschte Schein 〔das falsche Dokument〕, -(e)s, -e. ~편지 der gefälschte Brief, -(e)s, -e: ~ 편지를 쓰다 e-n Brief fälschen; e-n Brief mit falschem Inhalt schreiben*.

가차(假借) Schonung *f.* -en; Milde *f.*; Nachsicht *f.* -en; Rücksicht *f.* -en; Verzeihung *f.* ¶ ~없는(없이) schonungs¦los 〔erbarmungs-; gefühl-; mitleids-; rücksichts-〕; ohne ⁴Rücksicht 〔Nachsicht; Schonung〕 / ~없이 나무라다 schonungslos tadeln⁴ / ~없이 처벌하다 ohne ⁴Nachsicht (be)strafen 《*jn.*》 / 범칙자에 대해서는 ~ 없다 k-e Nachsicht mit dem Gesetzesübertreter haben.

가차압(假差押) = 가압류.

가창(街娼) Straßen¦mädchen 〔Strich-〕 *n.* -s, -; Straßen¦dirne 〔-hure〕 *f.* -n; Schneppe *f.* -n.

가책(呵責) Folter *f.* -n; Marter *f.* -n; Peinigung *f.* -en; Quälerei *f.* -en; Tortur *f.* -en. ~하다 foltern; martern; peinigen; quälen; auf die Folter spannen 《이상 *jn.*》. ¶ 양심의 ~ Gewissens¦bisse 《pl.》 〔-angst *f.* ⸚e; -not *f.* ⸚e; -pein *f.*; -qual *f.* -en; -wurm *m.* -(e)s, ⸚er〕; Reue *f.*; Schuld¦gefühl *n.* -(e)s, -e 〔-bewußtsein *n.* -s〕; Zerknirschung *f.* -en / 양심의 ~을 받다 Gewissensbisse 《*pl.*》 haben (empfinden*; fühlen); vom Gewissenswurm genagt werden.

가처분(假處分) 〖법〗 die provisorische Maßregel, -n (Maßnahme, -n; Anordnung, -en; Verfügung, -en). **~하다** provisorische Maßregeln *usw.* treffen* 《*über*[4]》.

가처분소득(可處分所得) verfügbares (disponibeles) Einkommen, -s, -.

가철(假綴) das vorläufige Binden*, -s; das Heften*, -s 《eines Buches》; Papierumschlag *m.* -(e)s, ⸗e. ¶ 책을 ~하다 ein Buch heften; ein Buch vorläufig binden*.
‖ **~본** das geheftete (ungebundene) Buch, -(e)s, ⸗er.

가청(可聽) 〖형용사적〗 hörbar; vernehmbar.
‖ **~거리** Hörweite *f.* -n. **~성** Hörbarkeit *f.* **~음** der hörbare Ton, -(e)s, ⸗e. **~주파(수)** Hör¦frequenz (Ton-) *f.* -en. **~지역** Hörbereich *m.* (*n.*) -(e)s, -e.

가축 Erhaltung *f.* -en; Instand¦haltung (Unter-) *f.* -en; Konservierung *f.* -en; Verwahrung (Be-) *f.* -en; Pflege *f.* -n (손질). **~하다** erhalten*[4]; instand|halten*[4]; unterhalten*[4]; in gutem Zustand halten*[4]; konservieren[4]; verwahren[4]; pflegen[4]. ¶ 몸~을 하다 auf s-e persönliche (äußere) Erscheinung achten (halten*); auf sein Aussehen halten*.

가축(家畜) Vieh *n.* -s, -e (-er); 《개·고양이 등》 Haustier *n.* -s, -e; 《조류》 Federvieh *n.* -s, -e (-er). ¶ ~의 떼 Viehherde *f.* -en / ~을 치다 Vieh halten* (züchten).
‖ **~병원** Tierklinik *f.* -en. **~사료** Viehfutter *n.* -s, -. **~상** Viehhandel *m.* -s (장사); Viehhändler *m.* -s, - (장수). **~시장** Viehmarkt *m.* -es, ⸗e. **~차** Viehwagen *m.* -s, -.

가출(家出) das s-m Heim Entlaufen*, -s; das Durchbrennen*, -s; das (mit dem Geliebten) der Eltern Entfliehen*, -s. **~하다** s-m Heim entfliehen* ⓢ; durch|brennen* ⓢ; (mit dem Geliebten) den Eltern entfliehen* ⓢ.
‖ **~소년** der ausgerissene Junge, -n, -n. **~인** Durchbrenner *m.* -s, -; Ausreißer *m.* -s, -.

가출옥(假出獄) die provisorische Freilassung, -en (Entlassung, -en); die Freilassung (Entlassung) auf [4]Ehrenwort. **~하다** provisorisch frei gelassen (entlassen) werden; auf Ehrenwort frei gelassen (entlassen) werden. ¶ ~시키다 vorläufig (auf Ehrenwort) entlassen*.
‖ **~자** der provisorisch frei Gelassene* (Entlassene*) -n, -n; der frei Gelassene* (Entlassene*) auf Ehrenwort.

가치(價値) Wert *m.* -es, -e; Geltung *f.* -en; Güte *f.* Würde *f.* Verdienst *n.* -es, -e. ¶ ~ 있는 wertvoll; kostbar (비싼); 《가치에 상당함》 verdient, gebührend, geziemend / ~ 없는 wertlos; entwertet; nutzlos (소용 없는); unwürdig (품위 없는) / …할 ~가 있다 verdienen; wert (würdig) sein 《이상 [4]*et.* zu tun》 / ~를 알다, ~를 인정하다 bewerten[4]; schätzen[4]; (den Wert) an|erkennen*; würdigen / 읽을 ~가 있는 책 ein lesenswertes Buch, -(e), ⸗er / 굉장한 ~가 있는 그림 ein Gemalde 《-s, -》 von unschätzbarem (sehr hohem) Wert / ~가 없다 k-n Wert haben; wertlos sein / ~가 크다 großen (hohen) Wert haben / 다소 ~가 있다 etwas Wert haben; nicht ganz wertlos sein / ~가 더하다 (오르다) im Werte wachsen*; an Wert gewinnen* / ~가 떨어지다 [4]sich im Werte verringern; an Wert verlieren* / ~를 떨어뜨리다 entwerten[4]; im Werte mindern[4] / 그 책은 일독할 ~가 있다 Das Buch ist lesenswert. / 그것은 논할 ~가 없다 Es ist nicht der Rede wert. ¦ Es lohnt sich nicht davon zu sprechen. / 이 물건은 천 원의 ~가 있다 Diese Ware ist tausend *Won* wert. / 그것은 한푼의 ~도 없다 Es ist k-n Heller (k-n Pfennig; k-n Schuß Pulver) wert. / 가 볼 만한 ~가 있다 Das Ansehen lohnt sich.
‖ **~감정** Wertgefühl *n.* -(e)s, -e. **~론** Wertlehre *f.* -n; Werttheorie *f.* -n. **~척도 (표준)** Wertmaßstab *m.* -(e)s, ⸗e; Wertmesser *m.* -s, -. **~철학** Wertphilosophie *f.* -n. **~판단** Beurteilung *f.* -en; Werturteil *n.* -(e)s, -e. **~학설(學說)** Werttheorie *f.* -n. **고유~** Selbstwert *m.* -(e)s, -e. **교환~** Tauschwert *m.*; Handelswert *m.* **물적~** Sachwert *m.* **사용~** Gebrauchswert *m.* **실제적~** der wirkliche Wert. **영양~** Nähr¦wert (Ernährungs-) *m.* **이용~** Nutzwert *m.* **희소~** Seltenheitswert *m.*

가친(家親) mein Vater, -s; mein Alter*.

가칭(假稱) die provisorische (temporäre) Bezeichnung, -en. **~하다** provisorisch bezeichnen[4] 《als [4]*et.*》; provisorisch nennen*[44].

가탁(假託) =칭탁.

가탄(可歎) ¶ ~할 bedauerns¦wert (beklagens-; bejammerns-); bedauerlich; jämmerlich; kläglich / 이런 풍조는 참으로 ~할 일이다 Diese Tendenz ist wirklich zu bedauern.

가탈 ☞ 까탈.

가택(家宅) Haus *n.* -es, ⸗er; Wohnung *f.* -en; Wohnhaus *n.* ¶ ~을 방문하다 bei *jm.* e-n Besuch machen / ~에 침입하다 bei *jm.* ein|dringen*.

가택수색(家宅搜索) Haus(durch)suchung *f.* -en. ¶ ~을 하다 bei *jm.* e-e Haussuchung vor|nehmen*; das Haus durchsuchen / ~을 당하다 e-r Haussuchung unterworfen werden. ‖ **~영장** der (schriftliche) Haussuchungsbefehl, -(e)s, -e.

가택침입(家宅侵入) Hausfriedensbruch *m.* -(e)s, ⸗e; das unbefugte Betreten* 《-s》 e-s Hauses. **~하다** bei *jm.* ein|dringen*; in *js.* Haus ein|brechen*.
‖ **~자** Hausfriedensstörer *m.* -s, -; Einbrecher *m.* -s, -. **~죄** das Verbrechen 《-s, -》 des Hausfriedensbruchs.

가터 《양말대님》 Strumpfband *n.* -es, ⸗er.
‖ **~훈장** Hosenbandorden *m.* -s, -.

가톨릭 《천주교》 Katholizismus *m.* -; die Römische Kirche (교회). ¶ ~의 katholisch / ~으로 개종하다 katholisch werden; [4]sich zum Katholizismus bekennen*.
‖ **~교도** Katholik *m.* -en, -en.

가통(可痛) ¶ ~할 beklagenswert; bejammernswert.

가파르다 steil; abschüssig; jäh; stark ansteigend (sein). ¶ 가파른 비탈 der steile Abhang, -(e)s, ⸗e; die starke Neigung, -en / 가파른 암벽 steile Felsenwand, ⸗e / [illegible] 상당히 ~ Die Neigung ist ziemlich stark.

가편(可便) Jastimme *f.* -n; die Stimmen 《*pl.*》 (da)für; Pro *n.* -. ¶ ~과 부편 die Ja u. Nein 《*pl.*》; die Ja- u. Neinstimme, -n; Pro u. Kontra / ~이 20, 부편이 30이다 Zwanzig sind dafür u. dreißig dagegen.

가편하다(加鞭—) peitschen[4]; mit der Peitsche schlagen*[4]. ¶ 주마 ~ ☞ 주마(走馬).

가표(加標) Plus *n.* -. 《기호: +》; Pluszeichen

n. -s, -; Additionszeichen *n.* ⌈für.
가표(可票) Jastimme *f.* -n; die Stimme da-
가풀막 Steile *f.* -n; Steilhang *m.* -(e)s, ⸗e; der steile Abfall (Abhang) -(e)s, ⸗e. ~지다 steil; abschüssig (sein).
가풍(家風) Familienbrauch *m.* -s, ⸗e; die Gebräuche (Gewohnheiten) 《*pl.*》 in e-r Familie; Familientradition *f.* -en. ¶ ~에 맞지 않다 in den Rahmen des Haushaltes nicht passen; [4]sich nicht den [3]Gebräuchen der Familie an|passen (an|bequemen); gegen (wider) die Tradition der Familie sein.
가필(加筆) Bearbeitung *f.*; Verbesserung *f.* ~하다 bearbeiten; verfeinern; verbessern. ¶ 서너 군데 ~하다 einige Striche tun* 《*an*[3]》.
가하다(可—) gut; richtig; recht (sein). ¶ 네 말이 ~ Was du sagst, ist richtig. / 어느 것을 택해도 ~ Sie dürfen irgend eines davon auswählen.
가하다(加—) ① 《가산》 addieren; hinzu|fügen; zusammen|zählen (합산). ¶ 5에 3을 ~ 5 u. 3 addieren / 여섯에 일곱을 가하면 열 셋이 된다 Sechs u. sieben macht dreizehn. ② 《부가》 hinzu|fügen; (hin)zu|setzen. ¶ 원금에 이자를 ~ die Zinsen zum Kapital schlagen*. ③ 《증가》 vermehren[4]; vergrößern[4]; erhöhen[4] (높이다). ¶ 속도를 ~ die Schnelligkeit (Geschwindigkeit) vergrößern. ④ 《주다》 geben*[34]; versetzen[34] (타격); zu|fügen[34] (끼치다). ¶ 압력을 ~ Druck aus|üben 《*auf*[4]》; bedrücken[4] / 비판을 ~ e-e Kritik üben 《*an*[3]》; kritisieren[4] / 제재를 ~ *jm.* e-e Strafe auf|erlegen; *jn.* züchtigen / 인공을 ~ bearbeiten[4]; Kunst verwenden 《*auf*[4]》 / 열을 ~ heiß machen[4]; erhitzen[4] / 위해를 ~ *jm.* Schaden zu|fügen / 일격을 ~ *jm.* e-n Schlag versetzen (geben*).
가해(加害) Angriff *m.* -es, -e; Gewalt¦tat *f.* -en (-tätigkeit *f.* -en; -samkeit *f.* -en); 《모살(謀殺)》 Attentat *n.* -(e)s, -e.
‖ ~자 (Übel)täter *m.* -s, -; Missetäter *m.*; 《살해자》 Mörder *m.* -s, -; Attentäter *m.* ~행위 Angriff *m.* -es, -e; Gewalt¦tat (Un-; Übel-) *f.* -en; Mordtat *f.* -en (살해).
가헌(家憲) Hausgesetz *n.* -es, -e; Familienverfassung *f.* -en; Familienregeln 《*pl.*》.
가형(家兄) mein älterer Bruder, -s, ⸗.
가호(加護) der Schutz 《-es》 (die Hilfe, -n) der Götter (des Buddha); die Gnade 《-n》 (die Beschirmung, -en) Gottes; göttliche Vorsehung, -en. ¶ 신의 ~에 의해서 durch die Gnade der Götter; dank der göttlichen [3]Vorsehung (Fügung) / 신의 ~를 받다 unter dem Schutz der Götter stehen* / 천지신명의 ~로 성공을 했다 Ich verdanke den Erfolg dem Schutz (Beistande) der Götter.
가혹(苛酷) Härte *f.* -n; Strenge *f.*; Unbarmherzigkeit *f.*; Unerbittlichkeit *f.*; Unnachsichtigkeit *f.*; Brutalität *f.* -en (잔혹). ~하다 hart; streng; unbarmherzig; unerbittlich; unnachsichtig (sein). ¶ ~히 ohne [4]Nachsicht; mit rücksichtsloser Härte; mit eiserner Faust / ~한 규칙 harte Regeln 《*pl.*》 / ~한 법률 das strenge Gesetz, -es, -e / ~한 평 die scharfe Besprechung, -en; die strenge Kritik, -en / ~한 과세 die hohe (schwere) Steuer, -n / ~한 벌을 받다 streng bestraft werden.
가화(佳話) feine (hübsche; schöne) Geschichte (Anekdote) -n.
가황(加黃) 〖화학〗 Vulkanisation *f.* -en; Vulkanisierung *f.* -en; das Schwefeln*, -s. ~하다 vulkanisieren[4]; schwefeln[4].
‖ ~고무 der vulkanisierte Gummi, -s, -(s).
가효(佳肴) die gute (delikate) Zuspeise, -n.
가훈(家訓) Haus¦gesetz *n.* -es, -e (-ordnung ⌊*f.* -en).
가희(歌姬) Sängerin *f.* -nen.
가히(可—) gut (können); sehr gut (können); wohl (können); mit Recht (können). ¶ ~ 짐작할 수 있다 Sehr gut kann ich es mir vorstellen.¦Das kann ich ihm sehr gut nachfühlen. / 이야말로 ~ 영웅적 행위라 할 만하다 Das nenne ich doch (Das heiße ich noch) e-n Heldentat.
각(各) jeder*; aller*. ¶ 각 사람에 하나씩 ein Stück für jeden / 우린 모두 각방을 쓰고 있다 Jeder von uns hat ein Zimmer für sich.
각(角) ① 《뿔》 Horn *n.* -(e)s, ⸗er; Geweih *n.* -(e)s, -e (사슴의); Fühlhorn *n.* -(e)s, ⸗er (촉각). ② 《네모》 Viereck *n.* -(e)s, -e; Quadrat *n.* -(e)s, -e; Eck *n.* -(e)s, -e (모). ¶ 각이 진 eckig; kantig; winklig. ③ 〖수학〗 Winkel *m.* -s, -. ¶ 내각 Innenwinkel *m.* -s, - / 외각 Außenwinkel *m.* -s, -.
각가지(各—) die verschiedenen Arten 《*pl.*》; jede Gattung; allerlei (vielerlei) Art. ¶ ~의 von allerlei [3]Art; verschieden(artig); 〖무변화〗 allerlei; vielerlei; allerhand / ~ 물건 allerlei Dinge 《*pl.*》 / ~ 동물 verschieden (-artig)e Tiere 《*pl.*》.
각각(各各) jeder* (für sich); einzeln; getrennt; besonders. ¶ ~ 살다 getrennt leben 《von *jm.*》 / ~ 책상을 하나씩 가지고 있다 Jeder von uns hat e-n Tisch für sich. / 의견이 ~이다 Die Meinung (darüber) sind geteilt.¦Die Meinung (darüber) gehen (weit) auseinander. / 그 부부는 ~ 따로 산다 Die Eheleute leben getrennt (voneinander). / 그들은 ~ 숙소로 돌아갔다 Sie kehrten jeder für sich in ihre Wohnungen zurück. / 갑과 을은 ~ 한쪽 구석에 자리를 잡았다 A u. B setzten sich jeder an e-e Ecke.
각각(刻刻) ¶ ~으로 Sekunde (Minute) um (für) Sekunde (Minute); für u. für; fort u. fort / 시시~ Stunde für (um) Stunde; stets u. ständig / 시시~ 죽음이 다가오고 있다 S-e Stunde ist gezählt.
각개(各個) jeder*; jedes Individuum, -s; 〖형용사적〗 einzeln; Einzel-.
‖ ~교련 das einzelne Exerzieren*, -s; Einzel¦drill *m.* -(e)s (-ausbildung *f.* -en). ~전투 Einzelkampf *m.* -(e)s, ⸗e.
각개인(各個人) jedes Individuum, -s; (ein) jeder*; jedermann, -s; jeder einzelne. ⌈ben.
각거하다(各居—) (voneinander) getrennt le-
각계(各界) alle (verschiedene) Gebiete ※ der Kunst; der Wissenschaft u. der Politik처럼 한계를 정하여 구체적으로 사용하는 것이 좋음. ¶ ~ 각층의 사람들 alle Arten von Menschen; allerlei Leute 《*pl.*》 / ~의 명사 die Berühmtheiten (Notabeln) 《*pl.*》 aus allen Kreisen.
각고(刻苦) die harte (mühevolle; mühselige; anstrengende) Arbeit, -en; der unermüdliche (eiserne) Fleiß, -es. ~(정려)하다 [4]sich sehr (äußerst; besonders) an|strengen; großen Fleiß verwenden* 《*bei*[3]; *auf*[4]》; s-n ganzen Fleiß auf|bieten*. ¶ 그는 다년간의 ~ 끝에 마침내 이 발명을 완성했다 Er hat die Erfindung nach jahrelanger, mühsamer Arbeit schließlich zustandegebracht.
각골난망(刻骨難忘) ~하다 *jm.* für immer

dankbar sein; ^{1}*et.* gräbt ^{4}sich *jm.* tief ins Gedächtnis (Herz); tief beeindruckt werden 《*von*^{3}》; nie vergessen werden. ¶ 베풀어 주신 은혜 ~이옵니다 Ich werde Ihre Freundlichkeit nie vergessen.¦Ich werde Ihrer Freundlichkeit stets dankbar gedenken.

각광(脚光) Rampe *f.* -n; Rampenlichter 《*pl.*》. ¶ ~을 받다 《사람이》 die Bühne betreten*; auf die Bühne (vor die Rampe) treten*[s]; auf der Bühne erscheinen*[s]; Aufmerksamkeit der Welt an ^{4}sich ziehen*; 《각본이》 das Licht der Rampe erblicken; über die Bühne gehen*[s]; aufgeführt werden.

각국(各國) jedes Land, -(e)s; jeder Staat, -(e)s; alle Länder 《*pl.*》 (만국). ¶ ~ 사절 diplomatische Repräsentanten aller Länder u. Staaten / 세계 ~ alle Länder der Welt / 세계 ~으로부터 aus aller Herren Länder / 그는 세계 ~을 두루 돌아다녔다 Er hat alle Länder der Welt durchreist.

각군데(各—) jeder Ort, -(e)s; die verschiedenen Orte 《*pl.*》. ☞ 각처.

각기(脚氣) Beriberi *f.* ¶ ~에 걸리다 Beriberi bekommen*. ‖ ~충심 der Herzschlag infolge von Beriberi.

각기(各其) (ein) jeder*; jedermann, -s; jeder* für ^{4}sich; einzel; individuell; getrennt. ¶ 사람은 ~ 장점과 단점이 있다 Jeder hat seine Vorzüge und Schwächen.

각기둥(角—) 〖수학〗 Prisma *n.* -s, ..men; Kantensäule *f.* -n.

각내(閣內) ¶ ~에(서) im Kabinett (Ministerium) / ~에 있다 im Kabinett sein; ein Kabinettsmitglied sein.

각다귀 ① 〖곤충〗 der gestreifte Moskito, -s, -s. ② 《비유적》 Vampir *m.* -s, -e; Blutsauger *m.* -s, -.

각다분하다 schwer; hart; mühevoll; mühsam; mühselig; anstrengend (sein).

각도(各道) jede Provinz; alle Provinzen 《*pl.*》.

각도(角度) Winkel *m.* -s, -. ¶ 30 도의 ~로 mit e-m Winkel von 30 Grad / ~를 재다 e-n Winkel messen* / 급~로 꺾이다 in scharfem Winkel (scharfwinklig) ab|biegen*[s] 《*nach*^{3}》; scharf ab|zweigen 《*nach*^{3}》 (길이) / 모든 ~에서 (다른 ~에서) 고찰하다 ^{4}*et.* von allen Seiten (von e-m anderen Standpunkt) betrachten. ‖ ~계 Winkelmesser *m.* -s, -; Goniometer *n.* -s, -.

각도기(角度器) Winkelmesser *m.* -s, -; Transporteur [..tø:r] *m.* -s, -e; Gradbogen *m.* -s, - (¨). ‖ 반원~ der halbkreisförmige Transporteur. 전원~ der kreisförmige Transporteur.

각등(角燈) die viereckige Handlaterne, -n.

각뜨다(脚—) ein Schlachttier in einige Teile auf|schneiden*; schlachten^{4}; metzeln^{4}.

각령(閣令) Ministerialerlaß *m.* ..lasses, ..lasse.

각로(脚爐) Fußwärmer *m.* -s, -.

각론(各論) (die näheren) Einzelheiten 《*pl.*》; Spezielles 《*über*^{4}》. ¶ 총론에서 ~으로 들어가다 vom Allgemeinen zum Besonderen über|gehen* / 상세한 것은 ~을 보라 Man sehe die Einzelheiten in den betreffenden Artikeln nach!

‖ 해부학~ die spezielle Anatomie.

각료(閣僚) Minister *m.* -s, -; Kabinettsmitglied *n.* -(e)s, -er. ¶ ~급의 인물 e-e Persönlichkeit (-en) von Minister-Format / 국무총리 및 ~ 일동 der Ministerpräsident und s-e Ministerialkollegen.

‖ ~석 Ministerbank *f.* ¨e. ~회의 Kabinettssitzung *f.* -en; Ministerrat *m.* -(e)s, ¨e. 경제~ Wirtschaftsminister 《*pl.*》.

각루(刻漏) Wasseruhr *f.* -en.

각립하다(各立—) ^{4}sich separieren; ^{4}sich trennen; aus|treten*[s] 《*aus*^{3}》 (탈퇴).

각막(角膜) Hornhaut *f.* ¨e; Kornea *f.* -. ‖ ~궤양 Hornhautgeschwür *n.* -(e)s, -e. ~염 Hornhautentzündung *f.* -en. ~이식 Hornhauttransplantation *f.* -en.

각모(角帽) die eckige Mütze, -n; Barett *n.* -(e)s, -e.

각박(刻薄) Härte *f.* -n; Gefühllosigkeit *f.*; Hartherzigkeit *f.* ~하다 hart; streng; schwer (sein). ¶ ~한 세상 das harte Leben, -s, - (인생); die harten (schweren) Zeiten 《*pl.*》 (시대).

각반(脚絆) Gamasche *f.* -n; Wickelgamasche *f.* -n (감는). ¶ ~을 차고 있다 in ^{3}Gamaschen sein.

각방(各方) jede Richtung (Gegend); alle (verschiedene) Richtungen (Gegenden) 《*pl.*》. ¶ ~으로 nach allen Richtungen (Seiten) / ~으로 사람을 보내다 Boten nach allen Richtungen aus|senden*.

각방(各房) jedes Zimmer, -s; alle (verschiedene) Zimmer 《*pl.*》. ¶ ~이 다 난방이 잘 되어 있다 Alle Zimmer heizen sich gut. / 우리들은 ~을 쓰고 있다 Jeder von uns hat ein Zimmer für sich.

각방면(各方面) jede Richtung (Gegend; Stelle); jedes Gebiet; alle (verschiedene) Richtungen (Gegenden; Stellen; Gebiete). ¶ ~에서 신청서가 들어왔다 Von allen Seiten sind Gesuche eingereicht worden.

각별하다(各別—) besonder; speziell; ungewöhnlich (sein). ¶ 각별히 besonders; insbesondere; eigens; extra; speziell; vorwiegend; vornehmlich; vorzugsweise; überwiegend; ausnahmsweise (예외적으로) / 각별한 호의 außerordentliche (große) Güte / 각별한 조심 ausgesuchte Aufmerksamkeit (Vorsicht) / 각별한 이유 der besondere Grund, -(e)s, ¨e / 각별히 주의하다 besondere Aufmerksamkeit schenken^{3}; besonders beachten^{4} / 각별한 일도 없다 Ich habe nichts Besonderes zu tun. / 맛이 ~ Es schmeckt ausgezeichnet. / 각별히 이렇다 할 것은 없었다 Dabei war (es) nichts Besonders.¦Ich habe nichts Neues (kaum etwas Besonderes) gehört. (듣지 못했다) / 각별히 이렇다 할 희망은 없다 Ich habe k-e besonderen Wünsche. / 각별한 배려에 대해 감사합니다 Wir danken Ihnen vielmals für Ihre ungewöhnliche Unterstützung.

각본(脚本) ① 《극본》 Theater¦stück (Bühnen-) *n.* -(e)s, -e; Schauspiel *n.* -s, -e; Drama *n.* -s, ..men; Textbuch *n.* -es, ¨er; 《가극》 Operntext *m.* -(e)s, -e; Libretto *n.* -s, -s (..tti); 《영화의》 Drehbuch. ¶ ~을 쓰고 있다 (집필 중이다) an e-m Drama schreiben* / ~을 무대에 올리다 ein Drama auf die Bühne bringen* / ~화하다 dramatisieren^{4}; dramatisch bearbeiten^{4}; für die Bühne bearbeiten^{4}; 《영화의》 für den Film bearbeiten^{4}; verfilmen^{4}. ② 《비유적》 Programm *n.* -s, -e; Plan *m.* -(e)s, ¨e; Projekt *n.* -(e)s, -e. ¶ ~대로(의) programmäßig 〖분철: programm-mäßig〗; programmatisch; programmgemäß.

‖ ~가 Dramatiker *m.* -s, -; Schauspiel-

dichter *m.* -s, -; 《영화의》 Drehbuchschreiber *m.* -s, -; Filmschriftsteller *m.* -s, -.
∼낭독 Deklamation 《*f.* -en》 e-s Theaterstückes.

각봉하다(各封—) einzeln versiegeln^{4} 〔zu|siegeln^{4}〕.

각부(各部) jeder Teil, -(e)s (부분); jede Abteilung (각 부서); 《정부의》 jedes Ministerium, -s; die verschiedenen Ministerien 《*pl.*》. ¶ 인체 ∼ 구조 die Struktur der Körperteile.
‖∼장관 Ressortminister [rɛsóːr-] 《*pl.*》.

각부분(各部分) jeder Teil, -(e)s.

각뿔(角—) 〖수학〗 Pyramide *f.* -n.

각사탕(角砂糖) Würfelzucker *m.* -s ※ 복수는 zwei 〔drei〕 Stück Würfelzucker 처럼 하고 Stück 는 *pl.*로는 하지 않음.

각살림(各—) das getrennte Leben, -s. ∼하다 (voneinander) getrennt leben.

각색(各色) ① 《종류》 jede Art 〔Sorte〕; alle Arten 〔Sorten〕 《*pl.*》; die verschiedenen Arten 〔Sorten〕 《*pl.*》. ¶ (각양) ∼의 verschieden(artig); mannigfaltig; 〔무변화〕 allerlei; vielerlei / ∼의 물건 allerlei Dinge 《*pl.*》 / 각인 ∼ (So) viele Köpfe; (so) viele Sinne. ② 《빛깔》 jede Farbe; alle 〔verschiedene〕 Farben 《*pl.*》.

각색(脚色) Dramatisierung *f.* -en; Bearbeitung 《*f.* -en》 für die Bühne (연극의); Bearbeitung 《*f.* -en》 für den Film 〔zum Drehbuch〕 (영화의). ∼하다 dramatisieren^{4}; für die Bühne bearbeiten^{4} (연극으로); für den Film bearbeiten^{4}; verfilmen^{4} (영화로). ¶ ∼ B씨 Bühnenbearbeitung von B. (연극의); Drehbuch von B. (영화의) / 어떤 외국소설을 ∼한 것이다 nach e-m ausländischen Roman dramatisiert sein.
‖∼가 Bearbeiter 《*m.* -s, -》 für die Bühne (연극의); Bearbeiter für den Film (영화의).

각서(覺書) Memorandum *n.* -s, ..den; Denkschrift *f.* -en; Memo *n.* -s, - (메모); Notiz *f.* -en; Note *f.* -n; Vermerk *m.* -(e)s, -e (노트). ¶ ∼의 교환 der Austausch der Noten 〔diplomatischer Mitteilungen〕.

각선미(脚線美) die Schönheit der Beinlinien.

각설이(却說—) der wandernde 〔umherziehende〕 Bettelsänger, -s, -; Schnurrant *m.* -en, -en.

각설탕(角雪糖) ☞ 각사탕(角砂糖).

각섬석(角閃石) 〖광물〗 Hornblende *f.*; Amphibol *m.* -s.

각성(各姓) verschiedene Familien¦namen 〔Nach-; Zu-〕 《*pl.*》; Leute 《*pl.*》 mit verschiedenen Familiennamen.
‖∼바지 Halbbrüder 《*pl.*》 mit verschiedenen Nachnamen.

각성(覺醒) das Erwachen*, -s; Erweckung *f.* -en; Neubelebung *f.* -en (활기를 되찾음). ∼하다 erwachen ⓢ 《*aus*^{3}; *von*^{3}》; auf|wachen 《*von*^{3}》 (잠에서); ^{4}sich wieder|finden* (기운을 되찾다). ¶ 종교적 ∼ religiöse Erweckung; geistige Erleuchtung, -en (영적인) / 무지에서 ∼하다 aus der Unwissenheit erwachen / ∼시키다 erwecken^{4} 《*von*^{3}》; auf|rütteln^{4} 《*aus*^{3}》; zum Erwachen bringen*^{4}; wach|rufen*^{4} / 무지에서 ∼시키다 *jn.* aus der Unwissenheit heraus|reißen* 〔*jn.* aus e-m Wahn reißen*; *jm.* den Star stechen*〕.
‖∼제 Belebungsmittel *n.* -s, -.

각세공(角細工) Hornarbeit *f.* -en.

각속도(角速度) Winkelgeschwindigkeit *f.*-en.

각수(刻手) Schnitzer *m.* -s, -; Bildhauer *m.* -s, -; Holzschnitzer *m.* -s, -.

각수(恪守) das Festhalten*, -s.

각시 ① 《인형》 Puppe *f.* -n. ② 《색시》 Braut *f.* ¨e.
‖∼놀음 Puppenspiel *n.* -(e)s : ∼놀음하다 mit ^{3}Puppen spielen.

각아비자식(各—子息) Söhne von verschiedenen Vätern; Halbbrüder (mit derselben Mutter).

각양(各樣) Verschiedenheit *f.* -en; Mannigfaltigkeit *f.* -en; Vielfältigkeit *f.* ¶ ∼으로 verschieden; mannig¦fach 〔-faltig〕; verschiedenartig / ∼ 각색으로 bunt.

각오(覺悟) Bereitschaft *f.* -en; Entschluß *m.* ..schlusses, ..schlüsse; das Gefaßtsein*, -s; Entschlossenheit *f.*; Entsagung *f.*-en. ∼하다 ^{4}sich gefaßt machen 《*auf*^{4}》; ^{4}sich entschließen* 《*zu*^{3}》; ^{4}sich bereit machen 《*zu*^{3}》; (alle Hoffnungen) auf|geben* (체념). ¶ ∼하고 있다 gefaßt sein 《*auf*^{4}》; entschlossen sein 《*zu*^{3}》; bereit sein 《*zu*^{3}》; vorbereitet sein 《*auf*^{4}》 / ∼한 바다 Es kann mich jetzt nichts mehr erschüttern(놀라지 않다) / 최악의 경우에 대한 ∼도 돼 있다 Ich bin (schon) auf das Schlimmste gefaßt. / 완전히 ∼하고 있는 것 같았다 Er schien, auf alles gefaßt zu sein. / 그런 위험한 일을 하려면 대단한 배짱과 ∼가 필요하다 So etwas Gefährliches erfordert feste Fassung und Entschlossenheit.

각외(閣外) ¶ ∼의 (에서) außerhalb des Ministeriums 〔Kabinett(e)s〕.

각운(脚韻) Reim *m.* -s, -e. ¶ ∼을 달다 〔밟다〕 (Verszeilen) reimen.

각원(閣員) Minister *m.* -s, -; Kabinettsmitglied *n.* -(e)s, -er.
‖∼석 Ministerbank *f.* ¨e.

각위(各位) Sie*^{4} 《*pl.*》; jeder* von Ihnen; sehr geehrte Herren !(서신의); *p.p.* 〔*praemissis praemittendis*〕 (「각위에게」 회람 따위에서). ¶ 회원 ∼에게 an alle Mitglieder / 내빈 ∼의 건강을 위해 축배를 들다 auf die Gesundheit unserer verehrten Gäste trinken*.

각의(閣議) Kabinettssitzung *f.* -en; Ministerrat *m.* -(e)s, ¨e. ¶ ∼에 부치다 dem Ministerrat vor|legen^{4} 《*zu*^{3}》 (… 때문에) 《보기 : zur Prüfung》 / ∼를 열다 e-e Kabinettssitzung halten*.
‖긴급∼ die dringliche Kabinettssitzung. 정례(임시)∼ Normalkabinettssitzung 〔Sonderkabinettssitzung〕 *f.* -en.

각이하다(各異—) voneinander verschieden (sein); voneinander ab|weichen*; auseinander|gehen*.

각인(各人) 《각 사람》 jeder*; jedermann, -s; jeder einzelne.
‖∼각색 (So) viele Köpfe, (so) viele Sinne ! ¦Zehn Menschen, zehn Arten 〔Farben〕.: ∼각색으로 jeder nach s-r Art.

각인(刻印) Stempel *m.* -s, -. ∼하다 ein|stampfen^{4} 《*auf*^{4}》; ein|stanzen^{4} 《*auf*^{4}》. ¶ 천연색 영화 자막은 ∼된다 Bei Technicolor-Filmen werden die Beschriftungen eingestanzt.

각일각(刻一刻) =시시각각.

각자(各自) (ein) jeder*; jedermann, -s; 〔부사적〕 jeder* für ^{4}sich; respektive; beziehungsweise. ¶ ∼ 도시락을 지참할 것 Jeder soll das Essen mitbringen. / ∼(가) 주의할 것 Jeder muß für sich achtgeben. / ∼ 부서로 돌아가라 Jeder auf s-n Posten ! / ∼의 의무를 다 할 것 Jeder muß s-e Pflicht tun. / 그건 ∼가 다 아는 바다 Ein jeder 〔Jedermann〕 weiß es. ¦Es ist allgemein bekannt./ 그들은

작별을 하고 ～ 집으로 돌아갔다 Sie verabschiedeten sich u. gingen jeder nach Hause. / 갑과 을은 ～ 구석에 자리를 잡았다 A u. B setzten sich jeder an e-e Ecke. ※ 이상 두 가지 보기에서 보는 바와 같이 복수, 또는 두 개 이상의 명사와 동격적인 「각자」는 성·수에 관계없이 언제나 남성 jeder를 씀. / ～ 재력에 따라 희사하였다 Jeder spendierte, je nachdem wie es s-e Mittel ihm erlaubten.

각재(角材) Kantholz *n.* -es, ⸚er; Balken *m.* -s, -.

각적(角笛) Horn *n.* -(e)s, ⸚er. ¶ ～을 불다 Horn blasen*; in das Horn stoßen* ⓢ.

각조(各條) jeder Artikel; jeder Paragraph (jede Klausel). ¶ ～마다 심의하다 [4]Artikel für [4]Artikel (e-n Paragraphen nach dem andern) überprüfen[4].

각종(各種) jede Art (Sorte). ¶ ～의 allerlei; vielerlei; von allerlei (verschiedenen) Arten (Sorten) / ～음료 alle Arten Getränke / ～의 전기기구를 구비해 놓고 있읍니다 Wir haben (e-e) große (reiche) Auswahl von elektrischen Geräten.

각주(角柱) ① 《네모의》 der vierkantige Pfeiler (Pfosten) -s, -. ② ＝각기둥.

각주(脚註) Fußnote *f.* -n. ¶ ～를 달다 mit [3]Fußnoten versehen*.

각지(各地) jeder Ort, -(e)s; jede Gegend. ☞ 각처. ¶ ～에서 allerorten; an allen (aller) Orten u. Enden; in Dorf u. Stadt; wo man auch hinkommt; überall(도처); an verschiedenen Orten; in verschiedenen Gegenden (곳곳에서).

각질(角質) Hornsubstanz *f.* -en; Hornmasse *f.* -n. ¶ ～의 hornartig; Horn-.
‖ ～조직 Horngewebe *n.* -s, -. ～층 Hornschicht *f.* -en.

각처(各處) jeder Ort, -(e)s; jede Gegend; die verschiedenen Orte (Gegenden) 《*pl.*》; alle Orte (Gegenden) 《*pl.*》. ¶ ～에(서) überall; aller¦orten (-enden; -wärts; -wege); nah u. fern; weit u. breit; an allen Enden; auf der ganzen Welt; im ganzen Land; in Dorf u. Stadt; an verschiedenen Orten; in verschiedenen Gegenden / 세계 ～로부터 von allen Ecken (Orten) u. Enden der Welt; von allen Seiten der Welt; von jeder Richtung der Welt / ～를 돌아다니다 (여행하다) von Ort zu Ort reisen / 그 은행은 거의 전국 ～에 지점이 있다 Die Bank hat ihre Zweiggeschäfte in fast allen Teilen des Landes. / 시내 ～에 홍수가 났었다 In verschiedenen Teilen der Stadt gab es Überschwemmungen.

각체(各體) 《글자의》 verschiedene Formen 《*pl.*》 des Charakters; verschiedene Schriften 《*pl.*》; verschiedene Typen 《*pl.*》 (활자의).

각추(角錐) ＝각뿔.

각추렴(各―) getrennte Rechnung, -en; das Zusammenschießen*, -s; die gemeinschaftliche Deckung, -en. ～하다 getrennte Kasse führen; zusammen|schießen*[4]; zusammen|-steuern[4]; gemeinschaftlich decken[4]. ¶ 비용은 ～했다 Jeder bezahlte s-n Teil der Kosten. / ～하자 Getrennte Rechnung!¦Jeder bezahlt für sich.

각축(角逐) Konkurrenz *f.* -en; Wetteifer *m.* -s; Wettbewerb *m.* -(e)s; Mitbewerbung *f.* -en; Nebenbuhlerschaft *f.* -en. ～하다 wetteifern 《mit *jm.*》; [4]sich mit|bewerben* 《um [4]*et.*》; *jm.* Konkurrenz machen; [4]*et.* um die Wette tun* 《mit *jm.*》. ¶ 열강과 ～을 벌이다 mit den Weltmächten wetteifern.
‖ ～장 der Kampfplatz des Wettbewerbs. ～전 Wettkampf *m.* -(e)s, ⸚e; Wettstreit *m.* -(e)s, -e.

각층(各層) jede Schicht; jeder Stock, -(e)s (집의). ¶ 사회의 ～ alle (verschiedene) Schichten 《*pl.*》 der Gesellschaft / 각계 ～의 사람들 Leute 《*pl.*》 aus allen Ständen.

각치다 ① ＝할퀴다. ② 《부아 지름》 erzürnen 《*jn.*》; zum Zorn reizen 《*jn. durch*[4]》.

각테(角―) 《안경의》 die hörnerne (Brillen-) einfassung, -en. ‖ ～안경 Hornbrille *f.* -n.

각통(各通) 《문서 따위의》 jede Kopie; alle Kopien.

각파(各派) jede Partei; jede Fraktion; jede Sekte (종파); jede Schule (유파, 학파); alle (verschiedene) Parteien (Fraktionen; Sekten; Schulen). ¶ ～의 대표자들이 모였다 Die Vertreter aller (verschiedener) Schulen haben sich versammelt.

각판(刻版) ① 《판목》 Holzplatte *f.* -n; Holzstock *m.* -(e)s, ⸚e. ② 《각판 인쇄물》 Holzdruck *m.* -(e)s, -e.

각필하다(擱筆―) die Feder nieder|legen; (e-n Brief) schließen*; zu Ende schreiben*.

각하(却下) Zurückweisung *f.* -en; Abweisung *f.* -en; Verwerfung *f.* -en; Reprobation *f.* -en. ～하다 zurück|weisen*[4] (ab|-); verwerfen*[4]. ¶ (청)원서를 ～하다 e-e Petition (Bittschrift) zurück|weisen* / 상고를 ～하다 e-e Revision ab|weisen* / 그는 대법원에 상고하였으나 ～되었다 S-e Revision an die höchste Instanz wurde abgewiesen.

각하(閣下) Exzellenz *f.* -en; eure Exzellenz (이인칭) 《생략: Ew.》; s-e Exzellenz(삼인칭). ¶ ～ 및 여러분 Eure Exzellenzen, meine Herren! / 대통령 ～ Herr Präsident!

각항(各項) jeder Paragraph, -s 《e-r Urkunde》; jedes Item, -s; jeder Posten, -s 《e-r Rechnung》; jede Verordnung; jede Bestimmung 《in e-m Vertrage》.

각혈(咯血) ＝객혈(喀血).

각형(角形) ① 《모난 형상》 die eckige (kantige) Form (Figur) -en. ② 《사각형》 Viereck *n.* -(e)s, -e.

각희(角戲) ＝씨름.

간 《짠맛·짠 정도》 Salzgeschmack *m.* -(e)s, ⸚e; Salzigkeit *f.*; 《조미》 das Salzen*, -s. ¶ 간을 하다 salzen(*)[4]; mit [3]Salz würzen[4] / 간이 짜다 zu salzig (stark gesalzen) sein / 간이 싱겁다 nicht genug gesalzen sein / 간이 맞다 (안맞다) gut (schlecht) gesalzen sein / 간을 보다 kosten[4] (prüfen[4]), um zu sehen, wie es gesalzen ist.

간(肝) ① 《간장》 Leber *f.* -n. ¶ 간농양 Leberabszeß *m.* ..szesses, ..szesse / 간정맥 Leberader *f.* -n / 간디스토마 ＝간장디스토마 / 간잎 ＝간엽. ② 《담력》 Mut *m.* -(e)s; Beherztheit *f.*; Courage [kurá:ʒə] *f.*; Kühnheit *f.* -en; Mumm *m.* -(e)s; Schmiß *m.* Schmisses, Schmisse; Schneid *m.* -(e)s. ¶ 간에 붙었다 쓸개에 붙었다 하는 사람 Achselträger *m.* -s, - / 간이 작은 mutlos; feig(e); feig¦herzig (hasen-); furchtsam; kleinmütig; memmen¦haft (zag-); pulverscheu / 간이 큰 mutig; beherzt; herzhaft; kühn; schmissig; schneidig; tapfer; verwegen / 간이 떨렁하다 in (höchstes) Erstaunen gesetzt werden; baff (platt) werden; verblüfft (verdutzt; verwundert) werden; vor [3]Verwunderung sprachlos werden; wie vom Donner getroffen werden / 간에 붙었다 쓸개에 붙었다 하다 achselträgerisch sein; den Mantel auf beiden Schultern tragen* / 사자 우는 소리에 우리는 간이 콩알만해졌다 Das Gebrüll e-s Löwen ließ unser Blut gerinnen. / 아이고, 간이 덜렁했다 Ach du mein Schrecken!

간(間) ① 《방의 수》 Zimmer *n.* -s, -. ¶ 단간집 einzimm(e)riges Haus, -es, ¨er; ein Haus mit e-m Zimmer. ¶ 방 한간 세주다 ein Zimmer vermieten. ② 《길이》 *Gan n.* 《Längeneinheit; 181. 8cm》. ③ ☞ 간살. ④ 《관계》 Verhältnis *n.* ..nisses, ..nisse; Beziehung *f.* -en. ¶ 부자간 das Verhältnis von Vater u. Sohn; das Verhältnis zwischen Vater u. Sohn (부자간의 관계) / 형제간 das brüderliche Verhältnis / 부자〔부부〕간이라도 sogar zwischen Vater u. Sohn 〔Mann u. Frau〕 / 친척간이다 (bluts)verwandt sein 《*mit*[3]》/ 그들은 주종간이다 Sie stehen in e-m Dienstverhältnis zueinander. | Ihr Verhältnis ist das von Herrn u. Diener. ⑤ 《중에서》 unter[3]; von[3]; entweder... oder.... ¶ 나는 금명간에 여행을 떠난다 Ich reise entweder heute oder morgen. ⑥ 《시간》 während[2]; ...lang. ¶ 5일간 fünf [4]Tage (lang) / 1주일간에 in acht Tagen; in e-r Woche; binnen e-r [2]Woche / 과거 10년간 während der vergangenen 10 Jahre / 수일〔수년〕간 tagelang 〔jahrelang〕 / 삼일 간에 끝마치다 in drei Tagen fertig|machen. ⑦ 《장소》 zwischen[3·4]; unter[3·4]. ¶ 서울 부산간 zwischen Seoul u. Busan; von Seoul bis nach Busan / 양당간을 중재하다 zwischen zwei Parteien vermitteln / 산간 벽촌 ein einsames Dorf 《-(e)s, ¨er》 in den Bergen. ⑧ 《시간적 예정》 auf[4]; für[4]. ¶ 삼일간의 예정으로 auf 〔für〕 drei Tage.

간간이[1](間間—) 《방마다》 jedes Zimmer; in jedem Zimmer; von Zimmer zu Zimmer; Zimmer für Zimmer. ¶ ~ 사람이 들어 있다 Jedes Zimmer ist besetzt.

간간이[2](間間—) ① 《이따금》 gelegentlich; bisweilen; ab u. zu; von Zeit zu Zeit; selten (드물게). ¶ 그런 일은 ~ 있다 Das kommt ab u. zu vor. ② 《듬성듬성》 spärlich; hie(r) u. da; vereinzelt. ¶ 들에는 나무들이 ~ 서 있다 Im Felde stehen vereinzelte Bäume.

간간(짭잘)하다 gut gesalzen (sein); gut u. salzig schmecken. ¶ 좀 간간하다 etwas 〔ein wenig〕 salzig sein.

간간하다 《재미가》 spannend; anziehend (sein). ¶ 이야기의 간간한 대목 die spannendste Stelle der Geschichte.

간거르다(間—) leer 〔frei〕 lassen*[4]; überspringen*[4].

간격(間隔) ① Abstand *m.* -(e)s, ¨e; Zwischenraum *m.* -(e)s, ¨e; Weite *f.* -n; Distanz *f.* -en. ¶ 최저 500미터의 ~ ein Zwischenraum von wenigstens 500 Metern / 일정한 ~을 두고 in bestimmten 〔regelmäßigen〕 Zwischenräumen / ~을 두다 Abstand halten* (일정한 간격을 유지하다); e-n Zwischenraum lassen* / 5미터 ~으로 in 5 Meter Abstand 《서 있다 stehen*; 놓다 [4]*et.* stellen; 따라가다 *jm.* folgen 따위》/ ~을 좁히다 den Abstand verkleinern. ② 《시간에 대해서만》 Zeitabstand *m.* -(e)s, ¨e; Zwischenzeit *f.* -en; Weile *f.* -n; Pause *f.* -n. ¶ 4분 ~으로 im Abstand von 4 Minuten; in Abständen von je vier Minuten (4분마다) / 일정한 ~을 두고 분출하는 온천을 간헐천이라 한다 E-e heiße Quelle, die in bestimmten (Zeit-)abständen sprudelt, nennt man Geysir 〔Geiser〕. ③ 〖인쇄〗 Spatienbreite *f.* -n (행간, 자간). ¶ ~을 띄우다 spatieren[4] 〔spatinieren[4]; spationieren〕 (행간, 자간) / 한〔두〕 줄 ~으로 쓰다 〔타이프를 찍다〕 mit e-r Zeile 〔zwei Zeilen〕 Abstand schreiben* / 거기서 3행가량 ~을 띄우시오 Lassen Sie da etwa drei Zeilen leer. ④ 《틈·사이》 Spalte *f.* -n; Ritze *f.* -n; Öffnung *f.* -en; 《소원》 Entfremdung *f.* -en.

간결(簡潔) Kürze *f.*; Bündigkeit *f.*; Knappheit *f.*; Gedrängtheit *f.*; Kurzstil *m.* -(e)s, -e; die kurze, treffende Ausdrucksweise, -n. **~하다** kurz 《kürzer, kürzest》; bündig; kurz u. bündig; knapp; kurz u. treffend ausgedrückt (sein). ¶ ~히 kurz u. gedrängt; in gedrängter Kürze / ~한 명언 die lakonische Bemerkung, -en / ~하게 표현하다 kurz u. gedrängt aus|drücken[4].

간경변(肝硬變) 〖의학〗 Leberzirrhose *f.* -n.

간계(奸計) List *f.* -en; Ränke 《*pl.*》; Machenschaft *f.* -en 《보통 *pl.*》; Kniff *m.* -(e)s, -e. ¶ ~를 꾸미다 Ränke schmieden 《*gegen*[4]》/ ~를 쓰다 zu e-r List greifen*; e-e List an|wenden[(*)] / 적의 ~에 빠지다 der [3]List des Feindes erliegen* / 이건 우리들을 속이려는 ~다 Dies ist ein listiger Versuch, uns zu betrügen.

간고(艱苦) Mühe 《*f.*》 u. Not 《*f.*》; Quälerei *f.* -en; Bedrängnis *f.* ..nisse; Beschwerlichkeit *f.* -en; Drangsal *f.* -e (드물게 *n.* -s, -e); hartes 〔schweres〕 Stück 〔Arbeit〕; Mühsal *f.* -e (*n.* -(e)s, -e); Not *f.* ¨e; Strapaze *f.* -n. ¶ ~를 겪다 [4]sich jeder Mühe unterziehen*; [4]sich hart ab|quälen 《*mit*[3]》; alle Bedrängnisse 〔Beschwerlichkeiten〕 《*pl.*》 über [4]sich ergehen lassen*; unter allerlei Drangsalen 〔Mühsalen〕 zu stöhnen haben; mit e-m harten 〔schweren〕 Stück Arbeit zu kämpfen haben; [4]sich strapazieren / ~를 이기다 Mühsal besiegen.

간곡(懇曲) Freundlichkeit *f.* -en; Herzlichkeit *f.* -en; Höflichkeit *f.* -en; Aufmerksamkeit *f.* -en. **~하다** freundlich; herzlich; höflich (sein). ¶ ~히 freundlich; höflich; herzlich; aufmerksam; ernstlich (열심히); wiederholt (재삼); fürsorglich (곰상곰상) / ~한 편지 liebenswürdiger Brief, -(e)s, -e / ~히 타이르다 ernstlich ermahnen[4]; unermüdlich predigen[3]; *jm.* fürsorglich ins Gewissen reden.

간과(干戈) Waffen 《*pl.*》; Rüstungen 《*pl.*》. ¶ ~를 들다 zu den Waffen greifen*; die Waffen ergreifen* / ~를 거두다 die Waffen nieder|legen; das Kriegsbeil begraben* / 서로 ~를 들다 die Feindseligkeiten 《*pl.*》 eröffnen; Krieg beginnen* (an|fangen*).

간과(看過) das Übersehen*, -s; Übergehung *f.* -en. **~하다** übersehen*[4]; übergehen*[4]; hinweg|sehen* 《*über*[4]》. ¶ 과실을 ~하다 e-n Fehler übersehen*; über e-n Fehler hinweg|gehen* / 가볍게 ~하다 leichtsinnig 〔mit Gleichgültigkeit〕 übersehen* / 알면서 ~할 수는 없다 Ich kann es nicht wissentlich 〔vorsätzlich〕 übersehen.

간교(奸巧) List *f.* -en; Schlauheit *f.*; Verschlagenheit *f.*; Durchtriebenheit *f.*; Verschmitztheit *f.* **~스럽다, ~하다** listig; schlau; verschlagen; durchtrieben; verschmitzt (sein).

간구(懇求) e-e inständige Bitte, -n; ein dringendes Ersuchen, -s. **~하다** *jn.* dringend 〔inständig〕 bitten* 〔ersuchen〕《*um*[4]》; zu *jm.* flehen 《*um*[4]》.

간국 Salzbrühe *f.* -n; Salzlauge *f.* -n.

간극(間隙) ① 《틈》 Lücke *f.* -n; Spalt *m.* -(e)s, -e; Spalte *f.* -n; Zwischenraum *m.* -(e)s, ⸚e; Öffnung *f.* -en. ¶ ~을 메우다 e-e Lücke aus|füllen. ② 《불화》 Zwiespalt *m.* -(e)s; Zwist *m.* -es, -e; Uneinigkeit *f.* -en; Entfremdung *f.* -en. ¶ ~이 생기다 [4]sich veruneinigen 《*mit*[3]》; in Zwiespalt geraten* 《*mit*[3]》.

간기(刊記) Kolophon *m.* -s, -e; Impressum *n.* -s, ..pressen. 「⸚e).

간나위 Schlau|berger *m.* -s, - 〔-kopf *m.* -(e)s,

간난(艱難) Mühsal *n.* -(e)s, -e 〔*f.* -e〕; Beschwerlichkeit *f.* -en; Mühe 《*f.*》 u. Beschwerde 《*f.*》; Quälerei *f.* -en; Bedrängnis *f.* ..nisse; Drangsal *f.* -e; Not *f.* ⸚e; Strapaze *f.* -n. ¶ ~신고하다, ~을 겪다 Beschwerlichkeiten erfahren*; bittere Erlebnisse haben; durch alle Strapazen hindurch|gehen* Ⓢ / ~을 극복하다 Mühsal besiegen / ~을 참고 견디다 Beschwerden erdulden 〔ertragen*〕 / ~과 싸우다 mit der Not kämpfen.

간능(幹能) ☞ 간릉.

간다개 《마구》 Kopfstück *n.* -(e)s, -e.

간닥 ☞ 까딱.

간단(間斷) Unterbrechung *f.* -en; Pause *f.* -n. ¶ ~없는〔없이〕 ununterbrochen; unablässig; unaufhörlich; ohne [4]Unterbrechung 〔Unterlaß〕; anhaltend; fort|gesetzt 〔-während〕; nicht endenwollend / ~없는 경계 die fortdauernde Wachsamkeit.

간단(簡單) Einfachheit *f.*; Bündigkeit *f.*; Kürze *f.*; Schlichtheit *f.* **~하다** einfach; bündig; kurz 《kürzer, kürzest》; schlicht; leicht (sein). ¶ ~히 in [3]Kürze; in kurzen Worten; mit wenig Worten; ohne viel [4]Worte / ~한 식사 die einfache 〔schlichte〕 Mahlzeit, -en / ~한 일 die leichte 〔einfache〕 Arbeit, -en / ~한 문제 die einfache 〔leichte〕 Frage, -n / ~히 말하자면 kurz (gesagt); kurzum; kurz u. gut; um es kurz zu machen 〔sagen; fassen〕 / ~하고 요령 있는 kurz u. bündig 〔klar〕 / ~하게 하다 vereinfachen[4]; (ab|)kürzen[4]; kurz u. bündig machen[4] / ~히 해 Faß dich kurz!¦Nur kurz (gemacht)!¦Ohne Umschweife!¦Zur Sache! / ~히 해치우다 kurzen Prozeß machen 《*mit*[3]》/ 조반은 ~히 합시다 Wir wollen nur ein einfaches Frühstück einnehmen!

간단명료(簡單明瞭) Einfachheit 《*f.*》 u. Klarheit 《*f.*》. **~하다** einfach u. klar; kurz u. klar (sein).

간담(肝膽) Leber 《*f.* -n》 u. Gallenblase 《*f.* -n》 ([illegible]); 《속마음》 *js.* innerstes Herz, -ens; *js.* Innerstes*. ¶ ~을 서늘케 하는 광경 haarsträubender 〔schaudererregender〕 Anblick, -s, -e / ~이 서늘해지다 erschrecken* Ⓢ 《*über*[4]》; das Herz 〔die Haut〕 schaudert 《*jm.*》; *jn.* überläuft es kalt / ~을 서늘케 하다 Furcht erwecken 《in *jm.*》; Schrecken 〔Furcht〕 ein|flößen 〔ein|jagen〕 《*jm.*》; *js.* Schauder erregen / ~을 피력하다 sein Herz aus|schütten 《*jm.*》; [4]sich an|vertrauen 〔entdecken; eröffnen〕 《*jm.*》 / ~상조하다 Beide stehen miteinander in bester Freundschaft.¦Beide hängen mit allen Fasern ihres Herzens aneinander.

간담(懇談) Aussprache *f.* -n (이야기를 나눔); Unterhaltung *f.* -en (격의없는); das freundschaftliche Gespräch,-(e)s,-e; Geplauder *n.* -s (잡담). **~하다** [4]sich unterhalten* 《*mit*[3]; *von*[3]; *über*[4]》; freundschaftlich sprechen* 《*mit*[3]; *von*[3]; *über*[4]》; [4]sich beraten* 《*mit*[3]; *über*[4]; *wegen*[2]》 (상의); [4]sich aus|sprechen* 《*mit*[3]; *über*[4]》 (이야기를 나누다). ¶ ~식으로 이야기하다 freundlich 〔vertraulich〕 sprechen* 《*über*[4]》.
‖ **~회** die zwanglose Aussprache〔Beratung *f.* -en〕: 경제 ~회 Wirtschaftsrat *m.* -(e)s, ⸚e / ~회를 열다 e-e Versammlung halten* 〔ab|halten*〕.

간대로 《nicht》 so leicht 〔leichthin〕.

간댕간댕 baumelnd; schlenkernd.

간댕거리다 baumeln; schlenkern.

간데라 die (metall(e)ne) Handlampe, -n.

간데족족 wohin man auch geht; wo man auch hinkommt; wo auch immer.

간도(間道) Schleichweg *m.* -(e)s, -e; Schleichpfad 〔Jäger-〕 *m.* -(e)s, -e.

간독(懇篤) Freundlichkeit *f.* -en; Liebenswürdigkeit 〔Herzlichkeit〕 *f.* **~하다** freundlich; liebenswürdig; (sehr) aufmerksam; herzlich; höflich; verbindlich; zuvorkommend (sein).

간두(竿頭) die Spitze 《-n》 der Stange; das äußerste Ende, -s, -n. ¶ ~지세 äußerst kritische Lage, -n.

간드랑간드랑 baumelnd; schlenkernd; (hin u. her) schwankend.

간드랑거리다 baumeln; schlenkern; (hin u. her) schwanken.

간드러지다 《모양·태도가》 gefallsüchtig; kokett; lockend (sein); 《음성·노래 따위가》 einschmeichelnd; reizend (sein). ¶ 간드러진 가락 e-e einschmeichelnde Melodie, -n.

간드작간드작 leicht schwankend.

간드작거리다 leicht schwanken.

간들간들 《바람이》 《es weht》 sanft; leise; 《흔들림》 schwankend; wankend; wackelnd; flatternd.

간들거리다 《바람이》 sanft 〔leise〕 wehen; 《흔들림》 schwanken; wanken Ⓢ,Ⓗ; wackeln; schüttern; flattern Ⓢ,Ⓗ. ¶ 나뭇가지가 바람에 ~ die Zweige schwanken im Winde.

간략(簡略) Einfachheit *f.*; Bündigkeit *f.*; Knappheit *f.*; Kürze *f.*; Schlichtheit *f.* **~하다** einfach; bündig; knapp; kurz 《kürzer, kürzest》; schlicht; summarisch; zusammengefaßt. ¶ ~한 기사 der kurze Artikel, -s, - / ~하게 하다 vereinfachen[4]; (ab|-) kürzen[4]; verkürzen[4]; handlicher gestalten[4]; klarer formulieren[4]; unkompliziert machen[4].

간릉(幹能) Schlauheit *f.*; Verschlagenheit *f.*; Listigkeit *f.* **~하다, ~스럽다** schlau; verschlagen; listig (sein).

간리(奸吏) der schlechte Beamte*, -n, -n

간막이(間—) 《막음》 das Verschlagen*,-s; (Ab-) teilung *f.* (분할); 《막는 것》 Wandschirm *m.* -(e)s, -e; e-e spanische Wand, ⸚e; Paravent [paravá:] *m.* 〔*n.*〕 -s, -s; 《간막이벽》 Verschlag *m.* -(e)s, ⸚e; Scheidewand *f.* ⸚e; Trenn(ungs)wand *f.* ⸚e. **~하다** ab|teilen[4] 〔auf|-〕. ¶ 방을 유리로 ~하다 den Raum durch e-e Glaswand ab|teilen.

간만(干滿) Ebbe 《*f.*》 u. Flut 《*f.*》; das Steigen* u. Fallen* der Flutwellen; Gezeiten 《pl.》. ¶ ~의 차 der (Höhen)unterschied zwischen [3]Ebbe u. Flut / (조수의) ~이 없는 flutlos; ohne [4]Ebbe u. Flut / 조수에는 ~이 있다 Das Wasser steigt u. fällt.

간망(懇望) das Anliegen*, -s; das Ansuchen*, -s; die inständige (dringende) Bitte, -n; der heiße (sehnliche) Wunsch, -es, ⸚e; das Ersuchen*, -s. ~하다 inständig (dringend) bitten*[4] 《um[4]》; sehnlich wünschen[4]; (dringend) ersuchen[4] 《um[4]》.

간맞다 gut gesalzen sein.

간맞추다 salzen[(*)4]; mit [3]Salz würzen[4].

간명(簡明) =간결(簡潔). ⌈(간국).

간물 salziges Wasser, -s, -; Salzbrühe f. -n

간물(奸物) Schurke m. -n, -n; Schelm m. -(e)s, -e; Bube m. -n, -n; Bösewicht m. -(e)s, -e(r).

간물(乾物) der getrocknete Fisch, -es, -e (어류의); das getrocknete Fleisch, -es (육류의).

간밤 〔부사적〕 letzte [4]Nacht; gestern nacht; diese [4]Nacht; heute nacht (자정 이후); gestern abend. ¶ ~의 불 das Feuer 《-s, -》 gestern nacht. / ~에 곳곳에 도둑이 들었다 Letzte Nacht haben viele Einbrüche stattgefunden.

간방(艮方) 〖민속〗 Nordost m. -(e)s; Nordosten m. -s.

간병(看病) Krankenpflege f. -n. ~하다 jn. (e-n Kranken) pflegen (warten); am Krankenbett wachen.

간보다 kosten[4] (probieren), um zu sehen, wie es gesalzen ist.

간부(姦夫) Ehebrecher m. -s, -. ¶ ~를 두다 jm. Hörner auf|setzen; jn. zum Hahnrei machen.

간부(姦婦) Ehebrecherin f. ..rinnen. ¶ ~의 남편 der hintergangene Ehemann, -(e)s, ⸚er.

간부(幹部) Direktion f. -en; Direktorium n. -s, ..rien; Vorstand m. -(e)s, ⸚e; Vorstandsmitglied n. -(e)s, -er (그 한 사람); Stamm m. -(e)s, ⸚e; Stab m. -(e)s, ⸚e; das führende Mitglied, -(e)s, -er. ¶ 회사의 ~ das Direktorium e-r Gesellschaft / ~의 결정에 의해서 auf Beschluß des Vorstandes (der Direktion).

‖ ~회의 Direktorialberatung f. -en; Direktorialsitzung f. -en. ~후보생 Offiziersaspirant m. -en, -en; Offiziersanwärter m. -s, -.

간빙기(間氷期) 〖지질〗 Interglazialzeit f.

간사(奸邪) Schurkerei f. -en; Büberei f. -en; Betrügerei f. -en; Tücke f. -n. ~하다, ~스럽다 schurkenhaft; bubenhaft; (heim-)tückisch (sein).

간사(奸詐) Schlauheit f.; Verschlagenheit f.; Durchtriebenheit f.; Listigkeit f.; Verschmitztheit f.; Betrügerei f. ~하다, ~스럽다 schlau; verschlagen; durchtrieben; listig; verschmitzt; betrügerisch (sein). ¶ ~한 놈 schlauer Fuchs, -es, ⸚e / ~부리다 verschlagen (schlau) handeln.

간사(幹事) Geschäftsführer m. -s, -; Sekretär m. -(e)s, -e; Beisitzer m. -s (협회 등의); Festordner m. -s, - (연회 따위의). ¶ 오늘의 ~는 누구입니까 Wer arrangiert heute die Gesellschaft? ‖ ~장 Chefsekretär [ʃɛf..]. 당~ Parteisekretär m. -(e)s, -e.

간사위 Findigkeit f.; Gewandtheit f.

간살 Schmeichelei f. -en; Lobhudelei f. -en; Liebedienerei f. -en; Fuchsschwänzelei f. -en; Speichelleckerei f. -en. ¶ ~부리다 schmeicheln 《jm.》; Honig (Papp) ums Maul schmieren (streichen*); lobhudeln 《jm. (jn.)》; fuchsschwänzeln 《bei jm.》; js. Speichel lecken.

‖ ~장이 Schmeichler m. -s, -; Lobhudler m. -s, -; Liebediener m. -s, -; Fuchsschwänzer m. -s, -; Speichellecker m. -s, -.

간살(間—) ① 《면적》 die Größe 《-n》 e-s Zimmers. ¶ ~ 넓은 (좁은) 방 großes (kleines) Zimmer, -s, - / ~(을) 지르다 das Zimmer (den Raum) ab|teilen (auf|teilen). ② 《간격》 (Zwischen)raum m. -(e)s, ⸚e; Abstand m. -(e)s, ⸚e; Lücke f. -n.

간상(奸商) der unsaubere (unehrliche) Kaufmann (Geschäfts-) -(e)s, ..leute; Schieber m. -s, -. ‖ ~배 die unsauberen (unehrlichen) Kaufleute 《pl.》; Schieber 《pl.》.

간상균(桿狀菌) Stäbchenbakterie f. -n.

간색(看色) Probe f. -n; Muster n. -s, -. ~하다 Proben nehmen* 《von[3]》.

간색(間色) Mittel|farbe (Zwischen-) f. -n.

간석지(干潟地) Flutland n. -(e)s. ¶ ~를 개간하다 das Flutland urbar machen.

간선(看—) 《선을 봄》 Brautschau f. -en; das Interview 《-s, -s》 (mit der Absicht zu heiraten). ~하다 ([4]sich gegenseitig) an|sehen*, mit der Absicht zu heiraten.

간선(幹線) Haupt(bahn)|strecke f. -n (-linie f. -n). ‖ ~도로 die Landstraße erster Ordnung; Hauptstraße f. -n; Ausfallstraße f. -n (교외로 빠지는).

간섭(干涉) Einmischung f. -en; Einmengung f. -en; Dazwischenkunft f. ⸚e; das Dazwischentreten*, -s; Eingriff m. -(e)s, -e; Intervention f. -en. ~하다 [4]sich ein|mischen (ein|mengen) 《in[4]》; dazwischen|kommen* (-|treten*)ⓢ; ein|greifen* 《in[4]》; intervenieren. ¶ ~치 않다 in Ruhe lassen* 《jn.》; freie Hand (freies Spiel) lassen* 《jm.》 / ~하기 좋아하는 사람 der Zudringliche*, -n, -n; Naseweis m. -es, -e; der Vorwitzige*, -n, -n; der* [4]sich gern in fremde Angelegenheiten mischt / ~하기 좋아하는 [4]sich unberufen einmischend / 남의 일에 ~하다 [4]sich in fremde Sachen ein|mischen; s-e Nase in anderer Leute (persönliche) Angelegenheiten stecken / 내정에 ~하다 [4]sich in die Innenpolitik (die inneren (Staats-) angelegenheiten) e-s Landes ein|mischen (ein|mengen) / 내 일에 ~하지 말게 Laß mich allein! / 자녀 교육상 지나친 ~은 오히려 좋지 않다 In der Kindererziehung richtet die übermäßige Ermahnung mehr Schaden als Nutzen an. / 그 나라는 내란으로 외국의 ~을 받을 우려가 있다 Das Land ist in Gefahr, wegen des Bürgerkrieges, fremde Intervention hervorzurufen.

‖ ~계 〖물리〗 Interferometer n. (m.) -s, -. ~무늬 〖물리〗 Interferenzfiguren 《pl.》. ~색 〖물리〗 Interferenzfarbe f. -n. ~주의 Interventionspolitik f. -en: 불~주의 Nichtinterventionspolitik f. -en. 공동~ die gemeinsame (kollektive) Intervention. 무력~ die bewaffnete Intervention. 선거~ Wahlbeeinflussung f. -en.

간성(干城) Bollwerk n. -(e)s, -e; Bastei f. -en; Verteidiger m. -s, -; Beschützer m. -s, -; Beschirmer m. -s, -. ¶ 군인은 나라의 ~이다 Die Soldaten bilden die Bollwerke des Staates.

간세(間稅) ☞ 간접세.

간소(簡素) Einfachheit f.; Schlichtheit f.; Schmucklosigkeit f. ~하다 schlicht; einfach; schmucklos (sein). ¶ ~한 옷차림 einfache Kleidung, -en / 행정 기구의 ~화 die Vereinfachung 《-en》 der Verwaltungsorganisation / ~화하다 vereinfachen[4]; handlicher gestalten[4]; unkompliziert machen[4].

간수(一水) Bitterlauge *f.* -n.

간수(看守) Gefängnis¦wärter (Gefangenen-) *m.* -s,-; Kerkermeister *m.* -s, -; Zuchthausaufseher *m.* -s, -. ~하다 Wache haben 《*bei*[3]》; bewachen[4].

간수(間數) die Länge (die Breite) in *Gan.*

간수하다 (auf|)bewahren[4]; auf|heben*[4]; verwahren[4]; in Verwahrung behalten*[4] (nehmen*[4]); erhalten*[4]; instand|halten*[4] (손질해서); beiseite|legen[4] (떼어서). ¶ 잘 ~ sorgfältig (gut; wie e-n Schatz) auf|bewahren / 귀중한 것은 내가 간수하고 있다 Die Kostbarkeiten sind in m-r Verwahrung.¦Die Kostbarkeiten habe ich in Verwahrung.

간식(間食) Imbiß *m.* ..bisses, ..bisse; Zwischenmahlzeit *f.* -en. ~하다 e-n Imbiß nehmen*; zwischen den Mahlzeiten essen*.

간신(奸臣) der verräterische (arglistige) Lehnsmann, -(e)s, ⸗er (..leute); der listige Untertan, -s (-en), -en.

간신히(艱辛一) kaum; kümmerlich; eben gerade; mit knapper Not; nur mit Mühe (u. Not); schwerlich. ¶ ~ 도망하다 mit knapper (genauer) Not entkommen*[3] (entfliehen*[3]) / ~ 살아가다 sehr kümmerlich leben; [4]sich kümmerlich (mühsam) durch|schlagen*; nur mit Not s-n Lebensunterhalt verdienen / ~ 합격하다 mit Mühe die Prüfung bestehen*; mit knapper Not u. Mühe durchs Examen kommen* / 그는 ~ 살아났다 Er hat kaum sein Leben gerettet. / 이 봉급으로 ~ 살아갈 수 있다 Mit diesem Gehalt kann man gerade noch leben. / ~ 기차 시간에 댔다 Ich habe gerade noch den Zug erreicht.

간실간실 (ein)schmeichelnd; einnehmend. ~하다 schmeicheln 《*jm.*》; [4]sich ein|schmeicheln 《bei *jm.*》; fuchsschwänzeln 《bei *jm.*》.

간악(奸惡) Bosheit *f.* -en; Boshaftigkeit *f.* -en; Schlechtigkeit *f.* -en; Gottlosigkeit *f.* ~하다 schlecht; böse; bösartig; boshaft; gottlos; schuftig; schurkenhaft (sein).

간암(肝癌) 〖의학〗 Leberkrebs *m.* -es, -e.

간약(簡約) Kürze *f.*; Bündigkeit *f.*; Gedrängtheit *f.*; Kleinformat *n.* -s, -e; Kurzstil *m.* -(e)s, -e; Zusammenfassung *f.* -en. ~하다 (ab|)kürzen[4]; kurz u. bündig machen[4]; vereinfachen[4]; zusammen|fassen[4].

간언(間言) veruneinigende Bemerkung, -en.

간언(諫言) Zurechtweisung *f.* -en; (Er)mahnung *f.* -en; Warnung *f.* -en; Verweis *m.* -es, -e; Vorhaltung *f.* -en; Vorstellung *f.* -en; harte Worte 《*pl.*》. ~하다 zurecht|weisen*[4]; ermahnen[4] 《*zu*[3]》; mahnen 《*an*[4]》; *jm.* [4]*et.* verweisen*; *jm.* [4]*et.* vor|halten*; *jm.* Vorhaltungen machen; *jm.* ins Gewissen reden; *jm.* Vernunft predigen; versuchen, den Kopf zurechtzusetzen. ¶ ~을 듣다 [4]sich warnen lassen* / ~을 듣지 않다 [4]sich nicht warnen lassen*; für *js.* Ermahnungen kein Ohr haben / ~은 귀에 거슬리는 법이다 Mahnung klingt bitter.

간염(肝炎) 〖의학〗 Leberentzündung *f.* -en; Hepatitis *f.* ..titiden.
‖ 급성~ die akute Hepatitis. 전염성~ die infektiöse Hepatitis. 혈청~ Serumhepatitis *f.*

간엽(肝葉) 〖해부〗 Leberlappen *m.* -s, -.

간요(肝要) Wichtigkeit *f.*; Wesentlichkeit *f.*; Bedeutsamkeit *f.*; Bedeutung *f.* -en; Notwendigkeit *f.* ~하다 wichtig; wesentlich; bedeutend; notwendig (sein). ☞ 중요(重要).

간웅(奸雄) der arglistige (rebellische) Held, -en, -en.

간원(懇願) das Anliegen* (Ansuchen*; Ersuchen*) -s; die inständige (dringende) Bitte, -n. ~하다 zu *jm.* flehen 《*um*[4]》; *jm.* ein Anliegen vor|bringen* 《*um*[4]》; *jn.* ersuchen 《*um*[4]》; e-e inständige Bitte an *jn.* richten (stellen) 《*um*[4]》. ‖ ~자 der Ersuchende*, -n, -n; Bittsteller *m.* -s, -.

간유(肝油) Lebertran *m.* -(e)s, -e.
‖ ~구 Lebertranpille *f.* -n. ~드롭스 Lebertranbonbon *m.* (*n.*) -s, -s. 무취~ der geruchlose Lebertran.

간음(姦淫) Ehebruch *m.* -(e)s, ⸗e. ~하다 ehebrechen 〖부정형뿐임, 실제로는 ich breche die Ehe; ich habe die Ehe gebrochen; die Ehe zu brechen 처럼 die Ehe brechen*과 마찬가지로 변화시켜 사용함〗; Ehebruch begehen* (treiben*). ¶ 여자를 보고 음욕을 품는 자마다 마음에 이미 ~하였느니라 Wer ein Weib ansieht, ihrer zu begehren, der hat schon mit ihr die Ehe gebrochen in s-m Herzen 《마태복음 V:28》.
‖ ~자 Ehebrecher *m.* -s, - (남자); Ehebrecherin *f.* -nen (여자). ~죄 Ehebruch *m.*

간이(簡易) Einfachheit *f.* ~하다 einfach; leicht; bequem; 《간소》 schlicht (sein).
‖ ~도서관 Volksbibliothek *f.* -en. ~보험 die Versicherung 《-en》 bei der Post. ~숙박소 das billige Logierhaus, -es, ⸗er. ~식당 Imbißhalle *f.* -n; Schnellbüfett *n.* -(e)s, -e; Automat *m.* -en, -en. ~재판 Schnellverfahren *n.* -s. ~주택 Kleinwohnung *f.* -en. ~화 Vereinfachung *f.* -en; Erleichterung *f.* -en (용이화): ~화하다 vereinfachen[4]; einfacher machen[4]; erleichtern[4].

간자 Löffel *m.* -s, -.

간자(間者) ① Spion *m.* -s, -e. ☞ 간첩. ② =근자(近者).

간자미 〖어류〗 der kleine Rochen, -s, -.

간작(間作) 《작물의》 Zwischenernte *f.* -n. ~하다 die Zwischenernte haben.

간장(一醬) Sojasauce [..zo:sə] *f.* -n.

간장(肝腸) die Eingeweide 《*pl.*》; Gedärme 《*pl.*》; Herz *n.* -ens, -en (마음). ¶ ~이 타다 brennen* 《*vor*[3]》; entbrannt sein 《*in*[3]》; schmachten (lechzen; [4]sich sehnen; seufzen) 《*nach*[3]》; in Liebe für *jn.* (zu *jm.*) entbrennen* (사랑에). ¶ ~을 녹이다 bezaubern[4]; behexen[4]; bestricken[4]; entzücken[4] / 남자의 ~을 녹이다 e-n Mann bezaubern.

간장(肝臟) 〖해부〗 Leber *f.* -n.
‖ ~경변 ☞ 간경변. ~경화 Leberverhärtung *f.* -en. ~디스토마 Leberegel *m.* -s, -. ~병 Leberkrankheit *f.* -en. ~비내 Leberhypertrophie *f.* -n. ~암 ☞ 간암. ~염 ☞ 간염. ~위축 Leberatrophie *f.* ~종창 Leber(an)schwellung *f.* -en.

간재(奸才) Arglist *f.* -en; Verschlagenheit *f.* ¶ ~에 능하다 sehr verschlagen sein.

간절(懇切) Eifer *m.* -s; Ernst *m.* -es; Heftigkeit *f.*; Innigkeit *f.*; Herzlichkeit *f.*; Freundlichkeit *f.*; Höflichkeit *f.* ¶ ~한 (히) dringend; ernstlich; heiß; innig; herzlich;

freundlich; höflich / ～한 부탁 e-e inständige Bitte, -n / ～히 빌다 〔바라다〕 herzlich 〔innig〕 wünschen⁴ / ～히 부탁하다 e-e inständige Bitte an *jn.* richten 〔stellen〕 《*um*⁴》; *jn.* ersuchen 《*um*⁴》 / (…하고 싶은) 생각이 ～하다 sehr begierig sein(, ⁴*et.* zu tun); ⁴sich sehnen 《*nach*³》; es gelüstet mich 《*nach*³》 / 고향 생각이 ～하다 Ich habe große Sehnsucht nach der Heimat. / 여기를 떠나고 싶은 마음이 ～하다 Ich sehne mich fort von hier. / 맥주 한 잔 생각이 ～하다 Ich habe Durst auf ein Glas Bier.

간접(間接) Mittelbarkeit *f.* ¶ ～적인 〔으로〕 mittelbar; indirekt; auf Umwegen; aus zweiter 〔durch dritte〕 Hand; durch ⁴Vermitt(e)lung / ～적인 이익 der indirekte Vorteil, -(e)s, -e / ～(적)으로 들은 이야기 Nachrichten 《*pl.*》 aus zweiter Hand / ～으로 듣다 auf e-m Umwege 〔aus zweiter Hand〕 erfahren* / 그는 그 사건에 ～적으로 관계가 있다 Er hat indirekte Beziehung zu der Sache. / 직접 ～으로 영향을 주고 있다 Das ist sowohl von unmittelbarem als auch mittelbarem Einfluß.¦Das übt sowohl direkt als auch indirekt Einflüsse aus.
‖ ～국세 die indirekte Staatssteuer, -n. ～목적어 das indirekte Objekt, -(e)s, -e; die mittelbare Satzergänzung, -en. ～사격 die indirekte Beschießung, -en. ～선거 die indirekte Wahl, -en. ～세 die indirekte Steuer, -n. ～의문 die indirekte Frage, -n. ～전염 die indirekte Ansteckung 〔Kontagion〕, -en: ～ 전염성의 병(病) die mittelbar ansteckende Krankheit, -en. ～조명 die indirekte Beleuchtung, -en. ～증거 der indirekte Beweis, -es, -e; Indiz *m.* -es, -ien. ～촬영 die indirekte Röntgenaufnahme, -n. ～추리 die indirekte Folgerung, -en. ～화법 die indirekte Rede.

간정되다 ⁴sich beruhigen; ruhig 〔still〕 werden; zur Ruhe kommen* ⓢ.

간조(干潮) Ebbe *f.* -n. ¶ ～다 Es ist Ebbe.¦Es ebbt. / ～가 되다 Es tritt Ebbe ein.

간종그리다 ordnen⁴; in ⁴Ordnung bringen*⁴; zurecht|machen⁴.

간주곡(間奏曲) 〖음악〗 Intermezzo *n.* -s, -s 〔..mezzi〕; Zwischenspiel *n.* -(e)s, -e.

간주하다(看做―) an|sehen*⁴ 《*für* 〔*als*〕⁴》; betrachten⁴ 《*für* 〔*als*〕⁴》; halten*⁴ 《*für*⁴》. ¶ 예외로 ～ als Ausnahme an|sehen* / 기권자로 ～ *jn.* als seiner Rechte verlustig betrachten / 우리는 그를 적으로 간주한다 Wir betrachten ihn als unsern Feind. / 당일 불참자는 불합격으로 간주한다 Diejenigen, die an dem bestimmten Tage nicht erscheinen, sind als in der Prüfung durchgefallen anzusehen. / 세상에서는 나를 그 운동의 지도자로 간주하고 있는 것 같다 Das Publikum scheint mich als den Führer der Bewegung anzusehen.

간지(干支) der sechzig Jahre umfassende Kreis, -es.

간지(奸智) Arglist *f.*; Hinterlist *f.*; (Heim-)tücke *f.* -n; Verschmitztheit *f.* ¶ ～에 능한 arg¦listig 〔hinter-〕; intrigant; (heim-)tückisch; verschmitzt.

간지(間紙) ein miteingebundenes Papier, -s, ⌈-e.

간지(諫止) das Abraten*, -s; Abmahnung *f.* -en. ～하다 ab|raten*《*jm. von*³》; ab|mahnen 《*jm.*〔*jn.*〕 *von*³》; widerraten*⁴ 《*jm.*》.

간지(簡紙) Briefbogen *m.* -s, - 〔‥〕; Brief¦papier 〔Schreib-〕 *n.* -s, -e.

간지럼 Kitzel *m.* -s. ¶ ～타는 사람 ein kitzliger Mensch, -en, -en.

간지럽다 es kitzelt *jn.* ¶ 간지러운 kitzlig; kitzelnd; Kitzel erregend / 발이 ～ Es kitzelt 〔juckt〕 mich am Fuße. / 아이 간지러워 고만둬 Hör' auf! Kitzle mich nicht!

간직하다 auf|bewahren⁴; auf|heben*⁴; verwahren⁴; erhalten*⁴; unter|bringen*⁴; verschließen*⁴. ¶ 소중히 ～ sorgfältig 〔gut; wie e-n Schatz〕 auf|bewahren / 마음 속에 ～ in ³sich verschlossen halten* 〔verschließen*〕⁴/ 가슴 속 깊이 ～ im tiefsten Innern 〔Herzen〕 auf|bewahren⁴ / 금고 속에 ～ im Kassenschrank verwahren⁴ / 그녀는 그에 대한 사랑을 가슴 속에 간직하고 있었다 Sie verschloß ihre Liebe zu ihm im Busen. / 그건 장 속에 간직해 두었다 Sie sind in der Kommode untergebracht.

간질(癎疾) Epilepsie *f.*; Fallsucht *f.*; die fallende Sucht. ¶ ～ 발작을 일으키다 e-n epileptischen Anfall bekommen*.
‖ ～환자 Epileptiker *m.* -s, -; der Fallsüchtige*, -n, -n.

간질간질 kitzelnd; Kitzel erregend. ¶ 등이 ～하다 es kitzelt *jn.* auf dem Rücken.

간질거리다 ① ＝간지럽다. ② ＝간질이다.

간질이다 kitzeln. ¶ 겨드랑이를 ～ *jn.* unter den Armen kitzeln.

간짓대 die lange Bambusstange, -n.

간책(奸策) List *f.* -en; Kniff *m.* -(e)s, -e; Intrige *f.* -n; Kunstgriff *m.* -(e)s, -e; Ränke 《*pl.*》. ¶ ～을 쓰다 e-e List an|wenden⁽*⁾; zu e-r List greifen* / 적의 ～에 걸리다 der List des Feindes erliegen*.

간척(干拓) Trockenlegung *f.* -en; Entwässerung *f.* -en. ～하다 trocken|legen⁴; entwässern⁴. ‖ ～사업 Trockenlegungs¦unternehmen 〔Entwässerungs-〕 *n.* -s, -.

간첩(間諜) der (heimliche) Kundschafter, -s, -; Spion *m.* -s, -e; Spitzel *m.* -s, -; Späher *m.* -s, -; der (geheime) Agent, -en, -en. ¶ ～을 보내다 e-n Spion aus|senden* 〔aus|-schicken〕 / ～질을 하다 spionieren; ⁴Spionage treiben* / ～을 색출하다 Spione heraus|suchen / ～ 혐의로 잡히다 wegen Verdachts der Spionage verhaftet werden.
‖ ～망 Spionagenetz *n.*-es,-e. ～행위 Spionage *f.*; Kundschafterei *f.* -en. 무장～ der bewaffnete Kundschafter. 여～ Kundschafterin *f.* -nen; Spionin *f.* -nen; Späherin *f.* -nen.

간첩(簡捷) Promptheit *f.*; Einfachheit *f.* ¶ 사무 ～을 기하기 위하여 um das Geschäft zu beschleunigen 〔befördern〕.

간청(懇請) das Ersuchen* 〔Anliegen*; Ansuchen*〕 -s; inständige 〔dringende〕 Bitte, -n. ～하다 *jn.* ersuchen 《*um*⁴》; e-e inständige Bitte an *jn.* richten 〔stellen〕 《*um*⁴》; *jn.* dringend bitten* 《*um*⁴》; *jm.* ein Anliegen vor|bringen*《*um*⁴》. ¶ ～에 따라 auf die dringende Bitte von³; auf *js.* inständige Bitte / ～을 들어 주다 *js.* dringende Bitte erfüllen; *js.* dringendes Gesuch bewilligen / 허가해 주기를 ～하다 *jn.* um Erlaubnis inständig bitten* / 면회를 〔회견을〕 ～하다 *jn.* um ein Interview ersuchen / 그의 ～을 저버릴 수가 없어 결국은 승낙을 했다 Da ich s-r inständigen Bitte nicht widerstehen konnte, gab ich zuletzt nach.

간추리다 kurz (zusammen|)fassen⁴. ¶ 간추려

서 말하면 kurz (u. gut); kurz gefaßt 〔gesagt〕; um es kurz zu sagen 〔fassen〕/ 요점을 간추려서 설명하다 kurz über die Hauptpunkte sprechen*.

간취하다(看取—) ein|sehen*^{4}; durchschauen^{4}; hinein|blicken《*in*^{4}》; klar sehen*^{4}. ¶ 적의 전략을 ~ die Strategie des Feindes durchschauen.

간치다 salzen$^{(*)}$; mit ^{3}Salz würzen^{4}.

간친(懇親) Freundschaft 〔Geselligkeit〕 *f.* -en. ‖ ~회 das gesellige Beisammensein*, -s: ~회를 열다 e-e gesellige 〔gesellschaftliche〕 Zusammenkunft《⸚e》(ab|)halten*.

간통(姦通) Ehebruch *m.* -(e)s, ⸚e; das Ehebrechen*, -s; Eheirrung *f.* -en. ☞ 간음. ~하다 ehebrechen* ※ 부정사(不定詞) 외에는 ich breche die Ehe 와 같은 꼴을 씀; die Ehe brechen*; Ehebruch begehen* 〔treiben*〕《mit *jm.*》. ¶ 독신자와 기혼자의 ~ der einfache Ehebruch / 기혼자간의 ~ Doppelehebruch *m.* -(e)s, ⸚e / 남편의 눈을 피해 ~하다 dem Manne Hörner auf|setzen.
‖ ~자 Ehebrecher *m.* -s, - (남자); Ehebrecherin *f.* ..rinnen (여자). ~죄 Ehebruch *m.*; Ehebruchsverbrechen *n.* -s, -: ~죄로 고소하다 e-e Klage gegen *jn.* wegen Ehebruchs ein|reichen. 혈족~ Blutschande *f.* -*n*; der blutschänderische Ehebruch; Inzest *m.* -es, -e.

간투사(間投詞)〖문법〗Interjektion *f.*-en; Ausrufewort *n.* -(e)s, ⸚er.

간파(看破) das Durchschauen*, -s; Durchblick *m.* -(e)s, -e. ~하다 durchschauen^{4}; durchsehen*^{4}; ausfindig machen^{4}; ein|sehen*^{4}; in das Geheimnis ein|dringen* ⓢ. ¶ 적의 계획을 ~하다 die Pläne des Feindes durchblicken / 아무의 마음을 ~하다 *jm.* ins Herz sehen*; *jn.* durchschauen / 비밀을 ~하다 *js.* Geheimnis erraten* / 약점을 ~하다 *js.* Schwäche erkennen* / 협잡꾼임을 한눈에 ~했다 Ich sah mit e-m Blick 〔Ich erkannte sofort〕, daß er ein Betrüger 〔Gauner〕 war. / 나는 그의 속셈을 ~하지 못했다 Ich konnte ihm s-e Absicht nicht ansehen.

간판(看板) Schild *n.* -(e)s, -er; Aushängeschild *n.* -(e)s, -er; Büroschild (의사, 변호사 등의); Firmen|schild 〔Laden-; Reklame-〕(회사, 점포, 광고의); Anschlag(e)brett *n.* -(e)s,-er. ¶ ~으로 앉혀 놓는 여점원 die schöne Verkäuferin《..rinnen》, die Kunden herbeilockt; Lockvogel *m.* -s, ⸚ / ~을 내걸다 ein Schild aus|hängen/~을 떼다 das Schild ein|ziehen*/자선을 ~삼아 unter dem Deckmantel der Wohltat / 서비스가 저희들의 ~입니다 Kundendienst ist unser Motto.
‖ ~장이 Schildermaler *m.* -s, -.

간편(簡便) Bequemlichkeit *f.* -en; Einfachheit *f.* ~하다 praktisch u. einfach; bequem; leicht; handlich (sein). ¶ ~한 방법 die einfache, leichte Methode, -n / 그것은 가지고 다니기에 아주 ~하다 Das ist sehr bequem zu tragen.

간하다 salzen〖*p.p.* gesalzt *od.* gesalzen〗; mit ^{3}Salz würzen^{4}.

간하다(諫—) (er)mahnen《*jn. zu*^{3}》;《경고하다》(ver)warnen《*jn. von*^{3}》;《충고하다》raten*《*jm.*》; e-n Rat geben*《*jm.*》. ¶ 못하게 ~ 〔간하여 말리다〕 ab|raten*《*jm. von*^{3}; *jm.* ^{4}*et.*》; ab|mahnen《*jm. von*^{3}》/ 간하는 말을 듣지 않다 für *js.* Ermahnungen kein Ohr haben.

간행(刊行) Herausgabe *f.*; Drucklegung *f.*; Edition *f.* -en; Publikation *f.* -en; Publizierung *f.* -en; Veröffentlichung *f.* -en. ~하다 heraus|geben*^{4}; edieren^{4}; erscheinen lassen*^{4}; publizieren^{4}; veröffentlichen^{4}. ¶ 민중서림 ~의 독한 사전 ein im Verlag von *Minjungseorim* erschienenes deutsch-koreanisches Wörterbuch / 잡지를 ~하다 e-e Zeitschrift heraus|geben* 〔erscheinen lassen*〕/ 그 책은 작년에 ~되었다 Das Buch erschien im letzten Jahr.
‖ ~물 das herausgegebene Werk, -(e)s, -e; Verlagsartikel *m.* -s, -: 정기~물 die regelmäßig 〔in regelmäßigen Zeitabständen〕 erscheinende Zeitschrift, -en. ~본 Verlagsbuch *n.* -(e)s, ⸚er. ☞ ~물.

간헐(間歇) Unterbrechung *f.* -en; Absatz *m.* -es, ⸚e. ¶ ~적으로 mit Unterbrechungen 〔Pausen〕; unterbrechend; Absätze machend; einzeln vorkommend; in Absätzen; sporadisch; stellenweise; vereinzelt.
‖ ~열 Wechselfieber *n.* -s, -; Malaria *f.* ..rien. ~(온)천 Geysir 〔Geiser〕 *m.* -s, -. ~유전 Atavismus *m.* -, ..men. ~전류 der intermittierende Strom, -(e)s, ⸚e.

간호(看護) Krankenpflege *f.* -n. ~하다 *jn.* 〔e-n Kranken〕 pflegen 〔warten〕; am Krankenbett wachen. ¶ 침식을 잊고 ~하다 über die Krankenpflege das Essen u. Schlafen vergessen*.
‖ ~병 Sanitäter *m.* -s, -; Sanitätssoldat *m.* -en, -en. ~보조원 Hilfskrankenpflegerin *f.* ..rinnen. ~원 Kranken|schwester *f.* -n 〔-pflegerin *f.* ..rinnen〕: 수~원 Oberschwester *f.* -n / 수습 ~원 Probeschwester *f.* -n / 적십자 ~원 Rotkreuzschwester. ~인 Krankenpfleger *m.* -s, -; Krankenwärter *m.* -s, -. ~학교 Schwesternschule *f.* -n; die Vorbereitungsschule der Krankenpflegerinnen.

간혹(間或) ①《이따금》in langen Zwischenräumen; selten; nicht häufig 〔oft〕; bisweilen; ab u. zu; von Zeit zu Zeit; gelegentlich. ¶ ~ 오는 손님 der seltene Gast, -(e)s, ⸚e / ~ 있는 일 das seltene Ereignis, ..nisses, ..nisse / ~ 들르다 ab u. zu vorbei|kommen* ⓢ《bei *jm.*》/ 그런 일도 ~ 있다 Das kommt auch vor.|Das ist auch nicht ausgeschlossen. ②《띄엄띄엄》dünn; spärlich; schütter; vereinzelt; zerstreut. ¶ 그 곳엔 ~ 가다 인가가 있다 Die Gegend ist spärlich 〔nur wenig〕 bebaut.|Häuser stehen dort zerstreut umher.

갇히다 eingesperrt 〔eingeschlossen; eingepfercht; eingekerkert〕 werden. ¶ 옥에 ~ ins Gefängnis gesetzt 〔gesperrt; geworfen〕 werden / 눈에 ~ eingeschneit werden / 캄캄한 방 속에 ~ in ein dunkles Zimmer gesperrt werden / 비 때문에 종일 집에 갇혀 있었다 Das regnerische Wetter hat mich den ganzen Tag ans Haus gefesselt.

갇힌물 stehendes 〔stagnierendes〕 Wasser, -s; Pfützenwasser *n.* -s.

갈 ① ☞ 갈대. ② ☞ 갈잎.

갈가리 ☞ 가리가리.

갈가마귀〖조류〗Dohle *f.* -n.

갈가위 Geizhals *m.* -es,⸚e; Gierling *m.* -s,-e.

갈갈《갈근갈근》(be)gierig; habgierig. ~하다, ~거리다 (be)gierig 〔habgierig〕 sein.

갈갈이 ☞ 가을갈이.

갈개 Wasserabzugsrinne *f.* -n; Grenzrinne

f. -n (경계짓는).

갈개꾼 《훼방꾼》 Störenfried *m.* -(e)s, -e; Störer *m.* -s, -; Eindringling *m.* -s, -e; Einmischling *m.* -s, -e.

갈개발 ① 《연의》 die keilförmigen Drachenschwänze 《*pl.*》. ② 《사람》 der Esel 《-s, -》 in (unter) der Löwenhaut.

갈거미 〖동물〗 die langbeinige Spinne, -n.

갈건(葛巾) Grasleinenhaube *f.* -n.

갈겨먹다 *jm.* weg|nehmen*[4]; an [4]sich reißen*[4]; *jm.* entreißen*[4]; raffen[4]; unterschlagen*[4].

갈겨쓰다 (hin|)kritzeln[(4)]; (hin|)schmieren[(4)]; hastig u. schlecht schreiben*[(4)]; sudeln[(4)]; schnell nieder|schreiben*[(4)]; flüchtig hin|werfen*[(4)]. ¶편지를 ~ e-n Brief flüchtig hin|schreiben*.

갈고랑막대기 Hakenstock *m.* -(e)s, ⸚e.

갈고랑쇠 ① 《쇠》 der (eiserne) Haken, -s, -. ② 《사람》 Querkopf *m.* -(e)s, ⸚e; der verschrobene Mensch, -en, -en.

갈고랑이, 갈고리 Haken *m.* -s, -; Hakenstange *f.* -n. ¶~ 모양의 hakenförmig / ~에 걸리다 angehakt werden / ~에 걸다 an den Haken hängen[4] / ~로 걸다 mit dem Haken hängen[4] 《*an*[4]》.

갈근(葛根) Pfeilwurzel *f.* -n.

갈기 Mähne *f.* -n. ¶~가 있는 mit e-r Mähne; gemähnt.

갈기갈기 in [4]Stücke ([4]Fetzen). ¶~ 찢다 in [4]Stücke (zer)reißen*[4] / 화가 나서 그는 편지를 ~ 찢어 버렸다 In s-r Wut riß er den Brief entzwei.

갈기다 ① 《치다》 schlagen*[4]; hauen*[4]; prügeln[4]; 〖속어〗 bimsen[4]; 〖속어〗 walken. ¶한 대 ~ eins (e-n Schlag) versetzen 《*jm.*》 / 몽둥이로 ~ mit dem Stock schlagen*[4]; knüppeln[4] / 주먹으로 ~ mit der Faust schlagen*[4]; knuffen[4] / 채찍으로 ~ peitschen[4]; mit der Peitsche schlagen* / 찰싹 ~ klapsen 《*jn. auf*[4]》; klatschen 《*jm.* [4]*et.*》 / 따귀를 ~ e-e Ohrfeige geben* 《*jm.*》 / 면상을 ~ ins Gesicht schlagen* 《*jn.*》 / 소줏병으로 뒤통수를 ~ mit der Schnapsflasche auf den Hinterkopf schlagen*《*jn.*》 / 호되게 ~ derb (tüchtig) schlagen*[4] / 녹초가 되게~ windelweich hauen*[4] (schlagen*[4]; prügeln[4]). ② 《베다》 《mit dem Schneidewerkzeug》 hauen*[4] (schlagen*[4]); ab|schneiden*[4] (-|hauen*[4]; -|schlagen*[4]). ③ 《쏘다》 feuern 《*auf*[4]》; schießen*[4] 《*auf*[4]》.

갈다[1] 《바꾸다》 ändern[4]; wechseln[4]; erneuern[4]; ersetzen[4] 《*durch*[4]》. ¶이름을 ~ s-n Namen ändern / 식모를 ~ eine alte (Küchen)magd durch e-e neue ersetzen / 꽃병 물을 ~ das Wasser in der Vase erneuern / 구두창을 ~ Schuhe neu besohlen / 방 안 공기를 ~ Zimmer lüften / 시계 유리를 갈아(끼워)주시오 Bitte, setzen Sie ein neues Uhrglas ein!

갈다[2] ① 《칼 따위를》 schärfen[4]; schleifen*[4](연마반으로); wetzen[4] (숫돌로); ab|ziehen*[4] (가죽숫돌로). ¶주머니칼(낫)을 ~ ein Messer (e-e Sense) schärfen (schleifen*; wetzen) / 면도칼을 ~ ein Rasiermesser schärfen (ab|ziehen*). ② 《닦다》 glätten[4]; polieren[4]; 《문지르다》 reiben*[4]; feilen[4] (줄로). ¶먹을 ~ Tusche (an|)reiben* / 보석을 ~ Edelsteine 《*pl.*》 schleifen* / 강판에 ~ 《과일 따위를》 auf dem Reibeisen reiben*[4]. ③ 《가루가 되게》 zerreiben*[4]; klein|reiben*; mahlen*[4] (맷돌에). ¶곡식을 ~ das Getreide zerreiben*. ④ 《이 따위를》 knirschen. ¶이를 ~ mit den Zähnen knirschen / 분해서 이를 ~ aus Ärger mit den Zähnen knirschen.

갈다[3] 《땅을》 pflügen[4]; ackern[4]; (be)bauen[4]; bestellen[4]. ¶논을 ~ das Reisfeld pflügen / 밭을 ~ den Acker (be)bauen (bestellen).

갈대 (Schilf)rohr *n.* -(e)s, -e; Schilf *n.* -(e)s, -e. ¶~가 무성한 schilfreich. ‖~밭 ☞갈밭. ~피리 Rohr|pfeife (-flöte) *f.* -n.

갈대발 Schilfrohrjalousie [..dʒaluzi:] *f.* -n.

갈등(葛藤) Verwicklung *f.* -en; Verflechtung *f.* -en; Knoten *m.* -s, -; 《난국》 Schwierigkeit *f.* -en; 《충돌》 Konflikt *m.* -(e)s, -e; Streit *m.* -(e)s, -e; 《불화》 Zwist *m.* -es, -e; Zwiespalt *m.* -(e)s, -e; 《반목》 Fehde *f.* -n. ~나다 in [3]Zwist u. Hader sein 《mit *jm.*》; im Widerspruch stehen* 《mit *jm.*》; uneins (uneinig) sein 《mit *jm.*》. ¶~을 일으키다 in [4]Konflikt (Streit; Zwiespalt) geraten*ⓢ 《mit *jm.*》/ ~을 해결하다 den Knoten lösen / 양국간의 ~은 아직 풀리지 않았다 Die Verwicklung zwischen beiden Staaten bleibt ungelöst. / 두 집안 사이에는 다년간의 ~이 아직 풀리지 않고 있다 Die beiden Familien liegen schon miteinander lange in Fehde.|Die beiden Familien haben seit langem einen ungeschlichteten Zwist.

갈라내다 (ab|)trennen[4] 《*von*[3]》; (ab|)sondern[4] 「《*von*[3]》.

갈라놓다 《이간시키다》 entfremden[4]; (voneinander) ab|bringen*[4]; abtrünnig (abwendig) machen[4] 《*von*[3]》; Distanz halten* 《*von*[3]》.

갈라붙이다 verteilen[4] 《*unter*[3]; *an*[4]》; auf|teilen[4]; aus|teilen 《*unter*[3]; *an*[4]》; ein|teilen[4]; zu|teilen[3·4]; (in zwei Teile) teilen[4](양분).

갈라서다 《분립·이혼》 [4]sich trennen; [4]sich separieren; scheiden* ⓢ 《*von*[3]》; brechen* 《mit *jm.*》; es kommt zu e-r Scheidung (Trennung); e-e Scheidung (Trennung) zur Folge haben. ¶아내와 ~ [4]sich von s-r Frau trennen (scheiden lassen*) / 갈라서자는 말이 오가다 《부부간에》 von der Ehescheidung die Rede sein 《*bei*[3]》.

갈라지다 ① 《물체가》 (auf|)springen*ⓢ; bersten ⓢ; platzen; e-n Riß (e-n Sprung) bekommen*; [4]sich spalten[(*)]; klaffen. ¶둘로 ~ [4]sich in zwei (Teile) spalten[(*)] / 심한 지진으로 땅이 갈라졌다 Die Erde hat durch das starke Erdbeben Risse bekommen. ② 《분기》 ab|zweigen; [4]sich gabeln; 《분열》 [4]sich teilen; [4]sich spalten[(*)]; auseinander|gehen*ⓢ; 《이별》 [4]sich trennen 《*von*[3]》; scheiden*《*von*[3]》. ¶두 파로 ~ [4]sich in zwei Parteien spalten[(*)] / 갈라져 살다 getrennt wohnen 《*von*[3]》 / 길은 거기서 갈라진다 Der Weg zweigt dort ab.|Der Weg gabelt sich da. / 그 종족은 셋으로 갈라졌다 Das Geschlecht hat sich in drei Zweige gespalten (gespaltet). / 거기에 관해서는 의견이 크게 갈라졌다 Darüber gingen die Meinungen weit auseinander. / 세계는 양진영으로 갈라져 있다 Die Welt spaltet sich in zwei Lager.

갈래 《분기》 Gabelung *f.* -en; Gabel *f.* -n; 《구분》 (Ab)teilung *f.* -en; Teil *m.* -(e)s, -e; Gruppe *f.* -n; Sektor *m.* -s, -en [..tó:rən]; 《분파》 Abzweigung *f.* -en; Zweig *m.* -(e)s, -e. ¶두 갈랫길 Gabelweg *m.* -(e)s, -e / 두 ~진 gegabelt; gab(e)lig; gabelförmig (geteilt); zweizackig (뾰족하게) / 세 ~진 dreigablig; dreizackig / 두 ～로 갈라지다 [4]sich gabeln; [4]sich in Zweige teilen; [4]sich ab|zweigen / 여기서 길은 두 ～로 갈라진다 Hier gabelt sich der Weg.¦Hier teilt sich der Weg in zwei Arme.

갈래다 ①《혼란·혼동》 in Verwirrung geraten* [s]; [4]sich verwirren; verwirrt [verstört; wirr; verworren] sein. ¶정신이 ～ [4]sich nicht sammeln können*; zerstreut sein; *js.* Aufmerksamkeit ist abgelenkt. ②《짐승이》 (umher|)wandern; (umher|)schweifen; (umher|)irren 《이상 [h,s]》.

갈론 《액체의 용적》 Gallone *f.* -n.

갈륨 〖화학〗 Gallium *n.* -s 《기호: *Ga*》.

갈리다[1] ①《갈게 하다》 *jn.* [4]*et.* erneuern lassen*; *jn.* [4]*et.* wechseln lassen*; *jn.* [4]*et.* ersetzen lassen*《*durch*[4]》. ¶구두창을 ～ Schuhe neu besohlen lassen*. ②《바뀜》 wechseln; erneuert werden; ersetzt werden 《*durch*[4]》. ¶교장이 갈렸다 Der Schuldirektor hat gewechselt. / 식모가 갈렸다 Die alte Magd ist durch eine neue ersetzt worden.

갈리다[2] ①《칼 등을》 *jn.* [4]*et.* schärfen [schleifen; wetzen; abziehen] lassen*; 《옥돌 따위를》 *jn.* [4]*et.* schleifen [polieren] lassen*; 《가루 따위로》 *jn.* [4]*et.* (zer)reiben lassen*. ②《칼 따위가》 scharf werden; geschärft [geschliffen] werden; 《옥돌 따위가》 poliert [geschliffen] werden; 《곡식 따위가》 gerieben [zerrieben] werden.

갈리다[3] ①《논밭을》 *jn.* [4]*et.* pflügen [bebauen; ackern] lassen*. ②《논밭이》 gepflügt [bebaut] werden; bestellt [bearbeitet] sein.

갈리다[4] 《분열》 [4]sich teilen; [4]sich spalten(*); 《분기》 [4]sich gabeln; ([4]sich) ab|zweigen; auseinander|gehen* [s]; 《구분》 (ein)geteilt werden 《*in*[4]》. ¶당파로 [의견이] ～ [4]sich in Parteien [in der Meinung] spalten(*) / 당이 여러 파로 갈렸다 Die Partei hat sich zersplittert. ☞ 갈라지다.

갈림길 Scheide¦weg [Kreuz-; Neben-] *m.* -(e)s, -e; Gabelung *f.* -en; (Wege)kreuzung *f.* -en; Wegescheide *f.* -n; 《운명의》 Wendepunkt [Entscheidungs-] *m.* -(e)s, -e. ¶승패의 ～ der Entscheidungspunkt e-s Kampfes; der Wendepunkt zum Ausgang e-s Kampfes / 인생의 ～에 서다 am Scheideweg [am Wendepunkt] des Lebens stehen* / 이것이 승패의 ～이다 Dieser Punkt ist für den Ausgang entscheidend.

갈림목 Scheidepunkt *m.* -(e)s, -e; 《길의》 Gabelung *f.* -en; Scheideweg *m.* -(e)s, -e.

갈마(羯磨) 〖불교〗 *Karma n.* -s 《범어》.

갈마들다 [4]sich ab|lösen 《mit *jm.*》; ab|wechseln 《mit *jm.*》; ab|lösen 《*jn.*》; ersetzen 《*jn.*》; an *js.* Stelle treten* [s].

갈마들이다 ab|lösen[4]; ab|wechseln[4]; ersetzen 《*jn.* durch[4]》.

갈마바람 〖항해〗 Südwestwind *m.* -(e)s, -e; Südwest *m.* -(e)s, -e.

갈망 《처리》 Erledigung *f.* -en; Besorgung *f.* -en; Bewerkstelligung *f.* -en; Regelung *f.* -en; Beilegung *f.* -en. ～하다 erledigen[4]; besorgen[4]; bewerkstelligen[4]; regeln[4]; bei|legen[4]; managen[4] [mɛ́nədʒən]; 〖속어〗 deichseln[4]. ¶빚～을 하다 e-e Schuld erledigen / 뒷～은 내가 하겠다 Ich werde die Sache in Ordnung bringen. / 그는 아직 나이가 어려서 제 앞～도 못 한다 Er ist zu jung, um für sich selbst zu sorgen.

갈망(渴望) Sehnsucht *f.*; Durst *m.* -es; heftige Begierde, -n. ～하다 [*nach*[3] 와 함께] [4]sich sehnen; Sehnsucht haben; dürsten [dursten]. ¶그는 명성을 ～하고 있다 Ihn dürstet nach Ruhm.

갈매 〖식물〗 e-e Art Faulbeere 《*f.* -n》; 《갈매빛》 Tiefgrün *n.* -s.

‖～나무 e-e Art Faulbaum 《*m.* -(e)s, ⸚e》 [Rhamnus 《*m.* -, ..nen》].

갈매기 〖조류〗 Möwe *f.* -n; 《무늬》 Sparren *m.* -s, -; Winkel *m.* -s, - 《기호: ∧》.

갈목 Schilfähre *f.* -n. ‖～비 der Besen 《-s, -》 aus Schilfähre; Schilfbesen *m.* -s, -.

갈무리 《간수》 Instandhaltung *f.* -en; Erhaltung *f.* -en; Aufbewahrung *f.* -en; 《마무리》 die letzte Feile. ～하다 instand|halten*[4]; in gutem Zustand halten*[4]; gut erhalten*[4] [auf|bewahren[4]]; die letzte Feile [Hand] legen 《*an*[4]》.

갈묻이 〖농업〗 Umgrabung *f.* -en; Umpflügung *f.* -en. ～하다 um|graben*[4]; um|ackern[4]; um|pflügen[4].

갈미 〖동물〗 Seegurke *f.* -n.

갈바람 〖항해〗 Westwind *m.* -(e)s, -e (서풍); Südwestwind *m.* -(e)s, -e (서남풍).

갈밭 Rohrgebüsch *n.* -es, -e; Schilffeld *n.* -(e)s, -er.

갈범 Tiger *m.* -s, - 《im Vergleich mit dem Leoparden》.

갈보 《매춘부》 die Prostituierte*, -n, -n; Hure *f.* -n; Dirne *f.* -n. ¶～ 같은 hurenartig / ～가 되다 zur Hure werden / ～ 노릇을 하다 [4]sich der Prostitution ergeben*; [4]sich prostituieren; huren; auf den Strich gehen*.

‖～집 Bordell *n.* -s, -e; Dirnen¦haus [Huren-] *n.* -es, ⸚er.

갈보리 〖성서〗 Kalvarienberg *m.*

갈분(葛粉) Pfeilwurzelmehl *n.* -s, -e.

갈붙이다 entfremden 《*jn. jm.*》; abspenstig [abtrünnig; abwendig] machen 《*jn.* (von) *jm.*》; böses Blut verursachen 《*unter*[3]》.

갈비[1] 《갈비뼈》 Rippe *f.* -n; 〖요리〗 Rippenstück *n.* -(e)s, -e. ¶소～ Rindsrippenstück *n.* -(e)s, -e. ‖갈빗대 Rippe *f.* -n: 갈빗대가 부러지다 [3]sich e-e Rippe brechen*; e-n Rippenbruch bekommen*.

갈비[2] 〖건축〗 die Breite e-s Daches.

갈비[3] ☞ 갈목비.

갈색(褐色) Braun *n.* -s; die braune Farbe, -n. ¶～의 braun; blond (담갈색의).

‖～인종 die braune Rasse, -n.

갈수(渴水) Dürre *f.*

‖～기 Trockenzeit *f.* -en; Trockenperiode *f.* -n; die trockene Zeit, -en; die Periode [Zeit] des Regenmangels.

갈수록 mit der Zeit; allmählich; nach u. nach; immer mehr; mehr u. mehr; immer weniger (줄어들 때). ¶～ 태산이다 immer schlechter [schlimmer] werden / ～ 커지다 größer u. größer [immer größer; groß u. größer] werden; an [3]Größe ständig zu|nehmen* / 올라～ 험준하다[가풀막지다] Je höher man steigt, desto steiler wird es.

갈아내다 ersetzen[4] 《*durch*[4]》; verdrängen[4] 《*durch*[4]》. ¶묵은 기왓장을 ～ e-n alten Dachziegel durch e-n neuen ersetzen.

갈아대다 wechseln[4]; ersetzen[4] 《*durch*[4]》; erneuern[4]. ¶삿자리를 ～ die Schilfmatte erneuern / 사람을 ～ *jn.* durch e-n andern ersetzen / 구두창을 ～ Schuhe neu besohlen / 우산대를 ～ an e-m Regenschirm e-n neuen Stock an|bringen*.

갈아들다 an *js.* Stelle treten*; *js.* Stelle (Platz) ein|nehmen*; ^{4}sich an *js.* Stelle setzen; *jn.* ersetzen. ¶최근에 식모가 새로 갈아들었다 Neulich ist die alte Magd durch e-e neue ersetzt worden.

갈아들이다 wechseln^4; an die Stelle 《^{2}*et.*》 bringen*^{4} (setzen^4); ersetzen^4 《*durch*^{4}》; substituieren^4 《*für*^{4}》. ¶하인을 ～ e-n alten Diener durch e-n neuen ersetzen.

갈아붙이다 ① 《이를》 《aus Ärger mit den Zähnen》 knirschen. ② 《바꾸어 붙이다》 neu bekleben^4 《*mit*^{3}》; wechseln^4; ersetzen^4 《*durch*^{4}》; erneuern^4. ¶레테르를 ～ e-e neue Etikette kleben 《*auf*^{4}》.

갈아씌우다 neu beziehen*^{4} 《*mit*^{3}》; neu überziehen*^{4} 《*mit*^{3}》. ¶안락의자를 가죽으로 ～ e-n Sessel mit Leder neu überziehen* / 우산 천을 ～ e-n Regenschirm neu bespannen lassen*.

갈아입다 ^{4}sich um|kleiden; ^{4}sich um|ziehen*; ^{4}sich anders kleiden; andere Kleider 《*pl.*》 an|legen; Kleider 《*pl.*》 wechseln; ^{4}sich anders an|ziehen*. ¶갈아입을 옷 ein anderes Kleid, -(e)s, -er (Kleidungsstück, -(e)s, -e); ein anderer Anzug, -(e)s, ⸚e; e-e andere Kleidung, -en / 옷을 갈아입고 in e-m anderen Kleid; in anderen Kleidern / 한복으로 ～ ^{4}sich in ^{4}koreanische Tracht um|kleiden.

갈아타다 um|steigen* [s] 《*in*^{4}》; wechseln^4 (말을). ¶갈아타는 곳 Umsteig(e)stelle *f.* -n / 갈아타는 역 Umsteig(e)bahnhof *m.* -(e)s, ⸚e / 청량리에서 지하철로 ～ in *Cheongryangri* um|steigen* u. die U-Bahn nehmen* / 딴 열차로 ～ in e-n anderen Zug um|steigen* / 갈아타지 않아도 좋습니다, 딴 열차에 연결되니까요 Wir brauchen nicht umzusteigen. Wir werden umgehängt werden. / 갈아타지 않고 갈 수 있읍니까 Kann man direkt (ohne Umsteigen) hinfahren? / 목포행은(여기서) 갈아타시오 Nach *Mokpo* umsteigen (hier)! / 용산서 갈아타는 게 빠르다 Es geht schneller, wenn man in *Yongsan* umsteigt. / 갈아탈 때 기차를 잘못 탔다 Ich habe beim Umsteigen e-n falschen Zug genommen.

갈음 《바꿈》 das Wechseln* (Ersetzen*) -s; Substituierung *f.* -en. **～하다** wechseln^4 《*mit*^{3}》; ersetzen^4 《*durch*^{4}》; substituieren^4 《^{3}*et.*; *für*^{4}》; an die Stelle 《^{2}*et.*》 bringen*^{4} (setzen^4).

갈음질 das Schärfen* (Wetzen*; Schleifen*; Abziehen*) -s. **～하다** 《Schneidewerkzeug》 schärfen (wetzen; schleifen*; ab|ziehen*).

갈이^1 《논밭의》 das Pflügen*, -s; Bebauung (Bestellung; Kultivierung) *f.* -en.
‖ **밭～** Acker¦bestellung (Feld-) *f.* -en; Acker¦arbeit (Feld-) *f.* -en.

갈이^2 《목기 제작》 Drechsler¦arbeit *f.* -en (-handwerk *n.* -(e)s, -e).
‖ **～기계** Maschinendrehbank *f.* ⸚e; Drechselbank *f.* ⸚e. **～방, ～공장** Drechslerei *f.* -en; Drechsel¦mühle *f.* -n; Drechslerwerkstatt (-werkstätte) *f.* ..stätten. **～장이** Drechsler *m.* -s, -. **～질** das Drechseln*, -s; Drechslerarbeit *f.* -en: ～질하다 (in ^{3}Holz) drechseln. **～칼** Drechslereisen *n.* -s, -. **～틀** Drechsel¦bank (Dreh-) *f.* ⸚e.

갈이^3 《갈아댐》 das Wechseln*, -s; Erneuerung *f.* -en. ¶창～하다 Schuhe neu besohlen.

갈잎 ① 《낙엽》 die abgefallenen Blätter 《*pl.*》 (떨어진 잎); die fallenden Blätter 《*pl.*》 (지는 잎). ② 《떡갈잎》 Eichenblätter 《*pl.*》; Eichenlaub *n.* -(e)s.

갈잎나무 ① ＝낙엽수. ② ＝떡갈나무.

갈증(渴症) Durst *m.* -es. ¶～이 나다 durstig sein; Durst haben; es dürstet (durstet) *jn.* / ～을 풀다 den Durst löschen (stillen) / ～이 나서 못 견디겠다 Ich kann es vor Durst nicht mehr aushalten (ertragen).

갈지개(褐―) 〖조류〗 der einjährige Falke, -n, -n.

갈짓자걸음(―之字―) das Taumeln*, -s; das Torkeln*, -s. ¶～으로 걷다 taumeln [h,s]; torkeln [s,h]; wack(e)lig (im Zickzack) gehen* [s]; hin u. her schwanken.

갈짓자형(―之字形) Zickzack *m.* -(e)s, -e. ¶～으로 im Zickzack; zickzack(förmig).

갈채(喝采) Beifall *m.* -(e)s; Beifalls¦bezeigung *f.* -en (-ruf *m.* -(e)s, -e; -sturm *m.* -(e)s, ⸚e); das Beifallsklatschen*, -s; Applaus *m.* -es, -e; das Zujauchzen*, -s. **～하다** (～를 보내다) Beifall klatschen (spenden; zollen) 《*jm.*》; Applaus spenden 《*jm.*》; applaudieren 《*jm.*; *jn.*》; bejubeln 《*jn.*》; mit ^{3}Beifall auf|nehmen*《*jn.*》; zu|jauchzen《*jm.*》; zu|jubeln 《*jm.*》. ¶～리에 unter ^{3}Beifall (Applaus; Zujauchzen); vom Beifall (Applaus) umbraust (umrauscht; umstürmt; umtost) / 열광적인 ～ phrenetischer Beifall (Applaus) / 우뢰와 같은 ～ der stürmische (donnernde) Beifall; Beifallssturm *m.* -(e)s, ⸚e / 그칠 줄 모르는 ～ nicht enden wollender Beifall / ～를 받다 Beifall finden* (ernten); Applaus bekommen* (erhalten*); applaudiert (bejubelt; mit ^{3}Beifall aufgenommen) werden; es wird *jm.* zugejauchzt (zugejubelt) / 그의 연설은 만당의 ～를 받았다 S-e Rede löste den Beifallssturm des ganzen Saales aus. / 연사는 우뢰같은 박수 ～를 받으며 하단했다 Der Redner trat unter stürmischem Beifall ab. / 만당(의 청중)이 박수～로 그를 환영했다 Das ganze Publikum begrüßte ihn mit Beifall (Händeklatschen).

갈철광(褐鐵鑛) 〖광물〗 Brauneisenerz *n.* -es, -e; Limonit *m.* -(e)s, -e.

갈초(―草) (Winter)heu *n.* -(e)s.

갈치 〖어류〗 Degenfisch *m.* -es, -e.

갈퀴 (Bambus)rechen *m.* -s, -. ¶～로 긁다 harken^4; rechen^4.
‖ **～덩굴** 〖식물〗 Klebkraut *n.* -(e)s, ⸚er. **～질** das Harken*, -; das Rechen*, -s: ～질하다 harken$^{(4)}$; rechen^4.

갈퀴다 (zusammen|)harken^4; (zusammen|-)rechen^4.

갈탄(褐炭) Braunkohle *f.* -n; Lignit *m.* -(e)s, -e.

갈파(喝破) gründliche Erklärung, -en; Proklamation *f.* -en; Verlautbarung *f.* -en. **～하다** gründlich erklären^4; klar|stellen^4; proklamieren^4; verlautbaren^4.

갈팡질팡 verlegen; verwirrt; bestürzt; in Verwirrung; schwankend; unschlüssig; unentschlossen; zaudernd. **～하다** verlegen (verwirrt; bestürzt) sein; hilflos (ratlos) sein; nicht ein, noch aus (weder hin noch her) wissen*; schwanken; zaudern. ¶거취를 못 정하고 ～하다 nicht wissen*, welche Richtung man nehmen (einschlagen; wählen) soll.

갈포(葛布) Grasleinen *n.* -s, -; Nesseltuch *n.* -(e)s.

갈피 ① 《책 따위의》 der Raum zwischen Lagen (Schichten; Blättern des Buches). ¶종

이를 책 ～에 끼우다 ein Blatt in ein Buch ein¦setzen. ② 《윗점》 (Haupt)punkt *m.* -(e)s, -e; Kern *m.* -(e)s, -e; Sinn *m.* -(e)s, -e; Zusammenhang *m.* -(e)s, ¨e; der Faden 《-s》 (des Zusammenhanges). ¶ 뭐가 뭔지 전혀 ～를 잡을 수 없다 Man wird gar nicht klug daraus. / 그가 하는 말은 ～를 잡을 수 없다 Er spricht ohne Zusammenhang.¦Ich kann gar nicht klug werden aus dem, was er meint.

갈피갈피 Blatt für Blatt; Seite für Seite.

갈화(葛花) 【한의학】 Pfeilwurzblüte *f.* -n.

갉다 nagen 《*an*[3]》; benagen[4]; knabbern 《*an*[3]》. ☞ 긁다. ¶ 빵을 갉아먹다 (am) Brot nagen / 쥐가 찬장을 갉아먹었다 Die Ratte durchnagte den Speiseschrank.

갉이 Polierstahl *m.* -(e)s, -e (¨e).

갉죽거리다 an [3]*et.* knuppern (knuspern).

감¹ 《과일》 Kakifeige *f.* -n; Persimone *f.* -n. ‖ 감나무 Kakibaum *m.* -(e)s, ¨e.

감² 《재료》 Stoff *m.* -(e)s, -e; Material *n.* -s, -ien; Gegenstand *m.* -(e)s, ¨e (대상); die rechte (geeignete; richtige; tüchtige) Person, -en (적임자). ¶ 옷감 (Kleider)stoff *m.* -(e)s, -e; Tuch *n.* -(e)s, ¨er (종류를 나타낼 때 : -e) / 장군감 e-e zum General geeignete Person / 땔감 Brenn¦stoff (Heiz-) *m.* -(e)s, -e; Brenn¦material (Heiz-) *n.* -s, -ien / 놀림감이 되다 die Zielscheibe (der Gegenstand) des Spottes werden.

감(減) 《감법·감산》 Subtraktion *f.* -en; das Abziehen*, -s; 《감소·줄임》 Verminderung *f.* -en; Abnahme *f.*; das Abnehmen*, -s; Verringerung *f.* -en; Reduktion *f.* -en; 《…감》 weniger; minder. ¶ 3 할감 (um) 30 v. H. (%; Prozent) weniger (minder) / 감 5 도 《음의》 die kleine (verminderte) Quinte.

감(感) ① 《느낌·감각》 Gefühl *n.* -(e)s, -e; Empfindung *f.* -en; Sinn *m.* -(e)s, -e; Eindruck *m.* -(e)s, ¨e (인상). ¶ 미감 Schönheitssinn *m.* / 의무감 Pflichtgefühl *n.* -(e)s, -e / 책임감 Verantwortungsbewußtsein *n.* -s / …한 감을 주다 den Eindruck erwecken, als ob… / …한 감을 금할 수가 없다 [4]sich des Eindrucks nicht erwehren können*, daß… / 적적한 감이 들다 [4]sich einsam u. verlassen fühlen / 불쾌감을 주다 e-n unangenehmen Eindruck machen 《*auf*[4]》 / 금석지감을 금치 못하다 vom Wechsel der Zeiten betroffen sein; von den Änderungen, die in der letzten Zeit stattgefunden haben, beeindruckt sein. ② 《감도》 Empfindlichkeit *f.* -en; Sensibilität *f.*

감가(減價) Preis¦ermäßigung *f.* -en (-nachlaß *m.* ..lasses, ..lasse); Abzug *m.* -(e)s, ¨e; Diskont(o) *m.* -(e)s, -e; Rabatt *m.* -(e)s, -e; Skonto *m.*(*n.*) -s, -s; 《가치 감소》 Wertverminderung *f.* -en; Entwertung *f.* -en; das Herabsinken* 《-s》 des Wertes.
‖ ～상각 Abschreibung *f.* -en: ～상각 기금 (적립금) Entwertungsfonds [..fɔ̃:] *m.* -[..fɔ̃:(s)], - [..fɔ̃:s]; Abnutzungsfonds *m.* ～판매 Rabattverkauf *m.* -(e)s, ¨e; Verkauf zu ermäßigten Preisen.

감각(感覺) Sinn *m.* -(e)s, -e; (Sinnes)wahrnehmung *f.* -en; Gefühl *n.* -(e)s, -e; Empfindung *f.* -en. ¶ ～적 sensuell; sinnlich; sensorisch / ～적 쾌락 der sinnliche Genuß, ..nusses, ..nüsse / ～이 둔하다 dick¦fellig (-häutig) sein; unempfindlich (stumpf) sein / ～이 예민하다 empfindlich (empfänglich; feinfühlig) sein / ～이 없다 gefühllos (unempfindlich) sein / ～을 잃다 kein Gefühl mehr haben; Empfindungsfähigkeit verlieren*; starr (empfindungslos; gefühllos) werden; betäubt sein / 손가락에 전연 ～이 없다 Mein Finger ist ganz gefühllos. / 그는 예술가적인 ～을 지니고 있다 Er hat ein künstlerisches Gefühl. / 그는 예술에 대한 ～이 전혀 없다 Er hat gar k-n Sinn für die Kunst. / 추워서 손발에 ～이 없어졌다 Ich habe vor Kälte das Gefühl in den Händen und Füßen verloren.
‖ ～감정 Empfindungsgefühl *n.* -(e)s, -e. ～기관 Sinnesorgan *n.* -s, -e. ～기능 Sinnesfunktion *f.* -en. ～력 Empfindungsvermögen *n.* -s, -; Empfindungsfähigkeit *f.* -en. ～론 (주의) Sensualismus *m.* -: ～론자 (주의자) Sensualist *m.* -en, -en. ～묘사 die sinnliche Darstellung, -en. ～성 실어(증) die sensorische Aphasie. ～식물 empfindungsfähige Pflanze, -n. ～신경 Empfindungsnerv *m.* -s, -en. ～유추 die Analogie 《-n》 der Empfindung. ～장애 die Sensibilitätsstörung *f.* -en. ～적 인식 die sinnliche Erkenntnis, ..nisse. ～ 중추 Sensorium *n.* -s, ..rien. ～착오 Sinnestäuschung *f.* -en. ～탈실 Anästhesie *f.*; Unempfindlichkeit *f.* ～파 die Sensualisten 《*pl.*》. 잔류～ Nachempfindung *f.* -en.

감감(무)소식(—(無)消息) ¶ ～이다 von [3]sich nichts hören lassen* / 여전히 ～이다 Er läßt immer noch nichts von sich hören.

감감하다 ① 《소식이》 von [3]sich nichts hören lassen*. ¶ 그는 고향에 돌아간 이래 소식이 ～ Seitdem er in die Heimat zurückgekehrt ist, hört man nichts mehr von ihm. ② 《차이》 weit überlegen (sein) 《*jm. an*[3]》; weit über *jm.* sein; 《시간이》 es dauert lange, bis…. ¶ 우리가 그의 학식을 따라가려면 아직 ～ Er ist uns an Kenntnissen so weit überlegen, daß wir ihm nicht gewachsen sind. ③ 《아득하다》 weit entfernt (sein).

감개(感慨) Bewegung *f.* -en; Rührung *f.* ¶ ～무량하다 Mein Herz ist voll (von Erinnerungen aus der Vergangenheit). / 지난 날을 생각하니 정말 ～가 무량합니다 Tausend Ideen drängen sich mir auf, wenn ich auf die Vergangenheit zurückblicke.

감격(感激) Begeisterung *f.* -en; Bewegung *f.* -en; Ergriffenheit *f.*; Erschütterung *f.* -en; Rührung *f.* -en. ～하다 [4]sich begeistern; tief bewegt (ergriffen; erschüttert; gerührt) werden. ¶ ～적(인) ergreifend; rührend; begeisternd; begeisterungsvoll; eindrucksvoll/～ 잘하는 사람 Gemüts¦mensch (Gefühls-) *m.* -en, -en / 사람을 ～케 하는 연설 die begeisternde (inspirierende) Rede, -n / ～시키다 *jn.* begeistern; bewegen[4]; ergreifen*[4]; erschüttern[4]; packen[4] / ～의 눈물을 흘리다 zu Tränen gerührt werden / 그의 말에 ～했다 Er ist von s-n Worten tief ergriffen. / 그는 무슨 일에나 곧잘 ～한다 Er begeistert sich leicht für alles.

감관(感官) Sinn *m.* -(e)s, -e; Sinnesorgan *n.* -s, -e. ¶ ～적 감정 das sinnliche Gefühl, -(e)s, -e / ～적 인식 die sinnliche Erkenntnis, -se / ～적 착각 Sinnestäuschung *f.* -en.
‖ ～인상 Sinneseindruck *m.* -(e)s, ¨e. ～표상 Sinnesvorstellung *f.* -en.

감광(感光) das Lichtempfindlichmachen*, -s; Lichtempfindlichkeit *f.*(감광도). ～하다 belichtet (exponiert) werden. ¶ ~시키다 belichten[4]; exponieren[4] / ~하기 쉽게 하다 lichtempfindlich machen[4]; sensibilisieren[4]. ‖ ~계 《사진의》 Empfindlichkeitsmesser *m.* -s, -; 《화학선의》 Aktinometer *n.* -s, -. ~도 (성) Lichtempfindlichkeit *f.* ~막 Film *m.* -s, -e. ~약 das präparierte Pulver, -s, -. ~유제 Emulsion *f.* -en. ~제 das lichtempfindlichmachende Mittel, -s, -. ~지 das lichtempfindliche (präparierte) Papier, -s. ~판 die lichtempfindliche Platte, -n. ~필름 Rohfilm *m.* -s, -e.

감군(減軍) die Verminderung der Truppen (des Heeres). ~하다 die Truppenzahl (das Heer) vermindern; die Heeresstärke herab|setzen.

감귤류(柑橘類) Citrus [tsí:trus] *f.*; Zitronengewächse 《*pl.*》.

감금(監禁) Haft *f.*; Einkerkerung *f.* -en; Einsperrung *f.* -en; Freiheitsberaubung *f.* -en; Gefangennahme *f.* -n; Internierung *f.* -en. ~하다 in [4]Haft (Gewahrsam) nehmen* 《*jn*》; ein|kerkern (-|sperren) 《*jn.*》; der [2]Freiheit berauben 《*jn.*》; gefangen|nehmen* 《*jn.*》; internieren 《*jn.*》. ¶ 방에 ~하다 in ein(em) Zimmer ein|schließen* (ein|sperren) / ~당해 있다 eingeschlossen (eingesperrt) sein 《*in*[3]》.
‖ 독방~ Einzelhaft *f.* 불법~ die illegale (ungesetzliche) Einsperrung, -en.

감기(感氣) Erkältung *f.* -en; Schnupfen *m.* -s, - (코감기); 《유행성의》 Influenza *f.*; Grippe *f.* -n. ¶ 가벼운 ~ die leichte Erkältung / 지독한 ~ die schlimme (starke) Erkältung / ~든, ~에 걸린 erkältet / ~들다, ~에 걸리다 [4]sich erkälten; [3]sich e-e Erkältung zu|ziehen*; 《코감기 들다》 den Schnupfen bekommen*; [3]sich e-n Schnupfen holen / ~에 걸려 있다 an e-r [3]Erkältung leiden*; den Schnupfen haben / ~로 누워 있다 wegen e-r Erkältung das Bett hüten / ~에 잘 걸리다 [4]sich leicht erkälten / ~가 지독하게 들었다 Ich bin stark erkältet.
‖ ~기 leichte Erkältung, -en; e-e Spur 《-en》(ein Anflug *m.* -(e)s) von [3]Erkältung: ~기가 있다 leicht erkältet sein. ~약 Arznei 《*f.* -en》 gegen (für) [4]Erkältung.

감기다[1] ① 《눈이》 von [3]selbst schließen*; [4]sich schließen*. ② 《눈을》 zu|drücken[4]. ¶ 죽은 사람의 눈을 감겨 주다 e-m eben Gestorbenen die Augen zu|drücken.

감기다[2] 《씻기다》 *jm.* [4]*et.* waschen*; *jn.* baden. ¶ 어린애의 머리를 ~ e-m Kinde das Haar waschen* / 어린애를 멱~ ein Kind baden.

감기다[3] ① 《감겨지다》 [4]sich (um)schlingen* 《*um*[4]》; [4]sich (um)winden* 《*um*[4]》; [4]sich wickeln 《*um*[4]》; aufgewickelt werden (sein) 《*auf* [4·3]》 (실 따위가); 《걸림》 [4]sich fangen*. ¶ 덩굴이 나무에 ~ Lianen winden sich um e-n Baum (herum) / 실이 실패에 ~ Garn ist auf der Winde aufgewickelt / 옷자락이 발에 ~ der Saum des Kleides fängt sich am Fuß / 옷자락이 자꾸만 발에 감겨서 걷기가 불편하다 Ich kann schlecht laufen, mein Fuß fängt sich leicht im Kleidersaum. ② 《감게 하다》 *jn.* [4]*et.* winden lassen*; *jn.* aufziehen lassen*[4] (태엽 따위를). ¶ 아들을 시켜 시계 태엽을 ~ s-n Sohn die Uhr aufziehen lassen*.

감내(堪耐) Geduld *f.*; Ausdauer *f.*; das Aushalten*, -s. ~하다 Geduld (Ausdauer) haben; [4]sich gedulden; ertragen*[4]; erdulden[4]; aus|halten*[4]; aus|harren[4].

감농하다(監農一) den Ackerbau beaufsichtigen; die Landarbeiter überwachen.

감다[1] 《눈을》 schließen*[4]; zu|machen[4]. ¶ 눈을 ~ die Augen schließen* (zu|machen) / 눈감아 주다 ein Auge zu|drücken 《*bei*[3]》; durch die Finger sehen* (관대하게 보아넘기다).

감다[2] 《씻다》 [3]sich [4]*et.* waschen*; baden. ¶ 갓 감은 머리 das frisch gewaschene Haar, -(e)s, -e / 머리를 ~ [3]sich das Haar waschen* (schampoonieren [..pu..]) / 멱을 ~ ([4]sich) baden / 내에 멱감으러 가다 zum Flusse baden (schwimmen) gehen*.

감다[3] 《실 따위를》 winden*[4]; wickeln[4]; (auf|-)rollen[4] (축 따위에); (auf|)spulen[4] (실패에); zusammen|rollen[4] (말다). ¶ 실을 실패에 ~ Garn auf die Winde winden* / 시계의 태엽을 ~ die Uhr auf|ziehen* / 손가락에 붕대를 ~ e-n Finger verbinden*; e-n Verband um e-n Finger wickeln / 감은 것을 풀다 ab|winden*[4]; ab|wickeln[4]; ab|rollen[4] / 비단옷을 몸에 감고 있다 in Seide gekleidet sein.

감다[4] ☞ 겸다[2].

감당하다(堪當一) geeignet sein 《*für*[4]》(적합); [4]sich eignen 《*für*[4]》(적합); gewachsen sein (맞설 수 있다); ertragen (aushalten) können*[4] (이겨내다). ¶ 중책을 감당해 내다 e-m wichtigen Posten gewachsen sein / 나로서는 그 일을 감당할 수 없다 Das geht über m-e Kraft. / 체력으로는 그를 감당할 수 없다 An Körperkraft bin ich ihm nicht gewachsen (komme ich ihm nicht gleich). / 나이가 많아서 그 직책을 감당 못한다 Er ist zu alt für den Posten. / 그 사람 같으면 어떤 일이라도 감당할 수 있다 Er ist für jede Beschäftigung geeignet. / 내가 감당할 수 있는 일이라면 무엇이라도 하겠읍니다 Ich will alles tun, was in m-n Kräften steht. / 그 임무는 나로서는 감당할 수 없을 것 같습니다 Ich denke nicht, daß ich der Aufgabe gewachsen bin. / 이것은 그 사람으로서는 감당해낼 수 없다 Das kann er nicht.|Er ist dieser Aufgabe nicht gewachsen.

감도(感度) Empfindlichkeit *f.* -en; Sensibilität *f.* ¶ 라디오 수신기의 ~ die Empfindlichkeit e-s Radioapparates / ~가 아주 좋은 검파기 der höchst empfindliche Detektor, -s, -en / ~가 좋다(나쁘다) empfindlich (unempfindlich) sein.

감독(監督) ① (Ober)aufsicht *f.* -en; Beaufsichtigung *f.* -en; Kontrolle *f.* -n; Überwachung *f.* -en. ② 《사람》 (Ober)aufseher *m.* -s, -; der Aufsichtführende* (Beaufsichtigende*) -n, -n; Kontrolleur [..lǿ:r] *m.* -s, -e (-s); Bischof *m.* -s, =e(신교의); Direktor *m.* -s, -en; Leiter *m.* -s, - (경기등의); Regisseur [..ʒisǿ:r] *m.* -s, -e (영화의); (Werk)meister *m.* -s,- (직공 등의). ~하다 die (Ober-)aufsicht führen; beaufsichtigen[4]; ein Auge haben 《*auf*[4]》; im Auge behalten*[4]; kontrollieren[4]; maßgebend beeinflussen[4]; überwachen[4]. ¶ 보험 사무의 ~ die Aufsicht des Versicherungsgeschäfts / 신상옥 ~의 영화 der unter der Regie (Leitung) des Herrn *Sangock Schin* stehende Film / ~을 받지 않는 aufsichtlos / …의 ~하에 unter (der) Aufsicht von…; unter (der) Kontrolle von… / 엄중히 ~하다 streng (scharf) beaufsichtigen^{4} / 학생을 ~하다 die Schüler beaufsichtigen / 직공을 ~하다 die Arbeiter überwachen 〔kontrollieren〕 / 아이들을 ~하다 die Kinder hüten / 시험~을 하다 die Prüfung 〔das Examen〕 überwachen / 영화촬영을 ~하다 e-n Film leiten / 아이들을 ~할 사람이 필요하다 Ich brauche jemand zum Überwachen der Kinder. / 이 집의 건축공사는 내가 ~했다 Ich habe dieses Haus unter m-r Leitung bauen lassen. / 교장은 부하직원의 ~ 불철저로 사임했다 Der Rektor nahm s-n Abschied, weil er es an der Überwachung s-r Untergeordneten hatte fehlen lassen.

‖ **~관** Aufsichtsrat *m.* -(e)s, ⸚e; der Kontroll¦beamte* 〔Aufsichts-〕 -n, -n. **~관청** Aufsichtsbehörde *f.* -n; die zuständige Behörde, -n: 보험 ~관청 die Aufsichtsbehörde für Versicherungsunternehmungen. **~교회** Episkopalkirche *f.* -n. **~권** Aufsichtsgewalt *f.* -en.

감리교~ Bischof *m.* -s, ⸚e. **공장~** Fabrikaufseher *m.* -s, -; Fabrikinspektor *m.* -s, -en. **시험~** der Aufsichtführende* 《-n, -n》 beim Examen. **영화~** Filmregisseur *m.* -s, -e. **현장~** 《공사의》 der Aufseher 《-s, -》 〔Inspektor 《-s, -en》〕 auf dem Bauplatz (사람); die Aufsicht auf dem Bauplatz (행위).

감돌다 ① 《물굽이 따위가》 biegen* ⓢ 《*um*^{4}》; e-e Biegung 〔e-e Kurve〕 machen. ¶ 강이 산모퉁이를 감돈다 Der Fluß biegt 〔fließt〕 um den Berg. ② 《암운 따위가》 herab|hangen*; hängen; herrschen. ¶ 암운이 감돈다 Dunkle Wolken als Vorboten des Sturmes stehen zögernd am Himmel. ¦ Dunkle Wolken, Vorboten des Sturmes, hängen im Himmel. / 그 일대에는 긴장된 공기가 감돌고 있었다 Es herrschte e-e gespannte Atmosphäre.

감동(感動) Ergriffenheit *f.*; Erschütterung *f.* -en; Bewegung *f.* -en; Bewegtheit *f.*; Rührung *f.*; Eindruck *m.* -(e)s, ⸚e (감명); Begeisterung *f.* -en (감격). **~하다** ergriffen sein 《*von*^{3}》; bewegt 〔gerührt〕 sein 《*von*^{3}》; sehr beeindruckt sein 《*von*^{3}》; begeistert sein 《*von*^{3}》. ¶ ~적인 ergreifend; erschütternd; bewegend; packend; rührend / ~적인 연설 die (herz)ergreifende Rede, -n / ~하기 쉬운 leicht erregbar; empfänglich / ~을 주다 *jn.* 〔*js.* Gemüt; *js.* Herz; *js.* Seele〕 bewegen; *jn.* rühren; *jm.* zu Herzen gehen* ⓢ; *jn.* beeindrucken / ~한 나머지 말을 못하다 vor Rührung nicht sprechen können* / ~하여 눈물을 흘리다 zu Tränen gerührt werden / 이 말을 듣고 청중들은 모두가 깊은 ~을 받았다 Bei diesen Worten wurden alle Zuhörer tief ergriffen. / 그는 ~된 목소리로 감사를 했다 Er dankte mit bewegter Stimme. / 나는 그 영화를 보고 매우 ~했다 Ich war von diesem Film sehr beeindruckt. / 나는 ~한 나머지 눈물이 나왔다 Ich war zu Tränen gerührt.

감득(感得) Ahnung *f.* -en; 《도리 따위를》 Wahrnehmung *f.* -en; Empfindung *f.* -en. **~하다** ahnen^{4}; wahr|nehmen*^{4}; empfinden*^{4}.

감등(減等) 《경감·감형》 Milderung *f.*-en; Linderung *f.* -en; Erleichterung *f.* -en; Ermäßigung *f.* -en; Strafmilderung *f.* -en. **~하다** mildern^{4}; lindern^{4}; ermäßigen.

감때사납다 sehr roh 〔rauh; grob; grimmig; ungestüm; wild; unfügsam〕 (sein).

감람(橄欖) 〖식물〗 Olive *f.* -n.

‖ **~나무** Öl¦baum 〔Oliven-〕 *m.* -(e)s, ⸚e. **~산** Ölberg *m.* -(e)s. **~색** Olivenfarbe *f.* -n; Olivengrün *n.* -s. **~석** Olivin *n.* -(e)s; Peridot *m.* -s (감람암). **~원, ~림** Olivenhain *m.* -(e)s, -e; Olivenwäldchen *n.* -s, -. **~유** Olivenöl *n.* -(e)s, -e.

감량(減量) Mengen¦verlust 〔Gewichts-〕 *m.* -es, -; die Verringerung 《-en》 von Mengen 〔des Gewichts〕. **~하다** 《양·체중이》 an ^{3}Menge 〔^{3}Gewicht〕 verlieren*; 《양·체중을》 die Menge 〔das Gewicht〕 verringern.

감로(甘露) Nektar *m.* -s; Honigtau *m.* -(e)s; das süße zuckerhaltige Getränk, -(e)s, -e; 〖불교〗 *Amrita* 《범어》. ¶ ~와 같은 süß wie Nektar; honigsüß; köstlich; wohlschmeckend (맛좋은) / ~의 맛이 나다 wie Nektar schmecken.

‖ **~수** Zuckerwasser *n.* -s.

감루(感淚) Rührungstränen 《*pl.*》. ¶ ~를 흘리다 Tränen der Rührung vergießen*; in ^{4}Tränen der Dankbarkeit zerfließen* ⓢ; zu Tränen gerührt 〔ergriffen〕 werden.

감률(甘栗) die süße Kastanie, -n; süß geröstete Kastanien 《*pl.*》.

감리(監理) 《감독》 (Ober)aufsicht *f.* -en; Beaufsichtigung *f.* -en; Kontrolle *f.* -n; Verwaltung *f.* -en (관리). **~하다** beaufsichtigen^{4}; Aufsicht haben 〔führen〕 《*über*^{4}》; kontrollieren^{4}; verwalten^{4}.

‖ **~교** Methodismus *m.* - (교파): ~교도 Methodist *m.* -en, -en / ~교회 die Methodistenkirche; die methodistische Kirche, -n.

감마선(一線) 〖물리〗 Gammastrahlen 《*pl.*》.

감마유(減摩油) Schmieröl *n.* -(e)s.

감마제(減摩劑) Schmiermittel *n.* -s, -.

감면(減免) 《세금의》 Steuererleichterung u. -erlaß, - u. -erlasses, -en u. -erlasse; 《형벌의》 die Linderung 〔Milderung; Erlassung〕 der Strafe. **~하다** *jn.* befreien 《*von*^{3}》; *jm.* erlassen*^{4}.

감명(感銘) der (große 〔tiefe〕) Eindruck, -(e)s, ⸚e; Einprägung *f.*-en. **~하다, ~받다** (tief) beeindruckt werden; ^{3}sich unauslöschlich dem Gedächtnis ein|prägen^{4}; von e-m tiefen 〔unauslöschlichen〕 Eindruck überwältigt werden. ¶ ~깊은 eindrucksvoll / ~을 주다 e-n tiefen Eindruck machen 《auf *jn.*》 / 나는 이 영화를 보고 깊은 ~을 받았다 Ich war von diesem Film sehr 〔tief〕 beeindruckt. / 그의 연설은 청중에게 깊은 ~을 주었다 S-e Rede machte aufs Publikum e-n ergreifenden 〔starken〕 Eindruck.

감물 der herbe Saft 《-(e)s, ⸚e》 von unreifen Kakifrüchten.

감미(甘味) der süße Geschmack, -(e)s, ⸚e; Süße *f.*; Süßigkeit *f.* ¶ ~롭다 süß 〔honigsüß〕 sein; 《맛있다》 köstlich 〔wohlschmeckend; lieblich〕 sein / ~가 돌다 süß schmecken.

‖ **~료** Süßstoff *m.* -(e)s, -e.

감미롭다(甘美—) süß; lieb; lieblich; wonnig (sein).

감바리 ☞ 감발저뀌.

감발 《발감개》 Fußlappen *m.* -s, -; Wickelgamaschen 《*pl.*》. **~하다** Fußlappen an|haben* 〔tragen*〕.

감발저뀌 Kriecher *m.* -s, -; Schmeichler *m.* -s, -.

감방(監房) Zelle *f.* -n.

감배(減配) ① 《배당의》 Dividendenverkürzung *f.* -en. ¶ 1할 ~하다 die Dividende 《-n》 (um) 10 % verkürzen. ② 《배급의》 die Ver-

kürzung 《-en》 der Ration. 「셈.
감법(減法) 〖수학〗 Subtraktion *f.* -n. ☞ 뺄
감별(鑑別) Unterscheidung *f.* -en; Differenzierung *f.* -en. ~하다 unterscheiden*[4] 《*von*[3]》; beurteilen[4]; differenzieren[4]; begutachten[4] (감정). ¶ 진위를 ~하다 zwischen wahr u. falsch unterscheiden*; das Wahre vom Falschen unterscheiden*.
‖ ~력 Unterscheidungskraft *f.* ⸗e; Unterscheidungsvermögen *n.* -s, -. ~법 Differenzierung *f.* -en; Unterscheidungsmittel *n.* -s, -.
감복(感服) Bewunderung *f.* -en; die begeisterte Anerkennung, -en. ~하다 bewundern[4]; begeistert an|erkennen*[4]; an|staunen[4]; beeindruckt werden 《*von*[3]》. ¶ ~시키다 *js.* Bewunderung erregen; *jn.* zur Bewunderung hin|reißen* / ~할 만한 bewunderns¦wert (-würdig); bewunderungswürdig; löblich; lobens¦würdig (-wert); preiswürdig / 자네 솜씨에는 ~하겠네 Ich bewundere deine Fingerfertigkeit.
감복숭아 〖식물〗 Mandel *f.* -n.
감봉(減俸) ① 《봉급 인하》 Gehalts¦kürzung *f.* -en (-abzug *m.* -(e)s, ⸗e); Lohnabzug *m.* ~하다 *jm.* das Gehalt kürzen; *jn.* um das Gehalt kürzen. ¶ 5,000원 ~ 당했다 Mein Gehalt wurde um 5000 *Won* gekürzt. ② 《벌봉》 strafweiser Gehaltsabzug -(e)s, ⸗e. ¶ ~처분을 내리다 mit e-r Gehaltskürzung bestrafen 《*jn.*》; [4]*et.* vom Gehalt ab|ziehen* 《*jm.* zur Strafe》 / 1개월의 ~처분을 내리다 (받다) *js.* Gehalt auf e-n Monat suspendieren (e-n Monatsbetrag vom Gehalt zur Strafe abgezogen bekommen*).
‖ ~안(案) die beantragte Gehaltskürzung; der Antrag 《-(e)s, ⸗e》 auf [4]Gehaltskürzung.
감빨다 ① 《먹다》 schlecken; schmatzen[4]; [4]es [3]sich besonders gut schmecken lassen*; mit besonderem Behagen essen*[4] (verzehren[4]). ② 《탐리》 nach Gewinn streben; gewinnsüchtig sein.
감빨리다 ① 《입맛이 당기다》 nach mehr schmecken; starken Appetit haben 《*auf*[4]; *nach*[3]》. ② 《욕심이 생기다》 (be)gierig werden.
감사(感謝) Dank *m.* -(e)s; Dankbarkeit *f.*; Dankgefühl *n.* -(e)s, -e; Erkenntlichkeit *f.* -en; Verbundenheit *f.* ~하다 danken 《*jm.* *für*[4]》; dankbar (erkenntlich) sein 《*jm.* *für*[4]》; zu [3]Dank verpflichtet (verbunden) sein 《*jm.*》; den Dank aus|sprechen* 《*jm.* *für*[4]》. ¶ ~의 뜻 Dank¦gefühl *n.* (-empfindung *f.* -en) / ~의 말 Dankesworte 《*pl.*》; die Worte 《*pl.*》 der Erkenntlichkeit / ~의 노래 Danklied *n.* -(e)s, -er / ~의 기도 Dankgebet *n.* -(e)s, -e / ~의 표시로서 als Dankbezeigung; als Zeichen der Dankbarkeit / ~의 눈물을 흘리다 Tränen der Dankbarkeit vergießen* / 진심으로 ~하다 *jm.* von ganzem Herzen (ganzer Seele) danken; den herzlichsten (verbindlichsten) Dank aus|drücken (aus|sprechen*) / ~합니다 Vielen Dank!¦Danke schön (sehr; bestens)!¦Verbindlichsten Dank!¦Ich bin Ihnen sehr verbunden《*für*[4]》. / 여러가지로 ~합니다 Ich danke Ihnen für Ihre große Mühe. / 무어라고 ~해야 할지 모르겠읍니다 Ich weiß nicht, wie ich Ihnen dafür danken soll.¦Ich weiß wirklich nicht, wie ich m-n Dank aussprechen(bekunden) soll.
‖ ~장 Dank¦brief *m.* -(e)s, -e (-schreiben *n.* -s, -); die Urkunde《-n》 der Dankbarkeit. ~절 (Ernte)dankfest *n.* -(e)s, -e.
감사(監事) Aufsichtsrat *m.* -(e)s, ⸗e; Rechnungs¦prüfer *m.* -s, -(-revisor *m.* -s, -en).
감사(監査) Aufsicht *f.* -en; Beaufsichtigung *f.* -en; Inspektion *f.* -en; Revision *f.* -en; Überwachung *f.* -en. ¶ 엄중한 ~ die strenge Inspektion, -en; die strenge Revision, -en (회계의).
‖ ~과 Aufsichts¦abteilung (Inspektions-; Revisions-) *f.* -en. ~관 Aufseher *m.* -s, -; Inspektor *m.* -s, -en; Rechnungsrevisor *m.* -s, -en (회계의). ~원 Rechnungs¦kammer *f.* (-hof *m.* -(e)s).
감사납다 roh; rauh; grob; grimmig; ungestüm; wild; unfügsam (sein).
감삭(減削) =삭감(削減).
감산(減産) der Rückgang 《-(e)s, ⸗e》 der Produktion; Produktionsverminderung *f.* -en. ¶ 식량을 ~하다 die Produktion (Erzeugung) der Lebensmittel vermindern.
감산(減算) 〖수학〗 Subtraktion *f.* -en; das Abziehen*, -s. ~하다 subtrahieren[4]; ab|ziehen*[4].
감상(感想) Eindruck *m.* -(e)s, ⸗e; das Gedachte* (Gefühlte*) -n. ¶ …에 대한 ~을 말하다 s-n Eindrücken Worte verleihen* 《*über*[4]》; s-e Eindrücke erwähnen; s-r Eindrücke Erwähnung tun* 《*über*[4]》 / ~을 적다 Eindrücke nieder|schreiben* (zu Papier bringen*) / ~이 어때요 Was meinen Sie dazu?¦Welchen Eindruck macht es auf Sie? / 한국에 오신 ~은 어떻습니까 Was sind Ihre Eindrücke von Korea?¦Welchen Eindruck hat Korea auf Sie gemacht?
‖ ~록 die Aufzeichnung 《-en》 des Gedachten (Gefühlten).
감상(感傷) Empfindsamkeit *f.* -en; Gefühlsbetontheit *f.* -en (-schwärmerei *f.* -en); Rührseligkeit *f.* -en; Sentimentalität *f.* -en. ¶ ~적 empfindsam; gefühlsbetont; rührselig; schwärmerisch; sentimental / ~적인 소설 der empfindsame (sentimentale) Roman, -s, -e; die rührselige Geschichte, -n.
‖ ~주의 Sentimentalität *f.*; Empfindsamkeit *f.*: ~주의자 der Empfindsame* (Sentimentale*) -n, -n.
감상(感賞) Belobigung *f.* -en; Anerkennung *f.* -en. ~하다 belobigen[4]; an|erkennen*[4].
감상(鑑賞) (Wert)schätzung *f.* -en; Genuß *m.* ..nusses, ..nüsse. ~하다 wert|schätzen[4]; genießen*[4]. ¶ 영화 ~회 Filmdarbietung *f.* -en / 한시를 ~하다 chinesische Gedichte genießen* (würdigen) / 나는 음악 ~을 좋아한다 Ich höre gern Musik.
‖ ~가 Kenner *m.* -s, -; Genießer *m.* -s, -. ~력 das Vermögen 《-s, -》 des Genießens; Geschmack *m.* -(e)s, ⸗e; ein Auge 《*für*[4]》: 예술 ~력의 결핍 der Mangel an Kunstsinn; Amusie *f.* / 예술 ~력이 없는 amusisch. ~안 Sinn *m.* -(e)s; ein Auge 《*für*[4]》: ~안이 있다 Sinn für [4]*et.* haben.
감색(紺色) Dunkelblau *n.* -s; die dunkelblaue Farbe, -n. ¶ ~의 dunkelblau / ~ 양말 die dunkelblaue Socke, -n / ~ 학생복 die dunkelblaue Schuluniform, -en / ~으로 물들이다 dunkelblau färben[4].
감성돔 〖어류〗 Meerbrassen *m.* -s, -.
감세(減稅) Steuer¦ermäßigung *f.* -en (-er-

leichterung *f.* -en; -herabsetzung *f.* -en; -nachlaß *m.* ..lasses, ..lasse; -vergünstigung *f.* -en). ～하다 die Steuern herab|setzen (mildern; ermäßigen).

‖ ～안(案) der Antrag ((-(e)s, ⸗e)) auf [4]Steuerermäßigung. ～운동 die Bewegung für Steuerherabsetzung.

감세(減勢) das Nachlassen*, -s; Abnahme *f.*; das Abnehmen*, -s ((des Einflusses, der Macht, der Kraft, *usw.*)). ～하다 nach|lassen*; ab|nehmen*; nach u. nach einflußlos (machtlos) werden.

감소(減少) Verminderung *f.* -en; Abnahme *f.*; das Abnehmen*, -s; Reduktion *f.* -en; Verkleinerung *f.* -en; Verringerung *f.* -en. ～하다 [4]sich vermindern; ab|nehmen*; fallen*[s]; reduziert werden; [4]sich verkleinern; [4]sich verringern. ¶ ～하고 있다 im Abnehmen sein / 수요가 늘기보다 오히려 ～하고 있다 Die Nachfrage nimmt eher ab als zu. / 텔레비전 생산은 20 % ～되었다 Die Produktion von Fernsehempfängern hat sich um 20 % vermindert.

감속(減速) Verlangsamung *f.*; Geschwindigkeitsverminderung *f.* -en. ～하다 die [4]Geschwindigkeit vermindern; verlangsamen[4].

‖ ～(운)동 die verzögerte Bewegung, -en; die reduzierte Geschwindigkeit, -en. ～장치 Untersetzungs¦getriebe (Reduzier-) *n.* -s, -. ～재(材) 〖물리〗 Moderator *m.* -s, -en.

감손(減損) Abnutzung (Abnützung) *f.* -en; Verminderung *f.* -en; Verringerung *f.* -en; Entwertung *f.* -en (감손액). ～하다 ab|nutzen (ab|nützen); [4]sich vermindern; [4]sich verringern.

감쇄(減殺) Verringerung *f.* -en; Verkleinerung *f.* -en. ～하다 kleiner (geringer) machen[4]; verringern[4]; verkleinern[4]. ～되다 kleiner (geringer) werden; reduziert werden; [4]sich verringern (verkleinern). ¶ 활동력을 ～하다 die Tatkraft verringern.

감쇠(減衰) Schwächung *f.* -en; Dämpfung *f.* -en; Dekrement *n.* -(e)s, -e.

‖ ～율 Dämpfungsfaktor *m.* -s, -en; Dekrement *n.* -(e)s, -e. ～진동 die gedämpfte Schwingung (Oszillation) -en.

감수(甘受) Ergebung *f.* -en. ～하다 [4]*et.* über [4]sich ergehen lassen*; [3]sich [4]*et.* gefallen lassen*; ein|stecken[4]; schlucken[4]; hin|nehmen*[4]; [4]*et.* in Kauf nehmen*; schweigen* ((*zu*[3])). ¶ 모욕을 ～하다 e-e Beleidigung hin|nehmen* (verschlucken; ein|stecken) / 박봉을 ～하다 [4]sich mit e-m kleinen Gehalt begnügen / 나는 모든 것을 ～할 수 있다 Ich kann alles über mich ergehen lassen. / 이런 대우는 ～할 수 없다 Solch e-e Behandlung kann ich mir nicht gefallen lassen.

감수(淦水) ((뱃바닥의)) Bilge¦wasser (Schlag-) *n.* -s; Grundsuppe *f.*

‖ ～펌프 Bilgepumpe *f.* -n.

감수(減水) das Abnehmen* ((ㅁ)) des Wassers; die niedrige Wasserhöhe, -n. ～하다 fallen*; sinken*; ab|nehmen*. ¶ 수도의 ～ der Wassermangel ((-s, ⸗)) bei der Wasserversorgung / 강물이 ～되었다 Der Fluß ist gefallen (gesunken). ¦ Der Fluß hat ab|genommen.

감수(減收) der verringerte Ertrag, -(e)s, ⸗e; die verminderte Ausbeute, -n; Ertragsverminderung *f.* -en; die Abnahme ((-n)) des Ertrags; die Verminderung ((-en)) des Einkommens (수입의). ☞ 감작(減作). ～하다 [4]sich vermindern; ab|nehmen*. ¶ 평년에 비해서 금년의 쌀 수확은 2할의 ～를 보였다 Im Vergleich zu sonst hat sich die Reisernte dieses Jahres um 20 Prozent vermindert.

감수(減數) 〖수학〗 Subtrahend *m.* -en, -en; die abzuziehende Zahl, -en ((Minuend 의 반대)).

‖ ～분열 〖생물〗 Meiose *f.* -n; die Reduktionsteilung ((-en)) der Zellen.

감수(減壽) die Verkürzung ((-en)) der Lebensdauer. ～하다 die Lebensdauer wird *jm.* verkürzt; ((놀라서)) bis zu [3]Tode erschreckt werden.

감수(感受) das Empfinden*, -s; Empfindung *f.* -en. ～하다 empfinden*[4]; den Eindruck haben; fühlen[4]; wahr|nehmen*[4].

‖ ～성 Empfänglichkeit *f.* -en; Empfindlichkeit *f.* -en: ～성이 강한 (예민한) empfänglich; fein¦fühlig (-nervig); zartfühlend / ～성이 둔한 unempfänglich; stumpf.

감수(監守) Bewachung *f.* -en; Hut *f.*; Verwahrung *f.* -en; ((감수인)) Hüter *m.* -s, -; Kustos *m.* -, ..stoden; Wächter *m.* -s, -. ～하다 bewachen[4]; hüten[4]; verwahren[4].

감수(監修) die Oberaufsicht ((-en)) bei der Zusammenstellung e-s Buches; Schriftleitung *f.* -en. ～하다 bei der Zusammenstellung die Oberaufsicht führen. ¶ 모씨 ～ zusammengestellt unter der Oberaufsicht von N.N. / 한 박사 ～ 독한 대사전 Großes Deutsch-Koreanisches Wörterbuch unter Leitung von Dr. habil. *Han.*

‖ ～자 Schriftleiter *m.* -s, -; Oberaufseher *m.* -s, - ((bei der Zusammenstellung e-s Buches)).

감숭감숭 hier u. da schwärzlich (behaart). ～하다 ☞ 감숭하다.

감숭하다 hier u. da schwärzlich behaart (sein).

감시(監視) 〖법〗 (Polizei)aufsicht *f.* -en; die (polizeiliche) Beobachtung, -en; ((감독·단속·망봄)) Kontrolle *f.* -n; (Ober)aufsicht *f.*; der Einsatz ((-es, ⸗e)) von [3]Streikposten (쟁의의); Überwachung *f.* -en. ～하다 unter (steter) Kontrolle halten*[4]; patrouillieren [patru(l)jí:rən] (순찰하다); beaufsichtigen[4]; die Obersicht führen ((*über*[4])); überwachen[4]. ¶ 엄중히 ～하다 streng überwachen[4] / 경찰의 ～를 받고 있는 몸이다 unter Polizeiaufsicht (polizeilicher Aufsicht) stehen* / 아무의 거동을 ～하다 *js.* Betragen beaufsichtigen / 아무의 ～를 받다 unter *js.* Aufsicht stehen* / ～를 게을리하다 die Wache vernachlässigen / ～의 눈을 피하다 die (Polizei)aufsicht durchbrechen*.

‖ ～군(軍) Beobachtungskorps [..ko:r] *n.* - [..ko:rs], - [..ko:rs]. ～병 Wache *f.* -n; Posten *m.* -s, -; der wachehaltende Soldat, -en, -en. ～선 Wachschiff (Wachboot) *n.* -(e)s, -e. ～소 Wacht¦stelle *f.* -n (-posten *m.* -s, -); Schilderhaus *n.* -es, ⸗er. ～원(인, 자) (Ober)aufseher *m.* -s, -; Kontrolleur [..lø:r] *m.* -s, -e; Wächter *m.* -s, -; ((교도소의)) (Gefängnis)wärter *m.* -s, -; ((노동 쟁의 시의)) Streikposten *m.* -s,-; ((산림의)) Förster *m.* -s, -; Forst¦wächter (-wärter) *m.* -s, -. ～초 Wacht¦posten (Wach-) *m.*

감식(減食) e-e schmale (leichte; magere) Kost; die Mäßigkeit im Essen. ～하다 diät leben; Diät (ein|)halten*.

‖ ～요법 die Heilung 《-en》 durch Diät.

감식(鑑識) Urteil *n.* -(e)s, -e; Beurteilung *f.* -en; 《식별》 Erkennung *f.* -en Unterscheidung *f.* -en; 《감정》 Gutachten *n.* -s, -; Abschätzung *f.* -en. ～하다 urteilen 《*über*⁴》; beurteilen⁴; erkennen*⁴; ein Gutachten ab|geben*; begutachten⁴; ab|schätzen⁴.
‖ ～가 der Beurteilende*, -n, -n; der Unterscheidende*, -n, -n; (Kunst)kenner *m.* -s, -(미술품의). ～과 《경찰의》 die Abteilung 《-en》 für Identifizierung. ～력, ～안 Unterscheidungs¦kraft (Urteils-) *f.* ⸗e; das kritische Talent, -(e)s, -e; ein Auge 《*für*⁴》; Kennerblick *m.* -(e)s, -e; (Scharf)sinn *m.* -(e)s: ～안이 있다 ein (kritisches) Auge haben 《*für*⁴》 / ～안이 없다 k-n Sinn haben 《*für*⁴》.

감실(龕室) Tabernakel *n.* (*m.*) -s, -; Sakramentshäuschen *n.* -s, -.

감실거리다 (in der Ferne) schimmern; flimmern; undeutlich sichtbar sein. ¶ 감실거리는 불빛 das matte (schwache) Licht, -(e)s, -er; Schimmer *m.* -s, - / 먼 바다 위에 하얀 돛이 감실거리고 있다 In der Ferne des Meeres schimmert ein weißes Segel.

감싸다 (be)schützen⁴; beschirmen⁴; decken⁴; die Stange halten* 《*jm.*》; in ⁴Schutz (Schirm) nehmen* 《*jn.*》; Partei ergreifen* 《für *jn.*》; unter die Fittiche nehmen*《*jn.*》; zur Seite gehen* ⓢ (stehen*) 《*jm.*》; zu *js.* Gunsten sprechen*; verteidigen 《*jn.*》. ¶ 죄인을 ～ e-n Verbrecher verteidigen / 아버지가 화를 내면 어머니가 딸을 감싸 준다 Die Mutter beschützt ihre Tochter vor dem Zorn des Vaters.

감아올리다 auf|winden*⁴; auf|rollen⁴; auf|-wickeln⁴. ¶ 닻을 ～ den Anker ein|holen (auf|winden*)/ 발을 ～ e-n Bambusvorhang auf|rollen; e-n Rolladen hoch|ziehen*.

감안하다(勘案—) berücksichtigen⁴; auf ⁴*et.* Rücksicht nehmen*; in Betracht ziehen*⁴. ¶ …을 감안하여 in Anbetracht²; im Hinblick 《*auf*⁴》; mit Rücksicht 《*auf*⁴》 / 정세를 ～하여 mit Rücksicht auf die Sachlage.

감압(減壓) ～하다 den Druck vermindern.
‖ ～실 ein Raum 《*m.* -(e)s, ⸗e》 mit vermindertem Druck; ein Raum mit druckvermindernder ³Einrichtung.

감액(減額) Abzug *m.* -(e)s, ⸗e; Abschlag *m.* -(e)s, ⸗e; (Preis)ermäßigung *f.* -en; Preisnachlaß *m.* ..lasses, ..lässe (..lasse); Rabatt *m.* -(e)s, -e; Verminderung *f.* -en. ～하다 e-e Summe ab|ziehen* 《*von*³》; den Preis ermäßigen (vermindern); ⁴*et.* vom Preise nach|lassen*; rabattieren⁴.

감언(甘言) 《감언 이설》 die schönen (süßen; verfänglichen; verführerischen) Worte 《*pl.*》; Schmeichelrede *f.* -n; Schmeichelei *f.* -en; Vorspiegelung *f.* -en. ¶ ～으로 꾀다 *jn.* mit süßen Worten verführen; *jm.* auf|reden⁴ / ～ 이설로 속이다 *jm.* schöne Worte machen u. ihn betrügen*; *jn.* mit Schmeichelworten betrügen*; *jn.* durch süße Worte gefügig machen; *jm.* ⁴*et.* vor|-spiegeln; *jn.* zu ³*et.* beschwätzen; *jm.* ⁴*et.* ab|schmeicheln (감언으로 옭아내다) / 그는～으로 그 여자한테서 100만 원을 옭아냈다 Er schmeichelte ihr e-e Million *Won* ab. / 그는 ～ 이설에 감쪽같이 넘어갔다 Mit dem Haus ist er hereingefallen.¦Er hat e-n bösen Reinfall erlebt. / 그런 ～ 이설에 넘어갈 내가 아니야 Ich lasse mich nicht auf solche Weise beschwatzen.

감연히(敢然—) kühn; entschlossen; furchtlos; tapfer. ¶ ～ 일어나다 tapfer auf|stehen* ⓢ 《*gegen*⁴; *wider*⁴》 / ～ (일어나서) 난국에 처하다 e-r schwierigen Lage kühn entgegen|treten* ⓢ.

감염(感染) Ansteckung *f.* -en; Infektion *f.* -en; Kontagion *f.* -en; Übertragung *f.* -en; Verseuchung *f.* -en. ～되다 angesteckt (infiziert; verseucht) werden 〚사람이 주어〛; (⁴sich) an|stecken; übertragen* 〚병이 주어〛; 〚형용사적〛 ansteckend (kontagiös; übertragbar) sein(전염성의). ¶ ～되지 않다 《면역되어》 immun sein 《*gegen*⁴》 / 열병에 ～되다 an (e-m) Fieber erkranken ⓢ / 말라리아에 ～되다 mit Malaria infiziert werden / 악풍에 ～되다 von bösen Sitten angesteckt werden / 악습은 쉬이 ～된다 E-e schlechte Gewohnheit ist sehr ansteckend. / 그는 타이완에서 그 병에 ～되었다 Er hat sich die Krankheit in Formosa zugezogen.

감옥(監獄) Gefängnis *n.* -ses, -se; Zuchthaus *n.* -es, ⸗er. ☞ 교도소(矯導所). ¶ ～살이를 하다 im Zuchthaus sitzen*.

감우(甘雨) ＝단비.

감원(減員) Personalieneinschränkung *f.* -en; die Verminderung des Personals; Personalabbau *m.* -(e)s (인원 정리). ～하다 das Personal vermindern; (einige Angestellte) ab|bauen; e-n Personalabbau durch|führen. ¶ 국민학교 교원을 ～하다 die Zahl der Volksschullehrer vermindern.

감은(感恩) Dankbarkeit *f.*; Erkenntlichkeit *f.* ～하다 ⁴sich zu ³Dank verpflichtet fühlen 《*jm.*》; dankbar sein 《*jm.*》.

감음정(減音程) 〚음악〛 das verminderte Intervall, -s, -e.

감읍하다(感泣—) vor ³Rührung Tränen vergießen⁴; tief gerührt in ein heftiges Weinen aus|brechen* ⓢ; zu Tränen gerührt werden. ¶ 성은에 ～ von der königlichen Gnade tief ergriffen (gerührt) werden.

감응(感應) ① 《신불(神佛)의》 die göttliche (Wirkungs)kraft, ⸗e. ～하다 *js.* Gebet 《-e》 erhören (신불이); *js.* Gebet(e) Gehör verleihen. ② 〚물리〛 Induktion *f.* -en. ～하다 induzieren⁴. ③ Wirkung *f.* -en; Effekt *m.* -(e)s, -e. ～하다 wirken 《*auf*⁴》; effizieren⁴.
‖ ～계수 Induktivität *f.*: ～ 계수계(計) Induktionsmeßgerät *n.* -(e)s, -e. ～기전기 Influenzmaschine *f.* -n. ～기전력 die induzierte elektromotorische Kraft, ⸗e. ～도 Sensibilität *f.* -en. ～반응 die induzierte Reaktion, -en. ～유전 Telegonie *f.* -n. ～작용 Induktion *f.* -en. ～전기 Induktionselektrizität *f.* -en. ～전동기 Induktionsmotor *m.* -s, -en. ～ 전류 Induktionsstrom *m.* -(e)s, ⸗e: ～ 전류 요법 Faradisation *f.* -en. ～코일 Induktionsspule *f.* -n. 상호 ～ die gegenseitige Induktion, -en. 자기～Selbstinduktion *f.* -en.

감자 Kartoffel *f.* -n.
‖ ～밭 Kartoffelfeld *n.* -(e)s, -er.

감자(甘蔗) 《사탕수수》 Zuckerrohr *n.* -(e)s, ⸗e. ‖ ～당(糖) Rohrzucker *m.* -s.

감자(減資) Kapital¦herabsetzung (-reduktion) *f.* -en. ～하다 das Kapital 《-s, -e (-lien)》 herab|setzen (reduzieren).

감작(減作) Mißernte *f.* -n; die schlecht ausgefallene Ernte, -n; die verringerte-

Ausbeute, -n.

감전(感電) der elektrische Schlag, -(e)s, ⸚e. ∼되다 e-n elektrischen Schlag bekommen*.

‖∼사 tödlicher Unfall 《-s, ⸚e》 durch Elektrizität: ∼사하다 durch elektrischen Schlag getötet werden.

감점(減點) Abzählung 〔Abziehung〕《f. -en》 e-s Punktes 〔der Punkte 《pl.》〕. ¶ 반칙으로 3점 ∼하다 wegen ²Regelwidrigkeit drei Punkte ab|zählen 〔ab|ziehen*〕.

감정(感情) Gefühl n. -(e)s, -e; Empfindung f. -en; Gemüt n. -(e)s(정서); Leidenschaft f. -en(정열); Bewegung f. -en 〔Rührung f.〕 (감동). ¶ ∼적인 〔적으로〕 leidenschaftlich; erregt; empfindsam; leicht erregbar 〔형용사〕; gefühls¦selig 〔rühr-〕 / ∼의 충돌 Zwiespalt m. -(e)s, -e; Unstimmigkeit f. -en / ∼의 노예 der Sklave 《-n, -n》 s-r Leidenschaft / 일시적인 ∼에 이끌리어 durch e-n Impuls veranlaßt; impulsiv / ∼을 상하게 하다 jn. kränken; jn. 〔js. Gefühl〕 verletzen; es mit jm. verderben* / ∼을 억제하다 ⁴sich beherrschen; an ³sich halten* / ∼에 치우치다 〔흐르다〕 ⁴sich hinreißen lassen* 《von Zorn》, ...zu...; s-n Leidenschaften freien Lauf lassen*; den Kopf verlieren* / ∼이 격하다 aufgeregt 〔nervös〕 werden; hoch|gehen* ⓢ; auf|brausen / 네가 한 말이 그의 ∼을 좀 상하게 했다 D-e Bemerkung hat ihn etwas empfindlich getroffen / 인간은 결국 ∼의 동물이다 Letzten Endes ist der Mensch von den Gefühlen beherrscht 〔geleitet〕. / 그는 미적 ∼이 풍부하다 Er hat viel ästhetisches Gefühl.

‖∼가 Gefühlsmensch m. -en, -en. ∼능력 Gefühls¦vermögen 〔Empfindungs-〕 n. -s. ∼이입 〔철학〕 Einfühlung f.

감정(憾情) Groll m. -(e)s; Aufsässigkeit f.; Haß m. ..sses; Rachgefühl n. -(e)s, -e. ¶ ∼을 사다 js. Groll auf ⁴sich ziehen*(laden*); ³sich js. Groll zu|ziehen* / ∼(이) 나다, ∼을 내다 ärgerlich 〔zornig〕 werden 《über⁴》; böse werden 《auf⁴》; ⁴sich ärgern 《über⁴》 / ∼이 있다 e-n Groll hegen 《gegen⁴》 〔haben 《auf⁴》〕.

감정(鑑定) 《판정》 Gutachten n. -s, -; Begutachtung f. -en; Beurteilung f. -en; Urteil n. -(e)s, -e; Bewertung f. -en; Ab¦schätzung 〔Ein-〕 f. -en; Veranschlagung f. -en; 〔법〕 die rechtskundige Beratung, -en; Konsultation f. -en. ∼하다 《판정》 ein Gutachten ab|geben*; begutachten⁴; beurteilen⁴; ein (fachmännisches) Urteil ab|geben* 〔fällen〕; 《값의》 bewerten⁴; (ab|-)schätzen⁴; ein|schätzen⁴; veranschlagen⁴; 〔법〕 e-n (juristischen) Rat erteilen 《jm.》. ¶ ∼에 부치다 begutachten 〔beurteilen; abschätzen〕 lassen*⁴ / ∼을 받다 ein Gutachten ein|holen 《von jm.》 / ∼을 의뢰하다 um sachverständige 〔fachmännische〕 Begutachtung 〔Beurteilung〕 bitten* 《jn.》; e-n Sachverständigen konsultieren / 허위 ∼을 하다 《js. ⁴Vermögen》 falsch ein|schätzen.

‖∼가(家) 《미술품의》 (Kunst)kenner m. -s, -. ∼가격 Schätzungswert m. -(e)s, -e; (ab-)geschätzter Wert. ∼관 Taxator m. -s, -en. ∼료 die Gebühren 《pl.》 für Begutachtung 〔Konsultation〕. ∼서 Begutachtungsurkunde f. -n; die schriftliche Begutachtung, -en. ∼인 der Sachverständige*, -n, -n; Gutachter m. -s, -; 《술 따위의》 Koster 〔Schmecker〕 m. -s, -.

감죄(減罪) die Verminderung 〔Verkürzung〕 der Strafe; Remission f. -en. ∼하다 die Strafe vermindern⁴ 〔verringern⁴〕; remissieren⁴.

감주(甘酒) das süße Getränk, -(e)s, -e.

감지(感知) Empfindung f. -en; Ahnung f. -en; Wahrnehmung f. -en. ∼하다 empfinden*⁴; ahnen⁴; (be)merken⁴; spüren⁴; wahr¦nehmen*⁴; wittern⁴.

감지덕지(感之德之) sehr dankbar; erkenntlich. ∼하다 Dankbarkeit empfinden*⁴; dankbar 〔erkenntlich〕 sein. ¶ ∼ 받을 것이지 무슨 불평이냐 Ohne Klage solltest du es mit großem Dank empfangen.

감질(疳疾) ① 《어린이 병》 e-e Kinderkrankheit f. ② 《걸근댐》 unersättlicher Appetit, -(e)s, -e; unerfüllter Wunsch, -es, ⸚e. ∼(이) 나다 gefrässig 〔gierig〕 sein; k-e Zufriedenheit 〔Unzufriedenheit〕 empfinden*⁴. ¶ ∼나 하다 auf ⁴et. gierig sein; mit ³et. unzufrieden sein / 젖이 적어서 어린애가 ∼나 하다 Das Kind ist mit der wenigen Milch unzufrieden. / 한 잔으론 ∼만 난다 한잔 더 마시자 Mit e-m Glas Wein bin ich nicht zufrieden. Wollen wir noch ein Glas trinken.

감짜으다(鑑—) e-m Höherstehenden 〔Vorgesetzten*〕 ⁴et. zeigen.

감쪽같다 ¶ 감쪽같이 glatt; direkt; geradezu; ohne weiteres / 감쪽같이 속다 glatt betrogen 〔angeführt〕 werden; e-n bösen Hereinfall erleben; wehrlos ins Garn gehen* ⓢ 《jm.》 / 감쪽같이 달아나다 längst über alle Berge sein / 주사 한 대로 감쪽같이 나았다 E-e Einspritzung, u. er wurde auf der Stelle 〔sofort〕 geheilt.

감찰(監察) Ober¦aufsicht f. -en 〔-leitung f. -en〕. ∼하다 Oberaufsicht führen 《über⁴》.

‖∼관 Oberaufseher m. -s, -; der Oberaufsichtsführende*, -n, -n. ∼제 Oberaufsichtswesen n. -s 〔-system n. -s, -e〕.

감찰(鑑札) 《허가》 Erlaubnis f. -se; Konzession f. -en; Bewilligung f. -en; amtliche Genehmigung, -en; 《면허》 Erlaubnis¦schein 〔Genehmigungs-〕 m. -(e)s, -e. ¶ 무∼의 ohne Erlaubnisschein; unerlaubt / ∼을 교부하다 konzessieren; e-n Erlaubnisschein usw. aus|stellen / ∼을 받다 erlaubt 〔genehmigt〕 werden; e-n Erlaubnisschein usw. ausgestellt bekommen* 〔erhalten*〕 / ∼을 받지 못해 아직 영업을 못 하고 있다 Ich kann kein Geschäft eröffnen, da ich noch keinen Erlaubnisschein ausgestellt bekam.

‖∼료 die Gebühr 《-en》 für e-n Erlaubnisschein usw. 영업∼ Handelserlaubnis.

감채(減債) allmähliche 〔planmäßige〕 Abtragung (einer Schuld); Amortisation f. -en; Tilgung f. -en; Abschreibung f. -en.

‖∼기금 Schuldabtragungsgelder 《pl.》; Amortisationsfonds [..fɔ̃:] m. [..fɔ̃:(s)]: ∼기금으로 상각하다 mit Amortisationsfonds ab|tragen⁴ 〔tilgen〕. ∼적립금 Reservefonds zur Amortisation.

감청(紺靑) Dunkel¦blau 〔Berliner-; Preußisch-; Marione-〕 n. -s. ¶ ∼색의 dunkelblau 〔berliner-; preußisch-; marione-〕.

감초(甘草) 〔식물〕 Süßholz n. -es, ⸚er; Lakritze f. -n. ¶ 약방의 ∼ 《불가결의 인물》 unentbehrliche Person, -en; 《참섭꾼》 die

Person, die seine Nase in alles steckt; die Person, die sich in alles mischt.
‖ ~액 Lakritzensaft m. -(e)s, ⸚e.

감촉(感觸) (Tast)gefühl *n.* -(e)s, -e; Tastsinn *m.* -(e)s. ~하다 fühlen^4; empfinden*^{4}; Gefühl haben. ¶ 꺼칠꺼칠한 ~ das rauhe Gefühl / ~이 좋다 ^{4}sich angenehm an|fühlen / ~이 부드럽다 ^{4}sich weich an|fühlen; weiches Gefühl haben / 이 천은 ~이 부드럽다 〔거칠다〕 Der Stoff fühlt sich weich 〔rauh〕.

감추다 《숨기다》 verstecken^4; verbergen^4; 《덮어두다》 verdecken^4; verhehlen^4; verhüllen; bemänteln^4; 《비밀로 하다》 verheimlichen^4; geheim|halten*^{4} 《vor *jm.*》. ¶ 감추지 않고 offen; offenherzig; freimütig / 자취를 ~ ^{4}sich verstecken; ^{4}sich (heimlich) davon machen; 《보이지 않게 됨》 aus dem Gesicht verschwinden* ⓢ / 서랍 속에다 ~ ^{4}*et.* in die Schublade verstecken / 나이를 ~ sein Alter verhehlen / 감정을 ~ s-e Gefühle verbergen* / 그 여자는 기쁨을 감추지 못했다 Sie konnte ihre Freude nicht verbergen. / 나한테 감추고 있는 것이 있지요 Haben Sie etwa Geheimnis vor mir?

감축(減縮) Verminderung 〔Verringerung; Beschränkung〕 *f.* -en. ~하다 vermindern^4; verringern^4; 《제한》 beschränken^4.

감축하다(感祝—) *jn.* beglückwünschen; *jm.* gratulieren; *jm.* Glück wünschen; feiern; herzlich danken.

감치다 ① 《꿰매다》 ein|säumen^4; mit e-m Hohlsaum nähen^4; ein|fassen^4; ein|schlagen*^{4}; Falten nähen 《*in*^{3}》; um|nähen^4; um|legen^4. ¶ 바지 가장자리를 ~ den Saum e-r Hose ein|schlagen*. ② 《안 잊히다》 noch im *js.* Herz fort|leben; nicht aus dem Sinn sein.

감칠맛 ① 《음식의》 den Appetit anregender Geschmack, -(e)s, ⸚e. ¶ ~ 있는 국 den Appetit anregende Suppe. ② 《끄는》 Bezauberung *f.* -en; die Kraft, die Leute anzuziehen*. ¶ ~ 있는 말 das bezaubernde Wort, -(e)s, -e 〔⸚er〕.

감침질 Einschlag *m.* -(e)s, ⸚e. ~하다 ein|nähen^4; ein|schlagen*^{4}. ☞ 감치다.

감탄(感歎) Bewunderung *f.* -en; Exklamation *f.* -en; 《경탄》 Verwunderung *f.* -en; das Erstaunen*. ~하다 bewundern^4; an|staunen^4; ohne ^{4}Einschränkung an|erkennen*^{4}. ¶ ~할 만한 bewunderns¦wert 〔anstaunens-〕 erstaunlich; fabelhaft; wunderbar / ~할 만한 솜씨 die bewunderungswürdige Leistung, -en / ~해 마지 않다 voll von Bewunderung sein; von Wunder ergriffen sein; nicht umhin können, zu bewundern. / 그의 성실성에 ~했다 Ich war über s-e Tüchtigkeit erstaunt.
‖ ~문 〖문법〗 Ausruf(e)satz *m.* -(e)s, ⸚e. ~부호 Ausruf(e)¦zeichen 〔Ausrufungs-〕 *n.* -s, -. ~사 Ausruf(e)¦wort 〔Empfindungs-〕 *n.* -(e)s, ⸚er; Interjektion *f.* -en.

감탕 ① 《곤죽》 Schleim *m.* -s, -e; Schlamm *m.* -s; Schlick *m.* -s, -e; das Scheimige*, -n. ¶ ~에 빠지다 in den Schlamm fallen* ⓢ / ~ 속에서 뒹굴다 ^{4}sich im Schlamm wälzen. ② 《끈끈이》 Vogelleim *m.* -(e)s.
‖ ~길 der schlammige Weg, -(e)s, -e. ~밭 Sumpfland *n.* -(e)s, ⸚er; Moorboden *m.* └-s, -(⸚).

감탕질 =요분질.

감퇴(減退) Rückgang *m.* -(e)s, ⸚e; Abnahme *f.* -n; Abschwächung *f.* -en; das Nachlassen*, -s; Verschlechterung *f.* -en. ~하다 zurück|gehen* ⓢ; ab|nehmen*; ^{4}sich ab|schwächen; nach|lassen* 《*in*^{3}》; ^{4}sich verschlechtern. ¶ 시력 ~ die Abnahme der Sehkraft / 기억력 ~ die Abnahme des Gedächtnisses / 식욕 ~ Appetitlosigkeit *f.* / 정력이 ~하다 an Energie ab|nehmen*; die Kraft ebben / 그의 힘은 ~되었다 Er hat sich geschwächt.

감투 die aus Roßhaar geflochtene Kopfbedeckung, -en; 《비유적》 Amt *n.* -(e)s, ⸚er; Staatsstellung *f.* -en. ¶ ~를 쓰다 die Kopfbedeckung auf|setzen; 《비유적》 ein Amt an|treten* / ~를 노리다 nach der Staatsstellung jagen.
‖ ~싸움 die Streit um die Staatsstellung.

감투(敢鬪) der tapfere Kampf, -s, ⸚e. ~하다 tapfer 〔entschlossen; mutig〕 kämpfen; wie ein Verzweifelter* kämpfen.
‖ ~상 Preis 《*m.* -es, -e》 für den mutigen Kampf. ~정신 Kampfgeist *m.* -(e)s.

감투거리 der Geschlechtsverkehr mit oben liegender Frau.

감폭(減幅) 〖전기〗 Dämpfung *f.* -en.

감표(減標) 〖수학〗 Subtraktionszeichen *n.* -s, -; Minuszeichen *m.* -s, - 《기호: —》.

감풀 die Sandfläche in der Ebbe.

감하다(減—) ① 《덜다》 subtrahieren^4; ab|ziehen*^{4}; ab|nehmen*^{4}. ¶ 40에서 25를 ~ 25 von 40 ab|ziehen* / 값을 ~ Preise ermäßigen / 5에서 3을 감하면 2가 남는다 Fünf weniger 〔minus〕 drei bleibt 〔ist; macht; gleich〕 zwei. / 현금이면 얼마쯤 감해 드립니다 Gegen Bargeld 〔Bar〕 können wir etwas billiger geben 〔verkaufen〕. ② 《줄어들다》 (ver)mindern^4; herab|setzen^4; reduzieren^4; schmälern^4; verkleinern^4; (ver)kürzen^4.

감행(敢行) 《단행》 die entschiedene 〔entschlossene〕 Handlung, -en; die entschlossenen Schritte《*pl.*》; 《수행》 Durchführung *f.* -en; Ausführung *f.* -en. ~하다 entschlossene Schritte tun* 《*in*^{3}》; wagen^4; ^{4}sich erdreisten; ^{4}sich erkühnen; ^{4}sich unterfangen*; ^{4}sich vermessen*^{2}; durch ^{4}Feuer u. ^{4}Wasser gehen* ⓢ; den Teufel nicht fürchten; in die Schanze schlagen*^{4}; wagehalsig 〔wagemutig〕 sein; übers Herz bringen*.

감형(減刑) Straf¦ermäßigung *f.* -en 〔-milderung *f.* -en; -(ver)minderung *f.* -en〕. ~하다 e-e Strafe 《-n》 ermäßigen 〔mildern; (ver)mindern〕. ¶ 사형에서 종신형으로 ~되다 von der Todesstrafe zur lebenslänglichen Zuchthausstrafe begnadigt werden / ~을 청원하다 um Strafermäßigung bitten* / ~의 혜택을 받다 begnadigt werden / ~의 혜택을 베풀다 begnadigen^4; Gnade für Recht ergehen lassen*.

감홍(甘汞) 〖화학〗 Kalomel *n.* -s; Quecksilberchlorür *n.* -s, -e.

감화(感化) Einwirkung *f.* -en; Beeinflussung *f.* -en; Einfluß *m.* ..flusses, ..flüsse; 《교정》 Korrektion *f.* -en; die (sittliche) Besserung, -en. ~하다 auf *jn.* ein|wirken; beeinflussen^4; auf *jn.* Einfluß (aus|)üben; 《교정》 korrigieren^4; (sittlich) verbessern^4. ¶ ~되기 쉽다 leicht beeinflußbar (zur Beeinflußung geneigt) sein / ~를 받다 beeinflußt 〔bezaubert; angesteckt; eingenommen〕 werden 《*von*^{3}》; behext werden 《*durch*^{4}》/ 청년은 ~를 받기 쉽다 Jugend ist leicht zu beeinflußen. / 내가 문학을 좋아하게 된 것

은 형님의 ~를 받아서이다 Mein Geschmack zur Literatur habe ich m-m älteren Bruder zu verdanken. / 그는 많은 불량 소년을 ~해서 선량한 사람을 만들었다 Er hat viele verderbten jungen Leute durch s-n Einfluß gebessert. / 인격은 여러 가지 ~를 받아서 형성된다 Der menschliche Charakter wird unter verschiedenen Einflüssen gebildet.

‖ ~교육 Fürsorgeerziehung *f.* ~력 Einwirkungskraft *f.* ¨e: ~력이 있는 einflußreich / ~력이 없는 einflußlos. ~원 Besserungs¦anstalt (Korrektions-) *f.* -en; Zuchthaus (Armen-) *n.* -es, ¨er.

감회(感懷) 《느낀 생각》 die tiefe Gemütsbewegung, -en; Affekt *m.* -s, -e; Rührung *f.* -en; 《회상》 die sentimentalische Erinnerung, -en; Reminiszenzen 《*pl.*》. ¶ ~가 깊다 tief gerührt sein; Herz voll sein / 지난 날을 돌이켜 생각하면 ~가 깊다 Tausend Gedanken drängen mir auf, wenn ich auf die Vergangenheit zurückblicke.

감흥(感興) Interesse *n.* -s, -n 《*an*^{3}; *für*^{4}》; Lust *f.* 《*zu*^{3}》; Teilnahme *f.* -n 《*an*^{3}》; Verlangen *n.* -s 《*nach*^{3}》. ¶시인(작가)의 ~ die poetische Begeisterung, -en; Inspiration *f.* -en / ~을 자아내다 *js.* Interesse erwecken (erregen); *js.* Verlangen wach|rufen* (entflammen) / ~을 깨뜨리다 die Lust verderben* 《*jm.*》; des Interesses (Vergnügens) berauben 《*jn.*》 / 이 소설은 나에게 아무런 ~도 주지 않는다 Diese Novelle interessiert mich nicht. / 나는 ~에 젖어서 이 시를 썼다 Einer plötzlichen Eingebung zufolge verfaßte ich das Gedicht.

감히(敢—) wagemutig; beherzt; unverzagt; entschlossen. ¶ ~ …하다 (말하다) wagen, ^{4}*et.* zu tun (sagen); ^{3}sich getrauen (^{4}sich unterstehen*; ^{4}sich erdreisten), ^{4}*et.* zu tun (sagen); ^{4}sich vermessen*, ^{4}*et.* zu tun (sagen); ^{3}sich an|maßen, ^{4}*et.* zu tun (sagen); ^{3}sich erlauben, ^{4}*et.* zu tun (sagen) / ~ 그런 말을 하다니 Wie kannst du wagen, mir so etwas zu sagen. / 그들은 ~ 오지 못했다 Sie haben nicht gewagt, zu kommen. / 어디서 ~ 그런 말이 나오느냐 Wie kannst du dir so gewagt sein, so was mir ins Gesicht zu sagen. / 그들은 ~ 공격을 못 했다 Sie konnten nicht wagen, anzugreifen.

갑(甲) ① 《천간의》 der erste von den 10 Himmelsstämmen. ② ☞ 갑방(甲方). ③ ☞ 갑시(甲時). ④ 《성적》 《als Note》 Eins *f.* -en. ⑤ 《갑옷》 Panzer *m.* -s, -; Harnisch *m.* -es, -e. ⑥ 《등딱지》 Schild¦krötenschale *f.* -n (-patt *n.* -es) (거북의); 《게의》 Kruste 《*f.* -n》 (Schale *f.* -n) des Krebses. ⑦ 《여럿 중의 하나》 der (die; das) erste*; der (die; das) eine*. ¶갑과 을 A u. B; das e-e u. das andere; das erstere u. das letztere / 갑지에서 을지로 von e-m Ort zu dem anderen.

갑(匣) Kästchen *n.* -s, -; Etui [etví:] *n.* -s, -s; [illegible] -n. ¶[illegible]배 한 갑 e-e Schachtel Zigarette 《*f.* -n》.

갑(岬) Kap *n.* -s, -e (-s); Vorgebirge *n.* -s, -; Landspitze *f.* -n.

갑각(甲殼) Rückenschild *n.* -(e)s, -er; Panzer *m.* -s, -; Gehäuse *n.* -s, -; Schale *f.* -n; Kruste *f.* -n.

‖ ~류 Krustentier *n.* -s, -e.

갑갑증(—症) Langweile *f.* -; Betrübnis *f.* -.

갑갑하다 ① 《권태》 langweilig; eintönig; einförmig; monoton (sein); 《지루하다》 ^{4}sich langweilen; ^{4}sich träge (matt) fühlen; Langweile haben. ¶갑갑해 죽겠다 ^{4}sich tödlich langweilen / 가슴이 ~ schwer aufs Herz fallen* Ⓢ / 매우 갑갑하겠읍니다 Ich fürchte, Sie langweilen sich. / 이삼일 지나니 갑갑해졌다 Nach einigen Tagen wurde mir die Zeit lang. / 방이 갑갑해 못 견디겠다, 문 좀 열어라 Öffne das Fenster; es ist mir in diesem Zimmer zum Ersticken schwül (dumpfig). ② 《답답하다》 eng; beengt; knapp; förmlich (형식적으로); feudal (점잖아서); befangen; 《마음이》 gehemmt (sein). ¶옷이 갑갑하게 되었다 Der Anzug ist mir sehr knapp (zu eng) geworden. / 모르는 사람이 있으면 나는 갑갑하게 느낀다 Ich bin (fühle mich) in Gegenwart fremder Leute befangen.

갑년(甲年) der sechzigste Geburtstag.

갑론을박(甲論乙駁) die Argumente für u. wider; das Pro und Kontra. ~하다 für u. wider argumentieren; ^{4}*et.* hin u. her erörtern.

갑문(閘門) Schleuse *f.* -n; Schleusentor *n.* -(e)s, -e; Schleusenflügel *m.* -s, -.

갑방(甲方) 〖민속〗 e-e der Himmelsrichtungen; Ost-Nordost.

갑부(甲富) der steinreiche Mensch, -en, -en; Millionär *m.* -s, -e (백만 장자); Multimillionär *m.* -s, -e (천만 장자); Milliardär *m.* -s, -e; Billionär *m.* -s, -e (억만 장자); Krösus *m.* -, ..susse.

‖ 천하~ der reicheste Mann 《-(e)s, ¨er》 in der Welt.

갑사(甲紗) der feine Flor, -s, -e; Seidengaze *f.* -n.

갑상선(甲狀腺) 〖해부〗 Schilddrüse *f.* -n; Thyreoidea *f.* ..iden.

‖ ~기능 항진증 Hypertrophie *f.* -n. ~동맥 Schilddrüsenarterie *f.* -n. ~염 Schilddrüsenentzündung *f.* -en. ~절제술 Schilddrüsenresektion *f.* -en. ~정맥 Schilddrüsenvene *f.* -n. ~종(腫) Kropf *m.* -(e)s, ¨e. ~호르몬 Thyroxin *n.* -s, -e; Schilddrüsenhormon *n.* -s, -e.

갑석(—石) ein flacher Stein auf e-m anderen.

갑시(甲時) 〖민속〗 die sechste der 24 Stunden (4 : 30–5 : 30 a.m.).

갑시다 ersticken; schnaufen.

갑옷(甲—) Harnisch *m.* -es, -e; Panzer *m.* -s, -; (Ritter)rüstung *f.* -en. ¶ ~을 입은 무사 der ausgerüstete (gepanzte) Kämpfer, -s, - (Ritter, -s, -; Krieger, -s, -) / ~ 투구를 차려 입고 in voller ^{3}Rüstung / ~을 입다 (~을 벗다) den Harnisch (Panzer) an|legen (ab|legen) / ~을 입고 있다 den Harnisch (Panzer) tragen*.

갑일(甲日) der sechzigste Geburtstag. ☞ 회갑(回甲).

갑자기 《별안간》 plötzlich; jäh(e); auf einmal; mit e-m Mal; unvermittelt; wie ein Blitz aus heiterem Himmel; ohne Vorbereitung; unvorbereitet; überraschend(erweise); 《뜻밖에》 unerwartet; [illegible] Knall u. Fall 〖부사〗. ¶ ~ 나타나다 plötzlich (unerwartet) erscheinen* Ⓢ / ~ 죽다 plötzlich sterben* Ⓢ / ~ 돌아오다 unerwartet zurück|kommen* Ⓢ / ~ 손님이 들이닥치다 die Gäste überraschenderweise zum Besuch kommen* Ⓢ / ~ 시험을 치르다 ohne Vorwarnung geprüft sein (werden) / ~ 지장이 생겨서 출석 못 합니다 Ich kann wegen e-r unvorhergesehenen Verhinderung nicht beiwohnen (teilnehmen). / 경제계의 경기가 ~ 좋아지고 있다 Die Wirtschaft nimmt e-n (raschen) Aufschwung. / 그는 ~ 걱정이 되었다 Jäh überfiel ihn die Furcht.

갑작스럽다 plötzlich; unerwartet; unvermutet (sein). ¶ 갑작스러운 일 ein unvermutetes Ereignis, -ses, -se / 갑작스러운 질문 die unvermittelte Frage, -n / 갑작스러운 제의 plötzlicher Vorschlag, -(e)s, ⸗e / 갑작스러운 변화 die plötzliche Veränderung, -en / 갑작스러운 초대 die überraschende Einladung, -en / 갑작스러운 방문 der überraschende Besuch, -(e)s, -e / 갑작스러운 질문이라 죄송합니다만 Entschuldigen Sie m-e unvermittelte Frage, aber....¦Übrigens, ich möchte Sie etwas fragen.

갑절 ① 〔명사로서〕 das Doppelte*, -n; das Zweifache*, -n; 《셀 때》 doppelt; zweifach; zweimal; nochmals; noch einmal. **~하다** verdoppeln[4]. ¶ 두 ~ doppelt / ~이 되다 [4]sich verdoppeln / ~의 힘을 내서 일하다 s-e Anstrengungen verdoppeln; mit verdoppelter Energie arbeiten / 그 ~되는 수 〔양〕 doppelt so viel(es) als jenes / 크기〔길이〕가 ~이다 doppelt so groß (so lang) wie...; zweimal größer (länger) als... / 그는 나보다 나이가 ~이다 Er ist doppelt so alt als ich. / 그는 나의 ~이나 벌고 있다 Er verdient doppelt soviel als ich. / 이것은 그것보다 ~이나 좋다 Das ist doppelt so gut als jenes. ② 〔부사로서〕 ¶ ~ 비싸다 doppelt kosten / ~ 일하다 doppelt so hart arbeiten als andere / 대금을 ~로 청구하다 mit dem doppelten Preise an|schreiben*.

갑종(甲種) die erste Klasse, -n; die A-Klasse, -n. ¶ ~의 erst; ...der A-Klasse.

갑주(甲冑) Rüstung *f.* -en; Harnisch *m.* -es, -e; Panzer *m.* -s, -. ☞ 갑옷. ¶ ~ 한 벌 die volle Rüstung / ~로 몸을 두르고 in voller [3]Rüstung; bis an die Zähne bewaffnet.

갑철판(甲鐵板) Panzerplatte *f.* -n.

갑철함(甲鐵艦) Panzerschiff *n.* -es, -e.

갑충(甲蟲) 〔곤충〕 Käfer *m.* -s, -.
‖ **~류** die Käferarten 《*pl.*》.

갑판(甲板) (Ver)deck *n.* -(e)s, -e. ¶ ~으로 가다 an (Ver)deck gehen* Ⓢ; auf das (Ver-)deck gehen* Ⓢ / ~에 나가 있다 auf Deck sein / ~에서 auf Deck; auf dem Verdeck / ~으로 《명령》 An Bord! / ~에서 바다로 던지다 über Bord werfen* / ~에서 바다로 뛰어들다 über Bord springen* Ⓢ / ~이 거센 파도에 휩쓸리다 e-e Sturzsee über Bord bekommen*.
‖ **~근무** Deckdienst *m.* -es,-e. **~사관** Deckoffizier *m.* -s, -e. **~선객** Deckpassagier *m.* -s, -e. **~선실** Deckkabinett *n.* -(e)s, -e. **~선원** Matrose *m.* -n, -n. **~승강구** Luke *f.* -n; Lukenöffnung *f.* -en. **~여객** =~선객. **~인도**(引渡) Lieferung frei Bord; frei an [3]Bord 《생략: fob》. **~일지** Bordbuch *n.* -(e)s, ⸗er. **~장** (Hoch)¦bootsmann (Oben-) *m.* -(e)s, ..leute; Maat *m.* -(e)s, -e (-en). **~적하**(積荷) Deck¦ladung *f.* -en (-fracht *f.* -en). **비행~** Flugdeck. **상~** Oberdeck; das obere Deck. **전(前)~** Vorder¦deck (Vor-); das vordere Deck. **정(正)~** Hauptdeck. **중(中)~** Mitteldeck; das mittlere Deck. **하~** Unterdeck; das untere Deck. **후~** Hinterdeck; das hintere Deck.

갑피(甲皮) Oberteil 《*n.* -s, -e》 von Lederschuhe, an dem die Sohle noch nicht befestigt ist.

갑화(一火) Irrlicht *n.* -(e)s, -er; Totenlicht *n.* -(e)s, -er; Irrwisch *m.* -es, -e.

값 ① 《가치》 Wert *m.* -es, -e; Geltung *f.* -en; Verdienst *n.* -(e)s, -e. **값(이) 있다** wertvoll; kostbar (sein); von Wert (Geltung) sein. **값(이) 없다** 《따질 수 없다》 un¦schätzbar (-bezahlbar); köstlich; 《무가치》 wertlos; devaluiert; entwertet (sein); k-n Wert haben; [4]sich nicht lohnen. ¶ 그것은 천금의 값이 있다 Das hat großen (unschätzbaren) Wert. / 값 있는 사람 ein Mann von Wert (Geltung) / 값 있는 말을 하다 etwas Wertvolles sagen / 값이 붙어 나다 im Werte wachsen*; an Werte gewinnen* / 값이 떨어지다 [4]sich im Werte verringern; an Werte verlieren* / 값을 떨어뜨리다 entwerten[4]; im Werte mindern.
② 《가격》 Wert *m.*; Preis *m.* -es,-e; Kosten 《*pl.*》. ¶ 값이 비싸다 teuer sein; e-n hohen Preis haben; hoch im Preise stehen* / 값이 싸다 billig sein; e-n niedrigen Preis haben; niedrig im Preise stehen* / 값이 오르다 〔내리다〕 im Preise steigen* (sinken*) Ⓢ/ 값을 올리다 〔내리다〕 den Preis erhöhen (senken; herab|setzen) / 값을 정하다 den Preis fest|setzen 《*für*[4]》; mit e-m Preis versehen*[4]/값을 깎아주다 den Preis herab|setzen; [4]*et.* vom Preise ab|lassen*; [3]sich [4]*et.* vom Preis abhandeln lassen / 값을 깎다 ab|handeln[4]; herunter|drücken[4] / 값을 묻다 *jn.* über den Preis fragen / 값을 좀 깎아주시오 Machen(Lassen) Sie es noch etwas billiger!¦ Kommen Sie mit dem Preis noch etwas entgegen (herunter)!¦ Können Sie nicht vom Preise noch etwas ab|lassen? / 그 값으로는 본전도 안 됩니다 Dann ist es unter dem Einkaufspreis. / 값이 얼맙니까 Was kostet es?¦ Wieviel kostet das? / 값이 맞으면 팔겠다 Ich möchte es mit dem vernünftigen Preis schon verkaufen. / 값이 얼마면 쓰시겠읍니까 Wie weit würden Sie gehen (im Preise)?¦ Zu welchem Preise schlagen Sie an? / 값에 달렸다 Es kommt auf den Preis an. / 내가 값을 흥정하겠다 Ich werde um den Preis handeln. **값(이) 가다, 값(이) 나가다** wert (wertvoll kostbar; teuer) sein; von Wert sein. ¶ 값나가는 물건 die teuere Sache, -n; der wertvolle Gegenstand, -es, ⸗e / 값나가지 않는 물건 wertloses Zeug, -es, -e; Trödel *m.* -s, -; Plunder *m.* -s, ⸗. **값(이) 닿다** 《der Preis》 vernünftig (zufriedenstellend) sein. ¶ 값이 닿지 않아 사지 못했다 Der Preis war zu hoch (teuer) u. ich konnte es nicht kaufen. / 값이 닿지 않아 팔지 않았다 Der Anschlag war zu gering u. ich habe es nicht verkauft.¦ Der Preis war nicht zufriedenstellend u. ich habe es nicht verkauft. **값(을) 매다** den Preis fest|setzen 《*für*[4]》; [4]*et.* mit e-m Preis versehen*. **값(을) 보다** 《어림짐작》 an|schlagen*[4]; schätzen[4]; ab|schätzen[4]; taxieren[4]; 《값부르다》 bieten*[4]; mit e-m Preis zum Verkauf an|bieten*[4]. ¶ 이 물건값을 좀 보아 주오 Bitte, wie hoch wird diese Ware berechnet?¦Veranschlagen Sie, bitte, dies Ware?¦Sag mir, bitte, wie der Preis ist?/상당한 값을 보았는데 그 사람은 팔지 않았다 Ich habe mäßig angeschlagen, aber

er hat es nicht verkauft. 값(을) 치다 den Preis fest|setzen; schätzen[4]. ¶그의 가재를 통틀어 1000마르크 값을 쳐서 내가 맡기로 했다 Sein Hab u. Gut wird insgesammt ein Tausend Mark geschätzt u. ich habe mich entschlossen, es mit dem Preis aufzunehmen. 값을 놓다, 값을 부르다 den Preis nennen*; bieten*[4]; den Preis verlangen; fordern[4]. 값을 치르다 zahlen[4]; bezahlen[4]; begleichen*[4]. ¶물건값을 치르다 die Ware bezahlen / 현금으로 값을 치르다 bar bezahlen[4]. 값(을) 하다 begleichen*[4]; tilgen[4]; ausgleichen[4]; wert sein; würdig[2] sein; verdienen[4]. ¶밥먹은 값을 하다 des Essens würdig sein; *jm.* das Essen vergelten; [4]sich für das Essen dankbar zeigen.

값어치 Wert *m.* -(e)s, -e (가치). ¶~가 있는 wertvoll; kostbar / ~ 있는 물건 Wertgegenstand *m.* -es, ⸗e; Kostbarkeit *f.* -en / ~가 없는 wertlos / …의 ~가 있다 wert[2] sein; verdienen[4] / 이것은 아무 ~가 없다 Das ist nichts wert. / 한번 읽어 볼 ~가 있다 lesenswert sein; wert haben, einmal gelesen zu werden / 천 마르크의 ~가 있는 물건 die Ware 《-n》 im Wert von 1000 DM / 그것은 백원의 ~가 있다 Es kostet hundert *Won*.

값지다 wertvoll; kostbar (sein). ¶값진 선물 das kostbare Geschenk, -(e)s, -e.

갓[1] 《쓰는》 der koreanischer Hut aus Roßhaare. ¶갓쓰고 자전거 탄 것 같은 nicht zueinanderpassend (übereinstimmend) sein 《*mit*[3]》; unvereinbar sein 《*mit*[3]》.

갓[2] 〖식물〗 Blattsenf *m.* -s; *Brassica ceruna* L(학명).

갓[3] 《말림갓》 Gehege *n.* -s, -.

갓[4] 《굴비 등의》 ein Bündel 《*n.* -s, -》, das zehn Stücke zusammengebunden ist 《von den getrockneten Fischen *od.* Farnkräuter》. ¶고사리 한 갓 ein Bündel der getrockneten Farnkräuter / 굴비 두 갓 zwei Bündel der getrockneten Pollacken.

갓[5] ① 《방금》 (so)eben; gerade; funkelnagelneu; frisch. ¶학교를 갓 나온 neu graduiert (promoriert) (대학); neu absolviert (고교이하) / 갓 지은 집 das neu erbautes Haus, -es, ⸗er / 갓 지은 밥 eben gekochter Reis, -es; der gekochte Reis frisch aus der Küche; der dampfende Reis, -es / 갓 구운 빵 das frisch gebackene Brot, -es; das frisch aus dem Ofen geholte Brot / 갓 퍼낸 물 frisch aus der Quelle geholtes Wasser / 갓 잡은 생선 frische (frisch gefangene) Fisch, -es, -e / 대학을 갓 나온 애송이 학사 der neugebackene Doktor, -s, -en / 시골에서 갓 올라온 eben vom Lande gekommen; frisch vom Lande / 갓 결혼한 부부 das gerade verheiratete Ehepaar, -es, -e / 갓 다녀갔다 Er war soeben hier. ② 《나이 앞에서》 gerade; genau; eben nicht mehr als.... ¶저 처녀는 나이가 갓스물이다 Das Mädchen ist gerade zwanzig Jahre alt.

갓김치 *Kimchi* aus Senfblättern.

갓끈 Hutschnur *f.* [illegible]

갓나다 gerade (eben) geboren sein; neugeboren sein; gerade (eben) beginnen* (an|fangen*) zu wachsen.

갓난아이, 갓난애 das neugeborenes Kind, -(e)s, -er; Säugling *m.* -s, -e; Wickelkind *n.* -(e)s, -er; Baby *n.* -s, -s. ¶~ 같은 kindlich; kindisch (유치한) / ~ 취급을 하다 *jn.* als ein Kind behandeln / ~가 태어나다 Ein Kind ist geboren.¦Ein Kind ist zur Welt gekommen. / 나는 이제 ~가 아니다 Ich bin kein Kind mehr.¦Ich bin nicht von gestern.¦Halten Sie mich nicht für so dumm! / 저 애는 몸만 컸지 ~다 Er ist (wie) ein großes Kind.

갓도래 Hutrand *m.* -(e)s, ⸗er.

갓방(一房) Hutladen *m.* -s, ⸗; Hutmacherwerkstatt *f.* ⸗en.

갓양(태) der Rand 《-(e)s, ⸗er》 des koreanischen Hutes.

강(江) Fluß *m.* ..lusses, ..lüsse; Strom *m.* -(e)s, ⸗e (대하); 《시내》 Bach *m.* -es, ⸗e. ¶한강 der (Fluß) *Han* / 강 건너 die andere Seite des Flusses; das gegenüberliegende Ufer, -s, - / 강 건너편에 jenseits des Flusses; auf der andere Seite des Flusses / 강을 거슬러 오르다 (따라 내려가다) stromauf (-wärts) (stromab(wärts)) fahren* Ⓢ; den Fluß hinauf|fahren* (hinab|-) Ⓢ / 강을 건너다 e-n Fluß überqueren (durchqueren) / 강이 범람했다 Der Fluß ist übergetreten. / 한강은 서울을 가로질러 동쪽에서 서쪽으로 흐른다 Der (Fluß) *Han* fließt durch Seoul von Osten nach Westen.

강(綱) 《분류의 단위》 Klasse *f.* -n; Gruppe *f.* -n; Gattung *f.* -en. ¶포유강 (Klasse der) Säugetiere (Säuger); Mammalia.

강(講) 《글외기》 das Vortragen*, -s; Rizitation *f.* -en; 《강의》 Vorlesung *f.* -en.

강- 《호됨·억척스러움》 stark; hart; roh; heftig; rauh; schwer; gefühllos; rein; unvermischt; lauter; pur; bloß; unermüdlich; unmenschlich; derb; trocken ¶강더위 die starke (entsetzliche; fürchterliche) Hitze / 강추위 die strenge (bittere; scharfe; schneidende) Kälte / 강새암 unvernünftige Eifersucht; der heftige Neid, -es.

-강(強) etwas mehr als; etwas über. ¶10킬로미터강 etwas mehr als 10 Kilometer; über 10 km / 5백 명강 etwas über (mehr als) fünf hundert Personen / 3퍼센트강 etwas mehr als 3 Prozent; über 3%.

강가(江一) Flußufer *n.* -s, - (강언덕); Böschung *f.* -en (둑). ¶ ~에 am Fluß; am Flußufer / 맞은 편 ~ die andere Seite des Flusses; das gegenüberliegende Ufer, -s, - / ~의 집 ein Haus am Fluß / ~의 버들 die Weide am Fluß / 우리 집은 ~에 있다 Mein Haus liegt am Fluß.

강가(降嫁) 《일반인의》 die Eheschließung mit dem Mann aus dem niederen Stand; 《공주의》 die Vermählung 《-n》 der Prinzessin mit e-m Bürgerlichen; die Ehe zur linken Hand; die morganatische Ehe, -n. ~하다 [4]sich mit e-m Mann aus niedrigen Stand verheiraten; e-n Bürgerlichen heiraten; e-e Mißheirat schließen*.

강간(強姦) Notzucht *f.*; Befleckung *f.* -en; Entehrung *f.* -en; Entjungferung *f.* -en (처녀 강간); Schwächung *f.* -en (처녀 강간); Mißbrauch *m.* -(e)s, ⸗e; Schändung *f.* -en; Vergewaltigung *f.* -en. ~하다 notzüchtigen[4] 《e-e Frau》; beflecken[4]; die Ehre rauben[3] 《e-r [3]Frau》; entehren[4]; entjungfern[4]; Gewalt an|tun*[3] 《e-r Frau》; schwächen 《e-e Jungfrau》; vergewaltigen[4].

‖~미수 Notzüchtigungsversuch *m.* -(e)s, -e. ~범 Notzüchtiger *m.* -s, -. ~살인 Lustmord *m.* -(e)s, -e. ~죄 Notzucht: ~죄를 저지르다 Notzucht begehen* 《an *jm.*》.

강강수월래 Reigen 《*n.* -s, -》 koreanischer

Mädchen 《pl.》.

강개(慷慨) die patriotische Entrüstung, -en; der patriotische Unwille, -n; das bitterliche Klagen, -s. ~하다 bitterlich klagen 《über[4]》; [4]sich entrüsten 《über[4]》; unwillig (aufgebracht) sein 《über[4]》. ¶ 국사에 대해서 비분~하다 über den verdorbenen Zustand des Landes empört sein.

강건(剛健) Geistes- u. Körperstärke f. -en; Festigkeit f. -en; Mannhaftigkeit f. -en; Männlichkeit f. -en. ~하다 stark u. fest; kräftig u. mutig; mannhaft (sein). ¶ ~한 기상을 기르다 den Geist der Standhaftigkeit u. Männlichkeit aus|bilden.

강건(強健) eiserne Gesundheit f.; Rüstigkeit f.; Vollkraft f. ~하다 kräftig; robust; rüstig; kräftig u. gesund; auf dem Damm (sein). ¶ 지극히 ~하다 stämmig (vierschrötig; von starken Körperbau) sein / 심신(心身)이 모두 ~하다 gesund an Körper u. Geist sein / ~한 사람 der Mann von eisernen Gesundheit.

강견(強肩) 〖야구〗 ein starker Arm, -(e)s, -e.

강경(強硬) Hartnäckigkeit f. -en; Beharrlichkeit f. -en; Rücksichtlosigkeit f. -en. ~하다 beharrlich; hartnäckig; standhaft; unnachgiebig; verbissen; unnachsichtlich; rücksichtlos (sein). ¶ ~ 수단을 쓰다 ein drastisches (durchgreifendes) Mittel an|-wenden(*)/~한 태도를 취하다 e-e feste Stellung ein|nehmen*; mit verbissener Hartnäckigkeit auf [3]et. bestehen*; [4]sich unnachgiebig zeigen 《gegenüber[3]》 (고집, 주장하다) / ~히 반대하다 [3]et. (jm.) hartnäckig widersprechen*; [4]sich [3]et. entschieden widersetzen / ~하게 자기 의견을 고집하다 unnachgiebig bei der Stange bleiben*Ⓢ; bei s-r Behauptung (s-r Meinung) beharren.

‖ ~수단 ein drastisches (durchgreifendes) Mittel, -s, -; entschlossene Maßnahmen 《pl.》; entschiedene Handlung, -en; Gewalt f. -en. ~파 die grundsatztreue Partei, -en; die unbedingte Opposition, -en (강경 반대파); 《대외 강경파》 Unterstützer 《m. -s, -》 e-r starken Außenpolitik.

강계(疆界) Grenze f. -n; Mark f. -en; Grenzlinie f. -n.

강관(鋼管) Stahlrohr n. -s, -e; Rohr 《n. -s, -e》 aus Stahl.

강구(江口) 《어귀》 (Fluß)mündung f. -en; Meeresarm m. -(e)s, -e; 《나루》 Fähre f. -n.

강구(講究) Überlegung f. -en; Erwägung f. -en; Rücksichtnahme f.; Berücksichtigung f. -en 《auf[4]》. ~하다 《안출》 erdenken*[4]; ersinnen*[4]; aus|denken*[4]; 《수단을》 ein Mittel an|wenden(*); e-n Schritt ergreifen* (tun*). ¶ 방책을 ~하다 Maßregeln (Maßnahmen) treffen* (ergreifen*) / 돈줄을 ~하다 versuchen, Geld heranzuschaffen (aufzutreiben) / 화해책을 ~하다 Versöhnungsmaßregeln ergreifen*/ 모든 수단을 ~했지만 헛수고였다 Alle Maßnahmen blieben ergebnislos. / 그는 그 일에 대해서 아무런 수단도 ~하지 않고 있다 Er hat dagegen noch nichts unternommen.

강국(強國) Macht f. ⸚e; Groß¦macht f. ⸚e (-staat m. -(e)s, -en); der mächtige Staat, -(e)s, -en; Weltmacht f. ⸚e. ¶ 세계의 ~ die Großmächte der Welt; die Weltmächte 《pl.》 / 5대 ~ die fünf Großmächte / 유럽의 ~ die europäischen Großmächte 《pl.》.

강굽이(江—) Flußbiegung f. -en; die Krümmung 《-en》 des Flusses.

강권(強勸) die Empfehlung gegen js. Wille; Erzwingung f. -en; Zwang m. -(e)s; Erpressung f. -en. ~하다 gegen js. Willen empfehlen*[4]; zwingen*[4]; erpressen[4].

강권(強權) 《강한》 die Macht 《⸚e》 der Autorität; Einfluß m. ..flusses, ..flüsse; 《법적인》 die gesetzliche Autorität. ¶ ~적 autoritär; bevollmächtigt; maßgebend.

‖ ~국가 der autoritative Staat, -(e)s, -en. ~발동 das Ergreifen* der Gewaltmaßnahme (der gesetzliche Autorität): ~을 발동하다 e-e Gewaltmaßnahme ergreifen*; e-e Gewaltmaßregel treffen*; ein Zwangsmittel an|wenden(*). ~정치 Gewaltherrschaft f. -en; Machtpolitik f. -en.

강기(強記) das gute (zähe) Gedächtnis, -ses, -se. ¶ 박람 ~이다 Er ist belesen u. hat ein zähes Gedächtnis.

강기(剛氣) Standhaftigkeit f.; Kühnheit f.; Unerschrockenheit f.

강기(綱紀) =기강(紀綱).

‖ ~숙정 die Regulierung 《-en》 der öffentlichen Disziplin: ~ 숙정을 단행하다 die Disziplin streng regulieren; die Disziplinarvorschriften streng durch|führen. ~이완 das Nachlassen* 《-s》 der Disziplin; Laxheit 《f. -en》 der Zucht; die Schlaffheit der Disziplin.

강기슭(江—) Flußufer n. -s, -; Flußrand m. -(e)s, ⸚er.

강남콩(江南—) 〖식물〗 Schminkbohne f. -n; die gemeine Bohne.

‖ 얼룩~ Dickbohne f. -n.

강녕(康寧) Gesundheit f. -en.

강다리 《굄나무》 Stütze f. -n; Spreize f. -n; Strebe f. -n; Riegel m. -s, -; 《장작의》 ein hundert Stück von Brennholz.

강다짐 ① 《먹음》 ~하다 Reis ohne Nebenspeise essen*. ② 《부림》 umsonst; unbelohnt. ~하다 umsonst arbeiten lassen*. ③ 《누름》 gern od. ungern; gern od. nicht; wohl od. übel. ~하다 e-e Person gern od. ungern schelten* (tadeln). ¶ ~으로 욕망을 억제하다 gern od. ungern s-e Wünsche ein|schränken.

강단(剛斷) ① 《결단력》 Entscheidung f. -en; Entschluß m. ..schlusses, ..schlüsse. ② 《끈덕짐》 die latente (potentiale) Energie; Geduld f.; Ausdauer f.; Beharrlichkeit f.; Standhaftigkeit f. ¶ ~이 있는 geduldig; duldsam; beharrlich; ausdauernd / ~이 없는 unduldsam; ohne Ausdauer / ~이 있는 사람 ein Mensch mit Ausdauer.

강단(講壇) Katheder n. -s, -; Podium n. -s, ..dien; Redner¦bühne f. -n (-pult n. -(e)s, -e); 《설교단》 Kanzel f. -n. ¶ ~에 서다 die Kanzel (das Katheder) besteigen*; auf der Kanzel (dem Katheder) stehen*; als Lehrer an|treten* Ⓢ; die Rednerbühne betreten*.

‖ ~사회주의 Kathedersozialismus m. -; ~사회주의자 Kathedersozialist m. -en, -en.

강단하다(降壇—) die Plattform verlassen*[4]; von der Rednerbühne herab|steigen*Ⓢ.

강담 Steinmauer f. -n (ohne Lehm).

강당(講堂) Aula f. -s (..len); Vortragssaal m. -(e)s, ..säle; Hörsaal m. Auditorium n. -s, ..rien; Festsaal (식장).

강대(江—) die Dörfer auf dem Flußdeich in

der Gegend von Seoul.
강대(強大) Größe u. Stärke *f.* -n; Mächtigkeit *f.* ~하다 großmächtig; gewaltig; mächtig; groß u. stark (sein). ¶ ~한 해군력 mächtige (starke) Marine, -n / ~해지다 mächtig (gewaltig; stark u. groß) werden.
‖ ~국 Groß¦macht *f.* ¨e (-staat *m.* -(e)s, -en); der mächtige Staat, -(e)s, -en; Weltmacht *f.* ¨e.
강도(強度) 《세기의 정도》 Mächtigkeit *f.*; Intensität *f.* -en; Stärke *f.* -n; 《단단하기》 Härte *f.* -n; Festigkeit *f.* ¶ ~가 있다 intensiv (stark; hart; fest) sein / 광선의 ~ Lichtstärke *f.* -n / ~가 있는 안경 die starke Brille, -n.
‖ ~현미경 das scharfe Mikroskop, -s, -e.
강도(強盜) Räuber *m.* -s, -; Bandit *m.* -en, -en; 《침입자》 Einbrecher *m.* -s, -. ¶ 얼마 전에 우리 집에 ~가 들었다 Es ist kürzlich bei uns eingebrochen worden.
‖ ~단 Räuberbande *f.* -n. ~질 Raub *m.* -(e)s; Räuberei *f.* -en; Raubtat *f.* -en; Banditwesen *n.* -s; 《가택 침입》 Einbruch *m.* -(e)s, ¨e; Einbruchsdiebstahl *m.* -(e)s, ¨e: ~질하다 e-n Raub (Einbruch) begehen* (verüben) 《an [3]*et.* (*jm.*)》. 권총~ bewaffneter Räuber, -s, -. 노상~ Straßenräuber *m.* -s, -. 무장~ bewaffneter Räuber, -s, -. 복면~ maskierter Räuber, -s, -. 살인~범 Raubmörder *m.* -s, -. 살인~(죄) Raubmord *m.* -(e)s, -e. 삼인조~ ein Kleeblatt-Räuber.
강독(講讀) das Lesen*, -s; Vorlesung *f.* -en. ~하다 erklärend u. übersetzend lesen*.
강동강동 hopp hopp. ¶ ~ 뛰다 springen* [s,h]; hüpfen. ⌈hüpfen.
강동거리다 leicht hin u. her springen* [s,h];
강둑(江—) Fluß¦damm *m.* -(e)s, ¨e (-deich *m.* -(e)s, -e); Ufer¦damm (Schutz-) e-s Flusses.
강등(降等) Degradierung *f.* -en. ~하다 degradieren. ⌈-s.
강똥 der harte Kot, -(e)s; fester Stuhlgang,
강력(強力) Macht *f.* ¨e; Stärke *f.* -n; Gewalt *f.* -en. ~하다 mächtig; machtvoll; gewaltig; stark; kräftig; kraftvoll; 《영향력이 강한》 einflußreich (sein). ¶ 그는 그 소문을 ~하게 부인했다 Er bestritt das Gerücht nachdrücklich (entschieden; energisch). ‖ ~범 Gewaltdelikt *n.* -es, -e. ~지배 die Kontrolle mit Gewalt; Gewaltkontrolle *f.* -n.
강렬(強烈) Stärke *f.* -n; Intensität *f.*; Heftigkeit *f.* -en; 《말 따위》 Hitzigkeit *f.* -en; 《술 따위》 Feurigkeit *f.* -en; 《빛깔》 Grelle *f.* ~하다 stark; intensiv; heftig; hitzig; feurig; grell; schreiend (sein). ¶ ~한 색채 die grelle (schreiende) Farbe, -n.
강령(綱領) Haupt¦punkt (Kern-) *m.* -(e)s, -e; Leit¦gedanke(n) (Grund-) *m.* ..kens, ..ken; Grundriß *m.* ..risses, ..risse; (Partei)programm *n.* -s, -e (정당의); der Grundsatz 《-es, ¨e》 e-s (Partei)programms (정당 강령의 항목). ¶ 그 정당은 어제 ~을 발표했다 Die Partei verkündigte gestern den Grundsatz ihres Programms.
‖ 십대(十大)~ die zehn Hauptpunkte des Programms.
강론(講論) 《학술의》 Exposition *f.* -en; Diskussion *f.* -en; 《교리》 Predigt *f.* -en. ~하다 exponieren[4]; diskutieren[4]; predigen; lehren[4].
강림(降臨) die Herabkunft vom Himmel; Advent *m.* -(e)s, -e; „Ankunft" *f.* ¨e. ~하다 vom Himmel herunter¦kommen* (herab¦-) [s]. ¶ 성령이 ~하셨다 Der heilige Geist ist dem Himmel entstammend.
‖ ~절 Advent *m.* -(e)s, -e.
강마르다 《몸이》 viel dünner (schlanker) werden; 《물건이》 aus¦trocknen; aus¦dorren.
강매(強賣) das Aufzwingen* 《-s》 e-r Ware; das Kaufaufzwingen*, -s. ~하다 *jm.* e-e Ware auf¦drängen (auf¦zwingen*); *jm.* e-n Kauf auf¦zwingen* (auf¦nötigen); *jn.* zwingen*, [4]*et.* zu kaufen.
강멱(降冪) 〖수학〗 =내림차.
강모(剛毛) Borste *f.* -n; steifes Haar, -(e)s, -e; starkes Haar.
강목(綱目) 《분류》 Klassifikation *f.* -en; [4]Klassen 《*f.* -n》 u. Ordnung 《*f.* -en》 (동, 식물 분류상의 강과 목). ¶ ~으로 나누다 in [4]Klassen ein¦teilen[4]; klassifizieren[4].
강물(江—) Flußwasser *n.* -s, -; Fluß *m.* Flusses, Flüsse. ¶ ~이 불어나다 Der Fluß schwillt an.
강바닥(江—) Grund 《*m.* -(e)s, ¨e》 e-s Flusses; Flußbett *n.* -(e)s, -en; Flußboden *m.* -s, -(¨).
강바람 《마른 바람》 der starke Wind ohne Regen; der trocke(e)ne Wind.
강바람(江—) der Wind, der vom Fluß weht; die Brise vom Fluß.
강박(強迫) Zwang *m.* -(e)s; Nötigung *f.* -en (강요). ~하다 zwingen*[4]; notigen*[4]; *jm.* Zwang an¦tun* (auf¦(er)legen).
‖ ~관념 Verfolgungswahn *m.* -(e)s; Furcht *f.* 《*vor*[3]》; Zwangsvorstellung *f.* -en: ~ 관념에 사로잡히다 in e-m Verfolgungswahn befangen sein; von e-r fixen Idee heimgesucht werden (besessen sein).
강반(江畔) Flußufer *n.* -s, -; Flußrand *m.* -(e)s, ¨er. ¶ ~에서 am Fluß.
강밭다 geizig; knickerig; knauserig (sein).
강배(江—) Flußboot *n.* -(e)s, -e.
강변(江邊) Flußufer *n.* -s, -. ¶ ~에 am Fluß; am Flußufer; auf der [3]Böschung / ~을 따라 den Fluß entlang; entlang des Flusses; am Fluß entlang.
강변(強辯) Sophisterei *f.* -en; Spitzfindigkeit *f.* -en; Vernünftelei *f.* -en; Klügelei *f.* -en. ~하다 Sophisterei treiben*; vernünfteln.
강변화(強變化) 〖문법〗 《동사의》 die starke Konjugation; 《명사·형용사의》 die starken Deklination.
‖ ~동사 ein stark konjugierendes Verb, -s, -en; die starken Verben 《*pl.*》.
강병(一病) die schwere Krankheit, -en; die chronische (akute) Krankheit, -en.
강병(強兵) starke (tüchtige) Soldaten 《*pl.*》.
‖ 부국~ Reichtum u. Macht e-s Staates.
강보(襁褓) ① 《배내옷》 Baby¦kleidchen [béːbi..] (Kleinkind-) *n.* -s, -. ② 《기저귀》 Windel *f.* -n. ‖ ~유아 ein Kind 《*n.* -(e)s, -er》 in der Windel.
강복(降福) Segen *m.* -s, -. ~하다 segnen.
강사(講士) Sprecher (Redner) *m.* -s, -.
강사(講師) Dozent *m.* -en, -en; Lektor *m.* -s, -en. ¶ 서울대학교 ~ ein Dozent an der Universität Seoul / ~로 임명되다 zum Dozent ernannt werden.
‖ 시간~ Lektor in Stundendienst. 전임~ Dozent mit vollem Unterricht; Lektor in festem Dienst.
강삭(鋼索) (Stahl)drahtseil *n.* -(e)s, -e; Kabel *n.* -s, -.

강산(江山) Flüsse u. Berge; 《강토》 Landschaft *f.* -en. ¶ 3천리 금수 ～ das schöne Land von Korea, weit u. breit.

강상(江上) 《강가》 Flußufer *n.* -s; Flußrand *m.* -(e)s, ⸚er; 《물위》 Flußoberfläche *f.* -n.

강상(綱常) Sittlichkeit *f.* -en; die sittlichen Prinzipien 《*pl.*》.

강새암, 강샘 die unvernünftige Eifersucht. ～하다 stark eifersüchtig sein (werden).

강생(降生) Inkarnation *f.* -en; Wiedergeburt *f.* -en. ～하다 inkarniert werden.

강서(講書) Exposition *f.* -en; Erklärung *f.* -en. ～하다 exponieren; erklären.

강서리 der heftige Frost, -es, ⸚e.

강석(講席) Lehrerpult *n.* -(e)s, -e.

강석(講釋) 《강의》 Vorlesung *f.* -en; Kolleg *n.* -s, -ien; 《설명》 Auslegung *f.* -en; Erklärung *f.* -en. ～하다 (vor|)lesen*《*über*^{4}》; e-e Vorlesung (ein Kolleg) halten*《*über*^{4}》; aus|legen^{4}; erklären^{4}.

강설(降雪) Schneefall *m.* -(e)s, ⸚e. ¶ 심한 ～ der starke Schneefall / 심한 ～ 때문에 starken Schnees wegen; wegen heftigen Schneefall(e)s / ～이 80 센티에 이르렀다 Der Schnee lag 80 Zentimeter hoch.|80 Zentimeter hoher Schnee fiel. / 대관령 일대에 대～이 있었다 In *Daegwanryeong* u. Umgegend herrschte ein schwerer Schneefall.

‖ ～량 die Menge 《-n》 des Schneefall(e)s.

강설(講說) Vorlesung *f.* -en; Predigt *f.* -en. ～하다 vor|lesen*^{4}《*jm.*》; Vorlesung halten 《*über*^{4}》; aus|legen^{4}; erläutern^{4}; predigen 《*über*^{4}》.

강성하다(強盛—) kraftvoll; lebhaft; lebendig (sein).

강세(強勢) 《음의》 Akzent *m.* -s, -e; Betonung *f.* -en; Nachdruck *m.* -(e)s; Emphase *f.* -n; 《시세의》 feste Stimmung, -en; Tendenz *f.* -en. ¶ ～를 두다 den Akzent legen 《*auf*^{4}》; betonen^{4}; (e-n) Nachdruck legen 《*auf*^{4}》 / ～는 이 음절에 있다 Der Akzent (Die Betonung) liegt auf dieser (fällt auf diese) Silbe.

강속(江—) in dem Fluß.

강송(講誦) Rezitation *f.* -en. ～하다 rezitieren.

강쇠바람 der Ostwind 《-(e)s, -e》, der im frühen Herbst weht.

강수량(降水量) Niederschlag *m.* -(e)s, ⸚e; Präzipitation *f.* -en.

강술 der Schnaps 《-es, ⸚e》 ohne Zuspeise. ¶ ～을 마시다 Schnaps ohne Zuspeise trinken*.

강술(講述) Vorlesung *f.* -en; Vortrag *m.* -(e)s, ⸚e; Auslegung *f.* -en; Erläuterung *f.* -en. ～하다 vor|lesen* 《*über*^{4}》; Vortrag halten* 《*über*^{4}》; aus|legen^{4}; erläutern^{4}.

강습(強襲) der stürmende Angriff, -(e)s, -e; der wilde Andrang, -(e)s, ⸚e; Hetzjagd *f.* -en. ～하다 heftig an|greifen*^{4}; stürmisch an|greifen*^{4}; d(a)rein|schlagen*. ¶ ～하여 점령하다 erstürmen^{4}; mit Sturm nehmen*^{4} / 적의 우익에 ～을 시도하다 e-n gewaltsamen Angriff auf den rechten Flügel des Feindes versuchen.

강습(講習) Ausbildungs|kursus (Trainings-[tré:niŋs..]) *m.* -, ..se; Lehrgang *m.* -(e)s, ⸚e. ～하다 Unterricht geben* 《*in*^{3}》; e-e Vorlesung halten* 《*über*^{4}》. ¶ ～을 받다 an e-m (Ausbildungs)kursus teil|nehmen*; Vorlesungen (ein Kolleg) hören / ～을 수료하다 e-n (Ausbildungs)kursus in ^{3}*et.* durch|machen.

‖ ～생 Besucher《*m.* -s, -》 e-s (Ausbildungs-)kursus; der Teilnehmer《-s, -》 an e-m (Ausbildungs)kursus; Kursteilnehmer *m.* -s, -. ～소 Ausbildungs|anstalt (Trainings-) *f.* -en. ～회 Kursus *m.* ..se: 여름(겨울) ～회 Sommer|kursus (Winter-) *m.* -, ..kurse/ 요리 ～회 Kochschule *f.* -n / ～회를 열다 e-n Kursus eröffnen / 여름 ～회에 다니다 e-n Sommerkursus besuchen; an e-m Sommerkursus teil|nehmen* / 나는 온양에서 개최된 3주일 간의 독일어 ～회에 참석했다 Ich habe an dem dreiwöchentlichen Deutschkursus, der in *Onyang* abgehalten wurde, teilgenommen.

강시(僵屍) Leichnam e-s Erfrorenen.

강신술(降神術) Spiritismus *m.* -; Geisterglaube(n) *m.* ..bens; Geisterklopferei *f.* -en.

‖ ～자 Spritist *m.* -en, -en; Geisterklopfer *m.* -s, -.

강심(江心) Flußmitte *f.* -n.

강심제(強心劑) das herzstärkende Mittel, -s, -.

강아지 der kleine Hund, -(e)s, -e; Hündchen *n.* -s, -; der junge Hund, -(e)s, -e.

강아지풀 〖식물〗 Fuchs|schwanz *m.* -es, ⸚e (-gras *n.* -es, ⸚er); *Setaria viridis* (학명).

강안(江岸) Flußufer *n.* -s, -; Böschung *f.* -en (둑).

강압(強壓) Bedrückung *f.* -en; der starke Druck, -s; Unterdrückung *f.* -en; 《강제》 Zwang *m.* -es; das Zwingen*, -s; Gewaltsamkeit *f.* -en. ～하다 bedrücken^{4}; unterdrücken^{4}; zwingen^{4}; *jm.* Zwang an|tun*. ¶ ～적 bedrückend; unterdrückend; zwanghaft; zwingend; gewaltsam; Gewalt-; Zwangs-.

‖ ～수단 Zwangsmittel *n.* -s, -. ～정책 Gewaltpolitik *f.* -en.

강약(強弱) 《강함과 약함》 Stärke u. Schwäche, der - u. - ; 《강자와 약자》 die Starken u. die Schwachen; 《음의》 Ton *m.* -s, ⸚e; Takt *m.* -es, -e. ¶ ～을 다투다 ^{4}sich messen* 《*mit*^{3}》; es auf|nehmen* 《*mit*^{3}》; ^{4}sich mit *jm.* um die Meisterschaft streiten* (kämpfen).

‖ ～법 〖음악〗 Dynamik *f.*; Kräftespiel *m.* -s, -e.

강어귀(江—) (Fluß)mündung *f.* -en.

강연(講演) Vortrag *m.* -(e)s, ⸚e; Rede *f.* -n; Ansprache *f.* -n. ～하다 e-n Vortrag (e-e Rede; e-e Ansprache) halten*《*über*^{4}; *von*^{3}》. ¶ ～을 듣다 den Vortrag besuchen / ～을 청탁하다 *jn.* bitten*, e-n Vortrag zu halten*; *jn.* bitten*, zu reden / 그 저명한 교수는 내일 원자 물리학에 관하여 ～을 하게 되어 있다 Der bekannte Professor hält morgen e-n Vortrag über die Atomphysik.

‖ ～료 Vortragshonorar *n.* -s, -e. ～여행 Vortragsreise *f.* -n. ～자 der Vortragende*, -n, -n; Redner *m.* -s, -. ～회 Vortragsveranstaltung *f.* -en (-abend *m.* -s, -e). 공개(학술)～ öffentlicher (wissenschaftlicher) Vortrag, -(e)s, ⸚e. 라디오～ Rundfunkrede *f.* -n.

강옥(鋼玉) Korund *m.* -(e)s, -e; Stahlkugel *f.* -n; Saphir *m.* -s, -e.

강요(強要) Erzwingung *f.* -en (강취); Zwang *m.* -s (강제); Erpressung *f.* -en (강청, 강탈); die übermäßige Anforderung, -en. ～하다 erpressen^{4} 《(*von*) *jm.*》; ein|treiben*^{4} (빚 따위의 지불을); erzwingen*^{4} 《*von*^{3}》; zu|muten^{34}; nötigen (강제·독촉하다); ab|nötigen

(강청해서 뺏다). ¶ 아무를 ~해서 …을 시키다 *jn.* zu … zwingen* 〔nötigen〕; *jn.* zwingen* 〔nötigen〕, [4]*et.* zu tun / 사죄를 ~하다 *jm.* e-e Entschuldigung ab|nötigen / 복종을 ~하다 *jn.* zum Gehorsam zwingen* / 지불을 ~하다 *jn.* zur Zahlung zwingen* / 그는 사직을 ~당해서 그만두었다 Er hat sein Amt zwangsweise niederlegen müssen. / 이 일을 그에게 ~할 수는 없다 Man kann ihm diese Arbeit nicht zumuten.

강요(綱要) Auszug *m.* -(e)s, ⸗e; Abriß *m.* ..risses, ..risse; Umriß *m.* ..risses, ..risse; Kompendium *n.* -s, ..dien.
‖ 심리학~ die Elemente der Psychologie.

강용(剛勇) Heldemut *m.* -(e)s; Tapferkeit *f.*; Löwenherz *n.* -ens, -en; Unverzagtheit *f.* **~하다** mutvoll; heldenmutig; löwenherzig; furchtlos (sein).

강우(降雨) Regenfall *m.* -(e)s, ⸗e; Regen *m.* -s, -; Niederschlag *m.* -(e)s, ⸗e. **~하다** es regnet; Regen fällt. ¶ 많은 ~ der starke 〔schwere〕 Regen¦fall 〔-guß〕 / ~ 부족으로 aus Mangel an Regen; wegen Regenmangels / ~ 부족으로 농작물이 해를 입었다 Wegen des Regenmangels litt das Getreide.
‖ **~기** Regen¦zeit *f.* -en 〔-monat *m.* -(e)s, -e〕. **~대**(帶) Regen¦gebiet *n.* -(e)s, -e 〔-zone *f.* -n〕. **~도**(圖) Regenkarte *f.* -n. **~량** Regenmenge *f.* -n: 금년은 ~량이 많았다 Wir haben dieses Jahr viel Regen gehabt.¦Es gab 〔Wir bekamen〕 in diesem Jahr viel Regen. / 많은 ~량 때문에 강물이 불었다 Infolge des starken Regens ist der Fluß gestiegen. **~전선** Regenfront *f.* -en.

강울음 die gezwungene Weinerei, -en; Krokodilstränen 《*pl.*》. ¶ ~을 울다 Krokodilstränen weinen.

강유(剛柔) Heftigkeit u. Sanftheit; Resistenz u. Elastizität. ¶ ~를 겸전하고 있다 Er ist heftig u. zugleich sanft.

강음(強音) Akzent *m.* -(e)s, -e.

강음하다(強飮一) gegen den eigenen Willen trinken*.

강의(剛毅) Schneid *f.* 〔*m.* -(e)s〕; Festigkeit *f.*; Seelenstärke *f.*; Standhaftigkeit *f.*; Unbeeinflußbarkeit *f.*; Unbeugsamkeit *f.*; Willenskraft *f.* ⸗e. **~하다** schneidig; fest; forsch auftretend; standhaft; tapfer; unbeugsam; willensstark (sein).

강의(講義) Vorlesung *f.* -en; Vortrag *m.* -(e)s, ⸗e; Erläuterung *f.* -en; Auslegung *f.* -en. **~하다** e-e Vorlesung halten*; vor|lesen*; e-n Vortrag halten*; erläutern; dozieren. ¶ 독일어로 ~하다 e-e Vorlesung auf Deutsch halten* / ~에 빠지다 《학생이》 e-e Vorlesung schwänzen / ~를 듣다 e-e Vorlesung 《über Literatur》 besuchen; e-r Vorlesung bei|wohnen / ~중에 나오다 während e-r Vorlesung heraus|kommen* ⓢ / 김교수님 ~를 받고 있다 Ich höre bei Professor *Kim.* / 홍교수는 다음 학기부터 파우스트를 ~한다 Professor *Hong* wird vom nächsten Semester an mit uns „Faust" lesen.
‖ **~록** Unterrichtsbriefe 《*pl.*》; der Lehrkurus 《-, ..se》 durch Korrespondenz: ~록으로 독일어를 배우다 durch Korrespondenzkursus Deutsch lernen. **~방법** Vorlesungsmethode *f.* -n. **~실** Hörsaal *m.* -(e)s, ..säle; Auditorium *n.* -s, ..rien (대학의); Aula *f.* -s, ..len (강당). **~표** Vorlesungsverzeichnis *n.* -ses, -se. 공개~ öffentliche Vorlesung, -en; öffentlicher Vortrag, -(e)s, ⸗e. 독문법~ die Vorlesung 《-en》 über deutsche Grammatik.

강인(強靭) Zähigkeit *f.*; Zäheit *f.*; Zähe *f.* **~하다** zäh; sehnig; ausdauernd (sein). ¶ ~하게 beharrlich; hartnäckig; mit Beharrlichkeit / ~한 체질 eiserne Konstitution, -en / ~한 인내력 zähe Ausdauer.
‖ **~성**(性) Zähigkeit *f.*; Beharrlichkeit *f.*; Hartnäckigkeit *f.*

강잉히(強仍一) unvermeidlich; unumgänglich; wider Willen; widerwillig.

강자(強者) der Starke*, -n, -n; der starke 〔mächtige〕 Mann, -(e)s, ⸗er. ¶ ~와 약자 die Starken und die Schwachen 《*pl.*》.

강자성(強磁性) Ferromagnetismus *m.* -, ..men. ¶ ~의 ferromagnetisch.

강장(強壯) Stärke *f.* -n; Kräftigkeit; Gesundheit *f.* -en; Rüstigkeit *f.* **~하다** stark; kräftig; gesund; robust; rüstig (sein).
‖ **~제** Stärkungsmittel *n.* -s, -; das belebende Mittel, -s, -; Analeptikon *n.* -s, ..ka; das tonische Mittel, -s, -: ~제 주사를 맞다 das tonische Mittel bespritzt bekommen*.

강장거리다 trippeln.

강장동물(腔腸動物) 〖동물〗 Hohltiere 《*pl.*》; *Coelenterata* (학명).

강재(鋼材) Stahl *m.* -(e)s, -e; Stahlmaterialien 《*pl.*》; 《압연강》 der gewalzte Stahl.

강적(強敵) der gefährliche Feind, -(e)s, -e; der scharfe 〔gefährliche〕 Gegner, -s, -; der unbiegsame Feind; der furchtbare Gegner; Übermacht *f.* ⸗e (우세, 강대). ¶ 일치 단결하여 ~에 대항하다 gegen den gefährlichen Feind einheitlich vor|gehen*ⓢ / ~과 싸우다 mit dem unbiegsamen Gegner kämpfen / ~이 나타나다 ein scharfer Gegner auf|tauchenⓢ 〔auf|treten*ⓢ〕 / 우리들은 ~과 상대해야 했다 Wir mußten dem scharfen Gegner den Rang streitig machen.

강점(強點) Stärke *f.*; die starke Seite, -n; Vorteil *m.* -(e)s, -e (장점); Vorzug *m.* -(e)s, ⸗e. ¶ 이것이 그의 ~이다 Das ist s-e Stärke. / 그의 ~은 …하다는 점이다 in [3]*et.* s-e Stärke liegen*.

강정 《찹쌀 과자》 ein Kuchen aus Fettreis; 《엿》 Reiskaramel 《*m.* -s》 mit Sesam, Kiefernkernen od. Bohnen.

강제(強制) Zwang *m.* -(e)s; Nötigung *f.* -en; Druck *m.* -(e)s. **~하다** zwingen*[4] 〔nötigen[4]; treiben*[4]〕(*jn.* zu[3]). ¶ ~적인 Zwang-; zwingend / ~적으로 gezwungen; erzwungen; durch Zwang 〔Nötigung〕; zwangsweise; genötigt; gewaltsam; mit Gewalt / ~당하지 않고 ohne Zwang; ungezwungen; 《자발적》 freiwillig; aus freiem Willen / 노동을 ~하다 *jn.* zwingen*, zu arbeiten 〔gegen s-n Willen〕 / ~로 수용하다 *jn.* in Haft nehmen*; verhaften[4].
‖ **~가격** Zwangspreis *m.* -es, -e. **~결혼** die erzwungene Ehe, -n; die Ehe durch Zwang. **~경매** Zwangsversteigerung *f.* -en. **~공채** Zwangsanleihe *f.* -n. **~관리** Zwangsverwaltung *f.* -en. **~교육** Zwangserziehung *f.* -en. **~권** Zwangs¦recht *n.* -(e)s, -e 〔-gewalt *f.* -en〕. **~기금** Zwangskasse *f.* -n. **~노동** Zwangsarbeit *f.* -en. **~력** Zwangskraft *f.* ⸗e; 《법률상의》 Rechtskraft. **~법** Zwangsgesetz *n.* -es, -e. **~보험** Zwangsversicherung *f.* -en. **~보호** Zwangsschutz

m. -es. ~상태 Zwangslage *f.* -n. ~송환 Zwangszurücksendung *f.* ~수단 Zwangsmittel *n.* -s, -: ~수단을 쓰다 ein Zwangsmittel an|wenden(*) (ergreifen*). ~수용소 Konzentrationslager *n.* -s, -《생략: KZ》. ~양도 Zwangsabtretung *f.* -en. ~의무 Zwangspflicht *f.* -en. ~이행 Zwangserfüllung *f.* -en. ~조정 Zwangsvergleich *m.* -s, -e. ~중재 Zwangsvermittlung *f.* -en. ~집행 Zwangsvollstreckung *f.* -en: ~집행하다 e-e Zwangsvollstreckung vor|nehmen*; zwangsweise vollstrecken⁴ / ~집행으로 수감되다 zwangsweise ins Gefängnis gesetzt werden / ~집행 정지 die Einstellung《-en》der Zwangsvollstreckung. ~착륙 e-e erzwungene Landung, -en; Notlandung *f.* -en: ~착륙시키다 notlanden〖notzulanden; notgelandet〗. ~처분 Zwangsmaß¦regel *f.* -n (-nahme *f.* -n): ~처분하다 Zwangsmaß¦regeln (-nahmen) ergreifen*. ~출자 Zwangsbeitrag m. -(e)s, ¨e. ~통화 Zwangswährung *f.* -en. ~행위 Zwangshandlung *f.* -en.

강제(鋼製) Stahlarbeit *f.* -en.

강조(強調) Betonung *f.* -en; Emphase *f.* -n; (rhethorischer) Nachdruck, -(e)s (수사적); 〖문법〗 Akzent *m.* -es, -e. ~하다 betonen⁴; akzentuieren⁴; hervor|heben*⁴; unterstreichen*⁴; bekräftigen⁴; nachdrücklich behaupten⁴. ¶ 국방(저축)의 필요성을 ~하다 die Notwendigkeit der Landesverteidigung (der Einsparung) unterstreichen* / 안전 보장 문제를 ~하다 das Problem《-s, -e》der Landessicherheit betonen.

‖ 방화(방범)~주간 die Feuer¦schutzwoche (Verbrechens-) -n.

강조밥 die gekochte (Kolben)hirse ohne Beimischung von Reis.

강종거리다 =강장거리다.

강좌(講座)《강석》Katheder *n.* -s, -; Lehramt *n.* -(e)s, ¨er;《대학의》Lehrstuhl *m.* -(e)s, ¨e; Dozentenstelle *f.* -n; Professur *f.* -en;《강의》Vorlesung *f.* -en;《강습의》(Ausbildungs)kursus *m.* -, ..se. ¶ ~를 개설하다 e-n Lehrstuhl (e-e Professur) gründen (errichten; schaffen*).

‖ ~료 der mit e-m Lehrauftrag verbundene Zuschlag, -(e)s, ¨e; der Zuschlag zu e-m (Grund)honorar. 공개~ öffentliche Vorlesung, -en. 독문학~ der Kursus《-, ..se》(die Vorlesung, -en) über deutsche Literatur: 독문학 ~를 맡고 있다 den Lehrstuhl für deutsche Literatur inne¦haben*. 라디오 독일어 ~ der Rundfunkkursus《-, ..se》der deutschen Sprache. 무료~ die nicht honorierte Professur, -en. 미술~ der Lehrstuhl《-s, ¨e》für (die Vorlesung über) die Künste. 특별~ Sondervorlesung *f.* -en (-kursus *m.* -, ..se).

강주정(一酒酊) die vorgetäuschte Betrunkenheit. ~하다 ⁴sich betrunken stellen (um schlechtes Benehmen zu entschuldigen).

강줄기(江一) Flußlauf *m.* -(e)s, ¨e. ¶ ~를 따라서 den Fluß(lauf) entlang; am (den) Fluß entlang; entlang des Flusses.

강직(剛直) Rechtschaffenheit *f.*; Redlichkeit *f.*; Aufrichtigkeit *f.*; Unbeugsamkeit *f.*; Festigkeit *f.* ~하다 unbeugsam; standhaft u. redlich; fest u. aufrichtig (sein). ¶ ~한 사람 ein Mann von strenger Rechtschaffenheit.

강직(強直) das Erstarren*, -s; Erstarrung *f.* -en; das Steifwerden*, -s; Steifheit *f.* -en; Verkrampfung *f.* -en; Verkrampftheit *f.* -en. ~하다 erstarrt; steif; versteinert; starr (sein); erstarren ⓢ; steif werden; ⁴sich versteifen; verhärten; versteinern.

‖ ~(성)경련 Starrkrampf *m.* -(e)s, ¨e; Tetanie *f.* -n. 관절~ Ankylose *f.* -n; Gelenksteifheit *f.* -en. 사후~ 〖의학〗 *Rigor Mortis*《라틴》; Leichenstarre *f.*; Todesstarre *f.*

강진(強震) das starke Erdbeben, -s, -; die heftige Erderschütterung, -en. ¶ 근년에 없던 ~ das stärkste Erdbeben in den letzten Jahren; e-e der heftigsten Erderschütterungen in den letzten Jahren / 간밤 이곳에는 ~이 있었다 Letzte (Heute) Nacht wurde hier ein starkes Erdbeben (e-e heftige Erderschütterung) gefühlt.

‖ ~계 starker Erdbebenmesser, -s, -.

강짜 Eifersucht *f.*; Neid *m.* -(e)s. ¶ ~를 부리다 eifersüchtig sein*《*auf*⁴》.

강참숯 die reine Holzkohle, -n.

강철(鋼鐵) Stahl *m.* -(e)s, -e (¨e). ¶ ~같은 의지 der stahlharte Wille, -ns, -n / ~제의 Stahl-; stählern; aus (von) Stahl / 전부 ~로 된 vollstahl.

‖ ~선(線) Stahldraht *m.* -(e)s, ¨e. ~제품 Stahl¦arbeit *f.* -en (-ware *f.* -n). ~차(車) Stahlwagen *m.* -s, -. ~판 Stahlplatte *f.* -n. ~함(艦) Stahlkriegsschiff *n.* -(e)s, -e.

강청(強請) die dringende (zudringliche) Bitte, -n; Aufdringlichkeit *f.* -en; die beharrliche Forderung, -en; Zumutung *f.* -en; Erpressung *f.* -en. ~하다 *jn.* dringend (zudringlich; aufdringlich; beharrlich) bitten*《*um*⁴》; erpressen《*jm.* ⁴*et*; *von*³; *aus*³》; *jm* ab|zwingen (-|drohen; -|nötigen); erzwingen*⁴《*von*³》.

강촌(江村) das Dorf《-(e)s, ¨er》am Fluß.

강추위 die bittere (schneidende) Kälte.

강치 〖동물〗 Seelöwe *m.* -n, -n.

강타(強打) der starke Schlag, -(e)s, ¨e; der Hagel《-s》von Schlägen. ~하다 stark (heftig) schlagen*⁴. ¶ 머리를 ~하다 *jn.* stark (heftig) auf den Kopf schlagen*《mit e-m Stock》/ ~를 퍼붓다 *jm.* harte Schläge geben*.

‖ ~자 der gefährliche (bedrohende) Schläger, -s, -.

강탈(強奪) Plünderung *f.* -en; das Plündern*, -s; Beraubung *f.* -en; Brandschatzung *f.* -en; Erbeutung *f.* -en; Erpressung *f.* -en; Raub *m.* -(e)s, (드물게) -e. ~하다 plündern《*jn.*》; berauben《*jn.* ²*et.*》; brandschatzen⁴; erbeuten⁴《von *jm.*》; erpressen⁽³⁴⁾《⁴*et.* aus (von) *jm.*》; Raub begehen* (verüben)《an *jm.*》; rauben³⁴; an ⁴sich reißen⁴; mit Gewalt weg|nehmen*³⁴.

‖ ~물 Beute *f.* -n; Raub *m.* -(e)s, (드물게) -e. ~자 Plünd(e)rer *m.* -s, -; Räuber *m.* -s, -; der unrechtmäßige Besitzer.

강태공(姜太公)《낚시꾼》Angler m. -s, -. ¶ ~연하다 dem Angeln nach|gehen* ⓢ.

강토(疆土) Gebiet *n.* -(e)s, -e; Territorium *n.* -s, ..rien; Domäne *f.* -n.

강파르다 mager u. ungeduldig; schlank u. hastig; dünn u. hitzig (sein).

강파리하다 mager u. ungeduldig aus|sehen*.

강판(鋼板) Stahlplatte *f.* -n; Stahlblech *n.* -(e)s, -e.

강판(薑板) Reibeisen *n.* -s, -; Reibe *f.* -n.

¶ ~에 갈다 auf dem Reibeisen reiben*⁴.

강팔지다 engherzig; bösartig; von schlechtem Charakter (sein).

강펄(江一) Aue *f.* -n; Flußniederung *f.* -en.

강평(講評) Kritik *f.* -en; Besprechung *f.* -en; Rezension *f.* -en; die kritische Beurteilung, -en. ~하다 besprechen*⁴; kritisieren⁴; rezensieren⁴; beurteilen⁴; ⁴Kritik üben 《*an*⁴》.

강포(強暴) Wildheit *f.* -en; Brutalität *f.* -en. ~하다 wild; brutal; grob; rauh (sein).

강풀 Kleister *m.* -s, -; Pappe *f.* -n; die dicke Stärke, -n. ¶ ~을 먹이다 dick stärken⁴.

강풍(江風) Fluß¦brise *f.* -n [-lüftchen *n.* -s, -]; Flußwind *m.* -(e)s, -e; Bö *f.* -en; Böe *f.* -n.

강풍(強風) der starke [heftige] Wind, -(e)s, -e; Bö *f.* -en (돌풍).

‖ ~주의보(注意報) Warnmeldung 《*f.* -en》 vor starkem Wind.

강하(江河) die Flüsse 《*pl.*》; Fluß u. Strom.

강하(降下) das Fallen*, -s; das Absteigen*, -s; Abstieg *m.* -(e)s, -e; Sturz *m.* -es, ⸚e; Fall *m.* -s, ⸚e; 《착륙》 Landung *f.* -en. ~하다 fallen* ⓢ; (her)ab|steigen* ⓢ; sinken* ⓢ; 《착륙하다》 landen ⓗⓢ. ¶ 기온의 ~ das Fallen* [Sinken*] 《-s》 der Temperatur.

‖ 급(急)~ 《비행기의》 Sturzflug *m.* -(e)s, ⸚e. 방사성 ~물 radioaktiver Niederschlag, -(e)s, ⸚e.

강하다(強一) 《힘찬》 stark; kräftig; 《강대한》 mächtig; 《강력한》 gewaltig; 《용감한》 tapfer; mutig; 《강렬한》 heftig; 《건장한》 rüstig; 《견고한》 fest; hart (sein). ¶ 강한 나라 das starke Land, -es, ⸚er; der mächtige Staat, -(e)s, -en; (Groß)macht *f.* ⸚e / 강한 감정 das heftige [starke; empfindsame] Gefühl, -s, -e / 강한 빛 das starke Licht, -(e)s, -er / 강한 색채 die grelle [schreiende] Farbe, -n / 강한 바람 ein starker [heftiger] Wind, -(e)s, -e / 의지가 강한 사람 ein Mann 《*m.* -(e), ⸚er》 von festem Willen / 강하게 나오다 e-e dreiste Haltung ein|nehmen* / 강하게 주장하다 nachdrücklich [mit³ Nachdruck] behaupten⁴ / 강하게 하다 stark [mächtig] werden lassen*⁴; stärker [mächtiger] machen⁴; verstärken⁴; stärken⁴ (신체를) / 강해지다 stark [mächtig] werden; stärker [mächtiger] werden; ⁴sich steigern; zu|nehmen (증대) / 저녁 무렵에 바람이 강해졌다 Gegen Abend nahm der Wind zu.

강행(強行) Erzwingung *f.* -en; die gewaltsame Durchführung, -en. ~하다 erzwingen*⁴; durch|setzen⁴; gewaltsam durch|führen⁴. ¶ 호우를 무릅쓰고 시합을 ~하다 beim Regenguß [Platzregen] weiter spielen / 저물가 정책을 ~하다 die Politik der Preisreduktion durch|führen / 공격을 ~하다 e-n gewaltsamen Angriff [e-n Gewaltangriff] machen / 온갖 고난을 무릅쓰고 계획을 ~하다 e-n Plan gegen alle Schwierigkeiten durch|setzen.

강행군(強行軍) Gewalt¦marsch [Dauer-; Eil-] *m.* -es, ⸚e. ~하다 weiter [gewaltsam] marschieren ⓗⓢ.

강호(江湖) 《세상》 Öffentlichkeit *f.*; Publikum *n.* -s; Welt *f.* -en. ¶ ~의 제현 die (allgemeine) Öffentlichkeit; die ganze Welt / ~에 호소하다 ⁴sich an die Öffentlichkeit wenden⁽*⁾ 《*mit*³》 / ~에 추천하다 dem Publikum empfehlen*⁴.

강호(強豪) Veteran *m.* -en, -en; der Erprobte*, -n, -n. ¶ ~의 erprobt; erfahren; herumgekommen; in allen Sätteln gerecht / 전국에서 뽑힌 ~팀들 die von ganzem Land ausgewählte [erlesene] Mannschaften.

강화(強化) Verstärkung *f.* -en; Verdichtung *f.* -en; Festigung *f.* -en; Bekräftigung *f.* -en; Stärkung *f.* -en; Nachschub *m.* -s, ⸚e (증원). ~하다 verstärken⁴; bekräftigen⁴; festigen⁴; stärken⁴. ¶ 국방을 ~하다 die Landesverteidigung verstärken [vervollkommen] / 지위를 ~하다 s-e Stelle [in der Gesellschaft] befestigen.

‖ ~식품 Ergänzungsnährstoffe 《*pl.*》; besonders nahrhafte Lebensmittel 《*pl.*》. ~합숙 Logiertraining [..trɛ́:niŋ] *n.* -s, -s.

강화(講和) gütlicher Vergleich, -s, -e; Friedenschluß *m.* ..schlusses, ..schlüsse; Frieden *m.* -s, -; Aus¦söhnung [Ver-] *f.* -en. ~하다 Frieden schließen* [machen] 《*mit*³》; ⁴sich versöhnen 《*mit*³》. ¶ 굴욕적인 ~ ein erniedrigender [demütigender; beschähmender] Frieden / ~를 제의하다 e-n Friedensantrag stellen 《an *jn.*》; e-n Friedensvorschlag machen《an *jn.*》 / ~를 맺다 Frieden schließen* [machen] 《mit *jm.*》 / ~운동을 시작하다 e-e Friedensbewegung ins Leben rufen*; ⁴sich als erster für den Frieden ein|setzen.

‖ ~담판 Friedens(ver)handlung *f.* -en : ~담판이 성립[결렬]되다 die Friedens(ver)handlung kommt zustande [bricht ab]. ~사절 Friedensbote *m.* -n, -n. ~제의 Friedensvorschlag *m.* -(e)s, ⸚e. ~조건 Friedensbedingung *f.* -en. ~조약 Friedensvertrag *m.* -(e)s, ⸚e [-abkommen *n.* -s, -; -pakt *m.* -(e)s, -e]: ~조약 체결 Friedens(ab)schluß *m.* ..schlusses, ..schlüsse. ~회의 Friedens¦konferenz *f.* -en [-kongreß *m.* ..gresses, ..gresse]. 가(假)~조약 Friedenspräliminarien 《*pl.*》. 단독~ Sonderfrieden *m.* -s, -. 전면~ Gesamtfrieden.

강화(講話) Vortrag *m.* -(e)s, ⸚e; Rede *f.* -n. ~하다 vor|tragen* 《*über*⁴》; reden 《*über*⁴》; e-n Vortrag [e-e Rede] halten* 《*über*⁴》.

강회(一蛔) der Rundwurm, der gerade von selbst aus dem After gekrochen ist.

강회(剛灰) gebrannter [ungelöschter] Kalk, -(e)s, -e.

갖 《가죽》 Fell *n.* -(e)s, -e; Pelz *m.* -es, -e; Leder *n.* -s, -. ¶ 갖옷 Pelzkleidung *f.* / 갖두루마기 den mit Fell besetzte koreanische Mantel, -s, ⸚ / 갖신 Lederschuhe 《*pl.*》.

갖가지 ☞ 가지가지.

갖다¹ 《구비하다》 alle Sorten haben*; alles haben*; vollkommen sein*. ¶ 그는 상업상의 지식을 충분히 갖고 있다 Er hat die kaufmännische Kenntnisse genug.

갖다² ☞ 가지다.

갖다주다 bringen*. ¶ 맥주 좀 갖다 주시오 Bringen Sie bitte uns Bier!

갖바치 Lederschuhmacher *m.* -s, -. ¶ ~ 내일 모레 《속담》 „Für e-n Schuhmacher bedeutet morgen übermorgen." = Verlaß dich nicht das versprochene Datum!

갖신 die Lederschuhe 《*pl.*》.

갖옷 Fellkleid *n.* -(e)s, -er.

갖은 《모든》 aller*; allerlei; allerhand; aller* u. jeder*; jeder*; 《빠짐없는》 vollkommen; ganz; perfekt; ohne Ausnahme. ☞ 온갖. ¶ ~것 allerei; allerhand; alles Mögliche*; alles; alle Wesen / ~양념 das Gewürz 《-es,

-e》 von aller Art; das Gewürz aller Art / ~떡 alle Art Kuchen *m.* -s, -; der Kuchen aller Art; der gut gemachte Kuchen / ~수단을 다 쓰다 jedes mögliche Mittel versuchen; alle erdenklichen(die äußersten) Mittel an|wenden[(*)]; kein Mittel unversucht lassen[*] / ~ 욕을 다 보다 allerei (allerhand) Erniedrigung (Demütigkeit) leiden[*] / ~ 고생을 하다 [4]sich in der Welt versuchen.

갖은소리 《온갖》 unvernünftige (unrealistische) Worte 《*pl.*》; 《주제넘은》 unverschämte (zudringliche) Bemerkungen 《*pl.*》.

갖저고리 Lederjacke *f.* -n.

갖추 vollständig; völlig; ausnahmslos; alles; alles mögliche; vielerlei. ¶ 점포에 물건을 ~ 벌여놓다 im Laden alle möglichen Waren aus|stellen[4] (zur Schau stellen[4]) / 음식을 ~ 차리다 viellerlei Speisen vorbereiten[4] / 모든 예를 ~ 들다 für alles Beispiele geben.

갖추다 in Vorrat (vorrätig; auf Lager) haben[4]; haben[4]; besitzen[*4]; aus|gerüstet (-gestattet) sein; aus|rüsten[4](-|statten) 《*mit*[3]》; begabt sein; versehen[*4] (versorgen[4])《*mit*[3]》; vervollständigen[4]; ergänzen[4]; sortieren[4]. ¶ 체모를 ~ den (äußeren) Schein (das Gesicht) retten (wahren) / 무기를 ~ [4]sich bewaffnen / 충분한 지식을 ~ gute Kenntnisse haben (besitzen[*])[4] 《*in*[3]》/ 살림을 ~ ein Haus aus|statten; mit Hausgerät versehen[*] / 점포에 물건을 ~ im Geschäft Waren vorrätig (in Vorrat) haben / 연장 한 벌을 ~ ein Besteck Werkzeug haben / 교과서를 빠짐없이 ~ alle nötigen Lehrbücher bekommen[*] (erhalten[*]) / 갖추어 놓은 게 조금밖에 없읍니다 《상점에서》 Wir haben nur noch wenig vorrätig. / 한권만 더 있으면 다 갖추게 됩니다 Ein Band mehr ergänzt (vervollständigt) die Sammlung.

갖추쓰다 ① 《바로》 ein (chinesisches) Schriftzeichen schreiben, ohne e-n einzigen Strich wegzulassen. ② 《여러가지》 ¶ 약을 ~ verschiedene Arznei 《-en》 (ein|)nehmen[*4] (gebrauchen[4]). ⌈《[4]*et. an*[4]》.

갖풀 Leim *m.* -(e)s, -e. ¶ ~로 붙이다 leimen

같다 ① 《동일》 derselbe[*]; nämlich; gleich (sein); 《꼭 같다》 ein u. derselbe[*]; identisch (sein). ¶ 거의 ~ beinahe (ungefähr) derselbe[*] sein 《wie》/ 같은 시간에 zu derselben (zu gleicher) Zeit; gleichzeitig / 같은 말을 몇 번이나 되풀이하다 immer wieder dasselbe sagen / 그 여자는 또 같은 옷을 입었다 Sie zog wieder dasselbe Kleid an. / 그것은 결국 같은 것이다 Es kommt auf eins (aufs gleiche) hinaus. / 나도 당신과 같은 생각이다 Ich bin derselben Meinung wie Sie. ¦ Ich bin ganz Ihrer Meinung. / 나중에 지불해도 같은 것 아닌가 Ist es nicht dasselbe, wenn ich hinterher bezahle?
② 《동등》 gleich[3]; ähnlich[3](유사); gleichartig (동질); gleichförmig (모양이); gleichwertig (값어치가) (sein). ¶ 같은 이름 gleicher Name, -ns, -n / …과 ~ gleich[3] sein; identisch sein 《*mit*[3]》/ …과 꼭 ~ ebenso (gerade so; genau so) sein … wie / 값어치가 ~ in gleichem Wert stehen[*]; gleichwertig sein / 만인에게 같은 권리를 Gleiches Recht für alle! / 그들은 나이가 ~ Sie sind gleich alt. ¦ Sie sind von gleichem Alter. ¦ Sie sind gleich an Jahren. / 나는 그와 키가 ~ Ich bin so groß wie er. / 나도 같은 경우를 알고 있다 Ich kenne auch e-n ähnlichen Fall.
③ 《보기에》 gleich[3]; ähnlich[3] (sein); aus|sehen[*]《wie》; e-n Anflug (Anstrich) von [3]*et.* haben; etwas... haben; grenzen 《*an*[4]》; -artig; -isch; -haft. ¶ 어린애 같은 행동 das kindische Benehmen[*], -s / 거룩하기가 부처님 ~ erhaben sein wie Buddha / 그는 학자 ~ Er hat e-n Anflug von Gelehrsamkeit. / 그것은 미친짓 ~ Das grenzt an Wahnsinn. / 그의 모습은 원숭이 ~ Er sieht aus wie ein Affe. / 그녀의 행동은 미치광이 ~ Sie benimmt sich wie verrückt.
④ 《마찬가지》 ähneln[3]; ähnlich (aus)sehen[*3]; gleichen[*3]; (er)scheinen[*3]; verwandt sein 《*mit*[3]》; erinnern[(2)] 《*jn. an*[4]》; gemahnen 《*jn. an*[4]》; so gut wie sein. ¶ 죽은 거나 (새 것이나) ~ so gut wie tot (neu) sein / 그것은 없는 것이나 ~ Das ist so gut wie nichts. / 그것은 나로서는 사형선고나 ~ Das ist für mich wie Todesurteil. / 소송은 이긴 것이나 ~ Der Prozeß ist so gut wie gewonnen. / 인류의 정신 생활은 목표도 없이 거친 바다에 휩쓸리는 배와 ~ Das geistige Leben der Menschheit gleicht e-m Schiff, das ohne Ziel auf wilder See umhertreibt.
⑤ 《종류》 ¶ …같은 (ein[*]) solch[*]; solch (ein[*]); so ein[*]; solch (ein) ((ein[*]) solch[*])… wie; wie / 그와 같은 사람 ein Mensch (Mann) wie er (s-s Schlags); Menschen (Männer; Kerle) 《*pl.*》 wie er e-r ist / 나 같은 사람 solch einer[*] (ein[*] socher[*]; so einer[*]) wie ich / 나 같은 하찮은 장사꾼 ein kleiner Kaufmann, der ich bin; ich, als kleiner Kaufmann / 나 같은 부류 so e-r wie ich[*]; unsereiner; unsereins / 그와 같은 경우에는 in solchem Fall; solchenfalls / 그와 같은 방법으로 auf solche (in solcher) Weise; mit solchen Methoden / 그와 같은 것은 아직 본 적이 없다 Ich habe so (et)was noch nicht gesehen.
⑥ 《추측》 (er)scheinen[*] … zu+Inf.; aus|sehen[*], (so; gleich) als ob (wenn); wie wenn; den Anschein haben, als ob (wenn; wie wenn). ¶ 비가 올 것 ~ Es scheint regnen zu wollen. ¦ Es sieht nach Regen aus. / 그는 부자인 것 ~ Er scheint reich zu sein. ¦ Er gibt sich (Es hat) den Anschein, als ob (wenn) er reich wäre (sei).
⑦ 《가정》 wenn; falls; im Fall(e), daß; vorausgesetzt, daß; was betrifft[4] (anbetrifft[4]; anbelangt[4]). ¶ 나 같으면 was mich betrifft; wenn ich an d-r Stelle wäre / 내일 날씨가 좋을 것 같으면 꼭 가겠다 Wenn morgen das Wetter schön (schönes Wetter) ist, komme ich sicher.
⑧ 《…다운》 ¶ 사람 같은 사람 ein echter Mann, -(e)s, ¨er / 그는 시인 같은 시인이다 Er verdient den Namen „Dichter".
⑨ 《공통》 gemein(sam); gemeinschaftlich. ¶ 같은 마을 사람 die Person 《-en》 aus demselben Dorf; Landsmann *m.* -(e)s, ..leute.

같은값이면 wenn der Preis (die Zeit, die Distanz) gleich ist; sind andere Sache gleich. ¶ ~ 큰 것이 좋다 Wenn ich e-s von beiden nehmen muß, will ich das Große. / ~ 흰 것을 사겠다 Weil der Preis gleich ist, will ich das Weiße nehmen. / ~ 독일어를 배우겠다 Wenn ich e-s von beiden lernen muß, will ich Deutsch lernen. / ~

다홍치마 《속담》 Wenn zwei Dinge gleich sind, nimm das Bessere!

같이 ① 《같게》 wie; ähnlich; in derselben Weise; gleich wie; gleichartig; in gleicher Weise; ebenso. ¶ 형 하는 대로 ~ 하라 Tu(e) wie dein Bruder tust. / 그 형제는 똑~ 생겼다 Die zwei (beiden) Brüder sind einander ganz ähnlich. ¦ Die zwei Brüder sind wie ein Ei dem andern ähnlich.
② 《공평히》 gleich; ebenso... wie...; unparteiisch; unterschiedslos. ¶ ~ 분배하다 [4]et. gleich (unparteiisch) verteilen (aus|teilen) / 모든 사람을 ~ 대우하다 jeden Menschen recht u. billig behandeln; gegen jedermann unparteilich sein / 그들은 다 ~ 만족하고 있다 Sie sind gleicherweise zufrieden.
③ 《처럼》 wie...; (eben)so wie...; (gleich-) als ob (wenn); wie wenn; zufolge[3]; gemäß[3] 〖후치됨〗. ¶ 보시는 바와 ~ wie Sie sehen / 평상시와 ~ wie gewöhnlich; wie sonst; wie immer / 말씀하신 바와 ~ wie Sie gesagt (erwähnt) haben / 다음과 ~ folgender¦maßen (-weise); wie folgt / 제 아들~ 사랑하다 *jn.* wie s-n eigenen Sohn lieben / 그는 나를 어린애~ 취급한다 Er behandelt mich wie ein Kind. / 너~ 빨리 걸을 수는 없다 Ich kann nicht so schnell laufen wie du. / 그는 모든 것을 아는 것 ~ 떠벌린다 Er spricht, als ob (wenn) er alles wüßte (wisse) 〖접속법형〗.
④ 《함께》 mit; miteinander; zusammen (mit); in Begleitung 〖2격과 함께〗; in *js.* Gesellschaft. ¶ ~ 살다 zusammen|leben; in demselben Haus wohnen 《*mit*[3]》; 《결혼하다》 [4]sich verheiraten 《*mit*[3]》; verheiratet sein 《mit *jm.*》 (결혼하고 있다) / 편지와 ~ 보내다 im gleichen Umschlag senden*[4] (schicken[4]); im Beischluß senden*[4] (schicken[4]) / 기쁨(운명)을 ~하다 mit *jm.* Freude (Schicksal) teilen / 나하고 ~ 가자 Gehen wir zusammen!¦Laß(t) uns gehen!¦Komm doch mit mir! / 자 다들 ~ 사진을 찍읍시다 Laßt (Lassen Sie) uns alle zusammen fotographieren!
⑤ 《동시에》 gleichzeitig; zu gleicher (derselben) Zeit; zugleich《*mit*[3]》; während (한편으로는). ¶ ~ 도착하다 gleichzeitig an|kommen*[s] / 두 가지 일을 ~ 해서는 안 된다 Du sollst zwei Sachen nicht gleichzeitig tun.

같이하다 《무엇을》 zusammen tun*[4] 《*mit*[3]》; teilen[4] 《*mit*[3]》; teil|nehmen* 《mit *jm.* an [3]*et.*》. ¶ 일을 ~ zusammen tun*[4]《*mit*[3]》; gemeinsame Sache 《-n》 machen[4] 《*mit*[3]》 / 식사를 ~ zusammen essen* 《*mit*[3]》; an demselben Tisch essen* / 고락을 ~ Freud u. Leid teilen《*mit*[3]》; Glück u. Unglück gemeinsam tragen* / 일생을 ~ *js.* Leben teilen; [4]sich verheiraten 《*mit*[3]》 / 운명을 ~ *js.* Schicksal teilen / 이해를 ~ dieselben Interessen haben / 의견을 ~ *js.* Meinung teilen; e-r [2]Meinung sein / 때를 ~ gleichzeitig sein 《mit [3]*et.*》; zeitlich zusammen|fallen*[s] 《*mit*[3]》 / 마음을 ~ e-s (gleichen) Sinnes sein 《mit *jm.*》.

같잖다 höchst lächerlich (unsinnig); unbedeutend; wertlos; nichtig; geringfügig; unwichtig; unerheblich; geringwertig; 《쓸모없는》 dürftig; nichtssagend; 《천한》 gemein; niedrig (sein). ¶ 같잖은 놈 ein unbedeutender Mensch, -en, -en (Kerl, -s, -e). / 같잖은 물건 Tand *m.* -(e)s; die Lappalien 《*pl.*》 / 같잖은 일 die uninteressante (geschmacklose) Arbeit, -en; die uneinträgliche Arbeit (이득이 없는) / 같잖은 생각 der alltägliche Gedanke, -ns, -n; Unsinn *m.* -(e)s, -e / 같잖은 수작을 부리다 Unsinn sagen (schwatzen); dummes Zeug reden (machen) / 같잖은 일을 가지고 떠들어대다 viel Lärm um nichts machen.

갚다 《돈을》 zurück|(be)zahlen[4]; e-e Rechnung (be)zahlen[4] (begleichen*[4]); tilgen[4]; entrichten[4]; 《물건을》 zurück|geben*[4] (wieder-[4]); 《보상》 ersetzen[4]; wieder|gut|machen[4]; aus|gleichen*[4]; entschädigen[4]; vergüten[4]; 《보답》 belohnen[4]; vergelten*[4]; 《보복》 (wieder)vergelten*《*mit*[3]》; heim|zahlen[4] 《*mit*[3]》; 《원수를》 rächen[4]; revanchieren [revã:ʃí:rən]. ¶ 빚을 ~ s-e Schuld begleichen* ((zurück)zahlen; tilgen) / (금전 아닌) 물품으로 ~ in Waren (natura) zurück|-zahlen[4] (heim-[4]) / 손해 본 것을 갚아주다 e-n Schaden 《-s, -》 (Verlust, -es, -e) ersetzen (wieder|gut|machen; aus|gleichen*; entschädigen; vergüten) 《*jm.*》 / 여섯 배로 ~ sechsfach zurück|zahlen / 현금으로 ~ bar (u. blank) (be)zahlen; bar auf den Tisch legen / 수표로 ~ mit (durch) Scheck (be-) zahlen / 은혜를 ~ e-e Wohltat vergelten*; die Schuld der Dankbarkeit zahlen / 은혜를 원수로 ~ Gutes mit Bösem (Wohltat mit Undank) vergelten* / 주먹을 주먹으로 ~ Gewalt mit Gewalt vertreiben*; Gleiches mit Gleichem vergelten*; mit gleicher Münze bezahlen 《*jn.*》 / 형의 원수를 ~ für s-n Bruder rächen / 부채를 갚을 능력이 있다 Für s-e Schulden ist Deckung vorhanden.

갚음하다 =갚다.

개[1] 《개펄》 Bucht *f.* -en; Bai *f.* -en; Flutmündung *f.* -en; Meeresarm *m.* -(e)s, -e; weite Flußmündung, -en.

개[2] 〖동물〗 Hund *m.* -(e)s, -e(특히 수캐); Rüde *m.* -n, -n (수캐); 《암캐》 Hündin *f.* -nen; Petze *f.* -n. ¶ 사냥개 Jagd¦hund (Hetz-; Schweiß-); Rüde; Vorstehhund (특히 포인터, 세터); Hühnerhund (특히 꿩 사냥에 쓰는) / 집에서 기르는 개 Haushund / 망보는 개 Wach¦hund (Hof-) / 들개 Köter *m.* -s, - / 똥개 《잡종》 Kreuzung *f.* -en; Bastard *m.* -(e)s, -e / 개자식 Hund; Vieh *n.* -(e)s / 개의 감찰 《목걸이》 Hunde¦marke *f.* -n (-halsband *n.* -(e)s, ⸗er) / 개의 품종 Hundeschlag *m.* -(e)s, ⸗e / 훈련받은 개 ein dressierter (abgerichter) Hund / 개 돼지 같은 놈 Tier *n.* -(e)s, -e; Vieh; Schwein *n.* -(e)s, -e; Ferkel *n.* -s, - / 개 같은 hündisch / 개를 기르다 [3]sich e-n Hund halten / 개죽음하다 [4]sich vergebens (umsonst) opfern / 개가 짖는다 Ein Hund bellt. / 개도 닷새가 되면 주인을 안다 《속담》 E-e blinde Henne findet auch wohl ein Korn. / 개 꼬리 삼년 두어도 황모(黃毛) 못된다 《속담》 Alter schützt vor Torheit nicht. ¦Einen Mohren bleichen (weiß waschen*). / 짖는 개는 물지 않는다 Bellende Hunde beißen nicht.
‖ 개입마개 (Hunde)maulkorb *m.* -(e)s, ⸗e. 개줄 Hunde¦riemen *m.* -s, - (Schweiß-). 개집 Hunde¦hütte *f.* -e (-haus *n.* -es, ⸗er; -stall *m.* -(e)s, ⸗e).

개(介·個·箇) Stück *n.* -(e)s, -e. ¶ 의자 두 개 zwei Stühle / 자두 세 개 drei Pflaumen / 비누 한 개 ein Stück Seife / 어느 것이든 마음에 드시는 것 세 개를 가지십시오 Nehmen

Sie sich bitte drei beliebige Stück davon!

개가(改嫁) Wiederverheiratung *f.* -en 《e-r Frau》; die zweite Ehe, -n. **～하다** [4]sich wieder 〔zum zweiten Mal; ein zweites Mal〕 verheiraten. ¶ ～한 여자 die zum zweitenmal Verheiratete, -n.

개가(凱歌) Sieges¦lied 〔Triumph-〕 *n.* -(e)s, -er; Sieges¦gesang 〔Triumph-〕 *m.* -(e)s, ¨e; Sieges¦geschrei 〔Triumph-〕 *m.* -(e)s. ¶ 현대 과학의 ～ der Sieg der modernen Wissenschaft / ～를 올리며 sieg¦gekrönt 〔-reich〕; im Triumph; triumphierend / ～를 올리다 den Sieg 《über *jn.*》 davon|tragen* 〔erringen*; gewinnen*〕; ein dreifaches Sieg Heil rufen*.

개각(介殼) Muschel *f.* -n; Schneckenhaus *n.* -es, ¨er; Schale *f.* -n; Hülse *f.* -n.
‖ **～류** 〖동물〗 Krustentier *n.* -s, -e; Krustazee *f.* -n; Krebs *m.* -es, -e; Schaltier *n.* -s, -e.

개각(改閣) Kabinettsumbildung *f.* -en; die Um¦bildung 〔Neu-〕 des Kabinetts. ¶ ～을 단행하다 das Kabinett um|bilden 〔neu|-〕.

개각등고(開脚登高) 〖스키〗 Heringsgräte 《*pl.*》.

개간(改刊) die zweite Auflage, -n; der zweite Druck, -(e)s, -e; Neudruck *m.* -(e)s, -e. **～하다** (ein Buch) neu auf|legen. ¶ ～되다 e-e zweite Auflage erleben.

개간(開墾) Urbarmachung *f.*; Rodung *f.*; Anbau *m.* -s. **～하다** urbar machen[4]; roden[4]; reuten[4]; an|bauen[4]; bebauen[4]. ¶ 산림을 ～해서 밭을 만들다 e-n Wald 《-(e)s, ¨er》 für den Ackerbau ab|holzen.
‖ **～보조금** die Unterstützungsmittel 《*pl.*》 zur Urbarmachung. **～사업** Rodungs¦arbeit 〔Anbau-〕 *f.* -en. **～자** Anbauer 〔Bebauer〕 *m.* -s, -. **～지** Neubruch *m.* -(e)s, ¨e; Reut *n.* -(e)s, -e; Reutfeld *n.* -(e)s, ¨er; Schwende *f.* -n; Rodeland *n.* -(e)s; Rodung *f.* -en; urbares Land, -(e)s: 미～지 das unbebaute Land; der unbebaute Boden, -s, -(¨); das ungepflügte Land. 산림～ Lichtung *f.* -en; Ausholzung *f.* -en.

개감스럽다 ☞ 게걸스럽다.

개갑(介甲) ① 《게 따위의》 Kruste *f.* -n; Rinde *f.* -n; Schale *f.* -n; die krustenartige 〔panzerartige〕 Schale. ② ＝갑옷.

개강(開講) 《강의의 시작》 Beginn 《*m.* -s》 der Vorlesung; Anfang 《*m.* -s, ¨e》 der Vorlesung; Eröffnung 《*f.* -en》 e-s Kursus; 《대학의》 Semesteranfang. **～하다** die Vorlesung an|fangen* 〔beginnen*〕 《*über*[4]》; e-n Kursus 《in Geschichte》 eröffnen; das Semester an|fangen* 〔beginnen*〕.
‖ **～일** der Tag 《-(e)s, -e》 des Semesteranfangs.

개개(箇箇) 《낱낱이》 e-r nach dem ander(e)n; Stück für Stück; einzeln; getrennt; gesondert; separat; individuell; 《모두》 alles*; jeder*; jedermann; 《낱낱·각자》 einzeln; einander. ¶ ～의 einzeln; getrennt; gesondert; separat; einige*; ein paar / ～의 경우 Einzelfall *m.* -(e)s, ¨e / 그의 강연은 일반론에서부터 ～의 문제에까지 뻗쳤다 Sein Vortrag erstreckte sich von dem Allgemeinen auf das Einzelnes.

개개다 ab|reiben*; ab|scheuern; ab|schürfen.

개개비 〖조류〗 roter Singvogel, -s, ¨; *Acrocephalus arundinaceus orientalis* (학명).

개개인(箇箇人) jede Person; jedermann.

개개풀어지다 《국수 따위가》 die Kleblichkeit 〔die Zähigkeit〕 verlieren*; lose 〔breiig〕 werden; 《눈이》 schlafrig 〔trübe; umnebelt; triefäugig〕 werden. ¶ 눈이 ～ trübe Augen haben.

개거(開渠) offene 〔unbedeckte〕 Rinne, -n; offener 〔unbedeckter〕 Durchstich, -(e)s, -e 〔Kanal, -s, ¨e〕.

개결(介潔) Reinheit *f.*; Lauterkeit *f.*; Redlichkeit *f.* **～하다** rein; lauter; keusch; unbefleckt; redlich (sein). ¶ ～한 사람 der Mensch von reinem Herzen.

개고기 《고기》 Hundefleisch *n.* -es; 《막된 사람》 der gemeine Mensch, -en, -en; der unmoralische Mensch, -en, -en.

개골 Jähzorn *m.* -(e)s; der hitzige Zorn, -(e)s. ¶ ～ 내다 zornig werden; feuerrot vor Zorn sein; in heftige Wut geraten* [s,h].

개골창 Graben *m.* -s, ¨; Gosse *f.* -n; Rinne *f.* -n.

개과(改過) die Korrektur e-s früheren Versehens; Reue *f.* **～하다** e-n Fehler 〔früheres Versehen〕 gut|machen. ¶ ～ 천선하면 죄는 용서된다 Reue bewirkt Vergebung der Sünde.

개관(開館) 《회당·박물관 따위의》 Eröffnung *f.* -en. **～하다** eröffnen[4]; eröffnet werden. ¶ 박물관의 ～ Eröffnung des Museums / 오전 9시 ～ Geöffnet ab 9 Uhr Vormittag 〔vormittags〕 (게시) / 도서관은 오전 8시부터 오후 5시까지 ～한다 Die Bibliothek ist von 8 vormittags bis 5 Uhr nachmittags geöffnet 〔offen〕.
‖ **～식** Eröffnungsfeier *f.* -n: ～식을 하다 e-e Eröffnungsfeier ab|halten*.

개관(槪觀) ① 《대충 살핌》 Über¦sicht *f.* -en 〔-blick *m.* -(e)s,-e〕; Umriß *m.* ..risses, ..risse. ② 《대체의 모양》 Aus¦sicht *f.* -en 〔-blick *m.* -(e)s, -e〕; Perspektive *f.* -n. **～하다** überblicken[4]; übersehen*[4]; [4]*et.* aus der Vogelschau betrachten. ¶ ～하여 설명하다 e-n knappen Umriß geben*; in groben Umrissen dar|stellen[4].

개괄(槪括) 《대충 뭉뚱그림》 Zusammen¦fassung *f.* -en 〔-stellung *f.* -en〕; Abriß *m.* ..risses, ..risse (적요); Resümee *n.* -s, -s; Schlußbetrachtung *f.* -en. **～하다** zusammen|fassen[4] 〔-stellen[4]〕; resümieren[4]; kurz wiederholen[4]. ¶ ～적인 im allgemeinen; generell / ～해서 말하면 alles in allem; in Bausch u. Bogen; (knapp) zusammengefaßt; kurz gefaßt; kurz u. gut; allgemein gesprochen; um es kurz zu sagen.

개교(開校) Eröffnung 《*f.* -en》 e-r Schule; Gründung 《*f.* -en》 e-r Schule (창립). **～하다** e-e Schule eröffnen; e-e Schule gründen (창립하다).
‖ **～기념일** der Eröffnungstag e-r Schule; der Geburtstag e-r Schule. **～식** die Eröffnungsfeierlichkeit 〔Einweihung〕 e-r Schule; Gründungsfeier 《*f.* -n》 e-r Schule: 어제 본교는 ～ 30주년의 기념식을 가졌읍니다 Gestern fand die dreißigste Jubiläumsfeier unserer Schule statt.

개구(開口) Mundöffnung *f.*; der Beginn e-r Rede. **～하다** an|fangen* 〔beginnen*〕 zu reden; den Mund auf|tun* 〔öffnen〕. ¶ ～일성(으로) am 〔zu〕 Beginn e-r [2]Rede; (zu) allererst.

개구리 Frosch *m.* -es, ¨e; 《식용》 Ochsenfrosch; Brüllfrosch. ¶ 우물 안의 ～ ein Mann

하다 die geistige Veranlagung 《-en》 entwickeln.

‖ ~교육 Entwick(e)lungserziehung *f.* -en. ~금융 Entwick(e)lungskredit *n.* -s, -s. ~도상 국가 Entwick(e)lungs¦land *n.* -(e)s, ⸚er 〔-staat *m.* -(e)s, -en〕. ~사업 Entwicklungs¦werk *n.* -(e)s, -e 〔-arbeit *f.* -en〕. ~수출 Entwick(e)lungs¦ausfuhr *f.* -en 〔-export *m.* -(e)s, -e〕. ~원조 Entwick(e)lungshilfe *f.* -n. ~자 Entwickler *m.* -s, -; Erschließer *m.* -s, -; Ausbeuter *m.* -s, -. ~차관 기금 Anleihefonds 《*m.* -, -[fɔ̃:s]》 für die Entwick(e)lung. 경제~ wirtschaftliche Entwicklung, -en: 경제~ 5개년 계획 Fünfjahr(es)plan 《*m.* -(e)s, ⸚e》 für wirtschaftliche Entwick(e)lung. 전원(電源)~ Entwicklung 《*f.* -en》 der Stromquelle. 우주~계획 Raumforschungsprogramm *n.* -s, -e. 저~국 das unentwickelte Land, -(e)s, ⸚er. 한국 ~연구원 Koreanisches Entwicklungsinstitut, -(e)s, -e. 한국 해외 ~공사 Koreanische Korporation 《-en》 für Übersee-entwick(e)lung.

개발코 Stupsnase *f.* -n. ¶ ~의 stupsnasig.

개밥 Hundefutter *n.* -s, -. ¶ ~에 도토리 Außenseiter *m.* -s, -; ausgeschlossene Person, -en. ‖ ~바라기 《저녁의 금성》 Abendstern *m.*; Venus *f.*

개방(開方) 〖수학〗 das Wurzelausziehen*, -s; das Ausziehen*《-s》 der Quadratwurzel. ~하다 Quadratwurzel 《*f.* -n》 aus¦ziehen*. ☞ 제곱근풀이.

개방(開放) 《문호 따위》 das Öffnen*, -s; Aufschließung *f.* -en; Erschließung *f.* -en; das Offenlassen*, -s 《e-r Tür》; 《금했던 것의》 Aufhebung 《*f.* -en》 des Banns. ~하다 《문호를》 öffnen⁴; auf¦schließen*⁴; erschließen*⁴; 《문을》 offen lassen*⁴; offenstehen lassen*; den Bann auf¦heben* (금했던 것을). ¶ ~적인 《성질이》 freimütig; offen; offenherzig; aufrichtig / ~적인 사람 ein offenherziger 〔freimütiger; offener〕 Mensch, -en, -en / 일반에게 ~되어 있다 der ³Öffentlichkeit übergeben sein.

‖ ~도시 die offene Stadt, ⸚e; die nicht bewaffnete Stadt. ~성(性) 〖의학〗 das Offensein*, -s. ~요법 Freiluft¦behandlung 〔-kur〕 *f.* -en. ~주의 das Gehenlassen*, -s; *Laisser-aller* 《불어》 *n.* -; *Laisser-faire* 《불어》. ~현(弦) 〖음악〗 die offene Saite, -n. (문호) ~주의 〔정책〕 die Politik 《-en》 der offenen Tür.

개백장 Hundmetzger *m.* -s, -; Hundschlachter *m.* -s, -; Hundefänger *m.* -s, -.

개버딘 Gabardine *m.* -s 〔*f.*〕 (천).

개벽(開闢) die Erschaffung 〔Schöpfung〕 der Welt. ~하다 (die Welt) ist erschafft. ¶ 천지~ 이래 seit der Erschaffung 〔Schöpfung〕 der Welt; seit unbedenklichen Zeiten / ~이래 처음 보는 사건 unerhörter Zufall, -(e)s, ⸚e.

개변(改變) (Ver)änderung *f.* -en; Um¦änderung 〔Ab-〕; Neu¦gestaltung 〔Um-〕 *f.* -en; Neuformierung *f.* -en; Neuerung *f.* -en; Erneuerung *f.* -en. ~하다 (ver)ändern⁴; um¦ändern⁴ 〔ab¦-〕; neuern⁴; neu gestalten⁴; um¦gestalten⁴.

개별(個別) Individuation *f.* -en; Individualisierung *f.* -en; Einzelheit *f.* -en; der einzelne Fall, -s, ⸚e. ¶ ~적(으로) einzeln; gesondert; getrennt; abgetrennt; separat; geschieden.

‖ ~개념 der distributive Begriff, -(e)s, -e. ~심사 Einzelprüfung *f.* -en. ~적 자위(自衛) individuelle Selbstverteidigung, -en.

개병제도(皆兵制度) allgemeine Wehr¦pflicht 〔Konskription〕 -en.

개복(開腹) 〖의학〗 ~하다 den Unterleib 〔Bauch〕 aufschneiden*. ‖ ~수술 Bauchschnitt *m.* -(e)s, -e; Laparotomie *f.* -n.

개봉(開封) 《편지의》 das Öffnen* 《-s》 〔die Öffnung *f.* -en; das Erbrechen*, -s〕 《e-s Briefes》; das Lösen* 《-s》 〔das Erbrechen*〕 e-s Siegels; Entsieg(e)lung *f.* -en; 《영화의》 Ur¦aufführung 〔Erst-〕 *f.* -en 《e-s Films》; Premiere *f.* -n. ~하다 《e-n Brief》 öffnen 〔erbrechen*〕; ein Siegel 《*n.* -s, -》 lösen 〔erbrechen*〕; entsiegeln⁴; 《e-n Film》 urauf¦-führen 〖uraufzuführen 및 uraufgeführt 만이 흔히 쓰임〗. ¶ 편지를 ~하지 않고 돌려 보내다 e-n Brief ungeöffnet zurück¦schicken 〔-senden*〕 / 「의사 지바고」는 ~되자 표가 매진되었다 Mit der Uraufführung 〔Erstaufführung〕 des „Doktor Zivago" waren (Kino)karten ausverkauft.

‖ ~관(館) Erst¦aufführungs(film)theater 〔Ur-〕 *n.* -s, -: 여기는 ~관으로 유명하다 Dieses Filmtheater ist wegen neuer Uraufführungen 〔durch neue Uraufführungen〕 berühmt. ~영화 der uraufgeführte Film, -s, -e.

개비 ein Stück Spaltholz. ¶ 장작 두 ~ zwei Stück Brennholz / 성냥 한 ~ ein Streichholz 〔Zünd-〕 *n.* -es, ⸚er.

개비(改備) Umarbeitung *f.* -en; Umbildung *f.* -en; Umgestaltung *f.* -en; Umbau *m.* -s (건물, 기계 따위의). ~하다 um¦arbeiten⁴; um¦bilden⁴; um¦gestalten⁴; um¦bauen⁴ (건물, 기계 따위를).

개산(開山) ① 《절을 세움》 Gründung 〔Stiftung; Errichtung〕 《*f.* -en》 e-s buddhistischen Tempels. ② =~ 조사(祖師).

‖ ~날, ~일 der Gründungs¦tag 〔Stiftungs-〕 《-(e)s, -e》 e-s Tempels. ~조사(祖師) der Gründer 〔Stifter〕 《-s, -》 e-s buddhistischen Tempels; Urheber *m.* -s, -.

개산(槪算) Überschlag *m.* -(e)s, ⸚e; die annähernde 〔ungefähre〕 Schätzung 〔Berechnung〕 -en. ~하다 e-n Überschlag machen 《*von*³》; annähernd 〔ungefähr〕 veranschlagen⁴. ¶ ~으로 ungefähr; annähernd; etwa; ungefähr berechnet; überschläglich; durch Überschlag.

‖ ~불(拂) (Be)zahlung 《*f.* -en》 nach ungefährer (Ab)schätzung 〔nach Überschlag〕. ~서(書) schriftlicher Überschlag, -(e)s, ⸚e.

개살구 die wilde Aprikose, -n. ¶ 빛 좋은 ~ 《속담》 Bloß gutes Aussehen.

개상(一床) Dreschklotz *m.* -(e)s, ⸚e.

개상어 Hundhaifisch *m.* -(e)s, -e; *Mustelus griseus* (학명).

개새끼 ① 《개의》 der junge Hund, -(e)s, -e; Welf *m.* -(e)s, -e. ② 《개놈》 Hund; Hundesohn *m.* -(e)s, ⸚e.

개서(改書) Umschreibung *f.* -en; Übertragung *f.* -en. ~하다 um¦schreiben*⁴ 《*auf*⁴》; übertragen*⁴. ¶ 주식의 명의를 ~하다 e-e Aktie auf e-n anderen Namen um¦schreiben* 〔auf e-n anderen Inhaber übertragen*〕 / 어음을 ~하다 e-n Wechsel über¦-tragen* 〔um¦schreiben*〕.

개선(改善) (Ver)besserung *f.* -en; Änderung

《*f.* -en》 zum Vorteil; Reform *f.* -en. ～하다 (ver)bessern⁴; besser machen⁴. ¶ ～ 불능의 unverbesserlich; unbekehrbar; hartgesotten / 생활의 ～ Verbesserung der Lebens¦weise [-haltung] / 그것은 크게 ～할 여지가 있다 Es läßt noch viel zu wünschen übrig. / 조금도 ～의 흔적이 보이지 않는다 Es läßt kein Zeichen der (Ver)besserung erkennen.

‖ ～론(설) Meliorismus *m.* -. ～책 Reformmaßnahmen 《*pl.*》; Verbesserungs¦maßregel *f.* -n [-mittel *n.* -s, -]. 대우～ Verbesserung 《*f.* -en》 der Behandlung [der Arbeitsbedingungen 《*pl.*》]; Aufbesserung 《*f.* -en》 des Gehaltes (급료 인상).

개선(改選) Neu¦wahl [Wieder-] *f.* -en. ～하다 neu [wieder] wählen⁴; e-e Neu¦wahl [Wieder-] vor|nehmen*. ¶ 반수를 ～하다 die Hälfte der Mitglieder aufs neue wählen / 내년에 국회의원이 ～된다 Im nächsten Jahr wird die Wahl der Nationalversammlung stattfinden. ¦ Die Regierung wird im nächsten Jahr die Neu¦wahl [Wieder-] der Nationalversammlung vornehmen.

개선(疥癬) ＝옴.

개선(凱旋) Triumph *m.* -(e)s, -e; die siegreiche Rückkehr. ～하다 triumphieren; im Triumph [sieggekrönt; siegreich; als Sieger] zurück|kehren [-kommen*] ⓢ.

‖ ～가 Triumph¦gesang *m.* -(e)s, ⸚e [-lied *n.* -(e)s, -er]; Siegeslied. ～군 siegreich zurück¦kehrende [-kommende] Truppen. ～기념비 Siegesdenkmal *n.* -s, ⸚er. ～문 Sieges¦bogen [Triumph-] *m.* -s, - (⸚). ～식 Sieges¦feier *f.* -n [-fest *n.* -(e)s, -e]: ～사열식 Siegesparade *f.* -n. ～장군 Siegesgeneral *m.* -s, -e [-held *m.* -en, -en]; Triumphator *m.* -s, -en. ～행렬 Sieges¦zug [Triumph-] *m.* -(e)s, ⸚e. ～행진 Siegesmarsch [Triumph-] *m.* -es, ⸚e: ～행진곡 Sieges¦marsch [Triumph-].

개선거(開船渠) Flutdock *n.* -(e)s, -e [-s]; Tidebecken *n.* -s, -.

개설(開設) 《개최》 Eröffnung *f.* -en; 《창립》 (Be)gründung *f.* -en; Stiftung *f.* -en; Errichtung *f.* -en. ～하다 eröffnen⁴; (be-)gründen⁴; etablieren⁴; stiften⁴; errichten⁴. ¶ 전화를 ～하다 Telefon 《*n.* -s, -e》 ins Haus legen lassen* / 학교를 [병원을] ～하다 e-e Schule 《-n》 [ein Krankenhaus *n.* -es, ⸚er] errichten [begründen] / 강좌를 ～하다 e-n neuen Lehrstuhl 《-(e)s, ⸚e》 gründen / 신용장을 ～하다 e-n Kreditbrief 《-(e)s, -e》 bestätigen [eröffnen].

개설(概說) Übersicht *f.* -en; Um¦riß [Ab-] *m.* ..risses, ..risse; Ein¦leitung [-führung] *f.* -en. ～하다 über ⁴*et.* e-n Überblick geben*; in (großen) Umrissen dar|stellen⁴ [dar|legen⁴]; umreißen⁴. ¶ 한국문학사 ～ die koreanische Literaturgeschichte 《-n》 im Grundriß.

개성(改姓) Zu¦namensänderung [Familien-] *f.* -en; die Umbenennung 《-en》 des Familiennamens. ～하다 s-n Zunamen verändern; ³sich e-n neuen Namen zu|legen.

개성(個性) Individualität *f.* -en; der individuelle Charakter, -s, -e [..té:rə]; Eigenart (-igkeit) *f.* -en; Persönlichkeit *f.* -en; Charakterzug *m.* -(e)s, ⸚e. ¶ ～이 강한 사람 der Mensch 《-en, -en》 von starkem individuellem Gepräge; kein Dutzendmensch, -en, -en / 뚜렷한 ～ ausgeprägte Individualität / ～을 존중하다 *js.* Persönlichkeit [Individualität] hoch|schätzen [an|erkennen*] / ～을 발달시키다 die Individualität aus|bilden [entwickeln] / ～을 발휘하다 *js.* Originalität zeigen.

‖ ～교육 die individuelle Erziehung, -en. ～기술학(記述學) die idiographische Wissenschaft, -en. ～심리학 die individuelle Psychologie, -n; die Individualpsychologie. ～화(化) die Individualisation, -en; die Individualisierung, -en.

개성(開城) 《항복》 Übergabe *f.* -n; Kapitulation *f.* -en. ～하다 e-e Festung 《-en》 übergeben*; kapitulieren (항복하다).

개세(蓋世) ¶ ～의 unvergleichlich; einzig; ohnegleichen / ～의 영웅 der unvergleichliche Held, -en, -en.

개소리 Unsinn *m.* -s, -; Quatsch *m.* -es, -; dummes Gerede, -s; albernes [dummes] Zeug, -(e)s, -. ¶ ～말라 Mach k-n Unsinn!¦ Mach nicht solchen Quatsch!¦ Sei nicht so patzig! / ～하는군 Du redest Unsinn [dummes Zeug].

개수(改修) 《수정》 Revision *f.* -en; 《수축》 Ausbesserung *f.* -en; Reparatur *f.* -en; das Flicken*, -s; das Stopfen*, -s; 《하천의》 Ausbesserung. ～하다 revisieren⁴; aus|bessern⁴; reparieren⁴; flicken⁴; stopfen⁴. ¶ 도로의 ～ Straßenausbesserung / 하천 ～공사 Uferbau *m.* -s, -ten; Uferschutzbauten 《*pl.*》.

개수(箇數) ＝갯수.

개수(概數) die ungefähre [die annähernde] Zahl, -en; die runde Zahl(우수리 없는 수).

개수작 Unsinn *m.* -s, -; Quatsch *m.* -es; albernes [dummes] Zeug, -s, -e. ¶ ～말라 Das ist Unsinn!¦Dummes Zeug!¦ Quatsch!

개술(概述) Zusammenfassung *f.* -en; Umriß *m.* ..risses, ..risse. ～하다 in (großen) Umrissen dar|stellen [dar|legen]⁴; über ⁴*et.* e-n Überblick geben*; zusammen|fassen⁴.

개시(開市) ① 《시장을 엶》 Eröffnung 《*f.* -en》 e-s Marktes. ～하다 e-n Markt 《-(e)s, -e》 eröffnen; beginnen* [an|fangen*] zu verkaufen. ② 《마수걸이》 der Verkauf 《-(e)s, ⸚e》 bei Eröffnung; der erste Verkauf [Vertrieb, -(e)s, -e]; die erste (Aus)lieferung, -en (첫출하). ～하다 zum erstenmal [ersten Mal] verkaufen⁴.

개시(開始) Anfang *m.* -s, ⸚e; Beginn *m.* -s, -; Start [ʃta(:)rt] *m.* -s, -e [-s]; Eröffnung *f.* -en. ～하다 beginnen*⁴ 《*mit*³》; an|fangen*⁴ 《*mit*³》; starten⁴ ⓗ.ⓢ; eröffnen⁴; inaugurieren⁴. ¶ 교섭을 ～하다 e-e Unterhandlung 《-en》 eröffnen; in Unterhandlung treten* ⓢ; ⁴sich in Unterhandlung ein|-lassen* / 영업을 ～하다 ein Geschäft beginnen* [an|fangen*; eröffnen].

개식(開式) Eröffnung 《*f.* -en》 e-r Feier [Zeremonie].

개신(改新) (Er)neuerung *f.* -en; Renovation *f.* -en; Neugestaltung *f.* -en; Reformation *f.* -en; Reformierung *f.* -en. ～하다 (er-)neuern⁴; renovieren⁴; neu gestalten⁴; reformieren⁴.

개신- ☞ 기신-.

개실(個室) Privatzimmer *n.* -s, -; Privatraum *m.* -s, ⸚e.

개심(改心) Bekehrung 《*f.*》 (zum Guten); Besserung *f.* -en; Wandel 《*m.* -s, -》 zum Guten; Reform *f.* -en. ～하다 ⁴sich bessern;

e-n neuen Lebenswandel (ein besseres Leben) beginnen*; [4]sich reformieren. ¶ ~시키다 *jn.* auf e-n besseren Weg bringen*; auf die bessere Bahn zurück|bringen*[4] (zurück|leiten[4]); bessern[4] / 도저히 ~할 가망이 없다 unheilbar (unverbesserlich) sein; *jm.* nicht mehr zu helfen sein; ein hoffnungsloser Fall《*m.* -s, ⸚e》sein / 그는 이제 아주 ~했다 Er ist jetzt ganz zerknirscht (reuig; bußfertig).

‖ ~자 der gebesserte Mensch, -en, -en; der Bußfertige*, -n, -n.

개악(改惡) Verschlechterung *f.* -en; nachteilige Veränderung, -en; Verschlimmerung *f.* -en. ~하다 zum Nachteil verändern[4]; verschlechtern[4]; verschlimmern[4]; verderben*[4]; verballhornen[4]. ¶ 노동법의 ~ schädliche (nachteilige) Revision《-en》des Arbeitergesetzes.

개암 ①《열매》Haselnuß *f.* ..nüsse. ②《매먹이의》ein kleiner Wattenpfropfen《-s,-》, der ins Futter für e-n Falken gelegt war. ¶ ~을 도르다《매가》den Wattenpfropfen erbrechen*.

‖ ~나무 Hasel *f.* -n. ~죽 der im Haselnußsaft gesottene Reisschleim.

개암들다 nach der Entbindung Komplikationen haben.

개양귀비(—楊貴妃) 〖식물〗 Klatsch¦mohn (Feld-) *m.* -(e)s, -e.

개어귀 Meeresarm *m.* -(e)s, -e; (Fluß)mündung *f.* -en; Mündungsarm.

개업(開業) Geschäfts¦eröffnung (Handels-) *f.* -en; Eröffnung e-r Praxis(의사,변호사의). ~하다 ein Geschäft《*n.* -(e)s, -e》(e-n Handel, -s,⸚) eröffnen (an|fangen*; beginnen*); praktizieren (의사, 변호사가); [4]sich nieder|lassen*;《가게를 내다》ein Geschäft an|legen (gründen). ¶ 치과 의원을 ~하다 [4]sich als Zahnarzt nieder|lassen* / 변호사를 ~하다 als Rechtsanwalt praktizieren.

‖ ~면허장 Approbation *f.* -en(의사, 약제사의); Zulassungsschein《*m.* -s, -e》zum Praktizieren; Lizenz *f.* -en; Erlaubnisschein. ~비 Eröffnungskosten《*pl.*》e-s Geschäfts (Handels). ~식 Eröffnungsfeierlichkeit *f.* -en. ~의(醫) Praktiker *m.* -s, -; praktizierender (praktischer) Arzt, -es, ⸚e.

개역(改易) (Ver)änderung *f.* -en; Ersetzung *f.* -en; Ersatz *m.* -es, ⸚e. ~하다 (ver)ändern[4]; ersetzen[4]《*durch*[4]》.

개역(改譯) die zweite (verbesserte) Übersetzung, -en. ~하다 e-e zweite (verbesserte) Übersetzung machen (an|fertigen).

개연(開演) Anfang《*m.* -s, ⸚e》(Beginn *m.* -; Eröffnung *f.* -en) e-r [2]Aufführung ([2]Vorstellung); das Aufziehen*《-s》des Vorhangs. ~하다 e-e Aufführung (Vorstellung) beginnen* (an|fangen*; eröffnen); den Vorhang《-s, ⸚e》auf|ziehen*. ¶ ~중이다 Die Vorstellung (Aufführung) läuft.

개연성(蓋然性) Wahrscheinlichkeit *f.* -en.

개염 ☞ 계염.

개오(開悟) 〖불교〗 Erleuchtung *f.* -en; geistliche Aufklärung, -en. ~하다 Erleuchten erlangen.

개요(槪要) Auszug *m.* -(e)s, ⸚e; Um¦riß (Ab-) *m.* ..risses, ..risse; Zusammenfassung *f.* -en; Hauptinhalt *m.* -(e)s, -e; Übersicht *f.* -en; Resümee (Resumé) *n.* -s, -;《극의》Gang《*m.* -s, ⸚e》e-r Handlung. ¶ ~를 말하다 e-n Abriß geben*《*von*[3]》; kurz zusammen|fassen[4]; kurz (im Auszug) dar|stellen[4]; e-n Auszug machen(geben*[(3)])《*aus*[3]; *von*[3]》; e-e gedrängte Darstellung geben*[(3)]; ab|kürzen[4].

개운(開運) Besserung《*f.*》des Schicksals; Wendung《*f.*》zum Besseren*. ~하다 das Glück ist *jm.* günstig (geneigt; hold); *jm.* ist ein glückliches Los geworden; die Dinge haben sich *jm.* zum Besseren gewendet. ¶ ~의 징조 ein Silberstreif《*m.* -(e)s, -e》am Horizont / ~을 빌다 um ein besseres Schicksal beten《zu Gott》.

개운하다 [4]sich wohl fühlen; [4]sich aufgeheitert (erfrischt; erleichtert) fühlen; [4]sich frisch fühlen; leichten Herzens sein. ¶ 개운해지다 [4]sich an [3]*et.* (durch [4]*et.*) erfrischen / 자고 나니 머리가 ~ Ich fühle mich ganz erfrischt nach dem Schlaf. / 이제 몸이 ~ Nun fühle ich mich ganz wohl. / 오늘은 어쩐지 기분이 개운하지 않다 Ich bin heute nicht ganz auf der Höhe.¦Ich bin heute mit dem linken Fuß zuerst aufgestanden.

개울 Gebirgsstrom *m.* -(e)s, ⸚e; Bergstrom *m.*; Gießbach *m.* -(e)s, ⸚e.

개원(改元) die Änderung《-en》des Äranamens (der Ära). ~하다 den Namen der Ära ändern.

개원(開院)《국회의》Eröffnung《*f.* -en》des Parlaments (des Bundestags; des Bundesrats);《기관·병원 따위의》Eröffnung e-r Anstalt (e-s Instituts; e-s Krankenhauses). ~하다 das Parlament《-(e)s, -e》(den Bundestag, -(e)s, -e) eröffnen; e-e Anstalt《-en》(ein Institut, -(e)s, -e; ein Krankenhaus, -es, ⸚er) eröffnen.

‖ ~식 Eröffnungsfeier《*f.* -n》des Parlaments (des Bundestags; des Bundesrats; e-r Anstalt; e-s Krankenhauses *usw.*).

개의(改議)《다시 의논함》der neue Antrag, -(e)s, ..träge; der neue Vorschlag, -(e)s, ⸚e; Amendement [amãdəmã:] *n.* -s, -s;《동의에 대한》die Bewegung des Amendements. ~하다 e-n neuen Antrag stellen; wieder diskutieren. ¶ 의안을 ~하다 e-n Gesetzentwurf ab|ändern (amendieren).

개의하다(介意—) [4]sich kümmern《*um*[4]》; sorgen《*um*[4]》; [3]sich [4]Sorge machen《*um*[4]》; [3]sich zu Herzen nehmen*[4]; [4]sich *js.* an|nehmen*; es [3]sich angelegen sein lassen*; umbekümmert sein《*um*[4]》; nicht gleichgültig sein《*gegen*[4]》. ¶ 개의치 않다 [4]sich nicht kümmern《*um*[4]》; [3]sich nichts machen《*aus*[3]》; [3]sich nicht zu Herzen nehmen*[4]; gar(ganz) nicht beachten[4] / 개의치 않고 ohne [4]Rücksicht《*auf*[4]》; trotz[2·3]; ungeachtet / 옷차림엔 개의치 않는다 [4]sich nicht um s-e Kleidung kümmern / 나는 일이 되든 안 되든 개의치 않는다 Ich mache mir nichts aus Erfolg od. Mißerfolg.¦Erfolg od. Mißerfolg bedeutet mir nichts.

개인(改印) Siegeländerung *f.* -en. ~하다 ein rechtsgültiges Siegel (ver)ändern.

‖ ~신고 Meldung《*f.* -en》der Siegeländerung.

개인(個人) Individuum *n.* -s, ..en; Einzel¦wesen *n.*-s, - (-person *f.* -en);《사인(私人)》Privat¦person (-mann *m.* -(e)s, ..leute); Einzelpersönlichkeit *f.* -en. ¶ ~의(적)《개개의》individuell; einzeln; Einzel-;《사적》privat; Privat-; persönlich; nicht öffentlich;《일신

의》 persönlich; 《이기적》 egozentrisch; egoistisch / ～적으로 individuell; persönlich; privat; selbst; selber / ～으로서(는) als Individuum; individuell; persönlich; ich für m-e Person / ～의 자격으로 als Privatperson; in s-r Eigenschaft als Privatperson / ～용의 zum Privatgebrauch (zu eigenem Gebrauch) / 나 ～의 의견으로는 m-r persönlichen (eigenen) Meinung nach; nach m-r persönlichen (eigenen) Meinung; ich für m-e Person / ～과 법인 natürliche oder juristische Person / ～적 감정에 지배되다 in privaten (persönlichen) Vorurteilen (Voreingenommenheiten) befangen sein / ～적으로 면담하다 *jn.* persönlich (allein) sprechen*; ⁴sich mit *jm.* persönlich unterhalten*; mit *jm.* Privatgespräch haben; mit *jm.* e-e persönliche Unterredung haben; e-e Unterredung unter vier Augen haben / 그는 ～적으로는 좋은 사람이다 Er ist persönlich ein angenehmer Mensch. / ～적으로는 나는 그와는 아무런 관계도 없다 Ich habe k-e Privatverbindungen mit ihm. / ～적으로 여쭈어 보아도 좋겠읍니까 Darf ich mir e-e persönliche Frage erlauben?

‖ **～감정** das persönliche Gefühl, -s, -e. **～경기** Einzelkampf *m.* -(e)s, ⸗e. **～경영** der private Betrieb, -(e)s, -e; das persönliche Unternehmen, -s, -; Privatunternehmung *f.* -en. **～경제** Privat¦wirtschaft (Einzel-) *f.* -en. **～관계** Privat¦verhältnis *n.* ..nisses, ..nisse (-verbindung *f.* -en). **～교섭** Privatverhandlung (-unterhandlung) *f.* -en. **～교수** Privat¦unterricht *m.* -(e)s, -e (-stunde *f.* -n); Einzelstunde *f.* -n. **～권리** Privatrecht (Individual-) *n.* -(e)s, -e; das Recht 《-(e)s, -e》 e-r Privatperson. **～기업** Einzelunternehmung (Privat-) *f.* -en; Einzelunternehmen (Privat-) *n.* -s, -. **～문제** Privat¦angelegenheit *f.* -en(-sache *f.* -en); private (persönliche) Angelegenheit, -en. **～비서** Privatsekretär *m.* -s, -e(남자); Privatsekretärin *f.* ..innen(여자). **～사정** Privatrücksichten 《*pl.*》 《*aus*³》. **～생활** Privatleben *n.* -s, -. **～소득** Privat¦einkommen (Einzel-) *n.* -s, -. **～소식(난)** 《신문의》 persönliche Anzeigen 《*pl.*》. **～소유(권)** Privateigentum (Einzel-) *n.* -s, ⸗er; Privat¦besitz (Einzel-) *m.* -es, -e. **～숭배** Personenkult *m.* -(e)s, -e. **～심리학** Individualpsychologie *f.* **～의견** Privatmeinung *f.* -en; *js.* private (persönliche; eigene) Meinung, -en. **～이익** Privat¦interesse (Einzel-) *n.* -s, -n. **～재산** Privat¦vermögen *n.* -s, - (-eigentum *n.* -s, ⸗er; -besitz *m.* -es, -e). **～전(展)** Privatausstellung *f.* -en; die private Ausstellung, -en; die Ausstellung der ²Werke e-s Einzelnen: 미술 ～전 Privat¦kunstausstellung (-gemäldeausstellung); e-e private Kunstausstellung (Gemäldeausstellung) / ～전을 열다 e-e Privatausstellung (e-e private Ausstellung) ab|halten* (veranstalten). **～전(戰)** Einzelspiel *n.* -s, -e (테니스 따위의). **～ 종합경기** 《체조의》 individuelle Kombinationskörperübung, -en. **～주의** Individualismus *m.* -: ～주의적 individualistisch / ～주의자 Individualist *m.* -en, -en. **～주택** Privat¦wohnung *f.* -en (-haus *n.* -es, ⸗er). **～지도** Privat¦führung (-leitung) *f.* -en: ～지도를 하다 e-e Privat¦führung (-leitung) geben* 《*jm.*》. **～차(差)** die individuelle (persönliche) Schwankung (Differenz; Abweichung) -en; der individuelle (persönliche) Unterschied, -(e)s, -e.

개입(介入) 《간섭》 das Dazwischen¦treten*, -s (-kommen*, -s); Einmischung *f.* -en; das Eingreifen*, -s; 《중재·조정》 Vermittlung *f.* -en; Intervention *f.* -en. **～하다** dazwischen|treten* Ⓢ; dazwischen|kommen* Ⓢ; ⁴sich ein|mischen 《*in*⁴》; ein|greifen* 《*in*⁴》; intervenieren.

개자(芥子) 〖식물〗 Senf *m.* -s, -e; Mostrich *m.* -s; Mostert *m.* -s.

‖ **～기름** Senföl *n.* -s, -e. **～씨** Senfkorn *n.* -(e)s, ⸗er.

개자리¹ der Kampfrichter¦graben (Lauf-) vor der Zielscheibe.

개자리² 〖식물〗 Drei¦blatt (Klee-) *n.* -(e)s, ⸗er; Schneckenbohne *f.* -n; *Medicago minima* (학명).

개자식 ＝개새끼 ②.

개작(改作) Bearbeitung (Umarbeitung) *f.* -en; 《표절》 Plagiat *n.* -es, -e. **～하다** bearbeiten⁴; um|arbeiten⁴; 《표절하다》 plagiieren⁴. ¶ 소설을 극으로 ～하다 e-n Roman 《-s, -e》 dramatisieren; e-n Roman als Drama bearbeiten / 그는 작품을 연극으로 ～했다 Er hat das Stück 《-s, -e》 als ein Bühnenstück umgearbeitet.

‖ **～자** Bearbeiter *m.* -s, -.

개잘량 die Matte aus Hundfell.

개잠 der zusammengekauerte Schlaf (wie ein Hund). ¶ ～자다 zusammengekauert (wie ein Hund) schlafen*.

개잠(改—) kurzer Schlummer nach Erwachen in der Frühe. ¶ ～들다 nach dem Aufwachen noch einmal ein|schlafen (ein|nicken) / ～자다 s-e Augen aufmachen um gleich wieder einzuschlafen.

개잡년(—雜—) die Gemeine* (Niederträchtige*) -n; das lose (leichte) Mädchen, -s, -.

개잡놈(—雜—) ein gemeiner Kerl, -s, -e; der Niederträchtige*, -n; Dreckskerl *m.* -s, -e; Schurke *m.* -n, -n.

개장(—醬) ☞ 개장국.

개장(改葬) Leichenüberführung *f.* -en; Umbettung 《*f.* -en》 e-s Toten*. **～하다** (den Toten*) um|betten (um|legen); an e-n anderen Ort über|führen.

개장(改裝) Um¦bildung (-formung; -gestaltung; -modelung) *f.* -en; Wiederinstandsetzung; Ausbesserung; Umänderung *f.* -en; Verwandlung *f.* -en; Umwandlung *f.* -en. **～하다** um|bauen⁴ (-|modeln⁴; -|gestalten⁴); wieder aus|rüsten⁴ (-|statten⁴); um|ändern⁴ (-|wandeln⁴); aus|bessern⁴.

개장(開帳) 《도박의》 Eröffnung des Hasardspiels (Würfelspiels). **～하다** ein Hasardspiel (Würfel-) 《-s, -e》 eröffnen (veranstalten) (도박을).

개장(開場) 《염》 Eröffnung *f.* -en; Einweihung *f.* -en (처음으로). **～하다** (er)öffnen⁴; ein|weihen⁴ (처음으로). ¶ ～ 중 offen sein; Offen! (게시) / 오후 2시 ～ 《게시》 Einlaß ab zwei Uhr nachmittags.

개장국(—醬—) Hunde(fleisch)suppe *f.* -n.

개재(介在) 《개입》 das Dazwischenliegen*, -s; Einmischung *f.* -en; das Eingreifen*, -s; Intervention *f.* -en. **～하다** dazwischen|liegen* (-|stehen*); zwischen (unter) ³*et.* sein; 《간섭하다》 dazwischen|treten* (-|kommen*) Ⓢ; in (auf) *js.* Weg stehen* (liegen*) / 제

3국의 ~를 불허하다 die Intervention der dritten Macht nicht erlauben / 이면(裏面)에 ~되어 있다 Es steckt etwas hinter der Sache.

개전(改悛) 《개심》 Besserung f. -en; das Sichbessern*, -s; 《뉘우침》 Reue f.; Buße f.; Zerknirschung f. ~하다 s-e [4]Lebensführung 《-en》 bessern; [4]sich bessern; bereuen[4]; Reue empfinden*[4] 《über[4]》. ¶~의 정이 없다 unbußfertig 〔verstockt〕 sein / ~의 정이 현저하다 S-e Zerknirschung ist augenscheinlich. / ~의 정이 현저하므로 그들은 가석방되었다 Sie wurden auf Grund ihres Ehrenwortes aus dem Gefängnis entlassen, da man annahm, daß ihre Reue ernstlich sei.

개전(開戰) Kriegs¦eröffnung 〔-erklärung〕 f. -en; Eröffnung 《f. -en》 der Feindseligkeiten 《pl.》; Kriegsausbruch m. -(e)s, =e. ~하다 (e-n) Krieg 《-(e)s, -e》 eröffnen; (den) Krieg erklären 《jm.; an[4]》; (e-n) Krieg an|fangen*[4] 〔beginnen*[4]〕 《mit[3]》; 《전투를 개시하다》 zum Gefecht kommen* ⓢ 《mit[3]》; Aktionen 《pl.》 an|fangen*[4].

개점(開店) 《개업》 Geschäftseröffnung f. -en; 《그날그날의》 das Öffnen*《-s》 des Geschäfts 〔Ladens〕. ~하다 e-n Laden 《-s, =》 〔ein Geschäft n. -(e)s, =e〕 eröffnen 〔öffnen; auf|machen〕; 《창립하다》 ein Geschäft gründen. ¶새로 ~한 가게 ein jüngst 〔kürzlich〕 eröffneter Laden.
‖~광고, ~안내 Bekanntmachung 《f. -en》 e-r [2]Geschäftseröffnung. ~시간 Öffnungszeiten 《pl.》; 《영업시간》 Geschäfts¦stunden 《pl.》 〔-zeit f. -en〕. ~휴업 Geschäft ohne Umsatz 〔Geschäft〕; Geschäfts¦stille f. -n 〔-stockung f. -en〕: ~휴업 상태이다 Unser Geschäft 〔Laden〕 ist geschäftsstill 〔ohne Umsatz〕.¦Unser Geschäft 〔Laden〕 hat Geschäftsstille 〔Geschäftsstockung〕.

개정(改正) 《수정》 Verbesserung f. -en; Revision f. -en; 《변경》 Änderung f. -en; Abänderung 〔Um-〕 f. -en; Abwechs(e)lung f.-en. ~하다 verbessern[4]; revidieren[4]; reformieren[4]; ab|wechseln[4]; (ab)ändern[4]; um|ändern[4] (전면적으로). ¶책을 ~하다 ein Buch verbessern 〔revidieren〕 / ~ 열차 시간표는 이 달 1일부터 실시된다 Der revidierte 〔geänderte〕 Fahrplan tritt vom ersten des laufenden Monats an in Kraft.
‖~가격 der geänderte Preis, -es, -e. ~건(件) die verbesserte Angelegenheit, -en; e-e Angelegenheit zur Verbesserung. ~세율 der geänderte 〔revidierte〕 Tarif, -s, -e. ~안 Verbesserungs¦antrag 〔-vorschlag〕 m. -(e)s, =e; 〖의회〗 Abänderung¦antrag 〔-plan〕 m. -(e)s, =e. ~정가 der geänderte 〔neue〕 Preis, -es, -e. ~표 das geänderte Verzeichnis, -ses, -se. 조약~ Vertragsänderung f. -en.

개정(改定) die neue Bestimmung 〔Feststellung〕 -en; Reform f. -en. ~하다 neu bestimmen 〔fest|setzen〕; reformieren.

개정(改訂) Bearbeitung f. -en; Revision f. -en. ~하다 bearbeiten[4]; revidieren[4].
‖~삼판(三版) verbesserte, dritte Auflage 〔Ausgabe〕 -n. ~자 Bearbeiter m. -s, -. ~증보판 verbesserte u. vermehrte Auflage 〔Ausgabe〕. ~판 verbesserte 〔neu bearbeitete; revidierte〕 Auflage 〔Ausgabe〕.

개정(開廷) Eröffnung 《f. -en》 des Gerichts 〔der Gerichtssitzung; der Gerichtsverhandlung〕. ~하다 Gerichtssitzung 《f. -en》 eröffnen; Gericht 《n. -(e)s, -e》 halten*; zu [3]Gericht sitzen* 《über[4]》. ¶현재 ~중이다 Man sitzt eben jetzt zu Gericht.¦Es wird eben über die Sache verhandelt.
‖~기일 Gerichtstermin m. -s, -e. ~일 Gerichtstag m. -(e)s, -e; das zum Verhör bestimmte Datum, -s, ..ten; Verhandlungstag m. -(e)s, -e.

개제(改題) die Änderung 《-en》 des Titels. ~하다 den Titel ändern. ¶~하여 unter neuem 〔verändertem〕 Titel / 그 잡지는 「문학」이라고 ~해서 다시 나오게 되었다 Die Zeitschrift ist unter dem Titel „Die Literatur“ wieder erschienen.

개조(改造) Umbildung f. -en; Umgestaltung f.-en; Reformierung f. -en; Neugestaltung f. -en; Reorganisation f. -en; 《재건》 Neubildung f. -en; Wiederaufbau m. -s. ~하다 neu gestalten[4] 〔bilden[4]〕; um|bilden[4] 〔-|bauen[4]; -|formen[4]; -|gestalten[4]〕. ¶내각의 ~ die Reorganisation 〔die Neugestaltung〕 des Ministeriums / 사회를 ~하다 e-e Gesellschaft reorganisieren / 교량을 ~하다 e-e Brücke wieder|aufbauen / 기관차를 ~하다 e-e Lokomotive um|bauen / ~ 중에 있다 im Umbau begriffen sein.
‖경제~ der ökonomische Wiederaufbau.

개조(改組) Reorganisation f. -en; Umbau m. -s; Umarbeitung f.; Umgestaltung f.; Umbildung f. ~하다 um|organisieren[4] 〔-|gestalten[4]; -|gliedern[4]〕. ☞ 개편.

개조(開祖) Gründer m. -s, -; Stifter m. -s, -; Urheber m. -s,-; Schöpfer m. -s,-; Initiator m. -s, -en [..tóːrən]; 《종파의》 der Gründer e-r religiösen Sekte; 《개종조》 der Urheber der buddhistischen Sekte; 《절의》 der Gründer des buddhistischen Tempels. ¶본산(本山)의 ~는 원효대사다 Der Gründer dieses Tempels war *Weonhyo Daesa*.

개조(箇條) Item n. -s; Artikel m. -s, -; Klausel f. -n.
‖신앙~ Glaubensartikel m.

개종(改宗) Bekehrung f. -en 《zu[3]》; Glaubenswechsel m. -s, -; Konversion f. -en. ~하다 [4]sich bekehren 《zu[3]》; über|treten* ⓢ 《von [3]et. zu [3]et.》; den Glauben 〔das Bekenntnis〕 wechseln; [4]sich zu e-r anderen Religion bekennen*; konvertieren. ¶~시키다 jn. bekehren 《zu[3]》 / 불교로 ~하다 [4]sich zum Buddhismus bekehren.
‖~자 der 〔die〕 Bekehrte*, -n, -n; Konvertit m. -en, -en.

개종(開宗) 《교파의 창건》 die Begründung 《-en》 e-r buddhistischen Sekte, -n. ~하다 e-e Sekte begründen.

개주(改鑄) Umprägung f. -en (화폐의); Umguß m. ..gusses, ..güsse (종, 총포 등). ~하다 um|prägen (화폐를); um|gießen (종, 총포 따위를).

개죽음 der Tod 《-(e)s》 wie ein (erbärmlicher) Hund; der schändliche Tod; der unnütze Tod; die unnütze Aufopferung des Lebens. ~하다 [4]sich vergebens 〔umsonst〕 opfern; zwecklos 〔umsonst〕 sterben* ⓢ. ¶그런 일로 죽는 것은 ~이다 Ich würde nutzlos 〔zwecklos; umsonst〕 mein Blut vergießen, wenn ich mein Leben für so etwas hingäbe. / 너에게 ~은 시키지 않을 게다 Dein Tod wird nicht vergeblich sein.

개중(個中) ① 《여럿 중》 von ihnen (denen); unter anderen. ¶ ~에는 unter (ihnen); von (ihnen) / ~에는 좋은 책도 있고 나쁜 책도 있다 Von diesen Büchern sind einige gut u. andere schlecht. / ~에는 좋은 인간도 있고 나쁜 인간도 있다 Einige unter ihnen sind gut u. andere schlecht. ② 〖불교〗 innerhalb des Bereiches des Buddhismus.

개지랄 ¶ ~한다 Du, Schwein, handelst wie ein Schwein! / ~ 말라 Sei nicht so gemein!

개진(開陳) Aussage *f.* -n; Äußerung *f.* -en. ~하다 aus|sagen⁴ (-|sprechen*⁴); äußern⁴. ☞ 피력하다. ¶ 의견을 ~하다 s-e Meinung aus|sprechen* (äußern); ⁴sich über ⁴*et.* äußern.

개짐 Monatsbinde *f.* -n; Damenbinde *f.* -n. ¶ ~을 차다 Monatsbinde um|binden*.

개집 Hundehütte *f.* -n; Hundestall *m.* -s, ⸗e. ¶ ~에 넣다 in die Hundehütte tun*⁴ (stecken⁴) / ~에 매두다 im Hundestall halten*⁴.

개차반 der niedrige (vulgäre; gemeine) Kerl, -(e)s, -e.

개착(開鑿) 《도로·터널》 Durchstich *m.* -(e)s, -e; Durchbruch *m.* -(e)s, ⸗e; Einschnitt *m.* -(e)s, -e; 《우물 따위》 Ausgrabung *f.* -en; 《수갱(竪坑) 따위》 Aufbruch *m.* -(e)s, ⸗e (밑에서); Abteufung *f.* -en (위에서); das Aushöhlen*, -s. ~하다 《도로·터널 따위》 durch|stechen*⁴ (-|brechen*⁴); 《건설》 (er-)bauen⁴; 《우물·수갱 따위》 bohren⁴; ab|teufen⁴; auf|brechen*⁴; auf|fahren*⁴ (갱도를); aus|höhlen⁴. ¶ 운하의 ~ das Bauen 《-s》 e-s Kanals.

‖ ~공사(工事) Exkavationsarbeit *f.* -en; Durchsticharbeit *f.* -en. ~기 Exkavator *m.* -s, -; Bohrmaschine *f.* -n. 운하 ~자 Kanalkonstruckteur [..tø:r] *m.* -s, -.

개찬(改竄) (Ver)fälschung *f.* -en; Umschreibung *f.* -en. ~하다 (ver)fälschen⁴; verdrehen⁴; 《변경하다》 (ab|)ändern⁴; verändern⁴; 《고쳐 쓰다》 um|schreiben*⁴. ¶ 어음을 ~하다 e-n Scheck fälschen.

개찰(改札) die Prüfung 《-en》 (das Kontrollieren*, -s) der Karten 《*pl.*》. ~하다 Fahrkarten (Billette) 《*pl.*》 kontrollieren; Karten 《*pl.*》 knipsen (lochen) (가위로 찍다); 《집찰》 Karten ab|nehmen*. ¶ 입구에서 ~을 받으시오 Lassen Sie Ihre Karte an der Sperre lochen (knipsen)!

‖ ~계 Bahnsteigschaffner *m.* -s, -. ~구 (Bahnsteig)sperre *f.* -n.

개찰(開札) die Durchsicht der Angebote. ~하다 durch|sehen*.

개척(開拓) 《개간》 Urbarmachung *f.* -en; Rodung *f.* -en; Anbau *m.* -s; 《자원의》 Ausbeutung *f.* -en; Ausnutzung *f.* -en; 《식민지》 Besied(e)lung *f.* -en; Kolonisation *f.* -en; 《식민지 개척자》 Kolonist *m.* -en, -en; Ansiedler *m.* -s, -. ~하다 ① urbar machen⁴; roden⁴; bebauen⁴; erschließen*⁴ 《ein ⁴Land》. ¶ 신천지를 ~하다 ein neues Land erschließen* / 길을 ~하다 ³sich e-n Weg bahnen/ 판로를 ~하다 e-n neuen Markt (ein neues Absatzgebiet) erschließen* (finden*)/ 자기의 운명을 ~하다 sein Glück zu machen suchen. ② 《자원을》 aus|nutzen⁴; aus|beuten⁴. ¶ 자원을 ~하다 die Bodenschätze der Natur aus|nutzen. ③ 《식민지를》 besiedeln⁴; kolonisieren⁴. ¶ 식민지를 ~하다 ⁴sich mit der Entwick(e)lung der Kolonie beschäftigen.

‖ ~사업 die kolonisatorische Arbeit, -en. ~자 Bahnbrecher *m.* -s, -; Pionier *m.* -s, -; Anbauer *m.* -s, -. ~지 Lichtung *f.* -en (삼림의); das urbargemachte Land, -(e)s, ⸗er (개간지). 산림~ die Lichtung e-r Waldung; die Abholzung e-s Waldes; Rodung *f.* -en.

개천(開川) Bächlein *n.* -s, -; Flüßchen *n.* -s, -; Entwässerungsgraben *m.* -s, -. ¶ ~에서 용 날까 „Art läßt nicht von Art."

개천절(開天節) „Himmels-Öffnungs-Fest"; Jahrestag der Gründung Koreas 《3. 10. 2333 v. Chr.》. ¶ ~ 기념식이 오늘 서울 운동장에서 거행된다 Die Zeremonie für den Jahrestag der Gründung der Nation findet heute im Seoul-Stadion statt.

개청(開廳) Eröffnung 《*f.* -en》 e-s Amtes (e-s Büros). ~하다 ein Büro eröffnen.

‖ ~식 die Feier 《-n》 bei der Eröffnung e-s Büros.

개체(個體) Individuum *n.* -s, ..duen. ¶ ~적 individuell.

‖ ~개념, ~관념 〖논리〗 der Begriff des Individuums. ~발생 〖생물〗 Ontogenie *f.* -n; die Entstehungslehre der Wesen. ~이변 die fluktierende (individuelle) Variation. ~주의 Individualismus *m.* -.

개초(蓋草) 《이엉》 Binsenmatte *f.* -n. ~하다 (ein Haus) mit Binsen (be)decken.

‖ ~장이 Dachdecker *m.* -s, -.

개최(開催) Abhaltung *f.* -en; das Abhalten*, -s. ~하다 (ab|)halten*⁴; veranstalten⁴; 《열다》 eröffnen⁴. ¶ ~중의 회의 die eben abgehaltene Versammlung; die sich im Gange befindliche Versammlung / 회의는 ~중이다 Die Versammlung ist im Gange. / 군축회의는 현재 제네바에서 ~되고 있다 Die Abrüstungskonferenz ist jetzt in Genf im Gange. / 회의는 다섯 시에 ~되었다 Die Sitzung wurde um fünf Uhr eröffnet.

‖ ~일 Eröffnungstag *m.* -s, -e. ~지 Eröffnungsort *m.* -es, ⸗er; Versammlungsort *m.*

개축(改築) Umbau *m.* -s; Renovierung *f.* -en; Wiederaufbau *m.* -s (재건); 《수리》 Ausbesserung *f.* -en; Reparatur *f.* -en. ~하다 um|bauen⁴; renovieren⁴; erneuern⁴; 《수리하다》 aus|bessern⁴; reparieren⁴; wieder|her|-stellen. ¶ 집을 ~하다 ein Haus um|bauen / ~ 중이다 im Umbau begriffen sein.

‖ ~공사 Umbau *m.* -s; Renovierung *f.* ~비 die Umbaukosten 《*pl.*》.

개칠하다(改漆一) ① 《글씨 획을》 e-n schlecht geschriebenen Strich (e-s Schriftzeichens) verbessern. ② 《칠을》 wieder lackieren; wieder streichen*.

개칭(改稱) Änderung 《*f.* -en》 des Namens (des Titels; der Benennung). ~하다 den Namen (Titel) ändern; um|benennen*⁴; um|taufen⁴.

개키다 falten; zusammen|falten (-|legen) (옷, 침구 따위를). ¶ 침구를 ~ Bettdecke zusammen|legen.

개탄(慨嘆) das Bedauern*, -s; Jammer *m.* -s. ~하다 bedauern⁴; beklagen⁴; bereuen⁴; ⁴sich grämen 《*über*⁴》; ³sich ⁴*et.* zu Herzen nehmen*. ¶ ~해 마지 않는 bedauerns|wert (beklagens-) / 나는 일이 이렇게 된 것을 ~해 마지 않는다 Ich bedaure sehr diesen Vorfall (diese Wendung). / 시대의 통폐를 ~하다 die Übel der Zeit beklagen / 그러한 설이 유력하다는 것은 정말 ~할 일이다 Es ist wahrhaftig bedauernswert, daß solch e-e Ansicht vorherrscht.

개탕(開鐋) 《장지문의》 Rinne *f.* -n; Hohlkehle *f.* -n. ～치다 e-e Rinne graben*.
‖ ～대패 Hohlkehlhobel *m.* -s, -.

개통(開通) Eröffnung 《*f.*》 〔Freigabe *f.* -n〕 für den Verkehr. ～하다 ① 《노선이》 eröffnet werden; für den Verkehr freigegeben werden. ¶ 본선은 내년 7월에 ～ 예정이다 Es steht zu erwarten, daß diese Linie im nächsten Juli dem Verkehr übergeben wird. ② 《재개통됨》 wieder eröffnet werden 《für den Verkehr》; der Verkehr wird wiederhergestellt. ¶ 불통구간은 5시간 후에 ～되었다 Die beschädigte Strecke wurde nach fünf Stunden wieder eröffnet. / 이 집에 전화가 ～되었다 Ein Fernsprechanschluß ist in diesem Hause gelegt worden.
‖ ～구간 die dem Verkehr übergebene Strecke. ～식 Eröffnungsfeier *f.* -n; die feierliche Eröffnung (e-r Eisenbahn); die Einweihungsfeier e-r Brücke (교량의).

개판 Verwirrung 〔Verwicklung〕 *f.* -en.

개판(改—) 《레슬링》 Entscheidungskampf *m.* -(e)s, ⸗e 《beim Ringen》.

개판(改版) Neu¦druck *m.* -(e)s, -e 〔-auflage *f.* -n〕; die neue Ausgabe, -n; Revision *f.* -en; die revidierte 〔durchgesehene〕 Ausgabe, -n. ～하다 neu drucken 〔heraus|geben*〕; e-e neue Auflage 《-n》 veröffentlichen; 《인쇄》 aufs neue setzen[4]; neu ordnen[4]; umgruppieren[4]. ¶ 오류는 ～시에 정정될 것이다 Die Fehler werden in der neuen Ausgabe korrigiert.

개판(蓋板) 〚건축〛 Holzspan *m.* -(e)s, ⸗e; Schindel *f.* -n.

개펄 Sumpfland *n.* -(e)s, ⸗er; Sumpfboden *n.* -s, - (⸗).

개편(改編) 《출판물의》 Revision *f.* -en; 《조직의》 Umorganisierung *f.* -en; Umgruppierung *f.* -en; Umbildung *f.* -en. ～하다 revidieren[4]; um|ändern[4]; 《조직을》 um|organisieren[4]; neu organisieren[4]; um|bilden[4]. ¶ 정부 기구의 ～ die Umorganisierung des Regierungsaufbaus / 당직의 ～ die Umorganisierung der Parteirangordnung / 내각의 ～ die Reorganisation 〔die Neugestaltung〕 des Ministeriums.

개평 Gewinnanteil *m.* -s, -e (für die Zuschauer). ¶ ～을 받다 vom Sieger als Zuschauer e-n Gewinnanteil bekommen.

개평(槪評) die allgemeine Rezension, -en; Durchsicht *f.* -en; Überblick *m.* -(e)s, -e. ～하다 im allgemeinen rezensieren; überblicken[4]; durch|sehen.

개폐(改廢) Reorganisation *f.* -en; Umgestaltung *f.* -en. ～하다 reorganisieren; neu|-gestalten; um|gestalten.

개폐(開閉) das Auf- u. Zumachen* 〔Auf- u. Zuschließen*; Öffnen- u. Schließen*〕 -s; 《전류의》 das Ein- u. Ausschalten* 〔An- u. Abschalten〕 -s. ～하다 auf- u. zu|machen[4]; öffnen[4] u. schließen*[4]; ein- u. aus|-schalten*[4]. ¶ 문의 ～는 자동이다 Die Tür wird automatisch auf- u. zugemacht.
‖ ～교 Zug¦brücke 〔Zieh-; Schalt-〕 *f.* -n; Schwenkbrücke (옆으로 열리는 다리). ～기 (Aus)schalter *m.* -s, -; Umschalter: 자동～기 Selbstschalter *m.*; der automatische Schalter / 비상용～기 Notschalter *m.* / ～기함(函) Schaltkasten *m.* ～장치 Verschluß *m.* ..schlusses, ..schlüsse.

개표(開票) das Öffnen* der Stimm¦zettel 〔Wahl-〕; Stimmenzählung *f.* -en. ～하다 die Stimmen zählen; den Stimmzettel 《*m.* -s, -》 〔Wahlzettel〕 öffnen. ¶ …의 입회하에 ～하다 die Stimmzettel in Gegenwart von... öffnen / ～ 결과 김씨가 최고 득점을 했다 Das Resultat der Wahl ergab, daß auf Herrn *Kim* die meisten Stimmen kamen.
‖ ～관리인 der Aufseher der Stimm(en)-zählung. ～장 Stimm(en)zählungslokal *n.* -(e)s, -e. ～참관인 der Zeuge 《-n, -n》 bei der Stimmzählung.

개피떡 ein Reiskuchen, der mit Bohnenmehl gefüllt u. gekocht ist.

개학(開學) Schulanfang *m.* -s. ～하다 die Schule beginnen[4].

개항(開港) Öffnung 《*f.* -en》 e-s Hafens (für den Außenhandel). ～하다 e-n Hafen 《-s, ⸗》 dem Außenhandel öffnen.
‖ ～장 Vertragshafen (특정 협약에 의한).

개헌(改憲) Verfassungsänderung *f.* -en; Verfassungsreform *f.* -en; Verfassungsrevision *f.* -en. ～하다 die Verfassung revidieren 〔reformieren; ändern〕.
‖ ～저지 투쟁 der Kampf gegen die Verfassungsreform.

개혁(改革) Reform *f.* -en; Reformation *f.* -en; Reorganisation *f.* -en; Umgestaltung *f.* -en; Umbildung *f.* -en; Neugestaltung *f.* -en; 《혁신》 (Er)neuerung *f.* -en; Renovation *f.* -en; 《개정》 Neuordnung *f.* -en; Revision *f.* -en. ～하다 reformieren[4]; um|gestalten[4]; um|bilden[4]; 《혁신》 (er)neuern[4]; 《개정》 neuordnen[4]; revidieren[4].
‖ ～안 Reformplan *m.* -(e)s, ⸗e. ～자 Reformator *m.* -s, -en [..tó:rən]; Erneu(er)er *m.* -s, -. ～파 Reformpartei *f.* -en. 관제～ die Organisationsänderungen 《*pl.*》. 사회～ Sozialreform *f.* -en. 종교～ Reformation *f.* 토지～ Bodenreform *f.* -en.

개호주 das Junge 《-n, -n》 des Tigers; Tigerjunge *n.* -n, -n.

개화(開化) Aufgeklärtheit *f.*; Zivilisation *f.* -en; 《문화》 Kultur *f.*; 《교양》 Bildung *f.*; 《개명》 Aufklärung *f.* ～하다 kultiviert werden; zivilisiert werden; gesittet werden; verfeinert werden. ¶ ～된 aufgeklärt; zivilisiert; gesittet; gebildet; kultiviert / 문명 ～의 시대 das zivilisiertes Zeitalter; das Zeitalter der Aufklärung.
‖ ～국 das kultiviertes Land, -(e)s, ⸗er. ～인 die aufgeklärten 〔verfeinerten〕 Leuten.

개화(開花) das Aufblühen*, -s; Effloreszenz *f.* -en; Blüte *f.* -n. ～하다 auf|blühen; erblühen.¦Die Blume entfaltet sich.
‖ ～기 Blütezeit 〔Effloreszenz〕 *f.* -en.

개활하다(開豁—) 《트이다》 frei; offen; unbegrenzt; weit; ausgedehnt (sein); 《마음이》 offenherzig; großmütig; großzügig; großgesinnt (sein). ¶ 개활한 땅 das freie (weite) Land, -(e)s, ⸗er / 조망(眺望)이 ～ eine weite Aussicht haben.

개황(槪況) die allgemeinen Umstände 《*pl.*》; die allgemeine Lage, -n; der allgemeine Stand, -(e)s, ⸗e; die allgemeine Aussicht, -en (전망); die allgemeine Tendenz, -en (경향). ¶ 현재의 ～으로는 wie die Dinge im allgemeinen liegen; nach dem jetzigen Stand der Dinge im allgemeinen / ～은 격

정할 것 없다 Die Lage ist im allgemeinen nicht beunruhigend.

‖기상～ allgemeine Wetteraussicht, -en.

개회(開會) Eröffnung 《f.》 der Versammlung 〔Sitzung; Session(국회의)〕. ～하다 e-e Versammlung 〔Tagung; Konferenz; Sitzung〕 eröffnen. ¶～중에 während der Sitzung / 지금 ～중이다 Man hält nun die Sitzungen ab.¦Die Sitzung ist im Gang. / 지금부터 ～하겠읍니다 Wir wollen jetzt die Sitzung eröffnen. / 군축 회의는 목하 파리에서 ～중이다 Die Flottenkonferenz ist in Paris im Gange.

‖～사 Eröffnungsrede f. -n. ～식 Eröffnungsfeier f.

개흘레 〖건축〗 Nische f. -n (in dem Zimmer).

개흙 der Schlamm 《-(e)s》 am Ufer.

객(客) ① 《방문객》 Besucher m. -s, -; Besuch m. -(e)s, -e; Gast m. -(e)s, ⸚e (빈객, 여객); der Fremde*, -n, -n (외객); 《고객》 Kunde m. -n, -n; Käufer m. -s, -; 《승객》 Fahrgast m. -(e)s, ⸚e; Passagier m. -s, -e; der Reisende*, -n, -n (여객). ② 《군·쓸데없는》 extra; unnütz; nutzlos; vergeblich; erfolglos. ¶객소리 Plauderei f.; das unnütze Gerede, -s; das unnütze Geschwätz, -s. ③ 《지난》 vorig; letzt.

객거(客居) das Wegbleiben* 《-s》 von Zuhause; das Leben 《-s》 in der Fremde. ～하다 in der Fremde leben.

객고(客苦) Unbehagen 《n. -s》 in der Fremde (fern der Heimat). ¶～에 지치다 reisemüde sein; das Reisen müde sein.

객공(客工) ① 《임시의》 Aushilfskraft f. ⸚e; Aushilfe f. -n; Zeitarbeiter m. -s, -. ② 《객공잡이》 der Arbeiter, der Stundenlohn bekommt.

객관(客觀) 〖철학〗 《객관성》 Objektivität f. ¶～적 objektiv; sachlich; gegenständlich / ～적 타당성 objektive Gültigkeit, -en / ～적으로 보다 objektiv betrachten[4]; sachlich an|sehen*[4].

‖～가치 der objektive Wert, -(e)s, -e. ～묘사 sachliche Schilderung, -en. ～법 e-e objektive Methode, -n. ～성 Objektivität f. ～식 시험 Antwortauswahl f. -en. ～정세 die objektive Situation, -en. ～주의, ～설 Objektivismus m. -. ～화 Objektivierung f.: ～화하다 objektivieren[4].

객기(客氣) der blinde Mut, -(e)s; die blinde Kühnheit.

객년(客年) voriges Jahr, -es, -e; letztes Jahr.

객담(客談) Plauderei f. -en; das unnütze Gerede, -s; das unnütze Geschwätz, -es. ～하다 plaudern; unnützes Zeug schwatzen. ¶～으로 시간을 보내다 die Zeit verplaudern.

객담(喀痰) Auswurf m. -(e)s, ⸚e; Sputum n. -s, ..ta; Expektoration f. -en.

‖～검사 die Prüfung 〔Untersuchung〕 des Sputums.

객랍(客臘) der letzter Dezember, -(s), -.

객비(客費) 《객적은》 unnütze Ausgaben 《pl.》; 《객지의》 die Ausgabe e-s Reisenden.

객사(客死) Tod 《m. -es》 im fremden Lande; das Ableben 《-s》 im Ausland. ～하다 im fremden Lande sterben*; auf der Reise sterben* (여행중에); im Ausland sterben* Ⓢ (외국에서); am Wege sterben* Ⓢ; e-s elenden Todes sterben* Ⓢ.

객석(客席) Sitz 《m. -es, -e》 〔Platz m. -es, ⸚e〕 für den Gast; Gäste¦platz 〔-sitz〕 m. ¶～의 시중을 들다 den Gästen 《pl.》 auf|warten; die Gäste bedienen.

객선(客船) Passagier¦schiff [..ʒí:r..] n. -(e)s, -e 〔-boot n. -es, -e; -dampfer m. -s, -〕.

객소리(客—) dummes 〔sinnloses〕 Gerede, -s; e-e überflüssige Bemerkung, -en. ¶～를 해대는 사람 Schwätzer m. -s, -; Plaudertasche f. -n / ～말라 Schwätz nicht so dumm!¦Laß das Geschwätz!¦Quatsch!

객수(客水) ① 《비》 unwillkommener Regen, -s. ② 《걸물》 nutzloses 〔ungewolltes〕 Wasser, -s. ③ 《마시는》 das Wasser, das man zwischen den Mahlzeiten trinkt.

객수(客愁) die Langweile 〔das Heimweh〕 einer 〔auf der〕 Reise. ¶～를 달래다 die Langweile e-r 〔auf der〕 Reise vertreiben*.

객스럽다(客—) nutzlos zu sein scheinen*. ¶객스러운 말 nutzlose Bemerkungen 《pl.》.

객식구(客食口) Schmarotzer m. -s, -; Parasit m. -en, -en.

객실(客室) 《응접실》 Empfangszimmer n. -s, -; 《손님방》 Gast¦zimmer n. -s, - 〔-stube f. -n; -kammer f. -n〕; Fremdenzimmer n. -s, -; 《사교장》 Salon [zalɔ̃:] m. -s, -s; Gesellschaftszimmer; 《선실》 Kabine f. -n; Luxuskabine (특등의). ¶손님을 ～로 안내하여라 Führe den Gast in den Salon, bitte!

객어(客語) ① 《목적어》 Objekt n. -(e)s, -e. ② 《빈사》 Prädikat n. -(e)s, -e. ¶～적 prädikativ.

객원(客員) Ehrenmitglied n. -(e)s, -er.

‖～교수 Gastprofessor m. -s, -en. ～지휘자 Gastdirigent m. -en, -en.

객월(客月) der letzte Monat, -(e)s, -e.

객적다(客—) unwichtig; unbedeutend; nicht notwendig (sein).

객정(客情) das Gefühl, wenn man unterwegs ist; js. Gefühl in der Fremde. ¶～을 위로하다 die Langweile e-r 〔auf der〕 Reise vertreiben*.

객주(客主) ① 《거간》 Makler m. -s, -. ② 《객주집》 Gasthof m. -(e)s, ⸚e; Maklerhaus n. -es, ⸚er.

객중(客中) auf Reisen; unterwegs; während e-r von Zuhause weg ist.

객지(客地) der fremde Ort, -(e)s, -e 〔⸚er〕; das fremde Land, -es, ⸚er; Fremde f.

객차(客車) Personenwagen m. -s, -; 《여객열차》 Personenzug m. -(e)s, ⸚e. ¶～편(에, 으로) mit dem Personenzug.

객체(客體) ① 〖법·철학〗 Objekt n. -es, -e; Gegenstand n. -es, ⸚e. ¶범죄의 ～ das Objekt des Verbrechens / 영토는 통치의 ～이다 Das Stadtsgebiet ist das Objekt der Regierung. ② 《객지의》 die Person 《-en》 auf der Reise; die Person in der Fremde.

객초(客草) der Tabak für die Gäste 《pl.》.

객토(客土) die Erde, die von anderswoher gebracht wurde, um den Boden zu verbessern.

객향(客鄕) das fremde Land, -(e)s, ⸚er; der Ort, wo man als Fremder lebt.

객혈(喀血) Blutspucken n. -s; Hämoptoe f. ～하다 Blut spucken 〔husten〕.

객회(客懷) das sentimentale Gefühl e-r Person in der Fremde; 《향수》 Heimweh n. -(e)s, -e; Nostalgie f.

갠지스강(—江) 《인도의》 der Ganges.

갬대 das Holzmesser zum Jäten.

갬비아 《나라이름》 Gambia m. -s; Republik

《*f.*》 G. ¶ ~의 gambisch.
‖ ~사람 Gambier *m.* -s, -.
갭 Abstand *m.* -(e)s, ⸗e; Spalte *f.* -n.
갭직하다 ein bißchen 〔wenig〕 leicht (sein).
갯가 Ufer 《*n.* -s, -》 eines Haffs. ¶ ~에 나가다 zum Strand hinunter|gehen*Ⓢ.
갯가재 〖동물〗 Heuschreckenkrebs *m.* -es, -e.
갯값 Schleuderpreis *m.* -es, -e. ¶ ~으로 spottbillig; zum Schleuderpreis; halb umsonst. ¶ ~으로 팔다 zu e-m Schleuderpreis verkaufen[4]; spottbillig verkaufen[4].
갯고랑, 갯골 der kleine Kanal 《-(e)s, ⸗e》 am Fluß 〔Strand〕.
갯물 Salzwasser e-s Haffs.
갯바람 Meeresbrise *f.* -n; Seebrise *f.* -n.
갯밭 Feld 《*n.* -(e)s, -er》 an e-m Haff.
갯버들 〖식물〗 Salweide *f.* -n; Weide 《*f.* -n》 am Fluß.
갯벌 =개펄.
갯솜 =해면(海綿).
갯수(箇數) Stück *n.* -(e)s, -e; Stückzahl *f.*
갯지렁이 〖동물〗 Pier *m.* -(e)s, -e; Pieraas *m.* -es, -e; Sandwurm *m.* -(e)s, ⸗er (낚싯밥).
갱(坑) ① 《갱내》 Grube *f.* -n; das Innere* e-r Grube. ¶ 갱내에서 im Innern e-r Grube. ② 《갱도》 Minengang *m.* -(e)s, ⸗e; Galerie *f.* -n. ③ 《도랑》 Rinne *f.* -n (사금광의).
갱 Gangster [gέŋstər] *m.* -s, -; Gang [gɛŋ] *m.* -s, -s (갱단(團)).
갱내(坑內) das Innere* e-r Grube. ¶ ~의〔에〕 unter Tage 〔über Tage에 대해서〕; in der Grube. ¶ ~로 들어가다 an|fahren*[4] Ⓢ; ein|fahren*Ⓢ; e-e Grubenfahrt machen / ~로 반입하다 ein|hängen[4].
‖ ~노무자 Kumpel *m.* -s, -(s). ~작업 Grubenarbeit *f.* -en.
갱년기(更年期) das gefährliche 〔kritische〕 Alter, -s, -; Wechseljahre 《*pl.*》. ¶ 그 여자는 ~에 있다 Sie steht im gefährlichen Alter.
‖ ~장애 die Beschwerden des gefährlichen Alters.
갱도(坑道) ① 《땅속의》 Tunnel *m.* -s, -(s). ② 《광산의》 Minen|gang 〔Lauf-〕 *m.* -(e)s, ⸗e; Mine *f.* -n; Galerie *f.* -n [..rí:ən]; 《가로》 Stollen *m.* -s, -; 《세로》 Schacht *m.* -(e)s, ⸗e. ¶ ~를 굴진하다 e-n Minengang vor|treiben*.
‖ ~작업 Minenarbeit *f.* -en.
갱목(坑木) Gruben|pfeiler *m.* -s, - 〔-holz *n.* -es, ⸗er〕.
갱부(坑夫) Bergmann *m.* -(e)s, ..leute; Grubenarbeiter *m.* -s, -. ☞ 광부. ¶ ~로 일하다 in e-r Grube arbeiten.
‖ ~병 die Krankheit 《-en》 des Bergmanns. ~십장 der Vorarbeiter in der Grube.
갱생(更生) Wieder|geburt 〔Neu-〕 *f.* -en; das neue Leben, -s; Regeneration *f.* -en; Auferstehung *f.* -en (부활). ~하다 s-e Lebensbahn von neuem an|treten*; [4]sich zum Besseren wandeln; gleichsam s-e Wiedergeburt 〔Neugeburt〕 feiern; ein neues Leben an|fangen*. ¶ ~시키다 wieder ins Leben bringen*[4] 〔rufen*[4]〕; wieder lebendig machen[4]; regenerieren[4] / ~한 기분이 들다 [4]sich wie neu geboren fühlen.
‖ ~고무 regenerierter Kautschuk, -s. ~사위 die Gelegenheit zum Wiedergeburt. ~운동 Regenerationsbewegung *f.* -en.
갱소년(更少年) Verjüngung *f.* -en; das Wiederjungwerden, -s. ~하다 [4]sich verjüngen; wieder jung werden.
갱신(更新) Erneu(er)ung *f.* -en; Renovation *f.* -en; Auffrischung *f.* -en. ~하다 erneuern[4]; renovieren[4]; auf|frischen[4].
갱신못하다 [4]sich nicht bewegen können*; [4]sich gar nicht regen können* (vor Müdigkeit).
갱외(坑外) ¶ ~의〔에서〕 außerhalb der Grube.
‖ ~노무자 Arbeiter 《*m.* -s, -》 außerhalb der Grube 〔Stolle〕; Tagarbeiter *m.* -s, -.
갱의(更衣) das Wechseln* 《-s》 der Kleider. ~하다 die Kleider wechseln.
‖ ~실 Umkleideraum *m.* -(e)s, ⸗e; Garderobe(n)zimmer *n.* -s, -.
갱지(更紙) das grobe 〔rauhe〕 Papier, -s, -e.
갱지미 Suppentöpfchen 《*n.* -s, -》 aus Messing für Kinder.
갱충적다, 갱충맞다 liederlich; unordentlich; nachlässig; schlaff; unvorsichtig (sein). ¶ 갱충적은 〔갱충맞은〕 짓 unvernünftige Handlung, -en.
갸륵하다 lobens|wert 〔-würdig〕; löblich; preiswürdig; anerkennenswert; bewundernswert (sein). ¶ 갸륵한 일 gute Tat, -en; gute Arbeit, -en / 갸륵한 행실 lobenswertes Benehmen 〔Verhalten〕* -s / 갸륵한 정신 lobenswürdiger Geist, -(e)s, -er.
갸름하다 schmal u. lang; länglich u. rund (sein). ¶ 갸름한 얼굴 das ovale 〔länglichrunde〕 Gesicht, -(e)s, -er.
갸웃거리다 unruhig umher|blicken. ¶ 고개를 ~ [3]sich an den Kopf fassen (불가해); [4]sich hinter den Ohren kratzen (당혹); die Augen nach oben richten (생각할 때); den Kopf schütteln (의혹). ※ den Kopf 〔das Haupt〕 neigen은 「숙이다」「절하다」의 뜻.
갸자 Tragekasten 《*m.* -s, -》 für Speisen.
갹금(醵金) Beisteuer *f.* -n; Beitrag *m.* -(e)s, ⸗e; Geldsammlung *f.* -en 《이상 *zu*[3]》. ~하다 bei|steuern 《*zu*[3]》; e-n (Geld)beitrag leisten; sammeln 《*für*[4]》 (모금). ¶ 빈민을 위해서 ~하다 für Arme sammeln / …을 위해 ~운동을 벌이다 Es wird für ... gesammelt. / 각자는 자기의 몫을 ~해야 한다 Jeder muß s-n Anteil beisteuern.
갹출(醵出) Beitrag *m.* -(e)s, ..träge; das Beitragen, -s; die Teildarbietung des Geldes. ~하다 bei|tragen*; *jm.* das Geld dar|bieten*. ¶ 돈을 ~하다 Beiträge zusammen|steuern; Geld bei|steuern.
걀쭉- ☞ 길쭉-.
거 《그것·그거》 das; es. ¶ 거 참 좋다 Wie fein ist das! / 거 누구냐 Wer ist das? / 거 너무 심하다 Das ist aber zu stark. / 거 우습지 않은가 Ist das nicht lächerlich?
거가(車駕) 《수레》 der königliche Wagen, -s, -; 《행차》 der kaiserliche Zug, -(e)s, ⸗e.
거가(擧家) die ganze Familie, -n.
거가대족(巨家大族) die vornehme Familie, -n; die mächtige Sippe, -n.
거간(居間) ① 《행위》 Maklergeschäft *n.* -es, -e. ② 《사람》 Makler *m.* -s, -; Zwischenhändler *m.* -s, -; Sensal *m.* -s, -e. ¶ ~노릇을 하다 vermitteln; den Vermittler spielen.
‖ ~꾼 Makler *m.* -s, -: ~꾼을 통해서 durch einen Vermittler.
거개(擧皆) meistens; meistenteils; fast alle; beinahe alle; zum größten Teil; größtenteils. ¶ ~의 학생은 그 사전을 가지고 있다 Die meisten Studenten haben dieses Wörterbuch. / 손님들은 ~가 가까운 지방에서 온 사람들이었다 Die Gäste kamen zum größ-

ten Teil aus den benachbarten Provinzen.

거골(距骨) Sprungbein *n.* -(e)s, -e.

거괴(巨魁) Rädelsführer *m.* -s, -; Hauptanführer *m.* -s, -. ¶ 일당의 ~ der Anführer e-s Komplottes.

거구(巨軀) die große Figur, -en; der riesige Körper, -s, -. ¶ 280 파운드의 ~ der außerordentlich große Leib 《-(e)s, -er》 von 280 Pfund.

거국(擧國) die ganze Nation, -en; das ganze Volk, -es, ⸗er; das ganze Land, -es, ⸗er. ¶ ~적(인) die ganze Nation... / ~일치하여 mit dem Einsatz der ganzen Nation; e-e geschlossene Front bildend 〔국민이 주어〕 / ~일치로 그 정책을 지지하다 Das Volk unterstützt diese Politik wie ein Mann. / ~일치하여 외세에 대적하다 e-r gewissen Macht als ein Ganzes gegenüber|stehen*.

거금(巨金) e-e große Geldsumme, -n; viel Geld. ¶ ~ 1 천만 원 e-e Summe von zehn Millionen *Won.*

거금(距今) früh; von heute. ¶ ~ 3 백년 전 vor 3 hundert Jahren / ~ 50년 전의 일이다 Es ist 50 Jahre her.

거금(醵金) ☞ 갹금.

거기 《장소》 jener Ort, -es, -e; die Stelle, -n; 《거기에》 an jenem Ort; dort; da; 《그 범위》 so weit. ¶ ~서 von dort; dorther; von da / 여기서 ~까지 von hier bis dort/~에다가 überdies; außerdem; zu dem; noch dazu; 《설상가상》 was noch schlimmer ist / ~까지는 좋았으나 so weit ist es gut, aber... / ~가 문제다 es hängt davon ab / ~ 가는게 누구냐 Wer geht da? / ~는 내 자리다 Das ist mein Platz. / 그는 어제 ~ 갔었다 Er ist gestern dahin 〔dorthin〕 gefahren. / ~까지는 생각 안했는걸 Ich dachte nicht so weit. / ~까지 그의 말이 옳다 So weit hat er recht. / ~까지 같이 갑시다 Ich will bis dorthin mit Ihnen gehen. / ~까지는 아직도 먼가요 Ist's noch weit dahin?/ 아직 ~까지는 이르지 못하고 있읍니다 So weit ist es noch nicht.

거꾸러지다 《엎어지다》 nach vorne hin|fallen* Ⓢ; hin|fallen* Ⓢ; auf das Gesicht fallen* Ⓢ; 《무너지다》 bankrott werden; pleite gehen* Ⓢ(파산); verfallen*Ⓢ; untergehen* Ⓢ; ⁴sich ruinieren; 《죽다》 sterben* Ⓢ; kreppieren Ⓢ. ¶ 앞으로 ~ nach vorn(e) hin|fallen* Ⓢ / 기진하여 ~ erschöpft 〔ermattet〕 hin|fallen* Ⓢ / 왕조가 ~ e-e Dynastie ein|stürzen Ⓢ / 그녀는 계단에서 발을 헛딛고 거꾸러졌다 Sie trat auf der Treppe fehl u. fiel nach vorn.

거꾸로 《아래 위를》 kopfüber; mit dem Kopf nach unten; das Oberste zuunterst; kopfüber (곤두박혀); kopfunter(곤두박혀); umgekehrt (뒤집어); verkehrt (뒤집어); 《역으로》 umgekehrt; gegenteilig; entgegengesetzt; verkehrt; anders herum; 《오히려》 im Gegenteil; umgekehrt; dafür; statt dessen. ¶ ~ 세운 병 die auf den Kopf gestellte Flasche, -n / ~ 떨어지다 kopfüber fallen* Ⓢ; das Oberste zu unterst hinunter|stürzen Ⓢ / ~ 되다 umgekehrt werden; das Oberste zu unterst gekehrt werden; ⁴sich auf den Kopf stellen / 아무를 ~ 매달다 *jn.* mit dem Kopf nach unten auf|hängen/ 일을 ~ 하다 den Gaul beim Schwanz auf|-zäumen; die Pferde hinter den Wagen spannen / 자네는 모자를 ~ 썼네 Du hast den Hut verkehrt auf. / 그렇게 해서는 안돼, ~ 돌려 《열쇠 따위를》 So geht es nicht. Anders 'rum! / 그는 일을 ~ 하고 있다 Er tut gerade das Gegenteil von dem, was er tun sollte. | Er spannt die Pferde hinter den Wagen.

거나 ① 《설사 …지라도》 auch (selbst) wenn; wenn auch; obgleich. ¶ 무슨 일이 일어나~ was auch geschehen mag / 그가 무슨 말을 하~ er mag sagen, was er will / 그것이 어떻게 되~ es mag daraus, was da wolle. ② 《…든 …아니든》 ob... od. nicht. ¶ 그가 알~ 모르~ ob er weiß, od. nicht / 가졌~ 말~ 같다 Es ist mir ganz gleichgültig, ob ich es habe od. nicht. / 너희들이 인정하~ 안하~ 나는 나다 Ob ihr mich anerkennt, od. nicht, ich bin, was ich bin. ③ 《…한다든지》 oder; und. ¶ 이것이~ 저것이~ dieser od. jener / 오늘이~ 내일이~ heute od. morgen / 웃~ 떠들~ 하지 마시오 Lachen u. Sprechen sind verboten!

거나하다 angeheitert; angesäuselt; angetrunken; beschwipst; leicht beduselt (sein). ¶ 거나한 기분으로 etwas betrunken; mit e-m Spitz / 거나하게 취하다 e-n kleinen Rausch 〔Spitz〕 bekommen*; etwas betrunken sein/ 집에 돌아갈 때 그는 이미 거나했다 Er war schon leicht betrunken, als er nach Hause gehen wollte.

거냉하다 warm machen; (er)wärmen. ¶ 거냉되다 warm gemacht werden; erwärmt werden.

거년(去年) das vorige 〔letzte; vergangene〕 Jahr, -(e)s, -e. ¶ ~의 letztjährig; vorjährig / ~의 오늘 heute vor e-m Jahr / ~ 여름(에) Sommer 《*m.* -s, -》 vorigen Jahres (im letzten Sommer).

거념스럽다 armselig; ärmlich; erbärmlich; elend; lumpig; schäbig (sein).

거느리다 ① 《동반하다》 begleitet sein 《von *jm.*》; mit ³sich nehmen* 《*jn.*》. ¶ 많은 부하를 거느리고 왔다 Er kam mit vielen Vasallen 〔viel Gefolge; großem Gefolge〕. ② 《이끌다》 führen⁴; leiten⁴; befehligen; anführen⁴. ¶ 김 장군이 거느리는 군대 die Armee unter dem Kommando des General *Kims* / 그는 아이들을 거느리고 소풍을 갔다 Er hat mit allen Kindern e-n Ausflug gemacht. ③ 《부양하다》 für⁴ sorgen; ernähren. ¶ 그는 많은 가족을 거느리고 있다 Er hat eine große Familie zu ernähren.

거느림채 〖건축〗 Nebengebäude *n.* -s, -.

거늑하다 behaglich; gemütlich; wohnlich; bequem (sein).

-거늘 ① obwohl; während; wenn auch; obgleich. ¶ 누구나 형제가 있거늘 나만 없구나 Während alle anderen Brüder haben, habe nur ich keinen. ② 《하물며…》 nicht zu sprechen von...; geschweige denn. ¶ 대수와 기하도 모르거늘 하물며 미적분이랴 Er kann weder Algebra noch Geometrie, nicht zu sprechen von Differenzial- u. Integralrechnung. / 친척과의 교제를 피하거늘 하물며 남과 교제하랴 Er meidet schon den Umgang mit s-n Verwandten, umso mehr den mit Fremden 〔Unbekannten〕.

-거니 ① 《…한데》 da; weil. ¶ 나는 젊었거니 돌인들 무거우랴 Da ich noch jung bin, kann kein Stein für mich schwer sein. ② 《생각·추측·기대》 mit dem Gedanken, daß ...; vielleicht; sicher; gewiß. ¶ 편지가 와

있겠거니 하는 생각으로 빨리 돌아왔다 Mit dem Gedanken, daß ein Brief für mich angekommen wäre, kam ich rasch zurück. / 내일이면 만날 수 있겠거니 생각하면 매우 기쁘다 Wenn ich denke, daß wir uns morgen wieder sehen würden, bin ich sehr glücklich. ③ 《교대로》 bald..., bald; der Reihe nach. ¶ 말을 주거니 받거니 하다 miteinander sprechen* / 의견을 주거니 받거니 하다 die Meinungen aus|tauschen / 술잔을 주거니 받거니 하다 das Trinkschälchen entgegen|nehmen* u. geben.*

-거니와 und; aber; doch; allein; jedoch; indes; indessen; dennoch; bei alledem; trotzdem; eben so wie. ¶ 그 학생은 운동도 잘하거니와 공부도 잘 한다 Der Student ist im Sport eben so gut wie beim Studieren. / 돈도 없거니와 틈도 없다 Ich habe weder Geld noch Zeit. / 비도 오거니와 피로해 오후에 나가지 않겠다 Es regnet u. ich bin so müde, daß ich nachmittags nicht ausgehe. / 산도 높거니와 물도 맑다 Der Berg ist hoch u. das Wasser ist klar.

거니채다 ⁴*et.* ahnen; Wind bekommen 《*von*³》; merken; wittern; achten; auf e-n Gedanken kommen*.

거닐다 umher|lungern [h,s]; schlendern [h,s]; bummeln; spazieren gehen* [s].

거대하다(巨大—) ungeheuer (groß); gigantisch; kolossal; monströs; riesig; titanisch (sein). ¶ 거대한 공사 Riesenbau *m.* -(e)s, -e / 거대한 체구 Riesengestalt *f.* -en; die kolossale Figur, -en / 거대한 대포 Riesengeschütz *n.*

거덕치다 unförmig; ungestalt; plump; unbeholfen; anstößig; widerlich (sein).

거덜거덜하다 gefährlich; unsicher; ungewiß; bedenklich; hoffnungslos (sein).

거덜나다 ruiniert sein; bankrott werden; pleite gehen* [s]. ¶ 은행이 ~ die Bank in Konkurs geraten* [s] / 불경기로 그 가게는 거덜나고 말았다 Infolge des schlechten Geschäftsganges ist der Laden pleite gegangen.

거독하다(去毒—) entgiften 《Heilkräuter》.

거동(擧動) das Verhalten* (Benehmen*; Betragen*; Gebaren*; Gehaben*) -s. **~하다** ⁴sich benehmen; ⁴sich verhalten. ¶ ~이 수상한 verdächtig aussehend / ~이 신사답다 ⁴sich wie ein Herr benehmen* / ~이 점잖다 ⁴sich fein benehmen* / ~이 수상하다 verdächtig handeln / ~이 수상해서 의심을 받았다 Sein Verhalten brachte ihn in Verdacht.

거두(巨頭) die führende Persönlichkeit, -en; die (große) Kanone, -n. ¶ 재계의 ~ die führenden Finanziers 《*pl.*》 / 공업계의 ~ der führende (einflußreiche; profilierte) Industrieller, -s, - / 3 ~ 회담 das (Zusammen)treffen 《-s, -》 der drei Großen.

거두다 ① 《추수하다》 (her)ein|nehmen*⁴; (ein|)ernten; 《돈을》 versammeln⁴; an|nehmen⁴ (수납). ¶ 곡식을 ~ das Getreide ernten / 돈을 ~ Geld versammeln / 세금을 ~ Steuern erheben* (ein|ziehen*). ② 《성과 따위를》 gewinnen*⁴; kriegen⁴; erwerben*⁴; erlangen⁴; erreichen⁴; erzielen⁴; erkämpfen⁴; erzwingen*⁴ 《e-n Sieg》. ¶ 성공을 ~ Erfolg 《*m.* -s, -e》 in ³*et.* haben / 대단한 이익을 ~ einen Vorteil gewinnen*; Gewinn machen 《*bei*³》 / 승리를 ~ e-n Sieg davon|tragen* (gewinnen*; erringen*). ③ 《인심》 das Herz des Menschen gewinnen. ④ 《돌봄》 sorgen 《*für*⁴》; ernähren⁴; pflegen⁴; sorge tragen 《*für*⁴》; hüten⁴. ¶ 고아를 거두어 기르다 ³sich e-s verwaisten Kindes annehmen u. es pflegen / 집안을 ~ die Familie unterhalten* (ernähren) / 거두어 먹이다 mit Sorge pflegen (ernähren) / 아이들은 할머니가 거두기로 하다 die Kinder der Großmutter übergeben*. ⑤ 《끝내다》 auf|hören; nieder|legen⁴; zu Ende bringen*⁴. ¶ 눈물을 ~ die Tränen unterdrücken (zurück|halten*) / 간과(干戈)를 ~ die Waffen nieder|legen. ⑥ 《숨을》 den letzten Atem aus|hauchen; den letzten Atemzug tun*.

거두절미(去頭截尾) das Abschneiden von Kopf u. Schwanz; 《요점》 die summarische Erklärung, -en. **~하다** Kopf u. Schwanz ab|schneiden*; summarisch erklären.

거둠질 Sammlung *f.* -en; Ernte *f.* -n; Kollektion *f.* -en. **~하다** sammeln; ernten; auf|sammeln.

거둥 die kaiserliche Reise, -n. **~하다** Besuch ab|statten. ¶ 폐하께서는 어제 육군 클럽으로 ~하셨다 S-e Majestät der Kaiser hat gestern dem Militärklub e-n Besuch abgestattet.

거드럭거드럭 anmaßend; hochmütig; hochnäsig; unbescheiden; übermütig; trotzig.

거드럭거리다 ⁴sich hochmütig benehmen*; den Herrn spielen; großtun*; einher|stolzieren [s]; ⁴sich ein Ansehen geben wollen; ⁴sich spreizen; ⁴sich brüsten. ¶ 거드럭거리면서 말하다 in e-m hohen Tone sprechen*; auf|schneiden*; auf e-e affektierte Art u. Weise sprechen*; herrisch reden / 거드럭거리며 걷다 einher|stolzieren [s].

거드렁이하다 koreanisches Schachspiel nach der Regel, daß e-e einmal berührte Figur auch gezogen werden muß.

거드름 das Sichbrüsten*, -s; das Stolzieren*, -s; Geziertheit *f.* -en; Affektiertheit *f.* -en; Großtuerei *f.* -en. ¶ ~빼다, ~부리다, ~피우다 großtun*; ⁴sich brüsten; ⁴sich spreizen; einher|stolzieren [s] / ~을 피우며 hochmütig; stolz; überheblich.

-거든 ① 《가정·조건》 wenn; falls; wenn anders; wofern nur; vorausgesetzt daß. ¶ 필요하거든 wenn es nötig ist; nötigenfalls / 가능하거든 wenn es möglich ist / 만일 그렇거든 wenn das so ist; wenn die Sache so steht / 내 일이거든 was mich betrifft / 내일 날씨가 좋거든 꼭 가겠습니다 Wenn es morgen schön ist, komme ich sicher. ② 《더구나》 um wieviel mehr; um so mehr; noch mehr; nun gar; geschweige denn; nicht zu sprechen. ¶ 친척과의 교제도 피하거든 하물며 타인과의 교제가 있으랴 Er meidet schon den Umgang mit s-n Verwandten, um so mehr den mit Fremden. ③ 《놀라움》 gewiß; sicher. ¶ 과연 좋거든 Das ist sicher wundervoll! / 비가 많이 왔거든 Endlich hat es stark geregnet! / 그것이 가장 좋거든 Schließlich ist das doch das Beste!

거든그리다 schnell zusammen|packen (verstecken) 《vor *jm.*》.

거들다 *jm.* helfen*; *jm.* behilflich sein; *jm.* bei|stehen*; *jm.* Hilfe (Beistand) leisten; unterstützen⁴ 《*bei*³; *in*³》. ¶ 거드는 사람 Helfer *m.* -s, -; Gehilfe *m.* -s, -; Handlanger *m.* -s, -; Hilfskraft *f.* ⸚e / 일을 ~ *jm.* bei der Arbeit helfen* / 집안일을 ~ *jm.* im Haushalt helfen* / 찾는 것을(빨래를) ~ *jm.* beim Suchen (Waschen) helfen* / 외투 입는 것을 ~ *jm.* in den ⁴Mantel helfen*.

거들떠보다 *jn.* e-s Blicks würdigen; e-n Blick werfen*; *jm.* Beachtung schenken; Aufmerksamkeit richten ⟪*auf*⁴⟫. ¶거들떠보지도 않고 ohne *jn.* (⁴*et.*) e-s Blickes zu würdigen; k-e Beachtung schenkend ⟪*jm.*⟫; ohne e-n Blick zu werfen (ohne Aufmerksamkeit zu richten) ⟪*auf*⁴⟫ / 거들떠보지도 않다 *jn.* k-s Blicks würdigen; k-n Blick werfen* ⟪*auf*⁴⟫; *jm.* k-n Blick schenken; kein Interesse zeigen ⟪*für*⁴⟫ / 그것은 아무도 거들떠 보지 않는다 Es kräht kein Hahn danach. / 그는 돈을 거들떠 보지도 않는다 Er achtet des Geldes nicht. / 찾아갔으나 그는 거들떠 보지도 않았다 Ich wollte ihn sehen, aber er hat mir k-e Beachtung geschenkt (gegönnt).

거듭 wiederholt; immer wieder; wieder (noch) einmal; aufs neue; von neuem. ~하다 wiederholen⁴; repetieren⁴; noch einmal tun*. ~되다 ⁴sich wiederholen; wiederholt werden; repetieren⁴; noch einmal vor|kommen*Ⓢ. ¶실패를 ~한 끝에 nach wiederholten Mißerfolgen / ~ 묻다 noch einmal fragen⁴; dieselbe Frage wiederholen; wiederholt fragen⁴ / ~ 읽다 immer wieder lesen*⁴; wieder u. wieder lesen*⁴ / 고생을 ~하다 viele Mühseligkeiten durch|machen; es ³sich sauer werden lassen* / 실패를 ~하다 wiederholt fehl|schlagen*; noch einmal scheitern / 판을 ~하다 Auflagen ⟪*pl.*⟫ erleben / 죄를 ~하다 wiederholt das Verbrechen begehen* / 못된 짓을 ~하다 die Übeltat nach der andern wiederholen / 손해에 손해를 ~하다 Verlust über Verlust erleiden* / 회를 ~하다 mehrmals Sitzung haben; e-e Folge von Sitzungen haben / ~ 말하지만 ich wiederhole; nochmals gesagt / ~ 폐를 끼쳐 미안합니다 Ich bitte um Verzeihung, daß ich Ihnen sehr viel Mühe verursacht habe.

거듭거듭 wiederholt; wieder u. wieder; immer wieder; tausendmal; ⟪절실하게⟫ dringend; inständig(st); herzlich(st) (진심으로). ¶~부탁하다 *jn.* dringend bitten*.

거듭제곱 〖수학〗 =누승(累乘).

거뜬하다 leicht; einfach; bequem; handlich (sein). ¶거뜬하게 leicht; geschickt; mit Leichtigkeit; einfach; ohne Mühe; ohne Schwierigkeiten / 거뜬하게 차리고 leicht gekleidet / 거뜬한 차림으로 여행하다 mit wenig Gepäck reisen / 몸이 ~ von e-m Kind entbunden werden / 시험에 거뜬히 합격하다 e-e Prüfung mit Ehren bestehen*; ein Examen glänzend bestehen*; in e-m Examen durch|kommen* / 거뜬히 해치우다 ⁴*et.* geschickt aus|führen (ein|richten); ⁴*et.* sehr gut (geschickt) tun* / 그는 이 문제를 거뜬히 풀어냈다 Er hat die Aufgabe glänzend gelöst.

거란지(뼈) der Gesäßknochen ⟪-s, -⟫ des Ochsen.

거래(去來) (Kauf)handel *m.* -s, ⸚; (Kauf-) geschäft *n.* -(e)s, -e; Geschäftsverkehr *m.* -(e)s; Umsatz *m.* -(e)s, ⸚e; Handelsgeschäft *n.* -(e)s, -e. ~하다 Geschäfte ⟪*pl.*⟫ machen ⟪*mit*³⟫; handeln ⟪*mit*³⟫. ¶돈 ~ Geldgeschäft *n.* -(e)s, -e / ~를 개시하다(트다) in Geschäftsverbindung ⟪*f.*⟫ treten*Ⓢ ⟪*mit*³⟫/ ~를 끊다 die Geschäfte ⟪*pl.*⟫ ab|brechen* ⟪*mit*³⟫/~를 맺다 e-n Handel ab|schließen*/ ~ 관계가 있다 in ³Geschäften stehen* / ~가 흥성하다 glänzende (gute) Geschäfte machen / 꽤 ~가 많이 생겼다 Es wurde e-e ganze Menge (Reihe) von Geschäften abgeschlossen. / 그 은행과는 ~가 없다 Ich stehe mit jener Bank nicht in Geschäftsverbindungen. / 이 ~에서는 득실이 없다 Bei diesem Geschäfte hat man weder Vorteile noch Nachteile.

‖ ~고 Umsatzbetrag *m.* -(e)s, ⸚e. ~관계 Geschäftsverbindung *f.* -en. ~법 Börsengesetz *n.* -es, -e. ~선 Kunde *f.* -n; Geschäftsfreund *m.* -(e)s, -e: 그는 미국에 ~선이 많다 Er hat viele Geschäftsfreunde in Amerika. ~소 Börse *f.* -n: ~소 중개인 Börsenmakler *m.* -s, -. ~입회 Börsenoperation *f.* -en. ~은행 s-e Bank, -en. 부정~ Schwarzhandel *m.* 신용~ der Handel auf Kredit. 주식~ Aktienhandel *m.* 증권~소 Aktienbörse *f.* -n. 현금~ Konstantgeschäft *n.* -(e)s, -e. 현물~ Lokogeschäft *n.*

거레 die langsame Handlung, -en; Zögerung *f.*; Unschlüssigkeit *f.* ~하다 lungern; müßig gehen* Ⓢ.

거론하다(擧論—) ⁴*et.* als Subjekt (Thema) e-r Diskussion auf|nehmen*.

거루 ☞ 거룻배.

거룩하다 heilig; göttlich; ⟪장엄한⟫ feierlich; erhaben (sein). ¶거룩하신 하느님 der heilige Gott; der heilige Geist.

거룻배 Kahn *m.* -(e)s, ⸚e; das flacke Boot, -(e)s, -e. ¶~를 젓다 ein Boot fahren* (rudern).

거류(居留) Aufenthalt *m.* -(e)s, -e; Unterkunft *f.* ⸚e. ~하다 wohnen ⟪*in*³⟫; ⁴sich auf|halten* ⟪*in*³; *bei*³⟫; s-n Sitz haben ⟪*in*³⟫; ansässig (seßhaft) sein.

‖ ~민 der Ansässige*, -n, -n; Bewohner *m.* -s, -; Kolonie *f.* -n [..niːən] (집단). ~외국인 der ansässige Ausländer, -s, -. ~지 Wohnsitz *m.* -es, -e; Niederlassung *f.* -en; Sied(e)lung *f.* -en; Konzession *f.* -en(조계).

거르다[1] ⟪밭다⟫ (durch)seihen⁴; durchschlagen*⁴; durch|sickern (-|sintern) lassen*⁴; filtern⁴; filtrieren⁴; aus|mustern⁴ (선별하다). ¶거른 물 filtriertes Wasser / 체로 ~ mit dem Sieb reinigen⁴; sieben⁴; sichten⁴; beuteln; durch das Beutelsieb gehen lassen* / 50명의 지원자 중에서 걸러낸 사람은 불과 2명이었다 Von den fünfzig Kandidaten wurden nur zwei ausgewählt.

거르다[2] ⟪건너뛰다⟫ über|springen*; aus|lassen*; weg|lassen*. ¶하루 걸러 e-n Tag um den anderen; jeden zweiten Tag; alle zwei Tage / (책의) 어려운 부분을 ~ beim Lesen schwierige Stelle (Zeile) über|springen* / 한 줄씩 걸러 쓰다 auf jede zweite Zeile schreiben*⁴; e-e Zeile um die andere beschreiben*⁴.

거름 Dünger *m.* -s, -; Düngemittel *n.* -s, -; Dung *m.* -(e)s; Mist *m.* -(e)s, -e (퇴비). ~주다 düngen⁴. ¶~치는 사람 Abtritts|reiniger (-leerer) *m.* -s, - / 밭에 ~을 주다 düngen den Acker.

‖ ~구덩이 Düngergrube *f.* -n.

거리[1] ⟪재료⟫ Material *n.* -s, -ien; Stoff *m.* -es, -e; Gegenstand *m.* -(e)s, ⸚e (이야기 따

위의); 《근거·핑계》 Basis *f.* ..sen; Grundlage *f.* -n; Vorwand *m.* -(e)s, ⸗e; Entschuldigung *f.* -en; Ausflucht *f.* ⸗e. ¶ 웃음~ der Gegenstand des Gelächters / 이야깃 ~ Gesprächs|gegenstand (-stoff) *m.* / 일~ ein Stück Arbeit; Beschäftigung *f.* -en/ 말할 ~가 없어지다 der Gesprächsgegenstand zu Ende gehen* Ⓢ; k-e Entschuldigung haben 《*für*⁴》.

거리² ① 《길거리》 Straße *f.* -n; Weg *m.* -(e)s, -e. ¶ ~거리 auf allen Straßen; überall in der Stadt / 큰 ~ Hauptstraße *f.* -en; Verkehrsstraße *f.* -en / ~의 천사 die heimatlosen Kinder 《*pl.*》; Straßenjunge *m.* -n, -n/ ~의 부랑배 Straßengesindel *n.* -s, - / ~의 여자 Straßen|dirne (-dame) *f.* -n / ~를 걸어가다 auf die Straße gehen* Ⓢ / 거릿송장이 되다 an der Straße (auf der Straße) sterben* Ⓢ. ② 《항간》 Stadt *f.* ⸗e; Viertel *n.* -s, -. ¶ ~의 소문이 되다 zum Gerede der Stadt (der Leute) werden; zum Stadtklatsch werden.

‖ 네~ Kreuzweg *m.* -(e)s, -e; Straßenkreuzung *f.* -en. 삼~ die Straßenkreuzung mit drei Straßen.

거리³ 《단위》 ein Haufen von 50 Stück (오이, 가지 따위). ¶ 오이 두 ~ hundert Stück Gurken.

거리(巨利) der enorme (große) Gewinn, -s, -e. ¶ ~를 거두다(얻다) e-n enormen Gewinn ziehen 《*aus*³》; e-n großen (gewaltigen) Gewinn haben 《*von*³》; große Gewinne ein|streichen.*

거리(距離) Entfernung *f.* -en; Abstand *m.* -(e)s, ⸗e; Distanz *f.* -en; Zwischenraum *m.* -(e)s, ⸗e; Kluft *f.* ⸗e (현격). ¶ ~가 있다 entfernt sein 《*von*³》/ ~가 2마일 된다 zwei Meilen entfernt sein 《*von*³》| Die Entfernung (Der Abstand) beträgt 2 Meilen. / ~를 유지하다 Abstand halten* (일정한 간격); ⁴sich in einiger Entfernung (in e-r gewissen Distanz) halten* 《*von*³》/ ~를 재다(측정하다) die Entfernung messen* / 50미터의 ~를 두고 in Zwischenraum von 50 Metern / 마을까지는 ~가 얼마나 되는가 Wie weit ist es bis zum Dorf? / 대단한 ~는 아니다 Es ist nicht weit entfernt. / 차로 10분쯤의 ~에 있다 Es ist etwa 10 Minuten Fahrt von hier.

‖ ~계(計) 〚사진〛 Entfernungsmesser *m.* -s, -. ~표 Distanzpfahl *m.* -(e)s, -e; Distanztabelle *f.* -n (철도의). 비행~ Flugstrecke *f.* -n. 장~ 전화 Ferngespräch *n.* -s, ⸗e. 장(중, 단)~ die lange (mitt(e)le, kurze) Strecke. 직선~ die gerade Entfernung. 중~ 경주 Mittelstreckenrennen *n.* -s -. 중~ 선수 Mittelstreckenläufer *m.* -s, -. 착탄~ Weite *f.*; Schußweite *f.*; Tragweite *f.* 활공~ Gleitstrecke *f.* -n. 활주~ 《비행기의》 Rollstrecke *f.* -n; Auslaufsstrecke *f.* -n.

거리끼다 ⁴sich genieren 《*vor*³》; zögern 《⁴*et.* zu *tun*》; Bedenken tragen* 《⁴*et.* zu *tun*》; ⁴sich scheuen 《*vor*³》; zurück|weichen* Ⓢ 《*vor*³》; Rücksicht nehmen* 《*auf*⁴》; mißtrauisch sein 《*gegen*⁴》. ¶ 거리낌 없이 ohne Zurückhaltung; ohne Scheu; ohne Bedenken; ohne Gewissensbisse; offen; frei; ohne Rücksicht auf die Anwesenden / 거리낌 없이 말하다 offen sagen; ohne Rücksicht auf andere laut sprechen* / 그것이 거리끼어 이 일까지 실패했다 Das legte mir ein Hindernis in den Weg u. ich konnte k-n Erfolg haben.

거마(車馬) Wagen u. Pferde (차와 말); Fahrzeug *n.* -(e)s, -e (차량 일반); Fuhrwerk *n.* -(e)s, -e (차량, 특히 짐마차). ¶ ~ 통행 금지 Gesperrt für Fahrzeuge! (게시); K-e Durchfahrt! (게시) / ~의 왕래 Fahrtverkehr *m.* -s.

거만(巨萬) Myriade *f.* -n; Unmasse *f.* -n. ¶ ~의 Milliarden (Millionen) von³ ...; e-e Unmasse (Unmenge) von³ ...; enorm; ungeheuer; kolossal / ~의 부를 축적하다 ein ungeheures Vermögen an|häufen / ~의 부를 지니다 reich wie ein Krösus sein; Geld wie Heu (Sand) haben / ~의 돈을 투입하다 ein ungeheures Vermögen stiften (an|legen; investieren).

거만(倨慢) Stolz *n.* -es; Anmaßung *f.* -en (불손); Arroganz *f.* -en (자부); Aufgeblasenheit *f.*; Aufblähung *f.*; Dünkel *m.* -s (자만); Hochmut *m.* -(e)s; Überheblichkeit *f.* -en (우쭐한); Prahlerei *f.* -en (호언장담); Wichtigtuerei *f.* -en (뽐냄). ~하다 stolz; anmaßend; arrogant; aufgeblasen; aufgebläht; dünkelhaft; hoch|mütig (-näsig); überheblich; prahlerisch; wichtigtuerisch (sein). ¶ ~한 얼굴을 하다 die Nase hoch tragen*; die Nase hochmütig auf|werfen*/ ~한 태도를 보이다 ⁴sich groß machen; groß|tun* / ~을 떨다 die Nase hoch tragen*; wichtig (dick) tun*; gern blähen (wie der Frosch in der Fabel).

거매지다 dunkel (schwarz; braun) werden.

거머들이다 mit Gewalt entreißen*; weg|reißen*; an ⁴sich reißen*; zusammenraffen; ein|sammeln.

거머리 《동물》 Blutegel *m.* -s, -; 《사람》 Blutsauger *m.* -s, -; lästiger Mensch, -en, -en. ¶ ~를 붙이다 e-n Blutegel setzen 《*jm.*》.

거머무트름하다 schwarz u. dick (rund) (sein).

거머삼키다 ganz hinunter|schlucken⁴; verschlucken⁴; verschlingen*⁴; gierig aufnehmen*⁴; hinunter|würgen⁴.

거머안다 in die Arme schließen*; an die Brust drücken; fest umarmen.

거머잡다 ⁴*et.* ergreifen*; greifen* 《*nach*³》; ⁴*et.* packen.

거멀 Krampe *f.* -n; Klampe *f.* -n. ~하다 Krampe einschlagen*.

‖ ~못 Krampe *f.* -n.

거멀다 dunkel; schwärzlich; schwarz (sein).

거목(巨木) ein großer Baum, -(e)s, ⸗e; Riesenbaum *m.*

거무스름하다 schwarzbraun; schwärzlich; dunkel; sonnenverbrannt (sein). ¶ 거무스름해지다 schwarz werden / 눈자위가 ~ dunkle Ringe um die Augen haben.

거문고 〚악기〛 koreanische Harfe 《-n》 mit sechs Saiten.

거물(巨物) 《큰 인물》 Hauptperson *f.* -en; Hauptpersönlichkeit *f.* -en; das hohe Tier, -es, -e; die tragende Figur, -en; Größe *f.* -n; Löwe *m.* -n, -n 《속어》; Stern *m.* -es, -e. ¶ 정계의 ~ der Löwe der politischen Kreise; maßgebende Persönlichkeit der politischen Welt / 산업계의 ~ Industriemagnat *m.* -en, -en / 현대의 ~ der Löwe des Tages.

거뭇하다 ☞ 가뭇하다.

거미 Spinne *f.* -n. ¶ ~알 슬듯 하다 überall

stark ausbreitet (fortgepflanzt) sein.
‖ ~발 《보석의》 die Juwelfassung wie die Spinnenbeinen. ~집 Spinnen|netz *n.* -es, -e (-gewebe *n.* -s, -).

거미줄 ① 《거미의》 Spinnenfaden *m.* -s, ⁼; Spinnengewebe *n.* -s, -; Spinnennetz *n.* -es, -e. ~치다 ein Spinnennetz weben*. ¶ ~에 걸리다 von Spinnennetz gefangen sein / ~을 걷다 das Spinnennetz beseitigen / 목구멍에 ~치다 sehr hungrig sein; Hunger leiden*. ② 《비상선》 Kordon *m.* -s, -s; Absperrung *f.* -en; Postenkette *f.* -n (정치적); Abriegelung *f.* -en. ~치다, ~늘이다 e-n Kordon ziehen* 《*um*⁴》; Posten aus|stellen; ab|sperren⁴.

거미치밀다 geizig (gierig) sein; beneiden 《*jn. um*⁴》.

거반(居半) beinahe; fast; nahezu; größtenteils; so ziemlich; zum größten Teil. ¶ 건물이 ~ 완성되었다 Der Bau ist beinahe (ziemlich) fertig. / 이 주일도 ~ 다 갔다 Diese Woche ist nahezu vorüber.

거방지다 imponierend; imposant; majestätisch; würdevoll; erhaben; stattlich (sein).

거베 das rauhe Leinen, -s, -.

거베라 〖식물〗 Gerbera *f.* -s.

거벽(巨擘) ① 《엄지손가락》 Daumen *m.* -s, -. ② 《권위자》 der führende Gelehrte, -n, -n; Autorität *f.* -en; der hervorragende Kopf, -es, ⁼e. ¶ 문단의 ~ der Löwe der literarischen Welt.

거병(擧兵) die Aushebung des Soldaten (der Truppen). ~하다 Soldaten (Truppen) aus|heben*; ⁴sich erheben* 《*gegen*⁴》; eine Empörerarmee auf|stellen.

거보(巨步) ¶ ~를 내딛다 große Schritte 《*pl.*》 machen (진보); e-n großen Schritt tun 《*zu*³; 보기: zum Erfolg》; mit langen Schritten vorwärts|kommen* Ⓢ.

거봐라 Schau mal!; Du siehst!; Ich sagte dir das! ¶ ~ 내 말이 맞았지 Du siehst, es ist wahr, was ich dir gesagt habe. / ~ 내 말을 들었더라면 그런 잘못은 없었을 텐데 Ich habe es dir gesagt. Wenn du m-m Rat gefolgt wärest, hättest du k-n Fehler gemacht.

거부(巨富) der steinreiche Mann, -es, Leute; Plutokratie *f.* ..tien (거부들); Millionär *m.* -s, -e; Krösus *m.* -, -se.

거부(拒否) ① 《거절》 Ablehnung *f.* -en; Absage *f.* -n; Abweisung *f.* -en; die abschlägige Antwort, -en; Versagung *f.* -en; (Ver)weigerung *f.* -en; Zurückweisung *f.* -en. ~하다 ab|lehnen⁴; ab|sagen⁴; *jm.* ⁴*et.* ab|schlagen*; ab|weisen*⁴; versagen⁴; *jm.* ⁴*et.* (⁴sich *jm.*) verweigern; *jm.* ⁴*et.* (⁴sich) weigern; *js.* Veto ein|legen《*gegen*》. ¶ ~적인 태도를 취하다 ⁴sich ablehnend verhalten*; e-e ablehnende Haltung ein|nehmen* / 일체의 책임을 딱 잘라 ~하다 jede Verantwortung glatt (rundweg) ab|lehnen / 동행을 ~하다 ⁴sich weigern, mitzukommen. ② 《법안 따위의》 Veto *n.* -s, -s.
‖ ~권 Vetorecht *n.* -(e)s, -e: ~권을 행사하다 *js.* Vetorecht aus|üben. ~반응 〖의학〗 Ablehnungssymptom *n.* -s, -e.

거북 Schildkröte *f.* -n; Seeschildkröte (바다의); Sumpfschildkröte (민물의).
‖ ~선 das Schildkrötenschiff; das mit Eisenplatten bedeckte schildkrötenartige Kriegsschiff.

거북스럽다, 거북하다 befangen; unfrei; gehemmt; gebunden; unbehaglich; unangenehm; unbequem; ungemütlich; nicht traulich; unwohnlich (sein). ¶ 거북해하다 ⁴sich genieren; in Verlegenheit geraten* (kommen*) Ⓢ / 거북한 입장 unangenehme Lage, -n; peinliche Situation, -en / 거북한 표현 der heikele (peinliche; ungeschickte) Ausdruck / 거북한 자리 ein unbequemer Sitz (Platz); e-e unangenehme Begegnung (Zusammenkunft) / 말씀드리기 거북합니다만 Wenn ich Sie bitten dürfte. | Ich bedauere, Ihnen sagen zu müssen, daß.... / 뱃속이 ~ an ³Verdauungsstörung leiden*; *js.* Magen nicht in Ordnung sein; es im Magen haben / 말하기 거북해 하다 nicht über die Lippen bringen können*⁴; zögern, ⁴*et.* auszusprechen / 나는 그가 거북해하지 않도록 노력했다 Ich gab mir Mühe, daß er nicht unangenehm berührt werde. / 그들은 만나기를 서로 거북해 한다 Sie fühlen sich unangenehm, miteinander zu treffen. / 모르는 사람이 있으면 ~ Ich bin (fühle mich) in Gegenwart fremder Leute befangen.

거북점(一占) 《거북의》 die Wahrsagerei 《-en》 durch den Spalt der gebrannten Schildkrötenschale; 《골패의》 das Wahrsagen* 《-s》 aus Dominosteinen; Geduldsspiel 《*n.* -(e)s, -e》 mit Dominosteinen. ~하다 durch den Spalt der gebrannten Schildkrötenschale wahrsagen (prophezeien⁴).

거비(巨費) die großen Kosten 《*pl.*》; das große Kapital, -(e)s, -e (..lien). ¶ ~를 들여서 mit großen Kosten / ~를 투자하다 ⁴sich erheblich kosten lassen*; ein großes Kapital an|legen (stecken) 《*in*⁴》.

거사(居士) ① 《불교도》 der buddhistische Laienbruder, -s, ⁼. ② 《처사(處士)》 der zurückgezogen lebende Gelehrte*, -n, -n; Einsiedler *m.* -s, -; Klausner *m.* -s, -; Eremit *m.* -en, -en.

거사(擧事) das Aufstehen*, -s 《*gegen*⁴》; Angriff *m.* -(e)s, -e; das Anfangen*, -s. ~하다 ⁴*et.* in Gang bringen*; ⁴*et.* in Bewegung setzen; an|fangen*; beginnen*; ⁴sich empören 《*gegen*⁴》; auf|stehen* Ⓢ 《*gegen*⁴》.

거상(巨商) der reiche Kaufmann, -(e)s, ..leute; Handelsfürst *m.* -en, -en.

거상(巨像) Koloß *m.* ..losses, ..losse; Riesenstatue *f.* -n.

거상(居喪) ① 《상중》 Trauer *f.*; Trauerzeit *f.* -en. ② 《상복》 Trauerkleidung *f.* -en. ~하다 Trauer haben; in Trauer gehen* Ⓢ.

거석(巨石) der große Stein, -(e)s, -e; 《유사이전의》 Megalith *m.* -(e)s (-en), -e(n).
‖ ~문화 Megalithkultur *f.* -en.

거선(巨船) Riesenschiff *n.* -(e)s, -e; Leviathan [leviá:tan, ..atá:n] *m.* -s, -e (-s).

거성(巨星) der riesige (große) Stern, -(e)s, -e; der große Mann, -(e)s, ⁼er; Größe *f.* -n; Löwe *m.* -n, -n. ¶ 문단의 ~ der literarische Meteor, -s, -e; der Löwe der literarischen Welt.

거세(去勢) Kastrierung *f.* -en; Verschneidung *f.* -en; Entmannung *f.* -en. ~하다 kastrieren⁴; verschneiden*⁴; entmannen⁴; 《약화시키다》 verweichlichen⁴; enervieren⁴; entnerven⁴.
‖ ~계(鷄) Kapphahn *m.* -s, ⁼e; Kapaun *m.* -(e)s, -e. ~마 Wallach *m.* -(e)s, -e. ~술 Kastration *f.* -en. ~양 Hammel *m.* -s,

-〔⸗〕. ~우 Ochse *m.* -n. -n.

거세다 ① 《거칠》 heftig; stark; rauh; feurig; stürmisch; wild; reißend; gewaltig (sein). ¶거센 여자 die unbändige Frau, -en; die widerspenstige Frau / 거센 목소리 die rauhe〔grobe〕Stimme, -n / 거센 물결 gewaltige Wellen 《*pl.*》; Sturzwellen 《*pl.*》; heftige Wellenschläge 《*pl.*》; mächtige Wogen 《*pl.*》/ 거센 세파에 시달리다 in der Welt umhergeworfen sein / 불길이 점차로 거세어졌다 Das Feuer wurde allmählich stärker. / 동쪽에서 거센 바람이 불어왔다 Der heftige〔starke〕Wind kam vom Osten. ② 〖음성학〗 aspiriert (sein); mit Hauchlaut aus|sprechen*. ¶거센 말 der starke Hauchlaut / 거센 소리 der aspirierte Ton.

거소(居所) (Wohn)sitz *m.* -es, -e; Wohnort *m.* -(e)s, -e; Aufenthalt(sort) *m.* -(e)s, -e; Adresse *f.* -n. ¶~를 정하다 ^{4}sich nieder|-lassen* 《in e-r Stadt》; s-n Wohnsitz auf|-schlagen* 《an e-m Ort》; s-e Wohnung nehmen* 《an e-m Ort》/ ~를 변경하다 s-n Wohnort verlegen.

거수(擧手) das Hand(auf)heben*, -s. ~하다 die Hand erheben*. ¶~로 찬부를 정하다 durch Handaufheben ab|stimmen 《*über*^{4}》. ‖~경례 der militärische Gruß, -es, ⸗e: ~경례를 하다 salutieren^{3}; militärisch grüßen^{4}. ~기(機) 《국회 따위의》 das willenlose Werkzeug; Marionette *f.* -n: 행정부의 ~기 노릇을 하다 der Regierungspolitik zum willenlosen Werkzeug dienen. ~투표 die Wahl durch Handerhebung〔Handaufheben〕: ~투표로 laut Handerhebung.

거스러미 《손톱의》 Nied¦nagel〔Neid-〕*m.* -s, -; 《나무의》 Splitter *m.* -s, -; Span *m.* -s, ⸗e. ¶~가 생기다 Niednagel bekommen*; Der Nagelrand ist eingerissen.

거스러지다 ① 《성질이》 widerspenstig〔hartnäckig; starrköpfig; eigensinnig; verstockt〕werden. ② 《털이》 ^{4}sich sträuben. ¶그것을 보고 머리털이 거스러졌다 Sein Haar sträubte sich bei dem Anblick.

거스르다 ① 《뜻·비위를》 ^{4}sich widersetzen^{3}; widerstreben^{3}; ^{4}sich auf|lehnen 《*gegen*^{4}》; ^{4}sich sträuben 《*gegen*^{4}》; nicht gehorchen^{3}; widersprechen*^{3}. ¶…(을) 거슬러 gegen^{4}; wider^{4}; zum Trotz 《^{3}*et.*; *jm.*》/ 어버이의 말씀을 ~ s-r Eltern nicht gehorchen / 상관의 명령을 ~ ^{4}sich dem Befehl s-s Vorgesetzten widersetzen / 도리를 ~ gegen die Vernunft handeln / 아무의 뜻을 ~ ^{4}sich *js.* ^{3}Willen widersetzen / 시대의 조류를 ~ gegen〔wider〕den Strom schwimmen* ⓢ,ⓗ / 바람을 거슬러 나아가다 gegen den Wind gehen* ⓢ. ② 《돈을》 den Überschuß〔den Rest〕heraus|geben*. ¶거슬러 받다〔주다〕(Kleingeld) heraus|bekommen*〔-|geben*〕/ 천 원짜리로 거슬러 주시겠읍니까 Können Sie mir auf tausend *Won* herausgeben?

거스름돈 Wechselgeld *n.* -(e)s, -er; Retourgeld [rətø:r..] *n.* -(e)s, -er; Rest *m.* -es, -e (남은 돈). ¶~을 내놓다 den Rest zurück|-geben*〔heraus|geben*〕/ ~은 10원입니다 Sie bekommen 10 *Won* zurück. / ~은 필요 없소 Es stimmt.¦Der Rest ist für Sie.¦Den Rest können Sie behalten. / ~ 여기 있읍니다 Hier haben Sie den Rest. / 1,000 원이면 ~이 있읍니까 Können Sie mir auf 1000 *Won* herausgeben?

거슬거슬하다 《성질》 grob; rauh; hitzig; 《살결》 rauh (sein). ¶성질이 ~ rauhe Natur haben / 손이 ~ rauhe Hände haben / 이 종이는 ~ Das Papier fühlt sich rauh an.

거슬러올라가다 ① 《흐름을》 stromauf(wärts) gehen*〔fahren*; schwimmen*〕ⓢ; den Strom hinauf|gehen*〔hinauf|schwimmen*〕. ¶배가 강을 ~ Das Schiff fährt den Fluß aufwärts. ② 《과거로》 zurück|gehen* ⓢ 《*auf*^{4}》. ¶근원으로 ~ auf den Ursprung〔die Quellen〕zurück|gehen* ⓢ (소급) / 과거로 ~ auf die Vergangenheit zurück|gehen* ⓢ / 그 당시로 거슬러올라가 생각해 보면 여러 가지 일이 새롭다 Wenn ich auf〔in〕jene Zeit zurückblicke, erinnere ich mich an verschiedene Dinge.

거슬리다 widersprechen*^{3}; ab|weichen* ⓢ 《*von*^{3}》; zuwider^{3} sein; ^{4}sich nicht vertragen* 《*mit*^{3}》. ¶귀에 ~ unangenehm (zuhören); mißtönend sein / 눈에 ~ *jm.* ein Dorn im Auge sein; *jm.* unangenehm sein; *jn.* stören / 그는 내 비위에 거슬린다 Er ist mir in der Seele zuwider. / 비위에 ~ *jm.* zu nahe treten* ⓢ / 뜻에 ~ ^{4}sich *js.* ^{3}Willen widersetzen / 그 소리가 귀에 거슬린다 Das Geräusch stört mich. / 이 전기 스탠드는 어쩐지 눈에 거슬린다 Diese Tischlampe stört mich irgendwie.

거슴츠레하다 schläfrig; trübe (sein). ¶거슴츠레한 눈 schläfrige〔trübe〕Augen 《*pl.*》.

거시시하다 unklar; matt; neblig; trübe; benebelt (sein).

거시적(巨視的) 〖물리〗 makroskopisch; 《견해의》 umfassend; einschließend. ¶~으로 보다 überblicken^{4}; übersehen*^{4}.

‖~물리학 Makrophysik *f.* ~분석 〖경제〗 makroskopische Analyse, -n.

거시키 ① 《대명사적》 wie nennt man es; Dingsda *n.*(*m.* u. *f.*); Dings¦kirchen〔-dorf〕*n.* -s; so u. so. ¶내 ~ 어디 갔나 Wo ist mein Dingsda? ② 《감탄사적》 Wie war es〔er〕genannt—daß…. ¶~ 그게 무어라더라 Das—wie war es genannt—das Dingsdorf.

거식(擧式) Abhaltung 《*f.* -en》 der Feier〔der Zeremonie〕. ☞ 식(式). ~하다 die Feier〔Zeremonie〕ab|halten*.

거식하다 ① 〖동사로서〗 etwas od. anderes tun* 《*mit*^{3}》; tändeln 《*mit*^{3}》. ¶네 친구로 돈을 거식한 사람 있지 않았니… 저 언젠가 돈을 잃어버린 사람 말이야 Hast du e-n Freund gehabt, der…etwas od. anderes mit Geld getan hat… ja, jener Mann, der etwas Geld verloren hat, weißt du? ② 〖형용사로서〗 was für e-e Art von…; auf irgendeine Art—ich weiß nicht—; schwer zu beschreiben sein; 《거북함》 ungern sein (zu sagen); un¦gewiß〔-sicher〕sein, ob man sagen sollte. ¶말하기 거식해서 말하지 않았다 Es war ein bißchen zweifelhaft, ob ich darüber reden sollte, so habe ich nichts gesagt.

거실(居室) 《자기의》 Privatzimmer *n.* -s, -; 《가족의》 Gemach *n.* -(e)s, ⸗er〔-e〕; Wohnzimmer *n.* -s, -〔-stube *f.* -n〕; Familienzimmer *n.* -s, -.

거액(巨額) die große〔ungeheure〕Summe, -n; die beträchtliche〔erhebliche; stattliche〕Summe (적지 않은); das nette〔hübsche〕Sümmchen, -s, - (비꼬아서). ¶~에 달하다 enorm sein 〖액수가 주어〗; e-e ungeheure Summe kosten; ^{4}sich auf e-n ungeheuren Betrag von^{3}… belaufen*; kolossal viel betragen* / ~의 부채 schwere Schulden 《pl.》/ ~의 주문 die große Bestellung, -en; Engrosbestellung [ãgró..] / ~의 기부 die reiche Spende, -n.

거여목 〖식물〗 Sichelklee m. -s.

거역(拒逆) Widerstreben n. -s, -; Widerstand m. -es, ⸚e; Opposition f. -en; Einspruch m. -s, ⸚e (이론); Einwendung f. -en. ~하다 [4]sich widersetzen[3]; widerstreben[3]; trotzen[3]; nicht gehorchen[3]; opponieren 《gegen[4]》. ¶ …에 ~하여 gegen[4]; jm. zum Trotz / 상관 명령에 ~하다 [4]sich dem Befehl s-s Vorgesetzten widersetzen / 부모에게 ~ [4]sich [3]Willen der Eltern widersetzen / 하늘의 뜻에 ~하다 der göttlichen Vorsehung trotzen / 신의 뜻에 ~ 하다 dem Gotteswillen widerstreben.

거우다 jn. ärgern; jn. erzürnen; jn. auf|bringen*; reizen[4]; an|reizen[4]; erregen[4]; auf|regen[4].

거우르다 neigen[4]; schräg machen[4]; schief legen[4]; kippen[4]; auf die Seite wenden*[4].

거울 ① Spiegel m. -s, -; Spekulum n. -s, ..la (금속의). ¶ ~을 보다 in e-n Spiegel sehen* (schauen; gucken); [4]sich in e-m Spiegel an|sehen* / ~에 비치다 [4]sich im Spiegel wiederspiegeln / ~같다 spiegelglatt sein / ~같은 바다 das spiegelglatte Meer. ② 《귀감》 Vorbild n. -es, -er; Muster n. -s, -; Modell n. -s, -e; Ausbund m. -es, ⸚e. ¶ 부도(婦道)의 ~ das Muster e-r guten Hausfrau / 무인의 ~ ein Muster der Ritterlichkeit; ein vorbildlicher Ritter / 정절의 ~ das Muster der Treue / 남의 ~이 되다 der Welt als Vorbild (Muster) gelten*.

거울삼다 jn. zum Vorbild machen; [3]sich jn. ([4]et.) zum Muster nehmen*; [3]sich jn. zum Vorbild nehmen*; [3]sich ein Beispiel an jm. nehmen*. ¶ 당신을 거울삼겠소 Ich nehme Sie mir zum Muster. / 그를 거울삼아라 Nimm dir ein Beispiel an ihm!

거웃[1] 《음모》 die Schamhaare 《pl.》; Pubes f. ..bis.

거웃[2] 《두둑》 Acker¦furche (Feld-) f. -n.

거위[1] Gans f. ⸚e; Ganser m. -s, -; Gänserich m. -(e), -e (수컷).

‖ ~고기 Gänsefleisch n. -es. ~새끼 Gänschen n. -s, -; die junge Gans. ~영장 Hopfenstange f. -n; die lange Person.

거위[2] 《회충》 Spulwurm m. -(e)s, ⸚er. ¶ ~가 생기다 Spulwürmer bekommen*.

‖ ~배 die Bauchschmerzen 《pl.》 durch Spulwürmer; das von Rundwurm verursachten Magenleiden.

거유(巨儒) der gelehrte Konfuzianer, -s, -; ein großer Gelehrter*; Autorität f. -en.

거의 《대체로》 fast; beinah(e); nahezu; so ziemlich; 《대부분》 größtenteils; zum größten Teil; 《대략》 etwa; ungefähr; 《부정》 fast nicht (nie); kaum; schwerlich; wenig; 《하마트면》 nahe daran sein, [4]et. zu tun; um Haaresbreite; um ein Haar. ¶ ~ 예외 없이 fast ohne Ausnahme / ~ 동연배다 Er ist ziemlich so alt wie ich.¦Er ist so ziemlich in m-m Alter. / 일은 ~ 끝났다 Die Arbeit ist fast (ziemlich) fertig. / ~ 불가능하다 Es ist fast unmöglich (kaum möglich). / ~ 가망이 없다 Nur wenige Aussicht gibt es darauf.¦Es läßt sich kaum e-e Möglichkeit dazu absehen. / 그의 전력에 대해서는 아는 사람이 ~ 없다 Sein Vorleben ist nur den wenigsten bekannt. / 그는 ~ 50 이다 Er ist nahe an die Fünfzig. / 그녀는 ~ 기절할 뻔했다 Sie war e-r Ohnmacht nah. / 그는 ~ 오지 않는다 Er kommt selten. / 건축은 ~ 완성되었다 Der Bau ist ziemlich fertig. / 그는 ~ 죽은 거나 다름없다 Er ist so gut wie tot. / 이것과 그것은 ~ 같다 Das u. jenes sind fast gleich. / 이 병에 걸리면 ~ 죽는다 Diese Krankheit ist in den meisten Fällen tötlich. / 여름 방학에는 ~ 집에만 있었다 In den Sommerferien blieb ich zum größten Teil zu Hause.

거인(巨人) Riese m. -n, -n; Hüne m. -n, -n; Koloß m. ..losses, ..losse; Gigant m. -en, -en; Titan(e) m. ..nen, ..nen. ¶ ~ 같은 riesenhaft; gigantisch; titanenhaft; riesengroß. ‖ ~총(塚) Hünengrab n. -(e)s, ⸚er.

거장(巨匠) Meister m. -s, -; Größe f. -n; Berühmtheit f. -en; Prominenz f. -en. ¶ 음악의 ~ Virtuose m. -n, -n.

거재(巨財) das kolossale Vermögen, -s, -; der enorme Reichtum, -(e)s, ⸚er. ¶ ~를 투입(투자)하다 in [4]et. das kolossale Vermögen stecken; in [4]et. das kolossale Vermögen an|legen (investieren).

거저 ① 《일을 안하고》 ohne [4]et. zu tun; 《빈손으로》 mit leeren Händen; 《무턱대고》 ohne ersichtlichen Grund. ¶ ~ 앉아 있다 ohne [4]et. zu tun sitzen bleiben* ⓢ. ② 《공으로》 umsonst; unentgeltlich; gratis; kostenlos; kosten¦frei (gebühren-). ¶ ~와 같은 값 ein Spottpreis / ~ 받다 [4]et. geschenkt bekommen* / ~ 얻을 수 있다 umsonst zu haben sein / ~ 일하다 umsonst (ohne [4]Entgelt) arbeiten / ~ 승차하다 schwarz|fahren* ⓢ / 그것은 ~입니다 Es kostet nichts. / ~ 일을 시키지는 않는다 Ich werde dich für die Mühe belohnen. / 이건 ~ 지나갈 수는 없는 걸 《한턱 내라》 Ich kann dich nicht so ohne etwas fortlassen. ③ 《쉽게》 leicht; mühelos; ohne Schwierigkeit.

거저먹기 Kinderspiel n. -s, -e; Kleinigkeit f. -en; etwas sehr Leichtes (Einfaches)*, was e-m ganz leicht fällt. ¶ 그런 일은 ~다 Das ist Kinderspiel.¦Das ist mir ein Leichtes.¦Das ist mir e-e Kleinigkeit.¦Die Arbeit ist leicht zu leisten.

거적 die grobe (rauhe) Strohmatte, -n. ¶ ~을 깔다 e-e Strohmatte aus|breiten / ~을 짜다 e-e Strohmatte flechten* / …에 ~을 덮다 mit e-r Strohmatte zu|decken[4]; mit e-r Strohmatte bedecken[4].

‖ ~눈 die Augen mit herabhängenden Augenlidern: 피로해서 ~눈이 되다 Wegen der Müdigkeit die Augenlider herab|hängen. ~대기 ein Stück Strohmatte. ~문 die Tür aus Strohmatte: ~문에 돌쩌귀 Perlen vor die Säue werfen; etwas Wertvolles an Unwürdige verschwenden. ~송장 die mit Strohmatte eingewickelte Leiche. ~자리 e-e (Stroh)matte.

거절(拒絶) Ablehnung f. -en; Absage f. -n; Abweisung f. -en; die abschlägige Antwort, -en; (Ver)weigerung f. -en. ~하다 ab|lehnen[4]; ab|sagen[4]; ab|weisen*[4]; e-e abschlägige Antwort geben* 《auf[4]》; [4]sich (ver)weigern[34]. ¶ ~하기 힘들다 schwer abzulehnen[4] / 딱 잘라 ~하다 rundweg ab|schlagen*[4]; glatt ab|lehnen[4]; schroff ab|sagen[4]; jn. ab|blitzen lassen* (퇴짜 놓다) / 넌지시 ~하다 [3]sich andeutungsweise verbitten*[4]; jm. s-e Verweigerung zu verste-

hen geben* / 요구를 ~하다 die Forderung zurück|weisen* / 면회를 ~하다 *js.* Besuch nicht an|nehmen* / ~ 편지를 보내다 ⁴*et,* ablehnend beantworten; *jm.* e-e abschlägige Antwort geben* / ~할 경우에는 im Ablehnungsfalle; im Verweigerungsfalle / 어음의 인수를 ~하다 e-n Wechsel (e-e Tratte) protestieren / 입장을 ~당했다 Der Eintritt wurde mir (uns) verwehrt.
‖ ~반응 Abwehrreaktion *f.* -en. ~증서 Protest *m.* -es, -e.

거점(據點) Stützpunkt *m.* -(e)s, -e; Anhalt *m.* -es, -e; Basis *f.* ..sen; Stütze *f.* -n.
‖ 군사~ der strategische Stützpunkt.

거조(擧措) Benehmen *n.* -s, -; Betragen *n.* -s, -; Verhalten *n.* -s, -; Haltung *f.* -en (태도); Führung *f.* -en; Aufführung *f.* -en (품행); Manieren 《*pl.*》 (예절).

거족(巨族) die große (mächtige; einflußreiche) Familie, -n (Sippschaft, -en).

거족적(擧族的) das ganze Volk betreffend.

거주(居住) das Wohnen*, -s; Wohnung *f.*; Niederlassung *f.*; Aufenthalt *m.* -es, -e. ~하다 wohnen; sitzen; s-n Wohnsitz haben; ansässig (wohnhaft) sein; ⁴sich (wohnhaft) nieder|lassen* 《이상 *in*³; *auf*³; *bei*³》. ¶ 6개월 이상 ~한 외국인 der über 6 Monate Wohnsitz habende (ansässige) Ausländer.
‖ ~권 Wohnungsrecht *n.* -(e)s, -e; Wohnrecht; Niederlassungsrecht. ~자 Bewohner *m.* -s, -; der Ansässige*, -n, -n; Anlieger *m.* -s, - (길가의 거주자). ~증명 die Aufenthaltsgenehmigung. ~지 Wohn|ort *n.* -es, -e (-sitz *m.* -es, -e). ~지역 Wohnviertel *n.* -s, -.

거죽 《표면》 Oberfläche *f.* -n; 《외부》 Außenseite *f.* -n; das Äußere*, -n; 《겉꼴》 das Aussehen*, -s; Anschein *m.* -(e)s. ☞ 겉.

거중조정(居中調停) Vermittlung *f.* -en; das Dazwischenkommen*, -s. ~하다 vermitteln 《*zwischen*³》. ¶ ~을 맡다 den Vermittler spielen.

거지 《거지질》 Betteln *n.* -s; Bettelei *f.* -en; 《걸인》 Bettler *m.* -s, -; Landstreicher *m.* -s, -; Bettlerin *f.* -nen (여자). ¶ ~가 되다 an den Bettelstab kommen*ⓢ; ein Bettler werden / ~질하다 betteln; um ⁴Almosen bitten*; betteln gehen*ⓢ / ~질로 살아가다 vom Betteln leben; vom ³Bettelei leben; Bettelbrot 《*n.*》 essen* / ~꼴이 되다 an den Bettelstab kommen*ⓢ; an den Bettelstab herunter|kommen*ⓢ / ~ 생활을 하다 ⁴sich auf Bettelei legen; betteln gehen*ⓢ / ~ 취급하다 *jn.* wie e-n Bettler behandeln / ~(발싸개) 같다 so gut wie nichts sein; wertlos (jammerlich; dürftig; lumpig) sein / ~(발싸개) 같은 놈 Lump *m.* -en, -en; Schuft *m.* -(e)s, -e; armes Wesen, -s; Elender *m.* -s, -.
‖ ~근성 bettlerhafte (niedrige) Gesinnung, -en. ~움막 Bettlerhütte *f.* -n.

거지(擧止) das Benehmen* (Betragen*; Verhalten*) -s; Formen 《*pl.*》; Manieren 《*pl.*》. ¶ 행동~가 단정하다 feine Manieren (gute Formen) haben.

거지반(居之半) fast; beinahe. ☞ 거반(居半). ¶ 일은 ~ 다 끝났다 Die Arbeit ist beinahe fertig.

거짓 ① 〔명사적〕 Lüge *f.* -n (거짓말); Falschheit *f.* -en; Unwahrheit *f.* -en; Täuschung (허위); Erdichtung *f.* -en (조작); Verdrehung *f.* -en; Betrug *m.* -es, ⸗e. ¶ ~ 웃음 fingiertes (gezwungenes) Lächeln (Lachen) / ~ 눈물 Krokodilstränen 《*pl.*》; geheuchelte Tränen / ~이 있다 falsch (unwahr; lügenhaft; betrügerisch; täuschend) sein / ~이 없는 ehrlich; wahr; ernst; treu / 그의 말에는 ~이 없다 Alles, was er sagt, ist wahr. ② 〔부사적〕 lügenhaft; falsch; unwahr; fabelhaft; fiktiv; erdichtet; betrügerisch; täuschend. ¶ ~으로 아프다고 하다 ⁴sich krank stellen; e-e Krankheit vor|spiegeln; tun*, als ob man krank wäre / ~ 친절한 체한다 ⁴sich freundlich stellen.

거짓말 Lüge *f.* -n; Verlogenheit *f.* -en; Lügengewebe *n.* -s, -; Täuschung *f.* -en (속임수); 《날조》 Erdichtung *f.* -en; Märchen *n.* -s, -; Finte *f.* -n; 《악의 없는·죄 없는》 Flunkerei *f.* -en; die fromme Lüge, -n; 《새빨간》 Mordslüge *f.* -n; die grobe Lüge, -en; 《엄청난》 die faustdicke (handgreifliche) Lüge, -en; 《빤한》 die leicht zu durchschauende Lüge, -n; die schamlose Lüge, -n. ¶ ~ 같은 이야기 die unglaubliche Geschichte, -n / ~ 투성이 Lügengewebe *n*, -s, - / ~을 하다 lügen*; die Unwahrheit sagen; an|lügen*⁴ 〔아무개에게가 4격〕; flunkern; verkohlen⁴ (속이다) / ~도 방편 Die Notlüge ist (auch) ein Auskunftmittel. / ~은 도둑질의 시초 „Wer lügt, der stiehlt.“|Junger Lügner, alter Dieb. / 온통 ~ von A bis Z gelogen / 온통 ~을 늘어놓다 lauter Märchen erzählen / ~은 곧 드러난다 Lügen haben kurze Beine. / 터무니없는 ~을 하다 das Blaue vom Himmel herunter|lügen*; lügen*, daß ⁴sich die Balken biegen*; *jm.* die Jacke voll lügen / 그럴싸한 (보고 온 듯한) ~을 하다 wie gedruckt lügen / 천연덕스럽게 ~을 하는 친구다 Um e-e Lüge ist er nie verlegen. / 아주 ~도 아닌 것 같다 Etwas Wahres wird doch an der Geschichte sein.
‖ ~장이 Lügner *m.* -s, -. ~탐지기 Lügendetektor *m.* -s, -en: ~탐지기로 조사하다 mit dem Lügendetektor texten.

거찰(巨刹) der große buddhistische Tempel, -s, -.

거창하다(巨捌—) in großem Maßstab; im großen Maße; im Großen; großartig (sein). ¶ 거창하게 선전하다 e-e kolossale Reklame 《-n》 machen.

거처(居處) ① 《삶》 Wohnen *n.* -s, -; Leben *n.* -s 《*in*³》. ~하다 wohnen; leben 《*in*³》. ② 《거소》 Wohnort *m.* -(e)s, -e; Aufenthalt *m.* -(e)s, -e; *js.* Adresse *f.* -n; Anschrift *f.* -en; Wohnung *f.* -en; Wohnsitz *m.* -es, -e. ¶ 그의 ~를 아십니까 Wissen Sie, wo er wohnt? |Können Sie mir s-e Adresse geben? / 그의 ~는 불명이다 Sein Aufenthalt ist unbekannt. / 그의 ~를 알려 달라 Laß mich wissen, wo er sich jetzt aufhält.

거칭숫돌 der grobe Schleif|stein (Wetz-) -(e)s, -e.

거체(巨體) der riesengroße Körper, -s, -; Koloß *m.* ..losses, ..losse; Gigant *m.* -en, -en.

거추없다 dumm; töricht; albern; stumpf (sein).

거추장스럽다 lästig; belastend; beschwerlich; hinderlich; störend (sein). ¶ 거추장스럽게 여기다 *jn.* als e-e schwere Belastung für ⁴sich betrachten / 거추장스러운 존재다 *jm.* lästig werden (sein); *jm.* zur Last fallen*

Ⓢ / 이 외투가 이젠 거추장스러워졌다 Dieser Wintermantel ist mir jetzt lästig. / 큰 재산을 가지고 있는 것이 도리어 ~ Der große Besitz ist vielmehr e-e Belastung. / 그는 아이들을 거추장스럽게 여기고 있다 Er sieht s-e Kinder als e-e Last an.

거추하다 aufmerksam zu|sehen*[3]; schützen[4]; bewachen[4]; bevormunden[4].

거춤거춤 im allgemeinen; im großen u. ganzen; annähernd; ungefähr; kurz; flüchtig.

거취(去就) Einstellung *f.* -en; das Für u. Wider*; das Verhalten*, -s; Haltung *f.* -en; Stellungnahme *f.* -n; Handlungsweise *f.* -n. ¶ ~를 결정하다 Farbe bekennen*; [4]sich dafür (dagegen) erklären (entscheiden*) / ~를 정하지 못하다 [4]sich weder dafür noch dagegen entscheiden können; in Verlegenheit sein, wie man handeln soll/ 의회의 대세는 무소속 의원 ~ 여하에 의해 결정된다 Die Lage des Parlaments hängt von der Unabhängigen ab.

거치(据置) 《공채·저금 따위의》 Festlegung *f.* -en; das Festlegen*, -s; das langfristige Anlegen (des Geldes). **~하다** ungetilgt (nicht eingelöst) lassen*[4]; stehen lassen*[4]. ¶ ~의 ungetilgt; untilgbar; nicht eingelöst; nicht einlösbar / 3년 ~ 보험 die auf drei Jahre untilgbare (nicht einlösbare) Versicherung, -en / 5년 ~다 auf 5 Jahre untilgbar (nicht einlösbar) sein / 그는 3년 ~로 그 은행에 200만 원을 예치했다 Er legte zwei Millionen *Won* auf der Bank auf drei Jahre fest.

‖ **~기간** der Termin 《-s, -e》 der Festlegung von Ersparnissen. **~저금** die festgelegten Ersparnisse 《*pl.*》.

거치다 durch|gehen*Ⓢ; durch|kommen*Ⓢ; durch|reisen Ⓢ; passieren Ⓢ; vorüber|gehen* Ⓢ; vorbei|gehen* Ⓢ. ¶ 하와이를 거쳐 via (über) Hawaii / 아무를 거쳐 durch[4] / 시험을 거쳐 auf das Examen hin; auf Grund der Prüfung / 시험을 거치지 않고 ohne Prüfung (Examen) / 많은 사람의 손을 ~ durch viele Hände gehen* Ⓢ / 세관을 ~ das Zollamt passieren / 그는 미국을 거쳐서 귀국했다 Er kehrte über Amerika nach Korea zurück. / 그는 내 집을 거쳐서 갔다 Er ist bei mir vorbeigegangen. / 이 책은 많은 사람의 손을 거쳐 왔다 Das Buch war schon in vielen Händen.

거치적거리다 zur Last fallen*[3] Ⓢ; *jm.* lästig sein; [4]sich schleppen 《*mit*[3]》; *jm.* viele Mühe machen; 《옷 등》 [4]sich winden*; zu eng anliegend sein; [4]sich heften. ¶ 거치적거리는 것이 없다 《비유적》 k-e Angehörige* haben; ledig sein / 그에게는 처자라는 거치적거리는 것이 있다 Frau und Kinder fallen ihm zur Last. / 여행에 여자를 동반하면 거치적거리는 일이 많다 E-e Reisegefährtin kann e-m oft beschwerlich werden.

거칠다 〖형용사〗 rauh; grimmig; grob 《gröber, gröbst》; heftig; ungestüm; wild; barsch; derb (조야); gewaltsam (난폭); großmaschig (성긴) (sein); 〖동사〗 [4]sich rauh fühlen 〖물건이 주어〗. ¶ 거친 말 rauhes Wort, -es, ¨er (-e); grobe (unsanfte) Rede, -n / 거친 살결 die rauhe Haut / 거친 종이 das grobkörnige Papier, -s, -e / 거친 사내 ein grober (rauher) Kerl, -s, -e; ein hitziger Kopf, -(e)s, ¨e / 거친 목소리 die grobe Stimme, -n; die heftige Stimme (성난 소리) / 거친 바다 hohe See, -n; grobe See; kurze See; stürmische See/거친 성미 hitziges (heftiges; zorniges) Temperament / 거친 천 《짜임이》 kein dichtes Zeug; 《표면이》 grobes Tuch / 거칠어지다 verwildern Ⓢ; verrohen Ⓢ / 살결을 거칠게 하다 die Haut aufspringen machen (lassen*) / 바람이 거칠게 불다 stark windig sein; es weht ein starker Wind/ 거칠게 짜다 mit großer Maschen stricken[4]/ 거친 말투를 쓰다 unhöflich reden; mit heftigen Worten reden/바다가 거칠어지다 Das Meer wird stürmisch.|Die See wird wild. / 당신의 손은 심한 일로 거칠어졌다 Ihre Hände sind von der harten Arbeit ganz aufgesprungen. / 문장이 거칠다 Es ist im rauhen (ungeschliffenen) Stil geschrieben.

거침 Reibung *f.* -en; Umstand *m.* -(e)s, ¨e; Bedenken *n.* -s, -. ¶ ~없이 frei (offen) (heraus); frei (frisch) von der Leber; geradeheraus; ohne [4]Rückhalt; ohne weitere Umstände; ohne weiteres; einfach; ohne Scheu; ohne Bedenken / ~없이 말하다 freimütig (frei von der Leber weg; offen(herzig)) reden; das (sein) Herz auf der Zunge haben (tragen*) / ~없이 의견을 말하다 [4]sich offen aus|sprechen* (äußern) 《gegen *jn.* über [4]*et.*》 / 그는 ~없이 안으로 들어갔다 Er trat einfach hinein. / ~없는 대답 die sofortige (unverzügliche) Antwort / 일이 ~없이 진행되어 간다 Die Arbeit ist gut (glatt; reibungslos) vorgerückt (fortgeschritten).

‖ **~새** Störung *f.* -en; Hinderung *f.* -en; Hemmnis *n.* -ses, -se; Schwierigkeit *f.* -en; Verhinderung *f.* -en: ~새가 많다 viel Schwierigkeiten haben; viel im Wege sein (stehen*).

거칫거리다 [4]sich rauh an|fühlen; 《비유적》 *jm.* im Wege stehen*; *jm.* hinderlich sein.

거칫하다 abgemagert; abgezehrt; mager; hager (sein).

거쿨지다 《언행이》 kraftvoll; mächtig; männlich (sein).

거탄(巨彈) ① 《폭탄》 die riesige Bombe, -n; das schwere Geschoß, ..schosses, ..schosse. ¶ ~을 퍼붓다 ein schweres Geschütz gegen *jn.* auf|fahren* (lassen*). ② 《비유적》 Sensation *f.* -en; Aufsehen *n.* -s; Spielfilm *m.* -s, -e. ¶ 유명한 규수 작가 K양의 제2의 ~ das zweite Erfolgswerk von der bekannten Dichterin Fräulein K / 본 영화사가 보내는 최초의 ~ der erste Spielfilm von unserer Filmgesellschaft.

거탈 Schein *m.* -s, -e; Aussehen *n.* -s; die äußere Erscheinung, -en; Oberfläche *f.* -n. ¶ ~만은 äußerlich; dem Anschein nach; allem Anschein nach / ~만으로는 모른다 Der Schein trügt.

거통 ① 《풍채》 die würdevolle Haltung, -en; die imponiernde (imposante) Gestalt, -en. ② 《실권 없는 이》 Strohmann *m.* -(e)s, ¨er; Marionette *f.* -n.

거판(擧板) Bankrott *m.* -(e)s, -e; Konkurs *m.* -es, -e. **~하다** sein ganzes Vermögen verlieren*; Bankrott machen; bankrottieren; bankrott werden; in Konkurs geraten* Ⓢ.

거포(巨砲) das schwere Geschütz, -es, -e; die riesige (riesengroße) Kanone, -n.

거푸 wieder; wiederholt; wieder u. wieder; wiederum; immer wieder; noch einmal; von neuem.

거푸집 ① 《외관》 die äußere Erscheinung

des Körpers; Figur *f.* -en. ② 《도배의》 die Luftblase des tapezierten Wandpapiers. ③ 《주형》 Gußform *f.* -en; Matrix *f.* ..trizen (..trizes); Gipsmodell *n.* -s, -e (석고의). ④ 《콘크리트의》 Schalungsform *f.* -en.

거품 Schaum *m.* -(e)s, ⸗e; 《기포》 Blase *f.* -n; Gischt *m.* -es, -e; 《맥주의》 Blume *f.* -n; Bärme *f.* -n; 《곤충 따위의》 Spucke *f.* -n; Speichel *m.* -s, -; 《공허》 Leerheit *f.* Nichtigkeit *f.* -en. ¶ ~이 이는 schaumig; schäumend; perlend; sprudelnd; voll Blasen / ~이 일지 않는 맥주 flaues (schales) Bier / ~이 일다 schäumen; brodeln; sprudeln ⓢ; ⁴Schaum geben* (schlagen*); zu ³Schaum schlagen*; Blasen werfen* / 물~으로 돌아가다 zu Schaum (Wasser) werden / ~ 같은 schaumartig / 비누~ Seifenschaum *m.* / ~을 떠내다 ab|schäumen / ~이 끓어오르다 auf|wallen ⓢ / ~을 일으키다 Schaum schlagen* (werfen*) / ~이 사라지다 Der Schaum zergeht.

거하다 ① 《산이》 steil; jäh; schroff; stattlich (sein). ② 《초목이》 dicht; üppig (sein); wuchern.

거한(巨漢) Riese (Hüne) *m.* -n, -n; Gigant *m.* -en, -en; Koloß *m.* ..losses, ..losse.

거함(巨艦) Riesenkriegsschiff *n.* -(e)s, -e. ‖ ~주의 Riesenkriegsschiff-Politik *f.* -en.

거행(擧行) ① 《실행》 Ausführung *f.* -en; Verrichtung *f.* -en; Erfüllung *f.* -en. **~하다** tun*⁴; machen⁴; aus|führen⁴; durch|-führen⁴; erfüllen⁴. ② 《의식의》 das Abhalten*, -s; Veranstaltung *f.* -en (개최); Begehung *f.* -en (축제의). **~하다** (ab|)halten*⁴; begehen*⁴; feiern⁴; veranstalten⁴. ¶ ~되다 statt|finden* (-|haben*); gefeiert werden; veranstaltet werden / 10 년제를 ~하다 das 10. Jubiläum begehen*; das zehnjährige Bestehen 《*von*³》 feiern / 식을 ~하다 e-e Feier halten* / 졸업식이 ~되다 die Abgangsfeierlichkeit (Entlassungsfeier) veranstaltet werden / 결혼식을 교회에서 ~하다 die Hochzeit wird in e-r Kirche gefeiert (gehalten); ⁴sich in einer Kirche vermählen / 장례식을 ~하다 e-e Beerdigungsfeier halten*.

걱실거리다 ⁴sich mit Nonchalance [nɔ̃ʃalɑ̃:s] benehmen*; ⁴sich mit leichtem Herzen betragen*.

걱실걱실 mit Nonchalance (Freude); mit leichtem Herzen. **~하다** ☞ 걱실거리다.

걱정 ① 《염려》 Sorge *f.* -n; Besorgnis *f.* ..nisse; Kummer *m.* -s, -; Ärger *m.* -s, -; Angst *f.* ⸗e; Beklemmung *f.* -en; Beunruhigung *f.* -en. **~하다** ³sich Sorge machen 《*um*⁴; *wegen*²》; ⁴sich ängstigen 《*um*⁴》; ⁴sich beunruhigen 《*um*⁴; *wegen*²》; befürchten⁴; besorgt sein 《*um*⁴》. ¶ 근심 ~ Sorge u. Angst; Schererei *f.* -en; Schwierigkeiten 《*pl.*》 / 나라 ~ Bedenken über staatlichen Angelegenheiten / 돈 ~ Sorge um Geld; Geldsorgen 《*pl.*》 / 살림 ~ die Sorgen um (Lebens)unterhalt / 집안 ~ die Familiensorgen / 쓸데없는 ~ die unnötige Sorge; die grundlose Angst; 《괜한 간섭》 die unberufene Einmischung / ~ 끝에 vor Angst; im Übermaß der Sorge / …을 ~하여 in Sorge über⁴; bekümmert über⁴; in Angst 《*vor*²; *um*⁴》 / ~ 되다 es ist *jm.* angst 《*um*⁴》; Angst (Furcht) haben 《*vor*³》; es ist *jm.* bange 《*um*⁴》; ⁴sich beunruhigen 《*über*⁴; *wegen*²》 / ~없다 sorgenlos (sorgenfrei; unbesorgt; ruhig; beruhigend; sicher) sein / ~을 끼치다 *jm.* Sorgen machen; *jm.* Kummer machen (bereiten) / 몹시 ~하다 ⁴sich zu Tode bekümmern; in äußerster Sorge sein / 사소한 일에 ~하다 ⁴sich um kleine Dinge kümmern / ~이 그치지 않다 immer in Sorge sein; immer ⁴*et.* zu besorgen haben / ~해 주셔서 고맙습니다 Es tut mir leid, daß ich Ihnen soviel Sorgen gemacht habe. / 그는 ~이 돼 잠을 못 잤다 Er hat e-e unruhige Nacht verbracht. ¦ Er kann vor Angst die ganze Nacht kein Auge schließen. / 그 일로 ~할 필요가 없다 Seien Sie deshalb außer Sorge! ¦ Dafür ist gesorgt! ¦ Sie brauchen sich deshalb k-e Gedanken zu machen. / 무슨 ~이 있니 Hast du etwas zu besorgen? / ~ 말라 Nur k-e Angst! ¦ Dafür ist gesorgt! ¦ Das ist gar nicht gefährlich; 《간섭 마》 Kehre vor deiner eigenen Tür! ¦ Das ist m-e Sache! ¦ Kümmere dich um d-e (eigenen) Sachen!
② 《꾸중》 Schelte *f.* -n; Tadel *m.* -s, -; Vorwurf *m.* -s, ⸗e; Rüge *f.* -n; Verweis *m.* -es, -e. **~하다** schelten*⁴ 《*jn. wegen*²》; tadeln⁴; *jm.* Vorwürfe machen; *jm.* e-e Rüge erteilen; *jm.* e-n Verweis geben* 《*wegen*²》; den Text lesen*; *jn.* zur Rede stellen. ¶ ~을 듣다 Schelte bekommen*; e-e Nase bekommen*; ausgescholten werden; getadelt werden / 돈을 많이 쓴다고 아버지께서 밤낮 ~하신다 Mein Vater stellt mich deswegen immer zur Rede, daß ich mit Geld um mich werfe.
‖ **~거리** der Gegenstand der Sorge; Quelle von Kummer; die Kopfschmerzen 《*pl.*》. **~꾸러기** 《늘 걱정하는》 der Besorgte*, -n, -n; die Person, die sich immer Sorgen macht; 《걱정을 끼치는》 Sorgenkind *n.* -es, -er; die Person, um die man sich immer Sorgen machen muß.

걱정스럽다 《위험한》 gefährlich; heikel; mißlich; brenzlich; brenzlig (sein); 《불안한》 ängstlich; bange; unruhig (sein). ¶ 걱정스럽게 ängstlich; bange / 걱정스러운 눈초리로 mit ängstlichen ³Blicken / 걱정스런 태도 Bedenken *n.* -s, -; das besorgte Gehaben, -s, - / 걱정스러운 얼굴로 mit e-m besorgten Ausdruck; mit besorgtem Aussehen / 걱정스러운 일 die Schwierigkeiten 《*pl.*》; die Sorgen 《*pl.*》 / 자식의 장래가 ~ Ich mache mir Sorge über die Zukunft m-s Sohnes. ¦ Ich bin wegen der ²Zukunft m-s Sohnes besorgt (in Sorge). / 시험의 결과가 ~ Ich habe Angst vor dem Resultat der Prüfung.

건(巾) 《총칭》 Kopfbedeckung *f.* -en; 《상제의》 Hanfkappe 《*f.* -n》 für Trauernde.

건(件) 《일·사건·경우》 Angelegenheit *f.* -en; Sache *f.* -n; Frage *f.* -n; Fall *m.* -(e)s, ⸗e; Geschäft *n.* -(e)s, -e; Rechtsfall *m.* -es, ⸗e; 《항목》 Punkt *m.* -es, -e. ¶ 도난 건수 die Diebsfälle 《*pl.*》 / 긴급한 건 e-e brennende Frage, -n / 중요한 건 e-e wichtige Sache, -n / 주주 총회에 관한 건 《상업 통신의 서두》 Betr.: Generalversammlung der Aktionäre 《위의 Betr. 는 Betreff 의 생략》 / 이 건에 대해서는 기회가 있으면 말씀드리겠읍니다 Ich werde gelegentlich noch auf diese Sache (Frage) zurückkommen. / 시급한 용건 때문에 왔읍니다 Ich komme in³ (wegen²) e-r dringenden Angelegenheit.

건(腱) 〖해부〗 Sehne *f.* -n. ¶ 아킬레스 건이 끊어졌다 Ich habe mir die Achillessehne zerrissen.

‖ 건염(炎) Sehnenentzündung *f.* -en. 건파열 Sehnenriß *m.* ..risses, ..risse.

건(鍵) Taste *f.* -n 《des Klaviers; des Orgels; der Schreibmaschine》.

건-(乾) Trocken-; getrocknet. ¶ 건포도 Rosine *f.* -n; Korinthe *f.* -n / 건초 Heu *n.* -(e)s; Trockenfutter *n.* -s.

건각(健脚) der gute Fußgänger, -s, -. ¶ ~이다 gut zu Fuß sein; e-n guten Schritt am Leibe haben.

건갈이(乾—) =마른갈이.

건강(健康) Gesundheit *f.*; das Befinden*, -s (건강상태). **~하다** gesund; wohl; wohlauf; frisch; munter; 《정정함》 rüstig (sein). ¶ ~이 좋다 gesund (wohl; wohlauf; frisch; munter) sein; frisch u. gesund sein; auf der Höhe sein; auf dem Damm sein; bei guter (blühender) Gesundheit sein; ^{4}sich e-r eisernen Gesundheit erfreuen (튼튼하다); in guter Form sein (호조); nichts zu klagen haben (무병); gut dran sein (기운이 좋다) / ~에 좋은 gesund; heilsam; wohltätig (-tuend); 《몸에 좋은》 bekömmlich; gedeihlich; kräftigend; nahrhaft; zuträglich / ~에 해로운 ungesund; gesundheitswidrig;(gesundheits)schädlich; unbekömmlich / ~을 해치다 s-r Gesundheit schaden; s-e Gesundheit ruinieren / ~이 나빠지다 s-e Gesundheit ist zerrüttet; mit e-r Krankheit behaftet sein / ~을 회복하다 wieder gesund werden; ^{4}sich wieder|her|stellen / ~에 주의하다 die Gesundheit in acht nehmen*; auf die Gesundheit achten / ~에 유의하지 않다 mit der Gesundheit wüsten / ~을 축복하며 잔을 들다 auf *js.* Wohl (Gesundheit) trinken* / 저 소녀는 ~이 넘쳐흐른다 Das Mädel strotzt von Gesundheit. ¦ Das Mädchen ist so gesund wie ein Fisch im Wasser. / 그는 ~상 이유에서 (건강 상태가 점점 나빠져서) 퇴직했다 Aus Gesundheitsrücksichten trat er zurück. ¦ Die stetige Abnahme s-r Gesundheit veranlaßte ihn zurückzutreten. / 아무래도 ~상태가 안 좋다 M-e Gesundheit ist nicht ganz, wie sie sein sollte. / 그는 나이에 비하면 ~하다 Er ist gesund für sein Alter. / ~이 제일이다 Gesundheit vor allem! ¦ Gesundheit geht über alles.

‖ **~미** die gesunde Schönheit. **~법** Eubiotik *f.*; Gesundheitslehre *f.* -n. **~보험** Kranken¦kasse *f.* -n (-versicherung *f.* -en): ~ 보험의(醫) Krankenkassenarzt *m.* -es, ⸚e. **~상태** Gesundheitszustand *m.* -(e)s, ⸚e. **~아** das gesunde Kind, -es, -er. **~증명서** Gesundheitsattest *n.* -es, -e. **~진단** die Untersuchung des Gesundheitszustandes. **~체** der gesunde Körper, -s, -.

건건찝찔하다 salzig; brackig (sein).

건곡(乾穀) das getrocknete Korn, -s, ⸚er (Getreide, -s).

건곤(乾坤) Himmel u. Erde; Universum *n.* -s; Weltall *n.* -s.

‖ **~일척**(一擲) e-e Wette auf alles od. nichts: ~ 일척하다 alles aufs Spiel setzen; Gott versuchen; es auf ^{4}*et.* ankommen lassen*; den Rubikon überschreiten*.

건과자(乾菓子) =마른과자(—菓子).

건교자(乾交子) der Tisch 《-es, -e》 voll von Nebenspeisen.

건국(建國) Begründung 《*f.* -en》 e-s Staates (e-s Reichs). **~하다** e-n Staat (ein Reich) (be)gründen. ¶ ~ 백년제를 올리다 das 100 jährige Bestehen des Staates feiern.

‖ **~공로훈장** die Verdienstmedaille um die Staatsbegründung. **~기념일** der Gründungstag 《-(e)s, -e》 des Reiches. **~대본**(大本) die fundamentale Politik der Staatsbegründung. **~포장**(褒章) Staatsbegründungsmedaille *f.*

건깡깡이 《매나니로 하는》 ^{4}*et.* mit leeren (bloßen) Händen tun*; 《사람》 e-e Person, die ^{4}*et.* mit leeren (bloßen) Händen tut.

건너 die entgegengesetzte (gegenüberliegende) Seite, -n. ¶ 건넛방 (집) das Zimmer 《-s, -》 (Haus, -es, ⸚er) gerade gegenüber / 강 ~쪽에 jenseits des Flusses / 그는 우리 집 ~쪽에 산다 Er wohnt unserem Hause gegenüber.

건너가다 《길을》 kreuzen^4; über|schreiten* [s]; fahren* (gehen*) [s] 《quer *über*^{4}》; 《강·바다를》 hinüber|gehen* [s]. ¶ 길을 ~ quer über die Straße gehen* [s] / 바다를 ~ über die See fahren* [s] / 미국으로 ~ nach Amerika gehen* [s].

건너긋다 (e-e Linie) quer ziehen*; e-n Querstrich ziehen*.

건너다 《넘다》 gehen* [s] 《*über*^{4}》; fahren* [s] 《*über*^{4}》; 《맞은 쪽으로》 hinüber|gehen* [s] 《*über*^{4}》; hinüber|fahren* [s]. ¶ 다리를 ~ über die Brücke gehen* (fahren*) / 강을 ~ über den Fluß fahren* (schwimmen* (헤엄쳐서); waten (걸어서)) [s] / 길을 가로질러 ~ quer über die Straße gehen* / 바다를 ~ über die See fahren* (segeln).

건너다보다 ① 《저쪽을》 hinüber|sehen*; hinüber|blicken. ② 《남의 것을》 begehren^4; gelüsten 《*nach*^{3}》.

건너뛰다 《거르다》 überspringen*^{4}; um|-blättern^4; 《빠뜨리고 읽다》 überschlagen*^{4}; aus|lassen*^{4}. ¶ 몇 페이지 ~ einige Seiten überspringen* / 개천을 ~ über e-n Graben springen* [s] / 담장을 ~ über e-n Zaun springen* [s]; über e-e Hecke springen* [s] (setzen^4) / 석차를 세 자리나 ~ drei Plätze in der Klasse überspringen*.

건너오다 herüber|kommen* [s]; kommen* [s] 《*über*^{4}》; herüber|fahren* [s]; 《도래》 eingeführt werden 《*von*^{3}; *in*^{4}》; gebracht werden 《*von*^{3}... (her)》. ¶ 다리를 ~ die Brücke herüber|kommen* [s]; über die Brücke kommen* [s] / 이리 건너 오세요 Kommen Sie herüber! / 불교는 4 세기에 한국으로 건너왔다 Buddhismus ist im 4. Jahrhundert in Korea eingeführt worden.

건너지르다 ^{4}*et.* quer über ^{4}*et.* legen. ¶ 밧줄을 뜰에 ~ ein Seil quer durch e-n Garten spannen.

건너짚다 ① 《팔을 내밀어》 s-e Hand (s-n Finger) über e-r Sache u. auf andere setzen. ② 《넘겨짚다》 (ins Blaue hinein) raten*^{4}; erraten*; (vag) mutmaßen^4; vermuten^4.

건너편 die andere (entgegengesetzte; gegenüberliegende) Seite, -n. ¶ ~의 gegenüberliegend (-gestellt; -gesetzt); dort; drüben / ~ 마을 das Dorf da drüben; das gegenüberliegende Dorf / 강 ~에 am andern Ufer; über dem Fluß / 그 사람은 식사 때 나의 ~에 앉았다 Er saß mir bei Tisch gegenüber.

건넌방(一房) das Zimmer 《-s, -》 gerade gegenüber.

건널목 《도로의》 Straßenübergang *m.* -s, ⸗e; 《철도의》 Bahnübergang *m.* -(e)s, ⸗e. ¶ ~의 차단기 (Bahn)schranke *f.* -n / ~의 차단기를 내리다 〔올리다〕 die Schranke(n) schließen* 〔auf|ziehen*〕.

‖ ~지기 Bahnwärter *m.* -s, -; Schrankenwärter *m.*

건네다 ① 《건너게 하다》 *jn.* hinüber|bringen* 《*über*⁴》; 《배로》 über|setzen⁴ 《*in*³; *mit*³; *über*⁴》. ② 《주다》 ein|händigen⁴; aus|händigen⁴; überreichen⁴; übergeben*⁴ (양도함); aus|zahlen³⁴ (급료 따위를). ¶ 임금 〔몫〕을 ~ *jm.* s-n Lohn 〔s-n Anteil〕 aus|zahlen / 선물을 ~ ein Geschenk überreichen 〔ab|geben*〕.

건네주다 ① 《배로》 über|setzen⁴ 《*über*⁴》; hinüber|bringen*⁴ 《*mit*³; *über*⁴》. ¶ 곧 건네 주실 수 있겠어요 Können Sie uns sofort nach der anderen Seite übersetzen? ② 《물건》 ein|händigen 〔aus|-〕³⁴; überreichen 〔übergeben*〕³⁴. ¶ 돈을 ~ *jm.* Geld überreichen / 내가 건네준 돈을 어떻게 했지요 Was haben Sie mit dem Geld gemacht, das ich Ihnen 〔zur Aufbewahrung〕 übergeben habe? / 그 사람에게 돈을 건네줄 수 없다 Man kann ihm kein Geld anvertrauen.

건달(乾達) Wüstling *m.* -s, -e; Tagedieb *m.* -es, -e; Taugenichts *m.* -es, -e; Nichtsnutz *m.* -es, -e; Lümmel *m.* -s, -; Lump *m.* -en, -en.

‖ ~패 Pöbel *m.* -s, -; Lümmelvolk *n.* -es, ⸗er; Taugenichts *m.*

건담(健啖) Gefräßigkeit *f.* -en; Völlerei *f.* -en; Schlemmerei *f.* -en.

‖ ~가(家) Schlemmer *m.* -s, -; Fresser *m.* -s, -; der starke Esser, -s, -.

건답(乾畓) das Reisfeld 《-(e)s, -er》 ohne Wasserzufluß.

-건대 wenn; wie; gemäß³; nach³; zufolge³. ¶ 보건대 dem Anschein nach; anscheinend; nach dem Augenschein zu urteilen / 듣건대 wie ich höre; dem Gerüchte nach; es geht ein Gerücht, daß... / 생각하건대 nach m-r Meinung; m-r Ansicht nach; m-m Urteil nach / 듣건대 그는 사업에 실패했다고 한다 Wie ich höre, zog er sich im Geschäft Mißerfolg zu. / 비유하건대 인생은 길가는 나그네다 Das Leben ist sozusagen e-e Wanderschaft.

건대구(乾大口) Stockfisch *m.* -es, -e; der getrocknete Dorsch, -es, -e; der getrocknete Kabeljau, -s, -s.

건더기 Suppeneinlage *f.* -n; Fleischstück u. Gemüse (in der Suppe); 《내용》 Inhalt *m.* -es, -e; der (innere) Gehalt, -es, -e. ¶ ~없는 이야기 die inhaltlose Geschichte.

‖ 국~ die Einlagen in der Suppe.

건도크(乾一) =건선거(乾船渠).

건드렁타령(一打鈴) das Taumeln*, -s; das Torkeln*, -s.

건드레하다 etwas betrunken; angesäuselt; angetrunken; angeheitert; beschwipst; beduselt; benebelt (sein). ¶ 그는 건드레하게 취했다 Er ist etwas betrunken.¦Er hat e-n kleinen Rausch.¦Er hat e-n sitzen.

건드리다 berühren⁴; an|rühren⁴; rühren⁴ 《*an*⁴》; befühlen⁴; an|fühlen⁴; 《성나게 하다》 *in.* ärgern 〔kränken〕; ³sich *js.* ⁴Ärger zu|ziehen*; *js.* Gefühl verletzen; 《감정》 unangenehm berühren⁴(불쾌하게); *jm.* auf die Nerven gehen* 〔fallen*〕 [s] (신경을); 《여자를》 ⁴sich mit e-m Mädchen ein|lassen*; ein (Liebes)verhältnis an|knüpfen 〔beginnen*〕 《*mit*³》. ¶ 이 물건을 건드리지 말라 Berühren Sie diese Ware nicht!¦《게시》 „Nicht berühren!"

건들거리다 ① 《바람이》 leicht wehen. ② 《물체가》 schwanken; schaukeln; flackern. ③ 《사람이》 faulenzen; auf der Bärenhaut 〔auf dem Lotterbett〕 liegen*; 《건방지게》 extravagant sein; stolzieren [h.s].

건들건들 《바람이》 leicht wehend; 《물체가》 schwankend; schaukelnd; 《사람이》 müßig; untätig; faul; 《건방지게》 extravagant; glatt.

건들바람 der kühle Wind 《-(e)s, -e》 im frühen Herbst.

건들장마 der launenhafte 〔veränderliche〕 Regen, -s; die immerfort regnerische Saison [sɛzɔ̃:] 《-s》 im frühen Herbst.

건듯 flüchtig; eilfertig; schnell; rasch; hastig. ¶ 일을 ~ 해치우다 e-n Auftrag rasch erledigen / ~ 머리에 떠오르다 es fällt *jm.* gerade zufällig ein.

건듯건듯 obenhin; oberflächlich; flüchtig; kurz. ¶ ~ 설명하다 kurz erklären³⁴ / ~ 훑어보다 flüchtig durch|sehen*⁴ / ~ 그리다 flüchtig skizzieren⁴ (zeichnen⁴).

건등 〖광산〗 ein Teil der Erzader nahe der Oberfläche.

건땅 fruchtbare Erde, -n; fruchtbarer Boden, -s, ⸗.

건락(乾酪) Käse *m.* -s, -. ‖ ~소(素) Kasein *n.* -s; Käsestoff *m.* -(e)s, -e.

건류(乾溜) 〖화학〗 die trockene Destillation, -en; 《석탄의》 Karbonisation *f.* -en. ~하다 schwelen⁴; karbonisieren⁴; bei der Destillation trocknen⁴.

건립(建立) Erbauung *f.* -en; Errichtung *f.* -en; Stiftung *f.* -en. ~하다 erbauen⁴; errichten⁴; stiften⁴. ¶ ~ 중이다 im Bau (begriffen) sein; beim Errichten sein / 동상을 ~하다 e-e Bronzestatue errichten.

‖ ~기금 Stiftungsfonds *m.* - [..fɔ̃:], - [..fɔ̃:s].

-건만, -건마는 wenn auch; obgleich; obwohl; obschon; wenn auch immer 〔gleich〕; selbst wenn; und wenn; wie auch. ¶ 사람도 많건만 ausgerechnet der / 나는 그를 좋아하건만 그는 나를 좋아하지 않는다 Ich mag ihn schon, aber er mich nicht. / 형은 돈이 많건만 내게 없다 Während mein Bruder viel Geld hat, habe ich keins. / 물건은 좋건마는 값이 비싸다 Das ist von guter Qualität, aber es ist zu teuer. / 그 친구 돈은 많건마는 행복하지는 못하다 Gegen s-n Reichtum ist er nicht glücklich.

건망(健忘) Vergeßlichkeit *f.* -en; Gedächtnisschwäche *f.* -n.

‖ ~증 Amnesie *f.* -n [..zí:ən]; Vergeßlichkeit *f.* -en: ~증이 심하다 vergeßlich sein; leicht vergessen⁴; ein schwaches 〔kurzes〕 Gedächtnis haben; ein Gedächtnis wie ein Sieb haben / ~증이 심한 사람 der vergeßliche Mensch, -en, -en / 나이를 먹으면 ~증이 심해지게 마련이다 Mit zunehmendem Alter nimmt das Gedächtnis ab. / ~증에 걸리다 Amnesie bekommen* / 나는 ~증에 걸려 있다 Mein Gedächtnis versagt.¦Ich bin sehr vergeßlich.

건면(乾麵) 《말린》 getrocknete Nudeln 《*pl.*》; 《요리 안한》 ungekochte Nudeln 《*pl.*》.
건목 Grob-Anfertigung *f.* -en. ∼치다 grob verfertigen⁴ 〔fabrizieren⁴〕.
건목(乾木) trockenes Holz, -es, ⸗er.
건몸달다 ³sich Gedanken machen 《*über*⁴》; ⁴sich ab|quälen; ³sich Sorge machen《*über*⁴; *um*⁴; *wegen*²》. ¶ 그녀 때문에 건몸달아 한다 Wegen ihrer macht er sich Sorge. / 한 자리 얻으려고 건몸달아 돌아다닌다 Er quält sich ab, e-e Stelle zu suchen, aber er hat kein Glück.
건물 der unwillkürlich sich ergießende Samen, -s, -.
건물(建物) Gebäude *n.* -s, -; Bau *m.* -(e)s, -ten; Bauwerk *n.* -(e)s, -e.
‖ 가(假)∼ der provisorische Bau. 목조∼ das hölzerne Haus; Holzbauwerk *n.* -es, -e. 석조∼ Steinhaus *n.* -es, ⸗er. 철근콘크리트∼ der armierte Betonbau.
건물로(乾—) vergeblich; umsonst; zwecklos; erfolglos; blind(lings).
건반(鍵盤) Tastatur *f.* -en; Klaviatur *f.* -en.
‖ ∼악기 Tastinstrument *n.* -(e)s, -e; Klappeninstrument *n.* -es, -e.
건밤 die schlaflose Nacht, ⸗e. ¶ ∼을 새우다 e-e schlaflose Nacht haben(verbringen*); die ganze Nacht kein Auge zutun können.
건방지다 naseweis; vorlaut; vorwitzig (sein); 《철면피의》 unverschämt; frech (sein); 《불손한》 unbescheiden (sein); 《자만심이 강한》 eingebildet; dünkelhaft; anmaßend (sein).
¶ 건방진 애 der (Herr) Naseweis, -es, -e; der eitle Fant; Frechling *m.* -s, -e / 건방진 계집애 das schnippische Mädchen; Jungfer Naseweis / 건방진 태도 Unverschämtheit *f.* -en; Naseweisheit *f.* -en; Unbescheidenheit *f.* -en; unverschämtes Benehmen, -s / 건방지게 …하다 unverschämt 〔unbescheiden; schnippisch〕 genug sein, ⁴*et.* zu tun / 건방지게 굴다 ⁴sich frech benehmen*; unverschämt handeln / 건방진 수작을 하다 e-e unbescheidene Sprache führen; frech reden / 건방진 수작 말라 Sei nicht so frech! / 건방지구나 Was für ein Frechling!¦Was für e-e Frechheit!¦Unverschämt!
건백(建白) das Einreichen* 《-s》 e-r Denkschrift; die Eingabe 《-n》 e-r Denkschrift. ∼하다 *jm.* e-e Denkschrift 〔Bittschrift〕 überreichen; e-e Denkschrift 〔Bittschrift〕 ein|reichen 《bei e-r Behörde》 (관청에).
‖ ∼서(書) Denkschrift *f.* -en; Memorial *n.* -s, -e; Eingabe *f.* -n: 정부에 ∼서를 내다 der Regierung ein Memorial ein|reichen.
건보(健步) der kräftige Schritt, -(e)s, -e; die rüstigen Beine 《*pl.*》; 《사람》 der gesunde (Fuß)gänger, -s, -.
건빵(乾—) der 〔das〕 ungesüßte Keks, -(es), -(e) 《보통 *pl.*》.
건사하다 ① 《돌보다》 helfen* 《*jm.*》; Hilfe 〔Beistand〕 leisten 《*jm.*》; bei|stehen*《*jm.*》; sorgen 《*für*⁴》. ¶ 어린애를 ∼ Sorge für die Kinder tragen*. ② 《간수》 bewahren⁴; auf|bewahren⁴; verwahren⁴. ¶ 물건을 건사해두다 ⁴*et.* in Verwahrung haben. ③ 《수습》 verwalten⁴; leiten⁴; beaufsichtigen⁴; die Aufsicht führen《*über*⁴》; kontrollieren⁴.
건삼(乾蔘) der trockene Ginseng, -s, -s.
건선거(乾船渠) Trockendock *n.* -s, -s.
건설(建設) (Auf)bau *m.* -(e)s; Aufrichtung *f.* -en; Erstellung *f.* -en; Errichtung *f.* -en. ∼하다 (auf|)bauen⁴; auf|richten⁴; errichten⁴; erstellen⁴. ¶ ∼되다 aufgebaut 〔aufgerichtet; errichtet〕 werden / ∼적인 aufbauend; erfinderisch; positiv / ∼ 중이다 im Bau (begriffen) sein / 국가의 ∼ der Aufbau des Staates.
‖ ∼공사 (Auf)bauarbeit *f.* -en. ∼과 die Abteilung e-s Bauamtes. ∼부 (Auf)bauministerium *n.* -s, ..rien: ∼부 장관 der Minister des Aufbaus. ∼분과 위원회 Aufbauausschuß *m.* ..schusses, ..schüsse. ∼비 Baukosten 《*pl.*》. ∼사무소 das Büro e-s Bauunternehmers. ∼용지 Baustelle *f.* -n; Bauplatz *m.* -es, ⸗e. ∼자 Erbauer *m.* -s, -; Bauherr *m.* -n, -en.
건설방 Schuft *m.* -(e)s, -e; Schurke *m.* -n, -n; Lump *m.* -en, -en; Lümmel *m.* -s, -; der lockere 〔liederliche〕 Mensch, -en, -en; Liederjan *m.* -(e)s, -e.
건성 Zerstreutheit *f.* -en; Unaufmerksamkeit *f.* -en; Unachtsamkeit *f.* -en; Gedankenlosigkeit *f.* -en. ¶ ∼으로 abwesend; zerstreut; nicht dabei 〔bei der Sache〕; formell (형식적으로); 《표면적으로》 oberflächlich; flüchtig; ohne Kenntnisse / ∼으로 듣다 nur auf e-m Ohr hören; nicht ganz dabei sein / ∼으로 덤벼들다 ohne genaue Kenntnisse ⁴*et.* zu tun versuchen / ∼으로 인사하다 e-n flüchtigen Gruß zu|nicken³ / ∼으로 돌아다니다 nichtstuerisch umher|gehen*Ⓢ / 내가 여기 ∼으로 와 있는 줄 아니 Glaubst du, ich sei hier ohne Zweck gekommen?
‖ ∼꾼 die unbesonnene Person, -en.
건성(乾性) Trockenheit *f.* ¶ ∼의 trocken (von ³Natur); von trockener Natur / 나의 피부는 ∼이다 M-e Haut ist trocken (von Natur).
‖ ∼늑막염 die trockene Pleuritis, ..tiden. ∼유 Pflanzen¦öl 〔Lein-〕 *n.* -(e)s, -e.
건성건성 zerstreut; geistesabwesend; gedankenlos (vor sich hin); flüchtig; oberflächlich. ¶ ∼ 듣다 *jm.* zerstreut zu|hören / 일을 ∼하다 ⁴*et.* gedankenlos tun*.
건수(件數) Zahl 《*f.* -en》 der Fälle; Angelegenheiten 《*pl.*》; Problemfälle 《*pl.*》. ¶ 도난 ∼ die Diebstahlfälle 《*pl.*》 / 취급 ∼ Zahl der behandelten Fälle.
건실(健實) Solidität *f.*; Ehrlichkeit *f.* ∼하다 bieder; gediegen; vertrauenswürdig; sicher; solid; fest; 《성실한》 ehrlich; rechtschaffen; 《도의적으로》 moralisch; sittlich; tugendhaft (sein). ¶ ∼해지다 solid werden; ³sich die Hörner 《*pl.*》 ab|laufen* 〔ab|stoßen*〕 / ∼한 사업〔투자〕 die feste 〔solide〕 Unternehmung 〔Investierung〕 -en.
건아(健兒) der frische 〔kräftige〕 Junge, -n, -n; Student *m.* -en, -en.
‖ 대한∼ der kräftige Sohn 《-(e)s, ⸗e》 des Koreas.
건어물(乾魚物) getrocknete Fische 《*pl.*》.
건울음 die falschen 〔heuchlerischen〕 Tränen 《*pl.*》; die Krokodilstränen 《*pl.*》. ¶ ∼을 울다 falsch 〔heuchlerisch〕 weinen; Krokodilstränen vergießen*.
건원(建元) die Errichtung e-r neuen Ära e-s Staates. ∼하다 die neue Ära e-s Staates benennen*.
건위(健胃) die Kräftigung 《-en》 des Magens.

‖ ~정 Magentablette *f.* -n. ~제 Magenmittel *n.* -s, -; Magenpulver *n.* -s, -(가루).

건으로(乾一) ohne Grund; ohne allen Anlaß; unbestimmt; äußerlich.

건의(建議) ① 《상신》 Antrag *m.* -(e)s, ⸗e; Vorschlag *m.* -(e)s, ⸗e; Anregung *f.* -en. ② 《건백》 Denkschrift *f.* -en; Memorandum *n.* -s, ..den. ~하다 *jm.* vor|schlagen*4; *jm.* e-n Vorschlag machen; e-n Antrag stellen; beantragen4; *jm.* e-e Denkschrift (ein Memorandum) ein|reichen (überreichen). ¶ …의 ~로 auf Antrag von3…; auf Vorschlag von3… / 국회에 ~하다 s-e Ansichten vor den Abgeordneten entwickeln; e-n Antrag stellen / ~가 각하되다 (통과되다, 지지되다, 거부되다) Der Antrag fällt (geht durch, wird unterstützt, wird abgelehnt). / 그 ~가 통과되었다 Der Antrag wurde angenommen.

‖ ~서 Denkschrift *f.* -en. ~안 Antragsentwurf *m.* -(e)s, ⸗e: ~안을 내다 e-n Antrag(sentwurf) stellen. ~자 Antragsteller *m.* -s, -.

건잠머리하다 *jm.* die nötigen Informationen u. Mittel für e-e Arbeit beschaffen.

건장(健壯) Gediegenheit *f.* -en; Gesundheit *f.* -en; Rüstigkeit *f.* -en. ~하다 kerngesund; gesundheit¦strotzend (kraft-); robust u. gesund; rüstig (sein).

건재(健在) das Gesundsein*, -s; 《특히 노인이》 das Rüstigsein*, -s. ~하다 gesund sein; 4sich wohl befinden*; 4sich guter Gesundheit erfreuen; auf der Höhe sein; gut daran sein.

건재(乾材) 《약재》 die getrocknete Arzneipflanze, -n.

‖ ~약국 (Heil)kräuterhandlung *f.* -en; Drogerie *f.* -n.

건전(健全) (gute) Gesundheit *f.*; das Wohlergehen*, -s. ~하다 gesund; heilsam (sein). ¶ ~한 재정 상태 die gesunde finanzielle Lage, -n / ~한 사고방식 die gesunde Ansicht, -en / 심신이 ~한 사람 die an Leib u. Seele gesunde Person, -en / ~한 사상 der gesunde Gedanke(n), ..ns, ..n / ~한 책 der gesunde Lesestoff, -(e), -e / ~한 정신은 ~한 신체에 깃든다 Gesunder Geist in gesundem Körper.

건전지(乾電池) Trockenbatterie *f.* -n.

건제(乾製) Trockenpräparat *n.* -(e)s, -e. ~하다 trocken her|stellen4.

건조(建造) Bau *m.* -(e)s, -e; Aufbau *m.*; das Bauen*, -s; Errichtung *f.* -en; Konstruktion *f.* -en. ~하다 (er)bauen4; konstruieren4; bilden4; errichten4. ¶ ~ 중이다 im Bau sein; auf dem Stapel sein (선박을).

‖ ~물 Gebäude *n.* -s, -; Bau *m.* -es, -ten.

건조(乾燥) das Vertrocknen*, -s; Trockenheit *f.* -en. ~하다 trocken; vertrocknet; dürr (sein); 〖서술적〗 trocknen(4); vertrocknen(4). ¶ 무미 ~한 trocken; abgeschmackt; fade; geschmacklos; platt; schal.

‖ ~기(期) die trockene Jahreszeit, -en. ~기(器) Trockner *m.* -s, -. ~대 Trocknengerüst *n.* -es, -e. ~란 Trockenei *n.* -(e)s, -er. ~사과 der vertrocknete Apfel, -s, ⸗. ~세탁 die chemische Reinigung, -en. ~실 Trocknen¦boden *m.* -s, ⸗ (-haus *n.* -es, ⸗er; -kammer *f.* -n). ~야채 Trockengemüse *n.* -s, -. ~장치 《맥아의》 Darrofen *m.* -s, ⸗. ~제(劑) Trockenmittel *n.* -s, -. ~증(症) Austrocknung *f.* -en; Exsikkation *f.* -en.

건주정(乾酒酊) scheinbare Betrunkenheit. ~하다 4sich stellen (tun*), betrunken zu sein.

건지 Senkschnur *f.* ⸗e; Lotleine *f.* -n 《zum Messen der Wassertiefe》.

건지다 ① 《물에서》 heraus|ziehen*4 (aus dem Wasser); heraus|nehmen*4 (-bringen*4). ¶ 시체를 ~ den Toten ans Land bringen* / 물에 빠진 시계를 건져 내다 die im Wasser versunkene Uhr heraus|nehmen*. ② 《구명·구제》 aus 3*et.* heraus|helfen*3; *jm.* aus 3*et.* helfen; (er)retten4; 《죄에서》 wieder|-gut|machen4; erlösen4 《*von*3》; bekehren4; auf die bessere Bahn zurück|bringen*4. ¶ 물에 빠진 사람을 ~ den Ertrinkenden aus dem Wasser erretten / 위험한 처지에서 ~ *jn.* aus e-r Gefahr retten (erretten) / 죽음에서 ~ aus dem Tod erretten / 곤경에서 건져내다 *jm.* aus der Not helfen*; *jm.* aus e-r Schwierigkeit heraus|helfen* / 가까스로 목숨을 ~ dem Tode ums Haar entgehen*ⓢ; das Leben ums Haar retten; mit nacktem Leben davon|kommen*ⓢ / 이미 죄의 구렁텅이에서 건져낼 수 없는 사람이다 Er ist von der Sünde nicht mehr zu retten. ¦Er ist schon hoffnunglos. ③ 《손해를》 4sich entschädigen 《*für*4》; ersparen4; schonen4; sichern4 《*vor*3》; ersetzen4 (벌충). ¶ 손해 본 밑천을 ~ *js.* Kapital entschädigen / 하나도 못 건지고 몽땅 불에 태우다 aus dem Feuer nichts retten können*; alles im Brand eingeäschert werden.

건책(建策) Vorschlag *m.* -(e)s, ⸗e; Rat *m.* -(e)s, -schläge; Anregung *f.* -en; Antrag *m.* -(e)s, ⸗e (제의). ~하다 *jm.* vor|schlagen*4; *jm.* e-n Vorschlag machen; *jm.* e-n Rat geben*; e-n Antrag stellen (제의).

건천(乾川) der ausgetrocknete Bach, -(e)s, ⸗e.

건초(乾草) Heu *n.* -(e)s. ¶ ~를 만들다 heuen.

건축(建築) ① 《건조》 Bau *m.* -(e)s, -e; Aufbau *m.* -(e)s, -e; Aufrichtung *f.* -en; Errichtung *f.* -en; Konstruktion *f.* -en. ② 《건조술》 Baukunst *f.* ⸗e; Architektur *f.* -en; Bauart *f.* -en. ③ 《건물》 Bauwerk *n.* -(e)s, -e; Bau *m.* -(e)s, -ten; Gebäude *n.* -s, -. ~하다 bauen4; auf|bauen4; auf|führen4; erbauen4; errichten4. ~되다 gebaut werden; errichtet werden. ¶ ~상의 Bau-; architektonisch / ~ 중이다 im Bau sein (begriffen sein) / 집은 벌써 오래 전부터 ~ 중이다 Das Haus ist schon lange Zeit im Bau.

‖ ~가 Architekt *m.* -en, -en. ~공사 Bauarbeit *f.* -en; Bau *m.* -(e)s, -e. ~공학 Architektur *f.* -en; Baukunst *f.* ⸗e. ~비 Baukosten 《*pl.*》. ~양식 Bau¦art *f.* -en (-stil *m.* -(e)s, -e; -weise *f.* -n). ~장 Baustelle *f.* -n. ~재료 Bau¦material *n.* -s, ..lien (-stoff *m.* -(e)s, -e).

건투(健投) 〖야구〗 der gute Wurf, -(e)s, ⸗e.

건투(健鬪) der gute (tapfere) Kampf, -(e)s, ⸗e. ~하다 gut (brav; tapfer) kämpfen; 4sich gut schlagen* 《*mit*3》. ☞ 분투(奮鬪). ¶ ~를 빈다 Ich hoffe (erwarte), daß du dein Bestes (Äußerstes) tust.

건판(乾板) 〖사진〗 (Trocken)platte *f.* -n.

‖ ~법 (Trocken)plattenverfahren *n.* -s, -. 보통 (신속) ~ die gewöhnliche (schnelle) (Trocken)platte.

건평(建坪) Baufläche *f.* -n; die bebaute Fläche, -n. ¶ 이 집 ~은 50 평이다 Das Gebäude

(Haus) hat e-n Gesamtbaugrund von 50 *Pyeong*.

건폐율(建蔽率) Bebauungs|rate (-dichte) *f*. -n.

건포도(乾葡萄) Rosine *f*. -n; Korinthe *f*. -n.

건필(健筆) die gewandte Feder, -n; das geschickte (gewandte) Schreiben*, -s. ¶ ~을 휘두르다 e-e gewandte Feder führen / 그의 ~에는 감탄하지 않을 수 없다 Seine Gewandtheit im Schreiben ruft unsere Bewunderung hervor.
‖ ~가 der gewandte Schriftsteller, -s, -; Vielschreiber *m*. -s, -.

건함(建艦) Marineschiffbau *m*. -(e)s. ~하다 das Schiff bauen.
‖ ~계획 Schiffbauplan *m*. -(e)s, ⸚e.

걷다^{1} ① 《말다·개키다》 zusammen|nehmen*^{4} (-|falten^{4}); auf|rollen^{4}; zusammen|legen^{4}. ¶ 자리를 ~ die Matte zusammen|legen / 소매를 ~ die Ärmel auf|schlagen* (hoch|schlagen*) / 소매를 걷어 올리고 mit entblößten Armen; die Ärmel aufgeschlagen (hochgeschlagen) / 치맛자락을 ~ den Saum des Rocks (den Rock) auf|nehmen* (auf|schürzen; auf|stecken) / 걷어올린 것을 내리다 den Umschlag ab|nehmen* (los|binden*). ② 《치우다》 auf|räumen^{4}; weg|räumen^{4}; weg|legen^{4}; weg|stellen^{4}; weg|tun*^{4}; beiseite|bringen*^{4}; 《내리다》 herunter|lassen*^{4}; nieder|holen^{4}; streichen*^{4}. ¶ 빨래를 ~ die Wäsche 《-n》 herein|nehmen* / 상보를 ~ das Tischtuch 《-s, ⸚er》 weg|nehmen*(weg|räumen) / 천막을 ~ ein Zelt ab|brechen* (ab|reißen*) / 돛을 ~ das Segel nieder|holen (ein|holen; ein|ziehen*; streichen*) / 기를 ~ eine Flagge (Fahne) herunter|lassen* (herab|holen). ③ 《일 따위를》 ab|schließen*^{4}; erledigen^{4}; e-r ^{3}Sache ein Ende machen. ¶ 일을 ~ e-e Arbeit erledigen. ④ ☞ 거두다.

걷다^{2} gehen* [s]; zu Fuß gehen*; laufen* [s]; bummeln (건들건들); herum|schlendern [s]; spazieren|gehen* [s] (산책); einher|stolzieren [s] (활보); ^{4}sich mühsam fort|schleppen(터벅터벅); trippeln [h,s] (아장아장); wandern [s,h] (한가롭게). ¶ 걷게 하다 (ein Pferd) gehen lassen*; führen^{4}; geleiten^{4}; spazieren|führen^{4} / 걸어 돌아다니다 umher|gehen*(-|schweifen; -|treiben*)[s]; umher|wandern [s,h] / 거리를 ~ auf der Straße gehen* / 역까지 걸어서 5분밖에 안 걸린다 Zum Bahnhof braucht man nur fünf Minuten zu laufen. / 녹초가 되도록 걸었다 Ich habe mich halb tot gelaufen./ 걸어서 돌아가다 nach Hause laufen*[s] / 걸어서 지치다 ^{4}sich müde gehen*[s] / 발끝으로 ~ auf den Zehen gehen*[s] / 걸어서 30분 걸린다 Es ist e-e halbe Stunde Weges (zu gehen). / 걸어갑시다 Wir wollen zu Fuß gehen. / 정류장은 집에서 걸어서 5분도 안 걸린다 Die Haltestelle ist kaum 5 Minuten von m-m Hause entfernt. / 줄곧 걸어오셨읍니까 Sind Sie den ganzen Weg zu Fuß gegangen (gekommen)? / 자네 꽤 잘 걷는데 Du bist gut zu Fuße. / 그는 묵묵히 자기 자신의 길을 걷고 있다 Er geht schweigend s-n eigenen Weg.

걷다^{3} 《개다》 ^{4}sich auf|klären (auf|heitern; auf|hellen); ^{4}sich entwölken; auf|steigen* [s] (안개가); auf|hören (비가).

걷몰다 (an|)treiben*^{4}; auf|peitschen^{4}; auf|regen^{4}; auf|rütteln^{4}. ¶ 말을 ~ das Pferd treiben* / 일을 ~ *js*. Arbeit heftig an|treiben*.

걷어들다 hoch|raffen^{4}; auf|heben*^{4}. ¶ 스커트를 ~ den Rock hoch|raffen.

걷어붙이다 auf|streifen^{4}; auf|nehmen*^{4}; auf|krempeln^{4} (바지를); auf|stecken^{4} (-|schürzen^{4}); (den Rock) höher gürten(치마를). ¶ 팔을 ~ ^{3}sich den Arm entblößen; die Ärmel auf|streifen / 바지를 무릎까지 ~ die Hosen bis zum Knie auf|krempeln.

걷어올리다 auf|winden*^{4}; auf|rollen^{4}; auf|wickeln^{4}; ein|schlagen*^{4}. ¶ 발을 ~ e-n Fensterladen (aus Rohr) hoch|ziehen* / 와이샤쓰 소매를 걷어 올리고 mit eingeschlagenen Ärmeln des Hemdes.

걷어잡다 hoch|raffen^{4}; auf|heben*^{4}; in die Höhe heben*^{4}. ¶ 스커트를 ~ den Rock auf|heben*.

걷어지르다 auf|schürzen^{4}; auf|stecken^{4}. ¶ 옷자락을 ~ das Kleid hoch|schürzen.

걷어질리다 hohl werden. ¶ 그의 눈이 걷어질렸다 S-e Augen sind eingesunken.

걷어차다 《발로》 mit dem Fuß (weg|)stoßen*^{4} (fort|stoßen*^{4}); *jm*. e-n Fußtritt versetzen; zurück|stoßen*^{4}; 《퇴짜》 *jm*. e-n Korb geben*. ¶ 정강이를 ~ *js*. ^{3}Schienbein e-n Stoß mit dem Fuß versetzen / 문을 걷어차 열다 die Tür auf|stoßen* / 자리를 걷어차고 나가다 aus dem Zimmer stampfen; voll Entrüstung fort|gehen* [s].

걷어채다 mit dem Fuß gestoßen werden; e-n Tritt bekommen*. ¶ 옆구리를 ~ e-n Tritt in die Seite bekommen*.

걷어치우다 ① 《흩어진 것을》 in Ordnung bringen*^{4}; auf|räumen^{4}; weg|räumen^{4}; weg|legen^{4}; beiseite|bringen*^{4}. ¶ 흩어진 것을 ~ zerstreute Sachen auf|räumen / 책상 위를 ~ den Tisch auf|räumen. ② 《일을》 unterbrechen*^{4}; ein|stellen^{4}; auf|hören 《*mit*^{3}》; auf|geben*^{4}. ¶ 장사를 ~ ^{4}sich von den Geschäften zurück|ziehen* / 일을 ~ mit der Arbeit auf|hören / 거래를 ~ *jm*. den Handel auf|sagen.

-걷이 das Aufsammeln*, -s; das Sammeln*, -s; Sammlung *f*. -en. ¶ 가을걷이 Ernte *f*. -n; Ertrag *m*. -es, ⸚e / 밭걷이 die Ernte auf dem Feld.

걷잡다 stützen^{4}; unterstützen^{4}; unter|halten*^{4}; tragen*^{4}; erhalten*^{4}; aufrecht halten*^{4}; unterdrücken^{4}. ¶ 걷잡을 수 없는 혼란 ein heilloses Durcheinander, -s / 감정을 ~ s-e Gefühle beherrschen / 눈물이 걷잡을 수 없이 흘렀다 Es gelang mir nicht, die Tränen zurückzuhalten.

걷히다 ① 《구름·안개 따위가》 ^{4}sich auf|klären; ^{4}sich auf|heitern; wieder klar (schön) werden; ^{4}sich verziehen*; ^{4}sich verteilen; verschwinden*. ¶ 구름이 차차 ~ es klärt sich allmählich auf. / 안개가 걷혔다 Der Nebel hat sich verteilt. ② 《돈 따위가》 gesammelt (zusammengebracht; eingesammelt) werden. ¶ 회비가 (기부금이) ~ die Vereinssteuern (Beiträge) eingesammelt werden.

걸걸 geizig; gierig; habsüchtig.

걸걸거리다 ^{4}sich geizig benehmen*; gierig (habgierig; habsüchtig) sein.

걸걸하다(傑傑—) heiter; offen; offenherzig; munter; fröhlich (sein).

걸귀(乞鬼) 《암돼지》 die Sau 《⸚e》, die geworfen hat; 《사람》 Fresser *m*. -s, -; Schlemmer *m.* -s, -; Vielfraß *m.* -es, -e. ¶ ~들린 gierig; gefräßig / ~같이 먹다 gierig essen*.

걸근거리다 ① 《욕심내다》 (hab)gierig 〔habsüchtig〕 sein. ¶ 걸근거리며 gierig; habsüchtig / 그렇게 걸근거리지 말아 So gierig darf man nicht sein. ② 《목구멍이》 es kribbelt *jm.*; es krabbelt *jn.* ¶ 목이 ~ eine heißere Kehle 〔Gurgel〕 haben; es kratzt 〔krabbelt〕 *jn.* im Hals.

걸근걸근 《욕심》 gierig; gefräßig; 《목구멍이》 e-e heißere Kehle habend.

걸기(傑氣) das heroische Temperament, -(e)s, -e; Kühnheit *f.*; Beherztheit *f.* ¶ ~있는 von heroischem Temperament; großartig; heldenhaft; kühn; beherzt.

걸기대(乞期待) 《게시》 Bis bald!

걸기질 《평평하게 고름》 die Einebnung 〔Planierung〕 der Erde 〔des Reisackerbodens〕. **~하다** die Erde 〔den Reisackerboden〕 ebnen 〔planieren〕.

걸까리지다 groß; kräftig; rüstig (sein).

걸껑쇠 U-förmig gebogener Haken 《-s, -》 zum Befestigen von Pflugschar.

걸낭(一囊) ① 《걸어두는》 ein Sack, der an die Wand gehängt ist. ② 《바랑》 Rucksack *m.* -(e)s, ⸚e; Knappsack *m.* -(e)s, ⸚e.

걸다¹ ① 《땅이》 reich; fruchtbar (sein). ¶ 건 땅 die fruchtbare Erde, -n / 땅이 ~ die Erde ist fruchtbar. ② 《액체》 dick (flüssig); zäh (sein). ¶ 건 국 die dicke Suppe, -n. ③ 《손이》 e-e glückliche Hand haben 《*in*³》. ¶ 그는 도박에 손이 ~ Er hat im Spiel e-e glückliche Hand. ④ 《입이》 gierig; gefräßig (sein). ¶ 그는 입이 걸어 아무거나 잘 먹는다 Er ist so gefräßig, daß er alles gierig ißt. ⑤ 《언사가》 e-e böse 〔giftige〕 Zunge haben; ein Lästermaul haben; sarkastisch (sein). ¶ 그는 입이 걸어 남의 욕을 잘한다 Er hat immer e-e giftige Zunge über andere. ⑥ 《먹을 것이》 schwer; reich; luxuriös; verschwenderisch (sein). ¶ 잔치가 ~ Das Festmahl ist luxuriös.

걸다² ① 《매달다》 hängen⁴ 《*an*⁴; *auf*⁴; *über*⁴》; auf|hängen⁴ 《*an*³·⁴; *auf*⁴》; aus|hängen⁴ (간판 따위를); an|haken⁴ (갈고리 같은 것으로). ¶ 빨래를 못에 ~ die Wäsche an den Haken hängen; die Wäsche auf|hängen / 저고리를 의자 등받이에 ~ den Rock über die Stuhllehne 〔Rückenlehne〕 hängen / 그 그림은 가장 잘 보이는 곳에 걸려 있다 Das Bild hängt an der Front.

② 《돈 따위를》 bezahlen⁴; ein|zahlen⁴; voraus|bezahlen⁴; wetten⁴; (als Einsatz) setzen⁴. ¶ 돈을 걸고 노름하다 um Geld spielen / 돈을 몽땅 ~ auf Heller u. Pfennig aufs Spiel setzen 〔wetten〕 / 그는 경마에 1000 원을 걸었다 Er setzte 1000 *Won* auf ein Rennpferd. / 그것에 10 마르크를 건다 Ich setze darauf 10 DM. ein. / 자네가 원하는 것은 무엇이든 걸겠다 Ich wette alles, was du willst.

③ 《목숨을》 riskieren⁴; aufs Spiel setzen⁴. ¶ 목(숨)을 ~ das Leben aufs Spiel setzen; das Leben riskieren / 명예를 ~ s-e Ehre ein|setzen 《*für*⁴》 / 생사를 걸고 auf Leben u. Tod; mit eigener Lebensgefahr / 운명을 건 싸움 〔순간, 장소〕 Entscheidungs¦kampf 〔-stunde; -punkt〕; Wende *f.* -n; Wendepunkt *m.* / 그는 목숨을 걸고 그녀를 구했다 Er rettete sie unter eigener Lebensgefahr.

④ 《말을》 an|reden⁴; an|sprechen*⁴. ¶ 말을 ~ *jn.* an|sprechen*; *jn.* an|reden / 농을 ~ Spaß machen 《über *jn.*》.

⑤ 《시비를》 heraus|fordern 《*jn.*》; provozieren⁴; e-n Streit vom Zaun brechen*; *jm.* Spitze bieten*.

⑥ 《연애를》 e-r Dame den Hof machen; ⁴sich bewerben* 《um ein Mädchen》; freien 《um ein Mädchen》.

⑦ 《전화를》 (telefonisch) an|rufen*⁴; an|läuten⁴; telephonieren; *jm.* telephonisch mit|teilen⁴. ¶ 회사에 전화를 ~ die Firma an|rufen* / 거기 도착하는 대로 전화를 걸어다오 Bitte ruf' mich an, sobald du dort angekommen bist. / 112 〔경찰〕에 전화를 걸어라 Ruf' doch Nummer 112 (=hundertzwölf; eins eins zwo) an! 〔Ruf' doch Polizeistation an!〕.

⑧ 《재판을》 e-e Sache vor Gericht bringen*; mit ³*et.* aus (vor) Gericht gehen*[s]; mit *jm.* Prozeß an|fangen*.

⑨ 《함정 · 술책을》 (e-e Falle) stellen 〔legen〕. ¶ 아무의 다리를 ~ *jm.* Bein stellen.

⑩ 《희망을》 die Hoffnung setzen 《*auf*⁴》. ¶ 아무에게 기대를 걸게 하다 *jm.* Hoffnung lassen*.

⑪ 《잠그다》 verschließen*⁴; zu|schließen*⁴; ein Schloß vor|legen. ¶ 문에 자물쇠를 ~ e-r Tür ein Schloß vor|legen / 자물쇠가 걸려 있다 verschlossen sein; unter Verschluß sein.

⑫ 《작동시킴》 in Bewegung setzen⁴; an|machen⁴; in Gang bringen*⁴. ¶ 발동을 ~ e-e Maschine in Bewegung setzen / 최면술을 ~ hypnotisieren⁴; in Hypnose versetzen⁴.

걸대 e-e Stange, worauf man etwas hängen kann.

걸때 Körper *m.* -s, -; Körperbau *m.* -(e)s; Statur *f.* -en. ¶ ~가 크다 e-n großen Körperbau haben.

걸뜨다 im Wasser schweben [h,s]; schwimmen*[h,s].

걸러 in Abständen von³. ¶ 하나 ~ immer das zweite; eins um das andere / 하루 ~ alle zwei ⁴Tage; jeden zweiten Tag / 이틀 ~ alle drei ³Tage; jeden dritten Tag / 1 주일 ~ alle acht Tage / 한 줄씩 ~ 쓰다 auf jede zweite 〔auf jeder zweiten〕 Zeile schreiben*⁴.

걸러뛰다 überspringen*⁴; überschlagen*⁴; aus|lassen*⁴. ¶ 다섯 페이지를 ~ 5 〔fünf〕 Seiten überspringen* 〔aus|lassen*〕 / 이야기의 재미없는 대목을 ~ die uninteressanten Stellen der Geschichte überspringen*.

걸레 Wisch *m.* -es, -e; Wisch¦tuch 〔Scheuer-〕 *n.* -(e)s, ⸚er; Scheuer¦lappen 〔Wisch-〕 *m.* -s, -; 《자루가 달린》 Schrubber *m.* -s, -; 《갑판용》 Schwabber *m.* -s, -. ¶ 마른 ~ der getrocknete Wischlappen, -s, - / ~치다 ⁴*et.* mit dem Wischlappen ab|wischen; 《갑판을》 schwabbern⁴ / 바닥을 ~질하다 den Boden scheuern / ~로 훔치다 auf|wischen⁴; ab|wischen⁴. ② =~ 부정.

‖ **~부정** abgenutztes Zeug; die gemeine Person.

걸레질 das (Ab)wischen*, -s. **~하다** (mit dem Wischlappen) ab|wischen⁴.

걸리다¹ ① 《매어 달리다》 hängen 〔hangen*〕 《*an*³》; aufgehängt sein. ¶ 옷이 못에 걸려 있다 Das Kleid hängt an e-m Nagel. / 구름이 산봉우리에 걸려 있다 Wolken hängen über dem Gipfel des Berges. / 벽에 그림이

걸려 있다 Das Bild hängt an der Wand. / 그것은 가지에 걸려 있다 Das hängt von dem Zweig herab. / 달이 동쪽 하늘에 걸려 있다 Der Mond hängt am östlichen Himmel.
② 《돈·생명이》 eingezahlt sein (als Bürgschaft); eingesetzt sein; auf dem Spiele stehen*; verpfändet sein; gelten*; kosten⁴. ¶큰 돈이 ~ e-e große Summe verpfändet (gesetzt) sein / 목숨이 ~ *js.* Leben gelten* (kosten); das Leben auf dem Spiel stehen*; *js.* Stelle auf dem Spiel stehen* / 계약금이 ~ der (Vertrags-) vorschuß 《..schusses, ..schüsse》 eingezahlt sein; deponiert sein.
③ 《전화가》 telefonisch erreichen können*; 《걸려오다》 angerufen werden; *jn.* am Telefon sprechen wollen*; die (telefonische) Verbindung (den Telefonanschluß) bekommen*. ¶김씨한테서 전화가 걸려 왔읍니다 Herr *Kim* will Sie am Telephon sprechen.
④ 《술책·함정 따위에》 gefangen sein; geraten sein 《in e-r Falle》; gefangengenommen sein; ⁴sich (in der Falle) fangen*; betrogen werden 《*von*³》; hintergangen werden (속임수에). ¶적의 계략에 ~ ins feindliche Garn gehen* Ⓢ; in die Schlinge des Feindes geraten* Ⓢ / 독아 (독수)에 ~ *jm.* zum Opfer fallen*Ⓢ / 사기에 ~ ⁴sich betrügen lassen* / 쥐가 덫에 걸렸다 Eine Ratte ging in die Falle.¦Eine Maus hat sich in der Falle gefangen. / 그녀는 불량소년의 손에 걸려들었다 Sie ist von einem Straßenjungen verführt worden. / 그런 수법엔 걸려들지 않는다 Du kannst mich nicht rein legen. / 꼼짝없이 걸렸다 Ich habe mich einfach auf den Leim führen (locken) lassen.
⑤ 《방해받다》 gehindert sein; gestockt sein; hängen bleiben* Ⓢ 《*an*³》; stolpern; strauchen 《*über*⁴》. ¶돌에 걸려 넘어지다 über e-n Stein stolpern u. fallen*Ⓢ / 발이 철사에 ~ der Fuß ist im Draht verfangen / 생선뼈가 목에 ~ *jm.* e-e Gräte im Halse stecken bleiben*Ⓢ / 먹은 것이 가슴에 ~ *jm.* die Speise (das Gegessene*) im Magen liegen* / 담(痰)이 목에 ~ *jm.* den Schleim in der Kehle haben / 가시덤불에 옷이 ~ das Kleid in dem Dornstrauch hängen bleiben* Ⓢ / 방에서 뛰어나가다가 의자에 걸렸다 Beim Herausstürzen aus dem Zimmer stoßte ich gegen den Stuhl. / 연이 나무에 걸렸다 Der Papierdrache ist in dem Baum hängen geblieben.
⑥ 《잡히다》 gefangen sein. ¶경관에게 ~ vom Polizisten abgeführt werden; der Polizei ins Netz gehen* Ⓢ / 우산을 훔치려다가 ~ beim Klauen eines Schirms erwischt werden / 고기가 그물에 걸렸다 Ein Fisch ist ins Netz gegangen.¦Die Fische sind im Netz gefangen. / 잠자리가 거미줄에 걸렸다 Eine Libelle hat sich im Spinnennetz (Spinnengewebe) gefangen.
⑦ 《법 따위에》 verstoßen* 《*gegen*⁴》; zuwider³ sein; ⁴sich vergehen*; das Gesetz übertreten*. ¶법에 ~ von der Regel ab|weichen*Ⓢ; gesetzlich unerlaubt sein; gesetzwidrig sein / 법망에 ~ vom Arm des Gesetzes erreicht werden / 그는 친구 살해의 죄목으로 걸렸다 Er wurde beschuldigt, s-n Freund ermordet zu haben
⑧ 《병에》 krank werden; e-e Krankheit bekommen*; von e-r Krankheit befallen werden; ³sich e-e Krankheit holen (zu|-ziehen*); an e-r Krankheit leiden*; 《전염됨》 von e-r Krankheit angesteckt werden. ¶감기에 ~ ³sich e-e Erkältung zu|ziehen*; ⁴sich erkälten / 폐병에 걸려죽다 an e-r Lungenentzündung sterben* Ⓢ / 나는 병에 걸렸다 E-e Krankheit hat mich befallen. / 그는 갑자기 열병에 걸렸다 Er wurde plötzlich vom Fieber befallen (heimgesucht).
⑨ 《시간이》 in ⁴Anspruch nehmen*⁴; brauchen⁴; kosten⁴; dauern. ¶5시간 걸리는 일 die Arbeit 《-en》, wozu man fünf Stunden braucht / 시간이 얼마나 걸립니까 Wie lange dauert es? / 그건 많은 시간이 걸린다 Das nimmt viel Zeit in Anspruch.¦Das kostet viel Zeit. es? / 이 집을 짓는 데 6개월이 걸렸다 Man brauchte sechs Monate, um dieses Haus zu bauen. / 나는 이 책을 쓰는데 3년이 걸렸다 Es kostete mich drei Jahre, um dieses Buch zu schreiben. / 학교까지는 10분 걸린다 Man braucht zehn Minuten, (um) die Schule zu erreichen.
⑩ 《관계함》 ⁴sich verwickeln 《*in*⁴》; ⁴sich beteiligen 《*an*⁴》; verwickelt sein. ¶사건에 ~ mit e-r Sache zu tun haben; in der Angelegenheit verwickelt sein / 나쁜 여자에게 ~ den Listen e-r verruchten Frau verfallen sein / 그런 여자한테 걸리면 큰일이다 Es ist sehr gefährlich, mit ihr etwas zu tun zu haben. / 그는 그 음모에 걸려 있다 Er ist in das Komplott verwickelt.
⑪ 《잠김》 ⁴sich schließen*; zu|gehen*Ⓢ; geschloßen werden; zugemacht werden. ¶문이 ~ die Tür geschloßen werden / 문이 잘 걸리지 않는다 Die Tür will nicht schließen.
⑫ 《마음에》 *jn.* beunruhigen; *jm.* Sorge machen; 〖사람이 주어〗 ⁴sich kümmern 《*um*⁴》; 〖사물이 주어〗 *jm.* im Herzen liegen*; *jm.* nicht aus dem Sinn kommen* Ⓢ (잊지 못하다); 《걱정하다》 besorgt sein 《*um*⁴》; Angst haben 《*vor*³》. ¶그 일이 자꾸 마음에 걸린다 Das lastet immer schwer auf m-r Seele. / 시험의 결과가 마음에 걸린다 Mir bangt vor dem Ausgang (Resultat) des Examens. / 그녀가 오랫동안 오지 않아 마음에 걸린다 Ihr langes Ausbleiben beunruhigt mich.

걸리다² 《걷게 하다》 gehen (zu Fuß gehen; laufen; schreiten) lassen*. ¶어린애에게 걸음을 ~ das Kind trippeln lassen*.

걸망(一網) 《바랑》 der netzförmige Rucksack, -(e)s, ⸗e.

걸맞다 zusammen|passen; gut (zueinander) passen; im Gleichgewicht (sein); im richtigen Verhältnis stehen*; entsprechen*(상응하다). ¶걸맞은 (걸맞지 않은) 부부 ein gut (schlecht) zusammenpassendes Ehepaar, -(e)s, -e / 걸맞은 혼인 die geeignete (passende) Verbindung / 걸맞지 않은 혼인 Mißheirat *f.* -en; die ungeeignete (unpassende) Verbindung.

걸머맡다 übernehmen*⁴; auf ⁴sich nehmen*⁴; die Verantwortung übernehmen* 《*für*⁴》; verantwortlich sein 《*für*⁴》; ⁴sich verantwortlich machen 《*für*⁴》.

걸머잡다 (er)greifen*⁴; (er)fassen⁴; (an|-)packen⁴; fangen*⁴; fest|halten*⁴. ¶머리채를 걸머잡고 끌고 다니다 *jn.* an (bei) den Haaren herum|ziehen*.

걸머지다 ① 《짐·책임을》 auf s-e Schultern nehmen*[4] (laden*[4]); [4]sich belasten 《mit[3]》; [4]sich auf|bürden[4]; auf [4]sich nehmen*[4] (떠맡다); übernehmen*[4]. ¶ 짐을 멜빵으로 ~ das Bündel auf dem Rücken mit Riemen befestigen/ 중임을 ~ e-e wichtige Aufgabe (Stelle) auf [4]sich nehmen*; mit e-r großen Verpflichtung beladen sein / 책임을 ~ e-e Verantwortung tragen (übernehmen)*; die Verantwortlichkeit auf sich laden* (nehmen*) / 죄과를 혼자 ~ allein die Schuld tragen* 《*für*[4]》; *js.* Schuld auf die eigenen Schultern nehmen* / 한국의 장래를 걸머진 사람들 die Leute, die das Schicksal des Koreas auf ihren Schultern tragen. ② 《빚》 Schulden belastet sein; schuldig sein. ¶ 많은 빚을 ~ voller Schulden sein; in Schulden verwickelt sein; tief in Schulden sein; große (viele) Schulden bei *jm.* sein.

걸메다 auf den Schultern tragen*[4]; auf die Schulter nehmen*[4]; schultern[4]. ¶ 총을 ~ ein Gewehr auf der Schulter tragen*.

걸물(傑物) die Persönlichkeit《-en》 von (großem) Format; der große Geist, -(e)s, -er; der hervorragende Mann, -(e)s, ⸗er (Leute); der ganze Kerl, -s, -e. ¶ 그는 상당한 ~이다 Er ist ein ganzer Kerl (e-e (profilierte) Persönlichkeit).

걸상(一床) Sitz *m.* -es, -e; Stuhl *m.* -(e)s, ⸗e; Bank *f.* ⸗e (벤치); Schemel *m.* -s, -; Sessel *m.* -s, - (안락의자).

걸쇠 ① 《문거는》 (Tür)klinke *f.* -n; Schließhaken *m.* -s, -; Schnalle *f.* -n. ¶ ~를 걸다 (풀다) ein|klinken[4]; zu|klinken[4]; auf|-klinken[4]. ② =다리쇠.

걸스카우트 Pfadfinderin *f.* -nen.
‖ **~단장** die Leiterin (Führerin) 《-nen》 der Pfadfinderinnen.

걸식(乞食) das Betteln*, -s; Bettelei *f.* -en. **~하다** betteln[4]; um Almosen bitten*[4]. ¶ ~하며 살다 vom Betteln leben; von Bettelei leben; Bettelbrot essen*.

걸신(乞神) Gott der Gefräßigkeit; Gefräßigkeit *f.*; Gierigkeit *f.* **~들리다** gefräßig (gierig) sein. ¶ ~들린 사람 (~장이) Fresser *m.* -s, -; Vielfraß *m.* -es, -e.

걸싸다 flink; behend; hurtig; geschwind; prompt; schnell; gewandt (sein). ¶ 일이 ~ e-e Arbeit gewandt machen / 걸음이 ~ schnell laufen* Ⓢ.

걸쌈스럽다 unnachgiebig; unbeugsam; von starkem Geiste; wacker (sein). ¶ 걸쌈스러운 사람 ein ehrgeiziger Mensch, -en, -en.

걸어앉다 [4]sich setzen; Platz nehmen*. ¶ 의자에 ~ [4]sich auf den Stuhl setzen / 문턱에 ~ [4]sich auf die Türschwelle (auf das Fensterbrett) setzen.

걸어총(一銃) zusammengesetzte Gewehre 《*pl.*》; Gewehrpyramide *f.* -n. **~하다** Gewehre zusammen|setzen.

걸우다 düngen[4] (거름을 주다); fruchtbar machen[4]. ¶ 땅(밭)을 ~ die Erde (das Feld) düngen.

걸음 das Gehen* (Schreiten*; Treten*) -s; Gang *m.* -(e)s; Schritt (Tritt) *m.* -(e)s, -e. ¶ 한 ~ 한 ~ Schritt für (vor) Schritt / 황소 ~으로 mit langsamen Schritten / ~을 걷다 schreiten* Ⓢ; zu Fuß gehen* Ⓢ / ~이 빠르다 (느리다) mit schnellen (langsamen) Schritten gehen* Ⓢ; schnell (langsam) vorwärts|gehen* Ⓢ / ~을 재촉하다 s-e Schritte beschleunigen / ~을 늦추다 s-e Schritte verlangsamen / 한 ~ 나서다 (물러서다) e-n Schritt vorwärts (rückwärts) tun* / 한 ~ 앞서다 (뒤지다) e-n Schritt voran|gehen* (hinterher|gehen*) Ⓢ / 선 ~으로 stehendes Fußes / ~아 날 살려라 하고 달아나다 so schnell wie möglich fliehen*Ⓢ / ~을 맞추다 gleichen Schritt mit *jm.* halten* (아무와) / 힘찬 ~으로 mit festen Schritten 《*pl.*》; festen Schrittes / 그는 갑자기 ~을 멈췄다 Er ist plötzlich stehen geblieben. / 자네 ~으로 10 분이면 간다 Bei d-m Schritt kannst du in zehn Minuten dort sein.
‖ **~마** das Watscheln*, -s; 《아기에게》 Tritt fest auf!¦Laß mal treten! **~새** =걸음걸이. **~짐작** Schritt *m.* -es, -e; das Messen (die Entfernung) mit den Schritten.

걸음걸이 die Art 《-en》, wie man geht; Gang *m.* -(e)s, ⸗e; Schritt *m.* -(e)s, -e; Gangart *f.* -en. ¶ 무거운 (가벼운) ~로 mit schwerfälligen (leichten) Schritten / 힘찬 ~로 mit festen Schritten 《*pl.*》/ ~로 알아보다 *jn.* am Gang erkennen* / ~가 위태롭다 den watschelnden (unbeholfenen) Gang haben.

걸음발타다 eben an|fangen* zu laufen; trippeln; unsicher laufen* Ⓢ. ¶ 그 애는 벌써 혼자서 걸음발탄다 Das Kind läuft schon allein.

-걸이 Aufhänger *m.* -s, -; Haken *m.* -s, -; Halter *m.* -s, -. ¶ 모자걸이 Hutständer *m.* -s, -; Hutriegel *m.* -s, - / 옷걸이 Kleiderbügel (-haken) *m.* -s, -; Kleider¦ständer *m.* -s, - (-gestell *n.* -s, -e; -halter *m.* -s, -).

걸인(乞人) Bettler *m.* -s, -. ☞ 거지.

걸작(傑作) ① 《작품》 Meister¦stück *n.* -(e)s, -e (-werk *n.* -(e)s, -e). ¶ 세계 문학 ~집 e-e Sammlung Meisterstücke (aus) der Weltliteratur / 저것은 그의 ~품이다 Das ist e-e vollendete Leistung von ihm.¦Das ist ein Meisterwerk von ihm. ② 《언행의》 lächerliche Rede (Haltung; Handlung); 《사람》 ein Narr *m.* -en, -en; ein Possenreißer *m.* -s, -. ¶ 그의 재담은 정말 ~이다 Sein Wortspiel ist wirklich e-e Leistung.

걸쩍거리다 großmütig (großherzig; großzügig; tätig; aktiv; energisch; tatkräftig) sein.

걸쩍걸쩍 großherzig; energisch; großmütig; tatkräftig.

걸쩍지근하다 《먹새가》 gefräßig; gierig (sein); 《말이》 ein grobes Maul haben; schmutzige Reden führen. ¶ 걸쩍지근하게 먹다 gierig essen*.

걸쭉하다 《액체가》 dickflüssig; zäh; dick; fett (sein). ¶ 죽이 ~ Der Brei ist dick(flüssig).

걸차다 《기름지다》 fruchtbar; ergiebig; reich (sein). ¶ 걸찬 땅 die fruchtbare (ergiebige) Erde, -n.

걸채 Packsattel *m.* -s, ⸗; Saumsattel *m.*

걸처두다 liegen lassen*[4]; stehen lassen*[4]; in der Schwebe lassen*[4]; dahingestellt sein lassen*[4]. ¶ 일을 ~ die Arbeit liegen lassen*.

걸출(傑出) 《뛰어남》 das Hervorragen*, -s; Eminenz *f.* -en; Vortrefflichkeit *f.* -en; 《사람》 der Hervorragende; der außergewöhnliche (große) Charakter, -s, -e; der fabelhafte Geist, -es, -er (걸물). **~하다** 〖동사적〗 [4]sich hervor|tun*; hervor|ragen (-|-stechen*; -|treten* Ⓢ) 《이상 *unter*[3]; *durch*[4];

in^3》; voraus sein 《*in*^{3}》; übertreffen*^{4} 《*in*^{3}》; 〔형용사적〕 hervorragend; außerordentlich; vortrefflich; vorzüglich (sein). ¶그는 학자로서 ~한 인물이다 Als Gelehrter steht er an der Spitze (s-r Kollegen).

걸치다 ① 《연하여 미치다》 ^{4}sich erstrecken 《*über*^{4}》; ^{4}sich aus|dehnen; reichen 《*bis*^{3}》; umfassen^4; 《시간·공간》 von^3... bis^4; von^3... an^4 〔in^4; nach^3; zu^3〕. ¶오후에서 밤에 걸쳐 von nachmittags bis in die Nacht hinein / 주말에 ~ übers Wochenende / 5 년에 걸쳐서 fünf Jahre lang / 사흘〔6 회〕에 걸쳐 drei Tage〔sechsmal〕 hintereinander / 세부에 까지 ~ ins einzelne gehen* Ⓢ; die Einzelheiten näher erörtern / 세부〔전반〕에 걸친 조사 bis ins einzelne gehende 〔umfassende〕 Nachforschungen 《*pl.*》 / 이 기록은 2 년 간에 걸친 것이다 Diese Aufzeichnungen erstrecken sich über zwei Jahre. / 이 책은 그 전분야에 걸쳐서 써 있다 Das Buch behandelt das ganze Gebiet. ② 《…에 놓다》 legen^4; lehnen^4; an|legen^4 《*gegen*^{4}》. ¶사다리를 벽에 ~ die Leiter an die Wand lehnen / 도랑에 널빤지를 ~ e-e Planke 〔ein Brett〕 über den Graben legen / 강에 다리를 ~ über den Fluß e-e Brücke schlagen* 〔bauen〕; e-n Fluß überbrücken. ③ 《입다》 an|ziehen*^{4}; an|legen^4; an|haben*^{4}; tragen*^{4}; ^{4}sich umwickeln 《*mit*^{3}》; ^{4}sich um|hüllen 《*mit*^{3}》; ^{4}sich bekleiden 《*mit*^{3}》. ¶새 옷을 ~ e-n neuen Anzug an|legen 〔an|ziehen*〕 / 잠옷을 걸치고 in Nachtkleidern / 최신 유행의 옷을 ~ ^{4}sich nach der neuesten Mode kleiden / 누더기를 걸치고 있다 Er ist im Lumpen gekleidet.

걸태질 das Zusammenscharren*(《-s》) des Geldes. ~하다 Geld unverschämt zusammen|scharren.

걸터듬다 umher|tappen; umher|tasten; mit der Hand tasten 《*nach*^{3}》.

걸터먹다 alles verzehren 〔fressen*〕.

걸터앉다 ^{4}sich setzen 《*auf*^{4}》; rittlings sitzen* 《*auf*^{3}》. ¶의자에 ~ ^{4}sich rittlings auf e-n Stuhl setzen / 말 위에 ~ auf ein Pferd steigen*; ein Pferd besteigen*; ^{4}sich rittlings setzen.

걸터타다 rittlings sitzen*《*auf*^{3}》; auf|sitzen*; reiten* Ⓗ,Ⓢ; ^{4}sich rittlings setzen 《*auf*^{4}》.

걸프렌드 Freundin *f.* -nen; Mädchen *n.* -s, -.

걸핏하면 zu oft; nicht selten; leicht; mit Leichtigkeit; beim geringsten Anlaß. ¶~ 울다 beim geringsten Anlaß weinen / ~ 때리다 e-e lockere Hand haben; leicht schlagen* / ~ 성내다 leicht auf|brausen; gleich hitzig werden / ~ 감기가 들다 ^{4}sich leicht erkälten / 그는 ~ 서울에 간다 Er geht zu oft nach Seoul ohne allen 〔vernünftigen〕 Grund.

검(劍) Schwert *n.* -(e)s, -er; Degen *m.* -s, -; Säbel *m.* -s, -; Florett *n.* -(e)s, -e (펜싱용); Bajonett *n.* -(e)s, -e (총검). ¶검을 뽑다 das Schwert ziehen* 〔zücken〕 / 검을 칼집에 꽂다 das Schwert in die Scheide stecken / 검을 잡다 zum Schwerte greifen*.

검객(劍客) der (meisterhafte) Fechter, -s, -; der kühne Degen, -s, -.

검거(檢擧) Verhaftung *f.* -en; Arrest *m.* -es, -e. ~하다 verhaften^4; arreitieren^4; fassen^4. ¶일제 ~ Massenverhaftung *f.* -en / 일제 ~하다 massenweise verhaften^4 / ~되다 verhaftet werden / 그는 어젯밤 선거법 위반으로 ~되었다 Er wurde gestern nacht wegen e-s Wahlvergehens verhaftet.

검극(劍戟) Schwert u. Speer; Waffen 《*pl*》.

검극(劍劇) Fechterei|stück *n.* -(e)s, - 〔-film *m.* -(e)s, -e〕 (영화).

검기(劍器) Schwert 《*n.* -(e)s, -er》, das beim Schwerttanz gebraucht wird.

검기다 schwärzen^4; schmutzig machen^4; besudeln^4; beflecken^4.

검기울다 nach u. nach dunkel 〔trübe〕 werden.

검뇨(檢尿) Harnuntersuchung *f.* -en. ~하다 Harn untersuchen. ¶~를 받다 Harn untersuchen lassen*^{4}.

‖~기(器) Harnuntersuchungsapparat *m.* -es, -e.

검다^1 ① 《빛이》 schwarz; 《가무잡잡한》 dunkel; schwärzlich (거무스레한); schwarzbraun (흑갈색의); 《시커먼》 tief|schwarz 〔raben-〕 (sein). ¶얼굴이 검은 von dunkler ^{3}Gesichtsfarbe / 검은 것을 희다고 하다 aus schwarz weiß machen / 검은 머리가 파뿌리가 되도록 함께 살다 bis ins hohe Alter zusammen|leben / 검은 칠을 한 schwarz gestrichen; schwarz lackiert (옷칠한) / 검게 하다 schwärzen^4; schwarz machen^4 / 검게 되다 schwarz werden / 햇빛에 검게 타다 sonnenverbrannt werden / 검게 물들이다 schwarz färben^4; an|schwärzen^4. ② 《마음이》 schwarz; boshaft; arglistig; übelgesinnt (sein). ¶속 검은 사람 ein boshafter Mensch, -en, -en.

검다^2 《갈퀴 따위로》 zusammen|rechen^4; zusammen|scharren^4; zusammen|kratzen^4; zusammen|bringen*^{4}; auf|häufen.

검댕 Ruß *m.* -es. ¶~투성이의 rußig; berußt / ~이 끼다 〔앉다〕 rußig werden; berußt sein / ~을 털다 den Ruß entfernen; den Ruß weg|fegen / ~이 묻다 ^{4}sich berußen.

검덕귀신(一鬼神) Schmutzfink *m.* -en, -en; e-e Person mit scheußlichem Aussehen.

검도(劍道) das Stockfechten*, -s. ¶~를 하다 mit dem Bambusstock fechten*; das Stockfechten üben.

‖~도장 Fecht|halle *f.* -n 〔-boden *m.* -s, - (ᅳ)〕; Fechtschule *f.* -n. ~사범 Fechtmeister *m.* -s, -.

검둥개 der schwarze Hund, -(e)s, -e. ¶~ 멱 감듯 genau so wie früher; es gibt k-e Verbesserung.

검둥이 ① 《낯이 검은》 e-e Person mit dunkler Gesichtsfarbe; 《흑인》 Neger *m.* -s, -; der Schwarze*, -n, -n; Mohr *m.* -en, -en. ② 《개》 der Hund mit dunkler Farbe.

검뜯다 《조르다》 *jn.* um ^{4}*et.* dringend bitten*; *jn.* ständig mit Bitten bedrängen; *jn.* quälen.

검량기(檢量器) Eichmaß *n.* -es, -e; Eichgerät *n.* -(e)s, -e.

검류계(檢流計) 《전류》 Galvanometer *n.* -s, -.

검무(劍舞) Schwerttanz *m.* -es, ⸗e. ¶~를 추다 e-n Schwerttanz vor|führen 〔tanzen〕.

검문(檢問) Kontrolle *f.* -n. ~하다 kontrollieren^4; überwachen^4. ¶통행인을 ~하다 die Passanten kontrollieren.

‖~소 Kontrollstelle *f.* -n.

검박(儉朴) ＝검소(儉素).

검버섯 die dunkle Haut alter Leute. ¶~이 얼굴에 돋다 auf *js.* Gesicht dunkle Flecken bekommen*.

검변(檢便) Stuhluntersuchung *f.* -en. ~하다 den Stuhlgang untersuchen; die Stuhlun-

tersuchung machen.
검부나무 das getrocknete Gras, -es, ¨er (zum Heizen); dürre Blätter《pl.》. 「《pl.》.
검부러기 Grasstaub m. -(e)s; Heuabfälle
검분(檢分) Inspektion f. -en; Beaufsichtigung f. -en; Besichtigung f. -en; Musterung f. -en; Prüfung f. -en; Untersuchung f. -en. ~하다 beaufsichtigen⁴; besichtigen⁴; mustern⁴; prüfen⁴; untersuchen⁴.
검사(檢事) Staatsanwalt m. -(e)s, -e. ¶ ~의 논고 Plädoyer [..doajé:] n. -s, -s / ~가 피고를 심문했다 Der Staatsanwalt nahm den Angeklagten ins Kreuzverhör (stellte mit dem Angeklagten ein Kreuzverhör an). / ~는 그에게 유죄를 논고했다 Der Staatsanwalt plädierte ihn für schuldig. / ~의 논고가 있었다 Der Staatsanwalt hielt e-e Ansprache.
‖ ~시보 Assessor m. -s, -en [..só:rən]. ~장 Oberstaatsanwalt m. -(e)s, -e.
검사(檢査) Besichtigung f. -en; Durchsicht f. -en; (Über)prüfung f. -en; Untersuchung f. -en; Inspektion f. -en; Revision f. -en. ~하다 besichtigen⁴; durchsehen*⁴; (über)prüfen⁴; untersuchen⁴; inspizieren⁴; revidieren⁴ ※검사시킬 경우는 besichtigen lassen*⁴ 처럼, 검사받을 경우는 von jm. besichtigt werden처럼 수동으로 한다. ¶ 신체 ~를 하다 jn. körperlich untersuchen / 수하물을 ~하다 das Gepäck durchsuchen (prüfen) / 엄중한 ~를 하다 ⁴et. e-r eingehenden Prüfung unterziehen* / ~해서 질을 정하다 die Qualität prüfen / 세관의 ~를 받아야 합니다 Sie müssen Zolluntersuchung (Zollinspektion) vornehmen lassen. ¦ Sie müssen durch den Zoll gehen. / 심장을 ~받았다 Ich habe mich auf Herz prüfen (untersuchen) lassen.
‖ ~관(官) Inspekteur [..tø:r] m. -s, -e; der Aufsichtsbeamte*, -n, -n; Prüfer m. -s, -; 《회계의》 Revisor m. -s, -en. ~소 Besichtigungsort (Prüfungsort) m. -es, -e: 생사 ~소 Seidenprüfungsamt n. -(e)s, ¨er. 위생~ die sanitäre Untersuchung. 차량~ die Untersuchung des Wagens. 체력~ die Prüfung der körperlichen Stärke.
검산(檢算) Nachrechnung f. -en. ~하다 nach|rechnen⁴; zur Prüfung nochmals rechnen. ‖ ~자 Nachrechner m. -s, -.
검색(檢索) das Nachschlagen*, -s; 《수색》 Durchsuchung f. -en; Nachforschung f. -en. ~하다 durchsuchen⁴; nach|schlagen* 《das Wörterbuch》; nach|forschen《nach³》. ¶ ~하기에 편하다 Es ist leicht (bequem), nachzuschlagen(⁴et. ausfindig zu machen).
검세다 zäh; beharrlich; hartnäckig (sein).
검소(儉素) Schlichtheit f.; Anspruchslosigkeit f.; Einfachheit f.; Frugalität f.; Mäßigkeit f.; Sparsamkeit f. (절약). ~하다 schlicht; anspruchslos; einfach; frugal; mäßig; sparsam (sein). ¶ ~한 생활 das einfache (schlichte) Leben / ~하게 살다 ein schlichtes usw. Leben führen; schlicht usw. leben / 옷차림이 ~하다 einfach gekleidet (angezogen) sein.
검속(檢束) ① =구속. ② 《체포》 Arrest m. -(e)s, -e; Haft f.; Verwahrung f. -en; Verhaftung f. -en. ~하다 fest|halten*⁴; jn. in Haft (Verwahrung) nehmen*.
‖ 보호~ Schutzhaft f.
검수기(檢水器) Wasser¦messer (-zähler) m. -s, -; Wasserstands¦glas n. -es, ¨er (-melder m. -s, -).
검술(劍術) Fechtkunst f. ¨e. ☞ 검도(劍道).
검시(檢屍) Leichen¦schau (Toten-) f. ~하다 e-e Leichenschau machen. ¶ 경찰의가 ~하러 왔다 Der Polizeiarzt kam zur Leichenschau. / ~가 있었다 Die Leichenschau hat stattgefunden.
‖ ~관 Leichenschauer m. -s, -.
검실거리다 ⁴sich hin u. her bewegen; in der Ferne schimmern (flimmern; flirren); ⁴et. verschwommen sehen* (können*).
검실검실 ① 《어렴풋이》 verschwommen; undeutlich. ~하다 ☞ 검실거리다. ② 《털 따위가》 schwärzlich; dunkel; dünn behaart. ~하다 dünn behaart sein.
검쓰다 gallenbitter; sehr bitter (sein); so bitter wie Galle sein.
검안(檢眼) die Untersuchung 《-en》 der Augen; Ophthalmoskopie f. ~하다(받다) die Augen untersuchen (untersuchen lassen*).
‖ ~경 Augenspiegel m. -s, -; Ophthalmoskop n. -s, -e. ~법 Ophthalmoskopie f.
검압계(檢壓計) Druckmesser m. -s, -; Manometer n. -s, -; Spannungsmesser m. (전압).
검약(儉約) Sparsamkeit f.; Wirtschaftlichkeit f. (이재에 능함); Genauigkeit f. (꼼꼼함). ~하다 sparen⁴; sparsam um|gehen*Ⓢ 《mit³》; ⁴et. zu Rate halten*.
‖ ~가(家) die sparsame (haushälterische) Person, -en ※실제 쓰이는 경우는 Person 대신에 Hausfrau, Wirt 처럼 구체적으로 하는 것이 좋다.
검역(檢疫) die ärztliche Inspektion, -en; Quarantäne f. -n (특히 병이 실제로 발생했을 경우). ~하다 e-e ärztliche Inspektion machen; unter Quarantäne stellen⁴; in Quarantäne legen*⁴ (liegen* (검역중)). ¶ ~필(畢) ärztlich inspiziert.
‖ ~관 der Quarantäne¦beamte*, -n, -n (-arzt m. -es, ¨e). ~기(旗) Quarantäneflagge f. -n. ~소 Quarantänestation f. -en. ~항 Quarantänehafen m. -s, ¨.
검열(檢閱) 《점검》 Besichtigung f. -en; Zensur f. -en (출판물 따위의); Musterung f. -en (군대); Inspektion f. -en. ~하다 zensieren⁴; mustern⁴; inspizieren⁴. ¶ ~필(畢) zensiert / ~을 받다 (통과하다) ⁴sich der Musterung unterziehen (군대가); die Zensur bestehen* (passieren) / 영화의 ~은 아주 엄격하다 Die Filme werden streng zensiert. / 우리 부대는 15일에 ~을 받았다 Unsere Armee ist am 15. inspiziert worden. / 서적과 잡지는 문공부의 ~을 받아야 한다 Bücher u. Zeitschrift müssen von Kulturministerium durchgesehen (genehmigt) werden.
‖ ~관 Inspecktor m. -s, -en (일반적으로); Inspizient m. -en, -en(주로 군대의); Zensor m. -s, -en (출판물의); Filmzensor m. (영화의). ~제도 Zensursystem n. -s, -e. 영화~ Filmzensur f.
검온기(檢溫器) Thermometer n. -s, -. ¶ ~로 체온을 재다 die Körperwärme mit e-m Thermometer messen* / ~를 겨드랑에 넣다 (끼다) ein Thermometer in die Achselhöhle stecken.
검유기(檢乳器) Laktometer m. (n.) -s, -; Laktoskop n. -s, -e; Milchprüfer m. -s, -; Milchmesser m. -s, -.
검은그루 Brachfeld n. -(e)s, -er; Brachacker m. -s, ¨; Brache f. -n.

검은깨 der schwarze Sesam, -s, -s. ⌈-s, -.
검은머리물떼새 〖조류〗 Auster(n)fischer *m.*
검은방울새 〖조류〗 Gartenfink *m.* -en, -en.
검은자위 das Schwarze* des Auges; Augenstern *m.* -(e)s, -e; schwarze Pupille, -n.
검은콩 die schwarze Sojabohne, -n.
검은팥 schwarze indische Bohne, -n.
검이경(檢耳鏡) Ohrenspiegel *m.* -s, -.
검인(檢印) Billigungsstempel *m.* -s, -; Stempel *m.* -s, -; das Stempeln*, -s. ¶ ~을 찍다 stempeln[4]; den Stempel setzen; [4]*et.* siegeln; sein Siegel drücken 《*auf*[4]》 / ~필(畢) gestempelt / 구청의 ~을 받아야 한다 Es muß mit dem Stempel des Gemeindeverwaltungsamts beglaubigt werden.
‖ ~증 Billigungsschein *m.* -(e)s, -e.
검인정(檢認定) die amtliche Prüfung, -en.
‖ ~교과서 das amtlich genehmigte Schulbuch, -(e)s, ⸗er.
검전기(檢電器) Elektroskop *n.* -s, -e; Detektor *m.* -s, -en; Anzeiger *m.* -s, -; Galvanoskop *n.*
‖ 휴대용~ Montagegalvanoskop *n.*
검접히다 [4]sich fest|halten* 《*an*[3]》; fest|halten*[4]; [4]sich an|klammern 《*an*[4]》.
검정 《검정색》 Schwarz *n.* -es; 《검은 물감》 schwarze Farbe, -n; 〖관형사적〗 schwarz. ¶ ~물을 들이다 schwärzen[4]; schwarz färben[4].
검정(檢定) die amtliche Prüfung, -en; die amtliche 〔offizielle〕 Genehmigung, -en; Gutheißung *f.* -en. ~하다 amtlich prüfen[4] 〔genehmigen[4]〕; gut|heißen*[4]. ¶ ~ 교과서 das amtlich genehmigte Schulbuch, -(e)s, ⸗er / 문교부 ~필 vom Kulturministerium genehmigt / 교사 자격 ~시험 das amtliche Examen 《-s, -》 für das Lehramt.
‖ ~료 die Gebühren für die amtliche Prüfung. 시험〔무시험〕 ~ die amtliche Genehmigung auf Grund e-s Examens 〔die amtliche Genehmigung ohne Examen〕.
검증(檢證) Bestätigung *f.* -en; Feststellung *f.* -en; Nachweis *m.* -es, -e; die Prüfung 〔Untersuchung〕 《-en》 der Richtigkeit; 〖법〗 Erweisung *f.* -en; Beweis *m.* -es, -e; Beglaubigung *f.* -en; Beurkundung *f.* -en. ~하다 bestätigen[4]; fest|stellen[4]; nach|weisen*[4].
‖ ~물 Beweismittel *n.* -s,-; Beweismaterial *n.* -s, ..lien. 현장~ die Beweisaufnahme des Tatortes 〔der Szene〕; die Lokalbesichtigung *f.* -en. ⌈가락.
검지(一指) Zeigefinger *m.* -s, -. ☞ 집게손
검진(檢診) die ärztliche Untersuchung, -en; die ärztliche Prüfung, -n. ~하다 ärztlich untersuchen[4]. ¶ ~을 받다 ärztlich untersucht 〔geprüft〕 werden; e-r ärztlichen Prüfung unterziehen.
‖ 성병~ die Untersuchung 《-en》 der Geschlechtskrankheit. 집단~ Gruppenuntersuchung *f.* -en.
검질기다 zäh; beharrlich; hartnäckig (sein).
검찰(檢札) ~하다 die Fahrkarten 《*pl.*》 kontrollieren.
‖ ~원 Kontrolleur [..lǿ:r] *m.* -s, -e.
검찰(檢察) Untersuchung *f.* -en; Visitation *f.* -en; Ermittlung *f.* -en; Prüfung *f.* -en; Nachforschung *f.* -en; Verhör *n.* -(e)s, -e (심문). ~하다 untersuchen[4]; visitieren[4]; zu ermitteln suchen; verhören[4]; *jn.* ins Verhör nehmen*.
‖ ~관 Staatsanwalt *m.* -(e)s, ⸗e; Untersuchungsrichter *m.* -s, -. ~청 Staatsanwaltschaft *f.* -en. ~총장 Generalstaatsanwalt *m.* -(e)s, ⸗e.
검출(檢出) Nachweis *m.* -es, -e. ~하다 entdecken[4]; identifizieren[4]. ¶ 독사자의 토사물에서 비소가 ~되었다 Das Resultat der chemischen Analyse ergab e-n Befund von Arsenik im Ausgebrochenen des Vergifteten.
검측스럽다 schwarz; boshaft; arglistig; hinterhältig; tückisch; schlau; 《욕심이 많다》 habgierig (sein).
검측측하다 《빛깔이》 schwärzlich; dunkel; bräunlich; 《마음이》 boshaft; arglistig; schlau (sein).
검치다 um|nähen[4].
검침(檢針) Meterkontrolle *f.* -n.
‖ ~원 Meterkontrolleur *m.* -s, -e.
검토(檢討) Überprüfung *f.* -en; Durchsicht *f.* -en. ~하다 überprüfen[4]; nach|prüfen[4]; durch|sehen[4]. ¶ ~를 (더) 요하다 (mehr) Untersuchungen brauchen / 재~하다 von neuem erwägen[4]; nochmals überlegen[4]; nochmals in Erwägung ziehen*[4]; nachprüfen[4].
검파기(檢波器) Detektor *m.* -s, -en [..tó:rən]; Fritter *m.* -s, -; Fritterröhre *f.* -n; Wellenanzeiger *m.* -s, -.
‖ 광석~ Kristalldetektor *m.* -s, -en. 자기~ Magnetdetektor *m.* -s, -en. 진공관~ Röhrendetektor *m.* -s, -en.
검표(檢票) Fahrkartenkontrolle *f.* -n. ~하다 die Fahrkarte kontrollieren.
‖ ~원(員) Fahrkartenkontrolleur *m.* -s, -e.
검푸르다 dunkelblau (sein).
검협(劍俠) der tapfere Fechtmeister, -s, -.
검호(劍豪) der meisterhafte Fechter, -s, -; der kühne Degen, -s, -; Fechtmeister *m.* -s, -.
검흐르다 über|fließen* ⓢ; über|laufen* ⓢ.
겁(劫) *Kalpa* 《범어》; Ewigkeit *f.* -en.
겁(怯) Furchtsamkeit *f.*; Ängstlichkeit *f.*; Feigheit *f.*; Mutlosigkeit *f.*; Verzagtheit *f.* ¶ 겁에 질리다 von e-r panikartigen Furcht ergriffen werden; e-e panikartige Furcht wandelt *jn.* an / 겁많은 furchtsam; ängstlich; feig(e); mutlos; verzagt / 겁없이 ohne Furcht u. Scheu; mit unerschütterlichem Selbstvertrauen; felsenfest; unerschrocken; unverzagt / 겁 주지 마 Bang machen 〔Bangemachen〕 gilt nicht! / 겁을 집어먹다 [4]sich bangen 《*vor*[3]; *für*[4]》; auf|schrecken* ⓢ.
겁간(劫姦) =강간.
겁결(怯一) ¶ ~에 vor Furcht.
겁꾸러기(怯一) =겁장이.
겁나다(怯一) [4]sich fürchten 《*vor*[3]》; Furcht haben* 《*vor*[3]》; [4]sich ängstigen; von Furcht ergriffen werden*. ¶ 겁이 나서 물러서다 vor Schreck zurück|fahren* ⓢ; zurück|schrecken ⓢ 《*vor*[3]》 / 그는 매맞을 일이 겁나서 오지 않았다 Aus Furcht vor Schlägen kam er nicht.
겁내다(怯一) [4]sich einschüchtern lassen*; kleinlaut werden; Angst 〔Furcht〕 bekommen* 《*vor*[3]》; vor [3]Angst 〔Furcht〕 nervös werden; vor *jm.* e-e gewisse Scheu 〔Angst〕 haben; [4]sich vor *jm.* scheuen 〔fürchten〕. ¶ 겁내지 말고 ohne Angst / 모두가 그를 겁낸다 Er wird allgemein gefürchtet.

Jeder hält sich in e-r gewissen Distanz von ihm. / 겁낼 것 없네 Laß dich nur nicht ein|schüchtern!¦Nur k-e Angst!

겁심(怯心) Furcht *f.*; Befürchtung *f.* -en; Angst *f.* ¨e; Feigheit *f.*

겁약(怯弱) Verzagtheit *f.* -en; Furchtsamkeit *f.* -en; Mutlosigkeit *f.* -en; Scheu *f.*; Schüchternheit *f.* -en. ～하다 furchtsam; verzagt; mutlos; scheu; schüchtern (sein).

겁장이(怯—) Feigling *m.* -s, -e; Angst¦hase (Furcht-) *m.* -n, -n; Bangbüx(e) *f.* ..xen; Bangbutz *f.* -en; Hasenfuß *m.* -es, ¨e; Memme *f.* -n; der Schüchterne* (Scheue*) -n, -n. ¶ ～의 memmenhaft; feige; hasenherzig; mutlos; zaghaft / 그는 대단한 ～다 Er ist so ein Hasenfuß!¦Er ist so mutlos!

겁주다(怯—) drohen《*jm.*》; bedrohen《*jn.*》; ein|schüchtern《*jn.*》; erschrecken《*jn.*》; Schrecken ein|flößen《*jm.*》; mit der Faust drohen《*jm.*》(주먹을 쥐고); ins Bockshorn jagen《*jn.*》; bluffen[4](공갈하다). ¶ 그는 죽이겠다고 겁을 주었다 Er drohte mir den Tod (mit dem Tod).

겁탈(劫奪)《약탈》Plünderung *f.* -en;《강탈》Vergewaltigung *f.* -en;《강간》Notzucht *f.*; Schändung *f.* -en. ～하다 plündern[4]; *jn.* aus|plündern; mit Gewalt entreißen[34]. ¶ 처녀를 ～하다 ein Mädchen vergewaltigen (notzüchten《notzüchtete, notgezüchtet》; schänden).
‖ ～자 Plünderer *m.* -s, -; Räuber *m.* -s, -; der Vergewaltigende*, -n, -n.

것[1] ①《사람·물건》Ding *n.* -(e)s, -e; Sache *f.* -n; Mann *m.* -(e)s, ¨er. ¶ 이(그, 저) 것 dieses (das; jenes) Ding; dieser (der; jener) Mann (사람) / 맛나는 것 etwas Gutes* (zu essen) / 독일 것 ein deutsches Fabrikat, -(e)s, -e (제품) / 새것 ein neues Ding / 어린 것이 둘 있다 Ich habe zwei Jungen. ②《…한 (할) 것》das, was man getan hat (tun wird). ¶ 본 (볼) 것 das, was man gesehen hat (sehen wird).

것[2] ①《일·사실》die Tatsache, daß ...; die Angelegenheit, daß ...; Sache *f.* -n; Ding *n.* -es, -e; Tat *f.* -en. ¶ 비가 오는 것을 알다 (보다) wissen* (sehen*), daß es regnet/ 아침 일찍 일어나는 것은 쉬운 일이 아니다 Es ist nicht leicht, daß man morgens früh aufsteht.¦Morgens früh aufzustehen ist nicht leicht. / 내 말대로 하는 것이 좋다 Es ist besser, daß du tust, wie ich gesagt habe.
②《가능성》können*; möglich sein;《추량》vielleicht; wohl. ¶ 그렇게 말하면 성낼 것이다 Er kann schon böse sein, wenn ich so etwas sage. / 이것으로 충분할 것이다 Damit kann es schon genug sein.¦Es läßt nichts zu wünschen übrig.
③《의무·금지》sollen; nicht dürfen* (sollen; müssen); verboten sein. ¶ 도둑질 말 것 Du sollst nicht stehlen. / 잔디밭에 들어가지 말 것 Das Betreten des Rasens ist verboten. / 여기서 담배 피우는 것이 아니다 Hier darf man nicht rauchen. / 일할 것까지는 없다 Du brauchst nicht zu arbeiten. / 우리는 무엇을 할 것인가 Was sollen wir tun? / 놀랄 것까지는 없다 Man braucht sich nicht darüber wundern.
④《기타》산다는 것은 싸우는 것이다 Leben heißt Kämpfen.

-것다 ①《사실의 다짐》ich denke; ich glaube; ich meine. ¶ 자네 이 동네 살것다 Ich glaube, du mußt in diesem Dorf leben.
②《은근한 협박》sicher; vielleicht. ¶ 너는 그리 했것다 Du hast das sicher getan.
③《원인·조건을 갖춤》¶ 아버지한테 물려받은 돈 있것다 권력 있것다 무슨 걱정이냐 Du hast von d-m Vater Geld u. Macht übernommen.¦Was für Kummer hast du?

겅그레 Gitter《*n.* -s, -》im Dampfofen (im Kochtopf).

겅더리되다 knochendürr ab|magern [s]; hager werden; [4]sich ab|zehren; [4]sich ab|härmen.

겅성드뭇하다 verstreut liegen*; dünn; vereinzelt; spärlich (sein).

겉 Oberfläche *f.* -n (표면); Außenseite *f.* -n (바깥쪽); Äußerlichkeit *f.* -en; das Äußere*, -n;《외관》Anschein *m.* -(e)s, -e; das Aussehen*, -s; Schein *m.* -(e)s, -e. ¶ 겉만 보면 oberflächlich betrachtet; bei oberflächlicher Betrachtung; nach dem Anschein urteilt / 겉을 꾸미다 den (äußeren) Schein wahren 겉으로만 그러는거야 Er stellt sich nur so. / 그의 친절은 겉치레일 뿐이다 S-e Freundlichkeit ist nur (zum) Schein. / 겉만 봐서는 알 수 없다 „Der Schein trügt (oft)"¦Ein Mann kann nicht nach s-m Aussehen beurteilt werden. / 겉다르고 속다르다 ein Bodhisattwa [bodizátva] scheinen*; ein Teufelsweib sein; ein Engel mit Teufelsherzen / 겉으로는 oberflächlich; äußerlich; äußer; scheinbar (표면상); anscheinend; anscheinlich; dem (An)schein nach.

겉가량(—假量) ungefähre Schätzung, -en;《눈대중》Augenmaß *n.* -es, -e; Schätzung nach bloßem Ansehen. ～하다 nach bloßem Ansehen (ungefähr) schätzen[4]; mit den Augen messen*[4].

겉가루 das erstgemahlene (u. geschmackhafte) Mehl, -(e)s, (종류를 나타낼 때) -e.

겉겨 die äußere Hülse《-n》des Getreides; Kleie *f.* -en; Kaff *n.* -(e)s. ⌈-s, -.

겉곡식(—穀—) das unenthülste Getreide,

겉깃 der äußere Rockaufschlag, -s, -e; Außenkragen *m.* -s, -.

겉껍데기 die harte Außenhülle, -n; Kruste *f.* -n; Schale *f.* -n; Rinde *f.* -n(빵, 치즈의).

겉껍질 Oberhaut *f.* ¨e;【생물】Epidermis *f.* ..men; Kutikula *f.* -s (..len [..kú:len]) (동물, 식물); Kruste *f.* -n; Knust *m.* -es, -e (¨e) (빵의); Rinde *f.* -n (빵, 나무의).

겉꾸리다 den Schein retten (wahren); äußerlich verschönern[4]; das Äußere aufrecht halten*; beschönigen[4]; bemänteln[4];《속이다》vertuschen[4]; vertuscheln[4];《마치 …처럼》[3]sich das Ansehen geben*, als ob...; [4]sich stellen, als ob...; vor|geben*; [3]sich den Anschein geben, als ob...; [4]sich zieren.

겉꾸림 Ziererei *f.* -en; anhaltendes Sichzieren, -s, -; übertrieben bescheidenes Abwehren, -s, -; Affektiertheit *f.* -en; Getu(e) *n.* -(e)s; Wichtigtuerei *f.* -en.

겉나깨 Kleie *f.* -en; Schalen u. Hüllen des Getreides, die beim Mahlen abfallen.

겉날리다 [4]*et.* auf oberflächliche Weise tun* (verrichten); [4]*et.* schlampig ausführen; liederlich arbeiten; verpfuschen[4].

겉놀다《못·나사 따위가》aus|gleiten*; [4]sich nicht fest|halten*; [4]sich nicht fest|klammern;《겉돌다》leer laufen*; ohne Arbeitleistung laufen; nicht gut zusammen|-

kommen.

겉눈감다 [4]sich stellen, als ob die Augen geschlossen wären.

겉늙다 alt für sein Alter aus|sehen*; vorschnell Greis werden; frühzeitig gealtert sein (werden).

겉대[1] 《푸성귀의》 der äußere Stiel, -s, -e; das äußere Blatt, -es, ⸚er.

겉대[2] 《대의》 der harte Außenteil des Bambusstocks.

겉더껑이 Abschaum *m.* -(e)s; die obere dünne Schicht, -en; Oberhaut *f.* ⸚e. ¶우유의 ~를 걷어내다 Milch ab|rahmen.

겉더께 Schlacke *f.* -n; Abschaum *m.* -(e)s.

겉돌다 《바퀴가》 leer laufen*; 《물건 따위가》 schwer (sehlecht) zusammen|mischen; [4]sich schlecht vermischen; 《사람이》 [4]sich schwer an|schließen*; schwer Anschluß finden*; zurückhaltend sein.

겉똑똑이 eine äußerlich kluge Person, -en.

겉마르다 auf der Oberfläche trocken werden (trocknen).

겉말 bloße Wort 《*pl.*》; Lippendienst *m.* -es, -e; oberflächliches Kompliment, -es, -e. ¶~로만 좋게 이야기하다 *jm.* Lippendienst machen; *jm.* ein oberflächliches Kompliment machen.

겉맞추다 oberflächliche (scheinbare) Freundlichkeit zeigen; schmeicheln; Komplimente machen[(3)]; beschönigen; bemänteln; vertuschen; den Mantel nach dem Winde hängen.

겉모양(一模樣) das Äußere*, -n(외모); die äußere Erscheinung, -en; das Aussehen*, -s; Miene *f.* -n; Anschein *m.* -(e)s, -e. ¶~에 개의치 않다 auf sein Äußeres (s-e Kleidung) nicht halten* / 그 여자는 ~만 귀부인이다 Nur ihrem Äußeren nach ist sie e-e Dame. / 사람은 ~으로 판단해서는 안 된다 Ein Mann kann nicht s-m Aussehen beurteilt werden.

겉물 überstehende Flüssigkeit, -en. ¶~을 떠내다 e-e überstehende Flüssigkeit ab|schöpfen (ab|gießen*).

겉바르다 mit dem letzten Überzug versehen*; mit dem letzten Anstrich versehen*; 《겉모양을 내다》 einen künstlerischen Anstrich geben*; [4]sich pudern (schminken).

겉발림 die unaufrichtige Beschönigung, -en; die oberflächliche Schmeichelei, -en.

겉밤 Kastaniennuß 《*f.* ..nüsse》 mit ihrer Schale; die ungeschälte Kastaniennuß.

겉보기 Aussehen *n.* -s; das Äußere*, -n; Erscheinung *f.* -n; Anblick *m.* -(e)s, -e. ¶~에는 äußerlich; dem (allem) Anschein nach / ~가 좋다 gut (schön) aus|sehen* / ~에는 정직한 것 같다 Er ist nur anscheinend ehrlich (redlich; aufrichtig).

겉보리 die ungehülste Gerste. ¶~ 서 말만 있으면 처가살이 하랴 „Wenn du auch nur wenig besitzt, so werde kein Adoptivsohn."

겉봉(一封) 《봉투》 Umschlag *m.* -s, ⸚e; Kuvert [kuvέrt, ..vέ:r] *n.* -es, -e; An|schrift (Auf-; Über-) *f.* -en; Adresse *f.* -n. ¶~을 쓰다 die Anschrift schreiben*; adressieren; mit Anschrift versehen* / ~을 뜯다 den Brief öffnen (entsiegeln).

겉살 die bloße Haut, ⸚e. ☞ 맨살.

겉섶 《옷의》 Vorderseite *f.* -n; der obere Saum, -(e)s, ⸚e.

겉수수 die ungehülste Hirse, -n.

겉싸개 Außenverpackung *f.* -n; Außenumschlag *m.* -s, ⸚e.

겉씨식물(一植物) nacktsamige Pflanze, -n; Nacktsamer *m.* -s, -.

겉약다 nur oberflächlich (scheinbar) klug (sein).

겉언치 die Strohmatten 《*pl.*》 auf beiden Seiten des Sattels.

겉여물다 nur nach dem Anschein reif sein; nur oberflächlich reif sein.

겉옷 Überziehanzug *m.* -(e)s, ⸚e; Overall [ó:vərɔ:l] *m.* -s, -s; Arbeitskittel *m.* -s, - (작업복).

겉잎 Außenblatt *n.* -es, ⸚er.

겉잠 Schläfchen *n.* -s, -; Schlummer *m.* -s; 《꾸벅꾸벅 졸》 das Einnicken*, -s; Nickerchen *n.* -s, -. ¶~ 들다 ein|nicken ⓢ; ein|schlummernⓢ; leise schlafen.

겉잡다 ① 《겉어림》 ungefähr schätzen[4] (beurteilen[4]); ungefähren Überschlag machen. ¶겉잡아 이틀이면 족하다 Nach m-r Schätzung wird es mit zwei Tage genügen. ② 《헤아림》 ergreifen*[4]; packen[4]; erfassen[4]. ¶네 말을 통 겉잡을 수가 없다 Ich kann d-e Rederei gar nicht verstehen. | Ich kann dich nicht packen.

겉잣 die ungeschälte Piniennuß, ..nüsse.

겉장 ① 《제1면》 die erste Seite, -n. ② 《표지》 Schutzumschlag *m.* -(e)s, ⸚e; Einband *m.* -(e)s, ⸚e; Vorderdeckel *m.* -s, -.

겉저고리 Außenrock *m.* -s, ⸚e; Außenjacke *f.* -n.

겉절이 das kurz vor dem Essen eingepökelte Gemüse, -s, -.

겉절이다 kurz vor dem Essen Gemüse ein|pökeln Salat (*Kimchi*) frisch an|machen.

겉조 die unenthülste Kolbenhirse, -n.

겉짐작 die (bloße) Vermutung, -en (beruht auf der äußeren Erscheinung); die blinde Mutmaßung, -en; das voreilige Urteil, -es, -e; der voreilige Schluß, ..lusses, ..lüsse. ¶~으로 판단하다 aus bloßer Vermutung beurteilen; zu schnell (übereilt) urteilen 《*über*[4]》; nach dem Schein urteilen.

겉치레 Schaumschlägerei *f.* -en; Blendwerk *n.* -(e)s, -e; Effekthascherei *f.* -en; 《치장》 Aufputz *m.* -es, -e. ~하다 beschönigen[4]; den Schein wahren; ([4]sich) auf|putzen[4]; die Kleider zur Schau tragen*. ¶~를 좋아하다 [4]sich gern zur Schau stellen; feierlich (formell; förmlich) sein.

겉치마 der äußere (Frauen) Rock, -s, ⸚e.

겉피 das unenthülste Getreide (im Bauernhof).

겉핥다 flüchtig berühren; [4]*et.* flüchtig kennen*; oberflächliche Kenntnisse haben.

게[1] 〖동물〗 Krabbe *f.* -n; (Taschen)krebs *m.* -es, -e. ¶게의 집게발 (Krebs)schere *f.* -n / 게 껍데기 (Krebs)schild *n.* -(e)s, -er / 게 통조림 Krebskonserve *f.* -n / 게에 물리다 von e-r Krabbe gezwickt werden.

게[2] ① 《거기》 da; dort. ¶게 가는 건 누구냐 Wer geht da? / 게 누구 있느냐 Ist jemand da (dort)? / 게서 자게 Schlaf da! ② 《사람을 얕잡아》 네까짓게 Ein solcher Kerl wie du! / 그까짓게 ein Mann wie er / 저까짓게 무슨 학생이냐 Wie kann man solch einen wie ihn Student nennen?

-게[1] 《고장·집》 《mein, dein, sein》 Platz *m.* -es, ⸚e; Ort *m.* -es, ⸚er; Gegend *f.* -en; Wohnung *f.* -en; Adresse *f.* -n. ¶우리게는 겨울에 몹시 춥다 Im Winter ist es sehr kalt in unserer Gegend. / 자네는 내게서 자게 Schlaf bei mir!¦Du schläfst bei mir!/ 그 짐을 자네게로 보내도 괜찮겠나 Darf ich dieses Päckchen an dich (an deine Adresse) senden?

-게² ① 《전성 어미》 (auf einer Weise), so daß...; so daß es ist od. tut; so daß man kann; derart, daß...; in Anbetracht, daß.... ¶ 적지 않게 nicht wenig; nicht klein; beträchtlich; ansehnlich / 쉽게 말하면 einfach gesagt; mit wenigen Worten; um kurz zu sein; kurzum / 크게 말하다 laut sprechen*/ 빠르게 걷다 schnell laufen (gehen*) / 짧게 설명하다 in Kürze (einfach) erklären / 재미있게 보다 mit Freude (Vergnügen) ansehen / 이상하게 생각되다 einem komisch (seltsam; sonderbar) vor|kommen*[s].
② (*a*) 《…하게 되다, …하게 하다, …하게 만들다》 werden zu...; zu ³*et.* bringen; zu ³*et.* machen. ¶ 재미있게 만들다 interessant machen / 서늘하게 하다(만들다) kühl werden lassen / 우리의 생활을 넉넉하게 하다 unser Leben fruchtbar machen (bereichern) / 아이가 크게 자랐다 Das Kind wurde größer.¦Das Kind wuchs größer. (*b*) 《하게 하다》 veranlassen*, ⁴*et.* zu tun; lassen*; gestatten; verursachen, ⁴*et.* zu tun. ¶ 춤을 못 추게 한다 Sie lassen mich nicht tanzen.¦Sie erlauben mir nicht zu tanzen. / 아이한테 우유를 마시게 했다 Ich habe dem Kind Milch zu trinken gegeben.¦Ich ließ das Kind Milch trinken. / 학생한테 앉게 하시오 Laß die Studenten Platz nehmen!/ 다시 한 번 해 보게 해 주십쇼 Lassen Sie es mich noch einmal versuchen! (*c*) 《되다》 werden; an|fangen*; beginnen; ein|treten*; ⁴sich verwandeln 《*in*⁴》. ¶ 음악을 좋아하게 되다 die Musik zu lieben an|fangen* / 한국에 대해서 관심을 갖게 되다 für *jn.* Korea interessant werden; an Korea Interresse zu wachsen beginnen* / 그렇게 생각된다 Das scheint mir richtig zu sein./ 무슨 자격으로 미국에 가시게 됩니까 In was für Eigenschaft fahren Sie nach Amerika?/ 할 수 없이 같이 가게 됐다 Es bleibt mir keine Wahl übrig, als mitzugehen.¦Es bleibt mir nichts anderes übrig, als mitzugehen. / 기관지를 가지게 되었다 Sie erhielten ein Vereinsblatt (ein Fachorgan). / 차차 아시게 됩니다 Sie werden bald besser kennen lernen.¦Sie werden nach und nach davon Kenntnis erhalten. / 학교에 들어가게(만) 되면 얼마나 좋을까 Wenn ich nur in die Schule gehen könnte, wie freute ich mich!
③ 《친밀한 명령》 tu(e)! ¶ 이리 오게(나) Komm doch hierher! / 자네들끼리 가게 Geht (ihr) nur hin! / 그 일은 자네가 맡게 Bitte, dafür trägst du Sorge.¦Du nimmst die Sache auf dich!
④ 《가정 어미》 Wenn es so wäre, dann.... ¶ 그랬다간 매맞게 Wenn ich so täte, dann würde ich geschlagen, nicht wahr! / 그만 돈이 있으면 좋게 Wie wäre es gut, wenn ich eine solche Summe Lätte.

게거품 ① 《게의》 Mundschaum 《*m.* -es, ⸚e》 der Krabbe. ② 《사람·동물의》 Geifer *m.* -s; Schaum *m.* -es, ⸚e; Blase *f.* -n. ¶ 입에 ~을 내며 이야기하다 die Worte sprudeln von seinen Lippen /~을 물고 토론하다 sehr heftig (leidenschaftlich) diskutieren; aufgeregt debattieren(격론을 벌이다) / 화가 나서 ~을 내다 vor wut schäumen 《*über*⁴》.

게걸 die Gier nach Essen; der unersättliche Appetit, -es, -e. ¶ ~ 들리다 nach Essen gierig sein; e-n unersättlichen Appetit bekommen* / ~ 떼다 *jn.* von den unersättlichen Appetit befreien; genug essen*⁴; ⁴sich satt essen / ~스럽다 gierig (freßgierig; gefräßig; heißhungrig) sein / 게걸스럽게 먹다 gierig essen*⁴ (verschlingen*⁴); 〖속어〗 tüchtig (kräftig; wacker) (in den Küchen) ein|bauen*⁴; verzehren⁴; fressen*⁴.

게걸거리다 murren; brummen; nörgeln 《*über*⁴》; knurren; meckern; klagen (⁴sich beschweren) 《*bei*³; *über*⁴》.

게걸게걸 mürrisch; mißvergnügt; brummend.

게걸음 das Seitenkriechen* 《-s》 (des Krebses). ¶ ~치다 seitwärts kriechen*[s]; ⁴sich abwärts fort|bewegen.

게걸장이 Nörgler *m.* -s, -; Brummbär *m.* -en, -en; der mürrische Mensch, -en, -en.

-게까지 eben so...; nicht so weit.... ¶ 밤 늦게까지 bis tief (spät) in die Nacht; bis in die späte Nacht / 그렇게까지 상심할 것은 없다 Du brauchst nicht so niedergeschlagen zu sein. / 그렇게까지는 할 필요가 없다 Man braucht nicht so weit zu gehen. / 그렇게까지 늙지는 않았다 So alt ist er nicht.

게꼬리 Dummkopf *m.* -s, ⸚e; Stumpfsinniger *m.* -s, -.

게꽁지만하다 oberflächlich; unbedeutend; nichtssagend; wertlos; untauglich (sein). ¶ 게꽁지만한 학문을 가지고 무얼 안다고 그래 Wie kannst du es verstehen mit deiner oberflächlichen Erziehung?

게눈 ① die Augen der Krabbe. ¶ ~ 감추듯 하다 Speise schnell essen* (verschlucken). ② 〖건축〗 die Wirbelzierde auf dem Ende des Dachbalkens.

게다(가) ① 《장소》 dort; in der Stelle; da; darauf. ¶ 책을 ~ 놓아라 Legen Sie das Buch dort! ② 《그 위에 또》 außerdem; darüber hinaus; dazu; fernerhin; obendrein; überdies; zudem. ¶ ~ 더욱 좋지 않은 것은 zu m-m größeren Verdruß; was noch schlimmer ist / ~ 곤란한 것은 나는 돈을 한 푼도 갖고 있지 않았다 Obendrein hatte ich keinen Pfennig bei mir. / ~ 곤란한 일은 그는 술을 마시기 시작했다 Und was noch schlimmer ist, er hat angefangen, zu trinken.

게딱지 Schild 《*n.* -(e)s, -er》 des Krebses. ¶ ~만하다 wie Krebsschild klein sein; winzig sein / ~만한 방에서 살다 in e-m winzig kleinem Zimmer leben.

게뚜더기 die Augenbraue, die infolge von Narben wie zugeflickt aussehen; die Person mit solchen Augen.

게라 〖인쇄〗 Korrektur¦bogen (Prüf-) *m.* -s, -(⸚); (Fahnen)abzug *m.* -(e)s, ⸚e; Fahne *f.* -n; Druckprobe *f.* -n.

게르마늄 〖화학〗 Germanium *n.* -s 《기호: Ge》.

게르만 《민족》 Germanen 《*pl.*》. ¶ ~의 germanisch.
‖ ~어 Germanische Sprachen 《*pl.*》.

게르치 〖어류〗 Makrele *f.* -n.

게릴라 Guerilla *f.* -s (..llen); bewaffneter Volkshaufe, -ns, -n; Partisan *m.* -s (-en), -en (빨치산). ‖ ~병 Guerillakämpfer *m.* -s, -; Partisan *m.*; Frei¦schärler (Streifen-) *m.* -s, -. ~부대 Guerillatruppe *f.* -n. ~전 Guerilla¦krieg (Banden-; Klein-) *m.* -(e)s,

-e: ～전을 펴다 e-n Guerillakrieg führen. **～전술** Guerillataktik *f.* -en: ～전술을 쓰다 Guerillataktik aus|üben. **대(對)～작전** e-e Operation gegen Guerilla. **대～전** ein Krieg《*m.* -(e)s, -e》gegen Guerilla.

게발 (Krebs)schere *f.* -n. ¶글씨를 ～ 그리듯하다 e-e schlechte Handschrift haben; kritzeln; mit schlechter (ungeschickter) Feder schreiben*.

‖ **～톱표** einmalige(s) Klammer (Anführungszeichen) *f.* -n (*n.* -s, -).

게스트 Gast *m.* -es, ⸚e.

‖ **～멤버** Gastmitglieder *m.* -s, -. **～싱거** Gastsänger *m.* -s, -; Gastsängerin *f.* -nen (여자). **～출연자** Gastspieler *m.* -s, -; gastierender Spieler, -s, - (Dirigent, -en, -en).

게시(揭示) Anzeige *f.* -n; Anschlag *m.* -(e)s, ⸚e; Aushang *m.* -(e)s, ⸚e; Plakat *n.* -(e)s, -e; Bekanntmachung *f.* -en (고시); Notiz *f.* -en (통고); Aufgebot *n.* -es, -e (공시). **～하다** durch [4]Anschlag bekannt|machen[4] (an|-zeigen[4]). ¶～를 벽에 붙이다 e-e Anzeige an die Wand an|kleben (an|schlagen*) / …이라는 ～가 있다 Es gibt e-e Bekanntmachung, daß... / 상세한 것은 곧 ～로 알릴 것이다 Die Einzelheiten werden bald durch Anschlag bekannt gegeben werden.

‖ **～장** Stelle《*f.* -n》für öffentliche Bekanntmachungen; Anschlagplatz *m.* -es, ⸚e. **～판** Anschlag¦tafel *f.* -n (-brett *n.* -es, -er); schwarzes Brett, -es, -er.

-게시리 damit, daß...; um ... zu...; so...daß.... ¶뒤탈이 없게시리 잘 처리하시오 Führen Sie die Geschäfte sorgfältig, so daß es keine Schwierigkeit mehr gibt.

게알젓 die eingemachte (gepökelte) Krabbe, -n.

게양(揭揚) **～하다** (e-e Flagge) auf|ziehen* (hissen); flaggen; (e-e Flagge) aus|hängen (창문 따위에서). ¶조기(弔旗)를 ～하다 die Flagge auf halbmast setzen / ～된 태극기가 바람에 나부끼고 있다 Die aufgezogene *Taegeuk*-Flagge flattert im Winde. / 저 배는 대한민국기를 ～하고 있다 Das Schiff führt die koreanische Flagge.

게염 Begierde *f.* -n; Habsucht *f.* -; Geiz *m.* -es, -e. ¶～나다, ～내다 begierig (geizig; habsüchtig) werden / ～부리다 [4]sich begierig benehmen; begehren; [4]sich gelüsten lassen《*nach*[3]》/ ～스럽다 begierig (geizig; habsüchtig) sein / 너는 정말 ～스럽구나 Wie du begierig bist!

게우다 ①《음식을》([4]sich) erbrechen*[4]; vomieren; [4]sich übergeben*; 〖속어〗 ulrichrufen*; kotzen. ¶게울 것 같다 Brechreiz empfinden*; [4]sich erbrechen wollen* / 그는 먹은 것을 모두 게우고 말았다 Er gab alles, was er gegessen hatte, wieder von sich. ②《돈을》 zurück|zahlen; zurück|-bezahlen; zurück|geben*. ¶그는 횡령한 돈을 다시 게워냈다 Er hat das sich widerrechtlich angeeignetes Geld wieder zurückbezahlt.

게으르다 faul; bummelig; müßig; träge (sein); 〖서술적〗 müßig gehen* Ⓢ; auf der Bärenhaut liegen*. ¶게으른 사람 ein fauler Mensch, -en, -en; Faulenzer *m.* -s, -; Faulpelz *m.* -es, -e; Faultier *n.* -(e)s, -e; Müßiggänger(in) *m.* -s, - (*f.* -nen) / 게으른 생활을 하다 ein müßiges Leben führen; faulenzen / 일을 게을리하다 s-e Arbeit (Geschäfte) vernachlässigen / 게으른 버릇이 들다 [3]sich Faulheit (Faulenzerei) an|gewöhnen; in den Müßiggang fallen* Ⓢ; in Trägheit (Faulheit) sinken* Ⓢ.

게으름 Faulenzerei *f.*; Bequemlichkeit *f.*; Faulheit *f.*; Trägheit *f.*; Müßiggang *m.* -(e)s; Nachlässigkeit *f.* -en (홀게늦은); der Mangel《-s, ⸚》an [3]Eifer; Unfleiß *m.* -es. **～피우다** faulenzen; auf den Händen sitzen*; [4]sich aalen; müßig umher|lungern ⓗ,ⓢ (gehen* Ⓢ); auf der Bärenhaut liegen*. ¶오늘 그는 하루 종일 ～을 피웠다 Heute hat er den ganzen Tag müßig hingebracht.

‖ **～뱅이** Faulpelz *m.* -es, -e; Müßiggänger *m.* -s, -. Faulenzer *m.* -s, -; Bummler *m.* -s, -: 그런 ～뱅이가 그런 짓을 할 리가 있나 Dazu ist er viel zu bequem.

게을러빠지다 sehr faul; lässig; träge (sein). ¶게을러빠져 못쓰다 wegen Faulheit untauglich sein.

게을리 faul; träge; müßig; untätig; nachlässig. **～하다** vernachlässigen; versäumen; unterlassen*; geringschätzig behandeln; außer acht lassen*. ¶공부를 ～하다 sein Studium vernachlässigen / 의무를 ～하다 seine Pflichten versäumen (vergessen*) / 수업을 ～하다 die Schule schwänzen; eine Vorlesung versäumen.

게이지 Spurweite *f.* -n (궤간(軌間)); Meßstab *m.* -(e)s, ⸚e (계기); Meßgerät *n.* -(e)s, -e (계기); Eichmaß *n.* -es, -e (도량형기).

게임 (Spiel)partie *f.* -n; Spiel *n.* -(e)s, -e. **～하다** e-e Partie (ein Spiel) spielen《보기: Billard; Schach》. ¶두 ～ 차를 내다 andere Partie mit zwei Spielen führen / 그 팀은 ～을 5점 리드하고 있다 Die Partie hat e-n Vorsprung von 5 Punkten.

‖ **～세트** Das Spiel ist zu Ende!¦Ein Satz! **～포인트** Spielpunkt *m.* -(e)s, -e.

게자리 〖천문〗 Krebs *m.* -es, -e.

게장(一醬) ＝게젓.

게재(揭載) Veröffentlichung *f.* -en; Publizierung *f.* -en. **～하다** veröffentlichen[4]; publizieren[4]; ein|setzen[4] (광고를); berichten[4] (기사를); an|zeigen[4] (광고함). ¶매일 ～되다 täglich erscheinen* Ⓢ / ～되어 있다 stehen* / 그대로 ～하다 ab|drucken[4] / 잡지에 ～하다 in e-r Zeitschrift veröffentlichen / 그것은 오늘 석간에 ～되어 있다 Das steht in der heutigen Abendzeitung. / 새로운 소설은 내일 석간부터 ～됩니다 Der neue Roman wird von morgen in der Abendausgabe erscheinen.

게저분하다 mit überflüssigen (überreichlichen; dreckigen; unerwünschten) Dingen beladen sein. ¶주(註)가 게저분하게 달렸다 Die Anmerkungen sind überreichlich.

게적지근하다 [4]sich unbehaglich (unbequem) fühlen; nicht recht glücklich sein.

게젓 die eingemachten (gepökelten) Krebse (Krabben).

게정 Murren *n.* -s, -; Brummen *n.* -s, -. ¶～내다 murren; brummen; nörgeln《*über*[4]》/ ～스럽다 mürrisch (brummig; verdrießlich) sein.

‖ **～꾼** Nörgler *m.* -s, -; Brummbär *m.* -en, -en.

게줄 die Ziehschnüre, die auf die beiden Seiten des Balkenseils zum Seilziehen befestigt sind.

‖ **～다리기** das Seilziehen mit den Ziehschnüren.

게통조림 Krabben *f.* -n; der konservierte Krebs *m.* -es, -e; Büchsenkrebs *m.* -es, -e.

게트림 das anmaßende (hochmütige) Rülpsen, -s, -. ∼하다 hochmütig (geziert) rülpsen.

겔렌데 〖스키〗 Gelände *n.* -s, -.

겟투 〖야구〗 Doppel-Spiel *n.* -s, -e. ¶ ∼ 당하다 zwei Läufer werden auf einmal kampfunfähig.

-겠구먼, -겠군 es leuchtet *jm.* ein, daß...; man kann sich vorstellen, daß...; es müßte wohl sein, daß.... ¶운반비 때문에 쌀값이 꽤 비싸겠구먼요 Wegen der Transportkosten müßte der Reispreis wohl sehr teuer sein. / 인제 출발준비를 해야겠군 Wir müßten uns nun wohl auf den Weg machen. ¦ Wir müßten uns wohl vorbereiten wegzugehen.

-겠다 ① 《결심·필연성》 tun (sein) wollen. ¶그 일을 내일 하겠다 Ich will es morgen tun* (machen). / 그 동안에 다 늙겠다 Ich muß wohl inzwischen gealtert sein. / 그만 먹겠읍니다 Das ist schon genug, ich will nicht mehr essen. ② 《추측·판단》 sein können; sein müssen. ¶얼굴을 보니 좀 게으르겠다 Allem Anschein nach muß er ein wenig faul sein. / 재미있겠다 Es müßte (dürfte) wohl interessant sein. ③ 《상대에게》 ¶아시겠읍니까 Können Sie mich verstehen? ¦ Wissen Sie das? ④ 《인사》 ¶처음 뵙겠읍니다 Sehr angenehm, Sie zu sehen. ¦ Wie geht es Ihnen? ⑤ 《뜻밖》 ¶별소리 다 듣겠다 Was höre ich alles?

-겠던 ¶그래 그이가 그 일을 잘 하겠던 So, glaubst du, er könne es gut erledigen? ¦ So, denken Sie, daß er es gut machen kann?

겨 Reiskleie *f.* -n; Kleienmehl *n.* -(e)s, -e. ¶겨죽 Kleienmus *n.* -es, -e / 겉겨 Schale *f.* -n; Hülle *f.* -n / 속겨 Kleienmehl *n.* -(e)s, -e / 겨북더기 Schale u. Kaff 《*n.* -(e)s》.

겨끔내기 das Spielen* 《-s》 in zwei Schichten; Schichtspiel *n.* -s, -e; Abwechselung *f.* -en; Ablösung *f.* -en. ¶ ∼로 abwechselnd; wechselweise; im Wechsel.

겨냥 ① 《조준》 das Zielen*, -s; Ziel *n.* -(e)s, -e. ∼하다 zielen 《*auf*⁴; *nach*³》. ∼대다 an|visieren⁴. ∼보다 aufs Korn (⁴Visier) nehmen*⁴; 《ein Geschütz》 richten 《*auf*⁴》. ¶바로 ∼하다 gut (genau) zielen / 잘못 ∼하다 falsch zielen / ∼이 빗나가다 das Ziel verfehlen / ∼이 틀렸다 Das Ziel ist schlecht (falsch). ② 《치수》 Maß *n.* -es, -e; Größe *f.* -n. ∼하다 *jm.* Maß nehmen*. ¶ ∼대로 nach ³Maß / 발을 ∼하다 *jm.* das Maß des Fußes nehmen* / 옷을 ∼하다 ³sich e-n Anzug anmessen lassen* / 잘못 ∼하다 ein falsches Maß nehmen*.

‖ ∼대 Maßstab *m.* -(e)s, ..stäbe. ∼도 Skizze *f.* -n; Umriß¦zeichnung (Roh-) *f.* -en: ∼도를 작성하다 e-e Skizze machen (entwerfen*) 《*von*³》; skizzieren; e-n Abriß nehmen* 《*von*³》.

겨누다 ① 《겨냥하다》 zielen 《*auf*⁴; *nach*³》; visieren 《*auf*⁴; *nach*³》; an|visieren⁴; aufs Korn (⁴Visier) nehmen*⁴; ⁴es absehen* (an|legen) 《*auf*⁴》. ¶잘 ∼ gut (genau) zielen / 그는 권총으로 나를 겨눴다 Er zielte mit dem Revolver auf mich. / 그는 꿩을 겨누어 한 발 쏘았다 Er hat auf e-n Fasanen geschossen. ② 《대보다》 vergleichen*; ⁴sich messen* 《*mit*³》. ¶힘을 ∼ ⁴sich messen* 《*mit*³》; die Kräfte messen* (vergleichen*) / 끈기를 ∼ an Ausdauer wetteifern / 크기를 ∼ die Größe nehmen*.

겨눠보다 ① 《겨냥》 versuchsweise zielen 《*nach*³; *auf*⁴》; auf eine Richtung zielen. ② 《대강의 치수》 das annähernde Maß berechnen; ungefähr messen*; über den Daumen peilen; nach Augenmaß berechnen.

겨드랑이 ① 《몸의》 Achsel *f.* -n (겨드랑이 밑). ¶ ∼에 끼다 unter dem Arm tragen*⁴ / ∼를 간질이다 *jn.* unter den Armen kitzeln / ∼에 땀이 나다 unter den Armen schwitzen. ② 《옷의》 ¶ ∼ 밑 Achsel¦höhle *f.* -n (-grube *f.* -n).

겨레 《종족》 Rasse *f.* -n; Stamm *m.* -(e)s, ⸗e; 《민족》 Volk *n.* -(e)s, ⸗er; Nation *f.* -en; Landsleute 《*pl.*》; *js.* Landsmann *m.* -(e)s, ⸗er; 《겨레붙이》 Familie *f.* -n; Verwandschaft *f.* -en; Abkömmlinge 《*pl.*》; (e-e Gruppe von) Bruder; Kollege *m.* -n, -n.

‖ ∼붙이 Glieder von den Landsleuten (Nationen). 배달∼ die koreanische Nation, -en. 한∼ ein u. dieselbe Nation *f.* -en.

겨루다 wetteifern 《*mit*³; *um*⁴》; konkurrieren 《*mit*³; *um*⁴》; rivalisieren 《*mit*³》; ⁴sich mit *jm.* messen* 《*an*³》; ⁴sich mit|bewerben*; *jm.* ⁴Konkurrenz machen. ¶서로 미(美)를 ∼ miteinander an ³Schönheit wetteifern / 힘을 ∼ gegenseitig die Kräfte messen* / 기술자들은 서로 기술을 겨루었다 Die Techniker überboten sich in ihren Leistungen. / 그들은 패권을 겨루고 있다 Sie liegen im Streite um die Hegemonie (um die Obergewalt). / 내 영어 실력으로는 그와 겨룰 수가 없다 In der englischen Sprache komme ich ihm nicht gleich.

겨룸 Wett¦kampf *m.* -(e)s, ⸗e (-bewerb *m.* -(e)s, -e); Konkurrenz *f.* -en; Wetteifer *m.* -s; Mitbewerbung *f.* -en; Rivalität *f.* -en.

겨를 Zeit *f.* -en; Muße *f.*; freie Zeit, -en. ¶뒤 돌아볼 ∼도 없이 ehe ich Zeit hatte, mich umzudrehen / ∼이 있다 (freie) Zeit haben / 책 읽을 ∼이 없다 Ich habe keine Zeit zu lesen. / 요사이는 분주해서 편지 한 장 쓸 ∼도 없다 In letzter Zeit habe ich so viel zu tun, daß ich nicht einmal Zeit habe, einen Brief zu schreiben.

겨릅 der abgeschälte Haufstiel, -(e)s, -e. ‖ ∼단 das Bündel des abgeschälten Haufstiels. ∼문 Reisig-Gatter *n.*

겨리 Pflug 《*m.* -s, ⸗e》, der von zwei Ochsen gezogen wird.

‖ ∼질 die Arbeit mit dem von zwei Ochsen gezogenenen Pflug. 겨릿소 die Ochsen am *Gyeori*-Pflug.

겨반지기 der Reis 《-es, -e》, der mit Kleie halb gemischt ist.

겨우 nur; bloß; kaum; ganz knapp; kümmerlich; dürftig; gerade; eben; mit knapper ³Not; nur mit Mühe (u. Not); erst; schwerlich. ¶ ∼ 이제 erst jetzt / ∼ 살아가다 ein knappes Leben führen; knapp aus|kommen* ⓢ / ∼ 도망치다 mit knapper Not entkommen* ⓢ / ∼ 시간에 대다 gerade zur rechten Zeit kommen* ⓢ / 그는 ∼ 20세가 되었다 Er ist erst zwanzig (Jahre alt) geworden. / 학생수는 ∼ 50명이다 Die Schüler zählen nur noch fünfzig. / 그는 ∼ 익사를 면했다 Um ein Haar wäre er ertrunken. / ∼ 10원이 남았다 Ich habe nur noch zehn

Won (übrig). / 식량은 이제 ~ 1주일치밖에 없다 Wir haben kaum noch für e-e Woche Lebensmittel. / 봉급으로는 ~ 살아갈 수 있다 Mit dem Gehalt kann einer gerade noch leben (zur Not auskommen). / 이곳에 온 지 ~ 반 년밖에 안 된다 Ich bin erst ein halbes Jahr hier.

겨우내 den ganzen Winter (hindurch); während des ganzen Winters; den Winter über. ¶ ~ 서울에 있었다 Ich bin den ganzen Winter hindurch in Seoul geblieben.

겨우살이[1] ① 《옷 따위》 Wintersachen 《*pl.*》; Winter¦zeug *n.* -(e)s, -e (-bedarf *m.* -(e)s); Winterlager *n.* -s, - (월동용 저장물). ¶ ~를 장만하다 ^{3}sich Winterkleider machen lassen*. ② =월동.

겨우살이[2] 〖식물〗 Mistel *f.* -n.

겨울 Winter *m.* -s, -; Winterzeit *f.* -en (동계). ¶ ~의 winterlich; Winter- / ~용의 für den Winter; zum Gebrauch im Winter; Winter- / 한 ~에 mitten im Winter; im tiefsten Winter; in der kältesten Winterzeit / 추운 ~ kalter (eisiger) Winter / ~다운 winterlich; wintermäßig / ~을 지내다 den Winter zu|bringen*; durch|wintern; überwintern / ~ 준비를 하다 (^{4}sich) für den Winter (für den kommenden Winter) die Vorbereitung treffen* (vor|bereiten) / 지난 ~은 정말 추웠다 In letztem Winter war es schrecklich kalt. / (본격적인) ~이 되다 es wintert; es wird (recht) winterlich.

‖ **~날** Wintertag *m.* -(e)s, -e. **~날씨** das Wetter im Winter (des Winters). **~방학** Winterferien 《*pl.*》. **~잠** Winterschlaf *m.*; Hibernation *f.*

겨워하다 nicht in *js.* Macht (Gewalt) sein; über die Kräfte (hinaus)gehen*; zu viel sein 《*für*^{4}》; über den Horizont gehen*; nicht gehörig im Zaume halten können*^{4}. ¶ 일을(힘에) ~ die Arbeit für *jn.* zu viel sein; die Arbeit über *js.* Kraft gehen*.

겨이삭 〖식물〗 e-e Art Straußgras 《*n.* -es, ⸚er》.

겨자 《양념》 Senf *m.* -(e)s; Mostrich *m.* -s. ‖ **~가루** Senfmehl *n.* -(e)s, -e 〖*pl.*은 종류를 나타낼 때〗. **~단지(그릇)** Senftöpchen *n.* -s (Senfbüchse *f.* -n). **~씨** Senfkorn *n.* -(e)s, ⸚er (종류를 나타낼 때: -e); Senfsame(n) *m.* ..mens, ..men.

겨죽(一粥) der Brei 《-s, -e》 aus Reiskleie.

격(格) ① 《지위》 Rang *m.* -(e)s, ⸚e; Stand *m.* -(e)s, ⸚e; Stelle *f.* -n; (Rang) klasse *f.* -n; (Rang)stufe *f.* -n; 《정도》 Niveau [..vó:] *n.* -s, -s; Bildungsstufe *f.* -n; die geistige Höhe, -n; Wert *m.* -(e)s, -e. ¶ 격이 높아지다 (zum höheren Rang) befördert werden; (in e-e höher Stelle (Klasse)) auf|rücken; vorwärts|kommen* ⓢ 《*in*^{3}》 / 격이 내려가다 (zum niedrigeren Rang) herabgesetzt werden; herabwürdigt (degradiert) werden / 격이 다르다 (dem Rang nach) höher stehen*; das höhere Niveau wahren (레벨이 높다); nicht auf gleicher Höhe (auf e-r Stufe) stehen*; auf e-m anderen Niveau stehen* (수준이); ein ganz anderer Mensch sein (인간으로서의); nicht mit *jm.* auf dieselbe Stufe stellen^4 (동격으로는 취급할 수 없다) / 이 소설은 상당히 격이 높다 Dieser Roman hat Niveau. ② 《자격》 Eigenschaft *f.* -en. ¶ 이 역은 그에게는 좀 격에 맞지 않는다 Diese Rolle ist für ihn nicht gut genug. ③ 《규격》 Norm *f.* -en; Regel *f.* -n (기준); Schablone *f.* -n (형). ¶ 격에 벗어난 außergewöhnlich; ungebräuchlich / 그는 격에 벗어난 짓은 않는다 Er bleibt immer bei der alten Schablone. ④ 〖문법〗 Fall *m.* -(e)s, ⸚e; Kasus *m.* -, -. ¶ 격변화 Deklination *f.* -en; Biegung *f.* -en.

격감(激減) die starke Abnahme, -n; die bemerkenswerte Verminderung, -en. **~하다** stark (rasch) ab|nehmen*; erheblich sinken* ⓢ. ¶ 체중이 ~했다 Sein Gewicht nahm stark (rasch) ab. / 그의 영향력은 눈에 띄게 ~했다 Das erhebliche Sinken s-s Einflusses ist bemerkbar. / 해외에서 한국 상품에 대한 수요가 ~되었다 Im Ausland hat die Nachfrage nach koreanischen Waren viel abgenommen.

격검(擊劍) das Fechten*, -s; Fechtkunst *f.* ⸚e. **~하다** fechten* 《*mit*^{3}; *gegen*^{4}》; e-n Gang fechten* (한판을). ¶ ~ 연습을 하다 ^{4}sich im Fechten üben.

격나다(隔—) ^{4}sich *jm.* entfremden; mit *jm.* brechen*; ^{4}sich entzweien 《*mit*^{3}》; ^{4}sich überwerfen* 《*mit*^{3}》; ^{4}sich spalten; ^{4}sich durch Uneinigkeit trennen; nichts zu tun haben wollen 《*mit*^{3}》; fertig sein 《*mit*^{3}》.

격납고(格納庫) Flugzeug¦halle *f.* -n (-schuppen *m.* -s, -); Hangar *m.* -s, -s. ‖ **~갑판** 《항공모함의》 Hangarsdeck *n.* -(e)s, -e. **~원** Hangarsmann *m.* -(e)s, ⸚er.

격년(隔年) alle zwei Jahre; jedes zweite Jahr; ein Jahr um das andere. **~하다** ^{4}sich länger als ein Jahr nicht sehen*(treffen*).

격노(激怒) Wut *f.*; Entrüstung *f.*; Grimm *m.* -(e)s; Zorn *m.* -(e)s; **~하다** in Wut (Harnisch) geraten* ⓢ; ^{4}sich entrüsten 《*über*^{4}》; vom Zorn ergriffen werden; vor Wut beben (platzen); aus der Haut fahren* ⓢ; Feuer u. Flamme speien*. ¶ ~하게 하다 *jn.* in Wut (Zorn) bringen*; *jn.* zum Zorn reizen / ~해 있다 voller Wut (von Wut erfüllt) sein; wutentbrannt (wutverzerrt) sein; auf *jn.* Wut haben / ~하여서 떨리는 목소리로 mit zitternder Stimme vor Wut.

격돌(激突) Anstoß *m.* -es, ⸚e; der kräftige Stoß, -es, ⸚e (Schlag, -(e)s, ⸚e); der heftige Zusammenstoß, -es, ⸚e; die gewaltige Kollision, -en. **~하다** heftig zusammen|stoßen 《*mit*^{3}》; heftig kollidieren 《*mit*^{3}》.

격동(激動) 《진동》 die heftige Bewegung, -en; Erschütterung *f.* -en; 《정신적인》 Aufregung *f.* -en; Erregung *f.* -en. **~하다** ^{4}sich heftig bewegen; heftig erschüttert sein; ^{4}sich auf|regen 《*über*^{4}》; ^{4}sich erregen 《*über*^{4}》; in Aufregung geraten* ⓢ; erregt werden; in Erschütterung geraten*. ¶ ~시키다 heftig bewegen*^{4}; erschüttern^4 / 온 나라의 민심이 ~하고 있다 Die Aufregung herrscht über das ganze Land.

격랑(激浪) hohe, schäumende Wellen 《*pl.*》; brausende (wirbelnde) Wellen; wilde (stürmische; kochende) Wogen 《*pl.*》; 《기슭에 부딪혀 부서지는》 brandende Wogen; Brandung *f.* -en; 《소용돌이》 Strudel *m.* -s, -; Mahlstrom *m.* -(e)s, ⸚e. ¶ ~에 휩쓸리다 von brausenden Wellen verschlungen (weggerissen) werden; 《휩쓸려 죽다》 in schäumenden Wellen um|kommen* (ertrinken*) ⓢ.

격려(激勵) 《고무》 Anregung *f*. -en; Anreiz *m*. -es, -e; Ansporn *m*. -(e)s, -e; Aufheiterung 《이하 *f*. -en》; Aufmunterung; Aufrichtung; Ermunterung; Ermutigung. ∼하다 〖*zu*³와 함께〗 an|regen⁴; an|reizen⁴; an|spornen⁴; auf|heitern⁴; auf|muntern⁴; auf|richten⁴; ermuntern⁴; ermutigen⁴. ¶ 아이들은 야단치기보다는 ∼를 해 주면 더 근면해진다 Lob spornt das Kind mehr zum Fleiß an als Tadel. / 그는 ∼받고 일을 착수했다(실행했다, 결심했다) Er wurde zur Arbeit (zu der Tat, zum Entschluß) ermuntert. / 그는 앞으로 더욱 노력하도록 ∼되었다 Er wurde zu noch größeren Anstrengungen aufgemuntert.

‖ ∼사 Anregungsrede *f*. -n.

격렬(激烈) Heftigkeit *f*. -en; Aufwallung *f*. -en; Siedehitze *f*.; Ungestüm *n*. -(e)s; Wildheit *f*. -en. ∼하다 heftig; feurig; hitzig; leidenschaftlich; stürmisch; ungestüm; wild (sein). ¶ ∼하게 heftig; stark; scharf; erregt; heiß; leidenschaftlich; akut / ∼한 감정 die heftige Leidenschaft, -en / ∼한 전투 die heiße Schlacht, -en / ∼한 말 leidenschaftliche Worte 《*pl*.》 / ∼한 경쟁 die heftige Konkurrenz, -en / ∼한 말로 당국을 공격했다 Er griff die Behörden in einer maßlosen Sprache an. / 논쟁은 ∼해졌다 Die Debatte wurde hitzig.

격론(激論) die hitzige Debatte, -n; die heftige Diskussion, -en; das heiße Streitgespräch, -(e)s, -e; der leidenschaftliche Wortstreit, -(e)s, -e. ∼하다 heftig (in Worten) streiten* 《mit *jm*. (gegen *jn*.); über ⁴*et*》; hitzig disputieren 《mit *jm*.》; hitzig debattieren (diskutieren; verhandeln) 《mit *jm*. über ⁴*et*.》; ⁴sich heftig streiten* 《mit *jm*.》. ¶ 오늘 회의에서는 ∼이 벌어졌다 In der heutigen Versammlung wurde es hitzig diskutiert.

격류(激流) der reißende Strom, -(e)s, ⸚e; Strom|schnelle *f*. -n (-schuß *m*. ..usses, ..schüsse). ¶ ∼에 휩쓸리다 von der starken Strömung weggerissen werden.

격리(隔離) Isolierung *f*. -en; Absonderung *f*. -en; Quarantäne *f*. -n (기선의 방역 때문에). ∼하다 isolieren⁴; ab|sondern⁴; unter Quarantäne stellen⁴. ¶ ∼할 수 있는 isolierbar; absonderbar / 환자를 ∼하다 e-n Patient 《-en, -en》 isolieren / 그 집은 ∼되어 있다 Das Haus ist isoliert. / 천연두 환자들은 ∼되었다 Die Patienten, die an der Pockenepidemie leiden, wurden abgesondert. / 배는 ∼되었다 Das Schiff ist in Quarantäne gekommen.

‖ ∼병동 Isolier|station *f*. -en (-abteilung *f*. -en). ∼병원 Isolierbaracke *f*. -n. ∼병실 Isolierraum *m*. -(e)s, ⸚e. ∼환자 der isolierte Kranke, -n, -n.

격막(隔膜) 〖해부〗 Scheidewand *f*. ⸚e; Diaphragma *n*. -s, ..men; 《생물의》 Septum *n*. -s, ..ta.

격멸(擊滅) Vernichtung *f*. -en; Ausrottung *f*. -en; Vertilgung *f*. -en; Zerstörung *f*. -en. ∼하다 vernichten⁴; aus|rotten⁴; vertilgen; zerstören⁴; zu Grund (zugrunde) richten.

격무(激務) die harte Arbeit, -en; Geschäftigkeit *f*.; Drang 《*m*. -(e)s, ⸚e》 (Strudel *m*. -s, -) der Geschäfte; Überanstrengung *f*. -en; 《과장된 뜻으로》 Fron|arbeit (Pferde-). ¶ ∼에 쫓기다 mit Arbeit(en) überladen sein; mit Geschäften überhäuft (sehr belastet; überlastet) sein / ∼로 쓰러지다 wegen e-r anstrengenden Arbeit (Tätigkeit; e-s anstrengenden Dienstes) krank werden; ⁴sich krank (kaputt) arbeiten; dem Drang der Geschäfte erliegen* / ∼를 맡다 e-e schwere (harte; mühsam; anstrengende) Arbeit übernehmen* / ∼를 감당할 수 없다 Ich bin der harten Arbeit kaum gewachsen.

격문(檄文) Pronunziamiento *n*. -s, -s; Manifest *n*. -es, -e; Kundgebung *f*. -en; die öffentliche Erklärung, -en. ¶ ∼을 내다 e-e Kundgebung heraus|geben*; e-e öffentliche Erklärung machen; appellieren 《*an*⁴》/ ∼을 돌리다 (띄우다) e-e öffentliche Erklärung in Umlauf setzen.

격발(激發) ① 《병의》 Anfall *m*. -(e)s, ⸚e. ∼하다 an|fallen* ⓢ 《*jn*.》. ② 《감정 따위의》 Ausbruch *m*. -(e)s, ⸚e. ∼하다 aus|brechen* ⓢ; bersten* ⓢ; in Glut geraten* ⓢ,ⓗ.

격발(擊發) Perkussion *f*. -en.

‖ ∼뇌관 Aufschlag|zünder (Perkussions-) *m*. -s, -. ∼총 Perkussionsgewehr *n*. -(e)s, -e. ∼화약 das explodierende Pulver, -s, -.

격변(激變) Umschlag *m*. -(e)s, ⸚e; die große Umwandlung, -en; Umschwung *m*. -(e)s, ⸚e; Umwälzung *f*. -en; die plötzliche Veränderung, -en; der plötzliche Wechsel, -s, -; die starke Schwankung, -en (Fluktuation, -en) (물가, 시세 따위). ∼하다 um|-schlagen* ⓢ,ⓗ; heftig wechseln; ⁴sich plötzlich (ver)ändern. ¶ 날씨의 ∼ Umschlag der Witterung / 사회의 ∼ die Umwälzung (der Umschwung) der Gesellschaft / 날씨가 ∼하면서 그는 건강이 나빠졌다 Der plötzliche Wechsel des Klimas schädigte seine Gesundheit.

격분(激憤) der heftige Zorn, -es; Wut *f*.; Grimm *m*. -(e)s. ∼하다 zornig (wütend; grimmig) werden (sein) 《*über*⁴》. ¶ ∼하여 aufgebracht; aufgeregt; erregt; ungestüm; heftig / ∼한 말투로 in feurigem (hitzigem; wütendem) Ton / ∼한 나머지 vor Wut (Zorn) / ∼시키다 *jn*. in Zorn bringen*; *jn*. wütend machen.

격세(隔世) ① 《먼 세대》 die Verschiedenheit der Generation; die verschiedene Generation, -en; das andere Zeitalter, -s, -. ¶ ∼지감이 있다 Es ist, als ob Generationen dazwischenlägen. / 그 때를 생각하면 ∼지감이 있다 Wenn ich an jene Tagen zurückdenke, so ist mir, als ob e-e Generation dazwischenliege. / 10년 전에 비하면 정말 ∼지감이 있다 Wenn wir die heutige Zeit mit der Zeit vor zehn Jahren vergleichen, so scheint es, als wären wir wirklich in einer andern Welt. ② 《세대 걸러》 jede zweite Generation.

‖ ∼유전 Atavismus *m*. -, ..men.

격식(格式) Formalität *f*. -en; Zeremoniell *n*. -s, -e; Eigenschaft *f*. -en (자격). ¶ ∼을 차리는 zeremoniös; zeremoniell; feudal; förmlich / 너무 ∼을 차리시는군요 Wie zeremoniell Sie sind! | Ach, Ihre Umständlichkeit! / 그렇게 ∼ 차리지 말게 Weg mit deinen Förmlichkeiten! / 오래된 가문에는 으레 집안 ∼이라는 것이 있다 Die alten Familien haben meistens ihre zeremoniellen Formalitäten.

격실(隔室) Abteilung *f.* -en; Zwischenraum *m.* -es, ⸚e.

격심하다(激甚—) heftig; stark; streng; ungestüm; scharf (sein). ¶ 격심한 추위 die schneidende Kälte / 격심한 경쟁 die heftige Konkurrenz, -en / 격심한 고통 der akute Schmerz, -es, -e / 격심한 불황 die starke Geschäftsstille 〔Geschäftsstockung〕 / 요사이 취직난은 어느 때보다 ～ Der Stellungsmangel ist noch größer als früher.

격앙(激昂) Aufregung *f.* -en; Affekt *m.* -(e)s, -e; (Auf)wallung *f.* -en; Erbitterung *f.* -en; Erregung *f.* -en; Gefühlswallung *f.* -en; die heftige Gemütswallung, -en; Impuls *m.* -es, -e; Wut *f.* **～하다** erregt 〔aufgeregt〕 werden; in Aufregung 〔Erregung〕 geraten*; in Hitze geraten*ⓢ. ¶ ～한 aufgeregt; erregt / ～하기 쉬운 reizbar; hitzköpfig; hitzig / ～시키다 *jn.* auf|regen 〔erregen; empören; auf|reizen〕; *jn.* in Hitze bringen* / 그렇게 ～하실 것 없지 않소 Regen Sie sich nicht unnütz auf!

격야(隔夜) jede zweite Nacht; alle zwei Nächte. **～하다** eine Nacht Pause haben.

격양가(擊壤歌) die Bauernlieder für das Fest des Erntesegens und der Friedenszeit.

격언(格言) (Denk)spruch *m.* -(e)s, ⸚e; Kernspruch 〔Lehr-; Sinn-〕; Sprichwort *n.* -(e)s, ⸚er (속담); Sentenz *f.* -en; das geflügelte Wort, -(e)s, -e; Maxime *f.* -n; Aphorismus *m.* -, ..men. ¶ ～의 spruchartig; aphoristisch / ～조로 spruchsweise / ～에 말하기를 Ein Sprichwort sagt, daß.... / ～에서 말하듯이 wie es im Sprichwort heißt.
‖ **～집** Spruchbuch *n.* -(e)s, ⸚er.

격원하다(隔遠—) entfernt (sein); weit weg sein; [4]sich fern|halten*; isoliert (sein).

격월(隔月) alle zwei Monate; jeden zweiten Monat; e-n Monat um den andern.
‖ **～간행물** der zweimonatliche Verlagsartikel, -s, -.

격의(隔意) Entfremdung *f.* -en; Distanzierung *f.* -en; Zurückhaltung *f.* -en. ¶ ～있는 zurückhaltend / ～ 없이(는) offen; freimütig; offenherzig; 〖부사적으로〗 frank u. frei; freiheraus; geradezu / ～없이 굴다 vertraulich tun* 《mit *jm.*》; [4]sich *jm.* eröffnen/ ～가 생기다 einander fremd werden; [4]sich entfremden 《*von*[3]》; die Freundschaft wird kühler / ～ 없는 의견의 교환 der offenherzige Meinungsaustausch, -es / ～ 없이 말하다 〔교제하다〕 ohne Zurückhaltung sagen 〔verkehren〕; gemütlich plaudern; [4]sich frei unterhalten* 《mit *jm.*》.

격일(隔日) jeder zweite Tag. ¶ ～로 jeden zweiten Tag; alle zwei Tage / ～제로 근무하다 jeden zweiten Tag arbeiten; alle zwei Tage arbeiten.
‖ **～열** Fieber, das alle drei Tage wiederkehrt; Tertianafieber *n.* -s.

격자(格子) Gitter *n.* -s, -; Gitterwerk *n.* -(e)s, -e; Gatter *n.* -s, -; 《천장의》 Kasette *f.* -n. ¶ ～로 된 vergittert; kasettiert.
‖ **～무늬** Gittermuster *n.* -s -: ～ 무늬의 kariert; gewürfelt. **～문** Gittertür *f.* -en. **～세공** Gitterwerk *n.* -(e)s, -e; Lattenzaun *m.* -(e)s, ⸚e. **～창문** Gitterfenster *n.* -s, -.

격전(激戰) der heftige 〔erbitterte; verzweifelte〕 Kampf, -(e)s, ⸚e; die mörderische 〔blutige〕 Schlacht, -en; Kampf bis aufs Messer; Kampf auf Leben u. Tod (먹느냐 먹히느냐의 싸움). **～하다** e-n erbitterten 〔verzweifelten〕 Kampf kämpfen; e-e mörderische Schlacht liefern. ¶ ～ 중에 im Gewühl der Schlacht / 여기서 ～이 있었다 Hier wurde einmal eine sehr heftige Schlacht geschlagen. / ～ 끝에 그는 의장에 당선되었다 Nach einem sehr heftigen Kampf wurde er zum Vorsitzenden gewählt. / 교두보 탈취를 위한 ～이 벌어지고 있다 Der Kampf tobt am heißesten um jenen Brückenkopf.
‖ **～지** Feld 《*n.* -es, -er》 der heftigen Schlacht; Bezirk 《*m.* -(e)s, -e》 des erbitterten Wahlkampfes (선거의).

격절(隔絶) Abgelegenheit *f.*; Entlegenheit *f.*; Entferntheit *f.*; Abgesondertheit *f.*; Isoliertheit *f.* **～하다** ab|sondern[4] 《*von*[3]》; isolieren[4] 《*von*[3]》; trennen[4] 《*von*[3]》. ¶ ～된 abgesondert; abgeschlossen; isoliert; ganz getrennt; 《원격》 abgelegen; gottverlassen.

격정(激情) Leidenschaft *f.* -en; Affekt *m.* -(e)s, -e; Enthusiasmus *m.* -; Hochgefühl *n.* -(e)s, -e; Inbrunst *f.*; Aufruhr 《*m.* -(e), -e》 des Gefühls. ¶ ～에 겨워 in der Aufregung; in der Leidenschaft.

격조(格調) 《문예》 Rhythmus *m.* -, ..men. 《사람의》 Persönlichkeit *f.* -en; Würde *f.* -n; 《그림의》 Abstufung *f.* -en. ¶ ～ 높은 ehrlich; würdig; erhaben; 《문체》 edel; vornehm.

격조하다(隔阻—) nichts hören 《von *jm.*》; keine Nachricht haben 《von *jm.*》.

격주(隔週) alle 14 Tage; alle zwei Wochen; jede zweite Woche. ¶ ～로(의) vierzehntäglich; alle 14 Tage; alle zwei Wochen; jede zweite Woche.

격증(激增) starke 〔bemerkenswerte; plötzliche〕 Zunahme, -n ※그 밖의 「증대」에 대해선 Anschwellung *f.* -en (수위(水位)); Steigerung *f.* -en (출탄(出炭)); Vergrößerung *f.* -en(증대); Vermehrung *f.* -en(수량); Verstärkung *f.* -en (인원); Zuwachs *m.* -es (증가, 증식). **～하다** stark 〔plötzlich; schnell〕 zu|nehmen* 《*an*[3]》 〔an|schwellen* ⓢ; [4]sich steigern; [4]sich vergrößern; [4]sich vermehren; [4]sich verstärken〕. ¶ 서울에는 인구가 너무 ～했다 Die Stadt Seoul hat an Bevölkerung zu viel zugenommen.

격지 die vielfache Schicht, -en; das vielfach Geklebte.

격지(隔地) der ferne 〔entfernte; entlegene; abgelegene〕 Ort, -(e)s, ⸚er; die ferne 〔entfernte; entlegene〕 Gegend, -en.

격지(隔紙) Einlagepapier *n.* -s, -e; das Papier, das in zwei Schichten eingefügt ist.

격지다(隔—) [4]sich e-m entfremden; brechen* 《mit *jm.*》; [4]sich spalten 《mit *jm.*》; [4]sich entzweien 《mit *jm.*》; fertig sein 《mit *jm.*》; [4]sich durch Uneinigkeit trennen.

격진(激震) das heftige Erdbeben, -s, -; die heftige Erderschütterung, -en. ¶ 어제 동경에 ～이 있었다 Tokyo ist gestern von e-r heftigen Erderschütterung heimgesucht worden.

격차(格差·隔差) Unterschied 《*m.* -(e)s, -e》 der Qualität. ¶ 빈부의 ～ der Unterschied zwischen [3]Armut u. Reichtum / 소득의 ～를 없애다 den Unterschied der Ernte aus|gleichen*.

격찬(激讚) das hohe Lob, -(e)s; die hohe Anerkennung, -en. **～하다** *jn.* (preisend) in den Himmel (er)heben*; mit Lobsprüchen überschütten⁴; rühmend hervor|heben*⁴; *jn.* sehr loben; *jm.* hohes Lob erteilen; *jn.* sehr preisen*; *jn.* viel rühmen. ¶ 그의 용감한 태도는 ~을 받았다 Seine Tapferkeit wurde hoch gepriesen.

격철(擊鐵) Drücker *m.* -s, - 《der Flinte》. ☞ 공이치기. ¶ ~을 당기다 den Drücker an der Flinte spannen.

격추(擊墜) ~하다 ab|schießen*⁴; zum Absturz bringen*⁴. ¶ 적의 비행기가 ~되었다 Das Flugzeug des Feindes wurde abgeschossen.

격침(擊沈) Schiffsversenkung *f.* ~하다 versenken⁴; (ein Schiff) in den Grund bohren; zum Untergehen torpedieren⁴(어뢰로).

격통(激痛) der heftige (akute; furchtbare; rasende; schreckliche) Schmerz, -es, -en. ¶ ~을 참다 furchtbare Schmerzen verbeißen* / ~을 느끼다 e-n heftigen Schmerz (Stich) fühlen.

격퇴(擊退) das Zurückschlagen* (Zurücktreiben*) -s. ~하다 zurück|schlagen*⁴ (-|treiben*⁴; -|weisen*⁴); e-n Angriff ab|weisen*. ¶ ~되다 zurückgeschlagen (zurückgetrieben; zurückgewiesen) werden / 공격을 ~하다 die Attacke zurück|weisen* / 적을 ~하다 den Feind zurück|schlagen*; den Feind in die Flucht schlagen*.

격투(格鬪) Hand¦gemenge *n.* -s, - (-greiflichkeit *f.* -en); Balgerei *f.* -en; Rauferei *f.* -en; Tätlichkeit *f.* -en. ~하다 ⁴sich balgen 《*mit*³》; ⁴sich raufen 《*mit*³》. ¶ ~가 되다 tätlich (handgreiflich) werden; zu Tätlichkeiten über|gehen* ⓢ〔사람이 주어〕; in Tätlichkeiten aus|arten ⓢ〔싸움이 주어〕.

격투(激鬪) heftiger (heißer) Kampf, -es, ⸗e. ~하다 sehr heftig (heiß; blutig) kämpfen.

격파(擊破) Zerstörung *f.* -en; Zerschlagung *f.* -en; Zerschmetterung *f.* -en; Vernichtung *f.* -en; Vertilgung *f.* -en; Destruktion *f.* -en. ~하다 zerstören⁴; zerschlagen*⁴; zerschmettern⁴; vernichten⁴; vertilgen⁴; demolieren⁴; destruieren⁴.

격하(格下) Degradierung *f.* -en; Degradieren *n.* -s, -; Degradiertwerden *n.* -s, -; die Herabsetzung des Ranges. ~하다 degradieren⁴; im Rang herab|setzen; herabwürdigen; erniedrigen.

격하다(隔—) 《가르다》 ab|trennen⁴ 《*von*³》; auseinander|halten*⁴. ¶ …을 격하고 《시간을》 in e-m (zeitlichen) Zwischenraum (Abstand) von…; in Perioden von…; in Zeitabständen; 《거리를》 in e-r Entfernung von…; aus der Ferne; von weitem; 《사이의 물건을》 jenseit(s)²; auf jener (der andern) Seite; über³. ¶ 10미터씩 격하여 in Zwischenräumen von 10 Meter / 연못을 격하고 drüben hinter dem Teiche / 황해를 격하고 jenseits des gelben Meeres / 미닫이를 격하고 소리가 들렸나 Ich hörte Stimmen hinter der Schiebetür.

격하다(激—) ⁴sich auf|regen 《*über*⁴》; ⁴sich empören; ⁴sich wild erbosen; ⁴sich erhitzen; ⁴sich erregen 《이상 어느 것이나 *über*⁴》; auf|brausen ⓢ,ⓗ; in Erregung geraten*ⓢ; wütend (rasend) werden; aus der Haut fahren* ⓢ; mit den Füßen stampfen. ¶ 격하여 aufgeregt; aufgebracht; aufbrausend; echauffiert [eʃo..]; empört; erhitzt; erregt; heißblütig; hitzig; hitzköpfig; wütend / 격하기 쉬운 reizbar; nervös; hitzköpfig; hitzig / 격하지 말고 ruhig; kalt; ohne Aufregung / 격한 감정 die heftige Leidenschaft, -en / 격한 논쟁 hitzige Diskussion *f.* -en / 격한 어조 heißer Ton, -(e)s, ⸗e / 격하기 쉬운 기질 das cholerische (hitzige) Temperament, -(e)s, -e / 말소리가 격해지다 die Stimme erhöht sich / 너무 격해서 말을 할 수가 없었다 Ich war zu aufgeregt, als daß ich etwas sagen könnte.

격화(激化) Intensivierung *f.* -en; Steigerung *f.* -en; Verstärkung *f.* -en. ~하다 ⁴sich steigern (verstärken). ¶ ~시키다 intensivieren⁴; steigern⁴; verstärken⁴ / 증오의 불길을 ~시키다 den Haß zu heller Glut an|-fachen / 이 사건은 그의 분노를 ~시켰다 Dieser Zwischenfall steigerte s-n Zorn.

격화소양(隔靴搔癢) unbefriedigend; unzulänglich; ungenügend; von *js.* Wünsche, (⁴*et.* zu tun) weit entfernt sein. ¶ ~의 감이 있다 ⁴sich unbefriedigt (ungenügend) fühlen.

겪다 ① 《경험》 leiden*; erfahren*; erleben; überwinden*. ¶ 겪어 본 일이 있다 Erfahrung haben / 쓰라린 경험을 ~ e-e bittere Erfahrung machen / 갖은 고초를 ~ durch alle Strapazen hindurch|gehen*ⓢ / 사람은 겪어 보아야 안다 Ein Mensch kann nicht nach seinem Aussehen beurteilt werden.¦Der Schein trügt. / 온갖 고초를 다 겪었다 Ich habe allerlei Schwierigkeiten überwunden. / 그는 인생의 고초를 겪었다 Er hat die Bitterkeit des Lebens geschmeckt. ② 《치르다》 behandeln; auf|nehmen*; bewirten; bedienen. ¶ 성찬으로 손님을 ~ e-n Gast mit einem Leckerbissen bewirten.

견(絹) ① Seide *f.* -n. ② =견본(絹本).

견갑(肩胛) Schulter *f.* -n.
‖ ~골 Schulterblatt *n.* -(e)s, ⸗er.

견강부회(牽強附會) Trugschluß *m.* ..schlusses ..schlüsse; Sophisterei *f.* -en. ~하다 weither|holen; verdrehen; falsch aus|legen; klügeln. ¶ ~의 weithergeholt; an (bei) den Haaren herbeigezogen; gekünstelt; gesucht / 그의 사고 방식은 상당히 ~한 데가 있다 Er hat diesen Gedanken recht weithergeholt.¦Seine Auffassung ist in manchen Punkten weithergeholt.

견고하다(堅固—) fest; hart; solid; stark; eisern; ehern; stählern; 《불굴의》 standhaft; 《견실한》 haltbar; dauerhaft; unzerstörbar (sein). ¶ 견고하게 fest; hart; solid / 견고하게 하다 befestigen; fest machen / 견고한 진지를 구축하다 e-e feste Stellung auf|bauen (halten*) / 견고한 지반을 잡다 festen (sicheren) Boden gewinnen*.

견과(堅果) Nuß *f.* ..üsse.

견디다 ① 《참다》 ertragen*⁴; aus|halten*⁴; erdulden⁴; aus|stehen*⁴. ¶ 견디기 어려운 unerträglich; unausstehlich/견딜 만한 günstig; mild / 어려움을 ~ e-e Mühsal ertragen* / 공복을 ~ den Hunger unterdrücken / 나는 못 견디겠다 Das ist mehr als ich ertragen kann.¦Es ist zu viel für mich./ 이 더위는 견딜 수가 없다 Die Hitze ist unerträglich.
② 《지탱》 tragen*; halten*. ¶ 추위(더위)를 ~ Kälte (Hitze) aus|stehen* / 신발이 몇 달 더 견디겠다 Die Schuhe halten noch einige Monaten. / 그렇게 힘든 일엔 견뎌낼 수가 없다 Ich bin nicht so stark für solche harte Arbeit. / 또 전쟁을 하면 국력이 견디지 못할

것이다 Noch ein Krieg dazu würde die Kräfte des Landes übersteigen.
③《생계의 유지》 aus|kommen*ⓢ; 《겨우》 kümmerlich leben; ^{3}sich mühsam durch|-helfen*. ¶ 그럭저럭 ~ leidlich leben / 그는 1 주일에 50 마르크로 견디고 있다 Er kommt mit 50 Mark per Woche nur eben aus.

견딜성(一性) Geduld *f.*; das Ertragen*, -s; Ausdauer *f.*; Beharrlichkeit *f.*; Standhaftigkeit *f.* ¶ ~ 있는 geduldig; duldsam; beharrlich; ausdauernd / ~ 없는〔없이〕 ungeduldig; unduldsam; ohne Ausdauer / 그는 ~이 있어서 성공했다 Er hat es durch s-e Ausdauer so weit gebracht.

견련(牽連·牽聯) Verbindung *f.* -en; Zusammenhang *m.* -s, ⸗e; Beziehung *f.* -en. **~하다** verbinden* 《*mit*^{3}》; zusammen|hängen 《*mit*^{3}》; ^{4}sich beziehen* 《*auf*^{4}》.
‖ ~사건 Bezugsfall *m.* -s, ⸗e; der zusammenhängende Vorfall.

견루(堅壘) Festung *f.* -en; die starke〔trotzige〕Feste, -n〔Burg, -en〕; Bollwerk *n.* -(e)s, -e. ¶ ~를 무너뜨리다 die Festung ein|nehmen*; die starke Feste schleifen.

견마(犬馬) ①《개와 말》 Hunde und Pferde. ②《자기》 m-e gemeine Bedienung; m-e Gemeinheit; selbst; Ich; mich. ¶ ~지성(之誠) Treue *f.*; Aufrichtigkeit *f.*; Selbstaufopferung *f.* -en; *js.* Wahrhaftigkeit *f.* / ~의 노고를 아끼지 않다 *jm.* ganz zu Diensten stehen*; *jm.* mit welch e-m Dienst immer zur Verfügung stehen*; ^{4}sich zu *js.* freier Verfügung stellen; k-e Mühe u. Arbeit scheuen, *jm.* e-n Dienst erweisen; ^{4}sich *jm.* mit Haut u. Haar(en) verschreiben*.

견목(樫木) ＝떡갈나무.

견문(見聞) 《경험》 Erfahrung *f.* -en; (Welt-)kenntnis *f.* ..nisse; Erlebnis *n.* ..nisses, ..nisse; 《관찰》 Beobachtung *f.* -en. **~하다** erfahren*^{4}; erleben^4; Erfahrungen machen; kennen|lernen^4. ¶ ~을 넓히다 Weltkenntnisse bereichern; Erfahrungen sammeln; Land u. Leute kennen|lernen / ~이 넓은 (lebens)erfahren; lebensklug; 《여행 따위에서》 weitgereist; weltbefahren / ~이 넓은 사람 ein Mann von Erfahrung; ein Mann von umfangreichen Kenntnissen / ~이 좁다 e-n beschränkten Gesichtskreis haben; kurzsichtig sein / 친히 ~하다 selbst〔persönlich〕beobachten.

견문발검(見蚊拔劍) gegen die Stechmücken das Schwert ziehen〔schwingen〕; leicht den Kopf verlieren*; außer ^{4}sich geraten*; aus der Fassung kommen*; „Mit Kanonen auf Mücken schießen".

견물생심(見物生心) Sehen ist Wollen.¦Der Gegenstand erweckt die Habgier.

견방(絹紡) Seidenspinnerei *f.* -en.

견방적(絹紡績) das Seiden¦spinnen*〔-zwirnen*〕-s.
‖ ~공《남자》 Seidenspinner *m.* -s, -; 《여자》 Seidenspinnerin *f.* -nen.

견본(見本) 《상품·천·무늬 따위의》 Probe *f.* -n; Muster *n.* -s, -; 《표본의》 Exemplar *n.* -s, -e. ¶ ~으로 auf Probe; als Probe / ~에 따라 laut〔nach〕Probe / ~과 다르다 dem Muster nicht entsprechen*; vom Muster unterschieden sein / ~을 보내다 *jm.* e-e Probe senden* / ~과 같은 것은 드물다 Nur wenige entsprechen dem Muster. / ~ 재중 „Muster ohne Wert."(우편물 겉봉에).
‖ ~검사원 Probierer *m.* -s, -. ~매매 Musterverkauf *m.* -(e)s, ⸗e. ~쇄 Probedruck *m.* -(e)s, -e; Andruck *m.* ~시 Messe *f.* -n. ~주문 Probebestellung *f.* -en. ~진열실 Probezimmer *n.* -s, -. ~책 Musterbuch *n.* -(e)s, ⸗er. 상품~ Warenprobe *f.* -n; Muster ohne Wert(우편물의 겉봉에 쓰는).

견본(絹本) Seidentuch 《*n.* -(e)s, ⸗er》 zum Malen.

견사(絹紗) Seide und Gaze.

견사(絹絲) Seidenfaden *m.* -s, ⸗(-); Seidengarn *n.* -(e)s, -e.
‖ ~방적 Seidenspinnerei *f.* -en. ~업자 Seidenfabrikant *m.* -en, -en.

견습(見習) 《신분》 Lehrlingschaft *f.* -en; 《사람》 Lehrling *m.* -s, -e; 《수업》 Erlernung *f.* -en; Lehre *f.* -n. **~하다** erlernen; ^{4}sich trainieren 《an ^{3}*et.*》. ☞ 수습(修習). ¶ ~으로 zur Probe; probeweise / ~으로 일하다 zur Probe arbeiten / ~으로 들어가다 in die Lehre kommen*ⓢ〔treten*ⓢ〕《*bei*^{3}》/ ~하러 가다 in die Lehre gehen*ⓢ《*bei*^{3}》.
‖ ~간호원 Probeschwester *f.* -n. ~기 Probezeit *f.* -en. ~생 Probeschüler *m.* -s, -.

견식(見識) 《의견》 Ansicht *f.* -en; Meinung *f.* -en; 《식견》 Weisheit *f.*; Erkenntnis *f.* ..nisse; Einsicht *f.* -en; Verständnis *n.* -ses, -se. ¶ ~이 넓은 사람 ein Mann 《*m.* -(e)s, ⸗er》 mit Einsicht〔von Charakter〕; Verstandesmensch *m.* -en, -en / ~이 높다 weitblickend〔vorausschauend〕sein.

견실(堅實) Festigkeit *f.* -en; Zuverlässigkeit *f.* -en; Solidität *f.* -en; Stabilität *f.* -en. **~하다** solid; stabil; fest; gesund; zuverlässig (sein). ¶ ~한 사람 e-e zuverlässige Person / ~한 사상 ein solider Gedanke; die gesunden Ideen / 사업을 ~하게 하다 Geschäft solid〔zuverlässig; sicher〕machen〔führen〕/ 그는 ~한 학자다 Er ist ein zuverlässiger Gelehrter. / ~한 사업에 투자하다 Kapital in ein sicheres Unternehmen stecken; eine sichere Kapitalanlage machen.

견양도(見樣圖) ＝겨냥도.

견우(牽牛) 〔천문〕 Altar *m.* -s, ⸗e.
‖ ~화(花) ＝나팔꽃.

견원(犬猿) Hund u. Affe. ¶ ~지간이다 ^{4}sich vertragen* wie Hund u. Katze; wie Hund u. Katze sein / 부부간이 ~지간이나 다를 바 없다 Das Ehepaar lebt〔Die Eheleute leben〕wie Hund u. Katze.

견유(犬儒) Zyniker *m.* -s, -.
‖ ~주의 Zynismus *m.* -. ~학도 Zyniker *m.* -s, -. ~학파 die zynische Schule, -n.

견인(堅忍) Beharrlichkeit *f.* -en; Standhaftigkeit *f.* -en; Ausdauer *f.*; Zähigkeit *f.* -en; Hartnäckigkeit *f.* -en. **~하다** beharren 《*bei*^{3}》; fest|halten* 《*an*^{3}》; standhaft fortfahren*〔weiter|arbeiten〕《*mit*^{3}》.
‖ ~지구(持久) die hartnäckige Beharrlichkeit; unermüdliche Ausdauer.

견인(牽引) das Ziehen*, -s; Zug *m.* -(e)s, ⸗e. **~하다** ziehen*^{4}; zerren^4; schleppen^4.
‖ ~력 Zugkraft *f.* ⸗. ~차 Zug¦wagen *m.* -s, -〔-maschine *f.* -n〕.

견인불발(堅忍不拔) Beharrlichkeit *f.*; Standhaftigkeit *f.*; Ausdauer *f.* **~하다** standhaft; beharrlich; unbeugsam; unermüdlich; unentwegt (sein). ¶ ~의 정신 der eiserne〔stählerne〕Wille, -ns, -n; der unbeugsame Geist, -(e)s, -er.

견장(肩章) Schulter¦stück (Achsel-) *n.* -(e)s, -e; Schulter¦klappe (Achsel-) *f.* -n (군인의).

견적(見積) Schätzung *f.* -en; Anschlag *m.* -(e)s, ⸗e; Überschlag *m.* -(e)s; ⸗e; Berechnung *f.* -en. **∼하다** schätzen⁴; an|schlagen*⁴; veranschlagen⁴; überschlagen*⁴; berechnen⁴. ¶아무리 싸게 ∼을 해도 so (wie) niedrig man es auch veranschlägt / 대충 ∼하다 ungefähr (annähernd) veranschlagen / 높이 ∼하다 (zu) hoch an|schlagen* / 비용을 ∼하다 die Kosten überschlagen* (veranschlagen) / 수천 마르크로 ∼되다 auf mehrere tausend Mark geschätzt werden.

‖**∼가격** Schätzungswert *m.* -(e)s, -e. **∼서** Anschlag *m.* -(e)s, ⸗e. **∼액(額)** die veranschlagten Kosten《*pl.*》; Überschlagsrechnung *f.* -en.

견제(牽制) 《억제》das Hemmen* (Hindern*), -s; Abhaltung *f.* -en; Zurückhaltung *f.* -en; 《유치(誘致)》 Ablenkung *f.* -en; Zerstreuung *f.* -en. **∼하다** hemmen⁴; hindern⁴ 《*an*³》; ab|halten*⁴ (zurück|-) 《*von*³》; kontrollieren⁴; zügeln⁴; Zügel an|legen³; ab|lenken⁴; zerstreuen⁴; ab|bringen*⁴ 《*von* ³*et.*》. ¶∼ 받지 않도록 하시오 Lassen Sie sich nicht abhalten. / 그는 늘 다른 사람의 말을 ∼하려고 한다 Er versucht immer, Ablenkungsmanöver zu machen. / 적의 응원군을 ∼하다 feindliche Verstärkung auf|halten.*

‖**∼공격** Ablenkungsangriff *m.* -(e)s, -e. **∼운동** Ablenkungsbewegung *f.* -en.

견주다 ① 《비교함》 vergleichen* 《*mit*³》; e-n Vergleich an|stellen 《*mit*³》; 《대비》 gegenüber|stellen³; entgegen|setzen³(-halten*³); kontrastieren 《*mit*³》. ¶…와 견주어서 im Vergleich mit; verglichen 《*mit*³》; im Gegensatz zu³ / 길이를 견주어 보다 die Länge vergleichen* / 견줄 만한 것이 없다 k-n Vergleich mit ³*et.* aus|halten*; ⁴sich mit ³*et.* nicht vergleichen lassen*; ⁴sich mit *jm.* nicht messen können* 《*in*³; *an*³》 / 둘을 견주어 보면 한쪽은 아주 어린애다 Er ist ein reines Kind, verglichen mit dem andern. / 그와 어깨를 견줄 사람이 없다 Ihm ist niemand an die Seite zu stellen. / 이에 견줄만한 것이 없다 Das ist unvergleichlich. / 검술에 있어선 그와 견줄 사람이 없다 In der Fechtkunst hat er nicht seinesgleichen.

② 《겨누다》 wetteifern 《*in*³; *an*³》; ⁴sich messen* 《*mit*³》 (힘을). ¶끈기를 견주어 보다 an ³Ausdauer wetteifern / 기량을 ∼ im Können (in der Fähigkeit; in der Kunstfertigkeit) wetteifern / 힘을 ∼ ⁴sich messen* 《mit *jm.*》; die Kräfte messen* (vergleichen*).

견지 Schnurrolle 《*f.* -n》 zum Angeln.

‖**∼질** das Angeln mit der Schnurrolle statt der Rute: ∼질하다 mit der Schnurrolle angeln.

견지(見地) Stand¦punkt (Gesichts-) *m.* -(e)s, -e; Ansicht *f.* -en. ¶학문상의 ∼에서 vom Standpunkt der Wissenschaft aus / 다른 (여러 가지) ∼에서 고찰하다 aus e-m anderen Gesichtspunkt (von allen Gesichtspunkten aus) betrachten⁴ / 교육적 ∼에서 보면 vom erzieherischen Standpunkte aus / 이 ∼에서 보아 von diesem Standpunkte aus / 이 ∼에서 보면 그는 옳다 In dieser Hinsicht hat er recht. / 그것은 보는 사람의 ∼에 달려 있다 Das ist Ansichtssache!

견지하다(堅持—) fest|halten* 《*an*³》(주의주장 따위를); beharren 《*bei*³》; bleiben*Ⓢ 《*bei*³》. ¶민주주의를 ∼ an der Demokratie fest|halten* / 자기 설을 ∼ bei seiner Meinung beharren (bleiben*) Ⓢ.

견직물(絹織物) Seidengewebe *n.* -s, -; Seidenstoff *m.* -(e)s, -e.

‖**∼공장** Seidenweberei *f.* -en. **∼상** Seidenhändler *m.* -s, -. **∼제품** Seiden¦zeug *n.* -(e)s, -e (-arbeit *f.* -en; -stoffe 《*pl.*》; -ware *f.* -n).

견진(堅振) Konfirmation (Einsegnung) *f.* -en.

‖**∼성사** das Sakrament 《-(e)s, -e》 der Konfirmation: ∼성사를 받은 사람 der (die) Konfirmierte*, -n, -n / ∼성사를 행하다 *jn.* konfirmieren (ein|segnen).

견짓살 das weiße Fleisch 《-es》 unter dem Hühnerflügel.

견책(譴責) Verweis *m.* -es, -e; Vorhaltung *f.* -en; Vorwurf *m.* -(e)s, ⸗e; Rüge *f.* -n; Tadel *m.* -s, -. **∼하다** *jm.* ⁴*et.* verweisen*; *jm.* e-n Verweis geben* (erteilen); *jm.* ⁴*et.* vor|halten*; *jm.* e-n Vorwurf (Vorhaltungen) machen 《*wegen*²》; *jm.* ⁴*et.* vor|werfen*; *jm.* e-e Rüge erteilen; *jn.* tadeln 《*wegen*²》; *jn.* zurecht|weisen*; *jn.* zur Rede stellen (책임을 묻다). ¶∼받다 e-n Verweis (e-e Rüge) erhalten*; e-n Tadel bekommen* 《von *jm.*; wegen ²*et.*》.

‖**∼처분** Rüge *f.* -n.

견치(犬齒) =송곳니.

견포(絹布) Seiden¦stoff *m.* -(e)s, -e (-tuch *n.* -(e)s, ⸗er; -zeug *n.* -(e)s, -e). ¶∼의 seiden / ∼를 두르다 in Seiden gehen* Ⓢ; seidene Kleider tragen*.

견학(見學) Besichtigung *f.* -en; Inspektion *f.* -en. **∼하다** besichtigen⁴; studienhalber besuchen⁴; zu Studienzwecken besuchen⁴; inspizieren⁴; 《체육시간에》 (aus|bleiben* Ⓢ u.) beobachten. ¶방송국을 ∼하다 die Rundfunkstation besichtigen (studienhalber besuchen).

‖**∼여행** Besichtigungsreise *f.* -n. **∼자** Besucher *m.* -s, -; Frequentant *m.* -en, -en; Hospitant *m.* -en, -en.

견해(見解) Meinung *f.* -en; Ansicht *f.* -en; Auffassung *f.* -en; das Dafürhalten* (Erachten*) -s; Urteil *n.* -(e)s, -e; Überzeugung *f.* -en. ¶∼의 차이 die Abweichung der Ansicht / 나의 ∼로는 m-r ³Meinung (Ansicht; Auffassung; Überzeugung) nach; m-s Erachtens / ∼가 다르다 Ich bin anderer Ansicht als Sie.¦Wir sind darüber verschiedener Ansicht. / ∼를 피력하다 *jm.* s-e Auffassung nahe|legen / 저는 어디까지나 당신의 ∼와 같습니다 Ich bin ganz Ihrer ²Ansicht (²Meinung). / 사람들은 제각기 ∼를 달리하고 있다 Darüber sind die Meinungen ganz verschieden. / 그에 대한 너의 ∼는 어떠냐 Was ist d-e Meinung darüber?

결고틀다 bis zu Ende hartnäckig beharren (fortfahren*; aus|halten*); kämpfen; ringen* 《*mit*³》; bestreiten*.

결다¹ ① 《기름에》 ölig werden; schmierig (fettig) werden. ¶땟국에 겯고 겯은 옷 das mit Schmutz beschmierte Kleid / 종이가 기름에 잘 겯었다 Das Papier ist gut eingefettet. ② 《일에》 Erfahrung haben 《*in*³》; (in einem Fache) zu Hause sein. ③ 《배게 하다》 (mit Fett) einschmieren; ein|fetten.

¶ 종이를 (기름에) ~ Papier ein|fetten (ein|schmieren).

겯다² ① 《엮다》 flechten; zusammen|fügen. ¶ 삿자리를 ~ die Schilfrohrmatte flechten. ② 《어긋매끼다》 kreuzweise auf|stapeln (zusammen|stellen; aufschichten). ¶ 총을 ~ die Gewehre zusammen|stellen (zusammen|setzen).

겯지르다 kreuzweise liegen*; kreuzen; kreuzweise legen; durchkreuzen; um|winden*; durch|schneiden*; um|schlingen.

겯질리다 ① 《물건이》 gekreuzt sein; ⁴sich schneiden (kreuzen); kreuzweise liegen*. ② 《일 따위가》 miteinander verstrickt (verwickelt) sein. ③ 《힘에 겹다》 (von einer harten Arbeit) erschöpft (ermattet) sein.

결¹ ① 《물의》 Welle *f.* -n; 《숨결의》 Atem *m.* -s, -; Atemzug *m.* -(e)s, ⸗e; Hauch *m.* -(e)s, -e. ② 《나무·천의》 Maser *f.* -n; Faserung *f.* -en; Maserung *f.* -en; Ader *f.* -n; Strich *m.* -(e)s, -e; Gewebe *n.* -s, -; Textur *f.* -en; 《살의》 Hautgewebe *n.* -s, -; 《돌의》 Korn *n.* -(e)s, ⸗er; 《마음의》 Natur *f.* -en; Herz *n.* -ens, -en; Gemütsart *f.* -en. ¶ 결이 고운(거친) fein¦maserig (grob-); feinkörnig (rauh; grobkörnig) / 결이 곱다 von feiner Maserung (Textur; Webart) sein / 결이 거칠다 von rauher Maserung sein; von grober Textur sein / 살결이 곱다 (거칠다) weiche (rauhe) Haut haben.

결² ① 《언뜻·우연히》 zufällig; gelegentlich; nebensächlich; beiläufig; durch Zufall. ¶ 눈결에 보다 zufällig ins Auge fallen*; nur flüchtig zu sehen bekommen* / 귓결에 종소리를 들었다 Ein Glockenschlag ist zufällig mir an die Ohren gekommen. / 바람결에 파도 소리가 들려왔다 Der Wind hat mir das Wellenplätschern (das Brausen der Wellen) zu Ohren gebracht. ② 《…하는 길에》 im Vorbeigehen; zu gleicher Zeit wie…; wenn; während. ¶ 지나가는 결에 잠간 들르다 bei *jm.* kurz vorbei|kommen* (vorsprechen); *jn.* beim Vorbeigehen kurz besuchen. ③ 《사품》 bei der Gelegenheit. ¶ 잠결에 beim Schlafen; im Schlaf; während des Schlafens / 잠결에 듣다 im Halbschlaf hören.

결가부좌(結跏趺坐) 〖불교〗 das Hocken 《-s》 mit gekreuzten Beinen. **~하다** einen Schneidersitz machen (sitzen*); die Beine übereinanderschlagend sitzen*; mit gekreuzten Beinen sitzen* (hocken).

결강하다(缺講—) 《교수가》 keine Vorlesung haben; zur Vorlesung nicht erscheinen*; 《학생이》 ein Kolleg (eine Vorlesung; eine Unterrichtsstunde) schwänzen.

결격(缺格) Disqualifikation *f.* -en. ¶ ~이 되다 zu ³*et.* als untauglich (ungeeignet) erklärt werden.

결곡하다 treu; solid; standhaft; entschlossen (sein). ¶ 결곡하고 믿을 만한 사람 eine solide und vertrauenswürdige Person.

결과(結果) Folge *f.* -n; Resultat *n.* -(e)s, -e; Ergebnis *n.* -ses, -se; Frucht *f.* ⸗e; Schluß *m.* ..sses, ..lüsse; 《결말》 Ende *n.* -s, -n; Ausgang *m.* -(e)s, ⸗e; 《효과》 Wirkung *f.* -en; Erfolg *m.* -(e)s, -e. ¶ 그 ~ folglich; infolgedessen; also; deshalb / 원인과 ~ Ursache u. Wirkung / ~가 좋다 (나쁘다) e-n guten (schlechten) Ausgang nehmen*; ⁴sich gut (schlecht) aus|wirken; e-e gute (schlechte) Wirkung hervor|rufen* / …한 ~가 되다 ⁴*et.* zur Folge haben; ⁴*et.* nach ³sich ziehen*; zu ³*et.* führen; die Folge ist, daß…; hinaus|laufen* Ⓢ 《*auf*⁴》 / 좋은 (나쁜) ~를 낳다 ⁴sich gut (schlecht) aus|wirken; e-n guten (schlechten) Ausgang nehmen*; ein gutes (schlechtes) Resultat haben / 동일한 ~를 낳다 zum gleichen Resultat führen; auf dasselbe heraus|kommen* Ⓢ / 그 ~는 어떻게 될까 Was wird daraus erfolgen?¦Was folgt daraus? / 시험 ~는 오늘 저녁 발표된다 Das Resultat des Examens wird heute abend veröffentlicht. / 오늘의 그가 있게 된 것은 근면의 ~라 할 수 있다 Was er heute ist, verdankt er s-m Fleiße. / 수술 ~는 좋지 못했다 Der chirurgische Eingriff brachte nicht den erhofften Erfolg. / 그 ~ 이익이 줄게 되었다 Es war das Resultat, daß sein Vorteil verminderte.

‖ ~론 das Urteil 《-(e)s,-e》 (e-r Sache) vom Resultat : 네가 말하는 것은 ~론이다 Du reitst ständig auf e-m Resultat herum.

결구(結句) Schlußvers *m.* -es, -e; Konklusion *f.* -en; Ende *n.* -s, -n; der letzte Teil (die letzten Worte) e-s Aufsatzes.

결구(結球) Kopf *m.* -es, ⸗e (der Pflanzen).

결구(結構) 《구조》 Konstruktion *f.* -en; Aufbau *m.* -(e)s; 《구상》 Plan *m.* -(e)s, ⸗e. **~하다** konstruieren; zusammen|setzen; planen; entwerfen*.

결국(結局) 〖명사〗 Ende *n.* -s, -e; Schluß *m.* ..sses, ..lüsse; 〖부사〗 schließlich; am Ende; endlich; zuletzt; zum Schluß; letzten Endes; im Grunde; alles in allem (요컨대). ¶ ~의 letzt; schließlich; endlich / ~에 가서는 zuletzt; endlich; am Ende; auf die Dauer / ~ …하게 되다 ⁴*et.* zur Folge haben/ ~ 그것은 비싼 셈이다 Schließlich läßt sich das nicht kaufen. / 그것이 ~ 제일 싸게 먹힌다 Auf die Dauer ist das das billigste. / ~ 내가 옳았다 Schließlich hatte ich recht./ ~ 기차를 놓치고 말았다 Endlich habe ich den Zug verpaßt. / ~ 모두 경찰에 연행되었다 Am Ende wurden alle vom Polizisten abgeführt. / ~ 그가 말한 그대로였다 Am Ende hatte er doch recht. / ~ 그는 찬성하고 말았다 Schließlich (Zu guter Letzt) erklärte er sich doch damit einverstanden. / ~ 그렇게 되었다 Das ist das Ende vom Lied. / 어느 길을 가도 ~ 같은 곳으로 나온다 Beide Wege führen letzten Endes zur gleichen Stelle. / 그 사건은 ~ 어떻게 될는지 Ich weiß auch nicht, welchen Ausgang die Sache nehmen wird. / 세상이란 ~ 그런 것이다 Im Grunde geht es so in der Welt.

결궤(決潰) **~하다** ein|stürzen Ⓢ; brechen*Ⓢ. ¶ 제방의 ~가 커졌다 Der Bruch 《-(e)s, ⸗e》 e-s Dammes hat sich erweitert.

결근(缺勤) das Ausbleiben*, -s 《von der Arbeit; von der Schule》; das Fehlen*, -s 《in der Schule》; das Nichterscheinen*, -s; Abwesenheit *f.* -en. **~하다** aus|bleiben* Ⓢ 《*von*³》; fehlen 《*in*³》; nicht erscheinen* (kommen*) Ⓢ; 〖속어〗 krank feiern (꾀병으로). ¶ 그는 병으로 ~하고 있다 Er fehlt wegen Krankheit.¦Er meldete sich krank u. bleibt aus. / 나의 ~ 일수가 얼마나 되지요 Wievielmal habe ich gefehlt? / ~계를 내다 ein Entschuldigungsschreiben ein|reichen; s-e Abwesenheit melden.

‖ ~계 Entschuldigungszettel *m.* -s, -. ~일수 gefehlte Tage《*pl.*》. ~자 der Abwesende*, -n, -n; der Fehlende*, -n, -n. 무단~ die Abwesenheit ohne Meldung: 무단~하다 ohne Meldung (im Büro) fehlen. 장기~ die langfristige Abwesenheit.

결기(一氣) Heftigkeit *f.* -en; Ungestüm *n.* -s, -; Feuer *n.* -s, -; Hitze *f.*; Leidenschaft *f.*; hitziges Temperament, -(e)s, -e. ¶ ~(가) 있는 사람 ein Mann von Leidenschaft; Hitzkopf *m.* -es, ⸚e; der heißblütige Mann/~에 아무를 때리다 *jn.* vor Wut schlagen*.

결나다 wütend werden; in Wut geraten*; hitzig werden. ¶ 결나서 싸우다 vom Feuer der Leidenschaft getrieben kämpfen (handgemein werden).

결내다 Wut auslassen*; in Zorn geraten*; wütend werden; hitzig (heftig) werden; zum Zorn gereizt werden. ¶ 꺽하면 ~ immer zum Zorn geneigt sein.

결단(決斷) Entschluß *m.* ..lusses, ..schlüsse; Entscheidung *f.* -en; Entschließung *f.* -en; Entschiedenheit *f.* ~하다 (⁴sich) entscheiden*⁽⁴⁾; ⁴sich entschließen*《*zu*³》; zu e-r Entscheidung kommen* ⓢ; e-n Entschluß fassen. ¶ ~력이 강한 사람 der (sehr) entschlossene Mensch, -en, -en; ein Mann《*m.* -es, ⸚er》von unbeugsamer Entschlußkraft/~력이 없다 in s-n Entschlüssen schwankend sein; zwischen zwei Entschlüssen schwanken / 저 사람은 참으로 ~성이 없는 사람이다 Er ist (wie) ein schwankendes Rohr (im Winde). / ~을 못 내리다 k-e Entschließung treffen* / ~이 빠르다 schnell von Entschluß sein / 그는 언제나 ~성이 없다 Er schwankt stets.

결단(結團) ~하다 eine Mannschaft (Gruppe) organisieren (bilden; gestalten).

‖ ~식 die Gründungsfeier einer Organisation (Mannschaft).

결단코(決斷一) ①《긍정》bestimmt; durchaus; entschieden; schlechterdings; unbedingt; auf alle Fälle; auf jeden Fall. ¶ 나는 ~ 해내겠다 Ich werde nicht verfehlen, es fertig zu bringen. ②《부정》durchaus nicht; (ganz u.) gar nicht; nie(mals); auf k-n Fall; keineswegs; nicht im geringsten (mindesten). ¶ ~ 그것을 해서는 안 된다 Das darfst du beileibe nicht tun! / ~ 서명하지 않겠다 Nichts soll mich bewegen zu unterschreiben.

결당(結黨) Gründung《*f.* -en》e-r Partei. ~하다 e-e Partei gründen (bilden); e-n Geheimbund schließen*(비밀결사).

‖ ~식 Einweihung《*f.* -en》der neu gegründeten Partei.

결따마(一馬) das rötlich braune Pferd, -es, -e.

결딴 Untergang *m.* -s, ⸚e; Zusammenbruch *m.* -s, ⸚e; Verderben *n.* -s, -;《파산》Bankrott *n.* -(e)s, -e. ~나다 zugrunde gehen*; verfallen*; ⁴sich ruinieren; pleite gehen*; (³sich) verderben*. ¶ 건강이 ~나다 seine Gesundheit ruiniert (zerrüttet) sein; ³sich die Gesundheit verderben* / 집안이 ~나다 ein Haus (eine Familie) in Verfall geraten* (kommen*); eine Familie ruiniert sein / ~내다 zerstören; zugrunde richten; ruinieren; verderben*; zerbrechen*; zertrümmern / 그릇을 ~내다 die Schüssel zerschmeißen* (zertrümmern) / 몸을 ~내다 der ³Gesundheit schaden; die Gesundheit beeinträchtigen.

결련(結連)《관계》Beziehung *f.* -en; Verhältnis *n.* -ses, -se;《연관》Zusammenhang *m.* -(e)s, ⸚e;《결합》Verbindung *f.* -en;《공통》Gemeinschaft *f.* -en;《친척 관계·유사》Verwandtschaft *f.* -en.

결렬(決裂) (Ab)bruch *m.* -(e)s, ⸚e; Uneinigkeit *f.* -en. ~하다 (되다) ab|brechen*; abgebrochen werden; brechen*《*mit*³》; zum Bruch kommen* ⓢ; enden, ohne das Ziel zu erreichen; ⁴sich nicht einigen können*. ¶ ~시키다 ab|brechen*; zum Bruch kommen lassen* / 교섭은 ~되었다 Die Verhandlungen wurden abgebrochen. / 북한은 남한과의 잠정적인 관계를 ~시켰다 Nordkorea hat die provisorischen Beziehungen mit Südkorea abgebrochen.

결례(缺禮) Unhöflichkeit *f.* -en; Taktlosigkeit *f.*; ein dummer Fehler, -s, -. ~하다 verfehlen (versäumen; unterlassen*), *jm.* Höflichkeit zu erweisen (bezeigen) (*od.* *jm.* Grüße zu sagen (senden)). ¶ 상중이라서 연시에도 ~하나이다 Weil ich jetzt Trauer habe, versende ich dieses Jahr k-e Neujahrswünsche.

결론(結論) Schluß *m.* ..sses, ..lüsse; (Schluß-) folgerung *f.* -en; Konsequenz *f.* -en; Zusammenfassung *f.* -en. ~짓다 e-n Schluß (e-e Folgerung) aus ³*et.* ziehen*; ⁴*et.* aus ³*et.* folgern; (aus) ³*et.* entnehmen*⁴. ¶ ~적으로(말해서) zum Schluß; kurz u. gut; zusammenfassend gesagt / …한 ~이 나오다 daraus kann man schließen(folgern), daß…; daraus läßt ⁴sich schließen (folgern), daß…; daraus folgert (ergibt ⁴sich), daß… / 그렇다고 그렇게 쉽사리 ~은 나지 않는다 Das läßt sich nicht ohne weiteres daraus schließen. / 어떤 ~에도 도달하지 못했다 Wir sind zu k-m Schluß gekommen. / 그는 사회 문제를 논했지만 ~을 피했다 Er erörterte soziale Fragen, aber vermied eine bestimmte Meinung darüber zu äußern.

결리다 ①《아프다》Schmerz (Stich) haben. ¶ 옆구리가 ~ Hüftschmerzen haben / 숨을 쉬면 가슴이 결린다 Es schmerzt mich, wenn ich atme. ¦ Mir schmerzt die Brust, wenn ich atme. ②《지질림》eingeschüchtert sein; abgeschreckt sein《*von*³》.

결막(結膜)〖해부〗Bindehaut *f.* ⸚e.

‖ ~염(炎) Bindehautentzündung *f.* -en.

결말(結末) (Ab)schluß *m.* ..lusses, ..lüsse; Ende *n.* -s, -n; Schließung *f.* -en; Beendigung *f.* -en; Erledigung *f.* -en (낙착, 해결); Ergebnis *n.* ..nisses, ..nisse(결과); Ausgang *m.* -(e)s, ⸚e; Auslauf *m.* -(e)s, ⸚e; Katastrophe *f.* -n(대단원). ¶ ~내다 (짓다) zum Schluß bringen*⁴; zu Ende führen⁴; ein Ende machen《*mit*³》; erledigen⁴ / ~이 나다 ein Ende nehmen*; zu e-m Schluß kommen* (gelangen) ⓢ; ⁴sich erledigen《*mit*³》/ 그 건은 그것으로 ~이 났다 Die Sache erledigte sich damit. / 이 소설은 비극으로 ~이 난다 Dieser Roman hat e-n traurigen Ausgang. / 그 문제는 어떤 ~이 날까 Was ist der Ausgang der Sache?

결맹하다(結盟一) ① =체맹하다. ②《연맹결성》e-n Bund (Verein; Verband) auf|bauen (bilden).

결머리 =결증.

결박(結縛) Bindung *f.* -en; Fesselung *f.* -en;

Befestigung *f.* -en. ～하다, ～짓다 binden*; zusammen|binden*; fesseln; befestigen; 《수갑 채우다》 Handschellen an|legen. ¶ 도둑을 ～하다 den Dieb fesseln (verhaften; fest|nehmen*).

결백(潔白) Unschuld *f.* 《*an*³》; Reinheit *f.*; Fleckenlosigkeit *f.* ～하다 unschuldig⁽²⁾ 《*an*³》; rein; flecken¦los (-frei) (sein). ¶ ～한 사람 der unschuldige (schuldlose) Mensch / 그는 ～하다 Er ist unschuldig. / 자신의 ～을 증명하다 seine Unschuld beweisen*; ⁴sich rechtfertigen / 곧 그의 ～이 증명되었다 S-e Unschuld stellte sich bald heraus. / 돈 문제에 있어서 그는 ～하다 Er ist in Geldfragen durchaus ehrlich.

결번(缺番) die fehlende Nummer, -n. ¶ 4번은 ～이다 Die Nummer 4 ist nicht da.¦Die Nummer 4 fehlt (4 ist unnumeriert).

결벽(潔癖) die krankhafte (übertriebene) Reinlichkeit. ～하다 krankhaft (übertrieben; äußerst) reinlich; 《까다롭다》 wählerisch (sein). ¶ ～한 사람 e-e äußerst (krankhaft) reinliche Person, -en; e-e sehr wählerische Person.
‖ ～증 Mysophobie *f.*

결별(訣別) ＝이별(離別).

결본(缺本) ein fehlender Band, -(e)s, ⸗e.

결부(結付) ～하다 verknüpfen⁴; verbinden*⁴; verschlingen*⁴; zusammen|binden*⁴; kombinieren⁴. ¶ 양자를 밀접하게 ～시키다 zwei Menschen fest miteinander verbinden* / ～시켜서 생각하다 ⁴*et.* (*jn.*) in Verbindung mit ³*et.* (*jm.*) betrachten.

결빙(結氷) das Gefrieren*, -s. ～하다 gefrieren* h,s; (ver)eisen s; zu|frieren* s (바다, 강). ¶ ～을 방지하다 Eisformation hindern.
‖ ～기 Gefrierzeit *f.* -en.

결사(決死) ¶ ～적 verzweifelt; tollkühn (사생결단의); Leib u. Leben einsetzend 《*für*⁴》; sein Leben aufs Spiel setzend (생명을 내걸고) / ～의 각오로 bereit, das Leben zu opfern; mit Todesverachtung.
‖ ～대 Sturm¦trupp (Stoß-) *m.* -s, -s; Himmelfahrtskommando *n.* -s, -s: ～대를 적군 진지에 투입하다 den Sturmtrupp ins feindliche Lager ein|werfen*.

결사(結社) Bündnis *n.* -ses, -se; Bund *m.* -(e)s, ⸗e; Gesellschaft *f.* -en; Verein *m.* -(e)s, -e; Bruderschaft *f.* -en. ～하다 ein Bündnis ein|gehen*; e-n Verein stiften (bilden). ¶ ～의 자유 Vereinsfreiheit *f.* -en.
‖ 비밀～ die geheime Verbindung, -en; Geheimbund *m.*

결삭다 *js.* Temperament weicher (sanfter) werden.

결산(決算) Rechnungsabschluß *m.* ..schlusses, ..schlüsse; Abrechnung *f.* -en; Ausgleich *m.* -(e)s, -e; Ausgleichung *f.* -en; Begleichung *f.* -en; Bilanz *f.* -en; Saldierung *f.* -en; Verrechnung *f.* -en. ～하다 die Rechnung (die Bücher) ab|schließen*; ab|rechnen⁴; die Bilanz(den Saldo) ziehen*; die Rechnung aus|gleichen* (begleichen*); ⁴*et.* verrechnen 《*mit*³》. ¶ 반기마다 ～한다 Die Abrechnung erfolgt (kalender)halbjährlich. / 본사의 ～은 3월과 9월에 있다 Unsere Konten werden im März und September abgeschlossen.
‖ ～기 Abschluß¦termin *m.* -s, -e. ～보고 Rechnungsauszug *m.* -(e)s, ⸗e; Bilanzbogen *m.* -s, -(⸗). ～액 Bilanzkonto *n.* -s, ..ten; Schlußbestand *m.* -(e)s, ⸗e. 반기～ der halbjährliche (Rechnungs)abschluß: 1·4반기 ～ der erste Viertelabschluß.

결석(缺席) ① Abwesenheit *f.*; das Ausbleiben* (Fehlen*) -s; Ausfall *m.* -(e)s, ⸗e (교수의 휴강). ～하다 abwesend sein 《*von*³》; aus|bleiben* s 《*von*³》; fehlen 《*in*³》; nicht erscheinen* 《*in*³; vor Gericht 재판에》; versäumen⁴; schwänzen⁴ 《die ⁴Schule 학교를 빼먹다》; in der Schule fehlen; von der Schule fern|bleiben*. ¶ ～자는 리스트에 표를 해 두었다 Die Fehlenden (Die Nichterscheinenden) wurden in der Liste angehakt. / 그는 3일간 학교에 ～했다 Er fehlt 3 Tage in der Schule. / 그는 병결계를 내고 ～했읍니다 Er hat sich krank gemeldet u. blieb aus. ② 〖법〗 das Nichterscheinen*, -s; Kontumaz *f.*; Abwesenheit *f.* -en.
‖ ～계 Entschuldigungs¦zettel *m.* (-schreiben *n.*) -s, -. ～자 der Abwesende* (Fehlende*) -n, -n; 《재판의》 der nicht vor Gericht Erscheinende. ～재판 Kontumazialurteil *n.* -s, -e: ～ 재판으로 유죄 판결을 내리다 in Abwesenheit verurteilen⁴ 《*zu*³》. ～판결 Kontumazurteil *n.* -s, -e. 무단～ die Abwesenheit ohne Meldung. 병고～ das Fehlen wegen e-r Krankheit.

결석(結石) 〖의학〗 Stein *m.* -(e)s, -e. ☞ 담석(膽石). ¶ 신장(腎臟) ～에 걸려 있다 an Steinen in der Niere leiden*.
‖ ～증 Steinkrankheit *f.* -en. ～형성 Steinbildung *f.* -en. 방광～ Blasenstein *m.* -(e)s, -e. 신장～ Nierenstein *m.* -(e)s, -e.

결선(決選) die letzte Wahl, -en. ～하다 für die letzte Wahl stimmen.
‖ ～투표 die letzte (entscheidende) Abstimmung, -en.

결성(結成) Bildung *f.* -en; Gründung *f.* -en. ～하다 《신당을》 (e-e neue Partei) bilden (gründen).
‖ 신당(新黨) ～식 Einweihung 《*f.* -en》 der neuen Partei.

결속(結束) ① 《묶음》 Bündel *n.* -s, -. ～하다 in Bündel zusammen|binden*. ② 《단결》 Verbindung *f.* -en; Vereinigung *f.* -en; Zusammenhalt *m.* -(e)s; Bund *m.* -(e)s; ⸗e. ～하다 ⁴sich miteinander verbinden* (vereinigen); zusammen|halten*; e-n Bund schließen*. ¶ 당의 ～ die Einheit der Partei / ～해서 in e-m Haufen; in geschlossener Masse; vereinigt / ～을 강화하다 die Gemeinsamkeit verstärken / 당원의 ～은 단단하다 Die Mitglieder bilden e-e geschlossene Einheit. / 그들의 ～은 단단하다 Sie halten zusammen wie Pech u. Schwefel.

결손(缺損) Defizit *n.* -s, -e; Abmangel *m.* -s, ⸗; Fehlbetrag *m.* -(e)s, ⸗e (위의 단어들은 「결손액」의 뜻으로도 쓰임); Verlust *m.* -(e)s, -e; Schaden *m.* -s, ⸗. ¶ ～이 생기다 e-n Verlust erleiden* / ～을 메우다 ein Defizit (e-n Abmangel; e-n Verlust) decken / 그는 5백만 원의 ～을 보았다 Er hat den Verlust von 5 Millionen *Won* erlitten. / 그 회사는 계속 ～이다 Jene Firma hat einen Verlust nach dem andern erlitten.
‖ ～금 Fehlbetrag *m.*; Defizit *n.* -s, -e. ～처분 die Verfügung mit Verlust.

결승(決勝) Entscheidung *f.* -en; Endkampf *m.* -(e)s, ⸗e; Endlauf *m.* -(e)s, ⸗e (경주, 보트의); das Endrennen*, -s (경륜(競輪) 따위); Endrunde *f.* -n(권투); Endspiel *n.* -(e)s, -e.

¶ ~점에 달하다 das Ziel erreichen / ~전을 거행하다 die Meisterschaft aus|tragen* / ~전은 서울에서 거행된다 Die Meisterschaften werden in Seoul ausgetragen. / 그는 준~에 이기고 ~전에 진출했다 Er siegte in der Vorentscheidung u. kam in den Endlauf (Endkampf).

‖ **~선** Ziellinie *f.* **~전** Entscheidungskampf *m.*: 데이비스컵 ~전 der Endkampf von Davis-Pokal; Davis-Cup-Finale *n.* -s, -s / ~전 출장 선수 Finalist *m.* -en, -en. **~점** Ziel *n.* **준~** die vorletzte Runde; Vorentscheidung *f.*

결승문자(結繩文字) Knotenschrift *f.* -en; Quipu [kípu:] *n.* -(s), -(s).

결식(缺食) **~하다** ohne Essen bleiben* ⓢ. ¶ 아이들은 ~하기가 일쑤였다 Die Kinder wurden nur unzureichend ernährt.

‖ **~아동** die unterernährten Kinder《*pl.*》.

결실(結實) 《열매》 das Fruchttragen*, -s; Befruchtung *f.* -en. **~하다** Frucht (Früchte) tragen*; befruchten⁴ (결실시키다); 《비유적》 realisiert werden; Glück (Erfolg) haben. ¶ ~하지 않는 나무(꽃) der unfruchtbare Baum (die fruchtlose Blume) / 사업의 ~을 보다 Erfolg in s-n Unternehmungen haben. / ~을 못보다 ein schlechtes Ende nehmen*; mißlingen*《*jm.*》/ ~ 못하다 fruchtlos; unfruchtbar / 다년간 노력한 ~이다 Das ist die Frucht langjähriger Arbeit.

결심(決心) Entschließung *f.* -en; Entschluß *m.* ..schlusses, ..schlüsse; Beschluß *m.* ..schlusses, ..schlüsse; Entscheidung *f.* -en. **~하다** ⁴sich entschließen*《*zu*³》; e-n Entschluß fassen; zu e-m Entschluß kommen*ⓢ; ³sich ein Herz fassen (용기를 내어서); ⁴sich auf|raffen (-|schwingen*) (기운을 차리고). ¶ 그는 아무 ~도 못하는 사람이다 Er kann sich zu nichts entschließen. / ~을 못하는 unentschlossen; schwankend; zögernd; unentschieden / ~을 돌리다 s-n Entschluß auf|geben* / ~을 못 돌리다 bei der Entscheidung beharren / 아직 ~을 못 하고 있다 Er kann noch zu k-m Entschluß kommen. / 그녀와 결혼하기로 굳게 ~했다 Er ist fest entschlossen, sie zu heiraten.

결심(結審) die letzte Instanz, -en; das letzte gerichtliche Verfahren, -s, -; das endgültige Urteil, -es,-e. **~하다** das Verhör schließen*; in letzter Instanz entscheiden* (verhandeln).

결여(缺如) Mangel *m.* -s; Lücke *f.* -n; Unvollständigkeit *f.* -en; das Fehlen*, -s; Ausfall *m.* -s, ⸚e. **~하다** ermangeln²; *jm.* fehlen《*an*³》; nicht erhalten*; verlustig² gehen*; *jm.* mangeln《*an*³》. ¶ 동정과 이해의 ~ Mangel an Mitleid u. Verständnis / 그의 답변은 성의가 ~되어 있다 Seine Antwort ist unredlich.

결연(結緣) 《관계를》 das Anknüpfen*《-s》 der Beziehung; die Anknüpfung einer Verbindung; 《불교와》 die Bekehrung zum Buddhismus. **~하다** eine Beziehung (Verbindung) an|knüpfen; ⁴sich zum Buddhismus bekehren; den buddhistischen Glauben an|nehmen*. ‖ **자매~** ☞ 자매.

결연하다(決然—) entschlossen; entschieden; fest; resolut (sein). ¶ 결연히 auf entschlossene Weise; mit Entschiedenheit (Entschlossenheit) / 결연한 태도를 취하다 e-e entschiedene Haltung ein|nehmen* / 그의 태도는 결연했다 Er bewahrte Haltung. / 결연히 나는 감행했다 Ich habe den Rubikon überschritten.

결원(缺員) die freie (unbesetzte) Stelle, -n; Vakanz *f.* -en; der Fehlende*, -n, -n (결석자). ¶ ~이 생기다(나다) frei (offen; vakant) werden / ~을 보충하다(채우다) e-e freie Stelle (e-e frei gewordene Stellung) aus|füllen / ~을 메우지 않고 그냥 두다 e-e freie Stelle offen (unbesetzt) lassen* / ~이 생기는 대로 채용하겠읍니다 Ich werde Sie, sobald e-e Stellung frei wird, einstellen.

결의(決意) Entscheidung *f.* -en. **~하다** ⁴sich entschließen*; e-n Entschluß fassen; ³sich ein Herz fassen. ¶ ~를 굳게 하다 *js.* Entschluß befestigen / ~를 새로이 하다 e-n neuen (frischen) Entschluß machen.

결의(決議) Beschluß *m.* ..schlusses, ..schlüsse; Beschlußfassung *f.* -en; Resolution *f.* -en. **~하다** beschließen*⁴; e-n Beschluß fassen. ¶ 위원회의 ~에 의하여 laut Beschluß des Ausschusses / 회의의 ~문을 전달하다 *jm.* den Beschluß der Versammlung vor|legen / 결석자가 많아서 회의에서 ~를 할 수 없었다 Die Sitzung war nicht beschlußfähig, weil viele Mitglieder fehlten.

‖ **~권** Resolutionsrecht *n.* -(e)s, -e. **~기관** Resolutions|organ *n.* -s, -e (-behörde *f.* -n). **~록** das Protokoll《-s, -e》 der Resolution. **~문** Beschluß *m.* ..lusses, ..lüsse. **~사항** e-e beschlossene Sache, -n. **~안** Resolution *f.* -en.

결의(結義) **~하다** die Brüderschaft (Schwesterschaft) schwören*; mit *jm.* Brüderschaft schließen*.

‖ **~형제** die geschworenen Brüder《*pl.*》; die Herzensbrüder《*pl.*》.

결자(缺字) Lücke *f.* -n; Auslassung *f.* -en; das ausgelassene Wort, -(e)s, ⸚er. ¶ 이 교정쇄에는 ~가 많다 Dieser Korrekturbogen ist voll von Lücken.

결장(結腸) 〖의학〗 Grimmdarm *m.* -(e)s, ⸚e; Kolon *n.* -s, -s (..la).

결재(決裁) Genehmigung *f.* -en; Billigung *f.* -en; Einwilligung *f.* -en; Entscheidung *f.* -en. **~하다** genehmigen; bestätigen; entscheiden*. ¶ ~를 바라다 zur Genehmigung (Entscheidung) vor|legen⁴ / 그는 회장의 ~를 아직 받지 못했다 Er hat die Genehmigung des Chefs noch nicht bekommen.

‖ **~관** Entscheidungsbeamte *m.* -n, -n. **~권** Entscheidungsrecht *n.* -(e)s, -e.

결전(決戰) der entscheidende Kampf, -(e)s, ⸚e; Endkampf *m.* -(e)s, ⸚e (경기 따위); das Endrennen*, -s (경륜(競輪) 따위); Endrunde *f.* -n (권투). **~하다** e-n entscheidenden Kampf kämpfen; bis zur Entscheidung kämpfen; e-n Entscheidungskampf aus|fechten* (승부가 날 때까지). ¶ ~ 단계 die entscheidende Stufe, -n / ~ 단계에 들어가다 die entscheidende Stufe erreichen.

결절(結節) 〖해부〗 Knoten *m.* -s, -; 〖식물〗 Knolle *f.* -n. ¶ ~이 있는 knotig; knollig.

결점(缺點) Fehler *m.* -s, -; Mangel *m.* -s, ⸚; Makel *m.* -s, -; Blöße *f.* -n; Kinderkrankheiten《*pl.*》(기계 등의); Schwäche *f.* -n; die schwache Seite, -n (약점). ¶ ~이 있는 fehler|haft (mangel-); unvollständig / ~이 없는 fehlerfrei; makel|los (tadel-); ohne

^{4}Tadel; einwandfrei; perfekt / ~을 찾다 kritisieren^4; nörgeln 《*an*^{3}》; kritteln 《*an*^{3}》; aus|setzen^4 《*an*^{3}》 / ~을 감추다 Mängel verdecken; *js.* Fehler bemänteln (beschönigen) / ~을 고치다 e-n Fehler (Mangel) verbessern / 누구에게나 ~은 있다 Wir alle haben (unsere) Fehler (Mängel). ¦ „Ohne Tadel ist keiner.“ / 이 기계의 초기의 ~은 배제됐다 Die Maschine hat die Kinderkrankheiten der Anfangszeit bereits überwunden. / 우유부단한 것이 유일한 ~이다 Unentschlossenheit ist sein einziger Fehler.

결정(決定) Entscheidung *f.* -en; Bestimmung *f.* -en; Festsetzung *f.* -en; Beschluß *m.* ..lusse, ..lüsse; Entschließung *f.* -en. **~하다** (^{4}sich) entscheiden*$^{(4)}$; bestimmen^4; den Ausschlag geben*^{3}; fest|setzen (날짜 따위를); ^{4}sich entschließen*; zu e-m Entschluß kommen* ⓢ (뜻을); fest|legen^4; beschließen*^{4}; e-e Entscheidung treffen*; e-n Beschluß fassen; zu e-m Beschluß (zu e-r Entscheidung) kommen* ⓢ (결정을 보다). ¶ ~적 entscheidend; ausschlaggebend; maßgebend; endgültig; letzt / 그것은 ~사항이다 Das ist beschlossene Sache. / 내가 그걸 ~한다 Das bestimme ich. / 의장의 표로 ~한다 Die Stimme des Vorsitzenden gibt den Ausschlag (entscheidet). / 날을 ~하다 den Tag bestimmen / 그럼, 날짜를 ~합시다 Also, legen wir den Termin fest! / 떠날 시간은 아직 ~되지 않았다 Die Zeit meiner Abreise ist noch nicht festgesetzt. / 회의의 장소는 서울로 ~되었다 Zum Platz der Konferenz ist Seoul bestimmt. / ~을 보았읍니까 Sind Sie zu e-m Schluß gekommen? / 당신이 ~하십시오 Sie haben die Wahl! / 어느 쪽으로도 ~하기 어렵다 Die Wahl fällt mir schwer.

‖ **~권** die entscheidende Macht, ⸗e; Entscheidungsrecht *n.*: ~권을 쥐다 das Entscheidungsrecht gewinnen* 《*über*^{4}》; zur Macht gelangen. **~론** Determinismus *m.* -. **~서** die schriftliche Entscheidung. **~투표** die entscheidende Stimme, -n. **~판** die entscheidende Ausgabe, -n.

결정(結晶) Kristallisation *f.* -en; Kristallbildung *f.* -en (작용); 〖물리〗 Kristall *m.* -(e)s, -e. **~하다** (^{4}sich) kristallisieren ⓢ; Kristalle bilden sich. ¶ ~된 kristallisiert / 노력의 ~이다 die Frucht 《⸗e》 *js.* Mühe (Fleißes) sein / 용액 속에 ~이 생겼다 Aus der Lösung haben sich Kristalle ausgeschieden. ¦ In der Lösung haben sich Kristalle gebildet.

‖ **~계** Kristallsystem *n.* -s. **~수** Kristallwasser *n.* **~점** Kristallisationspunkt *m.* **~체** Kristall *m.* -s, -e; Kristalloid *n.* **~편암** der kristalline Schiefer, -s, -. **~학** Kristallographie *f.*; Kristallkunde *f.* **~형** Kristallform *f.*

결제(決濟) Abrechnung *f.* -en; Abmachung *f.* -en; Abschluß *m.* ..lusses, ..lüsse. **~하다** die Rechnung ab|schließen*; die Bilanz ziehen*. ¶ 미~의 계정 die ausstehende Berechnung, -en / 대차를 ~하다 =~하다.

‖ **~자금** Abrechnungskapital *n.* -(e)s, -ien. **국제~은행** die Bank der internationalen Abrechnung. **대차(貸借)~** Rechnungsabschluß *m.*

결증(一症) Wut¦anfall (-ausbruch) *m.* -s, ⸗e.

결집(結集) Konzentration *f.* -en; Zusammenstellung *f.* -en. **~하다** konzentrieren^4; (^{4}sich) zusammen|stellen (-|ziehen*)$^{(4)}$. ¶ 문화 사업에 전력을 ~시킨다 Er widmet sich der Kulturarbeit. / 국민의 총의를 ~하다 allgemeine Bevölkerungsansicht konzentrieren.

결착(決着·結着) (Be)schluß *m.* ..schlusses, ..schlüsse; Ende *n.* -s, -n; Entscheidung *f.* -en. **~하다** zu e-m Beschluß kommen* ⓢ; enden 《*mit*^{3}》. ¶ ~을 내다 Schluß machen 《*mit*^{3}》; e-n Schlußpunkt setzen; ^{3}*et.* ein Ende machen.

결체(結滯) 〖의학〗 das Aussetzen* 《-s》 des Pulses. ¶ 맥박이 ~하다 Der Puls setzt aus.

‖ **~맥** der aussetzende Puls, -es, -e.

결체(結締) das Zusammenbinden*, -s; Verankerung *f.* -en. **~하다** zusammen|binden*; verankern.

‖ **~조직** 〖해부〗 Bindegewebe *n.* -s, -.

결초보은하다(結草報恩一) *jm.* die Wohltaten bis übers Grab hinaus vergelten*.

결코(決一) nie; niemals; nie u. nimmer; keineswegs; keinesfalls; nicht im mindesten (geringsten); durchaus nicht; ganz u. gar nicht; in k-r Weise; auf k-n Fall; unter k-n Umständen; zu k-r Zeit; am (auf) Nimmer¦leinstag (-mehrstag); beileibe nicht; bestimmt (absolut; durchaus; ganz u. gar) nicht. ¶ ~ 그런 짓을 해서는 안됩니다 Sie dürfen es nie (wieder) machen. / 무슨 일이 있어도 ~ 아닙니다 Um alles in der Welt nicht! / ~ 반대하는 것은 아닙니다 Ich bin durchaus nicht dagegen. / ~ 값이 비싼 것이 아닙니다 Der Preis ist gar nicht hoch. / 무엇을 주어도 ~ 그런 일은 안합니다 Ich würde so etwas nicht um die Welt tun. / 그 사람은 ~ 그런 짓을 할 사람이 아닙니다 Er ist der letzte Mann, der so etwas tun würde. / 나는 ~ 그런 것을 바라지 않는다 Ich wäre der letzte (würde der letzte sein), der das wünsche. / 그녀는 ~ 그가 싫은 것이 아니다 Sie hat durchaus nichts gegen ihn.

결탁(結託) Durchstecherei *f.* -en; das (geheime) Einverständnis, -ses, -se; Verschwörung *f.* -en; Konspiration *f.* -en. **~하다** ^{4}sich mit *jm.* verschwören* 《*gegen*^{4}》; unter ^{3}sich ab|karten; unter e-r Decke stecken 《*mit*^{3}》; heimlich zusammen|halten* 《*mit*^{3}》; ^{4}sich heimlich verabreden. ¶ ~하여 in geheimem Einverständnis 《*mit*^{3}》; im Einverständnis 《*mit*^{3}》 / …와 ~하고 있다 im Einverständnis stehen* 《mit *jm.*》; unter e-r Decke stecken* 《mit *jm.*》.

결투(決鬪) Zweikampf *m.* -(e)s, ⸗e; Duell *n.* -s, -e. **~하다** ^{4}sich duellieren; ein Duell (e-n Zweikampf) aus|fechten. ¶ ~를 신청하다 *jn.* zum Duell (heraus|)fordern; *jm.* den Handschuh hin|werfen*; *jn.* auf Pistolen (Säbel) fordern / ~신청에 응하다 die Herausforderung zum Duell an|nehmen*; den Handschuh auf|nehmen*.

‖ **~입회인** Sekundant *m.* -en, -en. **~자** Duellant *m.* -en, -en. **~장** Herausforderung 《*f.* -en》 zum Duell; Kartell *n.* -s, -e.

결판(決判) Ende *n.* -s, -n; Schluß *m.* ..sses, ..lüsse; Ausgang *m.* -(e)s, ⸗e; Erledigung *f.* -en; Abmachung *f.* -en. ¶ ~이 나다 ^{4}sich erledigen; erledigt sein / ~이 나지 않다 e-e Schraube ohne ^{4}Ende sein; ^{4}sich in e-m circulus vitiosus bewegen$^{(*)}$; wie die (e-e) Katze sein, die sich in den (eigenen) Schwanz beißt / ~을 내다 ab|schließen*[4] / 그 문제는 어떻게 ~이 났읍니까 Was ist der Ausgang der Sache? / 그들의 언쟁은 아직 ~이 나지 않았다 Der Zank zwischen beiden ist noch nicht geschlichtet.

결핍(缺乏) ① 《부족》 Mangel *m.* -s, ⸚; Not *f.* ⸚e; Bedürfnis *n.* -ses, -se; Armut *f.* ¶노동력의 ~ Arbeitermangel *m.* / 종이의 ~ der Mangel an Papier / 인재의 ~ Mangel an talentvollen Menschen.
② 《핍박》 Knappheit *f.*; (Be)dürftigkeit *f.*; Kargheit *f.*; Verknappung *f.* **~하다** knapp werden; spärlich sein; nicht vorrätig haben[4]; nahezu erschöpft sein. ¶ …의 ~때문에 aus Mangel an[3]… / 고난과 ~을 이기다 Mühsale u. Entbehrungen aus|stehen* / 자본이 ~되다 das Betriebskapital wird knapp.

결하다(決—) ① =결정하다. ② 《승부를 정함》 entscheiden*; [4]sich messen*. ¶자웅을 ~ [4]sich messen* 《mit *jm.* *an*[3] (*in*[3])》 / 승부를 ~ den Kampf entscheiden*.

결하다(缺—) fehlend; mangelnd; arm; mangelhaft; unzureichend; ungenügend (sein) 《*an*[3]》.

결함(缺陷) Mangel *m.* -s, ⸚; Fehler *m.* -s, -; Gebrechen *n.* -s, -; Mangelhaftigkeit *f.* -en; Blöße *f.* -n; Lücke *f.* -n; Defekt *m.* -(e)s, -e. ¶~이 있는 mangel|haft (fehler-; lücken-); defekt / ~이 없는 einwandfrei; tadel|los (fehler-; makel-); vollständig; perfekt / 성격의 ~ der Mangel (Fehler) in *js.* Charakter / 사회(제도)의 ~ die Unvollkommenheit des sozialen Systems / ~이 있는 차 ein defektes Auto, -s, -s / ~이 없는 사람은 없다 Niemand ist ohne Tadel. / 이 기계에는 아직도 조그만 ~이 있다 Diese Maschine hat immer noch Kinderkrankheiten.

결합(結合) Verbindung *f.* -en; Vereinigung *f.* -en; Zusammenschluß *m.* ..schlusses, ..schlüsse. **~하다** ([4]sich) verbinden*[(4)] (([4]sich) vereinigen[(4)]) 《*mit*[3]》; zusammen|fügen[4]; ([4]sich) zusammen|schließen*[(4)] 《*zu*[3]》. ¶~시키다 verheiraten 《*jn.* mit *jm.*》 (결혼시키다) / 두 파가 ~하여 새 정당을 창당했다 Die zwei Fraktionen vereinigten sich, um e-e neue Partei zu bilden. / 물과 기름은 쉽사리 ~하지 않는다 Wasser u. Öl lassen sich nicht leicht mischen.
‖ **~공급** 〖경제〗 die gemeinsame Lieferung, -en. **~력** Bindungsenergie *f.* -n. **~수** gebundenes Wasser, -s. **~음** Kombinationston *m.* -(e)s, ⸚e. **~체** Körperschaft *f.* -en; Korporation *f.* -en. **~회로** gekoppelte Kreise, -n.

결항(缺航) **~하다** die Fahrt (den Flugdienst) ein|stellen. ¶폭풍우 때문에 부산 제주간 운행이 ~되었다 Wegen des Sturmes wurde die *Busan-Jeju* Fahrt eingestellt.

결핵(結核) ① 〖의학〗 Tuberkel *m.* -s, -. ② 《병》 Tuberkulose *f.* -n; Schwindsucht *f.* ¶~의 tuberkulös; tuberkular; schwindsüchtig / ~을 앓고 있다 die Schwindsucht haben; an der Tuberkulose leiden* / ~을 예방하다 [4]sich vor (der) Schwindsucht schützen.
‖ **~균** Tuberkelbazillus *m.* -, ..zillen. **~박멸** Bekämpfung 《*f.*》 der [2]Tuberkulose (Schwindsucht). **~성 궤양** die tuberkulöse Geschwür, -s, -e. **~성 늑막염** die tuberkulöse Pleuritis. **~예방** die Vorbeugung der Tuberkulose (gegen die Tuberkulose): ~예방운동 Bewegung 《*f.* -en》 der Vorbeugung der Tuberkulose. **~환자** der Tuberkulöse* (Schwindsüchtige*) -n, -n. **장~** Darm|tuberkulose (-schwindsucht) *f.* **폐~** Lungentuberkulose *f.*; Schwindsucht *f.* **후두~** Kehlkopftuberkulose *f.*

결행(決行) Durchführung *f.* -en; Ausführung *f.* -en. **~하다** (standhaft) durch|führen[4]; e-n entscheidenden Schritt tun*; den Rubikon überschreiten*. ¶뜻한 바를 ~하다 s-e Absicht aus|führen.

결혼(結婚) Heirat (Vermählung) *f.* -en; Eheschließung *f.* -en. **~하다** heiraten[4]; [4]sich verheiraten 《*mit*[3]》; e-e Ehe schließen* 《*mit*[3]》; [4]sich vermählen 《*mit*[3]》; [4]sich trauen lassen* 《*mit*[3]》; *jn.* zum Manne (zur Frau) nehmen*. ¶~의 Heirats-; Ehe-; Trau-; ehelich / ~할 수 있는, ~적령의 heiratsfähig / 어울리지 않는 ~ Mißheirat *f.* -en; die morganatische Ehe, -n; die Ehe zur linken Hand / 어울리지 않는 ~을 하다 e-e morganatische Ehe ein|gehen*; e-e Ehe zur linken Hand schließen* / ~시키다 *jn.* vermählen 《*mit*[3]》; *jn.* verheiraten 《*an*[4]; *mit*[3]》; trauen[4]; ein Mädchen unter die Haube bringen* (딸을) / 사랑하는 사람과 (양친의 뜻을 어기며) ~하다 aus Liebe (gegen den Willen der Eltern) heiraten[4] 《*jn.*》 / ~을 신청하다 *jm.* e-n Heiratsantrag machen; (bei den Eltern) um die Hand der Tochter werben*; um *jn.* an|halten* / ~을 승낙 (거절)하다 den Heiratsantrag an|nehmen* (ab|lehnen) / ~을 약속하다 [4]sich verloben 《*mit*[3]》; *jm.* die Ehe versprechen* / 젊어서 (나이들어서) ~하다 jung (spät) heiraten / 돈을 보고 ~하다 (nach) Geld heiraten / ~하고 미국으로 (도시로, 시골로) 가다 nach Amerika (in die Stadt, aufs Land) heiraten / ~을 축하하는 바입니다 Meine herzliche Gratulation zu Ihrer Vermählung! / ~ 기념일을 축하합니다 Ich beglückwünsche Sie zu Ihrem Hochzeitstag. / 그는 이미 ~했겠지 Er ist wohl schon verheiratet? / 그 이와 ~하겠어요 Ich will ihn heiraten.
‖ **~기(연령)** Heiratsalter *n.* -s, -; das heiratsfähige Alter: ~기에 달하다 heiratsfähig (mannbar) sein. **~상담** Eheberatung *f.* -en: ~상담소 Eheberatungsstelle *f.* -n. **~생활** Eheleben *n.* -s, -: 행복한 (불행한) ~생활을 하다 in (un)glücklicher Ehe leben. **~식** Hochzeit (Trauung) *f.* -en: ~식장 Trauungshalle *f.* -n / ~식을 올리다 Hochzeit feiern (halten*). **~염오(厭惡)** Ehescheu *f.* **~중매** Heiratsvermittlung *f.* -en. **~중개소** Heiratsvermittlungsstelle *f.* -n. **~피로연** Hochzeits|feier *f.* -n (-schmaus *m.* -es, ⸚e): ~피로연을 베풀다 e-n Hochzeitsschmaus geben*; zum Hochzeitsschmaus ein|laden* (초대하다). **~해소** Ehescheidung *f.* -en; Ehetrennung *f.* -en (e-e Ehe scheiden*; [4]sich scheiden lassen*).

결후(結喉) Adamsapfel *m.* -s, ⸚.

겸(兼) und (gleichzeitig; außerdem noch); zu gleicher Zeit (동시에); teils… teils…. ¶수상 겸 외상이다 Ministerpräsident und gleichzeitig Außenminister sein / 나는 내 방을 침실 겸 서재 겸 객실로 쓴다 Ich benutze mein Zimmer als Schlafzimmer, das zugleich als Arbeit- u. Gastzimmer dient. / 그는 용무도 볼 겸 피서도할 겸 부

산으로 갔다 Er ging nach Busan, teils in Geschäften, teils um sich zu erholen.

겸관(兼官) Nebenamt *n.* -(e)s, ⸗er; der zweite Posten, -s, -. ¶ ~을 하고 있다 zwei Ämter haben / ~에서 벗어나다 des Nebenamtes entbunden werden.

겸두겸두 zugleich; zu gleicher Zeit; teils... teils; sowieso. ¶ 일도 보고 ~ 휴양도 하고 in Geschäften und zugleich zur Erholung / 실리도 보고 ~ 취미로서 das Nützliche mit der Unterhaltung verbinden* / 우리는 송별도 하고 ~ 환영도 하기 위해서 연회를 베풀었다 Wir feierten ein Fest, das zugleich Abschieds- u. Bewillkommungsfest war. / 부산까지 가 볼 일이 있었으므로 ~ 백모를 찾아뵈었다 Weil ich sowieso nach Busan fahren mußte, benutzte ich die Gelegenheit, um m-e Tante dort zu besuchen.

겸무(兼務) das Versehen 《-s》 e-s Amtes neben e-m andern; Doppelverdienst *m.* -es, -e; Nebenamt *n.* -(e)s, ⸗er. ~하다 zwei Ämter haben; zwei Beschäftigungen haben; Doppelverdiener sein; ein Amt nebenbei bekleiden. ¶ 수상은 내무장관을 ~하고 있다 Der Premierminister versieht den Posten des Innenministers mit.

겸비(兼備) ~하다 verbinden*[4] (vereinigen[4]) 《*mit*[3]》; in [3]*et.* u. [3]*et.* gleich bewandert sein. ¶ 재색을 ~한 여성 e-e Schönheit mit geistigen Fähigkeiten / 강유를 ~하고 있다 Er verbindet Geschmeidigkeit mit Härte. / 지용을 ~하고 있다 Er ist in Wissenschaften u. Kriegskünsten gleich bewandert. / 그녀는 재색을 ~하고 있다 Sie ist ebenso gebildet wie schön.

겸사(謙辭) ① 《말》 die bescheidene (leutselige) Rede (Redensart). ② 《사양》 Bescheidenheit *f.* -en; Anspruchslosigkeit *f.* -en; Leutseligkeit *f.* -en. ~하다 demütig (bescheiden; anspruchslos; leutselig) sein.

겸사겸사 =겸두겸두.

겸상(兼床) ein Eßtisch für zwei Personen. ~하다 zwei Personen an demselben Tisch essen*. ¶ ~을 보다 (ein Eßtisch *od.* Speise) für zwei Personen vorbereiten.

겸손(謙遜) Bescheidenheit *f.*; Zurückhaltung *f.*; Demut *f.*; Anspruchslosigkeit *f.*; Herablassung *f.* ~하다 demütig; bescheiden; anspruchslos (sein). ¶ ~하게 bescheiden; zurückhaltend; demütig; anspruchslos; herablassend; Demut (Bescheidenheit) zeigend / ~한 사람 die bescheidene Person, -en / ~한 태도 das demütige Benehmen*, -s, - / ~하게 나오다 [4]sich demütigen 《vor *jm.*》; demütig (bescheiden; anspruchslos) sein; [4]sich erniedrigen; [4]sich herab|lassen*.

겸양(謙讓) =겸손.

겸업(兼業) Nebenbeschäftigung *f.* -en; Nebenberuf *m.* -(e)s, -e ~하다 [4]*et.* als Nebenbeschäftigung haben. ¶ ~의 금지 das Verbot des Nebenhandels / 그는 식당과 호텔을 ~하고 있다 Er bewirtschaftet (betreibt) ein Restaurant u. zugleich ein Hotel. / 본업 이외에 책방을 ~하고 있다 Er führt neben (außer) s-r Berufsarbeit noch e-n Buchladen als Nebenbeschäftigung.

겸연쩍다(慊然—) [4]sich unangenehm fühlen; [4]sich beleidigt fühlen; beschämt sein; [4]sich genieren; scheu (schüchtern) sein. ¶ 겸연쩍어하며 schüchternd; verschämt; scheu / / 겸연쩍으니까 um s-e Verlegenheit zu verbergen (nicht zu verraten) / 겸연쩍게 쓴웃음을 짓다 beschämt grinsen / 겸연쩍게 만들다 e-e Person befangen machen; e-e Person außer Fassung setzen / 너무 치켜올리지 말라 내가 ~ Lob mich nicht so viel! Ich fühle mich unangenehm. / 그들 사이가 겸연쩍어졌다 Sie verstehen sich nicht mehr so gut wie früher.

겸용(兼用) der doppelte Gebrauch, -(e)s, ⸗e; der verschiedene Gebrauch, -(e)s, ⸗e. ~하다 [4]*et.* sowohl als [4]*et.* wie auch als [4]*et.* gebrauchen. ¶ ~ 되다 〖사물을 주어로 하여〗 sowohl als [1]*et.* wie auch als [1]*et.* brauchbar sein / 침대로 ~하는 긴 의자 Schlafsofa *n.* -s; Couch *f.* -es / 이것은 여러 가지로 ~할 수 있다 Das kann man zu verschiedenen Zwecken benutzen. / 나는 서재를 객실로 ~하고 있다 Ich benutze das Studierzimmer gleichzeitig als Empfangszimmer.

겸유(兼有) das gleichzeitige Besitzen (Tun) zweier Dinge. ~하다 《zwei *od.* mehr Dinge》 zu gleicher Zeit haben (besitzen*; tun*). ¶ 그는 문무(文武)를 ~하고 있다 Er ist sowohl in der Wissenschaft wie in der Kriegskunst gut bewandert. | Er ist Meister in den literarischen u. kriegerischen Künsten.

겸임(兼任) ~하다 zwei Ämter (zwei Stellungen) bekleiden; außerdem (dazu) noch e-e andere Stellung (zwei Stellungen) inne|haben*; ein Amt nebenbei bekleiden; zu zwei od. mehreren Ämtern zugleich ernannt werden. ¶ 수상이 외상을 ~하고 있다 Der Ministerpräsident versieht das Portefeuille (Amt) des Außenministers. / 양교~이다 Er liest in beiden Schulen.

겸자(鉗子) 〖외과〗 Zange *f.* -n; Geburtszange *f.* -n.

겸전하다(兼全—) in mehreren Dingen gleich bewandert sein; in gleicher Weise (gleich) ausgestattet (ausgerüstet) sein 《*mit*[3]》. ¶ 문무가 ~ in literarischen und militärischen Dingen gleichmäßig erfahren (bewandert) sein.

겸직(兼職) Nebenamt *n.* -(e)s, ⸗er; der zweite Posten, -s, -; Doppelverdienst *m.* -es, -e. ☞ 겸임. ~하다 zwei Ämter bekleiden. ¶ ~을 면하다 von s-m Nebenamt entbunden (befreit) werden; s-s Nebenamtes enthoben (entkleidet) werden.

겸치다(兼—) verbinden*; zusammen|setzen; zusammen|fügen; kombinieren; vereinigen 《*mit*[3]》; hin|zusetzen. ¶ 두가지 일을 겸쳐 하다 zwei Dinge gleichzeitig tun*.

겸하(謙下) Selbstniedrigung *f.* -en; Bescheidenheit *f.* -en; Demut *f.* ~하다 [4]sich erniedrigen; [4]sich demütigen; [4]sich herab|lassen* (손아랫 사람에게); [4]sich herab|würdigen. ¶ ~하여 demütig; mit [3]Demut; bescheiden; [4]Blick zu [3]Boden.

겸하다(兼—) 《겸직·겸비》 mit [3]*et.* verbinden* (결합하다) ※ 그 외 zugleich, gleichzeitig (동시에); auch(또한); ebenso... wie (마찬가지로); sowohl... als (wie) auch (및), 또는 수사를 사용해서 표시한다. ¶ 두 가지 직책을 ~ zwei Ämter bekleiden (versehen*; verwalten) / 상용과 요양을 겸해 여행하다 geschäftlich u. zugleich zur Erholung reisen Ⓢ; e-e Geschäftsreise verbunden mit Erholung machen / 그는 유와 강을 겸하고 있다 Bei ihm ist Geschmeidigkeit mit Härte verbunden. / 서재는 응접실을 겸하고 있다 Das Arbeitszimmer ist zugleich als Empfangsraum benutzt. / 비서는 여행중 통역일까지 겸하고 있다 Der Sekretär hatte auf der Reise auch das Amt des Dolmetschers zu versehen. / 총리는 외상을 겸하고 있다 Der Ministerpräsident versieht den Posten des Außenministers mit.

겸행(兼行) 《아울러 함》 das gleichzeitige Tun (Ausführung) von zweierlei *od.* vielerei Arbeiten; 《쉬지 않음》 die doppelte Dienstpflicht, -en; Mehrarbeit *f.* -en; Überstunden 《*pl.*》. ～하다 mehr als eine Arbeit zu gleicher Zeit tun*; Überstunden machen. ¶ 주야 ～으로 일하다 bei Tag und Nacht ununterbrochen arbeiten / 주야 ～으로 가동시키다 (die Maschine) Tag und Nacht (24 Stunden) in Betrieb setzen.

겸허(謙虛) Bescheidenheit *f.* ☞ 겸손.

겹 《포개진》 Falte *f.* -n; 《켜》 Lage *f.* -n; Falte *f.* -n; 《쌓아올림》 Haufe(n) *m.* -s, -; Schicht *f.* -en; 《가닥》 Streifen *m.* -s, -; Faden *m.* -s, ⸗e; 《…겹》 -fach; -fältig. ¶ 두 겹의 zweifach; zweifältig; doppelt / 세 겹의 dreifach; dreifältig / 몇 겹의(으로) mannigfach; mannigfältig; vielfältig / 여덟 겹의 achtfach; achtfältig / 겹꽃 e-e gefüllte Blume (Blüte) -n / 겹벚꽃 e-e gefüllte Kirschblüte, -n / 종이를 여러 겹 접다 das Papier mehrmals falten.

겹것 《겹으로 된》 zusammengesetzte (zusammengeklebte; verbundene) Dinge 《*pl.*》; 《옷》 das leicht gefütterte Kleidungsstück, -s, -e.

겹겹이 vielfach; vielfältig; aufeinander|gehäuft (-geschichtet; -gestapelt; -getürmt); haufenweise; in hellen Haufen. ¶ 한 장의 종이를 ～ 접다 ein Stück Papier vielfach (mehrfach) falten / 적군에게 ～ 포위되다 vom Feinde dicht (völlig) belagert (eingeschlossen) werden / 거리에는 시체가 ～ 쌓여 있었다 Auf den Straßen lagen Leichen in dichten Mengen.

겹눈 〚동물〛 Netzauge *n.* -s, -n. ¶ ～의 netzäugig.

겹다 《과분》 zu viel (mehr als genug) sein; übermäßig; überflüssig (sein). ¶ 눈물겨운 노력 erschütternde Anstrengung, -en / 힘에 겨운 일 e-e übermäßige Arbeit, -en / 힘에 ～ über *js.* Kraft gehen* Ⓢ / 눈물 ～ tränenvoll; erschütternd; zu Tränen rührend / 눈물겨워지다 beinahe zu Tränen gerührt werden / 그의 힘에 겨운 일이다 Das geht über s-e Kräfte.

겹문자(一文字) Pleonasmus *m.* -, ..men; der überflüßige Passus, -, -; die pleonastische Redeweise, -n.

겹사돈(一査頓) die Doppelverwandtschaft.

겹옷 das leicht gefütterte Kleidungsstück, -(e)s, -e.

겹집 das Haus mit mehreren Flügeln.

겹집다 scharenweise auf|lesen*; scharenweise in die Hand nehmen*.

겹창(一窓) das zweifache Fenster, -s, -; Doppelfenster *n.* -s, -.

겹쳐지다 übereinander|liegen*; aufeinander|liegen*; aufgeschichtet sein; ⁴sich an|häufen (일이). ¶ 겹쳐져서 übereinander / 불행이 ～ Unglück über Unglück haben / 이 달에는 축제일과 일요일이 겹쳐진다 Der Feiertag fällt diesen Monat auf e-n Sonntag.

겹치기 die Beschäftigung an zwei od. mehreren Plätzen; Doppelverdienst *m.* -es, -e. ～하다 zwei (mehrere) Ämter bekleiden (inne|haben*); zwei Posten haben. ¶ 그는 여러 학교에 ～로 출강한다 Er liest in (auf) mehreren Schulen.

겹치다 ① 《물건을(이)》 übereinander|legen; übereinander|setzen; aufeinander|legen; auf|schichten; auf|häufen; decken⁴; bedecken⁴ 《*mit*³》; über|hangen* (-|hängen*) 《*über*³》; 《색·화면이》 ineinander|greifen* (-|fließen*; -|liegen*); übergreifen*; überblenden (영화의 화면이). ¶ 책이 겹쳐 있다 Die Bücher sind aufgehäuft. / 손을 ～ die Hände übereinander|schlagen* / 종이를 ～ Papier aufeinander|legen / 종이를 겹쳐서 싸시오 Wickeln Sie es in einige Bogen Papier!
② 《날·시간이》 fallen* Ⓢ 《*auf*⁴》; auf demselben Tag (zusammen|)fallen* Ⓢ. ¶ 일요일과 축제일이 겹쳤다 Der Feiertag fällt auf den Sonntag.

겻섬 der Strohsack 《-(e)s, ⸗e》 aus Reishülsen 《*pl.*》.

경 die Züchtigung (die Strafe), die dem Dieb auferlegt wird; 《호된 고통》 Folter *f.* -n; Schelte *f.* -n. ☞ 경치다.

경(京) 《수도》 Hauptstadt *f.* ⸗e; Residenz *f.* -en; Residenzstadt *f.* ⸗e.

경(更) Nachtstunde, *f.* -n; e-e von den fünf Nachtstunden.

경(庚) 〚민속〛 ① 《십간의》 der siebente (7.) der 10 Himmelstämme. ② ☞ 경방(庚方). ③ ☞ 경시(庚時).

경(卿) Lord [lɔrt] *m.* -s, -s; 《대신》 Minister *m.* -s, -; 《경칭》 die Erlaucht, -en; die hohe Adlige*; Herr!; mein Herr!

경(景) ① 《경치》 Anblick *m.* -(e)s, -e; Aussicht *f.* -en; Landschaft *f.* -en; 《원경》 Fern(an)sicht *f.* -en; Perspektive, *f.* -n; 《전경》 die vordere Ansicht, -en. ¶ 관동팔경 die acht landschaftlichen Schönheiten in der Ostzone Koreas. ② ＝경황.

경(經) ① ☞ 경서. ② 《불경》 Sutra *n.* -s, -s (..tren); die (buddhistische) Heilige Schrift, -en. ¶ 경을 읽다 Sutras rezitieren (lesen*; vor|tragen*) / 경을 읽듯이 herunterleiernd; eintönig; monoton. ③ 《주문》 Zauberwort *n.* -(e)s, -e. ¶ 경을 외다 Zauberwort besprechen*. ④ 《피륙의 날》 Werft *m.* -(e)s, -e; Kette *f.* -n. ⑤ ☞ 경도(經度) ②.

경-(輕) leicht; leichtgewichtig; einfach. ¶ 경기관총 das leichte Maschinengewehr, -s, -e / 경화학공업 die leichte chemische Industrie, -n.

-경(頃) ungefähr (etwa) um die Zeit; gegen⁴; um ...herum; wenn. ¶ 여섯 시경 ungefähr um sechs ⁴Uhr (전후); gegen sechs ⁴Uhr (조금 전) / 4월말경 gegen Ende April / 내달 20일경 im nächsten Monat um den zwanzigsten herum.

경가극(輕歌劇) die leichte Oper, -n; Operette *f.* -n; das kleine Singspiel, -(e)s, -e.

경가파산(傾家破產) 《탕진》 Verschwendung 《*f.* -en》 des Vermögens; 《파산》 Bankrott *m.* -es, -e.

경각(頃刻) Augenblick *m.* -es, -e; Moment *n.* -es, -e. ¶ ～간에 augenblicks; im Nu; jeden Augenblick; im Augenblick / ～도 지체 못 한다 Es ist kein Augenblick (keine Zeit) zu verlieren. ¦ Wir haben keinen

Augenblick zu verlieren.
경각(傾角) Neigungswinkel *m.* -s, -.
경각하다(警覺—) warnen*; *jm.* (seinen Fehler) zur Erkenntnis bringen*; ermahnen.
경간(耕墾) Urbarmachung *f.* -en (eines Wüstenlandes); Kultivierung *f.* -en. ～하다 urbarmachen; an|bauen; kultivieren.
경감(輕減) Verminderung *f.* -en; Verringerung *f.* -en; 《완화》 Milderung *f.* -en; Linderung *f.* -en; Erleichterung *f.* -en; Herabsetzung *f.* -en (세금의); Entlastung *f.* -en (의무, 부담의). ～하다 vermindern⁴; verringern⁴; 《완화》 mildern⁴; lindern⁴; erleichtern⁴; 《세금을》 herab|setzen⁴; 《의무·부담을》 entlasten⁴. ¶ 형을 ～하다 e-e Strafe mildern / 고통을 ～하다 Schmerzen lindern / 세금을 ～하다 die Steuern herab|setzen; die Steuerlasten erleichtern.
경감(警監) 《경찰 계급》 Polizeikommissar *m.* -s, -e.
경개(梗槪) 《개요》 Ab¦riß (Um-) *m.* ..risses, ..risse; Auszug *m.* -(e)s, ⸗e; e-e kurze Inhaltsübersicht, -en; Resümee *n.* -s, -s.
경거(輕擧) übereilter Schritt, -(e)s, -e; leichtsinnige (übereilte; unbesonnene; unbedachte) Handlung, -en (Tat, -en); Unbesonnenheit *f.* -en. ～하다 ⁴sich übereilen; übereilte Schritte tun*; e-e Übereilung begehen*.
‖ ～망동 Übereilung *f.*; Unbesonnenheiten 《*pl.*》; Unbeachtheit *f.*: ～망동을 삼가다 ⁴sich hüten vor ³Übereilung (Unbesonnenheiten 《*pl.*》).
경건(勁健) Kräftigkeit *f.*; Robustheit *f.*; ～하다 kräftig; gesund; rüstig (sein).
경건(敬虔) Pietät *f.* -en; Frömmigkeit *f.* -en; Ehrfurcht *f.* ～하다 ehrfurchtsvoll; fromm; gottesfürchtig; demütig (sein). ¶ ～한 불교 신자 der fromme Buddhist, -en, -en. ‖ ～주의 Pietismus *m.* -: ～주의의 pietistisch / ～주의자 Pietist *m.* -en, -en.
경결(硬結) Solidarität *f.* -en; Koagulation *f.* -en; Konglomerat *n.* -(e)s, -e. ～하다 ⁴sich verhärten; koagulieren; hart werden; fest werden.
경경(耿耿) ～하다 《불빛이》 flackern; flimmern; glimmern; schimmern; 《마음이》 beunruhigend (befangen; unbehaglich) sein. ¶ ～불매(不寐)하다 nicht gut schlafen können; unruhigen Schlaf haben; die Sorge um ⁴*et. jm.* den Schlaf rauben.
경경하다(輕輕—) leichtsinnig; leichtfertig; unbesonnen; gedankenlos; unvorsichtig; voreilig; übereilt (sein). ¶ 경경히 hastig; unvorsichtig; unbesonnen / 경경한 거동 die leichtsinnige Handlung, -en.
경계(境界) Grenze *f.* -n; Mark *f.* -en; Demarkation *f.* -en. ¶ ～를 정하다 e-e Grenze ziehen* (fest|setzen) / ～를 접하다 grenzen 《*an*⁴》 / 이 개울이 ～이다(로 되어 있다) Der Bach ist (bildet) die Grenze.
‖ ～선(線) Grenz¦linie (Demarkations-) *f.* -n. ～지 Grenzort *m.* -(e)s, -e (⸗er); Grenzgebiet *n.* -(e)s, -e. ～표 Grenz¦stein (Mark-) *m.* -(e)s, -e; Grenz¦mal *n.* -(e)s, -e (⸗er); Grenzpfal *m.* -(e)s, ⸗e (말뚝).
경계(警戒) ① 《감시·경비》 Wache *f.*; Bewachung *f.*; Überwachung *f.* -en (감시). ～하다 bewachen⁴; wachen 《*über*⁴》; Wache halten* 《*über*⁴》; ein wachsames Auge haben 《*auf*⁴》; wachsam sein 《*auf*⁴; *über*⁴》; auf|passen 《*auf*⁴》. ¶ 물샐틈 없는 ～ die strenge Bewachung, -en / 엄하게 ～하다 streng bewachen.
② 《조심》 Vorsicht *f.*; Behutsamkeit *f.*; Wachsamkeit *f.*; 《예방》 Vorbeugung *f.* -en; Vorsichtsmaßregel *f.* -n (예방책). ～하다 vorsichtig sein; ⁴sich vor|sehen*; wachsam sein; auf der Hut sein; ⁴sich in acht nehmen* 《*vor*³; *bei*³》; ⁴sich hüten 《*vor*³; *bei*³》; 《예방하다》 vor|beugen³; Vorsichtsmaßregeln treffen* 《*gegen*⁴》 (예방책을 강구하다). ¶ ～하여 vorsichtig; behutsam; achtsam / 그 사람은 ～하는 것이 좋다 Hüte dich vor ihm! / 비상시에 대비해서 우리는 ～가 필요하다 Wir müssen Vorsichtsmaßregeln gegen Notfälle treffen.
③ 《경고》 Warnung *f.* -en; (Er)mahnung *f.* -en; Erinnerung *f.* -en; Verweis *m.* -es, -e. ～하다 *jn.* warnen 《*vor*³》; *jn.* mahnen 《*an*⁴》; *jn.* erinnern 《*an*⁴》; verwarnen; alarmieren. ¶ 소매치기를 ～하여 주시오 Vorsicht vor Taschendieben! ¦ Vor Taschendieben wird gewarnt!
‖ ～경보 Vorwarnung *f.* -en; Voralarm *m.* -(e)s, -e; Luft¦alarm (Flieger-). ～근무 Wachdienst *m.* -es, -e. ～망 Kordon *m.* -s, -s (-e): ～망을 치다(뚫다) e-e Sperrkette (-linie) auf|stellen (durchbrechen*); e-n Kordon ziehen* (durchbrechen*). ～색 Warnfarbe *f.* -n. ～선 Kordon *m.* -s, -s(-e); Postenkette *f.* -n; Absperrung *f.*; Streiflinie *f.* -n. ～신호 Warn(ungs)¦signal *n.* -s, -e (-zeichen *n.* -s, -); Alarm *m.* -(e)s, -e. 조기 ～기(機) 〖공군〗 Vorwarnungs¦flugzeug (-flieger) *n.* -(e)s, -e (*m.* -s, -).
경계(驚悸) 《잘 놀람》 die Schreckempfindlichkeit; 《두근댐》 das plötzliche Herzklopfen, -s; Herzbeben *n.* -s, -.
경고(警告) (Ver)warnung *f.* -en; (Er)mahnung *f.* -en. ～하다 *jn.* warnen 《*von*³》; *jn.* mahnen 《*an*⁴》; *jn.* verwarnen; *jm.* e-e Mahnung (Warnung) zukommen lassen* (geben*); e-e Mahnung (Warnung) senden* (schicken; ergehen lassen*) 《an *jn.*》; *jn.* an ⁴*et.* erinnern (상기시킴). ¶ ～도 없이 ohne Warnung / 그는 ～에 따르지 않았다 Er ließ sich nicht warnen. / 이 식당은 자주 경찰의 ～를 받았다 Dieses Restaurant ist von der Polizei öfter verwarnt worden.
‖ ～백서 Warnungsweißbuch *n.* -(e)s, ⸗er.
경골(脛骨) 《정강이뼈》 Schienbein *n.* -(e)s, -e; Tibia *f.* .. bien. ¶ ～에 찰상을 입다 ³sich die Haut am Schienbein ab|schürfen.
‖ ～동맥 die schienbeinige Arterie, -n.
경골(硬骨) Rückgrat *n.* -(e)s, -e; Härte *f.* -n; Festigkeit *f.* -en; Hartnäckigkeit *f.* ¶ ～의 hartknochig; fest; hartnäckig; verbissen; unnachgiebig; zielbewußt; stur.
‖ ～류 〖어류〗 hartknochiger Fisch, -es, -e. ～어 Teleosteer *f.* ～파 (한(漢)) Starrkopf *m.* -(e)s, ⸗e; der sture Bock, -(e)s, ⸗e; ein (Mann 《*m.* -(e)s, ⸗er (..leute)》 von) Charakter *m.* -s, -e.
경골(頸骨) 《목의 뼈》 Halswirbel 《*pl.*》.
경공업(輕工業) leichte Industrie, -n; Leichtindustrie *f.* -n. ‖ ～생산품 Erzeugnis 《*n.* -ses, -se》 der Leichtindustrie.
경과(經過) ① 《사건·상태의》 (Ver)lauf *m.* -(e)s, ⸗e; (Fort)gang *m.* -(e)s, ⸗e; Entwicklung *f.* (전개, 발전); Prozeß *m.* ..zesses, ..zesse(과정). ～하다 verlaufen*; verfließen*; vergehen*; verstreichen*; vorüber|ge-

hen*; 《기한이》 ab|laufen*; fällig werden; verfallen*《이상 ⓢ》. ¶ 사건의 ~ der Verlauf der Begebenheit (der Sache) / 사건의 그후의 ~ der weitere Verlauf der Begebenheit (der Sache; der Dinge 《*pl.*》); die weitere Entwicklung der Sache (des Geschehnisses) / 병의 ~ der Verlauf der Krankheit / ~가 양호하다 e-n günstigen Verlauf nehmen* (병의); e-n günstigen ⁴Fortgang nehmen* (진척); gut vonstatten gehen*ⓢ (진척) / ~가 나쁘다 e-n schlimmen (unglücklichen) Verlauf nehmen* / 회의의 ~를 보고하다 den Verlauf der Konferenz berichten / ~는 어떻습니까 Wie ist die Krankheit verlaufen? ② 《시일의》 Verlauf *m.* -es, ⸚e; das Verfließen*, -s; 《기한의》 Ablauf *m.* -(e)s. ¶ 시간의 ~에 따라서 im Verlauf der ²Zeit; mit der ³Zeit/ 2년 ~후에 nach Verlauf von zwei Jahren/ 또 1년이 ~했다 Es ist wieder ein Jahr vergangen.

‖ **~보고** der Bericht 《-(e)s, -e》 über den Verlauf.

경관(景觀) Anblick *m.* -(e)s, -e; Ansicht *f.* -en; Szene *f.* -n; Szenerie *f.* -n 《총칭》. ¶ 일대 ~ der großartige Anblick.

경관(警官) der Polizeibeamte*, -en, -en; Polizist *m.* -en, -en; Schutzmann *m.* -s, ⸚er (..leute); Schutzpolizist *m.* -en, -en (Schupo *m.* -s, -s); Polizeimannschaft *f.* 《총칭》.

‖ **사복~** Polizist in Zivil. **여자~** Polizistin *f.* -nen.

경교(景教) Nestorianimus *m.* -. ¶ ~의 nestorianisch. ‖ **~도** Nestorianer *m.* -s, -.

경구(硬球) der harte Ball, -(e)s, ⸚e; Tennisball *m.* -(e)s, ⸚e ※ 외국에는 연식(軟式)정구가 없기 때문에 「경(硬)」이란 말은 쓸 필요가 없다. 구별할 경우에는 Gummiball 로 연구(軟球)를 나타낸다.

경구(經口) ‖ **~왁친** die orale Vakzine, -n; die orale Impfung, -en; Schluckimpfung *f.* -en. **~피임약**· das orale Verhütungsmittel, -s, -; Pille *f.* -n.

경구(警句) witzige (geistreiche) Bemerkung, -en; Bonmot [bɔ̃mó:] *n.* -s, -s; Epigramm *n.* -s, -e; epigrammatischer Ausspruch, -(e)s, ⸚e; Kernspruch *m.* -(e)s, ⸚e; beißender Spruch, -(e)s, ⸚e. ¶ ~를 토하다 witzige (ironische) Bemerkungen machen.

‖ **~가** Aphoristiker *m.* -s, -; Epigrammatiker *m.* -s, -; Witzling *m.* -s, -e. **~집** Epigrammsammlung *f.* -en. ⌈-s, -.

경구개(硬口蓋) 〖해부〗 der harte Gaumen,

경국(經國) Verwaltung 《*f.*》 (Regierung *f.*) e-s Landes; Administration *f.* ¶ ~지재(之材) politische Fähigkeiten 《*pl.*》 / ~지책 Staatspolitik *f.* -en.

경국지색(傾國之色) e-e schöne Kurtisane, -n; e-e faszinierende Schönheit, -en.

경금속(輕金屬) das leichte Metall, -s, -e; Leichtmetall *n.* -s, -e.

경기(景氣) 《상황(狀況)》 Stand 《*m.* -(e)s, ⸚e》 (der ²Dinge); Lage *f.* -n; Situation *f.* -en; Zustand *m.* -(e)s, ⸚e; Zeitumstände 《*pl.*》 (세상경기); 《상황(商況)》 Geschäfts¦lage *f.* -n (-verhältnisse 《*pl.*》); Konjunktur *f.* -en. ¶ ~가 좋은 《활기가 있는》 lebhaft; lebendig; rege; munter; 《번성하다》 gedeihlich; glücklich; günstig; blühend / ~가 좋은 사람 ein lebhafter (lebendiger; reger; munterer) Mensch, -en, -en (활기 있는 사람); ein wohlhabender (vermögender; reicher) Mensch (돈이 있는 사람); ein glücklicher Mensch (운이 좋은 사람) / 장사의 ~가 좋다 (나쁘다) Die Geschäfte gehen (stehen) gut (schlecht *od.* flau). / 장사 ~가 어떻습니까 Wie gehen (stehen) die Geschäfte? / 장사 ~가 조금 나아진다 Das Geschäft belebt sich ein wenig. / ~가 회복되고 있다 Die Geschäftslage bessert sich.¦Das Geschäft erholt sich.

‖ **~관측** die Voraussage der Geschäftslage. **~대책** Konjunktur¦maßnahme *f.* -n (-politik *f.* -en). **~변동** die Schwankung der Geschäftslage (Konjunktur). **~순환** Geschäftskreislauf *m.* -(e)s, ⸚e. **~지수** Geschäftsindex *m.* **~침체** das Stocken des Geschäfts. **~회복** Geschäftserholung *f.* -en. **~후퇴** das Zurückweichen des Geschäfts: ~후퇴 방지책 die Maßregeln gegen das Zurückweichen des Geschäfts. **벼락~** plötzlicher Aufschwung, -(e)s, ⸚e. **불~** Flaute *f.* -n; flaue Zeit, -en; schlechte Geschäftslage; Geschäfts¦stille (-stockung) *f.* **전쟁~** Kriegshausse [..ó:s] *f.* -n. **호~** Hochkonjunktur *f.* -en; Aufschwung guter Geschäftslage; Hausse [ó:s] *f.* (붐).

경기(競技) (Kampf)spiel *m.* -(e)s, -e (주로 단체경기); Sport *m.* -(e)s, -e (-arten); (sportlicher) Wettbewerb, -(e)s, -e; Wett¦kampf *m.* -(e)s, ⸚e (-spiel). **~하다** Sport treiben*; ein Spiel spielen; an e-m Wettkampf teil|nehmen*. ¶ ~에 이기다(지다) ein Spiel gewinnen* (verlieren*) / ~는 끝이 났다 Das Spiel ist aus. / ~에 참가하다 an e-m Wettkampf teil|nehmen* / ~를 포기하다 e-n Wettkampf auf|geben*.

‖ **~대회** Sportfest *n.* -es, -e; das sportliche Ereignis (Sportereignis) -ses, -se; Sportveranstaltung *f.* -en; Meisterschaft *f.* -en (선수권의). **~자** Spieler *m.* -s, -; Wettkämpfer *m.* -s, -; Teilnehmer *m.* -s, - (경기 참가자); Mitbewerber *m.* -s, -; Athlet *m.* -en, -en. **~장** Stadion *n.* -s, ..dien; Sportplatz *m.* -es, ⸚e; Sporthalle *f.* -n (실내의): 국립 ~장 das nationale Stadion, -s, ..dien. **~종목** Sportartikel *m.* -s, -. **수상~** Wassersport *m.* -(e)s, -e (-arten) (조정 경기 등을 포함한 광의의); Schwimmsport *m.* -(e)s, -e (수영 경기). **십종~** Zehnkampf *m.* -(e)s, ⸚e. **오종~** Fünfkampf *m.* -(e)s, ⸚e. **육상~** Leichtathletik *f.*

경기관총(輕機關銃) das leichte Maschinengewehr, -(e)s, -e.

경기구(輕氣球) (Luft)ballon [..lo:n] *m.* -s, -e ([..lɔ̃:]의 경우 -s).

경기병(輕騎兵) die leichte Kavallerie, -n (부대); der leichte Kavallerist, -en, -en (병사).

경내(境內) Bezirk *m.* -(e)s, -e; Gebiet *n.* -(e)s, -e; Distrikt *m.* -(e)s, -e. ¶ 절의 ~(에서) (im) Tempelbezirk *m.* -(e)s, -e; (in der) Tempelanlage *f.* -n.

경년(經年) der Verlauf eines Jahres. **~하다** ein Jahr verfließen* (verlaufen).

경노동(輕勞動) die leichte Arbeit, -en.

‖ **~자** der leichte Arbeiter, -s, -; 《사무계통》 Büroarbeiter *m.*

경단(瓊團) Kloß *m.* -es, ⸚e. ¶ ~ 같은 kloßartig. ‖ **밀가루~** Mehlkloß *m.* -es, ⸚e. **흙~** Erdkloß *m.* -es, ⸚e.

경대(鏡臺) Putz¦tisch (Toiletten-) *m.* -es, -e; Toilette *f.* -n; Spiegelständer *m.* -s, -.

경도(硬度) Festigkeit *f.*; Härte *f.*; Härtegrad *n.* -(e)s, -e. ‖ ~계 Härteskala *f.* ..len 〔-s〕. ~측정기 Härtemesser *m.* -s, -.

경도(經度) ① =월경(月經). ② 〖지리〗 geographische Länge. ¶ ~를 재다 die Länge berechnen.

경도(傾度) Neigung *f.* -en; Inklination *f.* -en; Krängung *f.* -en (배의); Neigungswinkel 〔-grad〕 *m.*

경도(傾倒) ~하다 ⁴sich widmen³ ⁴sich hin|geben*³; ³sich befleißigen³; ⁴sich ergeben*; Neigung haben 《*zu*³》. ¶ 어떤 연구에 ~하다 ⁴sich e-m Studium hin|geben*.

경도(驚倒) ¶ ~시키다 in Erstaunen setzen⁴; (großes; ungeheures) Aufsehen erregen 《*mit*³》; Sensation erregen 《*mit*³》/ 일세를 ~시키다 die ganze Welt hin|reißen* 《*zu*³ 보기: zur Bewunderung, zum Entsetzen》.

경동(驚動) ~하다 in Erstaunen setzen; Sensation erregen (센세이션을 일으킴); erstaunen; erstaunen machen. ¶ 세상을 ~하는 in Erstaunen setzend; sensationell; Sensation erregend / 세상을 ~하다 die Welt in Erstaunen setzen.

경동맥(頸動脈) Hals¦arterie *f.* -n 〔-schlagader *f.* -n〕; Karotide *f.* -n.

경락(經絡) Blutgefäß *n.* -es, -e; Ader *f.* -n; 《정맥》 Blutader *f.* -n; 《동맥》 Schlagader *f.* -n; Pulsader; Arterie *f.* -n.

경락(競落) 《bei Auktionen》 Zuschlag *m.* -(e)s, ⸗e; Erstehung *f.* -en. ~하다 zu|schlagen*³⁴ 〔경매인이 주어〕; erstehen*⁴ 〔경락자가 주어〕.

‖ ~가(격) Meistgebot *n.* -(e)s, -e. ~기일 Auktionstermin *m.* -s, -e. ~물 Auktionsgegenstand *m.* -es, ⸗e. ~인 der glückliche 〔erfolgreiche〕 Bieter, -s, -; der Meistbietende*, -n, -n; Gewinner *m.* -s, -.

경량(輕量) leichtes Gewicht, -(e)s; Leichtgewicht *n.* -(e)s.

‖ ~급 Leichtgewicht *n.* -(e)s: ~급 권투선수 Leichtgewichtboxer *m.* -s, -. ~품 die leichten Waren 《*pl.*》.

경력(經歷) Lebens¦bahn *f.* -en 〔-lauf *m.* -es, ⸗e; -gang *m.* -(e)s, ⸗e〕; Laufbahn *f.*; Karriere *f.* -n; 《실력(實歷)》 persönliche 〔eigene〕 Lebensgeschichte, -en; Vergangenheit *f.* -en; persönliche Erlebnisse 《*pl.*》. ¶ ~이 많은 사람 ein Mann 《*m.* -(e)s, ⸗er》 von ³Erfahrung; ein an ³Erlebnissen 《*pl.*》 〔Erfahrung〕 reicher Mann / ~이 좋다 〔나쁘다〕 e-e gute 〔schlechte〕 Vergangenheit haben / ~을 이야기하다 s-e (persönliche) Lebensgeschichte erzählen; aus s-r Vergangenheit 〔s-m Leben〕 erzählen / 그 분은 어떤 ~의 사람입니까 Was ist s-e persönliche Lebensgeschichte? / ~이 좋으니까 그는 어디서나 자리를 구할 수 있을 것이다 Er wird überall Stellung finden, weil er ein gutes Vorleben hat.

경련(痙攣) Krampf *m.* -(e)s, ⸗e; Zuckung *f.* -en; Kolik *f.*; Konvulsion *f.* -en. ¶ ~성의 krampfhaft; spasmisch; spasmodisch; spastisch; konvulsiv; zuckend / ~을 일으키다〔이 일어나다〕 Krämpfe 《*pl.*》 bekommen*; in ⁴Krämpfe verfallen*ⓢ; in ⁴Zuckungen 《*pl.*》 geraten* ⓢ / ~을 일으키고 있다 Krämpfe 《*pl.*》 haben; in ³Krämpfen 《*pl.*》 liegen* / ~이 일어나게 하다 krampfhaft zusammenziehen lassen*⁴; in ⁴Zuckungen 《*pl.*》 versetzen⁴.

경례(敬禮) 《인사》 Begrüßung *f.* -en; Gruß *m.* -es, ⸗e; 《절》 Verbeugung *f.* -en; Verneigung *f.* -en; 《군인의》 Ehrenbezeigung *f.* -en; Salut *m.* -(e)s, -e. ~하다 salutieren; *jm.* s-e Ehrenbezeigung erweisen*; *jn.* ehrerbietig begrüßen; ⁴sich vor *jm.* (ehrerbietig; tief) verbeugen; e-e (ehrerbietige; tiefe) Verbeugung vor *jm.* machen. ¶ 총을 들어서 ~하다 das Gewehr präsentieren/ 모자를 벗고 ~하다 den Hut vor *jm.* ab|nehmen* 〔ab|ziehen*〕/ 국기에 ~하다 die Nationalflagge salutieren / 거수 ~를 하다 auf militärische Weise grüßen / 일동은 자리에서 일어나서 ~를 했다 Sie standen alle auf und verbeugten sich tief.

경로(敬老) Verehrung 《*f.*》 der Betagten 《*pl.*》; Altersverehrung *f.*; Achtung 《*f.*》 〔Ehrfurcht *f.*〕 vor dem Alter 《*n.*》.

‖ ~심 die Gesinnung, die Alten zu verehren. ~잔치 das Fest 《-(e)s, -e》, die Alten zu verehren. ~회 die Versammlung, die Alten zu verehren.

경로(經路) Pfad *m.* -(e)s, -e; Weg *m.* -(e)s, -e; 《과정》 Verlauf *m.* -(e)s, ⸗e; Prozeß *m.* ..zesses, ..zesse; Hergang *m.* -(e)s, ⸗e; Ablauf *m.* -(e)s, ⸗e; Entwicklung *f.*; Entfaltungsweg *m.* -(e)s, -e. ¶ 어떤 ~로 그 사건이 일어났지 Was hat zu der Angelegenheit geführt?/ 세상에서 성공한 사람들은 모두 그런 ~를 밟았다 Das ist der Weg, den alle erfolgreichen Männer der Welt gegangen sind./ 불교는 그러한 ~로 한국에 전파되었다 Auf dieser Weise wurde der Buddhismus in Korea eingeführt.

경루(經漏) 〖의학〗 Menorrhagie *f.* -n.

경륜(經綸) Führung *f.* -en; (Staats)verwaltung *f.* -en; politisches Programm, -s, -e. ~하다 Staatsangelegenheiten 《*pl.*》 verwalten; den Staat regieren 〔leiten〕. ¶ 국가의 ~ Staatsverwaltung *f.* -en / 국가 ~지재(之才) Staatsmannskunst *f.* ⸗e; Regierungskunst *f.* ⸗e / ~지사(之士) e-e Person mit großer Verwaltungsfähigkeit / 지금 내각은 ~이 없다 Dieses Ministerium hat kein politisches Programm.

경륜(競輪) das Radrennen*, -s.

‖ ~선수 Rad¦wettfahrer *m.* -s, - 〔-renner *m.* -s, -〕. ~장 Radrennbahn *f.* -en.

경리(經理) Geschäfts¦führung 〔Betriebs-〕 *f.* -en; Verwaltung *f.* -en; (Betriebs)leitung *f.* -en; Direktion *f.* -en; Bewirtschaftung *f.* -en (농업, 토지 등의); Rechnungsführung *f.* -en(회계관리). ~하다 verwalten⁴; leiten⁴; führen⁴; bewirtschaften⁴ (농업, 토지 따위를). ¶ 회사 ~ 관리 die Aufsicht 〔Kontrolle〕 der Verwaltung e-r Gesellschaft.

‖ ~과 Verwaltungsdepartment *n.* -s, -s. ~관 Verwaltungsoffizier *m.* -s, -; Intendanturinspektor *m.* -s, -. ~부 Verwaltungsabteilung *f.* -en; Intendantur *f.* -en; Direktion *f.* -en; Rechnungsabteilung *f.* -en (회계부): ~부장 Chef [ʃef] 《*m.* -s, -s》 der Verwaltungsabteilung; Verwaltungsleiter *m.* -s, -; Intendant *m.* -en, -en / ~부직원 Verwaltungs¦beamte 〔Intendantur-〕 *m.* -n, -n. ~비 Betriebskosten 《*pl.*》. ~사무 Verwaltungsdienst *m.* -es, -e. ~학교 Zahlmeisterschule *f.* -n.

경리(警吏) Polizeibeamte *m.* -n, -n; Polizist *m.* -en, -en; Schutzmann *m.* -es, ⸗er.

경마 Zügel *m.* -s, -. ¶ ~잡다 die Zügel

ergreifen*; ein Pferd am Zügel führen / 말 타면 ~잡히고 싶다《속담》 Schenk man jemand(em) e-e Kuh, will er auch das Futter dazu haben.¦Je mehr man hat, je mehr will man haben.

경마(競馬) Pferderennen *n.* -s, -; Derby *n.* -(s), -s. **~하다** ein Wettrennen halten*. ¶ ~에 돈을 걸다 beim Rennen wetten / ~에서 돈을 잃다(따다) beim Rennen* verlieren*(gewinnen*) / ~에 말을 내다 ein Pferd rennen lassen* / 간신히 ~에 이기다 um e-e Halslänge gewinnen* / 내일은 ~가 있다 Morgen findet ein Wettrennen statt. ‖ **~기수** Jokei [dʒɔ́ke, dʒɔ́ki] *m.* -s, -s; Jockey [dʒɔ́..] *m.* -s, -s. **~마**(馬) Rennpferd *n.* -(e)s, -e. **~장** (Pferde)rennbahn *f.* -en: ~장에 가다 das Rennen* besuchen.

경망하다(輕妄―) unvorsichtig; achtlos; hastig; übereilt; unachtsam; unbesonnen; unklug; leichtsinnig; leichtfertig; gedankenlos (sein). ¶ 경망한 거동 leichtsinnige Handlung *f.* -en / 경망한 사나이 der leichtsinnige Mann, -es, ⸗er / 경망스럽지 않다 vorsichtig sein / 그는 경망하게 입을 놀리지 않는다 Er wägt s-e Worte.

경매(競賣) Auktion *f.* -en; Versteigerung *f.* -en. **~하다** versteigern; zur Versteigerung bringen*; verauktionieren. ¶ ~처분되다 verauktioniert (versteigert) werden/ 가재 도구는 ~에 부쳐졌다 Die Möbel wurden zur Versteigerung gebracht. / 그 그림은 20만원에 ~되었다 Das Bild wurde bei der Versteigerung für 200000 *Won* verkauft.
‖ **~가격** Auktionspreis *m.* -es, -e. **~공고** Auktionsanzeige *f.* -n. **~수수료** Auktionsgebühren 《*pl.*》. **~시장** Auktionsmarkt *m.* -(e)s. **~인** Versteigerer *m.* -s, -; Auktionator *m.* -s, -en [..tó:rən]; Bieter *m.* -s, -. **~장** Auktionslokal *n.* -s, -e. **~절차** Auktionsverfahren *n.* -s, -. **강제~** Zwangsversteigerung *f.* -en. **최저 ~가격** Vorbehaltpreis 《*m.* -es, -e》 bei ³Versteigerungen.

경면주사(鏡面朱砂) der krystalisierte Zinnober, -s, -.

경면지(鏡面紙) Glanzpapier *n.* -s, -; Glanzpappe *f.* -n.

경멸(輕蔑) Verachtung *f.* -en; Geringschätzung *f.* -en; Mißachtung *f.* -en; Verschmähung *f.* (모멸). **~하다** verachten⁴; gering|schätzen⁴; nichts halten* 《*von*³》; die Nase rümpfen 《*über*⁴》; gering|achten⁴; herab|sehen*⁴ 《*auf*⁴》; von oben herab behandeln⁴. ¶ ~해서 말하다 von ³*et.* geringschätzig sprechen* / ~적(으로) verächtlich; geringschätzig; herabsetzend / ~할 만한 verächtlich; verachtenswert; gemein / ~을 당하다 verachtet (geringgeschätzt) werden / ~하는 눈으로 보다 verächtlich an|sehen*; *jm.* e-n verächtlichen Blick werfen* / 그는 ~하듯 나를 보고 웃었다 Er lachte mich verächtlich an. / 어리석은 사람이라고 ~해서는 안 된다 Du darfst nicht einmal dumme Menschen verachten (geringschätzen).

경모(敬慕) Verehrung *f.*; Bewunderung *f.* (경복(敬服)); Hochachtung *f.* (존경); Anbetung *f.* (연모). **~하다** ehrfürchtig lieben⁴; verehren⁴; bewundern⁴ (경복탄미하다); hoch|achten⁴ (존경하다); an|beten⁴ (연모·숭배하다); auf|sehen*⁴ 《*zu*³》 (우러러보다); vergöttern⁴(숭배하다). ¶ 시골 사람들은 그를 매우 ~하고 있다 Die Landleute achten ihn sehr hoch.

경모(輕侮) Verachtung *f.* -en; Geringschätzung *f.* -en. **~하다** verachten; gering|achten; gering|schätzen; unterschätzen(얏봄).

경묘(輕妙) Leichtigkeit *f.*; Klugheit *f.*; Gewandtheit *f.* **~하다** leicht; witzig; geistreich; klug; leicht u. flink; wendig; gewandt (sein). ¶ ~한 익살 der geistreiche (witzige) Spaß, -es, ⸗e.

경무(警務) Polizeidienst *m.* -es, -e; Polizeiwesen *n.* -s, -; Polizeiangelegenheit *f.* -en; 《경찰 행정》 Polizeiverwaltung *f.* -en.
‖ **~관** der Polizeibeamter*, -n, -n.

경문(經文) die Buddhistische Heilige Schrift, -en; Sutra *n.* -s, -s; 《가톨릭의》 Katholisches Gebetbuch, -(e)s, ⸗er.

경문학(硬文學) der solide Lesestoff, -s, -e (작품); die metaphysische Dichtung (Literatur) -en (문학).

경문학(輕文學) der leichte Lesestoff, -s, -e (작품); 《문학》 die leichte Dichtung, -en; Belletristik *f.* -en.

경물(景物) landschaftliche Eigenart, -en; Gepräge 《*n.* -s》 e-r ²Landschaft.
‖ **~시**(詩) Landschaftsgedicht *n.* -(e)s, -e.

경미(輕微) **~하다** unbedeutend; unbeträchtlich; leicht; geringfügig (sein). ¶ ~한 열 das leichte Fieber, -s, - / ~한 감기 die leichte Erkältung; der Schnupfen, -s, - / ~한 문제 die unwichtige Sache, -n / ~한 상처를 입다 ⁴sich leicht verwunden.

경박(輕薄) 《경솔》 Leichtfertigkeit *f.*; Leichtsinn *m.* -(e)s; Frivolität *f.*; 《불성실》 Unaufrichtigkeit *f.*; 《불신》 Treulosigkeit *f.*; 《무사려》 Unbedachtsamkeit *f.*; Sorglosigkeit *f.* **~하다** leicht¦fertig (-sinnig); flatterhaft; frivol; unaufrichtig; unredlich; treulos; unbesonnen; bedachtlos (sein). ¶ ~한 사람 der Leichtsinnige* (Treulose*) -n, -n; der Unbeständige* / 그는 똑똑은 하지만 ~한 데가 있다 Er ist sehr klug, aber etwas leichtsinnig.

경방(庚方) 〖민속〗 West von Südwest.

경배(敬拜) die hochachtungsvolle Verbeugung, -en; Ehrerbietung *f.* **~하다** ergebenst (hochachtungsvoll) Verbeugung machen; ⁴sich vor *jm.* ergebenst verbeugen.

경백(敬白) Hochachtungsvoll!; Mit vorzüglicher Hochachtung!; Ihr* sehr ergebener* ... (…의 자리에는 발신인의 이름이 들어감).

경범(輕犯) ① 《죄》 das leichte Verbrechen*, -s; das strafbare Vergehen*, -s. ② 《사람》 Übel¦täter (Misse-) *m.* -s, -; der leichte Verbrecher, -s, -.
‖ **~죄** ☞ 경범①.

경변증(硬變症) 〖의학〗 Zirrhose [tsiró:zə] *f.* -n. ‖ **간~** Leberzirrhose *f.* -n.

경보(競步) 〖경기〗 das (Wett)gehen*, -s. **~하다** um die Wette gehen* ⓢ 《*mit*³》.
‖ **~선수** Geher *m.* -s, -.

경보(警報) Alarm *m.* -(e)s, -e; Warnruf *m.* -(e)s, -e; Warnsignal *n.* -s, -e; Warnung *f.* -en (기상의). ¶ ~를 내리다 alarmieren; Alarm (Lärm; Sturm) schlagen* (북으로) (blasen*(나팔로); läuten(종으로)) / 폭풍 ~를 내리다 die Sturmwarnung geben* / 적군(적기) 내습 ~가 내렸다 Es wurde der Alarm gegeben, daß der Feind (das feindliche Flugzeug) heranfliegt (heranrückt).
‖ **~기** Lärmapparat *m.* -(e)s, -e; Alarm-

gerat *n.* -(e)s, ⸗e; Alarmvorrichtung *f.* -en. ～해제 Aufhebung 《*f.* -en》 des Alarms. 경계～ Luftschutzalarm *m.* -(e)s, -e. 공습～ Luftangriffsalarm *m.* -(e)s, -e. 원거리(조기)～망 die entfernte (frühe) Warnung, -en. 폭풍～ Sturmwarnung *f.* -en. 화재～ Feueralarm *m.* -(e)s, -e.

경복(敬服) Bewunderung *f.*; Verehrung *f.*; Hochachtung *f.* ～하다 bewundern(찬탄하다); 《존경하다》 verehren[4]; hoch|achten[4]; [4]Achtung haben《*vor*[3]》. ¶～할 만한 bewunderns¦wert (-würdig); achtbar; verehrungswürdig / 그의 박식에 나는 ～한다 Ich bewundere s-e Gelehrsamkeit. / 그의 행동은 ～할 만하다 Sein Betragen ist bewundernswert.

경복(敬復) Mit bestem Dank für Ihren Brief.; für Ihren Brief dankend antworte ich....

경봉(警棒) (Polizei)knüppel *m.* -s, -; Knüttel *m.* -s, -; Keule *f.* -n.

경부(頸部) 〖해부〗 Halsgegend *f.* -en; Hals *m.* -es, ⸗e.

경비(經費) 《비용》 Kosten《*pl.*》; Spesen《*pl.*》; Unkosten《*pl.*》; 《유지비》 Instandhaltungskosten《*pl.*》; 《지출》 Ausgabe *f.* -n; Auslage *f.* -n. ¶～의 절감 Einschränkung《*f.* -en》(Beschneidung *f.* -en) der Ausgaben/ ～ 관계로 aus finanziellen Rücksichten (Grunden) / ～를 절약하다 die Ausgaben ein|schränken (beschneiden*) / ～가 들다 kostspielig (teuer) sein / ～가 는다 Die Ausgaben nehmen zu (steigen). / ～가 너무 많이 들 텐데요 Es wird Sie (Ihnen) zu viel kosten.

경비(警備) Wache *f.* -n; Bewachung *f.* ～하다 bewachen[4]; beschützen[4](방위하다). ¶～를 해제하다 die Wache ab|rufen*(zurück|-ziehen*) / ～를 엄하게 하다 die Wachen verstärken / 무장 군인이 도처에서 ～를 하고 있었다 Die bewaffneten Soldaten waren überall auf Wache.

‖～대 Wachtruppe *f.* -n; Garnison *f.* -en. ～병(원) Wächter *m.* -s, -; Wachtposten *m.* -s, -. ～선(함) Wachschiff *n.* -(e)s, -e. 국경～대 Grenzgarnison *f.* -en. 철도～대 Eisenbahnschutztruppe *f.* -n.

경사(經史) die Bücher über die chinesische Klassik u. Geschichte; die chinesischen klassischen Werke.

경사(傾斜) Neigung *f.* -en; Inklination *f.* -en; Steigung *f.* -en(오르막의); Gefälle *n.* -s, - (내리막의); 《산·비탈》 Abhang *m.* -(e)s, ⸗e; Abdachung *f.* -en; Böschung *f.* -en. ～지다 [4]sich (hin|)neigen; schief stehen*; abwärts (aufwärts) laufen*(선이 아래로(위로)); 《배가》 krängen; [4]sich nach e-r [3]Seite legen; Schlagseite bekommen* (적하(積荷)에 의해); 《지형이》 [4]sich neigen; [4]sich ab|dachen; steigen*Ⓢ(오르막); ab|fallen*Ⓢ(내리막). ¶～진 geneigt; sich (hin)neigend; schief; abgedacht; abschüssig / 20도의 ～ Neigung von 20 Grad / 도로의 ～ die Neigung e-r Straße / 15도의 ～ mit e-r Inklination von 15 Grad / ～를 내다 schräg (schief) machen; neigen; ab|dachen / 그 땅은 해안까지 ～지고 있다 Das Land läuft bis zur Seeküste abwärts. / 언덕의 ～는 매우 급격하다 Der Hang ist sehr steil (abschüssig).

‖～각 Neigungswinkel *m.* -s, -. ～계 Klinometer *m.* (*n.*) -s, -; Neigungsmesser *m.* -s, -; Böschungswage *f.* -n. ～도 Gradient *m.* -en, -en. ～면 die schräge (geneigte) Fläche, -n; Böschung *f.* -en; Abhang *m.* -(e)s, ⸗e. ～생산 Vorzugsproduktion *f.* 급～ die steile Abdachung, -en.

경사(經絲) Werft *m.* -(e)s, -e; Kette *f.* -n; Aufzug *m.* -(e)s, ⸗e.

경사(慶事) ein glückliches (erfreuliches) Ereignis, -ses, -se; 《출산》 Geburt *f.* -en; 《혼례》 Hochzeit *f.* -en; Fest *n.* -(e)s, -e; Glück *n.* -(e)s. ¶～스러운 날 der glückliche Tag, -es, -e / ～스럽다 glücklich (gesegnet; glückbringend; segensreich) sein.

경사(警査) Polizeisergeant [..ʒənt] *m.* -en, -en.

경산부(經産婦) e-e Frau《-en》, die geboren hat; die glückliche Mutter (vieler od. des ersten Kindes).

경상(經常) ¶～의 regulär; ordentlich; laufend.

‖～비 ordentliche Betriebskosten《*pl.*》; ordentliche (laufende) Ausgaben《*pl.*》. ～수입 ordentliche (laufende) Einkommen《*pl.*》. ～예산 das laufende Budget, -s, -s.

경상(輕傷) leichte Verwundung, -en (Verletzung, -en; Wunde, -n); 《찰과상》 Streifwunde *f.* -n. ¶～을 입다 leicht verwundet (verletzt) werden.

‖～자 der Leichtverwundete*, -n, -n: 어제의 교통 사고로 중상자 2명 ～자 15명이 생겼다 Das Verkehrsunglück von gestern forderte 2 Schwerverletzte u. 15 Leichtverletzte.

경상(鏡像) 〖물리〗 Spiegelbild *n.* -(e)s, -er.

경색(梗塞) Stopfung *f.* -en; Verhärtung *f.* -en; Versteifung *f.* -en.

‖금융～ Geldknappheit *f.*

경서(經書) die Werke《*pl.*》der chinesischen Klassiker; ein klassisches chinesisches Werk (그 하나).

경석(輕石) ＝속돌.

경석고(硬石膏) 〖광석〗 Anhydrit *m.* -es, -e.

경선(經線) 〖지리〗《경도》 Längenkreis *m.* -es, -e; 《자오선》 Meridian *m.* -s, -e.

경성(硬性) 〖의학〗 Härte *f.* ¶～의 hart.

‖～하감(下疳) der harte Schanker, -s, -.

경성(警醒) das Wecken, -s; Warnung *f.* -en. ～하다 *jn.* (er)wachen《*aus*[3]》; *jn.* auf|-rütteln; *jn.* warnen《*vor*[3]》(경고하다).

경세(經世) Bewirtschaftung *f.* -en; Staatsverwaltung *f.* -en; Staatskunst *f.* ⸗e(술). ～하다 e-n Staat verwalten; regieren. ¶～지재(之才) Staatsmannskunst *f.* ⸗e; Regierungskunst *f.* ⸗e.

‖～가 Staatsmann *m.* -(e)s, ⸗er; Politiker *m.* -s, -.

경세(警世) ～하다 *jn.* warnen; auf|rütteln. ¶～의 글귀 e-e Warnung《-en》für die Welt.

‖～가 Prophet *m.* -en, -en.

경소(輕小) ～하다 klein; (gering)fügig; wenig; minimal; unbedeutend (sein). ¶～하지만 기꺼이 받으십시오 Nehmen Sie mit dieser Kleinigkeit fürlieb! / 사례의 ～한 표시로서 선물을 드리고 싶습니다 Ich möchte Ihnen ein Geschenk, als kleines Zeichen m-r Dankbarkeit, überreichen.

경솔(輕率) Über¦eilung *f.* (-hastung *f.*; -eiltheit *f.*; -stürzung *f.*); Voreiligkeit *f.*; Eilfertigkeit *f.*; Vorschnelligkeit *f.*; Hastigkeit *f.*; Ungeduld *f.*; 《부주의》 Unvorsichtigkeit *f.*; Unbesonnenheit *f.*; Leicht¦sinn *m.* -(e)s (-sinnigkeit *f.*; -fertigkeit *f.*). ～하다 übereilt; voreilig; vorschnell; hastig; eilfertig; überstürzt; 《무사려한》 unbesonnen; unbedacht; unvorsichtig; leicht¦sinnig (-fertig) (sein). ¶ ～히 《당황해서》 ⁴sich überstürzend; Hals über Kopf; über Hals u. Kopf; leichtsinnig; 《분별없이》 unbedacht; unbesonnen; ohne ⁴Bedacht; unvorsichtig / ～한 짓을 하다 ⁴sich übereilen; voreilig (übereilt; unüberlegt; unbesonnen; unvorsichtig) handeln; voreilige Schritte 《*pl.*》 tun* / 그는 ～한 남자이다 Er ist ein unbesonnener Mensch.¦Er ist leichtsinnig. / ～하게 판단하다 ein übereiltes (vorschnelles) Urteil 《-s, -e》 fällen (ab|geben*; sprechen*); zu schnell urteilen.

경쇠(磬—) ① 《악기》 ein altes Musikinstrument aus Stein. ② 《종》 die Handglocke von buddhistischen Mönchen (gebraucht vor dem Altar); 《방울》 die Schelle von Weissagern.

경수(硬水) das harte Wasser, -s.

경수(軟水) weiches Wasser, -s, -.

경수(鯨鬚) Walfischbein *n.* -(e)s, -e; Walfischbarte *f.* -n.

경승(景勝) die schöne (hervorragende) Landschaft (Aussicht) -en. ¶ ～의 malerisch (schön); pittoresk.

‖ ～지 malerische (romantische) Landschaft, -en (Gegend, -en); günstig gelegene Stelle, -n.

경시(庚時) 【민속】 die 18. Stunde von den 24 Stundenperioden (=4:30–5:30 nachmittags).

경시(輕視) Geringschätzung *f.* -en; Unterschätzung *f.* -en. ～하다 gering schätzen⁴; unter dem Wert schätzen⁴; e-m Dinge geringen ⁴Wert bei|legen (bei|messen*); mißachten⁴; nicht beachten⁴; ignorieren⁴ (무시하다); vernachlässigen⁴. ¶ 문제를 ～하다 e-e Sache leicht behandeln (betrachten)/ …의 영향을 ～하다 den Einfluß von … geringschätzen / 그는 자기 병을 ～하고 과로하다가 죽어 버렸다 Er hat s-e Krankheit versäumt u. sich tot gearbeitet.

경식(硬式) ¶ ～의 hart; starr.

‖ ～비행선 das starre Luftschiff, -(e)s, -e. ～정구 Tennisspiel *n.* -(e)s, -e.

경신(更新) Erneuerung *f.* -en. ～하다 erneuern; auf|frischen. ¶ 스스로 ～하다 ⁴sich erneuern / 제도를 ～하다 manche Institutionen erneuern / 계약을 ～하다 e-n Vertrag (Kontrakt) erneuern / 기록을 ～하다 das Protokoll neu machen (schreiben*).

경신(敬神) Gottesverehrung *f.*; Verehrung 《*f.*》 Gottes; Ehrfurcht 《*f.*》 vor ³Gott; Gottesfurcht *f.*; Frömmigkeit *f.* ¶ ～지념 Frömmigkeit *f.* -en / ～지념이 두텁다 gottesfürchtig (fromm) sein.

경신(輕信) Leichtgläubigkeit *f.* ～하다 e-r ³Sache leicht (schnell) ⁴Glauben schenken (geben*); leichtgläubig sein.

경아(驚訝) Erstaunen *n.* -s; Bestürzung *f.* -en; Verwunderung *f.* -en; Staunen *n.* -s. ～하다 verblüfft (erstaunt; bestürzt) sein.

경아리(京—) der verschmitzte Seouler; die Verschmitztheit der Städter.

경악(驚愕) das (Er)staunen*, -s; Schreck *m.* -(e)s, -e; Schock *m.* -s, -e (쇼크); Bestürzung *f.* -en(낭패한 심정); Betroffenheit *f.*(당황한 심정); Überraschung *f.* -en(의외의 일을 당해서); Sprachlosigkeit *f.*(아연실색). ～하다 erstaunen ⓢ 《*über*⁴》; erschrecken ⓢ 《*über*⁴》 【이상 두 말은 ⁴sich와 더불어 재귀적으로도 쓰임】; staunen; bestürzt (erstaunt; überrascht) sein 《이상 *über*⁴》; ⁴sich entsetzen 《*vor*³; *bei*³》; in Schrecken geraten*ⓢ. ☞ 놀라다. ¶ 그는 ～하여 잠시 그녀를 바라보고 있었다 Er sah sie e-n Moment mit erstauntem Blick an.

경앙(景仰) Bewunderung *f.* -en; Anbetung *f.* -en; Verehrung *f.* -en; Ehrerbietung *f.* -en. ～하다 verehren; an|beten; bewundern.

경애(敬愛) Ehren u. Lieben; Verehrung *f.* ～하다 *jn.* ehren u. lieben; verehren⁴; bewundern⁴ (경모하다); 【형용사】 lieb; teuer; verehrt; wert (sein). ¶ ～하는 M군 mein teuer (werter) Herr M / ～를 받다 verehrt u. geliebt werden.

경야(經夜) 《지냄》 der Verlauf 《-(e)s, ⸚e》 der Nacht; 《새움》 das Durchwachen 《-s》 der Nacht. ～하다 die ganze Nacht durchwachen (auf|brechen*; auf|sitzen*).

경양식점(輕洋食店) ein kleines, billiges Restaurant [rɛstorã:] -s, -s.

경어(敬語) Höflichkeits¦wort *n.* -es, ⸚er (-ausdruck *m.* -(e)s, ⸚e).

경역(境域) 《경계 안의 땅》 der eingefriegte Raum, -(e)s, ⸚e; Grundstück *n.* -(e)s, -e; 《경계의 지역》 Grenzgebiet *n.* -(e)s, -e; Bereich *m.* (*n.*) -(e)s, -e.

경연(硬軟) Festigkeit und (oder) Weichheit; Härte 《*f.*》 und Milde 《*f.*》; die relative Festigkeit. ¶ ～ 양파(兩派) die standhaften und nachgiebigen Parteien.

경연(競演) Wettspiel *n.* -(e)s, -e; Wetteifer 《*m.* -s》 auf der Bühne 《*mit*³》. ～하다 auf der Bühne wetteifern 《*mit*³》; um die Wette auf|treten* ⓢ.

‖ 노래～대회 Gesangswettbewerb *m.* -(e)s.

경연극(輕演劇) leichtes Theater.

경염(競艶) Schönheitswette *f.* -n. ～하다 um die Schönheit wetten 《mit *jm.*》.

‖ ～대회 Schönheits¦wettbewerb *m.* -(e)s, -e (-konkurrenz *f.* -en).

경영(經營) 《관리》 Verwaltung *f.* -en; Leitung *f.* -en; Führung *f.* -en; 《영업·운영》 Betrieb *m.* -es, -e. ～하다 《관리하다》 verwalten⁴; leiten⁴; führen⁴; 《영위하다》 (be-)treiben*⁴; aus|üben⁴. ¶ 개인 ～의 privat / 국가 ～의 staatlich / 공장을 ～하다 e-e Fabrik betreiben* / 농장을 ～하다 ein Gut bewirtschaften / 호텔을 (학교를) ～하다 ein Hotel bewirtschaften (e-e Schule unterhalten*) / 그 신문은 누가 ～하는가 Wer betreibt (besitzt) die Zeitung? / 그 회사는 ～이 능하다 Jene Gesellschaft ist gut geleitet.

‖ ～(경제)학 Betriebswissenschaft *f.* -en; Betriebswirtschaft *f.* -en; Betriebswirtschaftslehre *f.* -n. ～관리 Betriebsführung *f.* -en. ～난 Betriebsnot *f.* ⸚e. ～방침 Betriebsplan *m.* -s, ⸚e. ～법 Betriebs¦art *f.* -en (-weise *f.* -n). ～비 Betriebskosten 《*pl.*》. ～자 Arbeitgeber *m.* -s, -; Inhaber *m.* -s; Unternehmer *m.* -s, -: ～자와 노동자 Arbeitgeber u. Arbeitnehmer, des - u. -s. ～조직 Betriebssystem *n.* -s, -e. ～참가 Mitbestimmung *f.* -en (종업원의). 개인～ Privatbetrieb *m.* -(e)s, -e. 국가～ Staatsbetrieb *m.* -(e)s, -e.

경영(競泳) das (Wett)schwimmen*, -s. ～하

다 Wettschwimmen haben.
‖ ~대회 Schwimmwettbewerb *m.* -(e)s, -e. ~자 Schwimmer *m.* -s, -. 장거리~ das Marathonschwimmen*, -s.

경옥(硬玉) Jade *m.* -.

경외(敬畏) Ehrfurcht *f.*; Verehrung *f.* -en. ~하다 Ehrfurcht haben 《*vor*³》; verehren⁴. ¶ ~할 만한 ehrfurchtgebietend; verehrungswürdig / ~의 마음을 일으키다 *jm.* Ehrfurcht ein|flößen.

경우(境遇) Fall *m.* -(e)s, ⸗e; Gelegenheit *f.* -en (기회); Lage *f.* -n; Sache *f.* -n; Umstände 《*pl.*》(사정); Verhältnisse 《*pl.*》(사태). ¶ ~에 따라서는 unter Umständen; je nach den Umständen (사정에 따라서) / …의 ~에는 falls; im Falle, daß…; im Falle² 《*von*³》; wenn / 반대의 [다른] ~에는 widrigenfalls [andernfalls] / 만일의 ~에는 im Notfall (긴급한); nötigenfalls (필요한); im schlimmsten Fall (최악의) / 목하의[그런] ~에는 im vorliegenden Fall [unter solchen Umständen] / 어떠한 ~라도 auf alle Fälle; auf jeden Fall; jedenfalls / 어떤 ~라도 …하지 않다 auf k-n Fall; unter k-n Umständen; in k-m Falle; keinesfalls / 이런 ~에 bei dieser Gelegenheit; in diesem [für diesen] Fall; unter diesen Umständen / 이런 ~에 대처할 최선의 길 die beste Lösung für diesen Fall / 전쟁이 일어나는 ~에는 im Fall des Krieges / 그런 ~가 자주 있다 Das kommt oft vor. / ~에 따라서 그럴 수 있지 Das kommt auf den Fall an. / 이런 ~ 유예는 허용되지 않는다 Die Sache duldet [leidet] keinen Aufschub mehr.

경운기(耕耘機) Kultivator *m.* -s, -en; Grubber *m.* -s, -.

경원(敬遠) ~하다 *jn.* höflich umgehen* Ⓢ; *jm.* höflich aus|weichen*Ⓢ; 《꺼리다》 ⁴sich an ⁴*et.* heraus|halten*; ⁴sich von *jm.* (³*et.*) fern|halten*; *jn.* äußerlich achten, aber in Wirklichkeit von ³sich halten*. ¶ ~되다 äußerlich geachtet werden; von *jm.* ferngehalten werden / 모든 사람들이 그를 ~하고 있다 Alle gehen höflich um ihn herum.

경위(涇渭) Gut u. Böse; die Tugend u. das Laster; Recht u. Unrecht; Urteilskraft *f.* ⸗e (판단); Unterscheidungsvermögen *n.* -s, - (식별). ¶ ~에 벗어난 것 die unvernünftige Tat, -en; die unschickliche [ungeeignete] Handlung, -en / ~를 모르다 nicht wissen, was recht und unrecht ist; unvernünftig sein; an Schicklichkeit fehlen / ~에 어긋나다 der Vernunft zuwider sein; vernunftwidrig sein / 그는 ~가 밝은 사람이다 Er kann Recht von Unrecht unterscheiden.¦Er ist ein vernünftiger Mensch.¦Er ist ein Mann von Verstand.¦Er hat klare Urteilskraft.

경위(經緯) ① 《경도와 위도》 Länge u. Breite, der - u. -. ② 《날과 씨》 Kette [Aufzug] u. Einschlag, des - u. -(e)s. ③ 《사정》 die Umstände 《*pl.*》; Sachlage *f.*; die Verhältnisse 《*pl.*》; 《상세》 die Einzelheiten 《*pl.*》; die näheren Umstände 《*pl.*》; Detail [detái, ..tá(:)j] *n.* -s, -s.
‖ ~도 (die) Länge u. Breite. ~선 die Linie《-n》 der Länge u. Breite. ~의(儀) Theodorit *m.* -(e)s, -e.

경위(警衛) ① 《경호》 Bewachung *f.* -en; Wache *f.* -n; Schutz *m.* -es, ⸗e; Geleit *n.* -es, -e. ~하다 bewachen; Wache halten*; schützen; beschützen; bedecken (보호); *jm.* das (Schutz) geleit geben* (호위하고 감). ② 《계급》 Polizeileutnant *m.* -s, -e [-s].

경유(經由) ~하다 vorüber|gehen* Ⓢ 《*an*³》; passieren⁴. ¶ ~하여 via; über⁴ / 시베리아를 ~하여 über [via] Sibirien / 외무부를 ~하여 durch das Außenministerium / 홍콩 ~로 귀국하다 über Hongkong in das Vaterland zurück|kommen*Ⓢ [-|kehren].

경유(輕油) leichtes Öl, -s, -e; Leichtöl *n.* -s, -e; Gasolin *n.* -s; 《등유》 Brennöl *n.* -s; Kerosin *n.* -s.

경유(鯨油) (Walfisch)tran *m.* -(e)s, -e.

경음(硬音) der glottale Laut, -es, -e; der assimilierte Laut.

경음(鯨飮) Sauferei *f.* -en; Suff *m.* -(e)s. ~하다 (wie ein Bürstenbinder [wie ein Loch; wie e-e Senke]) saufen*⁴; zechen⁴.

경음악(輕音樂) die leichte Musik.

경의(敬意) 《존경》 Verehrung *f.*; Hochachtung *f.*; Respekt *m.* -(e)s; 《공경》 Ehrerbietung *f.*; 《외경》 Ehrfurcht *f.* ¶ ~를 표하여 hochachtungsvoll; mit ³Ehrerbietung; ehrerbietig; mit Hochachtung; *jm.* zu Ehren; zu Ehren *js.* / 아무에게 ~를 표하다 *jm.* Achtung [Ehre; Ehrerbietung] erweisen* [bezeigen]; verehren⁴ / 아무에 대하여 ~를 품다 vor *jm.* Achtung haben.

경이(驚異) 《놀라움》 Wunder *n.* -s, -; Verwunderung *f.* -en. ¶ ~적 wunderbar; verwunderlich; erstaunlich; erstauenswürdig; aufsehenerregend / ~롭다 wunderbar [erstaunlich] sein / ~의 눈으로 바라보다 starr [stumm] vor Staunen sein; aus dem Staunen nicht heraus|kommen* Ⓢ (können*); 〖속어〗 (große) Augen machen. 「(sein).

경이원지(敬而遠之) ☞ 경원(敬遠).

경이하다(輕易—) leicht; einfach; bequem

경인(京仁) *Seoul* und *Incheon.*
‖ ~고속도로 die Autobahn *Seoul-Incheon.* ~선 die Eisenbahnlinie *Seoul-Incheon.* ~지방 das *Seoul-Incheon* Gebiet, -es, -e.

경작(耕作) Acker¦bau (Feld-) *m.* -(e)s; Acker¦arbeit (Feld-) *f.* -en; Acker¦bestellung(Feld-) *f.* -en; Anbau; Kultivierung *f.* -en; Urbarmachung *f.* -en (개간). ~하다 (be)ackern⁴; Ackerbau [Feldbau] treiben*; an|bauen⁴; bebauen⁴; bestellen⁴; kultivieren⁴; urbar machen⁴. ¶ ~에 종사하다 den Acker bauen [bestellen].
‖ ~물 Acker¦bauprodukt (Feld-) *n.* -(e)s, -e. ~용구 Ackergerät *n.* -(e)s, -e. ~자 Ackermann *m.* -(e)s, ⸗er; Ackerbauer *m.* -s, -. ~제도 Acker(bau)system *n.* -(e)s, -e. ~지 ☞ 경지(耕地).

경장(更張) 《제도 쇄신》 Reform *f.* -en; Neugestaltung *f.* -en. ~하다 reformieren; um|gestalten; um|formen.
‖ 갑오(甲午)~ die Reformbewegung von *Kabo* (1894).

경장(輕裝) leichte Kleidung, -en. ~하다 leichte Kleidung tragen*; ⁴sich leicht kleiden. ¶ 그녀는 ~을 하고 길을 떠났다 Leicht gekleidet hat sie sich auf den Weg gemacht.
‖ ~순양함 der leichte Kreuzer, -s, -.

경장(警長) Oberwachtmeister *m.* -s, -.

경장이(經—) 〖민속〗 Geisterbeschwörer *m.* -s, -; die Person, die Sutras vorträgt, um Unglück auszutreiben.

경쟁(競爭) Konkurrenz *f.* -en; Wett¦bewerb

〔-streit〕 *m.* -(e)s, -e; Rivalität *f.* -en (대적 관계); Ausschreibung *f.* -en (입찰); Nebenbuhlerschaft *f.* **~하다** konkurrieren 《*mit*³》; wetteifern《*mit*³》; im Wettbewerb stehen* 《*mit*³》; rivalisieren《*mit*³》; nach|eifern³ⓢⓗ. ¶ ~ 없이 ohne Wettbewerb; ohne Wettbewerber / 서로 ~조로 um die Wette / 서로 ~하다 miteinander wetteifern / 이 장사는 ~이 심하다 In diesem Handel besteht eine scharfe Konkurrenz. / 우리 회사 상품은 여기서는 ~이 되지 않는다 Unsere Waren sind hier nicht konkurrenzfähig.
‖ **~가격** Konkurrenzpreis *m.* -es, -e. **~국** Konkurrent *m.* -en, -en; das rivalisierende Land, -(e)s, ⸗er. **~력** Konkurrenzkraft *f.* ⸗e. **~시험** Konkurrenzprüfung *f.* -en. **~심** der nacheifernde Kampfgeist, -es; Wetteifer *m.* -s: 그는 ~심이 강하다 Er ist sehr wetteifrig. **~율** Konkurrenzkoeffizient *m.* -en, -en. **~입찰** das Konkurrenzausschreiben*, -s: ~입찰하다 Konkurrenzausschreiben machen. **~자** Wettbewerber *m.* -s, -; Nebenbuhler *m.* -s, -; Konkurrent *m.* -en, -en. **~회사** Konkurrenzfirma *f.* ..men. **공개~** öffentliche Konkurrenz, -en. **국제 ~장** die internationale Arena, ..nen. **자유~** der freie Wettbewerb, -(e)s, -e.

경적(輕敵) ① 《약한 적》 der schwache Feind, -es, -e; der schwache Gegner. ② 《적을 깔봄》 die Verachtung 《*f.* -en》 des Feindes. **~하다** den Feind verachten; den Feind nicht wichtig nehmen*. ¶ ~ 필패(必敗) Verachte selbst einen schwachen Feind nicht!¦Wer den Feind verachtet, der verliert immer.

경적(警笛) Signalpfeife *f.* -n; Alarmsirene *f.* -n; Warn(ungs)signal *n.* -s, -e; Polizeipfeife *f.* -n (경관의); Hupe *f.* -n (자동차의); Nebelhorn *n.* -(e)s, ⸗er (안개가 질을 때의). ¶ ~을 울리다 die Alarmsirene heulen lassen*; ein Warnungssignal geben*; hupen (자동차의) / ~ 금지 《게시》 Keine Hupe!

경전(經典) 《불교의》 Sutra *n.* -s, ..tren; die Buddhistische Heilige Schrift, -en; 《기독교의》 Heilige Schrift, -en; 《성경》 Bibel *f.* -n; das Buch 〔-(e)s〕 der ²Bücher; 《회교의》 Koran *m.* -s, -e; 《중국의 경서》 chinesische Klassiker 《*pl.*》.

경절(慶節) Nationalfeiertag *m.* -es, -e; Festtag; Fest *n.* -es, -e.

경정(更正) 《세금의》 die erneute Steuerveranlagung, -en; die erneute Festsetzung 《-en》 der Steuerabgaben. **~하다** die Steuerveranlagung erneuern.
‖ **~결정** 《소득세의》 die Entscheidung 《-en》 über die erneute Einkommensteuerveranlagung. **추가 ~ 예산** Nachtragsetat [..etá:] *m.* -s, -s.

경정(更訂) Revision *f.* -en; die nochmalige Durchsicht, -en; die zweite Korrektur, -en. **~하다** revidieren; noch einmal durch|sehen*; um|arbeiten; neu schreiben*.

경정(警正) Polizeiinspektor *m.* -s, -en; Oberaufseher 《*m.* -s, -》 der Polizei.

경정(競艇) Motorbootrennen *n.* -s, -.

경정맥(頸靜脈) Halsvene *f.* -n; Halsblutader 〔Jugular-〕 *f.* -n.
‖ **내〔외〕~** die äußere 〔innere〕 Halsblutader, -n.

경제(經濟) Ökonomie *f.* -n [..mi:ən]; Wirtschaft *f.* -en; 《재정》 Finanz *f.* -en. ¶ ~적인〔상의〕 ökonomisch; wirtschaftlich; 《검소한》 ökonomisch; wirtschaftlich; sparsam; sparend / ~적으로 사용하다 ökonomisch mit ³*et.* um|gehen* ⓢ / ~상태가 좋다 wohlhabend 〔bemittelt〕 sein / 그는 ~ 관념이 없다 Er weiß nicht, wie er mit Geld umgehen soll.¦Er hat k-n Begriff 〔k-e Ahnung〕 von Geld.¦Er kann nicht aushalten. / 그것은 ~ 사정이 허락하지 않는다 Das ist finanziell unmöglich.¦Das kann ich mir nicht leisten. / 그는 세계 ~사정에 밝다 Er ist in den Fragen der Weltwirtschaft bewandert. / 그것은 시간과 노력의 ~가 된다 Dadurch 〔Auf diese Weise〕 spart man Zeit u. Arbeit. / 가스는 연탄보다 ~적이다 Gas ist ökonomischer als Holzkohle.
‖ **~가** 《절약가》 der gute Wirtschaftler, -s, -; Sparer *m.* -s, -; sparsamer Haushalter, -s, -. **~계** Wirtschafts¦kreis *m.* -es, -e 〔-gebiet *n.* -(e)s, -e〕; finanzielle Kreise 《*pl.*》; Finanzwelt *f.* -en. **~고문** Wirtschaftsberater *m.* -s, -. **~기구** ökonomische Struktur, -en. **~기사** Wirtschaftsartikel *m.* -s, -. **~기자** Wirtschaftsredakteur [..tø:r] *m.* -s, -. **~기획원** Wirtschaftsplannungsamt *n.* -(e)s. **~난**(欄) Finanzbeilage *f.* -n; Wirtschaftsteil *m.* -(e)s, -e. **~단체연합회** Vereinigung 《*f.* -en》 der wirtschaftlichen Organisationen. **~력** ökonomische 〔wirtschaftliche〕 Kraft 〔Macht〕. **~문제** Wirtschaftsfrage *f.* -n. **~백서** ökonomisches Weißbuch, -(e)s, ⸗er. **~봉쇄** wirtschaftliche Blockade, -n; Wirtschaftsblockade *f.* -n. **~부흥** Wirtschaftsaufbau *m.* -es. **~안정** wirtschaftliche Stabilisierung, -en. **~연합** Wirtschaftsbündnis *n.* -ses, -se. **~원론** Wirtschaftsprinzipien 《*pl.*》; Prinzipien 《*pl.*》 der Volkswirtschaftslehre. **~원칙** Wirtschaftsgrundsatz *m.* -es, ⸗e. **~위기** Wirtschafts¦krisis 〔-krise〕 *f.* ..krisen. **~자립** wirtschaftliche Autarkie, -n [..ki:ən]. **~적 공황** Wirtschaftskrise *f.* -n. **~적 기초** Wirtschaftsgrundlage *f.* -n. **~적 능력** Wirtschaftsfähigkeit *f.* -en. **~적 진출** das ökonomische Vordringen*, -s. **~전** Wirtschaftskrieg *m.* -(e)s, -e. **~정책** Wirtschafts¦politik 〔Finanz-〕 *f.* **~제도** Wirtschaftswesen *n.* -s, -. **~조직** Wirtschaftseinrichtung *f.* -en 〔-organisation *f.* -n; -verfassung *f.* -en; -wesen *n.* -s, -〕. **~지리** Wirtschaftsgeographie *f.* **~통계** Wirtschaftsstatistik *f.* -en. **~학자** Wirtschaftswissenschaftler *m.* -s, -; Volkswirtschaftler *m.* -s, -. **~행위** die wirtschaftliche Tätigkeit, -en. **~현상** Wirtschaftserscheinung *f.* -en. **~협정** Wirtschafts¦abkommen 〔Handels-〕 *n.* -s. **~회의** Wirtschaftskonferenz 〔Handels-〕 *f.* -en. **가정~** Haushalt *m.* -es 〔-wirtschaft *f.* -en〕. **계획~** Planwirtschaft *f.* **국가~** Staatswirtschaft *f.* -en. **국민~** Volkswirtschaft *f.* -en. **자유~** freie Wirtschaft, -en.

경조(輕佻) =경솔, 경박. ¶ ~부박한 사람 die leichtfertige, eitle Person, -en.

경조(輕燥) Hastigkeit *f.*; Übereilung *f.* **~하다** leichtfertig; rasch; flüchtig; unbesonnen; übereilt (sein).

경조(慶弔) 《경사·흉사》 Familienfest u. Trauerfall, des - u. -s; 《축하·조문》 Glückwunsch u. Beileid, des - u. -(e)s.
‖ **~비** die Kosten 《*pl.*》 für Glückwunsch

u. Beileid.

경조(競漕) das Wettrudern*, -s; Bootwettfahrt *f.* -en; Regatta *f.* ..gatten (일반적으로); Ruder¦regatta (Segel-) *f.* ..gatten (보트, 요트); das Motorboot(s)rennen*, -s. ~하다 wett|rudern (-|segeln) s,h. ¶ ~용 보트(배) Rennboot *n.* -(e)s, -e.

‖ ~회 Regatta *f.* ..gatten.

경조치(京造一) in Seoul gemachte Imitationen von Spezialitäten der Provinz.

경종(警鐘) Feuer¦glocke (Alarm-; Sturm-) *f.* -n. ¶ ~을 울리다 Sturmglocke läuten (schlagen*) / 그것은 현대 한국에 대한 ~이다 Das ist eine Warnung zu dem heutigen Korea.

경죄(輕罪) Vergehen *n.* -s, -; 《종교상의》 läßliche Sünde, -n; Erlassungssünde *f.* -n.

‖ ~범 Übeltat *f.* -en; strafbares Vergehen, -s, -: ~범인 Übel¦täter (Misse-) *m.* -s, -.

경주(傾注) Hingabe *f.*; Konzentration *f.* -en; Konzentrierung *f.* -en. ~하다 ⁴sich ganz widmen³; ⁴sich hin|geben*³; ⁴sich ergeben*³. ¶ 전력을 ~ 하다 alle Kräfte konzentrieren 《*auf*⁴》 / 그는 그 계획에 심신을 ~ 하고 있다 Er ist mit Leib u. Seele bei s-m Vorhaben.

경주(輕舟) das leichte Boot, -s, -s; Skiff *n.* -s, -e.

경주(競走) Wettlauf *m.* -(e)s, ⸚e; das Wettlaufen*, -s; das Wettrennen*, -s (말, 개의 경우). ~하다 um die Wette laufen* s; wett|laufen s; wett|rennen* s (말, 개의). ¶ 100 미터 ~ 100-Meter-Lauf *m.* -(e)s, ⸚e / ~에 이기다 (지다) e-n Wettlauf gewinnen* (verlieren*) / 800 미터 릴레이 ~ Viermal-200-m-Staffelwettlauf *m.* -(e)s, ⸚e / 다음 ~에 출장합니다 Ich starte am nächsten Lauf (mit).

‖ ~로 Rennbahn *f.* -en. ~자 Wettläufer *m.* -s, -; Renner *m.* -s, -; 《여자》 Wettläuferin *f.* -nen. ~장 Rennplatz *m.* -es, ⸚e. 단거리~ Kurzstreckenwettlauf *m.* -(e)s, ⸚e. 도보~ Wettlauf *m.* -(e)s, ⸚e. 이인삼각~ Drei-Bein-Wettlauf *m.* -(e)s, ⸚e. 자전거~ das Radwettfahren*, -s. 장거리~ Langstreckenwettlauf *m.* -(e)s, ⸚e. 장애물~ das Hindernisrennen*, -s. 중거리~ Mittelstreckenwettlauf *m.* -(e)s, ⸚e.

경중(輕重) die relative Wichtigkeit, -en; das relative Gewicht, -(e)s, -e. ¶ 죄의 ~ die Schwere der Straftat (des Verbrechens)/ 일의 ~을 가리다 die Wichtigkeit (die Bedeutung; das Gewicht; die Gewichtigkeit) e-r Sache erwägen* (ab|schätzen) / 사물의 ~을 옳게 보다 die Dinge in ihren wahren Verhältnissen sehen* / 이 문제의 ~은 논할 여지가 없다 Die relative Wichtigkeit dieser Frage braucht nicht, erörtert zu werden.

경증(輕症) leichte (ungefährliche) Erkrankung, -en.

‖ ~환자 der leicht Erkrankte* (Leichtkranke*) -n, -n.

경지(耕地) Land *n.* -(e)s; Acker¦land *n.* -(e)s (-boden *m.* -s, ⸚); 《경작된 토지》 Kulturland *n.* -es; angebautes (bebautes) Land.

‖ ~면적 Areal 《*n.* -s》 (Flächenraum *m.* -s, ⸚e) des Kulturlandes. ~정리 Zusammenlegung 《*f.*》 der Grundstücke.

경지(境地) 《상태》 (Zu)stand *m.* -(e)s, ⸚e; Lage *f.* -n; 《분야·영역》 Sphäre *f.* -n; Feld *n.* -(e)s, -er; Gebiet *n.* -es, -e; Grund *m.* -(e)s, ⸚e. ¶ …의 ~에 이르다 den Zustand von ³*et.* erreichen / 학문의 새로운 ~ die neuen Wissenschaftsgebiete 《*pl.*》 / 새로운 ~를 개척하다 ein neues Gebiet 《*für*⁴》 finden*(öffnen) / 독자적 ~를 개척하다 ein selbständiges Gebiet 《*für*⁴》 finden* (öffnen).

경지(鯨脂) Walfischtran *m.* -(e)s.

경직(勁直) Festigkeit *f.*; Stärke *f.* -n. ~하다 fest; stark; hart; solid; sicher (sein).

경직(硬直) das Erstarren*, -s; Steifheit *f.*; das Steifwerden*. ~하다 erstarren; steif werden. ‖ ~경련 Tetanie *f.* ..nien.

경진(輕震) das kleine (leichte) Erdbeben, -s, -. ¶ 서울에서도 간밤에 ~이 있었다 Heute nacht hat es auch in Seoul ein leichtes Erdbeben gegeben.

경질(更迭) (Personal)wechsel *m.* -s, -; Personalveränderung *f.* -en; Umbesetzung *f.* -en. ~하다 wechseln⁴; verändern⁴; um|besetzen⁴. ¶ 대 ~ der gründliche (radikale) (Personal)wechsel; die Umbesetzung in großem Ausmaße / 내각의 ~ Kabinettswechsel / 장관의 ~ Ministerwechsel; der Wechsel innerhalb des Kabinetts / 그 교장은 ~되었다 Der Schulvorsteher hat gewechselt.

경질(硬質) ¶ ~의 hart 《härter, härtest》; starr; zäh(e).

‖ ~도기(陶器) das harte Steingut, -(e)s. ~유리 Hartglas *n.* -es, ⸚er.

경차(經差) 〖지리〗 der longitudinale Unterschied, -(e)s, -e.

경찰(警察) Polizei *f.* -en. ¶ ~에 의뢰하다(신고하다) ⁴sich an die Polizei wenden* (bei der Polizei (an)melden⁴) / ~에 넘기다 *jn.* der ³Polizei übergeben* (zu|führen) / ~에 끌려가다 zur Polizei abgeführt (gebracht; geschleppt) werden / ~의 보호를 받고 있다 bei der Polizei (gehörige) Schutz finden* / ~의 수사를 받다 vor der Polizei gesucht werden / 그는 ~의 주목을 받고 있다 Die Polizei hat ein wachsames Auge auf ihn.

‖ ~견(犬) Polizeihund *m.* -(e)s, -e. ~관 der Polizeibeamte*, -n, -n; Polizist *m.* -en, -en; Schupo *m.* -s, -s 《약칭》; Polizeidiener *m.* -s, -. ~국 Polizeipräsidium *n.* -s, ..dien: ~국장 Polizeipräsident *m.* -en, -en. ~국가 Polizeistaat *m.* -(e)s, -en. ~권 Polizeigewalt *f.* ~단속 die polizeiliche Reglementierung, -en. ~봉 Polizeiknüppel *m.* -s, -. ~서 Polizei¦amt *n.* -(e)s, ⸚er (-revier *n.* -s, -e; -behörde *f.* -n); (Polizei)wache *f.* -n: ~서장 Polizei¦vorsteher *m.* -s, - (-inspektor *m.* -s, -en; -wachtmeister *m.* -s, -). ~수첩 Polizistenausweis *m.* -es, -e. ~제도 Polizeiwesen *n.* -s, -. 기동 ~대 Bereitschaftspolizei *f.* 보안~ Sicherheitspolizei *f.*; 〖속어〗 die Sipo. 사법~ Gerichtspolizei (Justiz-) *f.* 수상~ Wasserpolizei *f.* 위생~ Gesundheitspolizei *f.*; medizinische Polizei. 행정~ Verwaltungspolizei *f.*

경척(鯨尺) ein Längemaß 《*n.* -es, -e》 für Gewebe.

경천(敬天) die Verehrung des Himmel, -s, -. ~하다 den Himmel (ver)ehren.

경천동지하다(驚天動地一) die ganze Welt in Erstaunen setzen; e-e Sensation in der Welt machen. ¶ 경천 동지의 entsetzenerregend; weltbewegend; die ganze Welt auf den Kopf stellend.

경천위지하다(經天緯地一) (so große staatsmännische Weisheit haben, um) die ganze Welt (zu) regieren; ein großer Staatsmann sein.

경첩 Angel *f.* -n; Scharnier *n.* -s, -e. ¶ ~을 달다 mit Angeln (Scharnieren) versehen*[4] / ~을 떼다 e-e Tür aus den Angeln heben*[4] / 문의 ~이 빠져 있다 Die Tür ist aus den Angeln.

경첩하다(輕捷一) 《동작》 flink; hurtig; behend; 《솜씨》 geschickt; gewandt (sein).

경청(敬聽) Anhörung *f.* -en. **~하다** zu|hören[3]; an|hören[4]; hören 《*auf*[4]》; *jm.* Gehör geben* (schenken); aufmerksam sein 《*auf*[4]》.

경청(傾聽) Anhörung *f.* -en. **~하다** auf *jn.* horchen; *jm.* zu|hören; hören 《*auf*[4]》; *jm.* [4]Gehör schenken; ganz Ohr sein; *jm.* an den [3]Lippen hängen; die Ohren spitzen; ganz dabei sein. ¶ 이것은 ~할 만한 가치가 있다 es läßt [4]sich hören / ~하게 하다 aufmerksames (geneigtes) Gehör finden* / ~을 바라다 Gehör verlangen.

경추(頸椎) 〖해부〗 Halswirbelsäule *f.* -n.

경축(慶祝) Gratulation *f.* -en; Glückwunsch *m.* -(e)s, ⸚e; Feier *f.* -n; Fest *n.* -es, -e. **~하다** feiern; gratulieren 《*jm. zu*[3]》. ¶ ~일색의 feierlich; festlich / ~하는 바입니다 Ich gratuliere Ihnen.

‖ **~식** Gedächtnisfeier *f.* -n. **~일** Nationalfeiertag *m.* -(e)s, -e.

경치(景致) Landschaft *f.* -en; 《전망》 (An-) blick *m.* -(e)s, -e; Ansicht *f.* -en; Ausblick (Über-) *m.* -(e)s, -e; Aussicht *f.* -en. ¶ ~좋은 곳 Gegend 《*f.* -en》 mit Naturschönheiten; Aussichtspunkt *m.* -(e)s, -e (전망이 좋은 곳) / 살풍경한 ~ e-e öde Landschaft / 멋진 ~ e-e bezaubernde (herrliche; entzückende) Landschaft / 시골 ~ ländliche Szenerie, ..rien / 바다 ~ die Aussicht auf das Meer / 눈 ~ Schneelandschaft *f.* -en / 거기는 ~가 좋은 곳이다 Dort ist es landschaftlich schön.¦Der Ort hat e-e schöne Aussicht. / 설악산은 ~가 좋기로 유명하다 Der Berg *Seolag* ist durch seine landschaftliche Schönheit berühmt. / 창문에서 내다보는 ~는 매우 아름답다 Die Aussicht vom Fenster ist sehr schön. / 이 도시 근처는 ~가 좋다 Die Stadt hat e-e schöne Umgebung. / 여기서는 바다의 멋있는 ~를 볼 수 있다 Von hier aus bietet sich e-e herrliche Aussicht auf die See.¦Man hat von diesem Platz e-n schönen Ausblick auf die See.

경치다 ① 《벌을 받다》 e-e Strafe erleiden* (bekommen*); bestraft werden. ¶ 예끼 경칠 녀석 Du verdammter Kerl! / 경칠 것 같으니 Verdammt noch mal! ② 《혼나다》 schlechte Erfahrungen haben; Unglück haben; Schwierigkeiten durchmachen. ¶ 경치게도 das Schlimmste, was geschehen konnte / 너 그런 짓 하면 경친다 Wenn du das tust, wirst du Unglück haben. / 시험 치르느라 경쳤다 Ich hatte es schwer in der Prüfung.

경칭(敬稱) höfliche Bezeichnung, -en; höflicher Name, -ns, -n; höflicher Titel, -s, -; Ehrentitel *m.* -s, -. ¶ ~을 생략하다 Ehrentitel aus|lassen*.

경쾌(輕快) **~하다** 《몸이》 leicht; 《민첩한》 wendig; flink; gewandt; behend(e); 《기분이》 unbeschwert; leichtherzig; sorglos; frohsinnig; heiter (sein). ¶ ~한 동작 die leichte (behende; flinke) Bewegung, -en / ~한 걸음걸이로 leichtfüßig / ~하게 느끼다 [4]sich leicht fühlen / ~해지다 [4]sich bessern; es geht hoch (munter) her / 그의 말투는 ~하고 재미있다 Er hat e-e sorglose (heitere) Art zu sprechen. / 그는 ~한 복장을 하고 있다 Er ist leicht verkleidet.

경타(輕打) der leichte Schlag, -(e)s, ⸚e; der leichte Hieb, -(e)s, -e. **~하다** leicht (sanft) schlagen*; leise klopfen.

경탄(驚歎) Bewunderung *f.* -en; das Anstaunen*, -s. **~하다** bewundern[4]; an|staunen[4]. ¶ ~할 만한 bewundernswert; bewunderungswürdig; wunderbar; erstaunlich/ ~의 소리 der Verwunderungsausruf, -(e)s, -e / 묘기에 ~하다 *js.* große Kunstfertigkeit bewundern / ~케 하다 *jn.* in [4]Erstaunen bringen* (versetzen); *jn.* beeindrucken / 그것은 구경꾼을 ~케 했다 Das rief unter den Zuschauern Erstaunen hervor.

경토(耕土) Acker¦erde *f.* -n (-krume *f.* -n; -scholle *f.* -n).

경파(硬派) die grundsatztreue Partei, -en; 《반대파》 die durchaus oppositionelle Gruppe, -n; die unbedingte Opposition, -en.

경편(輕便) **~하다** bequem; handlich; einfach; 《쉬운》 leicht; 《실용적인》 praktisch (sein). ¶ ~한 복장 leichte Kleidung, -en.

‖ **~철도** Bimmelbahn *f.* -en.

경포(警砲) Alarmschuß *m.* ..sses, ..schüsse. ¶ ~를 쏘다 e-n Alarmschuß ab|geben*.

경품(景品) Zu¦gabe *f.* -n (Bei-; Drein-) *f.* -n; Prämie *f.* -n. ¶ ~을 받다 [4]*et.* als Zugabe bekommen* / ~을 주다 [4]*et.* zu|geben* / ~부 대매출 Verkauf 《*m.* -(e)s, ⸚e》 mit [3]Prämien. ‖ **~권** Gutschein *m.* -s, -e.

경풍(輕風) Brise *f.* -n; der sanfte Wind, -(e)s, -e.

경풍(驚風) 〖한의학〗 der Krampf (Krampfanfall) 《-(e)s, ⸚e》 des Kindes.

경하(慶賀) Glückwunsch *m.* -es, ⸚e; Gratulation *f.* -en; Beglückwünschung *f.* -en. **~하다** *jn.* beglückwünschen; *jm.* seinen Glückwunsch sagen (bringen*; aus|sprechen*); *jm.* Glück wünschen; *jm.* gratulieren 《이상 모두 *zu*[3]》. ¶ 아기를 낳으셨다니 ~해 마지않습니다 Herzliche Glückwünsche zur Geburt des neuen Erdenbürgers! / 훌륭한 성적으로 입학된 데 대해 ~해 마지않습니다 Gestatten Sie mir, Ihnen m-e herzliche Gratulation zu Ihrem guten Erfolg beim Eintrittsexamen abzustatten.

경하다(輕一) ① 《무게》 leicht; nicht schwer (sein). ② 《사태가》 gering; geringfügig; unbedeutend; unwichtig (sein). ③ 《언행이》 leichtsinnig; gedankenlos; rasch; übereilt; unbesonnen (sein). ☞ 가볍다, 경솔. ¶ 책임이 ~ [4]sich nicht in der verantwortlichen Stelle befinden* / 경한 짓을 하다 leichtsinnig handeln; e-n leichtsinnigen Streich machen.

경학(經學) (Studium der) klassische(n) chinesische(n) Literatur.

경합(競合) Nebenbuhlerschaft *f.*; Wetteifer *m.* -s; Konkurrenz *f.* -en; Rivalität *f.* -en; gegenseitiges Überbieten, -s (경매에서). **~하다** wetteifern (konkurrieren) 《*mit*[3]; *um*[4]》; [4]sich gegenseitig überbieten*. ¶ ~으로 값을 올리다 durch gegenseitiges Überbieten den Kaufpreis hinauf|treiben*.

‖ ~죄 Konkurrenzvergehen *n.* -s, -.
경합금(輕合金) Leichtmetallegierung *f.* -en 〔분철: ..metall-legierung〕.
경향(京鄕) Hauptstadt u. Provinz.
경향(傾向) Tendenz *f.* -en; Neigung *f.* -en; Richtung *f.* -en; Zug *m.* -(e)s, ⸗e; 《심리적 경향》 Neigung *f.* -en; Anlage *f.* -n; Disposition *f.* -en; Hang *m.* -s. ¶ …의 ~이 있다 neigen 《*zu*³》; Neigung haben 《*zu*³; *für*⁴》; Tendenz 〔Zug〕 haben 《*zu*³》; Disposition 〔Anlage〕 haben 《*für*⁴》; den Hang haben 《*zu*³》 / … ~을 보이다 die Neigung zeigen 《*zu*³; *für*⁴》; die Tendenz zeigen 《*zu*³》 / 하급관리는 시골에서 뻐기려는 ~이 있다 Subalternbeamte auf dem Lande neigen dazu, sich ein großes Ansehen zu geben*. / 요사이 청년은 실업을 좋아하는 ~이 있다 Die Jugend von heute hat eine Vorliebe für praktische Beschäftigungen. / 걸핏하면 화를 내는 ~이 있다 Er gerät leicht außer sich.¦Er neigt zum Jähzorn. / 그것은 19세기 후반의 사상적 ~이었다 Das war die Tendenz der Geistesströmung in der zweiten Hälfte des 19. Jahrhunderts.
경험(經驗) Erfahrung *f.* -en; Erlebnis *n.* -ses, -se (체험); Erfahrenheit *f.* (경험이 풍부함); Reife *f.* (경험이 풍부함); Lebenserfahrung *f.* -en; Weltkenntnis *f.* -se; Weltläufigkeit *f.* (세상물정을 잘 아는 것). ~하다 e-e Erfahrung machen; erleben⁴; erfahren*⁴. ¶ ~적 erfahrungs¦gemäß 〔-mäßig〕 / ~이 있는 사람 der erfahrene Mann, -(e)s, ⸗er; der Mann von ³Erfahrung; der Mann von Welt; Menschenkenner *m.* -s, -; Veteran *m.* -en, -en / ~이 없는 사람 der unerfahrene Mensch, -en, -en; der Mann ohne ⁴Erfahrung; der Unerfahrene*, -en, -en; Anfänger *m.* -s, -; Grünschnabel *m.* -s, ⸗ / ~이 있는 erfahren; erfahrungsreich; lebensklug; lebens¦erfahren 〔welt-〕; gereift; reif / ~이 없는 erfahrungslos; unerfahren; unreif / ~이 있다 Erfahrung haben 《*in*³》; erfahren 〔erfahrungsreich〕 sein 《*in*³》; weite Erfahrungen haben 《*in*³》; bewandert sein 《*in*³》; ⁴sich aus|kennen* 《*in*³》; weltläufig sein; vom Fach sein; sachverständig 〔geschult; geübt; erprobt; sattelfest〕 sein; mit allen Wassern gewaschen sein; Menschenkenntnis haben; die Menschen kennen*; ³sich zu helfen wissen* / ~이 없다 k-e Erfahrung haben 《*in*³; *mit*³》; unerfahren sein 《*in*³》 / ~을 얻다 ³sich Erfahrungen erwerben* / ~담을 하다 s-e persönlichen Erfahrungen erzählen / 내 ~에 의하면 m-r Erfahrung nach / ~이 제일이다 Erfahrung macht weise.¦Man lernt durch Erfahrung.¦Erfahrung ist die beste Lehrmeisterin.¦Jahre lehren mehr als Bücher. / 이런 ~은 처음입니다 So was habe ich noch nie erlebt. / 인생의 간난신고를 ~하다 des Lebens Bitterkeit schmecken; die Tücken des Lebens kennen|lernen.
‖ ~담 die Erzählung persönlicher Erlebnisse. ~론 Erfahrungslehre *f.* -n; Empirismus *m.* -: ~론자 Empiriker *m.* -s, -. ~철학 Erfahrungsphilosophie *f.* -n.
경호(警護) Bewachung *f.* -en; Wache *f.* -n; Schutz *m.* -es. ~하다 bewachen; beschützen. ¶ ~하에 unter Bewachung / ~를 받다 bewacht 〔beschützt〕 werden.
‖ ~인(병) Wächter *m.* -s, - (파수꾼); Leib(es)wache *f.* -n (보디가드); Rauschmeißer *m.* -s, - (술집의).
경홀하다(輕忽―) leicht¦fertig 〔-sinnig〕; voreilig (경솔); oberflächlich (sein).
경화(硬化) das (Ver)härten*, -s; (Ver)härtung *f.* -en; Versteifung *f.* -en; Verknöcherung *f.* -en; Verkalkung *f.* -en; das Zementieren*, -s (쇠붙이의); 〖의학〗 Induration *f.* -en; Sklerose *f.* -n; Sklerosierung *f.* -en. ~하다 〖타동사〗 verhärten⁴; hart machen⁴; erhärten⁴; versteinern⁴; (das Eisen) zementieren*; steif 〔starr〕 machen; 〖자동사〗 hart werden; ⁴sich verhärten; ⁴sich versteifen. ¶ 태도가 ~하다 Die Haltung verhärtet 〔versteift〕 sich. / 두뇌가 ~하다 Das Gehirn verknöchert.¦Der Geist versteinert sich. / 동맥이 ~하다 die Arterien verkalken.
‖ ~고무 Hartgummi *m.* -s; Ebonit *n.* -es. ~유(지방) gehärtetes Öl 〔Fett〕 -(e)s, -e. ~증 Verhärtung *f.* -en; Sklerose *f.* -n: 다발성 ~증 mannigfaltige Sklerose, -n.
경화(硬貨) Metall¦geld 〔Hart-〕 *n.* -(e)s, -er; Münze *f.* -n; Geldstück *n.* -(e)s, -e.
경화학공업(輕化學工業) leichte chemische Industrie, -n.
경황(景況) Lage *f.* -n; Stand 《*m.* -es, ⸗e》 der Dinge; Aussicht *f.*(가망). ¶ ~이 없다 k-e Gesinnung 〔Zeit〕 haben / 바빠서 친구 찾을 ~이 없다 Ich bin zu beschäftigt, als daß ich m-n Freund besuchen könnte. / 그 사람 요즘 계집에 미쳐 친구 생각할 ~없네 Neulich ist er in ein Mädchen so sehr verliebt, daß er k-e Zeit hat, an den Freund zu denken.
곁 Seite *f.* -n; 《부근》 Nähe *f.*; Nachbarschaft *f.* -en. ¶ 곁의 nahe; benachbart; 《인접한》 anliegend / …의 곁에 neben³⁴; bei³; nahe an³ 〔bei³〕; in der Nähe von³ / 아무의 곁에 앉다 ⁴sich neben *jn.* setzen / 아무의 곁에 앉아 있다 neben *jm.* sitzen*; an *js.* Seite sitzen*; *jm.* zur Seite sitzen* / 곁에 가다 *jm.* nahe kommen / 곁에 살다 in der Nähe leben / 곁에 놓다 daneben setzen; neben⁴ stellen; an die Seite 《*von*³》 stellen/ 곁을 지나다 an 〔bei; neben〕 *jm.* vorbei|-gehen* / 부모의 곁을 떠나다 sein Vaterhaus verlassen*/ 어린애를 곁으로 부르다 ein Kind an *js.* Seite rufen* / 곁을 보다 zur 〔auf die〕 Seite sehen* 〔schauen; blicken〕 / 내 곁을 떠나지 말라 Geh' nicht von m-r Seite!¦Verlaß mich nicht! / 너 따위는 그의 곁에도 못간다 Du kannst neben ihm nicht auf|kommen. / 곁에 오지마 Komm mir nicht zu nahe! / 내 곁에 앉으시오 Setzen Sie sich neben mich.¦Setzen Sie sich an m-e Seite!
곁가닥 Faden *m.* -s, ⸗; Seitenstück *n.* -(e)s, -e (von Garn, Schnur, Seil *usw.*).
곁가리 falsche Rippen 《*pl.*》; die zwölften Rippen 《*pl.*》.
곁가지 Reis *n.* -es, -er; Nebenzweig *m.* -(e)s, -e.
곁간(―肝) der Leberflügel, -s, - (소의).
곁노(―櫓) kleines Ruder, -s, -; Skull *n.* -s, -s. ‖ ~질 das Skullen*, -s.
곁눈주다 e-n Seitenblick werfen* 《*auf*⁴》; 《추파》 beäugeln; *jn.* verliebt 〔verstohlen; zärtlich〕 an|sehen*.
곁눈질 Seitenblick *m.* -(e)s, -e; der schielende Blick. ~하다 e-n Seitenblick 〔e-n

Blick von der Seite) werfen* 《auf⁴》; mit schielenden Blicken (scheelen Augen) 《pl.》 an|sehen*⁴.

곁다리 etwas Nebensächliches; Anhang *m.* -(e)s, ⸚e; Zubehör *n.* -(e)s. ¶ ~를 달다 hinzu|fügen; bei|legen; als Zuschauer sagen.

곁두리 Imbiß *m.* ..sses, ..sse; Zwischenmahlzeit *f.* -en (농부들의).

곁들다 《돕다》 *jm.* helfen*; *jm.* Hilfe leisten; *jm.* bei|stehen*; *jm.* Beistand leisten; *jm.* zur Seite stehen*. ¶ 일을 곁들어 주다 *jm.* arbeiten helfen*; *jm.* bei der Arbeit helfen* / 곁들어 싸우다 in dem Kampf (Gefecht) Partei nehmen*.

곁들이다 ① 《음식을》 (alle Speisen) auf e-n Teller legen. ¶ 곁들인 음식 Beilage *f.* -n; Zukost *f.*; Zugemüse *n.* -s (야채) / 고기에 야채를 ~ Fleisch mit Gemüse garnieren. ② 《일을》 alles auf einmal tun*.

곁땀 Schweiß 《*m.* -es, -e》 von Achsel.
‖ **~내** Achselgeruch *m.* -(e)s, ⸚e.

곁마름 der Unteragent 《-en, -en》 des Pachtherrn.

곁말 Wortspiel *n.* -(e)s, -e (meist negativ, um *jn.* zu beschimpfen od. lächerlich zu machen).

곁매 Seitenhieb *m.* -(e)s, -e. ¶ ~ 맞다 (in dem Streit) Seitenhiebe bekommen* / ~ 질하다 Seitenhiebe austeilen (dem anderen im Streit zu helfen*).

곁방(一房) 《협실》 Nebenkammer *f.* -n; 《셋방》 das vermietete Zimmer, -s, -.
‖ **~살이** 《셋방의》 das Leben im vermieteten Zimmer.

곁방석(一方席) gemeiner Schmeichler, -s, -; Schmarotzer *m.* -s, -.

곁부축 《몸을》 Hilfe 《*f.*》 beim Aufstehen; 《거들다》 Hilfe *f.* -n; Beistand *m.* -(e)s. **~하다** *jm.* beim Aufstehen helfen; *jm.* helfen; *jm.* unter die Arme greifen.

곁붙이 die entfernten Verwandten* 《pl.》.

곁비다 vernachlässigen⁴; nicht beachten⁴; ohne Protektion sein.

곁비우다 s-n Posten verlassen.

곁뿌리 〖식물〗 die laterale Wurzel, -n; Seitenwurzel *f.* -n.

곁상(一床) Beistelltisch *m.* -s, -e.

곁쇠 Hauptschlüssel *m.* -s, -; Nachschlüssel *m.* -s, -; Diet(e)rich *m.* -(e)s, -e. ¶ ~질하다 mit dem Nachschlüssel auf|schließen*.

곁순(一筍) Seitensproß *m.* ..sses, ..sse. ¶ ~을 자르다 den Seitensproß ab|pflücken (ab|knipsen).

곁쐐기 Seitenkeil *m.* -(e)s, -e; Hilfskeil *m.* -(e)s, -e.

곁자리 Seitenplatz *m.* -(e)s, ⸚e; die Plätze auf den beiden Seite.

곁줄기 Nebenhalm *m.* -(e)s, -e; Seitenstengel *m.* -s, -.

곁집 ein benachbartes Haus, -es, ⸚er; Nachbarhaus *n.* -es, ⸚er; das nächste Haus, -es, ⸚er; das Haus nebenan. ¶ ~(의) 사람 Nachbar *m.* -n, -n.

곁쪽 nahe Verwandten* 《pl.》.

곁채 Neben¦gebäude *n.* -s, - (-haus *n.* -es, ⸚er).

계(系) ① 《계통》 System *n.* -s, -e. ② 《당파》 Partei *f.* -en; Fraktion *f.* -en (파벌, 사당); Sippschaft *f.* -en; Gruppe *f.* -n; Clique [klík] *f.*-n; Anhänger *m.* -s, -. ¶ 해공(海公)계 정치가 die Politiker 《pl.》 der *Haegong*-Clique; der Anhänger *Haegongs* / 삼성계 회사 die Gesellschaft des *Samseong*-Clans (des *Samseong*-Konzerns) / A계 영화관 A-Theatergruppe *f.* -n. ③ 《혈통》 Clan *m.* -s, -e(-s); Stamm *m.* -(e)s, ⸚e; Abstammung *f.* -en. ¶ 독일계 미국인 Deutschamerikaner *m.* -s, -. ④ 〖수학〗 Zusatz *m.* -es, ⸚e.

계(戒) Gebot *n.* -(e)s, -e; Vorschrift *f.* -en. ¶ 십계 die Zehn Gebote; Dekalog *m.* -(e)s.

계(計) ① ☞ 계산, 계략. ② 《총계》 (totale) Summe, -n; Gesamtsumme *f.* -n; summa summarum 《생략: s.s.》. ¶ 계 1만 2천원이다 Das macht alles zusammen 12000 *Won.*¦Insgesammt beträgt es 12000 *Won.* ③ 〖접미사〗 -meter *n.* (*m.*). ¶ 우량계 Regenmesser *m.* -s, -/온도계 Thermometer *n.* (*m.*) -s, -.

계(係) 《담당》 Amt *n.* -(e)s, ⸚er; Aufgabe *f.* -n; Obliegenheit *f.* -en; 《담당자》 der Beamte*, -n, -n; verantwortliche Person, -en; der Zuständige*, -n, -n; Sacharbeiter *m.* -s, -. ¶ 출납계 Kassier(er) *m.* -s, - / …계를 맡다 für ⁴*et.* verantwortlich (zuständig) sein; mit ³*et.* betraut sein.

계(癸) 〖민속〗 ① 《십간의》 das zehnte Zeichen der zehn Kalenderzeichen. ② ☞ 계방(癸方).

계(契) ein Verein 《*m.* -(e)s, -e》 zur gegenseitigen (wechselseitigen) finanziellen Hilfe; (wechselseitiger) Kreditverein, -(e)s, -e. ¶ 계주 das Haupt des Kreditvereins / 계에 들다 in den Kreditverein eintreten* (aufgenommen werden) / 계를 모으다 e-n Leihklub begründen.

계(階) Rang *m.* -(e)s, ⸚e; Rangstufe *f.* -n; Grad *m.* -(e)s, -e.

-계(屆) Anzeige *f.* -n; Meldung *f.* -en. ☞ 신고. ‖ **결석계** die Meldung des Nichterscheinens.

-계(界) Welt *f.* -en; Kreis *m.* -es, -e; Bereich *m.* (*n.*) -(e)s, -e; Reich *n.* -(e)s, -e. ¶ 동물계 (식물계) Tierreich (Pflanzenreich) *n.* -(e)s / 광물계 Mineralreich *n.* -(e)s, -e / 경제계 (재계) die wirtschaftliche Welt / 문예계 die literarische Welt, -en; die literarischen Kreise 《pl.》/ 예술계 Künstlerwelt *f.* -en / 실업계 die Geschäftskreise 《pl.》/ 법조계 die juristische Welt, -en / 정계 die politische Welt; die politischen Kreise 《pl.》/ 학계 die wissenschaftliche Welt; die gelehrten Kreise 《pl.》.

계간(季刊) 《간행》 ¶ ~의 vierteljährlich [fír..]; Vierteljahrs- [fír..] / ~ 잡지 Vierteljahrsschrift [fír..] *f.* -en.

계간(鷄姦) 《비역》 Sodomie *f.*; Päderastie *f.*; Knabenliebe *f.*
‖ **~자**(者) Sodomit *m.* -en, -en; Päderast *m.* -en, -en.

계고(戒告) (Ver)warnung *f.* -en; Mahnung *f.* -en. ☞ 경고(警告). **~하다** *jn.* warnen (mahnen); *jm.* Mahnung erteilen (geben*).

계곡(溪谷) das enge(schmale) Tal, -(e)s, ⸚er; Bergschlucht *f.* -en; tiefe Schlucht, -en; Klamm *f.* -en; Hohlweg *m.* -(e)s, -e.

계관(桂冠) Lorbeer *m.* -s, -en; Lorbeerkranz *m.* -es, ⸚e (-krone *f.* -n).
‖ **~시인** gekrönter Dichter, -s, -.

계관(鷄冠) ① 《볏》 Hahnenkamm *m.* -(e)s, ⸚e; Kopfhaube *f.* -n. ② 《맨드라미》 Hahnenkamm *m.* -(e)s, ⸚e.
‖ **~석** Realgar *m.* -s; Rauschrot *n.* -(e)s. **~초**(草)(화) Hahnenkamm *m.* -(e)s, ⸚e.

계교(計巧) das listige (schlaue) Mittel, -s, -; die Schliche《pl.》; die Kniffe《pl.》; die Ränke《pl.》; arglistige Kunstgriffe.

계구우후(鷄口牛後) Werde lieber der Schnabel e-s Hahns als der Schwanz e-s Ochsen. ¦ Lieber in e-m Dorfe der erste, als in Rom der zweite.

계궁역진(計窮力盡) die Erschöpfung der Hilfsquelle, -n. ～하다 ⁴sich kaum noch zu helfen wissen; mit s-m Witze (Latein) am Ende sein.

계급(階級) Klasse *f.* -n; Stand *m.* -(e)s, ⸚e;《위계》Rang *m.* -(e)s, ⸚e; Rangstufe *f.* -n; Grad *m.* -(e)s, -e. ¶ ～적 차별 Klassenunterschied *m.* -(e)s, -e / ～적 대립 Klassengegensatz *m.* -(e)s, ⸚e / ～이 다르다 den anderen Klassen gehören / ～이 높다 hohen Rang haben / …보다 ～이 위다 im Range vor|gehen* Ⓢ; rangieren《über³》/ ～을 형성 (타파) 하다 die Rangordnung auf|stellen (gleichmachen) / 그는 모든 ～의 사람들과 접촉을 하고 있다 Er steht in Berührung mit Leute aus allen Ständen.

‖ ～심리(의식) Klassen¦psychologie *f.*; (-bewußtsein *n.* -s, -). ～제도 Klassensystem *n.* -s, -e. ～타파 die Aufhebung der Klassenunterschiede (des Klassengegensatzes). ～투쟁 Klassenkampf *m.* -(e)s, ⸚e. 귀족～ Adelsstand *m.* -(e)s, ⸚e. 농민～ Bauernstand *m.* -(e)s, ⸚e; Bauernklasse *f.* -n. 상류～ die höheren (vornehmen) Klassen (Kreise)《pl.》; die oberen Zehntausend. 시민～ Bürgerstand *m.* -(e)s, ⸚e; Bürgerschaft *f.* -en. 중류～ Mittelstand *m.* -(e)s, ⸚e. 지배～ die regierende Klasse, -n. 유한～ die müßige Klasse, -n. 하류～ die unteren (niederen) Klassen《pl.》; die unteren Schichten《pl.》; die niederen Stände《pl.》.

계기(計器) Messer *m.* -s, -; Meßwerkzeug *n.* -(e)s, -e. ☞ 계량. ¶ 고도의 ～를 장비한 인공위성 der genau instrumentierte (ausgerüstete) Satelit, -(e)s, -e.

‖ ～비행 Blindflug *m.* -(e)s, ⸚e. ～착륙 Blindlandung *f.* -en. ～판《비행기·자동차의》Instrumentenbrett *n.* -(e)s, -er. 항공～ Fluginstrument *n.* -(e)s, -e.

계기(契機) Motiv *n.* -(e)s, -e; Grund *m.* -es, ⸚e; Ursache *f.* -n; Veranlassung *f.* -en (유인); Gelegenheit *f.* -en (기회). ¶ 이것을 ～로 aus diesem Anlaß《*m.* ..lasses, ..lässe》; bei dieser Gelegenheit; dies zum Anlaß nehmend… / 미국의 참전을 ～로 mit der Kriegsteilnahme von Amerika / 일본의 항복을 ～로 aus dem Anlaß der Kapitulation von Japan.

계단(階段) ①《층층대》Treppe *f.* -n; Stufe *f.* -n(한 단); Treppen¦haus *n.* -es, ⸚er (-absatz *m.* -es, ⸚e)(한 단); Stiege *f.* -n(좁고 가파른 계단); Freitreppe *f.* -n(옥외의). ¶ ～위에 auf dem obersten Ende der Treppe / ～밑에 auf dem untersten Ende der Treppe / ～을 올라가서(내려가서) eben die Treppe hinauf(hinunter) / ～을 오르다 die Treppe hinauf|steigen* Ⓢ (hinunter|steigen*)Ⓢ / ～을 내리다 die Treppe hinunter|steigen*Ⓢ / ～을 잘못 짚다 die Treppe fehl|treten* Ⓢ / ～에서 떨어지다 von der Treppe hinunter|fallen*Ⓢ / ～을 총총걸음으로 오르다 (내리다) die Treppe eilig herauf|kommen*Ⓢ (*od.*auf|steigen*Ⓢ) (herunter|kommen*Ⓢ (*od.*ab|steigen*Ⓢ))/ ～을 올라가서 마주치는 방이 그의 방이다 Wenn Sie die Treppe hinaufgestiegen sind, finden Sie sein Zimmer am Ende des Ganges. / ～ 주의 Achtung, Stufe!

‖ ～교실 amphitheatralisch angelegter Hörsaal, -s, ..säle. ～식 전답 das terrassierte Feld, -(e)s, -e. 나선식～ Wendeltreppe *f.* -n. 비상～ Nottreppe *f.* -n.

계도(系圖) Stammbaum *m.* -(e)s, ⸚e; Ahnentafel (Stamm-) *f.* -n; Geschlechtsregister *n.* -s, -; Genealogie *f.* -n.

계란(鷄卵) Ei *n.* -(e)s, -er; Hühnerei *n.*

‖ ～지(紙)〖사진〗Albuminpapier *n.* -s, -.

계략(計略) List *f.* -en; Kunstgriff *m.* -(e)s, -e; Kniff *m.* -(e)s, -e;《음모》Ränke《pl.》; Intrige(Intrigue) *f.*-n;《획책》Plan *m.* -(e)s, ⸚e. ¶ ～에 능한 사람 ein Mann《*m.* -(e)s, ⸚er》, der an Hilfsquellen reich ist; ein Mann voller Pläne; Ränkeschmied *m.* -(e)s, -e / ～을 모르는 사람 ein Mann ohne Hilfsquellen (Auskunftsmittel) / ～에 빠지다 überlistet werden《von *jm.*》; durch ⁴List hintergangen werden《von *jm.*》; durch List in *js.* ⁴Hände《pl.》(Gewalt *f.*) geraten*Ⓢ; ⁴sich von *jm.* anführen (übertölpeln; betören) lassen*(속다) / ～에 빠뜨리다 überlisten⁴; übertölpeln⁴ / ～으로 durch Kunstgriff (Kniffe; List); listig / ～을 꾸미다 (³sich) e-n Plan (e-e List) aus|denken* (aus|hecken; spinnen*); Ränke《pl.》schmieden/～을 간파하다 *js.* Plan (Absicht) durchschauen (erkennen*) / 적을 ～으로 이기다 den Feind überlisten; den Feind durch List überwinden* / 적의 ～에 빠지다 vom Feinde überlistet werden; in die Falle (Schlinge) des Feindes gehen* Ⓢ (geraten* Ⓢ) / ～이 들어 맞았다 Der Plan ist gelungen. / 나의 ～은 틀어지고 말았다 M-e Pläne sind vereitelt worden.

계량(計量) das Messen*, -s;《무게의》das Wägen*, -s;《수의》das Rechnen*, -s. ～하다 messen*;《무게를》wägen*; wiegen*;《수를》rechnen; zählen.

‖ ～기 Messer *m.* -s; Meß¦werkzeug *n.* -(e)s, -e(-instrument *n.* -(e)s, -e; -apparat *m.* -(e)s, -e); Meßgerät *n.* -(e)s, -e(저울 따위); Waagschale *f.* -n; Waage *f.* -n. ～컵 Messglas *n.* -es, ⸚er.

계루(係累) ① Familienbande《pl.》; Anhang *m.* -(e)s, ⸚e; Familienanhang *m.* -(e)s, ⸚e. ¶ ～가 많다 großen Anhang haben; mit e-r großen Familie beschwert (belastet) sein / ～가 없는 ohne ⁴Familienanhang;《독신의》unverheiratet; ledig; alleinstehend. ②《범죄 따위의》Verwicklung *f.* -en《in⁴》; Mitschuld *f.* ～하다 ⁴sich verwickeln; verwickelt (hineingezogen) werden.

계류(溪流) Berg¦bach (Gebirgs-) *m.* -(e)s, ⸚e.

계류(繫留) Verankerung *f.* -en(기구 따위의); Vertäuung *f.* -en (배의). ～하다 fest|machen⁴; verankern⁴(기구를); vertäuen⁴(배를); vor Anker gehen* Ⓢ(배가). ¶ 배를 기슭에 ～하다 das Schiff am Ufer fest|machen (vertäuen) / ～를 풀다 die Vertäuungen lösen (los|werfen*) / 그 배는 ～ 중이었다 Das Schiff war vertäut.

‖ ～기구 Fesselballon [..lo:n] *m.* -s, -e. ～부표 Vertäuungs¦boje (Moorings-) *f.* -n. ～선 das festgelegte (vertäute) Schiff, -(e)s, -e. ～장 Vertäuungs¦platz (Anker-) *m.* -es, ⸚e. ～장치 Vertäuungsvorrichtung *f.* -en. ～주

(柱) Poller *m.* -s, -; Schiffspfahl *m.* -es, -e. **~탑** Ankermast *m.* -es, -e(n).

계륵(鷄肋) das Brustbein 《-(e)s, -e》 e-s Huhnes; 《비유적》 Überfluß *m.* ..lusses. ¶ 그것은 ~에 지나지 않는다 Das ist überflüssig.¦Man kann es entbehren.

계리사(計理士) Steuerberater *m.* -s, -; Bücherrevisor *m.* -s, -en; Rechnungsprüfer *m.* -s, -.

계리학(計理學) Rechnungs¦lehre (Buchführungs-) *f.* -n.

계림(鷄林) (alter Name für) Korea *n.* -s; (alter Name für die Stadt) *Kyongju.*

계명(戒名) 【불교】 der posthume buddhistische Name, -ns, -n. ¶ ~을 붙이다 mit e-m posthumen buddhistischen Namen belegen 《e-n Toten》.

계명(誡命) 【종교】 Gebot *n.* -(e)s, -e. ¶ ~을 지키다 die Gebote halten* / ~을 깨치다 gegen die Gebote verstoßen*.
‖ 십~ die zehn Gebote 《*pl.*》.

계명(鷄鳴) Hahnenschrei *m.* -(e)s, -e; das Krähen 《-s》 des Hahnes. ¶ ~에 일어나다 mit dem Hahnenschrei auf|stehen* Ⓢ / ~이 새벽을 알리다 Das Krähen des Hahnes zeigt die Morgenröte an.
‖ **~지조**(之助) die treue Beihilfe 《-n》 (Mitarbeit *f.* -en) der (Ehe)frau.

계모(繼母) Stiefmutter *f.* ⸚.

계몽(啓蒙) Belehrung *f.* -en; Aufklärung *f.* -en. ☞계발. **~하다** belehren; auf|klären. ¶ ~적 aufklärend; belehrend / 문맹자를 ~하다 die Analphabeten 《*pl.*》 auf|klären.
‖ **~대** Aufklärungstrupp *m.* -s, -s (-e). **~문학** Aufklärungsliteratur *f.* -en. **~시대** Aufklärungszeit *f.* -en; die Aufklärung; die Zeit der Aufklärung; Aufklärungsalter *n.* -s (청소년의). **~운동** Aufklärungsbewegung *f.* -en (-feldzug *m.* -(e)s, ⸚e): 국민 ~운동 Massen¦aufklärung (Volks-) *f.* -en / 농촌 ~운동 Landaufklärung(sbewegung) *f.* -en. **~철학** Aufklärungsphilosophie *f.* -n.

계박(繫泊) Vertäuung *f.* -en (e-s Schiffes). **~하다** vertäuen.

계발(啓發) 《계몽》 Aufklärung *f.* -en; Erziehung *f.* -en; Ausbildung *f.* -en; 《발전》 Entfaltung (Entwicklung) *f.*-en. **~하다** 《계몽》 auf|klären[4]; belehren[4]; erziehen[4]; 《발전》 entfalten[4]; entwickeln[4]; zur Entwicklung bringen*[4]; aus|bilden[4] (교육함). ¶ 지능을 ~하다 geistige Fähigkeit entwickeln / 나는 그의 책을 읽고 ~된 점이 많았다 Sein Buch klärte mich in verschiedenen Punkten auf.
‖ **~교육** die aufklärende Erziehung, -en. **~자** Beförder *m.* -s, -.

계방(癸方) die zehnte von den zehn Himmelrichtungen; Nord-nord-ost.

계보(系譜) Stammbaum *m.* -(e)s, ⸚e; Ahnentafel *f.* -n; Genealogie *f.* -n [..giːən]; Geschlechtsregister *n.* -s, -. ¶ 한국 문학의 ~ die Genealogie der koreanischen Literatur / ~를 조사하다 das Geschlechtsregister durch|sehen*.

계보(季報) vierteljährliches Bulletin, -s, -s.

계부(季父) der jüngste Bruder des Vaters.

계부(繼父) Stiefvater *m.* -s, ⸚.

계사(繫辭) 【문법·논리】 Kopula *f.* -s; Satzband *n.* -(e)s, ⸚er.

계사(鷄舍) Hühner¦haus *n.* -(e)s, ⸚er (-stall *m.* -(e)s, ⸚e).

계산(計算) 《계정》 das Rechnen*, -s; (Be-)rechnung *f.* -en; 《수의》 das Zählen*, -s; Zählung *f.* -en; das Aufzählen* (Nachzählen*) -s; 《지불》 Bezahlung *f.* -en; Begleichung *f.* -en; Ausgleich *m.* -(e)s, -e (미불금의); Entrichtung *f.* -en (빚 따위의); Abrechnung *f.* -en (청산). **~하다** berechnen[4]; aus|rechnen[4]; zählen(수를 세다); 《합계하다》 summieren[4]; zusammen|rechnen[4] (-zählen[4]); 《어림잡다》 ab|schätzen[4]; veranschlagen*[4]; 《결산하다》 (Rechnungen) balancieren[4] (aus|gleichen*[4]); rechnen[4]; 《지불》 (be)zahlen[4]; begleichen*[4]; aus|gleichen*[4]; entrichten[4]; ab|rechnen[4]. ¶ ~착오 Rechenfehler *m.* -s, -; die falsche Rechnung, -en / ~을 잘못하다 ([4]sich) verrechnen; falsch (be)rechnen[4]; ([4]sich) verzählen (수를) / ~이 맞다 Die Rechnung stimmt. / 손익을 ~하다 Gewinn u. Verlust berechnen; auf|rechnen / ~에 넣다 in Rechnung ziehen*[4] (stellen[4]); in Betracht ziehen*[4] / ~에 넣지 않다 außer acht lassen*[4]; übersehen*[4]; nicht berücksichtigen[4] / ~을 부담하다 für *jn.* mit|bezahlen[4]; den Aufwand (die Kosten) bestreiten* (tragen*) / ~은 내게 맡기시요 Lassen Sie mich bezahlen! / ~은 내 앞으로 하십시오 Das geht auf m-e Rechnung.¦Schreiben Sie alles auf m-e Rechnung.¦Stellen Sie die Rechnung auf m-n Namen aus.(계산서를 후에 부쳐주는 경우) / ~해 주세요 Bitte, zählen sie nach!(돈뭉치를 주고서)¦Bitte, bezahlen (zahlen)!
‖ **~기** Rechenmaschine *f.* -n; Kalkulator *m.* -s, -en; Rechengerät *n.* -(e)s, -e(총칭). **~문제** Rechnungsaufgabe *f.* -n. **~법** Methode 《*f.* -n》 der Berechnung; Rechnungsart *f.* -en. **~서** Rechnung *f.* -en; Rechnungsaufstellung *f.* -en; schriftliche Rechnung. **~일** Abrechnungs¦termin *m.* -s, -e (-tag *m.* -(e)s, -e). **~자** Rechenschieber *m.* -s, -. **~표** Rechentabelle *f.* -n. **손익~서** Gewinn - u. Verlustverzeichnis *n.* -ses, -se; Bilanzbogen *m.* -s, -; Kassenbericht *m.* -(e)s, -e; die aufgestellte Bilanz, -en. **전자~기** elektronische Rechenmaschine, -n.

계상하다(計上—) mit|auf|führen (함께 기입하다); 《합산하다》 zusammen|rechnen[4] (-|zählen[4]); summieren[4]; 《가산하다》 hinzu|rechnen[4]; addieren[4]; hinzu|fügen. ¶ 다음 예산에 도로 건설비로 5백만 원을 ~ zum künftigen Budget 5 Millionen *Won* als Straßenbaukosten hinzu|fügen.

계선(繫船) Vertäuung *f.* -en; 《계류된 배》 das vertäute (festgemachte) Schiff, -es, -e. **~하다** vertäuen; fest|machen; aufliegen lassen* (운항시키지 않다).
‖ **~료** Kaigeld (Quaigeld) *m.* -(e)s, -er. **~소** Ankerplatz *m.* -es, ⸚e. **~주**(柱) Poller *m.* -s, -, Schiffspfahl *m.* -es, -e.

계속(繼續) Fortsetzung *f.* -en; Folge *f.* -n; Reihenfolge *f.* -n(줄). **~하다** fort|setzen; fort|fahren*《*mit*[3]; *in*[3]》; fort|führen[4]; weiter|machen. **~되다** (an)dauern; fort|dauern; währen; an|halten.* ¶ ~적(인) dauernd; fortdauernd; ununterbrochen / 2페이지서부터 ~ (~은 2페이지로) Fortsetzung von (auf) Seite 2 / 다음 호에 ~《연재물》 Die Fortsetzung folgt (in der nächsten Nummer). / 노력을 ~하다 mit s-n Bemühungen fortfahren*; s-e Bemühungen fortsetzen / 이야기를 ～하다 weiter erzählen (reden); in der Erzählung (Rede) fortfahren* / 아버지의 일을 ～하다 das Werk (Geschäft) s-s Vaters fortführen / 제발 ～해 주시오 Bitte, fahren Sie fort! | Bitte, machen Sie weiter! / 전쟁은 5년간 ～되었다 Der Krieg dauerte 5 Jahre lang. / 부산에서는 ～비가 내렸다 In Busan hatten wir immer Regen.

‖ ～기간 Dauerzeit *f.* -en. ～범 Dauerverbrechen *n.* -s, -. ～비 Fortsetzungskosten 《*pl.*》. ～비행 Dauerflug *m.* -(e)s, ⸚e. ～사업 das laufende Unternehmen, -s, -: 5년간 ～사업 Fünfjahrplan *m.* -(e)s, ⸚e; ein auf 5 Jahre berechnetes Unternehmen, -s, -. ～상영물 fortlaufender Film, -s, -e(이전부터의). ～항해 fortlaufende Seereise, -n.

계수(季嫂) Schwägerin *f.* ..rinnen; die Ehefrau des jüngeren Bruders.

계수(係數) 〖수학〗 Koeffizient *m.* -en, -en.

‖ 미분～ Differentialkoeffizient *m.* -en, -en. 자본(노동)～ Kapital | koeffizient (Arbeits-) *m.* -en, -en. 탄성～ Elastizitätskoeffizient *m.* -en, -en. 팽창(열전도)～ Ausdehnungskoeffizient (Wärmeleitungskoeffizient). 흡수～ Absorptionskoeffizient *m.* -en, -en.

계수(計數) das Rechnen* (Zählen*) -s; (Be-)rechnung *f.* -en. ～하다 rechnen; berechnen; zählen.

‖ ～관(管) Zählrohr *n.* -s, -e; Geiger-Zähler *m.* -s, -(가이거의). ～기 Rechen | maschine (Additions-) *f.* -n; Arithmometer *n.* (*m.*) -s, -. ～원 Zähler *m.* -s, -(당구장의). ～회로 〖원자물리〗 Skalastromkreis *m.* -(e)s, -e. 전자～기 elektrische Rechenmaschine, -n.

계수나무(桂樹—) Kassia *f.* ..ssien; Zim(m)tbaum *m.* -(e)s, ⸚e.

계수법(繼受法) 〖법〗 übernommenes Gesetz *n.* -es, -e (nach dem Vorbild e-s anderen Landes).

계술하다(繼述—) die Lehre s-s Meisters überliefern (weitergeben); den Beruf des Vaters ausüben (übernehmen).

계승(階乘) 〔수〕 das Produkt 《(-e)s, -e》 e-r arithmetischen Reihe.

계승(繼承) Nach | folge (Erb-) *f.* -n; Sukzession *f.* -en. ～하다 *jm* (nach|)folgen; ⁴*et.* übernehmen*⁴ (채권, 채무 따위를); *jm.* sukzedieren. ¶ 왕위의 ～ Thronfolge *f.* / 유산을 ～하다 das Erbe an|treten* / 왕위를 ～하다 *jm.* auf dem Thron 《*m.*》 folgen Ⓢ / 대대로 ～하다 von Generation zu Generation nach|folgen / 채무를 ～하다 Passiva (Schuld) übernehmen*.

‖ ～사채(社債) die übernehmende Schuldverschreibung (Obligation) -en. ～자(者) Nachfolger *m.* -s, -; Thronfolger *m.* -s, -; Übernehmer *m.* -s, -(왕위의).

계시 Privatschüler *m.* -s, -; Lehrling *m.* -es, -e; Lehrjunge *m.* -n, -n (소년); Lehrmädchen *n.* -s, -(소녀). ¶ ～살이를 하다 in der ³Lehre sein (stehen*) 《*bei*³》 / ～살이 가다 in die Lehre gehen* Ⓢ 《*bei*³》.

계시(癸時) die zweite der 24 Stundeneinteilungen (0:30 — 1:30 a.m.).

계시(計時) Zeitmessung *f.* ～하다 《경기 따위에서》 Zeit messen*; die Zeit stoppen.

‖ ～원 Zeitnehmer *m.* -s, -. 전자～ elektronische Zeitmessung.

계시(啓示) 〖종교〗 Offenbarung *f.* -en; Apokalypse *f.* -n. ～하다 offenbaren. ¶ 신의 ～ göttliche Offenbarung.

‖ ～록 《성경》 die Offenbarung Johannis. ～문학 apokalyptische Literatur, -en. ～종교 Offenbarungs | religion *f.* -en (-glaube *m.* -ns).

계시다 《경어》 (da) sein; ⁴sich (be)finden; bleiben* Ⓢ; weilen³; ⁴sich auf|halten*. ¶ 언제까지 서울에 계시겠읍니까 Bis wann bleiben Sie in Seoul? / 여기 계십시오 Bleiben Sie hier! / 김 선생님 댁에 계십니까 Ist Herr *Kim* zu sprechen? (면회할 때) / 언제부터 이 도시에 살고 계십니까 Wie lange sind Sie schon in dieser Stadt?

계씨(季氏) Ihr jüngerer Bruder, -s, -.

계압기(計壓器) Manometer *n.* -s, -.

계약(契約) Vertrag *m.* -(e)s, ⸚e; Kontrakt *m.* -(e)s, -e; Abmachung *f.* -en; das Versprechen*, -s; Versprechung *f.* -en; 《협정》 Abkommen *n.* -s; Vereinbarung *f.* -en; Konvention *f.* -en; Pakt *m.* -(e)s, -e; Übereinkommen *n.* -s; Übereinkunft *f.* ⸚e; Verabredung *f.* -en. ～하다 e-n Vertrag (Kontrakt) (ab|)schließen*; e-n Vertrag ein|gehen* 《mit *jm.*》; e-n Pakt schließen*; ⁴sich vertraglich verpflichten; 《협정하다》 ⁴sich verabreden 《mit *jm.* über ⁴*et.*》; ein Abkommen treffen* 《mit *jm.*》; e-e Übereinkunft (Verabredung) treffen* 《mit *jm.* über ⁴*et.*》; vereinbaren 《mit *jm.*》. ¶ ～을 지키다 e-n Vertrag (Kontrakt) ein|halten* / ～을 이행하다 e-n Vertrag (Kontrakt) aus|führen (verwirklichen) / ～을 해제하다 e-n Vertrag lösen (kündigen; annullieren; brechen*) / ～을 갱신하다 e-n Vertrag erneuern / ～을 변경하다 e-n Vertrag (Kontrakt) ab|ändern / 이 ～은 삼년간 유효하다 Der Vertrag ist gültig (gilt) für drei Jahre. / ～기간이 끝나다 Der Kontrakt läuft ab. | Der Vertrag wird fällig. / 이 ～은 유(무)효다 Dieser Kontrakt ist gültig (ungültig).

‖ ～기간 Vertragsdauer *f.*; Laufzeit 《*f.* -en》 des Vertrages. ～서 Vertrag *m.* -(e)s, ⸚e; Vertrags | urkunde *f.* -n (-instrument *n.* -(e)s, -e); der schriftliche Vertrag. ～약관 Vertragsklausel *f.* -n. ～위반 Vertragsbruch *m.* -(e)s, ⸚e (-widrigkeit *f.* -en; -verletzung *f.* -en). ～이행 Vertragserfüllung *f.* -en. ～자 der Vertragsschließende*, -n, -n; Vertragspartner *m.* -s, -; Vertragspartei *f.* -en. ～조건 Vertragsbedingung *f.* -en. ～조항 Vertrags | artikel *m.* -s, -(-bestimmung *f.* -en). ～체결 Vertrags (abschluß *m.* ..sses; ..lüsse; Vertragsunterzeichnung *f.* -en. 가～ Präliminarvertrag *m.* -(e)s, ⸚e; der provisorische Vertrag; Provisorium *m.* -s, ..rien. 구두～ der mündliche Vertrag, -(e)s, ⸚e. 본～ der definitive (endgültige) Vertrag. 비밀～ der geheime Vertrag. 쌍무～ der gegenseitige (bilaterale) Vertrag. 서면～ der schriftliche Vertrag. 특별～ der besondere Vertrag. 편무～ der einseitige Vertrag.

계엄(戒嚴) die Verstärkung der Wache; Belagerungszustand *m.* -(e)s, ⸚e; Kriegszustand *m.* -(e)s, ⸚e; Ausnahmezustand *m.* -(e)s, ⸚e; Kriegs | recht (Stand-) *n.* -(e)s, -e.

‖ ～령 Belagerungsbefehl *m.* -(e)s, -e: ～(령)을 펴다 (해제하다) das Standrecht verhängen (auf|heben*) / ～령을 선포하다 den Kriegszustand erklären. ～사령관 der

Kommandeur der Belagerungstruppen. ～사령부 die Kommandantur der Belagerungstruppen.

계열(系列) Reihe *f.* -n; Ordnung *f.* -en; Gliederung *f.* -en. ¶ ～화하다 in den Betrieb ein|reihen (ein|gliedern) / 민주당 ～의 정치가 der Politiker der demokratischen Partei.

계원(係員) der Zuständige*, -n, -n; Sacharbeiter *m.* -s, -; e-e verantwortliche Person; der zuständige Beamte, -n, -n.
‖ 접수～ Auskunftsbeamter*; Empfangsbeamter*.

계원(契員) Mitglied 《*n.* -(e)s, -er》 des Kreditvereins (der Kreditgenossenschaft).

계육(鷄肉) Hühnerfleisch *n.* -es.

계율(戒律) die religiöse Vorschrift, -en; die buddhistischen Gebote 《*pl.*》. ¶ ～을 어기다 gegen die Gebote verstoßen*. ☞ 계(戒).

계인(契印) die e-e Siegelhälfte, -n; Gegensiegel *n.* -s, -.

계장(係長) der zweite Abteilungschef [..ʃɛf] ⌈-s, -s.

계쟁(係爭) Streit *m.* -(e)s, -e. ¶ ～중의 Streit-; strittig / ～ 중이다 im (in) Streit sein (liegen* ⓢ).
‖ ～문제 Streitfrage *f.* -n. ～물 Streitobjekt *n.* -(e)s, -e; Gegenstand 《*m.* -(e)s, ⁼e》 des Streites; Streitgegenstand *m.* -(e)s, ⁼e; strittige Sache, -n. ～사건 Streitfall *m.* -(e)s, ⁼e; Streitigkeit *f.* -en. ～점 der umstrittene (strittige) Punkt, -(e)s, -e; Streitpunkt *m.* -(e)s, -e. ⌈- [..lɛ́:s].

계전기(繼電器) Relais [rəlɛ́:] *n.* - [..lɛ́:(s)],

계절(季節) Jahreszeit *f.* -en; (Haupt)zeit; Haupt|geschäftszeit(-verkehrszeit); Saison [sɛzɔ̃́:] *f.* -s. ¶ 벚꽃 ～ Kirsch|blütenzeit *f.* / 해수욕의 ～ Badesaison *f.*; (See)badezeit *f.* / 이 ～에는 in dieser Jareszeit (Saison) / ～의 고비 die Höhe der Jahreszeit; Hochsaison / ～에 맞는 saisonmäßig / ～이 지난 (에 맞지 않는) außerhalb der ²Saison; nicht der ³Jahreszeit gemäß; nicht saisonmäßig; zur Unzeit / 토마토는 이제 ～이 지났다 Jetzt sind Tomaten nicht zu haben.
‖ ～노동자 Saisonarbeiter *m.* -s, -. ～물 Saisonartikel *m.* -s, -. ～병 Saisonkrankheit *f.* -en. ～풍 Monsun *m.* -s.

계정(計定) Rechnung *f.* -en; Konto *n.* -s, -s (..ten *od.* ..ti) (계좌). ¶ …의 ～에 넣다 auf *js.* ⁴Rechnung (Konto) schreiben* (bringen*). 당좌～ laufende Rechnung, -en. 대체～ Girokonto *n.* -s, -s.

계제(階梯) 《단계·순서》 Stufenfolge *f.* -n; Reihe *f.* -n; 《기회》 Gelegenheit *f.* -en; 《계기》 Anlaß *m.* ..lasses, ..lässe; der günstige (richtige) Augenblick, -(e)s, -e; die Gunst des Augenblicks; die passende Zeit; Ansatz *m.* -es, ⁼e (발단). ¶ ～에 따라서 bei ³Gelegenheit; gelegentlich / ～가 닿는 대로 bei erster Gelegenheit / 이 ～에 bei dieser Gelegenheit; in diesem Zusammenhang; anschließend; nebenbei; beiläufig / ～가 있으시면 wenn Sie einmal Gelegenheit (dazu) haben / 어떤 ～에 bei irgendwelcher Gelegenheit; auf irgend e-e Veranlassung / 부산에 갔던 ～에 나는 그를 찾았다 Ich besuchte ihn, als ich nach *Busan* fuhr.

계좌(計座) Rechnung *f.* -en; Konto *n.* -s, -s. ¶ ～를 트다 Konto eröffnen 《*jm.*》.
‖ 대체～ Postscheckkonto *n.* -s, -s.

계주(契主) das Haupt 《-(e)s, ⁼er》 des gegenseitigen Kreditvereins.

계주(繼走) Staffel|lauf (Stafetten-) *m.* -(e)s, ⁼e. ☞ 릴레이. ¶ 4백미터 ～ der 4 mal-100-Meter-Staffel-lauf, -(e)s, ⁼e.

계집 ① 《여자》 Feminum *n.* -s, ..na; Frau *f.* -en; 《속칭》 Weibsbild *n.* -(e)s, -er; Schlampe (Petze) *f.* -n. ¶ ～에 미치다 in e-e Frau sterblich verliebt sein. ② 《아내》 Frau *f.* -en; 《정부》 Mätresse *f.* -n; Beischläferin *f.* -nen; die Geliebte*, -n, -n. ¶ ～자식 *js.* Frau u. Kinder / ～을 얻다 ein Mädchen zu Frau nehmen* / ～을 얻어 주다 *jn.* mit e-m Mädchen vermählen / 그는 ～에게 쥐어 산다 Er steht unter dem Pantoffel.|Er ist ein Pantoffelheld.
‖ ～아이 Mädchen *n.* -s, -; Mädel *n.* -s, - 《주로 남독에서》; Backfisch *m.* -es, -e. ～질 Frauen|jagd (Weiber-) *f.*; Schürzenjägerei *f.*; Liebschaft *f.* -en (정사). ～종 Stubenmädchen (Zimmer-) *n.* -s, -.

계차(階次) Rangordnung *f.*

계책(計策) 《계획》 Plan *m.* -(e)s, ⁼e; 《못된 꾀》 Intrige *f.* -n; Kniff *m.* -(e)s, -e; List *f.* -en; Ränke 《*pl.*》. ¶ ～을 세우다 e-n Plan entwerfen* (ersinnen*) / ～을 꾸미다 ³sich e-n Plan aus|denken*; Ränke schmieden / ～을 쓰다 Kunstgriffe an|wenden* / ～에 넘어가다 überlistet werden 《*von*³》; durch List hintergangen werden / ～을 간파하다 *js.* Plan (Absicht) durchschauen / 온갖 ～이 다하다 kein Mittel mehr haben; in äußerster Verlegenheit sein.

계천(溪川) Strom *m.* -(e)s, ⁼e; Bergstrom *m.* -(e)s, ⁼e; Gießbach *m.* -(e)s, ⁼e.

계추(季秋) September nach dem Mondkalender; Herbstende *n.* -s, -n; Spätherbst *m.* -(e)s, -e. ⌈der.

계추(桂秋) August nach dem Mondkalen-

계춘(季春) März nach dem Mondkalender.

계측(計測) (Ver)messung *f.* -en. ～하다 messen*; 《토지 따위를》 das Feld messen*.
‖ ～공학 Vermessungskunde *f.*; Instrumentationstechnik *f.* -en. ～기학 Meßgerätetechnik *f.* ⌈-en.

계층(階層) Klasse *f.* -n; die soziale Schicht,

계통(系統) ① System *n.* -s, -e. ¶ ～적 systematisch / ～이 서다 (서지 않다) systematisch (unsystematisch) sein / ～을 세우다 systematisieren⁴; in ein System bringen*⁴ / ～적으로 배열하다 systematisch ordnen⁴; in ³Ordnung auf|stellen⁴. ② 《계도》 Abstammung *f.* -en; Stamm|linie *f.* -n (-baum *m.* -(e)s, ⁼e); 《선조》 Vorfahren 《*pl.*》; Ahnen 《*pl.*》; 《자손》 Nachkommen 《*pl.*》; Erben 《*pl.*》. ¶ ～을 더듬다 den Ursprung (die Herkunft) erforschen / ～을 밟다 den Ursprung erforschen / ～을 잇다 ab|stammen 《*von*³》; erblich sein; e-e Krankheit erben 《von *jm.*》 (병 따위) / 독일어는 인도 게르만어 ～이다 Deutsch ist indogermanisch. ③ 《당파》 Partei *f.* -en; Seite *f.* -n. ¶ 그는 아데나우어 ～의 사람이다 Er ist der Anhänger Adenauers.
‖ ～발생 Phylogenese *f.* -n; Stammesentwicklung *f.* -en. ～오차 systematische Fehler 《*pl.*》. 근육～ Muskelsystem *n.* -(e)s, -e. 소화기～ Verdauungssystem *n.* -(e)s, -e. 신경～ Nervensystem *n.* -s, -e. 지휘～ Befehlssystem *n.* -(e)s, -e.

계통(繼統) Nachfolge *f.* -n. ～하다 *jm.* auf

dem Throne folgen.

계피(桂皮) Zimt *m.* -(e)s, -e; Zimtrinde *f.* -n. ‖ ∼가루, ∼말 Zimtpulver *n.* -s, -. ∼수(水) Zimtwasser *n.* -s, -. ∼시럽 Zimtsirup *m.* -s, -e. ∼유 Zimtöl *n.* -(e)s, -e.

계하(季夏) Juni nach dem Mondkalender; Vorsommer *m.* -s, -.

계획(計劃) Plan *m.* -(e)s, ⸚e; Entwurf *m.* -(e)s, ⸚e; Vorsatz *m.* -es, ⸚e; das Vorhaben* *n.* -s, -; Projekt *n.* -(e)s, -e; Programm *n.* -s, -e; 《의향·목적》 Absicht *f.* -en; Zweck *m.* -(e)s, -e; Ziel *n.* -(e)s, -e. ∼하다 planen[4]; entwerfen*[4]; e-n Entwurf (Plan) machen; 《뜻하다·꾀하다》 vor|haben*[4]; beabsichtigen[4]; planen[4]; im Sinne haben; [3]sich [4]*et.* vor|nehmen*; e-n Plan (e-e Absicht) haben. ¶ ∼적인 《고의의》 absichtlich; mit [3]Absicht; vorsätzlich; beabsichtigt; bewußt; 《질서 있는》 planmäßig; systematisch / 미심쩍은 ∼ der zweifelhafte Plan / ∼을 세우다 e-n Plan entwerfen* (auf|stellen; aus|hecken; machen; fassen) / ∼을 망치다 *jm.* Pläne vereiteln (durchkreuzen) / ∼을 품다 mit e-m Plan (Gedanken) um|gehen* Ⓢ / ∼을 실천하다 e-n Plan aus|führen; s-e Absicht verfolgen / ∼이 어긋나다 *js.* Pläne durchkreuzen / 10년 ∼으로 nach e-m Zehnjahr-Programm/미리 ∼한 대로 wie im voraus geplant; nach vorher bestimmten Pläne / ∼은 잘 되었다 Der Plan ist mir (gut) gelungen. / 그는 부산 여행을 ∼하고 있다 Er beabsichtigt, nach Busan zu reisen.¦Er hat den Plan (Er hat vor), e-e Reise nach *Busan* zu machen. / 모든 일이 ∼대로 되었다 Es ging alles planmäßig (wie vorher geplant). / 이번 여름 휴가에는 어떤 ∼이 있읍니까 Was planen Sie für die Sommerferien?
‖ ∼경제 Planwirtschaft *f.* ∼목표 ein geplantes Ziel, -(e)s, -e. ∼생산 planmäßige (geplante) Produktion. ∼성 Planung *f.* -en. ∼자 Planmacher *m.* -s, -; Planer *m.* -s, -; Entwerfer *m.* -s, -. 도시∼ Stadtbauplan *m.* -(e)s, ⸚e. 5개년∼ Fünfjahresplan *m.* 장기(단기)∼ der langfristige (kurzfristige) Plan, -(e), ⸚e. 재정∼ Finanzplan *m.*

곗돈(契一) Kreditgeld *n.* -(e)s, -e; das Geld vom gegenseitigen Kreditverein.

곗술(契一) der Wein, der vom gegenseitigen Kreditverein vorbereitet ist. ¶ ∼에 낯내기 mit *js.* Geld s-e Ehre retten.

고[1] 《고리》 Schlinge *f.* -n; Schleife *f.* -n (실, 끈 따위의); Ring *m.* -(e)s, -e; 《사슬》 Reif *m.* -(e)s, -e; 《사슬고리》 Kettenglied *n.* -(e)s, -er; 《서랍의》 die Handhabe 《-n》 an e-r Schublade.

고[2] 《그》 dieser; der; sein; der (die; das) kleine. ¶ 고놈 der kleine Mann, -es, ⸚er / 고 버릇 die kleine Gewohnheit, -en / 고 모양이다 wie üblich (gewöhnlich) sein; wie vorher sein / 그 집 살림은 언제나 고 모양이다 Es geht ihnen immer sehr schlecht.

고(考) Gedanke *m.* -ns, -n; 《연구》 Studie *f.* -n; 《논문》 Abhandlung *f.* -en.

고(苦) Mühsal *f.* -e (*n.* -(e)s, -e); Schwierigkeit *f.* -en; Leiden *n.* -s, -; Schmerz *m.* -es, -en; Pein *f.*; Not *f.* ⸚e. ¶ 생활고 die Schwierigkeit des Lebens; das schwierige Leben, -s, -.

고(鼓) Trommel *f.* -n.

고(膏) Pflaster *n.* -s; Salbe *f.* -n. ¶ 고약 ein medizinisches Pflaster, -s / 반창고 (Heft-) pflaster *n.* -s.

고(故) 《죽은》 verstorben; selig. ¶ 고 M씨 der verstorbene (selige) Herr M.

고(高) ① =높이. ② 《양》 Quantität *f.* -en; Menge *f.* -n. ③ 《액수》 Betrag *m.* -(e)s, ⸚e; Geldsumme *f.* -n; Geldbetrag *m.* -(e)s, ⸚e; 《총액》 Gesamtsumme *f.* -n; Gesamtbetrag *m.* -(e)s, ⸚e.
¶ 매상고 Gesamteinnahme *f.* -n; Umsatzbetrag *m.* -(e)s, ⸚e / 생산고 Ausbeute *f.* -n.

-고 ① 《동작·성질·상태의 잇따름》 und auch. ¶ 붉고 큰 꽃 e-e große u. rote Blume, -n/ 크고 달고 값싼 참외 e-e große, süße u. billige Melone, -n / 바쁘고 피곤하다 beschäftigt u. müde sein / 비가 오고 바람이 분다 Es regnet u. der Wind weht. ② 《두 동작의 대등한 연결》 und dann. ¶ 문을 열고 손님을 맞다 die Tür öffnen u. e-n Besuch begrüßen / 말을 타고 가다 zu Pferde gehen*Ⓢ; auf e-m Pferde reiten*Ⓢ / 안경을 쓰고 보다 [4]*et.* durch e-e Brille an|sehen*. ③ (a) 《동작의 진행》 -고 있다: 모자를 쓰고 있다 e-n Hut tragen* / 기다리고 있다 warten 《auf *jn.*》 / 입원하고 있다 im Krankenhaus sein (liegen*). (b) 《동작의 완료》 -고 나다: 밥을 먹고 났다 gerade gegessen haben / 며칠 전에 앓고 나서 입맛을 잃었다 Vor einigen Tagen war ich krank u. ich habe Appetit verloren. (c) 《동작의 욕망》 -고 싶다 wünschen, [4]*et.* zu tun: 좀 더 돌아보고 싶다 Ich wünsche ein wenig mehr umzusehen. / 집에 가고 싶다 Ich möchte nach Hause gehen.

고가(古家) das alte Haus, -es, ⸚er; 《폐옥》 das verfallene Haus, -es, ⸚er; 《사람이 살지 않는》 das verlassene Haus, -es, ⸚er.

고가(古歌) das alte Gedicht, -(e)s, -e; das alte Lied, -(e)s, -er.

고가(故家) die alte Familie, -n; die Familie mit Geschichte; die Familie von alten Würden.
‖ ∼대족(大族) die glänzende (berühmte) Familie mit Geschichte.

고가(高架) ¶ ∼의 hochangelegt; Ober-; Hoch-.
‖ ∼교 Hochbrücke *f.* -n; 《육교·구름다리》 Überführung *f.* -en; Viadukt *m.* -es, -e; Überbrückung *f.* -en. ∼선 《전선》 oberirdische Leitung, -en; Oberleitung *f.* -en. ∼도로 Hochstraße *f.* -n. ∼철도 Hochbahn *f.* -en.

고가(高價) der hohe Preis, -es, -e; Kostspieligkeit *f.* ¶ ∼의 teuer; kostspielig; 《귀중한》 wertvoll; kostbar / 고본 ∼매입 „Hier werden Bücher zu hohen Preisen angekauft.“ / ∼의 옷 ein kostbares Kleid, -(e)s, -er / 이 책은 지독한 ∼본이다 Dieses Buch ist wahnsinnig teuer!

고각(高角) Höhenrichtung *f.* -en; Scheitelwinkel *m.* -s, -.
‖ ∼발사 Steilfeuer *n.* -s, -. ∼의(儀) Höhenmesser *m.* -s, -. ∼포(砲) Steilfeuergeschütz *n.* -es, -e; 《고사포》 Flugzeugabwehrkanone *f.* -n 《생략: Flak.》.

고각(高閣) das hohe Gebäude, -s, -; der große (stattliche) Bau, -(e)s, -ten.

고갈(枯渇) ① 《물이》 das Austrocknen*, -s; das Vertrocknen*, -s. ∼하다, ∼되다 aus|trocknen; vertrocknen; erschöpft werden; entleert werden. ② 《돈·물건이》 erschöpft werden; aus|gehen* Ⓢ; aufgebraucht (verbraucht) werden; zu Ende gehen* ⓢ. ¶자금의 ~ Erschöpfung 《*f.* -en》 der Geldmittel / 돈이 ~되다 mit s-m Geld am Ende sein; abgebrannt sein / 전쟁으로 나라의 재원이 ~될 것이다 Der Krieg wird die Mittel des Landes erschöpfen.

고개¹ Kopf *m.* -(e)s, ⸚e (머리). ¶~를 들다 den Kopf erheben* / ~를 숙이다 den Kopf senken; den Kopf hängen lassen* / ~를 숙이고 mit gesenktem Kopf / ~를 돌리다 (⁴sich) um|sehen*; das Gesicht wenden* 《*nach*³》.

고개² (Berg)paß *m.* (..)passes, (..)pässe; Gipfel *m.* -s, - (정상); Höhepunkt *m.* -(e)s, -e (정점). ¶브레네르 ~ Brennerpaß / 미아리 ~ der Paß *Miari* / ~를 넘다 über e-n Paß gehen*ⓢ; e-n Paß überschreiten*; 《위기의》 die Schlimmste ist vorüber; e-e Krise überwinden* / 40 ~를 넘다 《연령》 das vierzigste Lebensjahr überschreiten* / ~턱 부근에서는 앞차를 추월해선 안 된다 Vor Straßenkuppen darf man nicht überholen.

고객(孤客) der einsame Reisende, -n, -n; der alleine Wanderer, -s, -.

고객(顧客) Kunde *m.* -n, -n; Abnehmer *m.* -s, -; Stammgast *m.* -es, ⸚e; 《총칭》 Kundschaft *f.* -en. ¶~이 많다 e-e große Kundschaft haben; ⁴sich e-s großen Kundenkreises erfreuen. ☞ 단골.

고갯짓 das Schütteln* des Kopfes; die Bewegung des Kopfes (좌우로); das Nicken*, -s. ~하다 den Kopf nach rechts u. links bewegen(schütteln); mit dem Kopf nicken.

고갱이 《식물의》 (Knochen)mark *n.* -(e)s; Stengel *m.* -s, - 《e-s Rettiches》; 《핵심》 Kern *m.* -(e)s, -e. ¶양배추의 ~ Stengel des Weißkohles.

고거리 Vorderhachse *f.* -n (des Rindes).

고것 《그것》 es; das; 《사람》 Kerl *m.* -(e)s, -e; er. ¶~ 좀 집어 주오 Bitte, nimm es für mich! ¦ Gibst du mir das, bitte?

고견(高見) ① 《뛰어난 의견》 e-e ausgezeichnete Ansicht (Meinung) -en. ② 《남의 의견》 Ihre werte (hochgeschätzte) Meinung, -en (Ansicht, -en). ¶그 문제에 대한 ~을 듣고 싶습니다 Ich möchte mich nach Ihrer werten Meinung über die Frage erkundigen.

고결(高潔) Edelsinn *m.* -(e)s; Hochherzigkeit *f.*; Rechtschaffenheit *f.* ~하다 edel; edelherzig (-gesinnt); hoch¦herzig (-gesinnt; -sinnig); rechtschaffen (sein). ¶~한 사람 ein Mensch 《-en, -en》 mit edlem Charakter / 그는 ~한 인간이다 Er ist ein (Mann von) Charakter. ¦Er hat Charakter.

고경(苦境) Notlage *f.* -n; mißliche (üble) Lage, -n; Not *f.* ⸚e; Klemme *f.* -n; Verlegenheit *f.* -en; jämmerlicher Zustand, -(e)s, ⸚e; kritische Lage. ☞ 곤경(困境).

고계(苦界) 〖불교〗 bittere Welt; die Welt der Leiden; Jammertal *n.* -s (험한 세상); lebendige Hölle, -n (생지옥). ¶~에 몸을 던지다 ⁴sich verkaufen 《als Prostituierte》.

고고(呱呱) der Schrei des Kindes beim Geburt. ¶~의 소리를 울리다 geboren werden; zur Welt kommen* ⓢ; das Licht der Welt erblicken.

고고(孤高) die stolze Einsamkeit, -en; die stolze Isolation (weit entfernt vom gewöhnlichen Leben). ~하다 stolz in der Einsamkeit (Abgelegenheit) leben*; anderen (Leuten) fern bleiben*ⓢ. ¶~한 생활 das Leben in stolzer Einsamkeit.

고고학(考古學) Archäologie *f.* ¶~(상)의 archäologisch.

‖~자 Archäolog(e) *m.* ..gen, ..gen. ~자료 archäologische Muster (Exemplare) 《*pl.*》.

고골(枯骨) Skelett *n.* -(e)s, -e; Gerippe *n.* -s, -; Knochengerüst *n.* -(e)s, -e.

고공(高空) der hohe Himmel, -s, -; Höhe *f.* -n. ¶~의(에서) hoch in der Luft / 8천 피트의 ~에서 in e-r Höhe von 8000 Fuß.

‖~비행 Höhenflug *m.* -(e)s, ⸚e.

고공살이(雇工—) = 머슴살이.

고과(考課) Berücksichtigung 《*f.* -en》 der Leistungen; Gutachten 《*n.* -s, -》 über die Arbeitsleistungen.

‖~장 Leistungsbericht *m.* -(e)s, -e (업무보고). ~표 Leistungstabelle *f.* -n.

고관(高官) das hohe Amt, -es, ⸚er; 《사람》 der hohe Beamte*, -n, -n; Würdenträger *m.* -s, - (고관 대작).

고관절(股關節) Hüftgelenk *n.* -(e)s, -e.

고광나무 Pfeifenstrauch *m.* -(e)s, ⸚e; Flieder *m.*; *Philadelphus schrenckii* (학명).

고굉(股肱) *js.* rechte Hand, ⸚e; *js.* rechter Arm, -(e)s, -e. ¶~지신으로서 대접(신뢰)하다 *jn.* als s-e rechte Hand betrachten.

고교(高校) die höhere Schule, -n; Gymnasium *n.* -s, ..sien. ☞ 고등학교.

‖~생(生) der Schüler 《-s, -》 des Gymnasiums; Oberschüler *m.* -s, -; Gymnasiast *m.* -en, -en.

고교회파(高敎會派) Hochkirche *f.* -n.

고구(考究) 《조사》 (Er)forschung *f.* -en; Ergründung *f.* -en; Durchforschung *f.* -en; Untersuchung *f.* -en; Erwägung *f.* -en; Überlegung *f.* -en. ~하다 (er)forschen⁴; ergründen⁴; durchforschen⁴; untersuchen⁴; erwägen⁴; überlegen⁴.

고구(故舊) der alte Freund, -es, -e.

고구마 Batate *f.* -n; die süße Kartoffel, -n. ¶구운 ~ die gebratene Batate, -n / 찐 ~ die gedämpfte süße Kartoffel, -n.

‖~넝쿨 der Ausläufer 《-s, -》 der Batate.

고국(故國) Vaterland *n.* -(e)s, ⸚er; *js.* Heimat *f.* -en. ☞고향. ¶~으로 돌아오다 ins (nach dem) Heimatland zurück|kehren / ~을 영영 떠나다 das Heimatland (Vaterland) auf ewig verlassen* / ~을 그리워하다 ⁴sich nach s-m Vaterland (s-r Heimat) sehnen.

고군(孤軍) die abgeschnittene Truppe, -n. ¶~ 분투하다 mit der abgeschnittenen Truppe rasend durchkämpfen; trotz der dominierenden Opposition auf s-r eigenen Meinung (s-e eigene Meinung) bestehen*.

고궁(古宮) der alte Palast, -es, ⸚e.

고귀하다(高貴—) 《신분》 ad(e)lig; aristokratisch; distinguiert; edel; erhaben; feudal; vornehm; 《가치》 teuer; wertvoll (sein). ¶고귀한 분 Adel *m.* -s, -; der Ad(e)lige*, -n, -n; Aristokrat *m.* -en, -en (귀족); ein Mann 《-(e)s, ⸚er (Leute)》 von (in) Rang u. Würden (in Amt u. Würden) (고관대작); die hohe Persönlichkeit, -en (신분, 지체가 높은 사람) / 고귀한 집안에서 태어나다 von hoher Geburt (Abkunft) sein; (von) hoher Abstammung sein; in e-r vornehmen (hohen) Familie geboren werden.

고규(古規) das alte (altüberlieferte) Gesetz, -(e)s, -e; die alte Regel, -n.

고금(古今) die alte u. die neue Zeit, -en. ¶ ～의 alt u. neu; aus alten u. neuen Zeiten/～을 통해서 zu allen Zeiten in der Geschichte; seit Menschengedenken; von alters her / ～미증유의 ohnegleichen in der Geschichte; noch nie dagewesen; in der Geschichte nie dagewesene / ～의 대영웅 der größte Held, der je gelebt hat / 동서 ～의 작가 Schriftsteller aller Zeiten u. Länder / 동서 ～의 진리다 Das ist eine für alle Zeiten geltende Wahrheit. / 산수화에 있어서는 그가 ～ 독보의 위치를 지니고 있다 In Landschaftsmalerei ist er der größte Meister, den Korea je gehabt hat.

고급(告急) die Sendung einer dringenden Nachricht; der Hilferuf in höchster Not. ～하다 e-e dringende Nachricht senden*; Alarm schlagen* (blasen*); das Alarmzeichen geben*; SOS-Ruf senden.

고급(高級) ¶ ～의 Luxus-; erstklassig; höher; hochwertig / 입이 ～이다 e-n verwöhnten Geschmack haben; Feinschmecker sein; e-n feinen Geschmack haben; im Essen wählerisch sein.

‖ ～관리 der höhere Beamte*, -n, -n. ～부관 Generaladjutant *m.* -en, -en. ～상점 das erstklassige Kaufhaus, -es, ⁼er. ～선원 Schiffsoffizier *m.* -s, -e. ～양장점 der erstklassige Modesalon, -s, -s. ～장교 der höhere Offizier, -(e)s, -e. ～차 Luxuswagen *m.* -s, -; Luxusauto *n.* -s, -s; das Auto höherer Klasse *f.* -n. ～참모 der höhere Stabsoffizier, -s, -. ～품 Luxus|ware *f.* -n (-artikel *m.* -s, -).

고급(高給) 《봉급》 das hohe Gehalt, -(e)s, ⁼er; der reichliche Lohn, -(e)s, ⁼e; die hohen Bezüge 《*pl.*》. ¶ ～의 gut bezahlt / 최～의 am besten bezahlt / ～을 받다 hohes Gehalt erhalten*; sehr gut bezahlt sein; *js.* Bezüge sind hoch; ein hohes Gehalt beziehen*.

고기[1] 《동물》 Fleisch *n.* -es; Rindfleisch (소); Schweinefleisch (돼지); Hammelfleisch (양); Hühnerfleisch (닭); Hirschfleisch (사슴); Vogelfleisch (들새 따위); 《물고기》 Fisch *m.* -es, -e. ¶ 고깃점 Fleischstück *n.* -es, -e; Fleischschnitte *f.* -n / ～ 한 점 ein Stück von Fleisch / 다진 ～ Hackfleisch *n.* -es / ～ 다지는 기계 Hackmaschine *f.* -n / 질긴 (연한) ～ das zähe (weiche) Fleisch / 기름기가 많은 (적은) ～ das fette (magere) Fleisch / ～ 잡으러 가다 fischen gehen* Ⓢ / ～도 저 놀던 물이 좋다 „Eigen Nest ist stets das Beste." / 산 밖에 난 범이요, 물 밖에 난 ～ „Ein Fisch ohne Wasser."

‖ ～깃 Pflanze, die als Köder 《*m.* -s, -》 (Lockspeise) angewandt wird. ～떼 e-e Schar 《-en》 von Fisch. ～만두 ein mit Fleisch gefülltes Gebäck, -(e)s, -e. ～밥 《미끼》 Köder *m.* -s, -; Lockspeise *f.* -n; 《먹이》 Futter *n.* -s, -. ～요리 Fleischgericht *n.* -(e)s, -e. ～잡이 Fischfang *m.* -(e)s; Fischerei *f.* ～칼 Hackmesser *n.* -s, -; Fleischmesser *n.* -s, -. 고깃관 Fleischer *m.* -s, -; Metzger *m.* -s, -. 고깃국 Fleischsuppe *f.* -n. 고깃덩어리 Fleischklumpen *m.* -s, -; 《사람》 e-e fette Person. 고깃배 Fischerboot *n.* -(e)s, -e.

고기[2] ☞ 거기.

고기(古記) die alte Aufzeichnung (Chronik) -en; der alte Bericht, -s, -e.

고기(古器) Altertümer 《*pl.*》; Kuriosität *f.* -en.

고기압(高氣壓) der atmosphärische Hochdruck, -(e)s; Hochluftdruck *m.* -(e)s. ¶ ～권 Hochdrucks|gebiet *n.* -(e)s, -e (-sphäre *f.* -n) / ～이 발달하다 der Hochdruck entwickelt sich.

‖ 대륙성～ Kontinentalhochdruck *m.* -(e)s.

고깃고깃- ☞ 구깃구깃-.

고까지로 solch; so viel; in diesem Ausmaß.

고깔 Mönchshaube *f.* -n; Nonnenhaube *f.* -n (der buddhistischer Mönche bzw. Nonnen).

고깝다 vorwurfsvoll; gehässig; grollend; trübe (sein). ¶ 고깝게 여기다 anekeln; Ekel empfinden* 《*vor*[3]》; [4]sich ärgern 《*über*[4]》 / 고만한 돈도 취해주지 않아 고까왔다 Es fiel mir schwer, daß er mir nicht einmal so e-e kleine Summe Geld geliehen hat. / 악의는 없었던 것이니 고깝게 여기진 말게 Nimm' das bitte nicht übel! Ich habe es aus k-m schlechten Motive getan.

고꾸라뜨리다, 고꾸라지다 ☞ 거꾸러지다.

고난(苦難) Not *f.* ⁼e; Leiden *n.* -s, -; Strapaze *f.* -n; Bedrängnis *f.* ..nisse; Mißgeschick *n.* -es, -e; Kreuz *n.* -es, -e. ¶ ～을 견디다 Leiden aus|stehen*; das Kreuz auf [4]sich nehmen* / …을 ～에서 구하다 *jn.* aus der [3]Not retten / ～을 벗어나다 mit knapper Not entwischen; [4]sich von e-m Leiden befreien / ～의 길을 걷다 durch die Bitterkeiten des Lebens gehen* Ⓢ.

고녀(鼓女) die Frau mit unterentwickelten (nicht völlig entwickelten) Geschlechtsorganen 《*n.*》.

고녀(睾女) ＝어지자지.

고념(顧念) Deckung *f.*; Schutz *m.* -es. ～하다 (be)schützen[4]; (be)schirmen[4]; behüten[4]; *jn.* decken; *jn.* unter s-n Schutz nehmen*.

고논 das Naßfeld mit ausreichender Wasser zufuhr.

고뇌(苦惱) Leiden *n.* -s, -; Qual *f.* -en; Plage *f.* -n; Schmerz *m.* -es, -en; Pein *f.*; (Seelen)angst *f.* ⁼e. ～하다 [4]sich quälen 《*mit*[3]》; leiden* 《*unter*[3]》; Schmerzen erleiden*; Qualen empfinden*. ¶ ～의 생활 das leidende Leben, -s, - / 그녀는 ～의 빛을 띠고 있다 Ihr Gesicht hat e-n peinlichen Ausdruck. / 얼마나 ～의 밤을 지새웠더냐 Wieviele Nächte habe ich, von Schmerzen wachgehalten, verbracht?

고니 〖조류〗 Schwan *m.* -(e)s, ⁼e.

‖ 흑～ schwarzer Schwan, -(e)s, ⁼e.

고다 ① 《끓이다》 kochen; sieden; wallen; ab|kochen. ¶ 고기를 푹 ～ Fleisch ab|kochen / 생선을 ～ Fisch kochen (sieden) / 지나치게 ～ über|kochen / 엿을 ～ koreanisches Karamel 《*m.* -s》 machen / 과일즙을 ～ Obstsaft zu Sirup ein|kochen. ② 《양조》 breuen; destilieren. ¶ 소주를 ～ *sojoo* destilieren.

고다리 Querstange 《*f.* -en》 der koreanischen Kraxe 《*f.* -n》.

고단하다 schlaff; matt; träge; müde (sein); 〖서술적〗 ermüden Ⓢ; ermatten Ⓢ.

고달[1] 《괴통》 Tülle *f.* -n; Eisenband *n.* -(e)s, -e (⁼er).

고달[2] ① 《점잔빼》 Stolz *m.* -es, -; Arroganz *f.*; Hochmut *m.* -(e)s; Anmaßung *f.* ② 《성냄》 Ärger *m.* -s, -; Verdrießlichkeit *f.* (어린애의).

고달이 Tragriehmen *m.* -s, -; Tragschlaufe *f.* -n; Tragschleife *f.* -n.

고달프다 sehr müde; völlig erschöpft; ganz ermattet; völlig fertig (sein). ¶고달픈 일 die harte [schwere] Arbeit, -en / 고달픈 인생 das harte Leben, -s, - / 일이 ~ ^{4}sich müde arbeiten / 몸이 매우 고달픈 것 같습니다 Sie sehen sehr müde aus. / 몸이 ~ ganz kaputt [völlig fertig, mit seinen Kräften am Ende] sein.

고담(古談) =옛이야기.

고담(枯淡) schöne Einfachheit. ¶~한 멋을 풍기다 von schöner Einfachheit sein.

고담준론(高談峻論) ① 《언론》 ein lautes, unbekümmertes Gespräch, -(e)s, -e. **~하다** ein lautes, unbekümmertes Gespräch führen. ② 《흰소리》 Aufschneiderei *f.* -en; Großsprecherei *f.* -en; Windbeutelei *f.* -en. **~하다** auf|schneiden*; prahlen; Wind machen; groß|sprechen*.

고답(高踏) ¶~적 ^{4}sich stolz von der gemeinen Menge fernhaltend; transzendent.
‖**~적 문학** die hohe Literatur, -en; die ästhetische Literatur, -en. **~파** Parnassiens [..sjɛ̃:] 《*pl.*》; die Parnassische Schule, -n: ~파 시인 der Dichter 《-s, -》 der Parnassischen Schule.

고당(高堂) 《집》 Hochhaus *n.* -es, ¨er; das feine Haus, -es, ¨er; 《양친》 Eltern 《*pl.*》; Vater u. Mutter; 《남의 집》 Ihr [sein] geschätztes Haus, -es, ¨er.

고대(古代) alte Zeit; Altertum *n.* -s; Antike *f.*; 《태고》 uralte Zeit; Urzeit *f.*; Uralter *n.* -s; Vorzeit *f.* ¶~의 antik; altertümlich; 《태고의》 uralt; urzeitlich; vorsintflutlich / ~로부터 von alters her; aus alten Zeiten/ ~의 유물 Überreste 《*pl.*》 des Altertums; Relikt 《*n.* -(e)s, -e》 der alten ^{2}Zeit.
‖**~문학** Literatur 《*f.*》 des Altertums. **~사** Geschichte 《*f.*》 des Altertums. **~의장(意匠)** antikes Muster, -s, -. **~인** die Alten* 《*pl.*》; Volk 《*n.* -(e)s, ¨er》 des Altertums.

고대광실(高臺廣室) herrschaftliches Wohnhaus, -es, ¨er; das große u. geräumige Haus, -es, ¨er.

고대하다(苦待—) ersehnen^4; warten 《*auf*^{4}》; erwarten (기대하다). ¶고대하던 날 der lang erwartete Tag, -(e)s, -e / 학수 ~ voller Erwartung sein; sehnsüchtig warten 《*auf*^{4}》 / 초조하게 ~ ungeduldig [mit Schmerzen] warten 《*auf*^{4}》; warten, bis man schwarz wird; ^{3}sich die Beine in den Leib stehen / 고대하던 lange ersehnt; erwartungsvoll / 아이들은 방학을 안타까이 고대하고 있다 Die Kinder können die Ferien kaum erwarten. / 고향에서 편지가 오기를 고대하고 있다 Er erwartet einen Brief von s-r Heimat. / 회신을 고대합니다 Ich erwarte Ihre Antwort.

고데 Brenneisen *n.* -s, -; Brennschere *f.* -n. ¶~를 하다 ^{3}sich das Haar brennen*.

고도(古都) die alte Stadt, ¨e; die ehemalige [frühere] Hauptstadt [Residenz, -en].

고도(孤島) die einsame [gottverlassene; verlorene] Insel, -n. ¶절해의 ~ das einsame [gottverlassene; verlorene] Eiland 《-(e)s, -e》 inmitten des (endlosen) Ozeans.

고도(高度) 《높이》 Höhe *f.*; 《정도》 Hochgradigkeit *f.*; vorgerückte Stufe (말기). ¶~의 hoch; stark; scharf / ~의 현미경 starkes [stark vergrößerndes] Mikroskop, -s, -e / ~의 문화 [문명] hochentwickelte Zivilisation [Kultur] -en / ~의 안경 die scharfe Brille, -n / ~를 낮추다 niedriger fliegen* / ~를 재다 die Höhe messen* / ~를 유지하다 die Höhe auf|rechterhalten* / 그 비행기는 3,000 미터의 ~를 날고 있다 Das Flugzeug fliegt in e-r Höhe von 3000 Metern.
‖**~계** Höhenmesser *m.* -s, -. **~기록** Höhenrekord *m.* -(e)s, -e. **~측량(술)** Höhenmessung *f.* -en (도수의).

고도리 〖어류〗 die junge Makrele, -n.

고독(孤獨) Einsamkeit *f.*; das Alleinsein*, -s; Vereinsamung *f.*; Verlassenheit *f.* -en; Abgeschiedenheit *f.*; Zurückgezogenheit *f.*; Ungeselligkeit *f.* **~하다** einsam; verlassen; vereinsamt; vereinzelt; 《사람을 꺼리는》 menschenscheu; ungesellig; abgeschlossen; zurückgezogen (sein). ¶~한 사람 einsamer [verlassener] Mensch, -en, -en / ~한 생활을 하다 ein einsames [verlassenes] Leben führen; verlassen [eingezogen; zurückgezogen] leben / ~을 즐기다 die Einsamkeit lieben; gern für ^{4}sich [allein] leben.
‖**~공포증** Monophobie *f.* **~단신** e-e verlassene Person, -en.

고동 ① 《장치》 Hahn *m.* -(e)s, ¨e (-en); Ablauf|hahn [Sperr-] *m.* -(e)s, ¨e. ¶~을 틀다 den Hahn auf|drehen / ~을 잠그다 den Hahn schließen*. ② 《요점》 Hauptpunkt *m.* -(e)s, ¨e; Grundzug *m.* -(e)s, ¨e. ¶모든 게 그 ~ 하나에 달려 있다 Alles hängt von dem Hauptpunkt ab. ③ 《기적》 Dampfpfeife *f.* -n; Sirene *f.* -n. ¶~이 울다 [울리다] Dampfpfeife ertönen (lassen*). ④ 《물레의》 die klingelähnliche Spindel, -n.
‖**물~** Griff *m.* -(e)s, -e; Hahn *m.* -(e)s, ¨e.

고동(鼓動) Herzschlag *m.* -(e)s, ¨e; Herzklopfen *n.* -s, -; Pulsschlag (맥박). **~하다** pulsieren; klopfen; schlagen*. ¶심장의 ~이 심하다 Das Herz klopft mir heftig. / ~이 멎다 auf|hören zu schlagen [klopfen]; nicht mehr pulsieren [klopfen; schlagen*]/ ~이 들리다 den Herzschlag hören / 심장은 보통 1분간에 72번 ~한다 Das Herz macht in der [e-r] Minute durchschnittlich 72 Schläge.

고동색(古銅色) Braun *n.* -s. ¶~의 braun.

고되다 stark; feurig; schwer; hart; heftig; böse (sein). ¶고된 일 die schwere Arbeit, -en / 일이 ~ die Arbeit ist hart [schwer] / 고되게 일하다 heftig arbeiten / 나는 고된 경험을 했다 Ich habe böse Erfahrungen gemacht.

고두(叩頭) Kotau *m.* -s, -s. **~하다** ^{4}sich verbeugen; ^{4}sich auf die Knie werfen [fallen lassen] e-n Kotau machen.
‖**~사죄(謝罪)** Kotau u. Entschuldigung: ~사죄하다 ^{4}sich auf die Knie werfen u. um Verzeihung bitten*.

고두리 《뭉뚝한 끝》 stumpfe Spitze, -n; 《화살》 der Pfeil 《-(e)s, -e》 mit stumpfer Spitze, mit dem man auf kleine Vögel schießt.

고두머리 die Achse 《-n》 des Dreschflegels.

고두밥 der hart gekochte Reis, -es, -e.

고둥 〖조개〗 Schneckenmuschel *f.* -n; Nachtschnecke *f.* -n; Schnegel *m.* -s, -.

고드래 Ketten|gewicht *n.* -(e)s, -e (-beschwerung *f.* -en) (beim Weben). ¶ ~뿐(이다) (e-e Arbeit ist) ganz fertig u. erledigt.

고드름 Eiszapfen *m.* -s, -. ¶ 처마에 ~이 달려 있다 Vom Dache hängen Eiszapfen herab.

고들개 ① 《방울》 Pferdeschelle *f.* -n; Kuhglocke *f.* -n. ② 《턱밑 가죽》 Kehlriemen *m.* -s, -. ③ 《채찍추》 Peitschenband *n.* -(e)s, ⸚e. ④ 《처녑의》 Bienenstock *m.* -(e)s, ⸚e.

고들빼기 〖식물〗 e-e Art von Salat 《*m.* -(e)s, -e》; *Ixeris sonchifolia* (학명).

고등(高等) ¶ ~의 hoch 〔부가어적 용법으로는 hoh-〕; höher; besser; hohen Grades 〔von hohem Grade〕; vorgeschritten.

‖ **~과** der höhere Kursus, -, ..se. **~관** der höhere Beamtenrang, -(e)s, ⸚e. **~교육** die höhere Bildung, -en. **~동물** das höhere Tier, -s, -. **~법원** das höhere Gericht, -(e)s, -e. **~수학** die höhere Mathematik. **~판무관** der hohe Kommisar 〔Kommisär〕 -s, -e. **~학교** die höhere Schule, -n: 인문 ~ 학교 das liberale Gymnasium, -s, ..sien / 여자 ~ 학교 die höhere Mädchenschule, -n; das Gymnasium für Mädchen *n.* -s, - / 공업 ~ 학교 das technische Gymnasium, -s, ..sien / 상업 ~ 학교 die höhere Handelsschule.

고등어 〖어류〗 Makrele *f.* -n. ¶ 생선 ~ die frische Makrele, -n / 자반~ die gesalzene Makrele, -n.

고딕 Gotik *f.*; gotisch (고딕(식)의).

‖ **~건축** die gotische Baukunst; Gotik. **~체** 〖인쇄〗 die gotische 〔fette〕 Schrift, -en. **~풍** der gotische Stil, -(e)s.

고라니 〖동물〗 Elch *m.* 〔*n.*〕 -(e)s, -e; Elen *m.* 〔*n.*〕 -s, -; Elentier *n.* -(e)s, -e.

고라리 der dumme Tölpel 〔Lümmel〕 -s, -; Dorfdepp *m.* -s; Dorftrottel *m.* -s.

고라말 das bräunliche Pferd 《-(e)s, -e》 mit schwarzem Rücken.

고락 《낙지 먹물》 die Tinte (des Tintenfisches); 《먹물집》 Tintenblase *f.* -n; 《낙지 배》 der Bauch des Tintenfisches. ¶ 낙지는 ~을 뿜는다 Der Tintenfisch spritzt Tinte aus.

고락(苦樂) Freud' u. Leid. ¶ 인생의 ~ Freud' u. Leid des Lebens / ~을 같이하다 Freud' u. Leid miteinander teilen / 인생의 ~을 다 겪다 Freud' u. Leiden des Lebens schmecken 〔erfahren*〕.

고람(高覽) Ihre werte 〔gefällige; gütige〕 Durchsicht, -en. ¶ ~을 바랍니다 《증정》 Zur gefälligen Ansicht.

고랑[1] Furche *f.* -n. ¶ ~을 짓다 Furchen ziehen* 〔machen〕 (beim Pflügen).

고랑[2] ☞ 쇠고랑.

고랑창 Graben *m.* -s, ⸚; Straßengraben *m.* -s, ⸚; Rinne *f.* -n.

고래[1] Walfisch *m.* -(e)s, -e. ¶ ~ 같다 groß 〔mächtig〕 wie Walfisch sein / ~ 싸움에 새우 등 터진다 《속담》 Wenn Großer kämpfen, werden die Kleinen unter den Füßen zertreten.

‖ **~고기** Walfischfleisch *n.* -es. **~기름** Walfischtran *m.* -(e)s. **~새끼** der junge Walfisch, -es, -e. **~수염** Walfischbarte *f.* -n. **~자리** Konstellation *f.* -en; Stellung der Gestirne zueinander, zur Sonne und zur Erde. **~작살** Walfischspieß *f.* -en. **~잡이** Walfischfang *m.* -s, ⸚e.

고래[2] 《방고래》 der Rauchabzug 《-s, ⸚e》 〔Röhre *f.* -n〕 der koreanischen Fußbodenheizung.

‖ **고랫당그래** der Schaber, mit dem die Asche aus den Röhren der Fußbodenheizung entfernt wird. **고랫등** die Stege, zwischen denen die Röhren der Fußbodenheizung verlegt sind.

고래(古來) seit (ur)alten Zeiten; seit alters 〔langem〕; von alters her; von je; von [3]Ewigkeit (her); von (ur)alten Zeiten (her). ¶ ~의 alt; altehrwürdig / ~의 습관 die alt(ehrwürdig)en Gebräuche 《*pl.*》 / 인생 70 ~희 Es ist e-e altbekannte Tatsache, daß Menschen selten 70 Jahre alt werden. / ~로 그에 비할 사람 없다 Man hat seit alters dergleichen nicht gesehen.

고래고래 laut; schreiend. ¶ ~ 소리를 지르다 (laut) auf|schreien*; ein Geschrei erheben*; (los) brüllen.

고래등 der Rücken 《-s, -》 des Wales. ¶ ~ 같은 집 ein großes ziegelgedecktes Haus / ~ 같다 so groß wie ein Walrücken sein; sehr groß sein / 그는 ~ 같은 집에 살고 있다 Er lebt 〔wohnt〕 in e-m sehr großen Haus.

고량(高粱) Kauliang *m.* -s, -. ☞ 수수.

‖ **~주** Kauliangwein *m.* -(e)s, -e.

고량진미(膏粱珍味) Leckerbissen *m.* -s; Delikatesse *f.* -n; Leckerei *f.* -en.

고려(考慮) Überlegung *f.* -en; Erwägung *f.* -en; Nachdenken *n.* -s. **~하다** überlegen[4]; erwägen[4]; in [4]Erwägung ziehen*[4]; nach|denken* 《*über*[4]》. ¶ 잘 ~해 보면 bei näherer 〔reiferer〕 Überlegung; bei sorgfältigerer Erwägung; bei ruhigerem Nachdenken / 충분히 ~하다 reiflich überlegen / ~에 넣다 [4]*et.* in Betracht 〔Erwägung〕 ziehen* / ~하지 않다 k-e Notiz nehmen* / ~ 중이다 noch nicht entschieden sein; schweben [h.s] / ~할 여지가 없다 Es ist nichts zu überlegen. ¦ Da ist kein Anlaß zur Überlegung. / 그 문제는 현재 ~ 중이다 Über die Angelegenheit wird jetzt beratschlagt. / 그 점에 대해서는 충분히 ~했다 Darüber habe ich reiflich nachgedacht. / 그의 건강 상태도 ~해야 한다 Wir müssen auf s-n Gesundheitszustand auch Rücksicht nehmen 〔s-n Gesundheitszustand mit berücksichtigen〕.

고려(顧慮) 《잘 생각함》 **~하다** berücksichtigen[4]; Rücksicht nehmen* 《*auf*[4]》; beachten[4]; in [4]Betracht ziehen*[4]. ¶ …을 ~하여 in Rücksicht e-r [2]Sache; mit Rücksicht auf[4]; in Hinsicht auf[4]; in Erwägung e-r [2]Sache / …을 ~하지 않고 ohne Rücksicht auf[4] zu nehmen* / ~하지 않다 gleichgültig 〔teilnahmslos; gefühllos〕 sein 《*gegen*[4]》; unbekümmert sein 《*um*[4]》.

고려(高麗) Koryo, ein antiker koreanischer Staat (918-1392 n. Chr.).

‖ **~자기**(瓷器) alte koreanische Töpferware, -n; Koryo-Keramik *f.* -en; Koryo-Seladon *n.* -s, -e. **~장** Lebendiges-Begrabenwerden; Aussetzen (alter Leute) in den Bergen (wie in der Koryo-Zeit): ~장을 하다 (alte Leute) lebendig begraben*; in den Bergen aus|setzen.

고령(高齡) das hohe 〔vorgerückte〕 Alter, -s, -. ¶ ~의 (hoch)bejahrt; (hoch)betagt; greis; hoch an Jahren; vergreist / ~에 달하다 ein hohes Alter erreichen / ~으로 죽다 in s-m hohen Alter sterben*.

‖ **~자** ein (hoch)bejahrter Mensch, -en,

-en; ein Mann im vorgerückten Alter: ~자를 도태하다 die wegen Altersschwäche Untauglichen entlassen* (ab|hauen).

고령토(高嶺土) Kaolin *n.* (*m.*) -s; Töpferton *m.* -(e)s, -e.

고례(古例) Tradition *f.* -en; e-e alte Gewohnheit, -en.

고로(古老·故老) Nestor *m.* -s, -en; Senior *m.* -s, -en; die Alten《*pl.*》. ¶ 마을의 ~ die Dorfältesten《*pl.*》/ ~가 말하는 바에 의하면 nach der Rede (Erzählung) der Dorfältesten.

고로(高爐) Hochofen *m.* -s, ⸚.

고로(故一) 《그러므로》 deshalb; deswegen; darum; daher; also; 《따라서》 folglich; infolgedessen; 《까닭에》 weil...; da...; wegen[2·3]; infolge[2]; da; denn. ¶ 그런 ~ denn / 그런 ~ 나는 사직했다 Das ist der Grund, warum ich mein Amt aufgegeben habe.

고로롱거리다 unter e-r chronischen Krankheit leiden*; an Altersschwäche leiden*.

고로여생(孤露餘生) ein Mann, der s-r Eltern beraubt ist (der in der Kindheit s-e Eltern verloren hat).

고론(高論) ① 《높은 의견》 e-e werte Ansicht, -en; e-e gültige Meinung, -en. ② 《당신·그의》 Ihre (s-e) werte Meinung, -en.

고료(稿料) (Autor)honorar (Schriftstellerhonorar) *n.* -s, -e; Schriftsold *m.* -(e)s, -e.

고루(固陋) Verbohrtheit *f.*; Beschränktheit *f.*; Borniertheit *f.*; Engherzigkeit *f.*; Sturheit *f.* **~하다** verbohrt; beschränkt; borniert; engherzig; stur (sein).

고루(高樓) Hochhaus *n.* -es, ⸚er; das hohe Gebäude, -s, -. ‖ **~거각(巨閣)** ein hohes u. stattliches Gebäude, -s, -.

고루 ebenso; gleich; gleichförmig; unbefangen; unparteilich; ohne Unterschied; gleichmäßig. ¶ ~ 나누다 gleichmäßig verteilen / ~ 대접하다 alle gleich behandeln / 여러 방면의 서적을 ~ 섭렵하다 Bücher über alle möglichen Themen lesen*.

고르다[1] ① 《평평·균일》 gleich(mäßig); eben; regelmäßig (sein). ¶ 그 일은 ~ Die Arbeit ist gleichmäßig geraten. / 복장이 ~ alle gleich gekleidet sein / 키가 고르지 않다 alle ungleichmäßig groß sein / 땅이 ~ die Erde (der Grund) ist eben. ② 《공정함》 eben; gleich; gleichmäßig; regelmäßig (sein). ¶ 고르지 않은 uneben; ungleich; ungleichmäßig; unregelmäßig; unterschiedlich; verschiedentlich / 몫이 고르지 못하다 Der Anteil ist nicht gleich.

고르다[2] ① 《평평하게》 ebnen[4]; eben machen[4]; planieren[4]. ¶ 지면을 ~ den Boden ebnen; den Grund eben machen. ② 《가려내다》 wählen; aus|wählen; aus|lesen*; aus|suchen; sortieren. ¶ 가장 좋은 것을 ~ das Beste aus|wählen / 며느리를 ~ e-e Schwiegertochter wählen (suchen) / 쌀에서 돌을 ~ Sand in dem Reis aus|lesen* / 자기가 고른 사람과 결혼하다 e-n Mann, den sie gewählt hat, verheiraten / 좋은 날을 ~ e-n passenden Tag bestimmen / 투표로 ~ durch Abstimmung wählen / 아주 잘 고르셨읍니다 Sie haben gut gewählt. ¦ Sie haben guten Geschmack.

고름[1] ☞ 옷고름.

고름[2] 《농》 Eiter *m.* -s. ¶ ~ 같은 eiterig; eiterartig / ~을 짜다 Eiter heraus|drücken (눌러) / ~이 잡히다 (들다) eitern Ⓢ; eiterig sein; schwären[(*)] / ~이 나오다 der Eiter entrinnt (ab|sondern; dringen*) 《*aus*[3]》.

‖ **~집** Eiterbläschen *n.* -s, -.

고리[1] 《둥근》 Kreis *m.* -es, -e; Zirkel *m.* -s, -; 《환형》 Ring *m.* -(e)s, -e; Öse *f.* -n; Glied *n.* -(e)s, -er (사슬의); Schleife *f.* -n (매듭의); 《옷의 훅 따위》 Haken *m.* -s; Heftel *n.* -s, - (*f.* -n). ¶ 귀(엣)~ Ohrring *m.* / 문~ Türring *m.* / ~ 모양의 kreis¦förmig (ring-) / ~를 채우다 zu|haken[4]; ein|haken[4]; ein|hefteln[4] / ~ 모양을 이루다 e-n Ring (e-n Kreis) schließen* (bilden) 《*um*[4]》.

‖ **~던지기** das Reifenwerfen*, -s; Wurfreifenspiel *n.* -(e)s, -e.

고리[2] ① 《버들가지》 Weidenzweig *m.* -(e)s, -e. ② 《고리짝》 Weidenkorb *m.* -(e)s, ⸚e; der Koffer 《-s, -》 aus Weidenzweigen.

‖ **~버들** 〖식물〗 Bandkorbweide *f.* -n. **~장이** Korbflechter *m.* -s, -.

고리[3] ① 《고렇게》 auf diese Weise; so wie; so. ¶ 왜 ~ 뻔뻔스러우냐 Warum bist du so unverschämt (frech)? ② 《고리로》 nach dort; dorthin; dahin; in diese Richtung.

고리(高利) Wucherzinsen 《*pl.*》; die hohen Zinsen 《*pl.*》. ¶ 돈을 ~로 빌려 주다 Geld auf (zu) Wucherzinsen (überhohen Zinsen) aus|leihen* / ~로 돈을 빌다 [3]sich Geld auf (zu) Wucherzinsen leihen*.

‖ **~대금** die Ausleihe auf Wucherzinsen: ~대금업 Wucherei *f.* -en; Wucher¦geschäft *n.* (-handel *m.*) / ~ 대금업자 Wucherer *m.* -s, -; Leuteschinder *m.* -s, -; Blutsauger *m.* -s, - / ~대금을 하다 Wucher treiben*; [4]sich mit Wucherei beschäftigen; wuchern.

고리눈 das Auge 《-s, -n》 mit weißgeränderter Regenbogenhaut (Iris).

‖ **~이** e-e Person mit solchen Augen.

고리다 =고리타분하다.

고리못 der ringförmige Nagel, -s, ⸚ (Haken, -s, -).

고리삭다 (für sein Alter) zu alt aus|sehen; verlebt aus|sehen.

고리짝 Kleiderkorb *m.* -(e)s; Koffer *m.* -s, -; Weidenkoffer *m.* -s, -. ¶ ~에 넣다 in den Koffer tun*.

고리타분하다 ① 《냄새가》 faul-riechend; stinkend; übelriechend; ranzig (sein). ¶ 치즈가 상해서 고리타분한 냄새가 난다 Der Käse riecht ranzig (widerlich). ② 《성질·행동이》 engherzig; pedantisch; beschränkt; intolerant; abgedroschen; abgegriffen; banal; altmodisch (sein). ¶ 고리타분한 생각 Engsichtigkeit *f.* -en; Engstirnigkeit *f.* -en / 고리타분한 수작 e-e abgedroschene Redensart, -en; Phrase *f.* -n / 고리타분한 짓 e-e niedrige Tat (Handlung) -en.

고린내 der faule (stinkende) Geruch, -(e)s, ⸚e. ¶ ~가 나다 stinken; stinkenden Geruch aus|strömen; schlecht (faul) riechen* / ~를 피우다 faulen Geruch aus|strömen lassen*; aus|dünsten (verdünsten) lassen*.

고릴라 〖동물〗 Gorilla *m.* -s, -s.

고립(孤立) Isolierung *f.* -en; Isoliertheit *f.*; Abgeschlossenheit *f.*; Alleinsein *n.* -s; Einsamkeit *f.* -en; Einzelgängertum *n.* -(e)s; Hilflosigkeit *f.*; Vereinzelung *f.* **~하다** [4]sich isolieren; [4]sich ab|schließen* 《*von*[3]》; allein (für [4]sich) stehen*; einsam (hilflos; vereinzelt) sein. ¶ ~된 isoliert; abgeschlossen; alleinstehend; einsam; einzelgängerisch; vereinzelt / ~ 무원의 군대 die isolierte Armee, -n / ~ 무의하다 ganz hilflos sein / ~시키다 isolieren; ab|sondern; vereinzeln / 국제적 〔경제적〕 ~(을 피하다) die internationale 〔ökonomische〕 Isolierung (vermeiden*) / 그는 친구를 잃어버리고 ~ 상태에 빠졌다 Er war von s-n Freunden verlassen und auf sich selbst angewiesen.

‖ ~어 die isolierte Sprache, -n. ~정책 Politik《*f.* -en》der ²Isolierung. ~주의 der Grundsatz《-es, ⸚e》der Isolierung; Isolierungsprinzip *n.* -s, -e 〔-ien〕; Isolationismus *m.* -: ~주의자 Isolationist *m.* -en, -en.

고마리 〖식물〗 koreanischer Vogelknöterich, -s, -e; *Persicaria Thunbergii* var. *coreana* (학명).

고마와하다 *jm.* danken《*für*⁴》; ⁴sich bei *jm.* bedanken《*für*⁴》; *jm.* Dank sagen 〔aus|sprechen*³〕《*für*⁴》. ¶ 고마와하며 dankbar; aus Dankbarkeit; Dank sagend 〔empfindend〕; anerkennend / 후의를 ~ *jm.* für die Freundlichkeit anerkennend sein / 고마와하며 받다 ⁴*et.* mit großem Dank empfangen* / 그는 받은 후의에 대해서도 고마와한다 Er ist sehr empfänglich für empfangene Freundlichkeit.

고마움 《감사》 Gratulation *f.* -en; Dankbarkeit *f.* -en; 《가치》 Wert *m.* -(e)s, -e; 《기쁨》 Wonne *f.* -n; Segnung *f.* -en. ¶ 돈의 ~을 알다 den Wert des Geldes wissen* / 이제서야 부모님의 ~을 알았다 Jetzt habe ich verstanden, wieviel ich meinen Eltern schuldig bin. / 병이 나야 비로소 건강의 ~을 알게 된다 Wir wissen erst den Wert der Gesundheit, als wir im Krankenbett liegen. / 그는 돈의 ~을 모른다 Der Wert des Geldes ist ihm fremd.

고막 〖조개〗 e-e Muschelart.

고막(鼓膜) das Trommelfell *n.* -(e)s, -e; 〖의학〗 Tympanon 〔Tympanum〕 *n.* -s, ..na. ¶ ~의 tympanal / ~이 터질 듯한 trommelfellerschütternd / ~이 찢어지다 das Trommelfell《-(e)s, -s》bricht 〔platzt〕 / ~을 터뜨리다 das ⁴Tympanum brechen*.

‖ ~염 Tympanie *f.*; Blähsucht *f.* ⸚e.

고만 ☞ 그만.

고만고만하다 《크기가》 von gleicher Größe; gleich befähigt 〔geeignet〕《*für*⁴》; fast einerlei; ziemlich gleich; 《종류》 gleichartig (sein).

-고말고 gewiß; sicher(lich); bestimmt; natürlich; doch. ¶ 들었니 — 그럼 듣고말고 Hast du's gehört? — Ja doch. / 그 여자에게 편지 냈느냐 — 냈고말고 Hast du ihr geschrieben? — Gewiß! / 가고말고(요) Natürlich will ich gehen. / 기억하고말고요 Natürlich erinnere ich mich daran. / 위인이고말고 여부가 있나 Ohne Zweifel ist er ein großzügiger Mann. / 급하냐 — 암 그렇고말고 Bist du eilig? — So bin ich. / 그는 시인이라고 생각한다 — 그렇고 말고 Ich denke, daß er ein Dichter ist. — So ist er.

고맘때 ☞ 그맘때.

고맙다 《감사해야 할》 dankenswert; dankwürdig; gnädig; gesegnet (신, 부처 따위); willkommen; 《감사한》 dankbar; erkenntlich (sein). ¶ 고마운 말씀 freundliche Worte 《*pl.*》 / 고마운 날씨〔비〕 das 〔der〕 willkommene Wetter 〔Regen〕 -s, - / 고마운 주인 der 〔die〕 freundliche Wirt, -es, -e 〔Wirtin *f.* -nen〕 / 고맙게도 ³Gott sei ¹Dank!; glücklicherweise; zum Glück / 고맙게 dankend; mit³ Dank; voll Dankbarkeit / 고마와하다 dankbar sein《*jm.* *für*⁴》; Dankbarkeit《*f.*》 bezeigen 〔an den Tag legen〕 / 고맙습니다 Vielen Dank!¦Danke bestens!¦Verbindlichsten Dank!¦Ich bin Ihnen sehr verbunden《*für*⁴》.¦Haben Sie herzlichen Dank!¦Ich bin Ihnen dafür sehr dankbar. / 아이 고마와라 Gottlob! / 돈을 빌려 주어서 ~ Er ist so freundlich, mir das Geld zu leihen. / 보아 주어서 고맙군그래 Das finde ich sehr nett von dir. (반어적) / 그렇게 말씀해 주시니 고맙습니다 Es ist sehr freundlich von Ihnen, so zu mir zu sprechen. / 그렇게 해 주시면 고맙겠읍니다 Ich wäre sehr glücklich, wenn Sie die Güte hätten, das zu tun. / 부모는 얼마나 고마우냐 Wie sehr sind wir unsern Eltern verpflichtet 〔schuldig〕! / 내일은 휴일이다 — 고맙지 뭐냐 Morgen ist Feiertag. — Wie günstig! / 불이 고마운 계절이 되었다 Die Jahreszeit ist gekommen, wo man ein Feuer willkommen heißt. / 고맙게도 날이 개었다 Glücklicherweise hat sich das Wetter aufgeklärt. / 고맙게도 전쟁은 끝났다 Gott Sei Dank, der Krieg ist aus. / 내 아내도 이렇게 찾아 주신 것을 고맙게 생각합니다 Auch meine Frau dankt Ihnen für Ihren Besuch.

고매(故買) ＝장물취득(贓物取得).

고매하다(高邁—) edel; erhaben; hoch; vornehm; hoch|gesinnt 〔-herzig; -sinnig〕(sein). ¶ 고매한 기상 e-e edle Seele, -n / 고매한 이상 das hohe 〔erhabene〕 Ideal, -s, -e / 고매한 정신을 가진 사람 ein Mensch《-en, -en》von hohem Geist / 고매한 식견을 갖다 e-e große Einsicht《-en》haben.

고명 《양념》 die würzende Zutat, -en; Garnierung *f.* -en. ¶ ~을 곁들이다 Speisen garnieren.

고명(古名) der alte Name, -ens, -en.

고명(高名) ① 《명성》 der gute Ruf, -(e)s, -e; das Ansehen*, -s. ~하다 berühmt; namhaft; bekannt; 《세계적으로》 weltberühmt; weltbekannt; gefeiert (sein). ¶ ~한 사람 ein Mann《*m.* -(e)s, ⸚er》von 〔mit〕 (großem) Namen / 식물학자로서의 그의 ~은 세계적이다 Als Botaniker ist er weltbekannt. ② 《경어》 Name *m.* -ns, -n. ¶ ~은 익히 들었읍니다 Ihr werter Name ist mir wohlbekannt.¦Ich habe so viel von Ihnen gehört.

고명(顧命) der letzte Wunsch 〔Befehl〕《-es, ⸚e 〔-(e)s, -e〕》des Königs im Totenbett 〔Sterbelager〕.

‖ ~대신(大臣) der Minister, der mit den letzten Worte des Königs betraut ist.

고명딸 einzige Tochter unter vielen Söhnen.

고명하다(高明—) 《현명》 edel u. weise; 《밝다》 weitsichtig; umsichtig; umsichtsvoll; wohl erfahren; berühmt; bekannt《*für*⁴》(sein).

고모(姑母) die Schwester des Vaters; e-e Tante väterlicherseits.

‖ ~부 der Mann der Schwester des Vaters; der Mann der Tante väterlicherseits.

고목(古木) ein alter Baum, -(e)s, ⸚e. ¶ 떡갈나무 ~ e-e alte Eiche, -n.

고목(枯木) Abständer *m.* -s, -; abständiger Baum, -(e)s, ⸚e; der dürre 〔kahle; nackte; tote; welke〕 Baum, -(e)s, ⸚e.

고묘(古墓) Dolmen *m.* -s, -; das alte Grab,

-(e)s, ⸚er. ¶ ~를 발굴하다 ein altes Grab aus|graben*.
고묘(古廟) der alte Schrein, -(e)s, -e (Tempel, -s, -).
고무(鼓舞) Ermunterung *f.* -en; Aufmunterung *f.* -en; Anspornung *f.* -en. **~하다** auf|muntern⁴; ermuntern⁴; ermutigen⁴; an|spornen⁴; an|treiben*⁴; an|eifern⁴; auf|rütteln⁴; begeistern⁴; *jm.* ⁴Mut machen (ein|sprechen*; zu|sprechen*; ein|flößen). ¶ ~적인 aufmunternd; ermutigend; ermunternd / 청년들의 사기를 ~하다 die Jugend begeistern; der ³Jugend ⁴Mut ein|flößen; in den ³Herzen der ²Jugend ⁴Begeisterung erwecken / 섬유 공업의 장래는 매우 ~적이다 Für die zukünftige Faserindustrie ist es viel versprochen. ¦ Die Zukunft der Faserindustrie ist sehr hell.
고무 Gummi *n.* (*m.*) -s, -s. ¶ ~를 입힌 gummiert; mit Gummi bestrichen / ~를 바르다 (입히다) gummieren; mit Gummi bestreichen*.
‖ **~공** Gummiball *m.* -(e)s, ⸚e. **~관**(호스) Gummi¦rohr *n.* -(e)s, -e (-schlauch *m.* -(e)s, ⸚e). **~나무** Gummi¦baum (Kautschuk-) *m.* -(e)s, ⸚e. **~도장** Gummistempel *m.* -s, -. **~반창고** Gummipflaster *n.* -s, -. **~신**(장화) Gummi¦schuh *m.* -(e)s, -e (-überschuh *m.* -(e)s, -e). **~액** Gummi¦lösung *f.* -en (-wasser *n.* -s). **~제품** Gummiware *f.* -n. **~줄** Gummi¦band *m.* -(e)s, ⸚er (-schnur *f.* -en). **~창** Gummisohle *f.* -n. **~타이어** Gummireif *m.* -(e)s, -e (Gummireifen *m.* -s, -). **~풀** Gummiarabikum *n.* -s. **경화~** Hartgummi (-kautschuk); Ebonit *n.* -(e)s. **재생~** der regenerierte Kautschuk; der aus Abfällen gewonnene Gummi. **탄성~** Gummielastikum *n.* -s.
고무라기 《떡의》 Brocken *m.* -s, -; Krume *f.* -n.
고무락- ☞ 구무럭-.
고무래 Schaber 《*m.* -s, -》 zum Ausräumen von Asche, zum Ebnen der Erde.
고문(古文) altertümlicher Stil, -(e)s, -e (문체); klassische Literatur (고문학); Paläographie *f.* -n (고문서학).
‖ **~서** Dokument 《*n.* -(e)s, -e》 des klassischen Altertums. **~학** antike Schriften 《*pl.*》; klassisch-antikes Schrifttum, -s.
고문(拷問) Folter *f.* -n; Folterqual *f.* -en; die harte (peinliche; scharfe) Frage, -n; Marter *f.* -n; Marterung *f.* -en; Peinigung *f.* -en; Tortur *f.* -en. **~하다** auf die Folter spannen 《*jn.*》; auf die Folterbank bringen* 《*jn.*》. ¶ 심한 ~을 당하다 beinahe zu Tode gemartert (gefoltert; gepeinigt; gequält) werden.
‖ **~대** Folter¦bank (Marter-) *f.* ⸚e.
고문(顧問) Berater *m.* -s, -; Ratgeber *m.* -s, -; Rat *m.* -(e)s, ⸚e. ¶ ~으로 삼다 *jn.* als Berater an|stellen; *jn.* zu Rate ziehen*/ 몇 사람의 ~을 거느리고 있다 mehrere Berater beschäftigen.
‖ **~관** Geheimrat *m.* -(e)s, ⸚e. **~기관** Ratsversammlungsorgan *n.* -s, -e. **~기사** der technische Berater (Ratgeber). **~단** Beratergruppe *f.* -n: 군사 ~단 die militärische Beratergruppe. **~변호사** der beratende Advokat, -en, -en. **기술~** der technische Ratgeber. **법률~** Rechtsberater *m.* **재정~** der finanzielle Ratgeber.
고문서(古文書) (alte) Urkunde, -n; die alte Handschrift, -en; die Bücher des klassischen Altertums (책).
‖ **~학** Urkundenlehre *f.* -n.
고물¹ 《선미》 Heck *n.* -(e)s, -e; Hinterschiff *n.* -(e)s, -e. ¶ ~에 im (am) Heck (Hinterschiff); hinter im (am) Schiff / ~쪽으로 achtern; nach dem Heck.
고물² 《가루》 der Überzug für den Reiskuchen aus Sesam körnern od. Bohnenmehl. ¶ 떡에 ~을 묻히다 den Reiskuchen mit dem Bohnenmehl überziehen*.
고물(古物) 《골동품》 Antiquität *f.* -en; Altertümer 《*pl.*》; Altertumsstück *n.* -(e)s, -e; 《헌것》 Trödel *m.* -s (헌옷, 고철 따위); die alten Sachen 《*pl.*》; die Altwaren 《*pl.*》. ¶ ~의 alt; gebraucht / ~이 된 abgenutzt; abgebraucht; verbraucht; abgetragen; verschlissen / 그 사람은 이미 ~이다 Er ist schon veraltet. ¦ Er ist ein rückständiger Mensch (ein alter Zopf).
‖ **~상** 《사람》 Antiquitäten¦händler (Altwaren-) *m.* -s, -; Trödelmann *m.* -(e)s, ⸚er; Antiquar *m.* -s, -e; Trödler *m.* -s, -; 《점포》 Antiquariat *n.* -(e)s, -e; Trödelladen *m.* -s, ⸚ (-bude *f.* -n); Trödel *m.* -s. **~시장** Trödelmarkt *m.* -(e)s, ⸚e.
고미 〖건축〗 e-e Art mit Gipsmörtel angestrichener Decke, -n.
‖ **~바닥** e-e Art von Dachgeschoß 《*m.* ..schosses, ..schosse》. **~집** das Haus mit Dachgeschoß. **~혀** Dachsparren *m.* -s, -; Sparrenholz *n.* -es, ⸚er.
고미(苦味) bitterer Geschmack, -es, ⸚e; Bitterkeit *f.* -en.
‖ **~정기**(丁幾) bittere Tinktur, -en.
고민(苦悶) Qual *f.* -en; Pein *f.*; Schmerz *m.* -es, -en; Leiden *n.* -s, -; Kummer *m.* -s; Sorge *f.* -n; Marter *f.* -n (가책); Angst *f.* ⸚e (불안). **~하다** ⁴sich quälen; ⁴sich vor ³Schmerzen kümmern; ⁴sich (be)kümmern 《*um*⁴》; besorgt sein 《*für*⁴》; ³sich Gedanken (Sorgen) machen 《*über*⁴》. ¶ ~하는 표정 gequälter Gesichtsausdruck, -(e)s, ⸚e; Schmerzensmiene *f.* -n / 마음의 ~ Seelenqual *f.* -en / 사랑의 ~ Liebeskummer *m.* -s / ~이 많다 Qualen leiden*; viel zu leiden haben; *jm.* ist so weh ums Herz / ~ 끝에 병이 나다 vor Schmerz krank werden/~을 잊으려고 술을 마시다 trinken*, um Qual zu vergessen / 자네 큰 ~이 있는 것 같군 그래 Du scheinst viel besorgt zu sein.
고박(古朴) die altehrwürdige Einfachheit (Naivität) -en. **~하다** altehrwürdig u. schlicht (sein).
고발(告發) Anklage *f.* -n; Klage *f.* -n; 《제3자로부터의》 Anzeige *f.* -n; Denunziation *f.* -en. **~하다** Anklage erheben* 《*gegen*⁴; *wegen*²》; klagen 《*gegen*⁴》; an|klagen⁴《*wegen*²》; Anzeige erstatten 《*gegen*⁴; *wegen*²》; an|zeigen⁴ 《*wegen*²》; denunzieren⁴. ¶ ~에 따라 auf Grund *js.* Anzeige / ~을 면하다 e-r Anklage entgehen* (s) / 절도죄로 ~하다 *jn.* des Diebstahls an|klagen / 수회죄로 ~당하다 wegen e-r ²Bestechung angeklagt werden / 그는 출판법 위반으로 ~되었다 Er wurde wegen e-r ²Übertretung des Pressegesetzes angeklagt. / 그는 그 범죄를 증거가 충분하다고 인정하고 ~했다 Er hielt die Beweise für das Verbrechen für ausreichend und erhob die Anklage.

으로 ~하다 unter Wassernot leiden* / 그는 굉장히 ~했다 Er hat in s-m Leben viel Bitteres erfahren.¦Er hat schon viel Schweres durchgemacht. / 돈이 없어서 언제나 ~을 하고 있다 Ich leide am chronischen Geldmangel. / 지금까지 양친께 많은 ~을 시켜 드렸다 Ich habe bisher m-n Eltern viele Unbequemlichkeiten bereitet. / ~고생해서 돈을 모았다 Das Geld habe ich mir im Schweiße m-s Gesichts erspart. / ~ 끝에 낙이 온다 „Auf Regen folgt Sonnenschein.“¦„Leiden sind die Quellen der Freude.“¦„Nach dem Leid kommt das Vergnügen.“

‖ **~살이** Lebenskummer *m.* -s; die Mühen 《*pl.*》 des Lebens.

고생대(古生代) 〖지질〗 Paläozoikum *n.* -s; Erdaltertum *n.* -(e)s. ¶ ~의 paläozoisch.

고생물(古生物) die ausgestorbenen Lebewesen 《*pl.*》; die vorzeitlichen Tiere u. Pflanzen 《*pl.*》.

‖ **~학** Paläontologie *f.*: ~학자 Paläontologe *m.* -n, -n.

고서(古書) das alte (antike) Buch, -(e)s, ⸚er; 《진본》 das seltene Buch.

‖ **~전**(展) die Ausstellung von alten, seltenen Büchern.

고석(古昔) das Altertum u. die Jetztzeit.

고성(古城) ein altes Schloß, ..sses, ..össer.

고성(古聖) der alte Heilige (Weise) -n, -n.

고성(孤城) ein einsam gelegenes (verlassenes; verwüstetes) Schloß, ..sses, ..össer.

고성(高聲) laute Stimme, -n. ¶ ~으로 laut; mit lauter Stimme / ~ 방가(放歌)하다 mit lauter Stimme singen*.

고성능(高性能) die hohe Leistung (Leistungsfähigkeit) -en.

‖ **~기계** Maschine 《*f.* -n》 von hoher Leistung. **~비행기** das genau instrumentierte Flugzeug, -(e)s, -e. **~수신기** Empfangsapparat 《*m.* -(e)s, -e》 von hoher Leistung. **~폭약** das hoch explosive Pulver, -s, -.

고섶 (gerade) unter *js.* Nase. ¶ 바로 ~에 두고 못찾는다 Wenn es auch gerade unter s-r Nase ist, kann er's doch nicht finden.

고소(告訴) (An)klage *f.* -n; Beschuldigung *f.* -en. **~하다** an|klagen⁴ 《*wegen*²; *bei*³》; Anklage erheben* 《*gegen*⁴; *wegen*²》; ein (gerichtliches) Verfahren(e-n Prozeß) ein|-leiten (anhängig machen) 《*gegen*⁴》; e-e Klage (e-n Prozeß) an|strengen 《*gegen*⁴》. ¶ ~를 취하하다 Anklage zurück|nehmen* (원고가); ein Verfahren ein|stellen (nieder|schlagen*) (검사가) / ~를 수리하다 e-e Klage an|nehmen* / ~를 기각하다 e-e Klage ab|weisen* / 사기죄로 ~당했다 Er wurde wegen des Betrugs verklagt. / 가택 침입으로 ~했다 Ich reichte e-e Klage gegen ihn wegen Hausfriedensbruchs ein.

‖ **~인** Ankläger (Verkläger; Kläger; Anzeiger) *m.* -s, -. **~장** Klage *f.* -n; Klageschrift *f.* -en; Anklageakte *f.* -n.

고소(苦笑) gezwungenes (bitteres; säuerliches) Lächeln, -s, -. **~하다** gezwungen (bitter) lächeln; mit saurer ³Miene lächeln.

고소(高所) Erhebung *f.* -en; (An)höhe *f.* -n; Erhöhung *f.* -en. ¶ ~에서 von hoher Warte / ~에서 바라보다 weit voraus|sehen*; e-n weiten Überblick haben.

‖ **~공포증** Akrophobie *f.*

고소하다 ① 《맛·냄새가》 duftend; duftig; wohlriechend (sein). ② 《남의 일이》 ¶ 고소한 듯이 schadenfroh; hämisch / 고소하게 생각하다 Schadenfreude empfinden* 《*über*⁴》; ⁴sich hämisch freuen 《*über*⁴》 / 아이 고소해라 Ich gönne es dir.¦Es geschieht dir recht. / 그는 고소해하는 눈치였다 Sein Auge blickte Schadenfreude.¦Schadenfreude blickte aus s-n Augen. / 그 자식 낙제하는 것을 보니 정말 ~ Zu m-r großen Schadenfreude ist er im Examen durchgefallen.

고속(高速) Hochgeschwindigkeit *f.* -en; die hohe Geschwindigkeit (Schnelligkeit). ¶ ~으로 (달리다) mit der Hochgeschwindigkeit (fahren* ⓢ).

‖ **~도강**(度鋼) Schnellstahl *m.* -(e)s, ⸚e. **~도로** Autobahn *f.* -en; Autostraße *f.* -n. **~인쇄기** die schnellaufende Maschine, -n; Schnellpresse *f.* -n. **~전차** die elektrische Schnellbahn, -en. **~촬영** Zeitlupe *f.* -n. **초~** Überhochgeschwindigkeit *f.* -n. **초~ 영화 촬영기** die ultra¦schnelle (über-) Kinokamera, -s.

고송(孤松) die allein stehende Kiefer, -n; der alleine Kieferbaum, -(e)s, ⸚e.

고수(固守) **~하다** verharren 《*bei*³》; aus|harren 《*bei*³》; hartnäckig bestehen* 《*auf*⁴》; fest|halten* 《*an*³》; bleiben* ⓢ 《*bei*³》; 《성·진지 따위》 standhaft verteidigen⁴; hartnäckig (bis auf äußerste; bis aufs Blut) verteidigen⁴. ¶ 자기의 의견을 ~하다 bei s-r Meinung bleiben*ⓢ; an s-r Ansicht fest|-halten* / 진지를 ~하다 s-e Stellung halten* (behaupten) / 전선을 ~하다 das Feld behaupten.

고수(鼓手) Trommler (Trommelschläger) *m.* -s, -; Tambour [tambúːr] *m.* -s, -e.

‖ **~장**(長) Tambourmajor *m.* -s, -e.

고수레 das Vermischen* von warmem Wasser mit Mehl um Teig zu machen. **~하다** Teig machen.

‖ **~떡** e-e Art von gedämpftem Kuchen, -s, -.

고수련 《병구완》 (Kranken)pflege *f.* -n. **~하다** 《e-n Kranken, e-e Kranke》 pflegen; für e-n Kranken (e-e Kranke) sorgen.

고수머리 Kraushaar *n.* -(e)s, -e; das gekräuselte (gelockte; ondulierte; gewellte) Haar; 《사람》 Locken¦kopf (Kraus-) *m.* -(e)s, ⸚e. ¶ ~의 lockenköpfig; krausköpfig; kraushaarig; lockig / 그녀는 ~다 Sie hat Kraushaar(e).¦Ihr Haar ist lockig.

고스락 《꼭대기》 Spitze *f.* -n; Höhe *f.* -n; 《위기》 entscheidender Moment, -(e)s, -e; 《극도》 Extrem *n.* -(e)s, -e; das Äußerste*, -n, -n.

고스란하다 unangetastet; unberührt; unverletzt; unversehrt; ganz; genau so wie früher (sein); unberührt bleiben* ⓢ.

고스란히 genau so wie es früher war; unverletzt; unberührt; ganz; alles; sämtlich; vollkommen. ¶ ~ 다 가져가다 alles weg|-nehmen*; nichts übrig|lassen* / 도둑맞은 물건은 ~ 돌아왔다 Die gestohlenen Sachen wurden unberührt zurückgeschickt. / 케이크를 ~ 먹어치웠다 Er hat sämtlichen Kuchen aufgegessen. / ~ 그대로다 Es ist nach wie vor unverändert.¦Es steht genau so, wie vorher.

고스러지다 《die Ähre》 herab|hängen*; ⁴sich biegen*.

고스톱 Verkehrs¦ampel (-lampe) *f.* -n.

고슬고슬 《Reis》 richtig 〔ganz〕 gekocht. ～하다 ganz richtig gekocht sein; weder zu hart noch zu weich sein.

고슴도치 〖동물〗 Igel *m.* -s, -. ¶～외 따지듯 하다 bis über die Ohren 〔tief〕 in Schulden stecken / ～도 제 새끼가 함함하다면 좋아한다 Niemand ist gegen Schmeichelei geschützt.|Er ist sehr auf Lob erpicht.

고승(高僧) der hervorragende Priester, -s, -.

고시(古詩) 《옛시》 altes Gedicht, -(e)s, -e; 《고체시》 (chinesisches) Gedicht im alten Stil.

고시(考試) Prüfung *f.* -en; Examen *n.* -s, ..mina. ¶～에 합격하다 die Prüfung 〔das Examen〕 bestehen*.
‖～관 der Prüfende*, -n, -n; Prüfer *m.* -s, -; Examinator *m.* -s, -en. 고등〔보통〕～ das Staatsexamen für die höheren 〔ordentlichen〕 Beamten 《*pl.*》. 국가～ Staatsexamen *n.* -s, ..mina. 예비～ Vorprüfung *f.* -en.

고시(告示) Bekanntmachung *f.* -en; Ankündigung *f.* -en; Anzeige *f.* -n; Bekanntgabe *f.* -n; Veröffentlichung *f.* -en ～하다 bekannt|geben*⁴; an|kündigen 〔-|zeigen〕⁴; bekannt|machen⁴; veröffentlichen⁴. ¶…이라고 ～되다 es wird (amtlich) bekanntgegeben, daß… / 양사의 합병은 각 신문에 ～가 되었다 Die Fusion der beiden Firmen wurde in den Zeitungen bekanntgegeben.
‖～가격 der fixierte Preis, -es, -e. ～판 Anschlagtafel *f.* -n; Bekanntmachungsbrett *m.* -(e)s, -er.

고식(姑息) ¶～적인 behelfsmäßig; auf halbem Wege stehenbleibend; folgewidrig; inkonsequent; nicht durchgreifend; nicht endgültig; provisorisch; Aushilfs-; Behelfs-; Not- / ～적인 수단 Aushilfs|maßnahme 〔Behelfs-; Not-〕 *f.* -n; Folgewidrigkeiten 《*pl.*》; Inkonsequenzen 《*pl.*》/ ～적인 치료 die provisorische, medizinische Behandlung, -en / ～적인 해결 die auf halbem Wege stehende Lösung, -en / ～적인 정책 die palliative Politik, -en; Vogel-Strauß-Politik *f.* / ～적인 수단을 쓰다 halbe Maßregeln treffen*.

고실(故實) die alten Sitten u. Gebräuche 《*pl.*》; die alten Bräuche 《*pl.*》; die alten Zeremonien 《*pl.*》. ☞ 전고(典故).

고실(鼓室) Trommelhöhle *f.* -n.

고심(苦心) 《고생》 Mühe *f.* -n; Bemühung *f.* -en; Plage *f.* -n; 《노력》 Anstrengung *f.* -en; Bestreben *n.* -s, -; Schufterei *f.* -en; 《근심 걱정》 Sorge *f.* -n; Kummer *m.* -s, -; das Kopfzerbrechen*, -s. ～하다 ³sich Mühe geben*; ⁴sich bemühen 《*um*⁴》; 《노력하다》 ⁴sich an|strengen; ⁴sich ab|placken; ringen* 《*um*⁴》; 《걱정하다》 ³sich Sorge machen 《*um*⁴》; ⁴sich sorgen 《*um*⁴》; 《골치를 앓다》 ³sich den Kopf zerbrechen*; grübeln 《*über*⁴》; angestrengt nach|denken* 《*über*⁴》. ¶～해서 mit großer Mühe, mit ³Mühe u. ³Not; durch harte Arbeit / ～참담하다 ⁴sich sehr bemühen; ⁴sich sehr an|strengen; ³sich große Mühe geben* / 오랜 ～ 끝에 nach Jahren harter 〔schwerer〕 Mühe / 이번 작품에는 ～한 흔적이 역력히 보인다 Man kann an dem neuen Werke deutlich sehen, wie er sich darum bemüht hat. / 범인체포에 갖은 ～을 했다 Ich hatte harte Arbeit, den Verbrecher zu stellen.

고십 Klatsch *m.* -es, -e; Geschwätz *n.* -es, -e; Klatschgeschichte *f.* -n; Gerücht *n.* -(e)s, -e; Nachrede *f.* -n; Stadtgespräch *n.* -(e)s, -e.
‖～기자(記者) Klatschgeschichtenschreiber *m.* -s, -. ～난(欄) Gesellschaftsnachrichten 《*pl.*》(신문의).

고아(古雅) klassische Anmut; Klassizität *f.*; das Klassische*, -n; die edle Einfalt (빙켈만에 의하여); 《고풍》 Altertümlichkeit *f.* ～하다 klassischanmutig; antik u. anmutig; klassisch; altertümlich (고풍의) (sein).

고아(孤兒) Waise *f.* -n; Waisenkind *n.* -(e)s, -er; Vollwaise *f.* -n (양친이 없는). ¶～의 verwaist / ～가 되다 verwaisen; zur Waise werden; die Eltern verlieren*.
‖～원(院) Waisen|haus *n.* -es, ⸗er 〔-anstalt *f.* -en〕.

고아(高雅) Eleganz *f.*; Vornehmheit *f.* -en; Anmut *f.* ～하다 edel; erhaben; elegant; verfeinert (sein). ¶～한 취미 verfeinerter Geschmack, -(e)s, ⸗e.

고악(古樂) die alte 〔altertümliche〕 Musik.

고안(考案) 《구상》 Konzept *n.* -(e)s, -e; Konzeption *f.* -en; Entwurf *m.* -(e)s, ⸗e; 《계획》 Plan *m.* -(e)s, ⸗e; Projekt *n.* -(e)s, -e; 《생각》 Idee *f.* -n [ide:ən]; Gedanke *m.* -ns, -n; 《공부·발명》 Erfindung *f.* -en. ～하다 entwerfen*⁴; planen⁴; ersinnen*⁴; erdenken*⁴; erfinden*⁴. ¶이것은 지금 ～중입니다 Ich trage mich jetzt mit dem Plan. / 이것은 누구의 ～이냐 Wer hat das entworfen?|Wer hat das erfunden? / 그것은 김씨의 ～이다 Das hat Herr *Kim* erfunden*.|Der Gedanke 〔Plan〕 kam von Herrn *Kim*.
‖～자 Urheber *m.* -s, -; Erfinder *m.* -s, -.

고압(高壓) ①《기압》 Hochdruck *m.* -(e)s; 《전류의》 Hochspannung *f.* -en. ②《억제》 Unterdrückung *f.* -en; Bedrückung *f.* -en; Zwang *m.* -(e)s; Gewalt *f.* ¶～적인 gebieterisch; befehlshaberisch; gewaltsam; durch Nötigung / ～적 수단을 쓰다 gewaltsame Maßregeln treffen* / ～적으로 나오다 gebieterisch auf|treten*ⓢ; ⁴sich anmaßend benehmen* 《*gegen*⁴》.
‖～계 Hochdruckmanometer *n.* -s, -. ～기관 Hochdrucksmaschiene *f.* -n: ～기관차 Hochdruckdampflokomotive *f.* -n. ～선 Starkstromleitung *f.* -en. ～솥 Hochdruckkessel *m.* -s, -. ～회로(回路) Hochspannungsstromkreis *m.* -es, -e.

고액(高額) e-e große 〔beträchtliche; erhebliche〕 Summe; ein großer Betrag, -(e)s. ¶～의 비용으로 mit enormen Kosten / ～의 자본 das enorme Kapital, -s, -e 〔..lien〕.
‖～납세자 ein hoher Steuerzahler, -s, -.

-고야 ①《어찌》 unter solchen Umständen 〔Verhältnissen〕; wenn man die Umstände bedenkt; Wenn man ... bedenkt (, daß ...). ¶그렇게 게으르고야 어찌 시험에 합격하랴 Wenn er so müßig geht, besteht gar k-e Aussicht, daß er die Prüfung besteht. / 그렇게 돈을 헤피 쓰고야 어떻게 돈을 모으기를 바랄 수 있으랴 Wenn er so viel Geld verbraucht, glaube ich kaum, daß er sparen kann. ②《결심》 (*a*) 《끝까지》 jedenfalls; auf jeden Fall; ganz bestimmt; unbedingt; sicher. ¶하고야마는 사람 der Mann, der es auf jeden Fall versucht (, der ⁴*et.* unbedingt tut) / 공부한다 하면 하고야 만다 Wenn er sagt, er studiert, studiert er sicher. /

기어이 하고야 말겠다 Ich werde es unter allen Umständen tun. / 끝까지 싸우고야 말겠다 Ich werde es bis zum bitteren Ende durchfechten. (*b*) 《끝장》 endlich; schließlich; am Ende. ¶ 그도 마침내 총으로 자살하고야 말았다 Am Ende hat er sich selbst erschossen.

고약(膏藥) (Heft)pflaster *n.* -s, -; 《빨아내는》 Zugpflaster *n.* -s, -; 《연고》 Salbe *f.* -n; Balsam *m.* -s, -e. ¶ ~을 붙이다 ein Pflaster auf|kleben 《*auf*⁴》.

고약하다 《생김새가》 häßlich; unpassend; 《마음이》 böse; schlecht; leichtfertig; unrecht; schief; 《성질·냄새가》 schlecht; schmutzig; unsauber; ekelhaft; widerlich; ärgerlich; mürrisch; übel; verdrießlich; heftig; hart; arglistig (sein). ¶ 고약한 감기 die schwere Erkältung / 고약한 냄새 der widerliche 〔ekelhafte〕 Geruch, -(e)s, ⸚e / 고약한 놈 der widerliche Kerl, -(e)s, -e; e-e schreckliche Person, -en; der ekelhafte Mensch, -en, -en / 고약한 말 böse Worte; die gemeine Sprache, -n / 고약한 날씨 Hundewetter; Scheißwetter / 순진한 어린 애를 속이다니 참 고약한 사람이군 Du bist so schlau, daß du solch ein reines Kind irreführt.

고양이 Katze *f.* -n (수코양이); Kater *m.* -s, - (암코양이); Kätzchen *n.* -s, -(새끼). ¶ ~에게 반찬가게 지키라는 격이다 den Wolf ⁴Schafe hüten lassen*; die Katze zum Fischhüter machen; den Bock zum Gärtner setzen.

고양하다(高揚—) (hoch|)heben*; erheben*; erhöhen; vergrößern; steigern.

고어(古語) 《옛말》 das veraltete Wort, -(e)s, ⸚er; 《옛 속담》 das alte Sprichwort; der alte Spruch, -(e)s, ⸚e. ¶ 이 말은 ~가 되었다 Das Wort ist außer Gebrauch 〔nicht mehr üblich〕 / ~에 이르기를 눈에서 멀어지면 마음에서 멀어진다 „Aus den Augen, aus dem Sinn" lautet 〔sagt〕 ein altbekanntes Sprichwort.

고언(古諺) das alte Sprichwort, -(e)s, ⸚er; der alte Spruch, -(e)s, ⸚e. ¶ ~이 그르지 않구나 Das alte Sprichwort bewährt sich.

고언(苦言) bitterer Rat, -(e)s, -schläge; bittere Mahnung, -en; Ermahnung *f.* -en; offener Rat. ¶ ~을 드리다 〔하다〕 e-n offenen 〔bitteren〕 Rat geben*³.

고역(苦役) harte Arbeit, -en; Plackerei *f.* -en; Zwangsarbeit *f.* -en(강제 노동); Schufterei *f.* -en. ¶ ~을 치르다 mühsam arbeiten; ⁴sich ab|placken; ⁴sich müde arbeiten; ⁴sich schinden*.

고열(高熱) das hohe 〔hitzige; starke〕 Fieber, -s, -. ¶ ~ 처리하다 〖야금〗 bei erhöhter Temperatur vergüten⁴ / ~과 싸우다 mit dem hitzigen Fieber kämpfen / ~로 괴로와하다 unter dem hohen Fieber leiden* / ~로 헛소리하다 wegen des starken Fiebers schwatzen 〔reden〕 / ~이 나다 das hohe Fieber haben*.

고엽(枯葉) das dürre 〔welke; verwelkte〕 Blatt, -(e)s, ⸚er.

고옥(古屋) das verfallene 〔verwilderte; baufällige〕 Haus, -es, ⸚er; die verwahrloste Kate, -n; die verödete Kabuse, -n.

고온(高溫) die hohe Temperatur, -en.
‖ ~계(計) Pyrometer *n.* 〔*m.*〕 -s, -.

고요 Stille *f.*; Ruhe *f.* ¶ 깊은 ~ die tiefe Stille / 저녁의 ~ Abendstille *f.*; die Stille des Abends / 바다의 ~ Meeresstille *f.* / 죽음과 같은 ~ die tote 〔große〕 Stille / 폭풍전의 ~ die Stille vor dem Sturm / 밤의 ~를 깨다 die nächtliche Stille unterbrechen.*

고요하다 still; ruhig; geräuschlos; totenstill; 《적적한》 einsam (sein). ¶ 쥐죽은 듯이 ~ mäusenstill werden; kein Laut von ³sich geben*; ganz ohne ⁴Regung sein / 주위가 갑자기 고요해졌다 Ringsum wurde es plötzlich still. / 장내는 쥐죽은 듯이 고요해졌다 Im Saal herrschte Totenstille 〔Grabesstille〕.

고욤 〖식물〗 e-e kleine Kaki-Art; e-e kleine Persimonenart; Lotus-Persimone *f.* -n. ¶ ~일흔이 감 하나만 못하다 „Siebzig Lotus-Persimonen können eine richtige 〔echte〕 Persimone nicht aufwiegen."¦Quantität ist kein Ersatz 《*m.* -en, -e》 für Qualität.
‖ ~나무 Persimonenbaum *m.* -(e)s, ⸚e; *Diospyros lotus* var. *typica* (학명).

고용(雇用) (Dienst)anstellung *f.* -en. ~하다 in ⁴Dienst nehmen*; auf|nehmen*⁴; ein|-stellen⁴; an|stellen⁴; engagieren⁴ (특히 예술가 따위를); an|heuern⁴ (선원을). ¶ 나는 이 회사에 운전사로 ~되어 있다 Ich bin bei dieser Firma als Fahrer angestellt.
‖ ~주 Arbeit|geber 〔Auftrag-〕 *m.* -s, -; Brotherr *m.* -n, -en; Dienstherr *m.* -n, -en; Prinzipal *m.* -s, -e.

고용(雇傭) Dienst|verhältnis 〔Arbeits-〕 *n.* ..nisses, ..nisse (고용관계); Engagement [ãgaʒ(ə)mã:] *n.* -s, -s. ~하다 bei *jm.* im Dienst sein; bei *jm.* angestellt sein.
‖ ~계약 Dienst|vertrag 〔Arbeits-〕 *m.* -(e)s, ⸚e; Dienstkontrakt *m.* -(e)s, -e. ~살이 Dienstzeit *f.* -n (사는 기간); Lehrzeit *f.* -n (견습기간): ~살이하다 bei *jm.* dienen; ⁴sich aus|bilden 《*in*³》 / ~살이를 끝내다 aus|dienen; s-e Lehrzeit beenden / 그의 ~살이 기간이 끝났다 S-e Dienstzeit ist abgelaufen. ~조건 Dienst|bedingung 〔Arbeits-〕 *f.* -en. 임시 ~자 Aushilfe *f.* -n. 피~자 Arbeitnehmer *m.* -s, -.

고우(故友) der alte Freund, -(e)s, -e; der alte Kamerad, -en, -en.
‖ 죽마~ Jugendfreund *m.* -(e)s, -e.

고운때 ein wenig Schmutz, -es, - (an den Kleidern).

고운야학(孤雲野鶴) 《은사(隱士)》 Einsiedler *m.* -s, -; Klausner *m.* -s, -.

고원(高原) Hochebene *f.* -n; Plateau [plató:] *n.* -s, -s; Tafelland *n.* -(e)s, ⸚er.
‖ ~요양소 Bergsanatorium *n.* -s, ..rien; Höhenkurort *m.* -(e)s, -e.

고원(高遠) Hochherzigkeit *f.* -en; Vornehmheit *f.* -en. ~하다 hoch; erhaben; edel; vornehm (sein).

고원(雇員) Arbeitnehmer *m.* -s, -; Tagelöhner *m.* -s, -. ¶ 사원과 ~ Angestellte* u. Arbeiter 《*pl.*》.

고월(孤月) der einsame Mond, -(e)s, -e.

고위(高位) der hohe Rang, -(e)s, ⸚e; die hohe Stelle, -n; die hohe Stellung, -en.
‖ ~고관(高官) Menschen 《*pl.*》 von hohem Rang u. Amt; Würdenträger *m.* -s, -: ~고관을 바라다 〔노리다〕 nach ³Rang u. ³Ehre trachten.

고위도(高緯度) die hohe Breite, -n. ¶ ~ 지방 der hohe Breitenkreis, -es, -e; 《한랭지방》 der kalte Breitenkreis, -es, -e.

고유(告諭) Belehrung *f.* -en; (Er)mahnung *f.* -en; Warnung *f.* -en. ~하다 belehren⁴;

ermahnen⁴《zu³》; mahnen⁴; erinnern⁴《an⁴》.

고유(固有) Charakter *m.* -s, ..tere; Eigenart *f.* -en; Kennzeichen *n.* -s, -. ~하다 wesenseigen (art-); an¦geboren (ein-) (타고난); bezeichnend 《für⁴》; charakteristisch 《für⁴》 (특성 있는); eigen(artig); eigentümlich; einheimisch; kennzeichnend 《für⁴》; typisch 《für⁴》; von ³Natur aus eigen; wesentlich. ¶ 한국 ~의 음악 die eigenartige Musik in Korea / 그것은 한국인 ~의 성질이다 Das ist für die Koreaner charakteristisch. ¦ Diese Eigenschaft ist den Koreaner eigentümlich. / 그녀는 여성 ~의 차림을 하고 있다 Sie ist auf e-e ihr ganz eigentümlichen Art gekleidet.

‖ ~명사 Eigenname(n) *m.* ..mens, ..men.

고육지책(苦肉之策) Komplott 《*n.* -(e)s, -e》 um ⁴Zwiste unter den Feinden hervorzurufen; hinterlistiger Anschlag, -(e)s, ¨e. ¶ ~을 쓰다 e-n Anschlag treffen*, durch Verbreitung falscher Gerüchte Zwietracht unter den Feinden zu verursachen.

고율(高率) der hohe (Prozent)satz, -es, ¨e; die hohe Rate, -n. ¶ ~의 이자 die hohen Zinsen.

‖ ~배당(금) die hochprozentige Dividende. ~세 die hochprozentige Steuer, -n.

고은(高恩) die große Güte 《*pl.*》; die großen Wohltaten 《*pl.*》. ¶ ~을 입다 *jm.* zu Dank verpflichtet sein; bei *jm.* in großer Gunst stehen* / ~을 베풀어 주신 데 감사합니다 Ich danke Ihnen für die große Güte, die Sie mir erwiesen haben.

고을 Land *n.* -(e)s; Provinz *f.* -en; Bezirk *m.* -(e)s, -e; Distrikt *m.* -(e)s, -e; Gau *m.* -(e)s, -e (-en); Gegend *f.* -en; Kreis *m.* -es, -e; Landstrich *m.* -(e)s, -e.

고을살이 der Dienst 《-(e)s, -e》 als Gouverneur in e-m Kreis; das Leben des Gouverneurs. ~하다 als Gouverneur in e-m Kreis dienen.

고음(高音) der hohe Ton, -(e)s, ¨e; die hohe Stimme, -n; 〖음악〗 Sopran *m.* -s, -e. ¶ ~의 in hoher Tonlage.

‖ ~부 〖음악〗 Diskant *m.* -(e)s, -e; Sopran *m.* -s, -e: ~부 기호 Diskant¦schlüssel (Sopran-) *m.* -s, -.

고읍(古邑) die alte Stadt, ¨e.

고의(古義) alte Bedeutung, -en; alter Sinn, -(e)s; ursprüngliche Bedeutung.

고의(故意) Absicht *f.* -en; Vorsatz *m.* -es, ¨e. ¶ ~로 absichtlich; vorsätzlich; mit Absicht; mit Vorbedacht; mit Bedacht; willentlich; gewollt; bewußt; geflissentlich / ~가 아닌 unabsichtlich; unvorsätzlich; unfreiwillig; ohne ⁴Absicht (Vorsatz) / ~적 행위 die absichtliche (überlegte) Tat, -en; die vorbedachte Handlung, -en / ~인지 우연인지 ob mit Absicht od. aus Zufall; ob absichtlich od. zufällig / ~로 발을 밟다 mit Absicht auf *js.* Fuß treten* / ~로 살인하다 *jn.* mit böswilliger Absicht töten; e-n vorbedachten Mord begehen* / ~로 한 짓이 아니니 용서하시오 Verzeihen Sie, ich habe es nicht absichtlich getan!

고의(高誼) 《두터운 정》 die enge Freundschaft, -en; 《남의 정》 Ihre (Deine) Güte, -n (Gunst, ¨e).

고의(袴衣) kurze Beinkleider 《*pl.*》 für den Sommer; Kniehosen 《*pl.*》. ¶ ~춤에 손을 넣다 s-e Hände in den Gürtel stecken.

고이 《곱게》 gut; schön; wohl; 《조심해서》 vorsichtig; vornehm; still; ruhig; friedlich; leicht. ¶ ~ 잠들다 ruhig ein|schlafen* (in Schlaf fallen* Ⓢ); 《죽음》 friedlich dahinscheiden* / ~ 말을 듣다 sorgfältig befolgen; genau das tun, was e-m gesagt wurde / ~ 다루다 vorsichtig behandeln / 영령이여 ~ 잠드소서 S-e edle Seele möge Frieden haben! ¦ Er ruhe in Frieden!

고인(古人) die Alten 《*pl.*》; Menschen 《*pl.*》 alter Zeiten.

고인(故人) der Gestorbene* (Verstorbene*; Hingegangene*; Verschiedene*; Selige*) -n, -n. ¶ ~의 유족 die Familie 《-n》 des Verstorbenen / ~이 되다 sterben* Ⓢ; hin|scheiden* Ⓢ; entschlafen* Ⓢ / 이미 ~이 된 김씨 der verstorbene (selige) Herr *Kim* / 그도 ~이 됐다 Er lebt nicht mehr.

고인돌 Dolmen *m.* -s, -.

고자장이(告者一) Angeber *m.* -s, -; Denunziant *m.* -en, -en; Zwischenträger *m.* -s, -.

고자(鼓子) Eunuch *m.* -en, -en; der Mann mit unvollkommen entwickelten Geschlechtsorganen.

-고자 《욕망》 um zu; wünschen ... zu; bereit sein zu...; vor|haben; im Sinne haben; im Begriff sein; 《목적》 zu; um... zu; mit Absicht; so... daß. ¶ …고자 하다 beabsichtigen; planen; im Begriff sein / 그것이 바로 내가 말하고자 한 바다 Das ist es, was ich gerade sagen wollte.

고자누룩하다 《떠들다가》 wieder ruhig (sein); wieder still (sein); 《병세가》 genesen 《von³》; geheilt 《von³》; wieder gesund; erleichtert; gemildert; gelindert (sein).

고자세(高姿勢) Oberhand *f.*; Vorrang *m.* -(e)s. ¶ ~로 나오다 Oberhand bekommen* (nehmen*; gewinnen*) 《über⁴》; 《상대를 깔보다》 *jn.* von oben herab an|sehen* (behandeln).

고자질(告者一) Angeberei *f.* -en; Hinterbringung *f.* -en; Denunziation *f.* -en. ~하다 an|geben* 《*jn.*》; hinterbringen* 《*jn.*》; denunzieren 《*jn.*》; 〖속어〗 petzen 《*jn.*》. ¶ ~당하다 angegeben (hinterbracht; denunziert) werden.

고작 nur; höchstens; am Ende; im besten Falle; am äußersten Falle. ¶ ~ 어린애가 아닌가 Er ist doch nur ein Kind. / 그는 ~ 학교 선생이다 Er ist nichts anderes als ein Lehrer. / ~ 1000원 뿐이라면 쓸모가 없다 Mit nur 1000 *Won* kann man nichts anfangen. / 그것은 ~해야 100원 어치밖에 안된다 Es ist nicht mehr wert als 100 *Won.* / 그의 월급은 ~ 2만 원 밖에 안 된다 Sein Gehalt beträgt höchstens 20000 *Won.* / 애들을 먹여 살리는 것이 ~이다 M-e Kinder zu ernähren ist gerade noch das, was ich tun kann. / 빚 안지는 것이 ~이다 Ich kann mich gerade noch von Schulden freihalten. / 여기서 낚아 보았자 하루에 ~ 열마리 안팎일 것입니다 Hier können Sie höchstens zehn Fische am Tag fangen.

고장 Land *n.* -(e)s; Gegend *f.*; Ort *m.* -(e)s. ¶ 그 ~ 사람 der Eingeborene* (Einheimische*) -n, -n / ~ 사투리 Mundart *f.* -en / 그 ~ 지리에 밝은 (서투른) ortskundig (ortsfremd) / 그는 이 ~ 사람이다 Er ist (stammt) aus dieser Gegend. / 대구는 사과의 (본)~이다 *Daegu* ist die Heimat des Apfels. / 파리는 유행의 ~이다 Paris ist die

Zentralstelle der Mode. / ～이 다르면 풍속도 다르다 „And(e)re Länder, and(e)re Sitten."

고장(故障) ① 《지장》 Hindernis *n.* ..nisses, ..nisse; Haken *m.* -s, -; Hemmung *f.* -en; (Ver)hinderung *f.* -en; Schwierigkeit *f.* -en; Störung *f.* -en. ¶ …에 ～이 있다 Die Sache hat e-n Haken in[3].... ¦ Das ist mit Schwierigkeiten verbunden. ¦ Da liegt der Hund begraben. ② 《파손》 Schaden *m.* -s, ⸚; Beschädigung *f.* -en. ¶ ～을 일으키다 schadhaft (beschädigt; ramponiert) werden; es geht nicht richtig 《*mit*[3]》 / 기관에 ～이 생긴 탓으로 wegen gewisser [2]Motorschäden; da der Motor beschädigt wurde. ③ 《사고》 Un(glücks)fall *m.* -(e)s, ⸚e; Unglück *n.* -(e)s, -e. ¶ ～ 없이 ohne [4]Zwischen¦fälle (Unglücks-); glatt; glücklich; reibungslos / 전차의 ～ der Unfall der Elektrischen; Straßenbahnunglück. ④ 《결점》 Fehler *m.* -s, -; Mangel *m.* -s, ⸚. ¶ 기계에 ～이 잦다 Die Maschine hat viele Fehler.
‖ ～차 der schadhafte (beschädigte; ramponierte) Wagen, -s, -.

고장난명(孤掌難鳴) Man braucht e-n Gegner, wenn man ringen will. ¦ Man braucht Hilfe, wenn man etwas erreichen will.

고장애(高障礙) 〖체육〗 e-e hohe Hürde, -n.
‖ ～경주 Hürdenlauf *m.* -(e)s; das Hürderennen* (Hindernis-) -s; das Rennen* mit Hindernissen.

고재(高才) Genie *n.* -s, -s; große Tüchtigkeit, -en; großes Talent, -(e)s, -e.

고쟁이 die Unterhose 《-n》 der Frau; kurzer Rock 《-(e)s, ⸚e》 der Frau.

고저(高低) ① 《높이》 Höhe *f.* -n. ② 《기복》 das Hoch u. Nieder; das Auf u. Nieder; das Steigen* u. Fallen* 《위의 2격형: des - u. -s》. ¶ ～가 없는 eben; flach; horizontal. ③ 《물가의》 das Schwanken*, -s; Schwankung *f.* -en; Wechsel *m.* -s -. ¶ ～가 있는 schwankend; unbestimmt; wechselnd. ④ 《소리의》 (Ton)höhe *f.* -n.

고적(古蹟) die altehrwürdige Stätte, -n; die historisch bemerkenswerten Orte 《*pl.*》; die Sehenswürdigkeiten 《*pl.*》 aus alten Zeiten; Altertümer 《*pl.*》; Ruine *f.* -n. ¶ ～을 찾다 altehrwürdige Stätten besuchen; [4]sich an e-n (nach e-m) historisch bemerkenswerten Ort begeben* / 경주에는 ～이 많다 Es gibt viele historische Plätze in *Gyeongju*.

고적(孤寂) Einsamkeit *f.* -en; Abgeschiedenheit *f.* -en; Alleinsein *n.* -s. **～하다** allein; einsam; abgeschieden; verlassen; abgesondert; vereinzelt (sein). ¶ ～한 사람 der einsame (verlassene) Mensch, -en, -en / ～한 생활을 하다 ein einsames (verlassenes) Leben führen; verlassen (eingezogen; zurückgezogen) leben / ～을 즐기다 die Einsamkeit lieben; gern für sich leben.

고적대(鼓笛隊) Trommel- u. Pfeifenkorps; 《행렬》 Zug 《*m.* -(e)s, ⸚e》 von Trommlern u. Pfeifern; Spielmannszug.
‖ ～장 Tambourmajor *m.* -s.

고적운(高積雲) Altokumulus *m.* -, ..li.

고전(古典) die klassische Dichtung, -en; Klassik *f.*; das Klassische*, -n. ¶ ～적인 klassisch.
‖ ～주의 Klassik *f.*; Klassizismus *m.* **～학자** Klassiker *m.* -s, -; der klassische Philologe, -n, -n.

고전(古錢) die alte Münze, -n.
‖ ～학(學) Numismatik *f.*; Münzkunde *f.*: ～학자 Numismatiker *m.* -s, -; der Münzkundige*, -n, -n (-kenner, -s, -).

고전(苦戰) harter (schwerer; bittrer) Kampf, -(e)s, ⸚e (Krieg, -(e)s, -e); verzweifelter (hoffnungsloser) Kampf, -(e)s, ⸚e (절망적인). **～하다** hart (schwer) kämpfen; verzweifelt (hoffnungslos) kämpfen (절망적으로). ¶ 이번 선거에 그는 매우 ～했다 Bei der letzten Wahl hatte er e-n schweren Kampf zu bestehen. / 그는 ～분투해서 지금의 자리에 올랐다 Er erkämpfte sich s-e jetzige Stellung.

고전장(古戰場) das alte Schlachtfeld, -(e)s, -er; der Kampfplatz (Kriegs(schau)platz) aus alter Zeit.

고절(高節) die erhabene Denkungsart, -en; Edelmut *m.* -(e)s; die edle Gesinnung, -en.

고점(高點) die hohe Zensur, -en; der hohe Punkt, -(e)s, -e.
‖ ～자(者) der jenige*, der hohe Zensuren gewonnen hat; der mit großer Mehrheit Gewählte*, -n, -n (선거의).

고정(固定) Festigkeit *f.* -en; Fixierung *f.* -en. **～하다** fest¦halten*[4] (-legen[4]); fest¦setzen[4]; befestigen[4]; fixieren[4]. ¶ ～적인 fest (gesetzt); feststehend; fix; stationär; stehend / 못으로 ～시키다 mit e-m Nagel befestigen[4] / ～하십시오 Beruhigen (Besänftigen) Sie sich!
‖ ～급료 Fixum *n.* -s, ..xa; das feste Gehalt, -(e)s, ⸚er; der feste Lohn, -(e)s, ⸚e. **～자본** das fixe (stehende) Kapital, -s, -e (..lien). **～자산** Immobilien 《*pl.*》; die unbewegliche Habe; Liegenschaften 《*pl.*》: ～자산세 die Steuer 《-n》 auf [4]Immobilien; Immobiliensteuer *f.* -n.

고제(古制) das alte Gesetz, -es, -e; Rechtsaltertümer 《*pl.*》.

고제(高弟) der hervorragende Jünger, -s, -; der glänzende (ausgezeichnete) Schüler, -s, -; der führende Schüler, -s, -.

고조(古調) 《옛날 가락》 alte Melodie *f.* -n; alte Weise, -n.

고조(枯凋) Verfall *m.* -(e)s. **～하다** (ver-) welken Ⓢ; vertrocknen Ⓢ; verfallen* Ⓢ.

고조(高祖) ① 《왕실 따위의》 der Begründer e-r Dynastie (e-r Sekte). ② ＝고조(부).

고조(高調) 《곡의》 der hohe Ton, -(e)s, ⸚e. **～하다** 《역설》 nachdrücklich behaupten[4]; betonen[4]; hervor¦heben*[4].

고조(高潮) ① hohe Flut, -en; Hochflut *f.* -en. ② 《정점》 Höhepunkt *m.* -(e)s, -e; Gipfel *m.* -s, -; Klimax *f.* -e. ¶ 최～에 달하다 e-n Gipfel (e-n Höhepunkt; die Klimax) erreichen; die Höhe gewinnen*.
‖ ～점 Hochwasserstandszeichen *n.* -s, -.

고조고(高祖考) der verstorbene Ur-urgroßvater, -s, ⸚; Ur-urgroßvater selig.

고조모(高祖母) Ur-urgroßmutter *f.* ⸚.

고조부(高祖父) Ur-urgroßvater *m.* -s, ⸚.

고조비(高祖妣) verstorbene (selige) Ur-urgroßmutter, ⸚; Ur-urgroßmutter selig.

고조하다(高燥一) hoch u. trocken; erhaben u. dürr (sein).

고종(古鐘) e-e alte Glocke, -n.

고종사촌(姑從四寸) das Kind 《-(e)s, -er》 der Schwester des Vaters.

고좌(高座) (Redner)bühne *f.* -n; der erhöhte

Sitz, -es, -e; Empore *f.* -n; Erhöhung *f.* -en; Estrade *f.* -n; Hochsitz; Podium *n.* -s, ..dien; (Redner)tribüne *f.* -n.

고죄(告罪) Bekenntnis *n.* ..sses, ..sse. **~하다** ⁴sich als 〔für〕 schuldig bekennen*; ⁴sich als den Schuldigen bekennen*.

고주망태 Betrunkenheit *f.* -en; Rausch *m.* -s. ¶ ~가 되다 bezecht 〔betrunken; besoffen; berauscht〕 sein.

고주파(高周波) 〖물리〗 Hochfrequenz *f.*
‖ **~발전기** Hochfrequenzgenerator *m.* **~저항** Hochfrequenzwiderstand *m.* **~전류** Hochfrequenzstrom *m.* **~증폭** Hochfrequenzverstärkung *f.* **~흡수장치** Hochfrequenzabsorbierer *m.*

고증(考證) die vergleichende Forschung 〔Untersuchung〕 《-en》 (e-s Werkes mit historischen Tatsachen); Kollation *f.* -en(원문의 비교). **~하다** vergleichend forschen⁴ 〔untersuchen⁴〕; kollationieren⁴. ¶ 이 그림은 인물의 복장에 ~상의 잘못이 있다 Die Kleidung der auf dem Bilde dargestellten Person stimmt, vom historischen Standpunkt aus betrachtet, nicht.
‖ **~학** die Methode 《-n》 der historischen Forschung. **시대**(時代)**~** historische Erforschung, -en.

고지¹ 《호박 등의》 zerhackte(r) getrockne(r) Eierpflanze, -n 〔Kürbis, -ses, -se〕.

고지² 《메주 따위의》 die hölzerne (Guß)form für Malz, Bohnenpaste *usw.*

고지(告知) Bekannt¦gabe 〔Kund-〕 *f.* -n; Bekanntmachung *f.* -en; Ankündigung *f.* -en; Verkündigung *f.* -en; Anzeige *f.* -n; Kündigung *f.* -en (해약의). **~하다** an|kündigen⁴; an|zeigen⁴; bekannt|geben*⁴; bekannt|machen⁴; kündigen⁴ 《*jm.*》.
‖ **~서** e-e schriftliche Mitteilung: 납세 ~서 Steuerzettel *m.* -s, -. **~판** Anschlagtafel *f.* -n; das schwarze Brett, -(e)s, -er.

고지(高地) Höhe *f.* -n; Erhöhung *f.* -en; Anhöhe *f.* -n; Hochland *n.* -(e)s; Hochebene *f.* -n (고원); Plateau[plató:] *n.* -s, -s(고원). ¶ 200 m ~ die Höhe von 200 Metern.

고지기(庫―) Lager(haus)wächter *m.* -s, -.

고지랑물 ＝구정물.

고지새 〖조류〗 der wandernde chinesische Kernbeißer, -s,-; *Eophona migratoria*(학명).

고지식 die einfältige Ehrlichkeit, -en; die Ehrlichkeit der Dummheit. **~하다** einfach u. ehrlich; zu ehrlich; vollkommen ernst; todernst (sein); k-n Spaß verstehen*. ¶ ~한 사람 e-e naive u. leichtgläubige 〔e-e einfache u. ehrliche〕 Person, -en.

고지자리품 〖농업〗 die Feldarbeit, für die man Geld(Getreide) pro *majigi* bekommt.

고진감래(苦盡甘來) „Auf Regen folgt Sonnenschein."

고질(痼疾) die chronische 〔dauernde; hartnäckige; langwierige; tiefsitzende〕 Krankheit, -en. ¶ 그는 ~에 걸려 신음하고 있다 Er leidet an e-r hartnäckigen Krankheit. / 그의 병은 ~이다 Die Krankheit steckt unheilbar in ihm.

고집(固執) Widerspenstigkeit *f.* -en; Eigensinn 〔Starr-〕 *m.* -(e)s; Halsstarrigkeit *f.* -en; Hartnäckigkeit *f.* -en; Trotz *m.* -es; Unbelehrbarkeit *f.* -en; Unbeugsamkeit *f.* -en; Verstocktheit *f.* ¶ ~이 센 widerspenstig; eigen¦sinnig 〔starr-〕; halsstarrig; hartnäckig; obstinat; starrköpfig; unbelehrbar; unbeugsam; unbotmäßig; ungehorsam; verstockt; bockig; querköpfig; unnachgiebig / ~(을) 부리다 〔위의 형용사+sein 외에〕 hartnäckig auf dem eigenen Willen bestehen*; hartnäckig bei s-m Willen bleiben* Ⓢ; nicht von s-m Kopf ab¦gehen* Ⓢ; s-n Kopf auf|setzen (⁴sich behaupten); e-n harten Nacken haben / 자기 의견을 ~하다 bei s-r Meinung bleiben* Ⓢ; auf s-r Meinung bestehen*; bei s-r Meinung beharren.
‖ **~장이** Dickkopf *m.* -(e)s, ⸗e; ein eigensinniger Mann, -(e)s, ⸗er.

고집불통(固執不通) Widerspenstigkeit *f.*; Halsstarrigkeit *f.*; der Halsstarrige* (Starrköpfige*) -n, -n (사람). ¶ ~인 Widerspenstig; halsstarrig; starrköpfig; eigensinnig.

고차(高次) ¶ ~의 von höherer ³Ordnung.
‖ **~방정식** 〖수학〗 die Gleichungen 《*pl.*》 hohen Grades.

고착(固着) das Fest¦kleben* 〔An-〕 -s; das Festhalten* 〔Anhängen*〕 -s. **~하다** an|kleben 《*an*³》; an|haften 《*an*³》; fest|halten 《*an*³》; verwachsen* 《*mit*³》 (유착하다).
‖ **~관념** die fixe Idee, -n.

고찰(古刹) der alte Tempel, -s, -.

고찰(考察) Betrachtung *f.* -en; das Anschauen*, -s; Beschauung *f.* -en; Kontemplation *f.* -en; das Nachdenken*, -s; Überlegung *f.* -en. **~하다** betrachten*⁴; in ⁴Betracht ziehen*⁴; an|schauen⁴; beschauen⁴; nach|denken* 《*über*⁴》; überlegen⁴. ¶ 사회문제에 관한 ~ e-e Studie 《-n》 zur sozialen Frage.
‖ **미적~** die ästhetische Betrachtung, -en.

고참(古參) der (Dienst)¦ältere* 〔Rang-〕 -n, -n; der Altgediente*, -n, -n; Senior *m.* -s, -en. ¶ ~의 älter; senior.
‖ **~병** ein alter Soldat, -en, -en; Veteran *m.* -en, -en. **~외교관** der Doyen [doajɛ̃:] 《-s, -s》 des diplomatischen Korps.

고창하다(高唱―) ① 《노래를》 laut singen*⁴; schmettern⁴(고함치다). ② 《주장의 강조》 verfechten*⁴; befürworten⁴; hervor|heben*⁴; nachdrücklich betonen⁴; vertreten*⁴.

고천문(告天文) die Bekanntmachung 《-en》 zum Himmel 〔Gott〕 《bei der Trauung》.

고철(古鐵) Alteisen *n.* -s, -; Schrott *m.* -(e)s, -e; Altmetall *n.* -s, -e. ¶ ~로 버리다 zum alten Eisen werfen*⁴; verschrotten⁴.

고체(古體) die alte Form, -en; der alte Stil, -(e)s, -e.

고체(固體) der feste Körper, -s, -. ¶ ~의 fest / ~가 되다 ⁴sich verdichten / ~로 만들다 verdichten⁴.
‖ **~물리학** Festkörperphysik *f.* **~연료** der feste Brennstoff, -(e)s, -e. **~화학** die Chemie der festen Körper.

고쳐 wieder; aufs neue. ¶ ~ 쓰다 aufs neue schreiben*⁴; um|schreiben*⁴ / ~ 생각하다 ³sich anders überlegen⁴; ⁴sich e-s andern 〔e-s Besseren; anders〕 bedenken* 〔besinnen*〕; noch einmal überlegen⁴.

고초(苦楚) Mühsal *f.* -e 〔*n.* -(e)s, -e〕; Mangel *m.* -s, ⸗; Leiden *n.* -s, -; Störung *f.* -en; Schwierigkeit *f.* -en; Not *f.* ⸗e. ¶ ~를 겪다 Schwierigkeiten erleiden* (haben); bittere Erfahrungen machen*.

고추 〖식물〗 Paprika *m.* -s, -s; spanischer Pfeffer, -s. ¶ ~는 작아도 맵다 Der Papri-

f. ⁻e; Akrobatik f.; Balancierkunst [..lãsí..] f. ⁻e (줄타기, 도립 등); Trapezkunst f. ⁻e (공중그네의); Werf- u. Fangkunst (칼던지기 따위); Reitkunststück n. -(e)s, -e; Kunstreiterei f. -en (마상의). ～하다 akrobatische Kunststücke 《pl.》 zum besten geben* (vor|führen*); Kunststück machen. ‖～비행 Kunstflug m. -s, ⁻e. ～사 Akrobat m. -en, -en; Jongleur [ʒɔ̃glø:r] m. -s, -e; Balancierkünstler m. -s, -; Kunstreiter m. -s, -; Seiltänzer m. -s, - (줄타기).

곡절(曲折) ① 《우회》 Windung f. -en; Wechselfälle 《pl.》 (인생, 운명의); Verwicklung f. -en (분규, 갈등). ¶ ～이 많은 windend; gewunden; geschlängelt; 《인생》 bewegt; ereignisvoll; mit vielem Auf u. Ab/ 인생의 우여 ～ das Auf u. Ab (Wechselfälle) des Lebens/여러 가지 ～ 끝에 nach vielen Wendungen und Windungen / 그 ～은 알고 있읍니다 Ich kenne alle Einzelheiten der Sache. / 이제부터 더욱 파란 ～이 있을 것이다 Von jetzt an werden noch viele Verwicklungen eintreten. / 많은 우여 ～ 끝에 담판이 이루어졌다 Nach vielem Hin und Her wurde die Unterhandlung abgeschlossen. ② 《까닭》 Grund m. -s, ⁻e; Ursache f. -n. ¶ 무슨 ～로 aus welcher Ursache; aus welchem Grund / 아무 ～ 없이 ohne jeden Grund; ohne alle Ursache / 나에게는 불평을 말할 충분한 ～이 있다 Ich habe allen Grund (alle Ursache), mich zu beklagen.

곡조(曲調) Melodie f. -n [..dí:ən]; Ton m. -(e)s, ⁻e; Weise f. -n. ¶ ～가 아름다운 melodiös; melodisch; wohlklingend / ～가 맞지 않는 mißtönend / 바이올린의 부드러운 ～ der zarte Ton der Geige / 한 ～ 불러 주다 jm. ein Stück vorsingen* / 가사에 ～를 붙이다 e-n Text komponieren (vertonen); e-n Text in ⁴Musik setzen.

곡직(曲直) recht u. unrecht; Gut u. Böse. ¶ ～을 가리다 zwischen recht u. unrecht unterscheiden (können*); streiten*, wer recht hat (wer im Recht ist; auf welcher Seite das Recht ist) / 사건의 ～을 밝히다 Recht u. Unrecht e-s Falls untersuchen.

곡창(穀倉) 《창고》 Getreidespeicher m. -s, -; Kornkammer f. -n; Getreidelagerhaus n. -es, ⁻er; 《곡창지대》 Kornkammer f. -n; Getreideboden m. -s, - (⁻). ¶ 호남은 한국의 ～이다 Honam (Tscheonra-Provinzen) ist die Kornkammer Koreas.

곡척(曲尺) ＝곱자.

곡필(曲筆) die falsche Darstellung, -en. ～하다 absichtlich falsch darstellen. ¶ 사실을 ～하여 쓰다 die Wahrheit absichtlich falsch darstellen.

곡학아세지도(曲學阿世之徒) der weltkluge (weltgewandte; weltmännische) Gelehrte*, -n, -n.

곡해(曲解) 《오해》 Mißverstand m. -es; Mißverständnis n. -ses, -se; Verdrehung f. -en; Entstellung f. -en; Mißdeutung f. -en; die gewaltsame Auslegung, -en. ～하다 verdrehen⁴; entstellen⁴; mißdeuten⁴; übel aus|legen⁴. ¶ 아무의 말을 ～하다 js. Worte verdrehen / 고의로 ～하다 absichtlich verdrehen / 자네는 그 일을 ～하고 있네 Sie mißverstehen die Sache. / 그 학생은 원뜻을 아주 ～하고 있다 Der Schüler verdreht die Urbedeutung völlig.

곡향(穀鄕) Kornkammer f. -n (e-s Landes); ertragreicher Boden, -s, ⁻.

곤경(困境) Not f. ⁻e; die mißliche (fatale; schlimme; kritische) Lage, -n; Verlegenheit f. -en; Dilemma n. -s, -s. ¶ ～에 빠지다 in eine schlimme (schwierige; mißliche) Lage geraten* [s] / ～에 처해 있다 in einer schlimmen (schwierigen; mißlichen) Lage sein; in der Klemme sein / ～에 빠뜨리다 jn. in die Klemme bringen* / ～에서 벗어나다 ⁴sich aus der Klemme ziehen* (winden*); ⁴sich aus der Verlegenheit ziehen*.

곤고(困苦) Not f. ⁻e; Mühe f. -n; Mühsal n. -(e)s, -e; Bedrängnis f. -se; Härte f. -n; Unbequemlichkeit f. -en.

곤곤하다(滾滾―) sprudelnd; in (Hülle u.) Fülle; unerschöpflich (sein). ¶ 곤곤히 솟아나다 《「샘」 따위가 주어》 sprudeln 《aus³》 / 곤곤히 흐르다 unaufhörlich fließen.

곤궁(困窮) 《빈곤》 Armut f.; (Be)dürftigkeit f.; Mangel m. -s, ⁻; die gedrückten Verhältnisse 《pl.》; die beschränkten Umstände 《pl.》; 《곤고》 Not f. ⁻e; Bedrängnis f. ..nisse; Elend n. -s; Notlage f. -n. ～하다 《빈곤》 arm; bedürftig; mittellos; unbemittelt; verarmt; 《곤고》 aufgeschmissen; bedrängt; elend (sein). ¶ ～한 생활을 하다 in Armut leben; kaum das Leben fristen; ⁴sich mühsam durch|bringen* (durch|schlagen*); von der Hand in den Mund leben / 점점 더 ～해지다 immer tiefer ins Elend geraten* [s] / 아주 ～하다 in äußerster (großer; schwerer) Not sein / ～에서 구해내다 jm. aus der Not helfen*.

곤대 《토란 줄기》 in Streifen geschnittene Tarostengel.

곤댓질, 곤댓짓 das eingebildete (anmaßende) Benehmen*, -s. ～하다 ⁴sich eingebildet (anmaßend) benehmen*.

곤돌라 Gondel f. -n.

곤두박이(치)다 das Oberste zu unterst gekehrt hinunter|stürzen [s].

곤두박질하다 um|kippen [s]; purzeln [s]; ⁴sich überschlagen* (u. hin|fallen* [s]) (자빠지다); 《재주를 넘다》 e-n Purzelbaum machen (schlagen; schießen). ¶ 비행기가 ～ ein Flugzeug überschlägt sich.

곤두서다 kopf|stehen*; auf dem Kopf stehen* [h,s]; ⁴sich bäumen (말이). ¶ 신경이 ～ jm. auf die Nerven fallen* (gehen*); in Aufregung sein / 신경이 곤두서는 이야기다 Die Geschichte fällt mir auf die Nerven. / 이 환자는 신경이 곤두서 있다 Dieser Kranke ist aufgeregt. / 머리카락이 ～ das Haar sträubt sich; jm. die Haare stehen* zu Berge.

곤두세우다 ¶ 온 신경을 ～ jeden Nerven auf|spannen; alles auf|bieten* (ein|setzen); alle Kräfte an|spannen / 깃털을 ～ die Federn sträuben / 머리카락을 곤두세우고 mit sträubenden Haaren / 머리카락을 ～ die Haare zu Berge lassen*.

곤드기장원(―壯元) das Spiel 《-(e)s, -e》 ohne Sieg u. Niederlage; unentschiedenes Spiel; das Unentschiedene*, -n, -n.

곤드라지다 ⁴sich um den Verstand (toll u. voll) trinken*; ⁴sich kaputt trinken*; ⁴sich völlig betrinken* (besaufen*); schwer betrunken sein; zuviel Alkohol trinken; ⁴sich an Alkohol berauschen. ¶ 그는 곤드

라졌다 Er ist völlig betrunken. / 그는 포도주를 마시고 곤드라졌다 Der Wein hatte ihn berauscht.

곤드레만드레 ¶~ 취하다 schwer besoffen (betrunken; benebelt) sein; im Sturm sein; schief (scharf) geladen sein; volle Ladung haben; saummäßig betrunken sein; [4]sich um den Verstand (toll u. voll) trinken*; sinnlos (schwer; total; vollständig) betrunken sein; [4]sich kaputt trinken*; 〖속어〗 sternhagelbesoffen sein; voll wie ein Schwein (wie e-e Strandkanone) sein.

곤들매기 Saibling *m.* -s, -e; Rotforelle *f.* -n.

곤란(困難) Schwierigkeit *f.* -en; Mühe *f.* -n; Not *f.* ⸚e; Engpaß *m.* ..passes, ..pässe (애로); Verlegenheit *f.* -en (곤경); Unannehmlichkeit *f.* -en (번거로움); Leiden *n.* -s, - (고난); Bedrängnis *f.* ..nisse (고경). **~하다** Schwierigkeiten haben 《*mit*[3]》; Mühe haben 《*mit*[3]》; (s-e liebe) Not haben 《*mit*[3]》; Not leiden* (빈궁). ¶~한 schwer; mühsam; schwierig ※그 밖에도 경우에 따라서 lästig 성가신, unangenehm 불쾌한, störend 번거로운, beschwerlich 귀찮은, qualvoll 괴로운 등의 구체적인 낱말을 씀 / ~에 빠지다 in Schwierigkeiten (in die Klemme; in Not; in Verlegenheit) geraten* Ⓢ / ~에 부딪히다 auf Schwierigkeiten stoßen* Ⓢ / ~과 싸우다 mit Schwierigkeiten kämpfen / ~을 이겨내다 die Schwierigkeiten (Hindernisse) überwinden* / 나는 호흡하는 데 ~을 느낀다 Ich habe Atembeschwerde. / 여자들은 취직자리를 구하는 데 ~을 당하고 있다 Die Frauen haben Schwierigkeit, e-e Stelle zu finden. / 거기에는 ~한 점이 있다 Darin liegt die Schwierigkeit. / 그때 우리는 큰 ~에 봉착했다 Da haben wir die Beschwerung gehabt. / 그 문제는 해결하기 ~하다 Die Frage bietet große Schwierigkeiten. / 행주산성을 공격할 때 일본군은 큰 ~에 부딪쳤었다 Beim Angriff auf Festung *Hängtschu* hatte die japanische Armee mit großen Schwierigkeiten zu kämpfen. / 그는 파산한 이래 ~한 생활을 하고 있다 Seitdem er Bankerott gemacht hat, geht es ihm sehr schlecht. / 유족들은 큰 ~을 받고 있다 Die Hinterlassenen sind in großer Not. / 그 선원들은 그 큰 ~을 당하고는 뒤로 움찔했다 Die Matrosen sind vor der großen Schwierigkeit zurückgeschrocken. ‖재정~ die finanzielle Not.

곤로 =풍로(風爐).

곤룡포(袞龍袍) e-e kaiserliche Robe, -n; das kaiserliche Gewand, -(e)s, ⸚er.

곤륜산맥(崑崙山脈) 《중국의》 die Kunlun Gebirgskette Innerasiens (7723 m).

곤봉(棍棒) Keule *f.* -n; Knüppel (Knüttel) *m.* -s, -; Prügel *m.* -s, -; Sportkeule *f.* -n (체조용); Polizeiknüppel *m.* -s,- (경찰용). ¶~으로 때리나 mit einer Keule schlagen*. ‖~체조 Keulenschwingen *n.* -s.

곤쇠아비동갑(一同甲) der schlaue Großpapa, -s, -s; der böse (leichtfertige) Alte, -n, -n.

곤약(蒟蒻) Paste 《*f.* -n》 aus Aronwurz. ‖~판(版) Hektograph *m.* -en, -en: ~판으로 찍다 hektographieren[4].

곤욕(困辱) bittere Beschimpfung (Beleidigung) -en; Verachtung *f.* -en; äußerster Schimpf, -(e)s, -e. ¶~을 당하다 beleidigt (verachtet; verhöhnt) werden* / ~을 참다 Beleidigungen erleiden* (ertragen*); e-e Beleidigung ein|stecken; [3]sich e-e Beleidigung gefallen lassen*.

곤이(鯤鮞) Milch der männlichen Fische 《*pl.*》; Rogen *m.* -s, -.

곤장(棍杖) Keule *f.* -n (für die Züchtigung des Verbrechers). ¶~을 안기다 mit der Rute züchtigen; aus|peitschen.

곤쟁이 〖동물〗 e-e Art von winziger Garnele 《*f.* -n》. ‖~젓 die gezalzene Garnele.

곤죽 ① 《진창》 Sumpf *m.* -(e)s, ⸚e; Schlammigkeit *f.*; schmutziger Zustand, -(e)s, ⸚e. ¶길이 ~이 됐다 Die Straße ist schmutzig. ② 《뒤범벅》 Verwirrung *f.* -en; Unordnung *f.* -en; der schmutzige Zustand, -(e)s, ⸚e. ¶일을 ~을 만들다 [4]*et.* völlig durcheinander bringen.

곤줄박이, 곤줄매기 〖조류〗 Meise *f.* -n.

곤지 der rote Fleck《-(e)s, -e》 auf den Wangen der Braut. ¶~ 찍다 den roten Wangenfleck aufgetragen haben.

곤충(昆蟲) Insekt *n.* -(e)s, -en; Kerbtier *n.* -(e)s,- e. ¶모든 ~은 발이 여섯이다 Alle Insekten haben sechs Beinen. / 이 꽃들은 많은 ~을 모여들게 한다 Diese Blumen führen viele Insekten herbei. ‖~용 독병(毒瓶) Tötungs¦glas *n.* -es, ⸚er (-flasche *f.* -n). **~채집** das Insekt¦sammeln*, -s (-sammlung *f.* -en): ~ 채집망 Insektnetz (Schmetterlings-) *n.* -es, -e / ~채집을 하다 Insekten sammeln. **~학** Insektenkunde (-lehre) *f.* -n; Entomologie *f.* -n: ~학자 Insektologe (Entomologe) *m.* -n, -n.

곤포(昆布) =다시마.

곤핍(困乏) Erschöpfung *f.* -en; Ermattung *f.* -en; Ermüdung *f.* -en; Müdigkeit *f.* **~하다** erschöpft werden; ermüden; ermatten; müde (matt) werden.

곤하다(困一) müde; ermüdet; matt; erschöpft (sein). ¶곤히 müde; ermüdet; matt / 곤히 자다 wie ein Murmeltier (ein Dachs) schlafen* / 곤히 잠들다 erschöpft in Schlaf fallen* Ⓢ / 몹시 ~ ermüdet (totmüde) sein.

곤혹(困惑) Verlegenheit *f.* -en; Verwirrung *f.* -en; Bestürzung *f.* -en. ¶~을 당하다 nicht wissen*, wie ...; ratlos sein; in Verlegenheit (in Not; in Nöten; im Druck; in der Klemme; in der Patsche; in Verwirrung; in Bestürzung) sein.

곧[1] ① 《바로·즉시》 gleich; sofort; sogleich; augenblicks; auf der Stelle; frischweg; ohne [4]Verzug; unverzüglich. ② 《오래잖아》 bald; binnen kurzem; in absehbarer Zeit (Zukunft); in Bälde; in Kürze; in kurzem; in kurzer Zeit; in nächster Zeit; über ein kleines; über kurz od. lang (조만간). ¶곧 알 수 있다 mühelos (leicht; unschwer) verstehen* können* / 곧 봄이다 Der Frühling naht. / 그는 곧 올 것이다 Bald wird er kommen. / 내가 나가자 곧 als ich eben ausging / 곧 가겠다 Ich komme sogleich! / 괴 선생께서 앞장 서서 가십시오, 저는 곧 뒤따르겠읍니다 Bitte, gehen Sie nur voran! Ich komme gleich nach. / 내가 그 아이를 생각하자마자 곧 그가 들어왔다 Ich hatte kaum an das Kind gedacht, als es auch schon eintrat. / 그는 이 말을 하고는 곧 사라졌다 Kaum daß er diese Wort gesagt hatte, verschwand er. / 곧 준비하겠읍니다 Bald werde ich es vorbereiten. / 곧 비가 올 것 같다 Das Wetter droht mit Regen. / 곧 전보를 치십시오

Senden Sie bald ein Telegramm. / 곧 돌아오겠읍니다 Bald komme ich zurück.

곧² 《즉》 nämlich; nichts anderes als ...; das heißt《생략: d.h.》. ¶ 인생은 곧 투쟁이다 Leben bedeutet Kämpfen. / 너의 실패는 곧 나의 실패다 Dein Fehler ist zugleich mein Fehler. / 그것은 곧 내가 바라던 바다 Das ist gerade, was ich wünsche.

곧날대패 der Hobel 《-s, -》 mit senkrechter Klinge.

곧다 ① 《물건이》 gerade; direkt (sein). ¶ 곧은 선 gerade Linie, -n / 곧은 길 der gerade Weg, -(e)s, -e / 곧게 하다 gerade machen*; richten. ② 《마음이》 ehrlich; aufrichtig; freimütig; offen; rechtschaffen; redlich (sein). ¶ 곧은 사람 der ehrliche (redliche; aufrichtige) Mensch, -en, -en / 곧은 길을 살다 ein ehrliches (rechtschaffnes) Leben führen / 그는 곧고곧은 사람이다 Er ist durch u. durch ehrlich.

곧바로 direkt; geradeaus; geradeswegs; geradezu. ¶ ~ 걷다 geradeaus gehen* / ~ 집에 돌아가다 geradeswegs (direkt) nach Hause gehen* (kommen*).

곧바르다 recht u. billig (sein).

곧은창자 ① 《해부》 Enddarm *m.* -s; Mastdarm *m.* -(e)s, ⸚e. ② 《사람》 die taktlose (naive) Person, -en. ③ 《우스개》 e-e Person 《-en》, die gleich nach dem Essen zur Toilette geht.

곧이곧대로 ehrlich; offen; redlich. ¶ ~ 말하다 offen sprechen; die Wahrheit sagen.

곧이듣다 [4]*et.* für wahr halten*; glauben; [4]*et.* für baren Ernst (bar; bare Münze) nehmen*. ¶ 농담을 ~ e-n Scherz ernst nehmen* / 그는 내 말을 곧이 들었다 Er nahm das, was ich sagte, ernst. / 곧이듣건 말건 당신 마음대로다 Sie können es glauben od. nicht. / 그는 마귀의 감언을 곧이 들으려고 했다 Er wollte süße Worte des Teufels für bare Münze nehmen.

곧잘 《꽤 잘》 ziemlich gut; völlig (in ordnung); öfters; oft; häufig. ¶ 어른 말을 ~ 듣다 den Älteren völlig gehorchen / 책을 ~ 읽다 ziemlich gut lesen* / 영어를 ~ 한다 Er spricht ziemlich gut Englisch. / 그녀는 노래를 ~ 부른다 Sie singt ziemlich gut. / 미스 김은 ~ 웃는다 Frl. *Kim* lacht oft. / 약이 ~ 듣는다 Die Medizin wirkt gut.

곧장 geradewegs; direkt; 《서슴없이》 ohne zu zögern; ohne [4]Umstände; ohne weiteres; unmittelbar. ¶ 이 길을 ~ 가시오 Gehen Sie diesen Weg geradeaus. / ~ 그에게로 가십시오 Gehen Sie unmittelbar an ihn heran! / 신고도 하지 않고 ~ 하사관은 장교의 방으로 들어갔다 Ohne Anmeldung ist er ins Zimmer e-s Offiziers eingetreten.

곧추 gerade (aus); in gerader Linie; senkrecht; aufrecht; vertikal. ¶ ~ 안다 (das Kind) gerade halten* / ~ 앉다 aufrecht (gerade) sitzen* / ~ 세우다 auf|stellen (-richten); aufrecht setzen / 몸을 ~ 세우다 [4]sich auf|richten; *js.* Körper auf|richten / 책을 ~ 세우다 ein Buch《*n.*-(e)s, ⸚er》 gerade rücken (stellen) / ~ 서다 senkrecht stehen*.

곧추다 gerade machen. ¶ 쇠줄을 ~ e-n Draht 《-(e)s, ⸚e》 gerade machen.

골¹ (Ge)hirn *n.* -(e)s, -e.

골² =성. ¶ 골나서 im Zorn / 골나다, 골내다 [4]sich auf|regen 《*über*[4]》; gereizt (nervös) werden; [4]sich ärgern; die Geduld verlieren* / 그는 잔뜩 골을 내고 있다 Er spielt die gekränkte (beleidigte) Leberwurst.

골³ 《틀》 Form *f.* -en; 《신발의》 Mall *n.* -s, -e; Block *m.* -(e)s, ⸚e; Modell *n.* -s, -e. ¶ 구둣골 Schuhleisten *m.* -s, - / 구두를 구둣골에 끼우다 Schuhe auf (über) den Leisten schlagen* / 솥 골 die Gieß|form (Guß-) für den Kessel / 모자 골 Hutblock *m.* -(e)s, ⸚e.

골⁴ 《접은 금》 Bruch *m.* -(e)s, -e; Falz *m.* -es; Kniff *m.* -(e)s, -e (wenn man Tuch, Papier, Kleider *usw.* faltet).

골⁵ ① =골목. ② 《구멍》 Höhle *f.* -n; Grube *f.* -n. ③ 《골짜기》 Abfluß *m.* ..flusses, ..flüsse; Rinne *f.* -n; Abzugskanal *m.* -(e)s, ..näle; Tal *n.* -(e)s, ⸚er.

골⁶ Tor *n.* -(e)s, -e (축구); Goal [go:l] *n.* -s, -s; Mal *n.* -(e)s, -e(럭비); Ziel *n.* -(e)s, -e(육상 경기). ¶ 골인 하다 ans (zum) Ziel gelangen ⓢ / 골로 뛰어 들다 durchs Ziel gehen* ⓢ / 한 골 넣다 《축구》 ein Tor schießen* (erzielen; machen) / 한국선수가 제1착으로 골인했다 Der koreanische Läufer ging als erster durchs Ziel. ‖ 골라인 Torlinie *f.* -n. 골에어리어 Torraum *m.* -(e)s, ⸚e. 골키퍼 Tor|wart *m.* -(e)s, -e (-mann *m.* -(e)s, ⸚er). 골포스트 Torpfosten *m.* -s, -.

골간(骨幹) ① 《뼈대》 Figur *f.* -en; Körperbau *m.* -(e)s, -ten (-e). ② 《골자》 Hauptpunkt *m.* -(e)s, -e; Substanz *f.* -en; das Wesentliche (Wichtigste) -n, -n.

골감 〖식물〗 Dattelpflaume (Persimone) *f.* -n (mit vier Furchen, wo der Stengel sitzt).

골갱이 Herz *n.* -ens, -en; Mark *n.* -(e)s, -; Kern *m.* -(e)s, -e; 《골자》 Haupt|punkt *m.* -(e)s, -e (-sache *f.* -n); Substanz *f.* -en; das Wesentlichste (Wichtigste) -n, -n.

골걷이 das Jäten der bepflanzten Furchen im Feld. ~하다 die Furchen jäten.

골격(骨格) Körperbau *m.* -(e)s; Gerippe *n.* -s, -; Skelett *n.* -(e)s, -e. ¶ ~이 장대한 stämmig; handfest; von starkem Körperbau (기골이) / ~ 좋은 사람 ein Mensch von stämmigem (starkem) Körperbau; ein Mensch, stämmig von Wuchs.

골고래 《방고래》 koreanische Fußbodenheizung 《*f.* -en》 mit mehreren Feuerstellen.

골고루 ☞ 고루.

골골거리다 kränklich (gebrechlich; schwächlich) sein; auf schwachen Füßen stehen*.

골골샅샅 《구석구석》 jeder Winkel, -s, -; alle Winkel u. Löcher 《*pl.*》. ¶ ~이 뒤지다 in jedem Winkel suchen 《*nach*³》; [4]*et.* genau durch|suchen; [4]*et.* durch|wühlen 《*nach*³》.

골다 ¶ 코를 드르렁드르렁 ~ laut schnarchen / 그가 코를 골고 자는 것을 발견했다 Ich fand ihn schnarchend.

골답(一畓) das fruchtbare, wasserreiche Reisfeld, -s, -er.

골동(骨董) Kuriosität *f.* -en; alte Kunstgegenstände 《*pl.*》; Antiquität *f.* -en; Kostbarkeit *f.* -en; Kuriosum *n.* -s, ..sa; Nippsache *f.* -n; Rarität *f.* -en; Seltenheit *f.* -en. ¶ ~적 antiquarisch; altertümlich; antik; veraltet.

‖ ~가(家) (Kunst)kenner *m.* -s, -. ~상 《가게》 Kuriositätenhandlung *f.* -en; Antiquitäten|laden (Raritäten-) *m.* -s, ⸚; 《사람》 Kuriositäten|händler (Antiquitäten-; Raritäten-) *m.* -s, -.

골든아워 die goldene Stunde, -n; 〖라디오〗 die beste Sendezeit.

골땅땅이(骨—) 《골패노름》 e-e Abart des Dominospiels 《n. -s, -e》.
골똘하다 [4]sich (völlig) hingeben*[3]; ganz in Anspruch genommen sein 《von[3]》; ganz vertieft sein 《in[4]》; [4]sich widmen; [4]sich weihen. ¶ 공부에 ~ in das Studium ganz vertieft [4]sein / 생각에 ~ in Gedanken versunken (vertieft) sein / 소설 읽기에 ~ in einen Roman versunken sein / 연구에 ~ [4]sich dem Studium widmen (hingeben*; weihen) / 사업에 ~ vom Geschäfte ganz in Anspruch genommen sein.
골라내다 aus|(er)wählen[4]; aus|erlesen*[4]; aus|erkiesen*[4].
골라잡다 wählen; aus|wählen. ¶ 좋은 것을 ~ etwas Gutes auswählen / 둘 중에 하나를 ~ eins von zwei Dingen wählen.
골락새 =크낙새.
골마루 〖건축〗 die schmale Flur, -en (Korridor, -s, -).
골마지 Schimmel m. -s, -; Moder m. -s; Kahm m. -(e)s. ¶ ~가 끼다 schimmelig (kahmig) werden.
골막(骨膜) Periost n. -s, -e; Knochenhaut f. ⸚e. ¶ ~에까지 미치는 상처 e-e bis ans Periost (bis an die Knochenhaut) reichende Wunde, -n. ‖ ~염 Periostitis f. ..tiden [..tí:dən]; Knochenhautentzündung f. -en.
골막이 〖건축〗 die Gipsarbeit zwischen den Sparrenwerken 《pl.》.
골머리 =골치.
골목 Gasse f. -n; Gäßchen n. -s, -; Durchgang m. -(e)s, ⸚e; Seiten|straße (Neben-) f. -n (-gasse f. -n); Querstraße f. -n. ¶ 막다른 ~이다 Das ist e-e Sackgasse (ein Sackgäßchen). / 둘째 ~을 오른쪽으로 꺾어 가다 die zweite Querstraße nach rechts ein|biegen* ⓢ / 교섭은 막다른 ~에 이르렀다 Die Verhandlung endete auf dem toten Punkt. / 그 집은 ~ 끝에 있다 Das Haus steht (ist) am Ende der Gasse.
‖ ~대장 der kleine Rädelsführer, -s, -; Hauptanführer in der Schule. ~입구 der Eingang einer Gasse.
골몰(汨沒) Vertieftsein n.; Schwärmerei f. -en. ~하다 schwärmen 《für[4]》; begeistert sein 《für[4]》; gefesselt (hingerissen) sein 《von[3]》; [4]sich ergeben*[3] (hin|geben*[3]); schwelgen 《in[3]》 (빠지다); [4]sich versenken (vertiefen) 《in[4]》 (전념하다).
골무 Fingerhut m. -(e)s, ⸚e.
골무꽃 e-e Art von Helmkraut 《n. -(e)s, ⸚er》; *Scutellaria indica* (학명).
골밀이 〖건축〗 Furche 《f. -n》 für ein Schiebefenster.
골박다 beschränken; fest|setzen.
골반(骨盤) Becken n. -s, -. ¶ ~의 Becken-.
‖ ~계(計) Pelvimeter n. (m.) -s, -; Pelykometer.
골방(—房) Hinterzimmer n. -s, -; die Kammer 《-n》 hinter dem Hauptraum.
골배질 das Brechen* e-s Fährkanals durch das Eis, damit die Fährboote den Anlegeplatz erreichen. ~하다 e-n Fährkanal durch das Eis brechen, damit der Fährverkehr aufrecht erhalten werden kann.
골병들다(—病—) 《질병》 an e-r weit fortgeschrittenen Krankheit leiden*; chronisch erkrankt sein; 《타격》 von e-m schweren Schlag getroffen werden.
골부림하다 s-e üble (schlechte) Laune aus|lassen* 《an[3]》.
골분(骨粉) Knochenmehl n. -(e)s; die gemahlenen Knochen 《pl.》.
‖ ~비료 Knochenmehldünger m. -s, -.
골산(骨山) der steinige Berg, -(e)s, -e.
골상(骨相) Physiognomie f.; Gesichts|ausdruck m. -(e)s, ⸚e (-bildung f. -en; -züge 《pl.》). ¶ ~을 보다 js. Physiognomie beurteilen; js. Zukunft aus dem Gesicht lesen* (wahrsagen) / ~학에 종사하다 [4]sich dem physiognomischen Studium widmen.
‖ ~학 Phrenologie f.; Kraniologie f. (두개학): ~학자 Phrenolog(e) m. ..gen, ..gen; Kraniologe(n) m. ..gen, ..gen.
골생원(—生員) 《옹졸한 이》 ein engstirniger Herr, -n, -en. ② 《골골하는 이》 e-e zarte (schwache) Person, -en.
골속 ① 《머릿골 속》 Gehirn n. -(e)s, -e. ② 《골풀속》 das Herz 《-ens, -en》 der Bimse. ③ 《왕골속》 das Herz der Segge.
골수(骨髓) Mark n. -(e)s; Kern m. -(e)s, -e; das Innerste*, -n. ¶ ~까지 bis aufs Mark/ ~에 사무치다 jm. durch [4]Mark u. Bein gehen* ⓢ; jm. in die Knochen fahren* ⓢ; jm. ins Herz schneiden*; jm. das Innerste treffen* / ~까지 썩어 있다 im Innersten faul sein.
‖ ~ 공산주의자 ein ausgesprochener Kommunist bis in die Knochen (von echtem Schrot u. Korn.). ~염 Osteomyelitis f. ..ten; Knochenmarkentzündung f. -en.
골싹 《그릇에》 nur zum Teil gefüllt. ~하다 nicht voll; nur zum Teil gefüllt; halbvoll; halbleer (sein).
골안개 Morgennebel m. -s, -. ¶ 들에는 ~가 자욱하게 끼어 있다 Der Morgennebel hängt (lagert) über dem Feld.|Das Feld ist in Morgennebel gehüllt.
골오르다 =약오르다 ②.
골올리다 =약올리다.
골육(骨肉) eigenes Fleisch u. Blut, -(e)s; der Blutsverwandte*, -n, -n; Blutsfreund m. -(e)s, -e; der nächste Verwandte*; Blutsverwandtschaft f. -en. ¶ ~의 사랑 die Liebe zu den Blutsverwandten / 그네들은 ~지간처럼 사이좋게 지낸다 Sie vertragen sich wie Geschwister.
‖ ~상쟁 Blutfehde f. -n: 그네들은 ~상쟁하고 있다 Sie liegen miteinander in Blutfehde.
골자(骨子) das Wesentlich(st)e*, -n; Angel|punkt (Kardinal-) m. -(e)s, -e; (des Pudels) Kern m. -(e)s, -e; Quintessenz f. -en; Hauptsache f. -n; Kernpunkt m.; Hauptinhalt m. -(e)s, -e; das Innere*; Hauptpunkt m. ¶ 소설의 ~ der Hauptinhalt e-r Novelle / 논문의 ~ die Hauptpunkte 《pl.》 e-r Abhandlung / 이야기의 ~가 되다 zur Hauptsache kommen*.
골저리다(骨—) bis zum Knochen betäubt sein.
골절(骨折) Knochenbruch m. -(e)s, ⸚e; Fraktur f. -en. ‖ 복잡(단순)~ die komplizierte (einfache) Fraktur.
골절(骨節) Gelenk n. -(e)s, -e; Glied n. -(e)s, -er; Knöchel m. -s, - (손, 발의). ¶ ~이 쑤시다 in den Gelenken Schmerzen haben.
골질(骨質) Knochensubstanz f. -en.
‖ ~허약 Knochenbrüchigkeit f.
골짜기 Tal n. -(e)s, ⸚er; (Berg)schlucht f. -en (협곡). ¶ 깊은 ~ bodenloses Tal / 바닥의 깊이를 알 수 없는 ~ die bodenlose Schlucht / ~ 아래로 talab; talabwärts/~

위로 talaufwärts / 꽃이 만발한 ~ ein blühendes Tal / 깊은 ~ ein tiefes Tal / 죽음의 ~ das Tal des Todes / ~에 살다 im Tal wohnen / ~를 들여다보다 ins Tal hineinsehen / 산을 넘고 ~를 넘으면서 헤매다 über Berg und Tal wandern.
‖ ~밀 Talgrund *m.* -s, ¨e; Talsohle *f.* -n.
골창 ☞ 고랑창.
골초(一草) ① 《담배》 der Tabak 《-es, -e》 von geringer Qualität. ② 《사람》 Kettenraucher *f.* -s, -; der starke Raucher, -s, -.
골치 Gehirn *n.* -(e)s, -. ¶ ~ 아픈 문제 die lästige (störende) Frage, -n / ~가 아프다 Kopfschmerzen haben / 매우 ~(를) 앓다 an heftigem Kopfweh leiden*; 《비유적으로》 gestört (beunruhigt) sein / 그의 일로 ~(가) 아프다 Wegen s-r Angelegenheiten habe ich Kopfweh.¦Er ist lästig.
골치다 in e-e Form bringen; formen.
골켜다 das Holzmark schneiden*.
골타다 die Rinne graben*.
골탄(骨炭) Knochenkohle *f.* -n.
골탕(一湯) ① 《곰국》 die Suppe von Rindermark, die mit Weizenmehl überzogen wurde. ② 《손해》 ¶ ~먹다 etwas ab|bekommen; 〔사물이 주어〕 viel Mühe kosten; *jm.* schwer fallen* / ~먹이려고 um *jn.* zu ärgern; aus reiner Bosheit.
골통 Kopf *m.* -(e)s, ¨e; Haupt *n.* -(e)s, ¨er; Schädel *m.* -s, -; Hirnschale *f.* -n. ¶ ~(이) 터지다 ^{3}sich den Kopf zerbrechen / ~이 터지게 싸우다 hart kämpfen (fechten*).
골통(骨痛) 〔의학〕 Knochenschmerz *m.* -es; Ostalgie *f.*
골통대 Tabakspfeife *f.* -n; Pfeife *f.* -n.
골틀리다 Angst bekommen*; böse werden 《*über*^{4}》; ^{4}sich ärgern; in Zorn geraten*; ärgerlich (zornig; hitzig) werden.
골파 Schalotte *f.* -n; die kleine Zwiebel, -n.
골판지(一板紙) Wellpappe *f.* -n.
골패(骨牌) Domino *m.* -(s), -s; Dominostein *m.* -s, -e.
골퍼 Golfer *m.* -s, -; Golfspieler *m.* -s, -.
골풀 〔식물〕 die (große) Binse, -n; Flatterbinse *f.* -n; Simse *f.* -n. ¶ ~을 깐 mit Binsen gestreut.
골풀무 e-e Art von Blasenbalg 《*m.* -(e)s, ¨e》.
골풀이 das Auslassen 《-en》 des Zornes (Ärgers). ~하다 s-n Zorn (Ärger) aus|lassen* 《*an*^{3}》; s-m Zorn freien Lauf lassen*. ¶ 그는 화가 나면 하인들에게 ~를 한다 Er läßt s-n Zorn an den Dienern aus.
골프 Golf *n.* -(e)s, -e; Golfspiel *n.* -(e)s, -e. ¶ ~ 치다 Golf spielen / ~ 치는 사람 Golfer *m.* -s, -; Golfspieler *m.* -s, -.
‖ ~가방 Köcher *m.* -s, -. ~바지 Golfhose *f.* -n. ~복 Golfanzug *m.* -(e)s, ¨. ~장(場) Golf¦platz (-bahn *f.*) *m.* -es, ¨e. ~채 Golf¦schläger *m.* -s, - (-keule *f.* -n).
골필(骨筆) Stahlfeder *f.* -n.
골학(骨學) 〔의학〕 Knochenlehre *f.*; Osteologie *f.*
골함석 Wellblech *n.* -(e)s, -e.
골혹(骨一) 〔의학〕 Knochengeschwulst *f.* ¨e; der Auswuchs 《-es, ¨e》 aus Knochengewebe.
골회(骨灰) Knochenasche *f.* -n.
곪다 eitern [s]; eiterig werden; schwären; Eiter ansetzen (ziehen*); vereitern; Eiter haben. ¶ 상처가 곪는다 Die Wunde eitert (schwärt). / 가시에 찔려 손가락이 곪았다 Der Splitter im Finger hat geschworen.
곬 Wasser¦lauf *m.* -(e)s, ¨e; Kanal *m.* -(e)s, ..näle; Weg *m.* -(e)s, -e; Linie *f.* -n; Route *f.* -n; die fixierte (festgelegte) Richtung, -en; 《유래》 Ursprung *m.* -(e)s, ¨e; Herkunft *f.* ¨e. ¶ 외곬으로 생각하다 ^{4}*et.* einseitig sehen / 그녀는 그를 외곬으로 생각하고 있다 Sie ist ihm von ganzem Herzen zugetan.
곯다^{1} 《배가》 Hunger haben; hungrig sein. ¶ 배를 곯으며 mit leerem (nüchternem) Magen / 배 ~ Hunger bekommen*; hungrig werden; Hunger leiden / 돈이 없어 배를 이틀이나 곯았다 Zwei Tage lang war ich hungrig, denn ich habe kein Geld gehabt.
곯다^{2} ① 《상하다》 verderben* [s,h]; schlecht werden [s]. ¶ 달걀이 ~ Das Ei fault (verdirbt, wird schlecht). / 참외가 ~ Die Melone verfault. / 죽이 ~ Der Schleim wird schlecht. ② 《언걸들다》 Schaden (er)leiden* (nehmen*); zu Schaden kommen* [s]; bittere Erfahrungen machen*. ¶ 그 놈들 농간에 나는 되게 곯았다 Ich habe durch ihre (wegen ihrer) Tricks viel Schaden erlitten. ③ 《골병들다》 e-n Schlaganfall haben; e-n Schlag erleiden*. ¶ 크게 ~ e-n großen Schlag erleiden* / 불경기로 ~ durch die schlechten Zeiten e-n Schlag erleiden*.
곯리다^{1} ① 《그릇을》 zu wenig geben ((ein|-)füllen); halb leer lassen*. ② 《배를》 Hunger bekommen lassen*. ¶ 간신히 식구들의 배는 안 곯릴 정도이다 Er ernährt mühsam s-e Familie.
곯리다^{2} ① 《썩이다》 verderben^{4}; schlecht machen; beschädigen^{4}; verletzen^{4}; moderig machen. ② 《괴롭히다》 belästigen^{4}; *jm.* Mühe machen; *jn.* in Schwierigkeiten bringen; *jm.* Verdruß machen (bereiten); *jm.* Schaden zu|fügen (bringen*); *jn.* benachteiligen; *jn.* hereinlegen; *jm.* Verluste bei|bringen* (zu|fügen). ¶ 그런 일로 나를 적지않게 곯렸다 Er hat mich mit der Arbeit sehr in Schwierigkeiten gebracht. / 방탕한 그는 어버이를 매우 곯렸다 Er hat durch s-e ausschweifende Lebensweise s-n Eltern viel Verdruß bereitet.
곯아떨어지다 《잠에》 tief in Schlaf fallen* [s] (kommen* [s]); wie ein Murmeltier schlafen*; 《술에》 völlig betrunken (besoffen) sein; ^{4}sich sinnlos betrinken (besaufen)*. ¶ 술에 ~ stark (völlig; sinnlos) betrunken (besoffen) sein / 잠자리에 들자마자 그는 곯아 떨어졌다 Kaum hat er sich ins Bett gelegt, so fiel er gleich in Schlaf.
곯아빠지다 ① 《사물이》 ganz verdorben werden*; bis aufs Mark faul werden; ganz moderig werden. ② 《정신 못 차리다》 ^{4}sich ergeben* 《*in*^{3}》; ^{4}sich hin|geben*^{3}; schwelgen 《*in*^{3}》; ^{4}sich wälzen 《*in*^{3}》. ¶ 술에 ~ dem Trunk ergeben sein / 주색에 ~ im Vergnügen schwelgen.
곰^{1} Bär *m.* -en, -en; (Meister) Braun *m.* -s, -en (동화에서); 《곰처럼 미련한 사람》 Klotz *m.* -es, -e; Holzkopf *m.* -s, ¨e. ¶ 곰가죽 Bären¦fell *n.* -s, -e (-haut *f.* ¨e) / 곰사냥 Bärenfang *m.* / 곰새끼 Bärenjunge *n.* -n, -n / 곰쓸개 Bärengalle *f.* -n.
곰^{2} 《국》 dicke Suppe mit gar gekochtem Fleisch (Fisch); Fleischbrühe *f.* -; Fischsuppe *f.* -n.
곰곰(이) nachdenklich; tiefsinnig; genau. ¶ ~ 생각하다 ^{3}sich genau überlegen^{4}; (lan-

ge ^{4}Zeit) nach|denken* 《über^4》; erwägen^4; ^{3}sich durch den Kopf gehen lassen*; ^{3}sich ^{4}*et.* in aller Ruhe überlegen / ~ 생각컨대 wenn ich es mir richtig überlege; wenn ich darüber nachdenke.

곰국 die dicke Fleisch¦suppe (-brühe) -n.

곰바지런하다 pünktlich u. fleißig (sein).

곰방대 kurze Tabakspfeife, -n; Pfeife *f.*

곰방메 〖농업〗 Hacke *f.* -n (zum Zerkleinern der Erde nach dem Säen).

곰배 ☞ 곰배팔이.

‖ ~말 Pferd 《*n.* -(e)s, -e》 mit gekrümmtem Rücken. ~팔 der mißgestaltete (verkrüppelte) Arm, -(e)s, -e.

곰배팔이 e-e Person mit mißgestaltetem (verkrüppeltem) Arm.

곰보 Pocken¦narbe (Blatter-) *f.* -n; das mit Narben bedeckte Gesicht, -(e)s, -er. ¶ ~자국이 있는 pocken|narbig; blatternarbig; pockig; mit Narben bedeckt.

곰비임비 fortwährend; ununterbrochen; in e-m fort; (e-e; eins) nach dem (der; dem) anderen; hintereinander. ¶ ~ 닥치다 ^{4}sich hintereinander heran|rücken / 불행이 ~ 닥쳐 왔다 Ein Unglück folgte dem anderen.

곰삭다 ① 《옷이》 zerrissen (zerfetzt) werden (,weil man das Kleid zu lange getragen hat). ② 《젓이》 durch sein (von Gewürzen).

곰살갑다 《마음이 넓다》 mild; tolerant; großherzig; großmütig; weitherzig; edelmütig; schonend; 《다정스럽다》 gut; freundlich; nett; lieblich; anmutig; angenehm (sein).

곰살궂다 freundlich; sanft; gut; warmherzig; lieblich (sein). ¶ 곰살궂게 freundlich; lieblich; warmherzig / 그는 곰살궂은 사람이다 Er ist ein warmherziger Mann.

곰상스럽다 übertrieben pünktlich; peinlich; förmlich; spitzsinnig; krittelig (sein). ¶ 곰상스럽게 굴다 Kleinigkeitskrämerei treiben*; tripp(e)lig (übertrieben pedantisch) sein; ^{4}sich um ^{4}Kleinigkeiten kümmern.

곰솔 〖식물〗 =해송(海松) ①.

곰실거리다 ^{4}sich winden*; ^{4}sich schlängeln; ^{4}sich wälzen; ^{4}sich schlängelnd hin u. her bewegen; schwänzeln. ¶ 곰실곰실 krümmend; schlängelnd; klimmend.

곰지락 ☞ 꼼짝.

곰취 〖식물〗 e-e Art von Bodenschelle 《*f.* -n》; *Ligularia fischeri* (학명).

곰파다 gern (emsig) forschen; grübeln 《über^4》 auf den Grund gehen*^{3}.

곰팡 ☞ 곰팡이.

곰팡나다 schimmelig werden; kahmig werden; mit Schimmel bedeckt werden; in Moder 《*m.* -s》 zerfallen*; vermodern; zu Moder werden. ¶ 곰팡난 과자 ein schimmeliger Kuchen/ 곰팡난 책 das mit Meltau 《*m.* -s》 überzogene Buch.

곰팡냄새 ① 《냄새》 Moder¦duft (-geruch) *m.* ¶ ~나다 schimmlig (modrig) werden/ ~나는 schimm(e)lig; mod(e)rig; muffig. ¶ ~나는 책 ein verschimmelt riechendes Buch. ② 《진부》 Gewöhnlichkeit *f.* -en; Abgedroschenheit *f.* ¶ ~나다 abgenutzt (verbraucht; abgedroschen; alltäglich; gemein) sein / ~나는 학설 eine veralte (altmodische) Theorie / ~나는 수작 alter Witz, -es, -e; abgestandene Auslegung.

곰팡슬다 (ver)schimmeln ⓢ; (ver)modern ⓢ; schimm(e)lig (mod(e)rig) werden; Schimmel (Moder) setzt sich an; kahmig werden; in Moder verfallen*; zu Moder werden; moderhaft werden. ¶ 곰팡스는 것을 막다 dem Vermodern vor|beugen / 장마철에는 곰팡슬기가 쉽다 In der Regenszeit wird alles leicht verschimmelt.

곰팡이 Schimmel *m.* -s; Moder *m.* -s; Kahm *m.* -(e)s, -e (술 따위의). ¶ ~슨 verschimmelt; vermodert; mit Moder überzogen (bedeckt) / ~를 떼다 den Schimmel (Moder) beseitigen (weg|bringen*; weg|nehmen*) / 옷은 온통 ~투성이다 Die Kleidung ist überall mit Schimmel bedeckt.

곰팡피다 =곰팡슬다.

곱^1 《상처 따위의》 rot-weißer eiterartiger Schleim, -(e)s, -e; schleimiger Auswurf (auf der verletzten Haut). ¶ 상처에 곱이 끼다 Eit(e)riger Schleim bildet sich auf der Wunde.

곱^2 《배》 das Doppelte*; das Zweifache*. ☞ 곱하다. ¶ ~의 doppelt; zweifach / 세곱 dreifach; dreimal/세곱하다 verdreifachen; dreifach machen* / 곱이나 공부하다 doppelt soviel wie andere arbeiten / 5의 곱은 10 Fünfmal zwei ist (macht) zehn. / 전사자의 수는 부상자수의 거의 곱이나 된다 Die Zahl der Gefallenen ist beinahe zweimal so groß wie die der Verwundeten.

곱걸다 ① 《돈을》 den Einsatz (in (bei) e-r Wette) verdoppeln. ② 《매다》 zweimal binden*.

곱꺾다 das Gelenk 《-(e)s, -e》 biegen* u. dann strecken.

곱꺾이 Biegen u. Strecken des Gelenks.

곱끼다 schleimigen Auswurf bilden; eitern.

곱놓다 doppelt wetten 《auf^4》.

곱다^1 ☞ 굽다^1.

곱다^2 《손발이》 starr (steif; gefühllos) werden 《vor ^{3}Kälte》; 《저리다》 (die Zähne) werden stumpf. ¶ 추워서 손발이 ~ Die Glieder sind mir vor Kälte erstarrt.

곱다^3 《손해보다》 Schaden (er)leiden* (nehmen*); e-n Geschäft eher mit Verlust als Gewinn abschließen*.

곱다^4 ① 《아름답다》 schön; hübsch; nett; niedlich; fein; 《화려하다》 herrlich; prächtig; 《우아하다》 zierlich (sein). ¶ 곱게 하다 schön machen^4; verschönern^4; (auf)putzen^4; (aus-) schmucken^4; dekorieren^4; (ver)zieren^4 / 곱게 빻다 fein mahlen^4 / 곱게 갈다 fein reiben*^{4} / 고운 꽃 e-e schöne (hübsche) Blume, -en / 고운 말 verfeinerte (gebildete; vornehme) Sprache, -en / 고운 목소리 süße (feine; angenehme; schöne) Stimme / 그녀는 얼굴이 ~ Sie ist schön von Gesicht. / 그녀는 곱게 차려입고 있다 Sie ist niedlich gekleidet. / 그는 곱게 죽었다 Er starb e-n schönen Tod. ② 《마음이》 edel; edelgesinnt; vornehm; von vornehmer (edler) Gesinnung (sein). ¶ 마음이 고운 사람 der Reine*, -n, -n / 그는 마음씨가 ~ Er hat ein reines Herz.¦Er ist von reinem Herzen.

곱다랗다 ① 《예쁘다》 ziemlich schön (nett; hübsch; prächtig; niedlich; reizend; elegant; zierlich) (sein). ② 《온전》 vollständig; völlig; gänzlich; rein; glatt (sein).

곱돌 〖광물〗 eine Art Alabaster 《*m.* -s》.

곱드러지다 stolpern (straucheln) ⓗ.ⓢ 《über^4》; an|stoßen 《an^4》*. ¶ 돌에 채어 ~ über e-n Stein stolpern; an e-n Stein an|stoßen*.

곱들다 《갑절 들다》 noch einmal soviel kosten; doppelt soviel brauchen (benötigen).

-en; Verkündigung *f.* -en; Ankündigung *f.* -n; Proklamation *f.* -en. ～하다 öffentlich aus|rufen*[4] (bekannt|machen[4]; verkünd(ig)en[4]) (포고하다).

‖경매～ Auktionsbekanntmachung *f.* -en. 특허～ Patentverkündigung *f.* -en.

공고(鞏固) Festigkeit *f.*; Sicherheit *f.* -en; Stärke *f.* -n. ～하다 fest; stark; hart; sicher (sein). ¶기초가 ～한 bestgegründet / ～히 하다 festmachen*[4]; verstärken[4]; ab|härten[4] / ～한 의지 der feste Wille, -ns, -n; der standhafte Wille, -ns, -n / ～한 결심 der feste Entschluß, ..lusses, ..schlüsse.

공골말 das dunkelbraune Pferd, -(e)s, -e; der Braune*, -n, -n.

공골차다 ①《가득함》 voll; reich; solid; fest (sein). ②《충실》 treu; aufrichtig; ehrlich; redlich; wahrhaftig (sein).

공공(公共) Öffentlichkeit *f.*; Gemeinnutz *m.* -es; Publikum *n.* -s. ¶～의 öffentlich; gemein¦nützig (-nützlich) / ～의 이익을 도모하다 für das öffentliche Wohl sorgen / ～을 위한 것이다 in öffentlichen Interesse liegen* (사물이).

‖～경제 Gemein(wohl)wirtschaft *f.* -en. ～기관 die öffentliche Anstalt, -en. ～기업체 der öffentliche Betrieb, -(e)s, -e. ～단체 die öffentliche Organisation, -en. ～물 Gemeingut *n.* -(e)s, ⸗er. ～복지 Gemeinwohl *n.* -(e)s; Gemeininteresse《*pl.*》. ～사업 der gemeinnützige Betrieb; das öffentliche (gemeinnützige) Unternehmen, -s, -. ～시설 die öffentliche Anstalt (Institution) -en; die gemeinnützige Einrichtung, -en. ～요금 Gemein¦veranschlagung *f.* -en (-berechnung *f.* -en). ～위생 Gemeinhygiene *f.* -en. ～재산 Gemeingut *n.* -(e)s, -e.

공공(○○) ①〚명사적〛 die Nullen《*pl.*》; die Lücken《*pl.*》; die Leerstelle *f.* -n; die leeren Räume《*pl.*》. ¶○○을 사용하다 die Lücken benutzen. ②〚형용사적〛 unklar; gewiß; namenlos. ¶○○기지 das ×× Lager, -s, - / ○○부대 das ungenannte Korps [ko:rs] / 18○○년 achtzehn hundert Soundsoviel / ○○사건 gewisse Affäre, -n.

공공연하다(公公然—) ① öffentlich; offen(kundig); allbekannt; (sein). ¶공공연히 vor dem Publikum; vor aller Öffentlichkeit; vor [3]jedermann; vor allen Augen (Welten) / 공공연한 비밀 das öffentliche Geheimnis, ..nisses, ..nisse / 공공연히 이의(異議)를 제기하다 e-n öffentlichen Einwand (Protest) erheben*《*gegen*[4]》; öffentlich ein|wenden* (protestieren)《*gegen*[4]》/ 공공연하게 나다닐 수 없다 Ich darf nicht am hellichten Tage aus|gehen. ②《정식으로》 offiziell; amtlich; formell; förmlich (sein); in vorgeschriebener Form. ¶공공연히 발표하다 offiziell (invorgeschriebener Form) bekannt|machen[4] (-|geben*[4]).

공과(工科)《대학교의》 die technische Fakultät, -en. ¶～를 이수하다 e-n technischen Kursus durch|machen. ‖～대학《단과》 die technische Hochschule, -n.

공과(功過) Verdienste《*pl.*》 u. Verschuldungen《*pl.*》; Tugend《*f.*》 u. Laster《*n.*》; Wert《*m.*》 u. Unwert《*m.*》. ¶그는 ～가 상반한다 Seine Verdienste (Vorteile) und Verschuldung (Nachteile) gleichen sich miteinander aus.

공과(금)(公課(金)) Steuer *f.* -n; (öffentliche) Abgabe, -n.

공관(公館) offizielle Residenz *f.* -en.

‖재외～ die diplomatische Vertretung《-en》 im Auslande; die Wohnung (der Wohnsitz) der diplomatischen Vertreters im Auslande; Botschaft *f.* -en (대사관); Gesandtschaft *f.* -en (공사관); Konsulat *n.* -(e)s, -e (영사관).

공관복음서(共觀福音書) 〚성서〛 Synopse *f.* -n; Synopsis *f.* ..psen.

공교롭게(工巧—) ①《솜씨》 geschickt; gewandt; kunstvoll; diplomatisch. ②《우연》 zufällig; zufälligerweise; durch Zufall; unglücklicherweise; leider; ungelegen; zu ungelegener Zeit; ausgerechnet; gerade. ¶그는 ～도 그 곳에 있었다 Er war zufällig da. / ～도 손님이 왔다 Der Besuch kam mir ungelegen. / ～도 안됐는데 Bedauere sehr! / ～도 그 자리에서 그를 만났다 Ich traf ihn zufällig in der Versammlung (Gesellschaft). / 그때 주머니엔 ～도 돈이 한푼 없었다 Ausgerechnet damals hatte ich bei mir kein Geld / ～ 그를 집에서 만났다 Glücklicherweise traf ich ihn zu Hause (an).

공교롭다(工巧—) ①《물건》 sorgfältig durchgearbeitet; kompliziert; verwickelt; mühsam; bedeutsam; geschickt (sein). ¶공교로운 작품 das sorgfältig durchgearbeitete (ausgearbeitete) Werk, -(e)s, -e. ②《솜씨가》 geschickt; gewandt; kunstreich (sein). ③《뜻밖》 unerwartet; zufällig; günstig; ungünstig; geschickt; ungeschickt; zu rechter (schlechter) Zeit; glücklich; unglücklich (sein). ¶공교로운 일치 Koinzidenz *f.*/ 공교로운 때 zu (un)günstiger Zeit / 공교로운 실수 zufälliger Fehler, -s, -.

공구(工具) Werkzeug *n.* -(e)s, -e; Gerät *n.* -(e)s, -e. ‖～실(室) Gerätehaus *n.* -es, ⸗er. 기계～ Werkzeugmaschine *f.* -n.

공구(恐懼) Furcht *f.*; Ehrfurcht *f.*; Scheu *f.*; Befürchtung *f.* -en.

‖～재배(再拜) Ihr ganz ergebener...; ergebenst; hochachtungsvoll; mit vorzüglicher Hochachtung.

공국(公國) Fürstentum *n.* -(e)s, ⸗er.

공군(空軍) Luft¦macht *f.* ⸗e (-flotte *f.* -n); Luftwaffe *f.* -n.

‖～기 Luftwaffenflugzeug *n.* -(e)s, -e. ～기지 Luftstützpunkt *m.* -es, -e; Fliegerstation *f.* -en. ～대학 Kriegsakademie (Führungsakademie)《*f.* -n》 für die Luftmacht. ～력 Luftstreitkräfte《*pl.*》. ～본부 Hauptquartier《*n.* -(e)s, -e》 für die Luftmacht. ～부대 Fliegertruppe *f.* -n. ～ 사관학교 Kriegsschule《*f.* -en》 für die Luftmacht; Fliegeroffizierschule *f.* -n; Fliegerschule *f.* -n. ～장교 Fliegeroffizier *m.* -s, -e. ～참모 Generalstab《*m.* -(e)s, ⸗e》 für die Luftmacht: ～참모장교 Generaloffizier《*m.* -s, -e》 für die Luftmacht / ～ 참모총장 Generalstabschef《*m.* -s, -s》 für die Luftmacht.

공권(公權) die bürgerlichen Ehrenrechte《*pl.*》; (Staats)bürgerrecht *n.* -(e)s, -e. ¶～을 부여하다 das Bürgerrecht erteilen[3] / ～을 박탈하다 die bürgerlichen Freiheiten u. Vorrechte nehmen*[3]; das Bürgerrecht entziehen*[3].

‖～박탈 Entziehung《*f.* -en》 des Bürgerrechts; der bürgerliche Tod, -(e)s, -e. ～정지 der Aufschub《-(e)s, ⸗e》 des Bürgerrechts.

공권(空拳) leere Hand *f.* (돈이 없는); bloße Hand (무기를 갖지 않은). ¶ ~으로 mit leeren Händen; mit bloßen Händen / 그는 적수~으로 거만의 부를 축적했다 Er hat sich, sozusagen aus nichts, ein riesiges Vermögen erworben.

공규(空閨) Schlafzimmer 《*n.* -s, -》 e-r verlassenen 〔einsamen〕 Frau. ¶ ~를 지키다 das einsame Leben e-r verlassenen Frau führen; in der Strohwitwenschaft leben; dem Ehemann während s-r Abwesenheit treu bleiben* ⓢ.

공그르다 mit blinden Stichen nähen; überwendlich nähen.

공극(空隙) Lücke *f.* -n; Spalt *m.* -(e)s, -e; Riß *m.* Risses, Risse; Öffnung *f.* -en; leerer Raum, -(e)s, ¨e.

공글리다 ① 《다지다》 hart 〔fest〕 machen; festigen; härten; (ver)stärken; verhärten. ¶ 땅바닥을 ~ die Erde 〔den Boden〕 fest stampfen. ② 《끝맺다》 ^{4}*et.* ab|schließen; erledigen; e-r ^{3}Sache ein Ende machen; fertigmachen.

공금(公金) öffentlichen Gelder 《*pl.*》; Staatsgelder 《*pl.*》; Firmen¦gelder 〔Kassen-〕 《*pl.*》. ¶ ~에 손을 대다 e-n Griff in die Kasse tun*; in die Kasse greifen* / ~을 가지고 도망치다 mit der Kasse durch|brennen* ⓢ / 회사 ~을 착복하다 Firmengelder veruntreuen 〔unterschlagen*〕 / ~을 유용하다 öffentliche Gelder veruntreuen 〔unterschlagen*〕.
‖ ~횡령 Unterschlagung *f.* -en 〔Unterschleif *m.* -(e)s, -e; Veruntreuung *f.* -en〕 öffentlicher Gelder 《*pl.*》.

공급(供給) Versorgung *f.* -en; Belieferung *f.* -en; Angebot *n.* -(e)s, -e. ~하다 *jn.* versorgen 《*mit*^{3}》; *jm.* ^{4}*et.* versorgen; speisen^{4} 《*mit*^{3}》; *jn.* beliefern 《*mit*^{3}》; liefern^{4}(인도); verschaffen^{34}; beschaffen^{34} (마련해 줌); *jn.* versehen* 《*mit*^{3}》 (설치). ¶ 도시에 가스, 전기, 수도를 ~하다 e-e Stadt mit Gas, Elektrizität, Wasser versorgen 〔speisen〕/ 재료를 ~하다 *jn.* mit Materialien versehen* / 군대에 식량을 ~하다 das Heer mit Lebensmitteln versehen*.
‖ ~가격 Belieferungspreis *m.* -(e)s, -e. ~계약 Lieferungsvertrag *m.* -(e)s, ¨e. ~과잉(과다) die überreiche Zufuhr, -en; Überfüllung 《*f.* -en》 des Marktes; Überangebot *n.* -(e)s, -e. ~권 Lieferungsrecht *n.* -(e)s, -e. ~부족 die mangelhafte Versorgung 〔Belieferung〕. ~원 Versorgungsquell *m.* -s, e. ~자(국) Versorger *m.* -s, -; Lieferant *m.* -en, -en. 수요~ Nachfrage u. Angebot.

공기 《놀잇감》 Stoffbällchen *n.* -s, -. ¶ ~놀이하다 Stoffbällchen spielen.

공기(工期) 《공사의》 Bauzeit *f.* -en.

공기(公器) die öffentliche Einrichtung 〔Institution〕 -en. ¶ ~를 남용하다 das öffentliche Gerät mißbrauchen 〔falsch brauchen〕.

공기(空氣) Luft *f.*; Atmosphäre *f.* -n (대기). ¶ ~의 luftig / ~가 있는 pneumatisch; Luft erhaltend / ~가 없는 luftleer / ~가 통하지 않는 luftdicht; hermetisch / ~ 유통이 좋은 luftig; gut durchlüftet; mit gutem Durchzug / ~의 유통이 나쁜 schlecht durchlüftet; dumpf / ~를 넣다 Luft ein|lassen*; aufpumpen^{4} (타이어에) / 신선한 〔불결한〕 ~ frische 〔unreine; dicke〕 Luft.
‖ ~구멍 Luftloch *n.* -(e)s, ¨er; Luftverrichtung *f.* -en. ~냉각기 Luftkühler *m.* -s, -. ~밀도 Luftdichtigkeit *f.* -en. ~베개 Luftkissen *n.* -s, -. ~압력 Luftdruck *m.* -(e)s. ~압축기 Luftkompressor *m.* -s, -en. ~액화(기) Luftflüssigung *f.* -en 〔Luftverflüssiger *m.* -s, -〕. ~요법 Aerotherapie *f.* -en. ~욕 Luftbad *n.* -(e)s, ¨er. ~저항 Luftwiderstand *m.* -(e)s, ¨e. ~전염 Luftinfektion *f.* -en. ~주머니 Luftraum *m.* -s, ¨e (새의). ~총 Windbüchse *f.* -n. ~쿠션카 Luftkissenfahrzeug *n.* -(e)s, -e. ~판 Luftklappe *f.* -n. ~펌프 Luftpumpe *f.* -n.

공기(空器) 《빈그릇》 die leere Schale, -n; 《그릇》 Reisschale *f.* -n; Reis¦schlüsselchen 〔-schälchen〕 *n.* -s, - (밥공기). ¶ 밥 한 ~ e-e Schale Reis.

공기업(公企業) das öffentliche Unternehmen; das gemeinnützige Unternehmung.

공납(公納) Steuer *f.* -n; Zoll *m.* -(e)s, ¨e.
‖ ~금 《학교의》 reguläre Gebühr 《-en》 für Unterricht; 《부과금》 die Steuern 《*pl.*》.

공납(貢納) Tribut *m.* -(e)s, -e; Zins *m.* -es, -e(n). ~하다 Tribut (be)zahlen.

공능(功能) ① 《효능》 Effekt *m.* -(e)s, -e; Nutzen *m.* -s; Wirkung *f.* -en; Wirksamkeit *f.* -en; Heilkraft *f.* ¨e. ② 《공적과 재능》 Verdienst u. Fähigkeit.

공단(公團) öffentliche Korporation 〔Körperschaft〕 -en.
‖ ~주택 Siedlung 《*f.* -en》 der öffentlichen Korporation.

공단(貢緞) Satin [satɛ̃:] *m.* -s, -s; Atlas *m.* -ses, -se. ¶ ~같은 atlasartig; atlasähnlich.

공담(空談) leeres Geschwätz, -es, -e; Geplauder *n.* -s; Palaver *n.* -s, -; das zwecklose Gerede 《-s, -》; das endlose Hin- u. Hergerede 《-s》. ~하다 plaudern; klatschen.

공답(公畓) das staatliche 〔staatseigene〕 Reisfeld, -(e)s, -e.

공대(工大) die technische Hochschule, -n (단과 대학의); 《공과》 die technische Fakultät, -en (대학교의); die polytechnische Abteilung, -en; Ingenieurschule *f.* -n.

공대(恭待) 《대접》 die ehrfurchtsvolle Behandlung, -en; 《존대》 die höfliche Anrede, -en. ~하다 *jn.* ehrfurchtsvoll behandeln; *jn.* höflich anreden.

공대공(空對空) Luft zu Luft. ‖ ~미사일 〔유도탄〕 Luft-Luft-Rakete *f.* -n.

공대지(空對地) Luft-Boden. ‖ ~미사일 Luft-Boden-Rakete *f.* -n.

공덕(公德) Gemein(schafts)¦sinn *m.* -(e)s 〔-gefühl *n.* -(e)s; -geist *m.* -(e)s〕.
‖ ~심 die Achtung 〔der Respekt, -(e)s〕 vor ^{3}Gemein(schafts)¦sinn *usw.*

공덕(功德) gute Tat, -en; fromme Tat, -en; Wohltat *f.* -en; Liebeswerk *n.* -(e)s, -e. ¶ ~을 위하여 um der ^{3}Mildtätigkeit 〔der Barmherzigkeit〕 willen / ~을 베풀다 e-e Wohltat leisten 〔tun*〕 / ~을 쌓다 tugendhafte Taten wiederholen; fromme Handlungen wiederholen.

공도(公度) 〖수학〗 gemeinsamer Faktor, -s, -en.

공도(公道) ① öffentliche Straße, -n; öffentlicher Weg, -(e)s, -e. ② 《정의》 Gerechtigkeit *f.*; Recht *n.* -(e)s. ¶ ~를 걷다 〔밟다〕 den Weg der Gerechtigkeit gehen* ⓢ; Gerechtigkeit üben; recht tun*.

공돈(空—) das leicht verdienste Geld, -(e)s, -e; leichtes Geld, -(e)s, -e; 《부정한》 der schmutzige Gewinn, -(e)s, -e. ¶ ~은 오래

못 간다 Leichter Gewinn hält nicht lange.
공돌다(空—) 《바퀴가》 keinen Eigentümer haben; leer|laufen* [s,h]; 《일이》 stocken; 《굴러다니다》 (unbenutzt) rollen.
공동(共同) Gemeinschaft *f.* -en; Gemeinsamkeit *f.* -en; Zusammenarbeit *f.* -en; Partnerschaft *f.* -en; Teilhaberschaft *f.* -en (공동 출자, 공동 경영). ¶ ~의 gemeinschaftlich; gemeinsam; gemein (공통의); allgemein (일반의); öffentlich(공공의); Mit(mit)-; für alle / ~으로 zusammen; miteinander; vereinigt; verbunden; gemeinsam; gemeinschaftlich; geschlossen; Arm in Arm; Hand in Hand / ~ 일치하여 einmütig; einträchtig; gleichgestimmt; übereinstimmend; geschlossen; solidarisch / ~으로 하다 [4]sich vereinigen 《*mit*[3]》; in Gemeinschaft tun*[4] 《*mit*[3]》; mit|arbeiten 《*mit*[3]》; mit|wirken 《*an*[3]; *in*[3]; *bei*[3]》; zusammen|arbeiten 《*mit*[3]》; [4]sich an|schließen*[(3)] 《an *jn.*》 / ~ 계산으로 auf gemeinschaftliche Rechnung 《-en》 / ~ 모의하다 e-e Verschwörung 《-en》 an|zetteln / ~ 전선을 펴다 e-e geschlossene Front 《-en》 bilden; gemeinsam mit *jm.* gegen *jn.* Front machen / 그는 명목상의 ~ 경영자이다 Er ist nur stiller Teilhaber. / 그와는 ~으로 일할 수가 없다 Mit ihm ist nichts gemeinsam anzufangen.
‖ ~결의 Gemein¦entschluß *m.* ..sses, ..lüsse 〔-entschließung *f.* -en〕. ~ 경영(사업) die gemeinschaftliche Unternehmung, -n; Gemeinbetrieb *m.* -s, -e. ~경제 Gemeinwirtschaft *f.* -en. ~관리 Mitverwaltung *f.* -en; die gemeinsame Verwaltung *f.* -en. ~권리 das gemeinschaftliche 〔gemeinsame〕 Recht, -(e)s, -e. ~대매출 der gemeinschaftliche Ausverkauf, -(e)s, ⸚e. ~모금 Wohltätigkeitsfonds [..fɔ̃:] *m.* -, - [..fɔ̃:s]. ~목적 Gemeinziel *n.* -s, -e. ~묘지 Gemeindefriedhof *m.* -(e)s, ⸚e. ~변소 die öffentliche Bedürfnisanstalt. ~사회 Gemeinschaft *f.* -en. ~상속 Gemeinerben *n.* -s, -. ~생활 das Zusammenleben* 〔Beisammenwohnen*〕 *n.* ~선언 Gemeinerklärung *f.* -en. ~성명 ein gemeinsames Kommuniqué, -s, -s: ~ 성명을 내다 mit *jm.* gemeinsam e-e Erklärung 《-en》 ab|geben*. ~안테나 Gemeinschaftsantenne *f.* -n. ~작전 die gemeinsame Operation, -en. ~재산 Miteigentum *n.* -s, ⸚er. ~정신 Gemeinsinn *m.* -(e)s; Gemeinschafts¦geist 〔Korps- [kó:r..]〕 *m.* -(e)s; Solidarität *f.* ~조합 Genossenschaft *f.* -en. ~주택 Mietkaserne *f.* -n. ~책임 Gemeinverantwortung *f.* -en: ~ 책임을 지다 für [4]*et.* mitverantwortlich sein; Mitverantwortung haben 〔tragen*〕 《*für*[4]》. ~출자 die gemeinschaftliche Einlage, -en. ~해손 〖상업〗 die große Havarie, -n.
공동(空洞) Höhle *f.* -n; Höhlung *f.* -en; Hohlraum *m.* -s, ⸚e.
공들다(功—) viel Mühe verlangen; *jm.* Mühe kosten. ¶ 공드는 일 mühsame Arbeit, -en; die Arbeit, die viel Mühe verlangt/ 이 저작은 퍽 공이 든 것 같다 Das Werk scheint ihm viel Mühe gekostet zu haben. / 공든탑이 무너지랴 Sorgfältige Arbeit lohnt die Mühe.¦Es ist die Mühe wert.
공들이다(功—) acht geben* 《*auf*[4]》; Sorgfalt verwenden* 《*auf*[4]》; vorsichtig sein 《*in*[3]》; hart arbeiten 《*für*[4]》. ¶ 공들인 작품 das sorgfältig durchgearbeitete Werk, -(e)s, -e / 공들여서 mit der allergrößten Sorgfalt; mit aller möglichen Anstrengung / 화장을 공들여 하다 sorgfältig Toilette machen; [4]sich sorgfältig schminken / 그 일을 위해서 10년 동안 공들였다 Er hat dafür 10 Jahre lang angestrengt gearbeitet. / 이것은 매우 공들여 만든 책상이다 Das ist ein sorgfältig gearbeiteter Schreibtisch. / 이번 공사는 공들인 보람이 있었다 Dieses Unternehmen lohnte die Arbeit. / 여태 공들인 보람이 없어졌다 Alle m-e Mühe war umsonst.
공떡(空—) unerwarteter Gewinn, -(e)s, -e; Glück *n.* -(e)s; Geschenk des Himmels. ¶ 이게 웬 ~이냐 Was für ein Glück!¦Das ist e-e Gabe von Gott. / ~만 바라지 말라 Erwarte k-n plötzlichen Gewinn!
공락(攻落) Übergabe *f.* -en; Kapitulation *f.* -en. ~하다 erstürmen[4]; erobern[4]; im Sturm ein|nehmen*[4]; zur Übergabe 〔Kapitulation〕 zwingen*[4]; kapitulieren[4].
공란(空欄) der leere Raum 《-(e)s, ⸚e》; Lücke *f.* -n. ¶ ~에 기입하다 [4]*et.* auf 〔an〕 den Rand schreiben*; am Rande bemerken[4] / ~을 메우다 den leeren Raum aus|füllen / ~을 남기다 Raum 〔Platz; e-n Rand〕 lassen*.
공람(供覽) Ausstellung *f.* -en. ~하다 für [4]Allgemeinheit aus|stellen[4] (일반에게).
공랭(空冷) ¶ ~식의 luftgekühlt.
‖ ~식 엔진 die luftgekühlte Maschine, -n. ~장치 Luftkühlungsanlage *f.* -n; Klimaanlage *f.* -n.
공략(攻略) Eroberung *f.* -en; Bemächtigung *f.* -en; Einnahme *f.* -n; Erkämpfung *f.* -en; Erringung *f.* -en; Erstürmung *f.* -en. ~하다 erobern[4]; [4]sich bemächtigen[2]; ein|nehmen*[4]; erkämpfen[4]; erringen*[4]; erstürmen[4]. ¶ ~하기 어려운 uneinnehmbar; unüberwindlich / 요새를 ~하다 e-e Festung ein|nehmen*.
공력(功力) ① 《노력》 Bemühung *f.* -en; Anstrengung *f.* -en; Sorgfalt *f.* ¶ 그의 ~이 허사로 끝났다 Er machte sich vergebliche Mühe. ② 〖불교〗 die Verdienste, die ein Buddhist durch Askese erlangt hat.
공로(公路) die öffentliche Straße, -n; der öffentliche Weg, -(e)s, -e. ¶ ~를 밟다 den öffentliche Weg betreten*; den Weg der Gerechtigkeit gehen* [s]; Gerechtigkeit üben; recht tun*.
공로(功勞) Verdienst *m.* -es, -e; Ruhm *m.* -(e)s; die rühmliche Tat, -en. ¶ ~가 있다 verdienstvoll; verdienstlich / ~에 따라 nach Verdienst / ~를 자랑하다 [3]sich s-r [2]Verdienste rühmen / ~가 많은 사람 ein Mann 《*m.* -(e)s, ⸚er》 von vielen Verdiensten 《*pl.*》 / ~를 세우다 [3]sich Verdienste erwerben* 《*um*[4]》 / 국가에 대한 그의 ~는 위대했다 S-e Verdienste um den Staat waren recht groß. / 아군의 승리는 그의 ~이다 Es ist vorzüglich sein Verdienst, daß unsere Mannschaft gewonnen hat.
‖ ~장(章) Verdienst¦medaille [..daljə] *f.* -n 〔-abzeichen *n.* -s, -〕.
공로(空路) Luftverkehrslinie *f.* -n; Luftweg *m.* -(e)s, -e; Flugroute [..ru:tə] *f.* -n. ¶ ~로 per [3]Flugzeug; auf dem Luftwege / ~로 일본에 가다 mit dem Flugzeug 〔mit der Maschine〕 nach Japan fliegen* / ~로 우송하다 [4]*et* mit dem Flugzeug befördern 〔transportieren〕.

공론(公論) die treffende (gerechte) Ansicht, -en (공의); Volksabstimmung *f.* -en (투표에 의한); die öffentliche Meinung. ¶ 국사를 ~에 의하여 결정하다 alle Staatsangelegenheiten 《*pl.*》 in Übereinstimmung mit der öffentlichen Meinung entscheiden* / 선거권을 확장하라는 ~이 일고 있다 Die Ansicht, daß der Wählerkreis (die Wählerschaft) erweitert werden soll, wird allgemein.

공론(空論) leere Theorie, -n; unpraktische Ansicht, -en (Meinung *f.* -en); Doktrinarismus *m.* -s; Urteil 《*n.* -(e)s, -e》 vom grünen Tisch; 《궤변》 Sophisterei *f.* -en.
‖ **~가** der reine Theoretiker, -s, -; Doktrinär *m.* -en, -en; Sophist *m.* -en, -en (궤변가).

공뢰(空雷) Lufttorpedo *m.* -s, -s.

공룡(恐龍) 〖동물〗 Dinosaurier *m.* -s, -.

공률(工率) Betriebskraft *f.* ⸚e.

공리(公吏) der Gemeinde¦beamte* (Kommunal-) -n, -n; der Beamte* 《-n, -n》 in den kommunalen Behörden.

공리(公利) der öffentliche Nutzen, -s.

공리(公理) Axiom *n.* -s, -e; der unbezweifelte Grundsatz, -es, ⸚e.

공리(功利) Nützlichkeit *f.*; Utilität *f.* ¶ ~적인 utilitaristisch; nur auf s-n eigenen Vorteil bedacht / 사물을 ~적으로 생각하다 die Dinge 《*pl.*》 von der praktischen Seite aus betrachten; eine utilitaristische Gesinnung 《-en》 haben.
‖ **~주의** Utilitarismus *m.*; Utilitätsprinzip *n.* -s, -e (..pien): ~주의자 Utilitarier *m.* -s, -. **~파** die Utilitarier 《*pl.*》.

공리(空理) leere Theorie, -n. ¶ ~공론에 흐르다 ^{4}sich dem Doktrinarismus hin|geben*.

공립(公立) ¶ ~의 öffentlich; städtisch; Gemeinde-; Kommunal-; Stadt- / 우리 나라에서는 중학교는 대부분 ~이다 Die meisten Mittelschulen werden auf Kosten der Öffentlichkeit erhalten.
‖ **~학교** die öffentliche (städtische) Schule, -n; Gemeinde¦schule (Kommunal-; Stadt-).

공립(共立) **~하다** ^{4}*et.* gemeinschaftlich errichten (stiften; gründen). ¶ ~의 gemeinschaftlich; öffentlich; Gemeinde-.

공막(鞏膜) 〖의학〗 Lederhaut *f.* ⸚e; Sklerotika *f.*
‖ **~염** Lederhautentzündung *f.* **~조직** Lederhautgewebe *n.*

공매(公賣) öffentliche Versteigerung, -en; Zwangsversteigerung *f.* -en(강제경매); Subhastation *f.* -en (강제 경매). **~하다** öffentlich (gerichtlich) versteigern. ¶ ~에 부치다 die Zwangsversteigerung verhängen 《*über*^{4}》; zwangsweise versteigern lassen*.
‖ **~품** die zur Zwangsversteigerung kommenden Artikel 《*pl.*》. **~처분** Zwangsversteigerung *f.* -en; Subhastation *f.* -en.

공맹(孔孟) Konfuzius u. Menzius.
‖ **~지도(道)** die Lehre 《-n》 von Konfuzius u. Menzius. **~학** 《유학》 Konfuzianismus *m.*

공명(公明) Offenheit *f.*; Freimut *m.* -(e)s; Fairneß [fɛ́:r..] *f.*; Aufrichtigkeit *f.*; Gerechtigkeit *f.*; Redlichkeit *f.*; Unbestechlichkeit *f.*(청렴); Unparteilichkeit *f.*(공평). **~하다** offen; freimütig; fair; aufrichtig; gerecht; redlich; unbestechlich; unparteiisch (sein). ¶ ~정대한 수단 die offenen Mittel 《*pl.*》 / ~정대한 처사 das aufrichtige Verfahren* / ~정대한 재판 das gerechte (unparteiische) Urteil, -(e)s, -e / ~정대하게 싸우다 ehrlich spielen (경기) / 그는 무슨 일을 해도 ~정대하다 Er handelt stets aufrichtig. / 정치가는 ~정대하게 행동해야 한다 Ein Staatsmann muß sich stets einer unparteiischen und ehrlichen Handlungsweise befleißen.
‖ **~선거** die gerechte(unparteiische) Wahl.

공명(功名) Groß¦tat (Helden-) *f.* -en; Verdienst *n.* -es, -e 《*um*^{4}》; Ruhm *m.* -(e)s; Name(n) *m.* ..mens, ..men. ¶ ~을 세우다 e-e große (herrliche) Tat vollbringen*; ^{4}sich aus|zeichnen (hervor|tun*) 《*durch*^{4}》.
‖ **~심** Ehrgeiz *m.* -es, -s; Ehr¦sucht (Ruhm-) *f.*: ~심이 강하다 ehrgeizig (ehrsüchtig (ruhm-); leistungswillig) sein.

공명(共鳴) ① 《반향》 Resonanz *f.* -en; das Mittönen*, -s; Nachklang *m.* -(e)s, ⸚e. ② 《공감》 Sympathie *f.* -n [..ti:ən]; Widerhall *m.* -(e)s, -e. **~하다** ① resonieren; mit|tönen; nach|klingen*. ② 《딴 사람에게》 bei|stimmen^{3}; bei|pflichten^{3}; *js.* Meinung teilen; (völlig) *js.* ^{2}Meinung sein; 〖속어〗 in *js.* Horn (das gleiche Horn) blasen* (stoßen*; tuten). ¶ ~자가 있다 e-n Widerhall (e-e Resonanz) finden* 《*in*^{3}》; Anklang finden* 《*bei*^{3}》; viele Anhänger haben.
‖ **~관** Resonanzrohr *n.* -(e)s, -e. **~기** Resonator *m.* -s, -en. **~자** der Mitfühlende*, -n, -n; der Sympathisierende*, -n, -n. **~판** Resonanzboden *m.* -s, -; Resonanzkasten *m.* -s, -.

공명(空名) leerer Name, -ns, -n; leerer Titel, -s, -; 《허명》 falscher Ruhm, -s.

공모(公募) öffentliche Werbung (Subskription) *f.* -en; öffentliche Emission 《-en》 (e-r Anleihe (공채의)): öffentliche Aufnahme 《-n》 (e-r Anleihe). **~하다** um die Aufnahme (Subskription) der Anleihe (공사채를) (der ^{2}Akten(주식을)) öffentlich werben; die Bewerber 《*pl.*》 öffentlich werben (희망자를). ¶ ~에 응하다 auf e-e Aufforderung (Anwerbung) ein|gehen* ⓢ; ^{4}sich an|werben lassen* / 회원을 ~하다 Mitglieder suchen (auf|nehmen*) / 현상소설을 ~하다 ein Preisausschreiben für Romane erlassen*; Preise für Romane aus|setzen.

공모(共謀) Verschwörung *f.* -en; Komplott *n.* -es, -e; geheimer Anschlag, -(e)s, ⸚e; heimliches Einverständnis, ..nisses, ..nisse; die heimliche Verabredung, -en;《공범》 Mitschuld *f.*; Teilnahme *f.* **~하다** ^{4}sich verschwören 《mit *jm.* *zu*^{3}》; ^{4}sich verständigen 《mit *jm.* *über*^{4}》; ein Komplott schmieden (an|zetteln) 《mit *jm.* *zu*^{3}》. ¶ ~해서 in ^{3}Verschwörung 《mit *jm.*》; in ^{3}Mitschuld 《von *jm.*》; unter ^{3}Teilnahme 《von *jm.*》.
‖ **~자** der Verschworene* (Mitverschworene*) -n, -n; Komplice [..plí:sə, ..plí:tsə] *m.* -n, -n; der Mitschuldige*, -n, -n.

공모(空母) ☞ 항공모함.

공목(空木) 〖인쇄〗 das blinde Material, -(e)s, ..lien.

공무(工務) Maschinenbau *m.* -(e)s.
‖ **~국** Maschinenbau-Abteilung *f.* -en; Konstruktionsabteilung; Ingenieurbüro [..ǿ:r..] *n.* -s, -s (공무소).

공무(公務) Amt *n.* -(e)s, ⸚er; (Staats)dienst *m.* -es, -e; Amtsgeschäft *n.* -(e)s, -e; die amtliche Angelegenheit, -en; Dienstsache *f.* -n; die amtliche Beschäftigung, -en.

¶ ～상(의) amtlich; dienstlich; offiziell; Amts- / ～로 인한 부상 die Verletzung bei der Staatsdienstleistung / ～에 시달려 unter dem Druck des schweren Amtsgeschäfts / ～로 여행하다 e-e Dienstreise machen / ～를 집행하다 das Amtsbeschäftigung leisten (führen) / ～와 사무를 구별하다 zwischen öffentlichen und persönlichen Angelegenheiten unterscheiden*.

‖ **～집행** die Vollstreckung ⟪-en⟫ der amtliche Dienste: ～집행 방해 die Störung e-s Staatsbeamten bei der Aufführung s-r öffentlichen Pflicht.

공무원(公務員) der Beamte*, -u, -n; der Staatsbeamte*, -n, -n. ¶ ～이 되다 Beamter werden; ein Amt an|treten* / ～을 그만두다 aus e-m Amt scheiden*.

‖ **～근성** Beamtengeist *m.* -(e)s, -er. **～사회** Beamtenwelt *f.* -en. **～생활** das amtliche Leben, -s, -. **고급～** der Beamte* höheren Ranges. **국가～** der Staatsbeamte*. **국가 ～법** Gesetz ⟪*n.* -es, -e⟫ für Staatsbeamtenhaftung. **지방～** der Ortsbeamte*. **지방 ～법** Gesetz ⟪*n.* -es, -e⟫ für Ortsbeamtenhaftung. **하급～** der Beamte* niedrigeren Ranges.

공문(公文) offizielles Dokument, -(e)s, -e; amtliches Schriftstück, -(e)s, -e; amtliche Urkunde, -n; amtliche Beschreibung, -en; als Beweis dienendes Schriftstück, -(e)s, -e. ¶ ～으로 알리다 offiziell bekannt|geben* / ～으로 조회하다 [4]sich mit der amtlichen Beschreibung erkundigen ⟪*nach*[3]⟫.

‖ **～서** offizielles Dokument; Staatsdokument *n.*; Regierungsdokument *n.*; Archiv *n.* -(e)s, -e: ～서철 Urkundensammlung *f.* -en / ～서 위조 Fälschung ⟪*f.*⟫ e-r amtlichen (offiziellen) Urkunde. **～전보** amtliches (offizielles) Telegramm, -s, -e. **～체** amtlicher (offizieller) Stil, -(e)s, -e.

공문(孔門) konfuzianische Schule; Konfuzianismus *m.* -.

공문(空文) der tote Buchstabe, -n(s), -n; Papierschnitzel *n.* (*m.*) -s, -. ¶ ～화하다 zum toten Buchstaben werden.

공물(公物) Gemeingut *n.* -(e)s, ⸚er; Regierungsbesitz *m.* -(e)s, -e; offizielles (amtliches) Eigentum *n.* -(e)s, ⸚er.

공물(供物) Opfer *n.* -s, -; Opfergabe *f.* -n. ¶ ～을 바치다 Opfer dar|bringen*.

‖ **～상(床)** Opfertisch *m.* -es, -e.

공물(貢物) ⟪상납금·부역⟫ Tribut *m.* -(e)s, -e; (Zwangs)abgabe *f.* -n; Beitrag *m.* -(e)s, ⸚e; Zoll *m.* -(e)s, ⸚e. ¶ ～을 바치게 하다 e-n Tribut auf|erlegen (zahlen) / ～을 바치다 e-n Tribut entrichten.

공미(貢米) 〚옛제도〛 der Reis für Regierungssteuer.

공미리 〚어류〛 Schnepfenaal *m.* -(e)s, -e.

공민(公民) (Staats)bürger *m.* -s, -; Bürger *m.* ¶ ～의 bürgerlich; staatsbürgerlich / ～의 의무 bürgerliche Pflicht, -en.

‖ **～교육** die staatsbürgerliche Erziehung, -en. **～권** Bürgerrecht *n.* -(e)s, -e; Staatsbürgerschaft *f.* -en: ～권을 주다 *jm.* die Staatsbürgerschaft verleihen* / ～권을 박탈하다 *jn.* des Bürgerrechtes berauben. **～권 박탈** die Aberkennung der bürgerlichen Ehrenrechte. **～도덕** bürgerliche Tugend *f.* -en. **～생활** ein bürgerliches Leben, -s.

공박(攻駁) Widerlegung *f.* -en; Anfechtung *f.* -en; Angriff *m.* -s, -e. **～하다** widerlegen; an|fechten*; *jm.* widersprechen; an|greifen; kritisieren.

공밥(空—) das Mahl ⟪-(e)s, -e (⸚er)⟫, für das man nicht bezahlt (gearbeitet) hat. ¶ ～(을) 먹다 ⟪비유⟫ Lohn (Belohnung) bekommen, ohne etwas dafür zu tun (getan zu haben). ⌈*f.* ⸚en.

공방(工房) Arbeitsstätte *f.* -n; Werkstatt

공방(攻防) der Angriff ⟪-(e)s, -e⟫ u. die Abwehr ⟪*f.*⟫; die Offensive u. Defensive.

‖ **～전** Angriffs- u. Verteidigungsschlacht *f.* -en; Angriffs- u. Verteidigungskampf *m.* -(e)s, ⸚e.

공방(空房) ① ⟪빈방⟫ das leere (freie) Zimmer, -s, -; das unbenutzte (unbewohnte; unvermietete) Zimmer. ② ＝공규.

공배수(公倍數) der gemeinsame Multiplikator, -s, -en.

‖ **최소(最小)～** der kleinste gemeinsame Multiplikator.

공백(空白) leere Stelle, -n; freier (leerer) Raum, -(e)s, ⸚e; Lücke *f.* -n; ereignisloser Zeitraum (사건 없는 기간); Vakuum *n.* -s, ..kua; ⟪백지⟫ unbeschriebenes Blatt, -(e)s, ⸚er. ¶ 정치적 ～ ein politisches Vakuum / ～을 메우다 den leeren Raum aus|füllen.

공범(共犯) ① ⟪행위⟫ Mitschuld *f.*; Mittäterschaft *f.*; Teilnahme *f.* ② ⟪사람⟫ Mittäter *m.* -s, -; Kumpan *m.* -s, -e; der Mitschuldige*, -n, -n; Teilnehmer *m.* -s, - (남자); Teilnehmerin *f.* ..rinnen; Komplice *m.* -n, -n. ¶ ～의 혐의가 농후하다 der [2]Mitschuld stark verdächtig sein / 그는 이 범행의 ～이다 Er hat bei dem Verbrechen mitgeholfen. ¦ Er hat seine Hände bei dem Verbrechen dabei gehabt.

‖ **～자** ☞ 공범 ②. **～죄** Mitschuld *f.*

공법(公法) das öffentliche Recht, -s, -e. ¶ ～상 dem öffentlichen Rechte nach.

‖ **～학자** Publizist *m.* -en, -en. **국제～** Völkerrecht *n.* -s; das internationale Recht, -s.

공변되다 unparteiisch; gerecht; selbstlos; vorurteils¦frei (-los).

공변세포(孔邊細胞) Schutzzelle *f.* -n.

공병(工兵) Pionier *m.* -s, -e; Schanzgräber *m.* -s, -; Soldat ⟪*m.* -en, -en⟫ der technischen [2]Truppe.

‖ **～대** die technische Truppe, -n. **～대대** Pionierbataillon [bataljó:n] *n.* -s, -e. **건설～대** Baupionier *m.* -s, -e.

공보(公報) der amtliche Bericht, -(e)s, -e; amtliche Depesche, -n; die offizielle Bekanntmachung, -en; Kommuniqué [..niké:] *n.* -s, -s; die offizielle (amtliche) Anzeige, -n. ¶ ～에 의하면 nach dem amtlichen Bericht; es ist amtlich berichtet worden, daß... / ～로 발표하다 durch den amtlichen Anzeiger (Staatsanzeiger) bekannt machen / ～에 실리다 im Staatsanzeiger erscheinen.

‖ **～과** Informationsabteilung *f.* -en; Auskunftsstelle *f.* -n. **～관** der amtliche (offizielle) Anzeiger, -s, -; Amtsanzeiger *m.*; Staatsanzeiger *m.* (정부의); Stadtanzeiger *m.* (시의). **～국** Auskunfts¦büro (Anzeigen-) *n.* -s, -s. **시～** ⟪관보⟫ der offizielle Stadtanzeiger. **국립～관** das nationale Zentrum ⟪-s, ..tren⟫ für die Staatsanzeigen. **철도～** der amtliche Eisenbahnanzeiger.

공복(公服) Amtkleid *n.* -(e)s, -er; Amtkleidung *f.* -en; Amtstracht *f.* -en; Uniform *f.* -en.

공복(公僕) =공무원.

공복(空腹) leerer Magen, -s; Hunger *m.* -s. ¶ ~의 hungrig / ~이다 hungrig sein; Hunger haben / ~을 호소하다 über Hunger klagen / ~을 면하다 den Hunger stillen; den Appetit befriedigen / ~인 나머지 aus blindem Hunger.

공부(工夫) 《면학》 das Studieren*, -s; Studium *n.* -s, ..dien; das Lernen*, -s; 《연구》 das Forschen*, -s; Forschung *f.* -en; Untersuchung *f.* -en. **~하다** studieren[4]; lernen[4]; (fleißig) arbeiten; [4]sich an|strengen; [4]sich befleißigen[2]; [4]sich bemühen 《*um*[4]》; (er)forschen[4]; untersuchen[4]; 《이하 학생어》 streben 《*nach*[3]》; büffeln (지독하게); ochsen (지독하게); pauken (지독하게). ¶ ~를 좋아하다 eifrig (emsig; fleißig; lernbegierig) arbeiten (studieren; sein) / ~를 싫어하다 faul (nachlässig; träge) sein (arbeiten; studieren); nicht gern arbeiten / ~해서 병이나다 [4]sich krank studieren (arbeiten) / 지나치게 ~하다 [4]sich überarbeiten / 밤늦게까지 ~하다 bis tief in die Nacht (hinein) arbeiten / 시험~하다 für das Examen (die Prüfung) arbeiten; [4]sich für die Prüfung (das Examen) vor|bereiten.
‖ **~꾼(벌레)** fleißiger Mensch *m.* -en, -en; 《학생어》 Streber *m.* -s, -; Büffler *m.* -s, -; Ochser *m.* -s, -. **~방** Studierzimmer *n.* -s, -; Arbeitszimmer *n.* -s, -; Studierstube *f.* -n. **~시간** Studienzeit *f.* -en; Lernzeit *f.* -en. **시험~** Prüfungsvorbereitung *f.* -en; die Arbeit 《-en》 für das Examen (die Prüfung).

공부승(工夫僧) ein buddhistischer Mönch 《*m.* -s, -e》, der die buddh. Schriften studiert.

공분(公憤) gerechter Zorn, -(e)s; Unwille 《*m.* -ns》 über ein öffentliches Ereignis; öffentlicher Verdruß, ..drusses, ..drusse. ¶ ~을 느끼다 unwillig (aufgebracht) sein 《*über*[4]》 / ~을 느끼게 하다 *jn.* empören.

공분모(公分母) 〖수학〗 gemeinsamer (gemeinschaftlicher) Nenner, -s, -.

공비(工費) Baukosten 《*pl.*》. ¶ 이 학교는 ~ 2억 원이 들었다 Der Bau dieser Schule kostete 200 Millionen *Won.*

공비(公費) die öffentliche Ausgabe, -n; öffentliche Kosten 《*pl.*》. ¶ ~를 절약하다 die öffentlichen Ausgaben ein|schränken (sparen) / ~로 auf öffentliche Kosten.

공비(共匪) rote (kommunistische) Guerilla, -s u. ..llen (..llas). ¶ 잔존 ~를 소탕하다 die zurückbleibenden roten Guerillas aus|rotten (vertreiben*); (die Gegend) von zurückgebliebenen roten Guerillas säubern.

공비(空費) Verschwendung *f.*; Vergeudung *f.* **~하다** unnütz verbrauchen; verschwenden; verschleudern; 《시간을》 s-e Zeit 《-en》 verschwenden (verständeln).

공사(工事) Bau *m.* -es; Bauarbeit *f.* -en; Bauten 《*pl.*》 (축조물). **~하다** bauen[4]; erbauen[4]; auf|führen (-|stellen)[4]; zusammen|setzen[4]; zusammen|fügen[4]; konstruieren. ¶ ~를 시작하다 《기공》 mit dem Bau an|fangen* / ~중이다 im Bau begriffen sein; im (in) Bau sein; 《공사중》 Vorsicht (Achtung), Bauarbeiten! / ~를 감독하다 die Bauarbeiten (den Bau) beaufsichtigen / 이 ~는 완성에 약 7년이 걸렸다 Der Bau hat etwa sieben Jahre in Anspruch genommen.
‖ **~계** der bei einem Bau Angestellte*, -n, -n. **~비** Baukosten 《*pl.*》. ☞공비. **교량~** Brückenbau *m.* **난~** Bauschwierigkeiten 《*pl.*》. **도로~** Straßenbau *m.* **부정~** die unvollkommene (mangelhafte) Bauarbeit *f.* -en. **수리~** Ausbesserungsarbeit *f.* **철도~** Eisenbahnbau *m.*; Eisenbahnanlage *f.* -en. **청부~** Akkordarbeit *f.* **터널~** Tunnelbau *m.* **토목~** Bauwerk *n.* -es.

공사(公司) Firma *f.* ..men; Gesellschaft *f.* -en; Kompanie *f.* -n 《생략: Co.; Komp.》.
‖ **대한 석유~** Korea Ölkorporation.

공사(公私) öffentliche u. private Angelegenheit *f.* -en. ¶ ~의 öffentlich u. privat; amtlich u. nicht amtlich / ~간에 ebenso in öffentlicher (amtlicher) wie auch (in) privater (nicht amtlicher) Beziehung (Hinsicht) / ~를 혼동하다 öffentliche u. private Angelegenheiten vermischen / ~의 구별을 엄하게 하다 zwischen öffentlichen und privaten Angelegenheiten nicht miteinander vermischen (sondern beide streng unterscheiden*).

공사(公事) die öffentliche Angelegenheit, -en (Sache, -n).

공사(公使) der Gesandte*, -n, -n.
‖ **~관** Gesandtschaft *f.* -en; Legation *f.* -en; Gesandtschafts¦gebäude (Legations-) *n.*-s, -(건물): ~관원 Gesandtschaftspersonal (Legations-) *n.* -s; Attaché *m.* -s, -s / ~관 일(이)등 서기관 der Gesandtschaftssekretär (Legations-) 《-s, -e》 erster (zweiter) Klasse / ~관 참사관 Gesandtschafts¦rat (Legations-) *m.* -(e)s, ⸚e / ~관부 무관 Militärattaché *m.* / 런던 주재 한국 ~관 die koreanische Gesandtschaft (Legation) in London. **~대리** der Geschäftsträger (des Gesandten); der Chargé d'Affaires. **대리~** der vertretende Gesandte*. **변리~** Ministerresident *m.* -en, -en.

공산(公算) Wahrscheinlichkeit *f.* -en; Wahrscheinlichkeitsrechnung *f.* -en. ¶ ...할 ~이 크다 aller [3]Wahrscheinlichkeit nach; mit größter Wahrscheinlichkeit kann angenommen werden, daß ....
‖ **~오차(誤差)** ein wahrscheinlicher Fehler, -s, -. **~인수** Wahrscheinlichkeitsfaktor *m.* -s, -en.

공산(共產) die Gemeinschaft 《-en》 der Eigentümer; Gemeinbesitz *m.* -es, -e (공유재산); 《공산주의》 Kommunismus *m.* -.
‖ **~군** die kommunistische Armee (Truppe) -n. **~권** der kommunistische Block, -(e)s, ⸚e. **~당** die kommunistische Partei, -en: ~당원 Kommunist *m.* -en, -en / ~당 선언 das kommunistische Manifest, -(e)s, -e / ~당 세포 die kommunistische Zelle, -n. **~분자** die kommunistische Fraktion, -en. **~제** das kommunistische System, -(e)s, -e. **~주의** Kommunismus *m.*: ~주의 동맹 Kommunistenbund *m.* -(e)s, ⸚e / ~주의적 kommunistisch / ~주의에 물든 rotfärbig; vom Kommunismus befleckt / ~주의 사상 der kommunistische Gedanke, -ns, -n / ~주의 사회 kommunistische Gesellschaft, -en / ~주의 운동 Kommunisterei *f.* -en; die kommunistische Bewegung, -en / ~주의자 Kommunist *m.* **~진영** das kommunistische Lager, -s, -. **~측** die

kommunistische Seite, -n. ∼화 Kommunisierung *f.*: ∼화하다 kommunisieren. 국제∼당 die kommunistische Internationale*, -n. 비적성 ∼국가 ein nichtfeindliches kommunistisches Land, -es, ¨er.

공산명월(空山明月) ① 《달》 der Mond 《-(e)s, -e》, der über e-m einzelstehenden Berg scheint. ② 《화투의》 Karte des *Hwatu*-Spiels (mit Mond und Berg). ③ 《대머리》 Kahlkopf *m.* -s, ¨e.

공상(公傷) Dienstbeschädigung *f.* -en; die im öffentlichen Dienste davongetragene (empfangene) Verletzung (Versehrung) -en. ¶ ∼을 입다 eine Dienstbeschädigung davon|tragen*.

공상(空想) Phantasie *f.* -n; Einbildung *f.* -en; Phantasiegebilde *n.* -s, -(상상물); 《환상》 Träumerei *f.* -en; Traumbild *n.* -(e)s, -er; Vision *f.* -en; Hirngespinst *n.* -es, -e (망상); Luftschloß *n.* ..schlosses, ..schlösser (공중누각). ∼하다 phantasieren; ³sich ein|bilden; ⁴sich vor|stellen; träumen; Luftschlösser bauen. ¶ ∼에 잠기다 ⁴sich Träumereien hin|geben; ⁴sich in ³Illusionen wiegen* / ∼을 그리다 Luftschlösser 《*pl.*》 bauen / 그것은 단지 네 ∼에 불과하다 Letzten Endes ist Ihre Idee utopisch. / ∼적인 phantastisch; träumerisch; schimärisch; visionär; utopisch / ∼적 사회주의 utopischer Sozialismus.
‖ ∼가 Phantast *m.* -en, -en; Träumer *m.* -s, -; Utopist *m.* -en, -en; Visionär *m.* -s, -e; Schwärmer *m.* -s, -. ∼론 die müßige Theorie, -n. ∼과학소설 die utopische Wissenschaftsfiktion, -en; SF-Roman *m.* -s, -e. ∼과학영화 SF-Film *m.* -s, -e.

공상(貢上) Tribut *m.* -(e)s, -e; Zins *m.* -es, -e(n). ∼하다 e-n Tribut (be)zahlen (entrichten). ☞ 공물(貢物).

공생(共生) 〖동물·식물〗 Symbiose *f.* -n; Kommensalismus *m.* -; Nahrungsnutznießertum *n.* -s; Zusammenleben *n.* -s. ∼하다 zusammen|leben 《*mit*³》.
‖ ∼동물 das zusammenlebende (kommensale) Tier, -s, -e. ∼식물 die zusammenlebende (kommensale) Pflanze, -n.

공생애(公生涯) das öffentliche Leben, -s; das Leben in der ³Öffentlichkeit.

공서양속(公序良俗) öffentliche Ordnung u. gute Sitte.

공석(公席) Öffentlichkeit *f.*; die Gegenwart 《-en》 anderer ²Leute; 《모임》 Versammlung *f.* -en; Beratung *f.* -en; Sitzung *f.* -en; Zusammenkunft *f.* ¨e. ¶ ∼에서 vor anderen Menschen; vor den Leuten; in Gegenwart anderer / ∼을 피하다 die Gesellschaft vermeiden* / ∼에서 그런 짓은 그만 두시오 Lassen Sie es anstandshalber!

공석(空席) freier (leerer; unbesetzter) Platz, -es, ¨e; leerer Raum, -(e)s, ¨e; Vakanz *f.* -en; offene (unbesetzte; erledigte) Stelle, -n. ¶ ∼을 채우다 freie Stelle ergänzen (erfüllen) / ∼이 하나도 없다 Es ist kein Platz mehr. / 여기 ∼이 셋 있습니다 Hier sind drei leere Plätze für Sie, meine Herren.

공선(公選) 《공중 선거》 die öffentliche Wahl, -en; Volksabstimmung *f.* -en; 《공명선거》 die gerechte (unparteiische; aufrichtige) Wahl, -en. ∼하다 durch Volksabstimmung wählen 《*jn.*》; e-e öffentliche Wahl ab|halten (vor|nehmen*) / ∼으로 그가 시장이 됐다 Er wurde in öffentlicher Wahl zum Bürgermeister gewählt.
‖ ∼의원 der durch Volksabstimmung gewählte Abgeordnete*, -n, -n (Delegierte*, -n, -n). ∼지사 der öffentlich gewählte Gouverneur [guvɛrnø:r] -s, -e.

공설(公設) öffentliche (amtliche) Installierung, -en; öffentliche Einrichtung, -en (Anstalt, -en). ∼하다 auf öffentliche Kosten errichten; öffentlich errichten. ¶ ∼의 öffentlich errichtet (gegründet); Gemeinde-; Kommunal-; Stadt-.
‖ ∼기관 das öffentliche (amtliche) Institut, -(e)s, -e. ∼시장 der öffentliche Markt, -(e)s, ¨e.

공성(攻城) Belagerung *f.* -en.
‖ ∼군 Belagerungs¦armee *f.* -n (-heer *n.* -es, -e). ∼전 Belagerungskampf *m.* -(e)s, ¨e ∼포 Belagerungsgeschütz *n.* -es, -e.

공세(攻勢) Offensive *f.* -n; Angriff *m.* -(e)s, -e; das angriffsweise Vorgehen*, -s; Vorstoß *m.* -es, ¨e. ¶ ∼적 offensiv / ∼로 나오다, ∼를 취하다 die Offensive ergreifen*; an|greifen*⁴; den Angriff beginnen*; zum Angriff über|gehen* (schreiten*) Ⓢ.
‖ ∼력 Offensivkraft *f.* ¨e. ∼전술 die Offensive Taktik (die Offensivtaktik) -en. 전략∼ die strategische Offensive, -n. 외교∼ der diplomatische Angriff, -(e)s, -e. 평화∼ Friedens¦stiftung (-vermittlung) *f.* -en.

공소(公訴) die öffentliche Anklage, -n (Beschuldigung, -en). ∼하다 öffentlich an|klagen 《*jn. wegen*²》 (beschuldigen² 《*jn.*》); e-e öffentliche Anklage (Beschuldigung) erheben* 《gegen *jn. wegen*²》; unter ⁴Anklage stellen 《*jn. wegen*²》. ¶ ∼를 제기하다 ☞ ∼하다 / ∼를 기각(철회)하다 die öffentliche Anklage (bei Gericht) ab|weisen (zurück|ziehen).
‖ ∼권 Anklagerecht *n.* -(e)s. ∼사실 Beschuldigung *f.* -en; Anschuldigung *f.* -en; Anklage *f.* -en; Klagepunkt *m.* -(e)s, ¨e. ∼유지 Unterstützung 《*f.* -en》 e-r öffentlichen Anklage.

공소(控訴) =항소.

공손(恭遜) Höflichkeit *f.* -en; Artigkeit *f.* -en; Zuvorkommenheit *f.* -en. ∼하다 ehrerbietig; ehrfurchtsvoll; achtungsvoll; demutsvoll; demütig; ehrfürchtig; untertänig (sein). ¶ ∼한 태도 ehrerbietige Haltung, -en / ∼히 höflich; artig; zuvorkommend / ∼히 대하다 höflich (mit ³Höflichkeit; zuvorkommend) behandeln (hand|haben) 《*jn.*》 / ∼히 절하다 ⁴sich ehrerbietig verbeugen / ∼히 말하다 ⁴sich gewählt (höflich; vornehm) aus|drücken.

공수 〖민속〗 Geister¦beschwörung (Toten-) *f.* -en; Spiritismus *m.* -; Nekromantie *f.*; Weissagung 《*f.* -en》 durch Toten. ¶ ∼받다 Totenbeschwörung erhalten* (bekommen*) / ∼주다 Geisterbeschwörung herbei|rufen*.

공수(攻守) ① Angriff 《*m.* -(e)s, -e》 u. Verteidigung 《*f.* -en》; Offensive 《*f.* -n》 u. Defensive 《*f.* -n》. ② 《야구》 das Schlagen* u. Fangen*, des - u. -s. ‖ ∼동맹 Schutz- u. Trutzbündnis *n.* -ses, -se.

공수(空手) die bloße (leere) Hand, ¨e. ¶ ∼로 mit leeren Händen 《*pl.*》 / ∼로 돌아가다 mit leeren Händen zurück|gehen*.

공수(空輸) Luft¦transport *m.* -(e)s, -e (-verkehr *m.* -s). ~하다 per Flugzeug《*n.*》transportieren*[4]; auf dem Luftweg befördern[4] (senden*[4]; schicken[4]).

‖~부대 Luftlandetruppe *f.* -n. ~작전 e-e Operation《-en》des Lufttransportes. ~화물 Luftfracht *f.* -en.

공수(拱手) ~하다 die Arm verschränken. ¶ ~ 방관하다 mit verschränkten (untergeschlagenen) Armen zu|sehen*[3]; die Hände in den Schoß legen.

공수병(恐水病) Wasserscheu *f.*; Hydrophobie *f.*; Tollwut *f.* (광견병). ¶ ~에 걸린 개 der wütige (tolle) Hund, -es, ⸗e / ~에 걸리다 von Wasserscheu ergriffen (befallen) werden.

‖~독 Wutgift *n.* -(e)s, -e. ~예방주사 Pasteursche Schutzimpfung gegen Wasserscheu. ~접종 die Impfung《-en》gegen [4]Tollwut. ~환자 der Wasserscheue*, -en, -en; der Wutkranke*, -en, -en.

공수표(空手票) Keller¦wechsel (Reit-) *m.* -s, -; Wechselreiterei *f.* -en. ¶ ~를 떼다 e-n Kellerwechsel aus|stellen; Wechselreiterei treiben* / ~로 끝나다 in ein leeres Versprechen aus|laufen* ⓢ; [4]sich als ein leeres Versprechen erweisen*.

공순(恭順) Ergebenheit *f.*; Gehorsam *m.* -s; Untertänigkeit *f.* ~하다 ergeben; gehorsam; untertänig (sein). ¶ ~의 뜻을 표시하다 e-n Huldigungseid leisten; *jm.* huldigen; zu Kreuz kriechen*.

공술(空—) das angebotene alkoholische Getränke, -(e)s, -e; der kostenlose Wein, -(e)s, -e. ¶ ~에 취하다 [4]sich auf anderer Kosten betrinken*.

공술(供述)《공술서》Aussage *f.* -n; die (eidesstattliche) Erklärung, -en. ~하다 aus|sagen[4]《*gegen*[4]; *für*[4]》; (eidlich) bezeugen[34]; zu Protokoll geben*[4].

‖~인(人) Zeuge *m.* -n, -n; Aussager *m.* -(e)s, -; der Aussagende*, -n, -n.

공습(空襲) Luftüberfall *m.* -(e)s, ⸗e; Luftangriff *m.* -(e)s, -e. ~하다 e-n Luftangriff《-(e)s, -e》aus|üben. ¶ ~ 받다 e-n Luftangriff bekommen*; von der Luft aus angegriffen werden.

‖~경보 Luftangriffsalarm *m.* -s, -e; Fliegeralarm *m.* -s, -e; Fliegerwarnung *f.* -en: ~ 경보를 발하다 e-e Fliegerwarnung geben* / ~ 경보를 해제하다 e-n Luftangriffswarnung zurück|nehmen*. ~관제 Lichtkontrolle *f.* -n; Beleuchtungsbeschränkung *f.* -en.

공시(公示) die amtliche Bekanntmachung, -en; die öffentliche Anzeige, -n (Verkündung, -en). ~하다 öffentlich bekannt|machen[4] (an|zeigen[4]).

‖~최고 das öffentliche Verlangen*. 관청~사항 Regierungsbekanntmachung *f.* -en.

공시(共時) ¶ ~적 synchronistisch.

‖~태 〖언어〗 Synchronie *f.*

공식(公式) ① 〖수학〗 Formel *f.* -n. ② 〖의식〗 Formalität *f.* -en; Staats-; das öffentliche Zeremonie, -s, -e. ¶ ~의 (으로) formell; amtlich; öffentlich / ~으로 환영을 받다 von *jm.* amtlich (öffentlich) begrüßt werden / ~으로 발표하다 amtlich bekannt|machen[4].

‖~경기《권투 따위의》Titelwettkampf *m.* -(e)s, ⸗e. ~론 Formalismus *m.* -; der die Form überbetonende Standpunkt, -(e)s, -e. ~발표 (성명) amtliche (öffentliche) Bekanntmachung, -en; Staatsverkündigung *f.* -en. ~방문 der formelle (öffentliche) Besuch, -(e)s, -e; Staatsbesuch *m.* -(e)s, -e (국가 원수의). ~주의 Formalismus *m.* -. ~회합 die offizielle Versammlung (Beratung; Sitzung) -en.

공신(公信) das öffentliche Vertrauen*, -s.

공신(功臣) der verdienstvolle (ruhmreiche) Vasall [va..] -en, -en ((Lehns)mann, -(e)s, ⸗er (..leute); Gefolgsmann).

공안(公安) öffentlicher Friede, -ns, -n; öffentliche Ruhe *f.*; Landfriede *m.* -ns, -n. ¶ ~을 유지하다 die öffentliche Ruhe bewahren (schützen); die öffentliche Ruhe u. Ordnung aufrecht|erhalten* / ~을 해치다 den öffentlichen Frieden stören; die öffentliche Ruhe stören.

‖~경찰 Sicherheitspolizei *f.* -en. ~방해 Landfriedensbruch *m.* -(e)s. ~범 Verbrecher《*m.* -s, -》der Staatssicherheit. ~법(령) Sicherheitsverordnung *f.* -en. ~위원 Mitglied《*n.* -(e)s, -er》des Sicherheitsausschuß: ~ 위원회 der staatliche Sicherheitsausschuß, ..schusses, ..schüsse (국가); der Orts¦sicherheitsausschuß (지방).

공안(公案) Urkunde *f.* -n (원전); 〖종교〗《그리스도교의》Katechismus *m.* -, ..men;《선종의》Zenbuddhistische Aufgabe, -n; Zen-Aufgabe *f.* -n.

공알 《음핵》 Scham¦züngelchen (-zünglein) *n.* -s, -; Klitoris *f.* -; Klitzler *m.* -s, -.

공액(共軛) 〖수학〗 Konjugation *f.*; Konjugierung *f.* ¶ ~의 konjugiert.

‖~각 der konjugierte Winkel. ~광선 die konjugierten Strahlen《*pl.*》. ~점 die konjugierten Punkte《*pl.*》. ~호 der konjugierte (Kreis)bogen, -s.

공약(公約) das öffentliche Versprechen*, -s, -; das der Öffentlichkeit gegebene Wort, -(e)s, -e. ~하다 öffentlich versprechen*[4]《*jm.*》; [4]sich öffentlich verpflichten《gegen *jn.* *zu*[3]》; der Öffentlichkeit Wort geben*. ¶ 정당의 ~ das öffentliche Versprechen*《-s》einer Partei.

‖선거~ Wahlvorschlag *m.* -(e)s, ⸗e: 선거 ~을 하다 e-n Wahlvorschlag machen; in Wahlvorschlag machen[4] / 선거 ~을 지키다 Wahlwort halten*.

공약(空約) das nicht gehaltene Wort, -(e)s, -e.

공약수(公約數) der gemeinschaftliche Teiler, -s, - (Divisor, -s, -en).

‖최대~ der größte gemeinschaftliche Teiler (Divisor).

공양(供養) ①《대접》Essensversorgung *f.* ~하다 mit dem Essen versorgen[4] (versehen*[4]). ②《불교》Totenmesse *f.* -n. ~하다 e-e Totenmesse ab|halten* (lesen*).

‖~미 der als Almosen spendierte Reis, -es: ~미를 바치다 als Almosen Reis spendieren.

공언(公言) (öffentliche) Erklärung, -en (Aussage, -n). ~하다 öffentlich erklären[4]; [4]sich erklären; bestimmt aus|sagen[4]; offen bekennen*[4]. ¶ 나는 그 일과는 아무 관계가 없음을 ~할 수 있다 Ich kann mit gutem Gewissen erklären, daß ich nichts mit jener Angelegenheit zu tun habe.

공언(空言) leeres Wort, -(e)s, -e; leeres Geschwätz, -es, -e; Lüge *f.* -n; die falsche Aussage, -n; Erfindung *f.* -en.

공얻다(空—) [4]*et.* geschenkt bekommen*;

umsonst zu haben sein.

공업(工業) Industrie *f.* -n [..rí:ən]; Fabrikindustrie *f.* -n; Thechnik *f.* -en; Gewerbe *n.* -s, -. ¶ ~의 industriell; technisch; gewerblich; technologisch / ~화하다 industrialisieren[4] / ~용으로 zum industriellen Gebrauch; zu industriellen Zwecken; industriell / ~을 일으키다 die Industrie fördern.

‖ ~가 der Industrielle*, -n, -n; Fabrikant *m.* -en, en. ~계 industrielle Welt; industrielle Kreise《*pl.*》. ~교육 technische Erziehung, -en. ~국 Industriestaat *m.* -(e)s, -en; industrielles Land, -(e)s, ⸗er. ~기사 Ingenieur [inʒeniǿ:r] *m.* -s, -e. ~노동자 Industriearbeiter *m.* -s, -. ~단지 das Industriezentrum, -s, ..tren. ~대학 technische Hochschule, -n (단과대학). ~도시 Industriestadt *f.* ⸗e. ~시험소 industrielles Laboratorium, -s, ..rien. ~약품 industrielle Chemikalien《*pl.*》. ~정책 Gewerbepolitik *f.* -en; industrielle Politik, -n. ~지대 Industriegebiet *n.* -(e)s, -e. ~학교 technische Schule, -n; Gewerbeschule *f.* -n; Technikum *n.* -s, ..ka. ~화 Industrialisierung *f.* -en. ~화학 chemische Industrie. 가내~ einheimische Industrie. 기계~ Maschineindustrie. 중(경)~ schwere (leichte) Industrie. 국립 ~연구소 das staatliche (nationale) Institut für die Industrieforschung.

공업(功業) Verdienst *n.* -es, -e; Leistung *f.* -en; Errungenschaft *f.* -en; das große Werk, -(e)s, -e; Großtat *f.* -en; die vortreffliche Arbeit, -en. ¶ 국가에 대한 ~die Dienste《*pl.*》um den Staat / 많은 ~을 세우다 viele verdienstvolle Taten voll|bringen*; [3]sich Verdienste um [4]*et.* erwerben*.

공역(公役) der öffentliche Dienst, -es, -e; Frondienst *m.* -es, -e. ¶ ~에 복무하다 in den Dienst der Öffentlichkeit treten*.

공역(共譯) die gemeinsame Übersetzung, -en. ~하다 gemeinsam (zusammen) übersetzen《*von*[3]; *in*[4]》. ¶ A,B 양씨의 ~ die gemeinsame Übersetzung von beiden Herren A und B; Übersetzt von A u. B. ※ 보통은 구체적으로 Deutsch (독역), Koreanisch(한역) von... …라고 한다.

공연(公演) öffentliche Aufführung (Vorstellung; Darstellung) -en. ~하다 (öffentlich) auf|führen[4] (zeigen[4]; vor|stellen; dar|stellen[4]; laufen*). ¶ 그 가극은 언제 ~됩니까 Wann wird die Oper aufgeführt?/ 제 2 막이 ~ 중이다 Der zweite Akt läuft.

공연(共演) mit *jm.* die Hauptrolle spielen《in e-m Stück *od.* Film》; mit von der Partie sein〔공연자 *pl.* 을 주어로 해서〕. ~하다 zusammen auf|treten*; mit *jm.* gemeinsam (zusammen) spielen.

‖ ~자 Mitspieler *m.* -s, -.

공연스럽게(空然―) nutzlos; unwichtig; unnötig; vergeblich; erfolglos; fruchtlos; umsonst. ¶ ~ 애쓰다 [4]sich vergeblich (für nichts) an|strengen / ~ 울다 grundlos (unnötig) weinen.

공연스럽다(空然―) unbedeutend; gering; unwichtig; wertlos; albern; töricht; unnütz; fruchtlos; eitel; leer; unsinnig; vergeblich (sein). ¶ 공연스러운 노력 fruchtlose Anstrengung; vergebliche Liebesmühe *f.*

공연하다(公然―) ☞ 공공연하다.

공염불(空念佛) schöne aber leere (hohle) Worte《*pl.*》; Phrase *f.* -n; Schnack *m.* -(e)s, -e (⸗e); Wortgeklingel *n.* -s, -.

공영(公營) öffentliche (staatliche) Leitung (Verwaltung). ~하다 öffentlich (staatlich) verwalten[4]. ¶ ~의 öffentlich (staatlich); Gemeinde-.

‖ ~주택 ein öffentlich finanziertes Haus, -es, ⸗er; eine unter der staatlichen Bergungsprojekt gebaute Wohnung.

공영(共榮) gegenseitige Wohlfahrt; gemeinsames Wohlergehen, -s.

공예(工藝) Kunstgewerbe *n.* -s, -. ¶ ~의 gewerblich; Kunst-; Gewerbe-.

‖ ~가 Kunstgewerbler *m.* -s, -; Technolog *m.* -en, -en. ~미술 gewerbliche Künste《*pl.*》. ~미술 전람회 Kunstgewerbeausstellung *f.* -en. ~품 kunstgewerbliche Arbeit, -en. ~학 Gewerbekunde *f.* -n; Technologie *f.* -n [..gí:ən]. ~학교 Kunstgewerbeschule *f.* -n.

공용(公用) ①《일》Amtsgeschäft *n.* -(e)s, -e; Amtshandlung *f.* -en; die amtliche (öffentliche) Angelegenheit, -en; die amtliche Pflicht, -en. ¶ ~으로 amtlich; von Amts wegen; ex officio; zum öffentlichen Gebrauch; in amtlichen Geschäften《*pl.*》. ②《공비》öffentliche Ausgabe, -n, -n; amtliche Kosten《*pl.*》. ③《공공용》öffentlicher Gebrauch, -(e)s.

‖ ~물 Gegenstand《*m.* -(e)s, ⸗e》zum öffentlichen Gebrauch. ~어 e-e offizielle Sprache, -n. ~지 Landgut《*n.* -(e)s, ⸗er》zum öffentlichen Gebrauch. ~차 ein offizieller Wagen, -s, -.

공용(共用) gemeinsamer Gebrauch, -(e)s, ⸗e. ¶ ~의 für den gemeinsamen Gebrauch; in Gemeinschaft / 정원은 두 집 ~이다 Der Garten ist beiden Häusern gemein.

‖ ~물 gemeinsames Eigentum, -s, ⸗er.

공원(工員) (Fabrik)arbeiter *m.* -s, -.

공원(公園) Park *m.* -(e)s, -s (Parkanlagen); öffentlicher Garten, -s, ⸗; öffentliche Anlage, -n; Platz *m.* -es, ⸗e (광장).

‖ ~구역 Parkgegend *f.* -en. ~묘지 Parkfriedhof *m.* -s, ⸗e; Parkbegräbnisplatz *m.* 국립~ ein nationaler Park, -(e)s, -s (-e). 사직~ *Sajig* Park. 소(小)~ Schmuckplatz *m.* 옥상~ Dachgarten *m.* -s, ⸗.

공위(攻圍) Belagerung *f.* -en;《포위》Einschließung *f.* -en; Einkreisung *f.* -en. ~하다 belagern[4]; ein|schließen*[4]; ein|kreisen[4]. ¶ ~를 풀다 die Belagerung auf|heben*. ‖ ~군 Belagerungsarmee *f.* -n; Einschließungsheer *n.* -(e)s, -e.

공위(空位) leere (freie; unbesetzte) Stelle, -n; Interregnum *n.* -s, ..na (왕 승하 후의).

공유(公有) das öffentliche Eigentum (Besitztum) -(e)s, ⸗er. ¶ ~의 öffentlich; in öffentlichem Besitz; der [3]Gemeinde gehörig; Gemeinde-.

‖ ~림 der der Gemeinde gehörige Forst, -es, -e; ein Wald in öffentlichem Besitz. ~재산 Gemeindegut *n.* -(e)s, ⸗er; das öffentliche Gut, -(e)s, ⸗er. ~지(地) das der Gemeinde gehörige Grundstück, -(e)s, ⸗e; das öffentliche Gelände, -s, -.

공유(共有) Gemeinschaft *f.* -en; Mitbesitz *m.* -es, -e. ~하다 in Gemeinschaft haben[4]; mit|besitzen*[4]; gemeinsam besitzen*[4]. ¶ ~의 gemeinschaftlich; gemeinsam; Gemein-

/ 그것은 ~물이다 Das ist etwas für uns alle. ¦ Das gehört uns allen.
‖ ~물 Gemeinbesitz *m.* -es, -e; Gemeineigentum *n.* -(e)s, ⸚er. ~자 Mitbesitzer *m.* -s, -. ~재산 Gemeineigentum *n.* -s, ⸚er; Gemeingut *n.* -(e)s, ⸚er.

공으로(空—) kostenfrei; unentgeltlich; umsonst. ¶ ~ 얻다 ⁴*et.* geschenkt bekommen/ ~ 일하다 umsonst (unbelohnt) arbeiten / ~ 시키지는 않겠읍니다 Ich werde Sie für die Mühe belohnen. / ~ 드리겠읍니다 Sie können es umsonst haben.

공의(公醫) Amtsarzt *m.* -es, ⸚e.

공이 Morserkeule *f.* -n; Pistill *n.* -s, -e.
‖ ~치기 《총의》 Hahn *m.* -(e)s, ⸚e: ~치기를 세우다 den Hahn spannen.

공익(公益) Gemeinnutz *m.* -es; Gemeinnutzen *m.* -s; Gemeinwohl *n.* -(e)s; das öffentliche (allgemeine) Interesse, -s, -n (Wohl, -(e)s); Gemeinnützlichkeit *f.*; das allgemeine Beste*, -n. ¶ ~의 gemeinnützig; gemeinnützlich/~을 위해 im öffentlichen Interesse; zum allgemeinen Besten; für alle / ~을 도모하다 das Gemeinwohl fördern; für das Volkswohl (Gemeinwesen) arbeiten / ~에 이바지하다 dem Gemeinwohl dienen; eifrigen Anteil an der guten Sache des Gemeinwesens nehmen* / ~을 해치다 das Gemeinwohl beschädigen (verletzen).
‖ ~단체 e-e öffentliche Körperschaft (Korporation) *f.* -en. ~대표 ein Vertreter《*m.* -s, -》 des öffentlichen Interesses. ~법인 die juristische Person 《-en》 für das Gemeinwohl. ~사단(社團) die gemeinnützige Körperschaft, -en: ~ 사단 법인 Wohltätigkeits ¦ verein *m.* -s, -e; milde Stiftung, -en. ~사업 das gemeinnützige Unternehmen, -s, -; der öffentliche Versorgungsbetrieb *m.* -(e)s, -e (가스, 수도, 전기 따위); der öffentliche Nutzen, -s. ~우선 Priorität 《*f.* -en》 des Gemeinnutzens.

공익(共益) Gemein ¦ nutz *m.* -es (-wohl *n.* -(e)s); das öffentliche Interesse, -s, -n (Wohl, -(e)s). ☞ 공익(公益).

공인(公人) die öffentliche Person, -en; die öffentliche Persönlichkeit, -en.

공인(公印) das amtliche Siegel, -s, -.

공인(公認) die amtliche (offizielle) Anerkennung (Genehmigung) -en; Beglaubigung *f.* -en. ~하다 amtlich (offiziell) an|erkennen*⁴(genehmigen⁴); amtlich beglaubigen⁴; offiziell autorisieren⁴. ¶ ~의 amtlich (offiziell) an|erkannt (beglaubigt; genehmigt; autorisiert; zugelassen) / ~을 받다 offiziell anerkannt werden.
‖ ~기록 der offizielle Rekord, -(e)s, -s (-e). ~회계사 der vereidigte Bücherrevisor, -s, -en [..zóːrən]. ~후보자 der offiziell aufgestellte Kandidat, -en, -en. ⌈-en.

공인수(公因數) der gemeinsame Faktur, -s,

공일(空—) die Arbeit 《-en》 ohne Belohnung; der unentgeltliche (freie) Dienst, -es, -e. ¶ 그 일을 위해서 삼 년 일을 했으나 결국 ~이 되고 말았다 Dafür habe ich drei Jahre gearbeitet, aber es ist alles umsonst (vergebens) gewesen.

공일날(空日—) Feiertag *m.* -(e)s, -e; der freie Tag, -(e)s, -e; Ruhe ¦ tag (Rast-) *m.* -(e)s, -e; 《일요일》 Sonntag *m.* -(e)s, -e; 《공휴일》 der gesetzliche Ruhetag, -(e)s, -e.

공임(工賃) (Arbeits)lohn *m.* -(e)s, ⸚e; Löhnung *f.* -en; Vergütung *f.* -en; Tagelohn *m.* -(e)s, ⸚e (하루의 임금). ¶ ~ 인상을 요구하다 e-n höheren Lohn verlangen.
‖ ~인상(인하) Lohnerhöhung *f.* -en (Lohnherabsetzung *f.* -en).

공자(孔子) Konfutse, -s; Konfuzius, - ¶ ~의 가르침 Konfuzianismus *m.* - / ~의 제사 Konfuziusfest *m.* -es, -e.

공자(公子) der junge Adlige*, -n, -n; Junker *m.* -s, -.

공작(工作) ① Bau *m.* -(e)s, -e (-ten); Konstruktion *f.* -en; (Bau)werk *n.* -(e)s, -e (토목, 건축 등의); Handarbeit *f.* -en (수공); Kunsthandwerk (공예품). ~하다 auf|bauen⁴; bilden⁴; errichten⁴; konstruieren⁴. ② 《책략》 die Manöver 《*pl.*》; die Kunstgriffe 《*pl.*》. ~하다 schlau handhaben (약 변화); durch ⁴Kniffe 《*pl.*》 beeinflussen⁴; manövrieren; hin und her versuchen; zu Werke gehen* ⓢ.
‖ ~기계 Werkzeugmaschine *f.* -n. ~물 Bauwerk; Werkstück *n.* -(e)s, -e (제품). ~선 Reparaturschiff *n.* -(e)s, -e. ~품 Handarbeit (학동들의). 정치~ die politischen Manöver 《*pl.*》 (Kunstgriffe 《*pl.*》).

공작(孔雀) 〖조류〗 Pfau *m.* -(e)s (-en), -en; Pfauhahn *m.* -s, ⸚e (수컷); Pfauhenne *f.* -n (암컷). ¶ ~이 울다 der Pfau schreit.
‖ ~고사리 Venushaar *n.* -(e)s, -e. ~석(石) Malachit *m.* -(e)s, -e.

공작(公爵) Fürst *m.* -en, -en; Herzog *m.* -(e)s, ⸚e. ‖ ~부인 Herzogin *f.* ..ginnen; Fürstin *f.* ..tinnen.

공장(工場) Fabrik *f.* -en; Fabrikanlage *f.* -n; Betrieb *m.* -(e)s, -e; Werk *n.* -es, -e; 《일터》 Werk ¦ statt *f.* ⸚en (-stätte *f.* -n).
‖ ~감독 Fabrikaufsicht *f.*; Fabrikaufseher *m.* -s, - (사람). ~관리 (경영) Fabrikverwaltung *f.* -en (Fabrikbetrieb *m.* -(e)s, -e). ~법 Fabrikgesetz *n.* -es, -e; Fabrik(ver)ordnung *f.* -en. ~시설 Fabrikanlage *f.* -n; Fabrikeinrichtung *f.* -en. ~위생 Fabrikhygiene *f.* ~제품 Fabrikware *f.* -n; Fabrikarbeit *f.* -en; Fabrikat *n.* -(e)s, -. ~주 (장) Fabrikbesitzer *m.* -s, -. ~지대 Fabrikzone *f.* -n (-gegend *f.* -en). ~폐쇄 Schließung 《*f.* -en》 e-r Fabrik; Aussperung 《*f.* -en》 der Arbeiter. 기계~ Maschinenwerk *n.* -(e)s, -e. 방직~ Spinnerei *f.* -en. 분~ Zweigfabrik *f.* -en. 제재~ Sägenmühle *f.* -n. 제지~ Papiermühle *f.* -n. 철~ Eisenwerk *n.* -(e)s, -e (-hütte *f.* -n).

공저(共著) Mitarbeit *f.* -en; Mitwirkung *f.* -en. ¶ …와 ~로 unter ³Mitarbeit von *jm.*
‖ ~자 Mitarbeiter *m.* -s, -; Mitautor *m.* -s, -en; Mitverfasser *m.* -s, -.

공저(公邸) Amtswohnung *f.* -en; Dienstwohnung *f.* -en.

공적(公的) allgemein; öffentlich; amtlich; offiziell; 《격식》 förmlich; ordentlich.
‖ ~생활 das öffentliche Leben, -s.

공적(公敵) jedermanns (der öffentliche; der gemeinschaftliche) Feind, -(e)s, -e.

공적(功績) Verdienst *n.* -es, -e; die anerkennungswerte Leistung, -en; die verdienstvolle Tat, -en. ¶ ~을 세우다 ³sich Verdienste erwerben* 《*um*⁴》; ⁴sich verdient machen 《*um*⁴》; e-e verdienstvolle Tat vollbringen* / ~이 많은 사람 ein Mann von vielen Verdiensten / 국가에 대한 그의 ~은

Menschen recht u. billig behandeln / ～하게 분배하다 gleichmäßig verteilen 《*an*⁴; *unter*⁴》.
공포(公布) öffentliche Bekanntmachung, -en; (amtliche) Verkündigung, -en; Proklamation *f.* -en; Proklamierung *f.* -en. **～하다** öffentlich bekannt machen; (amtlich) verkünden; proklamieren. ¶ ～한 날부터 실시하다 vom Tag der Veröffentlichung an in ⁴Kraft treten* ⓢ.
공포(空砲) blinde Patrone, -n. ¶ ～를 쏘다 blind schießen*; blinde ⁴Schüsse ab|geben*.
‖ **～사격** blinder Schuß, ..usses, ..üsse.
공포(空胞) 〖생물〗 Vakuole *f.* -n.
공포(恐怖) Furcht *f.*; das Grauen* (Grausen*) -s; Schrecken *m.* -s, -; Bange *f.* (불안에서 오는). ¶ ～를 느끼다 fürchten⁴; erschrecken*ⓢ 《*vor*³》; e-n Schrecken bekommen*; es graut mir (ich graue mich) 《*vor*³》; es graut mir (mich); es ergreift (erfaßt; überläuft; überkommt) *jn.* ein Grauen; Blut schwitzen (불안해서); mich gruselt's (es gruselt mir) (머리털이 곤두서다); zittern 《*vor*³》 / ～심을 자아내다 *jm.* e-n Schrecken ein|jagen; *jm.* Furcht ein|flößen / ～증이 생기다 ängstlich (nervös) werden; den Mut verlieren*; Lampenfieber bekommen* (haben) (무대에서).
‖ **～관념** Angstvorstellung *f.* -en; die krankhafte Angst, ⸚e. **～시대** Schreckenzeit *f.* -en. **～정치** Schreckensherrschaft *f.* -en. **～증(症)** Phobie *f.* -n [..bi:ən]. **무대～** Lampenfieber *n.* -s. **전쟁～** die Schrecken 《*pl.*》 des Krieges. **죽음의 ～** Furcht vor dem Tode.
공폭(空爆) das Bombardement [..dəmã:] 《-s, -s》 aus der Luft; 《공습》 Luftangriff *m.* -(e)s, -e; Luftüberfall *m.* -(e)s, ⸚e. **～하다** aus der Luft bombardieren. ¶ ～을 받다 aus der Luft bombardiert werden.
공표(公表) die amtliche (öffentliche) Bekanntmachung, -en; Proklamation *f.* -en; Verkündigung *f.* -en (공포). **～하다** amtlich (öffentlich) bekannt|machen⁴; verkündigen⁴; veröffentlichen⁴. ¶ 이름을 ～하다 den Namen bekannt|geben*.
공하신년(恭賀新年) Frohes (Glückliches) Neujahr! ¦ Prosit Neujahr! ¦ Die besten Glückwünsche zum neuen Jahr. ¦ Ich wünsche Ihnen ein glückliches neues Jahr.
공학(工學) Maschinenbaukunst *f.*; Ingenieur¦wesen [inʒeniø:r..] *n.* -s (-wissenschaft *f.*); Technik *f.*
‖ **～박사** Doktor 《*m.* -s, -en》 der ³Ingenieurwissenschaft 《생략: Dr. -Ing.》. **～부** technische Fakultät, -en. **～사** Diplom-Ingenieur *m.* -s, - 《생략: Dipl. -Ing.》. **기계～** mechanischer Maschinenbau, -es. **전기～** Elektrotechnik *f.* **토목～** Zivilingenieurkunst *f.*
공학(共學) die Gemeinschaftserziehung, -en; Koedukation *f.* -en. ¶ ～의 gemischt; gemeinsam erziehend.
‖ **～여학생** gemeinsam erzogene Schülerinnen 《*pl.*》. **～학교** Gemeinschaftsschule *f.*
공함(公函) der offizielle Brief, -(e)s, -e. ⌊-n.
공항(空港) Flug¦hafen (Luft-) *m.* -s, ⸚; Flugstation *f.* -en.
‖ **김포～** *Kimpo* Flughafen.
공해(公海) die offene See.
‖ **～어업** Fischerei 《*f.* -en》 auf offenem Meer; Hochseefischerei *f.* -en.
공해(公害) Umwelt¦schäden 《*pl.*》 (-gefahren 《*pl.*》; -gefährdung *f.*; -katastrophe *f.*; -krise *f.*). ¶ ～를 없애다 Umweltschäden 《*pl.*》 beseitigen.
‖ **～문제** das Problem 《-(e)s, -e》 der Umweltschäden. **～방지법** Umweltschutzgesetz *n.* -es, -e. **～병 환자** der durch Umweltschäden Erkrankte, -n, -n. **연도(沿道)～** Umweltschäden entlang e-r Straße. **무～엔진** der umweltfreundliche Motor, -s, -en.
공허(空虛) Leere *f.*; Leerheit *f.*; Hohlheit *f.*; Nichtigkeit *f.* **～하다** leer; hohl; nichtig; eitel (sein). ¶ ～한 생활 das Leben 《-s》 ohne ⁴Sinn u. ⁴Bedeutung / ～한 머리 gedankenloser (hohler) Kopf, -(e)s, ⸚e / ～한 이야기 das leere Geschwätz, -es, -e / ～한 의론 die leere Debatte, -n.
공헌(貢獻) Beitragung *f.* -en; Beitrag *m.* -(e)s, ⸚e; Dienst *m.* -es, -e. **～하다** bei|tragen* 《*zu*³》; e-n Beitrag leisten 《*zu*³》; e-n Dienst (Dienste) leisten³ (erweisen*³; tun*³). ¶ 외국 무역 진흥에 (많은) ～을 하다 (viel) zur Hebung des Außenhandels bei|tragen* / 산업계에 ～하다 der Industrie Dienste leisten / 그가 의학계에 지대한 ～을 한 것은 세계가 인정한다 Die Welt gibt zu, daß er der Medizin große Dienste geleistet hat.
공혈(供血) Blutspende *f.* -n.
‖ **～자** Blutspender *m.* -s, -.
공화(共和) ¶ ～의 republikanisch.
‖ **～국** Republik *f.* -en; Freistaat *m.* -(e)s, -en. **～당** die republikanische Partei, -en: ～당원(주의자) Republikaner *m.* -s, -. **～정체** die republikanische Staatform (Regierungsform) -en. **～정치** das republikanische Regime, -(s), -s; die republikanische Regierung, -en. **독일 연방～국** die Bundesrepublik Deutschland.
공황(恐慌) Panik *f.* -en; Krise *f.* -n; Bestürzung *f.* -en (경악, 낭패). ¶ ～에 휩쓸리다 von e-r Panik (von panischem Schrecken) ergriffen werden; in panischer Angst sein; e-e Panik entsteht 《*unter*³; *wegen*²》/ ～을 야기하다 e-e Panik hervorrufen* (erregen) / 경제계에 ～을 초래하다 e-e Panik in der Finanzwelt hervor|rufen* (erregen) / ～은 금융계에도 파급됐다 Die Panik hat auf den Geldmarkt übergegriffen.
‖ **～시대** die panische Zeit, -en. **경제～** Wirtschaftskrise *f.* -n.
공회(公會) die öffentliche Versammlung, -en. ‖ **～당** die öffentliche Versammlungshalle, -n; Stadthalle *f.* -n.
공효(功效) Erfolg *m.* -(e)s, -e; Effekt *m.* -(e)s, -e; Wirkung *f.* -en; 《보람》 Wert *m.* -(e)s, -e; Geltung *f.* -en; Nutzen *m.* -s, -.
공훈(功勳) Verdienst *n.* -es, -e; Heldentat *f.* -en; Großtat *f.* -en; die außerordentliche Leistung, -en. ¶ ～이 있는 verdienstlich / ～을 세우다 ³sich große Verdienste erwerben* 《*um*⁴》.
공휴일(公休日) Feier¦tag (Fest-) *m.* -(e)s, -e; der gesetzliche Ruhetag, -s, -e; Bankfeiertag *m.* -(e)s, -e (은행의).
곶(串) Kap *n.* -s, -s; Land¦spitze (-zunge) *f.* -n.
곶감 die getrocknete Persimone, -n.
과¹ ① 《함께》 mit³; zusammen mit³; in Verbindung mit³. ¶ 아버님과 가다 mit dem Vater gehen*ⓢ / 어머님과 여행하다 mit der

Mutter reisen / 내일 홍군과 오시오 Komm morgen mit Herrn *Hong*! / 아들과 살겠다 Ich will mit m-m Sohn leben.
②《연결사》und. ¶딸과 어머니 Tochter u. Mutter / 술과 담배를 샀다 Ich habe mir Wein u. Tabak gekauft. / 돈과 이름과 계집 이 세 가지는 사람 욕망의 근본적 대상이라 한다 Sie sagen, daß die drei —Geld, Ruhm u. Weib —die wichtigsten Ziele der Wünsche des Menschen sind.
③《대항》mit³; gegen⁴. ¶물리학과 씨름을 하다 mit der Physik Schwierigkeiten haben / 적과 싸우다 mit dem Feind kämpfen / 자연과 대항할 수 없다 Man kann nichts gegen die Natur tun.
④《합치·협력》mit³. ¶중국과 손을 잡다 mit China Hand in Hand gehen* Ⓢ.
⑤《접근》mit³. ¶적과 내통하다 ⁴sich mit dem Feinde in e-e Verschwörung ein|lassen*; mit dem Feinde in heimlicher Verbindung stehen*.
⑥《분리》mit³; von³. ¶그 사람과는 손을 끊었다 Ich habe die Verbindung mit ihm abgebrochen.¦Ich habe allen Umgang mit ihm eingestellt.
⑦《관계》mit³. ¶은행과 거래하다 mit der Bank in Geschäftsverbindung treten* Ⓢ.ⓗ / 당신과는 아무 관계도 없다 Ich habe mit dir nichts zu tun.
⑧《비교》mit³; zu³. ¶…과 비교(대조)해서 im Vergleich mit…; im Gegensatz zu….
⑨《이동(異同)》als; wie; von³; zu³; mit³. ¶그 사람과 같이 wie ihm; zusammen mit ihm / 그 사람과 달리 im Gegensatz zu ihm; anders als er / 전과 같이 대답하다 wie immer antworten / 내 책은 김군 것과 다르다 Mein Buch ist verschieden von *Kim's*.
⑩《혼합》mit³. ¶밥과 나물을 섞어서 먹어라 Vermisch d-n Reis mit dem gewürzten Salat und iß ihn auf!

과² ☞ 과꽃.

과(科) ①《동·식물의》Familie *f.* -n. ②《학교의》Abteilung *f.* -en; Fakultät *f.* -en; (Lehr)fach *n.* -(e)s, ⸚er. ③《병과》Waffengattung *f.* -en (-art *f.* -en); Waffe *f.* -n. ¶보병과 Infanterie *f.* -n [..rí:ən]; Fußtruppe *f.* -n.

과(課) ① (Unter)abteilung *f.* -en; Department *n.* -s, -s (-e). ②《학과》Lektion *f.* -en. ¶제 3 과 Lektion 3; die 3. (dritte) Lektion.
‖인사과 Personal¦abteilung (-amt *n.* -(e)s, ⸚er). 회계과 Rechnungsabteilung *f.* -en.

과감(果敢) ~하다 (kurz) entschlossen; entschieden; resolut;《대담한》dreist; kühn; beherzt;《겁 안내는》unerschrocken (sein). ¶~한 사내 der brave Junge, -n, -n / ~한 조처 tollkühne Maßnahmen (Maßregeln)《*pl.*》/ ~한 조처를 취하다 tollkühn (drastisch) behandeln⁴; ein tollkühnes (drastisches) Heilmittel an|wenden*《*auf*⁴》; zu (nach) tollkühnen Maßnahmen (Maßregeln) greifen* (처치).
‖~성 Tapferkeit *f.*; das ritterliche Wesen, -s.

과객(過客) der vorübergehende Wanderer, -s, -; der Vorübergehende*, -n, -n; der zufällige Passant, -en, -en; Zufallsbegegnung *f.* -en.

과거(過去) ① Vergangenheit *f.*; das Einst*, -; Vorleben *n.* -s (전력(前歷)). ¶~의 vergangen; ehemalig; einstig; früher; veraltet; verflossen / ~에 in der Vergangenheit; früher; ehemals; einst/어두운 ~ die dunkle Vergangenheit / ~ 십년간 während der vergangenen zehn Jahre / ~지사는 불문에 부치자 Schwamm drüber!¦Laß das Vergangene ruhen! / ~는 ~다 Vorbei ist vorbei. / 그 부인은 ~가 있는 여자다 Die Frau hat e-e Vergangenheit (hinter sich). / 경찰은 그의 ~를 조사했다 Die Polizei hat sein Vorleben durchforscht. ②〖문법〗Vergangenheit *f.*; Imperfekt *n.* -(e)s, -e.
‖~분사 das Mittelwort《-(e)s, ⸚e》der Vergangenheit: 이 동사는 ~분사형으로 해야 한다 Dieses Zeitwort muß in die Vergangenheit gesetzt werden.

과격(過激) ~하다《극단의》radikal; extrem; äußerst; ultra-; drastisch (격렬한);《급진적》radikal (sein).
‖~분자 ein radikales Element, -(e)s, -e. ~사상 gefährliche Gedanken《*pl.*》; revolutionäre Gefühle《*pl.*》; Bolschewismus *m.* -. ~파 die Radikalisten; die Bolschewisten; die Extremen*; die Radikalen*; die Bolschewiken; die Linksradikalen; die Äußerstlinken*《이상 어느 것이나 *pl.*》.

과꽃〖식물〗die chinesische Aster, -n.

과남하다(過濫—) für *jn.* zu gut sein; *js.* Wünsche (Absichten; Möglichkeiten) übersteigen. ¶과남한 영광이다 Das ist e-e Ehre, die ich kaum verdiene.

과녁《표적》Fleck *m.* -(e)s, -e; Ziel *n.* -(e)s, -e; Ziel¦scheibe (Schieß-) *f.* -n (사격의). ¶~을 맞히다 das Ziel treffen*; Fleck (ins Schwarze) schießen* / ~을 빗맞히다 das Ziel (ver)fehlen (nicht treffen*) / …의 ~이 되다 ⁴sich aus|setzen / 스스로 비난의 ~이 되다 ⁴sich freiwillig einer Kritik aus|setzen; keine Kritik scheuen.

과년(瓜年) ① Heiratsalter *n.* -s; das heiratsfähige Alter, -s. ¶~의 heiratsfähig. ②〖역사〗letztes Dienstjahr *n.* -es.

과년(過年) ~하다 die günstige Zeit zur Heirat verpassen.

과년도(過年度) das letzte Finanzjahr, -(e)s, -e; das letzte fiskalische Jahr, -(e)s, -e.
‖~지출 die Aus¦gabe (-lage)《-n》, die noch in das letzte Finanzjahr gehört.

과다(過多) Überfluß *m.* ..flusses, ..flüsse; Übermaß *n.* -es; Überschuß *m.* ..schusses, ..schüsse; Überfülle *f.* ~하다 überflüssig; übermäßig; überreich(lich) (sein); Hyper-; Über-.
‖공급~ Überangebot *n.* -(e)s, -e. 생산~ Überproduktion *f.* -en. 지방~(증) Fettsucht *f.* (-leibigkeit *f.*); Adipositas *f.*

과단(果斷) die schnelle Entscheidung, -en; Entschlossenheit *f.* ¶~성 있는 entschlossen; resolut; beherzt; entschieden / ~성 있는 조처 die strenge Maßregel, -n (Maßnahme, -n) / ~성 있는 사람 ein entschlossener Mann, -(e)s, ⸚er; ein Mann von schnellen Entschlüssen《*pl.*》.

과당(果糖) Fruchtzucker *m.* -s.

과당(過當) ~하다 übermäßig; übertrieben; außerordentlich; unverdient (sein). ¶~한 찬사 das übertriebene Lob, -(e)s, -e / ~한 요구 der übertriebene Anspruch, -(e)s, ⸚e / ~한 보수를 받다 e-e unverdiente Belohnung erhalten*.
‖~경쟁 e-e übertriebene Konkurrenz

〔Rivalität〕 -en.

과대(誇大) Übertreibung *f.* -en; Übertriebenheit *f.* -en; die unangemessene Vergroßerung, -en. ~하다 übertrieben; prahlerisch; großsprecherisch; aufschneiderisch (sein). ¶ 사실을 ~하게 말하다 e-e Sache 〔Tatsache〕 übertreiben* 〔übertrieben darstellen〕/ ~한 광고를 내다 geräuschvolle Reklame machen; mächtig in Horn tuten.
‖ ~망상광 〖의학〗 Größenwahn *m.* -(e)s; Megalomanie *f.*; der Großenwahnsinnige*, -n, -n (사람).

과대(過大) ~하다 übermäßig; unmäßig; maßlos; übertrieben; allzu groß; ungeheuer (sein). ¶ ~하게 평가하다 überschätzen[4]; zu hoch schätzen; e-e zu hohe Meinung von [3]*et.* haben.
‖ ~평가 Überschätzung *f.* -en.

과도(果刀) Obstmesser *n.* -s, -.

과도(過度) Übermaß *n.* -e; Unmäßigkeit *f.*; Maßlosigkeit *f.*; Übertriebenheit *f.* ~하다 übermäßig; unmäßig; unverhältnismäßig; maßlos; schrankenlos; ohne [4]Maß; über alle Maßen; zu viel; allzu sehr; ungeheuer; ausschweifend; 〖속어〗 uferlos (sein). ☞ 지나치다.

과도(過渡) Übergang *m.* -(e)s, ⸗e.
‖ ~기 Übergangs¦zeit *f.* -en 〔-periode *f.* -n〕: ~기 상태 Übergangszustand *m.* -(e)s, ⸗e / ~기의 양식 Übergangsstil *m.* -(e)s, -e. ~정부 Zwischenregierung *f.* -en; Interimsregierung *f.* -en.

-과도 mit[3]; so wie; auch; entweder. ¶ 형과도 의논해 봐라 Frag auch d-n älteren Bruder um Rat! / 내 마음은 촛불과도 같다 Mein Herz ist genau so wie ein Kerzenlicht.

과동(過冬) ~하다 den Winter zu|bringen*; den Winter überbleiben*.

과두정치(寡頭政治) Oligarchie *f.* -n [..çíːən]. ¶ ~의 oligarchisch.

과람하다(過濫—) ☞ 과남하다.

과량(過量) Exzeß *m.* ..zesses, ..zesse; Übermaß *n.*; Übergewicht *n.*

과로(過勞) Über¦arbeit 〔Ab-〕 *f.* -en; Überanstrengung *f.* -en 〔-spannung *f.* -en〕. ~하다 [4]sich überarbeiten; [4]sich ab|arbeiten; [4]sich überanstrengen 〔überspannen〕. ¶ 그는 ~해서 병이 났다 Er hat sich krank gearbeitet.¦ Er ist wegen Überarbeitung krank geworden. / 정신 쇠약은 정신 ~의 결과다 Nervenschwäche kommt von geistiger überarbeitung.

과료(科料) Geld¦strafe *f.* -n 〔-buße *f.* -n〕. ¶ 5천 원의 ~ 처분을 받다 zu 5,000 *Won* (Geldstrafe *usw.*) verurteilt werden.
‖ ~금 Strafgeld *n.* -(e)s, -er.

과립(顆粒) das kleine Korn, -(e)s, ⸗er; Körnchen *n.* -s, -; 〖의학〗 Granulom *n.* -s, -e; Ausschlag *m.* -(e)s, ⸗e. ¶ ~상의 körnig.

과망간산(過—酸) Per¦mangansäure 〔Über-〕 *f.* -n. ‖ ~칼리 übermangansaures Kali, -s, -s; Kaliumpermanganat *n.* -(e)s, -e.

과명(科名) 〖생물〗 Familienname *m.* -ns, -n.

과목(果木) Obstbaum *m.* -(e)s, ⸗e.
‖ ~재배 Obstbaumzucht *f.*: ~ 재배자 Obstbaumzüchter *m.* -s, -.

과목(科目) (Lehr)fach *n.* -(e)s, ⸗er; Fachgebiet *n.* -(e)s, -e; Pensum *n.* -s, ..sa; Lehrplan *m.* -(e)s, ⸗e; Gegenstand *m.* -(e)s, ⸗e (연구 등의). ¶ 선택〔필수〕 ~ das fakultative 〔obligatorische〕 Fach / 당신의 전공 〔좋아하는〕 ~은 무엇입니까 Was ist Ihr Spezialfach 〔Lieblingsfach〕?
‖ 시험~ Prüfungsgebiet *n.* -(e)s, -e.

과묵(寡默) Schweigsamkeit *f.*; Einsilbigkeit *f.*; Verschwiegenheit *f.*; Wortkargheit *f.*; Zugeknöpftheit *f.* ~하다 schweigsam; einsilbig; still; verschwiegen; wortkarg; zugeknöpft; zurückhaltend (sein). ¶ ~한 사람 der Schweigsame* 〔Einsilbige*; Verschwiegene*; Wortkarge*; Zugeknöpfte*〕 -n, -n; der stille Mensch, -en, -en.

과문(寡聞) die geringe Gelehrsamkeit, -en; das geringe Wissen, -s. ~하다 kenntnisarm; schlecht unterrichtet (sein); es mangelt *jm.* an Kenntnissen.

과물(果物) Obst *n.* -es; die Früchte 《*pl.*》.
‖ ~상인 Obsthändler *m.* -s, -. ~점 Obstladen *m.* -s, -〔⸗〕.

과민(過敏) Überempfindlichkeit *f.* -en; Hyperästhesie *f.*; Hyperaestisia *f.* ~하다 über¦empfindlich 〔-empfänglich〕; allzu sensibel 〔nervös〕; leicht erregbar 〔reizbar〕 (sein). ¶ 신경이 ~한 환자 der überempfindliche 〔nervöse〕 Kranke*, -n, -n / ~한 귀 ein scharfes Ohr, -(e)s, -e / 그 점에 대해서 그녀는 매우 ~하다 Sie ist in diesem Punkte sehr empfindlich.
‖ ~성 쇼크 der erethische Schock, -s, -s 〔-e〕 〔Nervenanfall *m.* -(e)s, ⸗e〕. ~증(症) Erethismus *m.*

과밀(過密) ¶ 인구 ~화 Über(be)völkerung *f.*
‖ ~다이어 der knappe Fahrplan 《-s, ⸗e》 für den Eisenbahnverkehr.

과반(過半) der größere Teil, -(e)s, -e; über die Hälfte; Mehrzahl *f.*; Majorität *f.* -en; Mehrheit *f.*(선거 등의). ¶ ~의 meist; meistens; meistenteils; größtenteils; mehr als halb / ~은 시험에 합격했다 Die Majorität hat die Prüfung bestanden. / 공사를 ~은 완료했다 Der Bau ist zum größten Teil vollendet.

과반수(過半數) Mehrheit *f.*; Mehrzahl *f.*; Majorität *f.* ¶ ~를 얻다 überwiegende Mehrheit gewinnen* 〔erreichen; finden*〕/ ~의 투표에 의해서 결정하다 durch (die) Stimmenmehrheit entscheiden*[(4)] / 그는 ~로 의장에 당선됐다 Er wurde mit großer Majorität zum Präsidenten gewählt. / ~는 가(可)〔부(否)〕다 Die Majorität ist dafür 〔dagegen〕.

과보(果報) 〖불교〗 (Wieder)vergeltung *f.* -en; Entgeltung *f.* -en.

과부(寡婦) Witwe *f.* -n; Witfrau *f.* -en; Wit(t)ib *f.* -e; Witwenschaft *f.*(신분, 처지); Witwentum *n.* -(e)s (신분, 처지). ¶ ~로 수절하다 bis zum Tode [1]Witwe bleiben* Ⓢ; als Witwe lebenslänglich der Erinnerung ihres verstorbenen Mannes leben / ~가 되다 Witwe werden; ihren Mann verlieren* / ~이다 verwitwet sein / ~가 된 verwitwet / ~가 된 부인 die verwitwete Frau.

과부적중(寡不敵衆) Wir sind an Zahl zu ungleich.

과부족(過不足) Übermaß 《*n.* -es, -e》 u. Mangel 《*m.* -s, ⸗》. ¶ ~ 없는 weder zuviel noch zuwenig; eben 〔gerade〕 genügend; gerade richtig / ~ 없이 알맞은 mit Maßen; maßhaltend; maßvoll; gemäßigt / ~ 없이 알맞은 것이 최상이다 Es ist das beste, Maß zu halten.

과분(過分) ~하다 über¦mäßig 〔un-〕; allzuviel; ausschweifend; maßlos; ungebührend; unverdient (부당); 《아끼지 않는》 freigebig (sein). ¶ ~하게 여기다 ⁴sich ungebührlich belohnt fühlen; hocherfreut sein 《*über*⁴》; über die Maßen zufriedengestellt sein 《*von*³》 / ~한 영광 e-e unverdiente (zu große) Ehre, -n / ~한 보수 das übermäßig hohe Honorar, -s, -e; der unverdiente Lohn, -(e)s, ⸗e / 그는 ~한 요구를 했다 Er hat eine unrechte Forderung gestellt. / ~한 보수를 받아 미안합니다 Ich fürchte (glaube), ich verdiene die Belohnung nicht.

과불(過拂) Überzahlung *f.* -en. ~하다 zuviel (zu teuer; überreichlich) bezahlen; zu hoch belohnen⁴ (보수 따위를).

과불급(過不及) Überfluß 《*m.* ..flusses》 u. Mangel 《*m.* -s, ⸗》. ☞ 과부족.

과산화(過酸化) 〖화학〗 Oxydierung *f.* -en.
‖ ~물 Super¦oxyd (Per-) *n.* -(e)s, -e. ~수소 Wasserstoff¦superoxyd (-peroxyd). ~효소 Super¦oxydase (Per-) *f.* -n.

과세(過歲) Neujahrsfeier *f.* -n. ~하다 das Neue Jahr feiern.

과세(課稅) Besteuerung *f.* -en; Steuerveranlagung *f.* -en (세액 사정); 《조세》 Steuer *f.* -n; Abgabe *f.* -n. ~하다 Steuern auf(er)legen (erheben*); besteuern. ¶ 중~하다 schwer besteuern; schwere steuern auf|legen / 관세를 ~하다 Zoll auf ⁴*et.* legen; e-r Sache³ Zoll auf|legen.
‖ ~기준 Steuergrundlage *f.* -n. ~사정 Steuereinschätzung *f.* -en. ~율 Steuerfuß *m.* -es, ⸗e. ~품 Steuerpflichtige (zu versteuernde) Ware, -n. 비~ Abgabenfreiheit *f.*; Steuerlaß *m.* ..lasses, ..lasse: 비~소득 unbesteuertes Einkommen, -s. 특별~ die besondere Besteuerung, -en.

과소(過少) Zuwenig *n.*; Mangelhaftigkeit *f.*; Fehlbestand *m.* -es. ~하다 zu wenig; nicht genug (sein).
‖ ~생산 Unterproduktion *f.* ~소비 der zu geringe Konsum, -s, -e.

과소(寡少) Geringheit *f.*; Wenigkeit *f.*; Kleinigkeit *f.*; Winzigkeit *f.* ~하다 sehr klein; zu wenig; winzig (sein).

과소지대(過疎地帶) e-e Gegend 《-en》 mit sinkender Bevölkerungszahl.

과수(果樹) Obstbaum *m.* -(e)s, ⸗e.
‖ ~원 Obstgarten *m.* -s, ⸗. ~재배 Obstbau *m.* -s: ~ 재배자 Obstzüchter *m.* -s, -.

과수(寡守) =과부.

과시(誇示) Ostentation *f.* -en; Schaustellung *f.* -en; das Prangen*, -s; Parade *f.* -n. ~하다 zur Schau stellen⁴; prangen 《*mit*³》; prahlen 《*mit*³》; protzen 《*mit*³》; paradieren 《*mit*³》; Parade machen 《*mit*³》.

과식(過食) Überladung (Überfüllung) 《*f.*》 des Magens; Überessen *n.* -s. ~하다 ³sich den Magen überladen* (überfüllen); zu viel essen*⁴; überessen*⁴; übermäßig essen*⁴. ¶ ~을 해서 위를 버리다 ³sich den Magen durch unmäßiges Essen verderben*.

과신(過信) ~하다 zu großes Vertrauen haben (hegen) 《*zu*³》; blind(lings) vertrauen 《*auf*⁴》; den blinden Glauben schenken³; ⁴sich zu viel verlassen* 《*auf*⁴》; übermäßig vertrauen. ¶ 자기의 힘을 ~하다 der eigenen Kraft übermäßig vertrauen.

과실(果實) Frucht *f.* ⸗e; Obst *n.* -es, -sorten (과물); Nuß *f.* ..üsse (견과(堅果)); Beere *f.* -n (장과(漿果)). ¶ ~을 맺다 Früchte tragen*.
‖ ~주(酒) Frucht¦wein (Obst-) *m.* -(e)s, -e. 야생~ die wilde Frucht.

과실(過失) ① Fehler *m.* -s, -; Fehltritt *m.* -(e)s, -e; Mißgriff *m.* -(e)s, -e; Vergehen *n.* -s, -; Versehen *n.* -s, -; Irrtum *m.* -(e)s, ⸗er (과오); Schnitzer *m.* -s, - (과오). ¶ ~을 범하다 e-n Fehler begehen* (machen) / ~로 aus ³Versehen; von ungefähr / ~의 versehentlich; fälschlich; fehlerhaft; irrtümlich / 타인의 ~을 관용하다 *js.* Fehler über|sehen* / 그것은 나의 ~이었다 Das war mein Fehler.¦ Dafür bin ich zu tadeln. / 그것은 ~이 아니고, 고의로 한 일이다 Es ist nicht zufällig, sondern mit Absicht geschehen.
② 〖법〗 Fahrlässigkeit *f.* -en.
‖ ~치사 die fahrlässige Tötung, -en; die Tötung durch Fahrlässigkeit. ~치상 die fahrlässige Körperverletzung, -en; die Verletzung durch ⁴Fahrlässigkeit.

과언(過言) Übertreibung *f.* -en. ¶ …라고 해도 ~이 아니다 man kann (darf) ruhig sagen, daß…; es geht nicht zu weit, wenn ich sage, daß…; es ist k-e Übertreibung, von ³*et*… zu sprechen; es ist nicht zu viel gesagt, daß….

과업(課業) 《수업》 Unterricht *m.* -(e)s; Pensum *n.* -s, ..sen (..sa); 《일과·숙제》 Aufgabe *f.* -n; Hausarbeit *f.* -en (학교의). ¶ ~을 맡기다 *jm.* e-e Aufgabe stellen / ~을 완수하다 e-e Aufgabe erfüllen; e-n Auftrag aus|führen.

과연(果然) in der Tat; tatsächlich; wirklich; wie erwartet (vermutet); wie ich gedacht (gefürchtet) habe. ¶ ~ 그렇다면 wenn das so ist (dem so ist); wenn es der Fall ist / ~ 사실이었다 Wie erwartet, stellte es sich als richtig heraus (erwies sich als richtig). / ~ 그는 위대한 사람이다 Er ist wahrhaftig (wirklich) ein großer Mann. / ~ 그는 실패하고 말았다 Es mißlang ihm, wie ich befürchtet hatte. / ~ 그 아버지에 그 아들답게 일을 해냈다 Wie der Vater, so der Sohn hat er es geschafft.

과열(過熱) Überhitzung *f.* -en. ~하다 überheizen⁴; überhitzen⁴; heiß|laufen* ⓢ; 《모터의》 das Heißlaufen* 《-s》 des Motors.
‖ ~기(器) (Dampf)überhitzer *m.* -s, -.

과염소산(過塩素酸) 〖화학〗 Überchlorsäure *f.*
‖ ~칼륨 Kaliumperchlorat *n.* -(e)s, -e.

과오(過誤) Fehler *m.* -s, -; Versehen *n.* -s, -; Mißgriff *m.* -(e)s, -e; Fehltritt *m.* -(e)s, -e; Fehlgriff *m.* -(e)s, -e; Schnitzer *m.* -s, -; Bock *m.* -(e)s, ⸗e 《속어》; Irrtum *m.* -(e)s, ⸗er. ¶ ~를 범하다 einen Fehler begehen*; ein Versehen begehen* / ~를 고치다 einen Fehler gut machen / ~를 깨닫다 seinen Fehler merken / 누구의 ~를 발견하다 *jn.* auf einem Fehler (Irrtum) ertappen / ~ 없는 사람 없다 Irren ist menschlich.

과외(課外) ¶ ~의 außerhalb des Lehrplans stehend; besonderer*; extra-.
‖ ~수업 Extraunterricht *m.* -(e)s, -e; Extrastunde *f.* -n. ~아르바이트 《대학생》 die Extraarbeit des Studenten.

과욕(過慾) Habsucht *f.*; Habgier *f.*; die große Begier (Begierde *f.* -n). ¶ ~의 habsüchtig; (hab)gierig; geizig.

과욕(寡慾) Anspruchslosigkeit *f.* -en; Uneigennützigkeit *f.* -en. ~하다 anspruchslos; bescheiden; uneigennützig (sein). ¶그는 담백하고 ~한 사람이다 Er ist ein uneigennütziger Mensch.

과용(過用) ~하다 《소비 과잉》 zuviel [4]Geld aus|geben (gebrauchen); Geld zum Fenster hinaus|werfen*. ¶약을 ~하다 eine Arznei zuviel nehmen / 그는 수면제 ~으로 죽었다 Infolge einer zu starken Dosis eines Schlafmittels ist er gestorben.

과원(課員) der Beamte* 《-n, -n》 (der Angestellte*, -n, -n; Personal *n.* -s, -e) e-r (Unter)abteilung; Abteilungspersonal *n.*

과유불급(過猶不及) „Allzuviel geht gleich mit allzuwenig."

과음(過淫) Geilheit *f.*; Lüsternheit *f.* ~하다 geil (lüstern; wollüstig; liederlich) sein.

과음(過飮) das Zu-Viel-Trinken*, -s; Völlerei *f.* -en. ~하다 stark (übermäßig; zuviel) trinken*; 〖속어〗 zu tief ins Glas gucken (schauen); 〖속어〗 e-n über den Durst trinken*; wie ein Bürstenbinder (wie ein Loch; 〖속어〗 wie e-e Unke; wie das liebe Vieh) saufen*(폭음하다). ¶~해서 병이 나다 [4]sich krank trinken*.

과인산석회(過燐酸石灰) Superphosphat *n.* -(e)s, -e; das überphosphorsaure Salz, -es.

과일 Obst *n.* -es; Frucht *f.* ⸗e. ¶~한 바구니 ein Korb voll Obst.
‖~가게 Obstladen *m.* -s, ⸗. ~장수 Obsthändler *m.* -s, -. ~재배 Obst|bau *m.* -(e)s (-zucht *f.*).

과잉(過剩) Überfluß *m.* ..flusses; Übermaß *n.* -es; Überschuß *m.* ..schusses, ..schüsse. ~하다 übermäßig (überreich; mehr als genug; allzu viel; überflüssig; überschüssig) sein.
‖~공급 Überangebot *m.* ~생산 Überproduktion *f.* ~이득 Mehrgewinn *m.* ~인구 Übervölkerung *f.* ~충성 die übertriebene Dienstfertigkeit, -en; Zudringlichkeit *f.* -en.

과자(菓子) Kuchen *m.* -s, -; Keks *m.* (*n.*) -(-es), -(-e); Nasch|werk (Kuchen-; Zucker-) *n.* -(e)s, -e (총칭); Süßigkeit *f.* -en (단것).
‖~그릇 《접시》 Kuchenteller *m.* -s, -; Kuchenschüssel *f.* -n. ~상자 Kuchenschachtel *f.* -n; Kuchenkasten *m.* -s, ⸗. ~집(점) Kuchen|bäckerei (Fein-; Zucker-) *f.* -en; Konditorei *f.* -en. 싸구려~ die schlechten Zuckerwaren 《*pl.*》; das wohlfeile Zuckerwerk, -(e)s; Kümmelkuchen *m.* -s, -.

과장(科長) Abteilungsvorstand *m.* -es, ⸗e 《in der Universität》; Abteilungsvorsteher *m.* -s, -.

과장(誇張) Übertreibung *f.* -en; Übertriebenheit *f.*; Aufgeblasenheit *f.*; Überladenheit *f.*; Schwulst *m.* -es; Bombast *m.* -es; Überschwenglichkeit *f.* -en; 〖수사학〗 Hyperbel *f.* -n (과장법). ~하다 übertreiben*[4]; überspitzen[4]; überspannen[4]; überladen*[4]; aus e-r [3]Mücke e-n Elefanten machen; den Mund voll|nehmen*; auf|bauschen[4]; dick auf|tragen*[4]; aus|schmücken[4]; auf|schneiden*[4]; prahlen[4]; bramarbasieren*[4]; schwadronieren[4]. ¶~하여 übertrieben; hyperbolisch; überspannt; überspitzt; im Superlativ; theatralisch; hochtrabend; mit Übertreibung; aufgetakelt; aufgeputzt; prahlerisch / 모든 것이 ~된 얘기다 Es ist alles bloßes Gerede. | Es ist alles Wind. / 그것은 약간 ~이다 Das ist etwas stark.
‖~광고 die marktschreierische Anzeig, -n. ~자 Übertreiber (Prahler) *m.* -s, -.

과장(課長) Abteilungs|leiter *m.* -s, - (-vorsteher *m.* -s, -; -chef [..ʃɛf] *m.* -s, -s).

과점(寡占) Marktbeherrschung *f.* -en. ¶~적인 marktbeherrschend.

과정(過程) Prozeß *m.* ..zesses, ..zesse; Verlauf *m.* -s, ⸗e; Vorgang *m.* -(e)s, ⸗e. ¶생성 발전의 ~ Werdegang *m.* / ~을 밟다 [4]*et.* durch|laufen*; ein Prozeß (Vorgang) durch|machen / 몰락 ~에 있는 회사 die im Verfall befindliche Gesellschaft (Firma) / 많은 역사적인 ~은 여기서 비로소 이해된다 Viele geschichtliche Prozesse (Vorgänge) werden erst von hier aus verständlich.
‖생산~ Produktions|prozeß *m.* (-verlauf *m.*; -gang *m.* -s, ⸗e; -verfahren *n.* -s, -).

과정(課程) Lehr|kursus *m.* -, ..se (-kurs *m.* -es, -e; -gang *m.* -(e)s, ⸗e); Studium *n.* -s. ¶문과의 ~ der Kursus der literarischen Fakultät / 전~을 이수하다 alle Klassen durch|machen / 여학교 ~을 수료하다 den ganzen Kursus der Mädchenschule durch|-machen / 고등 학교 ~은 3년이다 Das Gymnasium hat einen dreijährigen Kursus. / 우자는 본교의 소정 ~을 수료함 Der Obenerwähnte hat den vorgeschriebenen Lehrgang dieser Schule durchgemacht.
‖~표 Lehr|plan (Studien-) *m.* -s, ⸗e.

과제(課題) Aufgabe *f.* -n; Obliegenheit *f.* -en; Auftrag *m.* -(e)s, ⸗e; Pflicht *f.* -en; Thema *n.* -s, ..men (-ta); Angelegenheit *f.* -en; Problem *n.* -s, -e; Frage *f.* -n; 《연습문제》 Übungs|aufgabe (-stück *n.* -(e)s, -e); 《숙제》 Haus|aufgabe (-arbeit *f.* -en). ¶~를 주다 *jm.* e-e Aufgabe geben*(auf|-legen) / ~를 해결하다 e-e Aufgabe erledigen / 이 견해를 대외적으로도 대변하는 것을 나의 ~로 삼고 있다 Ich mache es mir zur Aufgabe, diese Anschauung auch nach außen hin zu vertreten.

과주(果酒) Obst|wein (Frucht-) *m.* -(e)s, -e 〖*pl.*은 종류를 나타낼 때〗; Most *m.* -s, -e (남부 독일에서).

과줄 《유밀과》 der koreanische Kuchen, aus Weizenmehl, Honig u. Öl.

과중(過重) Übergewicht *n.* -(e)s; Überlastung *f.* -en. ~하다 zu schwer; überlastend; drückend (sein). ¶월급장이의 세금이 ~하다 Die Steuern auf die Gehaltsempfänger sind zu hoch. / 그에게는 부담이 ~하다 Die Last ist ihm zu schwer. / 정부는 ~한 수입세를 부과했다 Die Regierung belegte die Einfuhrwaren mit einer hohen Steuer.

과즙(果汁) Fruchtsaft *m.* -(e)s, ⸗e.

과찬(過讚) Lobhudelei *f.* ~하다 lobhudeln. ¶너무 ~하지 말게 Du sollst mich mit d-n Lobhudeleien verschonen.

과태금(過怠金) Strafgeld *n.* -(e)s, -er; Geldstrafe *f.* -n.

과하다(過一) zu weit gehen* [s]; das Maß überschreiten*; bis zum Übermaß treiben*; übertreiben. ¶너무 ~ zu viel sein; im Übermaß vorhanden sein / 과하게 마시다 zu viel (übermäßig) trinken* / 과하게 먹다 zu viel essen*; [4]sich überfressen* / 그에게는 과한 아내다 Sie ist für ihn zu gut. / 수프에 소금을 과하게 쳤다 Ich habe zu viel Salz an die Suppe getan. / 과한 것은 부족한 것이나 다름이 없다 Zuviel ist genau so schlecht wie zu wenig.

과하다(課―) ①《세금을》 besteuern; (e-e Steuer) legen 《auf⁴》. ②《일을》 *jm.* (e-e Arbeit) auf|erlegen (zu|teilen; zu|messen*); 《문제를》 *jm.* e-e Aufgabe geben* (zu|teilen; an|weisen*). ③《벌을》 *jm.* e-e Strafe auf|erlegen; Strafe verhängen 《über *jn.*》. ④《책임을》 *jm.* die Verantwortung zuschieben (aufbürden). ¶정부가 국민에게 중한 세금을 ～ Die Regierung legte dem Volke eine schwere Steuer auf.

과학(科學) Wissenschaft *f.* -en. ¶～적으로 wissenschaftlich / 20세기는 ～ 만능의 세상이다 Die Wissenschaft herrscht im 20. Jahrhundert. / ～의 현 상태를 감안하여 연구소를 설치할 필요가 있다 Bei dem jetzigen Stand der Wissenschaft ist die Errichtung von Forschungsanstalten erforderlich.

‖～만능 die Allmacht der Wissenschaften. ～박물관 das Museum 《-s, ..seen》 für Wissenschaften. ～비판 Wissenschaftskritik *f.* -en. ～서적 ein wissenschaftliches Buch, -(e)s, ⸚er. ～시대 das wissenschaftliche Zeitalter, -s, -. ～자 Wissenschaftler *m.* -s, -. ～자 회의 die Konferenz 《-en》 der Wissenschaftler. ～적 경영법 der wissenschaftliche Betrieb, -(e)s, -e. ～적 분류 방법 die wissenschaftliche Klassifikation, -en. ～적 사회주의 der wissenschaftliche Sozialismus. ～적 연구방법 die wissenschaftliche Forschungsmethode, -n. ～체계 das wissenschaftliche System, -s, -e. 순수～ die reine Wissenschaft, -en. 응용～ die angewandte Wissenschaft, -en. 자연(사회) ～ Naturwissenschaft (Sozialwissenschaft) *f.* -en. 정신～ Geisteswissenschaft *f.* -en.

과히(過―) ¶～ … 아니다 nicht ganz (eben; gerade; immer; so) … / ～ 나쁘지 않다 nicht ganz schlecht (nicht ohne Reiz) sein; e-e gewisse gute Seite haben / ～ 싫지도 않다 nicht ganz abhold sein³; ⁴sich nicht eben (gerade) abgestoßen fühlen 《*von*³》 / 이 병은 ～ 위험한 것이 아니다 Diese Krankheit ist nicht besonders gefährlich. / 그 곳은 ～ 춥지 않다 Dort ist nicht sehr kalt. / 그것은 ～ 문제되지 않는다 Das kommt nicht besonders in Frage.

곽(槨) der äußere Sarg, -(e)s, ⸚e.

곽란(霍亂) 〖한의학〗 Eingeweidekrampf *m.* -s, ⸚e.

관(官) 《당국》 (die zuständige) Behörde, -n; Amtsstelle *f.* -n; Autorität *f.* -en; Zuständigkeit *f.* -en (임무).

관(冠) Kopfbedeckung *f.* -en; Kopfbekleidung *f.* -en; Kranz *m.* -es, ⸚e; 《왕관》 Krone *f.* -en. ¶관을 쓰다 die Kopfbedeckung auf|setzen / 이하(李下)에 부정관(不整冠)이라 Man meide alles, wodurch man in Verdacht kommen könnte.

관(貫) ①《본관》 der angestammte Ort, -(e)s, -e; Stammsitz 《*m.* -es》 e-r Familie. ②《무게》 Gewichtseinheit *f.*

관(棺) Sarg *m.* -(e)s, ⸚e; Pracht¦sarg (Prunk-; Stein-) *m.* -(e)s, ⸚e; Sarkophag *m.* -s, -e; Toten¦kiste *f.* -n (-lade *f.* -n). ¶시체를 관에 넣다 e-e Leiche 《-n》 ein|sargen (in den Sarg legen).

관(款) 《조항》 Artikel *m.* -s, -; Bestimmung *f.* -en; Klausel *f.* -n; Abschnitt *m.* -s, -e.

관(管) Rohr *n.* -(e)s, -e; Röhre *f.* -n. ¶관으로 통하다 durch ein ⁴Rohr (e-e Röhre) gehen* Ⓢ.

‖가스관 Gasleitung *f.* -en. 유리관 Glasrohr *n.* -s, -e.

관(館) ①《푸줏간》 Schlachthof *m.* -(e)s, ⸚e; Metzgerladen *m.* -s, ⸚. ②《요정》 das prächtige Restaurant, -s, -s. ③《집》 Gebäude *n.* -s, -.

-관(觀) ①《견해》 Anschauung *f.* -en; Ansicht *f.* -en; Meinung *f.* -en. ②《외관》 Anblick *m.* -(e)s, -e; Ansicht *f.* -en; Aussicht *f.* -en (전망); die äußere Erscheinung, -en; das Äußere*.

‖문학관 die Ansicht über die Literatur. 세계관 Weltanschauung *f.* -en. 염세관 Pessimismus *m.* 인생관 Lebensanschauung *f.*

관가(官家) Amtssitz *m.* -es, -e; Regierungsgebäude *n.* -s, -; (staatliche) Behörde, -n.

관개(灌漑) Bewässerung *f.* -en; Berieselung *f.* -en. ～하다 bewässern; berieseln. ¶～가 용이하다 leicht zu bewässern sein; (gut) bewässern sein.

‖～구(溝) Bewässerungsgraben *m.* -s, ⸚. ～설비 die Bewässerungs¦anlagen (-anstalten) 《*pl.*》. ～지(地) Berieselungsfeld *n.* -(e)s, -er.

관객(觀客) Zuschauer *m.* -s, -; Besucher *m.* -s, -; 《총칭》 Publikum *n.* -s; Zuschauerschaft *f.* ¶많은 ～ e-e (An)zahl (Menge; Unzahl) Zuschauer / 극장 ～이 적었다 Das Theater war schlecht besucht.

‖～석 Zuschauerraum *m.* -(e)s, ⸚e (극장 따위의); Zuschauertribüne *f.* -n (스탠드).

관건(關鍵) ①《빗장》 Riegel *m.* -s, -; Riegel u. Schlüssel. ②《핵심》 Kern *m.* -(e)s, -e; der wichtige Punkt, -(e)s, -e. ¶문제의 ～ der Kern 《-(e)s, -e》 der Frage / ～에 접하다 den Kern berühren / 문제의 ～을 쥐고 있다 den Schlüssel der Frage halten* / 그것이 문제 해결의 ～이다 Es ist (gibt) der (den) Schlüssen zur Lösung des Problems.

관견(管見) ① die einseitige (beschränkte; voreingenommene) Meinung (Ansicht) -en. ②《사견》 *js.* unmaßgebliche Meinung (Ansicht); *js.* Gesichts¦punkt (Stand-) *m.* -(e)s, -e.

관계(官界) Beamtenkreis *m.* -es, -e; Beamtenschaft *f.* -en. ¶그는 오랫동안 ～에 있었다 Er war lange im Dienst der Regierung. / 최근 ～에 일대 이동이 있었다 Neulich war ein Gesamtwechsel in offiziellen Kreisen.

‖～쇄신 die Erneuerung (Umbildung) 《-en》 der Beamtenschaft.

관계(官階) Beamtenrang *m.* -(e)s, ⸚e. ¶～가 높다(낮다) einen hohen (niedrigen) Beamtenrang haben.

관계(關係) ①《관련》 Beziehung *f.* -en; Bezug *m.* -(e)s, ⸚e; Verbindung *f.* -en; Verhältnis *n.* ..nisses, ..nisse; Zusammenhang *m.* -(e)s, ⸚e. ～하다(～가 있다) ⁴sich beziehen* 《*auf*⁴》; in Bezug (Beziehung) stehen* 《*zu*³》; in Verbindung (Zusammenhang) stehen* 《*mit*³》; Beziehungen haben 《*zu*³》; zusammen|hängen 《*mit*³》; mit ³*et.* zu tun haben; es geht *jn.* (⁴*et.*) an. ¶～가 없다 in k-m Zusammenhang stehen; mit ³*et.* nichts zu tun haben; es geht *jn.* (⁴*et.*) nichts an / ～를 맺다 in Beziehung treten* Ⓢ 《*zu*³》; in Verbindung treten* Ⓢ 《*mit*³》 / ～를 끊다 die Beziehung (die Verbindung; den Umgang; den Verkehr) ab|brechen* 《*mit*³》; brechen* 《*mit*³》; ⁴sich trennen 《*von*³》

Auftrages entledigen; e-n amtlichen Auftrag erfüllen.

관명(冠名) Erwachsenenname *m.* -ns, -n; Namen, den man bei der Volljährigkeitsfeier bekommt.

관모(冠毛) ① 〖동물〗 Kamm *m.* -(e)s, ⸚e; Schopf *m.* -(e)s, ⸚e. ② 〖식물〗 Feder¦krone (Samen-) *f.* -n; Pappus *m.* -, - (Pappusse).

관목(灌木) Strauch *m.* -es, ⸚er; Staude *f.* -n. ‖ ~숲 Busch *m.* -es, ⸚e; Gebüsch *n.* -es, -e.

관몰(官沒) die offizielle Beschlagnahme, -n; die öffentliche Konfiskation, -en. ~하다 offiziell beschlagnahmen; öffentlich konfiszieren.

관문(關門) Gattertor *n.* -(e)s, -e; Barriere *f.* -n. ¶ 시험~을 통과하다 die Schwierigkeiten 《*pl.*》 e-r Prüfung (glücklich) überstehen*.

관문서(官文書) die Staatsakten 《*pl.*》; die Staatspapiere 《*pl.*》. ☞ 공문서.

관물(官物) Staatsgut *n.* -(e)s, ⸚er; Staatsvermögen *n.* -s, -.

관민(官民) die Regierung u. das allgemeine Volk; die Behörden 《*pl.*》 u. die Staatsbürger 《*pl.*》; die Beamten* 《*pl.*》 u. die privaten Menschen 《*pl.*》. ¶ ~이 협동하여 unter der Zusammenwirkung der Regierung u. des allgemeinen Volkes; unter der gemeinsamen Mitwirkung sowohl der Behörden als auch der Staatsbürger.

관방(官房) Kanzlei *f.* -en; Sekretariat *n.* -(e)s, -e; Sekretarium *n.* -s, ..rien.

관변측(官邊側) ¶ ~에서 von Seiten der Regierungskreise (Beamtenkreise) 《*pl.*》; von den betreffenden Behörden her.

관병(官兵) Regierungsheer *n.* -(e)s, -e; die Regierungstruppen 《*pl.*》.

관병식(觀兵式) Parade *f.* -n; Heer¦schau (Truppen-) *f.* -en.

관보(官報) Staatszeitung *f.* -en; Staatsanzeiger *m.* -s, -; Regierungsblatt *n.* -(e)s, ⸚er; Amtsblatt *n.* -(e)s, ⸚er.

관복(官服) Amts¦kleidung *f.* -en (-kleid *n.* -(e)s, -er); die offizielle Uniform, -en.

관불(灌佛) 〖불교〗 Zeremonie 《*f.* -n》, bei der Buddhastatuen mit Parfüm besprengt werden.
‖ ~회 die Geburtstagsfeier Buddhas.

관비(官婢) Regierungssklavin *f.* -nen.

관비(官費) die Staatskosten 《*pl.*》; die Regierungskosten 《*pl.*》. ¶ ~로 auf Staatskosten.
‖ ~생 der Student, der auf Staatskosten studiert; der Student, der ein Stipendium von der Regierung bezieht; Stipendiat *m.* -en, -en. ~유학생 der Student, der auf Staatskosten im Auslande studiert.

관사(官舍) Amts¦wohnung (Dienst-) *f.* -en (*od.* -haus *n.* -es, ⸚er).
‖ 장관~ die Amtswohnung e-s Ministers.

관사(冠詞) Artikel *m.* -s, -; Geschlechtswort *n.* -(e)s, ⸚er.
‖ 정 (부정)~ der bestimmte (unbestimmte) Artikel.

관사람(館一) 《관쇠》 der Verkäufer 《-s, -》 von Rindfleisches.

관상(冠狀) ¶ ~의 kronenartig; kranzförmig; Kronen-; Kranz-.
‖ ~동맥 Kranzarterie *f.* ~정맥 Kranzader *f.*

관상(管狀) ¶ ~의 röhrenförmig; röhrenartig; Röhren-.
‖ ~물 Röhre *f.* -n. ~선 die röhrenförmige (tubuläre) Drüse *f.* -n. ~화 〖식물〗 Röhrenblüte *f.* -n; Röhrenblüt(l)er *m.* -s, -.

관상(觀相) das physiognomische Urteil, -(e)s, -e; das phrenologische Urteil, -(e)s, -e.
‖ ~가(家) Physiognom *m.* -en, -en; Ausdrucks¦deuter (-forscher) *m.* -s, -. ~술 Physiognomik *f.*; Ausdrucks¦deutung *f.* (-forschung *f.*).

관상(觀象) die meteorologische Beobachtung. ~하다 das Wetter beobachten; die meteorologische Beobachtungen an|stellen.
‖ ~대 Wetterwarte *f.* -n; meteorologische Station, -en: 중앙~대 die zentrale meteorologische Station, -en; Zentralwetterwarte *f.* -n.

관상(觀賞) 《찬미》 Bewunderung *f.* -en; 《감상》 Genuß *m.* -sses, ⸚sse; das liebevolle Zuschauen*, -s. ~하다 bewundern; genießen. ‖ ~식물 Zier¦pflanze (Garten-) *f.* -n.

관서(官署) Regierungs¦behörde (Verwaltungs-) *f.* -n.

관선(官選) ¶ ~의 offiziell; von der Regierung gewählt.
‖ ~변호사 der vom Gericht bestimmte (Rechts)anwalt, -(e)s, ⸚e; der offizielle Verteidiger, -s, -. ~중재인 der offizielle Schiedsrichter, -s, -.

관설(官設) ¶ ~의 staatlich; Staats-: Regierungs-; staatlich (von der Regierung) errichtet.

관성(慣性) 〖물리〗 Trägheit *f.*; Beharrungsvermögen *n.* -s. ¶ ~에 의해서 durch [4]Trägheit.

관성(冠省) =전략(前略).

관세(關稅) Zoll *m.* -(e)s, ⸚e. ¶ ~를 부과하다 Zoll legen 《*auf*[4]》 / ~를 내야 하는 zollpflichtig / 무~의 zollfrei / ~가 면제되다 zollfrei werden*.
‖ ~개정 Zollreform *f.* -en. ~국 Zollbüro *n.* -s, -s. ~동맹 Zoll¦verein *m.* -(e)s, -e (-union *f.* -en; -verband *m.* -(e)s, ⸚e). ~리 der Zollbeamte*, -n, -n. ~면제 Zollerlaß *m.* -sses, -sse; Zollfreiheit *f.* -en: ~면제품 der zollfreie Artikel, -s, -. ~법 die Zollgesetze 《*pl.*》. ~율 Zoll¦(an)satz *m.* -es, ⸚e (-anschlag *m.* -(e)s, ⸚e). ~자주권 Zollautonomie *f.* -n (-selbstbestimmungsrecht *n.* -(e)s). ~장벽 Zollhindernis *n.* -ses, -se. ~전쟁 Zollkrieg *m.* -(e)s, -e. ~정율 Zolltarif *m.* -s, -e. ~정책 Zollpolitik *f.* -en. ~협정 das Zollabkommen*, -s, -.

관세음보살(觀世音菩薩) ☞ 관음보살.

관솔 der harzreiche Kieferzweig, -(e)s, -e; der harzreiche Kieferknoten, -s, -.
‖ ~불 brennendes Kiefernholz, -es, ⸚er.

관쇠(館一) der Verkäufer des Rindfleisches.

관수지대(冠水地帶) das unter Wasser gesetzte Gebiet, -(e)s, -e; die überschwemmte Zone.

관습(慣習) Gewohnheit *f.* -en (습관); Sitte *f.* -n (관습); (Ge)brauch *m.* -(e)s, ⸚e (관습); Gepflogenheit *f.* -en (관례); Tradition *f.* -en (전통). ¶ 고장에 따라 ~이 다르다 „Andere Länder, andere Sitten." / 일반적 ~ e-e allgemeine Sitte, -n.
‖ ~법 Gewohnheitsrecht *n.* -(e)s, -.

관심(關心) Interesse *n.* -s, -n; (An)teilnahme *f.* -n. ¶ ~의 대상이 되다 das allgemeine Interesse auf [4]sich ziehen*; [1]Gegenstand allgemeiner (An)teilnahme werden / ~을 갖다 interessiert sein 《*an*[3]》; [4]Interesse haben 《*an*[3]; *für*[4]》; [4]sich interessieren 《*für*[4]》

/ ~이 없다 gleichgültig (indifferent; teilnahmslos) sein 《gegen⁴》; kein Interesse (k-e (An)teilnahme) haben 《an³》; ¹et. läßt jn. unberührt.
‖ ~사 e-e wichtige Angelegenheit, -en; e-e Sache 《-n》 von allgemeinem Interesse.

관아(官衙) Amt n. -(e)s, ⸚er; Behörde f. -en.

관악(管樂) Blasmusik f.; Blechmusik f.
‖ ~기 Blas¦instrument n. -(e)s, -e (Wind-).

관업(官業) Regierungsunternehmen n. -s, -; die staatliche Unternehmung f. -en; die staatlich unterstützten Industrien 《pl.》.

관여(關與) Teilnahme f. -n; Beteiligung f. -en. ~하다 teil|nehmen* 《an³》; Anteil nehmen* 《an³》; ⁴sich beteiligen 《an³; bei³》; ⁴es zu tun haben 《mit³》; in Beziehung stehen*; im Verhältnis stehen*; mit|machen⁴. ¶ 이 사건에 ~한 사람은 20명을 넘었다 Mehr als zwanzig Menschen wurden in diese Affäre (hinein)verwickelt. / 그것은 내가 ~할 바가 아니다 Es geht mich nichts an.¦Ich habe nichts damit zu tun*.

관역(官役) ① 《역사》 offizielle Arbeit, -en. ② 《부역》 Frondienst m. -es, -e; Zwangsarbeit f.; Zwang(s)dienst m. -(e)s, -e.

관엽식물(觀葉植物) Blattpflanze f. -n.

관영(官營) der staatliche Betrieb, -(e)s, -e. ¶ ~의 Staats-; staatlich; staatlich unterstützt; unter staatlicher Aufsicht / ~으로 하다 verstaatlichen⁴; in staatlichen Besitz (unter staatliche Aufsicht) bringen*⁴.
‖ ~사업 Staatsunternehmen n. -s, -. ~제도 Staatsbetriebsystem n. -s, -e.

관옥(冠玉) ① 《관의》 der Edelstein 《-(e)s, -e》, der in e-r Krone befestigt ist; Kronjuwel n. -s, -en. ② 《얼굴의》 das elegante Gesicht, -(e)s, -er.

관외(管外) ¶ ~의 außerhalb der ²Jurisdiktion; 《권한외의》 außerhalb s-r Befugnis (Kompetenz).

관용(官用) Regierungs¦geschäft n. -(e)s, -e (-gebrauch m. -(e)s, ⸚e). ¶ ~으로 in Regierungsgeschäften; im Regierungsauftrag(e); von Amts wegen.
‖ ~부기 Regierungs¦buchführung f. -en (-buchhaltung f. -en).

관용(慣用) der gewöhnliche Gebrauch, -(e)s, ⸚e. ¶ ~의 gebräuchlich; gang u. gäbe; gewöhnlich; gewohnt; herkömmlich; landläufig; üblich idiomatisch / ~이 되다 in gewöhnlichen Gebrauch sein; gang u. gäbe sein / ~적인 표현 der übliche (familiäre) Ausdruck, -(e)s, ⸚e / ~에 어긋나다 dem Gebrauche widersprechen sein; ungewöhnlich sein.
‖ ~독일어 das idiomatische Deutsch. ~문구 die gewöhnliche (idiomatische) Redensart. ~수단 der alte Kniff, -(e)s, -e; der bekannte Kunstgriff, -(e)s, -e. ~어 die gebräuliche Sprechweise, -n.

관용(寬容) Nachsicht f. -en; Duldsamkeit f.; Duldung f. -en; Edel¦mut (Groß-) m. -(e)s; Hochherzigkeit f. -en; Milde f.; Schonung f. -en; Toleranz f. ~하다 verzeihen* 《jm.》; vergeben* 《jn.》 durch die Finger sehen*; ein Auge zu|drücken; fünf gerade sein lassen*.

관원(官員) 《관리》 der (Staats)beamte*, -n, -n; Staatsdiener m. -s, -.

관위(官位) der (amtliche) Rang, -(e)s, ⸚e; Amt u. Rang, des - u. -(e)s. ¶ 아무의 ~를 박탈하다 jn. s-s Ranges verlustig erklären.

관유(官有) Staats¦besitz (Regierungs-) m. -es, -e. ¶ ~의 dem Staat(e) (der Regierung) gehörig; Staats-; Regierungs-.
‖ ~림 Staats¦forst (Regierungs-) m. -es, -e. ~물 Staats¦eigentum (Regierungs-) n. -(e)s, ⸚er. ~지 Staats¦landerei (Regierungs-) f. -en.

관음보살(觀音菩薩) Avalokitesvāra 《범어》; die Gottheit der Gnade.

관이 der, der ausspielt (beim Kartenspiel).

관인(官印) das amtliche Siegel, -s, -; Amtsstempel m. -s, -.

관인(寬仁) Großmut f.; Edelmut m.; Großherzigkeit f.; Hochherzigkeit f. ~하다 großmutig; edelmütig; großherzig; hochherzig; hochsinnig (sein). ¶ ~ 대도한 사람 ein Mann mit großmütiger Gesinnung.

관자놀이(貫子—) Schläfe f. -n.

관작(官爵) Amt und Titel.

관장(管掌) Verwaltung f. -en; Führung f. -en; Leitung f. -en. ~하다 verwalten⁴; handhaben⁴ (약변화); leiten⁴; in s-r Obhut (unter s-r Aufsicht) haben⁴.

관장(館長) Vorsteher m. -s, -; Direktor m. -s, -en [..tó:rən]; Leiter m. -s, -.
‖ 도서~ Chefbibliothekar [ʃέf..] m. -s, -e.

관장(灌腸) Klistier n. -s, -e; (Darm)einlauf m. -(e)s, ⸚e. ~하다 e-n Einlauf (ein Klistier) geben* (machen); klistieren⁴.
‖ ~기 Klistierspritze f. -n. ~제 Klistier.

관재인(管財人) Verwalter m. -s, -; Administrator m. -s [..tó:rən]; Verweser m. -s, -; Konkursverwalter m. -s, -(파산 재단의).

관저(官邸) Amts¦wohnung (Dienst-) f. -en.

관전(觀戰) das Zuschauen 《-s》 bei e-m Spiele (유희의); die Beobachtung 《-en》 des Manövers (연습의). ~하다 bei Schlachten zu|schauen; ⁴sich als bloßer Zuschauer e-r Armee an|schließen*.
‖ ~기(記) die Beschreibung 《-en》 der Kampfbeobachtung.

관절(關節) Gelenk n. -(e)s, -e. ¶ ~이 빠졌다 Ein Gelenk hat sich verrenkt (ausgerenkt). / ~이 부었다 Das Gelenk ist geschwollen. / ~염이다 Das Gelenk ist entzündet.
‖ ~강직 Gelenksteifheit f. -en. ~동물 Annelide f. -n; Ringelwurm m. -(e)s, ⸚er. ~류머티즘 Gelenkrheumatismus m. -, ..men. ~염(통) Arthritis f. ..tiden; Gicht f. 가동~ das freie (bewegliche) Gelenk. 인공~ das künstliche Gelenk.

관절하다(冠絶—) einzig in s-r Art sein; ³allen über sein; Gipfel (Krone; das Höchste; das denkbar Vollkommenste) sein. ¶ 그의 명성은 세계에 관절하고 있다 Sein Ruhm ist in der Welt unübertroffen.

관점(觀點) Gesichts¦punkt (Stand-) m. -(e)s, -e; Stellungnahme f. ☞ 견지. ¶ 이 ~에서 볼 때 von diesem Gesichtspunkt aus betrachtet; von diesem Standpunkt aus gesehen / 그것은 ~의 문제이다 Das ist Ansichtssache. / 그의 ~은 다르다 Er ist anderer Meinung. / 그것은 ~에 따라 다르다 Es kommt darauf an, wie man es sieht. / 그는 정치적 ~에서 출발하고 있다 Er geht von einem politischen Gesichtspunkt aus. / 노동자의 ~에서 볼 때 이 요구는 납득이 간다 Vom Standpunkt des Arbeiters aus ist diese Forderung verständlich.

관제(官制) Regierungseinrichtung *f.* -en; Regierungsorganisation *f.* -en. ¶ ~를 정하다 eine Regierungsorganisation festsetzen (bestimmen).

‖ ~개혁 die Reform《-en》(die Umbildung, -en; die Umformung, -en) des Regierungssystems《*n.* -s, -e》(der Regierungsorganisation *f.* -en); die Reform der Regierungseinrichtung.

관제(官製) ¶ ~의 von der Regierung gemacht (hergestellt; produziert; verfertigt); staatlich; Staats-.

‖ ~데모 e-e durch die Riegierung manipulierte Demonstration. ~민의 e-e durch die Regierung manipulierte Volksmeinung (öffentliche Meinung). ~엽서 die offizielle Postkarte, -n; Staatspostkarte *f.* -n.

관제(管制) Kontrolle *f.* -n. ~하다 kontrollieren[4].

‖ ~사 Kontrolleur *m.* -s, -e. ~탑 Kontrollturm *m.* -(e)s, ⸚e. 등화~ die Lichtkontrolle; die beschränkte Beleuchtung; Verdunk(e)lung *f.* -en. 보도~ die Nachrichtenkontrolle; Nachrichtensperre *f.* -n: 보도~를 하다 e-e Nachrichtensperre verhängen《*über*[4]》. 지상~ Radarblindlandesystem *n.* -(e)s, -e《생략: GCA》.

관조(觀照) Betrachtung *f.* -en; Nachdenken *n.* -s. ¶ 인생의 여러 단계에 대해서 ~적 태도를 취하다 ein kritischer Betrachter der verschiedenen Phasen des Lebens sein / 시인은 ~의 세계에서 노닌다 Der Dichter findet Vergnügen im Nachdenken.

관존민비(官尊民卑) die Elitenidee der Bürokraten; die Wichtigtuerei des Beamtentums; die Hochschätzung《-en》der Regierung und die Geringschätzung des Volkes; das Übergewicht der Regierungsgewalt über das Volk. ¶ 많은 사람들이 한국 관청의 ~에 대해서 불평을 하고 있다 Viele Leute beklagen sich über die bürokratische Gesinnung der koreanischen Behörden.

관중(觀衆) Zuschauer *m.* -s, -《*bei*[3]》; der Anwesende*, -n, -n; Besucher *m.* -s, -; der Dabei¦stehende* (Um-) -n, -n; Publikum *n.* -s (총칭). ¶ 양팀의 격전은 부지중에 ~들의 기대를 부풀게 하였다 Der heftige Kampf der beiden Mannschaft spannte unwillkürlich die Erwartungen der Zuschauer. / 극장의 ~은 박수 갈채했다 Die Zuschauer im Theater klatschten Beifall.

관직(官職) Amt *n.* -(e)s, ⸚er; Regierungsposten *m.* -s, -. ¶ ~에 앉다 ein Amt an|treten*; mit e-m Amt bekleidet werden; ein Amt bekleiden; im Staatsdienst stehen / ~을 수행하다 e-m Amt vorstehen / ~을 박탈하다 s-s Amtes entheben* (entsetzen)/ ~을 물러나다 vom Amt zurück|treten*[s]; das Amt nieder|legen (auf|geben*); ab|danken.

관찰(觀察) Beobachtung *f.* -en; Betrachtung *f.* -en; Überwachung *f.* -en. ~하다 beobachten[4]; betrachten[4]; ein Auge haben《*auf*[4]》; im Auge behalten*[4]; überwachen[4]. ¶ 남몰래 ~하다 heimlich beobachten[4] / 자연을 ~하다 die Natur beobachten.

‖ ~력 Beobachtungs¦kraft (Betrachtungs-) *f.* ⸚e (*od.* -vermögen *n.* -s, -). ~안 Beobachtungsgabe *f.* -n; Scharfsinn *m.* -(e)s. ~자 Beobachter *m.* -s, -; Betrachter *m.* -s, -; der Beobachtende*(Betrachtende*) -n,-n. ~점 Gesichts¦punkt (Stand-) *m.* -(e)s, -e.

관찰사(觀察使) Gouverneur *m.* -s,-e; Präfekt *m.* -en (-(e)s), -en.

관철(貫徹) Durch¦setzung *f.* -en (-führung *f.* -en); Ausführung *f.* -en; Bemeisterung *f.* -en. ~하다 durch|setzen[4] (-|führen[4]); aus|-führen[4]; bemeistern[4]; bewältigen[4]; [1]Herr[2] werden; das Ziel erreichen; zu Ende führen[4]. ¶ 초지를 ~하다 das einmal gesteckte Ziel erreichen (konsequent zu erreichen suchen) / 의지를 ~하다 [4]sich (s-n Willen) durchsetzen / 목적을 ~하다 einen Zweck durchführen (erreichen).

관청(官廳) Amt *n.* -(e)s, ⸚er; Amtsstelle *f.* -n; Behörde *f.* -n; Büro *n.* -s, -s (사무소). ¶ ~에 다니다 bei e-r [3]Behörde arbeiten (angestellt sein).

‖ ~식(式) Beamtenstil *m.* -(e)s; Bürokratismus *m.* -, ..men; Amtsschimmel *m.* -s.

관측(觀測) Beobachtung *f.* -en; Observation *f.* -en. ¶ 기상(기압, 천문)을 ~하다 meteorologische (barometrische, astronomische) Beobachtungen an|stellen.

‖ ~기구(氣球) Beobachtungsballon *m.* -s; Wetterballon *m.* -s. ~소 Observatorium *n.* -s, ..rien; Beobachtungsstelle *f.* -n; Warte *f.* -n. ~자 Beobachter *m.* -s, -; Observator *m.* -s, -en [..tó:rən]. 기상 ~소 Wetterwarte *f.* -n.

관통(貫通) das Durch¦brechen* (-bohren*; -dringen*) -s. ~하다 durchbrechen* (durchbohren; durchdringen*)[4]; durch|gehen* [s]《*durch*[4]》; durchstoßen*[4]; (durch)lochen[4] (천공하다); perforieren[4]. ¶ 총탄이 심장을 ~했다 Der Schuß ist durch das Herz durchgegangen. / 탄환이 자동차 문을 ~했다 Das Geschoß durchbohrte die Tür des Autos.

‖ ~상 die Durchschuß¦wunde, -n (-verletzung, -en).

관포지교(管鮑之交) die intime Beziehung, -en.

관하(管下) =관할. ¶ ~의 (에) unter der Jurisdiktion《*von*[3]》/ 이 사건은 다른 재판소의 ~에 속한다 Dieser Fall fällt unter die Jurisdiktion e-s anderen Gerichtes.

관하다(關一) an|gehen*[4]; an|(be)langen[4]; an|-betreffen*[4];betreffen*[4]. ☞ 관계하다. ¶ …에 관하여(관해서; 관한 한) in Hinblick auf[4]; in bezug auf[4]; hinsichtlich[2]; mit Rücksicht auf[4]; was [4]*et.* angeht (anbelangt; (an)betrifft); im Zusammenhang mit[3]; betreffend[4]; betrifft[4]; betreffs[2]《어느 것이나 약자는 betr.》; von[3]; über[4]; zu[3] / 여기에 관하여 in dieser Beziehung (Hinsicht); davon; darüber; dazu; hierzu / 내게 관한 한 Was mich angeht (betrifft), so erkläre ich, daß…. / 나에 관한 한 Soweit (Sofern) es mich angeht ((an)betrifft), so …. / 나의 명예에 관한 일이다 Es geht m-e Ehre an. / 5월 5일자 폐사 서신에 관하여 〖상업〗 Wir nehmen Bezug auf unser Schreiben vom 5. Mai u. ….¦Unter Bezug (Bezugnahme) auf unser Schreiben vom 5. Mai ….¦ Im Nachgang zu unserem Schreiben vom 5. Mai…. / 이 건에 관하여서는 상관과 상의해 보겠읍니다 Über diese Angelegenheit will ich mich mit m-m Vorgesetzten besprechen. / 여기에 관한 나의 의견은 보류하겠읍니다 Ich möchte mir m-e Stellungnahme dazu vorbehalten.

관학(官學) die staatliche Hochschule, -n (Universität, -en).

‖ ∼파 die Clique [klíːkə] 《-n》 der Absolvierten der staatlichen Hochschulen.

관할(管轄) Zuständigkeit *f.* -en; Kompetenz *f.* -en; Befugnis *f.* ..nisse; Jurisdiktion *f.* -n (재판 관할); Kontrolle *f.* -n. ∼하다 verwalten[4]; über [4]*et.* die Kontrolle haben. ¶ ∼에 속하다 〖사건 등을 주어로 해서〗 zur Befugnis (Kompetenz; Zuständigkeit) *js.* gehören; in *js.* Kompetenz liegen*; unter der Jurisdiktion *js.* stehen*; 〖관할자를 주어로 해서〗 zu [3]*et.* befugt sein; für [4]*et.* zuständig (kompetent) sein / 이 재판은 ∼이 다르다 Das Gericht ist inkompetent. / 이 일들은 당사무소의 ∼이 아니다 Diese Sachen fallen nicht in unseren Bezirk.¦Diese Angelegenheiten gehören nicht in den Bezirk unseres Büros.

‖ ∼관청 die zuständige Behörde, -n (Instanz, -en). ∼구역 Zuständigkeitsbereich *m.* -(e)s, -e. ∼권 싸움 der Streit 《-(e)s, -e》 um die Kompetenz (Zuständigkeit; Befugnisse). ∼내(외) innerhalb (außerhalb) der Zuständigkeit.

관함식(觀艦式) Flottenschau *f.* -en; Flottenparade *f.* -en. ¶ ∼을 거행하다 e-e Flottenparade 《-n》 ab|halten* 《*in*[3]》.

관항(款項) ① 《관과 항》 Abschnitt u. Stelle. ② 《적요》 Resume *n.* -s, -s; die kurze Zusammenfassung, -en; 《요점》 Haupt¦punkt *m.* -(e)s, -e (-sache *f.* -n); Kern *m.* -(e)s, -e; Grundzug *m.* -(e)s, ⸗e. ③ 《요령》 Grundlage *f.* -n; Substanz *f.* -en.

관행(慣行) Gewohnheit *f.* -en; übliches Verhalten, -s. ¶ ∼의 üblich; gebräuchlich; gewohnt; gewohnheitsmäßig; gewöhnlich.

‖ ∼범 das gewohnheitsmäßige Verbrechen, -s, -; Gewohnheitsverbrechen *n.*; 《범인》 der gewohnheitsmäßige Verbrecher, -s, -; Gewohnheitsverbrecher *m.*

관향(貫鄕) der Geburtsort der ersten Vorfahren 《*pl.*》.

관허(官許) die amtliche (behördliche) Genehmigung, -en; die offizielle Erlaubnis, ..nisses; Lizenz *f.* -en. ∼하다 (die) offizielle Genehmigung erteilen; offiziell genehmigen[4]. ¶ ∼의 staatlich (amtlich) erlaubt; gesetzlich zugelassen / ∼를 받다 die offizielle Erlaubnis (e-e amtliche Genehmigung) erhalten*; amtlich (offiziell) genehmigt (bewilligt) werden / ∼를 얻다 die amtliche Genehmigung ein|holen.

‖ ∼요금 staatlich (amtlich) erlaubte Gebühren 《*pl.*》.

관헌(官憲) Obrigkeit *f.* -en; Amt *n.* -(e)s, ⸗er; Autorität *f.* -en; (Verwaltungs)behörde *f.* -n; Polizeibehörde (경찰). ¶ ∼의 obrigkeitlich; amtlich; autoritativ; (verwaltungs)behördlich; polizeibehördlich (경찰의) / ∼의 간섭 der Eingriff der Behörden / ∼의 압박 der Druck der Behörden.

‖ 지방∼ Lokalbehörde *f.* -n.

관현(管絃) Blas- u. Saiteninstrumente 《*pl.*》.

‖ ∼악 Orchester *n.* -s, -: ∼악단 Orchester *n.*; Kapelle *f.* -n; Band [bænd] *f.* -s (특히 Jazz 악단).

관형사(冠形詞) Prä-Nomen *n.* -s, ..mina.

관혼상제(冠婚喪祭) Hauptzeremonien 《*pl.*》 (der Mündigkeitserklärung, Hochzeit, des Begräbnisses u. Ahnenkultus); die feierlichen Angelegenheiten im Menschenleben.

관화(官話) 《북경 관화》 Mandarin(chinesisch) *n.*; chinesische Amtssprache *f.* (auf der Grundlage des Peking-Dialekt).

관후(寬厚) Großmut *f.*; Edelmut *m.* -(e)s; Hochherzigkeit *f.*; Großherzigkeit *f.* ∼하다 großmütig; edelmütig; hochherzig; großherzig (sein). ¶ ∼한 사람으로 알려져 있다 Er ist für s-e Großmut bekannt.

‖ ∼장자 ein großmütiger Herr, -n, -en.

괄괄하다 ① 《성미》 temperamentvoll (sein). ② 《풀기》 zu steif (sein). ¶ 이 샤쓰는 풀이 너무 ∼ Dieses Hemd ist schlecht (übermäßig) gestärkt.

괄다 hoch; stark (sein). ¶ 불이 너무 괄아서 밥이 탔다 Weil das Feuer zu stark war, ist der Reis angebrannt.

괄대(恝待) die kalte Behandlung, -en; die kühle Aufnahme, -n; der kalte (kühle) Empfang, -(e)s, ⸗e. ∼하다 kalt be|handeln; kühl auf|nehmen* (empfangen*). ∼받다 kalt (kühl) behandelt (aufgenommen) werden. ¶ 그녀는 그를 ∼했다 Sie zeigte ihm die kalte Schulter.

괄목(刮目) Aufmerksamkeit *f.* -en; Beachtung *f.* -en; Bemerken *n.* -s. ∼하다 aufmerksam betrachten[4]; scharf beobachten[4]; mit großer Teilnahme beobachten[4]. ¶ ∼할 만하다 *js.* aufmerksame [4]Beobachtung verdienen / ∼하고 보다 mit gespannter Aufmerksamkeit beobachten / ∼하고 당신의 장차의 발전을 주시하겠소 Ich werde aufmerksam Ihre künftigen Fortschritte beobachten. / 이 사건의 진전은 ∼ 주시할 가치가 있다 Die Entwicklung der Sache verdient unsere auf merksame Beobachtung.

괄선(括線) 〖수학〗 Strich *m.* -(e)s, -e.

괄시(恝視) Vernachlässigung *f.*; Geringschätzung *f.* -en. ∼하다 vernachlässigen; gering schätzen; verachten. ¶ 너무 ∼를 말아라 Schätz mich nicht so gering ein!

괄약근(括約筋) 〖해부〗 Schließmuskel *m.* -s, -n; Schließer *m.* -s, -; Sphinkter *m.* -s, -e.

‖ 방광∼ Harnblasenschließer *m.* -s, -. 항문∼ Afterschließer *m.* -s, -.

괄하다 ☞ 괄괄하다.

괄호(括弧) Klammer *f.* -n; Parenthese *f.* -n. ¶ ∼ 열고 Klammer auf! / ∼ 닫고 Klammer zu! / ∼로 묶다 in Klammern setzen[4] (ein|schließen*[4]) / 비고(備考)는 ∼에 넣어 부가하여 주십시오 Setzen Sie die Bemerkungen in Klammern hinzu. / ∼ 안을 먼저 계산하십시오 Lösen Sie die Klammer zuerst auf!¦Rechnen Sie zuerst das, was in der Klammer steht!

‖ 둥근(각(角), 이중)∼ die runde (eckige, doppelte) Klammer.

광 Speicher *m.* -s, -; Magazin *n.* -s, -e; 《상품의》 Lager *n.* -s, ⸗; Lagerhaus *n.* -es, ⸗er; 《곡식의》 Korn¦boden *m.* -s, ⸗(-speicher *m.* -s, -); 《보물의》 Schatz¦kammer *f.* -n (-haus *n.* -es, ⸗er). ¶ 광에 넣어두다 im Speicher auf|bewahren[4]/광에서 꺼내다 aus dem Speicher heraus|nehmen*[4].

‖ 광지기 Lager¦aufseher *m.* -s, - (-halter *m.* -s, -); Magazinverwalter *m.* -s, -.

광[1](光) ＝빛.

광[2](光) ☞ 광택, 윤. ¶ 광을 죽이다 mattieren[4]; matt (glanzlos) machen[4]; entglänzen[4].

광(壙) Grabhöhle *f.* -n; Beerdigungshöhle *f.* -n.

광(鑛) ① 《덩어리》 Erz *n.* -es, -e. ② 《갱》 Grube *f.* -n; Mine *f.* -n; Stollen *m.* -s, -.

③ 《광업》 Bergbau *m.* -s, -.
-광(狂) 《일》 -manie *f.*; -sucht *f.*; -trieb *m.*; 《사람》 Fanatiker *m.* -s, -; Schwärmer *m.* -s, -. ¶ 독서광 Büchersucht *f.*; Bibliomanie *f.* / 축구광 Fußballfanatiker *m.* -s, - / 영화광 der leidenschaftliche Kinobesucher, -s, - / 그는 댄스광이다 Er hat e-e wahre Manie für das Tanzen. ¦ Er ist verrückt〔wie toll〕 aufs Tanzen.
광각(光角) 〖물리〗 der optische Winkel, -s, -.
광각(光覺) Lichtempfindung *f.* -en; die optische Empfindung, -en.
광각(廣角) der breite Winkel, -s, -; Weitwinkel *m.* -s, -.
‖ ~렌즈 Breitwinkellinse *f.* -n; Weitwinkelobjektiv *n.* -s, -.
광갱(鑛坑) Grube *f.* -n; Mine *f.* -n; Schacht *m.* -(e)s, ⸚e. ¶ 그들은 ~으로 들어갔다 Sie fuhren in den Schacht.
광견(狂犬) der tolle〔tollwütige〕 Hund, -(e)s, -e. ‖ ~병 Toll¦wut〔Hunds-〕 *f.*; Rabies: ~병 예방주사 Hundswutimpfung *f.* -en.
광경(光景) Anblick *m.* -(e)s, -e; Bild *n.* -(e)s, -er; Ansicht *f.* -en; Szene *f.* -n; Schauspiel *n.* -(e)s, -e. ¶ ~을 보여주다 e-n Anblick bieten* / 희한한 ~ ein Bild〔ein Schauspiel〕 für Götter / 비참한 ~ Jammer¦anblick *m.* -(e)s, -e〔-bild *n.* -(e)s, -er〕 / 도착 ~을 방송하다 e-e Ankunftszene durch Radio übertragen* / 그 ~의 아름다움은 필설로 표현키 어렵다 Der Anblick ist über alle Beschreibung schön. / 그 ~은 무시무시한 것이었다 Es war ein gräßlicher Anblick.
광고(廣告) Reklame *f.* -n; Anzeige *f.* -n (일반적으로); Annonce [anɔ̃:sə] *f.* -n; Inserat *n.* -(e)s, -e (신문, 잡지 따위의); Bekanntmachung *f.* -en (사망 광고 따위); Werbung *f.* -en(광고선전); Lichtreklame(네온싸인). ~하다 (e-e) Reklame machen 《*für*⁴; *von*³》; e-e Anzeige auf|geben* 《*in*³ 보기: in der Zeitung 신문에》; e-e Anzeige〔e-e Annonce; ein Inserat〕 geben* 《*in*⁴ 보기: in die Zeitung》; an|zeigen⁴〔bekannt|machen⁴〕《*in*³》. ¶ 2단짜리〔전지(全紙) 크기의〕 ~ die zweispaltige〔ganzseitige〕 Anzeige / 신문에 ~를 냈읍니다 Wir haben e-e Anzeige in den Zeitungen erscheinen lassen. / 그 ~는 효과가 있었지요 Diese Anzeige hat sich als erfolgreich erwiesen.
‖ ~난 Anzeigenteil *m.* -(e)s, -e. ~료 Anzeigegebühr *f.* -en. ~업 Anzeige¦büro〔Reklame-〕 *n.* -s, -s. ~자 Anzeiger *m.* -s, - (신문의); Inserent *m.* -en, -en. ~전단(비라) Anschlag *m.* -s, ⸚e; Anschlagzettel *m.* -s, -; Plakat *n.* -(e)s, -e; Aushang *m.* -(e)s, ⸚e (포스터 등). ~탑 Litfaß¦säule〔Anschlag-〕 *f.* -n. ~판(板) Anschlag¦brett *n.* -(e)s, -er〔-tafel *f.* -n〕; Reklamefläche *f.* -n (담벼락 따위). 사망~ Todesanzeige *f.* -n.
광공업(鑛工業) die Bergbau- u. Manufakturindustrie, -n.
광구(光球) Photosphäre *f.* -n (=Strahlende Gashülle der Sonne).
광구(鑛區) Bergbaugebiet *n.* -(e)s, -e; Grubenfeld *n.* -(e)s, -er; Kohlenfeld *n.* -(e)s, -er (탄전); Abbaugebiet *n.* -(e)s, -e; Steinkohlengebiet *n.* -(e)s, -e.
광궤(廣軌) Normalspur *f.* -en; Vollspur (표준 광궤); Breitspur (전자 보다도 더 넓은 것). ¶ 독일의 철도는 표준 ~이다 Die deutsche Eisenbahn〔Die Deutsche Bundesbahn〕 ist normalspurig. ‖ ~철도 Normalspur¦bahn〔Breitspur-〕 *f.* -en.
광기(狂氣) Wahnsinn *m.* -(e)s; Irrsinn *m.* -(e)s; Geistes¦krankheit *f.* -en〔-gestörtheit *f.*; -störung *f.* -en〕; Umnachtung *f.* -en; Tobsucht *f.*; Verrücktheit *f.* -en. ¶ ~의 wahn¦sinnig〔irr-〕; geistesgestört; umnachtet; verrückt; 《미친듯한》 wahnwitzig; besessen; manisch; tobsüchtig.
광꾼(鑛—) 《광부》 Gruben¦arbeiter〔Minen-〕 *m.* -s, -; Bergmann *m.* -(e)s, ⸚er〔..leute〕; 《경멸적》 Kumpel *m.* -s, -.
광나다(光—) scheinend; glänzend; glitzernd; flimmernd; funkelnd; schimmernd. ¶ 광나지 않다 stumpf / 구두가 ~ die Schuhe glänzen / 그 돌은 금처럼 광이 난다 Der Stein glänzt wie Gold.
광내다(光—) polieren⁴; glänzend machen⁴; blank machen⁴; putzen; mangeln⁴ (세탁물을). ¶ 광내기 das Polieren*, -s; Politur *f.* -en; das Mangeln*, -s (세탁물의) / 광내는 기계 《세탁물의》 Mange *f.* -n; Mangel *f.* -n / 광내는 약 Poliermittel *n.* -s, - / 구두를 ~ Schuhe blank putzen.
광녀(狂女) die wahnsinnige〔irrsinnige; tolle; verrückte; geisteskranke; geistesgestörte〕 Frau, -en; die Wahnsinnige*; die Verrükte*; die Geisteskranke*.
광년(光年) 〖천문〗 Lichtjahr *n.* -(e)s, -e. ¶ ~으로 측정하다 nach Lichtjahren messen*.
광대 Komiker *m.* -s, -; Komödiant *m.* -en, -en (배우를 경멸하는 뜻으로도); 《남》 Schauspieler *m.* -s, -; 《여》 Schauspielerin *f.* -nen. ¶ ~가 되다 Schauspieler werden; 《무대에 서다》 die Bühne betreten*; vor der Rampe erscheinen*; auf der Bühne erscheinen*.
광대(廣大) ~하다 weit; ausgedehnt; weit ausgedehnt; geräumig; großräumig; weitläufig; kolossal; groß(artig) (sein). ¶ ~무변한 unbegrenzt; endlos; unendlich; unermeßlich / ~한 절 der großartige buddhistische Tempel / 기획 규모가 ~하다 Der Plan ist großartig.
광대나물 die stengel-umfassende Taubnessel, -n; *Lamium amplexicaule* (학명).
광대버섯 Pantherpilz *m.* -es, -e; Königsfliegenpilz; Krötenschwamm; *Amanita pantherina* (학명).
광대뼈 Wangenbein *n.* -(e)s, -e; Backenknochen *m.* -s, -; Jochbein *n.* -(e)s, -e. ¶ ~가 나온 얼굴 ein Gesicht 《*n.* -(e)s, -er》 mit spitzen〔vorspringenden〕 Backenknochen/ ~가 나오다 mit hervorstehenden Backenknochen sein.
광대수염(—鬚髥) 〖식물〗 e-e Art von Taubnessel, -n; *Lamium barbatum* (학명).
광도(光度) Lichtstärke *f.* -en. ¶ ~를 비교하다 die Lichtstärke vergleichen*.
‖ ~계 Lichtmesser *m.* -s, -; Photometer *n.* -s, -; Belichtungsmesser *m.* -s, -.
광도(狂濤) brausende〔stürmische; wilde〕 Wogen 《*pl.*》; die brandenden〔tobenden; wütenden〕 Wogen 《*pl.*》; die hochgehende See (격랑의 바다); Brandung *f.* -en (격랑).
광독(鑛毒) Kupfervergiftung *f.* -en; mineralische Vergiftung〔Besudelung〕 -en. ¶ ~의 피해 der Schaden 《-s, ⸚》 durch mineralische Abwässer.
‖ ~지역 eine durch giftige Abwässer geschädigte Gegend.
광란(狂亂) Wahnsinn *m.* -(e)s; Geistesver-

wirrung *f.* -en; Wildheit *f.* -en. ～하다 wahnsinnig werden 《*vor*³》; ganz wild sein; ⁴sich wie ein Wilder gebärden; außer ³sich geraten* ⓢ 《*vor*³》. ¶ ～의 rasend; toll; tobend.

광란(노도)(狂瀾(怒濤)) die tobende Wut des Meeres; die brandenden (brausenden) Wogen 《*pl.*》. ¶광란 노도를 헤치고 나아가다 gegen die Flut an|kämpfen; schlechte Verhältnisse in gute um|wandeln.

광량(光量) Strahlungsintensität *f.* -en.
‖ ～계 Aktinometer *n.* (*m*). ～측정기 Aktinograph *m.* ～측정(법) Aktinographie *f.* -n; Aktinometrie *f.* -n.

광력(光力) Leuchtkraft *f.*; Lichtstärke *f.* -n; 《촉광》 Kerzenstärke *f.* -n. ¶이 전등의 ～은 몇 촉입니까 Wieviel Kerzenstärke(n) hat die Lampe?
‖ ～계 Lichtmesser *m.* -s, -.

광림(光臨) Ihr werter Besuch *m.* -(e)s, -e. ～하다 *jn.* mit e-m Besuch zu beehren. ¶내일 ～의 영광을 얻고 싶습니다 Wir geben uns die Ehre, Sie morgen bei uns zu erwarten.

광막하다(廣漠―) weit u. breit; weit ausgedehnt; unendlich (unermeßlich) weit (sein). ¶광막한 바다의 표면 die ausgedehnte Oberfläche des Meeres / 광막한 초원 die weit ausgedehnte Wiese / 광막한 천공(天空) der unermeßliche Himmelsraum.

광망(光芒) 〖물리〗 Licht *n.* -(e)s, -er; Lichtstrahl *m.* -(e)s, -e.

광맥(鑛脈) Erzader *f.* -n; (Erz)gang *m.* -(e)s, ⸗e; Flöz *n.* -es, -e (석탄층). ¶채굴이 끝난 ～ der abgebaute Gang / 광석이 없는 ～ der taube Gang / ～을 발견하다 auf e-e Erzader stoßen* / ～을 찾다 nach Erz schürfen.
‖ 수직～ der seigere Gang.

광명(光明) ① Licht *n.* -(e)s, -e(r); Schein *m.* -(e)s, -e; Strahl *m.* -(e)s, -en; Glanz *m.* -es, -e; Flimmer *m.* -s, -. ② 《희망》 Lichtblick *m.* -(e)s, -e; Silberstreifen 《*m.* -s, -》 (am Horizont); Hoffnungsanker *m.* -s, -. ¶한가닥의 ～도 없다 k-n Schimmer e-r Hoffnung mehr sehen* (können*) / 전도는 ～으로 차 있다 e-e glänzende Zukunft haben / 생활에 ～을 주다 Licht ins Leben bringen* / 저 사람의 장래에 ～이 비쳤다 S-e Zukunft wurde von e-m Hoffnungsstrahl erhellt.

광명두 der hölzerne Lampenständer *m.* -s, -.

광명정대(光明正大) Gerechtigkeit *f.*; Rechtschaffenheit *f.*; 《불편 부당》 Unparteilichkeit *f.*; Unbefangenheit *f.*; 《무사》 Uneigennützigkeit. ☞ 공명(公明).

광목(廣木) der weiße Stoff 《-(e)s, -e》 aus Baumwolle.

광무(鑛務) Bergwerksangelegenheiten 《*pl.*》.
‖ ～국 Büro 《-s, -s》 für Bergwerksangelegenheiten. ～소(所) Amt 《-(e)s, ⸗er》 für Bergwerksangelegenheiten.

광물(鑛物) Mineral *n.* -s, -e (..lien). ¶ ～(성, 질)의 mineralisch / ～이 풍부한 지방 ein an Mineralien sehr reiche Gegend.
‖ ～계 Mineralreich *n.* -(e)s, -e. ～표본(실(室)) Mineraliensammlung *f.* -en. ～학 Mineralogie *f.*; Mineralienkunde *f.* : ～학자 Mineralog(e) *m.* ..gen, ..gen.

광반(光斑) 〖사진〗 Lichtfleck *m.* -(e)s, -e.

광배(光背) Lichtkreis *m.* -es, -e; vom Licht erhellter Kreis.

광범(廣範) ～하다 umfangreich; umfänglich; umfassend; ausgedehnt; weitreichend; weit (sein); 〖서술적〗 weit|reichen; weit|umfassen; e-n weiten Bereich decken. ¶ ～한 권한을 얻다 e-e weitreichende Befugnis bekommen* / 이 작가의 작품은 ～하다 Das Werk dieses Autors ist sehr umfangreich. ¦Er hat viel geschrieben.

광복(光復) Wiedererlangen der Unabhängigkeit. ～하다 die Unabhängigkeit gewinnen* (erkämpfen).
‖ ～절 der Unabhängigkeitstag Koreas (= gesetzlicher Feiertag am 15. August).

광부(鑛夫) Bergmann *m.* -(e)s, ..leute; Grubenarbeiter *m.* -s, -; Bergknappe *m.* -n, -n; Minen¦arbeiter (Berg-) *m.* -s, -.

광분(狂奔) ～하다 ⁴sich mit Eifer betätigen 《*an*³; *bei*³》; ⁴sich viel ab|geben* 《*mit*³》; ⁴sich verzweifelt beschäftigen 《*mit*³》; auf der Jagd sein 《*nach*³》 (무엇인가를 찾아서); 《분주》 versessen sein 《*auf*⁴》; toll sein《*auf*⁴; *nach*³》; ⁴sich sehr anstrengen(꽤 노력함).

광산(鑛山) Bergwerk *n.* -(e)s, -e; Mine *f.* -n.
‖ ～기사 Bergingenieur [..ø:r] *m.* -s, -e. ～노동자 Berg¦arbeiter (Minen-) *m.* -s, -; Bergmann *m.* -(e)s, ..leute. ～업 Berg¦bau (Minen-) *m.* -(e)s. ～왕 Bergbau¦könig (Minen-) *m.* -(e)s, -e (*od.* -magnat *m.* -en, -en).

광산물(鑛産物) Mineralprodukt *n.* -s, -e.

광산지(鑛産地) das erzreiche Gebiet, -(e)s, -e; der an Mineralstoffen reiche Bezirk, -s, -e.

광상(鑛床) (Erz)lager¦statt *f.* -(-stätte *f.*-n); Bett *n.* -(e)s, -en; Lager *n.* -s, -.

광상곡(狂想曲) Rhapsodie *f.* -n [..dí:ən].
‖ ～작자 Rhapsodist *m.* -en, -en. 헝가리～ die ungarische Rhapsodie.

광석(鑛石) Erz *n.* -es, -e; Gestein *n.* -(e)s, -e; Mineral *n.* -s, -e (..lien).
‖ ～검파기 (Kristall)detektor *m.* -s, -en. ～수신기 Kristallempfänger *m.* -s. -.

광선(光線) (Licht)strahl *m.* -(e)s, -en. ¶ ～ 모양의 strahlen¦förmig (-artig) / ～의 반사 Strahlenreflexion *f.* -en; Rückstrahlung *f.* -en / ～의 굴절 Strahlenbrechung *f.* -en/ ～을 발하다 (aus|)strahlen; Strahlen 《*pl.*》 aus|senden*.
‖ ～분석(分析) Spektralanalyse *f.* -n. ～요법 Strahlentherapie *f.* 엑스～ X-Strahlen 《*pl.*》.

광세(曠世) ～하다 epochemachend; unvergleichlich; unvergleichbar; beispiellos; ohnegleichen (sein). ¶ ～의 재사 ein Mann von unvergleichlichem Talent.

광속(도)(光速(度)) Lichtgeschwindigkeit *f.*
‖ ～상수(常數) Lichtgeschwindigkeitskonstante *f.*

광쇠(光―) e-e Art von Schnitzmesser.

광수(鑛水) Mineralwasser *n.* -s; Wasser aus e-r Heilquelle.

광시(狂詩) Parodie *f.* -n [..dí:ən]; Scherzgedicht *n.* -(e)s, -e; Satire *f.* -n.
‖ ～곡 Rhapsodie *f.* -n [..dí:ən].

광신(狂信) Fanatismus *m.* -; (die religiöse) Schwärmerei *f.* -en. ¶ ～적인 fanatisch; schwärmerisch.
‖ ～자(者) Fanatiker *m.* -s, -; Glaubensschwärmer *m.* -s, -.

광심(光心) 〖물리〗 das optische Zentrum, -s, ..tren.

광야(廣野) die weite (ausgedehnte) Ebene, -n (Fläche, -n); das endlose Feld, -(e)s, -er;

Wildnis *f.* ..nisse.

광양자(光量子) 〖물리〗 Lichtquant *n.* -s, -en; Lichtquantum *n.* -s, ..ten (..ta); Photon *n.* -s, ..tonen.

광어(廣魚) der getrockene Plattfisch, -es, -e.

광언(狂言) wahnsinniges Gerede *n.* -s; die verrückte Bemerkung, -en.
‖ ~망설(妄說) völliger Unsinn, -(e)s.

광업(鑛業) Bergbau *m.* -(e)s; Bergbauindustrie *f.* -.
‖ ~가 Bergbesitzer *m.* -s, -. ~권 Bergbau¦recht (Berg-) *n.* -(e)s, -e. ~법 Berggesetz *n.* -es, -e. ~세(稅) Bergbausteuer *f.* -n; Bergwerkabgabe *f.* -n. ~회사 Berggesellschaft *f.* -en.

광역(廣域) ¶ ~ 생활권에 살다 in e-m Großraum leben.
‖ ~경제 Großraumwirtschaft *f.*; die großräumige Ökonomie, -n. ~수사 Großraumfahndung *f.* -en.

광열비(光熱費) Beleuchtungs- u. Heizungskosten 《*pl.*》; Kosten 《*pl.*》 für Licht und Heizung.

광우리장수 Straßenhändlerin 《*f.* -nen》, die ihre Waren in e-m Korb auf dem Kopf trägt.

광원(光源) 〖물리〗 Lichtquelle *f.* -n.

광유(鑛油) Mineralöl *n.* -(e)s, -e.

광음(光陰) Zeit *f.* ¶ ~을 아끼다 die Zeit aus|nutzen; k-e Minute unbenutzt lassen* / ~은 화살 같도다 Pfeilschnell fliegt die Zeit dahin.

광의(廣義) der weitere Sinn, -(e)s, -e. ¶ ~로 해석하다 im weiteren Sinne verstehen* (aus|legen).

-광이 Person *f.* -en. ¶ 느리~ Nölpeter *m.* -s, -; Säumer *m.* -s, -.

광인(狂人) der Irrsinnige*, -n, -n; der Verrückte; der Geisteskranke. ☞ 미치광이.

광자(光子) 〖물리〗 Photon *n.* -s, -en.

광장(廣場) (der freie) Platz, -es, ⸚e.
‖ 역전~ Bahnhofsplatz *m.* -es, ⸚e.

광재(鑛滓) Schlacke *f.* -n. ¶ 난로에서 ~를 소제하다 den Ofen von der Schlacke reinigen.

광적(狂的) wahnsinnig; irrsinnig; verrückt; geisteskrank; toll; rasend; 《광신적》 fanatisch; schwärmerisch. ¶ ~인 계획 e-n wahnsinniger Plan; ein wahnsinniges Unternehmen (Unterfangen) / ~인 속도 ein irrsinniges Tempo.

광전관(光電管) Photozelle *f.* -n; die lichtelektrische Zelle, -n.

광전자(光電子) Photoelektron *n.* -s, -en.

광점(光點) 〖사진〗 Lichtpunkt *m.* -(e)s, -e; der leuchtende Punkt, -(e)s, -e.

광정(匡正) Besserung *f.* -en; Verbesserung *f.* -n; 《나쁜 버릇의》 Heilung *f.* -en. ~하다 verbessern; heilen.

광조(狂躁) ~하다 lärmend (ungestüm; wild; rasend) sein.

광주리 der runde Korb, -(e)s, ⸚e (aus Bambus, Weide, *usw.*).

광중(壙中) Grab *n.* -es, ⸚er; Grube 《*f.* -n》 für ein Grab. ⌈*f.* -en.

광중합(光重合) 〖화학〗 Photopolymerisation

광증(狂症) Irr¦sinn (Wahn-) *m.* -(e)s; Geisteskrankheit *f.* -en; Geistesstörung *f.* (정신 장애).

광차(鑛車) Lore *f.* -n; Förder¦wagen (Roll-) *m.* -s, -; Zugkarre *f.* -n. ¶ 석탄을 ~에 삽으로 싣다 Kohlen in e-e Lore schaufeln.

광채(光彩) Glanz *m.* -es; (Licht)schein *m.* -(e)s, -e; Ruhm *m.* -(e)s (명성). ¶ ~가 나는 glänzend; blendend; strahlend; ruhm¦reich (-voll) (명성의) / ~를 발하다 glänzen; leuchten; strahlen; Glanz ((Licht)schein) von [3]sich geben*; [4]sich ruhmreich (ruhmvoll) betätigen (명성을 떨치다).

광천(鑛泉) ① Mineralquelle *f.* -n. ② 《음료》 Mineralwasser *n.* -s, ⸚.

광체(光體) Leucht¦körper (Licht-) *m.* -s, -; der leuchtende (helle; luminöse) Körper.

광축(光軸) 〖물리〗 die optische Achse, -n.

광층(鑛層) Erzschicht *f.* -en.

광치다(光—) 《광내》 scheinen (glänzen; schimmern) lassen*; 《떠벌리다》 übertreiben*; auf|schneiden*; groß sprechen*; Wind machen.

광탄(光彈) 〖군사〗 Leuchtgeschoß *n.* ..schosses, ..schosse; Leuchtkugel *f.* -n.

광태(狂態) Schamlosigkeit *f.* -en; Unanständigkeit *f.* -en; Perversität *f.* -en (성적인).
¶ ~를 부리다 [4]sich unmöglich benehmen*; [4]sich schamlos (unanständig) betragen*; [4]sich lächerlich machen.

광택(光澤) Glanz *m.* -es; Glätte *f.*; Politur *f.* -en. ¶ ~이 나는 glänzend; glatt; poliert/ ~이 없는 matt; glanzlos; trüb(e).
‖ ~기(機) Kalander *m.* -s, -; Glättmaschine *f.* -n. ~지(紙) festes, glattes Papier, -s.

광파(光波) 〖물리〗 Lichtwelle *f.* -n.
‖ ~로켓 Photorakete *f.* -n.

광포(狂暴) 《광포성》 Wildheit *f.* -en; Wut *f.*; das Toben*, -s; Raserei *f.* -en. ~하다 wild; wütend; tobend; rasend; ungestüm (sein). ¶ ~를 부리다 toben; wüten; rasen.

광폭(廣幅) ‖ ~직(織) der Stoff 《-(e)s, -e》 von doppelter Breite.

광풍(狂風) Stoßwind *m.* -(e)s, -e.

광학(光學) 〖물리〗 Optik *f.*; Lichtlehre *f.* ¶ ~의 optisch.
‖ ~기계 optisches Instrument, -(e)s, -e.

광한(狂漢) der Wahnsinnige* (Verrückte*; Geisteskranke*) -n, -n.

광행차(光行差) 〖천문〗 Aberration *f.* -en.
‖ 혹성~ Planetenaberration *f.* -en.

광협(廣狹) Weite *f.* -en; Breite *f.* -n; Ausdehnung *f.* -en.

광화학(光化學) 〖화학〗 Photochemie *f.* ¶ ~의 photochemisch.
‖ ~스모그 photochemischer Smog, -(s), -s. ~평형 das photochemische Gleichgewicht, -(e)s, -e.

광활(廣闊) Geräumigkeit *f.*; die Weite, -n; Ausdehnung, -en; Umfang *m.* -(e)s, ⸚e. ~하다 geräumig; weit; ausgedehnt; umfangreich (sein).

광휘(光輝) Glanz *m.* -es, -e; Schein *m.* -(e)s, -e; Strahlung *f.* -en; Glorie *f.* -n. ¶ ~롭다 glänzend; strahlend; glanzvoll; glorreich; ruhmreich (sein).

광희(狂喜) Freuden¦rausch *m.* -es, ⸚e (-taumel *m.* -s, -); das Frohlocken*, -s. ~하다 außer [3]sich vor Freude sein; vor Freude springen* [s] (hüpfen [s]; tanzen); frohlocken 《*über*[4]》; vor Freude (herum|)tollen [s,h].

괘(卦) Trigramm 《*n.* -s, -e》 des Buchs der Wandlungen; Divination *f.* -en.

괘경(掛鏡) der hängende Spiegel (Wandspiegel) -s, -.

괘관(掛冠) Amtsniederlegung *f.* -en; Rücktritt *m.* -(e)s, -e. ～하다 sein Amt nieder|legen; von s-m Amt zurück|treten*ⓢ.

괘괘(이)떼다 entschieden (bestimmt; klar; deutlich; ausdrücklich; offen; freiheraus; rund) ab|schlagen*[34].

괘그르다(卦—) mißlingen* ⓢ; Unglück haben* (im Geschäft); schlecht aus|gehen* ⓢ; fehl|schlagen*.

괘광스럽다 querköpfig; starrköpfig; engherzig (sein).

괘념(掛念) ¶ 몸차림에 ～하다 [4]sich um s-e Kleidung kümmern / 그런 일에 나는 ～않는다 Das ist mir gleichgültig.

괘다리적다, 괘달머리적다 《무무하다》 roh; gemein; grob; niedrig; 《뻔뻔스럽다》 frech; unverschämt; keck; anmaßend (sein).

괘도(掛圖) Wandkarte *f.* -n (지도); Wandbild *n.* -(e)s, -er (도표 따위).

괘력(掛曆) Wandkalender *m.* -s, -.

괘사 Witz *f.* -n; Grille *f.* -n; Launenhaftigkeit *f.* -en; Scherz *m.* -es, -e; Spaß *m.* -es, ⸚e; Posse *f.* -n. ¶ ～를 떨다 Possen reißen*; Scherz treiben* (machen); Spaß machen (treiben*) / ～스럽다 scherzhaft (spaßhaft; possenhaft; drollig) (sein).

괘씸하다 ungebührlich; unhöflich; unverschämt; frech; lasterhaft; schändlich; gemein; niederträchtig; unverzeihlich (sein). ¶ 괘씸하게 행동하다 [4]sich schlecht (ungehörig) benehmen* / 그것은 괘씸한 일이다 Das ist ja unerhört (empörend).

괘장 plötzliche (unvermittelte) Änderung 《-en》 (Wechsel *m.* -s, -) im Verhalten. ～부치다 unvermittelt s-e Haltung ändern. ¶ 무슨 ～인지 알 수 없다 Gott weiß, was in ihn gefahren ist (was auf einmal mit ihm los ist). ⌈-en.

괘종(掛鐘) Hängeuhr *f.* -en; Wanduhr *f.*

괘지(罫紙) lin(i)iertes Papier, -s, -e; Linienpapier *n.* -s, -e.

괜찮다 《나쁘잖다》 nicht (so) schlecht; leidlich; annehmbar; erträglich; gut; schön; 《상관없다》 gleichgültig; egal; einerlei (sein); 《무방하다》 dürfen*; können*; mögen*. ¶ 괜찮게 살다 in guten Verhältnissen leben; wohlhabend (wohl situiert) sein / 괜찮습니다 Schon gut! ¦ Es macht nichts. ¦ Laß gut sein! ¦ Mach dir nichts draus! ¦ Schon in Ordnung! ¦ Kümmern Sie sich nicht darum! / 나는 괜찮습니다 Ich habe nichts dagegen. ¦ Von mir aus ja (nichts dagegen). ¦ Meinetwegen! / 당신만 괜찮으시다면 wenn Sie nichts dagegen haben; wenn es Ihnen bloß recht ist / 아무래도 ～ Das ist mir gleichgültig (einerlei; egal; Wurst 《속어》). ¦ Es kann mir gestohlen bleiben (sein). ※ 주어를 사람으로 하면 「저런 자식은…」의 뜻 / 〖조동사를 사용해서〗 이젠 돌아가도 괜찮습니까 Darf ich schon gehen? / 오셔도 괜찮습니다 Sie können ruhig kommen. / 무엇을 말해도 ～ 《만하고 싶은 것을 말하게 내버려 두어라》 Mag er sagen, was er will.

괜하다 nutzlos; unnütz; zwecklos; sinnlos; unbrauchbar; unbegründet; vergeblich (sein). ¶ 괜한 말 nutzlose Worte; nutzloses Gerede / 괜한 욕 grundloser Tadel, -s, - / 괜한 수고 vergebliche Mühe, -n / 괜한 약속 leere Versprechung, -en.

괜히 ¶ 그런 식으로 사과하시면 ～ 의심만 받게 됩니다 Durch derartige Entschuldigungen machen Sie sich unnötig verdächtig.

괭이 Hacke *f.* -n; Haue *f.* -n.

괭이갈매기 〖조류〗 Seemöwe *f.* -n.

괴(塊) 《덩이》 Klumpen *m.* -s, -; 《병》 Geschwulst *f.* ⸚e; Tumor *m.* -s, -en.

괴걸(怪傑) e-e außerordentliche (ungewöhnliche) Person, -en; Wunderkind *n.* -(e)s, -er (어린 아이). ¶ 당대의 ～이었다 Er war ein hervorragender Held seiner Zeit.

괴경(塊莖) 〖식물〗 Knolle *f.* -n; Knollen *m.* -s, -.

‖ ～식물 Knollengewächs *n.* -es, -e.

괴괴망측하다(怪怪罔測—) ① 《야릇함》 fremdartig; ungewöhnlich; seltsam; merkwürdig (sein). ② 《흉측하다》 scheußlich; gräßlich; schrecklich; skandalös (sein). ¶ 괴괴망측한 풍설 ein skandalöses (wildes) Gerücht, -(e)s, -e / 괴괴망측한 일 seltsame (merkwürdige; scheußliche) Sache, -n (Angelegenheit, -en).

괴괴하다 still; ruhig; lautlos; stumm; geräuschlos; öde (sein). ¶ 괴괴한 거리 eine ruhige (öde; verlassene) Straße, -n / 괴괴한 밤 stille (ruhige) Nacht, ⸚e.

괴기(怪奇) Sonderbarkeit *f.*; Geheimnis *n.* ..nisses, ..nisse; Rätsel *n.* -s, -.

‖ ～소설 Mysteriengeschichte *f.* -n; Kriminalroman *m.* -(e)s, -e (추리 소설).

괴까다롭다 wählerisch; anspruchsvoll mäklerisch (sein). ¶ 괴까다로운 사람 ein schwieriger Mensch, -en, -en.

괴깔 《천의》 Noppe *f.* -n; Haar 《*n.* -(e)s, -e》 (Flaum *m.* -(e)s) (am Tuche); 〖속어〗 Fussel *f.* -n. ¶ ～이 선 flockig; fuselig / ～을 세우다 ein Tuch (auf|)rauhen; e-n Filz rauhen / ～을 떼내다 ein Tuch noppen.

괴끼 Büschel (von Getreide) *n.* -s, -.

괴나리(봇짐) (beim Wandern, auf der Reise) auf dem Rücken getragenes Bündel 《, -s, -》.

괴다[1] 《정체됨》 stocken; [4]sich stauen; still|stehen*; stagnieren. ¶ 괸 물 Pfützenwasser *n.* -s; stehendes Wasser, -s / 물이 ～ das Wasser steht.

괴다[2] 《발효》 gären(*); 《가스 등이》 [4]sich entwickeln.

괴다[3] ① 《받치다》 stützen; tragen*. ¶ 상다리를 돌로 ～ unter e-n Tischbein e-n Stein unter|legen / 쓰러져 가는 벽을 기둥으로 ～ eine baufällige Wand mit Pfosten stützen/ 손으로 머리를 ～ den Kopf in die Hände stützen. ② 《쌓다》 auf|türmen; auf|stapeln. ¶ 쟁반에 떡을 ～ eine Menge Reiskuchen auf einem Teller auf|türmen. ③ 《담다》 vorsichtig (höflich) älteren Leuten die Schüssel mit Essen an|füllen.

괴다[4] ① 《사랑하다》 lieben; lieb haben; liebkosen; hätscheln. ② 《사랑받다》 geliebt werden 《von *jm.*》; bei *jm.* in Gunst stehen*; *js.* Liebling sein.

괴담(怪談) Geister¦geschichte (Spuk-; Gespenster-) *f.* -n; gruselige Geschichte, -n.

괴대(拐帶) das Durchbrennen*, -s 《*mit*[3]》. ～하다 durch|brennen* 《*mit*[3]》; [4]sich aus dem Staube machen 《*mit*[3]》.

괴덕 Respektlosigkeit *f.*; Keckheit *f.* -en. ～부리다 [4]sich vorlaut (respektlos; leichtfertig; frech) benehmen. ～스럽다 vorlaut; frech (sein).

괴도(怪盜) geheimnisvoller (rätselhafter) Dieb, -(e)s, -e.

괴란(壞亂) Korruption (Verdorbenheit; Zerstörung) *f.* -en; Sittenverfall *m.* -s. ~하다 verderben*; korrumpieren; zerstören. ¶ 풍속을 ~하다 Sitten verderben / 사회 질서를 ~하다 die soziale Ordnung zerstören.

괴력(怪力) herkulische (erstaunliche) (Körper)kraft, ⸗e; Riesenstärke *f.*

괴로와하다 leiden* 《*an*[3]》(병으로); leiden* 《*unter*[3]》(장애로); 《고뇌하다》 [4]sich quälen (ab|plagen; ab|quälen); 《아파》 Schmerz empfinden* (fühlen); 《슬퍼서》 [4]sich betrüben; [4]sich kümmern; 《난처하다》 verlegen (verwirrt) sein; ratlos sein; 《곤궁하다》 Not leiden*; in [3]Not sein; dürftig liegen; 《고심하다》 [4]sich bemühen; [3]sich [4]Mühe geben*; [4]sich an|strengen. ¶ 갈증으로 ~ unter [3]Durst leiden*.

괴로움 ① 《고통》 Schmerz *m.* -es, -en; Qual *f.* -en; Weh *n.* -s, -e; Pein *f.* ② 《병고》 Leiden *n.* -s, -; 《가책》 Marter *f.* -n; Folter *f.* -n; 《근심》 Kummer *m.* -s; 《곤경》 Mühsal *f.* -e; Not *f.* ⸗e. ¶ 죽음의 ~ Todesschmerz *m.* -es, -en (-pein *f.*; -qual *f.* -en; -angst *f.* ⸗e) / 해산의 ~ Geburtsschmerzen 《*pl.*》; Geburtswehen 《*pl.*》(진통) / 양심의 ~ Gewissens¦bisse 《*pl.*》 (-qual *f.* -en; -angst *f.* ⸗e) / 일생의 ~ lebenslängliche Qual / 가난의 ~을 알다 die Not der [2]Armut kennen|lernen / 내 입장의 ~을 살펴 주시오 Versetzen Sie sich doch in m-e schwierige Lage!

괴롭다 ① 《고통》 schmerz¦haft (-lich); qualvoll; peinigend; weh (sein). ② 《곤란함》 schwer; mühsam; mühselig; schwierig; hart; 《딱함》 qualvoll; peinlich; 《낭패한》 verlegen; verwirrt; 《곤궁함》 dürftig; notleidend; elend; kümmerlich (sein). ¶ 괴로운 일 harte (mühselige; mühevolle) Arbeit, -en / 괴로운 입장 schwierige (peinliche) Lage, -n; Klemme *f.* -n / 괴로운 변명 schlechte Entschuldigung, -en / 괴로운 나머지 von [3]Schmerz getrieben; vor [3]Qual; 《절망해서》 aus [3]Verzweiflung / 괴로운 입장에 있다 in e-r schwierigen Lage sein / 그와 헤어지는 것이 ~ Es fällt mir schwer, mich von ihm zu trennen. / 돈이 없다는 것은 괴로운 일이다 Es ist schwer (bitter; traurig), daß man kein Geld hat.

괴롭히다 ① quälen[4]; plagen[4]. ② 《귀찮게 굴다》 peinigen[4]; belästigen[4]; verfolgen[4](박해하다); 《가책하다》 martern[4]; foltern[4]; 《학대하다》 mißhandeln[4]; schlecht behandeln[4]. ③ 《슬프게 하다》 betrüben[4]; bekümmern[4]. ¶ 양친을 ~ s-n [3]Eltern [4]Sorge machen; s-e Eltern betrüben / 몸을 ~ [4]sich kasteien (고행으로) / 마음을 ~ [4]sich bekümmern; [4]sich besorgen; [4]sich ab|quälen; [4]sich sorgen 《*um*[4]》; *jm.* schwer auf die [4]Seele fallen* ⓢ / 괴롭혀서 죄송합니다 Es tut mir leid, Ihnen soviel Mühe gemacht zu haben. / 그는 쓸데없는 질문으로 늘 나를 괴롭힌다 Er belästigt mich fortwährend mit s-n dummen Fragen.

괴뢰(傀儡) 《인형》 Puppe *f.* -n; Marionette *f.* -n; 《도구》 Werkzeug *n.* -s, -e; Handlanger *m.* -s, -. ¶ …의 ~가 되다 *jm.* als Werkzeug dienen.
‖ ~사 Puppen¦spieler (Marionetten-) *m.* -s, -; 《흑막》 Drahtzieher *m.* -s, -; Hintermann *m.* -(e)s, ⸗er; der Mensch 《-en, -en》 hinter den Kulissen 《*pl.*》. ~정부 Marionettenregierung *f.* -en.

괴리(乖離) Entfremdung *f.* -en; Abwendung *f.* -en; Abneigung *f.* -en. ~하다 [4]sich entfremden[3]; [4]sich ab|wenden* 《*von*[3]》.

괴망(怪妄) Ungeheuerlichkeit *f.*; Scheußlichkeit *f.*; Anrüchigkeit *f.* ~하다, ~스럽다 ungeheuer; scheußlich; anrüchig; skandalös (sein).

괴멸(壞滅) Vernichtung *f.* -en; Verwüstung *f.* -en; Zerstörung *f.* -en; Ruin *m.* -s(붕괴); Umsturz *m.* -es, ⸗e; Zusammenbruch *m.* -(e)s, ⸗e. ~되다 zu [3]Staub zerfallen* ⓢ; zerstört (verwüstet) werden; zusammen|brechen*. ~시키다 verheeren[4]; völlig zerstören[4]. ¶ ~적 타격 ein vernichtender Schlag, -(e)s, ⸗e.

괴문서(怪文書) e-e verdächtige Urkunde, -n; ein skandalöses Schriftstück, -es, -e; e-e strafbare Veröffentlichung, -en.

괴물(怪物) Ungeheuer *n.* -s, -; Monstrum *m.* -s, ..stren (..stra); die unheimliche Erscheinung, -en (요괴, 화신(化身)); 《유령》 Gespenst *n.* -es, -er; Geist *m.* -es, -er; Scheusal *n.* -s, -e (요괴); Fabeltier *n.* -s, -e (신화, 전설 따위의 동물); ein rätselhafter Mensch, -en, -en (정체를 모르는 사람).

괴발개발 ¶ ~ 그리다 kritzeln; schlecht schreiben*.

괴배다(塊—) 〖한의〗 eine Geschwulst im Bauch bekommen*.

괴벽(乖僻) Exzentrizität *f.* -en; Absonderlichkeit *f.* -en; Überspanntheit *f.* -en; Verschrobenheit *f.* -en. ~하다, ~스럽다 exzentrisch; absonderlich; überspannt; verschroben (sein).

괴변(怪變) ein seltsamer (sonderbarer) Zufall, -s, ⸗e; ein ungewöhnliches Mißgeschick, -s.

괴병(怪病) eine rätselhafte Krankheit, -en.

괴불(주머니) ein Schmuckgeldbeutel 《*m.* -s, -》, der mit bunten Bändern an den Gürtel e-s Jungen* angehängt wird (am Gürtel befestigt wird).

괴사(怪死) verdächtiger (seltsamer) Tod, -(e)s, -e.

괴사(怪事) e-e seltsame (außergewöhnliche) Sache, -n; e-e seltsame (unheimliche) Begebenheit, -en.

괴상(塊狀) ¶ ~의 knollig; knollicht; klumpig; klümperig (작은 덩어리의); bollig (괴경상(塊莖狀)의).
‖ ~용암 Massiv *n.* -(e)s, -e.

괴상야릇하다(怪常—) sehr (recht) ungewöhnlich; ganz fremd; seltsam; recht sonderbar; eigentümlich (sein).

괴상하다(怪常—) wunderlich; bizarr; komisch (sein).

괴석(怪石) ein seltsam geformter Stein, -s, -e.

괴수(怪獸) Ungeheuer *n.* -s, -; Scheusal *n.* -(e)s, -e; Fabeltier *n.* -(e)s, -e.

괴수(魁首) Rädelsführer *m.* -s, -; (Haupt-) anführer *m.* -s, -.

괴이다 ① 《받쳐지다》 gestützt werden; verstrebt werden. ② 《쌓이다》 aufgetürmt (aufgestapelt) werden; [4]sich an|häufen.

괴이쩍다(怪異—) =괴이하다.

괴이찮다(怪異—) nicht seltsam (ungewöhnlich); natürlich; wie erwartet (sein). ¶ 그가 성내는 것은 ~ Es ist ganz natürlich, daß er sich ärgert.

괴이하다(怪異—) fremdartig; seltsam; un-

gewöhnlich; wunderlich; mysteriös; verdächtig (괴상한); geisterhaft (유령 같은); unheimlich (불쾌한); 《두려운》 grausig (sein).
괴인물(怪人物) ein rätselhafter (mysteriöser) Mensch, -en, -en.
괴좆나무 (chinesischer) Bocksdorn *m.* -s; *Lycium chinense* (학명).
괴질(怪疾) ① 《원인불명의 병》 Krankheit 《*f.* -en》 unbekannter Ursache; eine mysteriöse (rätselhafte) Krankheit. ② 《콜레라》 Cholera *f.*
괴짜(怪一) Sonderling *m.* -s, -e; der seltsame Kauz, -es, ⸗e; Eigenbrötler *m.* -s, -; Original *n.* -s, -e; der Ungesellige*, -n, -n.
괴철(塊鐵) Wolfs¦eisen (Luppen-) *n.* -s.
괴춤 die Fläche zwischen Bauch u. Gürtel (in einer männlichen Unterhose).
괴탄(塊炭) Klumpenkohle *f.* -n.
괴통 《자루를 박는 구멍》 das Loch 《-s, ⸗er》 für den Griff von Speer, Spaten, Hacke.
괴팩스럽다 exzentrisch; absonderlich (sein).
괴팍(乖愎) Exzentrizität *f.* -en. ～하다 =괴팩스럽다.
괴한(怪漢) ein verdächtiger Mensch, -en, -en (Kerl, -s, -e); 《폭한》 Gewalttäter *m.* -s, -; ein roher (brutaler) Mensch.
괴혈병(壞血病) Skorbut *m.* -(e)s; Scharbock *m.* -s. ¶ ～의 skorbutisch.
괴형(塊形) = 괴상(塊狀).
괴화(怪火) ungewöhnliches (wunderliches; seltsames) Feuer, -s, - (이상한 불); Irrlicht *n.* -(e)s, -er (도깨비불); ein verdächtiges Feuer (수상한 화재).
굄[1] 《총애》 Gunst *f.*; Gnade *f.* -n; Zuneigung *f.* -en; Bevorzugung *f.* -en; Begünstigung, -en; Vorliebe *f.* ¶ 굄을 받다 bei *jm.* in Gunst stehen*; bei *jm.* beliebt sein; *js.* Gunst genießen*.
굄[2] 《받침》 Pfosten *m.* -s, -; Stütze *f.* -n; Strebe *f.* -n.
굄대 Stock 《*m.* -(e)s, ⸗e》 zum (Ab)stützen*; Stütze *f.* -n; Strebe *f.* -n.
굄돌 Steinstütze *f.* -n.
굄목 (Holz)stütze *f.* -n.
굄새 Art 《*f.* -en》, wie etwas gestützt wird; Stützart; Kunst 《*f.* ⸗e》 Kuchens auf dem Teller aufzustapeln.
굄질 das Aufstapeln* 《-s》 des Kuchens auf dem Teller.
굉굉(轟轟) ～하다 brausend; brüllend; donnernd; dröhnend; tosend; unter [3]Gebrause (Gebrüll; Gedonner; Gedröhn; Getöse) (sein). ¶ ～히 lärmend; aufgebracht; aufwallend; tobend; ungestüm / ～한 소리에 천지가 무너지는 듯하다 Es herrschte ein Höllenlärm.¦Die Hölle schien los.
굉대(宏大) ～하다 groß; weit; ausgedehnt; geräumig; kolossal (sein). ¶ ～ 무변한 unbegrenzt; unendlich; endlos.
굉연(轟然) ¶ ～한 donnernd; dröhnend; krachend; schmetternd / ～히 mit lautem Knall; fürchterlich dröhnend.
굉음(轟音) Krach *m.* -(e)s, -e; Brausen *n.* -s, -; Dröhnen *n.* -s, -. ¶ ～을 내며 mit e-m lauten Krach; dröhnend; brausend.
굉장하다(宏壯一) großartig; herrlich; imposant; majestätisch; überwältigend (sein). ¶ 굉장히 außer¦gewöhnlich (-ordentlich); besonders / 굉장히 싼 spottbillig / 굉장히 좋은 ganz besonders gut / 굉장한 일 Riesenarbeit *f.* -en / 굉장한 성과 e-e großartige Leistung, -en / 굉장한 차이 der gewaltige (himmelweite; wesentliche) Unterschied, -(e)s, -e / 그는 굉장히 발전했다 Er hat sich (darin) selbst weit übertroffen.
굉침(轟沈) Versenken 《*n.* -s》 durch Bombardement (Explosion). ～하다 durch Bombardement (Explosion) sinken* (versenkt werden).
굉활(宏闊) Geräumigkeit *f.*; Weite *f.* -n; Ausdehnung *f.* -en; Umfang *m.* -(e)s, ⸗e. ～하다 geräumig; weit; ausgedehnt; umfangreich (sein).
교(敎) Glaube(n) *m.* ..bens, -n; Religion *f.* -en; Lehre *f.* -n; -ismus *m.* -. ¶ 교를 믿다 e-e Religion haben; (an) e-e Religion glauben. ‖ 예수교 Christentum *n.* -s.
교가(校歌) Schullied *n.* -(e)s, -er.
교각(交角) 〖수학〗 Schnittwinkel *m.* -s, -.
교각(橋脚) Brücken¦träger *m.* -s, - (-balken *m.* -s, -); Brückenpfeiler *m.* -s, -.
교각살우(矯角殺牛) das Kind mit dem Bad aus¦schütten.
교감(交感) Sympathie *f.* -n [..tíːən]. ‖ ～신경 sympathischer Nerv, -s, -en; Sympathikus *m.* -.
교감(校監) Hauptlehrer *m.* -s,-; Oberstudienrat *m.* -(e)s, ⸗e; Studiendirektor *m.* -s, -en (고교의); Konrektor *m.* -s, -en (국교, 중학의).
교갑(膠匣) Kapsel *f.* -n.
교골(交骨) 〖해부〗 Scham¦bein (Becken-) *n.* -(e)s; Beckenknochen *m.* -s, -.
교과(敎科) Lehrgang *m.* -(e)s, ⸗e; Lehrfach *n.* -(e)s, ⸗er.
‖ ～과정 Lehrplan *m.* -(e)s, ⸗e. ～서 Lehrbuch (Schul-) *n.* -(e)s, ⸗er: ～서판 Schulausgabe *f.* -n.
교관(敎官) Lehrer *m.* -s, -; Schul¦mann *m.* -(e)s, ⸗er (-meister *m.* -s, -); Dozent *m.* -en, -en; Lektor *m.* -s, -en [..tóːrən]; Studienrat *m.* -(e)s, ⸗e (고등학교의).
‖ 군사～ der militärische Lehrer, -s, -.
교교하다(皎皎一) hell; licht; glänzend; strahlend (sein). ¶ 교교한 달 der helle Mond, -(e)s, -e.
교구(敎具) Lehrmittel *n.* -s, -; Unterrichtsgerät *n.* -(e)s, -e; Hilfsmittel zur Ausbildung (Schulung).
교구(敎區) Kirch(en)¦gemeinde (Pfarr-) *f.* -n. ‖ ～민 Pfarrkind *n.* -(e)s, -er; Gemeindemitglied *n.* -(e)s, -er. ～장로 der Kirchenälteste*, -n, -n. ～회 Gemeindeversammlung *f.* -en; Kirchenrat *m.* -(e)s.
교군(轎軍) 《가마》 Sänfte *f.* -n; Trag¦sessel *m.* -s, - (-stuhl *m.* -s, ⸗e); 《가마꾼》 Sänfteträger *m.* -s, -. ¶ ～을 타다 eine Sänfte benutzen.
교권(敎權) 《교회의》 die kirchliche Gewalt, -en; die kirchliche Autorität, -en; 《교육상의》 die erzieherische Autorität, -en; Lehrautorität.
교규(校規) Schulordnung *f.* -en.
교기(校紀) 《학교풍기》 Schuldisziplin *f.* -en; Schulzucht *f.* ⸗e.
교기(校旗) Schulflagge *f.* -n.
교내(校內) Schulgelände *n.* -s, -. ¶ ～에서 in der Schule; innerhalb des Schulgeländes.
교단(敎團) Orden *m.* -s, -; ein religiöser Verband, -(e)s, ⸗e; der religiöse Verein, -s, -e; die religiöse Bruderschaft, -en; Pilgerklub *m.* -s, -s (순례단).
교단(敎壇) Podium *n.* -s, ..dien; Katheder

m. -s, -.
교당(教堂) 《교회》 Kirche *f.* -n; 《절》 der (buddhistische) Tempel, -s, -; 《회교 사원》 Moschee *f.* -n; 《예배당》 Kapelle *f.* -n; 《성당》 Kathedrale *f.* -n; Dom *m.* -(e)s, -e.
교대(交代) Ablösung *f.* -en; Abwechs(e)lung *f.* -en; (Arbeits)schicht *f.* -en (직공 따위의); Schicht¦wechsel (Leute-) *m.* -s, - (직공 따위의). ～하다 ⁴sich ab|lösen 《mit *jm.*》; ab|wechseln 《mit *jm.*》; an die Stelle 《*js.*》 treten* ⓢ; in die Reihe kommen* ⓢ (차례). ¶ ～로 abwechselnd; im Turnus; ⁴sich gegenseitig ausschließend; wechselsweise / ～로 차를 운전하다 e-n Fahrerwechsel machen / 3 부 ～로 일하다 in drei Schichten arbeiten / 3 시간 ～로 일하다 in dreistündlicher Schicht arbeiten.
‖ ～병 Ablösung. ～시간 Ablösungszeit *f.* -en. ～작업 (Arbeits)schicht. ～파업 der abwechselnd durchgeführte Streik, -(e)s, -s; Sabotage [..ʒə] *f.* -n.
교대(橋臺) (Brücken)widerlager *n.* -s, -; Auflager *n.* -s, -.
교도(教徒) der Gläubige*, -n, -n; Anhänger *m.* -s, -.
‖ 가톨릭～ Katholik *m.* -en, -en. 그리스도～ Christ *m.* -en, -en. 모하멧～ Mohammedaner *m.* -s, -. 불～ Buddhist *m.* -en, -en. 신～ Protestant *m.* -en, -en.
교도(教導) Anleitung *f.* -en 《*in*³》; Einführung *f.* -en 《*in*⁴》; Schulung *f.* -en; Unterweisung *f.* -en 《*in*³》. ～하다 an|leiten⁴ 《*in*³》; ein|führen⁴ 《*in*⁴》; heran|bilden⁴; schulen⁴; unterweisen⁴ 《*in*³》; in Zucht nehmen*⁴.
교도관(矯導官) Kerkermeister *m.* -s, -; Gefangen¦aufseher (-wärter) *m.* -s, -; Gefängniswärter; Schließer *m.* -s, -.
교도소(矯導所) Gefängnis *n.* ..nisses, ..nisse; Zuchthaus *n.* -es, ⸗er; Kerker *m.* -s, -. ¶ ～에 수용하다 ins Gefängnis werfen*⁴ (stecken⁴; schicken⁴; setzen⁴) / ～를 나오다 das Gefängnis verlassen*; aus dem Gefängnis entlassen werden.
‖ ～장 Gefängnis¦direktor (Zuchthaus-) *m.* -s, -en.
교두보(橋頭堡) Brückenkopf *m.* -(e)s, ⸗e.
교란(攪亂) Störung *f.* -en; Beunruhigung *f.* -en; das Unruhestiften*, -s; Verwirrung *f.* -en. ～하다 stören⁴; beunruhigen⁴; in ⁴Unordnung bringen*⁴; ⁴Unruhe stiften.
교량(橋梁) =다리². ¶ ～ 역할을 하다 überbrücken⁴ (중매하다).
교련(教鍊) Exerzierausbildung *f.* -en; Drill *m.* -(e)s. ～하다 exerzieren⁴; drillen⁴.
교령(教令) der kaiserliche Befehl, -(e)s, -e; der kaiserliche Auftrag, -(e)s, ⸗e.
교료(校了) die letzte Korrektur, -en; das letzte Korrekturlesen, -s; „(ganz) richtig!" ～하다 mit „geprüft" zurückgegeben werden.
교류(交流) ① 〖전기〗 Wechselstrom *m.* -(e)s, ⸗e. ② Austausch *m.* -es (교환).
‖ ～발전기 Wechselstrom¦erzeuger *m.* -s, - (-generator *m.* -s, -en; -dynamo *f.* -s). 인사(人事)～ Personalienaustausch *m.* -es.
교리(教理) Lehr¦satz (Glaubens-) *m.* -es, ⸗e; Dogma *n.* -s, ..men; Doktrin *f.* -en. ¶ ～상의 zur Lehre gehörig; doktrinär; dogmatisch.
‖ ～론 Dogmatik *f.* -en. ～문답 Katechismus *m.* -, ..men.
교린(交隣) Freundschaft 《*f.* -en》 zwischen Nachbarländern; Beziehungen der benachbarten Länder.
교만(驕慢) Anmaßung *f.* -en; Hoch¦mut (Über-) -(e)s; Stolz *m.* -es. ～하다, ～스럽다 anmaßend; hoch¦mütig (über-); stolz; hochfahrend; hochnäsig; frech (sein). ¶ 그녀는 ～해서 인사마저 없다 Sie ist so hochmütig, daß sie nicht einmal grüßt.
교명(嬌名) ¶ ～을 날리다 für ihr Liebreiz weit bekannt (wegen ihres Liebreizes berühmt) sein; e-e vielgenannte Schönheit sein.
교모(校帽) Schüler¦mütze (Studenten-) *f.* -n.
교모(教母) 〖가톨릭〗 Schwester (Nonne) *f.* -n.
교목(喬木) (hoher) Baum, -(e)s, ⸗e. ¶ ～에는 바람이 센 법이다 Je höher der Baum, desto näher der Blitz.¦Hohe Bäume fangen viel Wind auf.
교묘(巧妙) Geschicklichkeit *f.*; Geschicktheit *f.*; Gewandtheit *f.*; Behendigkeit *f.* ～하다 geschickt; gewandt; kunst¦reich (-voll); 《교활》 schlau; listig; taktisch (sein). ¶ ～히 일을 처리하다 ⁴sich geschickt (gut) an|stellen / ～히 세상을 살아가다 ⁴sich klug (gewandt; gelenkig) (durchs Leben) bringen* / 이것은 대단히 ～하게 되어 있다 Es ist sehr geschickt gemacht.
교무(教務) 《학교의》 Schulangelegenheit *f.* -en; 《종문(宗門)의》 die sektiererischen Angelegenheiten 《*pl.*》.
‖ ～과 die Abteilung 《-en》 für die Schulangelegenheiten.
교문(校門) Schultor *n.* -(e)s, -e. ¶ ～을 나오다 die Schule verlassen.
교미(交尾) Begattung *f.* -en; Paarung *f.* -en; Kreuzung *f.* -en (교배). ～하다 ⁴sich begatten; ⁴sich paaren; bespringen* (수컷이 암컷에); decken (수말이 암말에).
‖ ～기 Paarungs¦zeit (Begattungs-; Liebes-) *f.* -en.
교반(攪拌) ～하다 (um|)rühren⁴; mischen⁴.
교배(交配) Kreuzung *f.* -en; die kreuzende Befruchtung, -en. ～하다 kreuzen⁴.
교번(交番) Wechsel 《*m.* -s, -》 der Arbeitsschicht; Ablösung *f.* -en.
‖ 세대～ 〖생물〗 Generationswechsel; Heterogonie *f.*
교범(教範) 〖군사〗 Drillhandbuch *n.* -(e)s, ⸗er; Drillvorschrift *f.* -en; 《교수법》 Unterrichtsmethode *f.* -n.
‖ 기술～ Handbuch für Technik. 야전～ Handbuch für Feldschlacht.
교법(教法) 〖종교〗 Glaubenslehre *f.* -n; Dogma *n.* -s, ..men; Doktrin *f.* -en.
‖ ～사 Dogmengeschichte *f.* -n.
교복(校服) Schuluniform *f.* -en.
교본(教本) Lehrbuch *n.* -(e)s, ⸗er; Text *m.* -(e)s, -e.
교부(交付) Aus¦händigung (Ein-) *f.* -en; 《송달》 Zustellung *f.* -en; 《화물 따위의》 Ablieferung (Aus-) *f.* -en. ～하다 《수교하다》 aus|händigen⁴ (ein|-); 《인도하다》 überreichen; übergeben*; ab|liefern⁴ 《an *jn.*》; aus|liefern⁴ 《an *jn.*》.
‖ ～금(金) Gabe *f.* -n; Staatszuschuß *m.* ..schusses, ..schüsse (국가의). ～자 der Abliefernde*, -n, -n.
교부(教父) Pate *m.* -n, -n (대부(代父)); Pater *m.* -s, - (..tres) 《생략: P., *pl.* PP.》 (신부).
‖ ～신학 Patristik *f.* -en.

교분(交分) Freundschaft *f.*; Kameradschaftlichkeit *f.*; freundliche Beziehungen《*pl.*》; Vertrautheit *f.* ¶ ~을 새로이 하다 Freundschaft auf|frischen《mit *jm.*》/ ~이 소원해지다 ⁴sich *jm.* entfremden; Freundschaft zu *jm.* kühlt ab.

교빙(交聘) Botschafteraustausch *m.* -s; Austausch《*m.* -es, -e》der Gesandten*; Gesandtenaustausch unter den Ländern; gegenseitige offizielle Einladung, -en. ~하다 Gesandte aus|tauschen; gegenseitig offiziell ein|laden*⁴.

교사(巧詐) Verschlagenheit; (Schlauheit; Listigkeit; Hinterlist) *f.* -en. ~하다, ~스럽다 verschlagen; schlau; listig; hinterlistig (sein). ¶ ~한 사람 e-e verschlagene Person, -en; Schlauberger *m.* -s, - / ~한 행동을 하다 listig (schlau) handeln / ~스럽게 사람을 속이다 *jn.* mit List u. Tücke hintergehen* (betrügen*).

교사(校舍) Schul¦haus *n.* -es, ⸚er (-gebäude *n.* -s, -).

교사(教師) Lehrer *m.* -s, -; Schul¦mann *m.* -(e)s, ⸚er (-meister *m.* -s, -); Dozent *m.* -en, -en; Studienrat *m.* -(e)s, ⸚e (고교의);《가정교사》Hauslehrer *m.* -s, -; Hofmeister *m.* -s, -; Pädagoge *m.* -n, -n (비꼬아); Meister *m.* -s, - (스승). ¶ ~ 노릇을 하다 Unterricht geben*《in deutsch 독일어의》; Lehrer⁽²⁾《*für*⁴》sein.

‖ ~용 지침서 Schlüssel《*m.* -s, -》für Lehrer. 독일어~ Deutschlehrer *m.*; Lehrer für Deutsch. 수학~ Lehrer der Mathematik.

교사(教唆)【법】Anstiftung *f.* -en; Anreiz *m.* -es, -e. ~하다 an|stiften⁴《*zu*³》; auf|-stiften⁴《*zu*³》; an|reizen⁴《*zu*³》. ¶ …의 ~를 받고 auf Anstiftung von *jm.* (hin). ‖ ~자 Anstifter *m.* -s, -. ~죄 Anstiftung *f.*

교사(驕奢) Pracht *f.*; Luxus *m.* -.

교살(絞殺) Erwürgung *f.* -en; Erdrosselung *f.* -en; die Zuschnürung《-en》der Kehle; das (Auf)hängen*, -s. ~하다 erwürgen《*jn.*》; die Kehle zu|schnüren《*jm.*》; erdrosseln《*jn.*》; (auf|)hängen《*jn.*》. ¶ ~에 처하다 an den Galgen bringen.

교상(咬傷) Biß *m.* ..sses, ..sse; Bißwunde *f.* -n. ¶ 개에 의한 ~은 뚜렷이 보였다 Der Biß des Hundes war deutlich zu sehen.

교생(教生) Lehrpraktikant *m.* -en,-en; Lehrpraktikantin *f.* -nen (여자).

교서(教書) Botschaft *f.* -en《*an*⁴》.

‖ 대통령~ die Botschaft des Präsidenten.

교섭(交涉) ① Ver¦handlung (Unter-) *f.* -en; Besprechung *f.* -en; Debatte *f.* -n; freie Aussprache, -n; Unterredung *f.* -en. ~하다 verhandeln《mit *jm.* *über*⁴》; ⁴sich besprechen*《mit *jm.* *über*⁴》; ⁴sich aus|sprechen*《*gegen*⁴ bei *jm.*; mit *jm.* *über*⁴》; unterhandeln《mit *jm.* *über*⁴》; ⁴sich unterreden《mit *jm.* *über*⁴ (*von*³)》. ¶ ~ 중 unter ³Verhandlung sein; eben (gerade) verhandelt werden/ ~을 시작하다 Verhandlungen an|bahnen (ein|leiten); in ⁴Verhandlungen ein|treten* ⓢ / ~을 중단하다 Verhandlungen ab|brechen* (unterbrechen*) / ~은 별 성과가 없었다 Die Verhandlungen haben zu k-m guten Ergebnis (Resultat) geführt./ 그 문제에 대해서는 곧 ~이 시작된다 Über die Angelegenheit wird gleich verhandelt. ②《관계》Beziehung *f.* -en; Verbindung *f.* -en; Verhältnis *n.* ..nisses, ..nisse. ¶ …와는 아무런 ~도 없다 nichts zu tun haben《*mit*³》; k-e Beziehung (Verbindung) haben《*zu*³》; in k-r Beziehung (Verbindung) stehen*《*zu*³》; kein Verhältnis haben《*mit*³》; in k-m Verhältnis stehen*《*mit*³》.

‖ ~단체 Verhandlungskörperschaft *f.* -en. ~위원 Verhandlungs¦ausschuß *m.* ..schusses, ..schüsse (-ausschußmitglied *n.* -(e)s, -er (개인)). 예비~ Präliminarien《*pl.*》; Vor¦besprechung (-verhandlung) *f.* -en: 예비 ~을 하다 e-e Vorverhandlung führen《*über*⁴》.

교성(嬌聲) die bezaubernde (reizende) Stimme, -n; e-e kokette Simme, -n.

교수(教授)《가르침》Unterricht *m.* -(e)s, -e; Lektion *f.* -en; Kolleg *n.* -s, -ien; Vorlesung *f.* -en (이상 두 말은「강의」); Stunde *f.* -en(개인교수 따위);《교사》Professor *m.* -s, -en [..sóːrən]《*an*³; *für*⁴》; Ordinarius *m.* -, ..rien; Fakultät *f.* -en (교수단). ~하다 Unterricht geben*³《*in*³》; unterrichten⁴《*in*³》; (ein Kolleg) lesen*《*über*⁴》; e-e Vorlesung halten*《*über*⁴》; Stunden geben*. ¶ ~를 받다 Stunden (Lektionen) nehmen*³《*bei*³》; e-e Vorlesung besuchen《*bei*³》; Unterricht nehmen*《*in*³》/ 독일어를 ~하다 (받다) Unterricht in der deutschen Sprache (deutsche Stunden) geben* (nehmen*) / 그는 K대학의 ~로 초빙되었다 Er wurde als Professor an die Universität K. berufen./ 그에게 ~자리가 제공되었다 Es ist ihm e-e Professor angeboten worden.

‖ ~법 Lehrmethode *f.* -n. ~요목(要目) Lehrplan *m.* -(e)s, ⸚e. ~회의 Fakultätssitzung *f.* -en. 개인~ Privatstunde *f.* -n. 명예~ Ehrenprofessor *m.* 정(正)~ der ordentliche Professor.

교수(絞首) (Auf)hängen *n.* -s; der Tod《-(e)s》durch den Strang. ☞ 교살(絞殺).

‖ ~대 (Wipp)galgen *m.* -s, -. ~형 (Auf-) hängen *n.* -s; Erhängen *n.* -s: ~형을 받다 (auf)gehängt werden; durch ⁴(Auf)hängen hingerichtet werden; zum Tode durch den Strang verurteilt werden (선고) / ~형에 처하다 an den Galgen hängen*; auf|-hängen*; erhängen*.

교습소(教習所) Ausbildungs¦anstalt (Fortbildungs-) *f.* -en.

‖ 댄스~ Tanzschule *f.* -n. 자동차~ Fahrschule. *f.*

교시(教示) Unterweisung *f.* -en; Hinweis *m.* -es, -e. ~하다 *jn.* unterweisen*《*in*³》; *jn.* hin|weisen*《*auf*⁴》; *jn.* belehren《*von*³》; *jn.* unterrichten《*über*⁴》.

교신(交信) Korrespondenz *f.* -en. ~하다 mit *jm.* korrespondieren《*über*⁴》; mit *jm.* im Briefwechsel stehen*; mit *jm.* in Korrespondenz stehen*; in Funkverkehr stehen*《*mit*³》(무전으로).

교실(教室) Klassenzimmer *n.* -s, -; Hörsaal *m.* -(e)s, ..säle; Auditorium *n.* -s, ..rien (대학의); Aula *f.* -s (..len) (강당).

교안(教案) Lehrplan *m.* -(e)s, ⸚e. ¶ ~을 짜다 e-n Lehrplan entwerfen*.

교양(教養) Bildung *f.* -en; Kultur *f.* -en; die feine Lebensart, -en; Kultiviertheit *f.* ¶ ~ 있는 gebildet; wohlerzogen; kultiviert / ~이 없는 ungebildet; ohne ⁴Bildung(Kultur); roh; von k-r Kultur beleckt.

‖ ~인 der Gebildete*, -n, -n. ~학부 Abtei-

lung (Fakultät) 《*f.* -en》 für allgemeine Bildung. 일반∼ allgemeine Bildung, -en.
교언(巧言) Schmeichelei *f.* -en; glatte Zunge, -n. ¶ ∼으로 schmeichelnd; durch schöne (glatte) Worte 《*pl.*》; durch [4]Schmeicheleien / ∼ 영색의 도배 Schmeichler *m.* -s, -; Lobhudler *m.* -s, -; Komplimentenschneider *m.* -s, - / ∼에 속다 durch Schmeichelei betrogen werden; [4]sich beschwatzen lassen* / ∼ 영색에는 진실이 없다 Schöne Worte machen den Kohl nicht fett.¦Hinter schönen Worten steckt selten Treue.
교역(交易) Handel *m.* -s; Tauschhandel *m.*; 《교환》 Austausch *m.* -es. ☞ 무역. ∼하다 handeln 《*mit*[3]》; Handel treiben* 《*mit*[3]》; Tauschhandel treiben*; aus|tauschen.
교역(教役) 〖종교〗 geistliche Fürsorge.
‖ ∼자 ein geistlicher Fürsorger, -s, -.
교열(校閱) Durchsicht *f.*; Revision *f.* ∼하다 durch|sehen*[4]; revidieren[4]; prüfen[4]. ¶ A 박사 ∼ revidiert (durchgesehen) von Dr. A. ‖ ∼자 der Revidierende*, -n, -n.
교오(驕傲) = 교만(驕慢).
교외(郊外) Umgebung 《*f.*》 (Umgegend *f.* -en; Umkreis *m.* -es) der Stadt; Vorstadt *f.* ¨e. ¶ ∼에 살다 in der Umgebung (Vorstadt) wohnen.
‖ ∼산책 Spaziergang 《*m.* -s, ¨e》 in die nächste Umgebung der Stadt; Ausflug 《*m.* -s, ¨e》 außerhalb der Stadt. ∼생활 Leben 《*n.* -s》 in der nächsten Umgebung der Stadt: ∼생활자 der im Umkreis e-r Stadt Wohnende*, -n, -n. ∼전차 Vorstadtbahn *f.* -en.
교외(校外) außerhalb der [2]Schule.
‖ ∼생 auswärtiger Student, -en, -en; der Externe*, -n, -n.
교우(交友) Freund *m.* -(e)s, -e; der Bekannte*, -n, -n (친지); Genosse *m.* -n, -n; Kamerad *m.* -en, -en.
교우(校友) Schul¦freund *m.* -(e)s, -e (-genosse *m.* -n, -n; -kamerad *m.* -en, -en); Mitschüler *m.* -s, -; Kommilitone *m.* -n, -n (대학 동창생).
‖ ∼회 Schülervereinigung *f.* -en: ∼회 회지 die Zeitschrift 《-en》 der Schülervereinigung; Schülerzeitschrift *f.*
교우(教友) Glaubens¦bruder *m.* -s, ¨ (-genosse *m.* -n, -n; -genossin *f.* -nen (여자)).
교원(教員) (Schul)lehrer *m.* -s, -; 《전체》 Lehrerkollegium *n.* -s, ..gien; Lehrerschaft *f.* -en. ☞ 교사(教師).
‖ ∼검정시험 Staatsexamen 《*m.* -s, ..mina》 für [4]Lehrer. ∼자격증(면허장) Lehrerdiplom *n.* -s, -e. ∼양성소 Lehrer¦seminar *n.* -s, -e (-ien) (-bildungsanstalt *f.* -en (사범 학교)). ∼조합 Lehrerverein *m.* -(e)s, -e.
교유(交遊) Freundschaft *f.*; Bekanntschaft *f.*; Kameradschaft *f.*; Umgang *m.* -(e)s; Verkehr *m.* -(e)s. ∼하다 mit *jm.* Umgang haben; mit *jm.* verkehren.
교유(教諭) 《가르침》 Unterricht *m.* -(e)s, -e.
교육(教育) Erziehung *f.* -en; Ausbildung *f.* -en(양성); Schulung *f.* -en(훈련); Unterricht *m.* -(e)s (수업); Unterweisung *f.* -en (지도). ∼하다 erziehen*[4] 《*zu*[3]》; aus|bilden[4] 《*zu*[3]》; schulen[4] 《*als*[4]》; unterrichten[4] 《*in*[3]》; Unterricht geben*[3] (erteilen[3]) 《*in*[3]》; unterweisen[4] 《*in*[3]》. ¶ ∼상의 erzieherisch; pädagogisch; Erziehungs-; Unterrichts-/∼이 잘 된 (안 된) gut erzogen; wohlerzogen; gebildet (unerzogen; schlecht erzogen; ungebildet) / ∼을 받다 erzogen (ausgebildet) werden 《*zu*[3]》; unterrichtet werden 《*in*[3]》; Unterricht nehmen* 《*in*[3]》; studieren[4] 《*bei*[3]》/ 그들은 자주 독립 정신을 갖도록 ∼ 받았다 Sie sind zur Selbständigkeit erzogen worden. / 학교 ∼을 받지 않았다 Er hat k-e Schulbildung./ 아이들이 의무∼의 연한에 달해 있다 Die Kinder sind im schulpflichtigen Alter.
‖ ∼가 (자) Erzieher *m.* -s, -; Pädagog(e) *m.* ..gen, ..gen; Schulmann *m.* -(e)s, ¨er. ∼계 Erziehungswesen *n.* -s; die Kreise 《*pl.*》 der Pädagogen. ∼기관 Erziehungsanstalt *f.* -en; Schule *f.* -n. ∼대학 die pädagogische Hochschule, -en. ∼법 Unterrichtsmethode *f.* -n; Erziehungskunst *f.* ¨e. ∼비 Schulgeld *n.* -(e)s, -er; Erziehungskosten 《*pl.*》. ∼연한 die Dauer der Schulausbildung; Schulzeit *f.* -en. ∼영화 Lehr¦film (Unterrichts-) *m.* -(e)s, -e. ∼위원회 Erziehungs¦ausschuß *m.* ..usses, ..üsse (-rat *m.* -(e)s, ¨e). ∼제도 Erziehungs¦wesen (Schul-) *n.* -s, -. ∼청 Schulverwaltung *f.* -en. ∼학 Pädagogik *f.*; Erziehungswissenschaft *f.* -en. 대학∼ die akademische Bildung, -en. 성인∼ Erwachsenenbildung *f.* 의무∼ Schul¦pflicht *f.* (-zwang *m.* -(e)s, ¨e).
교의(交椅) ①《의자》 Stuhl *m.* -s, ¨e. ¶ ∼에 기대 앉다 [4]sich auf e-n Stuhl lehnen / ∼에 앉다 [4]sich auf e-n Stuhl setzen. ② 《신주를 모시는》 Stuhl, auf dem eine Ahnentafel aufgestellt wird.
교의(交誼) Freundschaft *f.*; Güte *f.*; Gewogenheit *f.*; Wohlwollen *n.* -s; freundschaftliches Verhältnis, -ses, -se; freundschaftliche Beziehungen 《*pl.*》. ¶ ∼를 맺다 Freundschaft schließen* (pflegen) 《mit *jm.*》/ ∼를 끊다 Freundschaft ab|brechen*/ ∼를 두터이 하다 Freundschaft auffrischen 《mit *jm.*》.
교의(校醫) Schularzt *m.* -es, ¨e.
교의(教義) Lehre *f.* -n 《보기: die christliche Lehre 기독교 교의》. ☞ 교리.
교인(教人) 〖종교〗 der Gläubige*, -n, -n; 《독신자》 der Fromme*, -n, -n; der Anhänger 《-s,-》 eines Glaubens. ¶ ∼이 되다 (ein) Christ werden; [4]sich zum Christentum bekehren. ‖ 예수∼ Christ *m.* -en, -en.
교자(交子) das auf e-m großen Tisch gedeckte Essen.
‖ ∼상 ein großer Eßtisch, -es, -e.
교잡(交雜) das Verschlungensein*, -s; Verwicklung (Unordnung; Konfusion) *f.* -en; Durcheinander *n.* -s, -; Wirrwarr *m.* -s. ∼하다 [4]sich verschlingen*; [4]sich verwickeln; in Unordnung geraten*; durcheinander|geraten*; [4]sich verwirren*.
교장(校長) Direktor 《*m.* -s, -en》 (Leiter *m.* -s, -) e-r Schule.
‖ 고등학교∼ Oberschul¦direktor (Gymnasial-) *m.* 국민학교∼ Volksschulrektor *m.* -s, -en. 중학교∼ Mittelschulrektor *m.*
교장(校葬) Schulbegräbnis *n.* -ses, -se. ¶ ∼을 지내다 ein Schulbegräbnis ab|halten*.
교장(教場) Klassenzimmer *n.* -s, -. ☞ 교실.
교재(教材) Unterrichtsmaterial *n.* -s, -ien; Lehrstoff *m.* -(e)s, -e. ¶ ∼는 재미도 없고 내용도 빈약했다 Der Lehrstoff war weder interessant noch reichhaltig.
교전(交戰) 《전쟁》 Krieg *m.* -(e)s, -e; Feindseligkeiten 《*pl.*》; das Kriegführen*, -s; 《전

투》 Schlacht f. -en; Gefecht n. -(e)s, -e; Treffen n. -s, -(회전). ~하다 gegeneinander Krieg führen; e-e Schlacht liefern; ins Gefecht 〔Treffen〕 kommen* ⓢ.

‖ ~구역 Kriegs¦gebiet n. -(e)s, -e 〔-zone f. -n〕. ~국 die kriegführenden Mächte 《pl.》; die Kriegführenden 《pl.》. ~상태 Kriegszustand m. -(e)s, ⸚e. ~지(地) Kriegsschauplatz m. -es, ⸚e.

교전(敎典) Kanon m. -s, -s; Koran m. -s, -e (회교의).

교점(交點) Schnitt¦punkt 〔Kreuzungs-〕 m. -(e)s, -e; Kreuzungsstelle f. -n.

교접(交接) Koitus m. -; Begattung f. -en; Beischlaf m. -(e)s; Geschlechtsverkehr m. -(e)s; Paarung f. -en. ~하다 koitieren 《mit jm.》; [4]sich begatten 《mit jm.》; bei|schlafen* 《jm.》; Geschlechtsverkehr haben 《mit jm.》; [4]sich paaren 《mit jm.》.

‖ ~불능 Impotenz f. -en; Mannesschwäche f. -n.

교정(交情) =교분(交分).

교정(校正) Korrektur f. -en; das Korrekturlesen*, -s; Druck(fehler)berichtigung f. -en. ~하다 korrigieren[4]; Korrektur 〔Druck(fehler)berichtigung〕 lesen*.

‖ ~쇄 Korrektur¦bogen 〔Prüf-〕 m. -s, ⸚ (od. -abzug m. -(e)s, ⸚e); (Druck)fahne f. -n; Probe(ab)druck m. -(e)s, -e. ~자 〔원〕 Korrektor m. -s, -en. ~필 =교료(校了).

교정(校訂) Revision f. -en; Nach¦prüfung 〔Über-〕 f. -en; Verbesserung f. -en. ~하다 revidieren[4]; nach|prüfen[4]; überprüfen[4].

‖ ~자(者) Revisor m. -s, -en [..zóːrən]; (Nach)prüfer 〔Überprüfer〕 m. -s, -. ~판 die revidierte 〔verbesserte〕 Auflage, -n.

교정(校庭) Schul¦hof m. -(e)s, ⸚e 〔-gelände n. -s, -〕; der Spiel¦platz 〔Sport-〕 《-es, ⸚e》 der Schule.

교정(敎程) Kursus m. -, Kurse (과정); Lehrplan m. -(e)s, ⸚e (교안); Lehrbuch n. -(e)s, ⸚er (교본); Lehrgang m. -s, ⸚e. ¶ ~을 마치다 e-n Lehrgang mit|machen.

교정(矯正) Besserung f. -en; Verbesserung f. -en; Heilung f. -en. ~하다 bessern[4]; verbessern[4]; heilen[4] 《von[3]》; berichtigen[4]. ¶ 악폐(惡弊)를 ~하다 ein Übel heilen 〔ab|-helfen*〕 / 말더듬이를 〔나쁜 버릇을〕 ~하다 jn. vom Stottern 〔von schlechten Gewohnheiten〕 heilen.

교제(交際) Umgang m. -(e)s, ⸚e; Verkehr m. -(e)s; Geselligkeit f.; die gesellschaftliche Beziehung, -en. ~하다 um|gehen* ⓢ 《mit jm.》; verkehren 《mit jm.》; Umgang 〔gesellschaftlichen Verkehr〕 pflegen 〔haben〕 《mit jm.》. ¶ ~가 넓다 〔좁다〕 viel 〔wenig〕 Umgang 〔Verkehr〕 haben / ~를 끊다 allen Umgang 〔Verkehr〕 ab|brechen* 《mit jm.》 / 그는 아무 하고도 ~하지 않는다 Er hat gar k-n Umgang 〔Verkehr〕.¦ Er verkehrt mit niemand(em). / 그는 ~가 넓다 Er hat e-n großen Bekanntenkreis.

‖ ~가 der gesellige Mensch, -en, -en; Weltmann m. -(e)s, ⸚er. ~범위 der gesellige Kreis, -es, -e. ~비 Geselligkeits(un)kosten 《pl.》.

교조(敎祖) Stifter 《m. -s, -》 〔Oberhaupt 《n. -(e)s, ⸚e》〕 e-r Religion; der Begründer 《-s, -》 e-r Sekte.

교조주의(敎條主義) Prinzipienreiterei f. ¶ ~에 빠지다 [4]sich von Prinzipienreiterei leiten lassen*.

교졸(巧拙) Geschick od. Ungeschick 《n. -s》; Geschicklich- od. Ungeschicklichkeit 《f.》; (Kunst)fertigkeit f. (기교); Leistung f. (연출의). ¶ 교사의 채용은 교수법의 ~보다는 인품에 더 비중을 두어야 한다 Beim Anstellen eines Lehrers muß mehr Rücksicht auf seinen Charakter als auf seine Lehrbefähigung genommen werden.

교종(敎宗) 〖불교〗 auf der Lehre beruhende Sekten des Buddhismus (im Unterschied zur Zen-Sekte); die Kyo-Sekte.

교주(校主) Schulvorsteher m. -s, -; der Leiter einer Schule. ¶ 그 학교의 ~는 민씨다 Die Schule wird von Herrn Min geleitet.

교주(敎主) (Be)gründer 《m. -s, -》 〔Stifter m. -s, -〕 e-r Sekte.

교지(狡智) Verschlagenheit f.; Schlauheit f.; Listigkeit f.; Gerissenheit f. ¶ ~의 verschlagen; durchtrieben; listig; schlau.

교지(敎旨) ① 《교리》 Lehre f. -n; Lehrmeinung f. -en. ② 〖옛제도〗 Ernennungsbrief m. -(e)s, -e; Ernennungsurkunde f. -n.

교지기(校—) Schulpförtner m. -s, -.

교직(交織) Mischgewebe n. -s, -. ¶ 면모 ~ Mischgewebe aus Baumwolle u. Wolle.

교직(敎職) ① Lehr¦amt n. -(e)s, ⸚er 〔-beruf m. -(e)s, -e; -stuhl m. -(e)s, ⸚e〕; Professur f. -en (대학의). ¶ ~에 있다 (von Beruf) Lehrer sein; das Amt e-s Lehrers bekleiden / ~에 취임하다 das Lehramt an|treten*; ins Lehramt kommen* ⓢ / ~을 물러나다 sein Lehramt auf|geben* 〔nieder|-legen〕. ② 《종교의》 das geistliche Amt, -(e)s, ⸚er; der Religionausübende*, -n, -n.

‖ ~원 《총칭》 Lehrkörper m. -s, -; Dozentenschaft f. -en.

교질(膠質) ¶ ~의 kolloid(al); gallertartig; klebrig; leimhaltig; leimig.

‖ ~물(物) Kolloid n. -(e)s, -e; Gallert n. -(e)s, -e; Gallerte f. -n; Leim m. -(e)s, -e. ~용액 kolloidale Lösung, -en.

교차(交叉) Kreuzung f. -en; Gabelung f. -en. ~하다 [4]sich kreuzen 〔gabeln; schneiden*〕; [4]sich kreuzweise durchschneiden*.

‖ ~점 Kreuz¦punkt 〔Gabel-〕 m. -(e)s, -e; Schnittpunkt (교점); Anschluß¦punkt 〔-station f. -en〕 (철도의).

교착(交錯) Verwicklung f. -en; Verflechtung f. -en. ~하다 [4]sich verwickeln; [4]sich verflechten*. ¶ ~한 verwickelt; verflochten; kompliziert sein.

교착(膠着) das Zusammen¦kleben*(-leimen*) -s. ~하다 zusammen¦kleben 〔-|leimen〕; mit [3]Leim befestigen. ¶ ~ 상태에 있다 in völliger Stockung sein; auf den toten Punkt gelangt sein; [4]sich im völligen Stillstand befinden*.

교창(交窓) Oberfenster n. -s, -.

교체(交替·交遞) Austausch m. -es; Wechsel m. -s, -; Ersatz m. -es. ☞ 교대(交代). ~하다 ersetzen; wechseln; aus|tauschen.

‖ ~수석대표 sich abwechselnde Delegationsleiter《pl.》. 세대~ Generationswechsel.

교치(咬齒) das Zahn|schleifen*. ~하다 jm. Zähne 《pl.》 (ab|)schleifen*.

교칙(校則) Schul¦vorschrift 〔-satzung〕 f. -en; Schul¦ordnung f. -en 〔-regel f. -n〕. ¶ ~을 지키다 die Schulvorschriften beachten 〔befolgen; ein|halten*〕 / ~을 어기다 gegen die Schulordnung verstoßen*.

교칙(教則) Lehrordnung *f.* -en; Unterrichtsnorm *f.* -en.
‖ ~본(本) (Klavier)übungsbuch *n.* -es, ¨er (피아노의).

교탁(教卓) Lesepult *n.* -(e)s, -e; Katheder *n.* -s, -; Lehrerpult *n.* -(e)s, -e.

교태(嬌態) Koketterie *f.* -n [..rí:ən]; Gefallsucht *f.* ¶ ~(를) 부리다 kokett sein; [4]sich kokett benehmen*; kokettieren 《*mit*[3]》.

교통(交通) Verkehr *m.* -(e)s; Beförderung *f.* -en; Verbindung *f.* -en; Transport *m.* -(e)s, -e. ¶ ~의 편리 〔불편〕 Verkehrs¦erleichterungen 〔-schwierigkeiten〕《*pl.*》/ ~이 빈번〔한산〕한 verkehrs¦stark 〔-schwach〕/ ~을 정리하다 den Verkehr regeln 〔regulieren; kontrollieren〕/ ~의 편리를 도모하다 Verkehrserleichterungen 《*pl.*》 herbei|führen; bewirken, daß man bequem verkehren kann / ~ 편의가 전연 없다 Es gibt keine Fahrgelegenheit.
‖ ~규제 Verkehrsregelung *f.* -en. ~기관 Verkehrs¦mittel 〔Beförderungs-; Transport-; Verbindungs-〕 *n.* -s, -(*od.* -anstalt *f.* -en). ~량 Verkehrs¦menge 〔-dichte〕 *f.* -n. ~로 Verkehrs¦weg *m.* -(e)s,-e 〔-straße *f.* -n〕. ~망 Verkehrsnetz *n.* -es, -e. ~법규 Verkehrs¦vorschrift *f.* -en 〔-regel *f.* -n〕. ~부 Verkehrsministerium *n.* -s; Ministerium 《*n.* -s》 für Verkehr (u. Transport): ~부 장관 Verkehrsminister *m.* -s, -. ~사고 Verkehrs¦unglück *n.* -(e)s, (드물게) -e 〔-unfall *m.* -(e)s, ¨e〕. ~순경 Verkehrsschutzmann *m.* -(e)s, ¨er 〔..leute〕 〔-polizist *m.* -en, -en〕. ~신호 Verkehrssignal *n.* -s, -e: ~신호등 Verkehrs¦ampel *f.* -n 〔-laterne〕 *f.* -n. ~(의) 요로 Verkehrsader *f.* -n. ~위반 Verkehrsdelikt *n.* -(e)s, -e: ~위반자 Verkehrssünder *m.* -s, -. ~장애 Verkehrsstörung *f.* -en. ~정리 Verkehrs¦regelung *f.* -en 〔-regulierung *f.* -en; -kontrolle *f.* -n〕. ~지옥 Verkehrs¦hölle *f.* 〔-unordnung *f.* -en〕. ~차단 Verkehrs¦verbot *n.* -(e)s, -e 〔-sperre *f.* -n〕; Quarantäne *f.* -n (전염병 발생시의); die Absperrung 《-en》 von [3]Verkehr. ~체증 Verkehrs¦stockung 〔-verstopfung〕 *f.* -en. ~표지 Verkehrszeichen *n.* -s, - 〔-schild *n.* -(e)s, -er (표지판)〕. 육상〔해상〕~ Land¦verkehr 〔See-〕.

교통비(交通費) Fahrgeld *n.* -(e)s, -er; Fahrpreis *m.* -es, -e; 《운반비》 Fachtgeld *n.* -(e)s, -er; 《사례금》 Geldgeschenk *n.* -(e)s, -e; Honorar *n.* -s, -e.

교파(教派) Sekte *f.* -n; Religionsgemeinschaft *f.* -en.

교편(教鞭) ¶ ~을 잡다 als Lehrer wirken 〔tätig sein〕; [4]sich dem Lehrerberuf widmen; unterrichten.

교풍(校風) Tradition 《*f.* -en》 e-r Schule; Schulgeist *m.* -es; Eigenart 《*f.*》 〔Eigentümlichkeit *f.* -en〕 e-r Schule. ¶ ~에 어긋나다 gegen die gute Tradition der Schule verstoßen / ~을 세우다 eine Schultradition begründen 〔bilden〕/ ~을 진작 〔파괴〕하다 den Schulgeist fördern 〔zerstören〕.

교풍(矯風) Sittenreform *f.* -en.

교합(交合) Begattung *f.* -en; Geschlechtsverkehr *m.* -(e)s. ☞ 성교. ‖ ~불능 Impotenz *f.* -en; Beischlafunfähigkeit *f.*

교합(校合) Kollation *f.* -en; Vergleichung *f.* -en. ~하다 kollationieren[4]; durchgehen*[4]; durch|sehen*[4] (교열, 검토).

교향곡(交響曲) =교향악.

교향시(交響詩) 〖음악〗 symphonische Dichtung, -en.

교향악(交響樂) Symphonie *f.* -n [..ní:en].
‖ ~단 Symphonie-Orchester *n.* -s, -.

교형(絞刑) ☞ 교수형.
‖ ~리 Henker *m.* -s, -.

교호(交互) ¶ ~의 gegen¦seitig 〔wechsel-〕; reziprok; 《교체의》 alternativ; abwechselnd; alternierend.
‖ ~작용 Wechselwirkung *f.* -en.

교화(教化) Erziehung *f.* -en; Aufklärung *f.* -en; Kultivierung *f.* -en; Bekehrung *f.* -en. ~하다 erziehen*[4]; auf|klären[4]; der [3]Kultur zugänglich machen[4]; bekehren[4]; zivilisieren[4]; e-r höheren Gesittung zu|führen[3]. ¶ ~하기가 쉬운 〔어려운〕 leicht 〔schwer〕 aufzuklären(d); leicht 〔schwer〕 gesittet zu machen(d); leicht 〔schwer〕 erziehbar / 법률로 ~하다 die Menschen durch Gesetzgebung bessern.
‖ ~사업 Bildungsarbeit *f.*; Kulturarbeit *f.*

교화하다(膠化—) gelatinieren [ʒə..]; gallertartig 〔gallertig〕 werden; [4]sich in Kolloid verwandeln.

교환(交換) Tausch *m.* -(e)s, -e; Aus¦tausch 〔Um-〕 *m.* -(e)s, -e; Vertauschung *f.* -en; Geben u. Nehmen. ~하다 tauschen[4] 《*gegen*[4]》; aus|tauschen[4] 《*mit*[3]》; (aus|)wechseln[4] 《*mit*[3]》; 《대치》 ersetzen[4] 《*durch*[4]》; vertauschen[4] 《*mit*[3]》; 〖수학〗 substituieren*[4] 《*für*[4]》; 《어음을》 ab|rechnen; verrechnen. ¶ 의견을 ~하다 die Meinungen aus|tauschen / 좌석을 ~하다 die Plätze 〔die Sitze〕 tauschen 《mit *jm.*》; den Sitz wechseln 《mit *jm.*》/ 줄곧 편지를 ~하고 있다 in ständigem Briefwechsel stehen* 《mit *jm.*》.
‖ ~가치 Austauschwert *m.* -es, -e. ~경제 Tauschwirtschaft *f.* -en. ~고(高) Gesamtsumme 《*f.*》 der abgerechneten Wechsel. ~국 Fernamt *n.* -(e)s, ¨er. ~대 Schalttafel *f.* -n. ~렌즈 〖사진〗 Wechselobjektiv *n.* -s, -e. ~소 《어음의》 Abrechnungsstelle *f.* -n. ~수 〖전화〗 Telephonistin *f.* ..stinnen; Telephon¦fräulein *n.* -s, - 〔-beamtin *f.* ..tinnen〕. ~조건 Tauschbedingung *f.* -en. ~학생〔교수〕 Austauschstudent *m.* -en, -en; Austauschprofessor *m.* -s, -en. 물물~ Tauschhandel *m.* -s, -; 《대치》 Ersetzung *f.* -en; 〖수학〗 Substitution *f.* -en; Vertauschung *f.* -en; 《어음의》 Abrechnung *f.* -en; Verrechnung *f.* -en. 선물~ gegenseitige Beschenkung. 편지~ Briefwechsel.

교환(交歡·交驩) ein geselliges Beisammensein*, -s. ~하다 [4]sich miteinander gemütlich 〔freundschaftlich; ungezwungen〕 unterhalten*; e-n fröhlichen Abend verbringen* 《*mit*[3]》 (저녁에).

교활(狡猾) Schlauheit *f.*; Verschlagenheit *f.*; Durchtriebenheit *f.*; Listigkeit *f.*; Verschmitztheit *f.* ¶ ~한 schlau; verschlagen; durchtrieben; listig; verschmitzt; gerieben / ~하게 굴다 verschlagen 〔schlau〕 handeln; Verschmitztheiten 《*pl.*》 treiben*.

교황(教皇) Papst *m.* -(e)s, ¨e; Pontifex *m.* -e 〔..tifizes〕. ¶ ~의 päpstlich.
‖ ~사절 Nuntius *m.* -, ..tien. ~정치 Papsttum *n.* -(e)s; Papismus *m.* -. ~직 Papsttum *n.* -(e)s; Pontifikat *n.* 〔*m.*〕 -es, -e. ~청 Vatikan *m.* 로마~ Pontifex maximus (칭호).

교회(敎會) Kirche *f.* -n; Gotteshaus *n.* -es, ⸗er; Kapelle *f.* -n (예배당); Kathedrale *f.* -n (대성당); Dom *m.* -(e)s, -e (대사원). ¶ ~의 kirchlich; Kirch(en)- / ~에 가다 in die 〔zur〕 Kirche gehen* ⓢ / ~에서 결혼하다 ⁴sich kirchlich 〔in der Kirche〕 trauen lassen*; kirchlich getraut werden.

‖ ~정치 Kirchenregierung *f.* -en. 복음〔개혁, 가톨릭〕~ die evangelische 〔reformierte, katholische〕 Kirche.

교회(敎誨) Vermahnung *f.* -en; Zurechtweisung *f.* -en; Predigt *f.* -en. ~하다 vermahnen⁴; zurecht|weisen*⁴; predigen⁴ 《보기: ⁴Buße; ⁴Moral 따위》; ins Gewissen 〔zur Vernunft〕 reden.

‖ ~사(師) der Gefängnisgeistliche*, -n, -n.

교훈(敎訓) Lektion *f.* -en; Lehre *f.* -n; Belehrung *f.* -en; Moral *f.* -en; Ermahnung *f.* -en (경고). ~하다 e-e Lektion erteilen³ 〔geben*³〕; belehren²·⁴ 《*über*⁴》. ¶ ~적인 belehrend; lehrhaft; instruktiv; erzieherisch; didaktisch / 우화의 ~ die Moral der Fabel / ~으로 삼다 aus ³*et.* e-e Lehre ziehen*; ³sich ⁴*et.* zur Lehre dienen lassen* / 이것을 좋은 ~으로 삼자 Das soll mir e-e gute Lehre sein. / 이번 실패는 그에게는 좋은 ~이 되었다 Der Mißerfolg war für ihn e-e gute Lektion.

구(九) neun. ¶ 제 구 der 〔die; das〕 neunte* / 십중 팔구(는) in den meisten Fällen; in den meisten der Fälle.

구(句) ① 《주어가 없는》 Redensart *f.* -en; Redewendung *f.* -en; 《주어가 있는》 Satz *m.* -es, ⸗e; Ausdruck *m.* -(e)s, ⸗e. ② 《시의 1행》 Vers *m.* -es, -e; Verszeile *f.* -n; Strophe *f.* -n (절). ③ 《구절》 Stelle *f.* -n; Passus *m.* -, -; Absatz *m.* -es, ⸗e; Paragraph *m.* -en, -en.

구(灸) 〖의학〗《뜸》 Moxa *f.* -xen; Moxibustion *f.*

구(區) ① 《구역》 Abschnitt *m.* -(e)s, -e; Abteilung *f.* -en; Sektor *m.* -s, -en [..tó:rən]. ¶ 선거구 Wahl|bezirk 〔-distrikt *m.* -(e)s, -e; -kreis *m.* -es, -e〕. ② 《행정상의》 Stadtteil *m.* -(e)s, -e 〔-bezirk; -kreis; -viertel *n.* -s, -〕. ¶ 구청 das Verwaltungsbüro 《-s, -s》 e-s Stadtteil(e)s / 구청장 der Vorsteher 《-s, -》 e-s Stadtteil(e)s; Stadtbezirksvorsteher *m.* -s, - / 구(區) 자문 위원회 die beratende Versammlung 《-en》 e-s Stadtteil(e)s / 종로구 der Stadtteil *Jongro.*

구(球) Kugel *f.* -n; Ball *m.* -(e)s, ⸗e; Globus *m.* -〔..busses〕, ..ben 〔..busse〕 (지구의(儀) 따위); Sphäre *f.* -n (천구); Birne *f.*-n (전구). ☞ 구형. ¶ 5구 라디오 Radio 《*n.* -s, -s》 mit 5 Röhren 《Rohr *n.* -(e)s, -e의 *pl.* 3격》.

구-(舊) alt; früher; vorherig; gewesen; einmalig. ¶ 구정(舊正) das Neujahr 《-(e)s, -e》 nach dem Mondkalender.

-구(口) Öffnung *f.* -en; Schalter *m.* -s, -; Loch *n.* -(e)s, ⸗er; Pforte *f.* -n; Schalterfenster *n.* -s, -. ¶ 개찰구 Bahnsteigsperre *f.* -n / 분화구 Krater *m.* -s, - / 접수구 Aufnahmeschalter / 출납구 Kasse *f.* -n; Zahlschalter / 출입구 Eingang; Ausgang *m.* -(e)s, ⸗e.

-구(具) Zeug *n.* -(e)s, -e; Werkzeug *n.* -(e)s, -e; Gerät *n.* -(e)s, -e; Instrument *n.* -(e)s, -e. ¶ 문방구 Schreibwaren 《*pl.*》/ 방한구 die Schutzvorrichtung gegen die Kälte / 운동구 Sportartikel *m.* -s, -.

구가(謳歌) Verherrlichung *f.* -en; Lobpreisung *f.* -en. ~하다 verherrlichen⁴; bis in den Himmel preisen*⁴; ein Loblied singen*; lob|preisen*⁴; lob|singen* 《*jm.*》; mit Lob überschütten⁴. ¶ 인생을 ~하다 das Menschenleben verherrlichen / 태평을 ~하다 den Frieden loben 〔preisen*〕.

구가(舊家) 《전에 살던 집》 *js.* frühere Wohnung, -en.

구각(舊殼) ¶ ~을 벗다〔탈피하다〕 alte Gewohnheiten auf|geben*; von der alten Tradition ab|lassen*.

구각형(九角形) Neuneck *n.* -s, -e; Nonagon *n.* -s, -e. ¶ ~의 neuneckig.

구간(區間) Strecke *f.* -n.

‖ 불통(不通)~ die dem Verkehr gesperrte Strecke; schadhafte Strecke. 전화(電化)~ Straßenbahnstrecke *f.* -n; Strecke der elektrischen Bahn; elektrifizierte Bahnstrecke (전차 구간).

구간(舊刊) die alte Nummer, -n (잡지의); die alte Ausgabe, -n (구판).

구간(軀幹) 《동체》 Rumpf *m.* -(e)s, ⸗e; 《몸》 Körper *m.* -s, -; Figur *f.* -en; Körperbau *m.* -(e)s.

구갈(口渴) Durst *m.* -es. ¶ ~을 느끼다 Durst bekommen*.

구감(口疳) 〖의학〗 Stomatitis *f.* ..itiden; Entzündung 《*f.* -en》 der Mundschleimhaut.

구강(口腔) Mundhöhle *f.* -n. ¶ ~의 질병 Mund-Kieferkrankheiten 《*pl.*》.

‖ ~암 Mundkrebs *m.* -. ~위생 Mundhöhlenhygiene *f.*; Mundpflege *f.* -n. ~점막 Mundhöhlenschleimhaut *f.* ⸗e.

구개(口蓋) Gaumen *m.* -s, -. ¶ ~의 Gaumen-; palatal.

‖ ~신경 Gaumennerv *m.* -s, -en. ~음 Gaumen|laut 〔Palatal-〕 *m.* -(e)s, -e. 경(硬)~ der harte Gaumen. 연(軟)~ der weiche Gaumen.

구걸(求乞) Betteln *n.* -s; Bettelei *f.* -en. ~하다 um Almosen bitten*; betteln; vom Betteln leben; betteln gehen* ⓢ. ¶ ~하고 다니다 ⁴sich durch das Land betteln.

구겨지다 zerknittert 〔zerknüllt〕 werden. ¶ 구겨진 zerknittert; zerknüllt.

구경 das Zuschauen*, -s; Besichtigung *f.* -en; 《명소 등의》 das Aufsuchen* 《-s》 von Sehenswürdigkeiten; der Besuch 《-(e)s, -e》 der Sehenswürdigkeiten. ~하다 zuschauen³; zu|sehen*³; (³sich) an|sehen*⁴; besichtigen⁴; besuchen⁴. ¶ ~시키다 zur ³Schau stellen⁴; aus|stellen⁴; schau|stellen⁴ / 남들은 고생을 하고 있는데 태평스럽게 ~이란 될 법이나 한가 Wir können nicht so ruhig zuschauen, wenn die anderen sich anstrengen. / 여기는 ~할 데가 많다 Hier gibt es viele Sehenswürdigkeiten. / 그 곡예라면 한 번 ~한 적이 있다 Die Kunstvorstellung habe ich mir einmal angesehen.

‖ ~꾼 Zuschauer *m.* -s, -; Besucher *m.* -s, -; der Schaulustige*, -n, -n (호기심이 많은 사람); Gaffer *m.* -s, - (방관적인); Publikum *n.* -s (관중); Zaungäste 《*pl.*》 (빙 둘러선): ~꾼의 심리로 aus ³Neugier.

구경(九經) die Neun Klassiker (des alten China).

구경(口徑) Kaliber *n.* -s, -. ¶ ~ 16인치의 대포 ein Geschütz 《*n.* -es, -e》 von 16 Zoll Kaliber.

구경(球莖) 〖식물〗 Zwiebel *f.* -n; Knolle,

f. -n (구근(球根)).

‖ ~식물 Zwiebelgewächs *n.* -(e)s, -e.

구경거리 Sehenswürdigkeiten《*pl.*》; Attraktion; Schau *f.* -en; Schauspiel *n.* -s, -e. ¶ ~가 아냐, 썩 물러들 가지 못해 Geh* weg! Das ist doch keine Schau! / ~가 되고 싶지 않다 Ich möchte mich vor den Leuten nicht blamieren. / 싸움이 벌어졌는데 좋은 ~였다 Es gab einen Streit und das war wirklich eine Schau. / 서울엔 ~가 많다 In Seoul gibt es viele Sehenswürdigkeiten. / 앞으로 어떻게 될 것인지 좋은 ~가 되겠지 Ich bin sehr neugierig, wie es ausgehen wird. / 그것은 참 멋진 ~였다 《비꼬아서》 Da war wirklich was zu sehen.

구계(球界) Baseballwelt *f.*

구고(舊稿) das alte Manuskript, -(e)s, -e; die frühere (ältere) Ausgabe, -n; die frühere Fassung, -en.

구곡(舊穀) das Getreide 《-s, -》 letzten Jahres; das im vergangenen Jahr geerntete Getreide.

구공탄(九孔炭) Kohlenbrikett 《*m.* -(e)s, -e (-s)》 (mit neun Löchern).

구관(舊官) der ehemalige Gouverneur, -s, -e.

구관(舊慣) alte Sitten u. Gebräuche 《*pl.*》; der alte Brauch, -(e)s, ⸚e; das Althergebrachte*, -n. ¶ ~을 묵수(墨守)하다 an dem Hergebrachten haften.

구관조(九官鳥) 〖조류〗 Dohle *f.* -n; Mino *m.* -s, -; Meinate *m.* -n, -n.

구교(舊交) die alte Freundschaft, -en. ¶ ~를 새롭게 하다 die alte (unwandelbare) Freundschaft vertiefen; das Wiedersehen feiern.

구교(舊教) Katholizismus *m.* - ¶ ~의 katholisch. ‖ ~도 Katholik *m.* -en, -en.

구구 《닭 부르는 소리》 gluck! gluck!

구구(九九) Einmaleins *n.* -, -. ¶ ~를 외다 das Einmaleins aufsagen.

‖ ~표 Multiplikationstafel *f.* -n; Einmaleins *n.* -, -.

구구하다(區區一) ① 《각기 다르다》 verschieden; uneinig; auseinander¦gehend (-laufend); [3]sich widersprechend. ¶ 그 점에 대해서는 의견이 ~ Darüber gehen die Meinungen auseinander.¦Die Ansichten darüber sind geteilt. ② 《사소하다·하찮다》 geringfügig; klein; winzig; unbedeutend; unerheblich; unwichtig.

구국(救國) Vaterlandsverteidigung *f.* -en; Rettung 《*f.* -en》 des Vaterlands in [3]Gefahr; die Befreiung des Vaterlandes; die Bewegung der Vaterlandsbefreiung.

구규(舊規) alte Regel, -n; herkömmliche Regelung, -en (Bestimmungen 《*pl.*》).

구균(球菌) 《박테리아》 der kugelförmig (eiförmige) Spaltpilz, -es, -e; Mikrokokkus *m.* -, ..kokken.

구근(球根) Knolle *f.* -n; Knollen *m.* -s, -.

구금(拘禁) Haft *f.*; Arrest *m.* -(e)s, -e; Einsperrung *f.* -en. ~하다 in Haft nehmen*[4]; verhaften[4]; fest|setzen[4]; ein|sperren[4]; einkerkern[4]. ¶ 방에 ~하다 ans Zimmer fesseln[4] / 자택에 ~되다 im eigenen Haus gefangengehalten werden.

구급(救急) 《구급법》 die erste Hilfe, -n; Unfallshilfe *f.* -n.

‖ ~상자 Sanitätskasten *m.* -s, ⸚ (-). ~소 Sanitätswache *f.* -n; Unfallstation *f.* -en. ~차 Unfallwagen *m.* -s, -; Sanitätsauto *n.* -s, -s; Ambulanz *f.* -en. ⌈-n.

구기 Schöpflöffel *m.* -s, -; Schöpfkelle *f.*

구기(球技) Ballspiel *n.* -(e)s, -e; Kugelspiel *n.* -(e)s, -e.

구기(枸杞) =괴좆나무.

구기다[1] 《운 · 사정이》 [4]sich zum Schlimmsten wenden; eine schlechte (schlimme) Wendung nehmen*; [4]sich verschlechtern (verschlimmern). ¶ 운이 ~ Das Glück wendet* (kehrt) *jm.* den Rücken. / 형편이 구기기 시작한다 Die Lage fängt* an, sich zu verschlimmern. / 살림이 ~ Es geht ihm immer schlechter.

구기다[2] 《주름지게하다》 (zer)knittern[4]; (zer-)knautschen[4]; zerknüllen[4]; 《구겨지다》 [4]sich knittern; [4]sich knautschen; zerknittert (zerknüllt) werden.

구기적구기적 zerknitternd; zerdrückend; zerknüllend; zusammendrückend; durcheinanderbringend. ¶ 옷을 상자에 ~ 넣다 die Kleider in e-e Kiste stopfen (hinein|drücken).

구김살 =주름, 주름살. ¶ ~ 없이 웃는 얼굴 das unschuldig (einfältig; naiv) lächelnde Gesicht, -(e)s, -er.

구깃구깃하다 zerdrückt; zerknittert; voll von Falten (sein). ¶ 구깃구깃한 저고리 eine Jacke 《-n》 voller Falten / 구깃구깃한 지폐 ein zerknitterter Geldschein, -s, -e.

-구나 《감탄》 wie; was für; wirklich. ¶ 참 불쌍하구나 Was für ein Jammer!¦Wirklich bedauernswert! / 참 아름답구나 Wie schön (herrlich)! / 저 집은 크기도 하구나 Was für ein großes Haus ist das!¦Wie groß ist das Haus!

구나방 komischer Kauz, -es, ⸚e; Nörgler *m.* -s, -; Zyniker *m.* -s, -.

구난(救難) Rettung *f.* -en; Bergung *f.* -en; Rettungs¦dienst (Bergungs-) *m.* -(e)s, -e.

‖ ~선 Rettungsschiff *n.* -(e)s, -e.

구내(區內) ¶ ~에 innerhalb des Bezirks (des Bereichs; des Gebietes; des Viertels).

구내(構內) Grundstück *n.* -(e)s, -e; Anlage *f.* -n; Gehege *n.* -s, -; Einfriedung *f.* -en; Hof *m.* -(e)s, ⸚e. ¶ ~에(서) auf dem Grundstück; im Gehege; im Hof.

‖ 역~ Bahnhofanlage *f.* -n. ⌈-en.

구내염(口內炎) Mundhöhlenentzündung *f.*

구년(舊年) das letzte (vergangene) Jahr, -(e)s, -e. ¶ ~을 보내고 신년을 맞이하다 das alte Jahr verabschieden und das neue (Jahr) begrüßen.

구눌(口訥) 《떠듬떠듬》 das Stammeln*, -s; das Stottern*, -s. ~하다 stammeln; stottern; gehemmt sprechen*; in abgerissenen Sätzen sprechen*.

구능 〖민속〗 einer der Geister, die von einem Schamanen beschworen werden.

구단(球團) Baseballmannschaft *f.* -en.

구대륙(舊大陸) die Alte Welt.

구더기 Made *f.* -n. ¶ ~가 꾄 madig / 시체는 ~가 끓고 있었다 Die Leiche wimmelte von Maden.

구덥다 zuverlässig; verläßlich; vertrauenswürdig (sein).

구덩이 Grube *f.* -n; Höhle *f.* -n; Loch *n.* -(e)s, ⸚er; Vertiefung *f.* -en. ¶ ~를 파다 hohl machen[4]; ein|senken[4]; vertiefen[4]; e-e Höhlung 《-en》 (e-e Einsenkung, -en; e-e Vertiefung, -en) machen / ~에 빗물이 괴었다 Das Regenwasser hat sich in einer Vertiefung angesammelt.

구도(求道) 〖종교〗 Wahrheitssuchen *n.* -s; das Suchen nach dem Seelenfrieden. **~하다** die Wahrheit suchen; den Weg zum Seelenfrieden suchen.
‖ **~자** der Seelenheilsuchende*, -n, -n.

구도(構圖) Komposition *f.* -en; Entwurf *m.* -(e)s, ⸚e. ¶ ~가 좋은 glücklich (gut) entworfen; von gut gelungener (geratener; getroffener) Komposition / ~는 대략 되었다 Ich habe es flüchtig entworfen.

구도(舊道) e-e alte Straße, -n (Weg, -(e)s, -e).

구도(舊都) eine alte Stadt, ⸚e; eine frühere (ehemalige) Hauptstadt (Residenzstadt).

구독(購讀) Abonnement *n.* -s, -s; Subskription *f.* -en. **~하다** abonnieren[4] 《*auf*[4]》; halten* 《e-e Zeitung; e-e [4]Zeitschrift》. ¶ 잡지를 ~하다 eine Zeitschrift halten / 나는 서울신문을 ~하고 있다 Ich halte die Seoul Zeitung.
‖ **~료** Bezugs¦preis (Abonnements-) *m.* -es. **~자** Abonnent *m.* -en, -en; Leser *m.* -s, -; Leserschaft *f.*; 《총칭》 Leserkreis *m.* -es, -e; Publikum *n.* -s: ~자가 많다 Diese Zeitung hat einen großen Leserkreis.

구두 《단화》 Schuh *m.* -(e)s, -e; Halbschuh *m.* -(e)s, -e; 《장화》 Stiefel *m.* -s, -; 《끈 매는》 Schnürschuh (단화); Schnürstiefel (장화). ¶ 굽 높은 (낮은) ~ die Schuhe 《*pl.*》 mit hohen (niedrigen) Absätzen / ~ 한 켤레 ein Paar Schuhe / ~를 마추다 ein Paar Schuhe machen lassen* / ~를 신다 (벗다) die Schuhe an|ziehen* (aus|ziehen)* / ~를 닦다 die Schuhe putzen; 《시켜서》 die Schuhe putzen lassen* / ~에 스쳐 상처가 생기다 durch die drückenden Schuhe e-e Fußwunde 《-n》 bekommen* / 이 ~는 꼭 낀다 Die Schuhe drücken (mich).
‖ **~가죽** Schuhleder *n.* -s, -. **~골** Leisten *m.* -s, -: ~골에 끼우다 über (auf) den Leisten schlagen*. **~끈** Schuh¦band *n.* -(e)s, ⸚er (-riemen *m.* -s, -); Schnür¦band *n.* -(e)s, ⸚er (-senkel *m.* -s, -). **~닦개** Schuhwischer *m.* -s, -; Schuhmatte *f.* -n (문 앞의). **~닦기** Schuhputzen *n.* -s(일); Schuhputzer *m.* -s, - (사람). **~뒤축** Schuh¦absatz *m.* -es, ⸚e (-hacke *f.* -n). **~등** Schuhblatt *m.* -es, ⸚er. **~약** Schuh¦wichse (-schmiere) *f.* -n; Schuhcreme [..kre:m] *f.* -s. **~주걱** Schuh¦anzieher (-löffel) *m.* -s, -. **~창** Schuh¦sohle (Stiefel- (장화의)) *f.* -n: ~창을 갈다 die Schuhe (die Stiefel) neu besohlen. **~코** Schuh¦spitze (-kappe) *f.* -n. **구둣방** Schuhladen *m.* -s, - (⸚); Schusterei *f.* -en; Schuhmacherei *f.* -en. **구둣솔** Schuh¦bürste (Wichs-) *f.* -n. **가죽~** Lederschuh. **밤색~** der braune (rotbraune) Schuh, -(e)s, -e. **에나멜~** Lackschuh. **여자~** Damenschuh.

구두(口頭) ¶ ~의 mündlich; gesprochen; verbal / ~로 mündlich / ~로 전하다 *jm.* e-e mündliche Mitteilung aus|richten.
‖ **~계약** der mündliche Vertrag, -(e)s, ⸚e (Kontrakt, -(e)s, -e). **~변론** die mündliche Verhandlung, -en **~시험** die mündliche Prüfung, -en; das mündliche Examen, -s, ..mina. **~약속** mündliches Versprechen, -s; mündliche Verabredung, -en; mündlicher Vertrag, -es, ⸚e: ~약속을 하다 *jm.* (mündlich) versprechen*[4]; *jm.* sein Wort geben*. **~전갈** (전달) die mündliche Mitteilung; der mündliche Bescheid, -(e)s, -e.

구두(句讀) Interpunktion *f.* -en; Zeichensetzung *f.* -en.
‖ **~법** Regel 《*f.* -n》 der Interpunktion. **~점** Interpunktions¦zeichen (Satz-) *n.* -s, -; Punkt *m.* -(e)s, -e: ~점을 찍다 interpunktieren; mit [3]Satzzeichen versehen*.

구두쇠 Geiz¦hals *m.* -es, ⸚e (-kragen *m.* -s, -; -drache *m.* -n, -n); Knicker *m.* -s, -; Knauser *m.* -s, -; Filz *m.* -es, -e; Pfennigfuchser *m.* -s. ¶ ~ 노릇을 하다 mit s-m Geld geizen (knausren); ein äußerst sparsames Leben führen.

구두질 das Reinigen (Auskehern) der Röhren der koreanischen Fußbodenheizung. **~하다** die Röhren der koreanischen Fußbodenheizung aus|kehren (reinigen).

구둣대 ein Werkzeug 《*n.* -(e)s, -e》 zum Auskehren (Reinigen) der Röhren e-r koreanischen Fußbodenheizung.

구드러지다 durch Austrocknen fest werden; vertrocknen Ⓢ. ¶ 과자가 구드러졌다 Der Kuchen ist vertrocknet.

구들 《방구들》 Hypokaustum *n.* -s, ..ten; (koreanische) Fußbodenheizung *f.* -en. ¶ ~이 덥다 Der Fußboden ist warm. / ~을 놓다(고치다) e-e Fußbodenheizung ein|richten (reparieren).
‖ **~더께** =~직장. **~돌** e-e Steinplatte 《*f.*》 zum Auslegen* des Zimmers über der (koreanischen) Fußbodenheizung: ~돌을 놓다 mit Steinplatten 《*pl.*》 das Zimmer aus|legen. **~미** Asche und gebrannte Erde 《*f.*》 aus den Röhren der Fußbodenheizung. **~방**(房) Zimmer 《*n.* -s, -》 mit Fußbodenheizung. **~장**=~돌. **~직장**(直長) Stubenhocker *m.* -s, -.

구들구들 ☞ 꾸들꾸들.

구들동티나다 plötzlich sterben* (ohne ersichtliche Ursache).

구듭 Übernahme 《*f.*》 schwerer (unangenehmer) Arbeit, um *jm.* zu helfen (dienen). **~치다** schwere Arbeit übernehmen, um *jm.* zu helfen.

구뜰하다 wohlschmeckend; appetitlich (sein).

구라파(歐羅巴) =유럽.

구락부(俱樂部) =클럽.

구랍(舊臘) Dezember 《*m.* -s, -》 vorigen Jahres; gegen Ende des letzten Jahres.

구래(舊來) ¶ ~의 alt; althergebracht; langgewohnt; (alt) herkömmlich; überliefert; von alters her; seit alters / ~의 누습을 깨뜨리다 die alten schlechten Bräuche ab|schaffen; vom schlechten Althergebrachten ab|gehen* Ⓢ.

구량(口糧) (Tages)ration *f.* -en (1 일분의).

구럭 Netzwerk 《*n.* -(e)s, -e》 aus Stroh; Maschensack *m.* -(e)s, ⸚e.

구렁 《팬 곳》 Höhlung (Vertiefung) *f.* -en; Loch *n.* -(e)s, ⸚er; Grube *f.* -n; 《비유적》 (Ab)grund *m.* -(e)s; der schlimmste Fall; Sumpf *m.* -(e)s. ¶ 가난의 ~ Abgrund der Armut / 최악의 ~ Abgrund des Schicksals; verhängnisvoller Abgrund / ~에 빠지다 in eine Grube (Höhlung) fallen* / 불행의 ~에 빠지다 in den Abgrund des Schicksals geraten* Ⓢ / 실망의 ~ 속에 놓여 있다 [4]sich im Abgrund der Verzweiflung befinden*.
‖ **~텅이** Abgrund; Sumpf; unermeßliche Tiefe: 깊은 ~텅이 (tiefer) Abgrund / 불행의 ~텅이에 빠져 있다 im Abgrund des Schicksals (Unglücks) geraten sein.

구렁말 ein kastanienbraunes Pferd, -(e)s, -e; der Braune*, -n, -n.
구렁이 e-e gestreifte Schlangenart, -en.
구렁찰 《늦벼》 Fettreis(sorte), der (die) spät im Jahr reift.
구레나룻 Backenbart *m.* -(e)s, ⸗e.
구력(舊曆) Mondkalender *m.* -s, -.
구련(拘攣) 〖의학〗 (Nerven)zuckung *f.* -en; (Muskel)zerrung *f.* -en; Krampf *m.* -(e)s, ⸗e; Spasmus *m.* -, ..men.
구령(口令) Kommando *n.* -s, -s; Befehlswort *n.* -(e)s, -e; mündliche Anordnung (Anweisung) -en. ~하다 kommandieren; *jm.* mündliche Anweisungen geben*. ¶ ~에 따라 auf (nach) Kommando (Befehl) / ~을 내리다 ein Kommando geben* / ~이 떨어지자 전원 차려 자세를 취했다 Auf Befehl haben alle stillgestanden.
구령(救靈) 〖종교〗 Erlösung *f.* -en; Erlösung (Errettung) der Seele. ~하다 die Seele retten.
구례(舊例) der alte Brauch, -(e)s, ⸗e; Sitten u. Gebräuche 《*pl.*》; der frühere Fall, -s, ⸗e; Präzedenzfall *m.* -(e)s, ⸗e.
-구료 ¶ 올 테면 오구료 Sie können kommen, wenn Sie wollen. / 좋도록 하구료 Tun Sie ganz nach Belieben!
구루(傴僂) Buckel *m.* -s, -; Höcker *m.* -s, -, ‖ ~병 Rachitis *f.*: ~병에 걸린 rachitisch.
구루마 =수레.
‖ ~꾼 Wagenzieher *m.* -s, -.
구류(拘留) Haft *f.*; Gewahrsam *m.* -(e)s, -e. ~하다 in [4]Haft nehmen*《*jn.*》; in Gewahrsam bringen* (nehmen*; setzen) 《*jn.*》. ¶ ~중이다 in Haft sein / 경찰에 ~되어 조사중에 있다 bei der Polizei in Untersuchungshaft sein / 3일간의 ~처분을 받았다 Er erhielt drei Tage Haft.¦Er wurde zu drei Tagen Haft verurteilt.
‖ ~장(場), ~소 Haftlokal *n.* -es, -e; Polizeigefängnis *n.* ..nisses, ..nisse; Polizeigewahrsam *n.* -(e)s, -e.
구르다[1] (dahin|)rollen ⓢ; [4]sich herum|drehen (-|wälzen); [4]sich wälzen; 《데굴데굴》 rollen ⓢ. ¶ 굴러 떨어지다 hinab|fallen* ⓢ; hinunter|fallen* (herunter|-) ⓢ; hinunter|-stürzen (herunter|-) ⓢ / 돌이 ~ ein Stein rollt / 굉장한 재산이 그에게로 굴러 들어왔다 Er ist zu großen Reichtum gelangt (gekommen).
구르다[2] 《발을》 trampeln; mit Füßen (die Erde mit dem Fuß; mit dem Fuß auf die Erde) stampfen. ¶ 분해서 발을 ~ vor Ärger stampfen.
구름 Wolke *f.* -n. ¶ 뭉게~ Wolkenbank *f.* ⸗e; riesenhafte Wolkensäule, -n / 엷은 ~ die leichte Wolke, -n / ~같이 in großen [3]Scharen; scharen¦weise (schwarm-) / ~을 찌를 듯한 riesengroß; übermäßig groß; kolossal / ~을 잡을 듯한 undeutlich; unklar; unbestimmt; 《비현실적인》 traumhaft; phantastisch; chimärisch / ~에 닿을 듯한 in die Wolken ragend; wolkenkratzend; zum Himmel ragend; die Wolken berührend; bis in die Wolken reichend / ~ 한 점 없는 wolken¦frei (-los); ohne die kleinste Wolke; vollkommen wolkenlos / ~이 덮인 mit [3]Wolken bedeckt; in Wolken gehüllt / ~이 흩어지다 die Wolken verteilen [4]sich / ~이 끼다 die Wolken steigen auf¦Wolken bilden [4]sich¦der Himmel bewölkt [4]sich / ~이 개다 die Wolken verziehen sich / ~이 얕다 die Wolken hängen tief / ~ 사이로 숨다(들어가다) [4]sich hinter die (den) Wolken verbergen* / ~ 사이에서 나타나다 hinter den Wolken hervor|kommen* ⓢ; zwischen den Wolken erscheinen* ⓢ.
‖ ~다리 Überführung *f.* -en. ~발 Bewegung 《*f.* -en》 der Wolken; Wolkenzug *m.* -(e)s, ⸗e: ~발이 빠르다 Die Wolken ziehen schnell über den Himmel.
구릉(丘陵) Hügel *m.* -s, -; Anhöhe *f.* -n; Erhebung *f.* -en; Hügelchen *n.* -s, -(작은 산등성이); Erdhügel. ¶ ~이 많은 hüg(e)lig; hügelreich.
‖ ~지대 Hügelland *n.* -es, -er.
구리 =동(銅).
‖ 구릿빛 Kupferfarbe *f.* -n: 구릿빛의 kupfer¦farben (-farbig; -rot).
구리귀신(一鬼神) eine geizige und zähe Person, -en.
구리다 ① 《냄새가》 übelriechend; stinkend (지독하게); 《썩어서》 faul; verdorben (sein). ¶ 구린 입김 übelriechender Hauch, -s, -e. ② 《의심쩍다》 verdächtig; zweifelhaft (sein). ¶ 뒤가 ~ dunkel; verdächtig; zweifelhaft zweideutig / 구린데 Es riecht.¦Ich ahne etwas.(의심스럽다)¦Ich wittre Unrat. ¦Ich rieche Lunte. / 아무래도 그 녀석이 ~ Ich habe ihn in Verdacht.
구리때 〖식물〗 Angelika; Engelwurz *f.*; *Angelica davurica* (학명).
구리터분하다, 구리텁텁하다 stinkend; übelriechend (sein).
구린내 der schlechte (üble) Geruch, -(e)s, ⸗e; Gestank *m.* -(e)s (심한). ¶ ~를 풍기다 einen ekelhaften Geruch haben; stinken / 들어가니 ~가 코를 찌른다 Ein schlechter Geruch schlägt mir beim Eintritt entgegen. / 그의 입에서 구린내가 난다 Er riecht aus dem Munde.
구린입 ein übelriechender (stinkender) Mund, -(e)s, ⸗e.
구매(購買) Kauf *m.* -(e)s, ⸗e; An¦kauf (Ein-) *m.* -(e)s, ⸗e. ~하다 ein|kaufen[4]; (an|)kaufen[4].
‖ ~가격 Kauf¦preis (Anschaffungs- (원가)) *m.* -es, -e. ~대장 Einkaufs¦buch (Fakturen-) *n.* -(e)s, ⸗er. ~력 Kaufkraft *f.* ~욕 Kauflust *f.*; Kauffreude *f.* ~자 Käufer *m.* -s, -; Ein¦käufer (An-) *m.* -s, -. ~조합 Konsumverein *m.* -s, -e; Konsum¦genossenschaft (Verbraucher-) *f.* -en. ~책(策) Einkaufskniffe 《*pl.*》.
구멍 ① Loch *n.* -(e)s, ⸗er; Höhle *f.* -n (동굴); Öffnung *f.* -en (트인 곳); Grube *f.* -n (구렁); 《틈》 Ritze *f.* -n; Spalte *f.* -n; 《빵·치즈 등의》 Ohr *n.* -(e)s, -e; Auge *n.* -s, -n; Leck *n.*(*m.*) -s, -e. ¶ 엿보는 ~ Guckloch *n.* -(e)s, ⸗er / 창~ Guckfenster *n.* -s, - / ~을 뚫다(내다) ein Loch machen 《*in*[4]》; lochen[4]; aus|höhlen[4]; (durch|)bohren[4] / ~이 뚫어지게 바라보다 [3]sich nach *jm.* ([3]*et.*) die Augen aus dem Kopf sehen* / 쥐~이라도 들어가고 싶다 [4]sich in den Erdboden hinein|schämen; vor Scham fast in die Erde (den Boden) sinken* / ~ 보아가며 쐐기 깎는다 《속담》 „Nach dem Manne brät man die Wurst." ② 《결손》 Lücke *f.* -n; Verlust *m.* -(e)s, -e; Defizit *n.* -s, -e. ¶ ~을 내다 veruntreuen[4]; unterschlagen*[4] / 출

납계가 큰 ~을 냈다 Der Zahlmeister hat e-e große Geldsumme veruntreut. / 그가 죽은 후 커다란 ~이 생겼다 Sein Tod hat e-e große Lücke hinterlassen.

구메구메 gelegentlich; bei Gelegenheit; wenn [4]sich die Gelegenheit bietet*.

구메농사(一農事) 《소농》 Ackerbau 《*m.* -s》 in kleinem Maßstab; 《농작》 unregelmäßiges Ernteergebnis, -ses, -se.

구메밥 das Essen 《-s, -》, das für e-n Häftling durch e-e Maueröffnung hineingeschoben wird.

구면(球面) Kugeloberfläche *f.* -n.
‖ **~경** Konkavspiegel *m.* -s, - (오목렌즈); Konvexspiegel *m.* -s, - (볼록렌즈). **~삼각형** das sphärische Dreieck, -(e)s, -e. **~좌표** sphärische Koordinaten 《*pl.*》.

구면(舊面) die alte Bekanntschaft, -en; 《사람》 der (alte) Bekannte*, -n, -n; der alte Freund, -(e)s, -e (옛친구). ¶ ~이니까 um der alten Vertrautheit willen; da wir (seit alters) miteinander bekannt sind / 그와 나는 ~이다 Ich bin mit ihm bekannt.

-구면 ① 《사실의 발견 · 확인 · 추측 · 놀라움》 ¶ 아 그렇구면 Sehr richtig! ¦ Ich weiß, was Sie meinen (was du meinst)! ¦ So ist es! / 비가 왔구면 Tatsächlich, es hat geregnet! / 비가 오겠구면 Mir scheint, es wird regnen! / 아드님 집에 있어요—어디 갔구면요 Ist Ihr Sohn zu Hause?—Er scheint irgendwohin gegangen zu sein. / 똑 같구면 Ganz gleich sieht das aus! / 이 동네는 외인촌 갔구면 Dieses Wohnviertel ist wie eine Ausländersiedlung! / 화려한 빛깔이 좋겠구면 Ich glaube, bunte Farben werden passen! / 그럼 문제는 간단하구면 Also dann ist das Problem (die Frage) ganz einfach (unkompliziert)! / 그래, 그럼 수재들이었구면 Wirklich? Dann waren sie begabt. / 창덕궁이 바로 여기(이)구면 *Changdeog* Palast ist gerade hier! / 그럼 그 많은 돈은 그 남편이 다 가졌겠구면 Dann muß ihr Mann all das Geld bekommen haben! / 그럼 그 결혼에 중매인이 대활약을 했겠구면 Dann muß der Vermittler recht aktiv gewesen sein, um diese Heirat zustande zu bringen! / 미국 비행기구면 Sieh da, es ist ein amerikanisches Flugzeug! / 참 좋은 책이로구면 Tatsächlich, es ist ein gutes Buch! / 벌써 오정이구면 Also, es ist schon Mittag!
② 《-는, -던, -더 다음에》 ¶ 비가 오는구면 Ich sehe, es regnet! / 비가 오던구면(오더구면) Jawohl, es hat geregnet! / 어린애가 담배를 피는구면요 Sieh, die Kinder rauchen! / 특별히 김치 맛이 유명하더구면요 Ja, der *Kimchi*-Geschmack ist sehr gut!

구명(究明) Erforschung *f.* -en; Ergründung *f.* -en; Untersuchung *f.* -en. **~하다** erforschen[4]; ergründen[4]; ermitteln[4]. ¶ 그 진상을 ~해 보겠습니다 Ich werde versuchen, den tatsächlichen Sachverhalt zu ermitteln.

구명(救命) Lebensrettung *f.* -en; Rettungsdienst *m.* -(e)s, -e. **~하다** *jm.* das Leben retten.
‖ **~대**(帶) Schwimmweste *f.* -n; Rettungsgürtel *m.* -s, - (-ring *m.* -(e)s, -e; -boje *f.* -n). **~대**(袋) Rettungssack *m.* -(e)s, ⸚e; Rettungsschlauch *m.* -(e)s, ⸚e (화재시의). **~망** Rettungstau *n.* -(e)s, -e. **~밧줄** Rettungsleine *f.* -n. **~용구** Rettungsgerät *n.* -(e)s, -e. **~정**(艇) Rettungsboot *n.* -(e)s, -e.

구명(舊名) der frühere Name, -ns, -n; der alte Name, -ns, -n.

구무럭거리다 langsam (schwerfällig; schlaff) bewegen (s-n Körper); zögern; zaudern; [4]sich hin|schleppen; die Zeit vertrödeln; herum|trödeln. ¶ 구무럭거리지 말고 ohne Verzug; ohne Verzögerung; sofort / 뭘 구무럭거리고 있는 거냐 Warum dauert das so lange? ¦ Was trödelst du herum? / 한시도 구무럭거릴 수 없다 Wir haben keine Zeit zu verlieren. / 구무럭거리지 말고 대답해라 Antworte ohne Zögern! / 그렇게 구무럭거려서는 기차 시간에 못 댄다 Sie werden den Zug verpassen, wenn Sie herumtrödeln.

구무럭구무럭 langsam; hinhaltend; träge; schwerfällig; zögernd; faul; schlaff; herumtrödelnd.

구무완인(口無完人) Er hat an allem zu mäkeln (nörgeln). ¦ Er hat an allem etwas auszusetzen.

구문(口文) Vermittlungs¦gebühr (Makler-) *f.* -en; (Gewinn)anteil *m.* -(e)s, -e; Courtage [kurtá:ʒə] *f.* -n; Sensarie *f.* -n; Provision *f.* -en; Prozente 《*pl.*》. ¶ ~을 받다 (먹다) Vermittlungsgebühren (Maklergebühren) 《*pl.*》 nehmen*.

구문(構文) Satz¦bau *m.* -(e)s (-bildung *f.*; -fügung *f.*; -gefüge *n.* -s).
‖ **~법** Syntax *f.* -en.

구문(歐文) die europäische Schrift, -en; der europäische Text, -es, -e.
‖ **~전보** das in europäischer Schrift verfaßte Telegramm, -s, -e.

구문(舊聞) die veraltete Nachricht, -en; die alte Geschichte; 〖속어〗 die alte Jacke, -n. ¶ 그것은 ~에 속한다 Das ist e-e alte Geschichte (e-e alte Jacke).

구문서(舊文書) Kaufvertrag 《*m.* -(e)s, ⸚e》 des früheren (ehemaligen) Besitzers (Eigentümers).

구물(舊物) ① 《옛 물건》 Antiquitäten 《*pl.*》; Trödel *m.* -s. ② 《세전지물》 Erbstück *n.* -es, -e; ererbter Gegenstand, -es, ⸚e.

구물거리다 ☞ 꾸물거리다.

구미(口味) =입맛. ¶ ~가 당기지 않는 unappetitlich; wenig verlockend.

구미(歐美) Europa u. Amerika, des -u. -s. ¶ ~의 europäisch u. amerikanisch; okzidentalisch.
‖ **~유람** die Tour [tu:r] 《-en》 durch [4]Europa u. [4]Amerika. **~인** die Europäer u. die Amerikaner 《*pl.*》; die Okzidentalen 《*pl.*》.

구미(舊米) alter Reis, -es, -e 〖*pl.* 은 품종을 나타냄〗; Reis von der (vor)letzten Ernte.

구미납(舊未納) Steuerrückstand 《*m.* -s, ⸚e》 vom letzten Jahr; Steuern, die über ein Jahr im Rückstand sind.

구미수(舊未收) nicht erhobene Steuern von letztem Jahr; Steuern, die über ein Jahr nicht erhoben worden sind.

구미호(九尾狐) alter Fuchs *m.* -es, ⸚e; 《사람》 der alte listige Mann *m.* -es, ⸚er.

구민(區民) die Einwohner 《*pl.*》 e-s *Gu* (Bezirks; Kreises).

구박(驅迫) **~하다** mißhandeln 《*p.p.* (ge)mißhandelt》; übel (schlecht) behandeln; hart behandeln; quälen; peinigen. ¶ 며느리를 ~하여 내쫓다 die Schwiegertochter aus dem

Hause hinaus|quälen.

구배(勾配) Neigung *f*. -en; Inklination *f*. -en; Steigerung *f*. -en (오르막의); Gefälle *n*. -s, - (내리막의); 《산허리》 Abhang *m*. -s, ⸚e; 《지형》 Abdachung *f*. -en; Böschung *f*. -en. ¶ 가파른 (완만한) ~ starke (schwache) Neigung; das steile (sanfte) Abfallen* (아래로); die steile (sanfte) Abdachung (아래로); die steile (sanfte) Steigerung (위로).

구법(舊法) ein altes Gesetz, -es, -e; Gesetz aus alter Zeit.

구변(口辯) 《변설》 das Reden* (Sprechen*) -s; Sprache *f*. -n; 《능변》 Beredsamkeit *f*. -en. ¶ ~이 좋다 fließend (geläufig) sprechen*; e-e beredte Zunge haben; ein gutes Mundwerk haben / ~이 나쁘다 ungeschickt im Sprechen sein; e-e schwere Zunge haben.

구별(區別) ① Unterschied *m*. -(e)s, -e; Unterscheidung *f*. -en; Differenz *f*. -en; Verschiedenheit *f*. -en(차이). **~하다** unterscheiden*⁴ 《*von*³》; differenzieren⁴《*von*³》. ¶ …의 ~없이 ohne ⁴Unterschied²; rücksichtslos 《*gegen*⁴》; unbekümmert《*um*⁴》; ohne Rücksicht 《*auf*⁴》/ 원근의 ~없이 nah u. fern / 남녀노소 ~없이 ohne ⁴Unterschied des Alters u. Geschlechts; ohne Ansehen ob alt u. jung, männlich u. weiblich; jedes Alter, jedes Geschlecht. ② 《분류》 Einteilung *f*. -en; Anordnung *f*. -en; Klassifikation *f*. -en; Sonderung *f*. -en. ☞ 구분. **~하다** ein|teilen⁴ 《*in*⁴》; an|ordnen⁴ 《*in*⁴》; klassifizieren⁴ 《*in*⁴》; sondern⁴ 《*in*⁴》.

구보(驅步) Geschwind¦schritt (Lauf-) *m*. -es, -e; Trab *m*. -(e)s (말의). ¶ ~로 im Geschwindschritt (Laufschritt); im Trabe.

구복(口腹) Mund 《*m*. -(e)s, ⸚e》 und Magen 《*m*. -s, ⸚》. ¶ ~이 원수(怨讐)라 „Der eigene Mund und Magen sind Feinde."¦Hunger ist die Ursache der Erniedrigung.

‖ **~지계**(之計) Lebensweise *f*. -n.

구부리다 um|biegen*⁴. ¶ 몸을 ~ ⁴sich krümmen; ⁴sich bücken / 구부리고 걷다 gebückt gehen* ⓢ.

구분(區分) 《배분》 Verteilung *f*. -en; Austeilung (Zu-) *f*. -en; 《분류》 Einteilung *f*. -en; Einordnung *f*. -en; Klassifikation *f*. -en; Sonderung *f*. -en; 《구획》 Abteilung *f*. -en; Sektion *f*. -en. **~하다** verteilen⁴ 《*unter*⁴》; aus|teilen⁴ 《*an*⁴; *unter*⁴》; zu|teilen³⁴; ein|teilen 《*in*⁴》; ein|ordnen⁴ 《*in*⁴》; klassifizieren⁴ 《*in*⁴》; sondern⁴ 《*von*³》; ab|teilen⁴ 《*in*⁴》; sezernieren⁴ 《*in*⁴》.

구불- ☞ 꼬불-.

구붓 leicht (ein wenig) gebogen; mit leichter Kurve (Biegung). **~하다** leicht gebogen (sein).

구붓구붓 mehrmals leicht gebogen.

구비(口碑) die mündliche Überlieferung, -en; die mündlich überlieferte Tradition, -en (Sage, -n). ¶ ~에 의하면 der mündlichen Überlieferung nach / ~로 전해지다 mündlich überliefert werden.

구비(具備) **~하다** versehen (ausgerüstet; ausgestattet) sein 《*mit*³》; besitzen*⁴.

구비구비 ⁴sich schlängelnd; geschlängelt; in ³Serpentinen; mäandernd; mäandrisch; schlangenförmig; ⁴sich windend. ¶ 강물이 ~ 흐르다 Der Fluß fließt in Windungen u. Krümmungen.¦Der Fluß schlängelt (windet) sich (mäandert).

구빈(救貧) Armen¦pflege *f*. -n; (-unterstützung *f*. -en).

‖ **~법** Armengesetz *n*. -es, -e. **~ 사업**. Armenwesen *n*. -s, -. **~원** Armen¦haus *n*. -es, ⸚er (-anstalt *f*. -en).

구쁘다 Appetit bekommen* (spüren); hungrig (sein).

구사(舊師) der frühere (ehemalige) Lehrer, -s, - ※ 전후 관계로서 알 때는 Lehrer만 쓰는 것이 좋다.

구사(驅使) **~하다** 《사람을》 über *jn*. verfügen; 《언어 따위를》 beherrschen⁴; bemeistern⁴; kundig² sein. ¶ 독일어를 ~하다 Deutsch beherrschen / 영어를 마음대로 ~하다 in der englischen Sprache vollkommen bewandert sein.

구사상(舊思想) der veraltete (altmodische; überholte; rückständige; vorgestrige) Gedanke, -ns, -n.

구사일생(九死一生) (der ³Todesgefahr) mit knapper Not entkommen ⓢ¦Um ein Haar wäre ich gestorben (ums Leben gekommen).

구상(求償) Vergütungs¦anspruch (Ersatz-) *m*. -(e)s, ⸚e.

‖ **~권** Ersatzanspruchsrecht *n*. -es, -e.

구상(具象) ¶ ~적인 konkret; anschaulich; gegenständlich; körperlich; materiell.

‖ **~개념** der konkrete Begriff. **~명사** Konkretum *n*. -s, ..ta; Dingwort *n*. -(e)s, ⸚er.

구상(球狀) ¶ ~의 kugelförmig; sphärisch; kugelrund.

구상(鉤狀) ¶ ~의 hakenförmig; hakenartig.

‖ **~골**(骨) Hakenbein *n*. -es, -e. **~충**(蟲) Hakenwurm *m*. -(e)s, ⸚er.

구상(構想) Konzeption *f*. -en; (Ent)wurf *m*. -(e)s, ⸚e; Leitgedanke(n) *m*. ..kens, ..ken; Plan *m*. -(e)s, ⸚e. ¶ 소설의 ~은 되어 있으나 아직 집필에 착수하지는 않았다 Ich habe eine Novelle entworfen, aber noch nicht angefangen, sie niederzuschreiben.

구상나무 〖식물〗 Koreatanne *f*. -n; *Abies koreana* (학명).

구상유취하다(口尙乳臭—) bartlos; unerfahren; unreif; noch frisch (noch nicht torcken) hinter den Ohren (sein).

구새(통) 《통나무》 ein hohler (ausgehölter) Baumstamm, -(e)s, ⸚e; 《굴뚝》 ein hölzerner Schlot, -(e)s, ⸚e (Schornstein *m*. -s, -e). ¶ ~먹다 hohl werden 《Baum》.

구색(具色) Zusammenstellung *f*. -en (배열); Zusammensetzung *f*. -en (조합); Mischung *f*. -en (배합); Gegensatz *m*. -es, ⸚e (대조). ¶ ~을 갖추다 zusammen|stellen⁴ (-|setzen⁴); mischen⁴; gegenüber|stellen⁴.

구생(舅甥) 《외삼촌·조카》 Onkel 《*m*. -s, -》 u. Neffe 《*m*. -n, -n》; 《장인·사위》 Schwiegervater 《*m*. -s, ⸚》 u. Schwiegersohn 《*m*. -(e)s, ⸚e》.

구서(口書) 《입으로 쓴》 Schrift 《*f*. -en》, die mit e-m im Mund gehaltenen Pinsel geschrieben ist; mundgeschriebene Schrift; 《구공서(口供書)》 ein geschriebenes Geständnis, -ses, -se; (Zeugen)aussage *f*. -n.

구석 Ecke *f*. -n; Winkel *m*. -s, -; Rand *m*. -(e)s, ⸚er. ¶ ~마다 in allen Ecken u. Enden; überall; allenthalben / 학생을 한쪽 ~에 벌세우다 den Schüler zur Strafe in e-e Ecke stellen.

구석구석 überall; in (an) allen Ecken u. Winkeln; an allen Ecken u. Enden. ¶ ~뒤지다 an allen Ecken u. Enden (Winkeln) suchen[4]; ab|suchen[4] / 집안을 ~ 뒤지다 in (an) allen [3]Ecken u. [3]Enden des Hauses suchen[4]; das Haus durch|suchen 《*nach*[3]》.

구석기(舊石器) das paläolithische Steinwerkzeug, -es, -e.

‖ ~시대 paläolithisches Zeitalter, -s, -; Paläolithikum *n.* -s; Altsteinzeit *f.*

구석지다 abgelegen (schwer zugänglich; einsam gelegen) sein; [4]sich in e-m fernen Winkel befinden*. ¶ 구석진 곳 (Schlupf-) winkel *m.* -s, -; abgelegene Stelle, -n.

구설(口舌) boshaftes (böswilliges) Gerede, -s; aufreizende(verleumderische) Worte 《*pl.*》. ¶ ~을 듣다 verleumderischen Worten zum Opfer fallen.

‖ ~수(數) Unglück 《*n.* -(e)s, -e》 (Pech *n.* -(e)s), verleumderischen Worten zum Opfer zu fallen.

구성(構成) Zusammensetzung *f.* -en; (Auf-) bau *m.* -(e)s; Bildung *f.* -en; Gefüge *n.* -s, -; Konstruktion *f.* -en; Organisation *f.* -en; Struktur *f.* -en. ~하다 zusammen|setzen[4]; (auf|)bauen[4]; bilden[4]; konstruieren[4]; organisieren[4]. ¶ …로 ~되어 있다 [4]sich zusammen|setzen 《*aus*[3]》; bestehen* 《*aus*[3]》; gebildet werden 《*von*[3]》.

‖ ~분자 Bestandteil *m.* -(e)s, -e; Bildungselement *n.* -(e)s, -e; Komponente *f.* -n.

구성(舊姓) der frühere Name, -ns, -n; Mädchenname *m.* -ns, -n (여자의 결혼 전의).

구성없다 unpassend; ungeschickt; unelegant; geschmacklos; unansehnlich; unbeholfen (sein).

구성지다 passend; elegant; geschickt; geschmackvoll (sein).

구세 〖광석〗 ein poröses Eisenerz, -es, -e.

구세(救世) Erlösung *f.* -en; Seligmachung *f.* -en.

‖ ~군 Heilsarmee *f.* -n: ~군 군인 Heilsarmist *m.* -en, -en (남자); Heilsarmistin *f.* ..tinnen (여자).

구세(舊歲) das vorige (letzte) Jahr, -(e)s, -e.

구세계(舊世界) die alte Welt, -en.

구세대(舊世代) die alte Generation, -en.

구세주(救世主) Erlöser *m.* -s, -; Heiland *m.* -(e)s, -e; Christus als Erlöser der Menschen; Messias *m.* -.

구속(拘束) Be|schränkung (Ein-) *f.* -en; Bindung *f.* -en; Fesselung *f.* -en; Freiheitsentziehung *f.* -en; Zwang *m.* -(e)s (강제). ~하다 beschränken[4]; ein|schränken[4]; binden*[4]; fesseln; die Freiheit entziehen*[3]; zwingen*[4]. ¶ 언론의 자유를 ~하다 die Redefreiheit knebeln; den Mund verbieten* 《*jm.*》; mundtot machen 《*jn.*》; Stillschweigen auf|erlegen 《*jm.*》; die Redefreiheit (Presse) beschränken / 정당한 법률은 선량한 인간에게는 ~이 아니다 Gerechte Gesetze bedeuten für den guten Menschen k-e Beschränkung der Freiheit.

‖ ~력 die bindende (obligatorische; verbindliche; (allgemein) vorgeschriebene) Kraft, ⸚e; Zwangs|kraft (Bindungs-): ~력이 있다 bindend; obligatorisch; verbindlich; (allgemein) vorgeschrieben; Zwangs-. ~시간 〖노동〗 die vorgeschriebene (pflichtmäßige) Arbeitszeit, -en (Dienststunde, -n). ~영장 Haftbrief *m.* -(e)s, -e.

구속(球速) 〖야구〗 Geschwindigkeit 《*f.* -en》 des geworfenen Balls. ¶ ~이 있다 einen Schnellball werfen* / ~을 바꾸다 Ballgeschwindigkeit wechseln.

구속(救贖) 〖기독교〗 Erlösung *f.* -en; Errettung *f.* -en.

구송(口誦) Vortrag *m.* -es, ⸚e; Deklamation *f.* -en; Rezitation *f.* -en; Vorlesen *n.* -s. ~하다 vortragen*; deklamieren; rezitieren.

구수(口授) die mündliche Unterweisung, -en; der mündliche Unterricht, -(e)s. ~하다 *jn.* mündlich unterweisen* 《*in*[3]》; *jn.* mündlich unterrichten 《*in*[3]》; diktieren[4] (받아쓰게).

구수(仇讐) Feind *m.* -es, -e; Gegner *m.* -s, -.

구수하다 ① 《냄새 등이》 angenehm; aromatisch; wohlriechend (sein). ¶ 구수한 냄새 ein angenehmer Geruch / 구수한 코피 향기 der aromatische Duft des Kaffees. ② 《맛이》 wohlschmeckend; schmackhaft; köstlich; delikat; lecker (sein). ¶ 구수한 음식이 차려져 있었다 Wohlschmekende Speisen standen auf dem Tisch. ③ 《이야기가》 interessant; kostlich (sein). ¶ 구수한 이야기 e-e interessante (kostliche) Geschichte, -n / 이야기를 구수하게 하다 auf sehr interessante unterhaltsame Art erzählen.

구수회의(鳩首會議) ¶ ~를 하다 die Köpfe beratend zusammen|stecken / 그들은 ~를 하고 있다 Sie beugen sich zueinander, um etwas heimlich zu erzählen (zu beraten).

구순하다 auf gutem Fuße stehen*; [4]sich sehr gut stehen* 《mit *jm.*》; [4]sich gut vertragen* 《mit *jm.*》; auf vertrautem Fuße stehen* 《mit *jm.*》. ¶ 둘 사이가 ~ Sie vertragen (verstehen) sich gut.

구술(口述) mündliche Darlegung *f.* -en; Diktat *n.* -(e)s, -e; die mündliche Erklärung, -en (유언 따위의). ~하다 mündlich dar|legen[4]; diktieren[4]; mündlich erklären[4] (유언 따위를). ¶ ~의 mündlich.

‖ ~서 〖법〗 die eidliche Erklärung; Aussage *f.* -n. ~시험 die mündliche Prüfung, -en; das mündliche Examen, -s, - (..mina).

구슬 Glaskugel *f.* -n; Glasperle *f.* -n; Kette aus Glasperlen; 《진주》 Perle *f.* -n; 《보석》 Edelstein *m.* -(e)s, -e; Juwel *n.* -s, -en. ¶ ~이 구르는 것 같은 목소리 die silberne (silberhelle; silberklare) Stimme, -n; 〖시어〗 Silberstimme *f.* -n / ~로 꾸미다 mit Edelsteinen schmücken / ~을 갈다 Edelsteine schleifen / ~이 서말이라도 꿰어야 보배라 《속담》 Wenn man es poliert, bekommt es Glanz. | Wenn man den Edelstein nicht schleift, hat er keinen Glanz.

‖ ~덩 mit dem Vorhang aus Perlen geschmückte Sänfte, -n; mit dem Vorhang aus Perlen geschmückter Palankin, -s, -s. ~땀 Schweißtropfen *m.* -s, -: 이마에 ~땀이 났다 Schweißperlen standen ihm an (auf) der Stirn. ~백 die Handtasche 《-n》 aus Glasperlen. ~사탕 Bonbon *m.* (*n.*) -s, -s. ~세공 Juwelierarbeit *f.* -en. ~알 eine Glasperle (Perle).

구슬갓냉이 〖식물〗 eine Art 《-en》 von Meerrettich; *Rorippa globosa* (학명).

구슬구슬 gerade richtig gekocht 《Reis》. ~하다 《Reis》 gerade richtig gekocht; weder zu viel noch zu wenig gekocht (sein).

구슬냉이 〖식물〗 e-n Art Kresse *f.*; *Cardamine bellidifolia* (학명).

구슬려내다 ab|schmeicheln 《*jm.* [4]*et.*》; überreden 《daß *jn.* [4]*et.* tut*》. ☞ 구슬리다.

구슬려세다 《*jm.*》 schmeicheln, bis er gute Laune (Stimmung) hat.

구슬리다 ① 《그럴 듯한 말로》 überreden; beschwatzen 《*jn.*》; Schmeicheln 《*jm.*》. ¶ 슬슬 구슬려 돈을 기부하게 하다 《*jm.*》 schmeicheln, bis er eine Geldspende macht; *jn.* überreden, eine Geldspende zu machen / 아이를 구슬려 장난감을 빼앗다 dem Kind das Spielzeug ab|schmeicheln (entlocken) / 그는 주인을 마음대로 구슬릴 수 있다 Er kann s-n Herrn um den kleinen Finger wickeln. / 돈을 슬슬 구슬려 꿨다 Ich schmeichelte ihm solang, bis er mir Geld geliehen hat. ② 《끝난 일을》 nach|-denken* 《über[4] ein Problem》; durch|forschen 《e-e Sache》.

구슬붕이 〖식물〗 der schuppige (grindige) Enzian, -s, -e; die schuppige Gentiana; *Gentiana squarrosa* (학명).

구슬프다 traurig; betrüblich; trostlos; rührend; ergreifend; melancholisch; schwermütig; trübsinnig; trübselig (sein). ¶ 구슬프게 traurig; betrüblich; melancholisch; trübselig / 구슬픈 노래 ein trauriges Lied, -(e)s, -e / 구슬피 울다 traurig weinen / 가을은 ~ Der Herbst macht traurig.

구습(舊習) der alte Brauch, -(e)s, ⸗e; die alte Gewohnheit, -en; die alte Sitte, -n; Konvention *f.* -en. ¶ ~을 되살리다 alte Bräuche wiederbeleben / ~을 지키다 an dem Hergebrachten haften.

구시렁거리다 brummen; nörgeln; murren; meckern.

구시렁구시렁 brummend; nörgelnd; murrend; meckernd.

구식(舊式) ¶ ~의 alt|modisch (-fränkisch); vorgestrig; unzeitgemäß; vorsintflutlich / ~의 옷 ein altmodisches Kleid / 그의 의견은 ~이다 Seine Ansichten sind altmodisch.|Seine Ansichten sind nicht mehr zeitgemäß.

‖ ~교수법 die altmodische Unterrichtsmethode. ~대포 ein Geschütz von altem Typus; ein Geschütz alten Stils (Musters). ~장이 der altmodische (altfränkische) Mensch.

구신(具申) Bericht *m.* -es, -e. ~하다 ausführlich berichten 《*jm.* über [4]*et.*》. ¶ 의견을 ~하다 s-e Meinung ausführlich äußern. ‖ ~서 der ausführliche Bericht: ~서를 작성하다 e-n Bericht ab|fassen.

구실 ① 《벼슬》 Amt *n.* -(e)s, ⸗er; offizielle Stellung in Staat, Gemeinde, Kirche, *usw.* ② 《조세》 Steuer *f.* -n; öffentliche Abgaben. ③ 《홍역 따위》 meist bei Kindern auftretende Krankheiten wie Pocken, Masern, *usw.* ④ 《직무·역할》 Dienst *m.* -es, -e (근무); Pflicht *f.* -en (의무); Beruf *m.* -(e)s, -e (직무); Aufgabe *f.* -n (임무); Funktion *f.* -en (기능); Rolle *f.* -n (역할). ¶ 제 ~을 다하다 s-e Pflicht tun*; s-e Aufgabe erfüllen; s-n Dienst verrichten; s-e Pflicht erfüllen; das Seine* tun* / 제 ~을 소홀히 하다 s-n Dienst vernachlässigen; s-e Pflicht versäumen.

구실(口實) Vorwand *m.* -(e)s, ⸗e; Vorgeben *n.* -s, -; 《둔사·핑계》 Ausflucht *f.* ⸗e; Ausrede *f.* -n; Scheingrund *m.* -(e)s, ⸗e; der blaue Dunst, -es, ⸗e; Notlüge *f.* -n; Entschuldigung *f.* -en; Rechtfertigung *f.* -en. ¶ …을 ~로 해서 unter dem Vorwand 《*von*[3]》; unter dem Deckmantel 《*von*[3]》; [4]*et.* vorschützend / ~을 만들다 e-n Vorwand suchen (finden*; benutzen); e-e Entschuldigung vor|bringen*; Ausflüchte (Ausreden) machen / …을 ~로 삼다 [4]*et.* zum Vorwand nehmen* / 병을 ~로 오지 않았다 Er gab (schützte) Krankheit vor u. kam nicht.|Er kam nicht unter dem Vorwand, daß er krank sei. / 그는 이 ~ 저 ~을 만들어서 자신의 의무를 피할려고 한다 Er versucht, bald unter diesem, bald unter jenem Vorwand, sich s-n Pflichten zu entziehen. / 그건 단순한 구실이야 Das ist einfach ein Vorwand.

구심(求心) ¶ ~적인 (으로) zentripetal.

‖ ~력 Zentripetalkraft *f.* ⸗e: 유성의 ~력 die Zentripetalkraft der Planeten. ~운동 das Streben nach dem Mittelpunkt hin.

구심(球審) 〖야구〗 Ballschiedsrichter *m.* -s, -.

구십(九十) neunzig. ¶ ~대의 사람 der Neunzigjährige*, -n, -n; Neunziger *m.* -s, -; Neunzigerin *f.* ..rinnen.

구아주(歐亞洲) Europa und Asien; Eurasien *n.* -s. ¶ ~ 연락 비행 der Flug 《-(e)s, ⸗e》 zwischen Europa und Asien.

구아테말라 《나라 이름》 Guatemala *n.* -s; Republik 《*f.*》 G. ¶ ~의 guatemaltekisch.

‖ ~사람 Guatemalteke *m.* -n, -n.

구악(舊惡) das frühere Vergehen*, -s; die dunkle Vergangenheit, -en; die alte Wunde, -n. ¶ ~을 들춰내다 *js.* dunkle Vergangenheit enthüllen; e-e wunde Stelle wieder auf|reißen* / ~이 드러나다 *js.* frühere Vergehen kommt ans Licht / ~은 드러나게 마련이다 „Es ist nichts so fein gesponnen, (es) kommt doch an das Licht der Sonnen."

구악(舊樂) die alte (altertümliche) Musik.

구안(具眼) Scharfblick *m.* -(e)s; Scharfsinn *m.* -s; Einsicht *f.* -en. ‖ ~자 der einsichtige (scharfsinnige) Mensch.

구애(求愛) das Hofmachen* (Liebeswerben*) -s. ~하다 *jm.* den Hof machen; um Liebe (um ein Mädchen) werben*; um *jn.* buhlen; um *jn.* freien (구혼).

구애(拘礙) Hemmung *f.* -en; Störung *f.* -en; Befangenheit *f.* -en; Komplex *m.* -es, -e. ~하다 fest|halten* 《*an*[3]》; [4]sich klammern 《*an*[4]》; kleben 《*an*[3]》; hängen* 《*an*[3]》; [4]sich halten* 《*an*[4]》; [4]sich nicht befreien können* 《*von*[3]》. ¶ 사소한 일에 ~하는 사람 Kleinigkeitskrämer *m.* -s, - / ~하지 않고 frei; offen; ohne [4]Rücksicht 《*auf*[4]》; rücksichtslos; unabhängig 《*von*[3]》; ohne [4]sich um [4]*et.* zu kümmern; ungehindert 《*durch*[4]》 / 형식에 ~하다 an der Form hängen* (kleben); [4]sich pedantisch an die Form halten* (klammern) / 작은 일에 ~하다 haarspalterisch (philiströs; kleinkrämerisch; kleinlich; engherzig; engstirnig) sein; [4]sich mit [3]Kleinigkeiten ab|geben*; an Lappalien immer zu nörgeln haben; [4]sich mit Kleinigkeiten ab|quälen. ┌-e.

구약(舊約) ‖ ~성서 das Alte Testament, -es,

구약나물(蒟蒻—) 〖식물〗 Aronwurz *f.* -en.

구어(口語) gesprochene Sprache, -n; Umgangssprache *f.* -n. ¶ ~의 gesprochen; familiär; Konversations- / ~체로 옮기다 in die Umgangssprache übersetzen[4] (übertragen*[4]).

‖ ~문 Konversations|stil (Gesprächs-) *m.* -(e)s, -e; familiäre Redeweise, -n.

구어박다 ① 《사람이》 (immer) im Hause stecken*; untätig herumsitzen; [4]sich nicht vom Fleck rühren. ② 《물건을》 《einen erhitzten Keil》 ein|schlagen*; 《e-n Keil》 erhitzen und ihn ein|schlagen*.

구역(區域) Bezirk *m.* -s, -e; Gebiet *n.* -(e)s, -e (영역); Bereich *m.* -s, -e (범위); Zone *f.* -n (지대); Kreis *m.* -es, -e (권(圈)); Grenze *f.* -n (경계). ¶ ~내의(에) innerhalb des Bezirkes; innerhalb der Grenzen.
‖ 담당~ Revier [reví:r] 《*n.* -s, -e》 der Betreuung; Runde *f.* -n (순찰의). 안전~ Sicherheitszone *f.* -n; Verkehrsinsel *f.* -n(교통의). 위험~ Gefahrenzone *f.* -n. 주택~ Wohnungsviertel [..firtəl] *n.* -s, -. 행정~ Kreis u. Bezirk, des - u. -(e)s, -e u. -e; Regierungsbezirk *m.* -(e)s, -e.

구역(嘔逆) Brechreiz *m.* -es, -e; Übelkeit *f.*; Ekel *m.* -s; die Neigung zum Erbrechen. ¶ ~나는 ekelhaft/~나다 Ekel empfinden*; [4]sich erbrechen wollen* / ~나게 하다 *jm.* Erbrechen verursachen; *jn.* an|ekeln/그가 알랑거리면 ~질이 난다 S-e Schmeichelei ist mir einfach zum Kotzen.

구연(口演) mündliche Erzählung, -en. ~하다 mündlich erzählen.

구연(舊緣) alte (ehemalige) Beziehung (verbindung) -en.

구연산(枸櫞酸) 〖화학〗 Zitronensäure *f.*
‖ ~발효 Zitronensäure-Gärung *f.* ~염 Zitrat *n.* -(e)s, -e; Salz der Zitronensäure. ~철 das zitronensaure Eisen.

구열(口熱) Mundfieber *n.* -s, -; Wärme im Munde. ¶ ~로 녹다 durch die Mundwärme schmelzen.*

구왕실(舊王室) der alte Hofhaltung.
‖ ~재산 Eigentum 《*n.* -s, ⸗er》 der alten Hofhaltung.

구외(構外) außerhalb des Grundstückes. ¶ 정거장 ~에 außerhalb des Bahnhofsgrundstückes.

구우(舊友) der alte Freund, -(e)s, -e; der alte Bekannte*, -n, -n. ¶ 학교 시절부터의 ~ der alte Bekannte* aus der gemeinsamen Schulzeit; der ehemalige Mitschüler.

구우일모(九牛一毛) ein Tropfen vom Meer; verschwindend wenig; Winzigkeit *f.* -en.

구운석고(一石膏) 〖화학〗 Gips *m.* -es, -e.
‖ ~상 Gipsbild *n.* -(e)s, -er; Gipsfigur *f.* -en. ~세공 Gipsguß *m.* ..gusses, ..güsse: ~세공인 Gipsgießer *m.* -s, -; Gipser *m.* -s, -. ~형 Gipsform *f.* -en.

구움일 das Trocknen* 《-s》 des Bau|holzes (Nutz-).

구움판 Trockengestell 《*n.* -s, -e》 für Nutz-holz.

구워지다 《빵 따위가》 gebacken werden; 《불에 쬐어》 geröstet werden; 《석쇠로》 gegrillt werden, auf dem Grill braten (rösten); 《고기·생선 따위가》 gebraten werden. ¶ 잘 구워지다 gut gebraten (gebacken) werden/설 구워진 halbgar; halbgebacken.

구원(久遠) Ewigkeit *f.* -en; Permanenz *f.* Unendlichkeit *f.* -en. ~하다 ewig; immerwährend; dauernd; permanent (sein). ¶ ~의 평화 ewiger Frieden / ~의 사랑 die ewige Liebe.

구원(救援) Hilfe *f.* -n; Hilfeleistung *f.* -en; Rettung *f.* -en. ~하다 Hilfe leisten[3]; zu(r) Hilfe kommen*[3] [s]; Rettung bringen*[3]; *jn.* zu Hilfe schicken[3]. ¶ ~의 손길 Retter *m.* -s, -; Helfer *m.* -s, -; Befreier *m.* -s, -.
‖ ~군 Hilfstruppe *f.* -en; Verstärkung *f.* -en. ~대 Hilfsexpedition *f.* -en. ~작업 Hilfsaktion *f.* -en. ~조치 Notstands|maßnahme (Hilfs-) *f.* -n.

구원(舊怨) der alte Groll, -(e)s; der langgehegte Haß, Hasses. ¶ ~을 풀다 s-e Rache befriedigen (stillen).

구월(九月) September *m.* -(s), - 《생략: Sept.》; Herbstmond *m.* -(e)s, -e.

구유 Futtertrog *m.* -(e)s, ⸗e; Krippe *f.* -n. ¶ 농부는 싱싱한 건초를 ~에 넣어주었다 Der Bauer warf frisches Heu in die Krippe.

구유(具有) ~하다 besitzen*[4]; haben*[4]; inne|-haben*[4]; ausgerüstet (versehen) sein 《*mit*[3]》 (갖추고 있다).

구은(舊恩) die einst erwiesene Wohltat, -en; *js.* Gunst 《*f.* ⸗e》 in der Vergangenheit; die alte Freundlichkeit, -en. ¶ ~을 갚다 die einst erwiesene Wohltat (Gunst; Freundlichkeit) vergelten*.

구음(口音) Orallunt *m.* -s, -e; Oral *m.* -s.

구읍(舊邑) eine alte Stadt, ⸗e.

구의(舊誼) die alte Freundschaft, -en. ¶ ~를 존중하여 um alter Freundschaft willen / ~를 두텁게 하다 eine alte Freundschaft erneuern.

구이 das Brennen*, -s (도자기 등); das Braten*, -s (고기, 생선 등); das Backen*, -s (빵 등). ¶ 생선(소금)~ (mit Salz) gerösteter Fisch, -es, -e / 새~ gebratenes Geflügel, -s, - / 닭~ Hühnerbraten *m.* -s, -.

구인(求人) Stellenangebot *n.* -(e)s, -e. ¶ 신문에 난 ~광고를 읽었다 Er las (studierte) die Stellenangebote in der Zeitung.
‖ ~광고 Stellenanzeige *f.* -n: ~광고주 Stellenanzeiger *m.* -s, -. ~응모자 Stellenbewerber *m.* -s, -.

구인(拘引) Verhaftung *f.* -en; Festnahme *f.* -n; Verschleppung *f.* -en. ~하다 verhaften[4]; fest|nehmen*[4]; in [4]Haft nehmen*[4]; gefangen nehmen*[4]; ab|führen[4] (verschleppen[4]) zur [3]Polizei (끌고 가다). ¶ ~중이다(되어있다) in [3]Haft (Gewahrsam) sein; in [3]Arrest (Verhaft) sein / 살인혐의로 ~되다 unter dem Verdacht des Mordes zur Polizei abgeführt werden.
‖ ~장(狀) Haft|brief *m.* -(e)s, -e (-befehl *m.* -s, -e).

구일(九日) ① 《초아흐레》 der 9. (Neunte); den 9. (Neunten); am 9. (Neunten). ② 《9일간》 neun Tage.
‖ ~장(葬) Bestattung (Beerdigung) 《*f.* -en》, die am neunten Tag nach dem Tod stattfindet.

구입(購入) (An)kauf *m.* -(e)s, ⸗e; Anschaffung *f.* -en. ~하다 (ein|)kaufen; an|-kaufen.
‖ ~가격 Anschaffungs|preis (Kauf-) *m.* -es, -e.

구입(장생) ein dürftiges (ärmliches) Leben, -s, -; ein knappes (dürftiges) Auskommen, -s, -. ~하다 [4]sich mühsam durch|schlagen*; dürftig leben; knapp aus|kommen* 《mit [3]*et.*》.

구작(舊作) das alte Werk, -(e)s, -e.

구잠함(驅潛艦) Unterseebootjäger *m.* -s, -; U-Bootvertreiber *m.* -s, -.

구장(球場) Fußball|stadion (Baseball [bé:sbo:l..]; Handball-) *n.* -s, ..dien; 《그 밖에》 Baseballspielfeld *n.* -(e)s, -er (다이아몬드); Fußball|platz (Handball-; Tennis-) *m.* -es, ⸗e (경기장).

구장(區長) Dorfschulze *m.* -n, -n; Gemeindevorsteher *m.* -s, -.

구재 Asche 《*f.* -n》 und Ruß 《*m.* -es, -e》 in den Kanälen der Fußbodenheizung.

구재(口才) ① 《말재주》 Beredsamkeit *f.*; gutes 〔flinkes〕 Mundwerk, -(e)s, -e; Schlagfertigkeit *f.* ② 《노래재주》 musikalische Begabung, -en; Sängertalent *n.* -(e)s, -e.

구저분하다 ＝구접스럽다.

구적 ein dünner Splitter 《-s, -》 (von Stein, unglasiertem Porzellan).

구적(仇敵) Todfeind *m.* -(e)s, -e; der geschworene 〔alte〕 Feind, -(e)s, -e(구적(舊敵)).

구적(求積) 〖수학〗 Flächen- und Raummessung 《*f.* -en》.

‖ ～법 Stereometrie *f.*; Messung, -en.

구적(舊蹟) der geschichtlich bekannte Ort, -(e)s, -e; das alte Schlachtfeld, -(e)s, -er; Ruine *f.* -n; Überrest *m.* -(e)s, -e 〖이상 세 말은 「…의」라고 구체적 설명을 붙여서 쓴다〗. ¶경주에는 ～이 많다 Es gibt viele historisch berühmte Plätze in *Kyeongju*.

구전(口傳) mündliche Mitteilung, -en; 《구비(口碑)》 (mündliche) Überlieferung, -en. ～하다 mündlich mit|teilen⁴; mündlich überliefern⁴. ¶～으로 mündlich; durch mündliche Überlieferung.

구전(口錢) ＝구문(口文).

구전(俱全) Vollkommenheit *f.*; Vollendung *f.* -en. ～하다 vollkommen; vollendet; vollständig; komplett (sein).

구전(舊典) die alten Schriften 《*pl.*》; Geschichtsurkunde *f.* -n (고서(古書), 사적(史籍)); die alte Einrichtung, -en (옛 제도).

구절(句節) Satz *m.* -es, ⸗e; Phrase *f.* -n (성구); Ausdruck *m.* -(e)s, ⸗e; Stelle *f.* -n; Paragraph *m.* -en, -en; Absatz *m.*; 《시의》 eine Zeile (일행); Vers *m.* -es, -e; Stanze *f.* -en; Strophe *f.* -n; Gedicht *n.* -es, -e.

구절양장(九折羊腸) 《길》 der windende 〔sich schlängelnde〕 Pfad. ¶～의 sich schlängelnd; windend; kurvenreich.

구절초(九折草) 〖식물〗 die Sibirische Chrysantheme, -n; *Chrysanthemum sibiricum* (학명).

구점(句點) Interpunktionszeichen *n.* -s, -; Satzzeichen *n.* -s, -; Punkt *m.* -(e)s, -e.

구접스럽다 ① 《사물이》 schäbig; schmutzig; unsauber; unordentlich u. dreckig (sein). ② 《하는 짓이》 gemein; niederträchtig; unanständig (sein).

구정(舊正) Neujahrsfest 《*n.* -(e)s, -e》 nach dem Mondkalender.

구정(舊情) die alte Freundschaft, -en. ¶～을 새롭게 하다 die alte Freundschaft vertiefen; das Wiedersehen feiern.

구정물 das schmutzige 〔schlammige〕 Wasser, -s; Schmutzwasser.

구제(救濟) (Ab)hilfe *f.* -n; Rettung *f.* -en; Unterstützung *f.* -en; Befreiung *f.* -en (해방); Erlösung *f.* -en (특히 종교상의). ～하다 ab|helfen*³; *jm.* Hilfe leisten; *jm.* helfen* 《*aus*³; *in*³》; retten⁴ 《*aus*³》; unterstützen⁴; befreien⁴ 《*aus*³; *von*³》; erlösen 《*aus*³; *von*³》. ¶～하기 어려운 unverbesserlich; unbeholfen; hartgesotten; gottlos / ～하기 어려운 녀석이다 Er ist ein unmöglicher Kerl. / 빈민, 병자를 기부금으로 ～하다 den Armen u. Kranken durch Geldspenden helfen* / 재정난을 ～하다 der finanziellen Belastung ab|helfen*.

‖ ～기금 Hilfs¦fonds 〔Unterstützungs-〕 [..fɔ̃:] *m.* - [..fɔ̃:(s)], - [..fɔ̃:s]; Hilfs¦kasse 〔Unterstützungs-〕 *f.* -n. ～사업 Hilfs¦werk *n.* -(e)s, -e 〔-dienst *m.* -es, -e〕. ～책 Hilfsmaßnahme *f.* -n. ～회〔조합〕 Hilfsorganisation *f.* -en; Unterstützungsverein *m.* -(e)s, -e.

구제(舊制) das alte 〔frühere〕 System, -s, -e; die alte Ordnung, -en. ¶～의 학교 교육 Schulbildung 《*f.* -en》 nach 〔unter〕 dem alten System.

‖ ～대학 e-e Universität 《-en》 〔e-e Hochschule, -n〕 nach dem alten 〔früheren〕 System.

구제(驅除) Vertilgung *f.* -en; Austilgung *f.* -en; Aus¦rottung *f.* -en 〔-merzung *f.* -en〕. ～하다 vertilgen⁴; aus|tilgen⁴ 〔-|rotten⁴; -|merzen⁴〕; vertreiben*⁴; verjagen⁴; ⁴*et.* von ³*et.* befreien. ¶해충을 ～하다 schädliche Insekten 《*pl.*》 aus|rotten / 집의 쥐를 ～하다 das Haus von Ratten befreien; die Ratten aus dem Hause vertreiben*.

‖ ～약 Vertilgungsmittel *n.* -s, -.

구조(救助) Rettung *f.* -en; Befreiung *f.* -en; Hilfe *f.* -n; Bergung *f.* -en. ～하다 retten⁴; befreien⁴ 《*aus*³》; helfen³ 《*aus*³》; bergen*⁴; erretten⁴ 《*aus*³》 (구출). ¶～를 청하다 um Hilfe rufen* 〔schreien*; bitten*〕 / 인명을 ～하다 *jm.* das Leben retten; *jn.* vom Tode erretten / ～선을 내리다 das Rettungsboot aus|setzen.

‖ ～대 Rettungstruppe *f.* -n. ～신호 Notsignal *n.* -s, -e; SOS *n.* ～작업 Rettungsarbeiten 《*pl.*》. 인명～ Lebensrettung *f.*

구조(構造) Struktur *f.* -en; (Auf)bau *m.* -(e)s; Bau¦art *f.* -en 〔-weise *f.* -n〕; Gerüst *n.* -(e)s, -e; Konstruktion *f.* -en; Organisation *f.* -en (조직); (die Art der) Zusammensetzung, -en. ¶그 집의 ～는 튼튼〔훌륭〕하다 Das Haus ist ein solider 〔stattlicher〕 Bau.

‖ ～언어학 die strukturelle Linguistik. ～주의 Strukturalismus *m.* -.

구조개 《굴과 조개》 Auster 《*f.* -n》 u. Muschel 《*f.* -n》.

구존(俱存) das Am-Leben-Sein der Eltern. ～하다 die Eltern noch am Leben haben. ¶그의 양친은 ～하신다 Seine Eltern sind noch am Leben.

구좌(口座) Konto *n.* -s, ..ten. ¶(은행에) ～를 트다 ein Konto (bei der Bank) eröffnen 〔einrichten〕 / ～에 입금하다 Geld auf das Konto überweisen.

구주(救主) 〖기독교〗 Heiland *m.* -(e)s; Christus als Erlöser der Menschen; Retter *m.* -s, -.

구주(歐洲) ＝유럽.

구주(舊主) der frühere Herr, -n, -en.

구주(舊株) die alte Aktie, -n; Stammaktie *f.*

구죽 Haufen 《*m.* -s, -》 Austernschalen (am Strand).

‖ ～바위 das Gestein 《-(e)s, -e》, das aus Haufen von Austernschalen entstanden ist.

구중(九重) ① 《아홉겹》 neunfach. ② 《구중궁궐》 der kaiserliche Hof, -(e)s, ⸗e.

구중중하다 schmutzig; abscheulich; dreckig; unsauber; abscheulich und naß 〔feucht〕 (sein). ¶구중중한 방 schmutziges Zimmer, -s, - / 구중중한 날씨 nasses 〔feuchtes〕 Wetter.

구지(舊趾) Ruine *f.* -n (폐허 따위); die historischen Überreste 《*pl.*》 (유적 따위). ¶성은 ～만 남겨놓고 있다 Von dem Schloß steht nur noch eine Ruine.

구지레하다 schmutzig u. unordentlich; unsauber; liederlich (sein). ¶ 구지레한 방 ein schmutziges u. unordentliches Zimmer / 구지레한 옷차림이다 liederlich [unsauber] bekleidet sein.

구직(求職) Stellungs|suche [Stellen-] *f.* -n; Stellengesuch *n.* -(e)s, -e (신청); Stellenangebot *n.* -(e)s, -e (고용주 편에서). ¶ 회사에 다 ~원을 내다 ein Stellungsgesuch an eine Firma schicken.

‖ ~광고난 die Spalte 《-n》 für Stellenangebote [Stellengesuche]. ~자 Stellen|bewerber [-jäger] *m.* -s, -.

구진(具陳) Darlegung *f.* -en; Darstellung *f.* -en; Aussage *f.* -n; Äußerung *f.* -en. ~하다 darlegen; aus|sagen. ¶ 의견을 ~하다 seine Ansichten darlegen 《*über*[4]》; seine Meinung äußern 《*über*[4]》; [4]sich äußern [aus|sprechen*] 《*über*[4]》.

구질구질 schmutzig; unsauber; liederlich; dreckig. ~하다 schmutzig; liederlich; dreckig (sein).

구차스럽다, 구차하다(苟且—) ① 《가난》 sehr arm (sein); finanziell schlecht dran sein; sehr knapp sein; knapp bei Kasse sein. ¶ 살림이 ~ sehr arm leben; sehr knapp aus|kommen*; finanziell schlecht dran sein / 그들은 구차하게 살고 있다 Sie leben sehr arm [dürftig].| Sie sind [leben] in Not. ② 《구구함》 niedrig; schändlich; unwürdig (sein). ¶ 구차한 생명 eine niedrige [unwürdige] Existenz, -en; ein unwertes [unwürdiges] Leben, -s, - / 구차히 in Armut [Not]; ärmlich; dürftig / 남에게 구차한 소리를 하다 *jn.* um Barmherzigkeit [Mitleid] bitten*; *js.* Barmherzigkeit [Mitleid] flehen.

구창(口瘡) Mundgeschwür *n.* -(e)s, -e; Verletzung 《*f.* -en》 [Wunde *f.* -n] im Mund.

구채(舊債) die alte Schuld, -en. ¶ ~를 갚다 alte Schulden tilgen.

구척장신(九尺長身) der riesenhafte [riesige; riesengroße; titanenhafte; titanische] Mensch, -en, -en; Riese *m.* -n, -n.

구천(九天) ① 《하늘》 der höchste Himmel, -s, -. ② 〖불교〗 die neun Himmelskörper.

구천(九泉) Hades *m.* -; Totenreich *n.* -(e)s; Unterwelt *f.*; Schattenreich *n.*

구청(區廳) (Stadt)bezirksamt *n.* -(e)s, ⸗er.

‖ ~장 Verwaltungsleiter 《*m.* -s, -》 eines Bezirks; Stadtbezirksvorsteher *m.* -s, -.

구체(久滯) chronische Dyspepsie *f.* -n; langwierige Verdauungsstörung *f.* -en.

구체(具體) Konkretum *n.* -s, ..ta; Konkretheit [Gegenständlichkeit; Sachlichkeit] *f.* ¶ ~적 konkret; sachlich; eindeutig / ~적으로 말하면 konkret gesagt / ~적 개념 ein konkreter Begriff, -(e)s, -e / ~적 사실 e-e eindeutige Tatsache, -n; ein konkreter Tatbestand, -(e)s, ⸗e / 문제를 ~적으로 검토하다 e-m Problem auf praktischem Wege bei|kommen*ⓢ.

‖ ~성 Konkretheit. ~안 ein konkreter Plan [Entwurf] -(e)s, ⸗e. ~책(策) eine konkrete Maßnahme, -n; ein konkreter Schritt, -(e)s, -e. ~화 das Konkretisieren*, -s; Vergegenständlichung [Verkörperung] *f.*: ~화하다 konkretisieren; vergegenständlichen; verkörpern; realisieren / 그 계획은 곧 ~화될 것이다 Der Plan wird bald konkrete Umrisse annehmen.

구체(球體) Kugelkörper *m.* -s, -; Kugel *f.* -n; Sphäre [sfέːrə] *f.* -n.

구체제(舊體制) die alte Ordnung, -en.

구축(構築) Errichtung *f.*; Errichten *n.* -s; Bau *m.* -(e)s; Bauen *n.* -s; Struktur *f.* -en. ~하다 errichten; bauen; konstruieren; erbauen.

구축(驅逐) Vertreibung *f.* -en; Austreibung *f.* -en; das Fortjagen*, -s; Verjagung *f.* -en; Verscheuchung *f.* -en; Wegjagung *f.* -en. ~하다 vertreiben*[4]; aus|treiben*[4]; fort|jagen[4] [weg|-]; verjagen[4]. ¶ 사회에서 ~하다 aus|bürgern 《*jn.*》; aus der Gesellschaft aus|schließen* 《*jn.*》; aus dem Lande verweisen* [verbannen] 《*jn.*》; expatriieren 《*jn.*》 / 적을 국내에서 ~하다 das Land von dem Feinde säubern.

‖ ~함 Zerstörer *m.* -s, -: ~함대 Zerstörerflottille *f.* -n.

구출(救出) ~하다 erretten[4]; retten[4] 《*aus*[3]》; befreien[4] 《*von*[3]; *aus*[3]》. ¶ 포로를 ~하다 e-n Gefangenen befreien.

‖ ~작업 die Rettungsarbeiten 《*pl.*》.

구충(驅蟲) Wurmkur *f.* -en.

‖ ~약 Insektenpulver *n.* -s, - (분말); Insektenvertilgungsmittel *n.* -s, -; Wurmmittel (구충제).

구취(口臭) der (üble) Mundgeruch, -(e)s, ⸗e.

구치(臼齒) Back(en)zahn *m.* -(e)s, ⸗e.

구치(拘置) Gefangenhaltung *f.*; Internierung *f.*; Gewahrsam *m.* -(e)s, -e; Haft *f.*; Zurückhaltung *f.* ~하다 ein|sperren[4]; in [3]Haft halten*[4]; in [4]Haft nehmen*[4]; internieren[4]; zurück|halten*[4] [fest|-].

‖ ~소 Internierungshaus *n.* -es, ⸗er; Gewahrsam *n.* -(e)s, -e; Gefängnis *n.* -ses, -se.

구칭(舊稱) der frühere Name, -ns, -n; früher so u. so genannt.

구타(毆打) Tätlichkeit *f.* -en; die tätliche Beleidigung, -en; Schlag *m.* -(e)s, ⸗e. ~하다 tätlich werden 《gegen *jn.*》; tätlich beleidigen 《*jn.*》; schlagen* 《*jn.*》.

구태(舊態) der alte [vorige] Stand, -(e)s, ⸗e 《der Dinge》; der alte [frühere] Umstand, -(e)s, ⸗e. ¶ 모두가 다 ~의연하다 Es bleibt alles beim alten.

구태여 vorsätzlich; absichtlich (의식적); kühnlich; extra; dreist (감히); bewußt (알면서도); ausdrücklich; entschieden (적극); [4]sich unterstehen* [([3]sich) Mühe geben*] 《[4]*et.* zu *tun*》. ¶ ~ 서둘 건 없네 Sie brauchen sich nicht extra zu beeilen. / ~ 회의에 출석할 필요는 없다 Sie müssen nicht unbedingt an der Versammlung teilnehmen. / 그것을 사려 ~ 종로까지 갈 것이 없다 Sie brauchen (sich) nicht die Mühe zu machen, bis *Jongro* zu fahren, um es zu kaufen. / ~ 네 형 집에 안 들러도 좋다 Du brauchst nicht absichtlich bei deinem Bruder vorbeizukommen. / 그렇다면 ~ 말리지 않겠다 Wenn du darauf bestehst, will ich dich nicht zwingen, damit aufzuhören.

구택(舊宅) die frühere Wohnung, -en.

구텐베르크 《독일의 인쇄술 창시자》 Johannes Gutenberg (zwischen 1394 u. 1397–1468).

구토(嘔吐) das Erbrechen* [Kotzen*] -s. ~하다 [4]sich erbrechen*; [4]sich übergeben*; kotzen. ¶ ~증이 나는 ekelhaft / ~증이 나다 Ekel haben 《*vor*[3]》.

‖ ~제 Brechmittel *n.* -s, -. ~증 Ekelemp-

findung *f.* -en.
구투(舊套) Herkommen *n.* -s, -; Konvention *f.* -en. ¶ ～를 벗어나다 vom Althergebrachten* ab|gehen* [s].
구파(舊派) die alte Schule, -n. ¶ ～의 von der alten Schule.
구판(舊版) die frühere (alte) Ausgabe, -n; die bisherige Auflage, -n.
구폐(舊弊) üble Sitten u. Gebräuche《*pl.*》(폐풍); das altmodische Wesen, -s, -; Konservatismus *m.* -. ¶ ～의 alt¦modisch (-väterisch; -fränkisch); veraltet; unzeitgemäß / ～에 젖은 사람 der rückständige Mensch, -en, -en; 〖속어〗 Fossil *n.* -s, ..lien; der alte Knacker, -s, -.
구포(臼砲) Mörser *m.* -s, -.
구푸리다 ⁴sich bücken (beugen; neigen). ¶ 몸을 ～ ⁴sich bücken; ⁴sich verbeugen (verneigen) / 책상 위에 몸을 ～ ⁴sich über den Tisch beugen.
구풍(颶風) Orkan *m.* -s, -e; Dreh¦sturm (Wirbel-) *m.* -(e)s, ⁼e; Hurrikan *m.* -s, -e; Taifun (Teifun) *m.* -s, -e; Typhon *m.* -s, -e; Wirbelwind *m.* -(e)s, -e; Zyklon *m.* -s, -e.
구피(狗皮) Hundefell *n.* -(e)s, -e.
구필(口筆) mundgeschriebene Schrift, -en.
구하다(求—) ①《청하다·요구하다》*jn.* bitten*《*um*⁴》; bei *jm.* an|suchen《*um*⁴》; *jn.* ersuchen《*um*⁴》; fordern⁴《von *jm.*》; verlangen⁴《von *jm.*》. ②《찾다》suchen⁽⁴⁾《*nach*³》; forschen《*nach*³》; ausfindig machen⁴; ermitteln⁴. ¶ …을 구하여 auf der Suche《*nach*³》/ 외국에서 행운을 ～ sein Glück im Ausland versuchen (운수를 시험해 보다) / 답을 ～ die Lösung ermitteln / 식모를 구함《게시》Mädchen gesucht. ③《사다 · 조달함》(³sich) kaufen⁴; (³sich) an|schaffen; ³sich (*jm.*) besorgen⁴ (verschaffen⁴); 〖속어〗 organisieren⁴ (특히 암거래로).
구하다(救—) retten⁴ (구조); helfen*³ (조력); befreien⁴ (해방); erlösen⁴ (종교적). ¶ 생명을 ～ das Leben retten⁴ / 불 속에서 ～ aus dem Feuer retten⁴ / 위험에서 ～ aus e-r ³Gefahr befreien⁴ (retten⁴) / 죄악에서 ～ von der Sünde erlösen⁴.
구학(求學) Suche《*f.* -n》nach Bildung(smöglichkeit). ～하다 nach Bildung(smöglichkeit) suchen.
구학문(舊學問) Studium《*n.* -s, ..dien》der Chinesischen Klassiker (im Gegensatz zur neu eingeführten europäischen Wissenschaft).
구험(口險) eine böse (lose; scharfe; spitze) Zunge, -n; ein loser Mund, -(e)s, ⁼e. ～하다 eine böse (lose; scharfe) Zunge haben; einen losen Mund haben.
구현(具現) Verkörperung *f.* -en; Inkarnation *f.* ～하다 verkörpern⁴; verwirklichen⁴ (실현). ¶ …의 ～인 eingefleischt; fleischgeworden; leibhaft.
구혈(九穴) die neun Öffnungen des menschlichen Körpers (=Augen, Nasenlöcher, Mund, Ohren, After, Harnröhre).
구혈(灸穴) für „Moxa" (=Mutterkraut)-Kauterisation (Moxibustion) geeignete Hautstellen.
구형(求刑) Forderung《*f.* -en》e-r Strafe. ～하다 e-e Strafe fordern. ¶ 검사는 3년의 금고를 (사형을) ～했다 Der Staatsanwalt forderte 3 Jahre Gefängnis (die Todesstrafe).
구형(矩形) Rechteck *n.* -s, -e. ¶ ～의 rechteckig.
구형(球形) Kugelform *f.* -en. ¶ ～의 kugelförmig (-rund); kug(e)lig.
구형(舊型) der alte Typ, -s, -en; der alte Typus, ..pus, ..pen; der alte Stil, -(e)s, -e (양식(樣式)).
구호(口號) ①《표어》Motto *n.* -s, -s; Wahlspruch *m.* -(e)s, ⁼e; Schlagwort *n.* -(e)s, -e;《군호》Kennwort *n.* -(e)s, ⁼er; Parole *f.* -n. ②《즉흥적인》Stegreifverse《*pl.*》; Improvisation *f.* -en.
구호(救護) Hilfe《*f.* -n》u. Schutz《*m.* -es》; Hilfeleistung *f.* -en. ～하다 retten⁴; in Sicherheit bringen*⁴; aus Gefahr bergen*; die erste Hilfe leisten. ¶ 이재민을 ～하다 die vom Unglück Betroffenen* (die Verunglückten*) betreuen.
‖ ～반 Sanitätswache *f.* -n; Sanitäterformation *f.* -en. ～작업 Hilfsaktion *f.* -en.
구혼(求婚) Heiratsantrag *m.* -(e)s, ⁼e; Freite *f.* -n; Werbung *f.* -en. ～하다 *jm.* e-n Heiratsantrag machen; *jn.* freien; um *jn.* werben*; um die Hand des Mädchens (um *jn.*) an|halten*; *jm.* s-e Hand an|tragen*.
‖ ～광고 Heiratsanzeige *f.* -n. ～자 Werber *m.* -s, -; Freier *m.* -s, -.
구화(歐化) Europäisierung *f.* -en; Europäischmachen *n.* -s. ～하다 europäisieren; europäisch machen.
‖ ～주의 Europäertum *n.* -s: ～주의자 der Begünstiger《-s, -》des abendländischen Wesens.
구화반자 e-e Zimmerdecke《-n》mit Chrysanthemenmuster.
구화장지 eine mit dem Chrysanthemenmuster tapezierte Schiebetür.
구활(久闊) lange Pause im Briefwechsel. ¶ ～을 사과하다 ⁴sich wegen e-r langen Pause im Briefwechsel entschuldigen.
구황(救荒) Hilfe《*f.* -n》aus der Hungernot; Hilfe für Hungerleidende《*pl.*》. ～하다 Hungerleidenden aus der Not helfen*.
‖ ～작물 zur Hilfe aus der Hungernot geeignetes Getreide, -s, -.
구황실(舊皇室) das koreanische Kaiserhaus, -es; das koreanische kaiserliche Familie.
구획(區劃) ①《구분》Abteilung *f.* -en; Teilung *f.* -en; Ein¦teilung (Auf-) *f.* -en; Sonderung *f.* -en;《구역》Bereich *m.* -(e)s, -e; Bezirk *m.* -(e)s, -e; Sektor *m.* -s, -en;《도시의》Stadt¦teil (-bezirk) *m.* -s, -e;《블록》Block *m.* -(e)s, ⁼e; Häusergruppe *f.* -n;《구획된 부분》Abteil *m.* (*n.*) -s, -e; Abteilung *f.* -en; Sektion *f.* -en. ～하다 ab|teilen⁴; ein|teilen⁴; ab|schlagen*⁴ (분할); e-e Grenzlinie ziehen*《*zwischen*³》.
‖ ～정리 (planmäßige) Anordnung《-en》der Stadtteile (Blöcke). 행정～ Verwaltungsbezirk *m.* -s, -e.
구휼(救恤) Hilfe *f.* -n; Unterstützung *f.* -en. ～하다 Hilfe leisten³; unterstützen⁴.
‖ ～금 Unterstützungs¦fonds (Hilfs-) *m.* -, -. ～사업 Hilfswerk *n.* -(e)s, -e; die Notstandsarbeiten《*pl.*》.
구희(球戱) Kugelspiel *n.* -(e)s, -e; Ballspiel *n.* -(e)s, -e; Billard *n.* -s, -e (당구); Kegelspiel *n.* -s, -e (볼링).
‖ ～장 Kegelbahn *f.* -en (볼링장); Billardsaal *m.* -(e)s, ..säle (당구장).
국 Suppe *f.* -n (수프); Brühe *f.* -n (고기 국물). ¶ 고깃국 (Fleisch¦)brühe (Kraft-) *f.* -n.

국(局) ① 《관청의》 Amt *n.* -(e)s, ⸗er; Dienststelle *f.* -n; Abteilung *f.* -en; Bureau 〔Büro〕 *n.* -s, -s. ¶ 우체국 Postamt. ② 《바둑 · 장기의》 Partie *f.* -n. ¶ (바둑을) 대국하다 eine Partie Go 〔*Badug*〕 spielen.

국가(國家) Staat *m.* -(e)s, -en; Reich *n.* -(e)s, -e; Nation *f.* -en (국민); Volk *n.* -(e)s, ⸗er (민족). ¶ ~의, ~적 staatlich; Staats-; national; 《관(官)의》 Regierungs-; amtlich; behördlich; offiziell / ~의 주석(柱石)(이다) e-e Säule 〔e-e Stütze〕 des Staates (sein).
‖ ~경제 Staatswirtschaft *f.* -en; Staatsfinanzen 《*pl.*》; Staatshaushalt *m.* -(e)s, -e (나라의 살림살이). ~경찰 Staatspolizei *f.* -en. ~관(觀) Staatsgedanke *m.* -ns, -n; Meinung 《*f.* -en》 über den Staat (가벼운 뜻으로). ~관리 Staatsaufsicht *f.* -en. ~권력 Staatsgewalt *f.* -en. ~기관 Staatsorgan *n.* -(e)s, -e; Staatsmaschinerie *f.* -n (경멸의 뜻으로 쓸 때가 많음). ~사회주의 Staatssozialismus *m.* -; Nationalsozialismus *m.* -(나치스의 뜻으로 쓸 때가 많음). ~시험 Staatsexamen *n.* -s, -. ~주의 Nationalismus *m.* -. ~지방경찰 Landespolizei *f.* -en ※「국가」는 번역하지 않고 뒤에 지명을 병치(並置)함: Landespolizei Bremen. ~학(學) Staats¦lehre *f.* 〔-wissenschaft *f.* -en〕. 민주주의〔전체주의〕~ der demokratische 〔totalitäre〕 Staat.

국가(國歌) Nationalhymne *f.* -n. ¶ ~를 연주하다 die Nationalhymne spielen.

국거리 Suppenzutaten 《*pl.*》.

국건더기 (Suppen)einlage *f.* -n.

국경(國境) (Landes)grenze *f.* -n; Demarkationslinie *f.* -n (잠정적인 국경선). ¶ ~선을 긋다〔확정하다〕 e-e Landesgrenze ziehen* 〔fest|setzen〕.
‖ ~분쟁 Grenzstreitigkeit *f.* -en; Grenzzwischenfall *m.* -(e)s, ⸗e (사건). ~수비대 Grenzwache *f.* -n; Grenzwächter *m.* -s, -(수비병).

국경일(國慶日) Nationalfeiertag *m.* -(e)s, -e.

국고(國庫) Staats¦schatz *m.* -es, ⸗e 〔-kasse *f.* -n〕; 《관청》 Schatzkammer *f.* -n; Finanz¦amt *n.* -(e)s, ⸗er 〔-ministerium *n.* -s, ..rien〕. ¶ ~의 부담으로 auf Kosten des Staates / ~의 보조가 있다 Es wird staatlich subventioniert.
‖ ~금 Staatsgelder 《*pl.*》. ~보조 Subvention 《*f.* -en》 des Staates; die geldliche Beihilfe 〔Unterstützung〕 des Staates. ~수입 Staatseinkünfte 《*pl.*》. ~지출 das Kostenbestreiten* 《-s》 durch den Staat. ~채권 Schatzanweisung *f.* -en (장기); Schatzschein *m.* -(e)s, -e 〔-wechsel *m.* -s, -〕 (단기).

국교(國交) die diplomatische Beziehung, -en. ¶ ~를 맺다 in diplomatische Beziehung treten* Ⓢ 《*zu*[3]; *mit*[3]》; e-e diplomatische Beziehung an|knüpfen 《*mit*[3]》 / ~를 단절하다 die diplomatische(n) Beziehung(en) ab|brechen* 《*zu*[3]》.

국교(國敎) Staats¦religion *f.* -en 〔-kirche *f.* -n〕. ‖ 영국~ die Englische Kirche.

국구(國舅) Schwiegervater 《*m.* -s, ⸗》 des Königs.

국군(國軍) die koreanische 〔nationale〕 Armee, -n. ¶ ~의 날 Armee(gedächtnis)tag *m.* -(e)s, -e.

국권(國權) Staatsgewalt *f.* -en. ¶ ~은 대통령에게 있다 Die Staatsgewalt liegt in den Händen des Präsidenten.

국그릇 Suppenschüssel *f.* -n.

국금(國禁) Verbot 《*n.* -(e)s, -e》 auf Grund des staatlichen Gesetzes; Untersagung 《*f.* -en》 durch e-n Machtspruch. ¶ ~을 범하다 e-m gesetzlichen Verbot zuwider|handeln / ~에 저촉된다 Das ist staatsgefährlich. / 그 책은 ~이 되었다 Die Regierung untersagte 〔verbot〕 den Verkauf dieses Buches.

국기(國技) Nationalsport *m.* -(e)s, -e; e-e für ein [4]Land typische Sportart, -en. ¶ 축구는 우리의 ~가 되었다 Der Fußball ist einer von unseren Nationalsporten geworden.
‖ ~관 Nationalsporthalle *f.* -n.

국기(國紀) die nationale Disziplin; Staatsordnung *f.* -en; die Zucht im Staat. ¶ ~를 유지하다 (auf) Nationaldisziplin halten / ~를 문란케 하다 die Nationaldisziplin untergraben.

국기(國基) Staatsgrundlage *f.* -n. ¶ ~를 위태롭게 하다 die Grundlage des Staates gefährden.

국기(國旗) Nationalflagge *f.* -n ※국명을 붙일 때는 N. Koreas, Die Koreanische N. 과 같이 국명의 2격을 후치, 또는 국명의 형용사를 대서(大書)해서 앞에 둠; 《국기의 별명》 Union Jack [jú:nĭən-dʒǽk] *m.* - -s, - -s (유니언잭); Sternenbanner *n.* -s, -(성조기); Trikolore *f.* -n (삼색기, 프랑스); die Fahne Schwarzrotgold (서독). ¶ ~를 게양하다 die Nationalflagge aufziehen* 〔aus|hängen(*)〕 (창, 문에); hissen (게양) / 그 배는 영국 ~를 달고 있다 Das Schiff führt die Britische Flagge. / 집집마다 ~를 달았다 Jedes Haus hat geflaggt.

국기일(國忌日) Gedenktag 《*m.* -(e)s, -e》 am Todestag des Königs.

국난(國難) Gefahr 《*f.* -en》 des Vaterlandes; Krise 《*f.* -n》 〔Notlage *f.* -n; Notfall *m.* -(e)s, ⸗e; Zwangslage *f.* -n; Zwickmühle *f.* -n〕 des Landes. ¶ ~에 몸을 바치다 《순국하다》 [4]sich dem Vaterland opfern; für [4]Gott u. Vaterland fallen* Ⓢ / ~에 무기를 들고 싸우다 fürs Vaterland zu den Waffen greifen* 〔eilen〕 / ~이 닥쳤다 Das Vaterland ist in Gefahr. / 독일 국민이여, ~을 타개하기 위하여 모두 궐기하라 Ihr Deutschen alle, Mann für Mann, fürs Vaterland zusammen! 《E. M. Arndt 의 말》.

국내(國內) das Innere* 《-n》 (des Landes); Inland *n.* -(e)s; Binnenland *n.* -(e)s, ⸗er. ¶ ~의 inländisch; einheimisch; inner; Binnen-; Innen-; Landes- / ~에서 im Lande; innerhalb des Landes; im Inneren; binnenlands; inländisch; innen.
‖ ~방송 Inlandssendung *f.* -en. ~사정 die inneren Verhältnisse (e-s Landes); die inneren Angelegenheiten (e-s Landes). ~상업 Binnenhandel *m.* -s, -. ~소비 Binnenverbrauch *m.* -(e)s. ~시장 Binnen¦markt 〔Inlands-〕 *m.* -(e)s, ⸗e. ~항공 Binnenluftverkehr *m.* -(e)s.

국도(國都) Hauptstadt *f.* ⸗e (e-s Landes) 《생략: Hptst.》.

국도(國道) Straße 《*f.* -n》 erster Ordnung; Bundesstraße *f.* -n (독일); Landstraße *f.* -n.

국란(國亂) Bürgerkrieg *m.* -(e)s, -e; der inländische Aufruhr, -(e)s, -e; Volksaufstand *m.* -(e)s, ⸗e. ¶ ~을 일으키다 einen Bürgerkrieg hervorrufen.

국량(局量) 《재간》 Talent *n.* -(e)s, -e; Fähigkeit *f*. -en; Begabung *f*. -en; 《도량》 Großherzigkeit *f*.; Großmut *f*.; Edelmut *m*. -(e)s. ¶ ~이 있는 großherzig; weitherzig; großmütig; tolerant / ~이 큰 großzügig; ehrgeizig.

국력(國力) Kräfte 《*pl*.》 〔Macht 《*f*.》〕 des Landes. ¶ ~을 신장하다 s-n Einfluß 〔s-e Macht〕 aus|dehnen 〖나라를 주어로 해서〗/ ~을 피폐시키다 viel an nationalen Kräften verlieren* 〖국명을 주어로 해서〗.
‖ ~신장 Ausdehnung 《*f*. -en》 des nationalen Machtbereiches.

국련(國聯) ☞ 국제연합.

국록(國祿) Gehalt 《*n*. -(e)s, ⸗er》 für Staatsbeamte; Besoldung *f*. -en. ¶ ~을 먹다 vom Gehalt des Staat(e)s leben; im Staatsdienst sein.

국론(國論) die öffentliche Meinung, -en; Volksstimme *f*. -n (국민의 소리); Volksstimmung *f*. -en (민의). ¶ ~을 통일하다 e-e einheitliche〔einhellige〕 Volksmeinung her|stellen〔bilden〕/ ~이 비등하다 Es gärt (stark; laut) im Volk.

국리(國利) das Wohlergehen* 《-s》 des Landes. ¶ ~민복을 도모하다 ein Interesse an dem Wohlergehen des Landes u. der Volkswohlfahrt haben; Interessen des Landes fördern u. Volkswohlfahrt pflegen.

국립(國立) National-; Staats-; staatlich.
‖ ~공원 Nationalpark *m*. -(e)s, -e. ~은행 〔극장〕 Staatsbank *f*. -en 〔Staatstheater *n*. -s, -〕.

국면(局面) Lage (der Dinge) *f*. -n; Sachlage *f*. -n〔-verhalt *m*. -(e)s, -e〕; Stand 《*m*. -(e)s, ⸗e》 der Dinge; Situation *f*. -en. ¶ ~을 일변시키다 der Lage 〔Situation〕 e-e neue 〔andere〕 Wendung geben*; die Lage wenden(*); den Spieß (her)um|kehren 〔um|-drehen〕/ ~이 달라졌다〔일변했다〕 Die Sache hat e-e andere Wendung genommen 〔bekommen〕. ¦ Die Dinge haben e-e neue Wendung genommen. / 이 작은 사건으로 새로운 ~이 전개되었다 Dieser Zwischenfall schuf e-e neue Lage.

국명(局名) der Name 《-ns, -n》 der Rundfunkstation; der Name der Sendestation; die Bezeichnung des Senders; 《무전의》 Rufzeichen *n*. -s, -.

국명(國名) der Name 《-ns, -n》 e-s Landes; Landesname *m*. -ns, -n.

국명(國命) 《명령》 Regierungsanweisung *f*. -en; 《사명》 die Mission 《-en》 e-s Landes; die nationale Sendung, -en; Regierungsgewalt *f*. -en (정권).

국모(國母) Landesmutter *f*. ⸗; Kaiserin *f*. -nen; Königin *f*. -nen; die Frau 《-en》 des Staatsoberhauptes.

국무(國務) Staats¦angelegenheit *f*. -en 〔-geschäft *n*. -(e)s, -e; -dienst *m*. -es, -e〕. ¶ ~를 처리하다 Staatsangelegenheiten regeln; ⁴sich mit Staatsangelegenheiten beschäftigen.
‖ ~성(省) Außenministerium *n*. -s, ..rien (미국의). ~장관 Staatsminister *m*. -s, -; Staatssekretär *m*. -s, -e (미국의). ~총리 비서실 die Kanzlei 《-en》 〔das Sekretariat, -(e)s, -e〕 des Premierministers: ~총리 비서실장 der Präsident 《-en, -en》 der Kanzlei 〔des Sekretariats〕 des Premierministers. ~회의 Kabinettsitzung *f*. -en.

국문(國文) der koreanische Satz, -es, ⸗e; das Koreanische*, -n; die koreanische Sprache; Koreanisch *n*. -(s). ¶ ~으로 쓰인 《계약 따위》 koreanisch abgefaßt.
‖ ~독역(獨譯) die Übersetzung 《-en》 aus dem Koreanischen ins Deutsche: ~독역하다 aus dem Koreanischen ins Deutsche übersetzen⁴. ~전보 Telegramm 《*n*. -s, -e》 im Koreanischen. ~학 die koreanische Literatur: ~학과 Abteilung 《*f*. -en》 der koreanischen Literatur.

국물 《부수입》〖속어〗 mit e-r ³Stelle verbundene Vorteile 《*pl*.》.

국민(國民) 《전체》 Nation *f*. -en; Volk *n*. -(e)s, ⸗er; 《개인》 der Staatsangehörige*, -n, -n; Staatsbürger *m*. -s, -. ¶ ~의 national; National-; völkisch; Volks- / ~의 소리 Volksstimme *f*. -n / ~의 심판을 기다리다 e-n Volksentscheid ein|holen 《*über*⁴》.
‖ ~감정 Nationalgefühl *n*. -(e)s, -e; Volksstimmung *f*. -en: ~감정은 반정부적이다 Die Volksstimmung richtet sich gegen die Regierung. ~개병제도 die allgemeine Wehrpflicht, -en. ~건강 보험 die soziale Krankenversicherung, -en: ~건강 보험금고 die soziale Krankenkasse, -n. ~경제 Nationalökonomie *f*. -n [..mí:ən]; Volkswirtschaft *f*. -en. ~교육 Volksbildung, -en. ~대회 Massen¦versammlung *f*. -en 〔-kundgebung *f*.-en〕. ~문학 Nationalliteratur *f*. -en. ~성 National¦charakter〔Volks-〕 *m*. -s, -e [..té:rə]; Nationalität *f*. -en; Volkstum *n*. -s, ⸗er. ~운동 Volksbewegung *f*. -en. ~의회 Volks¦versammlung *f*. -en 〔-vertretung *f*. -en〕. ~체육 대회 Volkssportfest *n*. -es, -e. ~총생산 Bruttosozialprodukt *n*. -(e)s, -e. ~투표 Volksabstimmung *f*. -en.

국민학교(國民學校) Volks¦schule〔Anfänger-; Elementar-; Grund-〕 *f*. -n.
‖ ~교육 Volksschulbildung *f*. -en; Elementarunterricht *m*. -(e)s, -e. ~선생 Volksschul¦lehrer 〔Elementar-〕 *m*. -s, - (남자) 〔-lehrerin *f*. ..rinnen (여자)〕. ~학생 Volksschüler *m*. -s, - (남자) 〔-schülerin *f*. ..rinnen (여자)〕; die Schulkinder 《*pl*.》 (아동).

국밥 Reissuppe *f*. -n; Reis 《*m*. -es, -e》 in der Fleischsuppe.

국방(國防) Landesverteidigung *f*. -en; Wehr *f*. -en. ¶ ~을 강화하다 die Landesverteidigung verstärken.
‖ ~계획 Wehrplan *m*. -(e)s, ⸗e. ~군(軍) Landeswehr *f*. -en; Wehrmacht *f*. ⸗e (나치스 시대의). ~력 Wehrkraft *f*. ⸗e. ~부 Verteidigungs¦ministerium 〔Wehr-〕 *n*. -s, ..rien. ~비 Verteidigungsausgaben 《*pl*.》. ~성금(헌금) Wehrbeitrag *m*. -(e)s, ⸗e. ~장관 Wehr¦minister 〔Verteidigungs-〕 *m*. -s, -. ~정책 Wehrpolitik *f*. -en.

국번(局番) 〖전화〗 Amts¦nummer 〔Vor-〕 *f*. -n; Vorwählnummer *f*. -n (시외 전화).

국법(國法) Landes¦gesetz 〔Staats-〕 *n*. -(e)s, -e; Staatsrecht *n*. -(e)s, -e. ¶ ~에 따르다 die Gesetze des Landes befolgen; ⁴sich an die Landesgesetze halten* / ~을 어기다〔범하다〕 die Gesetze des Landes übertreten* 〔verletzen; um|gehen*〕/ ~으로 금지되다 durch Landesgesetz verboten sein.

국보(局報) ① 《관청의》 amtliche Depesche, -n; 《우체국간의》 Diensttelegramm *n*. -s, -e; das dienstliche Telegramm, -s, -e; 《방

송국의》 die öffentliche Bekanntmachung, -en (e-r Rundfunkstation).

국보(國步) das Geschick 《-(e)s, -e》 des Landes. ‖ ~간난(艱難) die nationale Krisis, ..sen 〔Krise, -n〕: ~간난한 때에 in dieser nationalen Krisis.

국보(國寶) der nationale Schatz, -es, ⸗e. ¶ ~적 존재이다 Er ist der Stolz der Nation. / ~로 지정하다 unter Heimatschutz stellen⁴ / 이 탑은 ~이다 Die Pagode steht unter Heimatschutz. ※ die Schätze e-s Landes 는 나라의 자원; der Staatsschatz 는 「국고」.

국본(國本) die Grundlage 《-n》 des Landes 〔des Staates〕. ¶ ~을 위태롭게 하다 die Grundlage des Landes gefährden / 농지(農之)~야(也) Der Ackerbau ist die Grundlage des Staates.

국부(局部) ① Teil *m.* -(e)s, -e (일부); Stelle *f.* -n (자리). ② 《환부》 der befallene 〔erkrankte〕 Teil, -(e)s, -e; die kranke Gegend, -en. ③ 《음부》 Scham¦teile 〔Geschlechts-〕 《*pl.*》. ¶ ~의 lokal; örtlich; Teil- / ~적 begrenzt; beschränkt; 〖부사〗 teilweise. ‖ ~마취 Lokalanästhesie *f.*; die örtliche Betäubung, -en. ~한정(限定) Lokalisation *f.* -en; Begrenzung *f.* -en; Beschränkung *f.* -en: ~에 한정하다 《국부화(局部化)함》 lokalisieren⁴ 《*auf*⁴》; begrenzen⁴ 《*auf*⁴》; beschränken⁴ 《*auf*⁴》.

국부(國父) der Vater des Landes 〔des Staates〕; Staatsoberhaupt *m.* -(e)s, ⸗e; der Gründer eines Staates (건국자).

국부(國府) national-chinesische Regierung; Regierung der Republik China; Chinesische Nationalisten.

국부(國富) Reichtümer 《*pl.*》 des Landes; Nationalreichtum *m.* -s, ⸗er. ¶ ~를 증진하다 den Nationalreichtum fördern. ‖ ~론(論) „Untersuchung über das Wesen u. die Ursachen des Volkswohlstandes" (von Adam Smith) (아담 스미드의).

국비(國費) Staats¦kosten 〔-gelder〕 《*pl.*》. ¶ ~로 auf Staatskosten / 비용은 ~로 충당한다 Der Staat bestreitet den Aufwand 〔die Kosten〕.

국빈(國賓) Staatsgast *m.* -(e)s, ⸗e; der Ehrengast e-s Staates. ¶ ~대우를 하다 *jn.* als Ehrengast des Staates behandeln.

국사(國史) Geschichte 《*f.* -n》 Koreas; Landesgeschichte *f.* -n. ‖ ~개요 Überblick der koreanischen Geschichte; Grundzüge der koreanischen Geschichte. ~자료 die landesgeschichtlichen Quellen 《*pl.*》.

국사(國事) Staatsangelegenheit *f.* -en. ¶ ~에 관여하다 im Staatsdienst sein / ~로 분주하다 für ⁴Angelegenheiten des Staates alle Kräfte auf|bieten*. ‖ ~범 Staatsverbrechen, *n.* -s, -; Hochverrat 〔Landes-〕 *m.* -(e)s: ~ 범인 Hochverräter 〔Landes-〕 *m.* -s, - / ~범으로 고발되다 wegen Hochverrats angeklagt 〔unter Anklage gestellt〕 werden.

국사(國師) ① 《나라의》 „Lehrer 《*m.* -s, -》 des Landes". ② 《신라의》 höchster Mönchsrang 《*m.* -(e)s, ⸗e》 der *Silla* Dynastie.

국산(國産) Landes¦erzeugnis *n.* ..nisses, ..nisse 〔-produkt *n.* -(e)s, -e〕; das einheimische Produkt *n.* -(e)s, -e. ¶ ~의 einheimisch; Landes-; im Lande hergestellt. ‖ ~장려 die Förderung 《-en》 der Landesproduktion.

국상(國喪) Hof¦trauer 〔Landes-〕 *f.*; 《국장(國葬)》 Staatsbegräbnis *n.* -ses, -se; das Begräbnis auf Staatskosten. ¶ ~중이다 in ³Hoftrauer 〔Landestrauer〕 sein / ~은 2주간 계속된다 Die Hoftrauer 〔Landestrauer〕 dauert vierzehn Tage.

국새(國璽) das königliche 〔kaiserliche〕 Großsiegel, -s, -; Staatsinsignien 《*pl.*》. ‖ ~상서(尙書) der geheime Siegelbewahrer, -s, -.

국서(國書) Kreditiv *n.* -(e)s, -e; Beglaubigungsschreiben *n.* -s. ¶ ~를 봉정하다 das Kreditiv überreichen³.

국선(國選) ¶ ~의 von der Regierung gewählt 〔ernannt〕; offiziell; amtlich. ‖ ~변호인 der offizielle Rechtsanwalt, -(e)s, ⸗e; Pflichtverteidiger *m.* -s, -; 《무료의》 Armenanwalt *m.* -(e)s, ⸗e.

국세(國稅) Staatssteuer *f.* -n. ‖ ~청 (Haupt)steuer¦amt 〔Finanz-〕 *n.* -(e)s, ⸗er. 간접~ die indirekte Staatssteuer. 직접~ die direkte Staatssteuer.

국세(國勢) ① der Zustand 《-(e)s, ⸗e》 e-s Landes. ¶ ~를 떨치고 있다 Das Land ist im Aufblühen. ② Bevölkerungsstand *m.* -(e)s, ⸗e. ‖ ~조사 Volkszählung *f.* -en; Zensus *m.* -, -: ~ 조사를 행하다 e-e Volkszählung ab|halten*.

국소(局所) ① 《국부》 Teil *m.* -(e)s, -e; Stelle *f.* -n; 《환부》 der befallene 〔ergriffene; erkrankte〕 Teil, -(e)s, -e. ☞ 국부(局部). ② 《관절》 Gelenk *n.* -(e)s, -e (des Körpers); Gelenkgegend *f.* -en. ‖ ~마취 Lokalanästhesie *f.*; die örtliche Betäubung, -en.

국속(國俗) die Sitten u. Gebräuche 《*pl.*》 e-s Landes; Landesbrauch *m.* -(e)s, ⸗e.

국수 Nudel *f.* -n. ¶ ~ 방망이 Roll¦holz 〔Nudel-〕 *n.* -es, ⸗er. ‖ 국숫집 Nudelspeisehaus *n.* -es, ⸗er.

국수(國手) ① 〖바둑〗 Meistergospieler *m.* -s, -; Go-Meister 〔Schach-〕 *m.* -s, -. ② 《명의》 der berühmte Arzt, -es, ⸗e; der bekannte 〔ausgezeichnete〕 Arzt, -es, ⸗e.

국수(國粹) Staatstugend *f.* -en; Nationalität *f.* -en; Volkstum *n.* -s. ¶ ~의 national; nationalistisch; vaterländisch. ‖ ~주의 Nationalismus *m.* -: ~주의자 Nationalist *m.* -en, -en.

국시(國是) das politische Prinzip 《-s, -e 〔..pien〕》; der politische Leitsatz 《-es, ⸗e》 e-s Staates; die Politik 《-en》 e-s Staates. ¶ ~를 정하다 das politische Prinzip des Staates fest|legen / ~를 잘못 정하다 e-e falsche nationale Politik einschlagen*.

국악(國樂) die koreanische Musik.

국어(國語) Landessprache *f.* -n; Muttersprache (자국어); Sprache *f.* (언어); Koreanisch *n.* (1 · 4 격만) 〔das Koreanische*, -n〕 (한국어). ¶ 2개 ~로 쓴 문서 das zweisprachige Dokument, -(e)s, -e / 그는 3개 ~를 할 수 있다 〔말한다, 이해한다, 마스터하고 있다〕 Er kann 〔spricht, versteht, beherrscht〕 drei Sprachen. / 더듬거리지만 수개 ~를 말한다 Er radebrecht mehrere Sprachen. ‖ ~학 《한국의》 Koreanistik *f.*; die koreanische Sprachwissenschaft: ~학자 Koreanist *m.* -en, -en; der koreanische Sprachwissenschaftler *m.* -s, -.

국영(國營) die staatliche Aufsicht, -en. ¶ ~의 staatlich; staatlich gefördert; unter staatlicher Aufsicht / ~화하다 verstaatlichen[4] / 영국의 광업은 한때 ~이었다 Der englische Bergbau war einst staatlich.
‖ ~사업 Regierungsunternehmen *n.* -s, -; die staatliche Unternehmung *f.* -en; die staatlich unterstützten Industrien 《*pl.*》.

국왕(國王) König *m.* -s, -e; Monarch *m.* -en, -en; Landesherr *m.* -n, -en; Landesfürst *m.* -en, -en.

국외(局外) Außenseite *f.* -n. ¶ ~에 서다 〔~자로 행세하다〕 [4]sich fern|halten* 《*von*[3]》; neutral bleiben* Ⓢ; es mit k-r Partei halten* / ~로부터 관찰하다 von außen (her) betrachten[4].
‖ ~자 Außenseiter *m.* -s, -; der Dritte*, -n, -n; Nicht-Interessent *m.* -en, -en. ~중립 Neutralität *f.* -en.

국외(國外) ¶ ~에서 außerhalb des Landes; in der Fremde; im Ausland / ~로 in die Fremde; ins Ausland / ~로 추방하다 aus dem Vaterland verbannen[4]; des Land(e)s 〔aus dem Lande〕 verweisen*[4] / ~로 퇴거령을 내리다 (aus dem Lande) aus|weisen*[4]; (über die Grenze) ab|schieben*[4]; aus|bürgern[4] (국적을 박탈하다).

국욕(國辱) Schande 《*f.* -n》 e-s Landes; die nationale Demütigung, -en. ¶ 그것은 ~이다 Das ist e-e Schande für unser Vaterland.¦Das bedeutet e-e nationale Demütigung.

국운(國運) das Schicksal 《-(e)s, -e》 e-s Landes. ¶ ~의 성쇠 das Aufblühen* 《-s》 〔der Verfall, -(e)s〕 des Landes / ~을 걸다 alles 〔sein ganzes Schicksal〕 aufs Spiel setzen 〘나라가 주어〙 / ~이 융성하고 있다 〔쇠퇴 일로에 있다〕 Das Land ist im Aufblühen 〔verfällt immer mehr〕.

국원(局員) Büropersonal *n.* -s, -; 《그밖에 구체적으로》 der Postbeamte*, -n, -n (우체); der Telegraphenbeamte* (전신); der Fernsprech-Beamte* (전화); Fernsprech-Beamtin *f.* ..tinnen (교환양); (Fern)senderspersonal *n.* -s, - (텔레비전 방송) ✻ 그밖에 Mitglied *n.* -(e)s, -er; der Angestellte*, -n, -n 을 사용, 보기: Mitglied der Sendestation (방송).

국위(國威) das nationale Prestige [..ʒə] -s; das nationale Ansehen*, -s; die nationale Geltung, -en; der nationale Einfluß, ..flusses, ..flüsse. ¶ ~를 선양하다 [3]sich Geltung verschaffen; 〘나라를 주어로 해서〙 [3]sich Achtung erwerben*; das nationale Prestige geltend machen / ~를 떨어뜨리다 〔실추시키다〕 das nationale Prestige 〔Ansehen〕 verlieren*.

국유(國有) Staats¦eigentum *n.* -(e)s, ⸚er 〔-besitz *m.* -es, -e〕; Verstaatlichung *f.* -en (국유화). ¶ ~의 staatlich; Staats-; verstaatlicht / ~로 하다 verstaatlichen[4] / ~로 되다 in staatlichen Besitz über|gehen*Ⓢ.
‖ ~재산 Staats¦eigentum *n.* 〔-vermögen *n.* -s, -〕. ~철도 Staatsbahn *f.* -en; Bundesbahn *f.* -en (독일의): 한국 ~철도 die koreanische Staatsbahn, -en.

국으로 innerhalb der eigenen Kompetenz; auf eigenes Fach 〔eigene Position〕 beschränkt. ¶ ~ 가만히 있어 Erkenne d-e eigene Fähigkeit.¦„Schuster, bleib bei d-m Leisten."

국은(國恩) Verpflichtung 《*f.* -en》 auf den Staat; Verbindlichkeit 《*f.* -en》 gegen das Vaterland. ¶ ~에 보답하다 [4]sich gegen das Vaterland dankbar zeigen.

국음(國音) Norm-Aussprache *f.* -n (e-s Landes); 《한국의》 Koreanische Aussprache.

국자 Schöpf¦löffel *m.* -s, - 〔-kelle *f.* -n〕. ¶ ~로 뜨다 mit e-m Schöpflöffel schöpfen[4].

국자(國字) die koreanische Schrift, -en; das koreanische Schriftzeichen, -s, -.
‖ ~개량 die Reform 《-en》 der koreanischen Schriftzeichen.

국장(局長) Abteilungschef [..ʃɛf] *m.* -s, -s; Ministerialdirektor *m.* -s, -en (각 부처의).
‖ 우체~ Postdirektor *m.* -s, -en; Postmeister *m.* -s, -; Posthalter *m.* -s, - (사설의).

국장(國章) Nationalzeichen *n.* -s, -.

국장(國葬) Staatsbegräbnis *n.* ..nisses, ..nisse; das staatliche Begräbnis. ¶ ~으로 하다 *jm.* die letzte Ehre erweisen* 〘Staat *m.* 가 주어〙; *jn.* mit staatlichen Ehren bestatten.

국적(國賊) Landes¦verräter 〔Hoch-〕 *m.* -s, -; Aufrührer *m.* -s -; Rebell *m.* -en, -en.

국적(國籍) Staatsangehörigkeit *f.* -en; Nationalität *f.* -en; Staatsbürgerschaft *f.* -en. ¶ ~을 취득(상실, 포기)하다 die Staatsangehörigkeit erwerben* 〔verlieren*, auf|geben*〕 / ~을 부여하다 *jm.* die Staatsangehörigkeit verleihen*; *jm.* ein|bürgern; *jn.* naturalisieren[4] / ~을 박탈하다 *jm.* die Staatsangehörigkeit ab|erkennen*; *jn.* aus|bürgern; *jn.* denaturalisieren.
‖ ~불명기(機) ein Flugzeug 《*n.* -(e)s, -e》 unbekannter Nationalität. ~취득 〔박탈〕 Erwerb 《*m.* -(e)s, -e》 〔Entzug *m.* -(e)s, ⸚e〕 der Staatsangehörigkeit; Einbürgerung 〔Ausbürgerung〕 *f.* -en. 무~자 der Staatenlose*, -n, -n. 이중~ Doppelstaatsangehörigkeit *f.* -en.

국전(國典) 《법전》 Staatsgesetz *n.* -es, -e; 《의식》 Staatszeremonie *f.* -n; 《국서(國書)》 die nationale Literatur, -en; die klassischen koreanischen Bücher.

국전(國展) die Nationale Ausstellung, -en. ¶ ~ 초대 작가 ein Meister 《*m.* -s, -》, dessen Werke unabhängig vom Preisrichterausschuß in die Nationale Ausstellung aufgenommen werden.

국정(國定) ¶ ~의 staatlich; gesetzlich (법정의); offiziell genehmigt 〔anerkannt〕 (공인된) / ~으로 하다 unter staatliche Aufsicht stellen[4]; amtlich 〔staatlich〕 bestimmen[4] 〔fest|setzen[4]〕.
‖ ~교과서 das vom Kultusministerium genehmigte 〔anerkannte〕 Schulbuch, -(e)s, ⸚er. ~세율 der gesetzlich festgesetzte Tarif, -s, -e.

국정(國政) Staats¦verwaltung *f.* -en 〔-angelegenheit *f.* -en〕. ¶ ~에 참여하다 an der Staatsverwaltung teil|nehmen* / ~을 맡다 die Regierung führen.

국정(國情) Verhältnisse 《*pl.*》 e-s Landes; Landes(ge)brauch *m.* -(e)s, ⸚e. ¶ 독일 ~에 정통하다 der deutschen [2]Verhältnisse kundig sein; landeskundig in Deutschland sein / ~을 시찰하다 Land u. Leute kennenlernen / ~이 서로 다르다 Die Verhältnisse der beiden Länder sind verschieden.

국정감사(國政監査) parlamentarische Kontrolle《*f.* -n》der Regierung (Ministerien). ¶ ~를 실시하다 das Parlament kontrolliert die Regierung (Ministerien).

‖ ~권 parlamentarisches Kontrollrecht 《-(e)s, -e》 über die Ministerien. ~반 Parlamentsausschuß 《*m.* ..schusses, ..schüsse》 zur Kontrolle der Ministerien.

국제(國際) ¶ ~적인 international; zwischenstaatlich (über-); International-; Völker-; Welt-.

‖ ~경기 Länderkampf *m.* -(e)s, ⸗e; internationale Wettspiele 《*pl.*》. ~관계 die internationale Beziehung, -en. ~관례 die internationalen Gebräuche 《*pl.*》. ~관리 die internationale Kontrolle, -n. ~난민 구제 기구 die Internationale Flüchtlingsorganisation der VN 《생략: IRO》. ~노동국 das Internationale Arbeitsamt, -(e)s, ⸗er. ~노동 기구 die Internationale Arbeits-Organisation der VN 《생략: ILO》. ~도시 die internationale Stadt, ⸗e. ~무역 der internationale Handel, -s, -; Welthandel *m.* ~무역 기구 die Internationale-Handelsorganisation der VN 《생략: ITO》. ~문제 die internationale Frage, -n. ~민간 항공 기구 die Internationale Zivilluftfahrt-Organisation der VN 《생략: ICAO》. ~방송 Sendung 《*f.* -en》 für Ausland; Rundfunk 《*m.* -(e)s, -e》 für ausländische Hörer. ~(공)법 Völkerrecht *n.* -(e)s. ~부흥 개발은행《세계은행》die Bank für Wiederaufbau u. Förderung der Wirtschaft; Wiederaufbaubank *f.* -en; Weltbank *f.* -en. ~분쟁 die internationale Verwicklung, -en; der zwischenstaatliche Konflikt, -(e)s, -e. ~사법 das internationale Privatrecht, -(e)s. ~사법 재판소 der Internationale Gerichtshof 《-(e)s, ⸗e》 der VN. ~사회 Völkergemeinschaft *f.* -en. ~성 Internationalität *f.* ~수지 Balance [..lã́..] 《*f.* -n》 der Ein- u. Ausfuhr. ~어 Welt(hilfs)sprache *f.* -n. ~연맹 Völkerbund *m.* -(e)s. ~열차 der internationale Zug, -(e)s, ⸗e. ※ Zug 대신 FD (Fern-D-Zug) 를 쓰는 경우가 많음. ~영화제 die internationalen Filmfestspiele 《*pl.*》. ~올림픽 위원회 das Internationale Olympische-Komitee, -s, -s. ~원자력 위원회 die Atomenergiekommission der VN 《생략: AEC》. ~적십자사 Internationales Rotes Kreuz, -es. ~전기 통신 연합 die Internationale Union für Fernmeldewesen 《생략: ITU》. ~정세 die internationale politische Lage, -n. ~조약 internationaler Vertrag, -(e)s, ⸗e. ~주의 Internationalismus *m.* -. ~중재 재판소 das Internationale Schiedsgericht, -(e)s, -e. ~통화 Weltwährung *f.* -en. ~통화기금 der Internationale Währungsfonds [..fɔ̃:], - [..fɔ̃:(s)]. ~항공 der zwischenstaatliche Luftverkehr, -s. ~회의 die internationale Konferenz, -en.

국제연합(國際聯合) Vereinte Nationen 《*pl.*》 《생략: VN; UN; UNO》. ☞ 유엔.

‖ ~경제사회 이사회 der Wirtschafts- u. Sozialrat 《-(e)s》 der VN 《생략:ECOSOC》. ~교육 과학 문화기구 die Erziehungs-, Wissenschafts- u. Kultur-Organisation der VN 《생략: UNESCO》. ~식량 농업기구 die Ernährungs- u. Landwirtschaftsorganisation der VN 《생략: FAD》. ~신탁통치 이사회 der Treuhandschaftsrat 《-(e)s》 der VN. ~안전보장 이사회 der Weltsicherheitsrat 《-(e)s》 der VN. ~총회 Vollversammlung 《*f.* -en》 der VN. ~헌장 die Charta [kárta] 《..ten》 der Vereinten Nationen.

국지(一紙) Schnitzel 《*n.* -s, -》 vom ausgeschnittenen Musterpapier.

국지(局地) Örtlichkeit *f.* -en; Lokal *n.* -(e)s, -e. ¶ ~적으로 해결하다 e-e Angelegenheit örtlich regeln.

국채(國債) Staats¦anleihe (-schuld) *f.* -en. ¶ ~를 모집하다 e-e Staatsanleihe auf|legen; e-e Staatsanleihe auf|nehmen* (기채하다). ‖ ~증권 Staats¦schuldschein *m.* -(e)s, -e (-papier *n.* -(e)s, -e).

국책(國策) die politische Richtlinie 《-n》 e-s Staates; der politische Richt¦satz (Leit-) 《-es, ⸗e》 e-s Staates; die nationale Politik, -en. ¶ ~의 노선을 따라서 den politischen Richtlinien (der nationalen Politik) entsprechend / ~을 수립하다 die politischen Richtlinien geben*; e-n politischen Richtsatz auf|stellen (begründen) / ~을 수행하다 e-n politischen Leitsatz in die Tat um|-setzen; die nationale Politik (be)treiben*.

국척(跼蹐) ~하다 [4]sich krumm (gebeugt) halten*; [4]sich bücken (beugen); 《좁은 곳에》 eingeschlossen (eingesperrt) sein 《*in*[3]》.

국체(國體) Staats¦form *f.* -en (-wesen *n.* -s, -; -ordnung *f.* -en). ¶ ~에 관계된다 Es geht die Ehre der Nation an.¦Das Prestige des Staates steht auf dem Spiel.¦Das ist die Prestigefrage des Staates.

국초(國初) 《왕조의》 Beginn 《*m.* -s》 e-r (königlichen) Dynastie; 《나라의》 Gründung 《*f.* -en》 e-s Königsreich(e)s (Staates).

국초(國礎) =국기(國基).

국치(國恥) Schande 《*f.* -n》 e-s Landes; die nationale Demütigung, -en. ¶ 그것은 ~이다 Das ist e-e Schande für unser Vaterland.¦Das bedeutet e-e nationale Demütigung.

국태민안(國泰民安) Frieden 《*m.* -s, -》 (Gedeihen *n.* -s) des Landes u. Wohlstand 《*m.* -(e)s》 des Volkes. ~하다 Frieden des Landes u. Wohlstand des Volks genießen*; es herrschen Frieden u. Wohlstand.

국토(國土) Land *n.* -(e)s, ⸗er; Gebiet *n.* -(e)s, -e; Hoheitsgebiet *n.* -(e)s, -e.

‖ ~계획 Planung 《*f.* -en》 von Erschließung des Landes.

국판(菊版) Oktav *n.* -s, -e 《생략: 8°》; Oktavband *m.* -(e)s, ⸗e (-format *n.* -(e)s, -e).

‖ 반(半)~ Halboktav *n.* -s, -e.

국폐(國弊) staatsgefährdende Tat, -en; dem Staat Schaden 《an|richten; zu|fügen; verursachen》.

국풍(國風) die Sitten u. Gebräuche des Landes (des Volks); Landes¦gebrauch *m.* -(e)s, ⸗e (-sitte *f.* -n).

국학(國學) die altkoreanische Literatur, -en; die koreanische Klassik.

‖ ~자 Forscher 《*m.* -s, -》 der altkoreanischen Literatur; 《한국학》 Koreanistik *f.*

국한(局限) Lokalisation *f.* -en; Lokalisierung *f.* -en. ~하다 lokalisieren[4]; ein|-schränken[4]. ¶ ~적(인) lokal.

국한문(國漢文) sino-koreanische Schreibweise. ¶ ~의 in Koreanisch u. Chinesisch (geschrieben); sino-koreanisch / ~에 능통하다 [4]sich gut in Sino-koreanisch aus|kennen*; in koreanischer u. chinesischer Literatur bewandert sein.

‖ ~체 sino-koreanischer Stil, -(e)s, -e; Art des Schreibens mit Koreanisch u. Chinesisch.

국헌(國憲) Gesetze 《pl.》 (e-s Staates); die Verfassung 《-en》 〔das Grundgesetz, -es, -e〕 (e-s Staates). ¶ ~을 준수하다 [4]sich an die Gesetze des Landes 〔die Verfassung〕 halten*; die Gesetze befolgen.

국호(國號) der Name 《-ns, -n》 e-s Landes.

국혼(國婚) die königliche Hochzeit 〔Vermählung〕 -en.

국화(菊花) Chrysantheme f. -n; Goldblume f. -n.

‖ ~인형 die Puppe 《-n》 aus Chrysanthemen; Chrysanthemenpuppe f. -n. ~전시 Chrysanthemenschau f. -en: ~ 전시회 Chrysanthemenfest n. -es, -e.

국화(國花) Nationalblume f. -n.

국회(國會) Parlament n. -(e)s, -e; Kongreß m. ..gresses, ..gresse (미국); Bundestag m. -(e)s, -e (서독); Volksvertretung f. -en (일반적으로). ☞ 의회.

‖ ~도서관 Parlamentsbibliothek f. -en. ~의사당 Parlaments|gebäude n. -s, - 〔-haus n. -es, ⸚er〕. ~의원 Parlamentsmitglied n. -(e)s, -er; Parlamentarier m. -s, -; der Abgeordnete*, -n, -n; Kongreßmitglied n. -(e)s, -er. 정기~ die gewöhnliche Session 《-en》 (des Parlaments).

군 《가외의·객적은》 extra; mehr als das Übliche; über das Übliche hinaus; unnötig. ¶ 군 걱정 unnötiger Kummer, -s; unnötige Sorge, -n / 군 비용 Extra-Ausgaben 《pl.》; unnötige Kosten 《pl.》 / 군 식구 Person 《f. -en》, die nicht zu dem Familienmitglied gehört; Anhängsel n. 〔Schmarotzer m.〕 -s, - / 군 물건을 사다 unnötige Sachen kaufen; etwas, was man nicht unbedingt braucht, kaufen / 그는 저녁때 늦게 와서 어머니에게 군일을 시켰다 Er kam abends sehr spät nach Hause u. ließ s-e Mutter extra kochen 〔arbeiten〕.

군(君) ① 《군주》 Herrscher m. -s, -; Herr m. -n, -en; Landes|herr 〔Ober-〕 m. -n, -en; Landesfürst m. -en, -en; Souverän [su..] m. -s, -e; Staatsoberhaupt n. -(e)s, ⸚er. ② 《자네》 du*; Sie*.

군(軍) Armee f. -n [..mé:ən]; Heer n. -(e)s, -e; die Truppen 《pl.》. ¶ 군을 통솔하다 ein Heer befehligen; die Truppen (an|)führen (부대를).

‖ 군 사령부 Armeeoberkommando n. -s, -s; Hauptquartier n. -s, -e.

군(郡) (Land)kreis m. -es, -e.

-군(君) Herr m. -n, -en. ¶ 김군 Herr *Kim*.

군가(軍歌) Kriegs|lied 〔Soldaten-〕 n. -(e)s, -er; Marschlied (행군할 때); Schlachtgesang m. -(e)s, ⸚e (전투할 때).

군거(群居) das Zusammenleben* 《-s》 (in Herden). ~하다 in Herden leben. ¶ ~하는 gesellig / 인간은 ~동물이다 Der Mensch ist ein Herdenwesen.

‖ ~동물 Herdentier n. -(e)s, -e. ~본능 Herdentrieb m. -(e)s, -e.

군걸음(하다) unnötige Schritte 《pl.》 (machen).

군것질 Näscherei 〔Nascherei〕 f. ~하다 naschen; e-n Imbiß nehmen* (간식). ¶ ~로 돈을 없애다 Geld vernaschen.

군경(軍警) Militär 《n. -s》 u. Polizei 《f.》.

‖ ~유가족 hinterbliebene 〔überlebende〕 Familie 《f. -n》 von verstorbenen Soldaten u. Polizisten.

군계일학(群鷄一鶴) der Hecht 《-(e)s, -e》 im Karpfenteich der durch außergewöhnliche Leistungen unter allen Durchschnittsmenschen Hervorragende*, -n, -n.

군고구마 geröstete Süßkartoffel, -n.

군고기 Braten m. -s, -; gebratenes Fleisch, -es.

군공(軍功) Kriegstat f. -en; Waffentat f. -en; das Verdienst 《-es, -e》 im Kriege. ☞ 전공(戰功).

군관구(軍管區) Militär-Bezirk 《m. -(e)s, -e》; Verwaltungsbereich 《m. -(e)s, -e》 des Militärs. ¶ 6 ~사령부 die sechste (Militärbezirks)kommandantur, -en.

군국(君國) ① 《군주가 통치하는》 Monarchie f. -n. ② 《임금과 나라》 König 《m. -(e)s, -e》 u. Land 《n. -(e)s, ⸚er》.

군국(軍國) Militärstaat m. -(e)s, -en; die kriegerische Nation, -en (호전적인).

‖ ~주의 Militarismus m. -: ~주의자 Militarist m. -en, -en.

군글자(一字) überflüssige 〔unnötige〕 Buchstaben 《pl.》; Füllwort n. -(e)s, ⸚er; Lückenbüßer m. -s, -.

군기(軍紀) (Mannes)zucht f.; (militärische) Disziplin, -en. ¶ ~를 유지하다 militärische Disziplinen aufrecht|erhalten* / ~를 문란케 하다 militärische Disziplinen unter|graben*.

군기(軍旗) (Kriegs)fahne f. -n; Standarte f. -n; Kriegsflagge f. -n (군함, 요새 등의); Banner n. -s, -.

‖ ~호위병 Fahnenwache f. -n.

군기(軍器) Waffe f. -n; Kriegswaffe f. -n; 《군용 기재》 Kriegsgerät n. -(e)s, -e.

군기(軍機) das militärische Geheimnis, -ses, -se. ¶ ~를 누설하다 ein militärisches Geheimnis verraten*.

‖ ~보호법 das Gesetz 《-es, -e》 zum Schutze militärischer Geheimnisse.

군납(軍納) Warenlieferung 《f. -en》 (und Dienstleistung für Militärangehörige 〔PX〕; Marketenderei f.

‖ ~불(弗) aus Warenlieferung für U.S. Armee gewonnener 〔verdienter〕 Dollar, -s, -s. ~업자 《물품의》 Warenlieferant 《m. -en, -en》 für die (U.S.) Armee; 《용역의》 Vertragschließender* 〔Kontrahent m. -en, -en〕 der Dienstleistung für die (U.S.) Armee. ~회사 Unternehmen 《n. -s》 zur Warenlieferung u. Dienstleistung für die Armee.

군내 unerwarteter 〔übler〕 Geruch, -(e)s, ⸚e; unangenehmer Geruch.

군눈 unnötige 〔neugierige〕 Blicke 《pl.》 für eine das eigene Interesse nicht betreffende Sache. ¶ ~뜨다 [3]sich der unerwünschten Sache 〔Dinge〕 bewußt werden; [4]sich verirren; von der Rechtgläubigkeit 〔Orthodoxie〕 weg laufen*ⓢ; in die Verworfenheit 〔Liederlichkeit〕 geraten* ⓢ.

군단(軍團) 【군사】 Armeekorps [..ko:r] n. - [..ko:r(s)], - [..ko:rs].

‖ ~장 der kommandierende General, -s, -e 〔⸚e〕.

군대(軍隊) Armee f. -n [..mé:ən]; Heer n. -(e)s, -e; Streitmacht f. ⸚e; Kriegsvolk n. -(e)s; Truppe f. -n (부대; pl. 군대). ¶ ~에

들어가다 ins Heer ein|treten* ⓢ; Soldat werden.
‖ ~생활 Soldatenleben *n.* -s. ~수송 Truppen|beförderung *f.* -en (-transport *m.* -(e)s, -e): ~ 수송기(機) Truppentransporter *m.* -s, - / ~ 수송선 (Truppen)transportschiff *n.* -(e)s, -e. ~지휘 Truppenführung *f.* -en.

군대답(一對答) eine überflüssige (unnötige) Antwort, -en.

군더더기 der überflüssige Gegenstand, -(e)s, ¨e; etwas Nutz|loses (Zweck-); Auswuchs *m.* -es, ¨e; unnötige Sache, -n; nutzlose Person, -en; das fünfte Rad 《-(e)s, ¨er》 am Wagen.

군던지럽다 ekelhaft; eklig; widerlich; verschmutzt (sein).

군데 《곳》 Stelle *f.* -n; Fleck *m.* -(e)s, -e; Ort *m.* -(e)s, ¨er; Punkt *m.* -(e)s, -e. ¶ 한 ~를 고쳐야 해 Eine Stelle muß verbessert (korrigiert) werden. / 세 ~서 동시에 화재가 일어났다 Der Brand ist zu gleicher Zeit an drei Stellen ausgebrochen. / 잘 모르는 곳이 몇 ~ 있다 Einige Punkte sind mir noch unklar.

군데군데 hie(r) u. da; hier u. dort; zerstreut (산재해). ¶ ~ 읽다 flüchtig (stellenweise) lesen*[4] / 신문을 ~ 읽다 e-e Zeitung stellenweise lesen*.

군도(軍刀) Säbel *m.* -s, -; Degen *m.* -s, - (대검); Seitengewehr *n.* -(e)s, -e (총검).

군도(群島) Inselgruppe *f.* -n; Archipel *m.* -s, -e.
‖ 말레이~ der Malaiische Archipel.

군돈 unnötig (umsonst) ausgegebenes Geld, -(e)s, -er.

군두목 Verwendungsweise der chinesischen Buchstaben bei der Benennung der Dinge nur nach deren Aussprache, ohne deren Bedeutung zu berücksichtigen.

군두쇠 massive u. große kette aus Metall (-Eisenkette), die an dem oberen Teil des Baumstocks eingeschlagen u. daran mit e-m Seil gebunden wird, um damit den Baum (das Holz) vom Berg herunterzuschleppen (holen).

군드러지다 ☞ 곤드라지다.

군락(群落) 【식물】 Pflanzengesellschaft *f.* -en.

군란(軍亂) Militär|aufstand *m.* -(e)s, ¨e (-aufruhr *m.* -(e)s, -e); Coup d'Etat *m.* -s -, -s -.

군략(軍略) Kriegs|list *f.* -en (-kunst *f.*); Strategem *n.* -s, -e; Strategie *f.* -n (전략); Taktik *f.* -en (전술). ¶ ~상의 strategisch; taktisch.
‖ ~가 der Kriegskundige*, -n, -n; Strategiker *m.* -s, -; Taktiker *m.* -s, -.

군량(軍糧) Mundvorrat *m.* -(e)s, ¨e; Proviant *m.* -(e)s, -e; Verpflegung *f.* -en. ¶ ~ 보급로 차단 작전 Aushungerungsstrategie *f.* -n; die Strategie des Zufuhrabschneidens.

군령(軍令) Armeebefehl *m.* -(e)s, -e; Kriegsordnung *f.* -en; Armeeverordnung *f.* -en.

군례(軍禮) 《예식》 Militär-Zeremonie *f.* -n; 《예절》 militärische Ehrenbezeigung, -en; militärische Etikette, -n; militärischer Gruß, -es, ¨e.

군론(群論) 【수학】 Gruppentheorie *f.* -n.

군림(君臨) das Herrschen, -s; Beherrschung *f.* -en; Regierung *f.* -en; Herrschaft *f.* -en. ~하다 herrschen 《*über*[4]》; regieren* 《*über*[4]》; dominieren (우위를 차지하다); beherrschen[4]. ¶ 영국 왕은 ~하나 통치하지는 않는다 Der englische König herrscht, aber regiert nicht.

군마(軍馬) ① 《군사와 말》 Soldaten 《*pl.*》 u. Pferde 《*pl.*》. ② 《말》 Dienstpferd *n.* -(e)s, -e (관마(官馬)); Chargenpferd [ʃárʒən..] (장교용); Schlachtroß *n.* ..sses, ..sse; Soldatenpferd (기병마); Militärpferd; Streitroß *n.* ..sses, ..sse (주로 시어로 쓰임).

군말 das unnütze Gerede, -s; Geschwätz *n.* -es; Wischwasch *m.* -es. ¶ ~을 하다 unnütze Worte 《*pl.*》 machen; überflüssiges Zeug 《-(e)s, -e》 reden / 저 사람은 ~을 잘 한다 Er redet nutzloses Zeug! / 이 책의 진가에 대해서는 ~이 필요 없다 Wir brauchen den Wert dieses Buches nicht erst zu betonen.

군매점(軍賣店) Kantine *f.* -n; Soldatenschenke *f.* -n; Marketenderbude *f.* -n; Marketenderei *f.* -en; der Verkaufsladen 《-s, -(¨)》 für die Soldaten.

군명(君命) der königliche Befehl, -(e)s, -e; 《영주 따위의》 der Befehl des Herrn. ¶ ~을 받들어 dem königlichen Befehl gemäß; im Auftrag des Königs; 《영주 따위의》 dem Befehl des Herrn gemäß; im Auftrag von *js.* Herrn / ~이라면 도리가 없다 Gegen den Befehl des Herrn gibt es k-n Widerspruch.

군모(軍帽) Militärmütze *f.* -n; Kommißmütze; Soldatenmütze; Marinemütze (수병의).

군목(軍牧) Militärkaplan *m.* -(e)s, ¨e; Militärseelsorger *m.* -s, -; Feldprediger *m.* -s, -; Feldkaplan *m.* -s, ¨e; der (die) Feldgeistliche*, -n, -n; der(die) Militärgeistliche*, -n, -n.

군무(軍務) Militärangelegenheit *f.* -en; 《육군의》 Militaria 《*pl.*》; 《군복무》 Militärdienst (Kriegs-) *m.* -es, -e. ¶ ~에 종사하다 bei der Armee (im Heere) dienen; unter (bei) der Fahne stehen*; beim Heer stehen* (sein); bei der Marine dienen (해군에).
‖ ~이탈 Fahnenflucht *f.* -en; Desertion *f.* -en; das Desertieren*, -s.

군문(軍門) Lagertor *n.* -(e)s, -e; (Heer)lager *n.* -s, -. ¶ ~에 들어가다 ins Heer (in e-e Truppe) ein|treten* ⓢ; Soldat werden; unter die Fahne ein|treten* ⓢ.

군물 ① 《마시는》 Trinkwasser, das zwischendurch beim Essen getrunken (genommen) wird. ② 《덧치는》 kaltes Wasser, das beim Kochen extra zugegeben wird. ③ 《따로 도는》 Flüssigkeit 《*f.* -en》 im Aggregatzustand. ¶ ~ 돌다 Flüssigkeit (übriges Wasser) bleibt an der Oberfläche des Essens, ohne eingedrungen (vermischt) zu sein.

군민(軍民) Militär u. Volk; Militärdienst u. Zivilisten 《*pl.*》.

군밤 geröstete Kastanie, -n.

군밥 《군식구의》 Essen 《*n.* -s, -》 für unerwartete (nicht gerechnete) Gäste (Schmarotzer); 《남은 밥》 Restspeise *f.* -n; übrig gebliebener gekochter Reis, -es.

군번(軍番) 【군사】 Militärnummer *f.* -n; Dienstnummer des Soldaten.

군벌(軍閥) Militärclique [..klí(:)kə] *f.* -n; die militärische Clique; die Militaristen 《*pl.*》.
‖ ~정치 Militärdiktatur *f.* -en; Militarismus *m.* -; die Regierung 《-en》 der

Militärclique.

군법(軍法) Kriegsgesetz *n.* -es, -e; Militärgesetz (군율); Kriegsartikel《*pl.*》(육군조례); Militärrecht *n.* -(e)s (군사법).

‖ ～회의 Kriegs|gericht (Militär-) *n.* -(e)s, -e(약식의); Standgericht: ～회의의 kriegsgerichtlich; standrechtlich / ～회의 심판관 Kriegsgerichtsrat *m.* -(e)s, ⸚e / ～회의에 회부하다 *jn.* vor das Kriegsgericht stellen; *jn.* dem Kriegsgericht zur Aburteilung überweisen* / ～ 회의에서 심판하다 Kriegsgericht halten*《über *jn.*》/ 그는 ～ 회의의 판결에 의해서 총살되었다 Er wurde standrechtlich erschossen.

군복(軍服) Uniform *f.* -en; Soldatentracht *f.* -en; Soldatenuniform *f.*; Soldaten|rock (Waffen-) *m.* -(e)s, ⸚e (상의). ¶ ～ 차림의 장교 der Offizier in Uniform / ～ 차림의 강도 der Räuber in Uniform / ～을 입다 [4]sich uniformieren.

군부(君父) *js.* Herr (König); *js.* Herr u. Vater.

군부(軍部) Heer *n.* -(e)s, -e; Armee *f.* -n; Militär *n.* -s.

군불 Heizfeuer《*n.* -s, -》für Bodenheizung im koreanischen Haus. ¶ ～ 때다 für die Bodenheizung Holzfeuerung machen.

군비(軍備) (Kriegs)rüstung *f.* -en. ¶ ～를 확장하다 auf|rüsten[4]; die Kriegsmacht verstärken / ～를 축소(철폐)하다 ab|rüsten[4] (entwaffnen[4]) / ～를 정비하다 [4]sich rüsten《für den Krieg (zum Kriege)》/ 전쟁이 일어났을 때 적의 ～는 정비되어 있었다 Die Feinde waren gut gerüstet, als der Krieg ausbrach.

‖ ～제한 Rüstungsbeschränkung *f.* -en. ～축소 Abrüstung *f.*; die Verminderung der Kriegsmacht: ～ 축소 회의 Abrüstungskonferenz *f.* -en. ～확장 Aufrüstung *f.*; die Verstärkung der Kriegsmacht.

군비(軍費) die Kriegsten《*pl.*》;《군자금》Kriegsfonds《*pl.*》.

군사(軍士) Soldat *m.* -en, -en; der Gemeine*, -n, -n (병졸); (Kriegs)heer *n.* -(e)s, -e; Armee *f.* -n [..mé:ən]; Streitkräfte《*pl.*》; Truppen《*pl.*》. ¶ ～를 잠복시키다 e-n Hinterhalt legen《*jm.*》; in e-n Hinterhalt locken《*jn.*》/ 김 장군과 그의 군사들 General *Kim* u. s-e Soldaten.

군사(軍使) Parlamentär *m.* -s, -e; Unterhändler *m.* -s, -; der Unterhändler im Kriege.

군사(軍事) Kriegs|angelegenheit (Heeres-) *f.* -en; Kriegs|wesen (Heer-) *n.* -s; Militaria《*pl.*》; Kriegssache *f.* -n; Militärangelegenheiten《*pl.*》. ¶ ～상의 militärisch; Kriegs-; Militär- / ～상의 기밀 das militärische Geheimnis, -ses, -se / ～ 행동을 취하다 (정지하다) die Feindseligkeiten eröffnen (ein|stellen) / 이 지방은 ～상 중요하다 Diese Gegend ist von militärischer Bedeutung.

‖ ～고문 der militärische Berater, -s, -. ～교육 die militärische Ausbildung, -en; die militärische Jugenderziehung, -en (청년의). ～기지 der militärische Stützpunkt, -(e)s, -e. ～독재 Militärdiktatur *f.* -en. ～동맹 Militärbündnis *n.* ..nisses, ..nisse. ～봉쇄 die militärische Blockade, -n. ～분계선 die militärische Demarkationslinie, -n. ～비 Kriegskosten《*pl.*》; die Ausgaben《*pl.*》für Heer u. Flotte (평상시의). ～시설 Kriegseinrichtung *f.* -en. ～예산 Kriegsbudget [..bydʒe:] *n.* -s, -s. ～용어 die militärische Terminologie, -n; die militärische Fachausdrücke《*pl.*》. ～우편 Feldpost *f.* -en. ～원조 die militärische Unterstützung, -en. ～작전 die militärische Operation, -en. ～재판소 Militärgericht *n.* -(e)s, -e. ～전문가 der militärische Sachverständige*, -n, -n. ～점령 die militärische Besetzung, -en. ～정보 die Meldungen《*pl.*》über den Feind. ～정부 Militärregierung *f.* -en. ～정전 위원회 Waffenstillstandskomitee *n.* -s, -s. ～정탐 der (militärische) Spion, -s, -e. ～조약 Kriegsvertrag *m.* -(e)s, ⸚e. ～평론가 der militärische Kommentator, -s, -en. ～학 Kriegswissenschaft *f.* -en; Kriegskunde *f.* -n; Feldherrnkunst *f.* ⸚e; Kriegslehre *f.*: ～학의 strategisch; kriegswissenschaftlich / ～학자 Strategiker *m.* -s, -; Stratege *m.* -n, -n; der Kriegskundige*, -n, -n; Taktiker *m.* -s, -. ～행동 die militärische Bewegung, -en; die feindselige Operation, -en. ～행정 die militärische Verwaltung, -en. ～ 혁명 의회 Militärjunta *f.* ..ten. ～협정 der militärische Vertrag, -(e)s, ⸚e. ～회의 Kriegsrat *m.* -(e)s. ～훈련 die militärische Übung, -en. 비～화 Entmilitarisierung *f.* -en.

군사람 unnötige (unerwartete; nicht gerechnete) Person, -en.

군사령관(軍司令官) Heerführer *m.* -s, -; Kommandant *m.* -en,-en; Kommandeur *m.* -s,-e.

군사령부(軍司令部) Stabsquartier *n.* -s, -e; Armeeoberkommando *n.* -s, -s; Hauptquartier *n.* -s, -e.

군사설(一辭說) lange, zusätzliche, unnütze Rede, -n; Gerede *n.* -s; Quatsch *m.* -es.

군살《굳은 살》das wilde Fleisch, -es; Wucherung *f.* -en;《군더더기살》Auswuchs *m.* -es, ⸚e; Beule *f.* -n;《지방》die überflüssige Leibesfülle, -n. ¶ ～이 붙다 das Fleisch wuchert.

군상(群像) Gruppenbild *n.* -(e)s, -er;《조각의》Gruppe *f.* -n. ¶ 라오콘 ～ Laokoongruppe.

군새 Stroh《*n.* -(e)s》, das zum Reparieren des Strohdachs verwendet wird.

군색(窘塞)《구차함》Armut *f.*; Mangel *m.* -s, ⸚; Armseligkeit *f.*; Dürftigkeit *f.*;《곤경》Not *f.* ⸚e. ～스럽다, ～하다 armselig (sein); in (elender) Not u. Armut leben. ¶ ～한 집에 태어나다 in e-r armseligen Familie geboren sein; aus e-r armen Familie stammen.

군생(群生) ～하다 e-e [4]Schar《-en》bilden; in e-r [3]Gruppe wachsen* ⓢ; gesellig wachsen*ⓢ;《동물이》in [3]Herden (zusammen|-) leben; in [3]Scharen leben; herdenweise leben.

‖ ～식물(植物) die gesellig wachsende Pflanze, -n.

군서(群書) viele (verschiedene) Bücher《*pl.*》.

군서(群棲) 〖생물〗das Zusammenleben*《-s》in Herden. ～하다 in Herden (zusammen|)leben. ¶ ～하는 herdenweise zusammenlebend / ～하며 herdenweise (떼지어).

군세(軍勢) ①《군대》Armee *f.* -n [..mé:ən]; Heeresmacht *f.* ⸚e; die Streitkräfte《*pl.*》; Kriegsmacht; Streitmacht; Kriegsheer *n.* -(e)s, -e; Heeresstärke *f.* ②《형세》Kriegslage *f.* -n; die Situation《-en》des Krieges.

군소(群小) unbedeutende Leute《*pl.*》; 〔형용사적〕 klein; unbedeutend. ¶ ～의 klein; unbedeutend; geringfügig.

‖ ~작가 die geringfügigen (kleineren; unbedeutenden) Schriftsteller《pl.》. ~정당 die kleineren Parteien《pl.》. ~제국 die kleineren Staaten《pl.》.

군소리 ①《정신 없이 하는 말》das Reden*《-s》 im Schlaf; Schlafreden n. -s; die törichte Rede, -n. ~하다 törichtes Zeug reden; phantasieren; Unsinn schwatzen. ②《군말》 überflüssige (unnötige) Worte《pl.》. ~하다 überflüssige Worte machen.

군속(軍屬) 〖군사〗der Militärbeamte*, -n, -n; der Zivilbeamte*《-n, -n》im Militärdienst.

군손질 extra Arbeit, -en; unnötige Mühe (Pflege; Behandlung; Besorgnis).

군수(軍需) Kriegs|bedarf (Heeres-) m. -(e)s; Kriegsmaterial n. -s, -ien (자재); Munition f. -en (탄약); Heeres|vorrat (Kriegs-) m. -(e)s, ⸗e (군수품).

‖ ~공업, ~산업 Kriegs|industrie (Munitions-; Rüstungs-) f. -n. ~공장 Munitionsfabrik f. -en. ~국 Munitionsabteilung f. -en. ~품 Heeres|material (Kriegs-) n. -s: ~품 운반선 Munitionsschiff n. -(e)s, -e.

군시럽다 jm. juckt《die Hand》; es juckt jn. (jm.)《am Arm》; ein krabbeliges Gefühl《am ganzen Körper》haben.

군신(君臣) Fürst u. Untertan, des -en u. -, -en u. -en; Herrscher u. Volk.

군신(軍神) Kriegsgott m. -(e)s, ⸗er《보통 Mars m. -를 가리킴》; Kriegsheld m. -en, -en; der zum Gott erhobene im Felde gefallene Held.

군신(群臣) die sämtlichen Beamten《pl.》;《궁중의》alle Hofbeamten《pl.》.

군실거리다 jucken. ¶ 손이 군실거린다 M-e Hand juckt. / 나는 등이 군실거린다 Es juckt mich auf dem Rücken.

군악(軍樂) Militärmusik f.; Kriegsmusik. ¶ ~을 연주하다 Militärmusik machen.

‖ ~대 Militärkapelle f. -n (육군의); Marinekapelle (해군의): ~대원 Militärmusiker m. -s, - / ~대장 (Militär)kapellmeister m. -s, -.

군역(軍役) 《군복무》Militärdienst m. -es, -e; Heeresdienst; Seedienst (해군 복무);《신분》 Militärperson f. -en.

군영(軍營) Lager n. -s, -; Heerlager n.; Feldlager n.

군용(軍用) der militärische Gebrauch, -(e)s, ⸗e; der militärische Zweck, -(e)s, -e. ¶ ~의 zum militärischen Gebrauch (Zweck); Militär-.

‖ ~견 Kriegshund m. -(e)s, -e. ~금 =군자금. ~기 Militär|flugzeug (Kriegs-) n. -(e)s, -e. ~도로 Heer|straße (Militär-) f. -n. ~병원선 Lazarettschiff n. -(e)s, -e. ~비둘기 Heeresbrieftaube f. -n. ~열차 Truppenzug m. -(e)s, ⸗e. ~전신 Feldtelegraph m. -en, -en. ~전화 Feldtelephon n. -s, -e. ~지도 Militärkarte f. -n. ~철도 Militär|eisenbahn (Feld-) f. -en. ~품 Kriegs|bedarf m. -(e)s (-material n. -s, -ien).

군용(軍容) 《진용》Schlachtordnung f. -en; Aufstellung f. -en; Formation f. -en. ¶ ~을 정비하다 Kriegsvorbereitungen treffen*.

군웅(群雄) unabhängige Heerführer《pl.》(im kriegerischen Zeitalter); e-e Anzahl von rivalisierenden Führern.

‖ ~할거 das feindliche Gegenüberstehen*《-s》gewaltiger Kriegshelden; der Wetteifer《-s》talentvoller Menschen: ~할거의 시대 das Zeitalter《-s》der rivalisierenden Führer / 현재의 문단은 ~ 할거하는 형세에 있다 Die literarische Welt ist jetzt reich an begabten Schriftstellern.

군원이관(軍援移管) Verlegung (Änderung)《f. -en》der Militär-Beihilfe-Programme (der militärischen Unterstützungsprogramme).

군율(軍律) ①《군법》Kriegs|gesetz (Militär-) n. -es, -e; Kriegsrecht n. -(e)s, -e. ②《군기》 Manneszucht f.; Disziplin f. -en. ¶ ~을 지키다 die Militärgesetze halten*; militärische Disziplin beobachten / ~이 엄하다 Die militärische Disziplin ist streng.

군은(君恩) die kaiserliche (königliche) Gnade, -n; die Gnade des Fürsten. ¶ ~에 보답하다 die königliche Gnade vergelten*.

군의(軍醫) 《육군》Militärarzt m. -es, ⸗e; Feldarzt m.;《해군》Marinearzt. ¶ ~의 militärärztlich;《해군의》marineärztlich.

‖ ~감 Generalstabsarzt m.;《해군의》Admiralstabsarzt m. ~학교 die militärärztliche Bildungsanstalt, -en;《해군의》die marineärztliche Bildungsanstalt.

군인(軍人) Soldat m. -en, -en; Militär m. -s, -s; Krieger m. -s, -; Seesoldat (해군); Luftmacht f. ⸗ (공군). ¶ ~다운 soldatenhaft; soldatisch; kriegsmännisch / ~이다 Soldat sein; in der Uniform stecken; beim Militär sein / ~이 되다 unter den Militär gehen*Ⓢ; ins Heer treten*Ⓢ.

‖ ~계급 Soldatenstand m. -(e)s, ⸗e. ~생활 Kriegerleben n. -s. ~정신 Soldatengeist m. -es, -er; Kriegertum n. -s. 재향~회 Kriegerverein m. -(e)s, -e; Kriegerbund m. -(e)s, ⸗e. 퇴역~ der ausgediente Soldat.

군일 unnötige Arbeit, -en; extra Arbeit; unnötige Mühe, -n. ~하다 ³sich unnötig Mühe machen.

군입정 Imbiß m. ..bisses, ..bisse; extra Essen*, das außer Mahlzeiten genommen wird. ~하다 Imbiß nehmen*.

군입질 Kleinigkeiten《pl.》, die nicht zu Mahlzeiten gehören. ~하다 Kleinigkeiten nehmen*; etwas zwischendurch essen*, bevor man zur richtigen Mahlzeit kommt.

군자(君子) tugendhafter Mensch, -en, -en; Mann《m. -(e)s, ⸗er》von ³Tugend《f.》; der Tugendhafte*, -n, -n; der Weise*, -n, -n (현자); Ehrenmann m. -(e)s, ⸗er (덕망가). ¶ ~연하다 den Tugendhaften spielen; ein Tugendbold《m. -s, -e》sein / ~ 대로행 Der Weise begibt sich nicht in Gefahr.|Der Tugendhafte weiß sich vom Schlüpfrigen fern zu halten.|Der große Geist bekümmert sich nicht um kleinliche Dinge.

군자금(軍資金) die Kriegs|kosten (-fonds)《pl.》. ¶ ~을 공급하다 jm. mit Geld mitteln aus|helfen* / 동맹군에게 ~을 공급하다 e-n Allierten (Verbündeten) mit Hilfsgeldern unterstützen / ~이 부족하다 wenig Geld haben; Mangel an Geld haben (일반적으로).

군장(軍裝) Marsch|ausrüstung f. -en (-ordnung f. -en); (Heeres)ausrüstung f.; Soldatenrüstung f.; Equipierung f. -en;《군복》Soldatenkleid n. -(e)s, -er; Soldatentracht f. -en. ~하다 ⁴sich soldatisch kleiden; den Soldatenrock (die Uniform) an|ziehen*. ‖ ~검사 die Inspektion der Marschordnung.

군장(軍葬) die militärische Begräbnisfeier,

-n. ¶ ~으로 하다 《*jn.*》 mit kriegerischen Ehren bestatten (beerdigen).

군적(軍籍) Kriegsstammliste *f.* -n (병적부); Musterrolle *f.* -n (병원 명부). ¶ ~에 올라 있다 bei der Armee (Marine) dienen (육(해) 군에) / ~에 들다 ⁴sich anwerben lassen*.

군정(軍政) Militärverwaltung *f.* -en. ¶ ~을 펴다 e-e Militärverwaltung ein|richten / ~하에 두다 ⁴*et.* unter Militärverwaltung stellen / 이 지역은 ~하에 있다 Dieses Gebiet ist unter Militärverwaltung.

‖ ~청 Militärverwaltungsbehörde *f.* -n.

군정(軍情) die militärischen Umstände 《*pl.*》; die militärische Situation, -en (Lage, -n).

군제(軍制) Heereseinrichtung *f.* -en; Heerwesen *n.* -s (병제); Militärwesen *n.*; Heeresorganisation *f.* -en.

‖ ~개혁 die Erneuerung 《-en》 des Militärwesens.

군제(郡制) Kreisordnung *f.* -en; Kreissystem *n.* -s, -e.

군졸(軍卒) der gemeine Soldat, -en, -en; der Gemeine*, -n, -n.

군종신부(軍宗神父) Militärkaplan *m.* -(e)s, ⸚e; Militärseelsorger *m.* -s, -; der katholische Feldgeistliche*, -n, -n.

군주(君主) Herrscher *m.* -s, -; Herr *m.* -n, -en; Fürst *m.* -en, -en; Monarch *m.* -en, -en; Souverän [suvərɛ́:n] *m.* -s, -s; Staatsoberhaupt *n.* -es, ⸚er (수뇌).

‖ (입헌) ~국 (konstitutionelle) Monarchie, -n. ~독재 Autokratie *f.* -n. ~전제정치 die absolute Monarchie. ~정체 Monarchismus *m.* -, ..men. ~주의자 Monarchist *m.* -en, -en. ~주권설 die monarchische Souveränitätstheorie. 전제~ absoluter Monarch, -en, -en.

군중(群衆) (Menschen)menge *f.* -n; Haufen *m.* -s, -; Masse *f.* -n; (Menschen)gewühl *n.* -(e)s; (Menschen)gedränge *n.* -s. ¶ ~ 속으로 뛰어들다 ⁴sich unter die Menge drängen / ~ 속에 섞이다 ⁴sich unter die Menschen mengen / ~ 속을 걸어가다 durch die Menge gehen* [s] / ~을 헤치고 나아가다 ⁴sich durch die Menge drängen / ~ 속으로 밀려 들어가다 ins Gedränge geraten* [s,h] / 그는 ~을 헤치고 나갔다 Er drängte sich durch die Menge. / ~ 속에서 동행을 잃었다 Ich habe m-n Kameraden in der Menge verloren.

‖ ~심리 Massenpsychologie *f.*

군지럽다 ☞ 군던지럽다.

군직(軍職) der militärische Beruf, -(e)s, -e; Soldatenstand *m.* -(e)s; der seemännische Beruf (해군). ¶ ~에 있다 in militärischen Diensten stehen*.

군집(群集) Gewimmel *n.* -s; die wogende Menge, -n; der große Zulauf, -(e)s. ~하다 zusammen|strömen [s]; ⁴sich scharen; schwärmen [h,s]; in Haufen strömen [h,s]; ⁴sich versammeln.

군짓 unnötige Handlung (Tat) -en; Getue *n.* -s. ~하다 etwas umsonst tun*; etwas, was nicht unbedingt nötig ist, tun*. ¶ 지금 다시 가는 것은 ~이다 Es ist unnötig, jetzt nochmal hinzugehen.

군체(群體) 〖생물〗 Kolonie *f.* -n.

군축(軍縮) =군비(軍備).

군치리 (billige) Schenke 《-n》, in der gerichtetes Hundfleisch als Nebengericht (Beigabe) zum Trinken angeboten wird.

군침 aus dem Mund fließender Speichel, -s; Geifer *m.* -s 〖이 말은 주로 분노·독설의 상징으로 쓰여진다〗; 〖방언〗 Sabber *m.* -s. ¶ ~을 흘리다 Speichel (aus dem Mund) fließen lassen*; geifern / ~을 삼키다 《비유적》 auf ⁴*et.* (nach ³*et.*) lüstern sein; darauf lüstern sein, ⁴*et.* zu tun; gelüsten 《*nach*³》; neidisch blicken 《*auf*⁴》; neidisch sein 《*auf*⁴》 / ~이 돌게(흘리게) 하다 *jm.* den Mund wässerig machen 《*nach*³》; es macht *jm.* den Mund wässerig / 그것을 생각하면 ~이 돈다 Wenn ich daran denke, läuft mir das Wasser im Mund zusammen.

군턱 Doppelkinn *n.* -(e)s, -e; das doppelte Kinn. ¶ ~의 mit Doppelkinn.

군티 unbedeutender (unwichtiger) Fehler, -s, -; geringer Defekt, -(e)s, -e; fehlerhafte Stelle, -n.

군표(軍票) Besatzungsgeld *n.* -(e)s, -er.

‖ 미~ die amerikanische Kriegs|noten (Militär-); das amerikanische Besatzungsgeld, -(e)s, -er.

군함(軍艦) Kriegschiff *n.* -(e)s, -e; Schlachtschiff (전함). ¶ ~을 건조하다 ein Kriegsschiff bauen / ~에 타고 있다 auf e-m Kriegsschiffe Dienst tun* / ~을 파견하다 ein Kriegsschiff ab|senden*.

‖ ~기 die Flagge 《-n》 der Kriegsmarine; Kriegsschiffsflagge. ~승무원 Besatzung *f.* -en; Kriegsschiffsbesatzung; Kriegsschiffsmannschaft *f.* -en.

군항(軍港) Kriegshafen *m.* -s, ⸚.

‖ ~사령부 das Stabsquartier 《-s, -》 e-s Kriegshafens.

군현(郡縣) Regierungsbezirk *m.* -(e)s, -e; Distrikt *m.* -(e)s, -e.

군호(軍號) Militär-Losungswort *n.* -(e)s, -e; Parole *f.* -n.

군화(軍靴) Militärstiefel *m.* -s, -.

군획(一劃) unnötiger Strich, -(e)s, -e (beim Chinesischen Zeichen).

굳건하다 (felsen)fest; standfest; unbeirrt; unentwegbar; unentwegt; unerschütterlich; unerschüttert; stark 《stärker, stärkst》; tapfer; mutig; mannhaft; charaktervoll; kräftig; derb; stämmig; robust; vierschrötig; hart 《härter, härtest》; eisern; ehern; haltbar; solide (sein). ¶ 굳건한 의지 der feste (eiserne; stählerne; unbeugsame) Wille, -ns, -n / 굳건한 젊은이 der Bursche 《-n, -n》 von robustem Körperbau.

굳다¹ ① 《물체가》 hart 《härter, härtest》; fest; solid; gediegen; derb (sein). ¶ 이 연필은 너무 ~ Der Bleistift ist zum Schreiben zu hart. / 땅이 얼어서 돌같이 ~ Die Erde ist so hart wie Granit gefroren. ② 《정신·태도가》 stark; fest; haltbar; starr; steif; dauerhaft; unbewegt; unerschütterlich; unzerstörbar; eisern; ehern; unverwüstlich (sein). ¶ 굳은 의지 der feste (eiserne; stählerne; unbeugsame) Wille, -ns, -n / 굳은 결심 der feste Entschluß, ..lusses, ..lüsse / 굳은 약속 Ehrenwort *n.* -(e)s, -e; festes Versprechen, -s/의지가 굳은 사람 ein Mann von starkem (eisernem) Willen / 신념이 굳은 사람 ein Mann von fester Überzeugung/ 굳은 결심을 하다 ⁴sich fest (unerschütterlich) entschließen* / 굳은 맹세를 하다 heilig (feierlich; bei Gott) schwören*; geloben. ③ 《인색》 sparsam (sein). ¶ 반석같이 ~ so fest wie Stein sein; felsenfest sein.

굳다² 《굳어지다》 hart werden; verhärten

Ⓢ; fest werden; gerinnen* Ⓢ; erstarren Ⓢ; klumpig werden; ⁴sich zu Klumpen zusammen|ballen. ¶ 석고는 쉬 굳는다 Der Gips setzt sich schnell. / 풀이 굳었다 Der Kleister ist hart geworden. / 이제 기반이 굳었다 Nun ist die Grundlage fest genug.

굳세다 stark; kräftig; derb; stämmig; robust (sein). ¶ 굳센 젊은이 der Bursche《-n, -n》 von robustern Körperbau / 굳센 의지 der starke Willen, -s, - / 굳센 신념 die feste Überzeugung (Glauben) / 굳센 태도를 취하다 ⁴sich mannhaft benehmen*; ⁴sich männlich (tapfer) zeigen.

굳어지다 hart werden; ⁴sich verhärten; 《고정되다》⁴sich fest|setzen; fest werden; 《건조해서》 hart|trocknen Ⓢ; ausgetrocknet werden; 《긴장해서》 starr werden (erstarren Ⓢ) vor Spannung; ⁴sich verhärten; ⁴sich versteifen; steif werden. ¶ 굳어진 starr u. steif / 비를 맞아서 구두가 굳어졌다 M-e Schuhe sind durch die Nässe hart geworden.

굳은살 hartgewordene (verhärtete) Stelle 《-n》 im Fleisch; 《손의》 Schwiele *f.* -n; Verhärtung *f.* -en; harte, hornige Hautstelle; 《발의》 Hornhaut *f.* ⸗e; Hühnerauge *n.* -s, -n. ¶ 손바닥에 ~이 박이다 e-e Schwiele bildet sich an der Handfläche / 발가락에 ~이 박이다 man bekommt ein Hühnerauge an Fußzehen.

굳이 hartnäckig; unbedingt; entschieden; unerbittlich; starrsinnig. ¶ ~ 사양하다 hartnäckig (streng) ab|lehnen (verzichten; ab|sagen; verweigern) / 그는 사례를 ~ 사양하고 받지 않았다 Er verzichtete hartnäckig (starrsinnig) auf die angebotene Vergütung (Belohnung; das Honorar) u. nahm sie nicht an. / 일자리를 ~ 싫다 하고 시골로 갔다 Die angebotene Arbeitsstelle lehnte er strikt (hartnäckig) ab u. ging auf das Land.

굳히다 ① 《딱딱하게》 hart machen⁴; (ver-)härten⁴; 《응고시키다》 gefrieren (gerinnen) lassen*⁴; festigen⁴; erharten⁴; bekräftigen⁴; verstärken⁴. ¶ 땅을 ~ die Erde (den Boden) fest (hart) machen. ② 《공고히》 fest machen⁴; stark machen⁴. ¶ 결심을 ~ ⁴sich fest entschließen*; e-n festen Entschluß fassen / 기반을 ~ die Grundlage verstärken. ③ 《보존·안 씀》 bewahren⁴; sparen⁴; sparsam sein. ¶ 돈을 ~ Geld sparen; Geld nicht aus|geben*.

굴 〖조개〗 Auster *f.* -n. ¶ 굴을 따다 Austern fangen*.
‖ 굴 껍질 Austerschale *f.* -n. 굴 양식 Austernzucht *f.*: 굴 양식장 Austern¦park *m.* -s, -s (-bank *f.* ⸗e); Austernzüchterei *f.* -en. 굴 채취 Austernfischerei *f.* -en. 굴 튀김 die gebackene Auster.

굴(窟) ① 《터널》 Tunnel *m.* -s, -(s). ¶ 굴을 파다 e-n Tunnel bauen(graben*). ② 《짐승의》 Lager *n.* -s, - (⸗); Loch *n.* -(e)s, ⸗er; Höhle *f.* -n (맹수의); Bau *m.* -(e)s, -e (토끼, 여우의). ¶ 토끼가 굴을 판다 Der Hase buddelt s-n Bau. ¦ Der Hase verkriecht sich in e-e Erdhöhle. / 굴에 숨다 ⁴sich in der Höhle (im Tunnel) verstecken; ⁴sich ein|-graben*. ③ 《동굴》 Höhle; Baugrube *f.* -n. ¶ 굴 속에 사는 사람 Höhlenbewohner *m.* -s, -. ④ 《구멍》 Loch; Grube *f.* -n. ⑤ 《악당 소굴》 Räuberhöhle *f.* -n; Räubernest *n.* -es, -er; Verbrechernest.

굴갓 Kopfbedeckung 《*f.* -en》 aus Bambus e-s buddhistischen Mönchs, der weltliche Macht ausübt.

굴개 abgestandener Schlamm 《*m.* -(e)s》 in e-r Bucht.

굴곡(屈曲) Biegung *f.* -en; Beugung *f.* -en; Windung *f.* -en; Krümmung *f.* -en; 《광선의》 Brechung *f.* -en; Beugung. ¶ ~을 이룬 gekrümmt; krumm; geschlängelt (꼬불꼬불한) / ~을 이룬 해안선 zackige Küstenlinie, -n / ~을 이루다 ⁴sich beugen; ⁴sich biegen*; ⁴sich krümmen; 《길 따위가》 ⁴sich winden*; ⁴sich schlängeln (꼬불꼬불하다); 《광선이》 ⁴sich brechen* / 도로가 지그재그로 ~을 이루고 있다 Der Weg läuft im Zickzack.
‖ ~부 Biegung *f.* -en; Krümmung *f.* -en. ~선 Krummlinie 《*pl.*》. ~작용 Flexion *f.* -en.

굴근(屈筋) 〖해부〗 Beugemuskel *m.* -s, -n.

굴다 《행동하다》 handeln; ⁴sich benehmen*; ⁴sich betragen*; ⁴sich verhalten*; ⁴sich auf|führen; verfahren* Ⓢ,Ⓗ. ¶ 점잖게 ~ ⁴sich höflich auf|führen (benehmen*) / 멋대로 ~ eigenmächtig verfahren* (handeln) / 미친 사람처럼 ~ ⁴sich wie ein Wahnsinniger gebärden / 남자답게 ~ ⁴sich als Mann zeigen; s-n Mann stellen (역량을 보이다) / 신중하게 ~ vorsichtig auf|treten*Ⓢ (handeln) / 신사답게 ~ ⁴sich anständig (wie ein feiner Mann) auf|führen (benehmen*) / 용감하게 ~ ⁴sich tapfer verhalten* (zeigen) / 약삭빠르게 ~ geschickt handeln; s-e Rolle gut spielen / 서투르게 ~ s-e Rolle schlecht spielen / 약게 ~ schlau (auf e-e verschlagene Art) handeln / 대담하게 ~ kühn im Handeln sein / 친절하게 ~ ⁴sich freundlich betragen* / 불친절하게 ~ *jn.* unfreundlich behandeln / 손님에게 오만하게 ~ e-n Gast von oben herab empfangen* / 상사에 대해서 고분고분하게 구시오 Sie müssen Ihren Vorgesetzten gehorchen. / 얌전하게 굴어라 Betrage dich anständig! / 그는 친구에게 다정하게 굴었다 Er hat sich dem Freund gegenüber liebenswürdig betragen.

굴다리(窟—) Viadukt *n.* -(e)s, -e; Landbrücke *f.* -n; Überführung *f.* -en.

굴대 Achse *f.* -n (축); Welle *f.* -en (회전축).

굴도리 〖건축〗 ein runder (zylinderförmiger) Balken, -s, -.

굴때장군(一將軍) ein massivgroßer Mann 《-(e)s, ⸗er》 mit dunkler Gesichtsfarbe.

굴똥 Achse 《*f.* -n》 e-s Spinnrads.

굴뚝 Rauchfang *m.* -(e)s, ⸗e; Esse *f.* -n; Kamin *m.* -s, -e; Schlot *m.* -(e)s, -e (⸗e); Schornstein *m.* -(e)s, -e; 《난로의》 Ofenrohr *n.* -(e)s, -e. ¶ ~을 쑤시다 e-n Schornstein fegen (kehren) / ~ 막은 덕석 das schmutzige Ding; etwas Schmutziges / 무엇을 하려는 생각이 ~ 같다 e-n unwiderstehlichen Drang haben, ⁴*et.* zu tun ¦ Es reizt mich Ich-weiß-nicht-was. / 가고 싶은 생각은 ~같지만…. Ich möchte freilich (natürlich; gewiß; sicher) sehr gern gehen, aber.... ¦ Zwar habe ich große Lust, zu gehen, aber.... / 연극을 보고 싶은 생각이 ~ 같다 Ich möchte sehr gern ins Theater gehen. / 고향에 돌아가고 싶은 생각이 ~ 같았다 Ich hatte große Sehnsucht nach der Heimat. / ~에서 연기가 난다 Der Schornstein raucht. / 아니 땐 ~에 연기나랴 《속담》 „Wo Rauch ist, da ist auch Feuer.“

‖ ~갓 《덮개》 Schornstein¦kappe *f.* -n (-haube *f.* -n). ~소제 das Schornsteinfegen* (Essenkehren*) -s: ~ 소제부 Schornsteinfeger *m.* -s, -; Essenkehrer *m.* -s, -.

굴뚝새 〖조류〗 Zaunkönig *m.* -s, -e.

굴러들어오다 unerwartet kommen* Ⓢ. ¶ 굴러들어온 복 unerwarteter Glücksfall, -(e)s, ⸗e; unverhoffter Gewinn, -(e)s, -e / 복이 굴러들어와 내 복권이 당첨됐다 Ich habe großes Glück gehabt u. in der Lotterie gewonnen.

굴렁쇠 Reifen *m.* -s, -; Reif *m.* -(e)s, -e. ¶ ~를 굴리다 e-n Reif(en) treiben*; e-n Reif(en) rollen lassen*.

굴레 ① 《마소의》 Kopfstück *n.* -s, -e (마구); (Pferde)gebiß *n.* ..bisses, ..bisse. ¶ 말에 ~를 씌우다 e-m Pferde das Gebiß an|legen / 말의 ~를 벗기다 e-m Pferde das Gebiß ab|nehmen*. ② 《속박》 Zaum *m.* -(e)s, ⸗e; Zügel *m.* -s, -; Fessel *f.* -n; Band *n.* -(e)s, -e. ¶ ~를 벗다 die Fesseln sprengen (ab|werfen*); die Bande zerreißen*(sprengen); [4]sich befreien / 이 나라는 외세의 ~를 벗어나 독립했다 Die Nation schüttelte das fremde Joch ab u. wurde unabhängig.

굴리다 ① 《굴러가게 하다》 rollen[4]; ins Rollen bringen*[4]; über den Haufen werfen*[4]; um|stürzen[4]; um|werfen*[4]; wälzen[4]; 《굴러 떨어뜨리다》 nieder|rollen[4] (-|stürzen[4]; -|wälzen; -werfen*[4]). ¶ 구슬을 굴리는 듯한 목소리 die wohlklingende (glockenreine) Stimme / 공을 ~ e-n Ball rollen / 눈알을 이리저리 ~ die Augen verdrehen. ② 《한 구석에》 [4]*et.* nachlässig lassen*; [4]*et.* sorglos (unsorgfältig) behandeln; [4]*et.* außer acht lassen*. ③ 《돈을》 aus|leihen*[4]. ¶ 돈을 ~ sein Geld arbeiten lassen*; Geld auf Zinsen aus|leihen* / 자본을 ~ ein Kapital an|legen 《*in*[4]》. ④ 《차를》 ¶ 자가용을 ~ e-n eigenen Wagen fahren*. ⑤ 《깎다》 ein Holz glätten (ebnen).

굴밥 gekochter Reis 《-es》 mit Austern.

굴복(屈服·屈伏) Unterwerfung *f.* -en; Ergebung *f.* -en; Nachgeben *n.* -s (양보). ~하다 [4]sich *jm.* unterwerfen* (ergeben*); 《양보하다》 nach|geben*[3]; [4]sich fügen 《*in*[4]》; *jm.* unterliegen* (패배하다); [4]sich ducken 《*vor*[3]》. ¶ 압박에 ~하다 dem Druck (dem Zwang) nach|geben*; unter [3]Zwang nach|geben* (압박을 받아서) / 아무의 설에 ~하다 [4]sich in *js.* [4]Ansicht fügen / ~시키다 *jn.* unterwerfen*; *jn.* [3]sich untertan machen; *jn.* das Knie beugen lassen* / 아무도 그를 ~시킬 수는 없다 Niemand kann s-n Willen brechen. / 그는 남의 의견에 결코 ~할 사람은 아니다 Er ist der letzte, der sich der Ansicht e-s anderen fügen würde.

굴비 getrockneter „*Zogi*“ (=*Pseudosciaena manchurica* (학명)).

굴속같다(窟—) so dunkel wie in e-r Höhle; sehr dunkel; stockfinster (sein).

굴신(屈伸) die Zusammenziehung u. Ausdehnung; Systole u. Diastole. ~하다 [4]sich zusammen|ziehen u. aus|dehnen. ¶ ~자재의 elastisch.

‖ ~운동 die Bewegung der Zusammenziehung u. Ausdehnung.

굴신(屈身) 《굽힘》 Verneigung *f.* -en; Verbeugung *f.* -en; 《겸사함》 Bescheidenheit *f.*; Niedrigkeit *f.* ~하다 den Körper nach vorne senken; [4]sich verneigen; [4]sich zurück|ziehen*; in den Hintergrund treten*.

굴왕신같다 alt u. schäbig aus|sehen*; abgetragen; lumpig (sein).

굴욕(屈辱) Demütigung *f.* -en; Erniedrigung *f.* -en; 《치욕》 Schande *f.* -n; Schmach *f.*; Entehrung *f.* -en. ¶ ~적인 조건 die demütigenden (schmachvollen) Bedingungen 《*pl.*》 / ~적인 강화 entehrender (schmachvoller) Friede, -ns, -n / ~을 느끼다 [4]sich gedemütigt (erniedrigt) fühlen / ~을 당하다 gedemütigt (erniedrigt) werden; Schande erleiden* / ~을 주다 demütigen[4]; erniedrigen[4]; *jm.* Schande (Schmach) zufügen / ~을 참다(감수하다) e-e Schande ertragen* / 그것은 우리에게 있어서 하나의 ~이다 Es ist e-e Demütigung für uns.¦Das geht gegen unsere Ehre.

굴우물(窟—) der bodenlose Brunnen, -s, -.

굴절(屈折) 《빛의》 Brechung *f.* -en; Biegung *f.* -en; Refraktion *f.* -en; Ablenkung *f.* -en; Diffraktion *f.* -en. ~하다 [4]sich brechen*. ¶ ~시키다 brechen*[4]; ab|lenken[4] / ~ 자재의 biegsam; fügsam; nachgiebig / 광선은 물 속에 들어갈 때 ~한다 Der Strahl bricht sich beim Eindringen ins Wasser.

‖ ~각 Brechungs¦winkel (Refraktions-) *m.* -s, -. ~광선 der gebrochene Strahl, -s, -en. ~도 Brechungsgrad *m.* -(e)s, -e. ~렌즈 Brechungslinse *f.* -n. ~망원경 Refraktionsteleskop *n.* -s, -e. ~면 《광선의》 Brechungsfläche *f.* ~성 Brechbarkeit *f.* -en; Biegsamkeit *f.* -en. ~어 〖언어〗 das flektierende Wort, -(e)s, ⸗er. ~율 Brechungsindex *n.* -es, -e (..dizes). ~체 Brechungskörper *m.* -s, -. ~축 Brechungsachse *f.* -n. ~학 Dioptrik *f.*; Strahlenbrechungslehre *f.* -n.

굴젓 eingepökelte Austern 《*pl.*》.

굴조개 〖조개〗 Auster *f.* -n.

굴종(屈從) Unterwürfigkeit *f.*; 《굴욕》 Demütigung *f.* -en; Erniedrigung *f.* -en. ~하다 [4]sich unterwerfen* (ergeben*; fügen); das Knie beugen 《vor *jm.*》. ¶ ~시키다 *jn.* unterwerfen*; *jn.* zur Unterwerfung bringen* (zwingen*) / 아무의 뜻에 ~하다 [4]sich *js.* Willen[3] unterwerfen*.

굴지(屈指) Vortrefflichkeit *f.* -en; Vorzüglichkeit *f.* -en; Auszeichnung *f.* -en. ¶ ~의 《탁월한》 hervorragend; ausgezeichnet; vortrefflich; vorzüglich; 《지도적》 leitend; führend / 그는 그 도시에서도 ~의 재산가이다 Er ist e-r der reichsten Männer der Stadt. / 그는 우리 마을 ~의 인물들 중의 한 사람이다 Er ist e-r der führenden Männer unseres Dorfes. / 그 나라는 ~의 해군국이다 Das Land zählt unter die größten Seemächte der Welt.

굴진 öliger Ruß 《-es》 im Schornstein.

굴착(掘鑿) Ausgrabung *f.* -en. ~하다 aus|graben*.

굴참나무 〖식물〗 orientalische Eiche, -n; orientalischer Eichbaum, -(e)s, ⸗e.

굴총하다(掘塚—) ein Grab öffnen; ein Grab schänden (aus|rauben).

굴침스럽다 störrisch; zäh; hartnäckig (sein); [4]sich durch|setzen.

굴타리먹다 (bei Gemüsen od. Früchten) wurmstichig (madig; wurmig) sein; durch Würmer kaputt werden (gehen* Ⓢ).

굴피(—皮) 《빈 주머니》 ein leerer Beutel, -s, -;

e-e leere Tasche, -n; 《나무껍질》 Eichenrinde *f.* -n.
굴하다(屈—) ① 《구부리다》 beugen⁴; biegen*⁴; krümmen⁴. ② 《굴복하다》 ⁴sich *jm.* unterwerfen* 〔beugen; fügen〕; *jm.* nach|geben* (양보하다). ¶ 굴하지 않고 unerschrocken; unverzagt; unentwegt / 운명에 굴하지 않다 dem Schicksal trotzen; ⁴sich vom Schicksal nicht werfen lassen* / 권위에 굴하지 않다 vor der Autorität nicht zurück|weichen* / 압력에 ~ unter Druck nach|geben* / 그는 단 한번의 실패 정도에 굴하는 사람은 아니다 Er ist nicht der Mensch, der sich von e-m einzigen Fehlschlag unterkriegen läßt.
굴혈(窟穴) Höhle *f.* -n; Höhlung *f.* -en; Grube *f.* -n.
굴회(—膾) rohe Austern 《*pl.*》 (als Speise).
굵기 Dicke *f.* -n; Größe *f.* -n; Umfang *m.* -(e)s, ⸗e. ¶ ~가 2인치이다 zwei Zoll dick sein; zwei Zoll Dicke haben / 나무의 ~를 재다 den Umfang e-s Baumes messen*.
굵다 dick (sein); 《목소리가》 tief (sein). ¶ 몸집 굵은 남자 der dicke Mann, -(e)s, ⸗er / 굵은 몽둥이 der dicke Knüppel, -s, - / 굵은 실 dicke Fäden 《*pl.*》 / 굵어지다 dicker 〔dick〕 werden; ⁴sich verdicken / 굵게 하다 dick 〔dicker〕 machen⁴; verdicken⁴ / 굵은 활자 die fette 〔dicke〕 Schrift, -en / 굵은 활자의 인쇄 Fettdruck *m.* -(e)s, - / 굵은 활자로 인쇄한 fettgedruckt / 굵은 글씨로 쓰다 dick 〔stark〕 schreiben*⁽⁴⁾ / 그 사람은 목소리가 ~ Er hat e-e tiefe 〔tief klingende〕 Stimme. ¦ S-e Stimme hat großen Umfang (음량).
굵직굵직 groß u. dick 〔grob〕. **~하다** grob u. dick; stämmig beleibt (sein). ¶ ~하게 썰다 in grobe u. dicke Stücke schneiden*⁴.
굵직하다 ziemlich 〔etwas〕 dick 〔tief; fett〕 (sein). ¶ 굵직한 목소리 tiefe Stimme, -n.
굶기다 verhungern lassen* 《*jn.*》. ¶ 굶겨 죽이다 vor ³Hunger 〔Hungers〕 sterben lassen* 《*jn.*》.
굶다 hungern; Hunger leiden*; fasten; k-e Nahrung zu ³sich nehmen*. ¶ 굶어 죽다 verhungern ⓢ; ²Hungers 〔vor ³Hunger〕 sterben* ⓢ; den Hungertod sterben* ⓢ; ⁴sich tot 〔zu Tode〕 hungern; darben / 나는 종일 굶었다 Ich habe den ganzen Tag nichts gegessen. / 흉년이 들어 많은 사람이 굶는다 Wegen des schlechten Erntes leiden viele Leute in diesem Jahr Hunger. / 그는 밥도 굶은 사람처럼 보인다 Er sieht völlig abgemagert wie verhungert aus.
굶주리다 ① 《공복》 Hunger leiden*; nichts zu essen haben; Hunger haben; am Hungertuch nagen; hungrig sein; verhungern ⓢ (굶어 죽다). ¶ 굶주린 hungrig; verhungert. ② 《갈망》 hungern; hungrig sein; schmachten 《이상 모두 *nach*³》. ¶ 지식에 ~ Durst nach Kenntnissen haben / 사랑에 굶주리고 있다 nach Liebe verlangen; ⁴sich nach Liebe heftig sehnen; nach Liebe hungern / 다정한 말에 굶주리고 있다 nach e-m freundlichen Wort hungern.
굶주림 Hunger *m.* -s. ¶ ~에 시달려서 vom Hunger gequält / ~에 못이겨서 aus blindem Hunger / ~에 허덕이다 〔시달리다〕 Hunger leiden* / ~을 가시게 하다 Hunger stillen / ~을 견디다 den Hunger bekämpfen / ~때문에 울다 vor Hunger weinen.
굼닐다 (beim Arbeiten) ⁴sich beugen u. aus|strecken 〔auf|stehen*〕.
굼뜨다 langsam; säumig; säumselig; schwerfällig (sein). ¶ 일이 굼뜬 사람 der langsame Arbeiter, -s, - / 굼뜬 동작 die langsame Handlung, -en / 발이 ~ langsam gehen* 〔laufen*〕 ⓢ / 그 사람은 일이 ~ Er ist in s-r Arbeit langsam. ¦ Er ist säumig mit s-r Arbeit. / 그는 만사에 ~ Er ist in allem schwer von Begriff.
굼벵이 《벌레》 Larve *f.* -n; Made *f.* -n; 《사람》 der langsame Mensch, -en, -en; Nölpeter *m.* -s, -; Nölsuse *f.* -n; 〖속어〗 Tranlampe *f.* -n; der Schwachsinnige*, -n, -n (바보). ¶ ~ 같은 langsam; säumig; schwerfällig / ~처럼 (느리게) säumig; schneckenhaft; wie e-e Schnecke / 저 녀석은 ~ 같은 놈이다 Er ist ein langsamer Patron.
굼튼튼하다 geizig; knauserig (sein).
굼틀거리다 (⁴sich) schlängeln; ⁴sich krümmen; ⁴sich winden*; ⁴sich krümmen u. winden*. ¶ 사지를 ~ die Glieder krampfhaft bewegen; krampfhafte Bewegungen machen; es zuckt *jm.* durch alle Glieder / 뱀이 개구리를 잡으려고 굼틀거리며 기어간다 Die Schlange windet sich umher, um e-n Frosch zu fangen.
굼틀굼틀 windend; schlängelig; wie e-e Schlange gewunden.
굽 ① 《마소의》 Huf *m.* -(e)s, -e. ¶ 굽이 있는 mit Hufen versehen* / 말 발굽 소리 Hufschlag *m.* -(e)s, ⸗e; Huftritt *m.* -(e)s, -e / 발굽에 차이다 e-n Hufschlag bekommen*. ② 《신 · 그릇의》 Absatz *m.* -es, ⸗e; Boden *m.* -s, -. ¶ 굽이 높은 구두 die Schuhe 《*pl.*》 mit hohen Absätzen / 굽이 낮은 구두 die Schuhe mit niedrigen 〔flachen〕 Absätzen / 양주 술잔의 굽 Flaschenboden *m.* / 도자기의 실굽 der Boden des Porzellans.
굽다¹ ① 《대 · 나무 · 몸 따위가》 (⁴sich) biegen*; ⁴sich beugen; ⁴sich krümmen; ⁴sich neigen; nach|geben*³. ¶ 굽기 쉬운 biegsam; beugsam; leichtkrümmbar; nachgiebig; flexibel; geschmeidig / 나이 탓으로 허리가 굽었다 vom Alter gebeugt sein; alt u. gebeugt sein. ② 《길 따위가》 e-e Biegung 〔e-e Kehre; e-e Kurve; e-e Wendung〕 machen; ⁴sich wenden⁽*⁾; ⁴sich winden*; (⁴sich) schlängeln (꾸불꾸불). ¶ 오른 쪽으로 ~ ⁴sich nach rechts wenden⁽*⁾; rechts ein|biegen* ⓢ,ⓗ / 선로는 거기서 급커브로 굽는다 Die Schiene macht dort e-e scharfe Kurve.
굽다² ① 《음식을》 braten*⁴ (고기, 생선을); rösten⁴ (찌어, 토스트로 만들다); backen⁽*⁾⁴ (빵, 과자를); auf|setzen⁴ (ans Feuer) (불에 올려 놓다). ¶ 감자를 ~ Kartoffeln rösten / 떡을 ~ Reiskuchen rösten / 고기를 바싹 ~ Fleisch gut durch|braten* / 설 구워 졌다 nicht gar gebraten sein; halb gebraten sein / 생선을 간쳐서 ~ e-n Fisch mit Salz rösten / (생선을) 양념을 발라 ~ mit ³Sojasauce [..zo:sə] backen⁽*⁾⁴ / 석쇠에 ~ auf dem Rost braten* / 프라이팬에 ~ in der Pfanne rösten⁴/갓 구운 frisch gebacken (빵); frisch gebraten (고기 따위); frisch aus dem Ofen (오븐에서 갓 꺼낸) / 갓 구운 빵 frisches Brot, -(e)s / 구운 고기 geröstet 〔gebratenes〕 Fleisch / 구운 생선 Bratfisch / 구운 떡 gerösteter Reiskuchen / 고기가 아직 덜 구워졌다 Das Fleisch ist noch nicht ganz gar. / 이 생선을 쪄 드릴까요 그렇지 않으면 구워 드릴까요 Möchten Sie den Fisch

gekocht od. gebraten haben? ② 《나무를》 (Holz) am Feuer trocknen. ③ 《숯·벽돌을》 brennen*[4]. ¶ 숯 (오지그릇)을 ~ Kohlen (Porzellan) brennen*/벽돌을 ~ Ziegel brennen*. ④ 《윷에서》 in der gleichen Position noch eine andere Marke verdoppelt auf|setzen.

굽달이 Teller 《*m.* -s, -》 mit Fuß.

굽도리 untere Einfassung 《-en》 an der Wand e-s Zimmers. ‖ ~지 Tapetenpapier 《*n.* -s, -e》 für die Stelle zwischen dem Boden u. der Wand e-s Zimmers.

굽실 ¶ ~(절을)하다 e-e Verbeugung machen; [4]sich verbeugen / ~거리다 kriechen* 《vor *jm.*》; den Staub von den Schuhen lecken 《*jm.*》; niedrig schmeicheln 《*jm.*》; [4]sich demütigen; [4]sich krümmen 《vor *jm.*》; dienern; [4]sich schmeichlerisch ducken; [4]sich schmiegen u. biegen* 《vor *jm.*》 / ~거리는 kriecherisch; knechtisch; servil; sklavenhaft; sklavisch; unterwürfig / 그는 상관에게 ~거린다 Er kriecht vor s-n Vorgesetzten. / 일꾼은 ~거리며 방안으로 들어 왔다 Der Diener kam unter tiefen Verbeugungen ins Zimmer herein. / 나는 남한테 ~거리기가 싫다 Ich krieche nicht gern vor anderen.

굽어보다 ① 《아래를》 hinab|schauen 《vom hohen Berg》; e-e Hand an die Stirn haltend u. vorbeugend hinab|schauen; e-e weite Übersicht bekommen*. ¶ 골짜기를 ~ ins Tal herunter|schauen. ② 《굽어살피다》 rücksichtnehmend auf die Umstände (Lage) des anderen schauen; [4]sich erbarmend neigen.

굽어살피다 ☞ 굽어보다 ②. ¶ 민정을 ~ [4]sich des Volkes erbarmen / 하느님이시어 굽어살피소서 Gott, sieh u. erbarme Dich.

굽이 Rundung *f.* -en; Windung *f.* -en; Biegung *f.* -en; Wende *f.* -n; Kurve *f.* -n. ¶ ~마다 Kurve für Kurve; an jeder Windung (Biegung).
‖ 물~ Wellenbewegung *f.* -en; Flußbiegung; Wellenschwung *m.* -(e)s, ⸚e; Zweig 《*m.* -(e)s, -e》 des Flusses.

굽이감다 [4]sich um|biegen*; [4]sich winden*; [4]sich umschlungen drehen.

굽이굽이 ① 《휜 곳마다》 an jeder Windung; an jeder Stelle der Rundung (Biegung); an jeder Kurve. ② 《굽이침》 in Wellenbewegung; an jeder Flußbiegung (Flußwindung). ¶ ~ 흐르는 강 ein gebogen (kurvenweise) verlaufender Fluß, Flusses, Flüsse; mäanderförmig verlaufender Fluß / 물이 ~ 흐른다 Ein Strom fließt in vielen Kurven(mit vielen Flußwindungen).¦Wasser fließt zickzack.¦Ein Fluß bildet Windungen.¦Ein Fluß fließt Kurvenbildend.

굽이돌다 um|biegen* 《Straße》; 《ein Fluß》 ändert s-e Richtung.

굽이지다 e-e Rundung (Biegung) hat sich gebildet; e-e Kure machen; um|fließen*[4]. ¶ 강이 산모퉁이에서 ~ ein Fluß fließt um die Felsen des Berges (um Berg herum); ein Fluß verschwindet hinter dem Berg.

굽이치다 [4]sich im Wellenschlag bewegen; mäandern. ¶ 물이 굽이쳐 흐른다 Der Fluß (Wasser) fließt in leichten Wellen.

굽잡다 *jn.* mit Gewalt ergreifen(an|packen).

굽잡히다 in *js.* Gewalt sein; beherrscht u. dadurch klein werden; e-m auf Gnade u. Ungnade ausgeiiefert sein.

굽적 verbeugend. ☞ 굽실. ~하다 (von Ehrfurcht (Scheu) ergriffen) e-e Verbeugung machen; [4]sich verbeugen.

굽정이 ein gekrümmtes Ding, -(e)s, -e; etwas Gebogenes* (Verwachsenes*; Gebeugtes*); Krümmer *m.* -s, - (연통, 파이프의).

굽죄이다 Gewissensbisse (Zweifel) haben; [4]sich bedrückt (gequält) fühlen. ¶ 그는 부인한테 굽죄여 지낸다 Er steht unter dem Pantoffel.¦Er ist ein Pantoffelheld.

굽질리다 Auf ein Hindernis (e-n Baumstumpf) stoßen* ⓢ; in ein unerwartetes Hindernis geraten* ⓢ.

굽창 lederne Schuhsohle, -n; Lederstückchen 《*n.* -s, -》 zum Verstärken von Ferse der Strohsandale.

굽통 ① 《화살대의》 Pfeil-Bogen 《*m.* -s, -》 aus Bambus. ② 《마소의》 Huf *m.* -(e)s, -e; Klaue *f.* -n.
‖ ~줄 Seil 《*n.* -(e)s, -e》, das die Egge u. das Joch verbindet.

굽히다 ① biegen*[4]; beugen[4]; neigen[4]; krümmen[4]; krumm machen[4]. ¶ 허리를 ~ [4]sich bücken; [4]sich (nieder|)beugen; [4]sich neigen; [4]sich ducken (남몰래); hocken; [4]sich krümmen (아파서); [4]sich biegen* (우스워서) / 무릎을 ~ das Knie beugen; kauern / 몸을 앞으로 ~ [4]sich vorwärts|beugen / 무엇 위로 몸을 ~ [4]sich über [4]*et.* neigen / 살짝 허리를 ~ [4]sich leicht verbeugen; e-e leichte Verbeugung machen. ② 《뜻을》 [4]sich fügen[3]; nach|geben*[3]; [4]sich unterwerfen*[3]; 《주의·주장을》 ab|weichen* ⓢ 《*von*[3]》; ab|gehen* ⓢ 《*von*[3]》. ¶ 그는 자기 주장을 굽히지 않는다 Er beharrt auf s-r Meinung.

굿[1] 《무당의》 magisches (schamanistisches) Ritual 《-s, -e (-ien)》 zur Geisterbeschwörung (Teufelsbannung); 《구경거리》 Aufregendes* zum Sehen; Schau *f.* -en; Spektakel *n.* -s, -. ☞ 굿하다. ¶ 굿 뒤에 날 장구 etwas darüber sprechen, was längst erledigt (entschieden worden) ist; geschehene Dinge sind nicht zu ändern / 굿 들은 무당 e-e Person, die sich bei der gewünschten Arbeit glücklich u. flink bewegt.

굿[2] ① ☞ 구덩이. ② 《무덤의》 Grabloch in der Größe e-s Sarg(e)s; Grab *n.* -(e)s, ⸚er.

굿거리 Schamanengesang u. -tanz, der beim magischen Ritual durchgeführt wird.

굿막(—幕) 〖광산〗 Bergarbeiter-Hütte *f.* -n; Baracke 《*f.* -n》 in der Nähe der Grube.

굿문(—門) 〖광산〗 der Eingang 《-(e)s, ⸚e》 zu e-r Grube; Grubeneingang *m.* -(e)s, ⸚e.

굿바이히트 〖야구〗 der spielbeendende letzte Schlag 《*m.* -(e)s, ⸚e》 beim Baseball.

굿보다 《굿을》 (bei) der Aufführung e-r Geisterbeschwörung zu|sehen* (-|schauen); 《방관》 teilnahmslos zu|schauen; als Zuschauer bleiben* ⓢ. ⌈feln).

굿일 ¶ ~을 하다 ein Grab graben* (schau-

굿중 〖불교〗 ein bettelnder Mönch, -(e)s, -e.
‖ ~패 Gruppe 《*f.* -n》 von den bettelnden Mönchen.

굿하다 magisches Ritual zur Geisterbeschwörung durch|führen.

궁(宮) ① 《궁전》 Palast *m.* -es, ⸚e. ② 《성수》 Sternbild *n.* -(e)s, -er; Konstellation *f.* -en. ③ 〖음악〗 die tiefste Note 《-n》 der pentatonischen Skala. ④ 《장기의》 König *m.* -(e)s, -e. ¶ 궁을 외통으로 몰다 den König (schach)matt setzen (machen).

궁경(窮境) Not *f.* ⸚e; gedrückte Verhältnisse 《*pl.*》; beschränkte Umstände 《*pl.*》; Armut *f.* (이상은 주로 경제적). ☞ 궁지.

궁계(窮計) das letzte Mittel, -s, -. ¶ ～에 의지하다, ～에 호소하다 zu verzweifelten Auswegen greifen*. ☞ 궁책.

궁구(窮究) gründliche Erforschung, -en; intensive Untersuchung, -en. ～하다 gründlich erforschen (studieren)[4].

궁굴다 《그릇이》 größer sein, als es aussieht; länger halten*, als man gedacht hat (erwartet).

궁굴리다 ① 《잘 듣게하다》 aufmerksam zu|hören lassen*. ② 《너그러운 용서》 großzügig (mit Verständnis) verzeihen*[34].

궁궐(宮闕) der kaiserliche (königliche) Palast, -es, ⸚e; der kaiserliche (königliche) Hof, -(e)s, ⸚e (궁정). ¶ ～같은 집이다 Das ist ein palastartiges Haus.

궁극(窮極) das Äußerste* (Letzte*) -n. ¶ ～의 (aller)letzt; äußerst; endgültig / ～에 있어서 letzten Endes; endlich; schließlich; im Grund; im letzten Grunde / ～의 목적 das letzte Ziel, -(e)s, -e; Endzweck *m.* -(e)s, -e / 인생 ～의 목적 das Endziel 《-(e)s, -e》 des Lebens.

궁글다 hohl; leer; gehaltlos (sein). ¶ 속이 궁근 나무 ein hohler Baum, -(e)s, ⸚e.

궁글막대 Stock 《*m.* -(e)s, ⸚e》, der den vorderen u. den hinteren Teil des Packsattels verbindet.

궁금증(一症) Unruhe *f.* -n; Angst *f.* ⸚e; Ängstlichkeit *f.* -en; Sorge *f.* -n; Besorgnis *f.* ..nisse.

궁금하다 《걱정스러운》 besorgniserregend; beängstigend (sein); fürchten 《*für*[4]》; 《답답함》 beängstigt; beunruhigt (sein); von Unwissenheit (Sorge) nervös (unruhig) werden; (durch die Sorge) seelisch gedrückt (sein). ¶ 시험 결과가 ～ auf das Prüfungsergebnis gespannt sein / 개표 결과가 ～ auf das Wahlergebnis (die Abstimmungszahl) neugierig sein / 집에서 소식이 없어 ～ Es erfüllt mich mit großer Sorge (Es bereitet mir Sorge), daß ich von zu Hause nichts höre. / 그들의 안부가 ～ Ich möchte wissen, wie es ihnen geht. / 손님이 올 때가 되었는데도 오지 않아 어떻게 된 일인지 ～ Ich bin in Sorge, da die Gäste noch nicht da sind.

궁기(窮氣) ein miserables Aussehen, -s; Elend *n.* -(e)s; Armseligkeit *f.* ¶ ～가 낀 Armut verratend; von innerer geistiger Armut zeugend.

궁끼다(窮—) in Armut geraten* ⓢ; mittellos (hilflos; bar verarmt; notleidend) sein.

궁내(宮內) der kaiserliche (königliche) Hof, -(e)s, ⸚e. ⌈-s, -.

궁녀(宮女) Hofdame *f.* -n; Hoffräulein *n.*

궁노(宮奴) Sklave 《*m.* -n, -n》 im Königspalast; Hofsklave.

궁노루 《사향노루》 Moschustier *n.* -(e)s, -e.

궁도(弓道) das Bogenschießen*, -s; Bogenschützenkunst *f.* ⸚e.

궁도련님(宮—) der unerfahrene Mensch, -en, -en; Muttersöhnchen *n.* -s, -; Grünschnabel *m.* -s, -; ein großes Kind, -(e)s, -er.

궁도령(宮—) ☞ 궁도련님. ¶ 그는 ～이다 Er ist ein Muttersöhnchen.¦Er ist ein großes Kind.¦ Er hat k-e Weltkenntnis. / 그는 ～은 아니다 Er ist nicht von gestern.¦Er hat Lebenserfahrung.¦Er hat die Welt gesehen.¦Er ist unter den Leuten gewesen.

궁둥이 After *m.* -s, -; der Hintere*; Hinterbacken 《*pl.*》; Gesäß *n.* -es, -e; 〖비어〗 Arsch *m.* -es, ⸚e; 《우스개》 Popo *m.* -s, -; Bürzel *m.* -s, - (새, 짐승의); Steiß *m.* -es, -e (특히 새의). ¶ ～가 가볍다 leicht (leichtfertig; liederlich; lose) sein / ～가 무겁다 schwerfällig (träge; lässig) sein / ～가 질기다 Pech am Hintern haben; zu lange sitzen bleiben* ⓢ 《beim Besuch》; länger bleiben* ⓢ, als man gern gesehen ist / 여자 ～를 쫓아다니다 e-m Mädchen nach|laufen* ⓢ; hinter jeder Schürze her|laufen* ⓢ / 궁둥잇짓을 하다 (liebreizend) das After schaukeln.

궁둥짝 (beide) Hüften 《*pl.*》; Gesäß *n.* -es, -e; (Hinter)backen 《*pl.*》.

궁뚱망뚱하다 vernachlässigt (grob; schäbig; ländlich) aus|sehen*.

궁륭(穹窿) Gewölbe *n.* -s, -; Wölbung *f.* -en; Bogen *m.* -s, -(⸚); 《천공》 Himmelsgewölbe *n.* -s; Firmament *n.* -(e)s. ¶ ～형의 gewölbt; bogenförmig; bogenartig.

궁리(窮理) 《고안》 Erfindung *f.* -en; 《계획》 Plan *m.* -s, ⸚e; Entwurf *m.* -s, ⸚e; 《수단》 Mittel *n.* -s, -; 《방책》 Maß¦nahme (-regel *f.* -n). ～하다 《안출하다》 erfinden*[4]; ersinnen*[4]; aus|hecken[4]; erdenken*[4]; aus|denken*[4]; 《고안하다》 nach|denken* (-|sinnen*) 《*über*[4]》; 《계획하다》 planen[4]; entwerfen*[4]; Pläne (Entwürfe) machen; 《방책을 강구함》 Maßnahmen ergreifen* 《*in*[3]》; Maßregeln treffen* 《*in*[3]》. ¶ ～를 해내다 e-n Plan sorgfältig aus|arbeiten; den Kopf an|strengen (zerbrechen*) / 한 달에 2만원으로 살아갈 ～를 해야겠다 Ich werde mich bemühen, monatlich mit 20000 *Won* auszukommen. / 여러 가지로 ～해 보았지만 묘안이 떠오르지 않는다 Ich habe es mir hin u. her überlegt, aber kein guter Gedanke kam mir in den Sinn.

궁민(窮民) die Bedürftigen* 《*pl.*》; Leute 《*pl.*》 in [3]Not; die Armen* 《*pl.*》; die armen (bedürftigen) Leute 《*pl.*》.

궁박(窮迫) Not *f.* ⸚e; Armut *f.*; Armseligkeit *f.* -en; Dürftigkeit *f.*; die beschränkten Umstände 《*pl.*》. ～하다 in bedrängter Lage sein; in Not sein; es knappt haben. ☞ 곤궁. ¶ 그의 재정은 ～하다 Er befindet sich in finanzieller Bedrängnis.

궁벽하다(窮僻—) abgelegen; entlegen; weltverloren; einsam; verlassen (sein). ¶ 궁벽한 시골 der abgelegene (entlegene) Ort, -(e)s, -e (⸚er); das einsame Dorf, -(e)s, ⸚er / 궁벽한 고장이군요 Hier ist es ganz abgelegen von der Stadt.

궁상(弓狀) ¶ ～의 bogenförmig; bogig.

궁상(窮狀) Not *f.* ⸚e; Bedrängnis *f.* ..nisse; Elend *n.* -(e)s; Notstand *m.* -(e)s, ⸚e. ～맞다, ～스럽다 arm (schäbig; ländlich) aus|sehen*; ein miserables Aussehen haben. ¶ ～떨다 [4]sich wie ein armer Mann benehmen* (verstellen) / ～스런 사람 ein miserabel aussehender Mann, -(e)s, ⸚er / ～스런 복장을 한 여자 eine arm u. schäbig bekleidete Frau, -en / ～을 호소하다 *jm.* s-e Not klagen / 그의 ～은 이루 말할 수 없다 Es ist kaum zu sagen, wie elend s-e

Lage ist.
궁상(窮相) ein ärmliches, mageres, Aussehen, -s.
궁색(窮塞) Geldknappheit *f.*; die finanzielle Gedrücktheit *f.*; Not *f.* ⁻e; Armut *f.*; Dürftigkeit *f.* **~하다** arm; dürftig (sein); Not haben (leiden*); in Not sein.
궁서(窮鼠) die in die Enge getriebene Maus, ⁻e. ¶ ~는 오히려 고양이를 문다 „Der gestellte Hirsch stellt sich den Hunden."¦ „Not bricht Eisen."
궁수(弓手) (Bogen)schütze *m.* -n, -n.
궁술(弓術) das Bogenschießen*, -s; Bogenschützenkunst *f.* ⁻e.
궁시(弓矢) Pfeil u. Bogen. ¶ ~를 잡다 Pfeil u. Bogen ergreifen*.
궁실(宮室) Zimmer 《*n.* -s, -》 im Königspalast; Gemach *n.* -(e)s, ⁻er.
궁여지책(窮餘之策) der letzte Behelf, -(e)s. -e; die letzte Zuflucht, -en; das letzte (Hilfs)mittel, -s, -; Notbehelf *m.*; 《응급책》 Notmittel *n.*; Ausweg *m.* -(e)s, -e. ¶ ~을 쓰다 zu den letzten Mitteln greifen* / ~을 생각해내다 e-n Plan als die letzte Zuflucht ersinnen* / 그것은 ~에 지나지 않는다 Das ist nur ein Notbehelf.
궁인(宮人) Hofdame *f.* -n; Hoffräulein *n.* -s, -; Ehrendame *f.*; Ehrenfräulein.
궁전(宮殿) Palast *m.* -es, ⁻e; Herrensitz *m.* -es, -e; Palais [palέ:] *n.* - [..lέ:(s)], - [..lέ:s]; Prachtgebäude *n.* -s, -; Schloß *n.* Schlosses, Schlösser. ¶ ~ 같은 palastartig.
궁정(宮廷) der kaiserliche (königliche) Hof, -(e)s, ⁻e; Hof¦haltung *f.* -en (-staat *m.* -(e)s, -en). ¶ ~에서 bei (am) Hofe.
‖ **~시인** 《영국의》 Hofdichter *m.* -s, -. **~악사** Hofmusikant *m.* -en, -en; Musikus *m.* -, ..sizi. **~음악** Kammermusik *f.*
궁중(宮中) Hof *m.* -(e)s, ⁻e.
‖ **~관례** Hof(ge)brauch *m.* -(e)s, ⁻e. **~서열** Rangordnung 《*f.* -en》 im Hof. **~예복** Hoftracht *f.* -en; Hofkleid *n.* -(e)s, -er. **~용어** Hofsprache *f.* **~의식** Hofzeremoniell *n.* -s, -.
궁지(窮地) ① 《궁경》 Notlage *f.* -n; Bedrängnis *f.* ..nisse; Ratlosigkeit *f.* -en; Schwierigkeit *f.* -en; Klemme *f.* -n; die mißliche Lage, -n; Patsche *f.* -n. ¶ ~에 빠져 있다 (schwer) in der Klemme (Patsche; Tinte) sein (sitzen*; stecken(*)); schön (eklig) in der Klemme sein; im Schlamm stecken(*) / ~에 빠지다 in die Klemme (Patsche; Tinte) kommen* (geraten*) Ⓢ / ~에 빠뜨리다 (몰아넣다) *jn.* in die Klemme treiben*; *jn.* in die Patsche bringen* (reiten*); *jn.* in die Enge treiben*[4]; an die Wand drängen[4] / ~에서 헤어나다 [4]sich aus der Klemme ziehen*; [4]sich aus der Klemme wenden*; [4]sich aus der Verlegenheit ziehen*. ② 《생활의》 Armut *f.* -en; Notlage *f.* -n. ☞ 궁경(窮境).
궁책(窮策) Notbehelf *m.* -(e)s, -e (응급의); der letzte (verzweifelte) Ausweg, -(e)s, -e (도피책); die letzte Möglichkeit, -en(수단).
궁촌(窮村) ein verarmtes Dorf, -(e)s, ⁻er; armselige Ortschaft, -en. ‖ **~벽지** ein verarmtes, abgelegenes Dörfchen, -s, -.
궁춘(窮春) 《춘궁》 Frühlingszeit 《*f.* -en》 mit Knappheit von Reis; reisarme Frühlingszeit.
궁터(宮—) Bauplatz 《*m.* -es, ⁻e》 e-s alten Palast(e)s.
궁핍(窮乏) Not *f.* ⁻e; Armut *f.*; Bedürftigkeit *f.*; Dürftigkeit *f.*; Knappheit *f.*; Mangel *m.* -s, ⁻; Entbehrung *f.* -en. **~하다** mittellos; arm (sein). ¶ ~하게 지낸다 Bei ihm geht es (sehr) knapp her.¦ Er ist in großer Not.¦Er hat es sehr knapp.
궁하다(窮—) ① 《곤궁하다》 in Geldverlegenheit sein; in dürftigen (gedrückten; ärmlichen) Verhältnissen (Umständen) sein; in finanzieller Not sein; in bitterster (Geld)not sein (폐); in Jammer u. Not sein (몹시); um Geld verlegen sein; in Geldverlegenheit sein; an Geld knapp sein; knapp bei Kasse sein. ¶ 돈에 ~ Er hat Geldsorgen.¦Er ist nicht (schlecht) bei Kasse. ② 《몰리다》 in der Klemme sein; nicht (weder) ein noch aus wissen*; in großer (bitterer; drückender) Not sein; in Notlage sein; [3]sich nicht mehr zu helfen wissen*; in die Enge getrieben werden. ¶ 궁하면 통한다 《궁즉통》 „Not bricht Eisen."¦ „Not macht erfinderisch."¦„Not macht aus Steinen Brot." ③ 《할바를 모름》 in Verlegenheit sein; nicht wissen*, was zu tun; [3]sich nicht mehr zu (raten noch zu) helfen wissen*; mit s-m Latein zu (am) Ende sein. ¶ 대답에 ~ k-e Antwort mehr (nicht mehr zu antworten) wissen*; um e-e Antwort verlegen sein / 나는 대답에 궁했다 Ich wußte nicht, was ich darauf antworten sollte. / 그는 대답 (변명)에 절대로 궁하는 일이 없다 Er ist um e-e Antwort (e-e Ausrede) nie verlegen.
궁합(宮合) 〖민속〗 eheliche Harmonie, -n; die vom Wahrsager ausgesagte (behauptete) Harmonie für ein Ehepaar. ¶ ~을 보다 [3]sich über die eheliche Harmonie wahrsagen lassen*.
궁행(躬行) die persönliche Praxis; die wirkliche Praxis. **~하다** in die Tat (Praxis) um¦setzen; gemäß [3]*et.* (treu nach [3]*et.*) handeln; s-n Grundsätzen gemäß leben.
궁형(弓形) Bogenform *f.* -en; Wölbung *f.* -en (아치형); 〖수학〗 (Kreis)bogen *m.* -s, - (⁻) (호); Kreisabschnitt *m.* -(e)s, -e (결원(缺圓)); Segment *n.* -(e)s, -e (결원). ¶ ~의 bogenförmig; bögig; in Bogenform; gewölbt.
궂기다 ① 《일이》 mit der Arbeit schlecht verlaufen* Ⓢ; die Arbeit geht schief; die Arbeit gerät ins Stocken. ② 《상사》 sterben* Ⓢ.
궂다[1] ① 《언짢다》 mürrisch; schlecht; böse; schlimm (sein). ¶ 암상~ eifersüchtig sein. ② 《날씨가》 schlecht; regnerisch; feucht; stürmisch (sein). ¶ 궂은 날씨 ein schlechtes (stürmisches) Wetter, -s, -; ein (mit Regen) drohendes Wetter / 궂은 날이나 갠 날이나 ob Regen od. Sonne; ob es regnet od. nicht; bei jedem Wetter.
궂다[2] 《눈이 멀다》 blind werden; das Gesicht verlieren*.
궂은고기 Aasfleisch *n.* -es.
궂은비 lästiger (anhaltender) Regen, -s, -; Landregen.
궂은살 Granulationsgewebe *n.* -s, -; das Gewebe in der heilenden Wunde.
궂은쌀 schlechter Reis, -es; grob geschälter Reis; Reis von schlechter Qualität.
궂은일 schlimme (unangenehme; üble; miß-

liche) Sache, -n; schmutziges Geschäft, -(e)s, -e; unglückliches Geschehen, -s; Todesfall *m.* -s, ⸚e.

궂히다 *jn.* verlieren*; *jn.* überleben; *js.* beraubt werden. ¶ 아버지를 ~ s-n Vater verlieren* / 남편을 ~ des Gatten beraubt werden / 처를 궂혔다 Tod beraubte mich m-r Frau.

권(卷) ① 《책의》 Band *m.* -(e)s, ⸚e 《생략: Bd.; *pl.* Bde.》; Buch *n.* -(e)s, ⸚er; Exemplar *n.* -(e)s, -e 《생략: Ex(pl).》. ¶ 제 1 권 der erste Band; Band I / 3권으로 된 저서 das Werk 《-(e)s, -e》 in drei Bänden; ein dreibändiges Werk / 2권의 개정판 zwei Exemplare von der verbesserten Ausgabe / 이 도서관에는 약 3만 권의 장서가 있다 Diese Bibliothek hat (umfaßt) beinahe 30,000 Bücher. ② 《종이의》 zwanzig Bogen koreanisches Papier. ③ 《영화 필름·두루마리 따위의》 Rolle *f.* -n; Filmspule *f.* -n (영화의). ¶ 5권 짜리 《영화의》 der aus fünf Streifen bestehende Film.

권(勸) ① 《권고》 Anraten* *n.* -s; Zureden* *n.* -s. ¶ 그의 권으로 auf sein Anraten (Zureden) (hin). ② 《격려》 Anregung *f.* -en; Aufmunterung *f.* -en. ③ 《추천》 Empfehlung *f.* -en; Befürwortung *f.* -en. ¶ 꼭 딸에게 권하고 싶은 혼담이다 Das ist ein Heiratsantrag, den ich als Vater nur dringend befürworten kann. / 그녀는 공손하게 방석을 권했다 Sie bot ihm höflich an, auf dem Sitzkissen Platz zu nehmen.

-권(券) Karte *f.* -n; Marke *f.* -n; Billet [biljɛ́t] *n.* -(e)s, -e (-s). ¶ 우대권 Vorzugskarte / 입장권 Eintrittskarte / 천원권 der Tausend-*Won*-Schein, -(e)s, -e.

-권(圈) Bereich *m.* -(e)s, -e; Kreis *m.* -es, -e; Sphäre *f.* -n; Umfang *m.* -(e)s, ⸚e; 《항속거리·행동반경 따위》 Reichweite *f.* -n; Aktionsradius *m.* -, ..dien. ¶ 권내(외)에 innerhalb (außerhalb) der Sphäre (der Reichweite; des Aktionsradius) / 폭격권 내에 있다 im Aktionsradius (in der Reichweite) des Bombers liegen* / 태풍권내에 있다 im Bereich der Auswirkung des Taifuns sein / 그는 당선 (우승)권내에 있다 S-e Wahl (Sein Sieg) liegt im Bereich der Möglichkeit(en). / 그는 곧 다시 정치권 외로 사라졌다 Er ist schnell wieder von der politischen Bühne verschwunden.

-권(權) 《권리》 Recht *n.* -(e)s, -e; 《특권》 Privileg *n.* -(e)s, -e; Vorrecht *n.*; 《권력》 Macht *f.* ⸚e; Gewalt *f.* -en. ¶ 입법권 die gesetzgebende Gewalt / 독점권 das ausschließende Recht / 남녀 동등권 Gleichberechtigung der Männer u. Frauen / 재산권 Vermögensrecht *n.*

권고(眷顧) Fürsorge *f.*; Hilfe *f.* -n; Gnade *f.* -n.

권고(勸告) Rat(schlag) *m.* -(e)s, ..schläge; Andeutung *f.* -en; Anweisung *f.* -en; Fingerzeig *m.* -(e)s, -e; Wink *m.* -(e)s, -e. ~하다 *jm.* raten*; e-n Rat geben* (erteilen) 《*jm.*》; Andeutungen (Fingerzeige; Winke) geben* 《*jm.*》; nicht undeutlich zu verstehen geben* 《*jm.*》; *jm.* zu|raten* 《*zu*³》; an|raten* 《*jm.* ⁴*et.*》. ¶ 의사의 ~에 따라 auf ärztlichen Rat hin; dem Rat des Doktors folgend (gehorchend; gemäß) / 사직을 ~하다 *jm.* zur Niederlegung e-s Amtes zu|reden; *jn.* zwingen*, sein Amt niederzulegen (s-e Stellung aufzugeben) / 나는 의사의 ~에 따라 전지 요양을 하러 부산에 간다 Ärztlichem Rat zufolge werde ich e-r Luftveränderung wegen nach Busan gehen.

‖ ~문 (Er)mahnungsschreiben *n.* -s, -; Exhortatorium *n.* -s, ..rien; der schriftliche Rat. ~자 Ratgeber *m.* -s, -. 사직~ die Anweisung, das Amt niederzulegen (vom Amt zurückzutreten); der Vorschlag zum Aufgeben (zur Niederlegung) e-s Amtes.

권내(圈內) 〖부사적〗 innerhalb e-s Gebietes (e-r Sphäre). ¶ 당선 ~에 있다 Aussicht auf den Sieg haben; voraussichtlicher Sieger sein; jemand gehört zu denen, die sicher gewählt werden können / 세력 ~에 있다 in der Einflußsphäre sein.

권농(勸農) Förderung 《*f.* -en》 der Landwirtschaft (Agrikultur). ~하다 die Landwirtschaft fördern; Förderung der Landwirtschaft intensivieren.

‖ ~일 Landwirtschafts(förderungs)tag *m.* -(e)s, -e; Tag der Landarbeiter (Bauern). ~정책 Landwirtschaftsförderungs¦plan *m.* -s, ⸚e (-politik *f.*).

권능(權能) Macht *f.* ⸚e; Befugnis *f.* ..nisse; Kompetenz *f.* -en; Zuständigkeit *f.* -en; Berechtigung *f.* -en. ¶ ~을 부여하다 *jn.* berechtigen 《*zu*³》; *jn.* ermächtigen 《*zu*³》; *jn.* befugen 《*zu*³》 / ~이 부여되다 ermächtigt werden; berechtigt werden. ☞ 권한.

권당질하다 aus Versehen fest|nähen⁴; beim Nähen werden zwei Nähseiten versehentlich festgenäht, die getrennt bleiben sollten.

권도(權道) Auskunftsmittel *n.* -s, -; Hilfsquelle *f.* -n; Politik *f.* -en; List *f.* -en (간책); Kunstgriff *m.* -(e)s, -e (간책). ¶ 외교적 ~ die diplomatische List.

권두(卷頭) der Eingang 《-(e)s, ⸚e》 e-s Buch(e)s; die (aller)erste Seite, -n. ¶ 그 잡지의 ~에 그 사람의 논문이 실려 있다 S-e Abhandlung steht am Anfang der Zeitschrift.

‖ ~논문 die eingangsstehende Abhandlung, -en 《e-r Zeitschrift》. ~사 Vor¦wort *n.* -(e)s, -e (-rede *f.* -n); Einführung *f.* -en; Einleitung *f.* -en. ~삽화 Titelbild *n.* -(e)s, -er.

권력(權力) Macht *f.* ⸚e; Gewalt *f.* -en; Einfluß *m.* ..flusses, ..flüsse; Autorität *f.* -en. ¶ ~있는 mächtig; gewaltig; einflußreich / ~이 없는 machtlos; einflußlos / ~의 균형 das Gleichgewicht der Macht / ~을 휘두르다 Macht über *jn.* aus|üben; kräftig das Zepter schwingen*; s-e Macht geltend machen / ~을 장악하다 an die Macht gelangen ⓢ; die Macht ergreifen* / ~을 부여하다 *jn.* ermächtigen 《*zu*³; ⁴*et.* zu tun》 / ~을 장악하고 있다 die Macht in (den) Händen haben / 그들은 서로 ~을 다투고 있다 Sie kämpfen miteinander um die Macht. / 그의 ~은 대단하다 Er hat großen Einfluß.

‖ ~가(家) Gewalthaber *m.* -s, -; der Mann 《-(e)s, ⸚er》 von Einfluß. ~균형 Machtverhältnis *n.* ..nisses, ..nisse. ~분립 =삼권분립. ~투쟁 der Kampf um die Macht; Kompetenz¦konflikt *m.* -(e)s, -e (-streitigkeit *f.* -en).

권련(眷戀) die innige (herzliche) (Zu)neigung, -en. ～하다 für *jn.* (Zu)neigung haben; für *jn.* Liebe empfinden* (hegen); *jm.* anhänglich sein; von *jm.* nicht los|kommen* ⓢ.

권리(權利) (An)recht *n.* -(e)s, -e; Berechtigung *f.* -en; Rechtsanspruch *m.* -(e)s, ⸚e (요구권); Vor|recht (Sonder-) *n.* -(e)s, -e (특권); 《권한》 Befugnis *f.* ..nisse. ¶ ～와 의무 Recht u. Pflicht / 정당한 ～ das gute Recht / 노동의 ～ das Recht auf Arbeit / ～의 양도 Rechtsübertragung *f.* -en; die Übertragung e-s Rechtes / ～의 보호 Rechtsschutz *m.* -es / 기득～ das erworbene Recht / ～가 있다 das Recht (die Berechtigung; Befugnis) haben 《^{4}*et.* zu tun》; berechtigt sein 《*zu*^{3}》/ ～를 주장하다 sein Recht behaupten; ein Recht in Anspruch nehmen*; sein Recht geltend machen / ～를 양도하다 *jm.* ein Recht ab|treten* / ～를 침해하다 *js.* Recht an|tasten; in *js.* Recht ein|greifen* / ～를 다투다 *jm.* sein Recht streitig machen / ～를 포기하다 sein Recht auf|geben* / ～를 유린하다 *js.* Recht verletzen / ～를 행사하다 das Recht aus|üben / 그는 그럴 ～가 있다 Er hat ein Recht dazu. / 난 그 돈을 가질 ～가 있다 Ich bin zu dem Gelde berechtigt. / 그는 그것을 청구할 ～가 있다고 주장했다 Er machte (erhob) darauf Anspruch. | Er beanspruchte es. / 그것은 당신의 정당한 ～입니다 Das ist Ihr gutes Recht. / 아직 ～를 포기한 것은 아니오 Ich habe mich m-s Rechts noch nicht begeben.

‖ ～금 Prämie *f.* -n. ～능력 Rechtsfähigkeit *f.* -en. ～자 Rechtsinhaber *m.* -s, -. ～주(株) Aktie 《*f.* -n》 mit Recht auf neue Aktie. ～침해 Rechtseingriff *m.* -(e)s, -e; Rechtsverletzung *f.* -en.

권말(卷末) das Ende 《-s, -n》 (der Schluß, Schlusses, Schlüsse) e-s Buches (e-s Bandes). ¶ ～ 참조 Vergleiche den Schlußteil dieses Buches!

권면하다(勸勉—) zur Arbeit auf|muntern (ermuntern; an|regen; an|treiben) 《*jn.*》; Arbeit fördern.

권모(權謀) List *f.* -en; Ränke 《*pl.*》; Tücke *f.* -n; Intrige *f.* -n; Kabale *f.* -n; Kniff *m.* -(e)s, -e; Kunstgriff *m.* -(e)s, -e; Machenschaft *f.* -en 《보통 *pl.*》; Quertreiberei *f.* -en; Schikane *f.* -n. ¶ ～에 능하다 voller List u. Ränke sein; voll List u. Tücke sein; voll von Kniffen (Ränken) sein; voll von Plänen sein.

‖ ～가 Ränke|schmied *m.* -(e)s, -e (Pläne-); Projektenmacher *m.* -s, -; Intrigant *m.* -en, -en; der Hinterlistige*, -n, -n; der verschlagene Mensch, -en, -en. ～술수 Machination *f.* -en; Machiavellismus[makĭavɛ:..] *m.* -; Kunstgriff *m.* -(e)s, -e: ～ 술수를 쓰다 *jm.* gegenüber Kniffe gebrauchen (an|wenden(*)) / 배후에서 ～ 술수를 쓰다 hinter der Sache stecken; die Fäden in der Hand halten*; die geheime Oberleitung haben. ～외교 die machiavellistische Diplomatie.

권문(權門) die einflußreiche Familie, -n; ein Mann 《-(e)s, ⸚er》 von Einfluß; e-e Person 《-en》 hohen Ranges; die einflußreiche Persönlichkeit, -en. ¶ ～에 아첨하다 vor Personen hohen Ranges kriechen*.

‖ ～세가 die einflußreiche Familie, -n.

권법(拳法) Boxsport *m.* -(e)s, -e; 《태권도》 *Taekweondo.*

권선(勸善) 《선을 권함》 die Förderung des Guten; die Ermunterung zum Guten; 〖불교〗 das Erbitten der Gabe.

‖ ～징악 die Förderung des Guten* u. die Bestrafung des Bösen*; die poetische (dichterische) Gerechtigkeit; Didaktik *f.*; Moralisierung *f.* -en: ～징악극 das moralisierende Drama, -s, ..men; Moralität *f.* -en / 그 소설은 ～ 징악을 목적으로 한 것이다 Der Roman soll zeigen, daß Laster gestraft u. Tugend belohnt wird.

권세(權勢) Einfluß *m.* ..flusses, ..flüsse; Macht *f.* ⸚e. ¶ ～를 부리다 s-e Macht gewaltsam aus|üben / 그는 이미 아무 ～도 없다 Er hat k-e Autorität mehr.

권속(眷屬) 《식구》 die (ganze) Familie, -n; Sippe *f.* -n; Sippschaft *f.* -en; Verwandschaft *f.* -en; Kind u. Kegel; die Seinigen 《*pl.*》 (그의 권속); m-e Frau (아내).

‖ 일가～ die ganze Familie; Kind u. Kegel: 일가 ～을 거느리고 mit Weib u. Kind; mit Kind u. Kegel.

권솔(眷率) *js.* Familie *f.* -n; *js.* abhängige Familienmitglieder 《*pl.*》.

권수(卷首) 《첫째 권》 der erste Band, -(e)s, ⸚e; 《권두》 der Anfang 《-(e)s, ⸚e》 e-s Buches.

권수(卷數) die Zahl 《-en》 von Büchern.

권신(權臣) der einflußreiche (wichtige) Vasall, -en, -en (Höfling, -s, -e).

권업(勸業) die Förderung 《-en》 der Industrie. ～하다 die Industrie fördern.

권연(卷煙) ☞ 궐련.

권외(圈外) ¶ ～의(에) außerhalb e-s Kreises (Gebietes; Bereiches; der Sphäre); 《반경 의》 über den Halbmesser hinaus; über die Reichweite / 정치～에 außerhalb e-s politischen Bereiches; unabhängig von der Politik / 통신～에 있다 außerhalb e-s Kommunikationsbereiches sein / 당선～로 떨어지다 nicht zur Wahl stehen*; nicht mehr in der Wahlliste stehen*; k-e Gelegenheit mehr haben, gewählt zu werden.

‖ 대기～ außerhalb der (Erdatmo)sphäre; im Universum; im Weltraum.

권운(卷雲) Federwolke *f.* -n; Zirrus *m.* -, - (..ren); Zirruswolke *f.* ☞ 새털구름.

권위(權威) 《권세》 Macht *f.* ⸚e; Einfluß *m.* ..flusses, ..flüsse; 《위엄》 Autorität *f.* -en; Prestige *f.*(위신); 《사람》 Autorität; (Fach-)größe *f.* -n; Koryphäe *m.* -n, -n; Virtuose *m.* -n, -n. ¶ ～ 있는 mächtig; einflußreich; maßgebend; autoritativ; authentisch (전거가 있는) / ～주의적인 autoritär / 사계의(예술계의, 학계의) ～ die Autorität auf dem Fachgebiet (auf dem Gebiet der Kunst; auf der Wissenschaft) / 그 문제에 관한 ～ 있는 책 ein maßgebendes Buch über die Sache / ～로 누르다 *jn.* durch Autorität unterdrücken / ～를 세우다 *js.* Einfluß (Macht) geltend machen / ～를 잃다 an Autorität ein|büßen; viel an Autorität verlieren* / 이 잡지는 사계의 ～를 망라하고 있다 In dieser Zeitschrift schreiben alle Fachgrößen auf diesem Gebiet. / 그는 부하에 대해서 ～가 없다 Er hat k-e Autorität über s-e Untergebenen. | Er hat s-e Untergebenen nicht in der Gewalt.

권유(勸誘) 《선거·기부·입회 따위의》 Werbung

f. -en; 《설득》 Überredung *f.* -en; das Zureden*, -s; 《유인》 Aufforderung *f.* -en; Einladung *f.* -en; 《장려》 Agitation *f.* -en; Ermunterung *f.* -en; Anregung *f.* -en; das Propaganda¦machen* (Reklame-) -s. ~하다 werben* 《*für*[4]》; auf|fordern 《*jn. zu*[3]》; ein|laden* 《*jn. zu*[3]》; Propaganda (Reklame) machen 《*für*[4]》; überreden 《*jn.* zu[3]》; zu|reden[3]; befördern[4]; ermuntern[4]; an|regen[4]. ¶ 보험 가입을 ~하다 für Versicherungen werben* / 전람회에 출품하라고 ~하다 *jn.* auf|fordern, e-e Ausstellung zu beschicken.

‖ ~원 Werber *m.* -s, -; der Auffordernde*, -n, -n; Propaganda¦macher (Reklame-) *m.* -s, -; Ausschreier *m.* -s, -. ~장 Werbeschrift *f.* -en; Einladung *f.* -en; Propaganda *f.*; Reklame *f.* -n; Werbung *f.* -en; Überredungsschreiben *n.* -s, -.

권익(權益) Recht u. Interesse, des - u. -s, -e u. -n 〔2격일 때만 정관사를 넣는다〕. ¶ ~을 옹호하다 Rechte u. Interessen verteidigen.

권장(勸奬) Ermutigung *f.* -en; Ermunterung *f.* -en; Aufmunterung *f.* -en; Förderung *f.* -en; Beförderung *f.* -en. ~하다 ermutigen[4]; ermuntern[4]; auf|muntern[4]; fördern[4]; befördern. ¶ 저축을 ~하다 zum Sparen mahnen / 이 학교에서는 모든 종류의 운동을 ~하고 있다 Diese Schule fördert alle möglichen Sportarten.

권적운(卷積雲) Schäfchen¦wolke (Feder-) *f.* -n; Zirrokumulus *m.* -, -. ☞ 비늘구름.

권점(圈點) ein kleiner Kreis 《-es, -e》 als Hervorhebungszeichen im Koreanischen; das kreisförmige Interpunktionszeichen. ¶ ~을 찍다 mit kleinem Kreis versehen; interpunktieren[4]; punktieren[4].

권주가(勸酒歌) koreanisches Trinklied, -(e)s, -er.

권척(卷尺) =줄자.

권총(拳銃) Pistole *f.* -n; Revolver *m.* -s, -; 《자동식》 Selbstladepistole *f.* -n. ¶ ~을 쏘다 e-e Pistole ab|schießen*; mit der Pistole schießen* / ~으로 사살하다 mit der Pistole erschießen*[4] / ~을 가슴에 겨누다 *jm.* die Pistole auf die Brust setzen (richten).

‖ ~강도 Revolverheld *m.* -en, -en. ~사격 Pistolenschuß *m.* ..schusses, ..schüsse. ~자살 der Selbstmord 《-(e)s, -e》 mit e-r Pistole. ~집 Pistolentasche *f.* -n. 6연발~ der sechsschüssige Revolver.

권축(卷軸) (Pergament)rolle *f.* -n; 《그림의》 Bilderrolle; 《글씨의》 Schriftrolle; 《가로나무》 das Stäbchen am Ende der Rolle. ¶ ~을 걸다 e-e Rolle auf|hängen*.

권층운(卷層雲) Schleierwolke *f.* -n; Zirrostratus *m.*; die federige Schicht¦wolke (Haufen-); die Schäfchen 《*pl.*》. ☞ 햇무리구름.

권태(倦怠) Müdigkeit *f.* -en; Ermattung *f.* -en; Ermüdung *f.* -en; Mattigkeit *f.*; Langweile *f.* -n (심심함); Überdruß *m.* ..drusses (싫증남). ¶ ~를 느끼다 müde[(2)] werden; ermüden ⓢ; ermatten ⓢ; 《심심함》 [4]sich langweilen; Langweile empfinden* (haben); 《싫증남》 überdrüssig[2] werden (sein); *jm.* zum Überdruß werden / ~케 하다 ermüden[4]; ermatten[4]; langweilen[4].

‖ ~기 die Zeit der Ermüdung; die Langweile im Eheleben: 그 부부는 ~기에 빠졌다 Das Ehepaar ist des Ehelebens müde.

권토중래(捲土重來) ~하다 neue Kräfte sammeln u. e-n neuen Anlauf machen; nicht (gleich) die Flinte ins Korn werfen*; mit erneuter Kraft [4]*et.* wieder auf|nehmen*; den Kampf mit frischen Kräften wieder auf|nehmen*. ¶ ~의 기세로 mit erneuter Kraft / ~를 기하다 [4]sich entschließen*, mit erneuter Kraft [4]*et.* wieder aufzunehmen.

권투(拳鬪) Boxen *n.* -s; Faustkampf *m.* -(e)s, ⸗e. ~하다 boxen; [4]sich boxen; mit den Fäusten kämpfen.

‖ ~경기 (시합) Boxkampf *m.* ~선수 Boxer *m.* -s, -. ~장 Ring *m.* -(e)s, -e. ~장갑 Boxhandschuh *m.* -(e)s, -e. 아마추어~선수 Amateurboxer *m.* 프로~선수 Berufsboxer *m.* 헤비급~선수 Schwergewichtboxer *m.*

권하다(勸一) ① 《권고》 raten*[34]; an|raten*[34]; zu|reden[3] 《*zu*[3]》. ¶ 수술을 ~ *jm.* e-e Operation an|raten* / 화해하라고 재판관이 권하는 것을 듣지 않다 [4]sich dem Versöhnungsvorschlag des Richters widersetzen / 저 사람한테는 권해도 소용 없다 Es hat k-n Zweck, ihm zuzureden.

② 《추천하다》 empfehlen*[34]; befürworten[4]. ¶ 그는 내게 믿을 만한 가정 교사로 자네를 권했네 Er empfahl mir dich als zuverlässigen Hauslehrer. / 나는 그를 권할 수가 없다 Ich kann ihn nicht empfehlen.

③ 《먹으라고》 an|bieten*[34]; auf|zwingen*[34] (억지로); zwingen* 《*jn.* zu[3]》 (억지로); ein|laden*[4] 《*zu*[3]》; auf|fordern[4] 《*zu*[3]》; bitten*[4] 《*zu*[3]; zu 부정구》. ¶ 차 한 잔을 ~ 《*jm.*》 e-e Tasse Tee an|bieten* / 술잔을 ~ zum Trinken auf|fordern; ein|schenken[4] 《ein Glas [4]Bier》 / 방석을 ~ 《*jm.*》 anbieten, auf dem Sitzkissen Platz zu nehmen / 권커니 잣거니 술을 마시다 die Trinkschälchen aus|-tauschen / 억지로 권해도 소용 없다 Es wäre zwecklos, es ihm aufzuzwingen.

권학(勸學) die Förderung 《-en》 der Wissenschaft (der Erziehung); die Ermunterung 《-en》 zum Studium. ~하다 die Wissenschaft (die Erziehung) fördern; *jn.* zum Studium ermuntern.

권한(權限) 〖법〗 Kompetenz *f.* -en; Zuständigkeit *f.* -en; Befugnis *f.* -se. ¶ ~의 제한 Kompetenzabgrenzung *f.* -en; Zuständigkeitsbeschränkung *f.* -en / ~내에 innerhalb der Befugnisse / ~외에 unbefugt; unberechtigt; unzuständig / ~이 있는, ~내의 befugt 《*zu*[3]》; kompetent 《*in*[3]》; zuständig 《*für*[4]》; berechtigt 《*zu*[3]》 / ~을 지키다 s-e Befugnisse (Kompetenz) beobachten / ~을 주다 *jn.* berechtigen 《*zu*[3]》; *jm.* das Recht geben* 《*zu*[3]》; *jn.* ermächtigen 《*zu*[3]》 / 이것은 다른 관청의 ~에 속한다 Das gehört zur Befugnis (Kompetenz; Zuständigkeit) e-r anderen Behörde. / 그것은 나의 ~ 밖입니다 Dafür bin ich nicht zuständig.¦Die Angelegenheit liegt außerhalb m-s Zuständigkeitsbereichs. / 나는 그것을 결정할 ~이 있다 Ich bin berechtigt, die Entscheidung darüber zu treffen. / 무슨 ~으로 당신은 그것을 명령하는 거요 Mit welchem Recht erteilen Sie solche Aufträge?

‖ ~쟁의 Kompetenz¦konflikt *m.* -(e)s, -e (-streitigkeit *f.* -en).

권화(權化) 〖불교〗 Avatar *n.*; Verkörperung *f.* -en; Fleischwerdung *f.* -en; Inbegriff *m.* -(e)s; Inkarnation *f.*; Personifikation *f.* -en; Verleiblichung *f.* -en. ¶ 악의 ~ die personifizierte Bosheit / 자본주의의 ~ der verkörperte (inkarnierte) Kapitalismus; der Kapitalismus in ³Fleisch u. ³Blut (in ³Menschengestalt).

궐공 Schwächling *m.* -s, -e; der schwache Mensch, -en, -en.

궐기(蹶起) ~하다 ⁴sich erheben* 《*gegen*⁴》; ⁴sich auf|raffen 《*zu*³; zu 부정구》; auf|springen* ⓢ; auf|fahren* ⓢ; ⁴sich plötzlich erheben*; 《궐기하여 어떤 일을 함》 ⁴sich zu e-r Tat (zum Handeln) auf|raffen. ¶ ~시키다 *jn.* auf|rühren 《*zu*³》; auf|rütteln⁴; auf|hetzen⁴ / 지금이야말로 ~할 때이다 Es ist Zeit zum Handeln.

‖ ~대회 Kundgebung *f.* -en; Demonstration *f.* -en.

궐나다(闕—) frei werden 《e-e Stelle》.

궐내(闕內) innerhalb des Palastes.

궐련 Zigarette *f.* -n; Zigarre *f.* -n (엽궐련). ☞ 담배. ¶ ~ 한 갑 e-e Schachtel Zigaretten / 필터가 달린 (안달린) ~ die Zigarette mit (ohne) Filter (Mundstück).

‖ ~갑 Zigarettenschachtel *f.* -n. ~물부리 Zigarettenspitze *f.* -n. ~케이스 Zigaretten|etui [..etvi:] *n.* -s, -s (-behälter *m.* -s, -; -tasche *f.* -n).

궐석(闕席) 〖법〗 das Nichterscheinen*, -s; Kontumaz *f.* -en; das Ausbleiben*《-s》(vor Gericht); Abwesenheit *f.* -en; das Fehlen*, -s. ☞ 결석(缺席).

‖ ~재판 Kontumazialurteil *n.* -s, -e: ~재판을 받다 in Kontumaz (in contumaciam) verurteilt werden / ~재판으로 유죄 판결을 내리다 in Abwesenheit verurteilen⁴ 《*zu*³》.

궐하다(闕—) 《빠짐》 ausgelassen werden; weggelassen werden; fehlen; 《자리가 빔》 unbesetzt (vakant; leer) sein.

궤(几) Ellbogenlehne *f.* -n.

궤(櫃) Lade *f.* -n; Truhe *f.* -n; Kiste *f.* -n. ¶ 옷 궤 Kommode *f.* -n.

궤계(詭計) Kabale *f.* -n; Intrige *f.* -n; Manöver *n.* -s, -; Ränke 《*pl.*》; Schikane *f.* -n; Kunstgriff *m.* -(e)s, -e; Finte *f.* -n.

궤도(軌道) ① 《철도의》 Geleise *n.* -s, -; Gleis *n.* -es, -e; Schienenweg *m.* -(e)s, -e; Eisenbahnlinie (열차의) (Straßenbahnlinie (전차의)) *f.* -n; Schiene *f.* -n (레일). ¶ 단선~ das einfache Geleise / 복선~ das doppelte Geleise; Doppelgeleise *n.* / ~를 벗어나다 entgleisen ⓢ (탈선); aus dem Geleise (Gleis) kommen* ⓢ; vom rechten Weg ab|kommen* (ab|irren) ⓢ / ~에 오르다 e-n guten Anlauf machen; richtig ins Gleis kommen* ⓢ; 《일 따위가》 in ⁴Schwung kommen* ⓢ; e-n guten Fortgang haben; in flotten Gang kommen*ⓢ; leicht fort|kommen*ⓢ; ⁴sich gewöhnen 《*an*⁴》; ⁴sich eifrig hinein|arbeiten 《*in*⁴》; ⁴sich vertraut machen 《*mit*³》 / ~에 올려놓다 ins Gleis bringen*⁴; auf e-e Umlaufbahn bringen*⁴ 《e-n Erdsatelliten》 / ~를 깔다 Schienen legen; ein Geleise legen. ② 《천체의》 (Planeten)bahn *f.* ¶ 지구 위성을 ~에 올려놓다 e-n Erdsatelliten auf die Umlaufbahn bringen*. ③ 《상궤》 der normale Verlauf 《-(e)s, ⸗e》 der Handlung. ¶ ~를 벗어나다 von dem Gewohnten (vom üblichen Wege) ab|weichen* ⓢ; abnorm sein.

‖ ~면 die Fläche 《-n》 e-r Kreisbahn. ~비행 Gleitflug *m.* -(e)s, ⸗e.

궤란(潰爛) Zersetzung *f.* -en; Verwesung *f.* -en; Verfall *m.* -(e)s. ~하다 ⁴sich zersetzen; verwesen ⓢ; verfallen*⁴ⓢ.

궤멸(潰滅) Zusammenbruch *m.* -(e)s, ⸗e; Vernichtung *f.* -en; Zerstörung *f.* -en. ~하다 zusammen|brechen* ⓢ; ein|stürzen ⓢ; besiegt werden. ¶ ~시키다 vernichten⁴.

궤범(軌範) Muster *n.* -s, -; Vorbild *n.* -(e)s, -er; Beispiel *n.* -(e)s, -e; Norm *f.* -en; Richtschnur *f.* -en; Kriterium *n.* -s, ..rien.

궤변(詭辯) Sophisterei *f.* -en; Trugschluß *m.* ..schlusses, ..schlüsse; Vernünftelei *f.* -en; Klügelei *f.* -en; Spitzfindigkeit *f.* -en; Schikane *f.* -n; Haarspalterei *f.* -en; 《역설》 Paradoxie *f.* -n. ¶ ~적 sophistisch; trügerisch; spitzfindig / ~을 농하다 vernünfteln⁴; die Worte verdrehen; e-n Trugschluß ziehen* 《*aus*³》; sophistisch dar|stellen⁴; Sophismen(Spitzfindigkeiten) an|wenden*; ⁴*et.* sophistisch dar|stellen / ~처럼 들리지만 그것은 사실이다 Mag es auch noch so Paradox klingen, es ist trotzdem wahr. / 그것은 자네 ~일세 Das ist ein Trugschluß von dir. ‖ ~가 Sophist *m.* -en, -en; Wortverdreher *m.* -s, -.

궤양(潰瘍) 〖의학〗 Geschwür *n.* -(e)s, -e. ¶ ~을 절개하다 ein Geschwür auf|stechen* (-|schneiden*).

‖ 결핵성~ das tuberkulöse Geschwür. 십이지장~ Duodenalgeschwür. 악성~ das bösartige Geschwür. 위~ Magengeschwür. 출혈성~ das hämorrhagische Geschwür.

궤적(軌跡) ① 《바퀴자국》 Radspur *f.* -en. ② 《행적》 die Taten 《*pl.*》 e-s Vorgängers. ③ 〖수학〗 der geometrische Ort, -(e)s, -e. ¶ ~을 구하다 e-n geometrischen Ort ermitteln (suchen; bestimmen).

궤조(軌條) (Eisenbahn)schiene *f.* -n; Laufschiene. ☞ 레일. ‖ ~접합점 Schienenstoß *m.* -es, ⸗e.

궤주(潰走) die wilde (ungeordnete) Flucht, -en; Massenflucht *f.* ~하다 in die Flucht (ins Debakel) geschlagen werden; e-e wilde Flucht nehmen*. ¶ 적을 ~시키다 den Feind in die Flucht schlagen*; den Feind auseinander|treiben* (-|jagen).

궤지기 unbrauchbarer Rest, -es, -e (Abfall, -(e)s, ⸗e; Müll, -s).

궤짝(櫃—) Kasten *m.* -s, -; Kiste *f.* -n. ¶ 사과 한 ~ e-e Kiste Äpfel / ~에 담다 ⁴*et.* in e-e Kiste (Schachtel) packen (tun*).

귀 ① 《듣는》 Ohr *n.* -(e)s, -en; Gehör *n.* -(e)s (청각). ¶ 귀가 멀다 (어둡다) schwerhörig sein; ein dickes Ohr haben; schlecht hören / 귀가 밝다 hellhörig sein; ein scharfes Ohr haben 《*für*⁴》 / 귀가 먹다 taub sein / 한쪽 귀가 먹다 auf e-m Ohr taub sein / 귀가 울리다 Ohrensausen haben / 귀가 아프다 ⁴Ohrenschmerzen haben / 귀를 막다 sein Ohr verschließen*; ³sich die Ohren zu|halten* / 귀를 기울이다 aufmerksam hören 《*auf*⁴》 / 귀를 빌려 주다 *jm.* Gehör leihen*; *jn.* an|hören / 귀 아프게 말하다 *jm.* das Ohr warm machen / 남의 귀에 대고 소리지르다 *jm.* in die Ohren schreien* / 귀에 익다 gewöhnt werden 《⁴*et.* zu hören》 / 귀에 익히다 ⁴sich im Hören üben / 귀에 들어오다 *jm.* zu Ohren kommen* ⓢ / 귀에 거슬리다 ⁴*et.* nicht hören mögen* / 귀에 쟁쟁하다 *jm.* klingt es noch in die Ohren / 귀에 걸면 귀엣고리 코에 걸면 코엣고리 zweideutig (doppelsinnig; dunkel) sein / 귀를 쫑긋세우다 《개·말 따위가》 die Ohren spitzen

귀범(歸帆) Rücksegelung *f.* -en; das zurückkehrende Segelboot, -(e)s, -e. ∼하다 zurück|segeln [s].

귀복(歸服 · 歸伏) Ergebung *f.* -en; Unterwerfung *f.* -en; das Sichergeben*, -s; Ergebenheit *f.* -en. ∼하다 ^{4}sich (auf Gnade u. Ungnade) ergeben^{*3}; ^{4}sich unterwerfen^{*3}; kapitulieren; den Eid der Treue leisten; *jm.* Treue schwören*.

귀부(龜趺) Denkmalfußgestell 《*n.* -s, -e》 in Form e-r Schildkröte.

귀부인(貴夫人) Ihre verehrte Frau.

귀부인(貴婦人) Dame *f.* -n; die vornehme Frau, -en; Edelfrau *f.* -en; die Dame von Stand; die Adlige*, -n, -n (귀족). ¶ ∼다운 wie e-e (vornehme) Dame; damenhaft fein.

귀빈(貴賓) Ehrengast *m.* -(e)s, ⸗e; der hohe Gast (남녀 모두); die Hohen 《*pl.*》.
‖ ∼석 Ehrenplatz *m.* -es, ⸗e; der für hohe Besucher (Gäste) reservierte Sitz (Platz); Ehrentribüne *f.* -n; 《극장의》 Loge [ló:ʒə] *f.* -n. ∼실 Zimmer 《*n.* -s, -》 für Ehrengäste; der Salon 《-s, -s》 für hohe Gäste; das Reservatzimmer.

귀뿌리 Ohrwurzel *f.* -n.

귀사(貴社) Ihre Firma, ..men.

귀살 ¶ ∼(머리)스럽다, ∼(머리)쩍다 durcheinander verwirrt sein; ^{4}sich verwickeln; verstrickt werden. ⌈-e.

귀상어 〖어류〗 Hammer|hai (-fisch) *m.* -(e)s,

귀서(貴書) Ihr (werter) Brief, -(e)s, -e; Ihr (wertes) Schreiben, -s, -. ¶ 저는 틀림없이 ∼를 받았읍니다 Ich bestätige (hiermit) den Empfang Ihres werten Briefes.

귀설다 den Ohren unbekannt (nicht vertraut); fremd (sein); 〖사람을 주어로 하여〗 den Schall (des Schalls) nicht gewohnt sein. ¶ 귀선 목소리라고 생각되었다 Die Stimme klang mir nicht vertraut. / 암만 해도 귀선 이름인데 Ich habe den Namen bestimmt noch nicht gehört.

귀성(歸省) die Rückkehr in die Heimat; Heimkehr *f.*; das Heimkehren*, -s; Heimreise *f.* -n. ∼하다 heim|kehren (-|fahren*) [s]; in die Heimat zurück|kehren [s]; nach Hause zurück|kehren [s]; heim|reisen [s]; heim|kehren [s]; heim|kommen* [s]. ¶ ∼하는 학생 ein Student, der auf Ferien in die Heimat geht / ∼ 중이다 zu Hause sein / 그는 여름 방학이라 지금 ∼ 중이다 Er ist jetzt wegen der Sommerferien zu Hause.
‖ ∼객 heimkehrende Leute 《*pl.*》. ∼열차 der Extrazug für Heimkehrende.

귀소본능(歸巢本能) Heimkehrinstinkt *m.* -(e)s, -e; Heimatsinn *m.* -(e)s.

귀속(歸屬) das Heimfallen* (Anheimfallen*; Zurückfallen*) -s; Heimfall *m.* -s; 《소속》 Angehörigkeit *f.* ¶ ∼될 heimfällig / …에 ∼하다 *jm.* (an *jn.*) heim|fallen* [s]; an *jn.* zurück|fallen* [s]; 《소속함》 *jm.* an|gehören / 책임의 ∼을 결정하다 die Verantwortlichkeit fest|stellen 《*für*^{4}》 / 국고에 ∼하다 an den Staat zurück|fallen* [s] / 그 큰 토지는 국고에 ∼되었다 Die großen Ländereien sind an den Staat zurückgefallen.
‖ ∼재산 das an den Staat zurückgefallene Besitztum.

귀순(歸順) Unterwerfung *f.* -en; Ergebung *f.* -en; Huldigung *f.* -en. ∼하다 ^{4}sich unterwerfen^{*3} (ergeben^{*3}) 《*jm.*》; huldigen 《*jm.*》; *jm.* Treue geloben. ¶ ∼의 뜻을 밝히다 den Wunsch äußern (aus|sprechen*); ^{4}sich zu unterwerfen; s-r Unterwürfigkeit Ausdruck verleihen* (geben*).
‖ ∼병 der sichergebende Soldat, -en, -en.

귀신(鬼神) 《혼령》 Geist *m.* -es, -er; die Seele 《-n》 der Toten; 《악령》 Gespenst *n.* -es, -er; Phantom *n.* -s, -e; Spuk *m.* -(e)s, -e; (Geister)erscheinung *f.* -en; die Gottheiten 《*pl.*》; die göttlichen Wesen 《*pl.*》. ¶ ∼이 곡할 일 etwas Unbegreifbares (Sonderbares) / ∼ 같다 übernatürlich sein / 일에는 ∼이다 ein unersättlicher Arbeiter sein / 그 것은 ∼도 모른다 Das weiß kein Mensch.¦Das weiß Gott allein.

귀심(歸心) 《집 생각》 die Sehnsucht 《⸗e》 nach der Heimat; 《사모》 Anhänglichkeit *f.* -en. ¶ ∼이 간절하다 ein ungestümes Heimweh empfinden*; ^{4}sich so nach Hause sehnen, daß es k-n Halt mehr gibt; ^{4}sich nach der Heimat zurück|sehnen.

귀싸대기 ＝따귀.

귀아프다 Ohrenschmerz haben; schmerzlich für die Ohren sein. ¶ 귀아픈 소리 ohrenbetäubender Lärm, -(e)s / 시끄러워 ∼ so laut sein, daß einem die Ohren weh tun (auf die Nerven geht) / 귀아프도록 잔소리를 하다 so lang reden, daß einem die Ohren weh tun; tüchtig aus|schelten^{*4} / 그건 귀아프도록 들어왔네 Ich habe das genug gehört, so daß das nochmalige Hören auf die Nerven geht.¦Ich bin satt mit diesem Gerede, das ich so oft gehört habe.

귀앓이 Ohrenschmerz *m.* -es, -en; Ohrenweh *n.* -(e)s, -e; Ohrenzwang *m.* -(e)s, ⸗e; Otalgie *f.* -n. ¶ ∼를 하다 Ohrenschmerzen haben; das Ohr tut mir weh; mir (mich) schmerzt das Ohr.

귀애하다(貴愛—) ＝귀여워하다.

귀약(—藥) ① 《귀의》 Arznei 《*f.* -en》 (Heilmittel *n.* -s, -) gegen Ohrenschmerzen. ¶ ∼을 넣다 Ohrentropfen nehmen*. ② 《총의》 Schießpulver 《*n.* -s, -》 bei dem alten Luntengewehr.
‖ ∼통(筩) Pulverflasche *f.* -n; Pulverfaß *n.* ..fasses, ..fässer.

귀얄 《풀비》 der (breite) Pinsel, -s, -.
‖ ∼잡이 der bärtige Mensch, -en, -en.

귀양 Verbannung *f.* -en; Exil *n.* -s, -e; Deportation *f.* -en; Landesverweisung *f.* -en. ¶ ∼보내다 verbannen^4; ins Exil schicken^4; an e-r öden Stelle aus|setzen^4; des Landes (aus dem Lande; aus der Stadt) verweisen^{*4}; aus|weisen^{*4} 《*aus*^{3}》 (국외추방 따위); deportieren^4 / ∼가다 verbannt (exiliert; deportiert) werden; ins Exil gehen* [s] / ∼살다 im Exil leben; in der Verbannung leben / ∼풀어 주다 *js.* Verbannung auf|heben* / 섬으로 ∼가다 auf e-e (Verbrecher-) insel verbannt (deportiert) werden / 나폴레옹은 세인트 헬레나 섬으로 ∼갔었다 Napoleon wurde nach der Insel St. Helena verbannt.
‖ ∼다리 der Verbannte*, -n, -n. ∼살이 das Leben 《-s》 im Exil: 그는 10년간 ∼살이를 했다 Er lebte zehn Jahre in der Verbannung.

귀에지 Ohrenschmalz *n.* -es, -e.

귀엣고리 Ohrring *m.* -(e)s, -e; Ohrgehänge *n.* -s, -.

귀엣말 Geflüster *n.* -; Getuschel *n.* -s; das Flüstern*, -s; das Wispern*, e; 《대화》 das heimliche Gespräch, -(e)s, -e. ～하다 flüstern; wispern; mit gedämpfter Stimme sprechen*; *jm.* ins Ohr sagen (flüstern); tuscheln. ¶ ～로 im Flüsterton / ～로 서로 이야기하다 ⁴sich im Flüsterton unterhalten*.

귀여리다 leichtsinnig an|nehmen*⁴; e-e voreilige Folgerung ziehen* 《*aus*³》; für bare Münze nehmen*⁴.

귀여워하다 lieben⁴; lieb (gern) haben⁴; für gut finden*⁴; schätzen⁴; liebkosen⁴ (애무하다); hätscheln⁴ (어린아이를 어르다); auf den ³Händen tragen*⁴ (장중보옥처럼); 《소중히 여기다》 sorgen 《*für*⁴》; ⁴Sorge tragen* (소중히 여기다). ¶ 귀여워하는 아이 Lieblingskind *n.* -(e)s, -er / 귀여워하는 개 Lieblingshund *m.* -(e)s, -e / 자기의 애를 ～ sein Kind lieben / 그는 나를 친자식처럼 귀여워한다 Er behandelt mich so freundlich wie sein eigenes Kind. / 당신은 애들을 지나치게 귀여워해준다 Sie lieben Ihre Kinder zu sehr. ¦ Sie verwöhnen Ihre Kinder.

귀염 Liebe *f.* -n; Zuneigung *f.* -en; Anhänglichkeit *f.* ¶ ～받다 geliebt werden; bei *jm.* in Gunst stehen* / 누구에게나 ～받다 von jedermann geliebt werden.

귀염둥이 Augapfel *m.* -s, ⸗e; Goldkind *n.* -(e)s, -er.

귀염성 Liebenswürdigkeit *f.* -en. ¶ ～이 있는 liebenswert; lieblich / ～이 없는 unliebenswürdig; barsch / ～스럽다 =귀엽다.

귀엽다 lieb; teuer; 《사랑스럽다》 lieblich; liebenswürdig; hold; anmutig (애교가 있다); 《매력이 있다》 reizend; entzückend; süß (감미롭다); nett (기분좋다); hübsch (애교가 있다); 《아름답다》 schön (sein). ¶ 귀여운 소녀 ein reizendes Mädchen, -s, - (Mädel, -s, -) / 귀여운 사내아이 ein netter kleiner Junge, -n, -n / 귀여운 목소리 e-e süße Stimme, -n / 귀여운 얼굴 das liebliche Gesicht, -(e)s, -er / 참 귀여운 개구나 Was für ein entzückender Hund!

귀영(歸營) die Rückkehr zur Kaserne. ～하다 zur Kaserne zurück|kehren ⓢ.
‖ ～시간 die Zeit zum Zurückkehren zur Kaserne; Zapfenstreich *m.* -(e)s: ～시간을 어기다 über den Zapfen wichsen (schlagen*).

귀와(鬼瓦) Firstziegel *m.* -s, -.

귀울다 ¶ 내 귀가 운다 Die Ohren sausen mir. ¦ Ich habe Geräusche in den Ohren. ¦ Ich habe Ohrenklingen (Ohrensausen). ¦ Mir klingt (saust; braust) es in den Ohren.

귀울음 Ohrensausen *n.* -s; Ohrenklingen *n.* -s. ☞ 이명(耳鳴).

귀의(貴意) ① 《의견》 Ihre (werte) Meinung (Ansicht). ② 《희망》 Ihr Wille(n) *m.* ..lens, ..len (Wunsch *m.* -es, ⸗e; Anliegen *n.* -s, -). ¶ ～에 따라 Ihrem Wunsch gemäß; ganz nach Ihrem Wunsch; wie Sie (es) wünschen. ③ 《기호》 Ihr Belieben (Ermessen; Gutdünken) -s; Ihre Wahl. ¶ ～에 맞다 Ihrem Belieben entsprechen*....

귀의(歸依) Hingebung *f.* -en; 《개종》 Bekehrung 《*f.* -en》 《zum Buddhismus》. ～하다 ⁴sich ³*et.* hin|geben*; ⁴sich bekehren (bekennen*) 《*zu*³; 보기: zum Christentum》; glauben 《*an*⁴》. ¶ 불교에 ～하다 ⁴sich dem Buddhismus hin|geben*; den buddhistischen Glauben an|nehmen* / ～시키다 bekehren⁴ 《*zu*³》 / 그는 불도에 깊이 ～했다 Er wurde ein unbedingter Anhänger des Buddhismus.
‖ ～자 der Gläubige* (Bekehrte*) -n, -n; Anhänger *m.* -s, -; der sich unbedingt Hingebende*, -n, -n.

귀이개 Ohrlöffel (Ohrenreiniger) *m.* -s, -.

귀인(貴人) Edelmann *m.* -(e)s, ..leute; der Ad(e)lige*, -n, -n; Aristokrat *m.* -en, -en; der hohe Herr, -n, -en; die hohe Persönlichkeit, -en; Patrizier *m.* -s, -; der Mann 《-(e)s, ⸗er》 von hoher Herkunft; der Mann von vornehmer Abstammung (명문출신).
‖ ～상(相) die vornehme Gesichtsbildung, -en. ～성 Vornehmheit *f.* -en: ～성스럽다 vornehm aus|sehen* (sein).

귀일(歸一) (Ver)einigung *f.* -en; Vereinheitlichung *f.* -en; die Zurückführung 《-en》 auf das Eine; die Vereinigung zu e-m Ganzen; Einheitlichkeit *f.* ～하다 ⁴sich vereinigen. ‖ ～법 Vereinigungsmethode *f.*

귀임(歸任) die Rückkehr zu s-m Posten. ～하다 auf s-n Posten zurück|kehren ⓢ. ¶ ～도중에 bei der Rückkehr auf den Posten / 그는 서울에 ～했다 Er kehrte auf s-n Posten in Seoul zurück.

귀잠 tiefer Schlaf, -(e)s. ¶ ～들다 in tiefen Schlaf fallen* (sinken*) ⓢ.

귀접스럽다 ① 《사물이》 schmutzig; unsauber (sein). ② 《사람됨이》 gemein; niedrig; gering schmutzig (sein).

귀접이 das Umbiegen* (Umknicken) 《-s》 e-r Ecke (책, 천장 따위); Eselsohr *n.* -(e)s, -en (책장의). ～하다 Ecken e-s Blattes um|knicken. ¶ ～한 mit Eselsohren.

귀제비 〖조류〗 e-e gestreifte Schwalbe, -n.

귀조(歸朝) Rückkehr 《*f.*》 vom Ausland; Heimkehr *f.* ～하다 vom Ausland zurück|kehren (-|kommen*) ⓢ; heim|kommen* ⓢ. ¶ ～ 길에 오르다 nach der Heimat ab|reisen ⓢ / ～명령을 받다 von s-m Posten im Ausland (vom Ausland) abgerufen werden.

귀족(貴族) 《지위 · 총칭》 Adel *m.* -s; Aristokratie *f.*; Adelsstand *m.* -es, ⸗e; 《사람》 der Adlige*, -n, -n; Aristokrat *m.* -en, -en. ¶ ～의 ad(e)lig; vornehm / ～적인 aristokratisch; nobel; ritterlich; rassig; feudal / ～과 평민 hoch u. niedrig; vornehm u. gering; Vornehme* 《*pl.*》 u. Geringe* 《*pl.*》 / ～출신이다 von Adel sein; ad(e)lig sein; von vornehmer ³Geburt sein; von adliger ³Herkunft sein / ～티를 내다 vornehm (adlig) tun*; den Vornehmen* (Adligen*) spielen / ～이 되다 in den Adelsstand erhoben werden / ～의 예우를 정지하다 *jn.* der ²Ehre des Adelsstandes entkleiden.
‖ ～계급 Adelsstand *m.* ～기질(취미) Aristokratentum *n.* -(e)s, ⸗er; die aristokratische Haltung (Einstellung) -en; die aristokratische Grundsätze 《*pl.*》. ～사회 Aristokratie *f.*; Adel *m.*; Adelsstand *m.*; die vornehme Welt, -en. ～원(院) Oberhaus *n.* -es; Herrenhaus *n.* -es. ～정치 Aristokratie *f.*; Adelsherrschaft *f.*

귀중(貴中) ¶ 슈미트 상사 ～ An die Firma Schmidt; Herren Schmidt u. Co. / 서울대학교 ～ An die Universität Seoul.

귀중(貴重) Kostbarkeit *f.* -en. ～하다 kostbar; teuer; wertvoll; hochwertig; edel; unschätzbar; 《바꿀 수 없는》 unersetzlich (sein). ¶ ～한 시간 die kostbare Zeit / ～한 목숨 das teuere (kostbare) Leben / ～한 시간을 허비하다 die kostbare Zeit verschwenden / 이 책은 나에게는 ~한 것입니다 Dieses Buch ist mir unschätzbar (teuer). / 자네는 ~한 목숨을 걸려느냐 Du willst dein kostbares Leben aufs Spiel setzen? / 그녀는 나에게는 ~한 사람이다 Sie ist für mich ein wertvoller Mensch. / 그것은 돈으로 살 수 없는 ~한 것이다 Das ist nicht mit Gold aufzuwiegen.¦ Das kann man käuflich nicht ersetzen. / 목숨은 ~한 것이다 Das Leben ist mir teuer.¦ Das Leben ist mir lieb.

‖ ~품 Wertgegenstand *m*. -(e)s, ⸚e; Kostbarkeit *f*. -en; Wertsache *f*. -n; Schatz *m*. -es, ⸚e: ~품실 Tresor *m*. -s, -e; Stahlkammer *f*. -n.

귀중중하다 schlampig; unordentlich (sein). ¶ 옷차림이 ~ schäbig angezogen sein; abgetragen aus|sehen*.

귀지 ☞ 귀에지.

귀지(貴地) Ihre Gegend (,wo Sie wohnen).

귀지(貴紙) Ihre werte Zeitung. ¶ ~를 통하여 durch Ihre werte Zeitung / 5월 10일자 ~ 보도와 같이 wie Ihre werte Zeitung vom 10. Mai berichtete / ~를 통하여 동포 여러분에게 안부를 전하여 주시기를 바랍니다 Grüßen Sie, bitte, durch Ihre Zeitung unsere Landsleute herzlichst!

귀지(貴誌) Ihr (Euer) Magazin *n*. -s, -e; Ihre (Eure) Zeitschrift, -en.

귀질기다 unzugänglich; nicht leicht reagierend (sein); ein schlechtes Ohr für [4]*et*. haben; langsam erfassen[4] (auf|nehmen*[4]); für taube Ohren predigen; überhaupt k-e Ohren haben.

귀착(歸着) ①《돌아감》Rückkehr *f*.; das Zurückkehren*, -s; das Heimkommen*, -s. **~하다** zurück|kommen* (zurück|kehren) [s]; heim|kommen*[s]; wieder|kommen* [s] 《*nach*[3]》; nach Hause kommen* [s]. ¶ 그 배는 내일 부산에 ~할 예정이다 Das Schiff wird morgen in Busan zurücksein. / 자기 집에 무사히 ~했다 Er ist gesund u. munter nach Haus zurückgekommen.

②《귀결》Folge *f*. -n; Schluß *m*. ..sses, ..lüsse; 《성과》Resultat *n*. -(e)s, -e; Ergebnis *n*. -ses, -se. **~하다** zu dem Schluß kommen* [s], daß...; aus [3]*et*. [4]sich ergeben*, daß...; [3]*et*. zuzuschreiben sein; auf [4]*et*. zurückzuführen sein; auf [4]*et*. hinaus|laufen*[s]; zum Schluß (zu e-m Ergebnis) gelangen [s]. ¶ 결국 금전 문제로 ~한다 Schließlich ist es e-e Geldfrage.¦ Es handelt sich letzten Endes um Geld. / 양자의 의론은 같은 점에 ~한다 Die Beweisführung beider läuft auf dasselbe hinaus.

‖ ~점 der logische Schluß, ..sses, ..lüsse.

귀찮다 《성가시다》lästig; beschwerlich; belastend; belästigend; hinderlich; störend; unbequem (sein); 《싫은》ermüdend; mühsam; mühselig; verdrießlich (sein); 《끈덕지다》beharrlich; hartnäckig (sein); 《탈많다》nörgelnd; schulmeisterlich; wählerisch; anspruchsvoll; peinlich genau (sein). ¶ 귀찮아 〖속어〗Halt's Maul!¦Laß mich in Ruhe (allein)!¦Zum Kuckuck!¦Wie unangenehm! / 귀찮은 사람 der lästige Mensch, -en, -en; Quäl¦geist (Plage-) *m*. -(e)s, -er / 귀찮은 듯이 unlustig; sauertöpfisch; überdrüssig; schmollend / 귀찮게 lästig; belastend(erweise); beharrlich; zudringlich; drückend/귀찮게 조르다 (fortwährend) quälen[4] 《*um*[4]》; prängen[4] 《*auf*[4]; *zu*[3]》/ 귀찮게 질문하다 (dauernd) mit Fragen belästigen[4] (quälen[4]; plagen[4]) / …하는 것을 귀찮아하다 es lästig finden*, [4]*et*. zu tun; die Mühe(n) zu vermeiden suchen, [4]*et*. zu tun / 귀찮게 굴다 *jm*. lästig werden (sein); *jm*. zur Last fallen* [s] / 귀찮게 여기다 *jn*. als e-e schwere Belastung für [4]sich betrachten / 세상 사람들의 입이 ~ Die Welt hat e-n bösen Mund./어디를 가나 거지가 귀찮게 군다 Überall werde ich von Bettlern belästigt. / 세상이 ~ Ich bin des Lebens überdrüssig. / 이건 귀찮은 일이야 Das ist e-e lästige Sache. / 그 여자한테 귀찮게 꼬치꼬치 질문을 받았다 Sie plagte mich fortdauernd mit ihren neugierigen Fragen.

귀천(貴賤) hoch u. niedrig; vornehm u. gering. ¶ ~의 차별 없이 ohne [4]Rücksicht auf [4]Standesunterschied; ohne Ansehen der Person; seien es Vornehme, seien es Geringe; ohne Unterschied des Standes / 직업에 ~ 없다 Ein Geschäft ist ebenso ehrenswert wie das andere.

귀청 Trommelfell *n*. -(e)s, -e. ¶ ~이 터질 듯한 trommelfellerschütternd / ~이 터질 듯이 요란한 소리 der betäubende Lärm, -(e)s.

귀체(貴體) Sie; Ihre Gesundheit.

귀추(歸趨) Tendenz *f*. -en; Neigung *f*. -en; Richtung *f*. -en; Schluß *m*. ..sses, ..lüsse (결말). ¶ 당연한 ~로서 als natürliche Folge; als logischer Schluß / 가 어떻게 될까 Was wird daraus erfolgen? ¦Was folgt daraus? / ~를 기다려 보게 Der Erfolg wird es lehren! / 이 조치의 ~는 기다려 봐야 안다 Was auf diesen Schritt erfolgen wird, ist abzuwarten.

귀축(鬼畜) Teufel *m*. -s, -. ¶ ~ 같은 teuflisch; schwarz wie der Teufel; brutal.

귀축축하다 niedrig; gemein; schmutzig unordentlich; unanständig (sein).

귀치않다 ☞ 귀찮다.

귀퉁이 ①《귀언저리》das ganze Ohr; Ohrenpartie *f*. -n. ②《모퉁이》Ecke *f*. -n; Winkel *m*. -s, -. ¶ 탁자 ~ Tischecke *f*. -n.

귀틀 Holzrahmen 《*m*. -s, -》 für Fußboden aus Holz (beim Hausbauen). ¶ ~집 (Holz-) hütte *f*. -n.

귀하(貴下) ①《당신》Sie. ②《께》Herr (남자에게); Frau (기혼 여성에게); Fräulein (미혼 여성에게).

귀하다(貴一) ①《신분이》edel; vornehm; adelig; nobel (sein). ¶ 귀한 분 die vornehme Person, -en; die edle (vornehme) Persönlichkeit, -en / 귀한 가문 출신이다 von vornehmer Geburt sein; von e-r vornehmen Familie sein (stammen [h,s]). ②《가치가》kostbar; wertvoll; schätzbar; teuer; selten (sein). ¶ 매우 귀한 unschätzbar / 귀한 것 der Artikel von hohem Wert / 귀한 손님 der willkommene Gast, -(e)s, ⸚e / 물건이 ~ Die Sache ist selten (schwer zu bekommen). / 오늘날 이러한 새는 매우 ~ Dieser Vogel ist heute e-e Seltenheit. ③《귀엽다》liebenswürdig; liebenswert; lieb; süß (sein). ¶ 귀해하다 lieben[4]; wert|schätzen[4].

귀한(貴翰) Ihr (werter) Brief -(e)s, -e; Ihr (wertes) Schreiben, -s, -. ¶ 10월 5일자 ~을 배수하였음을 아뢰옵니다 Ich bestätige (hiermit) den Empfang Ihres werten Briefes vom 5. Oktober.

귀함(貴函) =귀한.

귀함(歸艦) die Rückkehr zum Kriegsschiff

(an Bord des Kriegsschiffs). ~하다 nach dem Kriegsschiff zurück|kehren ⓢ.

귀항(歸航) die Heim¦fahrt (Rück-) ⟪-en⟫ e-s Schiffs. ~하다 heimwärts fahren* ⓢ; zurück|fahren*ⓢ; die Heimfahrt (Rückfahrt) an|treten*. ¶ ~ 중이다 auf der Rückreise (Rückfahrt) begriffen sein.

귀향(歸鄕) Heimkehr *f.*; die Rückkehr in die Heimat; das Heimkehren, -s. ~하다 in die Heimat (nach der Heimat) zurück|-kehren ⓢ; nach Hause zurück|kehren ⓢ; [4]sich heim|begeben*; heim|kehren ⓢ; heim|kommen*ⓢ; heim|gehen*ⓢ; heim|-ziehen* ⓢ; heim|reisen ⓢ; heim|fahren* ⓢ. ¶ 휴가로 ~ 중이다 in den Ferien zu Hause sein.

귀현(貴顯) ⟪사람⟫ die Vornehmen*⟪*pl.*⟫; die Ad(e)ligen ⟪*pl.*⟫; die Fürstlichkeiten ⟪*pl.*⟫; hohe Herrschaften ⟪*pl.*⟫; die Hochgestellten* ⟪*pl.*⟫; Würdenträger *m.* -s, -; der Mann ⟪-(e)s, Leute⟫ von hohem Rang; ⟪현달⟫ Vornehmheit *f.* -en.
‖ ~신사 die Honoratioren ⟪*pl.*⟫; die hohen u. vornehmen Personen ⟪*pl.*⟫.

귀화(鬼火) =도깨비불.

귀화(歸化) ① ⟪국적 이전⟫ Naturalisation *f.* -en; Einbürgerung *f.* -en; die Verleihung ⟪-en⟫ des Bürgerrechtes. ~하다 [4]sich naturalisieren (einbürgern) lassen*; in den Staatsverband aufgenommen werden; einheimisch werden; das Bürgerrecht erlangen (erwerben*[4]). ¶ ~를 허가하다 naturalisieren[4]; einheimisch machen[4]; *jm.* das Bürgerrecht verleihen* / ~한 미국인 der naturalisierte (eingebürgerte) Amerikaner, -s, -; Bindestrich-Amerikaner (경멸적) / 한국에 ~하다 [4]sich in Korea naturalisieren lassen*. ② ⟪복종⟫ Unterwerfung *f.* -en; Untertanentreue *f.*; Kapitulation *f.* -en. ~하다 [4]sich unterwerfen*; [4]sich ergeben*; kapitulieren.
‖ ~민, ~인 der Eingebürgerte*, -n, -n.

귀환(歸還) Rück¦kehr (Heim-; Wieder-) *f.*; Rück¦kunft (Heim-) *f.*; Rückreise *f.* -n; Rückweg *m.* -(e)s, -e (길). ~하다 zurück|-kehren (heim|-; wieder|-) ⓢ. ¶ ~길에 auf dem Rückweg; bei der Rückfahrt (Rückreise) (여행 따위의) / 그는 일선에서 ~했다 Er ist von der Front zurückgekehrt.
‖ ~병 der Heimkehrende*, -n, -n; der zurückgekommene (heimgekehrte) Soldat, -en, -en. ~자 Heimkehrer *m.* -s, -.

귀휴(歸休) Urlaub *m.* -(e)s, -e; Beurlaubung *f.* -en; Beurlaubtenstand *m.* -(e)s (귀휴의 지위에 있는 것); das Beurlaubtsein*, -s. ~하다 auf [4]Urlaub gehen*ⓢ; [4]Urlaub nehmen* (erhalten*); auf [3]Urlaub sein. ¶ ~시키다, ~를 허가하다 beurlauben[4] / 3주간의 ~다 Ich habe drei Wochen Urlaub.
‖ ~병 Urlauber *m.* -s, -; der Beurlaubte*, -n, -n: ~병 열차 Urlauberzug *m.* -(e)s, ⸗e.

귓가 Rand ⟪*m.* -(e)s, ⸗er⟫ des Ohrs.

귓결 ¶ ~에 zufällig; unerwartet; unvermutet; unwillkürlich ⟪hören⟫ / ~에 듣다 zufällig hören; [4]*et.* zufällig (gelegentlich; durch Zufall) vernehmen*.

귓구멍 Ohr(en)höhle *f.* -n; Ohrloch *n.* -(e)s, ⸗er; Ohr *n.* -(e)s, -en. ¶ ~을 쑤시다 [3]sich die Ohren stochern / ~을 막다 [3]sich die Ohren zu|halten* (zu|stopfen).

귓돌 【건축】 Eck¦stein (Winkel-) *m.* -(e)s, -e.

귓등 Rückseite ⟪*f.* -n⟫ der Ohrmuschel. ¶ ~으로 듣다 unaufmerksam (teilnahmlos) hören[4].

귓문(—門) Öffnung ⟪*f.* -en⟫ des Ohrs; vordere Seite ⟪-n⟫ des Ohrs.

귓바퀴 Ohrflügel *m.* -s, -; Ohrmuschel *f.* -n.

귓밥 ① ⟪귓불⟫ Ohrläppchen *n.* -s, -; die Dicke des Ohrläppchens. ② =귀에지.

귓병(—病) Ohrenkrankheit *f.* -en.

귓불 ① ⟪귀의⟫ Ohrläppchen *n.* -s, -. ¶ ~만 만지다 in Verlegenheit sein; verlegen (verwirrt) sein / ~이 두툼하다 die dicke Ohrläppchen haben. ② ⟪신관⟫ Zünder *m.* -s, -.

귓속말 =귀엣말.

귓전 (am) Rand der Ohren. ¶ 남의 말 따위는 ~으로 흘리다 *js.* Worte in den Wind schlagen*; gegen *js.* Worte taub sein; *jm.* das Ohr verschließen*; auf *js.* Worte nicht hören wollen*.

귓집 Ohrenschützer ⟪*pl.*⟫.

규각(圭角) ⟪불일치⟫ Verschiedenheit *f.* -en; Mißklang *m.* -(e)s, ⸗e; Mißhelligkeit *f.* -en; Uneinigkeit *f.* -en; ⟪모⟫ Winkel *m.* -s, -; Ecke *f.* -n.

규강(珪鋼) Siliziumstahl *m.* -(e)s, -e (⸗e).

규격(規格) Norm *f.* -en; Maß *n.* -es, -e. ¶ ~ 외의 nicht-normiert / ~을 통일하다 normen[4]; normieren[4].
‖ ~통일 Normung *f.* -en; Normierung *f.* -en. ~품 die normierte Ware, -n; der normierte (Gebrauchs)artikel, -s, -.

규구(준승)(規矩(準繩)) Richt¦linie *f.* -n (-maß *n.* -es, -e; -schnur *f.* -en); Maßstab *m.* -(e)s, ⸗e; Norm *f.* -en; Kriterium *n.* -s, ..rien.

규례(規例) Regeln ⟪*pl.*⟫; Vorschriften ⟪*pl.*⟫; Satzungen ⟪*pl.*⟫.

규명(糾明) Untersuchung *f.* -en. ~하다 *jn.* genaustens verhören; *jn.* aus|fragen; *jn.* aus|forschen ⟪*über*[4]⟫; *jn.* aus|holen; *jn.* zur Rede stellen. ¶ 죄상을 ~하다 *js.* Schuld genau untersuchen / 진상을 ~하다 die wahre Beschaffenheit der Dinge untersuchen; e-r [3]Sache auf den Grund gehen* ⓢ; zur Wahrheit gelangen ⓢ / 병의 원인을 ~하다 die Ursache e-r Krankheit erforschen.

규모(規模) ① ⟪규범⟫ Regel *f.* -n; Muster *n.* -s, -; Vorbild *n.* -(e)s, -er. ② ⟪짜임새⟫ Maßstab *m.* -es, ⸗e (체재); Umfang *m.* -(e)s, ⸗e (범위); Plan *m.* -(e)s, ⸗e (설계); Struktur *f.* -en (구조); Gefüge *n.* -s (구조); Dimension *f.* -en. ¶ 대~로 in (von) großem Umfang; in großem Maßstabe; in weitem Ausmaß; von großer Ausdehnung / 소~로 in kleinem Maßstabe; klein / ~가 커지다 e-n großen Umfang (große Dimensionen; Ausmaße; Ausdehnungen) an|-nehmen* / ~를 확장(축소)하다 den Plan (e-r Unternehmung) vergrößern (verkleinern) / 저 공장은 ~가 매우 크다 Die Fabrik hat e-n äußerst ausgebreiteten Betrieb. / 그 절은 ~가 굉장히 크다 Der Tempel ist ein kolossales Gebäude. / 사업 ~가 커졌다 Das Geschäft hat an Ausdehnung (Umfang) gewonnen. ③ ⟪씀씀이의 한도⟫ ¶ ~ 있게 sparsam; mäßig; bescheiden; einfach / ~있게 살다 sparsam (einfach) leben; ein bescheidenes (genügsames) Leben führen.

규문(糾問) Kreuzverhör *n.* -(e)s, -e. ☞ 규명. ~하다 *jn.* ins Kreuzverhör nehmen*;

ein Verhör an|stellen; verhören[4]; *jn.* e-m Kreuzverhör unterwerfen*.

규문(閨門) Damenzimmer *n.* -s, -; Boudoir [budoa:r] *n.* -s, -s; Harem *m.* -s, -s.

규방(閨房) ① 《안방》 das innere Zimmer 《-s, -》 e-s Wohnhauses. ② 《도장방》 Damenzimmer; Boudoir [budoa:r] *n.* -s, -s.
‖ ~문학 die Literatur, in der das Leben der Frauen in der Feudalzeit geschrieben ist.

규벌(閨閥) Nepotismus *m.* -; Vetternwirtschaft *f.*

규범(規範) 《모범》 Regel *f.* -n; Vorbild *n.* -(e)s, -er; 《표준》 Norm *f.* -en; Richtschnur *f.* -en; Kriterium *n.* -s, ..rien.
‖ ~문법 die normative Grammatik. ~법칙 das normative Gesetz, -es, -e. ~학 die normative Wissenschaft.

규사(硅砂) Quarzsand *m.* -(e)s.

규산(硅酸) 〖화학〗 Kieselsäure *f.*
‖ ~염 Silikat *n.* -(e)s, -e.

규석(硅石) 〖광물〗 Kiesel¦erde *f.* (-stein *m.* -(e)s, -e).

규소(硅素) 〖화학〗 Silizium *n.* -s; Silicium *n.* -s 《기호: Si》.

규수(閨秀) ① 《처녀》 Jungfrau *f.* -en; die unverheiratete Dame, -n. ¶ 김씨 댁 ~ Herrn *Kims* Tochter; Fräulein *Kim* / 댁의 ~ Ihr Fräulein Tochter. ② 《학식 있는 여자》 Blaustrumpf *m.* -(e)s, ⸚e; die hervorragende (bedeutende) Frau, -en.
‖ ~시인 Dichterin *f.* -nen; der weibliche Dichter, -s, -. ~작가 Schriftstellerin *f.* -nen; Autorin *f.* -nen; Novellistin *f.* -nen. ~화가 Malerin *f.* -nen.

규암(硅岩) 〖광물〗 Quarzit *m.* -(e)s, -e; Quarzfels *m.* -en, -en.

규약(規約) ① 《규정》 Regel *f.* -n; Regelung *f.* -en. ¶ ~을 정하다 Regeln auf|stellen / ~을 어기다 Regeln außer acht lassen*; [4]sich nicht an Regeln halten*; gegen die Regel verstoßen*; die Regel verletzen (übertreten*). ② 《협약》 Bestimmung *f.* -en; Einverständnis *n.* -ses, -se; Pakt *m.* -(e)s, -e(n). ¶ ~을 맺다 e-n Pakt mit *jm.* machen (ab|schließen*); mit *jm.* ab|machen[4].

규율(規律) ① 《규정》 Vorschrift *f.* -en; Bestimmung *f.* -en; Regel *f.* -n; Satzung *f.* -en. ¶ ~을 깨뜨리나 (시키다) e-e Vorschrift verletzen (befolgen). ② 《질서》 Ordnung *f.* -en; Disziplin *f.* -en; (Manns)zucht *f.* ¶ ~있는 ordnungs¦gemäß (-mäßig); geordnet; diszipliniert; zuchtvoll / ~ 없는 ordnungswidrig; ungeordnet; undiszipliniert; zuchtlos / ~ 있게 ordnungsmäßig; ordentlich; ordnungsgemäß / ~을 존중하다 auf Zucht halten* / ~을 지키게 하다 (유지시키다) in Zucht u. Ordnung halten*; disziplinieren[4] / ~을 지키지 않는다 k-e Zucht an|nehmen* / 군대에서는 ~이 엄하다 Im Heer wird auf strenge Disziplin gehalten. / 이 곳에는 ~이 없다 Hier herrscht k-e Ordnung.

규정(規定) ① 《규칙》 Bestimmung *f.* -en; Festsetzung *f.* -en; Regelung *f.* -en; (An-)weisung *f.* -en; Anordnung (Verordnung) *f.* -en; Verfügung *f.* -en; Vorschrift *f.* -en; Regel *f.* -n; 《조항》 Klausel *f.* -n; Artikel *m.* -s, -. ~하다 bestimmen[4]; vor|schreiben*[4]; verordnen[4]; an|ordnen[4]; fest|setzen[4]. ¶ ~의 vorgeschrieben; bestimmt; verordnet; angeordnet; festgesetzt; regelmäßig / ~대로 (에 따라) bestimmungsgemäß; vorschriftsmäßig; der [3]Vorschrift entsprechend / ~ 위반의 vorschrifts¦widrig (regel-) / 현행의 ~에 의하면 nach der jetzigen [3]Bestimmung / 제 5 조의 ~에 따라 in Übereinstimmung mit Artikel 5 der Verordnung / ~을 어기다 der [3]Regel zuwider|handeln; gegen die Vorschriften verstoßen* / ~에 따르다 [4]sich nach der [3]Vorschrift (Regel) richten / ~을 만들다 e-e Regel auf|stellen / 법률적으로 ~되어 있다 gesetzlich bestimmt (festgesetzt) sein / …하도록 ~되어 있다 es ist festgesetzt, daß… / 이것은 법률에 의하여 ~되어 있다 Das ist gesetzlich bestimmt. / 그는 ~된 시간보다 10 분 늦었다 Er hat die festgesetzte Zeit um 10 Minuten überschritten. / 학생은 모두 기숙사에 들도록 ~되었다 Es ist bestimmt worden, daß alle Schüler die Schulpension bewohnen müssen. / 그 견본은 규정에 어긋난다 Das Muster entspricht nicht der Vorschrift. ② 〖화학〗 Normal *n.* -s, -e.
‖ ~론 〖철학〗 Determinismus *m.* ~식 《병자 따위의》 die (vorgeschriebene) Diät, -en. ~액(液) 〖화학〗 Normallösung *f.* -en. ~요금 der festgesetzte Preis, -es, -e. ~종목 《체조 경기의》 die festgesetzte Sportart, -en. 개정~ Neuregelung *f.* -en. 직무~ Dienstordnung *f.* -en; Dienstvorschrift *f.* -en. 통행 ~ Verkehrsvorschrift *f.* -en; Verkehrsregel *f.* -n. 현행~ die jetzige Bestimmung, -en.

규제(規制) 《규칙》 Regelung *f.* -en; 《제한》 Beschränkung *f.* -en; Einschränkung *f.* -en; Vorbehalt *m.* -(e)s, -e; 《통제》 Kontrolle *f.* -n. ~하다 regulieren[4]; regeln[4]; kontrollieren[4]. ¶ 교통을 ~하다 den Verkehr regeln / 소비성 품목의 수입을 ~하다 Import von Konsumartikeln kontrollieren (regeln).
‖ 교통~ Verkehrskontrolle *f.* -n; Verkehrsregelung *f.* -en.

규조(硅藻) 〖식물〗 Diatomee *f.* -n; Kieselalge *f.* -n.
‖ ~류(類) Diatomeen 《*pl.*》. ~토(土) Diatomeenerde *f.* -n; Diatomeenplit *m.* -(e)s; Kiesel¦erde *f.* -n (-gur *f.*).

규준(規準) Norm *f.* -en; Richtschnur *f.* -en; Kriterium *n.* -s, ..rien.

규중(閨中) Damenzimmer *n.* -s, -; Boudoir [budoa:r] *n.* -s, -s.
‖ ~처녀 Mädchen *n.* -s, -; Jungfrau *f.* -en.

규칙(規則) Regel *f.* -n; Norm *f.* -en; Vorschrift *f.* -en; Bestimmung *f.* -en; 《규약·정관 따위》 Satzung *f.* -en; Statut *n.* -(e)s, -en. ¶ ~적 ordentlich; vorschriftsmäßig / ~적으로 der [3]Regel nach; ordentlich; vorschriftsmäßig; pünktlich (꼼꼼하게) / ~대로 regelmäßig; der [3]Regel nach; vorschriftsmäßig; der [3]Vorschrift nach / ~을 위반하다 regel¦widrig (vorschrifts-) sein / ~을 지키다 e-e Regel (e-e Vorschrift) befolgen (beobachten); nach der Regel handeln / ~을 세우다 e-e Regel auf|stellen / ~을 깨뜨리다 gegen die Vorschriften verstoßen*; der [3]Bestimmung (der [3]Vorschrift) zuwider handeln / ~에 따르다 [4]sich nach den [3]Vorschriften (Bestimmungen) richten / ~을 적용하다 die Regel an|wenden*/～을 무시하다 die Vorschrift ignorieren; die Vorschriften unbeachtet lassen* / ～을 개정하다 die Bestimmungen (Vorschriften) ändern (erneuern); die Vorschriften (Statuten) ab|ändern (일부 개정) / ～으로 삼다 ³sich ⁴et. zur Regel machen / ～을 엄수하다 streng nach der Vorschrift handeln / ～적인 생활을 하다 ein geregeltes Leben führen; bestimmte Gewohnheiten haben / 그는 무엇이든 ～대로 한다 Er tut alles der Vorschrift nach. / 모두가 ～대로 되는 것은 아니다 Nicht alles richtet sich nach der Regel. / 나는 매일 산책하는 것을 ～으로 삼고 있다 Ich mache es mir zur Regel, jeden Tag e-n Spaziergang zu machen. / 이 ～은 엄격히 지켜야 한다 Diese Regel will streng beobachtet werden. / 이 학교는 ～이 까다롭다 Die Bestimmungen werden in dieser Schule nach dem Buchstaben (genau) beobachtet. / 예외 없는 ～은 없다 Jede Regel hat ihre Ausnahmen. ¦K-e Regel ohne Ausnahme.

‖ ～동사 〖문법〗 das regelmäßige Zeitwort (Verbum). ～위반 Regelwidrigkeit *f.* -en; Vorschriftswidrigkeit *f.* -en; Verstoß 《*m.* -es, ⸚e》 gegen die Regeln: 그것은 ～ 위반이다 Das ist vorschriftswidrig. 취업～ Gewerbeordnung *f.* -en.

규탄(糾彈) (öffentliche) Anklage, -n; Rüge *f.* -n; Verweis *m.* -es, -e; Beschuldigung *f.* -en. ～하다 an|klagen⁴; zur Verantwortung ziehen*⁴; *jm.* e-n Verweis (e-e (scharfe) Rüge) erteilen; beschuldigen⁴; rügen⁴; *jm.* e-n Vorwurf machen (비난). ¶ 정부의 실정을 ～하다 der ³Regierung ⁴Mißverwaltung vor|werfen* / 그의 잘못은 ～받아야 한다 Sein Vergehen ist zu rügen.

규토(硅土) 〖화학〗 Kieselerde *f.* -n.

규폐(증)(硅肺(症)) 〖의학〗 Silikose *f.* -n.

규합(糾合) Zusammenberufung *f.* -en; das Sammeln*, -s; Vereinigung *f.* -en; Zusammenruf *m.* -(e)s, -e. ～하다 sammeln⁴; zusammen|berufen*⁴; vereinigen⁴; zusammen|rufen*. ¶ 동지를 ～하다 die Gleichgesinnten* an|werben* (ein|stellen; sammeln) / 그는 동지를 ～하여 정당을 조직했다 Er bildete mit den Gleichgesinnten e-e Partei.

규화(硅化) Verkieselung *f.* -en; Silifikation *f.* -en.

‖ ～물 Siliziumverbindung *f.* -en. ～수소 Kieselwasserstoff *m.* -(e)s, -e; Siliziumwasserstoff *m.* -(e)s, -e.

규화(硅華) 〖광물〗 Kieselsinter *m.* -s, -.

규환(叫喚) (Zeter)geschrei *n.* -(e)s; Zetermordio *n.* -s; Gekreisch(e) *n.* ..sches.

‖ ～지옥 die vierte der acht brennenden Höllen im Buddhismus. 아비～ Schmerzensschrei *m.* -(e)s, -e.

균(菌) Bazillus *m.* -, ..llen. ¶ 균독 Pilz¦gift (Schwamm-) *n.* -(e)s, -e / 균류 Pilze 《*pl.*》; Schwämme 《*pl.*》. ☞ 세균.

균등(均等) Gleichheit *f.* -en; Gleich¦berechtigung *f.* (-stellung *f.* -en); Parität *f.* -en. ～하다 gleich; 《동권이다》 gleich¦berechtigt (-gestellt) (sein). ¶ ～하게 gleich; gleicherweise; gleichmäßig (균일하게) / ～하게 하다 gleich|machen⁴; aus|gleichen*⁴; ebnen⁴; egalisieren⁴; gleich|stellen⁴ (동렬에 놓다) / 세금의 부담을 ～하게 하다 die Lasten der Steuer gleich|machen / 이익을 ～하게 하다 *jm.* gleiche Vorteile gewähren / ～한 권리를 가지고 있다 gleiche Rechte haben; gleichberechtigt sein (동권이다).

‖ ～대표제 《선거의》 das System 《-s, -e》 der gleichmäßigen Vertretung. ～화법 〖수학〗 das isometrische Zeichnen*, -s. 기회 ～주의 der Grundsatz 《-es, ⸚e》 der Gleichberechtigung; Paritätsprinzip *n.* -s, -e.

균류(菌類) Pilze 《*pl.*》.

‖ ～학 die Lehre von den Pilzen; Pilzkunde *f.*: ～학자 Pilzkenner *m.* -s, -.

균배(均排) gleichmäßige Verteilung, -en. ～하다 in gleicher Menge verteilen⁴; gleichmäßig ein|teilen⁴.

균분(均分) die Teilung 《-en》 in gleiche Teile. ～하다 in gleiche Teile teilen⁴. ¶ 셋으로 ～하다 in drei gleiche Teile teilen⁴.

균사(菌絲) Hyphe *f.* -n; Pilzfäden 《*pl.*》.

‖ ～체(體) Myzelium *n.* -s, ..lien.

균산(菌傘) 〖식물〗 Pilzhut *m.* -(e)s, ⸚e; Pilzhütchen *n.* -s, -.

균세(均勢) das Gleichgewicht 《-(e)s》 der Mächte. ¶ ～를 유지하다 (잃다) Gleichgewicht halten* (verlieren*); im Gleichgewicht sein / 유럽 열강의 ～를 유지하다 das europäische Gleichgewicht bewahren.

균열(龜裂) 《물체의》 Kluft *f.* ⸚e; (Erd)riß *m.* ..risses, ..risse; (Erd)spalt *m.* -(e)s, -e; Erdspalte *f.* -n; Sprung *m.* -(e)s, ⸚e; 《관계의》 Mißerfolg *m.* -(e)s, -e; Verfall *m.* -(e)s; Zusammenbruch *m.* -(e)s, ⸚e. ～하다 e-n Riß (Spalt; Sprung; e-e Spalte) bekommen*; e-e Kluft entsteht*; ⁴sich spalten; springen* ⓢ; Mißerfolg haben; verfallen* ⓢ; zusammen|brechen* ⓢ. ¶ ～이 생기다 Sprünge haben; Risse haben / 땅이 여러 군데 ～했다 Der Boden hat an verschiedenen Stellen Risse bekommen.

균일(均一) Einheitlichkeit *f.*; Gleich¦artigkeit *f.* -en (-förmigkeit *f.*; -mäßigkeit *f.* -en); Uniformität *f.* -en; Einförmigkeit *f.* ～하다 einheitlich; gleich¦artig (-förmig; -mäßig) (sein). ¶ 100원 ～ der Einheitspreis 《-es, -e》 in Höhe von 100 *Won*; der Einheitspreis von 100 *Won* pro ⁴Stück / ～하게 하다 gleich|machen⁴; alles gleich (gleichartig; gleichförmig; gleichmäßig) machen; vereinheitlichen⁴; über e-n Kamm scheren*⁴; unformieren⁴ / 버스 요금은 50원～이다 Der Busfahrpreis beträgt einheitlich 50 *Won.* / 값은 ～하다 Sie sind alle gleich im Preis.

‖ ～가격 Einheitspreis *m.* -es, -e. ～요금 Einheitstarifgebühr *f.* -en (전화 따위의); Einheitsfahrgeld *n.* -(e)s, -er (교통 기관 따위의). 가격～제도 Einheitspreissystem *n.* -s, -e.

균점(均霑) der gleiche Anteil 《-(e)s, -e》 am Vorteil. ～하다 an ³*et.* e-n gleichen Anteil bekommen* (nehmen*; haben); gleichen Vorteil haben (평등한 이익을 받고 있다); gleichmäßig gewinnen* (평등한 이익을 받다). ¶ 나도 ～했읍니다 Ich habe auch dabei gewonnen.

균제(均齊) Symmetrie *f.* -n [..trí:ən]; Ebenmaß (Gleich-) *n.* -es; Zusammenstimmung *f.* ¶ ～가 잡힌 symmetrisch; eben¦mäßig (gleich-); zusammengestimmt / ～를 유지하다 die Symmetrie aufrecht|erhalten*.

균질(均質) Gleichartigkeit *f.* -en; Gleichförmigkeit *f.* -en; Einheitlichkeit *f.* -en;

말 좀 들어봐 Ja, hör mal! / ~ 왜 대답을 못하지 Nun, warum antwortest du nicht? / ~ 알았어 Nun gut!¦Meinetwegen!¦Einverstanden! / 내기하자고, ~ 좋아 E-e Wette? Das gilt!

그래뉴당(一糖) granuierter Zucker, -s, -; körniger Zucker.

그래도 dennoch 〔분철: den-noch〕; dessenungeachtet; (und) doch; nichtsdestoweniger; trotzdem; bei all(em) dem. ¶ ~ 성공할 것 같지 않다 Bei all(em) dem will es nicht gelingen. / 그는 임금이지만 ~ 그것은 할 수 없다 Obgleich er ein König ist, kann er es nicht machen. / 이상하게 들릴지도 모르지만 ~ 그것은 사실인걸 Das mag zwar komisch klingen, aber es ist doch wahr.

그래머 Grammatik *f.* -en; Sprachlehre *f.*

그래머폰 Grammophon *n.* -s, -e. ⌊-n.

그래서 aus diesem Grund(e); daher; darum; deshalb; deswegen; folglich; infolgedessen; 《그리고》 dann; darauf; 《그런데》 nun; und so; und; demzufolge; dadurch; dementsprechend; demgemäß. ¶ ~요 《담화할 때》 Weiter, bitte! / ~ 내가 전에 자네에게 말했지 Deshalb habe ich es dir vorher gesagt!¦Deshalb habe ich dich aufmerksam gemacht! / ~ 그 문제는 끝났다 Man hat die Sache demnach fallenlassen.

그래야 nur (dann), wenn...; nur dann. ¶ 부지런해야 한다, ~ 성공할 수 있다 Du mußt fleißig sein. Nur dann kannst du Erfolg haben.

그래프 《도표》 Diagramm *n.* -s, -e; die graphische Darstellung, -en.
‖ ~대수학 die graphische Algebra. ~용지 das karierte Papier, -(e)s, -e.

그래픽 die Illustrierte*, -n, -n; Bilderzeitschrift *f.* -en; technisches Zeichen, -s, -.
‖ ~디자이너 Graphiker *m.* -s, -. ~디자인 Graphik *f.* -en. ~아트 Graphik *f.*

그랜드오페라 (die Große) Oper, -n.

그랜드피아노 Flügel *m.* -s, -.

그램 Gramm *n.* -s, -e 〔수량의 단위로서는 *pl.* 은 쓰이지 않음〕《생략: g》. ¶ 식염 5 ~ fünf Gramm Kochsalz / 1000 ~이 1 킬로~이다 1000 Gramm sind 1 Kilogramm. / 순대 200 ~ 주시오 Bitte 200 Gramm Wurst!
‖ ~당량 Grammäquivalent *n.* -(e)s, -e. ~분자 Grammolekül *n.* -(e)s, -e. ~원자 〔칼로리〕 Gramm¦atom *n.* -s, -e 〔-kalolie *f.* -n〕.

그러구러 irgendwie; allmählich; inzwischen; schon. ¶ 일이 ~ 다 됐다 Das Werk ist nun irgendwie fertig geworden.

그러그러하다 weder gut noch schlecht sein; mittelmäßig sein; soso (lala) sein. ¶ 그의 시는 그저 ~ S-e Gedichte sind soso. / 어떻게 지내는가—그저 그러그러하네 Wie geht es dir?—Es geht mir soso lala 〔halt so〕.

그러께 =재작년.

그러나 aber; doch; jedoch; allein; indes(sen). ¶ ~ 그것은 좋지 않다 Das ist aber nicht gut. / 그는 올 것이다, ~ 여기에 오래 있지는 못한다 Er wird kommen, aber er kann nicht lange bleiben.

그러나저러나(간에) auf jeden Fall; auf alle Fälle; jedenfalls; wie es auch immer sei. ¶ ~ 내 일은 이제 끝났다 So od. so, ich bin mit m-r Arbeit endlich fertig. / ~ 나는 해 보겠읍니다 Auf jeden Fall werde ich es versuchen. / ~ 그는 좋은 사람이오 Jedenfalls ist er ein guter Mensch.

그러내다 aus|scharren[4] (불 따위를); hervor|-scharren[4]; durch Scharren hervor|bringen*[4]; aus|rechen[4] (갈퀴로).

그러넣다 zusammen|scharren[4]; herein|kratzen[4]; herein|raffen[4]; herein|scharren[4]. ¶ 음식을 ~ Speise in den Mund stopfen 〔füllen〕; eilig essen* / 조반을 급히 ~ in aller Eile das Frühstück hinunter|würgen.

그러니까 also; folglich; demnach; sonach; somit; daher; darum; deshalb; deswegen. ¶ ~ 당신은 역시 떠나시려는 것이죠 Sie wollen also doch abreisen? / ~ 말하지 않았나 Habe ich es dir nicht gleich gesagt? ¦Ich habe es dir ja 〔gleich〕 gesagt. / ~ 그는 학자다 Sonst ist er kein Gelehrter.

그러니저러니 mit (kleinlichen) Einwänden. ~하다 kritteln. ¶ ~할 것 없이 일을 시작합시다 Lassen wir unsere kleinen Bedenken beiseite u. fangen wir mit der Arbeit an. / 지금에 와서 ~ 해 봐야 소용 없다 Es hat jetzt k-n Zweck, diesen od. jenen Einwand zu erheben.

그러담다 zusammen|schaufeln[4]; zusammen|-scharren[4]; zusammen|kratzen[4]; sammeln[4] u. hinein|legen 〔hinein|tun*〕[4]. ¶ 낙엽을 자루에 ~ das Laub sammeln u. in e-n Sack hinein|tun* / 쓰레기를 ~ den Abfall zusammen|kehren u. in den Abfalleimer schütten.

그러당기다 ein|ziehen*[4]; ein|holen[4]; heran|-ziehen*[4]; heran|zerren[4]. ¶ 소매를 ~ *jn.* am Ärmel ziehen* 〔zupfen〕.

그러들이다 ein|treiben*[4]; ein|ziehen*[4]; ein|-streichen*[4]. ¶ 판돈을 ~ den ganzen Einsatz 〔den ganzen Topfinhalt〕 ein|streichen* / 빚 준 돈을 ~ die Schulden ein|treiben*.

그러루하다 soso 〔soso lala〕 sein; mittelmäßig (sein); nichts Besonderes haben. ¶ 내 사는 거야 그저 그러루하지 뭐 Ich lebe soso. Da ist nichts Besonderes. / 그의 논문은 그저 ~ An s-m Aufsatz ist nichts Besonderes.¦Sein Aufsatz ist mittelmäßig.

그러면 《그렇다면》 und; so; also; (also) dann; denn; nun; in dem 〔solchem〕 Fall, wenn es 〔dem〕 so ist 〔wäre〕; wenn ja 〔nein〕. ¶ ~ 3시에 모시러 가겠읍니다 Also, um drei Uhr hole ich Sie ab. / ~ 내일까지 기다리지요 Wenn dem so ist, werde ich bis morgen warten. / 자 ~ 안녕히 계십시오 Also auf Wiedersehen! / ~ 저는 가겠읍니다 Nun werde ich mich empfehlen. / 그 사람은 ~ 어디 있단 말이오 Wo ist er denn also? / 노력하게 ~ 성공할 걸세 Strebe vorwärts, dann wird es dir gelingen.

그러면그렇지 Was habe ich gesagt?¦Habe ich das nicht gesagt?!¦Es war höchste Zeit. ¦Endlich!¦Natürlich!¦Ich hab's ja gesagt. ¶ ~ 그가 내 부탁을 거절할 수야 있나 Was habe ich gesagt?! Er konnte ja m-e Bitte nicht ausschlagen. / ~ 오늘은 네가 올 줄 알았다 Endlich! Es war höchste Zeit, daß du zu mir kommst. / ~ 그것이 저절로 깨질 리가 있나 Natürlich! Das konnte ja doch nicht aus sich allein zerbrechen. / ~ 그가 가난할 리가 있나 Ich hab's ja gesagt. Er kann doch nicht arm sein.

그러모으다 zusammen|treiben*[4] 〔auf|-〕; zusammen|bringen*[4]; zusammen|scharren[4]; zusammen|kratzen[4]; auf|häufen[4]; zusammen|rechen[4](갈퀴로). ¶ 낙엽을 ~ gefallene Blätter zusammen|scharren / 있는 돈을 모

두 그러모아서 계산을 치렀다 Ich habe alles Geld zusammengekratzt, um die Rechnung bezahlen zu können.

그러므로 also; daher; darum; demgemäß; deshalb; deswegen; folglich; aus diesem Grunde; dadurch; weil das so ist. ¶ 이 책은 전문가 용이다, ～ 나는 이 책에 관심이 없다 Dieses Buch wendet sich nur an den Fachmann, deshalb habe ich kein Interesse daran.

그러안다 in die Arme schließen*[4]; an die Brust drücken[4]; umarmen[4]; fest an [4]sich drücken[4]. ¶ 그 여자는 애를 그러안고 울었다 Sie drückte das Kind fest an die Brust u. weinte.

그러자 《그 때·그리고》 dann; darauf; hierauf; worauf. ¶ 그녀가 방안으로 들어왔다, ～ 그는 곧 방에서 나갔다 Sie kam ins Zimmer, worauf er es sofort verließ.

그러잖아도 sowieso; in jedem Fall; auf alle Fälle; ohnehin. ¶ ～ 우체국에 가야 하니 네 소포도 가져가 부쳐 주마 Ich nehme dein Paket mit, denn ich muß sowieso zur Post. / ～ 미운데 돈까지 꾸어 주어야 한 단 말인가 Ich hasse ihn ohnehin, und nun soll ich ihm auch Geld leihen? / ～ 피곤한데 또 한 시간 일을 더 하란다 Ich bin ohnehin müde. Trotzdem soll ich noch e-e Stunde arbeiten.

그러잡다 (er)greifen*[4]; (er)fassen[4]; fest|halten*[4]; (an|)packen[4]. ¶ 손을 ～ *jn.* bei der Hand ergreifen* / 머리채를 그러잡고 이리저리 끌다 *jn.* an (bei) den Haaren herum|ziehen* / 꽉 그러잡고 놓지 마시오 Lassen Sie (es) nicht los!

그러저러하다 so u. so sein. ¶ 그러저러해서 da es so u. so steht,...; aus solchem u. solchem Grund / 그러저러한 날에 an e-m solchen Tag; in solchen u. solchen Tagen.

그러쥐다 halten*[4]; fest|halten*[4]; fassen[4]; ergreifen*[4]. ¶ 권력을 ～ zur Macht kommen* (gelangen) ⓢ / 확실한 증거를 ～ e-n schlagenden (unumstößlichen) Beweis haben / 머리털을 ～ *jn.* bei den Haaren fassen / 손잡이를 ～ den Griff fassen / 물에 빠진 사람은 검불이라도 그러쥔다 Der Ertrinkende greift nach e-m Strohhalm.

그러하다 so; derart(ig); der [2]Art (sein). ¶ 그러한 ein solcher*; solch ein*; so ein*; dergleichen; derartig; von solcher [3]Art (Sorte); von solchem Schlag / 그러한 사람 ein solcher (solch ein) Mensch, -en, -en; ein solcher*; solch (so) ein er* / 그러한 일 so etwas; dergleichen Dinge 《*pl.*》; ein solches Ding, -(e)s, -e / 그러한 경우에 in dergleichen Fällen; in solchem (dem) Falle / 그러한 상황에서 unter solchen (diesen) Umständen / 그런 방법으로는 그는 아무것도 이루지 못한다 Auf solche Weise wird er nichts erreichen. / 그는 그런 식이다 Das ist so s-e Art. / 그는 그런 사람이다 Er ist so ein Mann. / 인생이란 그런 것이다 So ist das Leben. / 나는 그런 일은 체험한 적이 없다 Derartiges habe ich noch nicht erlebt. / 세상이란 그런 것이야 Es ist nun mal so in der Welt. / 그런 일은 들어 보지 못했다 So (et)was habe ich nicht gehört.

그럭저럭 irgendwie; auf irgend e-e (irgendwelche) Weise; auf e-e od. die andere Weise; mit [3]Weh u. [3]Ach (가까스로); mit knapper Not (가까스로). **～하다** [3]sich durch|helfen*; [4]sich durch|schlagen*; [3]sich zu helfen wissen*. ¶ ～하는 동안에 mittlerweile; inzwischen; indes(sen); unterdes(sen) / ～ 되겠지요 Irgendwie wird es schon gehen. / 그는 ～ 살아간다 Sein Zustand ist leidlich (erträglich). / 장사는 어떻게 되어 갑니까 —～ 되어 갑니다 Was macht das Geschäft? — So leidlich. / 그 정도의 돈이면 ～ 마련될 거다 Es wird mir hoffentlich gelingen, so viel Geld aufzubringen. / 그와 헤어진 지 ～ 1 년이 된다 Es ist schon 1 Jahr her, daß (seit) ich von ihm Abschied nahm. / ～ 올 때가 되었다 Er wird bald kommen. 「다.

그런 solch; so ein*; jener [2]Art. ☞ 그러하

그런고로(—故—) also; folglich; daher; darum; deshalb; deswegen.

그런대로 wenigstens; mindestens; zum wenigsten (mindesten); zumeist; wenn nur.... ¶ ～ 1 만 원만 있으면 좋겠는데 Wenn ich wenigstens 10,000 *Won* hätte! / 책이나 읽는 일이 ～ 그의 유일의 낙이었다 Lesen ist sein einziger Trost geblieben.

그런데 aber; allein; (je)doch; nun; nun aber; also; so; gut; wohlan; und; 《말이 났으니 말이지》 übrigens; was ich sagen wollte; wissen Sie was?; nebenbei. ¶ ～ 그 반대란 말야 Aber, im Gegenteil! / 그럼 돈이 남겠네 —～ 전혀 그렇지 않아 Dann kannst du etwas sparen?—Nein, im Gegenteil. / ～ 이거 큰일났군 Nun bin ich mit m-m Latein am Ende. / ～ 댁의 일은 잘 돼 갑니까 Übrigens, was macht Ihre Arbeit?

그런듯만듯 kaum bemerkbar; flüchtig.

그런양으로 auf solche Weise; auf solche Art; in s-r Weise; in der Art.

그런즉 (und) dann; folglich; daraus folgt, daß...; deshalb; infolgedessen; deswegen; daher; also; demzufolge.

그럴듯하다 wahrscheinlich; annehmbar; anscheinend; glaubhaft; möglich; vermutbar; nicht ausgeschlossen; scheinbar (표면상) (sein); so aus|sehen. ¶ 그럴 듯한 핑계 die trügerische Ausrede, -n / 그럴 듯하게 이야기하다 e-r [3]Geschichte den Anschein der Wahrscheinlichkeit geben* / 그럴 듯하게 거짓말을 하다 wie gedruckt lügen*; auf glaubwürdige Weise lügen* / 그럴 듯한 표정을 짓다 e-e ernste Miene auf|stecken / 그럴 듯한 이야기야 Es ist sehr wahrscheinlich, daß diese Geschichte wahr ist.

그럴싸하다 ＝그럴듯하다.

그럼 ① 《그러면》 nun; gut; na; also, also dann; dann; in diesem Falle; wenn das der Fall ist; wenn ja; wenn es so ist; wenn es sich so verhält; wenn dem so ist. ¶ ～ 자넨 안 가겠단 말이지 Du willst also nicht gehen? / ～ 나는 갑니다 Dann werde ich gehen. / ～ 나는 내일 떠나겠소 Wenn dem so ist, will ich morgen abfahren. / ～ 한번 생각해 보지 Na, ich will (ein)mal sehen. / ～ 가 볼까 Nun, gut, ich gehe! / ～ 좋습니다 Na ja, gut!
② 《그렇지》 ja; gewiß; ganz recht; allerdings; du hast (ihr habt) recht; so ist es. ¶ ～ 그렇고 말고 Ja, du hast ganz recht. / 직접 봤단 말이지— ～ 그렇고 말고 Hast du es mit d-n eigenen Augen gesehen?—Natürlich. / ～ 정말이라니까 Wirklich!¦Ganz bestimmt.¦Du kannst es glauben!

그렁그렁 ① 《물이》 fast bis zum Rand voll;

sucht haben 《nach³》; ein sehnsüchtiges Verlangen haben 《nach³》; innig verlangen 《nach³》; ⁴sich erinnern 《an⁴》; gedenken*²; denken*《an⁴》. ¶ 그리는 사람 e-e Person, die jn. vermißt / 애타게 ～ schmachten 《nach³》; Liebe dursten 〔dürsten〕《nach³》; gelüsten 《nach³》; lechzen 《nach³》; ⁴sich verzehren; in ³Liebe vergehen* Ⓢ / 옛날을 ～ ⁴sich an die Vergangenheit erinnern / 고인을 ～ an e-n Verstorbenen denken* / 고향을 ～ ⁴sich nach der ³Heimat sehnen; nach der Heimat Sehnsucht haben / 그녀는 그를 그린다 Sie sehnt sich nach ihm.¦ Sie ist einsam ohne ihn.¦Sie fühlt sich verlassen ohne ihn. / 그녀는 내가 그리는 여인이다 Sie ist der Gegenstand m-r Sehnsucht 〔Anbetung〕.

그리다² 《그림을》 malen (채색); skizzieren (사생, 약도); zeichnen (선화(線畫)); porträtieren (인물화); 《초벌 그림·약도를 그리다》 ein Bild 〔e-e Skizze; e-e Zeichnung〕 entwerfen*; 《묘사하다》 (anschaulich) beschreiben*⁴; dar|stellen⁴; schildern⁴; 《마음 속으로》 ³sich ein|bilden⁴ 〔denken*⁴〕; ³sich vor|-stellen⁴. ¶ 원을 ～ e-n Kreis bilden / 그림을 ～ malen⁽⁴⁾ (채색); zeichnen⁽⁴⁾ (선화) / 유화구로 ～ in ³Öl malen⁽⁴⁾ / 수채로 ～ in ³Wasserfarben malen⁽⁴⁾ / 다 ～ fertig|malen⁴ (그림); fertig|zeichnen⁴ (도면) / 산수를 ～ e-e Landschaft malen / 화조(花鳥)를 ～ Vögel u. Blumen malen / 사람들의 생활을 ～ das Leben der Leute schildern 〔dar|-stellen〕 / 마음에 생생히 ～ ³sich ⁴et. deutlich vor|stellen; ³sich ⁴et. im Geiste deutlich aus|malen / 눈썹을 ～ Augenbrauen nach|ziehen* / 입술을 빨갛게 ～ ³sich die Lippen rot schminken / 즐거운 미래 모습을 ～ ³sich ein erfreuliches Bild von der Zukunft entwerfen* / 그는 즐겨 정물화를 그린다 Er malt gern Stilleben. / 그것은 자나 콤파스를 사용하지 않고 개략을 그린 것이다 Das ist nur schematisch freihändig 〔aus freier Hand〕 gezeichnet.

그리로 ＝그리 ②.

그리마 〖동물〗 Tausendfuß m. -es, ⸗e (지네); Tausendfüß(l)er m. -s, -.

그리스¹ Fett n. -(e)s, -e; Schmiere f.

그리스² Griechenland n. -s; Hellas (옛 이름). ¶ ～의 griechisch.

‖ ～건축 die griechische Baukunst. ～문명 die griechische 〔hellenische〕 Zivilisation. ～문자 die griechische Schrift, -en. ～문학 die griechische Dichtung 〔Literatur〕. ～사람(인) Grieche m. -n, -n; Hellene m. -n, -n; das griechische Volk (총칭). ～신화 die griechische Mythologie. ～어 Griechisch n. -(s); das Griechische*, -n; die griechische Sprache, -n. ～정교 die griechisch-katholische Kirche, -n. ～조각 die griechische Bildhauerkunst, ⸗e 〔Skulptur, -en〕. ～철학 die griechische Philosophie.

그리스도 Jesus Christus ※ 오늘날에는 각 격(格) 모두 이 형태를 씀; 고형(古形)에서는 2격 이하: Jesu Christi, Jesu Christo, Jesum Christum; der Erlöser, -s; der Gesalbte*, -n; der Heiland, -(e)s; der Messias, -; der Sohn 《-(e)s》 Gottes. ¶ ～의 재림(再臨) die Wiederkunft des Christus 〔Christi〕.

‖ 반(反)～ Anti¦christ 〔Gegen-; Wider-〕 m. -es 〔-en〕, -e(n). ☞ 예수.

그리스도교(一教) ＝기독교(基督教).

그리움 《절망》 Sehnsucht f. ⸗e; das Sehnen*, -s; das sehnsüchtige 〔heiße〕 Verlangen, -s, -; 《경모》 Verehrung f. -en; Anbetung f. -en; Bewunderung f. -en. ¶ ～에 못 이기다 vor ³Sehnsucht vergehen* Ⓢ; ⁴sich vor Sehnsucht verzehren / 그 생각은 나를 고향에 대한 ～으로 가득 차게 했다 Diese Erinnerung erfüllte mich mit Sehnsucht nach der Heimat. / 떨어져 있으면 ～은 한층 더 짙어지는 법이다 Die Trennung erhöht das Verlangen nacheinander.

그리워하다 〔동사〕 ⁴sich sehnen 《nach³》; schmachten 《nach³》; jn. vermissen (없는 사람을). ☞ 그리다¹.

그린 《푸름》 Grün n.; die grüne Farbe, -n.
‖ ～벨트 Grüngürtel m. -s, - (녹지대). ～하우스 Gewächshaus n. -es, ⸗er; Treibhaus n.

그릴 Rostbratstube f. -n (식당); Grillroom [..ru:m] m. -s, -s; Rostbratküche f. -n.

그림 《회화(繪畫)》 Bild n. -(e)s, -er (일반적); Gemälde n. -s, - (채색화); Zeichnung f. -en (선화); Skizze f. -n (사생, 약도); Abbildung f. -en (삽화); Figur f. -en (도형); Schema n. -s, -s 〔-ta〕 (설명도); Vignette [vinjέ:tə] f. -n (흐린 그림); Holzschnitt m. -(e)s, -e (목판 삽화); Kupferstich m. -(e)s, -e (동판화); Abzug m. -(e)s, ⸗e (모사); Illustration f. -en (도해, 삽화). ¶ 뒤러의 ～ das Bild von Dürer / ～의 떡 etwas Unerreichbares*; Tantalusqualen 《pl.》; verbotene Früchte 《pl.》 / 바다 ～ Seestück n. -(e)s, -e; das e-e Seegegend vorstellende Gemälde / ～으로 그린 gemalt / ～을 넣은 illustriert; mit Bildern versehen / ～같은 wie gemalt; malerisch; zum Malen schön; wie ein Bild; pittoresk / ～이 든 신문 die illustrierte 〔bebilderte〕 Zeitung, -en / ～을 그리다 ein Bild entwerfen*; in e-m Bild dar|stellen; malen⁴; zeichnen⁴ / 《천이나 도자기에》 ～을 그리다 ein Bild auf dem Stoff 〔auf der Keramik〕 malen / ～을 잘 그리다 gut malen 〔zeichnen〕 / ～에 조예가 깊다 zu malen wissen* 〔verstehen*〕; so etwas wie ein Maler 〔ein leidlicher Maler〕 sein; ein Auge 〔Sinn〕 für Gemälde haben / 책에 ～을 넣다 ein Buch bebildern 〔illustrieren; mit Bildern schmücken〕 / ～같이 아름답다 malerisch schön 〔bildschön; bildhübsch〕 sein / 그는 ～을 잘 그린다 Er malt gut 〔geschickt〕.¦Er ist ein guter Maler 〔Zeichner〕. / 이 ～은 누가 그렸소 Von wem ist das Bild?¦Wer hat das Bild gemalt? / 그것은 나에게는 ～의 떡이다 Das geht über m-e Kräfte.

‖ ～간판 das gemalte (Aushänge)schild, -(e)s, -er. ～물감 (Mal)farbe f. -n; Ölfarbe (유화용): ～물감을 칠하다 Farben 《pl.》 auf|-tragen*; färben⁴; kolorieren⁴; malen⁴. ～붓 Pinsel m. -s, -. ～수수께끼 Bilderrätsel n. -s, -. ～연극 der Geschichtenerzähler 《-s, -》 mit Bildern 《pl.》. ～엽서 Ansichts-(post)karte f. -n. ～장이 Maler 〔Zeichner〕 m. -s, -. ～족자 Bilderrolle f. -n. ～책 Bilderbuch n. -(e)s, ⸗er; das illustrierte Buch. ～패 《카드의》 Bild n.

그림자 ① 《빛에 의한》 Schatten m. -s, -; Schattenbild n. -(e)s, -er; Schattenriß m. ..risses, ..risse; Silhouette [zilu̯έtə] f. -n. ¶ ～를 던지다 Schatten werfen* / 장지문에 비친 ～ die Silhouette auf der Papierschiebetür / ～처럼 따라다니다 jm. wie ein Schatten folgen [s,h]; immer hinter *jm.* her|laufen* [s]; wie sein Schatten folgen [s,h] 《*jm.*》 / ~가 장지문에 비쳤다 Der Schatten e-s Menschen fiel auf die Papierschiebetür. / 그의 얼굴에는 깊은 애수의 ~가 깃들어 있었다 Ein Schatten tiefer Trauer ruhte (lag) auf s-m Gesicht. / 그는 그 여자를 ~처럼 따라다닌다 Er folgt ihr wie ein Schatten.¦Er ist ihr Schatten. / 일말의 어두운 ~가 그의 얼굴에 덮였다 Ein Schatten überzog über sein Gesicht.

② 《거울 따위에 비친》 Widerspiegelung *f.* -en; Gestalt *f.* -en; Spiegelbild *n.* -(e)s, -er; Abspiegelung *f.*; 《환영(幻影)》 Trugbild (Scheinbild) *n.* ¶ 물 가운데 ~가 비치다 ⁴sich spiegeln 《*auf*³; *in*³》; ⁴sich wider|spiegeln / 산 ~가 호수에 비친다 Der Berg spiegelt sich verkehrt im See.

③ 《자취》 Schatten *m.*; Spur *f.* -en. ¶ ~도 볼 수 없게 사라지다 spurlos verschwinden* [s]; ⁴sich vollständig verbergen* / 적이라곤 ~도 보이지 않았다 Der Feind ist total vernichtet worden. / 그는 요즘 ~도 얼씬 않는다 Er läßt sich neuerdings gar nicht mehr blicken. / 사람이라곤 ~도 보이지 않았다 Es war k-e Spur von e-m Menschen zu sehen.

그립다 lieb; teuer; ersehnt (sein). ¶ 그리운 듯이 sehn¦süchtig (-suchtsvoll) / 그리운 추억 liebe Erinnerungen 《*pl.*》 / 못 견디게 ~ große Sehnsucht haben 《*nach*³》; schmachten 《*nach*³》; vor Sehnsucht vergehen* [s] / 어머니가 ~ Sehnsucht nach der Mutter haben; ⁴sich nach der Mutter sehnen / 고향이 ~ Ich habe Sehnsucht nach m-r Heimat. / 그분은 그리운 숙모님이었다 Das war m-e liebe Tante. / 가끔 집이 그리워진다 Ich habe ab u. zu Heimweh. / 벌써 화로(난로)가 ~ Ein Feuerbecken (Ofen) ist mir jetzt sehr willkommen.

그만 ① 《정도》 bis hierher u. nicht mehr; soviel u. nicht mehr; nicht mehr als das; 〔명령형〕 Schluß!; Aufhören! ¶ ~ 울어라 Weine nicht mehr! / ~해 두는 것이 좋겠다 Du hörst damit besser auf. / 자랑 좀 ~해라 Hör auf mit d-r ewigen Prahlerei! / ~ 먹어라 Hör mit dem Essen auf! / 오늘은 ~해 두자 So viel für heute.¦Lassen wir es für heute genug sein. / 그러면 ~이다 Damit ist es Schluß.¦So ist es.¦Dann ist nichts zu machen.

② 《곧》 gleich; sofort; so bald, als...; in dem Augenblick, als...; kaum..., da.... ¶ 날 보더니 ~ 달아났다 Kaum hat er mich geblickt, ist er davongerannt. / 자리에 들자 ~ 잠이 들었다 Als er sich ins Bett legte, ist er gleich eingeschlafen. / 그 소식을 듣더니 ~ 울음을 터뜨렸다 Kaum hatte er von der Neuigkeit gehört, brach er in Tränen aus.

③ 《그만하고 …하다》 Schluß machen u. ...; ohne noch etwas weiter zu tun; nun. ¶ ~ 가세 Gehen wir nun! / 인제 ~ 집으로 가거라 Geh nun nach Hause!

④ 《까딱 잘못하여》 versehentlich; aus Versehen; irrtümlich; unabsichtlich; unglücklicherweise; leider. ¶ ~ …하다 versehentlich (unabsichtlich; irrtümlich) ⁴*et.* tun*/ 그는 ~ 가 버렸다 Leider ist er fort. / 그 사람도 초대한다는 것을 ~ 잊어버렸다 Ich habe einfach vergessen, auch ihn einzuladen. / 그릇이 ~ 마루에 떨어져서 깨어져 버렸다 Unglücklicherweise fiel der Teller auf den Boden u. zerbrach. / 오늘 외출한다고 말하는 것을 ~ 잊었다 Ich habe vergessen, daß ich heute ausgehe. / 그는 ~ 사실을 털어놓고 말았다 Die Wahrheit war ihm einfach entschlüpft. / 부지중에 ~ 흥분하고 말았다 Es war nicht m-e Absicht, mich so sehr aufzuregen.

⑤ 《으뜸》 das Beste* (auf der Welt); vorzüglich; prächtig; süperb. ¶ ~이다 vorzüglich (prächtig; süperb) sein / 맛이 ~이다 Es schmeckt vorzüglich. / 그 사람은 ~이야 An ihm ist nichts auszusetzen.¦Er ist prächtig. / 이 도시는 요양지로서는 ~이다 Diese Stadt ist ein idealer Kurort.

그만그만하다 weder sehr viel (groß; lang; gut; tief, *usw.*) noch sehr wenig (klein; kurz; schlecht; seicht, *usw.*) sein; ungefähr gleich sein; ³sich die Waage halten*. ¶ 나이가 ~ ungefähr vom gleichen Alter sein / 모두 ~ Sie sind alle so mittelmäßig.¦Alle sind ungefähr gleich. / 독일어 실력이 다 ~ Bei den Studenten besteht kein großer Unterschied in bezug auf ihre Deutschkenntnisse. / 손익이 ~ Gewinn u. Verlust halten sich die Waage.

그만두다 ① 《중지》 auf|hören 《*mit*³》; ein|stellen⁴; 《중단》 ab|brechen*⁴; unterbrechen*⁴; 《보류》 unterlassen*⁴; unterbleiben lassen*⁴; ab|sehen* 《*von*³》; 《포기》 verzichten 《*auf*⁴》; auf|geben*⁴. ¶ 그만두게 하다 ⁴*et.* aufhören (einstellen) lassen*⁴; zu Ende bringen*⁴; *jn.* ⁴*et.* unterbrechen lassen*; 《해고》 *jn.* entlassen*; *jm.* kündigen/ 학교를 그만두게 하다 aus ³der Schule entlassen*⁴ (aus|schließen*⁴) / 학교를 ~ die Schule verlassen* / 일을 ~ mit der ³Arbeit (zu arbeiten) auf|hören / 학업을 ~ sein Studium auf|geben* / 계획을 ~ von s-m Vorhaben ab|lassen* (ab|stehen* [s,h]); den Plan fallen lassen* / 이야기를 ~ ⁴sich in s-r Rede unterbrechen* / 장사를 ~ ⁴sich von den Geschäften zurück|ziehen* / 교제를 ~ den Umgang 《mit *jm.*》 auf|geben* / 싸움을 ~ den Streit auf|geben* / 거래를 ~ *jm.* den Handel auf|sagen / 그만두라니까 Hör doch endlich auf!¦Schluß jetzt! / 그만두는 것이 좋을 겁니다 Es ist besser, es zu unterlassen.¦Tun Sie es lieber nicht!¦Sie sehen besser davon ab. / 시간 관계로 그만두겠읍니다 Aus Zeitmangel verzichten wir darauf. / 오랫동안 연습을 그만두고 있다 Ich habe lange k-e Übung gemacht.

② 《폐지》 ab|schaffen⁴; auf|geben*⁴; beseitigen⁴; auf|heben*⁴. ¶ 형식적인 것을 ~ die Förmlichkeiten ab|schaffen.

③ 《습관을》 auf|geben*⁴; entsagen³; verzichten 《*auf*⁴》. ¶ 술을 ~ das Trinken auf|geben*; ³sich das Trinken ab|gewöhnen / 흡연을 ~ das Rauchen auf|geben*.

④ 《사임》 (ein Amt) nieder|legen (auf|geben*); auf e-e Stellung verzichten; zurück|treten* [s] 《*von*³》; von s-m Posten zurück|treten* [s]. ¶ 공무원 생활을 ~ ein Amt nieder|legen; aus dem Amte scheiden* / 회사를 ~ e-e Gesellschaft (Firma) verlassen* / 그는 교직을 그만두었다 Er hat s-e Stellung als Lehrer aufgegeben. / 그는 교장직을 그만두었다 Er hat sein Amt als Schuldirektor niedergelegt. / 국회 의원을

그만두었다 Er hat s-n Sitz im Parlament niedergelegt.
⑤ 《사양》 nicht an|nehmen*⁴; ⁴sich bedanken; danken 《für⁴》.

그만저만 ungefähr; einigermaßen; halbwegs; zum großen Teil; leidlich. **~하다** weder sehr gut noch sehr schlecht sein; leidlich sein. ¶ 일을 ~ 해 두다 ⁴et. einigermaßen [halbwegs; leidlich] fertig|bringen*.

그만큼 soviel; soweit; so daß...; in dem Grade, daß...; so; solcher*; wie jener*. ¶ ~ 타일렀는데도 trotz allem Zureden; wie tüchtig ich ihm zugeredet haben mag / 오늘은 ~ 해 두지 So weit für heute.¦Bis dahin für heute. / 좋은 일을 하면 ~ 보람이 있다 Jede gute Tat (be)lohnt sich. / 하루를 쉬면 ~ 손해다 Ein Tag Abwesenheit bedeutet e-n Tag Verlust. / ~이나 공부를 했는데도 그는 시험에 떨어졌다 Bei alledem Fleiß hat er die Prüfung nicht bestanden. / 날씨가 ~ 나빴는데도 그는 왔다 Er kam, obwohl das Wetter so schlecht war.¦Er kam trotz dem so schlechten Wetter. / ~은 나는 할 수 없다 Dazu bin ich nicht im Stande.¦So viel kann ich nicht. / 나는 독어를 ~ 잘 할 수는 없다 Ich kann Deutsch nicht so gut sprechen. / 내 장서는 이것이 전부가 아니고 2층에 ~ 또 있다 Das sind nicht alle Bücher, die ich habe; es sind noch einmal etwa ebensoviel oben.

그만하다 《정도》 ruhig [still] sein; weder besser noch schlimmer werden; 《수량》 in solchem Maße [Grade] sein; gleich sein; so... sein, wie.... ¶ 그의 병세는 그저 ~ Es ist e-e Pause in s-r Krankheit eingetreten.¦S-e Krankheit ist zur zeitweiligen Ruhe gekommen. / 날씨가 그만해졌다 Das Wetter ist jetzt beständig. / 사고가 그만하기 다행이다 Glücklicherweise [Zum Glück] war der Unfall nicht so schlimm. / 그만한 것 가지고 우는 소리하지 말게 Beschwere dich nicht über solch e-e Kleinigkeit! / 그의 말은 그만한 정도의 것이었어 Das war es ungefähr, was er mir sagte. / 그만한 일이면 나도 하겠다 Wenn es weiter nichts ist, kann ich es auch. / 그만한 것으로 화내지 말게 Sei doch nicht böse wegen solch e-r Kleinigkeit! / 그만한 정도라면 자네가 쓰도록 그것을 기꺼이 내놓겠네 Wenn das alles ist, will ich es dir gern zur Verfügung stellen. / 이것도 그만한 무게를 가지고 있다 Dies ist so schwer wie jenes. / 이 일도 역시 그만한 시간이 걸린다 Auch diese Arbeit erfordert so viel Zeit.

그맘때 um jene [diese] Zeit; um jene [diese] Jahreszeit; um jene [diese] Tageszeit; in jenem [diesem] Alter. ¶ 사과는 ~가 제일 맛이 난다 Um diese Jahreszeit (herum) schmeckt der Apfel am besten. / 나도 ~ 퍽 장난이 심했다 In diesem Alter war auch ich so ein Lausbub. / ~가 사내로서 한창 기운이 왕성한 때다 Er befindet sich im besten Mannesalter voller Energie. / 그는 어제도 바로 ~ 왔었다 Auch gestern kam er gerade um diese Zeit.

그물 Netz *n.* -es, -e; Netzwerk *n.* -(e)s, -e; Haarnetz *n.* (헤어네트). ¶ ~을 짜다 [뜨다] ein Netz machen; Netzarbeit machen / ~에 걸리다 ins Netz gehen* Ⓢ (테니스); *jm.* ins Netz gehen* [in die Schlinge fallen*] Ⓢ (술책에 빠지다) / ~에 걸다 *jn.* ins Netz ziehen* (걸려들게 하다) / ~로 잡다 mit e-m Netz fangen* (물고기, 새를) / ~을 치다 ein Netz spannen; *jm.* e-e Falle stellen (매복하다); e-n Kordon [kɔrdɔ̃:n] bilden (비상선) / ~에서 빠져 나가다 aus dem Netz entschlüpfen [entwischen] Ⓢ.
‖ **~눈** (Netz)masche *f.* -n: ~눈 같은 netzartig; maschig; netzförmig / ~눈이 성기다 [촘촘하다] weitmaschig [engmaschig] sein. **~선반** Gepäcknetz *n.* **~세공(細工)** Netzwerk *n.*; Netz¦arbeit [Filet- [filé:..]] *f.* -en; Flechtwerk *n.* **~질** Netzfischerei *f.* -en. **~코** =그물눈. **고기~** Fisch(er)¦garn [-netz] *n.* **끄는~** Schlepp¦netz [Schlag-] *n.* **새~** Vogel¦garn *n.* -(e)s, -e [-netz *n.*]. **쟁이~** Wurfnetz *n.*

그믐 der letzte Tag des Monats. ¶ ~에 셈을 하다 [지불하다] am Monatsende zahlen.
‖ **~께** die letzten Tage des Monats; gegen Ende des Monats. **~날** =그믐. **~(날)밤** der letzte Abend des Monats (음력). **~초승** das Ende des Monats u. der Anfang des nächsten Monats. **~치** der Regen [Schnee] gegen Ende des Monats. **~칠야** die tief dunkle letzte Nacht des Monats (음력의). **섣달~** der letzte Tag des Jahres; Silvester *m.* -s.

그밖 ¶ ~에 außerdem; daneben; darüber hinaus; ferner; noch dazu; sonst; überdies / ~의 ander; rückständig; übrig; zurückbleibend; zusätzlich (추가의) / ~의 회원 die anderen [übrigen] Mitglieder 《*pl.*》 / ~의 일 das übrige / ~에 다른 질문 없읍니까 Haben Sie sonst k-e Fragen? / ~에 이야기는 더 없었다 Das ist alles, was ich hörte.

그빨로 auf die gleiche üble Manier; nach s-r schlechten Gewohnheit.

그사이, 그새 ① 《그 동안에》 inzwischen; mittlerweile; seitdem; seither; unterdessen; währenddessen. ¶ ~에 그는 이사를 했다 Inzwischen ist er umgezogen. / ~에 그는 아들이 둘이다 Mittlerweile hat er zwei Söhne. / ~ 안녕하십니까 Wie geht es Ihnen mittlerweile? ② 《어느 새에》 unversehens; so plötzlich. ¶ ~에 그는 사라져 버렸다 Unversehens ist er verschwunden. / ~에 그의 딸은 어엿한 숙녀가 되었다 Unversehens ist s-e Tochter e-e richtige Dame geworden.

그슬리다 sengen⁴; versengen⁴; rösten⁴; auf dem Rost braten*⁴. ¶ 생선을 불에 ~ den Fisch auf dem Rost braten / 피부를 ~ die Haut bräunen.

그악스럽다 exzessiv; maßlos; massiv; rücksichtslos; wild; übereifrig (sein). ¶ 그악스러운 사람 ein exzessiver [maßloser; rücksichtsloser; wilder] Mensch, -en, -en / 아무를 그악스럽게 부리다 *jn.* rücksichtslos behandeln / 그 애는 너무 ~ Das Kind ist zu wild. / 그는 그악스럽게 돈을 번다 Er ist im Geldverdienen übereifrig [maßlos].

그악하다 =그악스럽다.

그야 der [die; das; er] schon; zwar [wohl] (..., aber...). ¶ ~ 그렇지만 das schon, aber ... / ~ 물론이다 Das ist ja selbstverständlich. / ~ 그렇지 Ja, das ist wahr. / ~ 그럴 수 있지 Das ist ja durchaus möglich. / ~ 누가 모르나 하지만 Wer weiß das wohl nicht? Aber... / ~ 돈이 많지 Er ist schon reich.

그야말로 ① 《참으로》 wirklich; in der Tat;

tatsächlich; gewiß; zweifellos; sicher. ¶ ~ 어떻게 사과의 말씀을 드려야 할지 모르겠군요 Ich weiß nicht, wie ich mich entschuldigen soll. / ~ 네 말이 틀렸다 Du hast zweifellos unrecht. / ~ 구사 일생이로구나 Du bist wirklich mit genauer (knapper) Not davongekommen.¦Das war die Rettung aus höchster Not im wahrsten Sinn des Wortes. ② 《그 사람이야말로》 gerade er*; Ebenderselbe*; er* selbst; er* ...tatsächlich. ③ 《그것이야말로》 das eben (gerade); es ... tatsächlich (wirklich). ¶ ~ 바라던 바다 Das ist mir sehr erwünscht (angenehm). / ~ 참 크다 Das ist tatsächlich sehr groß. / ~ 힘든 일이다 Das ist in der Tat e-e schwierige Arbeit. / ~ 내가 말하려고 했던 거다 Das ist gerade, was ich sagen wollte.

그어주다 [4]et. verteilen 《auf[4]》; löhnen[4]; verschaffen[34]; geben*[34].

그역시(一亦是) auch; ebenfalls; gleichfalls. ¶ ~ 사실이다 Auch das ist wahr. / ~ 마음에 들지 않는다 Auch das mag ich nicht.¦Auch das gefällt mir nicht.

그예 endlich; schließlich; zuletzt. ¶ ~ 승리하다 schließlich doch den Sieg erringen*/ 그는 ~ 그 병으로 죽고 말았다 Er erlag doch schließlich der Krankheit. / ~ 시험에 합격했다 Er hat endlich die Prüfung bestanden. / ~ 빚을 받아 냈다 Es gelang mir doch zuletzt, die Schulden einzutreiben. / ~ 성공할 것이다 Schließlich (Zuletzt) wird er doch Erfolg haben.

그외(一外) =그밖.

그윽이 heimelig; heimlich; unauffällig; innerlich; still. ¶ ~ 기회를 엿보다 unauffällig auf e-e Gelegenheit lauern / ~ 사모하다 e-e stille Liebe für *jn.* hegen / ~ 기뻐하다 [4]sich still freuen.

그윽하다 ① 《장소가》 heimelig; gemütlich; friedlich; geborgen; geschützt; still (sein). ¶ 그윽한 곳 ein stiller Ort, -(e)s, -e / 멀리서 종소리가 그윽하게 들려왔다 Da hörte ich von weitem her ein friedliches Glockenläuten. ② 《생각이》 heimlich; tief; verborgen (sein). ¶ 그윽한 생각 e-e heimliche Idee, -n.

그을다 ① 《연기에》 verrußen*; rußig (verrußt) werden; angeschwärzt werden. ¶ 그을은 장지문 verrußte Papierschiebetür, -en. ② 《해에》 (von der Sonne) verbrannt (gebräunt) werden. ¶ 햇볕에 그을은 sonn(en)-verbrannt; sonnen¦gebrannt (-gebräunt) / 햇볕에 그을은 얼굴 das sonnverbrannte Gesicht / 햇볕에 갈색으로 ~ [4]sich an der Sonne bräunen / 그는 햇볕에 그을었다 Die Sonne hat ihn gebräunt. / 그녀는 햇볕에 잘 그을은다 Sie bräunt leicht.

그을리다 《연기에》 berußen[4]; mit Ruß beschmutzen[4]; 《해에》 bräunen[4]. ¶ 연기가 천정을 그을린다 Rauch beschmutzt die Decke mit Ruß.

그을음 Ruß *m.* -es. ¶ ~이 앉다 (끼다) [4]sich berußen / ~이 앉은 (낀) rußig; berußt; angeschwärzt / ~을 털다 den Ruß entfernen (weg¦fegen); rein (sauber) machen[4] (깨끗이 하다) / 굴뚝이 ~ 투성이다 Die Esse (Der Schornstein) ist voll Ruß.

그이 jener*; er*; 《여자》 sie*; Liebe* *m.* -n, -n (연인).

그이들 sie*; jene*; diese*; die*.

그저 ① 《줄곧》 noch immer; immer noch; ununterbrochen; dauernd; anhaltend; fortlaufend; nach wie vor. ¶ 그는 ~ 게으름장이다 Er bleibt faul.¦Er ist nach wie vor faul. / ~ 비가 온다 Es regnet immer noch. ② 《생각 없이》 unbesonnen; leichtsinnig; rücksichtslos; übermäßig; maßlos; zügellos; ungestüm; achtlos; unachtsam; 《하는 일 없이》 ohne [4]*et.* zu tun; 《빈손으로》 ohne [4]*et.* mitzubringen; 《까닭 없이》 willkürlich; launenhaft; eigenmächtig. ¶ ~ 쉽게 믿다 zu leicht (schnell) glauben; leichtgläubig sein / 돈을 ~ 막 쓰다 Geld rücksichtslos aus¦geben* / ~ 탐내다 es verlangt *jm.* unmäßig 《*nach*[3]》 / ~ 일만 하다 schwer (wie ein Pferd) arbeiten/ ~ 잠깐 들르다 e-n kurzen Besuch machen 《bei *jm.*》.
③ 《어지간하다》 lala; einigermaßen; leidlich. ¶ 사업이 어떤가— ~ 그래 Wie gehen die Geschäfte? —Sie gehen so leidlich. / 그는 ~ 그렇습니다 Es geht ihm so lala (건강)¦Mit dem Geschäft geht es so leidlich (장사) / 그가 이룬 업적은 ~ 그렇다 Seine Leistungen sind soso lala.
④ 《단지》 nur; bloß; klein; leicht; einfach; nichts als. ¶ ~ 한번만 nur einmal / ~ 농으로 nur aus (im; zum) Spaß / ~ 일부에 지나지 않다 nur ein Teil sein / ~ 돈벌이만 생각한다 nur an Gelderwerb denken* / ~ 말을 잘못했을 뿐입니다 Ich habe mich bloß versprochen. / ~ 조금 알고 있을 뿐이다 Ich kenne ihn nur flüchtig.¦Ich habe ihn nur flüchtig kennengelernt. / 그것은 ~ 사소한 미스프린트에 지나지 않았다 Dabei handelte es sich nur um e-n kleinen Druckfehler. / 그는 ~ 이름만의 사장이다 Er ist der Direktor nur dem Namen nach.¦Er ist der nominelle Direktor.
⑤ 《제발》 bitte; hoffentlich; sei (seien Sie) so freundlich; wenn ich dich (Sie) darum bitten darf. ¶ ~ 한번만 용서해 주십시오 Bitte, verzeihen Sie mir diesmal! / ~ 이렇게 부탁하네 Sei doch so gut! / ~ 살려 주시오 Bitte, töte mich nicht!
⑥ 《그것 봐》 so!; sieh!; siehst du (wohl)! ¶ 내 ~ 그럴 줄 알았지 Sieh, es ist gerade, wie ich erwartet habe.

그저께 vorgestern. ¶ ~ 아침 (저녁) 에 vorgestern morgen (abend).

그적(에) damals; zu jener Zeit.

그전(一前) frühere Zeiten 《*pl.*》. ¶ ~에 vor dieser Zeit; früher; ehemals; vormals; ehedem; einmal / ~같이 wie sonst; wie gewöhnlich (종전처럼); wie früher; wie in alter Zeit (옛날대로) / 그 해독은 ~보다 훨씬 심하다 Der Schaden ist schlimmer als zuvor. / 지금도 ~에 살던 곳에 살고 있읍니다 Ich wohne noch am früheren (alten) Ort. / ~에는 이 길모퉁이에 큰 나무가 서 있었다 Früher stand an dieser Straßenecke ein hoher Baum. / 제가 ~에 그런 말을 한 적이 있었나요 Habe ich das je gesagt? / ~에 빌어 갔던 책을 돌려 왔다 Er hat das Buch zurückgebracht, das er sich vor einiger Zeit ausgeliehen hatte.

그제야 erst dann; nicht bevor; nur, wenn; erst (nur), nachdem. ¶ 세 번 고함을 지르니 ~ 내다보았다 Er ließ sich am Fenster blicken erst, nachdem ich dreimal nach ihm gerufen hatte.¦Ich mußte dreimal nach ihm rufen, erst dann blickte er zum

Fenster heraus. / 내 말을 듣고 ~ 자기가 잘못한 것을 알았다 Erst nachdem ich ihm alles erklärte, sah er ein, Fehler begangen zu haben.¦Vorher mußte ich ihm alles erklären, bevor einsah, Fehler begangen zu haben.

그중(一中) ①《그것 중》 von ihnen; unter ihnen. ¶너도 ~의 한 사람이다 Du gehörst mit dazu. / 일곱명이 부상했는데 ~에서 셋은 치명상이다 Sieben wurden verwundet, drei davon tödlich. / ~에서 고르시오 Wählen Sie darunter aus!
②《가장》 vor allem; besonders; namentlich; vorzüglich. ¶~ 좋다〔나쁘다〕 am besten〔schlechtesten〕 sein / 나는 배를 ~ 좋아한다 Ich liebe Birnen besonders. / 원숭이는 ~ 인간을 닮은 동물이다 Der Affe ist das dem Menschen ähnlichste Tier. / 그가 ~ 유명한 학자다 Er ist der berühmteste Gelehrte.

그즈음 Ungefähr in jener〔dieser〕 Zeit; damals. ¶~ 이 곳에는 아직 기차편이 없었다 In jenen Tagen gab es hier noch k-e Eisenbahnverbindung.

그지없다 《끝·한이 없다》 unbegrenzt; unbeschränkt; endlos; grenzenlos (sein); 《표현할 수 없다》 unbeschreiblich; unaussprechlich; unsagbar (sein).

그쪽 ①《방향》 die〔jene〕 Richtung〔Seite〕; darin (그 점에서는). ②《사물》 das*; das Betreffende*, -n. ¶~은 어쩐지 약하다 Das eben ist m-e schwache Seite. / ~이 당신에게는 나을 거요 Es wäre besser für Sie.

그쯤 ①《그 정도》 etwa; so ungefähr so (-viel); jene〔diese〕 Höhe; jener〔dieser〕 Grad. ¶~ 해 두게 Höre lieber an der〔jener〕 Stelle auf! / 비용은 10,000원이나 ~ 되겠지요 Das kostet so um 10000 *Won* herum. / 그가 바라는 것도 아마 ~일 거요 Das ist es ungefähr, was er wünscht〔will〕. ②《장소》 da〔hier〕 herum; dort od. dort umher; da ungefähr. ¶어딘지 ~에 irgendwo dort / ~에서 찾아보시오 Suchen Sie da herum〔dort ungefähr〕!

그치다 ①〔자동사〕 auf|hören; enden; zu [3]Ende kommen* ⓢ; vorüber sein; zum Stillstand kommen* ⓢ (조용해지다); 《한정되다》 [4]sich beschränken《*auf*[4]》; [4]sich begnügen《*mit*[3]》. ¶그칠새 없이 unaufhörlich; unablässig; ununterbrochen; andauernd; fortdauernd; anhaltend; stetig; ohne Ende〔Unterbrechung〕/ 비가 그치기를 기다리다 e-e Regenpause ab|warten; ab|warten, daß es aufhört zu regnen〔daß es mit dem Regen aufhört〕/ 비가〔눈이〕 그쳤다 Es hat aufgehört zu regnen〔schneien〕. / 폭풍우가 그쳤다 Der Sturm ist vorüber. / 바람이 그쳤다 Der Wind hat sich gelegt.¦Der Wind hat aufgehört. / 비가 그친 사이에 돌아왔다 Ich bin zurückgekommen, während der Regen aufhörte. / 비는 이미 그쳐 있었다 Der Regen hatte schon aufgehört.¦Es regnete nicht mehr. / 책임은 그 사람에게만 그치는 것이 아니다 Er ist nicht der einzige, der daran Schuld ist.
②〔타동사〕 auf|hören《*mit*[3]》; auf|geben*[4]; ein|stellen[4]; beenden[4]; ein Ende nehmen*〔machen〕. ¶울음을 ~ mit Weinen auf|hören; zu weinen auf|hören / 일을 ~ die Arbeit ein|stellen; mit der Arbeit auf|hören / 사격을 ~ das Feuer ein|stellen / 그칠 줄 모르다 kein Ende nehmen wollen*; k-e Grenze kennen* / 얘기를 뚝 ~ [4]sich plötzlich in s-r Rede unterbrechen* / 저 공장은 조업을 그쳤다 Jene Fabrik hat den Betrieb eingestellt. / 그치지 말고 이야기를 계속하시오 Bitte, fahren Sie in Ihrer Rede fort! / 그런 짓은 앞으로 그쳐 주기 바라오 Ich hoffe, das wird in Zukunft unterbleiben.

그토록 so (sehr); solch*. ¶~ 잘해 주시니 고맙습니다 Ich danke Ihnen herzlich, daß Sie sich für mich so sehr bemühen. / ~ 일을 해도 그는 가난하다 Obwohl er so hart arbeitet, ist er arm. / ~ 만나 보고 싶습니까 Haben Sie solche Sehnsucht nach ihm?

그후(一後) da¦nach〔hier-〕; dar¦auf〔hier-〕; in der Folge; nachher; 《그 후 내내》 seit; seit¦dem〔-her〕; seit der Zeit; später. ¶~의 später; nächst; nach¦herig〔-folgend〕/ ~의 상세한 소식에 의하면 spätere genaue Nachrichten zeigen, daß... / ~ 그를 만나지 못했다 Seitdem habe ich ihn nicht gesehen. / ~ 그와는 말 한 마디 나누지 않았다 Nachdem sprach ich nie wieder mit ihm. / ~ 그가 어떻게 되었는지 모르겠다 Ich weiß nicht, was seitdem aus ihm geworden ist. / ~ 그는 죽 앓고 있다 Er ist seit jener Zeit krank. / ~ 별일 없소 Gibt es nichts Neues, seitdem ich Sie zum letzten Mal gesehen habe?¦Gibt es etwas Neues seit unserem letzten Zusammentreffen? / ~ 아무런 소식도 없다 Seitdem hat er uns kein Lebenszeichen von sich gegeben.¦Seitdem hat er nichts von sich hören lassen.¦Von da an habe ich k-e Nachricht von ihm bekommen.

극(戟) Hellebarde *f.* -n.

극(極) 《지구의》 Pol《*m.* -s, -e》 der Erde; 《자석의》 Pol e-r elektrischen Batterie (전지의); Magnetpol (자극); 《절정》 Extrem *m.* -s, -e; Gipfel *m.* -s, -; Höhepunkt *m.* -(e)s, -e; Zenit *m.* -(e)s; Gipfelpunkt *m.* -(e)s, -e; der höchste Grad, -(e)s, -e (극도); Ende *n.* -s, -n. ¶극에 가까운 zirkumpolar / 행복의 극 der Gipfel des Glücks / …의 극에 달하다 auf dem Gipfel〔Höhepunkt〕《des〔der〕...》 stehen*〔sein〕; im Zenit stehen* 〖기타 höchst, äußerst를 써서 나타낸다〗/ 사치가 극에 달하다 außerordentlichen Luxus treiben* / 피로가 극에 달했다 Ich bin äußerst müde〔völlig erschöpft〕. / 퇴폐풍조가 극에 달했다 Die Sitten sind äußerst locker.

극(劇) Schauspiel *n.* -(e)s, -e; Drama *n.* -s, ..men. ¶극적인 dramatisch / 극적인 사건 das dramatische Ereignis, ..nisses, ..nisse; der dramatische Zwischenfall, -s, ⸗e / 극을 연출하다 ein Schauspiel vor|stellen; ein Stück auf die Bühne stellen (상연) / 이 극은 꽤 호평이었다 Das Drama wurde günstig kritisiert〔besprochen〕 worden.¦Das Drama fand öffentlichen〔allgemeinen〕 Beifall.
‖극문학 Bühnendichtung *f.* -en; die dramatische Dichtung, -en. 극중 극 ein Spiel im Spiel; Intermezzo *n.* -s, -s. 경향극 Tendenzdrama. 교훈〔권선징악〕극 Moralität *f.* -en. 신비〔기적〕극 Mysterienspiel. 통속극 Melodrama. 현대극 Gegenwartsdrama.

극값(極一) 〖수학〗 Extremalwert *m.* -(e)s.

극계(劇界) Theaterwelt *f.*; Bühnenwelt *f.*;

Theater *n.* -s; Bühne *f.* ¶ ~ 소식 Theaterbericht *m.* -(e)s, -e.

극광(極光) Polarlicht *n.* -(e)s, -er; Nordlicht (북극의) 〔Süd- (남극의)〕 *n.*

극구변명하다(極口辯明—) alles mögliche zur Rechtfertigung e-s Dinges〔*js.*〕 vor|bringen*; mit allen Mitteln [4]sich zu rechtfertigen versuchen.

극구찬양(極口讚揚) die höchste Erhebung. ~하다 preisend in den Himmel erheben*[4].

극구칭찬(極口稱讚) das hohe Lobpreisen, -s. ~하다 in den Himmel 〔bis an die Sterne〕 (er)heben*[4]; viel Rühmens machen《*von*[3]》; über den grünen Klee 〔über alle Maßen〕 loben[4]; mit Lob überschütten[4]; lobhudeln[4] 《*pp.* gelobhudelt》; (lob)preisen*[4]. ¶ 그는 그녀를 ~하고 있다 Er ist voll Lobes über sie.¦Er ist ihres Lobes voll. / 도하의 신문들은 그를 ~했다 Die Zeitungen der ganzen Stadt waren s-s Lobes voll.

극권(極圈) Polarkreis *m.* -es, -e.
‖ 남~ der südliche Polarkreis; Südpolarkreis *m.* 북~ der nördliche Polarkreis; Nordpolarkreis *m.*

극기(克己) Selbst¦beherrschung *f.* 〔-verleugnung *f.*; -überwindung *f.*; -zucht *f.*〕. ~하다 [4]sich beherrschen; [4]sich überwinden*. ¶ ~심이 있는 stoisch / ~적 selbstbeherrschend; selbstverleugnend / ~심이 없다 der [2]Selbstbeherrschung ermangeln; [4]sich nicht beherrschen können* / ~심을 기르다 Selbstbeherrschung üben / ~하는 자는 이긴다 Wer sich selbst überwindet, der gewinnt. / 그는 ~심이 강(強)하다 Er ist ein Mensch von Selbstbeherrschung.
‖ ~주의 Stoizismus *m.* -; Askese *f.* ~파 Stoiker *m.* -s, -.

극난하다(極難—) sehr schwer; äußerst schwierig (sein).

극단(極端) Extrem *n.* -s, -e; Extremität *f.* -en; das Äußerste*, -n; Übermaß *n.* -es (과도). ¶ ~의(으로) äußerst; extrem; übermäßig; überspannt; überspitzt; verstiegen ※ 부사로는 그 밖에 zu; allzu; zuviel; peinlich 따위를 써서 나타낸다 / ~적인 생각 die (recht) verstiegene 〔überspannte〕 Ansicht, -en / ~적 좌경파 die extreme Linke, -n; die Ultralinken《*pl.*》/ ~적인 보수당원 der radikale Konservative*, -n, -n / ~적 수단 das äußerste Mittel, -s, - / ~적으로 꼼꼼한 peinlich genau / ~적으로 소심한(친절한) allzu ängstlich 〔freundlich〕 / ~으로 흐르다 in Extreme verfallen*Ⓢ; [4]*et.* bis zum Äußersten 〔ins Extrem; zu weit〕 treiben*; [4]*et.* auf die Spitze 〔auf den Gipfel〕 treiben*; bis zum Äußersten gehen* Ⓢ《*in*[3]》; es zu weit treiben*; zu weit gehen* Ⓢ / ~에서 ~으로 흐르다 von e-m Extrem ins andere fallen* Ⓢ / ~적으로 자기 이익을 생각하는 사람이다 Er ist allzusehr auf den eigenen Vorteil bedacht. / ~적인 주장(말)을 하는 사람이다 Er geht immer mit s-r Behauptung 〔Äußerung〕 zu weit. / 당신은 너무 ~적이오 Sie gehen zu weit. / 양~은 상통한다 Die Extreme berühren sich. / 그는 나를 ~적으로 싫어한다 Er haßt mich im höchsten Grade.
‖ ~론 die extreme Anschauung; die radikale Ansicht(과격론). ~주의 Ultraismus *m.*-; Radikalismus *m.*-; Extremismus *m.*-: ~주의자 der Radikale*, -n, -n; Extremist *m.* -en, -en.

극단(劇團) (Schauspieler)truppe *f.* -n. ¶ 서울 ~ Seoul Theatertruppe.
‖ 지방 순회~ Wandertheater *n.* -s, -.

극단(劇壇) Theater¦welt 〔Bühnen-〕 *f.* -en; Theaterwesen *n.* -s. ¶ ~에 나서다 auf der Bühne auf|treten* Ⓢ; zur Bühne gehen* Ⓢ / ~을 떠나다 die Bühne verlassen*.
‖ ~인 der Bühnenkundige*, -n, -n.

극대(極大) ①《지극히 큼》das Größte*, -n. ¶ ~의 größt; maximal; Maximum- / ~량 Maximum *n.* -s, ..ma; die größte Menge, -n / ~ 극소 Maximum u. Minimum. ② 〖수학〗 Maximum *n.* -s, ..ma.
‖ ~값 Maximalwert *m.* -(e)s, -e.

극도(極度) Extrem *n.* -s, -e; das Äußerste*, -n; das äußerste Ende, -s, -n; die äußerste Grenze, -n; Spitze *f.* -n; Höhe *f.* -n. ¶ ~로, ~의 extrem; äußerst; bis zum Äußersten; höchst; im höchsten Grade; 〖그 밖에 「엄청나게」의 강한 뜻으로〗 enorm; ungeheuer; ungemein; verflucht; verteufelt; übertrieben / ~로 겁을 먹다 Höllenangst haben 《*vor*[3]》/ ~로 긴장하고 있다 äußerst 〔aufs äußerste〕 gespannt sein / ~로 피로하다 völlig erschöpft sein / ~로 당황하다 im höchsten Grade verlegen sein / ~로 비참한 처지에 있다 in höchst elender Lage sein / ~의 신경쇠약에 걸려 있다 Er ist höchstgradig neurasthenisch. / ~로 비관하고 있다 Ich bin ganz verzweifelt.

극독약(劇毒藥) das gefährliche 〔starke〕 Gift, -(e)s, -e; das schnelle Gift(쉬 퍼지는). ¶ ~이니까 손대지 마시오 Da es ein starkes Gift ist, darf man es nicht berühren.

극동(極東) der Ferne Osten, des -n -s; Ostasien *n.* -s; Hinterasien *n.* -s. ¶ ~의 정세 die Lage im Fernen Osten / ~의 평화 der Friede《-ns, -n》im Fernen Osten.
‖ ~문제 die Frage 〔das Problem〕 des Fernen Ostens. ~위원회 die Beratungskommission des Fernen Ostens. ~정책 Politik《*f.* -en》des Fernen Ostens.

극락(極樂) ①〖불교〗Paradies *n.* -es, -e; Elysium *n.* -s; das Gefilde《-s, -》der Seligen; Wonnegefilde *n.* -s, -; das buddhistische Paradies; *Sukhavati*《범어》; Utopia *n.* -s (이상향). ②《희열》 Seligkeit *f.* -en; die höchste Freude, -n; Wonne *f.* -n.
‖ ~(세)계 das Land der Seligkeit; Paradies *n.* ~왕생(往生) die Wiedergeburt《-en》im Paradies; 《죽음》der (sanfte) Tod: ~ 왕생하다 in ein besseres Dasein abberufen werden; beim lieben Gott sein; e-n sanften Tod 〔e-s sanften Todes〕 sterben* Ⓢ; gen Himmel fahren* Ⓢ; im Herrn entschlafen*Ⓢ: ~ 왕생을 빌다 die Wiedergeburt im Paradiese ersehnen; um das selige künftige Leben zu [3]Gott beten. ~정토(淨土) das Land der Seligkeit; Paradies *n.*; die elysäischen Gefilde《*pl.*》. ~조(鳥) Paradiesvogel *m.* -s, ¨.

극량(極量)《약의》Maximaldosis *f.* ..dosen; die höchste zulässige Gabe, -n; Maximaldose *f.* -n; Höchstquantum *n.* ..tums, ..ten 〔..ta〕.

극력(極力) die Anwendung《-en》aller Kräfte; 〖부사적〗 nach besten Kräften; intensiv; wie es (nur irgend) möglich ist; aufs äußerste; mit aller Gewalt 〔Kraft; Macht〕; möglichst; so gut wie es *jm.* möglich ist.

¶ ~ 부인하다 mit aller Gewalt leugnen[4]; standhaft leugnen[4]/ ~ 힘쓰다 alles (möglich) auf|bieten*; alle Kräfte auf|bieten* [an|strengen; an|wenden*]; [4]sich aufs äußerste bemühen / ~ 힘써 보았지만 so sehr ich mich auch bemühte; ich habe (zwar) mein Bestes [möglichstes] getan, aber...; trotz aller Bemühungen / ~도와 드리도록 하겠읍니다 Ich werde Sie nach besten Kräften unterstützen.¦Ich werde Ihnen helfen, wie es (mir) nur irgend möglich ist.

극렬(劇烈) Heftigkeit *f.*; Stärke *f.*; Schärfe *f.*; Strenge *f.*; Ungestüm *n.* -(e)s. **~하다** heftig; stark; streng; scharf; ungestüm; erregt; leidenschaftlich; heiß (sein). ¶ ~한 조치 die strenge Maßregel.

극론(極論) die extreme [überspitzte] Argumentation, -en; das radikale Argument, -(e)s, -e; die extreme Behauptung, -en. **~하다** die Argumentation aufs äußerste [bis zum äußersten] treiben*; so weit gehen* Ⓢ, zu behaupten, daß...(극언); e-e extreme Behauptung wagen; in s-r Rede bis zum äußersten gehen* Ⓢ. ¶ 나라를 그르치는 정책이라고까지 ~했다 Er ging soweit, zu behaupten, daß das e-e dem Staate schädliche Politik sei.

극명(克明) Klarheit *f.* -en; Genauigkeit *f.* -en; Exaktheit *f.* -en. **~하다** klar; genau; exakt; 《면밀》minuziös; 《정밀》präzis (sein).

극미(極微) Iota *n.* -(s), -s; Winzigkeit *f.* -en. **~하다** mikroskopisch; winzig; 《무한소》 infinitesimal (sein).

극복(克服) Überwindung *f.* -en. **~하다** überwinden*[4]; besiegen[4]; verwinden*[4]. ¶ 난관[정욕]을 ~하다 Schwierigkeiten [e-e Leidenschaft] überwinden* [besiegen] / 불행을 ~하다 den Schicksalsschlag verwinden* / 위기를 ~하다 e-e Krise überwinden* / 유혹을 ~하다 e-e Versuchung bestehen* / 우리들은 많은 곤란을 ~해야 한다 Wir haben viele Schwierigkeiten zu überwinden.

극본(劇本) Textbuch *n.* -(e)s, ⸚er (연극의); Libretto *n.* -s, -s [..tti] (가극의); Operntext *m.* -es, -e (가극의); Drehbuch(영화의); Szenarium *n.* -s, ..rien(연극, 영화의). ☞ 각본.

극북(極北) der äußerste Norden, -s; Nordpol *m.* -s (북극). ¶ ~의 땅 Nordpolarkreis *m.* -es, -e; Nordpolarländer 《*pl.*》; Nordpolargegend *f.* -en; Arktis *f.*; der hohe Norden, -s (유럽의 최북단).

극비(極秘) das streng bewahrte Geheimnis, ..nisses, ..nisse. ¶ ~의 streng geheimgehalten; geheimst; verschwiegenst; vertraulichst (편지 따위) / ~리에 ganz im Vertrauen; nur unter [3]uns; unter dem Siegel der Verschwiegenheit / ~에 부치다 die strengste [unbedingte] Verschwiegenheit bewahren; die größte [äußerste] Verschwiegenheit beobachten; strengstes Geheimnis machen 《*aus*[3]》; streng geheim|-halten*[4]; streng verschweigen*[4] / ~에 부쳐 주시오 Gar keiner soll davon etwas erfahren. / 그 사건은 ~로 되어 있다 Man macht aus der Sache ein strenges Geheimnis.

‖ **~서류** die geheimste Urkunde, -n; das strengst geheimgehaltene Dokument, -s, -e.

극빈(極貧) die äußerste [bitterste; größte; höchste] Armut [Dürftigkeit]; der größte Mangel, -s. **~하다** blutarm; äußerst arm; so arm wie e-e Kirchenmaus (sein).

‖ **~자** die Ärmsten* 《*pl.*》; die ärmste Bevölkerungsschicht; die Blutarmen* 《*pl.*》.

극상(極上) das Beste*, -n, -n; das Erstklassige*, -n, -n. ¶ ~의 best; erstklassig; extra¦fein [hoch-; piek-; super-]; feinst; köstlichst; prima; unübertrefflich; allerbest; ausgezeichnet; von bester Qualität.

‖ **~품** Primaqualität *f.* -en; Qualitätsware *f.* -n; beste Qualität; Primasorte *f.* -n.

극성(極性) Polarität *f.* ¶ ~의 polar / (…에) ~을 주다 polarisieren[4] / ~을 띠다 [4]sich polarisieren / ~을 제거하다 depolarisieren[4] (소극하다).

극성(極星) 〖천문〗 Polarstern *m.* -(e)s; Leitstern *m.* -(e)s.

극성(極盛) 《세력 등이》 Blüte *f.* -n; Höhepunkt *m.* -(e)s, -e; das Grassieren*, -s; das Wüten*, -s; das Überhandnehmen*, -s; 《성질 등이》 Heftigkeit *f.* -en; Ungestüm *n.* -(e)s. **~떨다, ~부리다, ~스럽다** heftig; ungestüm; wütend; eifrig; lebhaft (sein); wüten; rasen; toben. ¶ ~스러운[맞은] 사람 der heftige [ungeduldige; ungestüme] Mensch, -en, -en / ~스럽게 일하다 Wie besessen arbeiten; sehr eifrig arbeiten / 폭풍은 하루 종일 ~을 부렸다 Der Sturm wütete den ganzen Tag hindurch.

극소(極小) das Kleinste*, -n; 〖수학〗 Minimum *n.* -s, ..ma. ¶ ~의 kleinst; minimal; Minimal-; infinitesimal [unendlich klein]; geringst.

‖ **~값** 〖수학〗 Minimalwert *m.* -(e)s, -e. **~량**(수) Minimum *n.* -s, ..ma.

극시(劇詩) Drama 《*n.* -s, ..men》 (in Versen); die dramatische Dichtung, -en.

‖ **~인** der dramatische Dichter, -s, -; Dramatiker *m.* -s, -.

극심하다(極甚一) extrem; außerordentlich; unmäßig; übermäßig; enorm (sein). ¶ 극심한 더위 die außerordentliche Hitze / 극심한 추위 die extreme Kälte / 극심한 피해를 입다 e-n enormen Schaden erleiden* / 재계(財界)의 불황이 요새처럼 극심한 때는 없었다 Nie zuvor hat die Finanzwelt e-e solche extreme Flaute erlebt.

극악(極惡) die höchste Gottlosigkeit [Gemeinheit; Schlechtigkeit] -en. **~(무도)하다** höchst gottlos [böse; gemein; niederträchtig; schlecht; teuflisch; höllisch; ruchlos] (sein). ¶ ~(무도)한 사람 ein Ausbund 《*m.* -(e)s》 aller Schelme [von Schlechtigkeit]; Erz¦lump *m.* -(e)s [-en], -e [-en] [-schelm *m.* -(e)s, -e; -schurke *m.* -n, -n].

극약(劇藥) die gefährliche Arznei, -en; das stark wirkende Arzneimittel, -s -; 《독약》 die giftige Arznei.

극양(極洋) Polarmeer *n.* -(e)s, -e.

‖ **~어업** Fischerei 《*f.* -en》 im Polarmeer.

극언(極言) die scharfe [schonungslose] Kritik, -en. **~하다** so weit gehen* Ⓢ, zu behaupten, daß...; es so weit treiben*, bis er sagt, daß...; [4]sich versteigen zur Behauptung [Äußerung], daß.... ¶ ~해서 말한다면 wenn ich e-n überstiegenen Ausdruck gebrauchen darf; überspitzt gesprochen / 그를 배신자라고까지 ~했다 Sie gingen soweit, zu behaupten, daß er Verräter sei.

극영화(劇映畫) Spielfilm *m.* -(e)s, -e.

극외권(極外圈) Exosphäre *f.* -n.

극우(極右) die extreme [äußerste] Rechte,

-n; Ultrarechte *f.* -n. ¶ ~의 ultrarecht; extrem rechts¦parteiisch (-stehend) / 그는 ~이다 Er ist sehr weit rechts eingestellt. ‖ ~단체 die rechtsradikale Körperschaft, -en. ~당 die rechtsradikale Partei, -en: ~당원 der Ultrarechte* (Rechtsradikale*) -n, -n. ~파 die rechtsradikale Fraktion, -en.

극작(劇作) Bühnendichtung *f.* -en. ~하다 ein Drama (ein Schauspiel) schreiben*; an e-m Drama schreiben* (arbeiten) (극작 중). ‖ ~가 Dramatiker *m.* -s, -; Bühnen¦dichter (-schriftsteller) *m.* -s, -; Schauspielschreiber *m.* -s, -. ~법 Dramaturgie *f.*

극장(劇場) Theater *n.* -s, -; Schauspielhaus *n.* -es, ⸗er; 《쇼 따위를 공연하는》 Varietétheater [varieté:..] *n.* -s, -; Varietéschaubühne *f.* -n; 《영화관》 Lichtspielhaus *n.* -es, ⸗er; Kino *n.* -s, -s. ‖ ~가(街) Theaterviertel *n.* -s, -. 국립~ Nationaltheater. 소~ die kleine Bühne. 야외~ Freilichttheater. 원형~ Amphitheater.

극적(劇的) dramatisch; theatralisch. ¶ ~인 장면 die dramatische Szene, -n / ~ 효과를 노리다 auf e-n dramatischen Effekt zielen.

극점(極點) der extreme (höchste; niedrigste; äußerste) Punkt, -(e)s, -e; der höchste Grad, -(e)s, -e; Maximum *n.* -s, ..ma; 《절정》 Gipfel *m.* -s, -; Gipfelpunkt; Höhepunkt; Scheitelpunkt; Zenit *m.* -(e)s; 《최저》 Nadir *m.* -s; Fußpunkt.

극젱이 e-e Art Pflug 《*m.* -(e)s, ⸗e》.

극좌(極左) die extreme (äußerste) Linke, -n; Ultralinke *f.* -n. ¶ ~의 ultralink; extrem links¦parteiisch (-stehend) / 그는 ~이다 Er steht (ist) in s-n politischen Anschauungen sehr weit links.¦ Er ist sehr weit links eingestellt. ‖ ~당 die linksradikale Partei, -en: ~당원 der Ultralinke* (Linksradikale*) -n, -n; der linksradikale Parteigänger, -s, -. ~분자 das linksradikale Element, -(e)s, -e. ~파 die linksradikale (äußerstlinke) Fraktion *f.* -en.

극지(極地) Polargegend *f.* -en; Polarland *n.* -(e)s, ⸗er. ‖ ~주민 Polarvölker 《*pl.*》. ~탐험 Polarexpedition *f.* -en (-fahrt *f.* ⸗e; -forschung *f.* -en): ~탐험가 Polarforscher *m.* -s, -. ~횡단 비행 Transpolarflug *m.* -(e)s, ⸗e.

극진(極盡) äußerst freundliche Widmung, -en; die liebevollste Behandlung, -en. ~하다 sehr freundlich (höflich) (sein). ¶ ~히 freundlich; höflich; liebevoll; herzlich; gastlich / ~한 대접 gastfreie (gastfreundliche) Aufnahme, -n (Behandlung, -en) / ~한 간호를 받다 sorgfältig (mit Aufopferung) gepflegt werden / ~히 대접하다 äußerst freundlich (höflich) behandeln 《*jn.*》; größte Gastfreundlichkeit üben 《an *jm.*》; herzlich auf|nehmen* (empfangen*) 《*jn.*》; *jn.* auf (den) Händen tragen*.

극찬하다(極讚—) viel [2]Rühmens machen 《*von*[3]》; bis in den Himmel (bis an die Sterne) erheben*[4]; mit [3]Lob überschütten[4].

극초단파(極超短波) Superultrakurzwelle *f.* -n; Mikrowellen 《*pl.*》.

극치(極致) Krone *f.* -n; 《정점·절정》 Gipfel *m.* -s, -; Spitze *f.* -n; Höhepunkt *m.* -(e)s, -e; Vollendung *f.* -en; Vollkommenheit *f.* -en; Nonplusultra *n.* -; Kulmination *f.* -en. ¶ 미의 ~ die vollendete (vollkommene) Schönheit / 사랑의 ~ das Höchste* der Liebe / 환희의 ~ die höchste (äußerste) Freude, -n / 그녀의 연주는 예술의 ~이다 Ihr Spiel ist vollendet.

극터듬다 mit äußerster Mühe hinauf|klettern ⓢ.

극통(劇痛·極痛) der heftige (akute) Schmerz, -es, -en; der stechende Schmerz; Stich *m.* -(e)s, -e. ¶ ~을 느끼다 e-n heftigen Schmerz fühlen.

극평(劇評) Bühnen¦kritik (Theater-) *f.* -en; die Kritik über e-e Aufführung. ‖ ~가 Bühnen¦kritiker (Theater-) *m.* -s, -; Theaterrezensent *m.* -en, -en.

극피동물(棘皮動物) Echinoderme *m.* -n, -n; Stachelhäuter 《*pl.*》.

극하다(極—) bis zum Äußersten (Extrem) gehen* ⓢ 《*in*[3]》; [4]*et.* aufs Äußerste (auf den Gipfel; auf die Spitze) treiben*. ¶ 사치를 ~ außerordentlichen Luxus treiben*.

극한(極限) Grenze *f.* -n; das Äußerste*, -n; 〖수학〗 Grenzwert *m.* -(e)s, -e. ¶ ~에 달하다 bis zur äußersten Grenze gehen* ⓢ; die äußerste Grenze erreichen / ~을 넘지 않다 die Grenzen ein|halten*. ‖ ~치 Grenzwert *m.*; Limes *m.* -. ~투쟁 der Kampf 《-(e)s, ⸗e》 bis zum Ende.

극한(極寒) die strenge (scharfe; grimmige; schneidende; bittere; eisige) Kälte.

극형(極刑) 《사형》 Todesstrafe *f.* -n; 《최대형》 die schwerste Strafe, -n. ¶ ~에 처하다 *jn.* mit dem Tode bestrafen; *jn.* an (Leib u.) Leben strafen; 《사형선고》 *jn.* zum Tode verurteilen; das Todesurteil fällen 《über *jn.*》.

극화(劇化) Dramatisierung *f.* -en; die dramatische Bearbeitung, -en. ~하다 dramatisieren[4]; bühnengerecht (dramatisch) bearbeiten[4]; verfilmen[4] (영화화).

극히(極—) sehr; ungemein; außerordentlich; ausnehmend; höchst; außergewöhnlich; erheblich; über alle Maßen; besonders; im höchsten Grade; äußerst; übermäßig (엄청나게); auffallend (현저하게). ¶ ~ 위험한 äußerst gefährlich / ~ 호화스런 höchst luxuriös / ~ 오만한 ungemein stolz / ~ 유감스런 sehr bedauerlich / 그는 그 보고를 듣고 ~ 만족했다 Er war mit dem Bericht sehr zufrieden. / 그것은 ~ 중요하다 Das ist äußerst wichtig.

근(根) ① 《부스럼의》 der innere Teil 《-(e)s, -e》 e-s Furunkels. ② 〖화학〗 Radikal *n.* -s, -e. ③ 〖수학〗 Wurzel *f.* -n; Radix *f.* ..dizes. ¶ 제곱(세제곱)근 Quadrat¦wurzel (Kubik-) *f.* -n / 어떤 수의 근을 구하다 die Wurzel aus e-r Zahl ziehen*. ④ 〖불교〗 die Basen 《*pl.*》 e-r Sensation 《Auge, Ohr, Nase, Zunge, Leib u. Seele》.

근(筋) Muskel *m.* -s, -; 《심줄》 Sehne *f.* -n; Flechse *f.* -n. ¶ 근운동 Muskelspiel *n.* -(e)s, -e; Muskelbewegung *f.* -en / 근조직 Muskelgewebe *n.* -s, - / 근 퇴행 Muskelentartung *f.* -en.

근(斤) ein *Geun* *n.* -s (=601.04 Gramm *n.* -s, -e); ein koreanisches Gewichtsmaß, -es, -e; Pfund *n.* -(e)s, -e (수량을 나타낼 때: -). ¶ 근수 Gewicht *n.* -(e)s, -e / 설탕 다섯 근 fünf *Geun* Zucker / 고기 반 근 ein halbes *Geun* Fleisch / 근으로 팔다 nach *Geun* verkaufen[4].

근(近) fast; beinahe; so ziemlich. ¶ 근 1,000

명 etwa eintausend Menschen; nahe an 1000 Menschen / 근 한 시간 fast e-e Stunde / 근 삼백 리 fast 300 *Ri*.

근간(近刊) 《최근에 나온》 das neuerschienene Buch, -(e)s, ⸗er; Neuerscheinung *f*. -en; 《곧 나올》 die baldige Herausgabe; 《광고》 Kürzlich erschienen! (발간된); In Vorbereitung! (발간될); Wird bald erscheinen! (발간될). ¶ ~의 neuerschienen; neu herausgegeben; 《곧 나올》 im Erscheinen begriffen; bald erscheinend; in Kürze erscheinend / ~의 모 잡지 e-e gewisse neuerschienene Zeitschrift, -en.

‖ ~목록 der Katalog 《-(e)s, -e》 neuerschienener Bücher. ~서 《발간된》 das neuerschienene Buch; 《곧 나올》 das bald erscheinende Buch: ~서 소개 die Besprechung 《-en》 (Kritik, -en) neuerschienener Bücher.

근간(近間) ＝요새.

근간(根幹) ① 《뿌리와 줄기》 Stamm 《*m*. -es, ⸗e》 u. Wurzel 《*f*. -n》. ② 《근본》 Grundstock *m*. -s, ⸗e; Grundlage *f*. -n; Basis *f*. ..sen; Kernpunkt *m*. -es, -e. ¶ 그것은 우리 나라 외교의 ~이 되는 것이다 Das ist die Grundlage unserer Diplomatie.

근거(根據) Grund *m*. -(e)s, ⸗e; Begründung *f*. -en; Beweis *m*. -es, -e(증거); Autorität *f*. -en(전거); (An)halt *m*. -(e)s,-e; Stütze *f*. -n. ~하다 auf [3]*et*. beruhen (basieren); in [3]*et*. begründet sein. ¶ ~있는 (wohl)begründet; haltbar; 《전거 있는》 authentisch; autoritativ; beurkundet; nachweis¦bar (-lich) / ~없는 grundlos; ohne Grund; unbegründet; haltlos; ohne Halt; 《날조·조작》 aus der Luft gegriffen; erfunden / ~ 있는 보도 der authentische Bericht / ~ 없는 소문 das grundlose (unbegründete) Gerücht, -(e)s, -e / ~를 두다 begründen[4]; mit Beweis belegen[4]; den Grund 《*für*[4]》 an|geben* / 사실상 ~가 없다 k-n tatsächlichen Grund haben / ~ 없는 소리하지 말게 Verbreite k-e grundlosen Gerüchte! / 그 말에는 어떤~라도 있는가 Gibt es irgendeinen Anhaltspunkt für die Geschichte? / 그 주장은 ~가 없다 Die Behauptung ist unverbürgt.

‖ ~지 Stützpunkt *m*. -(e)s, -e; Basis *f*. ..sen(해군, 공군의); Operationsbasis(작전의): ~지를 정하다 e-n Stützpunkt fest|setzen.

근거리(近距離) die kurze Entfernung, -en (Distanz, -en; Strecke, -n). ¶ ~에 in der kurzen Entfernung / ~에 있다 nicht weit entfernt sein.

‖ ~로케트 Kurzstreckenrakete *f*. -n. ~사격 das Schießen* 《-s》 auf kurze Entfernung. ~열차 Lokalzug *m*. -(e)s, ⸗e.

근검(勤儉) die mit Fleiß verbundene Wirtschaftlichkeit (Sparsamkeit); Emsigkeit u. Sparsamkeit, der -u. -; Fleiß 《*m*. -es》 u. Sparsamkeit. ~하다 zugleich fleißig u. wirtschaftlich (sparsam); emsig u. sparsam (sein).

‖ ~저축 das Sparen* 《-s》 durch Fleiß (Emsigkeit) u. Wirtschaftlichkeit.

근검하다 reichen Kindersegen haben.

근경(近景) nähere Umgebung, -en; nähere Landschaft, -en.

근경(根莖) 〖식물〗 Wurzelstock *m*. -(e)s, ⸗e.

근계(謹啓) ① 《남성에게》 hochgeehrter Herr!; sehr geehrter Herr!; verehrter Herr! (정중한 맛이 적음). ② 《여성에게》 hochgeehrte Dame!; sehr geehrte (gnädige) Frau! ③ 《du를 쓰는 상대에게》 lieber...! (남자에게); liebe...! (여자에게). ④ 《회사 따위에 대해서》 sehr geehrte Herren!

근고(近古) die frühe Neuzeit; die neuere Zeit.

‖ ~사 die Geschichte der frühen Neuzeit.

근고하다(謹告—) höflichst informieren[4] (mit|teilen[34]).

근골(筋骨) Muskeln u. Knochen 《*pl*.》; Konstitution *f*. -en; Körper¦beschaffenheit (Leibes-) *f*.; Körperbau *m*. -(e)s. ¶ ~이 억센 stark; kräftig; rüstig; sehnig; von starkem (kräftigem) Körperbau; von starker Konstitution / ~이 억센 팔 der starke (sehnige) Arm, -(e)s, -e.

근교(近郊) Vorstädte 《*pl*.》; die nächste Umgebung 《-en》 (das Randgebiet, -(e)s, -e) e-r Stadt; die Umgegend 《-en》 e-r Stadt; die Gegend 《-en》 nahe an e-r Stadt. ¶ ~의 vorstädtisch; an e-e Stadt angrenzend; benachbart (근처의) / 서울 ~에 살다 in der Umgebung von Seoul wohnen.

근국(近國) die nahe (angrenzende; benachbarte) Provinz (Gegend) -en; das nahe (angrenzende; benachbarte) Land, -(e)s, ⸗er.

근근(近近) bald; in Kürze; in kurzem; in kurzer Zeit; in den nächsten Tagen; nächstens. ¶ ~ 그를 만날 겁니다 Ich werde ihn in einigen Tagen sehen.

근근하다 《물이》 (mit Wasser) voll (gefüllt) (sein).

근근히(僅僅—) ärmlich; dürftig; kärglich; knapp; kümmerlich; spärlich; zur Not; mit genauer (knapper) Not; mit Mühe. ¶ ~ 살아가다 kümmerlich sein Leben fristen (hin|bringen*); von der Hand in den Mund leben; [4]sich mühsam durchbringen*; ein kümmerliches Dasein führen; kaum das liebe Brot zu essen haben / ~ 빠져 나오다 mit genauer Not entkommen* ⓢ / 이 봉급으로 ~ 살아갈 수 있다 Mit diesem Gehalt kann man gerade noch leben.

근기(根氣) 《정력》 Energie *f*. -n; (Geistes-) kraft *f*. ⸗e; Körper¦kraft (Tat-); 《인내력》 Ausdauer *f*.; Beharrlichkeit *f*.; Geduld *f*.; Zähigkeit *f*. ¶ ~ 있는(있게) unermüdlich; unverdrossen; zäh; geduldig; ausdauernd; energisch; tatkräftig; beharrlich; mit unverdrossener Geduld; mit zäher Ausdauer / ~ 있는 사람 ein Mensch 《*m*. -en, -en》 von zäher Ausdauer / ~가 다하다 nicht mehr ausdauern (ausharren; durchhalten) können* / ~ 있게 일하다 mit Ausdauer arbeiten / ~ 있게 연구를 계속하다 e-e Nachforschung unverdrossen fort|setzen / 이 일에는 대단한 ~가 필요하다 Zu dieser Arbeit gehört größte Geduld.

근년(近年) in den letzten Jahren; die letzten Jahre 《*pl*.》. ¶ ~에 없던 큰 지진이었다 Es war das stärkste Erdbeben, das man in den letzten Jahren erfahren hat.

근농(勤農) fleißiger Ackerbau, -(e)s. ~하다 [4]sich der Landwirtschaft befleißigen.

‖ ~가(家) der eifrige (fleißige) Landwirt, -(e)s, -e.

근대 〖식물〗 Mangold *m*. -s, -e.

‖ ~국 Mangoldsuppe *f*. -n.

근대(近代) Neuzeit *f*.; die neuere (moderne) Zeit, -en. ¶ ~의 neuzeitlich; modern; neuer; der [2]Neuzeit; neu / ~화하다 modernisieren[4]; (zeitgemäß) erneuern[4]; auf neu her|richten[4] / 비~적 unmodern.

‖~과학 die moderne Wissenschaft, -en. ~극 das neuere (moderne) Drama, -s, ..men. ~문명 die moderne Zivilisation, -en. ~문학 die moderne (neuere) Literatur, -en. ~사 die Geschichte der neueren Zeit(alter) (Epochen); die moderne (neuere) Geschichte. ~사상 der neuere (moderne) Gedanke, -ns, -n; die neuere (moderne) Idee, -n. ~성 Modernität *f.* -en. ~여성 die moderne Frau, -en. ~5종경기 der moderne Fünfkampf, -(e)s, ⸗e. ~인 der Moderne*, -n, -n; der neuere Mensch, -en, -en; die Modernen《*pl.*》(총칭). ~장비 die moderne Einrichtung, -en. ~주의 Modernismus *m.* -; Zeitgeschmack *m.* -(e)s, ⸗e: ~주의자 Modernist *m.* -en, -en. ~화 Modernisierung *f.* -en.

근대다 ärgern[4]; belästigen[4].

근동(近東) der Nahe Osten, -s; Nahost *m.* -(e)s. ¶ ~문제 die Frage《-n》des Nahen Ostens; das nahöstliche Problem, -s, -e.

근드적거리다 hin u. her schaukeln (pendeln; schwingen*).

근드적근드적 pendelnd; hin u. her schwingend.

근래(近來) in neuerer Zeit; in letzter Zeit; neuerdings; in jüngster Zeit; neulich; kürzlich; unlängst; jüngstens; heutzutage; seit einiger [3]Zeit; seit kurzem. ¶ ~의 neulich; jüngst; kürzlich / ~에 보기 드문 큰 인물 der größte Mensch in den letzten Jahren / 이것은 그의 ~의 걸작이다 Dies ist e-e der besten s-r letzten literarischen Arbeiten.

근량(斤量) Gewicht *n.* -(e)s, -e.

근력(筋力) ①《힘》Muskelkraft *f.* ⸗e; die physische Kraft, ⸗e. ② =기력(氣力) ①.

근로(勤勞) Arbeit *f.* -en; Arbeit¦samkeit (Betrieb-) *f.*; Fleiß *m.* -es; Bemühung *f.* -en (노고); Anstrengung *f.* -en(노력). ~하다 arbeiten (노동하다); [4]sich bemühen (진력하다); [4]sich anstrengen (노력하다).

‖~계급 Arbeiterklasse *f.*; die arbeitenden Klassen《*pl.*》; die Arbeitenden《*pl.*》; Arbeiterstand *m.* -(e)s;《봉급 생활자》Gehaltsempfänger *m.* -s, -. ~기준법 Arbeitsnormengesetz *n.* -es, -e. ~대중 die arbeitenden Massen《*pl.*》. ~봉사 Arbeitsdienst *m.* -es, -e. ~소득 Arbeitseinkommen *n.* -s: ~ 소득세 Lohnsteuer *f.* -n; die Steuer auf [4]Arbeitseinkommen. ~의욕 der Wille《-ns, -n》zur Arbeit; Arbeits¦freude *f.*(-lust *f.*). ~자 Arbeiter *m.* -s, -; Arbeitsmann *m.* -(e)s, ⸗er (..leute); Lohnempfänger *m.* -s, -. ~포상 Dienstauszeichnung *f.* -en.

근면(勤勉) Fleiß *m.* -es; Arbeits¦freude *f.* -n (-lust *f.* ⸗e); Arbeitsamkeit *f.*; Eifer *m.* -s; Emsigkeit *f.*; Unverdrossenheit *f.* ~하다 fleißig; arbeits¦freudig (-lustig); arbeitsam; eifrig; emsig; unverdrossen (sein). ¶ ~한 사람 der Fleißige* (Arbeitsfreudige*; Arbeitslustige*; Arbeitsame*; Eifrige*; Emsige*) -n, -n.

근모(根毛) =뿌리털.

근무(勤務) Dienst *m.* -es, -e; Dienst¦leistung (-führung) *f.* -en. ~하다 dienen; Dienst leisten (tun*); im Dienste sein (stehen*); in Stellung (angestellt) sein. ¶ ~중인 장교 der diensttuende Offizier, -s, -e / ~ 중이다 auf Dienst sein; Dienst haben; im Dienst sein / 부산 지점 ~를 명받다《전근됨》nach *Busan* versetzt werden / 충실히 ~하다 sein Amt treulich versehen* / ~를 게을리하다 s-n Dienst vernachlässigen / 회사에 ~하고 있다 in (bei) e-r Firma angestellt sein / 학교에 ~하고 있다 an e-r Schule tätig sein/ 외무부에 ~하고 있다 e-e Stellung im Außenministerium inne|haben; im Außenministerium beschäftigt sein.

‖~교대 Dienstablösung *f.* -en. ~상태 Diensttauglichkeit *f.* -en; Emsigkeit *f.* -en; Beharrlichkeit *f.* -en. ~성적 Dienstresultat *m.* -es, -e. ~소집 die Einberufung《-en》der Reserven. ~수당 die Zulage《-n》für den Dienst. ~시간 Dienst¦stunden (Geschäfts-)《*pl.*》; Arbeitsstunden《*pl.*》. ~연한 Dienstzeit *f.*; Dienstalter *n.*; die Dienstjahre《*pl.*》. ~자 der Diensttuende*, -n, -n; Dienstmann *m.* -(e)s, ..leute; der Angestellte*, -n, -n; Leute《*pl.*》; Personal *n.* -s. ~조건 Arbeitsverhältnis *n.* ..sses, ..sse. ~처 Dienst¦stelle (Geschäfts-; Arbeits-) *f.* -n (*od.* -stätte *f.* -n); Arbeitsplatz *m.* -es, ⸗e; das Amt《-(e)s, ⸗er》(die Firma, ..men), wo man angestellt ist. ~태도 *js.* Benehmen* (Betragen*)《*n.* -s》im Dienst. ~태만 Dienstvernachlässigung *f.* -en. 시간외~ die Überstunden《*pl.*》. 야간~ der Nachtdienst; Nachtschicht *f.* -en. 위병~ Wache *f.* -n; Wachtdienst *m.* 초과~수당 die Bezahlung《-en》für Überstunden; Überstundengelder《*pl.*》. 특별~수당 der besondere Zuschuß *m.* ..sses, ..schüsse; die Sonderzulage. 해상(육상)~ der See¦dienst (Land-).

근묵자흑(近墨者黑) Wer Pech angreift, besudelt sich.¦Das Schlechte steckt an.

근방(近方) Nähe *f.*; Nachbarschaft *f.* -en; Umgegend *f.* -en; Umgebung *f.* -en; Umkreis *m.* -es, -e. ¶ ~에(에서) an[3]; nah(e)《*an*[3]; *bei*[3]》; in der Nähe《*von*[3]》/ 이 ~에 (hier) in der Nähe; hier herum; in der (nächsten) Nachbarschaft; in dieser Gegend / 종로 ~에 in der Gegend von *Chongro* / 서울과 그 ~ Seoul u. (seine) Umgebung / 가게는 이 ~ 어디에 있을 게다 Der Laden muß irgendwo hier in der Nähe sein. / 그는 이 ~에 살고 있다 S-e Wohnung befindet sich etwa hier in der Nähe.

근배(謹拜) Hochachtungsvoll!; Mit vorzüglicher Hochachtung!; Ihr* sehr ergebener* ...《...의 부분은 발신인의 이름이 들어감》.

근본(根本)《근원》Ursprung *m.* -(e)s, ⸗e; Quelle *f.* -n;《기초》Grund *m.* -(e)s, ⸗e; Grundlage *f.* -n; Basis *f.* Basen; Wurzel *f.* -n; Fundament *n.* -(e)s, -e;《본질》Wesen *n.* -s, -. ¶ ~적 Grund-; grundlegend; gründlich; tiefschürfend; wesentlich(본질적인) / ~적으로 durchaus; gründlich; ganz u. gar; von Grund aus (근본부터); in den Grund hinein (근본까지); auf den Grund《gehen*》(근본을 규명해서);《철저히》drastisch; radikal; völlig; vollkommen / ~으로 거슬러 올라가다 auf den Ursprung zurück|gehen*Ⓢ / ~적으로 일소하다 aus|rotten[4] / ~이 드러나다 *js.* Herkunft (*js.* Vorleben) verraten*; [4]sich selbst verraten*〔Lebenswandel *m.* 몸가짐; Sprache *f.* 말; Benehmen *n.* 행동 등을 주어로 하여〕/ 당신의 주장은 ~부터 잘못이오 Ihre Behauptung ist von Grund aus falsch.

‖~개념 Grundbegriff *m.* -(e)s, -e. ~문제

die wesentliche Frage, -n. **~법칙** Grundgesetz *n.* -es, -e. **~사료(史料)** das grundlegende Geschichtsmaterial, -s, ..lien. **~사상** Grundgedanke *m.* -ns, -n. **~원리** Grundprinzip *n.* -s, -e 〔..pien〕.

근사(近似) ① 《비슷함》 Näherung *f.* -en; Annäherung *f.* -en; Ähnlichkeit *f.* -en. **~하다** ähnlich sein 《*jm.* 〔^{3}*et.*〕 *in*^{3}》; ^{4}sich an|nähern 《*an*^{4}》; große 〔auffallende〕 Ähnlichkeit haben 《*mit*^{3}》. ¶ ~한 annähernd; approximativ; Näherungs- / 양자의 생애에는 ~한 점이 많다 Die Laufbahn der beiden ist ähnlich. / 이것은 저것과 형태가 ~하다 Dies gleicht jenem in der Form. ② 《멋짐》 Herrlichkeit *f.* -en; Prächtigkeit *f.* -en; Wunderbares*. **~하다** wunderbar; herrlich; prima; schön; fein; gut; ausgezeichnet (sein). ¶ ~한 생각 der gute 〔vorzügliche〕 Gedanke, -ns, -n / ~한 표현 der geschickte Ausdruck, -(e)s, ⸗e / 맛이 ~한데 Das Essen schmeckt mir gut. / ~한데 Schön!¦ Fein!¦ Wunderbar! / 그것 아주 ~한데 Das ist aber fein 〔prima〕!
‖ **~값** 〔치〕 der annähernde 〔approximative〕 Wert, -(e)s, -e; der Näherungswert: ~값 계산 das Errechnen* 《-s》 des approximativen Wertes.

근사모으다 《공들임》 lange Zeit viel Mühe auf ^{4}*et.* verwenden; ^{4}sich dauernd für ^{4}*et.* ein|setzen.

근성(根性) Charakter *m.* -s, -e [..téːrə]; Natur *f.* -en; Wesen *n.* -s, -; Gemüts¦art 〔Wesens-〕 *f.* -en; Geist *m.* -(e)s (성질); 《사고방식》 Gesinnung *f.* -en; Denk¦art 〔Sinnes-〕 *f.* -en. ¶ ~이 좋은 gutmütig / ~이 나쁜 böse; boshaft; querköpfig; widerborstig; widerhaarig / ~이 썩은 grundverdorben; ehrlos; gemein; verloren / ~이 있다 Mumm in den Knochen haben / 돈에 궁하면 거지 ~이 나오는 법이다 In der Not frißt der Teufel Fliegen. / 그의 치사한 ~이 완연하다 Sein gemeiner Sinn ist offenbar.
‖ **노예~** Knechtssinn *m.* -(e)s, -e. **상인~** Kaufmannsgeist *m.* **섬나라~** Insularismus *m.* -; die geistige Verfassung der Inselbewohner. **속물~** Spießbürgertum *n.* -(e)s; Philisterei *f.* -en; Spießbürgerei *f.* -en.

근세(近世) die neuere Zeit, -en; Neuzeit *f.* ¶ ~의 neu; neuer; neuzeitlich; modern.
‖ **~독문학** die neuere deutsche Literatur, -n. **~사** die neuere Geschichte, -n. **~어** die moderne Sprache, -n.

근소하다(僅少—) wenig; gering(fügig); nicht viel; unbedeutend; unbeträchtlich (sein). ¶ 근소한 《위의 단어들 외에》 ein bißchen; etwas / 근소한 차 《다수》 e-e knappe 〔geringe〕 Mehrheit, -en / 근소한 차로 mit geringem Unterschied / 그의 수입은 ~ Er hat ein kleines Einkommen. / 그 차는 극히 ~ Die Differenz ist sehr minimal.

근속(勤續) Dienstdauer *f.*; der ununterbrochene 〔fortwährende〕 Dienst, -es, -e. **~하다** fortwährend dienen; ununterbrochen tätig sein. ¶ ~연한에 따라 im Verhältnis zu den Dienstjahren / 장기 ~의 상으로 als Preis für *js.* langjährigen Dienst; in Anerkennung *js.* langer Dienstdauer / 30년간 ~하다 dreißig Jahre ununterbrochen dienen; e-e dreißigjährige Dienstzeit hinter ^{3}sich haben / 선생님은 본교에 20년간 ~했읍니다 Der Lehrer war zwanzig Jahre hindurch an unserer Schule tätig.
‖ **~수당** die Gehaltzulage 《-n》 〔der Gehaltzuschuß, ..schusses, ..schüsse〕 für e-n langjährig Gedienten. **~연한** Dienstjahre 《*pl.*》. **~자** der langjährig Gediente*, -n, -n.

근수(斤數) die Zahl 《-en》 von *Geun*; Gewicht *n.* -(e)s, -e. ¶ ~가 모자라다 unzureichendes Gewicht haben; nicht das nötige 〔vorgeschriebene〕 Gewicht haben; es fehlt am (nötigen) Gewicht 《^{3}*et.*》 / ~가 안 나가다〔맞다, 넉넉하다〕 leichtes 〔richtiges, gutes〕 Gewicht haben.

근수(根數) 〖수학〗 Wurzelzahl *f.* -en; Wurzelgröße *f.* -n.

근시(近侍) Kammerherr *m.* -n, -en; Kammerdiener *m.* -s, -. **~하다** als Kammerdiener dienen^3.

근시(近視) Kurz¦sichtigkeit 〔Schwach-〕 *f.*; 〖의학〗 Myopie *f.* ¶ ~의 kurz¦sichtig 〔schwach-〕; myopisch / 그는 심한 ~다 Er hat sehr kurzsichtige Augen.
‖ **~경(鏡)** die Brille 《-n》 für ^{4}Kurzsichtige* 〔Myopen〕; die konkaven Gläser 《*pl.*》. **~안(眼)** Kurzsichtigkeit *f.*; Myopie *f.*

근신(近臣) Leibvasall *m.* -en, -en; der vertraute Höfling, -s, -e; der vertraute 〔nahestehende〕 Untertan, -en 〔-s〕, -en.

근신(謹愼) 《삼감》 Besonnenheit *f.*; Umsicht *f.*; Vorsicht *f.*; Beherrschtheit *f.*; Klugheit *f.*; Mäßigung *f.*; 《개전》 Reue *f.*; Zerknirschung *f.*; 《벌》 Haus¦arrest 〔Disziplinar-〕 *m.* -es, -e. **~하다** ^{4}sich besonnen 〔klug; mäßig; umsichtig〕 benehmen*; sehr auf sein Benehmen achten; ^{4}sich mäßigen; ^{4}sich zurück|halten*; ^{4}sich bekehren; ^{4}sich bessern; bereuen; geduldig sein; ^{4}sich gedulden. ¶ 언행을 ~하다 in Worten u. Taten vorsichtig sein / ~ 처분을 받다 mit Hausarrest *usw.* bestraft werden; Hausarrest *usw.* auferlegt bekommen* / ~을 명하다 *jn.* an|halten*, ^{4}sich gut aufzuführen; *jm.* Stubenarrest auf|erlegen; *jn.* mit Hausarrest bestrafen / ~ 중이다 ^{3}sich selbst Hausarrest auf|erlegen.

근실(勤實) Fleiß 《*m.* -es》 u. Aufrichtigkeit 《*f.*》. **~하다** fleißig u. aufrichtig (sein). ¶ ~히 일하다 fleißig u. treu arbeiten.

근심 Sorge *f.* -n; Kummer *m.* -s; Befürchtung *f.* -en; Besorgnis *f.* ..nisse; Furcht *f.*; Unsicherheit *f.* -en; Angst *f.* ⸗e. **~하다** ^{4}sich (be)kümmern 《*um*^{4}》; besorgt sein 《*für*^{4}》; ^{3}sich Gedanken 〔Sorgen〕 machen 《*über*^{4}》; (be)fürchten$^{(4)}$ 《daß...; zu 부정법》; ^{4}sich ängstigen 〔sorgen〕 《*um*^{4}》. ¶ ~스럽다 besorgt sein 《*für*^{4}; *um*^{4}》 / ~ 걱정 Sorgen 《*pl.*》; Besorgnissen 《*pl.*》 / ~사 〔거리〕 der Gegenstand der Sorge / ~없이 ohne Sorge; frei von Sorgen; ohne Angst; sorgenfrei; sorgenlos / ~에 싸이다 sorgenvoll sein; von ^{3}Kummer gebeugt sein / ~스런 얼굴을 하다 e-e sorgenvolle Miene machen 〔haben〕 / ~ 때문에 병에 걸리다 ^{4}sich krank sorgen / 네가 늦어서 ~했다 Mir war angst, weil du so spät nach Haus gekommen bist. / 그는 늘 쓸데없는 ~을 한다 Er ist immer in übermäßiger Sorge. / 별로 ~할 만한 병은 아니다 Es ist kein Grund vorhanden, sich wegen dieser Krankheit zu besorgen. / ~하지 말게, 내가 떠맡지 Nur k-e Angst! Ich werde es auf mich nehmen.

근엄(謹嚴) Ernst *m.* -es; Strenge *f.*; Härte

f. ～하다 ernst(haft); gemessen; gesetzt; (ge)streng; (ge)wichtig; sittenstreng (sein). ¶ ～한 생활을 하다 ein sittenstrenges Leben führen / ～한 표정을 짓다 e-e ernste Miene machen / 그는 극히 ～한 사람이다 Er ist die personifizierte Sittenstrenge.

근역(槿域) Korea; das „Land 《*n.* -(e)s, ⸗er》 des Hibiskus“; das „Land der Althee.“

근염(筋炎) 【의학】 Muskelentzündung *f.* -en; Myositis *f.* ..ten.

근엽(根葉) ① 《뿌리와 잎》 Wurzel 《*f.* -n》 u. Blatt 《*n.* -(e)s, ⸗er》. ② 《근생엽》 Rosettenpflanze *f.* -n.

근영(近影) *js.* neues (letztes; zuletzt aufgenommenes) Bild, -(e)s, -er.

근왕(勤王) Königs¦treue (Kaiser-) *f.*; Loyalität [loajali..] *f.*; Royalismus *m.* -.
‖ ～가 der Königs¦treue* (Kaiser-) -n, -n; Loyalist *m.* -en, -en; Royalist *m.* -en, -en.

근원(根源) 《기원》 Ursprung *m.* -(e)s, ⸗e; Quelle *f.* -n; Herkunft *f.* ⸗e; Urquell *m.* -(e)s; Anfang *m.* -(e)s, ⸗e; Ausgangspunkt *m.* -(e)s, -; 《원인》 Ursache *f.* -n; 《근본》 Grund *m.* -(e)s, ⸗e; 《정수》 Wesen *n.* -s, -; Essenz *f.* -en. ¶ ～을 캐다 e-r ³Sache auf den Grund gehen* ⓢ (sehen*; kommen* ⓢ); an der Wurzel erfassen / …의 ～을 이루다 e-r ³Sache zu Grunde (zugrunde) liegen* / ～은 …이다 s-n Ursprung haben 《*in*³》; entspringen*³ ⓢ; s-n Anfang nehmen* 《*in*³》 / 이 관습의 ～은 불교다 Diese Sitte hat ihren Ursprung im Buddhismus. / 그 ～은 분명치 않다 Der Ursprung ist nicht bekannt.

근위(近衛) (Leib)garde *f.* -n.
‖ ～병 Gardist *m.* -en, -en. ～사단 Gardedivision *f.* -en. ～연대 Garderegiment *n.* -(e)s, -er.

근육(筋肉) Muskel *m.* -s, -n; Muskelfleisch *n.* -es. ¶ ～의 Muskel- / ～질의 muskulös; muskelig / ～이 발달한 muskulös / ～이 잘 발달한 사람 ein sehr muskulöser Mensch, -en, -en; ein Mann von bedeutender Muskelentwicklung / 수영은 거의 전신 ～을 움직이게 한다 Schwimmen setzt fast alle Muskeln des Körpers in Tätigkeit.
‖ ～노동 die körperliche (physische) Arbeit, -en; Muskelarbeit *f.*: ～노동자 der körperliche Arbeiter, -s, -; Muskelarbeiter *m.* -s, -. ～미 Muskelschönheit *f.* -en. ～운동 Muskelbewegung *f.* -en; Muskelspiel *n.* -(e)s, -e. ～조직 Muskel¦gewebe *n.* -s, - (-system *n.* -s, -e); Muskulatur *f.* -en. ～주사 die intramuskulare Injektion, -en.

근읍(近邑) Nachbardorf *n.* -(e)s, ⸗er.

근인(近因) die unmittelbare (direkte; nahe) Ursache, -n.

근일(近日) bald; in Kürze; in kurzem; binnen kurzem; in einigen Tagen; in den nächsten Tagen; nächster Tage; in nächster Zeit; nächstens. ¶ ～ 중에 bald; binnen kurzem; in einigen Tagen; in den nächsten Tagen; diese zwei, drei Tage; ²dieser Tage / ～ 중에 그를 만납니다 Ich werde ihn in einigen Tagen sehen.

근일점(近日點) 【천문】 Perihel *n.* -s, -e; Perihelium *n.* -s, ..lien (..lia); Sonnennähe *f.* -n; Näherungspunkt *m.* -(e)s, -e.

근자(近者) diese Tage; 【부사적】 heutzutage; in dieser Zeit; in diesen Tagen; jetzt; heute; in letzter Zeit; neuerdings; neulich; vor kurzem; kürzlich; seit kurzem. ¶ ～의 jetzt; gegenwärtig; neu; neulich; jüngst; heutig; neuzeitlich / ～에 ☞ 근자 / ～에는 담배를 전혀 안 피웁니다 Ich rauche in der letzten Zeit gar nicht mehr.

근작(近作) das neueste Werk, -(e)s, -e; das letzte Produkt, -(e)s, -e.

근잠 e-e Reiskrankheit, -en; e-e Pflanzenkrankheit beim Reis.

근저(近著) *js.* neuestes schriftliches Werk, -(e)s, -e; *js.* neueste schriftliche Arbeit, -n.

근저(根柢) Grund *m.* -(e)s, ⸗e; Grund¦feste (-lage) *f.* -n; Basis *f.* ..sen; Fundament *n.* -(e)s, -e; Wurzel *f.* -n. ¶ ～의 fundamental; wesentlich; gründlich; Grund-/ ～가 깊은 tief eingewurzelt; festgewurzelt / ～로부터 von Grund aus; aus dem Grund; in Grund u. Boden / ～를 위태롭게 하다(뒤흔들다) an den Grundfesten rütteln⁴; in *js.* Grundfesten erschütteln⁴; das Fundament erschütteln / ～를 이루다 e-r ³Sache zugrunde liegen* / ～가 튼튼하다 auf e-m festen Grund stehen* (liegen*; sein; beruhen); e-n festen Grund haben.

근저당(根抵當) Höchstbetragshypothek *f.* -en.

근절(根絶) Ausrottung *f.* -en; Austilgung *f.* -en; Vertilgung *f.* -en; Vernichtung *f.* -en; Entwurzelung *f.* -en; Auslöschung *f.*; Tilgung *f.* -en; Extinktion *f.* -en. ～하다 aus|rotten⁴; aus|tilgen⁴; vertilgen⁴; vernichten⁴; entwurzeln⁴; aus|löschen⁽*⁾⁴; mit Stumpf u. Stiel (vollständig) aus|rotten⁴. ¶ ～할 수 있는 ausrottbar; vertilgbar / ～하기 어려운 악폐 das nicht zu hebende Übel; das unausrottbare Übel / 역병을 ～하다 e-e Epidemie vertilgen (ausrotten).

근점(近點) ① 《눈의》 Nahepunkt *m.* -(e)s, -e. ② 《근일점》 Perihel *n.* -s, -e; Perihelium *n.* -s, ..lien. ③ 《근지점》 Perigäum *n.* -s, ..gäen; Erdnähe *f.* -n.

근접(近接) Näherung (Annäherung) *f.* -en. ～하다 nahe (näher) kommen* ⓢ; ⁴sich nähern; heran|nahen ⓢ; heran|rücken ⓢ; zu|kommen* ⓢ 《*auf*⁴》; heran|kommen* ⓢ 《*an*⁴》. ¶ ～한 nahe³ 《näher, nächst》; angrenzend 《*an*⁴》; anliegend 《*an*³》; benachbart; nebenliegend; in der Nähe befindlich; naheliegend; anstoßend / ～한 촌 die benachbarten Städtchen u. Dörfer 《*pl.*》; die Vorstädte 《*pl.*》.
‖ ～전 Nahkampf *m.* -(e)s, ⸗e.

근정(謹呈) das Überreichen*, -s; 【명사 뒤에서】 überreicht *von*³; 《저서 따위에 쓸 때》 Herrn (Frau; Fräulein) XY gewidmet (vom Verfasser). ～하다 überreichen³⁴.

근제(謹製) sorgfältiges Herstellen*, -s; 【명사 뒤에서】 sorgfältig hergestellt (gefertigt; zubereitet) *von*³. ～하다 sorgfältig her|stellen⁴ (fertigen⁴; zu|bereiten⁴).

근종(筋腫) 【의학】 Myom *n.* -s, -e; Muskelfasergewächs *n.* -es, -e.

근지럽다 ☞ 간지럽다.

근지점(近地點) 【천문】 Perigäum *n.* -s, ..äen; Erdnähe *f.* -n.

근직(謹直) die peinliche Ehrlichkeit; Gewissenhaftigkeit *f.*; Redlichkeit *f.* ～하다 ehrlich bis zur Peinlichkeit; gewissenhaft; redlich (sein). ¶ ～하게 근무하다 mit peinlicher Ehrlichkeit s-n Dienst (das Sein(ig)e*) tun* (s-e Pflicht erfüllen).

근질거리다 《몸이》 es juckt 《*jm.* *an*³》; e-e

kribbelnde Empfindung spüren; ein krabbeliges Gefühl《-(e)s, -e》 haben《an³》;《마음이》ungeduldig sein; voll Ungeduld sein; brennen*《auf⁴》; fieberhaft gespannt sein《auf⁴》; nervös (erregt) sein. ¶ 때려 주고 싶어서 팔이 ～ es juckt *jm.* in den Fingern, zuzuschlagen; es gelüstet *jn.*,(*jn.*) zu schlagen / 하고 싶은 말을 못해 속이 ～ es brennt *jn.* (*jm.*) auf der Zunge / 다리가 근질거린다《뛰고 싶어·춤추고 싶어》Es juckt mich in den Beinen. / 싸움이 하고 싶어 몸이 근질거린다 Er hat Lust sich zu balgen.¦Er ist zu e-r Schlägerei aufgeregt.

근착(近着) ¶ ～의 soeben angekommen; neu erhalten / ～품 die soeben angekommene Ware, -n; die letzthin eingetroffene Sendung / ～ 외국 신문에 의하면 laut neuerschienener ausländischer Zeitungen《또는 3격》; dem Bericht soeben erhaltener ausländischer Zeitungen nach.

근처(近處) Nachbarschaft *f.* -en; Umgebung *f.* -en; Gegend *f.* -en. ☞ 근방. ¶ …의 ～에 in der Nähe von...; nahe《näher, am nächsten》《an³; bei³》; um ⁴*et.* (herum) / 이 ～ 사람들 die Leute《*pl.*》in der Nachbarschaft; die Nachbarn《*pl.*》/ 그 학교는 부산 ～에 있다 Die Schule befindet sich in der (Um)gegend von Busan.

근청(謹聽) das aufmerksame Zuhören*, -s. ～하다 andächtig (aufmerksam) zu|hören³; aufmerksam lauschen³; die Ohren spitzen; achtsam hören《auf⁴》. ¶ ～ 근청 Hört! Hört! / ～하고 있읍니다 Ich höre mit hundert Ohren.¦Ich bin ganz Ohr.

근치(根治) die gründliche Heilung, -en; Radikalkur *f.* -en (근치요법); die gründliche Kur. ～하다 gründlich heilen⁽⁴⁾ (고치는 경우나 나을 경우나); gründlich kurieren⁴. ¶ ～하기 어렵다 ⁴sich e-r gründlichen Heilung entziehen* / ～되다 gründlich geheilt werden.
‖ ～약 Radikalheilmittel *n.* -s, -.

근친(近親) der nahe Verwandte*, -n, -n; der Blutsverwandte*, -n, -n; die nahe Verwandtschaft, -en; Blutsverwandtschaft *f.* -en. ¶ ～의 nahe verwandt; blutsverwandt / ～간이다 nahe verwandt sein《mit *jm.*》/ ～ 결혼을 하다 e-e Ehe zwischen Blutsverwandten schließen* / 그 사람과는 ～간이다 Ich bin nahe verwandt mit ihm.
‖ ～결혼 die Heirat zwischen Blutsverwandten; Verwandtenheirat. ～상간 Blutschande *f.*; Inzest *m.* -es: ～ 상간자 Blutschänder *m.* -s, -.

근친(覲親) der erste Besuch《-(e)s, -e》der Braut bei ihren Eltern nach der Heirat. ～하다 bei den Eltern den ersten Besuch nach der Heirat machen.

근태(勤怠) Dienst¦beflissenheit *f.* (-eifer *m.* -s); Fleiß u. Faulheit, der - u. -. ¶ 학생들의 ～를 조사하다 fest|stellen, ob die Schüler fleißig od. faul sind. ‖ ～표 Dienstkontrolliste *f.* -n【분철: ..kontroll-liste】.

근풀이(斤—)《근으로 팖》Verkauf《*m.* -s, ⸗e》in (nach) Pfunden;《값을 따짐》das Ausrechnen*《-s》des Pfundpreises. ～하다 pfundweise verkaufen⁴; den Pfundpreis e-s Dinges aus|rechnen.

근하(謹賀) herzlicher Glückwunsch, -es, ⸗e.
‖ ～신년 Herzliche Glückwünsche zum Jahreswechsel (zum Neuen Jahr)!; Fröhliches (Glückliches) Neujahr!; Prosit Neujahr!; Ich wünsche Ihnen ein glückliches neues Jahr!

근해(近海) die See《-n》in der Nähe; das nahe Gewässer, -s, -; die benachbarte (angrenzende) See; das benachbarte Meer, -(e)s, -e. ¶ ～의 an der Küste befindlich; Küsten-; nahe am Land liegend / ～에서 an der Küste entlang; im nahen Gewässer; in den Küstengewässern / 제주도 ～에서 an der Küste der *Jeju*-Insel / ～를 항행하다 an der Küste hin|fahren* ⓢ; längs der ²Küste (die ⁴Küste entlang) fahren*ⓢ/ 그 배는 한국 ～를 순항 중이다 Das schiff kreuz in den koreanischen Gewässern.
‖ ～어 Küstenfisch *m.* -es, -e. ～어업 Küstenfischerei *f.* -en. ～취항선 Küsten¦fahrer *m.* -s, - (-schiff *n.* -(e)s, -e). ～항로 Küstenlinie *f.* -n. ～항행 Küsten¦fahrt (Küstenschiff-) *f.* -en.

근행(覲行) Besuch《*m.* -s, -e》bei den Eltern. ～하다 (eigene) Eltern besuchen.

근호(根號)【수학】Wurzelzeichen *n.* -s, -.

근화(近火) das in der Nähe ausgebrochene Feuer, -s, -; die Feuersbrunst《⸗e》in der Nachbarschaft.

근화(槿花) ＝무궁화.

근황(近況) das gegenwärtige Befinden* (Ergehen*) -s; der jetzige Zustand, -(e)s, ⸗e. ¶ 우리 나라 대외 무역의 ～ der jetzige Zustand unseres auswärtigen Handels / ～을 알려 주십시오 Lassen Sie mich bitte wissen, wie es Ihnen augenblicklich (er)geht.

글 ①《학문》Studium *n.* -s, ..dien; das Studieren*, -s; Wissenschaft *f.* -en; die Kenntnisse《*pl.*》; Gelehrsamkeit *f.*; das Wissen*, -s. ¶ 글을 모르는 ungelehrt; des Schreibens u. Lesens unkundig; nicht belesen / 글을 배우다 studieren; lernen; das Studium betreiben* / 글을 읽다 lesen*; durch|-lesen* / 글을 좋아하다 lern¦eifrig (-begierig) sein. ②《문장》Satz *m.* -es, ⸗e; Stil *m.* -(e)s, -e; Aufsatz *m.* -es, ⸗e; Abhandlung *f.* -en; Essay *m.* -s, -s. ¶ 좋은 글 der gute Aufsatz (Stil) / 나쁜 글 der schlechte Aufsatz (Stil) / 글을 쓰다 (e-n Aufsatz) schreiben* / 글을 짓다 e-e Schrift ab|fassen / 글을 잘 (못) 쓰다 gut (schlecht) stilisieren (schreiben*) / 글로 표현하다 (schriftlich) beschreiben*⁴ (dar|stellen⁴; nieder|legen⁴; schildern⁴) / 글로 표현할 수 없다 nicht zu beschreiben (schildern) sein; unbeschreiblich sein. ③ ☞ 글자.

글겅이 Striegel *m.* -s, -; Pferdestriegel *m.*
‖ ～질《빗질》das Striegeln*, -s;《착취》Ausbeutung *f.* -en; Bauernausbeutung *f.* -en: ～질하다 striegeln⁴; aus|beuten⁴.

글구멍 Intelligenz *f.*; Lernfähigkeit *f.* -en.
¶ ～이 크다 rasche Auffassungsgabe haben.

글귀(—句)《어구》Ausdruck *m.* -s, ⸗e; Redensart *f.* -en;《인용절》Passus *m.* -, -; Textstelle *f.* -n;《글》Satz *m.* -es, ⸗e;《시가》Vers *m.* -es, -e; Zeile *f.* -n. ¶ ～를 외다 ein Gedicht auf|sagen (her|sagen); ein Gedicht auswendig lernen.

글그렁거리다 röcheln; schnaufen; keuchen; schnauben⁽*⁾;《고양이가》schnurren. ¶ 고양이가 목을 ～ die Katze schnurrt.

글그렁글그렁 röchelnd; keuchend; schnaubend; schnaufend; schnurrend.

글동무 Mitschüler *m.* -s, -; Schulkamerad *m.* -en, -en.

글라디올러스 〖식물〗 Gladiole *f.* -n.

글라스 ① 《잔》 (Wasser)glas *n.* -es, ⸚er. ¶ 맥주 ~ das Bierglas. ② =유리(琉璃).

글라이더 Segelflugzeug *n.* -(e)s, -e; Segler *m.* -s, -; Gleitflugzeug; Gleiter *m.* -s, -. ¶ ~를 조종하다 mit e-m Segelflugzeug fliegen* [h,s]; ein Segelflugzeug steuern. ‖ ~조종사 Segel¦flieger (Gleit-) *m.* -s, -.

글래머 Glamour [glǽmər] *m.* -(s); berückende Figur, -en. ‖ ~걸 Glamourgirl [..gə:rl] *n.* -s, -s; ein fülliges (üppiges) Mädchen, -s, -; vollbusiges Mädchen(버스트가 큰).

글러브 Fecht¦handschuh (Box-) *m.* -(e)s, -e (권투용의); der dicke Handschuh 《zum Baseballspiel》.

글러지다 ⁴sich verschlechtern (verschlimmern); schlechter (schlimmer; übler; böser) werden; verfallen* [s]; herunter|kommen* [s]; im Sand verlaufen* [s]. ¶ 사이가 ~ ⁴sich entfremden / 계획이 글러졌다 Der Plan verlief im Sand. / 태도가 글러졌다 S-e Haltung ist schlechter geworden.

글루타민 〖화학〗 Glutamin *n.* -(e)s, -e. ‖ ~산 Glutaminsäure *f.*

글리사드 〖체육〗 Glissade [glisá:d] *f.* -n; der Gleitschritt 《-(e)s, -e》 beim Tanzen.

글리세린 〖화학〗 Glyzerin *n.* -s; Ölsüß *n.* -es. ‖ ~관장 Glyzerinklistier *n.* -s, -e. ~산 Glyzerinsäure *f.* 초산~ das Nitroglyzerin; das Sprengöl, -(e), -e.

글리코겐 〖화학〗 Glykogen *n.* -s; Leberstärke *f.*

글발 ① 《글씨》 Notiz *f.* -en; Vermerk *m.* -(e)s, -e. ② 《글씨 모양》 Schriftzug *m.* -(e)s, ⸚e; Schrift *f.* -en; Handschrift *f.* -en. ¶ 그의 ~은 고르다 S-e Schrift ist regelmäßig. ③ 《문맥》 Kohärenz *f.*; Zusammenhang *m.* -s, ⸚e. ¶ ~이 서다 Kohärenz (Zusammenhang) haben.

글방(—房) Schulzimmer *n.* -s, -; Privatschule 《*f.* -n》 für Altchinesisch; private Schreibschule 《-n》 für ⁴Kinder; Dorfschule *f.* -n.

글벗 ① 《학우》 Schulfreund *m.* -(e)s,-e; Studienfreund. ② 《애호가》 Bücherfreund *m.* -(e)s, -e; Literaturfreund *m.* -(e)s, -e.

글썽글썽 mit tränenden Augen; mit Tränen in den Augen; tränenfeucht; tränenbenetzt. ~하다 die Tränen treten *jm.* in die Augen; die Augen werden *jm.* naß; die Tränen stehen *jm.* in den Augen; Tränen in den Augen haben; von Tränen benetzt sein. ¶ 눈물이 ~한 눈 das weinende (tränenbenetzte; tränenfeuchte) Auge / ~해지다 feucht werden; benetzt sein; ⁴sich betrüben / 눈물을 ~ 짓다 die Tränen stehen *jm.* in den Augen; es ist *jm.* weinerlich zumute; den Tränen nah sein / 그는 ~ 눈물을 지었다 Die Tränen standen ihm in den Augen. ¦Die Augen standen ihm voll Wasser.

글썽이다 (er)füllen⁴ 《*mit*³》; voll sein 《*von*³》 (가득찼다). ¶ 눈에 눈물을 글썽이며 mit ³Tränen in den Augen / 눈물을 ~ Die Tränen stehen* *jm.* voll in den Augen.

글쎄 《불확실·주저·의심·비난》 nun (ja); also; ach; Na (na)!; Ob's stimmt!; Ansichtssache!; hm! ¶ ~ 이걸 어쩌지 Hm, was soll ich tun? / ~ 그걸 어디에 뒀더라 Laß sehen — wo habe ich es denn hingelegt? / ~ 그럴 것도 같은데 Nun, es mag sein. / ~ 좀 기다려 봅시다 Nun ja, warten wir noch e-e Weile! / ~ 그 옷이 그에게 잘 맞을는지 Hm! Ob ihm dieser Anzug passen wird? / 어떻게 할지, 갈지 말지 Nun ja, ich weiß noch nicht, ob ich gehen soll od. nicht.

글쎄요 nun; mal sehen!; nun ja. ¶ 몇 사람이나 됩니까 — ~ 한 500명 쯤 되겠죠 Wieviele Leute sind da? —Nun ja, ich würde sagen, etwa fünf Hundert. / ~, 좀 두고 봅시다 Warte mal! ¦Laß mal sehen!

글씨 (Hand)schrift *f.* -en; Schönschreibekunst *f.* ⸚e; Hand *f.* ⸚e. ¶ 고운(분명치 않은, 똑똑한, 조잡한, 읽기 힘드는) ~ e-e schöne (undeutliche, klare, nachlässige, unleserliche) Handschrift / ~ 잘 쓰는 사람 Schönschreiber *m.* -s, - / ~를 잘 쓰다 e-e gute Hand schreiben* (haben); e-e gute (schöne) Hand(schrift) haben / ~를 잘 쓰지 못하다 e-e schlechte Hand(schrift) haben / 알아보기 쉬운 ~로 쓰다 e-e leserliche Handschrift haben / 그는 ~를 매우 잘 쓴다 Er ist ein Kalligraph (Schönschreiber). ¦Er schreibt sehr schön. ¦Er hat e-e sehr schöne Handschrift.

글월 ① =글. ② =편지. ③ =글자. ④ =문장.

글자(—字) Schriftzeichen *n.* -s, -; Alphabet *n.* -(e)s, -e; Buchstabe *m.* -ns, -n; Charakter *m.* -s, -e [..té:rə]; Schrift *f.* -en; das chinesische Zeichen, -s, -(한자); Letter *f.* -n. ¶ ~ 그대로 buchstäblich; wörtlich / ~를 쓰다 schreiben* / ~를 읽다 lesen*; entziffern/ ~를 많이 알다 viel Schriftzeichen kennen*/ ~를 모르다 des Schreibens u. Lesens unkundig sein; Analphabet sein / 굵은 ~로 쓰다 fette Buchstaben (mit breiter Feder) schreiben* / 가는 ~로 쓰다 zierliche Buchstaben schreiben* / ~ 그대로 무일푼이었다 Ich war buchstäblich mittellos(ohne Geld).

글재주(—才—) die literarische (poetische, dichterische, schriftstellerische) Begabung, -en; das literarische Talent, -(e)s, -e. ¶ ~가 있는 사람 die literarisch begabte Person, -en / ~가 없다 kein Talent zur Dichtkunst haben.

글제(—題) (Aufsatz)thema *n.* -s, -ta (..men); Gegenstand *m.* -(e)s, ⸚e. ¶ ~를 내다 *jm.* ein Thema geben* (stellen; auf|geben*) / 꽃이라는 ~로 작문을 쓰시오 Schreiben Sie e-n Aufsatz mit der Überschrift „Die Blume".

글줄 e-e Zeile (einige Zeilen) Geschriebenes*.

글짓기 die Verfassung 《-en》 e-r Schrift; Aufsatz *m.* -es, ⸚e.

글쪽지 (beschriebener) Zettel, -s, -.

글체(—體) die Form 《-en》 e-s Charakters; die Gestalt 《-en》 e-s Schriftzeichens; Stil *m.* -(e)s, -e. ¶ 아름다운 ~로 in feinem Stil/ ~가 훌륭한 stilvoll.

글피 überübermorgen; am Tag nach übermorgen.

글하다 studieren; lernen; das Studium 《-s, ..dien》 betreiben*.

긁다 ① 《손톱·연장 따위로》 kratzen⁴; scharren⁽⁴⁾. ¶ 머리를 ~ ⁴sich hinter den Ohren kratzen / 가려운 데를 ~ ⁴sich jucken / 북북 긁어 상처를 내다 ⁴sich (die Haut) wund kratzen / 긁어 부스럼 내다 in ein Wespennest stechen* (greifen*) / 긁어 부스럼 만들지 말라 Nicht den schlafenden Hund wecken! / 개가 문을 긁는다 Der Hund scharrt an der Tür.
② 《그러모으다》 rechen⁴; harken⁴. ¶ 돈을 긁

어 모으기 위한 술책 die Kunstgriffe〔Manipulationen; Manöver〕《pl.》, Geld aufzutreiben〔um ⁴sich zu sammeln〕/ 낙엽을 ～ abgefallene Blätter zusammen|scharren〔zusammen|harken〕/ 긁어 모으다 zusammen|kratzen⁴; zusammen|holen⁴; zusammen|raffen⁴; zusammen|rechen⁴; ⁴et. mit Mühe sammeln / 돈을 긁어 모으기 위하여 갖은 수단을 다하다 alle Hebel an|setzen, um Geld aufzutreiben; alle Mittel versuchen, um Geld um ⁴sich zu scharren.
③《남의 마음을》 reizen⁴; ärgern⁴; erzürnen⁴; auf|bringen*⁴; in Wut bringen*⁴. ¶ 아내가 바가지를 ～ E-e Frau nörgelt an ihrem Mann herum.
④《남의 재물을》 aus|beuten⁴; jn. s-s Geldes berauben; aus|saugen(*)⁴; heraus|pressen《Geld von jm.》; ab|pressen《jm. Geld》; rupfen⁴. ¶ 그들은 이번에도 나한테서 돈을 상당히 긁어 갔다 Sie haben mich mal wieder gehörig gerupft.

긁어내다 weg|rechen⁴(갈퀴로); ab|kratzen⁴; ab|reißen*⁴; herunter|kratzen⁴; aus|scharren⁴; herauskratzen⁴. ¶ 그 사람한테서 돈을 ～ Geld aus ihm heraus|pressen; ihm Geld ab|pressen.

긁어당기다 zusammen|scharren⁴; zusammen|raffen⁴; zusammen|kratzen⁴; ein|streichen*⁴. ¶ 판돈을 ～ den ganzen Einsatz〔den ganzen Topfinhalt〕ein|streichen*.

긁어먹다 ①《이·숟갈 따위로》 schälen⁴〔ab|kratzen⁴〕u. essen*⁴. ¶ 참외를 ～ die Melone schälen u. essen. ②《재물을》 bei jm. schmarotzen; jn. aus|beuten; auf Kosten anderer leben. ¶ 그는 가난한 사람의 것을 긁어먹는다 Er beutet die armen Leute aus.

긁적거리다 (dauernd) kratzen⁴. ¶ 등을 ～ ⁴sich an dem Rücken kratzen.

긁적긁적 kratzend; schabend.

긁정이 Rechen m. -s, -; Harke f. -n.

긁혀미다 gekratzt〔geschabt〕werden.

긁히다 kratzig〔kritzelig〕werden(펜 따위가). ¶ 고양이에게 얼굴을 ～ von e-r Katze im Gesicht gekratzt werden.

금¹《값》 Preis m. -es, -e; Wert m. -(e)s, -e; Kosten《pl.》. ☞ 금하다. ¶ 금이 비싸다 der Preis ist hoch; teuer sein; hoch im Preise stehen* / 금이 싸다 der Preis ist niedrig; billig sein; niedrig im Preise stehen* / 금이 오르다 der Preis steigt; der Preis geht in die Höhe; im Preise steigen* Ⓢ / 금이 내리다 der Preis fällt; im Preise fallen* Ⓢ; verflauen Ⓢ; ab|flauen / 금을 올리다 den Preis erhöhen / 금을 내리다 den Preis herab|setzen / 금을 놓다 an|schlagen*《auf⁴》; e-n Preis setzen《auf⁴》; zu e-m gewissen Preise an|schlagen*; (ab)schätzen / 금이 나가다 viel kosten / 누구보다 비싸게 금을 놓다 jn. überbieten* / 누구보다 싸게 금을 놓다 jn. unterbieten* / 금을 정하다 e-n Preis bestimmen / 골동품들은 꽤 금이 나간다 Antiquitäten sind sehr〔ziemlich〕teuer.

금² ①《줄》 Linie f. -n; Strich m. -(e)s, -e; 《접은 자국》 Falte f. -n; Bügelfalte f. -n; 《주름》 Runzel f. -n; Hautfalte f. ¶ 금을 긋다 Linien《pl.》 ziehen*; ⁴et. linieren / 손금을 보다 js. Handlinien betrachten; js. Zukunft aus den Handlinien lesen*〔wahrsagen〕/ 금을 내다《종이 따위에》 falten⁴; in Falten legen⁴〔ziehen*⁴〕.
②《터진 흔적》 Spalt m. -(e)s, -e; Sprung m. -(e)s, ⸚e; Riß m. ..sses, ..sse. ¶ 금(이) 가다 Risse〔Sprünge; Spalte〕bekommen*; reißen* Ⓢ; ⁴sich spalten; zerspringen* Ⓢ; 《말라서》 von ³Trockenheit bersten* Ⓢ / 이 찻잔은 금갔다 Diese Teetasse hat Sprünge bekommen. / 그들의 우정에는 금이 갔다 In ihre Freundschaft kam ein Riß.

금(金) ①《황금》 Gold n. -(e)s. ¶ 금의 golden/ 금을 입힌 vergoldet; gold¦überzogen〔-plattiert〕/ 금을 입히다 vergolden⁴; mit ³Gold überziehen*⁴〔plattieren⁴〕/ 이에 금을 씌우다 e-m Zahn e-e Krone auf|setzen / 금이야 옥이야 하다 e-n Liebling mit verschwenderischer Gunst überhäufen; mit allen Fasern s-s Herzens an e-m Lieblingskind hängen* / 금시계 die goldene Uhr, -en / 금메달 Goldmedaille f. -n / 금반지 Goldring m. -(e)s, -e / 금(빛)의 golden; von goldener Farbe / 18금의 (시계)줄 e-e achtzehnkarätige (Uhr)kette, -n. ②《금속》 Metall n. -s, -e. ③《돈》 Geld n. -(e)s, -er. ¶ 일금 백 원 die Summe von 100 Won. ④《오행의》 das Mettal als eines der Ohaeng (=Fünf Elemente). ⑤ ☞ 금요일.

금-(今) dieser*《Monat》; dieses*《Jahr》. ¶ 금월 dieser Monat, -(e)s; der laufende Monat/ 금년 dieses Jahr, -(e)s / 금일 dieser Tag, -(e)s; der laufende Tag / 금세기 dieses Jahrhundert n. -(e)s.

금가다 e-n Riß bekommen*; springen*; e-n Sprung bekommen*; ⁴sich spalten(*); platzen. ¶ 금간 그릇 gesprungener Teller, -s, - / 금간 바위 gespaltener Fels, -en, -en/ 벽에 금이 갔다 Die Wand bekam e-n Riß./ 컵이 뜨거운 물때문에 금이 갔다 Wegen des heißen Wassers bekam das Glas e-n Sprung. / 그 일로 말미암아 그들의 우정에 금이 갔다 Wegen der Affäre bekam ihre Freundschaft e-n Riß.

금가루(金—) Gold¦staub m. -(e)s, (드물게) -e (⸚e)〔-pulver n. -s, -〕; Goldstaub zum Malen; der in Leimwasser getränkte Goldstaub; Goldleim m. -(e)s, -e. ¶ ～를 칠한 mit Goldschnitt(책의 절단면에).

금강(金剛)《금강력》 die herkulische Kraft, ⸚e; Riesenkraft f.
‖ ～사〖광물〗 Schmirgel m. -s, -; Schmergel m. -s, -: ～사로 닦다 schmirgeln⁴. ～석(石)〖광물〗 Diamant m. -en, -en; Brillant m. -en, -en: 가공하지 않은 ～석 der rohe Diamant / ～석 반지 Diamantring m. -(e)s, -e / ～석을 닦다 e-n Diamanten schleifen*. ～신, ～역사〖불교〗 Dewa m. -s.

금강산(金剛山) Das Diamantgebirge, -s. ¶ ～도 식후경이라 Was nützen schöne Kleider, wenn nichts zu beißen ist?!¦Klöße sind besser〔nützlicher〕als Blumen.

금계(禁戒) Gebot n. -(e)s, -e; Befehl m. -(e)s.

금계(禁界) verbotene Zone, -n; die Grenze《-n》 zur verbotenen Zone.

금계랍(金雞蠟)〖약〗 Chinin n. -s.

금고(金庫) ①《돈·서류를 넣는》 Geldschrank m. -(e)s, ⸚e; Safe m. -s, -s; Stahl¦fach n. -(e)s, ⸚er〔-kassette f. -n〕; Tresor m. -s, -e; Schatzhaus n. -es, ⸚er. ¶ ～에 넣다 im Kassenschrank verwahren / ～를 잠그다 den Geldschrank versperren. ②《국고금의》 (Spar)kasse f. -n.
‖ ～털이 das Aufbrechen*〔Knacken*〕《-s》 e-s Geldschrank(e)s; Geldschrankknacker m. -s, -(사람); Kassenbrecher m. -s, -(사람).

내화~ der feuerfeste Geldschrank. 시~ die städtische Kasse. 중앙~ Zentralkasse.

금고(禁錮) 〖법〗 Gewahrsam *m.* -(e)s, -e; Einsperrung *f.* -en; Gefängnis *n.* ..nisses, ..nisse; Verwahrung *f.* -en. ¶ ~에 처하다 in ⁴Gewahrsam nehmen* (bringen⁽*⁾; setzen) 《*jn.*》; ein|sperren 《*jn.*》; ins Gefängnis werfen* (schicken; setzen; sperren) 《*jn.*》; in ⁴Verwahrung nehmen* 《*jn.*》/ 3년의 ~형에 처하다 zu drei Jahren Gefängnis verurteilen⁴ / 20년의 ~형을 받다 zu zwanzig Jahren Gefängnis verurteilt werden / 종신~형을 받고 있다 auf Lebenszeit gefangen sitzen* / 그것을 범하는 자는 ~형을 받는다 Das ist bei Gefängnisstrafe verboten.

‖ ~형 =금고(禁錮). 중(경)~ die strenge (leichte) Gefängnisstrafe, -n; die strenge (leichte) Haft; der schwere (leichte) Gewahrsam.

금공(金工) Metall¦arbeit (Gold-) *f.* -en; Metall¦arbeiter (Gold-) *m.* -s, - (사람).

금과옥조(金科玉條) das A u. O; das*, worauf es vor allen Dingen ankommt; die goldene Regel, -n. ¶ 그는 근검절약을 ~로 삼고 있다 Fleiß u. Sparsamkeit sind s-e goldene Regel.

금관(金冠) die goldene Krone, -n (왕관); die Krone von (aus) ³Gold (왕관).

금관악기(金管樂器) Blechblasinstrument *n.* -(e)s, -e; das Blasinstrument aus Messing.

금광(金鑛) Golderz *n.* -es, -e (금광석); Goldgrube *f.* -n (-mine *f.* -n) (금광산). ¶ ~을 발견하다 ein Goldlager entdecken.

‖ ~맥 Goldader *f.* -n. ~업 Goldbergwerk *n.* -(e)s, -e. ~열 Gold¦fieber *n.* -s, - (-jagd *f.* -en); die Massenwanderung 《-en》 von Goldgräbern.

금괴(金塊) Gold¦barren *m.* -s, - (-klumpen *m.* -s, -; -masse *f.* -n; -stange *f.* -n; -stück *n.* -(e)s, -e); Barrengold *n.* -(e)s.

‖ ~거래 Goldhandel *m.* -s, ⸗. ~시세 der Kurs 《-es, -e》 der Goldwaren; Goldmarkt *m.* -(e)s, ⸗e.

금구(禁句) das verpönte Wort, -(e)s, -e.

금권(金權) Mammon *m.* -s; Geldmacht *f.*; das allmächtige Geld, -(e)s. ¶ 요즈음은 ~ 만능의 세상이다 Für Geld bekommt man heute alles.¦Geld regiert heute die Welt. / 그 나라는 ~ 만능의 나라이다 In dem Land herrscht das Geld.

‖ ~정치 Plutokratie *f.* -n [..tíːən]; Geldherrschaft *f.* -en; Mammonismus *m.* -.

금궤(金櫃) Geldschrank *m.* -(e)s, ⸗e; Geldkasten *m.* -s, - (⸗); Geldschublade *f.* -n; 《금고식의》 Geldkassette *f.* -n.

금귤(金橘) 〖식물〗 Goldorange [..rãːʒə] *f.* -n; Goldpomeranze *f.* -n.

금긋다 ⁴Linien 《*pl.*》 ziehen*; ⁴*et.* linieren; beschränken⁴; begrenzen⁴; zügeln⁴.

금기(今期) diese Frist, -en; dieser (der gegenwärtige) Jahresabschnitt, -(e)s, -e. ¶ ~의 diesmalig; jetzig; laufend; gegenwärtig; von dieser Frist (diesem Jahresabschnitt).

‖ ~결산 der Jahresabschluß 《..schlusses, ..schlüsse》 dieses Rechnungsjahres.

금기(禁忌) das Vermeiden* 《-s》 von Verbotenem; Verbot *n.* -(e)s, -e; Tabu *n.* -(e)s, -s; 〖의학〗 Kontraindikation *f.* -en; Gegenanzeige *f.* -n. ~하다 vermeiden*⁴; unterlassen*⁴; kontraindizieren⁴; ⁴Gegenanzeige erheben*.

‖ ~증상 〖의학〗 Kontraindikation *f.* -en.

금나다[1] 《값이》 gewertet werden; geschätzt werden. ¶ 그 물건은 백 원에 금났다 Dafür wurde 100 *Won* geboten.

금나다[2] 《줄이 생김》 ⁴sich falten; Risse 《*pl.*》 bekommen*; Sprünge 《*pl.*》 bekommen*; zerspringen* Ⓢ; reißen* Ⓢ (터지다).

금난초(金蘭草) 〖식물〗 *Cephalanthera farcata* (학명).

금남(禁男) Männerverbot *n.* -(e)s,-e; 〖형용사적〗 für Männer verboten; „Nur für Frauen". ¶ ~의 집 ein Haus, in dem der Männerbesuch (Herrenbesuch) nicht gestattet ist; männerloses Haus, -es, ⸗er.

금납(金納) Barzahlung *f.* -en.

금낭화(錦囊花) 〖식물〗 *Dicentra spectabilis* (학명).

금년(今年) dieses (das laufende) Jahr, -(e)s. ☞ 올해. ¶ ~에 dieses Jahres 《약자: d. J.》 / ~ 중에 während (im Laufe) dieses Jahres / ~ 안으로 binnen diesem Jahr; innerhalb dieses Jahr(e)s; bis ⁴Ende dieses Jahres / ~ 여름 den kommenden Sommer(미래); den vergangenen Sommer(과거) / ~은 풍년이다 Dieses Jahr ist sehr fruchtbar. / ~엔 비가 많이 왔다 Wir haben dieses Jahr sehr viel Regen gehabt. / ~도 얼마 남지 않았다 Wir haben nicht mehr weit bis zum Jahresende.¦Dieses Jahr nähert sich dem Ende.

금년생(今年生) heuriger (diesjähriger) Jahrgang, -(e)s; 《포도주》 der Heurige*, -n.

금놓다 an|schlagen* 《*auf*⁴》; e-n Preis setzen 《*auf*⁴》; zu e-m gewissen Preise an|schlagen*; e-n Preis vor|schlagen*; *jm.* ein Angebot machen; (ab)|schätzen⁴. ¶ 그는 그것을 500원으로 금놓았다 Er hat es auf 500 *Won* geschätzt. / 금놓아 보십시오. Bitte, sagen Sie mir, wieviel das wert ist!¦Bitte, machen Sie doch ein Angebot!

금니(金一) der goldübergezogene Zahn, -(e)s, ⸗e; Goldzahn; Goldkrone *f.* -n. ¶ ~를 하다 ³sich e-n Goldzahn einsetzen lassen*.

‖ ~박이 e-e Person mit e-m Goldzahn.

금단(禁斷) das strenge Verbot, -(e)s, -e; Rührnichtdran *n.* -s; Tabu *n.* -s, -s. ~하다 streng verbieten*⁴ 《*jm.*》; untersagen⁴. ¶ ~의 열매 die verbotene Frucht, ⸗e / 살생 ~ 《게시》 ⁴Tiere töten verboten / 이것은 ~이다 Das ist (uns ein) Tabu.

금단추(金一) Gold¦knopf (Messing-) *m.* -(e)s, ⸗e; der gold(e)ne (messing(e)ne) Knopf.

금달맞이꽃(金一) 〖식물〗 Nachtkerze *f.* -n.

금닿다 vom angemessenen Preis sein; in der Preisfrage überein|kommen* Ⓢ; Preiswert (-würdig) sein.

금덩이(金一) Goldklumpen *m.* -s, -; Klumpengold *n.* -(e)s; Goldmasse *f.* -n; Goldbarre *f.* -n.

금도(襟度) Edel¦mut *m.* -(e)s (-sinn *m.* -(e)s); Großmut *f.*; Seelen¦größe *f.* (-adel *m.* -s); Weitherzigkeit *f.*(관대). ¶ ~가 넓다 großherzig (großmütig; edelmütig; edelsinnig; weitherzig) sein / ~가 좁다 engherzig sein/ ~를 보이다 s-e Großherzigkeit zeigen.

금도금(金鍍金) Vergoldung *f.* -en; Goldüberzug *m.* -(e)s, ⸗e; Goldplattierung *f.* -en. ~하다 vergolden⁴; mit ³Gold überziehen*⁴ (plattieren⁴). ¶ ~한 vergoldet; gold¦überzogen (-plattiert); mit Gold plattiert.

금돈(金—) Goldmünze *f.* -n; Goldgeld *n.* -(e)s; Goldstück *n.* -(e)s, -e; Goldfuchs *m.* -es, ⸗e (속어).
금돌(金—) 〖광산〗 das Gestein, das Gold enthält; Erz *n.* -es, -e.
금딱지(金—) das goldene (Uhr)gehäuse, -s, -. ‖ ～시계 die goldene Uhr, -en.
금띠(金—) goldener Gürtel, -s, -; Goldgürtel *m.* -s, -.
금란(金襴) (Gold)brokat *m.* -(e)s, -e; der gemusterte Brokat.
금란지계(金蘭之契) die innige Freundschaft, ⌈-en.
금력(金力) die Macht des Geldes; der allmächtige Mammon, -s.
‖ ～가 Plutokrat *m.* -en, -en. ～만능주의 Mammonismus *m.* -; Mammonsdienst *m.* -(e)s, -e; Geldgier *f.*; der Tanz 《-es, ⸗e》 ums goldene Kalb. ～정치 Geldaristokratie *f.* -n; Geldherrschaft *f.* -en; Plutokratie *f.* -n; Timokratie *f.* -n.
금렵(禁獵) Jagdverbot *n.* -(e)s, -e. ～하다 die Jagd 《-en》 verbieten*; verbieten*, die Jagd auszuüben.
‖ ～구(區) (Jagd)gehege *n.* -s, -; Wildpark *m.* -(e)s, -e; Hege *f.* -n; Schonung *f.* -en. ～기(期) Schon(ungs)¦zeit (Hege-) *f.* -en. ～림 Hegewald *m.* -(e)s, ⸗er; Hegeschlag *m.* -(e)s, ⸗e. ～수(獸) Schonwild *n.* -(e)s.
금령(禁令) Verbot *n.* -(e)s, -e; Inhibition *f.* -en; Bann *m.* -(e)s, -e; Interdikt *n.* -(e)s, -e; Untersagung *f.* -en. ¶ ～을 내리다 mit e-m Verbot belegen⁴; ein Verbot erlassen* / ～을 해제하다 ein Verbot auf|heben* / ～을 어기다 ein Verbot übertreten* (brechen*); gegen ein Verbot handeln.
‖ 통상～ 〖국제법〗 Embargo *n.* -s, -s; Handelssperre *f.* -n.
금리(金利) Zins *m.* -es, -en; Zinsfuß *m.* -es, ⸗e. ¶ 낮은 ～로 zu e-m niedrigen Zinsfuße/ 높은 ～로 zu e-m hohen Zinsfuße / ～를 올리다 den Zinsfuß erhöhen; die Zinsen erhöhen / ～를 내리다 den Zinsfuß erniedrigen (herab|setzen); die Zinsen vermindern / ～로 생활하다 von s-n Zinsen leben/ ～가 비싸다(싸다) Der Zinsfuß ist hoch (niedrig). / ～가 오르다(내리다) Der Zinsfuß steigt (fällt).
‖ ～생활자 Geldverleiher *m.* -s, -; Rentner *m.* -s, -; Rentier [..tiě:] *m.* -s, -s. ～인상(인하) die Erhöhung (Herabsetzung) des Zinsfußes. ～자유화 die Liberalisierung der Zinsen. ～재조정 die Änderung des Zinsfußes. ～정책 Zinspolitik *f.* 은행～ die Bankzinsen 《*pl.*》.
금맞추다 die Preise (von verschiedenen Waren) aus|gleichen* (einander an|gleichen*).
금맥(金脈) Goldader *f.* -n.
금메달(金—) die goldene Medaille [medailjə] -n; Goldmedaille *f.*; die goldene Schaumünze, -n; die goldene Denkmünze; das goldene Medaillon [medaijɔ̃:] -s, -s. ¶ ～을 주다 *jn.* mit e-r goldenen Medaille aus|-zeichnen / ～을 타다 e-e goldene Medaille gewinnen*.
금명간(今明間) heute u. morgen; noch heute od. morgen; noch heute od. spätestens (bis) morgen; in ein, zwei Tagen; in ein bis zwei Tagen; heute od. morgen; bis morgen.
금모래(金—) ① 《사금》 Goldstaub *m.* -(e)s, -e; Goldpulver *n.* -s, -. ② 《금빛의》 der goldene Sand, -(e)s, -e.
금몰(金—) Gold¦tresse *f.* -n (-borte *f.* -n); Goldschnur *f.* -en (⸗e); Goldspitze *f.* -n. ¶ ～이 달린 mit Borten (Tressen) besetzt / ～이 달린 모자 Tressenhut *m.* -es, ⸗e / ～이 달린 상의 Tressenrock *m.* -(e)s, ⸗e.
금문자(金文字) ☞ 금자(金字).
금물(禁物) ① 《유해물》 etwas Schädliches* (Verderbliches*) -en. ② 《끊어야 할》 etwas, dessen (von dem) man ⁴sich enthalten soll. ③ 《피해야 할》 etwas zu Vermeidendes*, -en; etwas höchst Ungeeignetes*, -en; etwas nicht Wünschenswertes*, -en. ④ 《멀리 해야 할 물건》 etwas Verbotenes*, -en; etwas Untersagtes*, -en; etwas Verpöntes*, -en. ¶ ～의 verboten; schädlich / ～이다 *jm.* verboten sein; 《해롭다》 *jm.* schädlich (verderblich) sein; *jm.* schaden / 환자에게 담배는 ～이다 Die Zigarette ist schädlich für die Kranken. / 이 방안에서 음주는 ～이다 In diesem Zimmer ist Trinken verboten.
금박(金箔) Gold¦blatt *n.* -(e)s, ⸗er (-blättchen *n.* -s, -; -folie *f.* -n); Flittergold *n.* -(e)s; Blattgold *n.*; Goldschaum *m.* -(e)s. ¶ ～을 입히다 mit Gold plattieren⁴ (überziehen*); vergolden⁴ / ～이 벗겨진다 Die Vergoldung geht ab.
‖ ～장이 Goldschläger *m.* -s, -.
금발(金髮) das goldene (blonde) Haar, -(e)s, -e; Goldhaar *n.* -(e)s, -e. ¶ ～의 gold¦haarig (blond-) (*od.* -gelockt; -lockig) / ～ 벽안의 mit goldenen Haaren u. blauen Augen.
‖ ～미인 Blondine *f.* -n. ～소녀 Blondchen *n.* -s, -.
금방(今方) eben; soeben; eben (gerade) jetzt; sogleich; sofort; augenblicklich; bald. ¶ ～이라도 …할 것 같다 drohen zu…; auf dem Punkte (Sprunge) stehen*, zu…; im Begriff sein (stehen*), zu…; nahe daran sein, zu… / ～ 들은 이야기를 옮기다 *jm.* brühwarm erzählen⁴.
금방(金房) Goldschmied *m.* -(e)s, -e; Juwelier *m.* -s, -; Juwelierladen *m.* -s, ⸗; Juweliergeschäft *n.* -(e)s, -e.
금방망이(金—) 〖식물〗 Kreuzkraut *n.* -(e)s, ⸗er; *Senecio nemorensis* (학명).
금배(金杯) der goldene Becher, -s, -(Pokal, -s, -e).
금번(今番) diesmal. ☞ 이번.
금법(禁法) Verbot *n.* -(e)s, -e.
금보다 《평가하다》 ⁴*et.* schätzen 《*auf*⁴》; ⁴*et.* ab|schätzen⁴; ⁴*et.* an|schlagen*⁴; e-n Preis setzen 《*auf*⁴》; ⁴*et.* veranschlagen 《*auf*⁴》. ¶ 집을 너무 비싸게 ～ das Haus auf e-e zu hohe Summe veranschlagen / 나는 그것을 100원으로 금본다 Ich schätze das auf 100 *Won.* / 이것을 금보아 주시오 Bitte, sagen Sie mir, wieviel das Wert ist!
금본위(金本位) Goldwährung *f.* -en; Goldmünzfuß *m.* -es; Metallwährung *f.* -en. ¶ ～를 폐지하다 die Goldwährung ab|-schaffen.
‖ ～국 das Land mit Goldwährung. ～복귀 die Rückkehr zur Goldwährung. ～제도 Goldwährungssystem *n.* -s, -e.
금뵈다 ① 《물건을》 ab|schätzen lassen*; taxieren lassen*. ¶ 아무한테 물건을 ～ *jn.* ⁴*et.* ab|schätzen (taxieren) lassen*. ② = 금맞추다.
금분(金粉) Goldstaub *m.* -(e)s; Goldpulver ⌈*n.* -s, -.

금불(金佛) die goldene Buddhastatue, -n; das goldene Buddhabild, -(e)s, -er.
금불초(金佛草) *Inula japonica* (학명).
금붕어(金—) Goldfisch *m.* -(e)s, -e. ¶ ~를 기르다 Goldfische halten*.
‖ ~어항 Goldfisch¦becken *n.* -s, - (-behälter *m.* -s, -). ~장수 Goldfischhändler *m.* -s, -.
금붙이(金—) Goldwaren ((*pl.*)); der Gegenstand ((-(e)s, ⸗e)) aus Gold.
금비(金肥) Kunstdünger *m.* -s, -; Handelsdünger; chemisches Düngemittel, -s, -.
금비녀(金—) goldene Haar¦nadel (-spange) -n; goldener Haarpfeil, -(e)s, -e. ¶ 그 여자의 머리에는 ~가 꽂혀 있다 E-e goldene Haarspange schmückt ihre Frisur.
금빛(金—) Goldfarbe *f.* -n; die goldene Farbe, -n. ¶ ~의 golden; goldfarben; goldfarbig / ~ 찬란한 goldglänzend / 찬란한 ~ die glänzende Goldfarbe.
‖ ~바탕 Goldgrund *m.* -(e)s, ⸗e (그림의).
금사(金絲) =금실(金—).
금산(金山) ((금광)) Goldmine *f.* -n; Goldbergwerk *n.* -(e)s, -e.
금산(禁山) Berg ((*m.* -(e)s, -e)), den zu betreten verboten ist; Berg im Naturschutzgebiet.
금상(今上) der regierende König, -(e)s, -e; der regierende Kaiser, -s, -; S-e Majestät der König (Kaiser).
금상(金像) das goldene (vergoldete) Bild, -(e)s, ⸗er; die goldene (vergoldete) Figur, -en; die goldene (vergoldete) Statue, -n.
금상첨화(錦上添花) das Schönermachen dessen, was schon schön ist. ~하다 etwas noch schöner machen, das schon schön ist; etwas schon Schönem noch den letzten Schliff geben.
금새 =금[1].
금서(禁書) verbotenes Buch, -(e)s, ⸗er; indiziertes Buch.
금석(今昔) die Gegenwart u. Vergangenheit. ¶ ~지감이 든다 von den Änderungen, die in der letzten Zeit stattgefunden haben, beeindruckt sein; über die Änderung der Zeit betroffen sein / ~지감을 주다 *jn.* an die Vergangenheit erinnern.
금석(金石) ① ((쇠붙이와 돌)) Metall u. Gestein; ((광물)) Mineral *n.* -s, -e (..lien); ((비석)) Denkstein *m.* -(e)s, -e; Gedenkstein *m.* ② ((굳음)) Festigkeit *f.* ¶ ~지교(之交) die unwandelbare Freundschaft, -en / ~지약(之約) die feste Verabredung, -en.
③ ((문자)) Inschrift *f.* -en ((auf e-m Gedenkstein)).
‖ ~문(자) die Inschrift auf e-m Gedenkstein; Denkmal¦inschrift (Grab-). ~학 Inschriftenkunde *f.*; Epigraphik *f.*; ((광물학)) Mineralogie *f.*; Gesteinkunde *f.*
금선(金線) Golddraht *f.* ⸗e; Goldfaden *m.* -s, ⸗. ⌈*n.* -s, -.
금설(金屑) Goldstaub *m.* -(e)s; Goldpulver
금성(金星) 〖천문〗 Venus *f.*; Abend¦stern (Morgen-) *m.* -(e)s; ((금빛의)) der goldene Stern, -(e)s, -e. ¶ ~의 자오선 통과 Venusdurchgang *m.* -(e)s, ⸗e.
금성철벽(金城鐵壁) die uneinnehmbare (unangreifbare) Festung (Burg) -en. ¶ ~이라고 믿었던 성도 적의 수중에 들어갔다 Die für uneinnehmbar gehaltene Burg fiel nun in die Hände der Feinde.
금세 ((금시에)) gleich; sofort; sogleich; unverzüglich; im Augenblick; bald; binnen kurzem; in Kürze; auf der Stelle; ohne Verzug; im Nu; augenblicklich. ¶ ~ 오겠읍니다 Ich komme sogleich. / 그런 일은 ~ 할 수 있다 Ich kann das im Nu machen. / 이 그릇의 물은 ~ 끓는다 Wasser kocht in diesem Topf sehr schnell. / 그는 ~ 이랬다 저랬다 한다 Er sagt ja u. nein in demselben Atemzuge.
금세(今世) diese (die irdische) Welt; dieses (das irdische) Leben, -s; Diesseits *n.* -.
금세공(金細工) Gold(schmiede)arbeit *f.* -en.
‖ ~술 Goldschmiedekunst *f.* ⸗e. ~장이 Gold¦arbeiter *m.* -s, - (-schmied *m.* -(e)s, -e).
금속(金屬) Metall *n.* -(e)s, -e. ¶ ~의 metallen; metallisch; von [3]Metall; Metall- / ~성의((소리)) metallen; metallisch / ~이 함유된 metallhaltig; metallisch.
‖ ~공 Metallarbeiter *m.* -s, -. ~공업 Metallindustrie *f.* -n. ~광맥 Metallader *f.* -n. ~광택 Metallglanz *m.* -es. ~세공 Metallbearbeitung *f.* -en. ~원소 das metallische Element, -(e)s, -e. ~제품 Metallware *f.* -n. ~티타늄 Ferrotitan *n.* -s. ~판 (Fein-) blech *n.* -(e)s, -e; Metallplatte *f.* -n. ~학 Metall¦kunde (-lehre) *f.*: ~학자 der Metallkundige*, -n, -n; Metallbeschreiber *m.* -s, -. ~화 Metallisierung *f.* -en; Metallisation *f.* -en. ~화폐 Metall¦geld *n.* -(e)s, -er (-(geld)stück *n.* -(e)s, ⸗e). 경~ das leichte Metall. 귀~ die edle Metalle ((*pl.*)). 비~ Metalloid *n.* -(e)s, -e; Nichtmetall *n.*
금수(禁輸) Embargo *n.* -s, -s; Ausfuhr¦sperre (Export-) *f.* -n (*od.* -verbot *n.* -(e)s, -e); ((수입금지)) Einfuhrverbot *n.* -(e)s, -e. ~하다 die Ein¦fuhr (Aus-) verbieten* ((*von*[3])). ¶ 금은 ~품이다 Gold ist mit Ausfuhrsperre (Exportverbot) belegt.
‖ ~품 Konter¦bande (Kontra-; Kontre-) *f.* -n; Bannware *f.* -n; ((밀수품)) Schleichgut *n.* -(e)s, ⸗er; Schmuggelware *f.* -n.
금수(禽獸) Vögel u. Vierfüßler ((*pl.*)); Getier *n.* -(e)s; Bestie *f.* -n; Biest *n.* -es, -er; Vieh *n.* -(e)s. ¶ ~ 같은 bestialisch; entmenscht; inhuman; unmenschlich; viehisch / ~만도 못한 (an Grausamkeit) sogar die Bestien übertreffend / ~와 같은 행위 das tierische (viehische; bestialische) Betragen (Benehmen); Bestialität *f.* -en / ~만도 못한 인간 ein Mensch ((*m.* -en, -en)), schlimmer als ein Biest (Vieh) / ~와 다를 바 없다 so gut wie ein Tier sein; nicht besser als e-e Bestie sein.
금수(錦繡) Brokat *m.* -(e)s, -e; Seidenstickerei *f.* -en.
‖ ~강산 Korea mit s-r schönen Landschaft; schönes Korea.
금수출(金輸出) Goldausfuhr *f.* -en; Goldabfluß *m.* ..flusses, ..flüsse (유출). ¶ ~은 금지되어 있다 Die Ausfuhr des Goldes ist verboten.
‖ ~금지 Goldausfuhrverbot *n.* -(e)s, -e. ~해금(解禁) die Aufhebung des Goldausfuhrverbotes.
금슬(琴瑟) die Harfen ((*pl.*)); ((부부의)) die eheliche Harmonie, -n. ¶ ~지락(之樂) eheliche Glückseligkeit / ~이 좋다 in glücklichster Eintracht zusammen|leben; als Mann u. Frau miteinander in vollkommener Harmonie leben; ein einträchtiges

(harmonisches) Eheleben führen.

금시(今時) in diesem Augenblick; gerade; gerade jetzt; vor e-m Augenblick. ¶ ~에 ☞ 금세 / ~ 변하다 im Nu [4]sich ändern. ‖ ~발복 plötzlicher Segen, -s, -; plötzlicher Reichtum, -s, ¨er; plötzlicher Erfolg, -s, -e. ~초견(초문) zum ersten Mal sehen (hören): 이것은 ~초문이다 Das höre ich jetzt zum ersten Mal.

금식(禁食) das Fasten*, -s. ~하다 fasten; hungern. ‖ ~일 Fasttag m. -(e)s, -e.

금실(金—) Goldfaden m. -s, ¨. ¶ ~로 수놓은 goldgestickt / ~로 화조를 수놓다 Vögel u. Blumen mit Goldfäden sticken.

금싸라기(金—) „Gold" n. -(e)s; etwas Kostbares*.

금압(禁壓) Unterdrückung f. -en; Niederhaltung f. -en; Erstickung f. -en. ~하다 unterdrücken[4]; nieder|halten*[4]; e-r [3]Sache Einhalt tun* (gebieten*)(억압하다).

금액(金額) (Geld¦)summe f. -n (-betrag m. -(e)s, ¨e; -posten m. -s, -). ¶ 큰 ~ die große Summe / 엄청난 ~ die enorme (ungeheuere; kolossale) Summe / 어떤 ~에 달하다 (e-e gewisse Summe) aus|machen; (e-e gewisse Summe) betragen*; [4]sich (auf e-e gewisse Summe) belaufen* / ~으로 해서 500원 정도의 것입니다 Es ist auf etwa 500 *Won* geschätzt.

금어(禁漁) 《어업금지》 Fischereiverbot n. -(e)s, -e; 《낚시금지》 Angelverbot n.
‖ ~구 Fischerei¦verbotsgebiet (Angel-) n. -(e)s, -e; Schonbezirk m. -(e)s, -e. ~기 Fischfangverbotssaison [..sεzɔ̃] f. -s; die Schonzeit für Fische.

금어조(金魚藻) =붕어마름.

금어초(金魚草) Löwenmaul n. -(e)s, ¨er.

금언(金言) ① 《격언》 der (goldene) Spruch, -(e)s, ¨e; Denk¦spruch (Kern-; Leib-; Merk-; Sinn-; Wahl-) m. -(e)s, ¨e; Devise f. -n; Maxime f. -n. ② 《법어》 die heiligen, unsterblichen Worte 《pl.》 Buddhas.
‖ ~집 Spruch¦buch n. -(e)s, ¨er (-sammlung f. -en); die Sammlung von Devisen u. Maximen; „Goldene Worte" 《pl.》.

금연(禁煙) 《못 피우게 함》 Rauchverbot n. -(e)s, -e; das Verbot des Rauchens; Rauchen verboten!(게시); 《끊음》 das Sichenthalten* 《-s》 vom Rauchen. ~하다 das Rauchen verbieten*; 《자기가》 [3]sich das Rauchen ab|gewöhnen; das Rauchen auf|geben*; [4]sich des Rauchens entwöhnen; [4]sich des Rauchens (vom Rauchen) enthalten* (절연). ¶ 교실에서는 ~이다 Das Rauchen ist im Schulzimmer verboten.
‖ ~실《열차의》 Nichtraucher¦abteil n. -(e)s, -e (-raum m. -(e)s, ¨e). ~운동 der Feldzug 《-(e)s, ¨e》 gegen das Rauchen.

금요일(金曜日) Freitag m. -(e)s, -e.

금욕(禁慾) Askese (Aszese) f.; Abtötung f. -en; Enthaltsamkeit f.; Kasteiung f. -en; Selbstpeinigung f. ~하다 das Fleisch ab|töten; [4]sich der Vergnügungen (von Vergnügungen) enthalten*; [4]sich kasteien; [4]sich selbst peinigen; alle Leidenschaften unterdrücken; [4]Enthaltung üben. ¶ ~의 《금욕적》 asketisch; enthaltsam; stoisch/ ~생활을 하다 ein asketisches Leben führen; [4]sich der Asketik (Aszetik) hin|geben*.
‖ ~주의 Asketik (Aszetik) f.; Asketismus (Aszetismus) m. -; der Grundsatz 《-es, ¨e》 der Enthaltsamkeit; Stoizismus m. -: ~주의자 Asket (Aszet) m. -en, -en; der Enthaltsame*, -n, -n; Stoiker m. -s, -; Kasteier m. -s, -(종교적인).

금원(禁苑) der kaiserliche (königliche) Garten, -s, ¨; der Garten im kaiserlichen (königlichen) Schloß.

금월(今月) =이달.

금융(金融) Geld¦wesen n. -s (-umlauf m. -(e)s; -umsatz m. -es; -verkehr m. -(e)s); die finanziellen Verhältnisse 《pl.》 (사정). ¶ 지금은 ~사정이 핍박하다 Es ist jetzt kein Geld unter den Leuten.¦ (Das) Geld ist jetzt knapp.
‖ ~경색 Geldklemme f. ~계 Finanzwelt f.; die finanziellen Kreise 《pl.》. ~관계 Geldbezugsverhältnis n. -ses, -se. ~기관 Geldinstitut n. -(e)s, -e; Kreditanstalt f. -en. ~난 Geldnot f. ¨e. ~법 Geld¦recht (Finanz-) n. -(e)s, -e. ~상태 Geldstand m. -(e)s, ¨e; die finanziellen Verhältnisse 《pl.》. ~시장 Geld¦markt m. -(e)s, ¨e (-börse f. -n). ~업 Geld¦geschäft (Bank-) n. -(e)s, -e; Geldhandel m. -s, -: ~업자 Geldmakler m. -s, -; Geldhändler m. -s, -; die finanzielle Einrichtung, -en (주로 은행). ~완만 die Faulheit des Geldes. ~위기(공황) Geldkrise (Finanz-) f. -n (od. -krisis f. ..sen). ~자본 Finanzkapital n. -s, -e (..lien): ~자본가 Finanzier m. -s, -s; Finanzkapitalist m. -en, -en; Finanz¦mann (Geld-) m. -(e)s, ¨er; Finanzwelt f. (총칭). ~조직 Geld¦system (Finanz-) n. -s, -e. ~채 Geldschuld f. ~통제 Geld¦kontrolle (Finanz-) f. -n. ~핍박 Geld¦mangel m. -s, ¨ (-knappheit f.); die Gedrücktheit des Geldmarkt(e)s; die Faulheit des Geldes. 국제 ~중심지 das internationale Geldzentrum, -s, ..tren.

금은(金銀) Gold u. Silber.
‖ ~괴(塊) Gold- u. Silberklumpen m. -s, -. ~병행 본위 (복본위) 제도 Bimetallismus m. -; Doppelwährung f. -en. ~보배(보화) Geld u. wertvolle Sachen; wertvolle Schätze 《pl.》. ~붙이 die Sachen 《pl.》 aus Gold u. Silber. ~세공 Gold- u. Silberarbeit f. -en; die Arbeit an Gold u. Silber. ~화(폐) Gold- u. Silbermünze f. -n.

금의(錦衣) das Kleid 《-(e)s, -er》 aus Brokat. ¶ ~옥식(玉食)하다 es gut haben; üppig leben / ~환향하다 ruhmbedeckt heim|kehren(s) (in die Heimat zurück|kehren(s); die Heimat wieder|sehen*); mit Ehren überhäuft in die Heimat zurück|kehren(s); mit Ruhm bedeckt heim|kehren(s).

금일(今日) =오늘. ¶ ~휴업 《게시》 Heute geschlossen!

금일봉(金一封) ein (kleines) Geldgeschenk 《-(e)s, -e》 in e-m Umschlage. ¶ ~을 주다 jm. Geld in e-m Umschlage überreichen; jm. ein Geldgeschenk machen / ~을 받다 ein (kleines) Geldgeschenk bekommen* (erhalten*).

금자(金字) Gold¦buchstabe m. -n(s), -n. ¶ ~의 in [3]Goldbuchstaben (Goldschrift); mit Goldbuchstaben geschrieben.

금자동이(金子童—) Lieblingssohn m. -(e)s, ¨e.

금자탑(金字塔) Pyramide f. -n; 《업적》 die monumentale (hervorragende) Leistung, -en. ¶ ~ 모양의 pyramidenförmig; pyramidal / 출판계의 ~ die monumentale Publikation, -en / ~을 세우다 s-e monumenta-

le Leistung haben (vollbringen*).
금작화(金雀花) 〖식물〗 Ginster *m.* -s, -.
금잔(金盞) der goldene Becher, -s, -; das goldene Schälchen, -s, -.
금잔디(金—) koreanische Rasenart; gepflegter Rasen, -s, -.
‖ ~동산 mit Rasen bewachsener Hügel 《-s, -》 hinter dem Haus; mit Rasen bewachsene Hügellandschaft, -en.
금잔화(金盞花) 〖식물〗 Ringelblume *f.* -n.
금장(禁葬) das Verbot 《-(e)s, -e》 der Beerdigung 《in bestimmten Gebieten》. ~하다 die Beerdigung verbieten*.
금장(襟章) Kragenabzeichen *n.* -s, -.
금장도(金粧刀) goldenes Schmuckmesser, -s, -; goldenes Taschenmesser.
금장식(金粧飾) Goldzierat *m.* -(e)s, -e; Goldschmucksachen 《*pl.*》.
금전(金錢) 《돈》 Geld *n.* -(e)s, -er; Mittel *n.* -s, -; Bargeld *n.* -(e)s; Moneten 《*pl.*》; 《금화》 Goldmünze *f.* -n. ☞ 돈. ¶ ~(상)의 geldlich; pekuniär; Geld- / ~(상의) 문제 Geld¦angelegenheit *f.* -en (-frage *f.* -n); Geldsache *f.* -n / ~상의 원(보)조 Geld(bei)-hilfe *f.* -n; Geldunterstützung *f.* -en / ~상의 이익 Geldgewinn *m.* -(e)s, -e / ~상의 손실 Geldverlust *m.* -es, -e / ~의 노예 der Sklave 《-n, -n》 des Mammons; Mammonsdiener *m.* -s, - / ~ 문제에 세심하다 genau (streng) in ³Geldangelegenheiten sein / ~ 문제에 아주 무관심하다 ganz nachlässig (unbedachtsam) in ³Geldangelegenheiten sein; ⁴sich wenig um ⁴Geld kümmern / ~ 문제에 어려움을 겪고 있다 in e-r argen Geldklemme stecken; in ³Geldnot sein; Mangel an ³Geld haben (leiden*); Geld sehr nötig haben / ~ 출납을 취급하다 die Kasse führen / 그는 ~에 담백한 남자이다 Er achtet zu wenig aufs Geld.
‖ ~등록기 Registrier¦kasse (Kontroll-; Register-) *f.* -n. ~신탁 das Geldanvertrauen*, -s. ~지출 Geldausgabe *f.* -n. ~채무 Geldschuld *f.* -en. ~출납 Kassen¦führung *f.* (-verwaltung *f.*): ~출납계 Kassierer *m.* -s, -; Kassier *m.* -s, -e; Kassen¦führer *m.* -s, - (-wart *m.* -(e)s, -e); Schatzmeister *m.* -s, - / ~출납부 Kassabuch *n.* -(e)s, ⸚er.
금점(金店) 〖광산〗 Gold¦grube (-mine) *f.* -n; Goldbergwerk *n.* -(e)s, -e.
‖ ~꾼 Gold¦gräber (-sucher) *m.* -s, -. ~판 Goldlagerstätte *f.* -n.
금제(金製) die aus (von) Gold gemachten Waren 《*pl.*》; aus (von) Gold gemacht.
‖ ~품 Goldwaren 《*pl.*》; Gegenstände 《*pl.*》 aus Gold.
금제(禁制) Verbot *n.* -(e)s, -e; Bann *m.* -(e)s, -e; Inhibition *f.* -en; Untersagung *f.* -en; Interdikt *n.* -(e)s, -e. ~하다 verbieten*⁴ 《*jm.*》; mit dem Bann belegen⁴; inhibieren⁴ 《*jm.*》; untersagen⁴ 《*jm.*》. ¶ ~된 verboten; untersagt / 여인 ~의 산 der heilige, den Frauen nicht zugängliche Berg / ~를 해제하다 ein Verbot (einen Bann) auf|heben*.
‖ ~품 die (gesetzlich) verbotene Ware, -n; Konterbande *f.* -n; Kontrabande *f.* -n; Schmuggelware *f.* -n(밀수품).
금조개(金—) Abalonenmuschel *f.* -n; die Schale 《-n》 von Meerohren.
금족(禁足) ① 〖불교〗 das Verbot 《-(e)s, -e》 des Eintritts. ② 《외출 금지》 Haus¦arrest (Stuben-) *m.* -es, -e. ¶ 아무를 ~하다 mit ³Hausarrest *usw.* bestrafen; als Strafe verbieten* 《*jm.*》, das Haus zu verlassen / 3일간의 ~을 명하다 *jm.* e-n dreitägigen Stubenarrest auf|erlegen; *jm.* e-n Stubenarrest von drei Tagen auf|erlegen.
‖ ~령 Haus¦arrest (Stuben-) *m.* -es, -e: 나는 그에게 ~령을 내렸다 Ich gab ihm Hausarrest.¦Ich verbot ihm, das Haus zu verlassen.
금종이(金—) Goldpapier *n.* -s, -e; das vergoldete Papier; Goldfolie *f.* -n.
금주(今週) diese Woche. ¶ ~ 중에(도) (noch) im Laufe dieser Woche / 나는 ~ 중 내내 병을 앓았다 Ich bin diese ganze Woche krank gewesen. / ~에는 이 정도로 해 두자 So weit für diese Woche.
금주(禁酒) ① 《끊음》 Abstinenz *f.*; Enthaltsamkeit 《*f.*》 (im Genuß alkoholischer Getränke); Mäßigkeit *f.*; Temperanz (Temperenz) *f.*; Antialkoholismus *m.* - (주의). ~하다 abstinent (enthaltsam) sein; auf alkoholische Getränke verzichten; ³sich das Trinken ab|gewöhnen; ⁴sich des Trinkens (vom Trinken) enthalten* (entwöhnen); ⁴sich geistiger Getränke enthalten*. ¶ ~의 서약 das Versprechen 《-s, -》, dem Alkohol zu entsagen / 지금 ~ 중이다 Ich bin jetzt abstinent (enthaltsam).¦Ich trinke jetzt kein Alkohol. ② 《못 마시게 함》 Prohibition *f.* -en; Alkoholverbot *n.* -(e)s, -e. ~하다 das Trinken verbieten*.
‖ ~가(家) Abstinenzler (Antialkoholiker *m.* -s, -); Abstinent *m.* -en, -en. ~국 das „trockene" Land, -(e)s, ⸚er; das Land mit Alkoholverbot. ~동맹 Enthaltsamkeitsverein *m.* -(e)s, -e. ~법 (Alkohol)verbotgesetz (Prohibitions-) *n.* -es, -e: ~법안 der Antrag 《-(e)s, ⸚e》 auf ⁴Alkoholverbot. ~운동 Abstinenzbewegung *f.* -en; Kampf 《*m.* -(e)s, ⸚e》 gegen den Alkoholismus; Enthaltsamkeitsbewegung *f.* -en. ~주의 Antialkoholismus *m.*: ~주의자 Abstinenzler *m.* -s, -; der Abstinente*, -n, -n; Prohibitionist *m.* -en, -en. ~회 Mäßigkeitsgesellschaft *f.* -en; Temperanzgesellschaft *f.*: ~회원 Mäßigkeitsfreund *m.* -(e)s, -e.
금준비(金準備) 〖경제〗 Goldreserve *f.* -n.
금줄¹(金—) ① 《시곗줄 따위》 die goldene Kette, -n; die Kette von ³Gold; Goldkette *f.* -n. ② 《계급장 따위의》 Goldtressen 《*pl.*》: Goldstreifen *m.* -s, -.
금줄²(金—) 《금맥》 Goldader *f.* -n.
금지(禁止) Verbot *n.* -(e)s, -e; Bann *m.* -(e)s, -e; Inhibition *f.* -en; Untersagung *f.* -en; Interdikt *n.* -(e)s, -e; Interdiktion *f.* -en; Ausfuhrsperre *f.* -n(수출의). ~하다 verbieten*⁴ 《*jm.*》; bannen⁴; inhibieren⁴; untersagen⁴ 《*jm.*》; Einhalt gebieten*³ (tun*³); interdizieren⁴. ¶ ~된 verboten; gebannt; inhibiert; untersagt / 발행 ~ das Verbot der Herausgabe / 주차 ~ 《게시》 Parken verboten! / 출입 ~ 《게시》 Die Tür zuschließen!¦Zutritt verboten! / 출입 ~구역 das verbotene Gebiet, -(e)s, -e / 통행 ~ 《게시》 Durchgang verboten!¦Kein Durchgang!¦Verbotener Weg! / 책의 판매를 ~하다 den Verkauf des Buchs untersagen / 출입을 ~하다 *jm.* das Haus verbieten* / 통행을 일시 ~하다 den Verkehr an|halten* / ~를 해제하다 ein Verbot auf|heben*/ 법적으로 ~되어 있다 gesetzlich verboten

werden; bei ³Strafe verboten sein; untersagt [verpönt] sein.
‖ ～법 Verbotsgesetz *n.* -es, -e. ～조항 Prohibitivbestimmung *f.* -en. ～처분 Prohibitivmaßregeln 《*pl.*》. ～품 Bann¦ware [Schmuggel-] *f.* -n; Konterbande *f.* -n. 전면적～ totales Vorbot. 판매～ Verkaufsverbot *n.*

금지옥엽(金枝玉葉) ① 《임금의》 die Person 《-en》 von kaiserlicher [königlicher] Geburt; das Mitglied 《-(e)s, -er》 der kaiserlichen [königlichen] Familie; Prinz *m.* -en, -en; Prinzessin *f.* -nen. ② 《귀하게 자란》 Lieblingssohn *m.* -(e)s, ⸗e; Lieblingstochter *f.* ⸗.

금쳐놓다 auf die zu erwartende Folgen hin|weisen*; voraus|sagen⁴. 「*f.*

금촉(金鏃) die goldene Feder, -n; Goldfeder

금추(今秋) dieser Herbst, -es. ¶ ～에 in diesem Herbst.

금춘(今春) dieser Frühling, -s.

금치다 《값을》 e-n Preisvorschlag machen; e-n Preis nennen*.

금치산(禁治産) 〖법〗 Entmündigung *f.* -en.
‖ ～선고 Interdiktion *f.* -en: ～선고를 내리다 *jn.* entmündigen / ～선고를 받다 gerichtlich entmündigt werden. ～자 der Entmündigte*, -n, -n.

금침(衾枕) Bettdecke 《*f.* -n》 u. Kopfkissen 《*n.* -s, -》.

금테(金一) der goldene Rahmen, -s, -; 《책》 Goldschnitt *m.* -(e)s, -e; 《안경의》 der goldene Rand, -(e)s, ⸗er; die goldene Einfassung, -en. ¶ ～의 mit Gold umrahmt [umrandet; eingefaßt].
‖ ～안경 die goldumrandete Brille, -n. ～액자 der goldene Rahmen.

금파리(金一) 〖곤충〗 Schmeißfliege *f.* -n; Aasfliege; Brummer *m.* -s, -.

금품(金品) Geld u. andere Artikel; Geld u. andere Sachen. ¶ ～을 빼앗다 *jm.* Geld u. andere Sachen rauben; *jn.* des Geldes u. anderer Sachen berauben.

금풍(金風) Herbstwind *m.* -(e)s, -e; Herbstbrise *f.* -n; Herbstluft *f.* ⸗e.

금하(今夏) dieser Sommer, -s.

금하다 《값을 정하다》 e-n Preis bestimmen.

금하다(禁一) ① 《금지》 verbieten* 《*jm.* ⁴*et.*》; untersagen 《*jm.* ⁴*et.*》; den Bann [das Interdikt] auf|erlegen³; mit Embargo [Handelssperre] belegen⁴. ¶ 아무에게 육식을 ～ *jm.* den Fleischgenuß verbieten* / 집에 출입을 ～ *jm.* das Haus verbieten* / 도박을 ～ das Hasardspiel verbieten* / 그는 의사로부터 담배를 금하라는 지시를 받았다 Ihm wurde vom Arzt das Rauchen untersagt. / 이 연못에서는 낚시질을 금한다 Es ist untersagt, in diesem Teich zu fischen!
② 《억제·참음》 hemmen⁴; hindern⁴; nieder|halten*⁴; unterdrücken⁴; ⁴sich enthalten*⁽²⁾ 《*von*³》. ¶ 웃음 [눈물]을 금할 수 없다 Ich kann mich des Lachens [der Tränen] nicht enthalten. / 그의 꼴을 보고 웃음을 금할 수 없었다 Bei s-m Anblick konnte ich mich nicht enthalten zu lachen. / 그 참상을 보고 동정을 금할 수 없었다 Bei dem traurigen Anblick konnte ich mich e-s Gefühls von Mitleid nicht enthalten.
③ 《욕망을 끊음》 ⁴sich enthalten*⁽²⁾ 《*von*³》; ³sich ab|gewöhnen⁴. ¶ 술을 ～ ⁴sich des Alkohols enthalten*; ³sich das Trinken ab|gewöhnen / 주색을 ～ ⁴sich des sinnlichen Vergnügens enthalten*; ³sich Wein u. Weib ab|gewöhnen / 나는 요새 술을 금하고 있다 Ich enthalte mich in letzter Zeit des Trinkens.

금혼식(金婚式) die goldene Hochzeit, -en; Jubelhochzeit *f.* -en. ¶ ～을 올리는 부인 Jubelbraut *f.* ⸗e / ～을 올리는 남편 Jubelbräutigam *m.* -s, -e / ～을 올리는 부부 Jubelpaar *n.* -(e)s, -e / ～을 올리다 die goldene Hochzeit feiern.

금화(金貨) Gold¦münze *f.* -n [-stück *n.* -(e)s, ⸗e; -geld *n.* -(e)s]; Goldfuchs *m.* -es, ⸗e 《속어》. ¶ ～로 지급하다 in Gold bezahlen⁴.
‖ ～국 ein Staat 《*m.* -(e)s, -en》, in dem Goldmünzen im Umlauf sind. ～본위 Goldwährung *f.* -en: ～본위 제도 Goldmünzsystem *n.* -s, -e.

금환(金環) ① Gold¦ring *m.* -(e)s, -e [-reif *m.* -(e)s, -e]; der goldene Ring [Reif]; der Ring [Reif] von Gold. ② 〖천문〗 Korona *f.* ..nen; Strahlenkranz *m.* -es, ⸗e.

금환식(金環蝕) 〖천문〗 die ringförmige Sonnenfinsternis, ..nisse.

금후(今後) von nun an; von jetzt ab; von jetzt an; hiernach; künftig; später (후에); in Zukunft. ¶ ～의 (zu)künftig; künftighin; kommend / ～ 3년 후에 in [nach] drei Jahren / ～의 계획 die künftige Pläne 《*pl.*》 / ～ 어떻게 하시렵니까 Wie denkst du dir denn nun d-e Zukunft? / ～에도 자주 만납시다 Ich hoffe, daß ich Sie noch öfters sehen kann.

급(急) ① 《위급》 Gefahr *f.* -en; Krise [Krisis] *f.* ..sen; Not *f.* ⸗e; Notfall *m.* -(e)s, ⸗e. ¶ 급할 경우에는 bei Gefahr; im Notfall; notfalls / 급한 경우에 대비하다 für Notfälle Vorsorge treffen* [vor|sorgen]; ⁴sich auf jede Gefahr [alle möglichen Fälle; alle Möglichkeiten] vor|bereiten; ⁴sich auf das Schlimmste gefaßt machen / 급을 고하다 alarmieren⁴; Alarm schlagen* [blasen*] (경보); 《급박》 kritisch sein; e-e kritische Wendung nehmen* [Lage *f.* -n 등을 주어로 해서]¦Die Zeit [Die Not] drängt 《*zu*³》. / 정계의 풍운이 급을 고하다 Die politische Spannung 《*zwischen*³》 wird ernst.¦Es ist Gefahr im Verzuge, daß die politische Entwicklung zum Krieg treibe. ② 《긴급》 Dringlichkeit *f.* -en; Eile *f.* ③ 〖형용사적〗 stark; steil(경사가); reißend(물결이); 《긴급》 dringlich; dringend; eilig; 《위급》 drohend; kritisch; gefährlich.

급(級) Klasse *f.* -n; Rang *m.* -(e)s, ⸗e; Stufe *f.* -n; Ordnung *f.* -en; 《비유적으로》 Format *n.* -(e)s, -e; Kaliber *n.* -s, -; Qualität *f.* -en. ¶ 급을 나누다 [가르다] in Klassen ein|teilen⁴; nach Rang [Größe] ordnen⁴; in Rangklassen ab|stufen⁴ / 한 급 위[아래]다 e-e Klasse über [unter] *jm.* sein / 제1급 예술가 ein Künstler 《*m.* -s, -》 erster Klasse / 제1급 도로 Straße 《*f.* -n》 erster Ordnung / 5천톤급의 선박 ein Schiff 《*n.* -(e)s, -e》 der 5000-Tonnen-Klasse / 장관급의 인물 e-e Persönlichkeit 《-en》 von Minister-Format / 같은 급이다 in derselben Klasse sein.

급각도(急角度) der scharfe Winkel, -s. ¶ ～로 in scharfen Winkel; scharfwink(e)lig / ～로 상승하다 〖항공〗 hoch|reißen* [-|ziehen*] (s).
‖ ～상승 das Hochziehen*, -s.

급강하(急降下) Sturz *m.* -es, ⸗e; Sturzflug *m.* -(e)s, ⸗e. **~하다** sturzen Ⓢ; e-n Sturzflug aus|führen (machen).
‖ **~폭격** Sturzangriff *m.* -(e)s, -e: ~폭격기 Sturzkampfflugzeug *n.* -(e)s, -e; Stuka *n.* -s, -s (단축형) / ~ 폭격하다 im Sturz (mit Bomben) an|greifen*.

급거(急遽) in aller (größter) Eile; in großer Hast; mit möglichster Eile; schleunigst; schnellstens; eilends; plötzlich.

급격(急擊) Blitz¦angriff (-krieg) *m.* -(e)s, -e; Überraschungsangriff *m.* -(e)s, -e. **~하다** den Blitzangriff starten; blitzartig (plötzlich) an|greifen*⁴.

급격하다(急激—) plötzlich; unerwartet; eilig; rasch; schnell; geschwind; heftig; jäh; schlagartig; ruckartig (sein). ¶ 급격한 인구 증가 die rasche Bevölkerungszunahme / 급격한 변화 der plötzliche Wechsel / 급격한 진전을 보다 reißende Fortschritte 《*pl.*》 machen.

급경(急境) Not *f.* ⸗e; die dringende (drohende) Gefahr, -en; Notfall *m.* -(e)s, ..fälle. ¶ ~에 처해서 im Notfalle.

급경사(急傾斜) Steile *f.* -n; Abschüssigkeit *f.* ¶ ~의 steil; abschüssig; jäh / 길은 여기서 부터 ~의 오르막(내리막)이 된다 Der Weg führt von hier an steil aufwärts (hinab).

급경성(急硬性) ¶ ~의 《시멘트》 schnell härtend (trocknend; bindend).

급고(急告) die dringende Ankündigung (Bekanntmachung) -en. **~하다** schnell berichten 《*jm. über*⁴》; eilig benachrichtigen 《*jn. von*³》; unverzüglich mit|teilen⁴ 《*jm.*》. ¶ ~에 따라 auf die eilige Nachricht hin.

급급하다(汲汲—) ① 《부지런하다》 fleißig; emsig; arbeitsam; unermüdlich; strebsam; unverdrossen (sein). ② 《야심을 내포한 뜻으로는》 streberhaft; streberisch; ehrgeizig; ehrsüchtig (sein); 《서술적》 nur an ⁴*et.* denken; unermüdlich streben 《*nach*³》; an|streben⁴; versessen sein 《*auf*⁴》. ¶ 명리에 ~ eifrig nach Ruhm u. Reichtum streben.

급급하다(急急—) 《성미가》 ungeduldig; hastig; heftig; ungestüm (sein); 《사태가》 dringend (sein). ¶ 급급히 ungeduldig; hastig; heftig; dringend; dringlich.

급기야(及其也) schließlich (doch); endlich doch; am Ende (doch); zuletzt (doch). ¶ ~ 그녀는 그한테서 버림을 받고 말았다 Schließlich wurde sie doch von ihm verlassen. / 노름을 자주 하더니 ~ 신세를 망치고 말았다 Mit dem dauernden Glückspiel hat er sich schließlich ganz ruiniert.

급난(急難) die plötzliche (drohende) Gefahr, -en; die plötzliche (dringende) Not, ⸗e.

급등(急騰) das Emporschnellen*, -s (der Preise); das schnelle Steigen*, -s; die plötzliche Hausse [hó:sə], -n. ¶ 물가가 ~하다 die Preise schnellen empor / 시세가 ~했다 Die Kurse sind plötzlich gestiegen. / 집세가 ~했다 Die Miete ist auf einmal gestiegen.

급락(及落) Bestehen u. Durchfallen 《*n.* des - u. -s》 des Examens; Prüfungsergebnis *n.* ..nisses, ..nisse.

급료(給料) Lohn *m.* -(e)s, ⸗e; Gehalt *n.* -(e)s, ⸗er; Bezüge 《*pl.*》; Sold *m.* -(e)s, -e. ☞ 봉급. ¶ ~를 지불하다 *jm.* sein Gehalt (s-n Lohn) zahlen (aus|zahlen) / ~를 받다 (sein) Gehalt ((s-n) Lohn) beziehen* (erhalten*) / ~가 많다 (적다) gut (schlecht) bezahlen 〖지불주가 주어〗; gut (schlecht) bezahlt sein 〖받는 사람이 주어〗; *js.* Bezüge sind hoch (niedrig) / ~가 올랐다 Mein Gehalt wurde erhöht.
‖ **~일** Zahltag *m.* -(e)s, -e.

급류(急流) der reißende Strom, -(e)s, ⸗e; Stromschnelle *f.* -n; Strudel *m.* -s, -(여울). ¶ ~를 건너다 e-n reißenden Fluß durch|waten.

급무(急務) Dringlichkeit *f.*; das dringende Geschäft, -(e)s, -e; die akute (brennende) Frage, -n; die dringende Angelegenheit, -en. ¶ 목하의 ~ die überaus wichtige Frage der Gegenwart.

급박(急迫) Dringlichkeit *f.*; Dringendsein *n.*; Unaufschiebbarkeit *f.*; Drang *m.* -(e)s, ⸗e. **~하다** dringend; dringlich; drängend; unaufschieb¦bar (-lich) (sein). ¶ 유럽 정세의 ~ Gespanntheit der politischen Lage in Europa / 사태가 ~하다 Die Sache drängt. / 식량문제가 ~해졌다 Die Nahrungsfrage ist dringlich geworden.

급변(急變) die plötzliche Änderung, -en; die unerwartete Wendung, -en(사태의); Unfall *m.* -(e)s, ⸗e; Zwischenfall *m.* -(e)s, ⸗e (사고). **~하다** ⁴sich plötzlich ändern; plötzlich um|schlagen* (um|springen*) Ⓢ (날씨, 바람 따위가); e-e plötzliche Wendung nehmen* 《zum Besseren 좋은 면으로, zum Schlimmeren 나쁜 면으로》. ¶ ~이 없는 한 wofern k-e plötzliche Wendung eintritt / 형세의 ~ die plötzliche Wendung der Situation.

급병(急病) die plötzliche Erkrankung, -en; der jähe Fall, -(e)s, ⸗e. ☞ 급환.

급보(急報) die eilige Nachricht, -en; die dringende Mitteilung, -en. **~하다** schnellstens (dringend; so rasch wie möglich) mit|teilen³⁴; e-e eilige Nachricht bringen*³ (senden*³). ☞ 급(急). ¶ ~에 따라 auf die eilige Nachricht hin.

급부(給付) Überreichung *f.* -en; Eingabe *f.* -n; Lieferung *f.* -en; Leistung *f.* -en; Versorgung *f.* -en. **~하다** überreichen³⁴; ein|geben*³⁴; liefern³⁴; Leistung bewirken; versorgen⁴ 《*mit*³》.
‖ 귀환자**~금** Heimkehrerhilfsgeld *n.* -(e)s, -er. 반대**~** Gegenleistung *f.* -en. 의료**~** die medizinische Versorgung, -en.

급비(給費) Geld¦hilfe *f.* -n (-unterstützung *f.* -en); Subvention *f.* -en; Stipendium *n.* -s, ..dien. **~하다** mit Geld unterstützen⁴; subventionieren⁴.
‖ **~생** Stipendiat *m.* -en, -en.

급사(急死) der plötzliche Tod, -(e)s, (드물게) -e; der unerwartete Tod. **~하다** plötzlich sterben* Ⓢ.

급사(急使) Eilbote *m.* -n, -n; Kurier *m.* -s, -e.

급사(給仕) 《식당의》 Kellner *m.* -s, -; Ober *m.* -s, -; Ganymed *m.* -s; 《사무실의》 Bürojunge *m.* -n, -n; Laufbursche *m.* -n, -n; 《호텔의》 Page [pá:ʒə] *m.* -n, -n; Hotelboy [..bɔi] *m.* -s, -s; Steward [stjú:ərt] *m.* -s, -s (배, 비행기의); 《보이》 Boy *m.* -s, -s; Junge *m.* -n, -n.

급사면(急斜面) der jähe Abhang *m.* -(e)s, ⸗e; der steile Abhang; die steile (jähe) Böschung, -en; die steile Abdachung.

급살(急煞) Unglücksstern *m.* -(e)s, -e; Unglückshäher *m.* -s, -; schlimmster Schicksalsschlag, -(e)s, ⸗e. ¶ ~맞다 plötzlich sterben* ⓢ; den Todesstoß (Todesschlag) erleiden* / ～맞을 놈아 Hol dich der Teufel!

급상승(急上昇) 《비행기 따위의》 das Aufschießen*, -s; das Hochschießen*, -s. ～하다 auf|schießen* ⓢ.

급서(急逝) ＝급사(急死).

급선무(急先務) die dringendste Aufgabe, -n; die Aufgabe (das Geschäft, -(e)s, -e) von größter (höchster) Dringlichkeit. ¶ 당면한 ～ die dringendste Aufgabe im Augenblick.

급선봉(急先鋒) Rädelsführer *m.* -s, -; Hauptanreger *m.* -s, -; Schrittmacher *m.* -s, -. ¶ …의 ～에 서다 an der Vorhut (im Vordergrund) stehen*.

급설(急設) schleunige Einrichtung, -en. ～하다 schleunig(st) (ungesäumt) ein|richten[4] (an|legen[4]; ein|bauen[4]; installieren[4]).

‖ ～가옥(家屋) Notwohnung *f.* -en (재해지 따위의).

급성(急性) ¶ ～의 akut.

‖ ～맹장염 die akute Appendizitis, ..tiden. ～폐렴 die akute Lungenentzündung, -en (Pneumonie *f.* -n [..ní:ən]).

급소(急所) 《몸의》 der edle Körperteil, -(e)s, -e; die empfindliche Stelle, -n; 《문제 등의》 Angelpunkt *m.* -(e)s, -e (요점); Kern *m.* -(e)s, -e (핵심); das Wesentliche*, -n (본질). ¶ ～를 찌르다 den Finger auf die (offene; brennende) Wunde legen(아픈 데를); *jn.* an s-r schwächsten Stelle treffen* / 문제의 ～를 건드리다 den Kernpunkt (die wunde Stelle) der Frage berühren / ～의 상처 die Wunde 《-n》 am edlen Körperteil / ～를 쥐고 있다 *jn.* in der Tasche haben.

급속(急速) Schnelligkeit *f.*; Geschwindigkeit *f.* ¶ ～한(히) schnell; rasch; geschwind; wie mit Dampf; im Tempo / ～한 진보를 하다 rasche Fortschritte machen.

급속냉동(急速冷凍) Schnellgefrierverfahren *n.* -s, -.

급속도(急速度) Schnelligkeit *f.*; Geschwindigkeit *f.* ¶ ～로 schnell; rasch; geschwind; wie mit Dampf; im Tempo / ～로 진보하다 rasche Fortschritte machen.

급송(急送) die schnelle Absendung, -en. ～하다 durch Eilboten schicken[4]; mit Eilfracht senden[(*)4].

급수(級數) Reihe *f.* -n.

‖ 기하～ die geometrische Progression, -en. 등차(등비)～ die arithmetische (geometrische) Reihe. 산술～ die arithmetische Progression.

급수(給水) Wasser¦versorgung (-speisung) *f.* -en. ～하다 mit Wasser versorgen[4] (speisen[4]). ¶ 시간제(時間制) ～를 하다 Wasser rationieren.

‖ ～계량기 Wassermesser *m.* -s, -. ～관 Wasserrohr *n.* -(e)s, -e. ～난 Wassermangel *m.* -s, -. ～소 Wasserstelle *f.* -n. ～차(선) Wasser¦wagen *m.* -s, - (-schiff *n.* -(e)s, -e); Wassertankanhänger *m.* -s, - (트레일러). ～펌프 Speisepumpe *f.* -n.

급습(急襲) Überraschungsangriff *m.* -(e)s, -e; der plötzliche Angriff. ～하다 überraschen[4]; plötzlich an|greifen[4].

급식(給食) Versorgung 《*f.* -en》 mit Proviant; Schülerspeisung *f.* -en (학교의). ～하다 mit Nahrungsmitteln versorgen[4]; proviantieren[4]. ¶ 아동들에게 ～하다 Schüler speisen.

‖ ～아동 die proviantierten Schüler (Kinder) 《*pl.*》. ～차 Proviantwagen *m.* -s, -.

급신(急信) die dringende Botschaft, -en; Depesche *f.* -n.

급양(給養) Verpflegung *f.* -en; Beköstigung *f.* -en; Speisung *f.* -en. ～하다 verpflegen[4]; beköstigen[4]; *jn.* in Kost geben*; ernähren[4].

급여(給與) ① 《급료》 Bezüge 《*pl.*》; Lohn *m.* -(e)s, ⸚e; Gehalt *n.* -(e)s, ⸚er; Besoldung *f.* -en. ② 《지급》 Versorgung *f.* -en; Belieferung *f.* -en; Ration *f.* -en(배급, 할당). ～하다 versorgen[4] 《*mit*[3]》; beliefern[4] 《*mit*[3]》; rationieren[4].

‖ ～수준 Tariflohn *m.* -(e)s, ⸚e; Lohnsatz *m.* -es, ⸚e. ～인상 Aufbesserung *f.* -en. 특별～ Extrazahlung *f.* -en; Zuschuß *m.* ..schusses, ..schüsse. 현물～ Natural¦lohn *m.* -(e)s, ⸚e (-leistung *f.* -en; -einkommen *n.* -s (수입)).

급외(級外) ¶ ～의 ranglos / ～의 사람 ein Mann ohne Rang.

급용(急用) die dringende Angelegenheit, -en; ein Fall《-(e)s, ⸚e》 von (großer) Dringlichkeit. ¶ ～으로 in (wegen) e-r dringenden Angelegenheit.

급우(級友) Klassenkamerad *m.* -en, -en; Mitschüler *m.* -s, -.

급유(給油) Öl¦zufuhr (-zuführung) *f.* -en; Ölversorgung *f.* -en (공급); das Tanken*, -s. ～하다 tanken[(4)]; auf|tanken[(4)]; nach|tanken[(4)]; mit Öl (Kraftstoff) versorgen[4].

‖ ～선 Tankschiff *n.* -(e)s, -e; Tanker *m.* -s, -. ～소 Tankstelle *f.* -n. ～차 Tankwagen *m.* -s, -. 공중～ Luft¦auftankung (Flug-) *f.* -en.

급자기, 급작스레 ☞ 갑자기.

급장(級長) ＝반장.

급전(急電) ein dringendes Telegramm, -(e)s, -e 《생략: D》. ¶ ～을 치다 ein dringendes Telegramm senden* (schicken).

급전(急錢) sofort benötigtes Geld 《-(e)s, -er》 für e-e dringende Sache.

급전(急轉) plötzliche Wendung, -en. ～하다 e-e plötzliche Wendung nehmen*; [4]sich jählings wenden[(*)].

‖ ～직하 e-e ganz plötzliche Veränderung: 사태는 ～직하로 악화됐다 Der Lauf der Dinge hat sich mit e-m Male zum Bösen gewandt (gewendet).

급전환(急轉換) Umschwung *m.* -s, ⸚e; plötzliche Wendung (Umkehrung) -en; plötzlicher Wechsel, -s, -.

급정거(急停車) plötzlicher Stillstand, -(e)s, ⸚e. ～하다 plötzlich halten*. ¶ ～시키다 plötzlich (auf kürzestem Bremswege) zum Stillstand bringen*[4].

급제(及第) das Bestehen* 《-s》 der Prüfung. ～하다 (e-e *od.* in e-r Prüfung) bestehen*; (in die nächsthöhere Klasse) versetzt werden (진급). ¶ 첫째로 ～하다 als der erste die Prüfung bestehen* / 우수한 성적으로 시험에 ～했다 Ich habe die Prüfung (das Examen) mit Auszeichnung (mit sehr gut) bestanden.

‖ ～자 der bestandene Prüfling, -s, -e. ～점 die genügenden Zensuren 《*pl.*》.

급조(急造) schnelle Herstellung, -en. ～하다 in Eile bauen[4]; im Tempo her|stellen[4]. ¶ ～의 schnell gebaut (hergestellt); behelfsmäßig (임시 변통의) / 많은 집이 ～되었다

Viele Häuser wurden schnell gebaut.
‖ ~지뢰지대 〖군사〗 das in Eile gebaute Minenfeld, -(e)s, -er. ~참호 der schnell gegrabene Schutzgraben, -s, ⸚.

급증(急症) die akute Krankheit, -en; die plötzliche Erkrankung, -en.
‖ ~환자 der plötzlich Erkrankte*, -n, -n.

급증(急增) die rasche Zunahme; das rapide Wachstum, -(e)s. ~하다 ⁴sich rasch (in raschem Tempo; wie die Kaninchen) vermehren; schnell zu|nehmen* 《an³》; rasch wachsen* ⓢ. ¶ 강물이 ~했다 Der Fluß ist in raschen Tempo gewachsen.
‖ 인구~대책 Maßnahme gegen die rasche Zunahme der Bevölkerung.

급진(急進) der schnelle Fortschritt, -(e)s, -e. ~하다 schnell fort|schreiten* ⓢ; reißende Fortschritte machen. ¶ ~적 radikal; extrem; rücksichtslos; zugespitzt.
‖ ~당 Radikalpartei f. -en: ~당원 der Radikale*, -n, -n. ~주의 Radikalismus m. -.

급커브(急—) die scharfe Kurve, -n. ¶ ~틀다 e-e scharfe Kurve fahren* (nehmen*).

급탄(給炭) Kohlen¦versorgung (-speisung) f. -en.
‖ ~선 Kohlenschiff n. -(e)s, -e. ~소 Kohlenstation f. -en. ~차 Kohlenwagen m. -s, -; Tender m. -s, -.

급템포(急—) große (rasende) Geschwindigkeit, -en; schnelles (rasendes; mörderisches) Tempo, -s. ¶ ~의 mit (von) großer Geschwindigkeit; mit (von) schnellem Tempo / ~로 일이 진척되고 있다 Die Arbeit schreitet mit großem Tempo voran.

급파(急派) eilige Absendung, -en. ~하다 schleunigst ab|senden⁽*⁾⁴; unverzüglich hin|schicken⁴. ¶ 응원 부대를 ~하다 die Hilfstruppen eilig ab|senden*.

급하다(急—) ① 《일·사태가》 eilig; hastig; 《긴급한》 dringend (sein). ¶ 급한 용무 das dringende Geschäft, -(e)s, -e; die dringende Angelegenheit, -en / 몹시 급하게 in (mit) größter (aller) ³Eile (Hast) / 급한 용무로 in (wegen) e-r dringenden Angelegenheit / 급한 걸음으로 mit eiligen ³Schritten; eilenden Fußes / 급할수록 돌아가라 《속담》 „Eile mit Weile." / 급하면 관세음보살을 윈다 《속담》 „Not lehrt beten." / 급하시면 먼저 가세요 Bitte, gehen Sie voran, wenn Sie sich eilen!
② 《성미가》 ungeduldig; hastig; reizbar; jähzornig; hitzig (sein). ¶ 급한 성미 Ungeduld f.; Hastigkeit f.; Reizbarkeit f.
③ 《가파른》 steil; jäh; 《흐름 등이》 reißend (sein). ¶ 급한 커브에서 in scharfer Kurve.
④ 《병 등이》 gefährlich; bedenklich; hoffnungslos (sein). ¶ 급한 병 e-e gefährliche Krankheit, -en.
⑤ 《처지가》 in e-r schlimmen (schwierigen) Lage sein; in e-r Verlegenheit sein; in e-r Klemme sein.

급항(急航) ~하다 eilen ⓢ; ⁴sich schleunigst begeben* 《nach³; zu³》 〖배를 주어로 해서〗.

급행(急行) 《급히 감》 Eile f.; Hast f.; 《급행편》 Eilbeförderung f. -en; (als) Eilgut n. -(e)s, ⸚er (짐에 붙일 때); 《열차》 Schnellzug m. -(e)s, ⸚e; D-Zug (Durchgangszug) m. -(e)s, ⸚e; FD-Zug (Fern-D-Zug) (원거리용); Eilzug m. -(e)s, ⸚e (보통 준급행) ※ 급행료가 필요 없는 쾌속 열차는 Nahverkehr-Eilzug (ohne Zuschlag)라고 한다. ~하다 (⁴sich) eilen ⓢ; schnell (eilig; in Eile) gehen* ⓢ; schnell fahren* (fliegen*) ⓢ; ⁴sich schleunigst begeben* 《이상 nach³; zu³》. ¶ 7시 ~으로 가겠읍니다 Ich fahre mit dem 7-Uhr-D-Zug.
‖ ~권 D-Zug-Karte f. -n; Platzkarte f. -n (특급용). ~버스 Eil¦bus (Express-) m. ..sses, ..sse. ~요금 D-Zug-Zuschlag m. -(e)s, ⸚e; Zuschlaggebühr f. -en. 특별~열차 L-Zug (Luxuszug) m. -(e)s, ⸚e.

급환(急患) die plötzliche Erkrankung, -en; 《급성병》 der jähe (Krankheits)fall, -(e)s, ⸚e; die akute Krankheit, -en. ¶ ~일 경우에는 im Fall der plötzlichen Erkrankung/~에 걸리다 unerwartet von e-r Krankheit befallen werden.

급히(急—) unmittelbar; sogleich; schnell; rasch; hastig; eilig; plötzlich; auf einmal; mit e-m Ruck (단숨에). ¶ ~ 보내다 jn. eiligst senden* (schicken) / ~ 돈이 필요하다 in dringender Geldnot sein / ~ 쓰다 eilig schreiben*⁴ / ~ 걷다 rasch gehen*ⓢ; eilig schreiten*ⓢ / ~ 떠나다 weg|eilenⓢ; fort|-eilen / ~ 차에 오르다 eilig besteigen*⁴ / ~ 계단을 내려가다 die Treppe hinab|eilen (hinunter|eilen).

긋다¹ ① 《줄 따위를》 ziehen*⁴; linieren⁴. ¶ 다시 ~ aufs neue (von neuem) ziehen*⁴(선을) / 획을 ~ e-n Federstrich zeichnen. ② 《성냥을》 an|streichen*⁴. ¶ 성냥을 ~ ein Streichholz (Zündholz) an|streichen*. ③ 《작정》 bestimmen⁴; entscheiden*⁴. ④ 《장부에》 an|schreiben*⁴. ¶ 긋고 마시다 auf Kredit trinken*⁽⁴⁾.

긋다² ① 《비가》 auf|hören 《mit³》. ② 《비를 피함》 ⁴sich unter|stellen 《vor³》; Schutz suchen 《vor³》. ¶ 비를 ~ ⁴sich unter|stellen vor Regen 《in³; unter³》; vor (gegen) Regen Schutz suchen / 처마 (나무) 밑에서 비를 ~ ⁴sich vor Regen unter e-m Dach unter|stellen (vor Regen unter e-m Baum Schutz suchen).

긍긍하다(兢兢—) ⁴sich ständig beängstigt fühlen; in ständiger Angst (Furcht) sein; Angst haben. ☞ 전전긍긍.

긍이 die Pflanzung der Baumwolle (Bohne) als Nebenerzeugnis im Gerstenfeld.

긍정(肯定) Bejahung f. -en; Affirmation f. -en. ~하다 bejahen⁴; affirmieren⁴. ¶ ~적 bejahend; affirmativ / ~적인 인간 ein bejahender Mensch / 인생을 ~하다 das Leben bejahen / 그 사실을 ~할 아무 근거도 없다 Wir haben k-n Grund, die Sache zu bejahen. / 나는 마르크스주의를 ~하지 않는다 Ich erkenne den Marxismus nicht an.
‖ ~명제 die affirmative Proposition, -en; der bejahende Satz, -es, ⸚e. ~문 Behauptungssatz m. -es, ⸚e. ~판단 bejahendes Urteil, -(e)s, -e. ~형 Affirmativa 《pl.》.

긍지(矜持) Stolz m. -es. ¶ ~를 느끼다 stolz sein 《auf⁴》 / ~를 손상하다 js. Stolz verletzen.

긍휼(矜恤) Mitleid n. -(e)s; mitleidiges Bedauern, -s; Erbarmen n. -s; Sympathie f. -n. ~하다 bemitleiden⁴; bedauern⁴; mitleidiges Bedauern haben 《gegenüber³》. ¶ ~히 mit Mitleid; bedauernd; erbarmend.

기(己) 《천간의》 das sechste Zeichen von den zehn Kalenderzeichen; die sechste der zehn Himmelsrichtungen.

기(忌) Trauer f. -n; Trauer¦jahr n. -(e)s, -e

(-zeit *f.* -en). ¶기중(忌中) in Trauer / 칠주기 der siebente Todestag, -(e)s, -e.

기(氣) ① 《기색》 Färbung *f.* ¶붉은 기 die rote Färbung, -en (Nuance [nyá:sə], -n; Schattierung, -en) / 붉은 기가 도는 rötlich; mit etwas Rot belebt; rot abgetönt.
② 《기력·기운》 Energie *f.*; Kraft *f.* ¨e; 《정신》 Geist *m.* -es; Herz *n.* -ens, -en; Seele *f.* -n. ¶기가 나서 stolz; triumphiert / 기가 나다 [4]sich stolz (triumphiert) fühlen / 기가 부족하다 furchtsam (mutlos) sein / 기가 왕성하다 muterfüllt (munter) sein; voll Geist u. Leben sein.
③ 《온 힘》 Leibeskraft *f.* ¨e; alle Kräfte 《*pl.*》. ¶기를 쓰다 [4]sich ins Zeug werfen* (legen); mit vollem Dampf (aus Leibeskräften) arbeiten; alle Kräfte an|strengen (auf|bieten*) / 기를 쓰고 달려들다 mit allen Kräften fassen[4] / 기를 쓰고 반대하다 [4]sich hartnäckig widersetzen[3].
④ 《숨》 Atem *m.* -s, -; Wind *m.* -(e)s, -e. ¶기가 막히다 (vor Erstaunen) sprachlos (stumm) werden / 기가 차서 gaffend; verblüfft; mit offenem Munde.
⑤ 《의기》 Geist *m.* -es, -er; Herz *n.* -ens, -en. ¶기가 죽다 niedergeschlagen (entmutigt) werden (sein); den Mut verlieren*; Nerven verlieren*; den Kopf (die Ohren) hängen lassen*; den Mut sinken lassen*; gedrückter Stimmung sein / 기가 죽은 wie ein begossener Pudel; kleinlaut; niedergeschlagen / 기가 꺾였다 Das Herz ist ihm in die Hosen gefallen. / 기죽지 말아라 Laß dich nicht entmutigen!¦Kopf hoch!
⑥ 〖철학〗 Lebenskraft *f.* ¨e.
⑦ =객기(客氣).
⑧ 《낌새·냄새》 ein Anflug (Anstrich[3]) 《*von*[3]》; e-e Idee (Spur) 《*von*[3]》; ein Stich 《*in*[4]》. ¶감기 기가 있다 [3]sich e-e leichte Erkältung holen (zu|ziehen*); leicht erkältet sein.
⑨ 《…한 기분》 es ist *jm.* zumute, (als ob ...). ¶시장기를 느끼다 Hunger haben.

기(記) Aufzeichnung *f.* -en; Notiz *f.* -en; Bericht *m.* -(e)s, -e.

기(基) 〖화학〗 Radikal *n.* -s, -e.

기(期) 《시기》 Zeit *f.* -en; Zeitalter *n.* -s, - (시대); Periode *f.* -n; Frist *f.* -en (기간, 기한); Termin *m.* -s, -e (기일); Stadium *n.* -s, ..dien (단계). ¶제1기 die erste Periode; das erste Stadium / 제8기생 der achte Absolvent, -en, -en / 수확기 die Zeit der Ernte.

기(旗) Fahne *f.* -n; Flagge *f.* -n; Wimpel *m.* -s, - (작은 기); Banner *n.* -s, -; Standarte *f.* -n (군기, 당기 따위의 표기). ¶기행렬 Umzug 《*m.* -(e)s, ¨e》 mit Fahnen / 기를 올리다 die Fahne auf|ziehen* ((hin)aus|hängen); hissen[4] / 기를 내리다 die Fahne herunter|holen (streichen*) / 기를 흔들다 die Fahne schwingen* (schwenken) / 기를 내걸다 die Fahne hinaus|stecken / 기를 펴다 (접다) e-e Flagge entfalten (auf|rollen) / 기가 펄럭인다 Die Fahne flattert.

기(騎) Reiter *m.* -s, -; Kavallerist *m.* -en, -en. ¶백(百)기 ein hundert Reiter.

-기 〖동사적 명사 구실〗 das Tun* von ...; das ... sein. ¶돕기 위해서 (um) zu helfen[3] / 참가하기를 거절하다 Teilnahme 《*an*[3]》 ab|lehnen (verweigern) / 편지 쓰기를 시작하다 beginnen*, e-n Brief zu schreiben / 배가 고프기 시작하다 an|fangen*, Hunger zu bekommen (haben) / 주기를 주저하다 zögern, es zu geben / 나가기(를) 싫어하다 nicht ausgehen mögen / 배우기가 쉽다 Es ist leicht zu lernen. / 발음하기가 어렵다 Es ist schwer auszusprechen. / 글 읽기가 재미 있다 Das Lesen ist interessant.¦Es ist interessant zu lesen. / 춤추기를 좋아한다 Ich tanze gern. / 믿기를 바란다 Ich wünsche daran zu glauben. / 내일 날씨가 좋기를 바란다 Ich hoffe, daß das Wetter morgen schön ist. / 그이가 말하기를 「…」라고 했다 Er sagte, „ ...".

-기(機) Maschine *f.* -n. ¶비행기 Flugzeug *n.* -(e)s, -e; Maschine *f.* -n / 3기(6기) 편대로 in dreier (sechser) Verband 《*m.* -(e)s, ¨e》 im Kettenkeil / 9기 편대 der neuner Verbandsflug 《-(e)s, ¨e》 im Staffelkolone; der neuner Staffelverband, -(e)s, ¨e.

기각(棄却) Verwerfung *f.*; Ablehnung *f.*; Zurückweisung *f.*; 〖법〗 Abweisung *f.* **~하다** verwerfen*[4]; ab|lehnen; aus|schlagen*[4]; zurück|weisen*[4]; ab|weisen*[4].

기간(基幹) Kern *m.* -(e)s, -e; Schlüssel *m.* -s, - 《*zu*[3]》; Grundlage *f.* -n. ¶~의 fundamental; strategisch wichtig.
‖**~산업** Hauptindustriezweig *m.* -(e)s, -e; Schlüsselindustrie *f.* -n; strategisch wichtige Industrie, -n. **~요원** Kader-Mitglied *n.* -(e)s, -er. **~중대(연대)** Stamm¦kompanie *f.* -n (-regiment *n.* -(e)s, -er).

기간(期間) Frist *f.* -en; Termin *m.* -s, -e. ☞기한. ¶장~ eine längere Frist / 짧은 ~ die kurze Frist; die kurze Zeit / ~을 연장하다 den Termin verlängern.
‖**법정~** die gesetzliche Frist.

기간(旣刊) ¶~의 bisher erschienen; schon (bereits) veröffentlicht (herausgegeben).
‖**~도서 목록** die Liste 《-n》 der bisher erschienenen Bücher. **~호** die alten Nummern 《*pl.*》.

기갈(飢渴) Hunger u. Durst, des - u. -es. ¶~에 시달리다 unter Hunger u. Durst leiden*; am Hungertisch nagen; darben; verhungern / ~로 고통을 받다 von Hunger u. Durst gequält werden / ~을 면하다 zum Leben zuwenig u. zum Sterben zuviel haben; ein kümmerliches Dasein fristen / 그는 ~에 까딱하지 않았다 Er bot Hunger u. Durst tapfer Trotz.¦Er lebte zwar von der Hand in den Mund, kehrte sich aber gar nicht daran.

기갑부대(機甲部隊) Panzereinheit *f.* -en.

기강(紀綱) Disziplin *f.* -en; Zucht *f.* ¨e; Ordnung *f.* -en. ¶엄격한 ~ die eiserne (strenge; straffe) Disziplin (Zucht) / ~을 유지하다 (auf) Disziplin halten* / ~을 문란시키다 die Disziplin untergraben* / ~을 보다 엄하게 다스리다 die Disziplin strenger machen / 여기는 ~이 잘 잡혀 있다 Hier herrscht Zucht u. Ordnung.
‖**~문란** die Unordnung der amtlichen Disziplin. **~해이** die Schlaffheit der amtlichen Disziplin (Zucht).

기개(氣槪) Schneid *m.* -(e)s (*f.*); der (kecke) Mut, -(e)s; Rückgrat *n.* -(e)s, -e; 〖속어〗 Mumm *m.* -(e)s. ¶~가 있는 schneidig; mannhaft; 〖속어〗 forsch / ~가 없는 charakterschwach; feig; lebensuntüchtig; nachgiebig; unentschlossen; unmännlich; weichlich; zaghaft / ~ 있는 남자 ein Mann 《-(e)s, ¨er》 mit schneidigem Charakter; ein forscher (schneidiger) Bursche, -n, -n/

~가 있음을 보여 주다 ein forsches Wesen zeigen / ~가 있다 Schneid haben; Rückgrat haben; Mumm (in den Knochen) haben.

기거(起居) Befinden *n.* -s; Ergehen *n.* -s; das tägliche Leben, -s. ¶ ~를 같이 하다 gemeinsam leben 《mit *jm.*》; ein gemeinsames Leben führen 《mit *jm.*》; mit *jm.* unter e-m Dach wohnen.
‖ ~동작(動作) *js.* tägliches Befinden u. Benehmen.

기거(寄居) ~하다 bei *jm.* (zu Miete) wohnen; die Beine unter fremden Tisch stecken (식객노릇). ¶ 결국 그 집에서 ~하게 되었다 Endlich habe ich bei ihm ein Unterkommen (e-e Unterkunft) gefunden.

기결(旣決) ¶ ~의 feststehend; bestimmt; entschieden; nicht zu ändernd; überführt(죄).
‖ ~사항 die entschiedene (festgesetzte) Sache, -n. ~수(囚) der überführte Missetäter, -s, -; Sträfling *m.* -s, -e; Zuchthäusler *m.* -s, -.

기경(起耕) 〖농업〗 Ackerlandbau *m.* -(e)s; Kultivierung *f.* (des Brachlandes); das Pflügen*, -s. ~하다 pflügen⁽⁴⁾; (be-)ackern⁴; an|bauen⁴; bebauen⁴; an|pflanzen⁴; kultivieren⁴.

기계(奇計) Pfiff *m.* -(e)s, -e; Kniff *m.* -(e)s, -e; Kunst¦griff (Hand-) *m.* -(e)s, -e; Trick *m.* -s, -e (-s). ¶ ~를 꾸미다 e-n Trick entwerfen* (ersinnen*).

기계(器械) Instrument *n.* -(e)s, -e; Apparat *m.* -(e)s, -e; Gerät *n.* -(e)s, -e; Werkzeug *n.* -(e)s, -e.
‖ ~상(商) Iustrumentenhändler *m.* -s, -. ~실(室) 《이화학의》 Instrumentenraum *m.* -(e)s, ⸚e. ~제작자 Instrumenten¦bauer *m.* -s, - (-macher *m.* -s, -). ~체조 Geräteturnen *n.* -s. 자동~ die selbsttätige Vorrichtung, -en; Automat *m.* -en, -en.

기계(機械) Maschine *f.* -n; Maschinerie *f.* -n [..rí:ən] (기계장치); Mechanismus *m.* -; Werk *n.* -(e)s, -e (장치); 《기구》 Instrument *n.* -(e)s, -e; Apparat *m.* -(e)s, -e; Gerät *n.* -(e)s, -e; Werkzeug *n.* -(e)s, -e. ¶ ~적인 maschinell; maschinenmäßig; mechanisch; automatisch (자동적); selbsttätig (자동적) / ~적으로 wie e-e Maschine; von selbst (자동적으로) / ~적으로 일하다 automatisch (von selbst) arbeiten / ~를 움직이다 e-e Maschine operieren / ~를 설치하다 e-e Maschine auf|stellen / ~를 운전하다 e-e Maschine in Gang (Betrieb) setzen/이 ~는 잘 돈다 Diese Maschine arbeitet gut. / ~가 멎었다 Diese Maschine ist stehen geblieben. / 이 ~는 어딘가 고장이다 Irgend etwas stimmt an der Maschine nicht.¦Diese Maschine ist in Unordnung (geht nicht gut).
‖ ~간(間) Maschinen¦raum (Instrument-) *m.* -(e)s, ⸚e. ~공 Maschinenarbeiter *m.* -s, -. ~공업 Maschinenindustrie *f.* -n. ~공장 Maschinenfabrik *f.* -en. ~공학 Ingenieurwesen *n.* -s; Maschinenbaukunst *f.* ~관 die mechanistische Weltanschauung, -en; Mechanismus *m.* -. ~기사 Maschineningenieur [..inʒeniø:r] *m.* -s, -e. ~담당 Maschinist *m.* -en, -en; Maschinenwärter *n.* -s, -. ~력 Maschinenkraft *f.* ⸚e. ~론 Mechanismus *m.* -. ~문명 Maschinenzivilisation *f.* -en. ~상 Instrumenthändler *m.* -s, -. ~인쇄 Maschinendruck *m.* -s, -e. ~장치 Maschinerie *f.* -n [..rí:ən]. ~제작인 Instrumenten¦bauer (-macher) *m.* -s, -. ~조립공 Maschinenbauarbeiter *m.* -s, -. ~직공 Maschinenarbeiter *m.* -s, -. ~직조기 der mechanische Webstuhl, -(e)s, ⸚e. ~학 Mechanik *f.*; Maschinen¦kunde (-lehre) *f.* -n: ~학자 Mechaniker *m.* -s, -. ~화 Motorisierung *f.*: ~화하다 motorisieren⁴ / ~화 부대 die motorisierte Einheit, -en (Truppe, -n). 자동 ~ die selbsttätige Vorrichtung, -en; Automat *m.* -en, -en.

기고(起稿) Entwurf *m.* -(e)s, ⸚e; Konzept *n.* -(e)s, -e; Niederschrift *f.* -en. ~하다 entwerfen*⁴; konzipieren⁴; ein Konzept machen; nieder|schreiben*⁴.

기고(寄稿) Beitrag *m.* -(e)s, ⸚e; Mitarbeit 《*f.* -en》 (der Zeitung *od.* Zeitschrift). ¶ …에 ~하다 e-n Beitrag (Artikel) für e-e Zeitung (Zeitschrift) schreiben* (liefern; ein|schicken); mit|arbeiten 《an e-r Zeitung *od.* Zeitschrift》.
‖ ~자(者) Beiträger *m.* -s, -; Mitarbeiter *m.* -s, -.

기고만장(氣高萬丈) ① 《의기양양》 Hochgemüt *n.* -(e)s, -er; gehobene Stimmung, -en. ~하다 überaus (äußerst) stolz (feurig) sein; in gehobener Stimmung sein. ¶ ~하여 in gehobener Stimmung; hochgemut; triumphierend; voller Stolz; siegesfroh; in ³Triumph. ② 《성남》 Ärger *m.* -s; Verdruß *m.* ..sses; Zorn *m.* -(e)s; Wut *f.* ~하다 ⁴sich ärgern; zornig werden; in Zorn (Wut) geraten* ⓢ; wütend werden; aufgebracht werden. ¶ ~하여 im Ärger; im Zorn; in der Wut.

기골(肌骨) Fleisch u. Bein.

기골(氣骨) Charakter¦stärke (Mannes-) *f.*; Bravheit *f.*; Kern¦haftigkeit (Mann-) *f.*; 〖속어〗 Mumm *m.* -s; Schneid *m.* -(e)s. ¶ ~이 있는 charakter¦stark (mannes-); brav; kern¦haftig (mann-) schneidig / ~이 늠름한 사람 ein Mann 《-(e)s, ⸚er》 von (festem; starkem) Charakter; ein Geist 《-es, -er》 von fester (scharf geprägter) Haltung / ~이 장대한 derbknochig; großgliedrig.

기공(技工) Kunst¦werker (Hand-) *m.* -s, -.

기공(起工) 《착공》 die Grundlegung 《-en》 (das Anlegen*, -s) e-s Baues; das Auflegen* 《-s》 e-s Schiff(e)s. ~하다 den Grund zu e-m Bau legen; e-n Bau an|legen; ⁴sich an die Bauarbeit machen; ein Schiff auf|legen (auf Stapel legen).
‖ ~식 《선박의》 die Feierlichkeit 《-en》 (die Zeremonie, -n [..ní:ən]) der Grundlegung (des Anlegens) e-s Baues (des Aufstapellegens e-s Schiff(e)s).

기공(氣孔) Pore *f.* -n; Atemöffnung *f.* -en (동물의); Stigma *n.* -s, ..men (동물의); Spaltöffnung *f.* -en (식물의). ☞ 숨구멍.

기관(汽管) Dampfrohr *n.* -(e)s, ⸚e.

기관(汽罐) Dampf¦kessel (Lokomotiv-) *m.* -s, -. ‖ ~실 Kesselraum *m.* -(e)s, ⸚e.

기관(奇觀) das wundervolle Schauspiel, -(e)s, -e; der wunderliche Anblick, -(e)s, -e. ¶ 천하의 ~ die einzigartige Landschaft / ~을 이루다 e-n wunderbaren Anblick bieten*.

기관(氣管) Trachee *f.* -n; Luftröhre *f.* -n.
‖ ~절개 Tracheotomie *f.* -n [..mí:ən]; Luftröhrenschnitt *m.* -(e)s, -e. ~지 Bronchus *m.* -, ..chi: ~지의 bronchial / ~지염 Bronchitis *f.* ..tiden / ~지 카다르 Bron-

chialkatarrh *m.* -s, -e / ～지 폐렴 Bronchopneumonie *f.* -n / ～지염을 앓다 an ³Bronchitis 《*f.*》 leiden*.

기관(器官) Organ *n.* -s, -e.
‖～질환 die organische Krankheit, -en. 감각～ Sinnesorgan *n.* -s, -e.

기관(機關) ① 《기계》 Dampfmaschine *f.* -n; Maschine *f.* -n. ② 《수단》 Organ *n.* -s, -e; Maschinerie *f.* -n [..ríːən]; Mittel *n.* -s, -; Vorrichtung *f.* -en. ③ 《기구》 Maschinerie *f.* -n [..ríːən]; Organization *f.* -en.
‖～고 〖철도〗 Lokomotiv¦schuppen (Lok-) *m.* -s, -. ～고장 das Hindernis der Lokomotive. ～공장 das Depot 《-s, -s》 der Lokomotive. ～과(課) Dampfmaschinenabteilung *f.* -en. ～사(士) Lokomotiv¦führer (Lok-) *m.* -s, -: ～사 조수(助手) Unterlokomotivführer *m.* -s, -. ～술 Maschinenwesen *n.* -s. ～실 Führer¦haus *n.* -es, ⸚er (-stand *m.* -(e)s, ⸚e). ～잡지 Organ *n.* -s, -e; die als Sprachrohr dienende Zeitschrift, -en. ～장 Oberingenieur [..inʒeniøːr] *m.* -s, -e. ～지 Organ; die als Sprachrohr dienende Zeitung, -en. ～차 Lokomotive *f.* -n. ～총 Maschinengewehr *n.* -(e)s, -e: ～총좌(座) Maschinengewehrstand *m.* -(e)s, ⸚e / 중〔경〕～총 das schwere (leichte) Maschinengewehr. 광고～ Anzeigeorgan *n.* -(e)s, -e. 교육～ Erziehungs¦anstalt *f.* -en (-institut *n.* -(e)s, -e). 언론～ das Sprachrohr der öffentlichen Meinung. 입법(행정, 사법, 집행, 자문) ～ die gesetzgebende (verwaltende, gerichtliche, vollziehende, beratende) Organisation, -en.

기괴망측하다(奇怪罔測—) abscheulich; gräßlich; schändlich; schmählich; scheußlich (sein).

기괴천만(奇怪千萬) äußerste Seltsamkeit (Rätselhaftigkeit; Unheimlichkeit) -en; 《괴이쩍음》 äußerste Abscheulichkeit (Ungewöhnlichkeit) -en.

기괴하다(奇怪—) befremdend; befremdlich; geheimnisvoll; mysteriös; rätselhaft; unergründlich; verwunderlich; 《훌려들을 수 없는》 unverzeihlich (sein).

기교(技巧) Kunst *f.* ⸚e; Kunstfertigkeit *f.* -en; die künstlerische Feinheit 《-en》 (Tüchtigkeit, -en); Finesse *f.* -n; Kunstgriff *m.* -(e)s, -e (미립); Künstelei *f.* -en (비난하여). ¶ ～를 부리다 ⁴es auf ⁴Kunstgriffe ankommen lassen*; ⁴sich ²Kunstgriffe befleißigen / 이 그림은 ～에 있어서 조금도 흠잡을 데가 없다 Das Gemälde läßt betreffs der technischen Geschicklichkeit nichts zu wünschen übrig.
‖～가 geschickte Person, -en. ～주의 Manieriertheit *f.* -en; Gekünsteltheit *f.* -en. ～파 Manieristen 《*pl.*》. 광고～ die Technik 《-en》 der Reklame.

기구(氣球) (Luft)ballon *m.* -s, -e ([(..)balɔ̃ː] 일때 -s). ¶ ～로 오르다 in e-m Ballon auf¦steigen* Ⓢ.
‖～관측 Ballonbeobachtung *f.* ～대 Ballondetachement *n.* -s, -s. ～병 Ballonfahrer *m.* -s, -. ～조색(阻塞) Ballonsperre *f.* ～진지 Ballonaufstiegsplatz *m.* -es, ⸚e. 계류～ Fesselballon *m.* 관측～ Beobachtungsballon; Ballon d'essai (여론을 살피기 위한). 시양(試揚)～ Versuchsballon *m.* -(e)s, -e. 조색～ Sperrballon: 조색 ～망 Ballonsperre *f.* -n.

기구(器具) 《그릇·연장》 Gerät *n.* -(e)s, -e; Werkzeug *n.* -(e)s, -e (공구류); Geschirr *n.* -(e)s, -e; Utensilien 《*pl.*》 (도구류); Aggregat *n.* -(e)s, -e (기계류); Vorrichtung *f.* -en (공장의 연장).
‖의료～ das ärztliche Instrument, -(e)s, -e: 외과 의료 ～ das chirurgische Instrument. 전기～ das elektrische Werkzeug (Gerät) -(e)s, -e.

기구(機構) die (innere) Einrichtung, -en; Gefüge *n.* -s, -; Mechanismus *m.* -, ..men; Organismus *m.* -, ..men; Organisation *f.* -en; Struktur *f.* -en. ¶ ～를 개편하다 das System reorganisieren.
‖～개혁 Reorganisation *f.* -en. 경제～ Wirtschaftswesen *n.* -s, -. 국제～ die internationale Organisation. 사회～ das gesellschaftliche Gefüge; der gesellschaftliche Bau, -(e)s; die soziale Einrichtung (Struktur). 정치～ die politische Organe 《*pl.*》. 행정(行政)～ Verwaltungseinrichtung *f.* -en.

기구부리다 gute Ausrüstung mit Haushaltsgeräten zeigen.

기구하다(崎嶇—) 《험난함》 steil; jäh; schroff; hart; finster; 《팔자가》 unglücklich; elend; traurig; betrübt (sein). ¶ 기구한 운명 Unglück *n.* -(e)s, -e; Mißgeschick *n.* -(e)s, -e/ 기구한 일생 ein wechselvolles Leben, -s, -/ 기구한 운명에 희롱되다 e-e Laufbahn voller Wechselfälle haben; ein Spiel des Glückes sein; ein Spielball des Schicksals sein.

기국(器局) Fähigkeit *f.*; Kaliber *n.*; Kompetenz *f.*; Talent *n.*

기권(氣圈) 〖기상〗 Atmosphäre *f.* -n.

기권(棄權) Verzichtleistung *f.* -en; Entsagung *f.* -en; Lossagung *f.* -en; Resignation *f.* -en; Stimmenthaltung *f.* -en (투표의). ～하다 Verzicht leisten (verzichten) 《*auf*⁴》; entsagen³; ⁴sich los¦sagen 《*von*³》; resignieren 《*auf*⁴》; sich der ²Stimme enthalten* (투표를); 《탈퇴》 (aus dem Geschäft) aus¦steigen* Ⓢ (경기, 입찰 도중에).
‖～율 der Prozentsatz 《-es, ⸚e》 der Verzichtleistenden. ～자 der Verzichtleistende*, -n, -n; der Entsagende*; der ⁴sich Lossagende*; der Resignierende* (투표의); der ⁴sich der ²Stimme Enthaltende*.

기근(氣根) =숨뿌리.

기근(飢饉) Hungersnot *f.* ⸚e; Mißernte *f.* -n; Teuerung *f.* -en. ¶ ～의 해 Hungerjahr (Fehl-; Not-) *n.* -(e)s, -e / ～에 시달리다 Hunger leiden* / ～으로 많은 사람들이 죽었다 Wegen der Hungersnot sind viele Leute gestorben. ‖～구제 자금 Hungersnothilfsfonds [..fɔ̃ː] *m.* - [..fɔ̃ː(s)], - [..fɔ̃ːs]. 대～ die große Hungersnot, ⸚e. 물～ Wasser¦not *f.* ⸚e (-mangel *m.* -s, ⸚); Dürre *f.* -n. 물자～ Warenknappheit *f.* -en. 주택～ Wohnungsnot *f.* ⸚e.

기금(基金) Fonds [fɔ̃ː] *m.* - [fɔ̃ː(s)], - [fɔ̃ːs]; Grund¦stock *m.* -s, -s (-vermögen *n.* -s, -). ¶ ～을 설정하다 e-n Fonds schaffen.
‖～모집 Fonds¦sammlung (Grundstock-; Grundvermögen-) *f.* -en. 국제통화～ der Internationale Währungsfonds.

기급하다(氣急—) 《놀람》 entsetzt (bestürzt) sein; erschrecken* Ⓢ; 《소리침》 bestürzt (erstaunt; vor Schreck) auf¦schreien*. ¶ 승객들은 기급을 해서 앞을 다투어 차창 밖으로

뛰어 나왔다 Die erschreckten Passagiere windeten sich mühsam aus den Fenstern des Waggons. / 기급할 소리 다 듣겠군 Ich habe noch nie so etwas Schändliches gehört.

기기(器機) Maschinerie u. Werkzeug.

기기괴괴하다(奇奇怪怪—) wunderlich; abenteuerlich; befremdend; grotesk; phantastisch; seltsam; verschroben (sein).

기기묘묘하다(奇奇妙妙—) 《기이》 wundervoll u. schön; erstaunlich; unglaublich; fabelhaft; 《기묘》 seltsam; merkwürdig; ungewöhnlich; unbegreiflich; rätselhaft (sein).

-기까지 bis; bis zu³; bis auf⁴. ¶…에 이르기까지 bis zu e-m gewissen Grade.

기꺼워하다 =기뻐하다.

기꺼이 freudig; froh; fröhlich; leichten Herzens; gern; entgegenkommend; mit Vergnügen; mit Lust u. Liebe; anstandslos; bereitwillig; bereit u. willig. ¶아무를 ~ 맞이하다 *jn.* herzlich willkommen heißen*/ ~ 승낙하다 bereitwillig ein|willigen 《*in*⁴》/ ~ 그 일을 맡았다 Ich übernahm sehr gern die Arbeit.

기껍다 angenehm; behäbig; behaglich; bequem; gemächlich; gemütlich; wohl (sein). ¶기껍게 생각하지 않고 있다 *jm.* (gegen *jn.*) feindlich gesinnt sein / 기껍게 여기지 않다 es für unter s-r Würde halten* 《⁴*et.* zu tun》; nur ungern tun*⁴.

기껏 höchstens; im äußersten Fall(e); soweit wie (als) (nur) möglich. ¶~ 빨리 so bald wie möglich / ~ 힘쓰다 sein Bestes (Mögliches) tun*.

기껏해야 höchstens; im äußersten Fall(e); im besten Falle. ¶그 연극은 ~ 2시간 정도 입니다 Die Vorstellung dauert höchstens zwei Stunden. / ~ 5백원 밖에 안될 것이다 Es ist nicht mehr als fünf hundert *Won.* / ~ 한 시간에 5킬로 걷다 Man kann e-e Stunde höchstens fünf Kilometer laufen. / ~ 한 주일 밖에 묵지 못할 것이다 Ich kann dort längstens e-e Woche bleiben.

기나(幾那) Chinin [또는 ki..] *n.* -s.
‖~수(樹) Chinarindenbaum *m.* -(e)s, ¨e. ~정기 Chinatinktur *f.* -en. ~포도주 Chinawein *m.* -(e)s, -e 〖*pl.*는 종류를 나타낼 때〗. ~피(皮) Chinarinde *f.* -n.

기낭(氣囊) ① 《공기 주머니》 Ballonhülle [bal5:..] *f.* -n (기구(氣球)의); Luftsack *m.* -(e)s, ¨e (기구의). ② 《물고기의》 Luftblase (Schwimm-) *f.* -n. ③ 《조류의》 Luftraum *m.* -(e)s, ¨e.

기내(畿內) die kaiserlichen Domänen 《*pl.*》; die Distrikte 《*pl.*》 um die Hauptstadt.

기녀(妓女) ① 《관비》 öffentliche Tänzerin, -nen. ② =기생(妓生).

기념(記念) Andenken *n.* -s; 〖시어〗 Angedenken *n.* -s; Erinnerung *f.* -en; Gedächtnis *n.* -ses, -se; Gedenken *n.* -s. ~하다 gedenken*²; ein Andenken bewahren (feiern); erinnern² 《*an*⁴》. ¶~의 (Ge)denk-; Erinnerungs-; Gedächtnis- / 여행의 ~으로 간직해 주시오 Wollen wir dies bitte als ein Erinnerungszeichen an unsere Reise behalten.
‖~그림엽서 die Ansichtskarte 《-n》 als Andenken; Erinnerungsansichtskarte *f.* -n. ~논문집 Festschrift *f.* -en: ~논문집을 내다 e-e Festschrift heraus|geben*. ~물(품) Andenken *n.* -s, -; Denk|zeichen (Erinnerungs-; Gedächtnis-) *n.* -s, -; ⁴*et.* zum Andenken Dienendes*. ~비 Denkmal *n.* -(e)s, ¨er (시어: -e); Gedenkstein *m.* -(e)s, -e; Monument *n.* -(e)s, -e. ~사 Gedenk|rede (Gedächtnis-) *f.* -n. ~사진 Erinnerungsphotographie *f.* -n. ~스탬프(우표) Gedenk|postmarke (Erinnerungs-; Jubiläum-) *f.* -n. ~일 Gedächtnis|tag (Gedenk-) *m.* -(e)s, -e; Jahrestag (예년의): 결혼 ~일 der Jahrestag der Hochzeit. ~제 Gedenk|feier (Erinnerungs-; Jahres-; Gedächtnis-; Jubel-) *f.* -n; Jubiläum *n.* -s, ..läen. ~첩 Gedenkblatt *n.* -(e)s, ¨er; Erinnerungsbuch *n.* -(e)s, ¨er. ~호 Gedenk|nummer (Gedächtnis-) *f.* -n; die Nummer zur Erinnerung an⁴ ...; Festgabe *f.* -n (-schrift *f.* -en). ~회 Gedächtnisversammlung *f.* -en; Gedächtnis|feier *f.* -n (-zeremonie *f.* -n).

기능(技能) Fähigkeit *f.* -en; (Kunst)fertigkeit *f.* -en; Geschicklichkeit *f.* -en; Gewandtheit *f.* -en; Können *n.* -s; Talent *n.* -(e)s, -e; Vermögen *n.* -s, -. ¶~있는 fähig; befähigt; (kunst)fertig; geschickt; gewandt; talentiert; talentvoll / ~이 뛰어나다 sehr geschickt sein 《*in*³》.
‖~교육 die technische Erziehung, -en. ~상 der Preis für Geschicklichkeit. ~직 der technische Beruf, -(e)s, -e: ~직 공무원 der technische Beamte*, -n, -n. 특수~ besondere Geschicklichkeit, -en.

기능(機能) Funktion *f.* -en; Verrichtung *f.* -en. ¶~의 funktionell / 심장의 ~ die Funktion des Herzens / ~을 다하다 funktionieren; s-e Funktion (s-e Verrichtung) erfüllen (tun*).
‖~심리학 funktionelle Psychologie. ~장애 Funktionsstörung *f.* -en: ~장애를 일으키다 in s-r Funktion gestört werden. ~저하 Depression *f.* ~주의 Funktionalismus *m.* -. 생식~ Geschlechtsfunktion *f.* 생활~ Lebensfunktion *f.*

기니 《나라이름》 Guinea *n.* -s; Republik 《*f.*》 G. ¶~의 guineisch.
‖~사람 Guineer *m.* -s, -.

기니아픽 〖동물〗 Meerschwein *n.* -s, -.

기다 kriechen* [s,h]; auf allen vieren (Händen u. Füßen) gehen* [s]; auf den Knien rutschen [h,s]; bäuchlings gehen*; „robben". ¶기어 들어가다 kriechen* 《*in*⁴》; hinein|kriechen*; ⁴sich verkriechen* 《*in*⁴》; ⁴sich (ein)schleichen* 《*in*⁴》/ 기어 나오다 heraus|kriechen* / 기어 오르다 kriechen* 《*auf*⁴》; klettern [s,h] 《*auf*⁴》/ 침대 속으로 기어 들어가다 ins Bett kriechen* / 땅을 ~ auf der Erde kriechen* / 애기가 기어 온다 Ein Kind kriecht auf allen vieren.

기다랗다 länglich; gestreckt; in die Länge gezogen; lang u. dünn (sein). ¶기다란 장대 ein langer Stock, -(e)s, ¨e / 기다란 이야기 die weitläufige Rede, -n / 기다란 표제 die lange Reihe Titel 《*m.* -s, -》/ 기다란 이야기를 하다 ein langes u. breites erzählen.

기다리다 ① 《사람·때를》 warten 《*auf*⁴》; ⁴*et.* ab|warten; lauern 《*auf*⁴》. ¶기다리는 시간 Wartezeit *f.* -en / 전차를 ~ auf e-e Elektrische warten / 기회를 ~ auf e-e Gelegenheit warten (lauern) / 때를 ~ s-e Zeit ab|warten / 밤새 ~ die (ganze) Nacht hindurch (die Nacht über) warten 《*auf*⁴》; die ganze Nacht auf|bleiben* [s] u. warten 《auf[4]》/ 애타게 ~ ungeduldig warten 〔brennen*〕 《auf[4]》; wie auf glühenden Kohlen sitzen* / 오래 기다리게 해서 미안하오 Entschuldigen Sie bitte, daß ich Sie habe so lange warten lassen. / 잠시 기다려 주시오 Warten Sie bitte e-n Augenblick! / ~ 지쳤다 Ich bin vom Warten müde. / 결과를 기다립시다 Wollen wir es abwarten!/ 기다려도 소용없오 Da können Sie lange warten. / 누구를 기다리는 것 같다 Er sieht aus, als ob er auf jemand wartet. / 정말 오래 기다렸오 Ich habe dich mit Ungeduld erwartet. ¦ Höchste Zeit, daß Sie kommen! ② 《기대·고대》 erwarten[4]; ab|warten[4]; entgegen|sehen*[3]; hoffen 《auf[4]》. ¶ 기다리고 기다리던 날 der lange erwartete Tag, -(e)s, -e / 이제나 저제나 하고 ~ voller Erwartung sein; sehnsüchtig warten 《auf[4]》/ 태연히 죽음을 ~ dem Tode mutig 〔ohne Furcht〕 entgegen|sehen* / 배가 오기를 매일같이 기다리고 있다 Ich erwarte täglich die Ankunft des Dampfers.

기담(奇談) die merkwürdige 〔seltsame〕 Geschichte, -n; Abenteuer n. -s, -.

기대 〖민속〗 ① 《무동(舞童)을 따라다니는》 Betreuerin 《f. -nen》 von Kindertänzer. ② 《굿에서》 Musikant(in) bei schamanistischen Beschwörungen.

기대(期待) Erwartung f. -en; Hoffnung f. -en; 《전망》 Aussicht f. -en; 《확실한》 Zuversicht f.; das Vertrauen*, -s; 《막연한》 Ahnung f. -en; Vorgefühl n. -s, -e. ~하다 erwarten[4]; hoffen[4]; [3]sich versprechen[4]. ¶ ~되는 hoffnungsvoll; aussichtsreich; vielversprechend / 앞날이 ~되는 청년 ein vielversprechender Bursche, -n, -n / …을 ~하며 in der Erwartung 〔Hoffnung〕, daß … / ~에 반하여 wider [4]Erwarten; gegen 〔wider〕 alle Erwartungen / ~가 어긋나다 enttäuscht werden; [4]sich getäuscht sehen*; in js. [3]Erwartungen 〔Hoffnungen〕 getäuscht werden 〔[4]sich verrechnen〕 / ~이상으로 über alles [4]Erwarten; über alle [4]Erwartungen / ~했던대로 wie erwartet; wie es zu erwarten war / ~를 걸다 [4]et. von jm. hoffen 〔wollen*〕 / 거의 ~할 수 없다 Das läßt sich kaum erwarten 〔hoffen〕 / ~에 어긋나는 대답이었다 Es war e-e Antwort, auf die ich nicht gefaßt war. / ~할 사람이 못된다 Man kann von ihm nicht viel erwarten 〔hoffen〕. / 나의 ~를 저버렸다 Ich habe e-e Enttäuschung an ihm erlebt. ¦ Er vereitelte m-e Hoffnung, die ich auf ihn gesetzt hatte.

기대강이(旗―) Flaggenknopf m. -(e)s, ⸗e; Fahnenspitze f. -n.

기대놓다 lehnen 《an[4]; auf[4]》; an|lehnen[4] 〔-|legen[4]〕 《an[4]》. ¶ 사다리를 나무에 ~ die Leiter an dem Baum an|legen / 자전거를 벽에 ~ das Fahrrad an die Mauer lehnen.

기대다 ① 《몸을》 [4]sich lehnen 《an[4]; gegen[4]》; [4]sich an|lehnen 《an[4]》; 《몸을 의지하다》 [4]sich stützen 《auf[4]》. ¶ 벽에 ~ [4]sich an die Wand lehnen / 의자를 벽에 den Stuhl an die Wand lehnen 〔gegen die Wand stellen〕. ② 《의지》 [4]sich wenden* 《an[4]》; [4]sich stützen 《auf[4]》; [4]sich verlassen* 《auf[4]》; [4]sich fest|halten* 《an[3]》. ¶ 기댈 데가 없다 hilflos da|stehen* 〔sein〕; Man weiß nicht, wohin 〔an wen〕 man sich wenden soll. / 아들에게 ~ [4]sich auf s-n Sohn stützen / 아비한테 기대 살다 dem Vater auf der [3]Tasche liegen* / 남에게 기대지 말라 Man darf sich nicht auf andere verlassen.

기도(企圖) das Vorhaben*, -s; Vorsatz m. -es, ⸗e; Plan m. -(e)s, ⸗e; Entwurf m. -(e)s, ⸗e; Absicht f. -en (의도). ~하다 planen[4]; entwerfen*[4]; sinnen* 《auf[4]》; beabsichtigen[4]; die Absicht haben; vor|haben*[4]; ins Auge fassen[4]; im Sinne haben; im Schilde führen[4]; unternehmen*[4]; [4]et. zu tun gedenken*. ¶ 자살을 ~하다 Selbstmord versuchen / 음모를 ~하다 e-n Anschlag auf 〔gegen〕 jn. machen.

기도(祈禱) Gebet n. -(e)s, -e; 《기원》 Anrufung f. -en; Invokation f. -en. ~하다 beten; ein Gebet verrichten 〔sagen〕. ¶ 아침 ~ Morgen¦gebet 〔-gottesdienst m. -(e)s, -e〕 / 식전 〔식후〕의 ~ Tischgebet / 저녁 ~ Abend¦gebet 〔-gottesdienst〕; Vesper f. -n / ~를 올리다 beten 《zu[3]》; sein Gebet halten* 〔verrichten〕; das Tischgebet sprechen* (식전, 식후에).

‖ ~서 Gebets¦buch 〔Andachts-〕 n. -(e)s, ⸗er. ~회 Betstunde f. -n; Gebetsversammlung f. -en; Andachtsstunde f. -n.

-기도하다 ① wirklich tun* 〔sein〕. ¶ 춥기도 하다 wirklich kalt sein / 참 단풍이 아름답기도 하다 Ach, das rotgefärbte Laub ist so hübsch! / 공부만 하기란 어렵기도 하다 Es ist ziemlich schwer, nichts zu tun als nur zu studieren. / 그 학생은 부지런하기도 하다 Er ist wirklich ein fleißiger Student. ② … und … tun* 〔sein〕. ¶ 좋기도 하고 나쁘기도 하다 Es hat s-e guten Seiten u. s-e schlechten Seiten. / 배고프기도 하고 목이 마르기도 했다 Ich war hungrig u. durstig. ¦ Ich hatte Hunger u. Durst.

기독(基督) Jesus Christus ※오늘날에는 모든 격이 이 형을 사용한다; 고형(古形)에서는 2격 이하: Jesu Christi, Jesu Christo, Jesum Christum; der Erlöser, -s; der Gesalbte*, -n; der Heiland, -(e)s; der Messias, -; der Sohn 《-(e)s》 Gottes. ☞ 그리스도·예수.

기독교(基督教) Christentum n. -(e)s; der christliche Glaube(n), ..be(n)s; die christliche Religion. ¶ ~의 christlich; christentümlich; Christen- / ~화하다 zum Christentum bekehren 《jn.》; zum Christen machen 《jn.》; christianisieren[4].

‖ ~국 das christliche Land, -(e)s, ⸗er. ~국민 Christenvolk n. -(e)s, ⸗er. ~도 Christ m. -en, -en: ~도 박해 Christenverfolgung f. -en / ~도의 정신 das christliche Wesen, -s; Christensinn m. -(e)s. ~사회주의 der christliche Sozialismus, -. ~청년회 〔여자청년회〕 der christliche Verein junger Männer 〔Mädchen〕.

기동(奇童) Wunderkind n. -(e)s, -er.

기동(起動) das Anlassen*, -s. ~하다 an|lassen*[4] 《보기: den Motor (모터)를》.

‖ ~기 Anlasser m. -s, -. ~력 die bewegende Kraft, ⸗e; Betriebskraft f. ⸗e. ~저항 Anlaßwiderstand m. -(e)s, ⸗e. ~전류 Anlaßstrom m. -(e)s, ⸗e.

기동(機動) Manöver n. -s, -.

‖ ~경찰 die besondere Polizei, -en. ~력 Manövrierfähigkeit f. -en. ~부대 Kampfgruppe f. -n (für Sonderunternehmen). ~성 Beweglichkeit f. -en. ~연습 Truppenübung f. -en; Manöver n. ~전 Bewegungskrieg m. -(e)s, -e.

기동차(汽動車) Triebwagen *m.* -s, -; Diesellokomotive *f.* -n; Elektrokarren *m.* -s, -.

기둥 ① Pfeiler *m.* -s, -; Pfosten *m.* -s, -; Säule *f.* -n(원주). ¶ ~모양의 pfeiler¦förmig (säulen-) / ~이 되다 als [1]Stütze (zur Stütze) dienen / ~을 세우다 e-n Pfeiler errichten. ② 《전주 따위》 Mast *m.* -es, -e(n); Stange *f.* -n. ③ 《집안·사회의》 Stütze *f.* -n; Seele *f.* -n. ¶ 한 나라의 ~ die Stütze e-s Landes / ~으로 믿다 *jm.* als Stütze vertrauen.

기둥목(一木) das Holz 《-es, ⸗er》 zur Herstellung von Pfeilern (Säulen).

기둥서방(一書房) der junge Geliebte*, -n, -n; (젊은 남첩); Bordellwirt *m.* -(e)s, -e (포주).

기득(既得) ¶ ~의 erworben.
‖ ~권 erworbenes Recht, -es, -e: ~권의 침해 die Verletzung des erworbenen Rechts / ~권을 상실(포기)하다 erworbenes Recht verlieren* (auf|geben*).

기라(綺羅) Pracht¦kleid (Staats-) *n.* -(e)s, -er; die prachtvolle (feierliche; festliche) Kleidung, -en; Gala *f.*; Kleiderpracht *f.*

-기라도 ¶ 그를 만나보기라도 했으면 좋겠오 Ich wünschte, daß ich ihn wenigstens treffen könnte.

기라성(綺羅星) funkelnde (glitzernde) Sterne 《*pl.*》. ¶ ~같이 gleich funkelnden (glitzernden; leuchtenden) Sternen / ~ 같은 고관들 die Milchstraße von Autoritäten / ~같이 늘어서다 wie Perlen 《*pl.*》 aneinander gereiht sein.

기략(機略) Hilfsquelle *f.* -n; Taktik *f.* -en. ¶ ~이 풍부하다 (spitz)findig sein; erfindungsreich sein; nie um e-n Ausweg verlegen sein / ~이 종횡무진한 사람 der an [3]Spitzfindigkeiten (Kniffen u. Pfiffen) 《*pl.*》 Überreiche*, -n, -n; der*, bei dem allerlei Kunstgriffe (Manöver) 《*pl.*》 hervorsprudeln.

기량(技倆) Fähigkeit *f.* -en; Geschicklichkeit *f.* -en; Können *n.* -s; Tauglichkeit *f.* -en; Tüchtigkeit *f.* -en; Vermögen *n.* -s, -. ¶ ~이 있는 fähig 《*für*[4]; *zu*[3]》; geschickt 《*in*[3]》; tauglich 《*zu*[3]》; tüchtig 《*in*[3]》.

기량(器量) 《재능》 (Natur)gabe *f.* -n; Anlage *f.* -n; Begabung *f.* -en; Fähigkeit *f.* -en; Können *n.* -s; Talent *n.* -(e)s, -e; Vermögen *n.* -s, -. ¶ ~이 있는 begabt; fähig; talentiert; talentvoll; tüchtig / 큰 일을 할 만한 ~이 있다 Er hat die Anlage zu großen Taten.

기러기 Wildgans *f.* ⸗e. ¶ 울고 가는 ~ 소리 das Geschrei 《-(e)s》 ziehender Wildgänse.
‖ ~발 《현악기의》 der Steg 《-(e)s, -e》 des Saiteninstruments; Sattel *m.* -s, ⸗.

기력(汽力) Dampfkraft *f.* ⸗e. ¶ ~으로 mit Dampf. ‖ ~계 Dampfmesser *m.* -s, -.

기력(氣力) ① 《힘》 Geistes¦kraft (Lebens-; Tat- 《*pl.* 없음》) *f.* ⸗e; Energie *f.* -n [..gí:ən]; Vitalität *f.* ¶ ~있는 geistes¦kräftig (lebens-; tat-); energisch; vital / ~이 없는 energie¦los (kraft-; mark-); entkräftet; entnervt; matt; ohne [4]Rückgrat; schlapp / ~ 있는 사람 die energische Person, -en; ein Mann voll Geist u. Leben / ~이 쇠하다 Geistes¦kraft *usw.* verlieren*; nicht mehr geistes¦kräftig (lebens-; tat-) sein; entkräftet (entnervt) werden.
② 〖물리〗 Luftdruck *m.* -(e)s, -e.

기로(岐路) Scheide¦weg (Kreuz-) *m.* -(e)s, -e; Weg¦gabelung *f.* (-verzweigung *f.*) -en. ¶ 인생의 ~에 서다 am Scheideweg(e) (am Wendepunkt) des Lebens stehen*.

기로(耆老) e-e Person, die über sechzig Jahre alt ist.

-기로 ① 《…로써》 mit e-r Tat; als.... ¶ 그는 그림을 잘 그리기로 유명하다 Er ist bekannt als Maler.
② 《까닭》 da; denn. ¶ 달이 밝기로 산책을 나갔다 Da der Mond voll war, ging ich spazieren.
③ 《추정》 vermutend; mutmaßend. ¶ 비가 오겠기로 우산을 갖고 왔다 Es drohte zu regnen, so habe ich Regenschirm mit genommen.
④ 《…하기로서니》 wenn auch; obgleich; obwohl; u. wenn. ¶ 온 세계를 다 주기로 그런 일은 안한다 Ich tue es nicht, u. wenn du mir die Welt zum Lohn versprächest.
⑤ 《약속》 [4]sich verabreden《mit *jm.* *über*[4]》; [4]sich überein|kommen* 《mit *jm.* *über*[4]》. ¶ 그녀와 8시에 여기서 만나기로 했다 Ich habe mich (mit ihr) verabredet, sie um 8 Uhr hier zu treffen.

-기로서니, -기로선들 wenn auch; selbst wenn; es ist wirklich wahr, daß..., aber....

기록(記錄) Urkunde *f.* -n; Akte *f.* -n; Archiv *n.* -(e)s, -e(기록집); Aufzeichnung *f.* -en; Dokument *n.* -(e)s, -e (문서); Schriftstück *n.* -(e)s, -e (문서); Protokoll *n.* -s, -e (의사록); Sitzungs¦bericht (Verhandlungs-) *m.* -(e)s, -e (회보 따위); Rekord *m.* -(e)s, -e (경기의); Höchstleistung *f.* -en (경기의). **~하다** auf|zeichnen[4]; auf|schreiben*[4]; buchen[4]; protokollieren[4]; registrieren[4]; [1]Schriftführer sein; schriftlich nieder|legen[4]; verzeichnen[4]. ¶ ~에 있다 registriert (niedergeschrieben; verzeichnet) sein; geschichtlich (urkundlich) nachweisbar (nachgewiesen; festgestellt) sein; e-e historische Tatsache sein / ~을 보유하다 e-n Rekord (e-e* Höchstleistung) halten* (inne|haben*) / ~을 세우다 (깨뜨리다) e-n Rekord (e-e Höchstleistung) auf|stellen (brechen*; schlagen*) / ~을 깨뜨리는 rekordbrechend; bahnbrechend (획기적인) / 타이 ~을 세우다 e-n Rekord ein|stellen.
‖ **~계** Urkundenbewahrer *m.* -s, - (보존계); Archivar *m.* -s, -e; Anschreiber *m.* -s, - (경기의); Schrift¦führer (Protokoll-) *m.* -s, -. **~문학** Dokumentarliteratur *f.* **~보유자** Rekord¦träger (-halter) *m.* -s, -. **~영화** Dokumentar(spiel)film *m.* -(e)s, -e; Kulturfilm *m.* **세계~** Weltrekord *m.* -(e)s, -e.

기롱(譏弄) Hohn *m.* -(e)s; Spott *m.* -(e)s. **~하다** lächerlich machen; bespötteln.

기뢰(機雷) (See)mine *f.* -n. ¶ ~를 부설하다 Minen 《*pl.*》 legen (werfen*) / 배는 ~에 걸렸다 Das Schiff lief auf e-e Mine.
‖ **~부설정**(艇) Minenleger *m.* -s, -. **~원** Minenfeld *n.* -(e)s, -er. **부유~** die schwimmende Mine.

기루(妓樓) Bordell *n.* -s, -e.

기류(氣流) Luft¦strom *m.* -(e)s, ⸗e (-strömung *f.* -en).
‖ **상승(하강)~** aufsteigender (absteigender) Luftstrom; die aufsteigende (absteigende) Luftströmung; Aufwind (Abwind) *m.* -(e)s, -e. **상층~** der Luftstrom (die Luftströmung) in der höheren Schicht; obere Luft.

기류(寄留) der provisorische (vorübergehende; einstweilige; zeitweilige) Aufenthalt,

-(e)s, -e; Verweilen *n.* -s. ~하다 ⁴sich provisorisch 〔vorübergehend; zeitweilig〕 auf|halten* 《*in*³》; verweilen 《*in*³》; e-e ⁴Weile s-e ⁴Wohnung nehmen* 《bei *jm.*》. ‖ ~계 die Anmeldung 《-en》 des provisorischen 〔vorübergehenden; zeitweiligen〕 Aufenthalt(e)s. ~부 das Register 《-s, -》 des provisorischen Aufenthalt(e)s. ~인 der ⁴sich provisorisch Aufhaltende*, -n, -n. ~지 der provisorische 〔vorübergehende; zeitweilige〕 Aufenthaltsort, -(e)s, -e.

기르다 ① 《양육》 auf|ziehen*⁴; 《훈육》 auf|erziehen*⁴; 《교육》 erziehen*⁴; aus|bilden⁴; 《보육》 pflegen*⁴; nähren⁴; groß|ziehen*⁴. ¶ 아이를 ~ ein Kind auf|ziehen* 〔groß|ziehen*; erziehen*〕 / 아이를 우유로 ~ ein Kind mit Kuhmilch auf|ziehen*.
② 《동·식물을》 auf|ziehen*⁴; züchten⁴ (사육하다); (³sich) halten*⁴. ¶ 고양이 〔개〕를 ~ e-e Katze 〔e-n Hund〕 halten* / 양을 〔누에를〕 ~ Schafe 〔Seidenraupen〕 《*pl.*》 züchten.
③ 《머리 따위를》 wachsen* ⓢ (lassen*). ¶ 콧수염을 ~ ³sich e-n Schnurrbart wachsen lassen*.
④ 《양성하다》 aus|bilden⁴; heran|bilden⁴; erziehen*⁴; schulen⁴. ¶ 힘을 ~ Kräfte sammeln / 체력을 ~ die Körperkraft schulen 〔entwickeln〕 / 인격을 ~ den Charakter bilden / 인재를 ~ tüchtige Männer heran|bilden / 숙련공을 ~ zum erfahrenen Arbeiter aus|bilden⁴; Arbeiter an|lernen / 담력을 ~ s-n Mut stählen; ⁴sich zur Geistesgegenwärtigkeit erziehen.
⑤ 《병·버릇을》 fördern⁴; verschlechtern⁴. ¶ 나쁜 버릇을 ~ e-e schlechte Gewohnheit fördern / 병을 ~ *js.* Krankheit verschlechtern.

기르스름하다 ☞ 기름하다.

기름 Öl *n.* -(e)s, -e (액체); Erdöl (석유); Fett *n.* -(e)s, -e (지방); Pomade *f.* -n (포마드); Salbe *f.* -n (연고, 향유); Schmalz *n.* -es, -e (돼지의); Talg *m.* -(e)s, -e (소, 양의); Schmiere *f.* -n (윤활유); Tran *m.* -(e)s, -e (어유). ¶ ~으로 튀기다 braten*⁴; backen⁴ / ~을 바르다 mit ³Öl (Fett) schmieren⁴; fetten⁴; (ein|-)ölen⁴; ein|fetten⁴; ein|schmieren⁴; an|fetten⁴ (겉에 엷게); Öl in ⁴*et.* gießen* (치다) / ~을 짜다 Öl aus|pressen⁴ / ~투성이의 schmierig; ölfleckig / ~진 fettig; ölig; ölhaltig; schmierig; fett / 기계에 ~을 치다 e-e Maschine ölen 〔ein|fetten; schmieren〕 / 램프에 ~을 넣다 Öl in e-e Lampe gießen* / 불에 ~을 붓다 Öl aufs 〔ins〕 Feuer gießen⁴. ‖ ~때 Schmiere *f.* ~병(瓶) Ölflasche *f.* -n. ~복자 Messenbecher *m.* -s, -. ~옷 schmiertes Kleid, -(e)s, -er. ~장수 Öler *m.* -s, -. ~종이 Ölpapier *n.* -s, -e. ~집 Ölladen *m.* -s, - 〔⸗〕. ~통 Ölfaß *n.* -es, ⸗er. ~틀 Ölpresse *f.* -n.

기름기 Fettigkeit *f.* -en; Fettheit *f.* -en; Öligkeit *f.* -en. ¶ ~있는 ölig; fettig; schmierig; fett; schmalzig; schwer (짙은) / ~가 없는 fettlos; mager; leicht (담박한); rauh (거친); trocken (바싹 마른) / ~가 돌다 fettig 〔ölig; schmierig; ölhaltig; fett; fettbeleibig〕 sein / ~가 많은 요리 die fette Küche, -n / ~가 없는 수프 die magere Suppe.

기름먹이다 ein|ölen⁴; ein|fetten⁴. ¶ 기름먹인 종이 Ölpapier *n.* -s, -e.

기름지다 ① 《음식이》 schwer; fettig; schmalzig (sein). ¶ 기름진 음식 die fette Küche 〔Speise〕 -n; die schwere Speise.
② 《땅이》 fruchtbar; ergiebig; üppig (sein). ¶ 기름진 땅 die fruchtbare Erde / 기름지게 하다 durch ⁴Dünger bereichern⁴; befruchten⁴; fruchtbar machen⁴.

기름하다 schlank u. dünn; schmächtig; lang u. dünn (sein). ¶ 기름한 얼굴 das schmale 〔scharf geschnittene〕 Gesicht, -(e)s, -er.

기리다 loben 《*jn.*》; lob|preisen⁽*⁾ 《*jn.*》; rühmen 《*jn.*》; verherrlichen 《*jn.*》 (찬미하다). ¶ 기릴 만한 lobenswert; löblich; rühmlich.

기린(麒麟) ① 《동물》 Giraffe *f.* -n; Kamelopard *m.* -(e)s 〔-en〕, -e(n). ② 《상상의 동물》 (fabelhaftes) Einhorn.

기린아(麒麟兒) Wunderkind *n.* -(e)s, -er; Genie [ʒə..] *n.* -s, -s; der hervorragende Geist, -(e)s, -er.

기립(起立) das Aufstehen*, -s; das Sicherheben*, -s. ~하다 auf|stehen* ⓢ; ⁴sich auf|richten; ⁴sich (er)heben*. ¶ 찬부를 ~에 의하여 묻다 durch das Aufstehen vom Sitz abstimmen lassen* 《*über*⁴》.
‖ ~투표 die Abstimmung 《-en》 durch das Aufstehen vom Sitz.

기마(騎馬) das Reiten*, -s. ¶ ~의(로) beritten; geritten; zu Pferde.
‖ ~객 Reiter *m.* -s, -; Kavallerist *m.* -en, -en. ~경찰 die berittene Polizei, -en; der berittene Polizist, -en, -en (순경). ~대 die Truppe von Kavallerie. ~전 Kavallerieangriff *m.* -(e)s, -e. ~행렬 Kavalkade *f.* -n.

기막히게(氣—) überaus; sehr; erstaunlich; äußerst; außerordentlich; schrecklich; atemberaubend. ¶ ~ 잘하는 연기 atemberaubende Aufführung, -en / ~ 부자다 fabelhaft reich sein / ~ 예쁘다 atemberaubend hübsch sein / ~ 크다 erschrecklich groß sein / 그 산은 ~ 아름답다 Die Schönheit des Berges ist atemberaubend.

기막히다(氣—) ① 《놀랍다·어이없다》 baß erstaunen 《*über*⁴》; verblüfft sein; sprachlos (sein); 《정떨어지다》 *jm.* verleidet werden; aufgebracht (sein) 《*über*⁴》. ¶ 기막힌 바보 der unerhörte 〔verwünschte〕 Dummkopf, -(e)s, ⸗e / 기막힌 일 Unsinn *m.* -(e)s, -e; das Unerhörte*, -n, -n; Unverschämtheit *f.* -en; Ungereimtheit *f.* -en / 기가 막혀 vor Erstaunen 〔Verblüffenheit〕; von ³*et.* verblüfft / 기가 막혀 말이 안 나온다 Ich bin einfach sprachlos. / 그의 뻔뻔스러움에는 기가 막혔다 S-e Unverschämtheit hat mich arg verdrossen.
② 《숨이 막히다》 kurzatmig 〔schweratmig〕 sein; ersticken; außer Atem kommen* ⓢ; keuchen; schwer atmen; schnaufen; nach Luft schnappen.
③ 《엄청남》 entzückend; glänzend; herrlich (sein). ¶ 기막힌 미인 e-e entzückend schöne Frau, -en; e-e vollendete Schönheit, -en / 기막힌 집 das herrliche Haus, -es, ⸗er / 기막힌 옷 die prächtige Kleider 《*pl.*》.

기만(欺瞞) Betrug *m.* -(e)s, ⸗e; Betrügerei *f.* -en; Täuschung *f.* -en. ~하다 betrügen*⁴; schwindeln; gaunern; prellen⁴. ¶ ~적인 betrügerisch; trügerisch; täuschend; schwinelhaft / 그는 우리를 ~했다 Er hat an uns e-n Verrat begangen.
‖ ~정책 die trügerische Politik, -en.

기말(期末) das Ende 《-s, -n》 e-s Termins.
‖ ~계정 die Berechnung 《-en》 für das Ende des Termins. ~수당 die Gratifikation 《-en》

zum Ende des Haushaltsjahr(e)s. ~시험 Semesterschlußexamen *n.* -s, -; Semesterprüfung *f.* -en: ~시험 수당 Semesterschlußexamensvergütung *f.* -en.

기맥(氣脈) 《은연중 통합》 die geheime Verbindung, -en; geheimes Einverständnis, ..sses, ..sse. ¶ ~ 상통 Wesensähnlichkeit *f.* -en; Geistesverwandtschaft *f.* -en; Kongenialität *f.* -en / ~이 통하다 in geheimer Verbindung (in geheimem Einverständnis) stehen* 《mit *jm.*》; unter e-m Hut stehen* 《mit *jm.*》 / 그들은 ~이 잘 통한다 (통하지 않는다) Ihre Charakteranlagen passen gut (schlecht) zueinander.

기면(嗜眠) Schlafkrankheit *f.* -en. ¶ ~ 상태에 있는 bewußtlos sein.

‖ ~성 뇌염 Lethargie *f.*

기명(記名) Namens¦zeichen *n.* -s, -(-zug *m.* -(e)s, ⸚e); (Namens¦)unterschreibung *f.* -en (-unterschrift *f.* -en; -unterzeichnung *f.* -en); Signatur *f.* -en; Subskription *f.* -en. ~하다 unterschreiben*; unterzeichnen; signieren; subskribieren. ¶ ~ 조인하다 unterschreiben* (unterzeichnen) u. siegeln⁴.

‖ ~주(株) nur auf Namen lautende Aktien 《*pl.*》. ~투표 die namentliche Abstimmung, -en.

기명(器皿) Geschirr *n.* -(e)s, -e; Tischbesteck *n.* -(e)s, -e.

기모(奇謀) Strategie *f.* ..gien; Kriegs¦kunst *f.* ⸚e; (Kriegs)list *f.* -en.

기묘(己卯) 〖민속〗 der 16. binäre Termin 《-s, -e》 von den aus 60 bestehenden Perioden.

기묘하다(奇妙—) 《이상야릇하다》 sonderbar; absonderlich; kurios; merkwürdig; seltsam; wunderlich; 《묘함》 wundersam; wunderbar (sein). ¶ 기묘하게도 seltsamerweise; sonderbarerweise; es ist seltsam, daß... / 기묘하게 생각하다 sonderbar berührt werden 《von³》; verwundert sein 《über⁴》.

기문(奇聞) die seltsame Neuigkeit, -en; die merkwürdige Nachricht, -en.

기문(氣門) Luftloch *n.* -(e)s, ⸚er; 〖동물〗 Stigma *n.* -s, ..men.

기물(器物) Gefäß *n.* -es, -e (용기); Gerät *n.* -(e)s, -e; Geschirr *n.* -(e)s, -e; Utensilien 《*pl.*》 (이상 기구, 집기 따위); Möbel *n.* -s, - (가구류 따위).

기미 《얼굴의》 Fleck *m.* -(e)s, -e; Sommersprosse *f.* -n; Leberfleck *m.* -(e)s, -e. ¶ ~가 끼다 mit Sommersprossen bedeckt sein; Sommersprossen haben / ~낀 얼굴 das sommersprossige Gesicht, -(e)s, -er.

기미(己未) 〖민속〗 der 56. binäre Termin 《-s, -e》 von den aus 60 bestehenden Perioden.

기미(氣味) Anflug (Anstrich) *m.* 《von³》; Idee (Spur) *f.* 《von³》; Stich *m.* 《in⁴》; 《기색》 Aussicht *f.* -en (전망, 가망); Möglichkeit *f.* -en (가능성).

기미(期米) =미두(米豆).

기미(機微) =낌새.

기민(機敏) Gescheitheit *f.*; Scharfsinn *m.* -(e)s; Schnelligkeit *f.* ~하다 《행동이》 flink; behend; flott; 《명민》 (auf)geweckt; adrett; findig; gescheit; gewitzt; schlagfertig (sein); e-n aufgeweckten Kopf haben. ¶ 머리가 ~한 사나이 der scharfsinnige (geschäftskluge) Mensch, -en, -en.

기민(饑民) der hungrige (verhungerte) Pöbel, -s; die verhungerten Leute 《*pl.*》.

기밀(氣密) ¶ ~한 luftdicht.

‖ ~복 ein luftdichter Anzug, -(e)s, ⸚e. ~실 ein luftdichter Raum, -(e)s, ⸚e.

기밀(機密) Geheimnis *n.* ..nisses, ..nisse; das Verschwiegene*, -n. ¶ ~의 geheim; heimlich; verschwiegen; vertraulich / ~을 지키다 ein Geheimnis bewahren; geheim¦halten*⁴; ein Geheimnis mit ins Grab nehmen* (사후까지) / ~을 누설하다 ein Geheimnis verraten* (aus¦plaudern; aus¦schwatzen; entschlüpfen lassen*) / 정치 ~에 참여하다 an hochpolitischen Geheimnissen teil¦nehmen*; um hochpolitische Geheimnisse mit¦wissen*.

‖ ~문서 (서류) die geheime (vertrauliche) Urkunde, -n; das geheime (vertrauliche) Dokument, -(e)s, -e. ~비 Dispositionsfonds [..fɔ̃:] *m.* - [..fɔ̃:(s)], - [..fɔ̃:s] (-gelder 《*pl.*》). ~사항 der geheime Artikel, -s, -.

기박하다(奇薄—) unglücklich; unselig (sein). ¶ 그 여자는 한 평생 팔자가 기박했다 Sie führte ein unglückliches Leben.

기반(基盤) ① 《기초》 Basis (Base) *f.* ..sen; Fundament *n.* -(e)s, -e; Grund¦fläche *f.* -n (-platte *f.* -n; -lage *f.* -n (기초)). ¶ …을 ~으로 하다 gegründet sein (beruhen) 《auf⁴》/ ~이 튼튼하다 e-e feste Grundlage haben / ~을 마련하다 e-n Grund (e-e Grundlage) legen / 그 집은 ~이 튼튼하다 Das Haus seht auf festem Fundament. / 교육은 국가의 ~이다 Die Erziehung ist die Grundlage (das Fundament) des Staates. / 오랜 경험을 ~으로 하다 auf langjährigen Erfahrungen fußen / 기둥은 큰 ~ 위에 서 있다 Die Säule hat e-e große Basis (Grundfläche). ② 《위치》 Stelle *f.* -n; Stellung *f.* -en; Lage *f.* -n. ¶ ~을 바로잡다 ⁴*et.* in die rechte Lage bringen* / 회사에서의 그의 ~은 튼튼하다 S-e Stellung in der Firma ist sicher. ③ 《선거의》 Unterstützer *m.* -s, -; der Beistehende*, -n, -n; Stütze *f.* -n. ¶ ~을 쌓다 die Unterstützung der ²Wähler bekommen*.

기반(羈絆) Bande 《*pl.*》; Fessel *f.* -n 《보통 *pl.*》; Joch *n.* -(e)s, -e (⸚er); Kette *f.* -n; Zwang *m.* -(e)s. ¶ 외국의 ~ das Joch der Fremdherrschaft / ~을 벗어나다 die Bande lösen (sprengen; zerreißen*); die Fesseln sprengen (ab¦werfen*); das Joch ab¦schütteln; s-e Ketten zerbrechen* (zerreißen*) / 그 나라는 외국의 ~을 벗어나서 독립했다 Das Land schüttelte das fremden Joch ab und wurde unabhängig.

기발하다(奇拔—) originell; eigenartig; eigentümlich; merkwürdig; seltsam; ungewöhnlich; apart; bizarr; nicht alltäglich; aus dem Rahmen fallend; glänzend; findig (sein). ¶ 기발한 아이디어 die glänzende Idee, -n; der originelle Gedanke, -ns, -n.

기백(氣魄) Geist *m.* -(e)s, -er; Geistigkeit *f.* ¶ ~이 넘치는 energisch; kräftig; kraftvoll; lebhaft; mutig; kühn / 젊고 ~ 있는 jung u. energisch / 모두 ~이 넘치는 사람들이다 Es sind alles junge, kräftige Leute. / 저 사람은 ~이 있다 Er ist ein starker (kühner) Geist.¦Er hat e-n starken Geist.

기백(幾百) ein paar hundert; einige hundert. ¶ ~만 einige Millionen 《*pl.*》.

기범선(機帆船) Motorsegler *m.* -s, -.

기법(技法) Technik *f.* -en; Methode *f.* -n; Art 《*f.* -en》 der Ausführung.

기법(記法) Bezeichnung *f.* -en; Zeichensystem *n.* -s, -e.

기벽(奇癖) die merkwürdige Angewohnheit, -en; die sonderbare Gewohnheit, -en; Überspanntheit *f.* -en. ¶ ~은 고치기 어렵다 Die sonderbare Gewohnheit ist schwer abzulegen.

기벽(氣癖) das Nichteingeständnis《-ses, -se》 der Niederlage. ¶ ~이 세다 e-e Niederlage nicht eingestehen können.

기별(奇別·寄別) Mitteilung *f.* -en; Nachricht *f.* -en; Benachrichtigung *f.* -en; Kunde *f.* -n; Meldung *f.* -en; Bericht *m.* -(e)s, -e (보고); Information *f.* -en (정보); die Neuigkeiten《*pl.*》(뉴스). **~하다** benachrichtigen《*jn. von*³》; *jm* ⁴*et.* mit|teilen; Nachricht geben*《*jm. von*³》; unterrichten《*jn. von*³》; berichten《*jn. über*⁴》. ¶ 간밤에 죽었다는 ~을 받았다 Ich habe die Nachricht erhalten, daß er gestern abend gestorben sei. / 그가 오거든 ~해 주시오 Bitte, lassen sie mich wissen, wenn er kommt.

기병(奇病) e-e seltsame Krankheit, -en.

기병(起兵) **~하다** zu den Waffen rufen*⁴; Soldaten (Truppen) aus|heben*; ⁴sich erheben*《*gegen*⁴》.

기병(騎兵) Kavallerie *f.*; Reiterei *f.* (총칭); Kavallerist *m.* -en, -en; Reiter *m.* -s, -. ‖ **~연(중)대** Kavallerieregiment *n.* -(e)s, -e (Schwadron *f.* -en). **~포**(砲) die reitend Artillerie, -n. **~학교** Kavallerieschule *f.* -n.

기보(既報) die bekanntgegebene Nachricht, -en. **~하다** vorher verkünden⁴ (bekannt geben*⁴); früher erwähnen²·⁴《*von*³》. ¶ ~의 schon (vorher) verkündet; bekannt / ~한 바와 같이 wie (schon (bereits)) gemeldet; wie bekanntgegeben; wie bereits (früher schon) erwähnt (gesagt).

기보(棋譜) Handbuch《*n.* -(e)s, ⸚er》 des *Go*-Spiels.

기보법(記譜法) 〖음악〗 das musikalische Bezeichnungssystem, -s, -e; Notation *f.* -en.

기복(起伏) das Auf u. Ab, des- u. -s; Unebenheit *f.* -en; Welle *f.* -n(물결모양). ¶ ~이 있는 uneben; gewellt; hügelig; wellig; wellenförmig; holperig (울퉁불퉁한); gefurcht (주름모양의) / ~이 심한 토지 das gewellte (wellige) Gelände, -s, - / 토지의 ~ die (wechselnden) Wellen des Bodens / ~이 생기다 Wellen schlagen*; ⁴sich wellen.

기본(基本) Grund *m.* -(e)s, ⸚e; Grundlage *f.* -n; Fundament *n.* -(e)s, -e; Norm *f.* -en. ¶ ~적 Grund-; grundlegend; fundamental; wesentlich / ~적 권리 Grundrecht *n.* -(e)s, -e / 그것이 모든 학문의 ~이다 Das ist das Fundament aller Wissenschaften. ‖ **~가격** Grundpreis *m.* -es, -e. **~금**(재산) Fonds [fɔ̃:] *m.* - [fɔ̃:(s)], - [fɔ̃:s]; Grund¦stock *m.* -s (-kapital *n.* -(e)s, -e). **~급료** Grundgehalt *n.* -(e)s, ⸚er (-lohn *m.* -(e)s, ⸚e. **~단위** Normal¦einheit (Grund-) *f.* -en. **~원리** Grundprinzip *n.* -s, ..pien; das grundlegende Prinzip. **~학과** die Grundfächer《*pl.*》. 독일 연방 공화국 **~법** Grundgesetz《*n.* -es, -e》 für die Bundesrepublik Deutschland.

기부(寄附) Beitrag *m.* -(e)s, ⸚e; Beisteuer *f.* -n; Spende *f.* -n; Stiftung *f.* -en. **~하다** e-n (Geld)beitrag leisten《*zu*³》; bei|tragen*⁴《*zu*³》; bei|steuern⁴《*zu*³》; Spenden geben*《*für*⁴》; stiften⁴. ‖ **~금** Geldbeitrag *m.*; Beisteuer *f.*: ~금을 모으다 (Spenden) sammeln《*für*⁴》/ 상당한 ~금이 모였다 Es gingen reiche Spenden ein. **~인** der Beitragende*, -n, -n; Spender *m.* -s, -; Stifter *m.* -s, -; Subskribent *m.* -en, -en: ~인명부 Subskriptionsliste *f.* -n. **~행위** Beitragung *f.* -en; Schenkung *f.* -en; Stiftung *f.* -en; Subskription *f.* -en.

기분(氣分) Gefühl *n.* -(e)s, -e; Gemüt *n.* -(e)s, -e; Lust *f.* ⸚e; Neigung (Stimmung) *f.* -en; Laune *f.* -n; Verfassung *f.* -en; Gemütszustand *m.* -(e)s, ⸚e. ¶ … ~이다 fühlen; es ist *jm.* so u. so zumute; es kommt *jm.* vor / ~이 좋아서 in guter Laune; frohsinnig; in gehobener Stimmung / ~이 좋아지다 ⁴sich besser fühlen / ~을 내다 die richtige Stimmung bringen*; e-e Stimmung schaffen / ~이 내키다 zu ³*et.* aufgelegt (gestimmt) sein / ~이 내키지 않다 k-e rechte Lust zu ³*et.* haben; zu ³*et.* nicht aufgelegt sein / ~이 나다 ⁴sich interessieren / ~이 뒤숭숭하다 ⁴sich nicht sammeln können* / …할 ~이 나다 geneigt sein (⁴*et.* zu *tun*) / …할 ~이 안나다 k-e Lust zu ³*et.* haben; ⁴*et.* nicht übers Herz bringen*; ⁴sich nicht interessieren《*für*⁴》; kein Interesse haben《*für*⁴》/ ~을 상하다 *js.* Gefühl verletzen; *jm.* die Laune verderben*; verstimmen⁴ /~을 고치다 wieder zufrieden sein《*mit*³》; (wieder) befriedigt sein / 거나한 ~이다 leicht angeheitert sein; beschwipst (weinselig) sein/~ 좋다 (lustig u.) guter Dinge sein; guter Laune (bei (guter) Laune; in Laune) sein; (in) guter (froher; freudiger) Stimmung sein; ⁴sich in e-r guter Verfassung befinden* (심신이 다) / ~좋은 fröhlich u. heiter; frohmütig; sonnig; gutgelaunt; aufgeräumt / ~이 나쁘다 übler Laune sein; (in) übler (gereizter; gedrückter) Stimmung sein; übelgelaunt (verstimmt) sein; ⁴sich in e-r schlechten Verfassung befinden* / ~을 맞추다 erheitern⁴; schäkern⁴ (우는 애 등의); *jn.* unterhalten* (상대를 해서); *jn.* zerstreuen (기분을 개운케 하다); 《장단을 맞추다》 *jm.* zu Gefallen reden; *jm.* nach dem Mund reden; 《아첨하다》 *jm.* um den Bart gehen* ⓢ; *jn.* umschmeicheln; 《환심을 사다, 특히 여성에게》 *jm.* den Hof machen; mit *jm.* schön tun*; 《기쁘게 해주다》 ergötzen⁴; *jm.* Freude machen; *jn.* fröhlich machen / ~이 조금 언짢다 leicht unbehaglich sein; ungemütlich sein; ein wenig gruselnd sein / 그 말을 들었을 때 ~이 좋지 않았다 Es berührte mich unangenehm, als ich es hörte. / ~은 마음의 거울이다 E-e kleine Aufmerksamkeit zeigt *js.* guten Willen. ¦Kleine Geschenke erhalten die Freundschaft. / 그들은 모두 들뜬 ~이었다 Sie waren alle in ausgelassener Stimmung. / 그럴 ~이 나지 않는다 Ich bin nicht in Stimmung (bei Laune) dazu. / 도시에서는 벌써 크리스마스 ~을 내고 있다 Es herrscht schon e-e Weihnachtsstimmung in der Stadt. / 교외에 나가면 ~이 완전히 다르다 E-n Schritt aus der Stadt, u. man fühlt e-e ganz andere Stimmung versetzt. ‖ **~묘사** Atmosphäreschilderung *f.* -en. **~전환** Kurzweil *f.*; Ablenkung *f.* -en; Zeitvertreib *m.* -(e)s, -e; Lustbarkeit *f.* -en; Zerstreuung *f.* -en; Erholung *f.* -en: ~전환으로 zur Kurzweil (Abwechselung); zur Ablenkung (Zerstreuung; Erholung) / ~ 전환하다 Kurzweil treiben*; ³sich Luft machen; ⁴sich ab|lenken (zerstreuen) / 그는 ~ 전환을 하고 싶어한다 Er will sich zerstreuen. ¦ Er sucht Ablenkung (Zerstreuung). / ~ 전환을 하려고 온양에 갔다 Er ging zur Abwechselung nach *Onyang*.

기불(旣拂) ¶ ~의 voll (aus)bezahlt; abgezahlt; beglichen; entrichtet; getilgt.

기뻐하다 ⁴sich (er)freuen; frohlocken; jubeln 《이상 *über*⁴》; ⁴sich erbauen (⁴sich ergötzen) 《*an*³》. ¶ 매우 ~ ⁴sich riesig freuen 《*über*⁴》; hocherfreut (überglücklich) sein 《*über*⁴》/ 손뼉을 치며 ~ vor Freude in die Hände klatschen / 혼자서 ~ ⁴sich geschmeichelt fühlen / 아이들은 펄 듯이 기뻐했다 Die Kinder hüpften vor (ausgelassener) Freude. / 자네를 만나면 기뻐할 걸세 Es wird ihn sicher freuen, dich zu sehen.

기쁘다 ① 〔형용사적〕 froh; erfreut; glücklich; 〔부사적으로도 씀〕 fröhlich; frohmütig; freudig; erfreulich (sein). ② 〔동사적〕 ⁴sich freuen《*an*³ 현재의 일; *über*⁴ 현재·과거의 일; *auf*⁴ 미래의 일》; *jn.* freuen 〔es 또는 사물을 주어로 하여〕; froh (erfreut) sein 《*über*⁴》. ¶ 기쁘게도 zu m-r (großen) Freude / 기쁜 나머지 vor (ausgelassener) Freude / 매우 ~ große Freude haben 《*an*³》; ⁴sich sehr freuen 《*über*⁴》; entzückt sein 《*über*⁴》/ …은 매우 기쁜 일이다 Es ist (macht) mir e-e große Freude, daß... (zu...). / 기뻐서 날뛰다 vor Freude tanzen / 기뻐서 어쩔 줄 모르다 vor Freude außer ³sich sein / 기쁘게 하다 *jm.* Freude machen; *jn.* glücklich machen / 기쁜듯이 freudig; erfreulich; glückselig / 기쁜 얼굴 das vor Freude strahlende Gesicht, -(e)s, -er / 너무 기뻐서 눈물을 흘리다 vor Freude Tränen vergießen*; Tränen der Freude weinen / 아이 기뻐라 Bin aber froh! / 나는 기쁘다고 생각지 않아 Ich kann k-e Freude darüber empfinden.

기쁨 Freude *f.* -n; Fröhlichkeit *f.* -en; Froh¦mut *m.* -(e)s (-sinn *m.* -(e)s); Vergnügen *n.* -s, -; Entzücken *n.* -s; 《황홀》 Begeisterung *f.* -en. ¶ ~에 넘치다 vor Freude auf|strahlen / ~에 잠기다 ⁴sich der Fröhlichkeit überlassen*; ganz entzückt sein 《*über*⁴》/ 충심으로 ~을 표시하다 s-e herzliche Freude bezeigen / 그녀의 얼굴에는 ~이 넘친다 Ihr Gesicht strahlte vor Freude. / ~에 가슴이 설레었다 Das Herz hüpfte mir vor Freude.

기사(己巳) 〖민속〗 der 6. binäre Termin 《-s, -e》 von den aus 60 bestehenden Perioden.

기사(技師) Ingenieur [..ǿ:r] *m.* -s, -e; Baumeister *m.* -s, -; Brücken¦baumeister (Wege-); Zivilingenieur; der technische Experte, -n, -n.

‖ ~장 Oberingenieur [..inʒeniø:r] *m.* -s, -e. 기계~ Maschineningenieur *m.* 주임~ Ober¦ingenieur (Chef- [ʃɛ́f..]). 토목~ Zivilingenieur *m.*

기사(記事) ① =기술(記述). ② 《신문 따위의》 Artikel *m.* -s, -; Abhandlung *f.* -en; Aufsatz *m.* -es, ⸗e; Aufzeichnung *f.* -en; Beitrag *m.* -(e)s, ⸗e; Bericht *m.* -(e)s, -e; Schriftsatz. ¶ 재미있는 ~ die interessante Neuigkeit, -en / 재미있는 ~가 많은 voll von interessantem Lesestoff / ~화를 금하다 die Veröffentlichung 《-en》 verbieten* / 오늘은 ~ 거리가 없음 Heute nichts Neues. / 오늘 아침 동아일보에 화재 ~가 나 있다 Die heutige *Donga*-Zeitung bringt e-n Bericht über das Feuer. / 신문 ~를 모두 믿을 수는 없다 Man darf nicht alles glauben, was in der Zeitung steht.

‖ ~금지 Presseverbot *n.* -es, -e. ~문 Kurzbericht *m.* -(e)s, -e; Reportage [..taʒ(ə)] *f.* -n: ~문체 Kurzbericht¦stil (Reportage-) *m.* -(e)s, -e. ~재료 Berichtsstoff *m.* -(e)s, -e. 사회~ Gesellschaftsberichte 《*pl.*》. 삼면~ Lokalnachrichten 《*pl.*》. 신문~ Zeitungsbericht *m.* -(e)s, -e; Pressenotiz *f.* -en. 지방~ Lokalnachrichten 《*pl.*》.

기사(記寫) Aufzeichnung *f.* -en; Aufschreiben *n.* -s, -; Niederschreiben *n.*

기사(棋士) Schach¦spieler (*Go*-) *m.* -s, -.

기사(騎士) ① 《중세의》 Ritter *m* -s, -; Kavalier *m.* -s, -e. ② 《기수》 Reiter *m.* -s, -.

‖ ~도 Rittergeist *m.* -(e)s, -er.

기사(騎射) das Reiten* 《-s》 u. Bogenschießen* 《-s》.

기사회생(起死回生) das Wiederaufleben* 《-s》 (die Wiederbelebung, -en) vom Tode. ~하다 ⁴sich vom Tode wieder|beleben. ¶ ~의 명약 Allheil¦mittel (Wunder-) *n.* -s, -; die Wunder wirkende Arznei, -en; Lebenselixier *n.* -s, -e.

기산(起算) die Berechnung von e-m gewissen Datum an. ~하다 von e-m gewissen Datum an|rechnen.

‖ ~일 der Tag, von dem an die Rechnung begonnen ist; der beginnende Tag in der Rechnung; der Anfangstag 《-(e)s, -e》 der Rechnung. ~점 der Anfangspunkt 《-(e)s, -e》 für die Rechnung: 서울을 ~점으로 100 킬로의 거리 e-e Entfernung von 100 km, wobei man Seoul als Ausgangspunkt hat.

기상(奇想) die phantastische (abenteuerliche) Idee, -n; der wunderliche Einfall, -(e)s, ⸗e. ¶ 이것은 ~ 천외이다 Das ist e-e originelle Idee. ¦ Da hast du e-n wunderlichen Einfall. ¦ Gott hat mir e-n wunderbaren Gedanken eingegeben.

기상(起床) das Aufstehen*, -s; das Verlassen* 《-s》 des Bett(e)s. ~하다 auf|stehen* [s]; das Bett verlassen*; ⁴sich (aus dem Bett) erheben*.

‖ ~나팔 Reveille [rəvɛ́ljə, ..vɛ́:jə] *f.* -n; Wecksignal *n.* -s, -e. ~시간 Aufstehzeit *f.* -en.

기상(氣象) 《기후》 die meteorologischen Erscheinungen 《*pl.*》; Wetter *n.* -s, -. ¶ 오늘의 ~ 상태로는 um nach dem Aussehen* des Himmels zu urteilen; wenn dieses Wetter anhält / ~을 관측하다 das Wetter beobachten.

‖ ~개황 Wetterlage *f.* -n. ~관측 die meteorologische Beobachtung, -en; Wetterbeobachtung *f.*: ~ 관측기 das meteorologische Instrument, -(e)s, -e / ~ 관측소 Wetterwarte *f.* -n; das meteorologische Observatorium, -s, ..rien. ~대 Wetterwarte *f.* -n. ~도 die meteorologische Karte, -n; Wetterkarte *f.* -n. ~레이다 Wetterradar *n.* (*m.*) -s. ~위성 Wettersatellit *m.* -en, -en. ~통계 die meteorologische Statistik, -en. ~통보 Wetterbericht *m.* -(e)s, -e. ~학 Meteorologie *f.*; Wetterkunde *f.*: ~학자 Meteorologe *m.* -n, -n; Wetterforscher *m.* -s, -.

기상(氣像) 《성질》 Charakter *m.* -s, -e; Geistes¦art (Wesens-) *f.* -en; das geistige Gepräge, -s, -; Naturanlage *f.* -n; Naturell *n.* -s, -e. ¶ ~이 꿋꿋한 von leidenschaftlicher (feuriger; hitziger) Natur / 불굴의

~ unnachgiebige (nicht weichende; unbeugsame) Natur / 불굴의 ~이 얼굴에 나타나 있다 Die Festigkeit s-s Charakters ist ihm ins Gesicht geschrieben.

기상(機上) ¶ ~에 오르다 in ein Flugzeug ein|steigen* ⓢ. ┌-s, -s.

기상곡(奇想曲) 〖음악〗 Kapriccio [kaprítʃo] *n.*

기색(起色) Aussicht *f.* -en (전망); Möglichkeit *f.* -en (가능성); Silberstreifen《*m.* -s, -》 (am Horizont). ¶ 그가 올 ~이 보이지 않는다 Es hat nicht den Anschein, als ob er kommt. / 그가 이길 ~이 보이지 않는다 Es ist nicht wahrscheinlich, daß er gewinnt. / 비가 올 ~이다 Es hat den Anschein (Es sieht so aus), als wollte es regnen.

기색(氣色) Gesichtsausdruck *m.* -(e)s, ⸚e; Miene *f.* -n. ¶ ~이 좋지 않은 unpäßlich; übelgelaunt / 기뻐하는 ~을 보이지 않고 ohne ein Gefühl von Freude zu zeigen / 조금도 두려워하는 ~ 없이 ohne die geringste Angst zu zeigen / 그의 얼굴에는 슬픈 ~이 엿 보였다 Über s-m Gesicht lag ein Schatten von Traurigkeit. / 그는 만족하는 ~이었다 Er sah zufrieden aus.

기생(妓生) *Gisaeng f.* -s. ¶ ~ 파티하다 e-n fidelen Abend mit *Gisaengs* verbringen*; ein *Gisaeng*-Gelage machen / ~을 부르다 e-e *Gisaeng* kommen lassen* (bestellen).

기생(寄生) Parasitismus *m.* -; Parasitentum *n.* -s; Schmarotzer¦tum *n.* -s (-wesen *n.* -s). **~하다** schmarotzen; ein parasitenhaftes Dasein führen; auf [4]Kosten anderer zehren. ¶ ~의 parasitär; parasitenhaft; parasitisch; schmarotzerhaft; Parasiten-; Schmarotzer-.

‖ **~근** Schmarotzerwurzel *f.* -n; die parasitäre Wurzel, -n. **~동물** Parasit *m.* -en, -en; Schmarotzertier *n.* -(e)s, -e; das parasitäre Tier. **~식물** Parasit; Schmarotzerpflanze *f.* -n; die parasitäre Pflanze. **~충** Parasit *m.*; Schmarotzer *m.* -s, -.

기서(奇書) ein seltenes (unbekanntes) Buch, -(e)s, ⸚er.

기선(汽船) Dampf¦schiff *n.* -(e)s, -e (-boot *n.* -(e)s, -e); Dampfer *m.* -s, -; Passagierdampfer [..ʒiːr..] *m.* -s, - (정기선). ¶ ~으로 in (mit) e-m Dampfschiff (Dampfer) / ~ 부산호 der Dampfer Busan / ~에 타다 an [4]Bord e-s Dampfschiff(e)s (Dampfers) gehen* ⓢ; [4]sich an [4]Bord e-s Dampfschiff(e)s (Dampfers) begeben*.

‖ **~회사** Dampfschiff¦gesellschaft (Dampfer-) *f.* -en.

기선(基線) 〖측량〗 Grundlinie *f.* -n; Basis *f.* ..sen; Standlinie *f.* -n.

기선(機先) 《선손씀》 das Zuvorkommen*, -s; das Übernehmen*《-s》 der Führung. ¶ ~을 제하다 zuvor|kommen* ⓢ《*jm.*》; e-n Schritt eher tun* als ein anderer; verhindern[4]; vor|beugen[3].

기선(機船) Motorboot *n.* -(e)s, -e.

기설(既設) frühe Konstruktion, -en. ¶ ~의 (schon) konstruiert (aufgebaut; errichtet; eingerichtet (무형의); bestehend (현존의).

기성(奇聲) die seltsame Stimme, -n; der eigentümliche (sonderbare; unheimliche) Laut, -(e)s, -e. ¶ ~을 발하다 e-n unheimichen Laut hervor|bringen*.

기성(既成) frühe Vollendung, -en. ¶ ~의 fertig; vorrätig; Konfektions- / 이 옷을 ~복으로 샀다 Ich habe diesen Anzug fertig gekauft. / 나의 몸은 ~복에 맞게 되어 있다 Ich habe gute Konfektionsfigur.

‖ **~도덕** die bestehenden Sitten u. Gebräuche《*pl.*》. **~복** ein fertiger Anzug, -(e)s, ⸚e; Konfektionskleid *n.* -(e)s,-er; ein Kleid von der Stange: ~복을 사다 e-n fertigen Anzug kaufen. **~사실** die vollendete Tatsache, -n. **~작가** der Schriftsteller《-s, -》 von fest begründeten Ruhm. **~정당** die bestehende politische Partei, -en. **~통념** die herrschende Meinung, -en. **~품** Fertigware *f.* -n; Konfektionsartikel *m.* -s, -: ~품을 사다 von der Stange kaufen (옷 등).

기성(期成) der Beschluß《..lusses, ..lüsse》, [4]*et.* auszuführen.

‖ **~회** der Bund《-(e)s, ⸚e》 zur Erreichung e-s bestimmten Zweck(e)s; der zweckbestimmte Bund; 《학교의》 die Unterstützungsorganisation der Schule.

기세(氣勢) 《의기·힘》 Schneid *m.* -(e)s 〖Bayern 에서는 *f.*〗; Bravour [..vúːr] *f.*; Mumm *m.* -s; Mut *m.* -(e)s; Tapferkeit *f.* ¶ ~가 오르다 in gehobener Stimmung sein / ~가 오르지 않다 in niedergedrückter Stimmung sein / ~를 보이다 s-n Mut zeigen / ~를 죽이다 *jn.* entmutigen; *jn.* ein|schüchtern / ~를 높이다 *jn.* in gehobene Stimmung bringen* / 그들은 그야말로 ~가 꺾여 있다 Sie sind in ganz gedrückter Stimmung.

기세(棄世) ① 《죽음》 das Sterben*, -s; Tod *m.* -(e)s. ② 《초탈》 Weltflucht *f.* -en; die Isolierung《-en》 von der Welt; Welttranszendenz *f.*

기소(起訴) (An)klage *f.* -n; Verklagung *f.* -en; 《고소》 Anzeige *f.* -n; Meldung *f.* -en. **~하다** *jn.* e-s Verbrechens an|klagen (beschuldigen; zeihen*); *jn.* gerichtlich (strafrechtlich) verfolgen (belangen); gegen *jn.* gerichtlich vor|gehen*ⓢ; gerichtliche Schritte gegen *jn.* unternehmen*; 《고소하다》 *jn.* an|zeigen; *jn.* an die Polizei melden (an|zeigen); *jn.* bei Gericht an|-zeigen. ¶ ~ 유예되다 die Anklage gegen *jn.* wird fallen gelassen / 그는 폭행죄로 ~되었다 Er wird körperlicher [2]Mißhandlung beschuldigt. / 그는 수회 혐의로 ~되었다 Er wurde wegen Bestechung angeklagt. / 그 사건은 ~단계까지는 이르지 않았다 Die Anklage wurde fallen gelassen.

‖ **~이유** Anklagepunkt *m.* -(e)s, -e. **~자** (An)kläger *m.* -s, -; Anzeiger *m.* -s, -. **~장** Anklage¦schrift *f.* -en (-akte *f.* -n).

기송하다(寄送―) mit e-r Person senden*[4].

기수(奇數) 〖수학〗 ungerade Zahl, -en. ¶ ~의 ungerad(e). ☞ 홀수.

‖ **~일** der ungerade Tag, -(e)s, -e.

기수(氣數) Schicksal *n.* -(e)s, -e; Verhängnis *n.* ..sses, ..sse; Los *n.* -es, -e.

기수(基數) Grund¦zahl (Kardinal-) *f.* -en.

기수(既遂) ¶ ~의 vollendet; vollbracht; vollführt.

‖ **~범** das vollendete Verbrechen*, -s, -. **~사실** 〖법〗 die vollendete Tatsache, -n.

기수(旗手) Fähnrich *m.* -(e)s, -e; Fahnenträger (Standarten-) *m.* -s, -; Standartenjunker *m.* -s, -.

기수(機首) Vorderteil《*m.* -s, -e》 (Nase *f.* -n) e-s Flugzeugs; Bug《*m.* -es, ⸚e》 e-s Flugzeugs (특히 비행정의). ¶ ~를 동쪽으로 돌리다 den Kurs nach Osten nehmen*; die Nase (den Bug) nach Osten wenden*/

~를 위(아래)로 돌리다 die Nase (den Bug) nach oben (unten) wenden*.

기수(騎手) Reiter *m.* -s, -; Reitersmann *m.* -es, ⸗er (..leute); 《경마의》 Jockei [dʒɔ́ki] *m.* -s, -s; Rennreiter *m.* -s, -.

기수법(記數法) Zahlensystem *n.* -s, -e.

기숙(寄宿) Logis [loʒí:] *n.* - [..ʒí:(s)], - [..ʒí:s]. **~하다** bei *jm.* wohnen; bei *jm.* in Pension (in Kost) sein; ⁴sich bei *jm.* in Pension geben*³; bei *jm.* logieren* [loʒí:rən].

‖ **~료** Kostgeld *n.* -es, -er; Pensionpreis *m.* -es, -e. **~사**(舍) Logier¦haus [loʒí:r..] (Kost-) *n.* -es, ⸗er; 《학교의》 Internat *n.* -(e)s, -e; Pension [pāsió:n] *f.* -en; Studentenheim *n.* -(e)s, -e. **~생** Pensionär [pāsio..] *m.* -s, -(남자); Pensionärin *f.* ..rinnen(여자); der (die) Interne*; Alumne *m.* -n, -n; Alumnus *m.* -, ..nen(남자); Alumna *f.* ..nae(여자); Kostschüler *m.* -s, -. **~인** Kostgänger *m.* -s, - (남자); Kostgängerin *f.* ..rinnen(여자).

기술(技術) Kunst *f.* ⸗e; Kunst¦fertigkeit (Hand-) *f.* -en; Kunst 《*f.*》 u. Gewerbe 《*n.*》; Technik *f.* -en. ¶ ~적인 technisch; kunstgerecht / ~제휴하여 im technischen Einverständnis 《*mit*³》 / 비행기 제작 ~ die Technik 《-en》 der Flugindustrie / ~이 진보하다 es in der Technik weit bringen* / 가르치는 것도 ~이다 Lehren ist e-e Kunst. / 상당한 ~이 필요하다 Es erfordert eine außerordentliche technische Geschicklichkeit. / ~이 있으면 먹고 살게 마련 Kunst macht Gunst.¦Kunst bringt Brot.

‖ **~개발** technische Entwicklung. **~격차** der Unterschied 《-(e)s, -e》 der Technik. **~도입** Einführung der Technik. **~원조** technische Hilfe. **~자**, **~원** der Kunstsachverständige*, -n, -n; der technische Experte, -n, -n; Techniker *m.* -s, -. **~제휴** technische Kooperation, -en. **~혁신** technische Renovation, -en. **생산~** Produzierungstechnik *f.* -en.

기술(奇術) Taschen¦spielerei *f.* -en; Gaukelei *f.* -en; Zauberkunst *f.* ⸗e. ☞ 요술.

‖ **~사**(師) Taschenspieler *m.* -s, -; Gaukler *m.* -s, -; Zauberkünstler *m.* -s, -.

기술(記述) Beschreibung *f.* -en; Darstellung *f.* -en; Deskription *f.* -en; Schilderung *f.* -en. **~하다** beschreiben*⁴; dar¦stellen; schildern⁴. ¶ ~적 beschreibend; darstellend; deskriptiv; schildernd.

기스락 Rand *m.* -(e)s, ⸗er; Kante *f.* -n (besonders der vorspringende Teile des Daches).

기슭 Saum *m.* -(e)s, ⸗e; Fuß *m.* -es, ⸗e(산의); 《강의》 Strand *m.* -(e)s, -e. ¶ 강 ~에 am Strand / 산 ~에 am Fuß e-s Berges / 한 쪽 ~에 서 있다 an e-m Ecke stehen*.

기습(奇習) seltsamer Brauch, -(e)s, ⸗e; seltsame Sitte; wunderliche Gebräuche 《*pl.*》; sonderbare Überlieferung, -en.

기습(奇襲) Überfall *m.* -(e)s, ⸗e; Über¦rumpelung *f.* -en (-raschung *f.* -en); Handstreich *m.* -es, -e; 《개인에 대한》 Attentat *n.* -(e)s, -e; Anschlag *m.* -es, ⸗e. **~하다** überfallen*⁴; überrumpeln⁴; plötzlich an|greifen*⁴; überraschen⁴. ¶ ~을 시도하다 e-n Überfall versuchen.

‖ **~부대** Streifkorps [..ko:r] *n.* - [..ko:r(s)], - [..ko:rs]; das fliegende Korps, -, -.

기승(氣勝) der Ehrgeiz 《-es》, andere zu übertreffen. ¶ ~을 부리다 wüten; wütend werden; rasen; toben / 폭풍은 하루 종일 ~을 부렸다 Der Sturm wütete den ganzen Tag hindurch.

기승전결(起承轉結) 〖문학〗 die vier Stufen 《*pl.*》 bei der Abfassung (e-s Gedichtes).

기식(氣息) Atem *m.* -s, -; Hauch *m.* -(e)s, -; das Atmen*, -s. ¶ ~엄엄하다 auf dem letzten ³Loch pfeifen*; in den letzten Zügen 《*pl.*》 liegen*; nach ³Luft schnappen.

기식(寄食) Schmarotzertum *n.* -(e)s. **~하다** bei *jm.* schmarotzen; auf ²anderer ³Kosten leben; 〖속어〗 nassauern.

‖ **~자** Schmarotzer *m.* -s, -; Parasit *m.* -en, -en; 〖속어〗 Nassauer *m.* -s, -.

기신(起身) das Sicherheben*, -s; das Aufstehen*, -s; Bewegung *f.* -en. **~하다** ⁴sich erheben*; ⁴sich bewegen.

기신거리다 (herum|)lungern [h.s]; umher|trödeln; umher|bummeln [h.s]; müßig umher|-gehen* [s].

기신기신 schlaff; träge; müßig; bummelnd; lungernd. ⌈(sein).

기신없다(氣神—) körperlich u. seelisch lahm

기신호(旗信號) Flaggensignal *n.* -s, -e.

기실(其實) Wahrheit *f.* -en; Wirklichkeit *f.* -en; 《사실상》 in Wahrheit; in Wirklichkeit. ¶ ~ 무근하다 Grundlos sein / ~ 그는 오지 않았다 Wenn ich die Wahrheit sagen soll, er ist nicht erschienen.

기쓰다(氣—) ⁴sich zur Tätigkeit auf|raffen; ⁴sich an|strengen; ⁴sich bemühen; e-e Anstrengung machen. ¶ 기쓰고 일하다 mit all s-n Kräften arbeiten; aus Leibeskräften arbeiten / 기쓰고 하다 sein bestes (möglichstes) tun* / 기를 쓰고 달려들다 nach besten Kräften an|greifen*.

기아(棄兒) Findling *m.* -s, -e; Findelkind *n.* -(e)s, -er.

기아(饑餓) Hunger *m.* -s; Hungersnot *f.* ⸗e; das Verhungern*, -s. ¶ ~선상을 헤매는 사람 Hungerleider *m.* -s, - / ~를 면하다 s-n Hunger stillen / ~에 시달리다 Hunger leiden* / ~에 시달려서 vom Hunger gequält / ~선상을 헤매다 am Hungertuch nagen; nahe am Verhungern sein; Hunger leiden*.

‖ **~동맹** Hungerstreik *m.* -(e)s, -e (-s). **~사** Hungertod *m.* -(e)s, -e. **~임금** Hungerlohn *m.* (*n.*) -(e)s, ⸗e. **~행진** Hungermarsch *m.* -(e)s, ⸗e.

기악(器樂) Instrumentalmusik *f.*

기안(起案) Entwurf *m.* -(e)s, ..würfe; Konzept *n.* -(e)s, -e; Skizze *f.* -n. **~하다** e-n Plan 《-(e)s, ⸗e》 auf|stellen (entwerfen*); skizzieren⁴.

기암(奇岩) der seltsame Felsen, -s, -; die merkwürdige Klippe, -n. ‖ **~절벽** seltsamer Felsen u. steile Felsenwand.

기압(氣壓) Luft¦druck (Atmosphären-) *m.* -(e)s; Atmosphäre *f.* -n(기압 단위). ¶ 보통 ~은 760밀리바이다 Der mittlere Druck der Atmosphäre beträgt 760 mb. / 어제 ~은 769밀리바를 보여주었다 Der Barometer stand gestern auf 769 mb.

‖ **~계** Baro¦meter *n.* -s, - (-graph *m.* -en, -en). **~골** Tief *n.* -(e)s, -e. **~배치** Luftdruckverteilung *f.* **고~** Hochdruck *m.* -s; der hohe Luftdruck: **고~권** Hochdruckgebiet *n.* -(e)s, -e. **저~** Tiefdruck *m.* -s; der niedrige Luftdruck: **저~권** Tiefdruckgebiet *n.* 표준～ der mittlere Luftdruck.

기약(期約) Versprechen *n.* -s, -; Verheißung (Bürgschaft) *f.* -en. ～하다 《약속》 *jm.* versprechen*⁴; ⁴sich mit *jm.* verabreden⁴; 《기대》 erwarten⁴; entgegen|sehen*⁴; gewärtigen⁴ (예기); rechnen 《*mit*³》; zählen (bauen) 《*auf*⁴》; 《정함》 bestimmen⁴; fest|setzen⁴; 《결심》 ⁴sich entschließen* 《*zu*³》. ¶재회를 ～하고 mit dem Versprechen, ⁴sich wiederzusehen.

기약분수(既約分數) 〖수학〗 einfacher Bruch, -(e)s, ⸚e.

기어 Zahnrad *n.* -(e)s, ⸚er; Triebwerk *n.* -(e)s, -e. ¶～를 넣다 das ⁴Triebwerk in ⁴Gang setzen / ～를 바꾸다 den Gang um|schalten. ‖ ～바꾸기 Gangschaltung *f.* -en; Umschaltung 《*f.* -en》 des Ganges.

기어(綺語) 《교묘한 말》 die blumige Sprache, -n; 〖불교〗 Schmeichelei *f.*

기어오르다 aufdringlich (zudringlich; frech; unbescheiden; unverschämt) werden. ¶그는 너그럽게 보아 주면 기어오르기가 일쑤다 Unsere Nachsicht nutzt er nur aus.

기어이(期於―) unbedingt; ganz gewiß; auf alle Fälle; unter allen Umständen; gleichgültig wie (수단을 가리지 않고); 《마침내》 endlich; am Ende; schließlich.

기어코(期於―) =기어이.

기억(記憶) Gedächtnis *n.* ..nisses, ..nisse; (Rück)erinnerung *f.* -en. ～하다 ① 《기억해 있음》 im Gedächtnis (in ³Erinnerung) haben; 〖사건 따위를 주어로 하여〗 behalten sein; unvergeßlich bleiben*ⓢ. ② 《생각해 내다》 gedenken*³; ⁴sich erinnern⁽²⁾ 《*an*⁴》; ⁴sich entsinnen*². ③ 《암기하다》 auswendig lernen⁴; das Gedächtnis beladen* (beschweren) 《*mit*³》; ein|lernen⁴. ④ 〖콤퓨터〗 (Daten; Information; Nachricht) speichern. ¶～할 만한 denk¦würdig (merk-); memorabel; nicht zu vergessend / 내 ～에 틀림이 없다면 wenn m-e Erinnerung mich nicht täuscht; wenn (soviel) ich mich recht erinnere (entsinne) / ～해 두다 ³sich merken⁴; ³sich hinter die Ohren schreiben*⁴; ³sich ins Gedächtnis ein|prägen⁴; ³sich notieren⁴; nicht vergessen*⁴ / ～을 불러 일으키다 das Gedächtnis auf|frischen; ³sich ins Gedächtnis zurück|rufen*⁴ / ～이 새롭다 frisch im Gedächtnis sein / ～을 더듬다 ⁴*et.* im Gedächtnis zurück|verfolgen / ～에 남다 im Gedächtnis bleiben*ⓢ / 아직 ～하고 있나 Weißt du noch? / 잘 ～해 둬라 Du wirst es noch an dir selbst fühlen! / 그것을 ～하고 있는 사람은 많다 Es leben noch viele, die sich daran erinnern (können). / 한번도 만난 ～이 없다 Ich glaube nicht, daß er mir überhaupt begegnet ist. / 그 일이 곧 ～에 떠올랐다 Sofort blitzte die Erinnerung daran in mir auf. / 이미 ～에서 사라지고 말았다 Es ist schon m-m Gedächtnis entschwunden.

‖ ～소자 Speicherelement *n.* -(e)s, -e. ～술 Mnemotechnik *f.*; Gedächtniskunst *f.* ～용량 Speicherkapazität *f.* ～장애 Gedächtnisstörung *f.* ～장치 Speicherröhre *f.* -n.

기억력(記憶力) Gedächtnis *n.* ..nisses, ..nisse. ¶～감퇴 Gedächtnisschwund *m.* -es; Amnesie *f.* -n; Vergeßlichkeit *f.* / ～이 좋다(나쁘다) ein gutes (schlechtes *od.* kurzes) Gedächtnis haben / ～을 잃다 das Gedächtnis verlieren* / ～이 감퇴하다 das Gedächtnis schwinden*ⓢ / 당신의 ～은 정말 놀랍군요 Ich bewundere Sie wegen Ihres guten Gedächtnisses. / 그는 너무 ～이 나쁘다 Er hat ein Gedächtnis wie ein Sieb!

기언(奇言) die paradoxe Aussage (Behauptung); Paradoxon *n.* -, ..xa.

기업(企業) Unternehmung *f.* -en; das Unternehmen*, -s. ¶～을 일으키다 ein Unternehmen gründen (ins Leben rufen*) / ～을 해체(정리청산, 중지)하다 ein Unternehmen auf|lösen (liquidieren, eingehen lassen*) / ～의 자본주다 ein Unternehmen finanzieren / ～화하다 auf Großerzeugung (Serienfertigung) um|stellen⁴.

‖ ～가 Unternehmer *m.* -s, -; der Industrielle*, -n, -n. ～공채 die industrielle Anleihe, -n. ～심 Unternehmungs¦geist *m.* -(e)s, -er (-lust *f.* ⸚e). ～연합 Unternehmerverband *m.* -(e)s, ⸚e. ～열 Industriefieber *n.* -s. ～정비 Zusammenlegung 《*f.* -en》 von Industriebetrieben. ～조합 Syndikat *n.* -s, -e; Kartell *n.* -s, -e. 공공～ das gemeinnützige Unternehmen.

기업(起業) Gründung 《*f.* -en》 e-r Unternehmung; Organisation *f.* -en; Beginnen *n.* -s. ～하다 gründen⁴; ein|richten⁴; beginnen*⁴. ‖ ～비 Gründungskosten 《*pl.*》.

기업(機業) Textilindustrie *f.* -n; Weberei *f.* -en. ‖ ～가 der Textilindustrielle*, -n, -n.

기여(寄與) Beitrag *m.* -(e)s, ⸚e. ～하다 bei|tragen* 《*zu*³》; förderlich (beitragend) sein. ¶교육계에 ～한 바 적지 않았다 S-e Verdienste um die pädagogische Welt sind wirklich groß. ☞ 공헌.

기역(其亦) auch; eben¦falls (gleich-); sowohl als auch; 《예상대로》 wie erwartet (vorgesehen); 《결국》 schließlich (am Ende) doch.

기역니은순(―順) ☞ 가나다.

기역시(其亦是) ☞ 기역(其亦).

기연(奇緣) e-e seltsame (wunderbare) Fügung des Schicksals (des Himmels; Gottes); die Ironie des Schicksals; der seltsame (glückliche) Zufall, -s, ⸚e.

기연(機緣) ① 《기회》 Chance *f.* -n; Gelegenheit *f.* -en. ② 〖불교〗 (geistige) Verwandschaft, -en.

기연가미연가 (其然―未然―) ～하다 unbestimmt; unsicher; schwankend; zweifelhaft (sein).

기염(氣焰) die gehobene Stimmung, -en (의기); Groß¦sprecherei (-tuerei) *f.* -en; Wind¦macherei (-beutelei) *f.* -en; Ruhmredigkeit *f.* -en. ¶～을 토하다 (in) gehobener Stimmung sein; dicke (groß) tun*; die Werbetrommel (die große Trommel) rühren (schlagen*); groß sprechen*; den Mund (das Maul) voll|nehmen*.

기예(技藝) (Kunst)fertigkeit *f.* -en; Kunst *f.* ⸚e; das Können*, -s. ¶그녀는 많은 ～를 갖고 있다 Sie hat viele Kunstfertigkeiten. ‖ ～학교 Kunstgewerbeschule *f.* -n; Polytechnikum *n.* -s, ..ken (고등기예학교).

기온(氣溫) die (atmosphärische) Temperatur, -en. ¶～이 오른다(내린다) Die Temperatur steigt (fällt). / ～이 높다(낮다) Die Temperatur ist hoch (niedrig). / 이 지방은 조석으로 ～의 변화가 심하다 In dieser Gegend ist morgens u. abends ein starker Temperaturwechsel. / ～이 화씨 50도로 내려갔다 Die Temperatur fiel (sank) auf 50°F.

‖ ~파 Temperaturwelle *f.* -n. 평균~ die durchschnittliche Temperatur.

기와 Ziegel *m.* -s, -. ¶ ~를 이다 ein Dach mit Ziegel decken / ~를 굽다 Ziegel brennen* / ~로 지붕을 이다 ein Dach mit [3]Ziegeln bedecken / ~ 한 장 아껴서 대들보 썩힌다 《속담》 „Geizig im kleinen u. verschwenderisch im großen."

‖ ~가마 Ziegelofen *m.* -s, ⸚. ~공 Ziegler *m.* -s, -; Ziegelbrenner *m.* -s, -. ~공장 Ziegelei *f.* -en. ~장이 Ziegeldecker *m.* -s, -. ~지붕 Ziegeldach *n.* -(e)s, ⸚er.

기왕(既往) das Vergangene* 〔Dagewesene*; Verflossene*; Verstrichene*; Verwichene*〕 -n. ¶ ~의 vergangen; dagewesen; verflossen; verstrichen; verwichen / ~에 einst; einmal; vormals; ehemals / ~이면 wenn dem so ist.

‖ ~증 Anamnese 〔Anamnesis〕 *f.* ..nesen; die Krankheitsgeschichte e-r Person; die Vorgeschichte e-r Krankheit.

기요틴 Guillotine [giljotí:nə] *f.* -n; Fallbeil *n.* -(e)s, -e. ¶ ~의 이슬로 사라지다 das Opfer der Guillotine 〔des Fallbeils〕 werden; durch das Fallbeil enden 〔hingerichtet werden〕.

기용(起用) Ernennung *f.* -en; Beruf *m.* -(e)s, -e. ~하다 ernennen[4] 《*zu*[3]》; berufen*[4] 《*zu*[3]》; *jn.* an|stellen 《*als*[4]》; *jn.* ein|setzen 《*in*[4]; *zu*[3]; *als*[4]》. ¶ 김씨는 문교부 장관에 ~되었다 Herr *Kim* ist zum Kultusminister ernannt worden.

기우(杞憂) die eingebildete Angst, ⸚e; die unnötige Sorge, -n; die grundlose 〔unbegründete〕 Furcht. ¶ ~를 품다 grundlose 〔unbegründete〕 Angst 〔Furcht〕 haben; [3]sich unnötige Sorge machen; Gespenster sehen* / ~에 지나지 않(는)다 nur ein Schreckgespenst sein.

기우(奇遇) die zufällige Begegnung, -en; das zufällige Zusammentreffen*, -s. ~하다 zufällig begegnen[3] 〔zusammen|treffen* ⓢ〕. ¶ 이것은 ~다〔였다〕 Das ist 〔war〕 e-e Überraschung 〔ein wunderlicher Zufall〕!

기우(祈雨) Gebet 《*n.* -(e)s, -e》 um Regen. ~하다 um Regen beten.

‖ ~단 der Altar, wo man um Regen betet. ~제 das Gebetfest um Regen.

기우(氣宇) Großmut *f.* ¶ ~가 큰〔좁은〕 großmütig; hochherzig 〔kleinmütig; kleinherzig〕.

기우듬하다 ☞ 기웃하다[1].

기우뚱거리다 ① 〔타동사〕 neigen[4]; schräg machen[4]; schief legen; auf die Seite wenden[4]. ¶ 고개를〔몸을〕 ~ den Kopf〔Körper〕 neigen / 그릇을 ~ ein Gefäß neigen.

② 〔자동사〕 [4]sich neigen; [4]sich auf die Seite legen. ¶ 의자가 기우뚱거린다 Der Stuhl schwankt. / 기차가 기우뚱거린다 Der Zug schüttert. / 파도로 배가 기우뚱거린다 Das Schiff schlingert durch die Wellen. / 마차가 갑자기 기우뚱거리는 바람에 그는 밖으로 굴러 떨어졌다 Durch die plötzliche seitliche Neigung des Wagens wurde er herausgeschleudert.

기우하다(寄寓—) vorläufig wohnen 〔mit e-r Person〕.

기운 ① 《체력》 (Körper)kraft *f.* ⸚e; Stärke *f.* -n. ¶ ~이 있는 kräftig; kraftvoll; stark; mächtig; tüchtig / ~이 없는 schwach; kraftlos / ~을 내다 s-e Kraft an|strengen 〔auf|bieten*〕 / ~이 빠지다 entkräftet 〔erschöpft〕 werden; die Kraft geht verloren 〔läßt nach〕 / ~이 나지 않는다 Die Kraft versagt mir. / 매우 ~이 좋다 Er hat ungeheuere Kraft. / ~차게 일한다 Er arbeitet aus Leibeskräften (mit ganzer Kraft).

② 《원기·생기》 Lebenskraft *f.* ⸚e; Energie *f.* -n; Lebhaftigkeit *f.*; Vitalität *f.*; Lebendigkeit *f.*; Mut *m.* -(e)s; Lebensgeist *m.* -(e)s, -er. ¶ ~좋은 frisch; lebhaft; lebendig; gesund; 《용기 있는》 mutig; voller Lebensmut; 《활기 있는》 voll Geist u. Leben / ~이 나다 [4]sich erfrischen; [4]sich erholen; [4]sich ermuntern; ermutigt werden / ~이 나서 erfrischt; ermuntert; ermutigt / ~을 내다 [4]sich auf|raffen; [4]Mut fassen; [4]sich zusammen|nehmen*; [4]sich zusammen|raffen; Kräfte zusammen|nehmen*; [4]sich ermannen / ~좋게 frohen Mutes; in gehobener Stimmung / ~이 없다 den Mut verlieren*; entmutigt sein; [4]sich enttäuscht fühlen / ~이 없는 mutlos; entmutigt; niedergeschlagen; niedergedrückt; trübselig / …할 ~이 없다 kein Herz 〔k-n Mut〕 haben, [4]*et.* zu tun / ~을 잃다 ohnmächtig werden; in Ohnmacht fallen*ⓢ / ~을 회복하다 frischen Mut wieder|bekommen* 〔wieder|erlangen〕; [4]sich erholen; [4]sich gut kräftigen; neue Kräfte sammeln / ~을 차리다 [4]sich fassen / ~을 북돋우다 ermutigen 《*jn.*》; auf den Schwung bringen*; ermuntern 《*jn.*》; auf|muntern[4]; beleben[4]; erheitern[4]; beseelen[4] / ~이 꺾이다 entmutigt 〔niedergeschlagen; verzagt〕 werden; der Mut sinkt / 나는 오늘 ~이 없다 Ich fühle mich heute matt. / 환자는 차차 ~을 차렸다 Der Kranke hat sich allmählich erholt.

③ 《독한 기운 따위》 Geruch *m.* -(e)s, ⸚e; Geschmack *m.* -(e)s, ⸚e; Anstrich *m.* -(e)s, -e. ¶ 단 ~ der süße Geschmack / 짠 ~이 있다 e-n Salzgeschmack haben / 감기 ~이 있다 leicht erkältet sein / 피로한 ~이 있다 etwas müde sein.

④ 《천지 만물의》 Animo *n.* -s, -s.

기운(氣運) 《경향·형편》 Tendenz *f.* -en; Neigung *f.* -en; Richtung *f.* -en.

기운(氣韻) 《멋》 Atmosphäre *f.* (in der Kunst u. Literatur); Ton *m.* -(e)s, Töne.

기운(機運) ① 《기회》 Gelegenheit *f.* -en; Zeit *f.* -en. ¶ ~이 무르익기를 기다리다 e-e günstige Gelegenheit ab|passen 〔ab|warten〕. ② 《운수》 Glück *n.* -(e)s; Schicksal *n.* -(e)s, -e.

기울 Kleie *f.* -n.

기울다 ① 《선·면이》 [4]sich neigen; schräg 〔schief〕 liegen; [4]sich auf die Seite legen (비행기가); Schlagseite bekommen*(배가). ☞ 기울어지다. ¶ 45도 ~ e-e Neigung von fünfundvierzig Grad haben. ② 《형세가》 zur Neige 〔auf die Neige〕 gehen*ⓢ; [4]sich zum Untergang neigen. ¶ 가운이 기울고 있다 Die Familie ist im Verfall begriffen. Das Glück (e-r Familie) neigt sich dem Ende zu. / 가산이 기울고 있다 Mit m-m Vermögen geht es abwärts. ③ 《해·달 따위》 [4]sich neigen; zur Neige gehen*ⓢ; sinken*ⓢ. ¶ 기우는 달 der sinkende Mond, -es / 해가 서쪽으로 ~ Die Sonne neigt sich nach Westen. ④ 《마음이》 Neigung haben zu...; geneigt sein ... zu. ¶ 나쁜 데로 ~ Neigung zum Bösen haben / 사치한 데로 ~ [4]sich zum Luxus neigen.

기울어지다 ① 《형세·마음이》 Neigung haben

zu...; geneigt sein zu...; (hin|)neigen 《*zu*³》; die Neigung (Tendenz) haben 《*zu*³》. ☞ 기울다. ¶어떤 의견으로 ～ ⁴sich zu e-r Ansicht neigen / 사태는 점점 전쟁으로 기울어졌다 Die Lage neigte sich mehr u. mehr dem Kriege zu. / 그는 운이 기울어지고 있다 Er ist auf dem absteigenden Ast.¦Es geht mit ihm auf die Neige. / 저 가게는 점점 기울어져 간다 Mit dem Geschäft geht es immer bergab. / 그녀에게 기울어져 있다 Er hat e-e Neigung zu dem Mädchen.
② 《선·면이》 ⁴sich neigen; ⁴sich auf die Seite legen. ¶30도 기울어져 있다 (um) dreißig Grad geneigt sein / 한 쪽으로 기울어져 있다 schief stehen*; zur Seite geneigt sein / 마차가 갑자기 한 쪽으로 기울어졌다 Der Wagen hat sich plötzlich zur Seite geneigt.
③ 《해·달이》 ⁴sich neigen; sinken*Ⓢ. ¶기울어지는 달 der herabsinkende Mond, -(e)s, -e / 해가 서산에 기울어졌다 Die Sonne neigte sich zu den westlichen Bergen.

기울이다 ① 《병·잔 따위를》 neigen⁴; schräg (schief) legen⁴ (stellen⁴); kippen⁴; (ein ⁴Schiff) kielholen (뱃바닥 손질을 위해). ¶한 잔 ～ e-n (eins) trinken* / 술잔을 ～ Wein trinken*; den Becher neigen. ② 《정신·주의를》 ⁴sich befleißigen²; ⁴sich widmen³; ⁴sich vertiefen 《*in*⁴》. ¶마음을 기울여 공부하다 ⁴sich dem Studium widmen (ergeben*) / 아무에게 마음을 ～ (Zu-) neigung gewinnen* 《zu *jm.*》; *jm.* sein ⁴Herz schenken / 귀를 ～ *jm.* zu|hören; *jm.* Gehör leihen* (schenken); *jm.* an den ³Lippen hängen* / 그는 이 일에 전심 전력을 기울이고 있다 Er widmet sich der Sache mit Leib u. Seele. / 장황한 이야기에 기꺼이 귀를 기울이고 있다 Er hat m-r langen Rede ein williges (geneigtes) Ohr geliehen. ③ 《국력·재산 따위를》 auf die schiefe Ebene (Bahn) bringen*⁴; ruinieren⁴; zu ³Grunde (zugrunde) richten⁴. ¶나라를 ～ ein Land zu Grunde richten / 재산을 ～ *js.* Vermögen vergeuden.

기움질 das Flicken*, -s. ¶엄마는 ～을 하고 있다 Die Mutter ist gerade beim Flicken.

기웃거리다 《고개를》 ⁴sich den Hals aus|-strecken 《*nach*³》; e-n langen Hals machen; neugierig ⁴*et.* sehen wollen; 《엿보다》 neugierig (heimlich; verstohlen) blicken 《ins Zimmer; zum Fenster hinaus》; hervor|gucken (hinein|-); umher|schnüffeln; heimlich beobachten⁴. ¶기웃거리는 사람 Gucker *m.* -s, -; Guckerin *f.* -nen (여자); Späher *m.* -s, -; heimlicher Beobachter, -s, -; neugierige Person, -en / 누가 있나 방을 ～ ins Zimmer gucken, ob jemand da ist / 이방 저방을 ～ in verschiedene Zimmer hinein|gucken / 누가 이 방을 기웃거리나 Wer schnüffelt hier herum? / 수상한 사나이가 문안을 기웃거렸다 Ein verdächtiger Kerl guckt zur Tür herein.

기웃기웃 neugierig (heimlich; verstohlen) blickend; herumschnüffelnd; heimlich spähend.

기웃이 ① schräg; geneigt. ② 《고개를》 spähend; herumschnüffelnd; heimlich beobachtend. ¶～ 들여다보다 spähend hinein|-blicken.

기웃하다¹ 〖형용사〗 geneigt; schräg; schief (sein); 〖서술적〗 schief stehen*; schräg liegen; ⁴sich neigen; ⁴sich auf die Seite legen; Schlagseite haben (배 따위가). ¶왼쪽으로 ～ zur linken Seite geneigt sein.

기웃하다² 〖타동사〗 kippen⁴; neigen⁴; e-e schiefe (e-e schräge) Richtung geben*³; schräg legen⁴ (stellen⁴).

기원(技員) technischer Assistent, -en, -en.

기원(紀元) Gründung 《*f.* -en》 e-s Reichs (건국); Christi Geburt *f.* -en (그리스도 탄생). ¶～전(후) vor (nach) Christi Geburt 《생략: v. (n.) Chr. G.》 / 단군 ～이래 seit Gründung Koreas / 그의 작품은 한국문학에 신～을 획하였다 Sein Werk machte Epoche in der koreanischen Literatur.

기원(祈願) das Beten*, -s; Andacht *f.* -en; Gebet *n.* -(e)s, -e. **～하다** zu Gott beten 《*um*⁴》; sein Gebet (s-e Andacht) verrichten. ¶평화를 ～하다 (inbrünstig) um Frieden beten / 병의 회복을 ～하다 um die Erholung der Krankheit beten / 조속한 쾌유를 ～합니다 Ich wünsche Ihnen baldige Besserung. / 성공을 ～하네 Ich wünsche dir besten Erfolg (viel Glück).

기원(起源) Ursprung *m.* -(e)s, ⸚e; Quelle *f.* -n; Wiege *f.* -n; Entstehung *f.* -en; Anfang *m.* -(e)s, ⸚e (시초); Herkunft *f.* ⸚e (유래). **～하다** s-n Ursprung haben (nehmen*) 《*in*³》; die Quelle(n) von ³*et.* sein; ⁴sich her|leiten 《*von*³》; entspringen*⁽³⁾ 《*aus*³》 Ⓢ; entstehen* 《*aus*³》; entstammen³ Ⓢ. ¶이 단어는 희랍어에서 ～한다 Dieses Wort wird vom Griechischen abgeleitet. / 그 집안은 Z가에서 ～한다 Das Geschlecht leitet sich von Familie Z her.

기유(己酉) 〖민속〗 die 46ste Periode im 60 jährigen Jahreszyklus.

기율(紀律) Ordnung *f.* -en; Zucht *f.*

기음(氣音) 〖음성〗 Hautlaut *m.* -es.

기음매다 (Unkraut) entfernen; jäten⁽⁴⁾. ¶밭(을) ～ den Acker jähen.

기음문자(記音文字) die phonetische Schrift, -en.

기이다 verhehlen⁴; verbergen*⁴; verheimlichen³⁴; geheim|halten*⁴ 《vor *jm.*》; verschweigen*⁴; verstecken⁴; verdecken⁴; verhüllen⁴. ¶기이지 않고 ohne ⁴*et.* zu verheimlichen; offen; freimütig; offenherzig / 연령을 ～ sein Alter verschweigen*; *js.* Alter vor *jm.* geheim|halten* / 사실을 ～ die Wahrheit verschweigen; *jm.* e-e Tatsache (Nachricht) verheimlichen / 남의 눈을 ～ es vermeiden*; beobachtet zu werden; *jm.* aus dem Weg gehen*Ⓢ / 남의 눈을 기이는 사랑 heimliche (stille) Liebe.

기이하다(奇異—) wunderlich; befremdend; fremdartig; kurios; merkwürdig; phantastisch; seltsam; sonderbar (sein). ¶기이한 소문 das seltsame Gerücht, -(e)s, -e / 기이하게 생각하다 ⁴sich verwundern 《*über*⁴》; baß erstaunt sein 《*über*⁴》; stutzig werden 《*bei*³; *über*⁴; *vor*³》; verblüfft (verwundert) sein 《*über*⁴》; ⁴sich nicht fassen können*; s-n Augen nicht trauen können*.

기인(奇人) Sonderling *m.* -s, -e; das besondere Exemplar, -s, -e; Eigenbrötler *m.* -s, -; Kauz *m.* -es, ⸚e; Original *n.* -s, -e.

기인(基因) Ursprung *m.* -(e)s, ⸚e; Ausgangspunkt *m.* -(e)s, -e; Ursache *f.* -n. **～하다** s-n Ursprung nehmen* 《*von*³》; s-e Ursache haben 《*in*³》; verursacht werden 《*durch*⁴》; her|kommen*Ⓢ 《*von*³》; zurückzuführen sein 《auf⁴》; zuzuschreiben³ sein; ⁴sich ableiten lassen* 《von³》; entspringen*³ ⓢ; stammen 《aus³》; beruhen 《auf³》; her|rühren 《von³》; ⁴sich her|leiten 〔ab|leiten〕 lassen* 《von³》. ¶ …에 ~하여 dank³·²; infolge⁽²⁾ 《von³》; verursacht 〔bewirkt; veranlaßt〕 《durch⁴》; herrührend 《von³》 / 이 비극은 질투에서 ~한 것이다 Diese Tragödie hatte ihren Ursprung in Eifersucht.

기일(忌日) Todes(gedenk)tag *m.* -(e)s, -e; der Jahrestag *js.* Todes.

기일(期日) der festgesetzte Tag, -(e)s, -e; Frist *f.* -en; Termin *m.* -s, -e. ¶ ~까지 zum festgesetzten Tag / 출발 ~을 정하다 den Tag der Abreise bestimmen / ~ 엄수 Der Termin muß eingehalten werden. / 회의의 ~을 정하자 Wir wollen den Tag der Konferenz festsetzen. ☞ 기한(期限).

기입(記入) Einschreibung *f.* -en; Eintragung *f.* -en; Notiz *f.* -en (메모); Ausfüllung *f.* -en(공란에); Randbemerkung *f.* -en(난외에). **~하다** ein|schreiben*⁴ 《in⁴》; ein|tragen*⁴ 《in⁴》; aus|füllen⁴; notieren⁴; ³sich e-e Notiz machen (메모를); e-e Bemerkung ein|fügen 《zu³》. ¶ 이름을 리스트에 ~하다 den Namen in die Liste ein|tragen* / 수지를 장부에 ~하다 Einnahmen u. Ausgaben in das Buch ein|schreiben* / 용지에 ~하다 ein Formular 〔e-n Vordruck〕 aus|füllen / 일기에 ~하다 in das Tagebuch notieren.

‖ **~누락** Aus|lassung 〔Weg-〕 *f.* -en. **~필**(畢) Schon Eingetragen.

기자(記者) Journalist [jur..] *m.* -en, -en; Berichterstatter *m.* -s, -; Korrespondent *m.* -en, -en (통신기자); (Zeitungs)schreiber *m.* -s, -; (Zeitungs)reporter *m.* -s, - (통신원); Redakteur [..tø:r] *m.* -s, -e (주필). ¶ 그는 신문 ~이다 Er ist Journalist 〔Berichterstatter〕. / 그는 동아일보 ~이다 Er ist ein Mitarbeiter (an) der Zeitung *Donga*.

‖ **~단** 〔클럽〕 Journalisten|verband *m.* -(e)s, ⸚e 〔-klub *m.* -s, -s〕. **~회견** Pressekonferenz *f.* -en. **신문~석** Presse|tribüne 〔Journalisten-〕 *f.* -n (*od.* -galerie *f.* -n; -loge *f.* -n). **특파~** Sonderberichterstatter *m.* -s, -.

기자(譏刺) =풍자.

기자감식(飢者甘食) Hunger ist der beste Koch. | Wenn man Hunger hat, ißt man alles.

기장 〖식물〗 Hirse *f.* -n.

기장(記章) Medaille [..dáljə] *f.* -n; Denkmünze 〔Schau-〕 *f.* -n.

기장(機長) Flugkapitän *m.* -s, -e; Pilot *m.* -en, -en; der erste Flugzeugführer, -s, -.

‖ **부~** Ko-Pilot.

기장하다(記帳—) ein|tragen*⁴ 《in⁴·³; auf³》; buchen⁴ 《in³; auf⁴》 ※ in 과 auf 의 격(格)지배에 주의할 것.

기재(奇才) das merkwürdige 〔eigentümliche; seltsame; sonderbare; ungewöhnliche〕 Talent, -(e)s, -e.

기재(記載) Eintragung *f.* -en; Beschreibung *f.* -en; Darstellung *f.* -en; Vermerk *m.* -(e)s, -e. **~하다** ein|tragen*⁴ 《in⁴》; beschreiben*⁴; dar|stellen⁴; vermerken⁴. ¶ 별항에 ~한 바와 같이 wie anderswo 〔an e-r andern Stelle; in e-m andern Paragraphen〕 dargestellt 〔vermerkt〕 / 어제 ~한 바와 같이 wie bereits gestern gemeldet 〔wurd〕 / 가격을 ~하다 den Wert an|geben*.

‖ **~사항** die erwähnten Einzelheiten 《pl.》.

기재(器材) Gerät *n.* -es, -e; Geschirr *n.* -(e)s, -e; Utensilien 《pl.》.

기저(基底) Grundlage *f.* -n; Basis *f.* ..sen; Fundament *n.* -(e)s, -e.

기저귀 Windel *f.* -n. ¶ ~를 갈다 die Windel wechseln / 아기에게 ~를 채우다 e-n Säugling in ⁴Windeln wickeln 〔ein|binden*〕.

기적(汽笛) Dampfpfeife *f.* -n; Sirene *f.* -n (사이렌). ¶ ~을 울리다 die Dampfpfeife ertönen lassen* / ~을 울리며 열차는 떠났다 Mit e-m schrillen Pfiff fuhr der Zug ab.

기적(奇蹟) Wunder *n.* -s, -; das Wunderbare*, -n; die göttliche Vorsehung, -en(하느님의 뜻). ¶ ~적으로 wie durch ein Wunder / ~을 행하다 Wunder 《pl.》 tun* 〔wirken〕 / ~을 믿다 an ⁴Wunder glauben / 오늘날에는 ~은 일어나지 않는다 Es geschehen heute k-e Wunder mehr. / ~적으로 살아나다 auf wunderbare Weise mit dem Leben davon|kommen* ⓢ / 그것은 ~이나 다름없다 Das grenzt ans Wunderbare.

기전기(起電機) Elektromotor *m.* -(e)s, -en.

기전력(起電力) elektromotorische Kraft, ⸚e.

기절(氣絶) ① 《까무러침》 Ohnmacht *f.* -en; Bewußtlosigkeit *f.* -en. **~하다** in Ohnmacht fallen*ⓢ; das Bewußtsein verlieren*; ohnmächtig 〔bewußtlos〕 werden; flau werden; es wird einem* bunt vor den ³Augen; ab|sacken; zusammen|klappen; 〖속어〗 ins Ohmfaß fallen* ⓢ. ¶ ~하여 bewußtlos; ohnmächtig / ~케 하다 *jn.* in Ohnmacht versetzen; ohnmächtig 〔bewußtlos〕 werden lassen*; betäuben (약으로, 또는 때려서). ② 《죽음》 das Aushauchen des letzten Atems. **~하다** den letzlen Atem aus|hauchen.

기점(起點) Ausgangs|punkt 〔Ansatz-〕 *m.* -es, -e. ¶ …을 ~으로 하다 starten ⓢ 《von³》; aus|laufen* ⓢ 《von³》 (배가); ab|reisen ⓢ 《von³》; als Ausgangspunkt (an|)nehmen*⁴ / 종로를 ~으로 해서 계산하다 *Jongro* als Ausgangspunkt an|nehmen*.

기점(基點) Haupt|punkt 〔Angel-〕 *m.* -es, -e.

‖ **방위~** die Kardinalpunkte des Kompasses; die vier Punkte des Horizonts.

기정(汽艇) Barkasse *f.* -n.

기정(既定) ¶ ~의 (schon) bestimmt; vorherbestimmt; festgesetzt; vollendet; entschieden / ~의 결론 der vorgedachte 〔vorgeahnte〕 Schluß, Schlusses, Schlüsse / ~ 방침에 따라 nach dem bestimmten 〔vorherüberlegten〕 Plane.

‖ **~사실** vollendete Tatsache, -n. **~예산** vollendetes Budget [bydʒé:] -s, -s.

기제(忌祭) (Toten)gedächtnisfeier *f.* -n.

기제(既濟) Vollendung *f.*; letzte Hand *f.*

기조(基調) Grund|ton *m.* -(e)s, ⸚e 〔-lage *f.* -n〕. ¶ 한국 문학의 ~ der Grundton der koreanischen Literatur / …을 ~로 하다 ⁴*et.* zum Grundton 〔zum Grundsatz〕 von ³*et.* machen; auf ⁴*et.* stützen.

‖ **~연설** die grundlegende Rede, -n. **경제~** die wirtschaftliche Grundlage.

기존(既存) 〖형용사적〗 (schon) bestehend; eingerichtet; ausgestattet; vorhanden.

‖ **~시설** die schon bestehende Einrichtung, -en; die vorhandene Ausstattung, -en.

기종(氣腫) 〖의학〗 Emphysem *n.* -(e)s, -e.

‖ **폐~** Lungenemphysem *n.*

기주(嗜酒) **~하다** starke Spirituosen gern trinken*.

기준(基準) Norm *f.* -en; Maßstab *m.* -(e)s, ⸚e; Richt|linie *f.* -n 〔-schnur *f.* -en〕. ¶ ~

을 맞추다 normieren⁴.

‖ ~가격 Standardpreis *m.* -es, -e; der normale Preis. ~량 Norm *f.* -en; Standardquantität *f.* -en. ~선(線) Fundamental¦linie (Grund-) *f.* -n. ~시세 Grundpreis *m.* -es, -e. ~임금 Grundlohn *m.* (*n.*) -(e)s, ¨e. ~점 Datumgrenze *f.* -n.

기중(忌中) ¶ ~(이다) in Trauer (sein).

기중기(起重機) (Auslege)kran *m.* -(e)s, ¨e; Derrick¦kran (Dreh- u. Wipp-). ¶ ~로 올리다 mit dem Kran auf|heben*⁴.

‖ 이동(주행)~ Laufkran. 정치(定置)~ Festkran.

기증(寄贈) Schenkung *f.* -en; Beitrag *m.* -es, ¨e; Gabe *f.* -n; Spende *f.* -n; Stiftung *f.* -en; Bescherung *f.* -en; Geschenk *n.* -es, -e; Widmung *f.* -en; Dedikation *f.* -en; Zueignung *f.* -en. ~하다 *jm.* schenken⁴; spendieren⁴; stiften⁴; widmen⁴; dedizieren⁴; zu ³*et.* bei|tragen* (-|steuern).

‖ ~본 die gestifteten Bücher 《*pl.*》(도서관에); die eingesandten (zugestellten) Bücher 《*pl.*》(신문, 잡지사에); Dedikations¦exemplar (Widmungs-) *n.* -s, -e (개인에게). ~자 Stifter *m.* -s, -; Schenker *m.* -s, -; der Beitragende* (Beisteuernde*) -n, -n. ~품 Stiftung *f.* -en; Geschenk *n.* -es, -e; Gabe *f.* -n.

기지(奇智) Scharfsinn *m.* -(e)s; Scharfsinnigkeit *f.*; seltene (rare) Klugheit.

기지(基地) 〖군사〗 Stützpunkt *m.* -(e)s, -e.

‖ 원폭~ Atombasis *f.* ..basen. 작전~ Operationsbasis. 항공~ Luft¦stützpunkt (-basis *f.* ..basen).

기지(既知) ¶ ~의 bekannt; gegeben / ~의 사실 die bekannte Tatsache, -n.

‖ ~수 die bekannte (gegebene) Größe, -n.

기지(機智) Witz *m.* -es, -e; Findigkeit *f.*; Schlagfertigkeit *f.* ¶ ~가 풍부하다 witzig (schlagfertig) sein; viel Mutterwitz haben; voll von sprühendem Witz sein(기지에 넘치다)/~가 풍부한 사람 der witzige (findige) Kopf, -(e)s, ¨e.

기지개 das Sichstrecken*, -s. ~하다, ~켜다 《팔다리를 펴며》 ⁴sich strecken (u. dehnen). ¶ 고양이는 잠을 깨면 등을 구부리며 ~를 켠다 Nach dem Schlaf macht die Katze e-n Buckel u. streckt sich. / 하품을 하며 ~켜다 ⁴sich mit e-m Gähnen strecken.

기직 grobe Matte, -n. ¶ ~ 자리를 깔다 e-e grobe Matte aus|breiten.

기진(氣盡) Erschöpfung *f.* ¶ 난 이제 ~맥진했다 Ich bin ganz (völlig) erschöpft.¦Ich kann nicht mehr. / 그는 ~맥진해 있었다 Er war ganz ausgezehrt. / 나는 ~맥진했다 Es überkam mich e-e grenzlose Abspannung.

기진(寄進) Beisteuer *f.* -n; Beitrag *m.* -(e)s, ¨e; Opfer *n.* -s, -; Schenkung *f.* -en; Stiftung *f.* -en. ~하다 bei|steuern³·⁴ (-|tragen*³⁴); kontribuieren³·⁴; opfern³⁴; stiften³⁴.

기질(氣質) Charakter *m.* -s, -e [..té:rə]; Wesensart *f.* -en; Artung *f.* -en; Temperament *n.* -(e)s, -e; Geist *m.* -es (정신); Charakteranlage *f.* -n; Disposition *f.* -en; Gemuts¦art (Sinnes-) *f.* -en; Veranlagung *f.* -en. ¶ 강한 ~ starke Disposition / 아버지의 ~을 닮았다 die Disposition *js.* Vaters erben / 어떤 ~의 사람인가요 Was für e-n Charakter hat er? / 신경질적인 ~이다 Er ist nervös. / 내 ~로서 그런 일은 할 수 없다 Das ist (geht) gegen (wider) m-e Natur.

‖ 독일~ Deutschtum *n.* -es; deutscher Geist. 무사~ Ritter¦tum *n.* -s (-geist *m.* -es, -e). 학생~ studentische Art.

기차(汽車) (Eisenbahn¦)zug *m.* -(e)s, ¨e (-wagen *m.* -s, -). ¶ ~로 mit (auf) der (Eisen)bahn; mit dem (Eisenbahn)zug / ~시간에 대다(를 놓치다) den Zug erreichen; mit dem Zug zurecht|kommen* Ⓢ (den Zug verpassen; den Zug nicht erreichen; zu spät zum Zug(e) kommen* Ⓢ) / ~를 타다 1) mit dem Zug(e) fahren* Ⓢ (reisen Ⓗ,Ⓢ). 2) 《올라타다》 in den Wagen ein|steigen* Ⓢ. 3) 《이용하다》 den Zug (die (Eisen)bahn) nehmen* (benutzen; benützen) / ~에서 내리다 aus dem Zug(e) aus|steigen* (ab|-) Ⓢ / ~를 (비상 브레이크로) 정거시키다 (durch die Notbremse) den Zug zum Stehen bringen* / ~가 출발하다(정거하다, 도착하다) Der Zug fährt ab (hält, kommt an). / ~가 50분 늦었다 Der Zug hat e-e Verspätung von fünfzig Minuten. / ~ 주의 Achtung! Eisenbahn!

‖ ~길 (Eisen)bahnlinie *f.* -n; Bahn¦gleis *n.* ..ses, ..se (-schiene *f.* -n) (레일). ~시간표 Fahrplan *m.* -(e)s, ¨e. ~여행 Eisenbahn¦fahrt *f.* -en (-reise *f.* -n). ~요금 Fahr¦geld *n.* -(e)s, -er (-preis *m.* -es, -e).

기차다(氣—) sprachlos; verblüfft (sein). ¶ 기가 차서 말이 안 나오다 (einfach) sprachlos sein 《*vor*³》; baff (platt) sein 《*über*⁴》; 〖속어〗 Mir bleibt die Spucke weg. / 그는 기가 차서 말을 못했다 Er war ganz sprachlos (verblüfft).

기차표(汽車票) Fahrkarte *f.* -n.

‖ ~매표소 Fahrkartenschalter *m.* -s, -. 왕복~ e-e Fahrkarte hin u. zurück. 편도~ e-e Fahrkarte einfach.

기채(起債) die Aufnahme 《-n》 e-r Anleihe; die Herausgabe 《-n》 von Hypothekenbriefen. ~하다 e-e Anleihe 《-n》 auf|nehmen*; den Weg der Anleihe beschreiten*; Hypothekenbriefe 《*pl.*》 heraus|geben*.

기척 Zeichen *n.* -s, -; An¦zeichen (Vor-) *n.* -s, -; An¦deutung (Hin-) *f.* -en; Anschein *m.* -s, -e. ¶ 사람 오는 ~이 있었다 Ich spüre, daß jemand kommt.¦Ich hörte jemanden kommen. / 사람이 사는 ~도 없었다 Es war kein Zeichen menschlichen Lebens vorhanden.

기체(氣體) Gas *n.* -es, -e. ¶ ~의 gas¦förmig (-artig); gasig.

‖ ~역학 Aerodynamik *f.*; Aeromechanik *f.* ~측정 Aerometrie *f.* ~화학 die Lehre von den Eigenschaften der Atmosphäre.

기체(機體) 《비행기의》 Rumpf 《*m.* -es, ¨e》 (e-s Flugzeugs). ¶ ~에 고장이 생겼다 Es ist etwas nicht richtig mit der Maschine.¦Die Maschine ist kaputt gegangen.

기체후(氣體候) 《편지에서》 Ihr Befinden.

기초(起草) Entwurf *f.* -(e)s, ..würfe; Abfassung *f.* -en. ~하다 entwerfen*⁴; ab|fassen⁴ (문서를). ¶ 그가 헌법을 ~했다 Er hat die Verfassung entworfen.

‖ ~자 Entwerfer *m.* -s, -; Abfasser *m.* -s, -. 법률 ~위원회 der mit dem Entwurf 《*m.* -(e)s, ¨e》 des Gesetzes beauftragte Ausschuß, ..schusses, ..schüsse; Abfassungsausschuß 《*m.* ..schusses, ..schüsse》 e-s Gesetzes.

기초(基礎) Grundlage *f.* -n; Basis *f.* ..sen;

Fundament *n.* -(e)s, -e; Grund *m.* -(e)s, ⸚e. ¶ ~적인 fundamental; grundlegend; wesentlich / ~가 없는 grundlos; ohne Grundlage / ~를 놓다 den Grundstein ⟪-es, -e⟫ legen; den Grund zu ³*et.* legen / ~를 공고히 하다 s-n Grund (s-e Grundlage) befestigen (sichern; bestärken); auf e-e gesunde Basis stellen⁴ / …을 ~로 하여 auf Grund von³… / …의 ~가 되어 있다 e-r ³Sache zu Grunde (zugrunde) liegen*; dienen als Grundlage ⟪*zu*³⟫; Grundlage bilden ⟪*für*⁴⟫ / …의 ~를 뒤흔들다 in s-n Grundfesten erschüttern⁴ / …에 ~를 두다 ⁴sich gründen (fußen) ⟪*auf*⁴⟫; beruhen ⟪*auf*³⟫; s-n Grund in ³*et.* haben / ~가 튼튼하다 e-n festen Grund haben; auf e-m festen Grund stehen* (liegen*; beruhen; sein) / 이것은 국가의 ~를 위태롭게 한다 Das erschüttert den Staat in s-n Grundfesten. / 무슨 일이든 ~부터 단단히 해야한다 E-e gesunde Grundlegung ist das Notwendigste für alles.

‖ ~공사 Grund¦bau (Unter-) *m.* -es, -ten. ~공제 Grundabzug *m.* -(e)s, ⸚e. ~과목 Elementarlehrfach *n.* -(e)s, ⸚er. ~문법 지식 elementare grammatische Kenntnisse ⟪*pl.*⟫. ~영어 강좌 der Kurs ⟪-es, -e⟫ für Anfänger in Englisch. ~지식 fundamentare (grundlegende; elementare) Kenntnis, -ses, -se. ~학과 elementare Kurse ⟪*pl.*⟫.

기초시계(記秒時計) Stoppuhr *f.* -en.

기총(機銃) Maschinengewehr *n.* -(e)s, -e. ☞기관총. ¶ ~ 소사하다 mit Maschinengewehren beschießen*⁴.

기축(己丑) 〖민속〗 die 26. Periode im 60 jährigen Jahreszyklus.

기축(機軸) ① ⟪방안⟫ Plan *m.* -(e)s, ⸚e; Entwurf *m.* -(e)s, ⸚e; Methode *f.* -n; Projekt *n.* -(e)s, -e; Vorhaben *n.* -s, -. ☞신기축. ② ⟪중심⟫ Achse *f.* -n; Zentrale *f.* -n.

기치(旗幟) ⟪기⟫ Fahne *f.* -n; Flagge *f.* -n; Banner *m.* -s, -(군기); ⟪태도⟫ Haltung *f.* -en; Stellung *f.* -en. ¶ ~를 선명히 하다 Farbe bekennen*; das Kind beim (rechten) Namen nennen*; der Wahrheit die Ehre geben*; offen heraus|sagen⁴; ⁴sich (klar u.) bestimmt erklären ⟪*für*⁴; *gegen*⁴⟫ / ~가 선명치 않다 e-e abwartende Haltung (Stellung) ein|nehmen* / 당의 ~를 선명히 해야 한다 Wir müssen unser Parteiprogramm klar|machen.

기침 Husten *m.* -s; das Husten*, -s. ~하다 husten. ¶ ~의 발작 Hustenanfall *m.* -(e)s, ⸚e / ~으로 고생하다 an Husten leiden*/ ~을 멎게 하는 hustenstillend / ~을 심하게 하다 e-n Hustenanfall haben / 심한 ~이 계속해서 나다 dauernd u. heftig husten.

‖ ~약 Hustenmittel *n.* -s, -; e-e Arznei ⟪-en⟫ gegen Husten.

기침(起枕) =기상(起床).

기타(其他) außerdem; daneben; darüber hinaus; ferner; noch dazu; sonst; überdies; ⟪등등⟫ und so weiter ⟪생략: usw.; u.s.w.⟫; und so fort ⟪생략: usf.; u.s.f.⟫. ¶ ~의 ander; rückständig; übrig; zurückbleibend; zusätzlich (추가의).

기타 G(u)itarre *f.* -n; Zupfgeige *f.* -en. ¶ ~를 치다 die G(u)itarre spielen.

‖ ~연주가 G(u)itarre(n)spieler *m.* -s, -.

기탁(寄託) Deposition *f.* -en; Verwahrung *f.* -en; Deponierung *f.* -en; Hinterlegung *f.* -en; Depot [depóː] -s, -s. ~하다 deponieren⁴ ⟪*bei*³⟫; *jm.* in Verwahrung geben*⁴; hinterlegen⁴ ⟪bei *jm.*⟫; *jm.* an|vertrauen⁴; in *js.* ⁴Obhut geben*⁴. ¶ ~을 받다 in ⁴Verwahrung nehmen*⁴ / 귀중품을 ~하다 Wertsachen ⟪*pl.*⟫ in ⁴Verwahrung geben* (verwahren lassen*).

‖ ~금 Depositengelder ⟪*pl.*⟫; Depositen ⟪*pl.*⟫; Depositum *n.* ~물(物) Depositum *n.* -s, ..siten (..sita); Depot *n.* -s, -s; das Hinterlegte*, -n. ~자 Deponent *m.* -en, -en; Depositeur [..tøːr] *m.* -s, -e; Hinterleger *m.* -s, -; der Hinterlegende*, -n, -n. ~증서 Depositenschein *m.* -es, -e; Depotschein *m.* -es, -e.

기탄(忌憚) Rückhalt *m.* -(e)s, -e; Unaufrichtigkeit *f.* ¶ ~없는 offen(herzig); aufrichtig; ehrlich; unverblümt; rückhaltlos / ~없이 ohne ⁴Rückhalt; geradeheraus; unverblümt; aufrichtig; offen(herzig) / ~없이 말하면 offen gesagt; um offen zu sein; ehrlich gesprochen; um es offen zu sagen; ohne ein Blatt vor den Mund zu nehmen/ ~없이 의견을 말해주십시요 Sagen Sie mir Ihre ehrliche (aufrichtige) Meinung.

기통(汽筒) ⟪기계⟫ Zylinder *m.* -s, -; Walze *f.* -n. ¶ 4~ 엔진 4 zylindriger Motor, -s, -en [..tóːrən].

기특하다(奇特—) bewunderns¦wert (anerkennens-; lobens-); brav; geschätzt; löblich; tüchtig; wacker (sein). ¶ 기특한 마음씨 die lobenswerte Gesinnung, -en / 기특하게도 zu *js.* Bewunderung / 기특히 여겨서 mit Bewunderung (Anerkennung); staunend / 기특히 여기다 bewundern⁴; an|erkennen*⁴; beeindruckt werden ⟪*von*³⟫; für brav (tüchtig; wacker) halten*⁴; schätzen⁴ / 아이고 기특해 Brav (Gut) gemacht!¦Bravo! Vorzüglich! / 기억하고 있는 것만도 ~하다 Daß du es im Kopf behalten hast, hat immerhin etwas für sich.

기틀 der entscheidende (ausschlaggebende) Punkt, -(e)s, -e; der entscheidend wichtige Augenblick, -(e)s, -e.

기포(氣泡) (Luft)blase *f.* -n.

기폭(起爆) Detonation *f.* -en; Explosion *f.* -en; Sprengung *f.* -en.

‖ ~약 Initialsprengstoff *m.* -(e)s, -e. ~장치 Sprengvorrichtung *f.* -en; Zünder *m.* -s, -. ~제 Zündmaterial *n.* -(e)s, -ien.

기품(氣品) Adel *m.* -s; Vornehmheit *f.* -en; Noblesse *f.* -n; Würde *f.* -n; Grazie *f.* -n (우아). ¶ ~있는 ad(e)lig; edel; erhaben; vornehm; würdig / 어딘지 ~이 있다 Er hat etwas Edles (Vornehmes) an sich. / 이 그림은 ~이 없다 Dieses Gemälde ermangelt der Anmut.

기품(氣稟) die natürliche Anlage, -n; Temperament *n.* -(e)s, -e; Gemütsart *f.* -en; Wesensart *f.* -en; Naturell *n.* -s, -e.

기풍(氣風) Art *f.* -en; Blut *n.* -(e)s; Charakter *m.* -s, -e [..téːrə]; Charaktereigenschaft *f.* -en; Gemütsart *f.* -en; Natur *f.* -en; Naturell *n.* -s, -e; Wesen *n.* -s, -; Wesens¦art *f.* -en (-anlage *f.* -n); Temperament *n.* -(e)s, -e. ¶ 그것이 그 집안 ~이다 Das steckt (sitzt; liegt) ihm im Blut. / 그것이 우리 학교 ~이다 Das ist so die Art unserer Schule.

기피(忌避) ⟪징병·의무 따위를⟫ das Ausweichen* (Umgehen*) -s; Entziehung *f.* -en; Drückebergerei *f.* -en(징병기피); ⟪재판관 등

을》 Ablehnung *f.* -en; Verwerfung *f.* -en (증인을); Perhorreszenz *f.* -en. **~하다** aus|weichen³ ⓢ; umgehen⁴; ⁴sich entziehen*³; ⁴sich drücken 《*von*³; *um*⁴》; 《재판관 등을》 ab|lehnen⁴; verwerfen*⁴; perhorreszieren⁴ 《이상 목적어로서는 e-n Richter(판사를), e-n Zeugen(증인) 따위를》. ¶징병을 ~하다 die (Militär) dienstpflicht umgehen / 책임을 ~하다 ⁴sich s-n Verpflichtungen entziehen*; ⁴sich um die Pflicht drücken / 아무래도 저 사람은 나를 ~하고 있는 것 같다 Es scheint, als ob er m-e Person stets umginge.
‖**~권** Ablehnungsrecht *n.* -(e)s, -e. **~자** der sich um e-e Pflicht Drückende*, -n, -n; Umgeher *m.* -s, -: 병역 ~자 Drückeberger *m.* -s, -

기필코(期必一) sicher; gewiß; selbstsicher; selbstverständlich; bestimmt; jedenfalls; unfehlbar; unter allen Umständen. ¶~ 목적을 달성할 것이다 Er wird jedenfalls das Ziel erreichen.

기필하다(期必一) den Entschluß fassen, ⁴*et.* zu Ende zu führen; entschlossen sein, ⁴*et.* in Erfüllung gehen zu lassen.

기하(幾何) Geometrie *f.* ¶~학적(으로) geometrisch.
‖**~급수** die geometrische Progression, -en (Reihe, -n). **~학자** Geometer *m.* -s, -. **~화법** die deskriptive Geometrie. **입체~** Stereometrie *f.* **평면~** Planimetrie *f.* **해석~** die analytische Geometrie.

기하다(忌一) verabscheuen⁴; (ver)meiden*⁴; verbieten*⁴; für tabu erklären.

기하다(期一) ① 《결심》 ⁴sich entschließen* 《*zu*³》; vorbereitet sein 《*auf*⁴》 (각오). ② 《정하다》 bestimmen⁴; fest|setzen⁴. ③ 《뜻하다》 ins Auge fassen⁴; im Auge haben⁴. ¶안전을 기하여 vorsichtshalber; um sicher zu gehen / 안전을 기하는 것이 좋다 Es ist ja besser, daß man sicher geht. ④ 《믿다》 rechnen 《*mit*³》; zählen (bauen) 《*auf*⁴》; 《희망하다》 hoffen⁴; erhoffen⁴; erträumen⁴; erharren⁴; Hoffnungen hegen; 《나쁜 일을 예기하다》 fürchten⁴; befürchten⁴; (nichts Gutes) ahnen; vorher|sehen*⁴; kommen sehen*⁴; voraus|sehen*⁴; errechnen⁴; 《기대》 entgegen|sehen*⁴; an|nehmen*⁴ (가정적으로); gewärtigen⁴ (예기); (³sich) e-s Dinges gewärtigen(예기); für sicher halten*⁴ (확실시함); ³sich versprechen* 《*von*³》 (확실시함); überzeugt sein 《*von*³》 (확실시함). ¶가까운 장래를 기하여 in naher Zukunft; in nächster Zeit / 재회를 기하여 mit dem Versprechen, ⁴sich wiederzusehen / 필승을 기하고 싸우다 kämpfen mit der festen ³Überzeugung von dem Sieg.

기한(飢寒) Hunger u. Kälte. ¶~에 시달리다 unter Hunger u. Kälte leiden* / ~으로 죽다 vor Hunger u. Kälte sterben* ⓢ.

기한(期限) Termin *m.* -s, -e; Frist *f.* -en; Zeitpunkt *m.* -(e)s, -e. ☞만기. ¶~을 정하다 e-n Termin fest|setzen (an|beraumen); e-e Frist bestimmen (fest|setzen) / ~이 되다(이 차다) Die Frist läuft ab. 《ab|laufen* ⓢ》; fällig werden; verfallen* ⓢ(어음 따위) / ~이 지났다 abgelaufen sein; überfällig (verfallen 《*p.p.*》) sein(어음 따위) / ~을 지키다 den Termin ein|halten (wahr|nehmen*) / ~을 잊다(에 늦다) den Termin versäumen/~을 연장하다 den Termin verlängern (vertagen (날짜를 정해서); ab|setzen(날짜를 안 정하고)) / ~을 정하다 e-e Frist setzen 《*für*⁴》; befristen⁴ / ~내(후) innerhalb der Frist (nach Ablauf der Frist).
‖**~경과** der Ablauf (Verfall) der Frist. **~만료** der Ablauf der Frist. **~부 작업** die in der Frist von wenigen Tagen zu erledigende Arbeit; e-e Arbeit, bei der ein Termin festgesetzt ist. **유효~** Gültigkeitsdauer *f.* **지불~** Zahlungs|termin *m.* -s, -e (-frist *f.* -en). ⌈-e.

기함(旗艦) Flagg|schiff (Admirals-) *n.* -(e)s,

기합(氣合) 《기합소리》 Schrei *m.* -(e)s, -e; (Kampf)ruf *m.* -(e)s, -e. ¶~을 넣다 zu|schreien*³; *jm.* den Nacken steifen (힘을 내도록); Dampf dahinter (hinter ³*et.*) machen (독려). ‖**~술** die Kunst, durch Willenskraft zu heilen.

기항(寄港) das Anlaufen*, -s. **~하다** e-n Hafen 《-, ⸗》 an|laufen* (berühren). ¶이 배는 부산에 ~한다 Dieses Schiff läuft *Busan* an. ‖**~지** Anlaufhafen *m.* -s, ⸗.

기해(己亥) 〖민속〗 die 36ste Periode im 60 jährigen Jahreszyklus.

기행(奇行) Wunderlichkeiten; Grillen; Lächerlichkeiten; Launen; Seltsamkeiten 《이상 *pl.*》. ¶~백출이다 Sein Betragen ist wirklich launenhaft. | S-e Tat (Handlung) ist launenhafter als die andere.

기행(紀行) 《여행》 Reise *f.* -n; 《여행기》 Reise|beschreibung *f.* -en (-bericht *m.* -(e)s, -e; -tagebuch *n.* -(e)s, ⸗er). ¶관동 ~ Die *Kwan-Dong* Reise (글 제목).

기형(畸型·奇形) Miß|bildung *f.* -en (-form *f.* -en; -gebilde *n.* -s, -); Miß|gestalt (Un-) *f.* -en. ¶~의 mißförmig; mißgestaltet.
‖**~아(兒)** das miß|gebildete (-geformte; -gestalte(te)) Kind, -(e)s, -er; die Laune 《-n》 der Natur; Naturspiel *n.* -(e)s, -e.

기호(記號) Zeichen *n.* -s, -; Symbol *n.* -s, -e; Notenschlüssel *m.* -s, -; Wahrzeichen *n.* -s, - (안표의). ¶~를 붙이다 bezeichnen⁴ 《*mit*³》; an|zeichnen⁴ 《*mit*³》; Zeichen machen 《*auf*⁴》; an|haken⁴ (✓표로); an|kreuzen⁴ (×표로); das Zeichen des Dreiecks machen (△표로).
‖**~논리학** die symbolische Logik. **화학~** chemische Zeichen 《*pl.*》.

기호(嗜好) Geschmack *m.* -(e)s, ⸗e; Neigung *f.* -en; Vorliebe *f.*; Liebhaberei *f.* -n. **~하다** Geschmack (Neigung) haben; lieben. ☞취미. ¶~에 맞다 ganz nach s-m Geschmack sein; *jm.* recht gut gefallen* / ~의 문제다 e-e Geschmackssache sein.
‖**~물** Leibgericht *n.* -(e)s, -e; Lieblingsessen *n.* -s, - (-speise *f.* -n; -gericht *n.*). **~품** Genußmittel *n.* -s, -.

기혼(既婚) ¶~의 verheiratet; verehelicht; vermählt. ‖**~자** der Verheiratete*, -n, -n.

기화(奇貨) ① 《진품》 Rarität *f.* -en; Kuriosität *f.* -en. ② 《기회》 die günstige Gelegenheit, -en. ¶…을 ~로 ⁴*et.* vorteilhaft benutzend; ⁴*et.* ausnutzend / 약점을 ~로 삼다 *js.* Schwäche aus|nutzen; aus *js.* ³Schwäche Vorteil ziehen*.

기화(奇禍) Un(glücks)fall *m.* -(e)s, ⸗e; Unglück *n.* -(e)s, -sfälle ※ *pl.*의 Unglücke 는 거의 안씀; das schwere Mißgeschick, -(e)s, -e; Schicksalsschlag *m.* -(e)s, ⸗e. ¶~를 입다 von e-m Unglück betroffen werden.

기화(氣化) Verdampfung *f.* -en; Verdunstung *f.* -en; Verflüchtigung *f.* -en; Vergasung *f.* -en. ~하다 verdampfen ⓢ; verdunsten ⓢ; ⁴sich verflüchtigen; (vergasen). ‖ ~기(器) Vergaser *m.* -s, -. ~열(熱) Verdampfungswärme *f.* ~점 Verdampfungspunkt *m.* -(e)s, -e.

기화요초(琪花瑤草) Blumen- und Pflanzenpracht *f.*

기회(機會) Gelegenheit *f.* -en; Chance *f.* -n; die Gunst des Augenblicks; der günstige Augenblick, -(e)s, -e. ¶ 좋은 ~ die gute (günstige) Gelegenheit *f.* -en / 이번 ~에 bei dieser Gelegenheit / ~가 있으면 wenn ⁴sich e-e ¹Gelegenheit bietet / …을 ~로 auf (aus) Anlaß von ³*et.*; anläßlich² / ~를 얻다 e-e Gelegenheit finden* / ~가 있는대로 bei der ersten (besten) Gelegenheit; sobald e-e Gelegenheit da ist (⁴sich bietet) / ~를 주다 Gelegenheit geben《*jm.* *zu*³》/ ~를 기다리다 e-e Gelegenheit ab|warten / ~를 이용하다 die günstige Gelegenheit benützen (benutzen) / ~를 포착하다 e-e Gelegenheit ergreifen* (wahr|nehmen*) / ~를 놓치다 e-e Gelegenheit verpassen (versäumen; vorübergehen lassen*) / 출세의 ~를 얻다 e-e Chance im Leben haben / ~는 두 번 다시 오지 않는다 Die Gelegenheit klopft nur einmal an die Tür. / 이 ~를 이용해서 감사의 뜻을 표합니다 Lassen Sie mich diese Gelegenheit wahrnehmen, Ihnen zu danken. / ~만 있으면 독일어를 말한다 Ich benutze jede Gelegenheit, Deutsch zu sprechen. / 집을 파실려면 지금이 다시 없는 ~입니다 Sie haben nie e-e bessere Gelegenheit, das Haus zu verkaufen. / 이 ~를 놓쳐서는 안됩니다 Sie dürfen diese Gelegenheit nicht vorbeigehen lassen.¦Diese Gelegenheit soll mir nicht entgehen. ‖ ~균등주의 der Grundsatz《-es, ⸗》(das Prinzip, -s, -e (..pien)) der Gleichberechtigung (Gleichstellung). ~주의 Opportunismus *m.* -; Anpassungs¦sinn (Nützlichkeits-) *m.* -(e)s; Gesinnungslumperei *f.*: ~주의자 Opportunist *m.* -en, -en; Gesinnungslump *m.* -en (-(e)s), -en (-e).

기획(企劃) Plan *m.* -(e)s, ⸗e; das Plänemachen* (Planen*) -s; Planung *f.* -en; Projekt *n.* -(e)s, -e; Vorhaben *n.* -s, -. ~하다 planen⁴; projizieren⁴; vor|haben*⁴. ‖ ~관리실 Planung- u. Verwaltungsabteilung, -en. ~부 Planungsabteilung *f.* -en.

기효(奇効) die sonderbare (wunderbare) Wirkung, -en (Wirksamkeit, -en). ¶ ~를 내다 wunderbar wirken.

기후(氣候) ①《일기》Klima *n.* -s, -s (..mate [klimá:tə]); Wetter *n.* -s, -; Witterungsverhältnisse《*pl.*》. ¶ 온화한 ~ das milde Klima; mäßige Witterungsverhältnisse《*pl.*》/ 변하기 쉬운 ~ das unbeständige Wetter / 불순한 ~ das unzeitgemäße Klima / 대륙성 ~ Kontinentalklima *n.* / ~가 좋다 Das Klima ist gut (mild; heilsam). / ~가 나쁘다 Das Klima ist schlecht (rauh; unheilsam). / 이 지방은 ~가 온화하다 Diese Gegend hat ein mildes Klima. / ~가 점점 따스해진다 Das Wetter wird immer wärmer. / 나는 이런 ~가 좋다 Das Klima sagt mir zu. ② =시후(時候). ‖ ~요법 Klimakur *f.* -en.

기휘(忌諱) Ärger *m.* -s; Unwille(n) *m.* ..willens; Verdruß *m.* ..drusses, ..drusse. ~하다 vermeiden⁴; scheuen⁴. ¶ ~에 저촉되다 Anstoß (Ärger; Unwillen; Verdruß) bereiten《*jm.*》(erregen).

기흉요법(氣胸療法)【의학】Pneumothoraxbehandlung *f.* -en.

긴급(緊急) Dringlichkeit *f.* ~하다 dringend; brennend; dringlich; eilig; nahe bevorstehend; unaufschiebbar (sein). ¶ ~한 경우에 im Notfall / ~ 상정하다 e-n Dringlichkeitsantrag stellen (ein|bringen*). ‖ ~구조 Nothilfe *f.* -n. ~대책 Not¦maßnahme (Behelfs¦-) *f.* -n. ~동의 Dringlichkeitsantrag *m.* -(e)s, ⸗e. ~명령 Notverordnung *f.* -en. ~발진(發進) Blitzstart *f.* -en. ~상태 Notstand *m.* -(e)s, ⸗e. ~신호 Notzeichen *n.* -s, -. ~조처 dringliche Maßnahme, -n. ~포고 Dringlichkeitserklärung *f.* -en. ~회의 die dringliche Konferenz, -en.

긴대답(一對答) e-e lange, schleppende u. einförmige Antwort, -en; das Ziehen der Worte bei der Antwort.

긴등 der lange Bergrücken, -s, - (Bergkamm, -(e)s, ⸗e); der lange Berggrat, -(e)s, -e.

긴말 e-e lange Rede, -n; Erzählung *f.* -en. ~하다 ein Lied von ³*et.* singen*. ¶ ~을 늘어놓다 e-e lang(weilig)e Rede halten* / ~하지 않겠다 Ich werde nicht lang reden.¦Ich werde nicht viele Worte machen.

긴맛【조개】Messerscheide *f.* -n (Meermuschelart).

긴밀(緊密)《엄밀》Geschlossenheit *f.*; Dichte *f.*; Festigkeit *f.* ~하다 geschlossen; dicht; eng; fest (sein). ¶ ~한 연락을 취하다 enge Verbindung halten*《*mit*³》.

긴박(緊迫) Spannung *f.* -en; Gespanntheit *f.* ¶ ~한 정세 die Spannung (der Ernst, -es) der Lage; die gespannten Verhältnisse《*pl.*》/ ~해지다 gespannt (akut; bedrohlich; (gefahr)drohend) werden; in ein akutes Stadium treten* ⓢ; Ernst werden; ⁴sich zu|spitzen; zur Entscheidung drängen《*jn.*》.

긴병(一病) die langwierige Krankheit, -en. ¶ ~을 앓다 an e-r langwierigen Krankheit leiden*.

긴사설(一辭說) das lange Gerede, -s; das lange Geschwätz, -(e)s, -e.

긴살 Rumpfstück *n.* -(e)s, -e; Rumpsteak *n.* -s, -s.

긴소리 der lange anhaltende Laut, -(e)s, -e; der lange Ton, -(e)s, ⸗e.

긴요(緊要) Wichtigkeit *f.*; Bedeutung *f.*; Notwendigkeit *f.* ~하다 wichtig; bedeutend; notwendig; nötig; dringend; von Bedeutung (sein). ¶ ~한 서류 die wichtigen Papiere《*pl.*》.

긴장(緊張) (An)spannung *f.* -en; Gespanntheit *f.*; das gespannte Verhältnis, ..nisses, ..nisse; Ernst *m.* -(e)s (진지). ~하다 ⁴sich (an|)spannen; ⁴sich an|strengen; ⁴sich straffen; ⁴es ernst meinen《*mit*³》; wachsam (gespannt) sein; auf der Hut sein. ¶ ~된 (an)gespannt; ⁴es ernst meinend; wachsam / 극도로 ~되다 aufs äußerste (höchste) angespannt sein / ~된 얼굴로 mit gespannter Aufmerksamkeit; mit starren Augen / 양자 간의 ~된 상태 das gespannte Verhältnis zwischen beiden / 바싹 ~하여 mit größter Spannung / 사태를 ~시키다 ein gespanntes Verhältnis entstehen lassen*; ⁴es zu e-r Spannung kommen lassen* / 그는 매우 ~하고 있다 Er ist in großer Spannung.¦Er ist sehr gespannt.

긴축(緊縮) Einschränkung; Kürzung; Beschränkung; Einsparung; Schmälerung; Verringerung 《이상 *f.* -en》. ~하다 〖자동사〗 einschrumpfen 〔zusammen|-〕 Ⓢ; ⁴sich zusammen|ziehen*; 〖타동사〗 ein|schränken⁴; kürzen⁴; beschränken⁴; reduzieren⁴; schmälern⁴; verringern⁴.

‖ ~생활 das Leben der Ausgabeneinschränkung: ~생활을 하다 das Leben der Ausgabeneinschränkung führen. ~재정 Einschränkungsbudget [..bydʒé:] *n.* -s, -s. ~정책 die Politik der Ausgabeneinschränkung: ~ 정책을 쓰다 die Politik der Ausgabeneinschränkung an|wenden*.

긴팔원숭이 〖동물〗 Gibbon *m.* -s, -s; Langarmaffe *m.* -n, -n.

긴하다(緊一) 《중요한》 wichtig; bedeutend; von Bedeutung; 《긴급한》 dringend; dringlich; zwingend (sein). ¶ 긴한 부탁 e-e dringende Bitte, -n / 긴한 일 ein dringliches Geschäft, -(e)s, -e / 긴한 물건 e-e wichtige Sache, -n / 긴한 일로 상경했다 Er kam wegen e-r dringenden Geschäft zu Seoul. / 긴한 부탁이 있어서 왔네 Ich kam mit e-r dringenden Bitte. / 긴한 때 친구가 참 친구이다 Der Freund in der Not ist der vertraute Freund.

긷다 《물을》 schöpfen⁴; pumpen⁽⁴⁾. ¶ 길어 올리다 (das Wasser) herauf|ziehen* / 갓 길어온 frisch geschöpft; frisch gepumpt / 갓 길어온 물 Wasser《*n.* -s》 frisch vom Brunnen; frisch geschöpftes Wasser / 물 길러 가다 Wasser holen.

길¹ ① 《도로》 Weg *m.* -(e)s, -e; Straße *f.* -n; Pfad *m.* -(e)s, -e (골목길). ¶ 가는 길 Hinweg *m.* -(e)s, -e / 곧은길 der gerade Weg / 길을 잃다 ⁴sich verirren; ⁴sich verlieren*; ⁴sich verlaufen*; den (rechten) Weg verlieren* / 길을 묻다 *jn.* nach dem Weg fragen / 길을 트다 den Weg bahnen / 길을 가르쳐 주다 *jm.* den Weg zeigen / 길을 만들다 e-e Straße an|legen 〔bauen〕 / 길을 비키다 *jm.* aus dem Weg treten* Ⓢ; beiseite treten* Ⓢ; *jn.* vor|gehen lassen* / 길을 막아 서다 im Wege sein 〔stehen*〕 《*jm.*》; in den Weg treten* 〔kommen*〕 Ⓢ《*jm.*》 / 길을 막다 die Straße sperren / 길을 가다 durch e-e Straße gehen* Ⓢ; e-n Weg gehen* Ⓢ / 도독(渡獨) 길에 오르다 die Deutschlandreise an|treten*; nach Deutschland ab|-reisen Ⓢ / 후진을 위해서 길을 열어주다 den Jüngeren Platz machen / 승진의 길을 열다 e-e Möglichkeit zum Aufstieg bestehen lassen* / 우체국은 역으로 가는 길가에 있다 Das Postamt 〔Die Post〕 ist auf dem Wege zum Bahnhof. / 역으로 가는 길을 가르쳐 주겠어요 Wollen Sie mir bitte sagen, wie man zum Bahnhof geht? / 역으로 가는 가까운 길을 알려주시오 Sagen Sie mir, bitte, den kürzesten Weg nach dem Bahnhof! / 부산으로 가는 길이 틀림 없읍니까 Bin ich auf dem rechten Weg nach *Busan*? / 이 길은 어디로 가지요 Wohin führt dieser Weg?

② 《방법》 Weg *m.* -(e)s, -e; Mittel *n.* -s, -; Methode *f.* -n; Möglichkeit *f.* -en. ¶ 확실한 길 die bewährte Methode / 길을 열다 ³sich e-n Weg bahnen 《*durch*⁴》 / 길을 잘못 들다 ein falsches Verfahren ein|schlagen* / 살아갈 길 Einkommensquelle *f.* -n; Lebensunterhalt *m.* -(e)s / 성공의 길 der Weg zum Erfolge / 자활의 길을 세우다 selbst für s-n Unterhalt sorgen / 알 길이 없다 Es gibt kein Mittel, das herauszubekommen. / 이밖에 달리 길이 없다 E-e andere Möglichkeit gibt es nicht. ¦ Ich weiß mir k-n anderen Rat mehr.

③ 《도중·…하는 김에》 auf dem Weg(e); unterwegs. ¶ …하는 길에 auf dem Weg (hierher) (오는); beim Hinausgehen (나가는); unterwegs (도중에) / 돌아오는 길에 auf dem Rückweg / 가는 길에 auf dem Weg 《*nach*³》 / 자러 가는 길에 noch vor dem Schlafengehen / 여행 길에 reisenderweise; auf der Reise 《*nach*³》 / 산책 길에 auf dem 〔beim〕 Spaziergang / 지나가는 길에 vorübergehend; im Vorübergehen 〔Vorbeigehen〕 / 떠나는 길에 bei der Abreise 〔Abfahrt〕; beim Weggehen / 학교로 가는 길에 auf dem Weg nach der Schule / 길 떠나는 길에 역에서 그를 만났다 Bei der Abfahrt habe ich ihn auf dem Bahnhof gesehen. / 일 보러 가는 길에 그 곳에 들렀다 Halb geschäftlich habe ich dort besucht.

④ 《지켜야 할》 Weg *m.* -(e)s, -e; Pflicht *f.* -en; Lehre *f.* -n; Moral *f.*; Wahrheit *f.* -en. ¶ 사람의 길 Menschenpflicht *f.* / 세속의 길 der Weg in der Welt / 길을 찾다 nach der Wahrheit suchen / 길을 잘못 들다 vom Pfad der Tugend ab|kommen* Ⓢ / 길을 따르다 den Weg der Gerechtigkeit befolgen / 길 아닌 길을 가다 e-n falschen Weg betreten* / 공자의 길을 펴다 die Lehre Konfuzius verbreiten 〔ein|führen〕.

⑤ 《전문·방면》 Feld *n.* -(e)s, -er; Bereich *m.* -(e)s, -e; Gebiet *n.* -(e)s, -e; Fach *n.* -(e)s, ⸚er. ¶ 그는 이 길의 전문가이다 Er ist ein Spezialist in dem Gebiet.

길² ① 《윤기》 Glanz *m.* -es, -e; Glätte *f.* -n; Politur *f.* -en; der glänzende Anstrich, -(e)s, -e. ¶ 책상이 길이 들었다 Der Schreibtisch ist poliert.

② 《순치(馴致)》 Zähmung *f.*; das Zähmen*, -s; Domestikation *f.*; Zahmheit *f.* ¶ 길을 들인 곰 der gezähmte Bär, -en, -en / 길들이기 힘든 동물 das unzähmbare Tier, -s, -e / 짐승 (사자, 새)들을 길들이다 Tiere (Löwen, Vögel) ab|richten / 짐승이 길이 들다 die Tiere sind gezähmt.

③ 《익숙》 Gewöhnung *f.*; das Gewohntsein*, -s. ¶ 어떤 일에 길이 들다 ⁴*et.* zu tun pflegen; ⁴*et.* gewohnt sein; an ⁴*et.* gewöhnt sein.

길³ ① 《단위》 die Einheit der Länge. ¶ 여덟 길이나 열 길 entweder 8 od. 10 *Gil*. ② 《높이·깊이》 (Körper)größe *f.* -n. ¶ 두 길이나 되는 물 das Wasser von 2 *Gil* Tiefe / 열 길 물속은 알아도 한길 사람 속은 모른다 《속담》 Ein Mensch kann nicht nach s-m Aussehen beurteilt werden. ¦ „Der Schein trügt."

길⁴ 《품질 등급》 Klasse *f.* -n; Stufe *f.* -n; Qualität *f.* -en; Grad *m.* -(e)s, -e. ¶ 상길 die beste Qualität; erstklassige Waren 《*pl.*》 / 윗길 die Fabrikate 〔Waren〕 《*pl.*》 von vorzüglicher Beschaffenheit / die Fabrikate von besonders guter Beschaffenheit / 아랫길 die Fabrikate 〔Waren〕 minderer Qualität.

길⁵ 《책의》 e-e Reihe von Bänden. ¶ 논어 한 길 konfuzianische Analekten.

길⁶ 《옷의》 der Rückenteil u. die Seitenteile e-s koreanischen Mantels 〔e-r Jacke〕.

길가 Weg¦rand (Straßen-) *m.* -(e)s, ⸗er. ¶ ~에 am Wege; an der Straße; am Straßenrand; am Wegrand / ~의 나무 한 그루 ein Baum an der Straße.

길거리 Straßen¦seite (Weg-) *f.* -n (*od.* -rand *m.* -(e)s, ⸗er). ¶ ~의 노점 Straßenverkaufsstand *m.* -(e)s, ⸗e; Verkaufsbude 《*f.* -n》 an der Straße; Kiosk *m.* -(e)s, -e / ~에 나앉게 되다《망해서》 an den Bettelstab kommen* ⓢ; obdachlos werden.

길경(桔梗) =도라지.

길길이 ①《쌓인 꼴》 hoch; in der (die) Höhe; im höchsten Grad; haufenweise; in Haufen. ¶ 책이 ~ 쌓여 있다 Bücher sind aufgehäuft. / 눈이 ~ 쌓이다 Es liegt tiefer (hoher) Schnee. ②《초목이》 dicht; üppig. ¶ 나무가 ~ 자라다 Bäume wachsen in die Höhe. ③《성이 나서》 sehr; äußerst; im höchsten Grad; außerordentlich. ¶ 성이 나서 ~ 뛰다 im höchsten Grad ärgerlich sein; außerordentlich ärgerlich sein.

길꾼 ein guter (geschickter) (Karten)spieler, -s, -.

길나다 ①《도로가》 ein neuer Weg ist gebahnt. ②《습관이 되다》 [4]sich an [4]*et.* gewöhnen; 《윤나다》 poliert sein.

길년(吉年) das glückliche (glückbringende) Jahr, -(e)s, -e.

길눈[1] 《방향감각》 Ortssinn *m.* -(e)s, -e; Orientierungssinn *m.* -(e)s, -e. ¶ ~이 밝다(어둡다) e-n guten (schlechten) Orientierungssinn haben.

길눈[2] 《적설》 mannshohe Schneedecke, -n.

길다 ①《시간이》 lang; 《계속하다》 anhaltend; fortdauernd; 《영원하다》 ewig (sein). ¶ 긴 세월 lange Zeit; lange Jahre / 기나긴 봄날에 am langen [3]Frühlingstage / 길게 늘어놓다 Umschweife 《*pl.*》 machen; weitläufige Redensarten an¦wenden* / 해가 점점 길어진다 Die Tage werden immer länger. / 긴 세월이 걸리다 viel Zeit in [4]Anspruch nehmen* / 길면 길수록 좋다 Je länger, je besser.
②《물건이》 lang (sein). ¶ 긴 다리 e-e lange Brücke, -n / 긴 막대 ein langer Stock, -(e)s, ⸗e / 길어야 am längsten / 목을 길게 빼고 기다린다 ungeduldig erwarten[4] / 이야기가 길어졌다 Unser Gespräch dauerte lange (dehnte sich aus)./길고 짧은 것은 대어 보아야 안다 „Wer zuletzt lacht, lacht am besten."

길동무 der Mitreisende*, -n, -n; Reisegefährte *m.* -n, -n; Begleiter *m.* -s, -. **~하다** *jn.* begleiten; mit¦reisen ⓢ. ¶ ~가 있다 e-n Gefährten haben; *jn.* zur Gesellschaft haben / 우연히 행상인과 ~가 되다 zufällig mit e-m Hausierer zusammen¦reisen ⓢ,ⓗ.

길둥글다 lang u. rund (sein) 《wie ein Rohr》.

길드 Zunft *f.* ⸗e; Innung *f.* -en; Gilde *f.* -n. ‖ **~사회주의** Gildensozialismus *m.* -.

길들다 ①《동물이》 zahm werden (야생물이); [4]sich gewöhnen 《*an*[3]》. ¶ 길든 zahm / 길들지 않은 scheu(겁많은); wild(야생의) / 길든 고양이 die zahme Katze, -n / 그 개는 나에게 길들었다 Der Hund ist an mich gewöhnt.
②《윤나다》 glänzend (schimmernd; poliert) sein. ¶ 길든 마루 der polierte Fußboden, -s, - (⸗). ③《익숙해지다》 geschickt (erfahren; erprobt) sein.

길들이다 ①《동물을》 (be)zähmen[4]; domestizieren[4]; bändigen[4]; für [4]sich gewinnen* 《*jn.*》; [3]sich gefügig machen 《*jn.*》; (ein¦-)schulen[4]; ein¦üben[4]; ein¦pauken[4]《*in*[4]》; trainieren[4] [trɛ..] 《*für*[4]》; aus¦bilden[4]; erziehen[4] 《*zu*[3]》; ab¦richten[4] 《*zu*[3]》; dressieren[4] 《*zu*[3]》; zu¦reiten*[4](말을). ¶ 말을 ~ ein Pferd schulen (ab¦richten; ein¦reiten*; zu¦reiten*); ein Pferd ein¦fahren* (수레를 끌도록) / 잘 길들인 개 ein gut abgerichteter Hund, -(e)s, ⸗e.
②《익숙해지게》 gewöhnen[4] 《*an*[4]》. ¶ 기후에 ~ akklimatisieren[4] / 몸을 추위에 ~ s-n Körper gegen die Kälte ab¦härten.
③《윤나게》 putzen[4]; glänzend machen[4]; polieren[4]. ¶ 가구를 ~ Möbel polieren / 마루를 ~ den Fußboden putzen.

-길래 《…하기 때문에》 da; weil. ¶ 그 책이 싸길래 그걸 샀다 Da (Weil) das Buch billig war, kaufte ich es.

길례(吉禮) die Gutes verheißende Zeremonie, -n.

길리다 《남에게》 erzogen werden; in Pflege sein; gepflegt werden; kultiviert werden (식물이); gesäugt werden. ☞ 기르다. ¶ 큰어머니의 손에 ~ von e-r Tante erzogen werden / 유모 손에 ~ von e-r Amme großgezogen werden.

길마 Pack¦sattel (Trag-) *m.* -s, ⸗. ¶ 두 ~보다 e-e abwartende Haltung ein¦nehmen*; opportunistisch sein.

길목[1] ①《길 모퉁이》 Straßenecke *f.* -n. ¶ ~집 Eckhaus *n.* -es, ⸗er / ~에 있는 가게 Eckladen *m.* -s, - (⸗) / ~에 서다 an e-r Straßenecke stehen* / 둘째번 ~을 오른쪽으로 도십시오 Biegen Sie um die zweite Ecke rechts! / ~에 가게를 내다 an e-r Straßenecke e-n Laden öffnen. ②《요소》 die wichtige Stelle, -n; Grenzwache. ¶ ~을 지키다 die Grenze bewachen.

길목[2] 《버선》 koreanischer Kniestrumpf, -(e)s, ⸗e.

길몽(吉夢) schöner (guter) Traum, -(e)s, ⸗e; Glückstraum *m.* -(e)s, ⸗e.

길미 =변리(邊利).

길바닥 《노변》 Straßenseite *f.* -n; 《길》 Weg *m.* -(e)s, -e; Straße *f.* -n.

길바로 auf dem richtigen Weg (Pfad). ¶ ~들다 auf den richtigen Weg kommen* ⓢ; den richtigen Weg gehen* ⓢ.

길보(吉報) Freudenbotschaft *f.* -en; die gute (erfreuliche) Mitteilung, -en (Nachricht, -en). ¶ ~에 접하다 e-e erfreuliche Nachricht bekommen*.

길사(吉事) =경사(慶事).

길상(吉相) gutes (glückverheißendes) Omen, -s, Omina; glückverheißende Physiognomie, -n [..mí:ən] (면상).

길상(吉祥) das gute (glückverheißende) Omen, -s, ..mina.

길섶 Weg¦rand (Straßen-) *m.* -(e)s, ⸗er.

길속 die Einzelheiten 《*pl.*》 e-r Arbeit; die fachmännische Einsicht, -en.

길손 der Reisende*, -n, -n; Wanderer *m.* -s, - (도보의). ¶ ~이 나에게 길을 묻다 der Reisende fragt mich nach dem Weg.

길쌈 das Weben*, -s (mit der Hand); Handweberei *f.* **~하다** (mit der Hand) weben[4].

길안내(一案內) Führung *f.* -en; Führer *m.* -s, - (사람); Begleiter *m.* -s, - (동반자). **~하다** *jn.* führen; *jn.* begleiten; den Führer machen 《für *jn.*》. ¶ 등산의 ~를 하다 [3]sich für e-e Bergbesteigung e-n Führer nehmen* / 뮌헨시의 ~를 하다 e-e Führung durch die Stadt München mitmachen.

길어지다 [4]sich verlängern; länger werden. ¶이야기가 길어졌다 Unser Gespräch dauerte lange (dehnte sich aus). / 봄이 오면 해가 길어진다 Die Tage nehmen im Frühling zu (werden länger).

길운(吉運) der gute Stern, -(e)s, -e; Glück *n.* -(e)s. ☞ 행운. ¶~을 만나다 Glück haben / 그녀는 ~을 타고 났다 Sie ist unter e-m glücklichen (guten) Stern geboren.

길이[1] 《긴 정도》 Länge *f.* -n; Dauer *f.*(시간의); Maß *n.* -es, -e (치수); Strecke *f.* -n (거리). ¶~ 3 미터 3 m lang / ~가 길다 (짧다) lang (kurz) sein / ~가 같다 gleich lang sein / ~는 얼마입니까 Wie lang ist das? / 이 방의 ~는 저 방보다 두 배 더 길다 Dieses Zimmer ist doppelt länger als jenes.

길이[2] 《오래도록》 lange; für lange Zeit; für ewig; für immer; in (alle) Ewigkeit(en). ¶~길이 immer u. ewig / ~ 세상을 등지다 ewig der Welt entsagen; [4]sich ewig von der Welt zurück|ziehen* / ~ 보존하다 [4]*et.* ewig aufbewahren / ~길이 잘 살아라 Lebe wohl, auf ewig!

길이불 e-e Art Reisedecke 《*f.* -n》.

길일(吉日) Glückstag *m.* -(e)s, -e; der glückliche (glückbringende) Tag, -(e)s, -e. ¶~에 an e-m glückverheißenden Tag(e) / ~이다 ein glückverkündender Tag sein / ~을 택하다 e-n glückverkündenden Tag aus|wählen.

길잡이 ① 《새 분야의》 Führer *m.* -s, -; Leiter *m.* -s, -; Lenker *m.* -s, -; Vorgänger *m.* -s, -; Cicerone *m.* -(s), -s (..ni). ¶언어학의 ~ die Einführung in die Linguistik. ② 《길라잡이》 Führer *m.* -s, -; Wegweiser *m.* -s, -. ¶~가 되다 *jn.* führen《*zu*[3]; *nach*[3]》.

길제(吉祭) die Gedächtnisfeier, die im 27. Monate nach dem Tod e-r Person veranstaltet wird.

길조(吉兆) das gute (glückliche; günstige) Vorzeichen, -s, -; gutes Omen, -s, ..mina; die gute Vorbedeutung, -en. ¶~를 보이다 e-e gute Vorbedeutung sein 《*für*[4]》/ 이것은 정말 ~다 Das ist ja ein guter Anfang.

길짐승 Vierfüßer *m.* -s, -.

길쭉길쭉 länglich; schmal u. lang; mehr lang als breit; etwas lang. ~하다 schmal u. lang; mehr lang als breit; länglich (sein). ¶대를 ~ 자르다 Bambus länglich schneiden*.

길쭉스름하다 länglich; etwas lang (sein).

길쭉이 etwas länglich. ¶얼굴이 ~ 생기다 ein längliches Gesicht haben.

길쭉하다 lang u. schmal; länglich; hager; schlangenförmig (sein). ¶길쭉한 천 ein Streifen Tuch 《*n.* -(e)s, ⸗er》/ 길쭉한 얼굴 ein ovales (längliches) Gesicht, -(e)s, -er / 그녀의 얼굴은 ~ Sie sieht spitz aus (ist schmal im Gesicht). ¦ Sie hat längliches Gesicht. / 방이 좁고 ~ Das Zimmer ist ein Schlauch.

길쯔막하다 länglich genug (sein).

길쯤길쯤 länglich genug. ~하다 angemessene Länge haben; länglich genug sein.

길쯤이 hübsch u. lang.

길쯤하다 hübsch u. lang genug (sein); mehr auf der langen Seite (sein).

길찍길찍 mehr lang; etwas länglich; ziemlich lang. ☞ 길쭉길쭉.

길찍이 mehr auf der langen Seite; ziemlich lang. ¶막대를 ~ 자르다 e-n Stock lang schneiden*; e-n Stock der Länge nach schneiden*.

길찍하다 ☞ 길쭉하다.

길차다 《우거짐》 überwuchert 《von Pflanzen》; durch starkes Wachstum bedeckt; dicht darüber hineingewachsen (sein).

길처 den Weg begrenzendes Gebiet, -s, -e.

길체 (Zimmer)ecke *f.* -n; Winkel *m.* -s, -.

길하다(吉—) glück¦lich (-verkündend; -bringend; -verheißend) (sein). ¶그것은 길한 징조다 Das ist ein gutes (glückliches) Vorzeichen. / 더할 나위 없이 ~ Das war ein wahres Glück.

길흉(吉凶) Glück u. Unglück, das - u. -s; Wohl u. Wehe, des - u. -s; Schicksal *n.* -(e)s, -e. ¶~을 점치다 wahr|sagen (wahrsagen) 《*jm.*》; prophezeien 《*jm.*》/ 인간의 ~은 자신이 결정한다 Man bestimmt über sein Schicksal.

김[1] 《해태》 Meer¦lattich *m.* -(e)s, -e (-salat *m.* -(e)s, -e). ¶말린(구운, 맛) 김 der getrocknete (geröstete, gewürzte) Meerlattich.

김[2] ① 《증기》 (Wasser)dampf *m.* -(e)s, ⸗e; Dunst *m.* -(e)s, ⸗e. ¶김이 나는 요리 die dampfheißen Teller 《*pl.*》/ 김이 나다 (김을 내다) dampfen[(4)] / 수프에서 모락모락 김이 나고 있었다 Die Suppe dampfte.
② 《입·코의》 Alem *m.* -s, -. ¶입김 Hauch *m.* -(e)s, -e / 냄새 나는 입김 der stinkende Hauch / 유리창이 입김에 흐려져 있다 Die Fensterscheibe ist vom Hauch angelaufen.
③ 《냄새·맛》 Geruch *m.* -(e)s; Geschmack *m.* -(e)s, ⸗e; Lust *f.* ⸗e; Interesse *f.* -n. ¶김이 새다 《비유적》 k-e Lust haben; abgestanden (schal; fade; matt) werden.

김[3] 《기회·바람》 Anstoß *m.* -es, -e; Antrieb *m.* -(e)s, -e; durch die Wirkung von [3]*et.*; bei der Gelegenheit; solange wie; weil; denn; aus dem Grund; infolge; in der Folge von [3]*et.*; in e-m unbedachten Moment; aufgrund[2]. ¶여기 온 김에 wegen m-s Hierherkommens; da ich einmal hier bin; infolge m-s Hierseins / 술김에 durch die Wirkung des Alkohols / 홧김에 뺨을 갈겼다 Aus Ärger habe ich e-e Ohrfeige gegeben. / 온 김에 이야기하고 가겠다 Da ich einmal hier bin, will ich das erzählen, bevor ich weggehe. / 편지 부치는 김에 내 편지도 좀 부쳐주세요 Da Sie sowieso zum Postamt gehen, bitte ich Sie, m-n Brief einzuwerfen. / 이야기하는 김에 한 두 마디 더 하겠다 Weil ich einmal mit m-r Erzählung angefangen habe, möchte ich noch etwas zusätzlich sagen.

김매다 aus|jäten[4]; vom Unkraut befreien[4]. ¶밭의 김을 매다 das Feld aus|jäten.

김빠지다 schal werden (맥주 따위); flau gehen* [s]; schal (flau; fade; nüchtern; abgestanden) sein. ¶김 빠진 맥주 das abgestandene (schale; fade) Bier, -s / 김 빠진 웃음 das dumme Grinsen*, -s / 김 빠진 얼굴을 하고 있다 Er sieht ganz dumm aus.

김장 《담근 것》 mit Salz u. Gewürzen eingelegtes Gemüse 《-s, -》 für den Winter; 《김장 담그기》 das Einlegen*《-s》 von *Kimchi* für den Winter; 《김장거리》 Materialien 《Rettich, Rüben, China-Kohl, Knoblauch, Fisch, Muschel, Paprika》. ~하다 *Kimchi* ein|legen 《als Wintervorrat》.
‖ ~독 der Steintopf 《-(e)s, ⸗e》 für *Kim-*

chi. ～때, ～철 *Kimchi*-Einlegezeit *f.* -en. ～밭 der Acker 《-s, ⸗》 zum Anbau der *Kimchi*-Gemüse.

김치 *Kimchi*; eingemachtes 〔eingelegtes〕 Gemüse, -s. ¶～를 담그다 Gemüse ein|machen / 김칫국부터 마시는 격 《비유적》 die vorzeitige 〔verfrühte〕 Freude, -n / 김칫국부터 마셨다 Wir haben uns zu früh gefreut. ‖김칫거리 Salatpflanze 《*f.* -n》 zum Einmachen. 김칫단지 Einmachtopf *m.* -(e)s, ⸗e. 무우 〔배추〕 ～ eingemachter Rettich, -(e)s, -e 〔Weißkohl, -(e)s, -e〕. 오이～ eingemachte Gurgel, -n.

깁 Seide *f.* -n. ¶깁의 seiden; aus ³Seide; Seiden-.

깁다 《찢어진 데를》 flicken⁴; zu|nähen⁴. ¶양말을 ～ Strümpfe aus|bessern 〔flicken; stopfen〕 / 다시 ～ wieder neu nähen⁴; von neuem nähen⁴ / 기워 맞추다 (zusammen|-) flicken⁴ / 옷을 ～ (ein) Kleid nähen.

깁스 Gips *m.* -es, -e. ¶～를 하다 e-n Gipsverband an|bringen*. ⌈gaze.

깁옷 das Gewand 《-(e)s, ⸗er》 aus Seiden-

깁창(—窓) 《창문》 das durch Seidenstoff abgeschirmte Fenster, -s, -.

깃¹ ① 《날개털》 Feder *f.* -n; Daune *f.* -n; Flaum *m.* -(e)s, -e; Gefieder *n.* -s, - (전체). ¶깃으로 장식한 모자 Federhut *m.* -(e)s, ⸗e/ 깃같이 가벼운 federleicht/깃이 있는 gefiedert / 깃을 갈다 ⁴sich mausern / 깃털이 돋다 Federn bekommen. ② 《화살의》 Feder *f.* -n (des Pfeiles). ¶화살에 깃을 달다 e-n Pfeil fiedern.

깃² 《짚·마른 풀》 Streu *f.* -en. ¶외양간에 깃을 깔다 in den Stall Streu aus|breiten.

깃³ 《옷의》 Umleg(e)¦kragen 〔Klapp-〕 *m.* -s, -. ¶깃을 달다 an der Jacke Kragen nähen.

깃간(—間) der Raum 《-(e)s, ⸗e》 zwischen den Federn (e-s Pfeiles).

깃고대 die Stelle, wo der Kragen angeheftet wird.

깃광목(—廣木) der ungebleichte Musselin, -s, -e 〔Baumwollstoff, -(e)s, -e〕.

깃다듬다 die Federn (e-s Vogels) glätten 〔glatt|machen〕.

깃달이 das Aufnähen 〔Annähen〕* 《-s》 e-s Kragens, um das Aussehen eines Kleidungsstücks zu verbessern.

깃대(旗—) Fahnenmast *m.* -(e)s, -e(n); Flagg(en)stock *m.* -(e)s, ⸗e.

깃들다 ☞ 깃들이다.

깃들이다 ① 《새 따위가》 wohnen; nisten. ② 《기타》 ¶행복이 깃든 glücklich / 달 그림자가 ～ die Mondstrahlen zurück|werfen* 〔zurück|spiegeln〕 / 정직한 마음에 하느님이 깃들인다 Im Herzen e-s ehrlichen 〔rechtschaffenen〕 Menschen wohnt Gott. / 건전한 정신은 건전한 육체에 깃들인다 „Ein gesunder Geist in e-m gesunden Körper."

깃발(旗—) Banner *n.* -s, -; Bannerwimpel *m.* -s, -; Flagge *f.* -n; Fahne *f.* -n. ¶～을 꽂다 das Banner auf|pflanzen / ～을 날리다 Ruf bekommen* / 민주주의의 ～을 내걸고 unter dem Motto von „Demokratie" / ～을 흔들다 die Fahne schwingen* / ～을 올리다 e-e Flagge auf|ziehen* / ～을 내리다 e-e Flagge herunter|lassen* / 태극 ～을 달고 출항하다 unter der *Taeguk*-Flagge ab|segeln ～이 바람에 휘날린다 Die Fahnen flattern im Winde.

깃옷 die Trauerkleidung aus roher Baumwolle, die man nach dem Tod e-r Person für drei Monate trägt.

깃이불 Feder¦decke *f.* -n 〔-bett *n.* -(e)s, -en〕; Daunen¦decke *n.* -(e)s, -en 〔-bett〕.

깃저고리 Säuglingskleidung *f.* -en (일반적으로); Jäckchen *n.* -s, - (저고리); Hemdchen *n.* -s, - (속옷). ⌈ten.

깃주다 (dem Vieh) frisches Stroh auf|schüt-

깃털 Feder *f.* -n; Daune *f.* -n. ‖～비 Federbesen *m.* -s, -. ～이부자리 Daunen¦bett *n.* -(e)s, -en 〔-decke *f.* -n〕.

깃펜 Feder *f.* -n.

깊다 ① 《깊이가》 tief (sein). ¶깊은 바다 das tiefe Meer, -(e)s, -e / 깊은 접시 der tiefe Teller, -s, - / 깊은 상처 die tiefe Wunde, -n / 깊게 파다 tief graben⁴ 《*in*⁴》 / 눈이 깊게 쌓여 있다 Es liegt tiefer 〔hoher〕 Schnee. ② 《비유적》 tief; gründlich; profund; tiefgründig 〔-sinnig〕 (sein). ¶깊은 인상 der tiefe 〔nachhaltige; unauslöschliche〕 Eindruck, -s, ⸗e / 깊은 생각 der tiefe Gedanke, -ns, -n; Überlegung *f.* -en; Vorbedacht *m.* -(e)s (사전의) / 생각이 깊은 사람 der tief Denkende*, -n, -n; der gescheite 〔kluge; geistvolle〕 Mensch, -en, -en; der Weise*, -n, -n / 깊은 생각 없이 ohne ⁴Vorbedacht; unabsichtlich (아무 생각 없이); unachtsam (무심코)/깊은 관심을 가지다 sehr interessiert sein 《*an*³》; großes Interesse haben 《*an*³》; regen Anteil nehmen《*an*³》 / 깊은 잠에 빠지다 in tiefen 〔festen; gesunden〕 Schlaf fallen*〔sinken*〕Ⓢ / 깊은 탄식을 하다 e-n tiefen 〔schweren〕 Seufzer aus|stoßen*; tief 〔aus tiefer Brust〕 seufzen / 그것에는 깊은 까닭이 있다 Das läßt tief blicken. / 깊은 슬픔에 잠기다 in tiefer Trauer sein / 깊게 하다 vertiefen⁴; verstärken⁴ (인상, 의혹 따위를) / 인상이 깊어진다 Der Eindruck verstärkt 〔vertieft〕 sich. ③ 《짙은·무성한》 dicht; dick (sein). ¶깊은 안개 der dichte 〔dicke〕 Nebel, -s, - / 깊은 숲속에 im tiefen 〔mitten im〕 Walde / 깊은 밤에 in später 〔tiefer〕 Nacht; spät in der Nacht / 밤이 벌써 깊었다 Die Nacht ist schon sehr vorgerückt. ④ 《정분이》 innig; intim; vertraut (sein). ¶깊은 인연 intime Freundschaft / 교제가 깊지 않다 *jm.* nicht näher 〔nur flüchtig〕 bekannt sein / 깊은 사이이다 ein (Liebes-) verhältnis mit *jm.* haben; ein Verhältnis miteinander haben(남녀가); ⁴sich 〔einander〕 lieben; ein Herz u. e-e Seele sein 〔〖속어〗 ein Kopf u. ein Arsch sein〕 《mit *jm.*》.

깊드리 das niedrig liegende Reisfeld, -(e)s, -er.

깊숙이 tief; fern. ¶골짜기 ～ 들어 앉은 집 das tief im Tal stehende Haus, -es, ⸗er / 장 밑 ～ 넣다 tief unten im Schrank verschließen* / 모자를 ～ 눌러쓰다 den Hut tief auf den Kopf stülpen; ³sich den Hut über die Ohren ziehen* / ～ 들어앉다 Platz in der hintersten Ecke nehmen*.

깊숙하다 tief; abgelegen; entlegen; isoliert; entfernt (sein). ¶깊숙한 시골 weit abgelegene Gegend, -en / 깊숙한 골짜기 das tiefe Tal, -(e)s, ⸗er / 깊숙한 방 das nach hinten liegende Zimmer, -s, -; das hinterste Zimmer.

깊이 ① 〔명사적〕 Tiefe *f.* -n. ¶～가 있는 tief(gründig); profund(심오한); bedeutsam (bedeutungsvoll) (의미심장); sinnvoll (함축성) / ~가 없는 ohne [4]Tiefe; leichtfertig (경박한); geringfügig; sinnlos / ~를 알 수 없는 bodenlos; grundlos; unergründlich (잴 수 없는) / ~를 재다 die Tiefe loten; die Tiefe messen* / 물의 ~는 얼마냐—4미터다 Wie tief ist das Wasser? —Es ist 4 m tief. ② 〔부사적〕 tief; 《마음 속》 herzlich; 《매우》 stark; sehr. ¶ ~ 연구하다 tief erforschen[4]; [4]sich in das Studium versenken (verlieren*) / ~ 뿌리박다 tief einwurzeln [s,h] / ~ 파다 tief (ein|)graben* / ~ 사랑하다 innigst lieben[4] / ~ 숨을 쉬다 tief (ein|)atmen / 적진 ~ 침투하다 tief ins feindliche Land ein|dringen* [s] / ~ 확신(감동)하다 fest überzeugt (sehr gerührt) sein 《von[3]》/ ~ 들어가다 《적진 따위로》 tief ein|dringen* 《in[4]》; eifrig ein|gehen*[s] 《auf[4]》; [4]sich zu tief ein|lassen* 《in[4]; mit[3]》/ 저 처녀에 너무 ~ 빠져들지 말라 Laß dich nicht zu weit dem Mädchen ein! / 가슴 ~ 사무치다 《슬픔 따위가》 Es ist mir schwer ums Herz.

까까머리 =까까중.

까까중 《사람》 kahlgeschorener Kopf, -(e)s, ⸚e; 《머리》 Tonsur *f.* -en; die glatt geschorene (kahlgeschorene) Platte, -n. ¶ ~을 만들다 die Haare ganz kurz schneiden / 나무들이 벌레 먹어 ~이 되었다 Die Raupen haben alle Bäume kahl gefressen.

까꿍, 까꼬 《놀라게 할 때》 bu(h)!; hu(h)!

까뀌 (Hand)beil *n.* -s, -e.

까끄라기 Bart *m.* -(e)s, ⸚e; Granne *f.* -n.

까놓다 《털어놓다》 offen u. gerade sagen[4]; [4]sich (offen) aus|sprechen*; platt (runde) heraus|sagen; frisch (frei) von der Leber weg reden[4]; alles offen ein|gestehen*; das Herz aus|schütten. ¶ 까놓고 freimütig; direkt; frei u. offen heraus; schlankweg; ohne Vorbehalt / 까놓고 말하면 um offen zu sagen; wenn man die Wahrheit sagt / 까놓고 말하다 [4]*et.* offen sagen; ohne Vorbehalt sprechen*; kein Blatt vor den Mund nehmen*/그에게 까놓고 말했다 Ich habe ihm offen gesagt.¦Ich habe kein Geheimnis vor ihm.

까다[1] ① 《줄다》 ab|nehmen*; dünner (kleiner) werden; [4]sich vermindern; [4]sich verringern; [4]sich verkleinern. ¶ 살이 ~ dünn (mager) werden; an Gewicht abnehmen*/ 가산이 ~ *js.* Vermögen nimmt ab. ② 《축내다》 vermindern; verkleinern; reduzieren. ③《빼다》 ab|ziehen*[4] 《von [3]*et.*》; ab|rechnen[4] 《*von*[3]》; subtrahieren[4]. ¶ 봉급에서 ~ e-e Summe vom (am) Gehalt ab|ziehen*.

까다[2] ① 《껍질을》 schälen[4]; ab|schälen[4]; ab|rinden[4]. ¶ 밀감을 ~ e-e Mandarine schälen/ 호두를 ~ Nüsse knacken / 무릎을 ~ ab|schürfen; *js.* Knie wund|reiben* / 굴을 ~ Austern aus|machen. ② 《부화》 brüten; aus|brüten. ¶ 암탉이 알을 ~ Die Henne brütet (auf den Eiern). ③ 《쏴주다》 spitz|sagen. ¶ 날카롭게 ~ mit e-r gewissen Spitze sagen[4]; scharfzüngig diskutieren 《*über*[4]》. ④ 《비유적》 schwatzen; schwätzen; plaudern. ¶ 깐 사람 Schwätzer *m.* -s, -; Plaudertasche *f.* -n; Klätscher *m.* -s, - / 그는 입만 깠다 Er ist schwätzerisch.

까다롭다 ① 《엄격》 streng; genau (sein). ¶ 까다로운 규칙 e-e strenge Vorschrift, -en (Regel, -n) / 그는 학생에 대하여 몹시 ~ Er ist gegen s-e Schüler sehr streng. / 아버지는 돈에 대해서는 무척 ~ Mein Vater ist in Geldsachen sehr genau. ② 《성미가》 schwierig; 《가리다》 wählerisch (sein). ¶ 식성이 ~ im Essen wählerisch sein / 까다롭게 굴다 mäkeln 《*an*[3]》/ 너무 까다롭게 굴지 않다 fünf gerade sein lassen*. ③ 《일·문제가》 viel diskutiert werden. ¶ 까다로운 문제 die heikle Angelegenheit, -en; ein bedenkliches Problem, -s, -e; e-e heikle Geschichte, -n; die delikate Frage, -n / 문제를 까다롭게 하다 die Sache komplizieren/ 그는 까다로운 문제까지 언급했다 Er wagte die delikate Frage zu berühren.

까닥이다 nicken; zu|nicken. ¶ 자주 ~ häufig mit dem Kopf nicken / 고개를 까닥이며 인사하다 mit dem Kopf knicksen 《*vor*[3]》; mit dem Kopf nicken; e-n Knicks mit dem Kopf machen / 그는 가벼이 머리를 까닥였다 Er stimmte durch leichtes Kopfnicken zu.

까닭 ① 《이유·원인》 Grund *m.* -(e)s, ⸚e; das Warum*, -s; Ursache *f.* -n; Anlaß *m.* ..lasses, ..lässe; Veranlassung *f.* -en (연유). ¶ ~이 있어 aus e-m gewissen Grund; aus irgendeinem Anlaß / ~ 없이 ohne (allen) Grund; ohne allen (jeden) Anlaß / ~을 묻다 nach dem Grund fragen; [4]sich nach der Ursache erkundigen 《*bei*[3]》; *jn.* nach dem Grund fragen; *jn.* zur Rede stellen (문책하다) / 무슨 ~으로 warum; wieso; aus welchem Grund; aus welcher Ursache; weshalb; weswegen; wozu / …한 ~에 aus diesem Grund¦Das ist der Grund, warum ....¦Dies veranlaßt mich. 〖zu 부정구〗 ¦So sehe (fühle) ich mich veranlaßt. 〖zu 부정구〗/ …할 ~이 없다 Wie ist es möglich, daß....¦Es besteht kein Anlaß. 《*zu*[3]; zu 부정구》¦Ich habe k-n Grund. 《*zu*[2]; zu 부정구》/ 무슨 ~인지 모르지만 그 녀석이 싫다 Ich kann ihn, ich weiß nicht warum, nicht leiden. / 왜 화를 내고 있는지 ~을 모르겠다 Ich kann den Grund nicht einsehen, warum er böse ist. / 그가 그것을 알고 있을 ~이 없다 Wie kann (sollte) er es wissen? / 그에게는 기뻐할 ~이 있다 Er hat alle Ursache (allen (guten) Grund), froh zu sein. / ~이 있는 듯이 mit Bedeutung; bedeutsam; bedeutungsvoll / 이런 ~으로 aus diesem Grund; daher; darum; deshalb; deswegen; folglich; infolgedessen / 무슨 ~이 있는 듯하다 Dahinter steckt doch etwas.¦Das geschieht nicht ohne Grund. / 나는 그에게 그렇게 당할 ~이 없다 Ich habe das nicht um ihn verdient. / 예부터 그런 말이 전해진 것도 다 ~이 있다 Daß man seit altern her so sagt, hat s-e Berechtigung.

② 《사정·곡절》 Umstände 《*pl.*》; Verhältnisse 《*pl.*》. ¶ ~이 있어 durch bestimmte (gewisse) Umstände; umstände¦halber (umstands-) / 무슨 ~에 unter welchen Umständen / 거기에는 여러 가지 까다로운 ~이 있었다 Verschiedene komplizierte Umstände spielten dabei e-e Rolle.

까딱 das (Zu)nicken*, -s; leichte Bewegung *f.* -en. **~하다** (이다) [4]sich leicht bewegen (rühren); zu|nicken; mit dem Kopf nicken. ¶ ~도 않다 [4]sich nicht einschüchtern (entmutigen) lassen* (무서워 않다); gelassen (ruhig u. gefaßt; unerschütterlich) bleiben*[s](태연하다); nicht zurück|schrecken* (zurück|weichen*) [s] 《*vor*^{3}》 (겁내지 않다)/ ~도 않고 ohne e-e Miene zu verziehen / 비바람(적의 공격)에 ~도 않다 den Sturm auf|halten* (*od.* bestehen*) (e-m feindlichen Angriff widerstehen*) / 손가락 하나 ~하지 않는다 k-n Finger regen (rühren) / 눈썹 하나 ~ 안하다 k-e Miene verziehen*; mit eisiger (eiserner) Miene / 그는 협박을 받아도 ~도 않았다 S-e Drohungen schreckten mich nicht zurück. / 그는 ~도 않고 소신을 말했다 Er äußerte unerschrocken s-e eigene Meinung. / 그는 ~도 하지 않을 남자다 Er läßt sich nichts anmerken. (내색도 않다) / 그는 ~도 하지 않았다 《의연한 모습》 Er hat nicht (mit k-r Wimper) gezuckt.

까딱거리다 《…을》 ^{4}sich immer wieder rühren; wiederholt 《den Kopf》 heben und senken; immerwieder nicken; baumeln; 《…이》 hin und her schwanken; wiederholt nicken.

까딱까딱 ^{4}sich immer wieder rührend; den Kopf wiederholt hebend und nickend; immer wieder nickend; baumelnd; hin und her schwankend; ^{4}sich wiederholt nickend.

까딱수(一手) e-e riskante (gewagte) Maßnahme, -n; geschickte Täuschung, -en; List *f.* -en; listige Maßnahme; Betrug *m.* -(e)s, ⸗e; Ränke 《*pl.*》; Kniff *m.* -es, -e. ¶ ~로 아무를 속이려 하다 *jm.* gegenüber Kniffe gebrauchen/~를 쓰다 ein Risiko ein|gehen* [s]; ein Risiko wagen / ~에 걸리다 überlistet werden 《von *jm.*》; durch List hintergangen werden 《von *jm.*》; durch List in *js.* Hände (in Gewalt) geraten* [s]; ^{4}sich von *jm.* zu ^{3}*et.* anführen lassen*.

까딱없다 ①《사물》 felsenfest (sein); fest (hart) wie ein Fels stehen*; unerschütterlich; unberührt; unverletzt; ungeschwächt (sein). ¶ 이렇게 센 바람이 불어도 그 집은 ~ Trotz dieses starken Windes steht das Haus so fest wie ein Fels. / 그 불에도 불구하고 금고는 까딱없었다 Trotz der tobenden Flammen war der Geldschrank unbeschädigt. ② 《마음·인품》 felsenfest; unerschütterlich; unberührt; standhaft; kühl; gleichgültig; ruhig; bedächtig (sein); ^{4}sich benehmen*, ohne mit der Wimper zu zucken; standhaft bleiben*; unerschrocken; unverzagt (sein). ¶ 그는 그 소식을 듣고도 까딱없었다 Er war so unbewegt wie ein Fels, als er die Nachricht erhielt. / 그 정도의 손해로는 그 회사는 ~ So ein kleiner Schaden macht der Firma nichts aus.

까라지다 ganz erschöpft sein; übermüdet (erschossen) sein; völlig fertig sein; ^{4}sich völlig verbrauchen.

까르륵 mit Geplärr (Geheul; Gekläffe). ~하다 plärren; anhaltend schreien*. ~거리다 anhaltend plärren.

까르륵까르륵 anhaltend plärrend.

까마귀 Krähe *f.* -n; Rabe *m.* -n, -n. ¶ ~가 울다 E-e Krähe krächzt. / ~가 울면 불길하다 Krähen krächzen ominös (unglückverkündend). | Alles sieht ominös (unglückverkündend) aus. / ~ 사랑에도 효심이 있다 Selbst die Krähe zeigt ihre Kindesliebe, indem sie für die Eltern sorgt. / ~ 날자 배 떨어진다 《속담》 „Mitgefangen, mitgehangen."

까마말쑥하다 etwas kleines Schwarzes sein.

까마반드르하다, 까마반지르하다 dunkel und glatt (glänzend) (sein).

까마종이 〖식물〗 Nachtschattengewächs *n.* -es, -e.

까막까치 Krähe 《*f.* -n》 u. Elster 《*f.* -n》.

까막눈 Analphabet *m.* -en, -en (까막눈이); Unwissenheit *f.* (무식).

까말다 ☞ 가맣다.

까먹다 ①《돈을》 verfressen*^{4}; vergeuden; verschwenden^4. ¶ 재산을 ~ sein Vermögen verfressen*; ^{4}sich um Hab u. Gut essen*/ 돈 (시간)을 ~ das Geld (die Zeit) (vergeuden; verschwenden) / 그는 밑천을 다 까먹었다 Er hat all sein Geld verschwendet, das er hatte. ② 《잊다》 vergessen*^{4}; verlernen^4; aus dem Sinn kommen* [s]. ¶ 약속을 ~ sein Versprechen (Wort) nicht halten*. ③ 《껍데기를》 schälen^4 u. essen*^{4}. ¶ 굴을 ~ Austern schälen u. essen*.

까무느다 herunter|reißen*; aus|graben*; 《e-n Hügel》 ebnen; planieren; ein|ebnen.

까무러뜨리다 *jn.* in Ohnmacht versetzen; ohnmächtig (bewußtlos) werden lassen*; betäuben (약으로 또는 머리를 쳐서).

까무러지다 e-r Ohnmacht nahe sein.

까무러치다 ohnmächtig (bewußtlos) werden; fast in Ohnmacht fallen* [s]; das Bewußtsein verlieren*.

까무스름하다 ☞ 거무스름하다.

까물거리다 ☞ 가물거리다.

까바치다 *jm.* ^{4}*et.* erzählen; *jm.* ^{4}*et.* verraten*; *jm.* ^{4}*et.* zu|tragen*; 《밀고》 *jn.* an|zeigen (an|geben*; denunzieren) 《bei *jm.*》.

까발리다 《깍지 등을》 enthülsen^4; 《조개 따위》 (ent)schälen; 《폭로》 enthüllen^4; entlarven^4; bloß|stellen^4 (-|legen^4); ans Licht ziehen*^{4}.

까부르다 《곡식을》 worfeln^4; scheiden*^{4}; schwingen*^{4}(겨를). ¶ 콩을 ~ Bohnen worfeln.

까불거리다 ① 《몸을》 ^{4}sich beständig hin und her bewegen. ¶ 몸을 ~ den Körper beständig hin und her bewegen. ② 《행동이》 ^{4}sich leichtsinnig benehmen*; unvorsichtig handeln; unbesonnen sein.

까불까불 sich stets hin und her bewegend unbesonnen; leichtsinnig.

까불다 ① 《깡총거리며》 Luftsprünge machen; hüpfen [h,s]; Kapriolen machen. ② 《못된 장난을 치며》 dummes Zeug treiben*; Mutwillen treiben*; Unsinn machen. ③ 《익살을 부리며》 scherzen; spaßen; ^{4}sich belustigen 《*an*^{3}; *mit*^{3}; *über*^{4}》. ④ ☞ 까부르다.

까불리다^1 《곡식을》 sieben lassen; 《재물을》 verschwenden; leichtsinnig ausgeben*. ¶ 가진 돈을 모두 ~ Er hat alles Geld leichtsinnig ausgegeben, das er hatte. / 재산을 ~ sein ganzes Vermögen vergeuden / 술로 재산을 ~ sein Vermögen vertrinken*.

까불리다^2 《곡식이》 gesiebt (sondiert) werden.

까불이 lustiger (spaßhafter) Kerl, -s, -e; Faxenmacher *m.* -s, -; Hanswurst *m.* -es, -e (⸗e).

까붐질 das Worfeln*, -s; das Schwingen*, -s. ~하다 ^{4}Getreide schwingen*; worfeln^4 (키질하여).

까옥까옥울다 krächzen.

까지 ① 《시간》 bis^4; bevor; bis zu^3; bis gegen^4. ¶ 지금~ bis jetzt; bisher; bisherig (지금까지의) / 끝~ bis zum Ende; bis zum Schluß; bis zuletzt / 아침에서 밤~ vom

Morgen bis zum Abend / 밤 늦게 ~ bis tief (spät) in die Nacht / 오늘 정오 ~ bis heute mittag / 수요일 ~ bis zum Mittwoch / 내일 밤 ~ bis morgen abend / 한밤중 ~ bis gegen Mitternacht; bis nahe an Mitternacht / 그 때 ~ bis zu jener Zeit; bis dahin / 내년 ~ bis zum nächsten Jahr / 얼마 전 ~ bis vor kurzem / 언제 ~ bis wann / 언제 ~나 für immer / 내일 ~ bis morgen / 몇년 전 ~ bis vor einigen Jahren / 죽을 때 ~ bis zum Tod / 하회가 있을 때 ~ bis auf weiteres / 결정될 때 ~ bis zur Festsetzung / 백세 ~ 살다 bis an die Hundert leben / 돌아올 때 ~ 여기 있어 Bleib' hier so lange, bis ich zurückkomme. / 지금 ~는 분명치 않은 점이 있다 Etwas Unbestimmtes ist bisher noch unbekannt. / 도대체 지금 ~ 어디 있었어 Wo bist du denn die ganze Zeit über gewesen? / 다음 열차가 떠날 때 ~는 두 시간 기다려야 한다 Wir müssen zwei Stunden bis zur Abfahrt des nächsten Zuges warten.
② 《장소》 nach[3]; bis nach[3]; bis[4]. ¶ 어디 ~ bis wohin / 다리 ~ bis zur Brücke / 삼림 속 ~ bis in den Wald / 서울에서 부산 ~ von Seoul bis Busan / 국경 넘어 ~ bis über die Grenze / 여기서 저기 ~ von hier bis dort / 부산 ~ 가다 bis Busan fahren*Ⓢ / 어디 ~ 가십니까 Wie weit fahren Sie?
③ 《정도·범위·강조》 bis[4]; auch; selbst; sogar. ¶ 처음부터 끝 ~ von Anfang bis Ende / 하나에서 열 ~ von A bis Z / 어디 ~ wie weit / 마지막 한 사람 ~ bis auf den letzten Mann / 거기 ~는 알고 있다 So weit ist mir bekannt. / 오늘은 여기 ~ So weit (So viel) für heute.(선생이) / 머리에서 발끝 ~ 훑어 보았다 Er musterte ihn von oben bis unten (von Kopf bis Fuß). / 어머니 ~도 정을 잃었다 Sogar s-e Mutter hat genug von ihm.¦Selbst s-e Mutter will mit ihm nichts mehr zu tun haben. / 차비 ~ 주었다 Sogar das Fahrgeld gab er mir. / 게다가 비 ~ 왔다 Dazu kam noch Regen.

까지다 《벗겨지다》 abgerieben (abgescheuert; abgeschürft) werden; 《축가다》 dünn (mager) werden; ab|magern Ⓢ. ¶ 무릎이 ~ [3]sich das Knie ab|schürfen / 팔꿈치가 까졌다 Ich habe mir den Ellbogen abgeschürft.

까지르다 s-e Zeit verbummeln; [4]sich herum|treiben 《ohne [4]*et.* zu *tun*》.

까짓 ☞ 그까짓.

-까짓 《…만한·정도의》 so viel wie; solch ein(er) wie. ¶ 이까짓, 요까짓, diese Art; derartig / 그까짓, 고까짓, 저까짓 조까짓 auf solche Art / 네까짓 solche Leute wie Sie (du) / 제까짓 《남》 solche Leute wie er (sie, sie 《*pl.*》) / 제까짓 sich selbst (제자신) / 요까짓 일 solch e-e Kleinigkeit, -en (Bagatelle, -n; Belanglosigkeit, -en; Geringfügigkeit, -en; Lappalie, -n; Unbedeutendheit, -en).

까치 〖조류〗 Elster *f.* -n.

까치눈 Frostbeule am Fuß; chronische Entzündung von Körpergewebe infolge Kälteeinwirkung.

까치발 ① 〖건축〗 Trägerarm *m.* -(e)s, -e. ② 〖식물〗 e-e Art von Klatschmohn.

까치상어 〖어류〗 Katzenhai *m.* -(e)s, -e.

까치선(一扇) der vierfarbige Fächer (, der von Damen benützt wird).

까치작- ☞ 거치적-.

까치콩 〖식물〗 e-e Art Schminkbohne.

까칠하다 hager; lang und mager; abgemagert (sein); 《고민 따위로》 abgehärmt; verstört (sein); angegriffen (abgespannt) aus|sehen*. ¶ 까칠한 얼굴 das abgemagerte Gesicht.

까칫- ☞ 거칫-.

까탈 Haken *m.* -s, -; Schlag *m.* -(e)s, ⸚e; Hindernis *n.* -ses, -se; Verhinderung *f.* -en. **~부리다** *jm.* Hindernisse in den Weg legen; [4]*et.* zu e-m Problem machen; (e-n Plan *od.* ein Vorhaben) verhindern; gegen [4]*et.* Einwände erheben*; Einwendungen machen. **~스럽다** beschwerlich; lästig; hinderlich (sein). **~지다** auf Hindernisse stoßen*; verhindert werden. ¶ 일을 끝마치기 전에 여러 가지 ~이 있을는지도 모른다 Sie werden wohl auf allerlei Hindernisse stoßen, bevor Sie Ihre Arbeit beenden.

까투리 Fasan *m.* -(e)s, -e(n).

까팡이 Scherbe *f.* -n; Bruchstück *n.* -(e)s, -e.

까풀 Haut *f.* ⸚e; Hülle *f.*; Mantel (Regenhaut) *m.* -s, ⸚; Überzug *m.* -(e)s, ⸚e. ¶ 눈 ~ Augenlid *n.* -(e)s, -er / ~이 지다 [4]sich runzeln; [4]sich mit e-m Häutchen überziehen* / 눈 ~이 지다 im Augenlid Runzeln bekommen*.

깍깍 《까마귀 울음소리》 krah! krah!

깍두기 marinierte Rettichwürfel 《*pl.*》.

깍둑 in dünne Scheiben schneidend.

깍듯이 höflich; artig; herzlich; zuvorkommend. ¶ ~ 대하다 höflich (mit [3]Höflichkeit; zuvorkommend) behandeln 《*jn.*》 / ~ 인사(사례)하다 höflich grüßen[4] (danken 《*jm. für*[4]》).

깍듯하다 höflich; artig; herzlich; bescheiden (sein).

깍정이[1] ① 《인색한》 der filzige Kerl, -s, -e; Geizhals *m.* -es, ⸚e; Filz *m.* -es, -e. ¶ 서울 ~ geiziger Seouler, -s, - / 그는 ~다 Er ist ein pfiffiger Bursche.¦Er ist geizig. / ~야 Du Geizhals! / 그렇게 ~짓을 하지 마라 Sei nicht so geizig! ② 《약바른》 der Entschlüpfene*, -n, -n; ein geriebener Kerl, -s, -e (-s).

깍정이[2] 〖식물〗 《도토리의》 Eichelnapf *m.* -es, ⸚e; Eichelnäpfchen *n.* -s.

깍지 ① 《손의》 *js.* [4]Hände falten. ¶ ~(를) 끼다 die Hände falten. ② 《껍질》 Hülse *f.* -n; Schote *f.* -n; Schale *f.* -n. ¶ ~를 벗기다 enthülsen[4]; entschoten[4]; schälen[4] / 잠두의 ~를 벗기다 Saubohnen enthülsen. ③ 《활쏠 때의》 der hornartige Ring für den Daumen.

깍짓손 die Hand, die den Bogen hält.
‖ **~꾸미** der Ellbogen des Armes, der den Bogen spannt. **~회목** das Handgelenk, das den Bogen spannt.

깎낫 die Sichel, die zum Ausschneiden eines Nudelholzes (Rollholzes; Wellholzes) benützt wird.

깎다 ① 《털·수염을》 rasieren[4]; scheren*[4]. ¶ 깎아버리다 ab|rasieren[4] / 수염을 ~ [3]sich den Bart rasieren lassen* (ab|rasieren) / 머리를 ~ [3]sich die Haare (das Harr) schneiden lassen*(깎게 하다) / 머리 깎으러 가다 zum Friseur gehen*Ⓢ / 머리를 짧게 ~ die Haare (das Haar) kurz schneiden (scheren) lassen* / 머리 좀 깎아 주시오 Ich möchte mir die Haare schneiden lassen. / 머리 깎아야겠다 Dein Haar müßte wieder mal

geschnitten werden.
②《잔디·나무 따위를》 lichten⁴; stutzen⁴; beschneiden*⁴; mähen⁴. ¶정원수를 ~ die Bäume im Garten lichten (stutzen; beschneiden*) / 잔디를 ~ Rasen mähen.
③《양털 따위를》 scheren*⁴. ¶양털을 ~ Wolle scheren* / 천의 보풀을 ~ die Noppe des Tuches scheren*.
④《연필·목재 따위를》 spitzen⁴; schärfen⁴; (ab|)hobeln⁴; schneiden*⁴; schnitzeln⁴; ab|schaben. ¶나무를 ~ Holz ab|schaben / 연필을 ~ e-n Bleistift spitzen (schärfen) / 손톱을 ~ ³sich die Nagel schneiden*(putzen) / 널빤지를 대패로 ~ ein Brett mit Hobel glätten.
⑤《절감》 verkürzen⁴; beschneiden*⁴; ein|schränken⁴. ¶비용을 ~ Ausgaben kürzen (ein|schränken) / 예산을 ~ das Budget [bʏdʒéː] (ver)kürzen / 월급에서 만 원을 ~ 10,000 *Won* vom Gehalte ab|ziehen*.
⑥《값을》 herab|setzen⁴; ab|ziehen*⁴; billiger machen; (er)mäßigen⁴; vom Preise nach|lassen*⁴; reduzieren⁴; den Preis herab|drücken; feilschen (markten) 《*um*⁴》; Rabatt geben*. ¶1할 깎아 주다 ⁴*et.* 10% Rabatt geben* / 값을 몹시 ~ aufs äußerste feilschen 《*um*⁴》 / 백원 깎아 드리지요 Ich will Ihnen 100 *Won* ab|lassen. / 더는 깎아 드릴 수 없어요 Ich kann nicht weiter heruntergehen. ¦Sie mögen noch so sehr bitten. ¦Das ist der äußerste Preis. / 그 장사꾼은 구두쇠라서 한푼도 깎아 주지 않는다 Dieser Kaufmann ist so geizig, daß er k-n Pfennig vom Preise nachläßt. / 현금으로 지불하면 값을 깎아 주시겠어요 Geben Sie etwas Rabatt bei Barzahlung?
⑦《낯·체면을》 Schande laden* 《*auf*⁴》; ⁴sich etwas vergeben*. ¶자기 체면을 ~ Schande auf sich laden* / 학교의 체면을 ~ der Schule zur Schande gereichen / 가명(家名)을 ~ s-r Familie Schande machen.

깎아내리다 《사람을》 herab|setzen⁴ (-|würdigen⁴); durch den Kakao ziehen*⁴; über *jn.* schlecht reden; *jn.* schlecht machen. ¶아무의 업적을 ~ *js.* Verdienste verkleinern; *js.* Leistungen herab|setzen.

깎아지른듯하다 steil; jäh; schroff (sein). ¶깎아지른듯한 절벽 e-e schroffe Felswand, ⸗e; e-e steile (jähe; lotrechte; senkrechte) Felswand.

깎은 hübsch; schön; fesch; schick; immer gut angezogen; elegant angezogen.
‖ ~서방님 der schick angezogene Jüngling (junge Herr). ~선비 der schicke Herr.

깎이다 ①《깎게 하다》 ⁴*et.* beschneiden lassen*; ⁴*et.* schneiden lassen*; ⁴*et.* glattschneiden lassen*; ⁴*et.* kürzer machen lassen*. ¶머리를 ~ *jn.* die Haare schneiden lassen* / 뜰의 잔디를 ~ den Rasen beschneiden lassen*; den Rasen mähen lassen*. ②《깎음을 당하다》 beschnitten werden; geschnitten werden; gemäht werden; ⁴sich ab|schuppen. ¶풀이 ~ Gräser werden beschnitten; der Rasen wird gemäht / 연필이 잘 ~ der Bleistift wird gut gespitzt. ③《값이》 herabgesetzt werden; ermäßigt werden; verringert werden. ¶값이 3할 ~ die Preise werden um 30 Prozent ermäßigt / 예산이 ~ das Budget wird gekürzt. ④《낯·체면이》 geschändet werden; entehrt werden; zur Schande gereichen; Gesicht verlieren*. ¶그런 낯 깎이는 말은 하지 말라 Sag k-e solche blamablen Dinge! / 그 말 한마디에 낯이 많이 깎였다 Wegen dieses einzigen Wortes hat er an Gesicht verloren. ⑤《직책·계급이》 herabgesetzt werden; gedemütigt werden; aus dem Amt entlassen werden; 《zu ³*et.*》 degradiert werden; im Rang herabgesetzt werden. ¶장교가 사병으로 ~ Ein Offizier wird zu gemeinen Soldaten degradiert.

깐 das Gewahrsein, -s; Erkenntnis *f.* -se; das Erkennen, -s; Idee *f.* -n; Berücksichtigung (Rechnung; Erwartung) *f.* -en. ¶우리들 깐에 unserer Meinung (Ansicht) nach / 자기들 깐에 ihrer Meinung nach / 내(네, 당신, 자네) 깐에 meiner (deiner, Ihrer) Meinung nach / 제 깐에는 일이 잘 될 줄 믿었던 모양이다 Seiner Meinung nach ging alles scheinbar gut. ¦Ihm schien, als ob alles gut ginge. / 제가 한 깐이 있으니까 아무말 못한다 Da er weiß, was er getan hat, kann er k-e Entschuldigungen vorbringen.

깐깐오월(一五月) der langweile (ermüdende) Mai nach dem Mondkalender; Maischwüle *f.*

깐깐하다 《착실한》 fest; standhaft; straff; 《세심한》 peinlich genau; pedantisch; minuziös; penibel; 《인색한》 geschäftstüchtig (사업열); knauserig; 《빈틈없는》 pfiffig; schlau; verschlagen; 《돈에》 interessiert (타산적); knauserig; 《허투루 볼 수 없는》 abgefeimt; ausgekocht; gerieben (sein). ¶왜 그렇게 깐깐하냐 Sei nicht so pedantisch!

깐깐히 vorsichtig; übergenau; peinlich genau; miniziös; streng. ¶~ 캐어 묻다 alles ausfragen; Näheres zu ³*et.* bei *jm.* erfragen; ⁴sich ausführlich bei *jm.* nach ³*et.* erkundigen / ~ 조사하다 ⁴*et.* übergenau (peinlich genau) untersuchen; über ⁴*et.* genaue Untersuchung an|stellen; *jn.* aus|quetschen.

깐보다 den Verlauf beobachten; ein wachsames Auge auf ⁴*et.* haben; ab|warten.

깐실깐실 ☞ 간실간실.

깐작거리다 ①《달라 붙다》 an|haften 《*an*³》; ankleben. ②《성질·행동》 ⁴sich an|klammern; ⁴sich krampfhaft fest|halten* 《*an*³》; hartnäckig (verzweifelt) auf ³*et.* bestehen*; beharrlich sein; *jm.* beharrlich auf die Nerven gehen* ⓢ; *jm.* dauernd lästig fallen*.

깐작깐작 Beharrlichkeit *f.* -en; Zähigkeit *f.* -en; Hartnäckigkeit *f.* -en.

깐지다 übergenau; peinlich genau; pedantisch (sein).

깐질기다 stark klebrig; zäh; beharrlich (sein).

깐질깐질하다 ☞ 끈질끈질하다.

깔개 《방석》 Binsenmatte *f.* -n (돗자리); Teppich *m.* -s, -e (양탄자); 《시트》 Bettuch *n.* -(e)s, ⸗er 〔분철: Bett-tuch〕; Laken *n.* (*m.*) -s, -; Unterlage *f.* -n; Matratze *f.* -n (방석).

깔기다 pissen, ohne Rücksicht auf passende Stelle, wie man will; urinieren; Wasser lassen*. ¶오줌을 ~ auf der Straßenseite pissen / 똥을 ~ ein großes Geschäft verrichten; ⁴sich entleeren; (einen) Stuhlgang machen.

깔깔 kreischend; lustig. ~거리다 laut lachen. ¶~ 웃다 kreischend lachen / ~거리며 놀다 sehr lustig sein; ausgelassen sein.

깔깔하다 ① ☞ 껄껄하다 ①. ② 《마음이》 rein; ehrlich; reinen Herzens (sein).
깔끄럽다 ☞ 껄끄럽다.
깔끔거리다 ☞ 껄끔거리다.
깔끔깔끔 rauh; unhöflich; grob; schroff; ungestüm; reizend; erzürnend.
깔끔하다 《외양·태도가》 elegant; hübsch; geschmackvoll; schick; fesch; adrett; flott (sein). ¶ 깔끔한 사람 e-r*, der viel auf Reinlichkeit 〔Sauberkeit〕 hält / 그녀는 깔끔한 여자다 Sie ist e-e adrette Frau. / 깔끔하게 차려 입고 있다 Sie ist flott gekleidet.
깔다 ① 《펴다》 belegen⁴ 《*mit*³》; überziehen*⁴; aus|breiten⁴ 《*über*⁴》. ¶ 바닥에 거적을 ~ den Boden mit Matten belegen / 잠자리를 ~ ein Lager bereiten; das Bett machen (침대를 정리하다) / 새로운 시트보를 ~ das Bett frisch überziehen*/ 선로를 ~ Schienen legen.
② 《길에 돌 따위를》 pflastern⁴ 《*mit*³》 (포장); (be)schottern⁴ (자갈을); beschütten⁴ 《*mit*³》. ¶ 길에 자갈을 ~ e-n Weg beschottern 〔mit Kies bestreuen〕.
③ 《돈을》 ¶ 깔아 놓은 외상값이 걷히지 않아서 큰일이다 Wegen des schlechten Eingangs der Außenstände in Verlegenheit sein.
④ 《눈을》 herab|blicken; abwarts blicken.
깔딱 《삼키는 소리》 das Schlucken, -s; 《뒤집히는 소리》 Geknister *n.* -s; Geknatter *n.* -s; Klatsch *m.* -s; 《숨이》 mit schwerem Atem; Keuchen *n.* -s. ~하다 schlucken; knistern; knattern; nach Luft schnappen.
깔딱거리다 《삼킬 때》 wiederholt schlucken; Schluckauf haben; 《얄팍한 것이》 dauernd knistern; wiederholt knattern; 《숨이》 nach Luft schnappen.
깔딱하다 schwere Augen (durch Ermüdung od. Hunger) haben 〔bekommen*〕.
깔때기 Trichter *m.* -s, -. ¶ ~꼴의 trichterförmig 〔-artig〕 / ~로 채우다 durch den Trichter gießen*⁴ 〔füllen⁴〕; trichtern⁴.
‖ ~받침 Trichter¦stativ *n.* -s, -e 〔-halter *m.* -s, -〕.
깔려죽다 (tödlich) zerdrückt werden; zermalmt werden; zu ³Tode gedrückt werden; erdrosselt 〔erwürgt; erdrückt〕 werden. ¶ 쥐가 자동차 바퀴에 깔려 죽었다 Die Maus ist unter dem Rad des Autos zerdrückt worden.
깔리다 ① 《남에게》 unterdrückt werden 《*durch*⁴》. ¶ …의 밑에 ~ unter ⁴Druck⁽²⁾ 《*von*³》 gesetzt werden/여편네한테 깔려 사는 사내 Pantoffelheld *m.* -en, -en; Mann, der sich von s-r Ehefrau beherrschen läßt. ② 《돈·곡식이》 ausgestreut sein; weit verbreitet sein; 《씨앗이》 breitwürfig ausgesät sein; 《돈이》 umhergestreut sein. ③ 《밑에》 belegt werden; beschottert werden (자갈이); gepflastert werden (아스팔트가). ¶ 상자 밑에 종이가 ~ Der Boden e-s Kastens wird mit Papier belegt. / 도로에는 자갈이 깔려 있다 Die Straße ist mit Steinen beschottert.
깔밋하다 《조촐·아담》 bescheiden; maßvoll; schlicht; anspruchslos; mäßig; einfach; sparsam; wunschlos (sein); 《인물이》 wohlgeformt; feingeschnitten; gutgebildet (sein).
깔보다 gering|schätzen⁴; nicht ernst nehmen*⁴; ³sich nichts machen 《*aus*³》; verachten⁴; bagatellisieren⁴; nicht beachten⁴; links liegen|lassen* 《*jn.*》; außer (aller) acht lassen*⁴. ¶ 깔보는 geringschätzig / 깔볼 수 없는 nicht geringschätzig / 사람을 ~ *jn.* mit Geringschätzung behandeln; auf *jn.* herab|sehen*; *jn.* gering|schätzen / 사람들은 그를 어린애라고 깔보고 있다 Man behandelt ihn geringschätzig, da er noch ein Kind ist. / 깔볼 일이 아니다 Das muß man nicht geringschätzen. / 깔보지 말라 Unterschätze mich nicht! / 깔보는 듯한 웃음을 웃었다 Er lachte mich verächtlich an.
깔색(—色) der Glanz von Stoffen.
깔종 eine Schätzung des Silberverlustes bei der Bearbeitung (des Silbers). ¶ ~ 잡다 schätzen, wieviel Silber bei der Bearbeitung verloren gehen wird.
깔짝거리다 klimpern; klingeln; klirren. ¶ 양철이 ~ Zinkblech klirrt auf dem Boden.
깔짝깔짝 《빳빳한 것이》 prasselnd; knisternd.
깔쭈기 gerändelte Münze, -n.
깔쭉거리다 ⁴sich rauh an|fühlen 〔사물이 주어〕; rauh (haarig) sein.
깔쭉깔쭉 《빳빳한 것이》 ~하다 zackig; (aus-)gezackt; (ein)gekerbt; eingeschnitten; gezähnt; gerändelt (화폐) (sein). ¶ 가장자리를 ~하게 하다 aus|zacken⁴; ein|kerben⁴; ein|-schneiden*⁴; zähnen⁴; rändeln⁴ (화폐를).
깔찌 Unterlage *f.* -n; Matratze *f.* -n (방석).
깔축없다 vollständig; vollkommen (sein); keinen Mangel 《an ³*et.*》 haben.
깜깜하다 stock¦finster 〔-dunkel〕; pech¦finster 〔-dunkel〕 (sein).
깜냥 geringe Fähigkeit; geringe Leistungsfähigkeit einer Person.
깜냥깜냥이 jeder seiner Fähigkeit entsprechend; jeder sein Bestes tuend.
깜다 ☞ 검다¹.
깜둥이 ☞ 검둥이.
깜박 ① 《눈을》 das Zwinkern*, -s; mit e-m Winken; 《불·빛이》 das Flackern*, -s. ~하다 winken; blinzeln; 《별이》 funkeln; 《불·빛이》 flackern [h,s]. ¶ 별이 ~하다 ein Stern funkelt.
② 《잠깐》 e-n Augenblick 〔Moment〕; ein Weilchen.
③ 《깨닫지 못하는 새》 zerstreut (방심해서); gedankenlos (부주의해서); unachtsam; unaufmerksam; geistesabwesend; unbewußt. ~하다 ⁴sich vergessen*; geistesabwesend sein. ¶ ~ 잊다 *js.* Gedächtnis versagt für den Augenblick; nicht gleich ins Gedächtnis zurückrufen können / ~ 하는 사이에 ehe 〔bevor〕 ich es gewahr wurde; in e-m unbemerkten Moment / ~ 했었읍니다 Es war unaufmerksam von mir. / 아 ~ 잊고 있었구나 Mein Gott, ich hab's völlig vergessen 〔verschwitzt〕!
④ 《완전히》 ganz; gänzlich; völlig; vollständig; vollkommen. ¶ ~ 잊다 e-n Augenblick aus dem Sinn kommen* [s] / ~ 속다 betrügt werden, ehe man es weiß.
깜박거리다 funkeln; flackern; flimmern; schimmern; blinzeln (눈을). ¶ 깜박거리는 별 der funkelnde Stern, -(e)s, -e / 눈을 ~ mit den Augen blinzeln / 햇볕에 ~ in der Sonne glitzern / 불이 ~ das Feuer flackert/ 어둠 속에서 남포불이 깜박거리고 있다 Die Lampe flattert 〔flackert〕 in der Dunkelheit 〔Finsternis〕.
깜박깜박 mit wiederholtem Blinzeln; die

Augenlider rasch bewegend; zwinkernd; blinzend; mit den Augen blinzelnd. ¶ ~ 졸다 einnicken; für kurze Zeit einschlafen* 《im Sitzen》.

깜박불 die glühende Holzkohle.

깜박이다 《눈을》 blinzeln; mit den Augen zwinkern; winken; 《별 따위가》 funkeln; blinken; 《등불이》 flackern; flattern. ¶ 눈 하나 깜박이지 않고 바라보다 an|starren⁴ [auf ⁴*et.* [*jn.*] starren] (ohne zu blinzeln).

깜부기 ① 《병 걸린 이삭》 Brand¦korn *n.* -s, ⸗er [-weizen *m.* -s]. ② 《숯》 Holzkohle-Zinder *m.* -s, -. ¶ ~불 das fast erloschene [ausgebrannte] Kohlenfeuer.

깜작 ① ☞ 깜짝. ② 《몸을》 ⁴sich ein bißchen rührend; ⁴sich leicht bewegend. ~하다 ⁴sich ein bißchen rühren; ⁴sich leicht bewegen.

깜작거리다 ☞ 깜짝거리다².

깜작깜작¹ 《까만 점이》 hie u. da mit schwarzem Fleck gesprenkelt [getüpfelt]. ~하다 hier u. dort mit schwarzem Fleck besät sein; hier u. da schwarze Flecken haben.

깜작깜작² ① =깜박깜박. ② 《몸을》 ⁴sich beständig rührend; ⁴sich beständig regend.

깜작이다 ① =깜박거리다. ② 《몸을》 ⁴sich regen; ⁴sich rühren.

깜장 ☞ 검정.

깜짝 erstaunt; mit Erstaunen; überrascht; erschrocken; entsetzt. ¶ ~ 놀라다 auf|fahren* ⓢ; vor ³Erstaunen den Atem an|halten*; (⁴sich) erschrecken⁽*⁾ / ~ 놀라게 하다 auf|schrecken⁴; erschüttern⁴; überraschen⁴; verblüffen⁴; in ⁴Erstaunen setzen⁴ / 눈 ~ 할 사이에 blitzschnell; ehe man sich's versieht / ~ 놀라게 하는 großes Aufsehen erregend; sensationell / 그의 행동은 세상을 ~ 놀라게 했다 S-e Tat setzte die Welt in Erstaunen.¦S-e Tat kam den Menschen überraschend. / 그의 태도는 나를 ~ 놀라게 했다 Sein Verhalten hat mich schockiert./ 그 여자는 ~ 놀란 것 같다 Sie sieht erschreckend aus.

깜짝거리다¹ 《놀라서》 wiederholt erstaunt auf|springen* ⓢ; immer wieder erstaunt in die Höhe springen* ⓢ.

깜짝거리다² 《눈을》 blinzeln; mit den Augen zwinkern; winken. ¶ 눈 하나 깜짝거리지 않고 응시하다 an|starren⁴ [auf ⁴*et.* [*jn.*] starren].

깜짝깜짝 ☞ 깜작깜작².

깜찌기(실) der dünne, aber starke [feste] Faden, -s, ⸗.

깜찍이 übermäßig; äußerst; erstaunlich; ans Unglaubliche grenzend; scharf; klug; listig; schlau; geschickt. ¶ ~ 영리하다 [작다] unglaublich klug [klein] sein / ~ 굴다 ⁴sich schlau [geschickt; klug] benehmen*; ⁴sich wie ein alter Fuchs benehmen*.

깜찍하다 ① 《사람이》 recht erstaunlich; wunderbar; recht köstlich; für sein Alter zu klug; altklug; unkindlich; frühreif; zu scharf; zu klug; zu listig; zu geschickt; verschlagen; egoistisch; selbstsüchtig (sein). ¶ 깜찍한 놈 feiner Kerl; kleiner Kerl; hübscher Kerl / 너무 깜찍하게 굴지 말라 Benimm dich nicht so altklug!¦Benimm dich nicht so selbstsüchtig! / 그 애는 깜찍하게도 영리하다 Das Kind ist erstaunlich klug.¦Wie klug ist das Kind! ② 《단작스럽다》 erstaunlich klein; dünkelhaft; keck; frech (sein). ¶ 깜찍한 모자 ein keckes Hütchen, -s, - / 고 애 깜찍하게도 작다 Wie klein das Kind doch ist!

깝대기 Haut *f.* ⸗e; Kleidung *f.* -en. ¶ ~를 벗기다 *jn.* bis aufs Hemd aus|ziehen*; *jn.* aus|plündern / ~를 벗기웠다 Er wurde der Kleidung beraubt.

깝살리다 ① 《탕진하다》 auf|brauchen⁴; vergeuden⁴; verschwenden⁴. ¶ 가산을 ~ sein ganzes Vermögen vergeuden / 소지금을 깝살리고 무일푼이다 Ich habe m-n letzten Pfennig ausgegeben. ② 《안 만나다》 nicht sehen*⁴ [treffen*⁴; sprechen*⁴]; für niemand zu sprechen sein; die Tür schließen*.

깝작도요 〖조류〗 Wasserläufer *m.* -s, -.

깝질 ☞ 껍질.

깡 〖광산〗 《뇌관》 Spreng¦kapsel *f.* -n [-zünder *m.* -s, -]; Zünd¦hütchen [-käppchen] *n.* -s, -.

깡그리 alles; von Anfang bis zu Ende; gänzlich; ganz; völlig; vollständig; durchaus; ganz u. gar; ausnahmslos. ¶ 전답을 ~ 팔아 치우다 alle Grundstücke los|schlagen* / 그는 있는 돈을 ~ 없앴다 Er hat sein Geld bis auf den letzten Pfennig ausgegeben. / 우리 사업은 ~ 실패했다 Alles, was wir unternahmen, mißlang uns.

깡그리다 ein Ende machen³; in ⁴Ordnung bringen*⁴; fertig machen⁴.

깡깡이 ein koreanisches Musikinstrument 《-es, -e》 wie e-e Violine; (koreanische) Fidel, -n.

깡똥하다 ziemlich kurz (sein).

깡마른 mager; hager; dünn; dürr; schlank; abgemagert; knochig. ¶ 그는 너무 깡말랐다 Er ist zu mager.

깡짱 mit langen [weiten] Schritten.

깡총깡총 hopp, hopp!; hops(a), hops(a)!; hupf, hupf! ¶ ~ 뛰다 hüpfen ⓢ; hopsen ⓢ; Hopser tun*.

깡통 Büchse *f.* -n; Kanne *f.* -n; Kanister *m.* -s, - (네모진 소형 석유 깡통류); Tonne *f.* -n (드럼통); Konservenbüchse *f.* -n (통조림의). ¶ ~ 차다 an den Bettelstab kommen* ⓢ; betteln; vom Betteln leben.
‖ ~따개 Büchsen¦öffner [Dosen-] *m.* -s, -. ~맥주 Büchsenbier *n.* -(e)s, -e.

깡패 Lümmel *m.* -s, -; Flegel *m.* -s, -; 《난폭자》 Rowdy [ráudi] *m.* -s, -s; Rohling *m.* -s, -e; 《미성년자의》 der Halbstarke*, -n, -n.
‖ 정치~ der politische Renommist [Gesinnungslump] -en, -en; Aufwiegler *m.* -s, -; Bravo *m.* -s, -s (자객).

깨 〖식물〗 Sesam *m.* -s, -s; Sesamsame(n) *m.* ..mens, ..men (깨씨). ¶ 깨를 빻다 Sesamsamen 《*pl.*》 mahlen.
‖ 깨소금 mit Salz gemischte geröstete Sesamsamen 《*pl.*》.

깨갱깨갱 wiederholt winselnd [jaulend].

깨깨 《몹시》 gründlich; gänzlich; vollständig; vollkommen; außerordentlich; äußerst; höchst; knochendürr. ¶ ~ 마르다 äußerst mager sein; sehr kränklich aus|-sehen*; höchst spitz aus|sehen*.

깨끔스럽다 nett u. sauber; anmutig; hübsch; anständig; reinlich; ordentlich; gut aufgeräumt; niedlich (sein). ¶ 깨끔스런 얼굴 ein nettes Gesicht, -(e)s, -er; ein hübsches Gesicht / 깨끔스런 여자 e-e ordentliche [nette; anständige] Frau, -en [Dame, -n].

깨끔찮다 schmutzig; unordentlich; unanständig; dreckig; ungepflegt (sein).

깨끔하다 =깨끔스럽다.

깨끗이 ① 《깨끗하게》 rein; reinlich; fein; niedlich. **~하다** reinigen[4]; säubern[4]; läutern[4]; rein 〔sauber〕 halten*; ein|weihen[4] (정화하다). ¶ 마음을 ~ 하다 das Herz von [3]Sünden reinigen / 방을 ~ 치우다 das Zimmer sauber auf|räumen.

② 《완전히》 einfach; kurz 《kürzer, am kürzesten》; leicht; auf leichte Weise; schlechthin (솔직이); ohne weiteres. ¶ ~ 거절하다 glatt 《glätter, am glättesten》 〔rundweg〕 ab|schlagen*[4] / ~ …하다 nicht zu weit treiben*[4]; [4]sich bescheiden* 《*mit*[3]》; mäßig sein 《*in*[3]》 / 우리는 ~ 항복했다 Wir ergaben uns nur allzu bereitwillig. / ~ 손을 끊다 s-e Hände in Unschuld waschen* / ~ 단념하다 auf [4]*et.* ohne weiteres verzichten; glattweg preis|geben*[4]; schlankweg auf|geben*[4]; einfach verzichten 《*auf*[4]》 / ~ 잊다 *jm.* [4]*et.* einfach vergessen* / ~ 먹어치우다 rein 〔ganz〕 auf|essen*[4] / ~ 빚을 갚다 die Schulden vollständig bezahlen / 원한을 ~ 잊어버리자 Der Groll sei gewesen u. vergessen! / ~ 속았다 Ich wurde glatt beschwindelt.

깨끗잖다 ① 《더럽다》 schmutzig; dreckig; staubig; unordentlich; nicht gut aufgeräumt (sein). ¶ 깨끗잖은 방 ein schmutziger Raum, -(e)s, ¨e; ein nicht (gut) aufgeräumtes Zimmer, -s, - / 깨끗잖은 사람 ein unordentlicher Mensch, -en, -en; Dreckskerl *m.* -s, -e; Lumpenkerl *m.* / 깨끗잖은 여자 die unordentliche Frau, -en; das schmutzige Weib, -(e)s, -er. ② 《몸이》 nicht wohl; unwohl; nicht beisammen; krank (sein). ¶ 몸이 ~ [4]sich unwohl fühlen; 《월경 중》 Menstruation haben; menstruieren; unwohl sein 《von Frauen》.

깨끗하다 ① 《순결》 rein; sauber; klar; 《결백》 unschuldig; keusch; unverdorben; schuldlos; unbescholten; 《고결》 edel; edelmütig; platonisch (sein). ¶ 깨끗한 마음 das reine 〔unschuldige〕 Herz, -ens, -en / 깨끗한 처녀 das keusche 〔unschuldige〕 Mädchen, -s, - / 깨끗한 한 표 e-e ehrliche (Wahl)stimme, -n / 깨끗한 사람 der unschuldige 〔schuldlose〕 Mensch, -en, -en / 깨끗한 사랑 die platonische 〔reine〕 Liebe, -n / 깨끗한 승부 das feine 〔faire〕 Spiel, -(e)s, -e / 마음이 깨끗한 사람은 행복하다 Ein Mensch von reinen Herzen ist glücklich. / 그는 ~ Er ist unschuldig.

② 《정하다》 rein; sauber; klar; nett; niedlich; reinlich; ordentlich (sein). ¶ 깨끗하게 하다 reinigen[4]; säubern[4]; rein 〔sauber〕 machen; nett 〔niedlich〕 machen; 《정돈》 in Ordnung bringen*; ordnen[4]; auf|räumen[4] / 깨끗한 공기 die reine 〔klare〕 Luft, ¨e / 깨끗한 옷 das schöne Kleid, -(e)s, -er / 깨끗한 처녀 das schöne 〔hübsche〕 Mädchen, -s, -.
③ 《미끈하다》 schlank; dünn; 《말쑥하다》 sauber; rein; unbefleckt (sein). ¶ 방을 깨끗하게 치우다 das Zimmer in Ordnung bringen* / 그는 언제나 옷차림이 ~ Er ist immer sauber gekleidet.

④ 《몸이》 wohl; erleichtert; erfrischt (sein). ¶ 몸이 ~ [4]sich erleichtert fühlen; [4]sich erfrischt fühlen; 《병에서 회복되다》 ganz wohl sein; wieder vollständig gesund 〔genesen〕 sein.

깨끼 《깨끼옷》 Frühsommerkleidung 《*f.*》 für Damen, die mit Seidengaze gefüttert u. mit kunstvollen Rändern gesäumt ist; so ausgestattete Damenjacke, -n (저고리).

깨끼춤 e-e Art gemeiner 〔wollüstiger〕 Tanz 《*m.* -es, ¨e》.

-깨나 gerade weil...; gerade wegen[2]; deswegen; darum; daher; somit. ¶ 힘~ 쓴다고 덤비려는 거냐 Willst du mich doch angreifen, gerade weil du kräftig bist? / 집~ 있다고 뻐기는 거냐 Bist du so hochnäsig, weil du dein eigenes Haus hast? / 그는 돈~ 있다고 까분다 Er spielt sich nur auf, weil er Geld hat.

깨나다 ① 《소생》 wieder lebendig werden; wieder auf|leben Ⓢ; wieder zur Besinnung kommen* Ⓢ; 《기절 상태에서》 wieder zu sich kommen* Ⓢ; wieder zum Bewußtsein kommen* Ⓢ. ¶ 아무를 깨나게 하다 *jn.* wieder|beleben; *jn.* wieder zur Besinnung bringen*.

② 《미몽에서》 aus e-m Wahn erwachen.

깨나른하다 ☞ 께느른하다.

깨다[1] ① 《잠·꿈·술에서》 auf|wachen Ⓢ; erwachen Ⓢ; wach werden. ¶ 깨어 있는 동안 während der Stunden des Wachens / 깨어 있다 wachen; wach sein / 잠 〔미몽〕 에서 ~ aus dem Schlaf 〔s-m Wahn〕 erwachen/ 술이 ~ [4]sich ernüchtern; nüchtern werden / 나는 이상한 소리에 잠을 깼다 Ich wurde von seltsamen Geräuschen geweckt. / 오늘 아침 7시에 깼다 Ich bin heute morgen um 7 Uhr erwacht.

② 《지적으로》 kultiviert 〔zivilisiert; aufgeklärt〕 werden; *js.* Augen offnen. ¶ 신교육을 받아 사람들이 깼다 Die Leute wurden durch neue Erziehung aufgeklärt.

③ 《돌 따위를》 hauen*[4]; zerbrechen*[4]; zerschlagen*[4]; zerschmettern[4]. ¶ 돌을 ~ Steine hauen*/ 유리를~ Glasscheiben zerbrechen*.

④ 《흥을》 verderben*[4]. ¶ 흥을 ~ *jm.* die Lust 〔ein Vergnügen〕 《*zu*[3]》 verderben*.

깨다[2] 《부화되다》 brüten; ausgebrütet werden; 《부화시키다》 aus|brüten[4]. ¶ 알이 깨는 데는 3주일이 걸린다 Es dauert drei Wochen, gebrütet zu werden.

깨단하다 *jm.* plötzlich klar sein; alles 〔die Einzelheiten〕 plötzlich verstehen*; [4]*et.* plötzlich erkennen* 〔ein|sehen*〕.

깨닫다 ① 《알다》 begreifen*[4]; erfassen[4]; ein|sehen* (통찰); klarsehen*[4]; verstehen*[4]; *jm.* ein|leuchten; 《알아차리다》 merken[4]; [3]sich bewußt[2] werden; gewahr[4·2] werden; dahinter|kommen* Ⓢ; Scheuklappen fallen* Ⓢ 《*jm.*》; 《낌새챔》 Wind bekommen* 《*von*[3]》; den Braten riechen*; wittern[4]. ¶ 깨닫지 못하고 ohne bemerkt zu werden; unbemerkt/ 뜻을 ~ die Bedeutung verstehen* / 진리를 ~ e-e Wahrheit erkennen* / 잘못을 ~ s-n Fehler ein|sehen*; s-n Irrtum 〔s-s Irrtums〕 gewahr werden / 눈을 보고 남의 생각을 ~ *jm.* den Gedanken 〔die Absicht〕 von Augen 〔vom Auge〕 ab|lesen*; in s-m Blick lesen*, was man denkt / 그렇구나 하고 ~ den Braten riechen; es [3]sich gesagt sein lassen* (명심하다) / 이만하면 그도 깨달을 것이다 Das wird ihm e-e Lehre sein.

② 《미리》 ahnen[4]; empfinden*[4]; e-e Ahnung 〔Witterung〕 bekommen*; ein dunkles Vorgefühl haben 《*vor*[3]》; die Lunte 〔den Braten〕 riechen* 《*von*[3]》; Verdacht fassen 〔hegen〕 《*gegen*[4]》. ¶ 닥쳐 오는 위험을 ~ kommende Gefahr ahnen.

③ 《종교적으로》 zur Erleuchtung gelangen Ⓢ. ¶ 종교적으로 깨닫게 하다 *jm.* geistig erleuchten; *js.* Geist erleuchten; *jn.* religiös erwecken.

깨두드리다 zerschmettern[4]; zerschmeißen*[4]; zerbrechen*[4].

깨드득 knacks!; mit e-m Knack; krachend.

깨떡 mit Sesam bedeckter Reiskuchen, -s,-.

깨뜨리다 ① 《좌절시키다》 stören[4]; brechen*[4]; vernichten[4]; zerstören[4]. ¶ 평화를 ~ den Frieden stören / 구습을 ~ e-n alten Brauch außer acht lassen*; [4]sich über alter Gepflogenheit hinweg|setzen / 약속을 ~ das Versprechen brechen* / 희망을 ~ e-e Hoffnung vernichten (zerstören).
② 《부수다》 (zer)brechen*[4]; ein|schlagen*[4]; zerschlagen*[4]. ¶ 접시를 ~ e-n Teller zerschlagen* / 유리창을 ~ e-e Fensterscheibe ein|schlagen* / 침묵(기록)을 ~ das Schweigen (e-n Rekord) brechen* / 도둑이 창문을 깨뜨리고 들어왔다 Der Dieb ist durch ein Fenster eingebrochen.

깨물다 ① 《물다》 ab|beißen*[4]. ¶ 혀를 ~ [3]sich die Zunge ab|beißen* / 끄나풀을 깨물어 끊다 den Strick entzwei|beißen* / 손톱을 ~ die Nagel (an den Nägeln) kauen / 입술을 ~ [3]sich auf (in) die Lippe beißen*. ② 《깨뜨리다》 knacken[4]. ¶ 호두를 ~ e-e Nuß mit den Zähnen knacken.

깨소금 mit Salz gemischte Sesamsamen 「《*pl.*》.

깨알 Sesamkorn *n.* -(e)s, ⸚er; Sesamsame *m.* -ns, -n. ¶ ~ 같다 so klein wie Sesam sein/~ 같은 글씨 ein winzigklein geschriebener Buchstabe, -ns, -n / 동정심이라곤 ~ 만큼도 없다 nicht das geringste (nicht im geringsten) Mitleid 《mit *jm.*》 haben.

깨우다 ① 《잠을》 auf|wecken[4]; (er)wecken[4]; auf|rufen* (-|rütteln)[4]. ¶ 잠을 ~ *jn.* aus dem Schlaf erwecken; aus dem Schlaf(e) (an|)rufen* (rütteln) / 내일은 몇 시에 깨워 드릴까요 Wann soll ich Sie morgen früh wecken? / 아무리 깨워도 일어나지 않았다 Trotz wiederholten Rufs wurde er nicht wach. / 내일 아침 일찌기 깨워 주시오 Bitte wecken Sie mich morgen früh!
② 《미몽에서》 erwecken 《*jn.*》; ernüchtern[4]; enttäuschen 《*jn.*》. ¶ 미몽을 ~ *jn.* aus e-m Wahn erwecken (reißen*) / 무지에서 ~ *jn.* auf|klären; *jm.* den Star stechen*.
③ 《술에서》 ernüchtern[4].

깨우치다 *jn.* aus e-m Wahn erwecken; *jm.* die Augen öffnen; *jn.* zur Besinnung bringen*; wieder zu sich kommen lassen*; 《사리를》 unterscheiden*[4]; wissen*[4]; verstehen*[4]. ¶ 아무의 과오를 ~ *jn.* aus s-m Irrtum reißen* / 예의를 ~ zu leben wissen* / 주종 관계를 ~ wissen*, wie man sich gegen s-n Herrn zu verhalten hat / 양자의 구별을 깨우쳐야 한다 Man muß streng zwischen den beiden unterscheiden.

깨이다 ① 《잠이》 auf|wachen Ⓢ; erwachen Ⓢ; (vom Schlaf) wach werden. ② 《부화되다》 ausgebrütet werden; brüten. ③ 《부화케 하다》 brüten lassen*.

깨죽(—粥) mit Sesampulver zubereiteter Schleim, -(e)s, -e.

깨지다 ① 《단단한 것이》 (zer)brechen* Ⓢ; knacken; splittern Ⓢ,ⓗ; zerschellen Ⓢ (산산이); zerbrochen werden; zum Bruch kommen* Ⓢ. ¶ 깨지기 쉬운 zerbrechlich; brüchig; spröde / 깨어진 조각 Bruchstück *n.* -(e)s, -e; Gebröckel *n.* -s, -.
② 《계획·교섭·흥 따위가》 mißlingen* Ⓢ; mißglücken Ⓢ; verdorben werden. ¶ 깨어진 사랑 verlorene Liebe / 흥이 깨졌다 Die Lust ist verdorben. / 계획은 깨지고 말았다 Der Plan ist ins Wasser gefallen. / 그의 꿈은 허무하게 깨어져 버렸다 Sein Traum ging leider nicht in Erfüllung.

깨지락- ☞ 께지럭-.

깨치다 ① 《이해》 auf|fassen; begreifen*[4]; verstehen*; (er)lernen[4] (배워서); 《종교적으로》 zur Erleuchtung gelangen Ⓢ; es kommt *jm.* e-e Erleuchtung. ¶ 요령을 ~ Kunstgriffe kennen|lernen. ② ☞ 깨뜨리다.

깩 grell schreiend; kreischend; laut aufschreiend. ~하다 grell schreien*; kreischen; laut auf|schreien*.

깩깩 wiederholt laut schreiend; immer wieder aufschreiend. ¶ ~ 소리지르다 immer wieder auf|schreien*; wiederholt kreischen; wiederholt laut auf|schreien*.

깩깩거리다 kreischen; quietschen. ¶ 깩깩거리는 quietschend / 깩깩거리는 소리 die kreischende (quietschende) Stimme, -n.

깩소리 das Murren*, -s; das Klagen*, -s; das Nörgeln*, -s; Einspruch *m.* -(e)s, ⸚e; Protest *m.* -(e)s, -e. ¶ ~ 못 하다 überhaupt k-n Einspruch (Protest) erheben können* 「《*gegen*[4]》.

깰깩거리다 gicksen.

깰깰거리다 kichern (u. kichern).

깻묵 Rückstand 《*m.* -(e)s, ⸚e》 der Sesamölpressen; Öl¦kuchen (Raps-) *m.* -s, -.
‖ 콩~ die ausgepreßte Bohne, -n; Bohnenabfall *m.* -(e)s, ⸚e.

깻송이 Sesamkolben *m.* -s, -.

깻잎 Sesamblatt *n.* -(e)s, ⸚er.

꺵 wimmernd; stöhnend; jammernd; winselnd. ~하다 wimmern; stöhnen; jammern; winseln.

꺵꺵 wimmernd; winselnd; stöhnend. ~하다, ~거리다 wiederholt wimmern (winseln; stöhnen).

꺵꺵이풀 e-e Art Berberitzenbeerenbusch 《*m.*》; *Plagiorhegma dubium* (학명).

꺄룩 den Hals vorstreckend (ausstreckend); e-n langen Hals machend. ~하다 (den Hals) vor|strecken.

꺄룩거리다 e-n langen Hals machen; den Hals vor|strecken (aus|-).

꺄룩꺄룩 den Hals wiederholt vorstreckend.

꺅 ☞ 꺽.

꺅도요 〖조류〗 e-e Art Schnepfe 《*f.* -n》.

꺼꾸러- ☞ 거꾸러-.

꺼꾸로 ☞ 거꾸로.

꺼끄러기 Bart *m.* -(e)s, ⸚e; Granne *f.* -n.

꺼끙그리다 Getreide in e-r Mühle enthülsen.

꺼내다 ① 《속의 물건을》 heraus|bringen*[4] (-|tragen*[4]); retten[4] (불 났을 때); hinaus|bringen*[4] (-|tragen*[4]) ※ heraus-는 「안에서 제 앞으로」; hinaus-는 「안에서 밖으로」. ¶ 주머니에서 돈을 ~ Geld aus der Tasche nehmen* / 방에서 가구를 ~ die Möbel aus dem Zimmer tragen* / 은행에서 돈을 ~ Geld aus e-r Bank ziehen*. ② 《말·문제를》 vor|bringen*[4]; vor|legen[4]; vor|tragen*[4]; aufs Tapet (zur Sprache) bringen*[4](이야기를); vor|schlagen*[4](제안하다). ¶ 회의에서 안건을 ~ e-e Sache in e-r Sitzung vor|tragen* / 아무도 말을 꺼내지 못했다 K-r wagte e-n Wink zu geben. ¦ Niemand hatte den Mut,

darauf hinzudeuten.
꺼당기다 ziehen*⁴; zerren⁴. ¶아무의 소매를 ~ *jn.* am Ärmel zupfen.
꺼두르다 (*jn.* am Haar) fassen (greifen*) u. schleppen (ziehen*); greifen* u. schwenken; packen u. herum|stoßen*.
꺼둘리다 (am Haar) gefaßt u. gezogen (geschleppt) werden; gegriffen u. herumgestoßen werden.
꺼드럭- ☞ 거드럭-.
꺼들다 auf|nehmen*⁴ (-|heben*⁴; -|picken⁴). ¶치맛자락을 ~ den Rand des Rockes auf|heben* (hoch|-) / 책상의 한 귀퉁이를 ~ die Tischecke auf|heben* (hoch|-).
꺼들먹- ☞ 거드럭-.
꺼떡- ☞ 거드럭-.
꺼뜨리다 (Feuer) aus Versehen löschen; Feuer löschen (ausgehen; verlöschen) lassen*.
꺼러기, 꺼럭 ☞ 꺼끄러기.
꺼리다 ①《피하다》 vermeiden*⁴; schüchtern⁴; 《두려워하다》 ⁴sich fürchten 《*vor*³》; 《삼가다》 ⁴sich enthalten* 《*von*³》. ¶남의 눈도 꺼리지 않고 ohne Rücksicht auf die anderen/ 남의 눈을 ~ vor anderen schüchtern sein. ②《싫어하다》 nicht mögen*⁴ (wollen*⁴); nicht lieben⁴; nicht gern haben⁴; von ³sich weisen*⁴; Abneigung hegen 《*gegen*⁴》. ¶그녀는 그를 꺼린다 Sie will ihn nicht. / 그는 그 일을 꺼린다 Er liebt die Arbeit nicht./ 꺼리는 딸을 시집보냈다 Sie verheiratete ihre Tochter gegen deren Willen. ③《주저》 zögern 《*mit*³》; zaudern; schwanken; unschlüssig sein; Bedenken tragen*. ¶꺼리지 않고 ohne Zögern; ohne weiteres; ohne Bedenken/꺼리지 않다 k-n Bedenken tragen*; ⁴sich nicht scheuen / 목적을 이루는 데는 아무 것도 꺼리지 않는다 Er scheut vor nichts, um s-n Zweck zu erreichen. ④《타부시(視)》 tabuieren⁴.
꺼림(칙)하다 *jm.* am Herzen liegen*; *jm.* nicht aus dem Sinne kommen*[s]; besorgt sein 《*um*⁴; *wegen*²》; Sorge haben 《*um*⁴》; ⁴sich beunruhigen 《*über*⁴; *wegen*²》; Angst haben 《*vor*³》; ein böses Gewissen haben. ¶시험 결과가 ~ Mir bangt vor dem Ausgang des Examens. / 그 문제가 꺼림칙해서 잠을 잘 수가 없다 Die Sache lastete auf m-r Seele, u. ich konnte nicht schlafen.
꺼매지다 ☞ 거매지다.
꺼머멀쑥하다 ☞ 까마말쑥하다.
꺼머번드르하다, 꺼머번지르하다 dunkel u. weich (zart); dunkel u. glatt (sein).
꺼멓다 ☞ 거멓다.
꺼벙하다 groß, aber schwach; groß, aber unzuverlässig (sein).
꺼병이 ①《새끼꿩》 das Junge* 《-n, -n》 des Fasans. ②《사람》 häßliche Person, -en, -en.
꺼오다 hinein|ziehen*⁴; hinein|schleppen*.
꺼지다 ①《불·등불이》 (er)löschen* [s]; verlöschen* [s]; aus|gehen* [s]; ausgelöscht werden (화재 등); ausgeblasen werden (바람에). ¶불(램프, 등불, 촛불, 담뱃불)이 ~ Das Feuer (die Lampe, das Licht, die Kerze, die Zigarre) geht aus (verlischt) / 불이 꺼지지 않도록 하다 das Feuer nicht ausgehen lassen*; das Feuer unterhalten*/ 바람에 촛불이 꺼졌다 Das Kerzenlicht wurde vom Winde ausgeblasen. / 불은 곧 꺼졌다 Das Feuer ist bald bewältigt worden. ②《소멸하다》 vergehen* [s]; verfliegen* [s] (구름이나 연기가); unter|gehen* [s] (몰락, 멸망); ab|sterben* [s] (사멸). ¶자연히 ~ von selbst aus|sterben* [s].
③《움푹》 (ein|)sinken* [s]; versinken* [s]; ein|fallen* [s]. ¶움푹 꺼진 볼 hagere (eingefallene; hohle) Wangen 《*pl.*》 / 땅 속으로 ~ in den Boden versinken* [s] / 배가 ~ hungrig werden; Hunger haben / 얼음이 ~ das Eis bricht / 지진으로 땅이 꺼졌다 Die Erde hat durch das Erdbeben Risse bekommen.
④《사람이》 verschwinden* [s]. ¶꺼져 Verschwinde!¦Weg mit dir!¦Mach, daß du fortkommst!
꺼칠꺼칠하다 rauh; rauhhaarig (머리카락이); rissig; ritzig (살가죽이 터서); roh (천 따위); 《닦이지 않은》 ungeschliffen (sein).
꺼칠하다 ausgemergelt; erschöpft; abgemagert; hager; abgezehrt; mager (sein). ¶꺼칠한 얼굴 hageres Gesicht, -(e)s, -er.
꺼펑이 Decke *f.* -n; Bedeckung *f.* -en; Überzug *m.* -(e)s, ¨e; Haube *f.* -n.
꺼풀 ☞ 까풀.
꺽 rülpsend.
꺽꺽하다 hart; rauh; grob; zäh; 《맛이》 herbschmeckend (sein).
꺽두기 ①《나막신》 Holzschuh *m.* -(e)s, -e. ②《가죽신》 eingeölter Lederschuh.
꺽둑거리다 in ungleiche Scheiben schneiden*⁴.
꺽둑꺽둑 in ungleiche Scheiben schneidend. ¶무를 ~ 썰다 Rettich in ungleiche Scheiben schneiden*.
꺽저기 〖어류〗 e-e Art Barsch 《*m.* -(e)s, -e》; *Coreoperca kawamebari* (학명).
꺽죽거리다 ⁴sich vor|drängen; ⁴sich wichtig machen; ⁴sich auf|spielen; wichtig tun*; an|geben*; prahlen; ⁴sich als Sachverständiger auf|spielen. ¶꺽죽거리는 젊은이 der sich vordrängende Bursche, -n, -n; vorwitziger junger Kerl, -s, -e.
꺽짓손 drastische Maßnahme, -n; drastisches Mittel, -s, -; heldische Maßnahme. ¶~세다 fähig sein, drastische Maßnahme zu treffen; heldisch sein; unüberwindlich sein.
꺾꽂이 Ableger *m.* -s, -; Absenker *m.* -s, -; Setzling *m.* -s, -e; Steckling *m.* -s, -e. ~하다 ab|legen⁴; ab|senken⁴.
꺾다 ①《부러뜨리다》 (ab|)brechen*⁴; (ab|-) pflücken⁴. ¶꽃을 ~ e-e Blume 《-n》 ab|brechen* / 나뭇가지를 ~ e-n Zweig vom Baum ab|brechen*/나무를 꺾지 마시오 Das Publikum wird ersucht, nicht die Bäume zu verletzen.
②《길을》 biegen*⁴; herum|gehen*[s] 《*um*⁴》; ein|biegen*⁴ 《*in*⁴》; ⁴sich wenden*. ¶오른쪽으로 ~ ⁴sich nach rechts wenden* / 커브를 ~ e-e Kurve nehmen*.
③《접다》 (zusammen|)falten*; zusammen|legen; brechen*⁴. ¶종이를 ~ Papier zweifach falten / 옷깃을 ~ den Kragen um|klappen.
④《기를》 entmutigen⁴; ein|schüchtern⁴; verzagt machen⁴; (den Stolz) beugen; (das Herz) brechen*; nieder|schlagen*⁴; nieder|drücken⁴; entkräftigen⁴. ¶거만한 콧대를 ~ *js.* ⁴Stolz beugen; *jn.* demütigen / 희망을 ~ *js.* Hoffnung zunichte machen / 기세를 ~ besiegen⁴; *jn.* zu ³Boden schlagen* / 적의 기세를 ~ dem feindlichen Angriff ener-

gischen Einhalt tun*; scharfen Angriff des Feindes durch listigen Gegenwehr vereiteln.

꺾쇠 (Eisen)klammer *f.* -n; Krampe *f.* -n; Bankeisen *n.* -s, -(의자 따위를 벽에 고정시키는). ‖ ~묶음, ~괄호 eckige Klammer.

꺾어지다 ① 《단단한 것이》 brechen* ⓢ; abgebrochen werden. ¶ 배 돛대가 ~ der Mast des Schiffes ist gebrochen / 축이 꺾어졌다 Die Achse brach. ② 《접히다》 ⁴sich falten lassen*; zusammenklappbar sein. ¶ 옷깃이 좀처럼 꺾어지지 않는다 Der Kragen läßt sich nicht umklappen.

꺾이다 ① 《부러지다》 brechen*ⓢ; abgebrochen werden. ¶ 나뭇가지가 바람에 꺾였다 Der Zweig ist durch den Wind gebrochen. ② 《기가》 verzagen 《an³》; entmutigt werden; eingeschüchtert werden; den Mut verlieren*. ¶ 기가 ~ kleinlaut 〔gedemütigt; niedergeschlagen〕 werden / 그는 꺾이고 말았다 Er wurde zu Boden geschlagen. / 적의 기세가 꺾였다 Die Macht des Feindes wurde gebrochen. / 그의 거만한 코가 꺾였다 Es wurde ihm eins auf die Nase gegeben. / 그는 한 번의 실패로 기가 꺾일 그런 남자는 아니다 Er läßt sich durch e-n einzigen Fehlschlag nicht einschüchtern. ③ 《길이》 ⁴sich wenden*; ⁴sich kehren. ¶ 길이 왼쪽으로 ~ die Straße wendet sich nach links. ④ 《접히다》 ⁴sich falten lassen*; zusammenlegbar sein. ¶ 둘로 ~ ⁴sich doppelt falten 〔lassen*〕.

꺾임새 Falte *f.* -n; Falz *m.* -es, -e.

꺾자(一字) ① 《문서 부호》 ein Zeichen wie der koreanischer Buchstabe „ㄱ", der am Rand e-r Urkunde geschrieben ist u. „wie oben" bedeutet. ② 《지우는 줄》 das Ausstreichen*, -s (e-s Wortes, e-r Zeile); das Durchstreichen*, -s (e-s Wortes, e-r Zeile). ~놓다 〔치다〕 (e-e Zeile) streichen*; durch|streichen*⁴.

껄껄 ha! ha! laut. ¶ ~ 웃다 in ein schallendes 〔wieherndes〕 Gelächter 〔Lachen〕 aus|brechen*ⓢ; ein lautes Gelächter erheben*; herzlich lachen; 〖속어〗 ⁴sich scheckig lachen.

껄껄거리다 wiehernd lachen; laut 〔schallend〕 lachen; lauthals lachen.

껄껄하다 rauh; ritzig; gesprungen (sein). ¶ 껄껄한 목소리 e-e (rauhe) Stimme wie ein Reibeisen / 껄껄한 피부 rauhe Haut, ⸚e / 혀가 ~ m-e Zunge ist rauh / 손이 터서 ~ Meine Hände sind rauh u. gesprungen.

껄끄럽다 ① 《거칠다》 uneben rauh; grob (sein); ⁴sich rauh an|fühlen〖물건이 주어〗. ② 《따끔거리다》 prickend; stechend; stachlig (sein). 「Fäden.

껄끄렁베 Hanf 《*m.* -s》 in dicken, groben

껄끄렁벼 Reiskörner 《*pl.*》 mit Grannen.

껄끔거리다 ⁴sich rauh an|fühlen〖사물이 주어〗; rauh(haarig) sein. ¶ 껄끔거리는 rauh; rissig; rauhhaarig; borstig.

껄떡이 e-e habsüchtige Person, -en.

껄떡하다 (durch Hunger *od.* Müdigkeit) erschöpft; abgezehrt (sein).

껄렁껄렁하다 schlecht; arm; wertlos; nichtswürdig; kitschig (sein). ¶ 껄렁껄렁한 물건 wertloses Zeug, -(e)s; kitschige Sachen 《*pl.*》 / 껄렁껄렁한 사내 Taugenichts *m.* -(es), -e; Lump *m.* -en, -en; Tunichtgut *m.* -(e)s, -e.

껄렁이 Tunichtgut *m.* -(e)s, -e; Taugenichts *m.* -(es), -e; Schuft *m.* -(e)s, -e; bösartiger Charakter, -s, -e.

껄렁패 dumpfe Masse, -n; Lausbuben 《*pl.*》; Schlingel 《*pl.*》.

껄렁하다 ☞ 껄렁껄렁하다.

껄머리 der Haarwulst 《-es, ⸚e》 (aus falschen Haaren), den die Braut bei der Hochzeit aufsetzt.

껄쭉거리다 ☞ 깔쭉거리다.

껄쭉껄쭉 grob; rauh 《anzufassen》.

껌 Kaugummi *n.* 〔*m.*〕 -s, -s. ¶ 껌을 씹다 Kaugummi kauen. ‖ 풍선껌 Blasegummi *n.* 〔*m.*〕 -s, -s.

껌껌하다 ① 《암흑》 dunkel; finster; lichtlos; stock¦finster 〔-dunkel〕 (sein). ¶ 껌껌한 곳 dunkler Ort, -(e)s, -e / 껌껌한 밤 dunkle Nacht, ⸚e / 껌껌해지기 전에 bevor es dunkelt 〔dunkel wird〕; noch vor ³Eintritt der Dunkelheit; vor Einbruch der Nacht. ② 《마음이》 schwarz; boshaft; arglistig; übelgesinnt; schlau; listig (sein).

껌다 ☞ 검다¹.

껌벅 ☞ 끔벅.

껌정 ☞ 검정.

껍데기 《조개의》 Schale *f.* -n; 《달걀의》 Eierschale *f.* -n. ☞ 껍질.

껍질 《곡식류의》 Hülle *f.* -n; Hülse *f.* -n; Schale *f.* -n; Schote *f.* -n; 《조개》 Schale *f.*; 《호도 등의》 Nußschale *f.*; 《벗은 허물》 die abgeworfene 〔von ³sich geworfene〕 Haut, ⸚e; 《나무》 Rinde *f.* -n; 《귤》 Mandarinenschale. *f.* ☞ 껍데기. ¶ ~을 벗기다 ab|häuten⁴; (ab|)schälen⁴; schinden*⁴ / 짐승 ~을 벗기다 e-m Tiere die Haut ab|streifen / 나무 ~을 벗기다 e-n Baum ab|rinden / 귤 ~을 벗기다 e-e Mandarine schälen / 감자 ~을 벗기다 e-e Kartoffel schälen.

-껏 ① 《있는 대로 다》 bis zum Äußersten; mit äußerster Kraftanstrengung; bis zum Ende; so viel wie möglich; *js.* bestes; so viel wie einer kann; aufs beste. ¶ 힘껏 다하다 alles auf|bieten*; sein Äußerstes tun* 〔geben*〕 / 힘껏 일하다 so viel möglich arbeiten / 정성껏 대접하다 *jn.* so gut wie möglich behandeln 〔empfangen*〕 / 양껏 먹다 so viel wie möglich essen* / 욕심껏 먹다 ⁴sich voll|stopfen 《mit Speise》 / 마음껏 울다 steinerweichend heulen / 재간껏 하다 sein Bestes tun*. ② 《까지》 bis (jetzt). ¶ 여태껏 한 것이 이것뿐이다 Das ist alles, was ich bis jetzt getan habe. / 그 애가 여태껏 울고 있다 Das Kind heult jetzt noch. / 여태껏 오지 않았다 Er ist noch nicht gekommen.

껑 《거짓말》 Lüge *f.* -n; Verlogenheit *f.* -en; Lügengewebe *n.* -s, -. ¶ 껑을 까다 *jm.* Romane erzählen; *jm.* e-n Bären auf|binden*; das Blaue vom Himmel herunter|lügen*.

껑거리 ein Pferdgeschirr, das aus zwei Riemen u. e-m Stock besteht. ‖ ~끈 Schwebe¦riemen 〔Schwanz-〕 *m.* -s, -. ~막대 der Stock, mit dem ein Pferd angeschirrt wird.

껑짜치다 ⁴sich unbeholfen fühlen; verlegen sein; ⁴sich beschämt fühlen.

껑충껑충 auf u. ab; hin u. her. ¶ ~ 뛰다 hin u. her hüpfen ⓢ; auf u. ab tanzen; 《기뻐

서》 Freudensprünge machen; hüpfend herum|laufen* ⓢ.

껑충하다 groß u. schlank; lang u. dünn (sein). ¶키가 껑충한 사내 ein großer u. schlanker Mann, -(e)s, ⸚er / 두루미는 다리가 ～ Der Kranich hat lange u. dünne Beine.

께[1] 《에게》 für *jn.*; an *jn.* (gerichtet); *jm.* (gewidmet). ¶한 선생님께 An Herrn *Han* / 내가 아버님께 책을 드렸다 Ich habe dem Vater ein Buch gegeben.

께[2] ① 《때》 ungefähr (etwa) um die. Zeit; gegen[4]; um...herum. ¶4월 말께 gegen Ende April. ② 《장소》 ¶…께(에) in der Nähe von...; nahe 《*an*[3]; *bei*[3]》 / 그 학교는 남대문께 있다 Die Schule befindet sich in der (Um)gegend von *Namdaemun*.

께끄름하다 〖사람이 주어〗 [4]sich unangenehm fühlen; unbefriedigt sein; unzufrieden sein; 〖사물이 주어〗 *jm.* nicht zu|sagen; *jm.* unangenehm sein. ¶이렇게 번역을 하였지만 어쩐지 ～ Ich habe diesen Satz so übersetzt, aber das sagt mir nicht zu.

께끼다 ① 《절구질할 때》 überfließende Körner wieder in den Mörser hin|schütten. ② 《노래·말을 할 때》 in den Chor ein|stimmen; im Chor mit|singen*; dann u. wann e-e Bemerkung ein|werfen*.

께느른하다 ermüdend; überdrüssig; matt; träge; schlaff; trübe; trübsinnig; schwermütig (sein). ¶께느른함 die allgemeine Mattigkeit / 오늘은 어쩐지 ～ Ich bin heute zu matt, *et.* zu tun. / 오늘밤은 어쩐지 ～ Heute abend ist mir trübsinnig zumute.

께서 von *jm.* ¶아버지～ 주신 돈 das Geld, das ich vom Vater bekommen habe.

께저분하다 ☞ 게저분하다.

께적- ☞ 께지럭-.

께적지근하다 ☞ 게적지근하다.

께죽거리다 ① 《투덜대다》 murren; brummen; nörgeln 《über [4]*et.*》; *jm.* grollen. ② 《음식을》 die Speise appetitlos immer wieder kauen; wie auf Schuhnägeln kauen.

께죽께죽 《투덜대는 꼴》 grollend; brummend; murrend; nörgelnd; 《되씹는 꼴》 Speisen ohne besondere Eßlust immer wieder kauend.

께지럭거리다 [4]Teile von verschiedenen Gerichten unappetitlich essen* (이것 저것). ¶애들이 께지럭거린 찌꺼기 die Speiseüberreste der Kinder.

께지럭께지럭 unlustig; gleichgültig; mit wenig Interesse; gelangweilt; wider Willen; müßig; trödelnd.

껙껙 laut (grell) schreiend; aufschreiend; kreischend. **～하다** kreischen; laut auf|schreien*.

껴안다 [4]sich (einander) umarmen (umfassen; umschlingen)(서로); [4]sich *jm.* in die Arme werfen*; umklammern[4]; umschlingen*[4]; *jm.* um den Hals fallen* ⓢ (목에 매달림); in die Arme schließen*[4]; unter dem Arm (in den Armen) halten*[4] (tragen*[4]). ¶목을 ～ [4]sich *jm.* an den Hals (an|-) klammern; *jm.* um den Hals fallen* ⓢ / 어린애를 ～ das Kind in den Armen halten* / 서로 ～ einander umarmen / 두 사람은 서로 껴안고 울었다 Die beiden umfaßten einander u. weinten.

껴입다 Kleider 《*pl.*》 übereinander tragen*. ¶두껍게 ～ dick (schwer; warm) gekleidet sein ([4]sich an|ziehen*).

꼬기꼬기 in Falten gezogen; zerknittert. ☞ ⌊꼬깃꼬깃.

꼬기다 ☞ 구기다[2].

꼬깃거리다 zerknautschen[4]; zerknittern[4].

꼬깃꼬깃 ☞ 꼬기꼬기.

꼬꼬마 ① 《옛제도》 Quaste *f.* -n; der Büschel zum Schmuck aus Pferdehaar. ② 《장난감》 Kinderspielzeug aus in Büscheln gebundenen Federn od. Papier, das am Ende e-r Schnur in der Luft geschwungen wird.

꼬끼댁 gackernd; gackelnd (nachdem die Henne ein Ei gelegt hat). **～거리다** gackern; gackeln. ¶～ 소리 das Gackern*, -s; das Gackeln*, -s.

꼬끼오 kikeriki!; das Kikeriki 《-s, -s》 des Hahnes. ¶닭이 ～하고 운다 Die Hähne 《*pl.*》 rufen kikeriki.

꼬느다 ① 《들다》 in die Höhe heben*[4]; auf|-heben*[4]; mit ausgestreckten Händen in die Höhe heben*[4]. ¶어린애를 한손으로 ～ ein Kind mit e-r Hand auf|heben*. ② 《벼르다》 heimtückische Pläne schmieden u. *jm.* nach|stellen. ¶꼬느기만 해서 무슨 소용이 있느냐 Wozu nützt es, nur Pläne zu schmieden? ③ =꾢다.

꼬다 ① 《끈을》 drehen[4]; flechten*[4]; zusammen|drehen[4]; zwirnen[4] (실 따위를). ¶꼰 줄 geflochtene Schnur, ⸚e; Borte *f.* -n / 꼰 실 Zwirn *m.* -(e)s, -e; ein gezwirnter Faden, -s, ⸚ / 새끼를 ～ ein Seil drehen / 팔을 ～ die Arme verdrehen (um|drehen) / 다리를 ～ die Beine übereinander|schlagen*. ② ☞ 비꼬다.

꼬다케 gleichmäßig; ebenmäßig. ¶불이 ～ 붙고 있다 Feuer brennt gleichmäßig (ruhig).

꼬드기다 ① 《부추기다》 verführen 《*jn. zu*[3]》; verleiten 《*jn. zu*[3]》; an|fachen[4] (선동하다); auf|hetzen 《*jn. zu*[3]》; auf|reizen 《*jn. zu*[3]》; schüren 《*jn*》; überreden 《*jn. zu*[3]》 (설득하다). ¶사람을 꼬드겨서 소동을 일으키다 andere zum Aufstand an|stacheln / 남의 딸을 꼬드겨서 도망을 쳤다 Er hat die Tochter e-s andern entführt. ② 《연줄을》 die Schnurr 《-en》 der Papierdrache ziehen*.

꼬락서니 Figur *f.* -en. ☞ 꼴[1]. ¶～가 한심하다 e-e miserable Figur ab|geben*.

꼬랑이, 꼬랑지 =꼬리.

꼬르륵 ☞ 꾸르륵.

꼬리 Schwanz *m.* -es, ⸚e; Lunte *f.* -n (여우 등의); Rad *n.* -(e)s, ⸚er (칠면조 등의 벌린); Rute *f.* -n (개, 여우 등의); Schweif *m.* -(e)s, -e (공작, 살별 등의); Stutzschwanz (토끼, 사슴 등의); Wedel *m.* -s, - (길게 끌리는 것). ¶～를 치다 mit dem Schwanz wedeln; schweifwedeln; liebedienern (비위를 맞춤); um den Bart streichen* 《*jm.*》 (비위를 맞춤) / ～를 잡다 bei e-m Fehler ertappen 《*jn.*》 / ～를 이어 e-r nach dem andern; in rascher Folge; ununterbrochen / ～를 잡히다 die Polizei kommt *jm.* auf die Spur / ～가 길면 밟힌다 《속담》 „Neun u. neunzigmal geht es gut."

꼬리보 〖건축〗 „Schwanzbalken" (=an e-m Ende gebogener Balken, -s, -).

꼬리표(一票) Anhänger *m.* -s, -; Anhängeschild *n.* -(e)s, -er. ¶～를 달다 den Anhänger (an)heften 《*an*[4]》.

꼬마 ① 《사람》 Dreikäsehoch *m.* -s, -(s); Zwerg *m.* -(e)s, -e. ② 《소형》 Miniatur *f.* -en; Knirps *m.* -es, -e; Klein-; Taschen-.

‖ ~인형(人形) Kleinpuppe *f.* -n. ~자동차 Kleinauto *n.* -s, -s. ~전투함 Miniaturschlachtschiff *n.* -(e)s, -e; Taschenkreuzer *m.* -s, -.

꼬무락- ☞ 구무럭-.

꼬바기 ununterbrochen; ohne *jn.* zu verlassen. ¶한 밤을 ~ 새우다 kein Auge zu|tun*; e-e schlaflose Nacht verbringen*; die ganze Nacht ohne Schlaf (schlaflos) bleiben*Ⓢ; durch die Nacht hindurch wach bleiben*Ⓢ / 그 여자는 ~ 붙어서 병자의 시중을 들었다 Sie pflegte den Kranken, ohne ihn auch nur e-n Augenblick zu verlassen. / 그 환자에는 의사가 ~ 붙어 있다 Der Arzt ist ununterbrochen bei ihm.

꼬박[1] nickend; ⁴sich verbeugend; den Kopf senkend 《als Gruß》. ~하다 《졸다》 ein|schlummern Ⓢ; ein|nicken Ⓢ; ein|schlafen* Ⓢ; 《고개를》 nicken; ⁴sich verbeugen; Verbeugung machen. ¶책을 읽다가 ~ 졸다 über dem Buch ein|schlafen*Ⓢ / ~ 절을 하다 nicken; ⁴sich verbeugen 《*vor*³; *gegen*⁴》; mit dem Kopf knicksen 《*vor*³》.

꼬박[2] ☞ 꼬바기.

꼬박꼬박 ①☞꾸벅꾸벅. ②《순종》 folgsam; fügsam; (untertänig) gehorsam; 《지체없이》 unverzüglich; unverweilt; ohne ⁴Verzug; wie verabredet (약속대로). ¶어른의 말을 ~ 듣다 s-m Älteren fügsam gehorchen; s-m Vorgesetzten untertänig gehorsam sein / ~ 지불하다 pünktlich zahlen; die Zahlungsfrist ein|halten*. ③《기다림》 gespannt wartend 《auf *jn.*》.

꼬부라뜨리다 biegen*⁴; krümmen⁴; krumm biegen*⁴ (machen⁴).

꼬부라지다 《꾸부러지다》 ⁴sich krümmen (winden*); ⁴sich schlängeln(굽이치다); 《굽어 있다》 geschlängelt (gewunden; verschlungen) sein. ¶꼬부라진 길 verschlungener Weg, -(e)s, -e; Windungen 《*pl.*》(꼬불꼬불한) / 꼬부라진 나무 gewundener Baum, -es, ⸚e / 허리가 꼬부라진 노인 der gebeugte Alte*, -n, -n / 그는 늙어서 허리가 꼬부라졌다 Er ist vom Alter gebeugt. / 길은 여기서 꼬부라진다 Der Weg macht (bildet) hier e-e Kurve.

꼬부랑글자(一字) 《졸필》 die schlechte Handschrift, -en; das schlechte Schreiben, -s.

꼬부랑꼬부랑 gekrümmt; gebeugt; sich hier u. da krümmend; sich hier u. da windend. ~하다 krumm; gebeugt (sein); sich hier u. da krümmen; sich hier u. da winden*; sich schlängeln; sich in Windungen fort|bewegen; mäandern; schlangenartig (sein). ¶~한 길 der verschlungene (gewundene) Pfad, -(e)s, -e; der ⁴sich schlängelnde Weg, -(e)s, -e / 길이 바위 사이를 ~ 누비고 있다 Der Weg schlängelt sich durch die Felsen. / 그 ~한 길이 산마루까지 뻗어 있다 Der verschlungene Pfad führt bis auf den Gipfel des Berges.

꼬부랑늙은이 der vom Alter gebeugte Mann, -(e)s, ⸚er (남자); die vom Alter gebeugte Frau, -en(여자); der Alte*《-n, -n》, der e-n krummen Rücken hat.

꼬부랑할머니 die Alte*《-n, -n》, die e-n krummen Rücken hat.

꼬부리다 biegen*⁴; krümmen⁴; krumm machen⁴; beugen⁴; neigen⁴. ¶허리를 ~ ⁴sich bücken; ⁴sich (nieder|)beugen / 철사를 ~ Draht krumm machen.

꼬부장꼬부장 (⁴sich) schlängelnd; windend.

꼬부장하다 ①《물체가》 ein bißchen gebogen (gekrümmt; gekurvt) (sein). ¶꼬부장한 나뭇가지 der ein bißchen gebogene Zweig, -(e)s, -e / 허리가 ~ Die Taille ist ein bißchen krumm. ②《마음이》 verdreht; unehrlich; boshaft; verrucht; ungezogen; unzufrieden; unbefriedigt 《*mit*³》(sein). ¶속이 ~ verdreht sein.

꼬불거리다 gewunden (verschlungen) sein; ⁴sich schlängeln. ¶길이 여기서부터 꼬불거리기 시작한다 Der Weg beginnt sich von hier an zu schlängeln.

꼬불꼬불 zickzack; windend. ~하다 verkrümmt; gewunden; (⁴sich) schlängelnd; geschlängelt; windend; verbogen (sein); im Zickzack laufen* Ⓢ; ⁴sich im Zickzack winden*. ¶~한 windend; gewunden; schlängelnd; geschlängelt; schlänglig / 길은 ~ 위로 올라간다 Die Straße windet sich im Zickzack in die Höhe.

꼬불탕하다 krumm (sein); 《꼬불탕꼬불탕하다》 im Zickzack (ver)laufen* Ⓢ.

꼬붓- ☞ 구붓-.

꼬빡 ☞ 꼬박, 꼬바기.

꼬빡거리다 ☞ 꾸벅거리다.

꼬이다 ⁴sich verdrehen; ⁴sich verbiegen*; 《일이》 verwickeln; schlecht gehen* Ⓢ; gehen* Ⓢ; 《마음이》 verdrießlich (ärgerlich; mürrisch) werden. ¶꼬인 verdreht; verkrümmt; verschroben; verkrüppelt; 《마음이》 querköpfig; bösartig; verderbt / 배배 꼬인 나뭇가지가 재미있다 Ein Baum mit gebogenen (verklüppelten) Zweigen ist interessant. / 넥타이가 꼬여 있다 Die Krawatte hat sich verschoben. / 근성이 꼬여 있다 Er hat e-n bösartigen widerspenstigen Charakter.

꼬장꼬장하다 ①《가는 것이》 gerade (aufrecht) u. stark (sein). ②《노인이》 kerzengerade u. stark; tatkräftig; lebensvoll; frisch u. gesund; gesund u. munter (sein). ¶칠십 노인이 아직 ~ Der (Die) Siebzigjährige ist trotz seines (ihres) hohen Alters noch gesund u. munter. ③《성미가》 streng; hart; unerbittlich; unnachgiebig (sein). ¶성미가 ~ e-n unnachgiebigen Charakter haben.

꼬집다 ①《살을》 kneifen*⁴; zwicken⁴. ¶볼을 ~ *jm.* in die Backe kneifen*; *jn.* in die Wange zwicken / 꼬집어서 멍이 들게 하다 *jn.* braun u. blau zwicken / 팔을 ~ *jn.* in den Arm kneifen.
②《비꼬다》 ungünstig (scharf) kritisieren (besprechen*); schlecht reden 《*von*³》; *jm.* Übles (Böses) nach|reden; boshafte Bemerkungen machen. ¶꼬집히다 ungünstig (scharf) kritisiert werden / 꼬집어 말하다 e-e böse (schnippische) Bemerkung machen / 신문지상에서 꼬집히면 사업에 영향이 미친다 E-e ungünstige Kritik in der Zeitung beeinflußt das Geschäft.

꼬창모 〖농업〗 Reisverpflanzung (Pikieren) mit Hilfe e-s Pflanzholzes (Pikierholzes).

꼬챙이 Speil *m.* -s, -e; Speile *f.* -n; Speiler *m.* -s, -; 《꼬치의》 (Brat)spieß *m.* -es, -e. ¶~에 꿰다 speile(r)n / ~에 꿰어 굽다 am Spieß rösten⁴ (braten*⁴).

꼬치 Spieß *m.* -es, -e. ☞ 꼬챙이. ¶고기를 ~에 꿰어 굽다 Fleisch am Spieß braten*.

꼬치꼬치 ①《세세히》 auf Einzelheiten; bis

auf den Grund. ¶ ~ 캐묻다 *jn.* nach ³*et.* aus|fragen / ~ 파고 들다 auf ⁴Einzelheiten (ins Detail [detái]) ein|gehen*Ⓢ; eingehend (bis auf den Grund) untersuchen⁴; Haarspalterei treiben*; peinlich genau sein; kleinkrämerisch (silbenstecherisch) sein; *jn.* aus|fragen. / 그녀는 그것을 ~ 캐물었다 Sie fragte mich nach dieser Angelegenheit aus.
② 《여윔》 sehr; viel; weit. ¶ ~ 마르다 spindeldürr sein; mager wie e-e Spinne sein; zum Skelett abgemagert sein / 그녀는 ~ 말랐다 Sie ist so dünn wie ein Faden.

꼬투리 ① 《담배의》 Zigarettenrest *m.* -es, -e (궐련의); Zigarettenstummel *m.* -s, - (엽궐련의). ¶ ~를 털다 die Asche aus der Pfeife klopfen.
② 《발단》 Original *n.* -s, -e; Ursprung *m.* -(e)s, ⸚e; Quelle *f.* -n; Anfang *m.* -(e)s, ⸚e; Grund *m.* -(e)s, ⸚e; Ursache *f.* -n. ¶ 아무 ~도 없이 ohne allen (vernünftigen) Grund / …을 ~로 삼아 aus dem Grund, daß…; unter dem Vorwande / ~를 캐다 *jn.* nach dem Grund fragen / 그렇게 된 ~는 뭐냐 Wie kam das?
③ 《깍지》 Schote *f.* -n; Hülse *f.* -n; Schale *f.* -n. ¶ ~ 완두 Schotenerbsen 《*pl.*》 / ~를 까다 enthülsen⁴; entschoten⁴ / 잠두의 ~를 까다 Saubohnen enthülsen.

꼭 ① 《틀림없이》 bestimmt; gewiß; sicher (-lich); notwendigerweise (필연적으로); unvermeidlich(불가피하게); immer; stets(늘); auf jeden Fall; auf alle Fälle (어떻든); ✱ 그 외 부정문+관계대명사+부정사; 부정문+ohne ... zu...; 부정문+ohne daß+접속법 제2식 jeder; all을 사용하여 나타낸다. ¶ 꼭 말해야 한다면 wenn Sie darauf bestehen / 한 번은 꼭 보아두어요 Sie müssen es einmal gesehen haben. / 꼭 오겠다 Ich komme bestimmt (ganz sicher). / 그는 꼭 아이들에게 선물을 사가지고 돌아온다 Nie kommt er nach Hause, ohne etwas den Kindern zu bringen (ohne daß er etwas den Kindern brächte). / 부탁하신 일 꼭 전하겠읍니다 Ich werde nie verfehlen, den Auftrag auszurichten. / 그것은 꼭 해야만 한다 Es muß auf jeden Fall gemacht werden. / 돈은 다소나마 꼭 보내드리겠읍니다 Ich will Ihnen auf alle Fälle etwas Geld schicken. / 무슨 일이 있으면 그는 꼭 나타난다 Wenn etwas los ist, ist er immer dabei. / 꼭 약속합니다 Ich stehe dafür ein. ¦ Ich verspreche es Ihnen. ¦ Ich gebe Ihnen die bestimmte Versicherung. / 꼭 오시오 Kommen Sie auf jeden Fall! ¦ Vergiß nicht zu kommen! / 꼭 와주게 Du mußt unbedingt kommen. / 그는 매달 꼭 지불한다 Er bezahlt jeden Monat pünktlich. / 계산이 꼭 들어맞는다 Die Rechnung stimmt ganz genau.
② 《바싹》 stark; fest; kräftig. ¶ 꼭 묶다 fest binden*⁴ / 손을 꼭 쥐다 *jm.* die Hand pressen / 꼭 껴안다 (⁴sich) fest um|armen⁽⁴⁾ / 꼭 짜내다 stark aus|ringen* (das Wasser aus dem Tuch) / 방을 꼭 걸어 잠그다 das Zimmer fest ab|schließen* / 뚜껑을 꼭 닫다 fest zu|decken⁴; fest mit e-m Deckel verschließen*.
③ 《똑》 gerade; eben; genau; punkt. ¶ 꼭 그 순간에 gerade in dem Augenblick / 꼭 4시에 punkt um 4 Uhr / 꼭 한가운데 genau in der Mitte / 꼭 좋은 때 gerade zur rechten Zeit / 이 모자는 꼭 맞는다 Dieser Hut paßt mir gerade gut. / 이것과 꼭 같은 천이 있어요 Gibt es genau dasselbe Muster wie dieses? / 꼭 1년이 된다 Es ist gerade ein Jahr her. / 꼭 먹기 좋다 Das ist eben recht gar zum Essen.
④ 《어울림》 fest; genau; gut. ¶ 꼭 맞다 *jm.* gut stehen*; gut zueinander passen / 그 직책은 그에게 꼭 알맞는다 Er ist für dieses Amt ganz geeignet.

꼭꼭¹ 《정확》 genau; akkurat; exakt; korrekt; 《시간》 pünktlich; fristgemäß; 《지체없이》 unverzüglich; unverweilt; ohne ⁴Verzug; wie verabredet(약속대로); regelmäßig (규칙적으로). ¶ ~ 지불하다 pünktlich zahlen; die Zahlungsfrist ein|halten* / 회계가 ~들어 맞다 Die Kasse stimmt aufs Haar. / ~ 3시에 genau (pünktlich) um drei (Uhr) / 그 시계는 ~ 맞는가 Geht d-e Uhr genau? / ~숨어라 Versteckt euch gut!

꼭꼭² 《암탉이》 gluck! gluck! gluck! **~하다, ~거리다** glucken.

꼭대기 《산 따위의》 Gipfel *m.* -s, -; Spitze *f.* -n; 《나무의》 Wipfel *m.* -s, -; Krone *f.* -n; 《머리의》 Scheitel *m.* -s, -. ¶ 탑~ die Spitze des Turmes / 산~에 auf dem Gipfel e-s Berges / 머리~에서 발끝까지 vom Scheitel bis zur Sohle / 나무~까지 오르다 bis zum Wipfel e-s Baumes hinauf|klettern.

꼭두놀리다 e-e Marionette 《-n》 tanzen lassen*.

꼭두새벽, 꼭두식전 ¶ ~에 am frühen Morgen; in der Morgendämmerung; in den frühen ³Morgenstunden.

꼭두서니 〖식물〗 Krapp *m.* -(e)s; Färberröte *f.* -n.

꼭둑각시 (Draht)puppe *f.* -n; Marionette *f.* -n; Werkzeug *n.* -(e)s, -e; Handlanger *m.* -s, -. ¶ ~를 놀리는 사람 Puppen¦spieler (Marionetten-) *m.* -s, - / ~를 놀리다 mit ³Puppen spielen / 아무의 ~ 노릇을 하다 *jm.* als Werkzeug dienen.
‖ **~놀음** Puppenspiel *n.* -(e)s, -e.

꼭뒤 《뒤통수의》 die Rückseite des Kopfes; Hinterhaupt *n.* -(e)s, ⸚er; Hinterkopf *m.* -(e)s, ⸚e; 《활의》 Bogeneinschnitt *m.* -(e)s, -e.

꼭뒤누르다 *jn.* in der Gewalt haben; *jn.* kontrollieren; *jn.* völlig unter s-n Einfluß stellen.

꼭뒤눌리다 völlig unter *js.* Kontrolle stehen*; völlig unter *js.* Einfluß stehen*.

꼭뒤잡이하다 ① *js.* Hinterkopf packen (fassen). ¶ 서로 ~ ⁴sich (einander) packen (fassen). ② 《씨름》 den Gegner zu Boden werfen* (durch das Packen des Hinterkopfs von einem Gegner beim Ringen).

꼭뒤지르다 vereiteln⁴ (좌절시키다); durchkreuzen⁴; 《용기를》 entmutigen⁴; ein|schüchtern⁴; beugen⁴; brechen*⁴; nieder|schlagen*⁴; *jm.* zuvor|kommen*(선수치다). ¶ 사기를 ~ den Mut erschüttern / 거만한 코를 ~ *js.* Stolz brechen* / 희망을 ~ *js.* Hoffnung zunichte machen / 적의 예봉을 ~ dem feindlichen Angriff energischen Einhalt tun*.

꼭뒤질리다 vorweggenommen werden; im voraus aufgekauft werden 《von *jm.*》. ¶ 그 책을 사려다 다른 사람한테 꼭뒤질렸다 Ich wollte das Buch kaufen, aber jemand hat es im voraus aufgekauft.

꼭지 ① 《수도 따위의》 Hahn *m.* -(e)s, ⸗e; 《물통 따위의》 Spund *m.* -(e)s, ⸗e. ¶ 물통에 ~를 끼우다 das Faß spunden (spünden) / 물통 ~를 빼다 das Faß auf|spunden (auf|-spünden) / 수도 ~를 틀어서 물을 빼다 (멈추다) den Hahn auf|drehen (ab|drehen) / 수도 ~를 잠그다 den Hahn zu|drehen.
② 《식물의》 Kelch *m.* -(e)s, -e. ¶ ~가 떨어지다 die Frucht ist reif; die Frucht fällt; 《비유적》 selbständig (unabhängig) sein; [4]sich etablieren.
③ 《연의》 das mondförmige Zeichen auf dem Kopf der Papierdrache.
④ 《두목》 Haupt *n.* -(e)s, ⸗er; Leiter *m.* -s, -; Führer *m.* -s, -; Vorstand *m.* -(e)s, ⸗e.
⑤ 《도리깨 꼭지》 der Zapfen 《-s, -》 des Dreschflegels.
⑥ 《묶음》 Büschel *m.* -s, -; Bündel *n.* -s, -. ¶ 다리 한 ~ ein Bündel von falschen Haaren / 미역 세 ~ drei Büschel von Riementang.

꼭하다 ehrlich bis zur Verstocktheit; einfältig u. ehrlich (sein).

꼰질꼰질하다 übergenau; peinlich genau; peinlich sorgfältig; minutiös (sein).

꼲다 e-e Zensur (Note) geben* (erteilen) 《*jm.*》; zensieren[4]; mit e-r Zensur (Note) begutachten[4].

꼴[1] ① 《풍채》 Erscheinung *f.* -en; Anblick *m.* -(e)s, -e; der äußere (An)schein, -(e)s; Aussehen *n.* -s; das Äußere*, -n; die äußere Gestalt, -en; Miene *f.* -n. ¶ …꼴을 한 (aus-)sehend; den Anblick von … bietend / 꼴이 나쁜(사나운) schlecht (aus)sehend; e-n verdächtigen Anblick bietend / 꼴이 좋은 gut (wohl) aussehend (gekleidet); von guter Figur (Gestalt).
② 《경멸적》 Gesicht *n.* -(e)s, -er; Anblick *m.* -(e)s, -e; Aussehen *n.* -s. ¶ 꼴이 아니다 blaß (schlecht) aus|sehen*; k-e Farbe haben; häßlich sein; mißgestaltet sein; armselig gekleidet sein / …인 꼴에 …을 하다 [3·4]sich als …getrauen, [4]*et.* zu tun; [3]sich als … an|maßen, [4]*et.* zu tun / 꼴 좋다 Das geschieht dir (ganz; schon) recht.¦Das hast du verdient!¦Er verdient es nicht besser!/ 무슨 꼴이냐 Du steckst ja schön drin!¦Was sehe ich (hier), du Schlamper! / 꼴 보기 싫다 Sein bloßer Anblick ist mir zuwider. / 선생 꼴이 말이 아니다 Das Ansehen des Lehrers ist gänzlich vernichtet.

꼴[2] 《풀》 Futter *n.* -s, -; Furage [furá:ʒə] *f.*; Trockenfutter *n.* -s; Heu *n.* -(e)s. ¶ 말에게 꼴을 먹이다 ein Pferd 《*n.* -es, -e》 füttern / 꼴을 베다 mähen[4].

-꼴 《비율》 Verhältnis *n.* ..nisses, ..nisse; Proportion *f.* -en; Rate *f.* -n. ¶ …의 꼴로 zum Preis (Kurse; Satze) von[3]…(값, 시세 따위); im Verhältnis von[3]… / 하루 100원 꼴로 지불하다 100 *Won* pro Tag bezahlen.

꼴간(—間) Heu¦schuppen *m.* -s, - (-scheune *f.* -n).

꼴깍 ☞ 꿀꺽.

꼴꼴 Blasen aufwerfend; wallend; glucksend; schwätzend; murmelnd.

꼴꾼 Grasmäher *m.* -s, -.

꼴다 《den Penis; das Glied; den Schwanz》 steif machen. ¶ 좆을 ~ den Penis (Schwanz) steif machen; e-n Steifen bekommen lassen*.

꼴딱- ☞ 꿀떡-.

꼴뚜기 Oktopode *m.* -n, -n (*f.* -n); Octopus *m.*; Krake *m.* -n, -n; Seepolyp *m.* -en, -en. ¶ 장마다 ~ 날까 Gutes Glück wiederholt sich nicht von selbst.¦Schwein (Glück) hat man nicht immer.
‖ ~장수 Straßenhändler 《*m.* -s, -》, der Kraken verkauft; 《비유적》 der Geschäftsmann, der Pleite gemacht hat. ~젓 marinierte Kraken 《*pl.*》. ~질 das Ausstrecken* 《-s》 des Mittelfingers als Geste der Verachtung.

꼴랑- ☞ 꿀렁-.

꼴리다 ① 《성기가》 [4]sich auf|richten; gerade stehen*; steif werden. ¶ 좆이 ~ ein Steifen bekommen*; der Penis (das Glied; der Schwanz) wird steif. ② 《배 알이》 ungehalten werden 《*über*[4]》.

꼴머슴 Hilfsknecht *m.* -(e)s, -e.

꼴보다 *jn.* (*js.* Gesicht; *js.* Gestalt) mustern; *jn.* prüfend betrachten; *jn.* gründlich an|sehen*; beobachten, wie die Lage (Situation) ist; beobachten, wie es weiter geht; sehen, wie der Wind weht. ¶ 꼴 보니 재간이 있을 것 같지는 않다 Nach s-m Benehmen zu urteilen, scheint er überhaupt kein Talent zu haben. / 꼴보니 일이 잘 되기는 틀렸다 Nach der jetzigen Situation zu urteilen, wird sich der Plan nicht verwirklichen lassen.

꼴불견(—不見) Schäbigkeit *f.*; Unscheinbarkeit *f.*; Unansehnlichkeit *f.*; Plumpheit *f.* (볼품 없음); Ungeschicklichkeit *f.* (어울리지 않음). ¶ ~이다 = 꼴사납다.

꼴사납다 häßlich; schlecht; schändlich; unwürdig; unansehnlich; unscheinbar; mißgestaltet (un-); miß¦förmig (un-); plump; entstellt; 《만듦새가》 ungeschlacht (sein). ¶ 꼴사나운 모습 e-e unförmige Gestalt / 꼴사나운 여자다 Sie ist mißgestaltet.¦Sie hat e-e plumpe Gestalt. / 꼴 사나운 행동 das ungehörige Benehmen*, -s / 꼴사납게 굴다 [4]sich schlecht benehmen* / 꼴사납구나 Schäme dich! / 그는 언제나 꼴사나운 복장을 하고 있다 Er ist immer unansehnlich gekleidet.

꼴싸다 Kleiderstoff falzen, so daß beide Seiten gleich breit sind; Kleiderstoff zu gleicher Länge falzen.

꼴짝 ① 《소리》 Laut, der beim Zermalmen (Zerquetschen) entsteht; quatsch!; quatschend. ~하다 zermalmen; zerquetschen. ② 《우는 모양》 schluchzend. ~하다 schluchzen.

꼴짝거리다 wiederholt zerquetschen; wiederholt schluchzen.

꼴찌 der Letzte*, -n, -n; der Unterste*, -n, -n; Ende *n.* -s, -n(최후). ¶ ~에서 2번째 (3번째) 사람 der Vorletzte* (der Drittletzte*) / 그는 맨 ~였다 Er war der Letzte (Unterste) (in) s-r Klasse.(클라스의)¦Er kam zuletzt (als Letzter). (꼴찌로 오다) / 그는 ~로 졸업했다 Er absolvierte die Schule als der erste von hinten.

꼼꼼장이 der korrekte Mensch, -en, -en; der sehr ordentliche Mensch.

꼼꼼하다 korrekt; genau; ordentlich; sorgsam(빈틈이 없다); sorgfältig(신중); pünktlich(시간의 정확); penibel; peinlich genau (너무); gewissenhaft (양심적); pedantisch (sein). ¶ 꼼꼼하게 mit Sorgfalt; bis ins Kleinste / 꼼꼼한 사람 der korrekte (der

∼하다 in der Blütezeit ein kaltes Wetter haben.

꽃송이 Blüte *f.* -n; Blumenbüschel *m.* (*n.*) -s, -.

꽃수레 der mit Blumen geschmückte Wagen, -s, -; Prunkwagen *m.* -s, -; Festaufzug *m.* -(e)s, ⁼e (행렬). ¶ ∼의 행렬이 거리를 행진했다 E-e Reihe mit Blumen geschmückter Wagen fuhr die Straßen entlang. ¦ Ein Festzug fand auf den Straßen statt.

꽃술 〖식물〗 das Staubblatt 《-(e)s, ⁼er》 der Blume.

꽃식물(一植物) Blütenpflanze *f.* -n; Phanerogame *f.* -n; Blumengewächs *n.* -es, -e.

꽃쌈 《내기》 e-e Art Wettspiel mit Blumen; 《화전》 Wettkampf mit Blumen. ∼하다 Wettspiel mit Blumen spielen.

꽃잎 Blumen¦blatt (Blüten-) *n.* -(e)s, ⁼er. ¶ ∼이 넷 있는 quadrablumenblätterig / ∼이 없는 blumenblattlos.

꽃자동차(一自動車) ＝꽃수레.

꽃자루 Blumenstengel *m.* -s, -; Blütenstiel *m.* -(e)s, -e. ☞ 꽃대.

꽃자리 die gemusterte (geblümte; verzierte) Binsenmatte, -n. ☞ 꽃돗자리.

꽃전(一煎) Waffel 《*f.* -n》 aus Fettreis mit Blumenmuster.

꽃전차(一電車) der geschmückte Straßenbahnwagen, -s, -.

꽃줄기 〖식물〗 Blumen¦stengel *m.* -s, - (-stile *m.* -(e)s, -e).

꽃집 Florist *m.* -en, -en (장수); Blumenladen *m.* -s, - (⁼) (가게).
‖ ∼주인 Blumenhändler *m.* -s, -.

꽃차례 〖식물〗 Blütenstand *m.* - (e)s, ⁼e.
‖ 유한(有限)∼ der begrenzte Blütenstand, -(e)s, ⁼e.

꽃차(一車) ＝ 꽃수레.

꽃창포(一菖蒲) 〖식물〗 Schwertlilie *f.* -n; Schwertel *m.* -s, -.

꽃철 Blumen¦zeit (Blüte-) *f.* -en.

꽃팔이 Blumen¦verkäufer (-händler) *m.* -s, -; 《아가씨》 Blumen¦mädchen *n.* -s, - (-verkäuferin *f.* ..rinnen).

꽈르르 rieselnd; murmelnd. ¶ 물이 병에서 ∼ 쏟아져 나오다 Wasser rieselt murmelnd aus der Flasche.

꽈리 ① 〖식물〗 Blasenkirsche *f.* -n. ¶ ∼를 불다 e-e Blasenkirsche tönen lassen*. ② 〖의학〗 《피부의》 Blase *f.* -n.

꽉 ① 《단단히》 fest; gewaltig; heftig; kräftig; kraftvoll; energisch. ¶ 꽉 매다 fest binden*[4] / 손을 꽉 붙잡다 *jm.* die Hand drücken / 꽉 붙들다 fest greifen*[4] / 문을 꽉 닫다 die Tür fest ab|schließen* / 꽉 깨물다 (kräftig) (an|)beißen*.
② 《빽빽이》 gedrängt; zum Überlaufen voll; kompackt. ¶ 꽉 채우다 zum Überlaufen voll machen (packen); voll|pfropfen/ 꽉 차 있다 vollgepackt (vollgestropft; vollgepfropft) sein; eng gedrängt wie Hering sein / 대답이 꽉 막히다 k-e Antwort zu geben wissen* / 극장에는 사람이 꽉 차 있다 Im Theater ist es voll besetzt. / 선실은 꽉 차 있었다 Das Schiff war voll besetzt.

꽉꽉 ① 《단단히》 wiederholt zubindend (zusammenbindend); festbindend. ¶ 꽃다발을 끈으로 ∼ 동여 매다 e-n Blumenstrauß mit e-r Schnur fest|binden* / 문이 모두 ∼ 닫혀 있다 Alle Türen sind fest geschlossen (zugeschlossen; abgeschlossen; gesichert; verschlossen). ② 《가득히》 vollstopfend; so viel wie möglich hineinstopfend 《in[4]》; anfüllend; vollfüllend. ¶ 밥을 ∼ 눌러 담다 die Schüssel mit Reis voll|füllen / 방이 모두 사람으로 ∼ 들어찼다 Alle Zimmer sind (von Leuten) besetzt. ¦ Alle Zimmer sind (mit Leuten) überfüllt. ¦ Alle Zimmer sind voller Leute.

괄괄 murmelnd; hervorströmend; sich ergießend. ∼하다, ∼거리다 murmelnd rieseln [s,h]; hervor|strömen [s,h]; sich ergießen*. ¶ 샘이 ∼ 쏟아져 나오다 E-e Quelle strömt hervor.

꽝[1] 《소리》 mit e-m Bumsen (Plump). ¶ 꽝 하고 mit e-m (lauten) Knall (Krach) / 꽝 하는 한 발의 총성이 들렸다 Ein Schuß knallte. / 대포를 꽝 하고 쏜다 e-e Kanone ab|schießen* / 문을 꽝하고 닫다 e-e Tür zu|schließen* / 꽝하고 떨어지다 (mit e-m Plump) (ab|) fallen*[s] / 꽝하고 쓰러지다 (mit e-m Plump) um|stürzen[s]/꽝하고 폭발하다 (mit e-m Plump) explodieren [s,h].

꽝[2] 《추첨의》 Niete *f.* -n. ¶ 그는 제비에서 꽝을 뽑았다 Er hatte e-e Niete (gezogen).

꽝꽝 Knall auf Knall; mit wiederholten heftigen Schlägen; wiederholt knallend. ∼하다, ∼거리다 knallen. ¶ 대포가 ∼ 소리를 내다 Die Kanonen knallen wiederholt. / 총소리가 ∼ 울리다 Schüsse knallen wiederholt.

꽤 ① 《제법》 ziemlich; bedeutend; beträchtlich; erheblich; recht; sehr; in hohem Grade (Maße); erträglich; leidlich. ¶ 꽤 먼 (멀리) ziemlich weit; sehr weit entfernt (in beträchtlicher Entfernung; in weiter Ferne) / 눈이 꽤 쌓여 있다 Der Schnee liegt ziemlich hoch. / 그 환자의 병세는 꽤 호전되었다 Der Zustand des Kranken hat sich bedeutend gebessert. / 그는 그것으로 꽤 벌었다 Er hat ein Ziemliches (ein schönes Stück Geld) dabei verdient. / 금속제품의 가격이 꽤 올랐다 Die Preise der Metallwaren sind beträchtlich gestiegen. / 읍내까지는 길이 꽤 남았다 Wir haben noch weit bis in die Stadt. / 그것은 아직도 꽤 먼 앞날의 일이다 Bis dahin fließt noch viel Wasser ins Meer (den Rhein herunter).
② 《비교적》 verhältnismäßig; ganz; recht; schön. ¶ 꽤 좋다 verhältnismäßig gut sein/ 손실이 꽤 컸다 Der Verlust ist recht ernst./ 독일어가 꽤(나) 유창하다 Er spricht recht (verhältnismäßig) gut deutsch. / 그는 나이가 꽤 들었을 것이다 Er hätte schon ein schönes Alter erreichen.

꽤기 ☞ 새꽤기.

꽥 mit lautem Geschrei; gellend; quäkend. ∼하다 laut schreien*; kreischen; gellen; quäken. ¶ 꽥소리 lautes Geschrei, -(e)s; das Gellen*, -s; Gequäke *n.* -s / 꽥 소리지르다 lautes Geschrei (gellend) aus|stoßen*; kreischen; gellen / 성나서 꽥하다 *jn.* vor Wut an|schreien* / 놀라서 꽥하다 vor Schrecken schreien*.

꽥꽥 quiekernd; quakend. ∼거리다 quieke(r)n; quietschen; quaken. ¶ ∼ 소리지르다 schreien* u. schreien* / 귀머거리가 아니니 ∼거리지 마시오 Ich bin nicht taub. Schreie nicht so laut!

꽥꽥지르다 an|schreien* 《*jn.*》; an|fahren*

《*jn.*》. ¶소리를 ~ laut schreien*; an|schreien 《*jn.*》/ 빨리 오라고 소리를 ~ *jn.* an|schreien*, bald zu kommen.

꽹 klang!; kling!; kling u. klang!

꽹과리 Gong *m.* (*n.*) -s, -s. ¶~를 울리다 Gong schlagen* (läuten).

꽹나무 〖식물〗 koreanische Moosbeerenpflanze *f.* -n; *Vaccinium Koreanum* (학명).

꾀 《책략》 List *f.* -en; Kunstgriff *m.* -(e)s, -e; 《계략》 Kriegs|list (-plan *m.* -(e)s, ⸚e); 《계획》 Plan *m.* -(e)s, ⸚e; Entwurf *m.* -(e)s, ⸚e; 《의도》 Vorhaben *n.* -s, -. ¶꾀가 있는 klug; listig / 꾀가 없는 unklug; dumm / 꾀 있는 사람 listiger (kluge) Mann, -(e)s, ⸚er/ 꾀에 빠지다 ins Garn gehen* (laufen*) ⓢ 《*jm.*》; in die Falle gehen* / 꾀를 쓰다 e-e List an|wenden*; zu e-r List greifen* / 꾀를 짜내다 e-e List ersinnen*; Ränke schmieden / 꾀를 빌다 *jn.* zu Rate ziehen*; ^{3}sich bei *jm.* Rat holen / 꾀를 빌려주다 *jm.* e-e Idee bei|bringen*; *jm.* e-n Rat erteilen / 일에 꾀가 나다 der ^{2}Arbeit müde werden / 꾀가 다하다 mit der Weisheit zu Ende sein / 제 꾀에 제가 넘어가다 in e-e selbst gegrabene Falle fallen* ⓢ/ 정말 꾀가 있다 Er ist ganz Weisheit.

꾀까다롭다 ☞ 괴까다롭다.

꾀꼬리 „Singvogel" *m.* -s, ⸚; Triller Pirol *m.* -s, -e; die koreanische Nachtigall, -en.

꾀꼴꾀꼴 trillernd; wiederholt schlagend. ~하다 trillern; wiederholt schlagen*; singen*.

꾀꾀 ¶얼굴이 ~ 마르다 Sein Gesicht ist abgezehrt. / 병으로 몸이 ~ 마르다 wegen Krankheit ausgemergelt sein (abgezehrt sein) / 볼품 없이 ~ 마르다 bis auf die Knochen abgemagert sein.

꾀꾀로 verstohlen; heimlich; verborgen; listig.

꾀다^{1} 《모여들다》 ^{4}sich drängen; wimmeln (schwärmen) 〖장소의 이동을 나타낼 때 ⓢ〗. ¶과자에 파리가 꾀어 있다 Auf dem Kuchen wimmelt es von Fliegen. / 그 나무에는 애벌레가 꾀어 있다 Der Baum ist voller Raupen. / 시체에 구더기가 꾀어 있었다 Die Leiche wimmelte von Maden.

꾀다^{2} 《속이다》 betrügen*^{4}; hintergehen*^{4}; 《유혹》 verlocken^{4}; verführen^{4}; 《사탕발림으로》 beschwatzen 《*jn. zu*^{3}》. ¶꾀어 내다 heraus|locken^{4} 《*aus*^{3}》/ 꾀어 들이다 ins Garn (in die Falle) hinein|locken^{4} / 여자를 ~ e-e Frau 《-en》 verführen (verlocken) / 꾀어보다 *jn.* zu locken versuchen 《*in*^{4}》/ 아무를 꾀어 나쁜 짓을 하게 하다 *jn.* zu etwas Schlechtem verführen / 아무를 돈으로 ~ *jn.* mit Geld verlocken.

꾀다^{3} ☞ 꼬이다.

꾀바르다 klug; gescheit; schlau; schlagfertig (sein). ☞ 약삭바르다.

꾀배 ¶~를 앓다 Er benimmt sich, als ob er Magenschmerzen hätte.

꾀병(一病) fingierte (vorgebliche; simulierte) Krankheit, -en; Scheinkrankheit *f.* -en; Simulation *f.* -en. ¶~부리다 (앓다) ^{4}sich krank stellen; ^{4}Krankheit vor|schützen (vor|geben*); angeblich krank sein; politisch krank sein (장관 따위가).

꾀보 e-e findige (kluge; gescheite; schlaue) Person, -en.

꾀부리다 ^{4}sich geschickt aus der Affäre ziehen*; ^{4}sich unter e-m Vorwand von ^{3}*et.* drücken; ^{3}sich ^{4}*et.* als (zur) Entschuldigung dienen lassen*; ^{4}*et.* als Vorwand benutzen; Ausflüchte machen. ¶…라고 꾀부려 unter dem Vorwand (dem Schein) von ^{3}*et.*; unter Vorspiegelung falscher Tatsachen / 아프다고 ~ ^{4}sich krank stellen; Krank spielen / 아프다고 꾀부리면서 학교에 가지 않는다 Er stellt sich krank u. schwänzt die Schule. / 이리저리 꾀만 부리고 책임을 다하지 않는다 Er drückt sich immer unter irgendeinem Vorwand von s-r Pflicht.

꾀쓰다 ① 《지략을》 ^{3}sich e-e List aus|denken*; *jm.* e-n üblen Streich spielen; Tricks an|wenden*; Ränke schmieden; e-n Plan entwerfen*. ¶꾀를 써서 적을 물리치다 e-e List an|wenden*, um die Feinde (den Feind) zurückzuschlagen. ② =꾀부리다.

꾀어내다 hinaus|locken^{4} (heraus|-) 《*aus*^{3}》. ¶어린 처녀를 ~ ein junges Mädchen entführen.

꾀어들이다 hinein|locken^{4} (herein|-) 《*in*^{4}》; an|locken^{4} (미끼로 꾀어); verleiten^{4} 《*zu*^{3}》 (못된 길로).

꾀음꾀음 (mit schönen Worten) ködernd; verführend; verleitend; anlockend. ~하다 (mit schönen Worten) verführen^{4}; in Versuchung führen^{4}; verleiten^{4}; an|locken^{4}.

꾀이다 angelockt (verführt; verleitet) werden; in Versuchung geführt werden. ¶아무한테 ~ von *jm.* verführt werden.

꾀자기 e-e arglistige (heimtückische) Person, -en. ☞ 꾀보.

꾀잠 Scheinschlaf *m.* -(e)s; verstellter Schlaf, -(e)s. ¶~(을) 자다 ^{4}sich schlafend stellen; ^{4}sich stellen (tun*), als ob man (schliefe) schlafe; ^{4}Schlaf heucheln.

꾀죄(죄)하다 schäbig; gemein; lumpig; niederträchtig; abgetragen; unordentlich; liederlich; schlampig (sein). ¶꾀죄(죄)한 옷 schäbiges Kleid, -(e)s, -er / 꾀죄(죄)한 주제 (사람) unordentliches Aussehen, -s (unordentliche Person, -en) / 꾀죄(죄)한 옷차림을 하고 있다 schäbig gekleidet sein; unordentlich angezogen sein.

꾀퉁이 =꾀자기.

꾀피우다 =꾀부리다.

꾀하다 《계획하다》 planen^{4}; e-n Plan entwerfen*; vor|haben*^{4}; 《뜻하다》 beabsichtigen^{4}; streben 《*nach*^{3}》; zielen 《*auf*^{4}》; im Auge haben^{4}. ¶공익을 ~ ^{4}sich um das Gemeinwohl bemühen / 자살을 ~ e-n Selbstmord versuchen / 사리를 ~ auf s-n Vorteil sehen* (bedacht sein) / 암살을 ~ e-n Mord planen / 자기 이익을 ~ auf s-n eigenen Vorteil bedacht sein / 아무의 편의를 ~ für *js.* Nutzen Sorge tragen* / 국가의 독립을 ~ nach nationaler Unabhängigkeit streben.

꾐 (Ver)lockung *f.* -en; Versuchung. *f.* -en (유혹). ¶…의 꾐으로 auf (die) Anstiftung 《*von*^{3}》; auf *js.* Anraten (hin) / 꾐에 빠지다 verlockt (verführt; verleitet) werden; ^{4}sich (leicht) verlocken lassen*; angelockt werden; der Versuchung unterliegen* (유혹에 지다).

꾸구리 〖어류〗 *Gobiobotia macrocephalus* (학명).

꾸기다 ☞ 구기다$^{1\cdot2}$.

꾸기적- ☞ 구기적-.

꾸다^{1} 《꿈을》 träumen 《*von*^{3}》; e-n Traum träumen (haben); es träumt *jm.* 《*von*^{3}》.

꾸다^{2} 《금품을》 borgen^{4} 《von *jm.*》; ^{3}sich

entleihen* ⟪(von) *jm.*⟫; entlehnen⁴ ⟪(von) *jm.*⟫; ³sich verschulden⁴ ⟪*jm.*⟫.

꾸드러지다 ☞ 구드러지다.

꾸들꾸들 etwas trocken u. hart. **~하다** trocken u. hart (sein). ¶ 떡이 ~하다 Der Kuchen ist trocken u. hart.

-꾸러기 e-e Person, die etwas übertreibt. ¶ 장난~ unerzogenes Kind, -(e)s, -er / 욕심~ gieriger Kerl, -(e)s, -e / 잠~ Langschläfer *m.* -s, -; Schlafmütze *f.* -n.

꾸러미 Bündel *n.* -s, -; Bund *n.* -(e)s〖복수무변화〗; Büschel *n.* -s, -. ¶ 열쇠 ~ ein Bund Schlüssel / 신문 한 ~ ein Pack Zeitungen wolle / ~를 만들다 e-n Pack (ein Paket) machen; in (ein) Bündel binden* (packen) / ~를 풀다 ⁴*et.* aus|packen; das Eingepackte* öffnen.

꾸르륵 ① ⟪뱃속이⟫ knurrend; mit Geknurre; gurgelnd. **~하다** knurren; gurgeln; rumpeln. ¶ 뱃속에서 ~ 소리가 난다 Der Magen knurrt. ② ⟪닭이⟫ gackelnd; schnatternd. **~하다** gackeln; schnattern. ③ ⟪물이⟫ gurgelnd. **~하다** gurgeln.

꾸르륵꾸르륵 ① ⟪뱃속이⟫ wiederholt (immer wieder) knurrend; immer wieder gurgelnd. **~하다** wiederholt knurren; immer wieder gurgeln. ② ⟪닭이⟫ wiederholt gackelnd; immer wieder schnatternd. **~하다** wiederholt gackeln. ③ ⟪물이⟫ immer wieder gurgelnd. **~하다** wiederholt gurgeln.

꾸리 das Rindfleisch vom Vorderschenkel.

꾸리다 ① ⟪짐을⟫ packen⁴; ein|packen⁴; verpacken⁴ (주로 발송용으로). ¶ 짐을 ~⟪포장⟫ in ⁴Kisten ⟪*pl.*⟫ verpacken / 철도편 (선편)에 맞게 ~ bahnmäßig (seetüchtig) verpacken⁴ / 어설프게 짐을 꾸린 mangelhaft (schlecht) verpackt / 트렁크의 짐을 다시 ~ den Koffer um|packen.
② ⟪일을⟫ leiten⁴; lenken⁴; verwalten⁴. ¶ 살림을 꾸려 나가다 Haushalt führen / 그 돈으로는 도저히 꾸려 나갈 수 없다 Man kann mit diesem Geld gar nicht auskommen. / 어려운 살림을 꾸려나가고 있다 Er schlägt sich schlecht u. recht durch das Leben.
③ ⟪꾸미다⟫ schmücken⁴; zieren⁴; verzieren⁴; dekorieren⁴. ¶ 방을 ~ ein Zimmer aus|schmücken / 몸을 ~ ⁴sich zieren; ⁴sich putzen; ⁴sich schmücken.

꾸며내다 ⟪조작·날조⟫ erfinden*⁴; aus|denken*⁴; erdenken*⁴. ¶ 거짓말을 ~ e-e Lüge erdenken* (erdichten) / 그 뉴스는 전적으로 꾸며낸 것이다 Die Nachricht ist frei erfunden.

꾸무럭거리다 ① zögern ⟪*mit³; über⁴*⟫; trödeln; zaudern; Bedenken hegen (tragen*). ② =꾸물거리다 ①.

꾸물거리다 ①⟪꿈틀대다⟫ ⁴sich winden*; ⁴sich hin u. her bewegen. ¶ 구더기가 ~ Würmchen winden sich. / 아파서 ~ ⁴sich krampfhaft (vor Schmerzen) krümmen. ② =꾸무럭거리다①.

꾸물꾸물 ① ⟪꿈틀댐⟫ sich windend; sich hin u. her bewegend. ② =구무럭구무럭.

꾸미 das in kleine Stücke zerschnittene Rindfleisch ⟪für Suppe *usw.*⟫.

꾸미개 Vorstoß *m.* -es, ⸗e; Schmuckband ⟪*n.* -(e)s, ⸗er⟫ aus Spitze.

꾸미다 ① ⟪완성⟫ fertig|bringen*⁴ (-|machen⁴; -|stellen⁴); vollenden⁴. ¶ 차를 ~ den Wagen fertig machen / 짚신을 ~ an Strohsandalen letzte Hand legen.
② ⟪치장⟫ schmücken⁴; (ver)zieren⁴; dekorieren⁴; ⟪장식으로⟫ aus|schmücken⁴; ornamentieren⁴; garnieren⁴; ⟪성장⟫ ⁴sich auf|-putzen (heraus|-); ⁴sich aus|staffieren. ¶ 방을 ~ ein Zimmer aus|schmücken / 몸차림을 ~ ⁴sich zieren; ⁴sich putzen; ⁴sich schmücken / 전차를 꽃으로 ~ die Straßenbahn mit Blumen dekorieren / 젊게 ~ ⟪화장⟫ ⁴sich jugendlich schminken; ⟪차림⟫ ⁴sich jugendlich an|ziehen* / 문장을 ~ den Stil schmücken / 얼굴을 ~ *js.* Gesicht schminken / 방은 아름답게 꾸며져 있다 Das Zimmer ist schön geschmückt.
③ ⟪태도⟫ affektieren⁴; ⁴sich zieren; zimpern⁴; zimperlich tun*⁴. ¶ 허울만 꾸미는 사람 Aufschneider *m.* -s, -; Angeber *m.* -s, -; Stutzer *m.* -s, -; Geck *m.* -en, -en / 태도를 ~ etwas ⁴Affektiertes an ³sich haben; ⁴sich zieren / 인덕이 있는 듯 ~ ⁴sich tugendreich stellen.
④ ⟪조작⟫ erfinden*⁴; planen⁴; schmieden⁴; aus|denken⁴; Anschläge machen; komplottieren. ¶ 꾸며낸 이야기 e-e erfundene Geschichte, -n; Erfindung *f.* -en; Erdichtung *f.* -en; Fiktion *f.* -en / 계략을 ~ Ränke ⟪*pl.*⟫ schmieden (spinnen*); Pläne ⟪*pl.*⟫ machen (fassen); im Schilde führen⁴ / 음모를 ~ Ränke schmieden (spinnen*) / 이것은 그가 꾸민 일이다 Das ist ein Plan von ihm. / 이 이야기는 하나에서 열까지 그가 꾸며낸 이야기다 Diese Geschichte hat er von A bis Z erfunden. ¦Das ist alles s-e Erfindung.
⑤ ⟪조직⟫ machen⁴; her|stellen⁴; verfertigen⁴; an|fertigen⁴; fabrizieren⁴; an|legen⁴; ⟪건조하다⟫ bauen⁴; errichten; gründen. ¶ 집을 ~ (³sich) ein Haus bauen / 나무로 책상을 ~ e-n Tisch aus Holz machen / 가정을 ~ e-e Familie gründen; ⁴sich verheiraten(혼인) / 클럽을 ~ e-n Klub gründen (bilden) / 정원을 ~ e-n Garten an|legen.
⑥ ⟪작성⟫ an|fertigen⁴; ab|fassen⁴; auf|setzen⁴; machen; ⟪문서를⟫ verfassen⁴; ⟪작곡⟫ komponieren⁴. ¶ 책을 ~ ein Buch machen (schreiben*) / 초고를 ~ e-n Entwurf machen / 시를 ~ ein Gedicht machen (schreiben*) / 곡을 ~ e-e Melodie komponieren / 규칙을 ~ e-e Regel ab|fassen (auf|setzen) / 연극을 ~ dramatisieren⁴; für die Bühne (als Schauspiel) bearbeiten / 문서를 ~ ein Dokument ab|fassen / 증서를 ~ e-n Schein schreiben*.

꾸민잠(—簪) (mit Edelsteinen) verzierter Haarpfeil, -(e)s, -e; Schmuckhaarnadel *f.* -n.

꾸민족두리 juwelenbesetzter Kopfschmuck, ⌈-(e)s, -e.

꾸밈 ⟪체함⟫ Affektiertheit *f.*; Manieriertheit *f.*; Ziererei *f.* -en. ¶ ~없다 frei von ³Manieriertheit sein; ⁴sich nicht zieren; 〖형용사적〗 schmucklos (schlicht; ungeziert; ungesucht; ungekünstelt; natürlich; ⟪솔직⟫ offenherzig; einfach; anspruchslos; einfältig; prunklos; ungeschminkt; unverholen) sein / ~없는 사람 ein schlichter (offener) Mensch, -en, -en / 그는 ~없이 말한다 Er spricht frei von der Leber weg. ¦Er redet nicht geziert.

꾸밈새 ① ⟪모양⟫ die Art u. Weise, auf die man etwas zusammensetzt (einrichtet; herstellt). ¶ ~가 훌륭하다 gut (schön) eingerichtet sein / ~가 서투르다 schlecht geschmückt sein; schlecht eingerichtet sein / 크리스마스 트리의 ~가 잘 되어 있다 Der Weihnachtsbaum ist schön geschmückt. ② 《치레》 die Art u. Weise, auf die man schmückt (verziert; putzt). ¶ ~가 예쁘다(흉하다) schön (schlecht; unpäßlich) geschmückt sein / 실내의 ~가 훌륭하게 되었다 Das Zimmer ist schön eingerichtet.

꾸벅 ☞ 꾸뻑.

꾸벅거리다 《졸다》 dösen; nicken; schlummern; 《인사하다》 mit dem Kopf knicksen 《*vor*[3]》.

꾸벅꾸벅 dösend; nickend; schlummernd. ~하다 dösen; nicken; schlummern. ¶ ~ 잠이 들다(졸다) ein|dösen (-|nicken; -|schlummern)Ⓢ.

꾸부러- ☞ 꼬부라-.

꾸불꾸불 ☞ 꼬불꼬불. ~하다 schlängelnd; geschlängelt (sein). ¶ ~한 산길 der gekrümmte Bergpfad, -(e)s, -e / 길은 ~ 산을 돌고 있다 Der Weg schlängelt sich um den Berg.

꾸뭇 ☞ 구붓.

꾸뻑 ☞ 꼬박[1]. ¶ ~ 절(인사)하다 mit dem Kopf knicksen 《*von*[3]》; e-n Knicks mit dem Kopf machen.

꾸역꾸역 gedrängt; drängend; schwärmend. ¶ ~ 모여들다 [4]sich drängen; schwärmen.

꾸이다 〔자동사적〕《꿈이》 geträumt werden; 〔타동사적〕《빌려주다》 leihen*[4] 《*jm.*》; aus|leihen*[4] (dar|-) 《*jm.*》; beleihen*[4].

꾸준하다 emsig; fleißig wie ein Bienchen; mit Bienenfleiß; mit viel Eifer; unverdrossen; arbeitsam; beharrlich; rastlos; unermüdlich (sein). ¶ 꾸준히 걷다 unverdrossen vorwärts schreiten* Ⓢ; rastlos dahin|gehen*Ⓢ / 꾸준히 공부하다 ununterbrochen arbeiten; ohne [4]Unterbrechung lernen; [4]sich emsig dem Studium widmen; 〖속어〗 büffeln; 〖속어〗 ochsen; 〖속어〗 pauken / 꾸준히 준비하다 [4]sich mit [3]Eifer an die Vorbereitungen machen.

꾸중 =꾸지람. ┌-(e)s, ⸗e.

꾸지나무 〖식물〗 Papiermaulbeerbaum *m.*

꾸지람 das Schelten*, -s; Tadel *m.* -s, -; Verweis *m.* -(e)s, -e; Vorwurf *m.* -(e)s, ⸗e; Rüge *f.* -n. ~하다 schelten*[4]; tadeln[4]; *jm.* e-n Verweis geben*; verweisen[4] 《*jm.*》; Vorwürfe machen 《*jm. wegen*[2]》; rügen[4]; *jm.* e-e Rüge erteilen. ¶ ~을 듣다 e-e Rüge bekommen*; gescholten werden / 게으르기 때문에 자주 선생님에게 ~을 듣는다 Er wird oft wegen s-r Faulheit vom Lehrer getadelt. / 나는 상사로부터 호되게 ~을 들었다 Ich habe von m-m Vorgesetzten e-n furchtbaren Anschnauzer bezogen (so 'ne große Zigarre bekommen).

꾸짖다 schelten*[4] 《*auf*[4]》; schimpfen[(4)] 《*auf*[4]》; rügen[4]; e-e Rüge erteilen[3]; *jm.* den Kopf waschen* (zurecht|setzen); *jn.* zurecht|weisen*; *jn.* in der Mache haben; *jn.* in die Zange nehmen*. ¶ 몹시 ~ aus|schelten*[4]; aus|schimpfen[4]; e-e scharfe Rüge erteilen[3]; an|schnauzen[4]; 〖속어〗 e-e dicke Zigarre verpassen / 호되게 ~ *jm.* tüchtig den Kopf waschen*; *jm.* fürchterlich den Leviten lesen* / 빨리 돌아가지 않으면 어머니가 꾸짖어 Ich muß schnell nach Hause, sonst schimpft die Mutter.

꾹 ☞ 꼭. ¶ 꾹 참고 mit unterdrückten Gefühlen; [4]sich verstellend / 꾹 참다 herunter|schlucken[4] (hinunter|-); unter|drücken[4]; 《눈물·노여움을》 ein|stecken[4].

-꾼 e-e Person, die [4]sich mit [3]*et.* beschäftigt; e-e Person, die [4]sich [3]*et.* ergibt (widmet). ¶ 씨름꾼 Ringer *m.* -s, - / 노름꾼 Spieler *m.* -s, -.

꿀 Honig *m.* -s. ¶ 꿀 단지 Honigtopf *m.* -(e)s, ⸗e / 꿀 같은 honigartig / 꿀같이 달콤한 사랑 die süße Liebe, -n / 벌집에서 꿀을 뜨다 (den) Honig aus den Waben aus|nehmen* / 꿀먹은 벙어리 e-e Person, die sich kaum *jm.* offenbaren (entdecken; an|vertrauen) will.

꿀꺽 ① 《삼킴》 mit e-m Schluck (한입에); auf e-n Zug (한모금에). ¶ ~ 마시다 herunter|schlucken[4] (약 등); (gierig) verschlingen*[4] (술을). ~하다 gierig schlucken[4]; herunter|schlucken[4]. ② 《누름》 den Zorn unterdrückend; den Ärger zurückhaltend. ¶ 눈물을 ~ 참다 die Tränen unterdrücken (zurück|halten*).

꿀꺽꿀꺽 wiederholt gierig (ver)schluckend (hinunterschlingend). ~하다 gierig verschlucken[4]; hinunter|schlingen*[4]; hinunter|würgen[4]; verschlingen*[4]; in großen Zügen trinken*; laut saufen* (saugen*). ¶ 물을 ~ 마시다 Wasser hinunter|schlucken.

꿀꿀[1] ☞ 꼴꼴.

꿀꿀[2] 《돼지가》 quiek-quiek !; quiekend. ~하다, ~거리다 quieken. ┌-(e)s, -e.

꿀꿀이 e-e gierige Person, -en; Schwein *n.*

꿀떡 《삼킴》 schlingend; verschlingend; gierig hinunterschluckend. ~하다 schlingen*; verschlingen*[4]; nieder|schlucken*. ¶ 한입에 ~ 삼키다 in e-m Zug verschlingen*[4] / 침을 ~ 삼키다 Speichel verschlucken; auf [4]*et.* großen Appetit haben; das Wasser läuft *jm.* im Munde zusammen.

꿀떡꿀떡 wiederholt verschlingend.

꿀떡거리다 wiederholt verschlingen*[4] (hinunter|schlucken[4]). ¶ 침을 ~ Speichel wiederholt hinunter|schlucken; auf [4]*et.* großen Appetit haben; nach Essen gierig sein.

꿀렁 ① 《물이》 patschend; plätschernd. ~하다 patschen; plätschern; spritzen. ② 《부풀어서》 aufgedunsen; aufgeblasen; sackartig; bauschig. ~하다 [4]sich bauschen; bauschig sein; auf|blasen*. ¶ 바지 무릎이 ~하다 Die Hose ist ausgebeutelt.

꿀렁꿀렁 ① 《흔들려 나는 소리》 planschend; plantschend; plätschernd; spritzend. ~하다 planschen; plätschern; spritzen. ② 《헐렁한 모양》 locker; lose. ~하다 locker (lose) sein.

꿀리다 ① 《옷 따위가》 Falten 《*pl.*》 werfen*; faltig werden; voller Falten sein. ¶ 꿀린 모자 der faltige Hut, -(e)s, ⸗e / 옷이 ~ Der Anzug ist voller Falten.
② 《형편이》 in finanziellen Schwierigkeiten sein; arm werden. ¶ 집안 형편이 ~ in beschränkten Verhältnissen leben / 돈에 ~ Geldschwierigkeiten haben.
③ 《켕기다》 bedrückt sein; in e-r mißlichen (bedrängten) Lage sein; in großer Verlegenheit sein; sehr ängstlich sein; in der Klemme sein; [4]sich bedrückt (bange) fühlen; besorgt sein 《*um*[4]》; [4]sich unbehaglich (ängstlich) fühlen; 《열등하다》 *jm.* nach|stehen* 《*an*[3]》; *jm.* unterlegen sein 《*an*[3]》; 《압도되다》 überwältigt werden. ¶ 위엄에

～ von der würdevollen Haltung (dem würdevollen Aussehen) überwältigt werden; ⁴sich von dem majestätischen Wesen einschüchtern lassen / 형편이 꿀리고 있다 Er ist von den Umständen niedergedrückt. / 그는 말에 ～ Er findet kein Wort mehr (ist sprachlos). / 적에 꿀린다 Man gibt dem Gegner nach.

꿀물 Honigwasser *n.* -s.

꿀벌 Biene *f.* -n; Honigbiene *f.*

꿀찌럭 plantschend; plumpsend. ～하다 plumpsen; plantschen.

꿀찌럭꿀찌럭 anhaltend plumpsend (plantschend). ～하다 anhaltend plumpsen (plantschen).

꿀풀 〖식물〗 Gauchheil *m.* -(e)s, -e.

꿇다 knie(e)n Ⓢ,ⓗ; ⁴sich knien; nieder|knie(e)n Ⓢ; ⁴sich auf die Knie werfen*. ¶ 무릎을 ～ knie(e)n Ⓢ; nieder|knien Ⓢ; ⁴sich auf die Knie werfen* 《vor *jm.*》 / 무릎을 꿇고 앉다 auf die Knie fallen* Ⓢ / 무릎을 꿇고 절하다 ⁴sich kniend verbeugen / 그녀는 오랫 동안 마리아상 앞에 무릎을 꿇고 있었다 Lange lag sie vor dem Marienbild auf den Knien.

꿇리다 ① 《무릎을》 *jn.* knien lassen*. ② 《억지로 누르다》 *jn.* auf die Knie zwingen*; *jn.* zwingen*, ⁴sich zu unterwerfen; *jn.* zwingen*, nachzugeben; *jn.* nicht aufkommen lassen*; *jn.* nieder|drücken; *jn.* erniedrigen.

꿇(어)앉다 auf die Knie fallen* Ⓢ; auf die Knie sinken* Ⓢ; auf den ³Knien liegen*.

꿈 Traum *m.* -(e)s, ⸚e; Phantasie *f.* -n [..zí:ən] (환상); Wahn *m.* -(e)s (망상). ¶ 참꿈 der wahre Traum, -(e)s, ⸚e / 개꿈 der falsche Traum / 좋은 꿈 der gute (glückliche) Traum / 불길한 꿈 unglücklicher Traum / 무서운 꿈 der quälende (böse) Traum / 꿈 같은 traumhaft; traumartig; träumerisch / 꿈 없는 traumlos; phantasielos; prosaisch / 꿈나라 Traumland *n.* -(e)s, ⸚er/ 꿈세계 Traumwelt *f.* -en / 청년 시대의(세계 여행의) 꿈 der Traum der Jugend (e-r Weltreise) / 꿈을 꾸다 träumen 《*von*³》; e-n Traum träumen (haben); es träumt *jm.* 《*von*³》 / 꿈에 보다 ⁴*et.* (*jn.*) im Traum sehen* / 꿈에서 깨다 aus dem Traum erwachen; aus dem Wahn erwachen (혼미상태에서) / 꿈 속에 살다 wie im Traum leben; die Zeit verträumen / 꿈에서 깨게 하다 *jm.* die Augen öffnen (미몽에서) / 꿈이 깨어지다 aus dem Traum gerissen werden (auf|schrecken*Ⓢ) / 즐거운 (무서운) 꿈을 꾸다 e-n schönen, süßen (beängstigenden; furchtbaren) Traum haben / 꿈꾸는 듯하다 in den Wolken schweben / 꿈이 이루어지다 ein Traum geht in Erfüllung (erfüllt sich)/ 꿈은 깨어졌다 Der Traum ist aus. / 꿈꾸는 것 같다 Es ist mir wie ein Traum. / 꿈에도 생각지 않다 nicht im Traum daran denken*; das fällt mir nicht im Traum ein/ 꿈에도 생각지 않았다 Das hätte ich mir nicht träumen lassen. / 이렇게 되리라고는 (여기에서 만나리라고는) 꿈에도 생각지 않았다 Ich habe ja nicht im Traum gedacht, daß es so kommt (Sie hier zu sehen). / 꿈이 아닌가 하고 반가와하고 있다 Er ist heillos froh (heilfroh). / 꿈은 물거품 „Träume sind Schäume."

꿈결 Traumzustand *m.* -(e)s, ⸚e; Ekstase *f.* -n. ¶ ～의 verträumt; träumerisch / ～같다 ⁴sich wie im Traum fühlen; in den Wolken schweben; im siebenten Himmel schweben / ～에 im Traumzustand; wie im Traum; schlaftrunken; traum|verloren (-versunken); träumerisch; verträumt; im Halbschlaf; im Halbschlummern / ～같이 살아가다 wie im Traum leben / ～에 듣다 träumerisch zu|hören³ / ～ 같은 인생 das träumerische Leben / 그 때를 생각하면 ～같기만 하다 Es ist mir wie ein Traum, wenn ich an jene Zeit zurückdenke. / 그녀의 모습은 ～에도 잊을 수 없다 Ich sehe ihr Bild im Schlafen u. Wachen immer vor mir.

꿈꾸다 ① 《자면서》 träumen; e-n Traum haben. ¶ 고향을 ～ von der Heimat träumen / 꿈꾸는 것 같다 zu Mute sein, als ob man träumte. ② 《은근히 바라다》 wünschen⁴; begehren⁴; verlangen⁴; träumen 《*von*³》; ³sich ⁴*et.* träumen lassen*; phantasieren⁽⁴⁾; ³sich aus|malen⁴. ¶ 영화를 ～ von e-r glänzenden Laufbahn träumen / 그런 것을 꿈꾸고 있어서는 안 된다 So was sollst du dir nicht träumen lassen.

꿈나라 Traumwelt *f.* -en; Schlaf *m.* -(e)s. ¶ ～로 가다 in Morpheus' Armen liegen* (ruhen); schlafen* / ～를 헤매는 기분이다 ⁴sich wie im Traum fühlen.

꿈땜 der Selbsttrost, daß ein Unglück lediglich die Folge e-s bösen Traumes ist, der dieses schon vorausgesagt hat. ～하다 ⁴sich damit trösten, daß ein böser Traum das Unglück schon angedeutet (vorausgesagt) hat. ¶ 우리 한국 사람은 불행을 ～으로 돌리는 습관이 있다 Wir, Koreaner, haben die Gewohnheit, unser Unglück e-m bösen Traum zuzuschreiben.

꿈자리 das Träumen*, -s; die Erscheinungen im Traum. ¶ ～가 좋다 e-n schönen (wonnigen) Traum haben / ～가 사납다 e-n häßlichen (beängstigenden) Traum haben.

꿈적- ☞ 끔짝-.

꿈쩍없다 fest; sicher; unbewegbar; unbeweglich; unverrückbar; unabänderlich; unveränderlich; unempfindlich (sein); 《태연한》 völlig gelassen bleiben* Ⓢ; ganz ruhig bleiben* Ⓢ; 《불굴의》 unbeugsam; unerschütterlich (sein). ¶ 꿈쩍없이 ohne e-e Miene zu verziehen; ruhig u. gefaßt; gelassen; unerschütterlich; furchtlos; kühn; unerschrocken; unverzagt / 나에 대한 그의 신뢰는 아직 ～ Sein Vertrauen zu mir ist noch unerschütterlich. / 지진에도 그 집은 꿈쩍없었다 Trotz des Erdbebens stand das Haus felsenfest. / 그 정도의 손해라면 이 회사는 ～ Ein solcher Verlust bedeutet nichts für diese Firma.

꿈틀 ☞ 굼틀.

꿈틀거리다 ⁴sich bewegen(움직이다); kriechen* Ⓢ,ⓗ (기다); ⁴sich krümmen (winden*)(엎치락뒤치락); von ³*et.* wimmeln (득시글거리다).

꿈틀꿈틀 zuck! zuck! ～하다 zucken; krampfhaft zittern.

꿉꿉하다 feucht; dunstig; etwas naß (sein). ¶ 꿉꿉한 공기 feuchte (dunstige) Luft, ⸚e.

꿋꿋하다 fest; stark; zäh; hart; steif; starr; solid; haltbar; unerschütterlich (sein). ¶ 꿋꿋한 결심 der feste Entschluß, ..schlusses, ..schlüsse / 의지가 꿋꿋한 남자 ein Mann von starken (eisernen) Willen.

꿍¹ ☞ 꿍꿍¹.
꿍² ☞ 쿵.
꿍꽝 《북의》 ratternd u. dröhnend; 《포탄의》 knallend u. dröhnend. **~하다, ~거리다** 《북의》 trommeln; dröhnen; 《대포가》 knallen; dröhnen; donnern; schallen. ¶ 북이 ~하다〔거리다〕 die Trommel trommelt / 북을 ~하다〔거리다〕 die Trommel heftig schlagen* / 대포가 ~하다〔거리다〕 die Kanonen knallen 〔dröhnen; donnern〕.
꿍꿍¹ 《앓는 소리》 stöhnend; ächzend. **~하다, ~거리다** stöhnen; ächzen. ¶ 병으로 ~ 앓다 wegen Schmerzen stöhnen.
꿍꿍² ☞ 쿵쿵.
꿍꿍이셈, 꿍꿍이속 ein heimlicher Plan, -(e)s, ⸚e; Ränke 《*pl.*》; versteckte Handlungsweise, -n. ¶ ~이 있다 e-n Plan im tiefsten Herzen haben; e-n heimlichen Plan haben 〔hegen〕 / 틀림없이 ~이 있다 Dahinter muß ein Geheimnis stecken.
꿍하다 ☞ 꽁하다.
꿩 〖조류〗 Fasan *m.* -(e)s, -en. ¶ 꿩사냥 Fasanenjagd *f.* -en / 한쌍의 꿩 ein Paar Fasanen / 꿩이 울지 않았더라면 총을 안맞았을 것을 Der Fasan wäre nicht geschossen worden, hätte er nicht geschrieen.
꿩의다리 〖식물〗 e-e Art Wiesenraute 《*f.* -n》; *Thalictrum aguilegifolium* (학명).
꿩의비름 〖식물〗 e-e Art Mauerpfeffer *m.* -s, - 〔Fetthenne *f.* -n〕; *Sedum alboroseum* (학명).
꿰다 ① 《구멍에》 passieren lassen*[4]; durch|lassen*[4]. ¶ 실을 바늘에 ~ e-e Nadel 《-n》 ein|fädeln. ② 《꿰어서 꽂다》 (auf)speiern[4]; (an)spießen[4]. ¶ 칼끝으로 ~ mit der Spitze des Dolches an|spießen[4]. ③ 《옷·신을》 an|ziehen*[4]; fragen*[4]; an|haben[4].
꿰뚫다 ① 《꿰어 뚫다》 spießen; (mit e-m Speer) durchbohren; durchstechen*. ¶ 창끝으로 사람의 머리를 ~ e-n Kopf mit e-r Lanzenspitze durchbohren. ② 《들추어내다》 enthüllen[4]; offenbaren[4]; auf|decken[4].
꿰뚫다 ① 《관통》 durchbohren[4]; durchdringen*[4]; durchstecken*[4]; durchstoßen*[4]; spießen[4]. ¶ 심장을 ~ 《총알·칼이》 *js.* Herz durchbohren / 강은 평야를 꿰뚫고 흐르고 있다 Der Fluß durchfließt die Ebene. / 총알은 그의 오른팔을 꿰뚫었다 Die Kugel durchbohrte ihm den rechten Arm. / 많은 운하가 그 거리를 꿰뚫어 흐르고 있다 Die Stadt ist mit vielen Kanalen durchzogen. / 그 터널을 꿰뚫는 데 1년이 걸렸다 Es dauerte ein Jahr, den Tunnel zu bohren.
② 《통찰》 Ein|blick 〔-sicht〕 haben 《*in*[4]》; Einsicht gewinnen* 〔nehmen*〕 《*von*[3]》; durchschauen[4]; ein|sehen*[4]. ¶ 나는 그의 속을 꿰뚫고 있다 Ich durchschaue ihn 〔s-e Absichten〕. / 미래 일을 ~ er liest in der Zukunft.
꿰뜨리다 brechen*[4]; platzen 〔bersten〕 lassen*[4]; ab|nutzen[4]; ab|tragen*[4]. ¶ 공을 ~ e-n Ball platzen lassen* / 옷을 ~ Kleider ab|tragen* / 창문을 ~ ein Fenster zerbrechen*.
꿰매다 nähen[4]; sticken[4]; Stiche machen; sticheln(자수); 《조각을 대어》 heften; steppen; flicken(터진 데를). ¶ 손으로 꿰맨 handgenäht / 옷을〔상처를〕 ~ ein Kleid nähen 〔e-e Wunde (zusammen|)nähen〕 / 터진 데를 ~ e-n Riß flicken / 상처를 세 바늘 ~ e-e Wunde mit drei Stichen zu|nähen / 촘촘히 ~ mit kleinen 〔feinen〕 Stichen nähen.
꿰미 ① 《끈》 die Schnur 《⸚e》 für Geldstücke, Fische, Muscheln, *etc.* ② 《꿴 것》 geschnürte Sache, -n. ¶ 돈〔생선〕 ~ e-e Schnur von Geld 〔Fischen〕.
꿰지다 ① 《터지다》 zum Platzen gebracht werden; zerbrochen 〔durchlöchert〕 werden. ¶ 타이어가 ~ ein Reifen platzt; 〖사람이 주어〗 e-e Panne haben. ② 《미어지다》 zerrissen 〔aufgetrennt〕 werden; 《해지다》 abgetragen 〔abgenutzt〕 werden. ¶ 창이 ~ das Papierfenster wird zerrissen / 봉지가 ~ ein Umschlag wird aufgerissen / 옷이 ~ Kleider werden zerrissen.
꿰찌르다 《칼 따위로》 durch|bohren[4]; durch|stechen*[4]; 《…으로》 durchstoßen* 《*mit*[3]》; 《…을》 hinein|stoßen*[4] 《*in*[4]》. ¶ 단도는 그의 심장을 꿰찔렀다 Das Dolch durchbohrte sein Herz.
꿰차다 ① 《매달다》 an|nähen[4] 《*an*[4]》; tragen*[4]. ② 《제것으로 하다》 zu eigen haben[4]; [3]sich zu eigen machen[4]; [3]sich an|eignen[4].
꽥 schreiend; gellend; kreischend. **~하다** Geschrei aus|stoßen*; (gellend) schreien*. ¶ 꽥소리 der laute 〔gellende〕 Schrei, -(e)s, -e; das Gellen*, -s / 꽥소리 지르다 schreien*; gellen; Geschrei aus|stoßen*.
꽥꽥 anhaltend schreiend; wiederholt gellend. **~하다, ~거리다** anhaltend schreien*; wiederholt kreischen; 《오리·개구리가》 quaken; „quak! quak!" schreien*; 《닭 등이》 gackern. ¶ ~ 소리지르다 anhaltend laute Schreie aus|stoßen*; anhaltend kreischen; wiederholt schreien* / 화가 나서 ~ 소리지르다 vor Wut an|schreien* / 괴로와 ~ 소리지르다 vor Schmerzen schreien*.
뀌다 entleeren[4]; aus|scheiden*[4]. ¶ 방귀를 ~ e-n (Wind) fahren lassen*.
끄나불 ① 《끈》 Schnur *f.* ⸚e; Strick *m.* -(e)s, -e. ¶ ~을 풀다 die Schnur auf|lösen / ~이 풀어졌다 Die Schnur löste sich 〔ging auf〕. ② 《앞잡이》 Werkzeug *n.* -(e)s, -e. ¶ 경찰 ~ ein blindes Werkzeug in den Händen der Polizei / ~로 쓰다 *jn.* zu s-m Werkzeug machen / ~ 노릇을 하다 [4]sich von *jm.* zum Werkzeug gebrauchen lassen.
끄느름하다 düster; niederdrückend; schwül (sein). ¶ 끄느름한 날씨 das düstere 〔trübe〕 Wetter, -s, - / 불이 끄느름하게 타고 있다 Das Feuer brennt schwach.
끄다 ① 《불·전등·가스를》 löschen[4]; aus|löschen; aus|machen[4]; ab|drehen[4] (스위치를 틀어); ab|schalten[4] (스위치를 눌러); ab|stellen (전등을); ab|knipsen (라디오를); aus|drücken[4] (담배 따위를 비벼); aus|knipsen[4] (깜박하고); aus|blasen*[4] (불어서); ersticken (공기를 차단해서). ¶ 불을 ~ Feuer 〔Licht〕 aus|machen 〔aus|löschen〕; das Feuer ersticken (담요 따위를 덮어서) / 전등불을〔가스를〕 ~ das elektrische Licht 〔das Gas〕 ab|drehen / 촛불을 ~ das Kerzenlicht aus|blasen*/소방대는 마침내 불을 껐다 Endlich gelang es der Feuerwehr, das Feuer zu löschen. / 라디오를 ~ das Radio 〔den Rundfunk〕 ab|stellen / 전등을 꺼요 Schalten Sie (das elektrische Licht) aus ! / 가스를 껐니 Hast du das Gas abgedreht?
② 《깨뜨리다》 zerbrechen*[4]; in Stücke schlagen*[4] 〔brechen*[4]〕; zerschmettern[4]; zertrümmern; zermalmen. ¶ 얼음을 ~ das Eis in Stücke schlagen* / 흙덩어리를 ~ e-n

Erdklumpen brechen*.
③《빚을》 ^{4}et. in Raten bezahlen. ¶ 빚을 ~ e-e Schuld in Raten bezahlen.

끄덕이다 (mit dem Kopfe) nicken; 《사람을 보고》 *jm.* zu|nicken. ¶ 동의하여 ~ zustimmend nicken / 혼자 ~ mit dem Kopf für sich nicken / 그는 가벼이 끄덕였다 Er stimmte durch leichtes Kopfnicken zu.

끄덩이 《머리털의》 die verworrenen Haare 《*pl.*》; 《끈 등의》 die verhedderten Schnüren 《*pl.*》; Knäuel *n.* -s, -. ¶ 머리 ~를 그러잡다 *jn.* bei den Haaren greifen* / 머리 ~를 잡고 꺼두르다 *jn.* an den Haaren ziehen* / 실 ~를 잡아 당기다 die verhedderte Schnur aus dem Bündel heraus|ziehen*.

끄떡 mit e-m Kopfnicken; wackelnd. **~거리다** *jm.* zu|nicken; wackeln. ¶ 머리를 ~거리다 mit dem Kopfe wackeln / 머리를 ~거리며 찬성의 뜻을 표하다 *jm.* Beifall zu|nicken.

끄떽 ☞ 까딱.

끄르다 auf|lösen^4; auf|trennen^4; auf|schnüren^4; auf|binden*^{4}. ¶ 단추를 ~ ab|knöpfen/ 매듭을 ~ von Knoten befreien^4; entknoten^4; auf|lösen^4 / 옷을 ~ ein Kleid auf|-trennen (zer|-) / 짐을 ~ das Gepäck öffnen (auf|machen); die Waren aus|packen/ 구두끈을 ~ die Schuhe auf|schnüren/보따리를 ~ ein Bündel auf|schnüren / 허리띠를 끌러라 Leg d-n Gürtel ab!

끄르륵 rülpsend; aufstoßend. **~하다** rülpsen; auf|stoßen*.

끄르륵거리다 anhaltend rülpsen; wiederholt auf|stoßen*.

끄르륵끄르륵 wiederholt rülpsend.

끄무러지다 ①《날씨가》 ^{4}sich bewölken; ^{4}sich mit Wolken bedecken (überziehen*); wolkig (bewölkt) werden; ^{4}sich trüben; trübe (dunkel; düster) werden. ¶ 끄무러진 날씨 das trübe (düstere) Wetter, -s, - / 하늘이 갑자기 끄무러졌다 Der Himmel hat sich plötzlich bewölkt. ②《흐릿하게》 an|laufen; erblinden; matt (undurchsichtig) werden; mattiert (glanzlos) werden. ¶ 김이 서려서 유리창이 끄무러졌다 Die Glasscheiben sind vom Dampf angelaufen.

끄무레하다 ①《날씨가》 dunkel; trüb(e); düster; wolkig; bewölkt (sein). ¶ 끄무레한 날씨 das trübe Wetter, -s, -; ein wolkiger Tag, -(e)s, -e. ②《불이》 düster; dunkel; schwach (sein). ¶ 전등이 끄무레하다 Das elektische Licht ist schwach. ③《기분이》 traurig; kläglich (sein).

끄물거리다 von Zeit zu Zeit dunkel werden; ab u. zu wolkig werden; wechselweise dunkel u. klar sein; abwechselnd hell u. dunkel werden; flackern; flimmern. ¶ 끄물거리는 날(씨) ein teilweise bewölkter Tag, -(e)s, -e; der Tag an dem es mal bewölkt, mal aufgeheitert ist / 끄물거리는 등불 flackerndes Lampenlicht, -(e)s, -er / 이 때쯤에는 날씨가 끄물거린다 In dieser Jahreszeit ist das Wetter immer wechselhaft (veränderlich). ¦ In dieser Jahreszeit ist das Wetter unbeständig.

끄물끄물 dann u. wann dunkel werdend; ab u. zu wolkig werdend.

끄지르다 geschäftig tun, ohne etwas Besonderes zu tun zu haben.

끄집다 nehmen*^{4}; ergreifen*^{4}; fassen^4; packen^4. ¶ 여럿 중에서 하나를 ~ eins von vielen Dingen nehmen* / 책상에서 책을 ~ ein Buch vom Schreibtisch nehmen*.

끄집어내다 《물건을》 heraus|nehmen*^{4}; heraus|bringen*^{4}; heraus|schaffen*^{4}; heraus|-tragen*^{4}; hinaus|bringen*^{4}. ¶ 뜰에 의자를 ~ e-n Stuhl in den Garten hinaus|stellen/ 불평을 ~ e-e Klage vor|bringen* / 화제로 ~ ^{4}et. aufs Tapet bringen*; ^{4}et. zur Sprache bringen* / 어떤 문제를 회의에 ~ ^{4}et. zur Beratung bringen* / 그 말을 끄집어내기가 힘들었다 Ich fand k-e Gelegenheit, die Sache zur Sprache zu bringen.

끄집어내리다 herunter|ziehen*^{4} (-|zerren^4; -|lassen*^{4}). ¶ 깃발을 ~ die Flagge herunter|lassen* / 책을 책꽂이에서 ~ die Bücher von dem Regal herunter|nehmen*.

끄집어당기다 ziehen*^{4}; zerren^4; zupfen^4; spannen^4; heran|ziehen*^{4}. ¶ 귀를 ~ *jn.* am (beim) Ohr zupfen / 소매를 ~ *jn.* am Ärmel ziehen* (zupfen) / 머리를 ~ *jn.* bei den Haaren greifen^4.

끄집어들이다 hinein|ziehen*^{4}; herein|ziehen*^{4}; ein|ziehen*^{4}. ¶ 짐을 ~ das Gepäck herein|ziehen* / 아무를 자기편에 ~ *jn.* in s-e Gesellschaft herein|ziehen*.

끄집어올리다 hinauf|ziehen*^{4}; herauf|ziehen*^{4}; bergen*^{4}; wieder flott machen^4 (침몰한 배를). ¶ 배를 기슭으로 ~ das Schiff aufs Ufer ziehen* / 가라앉은 배를 ~ das gesunkene Schiff bergen* (heben*).

끄트러기 Abfall *m.* -(e)s, ⸗e; der Rest 《-es, -e》 e-s Satzes; zusammengewürfelte Kleinigkeiten 《*pl.*》; allerei Reste 《*pl.*》. ¶ 나무 ~ Holz¦abfall *m.* -(e)s, ⸗e; (-splitter *m.* -s, -) / 천의 ~ Stoff¦rest *m.* -es, -e; (-abfall *m.*)

끄트머리 《맨끝》 Ende *n.* -s, -n; der Letzte* (Unterste*) -n, -n. ¶ ~에서 ~까지 von e-m Ende zum anderen / 그는 ~로 졸업했다 Er absolvierte die Schule als der erste von hinten. / 맨 ~에 서 있다 Er steht ganz hinten.

끈 Schnur *f.* ⸗e; Band *n.* -(e)s, ⸗er; Binde *f.* -n; Bindfaden *m.* -s, ⸗; Borte *f.* -n (레이스); Riemen *m.* -s, - (가죽끈); Lederstreifen *m.* -s, - (가죽끈); Strick *m.* -(e)s, -e (줄). ¶ 구두끈 Schuh¦band (-riemen) *m.* -s, - / 끈을 풀다 (매다) e-e Schnur auf|lösen (fest|-binden*) / 끈으로 매다 mit e-r Schnur zusammen|binden*^{4} / 구두끈을 매다 (풀다) die Schuhe zu|schnüren (auf|schnüren) / 끈이 풀렸다 Die Schnur löste sich (ging auf).

끈기(一氣) ①《성질의》 Zähigkeit *f.* -en; Beharrlichkeit *f.* -en; Ausdauer *f.*; Hartnäckigkeit *f.* -en; Energie *f.* -n; Tatkraft *f.* ⸗e; Geduld *f.* ¶ ~ 있는 energisch; tatkräftig; ausdauernd; beharrlich; geduldig; unermüdlich; hartnäckig; zäh / ~가 없다 leicht von ^{3}et. müde werden; bei nichts lange bleiben können*; k-e Ausdauer haben / ~있게 일하다 mit Ausdauer arbeiten/ ~를 잃다 die Tatkraft (Energie) verlieren* /~있게 여러 번 시도하다 ^{4}et. mit ausdauerndem Fleiß wieder u. wieder versuchen.
②《끈끈한 기운》 Kleb(e)rigkeit *f.* -en; Zähflüssigkeit *f.* -en; Schleimigkeit *f.* -en; Zähigkeit *f.* ¶ ~ 있는 kleb(e)rig; zähflüssig; schleimig / ~ 있는 쌀 der klebrige Reis, -es, -e / 이 연고는 ~가 없어졌다 Dieses Pflaster hat s-e Klebkraft verloren.

끈끈이 Vogelleim *m.* -(e)s, -e. ¶ ~ 같은 leimig / ~를 바르다 mit Vogelleim bestreichen*^{4} / ~로 새를 잡다 e-n Vogel mit Vogelleim fangen*.

끈끈이주걱 〖식물〗 Sonnentau *m.* -(e)s, -e; *Drosera ratundifolia* (학명).

끈끈하다 ①《차지다》 klebrig; zäh; klebend; haften bleibend; viskos; leimig (sein). ¶ 샤쓰가 땀에 젖어 ~ Das Hemd bleibt, durchnäßt von Schweiß, kleben. ②《검질기다》 Eiferer (Streiter) sein 《*für*^{4}》; behutsam; vorsichtig; bedenklich; peinlich genau; penibel; übergenau; sorgfältig; beharrlich; standhaft; hartnäckig; wißbegierig (sein). ¶ 성질이 끈끈한 사람 Eiferer *m.* -s,-; Streiter *m.* -s, -; e-e beharrliche (hartnäckige) Person, -en; e-e Person von großer Zähigkeit.

끈덕지다 beharrlich; zäh; hartnäckig; anhaltend; zudringlich; langwierig (sein). ¶ 끈덕진 사람 ein Mensch von großer Ausdauer / 끈덕진 권유원 der zudringliche Handelsreisende*, -n, -n.

끈목 Borte *f.* -n; Schnur *f.* ⸗e (-en); Litze *f.* -n; Band *n.* -(e)s, ⸗er.

끈붙다 e-e Stellung, in der man sich s-n Lebensunterhalt verdienen kann, finden*.

끈붙이다 für *js.* Lebensunterhalt sorgen.

끈적거리다 ①《들러붙다》 dickflüssig (klebrig) sein. ¶ 샤쓰가 땀으로 ~ Das Hemd ist mit Schweiß klebrig. ②《깐작거리다》 zäh (beharrlich; hartnäckig; anhaltend; zudringlich; langwierig) sein.

끈적끈적 ①《물체가》 ~하다 kleben; klebrig (zähflüssig) sein. ¶ ~한 물건 Klebstoff *m.* -(e)s, -e. ②《깐작깐작》 zäh; beharrlich; hartnäckig.

끈지다 zäh; kleb(e)rig (sein).

끈질기다 zäh; beharrlich; hartnäckig; anhaltend; zudringlich; langwierig (sein). ¶ 끈질긴 병 die langwierige Krankheit, -en / 끈질긴 감기 die hartnäckige Influenza / 그 병은 끈질겨서 좀처럼 빨리 낫지 않을거요 Das ist e-e langwierige Krankheit, die nicht so schnell heilen wird.

끈질끈질하다 ①《일이》 ^{4}sich hin|schleppen; ^{4}sich hin|ziehen*. ②《질기다》 sehr zäh; stark u. zäh; stark klebrig (sein).

끈히 zähigkeit; beharrlichkeit; hartnäckig.

끊기다 ①《줄 따위가》 reißen* [s]; zerreißen* [s]; entzwei|gehen* [s]. ¶ 연줄이 끊겼다 Die Drachenschnur ist gerissen. ②《관계가》 ^{4}sich trennen 《von *jm.*》; brechen* [s] 《mit *jm.*》. ③《목숨이》 getötet werden; der Atem geht aus. ④《두절·차단》 unterbrochen (gehindert) werden. ¶ 교통이 끊겼다 Der Verkehr ist unterbrochen.

끊다 ①《절단》 (ab|)schneiden*^{4}; (ab|)trennen^4 《*von*^{3}》. ¶ 천을 ~ das Tuch abschneiden* / 둘로 ~ in zwei Teile schneiden* / 직각으로 ~ ^{4}*et.* rechtwinklig schneiden*.
②《사다》 kaufen. ¶ 옷감을 ~ ein Stück Tuch kaufen / 차표를 ~ e-e Fahrkarte (ein Billett) lösen; e-e Fahrkarte (ein Billett) lochen (knipsen).
③《중단·차단》 ab|schneiden*^{4}; ab|sperren^4; unterbrechen*^{4}. ¶ 연락을 ~ die Verbindung ab|brechen* / 전류를 ~ den Strom unterbrechen* / 수도를 ~ die Wasserleitung ab|sperren / 가스를 ~ die Gasleitung ab|sperren / 아무의 퇴로를 ~ *jm.* die Flucht ab|schneiden* / 전화를 ~ den Hörer an|hängen (auf|legen).
④《인연·관계를》 ab|brechen*^{4} 《den Verkehr mit *jm.*》; auf|kündigen 《*jm.* die Freundschaft》; auf|geben*^{4} 《*jn.*; *js.* Bekanntschaft》; ^{4}sich lösen 《von *jm.*》. ¶ 끊을래야 끊을 수 없는 un(zer)trenn|bar(-lich)/ 끊을수 없는 사이다 untrennbar mit einander verbunden sein / 교제를 ~ den Verkehr ab|brechen* (auf|geben*); die Freundschaft 《mit *jm.*》 auf|geben* / 여자와의 관계를 ~ die Beziehungen zu e-r Frau lösen / 부부의 인연을 ~ die Ehe lösen / 외교 관계를 ~ alle diplomatischen Beziehungen lösen (ab|brechen*) / 그들은 서로 끊을 수 없는 사이다 Sie haben einander ewige Liebe geschworen.
⑤《그만두다》 auf|geben*^{4}; verzichten 《*auf*^{4}》; ^{3}sich ab|gewöhnen. ¶ 술을 (담배를) ~ das Trinken (das Rauchen) auf|geben* / 커피를 끊었다 Ich habe mir den Kaffee ab|gewöhnt.
⑥《목숨을》 das Leben nehmen* 《*jm.*》; ums Leben bringen* 《*jn.*》; töten 《*jn.*》; um|bringen* 《*jn.*》. ¶ 그는 스스로 목숨을 끊었다 Er hat sich das Leben genommen.

끊어뜨리다 《결핍》 gänzlich erschöpfen lassen*^{4}; alle machen^4. ¶ 이 장사꾼은 물건을 끊어뜨리지 않는다 Dem Kaufmann gehen die Waren (die Vorräte) nicht aus. / 나는 술을 끊어뜨리지 않는다 Ich habe immer *Sul* (Wein) vorrätig (im Hause; da).

끊어맡다 (e-e Arbeit) im Akkord übernehmen*; e-n Akkord schließen*; im Akkord arbeiten.

끊어주다 ab|zahlen^4; entlohnen 《*jn.*》; aus|zahlen^4 《*jm.* ^{4}*et.*; *jn.*》.

끊어지다 ①《줄 따위가》 reißen* [s]; zerreißen* [s]; entzwei|gehen* [s]; durch|brennen* [s] (타서). ¶ 전선이 끊어졌다 Der elektrische Draht ist gerissen. | Die elektrische Leitung ist unterbrochen. / 줄이 끊어졌다 Die Saite ist geplatzt. / 퓨즈가 (타서) 끊어졌다 Die elektrische Sicherung ist durchgebrannt.
②《관계가》 ^{4}sich trennen 《von *jm.*》; brechen* [s] 《mit *jm.*》; abgebrochen werden; gelöst werden. ¶ 관계가 ~ sein Verhältnis (s-e Beziehung) zu *jm.* lösen / 인연이 ~ Das Band wird gelöst. / 연락이 ~ Die Verbindung wird abgebrochen.
③《두절·차단·중단》 unterbrochen (abgebrochen) werden; aus|setzen; stocken; versperrt (gesperrt; verstopft) werden. ¶ 맥이 ~ Der Puls stockt (setzt aus). / 수도가 끊어졌다 Die Wasserleitung ist gesperrt. / 전화가 ~ Das Telephon ist abgestellt. / 그후 그의 소식이 끊어졌다 Seitdem hört man nichts mehr von ihm.
④《공급·저장이》 alle werden; ^{4}sich erschöpfen; 《상품 따위가》 zu Ende gehen* [s]; aus|gehen* [s]; 《기한이》 zu Ende gehen* [s]; ab|laufen* [s]; verfallen* [s]. ¶ 기름이 ~ Das Öl ist zu Ende. / 탄약이 끊어졌다 Die Munition ist erschöpft. / 물이 끊어졌다 《한발로》 (Infolge der anhaltenden Hitze) ging der Wasservorrat zu Ende. / 재고가 끊어졌다 Wir haben k-e Ware mehr auf Lager. / 지불기한이 끊어졌다 Der Termin für die Bezahlung ist abgelaufen.
⑤《생명이》 sterben* [s]; den letzten Atemzug aus|hauchen; verröcheln; aus|sterben* [s]. ¶ 숨이 ~ aus|atmen; außer Atem

kommen*Ⓢ / 그 집안은 대가 끊어졌다 Die Familie ist ausgestorben.

끊이다 《관계가》 sein Verhältnis zu *jm.* wird gelöst; 《뒤를 못대어》 von allen Versorgungen abgeschnitten werden.

끊임없다 ununterbrochen; unaufhörlich; dauernd; fortwährend (sein). ¶ 끊임없는 노력 unermüdliche Bemühungen《*pl.*》/ 걱정이 ~ niemals frei von Sorgen sein / 인마의 왕래가 ~ Der Verkehr von Menschen u. Pferden ist ununterbrochen. / 손님이 ~ immer Besuch haben.

끊임없이 ohne ⁴Unterbrechung; ununterbrochen; unermüdlich; ohne Pause; unaufhörlich; andauernd; dauernd; fortwährend; immerfort. ¶ ~ 노력하다 ⁴sich unermüdlich bemühen; stets streben / ~ 노력해서 mit unermüdlichem (eisernem) Fleiß; durch zähen Fleiß / ~ 감시하다 immer wachen 《*über*⁴》/ ~ 언쟁을 하다 immer zanken / ~ 비가 온다 Es regnet andauernd (unaufhörlich; ununterbrochen). / ~ 활동하다 immer tätig sein; immer in Bewegung sein / 그 집에는 ~ 마찰이 있다 In jener Familie herrschen dauernd Reibereien. / ~ 강한 바람이 불고 있다 Es weht unaufhörlich ein starker Wind. / ~ 서신 교환을 하고 있다 dauernd in (in ununterbrochenem) Briefwechsel stehen*.

끌 Meißel *m.* -s, -; Stemm|eisen (Ball-) *n.* -s, -. ¶ 끌로 파다 meißeln⁴.

끌고가다 《연행》 *jn.* mit|nehmen*; ab|führen⁴. ¶ 형장으로 ~ zum Richtplatz schleppen (führen).

끌꺽끌꺽하다 anhaltend rülpsen; anhaltend auf|stoßen*.

끌끌 ① 《혓소리》 schnalzend 《durch schnelle Bewegung der Zunge》. ¶ 혀를 ~ 차다 mit der Zunge schnalzen. ② 《끄르륵끄르륵》 (wiederholt) rülpsend.

끌끔하다 ziemlich hübsch; nett; niedlich; sauber; reinlich (sein).

끌다 ① 《질질》 ziehen*⁴; zerren⁴; spannen⁴; schleppen⁴(끌고 감); schleifen⁴(끌고 감). ¶ 지팡이를 끌고 가다 e-n Stock nach|schleifen / 발을 끌며 걸어가다 ⁴sich schleppen (schleifen) / 치마를 ~ den Rock schleppen.
② 《잡아당기다》 heran|ziehen*⁴; heran|-zerren⁴; schleppen⁴; zupfen⁴. ¶ 소매를 ~ *jn.* am Ärmel ziehen* (zupfen) / 손님을 ~ Gäste 《*pl.*》 an|locken / 순경에게 끌려가다 vom Polizisten fortgeschleppt werden / 그를 끌어와 Bring ihn mit!
③ 《주의·이목·인기 따위를》 an|ziehen*⁴; fesseln⁴; an ⁴sich ziehen*⁴; bezaubern⁴; reizen⁴. ¶ 마음을 끄는 gewinnend; ansprechend; anziehend; einnehmend / 인기를 ~ beliebt sein; große Popularität genießen*; ⁴sich großer Beliebtheit erfreuen / 사람의 눈을 ~ die Augen der Leute auf sich lenken / 동정을 ~ *js.* Mitleid erregen / 주의를 ~ Aufmerksamkeit erregen (fesseln) / 그것이 그의 눈을 끌었다 Das stach ihm in die Augen.¦Das fiel ihm auf. / 그녀에게는 사람을 끄는 데가 있다 Sie hat etwas Anziehendes.
④ 《미루다》 an|dauern; fort|dauern; währen; an|halten*. ¶ 오래 끈 병 e-e langwierige Krankheit, -en / 오래 끈 교섭 die langwährende Unterhandlung, -en / 작년부터 끌어온 문제 die seit vorigen Jahre schwebende Frage / 병이 오래 끌었다 S-e Krankheit zog sich in die Länge. / 교섭이 오래 끌었다 Die Unterhandlung zog sich hin. / 그의 체류는 2, 3일 더 끌었다 Sein Aufenthalt verlängerte sich um einige Tage. / 강연은 3시간 끌었다 Der Vortrag hat drei Stunden gedauert. / 전쟁은 5년간 끌었다 Der Krieg dauerte fünf Jahre (lang).
⑤ 《시설하다》 an|legen⁴ (가스를); ein|richten(파이프·전선 따위를); versehen*⁴ 《*mit*³》. ¶ 수도 (가스·전등)을 ~ mit Wasserleitung (Gas, elektrischem Licht) versehen* / 철도를 ~ e-e Eisenbahn an|legen.
⑥ ☞ 이끌다.

끌러지다 ⁴sich auf|lösen; ⁴sich auf|trennen; auf|gehen*Ⓢ; sich auf|schnüren. ¶ 너의 구두끈이 끌러져 있다 Dein Schuhband ist aufgegangen (hat sich gelöst).

끌리다 ① 《질질》 gezogen (geschleift) werden; geschleppt werden; 《마음이》 erregt werden; angezogen werden; gefesselt werden. ¶ 스커트가 ~ Der Rock wird geschleppt. / 신발이 ~ S-e Schuhe werden geschleppt.
② 《당김을 당하다》 gezogen werden; geschleppt werden; herangezogen (herangezerrt) werden. ¶ 경찰에 끌려가다 vom Polizisten abgeführt (fortgeschleppt) werden / 마음이 ~ *jm.* zugeneigt sein; ⁴sich hingezogen fühlen 《*zu*³》/ 개가 아이에게 끌려간다 Der Hund wird von dem Kind geschleppt. / 그는 나쁜 일에 끌렸다 Er wurde zu etwas Schlechtem verführt.
③ 《지체·지연》 aufgeschoben werden; vertagt werden; verlängert werden.

끌밋하다 glatt u. niedlich; schick u. fesch (sein).

끌밥 Holzspänchen 《*n.* -s, -》 von Beitelarbeit.

끌방망이 Beitelhammer *m.* -s, -.

끌어내다 heraus|holen⁴; heraus|locken⁴(꾀어내다); entführen⁴(유괴); hinaus|ziehen*⁴; heraus|ziehen*⁴. ¶ 산책하자고 ~ *jn.* spazieren|führen; zu e-m Spaziergang mit|-nehmen*⁴ / 젊은 처녀를 ~ ein junges Mädchen entführen / 형장으로 ~ zum Richtplatz schleppen⁴ (führen⁴) / 개를 방에서 ~ den Hund aus dem Zimmer ziehen* / 자금을 ~ sein Kapital heraus|ziehen*.

끌어내리다 herunter|ziehen*⁴ (-|bringen*⁴; -|lassen*⁴); nieder|holen⁴. ¶ 기를 ~ die Flagge herunter|lassen* / 좌초한 배를 ~ ein gestrandetes Schiff wieder flott machen (ab|schleppen) / 샤터를 ~ den Rollvorhang herab|ziehen* / 연사를 연단에서 끌어내렸다 Er hat den Redner von der Bühne heruntergezogen.

끌어넣다 =끌어들이다.

끌어당기다 ziehen*⁴; zerren⁴; spannen⁴; heran|ziehen*⁴; heran|zerren⁴. ¶ 소매를 ~ *jn.* am Ärmel ziehen* (zupfen) / 밧줄을 ~ das Seil ziehen* / 그물을 ~ ein Netz ziehen (schleppen).

끌어대다 ① 《인용》 zitieren⁴《*aus*³》; wörtlich wieder|geben*⁴; an|führen⁴ 《*aus*³》; sich berufen* 《*auf*⁴》. ¶ 책에서 한 귀절을 ~ e-e Stelle aus e-m Buch an|führen.
② 《돈을》 borgen⁴《von *jm.*》; leihen*⁴ 《von *jm.*》. ¶ 땅을 저당하고 돈을 ~ auf den Landbesitz Geld leihen* / 집을 사려고 돈을 ~ Geld leihen*, um ein Haus zu kaufen. / 인력을 ~ ⁴sich helfen lassen*; ⁴sich *js.*

Hilfe bedienen / 자금을 ~ ein Geschäft finanzieren / 오백 만원을 ~ das Darlehen von fünf Millionen *Won* bekommen* / 그는 돈을 잘 끌어댈 수 있다 Er hat persönlichen Kredit.

끌어들이다 ① 《끌어 넣다》 hinein|ziehen*[4] (-|verwickeln[4]). ¶ 이탈리아를 전쟁에 ~ Italien in den Krieg hineinverwickeln. / 여자를 ~ e-e Frau verlocken (verführen).
② 《자기 편에》 auf s-e Seite bringen* (ziehen*) 《*jn.*》; für [4]sich ein|nehmen* (gewinnen*) 《*jn.*》. ¶ 감언이설로 자기 편에 ~ durch süße Worte für [4]sich gewinnen*[4] (auf s-e Seite ziehen*[4]).

끌어매다 binden*[4]; befestigen[4]; um|binden*[4]. ¶ 짐을 끈으로 ~ das Bundel schnüren / 소를 나무에 ~ die Kuh an e-m Baum binden*.

끌어안다 in die Arme schließen*[4]; an die Brust drücken[4]; umarmen. ¶ 어린애를 ~ das Kind an die Brust drücken / 서로 ~ [4]sich (einander) umarmen / 그는 힘차게 그녀를 끌어안았다 Er hat sie heftig ans Herz geschlossen.

끌어올리다 hinauf|ziehen*[4]; herauf|ziehen*[4]; 《물가를》 (den Preis) hoch|treiben*[4]; 《좌초선을》 ab|schleppen[4]; wieder flott machen[4]. ¶ 펌프로 물을 ~ Wasser auf|pumpen / 배를 기슭으로 ~ das Schiff ans Ufer ziehen*/ 물가를 ~ die Preise erhöhen / 임금을 10프로 ~ die Löhne um 10% erhöhen / 높은 지위로 ~ den Rang erhöhen.

끌채 die Holzstangen, die beide Seiten des Joches mit dem Wagen verbinden; (Wagen)deichsel *f.* -n.

끓다 ① 《물이》 kochen; sieden(*). ¶ 주전자의 물이 끓고 있다 Der Kessel siedet. / 물이 ~ Das Wasser kocht. / 냄비에서 물이 끓어 넘친다 Der Topf siedet u. fließt (läuft) über./ 밥이 ~ Der Reis kocht über. / 젊은 피가 ~ Das junge Blut braust heftig (in den Adern).
② 《뜨거워지다》 heiß (warm) werden; [4]sich heizen. ¶ 방이 절절 ~ Das Zimmer wird heiß (heizt sich gut).
③ 《속이》 kochen; erhitzt (gereizt) sein; warm (heiß) sein. ¶ 질투로 속이 ~ Es kocht in mir vor Eifersucht.
④ 《뱃속이》 knurren. ¶ 배가 ~ Mir knurrt der Magen.
⑤ 《가래가》 verschleimen. ¶ 가래가 ~ Der Hals ist mir verschleimt.
⑥ 《들끓다》 gären(*) [s]; in Wallung sein. ¶ 온 누리가 들끓었다 Es gärte im ganzen Volk.|Das ganze Volk war in Wallung.

끓이다 ① 《끓게 하다》 kochen(4); sieden(*)(4); heiß machen[4]. ¶ 끓이는 기구 Sieder (Kocher) *m.* -s, - / 차(코피)를 ~ Tee (Kaffee) kochen / 물을 ~ Wasser heiß machen / 너무 ~ zu stark (zu lang; zu sehr) kochen[4]/ 목욕물을 ~ ein Bad bereiten (zurecht|machen) / 다시 ~ noch einmal kochen[4]; auf|kochen[4] / 끓여서 소독하다 durch Kochen desinfizieren[4] / 너무 끓인 übergar; zu weich gekocht / 금방 끓인 gerade fertig gekocht; noch kochend; brühheiß. ② 《익히다》 ¶ 밥을 ~ Reis kochen / 국을 ~ Suppe machen.
③ 《속태우다》 [4]sich sorgen 《*um*[4]》.

끔벅 ① 《불이》 plötzlich verlöschend (ausgehend). **~하다** plötzlich aus|gehen* [s]; plötzlich verlöschen* [s]; sich e-n Augenblick verdunkeln; flimmern; flackern. ¶ 촛불이 바람에 ~하다 Kerzenlicht flackert für e-n Augenblick im Wind. / 불이 ~ 꺼지다 Das Licht ist plötzlich aus|gegangen.
② 《눈을》 zwinkernd; blinzelnd; blinkend; mit den Wimpern zuckend. **~하다** blinzeln; wimpern; zwinkern; *jm.* e-n Wink geben*; *jm.* mit den Augen winken. ¶ 눈 하나 ~하지 않고 지켜보다 unverwandt an|blicken[4]; ständig hin|starren 《*auf*[4]》/ 안다는 눈치로 눈을 ~하다 *jm.* e-n verständnisvollen Wink geben*.

끔적이(눈) =눈끔적이.

끔찍스럽다 entsetzlich; schrecklich; fürchterlich; grausam; erbarmungslos; 《무자비》 unbarmherzig; 《고문 따위》 folternd; marternd (sein). ¶ 끔찍스러운 광경 ein entsetzlicher Anblick, -(e)s, -e; e-e grausame Szene, -n / 생각만 해도 ~ Es schaudert mich, wenn ich daran denke.

끔찍이 entsetzlich; schrecklich; fürchterlich; 《몹시》 äußerst; höchst; sehr; außerordentlich; übermäßig; 《극진히》 herzlich; von Herzen; aufrichtig; ergeben; zärtlich. ¶ ~ 사랑하다 *jn.* von Herzen lieben / ~ 크다 äußerst groß sein.

끔찍하다 ① 《놀랍다》 erstaunlich; überraschend; schrecklich; entsetzlich; grausam (sein). ¶ 끔찍한 죽음 ein grausamer Tod, -(e)s / 끔찍한 광경 ein schrecklicher Anblick, -(e)s, -e / 끔찍한 생각 ein entsetzlicher Gedanke, -ns, -n / 보기에도 ~ schrecklich anzusehen sein / 끔찍한 꿈을 꾸다 e-n furchtbaren Traum haben / 사람을 죽인다는 생각은 ~ Schon der Gedanke an Mord ist schrecklich. / 끔찍하게 죽다 entsetzlich sterben* [s]; e-n schrecklichen Tod sterben* [s].
② 《극진》 höflich; freundlich; artig; anständig. ¶ 끔찍한 대접 die höfliche Behandlung, -en / 끔찍한 사랑 die herzliche (zärtliche) Liebe / 끔찍하게 대접하다 *jn.* höflich (mit Höflichkeit) behandeln.

끗발 Druck *m.* -(e)s, -e; Einfluß *m.* ..sses, ..flüsse. ¶ ~이 세다 《비유》 e-n Druck ausüben können* 《*auf*[4]》; von (großem) Einfluß sein.

끗수(一數) Punktzahl *f.* -en; Punkte 《*pl.*》; Punktergebnis *n.* -ses, -se; Resultat *n.* -(e)s, -e.

끙 《신음소리》 das Stöhnen*, -s. ¶ 끙하고 쓰러지다 mit e-m Stöhnen um|fallen* [s].

끙게 ein landwirtschaftliches Werkzeuk (-(e)s, -e) zum Bedecken der ausgesäten Samen mit Erde.

끙끙거리다 stöhnen. ¶ 끙끙거리는 소리 das Stöhnen*, -s; Gestöhne *n.* -s.

끝 ① 《첨단》 Spitze *f.* -n; Ende *n.* -s, -n. ¶ 혀끝 Zungenspitze *f.* -n / 코 끝 Nasenspitze *f.* -n / 연필 끝 die Spitze des Bleistifts / 손가락 끝 Fingerspitze *f.* -n / 바늘 끝 die Spitze der Nadel / 양쪽 끝 beide (die beiden) Enden 《*pl.*》/ 끝이 가는 spitz (in die Spitze) zulaufend; verjüngt; konisch (zulaufend) / 끝이 뭉툭한 keulenförmig; nach oben (unten) an Dicke zunehmend; [4]*et.* mit dickerem Ende / 양쪽 끝에(서) an beiden Enden / 머리 끝에서 발 끝까지 vom Scheitel (Kopf) bis zur Sohle (zu den Füßen); von oben bis unten / 끝이 가늘어지다 spitz zu|laufen* [s] (endigen); in e-e

Spitze zu|laufen*[s] / 꼬리 끝이 다발이 되어 있다 Der Schwanz endet in e-n Büschel.
② 《맨 나중》 Ende *n.* -s, -n; Schluß *m.* ..lusses, ..lüsse; Abschluß *m.* ..lusses, ..lüsse; Schließung *f.* -en; Beendigung *f.* -en; Ausgang *m.* -(e)s, ⸗e; Auslauf *m.* -(e)s, ⸗e. ¶끝의 letzt; endlich; schließlich / 끝에 (가서) am Ende; am Schluß; endlich; schließlich; zuletzt; abschließend; letzten Endes; zum Abschluß / 끝으로 zum (guten) Schluß; zu guter Letzt / 끝까지 bis (zu; zum) Ende / 일이 끝날 무렵에 kurz vor Ende (dem Schluß) der Arbeit / 오랜 고생 끝에 nach langjährigen Mühen 《*pl.*》 / 처음부터 끝까지 von ^{3}Anfang bis ^{3}Ende / 끝에서 끝까지 von e-m Ende bis zum anderen / 끝까지 저항하다 *jm.* hartnäckig Widerstand leisten / 끝까지 주장하다 bei (auf) s-r Meinung bleiben*[s] (bestehen*) / 이 줄 끝에 한 자 빠져 있다 Am Schluß (Ausgang) dieser Zeile fehlt ein Wort. / 이 복도 끝 왼편 문입니다 Es ist die letzte Tür links am Ende dieses Gangs. / 이 연립주택 맨 끝 집입니다 Das ist die letzte Wohnung dieser Reihenhäuser. / 할 말이 있으면 끝까지 들어보고 하게 Hör' mir erst (bis) zu Ende zu (Laß mich doch erst aus|reden), wenn du was dazu zu sagen hast.
③ 《행렬·차례의》 der letzte*. ¶맨 끝에 서(있)다 der letzte* sein; die Reihe schließen* / 교량 끝에 서다 am Zugang e-r Brücke stehen* / 맨 끝에 K씨가 왔다 Als letzter kam Herr K.
④ 《한》 Grenze *f.* -n; Schranke *f.* -n; Limite *f.* -n. ¶끝없이 endlos; ohne ^{4}Ende; grenzen|los (schranken-); uferlos; unbegrenzt; unbeschränkt; unendlich / 끝이 없다 kein Ende haben (wollen); ohne Grenze sein; k-e Grenzen kennen*; ewig dauern / 잡담은 끝이 없었다 Das Gerede nahm kein Ende.

끝갈망 Aufräumung *f.* -en; Ausräumung *f.* -en; Einrichtung *f.* -en; Anordnung *f.* -en; 《청산》 Abschließung *f.* -en; Abrechnung *f.* -en. ~하다 auf|räumen^{4}; aus|räumen^{4}; ein|richten^{4}; an|ordnen^{4}; in Ordnung bringen*^{4}; ab|rechnen^{4}; aus|gleichen*^{4}. ¶아버지가 빚 ~을 해주셨다 Mein Vater hat m-e Schulden beglichen.

끝까지 beharrlich; hartnäckig; unentwegt (완강하게); durchaus (철두철미하게); unter allen Umständen(어떠한 일이 있더라도); bis zum Äußersten(철저히) ✻ 또한 Mag kommen, was da wolle 처럼 「설혹 무엇이라도」와 같은 인용문을 사용하여 표현함. ¶~하다 〖위의 부사와 함께〗 durch|halten*^{4}(-|setzen^{4}) (해내다); ^{4}sich durch|helfen*(끝장을 내다); durch|kämpfen^{4} (끝까지 싸우다); ^{4}sich durch|schlagen* (타개하다) / ~ 하지 않다 in aller Welt nicht tun* ✻ 기타 tun 대신에 gehen, kommen 등을 사용하여 구체적인 뜻을 갖게 한다. ☞ 끝 ②.

끝끝내 bis zum Ende; bis zum letzten Atemzug; bis zum Tode; 《완강히》 beharrlich; hartnäckig; halsstarrig; 《극도로》 aufs äußerste; übermäßig. ¶~ 해보다 alle Mittel erschöpfen; alles Mögliche versuchen / ~ 싸우다 bis zum letzten Atemzuge kämpfen; aus|fechten* / ~ 반대하다 ^{4}sich hartnäckig widersetzen^{3} / 3시간 이상이나 기다렸으나 그는 ~ 오지 않았다 Wir haben über drei Stunden auf ihn gewartet, aber er ist doch nicht gekommen. / 상대방의 태도에 따라서 ~ 싸울 작정이다 Je nach der Haltung des Gegners will ich den Kampf bis zum Äußersten führen.

끝나다 ① 《토의·일·시일이》 enden; endigen; zu Ende kommen* (sein; gehen*)[s]; beendet werden; zum Schluß kommen* [s]; (^{4}sich) schließen*; fertig sein; 《기한 따위가》 ab|laufen* [s]; aus|laufen* [s]; fällig werden; auf|hören; aus (vorbei; vorüber) sein; aus|gehen* [s]. ¶일이 ~ mit der Arbeit fertig werden / 좋은 결과로 ~ gut aus|gehen*[s]; ein gutes Ende nehmen* / 식사가 끝난 후에 nach dem Essen; nach Tische / 이번 주가 끝나기 전에 bevor (ehe) die Woche vorüber (zu Ende) ist / 어미가 n으로 ~ auf n enden / 시험이 끝나는 대로 sobald das Examen vorüber (vorbei) ist / 휴회가 끝난 국회 das Parlament nach den Ferien / 수업이 다 끝났다 Die Schule ist aus. / 수습기간이 ~ S-e Lehrjahre laufen ab. / 장마철이 끝난다 (끝났다) Die Regenzeit geht (ist) zu Ende. / 연극 (극장)이 끝났다 Das Theater ist aus. / 공연이 끝난 뒤 만납시다 Treffen wir uns nach dem Theater! / 이 달이 끝났다 Der Monat ist vorüber. / 학교는 오늘 끝난다 Die Schule schließt heute. / 수업이 끝났다 Die Stunde ist aus. / 식사가 끝났다 Ich bin mit dem Essen fertig. / 일은 다 끝났나 Bist du schon fertig (mit der Arbeit)? / 정기권의 유효기간이 끝났다 Die Dauerkarte ist ungültig geworden. / 전쟁이 언제 끝날지 아무도 모른다 Gott weiß, wann der Krieg zu Ende gehen wird.
② 《승부·만사가》 aus (vorüber) sein; verloren sein. ¶승부는 끝났다 Das Wettspiel ist aus. / 그러면 만사는 끝난다 Da(nn) ist alles verloren. | Da sind wir verloren.

끝내다 enden^{4}; endigen^{4}; zu Ende kommen* [s] 《*mit*^{3}》; beenden^{4}; beendigen^{4}; zu Ende bringen*^{4}; fertig werden 《*mit*^{3}》; fertig|machen^{4}; erledigen^{4}; Schluß machen 《*mit*^{3}》; auf|hören 《*mit*^{3}》; schließen*^{4}; ein Ende machen. ¶노래를 ~ bis zu Ende singen* / 전쟁을 ~ den Krieg beenden / 일을 ~ Feierabend machen(근무) / 여행을 ~ e-e Reise vollenden / 일생을 ~ sterben*[s] / 회의를 ~ e-e Versammlung schließen* / 식을 ~ e-e Zeremonie vollenden / 대학을 ~ von der Universität ab|gehen* [s] / 학교 과정을 ~ die Schule durch|machen / 일을 대충 ~ den größten Teil e-r Arbeit erledigen / 식사는 끝냈나 Hast du schon gegessen? / 식사는 끝냈다 Ich bin mit (dem) Essen fertig. / 빨리 일을 끝내고 산보나 갑시다 Wir wollen unsere Arbeit so schnell wie möglich beenden u. spazierengehen. / 자, 이제 끝내지 Mach Schluß! | Nun aber Schluß!

끝닿다 das Ende (den Boden) erreichen; den Boden berühren.

끝돈 Rückstand *m.* -(e)s, ⸗e; die rückständige (unbezahlte) Summe, -n; Saldo *m.* -s, ..den (-s *u.* ..di); die unbezahlte Bilanz, -en; Rechnungsabschluß *m.* ..schlusses, ..schlüsse. ¶ ~을 치르다 Rückstand bezahlen (aus|gleichen); Saldo ziehen*; die Bilanz ziehen*.

끝동 Saum *m.* -(e)s, ⸗e. ¶~을 단 gesäumt / ~을 달다 säumen^{4}; umsäumen^{4}.

끝마감 Ende *n.* -s, -n; Schluß *m.* ..lusses, ..lüsse. **~하다** schließen*; enden; fertig machen; ab|schließen*⁴ (원고를). ¶ 일을 ~하다 mit e-r Arbeit fertig machen / 예약 ~은 금월 말이다 Die Subskriptionsliste schließt am 30. d. M.

끝마무리 =마무리.

끝마치다 (e-e Arbeit) beenden; mit ³*et.* fertig werden (sein).

끝막다 schließen*⁴; mit ³*et.* ein Ende machen; zum Abschluß bringen*⁴; vorläufig; ein ⁴Ende mit ³*et.* machen; zum vorläufigen Schluß bringen*⁴; e-r ³Sache ein Ende setzen; e-n Absatz schließen*. ¶ 신청접수를 ~ die Aufnahme der Anträge ab|schließen* / 계정을 ~ Rechnungen auf|stellen.

끝맺다 《종료》 (be)enden⁴; beendigen⁴; (be-) schließen*⁴; zu Ende bringen*⁴; Schluß machen 《*mit*³》. ¶ 연설을 ~ e-e Rede schließen* / 일을 ~ Arbeitsschluß machen; zu arbeiten auf|hören; die Arbeit ein|-stellen / 이야기는 여기서 끝맺고 있다 Die Erzählung schließt hier.

끝머리 =끄트머리.

끝물 die letzten Produkte des Jahres; Spätling *m.* -s, -e.

끝반지 der letzte Punkt, -(e)s, -e (die letzte Stelle, -n) e-r Versorgungslinie.

끝수 〖수학〗 die gebrochene Zahl, -en; Bruch *m.* -(e)s, ⸚e; Bruchzahl *f.* -en (분수). ¶ ~를 버리다 die gebrochene Zahl ab|runden.

끝없다 ① endlos; unendlich; schrankenlos; unerschöpflich (sein). ¶ 끝없이 넓은 바다 die unendliche Weite des Meeres / 끝없는 샘 unversiegbare Quelle, -n. ② ☞ 끊임없다.

끝일 ① 《맨 나중의》 die letzte Arbeit, -en. ② 《끝 정리》 der Abschluß 《..schlusses, ..schlüsse》 e-r Arbeit (Angelegenheit).

끝장 《마지막》 Ende *n.* -s, -n; Schluß *m.* ..sses, ..lüsse. ¶ ~ 내다 Schluß machen 《*mit*³》; ³*et.* ein Ende machen; ab|tun*⁴; erledigen⁴ / ~ 나다 zu Ende kommen* ⓢ; ⁴sich erledigen / ~이 안 나다 nicht zu Ende bringen können*⁴; k-e Lösung finden* / 이대로는 ~이 안 난다 So geht es nicht mehr. / 이것으로 ~ 내자 Und damit basta! / 이것으로 그 건도 ~이 났다 Hiermit hat sich die Sache erledigt. / 자, 이젠 ~ 내자 Nun aber Schluß!|Schluß damit!

끝장나다 enden; ⁴sich endigen; zu Ende kommen*ⓢ; ein Ende nehmen*; zu Ende gehen* ⓢ; zum Schluß kommen* ⓢ. ¶ 싸움이 ~ Der Streit wird beendet. / 토론이 끝장났다 Die Diskution ist beendet. / 전쟁이 언제 끝장날는지 아무도 모른다 Gott weiß, wann der Krieg zu Ende gehen wird.

끝장내다 end(ig)en⁴; beend(ig)en⁴; zu Ende bringen*⁴; zum Schluß bringen*⁴; fertig machen⁴. ¶ 일을 ~ mit der Arbeit fertig machen; die Arbeit beenden / 토의를 ~ die Debatte beenden; die Debatte zum Schluß bringen*.

끝판 ① 《마지막》 Ende *n.* -s, -n; Schluß *m.* ..lusses, ..lüsse; Abschluß *m.* ..lusses, ..lüsse; Beendigung *f.* -en. ¶ ~에 am Ende; zuletzt; schließlich; endlich; zum Schluß / 언쟁이 ~에 가서는 구타로 변했다 Der Streit artete in e-e Prügelei aus. ② 《승부의 막판》 der letzte Ring (des Wettspiels). ¶ ~에 지다 das Wettspiel im letzten Ring verlieren*.

끼 =끼니. ¶ 하루에 두 끼 zwei Mahlzeiten am Tage / 하루에 두 끼만 먹다 nur zweimal am Tage essen*.

끼끗이 schick; fesch; lebhaft; munter; aufgeweckt; gewandt; jugendlich; niedlich; sauber; frisch. ¶ ~ 생기다 schickes Aussehen haben / ~ 차리다 niedlich gekleidet sein.

끼끗하다 schick; hübsch; schön; nett; edelmütig; ansehnlich; freigebig; edel; frisch; jung; jugendlich; üppig; lebhaft; herzlich; reizend; ordnungsmäßig; ordentlich; geputzt; adrett (sein). ¶ 끼끗한 얼굴 nettes Gesicht, -(e)s, -er; schickes Aussehen, -s; hübsch aussehende Gestalt, -en / 차림새가 ~ schick (frisch; ordentlich) gekleidet (angezogen) sein / 비 온 뒤에 나뭇잎이 ~ Nach dem Regen sind die Blätter der Bäume sehr frisch.

끼니 Mahl *n.* -(e)s, -e; Mahlzeit *f.* -en; Lebensmittel *n.* -s, -. ¶ ~를 간신히 이어가다 von den Lebensmitteln sparsamen ⁴Verbrauch machen; von den spärlichen Mitteln (möglichst) lang leben / ~를 잇지 못하다 nichts zu essen haben; k-n (Lebens-) unterhalt mehr haben; ganz herunter gekommen sein (가난해지다); bettelarm werden.

끼다¹ ① 《안개·연기 따위가》 auf|steigen* ⓢ; lagern; hängen*; an|setzen; ⁴sich erheben*; bedeckt (gehüllt; verschleiert) werden. ¶ 구름이 ~ mit Wolken bedeckt werden; in Wolken gehüllt werden; von den Wolken verschleiert werden / 방에 연기가 자욱히 끼어 있었다 Das Zimmer war voller Rauch. / 호수에 안개가 자욱히 끼어 있다 Der Nebel lagert (hängt) über dem See. ② 《때·먼지가》 ⁴sich sammeln; ⁴sich an|-häufen; schmutzig (geschmutzt) sein; verklebt sein. ¶ 눈곱이 ~ mit Augenbutter verklebt sein / 얼굴에 때가 ~ *js.* Gesicht ist schmutzig / 샤쓰에 때가 ~ das Hemd ist beschmutzt/책상에 먼지가 끼어 있다 Auf dem Tisch liegt dick der Staub. / 방 구석에 먼지가 끼어 있었다 In den Zimmerecken hat sich Staub angesammelt. / 헌데에 곪이 끼어 있다 Das Geschwür hat geeitert. / 바위에 이끼가 끼어 있다 Der Felsen 《-s, -》 ist mit Moos bewachsen (bedeckt).

끼다² ① 《틈에》 eingeklemmt (eingelegt; eingeschoben; dazwischengelegt) werden; stecken|bleiben* ⓢ; liegen* 《*zwischen*³》; dazwischen|liegen* (개재하다); ⁴sich ein|-mischen (ein|mengen) 《*in*⁴》; zählen 《*zu*³》. ¶ 두 사람 사이에 ~ ⁴sich zwischen die beiden hinein|zwängen / 이 사이에 뭣이 끼었다 Etwas ist mir zwischen die Zähne gekommen. / 손(가락)이 문틈에 끼었다 Ich habe mir den Finger in der Tür (ein)geklemmt. / 일본은 5대 강국에 끼어 있다 Japan zählt zu fünf Großmächten. / 그는 일류 예술가에 끼게 되었다 Er wurde zu führenden Künstlern gerechnet. / 그 나라는 겨우 수년 전에 문명국에 끼었다 Das Land trat erst vor wenigen Jahren in die Reihe der Kulturstaaten ein. / 그의 이름도 끼어 있다 Sein Name ist auch darin.
② 《옷·신발 따위가》 knapp; schmal; eng. ¶ 꽉 ~ eng sein; drücken / 꽉 끼는 신발 die engen Schuhe 《*pl.*》 / 이 신발은 꽉 낀다 Die-

se Schuhe sind zu eng (drücken mich). / 이 칼라는 꼭 낀다 Dieser Kragen ist zu eng.

끼다³ ① 《삽입》 stecken⁴ 《*in*⁴》; ein|klemmen⁴; ein|legen⁴; ein|schieben*⁴; ein|stecken⁴; klemmen⁴ 《*in*⁴》. ¶ 연필을 귀에 ~ e-n Bleistift hinters Ohr stecken / 책장 사이에 연필을 ~ e-n Bleistift zwischen die Blätter des Buches stecken.
② 《몸에》 an|ziehen*⁴; an|stecken⁴. ¶ 장갑을 ~ die Handschuhe an|ziehen* / 반지를 ~ e-n Ring (am Finger) an|stecken / 팔(장)을 ~ die Arme verschränken (kreuzen) / 서로 팔을 끼고 걷다 Arm in Arm gehen* Ⓢ.
③ 《채우다》 ¶ 단추를 ~ (den Rock) zu|knöpfen.
④ 《품속·팔에》 umarmen; in den Armen halten*; unter den Arm greifen*⁴ (nehmen*⁴; packen⁴). ¶ 껴안다 in die Arme schließen*⁴; an die Brust drücken / 어린애를 끼고 자다 ein Kind in den Armen haltend schlafen* / 책을 옆에 ~ ein Buch unter dem Arm tragen*.
⑤ 《…을 따라》 an³; entlang⁴. ¶ …을 끼고 있다 an³ ... entlang liegen* (gelegen sein); säumen⁴; umranden⁴ / 마을들이 강을 끼고 있었다 Dörfer säumten den Fluß. / 그들은 강을 끼고 걸어갔다 Sie gingen den Fluß entlang.
⑥ 《배경》 im Vertrauen 《*auf*⁴》. ¶ 그는 장관을 끼고 권력을 휘두르고 있다 Im Vertrauen auf den Minister übt er seine Macht gewaltsam aus.

끼뜨리다 (aus|)streuen⁴; umher|streuen. ¶ 모래를 ~ Sand streuen.

끼루룩 mit dem Schrei der wilden Gans. ~하다 schreien* 《die Gans》.

끼루룩거리다 schreien* 《die wilde Gans》. ¶ 기러기가 ~ Die wilde Gans schreit.

끼룩¹ ☞ 끼루룩.

끼룩² 《목을 길게》 den Hals ausreckend (streckend). ~하다 den Hals aus|recken (strecken).

끼룩거리다¹ 《기러기가》 schreien* 《die wilde Gans》.

끼룩거리다² 《사람이 목을》 den Hals aus|recken (strecken); geizig gucken, habgierig schauen. ¶ 끼룩거리며 부엌을 들여다 보다 gierig (gefräßig) in die Küche hinein|gucken (blicken).

끼룩끼룩¹ 《기러기가》 schreiend und schreiend 《die wilde Gans》.

끼룩끼룩² 《목을》 den Hals ausreckend (streckend).

-끼리 ① 《사람》 von der einzeln geteilten Gruppe; 《둘》 beide(s); 《셋 이상》 zusammen mit jemandem; unter (uns, euch, ihnen, Ihnen, sich). ¶ 우리들끼리의 얘기입니다만 unter uns (im Vertrauen) gesagt; Sie (dich, euch) und mich (uns) allein / 우리끼리 가자 Laß uns allein gehen! / 저희끼리 싸운다 Sie streiten (zanken) sich miteinder. / 부자끼리 장사한다 Vater und Sohn treiben für (unter) sich Handel. / 아이들끼리 논다 Die Kinder spielen unter sich (miteinander).
② 《사람 이외》 von der einzeln geteilten Gruppe; beide(s), zusammen mit ³*et.*; unter³ ihnen (sich). ¶ 비행기끼리 Die Flugzeuge (Maschine) miteinander / 같은 새는 같은 새끼리 모인다 Gleich u. Gleich gesellt sich gern.

끼리끼리 Gruppe für Gruppe; gruppenweise; jeder für sich; getrennt. ¶ ~ 돌아다니다 gruppenweise umher|wandern (schweifen) / ~ 해먹다 Jede Gruppe sieht auf ihren eigenen Vorteil; Jede Gruppe fördert ihre eigenen Interessen.

끼어팔기 der Verkauf mit überflüssigem Anhang.

끼얹다 etwas auf⁴ etwas gießen*; begießen*; über|gießen*. ¶ 꽃에 물을 ~ die Blumen begießen / 몸에 물을 ~ Wasser auf sich (selbst) gießen / 잔등에 물을 ~ den Rücken übergießen / 찬물을 ~ kaltes Wasser auf (über) ⁴*et.* gießen / 머리에 모래를 ~ Sand auf den Kopf gießen / 그녀는 그의 얼굴에 물을 끼얹었다 Sie goß ihm Wasser ins Gesicht.

끼우다 ① 《사이·속·틈에》 *et.* zwischen zwei Dinge stecken; hinein|stecken; ein|fügen; ein|schalten; ein|klemmen; kneifen*; mit ³*et.* (zwischen ³*et.*) halten*. ¶ 책장꽂이를 책에 ~ ein Lesezeichen in ein Buch stecken / 열쇠를 자물쇠에 ~ den Schlüssel ins Schloß (hinein|)stecken / 신문지 사이에 광고를 ~ den Reklamenzettel ins Zeitungspapier (hinein|)stecken / 미닫이를 ~ die Papierschiebetür ein|fügen / 유리를 창(문)에 ~ Glas ins Fenster (in die Tür) ein|setzen / 단추구멍에 장미꽃을 ~ die Rosenblume ins Knopfloch stecken. ② 《손에》 an|ziehen*; stecken. ¶ 장갑을 ~ den Handschuh anziehen / 반지를 손가락에 ~ den Ring an den Finger stecken.

끼웃- ☞ 기웃-.

끼이다¹ ☞ 끼다².

끼이다² 《싫어하다》 hassen; gegen⁴ *jn.* Haß hegen; verabscheuen.

끼이다³ ¶ 마가 ~ vom Teufel geritten sein; Der Teufel müßte s-e Hand im Spiel haben.

끼적거리다 kritzeln; kratzen; schmieren. ¶ 편지를 몇 줄 ~ einige Zeilen des Briefes kritzeln; einen Brief in aller Eile (hin-)kritzeln; einen Brief flüchtig schreiben / 글씨를 ~ die Buchstaben (hin)kritzeln.

끼치다¹ 《소름·어떤 기운 따위가》 schaudern; (er)zittern Ⓢ; erbeben Ⓢ; vor Schauder zittern und beben; vor Furcht sträubt sich Haar; vor Schreck fließt kaltes Blut rückwärts. ¶ 소름끼치게 하다 *jn.* schaudern machen (lassen) / 무서워서 소름이 끼친다 Vor Grauen zittert (erbebt) man. / 추워서 소름이 끼친다 Vor Kälte zittert (erstarrt) man. / 그 장면을 보고 온 몸에 소름이 끼쳤다 Als ich mit m-n eigenen Augen die Szene sah, zitterte ich am ganzen Leibe.¦ Bei dem Anblick lief mir ein kalter Schauder durch alle Glieder.

끼치다² ① 《폐 따위를》 *jn.* belästigen; *jm.* beschwerlich (läßtig *od.* zur Last) fallen Ⓢ; *jm.* Beschwerde machen (verursachen). ¶ 괴로움을 ~ *jm.* Unannehmlichkeiten bereiten / 걱정을 ~ *jm.* Sorgen (Kummer) machen (bereiten) / 남에게 누를 ~ anderen Leuten die Belästigung (Beschwerde *od.* Unannehmlichkeiten) verursachen / 폐를 많이 끼쳤읍니다 Ich fürchte, daß ich Sie sehr belästigt habe. / 폐를 끼쳐 미안합니다 Es tut mir leid, daß ich Sie belästige.
② 《후세에》 vermachen; übermitteln; übertragen*; hinter|lassen*; nach|lassen*. ¶ 유산을 끼쳐 주다 das Vermögen (Eigentum *od.* Besitztum) hinter|lassen (nach|lassen) / 누명을 ~ den Verruf (den schlechten

Ruf *od.* Namen) hinter|lassen.
③ 《셈 따위를》 die Schulden 《*pl.*》 unbezahlt lassen*; die rückständigen Schulden hinter|lassen*. ¶ 아들에게 빚을 끼치고 죽다 dem Sohn die Schulden hinterlassend sterben*.

끽긴하다(喫緊—) dringend; drängend; brennend; eilig (sein). ¶ 끽긴한 일 e-e dringende Angelegenheit, -en; etwas Drängendes*, -n.

끽끽 ☞ 깩깩.

끽끽거리다 laut schreien*; auf|schreien*; kreischen; brüllen; heulen.

끽다(喫茶) das Teetrinken*, -s. ~하다 Tee trinken*.

끽소리 Widerrede *f.* -n; die schroffe Antwort, -en; die ungehörige Erwiderung, -en; die scharfe Entgegnung, -en. ¶ ~ 못하다 kleinlaut werden; eins (e-n Schlag) auf die Nase bekommen*; *jm.* nicht widersprechen können*; *jm.* k-e Widerrede leisten können*; zum Schweigen gebracht werden; [4]sich einschüchtern lassen*; kein einziges Wort hervor|bringen* / ~ 못하게 하다 *jm.* eins (e-n Schlag) auf die Nase geben*; *jn.* kleinlaut machen; *jn.* zum Schweigen bringen*; *jm.* e-e Demütigung zuteil werden lassen*; *jn.* nicht piep sagen lassen* / 그는 ~ 못했다 Er konnte kein Wort dagegen erheben. | S-e Pfeile sind verschossen. / ~ 말라 Schweige!; Halte den Mund!; Genug der Worte!; Halt's Maul!; Nichts gesagt!; Sei still!

끽연(喫煙) das (Tabak)rauchen*, -s. ~하다 (Tabak) rauchen.
‖ ~금지 《게시》 (Hier ist) Rauchen verboten. ~실 Rauchzimmer *n.* -s, -. ~자 Raucher *m.* -s, -. ~차 Raucherabteil *n.* -s, -e; 《게시》 Raucher *m.* -s, -.

끽해야 möglichst; so weit (soviel) wie (als) möglich; höchstens; nicht mehr als; im besten Falle; im glücklichsten Falle.
¶ ~ 선생한테 고자질밖에 더 하겠니 Höchstens kannst du mein Betragen (meinen Lebenswandel) dem Lehrer zutragen. | Im besten Falle kannst du mich bei dem Lehrer angeben (verklatschen). / ~ 넌 날품팔이나 해 먹을 것이다 Das Höchste, was du (tun)kannst, ist, daß du es dir als Tagelöhner erarbeitest.

낄낄 kichernd; heimlich lachend. ~하다, ~거리다 kichern. ¶ ~웃다 kichern; heimlich lachen / 숨어서 ~거리다 in den Bart lächeln; in sich hinein lächeln; insgeheim (im geheimen) lachen.

낌새 Zeichen *n.* -s, -; Vorzeichen *n.* -s, -; Sympton *n.* -s, -e; Atmosphäre *f.* -; Geheimnis *n.* -ses, -se; der geheime Plan, -es, ⸚e; die geheime Kunst, ⸚e; schlauer Kunstgriff, -es, -e. ~(를) 보다 *js.* Geheimnisse erforschen; die Umstände aus|-kundschaften (ausfindig machen); *jm.* auf den Zahn fühlen. ¶ ~를 보이지 않다 kein Geheimnis enthüllen (verraten); die innere Verhältnisse nicht aufspüren lassen / 정국이 달라질 ~가 보이지 않는다 Man kann nicht das Vorzeichen spüren, daß sich die politische Lage verändert. ~(를) 채다 merken; bemerken; wahrnehmen*; auf [4]*et.* achten; von [3]*et.* Wind bekommen*; den Braten (die Lunte) riechen*. ¶ 우리가 무엇을 하고 있는지 이제 ~ 챈 모양이다 Er scheint so, daß er davon Wind bekam, was wir tun.

낑 aus aller Kraft; aus allen Kräften. ~하다 [4]sich an|strengen. ¶ 낑하고 힘쓰다 alle Kräfte an|strengen (an|spannen *od.* zusammen|nehmen).

낑낑 sich immer wieder anstrengend. ~하다, ~거리다 alle Kräfte an|strengen (an|-spannen; zusammen|nehmen*). ¶ 무거운 짐을 지고 ~거리다 unter der schweren Bürde (Last) zusammen|brechen (erschöpft sein).

-ㄴ가 ① 《의문》 ob es ist?; ist es? ¶ 누군가요 Wer ist es? ② 《추측》 es scheint, daß...; es scheint zu sein; es muß (mag) sein. ¶ 김선생인가 보다 Es scheint Herr *Kim* zu se. ¦ Es mag Herr *Kim* sein. / 밖이 추운가 보다 Es scheint draußen kalt zu sein; Es muß draußen kalt sein. ③ 《막연한 장소·시간》 ¶ 그것을 어딘가에서 읽은 것 같다 Ich glaube, ich habe es in irgendeinem oder anderem Buch gelesen. ¦ Es ist mir zumute, als ob ich es in irgendeinem oder anderem Buch gelesen habe (hätte). / 언젠가 후회할 거다 Du wirst es früher oder später bereuen. / 언젠가 만나 뵌 일이 있군요 Ich erinnere mich, daß ich Sie je gesehen (getroffen; kennengelernt) habe.

-ㄴ고로(一故一) 《…한 까닭에》 aus dem Grunde, daß ...; weil; denn. ¶ 그는 외국사람인 고로 그것을 안 해도 좋다 Weil er Ausländer (Fremde) ist, braucht er es nicht zu tun. / 그 편지를 못 받은 고로 나는 모르겠다 Ich weiß nicht, weil ich den Brief nicht erhalten habe.

-ㄴ까닭 《이유》 (aus dem) Grunde, (daß ...). ¶ 그가 내 친구인 까닭이다 Es ist dem Grunde zuzuschreiben, daß er mein Freund ist. / 바쁜 까닭에 못 간다 Ich kann nicht gehen, weil ich viel zu tun habe.

-ㄴ끝에 《…한 결과, 드디어》 endlich; schließlich; zuletzt; am Ende; am (zum) Schluß; nachdem. ¶ 두시간이나 격전을 벌인 끝에 적을 물리쳤다 Nach dem zweistündigen heftigen Kampf (Nach der zweistündigen blutigen Schlacht) schlagen wir den Feind zurück.

-ㄴ대서 ¶ 증기선은 증기로 간대서 그렇게 부른다 Dampfer wird deswegen so genannt, weil es mit Dampf vorwärtsgetrieben wird. / 아직도 모른대서야 말이 되나 Es ist unsinnig, daß Sie es noch nicht wissen (daß du davon noch keine Ahnung hast).

-ㄴ대야 wenn (ob) ... auch (gleich; schon). ¶ 제가 아무리 잘 간대야 한 시간에 백리는 못 가겠지 Wenn er auch so schnell zu Fuß geht, kann er doch nicht ein hundert *ri* die Stunde laufen. ¦ So schnell er auch läuft, kann er doch nicht ein hundert *ri* in einer Stunde hinter sich bringen. / 먹는 대야 얼마나 먹겠니, 내버려 둬라 Laß ihn soviel essen, als er mag; er kann jedoch nicht viel essen.

-ㄴ들 《…하다 할지라도 어찌》 angenommen od. gesetzt daß ...; wenn auch; obgleich; trotz; zugestanden daß .... ¶ 간다 한들 아주 가랴 Ob er schon fort (weg) geht, er verläßt doch hier nicht für immer. / 병을 앓고 있다고 한들 정신까지 꺾이랴 Trotz seiner Krankheit ist er nicht niedergeschlagen. / 술을 마시어 취했다고 한들 그런 짓을 해서는 변명의 여지가 없다 Zugestanden, daß er brtrunken war, ist es doch k-e Entschuldigung für sein Benehmen.

-ㄴ바 ① 《…한 것》 ¶ 이상 말한 바와 같이 wie oben erwähnt (genannt; angegeben; gesagt; gedacht; gemeldet); wie obenstehend / 금속활자는 세계 최초로 한국에서 발명된 바이다 Die Metalldruckbuchstaben sind etwas, was zu allererst in der Welt in Korea erfunden wurde. ② 《…하고 보니까, 하니까》 da; weil; wie; was. ¶ 이왕 온 바에 만나 보고 가겠다 Da ich hier bin, will ich ihn vor dem Weggehen mal sehen. / 이처럼 실험한 바는 기다려 보지 않으면 안된다 Was auf dieses Experiment erfolgen wird, ist abzuwarten.

-ㄴ즉 also; mithin; wie; laut; daß; in bezug (Hinsicht) auf. ¶ 그런즉 dann; daher; darum; deswegen / 그는 모든 것을 상속한다, 그런즉 정원도 마찬가지다 Er erbt alles, also auch den Garten. / 그런즉 어떻게 하면 좋겠나 So dann, was soll ich tun? / 그녀는 부자다, 그런즉 먹는 데는 걱정이 없다 Sie ist reich, mithin hat sie keine Nahrungssorgen. / 들은즉 그 보고는 거짓이라고 하더라 Wie ich höre, soll der Bericht falsch. / 그의 서한에 의한즉 그의 의견은 허무맹랑하다 Laut ihres Schreibens schwebt seine Meinung in der Luft. / 동행하지 못한즉 양해하시압 Ich bitte Sie um Entschuldigung, daß ich Sie nicht begleiten kann. / 경치인즉 금강산이 한국에서 제일이다 In bezug (Hinsicht) auf die Landschaft ist Berg Diamant (*Geumgang*) in Korea am schönsten.

-ㄴ체하다 ☞ 체하다.

나¹ ich*; 〖속어〗 m-e Wenigkeit. ¶ 나의 mein* / 나에게 mir / 나를 mich / 나 자신 ich selbst / 나의 가족 die Mein(ig)en 《*pl.*》 / 나로서는 ich für mein Teil; ich persönlich; von mir aus; was mich (an)betrifft; meinet¦halben (-wegen); meinerseits / 나는 그것으로 족하다 Von mir aus, ja! ¦ Meinetwegen, ich habe nichts dagegen. / 나도 모르게 unbewußt; unwillkürlich; triebhaft (본능적) / 나는 상관 없다 Das kümmert mich nicht. ¦ Das geht mich nichts an. ¦ Ich mache mir nichts daraus. / 나라면 그런 짓을 안 할 것이다 Wenn ich Sie (es) wäre, würde ich es nicht tun. / 나로서는 이의가 없다 Ich für m-e Person bin damit einverstanden. ¦ Von mir aus nichts dagegen. / 누구냐 — 나다 Wer ist da? — Ich bin es.

나² 〖음악〗 h *n.* -, -. ¶ 나 장조 H-Dur *n.* - 《기호: H》 / 나 단조 h-Moll *n.* - 《기호: h》.

나³ ☞ 이나.

-나¹ ① 《의문어미》 ¶ 춥나 Ist es kalt? / 먹었나 Haben Sie schon gegessen? / 가겠나 Willst du gehen? ② 《동작·상태를 가려 말할 때》 und; oder; entweder ... oder. ¶ 크나 작으나 가리지 않고 ohne Rücksicht darauf, entweder groß oder klein / 너나 나나 wir beide, du und ich / 있나 없나 가봐라 Sieh nach, ob sie da ist! / 보나 마나 마찬가지다 Es ist ganz einerlei (gleichgültig; egal), ob ich sehe oder nicht. ③ 《앞뒤 상반된 말을 할 때》 aber; doch; jedoch; trotzdem. ¶ 가난하나 정직하다 Sei er auch arm, er ist doch ehrlich. / 나는 그를 알고 있으나 그의 형제는 모른다 Ich kenne ihn, aber seinen Bruder nicht.

-나^{2} ☞ -으나.

나가다 ① 《밖으로》 (hin)aus|gehen* (fort|-)[s]; spazieren|gehen*[s] (산책하러). ¶ 밖에 ~ aus dem Haus hinaus|gehen*[s] / 방에서 ~ zur Stube hinaus|gehen* [s] / 그는 나가고 없다 Er ist aus (nicht im Büro). / 모두 나갔다 Sie sind alle fort (ausgegangen). / 그는 좀처럼 밖에 나가지 않는다 Er geht selten aus. / 자, 나갑시다 Nun gehen wir!¦Machen wir uns fort!

② 《퇴거》 verlassen*^{4}; ^{4}sich entfernen 《*von*^{3}》; ^{4}sich zurück|ziehen* 《*von*^{3}》; weg|gehen* [s]; fort|gehen* [s]. ¶ 집을 ~ sein Haus verlassen* / 학교에서 ~ e-e Schule verlassen*; von e-r Schule ab|gehen* [s].

③ 《근무》 ein Amt bekleiden (inne|haben*; aus|füllen); 《상점에》 in e-m Geschäfte sein; 《봉사》 im Dienste stehen* (sein). ¶ 관청에 ~ in Dienst der Regierung treten* (gehen*) [s] / 학교에 ~ an e-r Schule tätig sein / 신문사에 ~ im Zeitungsbüro arbeiten / 회사에 ~ bei e-r Gesellschaft in Dienst treten* [s].

④ 《출근·출석》 erscheinen*[s]; ^{4}sich ein|finden*; ^{4}sich ein|stellen; 《참석》 bei|wohnen; 《강의에》 hören^{4}; besuchen^{4}. ¶ 직장에 ~ aufs Amt gehen* [s] / 법원에 ~ ^{4}sich vor Gericht ein|finden*; vor Gericht erscheinen* [s] / 회의에 ~ der Versammlung bei|wohnen / 어제 학교에 못 나갔다 Gestern ging ich nicht in die Schule.

⑤ 《참가》 teil|nehmen* (teil|haben*) 《*an*^{3}》. ¶ 경기에 ~ an e-m Wettkampf teil|nehmen* / 백 미터 경주에 ~ am 100 Meter Wettlauf teil|nehmen*.

⑥ 《진출》 auf|treten* [s]; erscheinen* [s]; ein|treten* [s]. ¶ 사회에 ~ ins Leben treten* [s]; in die Welt ein|treten* [s] / 후보자로 ~ als Kandidat auf|treten* [s] / 문단에 ~ als Schriftsteller auf|treten* [s] / 정계에 ~ ins politische Leben treten* [s] / 그녀는 처음으로 사교계에 나갔다 Sie ist zum erstenmal in der Gesellschaft erschienen.

⑦ 《팔림》 ^{4}sich verkaufen; Absatz finden*. ¶ 잘 ~ ^{4}sich leicht verkaufen; guten (raschen; leichten) Absatz finden* / 잘 나가지 않는다 ^{4}sich schwer verkaufen; schwer verkäuflich sein; schlechten Abgang (Absatz) haben / 이 물건은 잘 나간다 Diese Waren gehen (verkaufen sich) gut. / 싼 사과는 다 나갔다 Die billigen Äpfel sind leider alle (ausverkauft).

⑧ 《닳음·꺼짐》 ^{4}sich verwischen; aus|gehen* [s]. ¶ 불이 ~ das elektrische Licht geht aus / 구두 뒤축이 ~ ^{4}sich der Absatz *js.* Schuhe verwischen.

⑨ 《정신이》 ^{4}*et.* im Kopfe fehlen. ¶ 조금 정신이 나갔다 Bei ihm fehlt etwas im Kopfe. / 정신 나간 소리 마라 Sag' nicht Unsinn!

⑩ 《비용》 kosten; betragen*. ¶ 적게 (많이) ~ nur wenig (viel) ^{4}Geld kosten / 비용은 얼마나 나갑니까 Was wird es wohl kosten? / 총계 2천 원 나간다 Die Gesamtsumme beträgt 2000 *Won*.

⑪ 《조수가》 ebben; sinken* [s]; fallen* [s]. ¶ 조수가 나간다 Die Ebbe tritt ein.

⑫ 《가치·무게가》 wert$^{2\cdot4}$; schwer^{4}. ¶ 그것은 100 파운드의 무게가 나간다 Das ist e-n Zentner schwer. / 그 물건은 2천 원 나간다 Die Ware ist zwei tausend *Won* wert.

나가동그라지다 herab|fallen* [s]. ¶ 절벽 위에서 ~ in e-n Abgrund herab|fallen* [s] / 지붕 위에서 나가동그라져서 죽다 durch e-n Sturz vom Dache getötet werden.

나가떨어지다 auf den Rücken fallen*[s]; ^{4}sich überschlagen*; um|stürzen [s]; um|schlagen*. ¶ 한 방이면 나가떨어진다 Er wird mit (auf) e-m Schlag niedergeworfen (niedergeschlagen; zu Boden geschlagen). / 차에 매달렸다가 나가떨어졌다 Er wurde aus dem Wagen geschleudert.

나가자빠지다 ① =나가떨어지다. ② 《불이행》 von ^{3}*et.* die Hand ab|ziehen*; ignorieren; ^{4}sich unwissend stellen; ^{3}sich nichts merken lassen*. ¶ 빚을 지고 ~ Er streicht die Schulden, ohne sie zu bezahlen (abzuzahlen). / 불경기로 ~ Wegen der Depression (des schlechten Geschäftsgang; der Handelsstockung) zieht er von der Geschäft die Hand ab (macht er Bankrott). / 계약을 이행치 않고 나가자빠지려 한다 Er will den Vertrag nicht halten (ausführen), sondern brechen u. aufheben (verwerfen).

나귀 Esel *m.* -s, -. ☞ 당나귀.

나그네 der Reisende*, -n, -n; Wanderer *m.* -s, - (도보의); 《외지 사람》 der Fremde*, -n, -n; 《방랑객》 Vagabund *m.* -en, -en; 《손》 Besuch *m.* -(e)s, -e; Gast *m.* -(e)s, ⸚e.

나근거리다 ^{4}sich biegen*; ^{4}sich beugen; ^{4}sich neigen; biegsam sein; weich sein.

나근나근 biegsam; weich 《weicher, weichest》; geschmeidig; zart; mild; gelinde.

나긋나긋하다 《가지가》 geschmeidig; schlank; dünn; 《성질이》 sanft; 《음식이》 weich; zart; 《살결이》 sanft; mild (sein). ¶ 나긋나긋한 고기 das zarte Fleisch, -es / 살결이 ~ sanfte Haut haben.

-나기 aus ^{3}*et.* stammend; in e-m Ort geboren. ¶ 서울나기 einer (eine), der (die) in der Hauptstadt geboren ist; der Seouler (die Seoulerin (여자)) / 풋나기 der grüne (unerfahrene) Junge, -n, -n; der Rotzbube, -n, -n; der unreife Bube, -n, -n; der Gelbschnabel, -s, ⸚.

나깨 innere Hülse (Schale) des Buchweizens. ‖ ~떡 der koreanische Kuchen, der mit den inneren Hülsen des Buchweizens gemacht ist. ~수제비 e-e Art Nudelsuppe, die mit den inneren Hülsen des Buchweizens gekocht ist.

나나니(벌) 〖곤충〗 Mud-Dauber-Biene *f.* -n.

나날이 von Tag zu Tag; täglich mehr. ¶ 환자의 병세가 ~ 좋아진다 Dem Kranken geht es nun täglich besser. / 시세는 ~ 오르고 있다 Die Kurse 《*pl.*》 steigen täglich.

나녀(裸女) die nackte Frau, -en; Akt *m.* -(e)s, -e (모델의).

나누기 Division *f.* -n; Teilung *f.* -n. ~하다 teilen; dividieren. ¶ 6 ~ 2는 3이다 Sechs (geteilt) durch zwei ist (macht) drei.

나누다 ① 《분배》 teilen^{4} 《*mit*^{3}; *unter*^{3}》; auf|teilen 《*unter*$^{3\cdot4}$》; aus|teilen^{4} 《*an*^{4}》; verteilen^{4} 《*an*^{4}》; zu|teilen^{34}. ¶ 빈민에게 돈을 나누어 주다 Geld an die Armen verteilen / 그들은 이익을 둘이 나누었다 Sie teilten das

Gewinn unter sich. / 과자를 아이들에게 나누어 주었다 Ich teilte die Süßigkeiten an (unter) die Kinder aus. / 재산을 아이들에게 나누어 주었다 Er hat sein Eigentum unter s-n Kindern verteilt.
② 《구별·구분》 ein|teilen⁴ 《*in*⁴》; sortieren⁴; klassifizieren⁴ (분류). ¶ 나눌 수 없는 unteilbar; untrennbar; unzertrennlich; unzerlegbar / 책을 5장으로 ～ das Buch in 5 Kapiteln ein|teilen / 상품을 품목별로 ～ Waren sortieren.
③ 《분할》 teilen⁴ 《*durch*⁴; *in*⁴》; dividieren⁴ 《*durch*⁴》; halbieren⁴ (이등분). ¶ 셋(넷, 등분)으로 ～ ⁴*et.* in drei (in viere; in gleiche Teile) teilen.
④ 《함께 하다》 teilen⁴ 《mit *jm.*》. ¶ 식사를 ～ an demselben Tische essen*; mit *jm.* zusammen essen* / 고락을 ～ Freud u. Leid teilen 《mit *jm.*》/ 술을 나누며 담소하다 Wein trinkend plaudern sie gemütlich.

나누이다 geteilt (dividiert) werden können. ☞ 나뉘다. ¶ 세 몫으로 ～ in drei Teilen geteilt (dividiert) werden.

나눗셈 Division *f.* -en; das Teilen*, -s. ～하다 dividieren.

나뉘다 《구분》 ⁴sich teilen; ⁴sich unterscheiden*; eingeteilt werden 《*in*⁴》. ¶ 시는 5개의 구로 나뉘어 있다 Die Stadt ist in fünf Bezirke eingeteilt. / 성서는 2부로 나뉘어 있다 Die Bibel besteht aus zwei Teilen.

나닐다 umher|fliegen* (flattern) [s,h]. ¶ 나무에서 나무로 나니는 새 der vom Baum zum Baum (umher)fliegende Vogel.

나다[1] ① 《출생》 geboren werden (sein); zur (auf die) Welt kommen. ☞ 태어나다. ¶ 내가 난 고장 mein Geburtsort / 어린애가 ～ Ein Kind ist geboren.
② 《돋아남》 wachsen* [s]; sprießen* [h,s]; knospen; keimen. ¶ 땅에 풀이 ～ Das Gras wächst auf dem Boden. / 턱에 수염이 ～ Der Mann bekommt am Kinn e-n Bart. / 어린애에게 이가 ～ Zähne wachsen dem Kind. ¦ Das Kind bekommt Zähne.
③ 《발생》 aus|brechen*; entstehen* [s]; geschehen* [s]; ⁴sich ereignen; statt|finden*. ¶ 불이 ～ das Feuer brennt / 연기가 ～ rauchen; Rauch aus|speien* (stoßen) / 홍수가 ～ überschwemmen; Überschwemmung (Hochwasser) ein|treten* / 난리가 ～ der Krieg bricht aus / 고장이 ～ es geht nicht recht (richtig); es fehlt ³*et.*; nicht in Ordnung sein; aus der Ordnung kommen / 사건이 ～ es passiert ³*et.*; das Ereignis (der Vorfall; der Zufall) geschieht / 사고～ es passiert etwas Wichtiges (Schreckliches); der Unfall (das Unglück) geschieht / 탈이 ～ Störung (Hindernis; Hemmung; Schwierigkeit) haben; erkranken [s]; in e-e Krankheit fallen* [s] (geraten* [s]) / 야단이 ～ umständlich (lästig; beschwerlich) werden; zu Skandal (Umstände) werden; großen Lärm machen.
④ 《소리》 schallen*; tönen; klingen; 《냄새·맛·멋》 nach ³*et.* riechen*; nach ³*et.* schmecken. ¶ 높은 소리가 ～ laut tönen / 장미꽃 향기가 ～ nach der Rose riechen / 신맛이 ～ säuerlich schmecken / 태가 ～ ⁴sich fein (nett; hübsch) kleiden (anziehen).
⑤ 《병 따위》 erkranken [s]; e-e Krankheit bekommen*; an e-r Krankheit leiden. ¶ 기침이 ～ husten; den Husten bekommen / 상처가 ～ verwundet (verletzt) werden.
⑥ 《명성·소문 따위》 ins Gespräch kommen* [s]; ruchbar werden. ¶ 이름이 ～ Ruf bekommen; Ruhm ernten; ³sich e-n Namen machen / 소문이 ～ viel besprochen (beredet) werden; Gegenstand des Gesprächs (zum Klatsch) werden.
⑦ 《정성·흥미·능률》 ⁴sich für ⁴*et.* interessieren; ⁴sich beeifern; wirksam (leistungsfähig) sein. ¶ 재미(흥미)가 ～ an ³*et.* (für ⁴*et.*) Interesse haben (nehmen*); an ³*et.* Anteil nehmen*(Geschmack finden*)/ 열성이 ～ für ⁴*et.* Eifer zeigen; in Eifer geraten* [s] / 능률이 ～ Leistungsfähigkeit erhöhen.
⑧ 《감정·생각》 es kommt *jm.* vor; es dünkt *jm.* (*jn.*). ¶ 감정(마음)이 ～ es ist *jm.* zumute (es scheint *jm.*), als ob...; im Herzen haben; ⁴sich fühlen / 성이(분이, 화가) ～ über ⁴*et.* ärgerlich (hitzig, heftig) werden; auf⁴ *jn.* böse werden; über ⁴*et.* zornig werden; über ⁴*et.* in Zorn geraten* [s] / 심술이 ～ boshaft (bösartig; gehässig; hämisch; heimtückisch) werden; schlechtgesinnt sein / 생각(기억)이 ～ an ⁴*et.* denken; auf ⁴*et.* kommen* (verfallen*); ⁴sich an ⁴*et.* erinnern; ⁴sich ²*et.* entsinnen*.
⑨ 《물이》 fließen* [h,s]; ⁴sich ergießen*. ¶ 샘이 ～ die Quelle entspringt / 눈물이 ～ die Tränen treten *jm.* in die Augen; die Augen tränen *jm.* / 콧물이 ～ die Nase läuft *jm.*; der Naseschleim tropft / 땀이 ～ schwitzen; in Schweiß kommen*.
⑩ 《생산》 produziert (hervorgebracht; erzeugt) werden; wachsen* [s]. ¶ 한국에 금이 ～ Es gibt in Korea Gold. ¦ Gold kommt in Korea vor. / 대구에서 사과가 ～ *Daegu* bringt Apfel hervor. / 한국에 도자기가 ～ Porzellan ist in Korea produziert.
⑪ 《티》 das Ansehen (Aussehen; Äußere) od. die Erscheinung (Miene) geben*. ¶ 시골 티가 ～ bäurisch aus|sehen*; es geht bei *jm.* ländlich zu / 학자 티가 ～ ⁴sich gelehrt (pedantisch) stellen; nach Gelehrsamkeit schmecken (riechen*) / 장사꾼 티가 ～ ³sich das Ansehen e-s Kaufmanns geben*.
⑫ (***a***) 《결과 따위》 erscheinen* [s]; erfolgen; zum Vorschein kommen* [s]. ¶ 성과(효과)가 ～ den Erfolg (Effekt) haben / 자국이 ～ die Spuren (Zeichen) zurück|lassen; (***b***) 《결과로써》 ⁴*et.* zur Folge haben; zum auf ⁴*et.* heraus|kommen; aus ³*et.* erfolgen; ⁴*et.* nach ³sich ziehen / 끝장(결말)이 ～ zu Ende (zu e-m Schluß) kommen*; enden / 결딴이 ～ total kaputt werden; zu nichts (Wasser) werden; unbrauchbar gemacht werden / 가루가 ～ zum Pulver (Mehl; Staub) werden.
⑬ 《잘남》 hübsch (fein; wohlgebaut; herrlich) sein; das feingeschnittene Gesicht haben. ¶ 못 ～ häßlich sein / 난 체하다 ⁴sich überheben*; den Herrn spielen; hochmütig (anmaßend) sein.
⑭ 《눈밖에》 ¶ 아무의 눈에 ～ bei *jm.* in Ungnade fallen*; ³sich *js.* Ungnade zu|ziehen*; *js.* Gunst verscherzen.
⑮ 《출회》 erscheinen* [s]; ⁴sich zeigen; hervor|kommen* [s]. ¶ 시장에 사과가 ～ Äpfel stehen auf dem Markt zum Verkauf; Äpfel werden (sind) auf dem Markt feilgeboten / 신문에 ～ Es steht in der Zeitung.

ㄴ

⑯ 《구멍·길》 gemacht (geöffnet; gebohrt) sein. ¶구멍이 ～ in ⁴et. ein Loch machen (bohren) / 새 길이 ～ den Weg bahnen; die Straße an|legen.
⑰ 《비다》 frei (leer) werden. ¶자리가 ～ der Platz ist frei (unbesetzt) / 방이 ～ das Zimmer ist frei (leer; geräumt) / 빈 집이 나 있다 Das Haus ist unbewohnt (feilgeboten; zu vermieten).
⑱ 《계절》 verbringen*; vorüber (vorbei) sein. ¶봄을 ～ Der Frühling ist vorüber (vorbei). / 이 나무도 올 여름을 나면 제법 클 것이다 Dieser Baum wird größer, wenn dieser Sommer vorüber ist.
⑲ 《되다》 ¶발각(탄로) ～ entdeckt (aufgedeckt; enthüllt) werden; an den Tag gebracht werden; ans Licht kommen.
⑳ 《흠 따위가》 ¶이 사과는 흠집이 많이 나 있다 Dieser Apfel ist fleckig. / 이 찻잔에는 흠집이 나 있다 Diese Tasse hat einen Sprung.
㉑ 《나이》 ¶아홉살 난 아이 das neun-jährige Kind, -(e)s, -er.

나다² ① 《계속》 halten*; erhalten*; aus|halten*. ¶힘든 일도 차차 해나(가)면 쉬워진다 Selbst die Schwierigkeiten werden doch leichter, wenn wir uns allmählich daran gewöhnen, sie zu überwinden. ② 《완료》 eben (gerade) vollendet (vollbracht) haben; eben (gerade) zu Ende gekommen sein. ¶한잠 자고 나니 정신이 새롭다 Ich machte (hielt) ein Schläfchen u. fühlte mich erfrischt (erquickt). / 하고 싶은 말을 하고 나니 속이 시원하다 Ich fühle mich nun erleichtert, da ich gesagt habe, was ich zu sagen hatte.

나다니다 umher|schlendern [h,s]; ⁴sich herum|treiben*. ¶잘 나다니는 사람 ein gehöriger Bummler, -s, - / 잘 ～ ⁴sich immer herum|treiben*; immer auf der Straße liegen* / 밤에 ～ nachts (in der Nacht) herum|laufen*[s] / 그는 언제나 나다닌다 Er ist immer unterwegs. / 저 여자는 나다니고만 있다 Sie ist e-e aushäusige Frau.

나다분하다 ☞ 너더분하다.

나달 ungefähr vier od. fünf Tage; mehrere Tage.

나달- ☞ 너덜-.

나도그늘사초(一莎草) 〖식물〗 koreanisches Schilf¦gras (Ried-) -es.

나도밤나무 Buche f. -n; *Meliosma myriantha* (학명).

나돌다 《밖에》 draußen umwandern; 《말·소문이》 die Sage (das Gerücht) verbreitet sich.

나동그라지다 ⁴sich überschlagen*; purzeln[s]. ☞ 나가동그라지다.

나뒹굴다 ⁴sich umher|wälzen; ⁴sich auf u. ab (hin u. her; weit u. breit) rollen.

나들다 ☞ 드나들다.

나들이 das Ausgehen*, -s; Besuch m. -(e)s, -e. ～하다 aus|gehen*[s]; besuchen⁴. ¶～ 가다(오다) zu Besuch gehen* (kommen*)[s] / 며느리가 친정에 ～갔다 M-e Schwiegertochter ist zu ihrem Geburtshaus gegangen.
‖～옷 Sonntagsanzug m. -(e)s, ⸚e(남자의); Sonntagskleid n. -(e)s, -er: ～옷을 입고 festlich (vornehm) gekleidet / ～옷으로 차려 입다 ⁴sich mit s-m besten Anzug heraus|putzen.

나라 ① 《국가》 Land n. -(e)s, ⸚er; Reich n. -(e)s, -e; Staat m. -(e)s, -en; Kaiserreich n. -(e)s, -e(제국); Königreich n. -(e)s, -e(왕국); Monarchie f. -n [..çíːən] (군주국); Republik f. -en(공화국); 《고국》 Vaterland n. -(e)s, ⸚er(조국); Heimat¦land (Geburts-) n. -(e)s, ⸚er(태어난 나라); Mutterland n. -(e)s, ⸚er (모국). ¶～의 staatlich; national; Reichs-; Staats- / ～를 위해 für das Vaterland / ～를 생각하는 마음 Vaterlandsliebe f. -n / ～를 위해서 목숨을 바치다 fürs Vaterland sterben*[s]; sein Leben für das Vaterland hin|geben* / ～를 위해 충성을 바치다 dem Vaterland dienen; ⁴sich um das Wohl (Gedeihen) des Vaterlandes bemühen; ⁴alles für das Vaterland ein|setzen(모든 것을 바쳐서) / ～를 팔아 먹다 das Vaterland verraten* / ～를 다스리다 das Land regieren/ ～를 지키다 sein Vaterland schützen (verteidigen) / 어느 ～에서 오셨읍니까 Woher sind (stammen; kommen) Sie?¦《특히 외국인에게》 Aus welchem Land kommen Sie?¦ Wo ist Ihr Heimatland?¦Was ist Ihre Nationalität? / 그것은 이 ～의 풍습이 아니다 Das ist hier zu Lande nicht der Brauch.¦Das ist nicht der Brauch des Landes. ② 《특수 세계》 Welt f. -en; Reich n. -(e)s, -e. ¶꿈～ Traumwelt f. -en / 달～ Mond m. -(e)s, - / 별～ die sternige Welt, -en.

나라지다 ☞ 늘어지다 ③.

나락(奈落) Abgrund m. -(e)s, ⸚e; Hölle f.; der schwindelnde Abgrund, -(e)s, ⸚e; die bodenlose Schlucht, -en (Tiefe, -n).

나란히 《줄지어》 nebeneinander; Seite an Seite; in e-r Reihe; Pferd an Pferd(승마). ¶～ 가다 nebeneinander|gehen* (-|fahren*; -|fliegen*) [s]; Seite an Seite gehen*; mit jm. Schritt halten* / ～ 서다(눕다, 앉다) in e-r Reihe stehen* (liegen*, sitzen*) (한 줄로); nebeneinander stehen* (liegen*, sitzen*) (옆으로) / 두 줄로 ～ 서다 ⁴sich in zwei Reihen auf|stellen / 그는 나와 ～ 서 있었다 Er stand neben mir (an m-r Seite). / 두 사람은 ～ 자고 있었다 Die beiden schliefen Seite an Seite. / 우로 ～ 《구령》 Rechts richtet euch!
‖～꼴 〖수학〗 Parallelogramm n. -s, -e.

나래¹ 《농기구》 Egge f. -n.
‖～꾼 der Egger, -s, -. ～질 das Feldeggen: ～질하다 mit der Egge den Acker (das Feld) bearbeiten.

나래² 《노》 Ruder n. -s, -; ein Paar Ruder.

나력(瘰癧) 〖의학〗 Skrofulose f. -n; Skrofel f. -n. ¶～의 skrofulös; an ³Skrofeln erkrankt.

나례(儺禮) Beschwörung 《f. -en》 böser ²Geister; Exorzismus m. -, ..men.

나루 ① 《나루터》 Fähre f. -n; Fährstelle f. -n; Auto-Schnellfähre f. -n (자동차의). ¶～를 건너다 (e-n Fluß) in e-r Fähre über|setzen. ② ☞ 나룻배.
‖～지기 Fährwächter m. -s, -. ～질 Übersetzung f. -en: ～질하다 übersetzen (über e-n Fluß). ～터 Fähre f. -n; Fährort m. -(e)s, -e. ～턱 Fähreplatz m. -es, ⸚e: ～턱에 배를 대다 das Boot an den Fähreplatz ziehen*. 나룻가 die Nähe der Fähre. 나룻목 Fährstraße f. -n. 나룻전 Fährgeld n. -(e)s, -er.

나룻 Backenbart m. -(e)s, ⸚. ¶～이 석 자라도 먹어야 샌님 《속담》 Wohlgenährt, wohlerzogen; Einem hungrigen Magen ist schlecht predigen.

나비가오리 〖어류〗 Roche *m.* -ns, -n; Rochen *m.* -s, -.

나빠지다 schlecht werden; ^{4}sich verschlechtern; schlimm werden; ^{4}sich verschlimmern. ¶ 날씨는 내일부터 나빠질 것이다 Das Wetter wird von morgen ab schlechter werden. / 환자의 병세는 의외로 더 나빠졌다 Mit dem Patienten hat es unversehens e-e Wendung zum Schlechteren genommen.

나쁘게 schlecht; böse; schlimm; krank. ¶ 남을 ~ 말하다 von *jm.* schlecht sprechen; *jn.* schlecht machen; *jn.* verleumden / 그를 ~ 말하는 사람은 하나도 없다 Es gibt keiner, der von ihm schlecht spricht.

나쁘다 ① schlecht; übel; schlimm; unrecht (부당, 부정); 《행실》 unanständig (sein). ¶ 나쁜 짓을 하다 etwas verbrechen* (죄를 범하다); etwas Schlimmes verbrechen* (못된 짓을); ein Unrecht begehen* (verüben); ^{4}sich vergehen* 《*an*^{3}; *gegen*^{4}》; e-e Dummheit machen (begehen*) (군짓을) / 나쁜 때 왔군 Du kommst zur ungelegenen (unglücklichen) Zeit. / 나쁜 때 사람이 왔다 Der Besuch kam mir ganz ungelegen. / 제가 나빴읍니다 Es liegt an mir. ¦ Ich bin daran schuldig. / 그건 자네가 나쁘네 Du hast unrecht. ¦ Es ist unrecht von dir. / 자네에게 알리지 않은 건 나빴어 Es ist nicht recht von mir, Sie nicht wissen zu lassen. / 별로 나쁜 짓은 하지 않았다 Ich habe nichts verbrochen. / 여러가지로 나쁜 짓을 해 온 놈이다 Er hat schon manches verübt. / 나쁜 뜻에서 한 것이 아니었다 Das war nicht m-e Absicht. ¦ Das geschah ohne Absicht.

② 《악의있다》 böse; boshaft; bösartig; 《사악하다》 arglistig; heimtückisch; verrucht; 《악명높다》 berüchtigt (sein). ¶ 나쁜 사람 der böse (üble) Mensch, -en, -en / 저 사람은 평판이 ~ Er hat e-n schlechten (bösen; üblen) Leumand (Ruf). ¦ Er hat e-e schlechte Presse 《*bei*^{3}》.

③ 《유해》 schädlich; schädigend; verderblich; 《못쓰게 된》 schadhaft (sein). ¶ 나쁜 데를 고치다 schadhafte Stelle aus|bessern / 그 사건은 나쁜 영향을 남겼다 Dieses Ereignis hat schädliche Nachwirkungen hinterlassen.

④ 《불길》 böse; unglücklich; unheil¦bringend (-verkündend) (sein). ¶ 나쁜 소식 die üble Nachricht, -en / 일진이 나빴다 Das war ein schwarzer Tag (ein Unglückstag).

⑤ 《추악》 häßlich; unangenehm (sein). ¶ 나쁜 말을 쓰다 häßliche Worte gebrauchen.

⑥ 《품질이》 schlecht; minderwertig; wertlos; 《속악하다》 kitschig; banal (sein).

⑦ 《머리가》 begriffsstutzig; beschränkt; schwach; stumpfsinnig; dumm (sein). ¶ 머리가 ~ e-n dumpfen Kopf haben.

⑧ 《몸이》 krank; nicht gesund; unpäßlich; 《허약》 gebrechlich; hinfällig (sein). ¶ 위가 ~ e-n schlechten (schwachen; kranken) Magen haben / 기분이 ~ ^{4}sich unwohl fühlen / 가슴이 ~ schwach auf der Brust sein (폐가) / 병세가 몹시 ~ sehr ernst (schwer) krank sein / 어디가 나쁘십니까 Was fehlt Ihnen?

⑨ 《길이》 schlecht; schlammig (진창); 《걷기에》 schwer passierbar (gangbar) (sein).

⑩ 《날씨가》 schlecht; gräßlich; abscheulich; rauh (sein). ¶ 날씨가 나쁘군요 Das ist aber ein schlechtes Wetter! ¦ 〖속어〗 Ein Sauwetter, was!

⑪ 《고장》 schlecht; nicht in Ordnung; fehler¦haft (mangel-) (sein). ¶ 어디 나쁜데가 있다 Etwas ist nicht in Ordnung. ¦ Irgendwo ist e-e Störung. / 그건 어디가 나쁘냐 Was ist auszusetzen daran?

⑫ 《기타》 ¶ 나쁘게 해석하다 krumm (übel) nehmen* / 나쁘게 말하다 (생각하다) schlecht sprechen* (denken*) 《von *jm.*》 / 한잔 하는 것은 나쁘지 않다 Es ist (gar) kein schlechter Gedanken, ^{3}sich eins zu genehmigen. / 지불이 나쁜 손님 der faule Kunde, -n, -n.

나사(螺絲) 《못》 Schraube *f.* -n. ¶ ~를 죄다 (an)schrauben*^{4}; mit Schrauben befestigen^{4} / ~를 늦추다 e-e Schraube lockern / ~를 돌리다 Schrauben drehen (an|ziehen*) / 그 친구 머리의 ~가 빠졌군 In s-m Kopf fehlt es etwas.

‖ **~돌리개** Schraubenzieher *m.* -s, -. **~못** Schraube *f.* -n. **~송곳** Spiralbohrer *m.* -s, -. **~용수틀** Spiralfeder *f.* -n. **~층층대** Wendeltreppe *f.* -n; die spiralförmige Treppe. **수~** Schraubenspindel *f.* -n. **암~** Schraubenmutter *f.* -n.

나사(羅紗) Tuch *n.* -(e)s, -e (⸗er); Woll¦stoff *m.* -(e)s, -e (-gewebe *n.* -s, -).

‖ **~상인** Tuchhändler *m.* -s, -. **능직~** das geköperte Tuch, -(e)s, -e; Köper *m.* -s, -. **줄무늬~** das (bunt)gestreifte Tuch.

나상(裸像) Nudität *f.* -en; die nackte Gestalt, -en.

나서다 ① 《나타내다》 erscheinen* ⓢ; in Erscheinung treten* ⓢ; zum Vorschein kommen* ⓢ; ^{4}sich zeigen; 《집 등을》 aus|gehen* ⓢ; aus dem Hause hinaus|gehen*; Haus verlassen*. ¶ 줄에서 ~ aus dem Reihe treten*; aus Reih' und Glied aus|treten* / 교문을 ~ die Schule verlassen* / 집을 ~ das Haus verlassen* / 무대에 ~ auf der Bühne auf|treten*; die Bretter betreten*; zur Bühne gehen*.

② 《진출》 vor|rücken ⓢ; vor|schreiten* ⓢ; vorwärts|rücken ⓢ; vorwärts|kommen* ⓢ; hervor|kommen* ⓢ. ¶ 정계에 ~ die politische Laufbahn betreten* / 실업계에 ~ ins Gewerbsleben ein|treten* / 사교계에 ~ in den Gesellschaftskreis gehen*; 《여자가》 ihr Debüt (ihr erste Auftreten) machen / 세상에 ~ in die Welt ein|treten*.

③ 《출마》 als Kandidat auf|treten* ⓢ. ¶ …후보자로 ~ als Kandidat für ^{4}*et.* auftreten / 대통령 후보로 ~ als Kandidat für Staatspräsidenten auf|treten*.

④ 《길·건물 따위가》 ^{4}sich befinden*; in ^{3}*et.* an|kommen* ⓢ; an ^{4}*et.* gelangen ⓢ; ^{4}*et.* erreichen; zu ^{3}*et.* führen. ¶ 이 길로 가면 큰 길이 나선다 Dieser Weg führt zur Hauptstraße. / 이 모퉁이를 돌면 중앙청이 나선다 Wenn man um die Straßenecke biegt, sieht man sich dem Regierungsgebäude gegenüber (befindet man sich vor der Zentralregierung).

⑤ 《간섭》 in ^{4}*et.* sich ein|mischen (-|mengen); in ^{4}*et.* dazwischen|kommen* ⓢ; in ^{4}*et.* ein|greifen*; intervenieren. ¶ 남의 싸움에 나서기를 싫어한다 Er hegt dagegen Abneigung, sich mitten in den anderen Streit zu stürzen. / 이제 네가 나설 차례다 Jetzt ist die Reihe an Ihnen. ¦ Jetzt ist es an Ihnen, zu handeln.

⑥ 《일자리 따위》 gefunden (entdeckt; aufgesucht) werden; 《희망자 따위가》 ^{4}sich um ^{4}*et.* bewerben*; ^{4}*et.* (um ^{4}*et.*) nach|suchen. ¶ 일자리가 ~ e-e Arbeit (Stelle) finden (bekommen; erhalten) / 희망자는 하나도 나서지 않았다 Niemand bewarb sich darum. / 아무리 찾아도 일자리가 나서지 않는다 Obgleich ich mich bemühte, konnte ich nicht eine Arbeit bekommen.

나선(螺旋) Schraube *f.* -n; Spirale *f.* -n. ¶ ~형의 schraubenförmig; spiralig.
‖ ~강하비행 Gleitspiralflug *m.* -(e)s, ⸗e. ~계단 Wendeltreppe *f.* -n. ~균 Spirille *f.* -n. ~상승 die spirale Steigung, -en. ~운동 Schraubenbewegung *f.* -en. ~장치 Schraube *f.* -n. ~제동기 Schraubenbremse *f.* -n. ~체 Helikoide *f.* -n. ~펌프 Schraubenpumpe *f.* -n.

나선상(螺旋狀) Spiralform *f.* -en. ¶ ~의 spiral(ig); schrauben¦förmig (spiral-).
‖ ~계단 Wendeltreppe *f.* -n. ~성운(星雲) der spirale Nebelfleck, -(e)s, -e.

나스르르하다 zottig; flaumig; flockig; wollig (sein). ¶ 털이 나스르르한 개 der zottige Hund, -(e)s, -e / 털이 나스르르한 담요 die wollene Decke, -n.

나슬나슬하다 =나스르르하다.

나아가다 ① 《전진》 vorwärts gehen*[s]; vor|gehen*[s]; marschieren (행진). ¶ 한 걸음 ~ e-n Schritt vorwärts tun* / 더 ~ weiter gehen*[s] / 한 걸음 나아가서 e-n Schritt vorwärts rückend; ferner; überdies; weiter / 군대가 ~ (gegen den Feind) vorrücken / 숲을 헤치고 ~ ^{3}sich e-n Weg durchs Gebüsch bahnen / 사람들을 헤치고 ~ ^{4}sich durch die Menge arbeiten / 세상에 뒤떨어지지 않고 나아가고 있다 Er hält Schritt mit der Zeit.¦Er schreitet mit der Zeit vor.
② 《진척》 voran|gehen*[s]; fort|kommen* (-|schreiten*) [s]; vorwärts kommen*[s]; Fortschritte machen (진보하다). ¶ 일이 잘 되어 ~ die Arbeit macht Fortschritte; guten Erfolg haben; viel Glück haben / 빨리 ~ schnelle Fortschritte machen / 문법은 어디까지 나아갔느냐 Wie weit sind wir mit der Grammatik (fortgeschritten)? / 일이 좀처럼 나아가지 않는다 Ich komme in m-r Arbeit gar nicht vorwärts.
③ 《진출·승진》 vor|rücken[s]; vor|schreiten* [s]; befördert werden. ¶ 영화계로 ~ zum Film über|gehen*[s] / 대령의 자리에 ~ zum Obersten befördert werden.
④ 《형편·병세 따위》 besser werden; ^{4}sich verbessern; genesen*. ¶ 그 병은 나아가고 있다 Die Krankheit wendet sich zum Bessern. / 덕분에 환자는 나아가고 있어요 Gott sei Dank, es geht dem Kranken immer besser.

나아지다 besser werden; verbessern; ^{4}sich (ver)bessern. ¶ 버릇이 ~ entwöhnt werden / 건강이 ~ besser werden; wieder|herstellen / 솜씨가 ~ geschickt (kundig; talentvoll; tüchtig) werden / 일하기가 ~ die Arbeit ist leichter zu tun / 지내기가 ~ ein besseres Leben führen; in besseren Verhältnissen sein / 영어회화가 ~ in der englischen Umgangssprache bewanderter werden; in der englischen Konversation gewandter werden / 식량사정이 나아졌다 Das Proviantproblem hat sich verbessert.¦Die Nahrungsverhältnisse haben sich zum Bessern gewandt (haben eine glückliche (günstige) Wendung genommen).

나약(懦弱) Erschlaffung *f.* -en; Mattherzigkeit *f.*; Schwäche *f.* -n; Unmännlichkeit *f.*; Verweichlichung *f.* -en. ~하다 mattherzig; erschlafft; mutlos; schwach(herzig); unmännlich; weichlich (sein). ¶ ~한 남자 Schwäch¦ling (Weich-) *m.* -s, -e; 《우스개》 Schwachmatikus *m.* -, ..kusse / ~해지다 erschlaffen [s]; ^{4}sich verweichlichen.

나열(羅列) Rangierung *f.* -en; Aufstellung *f.* -en. ~하다 an|führen^4 (auf|-); auf|stellen^4; auf|zählen^4 (her|-); rangieren. ¶ 통계숫자를 ~하다 die statistische Ziffer (Zahl; Bilanz) rangieren (auf|stellen) / 그건 그저 말의 ~에 지나지 않는다 Die ist e-e bloße Aneinanderreihung von Worten.

나오다 ① 《밖으로》 aus|kommen*[s]; aus|treten* [s]; verlassen*^{4}; 《나타나다》 erscheinen* [s]; ^{4}sich zeigen; auf|treten* [s] (무대에); auf|tauchen [s]; hervor|gehen* [s] (출현); in der Erscheinung treten*[s]; zum Vorschein kommen*[s]. ¶ 극장에서 ~ aus dem Theater (heraus|)kommen* [s] / 집에서 ~ aus dem Haus (heraus|)kommen*[s]; das Haus verlassen* / 쇼핑하러 ~ einkaufen kommen* [s] / 물에서 ~ aus dem Wasser herauf|kommen* [s] / 밖에 나오지 않다 nicht aus|gehen* [s]; selten aus|gehen* [s] / 달이 나왔다 Der Mond ist aufgegangen. / 별이 나와 있다 Die Sterne stehen am Himmel. / 벌써 딸기가 나와 있다 Erdbeeren sind schon auf den Markt (zum Verkauf) gekommen. / 그는 좀처럼 밖에 나오지 않는다 Er geht selten aus. / 증인으로 법정에 나왔다 Er erschien als Zeuge vor Gericht.
② 《말이》 gesagt (gesprochen; erwähnt) werden; zur Sprache gebracht werden (kommen* [s]); von ^{3}*et.* die Rede sein; 《버릇이》 ^{4}sich verraten*; ^{4}sich aus|drücken; ^{4}sich dar|stellen; ^{4}sich äußern. ¶ 나쁜 버릇이 ~ *js.* schlechte Gewohnheit guckt heraus / 욕설이 ~ von *jm.* schlecht gesprochen werden / 가끔 사투리가 섞여 나온다 Beim Sprechen erkennt man manchmal s-n Dialekt. / 그것이 그 이야기에 나온 집(회사)이다 Das ist das erwähnte Haus (die erwähnte Firma). / 그 점에 관해서는 이야기가 나오지 않았다 Dieser Punkt ist nicht zur Sprache gekommen (gebracht worden).
③ 《없어진 것이》 gefunden werden; zum Vorschein kommen*[s]. ¶ 잃어버린 책이 나왔다 Das Buch, das verloren gegangen ist, wurde gefunden. / 잃었던 시계가 서랍에서 나왔다 Die Uhr, die weg war, wurde gefunden.
④ 《음식이》 gedeckt werden; vorgesetzt werden. ¶ 식사가 나왔다 Es ist aufgetragen.¦Es ist gedeckt. / 회의가 끝난 다음 다과가 나왔다 Nachdem die Versammlung zu Ende war, setzte man uns Kuchen u. Obst vor.
⑤ 《액체가》 heraus|fließen* (-|strömen)[s,h]; quellen* [s] (솟다); entrinnen* [s]. ¶ 샘이 ~ e-e Quelle entspringt / 그녀의 눈에서 눈물이 흘러 나왔다 Tränen quollen aus ihren Augen. / 바위 틈에서 맑은 물이 나온다 Dem Felsen entrinnt eine Quelle. / 상처에서 피가 흘러 나온다 Die Wunde fließt.
⑥ 《발행》 herausgegeben (verlegt; veröffentlicht) werden; erscheinen* [s]. ¶ 그 책

나치(스) Nazi *m.* -s, -s; Nationalsozialist *m.* -en, -en. ¶ ~(스)의 nationalsozialistisch.
‖ **~당** Nationalsozialistische Deutsche Arbeiterpartei *f.* 《생략: NSDAP》: **~당원** Nationalsozialist *m.* -en, -en; die Angehörigen des Nationalsozialismus. **~독일** das Nationalsozialistische Deutschland, -s. **~즘** Nazismus *m.* -; Nationalsozialismus *m.* -. (비)**~화** (Ent)nazifizierung *f.* -en: (비)~화하다 (ent)nazifizieren 《*jn.*》.

나침(羅針) Kompaßnadel *f.* -n.
‖ **~반, ~의(儀)** Kompaß *m.* ..passes, ..passe: 삼각 ~반 der dreieckige Kompaß / 항공 ~반 Luftkompaß *m.* / 항해 ~반 Steuerkompaß *m.* **~방위** Kompaßstrich *m.* -(e)s, -e: ~방위반 Kompaßrose *f.* -n / ~방위측정 Kompaßpeilung *f.* -en.

나타(懶惰) ＝나태(懶怠).

나타나다 ① 《출현》 erscheinen* [s]; auf|treten* [s]; heraus|kommen* [s]; ^{4}sich melden 《*bei*^{3}》 (얼굴을 보이다); ^{4}sich zeigen; zum Vorschein kommen* [s]. ¶ 법정에 ~ vor Gericht erscheinen* [s]; ^{4}sich dem Gericht stellen / 무대에 ~ auf|treten* [s]; die Bretter betreten* / 불쑥 ~ plötzlich (unvermutet) erscheinen* [s] / 얼굴에 나타나 있다 sein Gesicht verrät es / 달이 구름 속에서 나타났다 Der Mond ist aus den Wolken hervorgekommen. / 난시에 영웅이 나타난다 Wenn das Land in Verwirrung ist, erstehen Helden.
② 《시야에》 in ^{4}Sicht kommen* [s]; sichtbar werden; zu sehen sein; auf|tauchen [s] (물속에서). ¶ 배가 한 척 나타났다 Ein Schiff kam in Sicht. / 그의 눈에는 애정이 나타나 있다 Aus s-n Augen spricht die Liebe.
③ 《드러남》 ^{4}sich sehen lassen*; ^{4}sich verraten*^{4}; ^{4}sich aus|drücken; ^{4}sich zeigen. ¶ 술을 마시면 본성이 나타난다 Wenn er Wein trinkt, kommt sein wahrer Charakter zum Vorschein. / 나쁜 마음은 얼굴에 나타난다 Das Gesicht verrät sein schlechtes Gewissen. / 이 작품에는 지방색이 잘 나타나 있다 In diesem Werke ist die Lokalfarbe gut wiedergegeben. / 그의 얼굴에는 즐거운 빛이 나타나 있었다 Sein Gesicht glänzte vor Freude. ¦ Sein Gesicht war freudeglänzend. / 후회하는 빛이 얼굴에 나타나 있다 Die Reue zeigt sich in s-m Gesicht.
④ 《발견》 gefunden werden; entdeckt werden; ^{4}sich enthüllen; ans Licht treten* (kommen*) [s]. ¶ 그가 죽은 후에 한 통의 유서가 나타났다 Nach s-m Tode wurde e-e hintergelassene Schrift gefunden. / 그 문장에서 미스가 한 개 나타났다 In dem Satz wurde ein Fehler aufgedeckt. / 많은 증거가 나타났다 Viele Beweise liegen vor.
⑤ 《알려짐》 bekannt werden; ans Licht treten* [s]. ¶ 그는 지금 세상에 나타나지 않고 편히 연금(年金) 생활을 하고 있다 Er lebt jetzt bequem im Ruhestand.
⑥ 《돌발》 aus|brechen* [s]. ¶ 그의 고질병이 다시 나타났다 E-e chronische Krankheit ist wieder in ihm ausgebrochen.

나타내다 ① 《보이다·발휘하다》 zeigen^{4}; entfalten^{4}; zur Schau stellen^{4}. ¶ 이름을 ~ ^{3}sich e-n Namen machen; ^{4}sich aus|zeichnen; berühmt (bekannt) werden / 수완을 ~ s-e Fähigkeit (s-e Geschicklichkeit; sein Vermögen) zeigen (an den Tag legen) / 모습을 ~ auf|tauchen [s]; zum Vorschein kommen* [s] / 그는 우려를 나타냈다 Er hat sein Bedenken darüber geäußert. / 어떻게 고마움을 나타내야 할지 모르겠읍니다 Ich weiß wirklich nicht, wie ich mich erkenntlich zeigen soll. / 이 es는 무엇을 나타냅니까 Was bedeutet dieses „es“? ¦ Worauf ist dieses „es“ zu beziehen? / 이것은 그의 성격을 잘 나타내고 있다 Dies ist für ihn sehr bezeichnend (kennzeichnet ihn sehr).
② 《드러냄》 enthüllen^{4}; entlarven^{4}; offenbaren^{4}; verraten*^{4}; ans Licht bringen*^{4}; an den Tag legen^{4}. ¶ 정체를 ~ s-e Maske ab|nehmen*; ^{4}sich demaskieren / 약점을 ~ ^{3}sich e-e Blöße geben* / 그의 태도는 그의 속셈을 나타내고 있다 Sein Benehmen verrät sein böses Gewissen.
③ 《표현》 aus|drücken^{4}; dar|stellen^{4}; schildern^{4}. ¶ 사상을 말로 ~ Gedanken in Worten aus|drücken / 지방색을 ~ die Lokalfarbe dar|stellen (wieder|geben*).
④ 《표시·상징》 bedeuten^{4}; an|zeigen^{4}; vor|stellen^{4}; symbolisieren^{4}. ¶ 소나무는 성실을 나타낸다 Die Kiefer ist bei uns das Symbol der Treue. / 이 기호는 무엇을 나타내고 있는가 Was bedeutet dieses Zeichen?

나탈- ☞ 나달-.

나태(懶怠) Faulheit *f.* -en; Trägheit *f.* -en; Müßiggang *m.* -(e)s; Unfleiß *m.* -es; 《부주의》 Lässigkeit *f.* -en; Nachlässigkeit *f.* -en. **~하다** faul; träge; unfleißig; (nach-)lässig (sein).

나토 NATO [néitou] [◀North Atlantic Treaty Organization＝Organisation der Signatarmächte des Nordatlantikpaktes].

나트륨 〖화학〗 Natrium *n.* -s 《기호: Na》.

나티 《귀신》 das Gespenst, das e-e Tiergestalt hat; 《곰》 der dunkelrotfarbige Bär, -en, -en. ‖ **~상(相)** das gräß- und schrecklich gespenstische Gesicht.

나팔(喇叭) Trompete *f.* -n; Signalhorn *n.* -(e)s, ⸗er 《경적, 자동차의 Hupe *f.*》; Blasinstrument *n.* -(e)s, -en(넓은 의미); Trichter *m.* -s, -(구식 축음기의); Lautsprecher *m.* -s, -(라우드스피커). ¶ ~을 불다 die Trompete blasen*; trompeten; 《술병을 통째로》 (direkt) aus der Flasche trinken*^{4} / 기상 (취침) ~을 불다 die Reveille [revέ(l)jə] (den Zapfenstreich) blasen*.
‖ **~관** 〖해부〗 Muttertrompete *f.* -n. **~꽃** Trichterwinde *f.* -n. **~바지** Matrosenhose *f.* -n. **~벌레** e-e Art von trompetenförmiger Ziliate, -n. **~소리** Trompetengeschmetter *n.* -s; Trompetenstoß *m.* -es, ⸗e: ~소리와 함께 unter Trompetenschall / ~소리가 울린다 Die Trompeten schmettern. / 행진 ~소리가 울렸다 Es wurde ein Signal zum Aufmarsch geblasen. **~수** Trompeter *m.* -s, -.

나팔- ☞ 너풀-.

나팔나팔 hin und her (auf und ab) flatternd.

나포(拿捕) Aufbringung *f.* -en; das Kapern*, -s; Wegnahme *f.* -n. **~하다** auf|bringen*^{4}; kapern^{4}; weg|nehmen*^{4}; als Prise nehmen*^{4}.
‖ **~선** das gekaperte Schiff, -(e)s, -e. 적선~ Kaperei *f.* -en; Freibeuterei *f.* -en.

나폴레옹일세(——世) Napoleon Bonaparte I. (＝der erste) (1769–1821).

나폴리 《이탈리아의 도시》 Napoli; Neapel.

나푼거리다 leicht (sacht) flattern.

나푼나푼 leicht (sacht) flatternd.

나풀거리다 rauh (wild; heftig) flattern.

나풀나풀 rauh (wild; heftig) flatternd.

나프탈린 Naphtalin *n.* -s.

나한(羅漢) 〖불교〗 ein Schüler (Anhänger) von Buddha; ein Arhant《범어》. ¶ ~에도 모래 먹는 ~이 있다 Hohe Stellung (Hoher Stand) ist keine Garantie gegen Not (Bedrängnis; Härte).

나화(裸花) 〖식물〗 die nacktblütige Blume, -n.

나흗날 der vierte Tag des Monats.

나흘 《네날》 vier Tage; 《나흗날》 der vierte Tag des Monats.

낙(樂) Freude *f.* -n; Lust *f.* ⸚e; 《오락》 Vergnügen *n.* -s, -; 《취미》 Geschmack *m.* -s, ⸚e; 《행복》 Glück *n.* -(e)s. ¶ …을 낙으로 삼다 Freude finden* 《*in*^{3}; … zu *tun*》/ 인생의 낙 Lebensfreude *f.*; Lebensgenuß *m.* ..sses, ..nüsse / 낙이 없는 freudelos; freudeleer / 나무 그늘에서 불경을 읽는 것이 유일한 낙이다 Es ist jetzt mein einziges Vergnügen, im Schatten der Bäume buddhistische Schriften zu lesen. / 낚시질이 유일한 낙이다 Das Angeln ist s-e einzige Freude. / 자녀 교육에서 유일한 낙을 찾고 있다 Er findet s-e einzige Freude in der Erziehung der Kinder.

낙관(落款) das Unterzeichnen* u. Stempeln*, des - u. - s; Unterschrift u. Stempel, der - u. des -s. ~하다 unterzeichnen^4 u. (dazu) ab|stempeln^4. ¶ ~이 있는(없는) mit (ohne) Unterschrift u. Siegel / 유명한 화가의 ~이 있다 Unterschrift u. Siegel e-s berühmten Malers gedruckt sein.

낙관(樂觀) Optimismus *m.* -. ~하다 rosig an|sehen^4(사태 따위를); von ^{3}*et.* nicht viel halten*^{4}; optimistisch (zuversichtlich) sein; durch e-e rosa Brille sehen*^{4}; alles für gut halten*. ¶ ~적(으로) optimistisch; rosig; hoffnungsvoll / ~적인 생각 der optimistische Gedanke, -ns, -n / ~적으로 보다 rosige Ansicht haben; alles in rosigem Licht sehen* / ~을 불허하다 nicht so zuversichtlich sein; gar nicht so hoffnungsfreudig (hoffnungsvoll) sein; nicht so rosig sein / 그는 지나치게 ~한다 Er sieht alles von der günstigen Seite. ¦ Er erwartet stets nur e-n guten Ausgang. / 이기리라고 ~하고 있다 Er sieht dem Siege sehr optimistisch entgegen. / 너무 ~하지 마라 Sei nicht zu zuversichtlich!

‖ ~론, ~설 Optimismus *m.* -; optimistische Ansicht, -en. ~주의 Optimismus *m.* -: ~주의자 Optimist *m.* -en, -en / 그는 지나친 ~주의자다 Er ist ein unverwüstlicher Optimist.

낙구(落句) die (ab)schließende Zeile e-s Gedichtes.

낙길(落—) das unvollständige Werk, -(e)s, -e.

낙낙- ☞ 넉넉-.

낙농(酪農) Molkerei (Milchwirtschaft) *f.* -en. ‖ ~업 Molkerei *f.* -en. ~장 Molkerei *f.* -en; Meierei *f.* -en. ~제품 Milchprodukt *n.* -(e)s, -e.

낙담(落膽) Entmutigung *f.* -en; Enttäuschung *f.* -en(실망); Verzagtheit *f.* ~하다 entmutigt sein; enttäuscht sein 《über ^{4}*et.*; in *jm.* (^{3}*et.*)》; nieder¦gedrückt (-geschlagen; -geschmettert) sein; den Mut verlieren* (sinken lassen*); den Kopf (die Flügel) hängen|lassen*; verzagen 《*an*^{3}》; verzweifeln 《*an*^{3}》. ¶ ~시키다 entmutigen^4; enttäuschen^4; *jm.* den Mut nehmen* (erschüttern); deprimieren^4; nieder|drücken; *jn.* verzagt (verzweifelt) machen / 그렇게 ~하지 말라, 기운을 내라 Laß den Kopf nicht so hängen! Kopf hoch! / 그녀는 몹시 ~하고 있다 Sie ist ganz verzagt.

낙도(落島) die ganz abgelegene (abgesonderte; vereinzelte; isolierte) Insel, -n.

낙락장송(落落長松) die große, üppig-wuchernde Kiefer, -n; der Kieferbaum 《*m.* -(e)s, ⸚e》 mit den herabhängenden Ästen, Zweigen und Nadelblättern.

낙뢰(落雷) Blitzschlag *m.* -(e)s, ⸚e. ~하다 der Blitz schlägt ein《*in*^{4}》; von Blitz getroffen werden 〖장소가 주어〗. ¶ 삼나무에 ~했다 Es hat in die Zeder eingeschlagen.

낙루하다(落淚—) Tränen vergießen* 《*vor*^{3}》; in Tränen aus|brechen* (눈물을 뚝뚝 흘리다); in Tränen aufgelöst sein.

낙마(落馬) der Fall 《-(e)s, ⸚e》 vom Pferde. ~하다 vom Pferd fallen* (stürzen) ⓢ.

낙망(落望) Verzweiflung *f.* en. ~하다 in ^{4}Verzweiflung geraten* ⓢ; verzweifeln. ¶ ~해서 verzweifelt; in (vor; aus) ^{3}Verzweiflung / ~하지 마라 Gib die Hoffnung nicht auf! / ~ 끝에 자살했다 Aus Verzweiflung hat er sich getötet.

낙명(落命) Ableben *n.* -s. ~하다 den Tod finden*; ab|leben ⓢ; ins Gras beißen*; ums Leben kommen* ⓢ.

낙명하다(落名—) ^{4}sich entehren; die Ehre (den Ruhm) verlieren*.

낙반(落盤) (Zu)bruch *m.* -(e)s, ⸚e; das Zubruchgehen*, -s; Abbruch *m.* -(e)s, ⸚e (붕괴); Einstürz *m.* -es, -e. ~하다 zu Bruch gehen* ⓢ; ein|stürzen ⓢ; zusammen|brechen* ⓢ (붕괴). ¶ 갱내에 ~ 사고가 있었다 Es hat sich ein Zubruch in der Grube ereignet.

낙방(落榜) Durchfall *m.* -(e)s, ⸚e; Mißerfolg *m.* -(e)s, -e. ~하다 in der Eintrittsprüfung (im Eintrittsexamen) durchgefallen sein; das Examen nicht bestehen*; im Examen durch|fallen* ⓢ; durchs Examen fallen* ⓢ. ¶ 그는 보기좋게 ~했다 Er ist glatt durchgefallen.

‖ ~생 der in der Eintrittsprüfung (im Eintrittsexamen) Durchgefallene, -n, -n.

낙백(落魄) ① 《실의》 Enttäuschung *f.* -en; Niedergeschlagenheit *f.* -en; Entmutigung *f.* -en (넋잃음); Verzweiflung *f.* -en(절망). ~하다 entmutigt werden; den Mut verlieren*; mutlos werden; in ^{3}*et.* getäuscht werden; an ^{3}*et.* verzweifeln. ② =영락.

낙부(諾否) Billigung 《*f.* -en》 u. (oder) Mißbilligung 《*f.* -en》; Ja oder Nein; die Zu- oder Absage《*f.* -n》. ¶ ~를 확인하다 Ja od. Nein (Zusage od. Absage) erbitten.

낙산(酪酸) 〖화학〗 Buttersäure *f.* -n.

‖ ~염 die Buttersäurebase, -n.

낙상(落傷) die Verletzung des Falles. ~하다 von dem Fall verletzt (verwundet) werden. ¶ 항우도 ~할 적이 있다 《속담》 „Auch Homer schläft bisweilen." ¦ „Verspricht sich doch der Prediger auf der Kanzel.

낙서(落書) Gekritzel *n.* -s, -; Kritzelei *f.* -en; Geschmier(e) *n.* ..r(e)s; Schmiererei *f.* -en. ~하다 hin|kritzeln^4 (-|schmieren^4). ¶ 벽에 ~가 있다 An der Wand sind Bleistiftschmierereien./~ 금지 Nichts hinkritzeln hier!(게시).

낙선(落選) (Wahl)niederlage *f.* -n (선거의); Ausscheidung *f.* -en(콩쿠르 등의); Ausmusterung *f.* -en(출품작의). **~하다** e-e Wahlniederlage erleiden*; zu *js.* Nachteil aus|fallen*[s] 〖Wahl *f.*「선거」를 주어로 해서〗; ausgeschieden (ausgemustert) werden; abgewiesen (nicht angenommen) werden (출품작이); nicht bestehen*[4](심사 따위에서). ¶ 미인 콘테스트에서 ~했다 Sie ist bei der Schönheitskonkurrenz ausgeschieden. / 3표 차로 ~했다 Mit drei Stimmen hat er Wahlniederlage erlitten. / 그 당 후보자들은 모두 ~했다 Alle Kandidaten der Partei fielen bei der Wahl durch. / 그의 유화는 ~되었다 Sein Ölgemälde wurde nicht aufgenommen.
‖ **~자** der erfolglose Wahlwerber, -s, -(선거); der Abgewiesene*, -n, -n; der Ausgeschiedene*, -n, -n. **~작품** das abgewiesene Werk, -(e)s, -e.

낙성(落成) Vollendung *f.*; Fertigstellung *f.* **~하다** vollendet (fertiggestellt) werden. ¶ 새 교사가 최근 ~됐다 Das neue Schulgebäude ist vor kurzem vollendet worden.
‖ **~식** Einweihung *f.* -en: 내일 ~식이 있다 Die Einweihung findet morgen statt.

낙성(落城) Fall 《*m.* -(e)s, ⸚e》 e-r Festung; Übergabe 《*f.*》 e-r Burg. **~하다** fallen*[s]; e-e Festung über|geben*[3]. ¶ ~시키다 e-e Festung zur Kapitulation zwingen*.

낙세(落勢) 〖상업〗 die Niedergang (der Verfall; die Abweichung) des Marktes; die Flauheit des Geschäfts(불황).

낙수물(落水一) Regentropfen *m.* -s, -; Traufe *f.* -n. ¶ ~이 댓돌을 뚫는다 《속담》 Steter Tropfen höhlt den Stein.¦Beharrigkeit führt zum Ziel.

낙승(樂勝) der leichte Sieg, -(e)s, -e. **~하다** ohne [4]Mühe den Sieg davon|tragen* 《*über*[4]》; leicht gewinnen*[4] 《보기: e-n Kampf; e-e Schlacht》.

낙심(落心) Entmutigung *f.* -en; Niedergeschlagenheit *f.*; Verzagtheit *f.* -en. **~하다** entmutigt (niedergeschlagen; verzagt) sein. ¶ ~ 천만이다 ganz verzweifelt (entmutigt) sein / ~시키다 *jn.* entmutigen; *jn.* enttäuschen / ~ 마라 Sei nicht so niedergeschlagen! / 외아들을 잃고 그녀는 매우 ~했다 Sie ist ganz verzweifelt über den Tod ihres einzigen Sohnes.

낙양(洛陽) 《중국의 지명》 Loyang; Lojang. ¶ ~의 지가(紙價)를 올리다 das Buch findet schnellen (reißenden; leichten; guten) Absatz.

낙양(落陽) Sonnenuntergang *m.* -(e)s.

낙엽(落葉) Laubfall *m.* -(e)s, ⸚e; die fallenden Blätter《*pl.*》(떨어지는 잎); die abgefallenen Blätter《*pl.*》(떨어진 잎). ¶ ~이 지다 〖잎 Blatt *m.* -(e)s, ⸚er 등이 주어〗 fallen*[s]; ab|fallen*[s]; 〖나무 Baum *m.* -(e)s, ⸚e 가 주어〗 [4]sich entblättern; [4]sich entlauben/ ~을 긁어 모으다 gefallene Blätter zusammen|scharren / ~이 흩어져 있다 Verwelkte Blätter liegen verstreut auf dem Boden. / ~을 밟으면서 산책했다 Er ging auf die gefallenen Blätter spazieren.
‖ **~기** Blätterfall *m.* -(e)s, ⸚e. **~색** Karmesin *n.* -s. **~송(松)** 〖식물〗 Lärche *f.* -n. **~수** Laub¦baum *m.* -(e)s, ⸚e (-hölzer《*pl.*》).

낙오(落伍) das Zurückbleiben*, -s. **~하다** zurück|bleiben*[s] 《*in*[3]》; ab|fallen* (zurück|fallen*) [s]. ¶ 절반도 뛰지 못하고 그는 ~했다 Schon auf halber Strecke fiel er ab. / 경쟁에서 ~되면 안 된다 Wir dürfen hinter unserer Konkurrenz nicht zurückbleiben.
‖ **~자** Nachzügler *m.* -s, -; der Versprengte*, -n, -n (낙오병); 《인생의》 Versager *m.* -s, -; ein Gestrandeter*: 인생의 ~자가 되다 k-n Erfolg im sozialen Leben haben.

낙원(樂園) Paradies *n.* -es, -e; Eden *n.* -s; Elysium *n.* -s (극락). ¶ 지상의 ~ das Paradies der Erde / 이곳은 게으름뱅이의 ~이다 Hier ist ein Paradies für Faulenzer.

낙인(烙印) Brandmal *n.* -(e)s, -e (⸚er); Stigma *n.* -s, -ta (..men). ¶ ~을 찍다 brandmarken[4]; stigmatisieren[4].

낙일(落日) die untergehende Sonne, -n.

낙자(落字) das ausgelassene Wort, -(e)s, ⸚er; das Auslassen*《-s》 e-s Wortes; Auslassung *f.* -en; Weglassung *f.* -en.

낙장(落張) das fehlende Blatt, -(e)s, ⸚er. ¶ 여섯 페이지의 ~이 있다 Es fehlen 6 Seiten (im Buch).

낙장거리 Fallen zu Boden auf dem Rücken; Umfallen nach oben gewandt. **~하다** auf dem Rücken zu Boden fallen* [s]; nach oben gewandt um|fallen* [s].

낙제(落第) Durchfall *m.* -(e)s, ⸚e; das Sitzenbleiben*, -s (유급될 때). **~하다** durch|fallen*[s] 《*in*[3]; *bei*[3]》; nicht bestehen*[4]; sitzen|bleiben* [s] (진급 못하다); ausgemustert werden(검사 따위에서). ¶ 시험에 ~하다 im Examen (bei der Prüfung) durch|fallen*/ 겨우 ~를 면하다 mit knapper Not die Prüfung bestehen* / 교사로서 ~다 Als Lehrer ist er unfähig. / 고등 학교에서 두 번 ~했다 In der Zeit des Gymnasiums ist er zweimal sitzen geblieben. / 게으르면 ~한다 Du wirst durchfallen, wenn du faul bist.
‖ **~생** der Sitzengebliebene*, -n, -n. **~점** Ungenügend〖관사·변화 없이〗: ~점을 받다 e-e ungenügende Zensur (Note) bekommen* 《*in*[3]》; mit Ungenügend bewertet werden.

낙조(落照) =낙일(落日).

낙지 〖동물〗 Achtfüß(l)er *m.* -s, -; Seepolyp *m.* -en, -en; Oktopode *m.* -n, -n.

낙진(落塵) der fallende Staub, -(e)s.
‖ 방사성**~** der fallende Staub der Radioaktivität; schweigender (stiller; stummer) Töter 《속어》.

낙질(落帙) =낙길(落一).

낙차(落差) 〖물리〗 Gefälle *n.* -s, - ※ relatives Gefälle(경사)와 구별할 때는 absolutes Gefälle라고 말한다; Höhenunterschied 《*m.* -(e)s, -e》 (zweier Punkte); 〖광업〗 (die seigere) Sprunghöhe, -n(단층의 낙차). ¶ ~ 20 피트의 물 20 Fuß Gefälle von Wasser.
‖ 수압**~** Wasserdrucksgefälle *n.* -s, -. 유효**~** das verfügbare Gefälle, -s, -.

낙착(落着) Festsetzung *f.* -en; (Ab)schluß *m.* (..)schlusses, (..)schlüsse; Bestimmung *f.* -en; Entscheidung *f.* -en; Erledigung *f.* -en. ¶ ~되다 festgesetzt ((ab)geschlossen; bestimmt; entschieden; erledigt) werden; zur Festsetzung (Bestimmung; Entscheidung; Erledigung) (*od.* zum (Ab)schluß) kommen* (gelangen)[s] / ~을 짓다 fest|setzen[4]; (ab|)schließen*[4]; bestimmen[4]; entscheiden*[4]; erledigen[4] / 그 건은 이미 ~되

었다 Die Sache ist schon erledigt.

낙찰(落札) Zuschlag *m.* -(e)s, ⸗e (경매의). ~하다 der Zuschlag erfolgt an *jn.*; 〔물건이 주어〕 *jm.* zugeschlagen werden; der Auftrag wird *jm.* vergeben (erteilt) (입찰의 경우). ¶ ~되다 erstehen*^{4}; ^{3}sich erwerben*^{4} 〔사는 사람이 주어〕 / ~시키다 zu|schlagen*$^{3 \cdot 4}$ 〔경매인이 주어, 사는 사람은 3격〕.
‖ ~가격 Meistgebot *n.* -(e)s, -e; Mindesgebot *n.* -(e)s, -e. ~물 Zuschlag(s)objekt *n.* -(e)s, -e. ~인 der Meistbietende*, -n, -n (경매); der Mindesbietende*, -n, -n (입찰).

낙천(樂天) Optimismus *m.* -. ¶ ~적인 optimistisch.
‖ ~가 Optimist *m.* -en, -en: 그는 ~가다 Er sieht alles in rosigem Licht. ~관 optimistische Ansicht, -en. ~주의 Optimismus *m.* -: ~주의자 Optimist *m.* ~지 Paradies *n.* -es, -e (낙원).

낙천자(落薦者) der nicht zur Wahl vorgeschlagene Kandidat, -en, -en; der bei der Ernennung zum Kandidaten Übergangene (Ausgelassene; Weggelassene).

낙체(落體) 〖물리〗 der fallende Körper, -s, -; das fallende Objekt, -(e)s, -e.

낙타(駱駝) Kamel *n.* -(e)s, -e; Dromedar *n.* -s, -e (단봉); Trampeltier *n.* -(e)s, -e (쌍봉). ¶ ~새끼 Kamelfüllen *n.* -s, - / ~혹 (Fett-)höcker *m.* -s, - / 암~ Kamelstute *f.* -n.
‖ ~지 Kamelhaar *n.* -(e)s, -e. 단(쌍)봉~ das einhöckerige (zweihöckerige) Kamel.

낙태(落胎) Abort *m.* -s, -e; Abtreibung *f.* -en. ~하다 abortieren^{4}; ab|treiben*^{4}.
‖ ~수술 die illegale Operation, -en: ~수술을 하다 e-e illegale Operation aus|führen. ~아 der abortierte Embryo, -s, -s. ~약 Abortivmittel *n.* -s,-. ~ 죄 das Verbrechen* 《-s》 gegen das keimende Leben.

낙토(樂土) ＝낙원(樂園).

낙하(落下) Fall *m.* -(e)s, ⸗e; das Fallen*, -s. ~하다 fallen* Ⓢ; herab|fallen* (hinab|-; herunter|-; hinunter|-) Ⓢ; zu Fall kommen* Ⓢ. ¶ 물체의 ~ 법칙 die Fallgesetze 《*pl.*》 / 수직으로 ~하다 senkrecht herab|fallen* Ⓢ.
‖ 나선~ das spirale Fallen*, -s.

낙하산(落下傘) Fallschirm *m.* -(e)s, -e. ¶ ~으로 뛰어내리다 mit Fallschirm ab|springen* Ⓢ / 모든 일이 ~식이야 Alles kommt von oben herab, uns fragt man ja nicht.
‖ ~병 Fallschirm¦jäger *m.* -s, - (-springer *m.* -s, -) (일반적으로). ~부대 Fallschirmtruppe *f.* -n (-jägerdivision *f.* -en). ~융자 das durch politischen Einfluß gegebene Darlehen*, -s. ~인사 befehlshaberische Personalverwaltung, -en; befehlerischer Personalwechsel, -s, - (인사 이동).

낙향하다(落鄕—) ^{4}sich aufs Land zurück|-ziehen*.

낙형(烙刑) die Brandstrafe mit (durch) Feuer.

낙화(烙畫) die eingebrannte Zeichen in den Holzschnitt mit dem Feuerhaken; die eingebrannte Holzmalerei (Holzschnitzerei); Enkaustik *f.* -.

낙화(落花) das Abfallen* 《-s》 der Blüten; die abfallenden (abgefallenen) Blüten 《*pl.*》 (지는 (진) 꽃). ~하다 ab|fallen* Ⓢ; ab|blühen. ¶ ~가 흩어져 있다 abgefallene Blüten liegen umhergestreut / ~ 분분한 경치가 얼마나 아름다우냐 Wie schön ist es, die abfallenden Blüten zu sehen!

낙화생(落花生) Erd¦nuß (Kamerun-) *f.* ..nüsse. ☞ 땅콩.

낙후(落後) Rückständigkeit *f.* ~하다 hinter den anderen in (mit) ^{3}*et.* zurück|bleiben* Ⓢ; *jm.* in ^{3}*et.* nach|stehen*; in ^{3}*et.* von den anderen übertroffen werden.

낚거루 ☞ 낚싯거루.

낚다 ① 《물고기를》 angeln^{4}; fischen^{4}. ¶ 고기를 ~ e-n Fisch angeln / 잉어를 ~ e-n Karpfen angeln / 새우로 잉어를 ~ die Wurst (mit der Wurst) nach der Speckseite werfen* / 낚아 올리다 aus dem Wasser (heraus) ziehen*^{4}; ^{4}sich angeln; fischen^{4}/ 그는 저녁까지 낚았다 Bis zum Abend angelte er. / 저녁 무렵이 잘 낚인다 Am Abend beißen die Fische gut an.
② 《유혹》 verführen^{4}; hinter|gehen* Ⓢ; betrügen*^{4}; verleiten^{4}; an|locken^{4}. ¶ 감언으로 ~ *jn.* mit Hoffnungen (Versprechungen) hin|halten* / 그는 처녀를 낚았다 Er hat ein Mädchen verführt.

낚시 Angelhaken *m.* -s, -. ¶ ~를 드리우다 die Angelschnur herab|hängen / ~를 가다 angeln gehen* Ⓢ; auf den Fischfang gehen* Ⓢ.
‖ ~꾼 Angler *m.* -s, -. ~도구 Angelgerät *n.* -(e)s, -e. ~찌 Schwimmer *m.* -s, -: ~찌가 까딱거리다 Der Schwimmer tanzt auf u. nieder. ~친구 Angelfreund *m.* -(e)s, -e. ~터 Angelteich *m.* -(e)s, -e. 낚싯거루 Fischer¦boot *n.* -(e)s, -e (-kahn *m.* -(e)s, ⸗e). 낚싯대 Angelrute *f.* -n. 낚싯바구니 Angelkorb *m.* -(e)s, ⸗e. 낚싯바늘 Angelhaken *m.* -s, -. 낚싯밥 Fisch¦köder *m.* -s, - (-futter *n.* -s) (양어용). 낚싯봉 Senker *m.* -s, -; Senkel *m.* -s, -. 낚싯줄 Angel¦schnur *f.* ⸗e (-en) (-leine *f.* -n).

낚시질 das Angeln*, -s. ~하다 angeln. ¶ ~가다 angeln gehen* Ⓢ / ~을 좋아한다 (잘 한다) Er ist ein leidenschaftlicher (guter) Angler. / ~을 잘하다 ein guter (geschickter) Angler sein.

난(亂) 《내란》 Bürgerkrieg *m.* -(e)s, -e; Aufruhr *m.* -(e)s, -e; Aufstand *m.* -(e)s, -e; 《반란》 Empörung *f.* -en; Revolte *f.* -n. ¶ ~을 일으키다 e-n Aufstand an|zetteln; ^{4}sich empören 《*gegen*^{4}》; zu den Waffen greifen* / 정유(丁酉)의 난 die Unruhen 《*pl.*》 im Jahre *Jeongyu* / 난이 일어나다 in Aufruhr geraten* (kommen*) Ⓢ 〔나라·지방이 주어〕; aus|brechen* 〔난이 주어〕 / 난을 진압하다 den Aufruhr (den Aufstand) unterdrücken (ersticken); e-e Revolte nieder|-werfen* (-|schlagen*).

난(難) ① 〔접미어〕 Not *f.* ⸗e; Mangel *m.* -s. ¶ 생활난 Nahrungssorge *f.* -n / 주택난 Wohnungsnot *f.* / 교실난 Schulraum¦not *f.* (-mangel *m.*). ② 〔접두어〕 schwer; schwierig. ¶ 난문제 schwierige Frage, -n.

난(欄) 《신문 따위의》 Spalte *f.* -n. ¶ 문예난 Feuilleton [fœjətɔ̃:] *n.* -s, -s / 광고난 Anzeigenteil *m.* -(e)s, -e / 신상 상담난 〖속어〗 Seufzerspalte *f.* -n / 난외에 am Rande / 오늘 신문은 화재 사건을 여러 난에 걸쳐 취급하고 있다 Die heutigen Zeitungen bringen e-n Bericht über das Feuer in mehreren Spalten.

난가(亂家) das in Verfall (Unordnung; Verwirrung) geratene Haus; das heruntergekommene Haus.

난각(卵殼) Eierschale *f.* -n.

난간(欄干) Geländer *n.* -s, -; Fensterlehne *f.*

-n (창의); Brüstung *f.* -en (발코니의); Handlauf *m.* -(e)s, ⸗e (손잡이). ¶ 다리 ~ Brückengeländer *n.* -s, - / 그는 배의 ~에 기대고 있었다 Er lehnte an der Reling.

‖ ~동자 Geländer¦pfosten *m.* -s, - (-stab *m.* -(e)s, ⸗e).

난감하다(難堪―) 《견디기 어려움》 unerträglich: unausstehlich; leidlich (sein); 《힘겨움》 mühsam; lästig; beschwerlich; ratlos (sein); nicht wissen, was man anfangen soll; ³sich keinen Rat wissen*; 《딱함》 verlegen (sein); in Verlegenheit geraten* ⓢ.

난거지(든부자) der scheinbare (anscheinende; scheinliche) Bettler, der aber wirklich (in der Tat) reich ist.

난공불락(難攻不落) Uneinnehmbarkeit *f.* ¶ ~의 uneinnehmbar; unbezwingbar / 그 요새는 ~이다 Jener Festung ist nicht beizukommen.

난공사(難工事) die schwierige Bauarbeit, -en; die Bauschwierigkeiten 《*pl.*》.

난관(難關) 《장애》 Schwierigkeit *f.* -en (곤란); Hindernis *n.* -ses, -se (장애물); Hürde *f.* -n (장애물). ¶ ~을 극복하다 Schwierigkeiten (Hindernisse) überwinden* / ~을 타개하다 ⁴sich aus e-r Verlegenheit ziehen*; ⁴sich aus e-r Klemme ziehen* / ~을 돌파하다 Hindernisse aus dem Wege räumen / ~에 봉착하다 auf Schwierigkeiten stoßen* / 겨우 ~을 극복했다 Das Schwierigste haben wir nun hinter uns. / 그것이 ~이다 Da liegt die Schwierigkeit.¦Das ist das Hindernis.

난국(亂國) der unruhige Staat, -(e)s, -en; das friedlose Land, -(e)s, ⸗er.

난국(難局) e-e schwierige Lage, -n; e-e schwierige Situation, -en; Krise *f.* -n. ¶ ~을 타개하다 die Lage (Situation) retten / ~에 빠지다 in Verlegenheit geraten* ⓢ / ~을 뚫고 나갈 수 없다 Es gibt kein Herauskommen aus dieser schwierigen Lage. / 이 ~을 헤치고 나갈 방법이 없다 Ich weiß mir k-n Ausweg mehr aus dieser Notlage. / 정부는 ~에 처해 있다 Die Regierung ist in e-r schwierigen Situation. / 그는 능숙하게 ~에서 벗어났다 Er hat sich geschickt (glücklich) aus der Klemme gezogen.

난군(亂軍) 《무질서한》 die in Unordnung geratene Armee, -n.

난기류(亂氣流) (Steig)bö (Aufwindbö) *f.* -en. ¶ ~의 bockig; böig.

난낭(卵囊) 【동물】 Eiersack *m.* -(e)s, ⸗e.

난다긴다하다 flink (hurtig; behend; talentvoll; geschickt; gewandt; tüchtig) sein. ¶ 그는 난다긴다하는 사람이다 Er ist sehr verschlagen.

난당(亂黨) Aufrührer *m.* -s, -; Meuterer *m.* -s, -; der Aufständische*, -n, -n; Empörer *m.* -s, -; Rebell *m.* -en, -en; die lärmende Rotte, -n; die aufrührerische Haufen 《*pl.*》.

난대(暖帶) 《지리》 die untertropische Zone, die zwischen der gemäßigten u. der heißen (tropischen) liegt.

난데없다 《뜻밖에》 unerwartet; 《우연히》 zufällig; unabsichtlich; 《돌연》 urplötzlich; jäh(lings); unvermittelt (sein). ¶ 어둠 속에서 난데 없이 손이 불쑥 나왔다 E-e Hand fuhr aus der Dunkelheit wie aus der Pistole geschossen heraus. / 그 때 그가 난데 없이 들어왔다 Da kam er unerwartet herein.

난도질(亂刀―) ~하다 in Stücke hauen*⁴; in die Pfanne hauen*⁴. ¶ ~을 당해서 누구 시체인지 알 수가 없었다 Der Körper wurde in Stücke gehaut, so daß man ihn erkennen konnte.

난독(亂讀) =남독(濫讀).

난동(暖冬) der warme (milde) Winter, -s, -.
‖ 이상~ der abnormal warme Winter: 올해는 이상 ~이다 Wir haben in diesem Winter (diesen Winter) ein abnormal (ungewöhnlich) warmes Wetter.

난동(亂動) Aufruhr *m.* -(e)s, -e; Empörung *f.* -n; Tumult *m.* -(e)s, -e; Rebellion *f.* -en. ¶ ~을 부리다 den Aufruhr erregen; die Empörung machen.

난든벌 das Haus- u. Straßenkleid, -es, -er; der Alltags- u. Ausgeh(e)anzug, -(e)s, ⸗e.

난든집 die bemeisterte Geschicklichkeit, -en; die erlangene Fertigkeit, -en; die tüchtige (talentvolle) Handarbeit, -en. ¶ ~나다 in ³*et.* geschickt erfahren (erprobt) sein; in ³*et.* e-e große Fertigkeit erlangen.

난딱 leicht; einfach; schnell; rasch; flink; behend; gewandt; geschickt. ¶ 밥 한 그릇을 ~ 먹어 치웠다 Er aß auf einmal (mit e-m Bissen) e-e Schüssel voll Reis aus (fertig).

난로(煖爐) Ofen *m.* -s, ⸗; Kamin *m.* -s, -e (벽난로). ¶ ~를 때다 e-n Ofen heizen / ~를 쬐다 ⁴sich am Ofen wärmen.
‖ 가스~ Gasofen *m.* -s, ⸗. 석유~ Ölofen *m.* 전기~ der elektrische Ofen.

난류(暖流) die warme Meer(es)strömung, -en.

난리(亂離) 《소동》 Aufruhr *m.* -(e)s, -e; Aufstand *m.* -(e)s, ⸗e; 《전쟁》 Krieg *m.* -(e)s, -e; Kampf *m.* -(e)s, ⸗e; Schlacht *f.* -en; 《반란》 Tumult *m.* -(e)s, -e; Rebellion *f.* -en; 《혼란》 Verwirrung *f.* -en; Unordnung *f.* -en. ¶ ~가 나다 Der Krieg (Aufruhr) bricht aus. / ~를 일으키다 den Aufruhr (an)stiften; den Aufstand machen (erregen) / ~를 평정하다 den Aufruhr unterdrücken; die Rebellion stillen / 물~가 나다 《홍수》 überschwemmen; Überschwemmung (Hochwasser) tritt ein; 《물기근》 Wassermangel (Wasserknappheit; Wassersnot) tritt ein / 큰 ~가 났다 Der ernsthafte Tumult brach aus. / 그 소식을 듣고 온 집안에 ~가 났다 Die Nachricht brachte das ganze Haus in äußerste Verwirrung.

난립(亂立) die Bewerbung vieler Kandidaten für die Wahl. ~하다 ⁴sich viele Kandidaten bewerben*. ¶ 이번 선거에는 후보자가 ~해 있다 Sehr viele Kandidaten bewerben sich (um e-n Sitz) bei den bevorstehenden Wahlen.

난마(亂麻) Knäuel *m.* (*n.*) -s, -; Wirrwarr *m.* -s; Kuddelmuddel *n.* -s. ¶ ~와 같다 ein heilloser Wirrwarr sein / 쾌도로 ~를 끊다 den gordischen Knoten zerhauen* / 그 나라는 ~처럼 어지러웠다 Das Land war in Aufruhr.

난만(爛漫) die volle Blüte, -n. ~하다 in aller Pracht u. Herrlichkeit; in voller (höchster) Blüte. ¶ ~한 벚꽃 Kirschbaum 《*m.* -(e)s, ⸗e》 (in) voller Blüte / ~하게 피다 in voller Blüte stehen* / 벚꽃이 ~하다 Die Kirschbäume stehen in voller Blüte. / 들에는 백화가 ~하다 Die ganze Wiese ist voll von verschiedenen Blumen.

난망(難忘) Unvergeßlichkeit *f.* ¶ ~이다 unvergeßlich sein.

난맥(亂脈) Unordnung *f.* -en; 《혼란》 Verworrenheit *f.*; Verwickelung *f.* -en. ¶ ~의 verwirrt; verworren; verheddert; 《무계획한》 planlos; unsystematisch; regelos / ~에 빠지다 in (fürchterliche) Unordnung geraten* ⓢ / 그 회사의 재정 상태는 ~ 상태를 이루고 있다 Die Finanzangelegenheit jener Gesellschaft sind nicht in Ordnung.

난무(亂舞) der wilde Tanz, -es, ⸚e. **~하다** wild umher|tanzen; wie verrückt tanzen. ¶ 광희 ~하다 vor Freude außer [3]sich geraten* u. umher|hüpfen / 그 도시에는 폭력배가 ~하고 있다 In der Stadt breiten sich die Schurken aus.

난문제(難問題) e-e schwierige Frage, -n; ein schwieriges Problem, -s, -e; Schwierigkeit *f.* -en (난사); die harte Nuß, ⸚e; Knoten *m.* -s, -. ¶ ~를 묻다 schwierige Frage stellen/ ~를 풀다 e-n Knoten lösen; e-e schwierige Frage lösen / ~에 답하다 auf e-e schwierige Frage antworten / 거기가 ~이다 Da steckt der Knoten. | Da liegt die Schwierigkeit.

난민(難民) Flüchtling *m.* -s, -e (피난민); der Heimatvertriebene*, -n, -n (고향에서 쫓겨난); 《이재민》 der Betroffene*, -n, -n; der Geschädigte*, -n, -n; Opfer *n.* -s, - (희생자).
‖ **~구제** die Unterstützung für die Flüchtlinge: ~ 구제책을 세우다 für die Flüchtlinge Abhilfe schaffen. **~수용소** Flüchtlingslager *n.* -s, -.

난민(亂民) der Aufständische, -n, -n; Aufrührer *m.* -s, -; Tumultuant *m.* -en, -en.

난바다 die hohe (offene) See. ¶ ~에(서) auf hoher (offener) See; weg von der Küste / 부산 ~에(서) auf der Höhe von Busan/ ~를 항해하다 auf hoher (offener) See segeln ⓗ,ⓢ.

난반사(亂反射) 〖물리〗 die unregelmäßige Reflexion, -en.

난발(亂發) ① 《증서의》 =남발. ② 《총포의》 der Schuß 《..usses, ..üsse》 ins Blaue; der verlorene Schuß. **~하다** ins Blaue (hinein) schießen*; blindlings schießen*.

난발(亂髮) das wilde (wirre; offene; aufgelöste) Haar, -(e)s, -e.

난발(爛發) =난만(爛漫).

난방(煖房) 《데움》 Heizung *f.* -en; 《방》 warmes Zimmer, -s, -. ¶ 이 방은 ~이 잘 되어 있다 Das Zimmer heizt sich gut.
‖ **~시설** (장치) Heiz|apparat *m.* -(e)s, -e (-vorrichtung *f.* -en); Heiz(ungs)anlage *f.* -n. **중앙~** Zentralheizung *f.* **증기~** Dampfheizung *f.*

난백(卵白) =흰자위①.

난번(一番) außer Dienst *m.* -es, -e (Wache *f.* -n); dienstfrei; wachtfrei. ¶ ~이다 keinen Dienst haben; dienstfrei sein; außer Dienst sein.

난봉 Ausschweifung *f.*; Unzucht *f.*; Lockerheit *f.*; Lasterhaftigkeit *f.*; Liederlichkeit *f.*; Schwelgerei *f.* ¶ ~나다 liederlich (ausschweifend; lasterhaft; zügellos) leben / ~부리다 (피우다) ein liederliches (ausschweifendes; lasterhaftes) Leben führen/ ~으로 패가망신하다 durch Liederlichkeit verkommen; [4]sich durch Ausschweifung ins Unglück (Pech) stürzen / 진탕 ~피우다 e-m liederlichen Leben frönen; [4]sich dem sinnlichen Vergnügen ergeben*; in der Ausschweifung schwelgen; der Lust und Wollust pflegen.
‖ **~꾼** Wüstling (Lüstling; Liederjan) *m.* -(e)s, -e; Don Juan *m.*; Casanova *m.* **~자식** der liederliche (verlorene) Sohn.

난부자(든거지) der scheinbare (anscheinende; scheinliche) Millionär, der aber wirklich (in der Tat) arm ist.

난비(亂飛) das wilde (tolle; wütende) Umfliegen (Umflattern)* -s. **~하다** wild (toll; wütend) umfliegen* (umflattern).

난사(亂射) (wilde) Schießerei, -en; Schuß 《*m.* ..usses; ..üsse》 ins Blaue (마구 쏨). **~하다** wild durcheinander|schießen*[4]; ins Blaue hinein schießen*; blindlings feuern.

난사(難事) e-e schwierige Sache (Angelegenheit) -(e)n. ¶ ~중의 ~ die schwierigste Sache (Angelegenheit) -(e)n.

난사람 der große Mann, -(e)s, ⸚er; der Mann von Bedeutung; der ausgezeichnete (vortreffliche; vorzügliche; hervorragende; stattliche) Mensch, -en, -en.

난산(難産) ① 《분만의》 Schwergeburt *f.* -en. **~하다** e-e schwere Geburt 《-en》 haben. ¶ ~으로 죽다 im Kindbett sterben* ⓢ / 해산은 ~이었다 Die Geburt war schwer. ② 《문제의》 die Bildung mit vielen Schwierigkeiten. **~하다** mit vielen Schwierigkeiten gebildet werden. ¶ 이번 내각은 매우 ~이었다 Das neue Ministerium wurde mit vielen Schwierigkeiten gebildet.

난삽(難澁) Schwierigkeit *f.* -en (곤란); Mühe *f.* -n (고생). **~하다** Schwierigkeiten haben; Mühe haben 《*mit*[3]》; schwierig; mühsam; anstrengend (sein).

난색(難色) Mißbilligung *f.* -en. ¶ ~을 보이다 s-e Mißbilligung aus|sprechen*; sein Mißfallen äußern; [4]sich abgeneigt (unwillig) zeigen; zögern (주저하다).

난생(卵生) Oviparität *f.*; Oviparie *f.* ¶ ~의 ov(oviv)ipar; eierlegend.
‖ **~동물** die eierlegenden Tiere 《*pl.*》.

난생처음(一生一) das erste Mal nach der Geburt; zum erstenmal im Leben. ¶ ~ 당하는 일 die zum erstenmal im Leben gemachte Erfahrung / ~ 보는 사람 der gänzlich Fremde; der lauter Unbekannte / ~ 당하다 zum erstenmal im Leben erfahren (erleben).

난생후(一生後) nach (seit) *js.* Geburt; nachdem (seitdem) man (einer) geboren ist.

난선(難船) =난파(難破).
‖ **~신호** Notsignal *n.* -(e)s, -e. **~자** der Schiffbrüchige* (Gestrandete*) -n, -n.

난세(亂世) die wildbewegten (chaotischen) Zeiten; das Zeitalter 《-s, -》 der politischen Unruhe. ¶ ~의 영웅 ein Held 《*m.* -en, -en》 in den chaotischen Zeiten / 그 당시의 중국은 ~였다 Damals herrschten unruhige Zeiten in China.

난세포(卵細胞) 〖생물〗 Eizelle *f.* -n; *oosphaere* 《라틴》.

난소(卵巢) Eierstock *m.* -(e)s, ⸚e; Ovar *n.* -(e)s, -e; Ovarium *n.* -s, ..rien.
‖ **~염** Eierstockentzündung *f.* -en. **~임신** Eierstocksschwangerschaft *f.* -en. **~절제** Ovariotomie *f.* -n. [..mí:ən]

난소(難所) e-e schwierige Stelle, -n; ein gefährlicher Weg, -(e)s, -e (위험한 길). ¶ 저 커브가 자동차 운전수에게는 ~다 Das ist e-e gefährliche Kurve für den Autofahrer.

난수표(亂數表) Zufallszahlentabelle *f.* -n.
난숙(爛熟) Überreife *f.*; Ausreifung *f.* -en. ∼하다 überreif (ausgereift) sein. ¶ ∼기의 문화(작품) die ausgereifte Kultur, -en (das ausgereifte Werk, -(e)s, -e) / ∼해지다 überreif werden (sein); aus|reifen [h.s].
난시(亂視) Stabsichtigkeit *f.*; Astigmatismus *m.* -, ..men. ¶ ∼의 astigmatisch; stabsichtig / ∼인 사람 e-e astigmatische Person, -en / 그는 ∼다 Er ist astigmatisch.
난신(亂臣) Verschwörer *m.* -s, -; der Verschworene*, -n, -n.
‖ ∼적자(賊者) die Rebellen《*pl.*》.
난심(亂心) die Störung des Gemütes; Verworrenheit *f.*; Geistesstörung *f.*; Wahnsinn *m.* -s. ¶ ∼한 사람 der Irrsinnige*, -n, -n; der Verrückte*, -n, -n.
난외(欄外) (Papier)rand *m.* -(e)s, ⸚er. ¶ 페이지의 위(아래, 바깥, 안)쪽 ∼ Kopfsteg (Fußsteg, Außensteg, Bundsteg) *m.* -(e)s, -e / ∼ 기입 Randbemerkung *f.* -en / ∼ 여백 der freie Raum am Rande / ∼ 주석 die Randanmerkung *f.* -en.
‖ ∼기사 die nach (dem) Redaktionsschluß eingetroffenen Nachrichten《*pl.*》. ∼표제, ∼제목 Kolumnentitel *m.* -s, -.
난운(亂雲) Nimbostratus *m.* -, -; zerrissene Wolken《*pl.*》.
난원형(卵圓形) Eiform *f.* -en; die ovale Gestalt, -en.
난이(難易) die Schwierigkeit od. Leichtigkeit; schwer od. leicht. ¶ 일의 ∼에 따라 je nach der Beschaffenheit (Schwierigkeit) der Arbeit / 그것은 일의 ∼에 달려있다 Es kommt auf die Schwierigkeit der Arbeit an. ‖ ∼율 der Grad《-(e)s, -e》der Schwierigkeit.
난입(亂入) das Eindringen*, -s; Einbruch *m.* -(e)s, ⸚e. ∼하다 ^{4}sich (hin)ein|drängen《*in*^{4}》; (hin)ein|dringen* [s]《*in*^{4}》; gewaltsam betreten*^{4}; hinein|brechen*《*in*^{4}》. ¶ 법원에 ∼하다 ins Gericht hinein|brechen*.
‖ ∼자 Eindringling *m.* -es, -e.
난자(卵子) 〖생물〗 Ei *n.* -s, -er.
난자(亂刺) Stichelung *f.* -en; 《외과》 Skarifikation *f.* -en. ∼하다 sticheln; skarifizieren.
난작- ☞ 는적-.
난잡(亂雜) ①《어수선 함》 Durcheinander *n.* -s; Unordnung *f.* -en; Wirrwarr *m.* -s; Wust *m.* -es. ∼하다 unordentlich; ungeordnet; wirr (sein); wüst durcheinander sein. ¶ 이 곳은 몹시 ∼하다 Hier herrscht e-e fürchterliche Unordnung (ein wirres Durcheinander). / ∼한 채로 두다 wüst (durcheinander) liegen lassen*^{4}; ungeordnet stehen lassen* / ∼하게 하다 in Unordnung bringen*^{4} / ∼하게 되다 in Unordnung geraten* [s]; durcheinander|gehen* [s]. ②《문란》 ∼하다 durcheinander|liegen*; durcheinander (in Unordnung) sein. ¶ ∼한 생활을 하다 e-n lockeren (liederlichen) Lebenswandel führen.
난장(亂杖) der heftige u. nachsichtslose Stockhieb, -(e)s, -e. ¶ ∼치다 heftig u. nachsichtslos mit dem Stock schlagen* / ∼맞다 heftig u. nachsichtslos mit dem Stock geschlagen werden.
난장(亂帳) das fehlende Blatt, -(e)s, ⸚er; Defektbogen *m.* -s, ⸚; das defekte Buch, -(e)s, ⸚er (Exemplar, -s, -e); Druckfehler *m.* -s, -.
난장이 Zwerg *m.* -(e)s, -e; Pygmäe *m.* -n, -n; Däum(er)ling *m.* -s, -e (동화의).
난장판(亂場—) ein wirres, tumultuarisches Durcheinander, -s. ¶ 시내가 온통 ∼이다 Die ganze Stadt ist in Unordnung. / 회의장이 일시 ∼이었다 E-e große Unordnung herrschte e-e Zeitlang im Sitzungssaal.
난적(亂賊) Rebell *m.* -en, -en; Aufrührer *m.* -s, -; Verräter *m.* -s, -; Räuber *m.* -s, -; der Aufständische*, -n, -n.
난전(亂戰) Kampf《*m.* -(e)s, ⸚e》in wüstem Durcheinander; das heftige Handgemenge, -s, -(백병전); der hin u. her wogende Kampf. ¶ ∼이 벌어지다 zu e-m wirren Kampf kommen* [s]; wirr durcheinander kämpfen / ∼을 벌이다 e-n wirren Kampf führen.
난점(難點)《어려운 점》ein schwieriger Punkt, -(e)s, -e (어려운 곳); Nachteil *m.* -(e)s, -e (불리한 점); Fehler *m.* -s, -. ¶ ∼이 없는 fehler¦los (makel-; tadel-) / 그것이 ∼이다 Da hakt es (die Geschichte).
난정(亂政) Mißregierung *f.* -en; Mißverwaltung *f.* -en; Mißwirtschaft *f.* -en; die ungerechte (üble) Leitung, -en.
난제(難題) ① ☞ 난문제. ②《무리한 요구》 e-e unbillige (ungerechte) Forderung, -en; ein unmögliches Verlangen, -s, -; Zumutung *f.* -en. ¶ ∼를 내세우다 e-n unbilligen Vorschlag machen / 자네 이것은 ∼라고 할 수 있네 Du verlangst etwas Unmögliches.¦ Das ist zu viel verlangt.
난조(亂調)《음악의》 Dissonanz *f.* -en; Disharmonie *f.* -n; Mißklang *m.* -(e)s, ⸚e; Verstimmung *f.* -en; 《혼란》 Verwirrung *f.* -en; Unordnung *f.* -en; 《맥박의》 Unregelmäßigkeit *f.* -en. ¶ ∼를 보이다 《투수가》 s-e Selbstkontrolle verlieren《Werfer》/ ∼에 빠지다 in Verstimmung (Verwirrung; Unordnung) geraten.
난중(亂中) Mitte des Aufruhrs; Kriegszeit *f.* -en. ¶ ∼에 mitten in dem Aufruhr (Durcheinander); in der Zeit des Krieges; in Kriegszeiten; während des Krieges.
난중지난(亂中之難) die größte Schwierigkeit (Beschwerlichkeit) von (unter) den allen; die äußerste (höchste) Not, ⸚e.
난증(難症) die schwer zu heilende (genesende) Krankheit, -en; die unheilbare Krankheit.
난질 Koketterie *f.* -n; Gefallsucht *f.* -; das ehebrecherische Benehmen (Betragen) von Frauen. ¶ ∼가다 ^{3}sich Koketterie gönnen; ^{4}sich der Gefallsucht (Ausschweifung) hingeben (ergeben).
‖ ∼장이 die Geile* (Mutwillige*; Umhertollene*) -n.
난처하다(難處—) ①《당황》 verlegen (sein)《*um*^{4}》; in Verlegenheit geraten* (kommen*; sein) [s]; ^{3}sich den Kopf zerbrechen*《*über*^{4}》; nicht wissen*, was man machen soll (wie man es machen soll); in e-r schwierigen Lage sein. ¶ 입장이 매우 ∼ sehr (ganz) verlegen sein; in großer (arger) Verlegenheit sein; ^{3}sich k-n Rat mehr wissen*. ②《어려움》 Schwierigkeiten haben《*mit*^{3}》; leiden*《*unter*^{3}》; harte Nüsse zu knacken haben (zu beißen bekommen*). ¶ 그는 난처한 처지다 Er ist in e-r schwierigen (schlimmen; unangenehmen) Lage. ③《성가심》 schlimm; unangenehm; unge-

legen (sein). ¶ 난처하게도 Das Schlimmste ist, daß....¦Was die Sache noch schlimmer macht, ist....¦Was dabei schlimm ist, ist.... / 난처한 때에 손님이 찾아왔다 Der Besuch kommt (ist) mir sehr ungelegen. / 그래서 여러 가지 난처한 일이 생겼다 Ich hatte deshalb viel Unannehmlichkeiten. ④ 《빈곤》 in Geldverlegenheit sein (궁한); in der Klemme (Tinte; Patsche) sein.

난청(難聽) Schwerhörigkeit *f.* -en; Gehörstörung *f.* -en; Gehörfehler *m.* -s, -. ¶ ~의 schwerhörig; gehörleidend.
‖ ~자 der Schwerhörige*, -n, -n.

난초(蘭草) 〖식물〗 Orchidee *f.* -n [..dé:ən].

난추니 〖조류〗 e-e Art Habicht od. Falke in Asien.

난측하다(難測—) unermeßlich; unberechenbar; unschätzbar; unergründlich; unerforschlich; schwer vorhersehend; geheimnisvoll; unsicher (sein).

난층운(亂層雲) 〖기상〗 Nimbostratus; *m.* -. ..ti; schwarze, stürmische Regenwolke, -n,

난치(難治) ~하다 unheilbar; schwer heilbar; bösartig (sein). ¶ ~의 병 bösartige Krankheit, -en (악성의); e-e schwere (unheilbare) Krankheit (중병, 불치병).

난침모(—針母) die ausbleibende Näherin, -nen; die Nähfrau, die im eigenen Haus im Auftrag von dem Herrn (der Herrin) Näharbeit macht.

난타(亂打) der wiederholte Schlag, -(e)s, ⸗e; das rücksichtslose Prügeln*, -s; Übungsschlag *m.* -(e)s, ⸗e. ~하다 in schnellen Schlägen läuten (경종 따위를); es regnet Schläge (Prügel). ¶ 종을 ~하여 화재를 알리다 wild u. heftig Feuer läuten.

난투(亂鬪) 《주먹질》 wilde Balgerei (Prügelei; Rauferei; Tätlichkeit) -en; Handgemenge *n.* -s, -; der wüste Kampf, -(e)s, ⸗e. ~하다 raufen (prügeln) 《mit *jm.*》; in [4]Rauferei geraten* ⓢ. ¶ 피차간에 뒤섞여서 ~가 벌어졌다 Feind u. Freund gerieten im Handgemenge durcheinander.
‖ ~극 die Szene von Prügelei u. Rauferei.

난파(暖波) die Strömung der warmen Luft; der warme Luftzug.

난파(難破) das Scheitern*, -s; Schiffbruch *m.* -(e)s, ⸗e. ~하다 Schiffbruch erleiden*; stranden; scheitern. ¶ 암초에 부딪쳐 ~했다 Das Schiff ist aufgelaufen u. gescheitert.
‖ ~선 ein gestrandetes (gescheitertes) Schiff, -(e)s, -e; Wrack *n.* -(e)s, -s (-e). ~신호 Notsignal *n.* -s, -e: 배는 ~ 신호를 보냈다 Das Schiff gab ein Notsignal. ~화물 die Schiffstrümmer 《*pl.*》.

난폭(亂暴) Gewaltsamkeit *f.* -en; Gewalttat *f.* -en; Gewalttätigkeit *f.* -en (폭력); Unfug *m.* -(e)s (난폭); Roheit *f.* -en (거칠고 사나움); Grobheit *n.* -en (세련되지 않음); Wildheit *f.* -en. ~하다 gewaltsam; gewalttätig; grob; roh; rücksichtslos (무분별한); störrig (걷잡을 수 없는); zügellos; unfügsam (다루기 힘든); wild (sein). ¶ ~한 태도 die gewaltsame Handlung, -en / ~한 언사를 쓰다 Grobheiten sagen[3]; [4]sich ganz unvernünftig äußern 《*zu*[3]; *über*[4]》 (사리에 어긋나게); wie ein Landsknecht fluchen (독기가 서리어) / ~하게 다루다 grob (unvorsichtig) behandeln[4] / ~하게 굴다 Gewalt an|tun*[3]; Unfug treiben*; [4]sich wie ein Wilder gebärden; toben wie zehn nackte Wild (im Schnee) (미쳐 날뛰다) / 술을 마시면 ~해진다 Er wird wild, wenn er trinkt.
‖ ~자 Grobian *m.* -(e)s, -e; Rowdy [raudi] *m.* -s, -s; Raufbold *m.* -(e)s, -e.

난필(亂筆) Kritzelei *f.* -en. ¶ ~을 용서하시오 Hoffentlich können Sie m-e kritzlige (schlechte) Schrift entziffern.

난하다(亂—) 《색깔이》 zu bunt; giftig; grell; prächtig; prunkhaft; hellfarbig (sein). ¶ 난한 색 prunkhafte Farbe, -n / 색이 너무 ~ Die Farben sind allzu hell. / 옷차림이 너무 ~ Sie ist sehr auffallend angezogen.

난항(難航) e-e schwierige Fahrt, -en (배 따위); ein strapaziöser Flug, -(e)s, ⸗e (비행기). ~하다 schwierig fahren; 《일이》 auf Schwierigkeiten 《*pl.*》 stoßen*. ¶ 조각은 ~을 거듭하고 있다 Es gab immer wieder Schwierigkeiten mit der Kabinettbildung.

난해(難解) das schwere Begreifen* (Verstehen*) -s. ~하다 schwer verständlich; schwer; schwierig (sein). ¶ 이 책은 ~하다 Dieses Buch ist schwer zu lesen (zu verstehen). / 이 구절이 특히 ~하다 Diese Stelle ist besonders schwierig.

난행(亂行) Ausschweifung *f.* -en; Liederlichkeit *f.* -en; die billige Vergnügung, -en 《보통 *pl.*》; Prasserei *f.* -en. ~하다 aus|-schweifen ⓢⓗ; ein moralisch u. gesundheitlich nicht mehr zu rechtfertigendes Leben führen.

난행(難行) 《고행》 Askese *f.* -n; asketische Übungen 《*pl.*》; religiöse Kasteiung, -en; Buße *f.* -n. ~하다 Askese üben; [4]sich kasteien; Buße tun*.

난형(卵形) die Eiform, -en; die ovale Gestalt, -en.

난형난제(難兄難弟) ¶ ~다 Der eine ist so gut (schlecht) wie der andere.¦Zwischen den beiden ist kein Unterschied. / 두 분 다 유능하여 ~다 Die Beiden sind sehr fähig, e-r immer besser als der andere (e-r so gut wie der andere).

난황(卵黃) =노른자위. ⌈treiden-).

낟가리 ein Haufen des Korn¦stengels (Ge-

낟알 Korn *n.* -(e)s, ⸗er; Körn¦chen (-lein) *n.* -s, - (작은 알).

날[1] ① 《하루·일진》 Tag *m.* -(e)s, -e; Zeit *f.* -en. ¶ 날마다 täglich; alltäglich / 날로 e-n Tag nach dem andern; jeden Tag; von Tag zu Tag / 좋은 날 Glückstag *m.* -(e)s, -e / 나쁜 날 Unglückstag *m.* -(e)s, -e / 그 날에 an jenem Tag / 날을 보내다 s-e Tag zu|bringen* (verbringen*); s-e Zeit hin|-bringen* (verleben) / 날이 샌다 Der Tag bricht an.¦Es wird Tag. / 날이 저문다 Der Tag sinkt.¦Der Tag geht unter.¦Es wird dunkel.¦Die Nacht senkt sich nieder.¦Die Nacht bricht herein. / 날이 짧아 (길어) 진다 Die Tage werden kürzer (länger). / 그날 그날 근근히 살아가다 von der Hand in den Mund leben / 그는 날이 갈수록 더욱 뻔뻔스러워진다 Er wird von Tag zu Tag dreister. / 결혼식에는 좋은 날을 택한다 Man wählt e-n Glückstag für die Hochzeit. / 금요일은 날이 나쁘다 Freitag ist ein schwarzer Tag (ein Unglückstag). / 날이 간다 Tage vergehen.¦Die Zeit verstreicht.
② 《날씨》 Wetter *n.* -s, -. ¶ 궂은 날 ein grauer (trüber; regnerischer) Tag, -(e)s, -e / 좋은 날 ein sonniger (heiterer; schöner) Tag, -(e)s, -e / 날이 좋다 Es ist ein schöner

Tag. ¦Das Wetter ist schön. / 날이 더워져 간다 Es wird wärmer. / 날이 좋으면 내일 떠나겠다 Wenn es schön ist, gehe ich morgen. ¦Wenn das Wetter schön ist, fahre ich morgen ab.

③《날짜》Datum *n.* -s, ..ten. ¶초하룻날 der erste des Monats / 월요일날 Montag *m.* / 날을 정하다〔잡다〕e-n Termin fest|setzen; e-e Frist bestimmen〔an|beraumen〕/ 날을 물리다 verschieben*^{4} / 오늘은 무슨 날인가 Welches Datum haben Wir heute?

④《경우》im Falle, daß...; wenn.... ¶성공하는 날에는 wenn jemand Erfolg hat/ 비가 오는 날에는 im Falle, daß es regnet.

날^{2} 《칼날》Schärfe *f.* -n; Schneide *f.* -n; Klinge *f.* -n; Rasierklinge *f.* -n (면도날의). ¶날카로운〔무딘〕날 die scharfe〔stumpfe〕Schneide / 날이 선〔무딘〕scharf〔stumpf〕/ 날을 세우다 schärfen^{4} / 날을 갈다 schleifen*^{4}; wetzen^{4} / 날이 좁은 schmalklingig / 날이 좁은 칼 das schmale Schwert, -(e)s, -e / 보조날 Ersatzklinge *f.* -n.

날^{3} ①《세로줄》Kette *f.* -n; Ketten¦faden〔Längs-〕*m.* -s, ¨; Werft *m.* -(e)s, -e; Zettel *m.* -s, -. ¶날과 씨 Kette u. Einschlag. ②《경도》Länge *f.* -n.

날- 《익지 않은》roh; ungekocht; frisch; unreif; 《가공하지 않은》roh; unverarbeitet; unbearbeitet; grob. ¶날달걀 das rohe Ei, -(e)s, -er / 날가죽 grobes Fell, -(e)s, -e.

날강목치다 〖광산〗Arbeitsverschwendung machen, ohne Erz auszugraben; ^{3}sich vergebliche Mühe machen; ^{4}sich vergebens ab|mühen; vergeblich〔umsonst〕sein.

날개 Flügel *m.* -s, -; Schwinge *f.* -n; Fittich *m.* -s, -e; Tragfläche *f.* -n (비행기의). ¶~를 펴다 Flügel〔Schwingen〕(aus|)breiten/ ~치다 mit den Flügeln schlagen* / ~치는 소리 Flügelschlag *m.* -(e)s, ¨e; das Flügelschwingen*, -s / ~ 모양의 flügelartig; flügelformig / ~ 돋친 듯 팔리다 reißenden Absatz haben〔finden*〕: wie warme Semmel ab|gehen* [s] / 보조 ~ Hilfsflügel *m.* -s, -; Flügel¦klappe〔Lande-〕*f.* -n / ~가 달린 mit Flügeln versehen; geflügelt / ~ 돋친 gefiedert; befedert; flügge (날 수 있는) / ~ 없는 flügellos / 사랑의 ~를 타고 auf Flügeln der Liebe.

날개옷 Federkleid *n.* -es, -er. ¶천사의 ~ Federkleid des Engels.

날것 Roheit *f.* -en; Rohstoff *m.* -(e)s, -e. ¶~으로 먹다 roh (ungekocht) essen.

날고치 der rohe〔ungekochte〕Kokon, -s, -s.

날공전(—工錢) Tagelohn *m.* -(e)s, ¨e.

날귀 die beiderseitigen Schneiden〔Schärfen〕des Hobels od. Meißels.

날기와 der nicht gebrannte〔gebackene〕(Dach)ziegel, -s, -.

날김치 die rohen Pickels《*pl.*》; die Gemüse, die mit Salz und scharfen Gewürzen eingemacht und noch roh und unreif sind.

날나다 zugrunde (zuschanden) gehen*[s]; verkommen*[s]; herunter|kommen*[s]; verfallen* [s]; verderben*[s]; unter|gehen*[s]; total kaputt〔verdorben〕werden; das Vermögen〔Eigentum〕verlieren und Bankerott machen〔in Armut geraten*[s]〕. ¶일이 ~ es ist ihm mißglückt〔fehlgeschlagen〕; das Unternehmen〔die Arbeit〕ist ihm vollständig mißlungen.

날다^{1} fliegen*[s]; 《날아다니다》umher|fliegen* [s]; herum|fliegen* [s]《*um*^{4}》(둘레를); 《날아들다》hinein|fliegen*〔herein-〕[s]; 《날아오르다》auf|fliegen*[s]; empor|fliegen*[s]; hinauf|fliegen*[s]; in die Höhe fliegen*[s]; emporgewirbelt werden (나뭇잎 따위); flattern (깃발, 머리칼, 돛 등); wehen (바람에). ¶공중을 ~ durch die Luft fliegen* / 나는 듯이 in fliegender Eile〔Hast〕; mit großer Geschwindigkeit; möglichst schnell wie ein Pfeil; so schnell wie möglich / 화살처럼 빨리 ~ wie ein Pfeil fliegen*〔flitzen〕[s] / 날아 나무에 앉다 auf Bäume fliegen* [s] / 나비가 이 꽃에서 저 꽃으로 날아다닌다 Die Schmetterlinge fliegen von Blume zu Blume. / 그는 하늘을 날 듯이 기뻐했다 Er war überglücklich〔wie im siebenten Himmel〕. / 나는 새도 떨어뜨릴 정도로 위세가 당당하다 auf dem Gipfel der Macht sein〔stehen*〕/ 깃발이 바람결에 날고 있다 Die Fahne flattert im Winde. / 그는 날 듯이 집으로 달려갔다 Er flog nach Hause. / 돌멩이가 집 안으로 날아 들었다 Ein Stein flog ins Haus.

날다^{2} ①《색이》ab|gehen*[s]; aus|fallen*〔-|gehen*〕[s];《염색이》^{4}sich entfärben; ^{4}sich verfärben. ¶난 verfärbt; verschossen / (빨아도) 날지 않는 색깔 e-e (wasch)echte Farbe, -n / 천의 색깔이 날았다 Der Stoff verliert s-e Farbe. ②《냄새가》verschwinden* [s]; ^{4}sich verlieren*. ¶조미료〔코피〕의 향내가 날아가 버리다 das Gewürz〔der Kaffee〕verliert sein Aroma.

날다람쥐 〖동물〗das fliegende Eichhörnchen, -s, -.

날도(—度) 〖지리〗die geographische Länge, -n; Längengrad *m.* -(e)s, -e.

날도둑놈 Dieb *m.* -(e)s, -e; Diebin *f.* -nen; Räuber *m.* -s, -; Einbrecher *m.* -s, -; Wegelagerer *m.* -s, -; Straßenräuber *m.* -s, -; Taschendieb *m.* -(e)s, -e; der bewaffnete Verbrecher *m.* -s, -.

날들다 ^{4}sich auf|klären; ^{4}sich auf|hellen. ¶날이 들기 시작한다 Es fängt an, sich aufzuklären.

날떠퀴 das Geschick〔Schicksal〕eines Tages; Tagesglück *n.* -(e)s, -.

날뛰다 stürmen [h,s]; rasen [h,s]; toben; tosen [h,s]; wüten; ^{4}sich wild〔ungebärdig〕benehmen*; ^{4}sich aufgeregt gebärden; wildes Unwesen treiben*; hüpfen [s,h]; tanzen《vor Freude》(기뻐); in die Höhe springen* [s,h]. ¶그는 미친듯이 날뛰었다 Er gebärdete sich wild wie ein Verrückter. / 그는 미친 사람처럼 날뛰었다 Er tobt wie ein Berserker. / 그는 분에 못이겨 미친 듯이 날뛰었다 Er raste vor Wut. / 그는 기뻐 날뛰었다 Er sprang vor Freude bis an die Decke.

날뛸판 das Frohlocken*, -s. ¶지금은 좋아 ~이 아니다 Es ist heute nicht der Tag zum Frohlocken. / 그것을 알면 그 친구 미쳐 ~이다 Wenn er es weiß〔erfährt〕, mag er darüber vor Freude frohlocken〔außer sich sein〕.

날라리 〖악기〗Rohrpfeife *f.* -n.

날래다 schnell; flink; geschwind; hurtig; rasch (sein). ¶날랜 말 flinkes Pferd, -(e)s, -e / 걸음이 ~ Er geht schnell.

날려보내다 ①《쫓다·놓아 주다》fliegen lassen*; frei|lassen*; weg|blasen*; weg|-wehen (바람에). ¶비둘기를 ~ die Taube fliegen lassen* / (잡았던) 새를 ~ den gefangenen Vogel frei|lassen* / 바람에 모자를 ~

Der Hut wird ihm weggeblasen (weggeweht). ② 《탕진》 verschwenden; vergeuden; das Vermögen durch|bringen*. ¶ 주색으로 재산을 ~ mit dem sinnlichen Vergnügen, Wein und Weib (Saus und Braus) das Vermögen durchbringen / 도박으로 3만 원을 ~ eine Summe Geld 30000 *Won* durch die Wette verlieren; den Betrag 30000 *Won* verspielen.

날렵하다 《정신》 geist¦voll (-reich); lebens-voll (temperament-); 《동작》 lebhaft; lebendig; tätig; 《민첩》 flink; behend (sein).

날로 roh; ungekocht; unreif; frisch. ¶ ~ 먹다 roh (ungekocht) essen*⁽⁴⁾.

날름 ¶ 혀를 ~ 내밀다 die Zunge heraus|-strecken (hin|strecken) / ~ 먹어치우다 ohne weiters auf|essen*⁴.

날름거리다 ① 《혀 따위를》 ⁴*et.* auf|lecken; nach ³*et.* schnappen; *jm.* die Zunge heraus|strecken; die Hand od. den Finger flink (behend) aus|strecken und zurück|-ziehen* (손을). ¶ 뱀이 혀를 ~ die Schlange streckt mir die Zunge heraus. ② 《탐내다》 nach ³*et.* begehren (verlangen; gelüsten); nach ³*et.* heiß begierig sein.

날름날름 aufleckend; nach ³*et.* schnappend; *jm.* die Zunge herausstreckend; die Hand flink ausstreckend u. zurückziehend.

날름쇠 ① 《무자위의》 Klappe *f.* -n; Ventil *n.* -s. ② 《총의》 Gewehrhahn *m.* -(e)s, ⸗e. ③ 《스프링》 die metallische Trieb¦feder (Sprung-) -n. ④ 《자물쇠의》 Zuhaltungsfeder im Schloß.

날리다¹ ① 《날게 하다》 fliegen lassen*⁴; wehen lassen*⁴; schwingen*⁴. ¶ 연을 ~ e-n Drachen steigen lassen* / 깃발을 ~ Fahne wehen lassen* / 새를 ~ den Vogel fliegen lassen* / 먼지를 ~ den Staub fort|blasen*/ 머리칼을 날리며 mit fliegend Haaren. ② 《명성을》 ⁴sich berühmt machen. ¶ 이름을 ~ ³sich e-n Namen machen; berühmt (bekannt) werden.

③ 《재산을》 vergeuden⁴; verprassen⁴; verschwenden⁴; verspielen⁴; 〖속어〗 verplempern. ¶ 재산을 ~ *js.* Vermögen vergeuden/ 그는 전 재산을 날렸다 Er ist um sein ganzes Geld (Vermögen) gekommen.

④ 《일을》 flüchtig machen; unvorsichtig machen. ¶ 일을 ~ flüchtig (unvorsichtig) arbeiten.

날리다² 《바람에》 flattern; spielen; blasen*; wehen; auseinander|fliegen*(umher|-) s,h; ⁴sich zerstreuen. ¶ 재가 ~ Asche weht (auseinander; weg) / 깃발이 바람에 ~ Die Fahne (Flagge) flattert (spielt) im Winde.

날림 〖형용사적〗 unsolid (flüchtig; unvorsichtig) gemacht.

‖ ~일, ~공사 die unsolide Bauweise; die flüchtige Arbeit, -en; Stümperei *f.* -en; Pfuscharbeit *f.* -en; Pfuschwerk *n.* -(e)s, -e. ~집 Bruchbude *f.* -n; ein unsolid gemachtes Haus, -es, ⸗er.

날마다 täglich; jeden Tag. ¶ ~ 방문하다 tagtäglich besuchen⁴; jeden Tag e-n Besuch ab|statten⁽³⁾ (*bei*³) / 그는 ~ 나를 찾아왔었다 Er kam zu mir tagtäglich.

날망제 〖민속〗 die nicht exorzisierte Seele, -n; der wandernde Geist, -es, -er; das allenthalben heimsuchende Gespenst, -es, -er. ⌈-es, ⸗er.

날목(—木) das rohe (nicht getrocknete) Holz,

날물 ① 《나가는 물》 ausfließendes (ausströmendes; ausflutendes) Wasser, -s, -. ② 《썰물》 die niedere Flut, -en; Ebbe *f.* -n.

날밑 Stichblatt *n.* -(e)s, ⸗er; Glocke *f.* -n.

날바닥 Fuß¦boden (Erd-) *m.* -s, -; Grund *m.* -(e)s, ⸗e; Boden *m.*

날바람잡다 ziellos (sinnlos) umher|gehen s (wandern s,h; schweifen s,h; leicht¦hin (-sinnig; -fertig) handeln; ⁴sich unsinnig (unvernünftig) benehmen*.

날반죽 kaltes Wasser Teig 《*m.* -(e)s, -e》. ~하다 aus Mehl mit kaltem Wasser zu kneten.

날밤¹ 《지새우는》 das Spätaufbleiben*, -s; das Durchwachen* 《-s》 der Nacht. ¶ ~새우다 die ganze Nacht hindurch auf|bleiben*; die Nacht durchwachen.

‖ ~집 der Grogsladen, der die ganze Nacht hindurch geöffnet ist; die ganze Nacht¦schenke (-kneipe).

날밤² 《생률》 die rohe (nicht gebratene) (Edel)kastanie, -n.

날벌레 das fliegende (geflügelte) Insekt, -(e)s, -en; der fliegende (geflügelte) Wurm, -(e)s, ⸗er.

날변(—邊) 《일변》 tägliche Zinsen 《*pl.*》; die tägliche Rate, -n.

날불한당(—不汗黨) Schwindler *m.* -s, -; Gauner *m.* -s, -; Schurke *m.* -n, -n; Schuft *m.* -(e)s, -e; Schelm *m.* -(e)s, -e.

날붙이 Messer¦waren (Stahl-) 《*pl.*》.

날사이 in dieser Zeit; in diesen Tagen; in letzter Zeit; in den letzten Tagen; neulich; kürzlich; neuerdings; vor kurzem.

날삯 Tagelohn *m.* -(e)s, ⸗e.

‖ ~꾼 Tag(e)arbeiter *m.* -s, -.

날상제(—喪制) der neuliche Leidtragende*, -n, -n; der um seine Verwandten Trauerangelegte* (-habende*) -n, -n.

날새 ☞ 날사이.

날샐녘 Tagesanbruch *m.* -(e)s, ⸗e; Morgengrauen *n.* -s. ¶ ~에 beim Morgengrauen (Tagesanbruch).

날서다 scharf (scharfschneidig; spitz) sein. ¶ 날선 칼 das scharfschneidige Messer.

날성수(—星數) ☞ 날수 ②.

날세우다 schärfen; (zu|)spitzen; wetzen. ¶ 시퍼렇게 날세워진 칼 das scharfgewetzte Messer.

날수(—數) ① 《날의 수》 die Zahl der Tage; Tage 《*pl.*》; die Zeit. ② 《날성수》 das Geschick (Schicksal) e-s Tages; der Tagesstern, -(e)s, -e. ¶ ~를 보다 *jm.* Tagesschicksal (Stern-) vorausverkünden; *jm.* das Horoskop eines Tages stellen / ~가 좋다 einen glücklichen Tag haben; unter einem glücklichen Stern(e) eines Tages sein. ⌈men.

날숨 Ausatmung *f.* -en. ¶ ~ 쉬다 aus|at-

날실 ① 《경사》 Kette *f.* -n; der verdrehte Faden, -s, ⸗ (Zwirn, -s, -); das verzerrte Garn, -(e)s, -e. ② 《삶지 않은 실》 der rohe (unbehandelte; unbearbeitete) Faden, -s, ⸗.

날쌔다 flink; behend(e); fix; flott; prompt (sein). ¶ 날쌘 아가씨 ein flinkes Mädchen, -s, - / 날쌔게 해치우다 ⁴*et.* prompt erledigen / 그의 걸음걸이는 ~ Er hat noch flinke Beine. / 그 청년은 ~ Der Bursch ist flink. / 그는 날쌔게 울타리를 뛰어 넘었다 Er sprang flink über den Zaun.

날씨 Wetter *n.* -s, -; Witterung *f.* -en (기

상). ¶좋은 ~ das schöne (gute; heitere; klare) Wetter / 나쁜 ~ das schlechte Wetter / 화창한 ~ das prachtvolle (prächtige; glänzende; herrliche; wunderschöne) Wetter / ~를 살피다(보다) das Wetter beobachten; nach dem Wetter sehen* / 사나운 ~ Sturm *m.* -(e)s, ⸗e; Sturmwetter *n.* -s, -; ein stürmisches Wetter / 궂은 ~ das böse Wetter / 불순한 ~ die unzeitige Witterung / ~에 따라 je nach dem Wetter; je nach der Wetterlage / 추운 ~ kaltes Wetter / 이 추운 ~에 bei diesem kalten Wetter / 여행하기 좋은 ~ Reisewetter *n.* -s, -/ 어떤 ~에도 einerlei bei welchem Wetter; bei (in) Wind u. Wetter (악천후라도) / ~가 좋으면 bei gutem Wetter; wenn das Wetter schön ist; wenn das Wetter (es) erlaubt / ~에 대해 얘기하다 über das Wetter (vom Wetter) sprechen* / 변하기 쉬운 ~ wechselndes Wetter / ~가 그만해졌다 Das Wetter ist endlich beständig geworden. / ~가 어떤 것 같은가 Wie sieht das Wetter aus? / 비(눈) 올 ~다 Es sieht nach Regen (Schnee) aus. / ~가 사나와질 것 같다 Es droht zu stürmen./~가 나빠(좋아)진다 Das Wetter verschlechtert (verbessert) sich. / 만사는 ~ 여하에 달렸다 Alles hängt vom Wetter ab. / ~가 변하다 Das Wetter ändert sich. / 내일은 어떤 ~일까 Was werden wir morgen für Wetter haben? / 청명한 ~에 이곳에서 알프스를 볼 수 있읍니다 Bei klarem Wetter kann man von hier aus die Alpen sehen.

날씬하다 schlank; feinglied(e)rig; klapperdürr; abgemagert (sein). ¶날씬한 아가씨 ein Mädchen《*n.* -s, -》von schlankem Wuchs; ein grazil-adrettes Mädchen / 날씬한 몸매 e-e schlanke Figur, -en.

날아가다 auf|fliegen* Ⓢ.

날아놓다 jedem seinen Anteil der Kosten zu|weisen (bestimmen; fest|setzen).

날염(捺染) Zeugdruck *m.* -(e)s, -e; Aufdruck *m.* -s, -e. **~하다** auf|drucken.
‖ **~기** Druckmaschine *f.* -n.

날인(捺印) das Stempeln*, -s. **~하다** stempeln[4].

날조(捏造) Erfindung *f.* -en; Erdichtung *f.* -en; Lüge *f.* -n (거짓말). **~하다** aus|denken*[4]; erdenken*[4]; erdichten[4]; erfinden*[4]; frisieren*[4]. ¶그럴 듯하게 ~하였군요 Sie haben sich das alles schön ausgedacht./ 그 뉴스는 전적으로 ~한 것이다 Die Nachricht ist frei erfunden. / 이 소문은 완전히 ~한 것이다 Diese Gerüchte sind völlig aus der Luft gegriffen. / 이 얘기는 그가 ~한 것에 불과하다 Diese Geschichte hat er bloß erfunden.
‖ **~기사** Erfindung *f.* -en; Fälschung *f.* -en. **~자** Fälscher *m.* -s, -; Erfinder《*m.* -s, -》e-r Lüge.

날줄 e-e Linie《-n》der geographischen Länge; Länge *f.* -n.

날짐승 Vogel *m.* -s, ⸗; 《닭》Huhn *n.* -(e)s, ⸗er; 《가금》Federvieh *n.* -(e)s.

날짜[1] ①《정해진》Datum *n.* ..tums, ..ten; der festgesetzter Tag, -(e)s, -e; 《기한》Termin *m.* -s, -e; Frist *f.* -en. ¶~ 없는 편지 der undatierte Brief, -(e)s, -e / ~를 넣다 datieren[4] / 오늘 ~로 unter heutigem Datum / ~를 정하다 e-n Termin fest|setzen (aus|machen); e-e Frist bestimmen; den Tag (das Datum) bestimmen (fest|setzen; nennen*; verabreden) / ~를 지키다 den Termin ein|halten* / 편지 발송 ~는 10월 15일이었다 Er hat den Brief vom 15. Oktober datiert. / 4월 10일 ~로 보낸 너의 편지는 잘 받았다 Ich habe deinen Brief vom 10. April erhalten. / ~는 미정이다 Der Tag ist noch nicht festgesetzt. / ~가 다 되다 Die Frist läuft ab. / 내월 2일로 어음의 ~가 찬다 Der Wechsel wird am 2. nächsten Monats fällig.
②《일수》Tage u. Monate《*pl.*》; Jahre《*pl.*》; Zeit *f.* -en. ¶~가 지남에 따라 mit der Zeit / ~가 빨리도 간다 Die Zeit vergeht doch rasch! / ~가 좀 걸린다 Es dauert einige Tage. / ~가 얼마 남지 않았다 Es bleiben nur noch wenige Tage.
‖ **~변경선** Datumsgrenze *f.*

날짜[2] ①《날것》Roheit *f.* -en; Rohkost *f.*; das unreife (grüne) Obst, -es; der unbearbeitete (behandelte) Gegenstand, -(e)s, ⸗e. ¶~로 먹다 roh (ungekocht) essen. ②《풋나기》Neuling *m.* -s, -e; Grünschnabel *m.* -s, ⸗; der Unerfahrene*, -n, -n; der Ungeübte*, -n, -n; der Ungeschickte*, -n, -n.

날짝지근하다 ☞ 늘쩍지근하다.

날찍 Gewinn *m.* -(e)s, -e; Ertrag *m.* -(e)s, ⸗e; Profit *m.* -(e)s, -e.

날치[1] 〖어류〗Flugfisch *m.* -es, -e.

날치[2] ①《새잡이》das Fangen eines fliegenden Vogels; 《비유적》Behendigkeit *f.*; Flinkheit *f.*; Schnelligkeit *f.*; 《사람》ein vortrefflicher Jäger.

날치[3] 《빚》das Geldborgen zu Tageszinsen.

날치기 《행위》das Wegpraktizieren*, -s; das (Weg)stibitzen*, -s; Mauserei *f.* -en; 《사람》Langfinger *m.* -s, -; Ladendieb *m.* -(e)s, -e. **~하다** weg|praktizieren[4]; weg|stibitzen[4]; mausen[4]; verschwinden lassen*[4]. ¶돈궤를 ~하다 die Ladenkasse an [4]sich reißen*.
‖ **~공사** schlampige (nachlässige) Arbeit, -en. **~꾼** Langfinger *m.* ☞ 날치기.

날카롭다 scharf《schärfer, schärfst》; spitz (뾰족한); schrill(소리가); schneidend; 《눈빛이》durchdringend; durchbohrend; 《매서운》akut; 《질문이》brennend; 《두뇌가》scharfsinnig; 《귀가》fein (sein). ¶날카로운 비판 e-e scharfe Kritik, -en / 신경이 날카로와지다 nervös werden; Nerven an|spannen / 날카로운 목소리 scharfe Stimme, -n / 목소리가 날카로와지다 kreischend werden / 날카로운 칼 ein scharfes Messer, -s, - / 날카로운 도끼 ein scharfes Beil, -(e)s, -e / 날카로운 관찰 akute Beobachtung, -en / 그는 눈이 ~ Er hat ein scharfes Auge. / 그는 귀가 ~ Er hat ein feines Gehör. / 신경이 몹시 ~ Die Nerven sind aufs äußerste angespannt. / 개는 날카로운 이를 갖고 있다 Der Hund hat scharfe Zähne.

날큰- ☞ 늘큰-.

날탕 ein mittelloser Mann.

날틀 Schaft *m.* -(e)s, ⸗e (mit 10 Höhlen); Vorrichtung an Webstühlen, die das Heben u. Senken jeweils e-s Teils der Kettfäden bewirkt.

날파람 ①《바람》Windsog (im Gefolge e-s vorbeifahrenden Fahrzeugs). ②《기세》Flinkheit *f.*; Behendigkeit *f.*; Hurtigkeit *f.*

날포 ein paar (einige) Tage.

날품 Tagelohnerei *f.* -en; Tagelöhnerarbeit *f.* -en. ¶~을 팔다 auf [4]Tagelohn arbeiten; für täglichen Lohn arbeiten / ~을 사

다 im Tagelohn nehmen*[4].
‖ ～삯 Tag(e)lohn *m.* -(e)s, ⁼e. ～팔이 Tagelöhner *m.* -s, -(사람); Tagelohnerei *f.* -en(일); Tagelöhnerarbeit *f.* -en(일): ～팔이하다 auf Tagelohn arbeiten.

날피 ein armseliger Tag(e)dieb, -(e)s, -e; ein armer Lump, -(e)s (-en), -en.

낡다 alt; ehemalig(옛); althergebracht(고래의); altertümlich(고대의); altmodisch(유행에 뒤떨어진); überholt; unmodern; veraltet; vorsintflutlich(케케묵은); abgestanden(썩어가는); 《옷 따위가》 abgenutzt; abgetragen (sein). ¶ 낡은 습관 die althergebrachte Sitte, -n; die alten Gebräuche 《*pl.*》 / 낡은 옷 der alte Anzug, -(e)s, ⁼e; das abgetragene (abgelegte; strapazierte) Kleid, -(e)s, -er / 낡은 사상 veralteter Gedanke, -ens, -n / 머리가 낡은 사람 der rückständige (altmodische) Mensch, -en, -en; Fossil *n.* -s, -ien; 〖속어〗 der Gestrige* (Vergangene*) -n, -n(과거의 사람) / 그는 머리가 낡았다 S-e Ansichten sind veraltet (von gestern).¦《완고하다》 Er hängt am alten Zopf. / 그것은 낡아빠진 얘기다 Das ist längst bekannt (die alte Geschichte).¦So ein Bart! 《속어》 / 이 집은 너무 낡아 사람이 살 수 없다 Dieses Haus ist schon baufällig u. unbewohnbar.

남 ① 《타인》 der Andere*, -n, -n; der Fremde*, -n, -n; Außensitzer *m.* -s, -. ¶ 남 모르는 heimlich; verborgen; geheim; vertraulich / 남몰래 heimlich; im geheimen; vertraulich; unbemerkt; leise; verstohlen / 남몰래 생각하다 bei [3]sich denken* / 남몰래 사랑하다 *jn.* heimlich lieben / 생판 남 der Wildfremde*, -n, -n / 남의 재산 das fremde Gut / 남이야 어떻든 abgesehen von den anderen / 남같이 굴다 Umstände 《*pl.*》 machen / 남의 일 e-e fremde Sache, -n; e-e fremde Angelegenheit, -en / 마치 남의 일처럼 als ob es *jn.* nichts anginge / 남의 일 같지 않다 tief mit|fühlen 《mit *jm.*》 / 남의 일에 나서다 [4]sich in fremde Sachen mischen / 그들은 남몰래 만난다 Sie treffen sich heimlich. / 남이야 뭣을 하든지 상관 말라 Frage nicht (Fragen Sie nicht), was andere machen! / 이건 남의 일이 아니예요 Das geht Sie an! / 남의 일에 뛰어들지 마시오 Stecken Sie Ihre Nase nicht in fremde Sachen! / 남 잡이가 제 잡이 《속담》 Wer anderen e-e Grube gräbt, fällt selbst hinein. / 먼 친척보다 가까운 남이 낫다 Besser ein Nachbar an der Hand als ein Bruder über Land.
② 《나》 mein; ich. ¶ 왜 남의 책을 가져가니 Warum nimmst du mein Buch? / 제가 잘못하고도 남보고 잘못했다고 한다 Er ist daran schuldig, trotzdem behauptet er, daß ich schuldig bin.

남(南) Süden *m.* -s; Süd *m.* -(e)s. ¶ 남쪽의 südlich; Süd- / 남쪽에 südlich; im [3]Süden; südwärts (남으로); nach [3]Süden (남으로).

남(藍) 《물감》 Indigofarbe *f.* -n.

남-(男) Männergeschlecht *n.* ¶ 남계 Mannesstamm *m.* -(e)s, ⁼e.

-남(男) Sohn *m.* -(e)s, ⁼e. ¶ 장(차·삼)남 der erste (zweite, dritte) Sohn.

남가일몽(南柯一夢) ein leerer Traum, -(e)s, ⁼e.

남경(男莖) Penis *m.* -, ..nisse; Schwanz *m.* -es, ⁼e 《비속어》.

남경(南京) 《중국의 도시》 Nangking.

남계(男系) die männliche Linie, -n; Mannesstamm *m.* -(e)s, ⁼e.
‖ ～상속 die Erbfolge 《-n》 in der männlichen Linie. ～친척 Agnat *m.* -en, -en.

남구(南歐) Südeuropa *n.* -s. ¶ ～의 südeuropäisch.

남국(南國) Südland *n.* -(e)s, ⁼er; ein Land (Länder) im Süden (in der Mittagsgegend); südliche Länder.

남극(南極) Südpol *m.* -(e). ¶ ～의 südpolar; antarktisch.
‖ ～광 Südlicht *n.* -(e)s; südliches Polarlicht, -(e)s. ～대륙 Südpolarkontinent *n.* -(e)s; Australkontinent; Antarktika *f.* ～성 Südpolarstern *m.* -(e)s, -e. ～양 Südpolarmeer *n.* -(e)s, -e. ～지방 Südpolargebiet *n.* -(e)s, -e; Antarktis *f.*; Südpolarländer 《*pl.*》. ～탐험 Südpolarexpedition *f.* -en.

남근(男根) das männliche Glied, -(e)s, -er; Penis *m.* -, ..nisse; Phallus *m.* -, - (..llen).
‖ ～숭배 Phalluskult *m.* -(e)s, -e.

남기다 ① 《뒤에》 hinterlassen*[4]; zurück|lassen*[4]; zurück|legen[4]; (übrig) lassen*[4]; 《유언으로》 vermachen[4]; (testamentarisch) nach|lassen*[4]. ¶ 편지(쪽지)를 ～ e-n Brief (e-e Notiz) hinterlassen* / 흔적(빚, 재산)을 ～ Spuren (Schulden, ein Vermögen) hinterlassen* / 지문을 ～ Fingerabdrücke 《*pl.*》 hinterlassen* / 이 표는 당신을 위해 남겨 둡니다 Wir legen diese Karte für Sie zurück. / 범은 죽어서 가죽을 남기고 사람은 죽어서 이름을 남긴다 Wenn der Tiger auch stirbt, läßt er doch das Fell zurück; wenn der Mensch stirbt, hinterläßt er s-n Namen.
② 《이익을》 ein Geschäft machen 《*mit*[3]》; Gewinn machen 《*bei*[3]》; Gewinn heraus|schlagen* 《*an*[3]》; Nutzen ziehen* 《*aus*[3]》. ¶ 10% 이익을 남기고 팔다 mit e-m Nutzen (Gewinn) von 10% verkaufen[4] / 그는 목재로 톡톡히 이익을 남겼다 Er hat von s-m Holz viel Nutzen. / 그것으로 이익을 남기려 한 것은 아니었는데 Wir wollen nichts dabei verdienen, aber....
③ 《…않고》 übrig|lassen*[4]; übrig|behalten*[4]; 《예비로》 auf|heben*[4]; beiseite|legen[4]; 《절약하여》 sparen[4]; ersparen[4]; 《여백·여지 등을》 frei lassen*[4]; frei|halten*[4]. ¶ 일을 ～ die Arbeit unerledigt lassen* / 먹다 ～ die Speisen (halb genossen) übrig|lassen* / 과자를 좀 남겨 주세요 Lassen Sie mir etwas Kuchen übrig!¦Heben Sie etwas Kuchen für mich auf! / 이 여백은 날짜를 기입할 수 있도록 남겨 두시오 Lassen Sie diesen Raum für das Datum frei. / 그 자리는 당신을 위해 남겨 두겠읍니다 Ich werde diese Stelle für Sie freihalten.

남김없이 all*; allesamt; ganz; gänzlich; hundertprozentig; restlos; sämtlich; völlig; vollkommen; 《예외없이》 ausnahmslos; ohne Ausnahme. ¶ 한 사람도 ～ samt u. sonders; (alle) bis auf den letzten Mann (bis zum letzten Mann) / 한 푼도 ～ 다 지불하다 (써버리다) auf (bei) Heller u. Pfennig bezahlen (bis auf den letzten Heller aus|geben*).

남날개 Patrone *f.* -n; Patronentasche *f.* -n; Patronenhülse *f.* -n.

남남동(南南東) Südsüdost *m.* -es; Südsüdosten *m.* -s.

남남북녀(南男北女) Vorliebe der Koreaner für die Männer aus den südlichen Provinzen und für die Frauen aus den nördlichen Provinzen.

남남서(南南西) Südsüdwest *m.* -es; Südsüdwesten *m.* -s.

남녀(男女) Mann u. Weib; Männer u. Weiber《*pl.*》; die (beiden) Geschlechter《*pl.*》. ¶ ~ 혼합의 (aus Männern u. Frauen) gemischt / ~ 양성의 zweigeschlechtig; zwitterhaft; androgyn(isch); bisexuell; hermaphrodisch / ~를 불문하고 ohne Rücksicht auf das Geschlecht.

‖ **~공학** Gemeinschaftserziehung *f.* -en; Koedukation *f.*: ~공학의 mit gemeinsamen Unterricht. **~관계** die geschlechtlichen Beziehungen《*pl.*》. **~동권** die Gleichberechtigung beider Geschlechter (von Mann. u. Frau): ~동권론(주의) Feminismus *m.* -, ..men; Frauenrechtlertum *n.* -(e)s / ~ 동권주의자 Frauen¦rechtler *m.* -s, - (-rechtlerin *f.* ..rinnen).

남녘(南—) Süden *m.* -s; Süd *m.* -es; die südliche Richtung, -en; die südliche Gegend, -en.

남다 ① 《잔류》 bleiben* ⓢ; heil|bleiben* ⓢ (재해를 면하고); sitzen|bleiben* ⓢ (미혼, 낙제); zurück|bleiben* ⓢ (잔류하다); überleben (살아남다); im Gedächtnis bleiben* ⓢ (기억에); noch bestehen* (여전히); hängen|bleiben* ⓢ (돌아오지 않고). ¶ 집에 ~ zu Hause bleiben* ⓢ / 기억에 ~ im Gedächtnis bleiben* ⓢ / 뒤에 남은 사람 《유족》 der Hinterbliebene*, -n, -n / 남아 돌아 가다 [4]*et.* in Hülle u. Fülle haben; im Überflüsse haben 《*an*[3]》; mehr als genug haben / 인상이 ~ ein Eindruck bleibt / 아무 것도 안 남았다 Es ist nichts übrig geblieben. / 그는 독일에 남아 있다 Er ist in Deutschland hängengeblieben.¦Er bleibt noch in Deutschland zurück. / 아직도 병의 흔적이 남아 있다 Es sind noch Spuren der Krankheit zurückgeblieben. / 그 사람만이 살아 남았다 Er ist der einzige Überlebende. / 이 말은 아직 생생하게 기억에 남아 있다 Dieses Wort bleibt mir noch lebendig im Gedächtnis. / 그 건물은 전화를 입지 않고 그대로 남아 있다 Das Gebäude hat den Krieg überdauert.¦Das Gebäude ist ohne Kriegsschaden heilgeblieben. / 산엔 아직 눈이 남아 있다 In den Bergen liegt noch Schnee. / 그녀는 아직 안 팔리고 남아 있다《미혼》 Sie ist sitzengeblieben. / 아직도 고통이 남아 있다 Der Schmerz besteht noch weiter. / 이 마을에는 아직도 옛 관습이 남아 있다 In diesem Dorf gibt es noch alte Gebräuche. / 늦게까지 회사에 남아 있다 Er bleibt bis spät in der Firma (im Büro).

② 《이익이》 Gewinn machen (bringen*); Profit machen (bringen*). ¶ 남는 장사 gewinnbringendes Unternehmen*, -s; ein profitables Geschäft, -(e)s, -e / 남기지 않고 팔다 ohne Profit verkaufen[4].

③ 《잔여》 übrig|bleiben* ⓢ; übrig sein. ¶ 남는 인원 überzählige Person, -en / 5에서 3을 빼면 2가 남는다 5 weniger 3 ist (bleibt) 2. / 그에게 아직 2천 원이나 줄 것이 남아 있다 Ich bin ihm noch 2 000 *Won* schuldig. / 아직 시간이 좀 남아 있다 Es ist noch etwas Zeit übrig.¦Ich habe noch einige Zeit. / …까지 겨우 사흘 남았다 Es bleibt nur noch drei Tage, bis....

남다르다 außerordentlich; außergewöhnlich; ungemein; überdurchschnittlich; sonderlich (sein).

남단(南端) das südliche Ende, -s.

남달리 ungewöhnlich; außer¦ordentlich (-gewöhnlich). ¶ ~ 열심히 일하다 härter als die andern arbeiten / ~ 키가 크다 größer als der Durchschnitt / 그의 작품은 ~ 뛰어나 있다 Sein Werk geht über den Durchschnitt. / 학식이 ~ 뛰어나 있다 Er ist von mehr als durchschnittlicher Gelehrsamkeit. / ~ 검소하다 Er ist ungewöhnlich sparsam.

남대문(南大門) Südtor *n.* -(e)s.

남독(濫讀) (wahllose) Vielleserei, -en; Gelese *n.* -s. **~하다** wahllos vieles lesen*; alles verschlingend lesen*.

‖ **~가** (wahlloser) Vielleser, -s, -.

남동(南東) =동남(東南).

남루(襤褸) 《누더기》 Lumpen *m.* -s, -e; Lappen *m.* -s, -; Fetzen *m.* -s, -; Lumpending *n.* -(e)s, -e; 《헌 옷》 Lumpenhülle *f.* -n; Klamotte *f.* -n. **~하다** zerlumpt; zerfetzt; abgerissen; schäbig (sein). ¶ ~한 옷을 입은 사람 ein zerlumpter Kerl *m.* -s, -e; Lump *m.* -en, -en.

남만(南蠻) die südlichen Barbaren《*pl.*》.

‖ **~북적**(北狄) die südlichen und die nördlichen Barbaren.

남매(男妹) Bruder und Schwester; Geschwister《*pl.*》. ¶ 3 ~ drei Geschwister / 그들은 ~간이다 Sie sind Bruder und Schwester (Geschwister).

남모르는 ☞ 남 ①. ¶ ~ 걱정 innere Sorge, -n.

남미(南美) =남아메리카.

남바위 Pelzmütze *f.* -en; die pelzbesetzte Mütze.

남반구(南半球) die südliche Halbkugel, -n.

남발(濫發) die übermäßige Herausgabe, -n; die rücksichtslose Ausgabe, -n. **~하다** überemittieren; rücksichtslos aus|geben*. ¶ 어음(지폐)의 ~ eine übermäßige Ausgabe von Schecks (Banknoten).

남방(南方) Süden *m.* -s; die südliche Richtung (남쪽 방향); die südliche Gegend, -en (남쪽 지방); südliche Länder《*pl.*》(남국). ¶ ~에 südlich 《*von*[3]》; im Süden / ~으로 südwärts; nach [3]Süden.

‖ **~샤쓰** Aloha-Hemd *n.* -(e)s, -en.

남벌(濫伐) die rücksichtslose Abholzung, -en. **~하다** rücksichtslos ab|holzen[4]; ab|-forsten[4] 《보기: e-n Wald》; Bäume wahllos fällen.

남복(男服) die männliche Tracht, -en; Herrenanzug *m.* -(e)s, ⸚e; 《여자의》 ein Anzug, worin sich eine Frau als Mann verkleidet. **~하다** =남장하다.

남부(南部) Süden *m.* -s; der südliche Teil, -(e)s, -e; die südliche Gegend, -en. ¶ ~의 südlich.

‖ **~독일** Süddeutschland *n.* -(e)s. **~제주**(諸州) 《미국의》 Südstaaten《*pl.*》.

남부끄럽다 schüchtern; scheu; verschämt-geniert; schändlich; entehrend; schmachvoll; schimpflich (sein). ¶ 남부끄러운 짓 Schande *f.* -n; Unehre *f.* -n; Schmach *f.*; Scham *f.* / 남부끄럽지 않다 würdig sein; wert sein; ehrenvoll sein / 남부끄럽지 않은 삶 ein gutes (anständiges) Leben; das Leben in guten Verhältnissen / 어디 내세워도 남부끄럽지 않은 인물 eine würdige Person; ein edler Charakter / 남부끄럽지 않게 차리다 anständig gekleidet (angezogen) sein / 남부끄러워 그런 말은 못 하겠다 Ich schäme mich, so etwas zu sagen. / 그런 짓을 하고도 남부끄럽지 않으냐 Schämen Sie sich nicht, so etwas getan zu haben?

남부럽다 *jn.* beneiden 《*um*⁴》; neidisch sein 《*auf*⁴》. ¶ 남부럽지 않게 살고 있다 gut leben.

남부여대하다(男負女戴—) eine Familie führt ein elendes Wanderleben, die Gepäcke teils über der Schulter, teils auf dem Kopf tragend.

남북(南北) Norden u. Süden.
‖ ~아메리카 Süd- u. Nordamerika. ~전쟁 Sezessionskrieg *m.* -(e)s. ~통일 Wiedervereinigung 《*f.* -en》 des Süd- u. Nordkoreas. ~한(韓) 교류 Austausch 《*m.* -es》 zwischen Süd- u. Nordkorea.

남비 《얕은》 Pfanne *f.* -n; 《깊은》 Kessel *m.* -s, -; Kochtopf *m.* -(e)s, ⸗e. ¶ ~를 불 위에 올려놓다 e-n Topf aufs Feuer 〔auf den Herd; auf die Flamme〕 stellen 〔setzen〕 / 한꺼번에 ~에 넣고 끓이다 alles in e-m Topf kochen / 깨진 ~ der rissige Topf, -(e)s, ⸗e; die gebrochene Pfanne, -n.
‖ ~국수 Topfnudel *f.* -n. ~뚜껑 Pfannendeckel 〔Kessel-; Kochtopf-〕 *m.* -s, -. ~손잡이 Pfannen¦henkel 〔Kessel-; Kochtopf-〕 *m.* -s, -. 스튜~ Kasserolle *f.* -n; Kaßrol *n.* -s, -e.

남비(濫費) =낭비.

남빙양(南氷洋) Südliches Eismeer, -(e)s; Südpolarmeer; Antarktischer Ozean, -s.

남빛(藍—) Indigo *m.* -s, -s; Indigoblau *n.* -s. ¶ ~의 indigofarbig; dunkelblau; blaugrau.

남산골딸깍발이(南山—) ein mittelloser Gelehrter*, -n, -n 《ein Schimpfname》.

남산골샌님(南山—) ein (be)dürftiger Gelehrter*, -n, -n.

남상(男相) eine Damenphysiognomie mit männlichem Gesichtsausdruck; männische Gesichtszüge einer Frau. ¶ ~지르다 unweibliche Gesichtszüge haben; einen männischen Gesichtsausdruck haben.

남상(濫觴) Ursprung *m.* -(e)s, ⸗e; Quelle *f.* -n; Anfang *m.* -(e)s, ⸗e.

남새 Gemüse *n.* -s, -. ‖ ~밭 Küchengarten *m.* -s, ⸗; Gemüsegarten *m.* -s, ⸗.

남색(男色) Knabenliebe *f.*; Päderastie *f.*; die widernatürliche Unzucht; Sodomie *f.*
‖ ~가 Sodomit *m.* -en, -en; Päderast *m.* -en, -en.

남색(藍色) ① =남빛. ¶ ~물을 들이다 dunkelblau färben 〔machen〕; mit Indigo färben. ② 《남색짜리》 eine verheiratete Frau in den zwanzigern, die einen dunkelblauen Rock trägt. ☞ 홍색짜리.

남생이 〖동물〗 Schildkröte *f.* -n.

남서(南西) =서남(西南).

남성(男性) ① das männliche 〔starke〕 Geschlecht, -(e)s; Männer¦geschlecht *n.* 〔-welt *f.*〕; 《남자》 Mann *m.* -(e)s, ⸗er. ¶ ~ 중심의 androzentrish / ~적 männlich; mannhaft; viril [vi..] / ~적인 남자(여자) der starke Mann; ein ganzer Mann; ein Mann von Mut 〔Heldenweib *n.* -(e)s, -er (여걸); Mannweib; Amazone *f.* -n; Virago [vi..] *f.* ..gines〕 / ~적인 오락 ein männliches Spiel, -(e)s, -e. ② 《문법》 das männliche Geschlecht; Maskulinum *n.* -s, ..na (남성명사). ¶ ~의 männlich; maskulin(isch).
‖ ~미 die männliche Schönheit, -en. ~호르몬 männliches Hormon, -(e)s, -e. ~화 Vermännlichung *f.* -en: ~화(化)하다 vermännlichen⁴ ⓢ.

남성(男聲) Männerstimme *f.* -n.
‖ ~4중창 männliches Quartett, -(e)s, -e. ~중음 Bariton *m.* -s, -e; Mittelstimme *f.* -n: ~중음 가수 Baritonist *m.* -en, -en; Bariton *m.* -s, -e. ~합창 Männerchor [..ko:r] *m.* -s, ⸗e.

남수(男囚) Sträfling *m.* -s, -e; Zuchthäusler *m.* -s, -.

남실- ☞ 넘실-.

남십자성(南十字星) Kreuz 《*n.* -es》 des Südens; südliches Kreuz.

남아(男兒) ① 《아이》 Junge *m.* -n, -n; Bube *m.* -n, -n (남부 독일의 일상어); Sohn *m.* -(e)s, ⸗e; Knabe *m.* -n, -n; Schuljunge (남학생). ② 《대장부》 Mann; ein ganzer 〔tüchtiger〕 Mann. ¶ ~ 일언 중천금 „Ein Mann, ein Wort."

남아(南阿) Südafrika *n.* -s. ¶ ~의 südafrikanisch.
‖ ~연방 Südafrikanische Union *f.* ~전쟁 Südafrikanischer Krieg, -(e)s; Burenkrieg *m.* -(e)s.

남아돌다 übrig¦bleiben* ⓢ. ¶ 남아도는 물건을 선물로 받다 übriggebliebene 〔überflüssig gewordene〕 Dinge geschenkt erhalten* 〔bekommen*〕.

남아메리카(南—) Südamerika *n.* -s. ¶ ~의 südamerikanisch.

남아프리카공화국(南—共和國) Republik 《*f.*》 Südafrika. ☞ 남아(南阿).

남양(南洋) Südsee *f.* ‖ ~군도 Südseeinseln 《*pl.*》.

남여(籃輿) die offene Sänfte *f.* -n; Tragsessel 《*m.* -s, -》 〔Tragstuhl *m.* -s, ⸗e〕 ohne Gehäuse.

남용(濫用) Mißbrauch *m.* -(e)s, ⸗e. ~하다 mißbrauchen⁴; widerrechtlich verwenden⁽*⁾⁴. ¶ 권리를 ~하다 ein Recht mißbrauchen. ‖ 직권~ der Mißbrauch 《-(e)s, ⸗e》 der Amtsgewalt.

남우(男優) Schauspieler *m.* -s, -.

남우세 die Zielscheibe 《-n》 des Spottes. ~하다 Gelächter hervor¦rufen*; ³sich Spott zu¦ziehen*. ¶ ~스럽다 lächerlich 〔belachenswert; spöttisch〕 sein.

남위(南緯) die südliche Breite. ¶ ~ 38도 der achtunddreißigste südliche Breitengrad.
‖ ~선 die Linie der südlichen Breite.

남유럽(南—) =남구(南歐).

-남은 ¶ 여남은 über zehn; mehr als zehn / 스무남은 über zwanzig; mehr als zwanzig; einige zwanzig; zwanzig und einige.

남의눈 die Augen 《*pl.*》 der Leute 〔Welt〕; Öffentlichkeit *f.*; Welt *f.*; fremde Augen 《*pl.*》; die Augen 《*pl.*》 anderer. ¶ ~에 띄다 Aufmerksamkeit erregen; auf¦fallen* 《*jm.*》 / ~을 꺼리다 ⁴sich vor der Welt schämen / ~을 끌다 *js.* Aufmerksamkeit auf ⁴sich ziehen* 〔an¦ziehen*〕 / ~을 피하다 die Öffentlichkeit scheuen / ~을 피하여 heimlich / ~이 있으니 그만두시오 Lassen Sie das, die Leute sehen es!

남의달 der Monat nach der Entbindungszeit.

남의집살다 bei einem ander(e)n dienen; bei einem ander(e)n in Dienst stehen; fremdes Brot essen. ¶ 식모로 ~ bei einem ander(e)n als Magd dienen.

남자(男子) ① 《청(소)년》 Junge *m.* -n, -n; Knabe *m.* -n, -n; Jüngling *m.* -s, -e. ② 《여자의 대칭》 Mann *m.* -(e)s, ⸗er. ③ 《대

장부》 Mann; ein ganzer (tüchtiger) Mann. ¶ ~다운 mannhaft; männlich / ~다운 용기 Männermut *m.* -(e)s, -e/~를 싫어하는 männerscheu / ~의 힘 Männerstärke *f.*/~의 체면 Männerwürde *f.* / ~로서의 자각을 지니다 [4]sich als Mann fühlen / ~용 (für) Herren; (für) Männer (변소 등에) / ~답게 하라 Sei ein Mann!¦Ermanne dich! / ~로 태어난 보람을 맛보다 Das ist das Schönste, was ein Mann erleben kann. / ~에 미치다 《여자가》 mannstoll (mannssüchtig) sein; männertoll (männersüchtig) sein / ~는 남에게 의지하지 말라 Selbst ist der Mann.

남작(男爵) Baron *m.* -s, -e; Freiherr *m.* -n, -en. ¶ ~에 서작(敍爵)되다 zum Baron ernannt werden.

‖ ~부인 Baronin *f.* ..ninnen.

남작(濫作) Vielschreiberei *f.* -en (소설 따위의); Überproduktion *f.* -en. ~하다 allzuviel schreiben*[4]; vielzuviel malen (그림); skruppellos viele Filme drehen (영화).

‖ ~가 Skribifax *m.* -(es), -e; Skritzler *m.* -s, -; Schmierer *m.* -s, - (특히 화가); der schnellfertige Produzent, -en, -en (영화).

남장(男裝) die männliche Kleidung (Tracht) -en. ~하다 [4]sich als Mann (in e-n Mann) verkleiden. ¶ ~으로 도망치다 in männlicher Kleidung fliehen* [s].

‖ ~여인 die Frau 《-en》 in Männerkleidung; die als Mann verkleidete Frau.

남정(男丁) ein mehr als fünfzehn Jahre alter Mann; ein Mann, der seine Fünfzehn überschritten hat; der Mündige*, -n, -n (Volljährige*, -n, -n; Großjährige*, -n, -n).

‖ ~네 《남자들·남편들》 Männer 《*pl.*》.

남제(濫製) Überproduktion *f.* -en (생산 과잉); die planlose Fertigung (Erzeugung) -en. ~하다 zu viel produzieren[4]; planlos fertigen[4]; leichthin bearbeiten[4] (조제(粗製)); pfuschen[4].

남조(濫造) =남제.

남존여비(男尊女卑) die Höherstellung 《-en》 der Männer über die Frauen; Männerherrschaft *f.* -en. ¶ ~의 androzentrisch (남성 중심의).

남종(男—) Diener *m.* -s, -; der Bedienstete*, -n, -n; Dienstbote *m.* -n, -n; Knecht *m.* -(e)s, -e.

남종화(南宗畫) 〖미술〗 eine Wasserfarbenmalerei nach der Art der Südschule.

남중(南中) 〖천문〗 Kulminationspunkt *m.* -es, -e. ~하다 den Meridian überqueren; es kulminiert.

남중일색(男中一色) ein hübscher (schöner) Mann, -(e)s, ⸚er; Adonis *m.* -se.

남지나(南支那) 〖지리〗 Südchina *n.* -s.

‖ ~해 Südchinesisches Meer, -(e)s, -e.

남진(南進) der Marsch 《-es, ⸚e》 nach Süden. ~하다 nach Süden (südwärts) marschieren [s]; e-n Marsch nach Süden an|treten*; [4]sich nach Süden auf den Marsch begeben*.

‖ ~정책 die Marschpolitik 《-en》 nach südwärts.

남짓이 《이상》 mehr als; über. ¶ 50년 ~ mehr als (über) 50 Jahre; einige 50 Jahre/ 100원 ~ Hundert u. einige *Won* / 2주간 ~ 14 Tage u. darüber / 60 ~ etwas über 60.

남짓하다 über ... sein; ein bißchen mehr als ... sein. ¶ 30명 ~ über dreißig Mann stark sein / 두 말 ~ ein bißchen mehr als zwei *Mal* (koreanisches Zylindermaß) sein, über zwei *Mal* sein.

남쪽(南—) Süden *m.* -s; 〖형용사적〗 Süd-. ¶ ~나라 Südland *n.* -(e), ⸚er; ein südliches Land / ~에 Südlich; im Süden; südwärts / ~으로 향하다 nach Süden gehen*; nach Süden gerichtet liegen* / ~으로 가다 südenhin (südwärts) gehen* / ~으로 바다에 면하다 das Meer im Süden vor sich haben.

남창(男唱) 《노래》 ein Gesang 《*m.* -(e)s, ⸚e》 vorgetragen von einer Sängerin mit nachgeahmter Männerstimme; 《사람》 eine Sängerin, die Männerstimme nachahmt.

남창(男娼) der Prostituierte*, -n, -n.

남첩(男妾) der Geliebte*, -n, -n; Beischläfer *m.* -s, -.

남치마(藍—) ein dunkelblauer Frauenrock *m.* -(e)s, ⸚e.

남태평양(南太平洋) Südpazifischer Ozean, -s; Südpazifik *m.* -s; Südmeer *n.* -s; Südsee *f.*

남편(男便) (Ehe)mann *m.* -(e)s, ⸚er; Gatte *m.* -n, -n; Gemahl *m.* -(e)s, -e. ¶ 내 ~ mein Mann / 댁의 ~ Ihr Herr Gemahl / ~을 얻다 e-n Mann heiraten; e-n Mann finden* / ~ 없는 ledig; allein / ~있는 몸입니다 Ich bin verheiratet. / 그녀는 우리에게 그녀의 ~을 소개했다 Sie stellt uns ihren Mann vor. / 당신 ~에게 안부 전해 주십시오 Grüßen Sie bitte Ihren Mann! / 그녀는 ~과 별거중이다 Sie lebte von ihrem Mann getrennt.

남포[1] 《양등》 Lampe *f.* -n.

‖ ~갓 Lampenschirm *m.* -(e)s, -e. ~등피 Lampenzylinder *m.* -s, -. ~심지 Lampendocht *m.* -(e)s, -e. 석유~ Öllampe *f.* -n; Petroleumlampe *f.* -n. 안전~ Sicherheitslampe *f.* -n. 남폿불 Lampenlicht *n.* -(e)s, -er: 남폿불을 돋우다(낮추다) die Lampe heller (dunkler) machen; die Lampe hoch|schrauben (herunter|schrauben) / 남폿불을 켜다(끄다) die Lampe an|zünden (aus|löschen).

남포[2] 《폭약》 Dynamit *n.* (*m.*) -s; Sprengmittel *n.* -s, -s; Explosivstoff *m.* -(e)s, -e. ¶ ~질하다 (durch Dynamit in die Luft) sprengen.

남풍(南風) Südwind *m.* -(e)s, -e.

남하(南下) die Reise nach dem Süden; das südliche Vorrücken *n.* -s. ~하다 nach Süden (hinunter|)gehen* (-fahren*; -ziehen*) [s]; südwärts gehen. ¶ 자유를 찾아 ~하다 um der lieben Freiheit willen nach Süden gehen; südwärts gehen, um vom Kommunismus befreit zu werden.

남한(南韓) Südkorea *n.* -s.

남해(南海) das südliche Meer *n.* -(e)s, -e; die südliche See *f.* -n.

남행(南行) Südenreise *f.* -e; das südliche Vorrücken *n.* -s. ~하다 nach Süden gehen* [s]; südwärts gehen; nach Süden hin gehen*. ‖ ~열차 der Zug nach Süden.

남향(南向) die südliche Lage *f.* -n; die Lage nach Süden. ~하다 nach Süden liegen; südlich liegen.

‖ ~집 das Haus nach Süden (mit südlicher Lage). ~판 die Lage (der Platz) nach Süden.

남회귀선(南回歸線) Wendekreis 《*m.* -es, -e》 des Steinbocks.

남획(濫獲) rücksichtsloser Fang, -(e)s, ⸚e. ~하다 rücksichtslos fangen*[4].

납 ① 〖화학〗 Blei *n.* -s. ¶ 납의 bleiern / 발이 납처럼 무겁다 Die Füße sind mir (schwer)

wie Blei. / 손발이 납처럼 무겁다 Es liegt mir wie Blei in den Gliedern《*pl.*》.
납(蠟) Wachs *n.* -es. ¶ 납인형 Wachspuppe *f.* -n; Wachsfigur *f.* -en.
납(鑞) 《땜납》 Löte *f.* -n.
납골당(納骨堂) Beinhaus *n.* -es, ⸚e; Ossarium *n.* -s, ..rien; Krypta *f.* -en (교회의 지하 유골 안치소).
납관(納棺) =입관(入棺).
납금(納金) Zahlung *f.* -en (지불); Einzahlung *f.* -en (입금); Geldforderung *f.* -en(납입할); Geldeinlage *f.* -n (납입필의). ～하다 zahlen[4]; ein|zahlen[4].
납기(納期) Lieferzeit *f.* -en; Liefer¦termin (Zahlungs-) *m.* -(e)s, -e. ¶ ～에 납입하다 termingemäß liefern[4].
납길(納吉) die Mitteilung des Hochzeitstermins an die Familie der Braut (von der Familie des Bräutigams festzulegen).
납대대하다 《너부데데하다》 ziemlich breit und platt (bei Schilderung der Gesichtszüge). ¶ 납대대한 얼굴 die etwas breiten und platten (Gesichts)züge.
납덩이 Bleiklumpen *m.* -s, -. ¶ ～같다 《얼굴이》 blaß (bleich; erblaßt; erblichen) sein; bleich wie Kalk sein; 《몸이》 träg (faul; matt) sein.
납득(納得) Einwilligung *f.* -en (동의); Zustimmung *f.* -en (찬성); Einverständnis *n.* -ses, -se (양해); Begreifung *f.* -en. ～하다 ein|sehen*[4]; begreifen*[4]; verdauen[4]; ein|-willigen 《*in*[4]》; zu|stimmen[3]; einverstanden sein 《*mit*[3]》; [4]sich überzeugen 《*von*[3]》; [4]sich verstehen*[4] 《*auf*[4]》; ins klare (reine) kommen*Ⓢ 《*über*[4]》; aus [3]*et.* klug werden. ¶ ～이 갈 수 있도록 설명하다 überzeugend (eindringlich) erklären[34] / 아무리해도 ～이 안 간다 Das will mir nicht einleuchten. / ～할 수 없다 [4]*et* nicht verdauen können / ～시키다 *jn.* überzeugen 《*von*[3]》; *jn.* überreden (설득) / 그는아직도 ～이 안 간 것 같다 Er scheint damit noch nicht ganz einverstanden zu sein.
납땜(鑞—) das Löten*, -s; Lötung *f.* -en. ～하다 an|löten[4] (zu|-); auf|löten[4] (ein|-; zusammen|-); verlöten. ¶ ～한 (an)gelötet; zugelötet.
‖ ～인두 Lötkolben *m.* -s, -.
납량(納涼) Erfrischung *f.* -en. ¶ ～ 가다 an die kühle Luft gehen*Ⓢ / ～하러 um [4]sich in der Kühle des Abends zu erfrischen / 강가로 ～ 가다 ins Kühle am Fluß gehen*.
‖ ～객 Brisenjäger *m.* -s, -. ～회 Erfrischungsabend *m.* -s, -e.
납본(納本) die Lieferung eines Probeexemplars. ～하다 der zuständigen Behörde ein Probeexemplar (zur Zensur) liefern.
납부(納付) Lieferung *f.* -en (물품); Zahlung *f.* -en (세금). ～하다 liefern[4]; zahlen[4]. ¶ 1학기 공납금을 ～하다 Schulgeld für 1. Semester ein|zahlen.
‖ ～서 Lieferschein *m.* -(e)s, -e; Vordruck 《*m.* -(e)s, -e》 für (Ein)zahlung. 분할～ Ratenzahlung *f.* -en.
납석(蠟石) 〖광물〗 eine Art von Alabaster 《*m.* -s》. ☞ 곱돌.
납성냥(蠟—) Wachs¦streichholz *n.* -es ⸚er (-kerzchen *n.* -s, -).
납세(納稅) Steuerzahlung *f.* -en. ～하다 s-e Steuer(n) zahlen 《*für*[4]》; versteuern[4].
‖ ～고지서 Steuerzettel *m.* -s, -. ～기일 Steuerzahlungstermin *m.* -(e)s, -e. ～신고 Steuererklärung *f.* -en: ～신고를 하다 e-e Steuererklärung ab|geben*. ～액 Steuerbetrag *m.* -(e)s, ⸚e. ～의무 Steuerpflicht *f.* -en: ～의무가 있는 steuerpflichtig. ～자 Steuerzahler *m.* -s, -; Steuerträger *m.* -s, -; der Steuerpflichtige*, -n, -n.
납시다 (König) geruhen zu erscheinen.
납신거리다 schwatzen; schwätzen; plaudern; schnattern; klatschen; plappern. ¶ 입을 ～ leichtsinnig Geplapper *n.* -s (Geschnatter *n.* -s; Geschwätz *n.* -s) machen.
납신납신 leicht(fertig); leichtsinnig; frivol.
납유리(—琉璃) Bleiglas *n.* -es.
납입(納入) Zahlung *f.* -en; Lieferung *f.* -en. ☞ 납부. ～하다 (ein)zahlen[4]; liefern[4](상품).
‖ ～서 Lieferschein *m.* -(e)s, -e. ～액 Einzahlungssumme *f.* -n. ～자본 das eingezahlte Kapital, -s, -e (..lien). 분할 ～ Ratenzahlung *f.* -en.
납작- ☞ 넓적-.
납작보리 gepreßte Gerste, -n.
납작코 flache Nase, -n; 《사람》 e-e Person mit flacher Nase.
납작하다 flach; platt; nieder; dünn (sein). ¶ 납작하게 flach / 납작한 집 ein flaches (niederes) Haus, -es, ⸚er / 납작한 얼굴 ein plattes (flaches) Gesicht, -(e)s, -er / 납작하게 하다 flach (platt; eben) machen / 납작하게 찌부러지다 niedergedrückt (zerdrückt; zerquetscht) werden / 납작해지다 flach (platt; dünn) werden/코가 납작해지다《비유적》niedergedrückt werden; die Ehre verlieren* (verletzen); um die Ehre kommen*.
납죽- ☞ 넓죽-.
납줄개 〖어류〗 e-e Art von Karpfen.
납중독(—中毒) Bleivergiftung *f.* -en.
납지(蠟紙) Wachspapier *n.* -s.
납지(鑞紙) Bleifolie *f.* -n; Flitterblei *n.* -s.
납질(蠟質) Wachsqualität *f.* -en.
납채(納采) das Brautgeschenk (des Bräutigams an die Braut).
납치(拉致) gewaltsame Abführung, -en; Entführung *f.* -en. ～하다 (gewaltsam) ab|-führen[4]; weg|führen[4]; entführen[4] (유괴). ¶ 이북으로 ～되다 nach Nordkorea abgeführt (entführt) werden.
납폐(納幣) die Lieferung von blauen und roten Seidenwaren als Geschenk von der Seite des Bräutigams an die Seite der Braut.
납품(納品) Lieferung *f.* -en(납입); die gelieferte Ware, -n (물품); der zu liefernde Gegenstand, -(e)s, ⸚e (납입할 물건). ～하다 (aus|)liefern[4].
‖ ～일 Liefertag *m.* -(e)s, -e. ～증 Lieferschein *m.* -(e)s, -e.
납회(納會) Schlußsitzung 《*f.* -en》 des Jahres; Geschäftsabschluß 《*m.* ..schlusses, ..schlüsse》 des Monats (증권).
낫 Sichel *f.* -n; Sense *f.* -en (큰 낫). ¶ 낫으로 베다 sicheln[4]; sensen[4]; mit der Sichel (Sense) mähen (ab|schneiden*) / 낫 모양의 sichel¦förmig (haken-) / 잘 드는 낫 e-e scharfe Sichel / 낫 놓고 기역자도 모른다 kein einziges Schriftzeichen kennen*; auch das Abece nicht kennen*.
낫낫하다 weich; zart; sanft; mild (sein).
낫다[1] 《견주어서》 überlegen sein 《*jm.*》; besser (fähiger; stärker; vorzüglicher; wünschenswerter) sein 《als》; über *jm.* sein; im

Vorteil sein 《*jm.* gegenüber》; übertreffen* 《*jn.*》. ¶ 나으면 낫지 못하지 않다 nicht schlechter (geringer; wertloser) sein 《als》/ 젊은이들보다 ～ die jungen Männer in den Schatten stellen / 그는 어학에서 그녀보다 ～ Er übertrifft sie in den Sprachen./ 이것보다 맛이 나은 음식은 없다 Nichts schmeckt feiner als diese Speise. / 이쪽이 ～ Dies ist besser als jenes.¦ Diesem ist ein höherer Wert beizumessen als jenem./ 그 사람쪽이 더 ～ Er ist mit Vorzug zu behandeln. / 그는 너보다 어느 점으로 보나 ～ Er ist dir in jeder Beziehung überlegen. / 늦어도 안하는 것보다는 ～ Besser spät als niemals. / 수치를 당하느니보다 죽는 것이 ～ Besser stirbt man als in Schmach u. Schande zu sein. / 죽는 편이 ～ Der Tod wäre mir sogar erwünschter.

낫다² 《병 따위가》 ⁴sich erholen; gesund werden; genesen* ⓢ; geheilt werden; heilen ⓢ,ⓗ. ¶ 병이 나아가고 있다 auf dem Weg der Genesung sein / 이 병은 낫지 않는다 Diese Krankheit ist unheilbar. / 그는 낫자마자 곧 일을 시작했다 Kaum genesen, begann er schon wieder zu arbeiten. / 그는 병이 다 나아서 퇴원했다 Er wurde als gesund aus dem Krankenhaus entlassen. / 그의 병은 쉽게 (빨리) 나았다 S-e Krankheit wurde leicht (in kurzer Zeit; schnell) geheilt. / 상처가 ～ Die Wunde heilt.

낫살 Alter *n.* -s. ¶ ～을 먹다 alt werden / ～깨나 먹은 사람답지 않게 trotz s-s vorgerückten (reifen) Alters / ～깨나 먹은 자가 그런 짓을 하다니 Mit s-m vorgerückten Alter diese Dummheit!¦Welch ein Dummkopf! Er sollte an sein vorgerücktes Alter denken.¦ (Wie es denn so schön heißt:) Alter schützt vor Torheit nicht!

낫잡다 ① 《평가》 hochschätzen (ab|schätzen; bewerten; veranschlagen). ¶ 낫잡아 höchstens; reichlich; im besten Falle / 값을 시세보다 ～ höher als die heutige Preislage ab|schätzen / 낫잡아 3백 원밖에 하지 않을 것이다 Es würde mich nicht mehr als 300 *Won* kosten. ② 《여유》 Überschuß an³ haben; übrig⁴ haben. ¶ 여비를 낫잡아 계산하다 das Reisegeld mehr als genug veran|schlagen*; reichlich berechnen.

낫질 das Mähen mit der Sichel (Sense). ～하다 sicheln; sensen; mit der Sichel (Sense) mähen (schneiden).

낫표 das koreanische Anführungszeichen, -s, - 《「 」》.

낭군(郎君) mein geliebter (teurer) Mann.

낭독(朗讀) das Vortragen*, -s; Deklamation *f.* -en; Rezitation *f.* -en. ～하다 vor|tragen*⁴; deklamieren⁴; rezitieren⁴; laut lesen*⁴. ¶ 시를 ～하다 das Gedicht vor|tragen* / 이 학생은 ～을 잘 한다 Dieser Schüler kann gut vortragen (rezitieren). / 외국어 공부에는 ～이 매우 중요하다 Beim Lernen der Fremdsprache ist es sehr wichtig, den Text laut zu lesen.

‖ ～법 Vortragskunst *f.*; Deklamationskunst *f.*; Rezitationskunst *f.* ～자 Rezitator *m.* -s, ..toren; Leser *m.* -s, -.

낭떠러지 Abgrund *m.* -(e)s, ⸗e; Kliff *n.* -(e)s, -e; Klippe *f.* -n; Kluft *f.* ⸗e; das steile Felsengestade, -s, -; die jähe Felstiefe, -n. ¶ ～로 떨어지다 in den Abgrund stürzen ⓢ/ 그는 아무를 ～로 밀쳐 떨어뜨렸다 Er stieß *jn.* in den Abgrund.

낭랑하다(朗朗—) 《소리》 hell¦klingend (voll-; wohl-) (*od.* -tönend); klang¦reich (-voll); silberklar; klar (sein). ¶ 낭랑한 목소리로 mit hellklingender *usw.* Stimme.

낭만(浪漫) Romantik *f.*

‖ ～주의 Romantik *f.*: ～주의 문학 Romantische Literatur, -en / ～주의자 Romantiker *m.* -s, - / 신～주의 Neuromantik *f.*

낭보(朗報) die angenehme (gute; schöne) Nachricht, -en.

낭비(浪費) Verschwendung *f.* -en; Vergeudung *f.* -en; Verprassung *f.* -en; Prasserei *f.* -en; Verschleuderung *f.* -en. ～하다 verschwenden⁴; vergeuden⁴; verprassen⁴; verschleudern⁴; verschwenderisch um|gehen* ⓢ 《*mit*³》. ¶ ～하지 않다 mit ³*et.* sparsam um|gehen* ⓢ; ⁴*et.* auf die hohe Kante legen / 정력의 ～ Energieverschwendung *f.* / 놀음으로 돈을 ～하다 das Geld verspielen; beim Spiel(e) das Geld verschwenden/ 돈을 물 쓰듯이 ～하다 das Geld zum Fenster hinaus|werfen* / 시간을 (힘을) ～하다 Zeit (Kräfte) verschwenden (vergeuden).

‖ ～벽 Verschwendungssucht *f.* ～자 Verschwender *m.* -s, -; Vergeuder *m.* -s, -; Prasser *m.* -s, -.

낭상(囊狀) Sackform *f.* -en; Kapselform *f.* -en. ¶ ～의 sackförmig; kapselförmig.

‖ ～막(膜) Kapselmembrane *f.* ～선(腺) Drüseusack *m.* -es, ⸗e. ～인대(靭帶) die Kapselbänder 《*pl.*》.

낭설(浪說) ein bloßes Gerücht *n.* -(e)s, -e (Gerede *n.* -s, -e; Stadtgespräch *n.* -(e)s, -e). ¶ ～이 퍼지다 ins Gerede kommen*ⓢ; (zum) Stadtgespräch werden; in aller Leute Mund kommen* ⓢ; es geht (läuft) das Gerücht, daß...; man sagt, daß...; es heißt, daß...; sollen / ～을 퍼뜨리다 Klatsch herum|tragen*(verbreiten) 《*über*⁴》/ ～을 믿다 ein Gerücht für wahr halten*; ein Gerede für Ernst nehmen*.

낭성(狼星) 〖천문〗 Sirius *m.* -; Hundsstern *m.* -s.

낭성대 ein langer Stab, -(e)s, ⸗e; eine lange Stange, -n.

낭송(朗誦) Rezitation *f.* -en; Vortrag *m.* -(e)s, ⸗e; Vorlesung *f.* -en. ～하다 vor|tragen*⁴; vor|lesen*⁴; rezitieren⁴. ¶ 시를 ～하다 ein Gedicht vor|tragen*.

‖ 각본～ Deklamation e-s Theaterstücks.

낭음(朗吟) Rezitation *f.* -en. ～하다 rezitieren⁴.

낭자 Haarknoten *m.* -s, -.

‖ 낭잣비녀 Schmuckhaarnadel 《*f.* -n》 (Haarpfeil *m.* -(e)s, -e) gesteckt in den Haarknoten.

낭자(娘子) Mädchen *n.* -s, -; Mädel *n.* -s, -; Jungfrau *f.* -en; Jungfer *f.* -n.

‖ ～군(軍) Amazonen 《*pl.*》; die Abteilung (Truppe) der Kriegerinnen.

낭자(狼藉) 《산란》 Durcheinander *n.* -s; 〖속어〗 Kribskrabs *m.* (*n.*) -; Unordnung *f.*; Verwirrung *f.*; Wirrwarr *m.* -s. ～하다 durcheinander sein; in großer Verwirrung sein. ¶ 유혈이 ～하다 voll Blut sein; mit Blut befleckt (getränkt; durchtränkt) sein.

낭중(囊中) in der Tasche. ¶ ～ 무일푼이다 k-n Groschen (k-n (roten) Heller) (mehr) haben; die Schwindsucht im Beutel haben.

‖ ～물 die Dinge, die man in s-r Tasche

hat. ~ 취물(取物) die leichte (einfache) Arbeit, -en.

낭패(狼狽) die Schwierigkeit (Not) wegen eines Mißglücks (Mißlingens; Mißerfolgs; Fehlschlags; Fiaskos). ~하다 infolge e-s Mißglücks Schwierigkeiten haben (Not leiden). ¶ 돈이 없어 큰 ~다 Ich bin in großer Geldverlegenheit.¦ Ich habe (leide) Mangel an Geld.¦ Ich bin in finanzieller Not. / 이것 낭팬데 Das ist aber das Schlimmste.¦ Das hat viel Unannehmlichkeiten.

낭하(廊下) Korridor *m.* -s, -e; Gal(l)erie *f.* -n [..ríːən] (회랑); (Wandel)gang *m.* -(e)s, ⸚e (회랑); (Wohnungs)flur *m.* -(e)s, -e (옥내의 복도); Diele *f.* -n (마루).

낮 《주간》 Tageszeit *f.* -en; Tag *m.* -(e)s, -e; 《정오》 Mittag *m.* -(e)s, -e〖분철: Mit-tag〗. ¶ 낮에 am Tage; bei [3]Tage / 낮이나 밤이나 Tag u. Nacht / 낮에는 언제든지 zu jeder Tageszeit; zu allen Tageszeiten / 대낮까지 잠자다 bis in den Tag hinein schlafen* / 밤을 낮으로 삼다 die Nacht zum Tage machen (놀음에 빠지거나 밤새도록 일하여) / 태양은 낮에 비친다 Die Sonne scheint am Tage. / 낮이 짧다 Die Sonne neigt sich rasch. / 낮 말은 새가 듣고 밤 말은 쥐가 듣는다 Wände haben Ohren.

낮거리 Geschlechtsverkehr 《*m.* -(e)s》 am Tage.

낮결 die erste Hälfte des Nachmittags.

낮다 ① 《높이·값 따위가》 niedrig; billig (값); tief (sein). ¶ 낮은 봉급 billiges (niedriges) Gehalt, -(e)s, ⸚er / 낮은 온도 niedrige Temperatur, -en / 낮은 이율 ein niedriger Zinssatz, -es, ⸚e / 낮은 언덕 ein niedriger Hügel, -s, - / 방의 천장이 ~ Das Zimmer hat e-e niedrige Decke. / 비행기가 매우 낮게 난다 Das Flugzeug fliegt sehr niedrig. / 환자가 머리를 너무 낮게 하고 누워 있다 Der Kranke liegt mit dem Kopf zu niedrig.
② 《목소리가》 leise; tief; gedämpft (sein). ¶ 낮은 목소리로 mit leiser (tiefer) [3]Stimme / 낮은 음 leiser (gedämpfter) Ton; leise (tiefe) Stimme.
③ 《지위》 niedrig; nieder; gemein (sein). ¶ 신분이 ~ von niedriger Herkunft sein / 지위가 ~ im Rang niedrig sein.

낮도깨비 ① 《도깨비》 Tagesgespenst *n.* -(e)s, -er; Tagesungeheuer *n.* -s, -. ② 《사람》 der Schamlose*, -n, -n.

낮도둑 ein schamloser Dieb 《*m.* -(e)s, -e》, der am hellichten Tage (vor aller Augen; vor aller Welt) stiehlt; ein schamloser Räuber (Stehler; Langfinger).

낮번(一番) Tagesschicht *f.* -en; Tagesdienst *m.* -(e)s, -e. ¶ ~을 들다 den Tagesdienst (die Tagesschicht) haben.

낮은말 ① 《낮춤말》 familiäre Redeweise, -n (Redensart, -en; Ausdrucksweise, -n). ② 《상말》 gemeine (schmutzige; unedle) Sprache, -n. ③ 《저성(低聲)》 leise Redeweise.

낮은음자리표(一音一標) 〖음악〗 Baßschlüssel *m.* -s; F-Schlüssel.

낮잠 Mittag(s)¦schlaf *m.* -(e)s (-schläfchen *n.* -s, -). ¶ ~을 자다 Mittag(s)schlaf (Mittag(s)schläfchen) halten* (machen).

낮잡다 niedrig|einschätzen; den Wert niedrig bestimmen; die Schätzung senken. ¶ 낮잡은 숫자 die niedriggeschätzte Zahl/ 집 값을 ~ den Wert eines Hauses senken (niedrig bestimmen) / 낮잡아 평가하다 [4]*et.* niedrig|schätzen; den Wert (einer Sache) niedrig bestimmen / 비용이 낮잡아 3백 달러는 들 것이다 Die Kosten betragen mindestens 300 Dollars.

낮차(一車) der Zug (das Fahrzeug), der (das) am Tage fährt.

낮참 ① 《음식》 zweits Frühstück, -(e)s, -e; die Zwischenmahlzeit am Vor- od. Nachmittag. ② 《쉬는 시간》 die Ruhezeit nach dem Mittagessen; Mittagspause *f.* -n; Mittagsrast *f.* -en.

낮추다 herab|lassen*[4]; herab|setzen[4]; senken[4]. ¶ 목소리를 ~ die Stimme senken; die Stimme dämpfen (sinken lassen*) / 목소리를 낮추어서 mit leiser (gedämpfter) Stimme / 소리를 ~ leiser machen; den Ton schwächen / 가스불을 ~ das Gas klein drehen / 허리를 ~ [4]sich bücken; [4]sich beugen(굽히다).

낮추보다 gering|schätzen[4]; gering|achten[4]; unter|schätzen[4]; herab|setzen[4]; verachten[4]; *jn.* ([4]*et.*) unter dem Wert schätzen.

낮춤말 familiäre (offene; freimütige; rückhaltlose) Redeweise, -n (Redensart, -n; Ausdrucksweise, -n); vulgäre Redeweise; bescheidene (demütige) Redensart, -n.

낯 ① 《얼굴》 Gesicht *n.* -(e)s, -er; 《경멸적으로》 Fratze *f.* -n; Visage [..ʒ(ə)] *f.* -n; Fresse *f.* -n (본래는 입의 뜻). ¶ 낯을 붉히다 erröten (s,h); rot werden / 낯을 붉히고 mit e-m Erröten*; errötend; über u. über rot/ 낯을 돌리다 das Gesicht ab|wenden* / 낯이 익은 사람 ein bekanntes Gesicht / 좋지 않은 낯을 하다 ein böses Gesicht machen / 어린이는 낯을 가린다 Das Kind fürchtet sich vor Fremden. / 학생들은 감히 낯을 들지 못했다 Die Schüler wagten nicht, den Kopf (das Gesicht) aufzuheben. / 그 곳에는 낯 모르는 사람들뿐이었다 Da waren lauter unbekannte Gesichter. / 그의 낯빛이 분노로 (고통으로) 일그러졌다 Sein Gesicht war vor Wut (Schmerz) verzerrt. / 낯은 알지만 이름은 모른다 Ich kenne ihn vom Sehen, weiß jedoch s-n Namen nicht.
② 《면목》 Gesicht *n.* -(e)s; das Ansehen*, -s; Ehre *f.* -n. ¶ 낯을 깎다 die Ehre verlieren* (verletzen); um die Ehre kommen*; das Gesicht verlieren* / 낯을 세우다 sein Ansehen (s-e Ehre) retten (wahren); das Gesicht wahren (retten) / 낯을 못 들다 [4]sich unmöglich machen; sein Ansehen untergraben*; [4]sich arg bloß|stellen / 그의 낯을 깎아서는 안 된다 Sie dürfen s-m Ansehen k-n Eintrag tun. / 무슨 낯을 들고 집에 돌아갈 수 있나 Wie soll ich mich jetzt zu Hause sehen lassen! / 부모의 낯을 세우다 Er macht s-n Eltern Ehre.

낯가리다 menschenscheu sein; schüchtern sein 《vor *jm.*》. ¶ 이 애는 낯을 가린다 Das Kind fürchtet sich vor Fremden. / 이 애는 낯을 가리지 않는다 Das Kind ist an Menschen gewöhnt.¦Das Kind ist nicht schüchtern.

낯가죽 Schamgefühl *n.* -(e)s, -e. ¶ ~이 두꺼운 dick¦fellig (-häutig); frech; unverschämt / ~이 두껍다 ein dickes Fell haben; frech (unverschämt) sein.

낯간지럽다 verschämt; beschämt; schüchtern; scheu; geniert; voller Scham (sein).

¶ 가진 돈이 하도 적어 낯간지러웠다 Ich wußte nicht, wie ich mich entschuldigen sollte, zu wenig Geld bei mir zu haben. / 낯간지러워서도 그런 말은 못하겠다 Ich fühle mich zu beschämt, um so etwas zu sagen. ¦Ich schäme mich in die Seele hinein, so etwas zu sagen.

낯내다 das persönliche Ansehen (einer Person) verbessern; im allgemeinen Ansehen steigen*; in der öffentlichen Wertschätzung steigen; den Ruf verbessern; *js.* Vertrauen erwerben; ³sich Ansehen bei *jm.* verschaffen; ⁴sich einen Namen machen. ¶ 세상에는 낯내느라고 기부하는 사람도 없지 않다 Einige Menschen stiften, nur um sich einen Namen zu machen. / 너는 그 조그만한 것을 주고 낯내려 드는구나 Du willst dir mit diesem lumpigen Geschenk Ansehen verschaffen, nicht wahr?

낯두껍다 frech; unverschämt; schamlos; mit eherner Stirn; impertinent; insolent(sein). ¶ 낯두꺼게도 …하다 die Stirn haben, ⁴*et.* zu tun; die Frechheit besitzen, ⁴*et.* zu tun.

낯바닥 ＝낯짝.

낯바대기 ＝낯짝.

낯부끄럽다 verschämt; beschämt; schändlich (sein).

낯붉히다 im Gesicht rot werden; sich rot färben; erröten; *js.* Wangen erglühen. ¶ 성이 나서 ～ *js.* Wangen erglühen vor Zorn / 부끄러워서 ～ vor Scham erröten (sich rot färben) / 여간해서 낯을 붉히지 않다 fast nicht erröten (rot werden).

낯빛 Gesichtsfarbe *f.* -n; Teint *m.* -s, -s.

낯설다 unbekannt; fremd (sein). ¶ 낯선 사람 der Unbekannte* (Fremde*) -n, -n / 낯선 도시 e-e fremde Stadt, ⸗e / 나는 이곳이 ～ Ich bin hier fremd.

낯알다 mit *jm.* bekannt sein; *jn.* kennen; *jn.* von Augesicht kennen. ¶ 낯아는 사람 der Bekannte*, -n, -n.

낯없다 beschämt; verschämt (sein); ⁴sich schämen; ⁴sich entehren; vor Scham nicht in der Lage sein, ⁴*et.* zu tun. ¶ 돈 취해 달랄 낯이 없다 vor Scham nicht in der Lage sein, etwas Geld zu borgen / 돈을 못 갚아 볼 낯이 없네 Ich bin gründlich beschämt, immer noch in Ihrer Schuld zu sein.

낯익다 bekannt (sein) 《mit *jm.*》. ¶ 낯익은 사람 ein Bekannter* / 낯익은 얼굴 kein fremdes (bekanntes) Gesicht *n.* -es, -er/ 낯은 익으나 이름은 모르겠다 Ich kenne sein Gesicht, aber nicht den Namen. / 낯익은 얼굴인데 Er scheint mir nicht fremd (zu sein). ¦Er ist mir kein Fremder.

낯익히다 mit *jm.* enge Bekanntschaft machen; mit *jm.* näher bekannt werden; in ein inniges (freundschaftliches) Verhältnis treten*.

낯짝 Gesicht *n.* -(e)s, -er; 《경멸적》 Fratze *f.* -n; Visage [..ʒ(ə)] *f.* -n. ¶ ～을 한 대 갈기다 *jm.* eins (eine) in die Visage (Fresse) hauen*.

낱 das einzelne Stück, -(e)s, -e. ¶ 낱으로 《풀어헤쳐》 lose; unverpackt; 《하나씩》 einzeln; stückweise / 낱권 der einzelne Band, -(e)s, ⸗e / 낱권으로도 사실 수 있읍니다 Jeder Band ist einzeln zu kaufen.

낱개 das einzelne Stück, -(e)s, -e (aus e-m vollständigen Satz). ¶ ～로 팔다 (사다) einzeln (im kleinen; stückweise; lose) verkaufen (kaufen) / 비누를 ～로 팔다 die Seife einzeln verkaufen.

낱개비 ein Stück Holz; ein Scheit *n.* -(e)s, -e.

낱낱이 ① 《하나하나》 eins nach dem andern; jedes einzeln; im einzelnen; in einzelnen Teilen; getrennt; Stück für Stück. ¶ 물건을 ～ 세다 jede Ware einzeln auf|zählen/ ～ 예를 들다 jedes Beispiel einzeln an|führen / ～ 이름을 들다 die Namen aller einzeln auf|zählen. ② 《모두》 alles; alle 《*pl.*》; jedes; ohne Ausnahme; ausnahmslos; durchgehend(s). ¶ 친구를 ～ 찾아보다 alle Freunde einzeln besuchen. ③ 《자세히》 ausführlich; umständlich. ¶ ～ 캐묻다 alle Einzelheiten fragen / ～ 설명하다 ⁴*et.* mit allen Einzelheiten erklären; die Einzelheiten erhellen; ausführlich (umständlich) erklären.

낱눈 〖동물〗 Punktauge *n.* -s, -n; Ozelle *f.* -n.

낱단 ein Bündel *n.* -s, -; ein Bund *n.* -(e)s; ein Büschel *n.* -s, -.

낱돈 (잔돈). loses Geld, -(e)s, -er; kleine Münze, -n

낱뜨기 das einzelne Stück, -(e)s, -e 《aus e-m vollständigen Satz》; lose Ware, -n.

낱말 ＝단어(單語).

낱알 《쌀 따위의》 jedes Korn, -(e)s; jedes Körnchen, -s.

낱흥정 die einzelne Verhandlung, -en. ～하다 einzeln (stückweise; eins nach dem anderen) verhandeln⁴.

낳다¹ ① 《출산》 gebären*⁴; zur Welt bringen*⁴; 《남자·수컷이 생식하다》 zeugen⁴; 《짐승이》 werfen*⁴; 《알을》 legen⁴; 《물고기·개구리 따위가》 ab|legen⁴; laichen. ¶ 아기를 ～ ein Kind gebären* (zeugen); ein Kind zur Welt bringen* / 쌍동이를 ～ Zwillinge 《*pl.*》 gebären* / 고양이가 귀여운 새끼를 6마리 낳았다 Die Katze hat 6 niedliche Junge geworfen. / 요즘 대부분의 여자들은 병원에서 애를 낳는다 Die meisten Frauen gebären heute im Krankenhaus. / 모든 새는 알을 낳는다 Alle Vögel legen Eier. ② 《산출·발생》 erzeugen⁴; hervor|bringen*⁴; produzieren⁴; mit ³sich bringen*⁴; gebären*⁴. ¶ 이자를 ～ Zinsen 《*pl.*》 bringen*/증오는 새로운 증오를 낳는다 Haß gebiert neuen Haß. / 이 시대는 많은 위인들을 낳았다 Diese Zeit hat viele große Geister hervorgebracht. / 돈이 돈을 낳는다 Geld erzeugt Geld.

낳다² ① 《실을》 spinnen*⁴. ¶ 무명실을 ～ Fäden aus Baumwolle spinnen; Baumwollgarn spinnen. ② 《피륙을》 weben. ¶ 명주를 ～ Seidenstoff weben.

-낳이 das Weben; in ... gewebt; Weberwaren aus .... ¶ 고양낳이 die in *Goyang* gewebten Waren; die Weberwaren aus *Goyang*; ein Gewebe aus *Goyang*.

내¹ ＝연기(煙氣).

내² 《냄새》 Geruch *m.* -(e)s, ⸗e. ¶ 구린내 schlechter (übler) Geruch / 땀내(향내)가 나다 nach ³Schweiß (Parfüm) riechen* / 단내(탄내)가 나다 angebrannt (brenzlich; nach Brand) riechen*.

내³ 《시내》 Bach *m.* -(e)s, ⸗e; Flüßchen *n.* -s, -; Fluß *m.* ..sses, Flüsse 《Strom보다 작고 Bach보다 큼》. ☞강(江). ¶ 내를 건너다 einen Fluß (Bach) durchqueren; durch einen Fluß waten; einen Fluß durchwaten/ 내를 끼고 가다 an dem Fluß entlang gehen; entlang des Flusses gehen.

내⁴ ① 《나》 ich. ¶ 내가 너의 입장이라면

wenn ich an d-r Stelle wäre / 내가 가겠다 Ich will gehen. / 내가 생각해도 잘했다 Ich schmeichle mir, das gut gemacht zu haben. ② 《나의》 mein. ¶ 내 책 mein Buch *n.* -(e)s, ⸗er / 내 것 네 것 가리지 않고 ohne Rücksicht auf Besitznahme von mir u. dir.

내-(來) nächst; kommend. ¶ 내월 der nächste Monat, -(e)s, -e / 내주의 오늘 heute in acht Tagen.

-내 《내내》 durch den ganzen... (hindurch); durch das (die) ganze... (hindurch); während[2]. ¶ 봄내 비가 오고 있다 Es regnet durch den ganzen Frühling (hindurch). / 일년내 꽃을 볼 수 있다 Das ganze Jahr lang kann man Blumen sehen. / 바람이 아침내 분다 Den ganzen Morgen hindurch hat der Wind ununterbrochen geweht (hat der Wind unaufhörlich geblasen).

내가다 heraus|bringen*[4] (-|tragen*[4]); hinaus|bringen*[4] (-|tragen*[4]) ※ heraus는 안에서 자기 쪽으로; hinaus는 안에서 밖으로. ¶ 책상을 방에서 ~ einen Tisch aus dem Zimmer hinausbringen.

내각(內角) 〖수학〗 Innenwinkel *m.* -, -s; der innere Winkel, -s, -.

내각(內閣) (Gesamt)ministerium (Staatsministerium) *n.* -s, ..rien; Kabinett *n.* -(e)s, -e; Regierung *f.* -en. ¶ ~을 조직하다 ein Kabinett bilden (organisieren) / ~에 입각하다 ein Kabinettsmitglied werden; ins Kabinett (ein)treten* ⓢ / 브란트 ~ das Brandt-Kabinett; das Kabinett Brandts / ~의 위기 Kabinetts¦krise (Ministrial-; Regierungs-) *f.* -n; Kabinettskrisis *f.* ..sen / ~의 와해(붕괴) Kabinetts¦sturz (Regierungs-) *m.* -es, ⸗e / ~을 무너뜨리다 das Ministerium stürzen / ~을 불신하다 dem Kabinett kein Vertrauen schenken / ~이 흔들린다 Das Ministerium schwankt.

‖ ~각료 Kabinettsmitglied *n.* -(e)s, -er; Kabinettsminister *m.* -s, -. ~개편 Kabinetts¦umbildung (Regierungs-) *f.* -en; Kabinettsreorganisation *f.* -en. ~경질 Kabinettswechsel *m.* -s, -; Ministerwechsel *m.*; Regierungswechsel *m.* ~수반 Premierminister *m.* -s, -; Erstminister *m.*; Ministerpräsident *m.* -en, -en. ~총사직 der Rücktritt 《-(e)s, -e》 des ganzen Kabinetts. 연립~ Koalitionskabinett *n.*; das auf der Zusammenarbeit mehrerer Parteien fußende Kabinett. 정당~ das auf e-r politischen Partei fußende Kabinett.

내간(內艱) der Tod der Mutter od. der Großmutter.

내갈기다 heftig schlagen*[4]; hauen*[4]; klopfen 《*an*[4]; *auf*[4]》; 《글씨를》 flüchtig kritzeln; schlecht und nachlässig schreiben. ¶ 빰을 ~ *jm.* eine Ohrfeige geben (versetzen).

내강(內剛) die äußere Sanftmut mit starker Seelenstärke; sanfte aber unbeeinflußbare Willenskraft.

내객(來客) Besucher *m.* -s, -; Besuch *m.* -(e)s, -e; Gast *m.* -es, ⸗e. ¶ ~이 있다 (e-n) Besuch haben (지금); e-n Besuch (e-n Gast) erwarten (지금부터).

내걸다 ① 《밖에》 hängen[4]; aus|hängen[4] (간판 따위를); hinaus|hängen[4] (깃발 따위를). ¶ 문패를 ~ das Namenschild hängen / 기를 ~ die Fahne hinaus|hängen.
② 《목숨을》 riskieren[4]; aufs Spiel setzen[4]. ¶ 목숨을 ~ sein Leben aufs Spiel setzen; ein Risiko ein|gehen* (übernehmen*) / 목숨을 내걸고 auf Leben u. Tod.
③ 《주장》 ein|treten* 《*für*[4]》; verteidigen[4]. ¶ 조건을 ~ Bedingungen stellen (vor|-schreiben*).

내경(內徑) innerer (lichter) Durchmesser, -s, -; 《구경》 Kaliber *n.* -s, -.

내계(內界) die innere Welt *f.* -en (Sphäre *f.* -n).

내공(內攻) 〖의학〗 das Hineinschlagen*, -s; das Nach-Innen-Schlagen*, -s 《e-s Gefühls; e-r Krankheit》. ~하다 nach innen schlagen* ⓗ,ⓢ.

내공(來貢) 《공물을》 das Kommen für die Tributzahlung. ~하다 kommen, um Tribut 《*m.* -(e)s, -e》 zu zahlen.

내공(耐空) 〖항공〗 die Dauer (das Bleiben) in der freien Luft. ~하다 in der Luft bleiben (dauern).
‖ ~비행 Dauerflug *m.* -(e)s, ⸗e. ~성(性) Lufttüchtigkeit *f.*: ~성이 있는 lufttüchtig.

내공목(內供木) der grobe (rauhe) Baumwollstoff 《-(e)s, -e》 für das Futter *n.* -s.

내과(內科) 〖의학〗 die innere Medizin. ¶ ~의 권위 die Autorität auf dem Gebiete der inneren Medizin / ~에 속하는 병 die innere Krankheit, -en.
‖ ~병실 Krankensaal *m.* -(e)s, ..säle. ~병원 das Krankenhaus 《-es, ⸗er》 für innere Krankheiten; die Klinik 《-en》 der inneren Medizin. ~의 der Facharzt 《-es, ⸗e》 für innere Krankheiten. ~치료 die Behandlung 《-en》 der inneren Krankheiten. ~학 innere Medizin. ~환자 der Patient 《-en, -en》 der inneren Krankheit.

내과피(內果皮) Endokarp *n.* -(e)s, -e. ☞ 속열매껍질.

내관(內官) ① ＝내시(內侍). ② ＝환관(宦官).

내관(內棺) der innere Sargkasten, -s, ⸗.

내관(來觀) 《시찰》 Besichtigung *f.* -en; 《방문》 Besuch *m.* -(e)s, -e. ~하다 besichtigen; besuchen; zu|schauen.
‖ ~자(者) der Besichtigende*, -n, -n; Besucher *m.* -s, -; Zuschauer *m.* -s, -.

내교섭(內交涉) Präliminarien 《*pl.*》; Vor¦besprechung *f.* -en (-verhandlung *f.* -en). ~하다 über[4] eine Vorverhandlung führen.

내구(來寇) der feindliche Einfall, -(e)s, ⸗e; Invasion *f.* -en. ~하다 ein|fallen* ⓢ; kommen* ⓢ u. an|greifen*.

내구(耐久) 《지속》 Ausdauer *f.*; das Aushalten*, -s; 《지구》 Dauerhaftigkeit *f.* -en; Beständigkeit *f.* -en. ~하다 aus|dauern; aus|halten*[4]. ¶ ~(성)의 dauerhaft; haltbar; durabel.
‖ ~경쟁 Dauerwette *f.* -n. ~력(성) Dauerhaftigkeit *f.* -en; Haltbarkeit *f.* -en; Lebensdauer *f.*: ~력이 없는 von schlechter Dauerhaftigkeit / ~력이 있는 dauerhaft; dauernd / ~력을 시험하다 die Dauerhaftigkeit prüfen (untersuchen). ~비행 Dauerflug *m.* -(e)s, -e. ~시험 Dauerversuch *m.* -(e)s, -e; Dauerprobe *f.* -n.

내국(內國) Inland *n.* -(e)s; Heimatland *n.* -(e)s, ⸗er (조국). ¶ ~의 inländisch; Inland-; einheimisch; Landes-; innere (자국내의).
‖ ~공채(公債) Landanleihe *f.*; Landesanleihe *f.* ~근무(勤務) der Dienst im Heimatland. ~법 Landesgesetz *n.* ~산(產) Landeserzeugnis *n.*; Landesprodukt *n.*; das inländische Produkt. ~세 Inlandssteu-

er *f.*: ~세 수입 das Steueraufkommen des Inlands; das inländische Steueraufkommen. ~환 die inländische Anweisung: ~우편환 die inländische Postanweisung / ~환 어음 der gezogene (trassierte) Inlandswechsel.

내굽다 aus|biegen*.

내규(內規) die inoffizielle (nicht öffentlich bekanntgegebene) Bestimmung, -en (Regelung, -en). ¶ ~를 위반하다 e-e Bestimmung verletzen (übertreten*) / ~에 어긋나는 일을 하다 entgegen den Bestimmungen ⁴*et.* tun* / 이것은 ~에 따라 허용되지 않는다 Nach den Bestimmungen ist dies unzulässig.

내근(內勤) Innendienst *m.* -es, -e; Büroarbeit *f.* -en.
‖ ~사원 der Angestellte* ⟪-n, -n⟫ im Innendienst. ~순경 der Schutzmann im Innendienst; der interne Schutzmann.

내금(內金) Angeld *n.* -(e)s, -er; Drauf|geld (Hand-) *n.* -(e)s, -er; Anzahlung *f.* -en. ¶ ~을 받다 e-e Teilzahlung erhalten*; e-n Teil des Betrags erhalten*.

내기 das Wetten*, -s; Wette *f.* -n; Hasard *n.* -s; Hasard|spiel (Glücks-) *n.* -s, -e. ~하다 e-e Wette ab|schließen* (ein|gehen*Ⓢ; machen); um Geld spielen; wetten. ¶ ~에서 이기다 (지다) e-e Wette gewinnen* (verlieren*; verwetten) / …에게 ~를 걸다 *jm.* e-e Wette an|bieten* / 백 원 ~하다 100 *Won* wetten / 그들은 누가 먼저 끝내나 ~했다 Sie wetteten, wer zuerst fertig sein würde. / 1대 10의 ~를 하다 zehn gegen eins wetten / 무슨 ~할까 Worum wetten wir?
‖ 먹기~ das Wettessen*, -s. 술마시기~ das Wetttrinken*, -s; 〖학생어〗 Biermensur *f.* -en: 술마시기 ~하다 um die Wette trinken.

-내기 der Artikel für den Massenabsatz. ¶ 전(廛)내기 der Massenartikel; die Fertigware.

내깔기다 aus|spritzen; ergießen*; hervor|sprudeln lassen. ¶ 똥을 ~ den Darm entleeren / 오줌을 ~ heftig urinieren (harnen).

내남없이 ohne Unterschied zwischen sich selbst u. anderen; ohne Rücksicht auf sich selbst u. andere; (ein) jeder; alle; (ein) jeglicher; (ein) jedweder; ausnahmslos; unterschiedslos. ¶ 그것은 ~ 다 아는 사실이다 Dies ist eine allbekannte Tatsache.

내내 von Anfang bis zu Ende; die ganze Zeit; die ganze Zeit über; immer; zu jeder Zeit; jederzeit; beständig; stets; immerwährend. ¶ ~ 선두를 달리다 von Anfang bis zu Ende den Wettläufern voranrennen* / 서울까지 ~ 걷다 den ganzen Weg nach Seoul zu Fuß gehen / 부산을 떠난 후 ~ 병을 앓다 seit der Abreise von Pusan immer krank sein / ~ 혼자 여행하다 die ganze Reise immer allein machen / 그 애는 ~ 말썽거리다 Das Kind macht immer Bubenstreiche.¦Das Kind fällt mir immer beschwerlich. / 3년 동안 ~ 수석이었다 Während der dreijährigen Schulzeit ist er der Erste (Beste) der Klasse geblieben (stand er keinem Mitschüler nach).

내내년(來來年) das übernächste (zweitnächste) Jahr. ¶ 내년 혹은 ~에 nächstes od. übernächstes Jahr.

내내월(來來月) der zweitnächste (übernächste) Monat, -(e)s, -e.

내년(來年) das nächste (kommende) Jahr, -(e)s, -e. ¶ ~의 지금쯤 nächstes Jahr um diese Zeit / ~ 3월 März im nächsten Jahr / ~봄 nächster Frühling, -(e)s, -e.

내놓다 ① ⟪밖으로⟫ heraus|nehmen*⁴. ¶ 주머니에서 돈을 ~ das Geld aus der Tasche heraus|nehmen.
② ⟪가둔 것을⟫ frei|lassen*⁴; gehen lassen*⁴; in Freiheit setzen⁴. ¶ 소를 들에 ~ das Vieh auf das Feld treiben* / 죄수를 ~ den Gefangenen frei|lassen*.
③ ⟪드러내다⟫ entblößen⁴. ¶ 가슴을 내놓고 mit offener Brust / 가슴을 ~ die Brust entblößen.
④ ⟪진열⟫ aus|stellen⁴; zum Verkauf an|bieten*⁴; zur Schau stellen⁴. ¶ 물건을 쇼윈도에 ~ die Waren im Schaufenster aus|stellen / 집을 팔려고 ~ das Haus ⟪-(e)s, ¨er⟫ zum Verkauf an|bieten*.
⑤ ⟪출판⟫ heraus|geben*⁴; verlegen. ¶ 책을 ~ ein Buch ⟪-(e)s, ¨er⟫ heraus|geben*.
⑥ ⟪제출⟫ vor|bringen*⁴; an|bringen*⁴; vor|legen⁴; vor|tragen*⁴; ein|reichen³⁴; ab|geben*³⁴(명함, 답안지 따위를). ¶ 의회에 법률안을 ~ dem Parlament e-n Gesetzentwurf vor|legen / 명함을 ~ s-e Visitenkarte ab|geben* / 지원서를 ~ den Antrag vor|legen (ein|reichen).
⑦ ⟪돈을⟫ spenden⁴; zahlen⁴; bezahlen; bei|tragen* ⟪*zu*³⟫; investieren⁴(투자); an|legen⁴. ¶ 거금 백만 원을 ~ e-e Million *Won* zur Verfügung stellen ⟪*jm.*⟫; die stattliche Summe von e-r Million spenden / 자금을 ~ Kapital investieren (an|legen).
⑧ ⟪음식을⟫ an|bieten*⁴; servieren⁴. ¶ 다과를 ~ Tee u. Kuchen servieren (an|bieten).

내다¹ ⟪연기가⟫ rauchen; qualmen; schwelen.

내다² ① ⟪꺼내다⟫ heraus|nehmen*⁴. ¶ 지갑에서 돈을 ~ das Geld aus dem Portemonnaie heraus|nehmen*.
② ⟪배출·산출⟫ erzeugen⁴; hervor|bringen*⁴; produzieren⁴; verursachen⁴. ¶ 이 시대(나라)는 많은 위인들을 냈다 Diese Zeit (Das Land) hat große Geister hervorgebracht. / 폭풍이 막대한 피해를 냈다 Das Unwetter verursachte große Schäden.
③ ⟪발휘⟫ ⁴sich auf|raffen ⟪*zu*³⟫ (원기를); ⁴sich ermutigen (용기를); auf|bieten* ⟪s-e Kräfte; s-e Energie⟫ (힘 따위를); ³sich ein Herz fassen (용기를). ¶ 용기를 ~ den Mut zusammen|raffen (zusammen|nehmen) / 다시 결단을(용기를) ~ von neuem den Entschluß (den Mut) auf|bringen*.
④ ⟪이름·명성을⟫ ⁴sich rühmend hervor|heben*. ¶ 이름을 ~ ³sich e-n Namen machen.
⑤ ⟪발행·게재⟫ heraus|geben*⁴; verlegen⁴; veröffentlichen⁴. ¶ 책을 ~ ein Buch heraus|geben* / 신문에 광고를 ~ in e-r Zeitung inserieren; ein Inserat (e-e Anzeige) in e-r Zeitung auf|geben*.
⑥ ⟪발송⟫ senden*; schicken. ¶ 편지를 ~ e-n Brief senden* ⟪an *jn.*; *jm.*⟫ / 초청장을 ~ e-e Einladung senden* (schicken).
⑦ ⟪제출⟫ vor|bringen*⁴; an|bringen*⁴; vor|legen⁴; vor|tragen*⁴; ein|reichen³⁴; ab|geben*³⁴ (명함, 답안지 등); ein|händigen⁴ (교부); aus|stellen⁴(출품). ¶ 정부에 신청을 ~ der Regierung e-n Antrag vor|legen (ein|reichen) / 사표를 ~ s-n Rücktritt ein|rei-

chen / 의회에 법률안을 ~ dem Parlament e-n Gesetzentwurf vor|legen / 명함을 ~ s-e Visitenkarte ab|geben* / 레포트는 내일까지 내시오 Ihr Referat muß bis morgen abgegeben werden.
⑧ 《발설》 im Umlauf setzen⁴. ¶ 소문을 ~ das Gerücht 《-(e)s, -e》 im Umlauf setzen / 악평을 ~ *jn.* in ein böses Gerücht bringen*.
⑨ 《얻음》 erhalten*⁴; bekommen*. ¶ 허가를 ~ Erlaubnis 《*f.* ..sse》 erhalten*.
⑩ 《만듦·마련》 ein|richten⁴; arrangieren⁴; ab|machen⁴; vor|bereiten. ¶ 시간을 ~ ³sich die Zeit sparen / 짬을 ~ ³sich die Zeit frei|machen / 길을 ~ den Weg bahnen; e-e neue Bahn ein|schlagen* / 그는 시간을 내서 회의에 참석했다 Er sparte sich die Zeit ab, um bei der Versammlung anwesend sein zu können. / 어떻게든 시간을 내 찾아뵙겠읍니다 Ich will es so einrichten (arrangieren), daß ich Sie besuchen kann. / 가고 싶지만 시간을 낼 수가 없다 Ich möchte gern hingehen, aber ich finde k-e Zeit dazu.
⑪ 《팖》 verkaufen. ¶ 곡식을 ~ Getreide verkaufen (auf den Markt bringen*).
⑫ 《돈을》 zahlen⁴; bezahlen⁴; aus|geben*⁴; bei|tragen* 《*zu*³》(기부); an|legen⁴; investieren⁴ (투자). ¶ 집세를 ~ die Miete bezahlen / 이 그림은 얼마를 내시겠읍니까 Was wollen Sie für das Bild anlegen?
⑬ 《대접》 an|bieten*; ein|laden*⁴ 《*zu*³》; bewirten⁴. ¶ 한잔 ~ zum Trinken ein|laden*⁴; Getränke verabfolgen / 이것은 내가 한턱 내는거야 Das geht auf m-e Rechnung. Diesmal bezahle ich. / 커피를 ~ *jm.* den Kaffee an|bieten*.
⑭ 《비우다》 aus|leeren⁴; aus|trinken*⁴; leeren; leer machen⁴. ¶ 잔을 ~ das Glas ausleeren / 방을 ~ das Zimmer verlassen* (leer machen).
⑮ 《뽑음》 wählen⁴; stellen⁴; ernennen*⁴; auf|stellen⁴. ¶ 대표자를 ~ e-n Vertreter stellen / 후보자를 ~ e-n Kanditaten wählen (auf|stellen).
⑯ 《모를》 umpflanzen⁴; 《밭을》 umpflügen⁴. ¶ 모를 ~ Reispflanzen 《*pl.*》 umpflanzen.
⑰ 《소리를》 hören lassen*; erheben*⁴; aus|stoßen*⁴; e-n Laut hervor|bringen*. ¶ 큰 소리를 ~ laut schreien* / 그녀는 날카로운 소리를 냈다 Sie stieß e-n durchdringenden Schrei aus.
⑱ 《영업·살림을》 eröffnen⁴; gründen⁴. ¶ 가게를 ~ e-n Laden eröffnen; ein Geschäft gründen / 살림을 ~ e-e Familie gründen.
⑲ 《속력을》 beschleunigen⁴. ¶ 속력을 ~ e-e höhere Geschwindigkeit 《-en》 entwickeln; die Geschwindigkeit beschleunigen / 그는 전속력을 내서 달렸다 Er fuhr in voller Geschwindigkeit.
⑳ 《발하다》 verbreiten⁴; von ³sich geben*⁴; 《빛·열을》 aus|senden⁽*⁾⁴; aus|strahlen⁴; aus|strömen⁴; glänzen; 《향기를》 aus|atmen⁴; aus|duften⁴; aus|hauchen⁴. ¶ 열을 ~ Wärme erzeugen.
㉑ 《운행》 ab|lassen*⁴; aus|setzen. ¶ 기차를 ~ e-n Zug ab|lassen* / 보트(배)를 ~ ein Boot (Schiff) aus|setzen / 척후병을 ~ e-n Späher aus|senden⁽*⁾ (aus|schicken).

내다³ 《조동사》 durch|führen⁴; aus|führen⁴; vollenden⁴; fertig bringen*⁴; zu ³Ende bringen*⁴. ¶ 모든 고생을 견뎌~ alle Qualen aus|stehen; alles aus|stehen / 지갑을 끄집어 ~ den Geldbeutel (die Börse) heraus|bringen (aus der Tasche).

내다보다 ① 《밖을》 hinaus|blicken (-|schauen) (안에서 밖을). ¶ 창밖을 ~ zum Fenster hinaus|schauen; aus dem Fenster hinaus|schauen / 창에서 내다보는 경치가 좋다 Das Fenster bietet (gewährt) herrliche Aussicht. ② 《앞일을》 voraus|sehen*⁴ (vorher|-); e-e Aussicht (e-n Ausblick) haben. ¶ 장래를 ~ die Zukunft voraus|sehen* / 아무도 그러한 일이 일어날 것을 내다보지 못했다 Niemand hat voraus|sehen können, daß das geschehen würde.

내다보이다 ① 《안엣것이》 hinein|schauen lassen*; 《통해 보이다》 durch|schauen können*; durchsichtig sein. ② 《전망》 e-e Aussicht auf ⁴*et.* haben. ¶ 이 일은 충분히 성공할 수 있을 것으로 내다보인다 Das Geschäft hat (e-e) gute Aussicht auf Erfolg.

내다지 〖건축〗 das in den Pfeiler durchgebohrte Loch, -(e)s, ⸚er.

내닫다 rasend laufen* (rennen*) Ⓢ; stürmisch laufen (rennen); fort|stürzen Ⓢ.

내달(來一) ＝내월(來月).

내담(來談) Vorsprache *f.* -n; Interview *n.* -s, -s. **~하다** bei *jm.* vor|sprechen*. ¶ 내일 ~하시길 바랍니다 Ich bitte Sie, morgen vormittag bei mir vorzusprechen. / 본인이 직접 ~할 것 Persönlich erscheinen! (게시) / 상세한 것은 ~시에 Näheres bei Ihrem Besuch bei mir.

내대다 ⁴sich widersetzen³; (gegen⁴) ein|wenden⁽*⁾; entgegen|setzen³⁴ (-|treten*³); gegenüber|stellen⁴; widersprechen*³. ¶ 웃사람에게 ~ gegen den Vorgesetzten sein (ein|wenden*).

내던지다 ① 《던지다》 weg|werfen*⁴; weg|schleudern⁴; weg|schmeißen*⁴; hinaus|werfen*⁴ (-|schleudern⁴; -|schmeißen*⁴); werfen*⁴; schleudern⁴; schmeißen*⁴. ¶ 창 밖으로 ~ zum Fenster hinaus|schmeißen*⁴ / 담배꽁초를 ~ Zigarettenstummel weg|werfen*.
② 《포기》 auf|geben*⁴; entsagen³; verzichten 《*auf*⁴》; ³sich entgehen lassen*⁴; her|geben*⁴; nieder|legen⁴. ¶ 지위를 ~ ab|danken; s-e Stellung auf|geben* / 일을 ~ s-e Arbeit nieder|legen.
③ 《제공·희생》 ⁴sich opfern; sterben* Ⓢ. ¶ 생명을 ~ sein Leben hin|geben* (opfern) 《*für*⁴》; sein Leben in die Schanze schlagen* / 그는 자신의 신념을 위해 목숨을 내던졌다 Er starb für s-e Überzeugung.

내도(來到) Ankunft *f.* ⸚e; das Eintreffen*, -s. **~하다** an|kommen* Ⓢ 《*in*³》; ein|treffen* Ⓢ 《*in*³》.

내돋다 zum Vorschein kommen* Ⓢ; auf|tauchen Ⓢ; hervor|sprießen* (h,s); empor|sprießen*; keimen (h,s); auf|schießen* Ⓢ. ¶ 여드름이 ~ Mitesser 《*m.* -s, -》 (Blüten) (im Gesicht) bekommen*.

내돌리다 ⁴*et.* unvorsichtig herum|gehen* lassen*; die Runde machen lassen*; herum|geben*; 《회람 등을》 herum|schicken; zirkulieren lassen*; von Hand zu Hand gehen lassen*; von Hand zu Hand herum|geben*.

내동댕이치다 ＝내던지다.

내두르다 ① 《휘휘》 (hin u. her) schwingen*; schwenken⁴; schütteln. ¶ 팔을 ~ die Arme schwingen* / 머리를 ~ den Kopf schütteln/

꼬리를 ~ (mit dem Schwanz) wedeln / 칼을 ~ ein Schwert schwingen / 지팡이를 ~ e-n Stock schwingen.
② 《남을》 führen⁴; befehligen⁴; kommandieren*; an|ordnen⁴; an|weisen*⁴; Anweisungen geben; unterweisen*⁴; leiten⁴; beherrschen⁴; kontrollieren⁴. ¶ 아내가 집안을 ~ den Pantoffel schwingen / 아무를 마음대로 ~ *jn.* um den Finger wickeln; *jn.* an der Nase herum|führen; Gewalt über *jn.* haben.

내둘리다 ① 《남에게 쥐다》 ⁴sich um den Finger wickeln lassen*; in *js.* Gewalt sein; unter *js.* Gewalt stehen; nach *js.* Pfeife tanzen. ¶ 할아버지가 손자에게 ~ Das Kind wickelt seinen Großvater um den (kleinen) Finger. ② 《정신이》 schwind(e)lig sein; Schwindel 《*m.* -s, -》 haben; Taumel 《*m.* -s, -》 haben; es schwindelt *jm.*

내디디다 ☞ 내딛다.

내딛다 vor|treten* Ⓢ; auf|treten* Ⓢ (등장하다); ein|treten* Ⓢ 《*in*⁴》 (진출하다); ans Werk gehen* Ⓢ (Hand ans Werk legen) (착수하다); an|fangen*⁴ (beginnen*⁴) 《ein ⁴Geschäft》. ¶ 정계에 발을 ~ ins politische Leben ein|treten* Ⓢ; die politische Laufbahn ein|schlagen*.

내떨다 ① 《붙은 것을》 ab|schwingen*⁴; ab|schütteln⁴; ab|schwenken⁴; ab|werfen*⁴. ② 《사람을》 *jm.* die kalte Schulter zeigen; *jn.* ab|lehnen.

내뚫다 bohren⁴; durch|stoßen*⁴. ☞ 꿰뚫다. ¶ 바닥을 ~ den Boden ein|schlagen* / 산에 터널을 ~ e-n Tunnel 《-s,-》 durch den Berg graben* / 판자에 구멍을 ~ ein Loch in das Holz 《-es, ⸗er》 bohren.

내뛰다 wie ein Pfeil dahin|schießen*; mit größter Geschwindigkeit rennen* Ⓢ; Hals über Kopf laufen* Ⓢ.

내뜨리다 schonungslos weg|werfen*⁴ (ab|werfen*⁴; ab|schleudern⁴; ab|schmeißen*⁴). ¶ 휴지를 문밖으로 ~ Papierabfälle einfach aus dem Fenster werfen* / 그릇을 마루에 ~ e-e Schüssel auf den Boden weg|werfen.

내락(內諾) die nicht offizielle (nicht förmliche) Einwilligung, -en (Beistimmung, -en; Zustimmung, -en). ~하다 inoffiziell (nicht förmlich) ein|willigen 《*in*⁴》 (bei|stimmen (zu|stimmen) 《*jm.* *in*³》); e-e inoffizielle Einwilligung (Beistimmung) geben* 《*jm.* *in*³》. ¶ ~을 얻다 inoffizielle Einwilligung (Zustimmung) erhalten*.

내란(內亂) die inneren Unruhen 《*pl.*》; Bürgerkrieg *m.* -(e)s,-e; Rebellion *f.* -en(반란). ¶ ~을 일으키다 (진압하다) die inneren Unruhen 《*pl.*》 entstehen lassen* (unterdrücken) / ~이 일어나다 die inneren Unruhen 《*pl.*》 aus|brechen* Ⓢ / ~이 일어났다 Der Bürgerkrieg ist ausgebrochen.
‖ ~음모 Verschwörung 《*f.* -en》 der Rebellion. ~죄 Hochverrat *m.* -(e)s, -e.

내람(內覽) Voruntersuchung *f.* -en; die vorherige (private) Untersuchung, -en.

내레이션 Erzählung *f.* -en; Beschreibung *f.* -en; Schilderung *f.* -en; Wiedergabe *f.* -n; Darstellung *f.* -en.

내레이터 《남자》 Beschreiber *m.* -s, -; Erzähler; 《여자》 Beschreiberin *f.* -nen; Erzählerin *f.* -nen.

내려가다 ① 《아래로》 hinab|gehen* (hinunter|-) Ⓢ; hinab|steigen* (hinunter|-) Ⓢ; hinab|fahren* (hinunter|-) Ⓢ. ¶ 언덕을 ~ e-n Abhang 《-(e)s, ⸗e》 hinunter|gehen* / 계단을 ~ die Treppe 《-n》 hinunter|steigen* Ⓢ / 산을 ~ den Berg hinab|steigen* Ⓢ / 배를 타고 ~ e-n Fluß hinunter|fahren* Ⓢ / 지하실로 ~ in den Keller 《-s, -》 hinunter|gehen* / 산에서 마을로 ~ vom Berg in die Stadt hinunter|fahren* Ⓢ / 내려가는 기차 der von der Hauptstadt sich entfernende Zug, -(e)s, ⸗e.
② 《물가가》 sinken* Ⓢ; fallen* Ⓢ; herunter|gehen* Ⓢ. ¶ 물가가 ~ die Preise 《*pl.*》 sinken* (fallen*).
③ 《열·온도가》 fallen* Ⓢ; sinken* Ⓢ. ¶ 온도가 ~ Das Temperatur fällt (sinkt) / 열이 5도 내려갔다 Das Fieber ist um 5 Grad gefallen.

내려갈기다 von oben hinunter|peitschen (-|prügeln).

내려긋다 (e-e Linie) herunter|ziehen*; senkrecht ziehen (linieren). ¶ 선을 ~ e-e Linie senkrecht ziehen.

내려깔기다 nach unten entleeren; hinab|gießen*; nach unten besprengen (bespritzen) 《*mit*³》. ¶ 2층에서 오줌을 ~ von oben nach unten urinieren; Vom 2. Stock herunterpissen.

내려놓다 nieder|legen⁴; herunter|nehmen*⁴; herab|nehmen*⁴; herab|bringen*⁴; herunter|bringen*⁴. ¶ 짐을 ~ e-e Last ab|legen; ⁴*et.* ab|laden* / 차에서 ~ e-n Wagen aus|laden*⁴ / 말의 짐을 ~ ein Pferd ab|laden*/ 무거운 짐을 ~ sich erleichtern / 승객을 ~ e-n Reisenden ab|setzen (aus|steigen* lassen) / 돛을 ~ ein Segel nieder|holen / 닻을 ~ Anker werfen / 기(旗)를 ~ e-e Fahne nieder|holen (herunter|lassen*) / 책을 책꽂이에서 ~ ein Buch von einem Regal herunter|nehmen*⁴ / 남비를 불에서 ~ die Pfanne vom Feuer herunter|nehmen*⁴.

내려누르다 ① 《위에서》 nieder|halten*⁴; nieder|drücken⁴; unter|drücken⁴. ② 《웃사람이》 zwingen*⁴; nötigen⁴ 《zu³ 또는 zu 부정법과 더불어》; ⁴*et.* von³ erzwingen. ¶ 위에서 내려누르니 할 수 없이 맡았다 Von oben gezwungen, muß ich dies übernehmen.

내려다보다 ① 《위에서》 hinab|sehen* (hinunter|-) 《*auf*⁴》; nieder|sehen*; überblicken⁴; überschauen⁴. ¶ 탑 위에서 시내를 ~ vom Turm auf die Stadt hinunter|schauen / 이 산(山)봉우리에서는 이 지방 일대를 내려다볼수 있다 Von diesem Berggipfel überschaut man die ganze Gegend. / 이곳에서는 경기장을 잘 내려다볼 수 있다 Von hier aus kann man das Spielfeld gut überblicken. ② 《얕보다》 *jn.* verachten; *jn.* von oben herab an|sehen* (behandeln); *jn.* über die Achsel 《-n》 an|sehen*.

내려디디다 auf⁴ nieder|treten*.

내려뜨리다 fallen lassen; nieder|stürzen lassen. ¶ 찻종을 ~ e-e Teetasse fallen lassen.

내려비치다 hinabwärts wider|spiegeln(wider|scheinen*); nach unten strahlen.

내려서다 von ³*et.* herab|steigen*; von ³*et.* hinab|steigen*; (nach unten) hinunter|gehen*. ¶ 한 계단 ~ e-e Treppe herunter|kommen* (hinunter|gehen*) Ⓢ.

내려쏟다 ⁴*et.* in⁴ (auf⁴) (hinab)|gießen*; nach unten begießen*⁴; hinab|lassen*⁴.

내려앉다 ① 《자리를》 herunter|kommen* Ⓢ; nach unten kommen* Ⓢ. ¶ 책상에서 ~ vom Tisch herunter|kommen* Ⓢ. ② 《무너져》

zusmamen|fallen* (ein|-) [s]; zusammen|stürzen (ein|-) [s]. ¶ 지붕이 내려앉았다 Das Dach ist eingestürzt./마루가 눌려서 내려앉았다 Der Fußboden 《-s, -》 hat dem Gewicht nachgegeben.

내려오다 ① 《위에서》 herab|kommen* (herunter|-) [s]; herab|steigen* [s]. ¶ 나무에서 ~ vom Baum herab|steigen* [s] / 명령이 위에서 ~ Der Befehl kommt von oben. ② 《전해》 überliefert (hinterlassen; vererbt) sein. ¶ 전해 내려오는 관습 überlieferte Bräuche 《pl.》 / 가보로 전해져 내려오는 칼 als Erbe hinterlassener Degen 《-s, -》. ③ 《차에서》 aus|steigen* [s]. ¶ 차에서 ~ vom Wagen aus|steigen* [s].

내려조기다 (abwärts) zerschlagen*[4] (zertrümmern[4]; zerstören[4]); in Stücke (Trümmer) (herunter|)schlagen*[4].

내려지다 nieder|fallen* (-|gehen*; -|sinken*; -|senken lassen*; -|stürzen lassen*).

내려쫓다 《높은 곳에서》 nach unten vertreiben*[4] (verjagen[4]; verscheuchen; aus|weisen*[4]); 《시골로》 *jn.* aus der Hauptstadt aus|weisen*[4] (aus|schließen*[4]).

내려찍다 mit dem Niederschlag (Niederhieb) schneiden*[4]; auf [4]*et.* hauen*.

내려치다 von oben darauf klopfen (schlagen*[4]); von oben mit der Faust schlagen*[4]; mit [3]*et.* auf [4]*et.* nieder|schlagen* (-|hauen*); [3]*et.* e-n (Nieder)stoß geben*. ¶ 책상을 주먹으로 ~ mit der Faust auf den Tisch schlagen* / 칼로 목을 ~ *jm.* den Kopf mit dem Schwert ab|schlagen* / 돌을 ~ e-n Stein auf [4]*et.* nieder|werfen*[4]; mit Steinen nach [3]*et.* nieder|werfen*.

내력(來歷) ① 《이력》 Lebenslauf *m.* -(e)s, ⸗e; Laufbahn *f.* -en; Karriere *f.* -n; 《사건 따위의 경과》 Hergang *m.* -(e)s, ⸗e; Verlauf *m.* -(e)s, ⸗e; Entwick(e)lung *f.* -en; Werdegang *m.* -(e)s, ⸗e; 《기원·유래》 Herkunft *f.* ⸗e; (Vor)geschichte *f.* -n. ¶ ~을 캐다 *js.* Laufbahn (Vorgeschichte) durchackern (untersuchen) (사람의); e-e Angelegenheit zurück|verfolgen (사건의) / 그의 ~은 훌륭하다 Er hat e-e glänzende Laufbahn hinter sich. ② =내림[1].

내력(耐力) Dauerkraft *f.* ⸗e.
‖ ~시험 Dauerprobe *f.* -n.

내륙(內陸) Binnenland *n.* -(e)s, ⸗er; Inland *n.* -(e)s.
‖ ~교통 Binnenverkehr *m.* -(e)s, -e. ~도시 Binnenstadt *f.* ⸗e. ~수로 Binnenwasserstraße *f.* -n.

내리 ① 《아래로》 nach unten; abwärts; hinab; herab. ¶ 지붕에서 ~ 떨어지다 vom Dach fallen* (stürzen) [s]. ② 《줄곧》 ununterbrochen; die ganze Zeit; pausenlos; fortwährend. ¶ 사흘 밤 ~ die drei Abende hintereinander / 3 시간 ~ 일하다 3 Stunden lang pausenlos arbeiten / ~ 한 집에 살다 die ganze Zeit in demselben Haus wohnen / 비가 사흘 ~ 왔다 Es hat ununterbrochen drei Tage geregnet.

내리긋다 e-e Linie senkrecht ziehen*[4]; senkrecht herunter|linieren.

내리깎다 《값을》 den Preis herab|drücken; um [4]*et.* handeln; um [4]*et.* feilschen; am Preise mäkeln. ¶ 책값을 단돈 50원으로 ~ den Preis des Buches auf nur 50 *Won* herab|drücken / 그렇게 내리깎아서야 쓰겠읍니까 So weit kann ich den Preis nicht herab|drücken lassen.

내리깔다 [4]sich bücken 《*nach*[3]》; die Augen nieder|schlagen*; den Blick senken; den Kopf hängen lassen* (고개숙이다). ¶ 눈을 내리깔고 말하다 den Blick senkend (die Augen nach unten schlagend) sprechen*.

내리다[1] 〖자동사〗 ① 《높은 데서》 hinab|steigen* (herab|-) [s]; hinunter|gehen* [s]; herunter|kommen* [s]; fallen* [s]. ¶ 연단에서 ~ die Tribüne verlassen*; von der Tribüne herunter|steigen* (ab|treten*) [s] / 비가 ~ Es regnet. / 간밤에 서리가 내렸다 Heute nacht hatten wir Frost.
② 《탈것에서》 aus|steigen* [s]; verlassen*[4]. ¶ 말에서 ~ vom Pferde steigen* [s] / 기차에서 ~ aus dem Zug aus|steigen* [s] / 배에서 ~ das Schiff verlassen* / 우리는 대구에서 내렸다 Wir sind in Daegu ausgestiegen.
③ 《착륙》 landen [s]. ¶ 비행기가 ~ das Flugzeug landet.
④ 《물가가》 sinken* [s]; fallen* [s]; herunter|gehen* [s]. ¶ 물가가 ~ die Preise 《pl.》 sinken* (fallen*) [s].
⑤ 《열·온도가》 fallen* [s]; sinken* [s]. ¶ 열이 5도 내렸다 Das Fieber fällt um 5 Grad. / 온도가 빙점 이하로 내렸다 Das Temperatur sinkt (fällt) unter Null.
⑥ 《먹은 것이》 verdaut werden; [4]sich verdauen. ¶ 콩은 잘 (잘 안) 내린다 Erbsen sind leicht (schwer) zu verdauen.
⑦ 《부기가》 zurück|gehen* [s]; ab|nehmen*. ¶ 부기가 ~ die Geschwulst geht zurück.
⑧ 《살이》 ab|nehmen*; leichter werden; mager werden. ¶ 살 내리는 약 Entfettungsmittel *n.* -s, - / 체중이 ~ an Gewicht verlieren*.
⑨ 《귀신이》 besessen sein. ¶ 신령이 ~ vom Geist besessen sein / 무당 ~ Zauberin werden.
⑩ 《뿌리가》 Wurzel fassen; verwurzeln [s]; Wurzeln schlagen*. ¶ 새로 옮겨 심은 나무들이 뿌리를 잘 내렸다 Die umgepflanzten Bäume sind gut verwurzelt. / 관목이 뿌리를 내릴 때까지는 시일이 걸린다 Es dauert einige Zeit, bis der Strauch verwurzelt (ist).

내리다[2] 〖타동사〗 ① 《높은 곳에서》 hinunter|bringen*[4] (herunter|-); hinab|bringen*[4] (herab|-); herab|nehmen*[4] (herunter|-); herab|lassen*[4] (herunter|-) (막, 커튼 따위를); 《돛·기 따위를》 nieder|holen[4] (ein|-); 《닻을》 werfen*[4]; 《짐을》 ab|legen[4]; ab|laden*[4] 《den Wagen》; 《보트를》 aus|setzen[4]. ¶ 차양 (철책, 막) 을 ~ die Jalousien (das Gitter, den Vorhang) herab|lassen* / 기를 ~ die Flagge 《-n》 nieder|holen (ein|-) / 가방을 ~ die Tasche herunter|holen (herunter|nehmen*) / 차에서 나무를 (돌을) ~ Holz (Steine) von e-m Wagen ab|laden* / 내 외투를 내려 주십시오 Bitte bringen Sie mir m-n Mantel herunter.
② 《값을》 herab|setzen[4]; senken[4]. ¶ 값을 ~ die Preise senken (herab|setzen); e-e Summe am (vom) Preis ab|ziehen* (할인하다).
③ 《주다》 geben* (schenken; spenden; gewähren; verleihen*) 《*jm.* [4]*et.*》; 《명령·법령 따위를》 ergehen lassen*[4]; erlassen*[4]; erteilen[4]; verkünden[4]; öffentlich bekannt|machen[4]; 《판결을》 fällen[4]; aus|sprechen*[4]. ¶ 명령을 ~ e-n Befehl geben* (erteilen; er-

gehen lassen*) / 판결을 ~ ein Urteil aus|-sprechen* (fällen) / 특사령을 ~ e-e Amnestie verkünden (erlassen*) / 상을 ~ *jm.* den Preis verleihen*.
④ 《지위·정도를》 degradieren[4]; zurückversetzen[4].
내리닫다 hinunter|laufen* ⓢ; hinabwärts laufen* (rennen* ⓢ).
내리닫이[1] 《어린이옷》 kittelartiges Kinderkleid mit e-m Schlitz nach unten.
내리닫이[2] Schiebefenster *n.* -s, -.
내리뜨다 nieder|blicken; die Augen nieder|-schlagen*; den Blick zu Boden senken. ¶ 눈을 내리뜨고 mit gesenkten Augen; die Augen niederschlagend.
내리막 ① 《하강》 Abstieg *m.* -(e)s; das Absteigen*, -s. ② 《경사》 Fall *m.* -s, ⸗e; Neigung *f.* -en; Abhang *m.* -s, ⸗e; Abdachung *f.* -en; Abböschung *f.* -en. ③ 《쇠퇴》 das Sinken*, -s; Verfall *m.* -s; Abnahme *f.* ¶ 그의 인기는 이제 ~이다 S-e Beliebtheit läßt nach. / 경기는 ~이다 Die Konjunktur geht zurück. / 그의 세력도 이제 ~이다 Mit s-r Macht geht es jetzt bergab.
내리매기다 von oben bis unten fortlaufend numerieren.
내리밀다 hinunter|schieben*[4]; hinunter|stoßen*[4]; von oben schieben (stoßen).
내리받이 =내리막.
내리사랑 die Elternliebe, die keine Vergeltung von kindlicher Seite erwartet; die Liebe der Ältern, die keine Gegenliebe von jugendlicher Seite erwarten; selbstlose Liebe.
내리외다 ohne Hemmung aus dem Kopf her|sagen[4] (auf|sagen[4]; rezitieren[4]).
내리지르다 ① 《바람이》 herab|blasen*[(4)]; hinab|blasen*; herab|wehen[(4)]; hinab|wehen. ② 《물이》 herab|fließen*ⓢ (-|strömen ⓗⓢ); hinab|fließen* (-|strömen); hervor|- u. hinab|brechen*. ¶ 물이 세차게 ~ das Wasser strömt reißend hinab. ③ 《주먹을》 mit der Faust nieder|schlagen*[4]. ④ 《발을》 mit dem Fuß nieder|stoßen*[4]. ¶ 옆구리를 ~ e-n Tritt in die Seite geben.
내리질리다 ① 《주먹으로》 (mit der Faust) heftig geschlagen (verhauen) werden; eins kriegen. ② 《발로》 (mit dem Fuß) gestoßen werden; e-n Tritt kriegen.
내리쬐다 《햇빛이》 stark scheinen*; brennen*; heiß sein. ¶ 내리쬐는 태양 die brennende (heiße) Sonne.
내리치다 wuchtig schlagen*. ¶ 칼로 ~ mit Schwert wuchtig schlagen*.
내리키다 herunter|ziehen*[4]; herunter|lassen*[4]; herab|ziehen*[4]; herab|lassen*[4]; nieder|ziehen*[4]; nieder|lassen*[4]. ¶ 허리춤을 ~ die Leibesmitte frei machen; [4]sich seiner Hosen (ihres Rockes) halb entledigen / 돛을 ~ ein Segel nieder|holen[4] / 커튼을 ~ e-n Vorhang herunter|lassen*[4] / 닻을 ~ Anker werfen*.
내리퍼붓다 ① 《비가》 es regnet stark; es gießt (in Strömen). ② 《눈이》 es schneit stark (heftig); der Schnee fällt dicht und heftig; wir haben Schneesturm.
내리훑다 hinab|dreschen*[4]; hinab|hecheln. ¶ 벼를 탈곡기로 ~ den Reis mit der (Dresch)maschine dreschen*.
내릴톱 《세로 켜는》 Klobsäge *f.* -n; Brettsäge *f.* -n; Längensäge *f.* -n.
내림[1] Erblichkeit *f.*; Vererbung *f.* -en. ¶ 책을 좋아하는 것은 우리 집의 ~이다 Mir liegt (steckt) Bücherliebhaberei im Blute. ¦ Die Lesewut ist in meiner Familie erblich.
내림[2] 〖건축〗 Front *f.* -en; Fassade *f.* -n; Vorderseite *f.* -n; Weite *f.* ¶ 10 미터 ~의 가게 ein Laden mit einer Front von 10 Metern.
내림(來臨) Teilnahme *f.* -en; Anwesenheit *f.*; Besuch *m.* -(e)s, -e. **~하다** bei|wohnen[3]; besuchen[4]; [4]*et.* mit s-r Anwesenheit (Gegenwart) beehren. ¶ 귀하께서 ~하여주시면 고맙겠읍니다 Wollen Sie mich bitte mit Ihrem werten Besuch beehren?
내림굿 ein schamanistischer Kult 《-es, -e》, bei dem die Geister niedersteigen.
내림대 〖민속〗 ein Kiefern- od. Bambusreis 《*n.* -es, -er》, mit dem die Herabkunft der Geister erfleht wird.
내림새 〖건축〗 konkave Ziegel an der Dachrinne.
내림차(一次) 〖수학〗 die fallende Reihe, -n.
내립떠보다 mit niedergeschlagenen Augen fest an|blicken[4] (-|starren[4]).
내막(內幕) der wahre Sachverhalt, -(e)s, -e (실상); Wahrheit *f.* -en (진상). ¶ ~을 엿보다 hinter den Vorhang (die Kulisse) sehen*; e-n Blick hinter die Kulissen werfen*/ ~을 잘 알고 있다 in ein Geheimnis eingeweiht sein / 아무의 ~을 털어놓다 *jn.* in ein Geheimnis ein|weihen / 아무의 ~을 탐지하다 nach den Geheimnissen anderer forschen; die Geheimnisse anderer erforschen.
내막(內膜) Innenhaut *f.* ⸗e.
‖ **~염**(炎) Innenhautentzündung *f.* -en. 심장**~** Endokard *n.* -(e)s, -e.
내맡기다 e-n andern tun lassen*, wie er will; k-n eigenen Willen haben; [4]sich ergeben* 《*in*[4]》; [4]sich fügen 《*in*[4]》; *jn.* mit [3]*et.* betrauen; überlassen*. ¶ 휴가 기간 동안 개를 이웃에 ~ den Hund 《-(e)s, -e》 während der Urlaubszeit den Nachbarn überlassen / 아이들을 할머니에게 돌봐 주도록 ~ die Kinder der Fürsorge der Großmutter überlassen / 저 사람에게 이 일을 내맡길 수 없다 Ich kann ihm diese Sache nicht überlassen.
내면(內面) Innenseite *f.* -n; die innere Seite, -n; das Innere*, -n. ¶ ~적으로 innen; im Innern; in bezug auf das Innere / ~적인 긴장 innere Spannung, -en / ~적인 사람 der innere Mensch, -en, -en / ~적인 저항감을 느끼다 e-n inneren Widerstand empfinden* / ~의 소리에 귀를 기울이다 auf die innere Stimme hören / 이 상황의 변동의 필요성은 ~에서 시작되어야 한다 Das Bedürfnis nach e-r Veränderung der Lage muß von innen heraus kommen.
‖ **~고찰** Innenschau *f.* -en; Selbstbetrachtung *f.* -en; Selbstbeobachtung *f.* -en. **~생활** das Innenleben*, -s; das Seelenleben*, -s. **~세계** Innenwelt *f.* -en.
내명(內命) der geheime Befehl, -(e)s, -e (Auftrag, -(e)s, ⸗e); die inoffizielle Anweisung, -en (Instruktion, -en). ¶ ~을 내리다 e-n geheimen Befehl (Auftrag) erteilen (geben*) 《*jm.*》 / ~을 받다 e-n geheimen Befehl (Auftrag) erhalten* 《von *jm.*》.
내명년(來明年) =내내년.
내몰다 《사람을 문밖으로》 hinaus|werfen*[4];

vor die Tür setzen⁴; 《차를 앞으로》 weiter fahren* ⓢ. ¶ 주인이 취객을 문밖으로 내몰았다 Der Wirt warf den Betrunkenen hinaus.

내몰리다 (aus dem Hause) vertrieben (verjagt; verscheucht; fortgejagt) werden.

내몽고(內蒙古) die innere Mongolei.

내무(內務) die inneren Angelegenheiten 《pl.》; die innere Verwaltung, -en (Administration, -en).

‖ ~반 〚군사〛 Quartier n. -s, -e; Baracke f. -n. ~부 Innenministerium n. -s, ..rien; das Ministerium des Inneren: ~부 장관 Innenminister m. -s, -; der Minister 《-s, -》 des Inneren / ~부 차관 der Vizeminister der inneren Angelegenheiten.

내밀(內密) Geheimhaltung f. -en; Verheimlichung f. -en; das Verschweigen*, -s; Verschweigung f. -en. ¶ ~의 heimlich; geheim; vertraulich / ~히 ins geheim; in geheimen; heimlich; vertraulich / ~이지만 unter uns (im Vertrauen) gesagt / ~로 하다 geheim|halten*⁴; geheim halten*⁴; für ⁴sich behalten*⁴; mit Schweigen übergehen*⁴; s-n Mund halten* 《über⁴》.

내밀다 ① 〚타동사〛 aus|strecken³⁴; dar|bieten*³⁴; ⁴sich nach vorne neigen (lehnen) (몸을). ¶ 손을 ~ die Hand aus|strecken 《nach³》 (물건을 잡기 위해); jm. die Hand bieten* (악수, 화해를 위해); die Hand (zum Kuß) dar|bieten* (키스를 위해) / 창밖(난간)으로 몸을 ~ ⁴sich aus dem Fenster (über das Geländer) (hinaus) lehnen / 목을 앞으로 ~ den Kopf vor|strecken / 혀를 ~ die Zunge heraus|strecken / 가슴을 ~ ⁴sich in die Brust werfen*.

② 〚자동사〛 vor|stehen* ⓗ.ⓢ; vor|springen* ⓢ; hervor|ragen. ¶ 내민 이마 die hervorstehende (vorspringende) Stirne, -n / 곶이 바다로 내밀고 있다 Das Kap 《-s, -e (-s)》 springt ins Meer vor.

내밀리다 hinaus|gedrängt (hinausgeschoben) werden. ☞ 밀리다.

내밀힘 《밀고 나가는》 die antreibende (vorwärtstreibende) Kraft, ⸚e; Treibkraft f.; die bewegende Kraft; 《배짱》 Großmut f.; Mannhaftigkeit f.; Frechheit f. -en; Unverschämtheit f. -en; Schamlosigkeit f. -en. ¶ ~이 강해야 사랑에 성공하지 Nur der Mutige bringt die Braut heim.

내박차다 ① 《발길로》 mit dem Fuß hinaus|stoßen*⁴. ② 《거절》 unnachgiebig (fest) ab|lehnen (zurück|weisen*⁴); ab|schlagen*⁴; entschlossen verwerfen*⁴.

내박치다 heftig ab|schleudern⁴ (-|werfen*⁴).

내발뺌 Entschuldigung f. -en; Rechtfertigung f. -en; Ausflucht f. ⸚e; Ausrede f. -n. ~하다 (bei jm. wegen²) ⁴sich entschuldigen; (wegen²) ⁴sich rechtfertigen; ⁴sich verteidigen; Abbitte tun*; Ausflüchte (Ausreden) machen.

내방(來訪) Besuch m. -(e)s, -e. ~하다 besuchen⁴; e-n Besuch machen 《bei³》; jm. e-n Besuch ab|statten. ¶ ~을 받다 e-n Besuch empfangen* (an|nehmen*) / ~ 중이다 auf (zu) Besuch sein / ~을 기다리다 e-n Besuch erwarten.

‖ ~자 Besucher m. -s, -: ~자가 있다 e-n Besuch haben (erwarten).

내배다 heraus|sickern; langsam aus|laufen* ⓢ; durch|schlagen*. ¶ 샤쓰에 땀이 ~ Das Hemd ist mit Schweiß bedeckt. / 붕대에 피가 ~ Das Blut ist durch den Verband gedrungen.

내뱉다 aus|speien*⁴; aus|werfen*⁴; aus|spucken⁴. ¶ 껌을 ~ den Kaugummi aus|spucken / 내뱉듯 말하다 verächtlich sagen / 포로가 그에게 침을 내뱉았다 《경멸의 표시로》 Die Gefangenen hatten vor ihm ausgespuckt.

내버려두다 ① 《방치》 auf sich beruhen lassen*⁴; liegen (stehen) lassen*⁴; unberührt lassen*⁴; anstehen lassen*⁴. ¶ 그대로 ~ die Sache so ruhen lassen*, wie es ist; die Sache auf ³sich beruhen lassen* / 비바람 속에 ~ dem Wind u. Wetter aus|setzen⁴; der freien Luft aus|setzen⁴ / 나는 그 일을 오늘까지 내버려두었다 Ich habe die Arbeit bis heute liegen lassen. ② 《불간섭》 ⁴sich um ⁴et. nicht (be)kümmern; gehen (laufen) lassen*⁴; ³et. freien Lauf lassen*; jn. nicht binden*; jn. ³sich selbst überlassen*. ¶ 아무를 제 마음대로 하게 ~ jn. handeln lassen*, wie er will / 내버려두어 주게 Laß mich !¦Laß mich allein (in Ruhe) ! / 그것은 내버려두시오 Kümmern Sie sich nicht darum !¦Machen Sie sich k-e Gedanken darüber !

내버리다 weg|werfen*⁴; weg|schweißen*⁴. ☞ 버리다. ¶ 어린애를 ~ ein Kind aus|setzen / 휴지 (담배꽁초)를 ~ den Abfall 《-(e)s, ⸚e》 (den Zigarettenstummel, -s, -) weg|werfen*. / 그건 돈을 내버리는 것이나 같은 짓이다 Das wäre Geldverschwendung.

내보(內報) die außeramtliche (nicht öffentliche; vertrauliche) Mitteilung, -en (Nachricht, -en).

내보내다 ① 《나가게 하다》 gehen lassen*⁴; hinausgehen lassen*⁴. ② 《내쫓다》 vertreiben*⁴; verjagen⁴; verscheuchen⁴; fort|jagen⁴; entheben*² 《jn.》; entlassen*⁴; ab|setzen⁴. ¶ 아무를 밖으로 ~ jn. aus dem Haus jagen / 하인을 ~ s-n Diener hinaus|werfen* / 내 보내 Fort mit ihm !¦ Wirf ihn hinaus ! / 그 회사는 많은 노동자들을 내보내지 않으면 안 되었다 Die Fabrik mußte zahlreiche Arbeiter entlassen.

내복(內服) ① 《속옷》 Unterkleid n. -(e)s, -er; Unterhemd n. -(e)s, -en (특히 샤쓰); Wäsche f. -n (총칭). ② 《약》 die innerliche Anwendung, -en. ~하다 innerlich an|wenden*⁴.

‖ ~약 die innerlich anzuwendende Arznei, -en; das innerlich anzuwendende Mittel, -s, -: 이것은 ~약이 아니니 주의하시오 Seien Sie vorsichtig, diese Medizin ist nicht innerlich anzuwenden !

내부(內部) das Innere* (Inwendige*) -n; Innenseite f. -n; die innere Seite, -n; der innere Teil, -(e)s, -e. ¶ ~로부터 von innen (vom Innern) (her) / ~에 innerhalb²; im Innern; (dr)innen / ~의 inner(lich); intern; inwendig; im Innern befindlich / 가장 ~의 innerst / 기계의 ~ die Innenteile 《pl.》 e-r Maschine / ~ 사정 die innere Angelegenheit, -en; die Verhältnisse 《pl.》 im Innern / X선으로 몸의 ~를 검사하다 mittels X-Strahlen 《pl.》 die inneren Teile 《pl.》 des Körpers untersuchen.

‖ ~분열 der innere Zwiespalt, -(e)s, -e. ~사정 die innere Angelegenheit, -en; die Verhältnisse 《pl.》 im Inneren: 집안 ~ 사정을 알고 있다 Er weiß, wie sich innerlich im Hause aussieht. ～저항 der innere Widerstand, -(e)s, ⸚e. ～질환 〖의학〗 ein inneres Leiden.

내부딪다 ① 《부딪다》 an (gegen) ⁴et. werfen*⁴; treffen*⁴; stoßen*⁴; schlagen*⁴; berühren (가볍게). ② 《충돌》 zusammen|stoßen* ⓢ; kollidieren; gegen ⁴et. stoßen* (prallen) ⓢ.

내부딪히다 getroffen (geschlagen; gestoßen) werden.

내분(內紛) der innere Zwist, -es, -e (Streit, -(e)s, -e); der Zwist (Streit) im Innern; die inneren Verwicklungen 《pl.》. ¶ 국민은 ～으로 시달리고 있다 Das Volk leidet durch den inneren Zwist.

내분비(內分泌) 〖생리〗 die innere Sekretion, -en (Absonderung, -en; Ausscheidung, -en); Endokrin n. -s. ¶ ～의 endokrin.

‖ ～선 die endokrine Drüse, -n. ～액 das innere Sekret, -(e)s, -e. ～장기 das endokrine Organ, -s, -e. ～학 Endokrinologie f.

내불다 ① 〖타동사〗 blasen*⁴; an|hauchen⁴. ¶ 입김을 ～ ⁴et. an|hauchen; in ⁴et. blasen* (hauchen) / 입김을 내불어 손을 녹이다 in die Finger hauchen, damit sie warm werden. ② 〖자동사〗 fort|blasen* (-|wehen); hinweg|blasen* (-|wehen). ¶ 바람이 바다쪽으로 ～ Der Wind bläst auf die See (zur Küste hin).

내빈(內賓) ① 《안손님》 Besucherin f. -nen. ② 《명부(命婦)》 die Hofdame od. Adlige, die am Hoffest teilnehmen darf.

내빈(來賓) Gast m. -es, ⸚e; Ehrengast m. (일반 입장자와 구별할 때); Besucher m. -s, -.

‖ ～명부 Gästebuch n. -(e)s, ⸚er. ～석 Plätze 《pl.》 für Gäste; Nur für Gäste (게시). ～실 Empfangszimmer n. -s, -.

내빼다 fliehen*ⓢ; entkommen*³ ⓢ; vor ³et. entfliehen*³ ⓢ (flüchten ⓢ); entlaufen*³ ⓢ; entwischen³ ⓢ; ⁴sich davon machen; auf und davon gehen*ⓢ; 《살짝》 ⁴sich drücken; ⁴sich aus dem Staub machen; 《애인을 피어》 durch|gehen*³; 《감옥·우리에서》 aus ³et. aus|brechen*. ¶ 이런 때는 내빼는 것이 장땡이다 Entwischen ist der beste Ausweg. / 그는 일하다 말고 살짝 내뺐다 Er hat sich von der Arbeit gedrückt. / 그의 아내가 그를 버리고 내뺐다 S-e Frau ist (ihm) durchgegangen (fortgelaufen).

내뻗다 ① 〖자동사·타동사〗 (⁴sich) heraus|-stellen; (⁴sich) aus|strecken. ② 《신장(伸張)》 aus|dehnen⁴; aus|weiten⁴; erweitern⁴. ¶ 등덩굴이 ～ Die Glyzinienranken strecken sich (weit) aus.

내뻗치다 (⁴sich) ergießen; (⁴sich) aus|spritzen; heraus|spritzen ⓢ; hervor|brechen* ⓢ; hervor|sprudeln ⓢ.

내뿜다 aus|stoßen*⁴ (연기 등을); in die Höhe (Luft) schleudern⁴ (분수가 물을); ab|lassen*⁴ (증기를); aus|strahlen⁴ (열, 빛을); aus|blasen*⁴. ¶ 증기를 ～ Dampf ab|lassen* / 담배 연기를 ～ den (Zigaretten)rauch aus|blasen* / 화산이 연기를 ～ Der Vulkan stößt Rauchwolken aus.

내사(內査) die geheime Nachspähung, -en. ～하다 ⁴sich im geheimen erkundigen 《nach³》; inoffiziel Erkundigungen 《pl.》 ein|ziehen*; nicht öffentlich zu ermitteln suchen⁴.

내상(內相) ① 《장관》 Innenminister m. -s, -; der Minister 《-s, -》 des Inneren. ② 《남의 부인》 Ihre (Seine) Frau Gemahlin.

내상(內喪) Trauerfall 《m. -s, ⸚e》 der Ehefrau; Todesfall der Ehefrau.

내색(—色) der Ausdruck 《-es, ⸚e》 des Gefühles. ～하다 sein Gefühl (s-e Gemütsbewegung) verraten*. ¶ ～도 아니하다 ³sich nicht das geringste anmerken lassen*; kein Sterbenswort (Sterbenswörtchen) sagen 《von³》; 〖우스개〗 in sieben Sprachen schweigen*.

내생(內生) 〖생물〗 Endogenie f. -n. ¶ ～적인 endogen; endotroph / ～적 기원 der endogene Ursprung.

‖ ～독소(毒素) Endotoxin n. -s, -e. ～아포(芽胞) die Endosporen 《pl.》.

내생(來生) 〖불교〗 das Leben 《-s, -》 nach dem Tode; Jenseits n. -; die zukünftige Welt. ¶ ～을 믿다 an ein Jenseits glauben.

내선(內線) 《배선의》 Innenleitung f. -en; 《전기의》 die innere Drahtleitung, -en; 《전화의》 die indirekte telephonische Verbindung, -en; Nebenanschluß m. ..schlusses, ..schlüsse; Hausanschluß (구내, 부국(部局) 내의). ¶ ～ 203번 부탁합니다 Bitte, geben Sie mir Apparat 203.

‖ ～번호 Apparat (Hausruf; Klappe)...〖이 다음에 번호가 붙는다〗. ～전화 mein Apparat m. -(e)s, -(전용); unser Apparat (부국 따위의 실내 공용); Klappe f. -n 《오스트리아》.

내성(內省) Innenschau f. -en; das Nachinnenschauen*, -s; Beschaulichkeit f.; Selbstbetrachtung f. -en. ～하다 nach innen schauen; beschauen 〖목적어 없이〗; ⁴sich selbst betrachten. ¶ ～적인 nach innen schauend (gerichtet); beschaulich; selbstbetrachtend.

내세(來世) Jenseits n. -; Leben 《n. -s, -》 nach dem Tode; das zukünftige Leben. ¶ ～(의 존재)를 믿다 an ein zukünftiges Leben glauben / ～의 명복을 빌다 jm. Segen im Jenseits wünschen / ～에서 만나다 jn. in jener Welt (in jenem Leben) wiedersehen wollen*.

내세우다 ① 《대표자를》 auf|stellen⁴; ernennen*⁴; wählen⁴; stellen⁴; 《지지》 unterstützen⁴; befürworten⁴. ¶ 대표자를 ～ e-n Vertreter stellen / 후보자를 ～ e-n Kandidaten auf|stellen.

② 《유리한 것을》 bestehen* 《auf⁴》; halten* 《auf⁴》. ¶ 자기 권리를 ～ auf sein Recht pochen (bestehen*) / 자기 주장만 ～ hartnäckig auf s-e Forderung bestehen* / 이유를 ～ s-e Gründe an|führen (an|geben) / 사실을 ～ die Tatsache beweisen* / 이의를 ～ e-n Einwand gegen ⁴et. erheben*; e-n Einwurf gegen ⁴et. machen (erheben*).

내셔널리스트 Nationalist m. -en, -en.

내셔널리즘 Nationalismus m. -, ..men. ☞ 민족주의.

내소박(內疏薄) die Mißhandlung 《-en》 (Verachtung; Geringschätzung; Geringachtung; Vernachlässigung; Trennung, -en) seitens der Ehefrau. ～하다 den Ehemann mißhandeln (gering|schätzen; gering|-achten; vernachlässigen; trennen). ¶ ～당하다 getrennt von der mißhandelnden Ehefrau leben.

내솟다 aus|spritzen; heraus|spritzen ⓢ; hervor|brechen* ⓢ; hervor|sprudeln ⓢ.

내수(內需) der einheimische Bedarf, -(e)s; der inländische Verbrauch, -(e)s (Konsum,

-s). ‖ ～산업 die Industrie für den einheimischen Bedarf.

내수(耐水) ☞ 방수(防水). ¶ ～의 wasserdicht / ～성 외투 wasserdichter Mantel, -s, ¨.

내수장(內修粧) Zimmerdekoration *f.* -en; Innendekoration *f.* -en. ～하다 ein Zimmer aus|schmücken (dekorieren; verschönern); das Hausinnere dekorieren.

내숭 Hinterlist *f.* -en; Hinterlistigkeit *f.* -en; (Heim)tücke *f.* -n; List *f.* -en; Listigkeit *f.* -en; Schlauheit *f.* -en; Verschlagenheit *f.* -en; Falschheit *f.* -en; Zweideutigkeit *f.* -en; Treulosigkeit *f.* -en; Bosheit *f.* -en; Bösartigkeit *f.* ～스럽다 hinterlistig; heimtückisch; ränkevoll, intrigant; durchtrieben; falsch; zweideutig; verräterisch (sein). ¶ ～한 사람 der heimtückische (verschlagene) Mensch; Schlange *f.* -n / ～스러운 웃음 das bösartige (falsche) Lachen.

내쉬다 aus|atmen[4]; aus|hauchen[4]. ¶ 숨을 ～ hauchen[4]; Luft (Atem) aus|hauchen.

내습(來襲) (der feindliche) Angriff, -(e)s, -e; Überfall *m.* -(e)s, ¨e (습격); Einfall *m.* -(e)s, ¨e; Streifzug *m.* -(e)s, ¨e; Invasion *f.* -en (침입); Bombenangriff *m.* -(e)s, -e(공습). ～하다 an|greifen*[4]; bombadieren[4](폭격); ein|fallen* ⓢ 《*in*[4]》; überfallen*[4]. ¶ 적의 ～에 대비하다 gegen den feindlichen Angriff Verteidigungsmaßregeln vor|sehen* (ergreifen*; treffen*).

내시(內示) das private Zeigen, -s; die inoffiziöse Ankünd(ig)ung, -en. ～하다 *jm.* [4]*et.* privatim ankündigen.

내시(內侍) Eunuch *m.* -en, -en; Haremwächter *m.* -s, -.

내신(內申) das inoffizielle Gutachten, -s; der inoffizielle Bericht, -(e)s, -e. ～하다 *jm.* inoffiziell berichten[4] 《*über*[4]》.

‖ ～서 《학교의》 Schulbericht *m.* -(e)s, -e.

내신(來信) Brief *m.* -(e)s, -e; das Schreiben*, -s; Nachricht *f.* -en 《이상 *aus*[3]; *von*[3]》 ※ 「내(來)」는 전치사나 동사로 표현한다. ¶ ～이 있다 [1]Schreiben 《*pl.*》 gehen (laufen) ein (도착하다); e-n Brief erhalten* (받다).

내실(內室) 《안방》 das Zimmer der Hausherrin; 《남의》 Ihre (Seine) Frau Gemahlin.

내심(內心) *js.* Inner(st)es*, ..ner(st)en; der geheimste (verborgenste) Gedanke(n), ..kens, ..ken. ¶ ～으로(는) im Inner(st)en; im Herzen; im stillen; für [4]sich / ～ 떨면서 innerlich zitternd; im Innern erschüttert/ ～ 걱정하다 innerlich (im Innern) besorgt (beunruhigt) sein; e-e geheime Sorge hegen 《*für*[4]》 / ～으로 기뻐하다 [4]sich im stillen freuen / ～으로 후회하다 [4]sich im Herzen bereuen / ～으로는 놀랐다 Ich wunderte mich im stillen darüber.

내앉다 [4]sich vor|drängen u. setzen; vor|treten* u. [4]sich setzen (nieder|kauern).

내앉히다 *jn.* vor|drängen u. setzen lassen; *jn.* vor|treten* u. setzen (nieder|kauern) lassen.

내압복(耐壓服) 《비행용》 ein besonderer Fliegeranzug, -(e)s, ¨e (beim Flug über 10 000 Meter).

내야(內野) das innere Spielfeld, -(e)s, -er (야구).

내약(內約) ein inoffizielles Abkommen*, -s; e-e nicht öffentliche Vereinbarung, -en. ～하다 ein inoffizielles Abkommen (-) (e-e nicht öffentliche Vereinbarung, -en) treffen*.

내역(內譯) Einzelposten 《*m.* -s, -》 einer Rechnung; Rechnungsposten *m.* ¶ ～을 밝히다 die einzelnen Posten einer Rechnung an|geben*; die Posten einzeln verzeichnen / 합계 15 만원, 그 ～은 다음과 같음 Die ganze Summe beläuft sich auf 150 000 *Won* und setzt sich aus folgenden Einzelposten zusammen.

‖ ～표 die Aufstellung aller Posten (einer Rechnung).

내연(內緣) die nicht ins Familienregister eingetragene Ehe, -n; die freie Ehe (야합). ¶ ～의 처 die nicht gesetzlich eingetragene (verheiratete) Frau, -en / ～의 부부가 되다 nicht gesetzlich Mann u. Frau werden; e-e nicht gesetzliche eingetragene Ehe schließen* / ～의 관계를 맺고 있다 in freier Ehe leben.

내연(內燃) die innere Verbrennung.

‖ ～기관 Verbrennungs|(kraft)maschine *f.* -n (-motor *m.* -s, -en).

내열(耐熱) Hitzebeständigkeit *f.* ¶ ～의 hitzebeständig.

‖ ～시험 Hitzebeständigkeitsprüfung *f.* -en. ～유리 das hitzebeständige Glas, -es.

내오다 heraus|bringen*[4] (-|schaffen[4]; -|tragen*[4]); hinaus|bringen*[4] (-|schaffen[4]). ¶ 의자를 뜰로 ～ einen Stuhl in den Garten hinaus|stellen / 불난데서 무엇을 ～ [4]*et.* aus dem Feuer retten.

내왕(來往) 《통행》 Verkehr *m.* -(e)s; das Kommen* 《-s》 u. Gehen* 《-s》; 《편지의》 Briefwechsel *m.* -s, -; Korrespondenz *f.* -en; 《교제》 Verkehr *m.* -(e)s; Umgang *m.* -(e)s, ¨e. ～하다 gehen* u. kommen*; verkehren; mit[3] verkehren; mit[3] Verkehr haben; mit[3] in Verkehr stehen*; mit[3] Umgang haben (pflegen); mit[3] um|gehen*; 《편지로》 mit[3] in Briefwechsel stehen; mit[3] korrespondieren. ¶ 차량의 ～ Wagenverkehr *m.* -(e)s / ～이 많은 거리 die Straße mit starkem Verkehr / 사람의 ～ Menschenverkehr *m.* -(e)s / ～이 많다 (적다) Der Verkehr ist stark (schwach). / 거리에 사람 ～이 많다 Auf der Straße herrscht starker (lebhafter) (Menschen)verkehr. / 열시(時)가 지나면 사람～이 매우 적다 Nach 10 Uhr nimmt der (Menschen)verkehr stark ab. / 지금도 우리는 서로 ～하곤 합니다 Auch jetzt noch sehen wir uns oft.

내외[1](內外) ① 《안과 밖》 das Innere* u. das Äußere*, des -n u. -n; die innere u. äußere Seite; die Innen- u. Außenseite. ¶ ～의 innen u. außen; drinnen u. draußen / ～ 서로 응하여 sowohl drinnen als auch draußen; ebenso im Innern wie im Äußern; nicht nur auf der inneren, sondern auch auf der äußeren Seite.

② 《국내외》 das Innere* u. das Auswärtige*, des -n u. -n; In- u. Ausland *n.* -(e)s. ¶ ～의 정세 die inneren u. auswärtigen Verhältnisse 《*pl.*》; die Situation 《-en》 im In- u. Ausland; der Stand 《-(e)s》 der Dinge sowohl im Inneren als auch im Auswärtigen / ～가 다사하다 sowohl im Inneren wie auch im Auswärtigen stark in Anspruch genommen sein; nicht nur inländisch, sondern auch auswärtig voll beschäftigt (beansprucht) sein.

③ 《대략》 etwa; gegen[4]; rund; (so) an die;

um⁴...(herum); ungefähr; zirka《생략: ca.》. ¶ 일주일 ~에 etwa in acht Tagen / 500원 ~ ca. 500 *Won*; rund 500 *Won* / 청중은 200명 ~였다 Da waren an die zweihundert Zuhörer versammelt.

④《부부》Mann《*m.* -(e)s, ⸚er》u. Frau《*f.* -en》; Ehepaar *n.* -(e)s, -e.

‖ ~간 die Beziehung zwischen Mann u. Frau. ~공격 der Angriff von innen u. außen. ~동포 die Landsleute im In- u. Auslande. ~분 Sie u. Ihre geehrte Frau. ~사정 die Verhältnisse《*pl.*》im In- u. Auslande. ~인 die Einheimischen u. die Fremden《*pl.*》. ~정책 die innere u. auswärtige Politik, -en.

내외²(內外)《남녀간의》das Scheuen der Frauen vor den unverwandten Männern aus Rücksicht auf die konfuzianistischen Sitten und Gebräuche; die Kontaktscheu zwischen Mann und Weib nach den konfuzianistischen Sitten u. Gebräuchen. ~하다 ⁴sich scheuen vor dem anderen Geschlecht.

내용(內用) ①《가용》die Hausausgaben《*pl.*》; Haushaltungsgeld *n.* -es, -er; Haushaltungs(un)kosten《*pl.*》. ②《내복》die innerliche Anwendung《-en》; der innerliche Gebrauch, -(e)s, ⸚e.

내용(內容) Inhalt *m.* -(e)s, -e; Gehalt *m.* -(e)s, -e; das Enthaltene*, -n; das Umschlossene*, -n; Substanz *f.* -en; Kern *m.* -(e)s, -e (핵심).

¶ ~이 빈약한 inhaltsleer; gehaltleer; arm an Inhalt (Gehalt); minderwertig / ~이 충실한 책 ein inhalt(s)schweres (inhaltvolles) Buch, -(e)s, ⸚er; die gediegene Lektüre, -n / 책의 ~ der Inhalt e-s Buches / 편지의 ~ der Inhalt e-s Briefes / 이야기의 ~ der Inhalt e-r Geschichte / 대화의 ~ der Inhalt e-s Gesprächs / 연극의 ~을 얘기하다 den Inhalt e-s Theaterstückes erzählen / ~적 inhaltlich / 이 영화의 ~은 부부 생활이다 Der Film hat die Darstellung e-r Ehe zum Inhalt. / 그 강연은 ~이 별로 없다 Der Vortrag《-(e)s, ⸚e》hat wenig Substanz. / ~과 형식 Inhalt u. Form / 이 소설은 ~은 좋지만 형식은 틀렸다 Inhaltlich ist der Roman gut, aber die Form befriedigt nicht.

‖ ~견본《책의》Probeseite *f.* -n. ~분석〖사회·심리〗die Analyse des Inhalts. ~증명 우편 die Postsache《-n》mit amtlich bescheinigtem Inhalt.

내용연수(耐用年數) Dauerjahr *n.* -es, -e.

내우(內憂) die inneren Unruhen《*pl.*》; die bedenkliche Gärung im Innern (e-s Landes).

‖ ~ 외환 die inneren Unruhen und die Bedrohungen von außen; der Gärungszustand《-(e)s, ⸚e》im Innern wie auch Berührung《*f.* -en》von außen: ~외환이 계속되다 Innere u. äußere Schwierigkeiten folgen aufeinander.

내원(來援) Hilfe *f.* ~하다 zur Hilfe kommen*³ ⓢ; Rettung bringen*³. ¶ ~을 청하다 um Hilfe (Rettung; Verstärkung) bitten*⁴.

내월(來月) der nächste (kommende) Monat, -(e)s, -e. ¶ ~의 오늘 heute im nächsten Monat (über vier Wochen) / 늦어도 ~중에는 spätestens bis Ende nächsten Monats / 아마 ~에 다시 만날 수 있겠지요 Vielleicht im nächsten Monat treffen wir uns wieder.

내유(來遊) Besuch *m.* -(e)s, -e. ~하다 besuchen⁴; zu Besuch kommen* ⓢ《*nach*³》. ¶ ~중인 B씨 Herr B, der sich als Reisender hier aufhält (der reisenderweise hier weilt).

¶ ~외인 der fremde Besuch, -(e)s, -e. ~자 Besucher *m.* -s, -;《관광객》Tourist *m.* -en, -en.

내응(內應) die heimliche Verbindung, -en《mit dem Feind(e)》; Verrat *m.* -(e)s. ~하다 mit ³sich ein|lassen*; verraten*; an *jm.* einen Verrat begehen*.

내의(內衣) ＝속옷.

내의(內意)《의중》Absicht *f.* -en;《견해》Privatmeinung *f.* -en; die persönliche Ansicht, -en. ¶ ~를 전하다 seine persönliche Meinung übermitteln / ~를 털어놓다 seine Absicht verraten*; *jm.* seine persönliche Ansicht an|vertrauen.

내의(來意) Besuchszweck *m.* -(e)s, -e. ¶ ~를 묻다(알리다) fragen (melden), in welcher Angelegenheit man gekommen ist (man kommt).

내이(內耳)〖의학〗das innere Ohr, -(e)s, -en.

‖ ~염 Entzündung《*f.* -en》des inneren Ohres.

내일(來日) morgen. ¶ ~ 아침 (저녁) morgen früh (morgen abend) / 오늘 할 수 있는 일을 ~로 미루지 말라 Morgen ist es zu spät. | Verschiebe nicht auf morgen, was du heute kannst besorgen!

내입(內入) ①《돈의》Anzahlung *f.* -en. ~하다 als ⁴Angeld zahlen⁴. ②《궁중에》die Lieferung der Waren in den Royalpalast. ~하다 die Waren in den Palast liefern.

‖ ~금 Angeld *n.* -(e)s, -er; Drauf|geld (Hand-) *n.* -(e)s, -er; Anzahlung *f.* -en.

내자(內子)《아내》m-e Frau.

내자(內資) Inlandkapital *n.* -s, -e (-ien); das innere Kapital; Landeskapital.

‖ ~동원 die Mobilisierung《-en》(Mobilisation, -en; Mobilmachung, -en) des Inlandkapitals.

내장(內粧·內裝)《내장 공사》Innendekoration *f.* -en; Zimmerdekoration *f.* -en; (Innen-)raumgestaltung *f.* -en; Einbau《*m.* -(e)s》der inneren Räume; Innenausbau *m.* -es.

내장(內障) ☞ 내장안(內障眼).

내장(內臟) die inneren Organe《*pl.*》; die Eingeweide《*pl.*》; die Gedärme《*pl.*》; Innerei *f.* (특히 식용이 되는 부분);〖요리〗Gekröse *n.* -s, -.

‖ ~병 die innere Krankheit, -en; die Krankheiten der inneren Organe. ~외과 die innere Chirurgie. ~학 Eingeweidelehre *f.* -n.

내장안(內障眼)〖의학〗Star *m.* -(e)s; der graue (schwarze) Star (백(흑)내장).

내재(內在)〖철학〗das Innewohnen*, -s; Immanenz *f.* ¶ ~적 innewohnend; immanent / ~적 원리 das immanente Prinzip, -s, -e (..pien) / ~적 진리 die immanente Wahrheit, -en.

‖ ~성 Immanenz *f.*

내적(內的) inner; innerlich;《유전의》(ver)erblich; vererbt;《고유의》wesentlich; innewohnend;《마음의》innerseelisch.

‖ ~가치 der innere Wert. ~생활 das Innenleben.

내전(內典) die buddhistischen Schriften《pl.》; die Sutras《pl.》.
내전(內殿) ①《왕비》Königin f. -nen. ②《안전》der innere Tempel, -s, -.
내전(內戰) der innere Krieg, -(e)s, -e.
내전(來電) Telegramm n. -s, -e《aus³; von³》;《외전》Kabel n. -s, -《aus³; von³》; Fernschreiben n. -s, - (텔레타이프). ¶ 베를린~에 의하면 nach e-m Kabel aus Berlin¦Ein Telegramm aus Berlin berichtet, daß ... ※「내(來)」는 전치사로 표현한다.
내전보살(內殿菩薩) Jemand, der sich nichts anmerken läßt; Jemand, der Unwissenheit (Gleichgültigkeit) vortäuscht.
내접(內接) 〖수학〗Einzeichnung f. -en. ~하다 inwendig berühren. ¶ ~시키다 〖수학〗ein|schreiben*⁴.
‖ ~다각형 das eingeschriebene Polygon (Vieleck). ~삼각형 das eingeschriebene Dreieck. ~원 der eingeschriebene Kreis.
내젓다《꼬리를》(mit dem Schwanz) wedeln;《머리를》den Kopf schütteln;《팔을》die Arme schwingen*. ¶ 손을 좌우로 ~ die Hand nach links und rechts bewegen.
내정(內定) die inoffizielle (nicht amtliche) Festlegung, -en (Festsetzung, -en). ~하다 inoffiziell (nicht amtlich) fest|legen⁴ (-|setzen⁴); inoffiziell (nicht amtlich) bestimmen⁴ (ernennen*⁴《zu³》). ¶ 그는 한국은행 총재로 ~되었다 Er wurde inoffiziell zum Präsidenten der Korea Bank ernannt.
내정(內政) Innenpolitik f.; die inneren (Staats)angelegenheiten《pl.》. ¶ 남의 나라 ~ 간섭을 하다 ⁴sich in die Innenpolitik (die inneren (Staats)angelegenheiten) e-s Landes ein|mischen (ein|mengen).
내정(內庭) ①《안뜰》Hof m. -(e)s, ¨e. ②《아낙》Wohnraum《m. -(e)s, ¨e》für die Frauen.
내정(內情) die inneren Verhältnisse《pl.》; die innere Lage, -n (Situation); der Stand《-(e)s》der Dinge im Innern; Privatverhältnisse《pl.》. ¶ ~에 밝다 um die inneren Verhältnisse wissen*; in der inneren Lage (Situation) gut unterrichtet sein; in den Stand der Dinge eingeweiht sein; mit den inneren Verhältnissen gut vertraut sein; reiche Kenntnisse von der inneren Lage (Situation) haben; ⁴sich in Privatverhältnissen aus|kennen* / ~에 밝은 사람 der Eingeweihte*, -n, -n / 그는 그 회사의 ~에 밝다 Er ist mit den Verhältnissen der Gesellschaft vertraut.
내조(乃祖) js. Großvater m. -s, ¨.
내조(內助) die treue Beihilfe《-n》(Mitarbeit, -en) der (Ehe)frau. ~하다 ihrem Mann (Ehemann) helfen* (getreu zur Seite stehen*). ¶ ~에 의하여 dank der treuen ³·²Beihilfe (³·²Mitarbeit) der (Ehe)frau; da jm. s-e (Ehe)frau getreu zur Seite gestanden hat.
내조(來朝) 《사신의》die Ankunft e-s ausländischen Abgesandten. ~하다 (ein ausländischer Abgesandter) in unserem Lande an|kommen* [s]; unser Land besuchen.
내종(內從) Vetter《m. -s, -n》od. Cousine《f. -n》von väterlicher Seite.
‖ ~사촌 =내종.
내주(來週) die nächste (kommende) Woche. ¶ ~에 nächste Woche; in der nächsten Woche / ~의 오늘 heute in acht Tagen (über acht Tage) / ~월요일에 am (nächsten) Montag / 내~의 오늘 heute in (über) zwei Wochen.
내주다 ①《금품을》aus|geben*³⁴; verteilen³⁴; aus|teilen³⁴. ¶ 급료는 내주었느냐 Ist der Lohn schon ausgezahlt? ②《길·자리 따위를》jm. Platz an|bieten*; Platz machen; den Weg (die Bahn) frei machen; aus dem Weg gehen* [s]. ¶ 자리를 ~ e-e Stelle frei machen (nieder|legen). ③《방·집·토지 따위를》räumen⁴; evakuieren⁴; aus|ziehen* [s]《aus³》. ¶ 집을 ~ aus e-m Hause aus|ziehen* [s]; das Haus verlassen*.
내주장(內主張) Frauen¦herrschaft (Weiber-) f. -en; 〖속어〗Pantoffelregiment n. -(e)s, -e (엄처시하). ~하다 Die Frau hat die Hosen an. ¶ 그 집안은 ~이다 Sie hat (hält) den Mann unter dem Pantoffel.¦Sie führt (schwingt) den Pantoffel.
내지(乃至) von³ ... bis⁴ (zu³); zwischen³;《또는》oder《생략: od.》; beziehungsweise《생략: bzw.》; alle .... ¶ 전차는 3분 ~ 5분 간격으로 운전한다 Die Bahn fährt alle 3 bzw. 5 Minuten.
내지(內地) Inland n. -(e)s; Binnenland n. -(e)s, ¨er; das Landinnere*, -n. ¶ ~의 inländisch; binnenländisch / 아프리카 ~에(서) im Innern Afrikas / 중국 ~로 여행하는 것은 위험하다 Das Reisen im Innern Chinas ist gefährlich.
내직(內職) Neben¦arbeit f. -en (-beruf m. -(e)s, -e; -beschäftigung f. -en; -betätigung f. -en; -tätigkeit f. -en); Zusatz¦arbeit (Schwarz-). ~하다 ⁴sich mit e-r Nebenarbeit (Zusatzarbeit) beschäftigen. ¶ ~으로 als Nebenarbeit / 그는 ~으로 담배 가게를 하고 있다 Er hält e-n Tabakladen als Nebenbeschäftigung.
내진(內診) Endoskopie f. -n [..píːən]; die innerliche Untersuchung, -en.
‖ ~경(鏡) Endoskop n. -s, -e.
내진(來診) ¶ ~을 청하다 nach dem Arzt schicken; den Arzt holen (rufen*).
내진(耐震) ¶ ~의 erdbeben¦sicher (-fest).
‖ ~건물 das gegen Erdbeben sichere Gebäude.
내쫓기다 ①《추방》(hinaus|)fliegen* [s]; abgebaut (hinausgejagt) werden; auf die Straße gesetzt (auf das Pflaster geworfen) werden. ¶ 집 밖으로 ~ aus dem Hause gejagt (geworfen; vertrieben) werden / 학교에서 ~ aus der Schule gewiesen (verwiesen; ausgestoßen) werden. ②《해고》abgedankt (entlassen*; fortgeschickt) werden; aus dem Dienste entlassen* (gejagt) werden. ¶ 그는 스트라이크의 주모자라는 명목으로 내쫓겼다 Er wurde mit der Begründung, daß er Urheber des Strikes sei, aus dem Dienste entlassen*.
내쫓다 ①《추방》hinaus|werfen* (-|schmeißen*⁴); weg|jagen⁴ (fort|-; hinaus|-) (od. -|treiben*⁴); aus|stoßen*⁴; verjagen⁴; vertreiben*; vor die Tür setzen⁴; (aus dem Besitz) vertreiben*⁴. ¶ 밖으로 ~ jn. hinaus|werfen* (-|schmeißen*); jn. vor die Tür setzen; jm. die Tür weisen* / 학생을 학교에서 ~ den Schüler aus der Schule weisen* (verweisen*; aus|stoßen*) / 도둑을 집 밖으로 내쫓았다 Er jagte den Dieb aus dem Haus. / 내 말을 듣지 않으면 내쫓겠다

Wenn du mir gehorchst, werde ich dich hinaus|werfen*. / 저런 녀석은 내쫓아라 Fort mit ihm!¦Hinaus ('Raus) mit ihm!¦Wirft ihn hinaus! ② 《해고》 ab|danken (-|setzen)[4]; fort|schicken[4]; hinaus|werfen*[4]; verstoßen*[4]; (aus dem Dienste) entlassen*. ¶ 하인을 ~ den Diener entlassen* (hinaus|werfen*) / 마누라를 ~ die Frau verstoßen* / 사원을 ~ den Angestellten* der Firma (aus dem Dienste) entlassen* / 관리를 ~ den Beamten* aus dem Dienste entlassen*.

내차다 heftig (mit dem Fuße) stoßen*.

내착(來着) Ankunft *f.* ⸚e; das Eintreffen*, -s. ~하다 in [3]an|kommen* (s); in [3]ein|treffen* (s).

내찰(內札) Briefe 《*pl.*》 zwischen Frauen.

내채(內債) Inlandanleihe *f.* -n. ¶ ~를 발행하다 e-e Inlandanleihe machen (auf|nehmen*) 《*bei*[3]》.

내처 ¶ ~하다 fort|setzen[4] (-|führen[4]) / ~ 울다 durch|weinen / 근무를 ~ 하다 fort|dienen / 장사를 ~ 하다 ein Geschäft fort|führen / 이야기를 ~ 하다 in der Rede fort|fahren / 아침부터 ~ 일하다 vom Morgen an ohne Pause arbeiten / 나는 ~ 서있어야만 했다 Ich mußte die ganze Zeit stehen. / 나는 ~ 그렇게 생각해 왔다 Ich dachte so seit jeher. / 눈은 며칠간 ~ 내렸다 Es schneite seit einigen Tagen ununterbrochen. / 그들은 그를 ~ 데리고 다녔다 Sie führten ihn mit sich fort.

내청(來聽) ~하다 besuchen[4]; teil|nehmen* 《*an*[3]》; zu|hören[3]; anwesend sein 《*bei*[3]》; dabei sein. ¶ 틈이 나면 ~해 주십시요 Erfreuen Sie mich mit e-m Besuche, wenn Sie frei sind (Zeit habe).

‖ ~자 Zuhörer *m.* -s, -; Teilnehmer *m.* -s, -; Besucher *m.* -s, -; 《전체로》 Zuhörerschaft *f.* -en; Publikum *n.* -s: ~자는 완전히 감동되었다 Die Zuhörer waren einfach mitgerissen (entzückt). / ~자가 많았다 Es war eine große Anzahl von Besuchern (da). / 강연회에는 다수의 ~자가 있었다 Der Vortrag war sehr stark besucht.

내추(來秋) der nächste (kommende) Herbst, -(e)s, -e.

내추럴리스트 Naturalist *m.* -en, -en.

내추럴리즘 Naturalismus *m.* -.

내춘(來春) der nächste (kommende) Frühling, -s, -e.

내출혈(內出血) die innere Blutung, -en; die interne Hämorrhagie, -n [..gí:ən].

내치(內治) ① 《병의》 Behandlung mit dem innerlichen Mittel (der Arznei). ~하다 mit dem innerlichen Mittel (der Arznei) behandeln[4] (heilen[4]; kurieren[4]).
② 《정치》 die innere Verwaltung, -en (Administration, -en; Politik); Innenpolitik *f.*

내치다 ① 《버리다》 ([4]*et.* als unbrauchbar) weg|werfen*; schleudern[4]; im Stich lassen*[4]. ② 《쫓다》 fort|treiben* (-|jagen); hinaus|treiben* (-|jagen); weg|treiben* (-|jagen).

내치락들이치락하다 ① 《마음이》 grillenhaft (launenhaft; wetterwendisch; launisch; wunderlich; veränderlich; unbeständig; wankelmütig) sein. ¶ 내치락들이치락하니 그 사람 마음은 종잡을 수가 없다 Er ist immer so wankelmütig, daß man seine innersten Gedanken nie lesen kann. ② 《병세가》 schwankend (unbeständig; veränderlich; wandelbar) sein; einmal besser, einmal schlimmer sein; ¶ 병이 내치락들이치락해서 좀처럼 낫지 않는다 Die Krankheit scheint sich überhaupt nicht zu bessern; man hat Rückfalle von Zeit zu Zeit.

내친걸음 die bisherigen Verhältnisse 《*pl.*》. ¶ ~이라 어쩔 수 없이 unter dem Zwang der (bisherigen) Verhältnisse; weil das Rad der Entwicklung nicht mehr zurückgedreht werden kann; weil wir es gegeben hinnehmen muß / ~이니 하지 않을 수 없지 않은가 Du hast A gesagt, nun muß du auch B sagen. / 이미 ~이니 이제 와서 어찌 하랴 „Wer A sagt, muß auch B sagen."¦„Wenn schon, denn schon."

내침(內寢) Beischlaf *m.* -(e)s. ~하다 mit seiner Frau zusammen|schlafen*; seiner Frau bei|schlafen*; seine Frau beschlafen*.

내켜놓다 vorwärts schieben*[4]; vor|drängen; vor|stoßen*[4].

내키다[1] 《마음이》 Interesse (Anteilnahme) haben 《*an*[3]; *für*[4]》; [4]sich interessieren 《*für*[4]》; Lust (Neigung) haben 《*zu*[3]》. ¶ 마음이 내키면 wenn es *jn.* überkommt; wenn jemand in der Stimmung ist / 네 마음이 내키는 대로 ganz wie du Lust hast; nach deines Herzenslust / 내키지 않는 마음으로 ohne Lust; mit [3]Widerwillen; ungern / 그것은 마음이 내키지 않는 일이다 Das ist ohne Interesse für mich. / 마음이 썩 ~ [4]sich sehr interessieren 《*für*[4]》; [4]sich begeistern 《*zu*[3]》; reges Interesse zeigen 《*für*[4]》; begierig (erpicht) sein 《*auf*[4]》 / 그런 마음이 내킵니다마는 Ich hätte ein Lüstchen dazu. / 마음이 내키지 않다 kein Interesse (k-e Anteilnahme) haben 《*an*[3]; *für*[4]》; sich nicht interessieren 《*für*[4]》; k-e (rechte) Lust haben 《*zu*[3]》 / 별로 마음이 내키지 않았다 Ich war nicht besonders der Sache (davon) begeistert. / 전연 마음이 내키지 않습니다 Dazu bin ich gar nicht aufgeregt. / 오늘은 편지를 쓸 마음이 내키지 않는다 Heute habe ich k-e Lust, einen Brief zu schreiben. / 아직 식사할 마음이 내키지 않는다 Ich habe noch k-e Lust zum Essen.

내키다[2] 《마음을》 interessieren[4] 《*für*[4]》; Interesse nehmen* (erregen; zeigen) 《*an*[3]; *für*[4]》; Lust bekommen* (machen) 《*zu*[3]》. ¶ 마음을 내켜 (일)하다 mit Lust u. Liebe an e-r Sache sein; mit großer Lust arbeiten; mit großen (wachsenden) Interessen an [3]*et.* arbeiten / 그는 그 일에 마음 내켜하지 않았다 Er hat kein Interesse dafür gezeigt. / 나는 마음 내켜 그 기사를 읽었다 Ich habe den Artikel mit großem Interesse gelesen. / 그는 돈 이야기만 하면 당장 마음 내켜한다 Er spitzt die Ohren, wenn es sich um Geld handelt.

내탄(耐彈) Kugelsicherheit *f.*; Kugelfestigkeit *f.* -en.

내탐(內探) das geheime Forschen, -s; die geheime Erforschung, -en; die heimliche Nachsuchung, -en. ~하다 heimlich nach|suchen; insgeheim forschen; privatim erforschen; [4]sich im geheimen erkundigen 《*nach*[3]》; inoffiziell Erkundigungen 《*pl.*》 ein|ziehen*; nicht öffentlich zu ermitteln suchen[4].

내탕(內帑) die kaiserliche Privat¦schatulle,

-n (-kasse, -n).

내탕금(內帑金) die königliche Schatulle, -n; die königlichen Schatullengelder ⟪*pl.*⟫.

내통(內通) ① ⟪내응⟫ geheime Verbindungen (Beziehungen; Konnexionen) ⟪*pl.*⟫ mit dem Feinde; Geheimbund *m.* ⟪-(e)s, ⸚e⟫ mit dem Feinde. ～하다 in geheimer Verbindung (Beziehung; Konnexion) mit dem Feinde stehen*; e-n Geheimbund mit dem Feinde geschlossen haben. ② ⟪남녀의⟫ der heimliche (unerlaubte) geschlechtliche Verkehr, -(e)s; die Hurerei (비천한 말); der Ehebruch, -(e)s, ⸚e. ～하다 in heimlichen (unerlaubten) geschlechtlichen Verkehr treten* ⟪*mit*[3]⟫; huren ⟪*mit*[3]⟫ (비천한 말); Ehebruch treiben* (begehen*) ⟪*mit*[3]⟫.
‖ ～자 der Ehebrecher, -s, -.

내팽개치다 ① ⟪버림⟫ weg|werfen*[4]; weg|schmeißen*[4]; *jn.* im Stich lassen*(포기); auf|geben*[4] (경기 따위를). ② ⟪방임⟫ vernachlässigen[4]; hintan|setzen (-|stellen[4]).

내평(內一) die innere Beschaffenheit ⟪-en⟫ der Umstände; die inneren Verhältnisse ⟪*pl.*⟫; die heimlichen Tatumstände ⟪*pl.*⟫.

내포(內包) 〖논리〗 Begriffsinhalt *m.* -(e)s, -e. ～하다 enthalten*[4]; umfassen[4]; in [4]sich schließen*[4]; mit ein|begreifen*[4]. ¶ 무엇 속에 ～되어 있다 in [3]*et.* enthalten sein / 이 길은 다분히 위험을 ～하고 있다 Dieser Weg schließt viele Gefahren in sich. / 이 글에는 우리의 문제가 모두 ～되어 있다 In diesem Satz sind alle unsere Probleme enthalten.

내풀로 freiwillig; aus freiem Willen; beliebig; nach [3]Belieben ((eigener) Willkür).

내피(內皮) Innenhaut *f.* ⸚e; ⟪혈관의⟫ Endothelium *n.* -s, ..lien; ⟪과일의⟫ Endokarp *n.* -(e)s, -e; ⟪식물의⟫ Endodermis *f.*

내핍(耐乏) Entbehrung *f.* -en. ～하다 entbehren[4] müssen*; die Dürftigkeit (die Armut) ertragen*[4] (erdulden[4]). ¶ 심한 ～의 괴로움을 받다 schwere Entbehrung leiden*[4].
‖ ～생활 ein entbehrungsreiches Leben; ein hartes Leben: ～생활을 하다 ein entbehrungsreiches Leben führen; große Entbehrung ertragen*; viel entbehren müssen*; ein hartes Leben haben.

내한(耐寒) Abhärtung ⟪*f.* -en⟫ gegen die Kälte; die Kältebeständigkeit, -en. ～하다 [4]sich gegen die Kälte abhärten. ¶ ～(성)의 kältefest; kältebeständig.
‖ ～비행 ein Flug zur Abhärtung gegen die Kälte. ～식물 e-e kältefeste (abgehärtete) Pflanze. ～행군 ein Marsch, um die Abhärtung gegen die Kälte zu prüfen. ～훈련 Abhärtung gegen die Kälte.

내항(內港) Innenhafen *m.* -s, ⸚; Binnenhafen *m.* -s, ⸚.

내항(內項) 〖수학〗 die inneren Glieder ⟪*pl.*⟫ (einer Proportion).

내항(內航) Küstenschiffahrt *f.* -en.
‖ ～로 der Kurs ⟪*m.* -es, -e⟫ der Küstenschiffahrt; die Linie ⟪*f.* -n⟫ der Küstenschiffahrt; die inländische Schiffahrtslinie, -n. ～선(船) Küstenfahrer *m.* -s, -.

내항(來航) die Ankunft zu Schiffe vom Ausland. ～하다 zu See (mit dem Schiff) nach Korea kommen* ⓢ. ¶ 독일 함대의 ～ Korea-Besuch ⟪*m.* -(e)s, -e⟫ der deutschen Flotte.

내항성(耐航性) ① ⟪선박의⟫ Seetüchtigkeit *f.* ② ⟪비행기의⟫ Lufttüchtigkeit *f.* ¶ ～ 있는 seetüchtig (배가); lufttüchtig (비행기가).

내해(內海) Binnen|meer *n.* -(e)s, -e (-see *f.* -n); Binnensee *f.* -n; Mittelmeer *n.*

내행(內行) ⟪여행⟫ die Reise einer Frau; ⟪행실⟫ das Betragen (Benehmen) einer Ehefrau; die Sittsamkeit einer Frau.

내향성(內向性) 〖심리〗 Nachinnengerichtetsein *n.* -s. ¶ ～의 nach innen gerichtet; in [4]sich (einwärts) gekehrt / ～인 사람 der auf das Innenleben gestellte Mensch.

내홍(內訌) der innere Zwist, -es, -e (Streit, -(e)s, -e); der Zwist (Streit) im Innern.

내화(內貨) das inländische Geld, -(e)s, -er; die inländische Währung *f.* -en.

내화(耐火) ～하다 feuer|fest (-sicher; -beständig) sein; flammsicher sein.
‖ ～가옥 ein feuerfestes Haus, -es, ⸚er. ～금고 der feuersichere Geldschrank, -(e)s, ⸚e. ～도(度) die Feuerfestigkeit, -en. ～벽돌 der feuerfeste Ziegel, -s, -; der feuerfeste Stein, -(e)s, -e. ～성(性) die Feuerfestigkeit, -en. ～유리 das feuerfeste Glas, -es, ⸚er. ～재(材) die feuerfesten Materialien ⟪*pl.*⟫. ～점토 der feuerfeste Ton, -(e)s, -e; der feuerfeste Lehm, -(e)s, -e.

내환(內患) ⟪병⟫ die Krankheit einer Ehefrau; ⟪내우⟫ die innere Sorge *f.* -n; die innere Unruhe *f.* -n.
‖ 외우～ äußere und innere Schwierigkeiten ⟪*pl.*⟫; allerlei Schwierigkeiten zu Hause und auswärts.

내후년(來後年) das übernächste Jahr, -(e)s.

내흉(內凶) ☞ 내숭

냄새 ⟪일반적⟫ Geruch *m.* -(e)s, ⸚e; ⟪방향⟫ Duft *m.* -(e)s, ⸚e; Aroma *n.* -s, -s; Wohlgeruch *m.* -(e)s, ⸚e; Odeur [odø:r] *n.* -s, -s (-e); ⟪악취⟫ Gestank *m.* -(e)s; der üble Geruch, -(e)s, ⸚e. ～나다 riechen* ⟪*nach*[3]⟫; duften ⟪*nach*[3]⟫; e-n Geruch haben; ⟪썩어서⟫ faul (moderig; muffig; verdorben; verfault) riechen. ¶ ～ 없는 geruchlos; duftlos; frei von [3]Geruch / ～가 좋은 wohlriechend; duftend; duftig; aromatisch / ～가 고약한 übelriechend; stinkend; pestilenzialisch / 좋은 ～ der gute (angenehme; feine) Geruch / 맛있는 ～ der gute (würzige; appetitanregende) Geruch / 나쁜 ～ der schlechte (widrige; ekelhafte; stinkende; unangenehme; widerliche) Geruch / ～를 맡다 riechen*[4] ⟪*an*[3]⟫; beriechen*[4]; wittern ⟪*nach*[3]⟫(사냥에서); schnüffeln ⟪*nach*[3]⟫ (개 따위가 코를 킁킁거리며) / ～를 맡고 자귀 짚다 ⟪사냥에서⟫ auf die Fährte kommen; ⟪낌새를 채다⟫ riechen*[4] ⟪*nach*[3]⟫; aus|spüren[4]; wittern ⟪*nach*[4]⟫; schnüffeln ⟪*nach*[3]⟫ / ～를 피우다 riechen; duften; durch|duften; e-n Geruch von [3]sich geben*; e-n Geruch verbreiten / 담배 (커피) ～가 나다 nach Zigaretten (Kaffee) riechen / 비린 ～가 (생선 ～가) 나다 nach Fisch riechen / 향수 ～가 나다 nach Parfüm riechen / 좋은 ～가 나다 wohl riechen; gut (köstlich) riechen; wohlriechend sein; duftend sein; duften / 나쁜 ～가 나다 schlecht (übel) riechen; e-n schlechten Geruch haben; übelriechend sein; stinken / 썩은 ～가 나다 faul (moderig; muffig; verfault) riechen / 향기로운 ～가 나다 duftend (duftig; duftreich) sein; balsamisch (aromatisch; parfümiert) sein; lieblich (süß) duften; köstlich riechen; durch|duften / 생선이 ～가 나다 Der Fisch riecht (faul od. schlecht). / ~가 풍기다 riechen; duften; durchduften[4]; parfümieren[4]; e-n Geruch verbreiten[4]; ein [1]Geruch erfüllt die [4]Luft; ein [1]Geruch strömt von [3]*et.* aus; ein [1]Geruch schlägt *jm.* entgegen / 마늘 (기름) ~가 나다 nach Knoblauch (Öl) riechen / 코를 찌르는 (독한) ~가 나다 scharf (stark) riechen / 타는(눋는) ~가 나다 brenzlich (brandig; wie abgebrannt) riechen / 술 ~가 나다 nach Alkohol riechen / 땀 ~가 나다 nach Schweiß riechen / ~가 배다 [4]sich durchduften; [4]sich durchräuchern / ~를 빼다 e-n Geruch entfernen[4]; [4]*et.* von e-m [3]Geruch befreien / ~를 잃다 e-n Geruch verlieren*[4] / 좋은 ~가 나게 하다 parfümieren[4]; aromatisieren[4]; wohlriechend machen[4] / 꽃 ~가 향긋하다 (herrlich) nach Blumen duften / 이 꽃 ~를 맡아 보십시오 Riechen Sie mal an dieser Blume! / 얼마나 좋은 ~인가 Was für ein herrlicher Geruch! / 꽃 ~가 온통 풍긴다 Der Duft der Blumen erfüllt die Luft. / 박하 ~가 풍겨 왔다 Ein starker Geruch von Pfefferminze schlug mir entgegen. / 가스 ~가 나지 않습니까 Riecht es nicht nach Gas? / 부엌에는 양념 ~가 난다 Es riecht nach Würze in der Küche. / 치즈는 ~만 맡아도 싫다는 사람이 많다 Manche können selbst den Geruch von Käse nicht ertragen. / 코감기에 걸려서 ~를 모르겠다 Ich habe den Schnupfen u. kann nichts riechen. / 이 근방에서는 유황 ~가 난다《온천 등지에서》 Die Luft hier stinkt nach Schwefel.

냅다[1] 《연기가》 stechend; beißend (sein). ¶ 연기가 (눈에) ~ Der Rauch sticht (beißt) (in die Augen). / 아이 내워(라) Oh, wie rauchig!

냅다[2] 《세차게》 heftig; gewaltig; scharf; hart; stark; kräftig. ¶ ~ 달아나다 wie rasend fort|laufen* ⓢ; davon sausen ⓢ / ~ 메치다 heftig nieder|werfen* / ~ 차다 gewaltig (hart) stoßen* (treten*).

냅뜨다 vor allen andern wagemutig hervor|treten* ⓢ; [4]sich vor andern keck aus|zeichnen.

냅킨 Serviette [zɛrviέtə] *f.* -n; Mundtuch *n.* -(e)s, ⸗er; Teller¦tuch *n.* -(e)s, ⸗er.

냇가 (Fluß)ufer *n.* -s, -. ¶ ~의 집 ein Haus 《*n.* -es, ⸗er》 am Flusse.

냇내 der Geruch 《-(e)s, ⸗e》 des Rauch(e)s.

냇물 Fluß¦wasser (Strom-) *n.* -s, -.

냉(冷) ① 《배의》 der Magen 《-s, -》, empfindlich gegen Kälte; ein kälte empfindlicher Magen. ② 《몸의》 die Empfindlichkeit gegen Kälte.

냉-(冷) kalt; eisgekühlt; Eis-; kühl. ¶ 냉맥주 eisgekühltes Bier, -(e)s, -e / 냉사이다 kalte (eisgekühlte) Brause (Limonade), -n / 냉코피 Eiskaffee *m.* -s, -s 〘*pl.*은 종류〙.

냉가슴(冷—) heimliches (geheimes) Leiden*, -s; heimlicher (innerlicher) Schmerz, -es, -en; unaussprechliche Qual, -en.

냉각(冷却) Abkühlung *f.* -en; Kühlung *f.* -en. **~하다** (ab|)kühlen[4]; aus|kühlen[4] (충분히); durch|kühlen* (완전하게); 《식다》 [4]sich aus|kühlen; kühl werden.

‖ **~기**(器) Abkühler *m.* -s, -; Kühlanlage *f.* -n; Kühler *m.* -s (자동차의). **~기**(간) Abkühlungspause *f.* -n. **~장치** Kühlapparat *m.* -(e)s, -e; Abkühlapparat *m.* -(e)s, -e; (Ab)kühler *m.* -s, -. **~제**(劑) Kühlmittel *n.* -s, -; Kühlungsmittel *n.* -s, -. 공기~ 발동기 Luftkühlmotor *m.* -s, ..toren.

냉각(冷覺) Sinnes¦wahrnehmung (-empfindung) 《*f.* -en》 für Kälte.

냉간압연공장(冷間壓延工場) Kaltwalzen-Bandwalzwerk *n.* -(e)s, -e.

냉갈령 Kaltherzigkeit; Gleichgültigkeit *f.* ¶ ~부리다 kaltherzig (gleichgültig) sein.

냉과리 halb-gebrannte Holzkohle, -n.

냉국(冷—) kalte Suppe, -n.

냉기(冷氣) Kälte *f.*; Kühle *f.*; das Frösteln*, -s. ¶ ~를 느끼다 Es ist mir kalt. / ~가 돈다 Es wird (allmählich) kühl.

냉난방장치(冷暖房裝置) Klimaanlage *f.* -n. ¶ ~가 있다 mit Klimaanlage versehen sein; klimatisiert sein.

냉담(冷淡) Kühle *f.*; Gefühlslosigkeit *f.*; Kälte *f.*; Kaltblütigkeit *f.*; Kaltherzigkeit *f.*; Kaltsinn *m.* -(e)s; 《무관심》 Gleichgültigkeit *f.*; Teilnahmslosigkeit *f.* **~하다** kühl; kalt; gefühllos; gefühlskalt (sein); 《냉혈의》 fischblutig (sein); 《무관심》 gleichgültig; teilnahmslos (sein). ¶ ~하게 kalt; kaltblütig; kühl; kaltherzig; kaltsinnig; eisig; gleichgültig; teilnahmslos; lau; apathisch; phlegmatisch / ~한 대답 die kalte Antwort / ~한 태도 die gleichgültige Haltung / ~한 대접 die kalte (unfreundliche) Behandlung (Bewirtung) / ~한 인간 der kaltherzige Mensch / ~해지다 kühl (gefühllos; (gefühls)kalt) werden; fischblutig werden; gleichgültig (teilnahmslos) werden / ~한 태도를 취하다 e-e kalte (gefühllose; gleichgültige) Haltung einnehmen; *jm.* die kalte Schulter zeigen / ~하게 대하다 kalt (kühl) behandeln[4]; hart umgehen 《mit *jm.*》; kalt bewirten[4] / 그는 일에 ~하다 Er ist gleichgültig gegen s-e Arbeit. / 내 부탁에 그는 ~했었다 Er blieb kalt bei m-r Bitte.

냉대(冷待) die schlechte Behandlung, -en; Ungastlichkeit *f.* **~하다** schlecht (unwürdig) behandeln[4]; *jm.* ungastlich (nicht gastfreundlich) sein; *jm.* die kalte Schulter zeigen; *jn.* über die Achsel an|sehen. ¶ ~받다 schlecht behandelt werden; nicht freundlich aufgenommen werden; e-e kühle Aufnahme finden* / 이런 ~는 감수할 수 없다 Solch e-e schlechte Behandlung kann ich mir nicht gefallen lassen.

냉동(冷凍) Kühl(halt)ung *f.* -en; Tiefkühlung *f.* -en. **~하다** kühlen[4]; ab|kühlen[4]; gefrieren*[4] (동결).

‖ **~건조** Gefriertrocknung *f.* -en. **~기**, **~장치** Kältemaschine *f.* -n; (Tief)kühlapparat *m.* -(e)s, -e; Gefrieranlage *f.* -n. **~선** Kühlschiff *n.* -(e)s, -e. **~식품** Gefrierwaren 《*pl.*》; Gefrierkonserve *f.* -n. **~실** Kühlraum *m.* -(e)s, ⸗e. **~야채** gefrorenes Gemüse *n.* -s, -. **~어** Gefrierfisch *m.* -es, -e. **~육**(肉) Gefrierfleisch *n.* -es. **~제**(劑) Gefrierschutzmittel *n.* -s, -. **~함**(函) Gefrierschrank *m.* -(e)s, ⸗e. **급속~** Schnellgefrierverfahren *n.* -s.

냉랭하다(冷冷—) kühl; kalt; frostig; eisig (sein); 《냉정》 kühl; kalt; kaltblütig; gelassen) (sein). ¶ 냉랭한 분위기 e-e frostige Atmosphäre.

냉면(冷麵) die kalt zubereitete Fadennudeln 《*pl.*》; kalte Topfnudeln.

냉방(冷房) das kalte Zimmer *n.* -s, -; 《온도 조절》 Klimaanlage *f.* -n.
‖ ~장치 Klimaanlage *f.* -n; Klimatisierung *f.* -en: 그 극장은 ~ 장치가 되어 있다 Das Kino hat (e-e) Klimaanlage.

냉소(冷笑) das höhnische Lächeln*, -s; das Hohnlachen*, -s; 《조소》 der Hohn, -(e)s; die Höhnerei, -en; die Verhöhnung, -en; 《경멸》 der Spott, -(e)s; die Spötterei, -en. **~하다** höhnisch lächeln; hohnlachen 〔과거형: hohnlachte *od.* lachte hohn, 과거분사: hohngelacht〕 《*über*[4]》; *jm.* höhnisch aus|lachen; verlachen[4]. ¶ ~적 kaltlächelnd; hohnlächelnd / 그는 ~하는 듯한 표정으로 우리를 바라보았다 Mit hohnlächelnder Miene sah er uns an. / 청중의 하나가 ~를 띠고 「옳소 옳소」 하며 소리질렀다 E-r der Zuhörer rief höhnisch „hört! hört!"

냉수(冷水) das kalte Wasser, -s. ¶ ~를 끼얹다 *jm.* mit kaltem Wasser begießen* / ~ 한 잔 주시오 Geben Sie mir ein Glas kalten Wassers!
‖ ~마찰 kalte Abreibung, -en: ~마찰하다 [4]sich kalt ab|reiben*; den Körper mit e-m kalten Tuch ab|reiben*. **~욕** das kalte Bad, -(e)s; das Baden 《-s》 im kalten Wasser; das kalte Duschbad, -(e)s; die kalte Dusche, -n: ~욕하다 kalt baden 〔duschen〕; e-e kalte Dusche nehmen*.

냉습(冷濕) ① kühle Feuchtigkeit, -en; das Kühl-und-feucht-Sein*. **~하다** kühl u. feucht (sein). ② 〖한의학〗 die Krankheit 《-en》, deren Ursache auf Kühle u. Feuchtigkeit beruht; Rheumatismus *m.* -, ..men.

냉안시하다(冷眼視—) mit e-m kalten Blick (an)sehen*.

냉엄하다(冷嚴—) hart; unerbittlich; unnachgiebig; streng; ernst (sein). ¶ 냉엄한 사실(事實) die unerbittliche 〔unleugbare〕 Tatsache, -n.

냉연하다(冷然—) kühl; kalt (wie e-e Hundeschnauze) (sein). ¶ 냉연히 kühl; kalt; gefühllos; kaltblütig; gleichgültig; teilnahmslos.

냉온(冷溫) Kälte u. Wärme *f.*

냉우(冷遇) =냉대(冷待).

냉육(冷肉) (der kalte) Aufschnitt, -(e)s, -e.

냉이 〖식물〗 Hirtentäschelkraut *n.* -(e)s, ⸗er.

냉장(冷藏) Kühlhaltung *f.* -n; das Lagern 《-s》 auf Eis; das Aufbewahren 《-s》 in Eis; die Kühlung, -en. **~하다** kühlen[4]; kühl halten*[4]; kalt stellen[4]; auf Eis legen[4]. ¶ 이 상자는 ~용으로 좋다 Dieser Schrank ist für Kühlzwecke geeignet.
‖ ~고 Kühl¦schrank 〔Eis-〕 *m.* -(e)s, ⸗e: 전기 ~고 der elektrische Kühlschrank. **~공업** Kühlindustrie *f.* -n. **~공장** Kühlanlage *f.* -n. **~실(室)** Kühlraum *m.* -(e)s, ⸗e; Abkühlungsraum; Kühlhalle *f.* -n; Abkühlungszimmer *n.* -s, -. **~장치** Kühlanlage *f.* -n. **~차** Kühlwagen *m.* -s, -; der Transportwagen mit Kühlvorrichtung.

냉전(冷戰) ein kalter Krieg, -(e)s, -e.

냉정(冷靜) Gemütsruhe *f.*; Fassung *f.* -en; Gefaßtheit *f.*; Gelassenheit *f.*; Geistesruhe *f.* -en; Geistesgegenwart *f.*; Gesetztheit *f.*; Kaltblütigkeit *f.* **~하다** ruhig; beherrscht; gefaßt; gelassen; gesetzt; kaltblütig (sein); 《무관심》 leidenschaftlos; teilnahmslos; gleichgültig (sein). ¶ ~히 ruhig; beherrscht; gefaßt; gelassen; gesetzt; kaltblütig; kühl; leidenschaftslos; teilnahmslos; gleichgültig; in aller Ruhe; mit Ruhe; mit Geistesgegenwart / ~한 사람 der kühle 〔kaltblütige〕 Mensch / ~한 판단 das ruhige Urteil / ~을 잃다 den Kopf verlieren*; aus der Fassung kommen* Ⓢ; außer [3]sich geraten* Ⓢ; die Geistesgegenwart verlieren*; nervös werden / ~을 잃지 않다 beherrscht 〔gefaßt; gesetzt; gelassen〕 sein; e-n kühlen Kopf behalten*; (die) Fassung 〔ruhig(es) Blut〕 bewahren; die Geistesgegenwart 〔die Ruhe〕 behalten*; bei kaltem Blute bleiben* / …을 ~하게 생각하다 [4]sich 〔[4]*et.*〕 in aller Ruhe überlegen; ruhig (nach|)denken* 〔überlegen〕 / 그렇게 흥분하지 말고 좀 ~해져라 Sei nicht so hitzig, bleibe ruhig! / ~하게 생각하니 그렇지가 않은 것 같다 Bei ruhiger Überlegung sieht das anders aus.

냉차(冷茶) eisgekühlter Tee, -s, -s.

냉천(冷泉) Kaltwasserbrunnen *m.* -s, -.

냉철하다(冷徹—) besonnen; nüchtern (sein).

냉큼 schnell; hurtig; rasch; geschwind; flink; 《즉시》 sofort; sogleich; in Eile. ¶ 일을 ~ 끝내다 die Arbeit schnell ab|machen / ~ 방을 나가다 aus dem Zimmer hinaus|eilen / ~ 나가라 Gleich weg mit dir! ¦Geh' gleich fort! / ~ 꺼져 버려 Geh' zum Teufel! / 나는 소식을 듣자 ~ 그에게로 달려 갔다 Kaum hatte ich die Nachricht bekommen, eilte ich zu ihm.

냉평(冷評) die sarkastische Bemerkung, -en; Sarkasmus *m.* -, ..men. **~하다** Kritik üben 《*an*[4]》; e-e sarkastische Bemerkung machen 《*über*[4]》.

냉풍(冷風) ein kalter 〔kühler〕 Wind, -(e)s, -e.

냉하다(冷—) kalt; kühl (sein).

냉한(冷汗) =식은땀.

냉해(冷害) Frostschaden *m.* -s, ⸗. ¶ ~를 입다 Frostschaden (er)leiden* 〔haben; nehmen〕 / 농작물은 심한 ~를 입었다 Die Ernte hat durch die Kälte schweren Schaden genommen.

냉혈(冷血) das kalte Blut, -(e)s. ¶ ~의 kaltblütig; 《냉혹한》 fischblütig; gefühlskalt; gefühllos; herzlos; kaltherzig.
‖ ~동물 Kaltblüter *m.* -s, -; das kaltblütige Tier. **~한(漢)** der kaltblütige 〔herzlose; grausame〕 Mensch, -en, -en.

냉혹(冷酷) Gefühllosigkeit *f.*; Herzlosigkeit *f.*; Kaltherzigkeit *f.*; Grausamkeit *f.*; Unbarmherzigkeit *f.*(무자비함). **~하다** gefühllos; herzlos; kaltherzig; kaltblütig; grausam; unbarmherzig; hart; hartherzig (sein). ¶ ~한 처치 das grausame Verfahren / 그는 ~한 인간이다 Er ist hart wie Stein. ¦Er hat kein Herz.

-냐 《의문》 wer; was; wann; wie, *usw.* ¶ 몇 살이냐 Wie alt bist du? / 그 책을 읽었느냐 Hast du das Buch gelesen?

냠냠 Yum-yum! 《Wie lecker! od. Wie appetitlich!》. **~거리다** schmatzen. **~하다** 《먹고 싶어》 essen* wollen 〔mögen〕; zu essen wünschen 〔begehren〕; 《갖고 싶어》 es gelüstet mich 《nach [3]*et.*》.
‖ ~이 Leckerbissen *m.* -s, -; Delikatessen 《*pl.*》: ~이대다 mit Appetit 〔Lust〕 essen* 〔verzehren〕; schmatzen.

냥(兩) ① 《돈》 *Nyang;* Tael *n.* -s, -s. ¶ 한 냥 ein *Nyang;* ein koreanisches Zehnpfennigstück / 엽전 열 닷 냥 fünfzehn Kupfer-

Nyang. ②《중량》ein *Nyang* (=1.325 Unze, 37.5 g). ¶ 한냥쭝 ein *Nyang* gewichtig.

너^{1} 《2인칭》du*. ¶ 너의 dein* / 너에게 dir* / 너 자신을 알라 Erkenne dich selbst!

너^{2} 《넷》vier. ¶ 너 발 vier Faden.

너겁 Schwebende Blätter u. Stroh halme 《*pl.*》 auf stillem Gewässer.

너구리 〖동물〗Dachs *m.* -es, -e. ¶ ~굴 보고 피물(皮物) 돈 내어 쓴다《속담》Man soll das Fell nicht verkaufen, ehe man den Bären hat.

너그러이 sanft; milde; großmütig; großmutvoll; edelmütig; freigebig; nachsichtig. ¶ ~ 용서하다 *jm.* großherzig vergeben* / ~ 봐 주다 fünf (e-e) gerade (Zahl) sein lassen* / 아무의 허물을 ~ 봐주다 *jm.* seine Fehler nach|sehen* / 아무를 ~ 대하다 *jn.* nachsichtig (mit Nachsicht) behandeln; *jm.* nachsichtig begegnen.

너그럽다 großherzig; großmütig; großmutsvoll; weitherzig; hochherzig; edelmütig; nachsichtig; nachsichtsvoll; tolerant; mild; schonend (sein). ¶ 너그러워지다 nachsichtig (schonend) werden/너그러운 분 der großmütige Herr / 너그러운 처벌 die milde Strafe / 너그러운 태도 die sanfte Haltung; das milde Betragen/너그러운 처분을 바라다 um Nachsicht bitten* / 너그럽게 보다 übersehen*^{4}; *jm.* durch die Finger sehen*; ein Auge (beide Augen) zu|drücken.

너글너글하다 weitherzig; verständnisvoll; großzügig; großmütig (sein). ¶ 마음이 ~ großzügig sein 《*mit*^{3}》.

너나들이 Duzbrüderschaft *f.* -en. ~하다 ^{4}sich (einander) duzen. ¶ ~하는 친구(사이) Duzbruder *m.* -s, - / ~하는 사이이다 auf dem Duzfuß (miteinander) stehen.

너나없다 jedermann*; jeder*; alle* 《*pl.*》; alles, was Beine hat; Heinz u. Kunz. ¶ 우리는 너나없이 가난하다 Wir sind alle arm. / 너나없이 알고 있다 Jeder weiß es. / 너나없이 허물은 다 있다 Jeder hat seine Fehler. | Es gibt keinen fehlerlosen Menschen. / 우리는 너나없이 모두 같은 운명에 있다 Wir sitzen alle in einem Boot. | Wir erleiden alle das gleiche Schicksal.

너누룩하다, 너눅하다 für e-n Augenblick still werden 《bei e-n lauten Gespräch》.

너더댓 etwa vier od. fünf. ¶ ~새 etwa vier od. fünf Tage (lang).

너더분하다 ①《지저분》unsauber; unordentlich; durcheinander; wirr (zerzaust) (머리 따위); in Unordnung nicht zueinander passen; schmutzig (sein). ¶ 너더분하게 durcheinander; in Unordnung; unordentlich / 방이 ~ Das Zimmer ist in Unordnung. / 책을 너더분하게 쌓아 놓다 Die Bücher unordentlich aufhäufen. ②《장황》lang u. langweilig; von ermüdender Länge (sein).

너덕너덕 in Fetzen (Bruchstücken; Lumpen); zerrissen und zerfetzt; voll von Flicken. ¶ 옷이 ~ 떨어지다 in Fetzen gekleidet sein (gehen*) / 옷을 ~ 깁다 die Kleider überall zusammen|flicken.

너덜거리다 ①《가닥이》flattern. ¶ 찢어진 옷소매가 팔을 움직일 때마다 너덜거린다 Der abgerissene Ärmel flattert bei jeder Armbewegung. ②《주제넘다》^{4}sich überheblich (anmaßend; übermütig) benehmen*.

너덜(겅) ein mit vielen Kieselsteinen bedeckter Abhang, -(e)s, ⸗e.

너덜너덜 zerknittert; zerknüllt; 《닳은》schäbig; abgeschabt; 《해진》abgetragen. ¶ ~한 옷을 입고 in schäbiger ^{3}Kleidung.

너덧 etwa vier.

너도밤나무 〖식물〗Buche *f.* -n. ¶ ~의 열매 Buch|ecker (-eichel) *f.* -n; Buchel (Büchel) *f.* -n.

너럭바위 ein breiter Plattfels, -en, -en.

너르다 weit; breit; groß; geräumig (sein). ¶ 너른 마당 ein großer Platz, -es, ⸗e; ein großer Hof, -(e)s, ⸗e / 너른 벌판 ein weites Feld, -(e)s, -er / 너른 집 ein geräumiges Haus, -es, ⸗er / 너른 길 e-e breite Straße, -n / 그는 이 너른 세상에 몸 붙일 곳이 없다 Er ist in der weiten Welt allein gelassen.

너른바지 ein seidener Schlüpfer 《-s, -》 mit breiten Hosenbeinen.

너름새 Umgänglichkeit; Verwaltungsfähigkeit *f.* -en.

너리 〖한의학〗e-e eiter-fließende Krankheit 《-en》 am Zahnfleisch; Pyrrhea alveolaris.

너머 über$^{3 \cdot 4}$; jenseits^{2}; hinter$^{3 \cdot 4}$; über^{4} ...hin; über^{4} ... hinüber (저쪽으로); über^{4} ... herüber (이쪽으로); über^{4} ... hinaus(밖으로); 《시간적》über^{3}; nach^{3}; seit^{3}. ¶ 강 ~ 마을 das Dorf jenseits des Flusses / 창 ~로 보다 zum (übers) Fenster hinaus sehen*^{4} / 새가 지붕 ~로 날아 갔다 Der Vogel flog über das Dach. / 한 달 ~ 걸리다 über ^{4}e-n Monat dauern / 울타리 ~로 보다 über ^{4}e-e Hecke sehen* / 안경 ~로 보다 über ^{4}die Brille sehen / 담 ~로 엿듣다 an ^{3}der Wand horchen / 해가 산 ~로 진다 Die Sonne geht hinter den Bergen unter.

너무 zu; allzu; zu sehr; allzusehr; allzuviel; übermäßig; übertrieben; ungemein; bis zum Übermaß; über alle Maßen. ¶ ~나 =너무/ ~나 기뻐서 im Übermaß der Freude; vor überschwenglicher Freude/~ 젊다 zu jung sein / ~ 크다 zu groß sein / ~ 먹다 ^{4}sich überessen*; zu viel essen*^{4} / ~ 마시다 zu viel trinken; übermäßig trinken / ~ 바쁘다 so sehr beschäftigt sein; zu viel zu tun haben/일(공부)를 ~ 하다 ^{4}sich überarbeiten; ochsen; büffeln / ~ 많이 사다 zu viel (über Bedarf) kaufen 《*von*^{3}》 / ~ 지나친 말을 하다 unvernünftiges Zeug reden / 그것은 ~ 하다 Es ist zu viel (zu stark). / 그가 하는 짓은 ~ 지나치다 Er treibt es zu bunt. | Er macht es zu arg. / 이 책은 ~ 어려워서 모르겠다 Das Buch ist mir zu schwer. | Das Buch ist zu schwer, als daß ich es lesen könnte. | Das Buch ist so schwer, daß ich es nicht lese. / 그것은 ~ 지나친 요구다 Das ist e-e übermäßige Forderung. | Das ist zu viel verlangt. / 그 놈은 ~ 세상을 몰라 Er kennt die Welt zu wenig. / ~ 다급해서 지갑을 잊었다 Ich war so eilig, daß ich meine Geldtasche vergaß.

너벅선(一船) ein flacher (Last)kahn, -(e)s, ⸗e.

너벳벳하다 ein großes flaches Gesicht haben.

너볏하다 selbstbewußt u. gelassen (sein). ¶ 너볏이 selbstbewußt u. gelassen.

너부데데하다 ein rundlich-flaches Gesicht haben.

너부죽이 flach; mit dem Gesicht auf dem Boden liegend. ¶ ~ 엎드리다 ^{4}sich flach auf den Bauch legen.

너부죽하다 flach und breit (sein).

너불- ☞ 나불-.

너붓- ☞ 나붓-.
너붓이 leicht (sanft; höflich; leise) ⁴sich neigend. ¶ ~ 절하다 mit sanfter Verbeugung grüßen; ⁴sich sanft verbeugen.
너붓하다 =너부죽하다.
너비 Weite (Breite) *f.* -n. ¶ 넉자 ~ vier Fuß breit / ~가 넓다 breit sein / ~가 좁다 eng (schmal) sein / ~를 넓히다 weiten; erweitern; verbreitern / ~를 좁히다 enger machen; ein|engen; verengen / ~가 5센티이다 fünf Zentimeter breit sein / 그것은 길이 20미터, ~가 15미터이다 Es ist 20 Meter lang und 15 breit. / 이 강의 ~는 얼마냐 Wie breit ist dieser Fluß?
너비아니 gewürzter Rinderbraten, -s, -.
너새 〖조류〗 Großtrappe *f.* -n.
너설 ein mit steilen Felsenspitzen bedeckter Platz, -es, ⸚e; eine felsige Stelle, -n.
너스래미 Kleinkram *m.* -(e)s, ⸚e; unbrauchbares Anhängsel, -s, -; Fetzen *m.* -s, -. ¶ 멍석 ~ Fetzen einer Strohmatte.
너스레 ① 《걸침》 ein auf eine Öffnung gelegtes gitterartiges Holzgestell. ¶ ~를 놓다 ein Holzgestell legen. ② 《농락》 eine hinterlistige Bemerkung, um *jn.* in eine Falle zu locken. ¶ ~떨다, ~놓다 eine hinterlistige Bemerkung machen, um *jn.* in eine Falle zu locken.
너스르르하다, 너슬너슬하다 zottig; zerzaust; struppig (sein).
너울 eine dünne schwarze Frauen|kapuze (-haube) -n. ¶ ~쓴 거지 In der Not frißt der Teufel Fliegen.
너울가지 Um|gänglichkeit (Zu-) *f.*; Geselligkeit *f.*; Aufgeschlossenheit *f.* ¶ ~가 좋다 gesellig (aufgeschlossen) sein.
너울거리다 《물결》 wogen; wallen; ⁴Wellen 《*pl.*》 schlagen*; 《나뭇잎 따위가》 schwanken; schaukeln; schweben; ⁴sich (hin und her) winden*; ⁴sich schlängeln. ¶ 바닷 물결이 ~ Es wogt das Meer.|Die See geht hoch. / 나뭇잎이 바람에 너울거린다 Die Blätter schwanken im Winde hin u. her./ 작은 배가 너울거리며 강 아래로 떠내려 간다 Das Boot schaukelt den Fuß abwärts.
너울너울 wogend; schwingend. ¶ ~ 춤을 추다 schwingend tanzen / 나비가 이꽃 저꽃으로 ~ 춤추며 다닌다 Ein Schmetterling flattert von Blumen zu Blumen.
너울지다 《물결이》 in der Ferne wogen.
너저분하다 unordentlich; liederlich; nachlässig (sein); in Unordnung sein; 《복장 따위가》 schlumprig; schlaff; schlottrig (sein). ¶ 너저분한 방 das unordentliche Zimmer, -s, - / 너저분하게 늘어놓다 umherliegen lassen*⁴; in Unordnung lassen*⁴.
너절하다 ① 《허름함》 schäbig; abgeschabt; liederlich; unordentlich; unsauber; schlaff; schlumprig; schlottrig (sein). ¶ 너절한 옷 schäbige (unordentliche) Kleidung, -en; schäbiger Anzug, -(e)s, ⸚e / 옷 차림새가 ~ ⁴sich schäbig an|ziehen*; ⁴sich liederlich an|ziehen* (kleiden) / 너절한 거리 schmutzige (dreckige) Straße, -n. ② 《시시함》 liederlich; nachlässig; schmutzig; unordentlich; gemein; niedrig; niederträchtig; vulgär; würdelos (sein). ¶ 너절한 사내 der liederliche Mensch, -en, -en; Liederjan *m.* -(e)s, -e / 너절한 여자 Schlumpe *f.* -n; Schlampe *f.* -n / 너절한 취미 der niedrige Geschmack, -(e)s, ⸚e / 너절한 생각 niederträchtige Gesinnung, -en / 너절한 신문 Wurstblatt *n.* -(e)s, ⸚er; Skandalblatt / 너절한 소설 Schundroman *m.* -(e)s, -e / 너절하게 굴다 gemein handeln; ⁴sich schäbig benehmen; *jm.* e-n gemeinen Streich spielen.
너즈러지다 《abgefallene Blätter, *usw.*》 überall verstreut liegen*.
너짓 〖광물〗 Goldklumpen *m.* -s, -.
너클볼 〖야구〗 *knucle ball* 《영어》; Knöchelball *m.* -(e)s, ⸚e; ein mit gestreckten Fingern geworfener Ball.
너털거리다¹ ☞ 너덜거리다.
너털거리다² laut (herzlich; heftig; schallend) lachen.
너털웃음 lautes (herzliches; schallendes) Lachen* (Gelächter) -s, -. ¶ ~을 웃다 laut (herzlich; schallend) lachen.
너테 eine hinzugetzte Eisschicht 《-en》 auf einer (vorhandenen) Eisoberfläche.
너펄- ☞ 너풀-.
너푼- ☞ 나푼-.
너풀거리다 flattern. ¶ 모자의 끄나불이 바람에 너풀거린다 Die Hutbänder flattern im Winde. / 깃발이 바람에 너풀거린다 Die Fahne flattern im Winde.
너풀너풀 flatternd.
너희(들) ihr (alle); ihr Jungen.
넉 《넷》 vier. ¶ 넉 냥 vier Tael / 넉 달 vier Monate / 그 구절은 첫 페이지의 넉 줄째에 있다 Sie finden den Ausdruck (Satz) in der vierten Zeile der ersten Seite.
넉가래 Holz|schaufel (Schnee-) *f.* -n. ‖ ~질 das Schaufeln* mit e-r Holzschaufel: ~질하다 mit e-r Holzschaufel schaufeln.
넉걷이 das Zusammenrechen* der Reben aus dem Garten (Feld). ~하다 die Reben aus dem Garten zusammen|rechen.
넉넉 über ...; nicht weniger als ...; wenigstens (mindestens) .... ¶ 닷 되 ~ wenigstens fünf *Doe* / 삼십 명 ~ über (nicht weniger als) dreißig Personen / ~잡고, ~잡아 höchstens.
넉넉하다 ① 《충분》 genügen³; genug sein 《*an*³; *von*³》; aus|reichen 《*für*⁴》; ausreichend sein 《*für*⁴》; genügend (hinlänglich) sein; reich sein 《*an*³》; reichlich (ergiebig; üppig) sein. ¶ 넉넉한 viel; gut; beträchtlich; genügend; ausreichend; hinlänglich; reichlich; in Hülle und Fülle; im Überfluß; nicht weniger als; mehr als / 넉넉한 보급 der reichliche Nachschub, -(e)s, ⸚e/ 돈이 ~ Geld genug haben; mit Geld hinlänglich versehen sein / 시간이 ~ Zeit genug haben / 200원쯤 있으면 ~ Zweihundert *Won* genügen dafür. /5만원쯤이면 넉넉할 것이다 Etwa 50,000 *Won* werden genügen. ② 《살림이》 in guten ³Verhältnissen leben; im vollem leben; aus dem vollen schöpfen; ins volle greifen*; 〖속어〗 wie der Hase im Klee leben. ¶ 살림이 ~ in guten Verhältnissen leben; im vollen leben / 그 사람은 살림이 넉넉하지 못하다 Er lebt in beschränkten Verhältnissen.
넉넉히 genug; reich(lich); ausreichend; genügend; in Fülle; im Überfluß; wohlhabend. ¶ ~ 살다 bequem leben; wohlhabend sein / 옷을 ~ 짓다 einen Anzug nach bequemem (lockerem) Schnittmaß machen / ~10명은 먹이다 nicht weniger als 10

Leute verpflegen 〔ernähern〕 / ~ 6척은 되다 reichlich sechs Fuß groß sein / ~ 가지고 있다 ^{4}*et.* in (Hülle und) Fülle haben / 역까지 3마일은 ~ 된다 Es ist gut drei Meilen bis zum Bahnhof.

넉살 Kühnheit; Keckheit; Frechheit; Unverschämtheit; Dreistigkeit *f.* ¶ ~부리다 ^{4}sich keck 〔frech; dreist〕 benehmen* / ~스럽다 =넉살좋다.

넉살좋다 schamlos; unverschämt; frech; keck; rücksichtslos; (drumm)dreist; vorlaut 〔-schnell〕; dick¦fellig 〔-häutig〕 (sein).

넉자 sämiges Wildleder 《-s, -》, das beim Stempeln untergelegt wird.

넉장거리 ☞ 낙장거리.

넋 Seele *f.* -n; Geist *m.* -(e)s. ¶ 죽은 넋 die abgeschiedene Seele; die Mahnen 《*pl.*》 / 넋을 잃고 verträumt; träumerisch; dösig; 《황홀》 verzückt; entzückt; gefesselt; hingerissen / 넋이 없다 geistlos sein; gedankenlos sein; außer ^{3}sich sein / 넋을 잃다 in Verzückung 〔Entzückung〕 geraten* ⓢ; außer ^{3}sich geraten* 〔kommen*〕; wie verzückt sein 《*vor*^{3}》; entzückt werden 《*von*^{3}; *durch*^{4}》 / 아무의 넋을 빼앗다 *jn.* bezaubern 〔berücken; behexen〕 / 넋을 잃고 바라보다 (ganz) entzückt an|sehen*^{4} 〔an|gaffen^4; bewundern^4〕; in *js.* ^{4}Anblicke versunken sein; ^{4}sich völlig auf das Schauen konzentrieren; 〖사물을 주어로 하여〗 ^{1}*et.* fesselt ^{4}alle Blicke; ganz ^{1}Auge sein; ins Schauen verloren sein / 넋을 잃고 할 바를 모르다 in ^{3}Bewunderung verloren sein; in ^{4}Verlegenheit geraten 〔kommen〕; außer ^{3}der Fassung geraten / 여자에게 넋을 빼앗기다 in e-e Frau verliebt sein / 그는 저 소녀의 아름다움에 넋을 빼앗겼다 Er war von der Schönheit bezaubert.

넋두리 ① 《무당의》 Äußerungen der Seele e-s Verstorbenen durch den Mund e-s Schamanen. **~하다** 《Ein Schamane》 spricht in Vertretung e-s Verstorbenen. ② 《주절거림》 Kauderwelsch 〔Geschnatter〕 *n.* -s; Unsinn *m.* -(e)s; 《불평으로》 Klage; Beschwerde *f.* -n; das Murren* 〔Nörgeln; Grollen〕 -s. **~하다** Kauderwelsch reden; ^{4}sich beklagen 〔beschwerden〕 《über ^{4}*et.*》.

넌더리 Überdruß *m.* -sses; Übersättigung *f.* -n; Ekel *m.* -s; Ab|neigung *f.* -en; Ab|scheu *m.* -(e)s; Widerwille *m.* -ns. **~나다** überdrüssig 〔satt$^{2\cdot4}$〕 werden 〔sein〕; abscheulich 〔ekelhaft; verhaßt〕 sein; Abneigung haben 《*gegen*^{4}》; Abscheu haben 《*vor*^{3}》; Widerwillen hegen 《*gegen*^{4}》; verabscheuen^4; zu schlechte Erfahrungen gemacht haben 《*mit*^{3}》; ein Lied zu singen wissen* 《*von*^{3}》; ^{4}*et.* satt 〔genug〕 haben; nichts mehr wissen wollen 《*von*^{3}》; langweilig sein; ^{2}*et.* müde sein. ¶ ~나게 하다 Ekel erregen; Widerwillen erwecken; *jn.* an|ekeln; *jn.* an|widern; *jn.* langweilen / 단번에 ~가 난다 Einmal ist's übergenug!¦Nie wieder lasse ich mich darauf ein! / 기다리기에 ~가 난다 Ich bin des Wartens müde. / 저 남자라면 이제 ~가 난다 Ich will nichts mehr mit ihm zu tun haben. / 그는 여자에 ~가 났다 Er ist des Mädchens überdrüssig geworden. / 저 사람은 보기만 해도 ~가 난다 Sein bloßer Anblick erregt mir Ekel.¦Es ekelt mich vor ihm.

넌더리대다 ^{4}sich widerlich 〔ekelhaft; abstoßend; widerwärtig〕 benehmen*.

넌덕 (ein)schmeichelndes und witziges Reden*, -s. **~부리다** eine (ein)schmeichelnde und witzige Zunge haben; (ein)schmeichelnd und witzig reden. **~스럽다** witzig; einschmeichelnd; amüsant; belustigend (sein).

넌덜머리 =넌더리.

넌센스 Unsinn *m.* -(e)s; dummes Zeug, -(e)s, -e; 〖속어〗 Quatsch *m.* -s; dummes Gerede, -s. ¶ 그건 아주 ~다 Das ist (barer) Unsinn.

넌지시 anspielungsweise; andeutungsweise; durch Andeutung; geheim; heimlich; insgeheim; im geheimen; verborgen; im Verborgenen; unter der Hand. ¶ ~ 빗대어(고) mit Anspielung auf ^{4}*et.* / ~ 말하다 heimlich sprechen* / ~ 알리다 an|deuten 《*jm.* ^{4}*et.*》; zu verstehen geben* 〔bei|bringen*^{4}〕 《*jm.* ^{4}*et.*》; an die Hand geben* 《*jm.* ^{4}*et.*》; *jm.* e-n Wink geben* / ~ 비치다 nur leicht andeuten; anspielen 《*auf*^{4}》; versteckt hindeuten 《*auf*^{4}》 / ~ 가리키다 e-e Andeutung machen 《*auf*^{4}》; hin|weisen* 《*auf*^{4}》 / 아무의 의향을 ~ 떠보다 *jm.* auf den Zahn fühlen; ^{2}*js.* Absicht herauszubekommen suchen / ~ 추파를 건네다 heimlich verliebte Blicke werfen* 《auf *jn.*》; *jn.* verliebt 〔schmachtend〕 aus|sehen* / ~ 돈을 요구하다 andeutungsweise Geld verlangen / ~ 사의를 비치다 e-e Andeutung auf seinen Rücktritt machen / 그는 ~ 자기의 의중을 비쳤다 Er spielte geheimnisvoll auf s-e Absicht an. / 그는 ~ 승낙의 뜻을 비쳤다 Er gab uns seine Einwilligung zu verstehen. / 그의 말은 ~ 나를 두고 한 말이다 Er spielte in seiner Rede auf mich an. / 그는 보수를 기대해도 좋다고 ~ 비쳤다 Er deutete mir an, daß ich e-e Belohnung erwarten könnte. / 그는 내가 전에 한 말을 ~ 빗대어 말하고 있다 Er spielt auf m-e frühere Bemerkung an.

넌출 〖식물〗 Rebe *f.* -n; 《덩굴손》 Ranke *f.* -n; 《땅위를 기는》 Ausläufer *m.* -s, -. ¶ 포도 ~ Wein¦rebe 〔-stock *m.* -(e)s, ¨e〕 / 호박 ~ Kürbisranke / ~지다 umrankt sein 《mit ^{3}*et.*》; mit Reben 〔Ranken〕 bedeckt sein.

넌출문(―門) eine vierflügelige Tür, -en.

널 ① 《널빤지》 Brett *n.* -(e)s, -er; Planke *f.* -n; Bord *n.* -(e)s, -e; Tafel *f.* -n; Diele *f.* -n; Bohle *f.* -n. ② 《관곽》 Sarg *m.* -(e)s, ¨e. ¶ 널에 넣다 *jn.* in den Sarg legen; *jn.* einsargen. ③ 《널뛰기의》 Wippe *f.* -n.

널감 ① 《재료》 Material 《*n.* -s, -ien》 für einen Sarg. ② 《사람》 eine alte Person 《-en》, die am Rande des Grabes steht.

널다[1] 《볕·바람에》 aus|breiten 《Getreide》; hinaus|hängen ^{4}*et.* (zum Trocknen 〔Lüften〕); trocknen; lüften. ¶ 멍석에 벼를 ~ das Getreide auf einer Strohmatte aus|breiten / 빨랫줄에 옷을 ~ Kleider auf eine Wäscheleine hinaus|hängen / 이부자리를 (옷을) 내 ~ Bettdecken 《*pl.*》 〔Kleider〕 lüften.

널다[2] 《쥐가 쏠다》 zernagen; zerstückeln.

널다리 Holz¦brücke 〔Bretter-〕 *f.* -n.

널따랗다 weit; ausgedehnt; groß; breit; geräumig (집이); weitläufig (집이); umfassend; 《이마가》 hoch (sein). ¶ 널따란 이마 die hohe Stirn / 널따란 길 der breite Weg / 널따란 방 das geräumige Zimmer / 널따란 뜰 der weitläufige 〔große〕 Garten / 널따란 집에서 살다 geräumig wohnen.

널뛰기 das Schaukeln* ⦅-s⦆ auf e-m Springbrett; das Wippen*, -s. ∼하다 =널뛰다.
널뛰다 auf e-m Springbrett schaukeln; wippen.
널름- ☞ 날름-.
널리 breit; weit; allgemein; ausgedehnt; geräumig; groß; umfangreich viel um|fassend. ¶ ∼ 광고하다 allgemein bekannt|machen[4] / ∼ 알려지다 weitbekannt sein; allgemein bekannt sein / ∼ 교제하다 viel Verkehr haben; e-n großen Bekanntkreis haben / ∼ 여행하다 weit reisen / ∼ 보급(배포)하다 allgemein verbreiten[4] (verteilen[4]) / 문학을 ∼ 섭렵하다 viel über Literatur lesen / 그건 ∼ 알려진 사실이다 Das ist weitbekannte (allbekannte) Tatsache.
널리다[1] ⦅널려 있다⦆ ausgebreitet sein ⦅*auf*[3]⦆; zerstreut liegen* ⦅*auf*[3]⦆. ¶ 낙엽이 뜰에 널려 있다 Abgefallene Blätter liegen zerstreut im Garten. / 휴지 조각이 온 방안에 널려 있다 Papierabfälle liegen zerstreut überall im Zimmer.
널리다[2] =넓히다.
널마루 Bretterboden *m.* -s, -(⸚); der gedielte Fußboden.
널문(—門) Brettertür *f.* -en.
널반자 Bretterdecke *f.* -n.
널방석(—方席) eine große Strohmatte ⦅-n⦆ (zum Ausbreiten von Gegenständen darauf) eine Trockenmatte.
널브러지다 [4]sich aus|breiten; [4]sich zerstreuen.
널빈지 hölzerne Schiebtür ⦅-en⦆ zum Verschließen eines Ladens.
널빤지 Brett *n.* -(e)s, -er; Bord *n.* -(e)s, -e; Tafel *f.* -n; Planke *f.* -n (두꺼운); Bohle *f.* -n(두꺼운); Diele *f.* -n (마루에 까는). ¶ ∼울 Bretterzaun *m.* -(e)s, -e / 5센티미터 두께의 ∼ ein fünf Zentimeter dickes Brett / 방을 ∼로 막다 das Zimmer mit Brettern verschlagen* / ∼를 대다 mit [3]Brettern belegen (beschlagen*); täfeln[4] / ∼로 두르다 mit Brettern umgeben*[4] / ∼를 자르다 [4]Bretter schneiden* / ∼를 톱으로 켜다 [4]Bretter sägen.
널어놓다 aus|breiten; auf|hängen* (zum Trocknen, Lüften, *usw.*).
널음새 Geschicklichkeit (Fähigkeit; Fertigkeit), ein Gespräch od. Sachen auszubreiten. ¶ 그는 ∼가 있어 여러 일에 손을 댄다 Er hat viele Eisen im Feuer.
널장 (Holz)brett *n.* -(e)s, -er; Planke *f.* -n.
널조각 Bruchstück ⦅*n.* -(e)s, ⸚e⦆ von einem Brett.
널찍널찍하다 ziemlich (ganz) breit (geräumig; groß) (sein).
널찍이 ziemlich breit; umfangreich; geräumig. ¶ 자리를 ∼ 잡고 앉다 breitspurig Platz nehmen* / 구멍을 ∼ 파다 ziemlich breit ein Loch graben*.
널찍하다 =널따랗다.
널판대기, 널판자(—板子) Planke *f.* -n; ein großes (langes, breites u. dickes) (Holz-) brett, -(e)s, -er; Tafel *f.* -n.
널판장(—板牆) Bretterzaun *m.* -(e)s, ⸚e.
널평상(—平床) Bretterbett *n.* -(e)s, -en; Pritsche *f.* -n.
넓다 ① ⦅폭이⦆ breit; weit; ausgedehnt; geräumig; groß; umfangreich; umfassend; ⦅이마가⦆ hoch (sein). ¶ 아주 넓은 zu weit (geräumig; groß); weit ausgedehnt / 넓은 이마 hohe Stirn, -en/넓은 바지 weite Hosen ⦅*pl.*⦆ / 넓은 소매 weite Ärmel ⦅*pl.*⦆ / 넓은 집 das geräumige Haus, -es, ⸚er / 넓은 방 das große (geräumige) Zimmer, -s, - / 넓은 뜰 der große (geräumige) Garten, -s, ⸚/ 넓은 들판 das weite Feld, -(e)s, -er / 넓은 사막 die weite Wüste, -n / 넓은 경험 die weite Erfahrung, -en / 넓은 시야 ein weiter (erweiterter) Horizont (Gesichtskreis)/ 넓은 조망 die weite Aussicht, -en; der weite (Aus)blick, -(e)s, -e / 견문이 넓은 사람 ein Mann von Erfahrung; ein Mann von umfangreichen Kenntnissen / 가장 넓은 의미에 있어서 im weitesten (erweitertesten) Sinne / 넓어지다 breiter (weiter) werden; [4]sich verbreiten; [4]sich aus|dehnen; [4]sich erweitern / 교제 범위가 ∼ e-n großen Bekanntkreis haben / 그는 독일 역사에 대한 지식이 ∼ Er besitzt in der deutschen Geschichte große (umfassende) Kenntnisse. / 저 사람은 사업의 폭이 ∼ Er treibt sein Geschäft im großen (Maße). / 그 강의 하구는 ∼ Die Mündung des Flusses erweitert sich. / 그 굴은 들어갈수록 넓어졌다 Der Tunnel erweiterte sich zum Ausgang hin. / 저런 사람은 넓은 세상에 둘도 없다 Einem Menschen wie ihm begegnet man auf der weiten Welt nicht wieder.
② ⦅너그럽다⦆ großherzig; großmütig; weitherzig (sein). ¶ 마음이 넓은 사람 der weitherzige (großherzige) Mensch.
넓다듬이 das Glätten* auf e-m Glättstein, ohne mit Glättkeulen darauf zu schlagen. ∼하다 auf e-m Glättstein glätten, ohne mit Glättkeulen darauf zu schlagen.
넓데데하다 unangenehm flach (sein). ¶ 넓데데한 얼굴 ein widerlich-flaches Gesicht, -(e)s, -er.
넓둥글다 flach u. rund (sein).
넓삐죽하다 breit aber spitz zulaufend(sein).
넓은다대 Rinderrippenfleisch *n.* -es.
넓이 ① ⦅폭⦆ Breite *f.* -n; Größe *f.* -n; Weite *f.* -n; Umfang *m.* -(e)s, ⸚e (범위). ¶ 다섯 자 ∼ fünf Fuß in der Breite; e-e Breite von fünf Fuß / ∼가 넓다 (좁다) breit (weit; groß) sein; schmal (eng) sein / ∼가 다섯 자다 e-e Beite von fünf Fuß haben / 길의 ∼는 10미터다 Der Weg ist 10 Meter breit. ② ⦅면적⦆ Flächen|inhalt *m.* -(e)s, -e (-raum *m.* -(e)s, ⸚). ¶ 그 도시의 ∼는 10평방마일이다 Die Stadt erstreckt sich auf 10 Quadratmeile. / 한국은 ∼가 22만 평방킬로미터나 되는 반도이다 Korea ist e-e Halbinsel mit e-m Flächeninhalt von etwa 220,000 Quadratkilometer.
넓이뛰기 Weitsprung *m.* -(e)s, ⸚e.
‖ ∼선수 Weitspringer *m.* -s, -. 제자리∼ Weitsprung aus dem Stand.
넓적 ① ⦅입을⦆ mit e-m Schnapp. ¶ ∼ 받아먹다 auf|schnappen[4]; schnappen ⦅*nach*[3]⦆. ② ⦅엎드림⦆ ganz flach. ¶ ∼ 엎드리다 [4]sich ganz flach (auf den Erdenboden) hin|legen.
넓적거리다 ① ⦅입을⦆ den Mund breit auf- u. zu|machen. ② ⦅몸을⦆ [4]sich auf den Bauch legen.
넓적넓적 ⦅입을⦆ mit weit offenem Mund; ⦅넓적하게⦆ flach u. breit. ¶ 떡을 ∼ 썰다 den Reiskuchen in (breite) Scheiben schneiden*.
넓적다리 (Ober)schenkel *m.* -s, -.
‖ ∼뼈 Oberschenkelknochen *m.* -s, -.

넓적부리 〖조류〗 Löffelente *f*. -n.
‖～도요 〖조류〗 ein löffelschnabeliger Strandläufer, -s, -.
넓적스름하다 ziemlich flach (sein). ¶ 넓적스름한 얼굴 ein ziemlich flaches Gesicht, -(e)s, -er.
넓적이 ① 《사람》 e-e Person 《-en》 mit e-m flachen Gesicht. ② 《넓적하게》 flach. ¶ 떡을 ～ 썰다 den Reiskuchen in Scheiben schneiden*.
넓적하다 ☞ 납작하다.
넓죽- ☞ 넓적-.
넓히다 verbreiten^{4}; aus|dehnen^{4}; vergrößern^{4} (확대); erweitern (확대); aus|breiten^{4} (전개); entfalten^{4} (전개); öffnen (열다); ^{4}*et.* geltend machen (세력, 영향력 따위를). ¶ 경험을 ～ s-e Erfahrung erweitern / 지식을 ～ s-e Kenntnisse erweitern / 집을 ～ ein Haus vergrößern (erweitern) / 길을 ～ e-n Weg erweitern; e-n Weg breiter machen / 판도를 ～ das Gebiet aus|dehnen / 범위를 ～ die Sphäre erweitern / 교사 (운동장)을 ～ das Schulgebäude (den Spielplatz) erweitern (vergrößern) / 과학지식의 영역을 ～ das Gebiet der naturwissenschaftlichen Kenntnisse erweitern / 그는 차츰 자기 세력을 넓히려고 한다 Er versucht, s-n ganzen Einfluß geltend zu machen.
넘겨다보다 ① 《탐내다》 begehren^{4}; neidisch an|sehen*^{4}. ¶ 남의 재산을 (아내를) ～ das Vermögen (die Frau) e-s anderen begehren. ② ＝넘어다보다.
넘겨쓰다 den Sündenbock ab|geben* (spielen); belastet werden 《*mit*^{3}》; beschuldigt werden 《e-r Tat》. ¶ 억울하게 남의 죄를 ～ unglücklicherweise des von e-m anderen begangenen Verbrechens beschuldigt werden.
넘겨씌우다 *jm.* ^{4}*et.* zu|schieben*; *jm.* ^{4}*et.* vor|halten* (zum Vorwurf machen); die Schuld geben* 《*jm.* an e-r Sache》; ab|schieben* 《^{4}*et.* auf *jn.*》. ¶ 죄를 남에게 ～ e-m anderen die Schuld geben* (zu|schieben*) / 책임을 남에게 ～ e-m anderen die Verantwortung zu|schieben*.
넘겨잡다 vermuten^{4}; erraten*^{4}; schätzen^{4}; an|nehmen*^{4}; mutmaßen^{4}. ¶ 넘겨잡고 aufs Geratewohl; schätzungsweise / 아무의 생각을 ～ *js.* Absicht (Vorhaben) erraten* / 잘못 (바로) ～ falsch (richtig) erraten*^{4}.
넘겨짚다 vermuten^{4}; erraten*^{4}; ahnen^{4}; voraus|sehen*^{4}. ¶ 적의 공격을 미리 넘겨짚고 우리는 성문을 굳게 닫았다 Da wir den Angriff des Feindes vorausgesehen hatten, haben wir das Schloßtor fest zugeschlossen.
넘고처지다 entweder zu lang od. zu kurz (zu groß od. zu klein; zu hoch od. zu niedrig; zu viel od. zu wenig, *usw.*) sein; nicht angemessen (geeignet; angebracht) sein; nicht passen 《*jm.*》. ¶ 취직 자리는 몇 군데 있으나 모두 넘고처진다 Es gibt einige Arbeitsstellen, aber k-e ist für ihn geeignet.
넘기다 ① 《너머로》 hinüber|reichen^{34} 《*über*^{4}》. ¶ 담 너머로 ～ über den Zaun (die Mauer) hinüber|reichen.
② 《기한·정원을》 überschreiten*^{4}; übersteigen*^{4}. ¶ 출원 기한을 ～ die Bewerbungszeit (Meldezeit) überschreiten* / 상환 기한을 ～ die Rückzahlungszeit überschreiten* / 오십 고개를 ～ fünfzig überschreiten.
③ 《물려주다》 übergeben*^{34}; überlassen*^{34}; übertragen*^{34}; ab|treten*^{34}; überweisen*^{34}; auf|erlegen^{34}. ¶ 권리를 아무에게 ～ *jm.* ein Recht übertragen* (ab|treten*) / 책임을 아무에게 ～ *jm.* die Verantwortung auf|erlegen / 사업을 아무에게 ～ *jm.* ein Geschäft übertragen* / 재산을 아들에게 ～ s-m Sohn das Vermögen übergeben* (überlassen*) / 정권을 아들에게 ～ s-m Sohn die Regierung überlassen* (übergeben*)/자리를 후임자에게 ～ e-m Nachfolger s-e Stellung übergeben* / 채권을 아무에게 ～ *jm.* die Forderung (Schuldforderung) ab|treten* / 가옥을 채권자에게 ～ dem Gläubiger Haus u. Hof übertragen* / 그럼 열쇠를 넘기겠읍니다 Also, ich übergebe (überlasse) Ihnen die Schlüssel.
④ 《수교·교부하다·건네다》 ab|geben*^{34}; aus|händigen^{34}; aus|folgen^{34}; ein|händigen^{34}; überreichen^{34}; verabfolgen^{34}; zu|stellen^{34}. ¶ 작성한 답안을 ～ die geschriebenen Antworten ab|geben / 청원서를 ～ *jm.* e-e Bittschrift überreichen / 지불과 동시에 증서를 ～ Dokumente gegen Bezahlung aus|händigen.
⑤ 《젖히다》 um|wenden^{4}; um|schlagen*^{4}; um|blättern. ¶ 책장을 ～ die Seiten (e-s Buches) um|wenden (um|schlagen*); um|blättern.
⑥ 《쓰러뜨리다》 (um|)fällen^{4}; um|hauen*^{4} (nieder|-). ¶ 다리를 걸어 아무를 ～ *jm.* ein Bein stellen (unter|schlagen*) / 나무를 잘라 ～ e-n Baum (um|)fällen (um|hauen*; nieder|hauen*).
⑦ 《속여·팔아》 betrügen*^{4} (schwindeln^{4}; belügen*^{4}); ab|geben*^{34} (veräußern^{34}; verkaufen^{34}). ¶ 아무를 속여 ～ *jn.* betrügen* (belügen*; schwindeln) / 집을 팔아 ～ *jm.* das Haus verkaufen (veräußern; ab|geben).
⑧ 《거르다》 überspringen*^{4}; aus|lassen*^{4}; übergehen*^{4}; überschlagen*^{4}. ¶ 두서너 페이지를 넘기고 읽다 ein paar Seiten überspringen* (übergehen*; überschlagen*; aus|lassen*).
⑨ 《인도》 liefern^{4} 《*an*^{4}》; ab|liefern^{34}; aus|liefern^{34}; ab|geben*^{34} (신축 가옥, 공장 설비 따위를); an|vertrauen^{34}; überantworten^{34}; übergeben*^{34}. ¶ 도둑을 경찰에 ～ e-n Dieb der ^{3}Polizei überantworten (übergeben*; aus|liefern) / 취한이 경찰에 넘겨졌다 Der Betrunkene wurde der Polizei übergeben.
⑩ 《세월을》 durch|machen^{4}; durch|kommen*^{4}; vergehen lassen*^{4}; verlaufen lassen*; vorübergehen (vorbei-) lassen*; verbringen*^{4} (hin|-; zu|-); verleben. ¶ 해를 ～ das alte Jahr vergehen lassen (verbringen; hin|bringen; zu|bringen) / 어떻게 이번 여름 방학을 넘기시렵니까 Wie wollen Sie diese Sommerferien vergehen lassen (verbringen)? / 외투가 없으면 이번 겨울을 넘기지 못한다 Ich kann diesen Winter nicht ohne Überrock durchkommen.
⑪ 《이월》 übertragen*^{4}; transportieren^{4}. ¶ 잔액을 다음 회계 연도로 ～ den Restübertrag (den Überschuß) auf das nächste Finanzjahr übertragen*.
⑫ 《고비를》 ^{2}e-r Sache ^{1}Herr werden; über ^{4}*et.* ^{1}Herr werden; überstehen*^{4}; durch|machen^{4}; überwinden*^{4}; ^{1}*et.* besteht nicht mehr 〔사물이 주어〕. ¶ 어려움을 ～ e-r

²Schwierigkeit Herr werden / 위기를 ~ e-e Krise durch|machen; e-e Krise glücklich überstehen; die Krise besteht nicht mehr.

넘나다 ⁴sich ungehörig (unangemessen; unangebracht) benehmen*; unangemessen für s-e Stellung handeln.

넘나들다 häufig besuchen⁴; häufig kommen* [s] u. gehen* [s]. ¶ 권문의 문턱이 닳도록 ~ häufig das Haus e-r einflußreichen Familie besuchen.

넘노닐다 umher|schlendern (-|bummeln; -|streifen; -|ziehen*) [s].

넘늘거리다 herabhängend schwingen* (flattern; wogen); baumeln.

넘늘다 ⁴sich humorvoll (witzig) benehmen*, ohne die Haltung zu verlieren.

넘늘어지다 herunter|hängen* (herab|-).

넘다¹ 〔자동사〕 ① 《초과》 (hinaus|)gehen* [s] 《über⁴》; über ⁴et. (hinüber) sein; mehr (höher) als ¹et. sein. ¶ 나이 사십이 ~ über vierzig Jahre alt sein; über die vierzig hinaus sein / 극장에 들어온 사람이 5백 명이 넘는다 Es gibt mehr als 500 Menschen im Theater. / 응모자는 백 명이 넘었다 Nicht weniger als (Über) hundert Menschen bewarben sich darum.
② 《날이》 aus|brechen* [s]. ¶ 칼날이 ~ die Schneide des Messers bricht aus.
③ 《물이》 über|fließen* [s]; über|laufen* [s]; über|strömen [s]; über|treten* [s]; über|-steigen* [s]. ¶ 대야물이 넘었다 Das Waschbecken fließt über.
④ 《시간이》 vorüber (vorbei) sein; vorüber|-gehen* [s] (vorbei-); vergehen* [s]; verfließen* [s]; ab|laufen* [s]. ¶ (낮) 12 시가 넘었다 Es ist 12 Uhr vorbei (vorüber). | Es ist schon nach 12 Uhr.

넘다² 〔타동사〕 ① 《…위를》 gehen* [s] 《über⁴》; hinüber|gehen* (-|treten*) [s]; schreiten* (steigen*) [s] 《über⁴》; überschreiten*⁴; (über-)setzen⁴. ¶ 담을 ~ den Zaun (die Mauer) überschreiten* (übersteigen*) / 강을 ~ über e-n Fluß gehen* (fahren*); über|-setzen / 산을 ~ über e-n Berg steigen*; e-n Berg überschreiten*. ② 《초과》 überschreiten*⁴; übersteigen*⁴; mehr als ⁴et. zählen. ¶ 나이 오십을 ~ die fünfzig überschreiten / 학생의 수가 2천 명을 넘는다 Die Schüler zählen mehr als 2000. / 청중의 수가 5백 명을 넘는다 Die Anzahl der Zuhörer überschreitet (übersteigt) 500. ③ 《범람》 überschwemmen⁴; überschreiten*⁴; überfluten⁴; über|fließen (-|gehen; -|treten)*. ¶ 강물이 둑을 ~ Der Fluß übersteigt (überschwemmt) den Deich. ④ 《한계를》 überschreiten*⁴; übersteigen*⁴; hinüber|gehen* 《über⁴》; hinaus|gehen* 《über⁴》. ¶ 한계를 ~ die Grenzen 《pl.》 überschreiten* / 국경선을 ~ die (Landes)grenze überschreiten*; über die Grenze gehen*. ⑤ 《재주·줄을》 ¶ 재주를 ~ e-n Purzelbaum schlagen* (schießen*) / 줄을 ~ Seil springen*.

넘버 Nummer *f.* -n.
‖ ~원 Nummer 1 (eins); die erste Klasse (Spitzenklasse). 자동차~ Autonummer *f.*

넘버링 Nummernstempel *m.* -s, -; Numeriermaschine *f.* -n.

넘보다 *jn.* verachten; auf *jn.* verachtlich herab|sehen*; *jn.* gering|schätzen (-|achten). ¶ 그는 남을 넘보는 버릇이 있다 Er hat die Neigung, auf andere von oben herabsehen.

넘성거리다 《탐 나서》 gierig (begierig) schielen 《*nach*³; *auf*⁴》; Schielaugen machen; ³sich den Hals aus|recken. ¶ 남의 것을 먹으려고 ~ darauf brennen*, das Eigentum des anderen ³sich anzueignen; begierig auf das Eigentum des anderen schielen.

넘실거리다 ① =넘성거리다. ② 《물결이》 wogen; wallen [h,s]; ⁴sich wellenförmig bewegen; auf|wallen [h,s] (거칠게); hoch|gehen* (거칠게). ¶ 바닷물결이 ~ Das Meer wogt.

넘실넘실 ① 《넘성거림》 begehrend; ersehnend; trachtend; gelüstend. ② =너울너울.

넘어가다¹ 〔자동사〕 ① 《쓰러지다》 fallen* [s]; hin|fallen*; ein|fallen*; um|fallen*; ein|-stürzen [s]; nieder|stürzen; um|stürzen; zusammen|stürzen; zu Boden fallen*. ¶ 병이 ~ Die Flasche fällt hin. / (사람이) 돌에 걸려 ~ über e-n Stein fallen* / 앞으로 (뒤로 옆으로) ~ vorwärts (rückwärts; seitswärts) fallen / 집이 바람에 ~ das Haus stürzt (fällt) im Winde ein / 나무가 바람에 ~ der Baum ist windbrüchig; der Wind wirft den Baum um.
② 《망하다》 zu Fall kommen* [s]; zu Grunde gehen* [s]; unter|gehen*; verfallen*; stürzen [s] (붕괴, 실각); zusammen|brechen* [s] (붕괴, 와해); 《파산》 fallen* (fallieren); Bankrott machen; bankrott werden. ¶ 회사가 ~ die Firma (die Gesellschaft) wird bankrott / 정부가(내각이) ~ die Regierung (das Ministerium) ist zusammengebrochen (gestürzt).
③ 《때·시기가》 vorüber (vorbei) sein; verfließen* [s]; vergehen* [s]; verlaufen* [s]; vorüber|gehen*; ab|laufen* (기한이); verfallen* (기한이); verstreichen [s] (기한이). ¶ 그 여자는 한창 때가 넘어갔다 Ihre beste Zeit ist vorüber. / 유효 기한이 ~ die Frist der Rechtsgültigkeit verfällt / 돈 갚을 기한이 ~ die Frist für die Rückzahlung des Geldes läuft ab.
④ 《해·달이》 unter|gehen* [s]. ¶ 해가 넘어가기 전에 bevor die Sonne untergeht; vor dem Untergang der Sonne.
⑤ 《남의 손으로》 in andere Hände fallen* (kommen*; gelangen) [s]; in andere Hände (in *js.* ⁴Besitz) über|gehen* [s]. ¶ 재산이 상속인에게 ~ das Vermögen geht in die Hände des Erbes über / 그 편지는 남의 손으로 넘어갔다 Der Brief ist in andere Hände gelangt (gefallen).
⑥ 《속다》 (her)ein|fallen* [s]; auf dem Leim gehen* [s] 《*jm.*》. ¶ 아무한테 ~ *jm.* auf dem Leim gehen / 그는 내 계략에 넘어갔다 Er ist durch List in meine Hände geraten. | Ich habe ihm ein Schnippchen geschlagen. / 그런 수작에 안 넘어간다 Darauf falle ich nicht herein.
⑦ 《젖혀짐》 um|schlagen* [s]; um|blättern. ¶ 책장이 바람에 ~ das Blatt des Buches schlägt (blättert) im Winde um.

넘어가다² 〔타동사〕 《저쪽으로》 überschreiten*⁴; (über)setzen⁴; gehen* [s] 《über⁴》; hinüber|gehen* (-|treten*). ¶ 고개를 ~ den Paß überschreiten*; über den Paß gehen* / 담을 ~ den Zaun (die Mauer) überschreiten* / 경계선을 ~ die Grenzlinie überschreiten*; über die Grenzlinie gehen*.

넘어다보다 über ⁴et. (etwas Höheres) sehen* (schauen; spähen). ¶ 담을 ~ über die

Mauer (den Zaun) sehen* (spähen).

넘어뜨리다 ① 《쓰러뜨리다》 um|werfen*⁴ (nieder|-); nieder|schlagen*⁴ (-|hauen*⁴); zu Boden werfen* (schlagen*); über den Haufen werfen* (rennen*⁴); um|stoßen*⁴ (밀어); nieder|reißen*⁴ (헐다); fällen⁴ (베어); um|wehen⁴ (-|reißen*) (바람이). ¶ 집을 ~ das Haus ein|reißen* (nieder|reißen*); das Haus um|wehen; das Haus zerstören (지진이) / 의자를 ~ den Stuhl um|stoßen* (um|werfen*) / 책상 위의 꽃병을 ~ die Vase auf dem Tisch um|stoßen* / 다리를 걸어 ~ *jm.* ein Bein stellen / 나무를 ~ den Baum fällen; den Baum um|wehen / 그는 경찰관을 넘어뜨리고 달아났다 Er warf den Schutzmann zu Boden und lief fort.
② 《전복》 stürzen⁴; um|stürzen (-|wälzen); über den Haufen werfen*. ¶ 정부를 ~ die Regierung stürzen / 내각을 ~ das Ministerium stürzen.

넘어박히다 so hart fallen* Ⓢ, daß es fest hineingesteckt bleibt; fest eingeklemmt werden.

넘어서다 hinüber|gehen* Ⓢ; hinüber|fahren* Ⓢ; gehen* (fahren*) Ⓢ 《*über*⁴》; überstehen*⁴. ¶ 산을 ~ den Berg hinüber|gehen* (-fahren*) / 어려운 고비를 ~ schwere Zeiten (e-n kritischen Augenblick) überstehen*.

넘어오다¹ 〖자동사〗 ① 《쓰러져》 (herab|)stürzen Ⓢ; (herab|)fallen* Ⓢ. ¶ 담이 뜰 쪽으로 ~ Die Mauer stürzt (fällt) gegen den Garten herab.
② 《옮아오다》 überbracht (übergeben) werden; abgeliefert (ausgehändigt) werden; über|gehen* Ⓢ. ¶ 나의 손으로 ~ mir in die Hände geraten* (fallen*) Ⓢ / 문서가 친구에게서 나에게 넘어왔다 Das Dokument geht von dem Freund in m-e Hände über. ¦ Das Dokument wird mir von dem Freund ausgehändigt. / 상속권이 아버지한테서 아들에게로 넘어왔다 Das Erbrecht ist vom Vater auf den Sohn übergegangen.
③ 《이월》 vorgetragen (übertragen) werden. ¶ 잔액이 금년도로 ~ ein Überschuß wird auf das laufende Jahr übertragen.
④ 《먹은 것이》 ⁴sich erbrechen*; ⁴sich übergeben*. ¶ 먹은 것이 넘어올 것 같다 ⁴sich erbrechen (übergeben) wollen* / 아침 먹은 것이 ~ das eingenommene Frühstück erbrechen*.
⑤ 《투항》 über|laufen* Ⓢ; ⁴sich übergeben* (ergeben*). ¶ 적군에서 ~ vom Feinde zu uns über|laufen*.

넘어오다² 〖타동사〗 überqueren⁴; überschreiten*⁴; kreuzen⁴. ¶ 국경을 ~ die Staatsgrenze überschreiten* / 길(강)을 ~ e-e Straße (e-n Fluß) überqueren (kreuzen).

넘어지다 = 넘어가다¹ ①,②.

넘치다 ① 《물·기운이》 überfließen*⁴; überlaufen*⁴; überströmen⁴ 〔위의 세 동사는 자동사일 때 분리〕; überschwemmen⁴; aus|treten* (über|-). ¶ 강물이 ~ der Fluß tritt aus (über); der Fluß tritt über die Ufer über / 대야물(물통)이 ~ das Waschbecken (das Wasserfaß) fließt (läuft) über / 병이 넘치게 물을 부어 넣다 ⁴das Wasser in die Flasche übervoll ein|gießen* / 넘칠 듯이 가득하다 übervoll sein 《*von*³》; zum Überlaufen (Überfließen) voll sein; strotzend sein 《*von*³》 / 기쁨에 넘쳐 울다 vor Freude überfließend (übersprudelnd) weinen / 희망에 넘쳐 있다 von Hoffnung beseelt sein / 동정심으로 ~ voll innigsten ²Mitleids sein / 애교가 ~ von Liebeswürdigkeit über|fließen*; anmutsvoll (holdselig) sein / 매력이 넘치는 아가씨 ein Mädchen (von) voll Reiz / 그 여자의 눈에는 눈물이 넘쳐 흐르고 있다 Die Augen liefen ihr über.
② 《지나침》 mehr sein, als jemand verdient; nicht s-m Stande geziemen; 《생활이》 über s-e ⁴Verhältnisse (s-e ⁴Mittel) (hinaus) leben; leben, wie es s-m ³Stande nicht geziemt. ¶ 그는 분수에 넘치게 살고 있다 Er lebt über seine Verhältnisse (hinaus). ¦ Er lebt, wie es seinem Stande nicht geziemt. / 집이 그에게는 분에 ~ das Haus geziemt nicht seinem Stande / 저에게는 분에 넘치는 칭찬(영광)입니다 Der Lob (Der Glanz) ist mehr, als ich verdiene.

넙데데하다 ☞ 너부데데하다.

넙치 〖어류〗 Flunder *f.* -n; Scholle *f.* -n.

넛손자(一孫子) Enkel 《*m.* -s, -》 der Schwester.

넛할머니 Schwester 《*f.* -n》 der Mutter des Vaters; Tante 《*f.* -n》 des Vaters auf dessen mütterlichen Seite.

넛할아버지 Bruder 《*m.* -s, ⸚》 der Mutter des Vaters; Onkel 《*m.* -s, -》 des Vaters auf dessen mütterlicher Seite.

넝마 Lumpen *m.* -s, -; Lappen *m.* -s, -; Fetzen *m.* -s, -; Lumpending *n.* -(e)s, -e. ¶ ~가 된 zerlumpt; zerfetzt / ~를 걸친 in Lumpen (in Fetzen) gehüllt; schäbig angezogen / ~ 같은 옷 Lumpenhülle *f.* -n; Klamotte *f.* -n / ~를 입은 사람 ein zerlumpter Kerl, -s, -e; Lump *m.* -en, -en.
‖ ~장수 Lumpen¦händler (-sammler) *m.* -s, -. ~주이 Lumpen¦sammler *m.*

넣다 ① 《속에》 stecken⁴ 《*in*⁴》; bringen*⁴ 《*in*⁴》; ein|lassen*⁴ 《*in*⁴》; ein|nehmen*⁴ (-|schließen*; -|setzen⁴; -|stellen⁴) 《*in*⁴》; (ein|-)gießen*⁴ 《*in*⁴》 (부어); ein|packen⁴ 《*in*⁴》 (꾸려); ein|werfen*⁴ 《*in*⁴》 (던져); (hinein|)mischen⁴ 《*in*⁴》 (섞어); (hinein|)tun*⁴ 《*in*⁴》. ¶ 돈(손)을 주머니에 ~ Geld in die Tasche (³sich die Hände in die Taschen) stecken / 책을 책장에 ~ e-n Bücherschrank mit Büchern packen / 편지를 우체통에 ~ e-n Brief in den Postkarten ein|werfen* / 차에 밀크를 ~ Milch in den Tee gießen* (mischen) / 주전자에 물을 ~ Wasser in den Kessel gießen* / 눈에 안약을 ~ Augenwasser (ins Auge) tröpfeln / 공에 바람을 ~ Luft in den Ball ein|lassen* / 타이어에 바람을 ~ ⁴die Radreifen 《*pl.*》 auf|pumpen / 신선한 공기를 ~ frische Luft ein|lassen* / 머릿속에 넣어 두다 im Kopf behalten*⁴ / 손에 ~ bekommen*⁴; erhalten*⁴; in ⁴die Hand bekommen*; in ⁴Besitz bekommen*.
② 《가입·수용》 auf|nehmen*⁴; fassen*; 《여관 따위에》 unter|bringen*⁴; beherbergen⁴; bringen*⁴; schicken⁴; ein|liefern⁴ (감옥, 병원 등에). ¶ 아이를 학교에 ~ ein Kind in die Schule schicken (geben*); ein Kind auf die Schule bringen* / 이 강당은 3천 명을 넣을 수 있다 Diese Aula faßt 3000 Personen. ¦ Dieser Hörsaal nimmt 3000 Personen auf. / 당신을 우리 회에 넣어 드리겠읍니다 Wir nehmen Sie in unseren Verein auf.
③ 《포함》 ein|schließen*⁴. ¶ …을 넣어서(넣지 않고) einschließlich (ausschließlich) ²*et.* /이자를 넣어 7만 원 70000 *Won*, einschließ-

lich der ²Zinsen / 세금을〔잡비를〕 넣지 않고 2만 5천 원 25000 *Won* ausschließlich ²Steuern 〔²Unkosten〕/ 전부 넣어서 비용이 700 마르크이다 Die inklusiven Kosten sind 700 DM. / 차에는 운전수까지 넣어 다섯 사람이 타고 있었다 Im Wagen waren fünf Leute einschließlich des Fahrers.
④ 《보내다》 schicken⁴. ¶ 애를 학교에 ~ das Kind in die Schule schicken.
⑤ 《끼우다》 ein|setzen⁴; ein|legen⁴; ein|fügen⁴; ein|schalten⁴; hinein|stecken⁴. ¶ 침구에 솜을 ~ das ⁴Bettzeug mit Watte füttern; das ⁴Bettzeug mit Baumwolle (aus|-) stopfen 〔füllen〕; das ⁴Bettzeug wattieren/ 반지에 보석을 박아 ~ e-n Edelstein in e-n Ring ein|setzen / 신문에 광고 쪽지를 끼워 ~ Reklamezettel in e-e Zeitung ein|legen/ 책갈피에 편지를 ~ e-n Brief zwischen Blätter e-s Buches ein|legen.
⑥ 《중간에》 (hin)ein|setzen⁴; (hin)ein|legen⁴; (hin)ein|stecken⁴; treten lassen*⁴ 《*in*⁴》. ¶ 아무를 중간에 넣어 조정〔알선〕하게 하다 *jn.* ein gutes Wort ein|legen 《für *jn.*》/ 중간에 아무를 넣어 중재시키다 *jn.* ins Mittel treten lassen* / 중간에 사람을 넣어 교섭하다 durch e-n ⁴Vermittler unterhandeln 〔verhandeln〕 《mit *jm.* über ⁴*et.*》.
⑦ 《통과》 ein|lassen 〔hinein|lassen; ein|-treten lassen〕*⁴. ¶ 아무를 안 넣어 주다 *jn.* nicht ein|lassen; *jn.* nicht eintreten lassen/ 방에 아무도 넣어 주지 않는다 irgend ⁴*jn.* in sein Zimmer eintreten lassen / 안에 넣어 주시오 Lassen Sie mich hinein! / 이 명함을 내밀면 넣어 줄 것입니다 Diese Visitenkarte wird Ihnen Eintritt gewähren.

네¹ ① 《네》 du*. ¶ 네가 잘못했다 Du bist im Unrecht 〔Irrtum〕.¦Du hast unrecht. ② 《너의》 dein*. ¶ 네 집이 어디냐 Wo liegt deine Wohnung 〔dein Haus〕? / 이건 네 장갑이냐 Sind das deine Handschuhen? / 네가 알 바 아니다 Das ist nicht deine Sache!¦ Das geht dich nichts an!

네² 《넷》 vier. ¶ 네 사람 vier Personen 〔Leute〕 《*pl.*》/ 책 네 권 vier Bücher 《*pl.*》/ 네 귀 die vier Ecken 《*pl.*》/ 네 식구 vier Familienmitglieder 《*pl.*》; e-e vierköpfige Familie.

네³ ① 《응답》 ja; gewiß (확실히); allerdings (물론); jawohl (분부대로 하겠읍니다); doch 〖부정문에 대한 긍정의 답으로〗; nein 〖부정문에 대한 부정의 답으로〗; sicher (말할 것도 없죠); gern (기꺼이, 잘 알았읍니다). ¶ 네, 분부대로 하겠읍니다 Jawohl!¦Sehr gern! / 그는 집에 없는가—네, 없읍니다 Ist er nicht zu Hause?—Nein, er ist nicht zu Hause. / 네가 그것을 해낼 수 있겠니—네, 할 수 있고 말고요 Glaubst du, daß du es erledigen kannst?—Ja, sicher. ② 《출석 부를 때》 hier (네). ③ 《반문》 wie?; ha!; mein Gott!; nun?; nun, und?; unglaublich!; was?

-네 ¶ 우리네 wir alle / 당신네 Sie alle / 삼봉이네 die Familie von *Sambong*.

네가티브 negativ.

네가필름 Negativfilm *m.* -(e)s, -e.

네거리 Straßenkreuzung *f.* -en; Kreuzweg *m.* -(e)s, -e. ¶ 종로 ~ *Jongro*-Kreuzweg / 우리는 ~에 가게를 가지고 있다 Wir haben e-n Laden an der Straßenkreuzung 〔am Kreuzweg〕.

네것 dein 〖술어적·무변화〗; deiner 〔deine; deines; deine 《*pl.*》〕; der 〔die; das〕 deine; die deinen 《*pl.*》; das Deine; der 〔die; das〕 Deinige.

네글리제 Negligé [negliʒé:] *n.* -s, -s.

네까짓 deinesgleichen; (e-e Person) wie du. ¶ ~놈 ein Geschöpf 〔Kerl〕 wie du / ~년 solches Weibervolk wie du / ~것한테 지겠느냐 Ich werde niemals von e-m Kerl wie dir besiegt. / ~놈한텐 넘어가지 않는다 Solch ein Kerl wie du kann mich nicht hintergehen.

네눈(박)이 Hund 《*m.* -(e)s, ⸚e》, der über den Augen weiße Flecken hat.

네다리 vier Beine 《*pl.*》. ¶ ~를 뻗고 자다 mit ausgestreckten Gliedern schlafen*; ganz bequem schlafen*; k-e Sorgen haben.

네다섯 vier od. fünf.

네댓 etwa vier od. fünf. ¶ ~ 새 etwa vier od. fünf Tage 《*pl.*》.

네덜란드 Holland *n.* -s; dei Niederlande 《*pl.*》. ¶ ~의 holländisch; niederländisch.
‖ ~말 die holländische Sprache; das Holländische*; Holländisch *n.* ~사람 Holländer *m.* -s, -; Niederländer *m.* -s, -.

네뚜리 ① 《새우젓의》 ein Viertel Topf 《*m.* -(e)s, ⸚e》 von gepökelten Garnelen; Teilung e-s Topfes von gepökelten Garnelen in vier Portionen. ② 《깔봄》 das Verachten*, -s; das hochmütige Herabsehen*, -s 《*auf*⁴》; das Verschmähen*, -s.

네로 《로마 황제》 (Kaiser) Nero (37-68).

네모 Viereck *n.* -(e)s, -e; Quadrat *n.* -(e)s, -e; Geviert(e) *n.* ..t(e)s, ..te. ¶ ~진 viereckig; geviert; quadratförmig / ~나다, ~지다 viereckig 〔geviert; quadratförmig〕 sein / ~로 자르다 in ⁴Würfel schneiden*⁴.
‖ ~꼴 Viereck; Quadrat; Geviert(e): ~꼴의 viereckig; geviert; quadratförmig.

네미 ① 《송아지 부를 때》 Kalb! ② 《욕설로》 Scheißkerl! ③ 《너의 어미》 deine Mutter.

네발 vier Füße; vier Beine. ¶ ~ 달린 vierfüßig; vierbeinig.
‖ ~짐승 ein vierflüßiges Tier, -(e)s, -; Vierfüß(l)er *m.* -s, -; Vierbeiniger *m.* -s, -; Quadruped(e) *m.* ..den, ..den. ~책상 ein vierbeiniger Tisch, -es, -e.

네쌍둥이(—雙童—) Vierling *m.* -(e)s, -e.

네안데르탈 Neandertal.
‖ ~인 Neandertaler *m.* -s, -.

네오- Neo-; Neu-.
‖ 네오로만티시즘 Neuromantik *f.* 네오리버럴리즘 Neoliberalismus *m.* -. 네오리얼리즘 Neorealismus *m.* -.

네온 〖화학〗 Neon *n.* -s.
‖ ~사인 Neonlicht *n.* -(e)s, -er; Lichtreklame *f.* -n (광고의).

네이블 〖식물〗 Apfelsine *f.* -n; Orange [orã́:ʒə] *f.* -n.

네이팜 ‖ ~(폭)탄 Napalmbombe [ná:palm..] *f.* -n.

네임 Name *m.* -ns, -n. ¶ ~밸류가 있는 (wohl) bekannt.
‖ ~플레이트 Namensschild *n.* -(e)s, -er; Firmenschild *n.*; Türschild *n.*

네째 der 〔die; das〕 Vierte*; Nummer 4; der vierte Platz, -es, ⸚e. ¶ ~의 viert.
‖ ~집 das vierte Haus, -es, ⸚er.

네커치프 Halstuch *n.* -(e)s, ⸚er.

네클리스 Hals¦band *n.* -(e)s, ⸚er 〔-kette *f.* -n〕.

네트 Netz *n.* -es, -e. ¶ ~를 치다 Netz spannen.
‖ ~볼 Netzball *m.* -(e)s, ⸚e. ~워크 Netzwerk *n.* -(e)s, -e; 《라디오》 (Rundfunk)netz

n. -es, -e; Sendergruppe *f.* -n. ~플레이 Netzspiel *n.* -(e)s, -e.

네팔 《나라이름》 Nepal *n.* -s; Königreich 《*n.* -(e)s》 N. ¶ ~의 nepalisch; nepalesisch. ‖ ~사람 Nepaler *m.* -s, -; Nepalese *m.* -n, -n. ~어(語) Nepali *f.*

네프로제 〖의학〗 Nephrose *f.* -n.

네활개 vier (ausgestreckte) Glieder 《*pl.*》. ¶ ~치다 stolzieren [h.s]; prahlen / ~치며 prahlend / ~치며 다니다 herum|stolzieren [s] / ~를 뻗다 Arme u. Beine aus|strecken / ~를 뻗고 자다 ganz ausgestreckt schlafen*; 《편안히》 ganz bequem schlafen*; k-e Sorgen haben.

넥타이 Krawatte *f.* -n; Schlips *m.* -es, -e; Selbstbinder *m.* -s, -. ¶ ~를 하다(매다) (³sich) die Krawatte binden*.
‖ ~핀 Krawatten|nadel (Schlips-) *f.* -n. 나비~ Schleife *f.* -n.

넨장(맞을) 〖감탄사〗 Verdammt!; Verflucht!; Verwünscht!; Verflixt!; Hol dich der Teufel!; 〖형용사적〗 verdammt; verflixt; Verdammenswert; Drecks-; scheußlich; abscheulich; verteufelt. ¶ 넨장맞을 녀석 ein verdammter Kerl, -(e)s, -e / 넨장맞을 놈 같으니 Hol dich der Teufel! / 넨장, 헛소리 좀 작작해라 Verflixt noch mal, rede k-n Unsinn mehr! / 넨장, 덥기도 하다 Verdammt, welche Hitze ist es! / 넨장맞을, 우산은 어디 갔어 Verflucht, wo habe ich den Regenschirm hingestellt!

넵투늄 〖화학〗 Neptunium *n.* -s 《기호: Np》.

넷 vier. ¶ 넷으로 자르다 vierteln⁴; in vier Teile teilen⁴; in vier Stücke schneiden*⁴.

녀석 ① 《경멸적》 Kerl *m.* -s, -e; Bursche *m.* -n, -n; Gesell(e) *m.* ..llen, ..llen; Kauz *m.* -es, ⸚e; Mensch *m.* -en, -en; Geschöpf *n.* -(e)s, -e; Ding *n.* -(e)s, -e (특히 소녀, 아이) ¶ 나쁜 ~ ein schlechter Kerl; ein übler Bursche; Schurke *m.* -n, -n / 싫은 ~ ein abscheulicher (widriger) Kerl / 뻔뻔한(치사한) ~ ein unverschämter (gemeiner) Kerl / 우스운(이상한) ~ ein komischer (seltsamer; wunderlicher) Kerl / 불쌍한 ~ ein armer Kerl; ein armes Ding / 운 좋은 ~ Glückspilz *m.* -es, -e / 이 바보 ~ Du Esel! | Du Dummer! | Du dummes Ding! / 세상에는 별별 ~이 다 있다 Es gibt allerlei Käuze. ② 《귀엽게》 ein lieber (netter) Kerl; ein kleiner, lieber Kerl; ein reizendes kleines Geschöpf(여자); ein kleines, liebes Kind; ein liebes, reizendes Kerlchen. ¶ 귀여운 ~ ein hübscher Kerl; ein hübsches kleines Ding; ein süßes, liebes Kerlchen; ein hübsches, niedliches Ding / 요 ~ Du süßes, liebes Kerlchen (Ding)

년 ① 《경멸적》 Weib *n.* -(e)s, -er; Weibsbild *n.* -(e)s 《*pl.*: Weibervolk *od.* Weibersleute》; Frauenzimmer *n.* -s, -; Dirne (Metze) *f.* -n; Göre *f.* -n. ¶ 망할 년 ein verdammtes (verflixtes; verfluchtes) Weib / 미친 년 e-e verrückte Frau, en / 이년 Du verfluchtes Frauenzimmer! ② 《귀엽게》 ein kleines Mädel, -s, -; (e-e) Kleine*. ¶ 귀여운 년 m-e kleine Hexe; m-e Kleine*.

년(年) Jahr *n.* -(e)s, -e. ¶ 3년 3 Jahre / 1982년에 im Jahr 1982 / 2년에 한 번 alle zwei Jahre; alle zwei Jahre einmal / 1년은 열두 달이다 Ein Jahr hat zwölf Monate.

녘 ① 《방향》 Richtung *f.* -en. ¶ 동녘에 in der östlichen Richtung; in der Richtung nach Osten / 동녘으로 gegen (nach) Osten / 북녘 die nördliche Richtung / 아랫녘 Unterseite *f.* -n / 윗녘 Oberseite *f.* -n. ② 《무렵》 gegen⁴; bei³. ¶ 새벽녘 gegen ⁴Tagesanbruch; gegen Morgen / 아침녘 gegen Morgen / 날샐녘 bei Anbruch des Tages / 해질녘 gegen Anbruch der Nacht; gegen Abend.

노¹ 《노끈》 Schnur *f.* ⸚e (en).

노² ☞ 노상.

노³ nein. ¶ 예스와 노 das Ja u. das Nein, des - u. -s / 노라고 대답하다 (mit e-m) Nein antworten; in negativem Sinne antworten.

노(櫓) Ruder *n.* -s, -; Riemen *m.* -s, -; Paddel *f.* -n (양끝에 물갈퀴가 있는). ¶ 노를 젓다 rudern⁴ [h.s] 〖장소의 이동을 나타낼 때 [s]〗; das Ruder führen; Ruder handhaben; paddeln (카누 따위) / 노를 달다 (떼다) die Riemen (Ruder) 《*pl.*》 aus|legen (ein|ziehen) / 힘껏 노를 저어 가다 ⁴sich in die Ruder legen / 노젓는 사람 Rudervolk *n.* -(e)s (총칭적). ⌈-s, -.

노-(老) ¶ 노수상 der alte Premierminister,

노각(老—) ausgereifte gelbliche Gurken 《*pl.*》.

노간주 〖식물〗 Wacholder *m.* -s, -.
‖ ~나무 Wacholder-baum *m.* -(e)s, ⸚e.

노경(老境) Alter *n.* -s; Lebensabend *m.* -(e)s, -e. ¶ ~에 들다 ⁴sich in vorgerücktem (vorgeschrittenem) Alter befinden*.

노고(勞苦) Mühseligkeit *f.* -en; Beschwerde *f.* -n; Abquälerei *f.* -en; Strapaze *f.* -n. ¶ ~의 결정 die Frucht der Mühseligkeit / ~를 아끼지않다 k-e Mühseligkeit scheuen; ⁴sich nicht um Mühseligkeiten kümmern / 아무에게 ~를 끼치다 *jm.* Mühe machen; *jm.* Beschwerde machen (verursachen) / ~를 위로하다 *jn.* über (um) die Mühseligkeit trösten.

노고지리 〖조류〗 Feldlerche *f.* -n.

노곤하다(勞困—) =나른하다.

노골적(露骨的) ① 《솔직》 unbeschönigt; freimütig; ungeschminkt; unverblümt. ¶ ~인 사람 der unbeschönigt (freimütig; ungeschminkt; unverblümt) Sprechende* (Handelnde*) -n, -n / ~으로 geradeheraus; offen; ungeschminkt; umstandslos; freimütig; ohne Rücksicht (Umstände) / ~으로 말하면 um es offen (heraus) zu sagen; offen gesagt; um das Kind beim rechten Namen zu nennen; um frisch von der Leber weg zu sprechen; um kein Blatt vor den Mund zu nehmen / ~으로 말하다 ohne Rücksicht sprechen*; ⁴*et.* umstandslos vor|bringen*; ohne Umstände sprechen*; ⁴*et.* offen (freimütig) sagen; ⁴*et.* frei heraus|sagen / ~으로 말해서 그는 싫다 Um offen zu sprechen, habe ich ihn nicht gern.
② 《음란》 unanständig; „frei"; obszön; saftig; schlüpfrig. ¶ ~인 말 unanständige (obszöne; saftige; schlüpfrige) Geschichte (Witze) / ~인 글 (작품) schlüpfrige Lektüre / 저 만화는 너무 ~이다 Die Karikatur ist zu übertrieben (deutlich).

노교(老巧) =노련(老鍊).

노구(老嫗) e-e alte Frau, -en; (alte) Oma, -s.

노구(老軀) der altersschwache Leib, -(e)s, -er (Körper, -s, -). ¶ ~를 이끌고 (돌보지 않고) den altersschwachen Leib (Körper) anstrengend; trotz des hohen Alters.

노구거리 《소의》 ein Paar 《*n.* -(e)s, -e》 inwendig gebogener Rinderhörner, deren

Höhe aber unsymmetrisch voneinander verschieden ist.

노구(솥) Messing|kessel (Kupfer-) *m.* -s, -.

노굿 Blüten 《*pl.*》 der Hülsenfrüchtler. ¶ ~ 일다 Die Hülsenfrüchtler blühen.

노그라지다 ① 《지치다》 erschöpft (ermüdet; ermattet) sein; völlig ausgepumpt sein; hundemüde (todmüde) sein. ¶ 노그라져 잠들다 erschöpft ein|schlafen*[s]. ② 《마음이》 ⁴sich vernarren 《in *jn.*》; ⁴sich heftig verlieben 《in *jn.*》. ¶ 그는 그녀한테 아주 노그라졌다 Er hat sich in sie vernarrt.

노그름하다 ziemlich sanft (weich) (sein).

노글노글하다 sanft; weich (sein). ¶ 노글노글한 가죽 weiches Leder, -s, - / 풀을 노글노글하게 끓이다 den Kleister weich kochen.

노급함(弩級艦) Dreadnought [drédnɔ:t] *m.* -s, -s; Großkampfschiff *n.* -(e)s, -e.

노긋노긋하다 sehr (ganz) biegsam; geschmeidig; elastisch (sein). ¶ 노긋노긋한 가죽 weiches Leder, -s, -.

노긋하다 biegsam; geschmeidig; elastisch u. weich (sein).

노기(怒氣) Ärger *m.* -s; Entrüstung *f.* -en; Zorn *m.* -(e)s; Wut *f.* ¶ ~를 띠고 im Zorn; entrüstet; zornig; 《말에》 in ärgerlichem Ton / ~ 등등하다 wütend sein; rot vor Wut sein / ~ 충천하다 vor Wut toben (kochen) / 만면에 ~를 띠고 있다 rot vor Wut (Zorn) sein / ~를 띠고 말하다 zornig reden.

노기스 〖기계〗 Nonius *m.* -, ..nien (..usse).

노깃(櫓—) Ruderblatt *n.* -(e)s, ⸚er.

노끈 Bindfaden *m.* -s, ⸚; Schnur *f.* ⸚e. ¶ ~을 꼬다 e-e Schnur fest|binden* / ~으로 묶다 mit einer Schnur zusammen|binden / ~을 풀다 die Schnur auf|lösen.

노나무 〖식물〗 Katalpe *f.* -n; Trompetenbaum *m.* -(e)s, ⸚e.

노녀(老女) die alte Frau, -en; das alte Weib, -(e)s, -er; die Alte*, -n, -n.

노년(老年) (Greisen)alter *n.* -s, -; Bejahrtheit *f.*; Greisentum *n.* -s; hohe Jahre 《*pl.*》; Lebens|abend *m.* -s, -e (-herbst *m.* -es, -e). ¶ ~에 이르러 im (hohen) Alter; auf *js.* ⁴alte Tage.
‖ ~기 das hohe Alter; *js.* alte Tage 《*pl.*》; Lebensabend *m.*

노농(勞農) Arbeiter u. Bauer. ¶ ~의 Sowjet.
‖ ~당 Arbeiter-und Bauern-Partei *f.* -en. ~러시아 Sowjetrußland *n.* -s. ~정부 Sowjetregierung *f.* -en.

노놓치다 (e-n gefangenen Verbrecher) heimlich frei|lassen* (fliehen lassen*).

노느다 ① =나누다. ② 《분배》 verteilen⁴ 《*an*⁴; *unter*⁴》; aus|teilen 《*an*⁴; *unter*⁴》; liefern⁴ 《*an*⁴》; zu|teilen³⁴; geben*⁴ 《*jm.*》. ¶ 돈을 빈민들에게 ~ Geld unter die Armen verteilen / 재산을 자식들에게 ~ das Vermögen an s-e Kinder verteilen. ③ 《할당》 zu|messen*³⁴; an|weisen*⁴ 《*für*⁴》; auf|teilen³⁴.

노느매기 Zuteilung *f.* -en; Zuweisung *f.* -en; Verteilung *f.* -en. ~하다 zu|teilen³⁴; zu|weisen*³⁴; verteilen⁴ 《*an*⁴; *unter*⁴》.

노는계집 e-e Prostituierte*; Dirne *f.* -n; Freudenmädchen *n.* -s, -.

노닐다 umher|schlendern [s]; umher|streifen [s]; umher|bummeln [s]; umher|ziehen* [s]; umher|wandern [s].

노다지 ① 《광맥의》 Goldgrube *f.* -n; e-e reiche Goldader, -n. ¶ ~를 캐내다 e-e Goldgrube entdecken; Gold in Klumpen gewinnen*. ② 《많은 이익》 großer Gewinn, -(e)s, -e; blendendes Geschäft, -(e)s, -e; Glück *n.* -(e)s, -e. ¶ ~를 만나다 e-e Goldgrube entdecken; den Gewinn ein|streichen*; ein blendendes Geschäft machen. ③ 《노상》 jederzeit; allzeit; immer; stets. ¶ ~ 웃고 있다 immer (stets) lächeln.
‖ ~판 ein Bergwerk 《*n.* -(e)s, -e》, wo das Gold in Klumpen entdeckt wird; Goldgrube *f.* -n.

노닥거리다 fortfahrend lustig reden (plaudern; ⁴sich unterhalten*).

노닥다리(老—) e-e alte Person, -en; der (die) Alte*, -n, -n.

노닥이다 lustig (zu Scherz aufgelegt) reden (plaudern; ⁴sich unterhalten*); scherzen.

노대(露臺) Balkon [balkɔ̃:, ..kó:n] *m.* -s, -s (-e) 《balkɔ̃: 일 때에는 *pl.* -s》.

노대가(老大家) ein alter Meister, -s, -; ein ehemaliger Meister. ¶ 서예(書藝)의 ~ ein alter Meister der Kalligraphie / 국문학의 ~ ein alter Gelehrter* in Koreanistik / 문단의 ~들 alte große Schriftsteller.

노대국(老大國) e-e dahinsinkende (im Niedergang begriffene) große Nation, -en; ein zur Neige gehendes großes Reich, -(e)s, -e.

노도(怒濤) Sturzwelle *f.* -n; aufgeregte (brandende; stürmische; wilde; wütende) Wogen 《*pl.*》; große (hohe; starke) Wellen 《*pl.*》. ¶ ~가 이는 바다 tobende (sturmgepeitschte) See, -n / ~처럼 밀려오는 군중 die sich stürmisch (tobend; rasend) herandrängende Menge / ~를 헤치고 나아가다 die hohen Wellen durchschneiden*; die wilde Flut durchschiffen; durch Sturzwellen fahren*.

노독(路毒) Erschöpfung (Ermattung) 《*f.* -en》 durch Reisestrapazen (Reiseanstrengung). ¶ ~을 풀다 ⁴sich von der Reiseanstrengung erholen; nach den Reisestrapazen aus|ruhen.

노동(勞動) Arbeit *f.* -en. ~하다 arbeiten. ¶ 싸고 풍부한 ~력 billige u. reichliche Arbeitskraft *f.* ⸚e / ~으로 생활하다 von der (durch) Arbeit leben / ~은 신성하다 Die Arbeit ist heilig.
‖ ~가치설 Arbeitswerttheorie *f.* -n. ~거래소 Arbeitsbörse *f.* -n. ~거부 Arbeitsverweigerung *f.* -en. ~계급 =노동자 계급. ~계약 Arbeitsvertrag *m.* -(e)s, ⸚e. ~계획 Arbeitsplan *m.* -(e)s, ⸚e. ~공급 Arbeitsbeschaffung *f.* -en: ~공급 계획 Arbeitsbeschaffungsprogramm *n.* -s, -e. ~과학 Arbeitswissenschaft *f.* -en. ~관리(管理) Arbeiterkontrolle *f.* -n. ~권(權) Arbeitsrecht *n.* -(e)s, -e. ~귀족 Arbeiteraristokratie *f.* -n. ~규약 Arbeitsordnung *f.* -en. ~기준 Arbeitsnorm *f.* -en. ~기피 Arbeitsscheu *f.* -en. ~능력 Arbeits|fähigkeit (-vermögen *m.* -s, -) *f.* -en. ~능률 Arbeitsleistung *f.* -en. ~단체 Arbeiter|verein (-verband *m.* -(e)s, ⸚e) *m.* -(e)s, -e. ~당(黨) Arbeiterpartei *f.* -en: ~당원 Mitglieder der ²Arbeiterpartei. ~력 Arbeitskraft *f.* ⸚e: ~력 부족 Mangel an ³Arbeitskräften. ~문제 Arbeits|frage (-problem *m.* -s, -e) *f.* -n. ~배치 Arbeitseinsatz *m.* -es, ⸚e. ~법 Arbeitsgesetz *n.* -es, -e. ~보험 Arbeiterversicherung *f.* -en. ~복 Arbeits|anzug *m.* -(e)s, ⸚e (-kleidung *f.* -en; -kleid *n.* -(e)s,

-er). ~봉사 Arbeitsdienst *m.* -es, -e. ~부 Arbeitsministerium *n.* -s, ..rien: ~부 장관 Arbeitsminister *m.* -s, -. ~분야 Arbeitsfeld *n.* -(e)s, -er. ~생리학 Arbeitsphysiologie *f.* -n. ~생산성 Arbeitsproduktivität *f.* -en. ~시간 Arbeits¦zeit *f.* -en (-stunde *f.* -n): ~시간을 단축(연장)하다 Arbeitszeit (Arbeitsstundenzahl) verkürzen (verlängern). ~시장 Arbeitsmarkt *m.* -(e)s, ⸗e. ~심리학 Arbeitspsychologie *f.* -n. ~운동 Arbeiterbewegung *f.* -en. ~위원회 Arbeitsausschuß *m.* ..sses, ..schüsse. ~의무 Arbeitspflicht *f.* -en. ~의욕 Arbeitslust *f.* ⸗e. ~인구 Arbeiterbevökerung *f.* -en. ~일 Arbeitstag *m.* -(e)s, -e. ~임금 Arbeitslohn *m.* -(e)s, ⸗e. ~재판소 Arbeitsgericht *n.* -(e)s, -e. ~쟁의 Streik *m.* -(e)s, -e; Ausstand *m.* -(e)s, ⸗e; Arbeits¦einstellung (-niederlegung) *f.* -en. ~절 der Tag der Arbeit; erster Mai. ~정책 Arbeitspolitik *f.* -en. ~조건 Arbeitsbedingung *f.* -en. ~조약 Arbeitsvertrag *m.* -(e)s, ⸗e. ~조정법 Arbeitsvermitt(e)lungsgesetz *n.* -(e)s, -e. ~행정 Arbeitsverwaltung *f.* -en. ~헌장 Arbeitsverfassung *f.* -en. ~협약 Arbeits¦vertrag (-kontrakt *m.* -(e)s, -e) *m.* -(e)s, ⸗e. ~회의 Arbeitssitzung *f.* -en. 강제~ Zwangsarbeit. 경(중)~ die leichte (schwere) Arbeit. 근육~ die körperliche Arbeit. 기계~ die mechanische Arbeit. 두뇌~ Kopfarbeit. (비)생산적~ die (un-) produktive Arbeit. 숙련~ die qualifizierte Arbeit. 시간외~ Mehrarbeit. 8시간~ die achtstündige Arbeitszeit *f.* -en; acht Stundenarbeit; Achtstundentag *m.* -(e)s, -e: 8시간 ~제 Achtstundenarbeitssystem *n.* -s, -e. 육체(정신)~ die körperliche (geistige) Arbeit. 2교대제~ Arbeit in zwei Schichtensystem. 저임금~ Arbeit des niedrigen Lohns. 국제 ~ 기구 die internationale Arbeitsorganisation. 국제 ~ 사무국 das internationale Arbeitsamt. 국제 ~ 회의 die internationale Arbeitskonferenz.

노동자(勞動者) Arbeiter *m.* -s, -; Arbeiterschaft *f.* (총칭). ¶ ~측의 요구 die Forderung von seiten der [2]Arbeiter / 자본가와 ~ Kapitalist u. Arbeiter / ~ 대우를 잘하다 die [4]Arbeiter 《*pl.*》 gut bezahlen; den [3]Arbeitern 《*pl.*》 e-e [4]bessere Behandlung zukommen lassen* / ~를 착취하다 die [4]Arbeiter 《*pl.*》 aus¦beuten (erpressen) / 이 공장은 천명의 ~를 부린다 In dieser Fabrik sind 1000 Arbeiter beschäftigt (angestellt).

‖ ~계급 Arbeiterklasse *f.* -n; die arbeitende Klasse. ~교육 Arbeitererziehung *f.* -en; Arbeiterbildungswesen *n.* -s. ~대표 der Vertreter 《-s, -》 der Arbeiterschaft. ~보호 Arbeiterschutz *n.* -(e)s: ~ 보호법 Arbeiterschutzrecht *n.* -(e)s, -e. ~수용소 Arbeitslager *n.* -s, - (⸗). ~재해 보상법 Arbeiterunfallgesetz *n.* -es, -e. ~조직 Arbeiterorganisation *f.* -en. ~촌 Arbeiterkolonie *f.* -n; Arbeitersiedlung *f.* -en. ~합숙소 Arbeiterwohnungen 《*pl.*》. ~후생 시설 Arbeiterwohlfahrtseinrichtung *f.* -en. 계절~ Saisonarbeiter. 숙련~ der gelernte Arbeiter. 임금~ Lohnarbeiter. 자유~ der freie Arbeiter. 중~ Schwerarbeiter. 국제 ~협회 die Internationale; die Arbeiterinternationale; die internationale Arbeiterassoziation. 국제 ~ 보호협회 der internationale Arbeiterschutz.

노동조합(勞動組合) Arbeiter¦gewerkschaft *f.* -en (-genossenschaft *f.* -en; -verband *m.* -(e)s, ⸗e). ¶ ~의 운영 die Führung der Arbeitergewerkschaft / ~을 조직하다 e-e Gewerkschaft bilden; [4]sich zur e-r Gewerkschaft vereinigen.

‖ ~간부 Gewerkschaftsführer *m.* -s, -. ~대회 Gewerkschaftskongreß *m.* ..sses, ..sse. ~법 Arbeiter¦gewerkschafts¦gesetz (-genossenschafts-; -verbands-) *n.* -es, -e. ~본부 Gewerkschaftshaus *n.* -es, ..häuser. ~운동 Gewerkschaftsbewegung *f.* -en. ~원 Gewerkschaft(l)er *m.* -s, -; Genossenschaft(l)er *m.* -s, -; Arbeiterverbandsmitglied *n.* -(e)s, -er. ~주의 Arbeiter¦gewerkschafts¦system (-genossenschafts-; -verbands-) *n.* -s, -e; Gewerkschaftswesen *n.* -s; Trade-Unionismus *m.* 한국 ~총연맹 der Koreanische Gewerkschaftsbund, -(e)s.

노두(露頭) 〖광산〗 Beginn 《*m.* -(e)s, -e》 e-r Erzader in e-m Bergwerk; zutageliegende Schicht, -en.

노둔(魯鈍) Dummheit *f.*; Schwerfälligkeit *f.*; Stumpfsinn *m.* -(e)s. ~하다 dumm; schwerfällig; stumpfsinnig (sein).

노둣돌 Steinblock 《*m.* -(e)s, ⸗e》 zum Absteigen vom pferd.

노드리듯하다 Bindfäden regnen.

노랑 Gelb *n.* -(e)s; die gelbe Farbe, -n. ¶ 엷은 ~ Hellgelb.

‖ ~꽃 die gelbe Blume, -n. ~나비 der gelbe Schmetterling, -s, -e. ~머리 das gelbe Haar, -(e)s, -e; Blondchen *n.* -s, - (처녀). ~참외 die gelbe Melonenart, -en. ~퉁이 ein Mensch mit bleichem, gelblichem Gesicht.

노랑이 ① 《노란 것》 das Gelbe*, -n; das gelbe Ding, -(e)s, -e. ② 《개》 der gelbe Hund, -(e)s, -e. ③ 《사람》 Geiz¦hals *m.* -es, ⸗e (-kragen *m.* -s, -); Pfennigfuchser *m.* -s, -; Filz *m.* -es, -e; Knicker *m.* -s, -; Knauser *m.* -s, -. ¶ ~다 filzig (knauselig; knickerig; schäbig) sein; nicht gern den Beutel ziehen*; am Geld(sack) hängen (kleben); die Hände auf der Tasche haben / ~짓을 하다 sehr auf die Groschen sein; knickern.

노랗다 ① 《색이》 ganz gelb; goldgelb (sein). ¶ 노란 저고리 e-e gelbe Jacke, -n / 얼굴이 ~ *js.* Gesichtsfarbe ist gelb; arm aus¦sehen*. ② 《싹수가》 ¶ 싹수가 ~ nicht die geringsten Aussichten haben; es gibt k-e Aussichten.

노래 《가요》 Lied *n.* -(e)s, -er; Gesang *m.* -(e)s, ⸗e; Singen *n.* -s; Ballade *f.* -n; 《민요》 Volkslied *n.* -(e)s, -er; 《시가》 Gedicht *n.* -(e)s, -e; Poesie *f.* (총칭). ~하다 singen*[4]; summen[4] (작은 소리로); rezitieren[4] (낭음). ¶ 가을을 ~한 시 ein Gedicht vom Herbst / ~를 부르다 (ein Lied) singen* / ~를 사랑하다 ein Lied (e-n Gesang) lieben; ein [4]Lied gern (lieb) haben / ~를 잘 하다 schön (gut) singen* / ~를 배우다 [4]Gesangstunden nehmen*; singen lernen / 피아노에 맞춰 ~하다 ein Lied zum Klavier singen*; zur Klavierbegleitung singen* / 악보를 보고(악보없이) ~하다 vom Blatt (weg) singen* / ~를 불러 아이를 재우다 das Kind in den [4]Schlaf hinein¦summen / 사랑을 많이 ~하다 viel (von) Liebe singen*.

‖ ~자랑 대회 Wettgesang *m.* -(e)s, ⸚e: 아마추어 ~ 자랑 대회 Amateur-Wettgesang. 노랫가락 Volksmelodie *f.* -n. 노랫소리 Gesangstimme *f.* -n. 남도~ das Lied der südlichen Provinz.

노래기 〖동물〗 Bandfüßer *m.* -s, -; der stinkende Tausendfüßler, -s, -.

노래지다 gelblich werden; allmählich gelb werden. ¶ 나뭇잎이 ~ Das Laub färbt sich.

노략질(擄掠—) das Erbeuten*, -s; das Kapern*, -s (나포); das Aufbringen*, -s (징발). ~하다 von *jm.* erbeuten[4]; kapern[4]; auf|bringen*[4]; in Beschlag nehmen*[4]; mit Beschlag belegen[4]; plündern[4](약탈). ¶ ~한 것 Beute *f.* -n; Kriegs¦beute (Siegers-); Prise *f.* -n(해상의); Kriegsraub *m.* -(e)s, -e; Trophäe *f.* -n(전리품) / 정복한 도시를 ~하다 e-e eroberte Stadt erbeuten (plündern) / 해적들이 연안의 도시들을 ~했다 Seeräuber plünderten die Städte an der Küste. / 군대가 세 차량분의 양식과 모포를 ~했다 Die Soldaten erbeuteten drei Waggons mit Proviant und Decken.

노량목 e-e sehr hohe Sopranstimme, -n.

노려보다 scharf (starr) an|sehen*[4]; (scharf) an|starren[4]; starren 《*auf*[4]》; an|glotzen[4]; an|blicken[4]; e-n scharfen (strengen) Blick werfen* 《*auf*[4]》; *jm.* e-n scharfen Blick zu|werfen*; *jm.* scharf ins Gesicht blicken. ¶ 서로 ~ einander an|starren (an|glotzen)/기분 나쁘게(꼼짝않고) ~ finster (fest) an|starren[4] / 적의를 품고(무섭게) ~ feindlich (fürchtlich) an|starren[4] / 화가 나서 ~ zornig (wütend) blicken[4] / 한 번 노려보자 그는 움찔 물러섰다 Ein starrer Blick schreckte ihn einfach zurück. / 그들은 한마디 말도 없이 서로 잔뜩 노려봤다 Sie sehen sich mit unverwandten Augen starr an, ohne ein Wort zu sagen.

노력(努力) Bemühung *f.* -en; Anstrengung *f.* -en; Mühe *f.* -n; (Be)streben *n.* -s; Beeiferung *f.* -en; Trachten *n.* -s. ~하다 [4]sich bemühen 《*um*[4]》; [4]sich an|strengen; [4]Anstrengungen 《*pl.*》 machen; alle Kräfte an|strengen (auf|bieten*); alles aufbieten; [3]sich [4]Mühe geben*; [4]sich bestreben; streben 《*nach*[3]》; trachten 《*nach*[3]》; ringen* 《*nach*[3]; *um*[4]》; [4]sich beeifern; [4]sich befleiß(ig)en[2]. ¶ ~하여 unter anstrengender Arbeit; alles* aufbietend; mit großer Mühe / ~한 보람 있어 dank den [3]Bestrebungen; indem s-e [1]Bemühungen von Erfolg gekrönt (begleitet) sind / 부단의 ~ die stete (fortwährende) Anstrengung; der unermüdliche Fleiß, -es / 갖은 ~을 다하다 [3]sich alle [4]Mühe geben*; [3]sich viel Mühe geben* (machen) 《*mit*[3]》; viel Mühe verwenden* 《*auf*[4]》; alle möglichen Anstrengungen machen / 힘껏 모든 ~을 하다 [4]sich mit allen Kräften bemühen; alle Kräfte an|strengen (auf|bieten; an|spannen; zusammen|nehmen*); alles auf|bieten* / 최대(최선)의 ~을 다하다 sein bestes (sein möglichstes) tun*; [4]sich aufs äußerste an|strengen; eine äußerste Anstrengung machen / 필사의 ~을 하다 verzweifelte Anstrengungen machen; alles* auf|bieten* / ~을 아끼다 mit Bemühungen geizen (sparsam um|gehen* Ⓢ); Mühe scheuen; die Kraft sparsam gebrauchen; mit der Kraft haus|halten* / ~을 아끼지 않다 k-e Mühe scheuen (sparen); [4]sich jeder [3]Mühe unterziehen*; [3]sich k-e Mühe verdrießen lassen*; [3]sich die Mühe nehmen*, [4]*et.* zu tun / 그는 부자가 되려고 ~하고 있다 Er ist bemüht, reich zu werden. / 온갖 ~이 수포로 돌아갔다 All meine Mühen wurden zu Wasser. / 각자는 최선의 ~을 다하라 Jeder tue sein Bestes. / 나는 ~한 보람이 있었다 Meine Anstrengung war von Erfolg belohnt. / ~하지 않고서는 아무일도 성취할 수 없다 Man erreicht nichts, ohne sich zu bemühen.

‖ ~가 der Fleißige*, -n, -n; der Eifrige*, -n, -n; der strebende Geist, -(e)s, -er; wer* sich strebend bemüht.

노력(勞力) Mühe *f.* -n; Anstrengung *f.* -en; Bemühung *f.* -en. ¶ ~을 제공하다 *jm.* alle Kräfte auf|bieten*; *jm.* k-e Mühe scheuen; *jm.* Mühe machen; viel Mühe verwenden* 《*auf*[4]》 / ~을 덜다 [3]sich Mühe (er)sparen; Mühe scheuen / ~이 많이 들다 [3]sich viel Mühe geben*(machen) 《*mit*[3]; *um*[4]》; große Mühe verwenden 《*auf*[4]》.

노련(老鍊) Erfahrenheit *f.*; Geübterheit *f.*; Gewandheit *f.*; Erprobtheit *f.*; Meisterschaft *f.* ~하다 (alt)erfahren (sein); 《숙달된》 (gut) geübt; gewandt; geschickt; meisterhaft; 《탁월한》 routiniert; erprobt; im Dienst ergraut (sein). ¶ ~한 솜씨 die meisterhafte Gewandheit / ~한 외교관 ein geübter Diplomat, -en, -en / ~한 의사 ein geschickter Arzt, -(e)s, ⸚e / ~한 선수 ein geübter Spieler, -s, - / ~한 배우 ein geübter Schauspieler / ~한 선원 ein befahrener Matrose, -n, -n; ein gewandter Schiffahrer, -s, - / 극작 기교에 ~한 입센의 희곡 die technisch meisterhaften Dramen 《*pl.*》 Ibsens / 가르치는 것이 ~하다 im Unterricht erfahren (gewandt) sein.

‖ ~가 der (Alt)erfahrene*, -n, -n; der erfahrene Mann, -(e)s, ⸚er; ein Mann von Erfahrung; der gut Geübte*, -n, -n; der (alte) Praktikus, -, ..ker (..kusse); Veteran *m.* -en, -en; der Routinierte* [ruti..] -n, -n; der im Dienst Ergraute*, -n, -n.

노령(老齡) hohes (vorgerücktes; vorgeschrittenes) Alter, -s, -. ¶ ~에 이르다 [4]sich in hohem (vorgerücktem; vorgeschrittenem) Alter befinden*; zu hohem Alter gelangen.

노루 〖동물〗 Reh *n.* -(e)s, -e.

‖ ~잠 ein kurzer u. leichter Schlaf, -(e)s; ein leichter Schlaf.

노루발[1] 《쟁기의》 zwei an die Rückseite des Pflugs befestigte, dreieckige Stützstücke.

‖ ~장도리 Klauenhammer *m.* -s, ⸚.

노루발[2] 〖식물〗 Wintergrün *n.* -s.

노루삼 〖식물〗 Hahnenfuß *m.* -es, ⸚e; e-e Art Ranunkel 《*f.* -n》.

노루오줌 〖식물〗 die Chinesische Astilbe, -n.

노루종아리 ① 《소반의》 untere glatte Fußfläche 《-n》 e-s *Sobans* (=e-e niedere Tafel). ② 《문살의》 Türteil 《*m.* -(e)s, -e》, der das Quergerippe locker zeigt.

노르께하다 gelblich (sein).

노르끄레하다 =노르께하다.

노르다 gelb; goldfarbig (sein).

노르마 Norm *f.* -en; Standard *m.* -(s), -s. ¶ ~를 완수하다 die festgesetzte (Pflicht-) arbeit erledigen (aus|führen; erfüllen).

‖ 딘(케이에스)~ DIN-Norm (KS-Norm). 생산~ Produktionsnorm.

노르망디 《프랑스의 지방》 Normandie.
노르무레하다 gelblich; ein bißchen gelb (sein).
노르스름하다 hellgelb; gelblich; fahlgelb (sein).
노르웨이 Norwegen *n.* -s. ¶ ~의 norwegisch. ‖ ~사람 Norweger *m.* -s, -. ~어 Norwegisch *n.* -(e); das Norwegische*.
노른자위 Eigelb *n.* -(e)s; Dotter *m.* (*n.*) -s, -.
노름 (Hasard)spiel *n.* -(e)s, -e; Hasard *n.* -s; Glücks¦spiel (Würfel-). ~(질)하다 (Hasard) spielen; um Geld spielen; hoch spielen; ein Spiel (Spielchen) machen; Würfel (mit Würfeln) spielen; würfeln; knobeln. ¶ ~에서 이기다(지다) das Spiel gewinnen* (verlieren*) / ~으로 부자가 되다 durch Spielen reich werden / ~으로 가난뱅이가 되다 ⁴sich arm spielen / ~에 운이 좋다 Glück im Spiel haben / ~으로 지새다 verspielen; spielen verbringen* / ~으로 가산을 탕진하다 Hab und Gut verspielen / ~을 금하다 das Hasardspiel verbieten*.
‖ ~꾼 Spieler *m.* -s, -; Hasardspieler; der leidenschaftliche Spieler. ~돈 Spielgeld *n.* -(e)s, -er. ~빚 Spielschuld *f.* -en. ~판 Spiel¦haus *n.* -es, ⸗er (-hölle *f.* -n); Spieltisch *m.* -es, -e: ~판을 벌이다 ein Hasardspiel eröffnen (veranstalten).
노릇 《일》 Arbeit *f.* -en; 《기능》 Funktion *f.* -en; 《직분》 Dienst *m.* -(e)s, -e; Amt *n.* -(e)s, ⸗er; Posten *m.* -s, -; 《역할》 Rolle *f.* -n; Aufgabe *f.* -n; 《직업》 Beruf *m.* -(e)s, -e. ‖ 선생~ Lehrtätigkeit *f.*; Lehrerberuf *m.*: 선생 ~하다 als Lehrer tätig sein.
노릇노릇 gelblich; hier u. da gelb; gelb befleckt. ~하다 gelblich; hier u. da gelb; gelb befleckt (sein). ¶ 벼가 ~ 익어간다 Reis ist gelb (reif).
노리개 ① 《패물》 die von der Frau getragene schmückende Gegenstände aus kostbarem Material. ② 《노리갯감》 Spielzeug *n.* -(e)s, -e; Spielsachen 《*pl.*》; Tand *m.* -(e)s; Nippsachen 《*pl.*》 (Nippes 《*pl.*》) (자질구레한); Puppe *f.* -n; das willenlose Werkzeug, -(e)s, -e. ¶ 아무를 ~로 삼다 mit *jm.* spaßen (scherzen; spielen; tändeln); *jn.* als Spielzeug benutzen / 남자를 ~로 취급하다 e-n Mann um den kleinen Finger wickeln; mit e-m Mann spielen; e-n Mann zum Narren haben(betören). / 너는 ~가 되었다 Man hat sein Spiel mit dir getrieben. / 남의 딸을 ~로 만들다니 그 놈 괘씸한 녀석이다 Was für ein Schurke, daß er die Tochter eines andern verführt!
‖ ~첩 e-e junge, hübsche Beischläferin, -nen (Konkubine, -n; Geliebte*, -n, -n).
노리갯감 Spielzeug; Spielsachen 《*pl.*》.
노리다¹ ① 《누리다》 stinken*; übelriechend (stinkend) (sein); 《털 타는 냄새》 es riecht nach brennenden Haaren; 《동물 냄새》 es riecht nach e-m Stinktier. ② 《다랍다》 geizig (sein).
노리다² ① 《재산·직위 따위를》 zielen 《*auf*⁴; *nach*³》; es auf ⁴*et.* ab¦sehen*; ⁴*et.* aufs Korn nehmen*; ein Auge haben 《*auf*⁴》; ⁴*et.* im Auge haben; die Augen richten 《*auf*⁴》; ein wachsames Auge haben 《*auf*⁴》. ¶ 그 자리를 ~ ein Auge auf die Stellung haben / 교수직을 ~ es auf e-e Professur abgesehen haben / 재산(돈)을 ~ es auf das Vermögen (Geld) abgesehen haben / 어떤 기업을 ~ ein Unternehmen im Auge haben / 결점을 ~ Mißstände aufs Korn nehmen* / 그것이 바로 내가 노리던 바다 Das ist es, worauf ich ziele.
② 《기회 따위를》 lauern 《*auf*⁴》; belauern⁴; ab¦sehen*⁴; es auf ⁴*et.* ab¦sehen (an¦legen); ab¦zielen 《*auf*⁴》; ab¦passen⁴; nach¦stellen³. ¶ 기회를 ~ auf e-e Gelegenheit lauern; die Gelegenheit ab¦sehen (ab¦passen) / 뱀이 개구리를 ~ Die Schlange belauert e-n Frosch. / 도둑은 처음부터 그 집을 노렸다 Der Dieb hatte es von Anfang an auf das Haus abgesehen.
③ 《목숨을》 ¶ 아무의 목숨을 ~ *jm.* nach dem Leben trachten.
노리다³ 《칼로》 quer schneiden*⁴.
노리착지근하다, 노리치근하다 ein bißchen stinken*; ein bißchen übelriechend (sein).
노린내 Gestank *m.* -(e)s; stinkender Geruch, -(e)s; 《털타는》 der Geruch brennender Haare; 《동물》 der Geruch e-s Stinktiers.
노릿하다 etwas (ein bißchen) übelriechend (stinkend) (sein).
노마(駑馬) der abgetriebene Gaul, -(e)s, ⸗e; Klepper *m.* -s, -; Kracke *f.* -n; Saumpferd *n.* -(e)s, -e; Schindmähre *f.* -n.
노망(老妄) Alters¦blödsinn *m.* -(e)s (-schwäche *f.* -n; -marasmus *m.* -); Greisenblödsinn *m.* -(e)s, -e; Altweibischheit *f.* -en; das Kindischwerden*, -s; die zweite Kindheit. ~하다 alters¦blödsinnig (-schwach) werden; kindisch werden; in s-r zweiten Kindheit sein; alt u. kindisch (vergeßlich) werden. ¶ ~한 늙은이 der kindische Greis, -es, -e / 나이 탓으로 ~했읍니다 Bei mir macht sich das Alter bemerkbar.
노멀 normal; regelrecht (정규적인); üblich (보통의); geistig gesund (머리가 돌지 않은).
노면(路面) Straßenoberfläche *f.* -n. ¶ ~을 개수하다 die Straße verbessern.
‖ ~교통 Straßenverkehr *m.* -(e)s. ~전차 Straßenbahn *f.* -en. ~포장 Straßenpflaster *n.* -s, -.
노모(老母) die alte Mutter, ⸗.
노목(老木) ein alter Baum, -(e)s, ⸗e.
노무(勞務) die harte (mühsame) Arbeit, -en; der schwere Dienst, -es, -e. ¶ ~를 제공하다 für *jn.* schwer (hart) arbeiten; *jm.* e-n schweren Dienst tun* (leisten) / ~를 맡다 e-e mühsame Arbeit übernehmen* (auf ⁴sich nehmen*).
‖ ~과 Arbeiterabteilung *f.* -en. ~관리 Arbeiterkontrolle *f.* -n. ~동원 Mobilmachung der Arbeiter (der Arbeitsleute). ~자 Arbeiter *m.* -s, -; Arbeitsmann *m.* -(e)s, ⸗er (..leute); Arbeitnehmer *m.* -s, -: ~자 모집 Anwerbung der Arbeiter.
노물(老物) e-e alte u. untaugbare Person, -en.
노뭉치 Knäuel *m.* (*n.*) -s, -; Schnur¦knäuel (Bindfaden-).
노박덩굴 〖식물〗 das (Orientalische) Bittersüß, -es.
노박이로 immer; stets; dauernd; unaufhörlich; für immer befestigt.
노박히다 für immer befestigt (angeheftet) sein; unbeweglich (beständig) sein; fest angeheftet sein.
노발대발(怒發大發) der heftige Zorn, -(e)s; Wut *f.*; Grimm *m.* -(e)s. ~하다 vor Wut kochen (schäumen); über ⁴*et.* sehr aufgebracht sein.
노방(路傍) Weg¦rand (Straßen-) *m.* -(e)s, ⸗er (-seite *f.* -n).

‖ ~초 Gras ⟪*n.* -es, ⸚er⟫ am Wegrand.
노벨 ⟪스웨덴의 화학자⟫ Alfred Bernhard Nobel (1833-96).
‖ ~문학상 der Nobelpreis für Literatur. ~상 Nobelpreis *m.* -es, -e: ~상 수상자 Nobelpreisträger *m.* -s, -. ~평화상 der Nobelpreis für Frieden. ~화학상 der Nobelpreis für Chemie.
노변(路邊) Straßenrand *m.* -(e)s, ⸚er.
노변(爐邊) ¶ ~에서 am Feuerherd (Kamin).
‖ ~잡담 das Geplauder ⟪-s, -⟫ (Geschwätz, -es, -e) am Feuerherd (Kamin).
노병(老兵) der altgediente (ausgediente) Soldat, -en, -en; Veteran [ve..] *m.* -en, -en.
노병(老病) =노환(老患).
노복(奴僕) Sklave *m.* -n, -n; Dienerschaft ⌈*f.* -en.
노부(老父) der alte Vater, -s, ⸚.
노부(鹵簿) die königliche Prozession, -en; der königliche (Um)zug, -(e)s, ⸚e. ¶ ~는 장엄하였다 Die königliche Prozession zog mit großer Feierlichkeit dahin.
노부모(老父母) alte Eltern ⟪*pl.*⟫.
노부인(老婦人) e-e alte Frau, -en.
노비(奴婢) Sklave ⟪*m.* -n, -n⟫ u. Sklavin ⟪*f.* -nen⟫; Diener ⟪*m.* -s, -⟫ u. Dienerin ⟪*f.* ⌊-nen⟫.
노비(路費) =노자(路資).
노사(老死) ~하다 im hoben Alter sterben* Ⓢ; e-s natürlichen Todes sterben*.
노사(勞使) Kapital u. Arbeit, des -s u. der -; Arbeitnehmer u. -geber; Unternehmer u. Angestellter*.
‖ ~간담회 die Privatkonferenz zwischen Arbeitnehmer u. Arbeitgeber. ~관계 das Verhältnis zwischen Arbeitnehmer und Arbeitgeber; Arbeitsverhältnis *n.* -ses, -se (법률, 계약상의). ~투쟁, ~분규 Arbeitsstreitigkeit *f.* -en. ~협조 die gute Zusammenarbeit von Kapital u. Arbeit.
노산(老産) Entbindung ⟪*f.* -en⟫ (das Gebären*, -s) in vorgerücktem Alter. ~하다 in vorgerücktem Alter entbinden*; in vorgerücktem Alter mit e-m Kind nieder|kommen* Ⓢ.
노상(路上) ¶ ~에(서) auf der Straße, -n; auf dem Wege, -(e)s, -e / ~에서 헤매다 auf der Straße umher|wandern (-|irren); [4]sich auf der Straße umher|treiben* / 그는 ~에서 아름다운 소녀와 알게 되었다 Er hat auf dem Wege die Bekanntschaft eines hübschen Mädchen gemacht.
‖ ~강도 Straßenräuber *m.* -s, -: ~강도를 만나다 auf der Straße beraubt werden. ~사고 Unfall ⟪*m.* -(e)s, ⸚e⟫ auf der Straße. ~안면 Wegesbekanntschaft *f.* -en.
노상 immer; stets; jederzeit; alltäglich; ⟪끊임없이⟫ beständig; fort|während (-dauernd); unaufhörlich; ununterbrochen; ⟪습관적으로⟫ gewöhnlich; wie gewöhnlich; sonst; ⟪번번히⟫ sooft; allemal. ¶ ~ 책만 읽는다 immer das Buch lesen*; das Buch zu lesen pflegen / 아침이면 ~ 산책한다 jeden [4]Morgen spazierenzugehen pflegen / 저 아이는 ~ 운다 Das Kind schreit stets (unaufhörlich). / 그는 ~ 집안에 처박혀 있다 Er hockt immer zu Hause. / ~ 그대로다 Nichts Neues (Besonders) ist geschehen. / 유감이지만 ~ 당신의 뜻에 응할 수는 없읍니다 So oft kann ich leider Ihren Wünschen nicht entsprechen.
노새 〖동물〗 Maultier *n.* -(e)s, -e.
노색(怒色) Anflug ⟪*m.* -(e)s⟫ von Zorn (Wut); ein zorniges Gesicht, -(e)s, -er; Zorn *m.* -(e)s; Wut *f.* ☞ 노기(怒氣).
노서아(露西亞) =러시아.
노선(路線) Linie *f.* -n; Route *f.* -n; Kurs *m.* -es, -e; Lauf *m.* -(e)s, ⸚e; Richtung *f.* -en. ¶ 공산주의의 (정치) ~ die kommunistische Linie / 새 ~을 개설하다 e-e neue Linie eröffnen / 당의 ~에서 벗어나다 von der Parteilinie ab|weichen* Ⓢ / 그 정치가는 끊임없이 자신의 ~을 추구하고 있다 Der Politiker verfolgt seine eigene Linie. / 이 버스 회사는 서울 인천 간의 ~을 운행하고 있다 Diese Busgesellschaft betreibt e-e Linie zwischen Seoul und Incheon.
‖ 버스~ Omnibuslinie. 외교~ die außenpolitische Linie (Ebene). 전차~ Straßenbahnlinie. 정당~ Parteilinie; die Richtung der Partei. 정치~ die politische Richtung. 항공~ Luftlinie. 항해~ Schiffahrtslinie.
노성(怒聲) e-e zornige (ärgerliche; wütige) Stimme, -n.
노소(老少) die Alten u. die Jungen ⟪*pl.*⟫. ¶ ~를 막론하고 ohne Rücksicht, ob jung, ob alt; ohne Unterscheidung des Alters; ohne Altersunterschied.
노송(老松) der alte Kieferbaum, -(e)s, ⸚e.
‖ ~나무 die japanische Zypresse, -n.
노쇠(老衰) Abgelebtheit *f.*; Altersschwäche *f.*; Senilität *f.*; das Kindischwerden*, -s (어렷거림). ~하다 abgelebt (altersschwach; senil) werden; kindisch werden (어렷거림). ¶ ~하여 죽다 an [3]Altersschwäche sterben; alt sterben.
노숙(老熟) Altersreife *f.*; die altreife Geschicklichkeit. ¶ ~한 경지에 달하다 zur Altersreife gelangen Ⓢ; die altreife Geschicklichkeit erlangen.
노숙(露宿) das Übernachten* ⟪-s⟫ im Freien; das Zelten*, -s. ~하다 im Freien übernachten; zelten.
노스탤지어 Heimweh *n.* -s; Sehnsucht *f.* ⸚e ⟪*nach*[3]⟫; Nostalgie *f.*
노신(魯迅) ⟪중국의 작가⟫ Lu Hsün (1881-⌈1936).
노심초사(勞心焦思) geistige Anstrengung, -en; innere Unruhe, -n; Besorgtheit *f.*; Angst *f.* ⸚e; innere (geistige) Qual, -en. ~하다 s-n Geist an|strengen; unruhig (beunruhigt; besorgt) sein. ¶ ~하여 mit allen Mühen (Anstrengungen).
노아 〖성서〗 Noah *m.* -(s) (Noä). ¶ ~의 방주 die Arche Noah (Noä) / ~의 홍수 Sintflut *f.*
노아가다 ⟪배가⟫ schnell fahren* Ⓢ; ⟪말이⟫ ⌈schnell traben Ⓢ.
노아코트 =느와크쇼트.
노안(老眼) ⟪노인의 눈⟫ die altersschwachen Augen ⟪*pl.*⟫; ⟪원시⟫ Presbyopie *f.*; Fernsichtigkeit (Weit-) *f.* ¶ ~인 사람 der Presbyophische* / ~이 되다 seine Augen werden mit dem (vom) Alter schwach.
‖ ~경 die Brille ⟪-n⟫ für [4]Alterssichtigkeit.
노앞(櫓—) die Steuerbordseite (rechte Seite) e-s Bootes (Kahns).
노약(老弱) die Alten ⟪*pl.*⟫ u. die Schwachen ⌊⟪*pl.*⟫.
노어(露語) =러시아말.
노엘 Weihnachten ⟪*pl.*⟫; Weihnachtslied *n.* -(e)s, -er.
노여움 Zorn *m.* -(e)s; Ärger *m.* -s; Wut *f.*; Entrüstung *f.* -en; Erbitterung *f.* -en; Grimm *m.* -(e)s; Unwille(n) *m.* ..willens; Mißfallen *n.* -s; Mißvergnügen *n.* -s; Un-

gnade *f*.; Ungunst *f*. ¶ ~을 사다 *js*. Zorn zu|ziehen*; *js*. Zorn auf ⁴sich laden*; *jn*. zum Zorn (zur Empörung) reizen; *jn*. erzürnen; bei *jm*. in Ungnade fallen* (s); ³sich das Mißfallen² (*js*. Ungnade) zu|ziehen* / ~을 나타내다 s-n Zorn aus|gießen* 《*über*⁴》 / ~을 참다 s-n Zorn (zurück|)halten* (unterdrücken); ⁴sich beherrschen / ~을 누그러뜨리다 《자제》 *js*. Zorn besänftigen / 그의 ~이 풀린다 Sein Zorn wird weich. ¦ Sein Ärger läßt sich erweichen. / 그는 ~으로 어쩔 줄을 모른다 Er läßt sich vom Zorn hinreißen. / 그 대신은 황제의 ~을 샀다 Der Minister rief des Kaisers Unwillen hervor.

노여워하다 ⁴sich ärgern 《über ⁴*et*.》; ärgerlich sein 《auf *jn*.》; ⁴sich entrüsten 《*über*⁴》; ⁴sich empören 《*über*⁴》; wütend (zornig) sein 《auf *jn*.; über ⁴*et*.》; böse sein 《auf *jn*.》; ⁴sich beleidigt fühlen. ¶ 그는 내가 찾지 않았다고 노여워했다 Er war böse auf mich, da ich ihn nicht besucht habe. ¦ Er hat sich darüber geärgert, daß ich ihm k-n Besuch abgestattet hatte. / 그의 말에 노여워하지 마시오 Seien Sie nicht ärgerlich über s-e Bemerkung (Worte).

노역(勞役) die harte Arbeit, -en; schweres (hartes) Stück Arbeit; Mühsal *f*. -e; Abplackerei *f*. -en. ~하다 schwer (hart) arbeiten.

노염 ☞ 노여움.

노엽다 beleidigt; ärgerlich (sein); ⁴sich verletzt fühlen; verstimmt sein 《über ⁴*et*.》. ¶ 노여운 빛을 나타내다 s-e Verstimmtheit verraten* / 그의 말이 ~ S-e Worte machen mich ärgerlich. ¦ Ich fühle mich beleidigt durch s-e Worte. / 자네를 노엽게 할 생각은 없었네 Ich wollte Sie aber nicht beleidigen.

노영(露營) =야영.

노예(奴隷) Sklave *m*. -n, -n (남자); Sklavin *f*. ..vinnen (여자); der Leibeigene* (농노); Sklaverei *f*. (신분). ¶ ~ 같은 (같이) sklavisch; wie ein Sklave / 정욕의 ~가 되다 s-n ³Lüsten frönen / 사랑의 ~ ein Sklave der Liebe / 금전의 ~가 되다 ⁴sich zum Sklaven des Mammons machen / ~처럼 일하다 wie ein Sklave arbeiten; ⁴sich ab|rackern; schnupften / ~처럼 부리다 *jn*. wie e-n Sklaven behandeln; *jn*. wenig besser als e-n Sklaven behandeln / ~화하다 *jn*. zum Sklaven machen; *jn*. versklaven; *jn*. ganz für ⁴sich ein|nehmen*; *jn*. an ⁴sich fesseln (유혹하여).

‖ ~근성 Sklaverei; Knechterei *f*. -en; Servilität *f*. ~노동 die sklavische Arbeit, -en. ~매매 Sklavenhandel *m*. -s, -. ~상인 Sklavenhändler *m*. -s, -. ~생활 Sklavenleben *n*. -s. ~선(船) Sklavenschiff *n*. -(e)s, -e. ~시장 Sklavenmarkt *m*. -(e)s, -e. ~제도 Sklaventum *n*. -(e)s. ~폐지론 Abolitionismus *m*. -: ~폐지론자 Abolitionist *m*. -en, -en. ~폐지 운동 Kampagne [..pánjə] *f*. -n. ~해방 Sklavenbefreiung *f*. -en.

노오라기, 노오리 ein Stückchen Faden 《*m*. -s, ⸗》; ein kleines Fadenstück, -(e)s, -e.

노옹(老翁) ein alter Herr, -n, -en; ein alter Mann, -(e)s, ⸗er (Leute); der Alte*, -n, -n.

노유(老幼) die Jungen u. die Alten 《*pl*.》. ¶ ~를 막론하고 ohne Rücksicht, ob jung, ob alt; alle, ob jung, ob alt; Jung u. Alt.

노이로제 Neurose *f*. -n. ¶ ~에 걸리다 an Neurose leiden*; neurotisch sein.

‖ ~환자 Neurotiker *m*. -s, -.

노익장(老益壯) ¶ 그는 ~이다 Trotz s-s Alters gewinnt er immer mehr an Energie.

노인(老人) der alte Mann, -(e)s, ⸗er; der Alte*, -n, -n; die alten Leute 《*pl*.》; die Alten* 《*pl*.》. ¶ ~을 공경하다 den Alten verehren (respektieren).

‖ ~병 Altersschwäche *f*.; Senilität *f*.; die Krankheit im Alter. ~(병)학 Gerontologie *f*. ~성 정신병 Altersblödsinn *m*. ~의학 Geriatrie *f*.

노인단풍(老人丹楓) 【식물】 der koreanische Ahorn, -s, -e.

노일(露日) Rußland u. Japan.

‖ ~전쟁 Russisch-Japanischer Krieg, -(e)s.

노임(勞賃) =임금(賃金).

노자(老子) 《중국의 철학자》 Laotse *m*. ¶ ~의 사상 《도교》 Taoismus *m*. -.

노자(勞資) =노사(勞使).

노자(路資) Reisegeld *n*. -(e)s, -er; die Reisekosten 《*pl*.》.

노작(勞作) e-e mühsame Arbeit, -en; ein mühevolles Werk, -(e)s, -e. ¶ 다년간의 ~ ein jahrelang mühevoll geleistetes Werk.

노장(老壯) die Alten u. die Jungen 《*pl*.》.

노장(老莊) Laotse u. Tschuangtse.

노장(老將) ein alter General, -s, -e (⸗e); ein kriegserfahrener General; 《노련가》 Veteran *m*. -en, -en.

노적(露積) der Stapel von Feldfrüchten; Miete *f*. -n; Schober *m*. -s, -.

‖ ~가리 Miete; Schober.

노점(露店) (Straßen)bude *f*. -n; Butike *f*. -n; (Buden)stand *m*. -(e)s, ⸗e; Bude *f*. -n; Verkaufsstand *m*. -(e)s, ⸗e. ¶ ~을 벌이다 e-e (Straßen)bude (Butike) *od*. e-n (Buden)stand (Verkaufsstand) auf|stellen.

‖ ~가(街) Budenstadt *f*. ⸗e; Meß¦buden (Markt-) 《*pl*.》. ~상인 Buden¦leute 《*pl*.》 (-verkäufer *m*. -s, -); Stadtkrämer *m*. -s, -.

노점(露點) 【물리】 Taupunkt *m*. -(e)s.

‖ ~계 Kondensationshygrometer *n*. -s, -.

노정(路程) die zurückzulegende Strecke, -n (Entfernung, -en). ¶ 10킬로미터의 ~ e-e Strecke von 10 Kilometern.

‖ ~계 Entfernungsmesser *m*. -s, -. ~표 Kilometer¦messer (Strecken-).

노정(露呈) Freilegung; Enthüllung; Entblößung *f*. ~하다 ⁴sich frei|legen (enthüllen; entblößen); an den Tag kommen* (s).

노정골(顱頂骨) 【해부】 Scheitelbein *n*. -(e)s, -e.

노조(勞組) ☞ 노동 조합.

노질(櫓一) das Rudern*, -s; das Paddeln*, -s. ~하다 rudern (h,s); paddeln (h,s).

노처녀(老處女) die alte Jungfer, -n. ¶ 다 시든 ~ die jedes Scharms bare alte Jungfer.

노천(露天) das Freie*, -n; die freie Luft. ¶ ~에서 im Freien; in der freien Luft; an der Luft; draußen; im Grünen.

‖ ~극장 Freilicht¦bühne *f*. -n (-theater *n*. -s, -). ~수업 der Unterricht im Freien. ~시장 der Markt in freier Luft (unter freiem Himmel). ~채굴 Tagebau *m*. -(e)s. ~학교 Freiluftschule *f*. -n; die Schule unter freiem Himmel.

노체(老體) ① =노구(老軀). ② der Alte*, -n, -n; Greis *m*. -es, -e (70세 이상).

노총 das Geheimhalten* 《-s》 der Zeit (Frist). ¶ ~ 지르다 die geheimgehaltene Zeit (Frist) verraten* (erkennen lassen*).

노총각(老總角) ein alter Junggeselle, -n, -n.
노출(露出) Bloß¦stellung *f.* -en (-legung *f.* -en); Ent¦blößung *f.* -en (-hüllung *f.* -en); Belichtung *f.* -en (사진의). ~하다 bloß|stellen⁴ (-|legen⁴); entblößen⁴; enthüllen⁴; exponieren⁴; belichten⁴ (사진에서); durch|brechen* ⓢ (광맥 따위가); zutage|treten* (-|liegen*; -|streichen*). ¶ ~된 bloß; bloßgestellt (-gelegt); ent¦blößt (-hüllt); exponiert; belichtet (사진에서); nackt / 부대의 ~ Entblößung von Truppen / 요새의 ~ Entblößung einer Festung / 광맥의 ~ das Zutagestreichen* / 잠재 의식의 ~ das Zutage treten des Unterbewußtseins / 위험에 몸을 ~시키다 ⁴sich e-r ³Gefahr aus|setzen / 필름을 50분지 1초로 ~시키다 e-n Film eine fünfzigstel Sekunde belichten.
‖ ~계 Belichtungsmesser *m.* -s, -e. ~(과다)증 Exhibitionismus *m.* -: ~증 환자 Exhibitionist *m.* -en, -en. ~과도 (부족) 〖사진〗 Überbelichtung (Unterbelichtung). ~시간 〖사진〗 Belichtungs¦zeit *f.* (-dauer *f.*). 순간~ Momentaufnahme *f.* -n.
노친(老親) alte (bejahrte) Eltern 《*pl.*》.
노카운트 das zählt (gilt) nicht; Fehlanzeige ⌊*f.* -n.
노코멘트 Kein Kommentar!
노크 das Klopfen*, -s (문의); Schlag *m.* -(e)s, ⁼e (타격). ~하다 klopfen (pochen) 《*an*⁴; *auf*⁴》. ¶ 도어를 ~하다 an die Tür klopfen (pochen) / ~소리가 난다 Es klopft an der Tür.¦Es pocht jemand an die Tür. / 사납게 ~하다 wild klopfen 《*an*⁴》.
노킹 das Klopfen* 《-s》 des Motors.
노타이샤쓰 ein Hemd 《*n.* -(e)s, -en》 mit Schillerkragen.
노퇴(老退) Rücktritt 《*m.* -(e)s, -e》 wegen des Alters; Pensionierung *f.* ~하다 ⁴sich wegen des Alters zurück|ziehen*; aus Altersgründen von e-m Amt zurück|treten* ⓢ (aus|scheiden* ⓢ).
노트¹ ① 《메모》 Notiz *f.* -en; Aufzeichnung *f.* -en. ② 《기록》 Kollegheft *n.* -(e)s, -e (대학노트); Schulheft (보통의); Merkbuch *n.* -(e)s, ⁼er (잡기장); Notizbuch (메모용). ~하다 ³sich auf|schreiben*⁴; in den Vorlesungen mit|schreiben* (강의의); ³sich Notizen machen (기록하다).
노트² Knoten *m.* -s, -. ¶ 20~로 달리다 20 Knoten in der Stunde laufen* ⓢ / 30~의 속력을 내다 (die Geschwindigkeit von) 30 Knoten entwickeln.
노티(老一) Alterserscheinung *f.* -en; Altersanzeichen *n.* -s, -.
노파(老婆) die alte Frau, -en (Dame, -n); das alte Weib, -(e)s, -er; die Alte*, -n, -n; Greisin *f.* ..sinnen (70세 이상); die alte Hexe, -n (할멈).
‖ ~심 die übermäßige Besorglichkeit, -en; die unnütze Vorsicht: ~심에서 그렇게 말하는 겁니다 Ich sage das aus Sorge um Sie.
노폐(老廢) Gebrechlichkeit *f.*; das Veraltetsein*, -s; das Verbrauchtsein*, -s. ~하다 gebrechlich; veraltet; verbraucht (sein).
‖ ~물 verbrauchte Sache, -n; Abfallprodukt *n.* -(e)s, -e; Ausscheidungsstoff *m.* -(e)s, -e. ~보험 Invalidenversicherung *f.* -en.
노포(老舖·老鋪) ein altbekanntes Geschäft ⌈*n.* -(e)s, -e.
노폭(路幅) die Breite der ²Straße; Straßenbreite *f.* -n.
노하다(怒一) zürnen 《*jm.*; auf *jn.*; mit *jm.*》; ⁴sich ärgern 《*über*⁴》; ärgerlich sein 《*über*⁴; *wegen*²》; auf|fahren* ⓢ; ⁴sich entrüsten 《*über*⁴》; (⁴sich) erbittern 《*gegen*⁴; *über*⁴》 〖자동사인 경우 ⓢ〗; erbittert sein (ergrimmen ⓢ) 《*auf*⁴; *gegen*⁴; *über*⁴》; Feuer u. Flammen speien*; in ⁴Zorn (Harnisch) geraten* ⓢ; verdrießlich werden. ¶ 노하기 쉬운 leicht erregbar; cholerisch; heißblütig; hitzig; hitz¦köpfig (jäh-); zornmütig/ 노해서 im Zorn; aus Ärger / 하찮은 일에 노하지 말아라 Ärgere dich nicht über Kleinigkeiten!
노하우 Know-how [nóuhau] *n.* -s; (technische) Erfahrung, -en; praktisches Wissen, -s; Fachwissen.
노햇사람 Einwohner 《*m.* -s, -》 auf dem zur Meeresküste offenen Land.
노형(老兄) Sie.
노호(怒號) Gebrüll *n.* -(e)s; das Heulen*, -s. ~하다 vor Zorn (Ärger); brüllen (heulen); wütend (rasend) schreien*; ein ⁴Zorngeschrei 《*n.* -(e)s》 erheben*; ein ⁴Geschrei 《*n.* -(e)s》 der Wut (des Zorns) erheben*; vor ³Wut laut schreien*; in e-n Wutschrei 《*m.* -(e)s, -e》 aus|brechen* ⓢ.
노화현상(老化現象) Symptom 《*n.* -s, -e》 der Senilität; Alterssymptom *n.* -s, -e; Alterserscheinung *f.* -en; 〖생물〗 Altersveränderung *f.* -en.
노환(老患) Altersschwäche *f.*; Senilität *f.*; die Krankheit 《-en》 im Alter.
노회하다(老獪一) gerieben; gerissen; durchtrieben; verschlagen; verschmitzt; schlau wie ein Fuchs (sein). ¶ 노회한 늙은이다 Der Alte ist mit allen Hunden gehetzt (mit allen Wassern gewaschen).
노획(鹵獲) Erbeutung *f.* -en; das Erbeuten*, -s. ~하다 erbeuten⁴; e-e Prise machen.
‖ ~물, ~품 Beute *f.* -n; das Erbeutete*, -n; Fang *m.* -(e)s, ⁼e (포획물); Prise *f.* -n.
노획(虜獲) Gefangen¦nahme (Fest-) *f.*; das Gefangennehmen*, -s. ~하다 gefangen|nehmen*⁴; lebendig fangen*⁴.
노후(老朽) Abgenutztheit *f.*; Verbrauchtheit *f.* ¶ ~한 alt u. abgenutzt; alt u. verbraucht / ~하여 wegen²·³ Abgenutztheit (Verbrauchtheit).
‖ ~선(船) das alte u. unbrauchbare Schiff. ~차량 der alte u. unbrauchbare Wagen.
노후(老後) Lebens¦abend *m.* -s, -e (-herbst *m.* -es, -e); die hohen Jahre 《*pl.*》. ¶ ~의 낙 der Trost des Alters / ~의 추억으로 um s-m Lebens¦abend (-herbst) e-e Bedeutung zu verleihen; als letzter Schwung in s-n hohen Jahren / ~에 대비해서 um gegen s-n Lebensabend versichert zu sein; um s-n Lebensabend in Sicherheit verbringen zu können / ~를 편안히 지내다 s-n Lebens¦abend (-herbst) in angenehmer Ruhe verbringen*; ungestört s-e hohen Jahre genießen*.
녹(祿) 《녹봉》 Besoldung *f.* -en; Fixum *n.* -s, ..xa; Lehen *n.* -s, -; Ration *f.* -en [..ó:nən] (양식); Besoldung *f.* -en (급료). ¶ 녹을 먹다 e-e Besoldung (ein Fixum) beziehen* (empfangen*); ein Lehen erhalten* (empfangen*) / 아무것도 하지 않고 녹을 먹다 ⁴Sinekure erhalten*; ⁴Gehalt beziehen*, ohne ⁴*et.* dafür zu tun.
녹(綠) ① 《쇠붙이의》 Rost *m.* -(e)s. ¶ 녹이 슨 rostig; verrostet / 녹슬지 않은 rostfrei / 녹

빛깔의 rostfarben; rostbraun / 녹슨 못 der verrostete Nagel, -s, ⸗e / 녹슨 칼 das verrostete Schwert, -(e)s, -er / 녹이 슬다 verrosten Ⓢ; rostig werden; ⁴Rost an|setzen / 녹슬지 않게 하다 ⁴*et.* vor Rost schützen / 녹을 벗기다 den Rost entfernen; vom Rost säubern⁴ / 녹슬어 못 쓰게 되다 vom (von) Rost zerfressen werden.
② 《동록》 Patina *f.* ¶ 푸른 녹이 생긴 patiniert / 푸른 녹이 슬다 Patina an|setzen.
③ 《녹색》 Grün *n.* -s.

녹각(鹿角) Geweih *n.* -(e)s, -e; Hirschhorn *n.* -(e)s, ⸗er.

녹나무 〖식물〗 Kampferbaum *m.* -(e)s, ⸗e.

녹내장(綠內障) 〖의학〗 der grüne Star, -(e)s, -e; Glaukom *n.* -s, -e.

녹녹하다 ☞ 눅눅하다.

녹느즈러지다 weich u. locker werden.

녹다 ① 《액화》 ⁴sich (auf|)lösen 《*in*³》 (액체 속에); schmelzen* Ⓢ (고체가 액체로); zergehen*(고체가 액체로); (auf)tauen Ⓢ,ⓗ; zerfließen* Ⓢ; zerschmelzen Ⓢ. ¶ 녹기 쉬운 leicht auflösbar; leicht löslich / 녹지 않는 unauflösbar; unlöslich / 녹아 없어지다 dahin|-schmelzen / 입에서 슬슬 ~ ⁴sich im Munde schmelzen / 열에 ~ ⁴sich durch Hitze schmelzen / 불에 ~ ⁴sich im Feuer schmelzen / 눈이 (얼음이) ~ Der Schnee (Das Eis) schmilzt (zergeht)./서리가 ~ Es taut.¦Der Reif taut auf. / 납은 잘 녹는다 Blei schmilzt leich. / 이 고기는 혀 끝에서 녹을 만큼 연하다 Das Fleisch ist so zart, daß es einem auf der Zunge zergeht.
② 《물에》 ⁴sich (auf|)lösen. ¶ 물에 ~ ⁴sich im Wasser (auf|)lösen / 소금 (설탕)은 물에 녹는다 Salz (Zucker) löst sich im Wasser (auf).
③ 《따뜻해지다》 warm werden; ⁴sich (er-)wärmen; ⁴sich heizen (lassen*) (난방). ¶ 수족이 ~ Die Hände u. Füße werden warm.¦Die Hände u. Füße wärmen sich. / 몸이 ~ ⁴sich wärmen / 몸이 녹도록 한 잔의 포도주를 마시다 ⁴ein Glas Wein trinken, um ⁴sich zu wärmen / 저 수프로 몸이 녹았다 Die Suppe machte mich warm (wärmte mich).
④ 《주색잡기에》 ¶ 주색에 ~ ⁴sich den sinnlichen Genüssen 《*pl.*》 ergeben*; ⁴sich durch die Liederlichkeit ins Verderben stürzen; ¹ein ausschweifendes Leben richtet *jn.* zugrunde.
⑤ 《혼나다》 von e-m (harten; schweren) Schlag getroffen werden; e-n (harten; schweren) Schlag erleiden*; großen Schaden leiden* (nehmen*); ⁴sich erschrecken* (entsetzen) 《*über*⁴》; bestürzt (verwirrt; verblüfft) werden 《*über*⁴》. ¶ 불경기로 ~ durch die schlechten Zeiten e-n Schlag erleiden (geschädigt werden) / 그는 전쟁으로 녹았다 Er erlitt durch den Krieg einen Schlag. / 그 농부는 홍수로 크게 녹았다 Der Bauer hat durch das Hochwasser großen Schaden (schwere Verlust) erlitten.
⑥ 《반하다》 entzückt (bezaubert; gefesselt) sein; verschossen (verliebt; vernarrt) sein; ⁴sich verlieben 《*in*⁴》. ¶ 그는 그 여자한테 녹았다 Er ist in sie verschossen (vernarrt).

녹다운 Knockdown [nɔkdáun] *m.* -(s), -s. ¶ ~시키다 e-n Knockdown (zu Boden) schlagen*⁽⁴⁾ / ~당하다 e-n Knockdown erleiden*.

녹두(綠豆) 〖식물〗 grüne Mungobohne, -n.
‖ ~죽 der mit grüne Mungobohnen zusammengekochte Brei, -(e)s, -e.

녹로(轆轤) Dreh¦bank (Drechsel-) *f.* ⸗e; Drehscheibe *f.* -n (녹로대). ¶ ~로 세공하다 drechseln⁴ / ~로 깎다 auf der Drehbank ab|schaben⁴.
‖ ~꾼 Drechsler *m.* -s, -. ~세공 Drechsler¦arbeit *f.* -en (-ware *f.* -n).

녹록하다(碌碌—) ärmlich (arm) 《an ³*et.*》; wertlos; gering; unbedeutend (sein). ¶ 녹록찮은 적 ein fürchterlicher (schrecklicher; entsetzlicher) Feind, -(e)s, -e.

녹림(綠林) ① 《숲》 ein grüner Wald, -(e)s, ⸗er. ② 《도둑의》 Räuberhöhle *f.* -n.
‖ ~당 die Räuber 《*pl.*》; Banditentum *n.* -s. ~호객(豪客) Bandit *m.* -en, -en; Räuber *m.* -s, -.

녹말(綠末) Stärke *f.* -n; Amylon *n.* -s.
‖ ~발효소 Diastase *f.*; Amylase *f.* ~질 Stärkehaltigkeit *f.*

녹물(綠—) (feuchter) Rost, -(e)s; Rostfleck *m.* -(e)s, -e.

녹반(綠礬) Eisenvitriol *m.* (*n.*) -s; das schwefelsaure Eisenoxydul, -s.

녹밥 Schusterdraht *m.* -(e)s, ⸗e.

녹변(綠便) grüner Stuhlgang, -(e)s, ⸗e.

녹봉(祿俸) =녹(祿).

녹비(鹿—) Wild¦leder (Hirsch-) *n.* -s, -. ¶ ~에 「가로 왈」자다 von den andern leicht beeinflußt werden; durch den Einfluß der anderen leicht ins Wanken geraten* Ⓢ.

녹비(綠肥) Gründünger *m.* -s, -.

녹색(綠色) Grün *n.* -s; grüne Farbe, -n. ¶ ~의 태양 〖기상〗 grüner Strahl, -(e)s, -en (남극 지방 등의).
‖ ~신고 Umsatzsteuererklärung *f.* -en; Steuererklärung 《*f.* -en》 mit grünen Zahlen: ~ 신고 업체 Steuererklärungsfirma *f.* ..men / ~신고제 Steuererklärungssystem *n.* -s, -e / ~신고를 하다 e-e Umsatzsteuererklärung ab|geben*. ~혁명 grüne Revolution, -en.

녹수(綠樹) der grüne Baum, -(e)s, ⸗e.

녹신녹신하다 sehr weich u. elastisch; ganz biegsam; sehr elastisch (sein).

녹신하다 weich u. elastisch; biegsam; elastisch (sein). ¶ 녹신한 가죽 weiches Leder, -s, -.

녹실- =녹신-.

녹십자사(綠十字社) der Grüne-Kreuz-Verein, -(e)s, -e.

녹아우트 Knockout [nɔkáut] *m.* -(s), -s 《생략: K.o., k.o.》; Niederschlag *m.* -(e)s, ⸗e. ¶ 제1라운드에서 ~시키다 *jn.* in der ersten Runde knockout (k.o.) schlagen* / ~로 이기다 (지다) durch K.o. gewinnen*⁴ (verlieren*⁴).

녹엽(綠葉) grüne Blätter 《*pl.*》; grünes Laub, -(e)s.

녹용(鹿茸) junge Geweihsprosse 《-n》 des Hirsches.

녹음(綠陰) Laubschatten *m.* -s, -; der schattige (schattenreiche) Ort 《-(e)s, -e》 unter Bäumen. ¶ ~에서 im Laubschatten; in der schattigen Ort unter Bäumen / 짙은 ~속에서 in üppigem Grün.
‖ ~방초 grüne Laubschatten u. duftige Gräser.

녹음(錄音) (Ton)aufnahme *f.* -n. ~하다 aufs Band sprechen*; auf ⁴Schallplaten auf|-nehmen*(레코드에); 《테이프에》 mit|schneiden*⁴; auf ⁴Band auf|nehmen*. ¶ ~으로 방송하다 (Ton)aufnahmen 《*pl.*》 senden⁽*⁾ / 음

악을 ~하다 Musik auf Schallplaten (Band) auf|nehmen* / 방송을 테이프에 ~하다 die Sendung ⟪-en⟫ auf ⁴Band mit|schneiden*/ 아무의 목소리를 테이프에 ~하다 *js.* Stimme auf Tonband auf|nehmen* / 그의 목소리는 잘 ~되지 않았다 Seine Stimme ließ sich nicht gut aufnehmen.

‖ ~감독 (Ton)aufnahmenleiter *m.* -s, -. ~기 (Ton)aufnahme¦apparat *m.* -(e)s, -e (-gerät *n.* -(e)s, -e); Tonbandgerät *n.*; Magnetophon *n.* -s, -e: 휴대용 ~기 ein tragbares (transportables) Tonbandgerät, -(e)s, -e; ein tragbarer (transportabler) Tonbandapparat, -(e)s, -e. ~기사 Tonaufnehmer *m.* -s, -. ~방송 (Ton)aufnahmesendung *f.* -en. ~실(室) (Ton)aufnahmeraum *m.* -(e)s, ⸚e. ~재생 Transkription *f.*; Wiedergabe *f.* ~테이프 (Ton)band *n.* -(e)s, ⸚er. ~판 Schallplatte *f.* -n. 동시 ~ Synchronisation *f.* -en.

녹이다 ① ⟪가열하여⟫ schmelzen*⁴ (고체를 액체로); zum Schmelzen bringen*⁴ (고체를 액체로); ein|schmelzen*⁴ (금속 등을); verschmelzen*⁴ (금속 등); zerlassen*⁴. ¶ 쇠를 도가니에 넣고 ~ Eisen im Schmelztopf ein|-schmelzen* / 버터를 ~ Butter schmelzen* (zerlassen*) / 눈(얼음)을 ~ den Schnee (das Eis) schmelzen* (zum Schmelzen bringen*). ② ⟪액체에⟫ schmelzen*; (auf|)lösen⁴. ¶ 설탕(소금)을 물에 ~ ⁴Zucker (Salz) in ³Wasser auf|lösen.
③ ⟪몸을⟫ wärmen⁴; erwärmen⁴; warm machen⁴; heizen⁴(난방). ¶ 자리를 ~ sein Bett warm machen / 찬 손을 불 앞에서 ~ s-e kalten Hände vor dem Feuer erwärmen.
④ ⟪망치다⟫ *jn.* zugrunde richten; *jn.* ins Verderben stürzen lassen*. ¶ 주색은 젊은 사람을 녹인다 Die sinnlichen Genüsse richten den jungen Menschen zugrunde.
⑤ ⟪혼내다⟫ *jn.* e-n (harten; schweren) Schlag treffen lassen*; *jn.* (großen) Schaden leiden (nehmen) lassen.
⑥ ⟪호림⟫ entzücken⁴; bezaubern*; fesseln⁴. ¶ 살살 녹이는 눈으로 보다 *jn.* mit entzückenden Augen an|sehen* / 그 여자는 미모로 모두를 ~ Sie bezaubert ⁴alle mit ihrer Schönheit.

녹죽(綠竹) ein grüner Bambus, -(ses), -(se).

녹지(綠地) die grüne Fläche, -n (Gegend, -en); der grüne Landstrich, -(e)s, -e. ¶ ~화하다 aufgeforstet werden.
‖ ~대 Grün¦streifen *m.* -s, - (-zone *f.* -n); Laubenkolonie *f.* -n (대도시의).

녹진녹진하다 ganz weich u. klebrig (sein). ¶ 갖풀을 녹이면 녹진녹진해진다 Der Leim wird ganz weich u. klebrig, wenn er angewärmt wird.

녹진하다 weich u. klebrig (sein).

녹차(綠茶) der grüne Tee, -s.

녹채(鹿砦) Verhau *m.* -(e)s, -e; Sperre *f.* -n.

녹청(綠靑) 〖화학〗 Grünspan *m.* -(e)s, -e; Spangrün *n.*

녹초 ① ⟪결딴남⟫ Verbrauch *m.* -(e)s; Unbrauchbarkeit *f.* ¶ ~가 되다 beschmutzt (besudelt) werden; unbrauchbar gemacht werden; verbraucht (verdorben) werden; weich werden; zerlumpt (zerfetzt) werden / 내 단벌 옷이 ~가 되었다 Mein einziges Kleid wurde ganz verdorben. / 내 칼라가 땀으로 ~가 되어 버렸다 Mein Kragen ist durch den Schweiß weich geworden.
② ⟪기진함⟫ Überschöpfung *f.* ¶ 피곤해 ~가 되다 erschöpft werden; ermatten Ⓢ; mürbe (todmüde; hundemüde) werden / 지쳐서 아주 ~가 되어 있다 ganz erschöpft (ermattet; todmüde; hundemüde) sein / ~가 되게 두들겨 주다 durch|bleuen⁴ (-|hauen*⁴); windelweich schlagen*⁴; *jm.* tüchtig die Motten aus dem Pelz klopfen.

녹초(綠草) grünes Gras, -es, ⸚er.

녹턴 〖음악〗 Nokturne *f.* -n; Notturno *n.* -s, -s (..ni); Nachtständchen *n.* -s, -.

녹화(綠化) Aufforstung *f.* -en; (Wieder-) anpflanzung *f.* -en. ~하다 auf|forsten⁴; an|pflanzen⁴.
‖ ~계획 Aufforstungsplan *m.* -(e)s, ⸚e. ~운동 Aufforstungs¦bewegung ((Wieder)anpflanzungs-) *f.* -en.

녹화(錄畵) (Fernseh)aufzeichnung *f.* -en. ~하다 ⟪e-e Szene⟫ aufs Video-Band auf|-zeichnen.

논 Reisfeld *n.* -(e)s, -er. ¶ 논을 갈다 das Reisfeld pflügen / 논을 일구다 das Reisfeld bestellen (bebauen) / 논에 물을 대다 das Reisfeld bewässern / 논에 모를 심다 Reis pflanzen.

논(論) ① ⟪논의⟫ Argument *n.* -(e)s, -e; Beweisführung *f.* -en; Argumentation *f.* -en (논증); Diskussion *f.* -en (토의); Erörterung *f.* -en (논구); Debatte *f.* -n; Disput *n.* -(e)s, -e; Disputation *f.* -en (이상은 논쟁).
② ⟪평론⟫ Bemerkung *f.* -en.
③ ⟪논설·논문⟫ Abhandlung *f.* -en; Dissertation *f.* -en; Essay [ése:] *m.* -s, -s (가벼운 것).
④ ⟪의견⟫ Meinung *f.* -en; Ansicht *f.* -en.
⑤ ⟪이론⟫ Theorie *f.* -n
⑥ ⟪문제⟫ Frage *f.* -n; Problem *n.* -s, -e.
☞ -론(論), 논하다.

논- Nicht-; nicht-. ¶ 논프로 nichtberuflich / 논픽션 ein nichterdichtetes (nichterfundenes) Werk, -(e)s, -e (Buch, -(e)s, ⸚er); Nonfiktion *n.* -.

논갈이 das Pflügen* ⟪-s⟫ des Reisfelds. ~하다 ein Reisfeld pflügen.

논객(論客) Polemiker *m.* -s, -; der wissenschaftliche Streiter, -s, -.

논거(論據) Beweis¦grund *m.* -(e)s, ⸚e (-mittel *n.* -s, -); die Grundlage ⟪-n⟫ (Basis, Basen) e-r Beweisführung. ¶ 잘못된 ~ der falsche Beweisgrund / ~를 바꾸다 den Beweisgrund ändern / 당신의 ~는 박약합니다 Die Grundlage Ihrer Beweisführung ist schwach.

논고(論告) 〖법〗 Anklagerede *f.* -n. ~하다 e-e Anklagerede halten*. ¶ 준엄한 ~ e-e vernichtende (scharfe) Anklagerede / ~를 개시하다 die Anklagerede eröffnen (an|-fangen*) / 검사가 ~했다 Der Staatsanwalt hielt die Anklagerede.

논공(論功) Abschätzung (Bewertung) ⟪*f.* -en⟫ des Verdienstes. ~하다 *js.* Verdienst ab|schätzen (bewerten).

논공행상(論功行賞) die Belohnungsverleihung ⟪-en⟫ nach Maßgabe der Verdienste. ~하다 die Belohnungen für *js.* Verdienste verteilen. ¶ 참전자에 대한 ~이 어제 있었다 Die Belohnungen an die Kriegsteilnehmer wurden gestern verteilt.

논구하다(論究―) eingehend (ausführlich; vollständig; genug) diskutieren (erörtern; untersuchen).

논급(論及) Berührung *f.* -en; Erwähnung *f.* -en; Bezug *m.* -(e)s, ⸚e; Bezugnahme *f.* -n. ~하다 zu sprechen kommen* ⓢ 《*auf*⁴》; berühren⁴; ⁴sich beziehen* 《*auf*⁴》; Bezug nehmen* 《*auf*⁴》; erwähnen⁴.

논길 Feldweg *m.* -(e)s, -e.

논꼬 Schleusentor 《*n.* -(e)s, -e》 des Reisfelds; Bewässerungstor.

논농사(—農事) Reisfeldbau *m.* -s; Reisanpflanzung *f.* -en. ~하다 den Reisfeldbau betreiben*.

논다 ☞ 노느다.

논다니 die Prostituierte*, -n, -n; Kurtisane *f.* -n; Freudenmädchen *n.* -s, -; Hure *f.* -n; Dirne *f.* -n.

논단(論壇) ① 《토론의》 Tribühne *f.* -n. ② 《평론계》 Kritiker¦kreise 《*pl.*》 〔-welt *f.*〕; die Welt der Kritik. ¶ ~의 이목을 끌다 ein großes Aufsehen in den Kritikerkreisen 〔der Kritikerwelt〕 erregen.

논단(論斷) Schluß *m.* Schlusses, Schlüsse; Schlußfolgerung *f.* -en; die letzte Konsequenz, -en. ~하다 zum Schluß 〔zu der Schlußfolgerung〕 kommen* 〔gelangen〕 ⓢ; den Schluß 〔die Schlußfolgerung; die letzte Konsequenz〕 ziehen* 〔machen〕 《*aus*³》. ¶ 명쾌하게 ~하다 klar u. deutlich folgern⁴ 《*aus*³》 / 경솔하게 ~하다 eilige 〔vorschnelle〕 Schlüsse ziehen* 〔machen〕 《*aus*³》.

논담(論談) Diskussion *f.* -en; Erörterung *f.* -en; Besprechung *f.* -en; Debatte *f.* -n; Kontroverse *f.* -n.

논도랑 Wassergraben 《*m.* -s, ⸚》 um ein Reisfeld.

논두렁 (Reisfeld)rain *m.* -(e)s, -e.
‖ ~길 Fußweg 《*m.* -(e)s, -e》 zwischen den Reisfeldern; Fußweg auf e-m Rain.

논둑 der Abhang 《-(e)s, ⸚e》 um e-n Reisfeld.

논란(論難) die kritische Beurteilung, -en 《e-r ²Sache; *über*⁴》; die angreifende Bemerkung, -en; Bekrittelei *f.* -en. ~하다 kritisch beurteilen⁴; angreifend bemerken⁴; bekritteln⁴.

논리(論理) Logik *f.* ¶ ~적 logisch / 비~적 unlogisch / ~적 필연성 logische Notwendigkeit / ~를 무시하고 ohne Rücksicht auf Logik / ~상, ~적으로 der Logik gemäß; vom logischen Stand¦punkt 〔Gesichts-〕 aus; nach Denkgesetzen; logisch / ~에 맞지 않다 aller ³Logik widersprechen*; aller ³Logik ins Gesicht schlagen*; ³sich selbst widersprechen; mit 〔zu〕 ³sich selbst im Widerspruch stehen; denk¦widrig 〔folge-; vernunft-〕 sein; unlogisch sein / ~에 맞다 vernünftig 〔vernunftgemäß; denkrichtig; folgerichtig; richtig gedacht〕 sein / 그의 논증은 ~가 정연하다 Seine Beweisführung ist ganz logisch. / 당신의 논거는 ~가 서지 않습니다 Ihr Argument hat keine Anhaltspunkte.
‖ ~성 Logizität *f.* ~학 Logik: ~학자 Logiker *m.* -s, -. 귀납 ~학 induktive Logik. 기호(적) ~학 symbolische Logik. 수학적 ~학 mathematische Logik. 순수 ~학 reine Logik. 연역 ~학 deduktive Logik. 형식 ~학 formale Logik.

논마지기 ein (kleines) Stück Reisfeld *n.* -(e)s, -er; ein Reisfeld von kleinem Umfang. ¶ 그는 ~나 가지고 있다네 Er soll ein kleines Stück Reisfeld besitzen.

논매다 das Reisfeld jäten.

논문(論文) Abhandlung *f.* -en; Aufsatz *m.* -es, ⸚e; (Zeitungs)artikel *m.* -s, -(신문의); Dissertation *f.* -en (학위 논문 따위); Essay [ɛ́se:] *m.* -s, -s (문학적인 가벼운); Traktat *m.* 〔*n.*〕 -(e)s, -e (학문상, 특히 종교상의). ¶ 독일 문학에 관한 ~ Abhandlung 〔Aufsatz〕 über deutsche Literatur / ~을 쓰다 e-n Aufsatz schreiben* 〔verfassen〕 / ~을 작성하다 e-e Abhandlung an¦fertigen / ~을 제출하다 e-e Dissertation vor¦legen³ / ~을 심사하다 e-e Dissertation prüfen.
‖ ~심사 die Prüfung e-r Dissertation. ~제출 die Vorlegung e-r Dissertation; die Einreichung e-r Doktorarbeit. ~주제〔테마〕 das Aufsatzthema, -s, ..men 〔..mata〕. ~집 gesammelte Abhandlungen 《*pl.*》. 박사~ Doktorarbeit *f.* -en. 졸업~ Dissertation.

논문서(—文書) Besitzurkunde 《*f.* -n》 e-s Reisfelds.

논박(論駁) Angriff *m.* -(e)s, -e 《auf 〔gegen〕 *jn.*》; Polemik *f.* -en (논전); Widerlegung *f.* -en (반박). ~하다 an¦greifen*⁴; polemisieren 《*gegen*⁴》; widerlegen⁴. ¶ ~을 피하다 e-e Polemik vermeiden*; e-r ³Polemik aus dem Wege gehen* ⓢ / 그는 신문 지상에서 신랄한 ~을 받았다 Er wurde in den Zeitungen scharf angegriffen.

논밭 Feld *n.* -(e)s, -er; Acker *m.* -s, ⸚.

논배미 ein Stück Reisfeld *n.* -(e)s, -er.

논법(論法) Beweisführung *f.* -en; Schlußfolgerung *f.* -en; Gedankengang *m.* -(e)s, ⸚e; Logik *f.* ¶ 잘못된 ~ die falsche Beweisführung / 묘한 ~ e-e seltsame Logik / ~이 교묘한 사람 der gewandte Wortführer / ~이 맞는〔맞지 않는〕 logisch 〔unlogisch〕 / ~을 세우다 e-e Beweisführung an¦legen / 나는 그의 ~에 따를 수 없었다 Ich konnte s-r Beweisführung nicht folgen.
‖ 이단~ Enthymem *n.* -s, -e. 삼단~ logischer Schluß, ..lusses, ..lüsse; Syllogismus *m.* -, ..men.

논변(論辯) Argument *n.* -(e)s, -e; Debatte *f.* -n; Erörterung *f.* -en.

논봉(論鋒) die Schärfe 《-n》 des Arguments; das scharfe Argument, -(e)s, -e; Überzeugungs¦kraft 〔Überredungs-〕 *f.* ⸚e. ¶ ~을 …로 돌리다 die Schärfe des Arguments 〔das scharfe Argument〕 richten 《*auf*⁴》; ⁴sich mit scharfem Argument wenden⁽*⁾ 《*gegen*⁴》 / 그의 ~은 예리하다 Er bedient sich e-s scharfen Arguments.

논설(論說) ① Essay [ɛ́se:] *m.* -s, -; Aufsatz *m.* -es, ⸚e; Betrachtungen 《*pl.*》; die kritischen Bemerkungen 《*pl.*》 (시사문제); Gedanken 《*pl.*》. ② 《사설》 Leit¦artikel *m.* -s, - 〔-aufsatz〕. ¶ 오늘 신문에 심한 태풍 피해에 관한 ~이 실려 있다 Die heutige Zeitung enthält e-n Leitartikel über die furchtbaren Schäden des Taifuns.
‖ ~기자, ~위원 Leitartikelschreiber *m.* -s, -. ~난(欄) die Spalte 《-n》 für den Leitartikel.

논술(論述) Erklärung *f.* -en; Darlegung *f.* -en; Aussage *f.* -n. ~하다 dar¦legen⁴; aus¦sagen⁴; erklären⁴.

논어(論語) „Das Buch 《-(e)s》 der Gespräche" von Konfuzius.

논외(論外) ¶ ~의 außer ³Frage stehend; nicht in ⁴Frage kommend / 그러한 것은 ~의 일이다 So etwas kommt hier gar nicht in Frage!¦Das gehört nicht zur Sache!

논의(論議) Diskussion *f.* -en; Debatte *f.* -n; Erörterung *f.* -en; Meinungsaustausch *m.* -es; Besprechung *f.* -en; Beratung *f.* -en; Verhandlung *f.* -en; Prüfung *f.* -en (검토); Untersuchung *f.* -en (조사). **~하다** diskutieren[4]; debattieren[(4)] 《*über*[4]》; erörtern[4]; Meinungen 《*pl.*》 aus|tauschen; besprechen*[4]; beraten* 《*über*[4]》. ¶ ~중이다 unter Diskussion sein; zur Diskussion stehen* / 이것을 충분히 ~하여야 한다 Das sollten wir e-r ausführlichen Diskussion unterwerfen. / 새로운 것이 ~되었다 Etwas Neues wurde aufs Tapet gebracht (kam zur Sprache).

논자(論者) Disputant *m.* -en, -en; Erörterer *m.* -s, -; Verfechter *m.* -s, -(대변자); Verfasser *m.* -s, - 《dieses Aufsatzes 필자》.
‖평화론자 Pazifist *m.* -en, -en; Friedensfreund *m.* -(e)s, -e (-prediger *m.* -s, -).

논쟁(論爭) Disput *n.* -(e)s, -e; Disputation *f.* -en; Wortstreit *m.* -(e)s, -e; Kontroverse *f.* -n. **~하다** [4]sich auseinander|setzen 《mit *jm.*》; [4]sich aus|sprechen 《mit *jm.*》; debattieren 《mit *jm.* *über*[4]》; disputieren 《mit *jm.* über[4]》; erörtern[4] 《mit *jm.*》; Meinungen aus|tauschen 《mit *jm.*》; verhandeln 《*über*[4]》. ¶ 학문(과학)상의 ~ e-e akademische (wissenschaftliche) Kontroverse, -n / ~하기 좋아하는 disputiersüchtig; polemisch; streitsüchtig / ~에 이기다 (지다) in der Auseinandersetzung gut (schlecht) abgeschnitten haben / ~을 벌이다 ein Wortgefecht (e-n Wortkampf) führen 《*mit*[3]》; die Meinung von *jm.* bestreiten* 《*über*[4]》; polemisieren 《*gegen*[4]》; miteinander streiten 《*über*[4]》 / ~의 여지가 없다 Das ist ganz unstreitig.¦Das ist (steht) außer Frage.
‖**~자** Disputant *m.* -en, -en; Polemiker *m.* -s, -; Streiter *m.* -s, -.

논전(論戰) Debatte *f.* -n; Rede¦kampf (Wort-) *m.* -(e)s, ⸗e; Wort¦gefecht *n.* -(e)s, -e (-streit *m.* -(e)s, -e). **~하다** e-e Debatte (e-n Redekampf; e-n Wortkampf; ein Wortgefecht; e-n Wortstreit) führen.

논점(論點) Streitpunkt *m.* -(e)s, -e; der streitige (strittige; umstrittene) Punkt. ¶ ~을 명백히 하다 den Streitpunkt auf|klären (klar|legen; dar|tun*; illustrieren) / ~을 벗어나다 von der Streitpunkt (vom Thema) ab|schweifen.

논제(論題) Thema *n.* -s, ..men (-ta); Gegenstand *m.* -(e)s, ⸗e.

논조(論調) Ton 《*m.* -(e)s, ⸗e》 der Auseinandersetzung (des Argument(e)s); 《신문》 die Stimme, -n; die Meinung der Presse. ¶ 각 신문은 같은 ~로 물가 문제를 논하고 있다 Zeitungen kommentieren (behandeln) die Preisfragen alle in gleichartigen Ton.
‖신문~ Zeitungsstil *m.* -(e)s, -e; die Meinung der Presse: 이 문제에 관한 신문 ~는 모두 같다 Die Zeitungen stimmen in dieser Angelegenheit überein.¦Die Zeitungen schreiben alle über diese Angelegenheit dasselbe.

논죄(論罪) gerichtliche Entscheidung (Feststellung) -en. **~하다** e-n Entscheid treffen*; die Schuld fest|stellen; das Urteil finden*.

논증(論證) Beweisführung *f.* -en; Demonstration *f.* -en; der deutliche Beweis, -es, -e 《*für*[4]》. **~하다** e-n Beweis führen; demonstrieren[4]; deutlich beweisen*[4].

논지(論旨) =논점(論點).

논진(論陣) ¶ ~을 펴다 sprechen* 《*für*[4]; *gegen*[4]》; argumentieren 《*für*[4]; *gegen*[4]》; Stellung nehmen* 《*für*[4]; *gegen*[4]》.

논틀밭틀 Schlangenpfad 《*m.* -(e)s, -e》 an den Rainen von Acker u. Reisfeld entlang.

논파(論破) Widerlegung *f.* -en; Entkräftung *f.* -en. **~하다** widerlegen[4]; entkräften[4]; des Irrtums überführen 《*jn.*》.

논평(論評) Besprechung *f.* -en; Kritik *f.* -en; Rezension *f.* -en. **~하다** besprechen*[4]; kritisieren[4]; rezensieren[4]. ¶ 아무의 작품을 ~하다 an *js.* Werk Kritik üben.

논풀다 《논을》 Land in ein Reisfeld verwandeln; 《오줌싸다》 ein Säugling durchnäßt s-e Windel.

논프로 Amateur [..tǿ:r] *m.* -s, -e; Amateurspieler [..tǿ:r..] *m.* -s, -. ¶ ~의 nichtberuflich; nichtberufsmäßig; Amateur-.

논픽션 das Nicht-erdichtete*, -n, -n; ein nichterdichtetes Werk, -(e)s, -e (Buch, -(e)s, ⸗er); Nonfiktion *n.* -; Sachbuch *n.* -(e)s, ⸗er.

논하다(論—) diskutieren 《*über*[4]》; disputieren 《*über*[4]》; debattieren 《*über*[4]》; besprechen*[4]; [4]sich beraten* 《*über*[4]》; erörtern[4]; kritisieren[4]; beurteilen[4]; argumentieren; e-n Beweis führen (liefern). ¶ 논할 필요가 없다 keiner [2]Beweisführung bedürfen; außer allem Zweifel sein; über alle Dispute erhaben sein/어떤 문제를 ~ e-e Frage besprechen*; (über) ein Problem diskutieren / 문학을 ~ über die Literatur diskutieren / 국사를 ~ [4]sich über die hohe Politik beraten / A와 B를 같이 논할 수는 없다 A kann dem B bei weitem nicht das Wasser reichen.

놀[1] 《하늘의》 der rote Himmel, -s, -. ¶ 아침놀 Morgenrot *n.* -(e)s; Morgenröte *f.* -n; Morgenschein *m.* -(e)s / 저녁놀 Abend¦rot *n.* -(e)s (-glühen *n.* -s; -schein *m.* -(e)s).

놀[2] 《물결》 Dünung *f.* -en; wilde Wellen 《*pl.*》; Woge *f.* -n. ¶ 놀(이) 치다 wogen / 놀이 해안으로 밀어 닥쳤다 Die Wogen schlugen an den Strand.

놀다[1] ① 《유희·즐김》 spielen 《*mit*[3]》; [4]sich vergnügen 《*an*[3]; *mit*[3]》; [4]sich amüsieren 《*mit*[3]》; [4]sich belustigen 《*an*[3]》; [4]sich ergötzen 《*an*[3]; *über*[4]》; Vergnügen haben 《*an*[3]》. ¶ 놀기 좋아하는 vergnügungssüchtig; aushäusig/뛰어 돌아 다니며 ~ umherspringend spielen / 병정 놀이를 하며 ~ Soldaten 《*pl.*》 spielen / 카드 놀이를 하며 ~ Karten 《*pl.*》 spielen / 장난감을 가지고 ~ [4]sich mit e-m Spielzeug unterhalten* / 장기를 두며 ~ Schach spielen / 즐겁게 ~ lustig (vergnügt) spielen; [4]sich unterhalten* 《*bei*[3]》; fröhlich (vergnügt) hüpfen / 놀며 시간을 보내다 die Zeit mit Nichtstun hin|bringen* (verstreichen lassen*); e-e schöne (vergnügte) Zeit verleben / 놀러 나가다 zum Vergnügen (Spielen) aus|gehen* / 방학 중에 무엇을 하고 놀겠느냐 Wie hast du dich während der [2]Ferien 《*pl.*》 amüsiert? / 이제 너와 놀지 않겠다 Ich will mit dir nicht mehr umgehen.¦Ich breche mit dir.
② 《방문·소풍》 besuchen[4]; spazieren|gehen* ⓢ; bummeln; umher|schlendern ⓢⓗ;

e-n Ausflug (e-e kleine Reise) machen 《nach³》; e-e Landpartie machen; ein Picknick (ab|)halten*. ¶ 놀러 가다 besuchen⁴; e-n Ausflug (e-e Reise) machen 《nach³》 / 빈둥빈둥 놀며 다니다 ⁴sich herum|treiben*; e-n Bummel machen; e-n gemächlichen Spaziergang machen / 시골에 놀러 가다 aufs Land gehen, um sich zu erholen / 강화도는 하루쯤 놀기에 아주 좋은 곳이다 *Kwanghwado* ist ein sehr guter Platz für einen Tagesausflug. / 한 번 놀러 오십시오 Machen Sie mir das Vergnügen, mich zu besuchen!¦Machen Sie mir das Vergnügen und besuchen Sie mich!¦Besuchen Sie mich einmal, wenn Sie Zeit und Lust haben!

③ 《유흥》 ⁴sich belustigen; flott (ausschweifend) leben; ein liederliches Leben führen; große Ausschweifungen begehen*; ⁴sich in sinnliche ⁴Freuden 《*pl.*》 stürzen; ⁴sich sinnlichen ⁴Genüssen 《*pl.*》 ergeben*; ⁴sich ³Sinnenfreuden 《*pl.*》 hin|geben*. ¶ 놀기 좋아하는 사람 der Vergnügungssüchtige* / 놀러 나가다 e-e Lustreise 《-n》 machen; ³sich e-n freien (guten) Tag machen; sinnliche Vergnügungen 《*pl.*》 suchen / 그는 한때 많이 놀았다 Er führte einst ein liederliches (lockeres; ausschweifendes; lasterhaftes) Leben. / 그는 난잡하게 놀다가 신세 망쳤다 Er ist durch Liederlichkeit verkommen.¦Er hat sich durch Liederlichkeit ins Unglück gestürzt. / 그는 젊어서 진탕 놀았지만 지금은 아주 착실해졌다 Er war in s-r Jugend ein flotter Lebemann, aber jetzt ist er ganz solid gewesen.

④ 《휴식·무위》 müßig(gängerisch) sein; untätig sein; frei sein; ruhen; aus|ruhen; ⁴sich erholen; nichts tun; nichts zu tun haben; e-e Pause machen; Rast halten* (machen); ³sich Ruhe gönnen; die Zeit müßig (faul) hin|bringen (vertrödeln; verzetteln). ¶ 놀지 않고 ruhelos; rastlos; ohne Ruhe u. Rast; ohne Unterlaß / 노는 사람 Müßiggänger (Nichtstuer) *m.* -s, -(남자); Müßiggängerin (Nichtstuerin) *f.* -nen (여자) / 노는 시간 Erholungsstunde *f.* -n; (Erholungs)pause *f.* -n / 노는 날 Feiertag *m.* -(e)s, -e; Ruhetag; der freie Tag; der schulfreie Tag (학교) / 놀며 지내다 s-e Tage verbringen*, ohne zu arbeiten; durch Nichtstuerei sein Vermögen verschwenden / 놀고 먹다 leben (essen*), ohne zu arbeiten; müßig leben; den Tag stehlen*; ein faules Leben (ein Lotterleben) führen; dem Herrgott den Tag stehlen*; den lieben Gott e-n guten Mann sein lassen* / 하루 ~ e-n Ruhetag haben / 일하고 나서 ~ ⁴sich nach der Arbeit erholen / 빈둥거리며 ~ die Zeit verbummeln (vertrödeln) / 오늘은 논다 Es ist heute frei.¦Wir haben heute frei. / 자 좀 노십시오 Ruhen Sie ein wenig!¦Machen Sie kleine Pause! / 나는 놀 틈이 없다 Ich muß immer auf den Beinen sein. / 그는 놀며 지내도 될 만큼 부자다 Er ist reich genug, müßig leben zu können.

⑤ 《실직》 arbeitslos (unbeschädigt) sein; außer ³Arbeit (³Stellung) sein; k-e Stellung (Beschäftigung) haben. ¶ 놀고 있는 사람 der Arbeitslose*(남자) / 놀고 있다 arbeitslos (stellungslos) sein; k-e Arbeit haben; außer ³Arbeit (³Stellung) sein / 그는 1년 이상 놀고 있다 Er ist mehr als ein Jahr ohne Arbeit.

⑥ 《유휴》 müßig sein; unbenutzt (unbeschäftigt; ungebraucht; ungebräuchlich; nicht verwendbar) sein; ruhen; still|stehen*. ¶ 노는 기계 die unbenutzte Maschine, -n / 노는 돈 das unbenutzte (müßige) Geld / 노는 자본 das unbenutzte (müßige; tote) Kapital, -s, -e (-alien) / 기계가 놀고 있다 Die Maschine steht still.¦Die Maschine ist nicht in Betrieb.¦Die Maschine ist abgestellt.

⑦ 《박힌 것이》 locker (lose; frei; lappig; schlaff) sein; nicht fest sein; rütteln; schwanken; schaukeln; schütteln; wanken. ¶ 바위가 ~ Ein Fels ist nicht fest.¦Ein Fels schwanken. / 나사못이 ~ Eine Schraube ist locker. / 이가 논다 Ich habe einen lockeren Zahn.

⑧ 《멋대로》 handeln (⁴sich benehmen*; ⁴sich betragen*), wie es *jm.* gefällig ist (nach *js.* ³Belieben; nach *js.* ³Gefallen). ¶ 제멋대로 ~ eigenmächtig verfahren*(handeln) / 멋대로 놀게 하다 *jn.* behandeln (machen) lassen*, wie es *jm.* gefällig ist (wie jemand will; was jemand will).

놀다² 《던지다》 werfen* 《Würfel; *Yut*-Stäbe》; spielen⁴. ¶ 주사위를 ~ den Würfel werfen*; das Würfelspiel spielen; würfeln / 윷을 ~ *Yut*-Stäbe werfen*; *Yut* spielen.

놀라다 ① 《깜짝》 erschrecken* ⓢ 《*über*⁴》; ⁴sich entsetzen 《*vor*³; *über*⁴》; erstaunen ⓢ (⁴sich erstaunen) 《*über*⁴》; ⁴sich (ver)wundern 《*über*⁴》; zurück|fahren (-schrecken*) 《*vor*³》; bestürzt (überrascht; verblüfft) sein 《*über*⁴》. ¶ 깜짝 ~ überrascht (erstaunt) sein; bewundern⁴; e-n Schrecken bekommen*; ¹Entsetzen* ergreift *jn.* / 깜짝 놀라서 erstaunt; verwundert; überrascht; erschrocken; entsetzt; bestürzt; verwirrt; mit Erstaunen* (Verwunderung); vor³ (in³; aus³) Erstaunen (Verwunderung); vom Schrecken* ergriffen / 놀라서 소리를 지르다 vor ³Erstaunen* auf|schreien* / 놀라서 말이 안 나오다 vor ³Erstaunen* (Verwunderung) sprachlos sein / 놀라서 눈이 휘둥그래지다 vor ³Überraschung (Bewunderung; Erstaunen; Schrecken; Verwunderung) große Augen machen; überrascht (erstaunt) an|starren⁴ / 놀라서 새파랗게 질리다 vor Schrecken erbleichen ⓢ (starr sein) / 놀라서 기절하다 vor ³Schrecken in Ohnmacht fallen* / 정말 놀랐다 War das, ein Wunder!¦Welche Überraschung!¦Wie war ich erstaunt (darüber)! / 그 이야기를 듣고 깜짝 놀랐다 Ich habe mit Entsetzen davon gehört. / 갑자기 찾아와 놀라셨죠 Was sagen Sie, da sind wir! / 네가 놀랄 일이 있다 Ich habe e-e Überraschung für dich! / 그것을 들으면 깜짝 놀랄겁니다 Sie werden sich sehr (höchlich; über die Maßen) wundern, wenn Sie das hören. / …에 놀랄 것까지는 없다 Man braucht sich nicht zu verwundern, daß....¦Wie sollte man (darüber) staunen, daß.... / 개가 짖는 바람에 도둑은 깜짝 놀라 달아났다 Vom dem Bellen des Hundes erschreckt, lief der Dieb bestürzt davon.

② 《공포》 erschrecken*; erstaunen 《*über*³》; ⁴sich fürchten 《*vor*³》; Furcht haben 《*vor*³》; Angst haben 《*vor*³》; von Schrecken ergrif

fen sein. ¶ 천둥소리에 ~ [4]sich vor dem Donnerschlag fürchten / 자기 그림자에 ~ über s-n eigenen Schatten erstaunen / 놀라 달아나다 erschreckt davon|laufen* / 말을 보고 ~ Angst vor dem Pferd haben; [4]sich vor dem Pferd fürchten / 놀라서 뒤로 주춤하다 vor Schreck zurück|fahren*.
③ 《경이》 bewundern[4]; [4]sich (ver)wundern 《über[4]》; erstaunen 《über[4]》. ¶ 아무의 무지함에 ~ über *js.* Unwissenheit wundern / 놀라운 기억력을 가지고 있다 ein bewunderns-wertes (erstaunliches) Gedächtnis haben / 별로 놀랄 일이 아니다 Das ist kein Wunder.¦Das ist nichts besonders. / 그도 대학 출신이라니 놀랐어 Und der hat studiert? Ich bin sprachlos.

놀라움 Überraschung *f.* -en (의외); Bewunderung *f.* -en (경탄); Erstaunen *n.* -s (경악); Schrecken *m.* -s, - (무서움); Verwunderung *f.* -en (경이); Wunder *n.* -s, - (경탄). ¶ 그것을 들었을 때 양친의 ~이 얼마나 컸겠는가 Wie erstaunt waren die Eltern, als sie das hören!

놀란가슴 ein erschrockenes Herz, -ens, -en. ¶ 자라 보고 ~ 소댕 보고 놀란다 《속담》 Gebranntes Kind scheut (das) Feuer.

놀랍다 ① 《놀랄 만하다》 staunenswert; erstaunlich; erstaunenswert; erstaunenswürdig; überraschend; unerwartet; wunderbar; wundervoll; bewunderns¦wert (-würdig); bewunderungswert (sein). ¶ 놀랍게도 zu *js.* Erstaunen; zu *js.* großen Überraschung; über Erwarten / 놀라운 소식 e-e erstaunliche (unerwartete) Nachricht / 그것은 놀라운 발명이다 Das ist e-e erstaunliche (bewundernswerte) Erfindung. / 놀랍게도 그는 시험에 떨어졌다 Zu m-m Erstaunen fiel er durchs Examen. / 산소 요법의 효과는 놀랄 만하다 Die Sauerstoffbehandlung hat e-e wunderbare Wirkung. / 저런 노련한 사람이 그런 바보 같은 짓을 하다니 ~ Ich habe e-e derartige Torheit von e-m Mann mit s-n Erfahrungen nicht erwartet. / 한국의 과학계는 최근에 놀라운 약진을 했다 Die Wissenschaft Koreas hat in letzter Zeit erstaunliche Fortschritte gemacht.
② 《장하다》 wunderbar; bewundernswert; glänzend; gut; herrlich; prächtig; stattlich; groß; tüchtig; tadellos; ausgezeichnet; vortrefflich; vorzüglich (sein). ¶ 놀라운 승리 der glänzende Sieg, -(e)s, -e / 놀라운 풍채 die stattliche Erscheinung, -en / 놀라운 문장 der ausgezeichnete (tadellose) Stil, -(e)s, -e.

놀래다 ① 《놀라게 하다》 erschrecken 《*jn.*》; entsetzen 《*jn.*》; überraschen 《*jn.*》 (뜻밖의 일로); bestürzen (bestürzt machen) 《*jn.*》 (어리둥절케 하다); verblüffen 《*jn.* mit [3]*et.* (durch [4]*et.*)》(어리둥절케 하다); verwundern (in [4]Verwunderung setzen) 《*jn.*》 (의아스럽게 하다); [4]Bewunderung erregen (ein|flößen) 《*jm.*》; in [4](Er)staunen (Verwunderung) (ver)setzen 《*jn.*》. ¶ 놀랠 만큼 zu *js.* [3]Überraschung ([3]Bewunderung; [3]Verwunderung; [3]Verblüfftheit) / 깜짝 ~ *jn.* in Erstaunen (Verwunderung) setzen; *jn.* überraschen (entsetzen; erschrecken; bestürzen; verwirren; verblüffen) / 새 학설로 세상을 ~ die Welt mit e-r neuen Theorie in Erstaunen setzen / 그가 낙제해서 나는 놀랬다 Es hat mich in Erstaunen gesetzt, daß er durchfiel. / 너를 놀래줄 일이 있다 Ich habe e-e Überraschung für dich! / 이 소식은 온 마을 사람을 놀래 주었다 Diese Nachricht versetzte das ganze Dorf in Erstaunen.
② 《두렵게》 erschrecken 《*jn.*》; Schrecken ein|flößen (ein|jagen) 《*jm.*》; in Schrecken (Furcht) setzen 《*jn.*》; ins Bockshorn jagen 《*jn.*》. ¶ 그 허위 보도가 온 장안을 놀래주었다 Die falsche Nachricht hat die ganze Stadt in Schrecken (Furcht) gesetzt. / 사람을 놀래줘도 분수가 있지 Du hast mir e-n schönen Schrecken eingejagt.

놀리다 ① 《놀게 하다》 spielen lassen*[4]. ¶ 어린 애들을 방안에서 ~ die Kinder im Zimmer spielen lassen* / 아이를 집 밖에서 ~ das Kind außer dem Haus spielen lassen*.
② 《쓰지 않음·쉬게 함》 (aus|)ruhen lassen*[4]; Ruhe gewähren; ein|stellen[4]; aus|setzen lassen*[4]; untätig bleiben (sein) lassen*[4]; unbenutzt liegen lassen*[4]; nicht mehr gehen lassen*[4]. ¶ 직공을 ~ die Arbeiter untätig bleiben lassen* / 기계를 ~ die Maschine nicht mehr gehen lassen*; die Arbeit e-r Maschine ein|stellen / 돈을 ~ Geld unbenutzt liegen lassen*; Geld untätig sein lassen* / 손을 ~ von der Arbeit ruhen; [4]sich von der Arbeit erholen.
③ 《조롱》 necken[4]; foppen[4]; hänseln[4]; auf|ziehen*[4] 《mit [3]*et.*》; kokketieren (liebeln; schäkern; scharmieren) 《mit *jm.*》; zum Narren haben (halten*) 《*jn.*》; [4]sich lustig machen 《über *jn.*》; [4]*et* lächerlich machen; ins Lächerliche ziehen* 《*jn.*》; zum besten halten*[4] (haben[4]; machen[4]); Narretei (Possen) treiben* 《mit *jm.*》; zum Possen tun* 《*jm.* [4]*et.*》; zum Narren halten*[4]. ¶ 여자를 ~ mit e-r Frau (mit e-m Mädchen) schäkern / 놀리지 말라 Spaß beiseite! / 나를 놀리깁니까 Halten Sie mich nicht zum Narren! / 바보를 놀리는 사람도 바보다 Der ist ein Narr, der e-n Narren foppt. / 다음에 만나면 그를 놀려주겠다 Ich werde ihn necken, wenn ich ihn nächstes Mal sehen.
④ 《조종함》 führen[4]; lenken[4]; behandeln[4]; handhaben[4]; steuern[4]. ¶ 인형을 ~ die Puppen behandeln.
⑤ 《움직임》 bewegen[4]; regen[4]; arbeiten lassen*[4]; zum Arbeiten bringen*[4]; in [4]Bewegung ([4]Tätigkeit) setzen[4]; gebrauchen (an|wenden) (사용). ¶ 팔을 ~ die Arme bewegen / 손가락 하나 놀리지 않다 k-n Finger regen / 양손을 자유롭게 ~ die beiden Hände frei gebrauchen / 입을 함부로 ~ unüberlegt mit s-n Worten heraus|platzen [s]; [3]sich unbesonnene Worte entschlüpfen lassen*; ein Wort entschlüpfen (entfallen) lassen*; unbesonnen heraus|lassen* / 입 좀 작작 놀려라 Halt den Mund (das Maul)! / 수영은 몸의 거의 모든 근육을 놀리는 운동이다 Schwimmen setzt fast alle Muskeln des Körpers in Tätigkeit.
⑥ 《돈놀이》 Geld verleihen* (aus|leihen*). ¶ 4푼 이자로 돈을 ~ Geld zu vier Prozent Zinsen aus|leihen*.

놀림 Neckerei *f.* -en; Scherz *m.* -es, -e; Fopperei *f.* -en; Spott *m.* -(e)s; Hohn *m.* -(e)s; Hohngelächter *n.* -(e)s. ¶ 반 ~조로 halb aus (im; zum) Scherz (Spaß).
‖ ~감, ~가마리, ~거리 Gegenstand der Neckerei (des Spottes); Hohn u. Spott: ~

거리로 삼다 s-n Scherz (s-n Spaß) mit *jm.* treiben* / ~거리가 되다 zum Hohn u. Spott werden; ⁴sich zum Gespött machen; ⁴sich lächerlich machen.
놀면하다 gerade richtig gelb (sein).
놀부심사(一心思) Bosheit (Schlechtigkeit; Verkehrtheit; Widernatürlichkeit) *f.* -en.
놀소리 das Lallen* 《-s》 e-s Säuglings. ~하다 lallen.
놀아나다 aus|schweifen; leichtsinnig (vergnügungssüchtig; liederlich) leben. ¶ 놀아난 계집 e-e ausschweifende (vergnügungssüchtige; liederliche) Frau, -en / 얌전하던 사람이 놀아나기 시작했다 Er lebte ordentlich, aber nun hat er begonnen, ein ausschweifendes Leben zu führen.
놀아먹다 ein ausschweifendes Leben führen.
놀음 ① 《놀이》 Spiel *n.* -(e)s, -e; Lustbarkeit *f.* -en; ausgelassene Feier, -n; Vergnügung *f.* -en; Belustigung *f.* -en; Sport *m.* -(e)s, -e. ~하다 spielen; ⁴sich vergnügen (belustigen); e-n Lokalbummel machen. ② =도박(賭博).
‖ ~놀이 =놀음. ~판 Spielpartie *f.* -n.
놀음차 Trinkgeld *n.* -(e)s, -er. ¶ ~를 주다 ein Trinkgeld geben³; ein ⁴Geldstück in die Hand drücken (쥐어주다).
놀이 ① =놀음. ② 《야외의》 Ausflug *m.* -(e)s, ⸚e; (Land)partie *f.* -n; Picknick *n.* -s, -e (-s). ~하다 e-n Ausflug (e-e Landpartie) machen; ein Picknick ab|halten* (veranstalten). ③ 《오락》 Spiel *n.* -(e)s, -e. ~하다 spielen. ¶ 병정~를 하다 Soldaten 《*pl.*》 spielen / 카드~를 하다 Karten 《*pl.*》 spielen. ④ 《벌의》 das Schwärmen* u. Umherfliegen* der Bienen im Frühling.
‖ ~터 Spielplatz *m.* -es, ⸚e; Lustgarten *m.* -s, ⸚; Sportfeld *n.* -(e)s, -er(운동장). 놀잇배 Vergnügungsboot *n.* -(e)s, -e. 뱃~ das Bootfahren*, -s; Kahnfahrt *f.* -en.
놀이꾼 Spieler *m.* -s, -; Teilnehmer 《*m.* -s, -》 an e-r Lustbarkeit (Feier; Vergnügung; Belustigung); Ausflügler *m.* -s, -; Tourist [tu..] *m.* -en, -en.
놀지다 wogen; e-e große Welle erhebt sich.
놀치다 wogen; Wellen 《*pl.*》 schlagen*; ¹Die Wellen 《*pl.*》 gehen hoch.¦ ¹Das Meer ist wild.¦ Die See tobt. ¶ 놀치는 바다 das stürmische (heftig bewegte) Meer, -(e)s, -e; die wilde See, -n.
놈 ① 《경멸적》 Kerl *m.* -(e)s, -e; Bursche *m.* -n, -n; Geselle *m.* -n, -n; Person *f.* -en; Mensch *m.* -en, -en; Type *f.* -n; Patron *m.* -s, -e; Geschöpf *n.* -(e)s, -e (특히 여자); Ding *n.* -(e)s, -e (특히 소녀, 아이 또는 동물). ¶ 건방진 놈 ein unverschämter Kerl / 나쁜 놈 ein schlechter Kerl; ein übler Bursche; Schurke *m.* -n, -n; Bösewicht *m.* -(e)s, -er / 더러운 놈 ein gemeiner Kerl / 기분 나쁜 놈 ein unangenehmer Mensch / 배은 망덕한 놈 ein undankbarer Mensch / 저기 있는 저놈 der* da / 불쌍한 놈 ein armer Kerl; ein armes Geschöpf (여자) / 운수 좋은 놈 Glückspilz *m.* -es, -e / 이 바보 같은 놈 Du Esel!¦Du Dummer!¦Du dummes Ding!
② 《동물·물건》 Ding; Tier *n.* -(e)s, -e. ¶ 이 놈의 말 dieses verdammte Pferd / 그 놈이 수컷인지 암컷인지 분간할 수 없다 Ich kann nicht unterscheiden, ob es männlich od. weiblich ist.
놈팡이 Genußmensch *m.* -en, -en; Tagedieb *m.* -(e)s, -e; Wollüstling *m.* -es, -e.
놉 Tagelöhner *m.* -s, -.
놉겪이 das Anstellen* 《-s》 e-s Tagelöhners.
놋 Messing *n.* -s. ¶ 놋의 (놋으로 만든) messingen; aus Messing.
‖ 놋그릇, 놋기명 Tisch¦geschirr (-gerät) 《*n.* -(e)s, -e》 aus Messing. 놋대야 Waschbecken 《*n.* -s, -》 aus Messing. 놋대접 messingener Napf, -(e)s, ⸚e. 놋동이 Krug 《*m.* -(e)s, ⸚e》 aus Messing. 놋숟가락 messingener Löffel, -s, -. 놋요강 Nachtgeschirr (-topf *m.* -(e)s, ⸚e) aus Messing.
놋좆(櫓一) (Ruder)dolle *f.* -n; Ruderklampe *f.* -n.
농(弄) ① 《장난》 Scherz *m.* -es, -e; Spaß *m.* -es, ⸚e; Schäkerei *f.* -en; Spielerei *f.* -en. ¶ 농으로 aus (im; zum) Scherz (Spaß) / 반은 농으로 halb zum (im) Scherz (Spaß) / 농을 하다 scherzen; spaßen; s-n Scherz (Spaß) treiben* 《*mit*³》. ② ☞ 농담.
농(膿) =고름².
농(籠) Kleiderschrank *m.* -(e)s, ⸚e; Koffer *m.* -s, -.
농가(農家) Bauern¦haus *n.* -er, ⸚er (-hof *m.* -(e)s, ⸚e); Bauernstand *m.* -(e)s, ⸚e(신분); Bauer *m.* -n, -n(농민); Kate *f.* -n(작은 집). ¶ 지금은 ~에서 가장 바쁜 시기다 Jetzt ist die arbeitsreichste Zeit für Bauern.
농가성진(弄假成眞) „Aus Scherz wird Ernst."
농가진(膿痂疹) Eiterflechte *f.* -n.
농간(弄奸) die Kniffe 《*pl.*》; die Pfiffe 《*pl.*》; die Ränke 《*pl.*》; die Schliche 《*pl.*》; die Kunstgriffe 《*pl.*》. ~하다 e-n Streich spielen 《*jm.*》; umgarnen 《*jn.*》; mit List umspinnen* 《*jn.*》. ¶ ~을 잘 부리는 kniffig; pfiffig; ränkevoll; tückisch / ~을 부리다 Kunstgriffe an|wenden*; Kniffe gebrauchen 《*jm.* gegenüber》 / 온갖 ~을 다 부리다 Kniffe u. Ränke (Pfiffe) an|wenden*.
농게(籠一) 〖동물〗 Sandkrabbe *f.* -n; *Hemigrapsus sanguineus* (학명).
농경(農耕) Bebauung *f.* -en; Bodenbearbeitung *f.* -en. ‖ ~지 Bauerde *f.* -n; Ackererde *f.* -n (-boden *m.* -s, -).
농공(農工) 《일》 Landwirtschaft 《*f.*》 u. Industrie 《*f.* -n》; 《사람》 Bauern u. Techniker (Handwerker) 《*pl.*》.
농과(農科) die landwirtschaftliche Fakultät, -en. ‖ ~대학 die landwirtschaftliche Hochschule, -n.
농구(農具) das landwirtschaftliche Gerät, -(e)s, -e; Landmaschine *f.* -n (기계).
농구(籠球) Basket¦ball (Korb-) *m.* -(e)s; Korbballspiel *n.* -(e)s, -e.
‖ ~선수 Korbballspieler *m.* -s, -.
농군(農軍) Bauer *m.* -n, -n; Land¦mann (Acker(s)-) *m.* -(e)s, ..leute; Landwirt *m.* -(e)s, -e.
농기(農期) Ackerbau¦zeit (Anbau-) *f.* -en; Ackerbausaison *f.* -s.
농기구(農器具) =농구(農具).
농노(農奴) der Leibeigene*, -n, -n; Leibeigenschaft *f.* -en (신분).
‖ ~해방 die Emanzipation (die Freimachung) der Leibeigenen.
농단(壟斷) Monopol *n.* -s, -e; Allein¦besitz *m.* -es, -e (-recht *n.* -(e)s, -e). ~하다 monopolisieren⁴; das Monopol haben 《*auf*⁴; *für*⁴》; ganz (allein; ausschließlich) in der Hand haben⁴. ¶ ~적 monopolisierend.
농담(弄談) Scherz *m.* -es, -e; Jux *m.* -es, -e; Spaß *m.* -es, ⸚e; Ulk *m.* -(e)s, -e; Witz

m. -es, -e. ~하다 scherzen; spaßen; Scherz (Spaß) machen (treiben*); Possen 《*pl.*》 reißen* (treiben*); ulkig (witzig) sein; Witze 《*pl.*》 reißen* (machen). ¶ ~으로 spaßeshalber; scherz¦weise (spaß-); im (aus; zum) Scherz (Spaß) / 반 ~으로 halb im (aus; zum) Scherz / ~을 좋아하는 scherzhaft (spaß-); spaßig / ~은 그만하고 Scherz (Spaß) beiseite; um von scherzhaften Bemerkungen abzusehen / ~을 걸다 *jm.* e-n Possen spielen / ~을 정말로 듣다 e-n Spaß ernst nehmen* / 그에게는 ~도 못한다 Er läßt nicht mit sich scherzen.¦Er kann k-n Scherz (Spaß) verstehen. / 그것은 ~입니까, 진심입니까 Spaßen Sie, od. ist es Ihr Ernst? / ~이 아니다 Damit läßt sich nicht spaßen.¦ Da ist nichts zu scherzen.¦ Das ist nicht zum Scherzen. / ~이실테죠 Ist das Ihr Ernst?¦ Was Sie (nicht) sagen!¦Sie (bleiben zu) scherzen (spaßen)! / 그저 ~으로 말했을 뿐일세 Es ist nur zum Spaß gemeint.¦ Das ist nicht ernstlich gemeint. / ~은 집어 치우시오 Machen Sie sich nicht lächerlich! / ~이 진담된다 Aus dem Spiel wurde Ernst. / ~이 지나치다, ~에도 분수가 있다 [4]es mit dem Scherz zu weit treiben*; Das geht (mir) über den Spaß.

농담(濃淡) hell u. dunkel; (Ab)schattierung *f.* -en; (Ab)tönung *f.* -en; Ton *m.* -(e)s, ⸚e; Abstufung *f.* -en. ¶ 그림의 ~ die Abschattierung e-s Gemäldes / ~을 나타내다 schattieren[4]; ab|tönen[4].

‖ ~도(度) Abstufung *f.* ~법 Helldunkel *n.* -s; Chiaroscuro [kiaroskú:ro] *n.* -(s).

농대석(籠臺石) Sockel *m.* -s, - (e-s Grabsteins); Plinthe *f.* -n.

농도(濃度) Dichtigkeit *f.*; Dichte *f.*; Kondensation *f.* -en.

‖ ~계 Dichtigkeitmesser *m.* -s, -.

농들다(膿―) eitern (h.s); Eiter bilden.

농땡이 ein fauler Mensch, -en, -en; Faulenzer *m.* -s, -; Faulpelz *m.* -es, -e; Müßiggänger *m.* -s, -. ¶ ~ 같은 faul; träge / ~치다 [4]es mit s-r Pflicht nicht genau nehmen*; auf der faulen Haut liegen*; [3]sich kein Bein aus|reißen* / 그는 지독한 ~다 Er ist stinkfaul. ¦ Er stinkt vor Faulheit.

농락(籠絡) das Umgarnen*, -s; das Verlocken*, -s. ~하다 umgarnen (berücken; verlocken) 《*jn.*》; ins Garn locken 《*jn.*》; in Versuchung führen 《*jn.*》; „in s-e Netze ziehen*" 《*jn.*》. ¶ ~당하다 [4]sich um den Finger wickeln lassen*; umgarnt (berückt; verlockt) werden / 돈으로 ~하다 *jn.* mit Geld verlocken (verführen).

농루안(膿漏眼) 〖의학〗 Triefauge *n.* -s, -n. ¶ ~의 triefäugig.

농림(農林) Landwirtschaft u. Forstwesen, der - u. des -s; Land- u. Forstwirtschaft, der - u. -.

‖ ~부 Ministerium 《*n.* -s, ..rien》 für Landwirtschaft u. Forsten: ~부 장관 Minister 《*m.* -s, -》 für Landwirtschaft u. Forsten. ~사업 der land- u. forstwirtschaftliche Betrieb, -(e)s, -e. ~정책(政策) Land- u. Forstwirtschaftspolitik *f.* -en. ~학교 die land- u. forstwirtschaftliche Schule, -n. ~행정 Land- u. Forstwirtschaftsverwaltung *f.* -en.

농막(農幕) Bauernhütte *f.* -n; Bauernhaus *n.* -es, ⸚er.

농무(濃霧) der dichte (dicke) Nebel, -s, -. ¶ 바다에는 ~가 끼어 있다 Ein dichter Nebel lagert über der See.

‖ ~주의보 Warnung auf den dichten (dicken) Nebel.

농민(農民) Bauer *m.* -n (-s), -n; Landmann *m.* -(e)s, ..leute; Ackermann *m.*

‖ ~계급 Bauern¦stand *m.* -(e)s, ⸚e (-schaft *f.* -en). ~문학 Bauerndichtung *f.* -en. ~사회 Bauernkreise 《*pl.*》. ~생활 Bauernleben *n.* -s. ~운동 Bauernbewegung *f.* -en. ~조합 Bauernverein *m.* -(e)s, -e. ~폭동 Bauernaufstand *m.* -(e)s, ⸚e.

농번기(農繁期) Säe- u. Erntezeit *f.* -en.

‖ ~휴가 die schulfreier Tage (die Schulferien) 《*pl.*》 in der Säe- u. Erntezeit.

농병(農兵) Bauernsoldat *m.* -en, -en.

농병아리 〖조류〗 chinesischer kleiner Taucher, -s, -; *Podiceps ruficollis poggei* (학명).

‖ 큰~ der östliche rothalsige Taucher; *Pedetaithya griseigena holboellii* (학명).

농본주의(農本主義) Physiokratie *f.*; der Primat 《-(e)s, -e》 der Landwirtschaft.

농부(農夫) Bauer *m.* -n (-s), -n; Ackermann *m.* -(e)s, ..leute; Landmann *m.* -(e)s, ..leute (시골뜨기라는 뜻도 있음, Landsmann 은 동향인); Landwirt *m.* -(e)s, -e (농장 경영자의 뜻도 있음).

농사(農事) Acker- u. Pflanzenbau *m.* -(e)s; Landwirtschaft *f.*; die landwirtschaftliche Angelegenheit, -en. ~짓다 [4]Ackerbau (be)treiben*; [4]sich mit der Landwirtschaft beschäftigen. ¶ ~가 잘(못)되다 e-e gute (schlechte) Ernte haben (halten*).

‖ ~꾼 Bauern¦lümmel *m.* -s, - (-törpel *m.* -s, -); Ackerbauer *m.* -n (-s), -n; Bauer *m.* ~시험장 die landwirtschaftliche Versuchsanstalt, -en. ~일 Acker¦werk *n.* -(e)s, -e (-arbeit *f.* -en); Landarbeit *f.* -en. ~철 Ackerbausaison *f.* -s; die arbeitsreichste Zeit des Landmann(e)s.

농산물(農産物) landwirtschaftliches Produkt, -(e)s, -e; Feldfrucht *f.* ⸚e. ¶ ~이 많다 reich an [3]Feldfrüchten sein.

‖ ~규격 심의회 die Prüfungskommission für die Qualität der Agrarprodukte. ~물가 정책 die staatliche Preispolitik in der Landwirtschaft.

농성(籠城) das Eingeschlossensein* (Abgesperrtsein*) 《-s》 in e-r Burg; das Belagertsein*, -s. ~하다 in e-r Burg eingeschlossen (abgesperrt) sein; belagert sein; [4]sich ein|graben; [4]sich verschanzen.

‖ ~군 die in e-r Burg eingeschlossene (abgesperrte; belagerte) Armee, -n [..mé:ən].

농수산(農水産) Landwirtschaft 《*f.*》 u. Fischerei 《*f.*》.

‖ ~부 Ministerium 《*n.* -s, ..rien》 für Landwirtschaft u. Fischerei: ~부 장관 Minister 《*m.* -s, -》 für Landwirtschaft u. Fischerei.

농숙(濃熟) volle Reife; zu große Reife. ~하다 vollreif sein; überreif werden.

농아(聾啞) Taubstummheit *f.*; der Taubstumme*, -n, -n (사람). ¶ ~의 taubstumm.

‖ ~교육 Taubstummenerziehung *f.* -en: ~교육가 Taubstummenlehrer *m.* -s, -. ~용 문자 Taubstummenalphabet *n.* -(e)s, -e. ~학교 Taubstummenanstalt *f.* -en.

농악(農樂) die Instrumentalmusik der Bauern; Bauernmusik *f.*

e-n Vermittler in Unterhaltung treten* / 거간꾼을 놓지 않고 직접 그와 그 문제를 담판했다 Ohne Vermittler habe ich mit ihm über die Frage verhandelt.
⑨ 《기르다》 züchten⁴; füttern⁴; halten*⁴. ¶ 개를 ~ Hunde züchten / 말을 ~ Pferde halten / 누에를 ~ Seidenwürmer züchten.
⑩ 《파종》 säen⁴; aus|säen⁴. ¶ 참외를 ~ e-e Melonenart säen.
⑪ 《덫을》 ¶ 덫을 ~ e-e Falle auf|stellen; e-e Schlinge legen.
⑫ 《주사·침을》 injizieren⁴; ein|spritzen⁴; Injektion (Einspritzung) geben*. ¶ 아무에게 예방 주사를 ~ *jm.* die vorbeugende Einspritzung geben / 침을 ~ die Akupunktur ausführen.
⑬ 《무늬·수를》 ¶ 무늬를 ~ mustern⁴ / 수를 ~ sticken⁴.
⑭ 《셈을》 rechnen; aus|rechnen; berechnen⁴; zusammen|zählen. ¶ 주판을 ~ mit der Rechenmaschine rechnen / 비용을 놓아 보다 die Kosten 《*pl.*》 berechnen.
⑮ 《값을》 ¶ 값을 ~ (ab|)schätzen⁴; an|schlagen*⁴; den Wert bestimmen; den Preis (fest|)setzen.
⑯ 《돈·빚을》 Geld (auf Zinsen) verleihen* (aus|leihen*).
⑰ 《속력》 schneller (geschwinder) werden (fahren); die Geschwindigkeit erhöhen.
⑱ 《설비·가설》 versehen* 《⁴*et.* mit ³*et.*》; ein|richten⁴; (an|)legen⁴ (가스, 수도 등을). ¶ 전화를 ~ Telephon (Telefon) ein|richten; ein Haus mit ³Telephon (Telefon) versehen / 강에 다리를 ~ e-e Brücke über den Fluß schlagen* / 수도(가스)를 ~ Wasserleitung (Gas) in ein Haus (an|)legen / 철도를 ~ e-e Eisenbahn an|legen (bauen).
⑲ 《기타》 ¶ 엄포를 ~ mit prahlerischer Rede bedrohen⁴ / 퇴짜를 ~ ab|lehnen⁴; ab|schlagen*⁴; ab|weisen*⁴; verweigern⁴.

놓다² ① 《…해 두다》 ¶ 차표를 사 놓아 주셔요 Kaufen Sie die Fahrkarten vorher (im voraus)! / 논을 갈아놓고 비를 기다린다 Nachdem wir das Reisfeld gepflügt haben, warten wir auf den Regen. ② 《…한 상태》 ¶ 잠 못 자게 해 ~ *jn.* nicht einschlafen lassen* / 길이 너무 질어 놓아서 걸어가기가 힘들다 Die Straße ist so matschig, daß man fast nicht laufen kann.

놓아두다 ① 《어떤 자리에》 legen⁴; stellen⁴; setzen⁴; auf|geben*⁴; im Stich lassen*⁴. ¶ 책을 마루 위에~ ein Buch auf den Boden (Fußboden) legen / 과자를 먹지 않고 ~ den Kuchen unverzehrt (ungegessen) liegen lassen* / 그대로 ~ ⁴*et.* im Stich lassen* / 담뱃대를 책상 위에 놓아 두고 왔다 Ich habe m-e Pfeife auf dem Tisch liegen lassen. ② 《가만 둠》 allein lassen*⁴; nicht einwirken lassen*. ¶ 어린애를 제 마음대로 놀게 ~ die Kinder allein u. zwanglos spielen lassen* / 시계를 만지지 말고 놓아 두게 Laß die Uhr in Ruhe! / 마음대로 하게 놓아 두어라 Laß ihn s-e eigene Bahn gehen!¦ Laß ihm s-n Willen!

놓아먹다 schlecht erzogen sein. ¶ 놓아 먹은 자식 ein wilder (schlecht erzogener) Junge, -n, -n.

놓아먹이다 weiden⁴ 《die ⁴Kühe; das ⁴Vieh》; auf die Weide treiben*; ins Freie lassen*; im Freien halten*. ¶ 놓아먹인 양 die Schafe auf der Weide / 말을 ~ die Pferde weiden.

놓아주다 《일반적》 befreien⁴; entgehen³ (entlaufen³; entkommen³) lassen*; 《물건·생물을》 los|lassen*⁴; los|machen⁴; 《짐승을》 laufen lassen*⁴; frei lassen*⁴; fliegen lassen*⁴; gehen lassen*⁴; 《죄수를》 entlassen*⁴; frei|lassen*⁴; frei|geben*⁴; in Freiheit setzen⁴. ¶ 새를 ~ e-n Vogel fliegen lassen* / 개를~ e-n Hund los|ketten / 죄수를 ~ e-n Gefangenen (e-n Strafling) entlassen / 이번만은 놓아 주겠읍니다 Nur diesmal werden wir Sie freilassen. / 주모자 이외에는 모두 놓아 주었다 Ich ließ alle, außer dem Anführer, frei.

놓이다 ① 《물건이》 liegen*; stehen*; gelegt (gestellt) werden; führen; geschlagen werden (다리가). ¶ 책상 위에 놓인 꽃병 e-e auf dem Tisch stehende Vase / 의자 위에 놓인 책 die auf dem Stuhl liegenden Bücher / 이 곳에는 다리가 놓인다 Hier wird e-e Brücke geschlagen. / 이 강에는 다리가 두 개 놓여 있다 Zwei Brücken führen über diesen Fluß.
② 《마음이》 ⁴sich beruhigen; ⁴sich von s-n Sorgen befreien; beruhigt (erleichtert; unbesorgt) sein. ¶ 마음이 ~ *js.* Herz beruhigt (erleichtert) sich.

놓치다 《사람을》 entwischen (entfliehen; entkommen) lassen*⁴; verfehlen⁴; missen⁴; 《물건을》 fallen lassen*⁴; verlieren*⁴; *jm.* aus der Hand fallen* (gleiten*; entschlüpfen) ⓢ〔물건이 주어〕; 《기차·기회 따위를》 verpassen⁴; versäumen⁴; nicht treffen*⁴; vorbei|treffen*⁴; entgehen lassen*⁴. ¶ 그릇을 ~ die Schüssel fallen lassen; die Schüssel fällt *jm.* aus der Hand / 공을 ~ den Ball fallen lassen; der Ball gleitet *jm.* aus der Hand / 물고기를 ~ der Fisch entschlüpft *jm.* aus der Hand; den Fisch loslassen / 기차를 ~ den Zug versäumen (verpassen) / 기회를 ~ e-e Gelegenheit verpassen (versäumen; vorübergehen lassen); ³sich e-e Gelegenheit entgehen lassen/혼기를 ~ Heiratsalter versäumen / 죄수를 ~ e-n Gefangenen entkommen lassen / 그를 놓치고 싶지 않다 Wir missen ihn ungern. / 애석하게도 그를 놓치고 말았다 Wir haben ihn leider entkommen lassen. / 이 절호의 기회를 놓치지 않겠다 Diese günstige Gelegenheit soll mir nicht entgehen. / 이 기회를 놓치지 말라 Ergreife die Gelegenheit beim Schopfe!

뇌(腦) (Ge)hirn *n.* -(e)s, -e; Kopf *m.* -(e)s. ¶ 뇌의 zerebral; Gehirn- / 뇌 작용 Gehirntätigkeit *f.* / 뇌를 쓰다 den Kopf an|strengen / 뇌를 너무 쓰다 den Kopf überanstrengen / 뇌 쓰는 일 Kopfarbeit *f.* / 지나친 공부로 뇌를 혹사하다 den Kopf durch zu eifriges Studium überanstrengen / 적당한 양의 맥주는 뇌를 자극하지 않고 오히려 진정시켜준다 Bier wirkt, wenn mäßig getrunken, nicht als Reizmittel, sondern im Gegenteil als Beruhigungsmittel.
‖ 뇌연화증(軟化症) Gehirnerweichung *f.*

뇌격(雷擊) Torpedo *m.* -s, -s. **~하다** torpedieren⁴; mit (Luft)torpedo(s) beschießen*⁴.
‖ **~기**(機) Torpedo-Flugzeug *n.* -(e)s, -e.

뇌관(雷管) Spreng¦kapsel *f.* -n (-zünder *m.* -s, -); Zünd¦hütchen (-käppchen) *n.* -s, -.
‖ **~장치** Stoßaufgabevorrichtung *f.* -en.
~화약 Perkussionspulver *n.* -s, -.

뇌까리다 wiederholen (die Worte e-s ande-

ren, um zu betonen, daß man nicht einverstanden ist); dauernd (über e-n Fehler) reden. ⌈(sein).
뇌꼴스럽다 ekelhaft; widerlich; abscheulich
뇌다 ① 《가루를》 sorgfältig sichten⁴; sieben⁴. ② 《같은 말을》 ständig wiederholen⁴. ¶ 한 말을 뇌고 또 ~ über ⁴*et.* mehrmalig reden (sprechen*).
뇌동(雷同) die sklavische Nachahmung. ~하다 *jm.* sklavisch (blindlings) nach|ahmen; *jm.* blindlings (sklavisch) folgen; blind glauben³; *js.* Pfeife tanzen; *jm.* nach dem Munde reden. ☞ 부화뇌동.
뇌동맥경화(腦動脈硬化) Gehirnarteriosklerose *f.* -n.; die zerebrale Arteriensklerose.
뇌락하다(磊落—) unbefangen; freimütig; groß¦mütig (-zügig); nicht kleinlich (sein).
뇌랗다 von ³Krankheit (durch ⁴Kränkelei) gelblich; blaß (sein).
뇌리(腦裡) Kopf *m.* -(e)s, ⸚e; Hirn *n.* -(e)s, -e; Gehirn *n.* -(e)s, -e; Geist *m.* -es, -er; Sinn *m.* -(e)s, -e; Seele *f.* -n; Erinnerung *f.* -en; Gedächtnis *n.* -ses, -se. ¶ ~에서 사라지지 않다 nicht aus dem Sinn gehen*ⓢ; *jm.* immerfort im Kopf herum|gehen*ⓢ; noch in s-m Kopf spuken 〖이상 사물이 주어〗; immer an ⁴*et.* denken müssen* 〖사람이 주어〗 / ~에 떠오르다 *jm.* in den Sinn kommen* ⓢ; ³sich ⁴*et.* einfallen lassen* / ~에 깊이 새겨지다 ³sich ⁴*et.* gesagt sein lassen* 〖사람이 주어〗; ⁴sich *jm.* tief in die Seele ein|prägen 〖사물이 주어〗.
뇌막(腦膜) 〖의학〗 (Ge)hirnhaut *f.* ⸚e.
‖ ~염 (Ge)hirnhautentzündung *f.* -en.
뇌문(雷紋) (mehrfach rechtwinklig) gebrochene Verzierung, -en.; Mäander *m.* -s, -. ‖ ~세공 mäanderförmige Verzierung.
뇌물(賂物) 《행위》 Bestechung (Korruption) *f.* -en; 《금품》 Bestechungs¦geschenk *n.* -(e)s, -e (-geld *n.* -(e)s, -er). ¶ ~이 통하는 bestechlich; korrupt / ~이 안 통하는 nicht bestechlich / ~을 먹다 ⁴sich bestechen lassen*; ein Bestechungsgeschenk an|-nehmen* / ~을 쓰다 bestechen*⁴; *jn.* (*jm.* die Hände) schmieren; korrumpieren⁴; e-e Bestechungssumme an|bieten*³ / ~로 매수하다 *jn.* durch Bestechung verleiten (bewegen; gewinnen*) 《*zu*³》 / ~로 입을 다물게 하다 *jn.* durch Bestechung zum Schweigen bringen* / 그는 ~로 공무원을 매수하여 그것을 하게 했다 Er verleitete die Beamten durch Bestechung dazu.
‖ ~수회자 der Bestochene*; die bestochene Person. ~증여인 der Bestechende*. ~증회, ~수회 Bestechung; Korruption.
뇌병(腦病) Gehirnkrankheit *f.* -en.
뇌병원(腦病院) =정신병원(精神病院).
뇌빈혈(腦貧血) Gehirnblutleere *f.* -n; Anämie 《*f.* -n》 im Gehirn. ¶ ~을 일으키다 e-e Gehirnblutleere bekommen*.
뇌사(腦死) Gehirn-Tod *m.* -(e)s, -e.
뇌성(雷聲) Donnergetöse *n.* -s, -; das Donnergrollen*, -s; Donnerhall *m.* -(e)s, -e. ¶ ~이 울린다 Der Donner rollt (grollt). / ~이 울렸다 Es donnerte.
‖ ~대명(大名) Weltruf *m.* -(e)s; der weltberühmte Name. ~벽력 Donner und Blitz.
뇌쇄(惱殺) ~하다 bezaubern⁴; berücken⁴; bestricken⁴; entzücken⁴; hin|reißen*⁴. ¶ ~하는 듯한 눈초리 der bezaubernde Blick / 남자를 ~시키다 e-n Mann bezaubern.
뇌수(腦髓) 〖해부〗 (Ge)hirn *n.* -(e)s, -e.
뇌수술(腦手術) Gehirnoperation *f.* -en.
뇌신(雷神) Donnerer *m.* -s, -.
뇌신경(腦神經) 〖해부〗 Gehirnnerv *m.* -s (-en), -en. ‖ ~쇠약 Hirnnervenschwäche *f.*
뇌염(腦炎) 〖의학〗 Gehirnentzündung *f.* -en; Erzephalitis *f.* ¶ ~에 걸리다 von e-r Gehirnentzündung befallen werden; e-e Gehirnentzündung bekommen* / ~으로 죽다 an e-r Gehirnentzündung sterben*; e-r ³Gehirnentzündung erliegen* / 일본 ~이 창궐하고 있다 Die japanische Gehirnentzündung wütet.
뇌외과(腦外科) Gehirnchirurgie *f.*
뇌우(雷雨) Gewitter *n.* -s, -; Gewitter¦regen (-schauer) *m.* -s, -. ¶ ~를 만나다 von e-m Gewitter überrascht werden / ~가 지나가다 das Gewitter zieht vorüber.
뇌일혈(腦溢血) 〖의학〗 Gehirnblutung *f.* -en; (Hirn)schlagfluß *m.* ..flusses, ..flüsse; Hirnschlag *m.* -(e)s, ⸚e; Hirnapoplexie *f.* -n [..ksíːən] (졸도). ¶ ~로 쓰러지다 vom Hirnschlag getroffen (gerührt) werden; ein Schlagfluß trifft *jn.* / ~로 죽다 an der Gehirnblutung sterben*.
뇌장(腦漿) Hirn *n.* -(e)s, -e. ¶ ~을 짜내다 ³sich das Hirn zermartern 《*mit*³》; sein Hirn an|strengen; ³sich den Kopf zerbrechen* 《*über*⁴》.
뇌전(雷電) Donner u. Blitz⁽²⁾ 《*von*³》; Donner¦schlag *m.* -(e)s, ⸚e (-keil *m.* -(e)s, -e).
뇌조(雷鳥) 〖조류〗 Schneehuhn *n.* -(e)s, ⸚er.
뇌종(腦腫) Abszeß *m.* ..zesses, ..zesse; Eitergeschwür *n.* -(e)s, -e; Geschwulst *f.* -e.
뇌종양(腦腫瘍) 〖의학〗 Gehirn¦geschwulst *f.* ⸚e (-tumor *m.* -s, -en).
뇌진탕(腦震盪) Gehirnerschütterung *f.* -en. ¶ ~을 일으키다 Gehirnerschütterung bekommen*.
뇌척수막염(腦脊髓膜炎) 〖의학〗 Gehirn-Rückenmarks-Entzündung *f.* -en.
뇌출혈(腦出血) 〖의학〗 Gehirnblutung *f.* -en.
뇌충혈(腦充血) 〖의학〗 Hyperämie 《*f.*》 im Gehirn.
뇌파(腦波) Aktionsströme 《*pl.*》 des Gehirns; Elektroenzephalogramm *n.* -s, -e.
‖ ~계 Elektroenzephalographie *f.* -n. ~도(圖) Elektroenzephalogramm *n.* -s, -e.
뇌하다 niedrig u. schmutzig (dreckig) (sein).
뇌하수체(腦下垂體) Hypophyse *f.* -n; Hirnanhang *m.* -(e)s, ⸚e. ¶ ~의 이식 Verpflanzung 《*f.* -en》 der Hirnanhangsdrüse.
뇟보 gemeiner u. niedriger Mensch, -en, -en.
누(累) Unannehmlichkeit *f.* -en; Komplikation *f.* -en; Schererei *f.* -en; Schwierigkeit *f.* -en; Verdrießlichkeit *f.* -en; Verwicklung *f.* -en. ¶ 남에게 누를 끼치다 e-n anderen in ⁴Unannehmlichkeiten (hinein|)verwickeln; e-m anderen Unannehmlichkeiten zu|fügen (bereiten; verursachen); e-n anderen mit Scherereien quälen / 그런 짓을 하면 네 자신 뿐만 아니라 남들에게도 누를 끼치게 된다 Das würde nicht nur dir selbst, sondern auch anderen Unannehmlichkeiten bereiten.
누가(累加) Anhäufung *f.* -en; Akkumulation *f.* -en; Ansammlung *f.* -en. ~하다 ⁴sich an|häufen; ⁴sich akkumulieren; ⁴sich an|-sammeln; ⁴sich steigernd zu|nehmen*; progressiv zu|nehmen*.
누가¹ 〖성서〗 der heilige Lukas.

‖ ~복음 Evangelium Lucä (Lukasevangelium *n.* -s). ⌈-s, -s.

누가² 《과자 이름》 Nougat (Nugat) [nú:gat] *m.*

누각(樓閣) Palast *m.* -es, ⸚e; Schloß *n.* Schlosses, Schlösser; das vielstöckige Gebäude, -s, -. ¶ 공중 ~을 짓다 Luftschlösser 《*pl.*》 bauen (errichten).

누감세(累減稅) die degressive (nach Graden ermäßigte) Steuer, -n.

누계(累計) Gesamt¦betrag (Total-) *m.* -(e)s, ⸚e (-summe *f.* -n). ~하다 zusammen|-zählen⁴. ¶ ~ 3천원 3000 *Won* im ganzen / ~ 5만원에 달하다 Die Gesamtsumme beträgt 50000 *Won.*

누관(淚管) 〖해부〗 Tränenkanal *m.* -s, ⸚e; Tränendrüse *f.* -n (누선).

누구 ① 《의문일 때》 wer*; welcher*. ¶ 거기 ~야 Wer (ist) da? / 누가 오지 Wer kommt denn? / 아니면 ~겠니 Wer anders (sonst)? / 너는 ~를 두고 하는 말이냐 Wen meinst du? / 이것은 ~에게 보내는 편지냐 An wen ist dieser Brief? / 누가 했다고 너는 생각하느냐 Wer hat es nach deiner Meinung getan?¦Wer, denkst du, hat es getan? / 누군가 했더니 아버지였다 Es war kein anderer als mein Vater. / 그것은 ~의 모자인가 Wessen Hut ist das?¦Wem gehört (ist) der Hut? / 그가 ~를 초대했는지 나는 모르겠다 Ich weiß nicht, wen er eingeladen hat. / 그것은 어떤 친구한테 들었는데 ~라고 지적하지는 않겠다 Ich hörte es von einem meiner Freunde, der aber ungenannt bleiben soll.

② 《누군가》 jemand*; irgendeiner*; irgend welcher*. ¶ 누가 있느냐 Ist jemand da? / 손님 중에 ~ 아는 사람이 있읍니까 Kennen Sie (irgend) jemand aus der Gesellschaft? / 내가 없는 동안 누가 왔었느냐 Ist während meiner Abwesenheit jemand gekommen? / 누가 오겠지 Wahrscheinlich wird irgend jemand kommen. / ~ 다른 사람을 불러주십시오 Rufen Sie (irgend) jemand anders! / 누가 부르는 소리가 들린다 Ich höre jemand rufen. / 다른 누가 그런 일을 했겠는가 Wer sonst könnte es getan haben! / ~ 다른 사람에게 부탁해 보십시오 Bitten Sie irgend einen andern, es zu tun!

③ 《누구나·누구도·누구라도》 〖긍정〗 jeder*; jedermann*; ein beliebiger; wer (er; sie) auch (immer); 〖부정〗 keiner*; niemand*. ¶ 우리 중의 ~도 jeder von uns; k-r von uns (부정) / ~나 풍작일 것이라고 생각하고 있다 Jedermann erwartet eine reiche Ernte. / 그것은 ~나가 할 일은 아니다 Es ist nicht jedermanns Sache. / ~라도 좋다 Jeder (beliebige) genügt.¦Jeder (beliebige) ist recht. / ~나 알고 있다 Jeder weiß es. / ~나 결점은 있다 Jeder hat seine Fehler.¦Es gibt k-n fehlerlosen Menschen. / ~라도 법률을 위반하면 벌 받는다 Wer auch immer das Gesetz übertritt, wird bestraft. / 누가 그렇게 말했든 그것은 거짓이다 Wer auch immer es gesagt hat, es ist doch eine Lüge. / 그는 ~ 못지 않다 Er gibt k-m nach. / ~도 정말이라고는 생각하지 않을 것이다 Niemand wird es für wahr halten. / ~에게도 말해서는 안된다 Du darfst es niemand sagen.¦Es darf k-m Menschen mitgeteilt werden. / ~라면 알만한 사람 ein Mann von ³Bedeutung; e-e wichtige Persönlichkeit / ~랄것 없고 …한 소문이다 Es geht (läuft) das Gerücht, daß....¦Das Gerücht läuft um (Gerüchte sind im Umlauf; Gerüchtweise verlautet), daß....

④ 《누구나 다》 alle*; jedermann*; jeder*. ¶ 한국 사람은 ~나 다 한학을 배웁니까 Studieren alle Koreaner die chinesische Literatur? / 전쟁이 끝나서 ~나 다 기뻐했다 Alles (Jeder) freute sich, daß der Krieg zu Ende war. / ~에게나 다 공손해야 한다 Man soll zu allen Menschen höflich sein.

누구누구 wer alles; (der) Herr Soundso; ein gewisser Jemand, -(e)s. ¶ ~ 오지 Wer kommt denn alles? / 그가 ~를 초대했는지 나는 모르겠다 Ich weiß nicht, wen alles er eingeladen hat.

누군 《누구는》 was jeden (alle) anbetrifft; jede andere. ¶ ~ 모르나 Wer weiß es nicht?¦Jeder weiß es.

누군들 wer (auch) immer; jeder der; irgend jemand; irgendeine(r); sogar (selbst) ich.

누군지 irgendeiner; Soundso. ¶ ~ 왔었다 Irgendeiner kam während d-r Abwesenheit. / ~ 몰라 Ich weiß nicht, wer er ist.

누굴 《누구를》 wen; von wem; irgendeinen*. ¶ ~ 말하는 것이냐 Von wem sprichst du? / ~ 보냈느냐 Wen hast du geschickt?¦Hast du irgendeinen geschickt?

누그러뜨리다 weich machen⁴; erweichen⁴; mildern⁴. ¶ 고통을 ~ Schmerzen 《*pl.*》 mildern (lindern).

누그러지다 ① 《날씨가》 mild werden; ⁴sich mildern; nach|lassen*(바람이). ¶ 날씨가 ~ Das Wetter wird mild.¦Das Wetter mildert sich. / 바람이 ~ Der Wind läßt nach.

② 《시세가》 niedrig werden. ¶ 물가가 ~ Der Preis wird niedrig.

③ 《감정·태도 등》 ⁴sich beruhigen; besänftigt (milder) werden; ⁴sich beschwichtigen lassen (이상 기분, 노여움, 마음); nach|-lassen*; gemildert (gelindert) werden (이상 고통이); erleichtert (gemildert) werden (슬픔이); menschlich (freundlich; mild) werden (태도가). ¶ 안색이 ~ sein Gesichtsausdruck wird gemildert / 노염이 ~ sein Zorn wird besänftigt (beschwichtigt) / 마음이 ~ mildherzig (weichherzig) werden; ⁴sich beruhigen; seine Gefühle wird besänftigt / 태도가 ~ freundlich (mild) werden; seine Haltung wird mild / 그의 기분은 겨우 누그러졌다 Er beruhigte sich endlich.¦Er ließ sich endlich beschwichtigen.

④ 《딱딱한 것이》 weich werden; ⁴sich erweichen.

누글누글하다 ☞ 노글노글하다.

누긋누긋하다 ☞ 노긋노긋하다.

누긋하다 ① ☞ 노긋하다. ② 《성질이》 (seelen)ruhig; gelassen; gemütlich; mild; sanft (sein). ¶ 누긋한 성질 seelenruhiger (gelassener) Charakter, -s, -e.

누기(漏氣) Feuchtigkeit *f.* -en; Nässe *f.*

누기차다(漏氣—) feucht; dunstig; naß; schwül (sein). ¶ 누기찬 방 ein feuchtes Zimmer, -s, - / 누기찬 바람 feuchter (nasser) Wind, -(e)s, -e / 누기찬 날씨 feuchtes (schwüles) Wetter, -s.

누기치다(漏氣—) feucht (dunstig; naß; regnerisch; schwül) werden. ¶ 방에 누기가 치다 Es wird feucht (dunstig; naß) in dem Zimmer.

누꿈하다 nach|lassen* 《Infektion *od.* e-e Heimsuchung》; gelindert (besser) werden.

누나 die ältere Schwester (사내아이의). ¶ 너의 ~ deine ältere Schwester.
누년(屢年) die aufeinanderfolgenden Jahre 《pl.》; jahraus, jahrein; ein Jahr ums andere.
누누이(屢屢一) ausführlich; ausholend; breit; detailliert [detají:rt]; eingehend; ins Detail [detái] gehend; mit Einzelheiten; umständlich; weitschweifig. ¶ ~ 이야기하다 ⁴sich eingehend aus|sprechen* (aus|reden) 《über⁴》.
누다 aus|leeren; (ent)leeren; ⁴sich aus|leeren; s-n Magen (aus|)leeren (이상 똥을); harnen; urinieren; Harn lassen*; das Wasser lassen* (machen) (이상 오줌을).
누대(屢代) die aufeinander folgenden Generationen 《pl.》; Generation(en) auf Generation(en). ¶ 그것은 ~에 걸쳐 내려오는 보물이다 Das ist ein Schatz, der sich von den Vorfahren vererbt hat.
누대(樓臺) Ausguck *m.* -s, -e; Türmchen *n.* -s, -.
누더기 Lumpen *m.* -s, -; Fetzen *m.* -s, -; Lappen *m.* -s, -; das zerlumpte (zerfetzte; zerrissene) Kleid, -(e)s, -e; die armselige (schäbige; fadenscheinige; schlechte; abgetragene) Kleidung, -en. ¶ ~를 입다 ⁴sich in Lumpen (in Fetzen) hüllen / ~를 입은 사람 ein zerlumpter Kerl, -s, -e; Lump *m.* -en, -en; der abgerissene ärmliche Mensch, -en, -en; ein Mensch in schäbigen Kleidern / ~가 되다 zerlumpft (zerfetzt; zerrissen; schäbig) werden.
누덕누덕 zusammenflickend ¶ 옷을 ~ 깁다 sein Kleid zusammen|flicken (-|schustern).
누되다(累一) ständig lästig sein.
누두(漏斗) =깔때기.
누드 Akt *m.* -(e)s, -e; Nacktheit *f.* -en (그림, 사진 따위).
‖ ~모델 Aktmodell *n.* -s, -e. ~사진 Aktphoto *n.* -s, -s (-bild *n.* -(e)s, -er).
누락(漏落) Auslassung (Unterlassung; Weglassung) *f.* -en 《beim Schreiben》; Lücke *f.* -n. ~하다 aus|lassen*⁴; unterlassen*⁴; weg|lassen*⁴. ¶ 잘못하여 ~하다 aus Versehen (versehentlich) aus|lassen*; fort|lassen*⁴; weg|lassen*⁴; unterlassen*⁴ / 베끼다가 한 대목(한 단어) ~했다 Beim Abschreiben habe ich aus Versehen e-e Stelle (ein Wort) fortgelassen (ausgelassen).
누란(累卵) die drohende Gefahr, -en; die gefährliche Lage, -n; die große Krise, -n. ¶ ~의 위기에 처하다 ⁴sich e-r drohenden ³Gefahr ausgesetzt sehen*; vom Untergang bedroht sein; wie ein Haufen Eier jeden Augenblick zusammenstürzen können* / ~의 위기에 처한 나라를 구하다 das Land aus e-r großen Krise retten.
누렁 Gelb *n.* -s; gelber Farbstoff, -(e)s, -e. ‖ ~물 gelbes Wasser, -s; schmutziges Wasser.
누렁우물 ein verunreinigter (besudelter; schmutziger; unsauberer) Brunnen, -s, -.
누렇다 völlig gelb; goldgelb (sein). ¶ 보리가 누렇게 익다 Die Gerste wird reif u. goldgelb.
누룩 Hefe *f.* -n; Gärungsstoff *m.* -es, -e. ‖ ~곰팡이 Hefe¦pilz (Gärungs-) *m.* -es, -e. ~덩이 Hefe¦kuchen *m.* -s, - (-stück *m.* -(e)s, -e).
누룽지 beim Kochen angebrannter Reis, -es.
누르께하다 e-n Anflug von ³Gelb haben. ¶ 누르께한 얼굴 ein bläßliches (fahles) Gesicht, -es, -er.
누르다¹ 《빛깔이》 gelb; golden; lohfarben; gelbbraun (sein). ¶ 누른 빛 gelbe (goldene) Farbe / 누른 잎 ein gelbes Blatt, -(e)s, ⸚er.
누르다² ① 《내리밂》 drücken⁴; auf|drücken⁴ (unter|- ; nieder|-); beschweren⁴ 《mit³》. ¶ 초인종을 ~ auf die Klingel (den Knopf) drücken / 도장을 ~ sein Siegel drücken (auf|drücken); siegeln; stempeln / 문서에 도장을 ~ auf das Dokument (die Schrift) auf|drücken / 발로 ~ mit dem Fuß unter|drücken⁴ / 돌로 ~ mit e-m Stein beschweren⁴ / 위에서 가볍게 ~ von oben leicht drücken.
② 《진압·억압》 unterdrücken⁴; nieder|halten*⁴. ¶ 백성을 ~ das Volk nieder|drücken (unterdrücken) / 반란을 ~ den Aufstand nieder|drücken (unterdrücken).
③ 《억제》 beherrschen⁴; nieder|halten*⁴ (zurück|-). ¶ 감정을 ~ s-e Gefühle beherrschen (zurück|halten) / 격정을 ~ s-e Leidenschaft im Zaun halten* / 노염을 ~ s-n Zorn zurück|halten*.
④ 《상대방을》 besiegen⁴; nieder|schlagen*⁴ (-|kämpfen).
⑤ 《압도함》 überwältigen⁴; übertreffen*⁴; überwinden*⁴; vertreiben*⁴; besiegen⁴. ¶ 품질에 있어서 단연 다른 것을 ~ in Qualität bei weitem die anderen übertreffen*.
누르락붉으락 ⁴sich vor Ärger rot u. blau färbend; vor Wut schäumend (tobend).
누르락푸르락 ☞ 누르락붉으락.
누르스름하다 gelblich; ein bißchen (ein wenig) gelb (sein).
누르퉁퉁하다 unangenehm (ungesund) gelb (sein).
누름적(一炙) in Eierteig getauchtes u. in schwimmendem Fett ausgebackenes Fleisch, -es (Fleischgericht, -(e)s, -e).
누릇누릇 ☞ 노릇노릇.
누리¹ 《세상》 Welt *f.* -en.
누리² 【곤충】 Gras¦hopfer *m.* -s, - (-hüpfer *m.* -s, -); Heuschrecke *f.* -n.
누리³ 《우박》 Hagel *m.* -s.
누리다¹ ① 《냄새가》 stinkend; ranzig; widerlich; ekelhaft (sein). ② 《국물 따위가》 ranzig (widerlich; ekelhaft) riechen*; ranzigen Geruch aus|strömen. ¶ 국이 ~ Diese Suppe riecht ranzig.
누리다² genießen*⁴; mit ³*et.* gesegnet sein. ¶ 행복을 ~ sein Glück genießen* / 명예를 ~ Achtung (Ehre) genießen* / 여든 살을 ~ sein achtzigstes Lebensjahr genießen*.
누린내 ① 《노린내》 Gestank *m.* -(e)s; übler Geruch, -(e)s, ⸚e. ② 《국물 따위》 ranziger Geruch.
누만(累萬) viele zehntausend; unzählig; zahllos.
누명(陋名) Schand¦fleck *m.* -(e)s, -e (-mal *n.* -(e)s, -e *u.* ⸚er); Brand¦mal (Kains-); Schande *f.* -n; Schimpf *m.* -(e)s, -e; Stigma *n.* -s, ..men (-ta); Schmach *f.*; Unehre *f.*; Verruf *m.* -(e)s. ¶ ~을 쓰다 Schande auf ⁴sich laden*; in ⁴Schimpf u. ⁴Schande geraten* Ⓢ; schmachbeladen (gebrandmarkt) werden; in ⁴Verruf kommen* Ⓢ / ~을 벗다 (씻다) ⁴sich von Schande (Schmach; Unehre) frei machen; ³sich den schlechten Namen ab|tun* (ab|wischen); wieder in s-e Ehre kommen*; s-n guten Namen wieder|gewinnen*.
누문(樓門) Torhaus *n.* -es, ⸚er.

누문(漏聞) das Belauschen*, -s. ~하다 belauschen⁴.
누범(累犯) Rückfall *m.* -(e)s, ⸚e; wiederholtes Vergehen, -s, - (Delikt, -(e)s, -e). ¶ ~가중의 원칙 das Prinzip der Straferschwerung (Strafverschärfung) im Rückfall.
‖ ~자 ein rückfälliger Verbrecher, -s, -.
누벨바그 die neue Welle《Bewegung》.
누비 das Steppen*, -s; das Wattieren*, -s.
‖ ~옷 wattiertes (gestepptes; durchnähtes) Kleid *n.* -(e)s, -e. ~이불 Steppdecke *f.* -n; gesteppte Bettdecke. ~질 Stepperei *f.* -en; gesteppte Arbeit *f.*: ~질하다 steppen⁴; durchnähen⁴; wattieren.
누비다 ①《바느질》 steppen⁴; durchnähen⁴; wattieren⁴. ¶ 이불을 ~ die (Bett)decke steppen (wattieren).
②《찡그림》 ¶ 이마를 ~ die Stirn runzeln.
③《기타》 ¶ 군중 속을 누비며 걷다 ⁴sich durch die Menge durch|winden*; ⁴sich mühsam durchs Gedränge schlängeln.
누상(樓上) Balkon *m.* -s, -e (-s); oberes Stockwerk, -(e)s, -e.
누선(淚腺) 〖해부〗 Tränendrüse *f.* -n.
누설(漏泄) das Auslaufen*, -s; das Verraten*, -s; Leckage *f.* -n. ~하다 auf|decken⁴; ans Licht bringen*⁴; bekannt|geben*; enthüllen⁴; offenbaren⁴; bekannt|machen⁴; preis|geben*⁴. ¶ 기밀을 ~하다 Geheimnis verraten* (preis|geben*) / 비밀이 ~되었다 Das Geheimnis ist ausgeplaudert (verraten) worden. / 시험 문제가 ~되어 큰 소동이 났다 Das Bekanntwerden der Prüfungsaufgaben hat e-e schwerwiegende Komplikation gebracht.
‖ 군기(軍機)~ das Verraten militärischer Geheimnisse.
누속(陋俗) schmutzige Sitte, -n (Gewohnheit, -en); primitiver Brauch *m.* -(e)s ⸚e.
누수(漏水) das Ausrinnen* (Aussickern; Entströmen*; Lecken*)《-s》von Wasser. ~하다 das Wasser sickerte aus.
누습(陋習) die schlechte (verdorbene) Sitte, -n; Miß¦stände (Übel-)《*pl.*》. ¶ ~을 타파하다 eine schlechte Sitte ab|schaffen; Mißstände ab|schaffen (beheben*; aus dem Weg räumen) / 구래의 ~을 타파하라 Nieder mit der althergebrachten Unsitte!
누승(累乘) 〖수학〗 Potenzierung *f.* -en. ~하다 potenzieren⁴.
‖ ~적(積) andauerndes Produkt, -(e)s, -e.
누심(壘審) 〖야구〗 Schiedsrichter《*m.* -s, -》an e-m Mal.
누에 Seidenwurm *m.* -(e)s, ⸚er; Seidenraupe *f.* -n. ¶ ~를 치다 Seidenwürmer《*pl.*》züchten. / ~가 오르다 ⁴sich ein|puppen; ⁴sich verpuppen.
‖ ~고치 Kokon *m.* -s, -s. ~나방 Seidenschmetterling *m.* -s, -e. ~농사(치기) Seiden(raupen)zucht *f.*; Seidenbau *m.*
누옥(陋屋) ①《누추한》 Bude *f.* -n; Schundbau *m.* -(e)s, -ten; die armselige (elende) Hütte, -n; 〖방언〗 Kotten (Kotter) *m.* -s, -.
②《자기집》 mein bescheidenes Häuschen, -s, -.
누운단 der Saum《-(e)s, ⸚e》(Rand, -(e)s, ⸚er) des Oberkleids.
누운목(一木) der gebleichte Baumwoll¦stoff (Kattun-) -(e)s, -e.
누운변(一邊) die (einmalige) Zurückzahlung der geliehenen Geldsumme mit den Zinsen. ⌈leiste *f.* -n.
누울외(一椳) 〖건축〗 Querlatte *f.* -n; Quer-
누워먹다 ⁴sich auf die faule Haut legen; müßig|gehen* ⓢ; nichts tun*.
누이 Schwester *f.* -n. ¶ 큰 ~ die ältere (große) Schwester.
‖ ~동생 die jüngere (kleine) Schwester.
누이다¹ 《대소변》 *jn.* s-e Notdurft verrichten
누이다² =눕히다. ⌊lassen*.
누이다³ 《피륙을》 Kleider in kalkhaltigem Wasser waschen; beuchen⁴.
누적(累積) Anhäufung (Ansammlung) *f.* -en. ~하다 an|sammeln⁴; an|häufen⁴. ¶ ~된 서류 (auf dem Schreibtisch) angesammelte Schriftstücke《*pl.*》/ ~된 사회악 die angehäuften sozialen Verderbtheiten《*pl.*》.
누전(漏電) 〖물리〗 die Ableitung (Streuung)《-en》der Elektrizität. ~하다 Elektrizität entweicht; die elektrische Leitung ist durchgebrannt. ¶ ~에 의한 화재 ein Brand (Feuer) infolge (von) Kurzschluß / ~에 기인하다 durch ⁴Ableitung (Streuung) der Elektrizität (durch ⁴Kurzschluß) verursacht werden / 화재의 원인은 ~이었다 Die Ursache des Brandes war Kurzschluß.
‖ ~계(計) Erdschlußanzeiger *m.* -s, -.
누정(漏精) 〖의학〗 Spermatorrhöe *f.* -n.
누지(陋地) (bescheidene Bezeichnung für die) eigene Wohnung.
누지다 feucht; dumpfig (sein).
누진(累進) die stufenweise erfolgende Beförderung, -en; das progressive Aufrücken*, -s. ~하다 stufenweise (von e-m Amt zum höheren) befördert werden; ein progressives Aufrücken erleben; in e-e immer höhere Stellung empor|kommen* ⓢ. ¶ ~적으로 과세하다 progressiv besteuern.
‖ ~과세 die progressive Besteuerung, -en. ~(소득)세 die progressive (Einkommen-)steuer, -n; Progressivsteuer *f.* -n.
누차(屢次) oftmals; häufig; mehrfach; mehrmals; viele Male. ¶ ~ 말하다 oftmals sagen⁽⁴⁾/ ~ 해보다 immer wieder versuchen⁴.
누추하다(陋醜一) dreckig; schmutzig; unrein; unsauber; verdreckt; 《먼지투성이의》 staubig; 《해진》 schäbig (sein). ¶ 누추한 집 die unsaubere Hütte, -n / 누추한 집이지만 M-e Wohnung ist der reinste Stall, aber.... / 옷이 ~ schäbig gekleidet sein.
누출(漏出) das Lecken*, -s; das Rinnen*, -s; das Entweichen*, -s. ~하다 lecken ⓢ; (aus)|rinnen* ⓢ; aus|sickern ⓢ,ⓗ; entströmen ⓢ; entweichen* ⓢ. ¶ 가스가 ~하다 das Gas entweicht.
누치 〖어류〗 e-e Art Karpfen《*m.* -s, -》; *Hemibarbus labeo* (학명).
누쿠알로파 《통가의 수도》 Nukualofa.
누항(陋巷) elendes (scheußliches; schmutziges) Stadtviertel, -s, -; schmutzige Gasse, -n; Slumviertel; Slums [slʌmz]《*pl.*》.
눅눅하다 feucht; dunstig; naß (sein). ¶ 눅눅한 담배 nasser Tabak, -(e)s, -e / 눅눅한 벽 nasse Wände《*pl.*》/ 눅눅한 옷 nasse Kleider《*pl.*》.
눅느지러지다 schlaff (schlapp; kraftlos) werden; s-e Spannkraft verlieren*.
눅다 ①《반죽이》 weich; dünn; dünnflüssig; 《쇠가》 dehnbar; geschmeidig (sein).
②《축축함》 feucht; naß (sein).
③《성질이》 ruhig; mild; sanft (sein).
④《날씨가》 wärmer werden.

⑤ 《값이》 billig; preiswert; wohlfeil (sein).

눅신- ☞ 녹신-.

눅실- =눅신-.

눅이다 ① 《굳은 것을》 weich machen⁴. ¶ 반죽을 ~ den Teig weich machen. ② 《마음을》 mildern⁴; erweichen⁴; besänftigen⁴; beruhigen⁴; beschwichtigen⁴. ¶ 아무의 마음을 ~ *js.* Herz rühren. ③ 《적시다》 benetzen⁴; an|feuchten⁴; naß|machen⁴. ¶ 다림질을 위해 옷을 ~ die Kleidung vor dem Bügeln an|feuchten.

눅지다 《날씨가》 etwas milder werden 《Wetter》; nach|lassen* 《Kälte》. ¶ 날씨가 눅졌다 Die Kälte hat etwas nachgelassen. ¦ Es ist etwas milder geworden.

눈[1] ① 《일반적》 Auge *n.* -s, -n. ¶ 눈의 Augen-; Okular- / 눈 은행 Augenbank *f.* -en / 날카로운 눈 kühne (scharfe) Augen 《*pl.*》 / 눈꼬리가 쳐진 눈 nach unten schräg stehende Augen 《*pl.*》 / 위로 치켜진 눈 schräg stehende Augen 《*pl.*》 / 흐린 눈 ein finsterer Blick.
눈이: 좋다 〔나쁘다〕 gute (schlechte) Augen 《*pl.*》 haben; ein gutes (schlechtes) Sehvermögen haben / 멀다 das Gesicht (Augenlicht) verlieren*; blind (augenlos) werden; erblinden / 날카롭다 scharf blicken; adleräugig sein; mit kühnen (scharfen) Augen sehen / 핑핑돌다 *jm.* schwindelt; schwindlig werden; ⁴sich schwindlig fühlen / 바빠서 눈이 핑핑 돌 지경이다 in atemloser Hast in ⁴Anspruch genommen werden; so voll beschäftigt sein, daß man k-e Zeit (Ruhe) finden kann / 퉁퉁 붓도록 울다 ⁴sich blind weinen; ³sich die Augen ausweinen / 닿는 데까지 soweit das Auge blicken kann / 휘둥그레지다 große Augen machen u. erstaunt sein; (an)starren⁴.
눈에: 띄다 dem Auge begegnen; ins Auge fallen* (springen*; stechen*) 《*jm.*》; erblickt werden; *js.* Aufmerksamkeit auf ⁴sich ziehen* / 띄게 bemerkbar; sichtbar; (be)merklich; sichtlich; erkennbar; wahrnehmbar; bedeutend (현저하게); zusehends (보고 있는 사이에) / 그는 눈에 띄게 발전했다 Er hat sichtliche Fortschritte gemacht. / …의 눈에 들다 Gnade finden* 《vor *jm.*》; *js.* Vertrauen besitzen* (genießen*); in Güte fertig werden 《mit *jm.*》 / 드는 사람이 없다 Da ist keiner, den ich zu diesem Zwecke gebrauchen kann. / 띄지 않는 unbeachtet (물건); abgelegen (장소) / 선하다 etwas steht (schwebt) *jm.* vor Augen.
눈으로: 알리다 *jm.* zu|blinzeln; mit den Augen (mit Augenzwinken) ein Zeichen geben* 《*jm.*》; ⁴sich verständlich machen 《*jm.*》 / 인사하다 mit einem Nicken grüßen.
눈을: 감다 die Augen 《*pl.*》 (zu|)schließen* (zu|machen) / 크게 뜨고 mit weit geöffneten (aufgerissenen) Augen; mit e-m scharfen Blick / 부릅뜨고 mit Kulleraugen (Glotzaugen; Telleraugen) / 떼다 aus dem Auge lassen*⁴; den Blick wenden* 《*von*³》; anderswohin blicken / 떼지 않다 nicht aus dem Auge lassen*⁴; Blick heften 《*auf*⁴》; (scharf) ins Auge fassen⁴ / 끌다 die Aufmerksamkeit auf ⁴sich ziehen* (lenken); ⁴sich bemerkbar (bemerklich) machen / 가리다 blenden⁴; für nichts mehr Augen haben / 내리깔다 die Augen niederschlagen* / 피해서 heimlich; hinten (he)rum; hinter *js.* Rücken³; auf Schleichwegen³; verstohlen / 잠깐 붙이다 schlummernd (dösend) liegen*; ein Nickerchen (Schläfchen) nehmen* (halten*) / 남의 눈을 꺼리다 vor der Öffentlichkeit verbergen*⁴ müssen.
② 《표정》 Blick *m.* -(e)s, -e. ¶ 무언가 말하려는 눈 ein sprechender Blick / 날카로운 눈 《형안》 ein scharfer Blick / 첫눈에 auf den ersten Blick / 시기하는 눈으로 보다 beneidend (neidisch) zusehen*.
③ 《시력》 Sehvermögen *n.* -s; Sehkraft *f.* ⸗e.
④ 《마음의》 Augen 《*pl.*》.
⑤ 《주의·눈길》 Aufmerksamkeit *f.*; Beachtung *f.*
⑥ 《안식》 Einsicht *f.*; Einblick *m.* -(e)s, -e. ¶ 보는 눈이 있다 einen Einblick bekommen* (gewinnen*) einen Augen haben 《*für*⁴》 / 그는 사람을 보는 눈이 있다 Er besitzt viel Mennschenkenntnis.
⑦ 《견지》 Gesichtspunkt *m.* -(e)s, -e. ¶ 내 눈으로 보아서는 그는 불량배다 in meinen Augen ist er ein Schuft.
⑧ 《자각》 erwachen; auf|wachen. ¶ 마침내 그의 양심이 눈을 떴다 Endlich ist sein Gewissen erwacht.
⑨ 《태풍의》 das Auge des Taifuns.
⑩ 《주사위의》 Punkt *m.* -(e)s, -e; Auge *n.*
⑪ 《기타》 ¶ 눈 딱 감고 ohne Zögerung / 눈을 감다 《죽다》 Augen schließen*; sterben*.

눈[2] 《싹》 (Blätter)knospe *f.* -n; Auge *n.* -s, -n; Sproß *m.* ..sses, ..sse; Sprößling *m.* -s, -e. ¶ 눈이 트다 ⁴Knospen treiben* (an|setzen); ¹Knospen platzen auf (brechen*; entfalten ⁴sich; sprießen* (hervor) [s,h]); knospen; (auf|)keimen [s]; (auf|)schießen* [s]; (hervor|)sprossen [s].

눈[3] 《그물 따위의》 Masche *f.* -n.
‖ 그물눈 die Masche e-s Netzes.

눈[4] 《내리는》 Schnee *m.* -s. ¶ 큰눈 der starke (heftige) Schnee / 함박눈 starker Schneefall, -(e)s, ⸗e / 싸락눈 Pulverschnee / 눈이 쌓이다 Es liegt (hoher; tiefer) Schnee. ¦ Der Schnee häuft sich (hoch). / 눈이 내리다 Es schneit. ¦ Es fällt Schnee. / 눈이 녹다 Der Schnee taut. ¦ Es taut. ¦ Der Schnee schmilzt. / 눈에 덮이다 (묻히다) mit Schnee bedeckt werden (sein); eingeschneit sein; im (unter dem) Schnee begraben werden (sein) / 눈에 갇히다 vom Schnee eingeschlossen sein / 눈을 뭉치다 Schnee ballen / 눈을 밟아 다지다 Schnee fest|treten* / 눈을 치다 Schnee weg|schaufeln; Schnee räumen (aus dem Weg) / 눈이 3센티미터 쌓여 있다 Der Schnee liegt 3 Zentimeter hoch. / 눈이 많이 쌓이다 Es liegt viel Schnee.

눈가 Augenränder 《*pl.*》.

눈가리개 Augenbinde *f.* -n; 《말의》 Scheuklappe *f.* -n. ¶ ~를 하다 *jm.* die Augen verbinden*.

눈가림 die scheinbare Gewissenhaftigkeit; Gleisnerei *f.* -en; Heuchelei *f.*; Scheinding *n.* -(e)s, -e; Blendwerk *n.* -(e)s, -e. ¶ 어물어물 ~해서 넘기다 seine Arbeit flüchtig tun (pfuschen).

눈가죽 Augenlid *n.* -(e)s, -er; Augendeckel *m.* -s, -. ¶ ~이 두껍다 dicke Augendeckel 《*pl.*》 haben.

눈감다 die Augen schließen* (명목하다); zum ewigen Frieden ein|gehen* [s] (죽다); in ³Frieden ruhen [s] (지하에 잠들다).

눈감아주다 nach|sehen*⁴ 《jm.》; durch die Finger sehen*⁴ 《jm.》; durchgehen lassen*⁴; ein Auge zu|drücken 《bei ³et.》; fünf gerade sein lassen*; Nachsicht üben 《mit jm.》; übersehen*⁴. ¶ 잘못을 ~ Fehler übersehen.

눈거칠다 unansehnlich (sein); abstoßend 〔widerwärtig; häßlich; sehr unangenehm〕 aus|sehen*; Abscheu erregend (sein).

눈겨룸 Wettkampf 《m. -(e)s, ⸗e》 im sich starr in die Augen sehen; Starrblickwettspiel n. -(e)s, -e.

눈결 ¶ ~에 flüchtig; vorübergehend / ~에 언뜻 보다 e-n flüchtigen Blick erhaschen.

눈경치(一景致) Schneelandschaft f. -en.

눈곱 ① 《눈의》 Augenbutter f.; Augenschmalz n. -es. ② 《비유적》 ¶ ~만큼 ein klein bißchen; verschwindend wenig; ein Fingerhut voll; ein Anflug 《von³》 / ~만큼도 《부정적》 nicht im geringsten〔entferntesten; leisesten〕; kein Fünkchen 《von³》; 〖속어〗 e-n Quark; k-e Spur 《von³》; kein Stäubchen 《von³》.

눈구덩이 Schneegrube f. -n. ¶ ~에 빠지다 in e-e Schneegrube hinab|stürzen.

눈구멍¹ 〖해부〗 Augen|höhle 〔-grube〕 f. -n.

눈구멍² ＝눈구덩이.

눈구석 Augenwinkel m. -s, -.

눈금 Gradeinteilung f. -en; Graduation f. -en; Skala f. ..len; Einschnitt m. -(e)s, -e; Kerbe f. -n. ¶ ~을 내다 graduieren⁴; mit e-r Gradskala versehen*⁴ / ~이 있다 graduiert sein / ~이 있는 유리관 Bürette f. -n; Meßglas n. -es, ⸗er.

눈기이다 《속임》 täuschen⁴; hintergehen*⁴; irre|führen⁴; hinters Licht führen⁴; 《훔침》 stehlen*⁴; mausen⁴; stibitzen⁴. ¶ 눈을 기이어 hinter js. Rücken; hinterm Rücken; heimlich.

눈길¹ 《시선》 Blick m. -(e)s, -e; Sicht f. ¶ ~을 모으다 Aufmerksamkeit erregen; im Licht der Öffentlichkeit stehen* / ~을 피하다 js. Aufmerksamkeit (ver)meiden* 〔umgehen*〕 / ~을 돌리다 e-r Sache s-e Aufmerksamkeit zu|wenden(*).

눈길² 《눈 덮인 길》 die schneebedeckte Straße, -n.

눈까풀 Augenlid n. -(e)s, -er; das untere (Augen)lid, -(e)s, -er.

눈깔 《눈》 Auge n. -s, -n.
‖ ~사탕 Bonbon m. 〔n.〕 -s, -s.

눈깜작이 jemand, der dauernd mit den Augen blinzelt.

눈꺼지다 ein|fallen* ⓢ; ein|sinken* ⓢ 《Augen》. ¶ 배가 고파서 눈이 꺼지다 vor Hunger eingefallene Augen haben.

눈꺼풀 ☞ 눈까풀.

눈꼴사납다 ① 《모양이》 häßlich; verhaßt (sein); harte 〔grobe〕 Gesichtszügen haben. ¶ 눈꼴 사나운 사내 ein Mann 《m. -(e)s, ⸗er》 mit harten 〔groben〕 Gesichtszügen. ② 《아니꼽나》 jm. anstößig 〔ärgerniserregend; ekelhaft; übel〕 vor|kommen* ⓢ. ¶ 거드럭거리는 품이 몹시 ~ Ich kann s-e angeberische Haltung nicht leiden. / 여자 주정꾼은 정말 ~ Was ist das für ein häßlicher Anblick, ein betrunkenes Weib zu sehen!

눈꼴시다 ☞ 눈꼴틀리다.

눈꼴틀리다 jn. an|ekeln 〔an|widern〕; ärgerlich sein; jn. verärgern. ¶ 태부리는 것이 ~ über s-e Getue 〔gespreiztes Betragen〕 ärgerlich sein / 사장한테 발라맞추는 꼴이란 눈꼴이 틀려 볼 수가 없다 Ich davon angewidert, daß er s-s Chefs Speichel leckt.

눈끔적이 ☞ 눈깜작이.

눈높다 ① 《안식》 verständnisvoll (sein) 《für⁴》; ein Auge für ⁴et. haben; Kenner sein; Kennerschaft haben. ¶ 그는 골동품에 ~ Er hat ein Auge für Antiquitäten. ② 《까다로움》 anspruchsvoll; anmaßend; wählerisch (sein); hohe Ziele haben. ¶ 그녀는 눈이 높아 웬만한 사람과는 결혼하지 않으려 한다 Da sie anspruchsvoll ist, findet sie kaum e-n Mann zum Heiraten. / 그는 눈이 높아 보통 것으로는 만족하지 않는다 Da er sehr wählerisch ist, ist er nie mit gewöhnlichen Dingen zufrieden.

눈다랭이 〖어류〗 e-e Art Thunfisch; *Parathunnus obesus* (학명).

눈대중 Augenmaß n. -es; die ungefähre Schätzung, -en. **~하다** mit den Augen messen*⁴; nach bloßem Sehen 〔ungefähr〕 schätzen⁴. ¶ ~으로 nach dem Augenmaß.

눈더미 Schneewehe f. -n (바람에 휘몰려 쌓인).

눈덩이 Schneeball m. -(e)s, ⸗e.

눈독 Absehen n. -s, -; das Anstarren*, -s; Anblick m. -(e)s, -e. ¶ ~들이다 ⁴es ab|sehen* 〔an|legen〕 《auf⁴》; sein Absehen haben 〔richten〕 《auf⁴》; aufmerksam an|blicken; an|starren⁴; im Auge haben⁴; acht|geben* 《auf⁴》.

눈동자(一瞳子) Pupille f. -n.

눈두덩 der vortretende Teil des Augenlids. ¶ ~이 붓다 geschwollene Augen haben.

눈딱부리 Glotzauge n. -s, -n. ¶ ~의 glotzäugig.

눈딱지 drohende 〔unheilvolle; schlimme〕 Augen 《pl.》; drohender 〔unheilvoller; schlimmer〕 (An)blick, -(e)s, -e.

눈뜨다 《감은 눈을》 die Augen öffnen; 《깨닫다》 auf|wachen ⓢ; erwachen ⓢ; wach werden. ¶ 눈뜨고 볼 수 없는 abscheulich; ekelerregend; fürchterlich; gräßlich; grauenhaft; 〖속어〗 katastrophal; schauderhaft / 눈 뜨고 볼 수 없는 참사의 현장 der grauenhafte Trümmerplatz des fürchterlichen Unfalls / 성에 ~ geschlechtsreif werden / 그는 성에 눈 떴다 In ihm erwachte das Geschlecht. / 눈 뜨고 볼 수 없는 추녀이다 Sie ist ein Ausbund von Häßlichkeit 〔häßlich wie die Nacht〕. / 눈 뜨고 볼 수 없는 참상이나 ein wahrer Jammer sein; einfach entsetzlich sein; ein schreckliches Bild bieten*.

눈뜬장님 Analphabet m. -en, -en; der Ungebildete*, -n, -n; Ignorant m. -en, -en; Nichtskenner m. -s, -; ein blinder Narr; dummer Kerl, -s, -e. ¶ ~ 노릇하다 Unsinn machen 〔treiben*〕 / 그는 ~이다 Er ist ein Analphabet. / 그는 ~이라 편지 한 장 읽지 못 한다 Da er ungebildet ist, kann er nicht einmal e-n Brief lesen.

눈띄다 auffallend sein; in die Augen fallen* ⓢ; augenfällig sein; bemerkenswert sein; 《눈을 끌다》 js. Aufmerksamkeit auf ⁴sich lenken; Aufmerksamkeit erregen. ¶ 눈에 띄는 auffallend; bemerkenswert; auffällig; ungewöhnlich; beachtlich / 눈에 안 띄는 unauffällig; unscheinbar / 눈에 띄지 않게 versteckt; geheim / 눈에 띄는 색 e-e grelle 〔auffällige〕 Farbe, -n / 눈에 띄게 하다 klar heraus|stellen⁴; hervor|heben*⁴ /

딴 것보다 눈에 띄다 augenfälliger sein als anderes / 그녀의 야회복이 유난히 눈에 띈다 Ihr elegantes Kleid fällt mir besonders in die Augen. / 그의 건강이 눈에 띄게 나빠졌다 Sein Gesundheitszustand neigt sich sehr (senkt sich beträchtlich). / 그녀의 아름다움이 한층 더 눈에 띄었다 Sie hat besonders durch ihre Schönheit unsere Aufmerksamkeit gefesselt.

눈망울 Augapfel *m.* -s, ⸚.

눈맞다 [4]sich ineinander verlieben; einander lieb haben; [4]sich gegenseitig lieben. ¶ 둘은 눈이 맞아 달아났다 Da beiden verliebten sich ineinander u. sind zusammen weggelaufen.

눈맞추다 ① 《마주》 gegenseitig Blicke tauschen; einander Blicke zu|werfen*. ② 《남녀가》 einander Augen (Äuglein) machen; einander verliebte Blicke zu|werfen*.

눈매, 눈맵시 Auge *n.* -s, -n; Blick *m.* -(e)s, -e (눈초리); um die Augen (눈언저리). ¶ 고운 ~ liebliche Augen / 사나운 ~ ein böser Blick / 상냥한 ~ ein freundlich (sanfter) Blick / 시원한 ~ große (klare) Augen 《*pl.*》 / 이 애는 ~가 엄마와 비슷하다 Das Kind hat ähnliche Augen wie s-e Mutter. / 그녀는 ~가 시원하다 Sie hat schöne Augen.

눈멀다 blind werden; [4]sich erblinden; das Gesicht verlieren*; 《현혹되다》 verblendet werden; beschwindelt werden; [4]sich täuschen lassen*. ¶ 돈에 눈이 멀다 aus [3]Geldsucht verblendet werden / 질투에 눈이 멀어서 aus blinder Eifersucht; durch [4]Eifersucht geblendet.

눈물[1] ① 《일반적》 Träne *f.* -n. ¶ 감사의 ~ Dankestränen 《*pl.*》 / 기쁨의 ~ die Tränen 《*pl.*》 der Freude / 감격의 ~ die Tränen der Rührung / 분노의 ~ die Tränen des Zornes / 굵은 ~줄기 dicke, große Tränen / 아무의 (자신의) ~을 닦다 *jm.* ([3]sich) die Tränen abwischen / 우리는 ~이 나도록 웃었다 Wir haben Tränen gelacht. / ~을 삼키다 die Tränen hinunterschlucken / ~이 그녀의 뺨 위로 흐른다 Die Tränen rollen über die Wangen. / 비오듯 ~을 흘리다 Tränen vergießen* / 쓰라린 ~을 흘리다 bittere Tränen weinen / 뜨거운 ~을 흘리다 heiße Tränen vergießen* / 그녀의 눈은 ~에 가득 젖어 있었다 Ihre Augen standen in voller Tränen. / ~을 흘릴 만한 일이 못 돼 Die Sache ist keine Tränen wert. / ~을 쏟으며 in Tränen aufgelöst / ~이 갑자기 쏟아지다 in Tränen ausbrechen* / 연기 때문에 ~이 났다 Der Rauch trieb mir die Tränen in die Augen.

② 《인정》 das gute (warme; weiche) Herz, -ens, -en; Sympathie *f.* -n. ¶ ~이 많은 rührselig; empfindsam; sensibel; sentimental / ~이 많은 사람 ein rührseliger Mensch, -en, -en / ~ 많은 여자 Tränenluise (-suse) *f.* / ~ 있는 사람 ein Mensch von gutem Herzen / ~ 없는 사람 ein kaltherziger Mensch.

눈물[2] 《녹은 눈》 Schneewasser *n.* -s.

눈물겹다 die Tränen nicht zurückhalten können*; über [4]*et.* traurig sein; bemitleidenswert; kläglich; rührend; ergreifend; herzzerreißend (sein). ¶ 눈물겨운 이야기 e-e rührende (ergreifende) Geschichte, -n.

눈물지다 Tränen vergießen*; bitt(e)re Tränen weinen (비통하게).

눈물짓다 weinen; Tränen vergießen*.

눈바람[1] 《눈과 바람》 Schnee u. Wind.

눈바람[2] 《설풍》 Schneetrift *f.* -en; eiskalter Wind, -(e)s, -e.

눈발 Schneeflocke *f.* -n. ¶ 굵은 ~ große Schneeflocke / ~서다 Es droht zu schneien.

눈밭 schneebedeckter (verschneiter) Boden, ⌈-s, - (⸚).

눈병(—病) 〖의학〗 Augen¦krankheit (-leiden, *n.* -s, -) *f.* -en; Augenübel *n.* -s, -. ¶ ~의 augenkrank / ~ 나다 an e-r Augenkrankheit leiden*; ein Augenübel bekommen*.

눈보라 Schnee¦sturm *m.* -(e)s, ⸚e (-gestöber *n.* -s); Schneetrift *f.* ¶ 심한 ~ der heftige (wütende) Schneesturm / ~를 무릅쓰고 trotz dem Schneesturm; dem Schneesturm zum Trotz / ~치다 e-n Schneesturm haben; der Schnee treibt wütend / ~를 만나다 in e-n Schneesturm geraten*.

눈부라리다 starr blicken; starren. ¶ 눈을 부라리고 노려보다 auf *jn.* ärgerlich starren.

눈부시다 ① 《빛이》 blendend; grell; hell glänzend (sein). ¶ 눈부신 햇빛 der grelle Sonnenschein / 눈부시게 빛나다 blenden; blendend (hell) glänzen; schmerzhaft ins Auge strahlen / 눈부시게 희다 blendend weiß sein.

② 《미·업적·활동 등》 beträchtlich; erstaunlich; glänzend (sein). ¶ 눈부신 업적 e-e erstaunliche Leistung, -en / 눈부신 발달 ein überraschender (erstaunlicher) Fortschritt, -(e)s, -e.

눈부처 das in der Pupille der gegenüberstehenden Person (wider)gespiegelte Bild, -(e)s, -er.

눈비음 etwas, das man nur für ander tut; Schmeichelei *f.* -en. **~하다** *jm.* Schmeicheleien sagen; *jm.* schmeicheln; Kompliment machen; Eindruck schinden*.

눈빛 Augenausdruck *m.* -(e)s, ⸚e. ¶ 호소하는 듯한 ~ ein ausdrucksvoller Blick, -(e)s, -e / 화가 나서 ~이 달라지다 vor Ärger rasend sein.

눈사람 Schneemann *m.* -(e)s, ⸚er.

눈사태(—沙汰) Schneelawine *f.* -n; Lawine *f.* -n; Schneesturz *m.* -es, ⸚e; die stürzende Schneemasse, -n.

눈살 die Runzel (die Furche) zwischen den Augenbrauen. ¶ ~을 찌푸리다 e-e finstere Miene machen; finster drein|schauen; die Stirn runzeln; finstere Blicke 《*pl.*》 werfen; die (Augen)brauen zusammen|ziehen*.

눈석이 Schneewasser *n.* -s.

눈석임 Schneematsch *m.* -es. **~하다** es taut; der Schnee schmilzt.

‖ **~길** matschige (schlammige) Straße, -n. **~물** ☞ 눈석이.

눈설다 nicht vertraut; unbekannt; neu; fremd; ungewohnt (sein).

눈속이다 blenden; verblenden 《*über*[4]》; 《속이다》 täuschen[4]; betören[4].

눈속임 Täuschung *f.* -en; Irreführung *f.* -en.

눈송이 Schneeflocke *f.* -n.

눈시울 (Augen)lid *n.* -(e)s, -er. ¶ ~이 뜨거워지다 *jm.* weinerlich zumute sein 《*bei*[3]》; ein menschliches Rühren fühlen; zu Tränen gerührt sein; tief ergriffen werden 《*von*[3]》; vor *js.* Augen wird es verschwommen; das wühlt die Tiefen der Seele auf / 그녀의 이야기에 ~이 뜨거워졌다 Ihre Worte haben mich tief erschüttert.

눈싸움 Schneeballschlacht *f.* -en. **~하다** [4]sich mit Schneeballen werfen*; [3]sich e-e Schneeballschlacht liefern.

눈썰미 Einsicht *f.* -en; Einblick *m.* -(e)s, -e; Verständniss *n.* ..nisses, ..nisse. ¶ ~가 있다 viel Einsicht haben; einsichtsvoll sein.

눈썹 (Augen)braue *f.* -n. ¶ 짙은 〔굵은〕 ~ die starken 〔buschigen; dicken〕 (Augen) brauen / 그린 ~ die nachgezogenen 〔angestrichenen; bemalten〕 Augenbrauen《*pl.*》/ ~을 치켜 올리다 (Augen)brauen heben* 〔hoch|-ziehen*〕/ ~을 긋다 〔그리다〕 (Augen)brauen nach|ziehen* / ~을 찌푸리다 e-e finstere Miene machen; finster dreinschauen; die Stirn runzeln / ~ 하나 까딱 않다 nicht mit der Wimper zucken; gefaßt bleiben*.

‖ **~연필** Augenbrauenstift *m.* -(e)s, -e.

눈씨 Sehkraft *f.* ⸗e.

눈아래 vor s-n Augen. ¶ ~에 내려다보다 überblicken[4] / 전시가를 ~에 내려다보다 die ganze Stadt unter sich liegen sehen*.

눈알 Augapfel *m.* -s, ⸗. ¶ ~을 굴리다 glotzen《*auf*[4]》; die Augen verdrehen 〔rollen〕; mit Glotzaugen blicken / ~이 툭 불거지다 die Glotzaugen《*pl.*》haben / ~이 툭 불거진 glotzäugig.

눈앞 ¶ ~에 vor 〔unter〕 *js.* Augen; vor *js.* Nase / 만인의 ~에서 vor aller Augen / 그것은 네 ~에 있다 Das liegt vor d-r Nase. / ~에 보다 vor Augen haben / 한치 ~도 보이지 않다 man sieht nicht die Hand vor den Augen (어두워서) / ~이 캄캄하다 es wird *jm.* schwarz vor den Augen; es schwindelt *jm.*

눈어리다 schwindlig werden; es schwindelt *jm.*

눈어림 ① =눈대중.

② 《계산》 Überschlag *m.* -(e)s, ⸗e (개산); Kostenvoranschlag *m.* -(e)s, ⸗e; Kostenplan *m.* -(e)s, ⸗e.

③ 《예견》 Voraussicht *f.* -en; Erwartung *f.* -en; Hoffnung *f.* -en; Annahme *f.* -n (가정) / ~이 빗나가다 *jn.* enttäuschen 〖눈어림이 주어〗; [4]sich täuschen《*in*[3]》.

눈엣가시 ein Dorn《*m.* -(e)s, -e》im Auge. ¶ 그것은 나에게 ~다 Das ist mir ein Dorn im Auge. / 그는 나를 ~처럼 못 먹어 한다 Er findet mich unerträglich.

눈여겨보다 genau 〔aufmerksam〕 betrachten[4]; beachten[4]. ¶ 눈여겨볼 만한 beachtenswert / 그의 행동을 ~ sein Benehmen genau betrachten.

눈요기(一療飢) Augenweide *f.* -n; Augenlust *f.* ⸗. **~하다** s-e Augen weiden 〔ergötzen〕《*an*[3]》; Augentrost finden*《*in*[3]》; zur Augenweide gereichen lassen*[4]; [4]sich ergötzen《*an*[3]》; schmausen《*von*[3]》; e-n erfreulichen 〔ergötzlichen〕 Anblick bieten. ¶ ~가 되다 Augen erfreuen 〔ergötzen〕; e-e Augenweide 〔Augenlust〕 sein; e-n erfreulichen 〔ergötzlichen〕 Anblick bieten.

눈웃음 das Lächeln*《-s》mit den Augen. ¶ ~(을) 치다 mit den Augen lächeln.

눈익다 [4]sich gewöhnen《*an*[4]》; vertraut sein《*mit*[3]》. ¶ 눈에 익지 않은 unbekannt; fremd.

눈인사(一人事) das Kopfnicken*, -s; Wink *m.* -(e)s, -e. **~하다** mit e-m Winken 〔Nicken〕 grüßen. ¶ 서로 ~하다 einander zu|nicken 〔mit den Augen grüßen〕.

눈자위 Augenlid *n.* -(e)s, -er; Augen¦ränder 〔-ringe〕《*pl.*》. ¶ 그는 ~가 무거워졌다《졸림》Die Augenlider waren ihm schwer.

눈정기(一精氣) Augenschärfe *f.* -n; Augenglanz *m.* -es. ¶ ~가 있다 scharfe Augen haben.

눈주다 die Augen auf *jn.* (*[4]et.*) richten 〔heften〕; mit den Augen winken; bedeutungsvoll blinzeln.

눈짐작 =눈대중.

눈짓 das Blinzeln*, -s; Wink *m.* -(e)s, -e《mit den [3]Augen》. **~하다** blinzeln; mit den Augen winken《*jm.*》; e-n Wink 〔ein Zeichen〕 mit den Augen geben*;《추파》liebäugeln《*mit*[3]》. ¶ 서로 ~하다 einander 〔[4]sich; gegenseitig〕 zuwinken.

눈초리 der äußere Augenwinkel, -s, -.

눈총 wilder Blick, -(e)s, -e; scharfe Augen《*pl.*》; durchbohrender Blick. ¶ ~을 맞다 wild angestarrt werden; mit Blicken durchgebohrt werden; gehaßt werden.

눈총기(一聰氣) Sehkraft *f.* ⸗e; Beobachtungsgabe *f.* ¶ ~ 좋다 scharfe Sehkraft haben; guten Beobachtungsgabe haben.

눈치 《센스》 Takt *m.* -(e)s, -e; Takt¦gefühl 〔Fein-〕 *n.* -(e)s, -e; Sinn *m.* -(e)s, -e; Sinnesvermögen 〔Wahrnehmungs-〕 *n.* -s; Empfindung *f.* -en; Empfänglichkeit *f.* -en; Zuvorkommenheit *f.* ¶ ~있다 feinen Takt haben; taktvoll sein; geistreich sein / ~없다 takt¦los 〔sinn-〕 sein; beschränkt sein; stumpfsinnig 〔dämlich〕 sein (맹추); 〖속어〗 doof 〔unterbelichtet〕 sein; e-e lange Leitung haben / ~가 빠르다 aufmerksam 〔zuvorkommend; taktvoll〕 sein; jedes Winkes gewärtig sein (하인 따위가); klug 〔gescheit〕 sein (영리한); adrett sein (빈틈없는); flott 〔geschickt〕 sein (능란한).

눈치레 reine Äußerlichkeit, -en; sinnlose Ornamentierung, -en; nichtige Verzierung 〔Ausschmückung〕, -en. **~하다** [4]sich auf|-takeln; [4]sich fein machen. ¶ ~로 um der äußeren Erscheinung willen.

눈치보다 versuchen, *js.* Gedanken zu lesen; *js.* Gesicht prüfen 〔studieren〕; *js.* Absicht 〔Ziel〕 erraten; die Lage 〔Situation〕 erfassen; sehen, woher der Wind weht. ¶ 눈치 보아 가며 일을 하다 nach der Lage, [4]*et.* tun* / 아이들은 선생님의 눈치를 보았다 Die Kinder versuchten, des Lehrers Gedanken zu lesen.

눈치채다 (be)merken[4]; wahr|nehmen*[4]; gewahren[4·2]; gewahr werden*[2]; achten《*auf*[4]》; Notiz nehmen*《*von*[3]》; an|merken[4]; riechen*[4];《생각나다》auf e-n Gedanken kommen* ⓢ; *jm.* ein|fallen* ⓢ;《느끼다》wittern[(4)]; Wind bekommen*《*von*[3]》; spüren; innewerden[2]; heraus|finden*[4]; erkennen*[4]; fühlen[4];《예감》ahnen[4]; e-e Ahnung 〔Witterung〕 bekommen*; ein dunkles Vorgefühl haben《*von*[3]》; die Lunte 〔den Braten〕 riechen《*von*[3]》; Verdacht fassen 〔hegen〕《*gegen*[4]》; *jm.* ab|lesen* 〔an|merken〕. ¶ 눈치채이다 bemerkt 〔entdeckt〕 werden / 눈치 안 채이고 unbemerkt; unvermerkt; unerkannt; heimlich; verborgen; versteckt; unter der Hand; verstohlen; unauffällig / 나는 그것을 그의 표정에서 눈치챘다 Ich habe es ihm an den Augen angesehen.

눈코 Augen《*pl.*》und Nase《*f.*》. ¶ ~ 뜰 새 없다 sehr beschäftigt sein; keine Zeit haben; keine Muße haben; mit Geschäften überhäuft sein; mit Geschäften überlastet sein / ~ 뜰 새 없이 지내다 ein geschäftiges Leben führen.

눈트다 Knospen (Sprossen) ⟪pl.⟫ treiben*; (auf)keimen[s]; auf|schießen* [s]; (hervor|-)sprossen [s]; knospen; sprießen* [h,s].

눈허리시다 ⟪우습다⟫ komisch; drollig; lustig (sein); ⟪아니꼽다⟫ ekelhaft; widerlich; abscheulich (sein).

눈흘기다 (wild) an|starren⁴; stier blicken⁴.

눋다 ⟪음식이⟫ an|brennen* [s]; ⟪옷 따위가⟫ versengen [s]. ¶ 눋은 밥 angebrannter Reis.

눌눌하다 flachsgelb (sein).

눌러 ① ⟪계속⟫ andauernd; stetig; mehrmalig; anhaltend; beständig; haltbar. ¶ ~ 머물다 andauernd (fortwährend) bleiben* [s] / 삼 년을 ~ 체재하다 drei Jahre lang anhaltend bleiben* (⁴sich auf|halten*).
② ⟪너그러이⟫ freigebig; großzügig; tolerant ⟪gegen⁴⟫; freundlich; anmutig. ¶ ~ 용서하다 großzügig verzeihen*³⁴. ~듣다 freundlich zu|hören³. ~보다 verzeihen*³⁴; entschuldigen⁴. ¶ 저의 잘못을 ~보아 주십시오 Verzeihen Sie (mir) m-n Fehler! / 철없는 애니 ~보아 주십시오 Verzeihen Sie ihm, da er noch ein alberner Junge ist!

눌리다¹ ⟪눋게 하다⟫ verbrennen*⁴; an|brennen*⁴; versengen⁴; an|sengen⁴; ⟪실수로⟫ (versehentlich) an|brennen lassen*⁴. ¶ 옷을 불에 ~ js. Kleid mit Feuer an|sengen⁴ / 밥을 ~ den Reis an|brennen (lassen*).

눌리다² ① ⟪누름을 당하다⟫ gepreßt werden; unter Druck gesetzt werden.
② ⟪압도됨⟫ unterdrückt (bedrückt) werden; überwältigt werden; niedergedrückt werden. ¶ 말에 ~ durch Beredsamkeit überwältigt werden / 적의 수에 ~ durch die Zahl der Feinden überwältigt werden / 다수에 ~ durch die Menge niedergedrückt werden; zahlenmäßig überwältigt werden / 마누라에 ~ unter dem Pantoffel stehen*; unter³ s-s Weibes Fuchtel stehen*; in³ s-s Weibes Gewalt stehen*.

눌면하다 leuchtend gelb (sein).

눌변(訥辯) ¶ ~의 unberedt.
‖ ~가 ungeschickter Redner, -s, -.

눌어붙다 ① ⟪음식이 타서⟫ an|brennen* [s].
② ⟪유임⟫ in ³Amt (in der Stelle od. Stellung) bleiben* [s]; ⟪정주⟫ ⁴sich fest|setzen; ⁴sich ansässig machen; ansässig werden; ein Dauergast ⟪m. -(e)s, ⸗e⟫ sein⟪bei³⟫.

눌언(訥言) stammelndes Gerede, -s; stotterndes Gespräch, -(e)s.

눌외(一椳) ☞ 누울외.

눌은밥 beim Kochen angebrannter Reis, -es. ‖ ~튀각 in Fett gebackener Reis.

눌하다(訥一) stottern; stammeln.

눕다 ① ⟪동작⟫ ⁴sich hin|legen; ⁴sich nieder|-legen.
② ⟪상태⟫ liegen*. ¶ 길게 ~ ausgestreckt liegen* / 몸져 ~ wegen Krankheit im Bett liegen / 큰 대자로 ~ alle viere von ³sich strecken / 누워서 떡 먹기다 ⟪쉽다⟫ kinderleicht sein; ein Kinderspiel sein; ³sich ⁴nichts aus ³et. machen 〖사람이 주어〗.

눕히다 legen⁴; hin|legen⁴; nieder|legen⁴. ¶ 몸을 ~ ⁴sich hin|legen; ⁴sich nieder|legen / (한주먹에) 때려 ~ niederschlagen*; zu Boden werfen*.

눙치다 besänftigen⁴; beschwichtigen⁴. ¶ 슬쩍 눙쳐 노염을 풀게 하다 jn. (js. Zorn) beruhigen.

뉘¹ ⟪쌀에 섞인⟫ ungeschälter (halb geschälter) Reis ⟪-es⟫ unter geschältem Reis gemischt.

뉘² ⟪자손의⟫ die Verehrung (die gute Pflege) durch den (die) Nachkommen. ¶ 뉘(를) 보다 die Verehrung des (der) Nachkommen genießen*.

뉘³ ☞ 누구 ①. ¶ 뉘 집에 죽이 끓는지 밥이 끓는지 아나 〖속담〗 „Wer weiß, in welchem Haus Schleim, in welchem Haus Reis gekocht wird.“ | Es ist nicht leicht zwischen Arm u. Reich zu unterscheiden.

뉘다 ☞ 누이다 ¹,²,³.

뉘렇다 kränklich; blaß (sein).

뉘른베르크 ⟪독일의 도시⟫ Nürnberg.

뉘반지기 Reis ⟪m. -es⟫, unter dem viel ungeschälte Körner zu finden sind.

뉘앙스 Nuance [nyắ:s(ə)] f. -n; Abschattierung f. -en; Abstufung f. -en; (Ab)tönung f. -en. ¶ ~가 있는 문학 die Dichtung ⟪-en⟫ mit feinen Nuancen; die fein abschattierte Dichtung.

뉘연히 ☞ 버젓하다.

뉘엿거리다 ① ⟪해가⟫ ⁴sich neigen; zur Neige gehen* [s]; sinken* [s]. ¶ 해가 서산에 뉘엿거리다 Die Sonne neigt sich nach Westen. ② ⟪속이⟫ (e-n) Brechreiz empfinden*; ³·⁴ sich ekeln ⟪vor³⟫. ¶ 속이 ~ Ekel empfinden*.

뉘엿뉘엿 ① ⟪해가⟫ ⁴sich neigend; zur Neige gehend. ② ⟪속이⟫ ekelerregend; widerlich.

뉘우쁘다 reuevoll; bußfertig (sein).

뉘우치다 bereuen; bedauern; nachtrauern³; schmerzlich vermissen; reuig (bußfertig) sein. ¶ 죄를 ~ seine Sünden bereuen / 행동을 ~ eine Tat bereuen / 무엇을 절실히 ~ ⁴et. bitter bereuen / 같이 간 것을 뉘우치지 않는다 Ich bereue es nicht, mitgekommen zu sein.

뉘우침 Reue f. ☞ 후회.

뉴기니 ⟪오세아니아의 섬⟫ Neuguinea; New Guinea.

뉴룩 New Look [nju: lúk] m. (n.) - -. ¶ ~의 neumodisch.

뉴스 Neuigkeiten ⟪pl.⟫; Neues* n.; (Rundfunk)nachrichten ⟪pl.⟫ (라디오의); Nachrichtendienst m. -es, -e. ¶ ~가 들어오다 e-e Nachricht trifft (geht kommt) ein.
‖ ~영화 Wochenschau f. -en; Nachrichtenfilm m. -(e)s, -e. ~해설 der Kommentar ⟪-s, -e⟫ zu Neuigkeiten: ~해설자 der Kommentator ⟪-s, -en [..tó:rən]⟫ von Neuigkeiten. 시사 ~ die laufenden Nachrichten; Tagesnachrichten. 전광~ Lichtnachrichten; Nachrichten durch ⁴Leuchtbuchstaben. 해외(국내) ~ die auswärtigen (inneren) Nachrichten.

뉴스타일 der neue Stil, -(e)s, -e; die neue Art, -en.

뉴욕 ① ⟪미국의 주⟫ New York ⟪생략: N.Y.⟫.
② ⟪시⟫ die Stadt New York; New York City. ‖ ~사람 New Yorker m. -s, -.

뉴질랜드 Neuseeland n. -s. ¶ ~의 neuseeländisch. ‖ ~사람 Neuseeländer m. -s, -.

뉴트론 〖물리〗 Neutron n. -s, -en [..tró:nən].

뉴패션 die neue Mode, -n.

뉴페이스 *New Face* ⟪영어⟫; ein neues Gesicht, -es, -er; der neue Star, -s, -s.

느근- ☞ 나근-.

느글거리다 Brechreiz verspüren; ⁴sich ekeln ⟪vor³⟫; Übelkeit empfinden*⁴; ⁴sich erbrechen wollen*. ¶ 보기만 해도 속이 느글

거린다 Beim ersten Anblick empfinde ich Brechreiz.

느긋하다 behäbig; anheimelnd; aufgeräumt; behaglich; gemächlich; friedlich; ungezwungen; 〖속어〗 lauschig; 〖속어〗 mollig; bequem(사람에 대해); in aller Gemütsruhe; gelassen (차분함); befriedigt (만족); 《평온한》 friedlich (sein). ¶ 느긋하게 살다 ein sorgenfreies Leben führen; in Ruhe unter dem Schatten des Ölbaums leben / 느긋해지다 [4]sich wie zu Hause fühlen; 《일 따위를 끝내고》 [4]sich entlastet fühlen; [4]sich entspannen; [4]sich erleichtert fühlen/느긋이 행동하다 [4]sich ganz ungezwungen geben*; [4]sich zwanglos benehmen* / 마음을 좀 느긋하게 가지셔야 합니다 Sie sollten sich ein wenig entspannen.

느끼다 ① 《감각》 fühlen[4]; befühlen[4]; empfinden*[4]; spüren[4]; [4]sich fühlen; sich anfühlen; [4]sich e-r Sache bewußt sein; gewahr werden[4·2]. ¶ 추위를 ~ Kälte fühlen (empfinden*; spüren) / 공복(혐오감, 구토증)을 ~ Hunger (Abscheu, Ekel) empfinden / 고통을 ~ Schmerz fühlen / 너는 차이를 못 느끼겠니 Fühlst du nicht den Unterschied? / 사랑(미움)을 ~ Liebe (Haß) für *jn.* fühlen / 불편을 ~ es unbequem finden* / 책임을 ~ [4]sich verantwortlich fühlen《*für*[4]》/ 어렵게 ~ es sehr schwer empfinden.
② 《감동》 gerührt sein 《*von*[3]》; berührt sein. ¶ 느낀 바가 있어서 der inneren Stimme gehorchend; der Stimme des Herzens folgend; aus e-m persönlichen Grunde.
③ 《흐느끼다》 schluchzen.

느끼하다 fett; fettig; schmierig; ölig; satt; voll (sein). ¶ 느끼한 국 fettige (schmierige) Suppe, -n / 느끼하게 fettig; schmierig; ölig; gesättigt.

느낌 《인상》 Eindruck *m.* -(e)s, ⸚e; 《예술상의》 Effekt *m.* -(e)s, -e; 《기분》 (seelische) Empfindung *f.*; 《촉감》 Gefühl *n.* -(e)s, -e; Sinn *m.* -(e)s, -e; Tatsinn *m.* -(e)s, -e; Empfindlichkeit (감수성). ¶ …한 ~이 들다 es ist mir, als ob ...; ich habe das Gefühl, als ob ...; zumute sein; es sieht aus, als ob ... (wie ...) / 좋은 ~을 주다 e-n guten Eindruck machen 《*auf*[4]》/ 좋은 ~을 받다 e-n guten Eindruck erhalten* 《*von*[3]》/ …하다니 이상한 ~이 들었다 Es kam mir sonderbar vor, daß .... / 아주 장엄한 ~이 들었다 Mir war ganz weihevoll zumute. / 아주 별개인이 된 ~이다 Er hat sich aber verändert. ¦ Man kennt ihn gar nicht mehr.

-느냐 was; warum; wie; wieso. ¶ 어째서 그는 주저하느냐 Was (Warum) zaudert er? / 무슨 일이 있었느냐 Was ist denn geschehen?

느닷없다 plötzlich; unerwartet; unvermutet; abrupt (sein). ¶ 느닷없는 손님 ein unerwarteter Gast, -es, ⸚e / 느닷없는 말 e-e überraschende Äußerung, -en / 느닷없는 짓 unmögliches (seltsames) Benehmen, -s.

느닷없이 heftig; ungestüm; hitzig; stürmisch; abrupt; unvermittelt; schroff (행동); unerwartet. ¶ ~ 찾아온 손님 unerwarteter Gast, -(e)s, ⸚e / ~ 쳐들어가다 e-n heftigen Angriff auf die feindliche Stellung machen.

-느라고 ① 《이유》 infolge[2]; durch[4]; aus[3]; wegen[2]. ¶ 연구하느라고 잠잘 새가 없다 Wegen der Forschung habe ich k-e Zeit zu schlafen. ② 《의도》 zum Zweck von[3]; zu[3]; für[4]; zwecks[2]. ¶ 앞날을 위하느라고 갖은 애를 쓰다 Für die Zukunft scheut er k-e Mühe. / 어머니는 쿠키를 만드시느라고 분주하시다 Mutter ist bemüht, Kekse zu backen.

느럭느럭 langsam; allmählich; träge; unbeschäftigt; müßig. ¶ 그는 ~ 살아간다 Er lungert müßig herum.

느렁이 《암사슴》 Hirschkuh *f.* ⸚e; Hindin *f.* -nen; 《암노루》 Rehgeiß *f.* -en; Ricke *f.* -n.

느루 verlängernd; (aus)dehnend. ¶ 우유(수프, 소스)를 ~먹다 Milch (die Suppe, die Tunke) verlängern (strecken).

느른하다 ☞ 나른하다.

느릅나무 〖식물〗 Ulme *f.* -n.

느리광이 Faulpelz *m.* -es, -e; Müßiggänger *m.* -s, -.

느리다 ① 《동작이》 langsam; träge(부진한); stumpfsinnig(둔한); blöde(우둔한); 《멍청한》 dämlich; doof (sein). ¶ 느린 기차 der langsame Zug / 일이 ~ langsam in der Arbeit sein/걸음(발)이 ~ langsam gehen*; e-n langsamen Schritt haben / 말이 ~ im Reden schwerfällig sein / 그놈은 이해하는 것이 ~ Er ist schwer von Begriff. ② 《성기다》 grob; rauh; roh; nicht dicht (sein).

느림 《장식술》 Quaste *f.* -n; Troddel *f.* -n.

느릿느릿 ① 《동작이》 schleppend; langsam wie e-e Schnecke; im Zeitlupentempo; im Schneckentempo. ☞ 느리다. ~하다 langsam; träge (sein). ~ 걷다 schleppend gehen* / ~ 말하다 langsam sprechen* / ~ 움직이다 [4]sich langsam bewegen. ② 《성기게》 locker; lose.

느물거리다 hinterlistig (heimtückisch) sprechen* (reden); [4]sich hinterlistig (heimtückisch; frech) benehmen*.

느물느물 heimtückisch; hinterlistig; frech.

느슨하다 ① 《헐겁다》 locker; aufgelockert; erschlafft; lose; schlaff; schlapp (sein). ¶ 느슨한 나사 die lockere Schraube / 느슨한 밧줄 das lose Seil / 느슨하게 뜨개질하다 locker stricken / 느슨해지다 schlaff werden; erschlaffen.
② 《마음》 entspannt; zwanglos; bequem, lässig; leichtlebig (sein). ¶ 느슨한 사람 ein leichtlebiger Mann, -(e)s, ⸚er.

느와크쇼트 《모리타니아의 수도》 Nouakchott; Nuakschott.

느즈러지다 ① 《졸린 것이》 [4]sich lösen; [4]sich lockern. ¶ 나사가 느즈러졌다 die Schraube hat sich gelockert. ② 《기한이》 verschieben, aufgeschieben sein. ③ 《마음이》 entspannt sein. ¶ 그는 요즘 느즈러졌다 In letzter Zeit ist bei ihm e-e Schraube locker.

느지감치 ziemlich spät. ¶ 아침 ~ 일어나다 ziemlich spät am Morgen auf|stehen* / 저녁 ~ 도착하다 ziemlich spät am Abend an|kommen*.

느지막이 ☞ 느직이.

느지막하다 ziemlich spät (sein).

느직이 ① 《시간》 ziemlich spät; ziemlich langsam. ¶ ~ 일어나다 ziemlich spät am Morgen auf|stehen*. ② 《느슨히》 ziemlich lässig (locker; lose).

느직하다 ① 《시간》 ziemlich spät; 《행동》 ziemlich langsam (lässig) (sein). ② 《느슨하다》 ziemlich locker (lässig; lose) (sein).

느치 〖곤충〗 Mehlkäfer *m.* -s, -.

느타리 〖식물〗 Blätterpilz *m.* -es, -e.

느티나무 〖식물〗 e-e Art Ulme (Rüster) 《*f.* -n》.

늑간(肋間) 〖형용사적〗 Interkostal-; Zwischenrippen-.
‖ ~근 〖해부〗 Interkostal¦muskel (Zwischenrippen-) *m.* -s, -n. ~신경 Interkostalnerv *m.* -s, -en; Zwischenrippennerven 《*pl.*》: ~신경통 〖의학〗 Interkostal¦neuralgie *f.* -n; Zwischenrippennervenschmerz *m.* -es, -en.

늑골(肋骨) Rippe *f.* -n. ¶ ~을 부러뜨리다 [3]sich die Rippen brechen*.

늑대 ein Wolf *m.* -(e)s, ⸚e. ¶ ~의 wölfisch.

늑막(肋膜) 〖해부〗 Pleura *f.*; Rippen¦fell (Brust-) *n.* -(e)s, -e. ¶ ~의 Pleuro-; Rippenfell-; Brustfell-.
‖ ~폐렴 Pleuropneumonie *f.* -n [..ní:ən]. 건성(습성) ~염(炎) die trockene (feuchte) Pleuritis.

늑목(肋木) Sprossenwand *f.* ⸚e; die schwedische Leiter, -n.

늑연골(肋軟骨) 〖해부〗 Rippenknorpel *m.* -s, -.

늑장 Verzug *m.* -(e)s; Verzögerung *f.* -en; das Hinziehen*; Langsamkeit *f.* -en; das Verschleppen*. ~부리다 verzögern; verschleppen; hin|ziehen*; versäumen; vertrödeln. ¶ ~부리다가 기회를 놓치다 wegen der Verzögerung eine Gelegenheit versäumen (verpassen) / ~부리지 말고 곧 다녀 오너라 Geh sofort hin und komm unverzüglich zurück!

늑줄주다 die Aufsicht (Zügel; Kontrolle) ⌈lockern.

늑탈(勒奪) Plünderung; Beraubung *f.* -en; gewaltige Inbesitznahme, -n. ~하다 plündern; aus|rauben; berauben.

늑하다 ☞ 느긋하다.

는 〖조사〗 ¶ 국화는 지금 한창이다 Die Chrisanthemen sind jetzt in Blüte.

-는 〖어미〗 -d. ¶ 나는 새 ein fliegender Vogel, -s, ⸚ / 잠자는 아이 ein schlafendes Kind, -(e)s, ⸚er.

-는가 ¶ 무얼 하는가 Was machen Sie? / 자네 어디를 갔다 오는가 Wo sind Sie gewesen?

-는가보다 ¶ 비가 오는(왔는)가 보다 Es scheint zu regnen (geregnet zu haben). / 오늘 학교에 오지 않는 것을 보니 앓는가 보다 Er scheint krank zu sein, da (weil) er heute nicht in die Schule gekommen ist.

-는가하면 ¶ 비가 오는가 하면 눈이 오고 눈이 오는가 하면 비가 오니 날씨도 참 이상하다 Bald regnet es, bald schneit es. Es ist recht komisches Wetter. / 새들이 머리 위에서 지절거리는가 하면 다람쥐들이 발 밑을 스쳐가기도 한다 Bald zwitschern die Vögel über dem Kopf, bald sausen die Eichhörnchen unter dem Fuß vorbei.

는개 Staubregen *m.* -s, -; Nieselregen *m.* -s, -. ¶ ~가 내리다 es rieselt.

-는대로 ① 《…같이》 ¶ 될(할) 수 있는 대로 so ... wie möglich; so ... du (ich, Sie, er) kannst (kann, können, kann) / 내가 하는 대로 하지 말고 당신 마음대로 하십시오 Machen Sie es nicht ebenso wie ich, sondern machen Sie, wie Sie wollen! / 선생님이 시키는 대로 숙제를 꼭 해라 Mache unbedingt deine Hausaufgabe, wie sie der Lehrer aufgegeben hat!
② 《즉시로》 sobald; gleich wenn. ¶ 여권이 나오는 대로 sobald mein Reisepaß ausgestellt ist / 그이가 돌아오는 대로 곧 말씀 전하겠습니다 Sobald er zurückkommt, werde ich ihm Ihren Auftrag ausrichten. / 틈나는 대로 그이를 찾겠습니다 Ich werde nach ihm suchen, sobald ich Zeit habe. / 곧 자리가 나는 대로 알려 드리겠습니다 Sobald eine Stelle frei wird, benachrichtige ich Sie. / 될 수 있는 대로 빨리 오라 Komm, sobald du kannst.

-는데 ① 《불구하고》 da (weil) ... doch ...; der* ... doch...; nachdem ... doch...; wenn (wo)... doch... 〖일반적으로 종속문에 doch를 넣는다〗; während; jedoch. ¶ 처자가 있는데 딴 여자를 사랑한다 Da er doch Weib u. Kind hat, liebt er e-e andere Frau. / 가까이 있는데 멀리서 그것을 찾는 일이 흔히 있다 Man sucht oft nach Dingen, die man doch ganz in der Nähe besitzt, nur in der Ferne. / 딴 사람은 벌써 자는데 그는 일하고 있다 Er arbeitet, während die anderen (doch) schon schlafen. / 나는 여러 가지로 제안을 했는데 찬성을 얻지 못했다 Ich habe mehreren Vorschläge gemacht, ohne jedoch e-e Gegenliebe zu finden.
② 《…하기 위해》〖zu[3]+동작명사〗; um... zu.... ¶ 이 사건을 조사하는 데 um diesen Fall zu untersuchen; zur Untersuchung dieses Falls.
③ 《바람》 wenn ... (doch; nur)...; 〖그 밖에 접속법 제 2 식을 써서〗. ¶ 그가 오면 좋겠는데 Wenn er doch käme! / 그런 일은 안했으면 좋았는데 Er hätte es nicht tun sollen! / 택시를 탔으면 좋았는데 Sie hätten ein Taxi nehmen können.

-는데도 trotz[2]; obwohl; obgleich; wenn auch. ¶ 그는 50이 넘었는데도 오히려 황소처럼 일한다 Obwohl er die 50 bereits überschritten hat, arbeitet er wie ein Ochse.

-는둥 ¶ 인사도 하는둥 마는둥 eilig „auf Wiedersehen" gesagt.

는실난실하다 《교태》 kokettieren 《mit *jm.*》; flirten (시시덕거리다); liebäugeln 《mit *jm.*》; [4]sich verliebt benehmen*; (mit einander) schnäbeln u. girren; tändeln 《mit *jm.*》; schäkern 《mit *jm.*》 kokettieren 《mit *jm.*》.

는적거리다 verfault und locker sein; faulig sein 《Zahn》; zersetzt sein; morsch sein 《Balken》; 《고기가》 verfault sein.

는적는적 verfault und locker; faulig; zersetzt; morsch; verfault.

-는족족 jedesmal, wenn; alles, was; immer, wenn. ¶ 낳는 족족 아들이다 Es ist immer ein Sohn, wenn ein Kind geboren wird. / 보는 족족 잡아라 Fang alles, was du siehst.

-는지 ① 〖종결어미〗 ¶ 있는지 (없는지) 아시겠습니까 Wissen Sie, ob jemand (welche) da ist (sind) (oder nicht)? / 몇 사람이나 가는지 아시오 Wissen Sie, wie viele Leute gehen? / 지금 일하는지 모르겠다 Ich weiß nicht, ob er jetzt arbeitet oder nicht. / 잠자는지도 모른다 Vielleicht schläft er.¦Es kann (mag) sein, daß er schläft. ② 〖연결어미〗 ¶ 내 묻는 말을 못 들었는지 그는 이야기를 계속하고 있었다 Anscheinend hat er meine Frage nicht gehört—er ist mit seiner Unterhaltung (Rede) fortgefahren. / 누가 새겼는지 참 잘도 새겼다 Ich weiß nicht, wer das gemeißelt (geschnitzt) hat, aber jedenfalls ist es gut gemeißelt.

는지렁이 eine klebrige Flüssigkeit, -en; Schleim *m.* -(e)s, -e.

는질거리다 matschig (breiig; zerbrechlich; krümlig) sein.

눈질눈질 matschig; breiig; weich u. breiig; zerbrechlich; krümlig; bröcklig.

늘 《언제나》 ständig; stets; dauernd; immer; immerzu; immer wieder; jederzeit; gewöhnlich; sehr häufig; andauernd; unaufhörlich; wiederholt. ¶ 그는 늘 집에 없다 Immer ist er unterwegs (nicht zu Hause). / 그 여자는 늘 집에 있는 것은 아니다 Sie ist nicht immer zu Hause.

늘그막 Alter *n.* -s, -; das hohe Alter; Lebens¦abend *m.* -s, -e (-herbst *m.* -es, -e). ¶ ~에 이르다 ein hohes Alter erreichen; alt werden / ~에도 활동하다 selbst im hohen Alter noch tätig sein.

늘다 ① 《수·양》 wachsen*; zu|nehmen* 《*an*³》; ⁴sich verstärken (vergrößern; vermehren); ⁴sich vervielfältigen; multiplizieren (배로); an|schwellen* (auf|-) 《*zu*³》 (팽창); erwachsen*; zu|fallen*; auf|laufen* (증식). ¶ 나는 또 1 킬로가 늘었다 Ich habe wieder ein Kilo zugenommen. / 그가 건강해지면 기운도 늘 것이다 Wenn er wieder gesund ist, werden auch seine Kräfte wieder. / 사망자 수가 57 %로 늘었다 Die Zahl der Todesopfer hat sich auf 57 % erhöht. / 빚이 자꾸 ~ immer tiefer in ⁴Schulden geraten* ⓢ; ⁴Schulden um ⁴Schulden auf|häufen.
② 《재주·솜씨 따위》 bedeutende Fortschritte 《*pl.*》 machen 《*in*³》; fort|schreiten*. ¶ 많이 ~ bedeutende Fortschritte 《*pl.*》 machen 《*in*³》.

늘름 schleunig; schnell; ohne weiteres. ¶ ~ 먹어 치우다 ohne weiteres auf|essen*⁴.

늘리다 ① 《수·양을》 erhöhen; multiplizieren; vermehren⁴; vergrößern⁴; verstärken.⁴ ¶ 승무원을 ~ die Besatzung verstärken / 인구를 ~ die Bevölkerung vermehren / 기간을 ~ die Frist verlängern / 물을 타서 ~ mit ³Wasser verdünnen⁴; verwässern⁴.
② 《면적을》 erweitern; aus|dehnen; vergrößern⁴. ¶ 옷을 ~ ein Kleid verlängern (vergrößern) / 집을 ~ ein Haus aus|bauen.

늘보 Schlafmütze *f.* -n; Trottel *m.* -s, -.

늘비하다 geordnet; aufgestellt (sein). ¶ 늘비하게 in ³Reihen (죽); in großen ³Mengen (잔뜩) / 식탁에는 진수 성찬이 늘비해 있었다 Auf dem Tisch waren allerlei Speisen in Menge aufgetragen. / 자동차가 늘비하게 늘어서 있다 Viele Autos stehen in Reihen.

늘썽늘썽 locker; lose; locker-gewoben; offen. **~하다** locker; lose; locker-gewoben (sein).

늘썽하다 locker; lose; locker-gewoben (sein). ¶ 늘썽한 천 locker-gewobener Stoff, -s, -e.

늘씬하다 ① ☞ 날씬하다. ② 《축 늘어지다》 ¶ 주먹으로 늘씬하게 때리다 durch|prügeln⁴; verhauen*⁴.

늘어가다 ① 《수·양이》 zu|nehmen*; an|wachsen*ⓢ; ⁴sich vermehren (vergrößern; erhöhen; vervielfältigen). ¶ 범죄가 ~ Verbrechen nehmen zu / 빚이 늘어간다 Die Schulden nehmen zu. / 생산이 늘어간다 Die Produktion erhöht sich. / 재산이 늘어간다 Das Vermögen vermehrt sich. ② 《솜씨·실력 따위》 fort|schreiten*ⓢ; Fortschritte machen; ⁴sich verbessern.

늘어나다 ⁴sich (aus|)strecken; ⁴sich aus|dehnen; ⁴sich vergrößern (커지다). ¶ 늘어나는 성질이 있는 ausziehbar; elastisch (탄성의) / 그것은 고무 밴드처럼 잘 늘어난다 Das dehnt sich wie ein Gummiband aus.

늘어놓다 ① 《벌여 놓다》 nebeneinander|stellen (-legen)⁴ (옆으로); aus|stellen⁴; aus|legen⁴. ¶ 상품을 ~ Waren aus|stellen. ② 《열거》 auf|zählen⁴. ¶ 결점을 ~ Fehler aufzählen. ③ 《정렬》 auf|stellen⁴. ¶ 일렬로 ~ in e-r Reihe auf|stellen⁴. ④ 《사업을》 ¶ 장사를 여러 방면으로 ~ *js.* Geschäft auf vielen Gebieten erweitern. ⑤ 《말을》 sprechen; reden. ¶ 술술 ~ fließend (geläufig) sprechen* / 한바탕 ~ e-e Rede halten* / 재담을 ~ e-n Witz reißen* (los|lassen*) / 이야기를 ~ ein langes Gespräch haben (führen) / 불평을 ~ ⁴sich beklagen 《*über*⁴》; ⁴sich beschweren 《*über*⁴》.

늘어뜨리다 herab|hängen* lassen; hängen*; baumeln. ¶ 꼬리를 ~ den Schwanz hängen lassen* / 다리를 축 ~ die Beine 《*pl.*》 schlenkern lassen* / 날개를 ~ die Flügel 《*pl.*》 herabhängen lassen* / 나뭇가지에 밧줄이 늘어뜨려져 있었다 An einem Ast baumelte ein Seil.

늘어서다 in e-r ³Reihe stehen*; in e-r Reihe an|stellen (일렬로); nebeneinander stehen (옆으로). ¶ 뜰에 차들이 늘어서 있었다 Im Hofe waren die Wagen aufgestellt.

늘어앉다 nebeneinander sitzen* (옆으로); in e-r ³Reihe sitzen* (한 줄로). ¶ 늘어앉은 사람들 die Anwesenden 《*pl.*》.

늘어지다 ① 《처지다》 herab|hängen (herunter|-). ¶ 늘어진 나뭇가지 der herab|hängende Ast, -es, ⸚e / 시계줄이 ~ die Uhrkette baumelt.
② 《길어짐》 ⁴sich aus¦dehnen; ⁴sich verlängern. ¶ 늘어지게 기지개를 켜다 ⁴sich strecken.
③ 《지쳐서》 übermüdet (abgearbeitet; abgehetzt; abgequält; ermattet; erschöpft; hundsmüde) sein. ¶ 축 늘어진 entkräftet; ganz erschöpft.

늘옴치래기 ein Gegenstand 《*m.* -(e)s, ⸚e》 (Sachen 《*pl.*》), der eingeht und sich ausdehnt; ein elastischer Gegenstand.

늘이다 ① 《펴서》 aus|schlagen*⁴ (-|dehnen⁴); breit schlagen*⁴; 《길이를》 dehnen⁴; aus|dehnen⁴; strecken; verlängern; lang|ziehen*⁴. ¶ 고무줄을 ~ Gummiband 《*n.* -es, ⸚er》 dehnen. ② 《처뜨림》 hängen; hängen lassen*.

늘임새 gedehntes Sprechen*, -s; das Verfahren*, mit dem die Rede in die Länge gezogen wird.

늘자리 eine Rohrkolbenmatte, -n.

늘쩍지근하다 matt; müde; erschöpft; lustlos; schwerfällig (sein); ⁴sich matt (müde; erschöpft; schwerfällig) fühlen. ¶ 피곤해서 ~ matt und müde sein; ⁴sich erschöpft fühlen / 날씨가 더워 몸이 ~ Das warme Wetter macht mich matt und müde. / 늘쩍지근해서 일하기가 싫다 Ich fühle mich zu müde, um zu arbeiten.

늘쩡거리다 faul (langsam; träge) sein 《bei ³*et.*》; ⁴sich langsam (faul; träge) bewegen. ¶ 일을 ~ bei der Arbeit langsam (träge) sein; an der Arbeit herum|fummeln.

늘채다 überzählig sein; viel mehr als erwartete Zahl (Summe) sein.

늘컹거리다 weich und pappig sein; ⁴sich; schlaff bewegen (benehmen*).

늘컹늘컹 (ganz) weich u. pappig; schlaff.

늘컹하다 =늘컹거리다.

늘큰거리다 weich u. pappig sein; ⁴sich schlaff benehmen*. ¶ 늘큰거리는 떡 pappi-

ger Reiskuchen.
늘큰늘큰 (allzu) weich u. pappig; matschig; schlaff.
늘큰하다 (allzu) weich u. pappig (sein); schlaff (schlapp) (sein). ¶ 떡이 ~ Der Reiskuchen ist pappig.
늘키다 schluchzen, indem man das Weinen* unterdrückt.
늘품(一品) Potentialität 《f. -en》 für den Fortschritt in der Zukunft; vielversprechende (aussichtsreiche) (angeborene) Anlage; zu entwickelnde Fähigkeit, -en.
늙다 altern ⓢ; alt werden; ergrauen ⓢ; altersschwach werden; vor ³Alter schwächlich werden; s-e (früheren) Lebenskräfte (s-n (früheren) Lebensmut) verlieren*. ¶ 늙은 gealtert; alt / 늙은 탓으로 wegen hohen Alters / 나이보다 늙어 보이다 alt für sein Alter aus|sehen*/그는 나이보다 늙어 보인다 Er sieht älter aus, als er ist. / 늙고 안 늙고는 마음먹기 나름이다 Man ist so alt, wie man sich fühlt.
늙다리 ① 《늙은 짐승》 ein altes Tier, -(e)s, -e. ¶ ~소 ein alter Ochs, -en, -en. ② 《늙은이》 ein alberner alter Mann, -(e)s, ⸗er; ein alter Dummkopf, -(e)s, ⸗e.
늙마 ☞ 늘그막.
늙수그레하다 ziemlich alt (sein).
늙어빠지다 sehr alt; altersschwach (sein). ¶ 늙어빠진 사람 ein alter Trottel, -s, -.
늙은이 《남자》 der Alte*, -n, -n; Greis m. -es, -e; 《여자》 die Alte*, -n, -n; Greisin f. ..sinnen; 《총칭》 Alter n. -s. ¶ ~의 alt; bejahrt / ~가 되다 ☞ 늙다 / ~나 젊은이나 alt u. jung (jung u. alt).
늙정이 eine alte Person, -en.
늙히다 《eine Person》 alt werden lassen*; 《eine Person》 altern lassen. ¶ 처녀로 ~ ein Mädchen eine alte Jungfer werden lassen.
늠렬하다(凜烈一) 《추위가》 grimmig; beißend; schneidend (sein).
늠름하다(凜凜一) kräftig; stark 《stärker, stärkst》; stämmig; männlich (사내다운); sehnig(근육이); schneidig; kraftvoll; mannhaft; mutig; voll(er) Mut (sein). ¶ 늠름한 남자 starker (kräftiger) Mann, -(e)s, ⸗er.
늠실거리다 schielen 《nach³》.
늠연하다(凜然一) würdevoll; erhaben; stattlich; majestätisch; ehrfurchtbietend; entschlossen; imponierend (sein).
늡늡하다 großzügig; tolerant; liberal; aufgeschlossen (sein).
능(能) Fähigkeit f. -en; das Können*, -s; Begabung f. -en; Talent n. -(e)s, -e.
능(陵) das königliche Grab, -(e)s, ⸗er; der kaiserliche Grabhügel; Mausoleum n. -s, ..leen.
능(稜) 〖수학〗 Winkel m. -s, -; Spitze f. -n.
능가하다(凌駕一) übertreffen*⁴ 《in³; an³》; die Oberhand (Oberwasser) haben (bekommen*) 《über⁴》; in Schatten stellen⁴; den Rang ab|laufen*³ ⓢ; überbieten*⁴ 《in³》; überflügeln⁴ 《in³》; überlegen³ sein 《in³》; überragen⁴ 《in³》. ¶ …에 있어 타를 ~ in (an) ³et. die anderen übertreffen* / 젊은이를 ~ die jungen Männer 《pl.》 in den Schatten stellen.
능갈치다 《교활》 schlau; listig; pfiffig; verschlagen; verschmitzt; 《뻔뻔스러움》 unverschämt; frech (sein). ☞ 능청스럽다.
능구렁이 ① 〖동물〗 Schlange 《f. -n》 mit gelben Flecken. ② 《사람》 Schlau|berger m. -s, - (-kopf m. -(e)s, ⸗e). ¶ 그는 ~다 Er ist ein alter (schlauer) Fuchs (ein durchtriebener Mensch).
능그다 dreimal Gerste schälen (, um Getreidekörnchen zu gewinnen).
능글능글하다 ＝능글맞다.
능글맞다 schlau; verschlagen; heimtückisch; hinterlistig (sein).
능금 (Holz)apfel m. -s, ⸗. ‖ ~나무 (Holz-)apfelbaum m. -(e)s, ⸗e.
능놀다 ⁴et. langsam (mit der Ruhe) machen; ³sich zu ³et. Zeit nehmen* (lassen*).
능동(能動) 《자발적》 Freiwilligkeit f.; Spontaneität f.; Selbstentstehung f.; 《활동적》 Tätigkeit f.; Aktivität f. ¶ ~적 aktiv; freiwillig. ‖ ~태 〖문법〗 Aktiv n. -s, -e; Tatform f. -en.
능두다 ³sich (jm.) genug (Spiel¦)raum (-zeit) lassen*.
능란하다(能爛一) geschickt; gewandt; flink; erfahren; (sach)kundig; fachmännisch; tüchtig; geübt (sein). ¶ 능란한 솜씨로 mit geschickten Händen / 능란한 수공업자 ein geschickter Handwerker, -s, - / 그는 모든 수공분야에 매우 ~ Er ist in allen handwerklichen Arbeiten sehr geschickt. / 능란한 솜씨로 자물쇠를 열다 ein Schloß mit geschickten Griffen öffnen / 그는 능란한 사교가(연사)다 Er ist ein gewandter Gesellschafter (Redner).
능력(能力) Fähigkeit f, -en; Kapazität f. -en; Befähigung f. -en; das Können*, -s; Vermögen n. -s, -; 《기능》 Talent n. -(e)s, -e; Fertigkeit f. -en; 《힘》 Kraft f. ⸗e; Macht f. ⸗e; 《소질》 Anlage f. -n; Begabung f. -en. ¶ 개인적인 ~ die persönliche Fähigkeit / ~이 있는 fähig; befähigt; talentiert; vermögend; veranlagt 〖이상 모두 zu³〗 / 경쟁 ~이 있는 wettbewerbsfähig / ~이 있다 vermögen*; können*; fähig sein / ~이 떨어진다 S-e Fähigkeit läßt nach. / 국민은 그런 무거운 세금을 부담할 ~이 없다 Die Nation ist nicht in der Lage, so schwere Steuern zu ertragen. / ~이 있는 자는 그것을 함부로 드러내지 않는다 Wer wirkliche Talente hat, hängt sie nicht an die große Glocke.¦Stille Wasser sind tief. ‖ ~상실자 der unfähige Mensch, -en, -en; Versager m. -s, -; die rechtsunfähige Person, -en(법률상의). ~자 der fähige (tüchtige) Mensch. 생산~ Fertigungs¦kapazität (Produktions-) f. -en. 지불~ Zahlungsfähigkeit f. -en.
능률(能率) Leistung f. -en; Kapazität f. -en; Leistungs¦fähigkeit f. -en (-vermögen n. -s, -); Wirkungsgrad m. -(e)s, -e. ¶ ~적인 wirksam; effektiv; mit guter Leistung / 비~적인 unwirksam; unwirtschaftlich / ~을 올리다 die Leistung steigern / ~을 저하시키다 die Leistung vermindern / ~이 저하되다 an Leistung(en) verlieren* / ~의 손실 Leistungsverlust m. -es, -e / 이런 방식으로는 ~을 올릴 수 없다 Auf diese Weise kann man k-e gute Leistung erzielen. / 이 공장은 ~ 한계에 다다른 일을 맡고 있다 Die Kapazität dieses Werkes ist vollbelastet.
‖ ~감퇴 Leistungsrückgang m. -(e)s, ⸗e. ~급 Leistungslohn m. -es, ⸗e; Leistungszulage f. -n (보너스). ~증대 Leistungssteigerung f. 노동~ Arbeitsleistung f.;

Strebleistung. 최대∼ Spitzenleistung *f.*

능모(凌侮) Verachtung (Schmähung; Verhöhnung) *f.* -en. ∼하다 verachten; verschmähen; verhöhnen.

능변(能辯) Beredsamkeit *f.*; Beredtheit *f.* ¶ ∼의 beredsam; beredt; redegewandt / ∼이다 redegewandt sein; e-e beredte Zunge haben (sein); den Mund auf dem rechten Fleck haben; nicht auf den Mund gefallen sein. ‖ ∼가 der gute (faszinierende) Redner, -s, -: 꽤 ∼가이다 Er kann reden!

능사(能事) 《일》 Geschäft *n.* -(e)s, -e; Werk *n.* -(e)s, -e; Arbeit *f.* -en; 《목적》 Zweck *m.* -(e)s, -e; Ziel *n.* -(e)s, -e (목표); Ideal *n.* -s, -e (이상). ¶ …을 ∼로 하다 (삼다) [4]*et.* als sein Geschäft (Werk) an|sehen* / 그는 돈벌이를 ∼로 삼는다 Sein Lebensideal ist, Geld zu verdienen. / 그는 호사한 생활을 인생의 ∼로 알고 있다 Die einzige Vorstellung vom Leben, die er hat, ist e-e extravagante Lebensführung.

능선(稜線) Bergrücken *m.* -s, -.

능소(陵所) ein königliches Mausoleum, -s, -leen; Königsgrab *n.* -es, ⸗er.

능소능대하다(能小能大—) zu allem fähig sein; vielseitig begabt (talentiert) (sein).

능소니 《곰새끼》 Bärenjunges*; das Bärenjunge*, -n, -n. ⌈-n.

능소화(凌霄花) 〖식물〗 Klettertrompete *f.*

능수(能手) ① 《솜씨》 Fähigkeit *f.*; Talent *n.* -es, -e; Begabung *f.* ② 《사람》 ein fähiger (tüchtiger) Mensch, -en, -en; ein fähiger Kopf, -(e)s, ⸗e (두뇌면의). ¶ ∼의 fähig; tüchtig / 그녀는 상당한 ∼꾼이다 Sie ist e-e Frau von großen Fähigkeiten.

능수버들 Trauerweide *f.* -n.

능숙(能熟) Geschicklichkeit (Handfertigkeit; (Finger)fertigkeit; Gewandtheit; Wendigkeit; Tüchtigkeit; Erfahrenheit) *f.* -en. ∼하다 geschickt; gewandt; wendig; tüchtig; erfahren (sein). ¶ ∼해지다 wendig (tüchtig) werden; [3]sich Geschicklichkeit erwerben* / 나는 댄스에 ∼하지 못하다 Tanzen ist nicht meine Stärke.¦Im Tanzen bin ich nicht erfahren.

능에 〖조류〗 Großtrappe *f.* (*m.*) -n, -n.

능욕(凌辱) ① 《모욕》 Beleidigung *f.* -en; Beschimpfung *f.* -en; Insultation *f.* -en. ∼하다 beleidigen 《*jn.*》; beschimpfen 《*jn.*》; insultieren 《*jn.*》. ¶ ∼을 참다 e-e Beleidigung (Beschimpfung; Insultation) erdulden (ertragen*); unter e-r Beleidigung zu leiden haben. ② 《강간》 Entehrung *f.* -en; Mißbrauch *m.* -(e)s, ⸗e; Schändung *f.* -en; Vergewaltigung *f.* -en; 《처녀강간》 Entjungferung *f.* -en; Schwächung *f.* -en. ∼하다 entehren 《*jn.*》; die Ehre rauben 《*jm.*》; Gewalt an|tun* 《*jm.*》; schänden 《*jn.*》; vergewaltigen 《*jn.*》; 《처녀강간》 entjungfern (schwächen) 《*jn.*》

능준하다 überreich (sein); mehr als genug sein.

능지기(陵—) der Wächter (Pfleger) 《-s, -》 e-s königlichen Grabs (Mausoleums).

능지처참(陵遲處斬) das Zerstückeln* eines Verbrechers; die schlimmste Todesstrafe, bei der Verbrecher in Stücke zerhackt wird.

능직(물)(綾織(物)) Köper *m.* -s, -; Köpergewebe *n.* -s, -; Köperstoff *m.* -(e)s, -e.

능철광(菱鐵鑛) 〖광물〗 Siderit *m.* -s, -e; Eisenerzkarbonat *n.* -(e)s, -e.

능청 (Arg)list *f.*; Tücke *f.* ¶ ∼부리다(떨다) [4]sich verstellen; heucheln[(4)]; [4]sich unwissend stellen; [4]Unwissenheit vor|schützen; [4]sich unschuldig stellen.
‖ ∼이 der arglistige Mensch, -en, -en; die schlaue Person, -en.

능청거리다 schwanken; schwingen*.

능청능청 schwankend; schwingend.

능청스럽다 schlau; verschlagen; hinterlistig; heimtückisch; unaufrichtig (sein). ¶ 능청스런 웃음 das verschlagenene (heimtückische) Lachen*, -s / 능청스러운 짓 das schlaue Verhalten*, -s; das unaufrichtige Handeln*, -s / 능청스러운 사람 ein (alter) Fuchs, -es, ⸗e.

능통(能通) Meisterhaft *f.*; Beherrschung *f.*; Tüchtigkeit *f.*; Geschicklichkeit *f.*; Gewandheit *f.*; Fertigkeit *f.*; gute Kenntnisse 《*pl.*》. ∼하다 beherrschen[4]; gewandt; geschickt (sein) 《*in*[3]》; stark (zu Hause) sein 《*in*[3]》; vertraut (sein) 《*mit*[3]》; fertigtun*[4]; gute Kenntnisse 《*pl.*》 haben 《*in*[3]》. ¶ …에 ∼하다 einer Sache kundig sein / 영어에 ∼하다 des Englischem kundig sein; Englisch beherrschen / 어떤 분야에 ∼하다 in einem Fachgebiet bewandert sein / 역사에 ∼하다 Er besitzt in der Geschichte gute Kenntnisse.

능필(能筆) das Schönschreiben, -s; die schöne Handschrift, -en; Kalligraphie *f.*
‖ ∼가 Schönschreiber *m.* -s, -; Kalligraph *m.* -en, -en.

능하다(能—) fähig; imstande; geschickt; gewandt; tüchtig; erfahren 《이상 모두 *in*[3]》; bewandert; vertraut 《*mit*[3]》 (sein). ¶ 그녀는 영어에 ∼ Sie beherrscht die englische Sprache.

능형(菱形) 〖수학〗 =마름모.

능히(能—) leicht; ohne Schwierigkeit; frei; gut; recht; richtig. ¶ ∼ …할 수 있다 leicht können* (vermögen*; imstande sein).

늦- spät; verspätet.

늦다¹ 《시간》 spät; 《지각》 verspätet (sein). ¶ 밤 늦게 spät nachts (in der Nacht) / 밤 늦게까지 bis spät (in die Nacht) / 늦어도 spätestens / 이미 때는 늦다 Es ist schon (zu) spät. / 요즘 그는 언제나 귀가가 ∼ In letzter Zeit kommt er immer spät nach Hause. / 늦게 (집에) 돌아오다 spät (nach Haus) kommen / 아침 일찍부터 밤 늦게까지 일하다 von Morgen früh bis spät in die Nacht hinein arbeiten / 늦게 일어나다 (자다, 가다) spät auf|stehen* (schlafen*, gehen*)/ 이렇게 늦은 밤에 어디 가느냐 Wohin gehst du spät in der Nacht? / 안 하느니보다는 늦어도 하는 편이 낫다 besser spät als nie / 늦은 봄(여름)에 im späten Frühjahr (Sommer) / 철 늦게 피는 spätblühend / 철 늦게 핀 장미 späte Rose *f.* -n.

늦다² 〖자동사〗 ① 《시간에》 [4]sich verspäten; zu spät kommen* [s]; die Zeit verfehlen; 《열차·배·비행기 따위가》 überfällig sein; e-e Verspätung haben. ¶ 학교 시간에 ∼ [4]sich für die Schule verspäten / 약속 시간에 한 시간 ∼ [4]sich um e-e Stunde für die Verabredung verspäten / 지금 안 가면 늦는다 Es ist höchste Zeit zu gehen*. / 빨리 가지 않으면 늦는다 Wenn wir nicht eilen, haben wir Verspätung. / 기차가 5분 늦었다 Der Zug hat sich um fünf Minuten verspätet.

② 《시계가》 nach|gehen* ⓢ; zurück|bleiben* (-|sein) ⓢ. ¶ 20분 ~ (um) 20 Minuten zurück|bleiben* (zurück|sein) / 이 시계는 하루에 10분 늦는다 Diese Uhr geht täglich (um) 10 Minuten nach.

늦더위 verspätete Hitze, -n; nachsommerliche Hitze.

늦동이 ① 《늦게 태어난》 Spätling *m.* -s, -e. ② 《늦된》 ein Kind 《-(e)s, ⸚er》, das Spätgeburt hat.

늦되다 spät reifen ⓢ. ¶ 늦된 아이 ein Kind 《-(e)s, ⸚er》, das Spätgeburt hat; ein verzögert geborenes Kind / 늦되는 과일 Spätobst *n.* -es / 벼가 금년은 늦된다 Reis reift in diesem Jahr spät.

늦바람 ① 《저녁바람》 die Brise am Abend. ② 《늦난봉》 die Liebe 《-n》 am Lebensabend; das späte Liebesfeuer, -s, -; Johannistrieb *m.* -(e)s, -e.

늦배 das spät geborene od. ausgebrütete Junge*, -n, -n.
‖ ~돼지 ein Wurf 《*m.* -(e)s, ⸚e》 spätgeborener Ferkel. ~병아리 spät ausgebrütete Küken 《*pl.*》.

늦벼 die spätreife Reissorte, -n.

늦복(一福) Glück 《*n.* -(e)s》 *js.* späteren Jahren; Glück in *js.* späterem Leben.

늦봄 Spät¦frühling (Nach-) *m.* -s, -e.

늦새끼 《늙다리의》 das Junge* 《-n, -n》 e-s alten Tiers; 《늦배의》 ein später Wurf, ⌊-(e)s, ⸚e.

늦서리 verspäteter Frost, -es, ⸚e.

늦심기 verspätete Anpflanzung, -en.

늦여름 Spät¦sommer (Nach-) *m.* -s, -.

늦잠 ¶ ~ 자다 in den Tag hinein schlafen*; spät auf|stehen* ⓢ; ⁴sich verschlafen*.
‖ ~장이, ~꾸러기 Langschläfer *m.* -s, -; Schlafmütze *f.* -n.

늦잡죄다 ⁴*et.* leicht|nehmen* und erst verspätet ernst nehmen*; 《über ⁴*et.*》 nachlässige Aufsicht führen.

늦장마 verspätete Regenzeit, -en; lauge andauernder Regen, -s, -.

늦추 ① 《늦게》 verspätet. ② 《느슨히》 lose; locker. ¶ 허리띠를 ~ 매다 den Gürtel locker binden*.

늦추다 ① 《죈 것·속도를》 (⁴sich) lösen; (⁴sich) lockern; schlaff machen;(⁴sich) entspannen; (⁴sich) verlangsamen; nachlassen*⁴. ¶ 속도를 ~ die Geschwindigkeit (ver)mindern (herab|setzen).
② 《날짜·시간을》 auf|schieben*⁴; verschieben*⁴; vorübergehend ein|stellen⁴; zurück|-stellen⁴ (nach|-) (시계를). ¶ 여행을 ~ e-e Reise auf|schieben*/계획을~ein Vorhaben verschieben* / 기한 (약속)을 ~ e-n Termin (e-e Verabredung) verschieben* / 시계를 5분 ~ e-e Uhr 5 Minuten zurück|stellen.

늦추위 Spät¦kälte (Nach-) *f.*

늪 Sumpf *m.* -(e)s, ⸚e; Bruch *m.* -(e)s, ⸚e (*n.* -(e)s, ⸚e(r)); Moor *n.* -(e)s, -e; Morast *m.* -es, ⸚e.
‖ 늪지대 Sumpf¦land (Bruch-; Moor-) *n.* -(e)s, ⸚er; Sumpfboden *m.* -s, ⸚.

닁큼 ¶ ~ 꺼져라 Mach, daß du fortkommst! ¦Hinweg mit dir!

-니¹ ☞ -이니(까).

-니² 〖의문어미〗 Ist es...?; Tust du...?; Tut ihr? ¶ 먹니 Ißt du? / 먹었니 Aßt du? / 먹겠니 Willst du essen? / 가니 Gehst du? / 갔니 Gingst du? / 가겠니 Willst du gehe? / 좋니 Ist es gut?

-니³ ☞ -오니.

니그로 Neger *m.* -s, -; Negerin *f.* ..rinnen ⌈(여자).

니스 Firnis *m.* ..nisses, ..nisse. ¶ ~칠 하다 firnissen⁴; mit Firnis bestreichen*⁴. ☞ ⌊와니스.

니아메이 《니제르의 수도》 Niamey.

니제르 《나라 이름》 Niger *n.* -s; Republik 《*f.*》 N. ¶ ~의 nigrisch.
‖ ~사람 Nigrer *m.* -s, -.

니체 《철학자》 Friedrich Wilhelm Nietzsche (1844-1900).

니카라과 《나라 이름》 Nicaragua (Nikaragua) *n.* -s; Republik 《*f.*》 N. ¶ ~의 nicaraguanisch. ‖ ~사람 Nicaraguaner *m.* -s, -.

니켈 Nickel *n.* -s. ¶ ~을 입히다 vernickeln⁴; mit Nickel überziehen*⁴ (plattieren⁴).

니코시아 《키프로스의 수도》 Nicosia; Nikosia.

니코틴 Nikotin *n.* -s. ¶ ~이 없는 nikotinfrei/ ~ 함유의 nikotinhaltig.
‖ ~중독 Nikotinvergiftung *f.* -en; Nikotinismus *m.* -.

니크롬선(一線) Nickelchromdraht *m.* -(e)s, ⌊⸚e.

니트로글리세린 Nitroglyzerin *n.* -s.

니트로화(一化) 〖화학〗 Nitrifikation *f.* -en. ~하다 nitrifizieren.

니힐 nihil. ‖ 니힐리스트 Nihilist *m.* -en, -en. 니힐리즘 Nihilismus *m.* -.

닉네임 Spitzname *m.* -ns, -n; Kosenname.

님¹ =임.

님² 《실》 Garnstücke 《*pl.*》.

-님 ① 《이름·직위명 앞에》 Herr *m.* -n, -en 〖남자, 수신인의 경우에는 3격: Herrn, 복수는 Herren〗; Frau *f.* 《부인, 생략: Fr.》; Fräulein *n.* -s 《미혼녀, 생략: Frl.》. ¶ 김소월님 Herr *Kim Soweol* / 아무 아무님 Herrn N.N. (편지 봉투에) / 따님은 안녕하십니까 Wie geht es Ihrem Fräulein Tochter?
② 《존경의 대상이 되는 명사 앞에》 ¶ 주인님 mein Herr / 아버님 lieber Vater / 예수님 (der) Herr Jesus / 임금님 Ihre Majestät; S-e Majestät / 알았읍니다, 대령님 Zu Befehl, Herr Oberst!

님프 Nymphe *f.* -n.

닢 ¶ 가마니 두 닢 zwei Strohsäcke / 동전 한 닢 ein Stück Kupfermünze *f.* -n / 엽전 열 닢 zehn Messingsmünzen.

다[1] 〖음악〗 c *n.* -, -. ¶ 다 장조 C-Dur *n.* - 《기호: C》/ 다 단조 c-Moll *n.* - 《기호: C》.

다[2] ① 《모두》 alles (총체적으로); alle (개별적으로); 《누구나》 jeder; jedermann; 《대체적으로》 alles in allem; im ganzen; im allgemeinen; überhaupt; zusammen genommen; 《함께》 alles zusammen; miteinander; allesamt; gesamt; sämtlich; insgesamt; 《떼지어》 vereint; in Masse; in Bausch u. Bogen (한데 모아); 《예외 없이》 ausnahmslos; ohne Ausnahme. ¶ 하나를 제하고 다 eins ausgenommen / 다 먹어 버렸다 Ich habe alles aufgegessen. / 과자가 다 떨어졌다 Der Kuchen ist alle. / 돈을 다 잃어버렸다 Ich habe mein ganzes Geld verloren. / 용돈을 다 써 버렸다 Ich habe den letzten Pfennig meines Taschengeldes ausgegeben (verbraucht). / 담배가 다 떨어졌다 Mir sind die Zigaretten ausgegangen. / 다들 앉아 주세요 Ich bitte die Herrschaften, Platz zu nehmen. / 다들 잘 오셨읍니다 Seien Sie alle willkommen! / 그 계획에 다 반대다 Wir sind alle gegen den Plan. / 그들은 다 독신이다 Sie sind ausnahmslos ledig. / 반짝인다고 다 황금이 아니다 Es ist nicht alles Gold, was glänzt. / 다들 손뼉을 쳤다 Da war ein allgemeines Händeklatschen. / 다 제 잘못입니다 Es ist alles m-e Schuld. / 다 해서 얼마입니까 Was kostet das insgesamt (alles zusammen)? / 다 때가 있다 Alles zu s-r Zeit. / 다 합쳐서 5백 원이 된다 Es macht im ganzen (gerechnet) 500 *Won.* / 다 같이 가자 Wir wollen alle zusammen gehen. / 나는 이 책을 다 읽었다 Ich habe das Buch zu Ende gelesen.
② 《거의》 beinahe; fast; nahezu. ¶ 다 죽어가다 am Rande des Grabes stehen*; im Sterben liegen*; so gut wie tot sein / 그는 다 죽어간다 Er ist beinahe tot.
③ 《감탄·정말이지》 alles; wirklich. ¶ 별일 다 있네 Komisch!; Sonderbar! / 나는 별일 다 겪었다 Ich habe ein seltsames Erlebnis gehabt. / 별 말씀 다 하십니다 Bitte, k-e Ursache!
④ 《고작》 soweit wie (als) (nur) möglich; höchstens. ¶ 겨우 자식들을 먹여 살리는 것이 다다 M-e Kinder zu ernähren ist gerade noch das, was ich tun kann.

-다[1] sein. ¶ 그녀는 아름답다 Sie ist schön. / 그는 교사다 Er ist (ein) Lehrer. / 그들은 다 홀아비다 Sie sind ausnahmslos ledig.

-다[2] 《-다가》 bald..., bald; jetzt..., dann; hin u. her; auf u. ab. ¶ 빨갰다파랬다 하다 bald rot, bald blau werden / 말을 이랬다저랬다 하다 bald so, bald so sprechen* / 대답을 이랬다저랬다 하다 bald ja, bald nein sagen / 울다웃다 하다 bald weinen, bald lachen / 방에서 왔다갔다 하다 im Zimmer hin und her gehen* [s].

다가놓다 näher (nahe) stellen (legen; bringen*; heran|ziehen*)[4]. ¶ 책을 ~ [3]sich das Buch näher (nahe) heran|stellen / 재떨이를 ~ [3]sich den Aschenbecher näher holen (bringen*) / 난롯가에 의자를 ~ den Stuhl näher am Ofen auf|stellen / 그는 내 옆에 제 의자를 다가놓았다 Er hat s-n Stuhl neben den meinen herangebracht.

-다가는 wenn..., so; wenn..., dann. ¶ 잘못하다가는 큰 일이다 Wenn es schief geht, ist alles verloren. / 아버지가 알았다가는 큰 일이다 Wenn es zu Ohren des Vaters gelangt, wird mir der Kopf schön gewachsen werden.

-다가도 〔종속 접속사〕 während; trotzdem; 〔부사적〕 dennoch; 〔등위〕 aber. ¶ 그는 음식을 먹다가도 책을 읽었다 Er las weiter, während er aß.

다가붙다 [4]sich an *jn.* schmiegen; dicht bei *jm.* stehen* (sitzen*). ¶ 바싹 다가붙어서 dicht beieinander.

다가서다 [4]sich schrittweise nähern 《*jm.*》; (seitwärts) näher rücken (heran|rücken) [s]; [4]sich nähern; näher (in die Nähe) kommen* [s]; heran|kommen* [s]; *jm.* auf den Pelz (Leib) rücken [s] (육박하다). ¶ 점점 ~ [4]sich immer heran|machen 《*an*[4]》 / 바싹 좀 더 다가서라 Komm näher heran!

다가쓰다 《앞당겨》 im voraus Geld an|wenden* (auf|wenden*). ¶ 봉급을 ~ sein Gehalt *usw.* im voraus bezahlt bekommen*.

다가앉다 [4]sich näher setzen; *jm.* Platz machen. ¶ 난로가로 ~ näher an den Ofen rücken / 좀더 다가 앉게 Kommen Sie näher heran! / 자리가 없으니 좀 다가 앉아 주십시오 Bitte, machen Sie mir etwas Platz! / 이야기 좀 할 수 있게 좀더 다가 앉아라 Setze dich näher, damit wir uns unterhalten können!

-다가야 und (erst) dann; erst als. ¶ 그와 한참 이야기하다가야 비로소 그의 이름이 생각났다 Erst als ich eine gute Weile mit ihm gesprochen hatte, fiel mir sein Name ein. / 한 동안 걸어가다가야 길을 잘못 든 것을 알았다 Erst als ich eine gute Strecke zurückgelegt hatte, habe ich bemerkt, daß ich einen falschen Weg gegangen war.

다가오다 nahe (näher) kommen* [s]; [4]sich nähern; heran|nahen; heran|rücken [s] 《*auf*[4]》; zu|kommen* [s] 《*an*[4]》; heran|kommen* [s]; heran|treten* [s] 《*an*[4]》. ¶ 다가오는 kommend; nächst / 다가오는 선거 die nächste Wahl / 점점 ~ näher u. näher kommen* [s] / 육지에 ~ 《배가》 [4]sich dem Lande nähern / 종말이 ~ dem Ende zu|gehen* [s] / 자동차가 ~ ein Auto kommt näher / 연말이 다가왔다 Das Jahr nähert sich s-m Ende. / 시험이 다가왔다 Die Prüfung ist nahe (vor der Tür). / 초여름이 다가왔다 Der Vorsommer ist schon da. / 새해가 다시 다가온다 Wieder kommt das neue Jahr.

다각(多角) Vielseitigkeit *f.*
‖ **~경영** vielseitiges Unternehmen*, -s; vielseitige (mehrfache) Geschäftsführung, -en. **~농업** vielseitige Landwirtschaft, -en.

~무역 multilateraler Handel, -s, -. ~외교 multilaterale Diplomatie, -n. ~화 Mannigfaltigkeit *f.*; Diversifikation *f.* -en: 농가의 수입을 올리기 위해 영농의 ~화가 필요하다 Um das Einkommen der Bauern zu erhöhen, ist die Diversifikation (mannigfache Umgestaltung) der Landwirtschaft nötig.

다각적(多角的) vielseitig. ¶ ~인 취미 der vielseitige Geschmack / ~ 핵전력 die multilateralen Nuklearstreitkräfte《*pl.*》.

다각형(多角形) 〖수학〗 Vieleck *n.* -(e)s, -e; Polygon *n.* -s, -e. ¶ ~의 polygonal; vieleckig / 정~ gleichseitiges Polygon.

다갈색(茶褐色) Braun *n.* -s; Kastanienbraun *n.* -s. ¶ ~의 kastanienbraun; braun.

다감(多感) Sentimentalität *f.* -en; Empfindsamkeit *f.* -en. ~하다 sentimental; empfindsam; leidenschaftlich; gefühlvoll; zartfühlend; rührselig; mimosenhaft (sein). ¶ ~한 젊은이 ein sentimentaler (empfindsamer) Jüngling / ~한 청년기 die empfindsame Jugend / 하이네는 ~한 시인이었다 Heine war ein sentimentaler Dichter.

-다고 ① 《이유》 wegen[2]; weil...; um[2]... willen. ¶ 날씨가 나쁘다고 wegen schlechten Wetters. ② 《목적》 um ... zu. ¶ 아내와 만난다고 um s-e Frau zu sehen.

다공성(多孔性) Porosität *f.* -en; Löcherigkeit *f.* -en. ¶ ~의 porös; löcherig; voller Löcher.

다과(多寡) mehr od. wenig; 《양》 Menge *f.* -n; Quantität *f.* -en; 《수》 Zahl *f.* -en; Anzahl; 《금액》 Betrag *m.* -(e)s, ⸗e. ¶ 손해의 ~에 따라 dem Verlustbetrag (Schadenbetrage) entsprechend / ~를 계산하다 die Zahl berechnen; die Summe fest|stellen / 팁의 ~에 따라 달리 대우하다 die Gäste dem Trinkgeld entsprechend behandeln.

다과(茶菓) Tee u. Kuchen, des -s u, -s; Erfrischung *f.* -en (가벼운 음식물). ¶ ~를 내놓다 *jm.* [4]Erfrischungen reichen / ~가 베풀어졌다 Es wurden Erfrischungen gereicht. ‖ ~회 Tee¦gesellschaft *f.* -en (-kränzlein *n.* -s); Teeklatsch *m.* -(e)s, -e (여자들만의); Jause *f.* -n: ~회를 베풀다 e-n Tee (e-e Teegesellschaft) geben*.

다구(茶具) Teegerät *n.* -(e)s, -e; Teegeschirr *n.* -(e)s, -e; Teezeug *n.* -(e)s, -e; Teegerätschaft *f.* -en; Teeutensilien 《*pl.*》; Teeservice *n.* -s, - (한벌).

다국적(多國籍) ¶ ~의 multinational. ‖ ~기업 ein multinationales Unternehmen, -s, -.

다그다 näher an [4]sich bringen*[4]; näher (heran)kommen (herantreten) lassen*[34]; heranrücken lassen*; 《기일·시간 따위를》 auf ein früheres Datum verlegen; (das Datum) früher legen; 《수업 따위를》 verlegen[4] 《*auf*[4]》; vor|verlegen[4] 《*auf*[4]》; rückwärts verlegen 《*auf*[4]》; 《순번을》 vor|rücken 《*auf*[4]》. ☞ 당기다[1] ③. ¶ 일을 ~ e-e Arbeit früher (vorher) erledigen / 입학 시험을 12 월로 ~ die Eintrittsprüfung auf Dezember vor|verlegen.

다그치다 =다그다.

다극(多極) ¶ ~적인 multipolar / ~적 견지에서 vom multipolaren [3]Standpunkt aus. ‖ ~외교 die multipolare Außenpolitik.

다급하다 nahe bevorstehend; dringend; drohend; brennend; drängend (sein). ¶ 다급한 문제 dringende Frage / 시간이 ~ die Zeit drängt; kaum Zeit haben; es ist höchste Zeit / 다급해져야 일을 하다 erst im letzten Augenblick an die Arbeit gehen* ⓢ / 다급한 용무가 있다 Ich habe dringende Angelegenheiten zu regeln (erledigen). ¦Ich habe dringende Geschäfte. / 다급하면 하느님을 찾는다 Not lehrt beten! / 일이 매우 ~ Die Sache ist sehr dringend.

다기(多岐) viele Abzweigungen (Verzweigungen) 《*pl.*》; Vielfältigkeit *f.* -en; viele Seiten 《*pl.*》. ¶ ~한 divergierend; auseinanderlaufend; verzweigt; vielseitig.

다기지다(多氣—) mutig; beherzt; herzhaft; kühn; schmissig; schneidig; tapfer; verwegen; unerschrocken; großmütig (sein); Mut haben; Herz haben; gute (starke) Nerven haben. ¶ 키는 작아도 아주 다기진 사람이다 Obwohl er eine kleine Figur hat, ist er ein mutiger Mann.

다기차다(多氣—) =다기지다.

다난(多難) viele Schwierigkeiten 《*pl.*》; viele Hindernisse 《*pl.*》; manche Unannehmlichkeiten 《*pl.*》. ~하다 voll von Schwierigkeiten sein; in der Zeit der Krisen sein. ¶ ~한 해 ein sehr schwieriges Jahr / 국가가 ~한 때(에) in der nationalen Krisis; in der Notzeit des Vaterlandes / 우리의 전도는 ~하다 Unsere Zukunft ist voll von Schwierigkeiten. ¦Wir haben viele Schwierigkeiten vor uns. / 우리는 ~한 일을 극복해야 한다 Wir müssen unsere Schwierigkeiten beseitigen (überwinden).

다녀가다 bei *jm.* vorbei|kommen* ⓢ (vor|sprechen*) u. dann weiter|gehen* ⓢ; um *jn.* zu sehen, herüber|kommen* ⓢ u. dann weiter|gehen* ⓢ; auf|suchen[4]; besuchen[4]; [4]sich auf|halten*; bei *jm.* zu Besuch sein. ¶ 저녁에 우리한테 좀 다녀가게 Komm doch einmal abends bei uns vorbei! / 어제 김씨가 나한테 다녀갔다 Gestern ist Herr *Kim* bei mir gewesen.

다녀오다 bei *jm.* vor|sprechen* u. dann zurück|kommen* ⓢ; um *jn.* zu sehen, zu *jm.* hin|gehen* ⓢ u. dann zurück|kommen* ⓢ; besuchen[4]; auf|suchen[4]; 《vom Besuch》 zurück|kommen* ⓢ. ¶ 곧 그 사람한테 다녀와라 Besuche ihn bald! / 곧 다녀오겠다 Ich bin gleich wieder da. / 다녀왔네 Da bin ich wieder! / 그는 어제 극장에 다녀왔다 Er ist gestern im Theater gewesen. / 나는 시내에 다녀왔다 Ich bin in die Stadt gefahren. / 나는 친구를 배웅하러 부산에 다녀왔다 Ich bin nach Busan gefahren, um m-n Freund beim Abschied zu begleiten. / 어려운 일이 생겨서 그 사람한테 다녀왔다 Ich habe bei ihm wegen der aufgetretenen Schwierigkeiten vorgesprochen.

다년간(多年間) viele Jahre 《*pl.*》; 〖부사적〗 viele Jahre lange; lange. ¶ ~의 vieljährig; mehrjährig; langjährig / ~ 사귄 친구 der vieljährige (langjährige) Freund / ~의 경험 die langjährige Erfahrung / ~의 우정 die langjährige Freundschaft / ~에 걸친 전쟁 der langjährige Krieg / ~의 소망을 이루다 e-n langgehegten Wunsch erfüllt sehen*.

다년생(多年生) Ausdauern *n.* -s. ¶ ~의 ausdauernd; perennierend. ‖ ~식물(초본) perennierende Pflanze, -n (Wurzel, -n).

다뇨증(多尿症) 〖의학〗 Polyurie *f.* -n.

다뉴브강(一江) Donau *f.*

-다는 《…라고 하는》 ¶ 내가 틀렸다는 것을 알았다 Ich finde, daß ich unrecht habe. / 그가 무고하다는 것이 판명되었다 Seine Unschuld wurde festgestellt. / 그가 곧 미국으로 떠난다는 소문이 있다 Man sagt, daß er bald nach Amerika fährt.

다능(多能) Vielseitigkeit *n.* -en; viele Fertigkeiten 《*pl.*》(예능); viele Talente 《*pl*》. (재능). ☞ 다재(多才). **~하다** vielseitig; talentvoll; gewandt (sein). ¶ ~한 사람 vielseitiger Mensch, -en, -en; ein Mann von vielseitigen Kenntnissen / ~한 천재 das vielseitige Genie.

-다니 《뜻밖》 es soll mich wundern; wie (warum) sollte.... ¶ 네가 그런 짓을 하다니 Ich hätte nicht gedacht, daß du so etwas tun würdest. ¦ So etwas hätte ich nicht von dir erwartet. / 그가 죽다니 Daß er sterben mußte! / 여기서 자네를 만나다니 Ich hätte keinesfalls gedacht, Sie hier zu sehen (treffen). / 그런 정직한 사람을 내쫓다니 Es ist doch einfach lächerlich, e-n so ehrlichen Burschen zu entfernen! / 그것이 틀렸다니 Es soll(te) mich doch wundern, ob das falsch ist. / 그녀가 벌써 와 있었다니 Ich staunte, daß sie schon da war. / 그만한 재산가가 그것밖에 내지 않다니 다랍다 Es ist schäbig von e-m Mann in seinen Vermögensverhältnissen, so wenig zu geben.

다니다 ① 《왕래》 hin und her gehen* ⓢ (fahren*ⓢ); auf u. ab gehen*ⓢ; fahren*ⓢ 《*zwischen*[3]》; verkehren 《*zwischen*[3]》; kreuzen 《*zwischen*[3]》; 《개통》 für den Verkehr freigegeben werden; befahrbar (zugänglich) sein. ¶ 자주 다니는 길 der vertraute Weg / 목포 부산간을 다니는 배 das Schiff, das regelmäßig zwischen Mogpo u. Busan fährt / 들고 ~ [4]*et.* tragen* / 서울 인천 간을 다니는 버스 der Bus (zwischen) Seoul u. Incheon / 거리에는 많은 사람이 다닌다 Es herrscht viel Betrieb auf der Straße./ 지금은 그 지방에 기차가 다닌다 In jener Gegend ist jetzt e-e Eisenbahn eröffnet worden. / 나는 매일 버스로 학교에 다닌다 Ich fahre jeden Tag mit dem Bus zur Schule. / 배가 하루 세 번 다닌다 Das Schiff fährt dreimal täglich.
② 《들르다》 vorbei|kommen*ⓢ; vorüber|-gehen* ⓢ. ¶ 학교에 가는 길에 형한테 다녀갈거다 Auf dem Weg zur Schule werde ich bei meinem Bruder vorbeikommen.
③ 《학교》 zur Schule gehen* ⓢ; e-e Schule besuchen; 《회사》 bei e-r Firma arbeiten; ins Büro gehen* ⓢ. ¶ 대학에 ~ e-e Universität besuchen / 관청에 ~ bei der Staatsverwaltung arbeiten / 많은 사람이 교외에서 시내에 있는 사무실에 다닌다 Viele fahren von der Vorstadt in ihre Büros in der Stadt. / 어느 회사에 다니십니까 Bei welcher Firma sind Sie angestellt (tätig)? ¦ Bei welcher Firma arbeiten Sie?
④ 《출입》 häufig ein- u. aus|gehen* ⓢ; [4]*et.* (*jn.*) häufig besuchen. ¶ 술집에 자주 ~ häufig ins Trinklokal gehen* ⓢ / 요리집에 ~ ein Restaurant häufig besuchen / 젊었을 때 그 술집을 자주 다녔다 Ich pflegte oft das Trinklokal zu besuchen, als ich noch jung war.
⑤ 《직무·취미 등》 ¶ 사냥(산책)을 ~ jagen (spazieren) gehen* ⓢ / 출장을 ~ e-e Geschäftsreise machen.

다니엘 〖성경〗 Daniel.
‖ **~서**(書) das Buch Daniel.

다다(多多) viel; e-e große Anzahl; in großer Menge; die (schwere) [4]Menge; 《더욱더》 mehr u. mehr; immer mehr.
‖ **~익선** Je mehr, desto (umso) besser.

다다넬즈해협(一海峽) Dardanellen 《*pl.*》; Dardanellenstraße *f.*

다다르다 kommen* ⓢ 《*bis zu*[3]》; gelangen ⓢ 《*an*[4]; *in*[4]; *zu*[3]》; erlangen[4]; an|kommen*ⓢ 《*bei*[3]; *in*[3]》; ein|treffen* ⓢ 《*an*[3]; *in*[3]》; erreichen[4]; reichen 《*bis zu*[3]》. ¶ 대안에 ~ (bis) ans andere Ufer gelangen ⓢ / 목적지에 ~ sein Ziel erreichen / 손님들은 정시에 우리 집에 다다랐다 Unsere Besucher trafen pünktlich bei uns ein. / 한 시간이면 우리는 부산에 다다를 것이다 In e-r Stunde werden wir in Busan ankommen. / 우리는 5시에 서울에 다다랐다 Wir kamen um 5 Uhr in Seoul an. / 물이 그의 무릎까지 다다른다 Das Wasser reicht ihm bis an die Knie.

다다미 (Binsen)matte *f.* -n.

다다이스트 Dadaist *m.* -en, -en.

다다이즘 Dadaismus *m.* -.

다닥다닥 《밀집》 dicht gedrängt; geschlossen; dicht; massig; fest; sehr eng; überfüllt; im dichten Gedränge. **~하다** dicht gedrängt (sein); sehr gedrängt stehen* (sitzen*). ¶ 그 마을에는 집이 ~ 붙어 있다 In dem Dorf stehen Häuser sehr gedrängt. / 사과들이 나무에 ~ 붙어 있다 Äpfel hängen in dichten Mengen an den Bäumen.

다닥뜨리다 =다닥치다.

다닥치다 [4]sich nähern; entgegen|gehen*[3] ⓢ; [4]sich heran|drängen 《*an*[4]》; heran|nahen (-|rücken) ⓢ; näher kommen* ⓢ; vor|dringen* (-|rücken) ⓢ. ¶ 눈앞에 다닥친 위험 die drohende Gefahr / 손님이 ~ Gäste kommen an / 파멸이 그의 눈앞에 다닥쳤다 Er steht am Rande des Untergangs. / 시험이 이틀 앞으로 다닥쳤다 Nur noch zwei Tage, und das Examen ist da! / 죽음이 눈앞에 다닥쳤다 Der Tod schaut ihm ins Auge.

다단(多端) 《다항목》 viele Punkte 《*pl.*》; viele Einzelheiten 《*pl.*》; 《다사》 viele Ereignisse 《*pl.*》; 《다망》 Geschäftsdrang *m.* -(e)s; Vielgeschäftigkeit *f.* **~하다** kompliziert; ereignisreich; beschäftigt (sein). ¶ 공무 ~하여 wegen des Dranges der amtlichen Geschäfte / 업무 ~하다 alle Hände voll zu tun haben; [4]sich im Trubel von Geschäften befinden*; [4]sich in arger Bedrängnis befinden*; 〖속어〗 tüchtig im Druck sein / 복잡 ~하다 kompliziert (verwickelt) sein/ 국사 ~하다 Die Staatsangelegenheiten sind verwickelt.

다단식로케트(多段式一) Mehrstufenrakete *f.* -n; e-e mehrstufige Rakete, -n.

다달이 monatlich; jeden Monat; pro (je) Monat. ¶ ~ 두 번씩 monatlich zweimal; halbmonatlich; vierzehntägig / ~ 부어가다 monatlich in Rate zahlen[4].

다대 ① 《헝겊조각》 Flicken *m.* -s, -; Fleck *m.* -(e)s, -e. ¶ ~를 대다 flicken[4]; e-n Flicken (Fleck) setzen 《*auf*[4]》; 《뚫어진 데에》 stopfen[4]. ② 《고기》 das Bruststück von Rind. ③ 《부스럼 딱지》 Schorf *m.* -(e)s, -e.

다대하다(多大一) viel; groß; beträchtlich; erheblich; schwer; ungeheuer (sein). ¶ 다대한

금액 e-e (große) Menge Geld; e-e erhebliche Summe / 다대한 희생을 치르고 unter großen ³Opfern / 다대한 손해를 입다 viel (schweren) Schaden erleiden* / 다대한 이익을 보다 e-e beträchtliche Summe Gewinn ein|bringen* / 다대한 영향을 입다 stark beeinflußt werden; schwer getroffen werden / 다대한 희생을 치르고 점령하다 mit ungeheu(e)ren Opfern an Menschenleben ein|nehmen*⁴ / 완성할 때까지는 아직도 다대한 노력을 요할 것이다 Bis zur Vollendung kostet es noch viel Mühe.

다도해(多島海) Archipel *m.* -s, -; Archipelagus *m.* -, ..gi; Inselmeer *n.* -(e)s, -e; das Ägäische Meer, -(e)s (에게해).

다독(多讀) das Viellesen*, -s; Belesenheit *f.* ~하다 viel lesen*.
‖~가 ein belesener Mensch, -en, -en; Bücherwurm *m.* -(e)s, -er (책벌레): 그는 ~가다 Er ist ein belesener Mensch.¦Er ist ein Bücherwurm.¦Er liest viel. ~주의 das Prinzip (-s, -ien) des Viellesens.

다독거리다 sammeln⁴; zusammen|packen⁴ (짐을); in Ordnung bringen*⁴ (정리하다).

다듬다 ① 《매만지다》 ⁴sich schön machen; ordnen⁴; in Ordnung bringen*⁴; verschönern⁴; schmücken⁴; gut pflegen⁴. ¶ 다듬은 머리 die gut gepflegte Haare / 글을 ~ den Stil (an e-m Satz) feilen / 머리를 ~ das Haar ordnen / 얼굴을 ~ ⁴sich schminken.
② 《푸성귀·나무·돌 따위를》 trimmen⁴; ebenen⁴; eben machen⁴; planieren⁴; beschneiden*⁴ (나무). ¶ 잘 다듬지 않는 rauh behauen; ungeschliffen / 나뭇가지를 ~ die Zweigen beschneiden* / 나뭇조각을 ~ Holz glatt machen / 널빤지를 ~ Bretter (mit dem Hobel) glätten / 보석을 ~ e-n Edelstein schleifen* (glätten).
③ 《땅을》 eb(e)nen⁴; eben machen⁴; planieren⁴. ¶ 길을 ~ den Weg ebenen / 롤러로 땅을 ~ den Boden mit der Rolle ebenen.
④ 《깃털을》 (³sich) die Federn putzen. ¶ 새가 깃털을 ~ Vögel putzen sich die Federn.
⑤ 《피륙을》 (Wäsche) bügeln; Wäsche (mit dem Bügeleisen) glätten. ¶ 그는 옷을 언제나 깨끗하게 잘 다듬어 입고 있다 Er ist immer geschniegelt u. gebügelt.
⑥ 《마무리》 ab|schließen*⁴; ⁴*et.* zum Abschluß bringen*; voll|enden; ⁴*et.* zu Ende bringen*.

다듬이 ① 《감》 die Kleidungsstücke, die gewalkt werden sollen. ② ☞ 다듬이질.
‖ 다듬잇돌 Walkblock *m.* -(e)s, ⸗e. 다듬잇방망이 Walk|hammer (-schlegel) *m.* -s, -. 다듬잇소리 das Geräusch (-es, -e) des Walkhammers (Walkschlegels).

다듬이질 das Walken*, -s; das Tuchwalken*, -s. ~하다 walken⁴. ¶ ~소리 der Ton (-(e)s, ⸗e) beim Tuchwalken.

다듬질 ① 《작품 등의》 Vollendung *f.* -en; Ausarbeitung *f.* -en. ~하다 vollenden⁴; aus|arbeiten⁴; aus|feilen (문장 등을); die letzte Hand legen (*an*⁴). ¶ 마지막 ~ die letzte Feile. ② ☞ 다듬이질.

다디달다 sehr süß (sein).

다따가 (ganz) plötzlich; mit einem Mal; unerwartet; unzusammenhängend; überraschend.

다라니(陀羅尼) die Beschwörungsformel (-n) der ²Buddhisten.

다라지다 furchtlos; unerschrocken; keck; frech; unverschämt; dreist (sein). ¶ 다라진 젊은이 der dreiste Bursche, -n, -n / 그 청년은 좀 다라진 데가 있다 Er ist wohl ein bißchen zu keck.

다락 Dachgeschoß *n.* ..sses, ..sse; Dachboden *m.* -s, ⸗; Speicher (*m.* -s, -) unter dem Dach (über der Küche); Abstellraum (*m.* -(e)s, ⸗e) unter dem Dach.
‖ ~방 Dachstube *f.* -n; Dachkammer *f.* -n. ~집 das zweistöckige Haus, -es, ⸗er; Turm *m.* -(e)s, ⸗e; Türmchen *n.* -s, -.

다락같다 《값이》 sehr teuer; wahnsinnig (unsinnig) teuer (sein). ¶ 물가가 ~ Die Warenpreise sind wahnsinnig teuer. / 물가가 다락같이 뛰어오르다 Der Preis steigt unaufhörlich weiter.

다락다락 ☞ 더럭더럭.

다람쥐 〖동물〗 Eichhörnchen *n.* -s, -.

다랍다 ① 《인색》 geizig; knickerig; knauserig; filzig; schäbig (sein). ¶ 다라운 근성 die niedrige Gesinnung / 다라운 녀석 ein schäbiger gemeiner Kerl, -(e)s, -e (속어: -s) / 다랍게 굴다 ⁴sich zu sehr ein|schränken; ³sich ab|knapsen⁴; knausern (*mit*³); geizen (*mit*³); *jm.* ⁴*et.* mißgönnen / 다랍게 굴지 말라 Sei nicht so filzig! / 그만한 재산가가 그것밖에 내지 않다니 ~ Es ist schäbig von e-m Mann in s-n Vermögensverhältnissen, so wenig zu geben.
② ☞ 더럽다.

다랑귀뛰다 ① 《매달리다》 ⁴sich (an|)klammern (*an*⁴); ⁴sich fest|halten* (*an*³).
② 《조르다》 *jm.* stark zu|setzen (mit Bitten; mit der Bitte, ⁴*et.* zu *tun*); *jn.* bedrängen (zu 부정구).

다랑어 〖어류〗 Thunfisch *m.* -(e)s, -e.

다랑이 das kleine terrassierte Reisfeld, -(e)s, -er.

다래 《다래나무 열매》 die Frucht von *Actinidia*; 《목화의》 unreife Frucht der Baumwolle.
‖ ~나무 *Actinidia argulta* (학명).

다래끼 《바구니》 der Korb (-(e)s, ⸗er) mit kleiner Öffnung; 《눈병》 Gerstenkorn *n.* -(e)s, ⸗er. ¶ 오른쪽 눈에 ~가 났다 An m-m rechten Auge hat sich ein Gerstenkorn gebildet.

다래다래 büschelweise (과일, 꽃 따위가); büschelig. ~하다 von ³*et.* voll hängen*.

다량(多量) e-e (große) Menge. ¶ ~의 e-e große Menge von³...; viel / ~으로 die (schwere) ⁴Menge; in (großer) ³Menge; reichlich; in ³Mengen; in (Hülle u.) Fülle / ~의 물 e-e große Menge Wasser / ~의 고기 e-e Menge Fleisch / ~의 포도주 viel Wein / 철분을 ~ 함유하다 viel Eisen enthalten* / 수면제를 ~으로 먹다 e-e Menge Schlafmittel nehmen* / 석탄을 ~ 수입하다 e-e Menge Kohlen ein|führen.
‖ ~생산 Massen|produktion *f.* -en (-herstellung *f.* -en; -erzeugung *f.* -en); quantitative Herstellungen (Erzeugnisse) (*pl.*).

다루다 ① 《처리·취급·조종》 behandeln⁴ (사람을); beherrschen⁴; lenken⁴; 《기구 따위를》 ⁴*et.* handeln; ⁴*et.* handhaben⁴; ⁴*et.* führen; ⁴*et.* bearbeiten; ⁴*et.* betreiben*; ⁴*et.* um|gehen* Ⓢ; mit ³*et.* zu tun haben; ⁴*et.* leiten; mit ³*et.* fertig werden; 《관계하다》 ⁴sich beziehen* (auf ⁴*et.*); 《언급하다》 ⁴*et.* erwähnen. ¶ 다루기 쉬운 handlich; fügsam; lenksam; lenkbar / 다루기가 쉽다 leicht auszukom-

men sein 《mit *jm.*》; leicht zu behandeln sein / 다루기가 힘든 unfügsam; unlenkbar; unlenksam / 공평하게 ～ unparteiisch behandeln / 칼을 잘 ～ ein Schwert geschickt handhaben 《*p.p.* gehandhabt》/ 멋대로 ～ behandeln[4], so wie man will 〔nach eigenem Ermessen〕/ 다루기가 힘든 기계 die schwer zu behandelnde Maschine / 어린이를 다루는 법 die Methode der Behandlung von Kindern / 아무를 능숙하게 ～ mit *jm.* taktvoll umzugehen wissen*; mit *jm.* geschickt zu tun haben / 아무를 인형처럼 ～ *jn.* wie e-e Puppe behandeln / 아무를 함부로 ～ *jn.* hart behandeln / 말을 잘 ～ ein Pferd gut lenken (können*) 〔bändigen〕/ 다루는 방법 die Art u. Weise, wie [4]*et.* zu handhaben 〔bearbeiten〕 ist; Bearbeitungsweise *f.* -n / 문제를 ～ e-e Angelegenheit berühren; auf e-e Sache zu sprechen kommen* ⓢ / 그는 다루기가 쉽다 Er ist leicht lenksam. / 이 기계는 다루기 어렵다 Die Maschine ist schwer zu behandeln. / 갯마을 처녀는 노를 잘 다룬다 Die Fischermädchen können gut rudern. / 어떤 상품을 다루십니까 Mit was für Waren handeln Sie ? / 매일 다루는 건수가 백이 넘는다 Die Zahl der täglich zu ordnenden Angelegenheiten beträgt sich über ein Hundert. / 나는 큰 돈을 다룬 경험이 없다 Ich habe noch nie e-e große 〔größere〕 Summe Geld verwaltet.
② 《가죽 등을》 gerben[4]. ☞ 무두질. ¶ 가죽을 ～ [4]*et.* zu Leder verarbeiten.

다룸가죽 Leder *n.* -s, -; sämisches Leder (양, 사슴의).

다르다 ① 《상위》 verschieden(artig) 《*von*[3]》; nicht dasselbe (sein); [4]sich unterscheiden* 《*von*[3]》. ¶ 크기가 ～ an Größe verschieden sein / 빛깔이 ～ in der Farbe verschieden sein / 전혀 ～ ganz verschieden 〔anders〕 sein; himmelweit verschieden sein (천양지차가 있다) / 조금도 다르지 아니하다 ganz dasselbe sein / 나는 당신과 의견이 다릅니다 Ich bin verschiedener 〔anderer〕 Meinung wie Sie. / 저 형제는 어머니가 다르다 Jene Brüder sind von verschiedenen Müttern. ¦ Jene Brüder haben verschiedene Mütter. / 이 번역문은 원문과 조금 다른 데가 있다 Die Übersetzung weicht etwas vom Original ab. / 그는 양심적인 데가 있어 그의 친구들과는 ～ S-e Gewissenhaftigkeit unterscheidet ihn von s-n Freunden. / 그들의 의견은 서로 아주 ～ Ihre Meinungen weichen stark voneinander ab. / 그는 보통 사람과는 다른 데가 있다 Es ist etwas Eigentümliches an ihm. / 천재는 어릴 때부터 ～ Ein Genie zeichnet sich schon in s-r Kindheit aus. / 그것은 경우에 따라 ～ Je nachdem. ¦ Das hängt von den Umständen ab. / 그 때와는 시대가 ～ Die Sache verhält sich jetzt anders als damals. / 그는 옛날과 조금도 다르지 않다 Er ist immer noch der alte. / 부자라 다르군 Ein Kapitalist wie du kannst sich so etwas leisten. / 습관은 나라에 따라 ～ Andere Länder, andere Sitten ! ¦ Ländlich, sittlich. / 이것이든 저것이든 크게 다를 바 없다 Es besteht kein wesentlicher Unterschied zwischen ihnen. ¦ Eins ist so gut wie das andere. / 이 곳의 집은 시골 집과 조금도 다를 바 없다 Die Häuser in dieser Gegend unterscheiden sich gar nicht von denen auf dem Lande.
② 《별개》 ander-; besonder; außerordentlich; verschieden; unterschieden; geändert; verändert; anders (sein). ¶ 다른 좋은 나무로 된 aus anderem gutem Holz / 다른 때 ein anderes Mal / 다른 방 ein anderes Zimmer / 다른 의사 ein anderer Arzt / 다른 책 ein anderes Buch / 다른 사람들 andere Leute 《*pl.*》/ 누군가 다른 사람 jemand anders; irgend ein anderer / 어딘가 다른 곳에서 anderswo; irgend woanders / 다른 방법으로 auf andere Weise / 의견이 ～ anderer Ansicht 〔Meinung〕 sein; anders denken* / 그것은 전혀 문제가 ～ Das ist e-e andere Sache 〔gehört nicht zur Sache〕. / 지금은 다른 일이 없다 Augenblicklich habe ich nichts Besonderes zu tun. / 다른 길로 돌아갑시다 Wir wollen e-n anderen Weg zurückgehen. / 이것은 다르군요 Das ist etwas anderes. / 그것과 이것은 ～ Das ist verschieden von jenem. / 저 사람은 외국에서 돌아온 후 완전히 다른 사람이 되었다 Seit der Rückkehr aus dem Ausland ist er ein ganz anderer Mensch geworden. / 누구나 저마다 결점이 있지만 너만은 ～ Alle haben ihre Fehler, ausgenommen du 〔dich ausgenommen〕. / 이것은 다른 데서 더 싸게 살 수 있다 Das ist anderswo viel billiger zu bekommen. / 다른 방으로 바꿀 수 없읍니까 Kann ich nicht ein anderes Zimmer bekommen ? / 다른 방법으로 했어야 합니다 Sie hätten ein anderes Verfahren einschlagen sollen. / 다른 약속이 있어서 거절하겠읍니다 Ich muß absagen, weil ich schon anderwärts versagt bin. / 다른 일이라면 몰라도 이것만은 안 된다 Alles andere, nur das nicht. ¦ Alles andere können Sie haben, nur das nicht.
③ 《불일치》 nicht überein¦stimmen 《*mit*[3]》; [3]sich (einander) widersprechen*; im Widerspruch stehen* 《*zu*[3]》. ¶ 그것은 약속과 ～ Wir haben es anders vereinbart. / 사본이 원본과 ～ Die Abschrift stimmt nicht mit dem Original überein. / 그는 말과 행동이 완전히 ～ S-e Taten stehen zu s-n Reden in krassem Widerspruch. / 그는 말과 속셈이 ～ Er spicht anders, als er denkt.

다르에스살람 《탄자니아의 수도》 Dar es-Salam.

다름아니다 kein* geringerer* als; nichts anderes 〔geringeres〕 als; nicht mehr u. nicht weniger als; kein anderes als; niemand anders als (sein). ¶ 다름 아닌 A 씨가 kein anderer als Herr A / 그것은 다름 아닌 비스마르크의 말이다 Kein Geringerer als Bismarck hat das gesagt. / 내가 요구하는 것은 다름 아닌 이것이다 Ich verlange nichts anderes als dies. / 다름 아닌 당신이 청을 하셨기 때문에 전력을 다하겠읍니다 Da Sie es sind, der die Bitte an mich richtet, will ich mein Bestes tun. / 그것을 하지 말도록 충고할 수 있는 것은 다름 아닌 나다 Kein anderer als ich kann dir raten, es nicht zu tun. / 이러한 실수를 한 것은 다름 아닌 너다 Niemand anderes als du hast diesen Fehler begangen. / 내가 여기 온 것은 다름 아니라 네게 청이 있어서이다 Ich komme nur hierher, um e-e Bitte an dich zu richten.

다름없다 gleich[3]; ähnlich[3] (닮은); gleichartig (동질의); gleichförmig (동형의); gleichgesinnt (의견이 같은); unverändert; bestän-

ㄷ

dig; unveränderlich; unwandelbar; fest; ebenso ... wie... (동일한); 《공평한》 unparteiisch (sein). ¶ 금수나 ~ nicht weit besser als Vieh; ein Vieh, nichts weiter (과장) / 금수나 다름 없는 사람 Vieh *n.* -(e)s; Hund *m.* -(e)s, -e; der tierische Mensch, -en, -en / 그는 거지나 ~ Er ist nicht besser (mehr) als ein Bettler. / 그는 죽은 거나 ~ Er ist so gut wie tot. / 그의 요구는 협박이나 ~ Sein Verlangen läuft geradezu auf Bedrohung hinaus! / 그것은 없는 거나 ~ Das ist so gut wie nichts. / 그는 십 년 전이나 조금도 ~ Er ist noch derselbe wie vor zehn Jahren. / 이것은 나에겐 사형 선고나 ~ Das ist für mich wie ein Todesurteil. / 목숨을 사랑하고 죽음을 두려워함은 사람이나 짐승이나 ~ Die Liebe zum Leben u. die Angst vor dem Tod sind Menschen u. Tieren gemeinsam. / 안경 없이는 장님이나 ~ Ohne Brille ist er wie blind. / 받은 거나 ~ Ich werde den guten Willen für die Tat nehmen.¦Besten Dank! Der Wille gut schon für die Tat. / 나라를 사랑하는 마음에는 누구나 다름이 없다 Die Vaterlandsliebe ist uns allen gemein. / 부자나 가난한 사람이나 자식을 사랑하는 마음에는 ~ In der Liebe zu ihren Kindern besteht kein Unterschied zwischen Reichen u. Armen. / 결국 모든 일이 옛날과 다름 없게 되었다 Schließlich blieb alles beim alten. / 이것은 새것이나 ~ Das ist so gut wie neu.

다리¹ ① 《사람·짐승의》 Bein *n.* -(e)s, -e; Glied *n.* -(e)s, -er; Schenkel *m.* -s, - (대퇴부에서 발끝까지); Pfote *f.* -n (짐승의); Fangarm *m.* -(e)s, -e (낙지, 오징어 따위의). ¶ ~가 긴 langbeinig / ~가 길다 lange Beine haben / ~가 짧다 kurze Beine haben / ~를 다치다 ³sich das Bein verletzen / 왼쪽 ~를 들다 das linke Bein heben* / ~를 뻗고 자다 《비유적》 sorglos schlafen* / ~를 걸다 *jm.* ein Bein stellen / ~를 절다 lahm (hinkend) gehen* (s); lahmen; hinken (h,s) / ~가 아프도록 걸었다 Ich habe mich müde gelaufen. / ~가 천근 만근이다 Die Füße sind mir (schwer) wie Blei. / 나는 ~가 저린다 Mir ist das Bein eingeschlafen. / 그는 한 쪽 ~를 전다 Er ist auf e-m Bein lahm. / 나는 ~가 아프도록 그 책을 구하러 뛰어 다녔다 Ich habe mir die Beine (Füße; Absätze) nach dem Buch abgelaufen.

② 《물건의》 Bein; Fuß *m.* -es, ¨-e. ¶ 책상 ~ die Füße (Beine) e-s Tisches / 안경 ~ Brillenbügel *m.* -s, - / ~가 셋 달린 dreibeinig.

‖ ~뼈 Beinknochen *m.* -s, -. ~살 Weiche *f.* -n; Leiste *f.* -n. ~통: ~통이 굵다 dicke Beine haben. ~품 Gang *m.* -(e)s, ¨-e: 공연히 ~품만 팔다 e-n vergeblichen Gang tun* / ~품을 팔다 e-n Botengang tun* (품삯을 받고). ~후치기 〖씨름〗 der Kunstgriff 《-(e)s, -e》 mit dem rechten Bein. 다릿심 die Kraft 《¨-e》 des Beines.

다리² 《교량》 Brücke *f.* -n. ¶ ~난간 Brückengeländer *n.* -s, - / ~를 놓다 e-e Brücke bauen (legen; bilden; schlagen*; (über-)brücken⁴) / ~를 건너다 über e-e Brücke gehen* / 홍수로 ~가 떠내려갔다 Die Brücke wurde durch die Überschwemmung weggerissen. / 이 강에는 ~가 셋 있다 Drei Brücken führen über den Fluß. / 이 ~의 길이는 얼마나 되나 Wie lang ist die Brücke?

‖ 다릿목 Brückenzugang *m.* -(e)s, ¨-e; Zugang zu e-r Brücke: 다릿목을 지키다 e-n Brückenzugang bewachen. 돌~ Steinbrücke *f.* -n. 홍예~ Bogenbrücke *f.* -n.

다리³ 《머리의》 Haaraufsatz *m.* -es, ¨-e; Toupet *n.* -s, -s; Haarersatzteil *m.* -(e)s, -e; ein Büschel 《*m.* (*n.*) -s, -》 von falschen Haaren; Falschhaarbüschel. ¶ ~를 넣다 falsches Haar 《-(e)s, -e》 haben.

다리다 《세탁물을》 plätten⁴; bügeln⁴. ¶ 세탁물을 ~ e-e Wäsche bügeln / 이 세탁물을 다려 주십시오 Bitte, plätten Sie diese Wäsche!¦Bitte, bügeln Sie diese Wäsche! / 이 옷은 다려야겠읍니다 Dieser Anzug muß gebügelt werden.

다리미 Plätte *f.* -n; Plätt¦eisen (Bügel-) *n.* -s, -. ¶ ~질하다 (auf|)bügeln⁴; aus|bügeln⁴; plätten⁴.

‖ ~판 Bügel¦brett *n.* -(e)s, -er (-tisch *m.* -(e)s, -e). 전기~ elektrisches Bügeleisen, -s, -.

다리쇠 das Gerät, das zum Stellen von Töpfen über das Feuerbecken gelegt wird.

다림 《수직의》 das Loten*, -s; 《수평의》 das Libellieren*, -s.

‖ ~줄 Lot¦schnur (Senk-) *f.* ¨-e. ~추(錘) (Senk)lot *n.* -(e)s, -e; Senkblei *n.* -(e)s, -e; Bleigewicht *n.* -(e)s, -e. ~판(板) Wasserwaage *f.* -n; Libelle *f.* -n.

다림방 Fleischerladen *m.* -s, ¨; Metzgerei *f.* -en.

다림보다 ① 《겨냥대고》 《Senkrechte》 loten⁴; lotrecht machen⁴; libellieren⁴.

② 《살핌》 auf|passen 《*auf*⁴》; im Auge behalten*⁴; auf sein eigenes Interesse auf|passen (이해 관계를).

다림질 das Plätten*, -s; das Bügeln*, -s. ~하다 plätten⁴; bügeln⁴.

다릿돌 Schrittstein *n.* -(e)s, -e; Bruchsteinplatte *f.* -n.

다마스커스 《시리아의 수도》 Damaskus. ¶ ~의 damaskenisch; damaszenisch.

다만 ① 《단지》 nur; bloß; nichts als; nichts anderes als...; nicht nur (allein; bloß)..., sondern...(다만 …일 뿐 아니라). ¶ ~ 한번 nur einmal/~ 혼자서 ganz allein/~ 하나 einzig u. allein / ~ 일부에 지나지 않다 nur ein Teil sein / ~ 돈벌이만 생각하다 nur an Gelderwerb denken*; nur darauf erpicht sein, Geld zu verdienen / ~ 울기만 하다 nur immer weinen / ~ 하면 된다 man braucht nur ... zu tun / 어학 습득에는 ~ 연습이 있을 뿐이다 Übung ist das einzige Mittel, e-e Sprache zu beherrschen. / ~ 시키는 대로 하면 된다 Du brauchst nur zu tun, was dir gesagt (befohlen) wird. / ~ 물어 보았을 뿐이다 Ich habe nur so gesagt. / 그것은 ~ 소문에 불과하다 Es ist ein bloßes Gerücht. / 나는 ~ 그의 명령을 실행했을 뿐이다 Ich habe nur (bloß) s-n Befehl ausgeführt. / 나는 ~ 나의 의무를 다했을 뿐이다 Ich habe nur m-e Pflicht getan. / 그는 ~ 수학만 잘 할 뿐이다 Er ist nur in der Mathematik bewandert. / 나는 ~ 조금 틀렸을 뿐이다 Ich habe nur e-n kleinen Fehler gemacht. / 그 여자는 ~ 아름다울 뿐만 아니라 똑똑하기도 하다 Sie ist nicht nur schön, sondern auch klug. / 그것은 ~ 당신의 마음에 달렸읍니다 Es kommt nur auf Sie an. / 그것은 ~ 환상에 불과하다 Das ist nichts anders als e-e einfache Phantasie.

ㄷ

② 《그러나》 nur; nur daß...; außer daß...; bloß; allein; allerdings; aber; (je)doch; es sei denn; außer wenn (차한에 부재). ¶ 관대하라, ~ 도가 넘지 않도록 Sei nachsichtig, nur nicht zu sehr! / 그것을 알고는 있다, ~ 진위의 보장은 할 수 없다 Ich habe das gehört, aber ich kann für die Wahrheit nicht einstehen. / ~ 미성년자는 차한에 부재한다 Diese Regel gilt jedoch nicht für Minderjährige. / 체육 대회는 오는 15 일에 거행한다, ~ 우천일 때는 중지한다 Das Sportfest wird am kommenden 15. abgehalten, wenn es nicht regnet (außer wenn es regnet). / 그녀는 미인이다, ~ 조금만 더 날씬했으면 좋겠다 Sie ist schön, nur müßte sie schlanker sein. / 하고 싶기는 한데, ~ 돈이 없어서 Ich möchte es gerne tun, allein es fehlen mir die nötigen Mittel dazu. / 내일 또 오겠다, ~ 오늘보다는 늦게 Ich komme morgen wieder, allerdings etwas später. / ~ 그가 개과천선하는 경우에는 차한에 부재한다 Es sei denn, daß er sich gründlich besserte.

다망(多忙) Geschäftigkeit *f.* -en; der Drang 《-(e)s》 der Geschäfte. **~하다** viel zu tun haben; beschäftigt sein; alle Hände voll zu tun haben; mit Arbeiten überladen sein; sehr (stark) in Anspruch genommen sein 《*von*³》. ¶ 몹시 ~하다 mit Geschäften (Arbeiten) bedrängt sein; überbeschäftigt sein / ~한 생활을 하다 ein arbeitsreiches (rühriges) Leben führen / 그는 여행 준비에 ~한 모양이다 Er scheint mit den Reisevorbereitungen beschäftigt zu sein. / 요즈음은 ~하여 독서도 할 수 없다 Ich habe jetzt k-e Zeit zum Lesen. / 그는 일 때문에 몹시 ~하다 Er wird durch diese Tätigkeit stark in Anspruch genommen. / ~한 중에 죄송합니다만… Es tut mir sehr leid, Sie stören zu müssen, aber.... / 보아하니 무척 ~하신 것 같군요 Wie ich sehe, sind Sie sehr beschäftigt.

다면(多面) viele Seiten 《*pl.*》; viele Flächen 《*pl.*》. ¶ ~적인 vielseitig / ~적인 문제 das vielseitige Problem, -s, -e.
‖ **~각** der polyedrische (vielflächige) Winkel, -s, -; **~체**(體) Polyeder *n.* -s, -. Vielfach *n.* -(e)s, -er : ~체의 일각 Facette [..sɛ́tə] *f.* -n.

다모(多毛) ¶ ~의 haarig; behaart.
‖ **~증** Haarkrankheit *f.* -en.

다모류(多毛類) 〖동물〗 Polychäte *m.* -n, -n; Vielborster 《*pl.*》; *Polychaeta* (학명).

다모작(多毛作) die mehrmaligen Ernten 《*pl.*》 im Jahr.

다목 〖식물〗 *Caesalpinia sappan* (학명); Judas¦baum (Juden-) *m.* -(e)s, ⸗e; 《목재》 Brasil(ien)holz *n.* -es, ⸗er; Sappan¦holz (Rot-).

다목다리 das wegen der Kälte blau gewordene Bein, -(e)s, -e.

다목장어(多目長魚) Neunauge *n.* -s, -n; Neunaugen 《*pl.*》; Rundmaulfisch *m.* -(e)s, -e.

다목적(多目的) zu vielen Zwecken.
‖ **~댐** Mehrzweckdamm *m.* -(e)s, ⸗e. **~저수지** Mehrzweckspeichersee *m.* -s, -n.

다문(多聞) die vielseitigen (umfangreichen) Kenntnisse (Erfahrungen) 《*pl.*》.
‖ **~박식**(博識) die große Gelehrsamkeit u. das umfassende (enzyklopädische) Wissen: ~ 박식한 사람 ein Mann 《*m.* -(e)s, ⸗er》 von umfassendem Wissen; der belesene Mensch, -en, -en; Polyhistor *m.* -s, -en.

다물다 ① 《입을》 schweigen*; verstummen; den Mund (das Maul) halten*. ¶ 꽉 다문 입 der (wohlgeformte) feste Mund, -(e)s, -e. ② 《남에게 말하지 않다》 schweigen* 《*von*³; *über*⁴》; verschweigen*⁴; für ⁴sich behalten*⁴; reinen Mund halten* 《*über*⁴》; nichts sagen; den Mund nicht auf|tun*; Stillschweigen beobachten.

다미씌우다 ☞ 더미씌우다.

다민족국가(多民族國家) Mehrvölkerstaat *m.* -(e)s, -en; Nationalitätenstaat.

다박나룻 Zottelbart *m.* -(e)s, ⸗e; der struppige Bart; der ungepflegte Backenbart. ¶ ~의 남자 ein Mann 《*m.* -(e)s, ⸗er》 mit struppigem Bart / ~이 나다 e-n Zottelbart haben (tragen*) / ~이 난 얼굴 das Gesicht 《-(e)s, -er》 mit e-m Zottelbart.

다박머리 ☞ 더벅머리¹.

다반사(茶飯事) ☞ 항다반사.

다발 Bündel *n.* -s, -; Bund *n.* -(e)s 〚복수 무변화〛; Büschel *n.* -s, -; Gebinde *n.* -s, -; Garbe *f.* -n(짚의); Welle *f.* -n(장작의); Rolle *f.* -n (새끼 등의); Strauß *m.* -es, ⸗e (꽃다발). ¶ 열쇠 ~ ein Bund Schlüssel / 세 ~의 무우 drei Bund (Büschel) Radieschen [radí:sçən] / 짚 한 ~ ein Strohbündel; ein Bündel Stroh / 지폐 ~ ein Bündel Banknoten / ~로 엮어 in e-m Bündel / ~을 짓다 in Bündel zusammen|binden*; e-e Garbe machen 《*aus*³》; zu Garben binden* / 머리 ~ Zotte *f.* -n; das (der) Büschel 《-s, -》 von Haaren / 한 ~ 100 원 ein Bündel 100 *Won* / 장작은 ~로 팝니다 Brennholz wird bündelweise verkauft.

다발(多發) ‖ **~성 신경염** 〖의학〗 Polyneuritis *f.* ..tiden.

다방(茶房) Kaffeehaus *n.* -es, ⸗er; Café [kafé:] *n.* -s, -s; Teestube *f.* -n. ¶ ~ 레지 Fräulein *n.* -s, -.

다방면(多方面) 《방면》 viele Seiten 《*pl.*》; viele Gegenden 《*pl.*》; 《방향》 viele Richtungen 《*pl.*》; 《문제》 verschiedene Gegenstände 《*pl.*》; 《취미》 Vielseitigkeit *f.* -en. ¶ ~의 vielseitig; verschieden; mannigfach; vielfältig; vielerlei / ~으로 활동하다 auf verschiedenen Gebieten arbeiten / ~에 친구가 있다 e-n weiten Bekanntschaftskreis haben / 그의 학식이 ~인데 놀랐다 Ich wunderte mich über die Vielseitigkeit s-r Kenntnisse. / ~에 취미를 가진 사람이다 Er ist ein Mann von vielen Interessen.¦ Er ist ein vielseitig interessierter Mensch.

다변(多邊) viele Seite, -n; Vieleckigkeit *f.*; Vielseitigkeit *f.* ¶ ~의 vielseitig.
‖ **~외교** vielseitige Diplomatie, -n. **~형** Vieleck *n.* -(e)s, -e; Polygon *n.* -s, -e: ~형의 vieleckig; vielseitig; polygonal.

다변(多辯) Geschwätzigkeit *f.*; Schwatz¦haftigkeit (Plauder-) *f.*; Redseligkeit *f.*; Gesprächigkeit *f.* ¶ ~의 geschwätzig; schwatz¦haft (plauder-); redselig; gesprächig / ~을 농하다 viel reden; schwatzen.
‖ **~가** Schwätzer *m.* -s, -; Plaudertasche *f.* -n (여자).

다병(多病) die schwache Gesundheit, -en; Kränklichkeit *f.* -en; Schwächlichkeit *f.* -en. **~하다** kränklich; siech; schwächlich (sein). ¶ ~한 사람 der Kränkliche*, -n, -n/ 재자(才子) ~ Männer von Talent werden

ㄷ

leicht krank.|Talentierte Menschen sind oft von schwacher Gesundheit.

다보록하다 ☞ 더부룩하다.

다복(多福) das große Glück, -(e)s. ～하다 glücklich; beglückt; glückselig (sein). ¶ ～하시기를 빕니다 Ich wünsche Ihnen viel Glück! / 그는 ～한 일생을 보냈다 Er hat ein glückliches Leben gehabt.

다복다복 ☞ 더북더북.

다복솔 die junge buschige Kiefer, -n.

다복이 ☞ 더부룩이.

다부닐다 ⁴sich mit *jm.* verbrüdern; *jm.* (an *jn.*) anhänglich sein; ⁴sich an *jn.* hängen*; *jn.* nicht missen wollen*; an *jm.* hängen*.

다부일처(多夫一妻) Polyandrie *f.* -n; Vielmännerei *f.*

다부지다 ① 《과단성》 unerschütterlich; fest; fleißig; herzhaft; beherzt; unverdrossen; entschlossen; energisch (sein). ¶ 다부지게 일하다 fleißig (tüchtig; unermüdlich) arbeiten / 다부지게 대처하다 ⁴sich mit aller Energie ein|setzen 《*für*⁴》 / 그의 다부진 행동 덕분에 … s-m beherzten Handeln ist es zu danken, daß … / 그는 침입자에게 다부지게 대들었다 Mit wilder Entschlossenheit sprang er dem Einbrecher entgegen.

② 《힘들다》 schwer; anstrengend; mühsam (sein). ¶ 다부진 일 die anstrengende (mühsame) Arbeit, -en.

다북쑥 ＝쑥¹.

다분히(多分一) 《많은 분량》 viel; groß; in hohem Maße; e-e Menge 《*von*³》; beträchtlich; von beträchtlicher Höhe; 《어느 정도》 in e-m gewissen Grade; einigermaßen; gewissermaßen; in einigen Maßen. ¶ 그는 다시 오지 않을 가능성이 ～ 있다 Ich fürchte, er kommt nicht mehr. / 그는 시인의 소질이 ～ 있다 Er hat e-e starke poetische Veranlagung.

다불과(多不過) höchstens; nicht mehr als; im äußersten Fall(e). ¶ ～ 1 킬로미터 höchstens (Maximum; nicht mehr als) ein Kilometer / ～ 10 일쯤 걸리겠지요 Es würde höchstens zehn Tage in Anspruch nehmen. / 하루에 ～ 2000 원 정도밖에 못 번다 Ungefähr zwei tausend *Won* ist das Höchste, was ich täglich verdiene.

다불다불 buschig; büschelig; büschelartig. ～하다 büschelig (sein). ¶ 머리가 어깨까지 ～ 늘어졌다 Das büschige Haar fiel ihr bis auf die Schultern.

다붓다붓 nahe 《näher, nächst》; dicht; eng; nicht weit entfernt.

다붓하다 nahe 《näher, nächst》; in der Nähe; dicht 《an *jm.*》 (sein). ¶ 다붓이 불 둘레에 앉아 있다 dicht ums Feuer sitzen*.

다붙다 dicht nebeneinander stehen*; 《부착하다》 an|hängen*³; an|haften³; ⁴sich an|kleben 《*an*⁴》; haften 《*an*³》; kleben 《*an*³》; 《옆에 있다》 dicht an ³*et.* stehen* (liegen*) Ⓢ. ¶ 다붙어 걷다 nebeneinander gehen* Ⓢ / 두 집은 다붙어 있다 Die beiden Häuser stehen dicht nebeneinander. / 저 아이는 언제나 어머니 옆에 다붙어 있다 Das Kind hängt immer an s-r Mutter.

다붙이다 einander näher bringen*; fügen⁴ 《*an*⁴》; 《꿰매거나 못질해 붙이다》 an|heften⁴ 《*an*⁴》; 《부착시키다》 befestigen⁴; 《풀로》 an|kleben⁴ 《*an*⁴; *auf*⁴》.

다비(茶毘) 【불교】 Einäscherung *f.* -en; Feuerbestattung *f.* -en; (Leichen)verbrennung *f.* -en. ～하다 ein|äschern (verbrennen*) 《e-e ⁴Leiche》.

‖ ～소 Krematorium *n.* -s, ..rien; Feuerbestattungsanstalt *f.* -en.

다빡- ☞ 더빽-.

다뿍 voll; überfüllt (넘칠듯이). ～하다 bis zum Rande voll sein; bis zum Überlaufen voll sein. ¶ ～ 채우다 voll|füllen⁴; voll|machen⁴; überfüllen (넘칠 만큼) / ～ 차다 angefüllt werden 《*mit*³》; voll (überfüllt) werden 《*von*³》 / 그녀의 눈에 눈물이 ～ 괴어 있었다 Ihre Augen waren voll von Tränen.|Ihre Augen flossen (von Tränen) über.

-다뿐 nur wenn. ¶ 말씀만 하시면 기다리다뿐이겠읍니까 Glauben Sie, daß ich nicht warte, wenn Sie mich nur darum bitten?

다사(多事) ① 《다망》 Geschäftsdrang *m.* -(e)s; Geschäftigkeit *f.* ¶ ～한 ereignis|reich (-voll) (사고 많은); sehr beschäftigt; geschäftig (다망한).

② 《간섭》 Einmischung *f.* -en. ¶ ～스레 굴다 ⁴sich ein|mischen (ein|mengen) 《*in*⁴》; die Nase stecken 《*in*⁴》 / 그는 ～스러운 사람이다 Er mischt sich gern in fremde Angelegenheiten ein.

‖ ～다난 ＝다사: ～ 다난한 때에 in diesen unruhigen Tagen; in diesen unruhigen (bewegten) Zeiten / 국가가 ～ 다난한 때라 할지라도 obgleich es e-e unglückliche (unruhige) Zeit für den Staat ist / 지난 해는 내외로 ～ 다난한 한 해였다 Letztes Jahr gab es inner- u. außerhalb des Staates allerlei Unruhen (Aufregungen). / 그의 생애는 ～ 다난하였다 Er hatte ein schicksalsreiches Leben. / 정계는 바야흐로 ～ 다난하기 시작했다 Die politischen Kreise begannen lebhaft zu werden.

다사다단(多事多端) ☞ 다사다난.

다사제제(多士濟濟) viele hervorragende Leute 《*pl.*》; viele tüchtige (fähige) Leute 《*pl.*》; e-e glänzende Schar von tüchtigen (fähigen) Männern.

‖ ～하다 Darunter sind viele vorzügliche(n) Menschen.

다산(多産) Produktivität *f.* -en; Fruchtbarkeit *f.* -en. ～하다 fruchtbar (produktiv) sein. ¶ ～부 fruchtbare Frau, -en; kinderreiche Frau (아이가 많은 여자) / ～시키다 fruchtbar machen.

‖ ～동물 fruchtbares Tier, -(e)s, -e.

다색(多色) Vielfarbigkeit *f.* -en; Polychromie *f.* -n. ¶ ～의 vielfarbig; polychrom; buntfarbig (잡색의).

‖ ～장식, ～화법 Polychromie *f.* ～화 vielfarbiges Gemälde, -s, -.

다색(茶色) (Hell)braun *n.* -s. ☞ 갈색. ¶ ～의 (hell)braun.

다섯 fünf. ¶ ～째 der fünfte* / ～ 번째로 fünftens / ～ 배의 fünffach; fünffältig / ～번 fünfmal / ～으로 나누다 in fünf ⁴Teile teilen⁴ (dividieren⁴) / 우리 ～이 가려고 한다 Wir wollen zu fünf(en) (zu fünft) gehen.

‖ ～쌍동이 Fünflinge 《*pl.*》.

다섯째 der fünfte*. ¶ ～로 fünftens / ～ 사람 der fünfte Mann / 그는 우리 집에서 ～ 집에 살고 있다 Er wohnt, von mir aus, im fünften Hause. / 그는 이번 시험에 학급에서 ～이다 Bei dieser Prüfung ist er fünftbeste in der Klasse.

다소(多少) ① 《수·양》 Quantität *f.* -en; Größe *f.* -n; Betrag *m.* -(e)s, ⸗ (액); Stärke *f.*

-n (인원수); Grad *m.* -(e)s, -e (정도); ¶ ~의 mehr od. weniger; 《열마간》 etwas; ein wenig; ein bißchen / …의 ~에 따라 in dem Maße, als… / ~의 돈 etwas Geld / ~ 가까운 etwas näher / ~ 영향을 미치다 mehr od. weniger Einfluß haben (aus|üben) 《*auf*[4]》 / 근속 연한의 ~에 따라 상여금도 다르다 Die Gratifikationen entsprechen der Zahl der Dienstjahre. / 자본의 ~에 달렸다 Es hängt von der Höhe des Kapitals ab. / ~를 불문하고 기부 좀 해 주시오 Ich bitte Sie, so viel wie Sie wollen, beizutragen. / 금액의 ~는 묻지 않는다 Es kommt nicht auf den Betrag an. / ~를 막론하고 신속히 주문에 응합니다 Alle Bestellungen, seien sie groß od. klein, werden schnellstens ausgeführt werden. / ~ 성공한 셈이다 Bis zu e-m gewissen Grade hat er Efrolg gehabt. / 너도 그 일에 ~ 책임이 있다 Du bist auch mehr od. weniger verantwortlich für die Sache. / 그것은 당신에게 ~ 득이 됩니다 Das wird Ihnen weniger (minder) nutzen (nützen).

② 〔부사적〕 ein wenig; ein bißchen; etwas; mehr od. weniger; in gewissen Grade; bis zu e-m gewissen Grade (어느 정도까지); gewissermaßen; einigermaßen. ¶ 그녀는 독일 말을 ~ 할 줄 안다 Sie kann etwas Deutsch sprechen. / 그는 ~ 학자다운 데가 있다 Er hat etwas von e-m Gelehrten. / 양자 사이에는 ~ 차이가 있다 Es ist ein geringer Unterschied zwischen diesen beiden Dingen. / 그는 나보다도 ~ 크다 Er ist etwas größer als ich. / 그것은 ~ 형편이 나쁘다 Das kommt mir etwas ungelegen. / 그 사건에 대해서는 ~ 알고 있다 Ich weiß etwas über den Vorfall.

다소곳이 ruhig; still; gehorsam; zurückhaltend. ¶ ~ 고개를 숙이다 sanft den Kopf senken / ~ 있지 못해 Mäßige dich! / 그녀는 ~ 남자 곁에서 따라갔다 Sie ging still neben ihm her. / 처음에는 청중이 ~ 대했다 Das Publikum verhielt sich zunächst zurückhaltend. / 그는 ~ 내 이야기를 들었다 Er hörte m-r Erzählung ruhig zu.

다소곳하다 ① 《고개를 숙이고》 gesenkten Kopfes (Hauptes) still (ruhig) sein. ② 《순종》 bescheiden; still; ruhig; gehorsam; folgsam (sein). ¶ 그녀는 다소곳한 태도를 취했다 Sie benahm sich gehorsam.

-다손치더라도 《…이기는 하지만》 wenn auch; obgleich; obwohl; obschon; 《…이라 하더라도》 wenn auch; wenn auch immer; wenn auch gleich; selbst wenn; und wenn; wie auch; 《…라고 가정하더라도》 selbst zugegeben (angenommen; vorausgestzt), daß…. ¶ 농담이다손치더라도 selbst auch im Scherz / 무슨 일이 있다손치더라도 was auch geschehen mag; geschehe, was da wolle; einerlei, was auch geschieht (geschehen mag) / 할 수 있다손치더라도 selbst wenn ich es könnte / 아무리 예쁘다손치더라도 wie schön sie auch sein mag / 그렇다손치더라도 selbst zugegeben, es sei so / 돈은 없다손치더라도 행복할 수는 있다 Auch ohne Geld kann man glücklich sein.

다수(多數) ① 《수》 e-e große Anzahl (Mengen); Vielheit *f.*; der große Haufe. ¶ ~의 viel; zahlreich; zahllose; unzählbar / ~의 사람들 e-e Menge Leute; zahlreiche Leute.

② 《사람》 e-e große Anzahl von Menschen; e-e Menge Menschen. ¶ ~의 manch-; viel; zahlreich / 국민의 ~ die Mehrheit des Volkes; der größere Teil des Volkes / ~를 믿고 im Vertrauen auf s-e zahlenmäßige Überlegenheit; auf s-e Übermacht vertrauend / ~를 위하여 소수를 희생시키다 der Mehrheit die Minderheit zum Opfer bringen* / 학생의 ~는 귀향하였다 Die meisten Studenten sind heimgekehrt. / 그들은 ~를 믿고 횡포를 부렸다 Auf Grund ihrer großen Mehrzahl verfuhren sie tyrannisch. / 노동자가 ~ 필요하다 Es ist e-e große Menge von Arbeitern nötig.

③ 《의결의》 Mehrheit *f.* -en; Majorität *f.* -en; Mehrzahl *f.* (과반수). ¶ 비교적 ~ die relative Majorität / 압도적 ~ die überwältigende (erdrückende) Mehrheit / 12 대 20 의 ~ ein Mehr von 20 gegen 12 / 압도적 ~로 mit erdrückender Mehrheit / 10 표의 ~로 이기다 mit e-r Majorität von 10 Stimmen schlagen* / ~에 압도되다 von der Mehrheit überwältigt (erdrückt) werden / ~의 의견에 따르다 den Meinungen der Mehrheit folgen / ~를 차지하다 die Majorität haben; vor|herrschen[4]; das Übergewicht (die Oberhand) haben 《*über*[4]》 (우세) / 찬성자가 ~다 Die Majorität ist dafür. / 의안은 50의 ~로 통과하였다 Die Vorlage ging mit e-r Majorität von 50 durch. / 그는 100 표의 ~로 의장에 뽑혔다 Er ist mit e-r Majorität von 100 Stimmen zum Vorsitzenden gewählt worden.

‖ **~당** Majoritätspartei *f.*; Mehrheitspartei: ~당 당수 der Führer der Mehrheitspartei (der Majoritätspartei) / ~당의 의안 (의견) der Antrag (die Meinungen) der Mehrheitspartei. **~대표제** Majoritätssystem *n.* -s, -e. **~의지** Majoritätswille *m.* -ns, -n. **~표** Stimmenmehrheit *f.* -en: ~표를 획득하다 die Stimmenmehrheit haben. 절대~ absolute Mehrheit.

다수결(多數決) Mehrheits¦beschluß (Majoritäts-) *m.* ..schlusses, ..schlüsse. ¶ ~에 의하여 durch Mehrheitsbeschluß / ~로 정하다 durch Mehrheit (Majorität) beschließen*[4] (entscheiden*[4]) / ~에 따르다 dem Mehrheitsbeschluß folgen.

다스 Dutzend *n.* -s, -e 《생략: Dtzd.》. ¶ ~로 dutzendweise; in (nach; zu) Dutzenden / 반 ~ ein halbes Dutzend / 세 ~ drei Dutzend 〔*pl.*로 하지 않음〕 / 한 ~에 20 마르크 20 Mark das Dutzend¦ Der Dutzendpreis ist 20 Mark. / 포도주 한 ~ ein Dutzend Flaschen Wein / ~로는 값이 싸다 im Dutzend wohlfeiler sein.

다스리다 ① 《통치》 herrschen 《*über*[4]》; regieren[4]. ¶ 나라를 ~ ein Land (e-n Staat) regieren / 백성을 ~ über ein Volk herrschen / 프리드리히 대왕이 1740 년부터 1786 년까지 다스렸다 Friedrich der Große regierte von 1740 bis 1786. ② 《보살핌》 verwalten[4]; führen[4]; leiten[4]; regulieren[4]. ¶ 가정을 ~ Hauswesen verwalten/군대를 ~ e-e Armee führen / 나랏일을 ~ die Staatssachen verwalten. ③ 《홍수 따위》 ein|dämmen[4]; steuern[4]; leiten[4]. ¶ 물을 ~ die Flut (den Fluß) ein|dämmen; Maßnahmen gegen Hochwasser treffen*. ④ 《평정》 befrieden[4] (나라를); zur Ruhe bringen[4] (진압); unterdrücken (진압); bei|legen[4] (조정하다). ¶ 난을 ~ die

Empörung (den Aufstand) zur Ruhe bringen* / 폭도를 ~ den Aufrührer unterdrücken. ⑤ 《병을》 heilen[4]. ¶ 다스릴 수 없는 병 unheilbare Krankheit / 환자 (상처) 를 ~ den Patienten (die Wunde) heilen. ⑥ 《죄를》 bestrafen[4]; strafen[4]. ¶ 죄인을 ~ den Verbrecher bestrafen; dem Verbrecher Strafe geben*.

다습하다(多濕—) dumpfig; näßlich; feucht (sein). ¶ 다습한 기후 das feuchte Klima, -s, -s (-ta).

다시 ① 《또》 wieder; noch einmal; zweimal; schon wieder; nochmals; wiederum; abermals. ¶ ~ 일을 시작하다 s-e Arbeit wieder an|fangen* / ~ 침묵하다 wieder in Schweigen verfallen* Ⓢ / ~ 만납시다 Hoffentlich werde ich Sie wiedersehen. / ~ 1년이 지났다 Es ist wieder ein Jahr vorbei. / 어머니는 ~ 전처럼 건강해지셨다 M-e Mutter ist so gesund geworden wie früher. / 한 번 거짓말을 하면 ~ 하게 된다 Ein Lüge bringt e-e andere. / ~는 그런 일을 하지 않겠읍니다 Das soll nie wieder geschehen (vorkommen). / 고향을 떠난 후 그는 ~ 돌아오지 않았다 Er verließ s-e Heimat, um nie wieder zurückzukommen. / 이런 기회는 ~ 없을 것이다 E-e solche Gelegenheit kommt kaum wieder.
② 《거듭》 wiederholt; immer wieder; 《대화 중 앞 말을 거듭할 때》 kurz (요약); um es kurz zu sagen; mit e-m Wort; 《앞 말의 내용 설명》 nämlich; das heißt ...; ich meine ...; Das ist nämlich so.... ¶ 몇 번이고 ~ 하다 mehrmals wiederholen[4] / ~ 설명하다 wiederholt erklären[4]/세 번 ~ 읽다 dreimal (wiederholt) lesen*(4) / 실책을 ~ 되풀이하다 e-n Fehler wiederholen / 그의 아내, ~ 말해서 그의 첫번째 부인을 가리키는 것인데 S-e Frau, ich meine jetzt s-e erste Frau, ...
③ 《새로이》 erneut; von neuem; noch einmal. ¶ ~ 시작하다 noch einmal machen[4]; erneut (von neuem) versuchen[4] / 모든 것을 처음부터 ~ 시작하다 alles vom Anfang an wiederholen; alles von neuem an|fangen* / 독일어를 ~ 시작하다 sein Deutsch auf|frischen / ~ 선거하다 von neuem wählen[4] / 이야기를 처음부터 ~ 시작하다 die Geschichte von Anfang an wiederholen / 언젠가 ~ 이야기합시다 Das wollen wir wieder (einmal) besprechen.

다시금 ☞ 다시.

다시다 schmatzen; [4]es [3]sich besonders gut schmecken lassen*; mit besonderem (größtem) Behagen essen*[4] (verzehren[4]); mit der Zunge schnalzen[4]; bereuen[4] (불쾌, 분할 때). ¶ 입맛을 ~ schmatzen / 입맛을 짝짝 다시며 먹다 schmatzend essen*[4].

다시마 Riemen¦tang (Zucker-) *m.* -(e)s, -e.
‖ ~말이 gerollter Tang mit (ohne) Einlagen. ~차 Seetangtee *m.* -s, -s.

다시보다 ① 《또 보다》 noch einmal an|sehen*[4]. ② 《재회하다》 wieder begegnen[3]; wieder|sehen*[4]. ③ 《재평가하다》 anders (höher) ein|schätzen[4]. ¶ 나는 그를 다시 보게 되었다 Ich habe gelernt, ihn höher einzuschätzen.¦ Ich habe ihn bisher unterschätzt. / 생각보다 테니스를 잘 치는군, 다시 보아야겠어 Sie sind im Tennisspiel geschickter als ich erwartete, ich muß m-e Meinung über Sie ändern!

다시없다 ① 《견줄 곳 없다》 unvergleich; unvergleichbar; ohnegleichen; einzig in der Art; beispiellos; ohne Präzedenzfall; 《흉내낼 수 없는》 unnachbar (sein); nicht seinesgleichen haben. ¶ 다시 없는 물건 die ungleichliche Ware, -n / 다시 없는 바보다 Er ist ein Dummkopf ohnegleichen. / 이렇게 경치가 좋은 곳은 ~ Diese schöne Gegend findet nicht ihresgleichen. / 그런 무자비한 사람은 다시 없을 것이다 Solch e-n herzlosen (unmenschlichen) Mann wie ihn werden wir kaum noch einmal finden. / 그만한 사람은 다시 없을 것이다 E-n wie ihn gibt es kaum ein zweites Mal.
② 《두 번 없다》 nie wieder (mehr) sein; nie wieder vor|kommen* Ⓢ; einmalig; unwiederholbar (sein). ¶ 다시 없는 기회 die nie wiederkommende Gelegenheit / 이런 기회는 ~ So e-e Gelegenheit kommt nie wieder. / 다시 없는 기회를 놓치지 말자 Laß uns die nie wiederkehrende Gelegenheit nicht vorübergehen!

-다시피 《…는 바와 같이》 wie; 《같은 정도로》; fast; beinahe; nahezu; ungefähr; im gleichen Maße. ¶ 보시다시피 wie Sie sehen (können) / 아시다시피 wie Sie wissen / 이미 말했다시피 wie (schon) gesagt / 흔히 일이 그렇게 되다시피 wie es zu gehen pflegt / 보다시피 나는 돈이 없다 Wie Sie sehen (können), habe ich kein Geld. / 보다시피 모든 것은 아직 옛 그대로다 Wie man sieht, ist alles noch beim alten. / 늘 그러다시피 나는 오후에 산책을 했다 Mittags ging ich, wie ich es immer tue, spazieren. / 우리는 희망을 포기하다시피 했었다 Wir hatten die Hoffnung fast aufgegeben. / 그는 대부분의 시간을 독서로 보내다시피 했다 Er hat die meiste Zeit (fast die ganze Zeit) mit Lesen verbracht. / 그는 거의 고꾸라지다시피 됐다 Fast wäre er hingestürzt.

다식(多食) ＝대식(大食).

다식(茶食) der kleine Kuchen 《-s, -》 aus Sojabohnen, Kieferblüten, Kastanien, Sesam und Honig.

다신교(多神教) Polytheismus *m.* -; Vielgötterei *f.* ¶ ~의 polytheistisch.
‖ ~도 Polytheist *m.* -en, -en.

다심(多心) unnötige Sorgen 《*pl.*》 vor (wegen [2]der) [3]Zukunft; die übertriebene Umständlichkeit; peinliche Genauigkeit. ~하다 überängstlich (sein); unnötige Sorgen (Angst) vor (wegen [2]der) [3]Zukunft haben; peinlich genau (sorgfältig); übertrieben umständlich (sein).

다액(多額) e-e große (beträchtliche; erhebliche) Summe; ein großer Betrag, -(e)s. ¶ ~의 돈 viel (e-e Menge) Geld / ~의 부채 schwere Schulden 《*pl.*》 / ~ 납세자 ein hoher Steuerzahler, -s, - / ~의 비용으로 mit enormen Kosten / ~의 자본 e-e Menge Kapitalien.

다양(多樣) Mannigfaltigkeit *f.* -en; Vielfältigkeit *f.* -en; Verschiedenheit *f.* -en; Abwechselung *f.* -en. ~하다 verschieden(artig); divers; mannig¦fach (-fältig); vielfach (-fältig) (sein). ¶ 그의 학식은 참 ~하군 Ich wundere mich über die Vielseitigkeit s-r Kenntnisse. / 그는 취미가 ~하다 Er ist ein Mann von vielen Interessen.
‖ ~성 Mannigfaltigkeit *f.* -en; Varietät *f.* -en.

다언(多言) ① 《말 많음》 Geschwätzigkeit *f.*

-en; Redseligkeit *f.* -en; Schwatzhaftigkeit *f.*; Plauderhaftigkeit *f.* ② 《여러 말》 viele Worte. ¶ 거기에 대해서는 ~할 필요가 없다 Darüber braucht man nicht viele Worte zu verlieren 〔nicht viel zu reden〕.

다염기산(多塩基酸) die viel|basische 〔mehr-〕 Säure, -n.

다오 ①《물건을》 gib mir; gib her. ¶ 책을 이리 ~ Gib das Buch bitte her! ② 《…해다오》 ¶ 이 편지를 부쳐~ Trage diesen Brief auf die Post! / 외투를 좀 입혀~ Hilf mir bitte m-n Überrock anziehen! / 그 이야기 좀 들려 ~ Laß mich die Geschichte hören! / 택시를 불러 ~ Bestelle e-e Taxe für mich bitte!

다오메이 Dahome *n.* -s; Dahomey [..mé:] *n.* -s; Republik 《*f.*》 D. ¶ ~의 dahomeisch. ‖ ~사람 Dahomeer *m.* -s, -.

다용(多用) das Vielausgeben*, -s; das Vielbenutzen*, -s. ~하다 viel aus|geben*; reichlich aus|geben*; viel benutzen〕.

다우존즈식(一式) ‖ ~ 평균 주가 Dow-Johnes-Index *m.* -es, -e 〔*n.* -, ..dizes〕.

다운 Knockdown [nɔkdáun] *m.* -(s), -s. ¶ ~시키다 e-n Knockdown (zu Boden) schlagen*(4) / ~되다 e-n Knockdown erleiden*.

다원(多元) 〚철학〛 Pluralismus *m.* -; Pluralität *f.* -en. ¶ ~적인 pluralistisch / ~적 국가론 pluralistische Auffassung des Staates. ‖ ~론 Pluralismus *m.* -: ~론자 Pluralist *m.* -en, -en. ~방송 Ringsendung *f.* -en. ~방정식 vielfältige Gleichung.

다원(茶園) Tee|garten *m.* -s, ⸚ 〔-pflanzung *f.* -en; -plantage *f.* -n〕.

다육(多肉) Fleischigkeit *f.* -en. ¶ ~질의 fleischig; breiig fleischig. ‖ ~과(果) die fleischige Frucht, ⸚e; Steinfrucht. ~식물 die fleischige Pflanze, -n.

다음 nächst; folgend; kommend; bevorstehend(다가오는); zweitens(둘째); nach; nachdem; dahinter; danach. ¶ ~에 im folgenden / ~과 같은 folgendermaßen; wie folgt / ~ 번 ein anderes Mal / ~ 기회에 bei der nächsten Gelegenheit / ~ 일요일에 am nächsten 〔kommenden〕 Sonntag / ~ 날에 am nächsten 〔anderen; folgenden〕 Tag / ~ 세대 die kommende Zeit 〔Generation〕 / ~ 방 das nächste Zimmer, -s; Nebenzimmer *n.* -s, -; Vorzimmer (대기실) / 열 시 지난 ~ nach zehn Uhr / ~ 날 이른 아침에 nächsten Tag in der Frühe / ~ 25 일에 am folgenden 25. / ~해 das nächste 〔folgende〕 Jahr / 이 ~에 더 좋은 것이 있읍니다 Danach kommt etwas Schöneres. / ~은 어떻게 됩니까 Wie geht das weiter? / 그는 ~과 같이 말했다 Er sagte 〔sprach〕 folgendes 〔die folgende〕. / ~은 누구 차례입니까 — 제 차례입니다 Wer ist dran?—Ich bin dran. / 어머니 ~으로 누이가 나의 가장 가까운 사람이다 Nach m-r Mutter ist mir die Schwester m-e 〔die〕 nächste. / 비열하게 행동한 ~ 빌어도 쓸데 없다 Es hat k-n Zweck, daß du mich um Verzeihung bittest, nachdem du dich so gemein gegen mich benommen hast. / 너는 이 ~에 데리고 가마 Nächstes Mal will ich dich mitnehmen. / B씨 ~에 누가 국무 총리가 될까 Wer wird der Premierminister nach Herrn B?

다음가다 《계속되다》 folgen(3) 《*auf*4》; kommen*[s] 《*nach*3》; 《지위가》 stehen* 《*neben*3》; rangieren [rãʒí:rən] 《*hinter*3》. ¶ 런던 다음가는 대도시 die größte Stadt nach London; nächst London die größte Stadt / 부산은 서울 다음가는 대도시이다 Nächst Seoul ist Busan die größte Stadt Koreas.

다음날 der nächste 〔folgende〕 Tag, -(e)s, -e; 〚부사적〛 am nächsten 〔folgenden〕 Tag; am Tag darauf (그 다음날); 《훗날》 e-s Tages; irgendwann; irgendeinmal; einst; später. ¶ 화재 ~ am Tage nach dem Feuer / 일을 ~로 미루다 e-e Arbeit auf den nächsten Tag verschieben*/~ 저희에게 한 번 오십시오 Kommen Sie doch einmal zu uns! / 너는 ~ 언젠가 나를 생각할 거다 Du wirst noch einmal an mich denken! / 그는 ~, 즉 20 일에 출발했다 Am nächsten Tag, das war der zwanzigste 〔d.h. am zwanzigsten〕, machte er sich auf den Weg.

다음다음 übernächst; dem nächsten folgend. ¶ ~ 집 zwei Häuser 《*pl.*》 weiter / ~ 날 der übernächste Tag, -(e)s, -e; 〚부사적〛 am übernächsten Tag / ~ 주 die übernächste Woche, -n / ~ 네 거리에서 왼쪽으로 꾸부러지다 in die übernächste Querstraße links ein|biegen* / ~ 달, 그러니까 7 월에 여행을 떠나겠다 Ich verreise im übernächsten Monat, also im Juli.

다음달 der nächste 〔folgende〕 Monat, -(e)s, -e; 〚부사적〛 im nächsten 〔folgenden〕 Monat; nächsten Monats. ¶ ~ 초사흗날(에) am dritten Tag des nächsten Monats / ~에 방학이 시작된다 Im nächsten Monat beginnen die Ferien.

다음자(多音字) Polyphonie *f.* -n; Schriftzeichen 《*n.* -s, -》, das mehrere Aussprachen zuläßt.

다음절(多音節) viele Silbe, -n; Vielsilbigkeit *f.* ¶ ~의 vielsilbig. ‖ ~어 vielsilbiges Wort, -(e)s, ⸚er; Polysyllabum *n.* -s, ..ba.

다음해 das nächste 〔folgende〕 Jahr, -(e)s, -e; 〚부사적〛 im nächsten 〔folgenden〕 Jahr; nächstes Jahr. ¶ 그가 죽은 ~ das Jahr nach s-m Tod / ~에 나는 영국에 간다 Nächstes Jahr fahre ich nach England.

다음호(一號) die folgende 〔nächste〕 Nummer 〔Ausgabe〕 -n. ¶ ~에 계속 Fortsetzung folgt. / ~에 완결 Schluß folgt!

다의(多義) Vieldeutigkeit *f.* -en. ¶ ~의 vieldeutig; mehrere Bedeutungen zu lassend; doppelsinnig unbestimmt. ‖ ~어 das vieldeutige Wort, -(e)s, ⸚er (-e); ein Wort mit mehreren Bedeutungen.

다이내믹 ¶ ~한 dynamisch.

다이너마이트 Dynamit *n.* 〔*m.*〕 -(e)s, -e. ¶ ~로 폭파하다 durch Dynamit sprengen4.

다이닝키친 Eßküche *f.* -n.

다이렉트메일 (Post)wurfsendung *f.* -en.

다이빙 《수영》 das Springen*, -s; Sprung *m.* -(e)s, ⸚e; das Kunstspringen*, -s (경기). ‖ ~대 Sprungturm *m.* -(e)s, ⸚e; Sprungbrett *n.* -(e)s, -er (판). ~선수 Kunstspringer *m.* -s, -. 하이~ das Turmspringen*.

다이아 ① 《보석》 Diamant *m.* -en, -en. ¶ ~ 반지 Diamantring *m.* -(e)s, -e / 흑~ schwarze Diamanten (석탄). ② 《열차의》 Fahrplan *m.* -(e)s, ⸚e; Diagramm *n.* -s. ¶ ~대로 fahrplanmäßig / ~를 혼란시키다 den Eisenbahnverkehr in Unordnung bringen* / 새로운 ~는 12 월 1 일부터 실시된다 Der neue Fahrplan tritt am 1. Dezember in Kraft.

다이아나 Diana *f.*

다이아진 《약》 e-e Art Sulfonamid 《*n.* -(e)s, ⌈-e》.

다이알로그 Dialog *m.* -s, -e; Zwiegespräch *n.* -(e)s, -e.

다이어그램 《도표》 Diagramm *n.* -s, -e; 《운행표》 Fahrplan *m.* -(e)s, ⸚e.

다이얼 《전화의》 Wähler|scheibe (Nummern-) *f.* -n; 《라디오의》 Skalenscheibe. ¶ ~을 돌려서 호출하다 e-e Nummer drehen (wählen) / ~ 112번을 돌리다 die Nummer 112 drehen.

다이오드 《전기》 Diode *f.* -n; Zweielektrodenröhre *f.* -n (2극관).

다이제스트 Auszug *m.* -(e)s, ⸚e; Digest [dáiʒest] *m.* -(s), -s.

다이폴안테나 Dipolantenne *f.* -n.

다인 《물리》 Dyn *n.* -s, - 《기호: dyn》; Zentimetergramm *n.* -s, -e.

다작(多作) Vielschreiberei *f.* -en; die Fruchtkeit als Schriftsteller. **~하다** viel schreiben*⁽⁴⁾. ¶ ~의 fruchtbar; produktiv. ‖ ~가 fruchtbarer Schriftsteller, -s, -; Vielschreiber *m.* -s, -.

다잡다 ① 《사람을》 über *jn.* Aufsicht führen; *jn.* (⁴*et.*) beaufsichtigen; überwachen⁴; *jn.* an|treiben*; *jn.* streng kontrollieren. ¶ 학생들을 ~ die Studenten streng kontrollieren; die Studenten beaufsichtigen / 부하를 ~ *js.* Leute streng kontrollieren.
② 《일을》 ⁴sich konzentrieren 《auf ⁴*et.*》; ⁴sich ³*et.* widmen; ⁴sich mit ³*et.* beschäftigen.
③ 《마음을》 an|spannen⁴; stärken⁴.

다잡이 die strenge Kontrolle, -n; die strenge Aufsicht, -en; das strenge Kontrollieren*, -s. **~하다** =다잡다.

다재(多才) Vielseitigkeit *f.*; vielseitige Bildung *f.* -en; das vielseitige Talent. **~하다** vielseitig; begabt; gebildet (sein). ¶ ~다능한 사람 der vielseitige begabte Mensch, -en, -en.
‖ ~다병 Männer von Talent werden leicht krank. | Männer von Talent haben e-e zarte Natur.

다정(多情) ① 《인정·상냥》 (Menschen)freundlichkeit *f.* -en; Herzlichkeit *f.*; Warmherzigkeit *f.*; Zärtlichkeit *f.* **~하다** (menschen)freundlich; zärtlich; wohlwollend; herzlich (sein). ¶ ~히 freundlich; zärtlich; sympathisch / ~한 사람 ein freundlicher Mensch, -en, -en / 그는 나에게 ~한 인사를 보내어 왔다 Er sandte mir freundliche Grüße. / 그녀는 아이들에게 매우 ~했다 Sie war zu den Kindern sehr freundlich(nett). / 그는 ~하게 아내의 눈을 들여다 보았다 Er sah s-r Frau zärtlich in die Augen. / 그녀는 ~하게 우리에게 인사했다 Sie begrüßte uns herzlich. ② 《교분》 die enge Freundschaft, -en. **~하다** 《mit *jm.*》 intim; eng; vertraut; innig; eng befreundet (sein). ¶ ~하게 innig; intim; vertraut / ~한 친구 ein intimer Freund, -(e)s, -e / ~한 사이다, ~히 지내다 mit *jm.* vertraut (intim; eng befreundet) sein; in freundschaftlichen Beziehungen zu(mit) *jm.* stehen* / ~한 사이가 되다 *jm.* näher bekannt werden; in ein inniges (freundliches) Verhältnis treten*Ⓢ / 둘은 ~한 사이다 Enge (Intime) Freundschaft verband die beiden. / 두 애들은 서로 쉽게 ~한 사이가 됐다 Die beiden Kinder haben sich schnell miteinander befreundet. / 나는 그와 ~한 사이가 됐다 Ich habe mit ihm Freundschaft geschlossen.

다정다감(多情多感) Empfindlichkeit *f.* -en; Empfänglichkeit *f.* -en; Feingefühl *n.* -(e)s, -e. **~하다** empfindlich; gefühlvoll; sentimental (sein). ¶ ~한 사람 der gefühlvolle Mensch, -en, -en / 낙조(落照)는 언제나 그를 ~하게 한다 Jeder Sonnenuntergang macht ihn sentimental.

다정다한(多情多恨) Empfindsamkeit *f.* -en; Sentimentalität *f.* -en; Rührseligkeit *f.* -en; Wehmut u. Reue. **~하다** sentimental; empfindsam; rührselig; voll von Wehmut u. Reue (sein). ¶ ~한 지사(志士) der leidenschaftliche Patriot, -en, -en.

다정불심(多情佛心) Warmherzigkeit *f.* -en; Güte *f.* -n; Mitleid *n.* -(e)s; das Wohlwollen*, -s.

다정자(茶亭子) Teetisch *m.* -es, -e.

다조지다 die Aufsicht haben (führen) 《über *jn.*》; beaufsichtigen⁴; straff am Zügel halten*⁴; nötigen⁴.

다족류(多足類) 《동물》 Tausendfüß(l)er *m.* -s, ⌈-.

다종다양(多種多樣) Mannigfaltigkeit *f.* -en; Verschiedenheit *f.* -en; Vielfältigkeit *f.* -en; Vielerlei *n.* -s. **~하다** mannigfaltig; vielfältig; vielerlei; verschieden; verschiedenartig; bunt (sein). ¶ 내용이 ~하다 Mannigfaltigkeit enthalten*.

다죄다 fest machen⁴; enger machen⁴.

다지다 ① 《단단히》 fest (hart) machen⁴; fest|kneten⁴; fest|treten*⁴. ¶ 땅을 ~ den Boden fest|machen / 흙을 ~ die Erde hart machen / 눈을 ~ Schnee fest|treten* / 밀가루를 ~ das Mehl fest|kneten. ② 《다잡다》 *jn.* auf Antwort drängen; hetzen⁴; plagen⁴; pressen; behaarlich nach ³*et.* fragen. ¶ 그에게 다섯시까지 와야 한다고 다졌다 Ich beharrte darauf, daß er bis 5 Uhr kommen soll. / 그에게 빚 갚으라고 다졌다 Ich drängte ihn auf Schuldenzahlung. ③ 《고기·양념》 zerhacken⁴; klein|schneiden*⁴; klein schlagen*⁴; hacken⁴. ¶ 다진 고기 das gehackte Fleisch, -es / 고기를 ~ Fleisch in kleine Stücke (zer)hacken / 마늘을 ~ Knoblauch in kleine Stücke zerhacken. ④ 《잠을 자게》 pressen⁴. ¶ 양념한 고기를 ~ das gewürzte Fleisch pressen.

다지르다 zu e-r definitiven Antwort zwingen* 《*jn.*》; e-e Beteuerung fordern 《von *jm.*; an *jn.*》; ³sich ⁴Sicherheit 《von *jm.*》 geben lassen*; auf *js.* ³·⁴Feststellen bestehen*.

다질리다 zu e-r definitiven Antwort gezwungen werden; verpflichtet werden.

다짐 Bürgerschaft *f.* -en; das Versprechen*, -s; Gelübde *n.* -s, -; Garantie *f.* -n; Versicherung *f.* -en; Zusicherung *f.* -en. **~하다** ⁴sich vergewissern; entschieden erklären⁴; beteuern⁴; versichern⁴; außer Zweifel stellen⁴; ein Gelübde ab|legen; verbürgen⁴; ⁴sich für ⁴*et.* verpflichten. ¶ 내달까지는 빚을 갚겠다고 ~했다 Er versprach, daß er bis zum nächsten Monat s-e Schulden bezahlt. / 다른 사람에 이야기 않겠다고 ~하겠느냐 Kannst du mir versichern, daß du niemand erzählst.

다짐받다 schwören lassen* 《*jn.*》; eidlich verpflichten 《*jn.* auf ⁴*et.*》; e-n Eid schwören lassen* 《*jn.*》; e-n Eid ab|nehmen* 《*jm.*》; vereidigen 《*jn.*》; beim Wort nehmen* 《*jn.*》. ¶ 당신이 도와 준다는 다짐을 반

고 나는 이것을 맡겠오 Ich übernehme es unter der Bedingung, daß Sie mir helfen. / 나는 그에게서 단단히 다짐받았다 Er hat es mir fest versprochen.

다짜고짜(로) ohne *jn.* erst zu fragen; ohne weiteres; ohne weitere ⁴Umstände; einfach; ein für allemal; zu guter Letzt; so man es will od. nicht; gern od. ungern; plötzlich; auf einmal; unerwartet (unvermutet; unversehens; überraschend); wie ein Blitz aus heiterm Himmel. ¶ ~ 남의 따귀를 때리다 *jm.* plötzlich e-e Ohrfeige geben* / 사람을 ~ 붙들어 가다 *jn.* ohne bestimmten Grund fest|nehmen* / ~ 가지고 왔다 Das habe ich einfach mitgenommen.

다채롭다(多彩—) bunt; farbenreich; farbenprächtig; farbenfroh; vielfarbig; verschieden; mannigfaltig; wechselvoll (sein). ¶ 다채로운 프로 das bunte Programm, -s, -e.

다처(多妻) viele Frauen 《*pl.*》.
‖ 일부~ Vielehe *f.* -n; Vielweiberei *f.*

다치다 ① 《부상》 ⁴sich verwunden; ⁴sich verletzen; e-e Wunde bekommen*; verletzt (verwundet) werden*. ¶ 다친 verwundet / 다친 발 der verwundete Fuß / 다치게 하다 *jn.* verwunden; *jn.* verletzen; *jm.* e-e Wunde bei|bringen (schlagen)*; schaden³; schädigen⁴; Schaden zu|fügen³ / 칼에 ~ ⁴sich an e-m Messer schneiden* / 손을 ~ ⁴sich an der Hand verletzen; ³sich die Hand verletzen / 다리를 ~ ⁴sich am Bein verletzen / 다친 승객은 없었다 Die Passagiere waren unverletzt. / 나는 손을 조금 다쳤다 Ich habe mir die Hand leicht verletzt. ② 《손상》 Schaden erleiden*; e-n Verlust erleiden*.

-다치더라도 ☞ -다손치더라도.

다카르 《세네갈의 수도》 Dakar.

다크호스 das noch unbekannte Rennpferd, -(e)s, -e (말); Neuling *m.* -s, -e (사람). ¶ 그는 ~다 Er ist ein unbeschriebenes Blatt (e-e unbekannte Größe).

다투다 ① 《말다툼》 zanken (streiten*) 《mit *jm. über*⁴ (*um*⁴)》; hadern (disputieren; rechten) 《mit *jm. über*⁴ (*um*⁴)》; ⁴sich entzweien 《*mit*³》; Streit haben 《mit *jm.*》; in Streit geraten* ⓢ; ³sich uneinig sein. ¶ 사소한 일로 ~ über Kleinigkeiten streiten*; um des Kaisers Bart streiten* / 그들은 언제나 사소한 일로 다툰다 Sie streiten immer über Kleinigkeiten. / 편지 같은 것 때문에 그와 다투지 말라 Zanke dich nicht mit ihm wegen des Briefes! / 그것은 다툴 여지가 없다 Darüber läßt sich nicht bestreiten. / 그들은 서로 이 유산을 두고 다투었다 Sie machten gegenseitig Ansprüche auf das Erbe. ¦ Sie stritten gegenseitig um das Erbe.
② 《논쟁》 erörtern; ab|streiten*; ⁴sich mit *jm.* auseinander|setzen; in e-n heftigen Wortwechsel geraten* ⓢ 《*mit*³》. ¶ 다툴 여지가 없는 unbestritten; erwiesen; unzweifelhaft; unleugbar; unbestreitbar / 다툴 수 없는 사실 erwiesene Tatsache / 새로운 학설을 두고 ~ ⁴sich mit e-r neuen Theorie auseinander|setzen / …한 사실은 다툴 여지가 없다 Es ist e-e unbestreitbare Tatsache, daß ....
③ 《겨루다》 ringen* (wett|eifern) 《mit *jm.* um ⁴*et.*》; es mit *jm.* auf|nehmen*; Konkurrenz machen 《*jm.* um ⁴*et.*》; konkurrieren 《mit *jm.* um ⁴*et.*》; ⁴sich (mit|)bewerben 《*um*⁴》; ⁴sich reißen* 《*um*⁴》; als erster Besitz ergreifen wollen 《*von*³》. ¶ 앞을 ~ um den Vortritt streiten* 《mit *jm.*》 / 시각을 다투는 문제 e-e Angelegenheit 《-en》 (ein Fall *m.* -s, ⸗e) von großer Dringlichkeit; die brennende (Zeit)frage, -n / 권력을 ~ um die Obergewalt streiten* / 수위를 ~ um den ersten Platz wett|eifern / 아무와 선두를 ~ *jm.* den Rang streitig machen / 자리를 ~ ⁴sich um e-n Sitz reißen* / 앞을 다투어 사다 ⁴sich bestreben, ⁴*et.* möglichst schnell zu kaufen / 시각을 다툴 때다 Es ist k-e Zeit zu verlieren. ¦ Es ist höchste Zeit. / 사람들은 앞을 다투어 입장하였다 Die Leute drängten sich, um zuerst eintreten zu können. / 그들은 앞을 다투어 달아났다 Sie alle bestrebten sich, möglichst schnell davonzukommen.

다툼 ① 《언쟁》 Zank *m.* -(e)s; Zankerei *f.* -en; Kabbelei *f.* -en; Streit *m.* -(e)s, -e; Zwist *m.* -(e)s, -e. ¶ 말~ Zank *m.* -(e)s; Wortwechsel *m.* -s. ② 《논쟁》 Kontroverse *f.* -n; Wortstreit *m.* -(e)s, -e; Streitfrage *f.* -n; heftige Meinungsverschiedenheit; Disput *m.* -(e)s, -e; Wortgefecht *n.* -(e)s, -e. ¶ 이론 ~ der theoretische Disput; wissenschaftliche Auseinandersetzung. ③ 《경쟁》 Wettbewerb *m.* -(e)s, -e; Wettstreit *m.* -(e)s, -e; Konkurrenz *f.* -en; Rivalität *f.* -en. ¶ 공명 ~ der Kampf um den Ruhm; der Kampf um Auszeichnung / 세력 ~ der Kampf um die Macht / 자리 ~ der Wetteifer um e-e Stellung / 그들은 권리 ~을 하고 있었다 Jeder von ihnen nahm das Recht für sich in Anspruch. ¦ Sie lagen im Streite um das Recht.

다툼질 das Streiten* (Zanken*; Zwisten*; Hadern*; Debattieren*; Diskutieren*) -s; das heftige (hitzige) Erörtern*, -s; 《논쟁》 das Diskutieren* (Bestreiten*; Debattieren*; Erörtern*) -s. ~하다 =다투다.

다트 〖재봉〗 Abnäher *m.* -s, -.

다팔- ☞ 더펄-.

다하다¹ 《다 퍼서》 erschöpft werden; 《다 소비되다》 aufgebraucht (aufgezehrt; verbraucht) werden; 《없어짐》 aus|gehen* ⓢ; 《끝이 되다》 zu ³Ende gehen* ⓢ; 《다 떨어지다》 alle sein. ¶ 다하지 않는 unerschöpflich; endlos (끝없는).

다하다² ① 《끝내다》 beenden⁴; fertig werden 《*mit*³》; fertig machen⁴; erledigen⁴. ¶ 일을 ~ mit e-r Arbeit fertig machen; s-e Arbeit beenden (erledigen) / 말을 ~ zu sagen auf|hören; s-e Rede beenden / 필설로 다할 수 없을 만큼 über alle Beschreibung / 필설로 다할 수 없다 jeder Beschreibung spotten; unbeschreiblich (unsagbar) sein.
② 《전력을》 durch|versuchen⁴ (-probieren⁴); erschöpfen⁴; alles mögliche tun*; nichts unversucht lassen*; vollständig behandeln⁴; alle verfügbaren Mittel an|wenden*; alle Register ziehen*; alles ein|setzen; alle Hebel in Bewegung setzen; s-e ganze Fähigkeit auf|bieten*. ¶ 최선을 ~ sein Bestes tun* / 갖은 수단을 ~ alles (alle Mittel u. Wege) versuchen; nichts unversucht lassen* / 할 일을 다 한 것으로 알다 s-e Arbeit als abgetan an|sehen*; s-e Arbeit für abgetan halten* / 사람으로서 할 수 있는 일

을 ~ alles Menschenmögliche tun* / 정성을 ~ das Herz hängen 《an^4》 / 정성을 다하여 aus tiefstem Herzen; von ganzem Herzen; mit Herz u. Mund / 정성을 다하지 않다 nur mit halbem Herzen (nicht ganz mit dem Herzen) bei e-r Sache sein / 전력을 ~ alle Kräfte an|spannen (auf|bieten*); Kräfte sammeln / 전력을 다하여 mit ganzer (voller) Kraft / 그는 그것으로 할 일을 다했다고 생각하고 있다 Er bildet sich ein, daß er damit genug geschafft hatte.
③ 《이행》 vollbringen*^{4}; vollenden*; vollführen^4; vollziehen*; aus|führen (durch-); erfüllen; fertig|bringen*^{4}; ^{4}*et.* zu Ende führen; zustande bringen*^{4}. ¶ 사명을 ~ Aufgabe erfüllen; s-e Sendung zu Ende führen / 의무를 ~ s-e Pflicht tun* (erfüllen); das Seinige tun* / 책임을 ~ s-n Platz aus|füllen; die Pflicht erfüllen.

다항식(多項式) 〖수학〗 vielgliedrige Größe, -n; Polynom *n.* -s, -e; polynomische Formel, -n.

다항정리(多項定理) 〖수학〗 der polynomische Lehrsatz, -es, ¨-e.

다행(多幸) Glück *n.* -(e)s; Segen *m.* -s, -(천복); Glücklichkeit *f.* -en (행복); das Wohlergehen*, -s. ~하다 glücklich; segensreich (sein). ¶ ~히 zum Glück; glücklicherweise / 불행 중 ~ Glück im Unglück / ~히 문이 열려 있었다 Zum Glück war die Tür offen. / 네가 와준 것은 ~한 일이다 Es ist ein wahres Glück, daß du gekommen bist. / 그는 ~히도 그 기회를 잡을 수 있었다 Er konnte die Gelegenheit mit beiden Händen ergreifen (benutzen). / 모든 일이 순조롭게 되어서 ~이었다 Wir haben Glück gehabt, daß alles so gut abgelaufen ist. / ~히 내가 이곳으로 왔기 때문에 당신을 볼 수 있게 되었다 Da mich ein glücklicher Zufall hierher gebracht hat, konnte ich Sie treffen. / ~히 내일은 쉬는 날이 되어서 찾아뵐까 합니다 Da ich morgen glücklicherweise frei bin, werde ich mir erlauben, zu Ihnen zu kommen. / ~히 날씨가 좋았습니다 Glücklicherweise war gutes Wetter.

다혈(多血) Vollblütigkeit *f.*; Plethora *f.* ..ren. ¶ ~질의 vollblütig; sanguinisch; blutreich. ‖ ~증 Plethora *f.* ~질 das sanguinische Temperament, -(e)s, -e; Vollblütigkeit. *f.* ~한(漢) Sanguiniker *m.* -s, -.

다호메이 Dahome *n.* -s; Dahomey [..mé:] *n.* -s; Republik 《*f.*》 D. ¶ ~의 dahomeisch. ‖ ~사람 Dahomeer *m.* -s, -.

다홍(一紅) Scharlach *m.* -s, -e; das brennende Rot, -(e)s. ¶ ~빛의 scharlachen; scharlachfarben. ‖ ~치마 der scharlachrote Rock, -(e)s, ¨-e: ~치마를 입다 ^{4}sich in e-n scharlachroten Rock kleiden; e-n scharlachroten Rock tragen*.

닥나무 〖식물〗 Papiermaulbeerbaum *m.* -(e)s, ¨-e.

닥다그르르 ☞ 딱따그르르.

닥닥 ☞ 득득.

닥뜨리다 entgegen|sehen*^{3} (-|treten*^{3} ⓢ); ins Augen blicken (schauen; sehen*) 《^{3}*et.*》; gegenüber|stehen*^{3}. ¶ 곤란에 ~ ^{4}sich e-r Schwierigkeit gegenüber sehen* / 죽음에 ~ dem Tode (Stirn an Stirn) gegenüber|stehen*; dem Tode ins Gesicht sehen*; den Tod vor Augen haben.

닥스훈트 《개》 Dachshund *m.* -(e)s, -e; Dackel *m.* -s, -.

닥지닥지 ☞ 덕지덕지.

닥치다 《가까워옴》 ^{4}sich nähern; entgegen|gehen* ⓢ; ^{4}sich heran|drängen 《an^4》; heran|nahen (-rücken) ⓢ; näher|kommen*ⓢ; vor|dringen*(-rücken)ⓢ; vor der Tür sein; bevor|stehen*; 《임박》 widerfahren*ⓢ; zu|stoßen*^{3} ⓢ; bevor|stehen*; drohen (위험). ¶ 눈앞에 닥친 위험 die dringende Gefahr 《-en》 vor Augen; die bevorstehende Gefahr / 닥치는대로 aufs Geratewohl; auf gut Glück; unmethodisch; der erste beste*; zufällig; wie es gerade kommt / 닥치는 대로 하다 auf gut Glück tun*^{4}; aufs Geratewohl versuchen^4; es darauf ankommen lassen*; den Zufall überlassen* / 닥치는 대로 치다 um sich schlagen*(hauen*); in die Kreuz u. Quere schlagen* (hauen*); 《종횡으로》 umher|schlagen* (-|hauen) / 닥치는대로 읽다 planlos lesen*$^{(4)}$ / 밀어 ~ nach Kräften heran|rücken ⓢ / 재난이 ~ von e-m Übel befallen (heimgesucht) werden / 그의 신상에 큰 불행이 닥쳐왔다 Ein schweres Unglück hat ihn betroffen (ist ihm zugestoßen). ¦ Er wurde vom Schicksal schwer heimgesucht. ¦ Ein entsetzliches Geschick schwebte über ihm. / 위험이 닥치는 것을 그는 모르고 있다 Er (be)merkte (erkannte) die drohende Gefahr nicht. / 시험이 이틀 후로 닥쳐왔다 Nur noch zwei Tage, und das Examen ist da! / 밤이 닥친다 Die Nacht bricht ein. / 시간이 닥쳐온다 Die Zeit drängt. / 결정적 순간이 닥쳐온다 Der entscheidende Augenblick rückt heran. / 죽음이 눈 앞에 닥쳤다 Der Tod schaut ihm ins Auge. / 출발 시간이 닥쳐온다 Die Stunde der Abreise rückt (naht; kommt) heran. / 크리스마스가 닥쳐온다 Weihnachten stehen bevor. / 입학 시험이 닥쳐왔다 Das Eintrittsexamen steht bevor.

닦다 ① 《윤내다》 polieren^4; glätten^4; putzen^4; schleifen*; brünieren; glänzend machen^4. ¶ 구두를 ~ Schuhe putzen / 밀랍으로 ~ bohnen^4 / 금붙이를 ~ Goldzeug brünieren (glänzend machen) / 구두도 닦지 않고 나갔다 Er ging mit ungeputzten Schuhen aus. / 그는 그의 구두를 닦게 하였다 Er hat s-e Schuhe putzen lassen. ② 《깨끗이 씻다》 wischen^4; waschen*; ^{3}sich ab|trocknen; reiben*^{4}; schrubben*^{4}; ab|reiben*^{4}; ^{3}sich ab|wischen; ^{3}sich aus|wischen. ¶ 얼굴(손, 발)을 ~ ^{3}sich das Gesicht (die Hände, die Füße) ab|trocknen / 입을 ~ ^{3}sich den Mund (ab|)wischen / 눈물을 ~ ^{3}sich die Tränen ab|wischen; ^{3}sich die Augen aus|wischen / 이를 ~ Zähne putzen (bürsten; reinigen) / 유리를 ~ ein Glas aus|wischen / 책상을 ~ den Staub von e-m Tisch ab|wischen; den Tisch (ab|)wischen / 걸레로 마루를 ~ mit e-m Wischlappen den Boden putzen (wischen; polieren) / 엎지른 물을 ~ verschüttetes Wasser mit e-m Scheuerlappen auf|wischen / 자동차를 ~ e-n Wagen ab|wischen/접시를 ~ den Teller waschen*; 《씻어 훔침》 den Teller waschen* u. ab|wischen / 눈에서 눈물을 (이마에서 땀을) ~ die Tränen aus den Augen (den Schweiß von der Stirn) wischen / 입술을 ~ ^{4}sich von den Lippen tupfen. ③ 《길·터를》 ebenen^4; eben machen^4; glätten^4; glatt machen^4; planieren^4. ¶ 터를 ~ den Boden ebenen / 길을 ~ den Weg ebenen. ④ 《셈을》 e-e Rechnung begleichen*; berechnen^4. ⑤

《연마》 bilden⁴; aus|bilden⁴; üben⁴; vervollkommnen*⁴; pflegen⁴. ¶ 기술을 ~ ⁴sich in der Technik vervollkommnen* / 심신을 ~ ⁴sich ab|härten; Körper u. Geist stählen / 덕을 ~ ⁴sich verbessern; Tugend pflegen / 인격을 ~ s-n Charakter bilden. ⑥ 《기반》 den Boden (vor|)bereiten 《*für*⁴; *auf*⁴; *zu*³》; ³sich e-n Weg 《zu ³*et*.》 bahnen. ¶ 선거의 기반을 ~ in Wahlkreis an Boden gewinnen*; auf die Wählerschaft s-n Einfluß aus|üben. ⑦ ☞ 훌닦다.

닦달 ☞ 닦달질 ②. ~하다 *jn.* maßregeln.

닦달질 ① 《갈아 다듬기》 das Glätten* (Polieren*; Abschleifen*; Glänzen*; Putzen*) -s. ~하다 glätten⁴; polieren⁴; glänzend machen⁴; putzen⁴; ab|schleifen*⁴. ② 《닦아세움》 das Schelten* (Ausschelten*; Auszanken*; Tadeln*) -s. ~하다 =닦아세우다.

닦아세우다 aus|schelten*⁴; aus|schimpfen⁴; e-e scharfe Rüge erteilen³; an|schnauzen⁴; 〖속어〗 e-e dicke Zigarre verpassen³. ¶ 되게 닦아 세웠으나 헛일이었다 Vergebens erteilte ich ihm e-e scharfe Rüge. / 상관이 나를 몹시 닦아세웠다 Ich habe von m-m Vorgesetzten e-n furchtbaren Anschnauzer bezogen (so 'ne große Zigarre bekommen). / 그렇게 닦아 세우지 말게 Fahre mich nicht so (hart) an! / 그는 내가 잘못했다고 닦아세웠다 Er tadelte mich für m-n Fehler. / 그는 내가 지각했다고 닦아세웠다 Er tadelte mich wegen m-r Verspätung.

닦음질 das Reinigen* (Säubern*; Putzen*; Bürsten*; Abreiben*) -s. ~하다 reinigen⁴; säubern⁴; putzen⁴; bürsten⁴; ab|reiben*⁴.

닦이다 ① 《윤이 나도록》 geglättet (geglänzt; poliert; geputzt; abgeschliffen) werden. ¶ 은그릇이 잘 닦여 있다 Das Silberzeug ist gut brüniert. ② 《깨끗이》 gereinigt (poliert; geputzt; gewaschen; gebürstet) werden. ③ 《훔쳐지다》 gewischt (abgetrocknet) werden. ④ 《훌닦이다》 (aus)gescholten werden; getadelt werden; e-n Verweis erhalten* (bekommen*). ¶ 상사에게 ~ e-n Verweis von seiten des Vorsitzenden bekommen* / 그는 게을러서 종종 선생님에게 닦인다 Er wird oft wegen s-r Faulheit von Lehrer getadelt.

닦이장이 Polierer *m.* -s, -; Putzer *m.* -s, -.

닦이질 das Polieren* (Putzen*; Glätten*) -s.

단¹ 《묶음》 Bündel *n.* -s, -; Bund *n.* -(e)s (복수 무변화); Büschel *n.* -s, -; Garbe *f.* -n. ¶ 짚 한 단 ein Strohbündel; ein Bündel Stroh / 한 단에 2백 원 200 *Won* das Bündel / 무우 석 단 drei Bund (Büschel) Radieschen / 단을 짓다 in Bündel zusammen|binden*⁴; e-e Garbe machen⁴ 《*aus*³》; zu Garben binden*⁴ / 장작은 단으로 팝니다 Brennholz wird bündelweise verkauft.

단² Einschlag *m.* -(e)s, ⸚e; Umschlag *m.* -(e)s; ⸚e; Aufnäher *m.* -s, -; Falte *f.* -n. ☞ 옷단. ¶ 단을 내다 den Einschlag aus|lassen*.

단(但) =다만 ②.

단(段) ① 《지적 단위》 ein *Dan* 《etwas 0.245 Acker》. ¶ 단당 수확량 das Produkt pro *Dan.* ② 《인쇄물의》 (Druck)kolumne *f.* -n; Spalte *f.* -n. ¶ 단으로 (나누어) kolumnenweise; spaltenweise / 2단 조판 der Doppelspaltensatz / 3단짜리 표제 die Hauptzeile Dreifachspaltensatz / 책을 3단으로 조판하다 ein Buch in drei ⁴Spalten setzen / 이 책은 3단 조판이다 Dieses Buch ist im Dreifachspaltensatz gedruckt. / 이 신문은 한 면이 17단이다 Diese Zeitung besteht pro Seite aus 17 Spalten. ③ 《등급》 Grad *n.* -(e)s, -e; Klasse *f.* -n; Rang *m.* -(e)s, ⸚e. ¶ 바둑 3단 《사람》 ein Go-Spieler des dritten Grades. ④ 《층계》 Stufe *f.* -n; Treppe *f.* -n; Sprosse *f.* -n (사다리). ¶ 밑에서 세쨋 단 die dritte Stufe von unten / 위에서 둘쨋 단 die zweitoberste Stufe / 열두 단의 층계 die Treppe von 12 Stufen. ⑤ 《이야기의 단락》 Absatz *m.* -es, ⸚e; Abschnitt *m.* -(e)s, -e; Paragraph *m.* -en, -en.

단(單) nur; bloß; nichts als. ¶ 단 한 번 nur einmal / 단 하나 einzig u. allein / 단 한 번도 nicht ein einziges Mal; niemals; nie; selbst nicht einmal / 단 혼자서 ganz allein / 단 하룻 밤이라도 selbst e-e Nacht / 단 일부에 지나지 않는다 nur ein Teil sein / 단 3년 동안에 nur in drei Jahren / 단 혼자서 가다 für ⁴sich (allein) gehen* ⓢ / 그가 오지 아니한 날은 단 하루도 없었다 Kein Tag verging, ohne daß er kam. / 죽은 것은 단 두 사람에 불과하였다 Es starben nur zwei Personen. / 나는 지난 한햇 동안 단 한 번도 학교를 결석하지 않았다 Ich habe im letzten Jahr niemals die Schule versäumt.

단(壇) ① 《높게 만든 자리》 Plattform *f.* -en; der erhöhte Platz, -es, ⸚e (귀빈용); Katheder *n.* -s, -e; Rednerbühne *f.* -n (연단); Kanzel *f.* -n (설교단). ¶ 단상에 서다 auf der Plattform stehen* / 하단하다 das Katheder (die Rednerbühne) verlassen*; vom Katheder steigen* ⓢ / 연사는 열렬한 박수갈채를 받으면서 하단했다 Der Redner trat unter stürmischem Beifall ab. ② 《…계》 Welt *f.* -en; Kreise 《*pl.*》. ¶ 문단 die literarische Welt; die literarischen Kreise 《*pl.*》.

단(斷) 《결행》 Durchführung *f.* -en; der entscheidende Schritt, -(e)s, -e; 《결정》 Entscheidung *f.* -en. ¶ 최후의 단을 내리다 endgültig entscheiden*⁴; s-e letzte Entscheidung treffen* 《*über*⁴》 / 최후의 단을 내릴 때는 바로 지금이다 Jetzt kommt es nur noch auf die letzte Entscheidung an. ¦ Jetzt bleibt nichts übrig, als die letzte Entscheidung zu treffen.

-단(團) 《단체》 Körperschaft *f.* -en; Korps *n.* -, -; Verband *m.* -(e)s, ⸚e; 《동료·일당》 Partie *f.* -n [..tíːən]; Gesellschaft *f.* -en (모임); Truppe *f.* -n (극단); 《무리》 Gruppe *f.* -n. ¶ 청년단 die Jugendvereinigung / 관광단 Reisegesellschaft *f.* -en / 독일 교육 사절단이 지난달 서울에 왔다 Die deutsche Erziehungsmission ist im letzten Monat in Seoul angekommen.

단가(單價) Einzel¦preis (Stück-) *m.* -es, -e. ¶ ~ 100원(으로) 100 *Won* pro (für das) Stück. ‖ 생산~ Produktionskosten 《*pl.*》.

단가(短歌) 《짧은 노래》 Kurzgedicht *n.* -(e)s, -e. ¶ ~를 짓다 ein Kurzgedicht verfassen.

단가(團歌) das offizielle Lied 《-(e)s, -er》 e-r Körperschaft (e-s Vereins; e-r Partei).

단가(檀家) der Unterstützer 《-s, -》 e-s buddhistischen Tempels; Pfarrgenoß *m.* ..nosses, ..nossen.

단가살이(單家一) der Haushalt 《-(e)s, -e》 e-r kleinen Familie; das Leben 《-s, -》 e-r kleinen Familie.

단간(單間) das einzige Zimmer, -s, -; das Zimmer von 8 Fuß im Quadrat.

‖ ~마루 die Diele (Fußboden) von 8 Fuß im Quadrat. ~방 das Zimmer von 8 Fuß im Quadrat; das einzige Zimmer. ~살림, ~살이 das Wohnen* 《-s》 in e-m einzigen Zimmer; der Haushalt 《-(e)s, -e》 in e-m einzigen Zimmer (in e-r Einzimmerwohnung).

단간제(單刊制) das Zeitungssystem, nach dem die Zeitung täglich einmal erscheint.

단강(鍛鋼) der geschmiedete Stahl, -(e)s, ⸗e.

단거리[1] ① 《재료》 das einzige Material 《-s, -ien》, das man benutzen kann. ② =단벌.

단거리[2] 《단으로 묶은》 das Brennholz 《-es, ⸗er》 in Bündeln; Reisigbündel *n.* -s, -; Reisig *n.* -s; 《단으로 거래하는》 das bündelweise verkaufte Brennholz.

단거리(短距離) kurze Entfernung, -en; kurze Strecke, -n. ¶ ~로 auf kurzer Entfernung.
‖ ~경주 Kurzstreckenlauf *m.* -(e)s, ⸗e: ~경주자 Kurzstreckenläufer *m.* -s, -; Kurzstreckler *m.* -s, -. ~수송 Kurzstreckentransport *m.* -(e)s, -e. ~탄도 미사일 Kurzstrecken¦schußwaffe *f.* -n (-rakete *f.* -n). ~폭격기 Kurzstrecken¦bomber *m.* -s (-flugzeug *n.* -(e)s, -e).

단검(短劍) Dolch *m.* -(e)s, -e (비수); das kurze Schwert, -(e)s, -er (짧은 검). ¶ ~으로 찌르다 mit e-m Dolch stechen*.

단것 Süßigkeit *f.* -en; Bonbon *m.* (n.) -s, -s; Zuckerwerk *n.* -(e)s, -e. ¶ ~을 좋아하다 Süßigkeiten lieben (gern essen*); ein Liebhaber von Süßigkeiten sein / 술을 못하는 사람은 ~을 좋아한다 Die Abstinenzler finden an Süßigkeiten Geschmack.

단견(短見) ① 《좁은 소견》 kurzsichtige (beschränkte) Ansicht, -en; Kurzsichtigkeit *f.* -en. ¶ ~의 kurzsichtig. ② 《자기의》 m-e Meinung (Ansicht) -en.

단결(團結) Eintracht *f.*; Solidarität *f.*; Verbindung *f.* -en; (Ver)einigung *f.* -en; Zusammenhalt *m.* -(e)s. ~하다 [4]sich verbinden* ((ver)einigen) 《*mit*[3]》; [4]sich zusammen¦schließen* 《zu e-m Verein (e-r Vereinigung)》. ¶ ~된 einträchtig; verbunden; vereinigt; solidarisch / ~하여 vereinigt; in corpore / ~을 굳게 하다 Vereinigung fester machen / ~하여 일하다 eng verbunden arbeiten / ~하여 대항하다 *jm.* eng verbunden gegenüber¦treten* ⓢ / ~은 힘이다 Zusammenhalt ist Macht.
‖ ~권 《근로자의》 Vereinsrecht *n.* -(e)s, -e. ~력 die vereinigten Kräfte 《*pl.*》: ~력이 강하다 [4]sich eng verbinden*; [4]sich fest vereinigen; [4]sich aufs engste zusammen¦tun*; fest zusammen¦halten*. ~심 Korpsgeist [kó:rgaist] *m.*; Solidaritätsgefühl *n.* -(e)s, -e; Gemeinschaftsgeist *m.* -(e)s, -er; *esprit de corps* 《불어》.

단결에 ohne weiteres; ohne die Gelegenheit zu versäumen (zu verpassen; vorübergehen zu lassen*); ohne Verzug (Zögern); prompt; sofort; unverzüglich; stehenden Fußes (즉시). ¶ 쇠뿔도 ~ 빼랬다 《속담》 Man muß das Eisen schmieden, solange es heiß (warm) ist.

단경(短徑) 〖수학〗 Nebenachse *f.* -n.

단경(斷經) 〖한의학〗 Menostase *f.* -n; Menstruationsende *n.* -s, -n; Menopause *f.* -n; das Ausbleiben* 《-s》 der Menstruation. ~하다 *js.* Menstruation bleibt aus.
‖ ~기 die Periode 《-n》 der Menopause; Wechseljahre 《*pl.*》; Klimakterium *n.* -s, ..rien.

단경기(端境期) die Jahreszeit 《-en》 zwischen zwei (Reis)ernten; die Zeit 《-en》 kurz vor der Reisernte.

단계(段階) Stufe *f.* -n (등급); Stufenfolge *f.* -n (순서); Stadium *n.* -s, ..dien (발전의); Phase *f.* -n (국면). ¶ ~적으로 stufenweise / 현 ~에서 in diesem Stadium der Entwicklung; in dieser Periode; bei dem gegenwärtigen Zustand der Dinge / 마지막 ~에 이르러 im entscheidenden Augenblick; im letzten Moment / ~를 설정하다 gradieren[4]; ab¦stufen[4]; in Grade ein¦teilen[4] / 출판 ~에 이르다 reif zur Veröffentlichung sein / 교섭은 결정적 ~에 들어갔다 Die Verhandlungen sind in ihre entscheidende Phase getreten (stehen vor der Entscheidung). / 이 ~에 이르러 물러나다니 비겁하다 Es ist feige von dir, dich im letzten Moment zurückzuziehen. / 조사 결과는 아직 발표할 ~가 아니다 Das Resultat der Untersuchung ist noch nicht reif zur Veröffentlichung. / 전쟁은 이제 최종 ~에 접어 들었다 Der Krieg ist jetzt in e-e letzte Phase eingetreten.

단곡(短曲) 〖음악〗 kurzes (Musik)stück, -(e)s, -e.

단골[1] 《집》 Stammladen *m.* -s, ⸗; Stammlokal *n.* -s, -e; ein Laden, wo man zu kaufen pflegt; 《손님》 Stammkunde *m.* -n, -n; Stammgast *m.* -(e)s, ⸗e; der ständige Kunde, -n, -n; der häufige (fleißige; regelmäßige) Besucher, -s, -; Kundschaft *f.* (총칭). ¶ 오랜~이다 seit langem ein Stammkunde sein; ein alter Stammgast sein / ~서점 der Bücherladen, wo man zu kaufen pflegt; *js.* Lieblingsbuchhandlung *f.* -en / ~술집 Stammlokal, wo man zu trinken pflegt / ~ 손님 der ständige Gast, -es, ⸗e; Stammgast *m.*; Stammkunde *m.* -n, -n; 《총칭》 Kundschaft *f.* -en / ~ 식당 ein Eßlokal, wo man zu essen pflegt / ~ 싸전 ein Reisgeschäft, wo man Reis zu kaufen pflegt / ~이 되다 Stamm¦kunde (-gast) werden / ~을 얻다 Kunden bekommen* (an¦ziehen*) / ~을 잃다 die Kundschaft verlieren* / ~이 많다 (적다) viel (wenig) Kunden (Kundschaft) haben / ~을 돌다 die Kunden besuchen / 저 가게에는 좋은 ~이 있다 Der Laden hat e-e gute Kundschaft (e-n großen Kundenkreis). / 선생님은 ~손님이시니까 싸게 드리지요 Da Sie mein alter Kunde sind, sollen Sie es billig haben.

단골[2] 〖건축〗 der in zwei Hälften geteilte Dachziegel, -s, -.

단공(鍛工) Schmied *m.* -(e)s, -e.
‖ ~업 Schmiedehandwerk *n.* -(e)s, -e. ~장 Schmiede *f.* -n; Schmiedewerkstatt *f.*

단과대학(單科大學) Hochschule *f.* -n; Akademie *f.* -n.

단광(單光) 〖물리〗 einfarbiger Strahl, -(e)s, -en. ‖ ~색 Einfarbe *f.* -n: ~색의 einfarbig; monochrom.

단교(斷交) 《절교》 der Bruch 《-(e)s, ⸗e》 der Freundschaft; 《국교 단절》 der Abbruch 《-(e)s, ⸗e》 der diplomatischen Beziehungen. ~하다 die Beziehungen zu e-m Land ab¦brechen*. ¶ 양국간의 경제 ~ der Abbruch der wirtschaftlichen Beziehungen zwischen beiden Ländern.

단교경주(斷郊競走) Marathonlauf *m.* -(e)s, ⸚e.

단구(段丘) 〖지리〗 Terrasse *f.* -n; Geländestufe *f.* -n.

단구(短句) Phrase *f.* -n; Redensart *f.* -en; Redewendung *f.* -en.
‖ ~집 Phrasensammlung *f.* -en.

단구(短軀) kleine Statur, -en; kleine Gestalt, -en. ¶ ~이다 von kleiner Gestalt sein; kurzleibig sein.

단권(單卷) das einbandige Buch, -(e)s, ⸚er; ein (Buch)band *m.* -(e)s, ⸚e; das Werk 《-(e)s, -e》 in e-m Band; einbändige Ausgabe, -n. ‖ ~책 =단권.

단궤(單軌) einfaches Geleise, -s, -. ¶ ~의 einschienig; eing(e)leisig; einspurig.
‖ ~철도 Einschienenbahn *f.* ☞ 모노레일.

단근(單根) 〖화학〗 das einfache Radikal, -s, -e; 〖식물〗 rübenförmige Wurzel, -n.

단근질 die Tortur 《-en》 (Folter, -n) durch ⁴Feuer; Feuermarter *f.* -n. ~하다 mit ³Feuer foltern (martern) 《*jn.*》.

단금지교(斷金之交) die enge (warme) Freundschaft. ¶ ~를 맺다 ewige Freundschaft schwören*; die enge Freundschaft schließen*.

단급(單級) einfache Klasse, -n. ¶ ~조직 das einklassige System, -s, -e / ~교수법 der einklassige Unterricht, -(e)s, -e / ~국민학교 die einklassige Volksschule, -n.

단기(短期) kurze Frist, -en; kurzer Termin, -s, -e. ¶ ~의 kurzfristig; von kurz(fristig)er Zeit; von kurzfristiger Sicht (어음) / ~ 대출하다 auf kurze Fristen aus|leihen* / 이번 공채는 ~물이다 Die neue Anleihe ist von kurzer Frist.
‖ ~강습 kurzer (kurzfristiger) Kursus, -. ~거래 kurzfristiges Geschäft, -en. ~공채 kurzfristige Anleihe, -n. ~대부 kurzfristiges Darlehen, -s, -. ~보험 kurzfristige versicherung, -en. ~복무 kurzer Dienst, -(e)s, -e. ~시효 kurzfristige Verjährung (Präskription). ~어음 Wechsel 《*m.* -s, -》 von kurzer Sicht. ~차입금 kurzfristige Schuld, -en; schwebende Schuld (일시 차입금).

단기(單記) einzelne Aufzeichnung, -en; einfache Buchführung, -en (단식부기); einfache Buchhaltung, -en (단식부기).
‖ ~무기명 투표 einfache geheime Abstimmung, -en. ~투표 einfache Abstimmung: ~투표제 das System von einfacher Abstimmung.

단기(單機) das einzelne Flugzeug, -(e)s, -e; Einzelflugzeug *n.* -(e)s, -e.

단기(單騎) einzelner Reiter, -s, -. ¶ ~로 allein zu ³Pferde / ~로 적진에 뛰어들다 allein zu Pferde in die feindlichen Reihen ein|brechen* ⓢ.

단기(團旗) die Fahne 《-n》 e-r Körperschaft (e-s Vereins; e-r Partei).

단김에 =단결에.

단꿈 süßer (schöner) Traum, -(e)s, ⸚e. ¶ ~을 꾸다 e-n süßen (schönen) Traum haben.

단나무 das Brennholz 《-es, ⸚er》 in Bündeln; Reisig *n.* -s; Reisigbündel *n.* -s, -; 《단으로 파는》 das bündelweise verkaufte Brennholz.

단내 ① 《탄내》 Branntgeruch *m.* -(e)s. ¶ 무언가 ~가 난다 Es riecht verbrannt. ¦ Es riecht brenzlich (sengerig; brandrig; angebrannt). / 그 과자는 ~가 난다 Der Kuchen riecht angebrannt. ② 《코에서 나는》 das stickige (schwüle) Gefühl, -(e)s, -e. ¶ 코에서 ~가 나다 in *js.* Nase das stickige Gefühl haben.

단념(斷念) gänzliches Aufgeben*, -s; Verzicht *m.* -(e)s, -e; Entsagung *f.* -en. ~하다 auf|geben*⁴; verzichten 《*auf*⁴》; Verzicht leisten 《*auf*⁴》; entsagen³; fahren lassen*⁴. ¶ ~시키다 *jn.* veranlassen*, ⁴*et.* aufzugeben; ab|raten* 《*jn.* *von*³》; ab|bringen* 《*jn.* *von*³》; aus|reden 《*jm.*》 / 할 수 없다고 ~하다 ⁴sich in das Unvermeidliche fügen; ⁴sich e-r Notwendigkeit unterwerfen* / 대학 입학을 ~하다 (darauf) verzichten, die Universität zu beziehen* / 도저히 성공할 수 없다고 ~하였다 Ich habe alle Hoffnung auf Erfolg aufgegeben. / 너는 아직도 그 여자를 ~하지 않는가 Hängen Sie noch immer an jener Frau? ¦ Haben Sie sie noch nicht aus Ihrem Gedächtnis gestrichen?

단단상약(斷斷相約) das feste Versprechen, -s, -; die unerschütterliche Zusicherung, -en. ~하다 hoch u. heilig versprechen* 《*jm.* ⁴*et.*》; fest zu|sichern 《*jm.* ⁴*et.*》; eidlich aus|sagen (erklären)⁴; ein Gelübde tun* (ab|legen).

단단하다 ① 《굳다》 hart; solid (일반적으로); stark; dauerhaft; haltbar; 《건물 따위》 massiv (sein). ¶ 단단한 돌 harter Stein / 단단한 건물 das solid gebaute Haus / 단단한 가구 das massive Möbel, -s, - / 단단해지다 hart werden; ⁴sich verhärten / 쇠같이 단단해지다 so hart wie Eisen werden / 단단한 땅에 물이 고인다 《속담》 Nur durch Bescheidenheit kann man Geld sparen. ② 《굳세다》 fest; zäh; 《쇠처럼》 ehern; eisern; stählern; 《정신적》 entschlossen; standhaft; 《체격·건물》 stark; robust; massiv; bombenhaft (sein). ¶ 단단한 사람 starker Mensch / 단단한 매듭 fester Knoten, -s, -/몸이 ~ robust (stark) sein; gesundheitlich gut sein. ③ 《든든함》 stark; fest; solid; unverrückbar; unentwegt; unerschütterlich; entschlossen; entschieden (sein). ¶ 단단한 결심 unerschütterlicher Entschluß, ..schlusses, ..schlüsse / 단단한 기반 feste Grundlage, -n / 단단한 약속 festes Versprechen*, -s; Ehrenwort *n.* -(e)s, -e / 반석처럼 ~ so fest wie Stein sein; felsenfest sein / 금강석만큼 단단한 물질은 없다 K-e Substanz übertrifft den Diamanten an Härte. / 이 집은 지반이 ~ Das Haus steht auf festem Grund.

단단히 ① 《굳게·튼튼하게》 fest; hart; solid. ¶ ~하다 festigen⁴; befestigen⁴; fest machen⁴ / 땅을 ~ 다지다 die Erde (den Boden) fest (hart) machen / 집을 ~ 짓다 ein Haus solid bauen.
② 《꽉》 fest; hart; standhaft; straff; sicher. ¶ ~ 매다 fest|binden*⁴ / ~ 붙들다 ⁴sich fest|halten* 《an ³·⁴*et.*》; ⁴sich klammern 《an ³*et.*》 / 짐을 ~ 싸다 haltbar (fest) verpacken⁴ / 손발을 ~ 묶다 Hände u. Füße fest binden* / 단단히 꿰매다 ⁴*et.* fest an|nähen / 문단속을 ~하다 die Tür fest schließen* / 문은 ~ 닫혀 있었다 Die Tür war fest geschlossen. / 그 편지는 ~ 봉해져 있다 Der Brief ist fest versiegelt. / 그 녀석의 멱살을 ~ 잡았다 Er packte (faßte) den Kerl fest an der Brust.
③ 《견고히》 fest; hart; entschlossen; entschieden; sicher; stark. ¶ ~ 결심하다 ⁴sich

fest entschließen* ⟪zu ³et.⟫; e-n festen Entschluß fassen / 기초를 ~ 닦다 e-e feste Grundlage machen / ~ 약속하다 ⁴et. fest versprechen*; ein festes Versprechen machen / 그는 마음을 ~ 먹었다 Er hat sich dazu fest entschlossen. ¦ Er hat es übers Herz gebracht, das zu tun.
④ ⟪엄중히⟫ streng; tüchtig; hart; starr; genau. ¶ ~ 가르치다 ⁴et. jm. streng bei|bringen* / ~ 금하다 jm. streng verbieten* / ~ 이르다 jm. streng befehlen* / ~ 명심하였읍니다 Ich habe es genau verstanden.
⑤ ⟪크게⟫ tüchtig; streng; groß. ¶ ~ 꾸짖다 jn. tüchtig aus|schelten* / ~ 꾸지람을 듣다 tüchtig getadelt werden / ~ 재미 보다 viel Spaß haben; e-e gute Stunde haben / 나는 그를 ~ 혼내 주었다 Ich habe ihn tüchtig ausgescholten.

단당류(單糖類) Monosa(c)charid *n.* -(e)s, -e; einfache Zuckerart, -en.

단대목(單—) Höhepunkt *m.* -(e)s, -e ⟪*von*³⟫; die wichtige Gelegenheit, -en; der wichtige Punkt, -(e)s, -e.

단도(短刀) Dolch *m.* -(e)s, -e; Stilett *n.* -(e)s, -e. ¶ ~를 품고 mit e-m Dolch im Busen / ~를 들고 mit e-m Dolch in der Hand / 가슴에 ~를 품다 e-n Dolch in den Busen stecken / ~로 찔러 죽이다 jn. mit e-m Dolch erstechen*; jn. erdolchen / ~로 자살을 하다 ⁴sich mit e-m Dolch erstechen; mit e-m Dolch Selbstmord begehen*.

단도직입(單刀直入) ¶ ~적으로 ohne Umschweife ⟪*pl.*⟫; geradeheraus; klipp u. klar; offen; ⟪숨기지 않고⟫ unumwunden; unverholen / ~적으로 말하다 ohne Umschweife sagen⁴; frank u. frei sprechen*; frei heraus|sprechen*; ⁴et. offen heraus|sagen; offen mit der Sprache heraus|kommen* / ~적으로 말하면 offen (aufrichtig) gesagt / ~적인 질문 e-e Frage ohne Umschweife / ~적으로 묻다 e-e Frage ohne Umschweife stellen (richten) ⟪an jn.⟫ / ~적으로 (욧점을) 말하다 geradeaus zur Hauptsache kommen* Ⓢ.

단독(丹毒) 〖의학〗 Rose *f.*; Rotlauf *m.* -(e)s; Erysipel *n.* -s; Erysipelas *n.* -. ¶ ~성의 rosenartig; rotlaufartig.

단독(單獨) Selbständigkeit *f.*; Unabhängigkeit *f.* -en. ¶ ~의 ⟪독립⟫ unabhängig; selbständig; ⟪개개⟫ individuell; persönlich; einzeln; ⟪혼자⟫ allein; alleinig; von selbst; solo; einhändig; selbständig; ohne Hilfe (Beistand) / ~으로 ⟪독립⟫ unabhängig; ⟪각자⟫ individuell; persönlich; einzeln; allein; von selbst; ⟪혼자 힘으로⟫ einhändig; selbständig; ⟪혼자⟫ von selbst; allein / ~으로 일을 하다 ohne Hilfe (Beistand, Unterstützung) arbeiten / ~으로 적을 격파하다 dem Gegner mit eigenen Kräften e-e Niederlage bei|bringen* (zu|fügen).
‖ **~강화** Separatfriede *m.* -ns, -n: ~강화를 맺다 den Separatfriedensvertrag schließen*. **~개념** der unabhängige Begriff, -(e)s, -e. **~경영** Alleinbetrieb *m.* -(e)s, -e. **~경제** die unabhängige Wirtschaft, -en. **~내각** das e-r politischen Partei fußende Kabinett, -(e)s, -e. **~범** Alleingänger *m.* -s, - (법인). **~범행** einfaches Verbrechen, -s, -: ~범행을 하다 ein Verbrechen allein begehen*. **~비행** Alleinflug *m.* -(e)s, ⸗e; Einzelflug *m.* -(e)s, ⸗e. **~운영** die einparteiische Handlung (국회의). **~재판** Autonomisgericht *n.* -(e)s, -e: ~재판제 das System des Autonomisgerichtes. **~책임** einseitige Verantwortung, -en. **~판사** ein autonomer Richter, -s, -. **~회견** Einzelinterview *n.* -s, -s.

단돈 die geringe Summe ⟪-n⟫ von ⟪³Geld⟫. ¶ ~ 한 푼 없다 k-n Pfennig haben / 매달 ~ 4만원으로 겨우 살아 가다 monatlich für vierzigtausend *Won* kümmerlich leben.

단두대(斷頭臺) Schafott *n.* -(e)s, -e; Blutbühne *f.* -n (-gerüst *n.* -(e)s, -e); Guillotine [giljo-] *f.* -n. ¶ ~의 이슬로 사라지다 auf dem Schafott enden; guillotiniert werden / ~에 올리다 jn. auf den Block bringen* / ~에 오르다 das Schafott besteigen*.

단둘 nur zwei Personen ⟪*pl.*⟫. ¶ 방에는 ~밖에 없다 Es sind nur zwei Personen im Zimmer. / 우리 ~이서 간다 Wir gehen zu zweien. / 우리 ~이었다 Wir waren unser zwei. / 그 부부는 ~이서 산다 Das Ehepaar wohnt für sich. / 그는 그녀하고 방 안에 ~이 있었다 Er war allein mit ihr im Zimmer.

단락(段落) ⟪문장 따위의⟫ Absatz *m.* -es, ⸗e; Abschnitt *m.* -(e)s, -e; Paragraph *m.* -en, -en; ⟪결말⟫ (Ab)schluß *m.* (..)schlusses, (..)schlüsse; Ende *n.* -s, -n. ☞ 일단락. ¶ ~을 짓다 ⁴et. zum Abschluß bringen*; e-n Abschnitt machen / 이로써 일~ 지어졌다 Damit sind wir e-n Schritt weitergekommen. ¦ Das bringt die Arbeit zu e-m vorläufigen Abschluß. / 이야기의 ~ der Abschnitt der Erzählung.

단락(短絡) Kurzschluß *m.* ..lusses, ..lüsse. **~하다** kurz|schließen*⁴; e-n Kurzschluß verursachen; e-n Stromkreis kurz|schließen*.

단란(團欒) das trauliche Zusammensein*, -s; die gesellige Unterhaltung, -en; das Beisammensein*, -s; Geselligkeit *f.* -en; Gesellschaft *f.* -en; Kreis *m.* -es, -e. **~하다** einträchtig (traulich) beisammen|sitzen*; zusammen|kommen* Ⓢ; ein (gemütliches) Beisammensein* haben; e-e geschlossene Gesellschaft geben*. ¶ ~한 저녁 der unterhaltsame Abend, -s, -e / ~한 일가 glücklicher (traulicher) Familienkreis, -es, -s; die Freude ⟪-n⟫ am Familienleben / ~한 가운데 in dem glücklichen Familienleben; in Freude am Zusammensein der Familie.

단려(端麗) =단아(端雅).

단려하다(短慮—) leichtfertig; leichtsinnig; unbesonnen (sein).

단련(鍛鍊) das Schmieden*, -s; das Stählen*, -s; Abhärtung *f.* -en (심신의); Übung *f.* -en(연습). **~하다** schmieden⁴; stählen⁴; (ab|-)härten⁴; üben⁴. ¶ 정신의 ~ die Abhärtung von Geist / 의지를 ~하다 den Willen stählen / 심신의 ~ die Abhärtung von Körper u. Geist / 신체를 ~하다 den Körper ab|härten (stählen; trainieren) ⟪gegen ⁴et.⟫ / 역경으로 ~되다 durch Not gestählt werden / 추위에 피부를 ~시키다 die Haut gegen die Kälte ab|härten / 그는 스포츠로 몸을 ~했다. Er hat durch Sport den Körper gestählt.

단리(單利) 〖경제〗 einfache Zinsen ⟪*pl.*⟫. ¶ ~로 mit einfachen Zinsen / ~로 계산하다 ⁴et. mit einfachen Zinsen berechnen.

‖ ~법 die Art u. Weise der einfachen Zinsen. ~표 die Tabelle für einfache Zinsen.
단막(單幕) ein Akt *m.* -(e)s.
‖ ~극, ~물 Einakter *m.* -s, -.
단말마(斷末魔) Todesstunde *f.* -n. ¶ ~의 auf dem Sterbebette; beim letzten Atemzug / ~의 고통 Todeskampf *m.* -(e)s, ⸗e; Agonie *f.* -n / ~의 부르짖음 Todesgeschrei *n.* -(e)s / ~의 말 die letzten Worte des Sterbenden / ~의 몸부림을 치다 [4]sich krampfhaft vor Todesangst krümmen / ~의 고통을 겪다 mit dem Tode ringen* / 그의 ~가 가까와졌다 Sein (letztes) Stündlein ist gekommen (hat geschlagen). ¦ Sein Tod ist nahe.
단맛 Süße *f.*; der süße Geschmack, -s, ⸗e; Süßigkeit *f.* -en (단 것). ¶ ~이 나다 süß (reif) werden / ~이 들다 süßlich werden / ~을 내다 versüßen; süß machen[4] / 쓴맛 ~ 다 보았다 Nichts Menschliches ist ihm fremd.
단면(斷面) (Durch)schnitt *m.* -(e)s, -e 《durch ein Gebäude》; Profil *n.* -s, -e. ¶ 생활의 한~ ein Ausschnitt des Lebens (aus dem Leben). ‖ ~도(圖) Durchschnitts¦ansicht (Schnitt-) *f.* -en: 수직 ~도 horizontaler Schnitt. 종(縱)(횡(橫))~ Längsschnitt (Querschnitt).
단명(短命) kurzes Leben, -s. ~하다 kurz¦lebig (-lebend) (sein). ¶ ~한 집안 die Familienmitglieder, die nur ein kurzes Leben geführt haben / 재사 ~ Ein Mann von Talent stirbt jung. / 그의 아저씨는 ~하였다 Sein Onkel starb jung.
단명수(單名數) 〖수학〗 benannte Zahl, -en.
단모음(單母音) der einfache Vokal, -s, -e; Monophthong *m.* -(e)s, -e.
단무지 eingesalzner getrockneter Rettich, -(e)s, -e.
단문(短文) ① 《글》 kurzer Satz, -es, ⸗e. ¶ 다음 낱말을 써서 ~을 지어라 Bilden Sie kurze Sätze mit folgenden Wörtern! ② =천학(淺學).
단문(單文) 〖문법〗 einfacher Satz, -es, ⸗e.
단물 ① 《담수》 Flußwasser *n.* -s; Süßwasser *n.*; Binnenwasser *n.* ¶ ~ 고기 Süßwasserfisch *m.* -(e)s, -e. ② 《맛이 단》 Zuckerwasser *n.*; Saft *m.* -(e)s, ⸗e. ③ 《알속》 Löwenanteil *m.* -(e)s, -e. ¶ ~을 빨아먹다 [3]sich den Löwenanteil nehmen* (sichern); den Rahm ab|schöpfen. ④ 〖화학〗 das weiche Wasser, -s.
단물나다 [4]sich ab|nützen (ab|nutzen); [4]sich ab|tragen*; verschleißen*[s]; abgetragen sein. ¶ 단물난 옷 schäbige Kleider 《*pl.*》.
단박 gleich; sogleich; zugleich; zu gleicher Zeit; auf einmal; plötzlich; gleichzeitig; sofort; augenblicklich; unverzüglich; auf der Stelle; schnell; bald; unmittelbar; im Nu; in e-m Nu. ¶ 그는 ~(에) 하나의 구실을 찾아냈다 Er hat sofort e-e Ausrede gefunden. / 그는 ~ 돌아왔다 Er war bald zurück.
단발(單發) ① 《한발》 ein Schuß *m.* ..usses, ..üsse. ¶ ~에 durch e-n Schuß. ② 《발동기》 ein Motor *m.* -s, -en. ¶ ~의 einmotorig.
‖ ~기 einmotorige Maschine, -n; einmotoriges Flugzeug, -(e)s, -e (비행기). ~총 Einzellader *m.* -s, -.
단발(短髮) das kurze Haar, -(e)s, -e; Herrenschnitt *m.* -(e)s, -e; das kurzgeschnittene Haar.
단발(斷髮) Bubi¦kopf (Pagen- [pá:ʒən..]) *m.* -(e)s, ⸗e(단발머리); Ponyfrisur *f.* -en; Herrenschnitt *m.* -(e)s, -e (쇼트커트). ~하다 [3]sich die Haare kurz schneiden lassen*. ¶ ~머리 소녀 das bubiköpfige Mädchen, -s, - / 그녀는 ~머리를 하고 있다 Sie trägt Herrenschnitt (ihr Haar kurz geschnitten). ¦ Sie hat e-n Bubikopf.
단방(單放) ① 《한 방》 ein (einziger) Schuß, Schusses, Schüsse. ¶ ~에 맞히다 《e-n Vogel》 mit e-m Schuß töten; auf den ersten Schuß treffen*. ② =단번.
‖ ~치기 ein einziger Versuch, -(e)s, -e; e-e einzige Bemühung, -en; ein einziger Stoß, -es, ⸗e: ~치기로 mit e-m Stoß; in e-m Zug; auf e-n Zug; auf e-n Streich.
단방(斷房) das Sichenthalten* 《-s》 vom geschlechtlichen Verkehr; geschlechtliche Enthaltsamkeit, -en; Enthaltung *f.* -en; Abstinenz *f.* ~하다 [4]sich des geschlechtlichen Verkehrs enthalten*; Geschlechtsverkehr vermeiden*; [4]sich von dem Zimmer s-r Frau fern|halten*.
단배 der große (gute) Appetit, -(e)s, -e. ¶ ~ 곯리다, ~주리다 trotz (des) großen Appetits hungern; unterernährt sein.
단백(蛋白) Eiweiß *n.* -es, -e; Albumen *n.* -s. ‖ ~뇨 Eiweißharn *m.* -(e)s; Albuminurie *f.* ~석 Opal *m.* -s, -e: ~석의 opalartig. ~질 Eiweißstoff *n.* -(e)s, -e: ~질을 함유한 eiweißhaltig; albuminös.
단번(單番) ein (einziges) Mal, -(e)s, -e; nur einmal. ¶ ~에 mit e-m Male; mit e-m Schlage; auf e-n Streich; mit e-m Stoß; auf e-n Schlag; plötzlich; sogleich; gleich; sofort; zu gleicher Zeit; auf einmal; sehr leicht; mühelos; ohne Schwierigkeit; mit Leichtigkeit; sehr schnell / 상대를 ~에 때려 눕히다 den Gegner mit e-m Schlag nieder|schlagen* / ~에 결정짓다 e-e rasche Entscheidung treffen* / …을 ~에 알아 맞히다 er hat schnell erraten, daß… / 토기의 물은 ~에 끓는다 Wasser kocht in e-m irdenen Topf sehr schnell.
단벌(單一) ein einziges; das einzige; das nur einmal vorhandene; 《옷》 *js.* einzige Kleider 《*pl.*》; die einzigen Kleider, die *jd.* hat. ¶ ~ 나들이옷 *js.* einzige Sonntagskleider / ~ 신사 einer, der k-e anderen Kleider hat außer denen, die er jetzt anhat.
단병접전(短兵接戰) Handgemenge *n.* -s, -; Nahkampf *m.* -(e)s, ⸗e; Kampf Mann gegen Mann.
단본위제(單本位制) 〖경제〗 Monometalismus *m.* -, -; die einheitliche Währung, -en.
단봇짐 Bündel *n.* -s, -; das kleine Gepäck, -(e)s, -e.
단봉낙타(單峰駱駝) Dromedar *n.* -s, -e; das Kamel 《-(e)s, -e》 mit e-m Höcker; das einhöckerige Kamel.
단분수(單分數) 〖수학〗 einfacher Bruch, -(e)s, ⸗e.
단불용대하다(斷不容貸一) nie zu|lassen*[4]; nie gestatten 《*jm.* [4]*et.*》.
단비 der willkommene (rechtzeitige; zeitgemäße) Regen, -s, -; der erfrischende Regen.
단비(單比) 〖수학〗 das einfache Verhältnis, -ses, -se.
단비례(單比例) 〖수학〗 die einfache Proportion, -en.

단사(丹砂) 〖광물〗 Zinnober *m.* -s, -.
단사리별(單舍利別) der einfache Sirup (Syrup) -s, -e.
단산(單產) einzelne Gewerkschaft, -en; Mitgliedgewerkschaft *f.* -en.
단산(斷產) das natürliche Aufhören*《-s》 der Gebärfähigkeit. ∼하다 k-e Kinder mehr haben können*; über das Alter (die Zeit) des Gebärens hinaus sein. ¶ 그녀는 마흔 살에 ∼했다 Mit vierzig Jahren konnte sie k-e Kinder mehr haben.
단삼(丹蔘) 〖식물〗 e-e Art Salbei 《*m.* -s, -e (*f.* -en)》; *Salvia miltriorrhiza* (학명).
단상(短喪) die kurzfristige Trauer (von e-m Jahr statt drei Jahren).
단상(壇上) Bühne *f.* -n; Kanzel *f.* -n. ¶ ∼에 (서) auf der Bühne (Kanzel; Tribüne) / ∼에 오르다 auf die (Redner)bühne treten* ⓢ / ∼에 서다 auf der Bühne (Kanzel; Tribüne) stehen* / 의정 ∼에 서다 das Parlament betreten*.
단상(斷想) zusammenhanglose Äußerungen 《*pl.*》; Aphorismen 《*pl.*》.
단상교류(單相交流) 〖전기〗 Einphasen(wechsel)strom *m.* -(e)s, ⸚e; der sinusförmige Wechselstrom mit e-r Phase.
단색(單色) einfache Farbe, -n. ¶ ∼으로 그리다 einfarbig malen⁴.
‖ ∼광 das monochromatische Licht, -(e)s, -er. ∼화 einfarbiges Gemälde, -s, -. ∼화법 einfarbige Zeichenkunst, ⸚e (Malerlei, -en).
단서(但書) Klausel *f.* -n; Nebenbestimmung *f.* -en; Bedingung *f.* -en (조건); Vorbehalt *m.* -(e)s, -e (유보). ¶ ∼가 붙은 mit dem Vorbehalt; unter dem Vorbehalt, daß ... / ∼를 붙이다 verklauseln⁴; verklausulieren⁴.
단서(端緖) 《처음》 Anfang *m.* -(e)s, ⸚e; Beginn *m.* -(e)s; 《제일보》 die erste Stufe, -n; 《실마리》 Schlüssel *m.* -s, -; Anhaltspunkt *m.* -(e)s, -e; Leitfaden *m.* -s, ⸚; 《범인 등의》 Spur *f.* -en; Fährte *f.* -n. ¶ 문제 해결의 ∼ der erste Schritt zur Lösung e-r Frage / ∼를 잡다 den Schlüssel finden*《zu ³*et.*》; *jm.* auf die Spur kommen* ⓢ; e-n Anhaltspunkt bekommen* (gewinnen*) 《*zu*³; *für*⁴》; auf e-e Fährte kommen* ⓢ (냄새맡다) / 범인 수사의 ∼를 잡다 e-m Verbrecher auf die Spur kommen* / ∼를 놓치다 die Spur verlieren* / ∼를 없애다 s-e Spuren verwischen / ∼를 찾다 die Spur finden* / ∼를 남기다 verfolgt (gewittert) werden können*; e-e Spur hinter|lassen*; e-n Anhaltspunkt geben* / 아직 ∼가 잡히지 않았다 Es gibt noch k-n Anhaltspunkt dafür. / 지문이 범인 체포의 ∼가 되었다 Der Fingerdruck gab e-n Anhaltspunkt zur Verhaftung des Verbrechers. / 전당 잡힌 시계가 경찰의 ∼가 되었다 Durch die Verpfändung der Uhr hat die Polizei davon Wind bekommen. / 그가 어디 있는지 아직 ∼를 못 잡고 있다 Wir haben k-n Anhaltspunkt dafür, wo er sich aufhält.
단석(旦夕) ＝조석(朝夕).
단선(單線) ① 《외줄》 einfache Linie, -n. ② 《궤도》 einfaches Geleise, -s, -. ¶ 전에 경부선은 ∼이었다 Seoul-Busan-Linie war früher eingleisig. ③ 《전선》 einfache Leitung, -en.
‖ ∼운행 Einbahnverkehr, *m* -(e)s: 현재 이 구간은 ∼ 운행을 하고 있다 Der Zug fährt hier eingleisig. ∼철도 eingleisige (einspurige) (Eisen)bahn, -en.
단선(團扇) der runde Fächer, -s, -; Rundfächer *m.* -s, -.
단선(斷線) Ausschaltung 《*f.* -en》 (Unterbrechung *f.* -en) (der Leitung); Leitungsstörung *f.* -en. ∼되다 ausgeschalten werden. ¶ ∼으로 wegen der Ausschaltung der Leitung / ∼되어 있다 Die Leitung ist unterbrochen.¦Der Draht ist (ab)gerissen. (불통)¦Es ist e-e Störung in der Leitung. / 폭설로 각처에서 (전선이) ∼되었다 Schwere Schneefälle haben hier u. dort Leitungsstörung verursacht.
단성(丹誠) Treu¦herzigkeit (Warm-) *f.*; Innigkeit *f.*; Redlichkeit *f.*
단성(單性) 〖생물〗 Einzelgeschlechtigkeit *f.* ¶ ∼의 einzelgeschlechtig.
‖ ∼생식 Mono¦genese (Partheno-) *f.* ∼잡종 Monohybride *m.* ∼화(花) einzelgeschlechtige Blume, -n.
단세(單稅) Einzelsteuer *f.* -n.
‖ ∼주의 Einzelsteuer-Theorie *f.* -n.
단세포(單細胞) 〖생물〗 einfache Zelle, -n. ¶ ∼의 einzellig.
‖ ∼동물 einzelliges Tier, -(e)s, -e; 《원생동물》 Protozoon *n.* -s, ..zoen 《대개 *pl.*》. ∼식물 einzellige Pflanze, -n.
단소(短簫) die (kurze) Bambusflöte, -n; Pfeife *f.* -n. ¶ ∼를 불다 auf der Pfeife spielen; ⁴Flöte spielen; flöten. ⌈-n.
단소(壇所) Altar *m.* -s, ⸚e; Opferstätte *f.*
단소하다(短小一) kurz u. klein (sein).
단속(團束) 《억제》 Kontrolle *f.* -n; 《관리》 Verwaltung *f.* -en; Leitung *f.* -en; Führung *f.* -en; 《감독》 Aufsicht *f.* -en; Beaufsichtigung *f.* -en; 《규율》 Disziplin *f.* -en; Zucht *f.* ⸚e; 《질서》 die gute Ordnung, -en. ∼하다 kontrollieren⁴; beaufsichtigen⁴; die Aufsicht haben 《*über*⁴》; die Aufsicht führen《*über*⁴》; die Kontrolle haben《*über*⁴》; dirigieren⁴; überwachen⁴; ⁴*et.* in Ordnung bringen*; regulieren⁴; 《관리》 verwalten⁴; leiten⁴; die Kontrolle aus|üben. ¶ ∼의 강화 die Verschärfung der Kontrolle / ∼의 규칙 die Beaufsichtigungsvorschriften《*pl.*》 / ∼소홀로 (견책 받다) wegen nachlässiger Aufsicht (e-n Verweis bekommen*)/∼을 강화하다 strenger kontrollieren⁴; die Kontrolle verschärfen / 엄중히 ∼하다 streng beaufsichtigen⁴ (kontrollieren⁴) / ∼이 잘 되어 있다 in guter Ordnung sein; gut kontrolliert (beaufsichtigt) sein / ∼할 도리가 없다 die Kontrolle verlieren*《*über*⁴》 / 학생을 ∼하다 die Studenten beaufsichtigen; auf die Studenten auf|passen / 폭력행위를 ∼하다 die Gewaltanwendung kontrollieren⁴ / 당국은 과잉 ∼했다 Die Behörden führten zu strenge Aufsicht darüber. / 당신이 그러한 행동을 취하신다면 어떻게 부하들을 ∼할 수 있읍니까 Wie können Sie dann Ihre Untergebenen in Zucht u. Ordnung bringen, wenn Sie sich so benehmen?
‖ ∼법 Beaufsichtigungsvorschrift *f.* -en. ∼자 Aufseher *m.* -s, -; Inspektor *m.* -s, -en; Kontrolleur *m.* -s.
단속(斷續) Aussetzung *f.* -en; das Absetzen*, -s. ∼하다 aus|setzen; ab|setzen. ¶ ∼적 (zeitweilig) aussetzend; intermittierend; unterbrochen; 〖이하 부사적〗 absatzweise (in Absätzen); stoßweise (in Stößen); dann

u. wann (짬짬이) / ~적으로 노래가 들렸다 Ich hörte abgerissene Töne e-s Liedes. / ~적으로 바람이 불다 Der Wind geht in Stößen (stoßweise). / 비가 ~적으로 내렸다 Es hat ab u. zu geregnet.

단속곳(單—) Schlüpfer *m.* -s, -; Schlupfhose *f.* -n; Unterrock *m.* -(e)s, ⸗e.

단손 ①《혼잣손》nur e-e Hand, ⸗e. ¶ ~으로 einhändig; selbständig; ganz allein; ohne Hilfe; auf eigene Faust. ②《일격》ein Schlag *m.* -(e)s, ⸗e; ein Streich *m.* -(e)s, -e; ein Hieb *m.* -(e)s, -e. ¶ ~에 mit e-m Schlag; auf e-n Schlag / ~에 때려 눕히다 mit e-m Schlag nieder|werfen* (nieder|schlagen*; zu Boden schlagen*) 《*jn.*》.

단솥 der rotglühende Kessel, -s, -; der heiße (feuerrote) Kochtopf, -(e)s, ⸗e.

단수(單數) ①【문법】Singular *m.* -s, -e; Einzahl *f.* ¶ ~의 singularisch / ~와 복수 Singular u. Plural / 3인칭 ~ der Singular der dritten Person / 이 낱말은 ~이다 Dieses Wort ist in der Einzahl gebraucht. ②《홀수》Einheit *f.* -en.

단수(端數) die gebrochene Zahl, -en; Bruch *m.* -(e)s, ⸗e; Bruchzahl *f.* -en (분수).

단수(斷水) die Abschneidung (Absperrung) 《-en》 der [2]Wasserleitung. ~하다 die [4]Wasserleitung ab|schneiden*; das [4]Wasser (ab|)sperren (ab|stellen). ¶ ~ 지역 die Gegend (das Gebiet), wo die Wasserleitung gesperrt ist / 수도가 ~되어 있다 Das Wasser ist (ab)gesperrt. / 내일은 서울 시내의 일부 지역이 ~된다 Das Wasser wird morgen in der Stadt Seoul zum Teil gesperrt.

단수로(短水路)【수영】die 25-Meter-Schwimmbahn, -en.

단순(單純) Einfachheit *f.* ~하다 einfach; schlicht; 《우직한》einfältig; naiv (sein). ¶ ~한 사람 der einfache (einfältige) Mann, -(e)s, ⸗er / ~한 생활을 하다 das einfache Leben führen / ~히 생각하다 einfache u. leichtsinnig denken* / 머리가 ~하다 einfältig sein.

‖ ~개념 der einfache Begriff, -(e)s, -e. ~림 Reinforst *m.* -es, -e. ~천(泉) einfache Quelle, -n. ~화 Vereinfachung *f.*: ~화하다 vereinfachen[4].

단순호치(丹脣皓齒) 《입술과 이》 rote Lippen 《*pl.*》 u. weiße Zähne 《*pl.*》; 《용모》 das schöne Gesicht, -(e)s, ⸗er; 《미인》 Schönheit *f.* -en; die Schöne*, -n, -n; die schöne (hübsche) Frau, -en.

단술 das Getränk 《-(e)s》 aus Reis u. Gerstenmalz.

단숨에(單—) auf e-n Zug; in (mit) e-m Zug; in e-m Atem; in e-m Atem(zug); in demselben Atemzug (Augenblick); zugleich; mit e-m Zug (한입에); mit e-m Schlag (일격에); auf einmal; mit e-m Mal; eiligst(신속히); mit e-m Schlagzug. ¶ ~ 마시다 hinunter|schlucken[4]; hinunter|stürzen[4]; mit e-m Zug aus|trinken*[4] / 술 한 병을 ~ 들이켜다 e-e Flasche Wein mit e-m Zug aus|trinken* / 일을 ~ 해치우다 die Arbeit in e-m Atem beenden; die Arbeit in e-m Atem fertig machen / ~ 30리를 걸어가다 ohne Pause 30 *Ri* gehen* Ⓢ / ~ 학교까지 달려가다 in e-m Atem bis zur Schule laufen* Ⓢ / ~ 독일까지 비행하다 ohne Unterbrechung (ohne Zwischenlandung) bis nach Deutschland fliegen* Ⓢ / ~ 편지를 썼다 Er schrieb e-n Brief schnell fertig.

단시(短詩) das kurze Gedicht, -(e)s, -e; Verschen *n.* -s, -; Sonett *n.* -(e)s, -e.

‖ ~ 작가 Sonettdichter *m.* -s, -.

단시간(短時間) die kurze Zeit, -en; die kurze Weile, -n. ¶ ~에 in kurzer Zeit; in kurzem.

단시일(短時日) die kurze Zeit, -en; die kurze Zeitspanne, -n; der kurze Zeitraum, -(e)s, ⸗e; der kurze Zeitabschnitt, -(e)s, -e. ¶ ~에 in kurzer Zeit; in e-m Tag / 사회개혁은 ~에 이뤄지는 것이 아니다 Gesellschaftliche Reformen werden nicht in e-m Tage vollzogen.

단시합(單試合)【경기】Einzelspiel *n.* -(e)s, -e.

단식(單式) einfaches System, -s, -e;【수학】der monomische Ausdruck, -(e)s, ⸗e; 《정구·탁구의》Einzelspiel *n.* -s.

‖ ~부기 einfache Buch¦haltung (-führung) -en. ~인쇄 Offsetdruck *m.* -(e)s, -e. ~투표 Einzelstimmwahl *f.* -en. ~화산 einfacher Krater, -s, -.

단식(斷食) das Fasten*, -s. ~하다 fasten; hungern; [4]sich des Essens (der Speise) enthalten*. ¶ 24시간의 ~ das 24 stündige Fasten, -s.

‖ ~법 Hungermethode *f.* -n. ~요법 Hungerkur *f.* -en. ~일 Fasttag *m.* -(e)s, -e. ~투쟁 Hungerstreik *m.* -(e)s, -s (-e): ~투쟁을 하다 in den Hungerstreik treten* Ⓢ / ~투쟁을 중지하다 den Hungerstreik unterbrechen*. / ~투쟁자 der Hungerstreikende*, -n, -n.

단식구(單食口) die einköpfige Familie, -n.

단신(單身) der (die) Alleinstehende*, -n, -n; alleinstehende Person, -en;【부사적】allein; unbegleitet; unverheiratet; für [4]sich stehend; selbstständig. ¶ ~으로 버티다 allein durch|halten* / ~ 적지에 잠입하다 allein ins feindliche Gebiet ein|dringen* Ⓢ / ~ 상경하다 (allein unbegleitet) nach Seoul kommen* Ⓢ.

단신(短身) =단구(短軀).

단신(短信) kurzer Brief, -(e)s, -e; kurzer Bericht, -es, -e; kurze Nachricht, -en.

단심(丹心) Treu¦herzigkeit (Warm-) *f.*; Innigkeit *f.*; Redlichkeit *f.*

단심제(單審制) Ein-Verfahrensrecht *n.* -(e)s.

단아(端雅) Eleganz *f.*; Feinheit *f.* ~하다 elegant; anmutig; fein; graziös (sein). ¶ 용모 ~한 사람 ein Mensch von schönem (angenehmem) Aussehen / 저 부인은 용모가 ~하다 Jene Dame hat e-e anmutige Figur.

단안(單眼) einfaches (Punkt)auge *n.* -s, -n; Ozelle *f.* -n. ☞ 홑눈.

단안(斷案) ①《결론》Schluß *m.* ..lusses, ..lüsse; Folgerung *f.* -en. ¶ 이러한 전제로서 그러한 ~을 내릴 수는 없다 Dieser Schluß geht nicht aus den Prämissen hervor. ②《결정》Entscheidung *f.* -en; Beschluß *m.* ..schlusses, ..schlüsse. ¶ ~을 내리다 beschließen*[4]; entscheiden*[4]; e-e Entscheidung treffen* 《*in*[3]; *über*[4]》; zum Beschluß erheben*[4] / 최종 ~을 내리다 die letzte Entscheidung treffen*; das Endurteil fällen (aus|sprechen*) / 빨리 ~을 내리시요 Die Sache soll schnell entschieden werden.

단안경(單眼鏡) Monokel *n.* -s, -; Einglas *n.* -es, ⸗er.

단애(斷崖) Kluft *f.* ⁼e; Klippe *f.* -n (뾰족한 바위); Abgrund *m.* -(e)s, ⁼e (절벽). ¶ ~를 오르다 die Kluft hinan|klettern (klimmen) / ~에서 추락하다 die Kluft hinunter|-stürzen.
‖ **~절벽** der jähe Abgrund, -(e)s, ⁼e; Steilklippe *f.* -n.

단야(短夜) die kurze Nacht, ⁼e; Sommernacht *f.* ⁼e.

단어(單語) Wort *n.* -(e)s, ⁼er; Vokabel *f.* -n. ¶ ~의 뜻 die Bedeutung des Wortes / 사용빈도가 많은 ~ die häufig gebräulichen Wörter (*pl.*) / ~익히기 das Vokabellernen* / 문장은 ~로 구성된다 Ein Satz besteht aus Wörtern. / 이 두 ~의 뜻 차이를 설명해 주십시오 Würden Sie mir bitte den Unterschied in der Bedeutung der beiden Wörter erklären?
‖ **~놀이** Wortspiel *n.* -(e)s, -e. **~집** Wortschatz *m.* -es, ⁼e; Wortsammlung *f.* -en.

단언(斷言) Beteu(e)rung *f.* -en; Versicherung *f.* -en (확언); Behauptung *f.* -en (주장). **~하다** beteuern⁴; entschieden (fest) behaupten⁴; bestätigen⁴; versichern⁽⁴²⁾ (*jm.* ⁴*et.*). ¶ 내 ~하지만 ich behaupte steif u. fest (ich kann dir bestimmt versichern), daß... / 나는 그렇게 ~할 수는 없다 Das kann ich nicht (für) gewiß behaupten.¦Ich kann es nicht bestimmt (sicher) sagen. / 나는 이것은 사실이라고 ~한다 Ich erkläre, daß es die Wahrheit ist. / 나는 그가 틀렸다고 ~하지 않는다 Ich sage nicht deutlich, daß er unrecht hat. / 나는 이것이 진상을 왜곡한 것이라는 것을 ~하기를 주저하지 않는다 Ich zögere nicht zu behaupten, daß das den wahren Sachverhalt umdreht.

단역(端役) Pöstchen *n.* -s, -; e-e unbedeutende Rolle, -n; Hilfsschauspieler *m.* -s, - (배우). ¶ ~배우 der überzählige Schauspieler, -s, -; Aushilfe¦schauspieler (Aushilfs-); Statist *m.* -en, -en; Statistin *f.* -nen(여자); Komparse *m.* -n, -n / ~을 맡다 e-e untergeordnete Rolle (Nebenrolle) spielen; die zweite Geige spielen; e-e unbedeutende Rolle spielen.

단연(斷煙) das Sichenthalten* (-s) vom Rauchen; die Enthaltsamkeit (-en) vom Rauchen. **~하다** ⁴sich des Rauchens enthalten*; ³sich das Rauchen ab|gewöhnen. ¶ ~해야 한다 Er muß sich das Rauchen abgewöhnen.

단연(斷然) ① (단호하게) entschieden; entschlossen; (철저하게) durchaus; unbedingt; (분명히) ausdrücklich; bestimmt; (딱 잘라) rund(weg) (단연코). ¶ ~ 금주하다 den Wein verschwören*; das Trinken völlig auf|-geben* / ~ 거절하다 rund ab|schlagen*⁴ / ~ 반대하다 ⁴sich entschieden widersetzen / ~히 조치를 취하다 entschlossene Schritte tun* / 그는 ~ 결혼할 결심이다 Er ist fest entschlossen zu heiraten. / 그녀는 ~ 결혼에 반대했다 Sie hat sich der Heirat entschieden widersetzt. / 나는 ~코 그것을 두 번 다시 않겠다 Auf mein Wort, ich werde es nie wieder tun. ② (뛰어나게) außerordentlich; ungewöhnlich. ¶ ~ 뛰어나 있다 ⁴sich aus|zeichnen (*in*³; *durch*⁴); weit übertreffen*⁴ / 그의 학급 성적은 ~ 뛰어나다 Er ist Primus der Klasse. / 그의 독일어는 ~ 뛰어나다 Sein Deutsch ist ohnegleichen.¦Im Deutschen kennt er seinesgleichen nicht (kommt im niemand gleich).

단엽(單葉) einfaches Blatt, -(e)s, ⁼er. ¶ ~의 einblätterig.
‖ **~비행기** Eindecker *m.* -s, -.

단오(端午) der fünfte Tag (-(e)s, -e) des fünften Mondmonats; Maifest *n.* -(e)s, -e.

단옥(斷獄) die Verurteilung (-en) e-s Hauptschuldigen; das Urteil (-(e)s, -e) über e-n Verbrecher. **~하다** e-n Hauptschuldigen verurteilen; e-n Hauptschuldigen (e-r ²Tat) für schuldig erklären; *jn.* (e-r ²Tat) schuldig sprechen*.

단원(單元) ① 〖철학〗 Monade *f.* -n. ② Einheit *f.* -en (학과의).
‖ **~론** Singularismus *m.* -. Monadenlehre *f.* -n; Monadologie *f.* -n;

단원(團員) Mitglied (*n.* -(e)s, -er) (e-r² Körperschaft).

단원제(單院制) Einkammersystem *n.* -s, -e.

단위(單位) ① Einheit *f.* -en (계산의); Maßeinheit *f.* -en (계량의); (Münz)einheit *f.* -en (화폐의); Nennwert *m.* -(e)s, -e (화폐의). ¶ 천 ~ in Tausend (통계표 따위의) / ~를 틀리게 계산하다 ⁴sich in der Einheit verrechnen / ~가 같다 kommensurabel sein; mit gleichem Maß meßbar sein / 인치는 길이의 ~이다 Der Zoll ist ein Längenmaß. / 인구는 천 ~로 표시되어 있다 Die Einwohner sind in Tausenden gezeigt. ② (학점 단위) Anrechnungspunkt *m.* -(e)s, -e. ¶ 이 교과는 ~가 안된다 Dieser Kurs wird nicht angerechnet. / 이 과목은 4~가 된다 Dieser Lehrgang bringt 4 (Anrechnungs-) punkte ein. ③ (구성의) Einheit *f.* -en. ¶ 가족은 사회의 최소 ~이다 Die Familie ist die kleinste Einheit e-r Gesellschaft / 가족을 사회의 구성 ~로 보다 die Familie als Einheit e-r Gesellschaft an|sehen*.
‖ **~면적** Flächenmaß *n.* -es; Flächeneinheit *f.* **~원(圓)** 〖수학〗 Einheitskreis *m.* -(e)s, -e. **~제도** einheitliches Kreditsystem, -s, -e. **~행렬** 〖수학〗 einheitliche Matrix, ..trizes, ..trizen. **기본~** Monomettalismus *m.* -; Fundamentaleinheit *f.* **절대(絕對)~** die absolute praktische Einheit. **화폐~** Münzeinheit *f.*

단위생식(單爲生殖) 〖생물〗 Parthenogenese *f.* -n; Jungfernzeugung *f.* -en.

단음(短音) kurzer Laut, -(e)s, -e.

단음(單音) einfacher Laut, -(e)s, -e; 〖음악〗 Monotonie *f.* -n; 〖언어〗 einfaches Phon, -s, -s. ‖ **~하모니카** Monotonharmonika *f.* -s (-ken).

단음(斷音) 〖음성〗 Abstoßung *f.* -en; 〖음악〗 Stakkato *n.* -s, -s.
‖ **~기호** Stakkatozeichen *n.* -s, -. **~장치** (피아노의) Dämpfer *m.* -s, -.

단음(斷飮) =단주(斷酒).

단음계(短音階) Molltonleiter *f.* -n. ¶ 자연적 ~ natürliche Molltonleiter, -n.

단음절(單音節) der einfache Laut, -(e)s, -e. ¶ ~의 einsilbig; monosyllabisch.
‖ **~어** einsilbiges Wort, -(e)s, ⁼er; Einsilbler *m.* -s, -.

단일(單一) Einfachheit *f.*; Einheit *f.* **~하다** einfach; (유일한) einzig (sein).
‖ **~개념** 〖철학〗 Einzel¦begriff (Individual-) *m.* -(e)s, -e. **~경작** Monokultur *f.* -en. **~기계** Maschineneinheit *f.* -en. **~변동환율제** Einheitswährungssystem *n.* -s, -e. **~세율** Einheitstarif *m.* -s, -e. **~신교** Mono-

theismus *m.* -. ~호봉 einheitliche Monatsbezahlung *f.*; einheitliches Gehalt, -(e)s, -e (⸗er). ~화 Vereinfachung *f.*: ~화하다 vereinfachen⁴. ~환율 einheitliche Wechselrate, -n. ~후보 ein einzelner Kandidat, -en, -en.

단자(單字) ①《글자》 ein Wort bildende Schriftzeichen《*pl.*》. ② =단어.

단자(短資) das kurze (kurzfristige) Darlehen, -s, -.
‖~회사 Kurzkredit-Gesellschaft *f.* -en.

단자(端子) Kabelendverschluß *m.* ..schlusses, ..schlüsse.
‖~판 die Platte des Kabelenverschlusses.

단자(緞子) (Seiden)damast *m.* -(e)s, -e.

단자(團子) Kloß *m.* -(e)s, ⸗e; Knödel *m.* -s, -.

단자론(單子論) 〖철학〗 Monadenlehre *f.* -n; Manadologie *f.* -n.

단자엽(單子葉) =외떡잎.
‖~식물 Monokotyledone *f.* -n; einkeimblättrige Pflanze, -n.

단작(單作) Monokultur *f.* -en.
‖~지대 das Gebiet der Monokultur.

단작스럽다 schmutzig; geizig; gemein (sein).

단잠 der gesunde (tiefe; gute; ausreichende) Schlaf, -(e)s; der ruhige (friedliche) Schlaf. ¶ ~을 깨우다 aus dem tiefen Schlaf wecken (reißen*) *jn.* / ~을 자고 있다 in tiefem Schlaf liegen*.

단장(丹粧) das Anziehen*, -s; das Ankleiden*, -s; das Schminken*, -s. ~하다 ⁴sich an|ziehen*; ⁴sich geschmackvoll kleiden; ⁴sich heraus|putzen; ⁴sich schminken; auf|putzen⁴; heraus|putzen⁴. ¶ 예쁘게 ~을 한 여자 die schön angezogene (gekleidete) Frau, -en / 소녀는 아름답게 ~했다 Das Mädchen kleidete sich schön. / 공원은 완전히 새롭게 ~했다 Der Park wurde völlig neu gestaltet.

단장(短杖) (Spazier)stock *m.* -(e)s, ⸗e. ¶ ~을 짚고 걷다 an (mit) e-m Stock gehen*ⓢ.

단장(團長) Führer *m.* -s, - (Leiter *m.* -s, -) (e-s Vereins); Haupt *n.* -(e)s, ⸗er 《e-r ²Bande》(두목); Boß *m.* ..sses, ..sse《영어》; der Chef [ʃɛf] 《-s,-s》 e-r Truppe. ¶ X 박사를 ~으로 하는 angeführt von Dr. X.

단장(斷腸) Herzbrechendes*; Trübsal *f.* -e; Betrübnis *f.* -se. ¶ ~의 설움 der herzbrechende (herzzerreißende; herzzerbrechende) Kummer, -s / 그것을 생각하면 ~의 설움이 복받친다 Der Gedanke daran schneidet mir ins Herz.

단적(端的) ¶ ~인 klar; bestimmt; offen (-herzig) (숨김 없는) / ~으로 말하다 ohne ⁴Umschweife sagen / ~으로 말하면 offen gesagt / ~으로 묻다 *jn.* geradeaus fragen.

단전(丹田) die Stelle《-n》 unter dem Nabel; Unterleib *m.* -(e)s, -er; Bauch *m.* -(e)s, ⸗e. ¶ ~에 힘을 주다 die gesamten Kräfte im Unterleib konzentrieren; die Unterleibsmuskeln an|spannen.

단절(斷切·斷折) das Schneiden*, -s; Trennung *f.* -en; Abschneidung *f.* en; Durchschneidung *f.* -en; Amputation *f.* -en. ~하다 ab|schneiden*⁴; durch|schneiden*⁴; trennen⁴; ab|lösen⁴; ab|nehmen*⁴; ab|hauen*⁴; amputieren⁴.

단절(斷絶) ①《절멸》 das Auslöschen (Erlöschen; Aussterben)* -s. ~하다 aus|löschen*ⓢ; erlöschen*ⓢ; aus|sterben*ⓢ. ¶ 가계(家系)가 ~되다 Ein Geschlecht erlischt. ②《중단》 Abbrechung *f.* -en; (Ab)bruch *m.* -(e)s, ⸗e; Unterbrechung *f.* -en. ~하다 ab|brechen*⁴ (관계, 교제를); unterbrechen*⁴. ¶ 그들의 관계는 ~되었다 Es kam zwischen ihnen zu e-m Bruch. / 양국간의 국교가 ~되었다 Die diplomatischen Beziehungen zwischen beiden Ländern wurden abgebrochen.
‖국교~ der Abbruch diplomatischer Beziehung.

단점(短點) 《약점》 Schwäche *f.* -n; schwache Seite, -n; 《결점》 Fehler *m.* -s, -; Mangel *m.* -s, ⸗; Nachteil *m.* -(e)s, -e (불리한 점). ¶ 장점과 ~ Vorzüge u. Mängel / ~을 메우다 s-n Fehler wieder|gut|machen / 장점으로 ~을 카버하다 s-e starke Seite gegen s-e schwache hervor|heben*; s-e Schwächen durch s-e Stärken ersetzen (ausgleichen*) / ~을 버리고 장점을 취하다 das Gute auf|nehmen* u. das Schlechte lassen* / 누구에게나 ~은 있다 Jeder hat s-e Schwächen. / ~없는 사람은 없다 Kein Mensch ist ohne Mängel. / 그의 장점은 때로는 ~이 된다 S-e starke Seite wird ihm zuweilen zum Nachteil.

단접(鍛接) Schmiedeschweißung *f.* ~하다 schmiede|schweißen⁴.
‖~공 Schmiedeschweißer *m.* -s, -.

단정(端正) Richtigkeit *f.* -en; Rechtschaffenheit *f.* -en; Anständigkeit *f.* -en (예의); Ordentlichkeit *f.* -en. ~하다 ordentlich; richtig; rechtschaffen; anständig; aufrecht; sauber u. ordentlich; adrett; schmuck; schnicker; 《윤곽이》 sauber (scharf) geschnitten (sein). ¶ ~한 얼굴(을 하다) scharf geschnittenes Gesicht 《-(e)s》 (haben) / ~히 aufrecht; richtig; aufrichtig; sauber; anständig; sauber u. ordentlich / 옷차림이 ~한 사람 sehr anständig angezogene Person, -en / 품행이 ~한 사람 ordentliche (anständige) Person, -en / 용모가 ~하다 e-e feine Figur haben / 품행이 ~하다 ⁴sich ordentlich (anständig) benehmen*/~히 앉아 있다 aufrecht (ordentlich) sitzen* / 옷차림이 ~치 못하다 sehr unanständig angezogen sein / 저 부인은 용모가 ~하다 Die Frau hat e-e feine Figur.

단정(端艇) Boot *n.* -(e)s, -e (..öte).
‖~경조 Wettfahrt von Booten; Regatta *f.* ..tten.

단정(斷定) Folgerung *f.* -en; Schluß *m.* ..lusses, ..lüsse; Schlußfolge *f.* -n; Schlußfolgerung *f.* -en. ~하다 folgern⁴ 《*aus*³》; schließen* 《aus ³*et.* (auf) ⁴*et.*》; e-n Schluß (e-e Schlußfolgerung) ziehen* 《*aus*³》. ¶ ~적인 언사 die entscheidende Bemerkung, -en / ~을 내리다 e-n Schluß ziehen*; zu e-m Schluß gelangen ⓢ / 그렇게 경솔히 ~을 내려서는 안된다 Du sollst nicht so leichtsinnig zu e-m Schluß gelangen. / 나는 그의 언행을 보아서 미친 사람으로 ~지었다 Ich habe aus seiner Sprechweise u. seinem Benehmen den Schluß gezogen, daß er wahnsinnig ist.

단조(單調) Monotonie *f.* -n [..níːən]; Eintönigkeit *f.*; Gleichförmigkeit *f.* ~롭다, ~하다 monoton; eintönig; gleichförmig; einförmig; 《지루한》 langweilig; einfältig; 《서투른》 taktlos (sein). ¶ ~로이 monoton; eintönig / ~로운 빛깔 einfache Farbe, -n / ~로운 경치 eintönige Landschaft, -en /

~로운 연설 die langweilige Rede, -n / ~로움을 깨뜨리다 die Eintönigkeit brechen* / ~로운 생활을 하다 ein eintöniges Leben führen / 매일 ~로왔다 Ein Tag glich dem anderen.¦Ein Tag war so monoton wie der andere.

단조(短調) 〖음악〗 Moll *n.* -, -. ¶ D~로 in d-Moll.

단조(鍛造) das Schmieden*, -s.
‖ ~물 Schmiedeware *f.* -n.

단종(斷種) Sterilisation *f.* -en; Entmannung *f.* -en (Kastration *f.* -en) (거세). ~하다 sterilisieren⁴; entmannen⁴ (거세하다); kastrieren⁴ (거세하다).
‖ ~법 Sterilisationsgesetz *n.* -(e)s, -e. ~수술 Sterilisationsoperation *f.*: ~ 수술하다 e-e Person sterilisieren.

단좌(單坐) ‖ ~식(式) einsitzig: ~식 비행기 Einsitzer *m.* -s, -.

단좌(端坐) ~하다 ordentlich (aufrecht) sitzen*.

단죄(斷罪) 《유죄 판결》 Verurteilung *f.* -en. 《참수》 Enthauptung *f.* -en. ~하다 verurteilen 《*jn.* zu e-r Strafe》; verdammen⁴; *jn.* (für) schuldig erklären. ¶ ~되다 verurteilt werden; verdammt werden; 《참수》 enthauptet werden / 그를 ~해야 한다 Man muß ihn verurteilen.

단주(端舟) ein kleines Schiff (Boot) -(e)s, -e; ein kleiner Kahn, -(e)s, ⸗e.

단주(斷酒) die (völlige) Abstinenz; die Enthaltung (das Sichenthalten*, -s) von Alkohol. ~하다 abstinent sein; nie Alkohol trinken*; ⁴sich des Trinkens enthalten*; ³sich das Trinken ab|gewöhnen. ¶ 그는 ~를 굳게 맹세했다 Er hat hoch u. heilig geschworen, nicht mehr zu trinken.

단지 Krug *m.* -(e)s, ⸗e; Kruke *f.* -n; Karaffe *f.* -n (유리로 된): Topf *m.* -(e)s, ⸗e (항아리); Urne *f.* -n (유골 단지); Napf *m.* -(e)s, ⸗e.
‖ 꿀~ Honigtopf *m.* -(e)s, ⸗e.

단지(但只) =다만.

단지(團地) Siedlung *f.*-en; Siedlungsgelände *n.* -s, -; Siedlungshaus *n.* -es, ⸗er (주택).
‖ 공업~ Siedlungsindustrie *f.* -n: 울산 공업 ~ die *Ulsan*-Siedlungsindustrie.

단지증(短肢症) 〖의학〗 Phokomelie *f.* -n.

단지하다(斷指—) ³sich den Finger ab|schneiden*.

단짝 der unzertrennliche Freund, -(e)s, -e (Kamerad, -en, -en); der ständige Begleiter, -s, -. ¶ 그 둘은 ~이다 Die beiden sind unzertrennlich.

단참에(單站—) =단숨에.

단채화(單彩畫) das einfarbige Gemälde, -s, -.
‖ ~가 Monochromist *m.* -en,-en; Schwarz-Weiß-Maler *m.* -s, -.

단처(短處) Unzulänglichkeit *f.* -en; die schwache Seite, -n; Fehler *m.* -s, -; Defekt *m.* -(e)s, -e; Verschulden *n.* -s.

단척(短尺) das das Normalmaß nicht erreichende Tuch, -(e)s, ⸗er (-e); Tuchrest *m.* -(e)s, -e.

단철(單綴) Einsilbigkeit *f.* ¶ ~의 einsilbig.
‖ ~어 einsilbiges Wort, -(e)s, ⸗er; Einsilbler *m.* -s, -.

단철(鍛鐵) 《단련한》 geschmiedetes Eisen, -s, -; Schmiedeeisen. ¶ ~의 schmiedeeisern.

단청(丹靑) 《그림》 das mit bunten Farben gemalte Gemälde, -s, -; 《채색》 Farben 《*pl.*》. ¶ ~의 묘(妙) die geheimnisvolle Schönheit der Farben.

단체(單體) 〖화학〗 einfacher Körper, -s, -; der einfache Stoff, -(e)s, -e; Element *n.* -(e)s, -e (원소).

단체(團體) ① 《일단》 Verein *m.* -(e)s, -e; Verband *m.* -(e)s, ⸗e; Gemeinschaft *f.* -en; Gesellschaft *f.* -en; Gruppe *f.* -n; Genossenschaft *f.* -en (직공); Körperschaft *f.* -en. ¶ ~를 만들다 e-e Gruppe (Körperschaft) bilden; ⁴sich zu e-m Verein (e-r Körperschaft) zusammen|schließen* / ~로 신청하다 ⁴sich gemeinschaftlich melden / ~에 들다 ⁴sich e-r Gesellschaft (e-r Gruppe) an|schließen*; in e-n Verein ein|treten* ⓢ / 50명 이상의 ~에는 차비 (입장료)를 20 % 할인한다 Für die Reisegesellschaften von mehr als 50 Teilnehmern wird der Fahrpreis (die Eintrittskarte) 20 Prozent ermäßigt.
② 《조직》 Organisation *f.* -en. ¶ ~를 조직 (해산) 하다 e-e Organisation bilden (auf|lösen).
‖ ~경기 gemeinschaftliches Wettspiel, -(e)s, -e. ~경주 gemeinschaftlicher Rennkampf, -(e)s, ⸗e. ~관념 Gemeinschaftsbegriff *m.* -(e)s, -e ~교섭 Kollektivverhandlung *f.* -en: ~ 교섭권 das Recht auf Kollektivverhandlungen / ~ 교섭하다 ⁴*et.* kollektiv verhandeln. ~보험 Gruppen¦versicherung (Kollektiv-) *f.* -en. ~생활 Gruppenleben (Zusammen-) *n.* -s. ~여행 Gesellschaftsreise *f.* -n: ~ 여행을 하다 e-e Gesellschaftsreise machen. ~운동 Massenbewegung *f.* -en. ~쟁의 Massenstreik *m.* -(e)s, -e. ~정신 Gesellschafts¦geist (Korps-) *m.* -(e)s, -er. ~할인 die Fahrpreisermäßigung für die Gesellschaftsfahrten. ~행동 gemeinschaftliches Handeln*, -s: ~ 행동을 하다 gemeinschaftlich handeln. ~협약 Kollektivvertrag *m.* -(e)s, ⸗e. ~활동 Gesellschaftsaktivität *f.* -en. ~훈련 Massenübung *f.* -en. 교섭~ e-e zur Verhandlung berechtigte Gruppe. 자선~ Wohltätigkeitsverein *m.* -(e)s, -e. 정치(공공)~ die politische (öffentliche) Körperschaft, -en.

단총(短銃) die kurze Handfeuerwaffe, -n; Pistole *f.* -n; 《연발총》 Revolver *m.* -s, -.
‖ 기관~ Maschinenpistole. 6연발~ der sechsschüssige Revolver.

단추 Knopf *m.* -(e)s, ⸗e; Druckknopf *m.* -(e)s, ⸗e (누름단추, 스냅). ¶ ~를 끼우다(채우다) zu|knöpfen / ~를 끄르다(풀다) auf|knöpfen / ~를 달다 e-n Knopf an|nähen (zu|-) / ~가 떨어지다 ein Knopf geht ab.
‖ ~구멍 Knopfloch *n.* -(e)s, ⸗er: ~구멍을 내다 Knopflöcher machen. 금~ goldener Knopf, -(e)s, ⸗e. 자개~ Perlmutterknopf *m.* -(e)s, ⸗e; Knopf 《*m.* -(e)s, ⸗e》 aus Muschelschale. 장식~ Zierknopf *m.* -(e)s, ⸗e. 조끼(호박)~ Westen¦knopf (Bernstein-). 커프스~ Manschettenknopf *m.* -(e)s, ⸗e. 컬러~ Kragenknopf *m.* -(e)s, ⸗e.

단축(單軸) e-e Achse, -n. ¶ ~의 einachsig.
‖ ~결정(체) einachsiger Kristall, -s, -e.

단축(短軸) 〖수학〗 Nebenachse *f.* -n; die kleinere Achse, -n.

단축(短縮) Verkürzung *f.* -en (시간); Kürzung *f.* -en (양, 내용); Abkürzung *f.* -en (의미의 단순화); Beschränkung *f.* -en (제한); Einschränkung *f.* -en. ~하다 verkürzen⁴;

kürzen⁴; ab|kürzen⁴; kürzer machen⁴; 《제한》 beschränken⁴; begrenzen⁴; ein|schränken⁴. ¶ 노동시간의 ~ die Verkürzung der Arbeitszeit / ~반응 die verkürzte Reaktion / 시간을 ~하다 die Zeit verkürzen / 학년을 ~하다 die Zahl der Schuhljahre verkürzen / 문장을 ~하다 e-n Satz ab|kürzen / 노동시간의 ~을 요구하다 auf die Verkürzung der Arbeitszeit drängen; kürzere Arbeitszeit fordern / 그 급행 열차는 작년에 비해 두 시간 ~되었다 Die Fahrzeit des Schnellzuges ist im Vergleich zum letzten Jahr um zwei Stunden verkürzt worden.

‖ **~조업** die Verkürzung der Arbeitszeit: ~ 조업하다 die Arbeitszeit verkürzen.

단출하다 ① 《식구가》 klein (sein). ¶ 단출한 식구 die kleine Familie, -n / 우리는 식구가 매우 ~ M-e Familie ist sehr klein. ② 《간편하다》 einfach; handlich; bequem; leicht (sein). ¶ 단출한 짐 das kleine Gepäck, -(e)s, -e / 단출한 살림 der einfache Haushalt, -(e)s, -e.

단충(丹忠) die strikte Loyalität; Treue *f.*

단취하다(團聚—) im glücklichen Kreise sitzen*.

단층(單層) ein Stock *m.* -(e)s, ⸚e. ¶ ~의 einstöckig.

‖ **~집** das ebenerdige Haus, -es, ⸚er; Bungalo *m.* -s, -s.

단층(斷層) Verwerfung *f.* -en; Dislokation *f.* -en; Flözkluft *f.* ⸚e; Verschiebung *f.* -en; 《세대 따위의》 Kluft *f.* ⸚e.

‖ **~계곡** Verwerfungstal *n.* -(e)s, ⸚er. **~면** Verwerfungsoberfläche *f.* -n. **~사진**(撮影) 〖의학〗 《흉부의》 Schichtbildaufnahme (Tomographie) *f.* -n. **~선** Verwerfungslinie *f.* -n; kleine Flözkluft, ⸚e. **~지진** das Dislokations¦beben* (Verschiebungs-) -s. **사행~** diagonale Verwerfung, -en.

단치히 《폴란드의 항구》 Danzig.

단침(短針) 《시계의》 kleiner Zeiger, -s, -; Stundenzeiger *m.* -s, -.

단칭(單稱) Individuum *n.* -s, ..duen.

‖ **~명사**(名辭), **~개념** Einzelbegriff *m.* -(e)s, -e; Individualbegriff. **~명제**, **~판단** das singuläre (einzelne) Urteil, -(e)s, -e.

단칼에(單—) mit e-m Schwert¦schlage (-streich); auf e-n Streich.

단파(短波) Kurzwelle *f.* -n.

‖ **~무전** Kurzwellenrundfunk *n.* -es, -e. **~방송** Kurzwellensendung *f.* -en. **~송신기** (방송국) Kurzwellensender *m.* -s, -. **~수신기** Kurzwellen¦empfänger (-hörer) *m.* -s, -.

단판(單—) der einzige (Fecht)gang, -(e)s, ⸚e; die einzige Runde (Partie) -n. ¶ ~에 in der einzigen (ersten) Runde; in dem einzigen Gang; sofort; sogleich.

‖ **~씨름** der einmalige Ringkampf, -s, ⸚e.

단판(單瓣) ¶ ~의 〖동물〗 einschalig; 〖식물〗 einklappig.

‖ **~화**(花) die einklappige Blume, -n.

단편(短篇) kleines Stück, -(e)s, -e.

‖ **~소설** Novelle *f.* -n: ~ 소설가 Novellist *m.* -en, -en / ~ 소설 선집 ausgewählte Novellen (Erzählungen) 《*pl.*》. **~영화** Kurzfilm *m.* -(e)s, -e; 《예고편》 Vorschau *f.* -en; Vorfilm *m.* -(e)s, -e. **~집** die gesammelten Novellen 《*pl.*》.

단편(斷片) Bruchstück *n.* -(e)s, -e; Fragment *n.* -(e)s, -e; Torso *m.* -s, -s (조상(彫像)의). ¶ ~적인 bruchstückhaft; fragmentarisch / ~적으로 bruchstückweise / 괴테에 관한 ~적인 지식 fragmentarische Kenntnisse über Geothe / ~적으로 말하다 zusammenhanglos sprechen / ~적인 지식이나 얻으려 하지 말고 조직적인 독서를 하여라 Statt zusammenhangloser Lektüre sollst du systematisch lesen. / 옆방의 이야기 소리는 ~적으로만 들을 수 있었다 Die Stimmen von nebenan hörte man nur bruchstückweise.

단평(短評) kurze Kritik, -en; kurze Bemerkung (Besprechung) -en. ¶ ~을 하다 e-e kurze Kritik üben 《*an*³》 / 학생들의 작문에 대해 ~을 하다 e-e kurze Bemerkung von den Aufsätzen der Schüler machen.

‖ **시사~** die kurze Kritik über Tagesbegebenheiten.

단풍(丹楓) 《나무》 Ahorn *m.* -(e)s, -e; 《잎의》 die rote (gelbe) Färbung (des Herbstlaubes). **~들다** herbstlich rot werden; Hochrot an|nehmen*; (⁴sich) karmesinrot werden (färben). ¶ 온 산에 빨갛게 ~이 들었다 Die Wälder sind ganz mit der bunten Färbung des Herbstlaubes überzogen. / 설악산은 가을 ~으로 유명하다 Der *Sulak*-Berg ist durch die bunte Färbung des Herbstlaubes berühmt.

‖ **~놀이** die Besichtigung herbstroter (herbstlicher) Ahornblätter. **~잎** Ahornblätter 《*pl.*》.

단합(團合) ＝단결(團結).

단항식(單項式) 〖수학〗 Mo(no)nom *n.* -s, -e; eingliedrige Zahlengröße. -n.

단행(斷行) 《수행》 Durchführung *f.* -en; Ausführung *f.*; 《결행》 die entschiedene Handlung, -en; der entschlossene Schritt, -(e)s, -e. **~하다** 《결행》 durch|führen⁴ 《gegen alle Widerstände》; durch|setzen⁴; 《감행》 wagen⁴. ¶ 소신을 ~하다 nach der eigenen Meinung handeln; s-n Willen durch|setzen / 개혁을 ~하다 e-e Reform (Umgestaltung) zustande bringen* (durch|führen) / 불경기로 극장들은 입장료 인하를 ~했다 Infolge der schlechten Zeit hat jedes Theater das Eintrittsgeld herabgesetzt.

단행범(單行犯) das Einzelverbrechen *n.* -s, -.

단행법(單行法) Sonderrecht *n.* -(e)s, -e.

단행본(單行本) einzeln herausgegebenes Buch, -(e)s, ⸚er. ¶ ~으로 출판하다 in ³Buchform heraus|geben*⁴.

단현운동(單絃運動) 〖물리〗 einfache Sinusbewegung, -en.

단호하다(斷乎—) ausdrücklich; drastisch; durchgreifend; entschieden; entschlossen; standhaft; unbedingt (sein). ¶ 단호한 조처를 취하다 durchgreifende Maß¦nahmen (-regeln) treffen*; entscheidende Schritte tun* / 단호한 태도를 취하다 e-e entschiedene (energische; unnachgiebige) Haltung ein|nehmen*; entschiedene Stellung nehmen* 《*gegen*⁴》 (반대의) / 단호히 거절하다 aufs entschiedenste ab|leugnen⁴; rundweg ab|schlagen*⁴ / 나는 이 계획에 단호히 반대하였다 Ich trat entschieden gegen den Plan auf.

단화(短靴) (Halb)schuh *m.* -(e)s, -e.

닫다¹ 《달리다》 laufen* ⓢ; rennen* ⓢ (질주); stürzen ⓢ(돌진); 《배·기차 등이》 fahren* ⓢ; gehen* ⓢ; 《말이》 galoppieren ⓢ,ⓗ; traben ⓢ,ⓗ. ¶ 전속력으로 ~ mit voller (größter) Geschwindigkeit laufen* ⓢ / 쏜살같이 ~ wie ein Pfeil dahin|schießen*ⓢ; blitzschnell (wie der Blitz) laufen* ⓢ.

닫다² schließen*⁴; zu|schließen*⁴; zu|machen⁴; zu|schlagen*⁴. ¶ 문을 쾅 ~ die Tür zu|schlagen* / 문을 닫고 hinter der geschlossenen (verschlossenen) Tür; alle Türen geschlossen / 가게를 ~ das Geschäft (den Laden) schließen*; die Bude zu|machen (이 상은 평상시나 폐점의 경우 같이 쓰임) / 이 가게는 여섯시에 문을 닫는다 Das Geschäft schließt sich um 6 Uhr.¦ Das Geschäft wird um 6 Uhr geschlossen. / 들어오거든 (나가거든) 문을 닫아 주시오 Schließen Sie bitte die Tür hinter sich!

닫아걸다 《e-e Tür》 ab|riegeln⁴; verriegeln; zu|klinken⁴; ein|klinken⁴. ¶ 문을 안으로(밖으로) ~ die Tür von innen (von draußen) verschließen*.

닫집 〖건축〗 Baldachin *m.* -s, -e; Himmel *m.* -s, -; Bett¦himmel (Thron-; Trag-) *m.* -s, -; Gewölbe *n.* -s, -.

닫치다 ab|schließen*; zu|schließen*; 《쾅하고》 zu|werfen*; zu|schlagen*. ¶ 문을 쾅하고 ~ die Tür zu|werfen* (zu|schlagen*) / 닫쳐 Schweig (still)! ¦Halt den Mund! ¦ Halt's Maul! ¦ 〖속어〗 Halt d-e Schnauze!¦ Mucke nicht! (군소리 말라).

닫히다 ⁴sich schließen*; zu|gehen* ⓢ; ins Schloß fallen* ⓢ (철썩 닫힘). ¶ 문이 아무래도 닫히지 않는다 Die Tür will nicht schließen. / 문이 저절로 닫혔다 Die Tür schloß sich von selbst. / 그 가게는 오늘 닫혀 있다 Der Laden ist heute geschlossen (zu).

달¹ ① 《하늘의》 Mond *m.* -(e)s, -e. ¶ 밝은(맑은) 달 der helle Mond / 초승달 der Neumond; die Sichel des Mondes / 보름달 Vollmond *m.* / 그믐달 die Sichel des Mondes des Monatsendes 《nach dem Mondkalender》 / 저녁달 der Mond in der Nacht / 달 경쟁 der Wettkampf 《-(e)s, ⸚e》 um die Mondrakete / 달 로케트 Mond¦rakete (-sonde) *f.* -n / 달 탐색 계획 Weltraumforschungsprogramm *n.* -s, -e / 달 탐험 Mondexpedition *f.* -en / 달세계 Mond *m.*/ 달 착륙 die Landung auf dem Mond / 달의 여신 《로마 신화》 Diana *f.* / 달 착륙선 Mondfähre *f.* -n; Mondlandungsschiff *n.* -(e)s, -e / 달이 뜨다 (지다) Der Mond geht auf (unter). / 달이 차다 (이지러지다) Der Mond nimmt zu (ab). / 달이 환히 밝다 Der Mond scheint hell u. klar. / 달이 구름 사이를 지난다 Der Mond zieht durch die Wolken. / 달도 차면 기운다 《속담》 „Des Glücks Gewalt hat Mondes Gestalt."
② 《달력》 Monat *m.* -(e)s, -e. ¶ 윤달 Schaltmonat / 큰 달 der einunddreißigtägige Monat; der Monat mit einunddreißig Tagen / 작은 달 der dreißigtägige Monat; der Monat mit dreißig Tagen / 달마다 monatlich / 한달에 한번 monatlich (jeden Monat) einmal; einmal pro ⁴Monat / 달마다 두번 monatlich zweimal; zweimal pro Monat / 지난 달의 vom vorigen Monat.
③ 《임신》 ¶ 달이 차다 im neunten Monat 《der Schwangerschaft》 sein / 달이 차 감에 따라 indem die Zeit verläuft / 달이 차지 않은 아이 ein frühgeborenes (vorzeitig geborenes) Kind, -(e)s, -er / 달이 차지 않아서 아기를 낳다 vor der Zeit ein Kind gebären* / 달이 찬 후에 아기를 낳다 nach Verlauf der Zeit ein Kind gebären*.

달² 〖식물〗 e-e Art von Wildschilf 《*n.* -(e)s, -e》; *Phragmites japonica* (학명).

달³ 《연의》 die Leiste 《-n》 aus Bambus für e-n Drachen; feine Bambusstäbchen, aus denen, das Drachengestell gemacht wird.

달가닥 mit Krach; klappernd.

달가닥거리다 klappern; klippern; rasseln.

달가닥달가닥 rasselnd; klappernd; knarrend; klirrend.

달가당 bums!; krach!; klaps! ¶ 문이 ~ 잠기다 Die Tür wird mit Krach geschlossen.

달가당거리다 rasseln; klappern; knarren; klirren.

달가락- ☞ 달가닥-.

달가시다 ein unheilvoller Monat vergeht; ein unglücklicher Monat geht zu Ende.

달갑다 《만족스런》 befriedigend; 《바람직한》 wünschenswert (sein). ¶ 달갑지 않은 손님 der unwillkommene Gast, -(e)s, ⸚e / 달갑지 않은 친절(호의) die unwillkommene (unerwünschte) Gunst (Gewogenheit); die falsch angebrachte Gefälligkeit, -en / 결과는 달갑지 않았다 Das Ergebnis ließ viel zu wünschen übrig.

달개 Anbau *m.* -(e)s, -e.
‖ **~지붕** Hänge¦dach (Wetter-; Pult-) *n.* -(e)s, ⸚er: ~ 지붕을 달다 ein Wetterdach machen. **~집** Schuppen *m.* -s, -.

달걀 Ei *n.* -(e)s, -er. ¶ 갓 낳은 ~ frisches Ei / ~ 노른자(위) (Ei)dotter *m.* (*n.*) -s, -; Eigelb *n.* -(e)s / ~ 흰자위 Eiweiß *n.* -es, -e / 생(날)~ rohes Ei / 삶은 ~ gekochtes Ei / 반숙한 ~ weichgekochtes Ei / 완숙한 ~ hartgekochtes Ei / ~껍질 Eierschale *f.* -n / ~ 모양의 eiförmig; oval / ~을 깨다 ein Ei brechen* (auf|schlagen*) / ~을 낳다 ein Ei legen / ~을 안다 auf den Eiern sitzen* (brüten) / 닭에 ~을 안기다 e-r Henne (dem Huhn) Eier zum Brüten unter|legen / ~을 부치다 Eier in der Pfanne braten*; Spiegeleier machen / ~로 백운대 치기 《속담》 e-e Nadel im Heuhaufen suchen.

달게굴다 durch anhaltende Bitten drängen 《*jn.*》; dringend (beharrlich) bitten* 《*jn. um*⁴》. ¶ 어머니에게 달게굴어 용돈을 타내다 die Mutter um Taschengeld dränge(l)n.

달게받다 ⁴sich ergeben* 《*in*⁴》; ³sich ⁴*et.* gefallen lassen*; ⁴sich begnügen 《*mit*³》; geduldig ertragen*⁴. ☞ 감수(甘受)하다. ¶ 모욕을 ~ e-e Beleidigung hin|nehmen* (verschlucken; ein|stecken)

달견(達見) die vortreffliche Ansicht, -en; der weite (klare) Blick, -(e)s,-e; die weite Umsicht. ¶ ~의 klarsehend; weitsichtig.

달고기 〖어류〗 Sonnenfisch *m.* -es, -e.

달곰새금하다 sauersüß (sein).

달곰쌉살하다 bittersüß (sein).

달관(達觀) Weitsicht *f.* -en; die Fähigkeit, die Zukunft beurteilen zu können; das eingehende (gründliche) Verständnis, ..nisses, ..nisse; das tiefe Erkennen*, -s; viel Einsicht *f.* **~하다** viel Einsicht haben; weit voraus|sehen*; weitsichtig sein; ⁴*et.* sehr weise beurteilen. ¶ 장래를 ~하다 weit in die Zukunft sehen*; die Zukunft sehr weise beurteilen (voraus|schauen) / ~한 사람 ein weitsichtiger Mensch, -en, -en.

달구 Ramme *f.* -n; Stampfe *f.* -n.
‖ **~질** das Rammen*, -s: ~질하다 rammen; mittels e-r Ramme den Boden rammen. 달굿대 Rammstock *m.* -(e)s, ⸚e.

달구다 heiß machen⁴; erhitzen⁴. ¶ 쇠붙이를 ~ Metall erhitzen / 부젓가락을 ~ e-e Zange erhitzen / 번철을 ~ e-e Pfanne erhitzen.

달구지 Karren *m.* -s, -; Frachtwagen *m.* -s, -. ¶ 소~ Ochsen|wagen (-karren) *m.* -s, - / ~로 나르다 karren⁴; mit Wagen transportieren (befördern)⁴ / ~에 싣다 auf e-n Wagen laden*⁴.

달그락- ☞ 달가닥-.

달그랑- ☞ 달가당-.

달다¹ ① 《맛이》 süß; zuckersüß; süßgewürzt (sein). ¶ 단 것 Süßigkeiten 《*pl.*》; Bonbons 《*pl.*》; das Zuckerwerk, -(e)s, -e / 맛이 ~ süß sein; süß schmecken / 달게 하다 süß machen⁴; süßen⁴; versüßen⁴; zuckern⁴ / 단 것을 좋아하다 Süßigkeiten lieben (gern mögen); ein Liebhaber von Süßigkeiten sein / 그는 단맛 쓴맛 다 보았다 Er hat allerlei Erfahrungen des Lebens hinter ³sich.
② 《입맛이》 schmackhaft; appetitanregend (sein); großen Appetit haben. ¶ 음식을 달게 먹다 ⁴sich gut schmecken lassen*; ⁴*et.* gut essen*; großen Appetit 《*auf*⁴》 haben / 참 달게 잘 먹었읍니다 Es hat mir sehr geschmeckt.

달다² ① 《걸다》 auf|hängen⁴; 《착용》 tragen*⁴; 《배지 등을》 an|stecken⁴; hinein|stecken. ¶ 배지를 ~ ³sich ein Abzeichen an|stecken / 훈장을 ~ ³sich e-n Orden an|heften (an|legen); e-n Orden tragen* / 등을 ~ e-e Lampe auf|hängen/창문에 커튼을 ~ Vörhange ans Fenster auf|hängen / 문패를 ~ ein Türschild an|bringen* / 기를 ~ e-e Fahne (Flagge) hissen/간판을 ~ ein Schild an|bringen*.
② 《붙임·가설》 an|heften⁴; an|binden*⁴; befestigen⁴; verknüpfen⁴; an|nähen⁴ (단추); zu|nähen⁴; auf|nähen⁴ (레이스); 《가설》 ein|richten⁴; an|legen⁴. ¶ 모자에 깃을 ~ e-e Feder an e-n Hut stecken / 꼬리표를 ~ e-n Gepäckzettel befestigen / 문에 벨을 ~ e-e Türklingel an die Tür an|legen / 단추를 ~ den Knopf an|nähen / 객차에 기관차를 ~ e-e Lokomotive an e-n Zug koppeln / 전화를 ~ein Telephon legen (ein|richten).
③ 《기입》 ein|tragen*⁴; an|schreiben*⁴ (외상을). ¶ 책에 주를 ~ zu e-m Buch Anmerkung machen; ein Buch mit Anmerkungen versehen* / 외상을 ~ ⁴*et* anschreiben lassen* / 장부에 ~ in ein Buch ein|tragen* / 이 셈을 내앞으로 달아 두시요 Bitte, setzen Sie es auf m-e Rechnung (mein Konto)!
④ 《값을》 ⁴*et.* (mit e-m Preis) aus|zeichnen; bieten* 《*auf*⁴》 (사는 사람에게); ein Angebot machen. ¶ 물건에 값을 (비싸게) ~ den Preis (hoch) an|setzen.

달다³ 《무게를》 (ab|)wiegen*⁴. ¶ 무게를 저울로~ das Gewicht von *jm.* (³*et.*) mit e-r Waage fest|stellen / 달아서 팔다 nach Gewicht verkaufen⁴ / 그는 오늘 몸무게를 달아 보고 체중이 늘어났음을 알았다 Er hat sich heute gewogen u. festgestellt, daß er zugenommen hat⁴.

달다⁴ ① 《음식이》 ein|kochen ⓢ.
② 《뜨거워짐》 heiß (warm) werden; glühen. ¶ 빨갛게 단 쇠 rotglühendes Eisen, -s, - / 쇠가 불 속에서 ~ das Eisen glüht im Feuer / 난로가 ~ der Ofen glüht.
③ 《몸·얼굴이》 Fieber haben; fiebern; glühen. ¶ 열이 있어 몸이 ~ *js.* Körper glüht vor Fieber / 부끄러워 얼굴이 ~ vor Scham erröten ⓢ / 더워서 얼굴이 ~ das Gesicht glüht vor Hitze / 술을 마셔서 얼굴이 달아오른다 Sein Gesicht glüht vom Trinken.
④ 《속이》 ungeduldig werden; die Geduld verlieren*; ärgerlich (verdrießlich) werden; begierig sein; über ⁴*et.* nervös werden. ¶ 하찮은 일에 ~ ⁴sich über Nichtigkeiten ärgern / 연착하는 기차를 기다리느라 속이 달아 있었다 Ungeduldig wartete er auf den verspäteten Zug. / 그녀는 이것을 알려고 달아 있었다 Sie war begierig, dies zu erfahren.

달단(韃靼) 〖역사〗 Tatarei *f.* ¶ ~인 Tatar *m.* -en, -en; Tatarin *f.* -nen (여자) / ~의 tatarisch.

달달 ① 《콩을》 tüchtig umrührend; gründlich; sorgfältig. ¶ 콩을 ~ 볶다 Bohnen umrührend rösten. ② 《들볶음》 ¶ ~ 볶다 quälen⁴; plagen⁴; schinden*; peinigen⁴; foltern⁴ / 아이들이 엄마를 하루종일 서커스 구경가자고 ~ 볶는다 Die Kinder plagen die Mutter den ganzen Tag, sie solle mit ihnen in den Zirkus gehen. ③ 《뒤짐》 ¶ ~ 뒤지다 durchwühlen⁴; durchstöbern⁴ / 아이들이 서랍을 모두 ~ 뒤졌다 Die Kinder haben alle Schubladen durchwühlt.

달뜨다 unruhig sein; ⁴sich erhitzen; hitzig werden. ¶ 마음이 달떠 책을 읽을 수 없다 Ich bin zu unruhig, um ein Buch zu lesen.

달라다 bitten* 《*jn. um*⁴》; 《탄원하다》 an|flehen 《*jn. um*⁴》; 《거지 따위가》 betteln 《*um*⁴》. ¶ 해 달라는 대로 auf *js.* Bitte / 도와 ~ *jn.* um Hilfe bitten* / 살려 ~ *jn.* um Gnade flehen / 하룻밤 재워 ~ um Obdach für e-e Nacht bitten* / 돈을 빌려 ~ *jn.* bitten*, Geld zu leihen*.

달라붙다 ⁴sich fest|halten* 《*an*³》; haften (bleiben* ⓢ) 《*an*³; *in*³; *auf*³》; kleben (bleiben*) 《*an*³》; ⁴sich fest|klammern 《*an*³》; gebunden (gefesselt) sein 《*an*⁴》; ⁴sich fest hängen 《*an*⁴》; ⁴sich fest|saugen* 《*an*³》; fest|stecken 《*an*³》; nicht los|kommen* 《*von*³》 ⓢ; fest an|hängen. ¶ 배밑에는 조개가 가득히 달라 붙어 있다 Der Schiffboden ist mit Muschelschalen inkrustiert.

달라지다 《변하다》 ⁴sich verändern; wechseln; ⁴sich wandeln; über|gehen*ⓢ; ⁴sich ändern; anders werden; 《갖가지로》 variieren. ¶ 달라진 verändert; geändert / 달라지지 않다 unverändert (ungeändert) bleiben*ⓢ / 동네 이름이 달라졌다 Der Ortsname ist anders geworden. / 세상이 달라졌다 Die Welt hat sich verändert. / 사람이 아주 달라졌다 Er hat sich vollständig verändert. / 서울의 거리도 많이 달라졌다 Seoul hat sich viel verändert. / 그는 지난 번에 만났을 때와 아주 달라졌다 Er ist ganz anders geworden, seit ich ihn zum letztenmal gesehen habe.

달랑거리다 ① 《방울이》 schellen; läuten klingeln. ¶ 방울이 ~ die Schelle klingelt. ② ☞ 덜렁거리다 ②.

달랑달랑 ① 《방울이》 klingklang!; klingling! ¶ 종소리가 ~ 울렸다 Die Glocke läutete klingling. ② 《까불어댐》 leichtsinnig; leichtfertig; ruhelos.

달랑달랑하다 ① =달랑거리다. ② 《돈이》 mit s-m Geld beinahe zu Ende kommen* ⓢ.

달랑하다 ① =달랑거리다 ①. ② ☞ 덜렁하다 ②.

달래 〖식물〗 Wildperzwiebel *f.* -n; *Allium monanthum* (학명).

달래다 ① 《무마하다》 beschwichtigen 《*jn.*》;

beruhigen《*jn.*》; besänftigen《*jn*》; Frieden finden lassen* 《*jn.*》; zur Ruhe bringen* (kommen lassen*) 《*jn.*》; mäßigen^4; mildern^4; 《설득함》 herum|kommen*[s] (-|kriegen); 《기분을 돌림》 um|stimmen; 《아이를》 liebkosen 〔분리 및 비분리〕; hätscheln; herzen; unterhalten; bei guter Laune halten.* ¶ 달래기 힘든 사람 unversöhnlicher (unnachgiebiger) Mensch / 달래기 쉬운 사람 versöhnlicher (nachgiebiger) Mensch / 살살 ~ alles mögliche tun*, um *jn.* zu beschwichtigen; mit Aufgebot aller Überredungskunst besänftigen 《*jn.*》 / 우는 애를 ~ ein schreiendes Kind in den Armen wiegen*. ② 《꾀다》 ab|schmeicheln 《*jm.* ^{4}*et.*》; beschwatzen^4 (über|reden^4) 《*zu*^{3}》. ¶ 달랬다 을렀다 하며 bald schmeichelnd, bald drohend / 어린애를 달래어 장난감을 빼았다 e-m Kind ein Spielzeug ab|schmeicheln / 애를 달래어 병원에 데리고 가다 ein Kind dazu beschwatzen, ins Krankenhaus zu bringen / 애를 달래어 집으로 돌려 보내다 ein Kind dazu beschwatzen, nach Haus zu gehen. ③ 《시름을》 zerstreuen^4. ¶ 무료함을 ~ ^{3}sich die Zeit vertreiben* / 술로 시름을 ~ durch Trinken Sorge vergessen.

달러 Dollar *m.* -s, -s. ¶ ~로 in Dollars / 5 ~ 지폐 Fünfdollarschein *m.* -(e)s / 5 ~ 은화 Fünfdollarsilbermünze *f.* -n / ~를 벌다 Dollars verdienen / ~를 버는 상품 Waren, die viel Dollars verdienen.

‖ **~기근** Dollarkrisis *f.* **~매입** die Spekulation durch ^{4}Dollarankauf. **~박스** Geldkasten *m.* -s, ⸗ (-schatulle *f.*); 《전주》 Patron *m.* -s, -e; Beschützer *m.* -s, -; Geldquelle *f.* -n: 그녀는 ~ 박스이다 Sie ist Geldquelle. **~부족** Dollardefizit *n.* -es, -e. **~시세** Dollarkurs *m.* -(e)s, -e; der Wechselkurs des Dollars. **~외교** Dollardiplomatie *f.* **~자금** Dollarfonds *m.* **~지역** Dollarland, -e(s), ⸗er; **~화어음** Dollarwechsel *m.* -s, -. **~환** Dollaranweisung *f.* -en.

달려가다 in aller (großer) Eile kommen* (gehen*) [s]; eilends (schnellstens) (ab|)fahren* ((ab|)reisen) [s]. ¶ 학교로 ~ in aller Eile in die Schule laufen* [s] / 현장에 ~ schnell zur Stelle gehen* [s] / 말이 ~ Ein Pferd rennt in vollem Laufe. ¦Ein Pferd galoppiert.

달려들다 an|springen*^{4}; springen* [s] 《*gegen*^{4}》; los|stürzen [s] 《*auf*^{4}》; ^{4}sich auf *jn.* stürzen (werfen*); ^{4}sich über *jn.* her|machen; über *jn.* her|fallen* [s]; los|hausen* (-schlagen*) 《*auf*^{4}》; e-n Schlag führen 《*auf*^{4}; *gegen*^{4}》; an|greifen* ¶ 먹이에 (물고기가) ~ ^{4}sich um den Köder herum|sammeln / 개가 사람에게 ~ Der Hund stürzt sich auf e-e Person. / 고양이가 쥐한테 ~ E-e Katze stürzt sich auf e-e Maus. / 사자가 물소에게 달려들었다 Der Löwe sprang den Büffel an. / 세 사람이 달려들어 일을 하루만에 끝냈다 Drei Personen nahmen die Arbeit ernstlich in Angriff u. beendeten sie in e-m Tag.

달려오다 eilen 《*nach*^{3}; *zu*^{3}》; angelaufen kommen* [s] 《*nach*^{3}; *zu*^{3}》; 〔그외 gleich; sofort 따위의 부사와 함께〕 laufen* [s]; fahren* [s]; fliegen* [s]; reisen [s] 《*nach*^{3}》. ¶ 나는 선 걸음으로 그녀의 병상 (현장)으로 달려왔다 Stehenden Fußes eilte ich an ihr Krankenlager (zu dem Ort).

달력(一曆) Kalender *m.* -s, -; Almanach *m.* -s, -e; Jahrbuch *n.* -(e)s, ⸗er. ¶ 벽걸이 ~ Wandkalender *m.* -s. / ~에 의하면 nach dem Kalender / ~에서 찾아보다 im Kalender nach|schlagen*; in den Kalender hinein|blicken; den Kalender zu Rate ziehen*.

달리 《다르게》 verschieden; unterschiedlich; ungleich (같지 않게); unähnlich; 《여러 가지로》 mannigfältig; verschiedenartig; vornehmlich(특수함); 《따로》 getrennt; abgesondert; 《그 밖에》 extra; besonders; zusätzlich; 《각별히》 ungewöhnlich; außerordentlich; insbesondere. **~하다** von ^{3}*et.* verschieden sein; ^{4}sich von ^{3}*et.* unterscheiden*; e-n Unterschied machen 《*zwischen*^{3}》; diskriminieren^4; unterschiedlich behandeln^4. ¶ 그와는 ~ im Gegensatz zu ihm / 그것과는 ~ im Gegensatz (Unterschied) dazu; dagegen; wohingegen / 글 뜻을 ~ 해석하다 den Sinn e-s Satzes unterschiedlich aus|legen / 문제를 ~취급하다 das Problem auf andere Weise behandeln / 보통 사람과는 ~ 대우하다 e-e Person im Gegensatz zu den anderen behandeln / 의견을 ~하다 anderer Meinung (Ansicht) sein / 지위를 ~하다 zu verschiedenen Ständen gehören / 인생관을 ~하다 das Leben vom anderen Standpunkt an|schauen / ~ 물어볼 사람이 없다 Es gibt k-e andere Person, die man fragen kann. / ~ 방법이 없다 Es gibt k-n anderen Weg. / 두 형제는 성격을 전혀 ~하고 있다 Die beiden Brüder unterscheiden sich vollständig durch die Gemütsart. / 나는 그것을 ~ 설명할 수 없다 Das kam ich nicht anders erklären.

달리다^1 ① 《매달림》 hängen*; baumeln; auf|hängen*. ¶ 사과가 가지에 ~ Äpfel hängen an den Zweigen / 높은 가지에 큼직한 감이 한 개 달려 있다 E-e große Kaki-Frucht hängt hoch an e-m Zweig der Persimonenbaum. / 처마에 고드름이 달려 있다 Der Eiszapfen hängt an der Dachrinne.

② 《여하에》 ab|hängen* 《*von*^{3}》; abhängig von ^{3}*et.* sein; es kommt auf ^{4}*et.* an; ^{4}sich richten nach ^{3}*et.* ¶ 경우에 ~ von der Situation ab|hängen* / 대답에 ~ es kommt auf die Antwort an / 사람에 ~ von e-r Person ab|hängen* / 우리 나라의 운명은 순전히 정부의 시책에 달려 있다 Das Schicksal unseres Vaterlandes hängt ganz davon ab, wie die Regierung Politik treibt. / 계약의 수락 여부는 조건 여하에 달려 있다 Die Annahme des Vertrags hängt von dem ab, was die Bedingung ist. / 그것은 자네 생각 여하에 달려 있다 Es hängt von dir ab.¦ Es kommt darauf an, wie du darüber denkst. / 여행 가느냐 않느냐는 날씨에 달려 있다 Es kommt ganz auf das Wetter an, ob ich reise.

③ 《우수리가》 übrig bleiben* [s]. ¶ 그 값은 백원하고 우수리가 달려 있다 Der Preis ist ein bißchen mehr als einhundert *Won.*

달리다^2 ① 《가설·붙어 있음》 befestigt (eingebaut; gelegt; verbunden; verkuppelt) sein; mit ^{3}*et.* versehen (ausgestattet; ausgerüstet) sein. ¶ 꼬리 표가 달린 트렁크 ein Koffer 《*m.* -s, -》 mit e-m Anhänger / 이 기차에는 식당차가 달려 있읍니까 Führt der Zug e-n Speisewagen mit? / 가구가 달린 방 ein Zimmer 《*n.* -s, -》 mit Möbeln / 전등이 달

려 있다 E-e elektrische Lampe ist angelegt (installiert). / 책상에 다리가 달려 있다 Der Tisch hat Beine. / 방에 전화가 달려 있다 Das Zimmer hat (ein) Telefon.

② 《주(註)가》 《mit Anmerkungen》 versehen sein. ¶ 책에 주가 달려 있다 Das Buch ist mit Anmerkungen versehen.

달리다³ ① 《기운이》 schlaff (erschlafft; matt; schwach; kraftlos; ermüdet) sein. ¶ 몸이 달린다 Ich bin sehr matt.

② 《눈이》 angegriffen (müde; erschöpft) sein. ¶ 잠을 못 자서 눈이 달린다 M-e Augen sind angegriffen, weil ich diese Nacht nicht gut schlafen konnte.

달리다⁴ ① 《부족》 ungenügend (unzulänglich; unzureichend; nicht hinreichend; mangelhaft; mangelnd; fehlend) sein; nicht genügen; nicht hin|reichen; nicht aus|reichen; es mangelt (fehlt) *jm.* 《*an*³》; ermangeln 《²*et.*》. ¶ 돈이 달려서 aus Mangel an Geld / 돈이 ~ es fehlt *jm.* an Geld. ② 《부치다》 nicht erreichen; nicht reichen; ⁴sich nicht erstrecken; nicht gewachsen sein. ¶ 내 힘에 ~ über m-e Kräfte gehen* [s].

달리다⁵ ① 《질주》 laufen* [s]; rennen* [s]; hasten [s,h]; ⁴sich beeilen; 《차가》 fahren* [s]; segeln [s,h] (배가); 《말이》 traben [s]; galoppieren [h,s]. ¶ 달려 오다 gelaufen (gerannt) kommen* [s] / 쏜살같이 ~ wie ein geölter Blitz (wie der Teufel) laufen* [s] / 속력을 내어 ~ die Geschwindigkeit beschleunigen / 전속력으로 ~ 《차를》 Vollgas geben* / 차를 (말을) 달려 급히 가다 mit dem Auto (Pferd) hin|eilen 《*zu*³; *nach*³》 / 달려 나가다 hinaus|laufen* [s] (밖으로) / 달리기 시작하다 an|fangen*, zu laufen (zu rennen; zu starten; anzulaufen) / 달려 지나가다 vorbei|laufen* [s] / 달려 내려가다 hinunter|laufen* [s]; herunter|laufen* [s] / 달려 지치다 ⁴sich müde laufen* [s] / 전속력으로 ~ rennen* [s], so schnell, wie man kann / 시속 40 마일로 ~ 40 Meilen in e-r Stunde fahren* [s] / 사람이 달린다 E-e Person läuft. / 말이 달린다 Ein Pferd galoppiert. / 달려 돌아오다 zurück|rennen* (-|laufen*) [s] / 급행차는 그 거리를 15 분에 달렸다 Der Schnellzug ist die Strecke in 15 Minuten gefahren. / 그 배는 시속 20 노트로 달렸다 Das Schiff ist 20 Seemeilen in e-r Stunde gefahren. / 백미터를 몇초에 달릴 수 있겠읍니까 In wievielen Sekunden laufen Sie 100 Meter? / 그렇게 빨리 달리지 마시오 Fahren Sie nicht so schnell!

② 《차·말을》 reiten*; fahren*. ¶ 말을 타고 ~ ein Pferd reiten* / 자동차를 타고 ~ mit dem Auto fahren* [s].

달리아 〖식물〗 Dahlie *f.* -n; Georgine *f.* -n.

달마(達磨) Boddhi-dharma *m.* -s (선사); Dharma [dármə] *n.* -(s), -s 《범어》.

달마다 jeden Monat; monatlich; Monat für Monat.

달맞이 〖민속〗 Vollmondbetrachtungsfest *n.* -es, -e. ~하다 das erste Vollmondbetrachtungsfest feiern.

달맞이꽃 〖식물〗 Nachtkerze *f.* -n.

달무리 der Hof um den Mond. ¶ 달에 ~가 졌다 Der Mond hat Hof. ⌈-(e)s, -e.

달문(達文) der flüssige (gewandte; klare) Stil,

달밤 Mondnacht *f.* ⸚e; die mondhelle Nacht, ⸚e. ¶ ~에 산책하다 im Mondlicht spazieren|gehen* [s] / 밝은 ~이다 Es ist e-e helle Mondnacht.

달변(一邊) 《이자》 monatliche Zinsen 《*pl.*》.

달변(達辯) Beredsamkeit *f.*; Zungenfertigkeit *f.*; Redegewandtheit *f.* ¶ ~의 beredsam; beredt; zungenfertig; fließend (유창한) / 그 사람은 ~으로 반박했다 Er widersprach mit großer Beredsamkeit.

‖ ~가 der beredte Sprecher, -s, -: 저 사람은 ~가이다 Er hat e-e geläufige Zunge.

달병(疸病) 〖의학〗 Gelbsucht *f.*; Ikterus *m.* -.

달빛 Mond|licht *n.* -es (-schein *m.* -(e)s). ¶ 그는 ~ 속에 산책한다 Er geht in dem Mondschein spazieren.

달삯 Monatslohn *m.* -(e)s, ⸚e.

달성(達成) Erreichung *f.* -en; Durchführung *f.* -en; Ausführung *f.* -en; Vollbringung *f.* -en. ~하다 erreichen⁴; durch|führen⁴; aus|führen⁴; vollbringen*⁴. ¶ 목적을 ~하다 das Ziel erreichen; den Zweck erreichen / 그 목표는 ~하기 힘들다 Das Ziel ist schwer zu erreichen.

달싹하다¹ ☞ 들썩하다².

달싹하다² 《움직이다》 ⁴sich (von der Stelle) rühren; ⁴sich leicht bewegen. ¶ 너무 아파서 달싹할 수도 없었다 Er konnte sich vor Schmerzen kaum bewegen.

달아나다 ① 《빨리 가다》 ⁴sich beeilen; eilen [s]; davon|fahren* [s]; davon|gehen* [s]; schnell (rasch) machen. ¶ 차가 쏜살같이 달아났다 Der Wagen fuhr schnell davon.

② 《도망》 fliehen* [s]; das Weite* suchen; 《죄수·위험에서》 entfliehen* [s]; entrinnen* [s]; entspringen* [s]; entweichen* [s]; aus|-reißen* [s]; 《도망하다》 davon|laufen* [s]; ⁴sich davon|machen; die Flucht ergreifen*; ⁴sich aus dem Staube machen; 《새들이》 fort|fliegen* (entfliegen*) [s]; durch|-gehen* [s]; durch|brennen* [s]. ¶ 겁이 나서 ~ vor Angst entfliehen* [s] / 눈이 맞아 ~ mit e-m Geliebten (e-m Mann) entlaufen* (durch|gehen*) [s] / 야음을 틈타 ~ unter dem Schutz der Nacht (unter dem Mantel der Nacht) fliehen* [s] / 빚장이에게서 ~ heimlich s-n Gläubigern entfliehen* [s] / 몰래 ~ heimlich fliehen* [s] / 허둥지둥 ~ Hals über Kopf fliehen* [s] / 돈을 가지고 ~ mit dem Geld durch|gehen* [s] / 차를 훔쳐 ~ e-n Wagen mitgehen heißen*; mit dem Wagen das Weite suchen / 적진으로 ~ zum Feind über|laufen* [s] / 차비를 안 물고 ~ ⁴sich davon|machen, ohne die Fahrt zu bezahlen; die Fahrt prellen / 달아나는 적을 뒤쫓다 die fliehenden Feinde verfolgen / 무사히 ~ mit heiler Haut davon|-kommen* [s]/미처 못 달아나다 zu entfliehen mißlingen / 전속력으로 ~ mit voller (größter) Geschwindigkeit davon fahren* [s] / 순경을 보자 도둑은 달아났다 Sobald der Dieb e-n Schutzmann gesehen hatte, machte es sich aus dem Staub.

달아매다 auf|hängen⁴; hoch|ziehen*⁴.

달아보다 ① 《무게를》 wiegen*⁴; das Gewicht bestimmen. ¶ 감자, 고기, 짐을 ~ Kartoffeln, das Fleisch, das Gepäck wiegen*. ② 《사람을》 beurteilen⁴; ab|schätzen⁴; ein|-schätzen⁴. ¶ 자기중심으로 남을 ~ ⁴sich selbst zum Maß nehmen*; von ³sich auf andere schließen* / 그녀는 그의 인내심을 달아보았다 Sie stellte s-e Geduld auf die Probe.

달아오르다 ① 《쇠가》 heiß werden; glühen. ② 《얼굴이》 brennen*; erröten. ¶ 술을 마셔

더니 얼굴이 달아오른다 Das Gesicht brennt mir vom Wein.

달음박질 das Laufen*, -s; Lauf *m.* -(e)s, ⸚e; das Rennen*, -s. ~하다 laufen* ⓢ; rennen* ⓢ; stürzen ⓢ; stürmen ⓢ.

달음질 ☞ 달음박질.

달의(達意) Gewandtheit *f.* ¶ ~의 flüssig; gewandt; klar.

달이다 (ab|)kochen[4]; (ab|)sieden*[4]. ¶ 달여내다 ziehen lassen*[4]; extrahieren; e-n Extrakt zu|bereiten / 약을 ~ Heilkraut zubereiten; e-n Absud (ein Dekokt) zubereiten.

달인(達人) 《숙달인》 Meister *m.* -s, -; Adept *m.* -en, -en; Experte *m.* -n, -n; 《학문의》 Virtuose *m.* -n, -n; der Sachverständige*, -n, -n; Philosoph *m.* -en, -en.

달짝지근하다 süßlich; ein wenig süß (sein). ¶ 달짝지근한 냄새 ein süßlicher Geruch, -(e)s, ⸚e.

달창나다 ① 《해짐》 [4]sich ab|tragen*; abgetragen werden; 《ein Kleidungsstück》 so lange getragen werden, bis es nicht mehr brauchbar ist (옷 따위가). ¶ 달창난 구두 abgetragene Schuhe 《*pl.*》 / 그의 모든 옷은 달창났다 Alle s-e Kleider sind abgetragen. ② 《없어짐》 alle werden; [4]sich erschöpfen; zu Ende gehen* ⓢ. ¶ 기름이 달창났다 Das Öl ist zu Ende. / 탄약이 달창났다 Die Munition ist erschöpft.

달치다 ① 《달다》 zu heiß werden. ② 《바싹 졸이다》 ein|kochen[4]; 《Milch》 kondensieren[4]. ¶ 그 과즙을 달치면 시럽이 된다 Wenn man den Saft jener Früchte einkocht, bekommt man Sirup.

달카닥-, 달칵- ☞ 덜커덕-.

달카당-, 달캉- ☞ 덜커덩-.

달콤새콤하다 sauersüß (sein).

달콤하다 ① 《맛이》 honigsüß; zuckerig; süßlich (sein). ¶ 인생의 달콤한 맛 das (die) Manna des Lebens. ② 《말이》 süß; schmeichelnd; glatt (sein). ¶ 달콤한 말 zuckersüße Worte 《*pl.*》 / 달콤한 멜로디 e-e einschmeichelnde Melodie, -n / 달콤한 말로 glattzüngig; mit Engelszungen; mit schmeichelhafter Stimme; in Schmeichelhaftem Ton / 달콤한 말을 하다 süß wie Honig reden / 달콤한 말로 꾀다 *jm.* um den Bart gehen* ⓢ; *jm.* Honig um den Bart (um den Mund; ums Maul) schmieren.

달팽이 Schnecke *f.* -n. ¶ 겁이나서 ~ 눈이 되다 [4]sich vor Angst zusammenziehen*.
‖ ~걸음 Schnecken¦tempo *n.* -s, -s (-gang *m.* -s, ⸚e). ~껍질 Schneckenhaus *n.* -es, ⸚er. 식용~ die eßbare Schnecke.

달포 ungefähr (etwa; rund) ein Monat. ¶ 그가 떠난 지 한 ~ 된다 Es ist ungefähr ein Monat her, seit er abfuhr.

달품 Monatsarbeit *f.* -en.

달필(達筆) geschicktes Schreiben*, -s; geschickte Hand, ⸚e; gute (geschickte) Handschrift, -en. ¶ ~이다 geschickt (gewandt) im Schreiben sein / ~로 쓰여 있다 in e-r geschickten Handschrift geschrieben sein / 너무 ~이라 읽을 수가 없다 Die Handschrift ist so raffiniert, daß ich sie nicht entziffern kann.
‖ ~가 Kalligraph *m.* -en, -en; der geschickte Stilist, -en, -en.

달하다(達—) ① 《도달》 erreichen[4]; erlangen[4]; an|kommen* ⓢ; gelangen; an|langen ⓢ; 《이르다》 erreichen[4]; reichen 《*bis an*[4]》. ¶ 목표에 ~ das Ziel erreichen / 성년에 ~ das Mannesalter erreichen; die Mündigkeit erlangen; mündig (volljährig) werden / 절정에 ~ den Höhepunkt erreichen / 고령에 ~ ein hohes Alter erreichen / 산 꼭대기에 ~ den Gipfel des Berges erreichen / 전전 수준에 ~ das Niveau vor dem Krieg erreichen / 물이 무릎까지 ~ Das Wasser reicht ihm bis an die Knie.
② 《수량》 [4]sich erstrecken; betragen*; [4]sich belaufen* 《*auf*[4]》. ¶ 천문학적 숫자에 ~ [4]sich auf astronomische Zahlen erstrecken / 표준에 ~ der Norm entsprechen* / 표준에 달하지 못하다 die Norm nicht erreichen / 지원자의 수가 수천 명에 달한다 Die Zahl der Bewerber erreicht Tausende. / 재산이 수백만 원에 달한다 Sein Vermögen beträgt Millionen *Won*. / 총액이 1,000 마르크에 달한다 Die Summe erstreckt sich auf tausend Mark. / 손실은 300만 원에 달한다 Der Betrage des Verlustes beträgt drei Millionen *Won*.
③ 《이루다》 erfüllen[4]; in Erfüllung bringen*[4]; erreichen[4]. ¶ 목적을 ~ den Zweck erreichen / 소원을 ~ s-n Wunsch in Erfüllung bringen* / 완전한 경지에 ~ e-n perfekten Zustand erreichen.

닭 《일반적으로》 Huhn *n.* -(e)s, ⸚er; 《수탉》 Hahn *m.* -(e)s, ⸚e; 《암탉》 Henne *f.* -n; 《병아리》 Küchlein *n.* -s, -; Küken *n.* -s, -; Hühnchen *n.* -s, -; Hähnchen *n.* -s, -; Hennchen *n.* -s, -. ¶ 닭장 Hühnerstall *m.* -(e)s, ⸚e / 닭을 치다 [3]sich Hühner halten* / 닭을 잡다 e-e Henne schlachten / 소 잡는 데 쓰는 칼을 닭 잡는 데 쓰다 mit Kanonen nach Spatzen schießen* / 닭이 울다 Der Hahn kräht. / 닭쫓던 개가 지붕 쳐다 보다 [4]sich enttäuschen; e-e Enttäuschung erfahren* / 닭 벼슬이 될망정 쇠꼬리는 되지 말라 Werde lieber der Schnabel e-s Hahns als der Schwanz e-s Ochsen.¦Lieber in e-m Dorfe der erste, als in Rom der zweite. ‖ 싸움닭 Kampfhahn *m.* -es, ⸚e.

닭고기 Hühnerfleisch *n.* -es.
‖ ~수프 Hühnerfleischsuppe *f.*

닭고집(—固執) Dick¦kopf (Starr-) *m.* -(e)s, ⸚e. ¶ 저 사람의 아버지는 옛날부터 ~으로 통하고 있다 Sein Vater gilt von jeher als Dickkopf. / 아버지의 ~을 물려받았다 Der Eigensinn des Vaters hat sich auf ihn vererbt.

닭백숙(—白熟) gekochtes Hühnchen (Hähnchen) -s, -.

닭볶음 Hühnerbraten 《*m.* -s, -》 in kleinen Stücken.

닭살 《거친 살갗》 grobkörnige, trockene Haut, ⸚e; Gänzehaut *f.*

닭싸움 Hahnenkampf *m.* -(e)s, ⸚e.

닭(의)어리 Hühnerkorb *m.* -(e)s, ⸚e.

닭(의)장(—欌) =계사(鷄舍).

닭의홰 Hühnerstange *f.* -n; Hühnerlatte *f.* -n.

닭잦추다 schnell hintereinander krähen.

닭찜 《요리》 in e-r flachen Pfanne gekochtes Hühnerfleisch, -es.

닮다 ähneln[3]; gleichen*[3]; ähnlich sein; ähnlich sehen* 《[3]*et.*; in [3]*et.*》; arten 《*nach*[3]》; schlagen* 《nach *jm.*》; Ähnlichkeit 《*mit*[3]》 haben. ¶ 아주 ~ e-e auffallende Ähnlichkeit haben; ganz ähnlich sein / 착각하리 만큼 ~ *jm.* zum Verwechseln ähnlich sein / 닮지 않다 k-e Ähnlichkeit haben; nicht im geringsten gleichen* / 저 남자는 누구를 닮았나 Wem sieht der Mann ähnlich? / 그의 얼굴은 원숭이를 닮았다 Sein Gesicht gleicht dem e-s Affen. / 이것 저것이 형태가 닮았다 Dies gleicht jenem in der Form. / 그는 아버지를 꼭 닮았다 Er ist das lebhafte Ebenbild s-s Vaters.¦Er ist s-m Vater gerade wie aus dem Gesicht geschnitten. / 나는 아버지보다 어머니를 더 닮았다 Ich bin mehr nach m-r Mutter als nach m-m Vater. / 그는 아버지의 얼굴은 닮지 않았지만 성격은 닮았다 Er hat den Charakter s-s Vaters, wenn er auch nicht so aussieht wie er. / 그들의 코는 닮았다 Ihre Nasen sind ähnlich. / 그들은 성격이 닮았다 Sie sind gleich im Charakter.

닳다 ① 《해지다》 ⁴sich ab|reiben*; ⁴sich ab|nutzen; abgenutzt (abgetragen) sein. ¶ 닳아빠진 구두 ein Paar abgenützte Schuhe / 뒤축이 닳았다 Der Absatz der Schuhe ist abgenützt. / 먹이 닳았다 Die Tusche ist abgerieben.
② 《졸아듦》 ein|kochen Ⓢ; verdampfen; durch langes Kochen verdunsten. ¶ 국이 다 닳았다 Die Suppe ist eingekocht. / 그 약은 닳지 않게 해라 Kochen Sie Dekokt nicht ein.
③ 《피부가》 rot werden; erröten. ¶ 볼이 추위로 ~ Die Wangen werden wegen Kälte rot.
④ 《비유적》 gerieben (durchtrieben) werden; frech (schamlos; unverschämt; dreist) werden; verschlagen (raffiniert; schlau) werden; mit allen Wassern gewaschen (von allen Hunden gehetzt; in allen Sätteln gerecht) sein (werden). ¶ 닳고 닳은 여자 das ausgekochte Weibsstück, -(e)s, -e; das geriebene Weibsbild, -(e)s, -er; die böse Sieben, - / 세상 일에 닳고 닳은 mit allen Wassern gewaschen; von allen Hunden gehetzt.

닳리다 ① 《해뜨리다》 ab|reiben*⁴ (마찰해서); ab|nutzen⁴ (써서); ab|tragen*⁴ (입어서). ¶ 구두 뒤축을 ~ den Absatz der Schuhe ab|reiben* / 연필을 ~ den Bleistift ab|nutzen. ② 《액체를》 ein|kochen⁴. ¶ 약을 (국을) ~ Dekokt (Suppe) ein|kochen. ③ 《피부를》 *jn.* rot machen; *jn.* erröten lassen*.

담¹ Einfriedigung *f.* -en; Ein¦zäunung (Um-) *f.* -en. ¶ 정원의 담 der Zaun um den Garten / 담을 두르다 (치다) ein|fried(ig)en⁴; ein|zäunen⁴; umzäunen⁴ (울타리로); ein|mauern⁴; ummauern⁴ (벽으로); ein|pfählen⁴ (말뚝으로) / 담을 타고 넘다 über e-e Hecke springen* Ⓢ; über e-n Zaun hinweg|springen* Ⓢ / 담너머로 보다 ⁴*et.* über die Hecke sehen*.

담² 《머리털 결》 ¶ 담이 좋은 leicht kämmbar / 담이 좋다 die Haare sind so beschaffen, daß sie sich leicht kämmen lassen.

담(痰) ① 《가래》 Schleim *m.* -(e)s, -e; Auswurf *m.* -(e)s, ⸗e; Sputum *n.* -s, ..ta. ¶ 담을 뱉다 Schleim aus|werfen* / 담이 생기다 Auswurf haben / 담이 목에 걸리다 Der Hals ist mir verschleimt. ② 《병》 ¶ 가슴에 담이 들다 Die Brust ist eingeengt.
‖ 담약 das schleimlösende Heilmittel, -s.

담(膽) ① 《담낭》 Gallenblase *f.* -n. ② 《담력》 Mut *m.* -(e)s; Herzhaftigkeit *f.*; Herz *n.* -ens, -en; starkes Nerv, -s (-en), -en; Kühnheit *f.* ¶ 담이 크다 mutig (herzhaft; beherzt; kühn) sein; Mut haben; Herz haben; gute (starke) Nerven haben.

담가(擔架) =들것.

담갈색(淡褐色) Hellbraun *n.* -s. ¶ ~의 hellbraun; stroh¦farben (-farbig).

담그다 ① 《물에》 ein|tauchen⁴; tauchen⁴; ein|tunken⁴; an|feuchten⁴. ¶ 가죽을 물에 ~ Leder ins Wasser ein|tunken (ein|tauchen) / 더운 물에 발을 ~ Füße in heißes Wasser ein|tauchen / 펜을 잉크에 ~ e-e Feder (in die Tinte) ein|tauchen. ② 《김치 따위를》 ein|legen⁴; ein|machen⁴; 《젓을》 marinieren. ¶ 김치를 ~ *Kimchi* ein|legen / 젓갈을 ~ Fisch marinieren. ③ 《술을》 brauen⁴. ¶ 술을 ~ Reiswein brauen.

담금질 das Härten*, -s; das Tempern*, -s. ~하다 〖야금〗 härten⁴; tempern⁴.

담기다 《그릇에》 gefüllt sein; gelegt sein; enthalten*⁴; fassen⁴; 《음식이》 auf den Teller gegeben sein 《Speisen》; 《병에》 in Flaschen abgefüllt sein. ¶ 밥이 ~ Reis ist in das Schälchen gefüllt / 병에 물이 담겨 있다 In der Flasche ist Wasser. / 그 그릇에는 물이 2리터 담긴다 Das Gefäß faßt 2 Liter Wasser.

담낭(膽囊) Gallenblase *f.* -n.
‖ ~염 Gallenblasenentzündung *f.* -en.

담다 ① 《그릇에》 füllen⁴; ⁴*et.* hinein|tun*; 《음식을》 (auf den Teller; in die Schale) tun*⁴; 《병에》 (auf Flasche) ziehen*⁴; voll|machen⁴; voll|füllen⁴; 《파이프에 담배를》 stopfen⁴. ¶ 바께스에 물을 ~ Wasser in den Eimer gießen* / 그릇에 밥을 ~ Reis in den Teller tun* / 바구니에 과일을 ~ Obst in e-n Korb füllen / 음식을 접시에 ~ Speisen in den Teller tun* / 담배를 파이프에 ~ e-e Pfeife stopfen / 다른 그릇에 옮겨 ~ um|füllen⁴ 《*in*⁴》 / 이 포도주를 다른 병에 옮겨 담아 주게 Füllen Sie den Wein bitte in e-e andere Flasche um!
② 《입에》 gebrauchen⁴; benutzen⁴; sprechen; schimpfen. ¶ 입에 담지 못할 욕 häßliche Worte (Verleumdung) / 그런 말은 입에 담지 마시오 Überhäufen Sie nicht mit Beschimpfungen!

담담하다 ☞ 덤덤하다.

담담하다(淡淡—) 《색채》 hell; blaß; 《무관심》 gleichgültig; unbekümmert; 《따분한》 schal; nüchtern (sein). ¶ 담담한 태도를 취하다 e-e gleichgültige Haltung ein|nehmen*.

담당(擔當) Übernahme *f.* -n (인수); 《소관》 Zuständigkeit *f.* -en; 《돌봄》 Betreuung *f.*; 《감독》 Aufsicht *f.* -en; 《의무》 Obliegenheit *f.* -en; 《임무》 Aufgabe *f.* -n; 《위탁》 Auftrag *m.* -(e)s, ⸗e. ~하다 übernehmen*⁴; auf ⁴sich nehmen*⁴; beauftragt sein; für ⁴*et.* verantwortlich sein; mit ³*et.* betraut sein. ¶ ~을 시키다 *jm.* ⁴*et.* zu|feilen; *jm.* ⁴*et.* an|weisen* / 사건을 ~하다 《변호사가》 e-n Prozeß übernehmen* / 나는 독어를 ~한다 Ich lehre Deutsch. / 그는 3학년 ~이다 Er ist der Klassenlehrer des dritten Schuljahres. / ~ 시간은 얼마나 됩니까 Wieviele Stunden müssen Sie unterrichten? / 이것은 제 ~입니다 Dafür bin ich verantwortlich. / 나는 수출부의 ~이다 Für die Exportabteilung bin ich zuständig. / 남 박사가 이 병실의 ~이다 Dr. *Nam* ist für die Abteilung zuständig.
‖ ~검사 der zuständige Staatsanwalt, -es, -e (⸗e). ~교사 Klassenleiter *m.* -s. ~구역

Verwaltungsbezirk *m.* -(e)s, -e; Verwaltungsbereich *m.* -(e)s, -e: ～ 구역을 돌다 die Runde um den Verwaltungsbezirk machen. **～기자** ein beauftragter Mann, -(e)s, ⸚er. **～사무** das Hinterlegte*, -s; die hinterlegte Arbeit. **～아나운서** Ansager *m.* -s, -. **～자** der Zuständige*, -n, -n. **～책임자** der Verantwortliche*, -n, -n.

담대하다(膽大—) ☞ 대담(大膽).

담략(膽略) Mut u. Listigkeit. ¶ ～이 있다 mutig u. listig sein.

담력(膽力) Mut *m.* -(e)s; Herzhaftigkeit *f.*; Kühnheit *f.* -en. ¶ ～ 있는 mutig; beherzt; kühn / ～ 있는 사람 der mutige Mann, -(e)s, ⸚er / ～을 기르다 Mut pflegen / ～을 시험하다 *js.* [4]Mut versuchen / 그는 ～ 있는 사람이다 Er ist ein mutiger Mann.

담론(談論) Besprechung *f.* -en; Diskussion *f.* -en; Erörterung *f.* -en. **～하다** besprechen*[4]; diskurrieren; diskutieren[4] 《*über*[4]》; erörtern[4]; zur Diskussion (Debatte) stellen[4]; e-e Aussprache haben 《mit *jm.* *über*[4]》. ¶ ～ 풍발(風發)하다 [4]sich lebhaft unterhalten* 《*mit*[3] *jm.* *über*[4]》; eifrig erörtern[4].

담박(澹泊·淡泊) Freimütigkeit *f.*; Offenherzigkeit *f.*; Einfachheit *f.*; Schlichtheit *f.* **～하다** 《음식물이》 einfach; 《색이》 hell; 《성격이》 offen; offenherzig; freimütig (sein). ¶ ～한 남자 der offenherzige (offene) Mann / ～한 식사 einfaches (bekömmliches; leichtes; leichtverdauliches) Essen*, -s. / 금전에 ～하다 um Geld unbekümmert sein; gegen Geld gleichgültig sein / 학자는 대개 금전에 ～하다 Im allgemeinen gesprochen sind Gelehrte (dem) Geld gegenüber gleichgültig.

담방- ☞ 덤벙-.

담배 ① 〖식물〗 Tabakpflanze *f.* -n.
② 《담배》 Tabak *m.* -(e)s, -e; Zigarette *f.* -n (궐련); Zigarre *f.* -n (여송연); Kautabak *m.* (씹는); Schnupftabak *m.* (냄새 맡는); Blättertabak *m.* (잎담배). ¶ ～ 한 개비 e-e Zigarette / ～ 한 갑 e-e Packung (Schachtel) Zigaretten/손으로 만 ～ die selber gedrehte Zigarette, -n; die Selbstgedrehte*, -n / ～ 한 대 e-e Pfeife Tabak / 줄～를 피우는 사람 Kettenraucher *m.* -s, - / ～를 피우지 않는 사람 Nicht-Raucher *m.* / ～를 입에 물고 mit e-r Zigarette im Munde / ～를 한 대 피우다 e-e Zigarette (Zigarre; e-e Pfeife Tabak) rauchen / ～를 너무 피우다 zuviel rauchen / 담뱃불을 빌다 um Feuer für e-e Zigarette bitten* / ～ 연기를 둥글게 내뿜다 Ringe blasen / ～를 연달아 피우다 Zigaretten in e-r Kette rauchen; ununterbrochen rauchen / ～를 빠끔빠끔 빨다 e-e Pfeife (an e-r Zigarette) paffen / ～를 끊다 [3]sich das Rauchen ab|gewöhnen; mit dem Rauchen auf|hören.

‖ **～가게** Tabakladen *m.* -s, ⸚; Tabakwarenhändler *m.* -s, -e. **～꼬투리, ～꽁초** Zigarettenstummel *m.* -s, -e; Zigarrenstummel *m.* **～꽁초주이** der Sammler der Zigarettenstummel. **～물부리** Zigarettenspitze *f.* -n. **～설대** Pfeifenstiel *m.* -s, -e. **～쌈지** Tabak(s)beutel *m.* -s, -; Zigarettenetui *n.* -s, -s. **담뱃갑** Etui [etví:, ..yí:] *n.* -s, -s. **담뱃값** Trinkgeld *n.* -(e)s, ⸚er (생기는 푼돈); Geld für Zigaretten: 요즘은 담뱃값도 없다 Jetzt bin ich ganz abgebrannt. / 그에게 담뱃값으로 약간 주었다 Ich habe ihm ein bißchen Geld als Trinkgeld geben. **담뱃대** Pfeife *f.* -n: 담뱃대를 물다 e-e Pfeife im Munde haben / 담뱃대를 털다 die Asche aus der Pfeife klopfen. **담뱃불** Feuer für Zigaretten: 담뱃불을 붙이다 [3]sich e-e Zigarette an|zünden / 담뱃불을 끄다 e-e Zigarette aus|drücken (-|treten (밟아)) / 담뱃불 좀 얻읍시다 Können Sie mir bitte Feuer geben? **담뱃재** Zigarettenasche *f.* -n: 담뱃재를 털다 Zigarettenasche ab|klopfen. **담뱃진** Nikotin *n.* -s.

담백하다(淡白—) ① 《맛·빛깔이》 leicht; einfach (sein). ¶ 담백한 음식 einfaches Essen*, -s. ② 《마음이》 indifferent (무관심한); uneigennützig; 《솔직한》 offenherzig; ehrlich; offen; aufrichtig; redlich (sein). ☞ 담박. ¶ 담백한 사람 der offenherzige Mensch / 금전에 ～ [4]sich über Geld hinweg|setzen.

담벼락 《담》 Mauer *f.* -n; 《사람》 der Halsstarrige* (Starrköpfige*; Begriffsstutzige*) -n, -n; der unverbesserliche Kerl, -(e)s, -e; Holzkopf *m.* -(e)s, ⸚ (돌대가리). ¶ ～하고 말하는 셈이다 zu tauben Ohren sprechen*; zu e-r Wand (Mauer) sprechen*.

담보(擔保) Pfand *n.* -(e)s, ⸚er; Sicherheit *f.* -en; Bürgschaft *f.* -en; Unterpfand *n.*; 《담보물》 Sicherheit *f.*; Unterpfand *n.* -(e)s, ⸚er; Pfand *n.* -(e)s, ⸚er. **～하다** verpfänden[4]; als Pfand geben*[4] (versetzen[4]); zum Pfand setzen[4]. ¶ ～ 없이 ohne Pfand / …을 ～로 하여 [4]*et.* als Pfand / ～로 넣다 [4]*et.* als Pfand geben*; Sicherheit leisten (stellen); verpfänden[4] / 집을 ～로 돈을 빌어오다 Geld auf die Hyphothek e-s Hauses (auf|)nehmen* / ～를 잡고 돈을 빌려 주다 Geld auf [4]Pfänder leihen* / 토지(가게)를 ～로 잡다 ein Grundstück (ein Geschäft) in (zum) Pfand nehmen* / 그 상품은 모두가 ～로 잡혀 있다 Alle Waren sind zum Pfand genommen.

‖ **～계약** Bürgschaftsvertrag *m.* -(e)s, ⸚e. **～권** Pfandrecht *n.* -(e)s, -e. **～금** Sicherheitssumme (für die unvorgesehene Fälle). **～물** Sicherheit *f.* -en; Pfand *n.* -(e)s, ⸚er; Unterpfand *n.* -(e)s, ⸚er. **～부(付) 대부** gedecktes Darlehen *n.* -s, -. **～부 사채(社債)** Sicherheitsrückzollschein *m.* -(e)s, -e. **～부 채권** der Anteilschein von e-r hypothekarischen Anleihe. **～인** Gewährsmann *m.* -(e)s, ..leute; Bürgin *f.* -nen. **～제공** Gewährleistung *f.* -en. **～증서** Hypothekenbrief *m.* -(e)s, -e; Pfandbrief *m.* -(e)s, -e. **～책임** die Verantwortung für die Sicherheit. **이중～** doppeltes Pfand.

담북장(—醬) *Dambugjang* *n.* -s, -s (=Bohnenmus, das aus gegorenen Sojabohnen, Paprika, Ingwer u. Reismehl hergestellt wird).

담불[1] 《마소의》 zehnjähriger Ochse, -n, -n; zehnjähriges Pferd, -(e)s, -e.

담불[2] 《곡식의》 Getreideschober *m.* -s, -; Feime *f.* -n.

담비 〖동물〗 Marder *m.* -s, -. ¶ ～ 털가죽 Marder; Marder|fell *n.* -(e)s, -e (-pelz *m.* -es, -e).

담뿍- ☞ 듬뿍-.

담색(淡色) helle Farbe, -n. ¶ ～의 hellfarbig.

담석(膽石) Gallenstein *m.* -(e)s, -e.
‖ **～증** Gallensteinkrankheit *f.*

담소(談笑) das (gemütliche) Geplauder, -s; das (ver)trauliche Gespräch, -(e)s, -e. **～하다** plaudern 《mit *jm.*》; [4]sich gemütlich unterhalten* 《mit *jm.*》. ¶ 사건을 ～하면서

해결하다 e-e Sache freundschaftlich bei|legen (erledigen) / 그와는 터놓고 ~할 수 있다 Mit ihm läßt sich gut plaudern.

담소하다(膽小—) kleinmütig; furchtsam; zaghaft; feig; ängstlich (sein). ¶ 담소한 사람 Hasenfuß *m.* -es, ⁼e; ängstlicher Mensch, -en, -en; Feigling *m.* -s, -e.

담수(淡水) Süßwasser *n.* -s, -; süßes Wasser. ‖ ~어 Süßwasserfisch *m.* -es, -e. ~호 Süßwassersee *m.* -s, -n.

담시(곡)(譚詩(曲)) Ballade *f.* -n.

담쌓다 ① 《담 두르다》 e-e Mauer bauen* (errichten); mauern; mit e-r Mauer umgeben*⁴; e-e Mauer auf|führen.
② 《관계·교제를 끊다》 die Beziehung zu *jm.* lösen; k-n Verkehr mehr haben; nicht mehr miteinander verkehren; die Freundschaft mit *jm.* auf|geben*; mit *jm.* nichts mehr zu tun haben; *jm.* die Freundschaft ab|sagen. ¶ 인제 그와는 담을 쌓았다 Er ist für mich erledigt. / 그들은 서로 담을 쌓았다 Sie wollen nichts mehr miteinander zu tun haben.

담요(毯—) Wolldecke *f.* -n. ¶ ~를 깔다 e-e Wolldecke legen 《*auf*⁴》.

담임(擔任) Übernahme *f.* -n; 《선생》 Klassenlehrer *m.* -s, -; Klassenleiter *m.* -s, -. ~하다 ⁴*et.* übernehmen*; beauftragt sein 《*mit*³》; unter ³sich haben (감독, 관리). ¶ 학급을 ~시키다 *jn.* mit der Aufsicht über e-e Klasse betrauen / 금년 우리 반 ~ 선생은 누구냐 Wer ist unser Klassenleiter in diesem Jahr? / 3학년은 내가 ~하고 있다 Ich habe den dritten Jahrgang unter mir.
‖ ~반 die Klasse unter *js.* Aufsicht. ~선생 Klassen|leiter (-lehrer) *m.* -s, -.

담쟁이 〖식물〗 Efeu *m.* -s. ¶ ~가 덮인 벽 die mit Efeu bedeckte Mauer, -n / ~ 덮인 오두막 die mit Efeu bedeckte Hütte, -n / ~가 벽에 벋어오르다 Efeu kriecht auf die Mauer.

담즙(膽汁) Galle *f.* -n. ¶ ~질의 cholerisch / ~질의 사람 Choleriker *m.* -s, -.
‖ ~병 Gallenblasenentzündung *f.* -en. ~산 Gallensäure *f.* ~질 cholerisches Temperament *n.* -(e)s, -e.

담차다(膽—) mutig; beherzt; kühn; tapfer; 《겁 없는》 furchtlos; unerschrocken (sein).

담채(淡彩) helles Kolorit, -(e)s, -e; 《담색》 helle Farbe, -n. ¶ ~의 hellfarbig; hellkoloriert / ~를 칠하다 hell kolorieren⁴.
‖ ~화 hellfarbiges Gemälde, -s, -.

담천(曇天) der umwölkte (bewölkte; wolkige; trübe) Himmel, -s, -; das wolkige Wetter, -s.

담청색(淡青色) Hellblau *n.* -s. ¶ ~의 hellblau.

담타기 ☞ 덤터기.

담틀 die Form 《-en》 zur Errichtung der Erdmauer (der Lehmmauer).

담판(談判) Unterhandlung *f.* -en; Unterredung *f.* -en; Verhandlung *f.* -en. ~하다 unterhandeln 《mit *jm.* *über*⁴》; verhandeln 《mit *jm.* (über) ⁴*et.* (*wegen*²)》. ¶ ~에 응하다 ⁴sich in ⁴Unterhandlungen ein|lassen*/ ~을 시작하다 in Unterhandlung treten* Ⓢ / ~ 중이다 in Unterhandlung sein / ~이 결렬하다 (die Unterhandlung) ab|brechen* / 직접 ~하다 mit *jm.* Auge in Auge e-e Rücksprache nehmen*; direkt verhandeln (unterhandeln) 《mit *jm.* *über*⁴》 / ~이 끝나다 zum Abschluß kommen*Ⓢ / ~이 잘 진행되어가고 있다 Die Unterhandlung geht ohne Störung.
‖ 강화~ Friedensunterhandlung *f.* -en: 강화 ~은 급속히 진척되었다 Die Friedensverhandlungen machten e-n schnellen Fortgang. 외교~ die diplomatische Unterhandlung, -en.

담합(談合) Beratung (Beratschlagung; Besprechung) *f.* -en; Unterredung *f.* -en (회담). ~하다 (⁴sich) beraten* (beratschlagen) 《mit *jm.* *über*⁴》; ⁴sich besprechen* (unterreden) 《mit *jm.* *über*⁴》.

담해(痰咳) Schleimhusten *m.* -s, -.

담홍색(淡紅色) Hell|rot (Blaß-) *n.* -s. ¶ ~의 hell|rot (blaß-).

담화(談話) Gespräch *n.* -(e)s, -e; Rede *f.* -n; Unterhaltung *f.* -en; Konversation [..vɛr..] *f.* -en. ~하다 sprechen* 《mit *jm.* *über*⁴》; ⁴sich unterhalten* 《mit *jm.* *von*³ (*über*⁴)》; plaudern (잡담하다). ¶ ~형식으로 발표하다 gesprächsweise äußern⁴ / 어떤 일에 관해서 ~를 발표하다 s-e Meinung (Ansicht) über ⁴*et.* äußern (kund|geben*) / 외무부 장관 ~에 의하면 nach den Äußerungen des Außenministers / ~를 시작하다 ein Gespräch mit *jm.* an|knüpfen; ⁴sich in ein Gespräch mit *jm.* ein|lassen*.
‖ ~실 Gesprächs|zimmer (Sprech-; Gesellschafts-) *n.* -s, -. ~체 Gesprächsform *f.* -en; Gesprächs|ton (Unterhaltungs-) *m.* -(e)s, ⁼e.

담황색(淡黃色) Hellgelb *n.* -s. ¶ ~의 hellgelb.

담흑색(淡黑色) Grau *n.* -s. ¶ ~의 grau.

답(答) Antwort *f.* -en; Bescheid *m.* -(e)s, -e (대답); Entgegnung *f.* -en; Erwiderung *f.* -en; Lösung *f.* -en (해결); Rück|äußerung *f.* -en (-antwort) (회답). ¶ 답할 수 없는 질문 nicht zu beantwortende Frage, -n; unlösliche Frage; unerklärliche Frage / 문제의 정확한 답을 내다 e-e richtige Antwort (Lösung) finden*; zu e-r richtigen Lösung kommen* Ⓢ/내 답이 옳은가 Ist meine Antwort richtig? / 문을 노크했지만 아무 답이 없었다 Ich klopfte an die Tür, aber niemand hat sich gemeldet. / 전화를 아무리 걸어도 답이 없었다 Ich rief immer wieder an, aber niemand hat sich gemeldet.

답곡(畓穀) (roher) Reis, -es.

답농(畓農) Reisbau *m.* -s; Anpflanzung 《*f.*》 von Reis. ¶ 한국은 ~에 적합하다 Korea ist passend (geeignet) für (den) Reisbau.

-답다 《…처럼 보이다》 scheinen*; aus|sehen*; den Anschein haben; 《생각이 들다》 erscheinen* Ⓢ; es kommt *jm.* vor; es dünkt *jn.* (*jm.*); es ist, als ob.... ¶ …다운 wie; würdig; wert; anscheinend; dem Anschein nach; wahrscheinlich; wohl / 답지 않는 unwürdig; unwert; unwahrscheinlich / 남자다운 männlich (mannhaft) / 여자다운 weiblich / 신사다운 einem wohlerzogenen Herrn (einem Gentleman) anstehend / 사내답게 wie ein Mann / 신사답지 않은 행위 kein achtungswürdiges Benehmen*, -s / 학생답지 않은 행위 kein schülerhaftes Benehmen* / 꽃답다 wie eine Blume sein / 남자답다 männlich (wie ein Mann) sein / 여자답다 weiblich (wie e-e Frau) sein / 지도자답다 ein wirklicher Führer sein / 신사답게 행동하다 ⁴sich nach Art e-s gebildeten Manns benehmen* / 그에게는 예술가다운 데가 있다 Er verdient den Namen „Künstler". / 그는 학자다운 데가 조금도 없다 Er verdient k-n Namen „Wissenschaftler". / 그는 시인다운 시인이다 Er ist ein achtungswürdiger Dichter. / 집다운 집은 없다 Es gibt k-e nennenswerten Häuser. / 대학다운 대학은 없다 Es gibt k-e nennenswerten Universitäten. / 그의 태도에 비추어 상인다운 데가 있다 Sein Benehmen zeigt, daß er ein Kaufmann ist. / 그는 군인답게 죽었다 Er starb wie ein echter Soldat, der er war. / 학생이면 학생답게 행동하여라 Wenn du ein Student bist, benimm dich doch wie einer.

답답하다(沓沓—) ① 《가슴이》 beklommend; erstickend; bedrückt (sein). ¶ 답답한 느낌 unterdrückendes Gefühl, -(e)s, -e / 숨이 ~ [4]sich bedrückt [beklommen] fühlen / 가슴이 ~ Brustschmerz haben; es schmerzt *jm.* in der Brust; [4]sich unterdrückt [beengt] fühlen.

② 《갑갑함》 eng; beengt; knapp; dumpfig; 《방이》 ungelüftet; 《코가》 verstopft (sein). ¶ 집이 좁아 ~ Ich fühle mich beengt, weil das Haus zu klein ist. / 방이 답답하니 창문을 열어 두자 Das Zimmer ist ungelüftet, lassen wir lieber das Fenster offen! / 옷이 답답하게 되었다 Der Anzug ist mir zu knapp geworden.

③ 《사람됨이》 steif (딱딱한); streng (엄격한); 《갑갑한》 befangen; unfrei; gehemmt; feudal(점잔빼서); förmich(형식적); beschränkt; engherzig (sein); e-n beschränkten Gesichtskreis haben. ¶ 그는 답답한 사람이라 일을 전혀 못 한다 Er ist so beschränkt, daß er die Sache nicht erledigen kann. / 사람이 답답해서 무슨 이야기를 하려면 속이 터진다 Er ist so engherzig, daß er mich immer verrückt macht, wenn ich mit ihm spreche.

④ 《소식이 없어》 niederschlagen; gedrückt; unruhig; besorgt; ängstlich; ungeduldig (sein). ¶ 집에서 소식이 없어서 ~ Ich bin ungeduldig, weil ich k-e Zeilen von meiner Familie gehört habe. / 얼른 대답을 해 주지 않아 ~ Ich bin unruhig, weil er bald k-n Bescheid gibt.

답례(答禮) 《답례품》 Gegen¦geschenk *n.* -(e)s, -e [-leistung *f.* -en]; 《방문에 대한》 Gegenbesuch *m.* -(e)s, -e; die Erwiderung《-en》 des Besuches. **~하다** ein Gegengeschenk [e-e Gegenleistung] machen; e-n Gegenbesuch machen; den Besuch erwidern 《*jm.*》; [4]sich bedanken. ¶ ~로 in Anerkennung; als Gegengeschenk [Gegenleistung] / ~포를 쏘다 e-n Salut erwidern / 연시에 ~를 하다 e-n Gegenbesuch zu Neujahr machen / ~로 그를 방문했다 Ich habe bei ihm e-n Gegenbesuch gemacht. / ~로 그에게 무엇을 드릴까요 Was soll ich ihm ein Gegengeschenk geben?

‖ **~사절** der Gesandte* für e-n Gegenbesuch. **~품** Gegengeschenkartikel *m.* -s, -.

답배(答—) die Antwort 《-en》 auf den Brief von e-m Untergeordneten. **~하다** auf den Brief von e-m Untergeordneten antworten [erwidern].

답배(答拜) Gegengruß *m.* -es, ⸚e; Grußerwiderung *f.* -en. **~하다** e-n Gegengruß machen; die Verbeugung erwidern.

답변(答辯) Antwort *f.* -en; Beantwortung *f.* -en; Entgegnung *f.* -en; Erwiderung *f.* -en; Bescheid *m.* -(e)s, -e. **~하다** *jm.* antworten 《*auf*[4]》; *jm.* e-e Antwort geben*; [4]*et.* beantworten; entgegnen [erwidern] 《*auf*[4]》; *jm.* [4]Bescheid geben*. ¶ ~의 책임 die Beantwortungspflicht *f.* -en / ~을 요구하다 zur Rechenschaft [Verantwortung] ziehen* 《*jn. wege*[・2]》 / 질문에 대한 ~으로서 in Erwiderung 《*auf*[4]》 / 질문에 ~하다 e-e Frage beantworten / ~에 궁하다 nach Antwort suchen; um e-e Antwort verlegen sein / 이의에 ~하다 e-r Einwendung begegnen / ~을 잘하다 e-e kluge Antwort geben* / ~을 잘못하다 e-e falsche Antwort geben* / 뭐라고 답변하겠는가 Was hast du dazu zu sagen? / 나는 이 질문에 ~할 수 없다 Ich bin nicht in der Lage, diese Frage zu beantworten.

‖ **~서** die schriftliche Antwort, -en. **~자** der Antwortende [Beantwortende] -n, -n.

답보(踏步) das Stampfen*, -s (mit den Füßen); 《정체》 Stillstand *m.* -(e)s; Stockung *f.* -en; Flaue *f.*; Flauheit *f.* **~하다** stampfen; auf der Stelle treten*; 《정체》 nicht von der Stelle kommen* [s]; flau gehen* [s]; still|stehen*; träge sein. ¶ ~ 상태에 있다 flau [still; matt] sein.

답사(答辭) Erwiderungsansprache *f.* -n; Gegenrede *f.* -n. **~하다** e-e Erwiderungsansprache [Gegenrede] halten*. ¶ 시장의 축사에 ~하다 e-e Erwiderungsansprache über Bürgermeisters Glückwunschadresse halten*.

답사(踏査) Besichtigung *f.* -en; Untersuchung *f.* -en. **~하다** besichtigen[4]; untersuchen[4]; genau prüfen[4] [erforschen[4]]; 《측량》 vermessen*[4]. ¶ 실지를 ~하다 das Land vermessen* / 사적을 ~하다 e-n geschichtlichen Ort untersuchen; e-e geschichtliche [historische] Stelle besichtigen.

‖ **~대** Forschungsgruppe *f.* -n. **현지~** das Vermessen des Landes.

답서(答書) =답장.

답습(踏襲) Nachfolgung *f.* -en; Befolgung *f.* -en. **~하다** (nach|)folgen[3]; befolgen[4].

답신(答申) Bericht *m.* -(e)s, -e. **~하다** berichten[34]; benachrichtigen 《*von*[3]》. ¶ 위원회의 ~에 의하면 laut [nach] [3]Bericht des Ausschusses.

‖ **~서** der (schriftliche) Bericht, -(e)s, -e. **~안** Berichtsentwurf *m.* -(e)s, ⸚e.

답안(答案) e-e schriftliche Arbeit, -en; Prüfungsarbeit *f.*; Antwort *f.* -en (해답). ¶ 잘된 ~지 ein gut geschriebenes Prüfungspapier / ~을 검사하다 schriftliche Arbeiten nach|sehen* [durch|-]; e-e Prüfungsarbeit zensieren [bewerten] (채점하다).

‖ **~지** Prüfungspapier *n.* -s, -e. **백지 ~지** ein ungeschriebenes Prüfungspapier.

답장(答狀) schriftliche Erwiderung, -en; Antwortschreiben *n.* -s, -; Antwortkarte *f.* -n (엽서); Antwortbrief *m.* -(e)s, -e; Antworttelegramm *n.* -s, -e (전보). **~하다** auf e-n Brief antworten; e-n Brief beantworten. ¶ ~을 내지 않다 e-n Brief unbeantwortet lassen* / 당장 ~을 주시기 바랍니다 Bitte, beantworten Sie m-n Brief umgehend! / 거듭 편지를 냈지만 ~이 없다 Ich schrieb ihm Brief auf Brief, aber er hat nichts von sich hören lassen.

답전(答電) Antworttelegramm *n.* -s, -e; Drahtantwort *f.* -en; telegraphische Antwort, -en. **~하다** zurück|telegraphieren; telegraphisch antworten; durch (per) Draht antworten.

답지하다(遝至—) zu|strömen ⓢ; ein|laufen* ⓢ. ¶신청이 답지하고 있다 Anmeldungen häufen sich an. / 사방에서 주문이 답지했었다 Von allen Seiten strömten uns Aufträge zu. / 무수한 신청이 답지했다 Unzählige Anmeldungen sind eingelaufen.

답치기놓다 unbesonnen (rücksichtslos) handeln; impulsiv handeln; e-r augenblicklichen Eingebung nach handeln.

답파(踏破) Durchwanderung *f.* -en; das Durchqueren*, -s. ～하다 durchwandern[4]; durchqueren[4](횡단하다). ¶전국을 ～하다 das ganze Land durchwandern (durchqueren) / 그는 이미 200킬로를 ～했다 Er hat schon 200 Kilometer hinter sich.

답하다(答—) antworten 《*jm. auf*[4]》; Antwort (Auskunft; Bescheid) geben* 《*jm.*》; beantworten[4]; bescheiden* 《*jn.*》; entgegnen 《*jm. auf*[4]》; erwidern 《*jm. auf*[4]》; [4]nichts schuldig bleiben* ⓢ 《*jm.*》; versetzen 《*jm. auf*[4]》. ¶…에 답하여 als [1]Antwort 《*auf*[4]》; in [3]Erwiderung 《*auf*[4]》.

닷 fünf. ¶닷 말 fünf *Mal.*

닷곱장님 jemand, der halbblind ist; jemand, der schwache Augen hat.

닷새 ① 《다섯날》 fünf Tage 《*pl.*》. ② 《초닷새》 der fünfte Tag 《-(e)s》 des Monats.

당(堂) ① 《사당》 Bet¦haus (Gottes-) *n.* -(e)s, ⸚er; Kapelle *f.* -n; Tempel *m.* -s, -. ② 《홀》 Halle *f.* -n; Saal *m.* -(e)s, Säle; Aula *f.* ..len.

당(黨) Partei *f.* -en; Faktion *f.* -en; Clique *f.* -n (파벌); Gruppe *f.* -n (집단); Sippschaft *f.* ¶ 당원 Partei¦mitglied *n.* -(e)s, -er (-genosse *m.* -n, -n) / 당 기관지 Parteiorgan *n.* -s, -e / 당 서기장 Parteisekretär *m.* -s, -e / 당 대회 Partei¦tag *m.* -(e)s, -e (-kongreß *m.* ..gresses, ..gresse) / 정당 e-e politische Partei / 기민당 Christlich-Demokratische Union (Deutschlands) 《생략: CDU》 / 사민당 Sozialdemokratische Partei Deutschlands 《생략: SPD》 / 새로운 당을 조직하다 (창당하다) e-e neue Partei bilden (gründen) / 당에 들어가다 (당에서 탈퇴하다) e-r [3]Partei bei|treten* ⓢ (e-e Partei verlassen*).

당-(當) ① 《바로·이》 dieser; der jetzige; der laufende; jener; der obenerwähnte; 《문제의》 der in Frage stehende; 《당해의》 der betreffende. ¶당사(社) diese Firma, ..men / 당역(驛) dieser Bahnhof / 당자(者) die in Frage stehende Person, -en; die betreffende Person; die obenerwähnte Person. ② 《현재》 ¶그는 당년 이십 세이다 Er ist zur Zeit 20 Jahre alt.

-당(當) pro[4]; je. ¶ 1인당 pro Kopf / 인구 1인당 pro Kopf der Einwohner / 톤당 pro Tonne / 1페이지당 낱말의 수 die Anzahl von Wörtern pro Seite / 비용은 1인당 10 마르크다 Die Kosten betragen 10 Mark pro Kopf.

당고모(堂姑母) Tante *f.* -n; die Tochter 《⸗》 e-s Bruders des Großvaters.

당고하다(當故—) Trauer um die Eltern haben; s-e Eltern verliern*.

당과(糖菓) Zucker¦ware (Süß-) *f.* -n; Süßigkeit *f.* -en; Bonbon [bɔ̃bɔ́ː] *m.* (*n.*) -s, -s.

당구(撞球) Billard [bíljart] *n.* -s, -e; Billardspiel *n.* -(e)s, -e. ¶～를 치다 Billard spielen / ～를 치는 사람 Billardspieler *m.* -s, - / ～장 계수원 Billardmarkör *m.* -(e)s, -e / ～를 이기다 (지다) Billardspiel gewinnen* (verlieren*).

‖～공 Billardkugel *f.* -n. ～대 Billardtisch *m.* -(e)s, -e. ～봉 Queue [køː] *n.* -s, -s; Billardstock *m.* -(e)s, ⸚e. ～장 Billard¦zimmer *n.* -s, - (-saal *m.* -(e)s, ..säle).

당국(當局) Behörde *f.* -n; Obrigkeit *f.* -en; Autorität *f.* -en. ¶～의 명에 의하여 von [2]Obrigkeits wegen / ～의 허가를 얻다 e-e Genehmigung der Behörde bekommen*.

‖관계～ die zuständige Behörde. ～자 e-e Person bei der Behörde. 경찰～ Polizeibehörde *f.* -n. 문교～ Unterrichtsbehörde *f.* 정부～ Regierungsstelle *f.* -n; Behörde *f.* 학교～ Schulvorstand *m.* -(e)s, ⸚e.

당규(黨規) Parteivorschriften 《*pl.*》; Parteiregeln 《*pl.*》.

당근 『식물』 Karotte *f.* -n; Möhre *f.* -n 《특히 오스트리아》; Mohrrübe *f.* -n 《방언》.

당금(當今) jetzt; heutzutage; gegenwärtig. ¶～의 젊은이들 die jungen Leute von heute.

당기(當期) diese Frist; die jetzige (gegenwärtige) Periode, -n. ¶～의 gegenwärtig; jetzig; laufend.

‖～결산 der Rechnungsabschluß 《..lusses, ..lüsse》 für diesen Geschäftstermin. ～배당 die Dividende 《-n》 für die jetzige Periode.

당기(黨紀) Parteidisziplin *f.* -en.

‖～문란 die Verletzung (der Bruch) der Parteiordnung.

당기다[1] ① 《끌다》 an [4]sich ziehen*[4]; ziehen*[4]; schleifen*[4](끌어당기다); schleppen[4]; zupfen[4] (소매를); spannen[4] (활을). ¶줄을 ～ die Schnur ziehen* / 소매를 ～ am Ärmel zupfen 《*jn.*》 / 활을 잔뜩 ～ den Bogen aufs äußerste spannen / 밧줄을 ～ ein Seil ziehen* / 그물을 ～ ein Netz ziehen* / 차를 ～ e-n Wagen ziehen* / 자석은 쇠를 당긴다 Der Magnet zieht Eisen an. ② 《켕김》 strecken[4]; recken[4]; straffen[4]; dehnen[4]; spannen[4]. ¶너무 당기면 그것이 끊어질 것이다 Wenn du es zu stark straffst, wird es reißen. / 바이올린 줄을 너무 당겨서 끊어졌다 Er spannte die Geigensaite zu stark, bis sie reißt. ③ 《기일을》 vor|verlegen[4]; verschieben*[4]. ☞ 앞당기다. ¶기일을 이틀 ～ (um) zwei Tage vor|verlegen / 결혼날짜를 사흘 ～ den Hochzeitstag um zwei Tage vor|verlegen.

당기다[2] 《입맛》 den Appetit an|regen; e-n großen Appetit auf [4]*et.* haben. ¶입맛 당기는 음식 appetitreizendes (leckeres) Essen / 입맛이 ～ e-n Appetit auf [4]*et.* haben; nach mehr schmecken (음식이) / 환자는 입맛이 당기기 시작했다 Der Patient bekommt den Appetit wieder.

당까마귀(唐—) 『조류』 Saatkrähe *f.* -n.

당나귀(唐—) 『동물』 Esel *m.* -s, -.

당내(堂內) 《일가》 nahe Verwandte* 《*pl.*》 von väterlicher Seite; 《불당안》 der Innenraum, -(e)s, ⸚e (das Innere*, -n) e-s Tempels.

당내(黨內) Innerhalb der Partei. ¶～의 알력 innerparteiliche Konflikte 《*pl.*》.

당년(當年) dieses Jahr, -(e)s; 《그해》 jenes Jahr; damalig (왕년). ¶～의 diesjährig / 그는 ～ 25세입니다 Er ist fünfundzwanzig

^{4}Jahre alt. / ~의 기력을 잃지 않고 있다 Trotz s-s hohen Alters ist er genau so rüstig wie früher.
‖ ~치 das Produkt des Jahres. ~치기 die Waren, die nur für ein Jahr gebrauchbar sind.

당뇨병(糖尿病) Zucker|krankheit *f.* (-harnruhr *f.*).
‖ ~환자 Zuckerkranke*, -n, -n; Diabetiker *m.* -s, -.

당닭(唐—) 〖조류〗 Bantamhuhn *n.* -(e)s, ⸗er.

당당하다(堂堂—) ① 《형세 따위가》 stattlich; imponierend; imposant; majestätisch; würdevoll; gravitätisch; erhaben (장엄한); königlich; 《광대한》 großartig grandios; 《훌륭함·장엄함》 stattlich; herrlich grandios; prächtig; ansehnlich; glänzend (sein). ¶ 당당한 풍채 das stattliche Aussehen, -s / 용모가 당당한 남자 ein Mann von imponierendem (kraftstrotzendem) Aussehen / 당당한 인물 der würdevolle Mensch, -en, -en; der Mensch von königlicher Haltung / 보무가 ~ majestätisch marschieren [h,s] / 그의 풍채는 ~ Er ist e-e stattliche Erscheinung. / 그의 결연한 태도는 실로 ~ S-e entschlossene Haltung imponierte uns sehr.
② 《정정당당》 offen u. ehrlich; aufrichtig; redlich; offenherzig; rechtschaffen; rund heraus (sein). ¶ 당당한 논쟁 die aufrichtige Debatte, -n / 당당한 승부 das ehrliche Spiel, -(e)s, -e / 당당한 권리 anerkanntes Recht, -(e)s, -e.

당당히(堂堂—) ① 《훌륭히》 stattlich; imponierend; imposant; majestätisch; würdevoll; gravitätisch; erhaben; königlich; in königlicher Haltung. ¶ 그는 ~ 싸웠다 Er hat rühmlichst gekämpft. / 군대는 ~ 시내로 입성했다 Das Heer zog triumphierend in die Stadt. ② 《떳떳이》 aufrichtig; offen; offenherzig; freimütig; furchtlos; ungeheuchelt; unerschrocken. ¶ 의견을 ~ 말하다 aufrichtig s-e Meinung sagen / ~ 싸우다 ehrlich spielen; ehrlich (fair) kämpfen / ~ 공격하다 offen an|greifen*^{4} / 하실 말씀이 있으시면 뒤에서 하시지 말고 ~ 말씀하시오 Wenn Sie etwas zu sagen haben, sagen Sie es mir offen ins Gesicht, nicht hinter m-m Rücken!

당대(當代) ① 《한평생》 Lebtag *m.* -(e)s, -e; Lebzeiten 《*pl.*》 (이미 죽은 사람에게만 사용). ¶ ~에 모은 재산 das Vermögen, das man sich sein Lebtag erworben hat / ~에 발복하다 sein Lebtag reich werden. ② 《시대》 Gegenwart *f.* (현대); die heutige Zeit. ¶ ~의 gegenwärtig; heutig / ~ 제일의 정치가 der größte Staatsmann 《-(e)s, ⸗er》 von heute / ~의 명사 ein hervorragender Mann der Gegenwart.

당도(當到) Ankunft *f.*; das Eintreffen*, -s; das Ankommen*, -s. ~하다 an|kommen* [s] 《*in*^{3}》; ein|treffen* [s] 《*in*^{3}》; heran|kommen* [s] 《*an*^{4}》. ¶ 아무의 ~를 알리다 *js.* Ankunft mit|teilen / 눈앞에 ~한 위험 dringende Gefahr / 기회가 ~하다 Die Zeit reift. |Die Gelegenheit klopft an die Tür. / 서울에 ~하니 북한산이 보였다 Als wir an Seoul herankamen, war der *Bughansan* sichtbar.

당돌하다(唐突—) ① 《안차다》 kühn; mutig; keck; dreist; frech (sein). ¶ 작아도 ~ Obgleich er klein ist, ist er mutig. ② 《주제넘다》 unhöflich; unerzogen; ungesittet; unmanierlich; derb; grob; roh; dreist; frech (sein). ¶ 당돌합니다만 wenn ich Sie fragen darf (dürfte) (물어볼 때) / 당돌한 짓을 하다 ^{3}sich zu viel Freiheiten erlauben; ^{3}sich zu viel (unerhörte) Freiheiten gegen *jn.* heraus|nehmen* / 당돌하지만 부탁합니다 Ich nehme mir die Freiheit, Sie zu bitten. / 어른들 앞에서 그렇게 말하는 것은 ~ Es ist frech von dir, den älteren Herren so zu sagen. / 당돌합니다만 그 일을 제가 해보겠읍니다 Ich möchte die Arbeit übernehmen, wenn Sie mir erlauben.

당두하다(當頭—) ^{4}sich nähern; bevor|stehen*; näher kommen* [s]; näher rücken [s]. ¶ 성탄절이 ~ Weihnachten steht vor der Tür. / 죽음이 그에게 ~ Der Tod ist ihm nah.

당락(當落) Wahlresultat *n.* -(e)s, -e; Erfolg (Mißerfolg) in e-r Wahl. ¶ 그 선거구의 표수로 그의 ~은 결정된다 Sein Wahlerfolg hängt vom Resultat in jenem Wahlbezirk ab.

당랑(螳螂) 〖곤충〗 Fangheuschrecke *f.* -n; *Mantis religiosa* (학명).
‖ ~거철(拒轍) wider den Stachel lecken (löcken)|Es ist, als ob einer einen anderen mit dem kleinen Finger erschlagen wollte.

당략(黨略) Parteipolitik *f.*; Parteiprogramm *n.* -s, -e (강령). ¶ ~상(上) als (e-e) Parteipolitik; vom Standpunkt der Parteipolitik aus.

당량(當量) 〖화학〗 Äquivalent *n.* -(e)s, -e. ¶ ~의 äquivalent.
‖ ~농도 die äquivalente Konzentration.

당로(當路) ① =요로(要路). ② 《집권》 Machtergreifung *f.*; Machtübernahme *f.*; Machthaber 《*pl.*》.

당론(黨論) die Ansicht 《-en》 e-r Partei; Parteiansicht *f.* -en; 《강령》 Parteiprogramm *n.* -s, -e. ¶ ~은 정부 쪽으로 기울어지고 있다 Die Parteiansicht neigt zu der des Ministeriums (nähert sich der Regierung).

당류(糖類) Zuckerarten 《*pl.*》.

당리(黨利) Parteiinteressen 《*pl.*》. ¶ ~상 als Parteipolitik / ~를 도모하다 Parteiinteressen fördern / ~에 치우치다 ^{4}sich nur zu der Parteipolitik neigen; nur Parteipolitik verfolgen. ‖ ~당략 Parteiinteressen u. Parteipolitiken 《*pl.*》.

당면(當面) Gegenwärtigkeit *f.*; Gegenüberstellung *f.* ~하다 bevor|stehen*; gegenüber|stehen*; entgegen|stehen*. ¶ ~한 augenblicklich; 《긴급한》 dringend; 《현재의》 gegenwärtig; jetzig / ~한 문제 dringende Frage, -n / ~한 일 dringende Arbeit / ~한 급선무 dringende Bedürfnis, -se / 나라가 ~한 문제 das bevorstehende Problem des u. Landes.

당면(唐麪) chinesische Fadennudeln 《*pl.*》.

당목(唐木) der dicke Baumwollstoff, -(e)s, -e.

당목(撞木) der hölzerne Glockenschlägel, -s, -.

당무(黨務) Parteiangelegenheiten 《*pl.*》. ¶ ~를 처리하다 Parteiangelegenheiten regeln.
‖ ~의원 ein Mitglied des Parteiausschusses. ~회의 der geschäftsführende Parteiausschuß.

당밀(糖蜜) (Zucker)sirup *m.* -s, -e.

당번(當番) Dienst *m.* -(e)s, -e; Tafeldienst *m.* -(e)s, -e (식사 당번); das Aufwachesein, -s (군대의); 《사람》 der Diensthabende*,

-n, -n; der Wachhabende*, -n, -n. ～하다 Dienst haben; im Dienst sein; dran (an der Reihe) sein. ¶ ～이 끝나다 vom Dienste kommen* ⓢ; von der Wache ab|treten* ⓢ; abgelöst werden / 매주 한번씩 ～이다 wöchentlich einmal Dienst haben / 오늘 ～은 누구냐 Wer hat heute Dienst? ¦ Wer ist heute dran (an der Reihe)? / 내가 ～이다 Ich habe Dienst. ¦ Ich bin dran (an der Reihe).

‖ ～표 Diensttabelle *f.* -n. 청소～ Reinigungs¦dienst (Scheuer-) *m.* -(e)s, -e: 오늘 청소 ～은 너다 Du hast heute Reinigungsdienst.

당벌(黨閥) Cliquenwesen [klí(:)kən..] *n.* -s; Parteiwirtschaft *f.*

당부(當付) ～하다 bitten* 《*jn. um*[4]》; [4]sich wenden* 《an *jn. um*[4]》; im (zum) voraus Weisungen geben* 《*jm.*》; an|weisen*[4]; ein|prägen[4]; instruieren[4]; unterweisen*[4] 《*jn. in*[3]》. ¶ 책을 사달라고 ～하다 *jn.* darum bitten*, ein Buch zu kaufen / 뒷일을 ～하다 *jn.* bitten, für die Zukunft zu sorgen / 이 말씀을 전하라는 ～를 받고 왔읍니다 Ich bin hierher gekommen, um Ihnen die Angelegenheiten auszurichten.

당부(當否) richtig od. nicht; richtig od. falsch. ¶ 그의 행동의 ～를 판단하긴 곤란하다 Es ist schwer zu beurteilen, ob er richtig (schicklich) gehandelt hat od. nicht.

당분(糖分) Zucker *m.* -s; Zuckergehalt *m.* -(e)s, -e (함량). ¶ 콩의 ～ Zuckergehalt in der Erbse / ～을 함유하다 Zucker enthalten* / ～을 섭취하다 Zucker ein|nehmen* / 오줌에 ～이 섞여 나오다 öfter Zucker im Urin haben / 오줌의 ～을 검사하다 den Urin auf Zucker untersuchen lassen*.

‖ ～측정기 Zuckermesser *m.* -s.

당분간(當分間) (jetzt) vorläufig; einstweilen; für jetzt; für die nächste Zeit; zur Zeit; bis auf weiteres. ¶ ～ 이것으로 때우자 Für jetzt müssen wir damit vorliebnehmen. / ～ 이만큼만 있으면 충분하다 Das wird einstweilen genügen. / 그것은 ～ 실현되지 않을 게다 Das wird sich so bald nicht verwirklichen.

당비(黨費) Parteiausgabe *f.* -n. ¶ ～를 물다 Parteiausgabe bezahlen.

당비름(唐—) 〖식물〗 e-e Art Amarant 《*m.* -(e)s, -e》; *Amaranthus gangeticus* (학명).

당사(當社) diese Firma; 《우리의》 unsere Firma, ..men.

당사국(當事國) Partnerstaat *m.* -es, -en; beteiligte Länder 《*pl.*》.

당사자(當事者) der Betreffende*, -n, -n (당해자); der Beteiligte*, -n, -n (관계자); der Zuständige*, -n, -n (담당자); Interessent *m.* -en, -en; 《재판 따위의》 die beteiligte Partei, -en; die streitende Partei, -en; der streitende Teil, -(e)s, -e. ¶ ～간의 해결 Vergleich der beiden Parteien / ～간에 협상하다 Die beiden Parteien verhandeln miteinander.

‖ ～신문(訊問) das Anhören der Parteien. ～일동 alle Beteiligten. 결혼～ die Parteien, die sich verheiraten. 소송～ Prozeßpartei *f.* -en.

당선(當選) ① 《선거》 Wahl *f.* -en; Erwählung *f.* -en. ～하다 gewählt werden; e-e Wahl gewinnen*. ¶ ～ 가망 있는 (없는) 후보자 aussichtsreicher (aussichtsloser) Kandidat, -en, -en / ～권내에 들다 Aussicht haben, ausgewählt zu werden / ～권 밖이다 k-e Aussicht haben, gewählt zu werden / ～의 가능이 확실하다 gute Aussicht auf Erfolg haben / 백표의 차로 ～되다 e-e Wahl mit e-r Mehrheit von 100 Stimmen gewinnen* / 국회 의원으로 ～되다 ins Parlament gewählt werden; zum Abgeordneten gewählt werden / 시장으로 ～되다 zum Bürgermeister gewählt werden / 최고점으로 ～되다 die meisten Wahlstimmen erhalten* / 김씨가 ～되었다 Die Wahl ist auf Herrn *Kim* gefallen. / 그는 선거 위반 때문에 ～ 무효가 되었다 S-e Wahl ist wegen Wahlvergehens für ungültig erklärt worden. / 제 3구에서는 김씨가 국회 의원으로 ～되었다 Im dritten Wahlbezirk ist Herr *Kim* zum Abgeordneten gewählt worden. ② 《현상에》 der Gewinn des Preises. ～하다 den Preis gewinnen*. ¶ 일등에 ～하다 den ersten Preis gewinnen*.

‖ ～무효 die ungültige Erklärung e-r Wahl: ～무효 소송 die Bittschrift um die ungültige Erklärung e-r Wahl / ～무효가 되었다 Die Wahl ist ungültig erklärt worden. ～소설 Preisnovelle *f.* -n. ～율 der Prozentsatz der Möglichkeit, gewählt zu werden. ～자 die gewählte Person; Gewinner 《*m.* -s, -》 e-s Preises. ～작 das preisgewinnende Werk, -(e)s, -e. ～작가 Preisgewinner *m.* -s, -. 무투표～ die Wahl e-s Kandidaten ohne Aufstellung von Gegenkandidaten.

당세(當世) Gegenwart *f.* ¶ ～의 gegenwärtig; jetzig; heutig; modern / ～풍 Zeitgeschmack *m.* -(e)s, ⸚e; neueste Mode, -n / ～풍의 neumodisch.

당세(黨勢) parteiischer Einfluß, ..flusses, ..flüsse; die Macht der [2]Partei, -en. ¶ ～를 확장하다 die Macht e-r Partei aus|dehnen (erweitern) / ～가 침체하다 Die Partei verliert an Einfluß (Macht).

당수(黨首) Parteiführer *m.* -s, -.

당숙(堂叔) des Vaters Vetter *m.* -s, -n.

당시(當時) die damalige Zeit. ¶ ～의 damalig / ～는 damals; zu jener [3]Zeit / ～의 수상 der damalige Premierminister (Bundeskanzler) -s, - / 한국 전쟁 ～에 zu der Zeit des Koreanischen Krieges / 그 소설은 ～에 대단히 인기가 있었다 Der Roman war damals sehr beliebt. / 그 ～는 비행기가 없었다 Zu jener Zeit gab es k-e Flugzeuge. / ～ 나는 아직 어린아이였다 Damals war ich noch ein Kind. / ～의 상태 die damaligen Zustände; die Zustände von damals.

당시(黨是) Parteiprogramm *n.* -(e)s, -e.

당신(當身) ① 《2인칭》 Sie; du. ② 《그 어른》 er; sich selbst. ¶ 그 집은 할아버지 ～께서 손수 지으신 집이다 Das Haus ist vom Großvater selbst gebaut worden.

당아욱(唐—) 〖식물〗 Malve *f.* -n.

당야(當夜) dieselbe Nacht; 〖부사적〗 sofort in derselben [3]Nacht.

당업(糖業) Zuckerindustrie *f.* -n.

당연하다(當然—) gerecht; richtig; 《적당한》 gebührend; gehörig; passend; 《받을 만하다》 wohlverdient; 《자연스런》 natürlich; 《필연의》 notwendig; 《자명의》 selbstverständlich (sein). ¶ 당연한 일 die selbstverständliche Sache, -n / 당연한 권리 das unbestreitbare Recht, -(e)s, -e / 당연한 의무 die selbstverständliche Pflicht, -en / 당연하게 여기다 ⁴*et.* für (als) richtig halten*; ⁴*et.* als selbstverständlich an|sehen* / 이치상 ~ logisch richtig sein / 그가 화를 내는 것은 ~ Es ist selbstverständlich, daß er sich darüber ärgert.¦Sein Ärger hat s-n Grund. / 그가 벌을 (상을) 받는 것은 ~ Er verdient die Strafe (den Preis). / 빚진 돈을 갚는 것은 ~ Man muß s-e Schulden bezahlen. / 네가 그렇게 생각하는 것은 ~ Es ist unvermeidlich, daß du so denkst.¦Sie haben das Recht, das so zu glauben. / 물이 아래로 흐르는 것은 ~ Es ist selbstverständlich (Es versteht sich von selbst), daß das Wasser nach unten fließt. / 나는 당연한 일을 했을 뿐이다 Ich habe nur m-e Pflicht getan.

당연히(當然—) mit Recht; eigentlich; natürlich; selbstverständlich; notwendig; gebührend; verdient. ¶ 그의 행위는 ~ 인정을 받아야 한다 S-e Tat verdient Anerkennung. / 그가 ~ 옳다 Er hat eigentlich recht. / 그는 ~ 벌을 받아야 한다 Er verdient, bestraft zu werden. / 빌린 것은 ~ 돌려 주어야 한다 Man sollte zurückgeben, was man geborgt hat.

당원(黨員) Partei¦mitglied *n.* -(e)s, -er (-genosse *m.* -n, -n). ¶ ~이 되다 (in e-e Partei) ein|treten* ⓢ; ein Parteimitglied werden. ‖ **~명부** die Namenliste der Parteimitglieder.

당월(當月) dieser Monat, -(e)s; der laufende Monat. ☞ 이달.

당위(當爲) das Sollen*, -s.

당의(糖衣) Zuckerguß *m.* ..gusses, ..güsse. ¶ ~의 gezuckert. ‖ **~정** e-e gezuckerte Tablette, -n; e-e Tablette mit ³Zuckerguß (Zuckerglasur).

당의(黨議) 《회의》 Erörterung (Diskussion) 《*f.* -en》 in der ³Partei (논의); Parteibeschluß *m.* ..schlusses, ..schlüsse (결의). ¶ ~에 따르다 ⁴sich der ³Entscheidung der ²Partei fügen / ~에 의해 결정되다 in der Beratung der Partei beschlossen werden.

당인(黨人) Parteimann *m.* -(e)s, ⸚er (..leute). ☞ 당원. ‖ **~근성** Parteigeist *m.* -(e)s, -er.

당일(當日) der (dieser; jener) Tag, -(e)s; der betreffende (bestimmte) Tag. ¶ ~치기 시험 Einpaukerei *f.* -en / ~ 시험 준비하다 ³sich durch Einpaukerei zur Prüfung vor|-bereiten / ~치기 여행 die Reise 《-n》, von der man an e-m Tage zurückkehren kann; Tage¦reise *f.* -n (-ausflug *m.* -es, ⸚e) / ~한(限) 식권 die für den Erscheinungstag gültige Nährungsmittelkarte, -n / ~한 유효표 das Tagesbillet, -(e)s, -e / 결혼식 ~에 am Tage der Hochzeit / ~ 우천시에는 wenn es an dem (diesem) Tag regnen sollte / ~로 왕복하다 an e-m Tag hin u. zurück reisen ⓢ / 기차로 경주까지 ~치기로 갔다 올 수 있을까요 Kann man mit dem Zug nach *Gyeongju* in e-m Tag hin- u. zurückfahren? / ~에 나는 일찍 일어났다 An dem Tag bin ich früh aufgestanden.

당자(當者) der Betreffende*, -n, -n; die betreffende Person, -en. ¶ ~들의 좋을대로 두시오 Laß sie ihre eigenen Wege gehen!

당장(當場) 《즉시》 Sofort; unverzüglich; ohne weiteres; augenblicklich; vorläufig; für jetzt; für die nächste Zeit (잠시); zur Zeit (목하); einstweilen (당분간); 《대번에》 auf e-n Schlag; mit e-m Schlag; auf einmal; ein für allemal; 《당분간》 momentan; vorübergehend; bis auf weiteres. ¶ ~의 sofortig; augenblicklich; improvisiert; vorbereitet; momentan; einstweilig / ~에 sofort; auf der Stelle / ~ 필요한 것 dringende (notwendige) Sache / ~ 그 자리에서 처형하다 *jn.* auf der Stelle hin|richten / 하인을 ~ 내쫓다 e-n Diener sofort weg|jagen / 돈을 ~ 갚으라고 하다 *jn.* fordern, sofort Schulden zu bezahlen / ~이라도 …할 것 같다 drohen zu...; auf dem Punkt (Sprunge) stehen*; im Begriff sein, zu...; nahe daran sein, zu... / ~은 이것만으로 만족하자 Für jetzt müssen wir damit vorlieb|nehmen. / ~은 이것으로 충분하다 Das wird einstweilen genügen. / ~은 필요하지 않다 Gegenwärtig brauchen wir's nicht. / 차라리 ~ 죽고 싶다 Ich wünsche mir e-n schnellen Tod. / 그녀는 ~ 울음을 터뜨릴 것만 같다 Wenig fehlte, so wäre sie in Tränen ausgebrochen.¦Sie war nahe daran zu weinen.

당장(黨葬) Begräbnis, das auf Kosten der Partei gehalten wird.

당쟁(黨爭) Parteikampf *m.* -(e)s, ⸚e. ¶ ~에 초연하다 über dem Parteikampf stehen* / ~을 일삼다 ⁴sich dem Parteikampf hin|geben*.

당적(黨籍) Parteiregister *n.* -s, -; Parteiliste *f.* ¶ ~에 있다 in e-r Partei eingetragen sein / ~을 떠나다 e-e Partei verlassen* / ~에서 제적하다 *jn.* von der Parteiliste streichen* / ~을 옮기다 zu e-r anderen Partei über|treten* (über|gehen*) ⓢ / 새 정당에 ~을 가지다 Mitglied e-r neuen Partei werden. ‖ **~증명서** die Bescheinigung e-s Parteimitgliedes.

당조짐하다 im Zaume (in ³Ordnung) halten*⁴; die Aufsicht führen 《*über*⁴》.

당좌(當座) das laufende Bankkonto, -s, -s. ¶ ~를 트다 ein laufendes Konto (bei e-r Bank) eröffnen / ~에 예금하다 sein Geld auf ein laufendes Konto an|legen. ‖ **~계정** laufende Rechnung, -en; Kontokorrent *n.* -(e)s, -e. **~계정부** Kontokorrentbuch, -(e)s, ⸚er. **~대부금** (ohne Kündigung) rückzahlbares Darlehen. **~대월** Überziehung *f.* -en. **~수표** Scheck *m.* -s, -s. **~예금** Kontokorrentkonto *n.* -s, -s.

당주(當主) jetziger Herr, -n, -en.

당지(唐紙) chinesisches Papier, -s; Reispapier *n.* -s.

당지(當地) dieser Ort, -(e)s; diese Gegend; dieses Land, -(e)s. ¶ ~의 hiesig / ~에(서) hier; hierorts; hier in dieser Gegend (in diesem Lande) / ~에 오시거든 꼭 들러 주시오 Bitte kommen Sie bei mir vorbei, wenn Sie hierher kommen!

당지기(堂—) Hausmeister *m.* -s, - (e-r Privatschule); Tempelhüter *m.* -s, -.

당지다 durch Zusammendrücken (Zusammenpressen) härten.

당직(當直) Dienst *m.* -es, -e; Wache *f.* -n (감시). **~하다** Dienst haben; im Dienst sein; ⁴Wache stehen* (auf ³Wacht sein) (망보다). ¶ ~을 교대하다 von der Wache ab|ziehen* (ab|treten*) ⓢ / ~을 인계받다 der Dienst übernehmen* / ~이다 auf ³Wacht sein. ‖ **~사관** der diensthabende Offizier, -s, -;

der wachthabende Offizier (해군). ~선원 der im Dienst stehende Matrose. ~수당 die Entschädigung für den Nachtdienst. ~원 Wächter; die diensthabende Person.
당질(堂姪) des Vetters Sohn *m.* -(e)s, ⸚e.
‖ ~녀 des Vetters Tochter *f.* ⸚.
당집(堂—) Tempel *m.* -s, -.
당차다 klein aber stark gebaut (sein).
당착(撞着) Widerspruch *m.* -(e)s, ⸚e; Inkonsequenz *f.* -en; Ungereimtheit *f.* -en, Unvereinbarkeit *f.* -en; Konflikt *m.* -(e)s, -e; Zusammenstoß *m.* -es, ⸚e. ~하다 widersprechen*[3]; in Widerspruch geraten* ⓢ (in (im) Widerspruch stehen*) 《*mit*[3]; *zu*[3]》; inkonsequent sein. ¶ 그의 말에는 자가~하는 데가 있다 Er widerspricht sich in s-n Aussagen.
‖ 자가~ Selbstwiderspruch *m.* -(e)s, ⸚e: 자가~하다 in Selbstwiderspruch geraten* ⓢ.
당책(唐册) Bücher 《*pl.*》 aus China.
당철(當—) =제철.
당첨(當籤) Gewinnlos *n.* -es, -e; Treffer *m.* -s, -. ~하다 das große (Lotterie)los ziehen (gewinnen*); beim Glücksspiel(e) gewinnen*. ¶ 일등에 ~하다 den ersten Preis beim Glückspiel(e) gewinnen*.
‖ ~번호 Preisnummer *f.*: ~ 번호는 몇 번입니까 Was ist die Preisnummer? ~자 Preisgewinner *m.* -s, -.
당초(當初) =애초.
당치않다(當—) 《불합리》 vernunftwidrig; unvernünftig; ungerechtfertigt; unfair; unbillig; 《부당》 verrückt; unsinnig; wahnsinnig; unerhört; unmöglich; unverzeihlich; ausgeschlossen; albern (sein). ¶ 당찮은 값 sagenhafter (wahnsinniger) Preis, -es, -e / 당찮은 벌 unverdiente Strafe, -n / 당치않은 생각 (말) alberne Idee (Bemerkung) / 당치않은 요구 unmögliche Forderung, -en / 당치않은 소리 Unsinn! ¦ Keinesfalls! ¦ K-e Ursache! ¦ Kommt nicht in Frage! ¦ Das ist doch Wahnsinn! ¦ Sind Sie wohl verrückt? / 그런 당치도 않은 말이 어디 있어 Wie kann man so e-n Unsinn sagen? / 그가 그러한 말을 하다니 ~ Es ist doch unvernünftig, daß er so spricht.
당칙(黨則) Parteivorschriften 《*pl.*》.
당파(黨派) Partei *f.* -en; Fraktion *f.* -en (의회의 각파); Bund *m.* -(e)s, -e (동맹). ☞ 당(黨). ¶ ~적 parteiisch / 비~적 unparteiisch / ~로 갈리다 [4]sich in Parteien spalten; [4]sich parteien / ~를 만들다 e-e Partei bilden; [4]sich vereinigen; [4]sich verbinden*; [4]sich zusammen|rotten / ~를 만들어 싸우다 e-e Partei bilden* u. streiten* / ~에 속하다 e-r Partei (e-r Fraktion) an|gehören.
‖ ~심 Parteigeist *m.* -(e)s, ⸚er; Parteisucht *f.* ~싸움 Parteistreit *m.* 초~외교 die überparteiische Diplomatie, -n.
당폐(黨弊) Parteiübel *n.* -s, -. ¶ ~를 제거하다 ein Parteiübel beseitigen (beheben*).
당하다(當—) ① 《사리에》 vernünftig; verständig; rational; mit Vernunft begabt; vernunftsmäßig; mäßig (sein). ¶ 당한 말을 하다 vernünftig reden.
② 《겪음·만남》 betroffen (befallen) werden 《*von*[3]》; geraten* ⓢ 《*in*[4]》; erleiden*[4]; erleben*[4]; Erfahrungen machen 《*von*[3]》; geschehen*ⓢ; [4]sich ereignen; begegnen[3]ⓢ,ⓗ. ¶ 불행을 ~ ein Unglück haben / 창피한 꼴을 ~ peinliche (unangenehme) Erfahrungen machen / 난국을 ~ in e-e schwierige Lage (Situation)geraten* / 부친의 상을 ~ um den Vater trauern / 그는 재난을 당했다 Ihm ist ein Unglück zugestoßen. ¦ Er ist von e-m Unglück betroffen worden. / 그것은 당해보지 않은 사람이면 모른다 Wer das nicht erlebt hat, der kann sich nicht vorstellen.
③ 《감당·대항》 *jm.* gewachsen sein 《*an*[3]》; *jm.* gleich|kommen*ⓢ 《*an*[3]》; Konkurrenz machen; wett|eifern 《*mit*[3]》; nach|eifern[3]; *jn.* zu übertreffen suchen. ¶ …에게는 당할 수 없다 *jm.* nicht nachstehen (gleichkommen) können* / 체력으로는 당할 수 없다 An Körperkraft bin ich ihm nicht gewachsen (komme ich ihm nicht gleich). / 선임자에게는 도저히 당할 수 없다 Er kann s-m Vorgänger nicht das Wasser reichen.
④ 《속다》 betrogen (getäuscht; angeführt) werden; herein|fallen* ⓢ 《auf *jn.* ([4]*et.*)》 / 이번에는 당했다 Diesmal bin ich hereingefallen. / 그 일에는 당하지 않는다 Darauf falle ich nicht herein.
당한하다(當限—) die Frist ist abgelaufen; fällig sein.
당해(當該) betreffend; zuständig (소관의).
‖ ~관청 die betreffende (zuständige) Behörde, -n.
당혼하다(當婚—) im Heiratsalter sein; das Heiratsalter erreicht haben.
당화(糖化) Verzuckerung *f.* -en. ~하다 〔타동사〕 verzuckern[4]; in [4]Zucker verwandeln[4]; 〔자동사〕 [4]sich in [4]Zucker verwandeln.
당황하다(惝怳—·唐慌—) verlegen werden; bestürzt (betroffen; verwirrt) werden; nicht ein noch aus (weder hin noch her) wissen*; bestürzt (ratlos) sein; in Verlegenheit geraten* ⓢ; in Verwirrung gebracht werden; [3]sich k-n Rat wissen*; [3]sich nicht zu helfen wissen*; [3]sich nicht mehr zu raten wissen*; den Kopf (die Fassung; die Geistesgegenwart) verlieren*; aus s-r Fassung kommen*ⓢ; durcheinander|geraten* ⓢ; durcheinandergebracht werden; in Not geraten*ⓢ; in Verwirrung geraten*ⓢ. ¶ 당황하여 verlegen; fassungslos; bestürzt; betroffen; verwirrt; zerrüttet; aufgeregt (흥분); ratlos; perplex / 당황하지 않다 gelassen (ruhig) sein; ruhig Blut behalten*; den Kopf oben behalten*; die Fassung bewahren / 당황케 하다 *jn.* aus der Fassung bringen*; *jn.* aus dem Gleichgewicht bringen*; *jn.* verlegen machen; *jn.* aus dem Gleise bringen*; *jn.* verblüffen / 당황하여 계산이 틀렸다 Vor Verlegenheit habe ich verrechnet. / 그것은 나를 당황케 했다 Dadurch bin ich in Verlegenheit geraten. / 그의 얼굴은 당황하는 기색을 보였다 Sein Gesicht verriet Verlegenheit. / 뜻밖의 질문을 받고 당황했다 Wegen der unerwartete Frage ist er ganz durcheinander. / 당황하지 말아라 (Nur) ruhig Blut!
닻 Anker *m.* -s, -; 《소형》 Dregganker *m.* -s,-; Dregge *f.* -n. ¶ 닻가지 Arm *m.* -(e)s, -e / 닻고리 Ankerring *m.* -(e)s, -e / 닻장 Stock *m.* -(e)s, ⸚e / 닻줄 Ankerkette *f.* -n / 닻채 Schaft *m.* -(e)s, ⸚e / 작은 닻 Wurfanker *m.* -s, - / 큰 닻 Buganker *m.* -s, - / 닻을 감다 (올리다) den Anker lichten / 닻을 주다 (내리다) den Anker fallen lassen*; vor (zu) Anker gehen*ⓢ; [4]sich vor Anker le-

gen; den Anker werfen*; ankern / 닻이 걸리다 ankerfest sein / 배가 닻을 내리고 있다 Das Schiff liegt vor Anker.

닿다 ① 《접하다》 berühren⁴; an|rühren⁴; an|grenzen; erreichen⁴; an|stoßen*⁴; in Berührung kommen* ⓢ. ¶ 손이 닿을 수 있는 곳에 wo man bei der Hand fassen kann / 닿을락말락 gerade berührend / 눈이 닿는 데까지 so weit das Auge reicht; so weit man sehen kann / 바닥에 ~ der Boden berühren / 늘어진 가지가 물에 ~ Die niederhängenden Zweige berühren das Wasser. / 손이 천장에 ~ Ich reiche mit der Hand bis an die Decke.

② 《도착》 an|kommen*ⓢ《in³》; ein|treffen* ⓢ 《in³》; gelangenⓢ 《an³; in³》; erreichen⁴; reichen ¶ 무사히 ~ glücklich an|kommen* ⓢ; 《물건이》 wohlerhalten an|kommen*ⓢ / 집에 ~ zu Hause an|kommen* ⓢ; nach Hause gelangen / 기차가 정거장에 닿았다 Der Zug kommt auf dem Bahnhof an. / 우리들은 목적지에 닿았다 Wir erreichten das Reiseziel. / 배가 목적지에 닿았다 Ein Schiff erreichte das Reiseziel. / 이 열차로 가면 내일 아침 목포에 닿는다 Sie kommen morgen mit dem Zug in *Mogpo* an. / 짐이 닿았느냐 Ist das Gepäck da?

③ 《연줄이》 Verbindungen 《pl.》 haben. ¶ 외무부에는 줄이 닿지 않아 취직을 할 수 없다 Da ich k-e Verbindungen zu dem Außenministerium habe, kann ich k-e Arbeit (Stelle) bekommen.

④ 《이치에》 Grund haben; vernünftig sein. ¶ 그가 화내는 것은 사리에 닿지 않는다 Er hat k-n Grund, sich darüber zu ärgern.

닿소리 〖언어〗 Konsonant *m.* -en, -en; Mitlaut *m.* -(e)s, -e.

대¹ 〖식물〗 Bambus *m.* -ses, -se. ¶ 대껍질 Bambusscheide *f.* -n / 대나무 세공 Bambuswaren 《*pl.*》 / 대막대 Bambusstock *m.* -(e)s, ⸗e / 대바늘 Bambusnadel *f.* -n / 대비 Bambusbesen *m.* -s / 대숲 Bambusgebüsch *n.* -es, -e / 대울타리 Bambuszaun *m.* -(e)s, ⸗e / 대잎 Bambusblatt *n.* -es, ⸗er / 대창 Bambusspeer *m.* -(e)s, -e / 대를 쪼개다 den Bambus spalten / 그는 대쪽 같은 사람이다 Er ist ein offenherziger Mensch.

대² ① 《줄기》 Stengel *m.* -s, -; Stiel *m.* -(e)s, -e; Halm *m.* -(e)s, -e (벼 따위); Rohrstock *m.* -(e)s, ⸗e (대나무); 《막대》 Stab *m.* -(e)s, ⸗e; Rute *f.* -n; Stock *m.* -(e)s, -e; 《붓·펜의》 Federhalter *m.* -s, -; Pinselstiel *m.* -(e)s, -e; Griff *m.* -(e)s, -e; 《담뱃대》(Tabaks-)pfeife *f.* -n.

② 《줏대》 Beharrlichkeit *f.* -n; die feste Überzeugung, -en. ¶ 대가 세다 beharrlich (fest überzeugt) sein / 대가 약하다 schlapp (furchtsam) sein / 대가 센 사람 ein beharrlicher (fest überzeugter) Mensch.

③ 《담배의》 e-e Pfeife (voll) Tabak; e-e Zigarette. ¶ 담배를 한 대 권하다 *jm.* e-e Pfeife Tabak (e-e Zigarette) an|bieten* /담배를 한 대 피우다 e-e Zigarette rauchen; e-e Pfeife rauchen.

④ 《주먹 따위》 ein Schlag *m.* -(e)s; ein Streich *m.* -(e)s; ein Hieb *m.* -(e)s; ein Stoß *m.* -es. ¶ 한 대에 mit e-m Schlag (Hieb) / 한 대 먹이다 e-n Hieb geben* / 한 대 먹다 e-n Hieb bekommen* (검술에서).

대(大) Größe *f.* -n; Wichtigkeit *f.* -en (중대함); Maß *n.* -es, -e (크기). ¶ 대과오 ein großer Irrtum, -(e)s, ⸗er / 대문제 e-e große Frage, -n; e-e wichtige Sache, -n / 대저술 ein großes Werk, -(e)s, -e / 대사업 ein großes Unternehmen, -s, -; e-e große Arbeit, -en / 대사건 ein großes Ereignis, -ses, -se / 대손해 ein großer Schaden, -s, ⸗; ein großer Verlust, -es, -e / 대평야 die ausgedehnte Ebene, -n / 대승리 ein großer Sieg, -(e)s, -e / 대다수 die große Mehrheit / 대서울 Groß-Seoul / 대유행이다 (die) große Mode sein; sehr in Mode sein.

대(代) ① 《시대》 Zeit *f.*; Periode *f.* -n; Zeitalter *n.* -s; 《세대》 Generation *f.* -en; 《일대》 Lebtag *m.* -(e)s, -e; Lebzeiten 《*pl.*》; 《시세》 Regierung *f.* -en; 《왕조》 Dynastie *f.* -n. ¶ 7 대 sieben Generationen 《*pl.*》 / 4 대조(祖) der Abkömmling im vierten Grade / 아들 대 die Generation der Kinder / 아버지 대에는 zu Lebzeiten des Vaters / 70 년 대에 in den siebziger Jahren / 몇 대에 걸쳐 mehrere Generationen hindurch / 이조 3 대 임금 der dritte König der *Yi*-Dynastie / 다음 세대의 사람들 die kommende Generationen (Geschlechter) / 조부의 대까지 bis zu Lebzeiten des Großvaters / 대를 잇다 Familienlinie fort|führen / 대가 끊어지다 aus|sterben* ⓢ / 그 집안은 대가 끊어졌다 Die Familie ist ausgestorben. / 그 여자는 10 대이다 Sie ist unter zwanzig Jahren alt. |Sie steht (ist) in den Zehnern. / 그 여자는 10 대를 넘었다 Sie ist über 20 Jahre alt. |Sie ist aus dem Entwicklungsalter hinaus. / 그 가족은 여러 대 동안 같은 집에 살았다 Die Familie hat mehrere Generationen hindurch im selben Haus gewohnt. / 링컨은 몇 대 대통령인가 Der wievielste Präsident ist Lincoln in Amerika?

② 《값》 Kaufgeld *n.* -(e)s, -er; Kosten 《*pl.*》; Preis *m.* -es, -e.

대(隊) Truppe *f.* -n; Trupp *m.* -s, -s; Schar *f.* -en(무리); Haufen *m.* -s, - (무리). ¶ 대를 이루어서 truppen|weise (haufen-; scharen-); in ³Scharen (무리 지어) / 일대의 기사 (병사) e-e Schar (ein Trupp) Reiter (Soldaten) / 비행대 Flugzeugabteilung *f.* -en / 대를 짓다 e-e geschlossene Truppe bilden; 《정렬하다》 ⁴sich in e-r Linie auf|stellen; 《정열시키다》 in e-e Linie stellen⁴ / 대를 지어 행진하다 in e-m Haufen (in geschlossener Menge) gehen* ⓢ.

대(對) ① 《짝》 ein Paar *n.* -(e)s, -e; Gegenstück *n.* -(e)s, -e; Parallele *f.* -n; Antipode *m.* -n, -n(대척자); Antonym *n.* -s, -e(대어). ② 《상대》 gegen; zu; zwischen; 《비율》 zu; Anti-. ¶ 민주주의 대 공산주의 Demokratie gegen Kommunismus / 자본가 대 노동자의 투쟁 der Kampf von Arbeiter gegen Kapitalisten / 공대공 (공대지, 지대공) 미사일 Luft-Luft (Luft-Boden, Boden-Luft) Raketengeschoß *m.* ..sses, ..sse / 한국의 대미 무역 관계 Handelbeziehungen zwischen Korea u. Amerika / 대미 감정 die Einstellung gegenüber Amerika / 대독 전쟁 der Krieg gegen Deutschland / 대일 강화조약 der Friedensvertrag mit Japan / 한국의 대미 정책 die koreanische Politik gegenüber der Vereinigten Staaten / 3 대 1 의 스코어 drei gegen eins / 20 대 57 의 다수 ein Mehr von 57 gegen 20 / 5 대 3 으로 한국 축구 팀이 이겼다 Die koreanische Fußballmanschaft hat mit 5 gegen 3 gewonnen.

대(帶) Zone *f.* -n; Gürtel *m.* -s, -. ¶ 열(온)대 die tropische (gemäßigte) Zone.

대(臺) ① 《다리가 달린》 Gestell *n.* -(e)s, -e; Stativ *n.* -s, -e; Gerüst *n.* -(e)s, -e; Ständer *m.* -s. -; 《받침》 Stütze *f.* -n; Träger *m.* -s, -; 《다리 없는 화병 따위의 대》 Untersatz *m.* -es, ⸚e; Unterlage *f.* -n; Fußgestell *n.* -(e)s, -e; Untergestell *n.* -(e)s, -e; 《탁자》 Tischchen *n.* -s, -; 《발판》 Tritt *m.* -(e)s, -e; Fußtritt *m.* -(e)s, -e; 《족대》 Fußbank *f.* ⸚e. ¶ 촛대 Kerzenleuchter *m.* -s, - / 악보대 Notenpult *n.* -(e)s, -e; Notenständer *m.* -s, - / 화장대 (Frisier)toilette *f.* -n; Frisierkommode *f.* -n.
② 《단위》 ¶ 자동차 다섯 대 fünf Autos 《*pl.*》 / 화차 세 대분의 화물 drei Wagen Lasten《*pl.*》.
③ 《액수》 Basis *f.* ..sen; Grenze *f.* -n. ¶ 2백원 대로 떨어지다 unter die 200 *Won* Grenze fallen* [s]; unter 200 *Won* betragen* / 쌀값이 5만 원대로 뛰었다 Der Reispreis ist zu e-r Höhe von 50000 *Won* gestiegen.
④ 《고대(高臺)》 Tafelland *n.* -(e)s, ⸚er; Hochebene *f.* -n.

-대(大) ¶ 실물대의 lebensgroß; in ³Lebensgröße.

대가(大家) ① 《권위》 Meister *m.* -s, -; Fachmann *m.* -s, ⸚er (..leute) (전문가); Kapazität *f.* -en; Autorität *f.* -en (권위); der hervorragende (große, ausgezeichnete) Gelehrte (학문); die führende Persönlichkeit, -en. ¶ 교육학의 ~ e-e führende Persönlichkeit in der Pädagogik / 그림의 ~ der große Maler, -s, -/ 문장의 ~ der Meister des Stils / 문단의 ~ der ausgezeichnete Schriftsteller, -s, - / 음악의 ~ der große Musiker; Virtuose *m.* -n, -n / ~연하다 ³sich als Autorität auf|spielen (hin|stellen) / ~의 말을 인용하다 Autoritäten an|führen / 사계의 ~로서 인정받고 있다 als Autorität in e-m Fach anerkannt werden.
② 《큰집》 das große Haus, -es, ⸚er; das große Wohnhaus, -es, ⸚er; die wohlhabende (einflußreiche; angesehene) Familie, -n.

대가극(大歌劇) die große Oper, -n.

대가다 《시간에》 rechtzeitig an|kommen* [s] (erreichen⁴); pünktlich ein|treffen* [s] (정각에). ¶ 학교 시간에 ~ rechtzeitig in die Schule (in die Universität) kommen* [s] / 약속시간에 ~ zur verabredeten (zur bestellten) Zeit an e-m bestimmten Ort erscheinen* [s].

대가리 Kopf *m.* -(e)s, -e; Haupt *n.* -(e)s, ⸚er; Schädel *m.* -s, -; Hirnschale *f.* -n; Spitze *f.* -n. ¶ ~를 까다 den Kopf schlagen* / 그는 ~에 피도 안 말랐다 Er ist noch naß (noch nicht trocken) hinter den Ohren.

대가족(大家族) die große Familie, -n.
‖ ~제도 das System 《-s, -e》 der großen Familie.

대가집(大家一) die wohlhabende (u. einflußreiche (angesehene)) Familie, -n.

대각(對角) 〖수학〗 Gegenwinkel *m.* -s, -.
‖ ~선 Diagonale *f.* -n: ~선의 diagonal; quer / ~선을 이루어 diagonal / ~선을 긋다 e-e Diagonale (e-e Linie zum Gegenwinkel) ziehen*. 내~ der innere Gegenwinkel, -s.

대각거리다 klappern; klirren; knacken: rattern. ¶ 창문이 ~ die Fenster klirren.

대각대각 klipp klapp!; klappernd.

대각하다(大覺一) zur höchsten Erleuchtung gelangen [s].

대갈 Hufnagel *m.* -s, ⸚; Nagel zum Beschlagen von Hufeisen (Pferden).
‖ ~마치 Hufschmiedhammer *m.* -s, ⸚; Beschlaghammer. ~장군 jemand mit zu großem Kopf.

대갈(大喝) das donnernde Anschreien*, -s. ~하다 an|donnern⁴; an|fahren*⁴; hart an|lassen*⁴; an|schreien*; an|schnauzen. ¶ 일성 ~ 꾸짖다 *jn.* mit lauter (donnernder) Stimme aus|schelten*.

대갈못 Zwecke *f.* -n; Stift *m.* -(e)s, -e; Niete *f.* -n (리벳); Schuhnagel *m.* -s, ⸚ (구두창의); Nietnagel *m.* ¶ ~으로 고정시키다 mit Zwecken heften; mit Ziernageln befestigen⁴ (융단 따위를); nieten⁴.

대감(大監) Eure (S-e) Exzellenz.

대감독(大監督) 〖종교〗 Erzbischof *m.* -s, ⸚e.

대강(大綱) ① =대강령. ② 《개론》 allgemeine Regeln 《*pl.*》; allgemeine Prinzipien 《*pl.*》; Grund¦riß (Um-) *m.* ..risses, ..risse; 《골자》 Wesenheit *f.*; Wesentlichkeit *f.* -en; Zusammenfassung *f.* -en; Hauptinhalt *m.* -(e)s, -e; Übersicht *f.* -en; der kurze Auszug, -(e)s, ⸚e. ¶ 사건의 ~ 줄거리 die Übersicht des Falls / 지난 호까지의 ~ 줄거리 die Übersicht der Erzählung, die in der vorigen Nummer erzählt wurde / ~을 말하다 um|reißen*⁴; skizzieren⁴ / ~을 정하다 e-n Grundsatz bestimmen/ 외교 정책의 ~을 정하다 den Grundsatz e-r diplomatischen Politik formulieren / ~을 파악하다 die Übersicht gewinnen*. ③ 〖부사적〗 im allgemeinen; im großen u. ganzen; flüchtig; annähernd; ungefähr; ungenau. ¶ ~ 어림잡다 in Bausch u. Bogen veranschlagen⁴ / ~ 알아보다 ⁴sich vorläufig orientieren / ~ 훑어보다 flüchtig überblicken⁴; flüchtig durch|blättern⁴ / ~ 논술하다 die Übersicht über ³*et.* schreiben* / 일을 ~ 하다 aus dem groben (gröbsten) arbeiten.

대강(代講) die Vorlesung an *js.* Stelle. ~하다 statt *js.* (an *js.* Stelle) e-e Vorlesung halten*; e-n Unterricht für *jn.* erteilen (geben*). ¶ ~하는 사람 Ersatzlehrer *m.* -s, -; der statt *js.* Unterricht erteilende Lehrer. / A 선생의 ~을 하다 an Herrn A's Stelle e-e Vorlesung halten* / 한선생의 결근으로 내가 ~합니다 Da Herr *Hahn* gefehlt hat, lese ich heute an s-r Stelle vor.

대강령(大綱領) die allgemeinen Grundsätze 《*pl.*》; die allgemeinen Regeln 《*pl.*》.

대갚음(對一) Erwiderung *f.* -en; Vergeltung *f.* -en; Rückzahlung *f.* -en; Tilgung *f.* -en; 《보복》 Rache *f.* -n; Wiedervergeltung *f.* -en; Auge um Auge; Revanche *f.* -n. ~하다 erwidern⁴; vergelten*⁴; e-n Schlag (eins) auf die Nase geben* 《*jm.*》; ⁴sich bedanken 《*für*⁴》. ¶ 원한을 ~하다 ⁴sich an *jm.* rächen; an *jm.* e-e Rache nehmen* / 아버지의 ~을 하다 an *jm.* für den Vater e-e Rache nehmen*.

대개(大槪) ① 《대체로》 meistens. ¶ ~의 경우는 in meisten Fällen; gewöhnlich; fast immer / ~의 사람은 die meisten Menschen (Leute); fast alle / 밤에는 ~ 집에 있다 Abends bin ich meistens (fast immer) zu Hause. / 나는 ~ 7시에 일어난다 Ich stehe gewöhnlich um 7 Uhr auf. / 학생은 ~ 이 사전을 가지고 있다 Die meisten Studenten

haben dieses Wörterbuch. / 나는 일요일에는 ~ 외출한다 Ich gehe am Sonntag gewöhnlich aus.
② 《아마》 wohl; wahrscheinlich. ⌈-e.
대개념(大概念) 〖논리〗 Oberbegriff *m.* -(e)s,
대거(大擧) 《거사》 das große Unternehmen, -s; die vereinigte Anstrengung, -en; 《서둚》 die schnelle Beendigung e-r Arbeit. **~하다** e-n großen Entwurf an|fertigen (machen, her|stellen). ¶ ~하여 haufenweise; in e-m Haufen; in großen Mengen; 《대규모로》 in großem Maßstabe / ~하여 공격하다 mit voller Macht an|greifen*[4].
대거리(代一) Ablösung *f.* -en; das Ablösen*, -s; das Abgelöstwerden*, -s. ¶ ~로 일하다 mit Tag- u. Nachtschicht arbeiten.
대거리(對一) ① =대갚음. ② 《대듦》 Widerspruch *m.* -(e)s, ⸗e. **~하다** *jm.* grob antworten; *jm.* e-e harte Antwort geben*; *jm.* widersprechen*.
대검(帶劍) Säbel *m.* -s, -; Seitengewehr *n.* -(e)s, -e (총검); das Säbeltragen*, -s (검을 차는 것). **~하다** [4]sich mit e-m Säbel bewaffnen. ¶ ~을 빼다 den Säbel ziehen* / ~의 휴대를 허락 (금지) 하다 *jm.* erlauben (verbieten*), e-n Säbel (ein Schwert; e-n Degen) zu tragen.
대검찰청(大檢察廳) Generalstaatsanwaltschaft *f.* -en.
대견하다 《유익》 hilfreich; behilflich; nützlich (sein); 《흡족》 tauglich; befriedigend (sein). ¶ 대견스럽게 여기다 zufrieden sein (*mit*[3]); *jn.* lobens|wert (-würdig) finden*; von *jm.* viel halten*.
대결(對決) Gegenüberstellung *f.* -en; Konfrontation *f.* -en; Auseinandersetzung *f.* -en; Streit *m.* -(e)s, -e. **~하다** [4]sich gegenüber|stellen; [4]sich mit *jm.* auseinander|-setzen; mit *jm.* konfrontiert werden. ¶ 백주의 ~ Zweikampf am hellen Tag / 미·소간의 베를린 ~ Berliner Konfrontation zwischen den Vereinigten Staaten u. der Sowjet-Union / ~시키다 gegenüber|stellen[4] (gegeneinander|-); konfrontieren[4].
‖ **~장면** 〖연극〗 Konfrontationsszene *f.* -n; Gegenüberstellungsszene *f.* -n. **~정책** Konfrontationspolitik *f.* -en.
대경(大慶) das große Glück, -(e)s; die große Feude, -n; das glückliche Ereignis, -ses, -se; Hochzeit *f.* -en; Geburt *f.* -en.
대경(大驚) das Erstaunen*, -s; Verwunderung *f.* -en; Überraschung *f.* -en. **~하다** erstaunt sein (*über*[4]); [4]sich verwundern (*über*[4]); erschrecken* ⓢ (*über*[4]); bestürzt (verwirrt; verblüfft) sein. ¶ ~ 실색(失色)하여 vor Erstaunen erblaßt / ~ 실색하다 vor Erstaunen erblassen ⓢ.
대경대법(大經大法) gerechte Grundsätze (*pl.*) u. gerechte Gesetze (*pl.*).
대계(大計) der weitreichende (weitblickende; große; vorsorgliche) Plan, -(e)s, ⸗e. ¶ 국가의 백년 ~를 세우다 e-e weit voraussehende Staatspolitik auf|stellen (errichten).
대계(大系) Umriß *m.* ..risses, ..risse; Grundriß *m.* ..risses, ..risse.
대고 《자꾸》 fortwährend; unaufhörlich; ununterbrochen. ¶ ~ 조르다 immer (unaufhörlich) drängen / ~ 공부하다 ununterbrochen arbeiten (manchmal ziellos) / 아버지한테 영화구경 가자고 ~ 조른다 Das Kind bettelt s-n Vater an, mit ins Kino zu gehen.
대고모(大姑母) =왕고모(王姑母).
대공 〖건축〗 Hängesäule *f.* -n.
대공(大功) ein großes Verdienst, -(e)s, -e. ¶ ~을 세우다 [3]sich große Verdienste erwerben*.
대공(對空) Luftschutz *m.* -es; Flugabwehr *f.* ‖ **~감시** Luftwache *f.* -n: ~감시 초소 Flugmeldeposten *m.* -s, -. **~사격** Luftschutzfeuer *n.* -s, -. **~포** Flak *f.* -(s). **~화기** Flugabwehrgeschütz *n.* -es, -e.
대공국(大公國) Großherzogtum *n.* -(e)s, ⸗er.
대과(大過) ein großer (dicker) Fehler, -s, -. ¶ ~ 없이 ohne nennenswerte Fehler / ~ 없이 근무하다 ohne nennenswerte Fehler dienen / …라고 하여도 ~ 없으리라 Man könnte vielleicht so sagen, daß....
대과거(大過去) 〖문법〗 Plusquamperfekt *n.* -(e)s, -e; Vorvergangenheit *f.* -en.
대관(大官) der hohe Beamte*, -n, -n; Würdenträger *m.* -s, -.
대관(大觀) Über|sicht *f.* -en (-blick *m.* -(e)s, -e). **~하다** übersehen*[4]; überblicken[4]. ¶ 세계사 ~ Überblick der Weltgeschichte / 국사 ~ Überblick der koreanischen Geschichte.
대관(戴冠) Krönung *f.* -en.
‖ **~식** Krönungsfeier *f.* -n; Krönungsfest *n.* -es, -e: ~식을 거행하다 die Krönung vollziehen.
대관절(大關節) denn; nun; wer (was; wie; wo) in aller [3]Welt. ¶ ~ 너는 어떻게 된 거냐 Was ist denn mit dir los? / ~ 너는 누구냐 Wer bist du denn (in aller Welt)? / ~ 너는 어떻게 그 지경이 되었는가 Wie zum Teufel bist du dazu gekommen? / ~ 무슨 일이냐 Was zum Teufel gibt es? / ~ 그 사람은 어떻게 여기 왔느냐 Wie kommt er nun hierher? / ~ 너는 무슨 생각을 하고 있느냐 Was denkst du in aller Welt?/~ 그는 영어를 아는가 Kann er denn English?
대괄호(大括弧) 〖수학〗 die eckige Klammer, -n. ¶ ~를 풀다 die (eckige) Klammer fort|schaffen* (lösen).
대구(大口) 〖어류〗 Dorsch *m.* -es, -e; Kabeljau *m.* -s, -e (-s); Schellfisch *m.* -es, -e.
‖ **~간유**(肝油) Kabeljaulebertran *m.* -(e)s, -e. **~탕** Kabeljausuppe *f.* -n. **~포** Flocken (*pl.*) des getrockneten Dorsches.
대구(對句) Verspaar *n.* -(e)s, -e; 〖수사학〗 Antithese *f.* -n. ¶ ~를 이루다 e-e Antithese bilden (auf|stellen).
대구루루 die Art u. Weise, wie ein Gegenstand rollt; rollend; wälzend. **~하다** rollen ⓢ; dahin|rollen ⓢ; [4]sich (dahin|)wälzen; kullern. ¶ ~ 구르다 dauernd hin|rollen ⓢ / 솔방울이 ~ 굴러오다 ein Kieferzapfen kommt gerollt.
대구치(大臼齒) 〖생물〗 Mahlzahn *m.* -(e)s, ⸗e; der große Backzahn.
대국(大局) die allgemeine Lage, -n; Gesamtlage *f.* ¶ ~적 (all)umfassend; uneigennützig; unparteiisch; weit|blickend (-herzig) / ~적 견지 der höhere Standpunkt, -(e)s, -e; der weite Gesichtspunkt / ~적 견지에서 von hoher Warte (aus)/~적 견지에 서다 auf e-m höheren Standpunkt (e-r höheren Warte) stehen*; weit überblicken[4]; auf die allgemeine Lage der Dinge [4]Rücksicht nehmen* / ~을 내다보다 das Ganze überblicken / 그는 사소한 일에 얽매어 ~을 못 살

꿨다 Er sah den Wald vor lauter Bäumen nicht.¦Er übersieht das große Ganze vor lauter Einzelheiten. / 이 작은 사건이 ~에 중대한 영향을 끼친다 Dieser kleine Zwischenfall übt e-n bedeutenden Einfluß auf die allgemeine Lage aus.

대국(大國) ein großes Land, -(e)s, ⸗er; ein großer Staat, -(e)s, -en; Großmacht *f.* ⸗e; Weltmacht *f.* ⸗e.

대국(對局) ① 《난국에의》 die Maßregelung 〔Erledigung〕 e-r schwierigen Lage; die Lösung e-s Knoten. **~하다** Maßregeln ergreifen* 〔tun*; nehmen*〕 《*gegen*⁴》; Schritte tun* 《*in*³》.
② 《바둑 · 장기의》 e-e Partie 《-n》 Go 〔Schach〕. **~하다** e-e Partie Go 〔Schach〕 spielen 《mit *jm.*》.

대군(大君) ein kaiserlicher 〔königlicher〕 Prinz, -en, -en. ¶ 양녕 ~ s-e königliche Hoheit Prinz *Yangnyeong*.

대군(大軍) ein großes Heer, -(e)s, -e; große Armee, -n [..méːən]. ¶ ~을 거느리다 ein großes Heer führen 〔befehligen〕.

대군(大群) ein großer Haufen, -s, -; ein großer Schwarm, -(e)s, ⸗e. ¶ 가축의 ~ e-e große Herde, -n / 메뚜기(청어)의 ~ ein großer Schwarm Heuschrecken 〔Heringe〕 / 엽수(獵獸)의 ~ ein großes Rudel, -s, -n / 새〔벌〕의 ~ ein großer Flug 〔Schwarm〕 -(e)s, ⸗e.

대굴대굴 ☞ 떼굴떼굴.

대궁 der übriggebliebene Reis 《-es》 in der Schüssel; Speise(über)reste 《*pl.*》.

대권(大圈) Großkreis *m.* -es, -e.
‖ **~항로** 〖해양〗 ein orthodromischer Kurs, -es, -e.

대권(大權) die kaiserliche Macht; Prärogativ *n.* -s, -e; Imperium *n.* -s, ..rien; Souveränität *f.* -en; Oberherrschaft *f.* -en; 《통치권》 Regierungsgewalt *f.* -en. ¶ ~ 발동 die Ausübung der kaiserlichen 〔höchsten〕 Macht / ~ 침범 der Eingriff in die höchste Macht 〔Gewalt〕 / 병마의 ~ die höchste Armeegewalt; Oberbefehl *m.* -s, -e; Oberkommando *n.* -s, -s / (국가) ~을 장악하다 die höchste Staatsgewalt besitzen* 〔haben〕 / (병마) ~을 장악하다 das Oberkommando 〔den Oberbefehl〕 führen.

대궐(大闕) das kaiserliche 〔königliche〕 Schloß, ..losses, ..lösser; der kaiserliche Palast, -es, ⸗e. ¶ ~같은 palastartig; schloßartig; prächtig; großartig.

대규모(大規模) Großartigkeit *f.*; der große Maßstab, -(e)s, ⸗e. ¶ ~의〔로〕 großangelegt; in großem Maß(stab); von großem Format 〔Kaliber〕; großzügig; großartig / ~의 무대장치 die großartige Bühnen¦anlage, -n (무대전부) 〔-dekoration, -en (무대 위의)〕 / 그는 ~ 사업을 좋아한다 Er liebt große Unternehmungen. / 그들은 ~ 방공 연습을 시행한다 Sie halten e-e große Luftschutzübung ab.
‖ **~작전** e-e große (militärische) Operation, -en; Riesenstrategie *f.* -n.

대그락거리다 klirren; rasseln; klappern. ¶ 유리컵이 ~ Gläser klirren 〔klappern; rasseln〕 / 그릇이 연달아 대그락거리는 소리 Geschirr¦geklirr *n.* -(e)s 〔-geklapper *n.* -s; -gerassel *n*: -s; -geratter *n.* -s〕.

대그락대그락 《의성어》 klirr!; klapp!; krach! ¶ ~소리 내면서 klirrend; klappernd; rasselnd; klimpernd.

대그르르하다 dicklich (sein); dicker als die anderen sein.

대그릇 Bambusware *f.* -n; Bambusgeschirr *n.* -(e)s, -e.

대극(大戟) 〖식물〗 Wolfsmilch *f.*

대극선(對極線) 〖수학·물리〗 Polare *f.* -n.

대근하다(代勤—) *jn.* vertreten*; die Vertretung übernehmen*; an *js.* Stelle arbeiten; an Stelle e-s andern arbeiten. ¶ 앓고 있는 동료를 ~ er vertritt s-n kranken Kollegen.

대글대글하다 dicker 〔größer〕 als die anderen sein.

대금(大金) e-e große Geldsumme, -n; viel Geld; 《고가》 die großen Kosten. ¶ ~을 지불하다 e-e große Summe bezahlen 〔aus¦geben*〕 / ~이 소요되다 viel Geld kosten / ~을 들이다 viel Geld für ⁴*et.* auf¦wenden⁽*⁾. ☞ 큰돈.

대금(大笒) 〖악기〗 e-e altkoreanische Flöte, -n.

대금(代金) Kaufgeld *n.* -(e)s, -er; Preis *m.* -es, -e. ☞ 요금·가격. ¶ ~을 5% 할인하다 5% Rabatt geben⁴; 5% Abzüge machen / ~은 얼마입니까 Wieviel verlangen 〔fordern; rechnen〕 Sie dafür?
‖ **~상환** Nachnahme *f.* -n: ~ 상환 소포우편 Nachnahmesendung *f.* -en / ~ 상환으로 보내다 unter³ 〔gegen⁴〕 Nachnahme senden*⁴; per ⁴Nachnahme schicken⁴. **~할인** Rabatt *m.* -(e)s, -e; Abzug *m.* -(e)s, ⸗e. **~징수** Einziehung von Rechnungen.

대금(貸金) Darleh(e)n *n.* -s, -; Darleihung *f.* -en; (Geld)vorschuß *m.* ..sses, ..schüsse (가불금). ¶ 고리~ das Darlehen auf Wucherzinsen 〔überhohen Zinsen〕 / 장〔단〕기~ das langfristige 〔kurzfristige〕 Darlehn.
‖ **~업** Geldverleihgeschäfte 《*pl.*》; Geldverleihen *n.* -s: 고리 ~업 Wucherei *f.* -en; Wuchergeschäfte 《*pl.*》 / 고리 ~업자 Wucherer *m.* -s, -; 《악덕》 Geldschinder *m.* -s, -; Geldschneider *m.* -s, -; Leutschinder *m.* -s, -; Blutsanger *m.* -s, -.

대기(大忌) der große Widerwille, -ns, -n; die große Abneigung, -en; Greuel *m.* -s, -. **~하다** verabscheuen⁴; Abscheu empfinden* 《*gegenüber*³》; Abneigung haben 《*gegen*⁴》; sehr hassen⁴.

대기(大氣) Atmosphäre *f.* -n; Luft *f.* (공기). ¶ ~의 atmosphärisch / ~의 상태 die atmosphärischen Verhältnisse 《*pl.*》.
‖ **~관측** Luftbeobachtung *f.* -en. **~권** Luftkreis *m.* -es, -e; Atmosphäre *f.* -n: ~권내 핵실험 Nuklearuntersuchung in der Atmosphäre/~권 밖으로 로케트를 발사하다 e-e Rakete in den Raum schießen* / ~권에 돌입하다 in die Atmosphäre 〔Stratosphäre *f.* -n (성층권)〕 ein¦treten* Ⓢ / ~권 밖으로 탈출하다 außerhalb der ²Stratosphäre hinaus¦fliegen*Ⓢ. **~오염** Luft¦verschmutzung 〔-verunreinigung〕 *f.* -en.

대기(大器) 《큰 그릇》 das große Gefäß, -es, -e; 《인재》 das große Talent, -(e)s, -e.
‖ **~만성** Große Talente kommen spät zur Reife.¦Gut Ding will Weile haben.

대기(待機) das Warten*, -s; das Lauern*, -s. **~하다** e-e Gelegenheit ab¦warten; auf e-e Gelegenheit warten; 《준비완료》 ⁴sich bereit finden* 《*zu*³》; ⁴sich in Bereitschaft halten*; 《잠복》 auf¦lauern³; 《경계》 auf dem Quivive sein 〔stehen*〕. ¶ ~ 중이다 in Bereitschaft sein; ⁴sich bereit halten*.

‖ ~발령 Wartestand *m.* -(e)s; Disposition *f.*: ~발령중이다 in den Wartestand versetzt werden; zur Disposition gestellt werden / ~발령중인 대사 der Botschafter ⟪*m.* -s, -⟫ zur Disposition (auf der Warteliste). **~실** Warte¦halle *f.* -n (-raum *m.* -(e)s, ⸗e; -saal *m.* -(e)s, ..säle; -zimmer *n.* -s, -); Vorzimmer *n.* **~차** Ersatzauto *n.* -s, -s.

대기업(大企業) Großunternehmen *n.* -s, -.

대길(大吉) das höchste Glück, -(e)s. **~하다** ein höchstes Glück haben. ¶ ~일 ein sehr glücklicher Tag/운수~ ein wahres Glück.

대꾸 Erwiderung *f.* -en. **~하다** erwidern ⟪*auf*[4]⟫. ¶ 지지 않고 ~하다 [4]sich nicht einschüchtern (zum Schweigen bringen) lassen*.

대끼다 ① ⟪사람이⟫ des Lebens Bitterkeit schmecken; die Bitternisse des Lebens kosten; Strapazen durch|machen. ¶ 세상 풍파에 대꼈다 Er hat des Lebens Bitterkeit geschmeckt. ② ⟪곡식을⟫ reinigen[4].

대난(大難) das große Unglück, -(e)s, -sfälle; große Schwierigkeiten ⟪*pl.*⟫.

대납(代納) die Bezahlung ⟪-en⟫ an Stelle e-s andern; ⟪물건으로⟫ die Bezahlung in Naturalien. **~하다** ⟪대리로⟫ für *jn.* bezahlen[4]; ⟪물건으로⟫ in [3]Naturalien (be)zahlen[4].

대낮 Mittag *m.* -(e)s, -e; der helle Tag, -(e)s, -e. ¶ ~에 am hellen Tage; bei lichtem Tage / ~처럼 밝은 전등불 e-e taghelle elektrische Beleuchtung, -en.

대내(對內) 〔형용사적〕 inländisch; inner. ¶ ~적으로 nach innen hin; dem eigenen Land gegenüber.

‖ **~문제** das innere Problem. **~정책** die innere Politik, -en.

대농(大農) ⟪사람⟫ Großgrundbesitzer *m.* -s, -; der reiche Landwirt, -(e)s, -e.

‖ **~경영** Großgrundbetrieb *m.* -(e)s, -e. **~장** Großgrundbesitz *m.* -es, -e. **~제** die Einrichtung (Institution) des Großgrundbesitzes.

대뇌(大腦) Großhirn *n.* -(e)s, -e.

‖ **~막** Gehirnhäutchen *n.* -s, -. **~반구** Großhirnhemisphäre *f.* -n. **~엽**(葉) Großhirnlappen *m.* -s, -. **~피질**(皮質) Großhirnrinde *f.* -n.

대님 das Band ⟪-(e)s, ⸗er⟫ zum Halten des weiten koreanischen Hosenbeines. ¶ ~을 매다 untere Teile der weiten koreanischen Hosenbeine mit Bändern fest|binden*.

대다[1] ① ⟪전화 연결⟫ verbinden*[4] ⟪*mit*[3]⟫. ¶ 수화기를 귀에 ~ e-n Hörer (Hörapparat) ans Ohr bringen* / 미안하지만 …에 대어주시오 Fräulein, bitte, verbinden Sie mich mit …! / 죄송합니다만 고장(통화중)이라 대드릴 수 없읍니다 Ich kann Sie leider nicht verbinden, da die Leitung gestört (besetzt) ist.

② ⟪결합⟫ vereinigen[4] ⟪*mit*[3]⟫; verbinden*[4]; verknüpfen[4]; zusammen|setzen[4]; zusammen|binden*[4]; zusammen|bringen*[4]; ⟪대면⟫ *jn.* mit e-m andern zusammen|bringen*. ¶ 증인을 ~ e-n Zeugen stellen.

③ ⟪접촉·관계⟫ mit der Hand berühren[4]; betasten[4]. ¶ 손을 (전선에) 대지 마시오 ⟪게시⟫ Nicht (die elecktrische Leitung) berühren! / 손을 대면 차다 (까칠까칠하다, 매끈매끈하다) Es fühlt sich kalt (rauh, glatt) an./ 일에 손을 ~ Hand ans Werk legen. / 여자에 손을 ~ mit e-m Mädchen (e-r Frau) in Liebesverhältnis treten*[s]; mit e-m Mädchen (e-r Frau) ein Liebesverhältnis an|knüpfen / 맡긴 돈에 손을 ~ anvertraute Gelder an|greifen* / …에 손을 대지 않다 [4]*et.* unberührt lassen* / 투기에 손을 ~ [4]sich auf Spekulationen ein|lassen* / 가슴에 손을 대고 생각하다 [3]sich [4]*et.* wohl überlegen/ 그런 일에 손을 대지 말아라 Geben Sie sich nicht damit ab! / 그런 일에 손을 대지 않겠오 Ich lasse mich darauf nicht ein.

④ ⟪붙임·갖다 댐⟫ (zusammen|) flicken; e-n Flicken auf|setzen ⟪*auf*[4]⟫; an|setzen ⟪*an*[4]⟫. ¶ 옷에 헝겊을 ~ ein Stück an ein Kleid setzen (nähen; flicken) / 귀를 구멍에 ~ das Ohr an Loch halten* / 청진기를 가슴에 ~ ein Stethoskop an die Brust legen; aus|kultieren / 가슴에 손을 ~ die Hand auf die Brust legen / 자를 ~ Maß nehmen* ⟪*zu*[3]⟫ / 칼을 ~ das Messer an|setzen / 안을 ~ füttern[4]; aus|kleiden ⟪*mit*[3]⟫.

⑤ ⟪비교⟫ e-n Vergleich an|stellen ⟪*mit*[3]⟫; gegenüber|stellen[4]; entgegen|stellen[4]; kontrastieren ⟪*mit*[3]⟫; in Gegensatz (Kontrast) bringen*[4] ⟪*mit*[3]⟫. ¶ 대보면 im Vergleich ⟪*mit*[3]⟫; verglichen ⟪*mit*[3]⟫ / 번역과 원문을 대보다 die Übersetzung mit dem Original vergleichen* / 길이를 대보다 die Länge vergleichen*.

⑥ ⟪핑계·성화 따위를⟫ machen[4]; tun[4]. ¶ …을 핑계 ~ [4]*et.* zum Vorwand nehmen* / 등쌀 ~ quälen[4] / 성화 ~ [4]sich schlecht benehmen*.

⑦ ⟪도착⟫ rechtzeitig an|kommen* [s]. ¶ 첫번 열차에 대려고 아침 일찍 일어났다 Ich stand früh auf, um den ersten Zug nicht zu versäumen.

대다[2] ① ⟪물을⟫ bewässern[4]; berieseln[4]. ¶ 논에 물을 ~ ein Reisfeld bewässern. ② ⟪공급·주선⟫ *jm.* [4]*et.* liefern (beschaffen*); *jn.* beliefern ⟪*mit*[3]⟫. ¶ 군대에 식량을 ~ das Heer mit Lebensmitteln versehen* / 공장에 자료를 ~ e-e Fabrik mit Materialien versehen* / 공장주에게 자본을 ~ e-n Fabrikbesitzer mit Kapitalen versorgen.

대다[3] ① ⟪일러주다⟫ sagen[34]; erklären[34]; hin|weisen* ⟪*auf*[4]⟫; zeigen[34]. ¶ 길을 ~ *jm.* den Weg zeigen (weisen*) / 진상을 ~ *jn.* über die Wahrheit belehren / 장사의 비결을 ~ *jn.* in die Geheimnisse des Geschäftslebens ein|weihen / 무슨 뜻인지 대시오 Sagen Sie mir, was es zu bedeuten hat. ② ⟪사실을⟫ die Wahrheit sagen; (ein|)gestehen*[4]; ein Geständnis ab|legen; ⟪증거·이유 따위를⟫ an|geben*[4]. ¶ 사실을 대게 하다 *jn.* zum Geständnis bringen*; ein Geständnis erzwingen* ⟪*von*[3]⟫; *jn.* zum Bekennen zwingen* / 위협해서 바른대로 대게 하다 durch Drohungen zum Geständnis bringen* / 바른대로 대라 Gestehe!¦ Heraus damit!

대다[4] ⟪차·배 따위를⟫ vor|fahren* [s] ⟪bei *jm.*; *an*[3]⟫; an|fahren* [s]. ¶ 주유소에 차를 ~ an e-r Tankstelle vor|fahren* / 교회 입구에 차를 ~ bis vor den Eingang in die Kirche an|fahren* / 배를 기슭에 ~ das Schiff an|legen (ans Ufer bringen*) / 차를 정면 현관에 ~ den Wagen vor den Haupteingang fahren* (setzen).

대다수(大多數) die große Mehrheit (Majorität) -en. ¶ ~의 동의를 얻다 die Zustimmung der großen Majorität erlangen / 그는 압도적인 ~로 의장에 선출되었다 Er wurde mit überwältigender Mehrheit zu dem Vorsitzenden gewählt. / 의안은 ~의 찬성을 얻고 의회를 통과했다 Dieser Antrag ist mit der Zustimmung der großen Majorität durchgegangen.

대단원(大團圓) Ausgang *m.* -(e)s, ⸗e; Ende *n.* -s, -n; Schluß *m.* ..lusses, ..lüsse.

대단찮다 ①《수·양적으로》nicht viel; wenig; gering; in kleiner Zahl; in kleiner Menge; e-e kleine Menge (sein). ¶ 대단찮은 돈 nicht viel (kleine Menge) Geld / 재산이 ~ nicht besonders reich / 재간이 ~ nicht besonders begabt; ohne besondere Talente.
②《대수롭지 않음》leicht; gering; geringfügig; unbedeutend; unerheblich; unwichtig; kleinlich; 《가치 없는》wertlos (sein). ¶ 대단찮은 일에 곧 잘 웃다 über jede Kleinigkeit lachen / 그것은 대단찮은 일이다《쉬운》Das ist e-e leichte Sache.¦《사소한》Das ist eine Kleinigkeit.¦《무의미》Das hat nichts Besonderes zu sagen. / 돈 100만 원쯤은 그에게 ~ E-e Million *Won* ist nichts für ihn. / 그는 대단찮은 인물이다 Es ist mit ihm nicht weit her.
③《병세·사정이》nicht besonders gefährlich (sein); nichts Ernstes (Wichtiges) sein. ¶ 병세는 ~ Die Krankheit ist doch nicht so ernst.
④《정도가》nicht sehr; nicht besonders; sehr klein (sein). ¶ 대단찮은 추위 nicht besonders kalt/대단찮은 미인이다 Sie ist nicht besonders schön. / 양자의 차이는 ~ Zwischen beiden ist kein großer Unterschied.

대단하다 ①《많다》viel; unzählig; enorm; hübsch; e-e große Menge (sein). ¶ 대단한 비용 die großen (ungeheueren) Kosten 《*pl.*》/ 대단한 재산 das hübsche Vermögen/ 대단한 돈인데 Was für e-e Menge Geld!
②《위대》sehr groß; hervorragend; ausgezeichnet; vortrefflich; vorzüglich (sein). ¶ 대단한 인물 der sehr bedeutende Mensch; der große Mann (Charakter) / 대단한 업적 die außerordentliche (glänzende) Tat / 대단한 학자 der große Gelehrte*, -n, -n / 그는 대단한 녀석이다 Er ist ja etwas.
③《굉장한》großartig; erstaunlich; fabelhaft; 〖속어〗prima (sein). ¶ 대단한 미인 die wunderschöne Frau, -en / 대단한 수완 die außergewöhnliche Tüchtigkeit; die erstaunliche Tatkraft / 대단한 체격 der stattliche Körperbau / 그의 식욕은 ~〖속어〗Sein Appetit ist unheimlich. / 그의 재산은 ~ Man kann nicht schätzen, wie groß sein Vermögen ist. / 대단한 일은 아닌세 Das macht nichts. / 가난한 사람에게는 돈 1000 원도 ~ Für e-n Armen ist 1000 *Won* von Wichtigkeit.
④《심한》sehr; äußerst; außergewöhnlich; außerordentlich; bemerkenswert; merklich; riesig; schrecklich; ungeheuer; ungemein (sein). ¶ 대단한 실수 der grobe Fehler/ 대단한 추위 Hunde¦kälte (Bären-; Mords-) *f.* / 대단한 손해를 보다 e-n schweren (unersetzlichen) Verlust erleiden* / 대단한 더위 Affen¦hitze (Bären-; Bomben-) *f.*

대단히 sehr; äußerst; außerordentlich; überaus; ungemein; ganz besonders; in höchstem Grade; über alle Maßen. ¶ ~ 많은 돈 sehr viel Geld / ~ 수고가 많으십니다 Haben Sie tausend Dank für Ihre Bemühungen. / ~ 죄송합니다 Es tut mir außerordentlich (über alle Maßen) leid, daß.... / ~ 안됐읍니다 Das ist über alle Maßen zu bedauern.

대담(大膽) Kühnheit *f.* -en; Mut *m.* -(e)s; Tapferkeit *f.*; Unerschrockenheit *f.*; Verwegenheit *f.* ¶ ~한 (하게) dreist; herzhaft; kühn; mutig; tapfer; unerschrocken; verwegen; 《무모한》wagehalsig / ~무쌍한 unerschrocken u. frech / ~한 기획 ein kühnes Unternehmen / ~한 비행 ein kühner Flug / ~하게 말하다 frei heraus¦sprechen*/ 아군의 ~한 활동 die kühnen Bewegungen unserer Armee / ~ 무쌍한 젊은이 der unerschrockene Bursche, -n, -n.

대담(對談) Gespräch *n.* -(e)s, -e; Aussprache *f.* -n; 《잡담》Unterhaltung *f.* -en; Unterredung *f.* -en(토의); 《대화》Dialog *m.* -(e)s, -e. **~하다** sprechen*《*mit*[3] 이하도 같음》; [4]sich aus¦sprechen*; [4]sich unterhalten*; [4]sich unterreden; ein Interview ab¦halten*.

대답(對答) Antwort *f.* -en; Erwiderung *f.* -en; Entgegnung *f.* -en. **~하다** antworten 《*jm.*》; erwidern 《*auf*[4]》; entgegnen 《*auf*[4]》; versetzen 《*auf*[4]》; beantworten[4]; *jm.* [4]*et.* zur Antwort geben*. ¶ ~하기가 난처하다 um e-e Antwort verlegen sein / 질문에 ~하다 e-e Frage beantworten / 그렇다고(아니라고) ~하다 e-e bejahende (verneinende) Antwort geben*; mit ja (nein) antworten/ 거기에 대해서는 ~할 수 없다 Darauf läßt sich gar nicht antworten. / 장군은 우리 인사에 ~했다 Der General erwiderte unseren Gruß. / 나는 어떻게 ~해야 좋을지 몰랐다 Ich wußte kaum, welche Antwort ich geben sollte.¦Ich konnte k-e Antwort finden. / 부르면 ~할 정도의 거리이다 Es ist im Bereiche der Stimme.¦Es liegt in Hörweite. / 그는 아무리 불러도 ~이 없다 Er gab k-e Antwort auf m-e wiederholten Rufe.

대대(大隊) Bataillon [bataljó:n] *n.* -s, -e. ‖ **~기** Bataillonsfahne *f.* -n. **~본부** Bataillonsstab *m.* -(e)s, ⸗e. **~부관** Bataillonsadjutant *m.* -en, -en. **~일직장교** der Offizier vom Bataillonsdienst. **~장** Bataillonsführer *m.* -s, -.

대대(代代) e-e [4]Generation nach der andern; viele [4]Generationen (Menschenalter) hindurch; von [3]Geschlecht zu [3]Geschlecht. ¶ ~의 erblich; angestammt; von den [3]Vorfahren überkommen* / ~로 전하여 온 전설 die mündliche Überlieferung, -en / 선조 ~의 묘지 Erb¦begräbnis (Familien-) *n.* ..nisses, ..nisse / 선조 ~의 보물 (Familien-) erbstück *n.* -(e)s, -e; Familienstück / 선조 ~로 이곳에 살고 있다 Wir wohnen hier seit den Zeiten unserer Vorfahren. / 그들은 선조 ~로 목수였다 Sie waren viele Generationen hindurch Zimmerleute. / 이것은 선조 ~로 내려온 물건이다 Das ist ein Stück, das sich durch viele Generationen hindurch vererbt hat.

대대적(大大的) großartig; großzügig; von großem Maßstab. ¶ ~으로 in großem Maßstab (Umfang; Maß) / ~으로 선전하나 viel Reklame machen 《*für*[4]》; kräftige (lebhafte) Propaganda machen (treiben*) 《*für*[4]》/ 그는 ~으로 장사를 하고 있다 Er treibt Geschäfte in großem Stil.

대도(大度) Großmut *f.*; Seelengröße *f.* ¶ 관인(寬仁) ~의 groß¦mütig (-herzig).

대도(大道) Grundprinzip *n.* -s, -e (-ien) (근본원리); Grundsatz *m.* -es, ⸗e (원칙); ein grundlegendes Moralprinzip, -s. ¶ 인륜의 ~ die Hauptprinzipien 《*pl.*》 der Moral / 그것은 인륜의 ~를 파괴하는 행위나 다름없다 Das ist nicht anders als die Verletzung der Hauptprinzipien der Moral.

대도구(大道具) 《무대의》 Bühnen¦ausstattung *f.* -en (-gerät *n.* -(e)s, -e); Utensilien 《*pl.*》. ‖ ~계 Kulissenschieber *m.* -s, -.

대도시(大都市) Großstadt *f.* ⸗e; Weltstadt *f.* ⸗e. ¶ ~의 großstädtisch.

대독(對獨) gegen [4]Deutschland; gegen die Bundesrepublik Deutschland; Deutschland gegenüber.
‖ ~관계 die Beziehung mit Deutschland. ~무역 der Handel mit Deutschland. ~정책 die Politik gegen Deutschland; die Deutschlandpolitik.

대독하다(代讀―) anstatt *js.* (für *jn.*) lesen*[4].

대돈변(―邊) zehn Prozent Zinsen 《*pl.*》 im Monat.

대동(帶同) das Mitnehmen*, -s; Begleitung *f.* -en. ~하다 begleitet werden 《von *jm.*》; mit|nehmen*[4]. ¶ 수상은 외무부 장관을 ~하고 독일로 떠났다 Der Premierminister ist, vom Außenminister begleitet, nach Deutschland abgereist.

대동단결(大同團結) Vereinigung (Union) *f.* -en (verschiedener [2]Parteien). ~하다 [4]sich verbinden*(einigen; vereinigen)《*mit*[3]》; [4]sich zusammen|schließen* 《zu e-r Union (Vereinigung)》.

대동맥(大動脈) Aorta *f.* ..ten; Hauptschlagader *f.* -n.

대동소이(大同小異) die Übereinstimmung im wesentlichen. ¶ ~의 in den Hauptpunkten (wesentlich) gleich; praktisch (fast; so ziemlich) dasselbe; nicht wesentlich verschieden / 그것들은 ~하다 Sie sind so ziemlich vom gleichen (selben) Kaliber (von derselben Art).

대두(大斗) ein koreanisches Kubikmaß, -es, ⌈-e.

대두(大豆) Sojabohne *f.* -n.
‖ ~유 Sojabohnenöl *n.* -(e)s, -e.

대두(擡頭) ~하다 [4]sich geltend machen; zur Geltung kommen* ⓢ. ¶ 노동 운동이 우리 나라에 ~된 것은 벌써 오래된 일이다 Es ist schon viele Jahre her, daß sich die Arbeiterbewegung bei uns geltend machte.

대들다 ① 《반항하다》 *jm.* trotzen; [4]sich erheben* 《*gegen*[4]》; stoßen*ⓢ 《*gegen*[4]; *nach*[3]》; an|stoßen*[4]; 《싸우려고》 an|rempeln[4]; heraus|fordern[4] 《*zu*[3]》; 《엄습》 her|fallen* ⓢ 《*über*[4]》. ¶ 대들것 같은 태도를 취하다 ein herausforderndes Benehmen (eine widerspenstige (trotzige; feindliche) Haltung) ein|nehmen* / 부모에게 대들면 못 쓴다 Man muß s-n Eltern gehorsam sein. / 대들어 봤자 소용없다 Es mützt nicht, wider den Stachel zu lecken. / 야단맞고 학생이 선생에게 대들었다 Der getadelte Schüler erhob sich gegen s-n Lehrer. / 대들 셈인가 Soll das e-e Herausforderung sein? / 그는 내게 대들었다 Er kam auf mich drohend zu.

대들보(大―) ① 〖건축〗 Hauptbalken *m.* -s, -; der große Deckenbalken (Tragbalken); der große Balken. ② 《중심인물》 Hauptstütze *f.* -n; Seele *f.* -n; Führer *m.* -s, -; Leiter *m.* -s, -; Haupt *n.* -(e)s, ⸗er; Chef *n.* -s, -s. ¶ ~감 die Fähigkeit zu großen Taten (Leistungen) / 그는 장래 이 나라의 ~감이다 Wir erlernen in ihm e-e künftige Stütze unseres Staates. / 그는 이 회사의 ~다 Er ist die Seele dieser Firma.

대등(對等) Gleichheit *f.*; Parität *f.*; Gleichberechtigung *f.* ~하다 gleich|kommen*[3]ⓢ. ¶ ~의 gleich; gleichberechtigt / ~한 조건으로 unter gleicher Bedingung / ~하게 다루다 als gleich behandeln[4] / ~한 계약을 맺다 e-n Kontrakt mit gleichen Rechten für beide Parteien ab|schließen* 《*mit*[3]》 / 양국은 ~하다 Die beiden Länder stehen auf gleicher Höhe. / 우리 역량은 ~하다 Wir sind in Geschicklichkeit gleich. / 한국의 문명은 유럽과 ~하다 Korea steht mit Europa in Zivilisation auf gleicher Höhe. / 그와 나는 사회적 지위가 ~하다 Er u. ich haben die gleiche gesellschaftliche Stellung.
‖ ~조약 der Vertrag auf der Basis vollständiger Gleichberechtigung; der Vertrag unter Anerkennung voller Gleichberechtigung.

대뜸 《당장》 plötzlich; unerwartet; unvermutet; auf einmal; mit e-m Male; sofort; 《빨리》 rasch; gleich; geschwind. ¶ ~ 대답하다 ohne Zögern antworten / 일을 ~ 해 버리다 e-e Sache schnell erledigen / ~ 승낙하다 *jm.* (e-m Dinge) s-e Einwilligung (Zustimmung) gleich geben* / ~ 일어나서 방에서 나가 버렸다 Er stand plötzlich auf u. lief aus dem Zimmer.

대란(大亂) ein großer Aufstand, -(e)s, ⸗e; ein großer Aufruhr *m.* -(e)s, -e. ¶ ~을 진압하다 e-n großen Aufstand nieder|werfen*.

대략(大略) ① 《대강》 der kurze Inhalt, -(e)s, -e; Hauptinhalt; Resümee, -s, -s (발췌); Auszug *m.* -(e)s, ⸗e. ¶ ~을 말하다 kurz zusammen|fassen[4]. ② 〖부사적〗 im allgemeinen (일반적으로); 《거의》 fast; beinahe. ¶ 그것은 ~ 다음과 같다 Es kann (mag) folgenderweise zusammengefaßt werden. / 사실은 ~ 이런 내용이다 Das ist, kurz gesagt, der Stand der Sache.

대량(大量) ① 《수》 e-e große Anzahl *f.* -en; 《양》 e-e große (ganze; schwere) Menge *f.* -n; die große Quantität *f.* -en. ¶ ~으로 viel; massenhaft; in Menge; in (großer) Masse; reichlich / ~의 물 e-e große Menge Wasser / ~으로 생산하다 [4]*et.* in (großer) Masse produzieren (her|stellen; erzeugen). ② 《도량이 큼》 Großmut *f.*; die große (edle) Gesinnung *f.*
‖ ~검거 Massenverhaftung *f.* -en. ~구입 Massenkauf *m.* -(e)s, ⸗e; Massen¦ankauf (-einkauf) *m.* -(e)s, ⸗e. ~생산 Massen¦produktion (-herstellung; -erzeugung) *f.* -en: ~생산품 Massenartikel *m.* -s, -. ~소비 Massenverbrauch *m.* -(e)s. ~실업 Massenarbeitslosigkeit *f.* -en. ~주문 Massenbestellung *f.* -en. ~파괴 Massenzerstörung *f.* -en. ~학살 Massenmord *m.* -(e)s, -e. ~현상 〖통계〗 Massenerscheinung *f.* -en.

대력(大力) die herkulische Kraft, ⸗e; Riesenkraft *f.* ⸗e. ¶ ~무쌍한 unvergleichlich stark; riesenstark.

대령(大領) Oberst *m.* -en, -en (육군의); Kapitän 《*m.* -s, -e》 zur See (해군의).

대령(待令) Aufwartung *f.* -n. ~하다 *jm.* s-e Aufwartung machen; *jn.* bedienen; im Dienst sein 《*bei*[3]》; neben *jm.* sitzen*; *jm.* zur Seite sitzen*.

대례(大禮) die wichtige Zeremonie, -n [..ní:-

ən]; 《결혼식》 Hochzeit *f.* -en; Trauung *f.* -en; Krönungsfeier *f.* -n (즉위식).

‖ ~모 Galahut *m.* -(e)s, ⁼e. ~복 Staatskleid *n.* -(e)s, -er; Galauniform *f.* -en (무관의); Galaanzug *m.* -(e)s, ⁼e (문관의). ~사절 der Bevollmächtigte* 《-n, -n》 bei e-r Krönungsfeier.

대로 ① 《뜻대로》 nach ³Belieben (Herzenslust); wie es *jm.* beliebt. ¶ 뜻~ 된다면 wenn alles nach m-m Sinn (nach mir) ginge...; wenn ich m-n Willen durchsetzen könnte ... / 뜻~ 하다 alles so machen, wie man will; nach ³Gutdünken verfahren* / 남이 시키는 ~ 하다 nach *js.* ³Pfeife tanzen; ⁴sich um den Finger wickeln lassen* / 먹고 싶은 ~ 먹다 nach Herzenslust essen*⁽⁴⁾ / 닥치는 ~ 손에 넣다 das erste beste nehmen*⁴ / 닥치는 ~ 아무거나 egal was; alles (, was ihm in die Hände kommt) / 되는 ~ 말하다 aufs Geratewohl sagen / 되는 ~ 일하다 auf gut Glück tun*⁴; nicht mit den Tatsachen rechnen; von ungefähr handeln.

② 《그대로》 so, wie die Dinge sind (liegen; stehen) / 모자 쓴 그~ mit aufgesetztem Hut; den Hut auf dem Kopf / 들은 ~ 이야기하다 nach|erzählen⁴ 《*jm.*》; das Gehörte treu wiederholen / 본래~ 해두다 die Dinge (so) lassen*, wie sie sind; beim alten lassen*⁴.

③ 《어김없이》 gemäß³; laut²·⁴; nach³; wie; zufolge²·³. ¶ 규칙~ gemäß der Regel; laut den Bestimmungen des Gesetzes (법규대로) / 명령~ dem Befehl gemäß; gemäß den Anordnungen (지시대로) / 문자 그~ buchstäblich; wortwörtlich / 약속~ dem Versprechen zufolge; wie verabredet / 예정~ wie vorgesehen; programmäßig 〖분철: programm-mäßig〗 / 네가 말한 ~다 Du hast recht.

④ 《끝나면 곧》 sobald. ¶ 도착하는 ~ sobald man ankommt; direkt nach der Ankunft / 식사가 끝나는 ~ sofort nach dem Essen; sobald ich gegessen habe / 물건을 받는 ~ sofort nach Empfang (e-r Sache) / 선편이 닿는 ~ 출발하겠다 Ich werde mit dem ersten besten Schiff ab|fahren.

대로(大怒) der heftige Zorn, -(e)s; Wut *f.*; Grimm *m.* -(e)s. ~하다 zornig (wütend) sein. ¶ 아무를 ~하게 만들다 *jn.* in Zorn bringen*; *js.* Zorn erregen; *jn.* zum Zorn reizen; *jn.* in Wut setzen (bringen*); *jn.* wütend machen.

대로(大路) Haupt|straße (Land-) *f.* -n; die breite Straße; Chaussee [ʃɔsé:] *f.* ..sseen [..sé:ən]. ¶ ~상에서 auf offener Straße / ~가 좁다 하고 활보하다 (auf der Straße) stolz einher|gehen* ⓢ.

대롱 ① 《관》 Bambusrohr *n.* -(e)s, -e. ② 《물레의》 Spinnrocken *m.* -s, -.

대롱거리다 baumein; hin und her flattern; lose hängend hin und her schwingen. ¶ 밧줄이 나뭇가지에 매달려 대롱거렸다 an einem Ast baumelte ein Seil.

대롱대롱 hin u. her schwankend; schaukelig; bammelnd; baumelnd; schlott(e)rig.

대류(對流) 〖물리〗 Konvektion *f.* -en. ¶ ~의 konvektiv.

‖ ~권 Troposphäre *f.* -n. ~방전 〖전〗 die konvektive Entladung, -en. ~식 히터 der konvektive Heizkörper, -s, -. ~평형 das konvektive Gleichgewicht, -(e)s, -e.

대륙(大陸) Festland *n.* -(e)s, ⁼er; Kontinent *m.* -(e)s, -e. ¶ ~적(의) festländisch; kontinental / ~횡단의 transkontinental / ~성(의) 기후 das kontinentalische Klima, -s, -s (-te) / ~을 횡단하다 das Festland durchkreuzen (überqueren) / 이 풍경은 ~적이다 Diese Landschaft ist charakteristisch kontinental.

‖ ~간 유도탄 die interkontinentale ballistische Rakete, -n. ~붕 Schelf *m.* (*n.*) -s, -e; Kontinentalesockel *m.* -s, -. ~제국 die Kontinentalmächte 《*pl.*》. ~횡단 비행 der transkontinentale Flug, -(e)s. 아시아~ der Asiatische Kontinent.

대리(代理) 《행위·업》 (Stell)vertretung *f.* -en; Agentur *f.* -en; 《사람》 (Stell)vertreter *m.* -s, -; Agent *m.* -en, -en; 《대표자》 der Bevollmächtigte*, -n, -n. ~하다 vertreten* 《*jn.*; *js.* ⁴Stelle》; e-e Vertretung (Agentur) übernehmen*; in *js.* Namen tun*⁴. ¶ ~로서 in ³Vertretung 《*von*³; 생략: i.V.》; im Auftrag; in Vollmacht; per Prokura 《생략: p.p.; ppa.》; vertretungsweise / ~계약하다 durch e-n Stellvertreter e-n Kontrakt ab|schließen* / 아무의 ~를 보다 als *js.* Vertreter auf|treten* ⓢ; *jn.* repräsentieren; *js.* Rolle spielen / 내 ~로 나가시오 Bitte, gehen Sie als mein Vertreter hin!

‖ ~공(대)사 Geschäftsträger *m.* -s, -. ~권 Prokura *f.* ...ren; (Vertretungs)vollmacht *f.* -en; Vertretungsbefugnis *f.* ..nisse. ~부 Kommissionsverkaufsstelle *f.* -n; Verkaufsabteilung 《*f.* -en》 in Kommission. ~영사 der stellvertretende Konsul, -s, -n. ~위임장 die schriftliche Vollmacht, -en. ~점 Agentur *f.* -en; Kommissionsbüro *n.* -s, -s. ~총영사 der stellvertretende Generalkonsul, -s, -n. 교장~ der stellvertretende Direktor, -s, -en [..tó:rən]. 법정 ~인 Prokurator *m.* -s, -en [..tó:rən]. 업무 ~인 Prokurist *m.* -en, -en.

대리석(大理石) Marmor *m.* -s, -e 〖*pl.*은 제품의 경우〗.

‖ ~계단 Marmortreppe *f.* -n. ~기둥 Marmorsäule *f.* -n. ~세공 《제품》 Marmorarbeit *f.* -en; Marmor *m.* -s, -e. ~조상 Marmorstatue *f.* -n. ~집 Marmorhaus *n.* -es, ⁼er. ~판 Marmorplatte *f.* -n. ~흉상 Marmorbüste *f.* -n.

대립(對立) Gegensatz *m.* -es, ⁼e; Gegenteil *n.* -s, -e; Gegenüberstellung *f.*; Disjunktion *f.* -en. ~하다 gegenüber|stehen*³; im Gegensatz stehen* 《*mit*³》. ¶ ~적 gegenüberstehend; gegensätzlich / 그들은 원수처럼 서로 ~해 있었다 Sie standen wie Feinde einander gegenüber. / ~이 심각해지다 Die Gegensätze verschärfen sich. / 너의 말과 행동은 극단적인 ~을 이룬다 D-e Worte stehen in krassem Gegensatz zu d-n Handlungen.

‖ ~개념 Korrelat *n.* -(e)s, -e. ~자 Gegner *m.* -s, -. ~절(節) koordiniertes Satzglied, -(e)s, -er.

대마(大麻) 〖식물〗 Hanf *m.* -(e)s.

‖ ~씨앗 Hanfsamen *m.* -s, -. ~유 Hanföl *n.* -(e)s, -e. ~재배 Hanfbau *m.* -(e)s.

대마루 ① 《지붕의》 (Dach)first *m.* -es, -e (*f.* -en). ② 《대마루판》 der entscheidende Augenblick, -s, -e; der große (entscheidende) Moment, -(e)s, -e.

대막대기 Bambusstock *m.* -(e)s, ⁼e.

대만(臺灣) Formosa *n.* -s; Taiwan *n.* -s; 《자

유중국》 die Republik China.
‖ ~미 der Reis aus Formosa. ~사람 der Bewohner von Formosa; Taiwanese *m.* -n, -n. ~해협 Formosa-Straße *f.*
대만원(大滿員) das volle Haus, -es; der große Andrang (Zulauf; Zustrom) -(e)s; das große Gedränge, -s. ¶ ~이다 ein großes Publikum heran|ziehen*; in e-m gedrängt vollen Theater (vor vollem Haus) spielen (극장 등) / 이 영화는 3주 내리 ~이었다 Der Film lief drei (hintereinander folgende) Wochen im vollen Kino.¦Dieser Film hatte drei Wochen lang e-n großen Zulauf.
대말 Steckenpferd *n.* -(e)s, -e; Stelze *f.* -en.
대망(大望) ein großer Wunsch, -es, ⸚e; Ehrgeiz *m.* -es (야심). ¶ ~을 지니다 e-n großen Wunsch haben (hegen); ehrgeizig sein; ein großes Ziel vor Augen haben; hohe Ziele verfolgen / ~을 품은 사람 der ehrgeizige Mensch, -en, -en / ~을 성취하다 s-n höchsten Wunsch erfüllt sehen*; das Ziel s-s Ehrgeizes erreichen / ~을 품고 남미로 가다 mit hohen Zielen nach Südamerika fahren* Ⓢ.
대망(待望) das Abwarten*, -s; das Ersehnen*, -s. ~하다 ersehnen[4]; erwünschen[4]; erwarten[4]. ¶ ~의 (heiß)ersehnt; (lang)erwünscht; lang erwartet.
대매 ① 《매질》 ein Schlag 《*m.* -(e)s, ⸚e》 mit der Peitsche *f.* -n. ② 《결승》 Schlußrunde *f.* -n; Endspiel *n.* -(e)s, -e; der letzte Wettkampf, -(e)s, ⸚e. ~하다 den letzten Wettkampf auf|nehmen*.
대매출(大賣出) Ausverkauf *m.* -(e)s, ⸚e; Schlußverkauf *m.* Ramschverkauf *m.*
‖ ~일(日) Ramschtag *m.*; -(e)s, -e. 춘(추)계 ~ Winter¦schlußverkauf (Sommer-) *m.*
대맥(大麥) Gerste *f.* -n; Gerstenkorn *n.* -(e)s, ⸚er (보리알).
대머리 Kahlkopf *m.* -(e)s, ⸚e; kahler Kopf, -(e)s, ⸚e; Glatze *f.* -n; 《사람》 der kahlköpfige Mensch, -en, -en. ¶ ~의 kahl(köpfig)/ ~가 되다 kahl(köpfig) werden; die Haare verlieren* / 젊어서 ~가 되다 noch jung e-e Glatze bekommen*.
‖ ~병 Alopzie *f.*; Haarausfall *m.* -(e)s.
대머리(大一) der wichtigste Punkt, -es, -e; Prospekt *m.* -(e)s, -e (내용설명); das Wesentliche*, -en, -en; Hauptpunkt *m.* -(e)s, -e; der wesentliche Teil e-s Werkes.
대면(對面) Interview [intərvjú:, íntərvju] *n.* -(s), -s; Begegnung *f.* -en (상면); Zusammenkunft *f.* ⸚e(회합). ~하다 sehen*; kennen|lernen[4]; begegnen[3]; zusammen|kommen* 《*mit*[3]》; interviewen[4]; mit *jm.* e-e Zusammenkunft haben; besuchen[4]. ¶ 20 년만에 부자가 ~했다 Vater u. Sohn trafen sich nach zwanzigjähriger Trennung.
‖ ~통행 Gegenverkehr *m.* -(e)s; Vis-à-vis Verkehr *m.* -(e)s.
대명(大命) ein kaiserlicher Befehl, -(e)s, -e; ein kaiserliches Mandat, -(e)s, -e. ¶ ~을 내리다 e-n kaiserlichen Befehl erlassen* / ~을 받잡고 e-m kaiserlichen Befehl gehorchend / 조각의 ~을 받들다 ein kaiserliches Mandat, ein neues Kabinett zu bilden, erhalten*.
대명사(代名詞) 〖문법〗 Fürwort *n.* -(e)s, ⸚er; Pronomen *n.* -s, - (..mina). ¶ ~의 pronominal / 부정 (의문, 관계, 인칭, 재귀, 지시, 소유) ~ das unbestimmte (fragende, bezügliche, persönliche, rückbezügliche, hinweisende, besitzanzeigende) Fürwort; Indefinit¦pronomen (Interrogativ-, Relativ-, Personal-, Reflexiv-, Demonstrativ-, Possessiv-).
대모(代母) Patin *f.* -nen; Gevatterin *f.* -nen; Taufzeugin *f.* -nen.
대모(玳瑁) 〖동물〗 Karettschildkröte *f.* -n.
대모한 wesentlich; wichtig; umrissen; skizzenhaft; summarisch.
대목 ① 《시기》 die wichtigste (wertvollste) Zeit; der Höhepunkt e-r Periode; der köstlichste Zeitpunkt, -(e)s, -e. ¶ 섣달 ~ gerade am Neujahrsabend (letzten Tag im Jahre).
② 《자리》 die wichtigste (wertvollste) Stelle; der wesentliche (wichtige; springende) Punkt; Hauptsache *f.* -n.
③ 《부분》 Teil *m.* -(e)s, -e; Stelle *f.* -n; Schriftstelle *f.* -n; Passus *m.* -, -. ¶ 난해한 ~ e-e schwierige Stelle / 감동적인 ~ die ergreifende (rührende) Stelle.
‖ ~장 Jahrmarkt *m.* -(e)s, ⸚e: ~장에서 사다 auf dem Jahrmarkt kaufen[4] / ~장의 노점 Jahrmarktbude *f.* -n; Meßbude *f.* -n / ~장의 상인들 Jahrmarktskaufleute 《*pl.*》.
대목(大木) ① 《숙련된》 ein geschickter Zimmermann, -s, ..leute; Zimmermeister *m.* -s, -. ② 《목수》 Zimmermann *m.* -s, ..leute.
대목(臺木) Unterlage *f.* -n. ¶ ~에 접목하다 e-n Zweig auf e-n Baum pfropfen.
대못 《죽정》 Bambusnagel *m.* -s, ⸚.
‖ ~박이 Dummkopf *m.* -(e)s, ⸚e; Dummerjan *m.* -s, -e; Hohlkopf *m.* -(e)s, ⸚e; Narr *m.* -en, -en.
대못(大一) 《큰 못》 der große Nagel, -s ⸚.
대문(大文) Text *m.* -es, -e; die Stelle 《-n》 in e-m Buch; der Hauptinhalt 《-(e)s, -e》 e-r Mitteilung.
대문(大門) Tor *n.* -(e)s, -e; Haupteingang *m.* -(e)s, ⸚e; 《집의》 Pforte *f.* -n; Haustür *f.* -en. ¶ 격자 ~ Gitter¦tor *n.* -(e)s, -e (-pforte *f.* -n) / ~밖 außerhalb des Tores; vor dem Tor / ~안 innerhalb des Tores / ~으로 들어가다 zum Tore hinein|gehen* Ⓢ / ~을 걸다 das Tor zu|riegeln / ~을 열다 《빗장을》 das Tor auf|riegeln (entriegeln) / ~에 문패가 있다 An der Pforte ist ein Namenschild. / 학교 ~은 몇 시에 닫습니까 Wann (Um wieviel Uhr) wird das Tor der Schule geschlossen ? / ~밖이 저승이라 Der Tod kann uns jeden Augenblick hinwegraffen.
대문자(大文字) ① 《대자》 Großbuchstabe *m.* -ns, -n. ¶ ~로 쓰다 kapitalisieren[4]; in Kapital um|setzen[4]; mit großen Anfangsbuchstaben schreiben*[4]; (ein Wort) groß|schreiben* / ~ 서법 Kapitalschrift *f.* -en.
② 《웅대한 글》 fettes, großes Schriftzeichen, -s, -.
대문장(大文章) ① 《글》 das meisterhafte Schriftstück, -(e)s, -e. ② 《사람》 der große Schriftsteller, -s, -; der große Meister 《-s, -》 des literarischen Stils.
대물(代物) Ersatz *m.* -es; Ersatzstoff *m.* -(e)s, -e.
‖ ~변제 die ersetzliche Belohnung, -en.
대물(對物) Objekt *n.* -(e)s, -e.
‖ ~계약 Realkontrakt *m.* -(e)s, -e; 〔형용사적〕 objektiv; 《법률 등의》 Real-; dinglich. ~담보 e-e Sicherheit gegen [4]*et.* ~대부 ein

Leihen gegen Sicherheit. ～렌즈 〖물리〗 Objektiv *n.* -(e)s, -e; Objektivglas *n.* -es, ⸗er. ～신용 Realkredit *m.* -(e)s, -e.

대물리다(代一) der ^{3}Nachwelt überliefern; hinter|lassen* 《*jm.* ^{4}*et.*》. ¶ 손자에게 재산을～ s-m Enkel den Besitz hinter|lassen*.

대미(對美) 〖형용사적〗 gegen (zu) Amerika.
‖ ～관계 Beziehungen 《*pl.*》 zu Amerika. ～무역 der Handel 《-s, ⸗》 mit Amerika. ～일변도 ganz u. gar proamerikanisch zu sein; die vollständige Abhängigkeit von den Vereinigten Staaten: ～일변도 정책 völlig proamerikanische Politik *f.* -en. ～정책 Politik gegen Amerika. ～환율 der Wechselkurs 《-es, -e》 gegen den Dollar.

대바구니 Bambuskorb *m.* -(e)s, ⸗e.

대바늘 Bambusnadel *f.* -n; Bambusstricknadel *f.* -n.

대반(大盤) ein großer Speisetisch, -es, -e.

대받다 widersprechen*^{3}; scharf entgegnen 《*jm.* ^{4}*et.*》.

대받다(代一) ① 《상속》 erben^{4}; ^{4}*et.* in Besitz nehmen*. ¶ 많은 재산을 ～ ein großes Vermögen erben. ② 《계승》 nach|folgen^{3}Ⓢ; über|nehmen*^{4}; fort|setzen^{4}. ¶ 아버지의 일을 ～ das Geschäft 《-(e)s, -e》 s-s Vaters übernehmen* (erben).

대발 Bambusvorhang *m.* -(e)s, ⸗e.

대밭 Bambuswäldchen *n.* -s, -; Bambusdickicht *n.* -(e)s, -e.

대백로(大白鷺) 〖조류〗 großer weißer Reiher, -s, -; *Egretta alba alba* (학명).

대번(代番) die Vertretung 《-en》 des Dienstes; Stellvertretung *f.* -en. ～하다 für *jn.* Dienst tun*.

대번(에) 《단숨에》 auf e-n Zug; in e-m Zug; mit e-m Zuge; in e-m Atem; 《곧》 sofort; (so)gleich; unverzüglich; im Augenblicke; im Nu; 《쉽사리》 leicht; einfach; ohne Mühe; mit Leichtigkeit; 《서슴지 않고》 gern; frischen ^{2}Mutes; ohne weiteres; 《일격》 mit e-m Schlag; auf e-n Schlag; auf e-n Ruck; mit e-m Ruck.
¶ ～ 마시다 auf e-n Zug aus|trinken*^{4} / ～ 부산까지 날다 ohne Unterbrechung (Zwischenlandung) bis nach Busan fliegen*Ⓢ / ～ 때려 눕히다 *jn.* mit e-m Schlag nieder|werfen* / ～ 나무를 찍어 넘어 뜨리다 mit e-m Hieb (Schlag) e-n Baum fällen / ～ 돈을 벌다 e-n leichten Gewinn haben / 이 집은 ～ 팔린다 Dieses Haus verkauft sich leicht. / 그런 것쯤은 ～ 할 수 있다 Ich kann das im Nu machen. / ～ 끝나 버렸다 Es war in e-m Augenblick getan.

대범스럽다(大泛一) ＝대범하다.

대범하다(大泛一) groß¦mütig (-zügig); großherzig; edel¦sinnig (-mütig); freigebig; nachsichtig; hochherzig; hochmütig; weitherzig (sein). ¶ 대범한 사람 ein Mensch von Großmütigkeit / 대범하게 굴다 großherzig handeln / 그는 금전 문제에 비교적 ～ Er knausert nicht so sehr mit s-m Geld.

대법(大法) 《원칙》 Grundsatz *m.* -es, ⸗e; Grundregel *f.* -n; Prinzip *n.* -s, -e (-ien); Prinzipium *n.* -s, ..pien; 《국법》 Landesgesetz (Staats-) *n.* -(e)s, -e; Staatsrecht *n.* -(e)s, -e; 《바꿀 수 없는》 das unveränderliche Gesetz, -(e)s, -e.

대법원(大法院) das Oberste Gericht; der Oberste Gerichtshof; 《서독》 Bundesgerichtshof *m.* ¶ ～에 상고하다 ^{4}sich an das Oberste Gericht appellieren; das Oberste Gericht an|rufen*; bei dem Obersten Gericht Berufung ein|legen.
‖ ～장 der Vorsitzende des Obersten Gerichtshof(e)s; der Präsident des Obersten Gerichtshof(e)s. ～판사 der Richter des Obersten Gerichtshof(e)s.

대법회(大法會) 〖불교〗 die große buddhistische Toten¦feier, -n (-fest *n.* -es, -e). ¶ ～를 열다 e-e buddhistische Totenfeier ab|halten*; die große buddhistische Zeremonie (Versammlung) ab|halten*.

대변(大便) Auswurf *m.* -(e)s, ⸗e; Exkremente 《*pl.*》; Kot *m.* -(e)s; Stuhlgang *m.* -(e)s. ¶ ～보러가다 auf den Abort (das Klosett; den Stuhl) gehen* Ⓢ; zu ^{3}Stuhle gehen* / ～을 보다 ^{4}sich entleeren; Stuhlgang haben; s-e große Notdurft (ein großes Geschäft) verrichten; 〖속어〗 ab|protzen (kacken); Aa machen 《아기말》.
‖ ～검사 die Auswurfsuntersuchung *f.* -en: ～검사를 하다 *js.* Auswurf untersuchen; e-e Auswurfsuntersuchung an|stellen / ～검사를 받다 s-n Auswurf untersuchen lassen. ～불통 die Verstopfung 《-en》 (des Auswurfs).

대변(大變) ein schwerer Unfall, -(e)s, ⸗e; ein ernsthafter Aufruhr, -(e)s, -e; e-e große Störung, -en; ein großes Unglück, -(e)s, -e; ein großes Ereignis, -ses, -se.

대변(代辯) Vertretung *f.* -en. ～하다 das Wort führen; ^{4}sich zu *js.* Sprachrohr machen (her|geben*).
‖ ～인, ～자 Wortführer *m.* -s, -; Sprecher *m.* -s, -; Sprachrohr *n.* -(e)s, -e: 신문은 여론의 ～자이다 Die Presse ist die Wortführerin der öffentlichen Meinung. 외무부～ der Wortführer 《-s, -》 des Auswärtigen Amtes.

대변(貸邊) Kreditseite *f.* -n; (Gut)haben *n.* -s; Gutschrift *f.* ¶ ～과 차변 Soll u. Haben; Debet u. Kredit / ～에 기입하다 gut|schreiben*^{4} 《*jm.*》; als Guthaben ein|tragen*^{4}; kreditieren^{4} / ～에 기입되어 있다 im Kredit stehen*.
‖ ～계정 Kreditrechnung *f.* -en. ～표 Kreditnote *f.* -n; Gutschriftausgabe *f.* -n.

대변(對邊) 〖수학〗 die gegenüberliegende Seite, -n.

대별(大別) die allgemeine Einteilung, -en. ～하다 grob (flüchtig; oberflächlich) ein|teilen^{4}; e-e allgemeine Einteilung machen; in Hauptgruppen teilen (ab|teilen). ¶ 두 종류로 ～하다 in zwei ^{4}Hauptgruppen teilen.

대병(大病) e-e schwere Krankheit, -en; e-e ernstliche (gefährliche) Krankheit, -en. ¶ ～을 앓다 schwer erkrankt sein; ernstlich (gefährlich) krank sein.

대보(大寶) ① 《보물》 der wertvolle (kostbare) Schatz, -es, ⸗e. ② 《옥새》 Großsiegel *n.* -s, -; das Siegel des Kaisers.

대보다 vergleichen* 《*mit*^{3}》; e-n Vergleich an|stellen 《*mit*^{3}》; 《대조하다》 gegenüber|stellen^{34}; entgegen|setzen^{34}; entgegen|halten*^{34}; kontrastieren 《*mit*^{3}》; in Gegensatz (Kontrast) bringen*^{4}. ¶ 길이를 ～ die Länge vergleichen* / 키를 ～ die Größe vergleichen* / 번역과 원문을 ～ die Übersetzung mit dem Original vergleichen*.

대보름(大一) der 15. Januar (nach dem Mondkalender).

대복(大福) das große Glück, -(e)s; Fortuna *f.*; Seligkeit *f.* -en; die große Gunst 《-en *od.* ⸗e》 des Geschicks.

대본(大本) die große Grundlage, -n; Hauptbasis *f.* ..sen; das fundamentale Prinzip *n.* -s, -e (..pien). ¶ 국가 (인륜) 의 ~ das Fundament des Staates (der Sittlichkeit).

대본(貸本) das auszuleihende Buch, -(e)s, ⸗er; das ausgeliehene Buch (빌어온). ~하다 Bücher 《*pl.*》 verleihen* (빌어주다).
‖ ~서점 Leih|bücherei (-bibliothek) *f.* -en. ~업자 der Inhaber 《-s, -》 (der Besitzer, -s, -) e-r Leihbücherei.

대본(臺本) 《극의》 Textbuch *n.* -(e)s, ⸗er; 《가극의》 Libretto *n.* -s, -s (..tti); Operntext *m.* -es, -e; 《영화의》 Drehbuch *n.* -(e)s, ⸗er; 《극·영화의》 Szenarium *n.* -s, ..rien.
‖ ~작가(作家) Drehe|schreiber (Hörspiel-) *m.* -s, -. 방송~ das Textbuch 《-(e)s, ⸗er》 des Hörrundfunkes; der Text 《-es, -e》 des Hörspiels.

대본산(大本山) 《절의》 das Zentrum 《-(e)s, ..tren》 der Tempel; 〖가톨릭〗 Hauptkirche *f.* -n; Dom *m.* -(e)s, -e; Kathedrale *f.* -n.

대봉(大封) ein großes Leh(e)n, -s.

대봉(代捧) Ausgleichung *f.* -en; Annullierung *f.* -en; Aufhebung *f.* -en. ~치다 aus|gleichen*[4]; durch|streichen*[4]; annullieren[4]; auf|heben*[4]. ┌-n.

대부(代父) Pate *m.* -n, -n; Gevatter *m.* -s (-n),

대부(貸付) Darleihung *f.* -en; Verleihung *f.* -en; das Darlehengeben*, -s; Leihgabe *f.* -en; Darlehen *n.* -s. ~하다 dar|leihen*[4]; aus|leihen*[4]; verleihen*[4]; ein Darlehen geben* (machen) 《이상 *jm.*》.
‖ ~계 der Darlehenkassenbeamte*, -n, -n; der Kassierer 《-s, -》 für Darlehen. ~금 das Geld 《-(e)s》 zum Darlehen; Darlehen *n.* -s, -. ~금고 Darlehenskasse *f.* -en. ~기한 Darlehensfrist *f.* -en. ~시장 Darlehensmarkt *m.* -(e)s, -e. ~원부(元簿) Darlehenshauptbuch *n.* -(e)s, ⸗er. ~은행 Darlehensbank *f.* -en. ~이율 Darlehensprozentsatz *m.* -es, ⸗e. 단기~ das kurzfristige Darlehen. 당좌~ das tägliche (sofort aufrufbare) Geld, -(e)s, -er. 부당~ das unrichtige (ungeeignete) Darlehen, -s, -. 부정~ gesetzwidriges Darleh(e)n, -s, -. 신용~ das Darlehen auf Grund persönlicher Sicherheit; der offene (laufende) Kredit, -es, -e. 장기~ das langfristige Darlehen, -s, -.

대부등(大不等) das extragroße Bauholz, -es, ⸗er.

대부분(大部分) 〖명사적〗 der größere (größte; meiste) Teil, -(e)s; 〖부사적〗 zum großen (größten) Teil; größtenteils; meistenteils. ¶ ~의 사람 die meisten (Menschen) / ~이 그것에 찬성 투표 하였다 Die Mehrheit hat dafür gestimmt. / 일 년의 ~을 그는 여행으로 보낸다 Die meiste Zeit (Den größten Teil) des Jahres ist er auf Reisen. / 손님은 ~이 학생이다 Die Gäste sind meist(ens) Studenten.

대부인(大夫人) 《경칭》 Ihre (S-e) Frau Mutter *f.* ⸗.

대북(臺北) 《대만의 수도》 Taipei *n.* -s; Taipeh *n.* -s. ┌-en.

대분수(帶分數) 〖수학〗 e-e gemischte Zahl,

대불(大佛) die große Buddhastatue, -n; das große Buddhasstandbild, -(e)s, -er.

대불행(大不幸) das große Unglück, -(e)s, ⸗e; der große Unglücksfall, -(e)s, ⸗e; das große Mißgeschick, -(e)s, -e; 《재난》 der große Unfall, -(e)s, ⸗e; die große Not, ⸗e; das große Elend, -(e)s; Pech *n.* -(e)s.

대비(大妃) Kaiserinwitwe *f.* -n; Kaiserinmutter *f.* ⸗. ¶ ~마마 Ihre Majestät die Kaiserinmutter.

대비(貸費) Darlehen *n.* -s, -; Stipendium *n.* -s, ..dien (장학금). ~하다 ein [4]Darlehen gewähren[3]; ein Stipendium geben*[3].
‖ ~생 Stipendiat *m.* -en, -en. ~자금 Stipendienfonds *m.* - [..fɔ̃:(s)], - [..fɔ̃:s]. ~제도 Stipendiensystem *n.* -s, -e.

대비(對比) Vergleich *m.* -(e)s, -e (비교); Gegenüberstellung *f.* -en(대치); Gegensatz *m.* -es, ⸗e (대조); Kontrast *m.* -(e)s, -e (콘트라스트). ~하다 vergleichen*[4]; gegenüber|stellen[4]; gegeneinander|stellen; kontrastieren[4].
‖ ~논법 〖논리〗 Analogie *f.* -n. ~문학 die kontrastive Literatur. ~물(物) Analogon *n.* -s, ..ga.

대비(對備) Vorbereitung *f.* -en; Anordnung *f.* -en; Voranstalten 《*pl.*》; Vorbehandlung *f.* -en; Vorkehrung *f.* -en; Vorsorge *f.* (불의의 사태에 대한); die Vorkehrungen 《*pl.*》 gegen unvorhergesehene Fälle (Notfälle); 《전쟁에 대한》 die Vorkehrungen 《*pl.*》 gegen die Kriegszeit. ~하다 für[4] vor|sorgen; zu [3]Vorbereitungen (Vorsorge) machen (treffen*); gegen [4]Vorkehrungen treffen*. ¶ 장래에 ~하다 für die Zukunft (vor)sorgen / 만일에 ~하다 gegen die Notfälle (unvorhergesehene Fälle) Vorsorge treffen* / 시험에 ~하다 [4]sich für ein Examen vor|bereiten / 위험에 ~하다 [4]sich vor Gefahr schützen / 추위에 ~하다 [4]sich vor Kälte schützen / 흉년에 ~하다 [4]sich gegen die Hungersnot vor|sehen* (schützen) / 그는 노후에 ~해서 약간의 저축을 했다 Er ersparte sich etwas Geld für s-e alten Tage (für sein Alter).

대빈(大賓) Ehrengast *m.* -es, ⸗e; ein wichtiger Gast.

대빗 Bambuskamm *m.* -(e)s, ⸗e.

대사(大使) Botschafter *m.* -s, -.
‖ ~부인 Botschafterin *f.* ..rinnen. 독일주재 한국~ der koreanische Botschafter in Bonn (der Bundesrepublik Deutschland). 전권~ der bevollmächtigte Botschafter. 주한 독일~ der deutsche Botschafter in Korea. 특파~ der außerordentliche Botschafter.

대사(大事) 《큰 변》 der Ernst 《-es》 der [2]Lage; Krise (Krisis) *f.* ..sen; Unheil *n.* -(e)s; 《큰 사업》 das große Unternehmen, -s, -; 《중대사》 die wichtige Sache, -n; die bedeutende Sache; 《혼인》 Hochzeit *f.* -en; Trauung *f.* -en. ¶ ~를 이루다 etwas Unmögliches (Großartiges) leisten.

대사(大師) der buddhistische Heilige*, -n, -n. ¶ 원효~ Sankt *Weonhyo.*

대사(大赦) Amnestie *f.* -n [..stí:ən]; Straferlaß *m.* ..lasses, ..lasse. ¶ ~를 받은 사람 der Begnadigte*, -n, -n; der Amnestierte*, -n, -n / ~를 베풀다 amnestieren[4] / ~를 받고 출옥하다 zufolge e-r Amnestie (Begnadigung) aus dem Gefängnis erlassen wer-

den / ~ 에서 누락되다 von der Amnestie ausgeschlossen werden.
‖ ~령 ein allgemeiner Straferlaß.
대사(大蛇) Riesenschlange *f.* -n.
대사(大寫) 〖영화〗 Nahaufnahme *f.* -n. ~하다 e-e Nahaufnahme von ³*et.* (*jm.*) machen.
대사(代謝) ☞ 신진대사.
‖ ~기능 die Verwandlung des Molekularzustandes.
대사(臺詞) der Text 《-(e)s, -e》 zu e-r ³Rolle; Rede *f.* -n; Worte 《*pl.*》. ¶ ~를 말하다 s-e Rolle sprechen* / ~를 외다 s-e Rolle auswendig lernen / 그는 ~를 똑똑히 말한다 Er spricht s-e Rolle sehr klar. / 저 배우는 ~가 서툴다 Der Schauspieler spricht s-e Rolle schlecht.
대사건(大事件) ein bedeutendes Ereignis, -ses, -se; das Vorfall 《-s, ⸗e》 von großer Bedeutung.
대사관(大使館) Botschaft *f.* -en. ¶ ~을 설치하다 e-e Botschaft errichten.
‖ ~부 육군 (해군) 무관 Militär (Marinen) attaché *m.* -s, -s. ~서기관 Botschaftssekretär *m.* -s, -e. ~원 das personal 《-s, -e》 e-r Botschaft. ~참사관 Botschaftsrat *m.* -(e)s, ⸗e. 독일~ die deutsche Botschaft. 서독 주재 한국~ die koreanische Botschaft in Bonn.
대사립 Bambuspforte *f.* -n; das mit dem Bambus geflochtene Tor, -(e)s, -e.
대살(代殺) die Hinrichtung 《-en》 e-s Mörders. ~하다 e-n Mörder hin|richten; an e-m Mörder das Todesurteil vollstrecken.
대살지다 dünn u. nervig (nervicht); mager u. sehnig (sehnicht) (sein).
대삿갓 Bambushut *m.* -(e)s, ⸗e; der mit dem Bambus geflochtene kegelförmige Hut, -(e)s, ⸗e.
대상(大祥) der zweite Jahrestag 《-(e)s, -e》 e-s Verstorbenen.
대상(大喪) der Tod 《-(e)s, -esfälle》 e-s Königs; die Trauer 《-n》 um den König.
대상(代償) ① 《변상》 Entschädigung *f.* -en; Ersatz *m.* -es; Kompensation *f.* -en; Vergütung *f.* -en; Schadenersatz *m.* -es; Wiedererstattung *f.* -en; Schadloshaltung *f.* -en; Wiederersetzung *f.* -en; Genugtuung *f.* -en; Ausgleichung *f.* -en; Bonifikation *f.* -en. ~하다 entschädigen 《*für*⁴》; schadlos halten*⁴; *jm.* ersetzen⁴; *jm.* erstatten⁴; *jm.* Ersatz leisten; *jm.* vergüten. ¶ …의 ~으로 als Ersatz 《*für*⁴》. ② 《대리변상》 an Stelle e-s andern Ersatz leisten; an *js.* Stelle ersetzen. ③ 《딴 것으로》 Ersatz für ⁴*et.* bieten*.
대상(隊商) Karawane *f.* -n.
대상(對象) Gegenstand *m.* -(e)s, ⸗e; Objekt *n.* -(e)s, -e. ¶ ~적 objektiv / 연구의 ~ der Gegenstand des Studiums / 신앙의 ~ der Gegenstand des Glaubens / 선망의 ~ der Gegenstand des Neides; das eifrige Beneidete* / 조소의 ~이 되다 die Zielscheibe des Spottes werden; von allen verhöhnt (verlacht) werden.
‖ ~과학 die objektive Wissenschaft, -en.
대상자(一箱子) Bambuskiste *f.* -n; Bambuskasten *m.* -s, -.
대상지수(帶狀指數) der zonenartige Index, -es, -e (..dizes).
대생(對生) das Gegenüberstehen*, -s; Symmetrie *f.* -n. ¶ ~의 〖식물〗 gegenüberständig; gegenständig.
‖ ~엽 gegenüberständige Blätter 《*pl.*》.
대서(大暑) 《절후》 mitten im Sommer; die Zeit der größten ²Hitze; Hundstage 《*pl.*》; 《더위》 die große Hitze.
대서(代書) das Schreiben 《*n.* -s》 für e-n andern. ~하다 für *jn.* schreiben*⁽⁴⁾.
‖ ~사 Berufsschreiber *m.* -s, -; der öffentliche Schreiber, -s, -. ~소 Schreiberbüro *n.* -s, -s.
대서다 ① 《뒤따르다》 *jm.* auf den Fersen sein; *jm.* auf der Ferse folgen; dicht hinter *jm.* stehen*; unmittelbar hintereinander folgen. ② 《대항》 *jm.* widerstreiten*; *jm.* gegenüber|treten*Ⓢ; *jm.* gegeneinander|stehen*; *jm.* widerstehen*. ¶ 윗사람에게 ~ dem Vorgesetzten* widerstehen*.
대서양(大西洋) der Atlantische Ozean, -s. ¶ ~의 atlantisch / ~ 횡단(橫斷)의 transatlantisch.
‖ ~함대 die Atlantische Flotte. ~헌장 Atlantikcharta [..kartə] *f.* ~횡단비행 Ozeanflug *m.* -(e)s, ⸗e. 북~조약 Atlantikpakt *m.* -(e)s 《생략: die NATO》.
대서특필(大書特筆) das sensationelle Schriftstück, -(e)s, -e. ~하다 Aufsehen erregend (auffällig; übertrieben; sensationell) schreiben*⁽⁴⁾ 《*über*⁴》; in großer Aufmachung schreiben*; 《신문·잡지·필자 따위》 heraus|streichen*⁴; hervor|heben*; in den Vordergrund stellen⁴ (이상 칭찬); herab|setzen⁴; an|greifen*⁴; drein|schlagen*⁴; herab|würdigen⁴ (이상 공격). ¶ 신문은 그에 관해서 ~했다 Die Zeitungen haben ihn dem öffentlichen Gerede ausgesetzt. / 신문은 그 사건을 ~했다 Die Zeitungen machten viel Wesens davon. / 그는 신문에 ~되어 일약 명사가 되었다 Er ist durch die Anpreisungen in den Zeitungen berühmt geworden.
대석(臺石) Säulenfuß *m.* -(e)s, ⸗e; Sockel *m.* -s, -.
대석(對席) das Gegenübersitzen*, -s. ~하다 gegenüber|sitzen*; ⁴sich gegenüber|setzen; 《출석》 anwesend sein; beisammen|sein*.
대선거구(大選擧區) der große Wahlkreis, -es, -e; der größere Wahlbezirk, -(e)s, -e.
‖ ~제 größeres Wahlbezirkssystem, -s, -e.
대설(大雪) ① 《절후》 die kalte Zeit ungefähr um den 8. Dezember. ② 《큰 눈》 der starke Schneefall, -(e)s, ⸗e. ¶ 간밤에 ~이 내렸다 Heute nacht schneite es sehr stark.
대설대 Pfeifenstiel *m.* -(e)s, -e.
대성(大成) der große Erfolg, -(e)s, -e. ~하다 ein großer Mann werden. ¶ 그의 사업은 ~했다 Sein Werk ist mit Erfolg gekrönt worden./그는 꼭 ~할 것이다 Er verspricht, ein großer Mann zu werden.
대성(大姓) ① 《명문》 die gute (berühmte) Familie, -n. ② 《번창하는 집》 die gedeihliche Sippe, -n (Familie *f.* -n).
대성(大聖) der hervorragende Weise*, -n, -n; 《공사》 Konfuzius, der große Weise*.
대성(大聲) die laute (stentorische; donnernde) Stimme, -n. ☞ 큰소리. ¶ ~ 질호하다 laut schreien*; aus vollem Hals schreien*/ ~ 통곡하다 laut weinen (heulen).
대성공(大成功) Bombenerfolg *m.* -(e)s, -e; das großartige Ergebnis, ..nisses, ..nisse; der große Erfolg, -(e)s, -e. ¶ ~이야 Bravo!¦ Sehr gut gemacht!¦ Recht so! / ~을 거

두다 e-n großen Erfolg haben / 연극이 ~이다 Das Stück zieht gut. / 그 연설은 ~이었다 Die Rede hatte e-n großen Erfolg.

대성황(大盛況) der große Zulauf, -(e)s; der große Andrang 〔Zudrang〕 -(e)s; der starke Besuch, -(e)s. ¶ ~의 voll; gedrängt voll / ~을 이루다 e-n großen Andrang 〔Zudrang〕 von Gästen haben; ein Gast um den 〔nach dem〕 ander(e)n kommt / 전람회는 ~이었다 Die Ausstellung war stark besucht.

대세(大勢) die allgemeine Lage, -n 〔Tendenz, -en〕; alle Verhältnisse 《pl.》. ¶ 세계의 ~ die allgemeine Tendenz der Welt; die internationale Tendenz / 여론의 ~ der Strom der öffentlichen Meinung / 정계의 ~ die allgemeine politische Lage / ~에 따르다 mit dem Strom schwimmen* ⓢ / ~에 역행하다 gegen 〔wider〕 den Strom schwimmen* ⓢ / ~는 이미 결정적이다 Die allgemeine Lage ist schon bestimmt. / ~는 우리에게 유리하다 Die Situation hat sich zu unseren Gunsten gewendet. / ~는 우리에게 불리하다 Die Situation hat sich gegen uns gewendet.

대소(大小) groß u. klein; Größe f. -n (크기). ¶ ~를 불구하고(를 묻지 않고) ohne ⁴Rücksicht auf 〔unbekümmert um〕 die Größe/ ~여러 가지의 von verschiedener Größe.

대소(大笑) lautes Gelächter, -s, -; schallendes Lachen, -s. **~하다** laut lachen; auf|lachen. ¶ 가가 ~하다 ein lautes Gelächter erheben*; aus vollem Hals lachen; in ein lautes Gelächter aus|brechen*.

대소(代訴) ein Prozeß 《m. ..zesses, ..zesse》 〔Rechtsstreit m. -(e)s, -e〕 durch e-n Bevollmächtigen. **~하다** e-n Prozeß 〔Rechtsstreit〕 an js. Stelle führen 《gegen jn.》.

대소(對訴) 〖법〗 Gegen|klage 〔Wider-〕 f. -n. **~하다** widerklagen 《gegen⁴; p.p widergeklagt》. ¶ ~를 제기하다 gegen jn. e-e Gegenklage erheben* 〔ein|geben*〕.

대소동(大騷動) ein großer Lärm, -(e)s 〔Tumult, -(e)s, -e〕; Heiden|lärm 〔Höllen-〕 m. -(e)s; ein großer Skandal; Aufruhr m. -(e)s, -e; Aufstand m. -(e)s, ⸗e; Spektakel m. -s, -. ¶ ~을 일으키다 großen Lärm machen; Skandal machen; spektakeln / 학교에서 ~이 일어났다 Die ganze Schule geriet in großen Aufruhr. / 집안에 ~이 났다 Im Hause herrscht e-e furchtbare Unordnung 〔ein großes Durcheinander〕.

대소변(大小便) Auswurfsstoffe 《pl.》; Exkrement n. -(e)s, -e 《보통 pl.》; Exkret n. -(e)s, -e 《보통 pl.》; Exkretion f. -en. ¶ ~을 보다 s-e Notdurft verrichten; sein natürliches Bedürfnis verrichten; 〖아기말〗 Aa machen / 애기에게 ~을 시키다 ein Kind ab|halten*.

대소사(大小事) verschiedene 〔verschiedenartige; allerlei〕 Sachen 〔Angelegenheiten; Beschäftigungen〕 《pl.》. ¶ 신변의 ~ allerlei persönliche 〔private〕 Geschäfte 《pl.》 / ~를 맡기다 jm. allerlei Angelegenheiten überlassen* 〔an|vertrauen〕.

대소수(帶小數) 〖수학〗 gemischte Zahl, -en.

대소월(大小月) Monate 《pl.》 mit 31 Tagen u. Monate 《pl.》 mit 30 Tagen; jeder Monat, -(e)s; verschiedene Monate 《pl.》; der ungerade Monat u. der gerade Monat.

대소인원(大小人員) die Hohen* 《pl.》 u. die Niedrigen* 《im Amt》; alle Klassen 《pl.》. ¶ ~의 hoch u. niedrig.

대소쿠리 Bambuskorb m. -(e)s, ⸗e.

대속(代贖) die Sühne 《-n》 für e-n andern; die Büßung 〔Entsühnung〕 《-en》 für e-n andern. **~하다** js. Schuld auf ⁴sich nehmen* 〔laden*〕; für den anderen büßen.

대손(貸損) der schlechte Eingang 《-(e)s, ⸗e》 des Darlehens.

대솔(大一) ein großer Kiefer, -s, -; e-e große Fichte 〔Föhre; Lärche〕 f. -n.
‖ **~잎** Nadeln 《pl.》 der großen Kiefer. **~장작** große Kieferhölzer 《pl.》 für Brennstoff.

대수(大數) ① 《큰 수》 e-e große Zahl, -en. ② 《좋은 운수》 großes 〔gutes〕 Glück, -(e)s; Glücksfälle.

대수(代數) 〖수학〗 Algebra f. ¶ ~(학)의 algebraisch / ~로 풀다 algebraisch lösen⁴.
‖ **~기호** das algebraische Vorzeichen, -s, -. **~방정식** die algebraische Gleichung f. -en. **~식** die algebraische Formel, -n. **~학자** Algebraist m. -en, -en. **~함수** die algebraische Funktion f. -en.

대수(帶水) Feuchtigkeit f. -en; Nässe f. -n.

대수(對數) 〖수학〗 Logarithmus m. -, ..men. ¶ ~로 계산하다 logarithmieren⁴.
‖ **~계산** Logarithmensystem n. -s, -e. **~표** Logarithmentafel f. -n. **~학** Logarithmik f. **~함수** die logarithmische Funktion, -en. 상용(자연)**~** gemeiner 〔natürlicher〕 Logarithmus. 역**~** die e-m Logarithmus entsprechende Zahl, -en.

대수롭다 wichtig; bedeutend; beträchtlich; bedenklich (sein). ¶ 대수롭지 않은 것 〔일〕 nichts; Kleinigkeit f. -en; Geringfügigkeit f. -en; Lappalie f. -n; Unbedeutendheit f. -en / 대수롭지 않게 여기다 nichts 〔wenig〕 machen 《aus³》; jn. 〔⁴et.〕 gering|schätzen 〔gering|achten〕 / 대수롭지 않은 일이다 Es hat nichts auf sich. | Das ist k-e wichtige Sache. / 그는 대수롭지 않은 인간이다 Es ist mit ihm nicht weit her. / 그의 지식은 대수롭지 않다 Seine Kenntnisse sind nicht bemerkenswert. / 양자의 차이는 대수롭지 않다 Zwischen beiden ist 〔besteht〕 kein großer Unterschied./병환은 대수롭지 않겠지요 Die Krankheit ist doch nicht so ernst?/ 대수롭지 않은 일에 소란을 피운다 Man macht viel Lärm um nichts.

대수술(大手術) der 〔die〕 größere chirurgische Eingriff, -(e)s, -e 〔Operation, -en〕.

대숲 Bambus|gehölz 〔-dickicht; -gebüsch〕 n. -es, -e.

대승(大乘) 〖불교〗 *Mahayana* 《범어》. ¶ ~적 (all)umfassend; uneigennützig; unparteiisch; weitblickend 〔-herzig〕 / ~적 견지 der höhere Standpunkt, -(e)s, -e; der weite Gesichtspunkt / ~적 견지에서 보아 von hoher Warte (aus)/~적 견지에서 보다 weit überblicken⁴; auf die allgemeine Lage der Dinge ⁴Rücksicht nehmen*.
‖ **~경** *Mahayana Sutra* 《범어》. **~불교** der *Mahayana*-Buddhisusm.

대승(大勝) ① 《썩 나음》 die beträchtliche Überlegenheit. **~하다** jm. viel 〔weit〕 überlegen sein 《an³; in³》. ② 《이김》 ein überwältigender 〔großer〕 Sieg, -(e)s, -e. **~하다** e-n überwältigenden Sieg erringen* 〔erfechten*〕. ¶ 10대 1의 ~ ein großer Sieg mit 10 gegen 1 / ~을 축하하다 jm. zu e-m

überwältigenden Sieg gratulieren.
대승리(大勝利) ein großer (entscheidender; überwältigender) Sieg, -(e)s, -e. ¶ ~를 거두다 e-n großen (entscheidenden) Sieg davon|tragen* (gewinnen*; erringen*).
대시 ①《질주》das Rennen*, -s. ¶ 쏜살 같은 ~로 일등을 하다 Wie ein geölter Blitz schießt er an die Spitze. ②《기호》Gedankenstrich *m.* -(e)s, -e 《—》.
대식(大食) ①《끼니》Hauptmahlzeit *f.*; Frühstück 《*n.* -(e)s, -e》 u. Abendessen 《*n.* -s, -》. ②《많이 먹음》Gefräßigkeit *f.* **~하다** stark essen*; fressen*; schlemmen. ¶ ~의 gefräßig. ‖ **~가** starker Esser, -s, -; Fresser *m.* -s, -; Schlemmer *m.* -s, -: 그는 ~가이다 Er ist ein starker Esser.
대신(大臣) (Staats)minister *m.* -s, -. ☞장관.
대신(代身) ①《대리》(Stell)vertretung *f.* -en; 《대리인》(Stell)vertreter *m.* -s, -; Substitut *m.* -en, -en; 《보충자》Lückenbüzer *m.* -s, -; Ersatzmann *m.* -(e)s, ⸗er (..leute); 《대용물》Ersatz *m.* -(e)s; Ersatzmittel *n.* -s, -; Surrogat *n.* -es, -e; Ersatzteil *m.* -(e), -e (부분품). **~하다** *jn.* vertreten*; an *js.* Stelle treten*[s]; auf|treten*[s] 《für *jn.*》; ein|-springen*[s] 《für *jn.*》; *js.* Lücke aus|füllen; an *js.* Staat kommen*[s]. ¶ ~의 ein anderer*; neu; stellvertretend; Ersatz- / ~에 als Vertreter (Ersatzmann); (an)statt *js.*; an Stelle[2] 《von *jm.*》; im Namen *js.* 《von *jm.*》. ②《대상(代償)》Ersatz *m.* -es; Vergütung *f.* -en; Entgelt *m.* (*n.*) -(e)s. ¶ ~으로 zum Erastz (zur Entschädigung) 《*für*[4]》. ③《또 한편으로》(zwar,) aber; anderseits; dafür. ¶ 이 물건은 비싼 ~에 품질이 좋다 Diese Sorte ist zwar teuer, aber auch besser. / 공부한다는 것은 괴로운 ~ 대단히 유익하다 Studieren macht mir viel Mühe, anderseits (dafür) bringt es mir viel Nutzen.
대실(貸室) Mietzimmer *n.* -s, -.
‖ **~료** Zimmer¦miete (Saal-) *f.* -n.
대심(對審) 〖법〗Gegenüberstellung *f.* -en; Konfrontation *f.* -en. **~하다** gegenüber|-stellen[4]; konfrontieren[4].
대싸리 〖식물〗Belvedere *m.* -s, -.
‖ **~비** Belvederebesen *m.* -s, -.
대아(大我) absolutes (höheres) Ich, -(s), -(s); 〖불교〗*Atman* 《범어》.
대악(大惡) Grausamkeit *f.* -en; Gottlosigkeit *f.* -en; das abscheuliche Übel, -s, -; Bosheit *f.* -en; 《사람》der abscheuliche Schelm, -(e)s, -e; Bösewicht *m.* -s, -e.
대안(代案) der andere Antrag, -(e)s, ⸗e; Entwurf, -e(s), ⸗e; Plan, -(e)s, ⸗e. ¶ ~을 제의하다 e-n anderen Antrag stellen.
대안(對岸) das jenseitige (andere) Ufer, -s, -; das gegenüberliegende Ufer, -s, -. ¶ ~에 auf der anderen Seite des Flusses; jenseits; drüben / ~의 불길 바라보듯 하다 gleichgültig (ohne es auf [4]sich zu beziehen,) zu|-sehen*[3].
대안(對案) Gegenplan *m.* -(e)s, ⸗e; Gegenvorschlag *m.* -(e)s, ⸗e; Gegenanschlag *m.* -(e)s, ⸗e; Gegenantrag *m.* -(e)s, ⸗e. ¶ ~을 내다 e-n Gegenvorschlag machen.
대안렌즈(對眼—) 〖물리〗Okular *n.* -s, -e; Okular¦linse *f.* -n (-glas *n.* -es, ⸗er); Augenglas *n.* -es, ⸗er.
대액(大厄) das große Unglück, -(e)s, -fälle; die große Not, ⸗e; das große Mißgeschick, -(e)s, -e. ¶ ~을 면하다 e-m großen Unglück entkommen*[s].
대야 《세면기》Becken *n.* -s, -; Wanne *f.* -n; Kübel *m.* -s, -.
-대야 《…다고 해야》¶ 나에게 보상을 한대야 나는 그 일을 하겠다 Nur wenn du mir eine Belohnung versprichst, tue ich es. / 네가 직접 보았대야 그는 곧이 들을 게다 Er wird nur davon überzeugt sein, wenn du ihm sagst, daß du es selbst gesehen hast.
대양(大洋) Ozean *m.* -s, -e; Weltmeer *n.* -(e)s, -e. ¶ ~의 ozeanisch / ~의 한가운데서 in der Mitte des Ozeans / ~을 횡단하다 den Ozean durchschneiden* / ~을 항해하다 den Ozean befahren*; den Ozean durchschiffen (durchsegeln); über den Ozean fahren*[s].
‖ **~도** die ozeanischen Inseln 《*pl.*》; die Inseln im Ozean. **~학** Ozeanographie *f.* -n. **~항로** Ozeanlinie *f.* -n: ~ 항로선 Ozeandampfer *m.* -s, -. **~횡단비행** Ozeanflug *m.* -(e)s, ⸗e; der transozeanische Flug, -es, ⸗e.
대양주(大洋洲) Ozeanien *n.* -s; Australien.
‖ **~사람** Ozeanier 《*pl.*》.
대어(大魚) ein großer Fisch, -es, -e. ¶ ~를 놓치다 e-n großen Fisch entlaufen lassen*; 《비유적》die beste Chance (Gelegenheit) verpassen.
대어(大漁) ein guter Fischfang, -(e)s, ⸗e. ¶ ~를 하다 einen guten Fischfang tun* (machen*).
대언(大言) Prahlerei *f.* -n; Aufschneiderei *f.* -en; Windbeutelei *f.* -en. **~하다** *jm.* von[3] (über[4]) prahlen (auf|schneiden*; groß|sprechen*); große Worte führen.
대언장담(大言壯談) Aufschneiderei *f.* -en; Großsprecherei *f.* -en; (Groß)prahlerei *f.* -en; Ruhmredigkeit *f.*; die hochtönenden Worte 《*pl.*》; Renommisterei *f.* -en; Wortschwall *m.* -(e)s, ⸗e. **~하다** *jm. von*[3] (*über*[4]) auf|schneiden* (prahlen; Wind machen; flunkern; renommieren; groß|sprechen*); den Mund voll|nehmen*. ¶ ~하는 사람 Prahler *m.* -s, -; Prahlhans *m.* -en, -en (⸗e); Großsprecher *m.* -s, -; Aufschneider *m.* -s, -; Windbeutel *m.* -s, -.
대업(大業) ein großes Werk, -(e)s, -e; e-e große Tat, -en; ein großes Unternehmen *n.* -s, -; e-e große Aufgabe *f.* -n. ¶ 건국의 ~ das große Werk der Staatsbegründung/ ~을 성취하다 ein großes Werk zustande bringen* (vollbringen*).
‖ **유신~** das große Werk 《-(e)s, -e》 der Restauration.
대여(貸與) Leihe *f.* -n; das (Aus)leihen*, -s; Darleh(e)n *n.* -s, -; Verleihen *n.* -s, -; 〖속어〗das Verpumpen*, -s; 《임대》das (Ver-)mieten*, -s; das (Ver)pachten*, -s. **~하다** leihen*[4]; verleihen*[4]; aus|leihen*[4]. ¶ 무료로 ~하다 [4]*et.* frei (umsonst; kostenlos) (ver)leihen*; [4]*et.* ohne Gebühren (ver-)leihen* / 교과서를 ~하다 *jm.* ein Lesebuch verleihen*.
‖ **~금** Leihgeld *n.* -(e)s, -er. **~자** Darleiher *m.* -s, -. 무기 **~법** Pacht- u. Leihgesetz *n.* -es.
대여섯, 대엿 ungefähr fünf od. sechs.
대역(大役) große Aufgabe, -n (임무); großer Posten, -s, - (지위의); große Rolle, -n (배역의). ¶ ~을 맡다 mit e-r großen Aufgabe

beauftragt werden / ~을 하다 e-e große Rolle spielen / ~을 다하다 e-e große Pflicht erfüllen (leisten).

대역(大逆) Hochverrat *m.* -(e)s; Aufstand *m.* -(e)s, ⸚e; Aufruhr *m.* -(e)s, -e; 《불경죄》 Majestätsbeleidigung *f.* -en. ¶ ~죄로 사형을 선고하다 auf Grund einer Hochverratsbeschuldigung das Todesurteil fällen 《über *jn.*》.
‖ ~무도 Hochverrat *m.* -(e)s. ~범인 Hochverräter *m.* -s, -. ~사건 Majestätsverbrechen *n.* -s, -. ~음모 hochverräterische Umtriebe 《*pl.*》.

대역(代役) Ersatz *m.* -es; (Stell)vertreter *m.* -s, -; Stroh¦mann (Ersatz-) *m.* -(e)s, ⸚er; Surrogat *n.* -(e)s, -e; 《연극의》 Ersatz(schau)spieler *m.* -s, -. ¶ ~을 쓰다 e-n Strohmann *usw.* benutzen (schicken; ein|setzen); *jn.* als Strohmann *usw.* gebrauchen (ein|setzen) / ~이 되다 *jm.* als Strohmann *usw.* dienen.

대역(對譯) Übersetzung 《*f.* -en》 mit ³Gegenüberstellung des Originals.
‖ ~법 Interlinearübersetzung *f.* -en. ~판 die Textausgabe mit parallelstehender Übersetzung: 이 독일 문학 총서는 ~판이다 In dieser deutschen Literatur-Sammlung stehen Original und Übersetzung nebeneinander.

대연습(大演習) 〖군사〗 ein großes Manöver, -s, - (Feld(dienst)übung *f.* -en; Scheingefecht *n.* -s, -). ¶ ~을 하다 ein großes Manöver ab|halten* / ~에 소집되다 zu e-m großen Manöver einberufen werden.

대열(隊列) Reihe *f.* -n; Glied *n.* -(e)s, -er; Zug *m.* -(e)s, ⸚e; Aufzug *m.*; Prozession *f.* -en; Truppenkörper *m.* -s, -. ¶ ~을 짓다 ⁴sich an|reihen; in Linie formieren; Reihen bilden / ~을 지어서 in Reihen; in Reihe u. Gliedern geordnet; in Reih u. Glied (aufgestellt); in Formation; in e-m Aufzug / ~을 흐트러뜨리고 durcheinander; ohne Ordnung; in aufgelösten Reihen / ~을 정돈하다 die Glieder richten; in Richtung bringen*⁴/ ~정연히 in Reih' u. Glied.

대엿새 ungefähr (etwas) fünf od. sechs Tage.

대영(對英) 〖부사적〗 gegen ⁴England (Großbritanien); ³England gegenüber; mit ³England.
‖ ~감정 die Einstellung 《-en》 gegenüber England. ~무역 der Handel 《-s, ⸚》 mit England. ~정책 die Politik gegen England; Englandpolitik *f.*

대오(大悟) Erleuchtung *f.* -en; Erweckung *f.* -en; die höchste Einsicht, -(e)s; das Erkennen* 《-s》 der absoluten Wahrheit. ~하다 die Erleuchtung (Erweckung) erleben. ¶ ~각성하다 zur Erleuchtung gelangen ⓢ; die Wahrheit erkennen*.
‖ 활연(豁然)~ das Erreichen der Erleuchtung; das Erkennen der höchsten Wahrheit.

대오(隊伍) =대열(隊列).

대오다 pünktlich kommen* (erscheinen*) ⓢ; rechtzeitig kommen* (erscheinen*) ⓢ; zur rechten Zeit kommen* ⓢ; beizeiten da sein. ¶ 약속한 시간에 ~ noch zur verabredeten Zeit kommen* ⓢ / 정각 6시까지 대오시오 Seien Sie bitte bis um 6 Uhr da!

대오리 Bambusstreifen *m.* -s, -.

대왐풀 〖식물〗 Orchidee *f.* -n.

대왕(大王) ① 《선왕》 S-e Majestät der selige Kaiser. ② 《현왕》 Ihre (S-e) Majestät der Kaiser. ③ 《…대왕》 der große König, -(e)s, -e. ¶ 세종 ~ *Sejong* der Große* / 프리드리히~ Friedrich der Große*.

대외(對外) 〖형용사적〗 auswärtig; äußer (sein). ¶ ~적으로 nach außen hin; gegen das Ausland; dem Ausland gegenüber.
~관계 auswärtige Beziehungen 《*pl.*》. ~무역 Außenhandel *m.* -s, -. ~방송 auswärtige Sendung, -en. ~원조 Auslandshilfe *f.* -n: ~ 원조법 das Gesetz 《-es, -e》 der Auslandshilfe. ~이권 die auswärtigen Interessen 《*pl.*》. ~정책 Außenpolitik *f.* -en; die auswärtige Politik. ~채권 der auswärtige Kredit, -(e)s, -e. ~채무 die auswärtigen Passiva (Passiven) 《*pl.*》.

대요(大要) Hauptinhalt *m.* -(e)s, -e; Abriß *m.* ..risses, ..risse; Übersicht *f.* -en; 《요약》 Resümee *n.* -s, -s; e-e kurze Inhaltsangabe *f.* -n; 《학문의》 Elemente 《*pl.*》; 《윤곽》 Außenlinie *f.* -n; Umriß *m.* ..risses, ..risse. ¶ ~를 말하다 e-n Überblick geben* 《*über*⁴》 / 사건의 ~는 이렇다 Die Sache verhält sich so.¦Es kann folgendermaßen zusammengefaßt werden.¦Der ungefähre Inhalt der Sache ist so.

대욕(大慾) Habsucht *f.*; Habgier *f.*; Begierde *f.* -n. ¶ ~의 habsüchtig; habgierig / ~은 무욕과 같다 Übermäßige Begierde ähnelt der Gleichgültigkeit.¦Wer alles will, bekommt nichts.

대용(代用) Ersatz *m.* -es; Ersetzung *f.* -en; Substituierung *f.* -en. ~하다 an die Stelle 《*von*³》 setzen⁴; an ²Stelle gebrauchen⁴; ersetzen⁴ 《*durch*⁴》; substituieren⁴. ¶ …의 ~이 되다 als Ersatz 《*für*⁴》 dienen; statt² dienen; an die Stelle 《*von*³》 treten* ⓢ.
‖ ~물(품) Ersatz *m.* -es, ⸚e; Ersatz¦mittel *n.* -s, - (-stoff *m.* -(e)s, -e); Surrogat *n.* -(e)s, -e. ~식 Ersatz¦speise (-nahrung; -beköstigung) *f.* -en. ~코피 Ersatz¦kaffee *m.* -s.

대용(貸用) das Borgen*, -s; Entlehnung *f.* -en. ~하다 von *jm.* borgen⁴; von *jm.* entleihen*⁴; von *jm.* entlehnen⁴.

대우 〖농업〗 Zwischenfruchtanbau *m.* -(e)s, -e; Zwischenernteanbau *m.* -(e)s, -e. ~파다 im Frühling ⁴*et.* als Zwischenfrucht an|-bauen (an|pflanzen); auf dem Weizenfeld od. Gerstenfeld dritte Ernte an|pflanzen.
‖ ~깨(콩·팥) Sesam 《*m.* -s, -s》 (Bohne *f.* -n; Mungobohne *f.* -n) als Zwischen¦frucht (-ernte).

대우(大雨) starker Regen, -s -; Regenguß *m.* ..gusses, ..güsse; Regenstrom *m.* -(e)s, ⸚e; Wolkenbruch *m.* -(e)s, ⸚e.

대우(待遇) 《접대》 Empfang *m.* -(e)s, ⸚e; Aufnahme *f.* -n; 《취급》 Behandlung *f.* -en; 《향응》 Bewirtung *f.* -en; 《서비스》 Bedienung *f.* -en; 《급여》 Besoldung *f.* -en; Belohnung *f.* -en; Lohn *m.* -(e)s, ⸚e; Gehalt *n.* -(e)s, ⸚er. ~하다 behandeln⁴; 《접대》 auf|nehmen*⁴; empfangen*⁴; 《급여》 zahlen⁽⁴⁾; bezahlen⁴; belohnen⁴. ¶ ~가 좋은 《손님에》 gastfreundlich; 《급여가》 gut bezahlt / ~가 좋다 (나쁘다) freundlich (schlecht) behandelt werden; 《급여가》 gut (schlecht) bezahlt werden / 차별 ~를 하다 die Behandlung unterscheiden* / 근로자의 ~를

개선하다 den Lohn der Arbeiter auf|bessern / 지위 상당의 ~를 하다 *jn.* s-r Stellung gemäß behandeln / 파격적인 ~를 하다 für *jn.* 〔mit *jm.*〕 e-e Ausnahme machen / 전관 ~를 하다 dem letzten Posten gemäß behandeln⁴ / 동등하게 ~를 하다 *jn.* (gleich) behandeln wie... / 이 회사는 ~가 좋다〔나쁘다〕 Diese Firma bezahlt ihre Angestellten gut 〔schlecht〕.

‖ ~개선 die Gehaltserhöhung *f.* -en; Gehalts¦zulage 〔-aufbesserung〕 *f.* -en: ~개선을 요구하다 e-e Gehaltserhöhung fordern. / 근로자의 ~개선 die Aufbesserung 《-en》 der Arbeitersverhältnisse. ~문제 die Frage 《-en》 der Belohnung. 차별~ e-e unterschiedliche Behandlung, -en; Diskriminierung *f.* -en; Apartheit *f.* -en.

대우(對偶) ① 《짝지음》 Paar *n.* -(e)s, -e. ② 〖수사학〗 Antithese *f.* -n; 〖수학〗 Entgegenstellung *f.* -; 〖논리학〗 Antithese *f.* -n; Gegensatz *m.* -es, ⸗e.

‖ ~법 〖수사학〗 Antithese *f.* -n. ~정리(定理) die Regel 《-n》 der Entgegenstellung.

대우주(大宇宙) 〖철학〗 Makrokosmos *m.* -; der große Weltraum, -(e)s; das große Universum, -s.

대운(大運) 《운명》 Schicksal *n.* -(e)s, -e; Geschick *n.* -(e)s, -e; Los *n.* -es, -e; 《큰 운수》 Glück *n.* -(e)s, (드물게) -e; Fortuna *f.*; die Gunst des Geschicks; 《우연의》 Dusel *m.* -s.

대웅성(大熊星) 〖천문〗 Sterne 《*pl.*》 des Großen Bären 〔Wagens〕; der Große Bär, -en, -en; *Ursa Major* 《라틴》.

대웅좌(大熊座) 〖천문〗 =큰곰자리.

대원(大願) ein großer Wunsch, -es, ⸗e; e-e große Bitte, -n. ¶ 나의 ~이 이루어졌다 Mein großer Wunsch ist in Erfüllung gegangen.

‖ ~성취 die Erfüllung e-r großen Bitte.

대원수(大元帥) Generalfeldmarschall 《*m.* -s》 der gesamten Armee u. Flotte; Generalissimus *m.* -; der Oberbefehlshaber 《-s, -》 der gesamten Armee u. Flotte.

대월(貸越) Außenstände 《*pl.*》; Überschreitung 《*f.* -en》 des Kredits; die ausstehende Zahlung, -en; 《당좌 따위의》 Überziehung *f.* -en; Debetsaldo *m.* -s, ..den 〔-s, ..di〕. ~되다 Geld ausstehen haben.

‖ ~계정 das Konto 《-s, ..ten 〔..ti〕》 der Außenstände 《*pl.*》; Kreditorskonto *n.* -s, ..ten 〔..ti〕.

대위(大尉) 〖육군·공군〗 Hauptmann *m.* -(e)s, ..leute; 〖해군〗 Kapitänleutnant *m.* -s, -e 〔-s〕; 〖기병〗 Rettermeister *m.* -s, -.

대위(代位) 〖법〗 Subrogation *f.* -en; Unterschiebung *f.* -en; Substitution *f.* -en; Stellvertreter *m.* -s, -; Ersetzung *f.*; Austausch *m.* -es. ~하다 substituieren⁴ 《*für*⁴》; unterschieben*⁴ 《*für*⁴》; an die Stelle von ³*et.* setzen.

‖ ~납부 Substitutionszahlung *f.*; Ersetzungszahlung: ~납부 의무자 Zahlungsvertreter *m.* -s, -. ~변제(辨濟) Substitutionseinlösung *f.*; Ersatzleistung *f.*

대위법(對位法) 〖음악〗 Kontrapunkt *m.* -(e)s; Gegensatz *m.* -(e)s. ¶ ~의 kontrapunktisch.

‖ 이중~ verdoppelter Kontrapunkt, -(e)s; verdoppelter Gegensatz, -(e)s.

대유(大儒) ein großer Konfuzianist, -en, -en; ein großer Gelehrte*, -n, -n.

대유성(大遊星) 〖천문〗 die große Planeten 《*pl.*》.

대음(大飮) das starke Trinken*, -s; das Saufen*, -s; das Zechen*, -s; Zecherei *f.* -en; Säuferei *f.* -en. ~하다 stark 〔unmäßig〕 trinken*⁽⁴⁾; saufen*⁽⁴⁾; zechen⁽⁴⁾.

대응(對應) 《상응》 Entsprechung *f.* -en; 《일치》 Übereinstimmung *f.* -en; 《좌우대칭》 Symmetrie *f.* -n [..tríːən]. ~하다 entsprechen*³; überein|stimmen 《*mit*³》; symmetrisch sein 《*mit*³》; 《상당하다》 gleich sein 《*mit*³》; 《동형이다》 homolog sein 《*mit*³》; gleichförmig sein 《wie...》. ¶ 이 말에 ~하는 것은 독일어에는 없다 Dieses Wort findet k-e Entsprechung im Deutschen.

‖ ~각 〖수학〗 der entsprechende Winkel, -s, -. ~변 die entsprechende Seite, -n. ~책 Gegenmaßregel *f.* -n.

대의(大意) 《요지》 Hauptzweck *m.* -s, -e; Hauptinhalt *m.* -(e)s, -e; Hauptabsicht *f.* -en; 《요점》 Hauptpunkt *m.* -es, -e; Hauptsache *f.* -n; 《개략》 Umriß *m.* ..risses, ..risse; Resümee *n.* -s, -s; 《학문의》 Elemente 《*pl.*》. ¶ ~를 간추려 쓰다 kurz zusammen|fassen⁴ / 경제학 ~ „Die Elemente der Volkswirtschaftslehre".

대의(大義) Gerechtigkeit *f.*; moralische Pflicht, -en; heilige Pflicht, -en; 《충성》 Loyalität [loajali..] *f.* -en; Treue u. Vaterlandsliebe. ¶ ~를 위해 für die Sache der Gerechtigkeit/~명분 Pflichtgebot *n.* -(e)s, -e; die Forderung 《-en》 der Gesellschaft/ ~명분이 서지 않다 ⁴sich nicht rechtfertigen können*; dem Pflichtgebot zuwider sein / ~멸친(滅親) Die persönliche Neigungen müssen auf dem Altar der Gerechtigkeit geopfert werden.

대의(代議) (Stell)vertretung *f.* -en; Repräsentation *f.* -en.

‖ ~원(員) Repräsentant *m.* -en, -en; der Beauftragte*, -n, -n; 《파견 위원》 der Delegierte*, -n, -n; Delegat *m.* -en, -en. ~정치 die parlamentarische Regierungsform, -en. ~제도 Repräsentativsystem *n.* -s, -e; Parlamentarismus *m.* -.

대인(大人) ① 《어른》 der Erwachsene*, -n, -n. ¶ ~용 für Erwachsene. ② 《덕망 높은 이》 ein großer Mensch, -en, -en. ③ 《거인》 Riese *m.* -n, -n; Hüne *m.* -n, -n; Koloß *m.* ..losses, ..losse. ④ 《대인군자》 ein tugendhafter Mensch, -en, -en. ⑤ 《남의 아버지》 Ihr Herr Vater *m.* -s.

대인(代印) die Siegelung 《-en》 an *js.* Stelle. ~하다 für *jn.* 〔an *js.* Stelle〕 siegeln⁴. ¶ 당신의 ~을 내가 하겠오 Ich werde für dich siegeln.

대인(對人) 〖형용사적〗 persönlich; personal.

‖ ~공포증 Anthropophobie *f.* ~관계 Verhältnis 《*n.* ..nisses, ..nisse》 zu den Menschen. ~담보 die persönliche Sicherheit, -en. ~소송 die persönliche Klage, -en. ~신용 〖법〗 Personalkredit *m.* -(e)s, -e.

대인기(大人氣) unbestrittene Beliebtheit; große Popularität. ¶ ~를 끌다 beifällig 〔begeistert〕 aufgenommen werden; (großen) Beifall finden* 〔ernten〕; große Popularität genießen* / 독일에서는 축구가 ~다 In Deutschland ist Fußball sehr beliebt.

대인물(大人物) der große 〔hervorragende〕 Mann, -(e)s, ⸗er; der große Geist, -es, -er; ein Mann von (großem) Format. ¶ 그 사람

은 ~이 될거야 Man kann erwarten, daß aus ihm ein großer Mann wird. / 그는 ~감이 못 된다 Er ist kein großer Mann von Natur.

대일(對日) 〖부사적〗 gegen Japan; Japan entgegen; mit Japan. ¶ 한국의 ~ 외교 방침 die diplomatische Politik Koreas gegen Japan.

‖ ~감정 das Gefühl 《-(e)s, -e》 gegen Japan. ~강화 der Friedensabschluß 《..schlusses》 mit Japan. ~관계 die Beziehung mit Japan. ~무역 der Handel 《-s》 mit Japan.

대임(大任) 《임무》 e-e große 〔wichtige〕 Aufgabe, -n; 《요직》 ein wichtiger Posten, -s, -; Vertrauensposten *m.* -s, -; die große Verantwortlichkeit; das große Vertrauen, -s; 《사명》 Aufgabe *f.* -n; Mission *f.* -en; Sendung *f.* -en. ¶ ~을 맡다 e-e große Aufgabe übernehmen* / ~을 맡기다 *jm.* e-e wichtige Aufgabe übertragen* / ~을 띠고 있다 mit e-r schwierigen Aufgabe beauftragt sein / ~을 완수하다 e-e wichtige Aufgabe erledigen; [4]sich e-r wichtigen Pflicht entledigen; e-n großen Auftrag erfüllen 〔aus|führen〕.

대자 Bambusmaßstab *n.* -(e)s, ⸚e; Bambuslineal *n.* -s, -e.

대자(大字) ein großes Schriftzeichen, -s, -; ein großer Buchstabe, -ns, -n 〔Charakter, -s, -〕; 《대문자》 Großbuchstabe *m.* ¶ ~로 쓰인 in Großbuchstaben geschrieben.

대자(代赭) Roteisenocker *m.* -s, -.

‖ ~색(色) roter Ocker, -s, -: ~색의 ockerfarbig; rotgelb. ~석 〖광물〗 Rötel *m.* -s, -.

대자대비(大慈大悲) 〖불교〗 große Güte u. großes Erbarmen. ¶ ~하신 관세음보살 die Gottheit *Avalokitesvara* von großer Güte; die allgütige u. mitleidsreiche Göttin *Avalokitesvara*.

대자연(大自然) die Mutter Natur.

대작(大作) ein großes Werk, -(e)s, -e; 《걸작》 Meisterstück *n.* -(e)s, -e.

대작(大斫) dickes Stück Brennholz 《-es, ⸚er》 〔Scheit, -es〕.

대작(代作) ① 《작품》 die für e-n andern angefertigte Arbeit, -en; 《행위》 das Arbeiten* 《-s》 für e-n andern. ~하다 für *jn.* schreiben*[4] 〔e-e Arbeit an|fertigen[4]〕. ② =대파(代播).

‖ ~자 Handlanger *m.* -s, -; Mietling *m.* -s, -e.

대작(對酌) Zusammentrinken *n.* -s, -. ~하다 [3]sich gegenseitig ein|schenken; mit *jm.* zusammen trinken*.

대장 (Grob)schmied *m.* -(e)s, -e.

‖ ~간 Schmiedewerkstatt *f.* ⸚e; Schmiede *f.* -n. ~일 Schmiedearbeit *f.* -en ~장이 (Grob)schmied *m.* -(e)s, -e; Schmiedemeister *m.* -s, -: ~장이 집에 식칼이 논다 《속담》 Der Schuster hat die schlechtesten Schuhe. ¦Der Schuster flickt andern Leute die Schuhe u. geht selbst barfuß.

대장(大將) ① 〖육·공군〗 General *m.* -s, -e 〔⸚e〕; 〖해군〗 Admiral *m.* -s, -e. ② 《두목》 Haupt *n.* -(e)s, ⸚er; (An)führer *m.* -s, -; Häuptling *m.* -s, -e.

‖ ~직 〖육군〗 Generalat *n.* -(e)s, -e; 〖해군〗 Admiralität *f.* -en.

대장(大腸) Dickdarm *m.* -(e)s, ⸚e.

‖ ~균 Colibakterien 《*pl.*》. ~염(炎) Dickdarmentzündung *f.* ~카타르 Dickdarmkatarrh *m.* -s, -e.

대장(隊長) 《부대장》 Truppenführer *m.* -s, -; 《지휘관》 Kommandeur [..d:ǿr] *m.* -s, -e; Kommandant *m.* -en, -en; 《탐험대 따위의》 Leiter *m.* -s, -.

‖ 소~ Zugführer *m.* -s, -. 중~ Kompaniechef *m.* -s, -s; Kompanieführer *m.* -s, -. 대~ Bataillonskommandeur *m.* -s, -e.

대장(臺帳) Hauptbuch *n.* -(e)s, ⸚er; Register *n.* -s, -. ¶ ~에 기입하다 in das Hauptbuch ein|tragen*[4].

‖ 토지~ Grundbuch *n.* -(e)s, ⸚er; Flurbuch *n.* -(e)s, ⸚er; Kataster *m.*〔*n.*〕 -s, -.

대장경(大藏經) 〖불교〗 die sämtlichen Sutren-Werke 《*pl.*》; die Sammlung 《-en》 der Sutren 〔buddhistischen Schriften〕 《*pl.*》.

대장부(大丈夫) der große Mann, -(e)s, ⸚er; Gigant *m.* -en, -en; Hüne *m.* -n, -n; Riese *m.* -n, -n. Recke *m.* -n, -n; ¶ ~답게 굴다 [4]sich männlich benehmen; [4]sich als Mann zeigen / ~답지 못한 unmännlich; e-s Mannes unwürdig / 그는 ~답다 Er ist ein ganzer Mann. ¦Er ist ein Mann durch u. durch. 「-(e)s, -e.

대저(大著) ein großes 〔umfangreiches〕 Werk,

대저(大抵) eigentlich; im Grunde (genommen); wie denn überhaupt.

대저울 Laufgewichtswaage *f.* -n.

대적(大敵) großer Feind, -(e)s, -e; 《경기 따위의》 großer Gegner, -s, -; 《상업상의》 großer Konkurrent, -en, -en. ¶ 민주주의의 ~ großer Gegner der Demokratie / 그는 나의 ~이다 Er ist mein großer Feind. / ~이라도 겁내지 마라 Fürchte dich selbst vor e-m großen Feind nicht! / 그는 ~과 용감히 싸웠다 Er kämpfte tapfer gegen e-n großen Feind.

대적(對敵) ① 《적대》 Widerstand *m.* -(e)s, ⸚e; Opposition *f.* -en. ~하다 *jm.* Widerstand leisten; *jm.* widerstehen* 〔widerstreben〕; *jm.* die Spitze bieten. ¶ ~ 경계 die Vorsichtsmaßregeln 《*pl.*》 gegen den Feind. ② 《맞섬·겨룸》 Ebenbürtigkeit *f.*; Gleichheit *f.* ~하다 [4]es mit *jm.* aufnehmen können*; *jm.* ebenbürtig 〔gewachsen〕 sein; [4]sich mit *jm.* messen können*. ¶ 수영에 있어서는 그와 ~할 사람이 없다 Er hat k-n ebenbürtigen Gegner im Schwimmen.

대전(大全) ① 《책의》 die sämtlichen Werke 《*pl.*》; Sammlung *f.* -en; Enzyklopädie *f.* -n. ② 《완전히 갖춤》 Vollständigkeit *f.*; Vollkommenheit *f.*

‖ 요리(料理)~ das vollständige Kochbuch, -(e)s, ⸚er.

대전(大典) ① 《의식》 große 〔wichtige〕 Zeremonie, -n; große Feierlichkeit, -n. ② 《법전》 Kanon *m.* -s, -(e)s.

대전(大殿) S-e Majestät der König; 《호칭》 S-e Königliche Hoheit; Ew. 〔Eure〕 Königliche Hoheit (2인칭).

‖ ~마마 =대전(大殿).

대전(大戰) großer Krieg, -(e)s, -e; große Schlacht, -en. ¶ 제 1 〔2〕 차 세계 ~ der Erste 〔Zweite〕 Weltkrieg, -(e)s.

‖ ~기념비 Krieger¦denkmal 〔Ehren-〕 *n.* -(e)s, -e 〔..mäler〕.

대전(帶電) 〖물리〗 Elektrisierung *f.* -en. ¶ ~시키다 elektrisieren[4].

‖ ~체 der elektrisierte Körper, -s, -.

대전(對戰) ① 《전쟁》 Kriegsführung *f.* -en; Kampfhandlung *f.* -en. **~하다** gegeneinander Krieg führen; gegen (den Feind) kämpfen. ② 《경기·시합 따위》 Wettkampf *m.* -(e)s, ⸗e; Wettspiel *n.* -(e)s, -e; Turnier *n.* -s, -e. **~하다** ein Wettspiel machen; gegen *jn.* spielen. ¶ ~시키다 gegeneinander spielen lassen* / 작년도의 패자와 ~하다 mit dem Meister des letzten Jahres ein Wettspiel machen.
‖ **~성적** Wettspielergebnis *n.* -ses, -se.

대전어(大錢魚) 〖어류〗 e-e Art Alse 《*f.* -n》; *Nematalosa japonica* (학명).

대전제(大前提) 〖논리〗 Obersatz *m.* -es, ⸗e; (Haupt)prämisse *f.* -n; Vordersatz *m.*

대전차(對戰車) 〖부사적〗 Panzerabwehr-.
‖ **~지뢰** Panzerabwehrmine *f.* -n. **~포** Panzerabwehrkanone *f.* -n. **~호**(壕) Panzerabwehrgraben *m.* -s, ⸗.

대절(大節) Edelmut *m.* -(e)s; die erhabene Denkungsart, -en; die edle Gesinnung, -en.

대절(貸切) ⁴*et.* im bestimmten Termin zu mieten; das Reservieren*, -s; das Belegen*, -s; 《게시》 „reserviert". **~하다** im bestimmten Termin mieten. ¶ ~한 reserviert; gechartert; gemietet / 이 화차는 ~이다 Dieser Güterwagen ist reserviert. / (기차의) 한 칸을 ~하다 e-n Abteil reservieren.
‖ **~버스** Mietbus *m.* -ses, -se. **~차** Mietwagen *m.* -s, -; der reservierte Wagen, -s, -; Extrawagen *m.*

대접 ① 《그릇》 Schüssel *f.* -n; Suppenschüssel *f.* -n; Schale *f.* -n; 《나무로 만든》 Holzschüssel *f.* -n. ¶ 국 한 ~ e-e Schüssel Suppe / ~에 담다 in e-r Schüssel auf|tragen*. ② 《쇠고기의》 das Unterschenkelstück 《-(e)s, -e》 des Rindfleisches.

대접(待接) Empfang *m.* -(e)s, ⸗e; Aufnahme *f.* -n; Bedienung *f.* -en; Bewirtung *f.* -en (향응). **~하다** behandeln⁴; bewirten⁴; auf|nehmen*⁴; bedienen⁴. ¶ 후히 ~하다 *jn.* reichlich bewirten; *jn.* freundlich auf|nehmen*; *jm.* e-n guten Empfang bereiten; *jn.* gastfreundlich bedienen / ~이 나쁜 ungast(freund)lich; unwirtlich / 후한 ~을 받다 e-e freundliche Aufnahme finden*; freundlich empfangen* (aufgenommen) werden / 아무런 ~도 못했읍니다 Die Bewirtung war leider bescheiden.

대정맥(大靜脈) Hohlvene [..ve:nə] *f.* -n.

대정자(大正字) großer, römischer Anfangsbuchstabe, -ns, -n; Versal *m.* -s, ..lien.

대제(大帝) großer Kaiser, -s, -. ¶ 피터 ~ Kaiser Peter der Große*, -n, -n.

대제(大祭) ein großes Fest, -(e)s, -e; e-e große Feier, -n.

대제사장(大祭司長) ein hoher (großer) Priester, -s, -.

대조(大潮) Springflut *f.* -en; Springhochwasser *n.* -s; die volle Flut, -en; Hochflut *f.* -en.

대조(對照) Kontrast *m.* -es, -e; Gegensatz *m.* -es, ⸗e; das Gegenüberstellen*, -s; 《비교》 Vergleichung *f.* -en; Vergleich *m.* -(e)s, -e. **~하다** gegenüber|stellen³⁴; in ⁴Gegensatz stellen⁴ 《*zu*³》; 《비교하다》 vergleichen*⁴ 《*mit*³》. ¶ ~하라 Vergleiche! 《생략: vgl.》 / ~해 보면, ~적으로 im Gegensatz 《*zu*³》; im Vergleich 《*mit*³》 / 번역을 원문과 ~하다 die Übersetzung mit dem Originale vergleichen* / ~를 이루다 e-n Gegensatz bilden 《*zu*³》; ⁴sich ab|heben* (ab|zeichnen) 《*gegen*⁴; *von*³》 / 이 두 색은 서로 현저한 ~를 이루고 있다 Die beiden Farben stechen gegeneinander ab.
‖ **~표** Berechnungstabelle *f.* -n.

대족(大族) die florierende Sippschaft, -en; die blühende Familie (Clique [klikə]) -n; die große Familie, -n.

대종(大宗) die Hauptlinie 《-en》 e-r Familie; Hauptstammfolge *f.* -n. ¶ 영국은 의회 정치의 ~이다 England ist der Ursprung des Parlamentarismus.
‖ **~가** (Haupt)stamm¦haus *n.* -es, ⸗er (-familie *f.* -n). **~손** (Haupt)stammhalter e-r Sippschaft; Stammerbe *m.* -n, -n.

대좌(對坐) das Gegenübersitzen*, -s. **~하다** ⁴sich gegenüber|sitzen* 《*jm.*》; Gesicht zu Gesicht sitzen*.

대좌(臺座) Piedestal [pĭedɛstá:l] *n.* -s, -e; Fußgestell *n.* -(e)s, -e; Sockel *m.* -s, -.

대죄(大罪) 《법률상의》 das schwere Verbrechen, -s, -; Kapitalverbrechen *n.* -s, -; die große Missetat, -en; 《종교적》 Todsünde *f.* -n. ¶ ~를 범하다 ein schweres Verbrechen (e-e schwere Sünde) begehen*. ‖ **~인** der große Verbrecher, -s, - (Sünder, -s, -).

대죄하다(待罪―) e-n Strafbefehl (ein Strafmandat; ein Strafverfahren) ab|warten.

대주(大酒) das starke (unmäßige) Trinken*, -s; Sauferei *f.* -en; das Saufen*, -s.
‖ **~객** Säufer (Saufer) *m.* -s, -.

대주(貸主) Gläubiger *m.* -s, -; Verleiher *m.* -s, -; Vermieter *m.* -s, -; der Verpachtende*, -n, -n (가옥, 토지 따위의).

대주교(大主教) 〖가톨릭〗 Erzbischof *m.* -s, ⸗e. ¶ 서울 ~ Erzbischof von Seoul.

대주다 versorgen⁴ 《*mit*³》; speisen⁴ 《*mit*³》; *jm.* verschaffen⁴; versehen*⁴ 《*mit*³》; *jm.* zur Verfügung stellen⁴; beliefern⁴ 《*mit*³》; *jm.* liefern⁴ 《*in*⁴; *an*⁴》; *jm.* gewähren⁴. ¶ 학비를 ~ *jn.* mit Studienkosten versorgen / 군대에 식량을 ~ die Truppen mit Lebensmitteln (Proviant) versehen*; die Truppen verproviantieren / 도시에 물 (가스, 전기)를 ~ e-e Stadt mit Wasser (Gas, Elektrizität) versorgen (Speisen) / 돈을 ~ Geld geben*³; finanziell unterstützen⁴.

대주하다(代走―) 〖야구〗 anstatt *js.* laufen* 「h,s」.

대줄거리, 대줄기(大―) der wesentliche Inhalt, -(e)s, -e (Abriß, ..risses; ..risse); 《희곡의》 Gang 《*m.* -(e)s, ⸗e》 der Handlung.

대중 ① 《겉어림》 der ungefähre Überschlag, -(e)s, ⸗e; e-e ungefähre Schätzung (Berechnung) -en; 《추측》 Vermutung *f.* -en; Mutmaßung *f.* -en; Annahme *f.* -n. ¶ ~을 잡다 e-e ungefähre Schätzung machen; e-n Überschlag machen 《*von*³》; annähernd (ungefähr) veranschlagen / 비용의 ~을 잡아보다 die Kosten überschlagen* (veranschlagen). ② 《표준》 Standard *m.* -s, -s; 《한도》 Maß *n.* -es, -e. ¶ 무슨 말인지 ~을 못 잡겠다 Ich kann daraus nicht klug werden.¦Das geht über meine Begriffe (meinen Horizont).¦Das sind mir böhmische Dörfer.

대중(大衆) Volk *n.* -(e)s; Masse *f.* -n; Volksmenge *f.* -n; Publikum *n.* -s; 《일반 대중》 Allgemeinheit *f.* -en; das gewöhnliche Volk, -(e)s. ¶ ~을 위한 volkstümlich; beliebt; populär / ~의 지지를 얻어 unter der

Zustimmung weiterer Kreise / ~을 우롱하다 das Volk gering|schätzen (verächtlich behandeln) / ~에게 호소하다 an die Volksmenge appellieren.

‖ ~과세 Umsatz¦steuer *f.* -n. ~문학 Volksdichtung *f.* -en. ~성 Popularität *f.* -en; Volkstümlichkeit *f.* -en; Beliebtheit *f.* -en. ~소설 Unterhaltungs¦roman (Volks-) *m.* -(e)s, -e. ~식당 Speisehaus *m.* -es, ⸗er; Restaurant *n.* -s, -s. ~심리 Massenpsychologie *f.* -n. ~술집 Wirtshaus *n.* -(e)s, ⸗er. ~오락 öffentliche Vergnügung, -en: ~오락실 öffentlicher Vergnügungssaal, -(e)s, ..säle. ~운동 Massenbewegung *f.* -en: ~운동을 일으키다 e-e Massenbewegung ins Leben rufen*. ~음악 populäre (volkstümliche) Musik. ~작가 Volksschriftsteller *m.* -(e)s, -. ~잡지 Unterhaltungszeitschrift *f.* -en. ~전달(매체) Massenkommunikation *f.* -en. ~정당 Volkspartei *f.* -en. ~정책 die Politik gegen die Massen. ~탕 e-e öffentliche Badeanstalt, -en. ~판 Volksausgabe *f.* -n. ~화 das Popularisieren*, -s: 과학의 ~화 das Popularisieren* der Wissenschaft. / ~화하다 popularisieren[4]; gemein verständlich machen[4]. 근로~ arbeitendes Volk, -(e)s.

대중없다 ① 《종작없음》 unberechenbar; unbestimmt; inkonsequent; unregelmäßig; ungewiß; regellos; unstet; unbeständig (sein). ¶ 대중 없는 말(대답) inkonsequente Worte 《*pl.*》 (Antwort *f.* -en) / 우편이 어떤 때는 세 시에 어떤 때는 다섯 시에 오고해서 시간이 ~ Man kann nichts Bestimmtes über die Post sagen — bald kommt es um 3, bald um 5. / 하는 짓이 대중(이)없어 믿을 수가 없다 Sein Benehmen ist inkonsequent, deshalb kann man ihm kein Vertrauen schenken. ② 《표준없음》 unsicher; nicht festgesetzt; schwankend; 《애매》 undeutlich; unklar; zweifelhaft (sein). ¶ 시작하는 시간은 ~ Es ist k-e festgesetzte Anfangszeit.

대증(對症) Allopathie *f.* ¶ ~의 allopathisch.

‖ ~약 allopathisches Heilmittel, -s, -. ~요법 Allopathie *f.*; allopathische Heilmethode, -n: ~요법가 Allopath *m.* -en, -en / ~요법을 쓰다 symptomatisch behandeln[4].

대지(大旨) =대의(大意).

대지(大地) Erde *f.* -n; Erdboden *m.* -s, ⸗(-); Boden *m.* -s, ⸗(-). ¶ ~를 밟다 die Erde betreten* / ~에 auf der Erde / ~가 미소 짓다 Die Erde lächelt. / ~가 진동하다 Die Erde schüttelt.

대지(大志) 《소망》 ein großer Wunsch, -es, ⸗e; 《야망》 Ehrgeiz *m.* -es; ein hohes Ziel, -(e)s, -e; das hohe Streben, -s. ¶ ~를 품다 Ehrgeiz hegen; ehrgeizig sein; ein hohes Ziel haben*; nach e-m hohen Ziel streben.

대지(大指) Daumen *m.* -s, -.

대지(垈地) (Bau)grundstück *n.* -(e)s, -e; Baugrund *m.* -(e)s, ⸗e; Grund u. Boden. ¶ ~의 선정 die (Aus)wahl des (Bau)platzes / 100 평의 ~ ein Baugrund (Grundstück) von 100 *Pyong* / 학교의 ~ ein Platz (e-e Stelle, -n) für die Schule / ~를 물색하다 nach e-m (geeigneten) Bauplatz suchen.

‖ ~면적 der Flächenraum 《-(e)s, ⸗e》 des Platzes. 건축~ Bauplatz *m.* -es, ⸗.

대지(貸地) Pacht¦grundstück *n.* -(e)s, -e; Pachtgut *n.* -(e)s, ⸗er.

대지(帶紙) das streifenartige Packpapier, -s, -e; Papiergürtel *m.* -s, -.

대지(對地) gegen den (Erd)boden. ¶ 공~ 공격 ein Luft-Boden Angriff *m.* -(e)s, -e; Luftangriff / 공~ 유도탄 ein gesteuertes Luft-Boden Raketengeschoß, ..sses, ..sse.

대지(臺地) Hochebene *f.* -n; Plateau [..tó:] *n.* -s, -s; Tafelland *n.* -(e)s, ⸗er; Terrasse *f.* -n; Erdstufe *f.* -n.

‖ 용암~ Lavaplateau *n.* -s, -s.

대지(臺紙) Karton *m.* -s, -s(-e); Pappe *f.* -n. ¶ ~에 붙이다 auf [4]Karton auf|ziehen*[4] / 사진을 ~에 붙이다 e-e Photographie auf [4]Pappe (Karton) auf|ziehen* (auf|kleben).

대지르다 =대들다.

대지주(大地主) Großgrundbesitzer *m.* -s, -.

대지팡이 Bambusstock *m.* -(e)s, ⸗e.

대진(代診) die Untersuchung 《-en》 an Stelle e-s anderen Arztes. ~하다 an Stelle e-s anderen Arztes untersuchen[4].

‖ ~의사 Assistenz¦arzt (Hilfs-) *m.* -es, ⸗e.

대진(對陣) das Gegenüberstehen* 《-s》 der Armeen. ~하다 gegenüber|stehen*[3]; [4]sich gegenüber|stellen[3]; [4]sich dem Feind gegenüber lagern (적과). ¶ 강을 끼고 ~하다 auf beiden Seiten des Flusses einander gegenüber lagern.

대질(對質) 〖법〗 Konfrontation *f.* -en; Gegenüberstellung *f.* -en. ~하다 konfrontieren[4]; gegenüber|stellen[4]. ¶ 피고와 원고를 ~시키다 den Kläger mit dem Angeklagten konfrontieren; den Kläger dem Angeklagten gegenüber|stellen.

‖ ~심문 Konfrontation; das Konfrontieren*, -s.

대질리다 hart angegriffen (attackiert) werden; e-n Stoß bekommen*[4].

대집행(代執行) 〖법〗 Vollstreckung 《*f.* -en》 durch e-n Stellvertreter; Vollziehung 《*f.* -en》 in Vertretung.

대짜(大一) ein großes Ding, -(e)s, -e; etwas Großes*. ¶ ~못 ein großer Nagel, -s, ⸗ / ~ 물고기를 한 마리 잡다 e-n großen Fisch fangen*.

대짜배기(大一) etwas Großes* (Gigantisches*; Massiges*; Riesiges*; Ungefeures*); 〖형용사적〗 groß; riesengroß; mordsgroß; mordsmäßig; Mords-; Riesen-. ¶ ~ 사발 (술잔) e-e große Schale ((Trink)schale) -n / ~로 groß; großartig; in großem Maßstab / ~로 한잔하다 in e-m großen Krug trinken[(4)].

대쪽 ein Stück 《*n.* -es, -e》 gespaltenen Bambusses. ¶ 성미가 ~같은 사람 ein standhafter (ehrlicher; gerader; aufrichtiger) Mensch, -en, -en.

대차(大車) ① ein großer zweispänniger Wagen, -s, -. ② 《대차륜》 〖기계체조〗 Riesenschwung *m.* -(e)s, ⸗e.

대차(大差) ein großer Unterschied, -(e)s, -e. ¶ ~가 생기다 e-n großen Unterschied machen / 이 두 개의 뜻에는 ~가 있다 (없다) Zwischen den beiden Bedeutungen besteht (ist) ein (kein) großer Unterschied. / 환자의 병세는 어제와 ~가 없다 Im Zustand des Kranken hat sich seit gestern nicht viel geändert.

대차(貸借) Borgen u. Verborgen, des - u. -s; Soll u. Haben, des - u. -s; 《토지》 Pachten u. Verpachten, des - u. -s; 《가옥》 Mieten u. Vermieten, des - u. -s. ¶ ~를 차감하다 mit *jm.* Konto saldieren; mit *jm.* ein

Konto aus|gleichen* / ～를 결산하다 e-e Bilanz ziehen*; e-e Rechnung aus|gleichen* / 나는 그 사람과 ～ 관계가 없다 Ich habe k-e Rechnung mit (bei) ihm zu begleichen. / 학생간의 ～는 금지되어 있다 Unter den Schülern ist Borgen u. Verborgen verboten. / 이것으로 ～는 끝났다 Das wird den Rechnungs-Saldo ausgleichen. ¦ Hiermit sind wir quitt (친구 사이에서).

‖ ～계약 Darlehnvertrag *m.* -(e)s, ⸗e. ～기한 der Termin 《*m.* -s, -e》 der Anleihe; Pachttermin; Mietstermin *m.* -s, -e. ～대조표 Bilanz *f.* -en; Rechnungsabschluß *m.* ..lusses, ..lüsse. ～소송 Schuldklage *f.* -n. ～채권자 Darlehnsgläubiger *m.* -s, -. ～채무자 Darlehnsschudner *m.* -s, -.

대찰(大刹) der große (Buddhist)tempel, -s, -; die buddhistische Kathedrale, -n.

대창 der Dickdarm 《-(e)s, ⸗e》 e-s großen Tiers; Kaldaune *f.* -n 《보통 *pl.*》.

대창(大漲) 《큰물》 Hochwasser *n.* -s, -; Überschwemmung *f.* -en.

대책(大册) ein dickes (umfangreiches) Buch, -(e)s, ⸗er. ¶ 2,000 페이지의 ～ ein dicker Band von 2,000 Seiten.

대책(對策) Gegenmaßregel *f.* -n; Gegenplan *m.* -(e)s, ⸗e; Gegenliste *f.* -n. ¶ ～을 세우다 Gegenmaßregeln 《*pl.*》 ergreifen* (treffen*) 《*gegen*[4]》; 《임기응변의》 [4]sich in die Umstände schicken / ～ 강구에 골몰하다 [3]sich den Kopf zerbrechen*, um Gegenmaßregeln zu finden / ～을 강구하기가 어려울 것이다 Es wird wohl schwierig sein, e-e Gegenmaßregel zu finden.

‖ 수해～ Maßregeln 《*pl.*》 gegen die Überschwemmung (Wassersnot).

대처(帶妻) Heirat *f.* -en; Verheiratung *f.* -en. ‖ ～승 ein verheirateter Priester -s, - (Bonze, -n, -n).

대처하다(對處—) (Gegen)maßregeln 《*pl.*》 nehmen* (ergreifen*; treffen*) 《*gegen*[4]》; geeignete Maßnahmen 《*pl.*》 ergreifen* (treffen*) 《*gegen*[4]》. ¶ 난국(難局)에 ～ e-e schwierige Lage handhaben / 어떤 사태에 대해서도 잘 ～ jeder schwierigen [3]Lage gewachsen sein.

대척(對蹠) Gegenfüßlertum *n.* -s. ¶ ～의 antipodisch; gerade entgegengesetzt.

‖ ～자 Antipode *m.* -n, -n; Gegenfüßler *m.* -s, -. ～점 Nadir *m.* -s. ～지 die diametal gegenüberliegenden Teile 《*pl.*》.

대천(大川) ein großer Strom, -(e)s, ⸗e; ein großer Fluß, ..usses, ..üsse.

대첩(大捷) ein großer Sieg, -(e)s, -e. ～하다 e-n großen Sieg erringen* (erfechten*).

대청 die weiße Membrane 《-n》 auf der Innenseite des Bambus.

대청(大青) 〖식물〗 (Färber)waid *m.* -(e)s, -e.

대청(大廳) die große Diele, -n; Halle *f.* -n. ‖ ～마루 ☞ 대청(大廳).

대청소(大淸掃) das Großreinemachen*, -s; das große Reinemachen*, -s; die allgemeine Reinigung, -en. ～하다 das ganze Haus reinmachen (reinigen). ‖ 춘계～ das Frühlingsgroßreinemachen*, -s.

대체(大體) ① 《요점》 Haupt¦punkt *m.* -(e)s, -e (-sache *f.* -n); Hauptzüge 《*pl.*》; Kernpunkt; das Wesentliche*; 《개략》 Umriß *m.* ..risses, ..risse. ② 〖부사적〗 im allgemeinen (wesentlichen); im großen u. ganzen; in der Hauptsache; 《본래》 eigentlich (im Grunde genommen); 《평균적으로》 durchschnittlich; 《통상적으로》 gewöhnlich; 《일반적으로》 in der Regel. ¶ ～로 너의 생각은 틀려 있다 Du irrst dich von Grund aus. / 건물은 ～로 완성되었다 Das Gebäude ist beinahe (größtenteils) fertig. / 한국인은 ～로 근면하다 Im allgemeinen sind die Koreaner fleißig.

대체(代替) 《보충·대리》 Ersetzung *f.* -en; 《갱신》 Erneuerung *f.* -en. ～하다 an die Stelle setzen[4]; ein|setzen[4] 《*für*[4]》; ersetzen[4] 《*durch*[4]》; *jn.* vertreten*; die Stelle *js.* (*js.* Stelle) ein|nehmen* (aus|füllen). ¶ ～의 vertretbar; fungibel / ～할 수 없는 unersetzlich; unersetzbar.

‖ ～물 Ersatz *m.* -es; Surrogat *n.* -(e)s, -e; Reserve *f.* -n; die fungible (vertretbare) Sache, -n.

대체(對替) Überweisung *f.* -en; Giro [ʒi:ro] *n.* -s, -s (..ri). ～하다 überweisen*[4]; transferieren[4]. ¶ 어음을 ～하다 e-n Wechsel übertragen*.

‖ ～계정 Kontoüberweisung *f.* -en: ～계정 거래 Girokontoverkehr *m.* -(e)s, -e. ～저금 das überwiesene Spargeld: ～ 저금 계좌 10번 das überwiesene Postcheckkonto (Girokonto) Nr.10 / ～ 저금 불입용지 Zahlkarte *f.* -n. ～전표 Überweisungszettel *m.* -s, -; Überweisungsnote *f.* -n; Tranferzettel *m.*

대초(大草) 〖인쇄〗 die kursive (schräge) Großdruckschrift, -en.

대총통(大總統) Präsident *m.* -en, -en.

‖ ～부(府) Präsidentschaft *f.*; Generalissimus *m.* -, -se (..mi).

대추[1] 〖식물〗 Judendorn *m.* -s, -e(n); Brustbeere *f.* -n. ¶ ～나무에 연 걸리듯 bis über die Ohren in Schulden stecken / ～씨 같다 Er ist auch als kleiner Körper sehr stark.

‖ ～야자 Dattel *f.* -n (열매); Dattelbaum *m.* -(e)s, ⸗e (나무).

대추[2] 《물려낸 것》 gebrauchte Waren 《*pl.*》; alte Erbstücke 《*pl.*》.

대출(貸出) das Verleihen* (Ausleihen*; Darlehen*) -s; Darleihung *f.* -en; 〖속어〗 das (Ver)pumpen*, -s. ～하다 verleihen*[4]; leihen*[4]. ¶ 돈을 ～하다 *jm.* Geld leihen* / 돈을 ～하고 이자를 받다 《은행》 Geld auf Zinsen an|legen; 《개인》 Geld gegen Zinsen aus|leihen* / 책을 ～하다 *jm.* ein Buch aus|leihen*; *jm.* ein Buch leihweise überlassen*.

‖ ～계 Kassierer 《*m.* -s, -》 für Darlehen. ～초과 Überziehung *f.* -en. 비상～ Notdarleh(e)n *n.* -s.

대충 《대략》 annähernd; etwa; grob; rund; schätzungsweise; ungefähr; zirka 《생략: ca.》; in runden (abgerundeten) Zahlen (개략수); 《간단히》 leichthin; eilfertig; kurz; 《거충거충》 flüchtig; kursorisch; 《대체로》 in großen Zügen; im großen u. ganzen; skizzenhaft. ¶ ～ 어림잡다 (계산하다) grob berechnen[4]; überschlagen*[4]; [3]sich e-n Überschlag machen / ～ 어림잡아 nach annähernder (ungefährer) Schätzung / ～ 훑어보다 durch|blättern[4] (책 따위를); überfliegen*[4] (편지 따위); flüchtig durchsehen*[4] (서류 따위를) / ～ 말하면 kurz gesagt; kurz u. gut; wenn ich mich kurz fasse / ～ 설명하다 in großen Umrissen (im großen u. ganzen) erklären[4] / ～ 쓰다 auszugsweise schreiben*[4]; in großen Zügen dar|stellen[4];

in großen Umrissen schildern[4] / 그에게는 ~ 말해두었다 Ich habe ihm kurz davon Bescheid gegeben.

대충(代充) Ergänzung (Ersetzung) *f.* -en. ~하다 ergänzen[4]; ersetzen[4]; vervollständigen[4]; aus|füllen*[4] 《durch e-n Ersatz》.

대충자금(對充資金) 〖경제〗 Gegenwert¦mittel *n.* -s, -; Gegenwertfonds [..fɔ̃:] *m.* -[..fɔ̃:(s)], - [..fɔ̃:s].

대취(大醉) =만취(滿醉).

대치(對峙) das Gegenüberstehen*, -s. ~하다 gegenüber|stehen*[3]; gegenüber|liegen*[3]; [4]sich gegenüber|stellen[3]. ¶ 서로가 ~하여 양보하지 않는다 K-r will dem andern weichen* (nach|geben*).

대치(對置) das Gegenüberstellen*, -s. ~하다 gegenüber|stellen[34]; entgegen|stellen[34].

대칭(對稱) ① 〖수학〗 Symmetrie *f.* -n [..trí:ən]; Gleich¦maß (Eben-) *n.* -es. ¶ (좌우) ~의 symmetrisch; gleich¦mäßig; ebenmäßig. ② 《제2인칭》 die zweite Person, -en.
‖ ~대명사 das zweite Personalpronomen, -s, - (..mina); Anredeform *f.* -en. ~삼각형 das symmetrische Dreieck, -(e)s, -e. ~식 die symmetrische Formel, -n. ~점 der symmetrische Punkt, -(e)s, -e. ~중심 Zentrum 《*n.* -s, ..tren》 der Symmetrie. ~축 Symmetrieachse *f.* -n. ~평면 Symmetrieebene *f.* -n. ~함수 die symmetrische Funktion, -en.

대칼 Bambusmesser *n.* -s, -.

대컨 im allgemeinen; im wesentlichen; im großen u. ganzen; in der Hauptsache; eigentlich.

대타(代打) ~하다 〖야구·크리켓〗 für e-n andern schlagen*[4]; an *js.* Stelle schlagen*[4]; pinch-hit.
‖ ~자 Ersatzschläger *m.* -s, -; Pinch-hitter *m.* -s, -.

대테 Bambusreifen *m.* -s, -; Bambusring *m.* -(e)s, -e; Bambusband *n.* -(e)s, ⸚er.

대토(代土) das ersetzte Land (Gut) -(e)s, ⸚er; das ausgetauschte Land (Gut); ein neues Land für das verkaufte; das versetzte Pachtgut, -(e)s, ⸚er; Acker- od. Grundstückumtausch *m.* -es, -e.

대톱(大—) Schrotsäge *f.* -n.

대통(—桶) 《담뱃대의》 der Kopf 《-(e)s, ⸚e》 e-r Tabakpfeife; Pfeifenkopf *m.* -(e)s, ⸚e.

대통(—筒) Bambusrohr *n.* -(e)s, -e; Bambustube *f.* -n.

대통(大通) der glückliche Erfolg, -(e)s, -e; das Gelingen*, -s; das Gedeihen*, -s. ~하다 Glück haben; glücklich vonstatten gehen* (aus|gehen) ⓢ; glücklich sein; gelingen*[3]; florieren. ¶ 나의 운이 ~했다 Das Glück hat mich begünstigt.¦Mir hat Fortuna gelächelt. / 운만 좋으면 만사가 ~한다 Wo das Glück hin kommt, kommt's im Haufen.

대통(大統) kaiserliche (königliche) Stammfolge, -n (Linie, -n); die erbliche Nachkommenschaft 《-en》 in der königlichen Familie. ¶ ~을 잇다 ein Thron erben; *jm.* auf den Thron folgen.

대통령(大統領) Präsident *m.* -en, -en. ¶ ~의 präsidial; Präsidenten- / ~이 되다 den Präsidentenstuhl besteigen* (ein|nehmen*).
‖ ~관저 die Amtswohnung 《-en》 des Präsidenten; 《미국의》 der offizielle Wohnsitz 《-es》 des US-Präsidenten; das Weiße-Haus. ~교서 die Proklamation 《-en, -en》 e-s Präsidenten. ~선거 Präsidentenwahl *f.* -en. ~임기 die Amtszeit des Präsidenten; Präsidialperiode *f.* -n. ~직 Präsidentenstelle *f.* -n; Präsidentschaft *f.* ~후보자 Präsidentschaftskandidat *m.* -en, -en. 부~ Vizepräsident *m.* -en, -en.

대퇴(大腿) 〖해부〗 Oberschenkel *m.* -s, -.
‖ ~골 Schenkel¦bein *n.* -(e)s, -e; Schenkelknochen *m.* -s, -. ~부 Hüftgelenk *n.* -(e)s, -e.

대파(大破) ① 《깨짐》 e-e schwere Beschädigung, -en; e-e schwere Zerstörung, -en. ~하다 schwer beschädigt (zerstört) werden; schweren Schaden erleiden*. ② 《격파》 Zerstörung *f.* -en; Zerschlagung *f.* -en; Zerschmetterung *f.* -en; Vernichtung *f.* -en; Vertilgung *f.* -en; Demolition *f.* -en; Destruktion *f.* -en. ~하다 zerstören[4]; zerschlagen*[4]; zerschmettern[4]; vernichten[4]; vertilgen[4]; demolieren[4]; destruieren[4].

대파(代播) 〖농업〗 die Einpflanzung e-s anderen Getreides in dem getrockneten Reisfeld. ~하다 in dem getrockneten Reisfeld anderes Getreide aus|säen; im dürren Reisfeld andere Samen (z.B. Buchweizen) säen.

대판(大—) ① 《큰 판》 Großartigkeit *f.*; Massigkeit *f.*; das große Maß, -es, -e; 〖부사적〗 in großem Maßstab. ¶ ~ 싸움 ein großer Streit, -(e)s, -e / ~ 싸움을 하다 heftig streiten*. ② 《큰 도량》 Großmut *f.*; Seelengröße *f.*

대판(大版) Großformat *n.* -(e)s, -e; 《종이》 Folioformat. ¶ ~의 von großem Format.

대판(代辦) Agentschaft *f.* -en; Agentur *f.* -en; Vertretung *f.* -en. ~하다 vertreten*[4]; die Vertretung über|nehmen*.
‖ ~계약 Agenturvertrag *m.* -(e)s, ⸚e. ~인 Agent *m.* -en, -en; Vertreter *m.* -s, -.

대판거리(大—) ☞ 대판(大—) ①.

대패 〖공구〗 Hobel *m.* -s, -.
‖ 대팻날 Hobelmesser *n.* -s, -; Hobeleisen *n.* -s, -. 대팻밥 (Hobel)späne 《*pl.*》; 《포장용》 Span *m.* -(e)s, ⸚e; Holzwolle *f.* -n.

대패(大敗) e-e schwere (vernichtende; gänzliche; totale) Niederlage, -n. ~하다 e-e schwere (vernichtende) Niederlage erleiden*; e-n großen (schweren; unersetzlichen) Verlust erleiden*; aufs Haupt geschlagen werden. ¶ ~시키다 vertilgen[4]; vernichten[4]; zu Grunde (zugrunde) richten[4].

대패질 das Hobeln*, -s. ~하다 die Oberfläche mit einem Hobel glätten. ¶ 판자에 ~하다 ein Brett hobeln.
‖ ~꾼 Hobler *m.* -s, -.

대포 das Trinken ohne Zuspeise; 《술》 Reiswein *m.* -(e)s, -e; Reisschnaps *m.* -es, ⸚e (소주); alkoholisches Getränk, -(e)s, -e (주류 일반).
‖ 대폿값 Trinkgeld *n.* -(e)s, -er. 대폿잔 Reisweinschüssel *f.* -n. 대폿집 Trinkstube *f.* -n; Kneipe *f.* -n; Schenke *f.* -n; Ausschank *m.* -(e)s, ⸚e; Budike *f.* -n.

대포(大砲) ① 《포》 Geschütz *n.* -es, -e; Kanone *f.* -n. ¶ ~를 쏘다 e-e Kanone ab|feuern / ~를 조작하다 ein Geschütz bedienen/ ~ 소리 der Donner 《-s, -》 e-s Geschützes/ ~로 참새 잡다 mit Kanonen nach Spatzen schießen*. ② 《거짓말》 Lüge *f.* -n; Erdichtung; Märchen *n.* -s, -. ¶ ~를 놓다 lügen;

jm. Romane erzählen.

대폭(大幅) die große Breite e-s Stoffes; die volle 〔doppelte〕 Breite; das breite Tuch, -(e)s, -e. ¶ ~의 doppeltbreit / ~으로 bedeutend; ansehnlich; beachtlich; wesentlich / ~적으로 in bedeutendem Maße; um vieles/ 가격의 ~ 인하(인상) die bedeutende Preissenkung, -en 〔-steigerung, -en〕 / ~(적인) 삭감 die drastische Verkürzung, -en / 예산을 ~ 삭감하다 das Budget [bʏdʒé:] 〔den Etat [etá:]〕 drastisch kürzen.

대표(代表) ① 《대표함》 (Stell)vertretung *f.* -en; Repräsentation *f.* -en. ② 《대표자》 (Stell)vertreter *m.* -s, -; Repräsentant *m.* -en, -en; der Delegierte*, -n, -n; Wortführer *m.* -s, -. **~하다** vertreten*[4]; repräsentieren[4]. ¶ ~적 repräsentativ; typisch; vorbildlich / ~적 인물 der repräsentative Mann / …을 ~해 anstatt[2]; im Namen[(2)] 《*von*[3]》; in Vertretung[(2)] 《*von*[3]》 / 대사는 본국정부를 ~한다 Der Botschafter vertritt s-e Regierung.

‖ **~권**(權) Vertretungsbefugnis *f.* ..nisse; Vertretungsvollmacht *f.* -en. **~단** Abordnung 〔Delegation; Deputation〕 *f.* -en. **~번호** 《전화의》 Sammelnummer *f.* -n. **~사원** der vertretungsberechtigte Gesellschafter, -s, -. **근로자~** der Arbeiterdelegierte*, -n, -n. **자본가~** der Unternehmerdelegierte*, -n, -n.

대푼 ein Pfennig *m.* -(e)s, -e; ein Heller *m.* -s, -; ein roter Heller; eine kleine Summe 〔Geld *n.* -(e)s, -er〕.

‖ **~변** ein Prozent Zins. **~짜리** etwas, was e-n Heller wert ist; das wertlose Ding, -(e)s, -e. **~쭝** das Gewicht 《-(e)s, -e》 e-s Pfennigstücks.

대품(代一) Zusammenarbeit *f.* -en; Arbeitaustausch *m.* -(e)s.

대품(代品) Ersatz *m.* -es; Ersatzmittel *n.* -s, -; Ersatzstoff *m.* -(e)s, -e; Surrogat *n.* -(e)s, -e.

대풍(大風) der starke 〔heftige〕 Wind, -(e)s, -; Sturmwind *m.* -(e)s, -e; 《질풍》 Windsturm *m.* -(e)s, ⸚e.

대풍(大豊) die reiche 〔gute〕 Ernte, -n; Rekordernte *f.* -n. ¶ 금년은 ~이 기대된다 Die Ernte in diesem Jahr verspricht sehr ergiebig zu werden.

대풍수(大楓樹) 〖식물〗 der Baum *Taractogenes kurzii*; Chaulmoograbaum [tʃɔ́:lmu:grə..] *m.* -(e)s, ⸚e.

대풍자(大楓子) 〖한의학〗 Chaulmoograsamen [tʃɔ́:lmu:grə..] *m.* -s, -.

‖ **~유**(油) Chaulmoograöl *n.* -(e)s, -e.

대피(待避) **~하다** 〖철도〗 aus|weichen*Ⓢ; 《공습 따위를》 Schutz suchen 《*in*[3]; bei *jm.*》.

‖ **~선** Rangiergeleise *n.* -s, -; Nebengeleise *n.* -s, -; Abstellgleis *n.* -es, -e. **~역** Rangierbahnhof [rãʒí:r..] *m.* -(e)s, -e 〔⸚e〕. **~호** Unterstand *m.* -(e)s, ⸚e.

대필(代筆) die schriftliche Vertretung. **~하다** an *js.* [3]Stelle 〔für *jn.*〕 schreiben*[4]. ¶ 아버님의 ~을 분부 받았다 Ich wurde von m-m Vater beauftragt, an s-r Stelle zu schreiben.

대하(大河) ein großer Strom, -(e)s, ⸚e; ein großer Fluß, Flusses, Flüsse.

‖ **~소설** ein umfangreicher 〔bänderreicher〕 Roman, -s, -e. 〔-s, -.

대하(大廈) ein großes 〔geräumiges〕 Gebäude,

대하(大蝦) 〖동물〗 Languste *f.* -n.

대하다(對一) ① 《마주 봄》 gegenüber|stehen* 〔-|liegen〕*[3]; wider|stehen*[3] (반항). ¶ …을 대하고 gegen[4]; gegenüber[3] (마주); vor[3] / 거울을 ~ in e-n Spiegel schauen 〔sehen*〕; vor e-m Spiegel stehen*; vor e-n Spiegel treten*Ⓢ / 책상을 ~ [4]sich an den Tisch setzen; am Tische Platz nehmen* / 그를 대할 낯이 없다 Ich schäme mich, ihn zu treffen. ¦ Ihm kann ich nicht ins Gesicht sehen.

② 《상대·대접》 ¶ 무정하게 ~ hart 〔gefühllos〕 sein 《*gegen*[4]》 / 불친절하게 ~ unfreundlich 〔lieblos〕 behandeln[4] / 신에 대한 사랑 die Liebe zu [3]Gott / 죽음에 대한 공포 Furcht 《*f.*》 vor dem Tode / 그것에 대한 당신의 의견은 어떻습니까 Was sagen Sie dazu?

③ 《비례》 im Verhältnis 《*zu*[3]》. ¶ 9가 3에 대한 비는 3이 1에 대한 비와 같다 9 verhält sich zu 3 wie 3 zu 1.

④ 《관하여》 ¶ …에 대하여 von[3]; über[4]; in bezug auf[4]; in betreff; betreffend; in [3]Hinsicht auf[4]; hinsichtlich[2]. ¶ 그 일에 대하여 davon; darüber / 나에 대하여 was mich anlangt 〔betrifft〕; für m-e Person.

대하증(帶下症) 〖의학〗 Leukorrhöe *f.*; der weiße Fluß, ..sses.

대학(大學) Hochschule *f.* -n (종합, 단과의 총칭, 좁은 의미로 단과); 《종합》 Universität [..ver..] *f.* -en; Akademie *f.* -n [..mí:ən] (원래는 일반대학, 현재는 예술,의학,삼림,교육 등의 단과에 씀); die Almamater (Universität의 별칭). ¶ ~의 자유 die akademische Freiheit / ~ 1년생 Fuchs *m.* -es, ⸚e / ~을 갓 나왔다 frisch von der Universität sein; eben erst von der Universität kommen* Ⓢ / ~ 시험을 보다 [4]sich dem Eintrittsexamen e-r Universität unterziehen* / ~에 입학하다 [4]sich immatrikulieren lassen* / ~에 다니다 die Universität besuchen / ~에 재학하다 auf der Universität sein / ~강의를 듣다 Universitätsvorlesungen besuchen; in die Vorlesungen 〔ins Kolleg〕 gehen*Ⓢ; bei e-m Professor hören (어느 교수의) / ~에 봉직하다 an der Universität tätig sein/ 어느 ~에 다니십니까 Welche Universität besuchen Sie? / 아들을 ~에 보내고 있다 Er läßt s-n Sohn studieren. / ~의 학년은 대개 두 학기로 나누어져 있다 Das akademische Studienjahr zerfällt allgemein in zwei Semester. / 그는 C ~에 재학중이다 Er studiert in 〔an〕 der Universität C. / 그는 K ~을 나왔다 Nach vollendetem Studium verließ er die Universität K. ¦ Er wurde von der Universität K graduriert.

‖ **~강사** Dozent *m.* -en, -en. **~개혁** Hochschulreform *f.* -en. **~교수** (Universitäts-) professor *m.* -s, -en. **~교육** Universitätsbildung *f.* -en. **~도시** Universitätsstadt *f.* ⸚e. **~병원** Universitätsklinik *f.* -en. **~생** Student *m.* -en, -en (남); Studentin *f.* -nen (여): ~생 소요 Studentenunruhen 《*pl.*》. **~생활** Universitätsleben *n.* -s, -. **~원** der Forschungskursus 《-, ..kurse》 nach Abschluß der Studienzeit 〔nach Erlangen des ersten akademischen Grades〕. **~조교수** der außerordentliche Professor, -s, -en. **~졸업생** der Graduierte* 〔Promovierte* [..vi:..]〕 -n, -n; der akademisch Gebildete*, -n, -n; der Studierte*, -n, -n; Akademiker *m.* -s, -. **~총장** Rektor *m.* -s, -. **~학장** Dekan

m. -s, -e.
대학자(大學者) der vielwissende 〔große; berühmte〕 Gelehrte*, -n, -n; der große Wissenschaftler, -s, -; Kenner *m.* -s, -.
대한(大旱) große Trockenheit; anhaltende Dürre.
대한(大寒) ① 《절후》 die Zeit 《-en》 der grimm(ig)en 〔schneidenden; starken〕 Kälte; die kälteste Zeit. ② 《추위》 die starke 〔schneidende〕 Kälte.
대한(大韓) Korea *n.* -s. ¶ ~의 koreanisch.
‖ ~민국 die Republik Korea. ~해협 die Meerenge 《-, -n》 von Korea.
대합(大蛤) 〖조개〗 Venusmuschel *f.* -n.
대합실(待合室) ① 《역 따위의》 Wartesaal *m.* -(e)s, ..säle; Warteraum *m.* -(e)s, ⸗e. ② 《병원 따위의》 Wartezimmer *n.* -s, -; Vorzimmer *n.* -s.
‖ 일이등~ der Wartesaal 1. u. 2. Klasse.
대항(對抗) das Gegeneinanderstehen*, -s; Widerstand *m.* -(e)s, ⸗e; Antagonismus *m.* -. ~하다 gegeneinander|stehen*[3]; widerstehen*[3]. ¶ 금력으로는 그에게 ~할 수 없다 M-e Geldmacht kann gegen die s-e nicht bestehen.
‖ ~무기 Gegenwaffe *f.* -n. ~수단 Gegenmittel *n.* -s, -. ~시합 Wettkampf *m.* -(e)s, ⸗e. ~조치(措置) Gegenmaßnahme *f.* -n. ~책(策) Gegen¦plan *m.* -(e)s, ⸗e 〔-anschlag *m.* -(e)s, ⸗e〕.
대해(大害) der große Schaden, -s, ⸗; die große Beschädigung, -en. ¶ 곡식에 ~를 주다 an [3]Getreide großen Schaden verursachen.
대해(大海) großes 〔weites〕 Meer, -(e)s, -e; Ozean *m.* -s, -e. ¶ 망망 ~ das weit ausgedehnte Meer / ~로 저어 나가다 auf hohe 〔offene〕 See hinaus|rudern ⓢ / ~일적 ein Tropfen 《*m.* -s》 im großen Meer / 우물 안 개구리 ~를 모른다 Im engen Kreis verengert sich der Sinn.
대행(代行) Stellvertretung *f.* -en; Agentur *f.* -en. ~하다 als Stellvertreter fungieren 《*für*[4]》; vertreten* 《*jn.* in s-m Amt》(어떤 사람의 직무를).
‖ ~기관〔업〕 Agentur *f.* -en; Agentschaft *f.* -en. ~자 Stellvertreter *m.* -s, -.
대헌장(大憲章) 〖역사〗 Magna Charta [kár..] *f.*
대현(大賢) ein Mensch 《*m.* -en, -en》 von großer Weisheit; der große Weise*, -n, -n. ¶ ~은 마치 대우(大愚)와 같다 Ein großer Weiser wird oft für e-n Narren gehalten.
대형(大兄) 《편지 서두에서》 Herr *m.* -n, -en; 《존칭》 Sie.
대형(大形·大型) das große Format, -(e)s, -e. ¶ ~의 von großer Gestalt; von großem Format / ~의 투수 ein Werfer 《*m.* -s, -》 von großem Kaliber.
대형(隊形) 〖군대〗 Formation *f.* -en; Aufstellung *f.* -en. ¶ 행군〔전투〕 ~ Marsch¦formation 〔Gefechts-〕 *f.* -en / ~을 정연히 하고 in guter Formation 〔Ordnung〕 / ~을 짜고 비행하다 in Formation fliegen* ⓢ,ⓗ / 4열 ~을 짜다 die Truppen in vier Reihen auf|stellen / ~이 흐트러지다 Die Formation ist in Unordnung.
대화(大火) =큰불.
대화(大禍) ein großes Unglück, -(e)s 〔Unheit, -(e)s; Leid, -(e)s〕. ¶ ~를 입다 von e-m Unfall 〔Unglück; Mißgeschick〕 betroffen werden*; verunglücken ⓢ.
대화(對話) Gespräch *n.* -(e)s, -e; Unterhaltung *f.* -en; Unterredung *f.* -en (토의); Dialog *m.* -(e)s, -e (연극의). ~하다 sprechen* 《mit *jm. über*[4]》; [4]sich unterhalten* 《mit *jm. über*[4]》. ¶ 두 사람의 ~ Zweigespräch *n.* -(e)s, -e; Zwiegespräch *n.* -(e)s, -e / 세 사람의 ~ Dreigespräch *n.* / ~를 시작하다 ein Gespräch mit *jm.* an|knüpfen; [4]sich in ein Gespräch ein|lassen* 《*mit*[3]》.
‖ ~술 Sprachkunst *f.* ⸗e. ~자 Sprecher *m.* -s, -. ~체 der dialogische Stil, -(e)s, -e: ~체로 써 있다 in Dialog geschrieben sein.
대환(大患) 《근심》 große Sorge, -n; großer Kummer, -s; 《병》 die schwere 〔ernste; gefährliche〕 Krankheit, -en.
대황(大黃) 〖식물〗 Rhabarber *m.* -s, -.
대회(大會) e-e große Versammlung, -en; Haupt¦versammlung 〔General-〕 *f.* -en (총회). ¶ ~를 열다 e-e Versammlung veranstalten; e-e Konferenz ab|halten*.
‖ 국민~ Volks(massen)versammlung *f.*-en. 기념(記念)~ die große Gedächtnisfeier. 당~ Parteitag *m.* -(e)s, -e. 스포츠~ Sportfest *n.* -(e)s, -e. 시민~ die Massenversammlung der Bürger.
대효(大孝) große Anhänglichkeit an die Eltern; großer Gehorsam 《-(e)s》 gegen die Eltern; 《효자》 ein sehr gehorsames 〔anhängliches〕 Kind, -es, -er; die herzliche Kindesliebe, -n.
대후비개 Pfeifenreiniger *m.* -s, -.
대흉(大凶) 《불길》 das große 〔schwere〕 Unglück, -(e)s 〔Unheil, -(e)s; Mißgeschick, -(e)s, -e; Übel, -s, -〕; 《흉악》 Brutalität *f.*; Grausamkeit *f.*
‖ ~년 das Jahr der schweren Mißernte.
대희(大喜) die große Freude, -n; Wonne *f.* -n. ~하다 voller Freude 〔Wonne〕 sein; [4]sich vor Freude nicht zu lassen wissen*.
댁(宅) ① 《집》 Haus *n.* -es, ⸗er; Heim *n.* -(e)s, -e; Wohnung *f.* -en; 《남의 집》 Ihre 〔s-e〕 Wohnung; Ihr 〔sein〕 Haus; 《남의 가족》 Ihre 〔s-e〕 Familie, -n. ¶ 댁은 어디십니까 Wo wohnen Sie? / 댁으로 한번 찾아뵈도 좋겠읍니까 Darf ich einmal bei Ihnen vorbeikommen? / 댁은 먼가요 Wohnen Sie weit von hier? ② 《당신》 Sie. ¶ 댁의 존함은 어떻게 되십니까 Wie heißen Sie? / 댁의 말씀이 옳소 Sie haben recht. ③ 《남의 부인》 Ihre 〔s-e〕 Frau; Frau .... ¶ 한씨 ~ Frau *Han.*
댁내(宅內) Ihre Familie, -n. ¶ ~ 다 안녕하십니까 Geht es Ihrer Familie wohl?¦ Wie geht es zu Hause? / ~ 제절의 만복을 빌겠읍니다 Meine besten, innigsten Wünsche begleiten Ihre Familie!
댁네(宅—) Ihre 〔s-e〕 Frau. 「루루.
댁대구루루 rollend; wälzend. ☞ 땍대구
댄서 Tänzer *m.* -s, -; Tänzerin *f.* -nen (여).
댄스 das Tanzen*, -s; Tanz *m.* -es, ⸗e. ☞ 무도. ~하다 tanzen ⓗ,ⓢ 〖ⓢ는 장소의 이동일 때〗. ¶ 지금 ~할 생각이 없다 Ich habe jetzt k-e Lust zum Tanzen.
‖ ~광(狂) Tanzwut *f.* ~교사 Tanzlehrer *m.* -s, -; Tanzmeister *m.* -s, -. ~교습 Tanzunterricht *m.* -(e)s, -e. ~교습소 Tanzschule *f.* -n. ~뮤직 Tanzmusik *f.* -en. ~파트너 《남자》 Tanzpartner; Mittänzer; 《여자》 Tanzpartnerin; Mittänzerin. ~파티 Ball *m.* -(e)s, ⸗e; Hausball (가정이나 친족끼리의). ~홀 Tanz¦boden *m.* -s, ⸗

〔-lokal *n.* -(e)s, -e; -saal *m.* -(e)s, ..säle〕. ～화(靴) Tanzschuh *m.* -(e)s, -e; Ballschuh *m.* -(e)s, -e.

댐 Damm *m.* -(e)s, ⸚e; Staudamm *m.* -(e)s, ⸚e (저수지의); Talsperre *f.* -n (발전소의). ¶ 강에 댐을 만들다 e-n Fluß ein|dämmen.

댐나무 der Holzschnitt, der untergelegt wird, um beim Hammern k-e Schaden zu bekommen.

댓 ungefähr fünf. ¶ 댓 사람 ungefähr fünf Leute 《*pl.*》/ 댓 권 ungefähr fünf Bände 《*pl.*》.

댓가(代價) Preis *m.* -es, -e; Kosten 《*pl.*》. ¶ ～ 무료 kostenfrei; umsonst; kostenlos / 비싼 ～를 지불하여 mit großen Kosten / 어떤 ～를 지불하더라도 zu jedem Preis; um jeden Preis / 노동(력)의 ～도 못 된다 Die Arbeit bezahlt sich nicht.

댓가(對價) Gegenwert *m.* -(e)s, -e.

댓가지 Bambuszweig *m.* -(e)s, -e.

댓개비 der speilartig gespaltene Bambus, -ses, -se; Bambusspieß *m.* -es, -e.

댓구멍 Bambusloch *n.* -(e)s, ⸚er; Pfeifenrohr *n.* -(e)s, -e. ¶ ～같이 막히다 engherzig 〔kleinlich〕 sein.

댓닭 e-e Art Kampfhahn 《*m.* -(e)s, ⸚e》.

댓돌(臺―) 〖건축〗 Terrassestein *m.* -(e)s, -e.

댓바람 auf einmal; sofort; auf der Stelle; unmittelbar darauf; leicht; ohne Schwierigkeit; mit e-m Zug; mit e-m Male; mit e-m Schlag; auf e-n Schlag. ¶ 아무를 ～에 때려 눕히다 *jn.* auf einmal zu Boden schlagen* / 일을 ～에 해놓다 etwas leicht erledigen.

댓새 ungefähr fünf Tage; etwa fünf Tage.

댓줄기 Bambusstamm *m.* -(e)s, ⸚e; Bambusrohr *m.* -(e)s, -e.

댓진 das in der Pfeife sich angesammelte Nikotin, -s; Pfeifenschmutz *m.* -es.

댓집 das Anschlußloch 《-(e)s, ⸚er》 des Pfeifenkopfes an das Rohr.

댕 bim!; bimbam! ☞ 땡².

댕가리 getrocknete Rübenstengel mit Samen darauf.

댕가리지다 naseweis; frühklug; schnippisch; klein aber mutig und beherzt (sein).

댕강 kling; klang; klirr. ☞ 땡그랑.

댕그랑거리다 klingeln; klimpern; klirren. ¶ 풍경이 ～ Das Windglöckchen klingelt 〔klirrt〕.

댕그랑댕그랑 klingklang!; kling(e)ling!; klinglingling!; bim!; bimbam!

댕기 Haarband *n.* -(e)s, ⸚er. ¶ ～를 들이다 die Haare mit e-m Band binden*.

댕기다 《불이》 Feuer 《*n.* -s, -》 fangen*; 《불을》 an|zünden⁴; an|stecken (담배에).

댕댕 bimbam!; bim!; klingklang!; klingling! ☞ 땡땡.

댕댕이덩굴 〖식물〗 Efeu *m.* -s. ¶ ～의 덩굴 Efeuranke *f.* -n.

댕돌같다 steinhart; solid; diamantenhart; stark; fest (sein).

더 ① 《양》 (noch) mehr; in noch höherem Grade; um so mehr; 《거리》 weiter; noch weiter; 《시간》 (noch) länger. ¶ 조금만 더 noch ein wenig; noch ein bißchen / 한 번 더 noch einmal / 100원을 더 내다 (um) 100 *Won* zuviel zahlen / 한 마디만 더 하겠다 Noch eins möchte ich dir sagen. ¦ Noch ein Wort! / 5분 〔5마일〕 더 가야 한다 Wir müssen noch 5 Minuten 〔Meilen〕 gehen. / 더 주세요 Geben Sie mir noch mehr.
② 《보다 더》 noch+비교급. ¶ 더 좋은 것을 가지고 있어요 Ich habe noch etwas Besseres. / 더 드십시오 Essen 〔Nehmen〕 Sie bitte noch weiter! / 더 계셔도 괜찮겠지오 Sie könnten doch noch etwas länger bleiben. / 더 걷자 Wir wollen noch etwas laufen. / 더 값싼 방법은 없을까 Gibt es nicht noch e-n billigeren Weg? / 더 열심히 공부하세요 Seien 〔Arbeiten〕 Sie noch fleißiger! / 이 문제는 좀 더 연구해보자 Wir wollen dieses Problem noch weiter studieren. / 이것이 더 좋다 Das ist noch besser. / 빠를수록 더 좋다 Je schneller, desto besser. / 부인보다 5년 더 살았다 Er lebte fünf Jahre länger als s-e Frau.

더가다 《거리》 weiter gehen* ⓢ; zu weit gehen ⓢ*; voran|gehen* ⓢ; überschreiten*⁴; weiter fahren* ⓢ; vorwärts|kommen* ⓢ; 《정도》 über ⁴*et.* hinaus|gehen*; mehr als...; länger aus|dauern; 《시계》 vor|gehen* ⓢ. ¶ 이 시계는 10분 더 간다 Diese Uhr geht 10 Minuten vor. / 좀 더 가서 쉬자 Lassen wir ein wenig weiter gehen, bevor wir ausruhen. / 나는 이 모자에 마음이 더 간다 Ich möchte lieber diesen Hut haben. / 경치에 정신이 팔려 나도 모르게 한 정거장 더 갔다 Ich war so begeistert an³ der Schönheit der Landschaft, daß ich an³ einer Station vorbeifuhr.

더구나 überdies; obendrein; außerdem; dazu noch; weiter; zudem; ferner; auch noch dazu; und was noch mehr ist; 《더욱 나쁜 것은》 um das Unglück voll zu machen; um die Sache noch zu verschlimmern. ¶ 그는 직업도 없는데 ～ 몸마저 앓고 있다 Er hat k-e Arbeit, außerdem ist er krank. / 그 여자는 하루 종일 밖에서 일하지 않으면 안 되었다 ～ 한 겨울에 Sie mußte den ganzen Tag draußen arbeiten, und das mitten im kalten Winter.

더군다나 ☞ 더구나.

더그매 der leere Raum 《-(e)s, ⸚e》 unter dem Dach.

더그아우트 〖야구〗 Unterstand *m.* -(e)s, ⸚e; Unterschlupf *m.* -(e)s, ⸚e.

더기 Plateau *n.* -s, -s; Hochebene *f.* -n.

더껑이 Abschaum *m.* -(e)s, ⸚e; 《기관의》 Kesselstein *m.* -(e)s, -e; Kesselsteinbildung *f.* -en; Überkrustung *f.* -en; 《녹인 쇠의》 (Mettal)schlacke *f.* -n; 《상처의》 Scharf *m.* -(e)s, -e. ¶ 죽에 ～가 지다 die Oberfläche des Breies erstarren.

더께 der angesammelte Schmutz, -es; die dreckige Kruste, -n; Abschaum *m.* -(e)s.

더넘 die Sorge, die von dem anderen überlassen bekommen hat.

더넘스럽다 etwas zu groß 〔viel〕; ein wenig 〔ein bißchen〕 zu groß 〔viel〕 (sein).

더느다 e-n Faden 〔ein Garn〕 zweifach zusammen|drehen 〔zwirnen〕.

-더니 ① 《원인이나 조건》 da...; weil...; (und) nun...; da einmal...; seitdem. ¶ 한참 쉬었더니 몸이 거뜬하다 Ich habe ein bißchen ausgeruht, nun fühle ich mich erfrischt. / 포도주 한잔을 마셨더니 기분이 상쾌하다 Ich habe ein Glas Wein getrunken, und nun bin ich bei der guten Laune. / 비가 오더니 날이 따뜻해졌다 Es hat geregnet, (und) nun wurde es warm. / 한번 가더니 그는 소식이 없다 Er läßt nichts von sich hören,

seitdem er weggegangen ist. / 그에게 말했더니 그는 웃었다 Ich sagte es ihm, du lachte er. / 알아봤더니 그는 2년 전에 죽었다 Ich habe erfahren, daß er vor zwei Jahren gestorben ist.
② 《회상·감상조》 früher (war es so), aber jetzt.... ¶ 옛날엔 가을이면 사슴이 종종 내려오더니 (이제는 아니 온다) Früher erschien im Herbst häufig der Hirsch, (aber jetzt nicht mehr.) / 그 전에는 이곳이 연못이더니 … Früher war das ein Teich ....

-더니만 ☞ -더니.

더더구나, 더더군다나 überdies; obendrein; außerdem; dazu noch; auch noch dazu. ☞ 더구나.

더더리 Stammler *m.* -s, -; Stotterer *m.* -s, -.

더덕 〖식물〗 *Ginseng*-artige Pflanze 《eßbar》; *Codonopsis lanceolata* (학명).

더덕더덕 《전면에》 überall; über u. über; ganz; völlig; 《온통》 dick; reichlich; zum Überfluß; übermäßig; allzu reichlich; vollauf; überflüßig; stark. ☞ 다닥다닥. ¶ ~ 갈겨쓰다 [4]Papier beschmieren 〔voll|-schmieren〕 / ~ 칠하다 beschmieren[4]; besudeln[4] / ~ 분을 바르다 [4]sich stark pudern; [4]sich an|malen.

더덜거리다 =더듬거리다 ②.

더덜뭇이 nicht entscheidend; unentschlossen; ungewiß.

더덜뭇하다 nicht entscheidend; unentschlossen (sein); schwanken.

더덜이 das Addieren* 《-s》 und das Subtrahieren* 《-s》; Addition 《*f.* -en》 und Subtraktion 《*f.* -en》.

더덩실 schwebend; schwimmend; flott. ☞ 두둥실.

더데 der Mittelteil 《-(e)s, -e》 der Pfeilspitze, der rund und ausgebaucht ist.

더뎅이 Schorf *m.* -(e)s, -e; Grind *m.* -(e)s, -e. ¶ 부스럼에 ~가 앉다 auf dem Furunkel bildet sich der Schorf.

더듬거리다 ① 《손으로》 tasten 《*nach*[3]》; tappen 《*nach*[3]》; umher|tappen 《*nach*[3]》; umher|-tasten; mit der Hand tasten 《*nach*[3]》; 《발로》 mit dem Fuß tasten 〔tappen〕 《*nach*[3]》. ¶ 지팡이로 길을 더듬거리며 가다 mit e-m tastenden Stock gehen*ⓢ; mit dem Stock tappend 〔tastend〕 gehen* ⓢ / 나는 어두운 복도를 더듬거리며 갔다 Ich tastete mich in dem dunklen Korridor vorwärts.
② 《말을》 stottern; stammeln; stocken (눌변). ¶ 몹시 ~ stark stottern / 더듬거리면서 stotternd; stammelnd / 흥분해서 더듬거리기만 한다 Vor Erregung stammelte er bloß.

더듬다 ① 《말을》 stottern; stammeln; 《더듬더듬》 stocken; stockend sprechen*; in der Rede stammeln (stottern). ¶ 말을 더듬는 버릇이 있다 Er stottert oft beim Sprechen.
② 《손으로》 tappen ⓗⓢ; tasten; umher|-tasten; umher|tappen ⓗⓢ. ¶ 어둠 속을 더듬어 가다 [4]sich im Dunkeln vorwärts|tasten; e-n Weg durch Tasten suchen / 성냥이 있나 더듬어 찾다 nach den Streichhölzern tasten / 칼이 있나 주머니를 더듬어 보다 in den Taschen nach e-m Messer suchen. ③ 《근원·기억을》 folgen[3] ⓢ; verfolgen[4]; nach|-gehen[3] ⓢ. ¶ 기억을 ~ das Gedächtnis zurück|verfolgen; [3]sich e-e Sache ins Gedächtnis zurückzurufen versuchen; s-r [3]Erinnerung nach|gehen* ⓢ / 발자취를 ~ e-r [3]Spur folgen; e-e Spur verfolgen / 역사를 ~ die Geschichte zurück|verfolgen.
④ 《옛자취를》 besuchen[4]. ¶ 고적을 ~ historische Sehenswürdigkeiten 《*pl.*》 besuchen; [4]sich an e-n historisch bemerkenswerten Ort begeben*.

더듬더듬 ① 《말을》 stotternd; stammelnd; stockend. ¶ ~말하다 stockend sprechen*[(4)] 〔erzählen[4]〕; radebrechen[4] (특히 외국어를) / ~ 읽다 undeutlich 〔unsicher〕 lesen*[(4)]. ② 《손으로》 tastend; tappend.

더듬이[1] 《말더듬이》 Stammler *m.* -s, -.

더듬이[2] 〖동물〗 Fühlfäden 《*pl.*》; Fählhörner 《*pl.*》; Barbe *f.* -n; Tasthaar *n.* -(e)s, -e; Antenne *f.* -n.

더듬적거리다 stammeln; stottern; stecken|-bleiben*ⓢ. ¶ 말을 ~ beim Reden stammeln.

더듬적더듬적 stammelnd; stotternd.

더디 langsam; spät; verspätet. ¶ 목적지에 ~ 도착하다 zum Ziele 〔Bestimmungsort〕 verspätet gelangen.

더디다 ① 《느리다》 langsam; schleppend; zaudernd; zögernd (sein). ¶ 더디게 가다 langsam gehen* 〔laufen*〕 ⓢ; schneckenhaft fort|schreiten* 〔avancieren〕 ⓢ / 동작이 ~ langsam handeln / 말이 ~ im Reden schwerfällig sein; die Wörter beim Sprechen dehnen 〔ziehen*〕 / 이해가 ~ langsam von Begriff sein; e-e lange Leitung haben; ein Brett vor dem Kopf haben; 〖속어〗 „unterbelichtet" sein / 일손이 ~ langsam in der Arbeit sein / 진보가 ~ langsame Fortschritte machen / 이 열차는 참 ~ Wie langsam fährt der Zug! / 그는 이해가 ~ Er ist langsam von Begriff.
② 《늦다》 spät; verspätet (sein). ¶ 돌아오는 것이 ~ spät zurück|kommen* ⓢ / 왜 이렇게 돌아오는 것이 더딘지 Warum mag er so spät zurückkommen? / 봄이 ~ Der Frühling kommt spät.

-더라 《회상·감상조》 es wird gesagt, daß...; es geht das Gerücht, daß...; ich habe beobachtet, daß...; ich habe bemerkt, daß...; (상태동사 혹은 완료형)+sollen. ¶ 그는 아까 저리 가더라 Ich habe bemerkt, daß er vor kurzem dorthin gegangen ist. / 그는 멀지 않아 미국에 간다더라 Es geht das Gerücht, daß er in kurzem nach Amerika gehen werde. / 어제는 퍽 춥더라 Ich fand, gestern war es sehr kalt. / 그는 대단히 부자라고 하더라 Er soll sehr reich sein.

-더라도 ① 《가령 …더라도》 gesetzt, daß...; zugegeben, daß...; unter der Annahme, daß ...; auch wenn; selbst wenn; und wenn; auch 〔selbst; sogar〕 dann, wenn. ② 《사실 …더라도》 obgleich; obwohl; obschon; obzwar; wenngleich; wiewohl; ob ...auch 〔gleich〕...; wenn ... auch; wenn ...selbst; wenn... schon. ¶ 그렇다고 하더라도 trotzdem; und doch; dennoch 〖분철: dennoch〗; nichtsdestoweniger; trotz 〔bei〕 alledem / 그것이 사실이라고 하더라도 angenommen 〔gesetzt; zugegeben〕, daß es wahr sei / 어떠한 사람이라 하더라도 was für ein Mann er auch sein mag; er sei, was er sei 〔wolle〕; / 목숨에 관계되더라도 auch wenn es mir ans Leben 〔an den Hals〕 ginge / 무슨 일이 일어나더라도 was auch geschehen mag / 그가 뭐라 하더라도 er mag sagen, was er will / 그것이 어찌 되더라도 es mag daraus, was da wolle / 아무리 괴로운 일이

있더라도 in welchen schlechten Verhältnissen auch immer; wie schlecht die Verhältnisse auch sein mögen / 그가 어디 있다 하더라도 wo er auch sein mag / 내가 그것을 할 수 있다 하더라도 auch (selbst) wenn ich es könnte / 설사 너의 입장이 난처하다 하더라도 사실은 사실이다 Tatsache bleibt Tatsache, (auch) wenn (auch dann) sie dir unbequem ist. ¦ Tatsache bleibt selbst dann noch Tatsache, wenn sie dir unbequem ist. / 잘 된다고 하더라도 이득은 없다 Selbst wenn es gut geht, bleibt kein Gewinn hängen.

-더라면 《가정·희망》 wenn + 접속법 2식; nur wenn + 접속법 2식. ¶ 신발이 좀더 컸더라면 내 발에 맞을 텐데 Die Schuhe würden auf meine Füße passen, wenn sie ein bißchen größer gewesen wären. / 그가 그 일을 했더라면 좋았을 것을 Nur wenn er das getan hätte!

더러[1] ① 《이따금》 zuweilen; bisweilen; von Zeit zu Zeit; zeitweise; dann u. wann; hin u. wieder; manchmal; in Zwischenräumen; gelegentlich. ¶ 그런 일도 ~ 있읍니다 Das kommt auch vor. ¦ Das ist auch nicht ausgeschlossen. ¦ Das kommt manchmal (ab u. zu) vor. / 그 사람한테서 ~ 소식이 있다 Ich höre von ihm dann u. wann. / 나는 그렇게 생각할 때가 ~ 있다 Das habe ich oft gedacht. / 당신들은 ~ 만납니까 Sehen Sie sich oft?
② 《얼마쯤》 etwas; in etwas; um etwas; ein wenig; ein bißchen; einigermaßen; teilweise; zum Teil; bis zum e-m gewissen Grade; in gewissem Grade (Maße). ¶ 나는 그 사람에게 신세를 진 일이 ~ 있다 Ich bin ihm etwas verpflichtet.

더러[2] 《…에게》 ¶ 아버지께서 나~ 심부름가라고 하셨다 Mein Vater sagte mir, daß ich Boten gehen solle. / 선생님이 나~ 공부 잘 하라고 하셨다 Mein Lehrer ermahnte mich, fleißig zu studieren.

더러브레드 《순종의 말》 Vollblut *n.* -(e)s; Vollblütigkeit *f.*; Vollblüter *m.* -s, -; Vollblutpferd *n.* -(e)s, -e. ¶ ~의 Vollblut-; vollblütig.

더러워지다 ① 《불결해짐》 [4]sich beschmutzen; [4]sich dreckig machen; [4]sich besudeln; [4]sich verunreinigen; verschmutzt (verschmiert; befleckt) werden. ¶ 더러워진 물건 das beschmutzte (unreine) Ding, -(e)s, -e (-er) / 더러워진 내의 die schmutzige Wäsche, -n / 더러워지기 쉽다 leicht schmutzig werden; leicht an|schmutzen / 이 책은 (손때가 묻어) 많이 더러워졌다 Dieses Buch ist sehr beschmutzt (stark abgegriffen). ② 《신성한 것이》 entweiht (entheiligt; besudelt) werden. ③ 《명예가》 besudelt (befleckt; beschmiert) werden; 《순결이》 entehrt werden. ¶ 죄악으로 ~ mit Sünden befleckt sein / 그녀의 순결은 더러워졌다 Sie hat ihre Reinheit verloren. / 그런 이야기를 들으면 귀가 더러워진다 E-e solche Geschichte tut m-n Ohren weh.

더럭 ganz plötzlich; sehr schnell. ¶ 겁이 ~ 나다 plötzlich Angst bekommen*; ganz plötzlich Furcht empfinden*.

더럭더럭 eigensinnig; hartnäckig; beharrlich; lästig standhaft. ¶ ~ 조르다 um [4]etwas *jn.* beharrlich bitten* / ~ 재촉하다 *jn.* lästig auf|fordern.

더럼타다 leicht schmutzig (beschmutzt) werden; leicht an|schmutzen. ¶ 더럼타는 옷 die leicht anzuschmutzenden Kleider 《*pl.*》; die Kleider, die leicht schmutzig werden.

더럽다 ① 《불결한》 schmutzig; dreckig; unrein; unsauber; befleckt; beschmutzt (sein). ¶ 더러운 머리 struppiges Haar, -es, -e / 더러운 방 schmutziges (unsauberes) Zimmer, -s, - / 더러운 옷 beflecktes (beschmutztes) Kleid, -(e)s, -er / 더러운 옷차림을 하고 있다 schmutzig (häßlich; ärmlich; unsauber) gekleidet sein.
② 《추잡한》 unanständig; gemein; unflätig; obszön; zotig (sein). ¶ 더러운 이야기 unanständiges (gemeines; ordinäres) Gespräch, -es, -e / 식사 중에는 그런 더러운 이야기를 하지 말라 Sage nicht solche ekelhaften Dinge während des Essens!
③ 《야비한》 gemein; niedrig; verächtlich; ekelhaft; häßlich; feige(비겁한); falsch(허위의); schändlich (sein). ¶ 마음이 더러운 사람 e-e Person 《-en》 mit niedriger Gesinnung / 더럽게 이기다 unrichtig (unehrlich) gewinnen*[4] / 보수를 바라다니 더러운 자식이다 Es ist häßlich von ihm, e-e Entschädigung zu verlangen.
④ 《인색한》 geizig; filzig; knaus(e)rig; knick(e)rig (sein). ¶ 저 사람은 금전에 ~ Er ist sehr knaus(e)rig.

더럽히다 ① 《불결하게》 unrein (unsauber; schmutzig; dreckig) machen[4]; beschmutzen[4]; besudeln[4]; beflecken[4]; verunreinigen[4]. ¶ 잉크로 ~ mit Tinte beflecken[4].
② 《명예를》 beflecken[4]; beschmutzen[4]; besudeln[4]; schänden. ¶ 가문을 ~ die Ehre s-r Familie beflecken; auf (über) s-e Familie [4]Unehre ([4]Schande) bringen*; s-e Familie in [4]Verruf bringen* / 남의 명예를 ~ *js.* Ehre verletzten (an|greifen*); *js.* Ruf beflecken (besudeln); *js.* guten Namen schänden; *jm.* Schande machen (bringen*); *jn.* in Schande bringen* / 자신의 명예를 ~ [4]sich entehren; s-e Ehre beflecken; [4]sich schänden / 조상의 명예를 ~ den guten Namen *js.* Vorfahren schänden.
③ 《순결을》 entehren[4]; schänden[4]; verführen[4]. ¶ 처녀를 ~ e-m Mädchen die (jungfräuliche) Ehre rauben; e-e Jungfrau entehren; 《강간하다》 ein Mädchen notzüchtigen (vergewaltigen).
④ 《신성을》 entheiligen[4]; entweihen[4]. ¶ 사원의 신성을 ~ e-n Tempel entheiligen (entweihen).

더리다 ① 《떠름하다》 ungeschickt; unangemessen; unhandlich (sein). ② 《어리석다》 dumm; töricht; närrisch; albern (sein). ③ 《다랍다》 niedrig; gemein; vulgär; unsauber; unanständig (sein).

더머스탯 Thermostat *m.* -(e)s (-en), -en.

더미 Haufen *m.* -s, -; Menge *f.* -n; Masse *f.* -n; Anhäufung *f.* -en; Dieme *f.* -n. ¶ 쓰레기~ ein Haufen Abfälle 《*pl.*》 / 볏짚~ eine Dieme Stroh / 산~처럼 쌓다 Dinger 《*pl.*》 berg(e)hoch an|häufen.
‖ 돌~ ein Haufen Stein.

더미씌우다 *jn.* beschuldigen; *jn.* an|schuldigen. ¶ 죄를 ~ die Schuld schieben* (ab|wälzen) 《*auf*[4]》; die Schuld zu|schieben*[3] / 그는 그 책임을 나에게 더미씌웠다 Er schob es mir in die Schuhe. / 나에게 책임을 더미씌우다니 너무하다 Es ist arg von ihm, daß er die Verantwortung mir zuschiebt.

더버기 ein Haufen *m.* -s, -; Anhäufung *f.* -en. ¶ 온몸이 흙~가 되다 mit Kot überzogen (zugedeckt) werden.

더벅머리[1] 《머리》 das buschige (dicke; zottige) Haar, -(e)s, -e; altkoreanischer Bubikopf (Pagenkopf) -(e)s, ⸚e; 《아이》 ein Junge* 《*m.* -n, -n》 (mit altkoreanischem Bubikopf).

더벅머리[2] 《갈보》 die Prostituierte, -n, -n; Hure *f.* -n; Dirne *f.* -n.

더부룩더부룩 büschelartig; dicht mit Haaren bewachsen; buschig. ~하다 büschelartig; dicht mit Haaren bewachsen (sein).

더부룩이 ① 《풀이》 (dicht u.) üppig; geil wachsend. ¶ 풀이 ~ 자란 뜰 der mit Gras bewachsene (überwucherte) Garten, -s, ⸚. ② 《머리·수염 등이》 zottig; buschig; struppig; 《빗질을 하지 않은》 ungekämmt; unordentlich; unbeschnitten; 《수염을 깎지 않은》 unrasiert. ¶ 머리털이 ~ 자라다 sein Haar wächst buschig (liederlich) / 수염이 ~ 자랐다 Er hat e-n struppigen Bart.

더부룩하다 ① 《풀 등이》 dicht; üppig; dicht u. üppig; geil wachsend; wuchernd (sein). ¶ 더부룩한 풀 üppige Kräuter 《*pl.*》. ② 《머리·수염 등이》 zottig; buschig; struppig; 《빗질을 하지 않은》 ungekämmt (sein). ¶ 더부룩하게 자란 머리 die lange nicht geschnittenen Haare 《*pl.*》.

더부살이 Schmarotzer *m.* -s, -. ~하다 bei *jm.* schmarotzen. ¶ ~환자(還子) 걱정 das Sorgen* 《-s》 um etwas, was einen nichts angeht.

더북더북 mit Bäumen und Sträuchen bewachsen. ~하다 mit Bäumen und Sträuchen bewachsen sein; dicht sein. ¶ 풀이 ~한 언덕 der mit Bäumen und Sträuchen bewachsene Hügel, -s, -.

더불다 ① 《함께하다》 zusammen|kommen* ⓢ; [4]sich versammeln. ② 《동행》 mit|gehen* ⓢ; mit|fahren* ⓢ; mit|nehmen*[4]; mit|bringen*; *jn.* begleiten.

더불어 =함께, 같이.

더블 Doppel *n.* -s ,- ¶ ~의 doppelt / ~이다 doppelt sein / 이 옷감은 ~이다 Der Stoff liegt doppelt (breit). ‖ ~베드 Doppelbett *n.* -(e)s, -en; das zweischläfige (zweischläf(e)rige) Bett, -(e)s, -en. ~상의 der zweireihige Rock, -(e)s, ⸚e. ~칼라 Stehkragen *m.* -s, -; Umleg(e)kragen *m.* -s, -; Umschlagkragen *m.* -s, -.

더블린 《에이레의 수도》 Dublin.

더블스 【테니스·탁구】 Doppel *n.* -s, -; Doppelspiel *n.* -(e)s, -e.
‖ 남자(여자) ~ Herren¦doppel (Damen-) *n.* -s, -. 혼합 ~ das gemischte Doppel, -s, -.

더비 【경마】 Derby [dέrbi] *n.* -(s), -s; Derbyrennen *n.* -s, -.

더뻑 übereilt; vorschnell; tollkühn; rücksichtslos; ungestüm; heftig. ¶ ~ 내닫다 übereilt weg|laufen* ⓢ; vorschnell ab|fahren* ⓢ / 일에 ~ 달려들다 übereilt Hand an|legen.

더뻑거리다 vorschnell handeln; heftig handeln. ¶ 더뻑거려 실수가 많다 Er irrt sich häufig, da er heftig und vorschnell handelt.

더뻑더뻑 übereilt; vorschnell; heftig; rücksichtslos. ¶ ~ 아무 일에나 달려들다 rücksichtslos alles tun wollen.

더뿌룩하다 den Magen füllend u. beschwerend fühlen; unverdaut bleiben. ¶ 속이 ~ im Magen Beschwerden haben.

더새다 übernachten; bei *jm.* die Nacht zubringen*; bei *jm.* ab|steigen.

더스터 Staubtuch *n.* -(e)s, ⸚er; Staublappen *m.* -s, -.

더스트슈트 Müllschlucker *m.* -s, -.

더없이 am meisten; äußerst; außerordentlich. ¶ ~ 아름다운 꽃 die allerschönste Blume / ~ 기뻐하다 sich äußerst erfreuen.

더우기 ① 《더욱》 noch mehr; in noch höherem Grade; um so mehr. ¶ ~ 좋은(나쁜) 것은 was noch besser (schlimmer) ist.
② 《그 위에 또》 ferner; fernerhin; weiter; weiterhin; des weiteren; außerdem (noch); überdies; dazu noch; obendrein. ¶ 그는 가난한 데다 ~ 병까지 앓고 있다 Er ist arm u. noch dazu krank. / ~ 비까지 쏟아지기 시작한다 Um unser Unglück voll zu machen, fing es an zu regnen. / 그 사람과는 만난 일도 없으니 이야기해 본 적은 ~ 없다 Ich habe ihn nicht gesehen, geschweige denn gesprochen.

더욱 《한층 더》 〔noch+비교급〕 noch mehr; in noch höherem Grade; 《더욱 더》 um so mehr; desto mehr; 《부정할 때》 um so weniger; geschweige denn; was noch schlimmer ist; um die Sache zu verschlimmern. ¶ ~ 좋은(나쁜) 것은 was noch besser (schlimmer) ist / ~ 중요한 것은 was noch wichtiger ist / ~ 곤란한 것은 was noch schwieriger ist / ~ 생각한 후에 nach weiterer Überlegung / ~ 예뻐지다 noch schöner werden / ~ 열심히 하시오 Arbeiten Sie noch fleißiger. ¦ Seien Sie noch fleißiger! / 이 쪽이 ~ 좋다 Dies ist noch besser. / 빠를수록 ~ 좋다 Je schneller, desto besser. / 다른 데서 그는 ~ 혼났을 거야 Er hätte es anderswo noch schlimmer treffen können. / 다음이 ~ 큰 일이다 Das Schlimmste kommt noch. / 그는 수술 후에 ~ 악화됐다 Er ist nach der Operation noch kränker geworden.

더욱더욱 mehr und mehr; immer mehr; in zunehmender Maße.

더운무대 《난류》 die warme Meeresströmung, -en.

더워하다 gegen [4]Hitze empfindlich sein; die Hitze nicht ertragen*; vor [3]Hitze schmachten. ¶ 어린애가 더워하는 것 같다 Das Baby scheint vor Hitze zu schmachten. / 그는 살이 쪄서 유달리 더워한다 Er ist gegen Hitze empfindlich, weil er so fett ist.

더위 ① 《날씨》 Hitze *f.*; Wärme *f*; Temperatur *f.* -en (온도). ¶ 찌는 듯한 ~ drückende Hitze / 한낮의 가장 큰 ~ 속에 in der größten Hitze des Tages / 극심한 ~이다 brennend (kochend; siedend) heiß sein / 이 ~로는 bei dieser [3]Hitze / ~를 잘 타다 gegen (für) [4]Hitze (über)empfindlich sein; vor [3]Hitze schmachten / ~를 잘 타는 사람 der gegen (für) [4]Hitze überempfindliche Mensch, -en, -en / 오늘의 ~는 몇 도나 될까 Wieviel Grad Hitze haben wir heute?/ ~보다 추위가 견디기 쉽다 Kälte ist leichter auszustehen als Hitze. / 이런 ~는 근래에 찾아 볼 수 없다 Ich glaube, es ist der wärmste Tag, den wir in letzter Zeit gehabt haben. / 보기 드문 ～ 때문에 갖가지 전염병이 나돌고 있다 Die selten starke (große) Hitze hat e-e Menge ansteckende Krankheit zur Folge. ② 《병》 Hitzschlag *m.* -(e)s, ⸗e; Sonnenstich *m.* -(e)s, -e; Erkrankung 《-en》 durch [4]Wärmestauung. ¶ ～를 먹다 unter der (Sommer)hitze leiden*; vom Hitzschlag getroffen werden; den Sonnenstich bekommen*.

더위잡다 [4]*et.* ergreifen*, um höher zu steigen.

더치다 ① 《병세가》 schlechter (schlimmer; gefährlicher; kränker) werden; e-e Wendung zum Schlechten nehmen*. ¶ 병이 ～ schlimm (ernst; kritisch) werden. ② ☞ 덧들이다.

더퍼리 der holterdiepoltere Mensch, -en, -en; der lebhafte und lärmende Mensch.

더펄개 der zottige Hund, -(e)s, -e; 《애완견》 Pudel *m.* -s, -.

더펄거리다 ① 《머리 따위가》 auf und nieder wallen; hin und her flattern. ¶ 머리가 ～ die Haare wallen. ② 《사람이》 holterdiepolter handeln; nicht genug lange sitzen können, um etwas zu erledigen.

더펄더펄 hin u. her flattern; auf u. her wallen.

더펄머리 wallendes Haar, -(e)s, -e.

더하기 《덧셈》 Addition *f.* -en; das Zusammenzählen*, -s; das Addieren*, -s.

더하다[1] mehr; noch; besser, länger *usw.* (sein). ¶ 훨씬 더한 bei weitem; viel; weit/ 더한 값 höherer Preis, -es, -e / 크기가 ～ größer als... sein / 독하기는 그 술보다 이 술이 훨씬 ～ Dieser Wein ist viel stärker als jener.

더하다[2] ① 《심해지다》 heftiger(stärker) werden; [4]sich verstärken; zu|nehmen*; 《악화》 schlechter werden. ¶ 그의 병세는 두드러지게 더해 갔다 Sein Zustand verschlechterte (verschlimmerte) sich zusehend. / 내 의혹이 더해 갈 뿐이었다 Mein Zweifel verstärkte sich immer mehr. ② 《보태다》 addieren[4]; zusammen|zählen[4]; zu|zählen[34]; ein|-rechnen[4]; ein|schließen*[4]. ¶ 5에 7을 ～ fünf u. sieben addieren / 4에 6을 더하면 10이다 Vier u. sechs ist (macht) zehn. ③ 《증가》 vermehren[4]; vergrößern[4]; größer machen[4]; verstärken[4]; schwellen lassen*[4]. ¶ 속력을 ～ beschleunigen[4]; akzelerieren[4] / 세력을 ～ s-n Einfluß verstärken / 세상의 신용을 ～ im Vertrauen der Öffentlichkeit verstärken.

더할나위없다 《최상》 best; unübertrefflich; erstklassig; allerfeinst; an der Spitze liegend; allen überlegen; ohnegleichen; erster [2]Qualität; ersten Ranges; 《완전》 vollkommen; vollendet; 《나무랄 데 없음》 einwandfrei; tadellos; 《탁월》 vollständig; vortrefflich; ausgezeichnet; überlegen; vorzüglich (sein). ¶ 더할나위 없는 미인 die schönste Frau / 더할나위 없는 명예 die größte Ehre/ 더할나위없이 아름다운 die allerschönste; so schön, wie man es sich nur denken kann/ 더할나위 없는 명예를 얻었다 Er hat den höchsten Gipfel aller Ehre erreicht. / 더할나위 없이 건강하다 Ich bin gesund wie der Fisch im Wasser. / 더할나위 없이 행복하다 Ich bin so glücklich als möglich. / 내 어머님의 기쁨은 더할나위 없었다 Die Mutter war vor Freude außer sich.

덕 das Körnerfrüchte trocknende Gestell, -(e)s, -e.

덕(德) ① 《미덕》 Tugend *f.* -en; Tugendhaftigkeit *f.* -en; die moralische Vortrefflichkeit, -en; die tugendhafte (gute) Eigenschaft, -en; der liebenswürdige Charakter, -s, -e; 《덕망》 Fähigkeit Liebe u. Achtung zu gewinnen. ¶ 덕이 있는 tugendhaft; tugendreich / 장자(長者)의 덕 die Anlage (Eigenschaften) e-s Führers / 덕을 갖추다 Tugend besitzen* / 덕이 부족하다 Mangel an Tugend sein; unwürdig sein. ② 《이득》 Gewinn *m.* -(e)s, -e; Vorteil *m.* -(e)s, -e; Nutzen *m.* -s, -; Erwerb *m.* -(e)s, -e; Verdienst *m.* -es, -e. ¶ 덕을 보다 gewinnen*[4]; Vorteil haben 《*von*[3]》; sparen[4] / 꽤 덕을 보았다 Daraus konnten wir einen beträchtlichen Nutzen ziehen. ③ 《위광》 Macht *f.* ⸗e; Einfluß *m.* ..flusses, ..flüsse; Würde *f.* ¶ 금전의 덕 die Macht des Geldes (des Reichtums) / 아버지의 덕 durch den Einfluß s-s Vaters / 부모 덕에 den Nimbus s-r Eltern geltend machend. ④ ☞ 덕택. ⑤ ☞ 공덕(功德).

덕기(德氣) Tugendhaftigkeit *f.*; die Kraft 《⸗e》 der Tugend; die tugendhafte Miene, -n. ¶ ～가 있다 die tugendhafte Miene haben; tugendhaft sein.

덕담(德談) Beglückwünschung *f.* -en; die wohlwollende Bemerkung, -en.

덕대[1] 『광산』 der Bergmann, der einen Teil des Bergwerks von dessen Besitzer geliehen hat.

‖ ～갱(坑) 《광산》 die Grube, die der obige Bergmann miniert.

덕대[2] 《어린애 무덤》 das vorläufige Grab 《-(e)s, ⸗er》 des Kindes.

덕량(德量) Edelmut *m.* -(e)s; Großzügigkeit *f.* -en, die großzügige Tugend, -en.

덕망(德望) moralischer Einfluß, ..flusses, ..flüsse. ¶ ～이 있다 wegen s-r Tugendhaftigkeit berühmt sein; in gutem Ruf stehen*; [4]sich e-s guten Rufes erfreuen.

‖ ～가 ein Mensch 《*m.* -en, -en》 von gutem Ruf; ein Mensch mit großem moralischen Einfluß; ein Mensch von hohem sittlichem Ruf.

덕분(德分) ＝덕택.

덕석 die Strohmatratze 《-n》, den Rücken des Ochsen zuzudecken.

덕석밤 die große Kastanie, -n.

덕성(德性) Sittlichkeit *f.*; Moralität *f.* ¶ ～의 함양 die Ausbildung der Sittlichkeit; Charakterbildung *f.* / ～을 함양하다 [4]sich in [3]Moral (Tugend) aus|bilden (üben).

덕스럽다(德—) tugendhaft; sittlich; edelmütig; angesehen (sein). ¶ 덕스럽게 생기다 edelmütig aussehen.

덕용(德用) Wirtschaftlichkeit *f.*; Ökonomie *f.* ¶ ～의 wirtschaftlich; ökonomisch; haushälterisch.

‖ ～품 wirtschaftlicher Artikel, -s, -.

덕육(德育) moralische Erziehung, -en; Moralerziehung *f.* -en. ¶ ～을 중시하다 viel Wert auf die moralische Erziehung legen.

덕의(德義) Sittlichkeit *f.*; Aufrichtigkeit *f.*; Redlichkeit *f.* ¶ ～상의 sittlich; moralisch / ～를 존중하다 ein [4]Ehrgefühl haben; viel Wert auf Sittlichkeit legen / ～에 위배되다 gegen die Sittlichkeit verstoßen*/ 당신은 ～상 그에게 반대해서는 안 된다 Sie sind moralisch verpflichtet, ihm nicht zuwiderzuhandeln.

Ⅱ ∼문제 Ehrenfrage *f.* -n. ∼심 Sittlichkeitsgefühl *n.* -(e)s, -e; Ehrgefühl *n.*: ∼심이 강한 사람 ein Mensch von strenger Sittlichkeit / ∼심이 없다 kein Sittlichkeitsgefühl haben / ∼심에 호소하다 an *js.* moralische Gesinnung appellieren.

덕적덕적 mit [3]*et.* dicht bedeckt.

덕조(德操) Sittlichkeit *f.*; Moralität *f.*; Tugend *f.*

덕지덕지 allzu reichlich; im Überfluß; sattsam; übermäßig; vollauf. ¶ 분을 ∼ 바르다 Puder dick〔stark〕 auf|tragen* / 때가 살갗에 ∼ 끼어 있다 Auf der Haut liegt dick der Schmutz. | Die Haut ist sehr schmutzig.

덕택(德澤) 《은혜》 Gnade *f.*; Gunst *f.*; Wohlwollen *n.* -s; Liebenswürdigkeit *f.*; 《후원·도움》 wohlwollende Hilfsbereitschaft〔Unterstützung; Hilfeleistung〕; Stütze, -n; Hilfe *f.* -n; Beistand *m.* -es. ¶ …의 ∼에〔으로〕 dank[3]; durch[4]; mit Hilfe von[3]/ 당신 ∼에〔으로〕 durch Ihre wohlwollende Unterstützung〔Hilfsbereitschaft〕; von Ihnen liebenswürdigerweise〔wohlwollenderweise〕 unterstützt / ∼입니다 zu verdanken[3] sein / 이 모든 것이 당신 ∼입니다 Alles das habe ich Ihnen zu verdanken. / ∼에 아주 건강합니다 Gott sei Dank, ich bin ganz gesund. / ∼에 무사했읍니다 Gottlob, ich bin ganz unverletzt. / 당신 ∼에 간신히 목숨만은 보존했읍니다 Dank Ihnen kam ich mit genauer Not davon. / 그 사람 ∼으로 혼이 났읍니다 《반어적》 Die schöne Bescherung ist ihm zuzuschreiben. / 나의 행복은 자네 ∼이다 Mein Glück ist dein Werk. / ∼으로 재미있게 하루를 보냈읍니다 그러면 안녕 Herzlichen Dank für den schönen Tag u. auf Wiedersehen. / 나의 성공은 그 분 ∼이다 Mein Erfolg verdanke ich ihm./ 오늘 이렇게 된 것은 부모 ∼이다 M-n Eltern verdanke ich, was ich heute bin. / 노력한 ∼으로 오늘의 그를 있게 하였다 Sein Fleiß machte ihn zu dem, was er ist.

덕행(德行) ein tugendhaftes Betragen〔Verhalten〕 -s; Tugend *f.* -en; e-e gute Führung, -en; ein gutes Verhalten, -s. ¶ ∼이 높은 사람 ein tugendhafter Mensch, -en, -en / ∼으로 이름나다 wegen s-r Tugendhaftigkeit berühmt sein.

덕화(德化) der moralische Einfluß, ..sses, ..üsse; die moralische Einwirkung, -en; die tugendhafte Führung, -en. ∼하다 auf *jn.* moralisch Einfluß aus|üben.

덖다[1] 《때가》 schmutzig〔dreckig; fleckig〕 werden; beschmutzt sein. ¶ 때가 ∼ schmutzen.

덖다[2] =볶다.

-던가 《의문·불명》 ich weiß nicht bestimmt, ob es wirklich...war; ich zweifle, daß ...; ob; ob...oder; war es...? ¶ 책을 어디에 두었던가 Wo habe ich das Buch liegen lassen? / 그것이 크던가 작던가 Ich weiß nicht genau, ob es groß od. klein war./ 그는 어디로 갔던가 Wohin er wohl gegangen sein mag? / 그 사람은 어디에 있었던가 Wo war er eigentlich? / 그 사람은 젊어서 죽었다던가 Er soll früh〔jung〕 gestorben sein. / 거리의 모습이 아주 달라졌다던가 Man sagt, in der Stadt sei alles ganz anders geworden.

-던걸 《회상》 wirklich; doch; irgend-; nach meiner Meinung war es so; in Wahrheit war es so. ¶ 그는 말을 잘 하던걸 Er redet doch sehr gut. / 금강산에 가 보니 좋던걸 Ich habe den *Geumgang*-Berg besucht und fand ihr wirklich schön.

-던데 ① 《회상》 〔nach meiner Beobachtung *od.* Wahrnehmung war es〕 so und so; auch. ¶ 프랑스말도 공부하던데 번역가가 될 것 같더군요 Er lernt auch Französisch, vielleicht scheint er ein Übersetzer zu werden. / 아까 그가 이리로 오던데 어째서 이 자리에 보이지 않는가 Ich habe gesehen, daß er vor kurzem hierher gekommen ist. Wo ist er denn jetzt? / 어제 보니까 아무도 없던데 누가 이런 짓을 해 놓았을까 Gestern habe ich hier niemand gesehen, wer hat denn das getan?

② 《…던데요》 ich fand, 〔daß...〕. ¶ 영어 공부를 하던데요 Wissen Sie was? Ich fand ihn Englisch lernen! / 자네 아들이 공부를 잘 하던데 Aber ich fand, daß dein Sohn sehr fleißig studiert 〔warum machst du dir Sorge?〕.

-던들 《결과의 반대 가정》 wenn... Konjunktiv Ⅱ; nur wenn ... 〔nur〕 ... Konjunktiv Ⅱ. ¶ 빨리 의사에게 보였던들 안 죽었을 텐데 Wenn er bald den Arzt zu Rate gezogen hätte, so würde er nicht gestorben sein. / 당신의 도움이 없었던들 나는 실패〔낭패〕했을 것이요 Ohne Ihre Hilfe würde ich fehlgeschlagen haben.

던적스럽다 《비열》 niederträchtig; gemein; verächtlich; verachtenswert; 《추잡》 unanständig; unzüchtig; schmutzig 〔sein〕. ¶ 던적스러운 사람 der unanständige Mensch, -en, -en; die unzüchtige Person, -en / 던적스러운 생각 der unanständige Gedanke(n), ..ns, ..n / 던적스러운 이야기 die schlüpfrige 〔laszive〕 Geschichte / 보수를 바라다니 ∼ Es ist niederträchtig, daß er auf die Belohnung rechnet.

던져두다 ① 《방치》 vernachläßigen; lassen*; beiseite|legen; beiseite|setzen. ¶ 책을 방구석에 ∼ das Buch in der Ecke des Zimmers lassen*. ② 《하던 일을》 auf die Seite legen; weg|legen. ¶ 하던 일을 ∼ die Arbeit unfertig auf die Seite legen.

-던지 《지난 일의 회상·의심》 ob es geschehen sei; wie die Sache verhalten habe. ¶ 값이 얼마였던지 기억이 안 난다 Ich kann nicht erinnern, wieviel es war.

던지다 ① 《내던지다》 werfen*[4]; schmeißen*[4]; schleudern[4]; 《…을 향해서》 bewerfen*[4]; beschmeißen*[4] 《*mit*[3]》; an|werfen*[4] 〔-|schleudern[4]; -|schmeißen*[4]〕 《*gegen*[4]》; zu|werfen*[34] 〔-schleudern[34]; -|schmeißen*[34]〕. ¶ 아무에게 돌을 ∼ *jn.* mit Steine 〔be〕werfen*; Steine nach *jm.* werfen* / 위로〔아래로〕 ∼ auf|werfen*[4] 〔nieder|-〕 / 돌을 던져 사람을 죽이다 *jn.* steinigen〔mit Steine tot|werfen*〕 / 개에 빵 한 쪽을 ∼ dem Hunde ein Stück Brot zu|werfen* 〔vor|-〕 / 주사위를 ∼ den Würfel werfen* / 거리에 폭탄을 ∼ Bomben in die Stadt werfen*; die Stadt mit Bomben bewerfen* 〔beschießen*〕 / 정계에 몸을 ∼ Politiker werden; e-e politische Laufbahn ergreifen* / 바다에 몸을 ∼ [4]sich ins Meer stürzen 〔werfen*〕 / 화류계에 몸을 ∼ Prostituierte* werden.

② 《투표하다》 stimmen; e-e Stimme ab|geben*. ¶ 나는 그에게 한 표를 던졌다 Ich habe ihm m-e Stimme gegeben.

던지럽다 unanständig; unzüchtig; gemein; anstößig; abscheulich; unehrlich (sein).

덜 kleiner; geringer; weniger; minder. ¶ 덜 구워진 halb gar; halbgebacken; 《생선·고기가》 halbgeröstet; halbgebraten; 《빵이》 halbgebacken / 덜 마른 halbgetrocknet / 덜 삶은 halbgar; halbgekocht / 덜 취한 leicht betrunken / 덜 마른 나무 der nicht ganz dürres Holz, -(e)s, ⸗er / 덜 익은 과일 die unreife Frucht, ⸗e / 이 고기는 덜 구워졌다 Dieses Fleisch ist halbgar. / 오늘은 어제보다 덜 춥다 Heute ist es weniger kalt als gestern. / 잠을 조금 덜 잤더니 정신이 흐릿하다 Ich fühle mich benommen, weil ich nicht fest geschlafen habe.

덜거덕- ☞ 달가닥-.

덜걱마루 〖건축〗 der Flur 《-(e)s, -e》, der aus dem ungleichförmigen langen Stück Holz gemacht wird und rattert, wenn man darauf geht.

덜그럭- =달가닥-.

덜께기 der alte männliche Fasan, -(e)s, -e(n).

덜다 ① 《적게 하다》 (ver)mindern^{4}; verkleinern^{4}; verkürzen^{4}; verringern^{4}; reduzieren^{4}; geringer (kleiner) machen^{4}; 《비용을》 beschränken^{4}; ^{4}sich (in s-n Ausgaben) ein|-schränken; 《빼다》 ab|ziehen*^{4}; subtrahieren^{4}. ¶ 10에서 3을 ~ drei von zehn subtrahieren / 정가의 2할을 ~ 20% Rabatt auf den festgesetzten Preis geben* / 식사의 양을 ~ weniger essen*$^{(4)}$; das Nahrungsquantum vermindern / 일시불이면 값을 좀 덜어 드립니다 Bei sofortiger Bezahlung werde ich etwas nachlassen (Rabatt geben).

② 《경감·완화》 vermindern^{4}; verringern^{4}; lindern^{4}; mildern^{4}; mäßigen^{4}; erleichtern^{4}; stillen^{4}; 《절약》 sparen^{4}; ersparen^{4} (절약해서 남기다). ¶ 시간(수고)를 ~ Zeit (Mühe) sparen / 경비를 ~ s-e Ausgaben ein|schränken / 고통을 ~ den Schmerz lindern (mildern; erleichtern) / 걱정을 ~ Kummer u. Sorgen lindern (mildern); ^{3}sich das Herz erleichtern) / 기계는 많은 노력을 덜어준다 Die Maschinen ersparen viel Arbeit. / 이렇게 하면 경비를 덜 수 있을 것입니다 Sie würden auf diese Weise (dadurch) vielleicht die Kosten verringern können. / 그 사람의 덕택으로 많은 수고를 덜었다 Er sparte mir viel Mühe.

덜덜^{1} 《떪》 rasselnd; knarrend; klappernd; klirrend. ¶ ~ 떨다 klappern; (heftig) zittern / 무서워서 이빨이 ~ 떨리다 vor Furcht mit den Zähnen klappern / 추위로 (온몸이) ~ 떨리다 vor Kälte (Frost) (am ganzen Leibe; an allen Gliedern) zittern / 그는 치를 ~ 떨고 있다 Er zittert, daß ihm die Zähne klappern. / 추워서(무서워서) ~ 떨린다 Ich klappre (zittere) vor Kälte (vor Angst). / 추워서 무릎이 ~ 떨린다 M-e Knie zittern vor Kälte.

덜덜^{2} 《구르는 소리》 klappernd; ratternd; rasselnd. ¶ ~ 소리나다 rasseln; klappern; poltern; rattern / 수레가 ~ 굴러가다 der Wagen rattert 《über das Pflaster》.

덜되다 ① 《사람이》 nicht gut sein; nicht viel taugen. ¶ 덜된 사람 ein ungeschickter Mensch, -en, -en; Grünschnabel *m.* -s, ⸗ / 덜된 수작을 하다 Unsinn machen (reden). ② 《덜익다》 noch nicht reif sein. ¶ 덜된 참외 e-e unreife (grüne) Melone, -n. ③ 《미완성》 unvollendet; unfertig (sein); nicht fertig sein. ¶ 일이 ~ die Arbeit ist nicht fertig / 밥이 아직 ~ der Reis ist noch nicht gar (fertig gekocht) / 덜된 채 두다 ^{4}*et.* unfertig lassen* / 조사가 아직 덜되어 있다 Die Untersuchung (Die Ermittlung) reicht noch nicht aus.

덜렁거리다 ① ☞ 달랑거리다 ①. ② 《까불다》 ^{4}sich leichtfertig verhalten*; leichtsinnig handeln; immer auf den Beinen sein. ¶ 덜렁거리는 사람 ein launenhafter (unbeständiger) Mensch, -en, -en / 덜렁거리고 돌아다니다 unruhig (ziellos) um|ziehen* Ⓢ.

덜렁말 ein scheues Pferd, -(e)s, -e.

덜렁쇠, 덜렁이 Spatzen¦kopf (Wirr-) *m.* -(e)s, ⸗e; der hastige (leichtsinnige; unbesonnene) Mensch, -en, -en; die eilfertige (voreilige; leichtfertige) Person, -en.

덜렁하다 ① ☞ 달랑하다 ①. ② 《가슴이》 ^{4}sich über ^{4}*et.* entsetzen; von ^{3}*et.* schockiert sein; über ^{4}*et.* erschrecken* Ⓢ; e-n Schreck bekommen*. ¶ 그의 말에 가슴이 덜렁했다 Ich erschrak über s-e Worte.

덜름하다 《옷이》 ziemlich kurz 《kürzer, kürzest》 (sein).

덜리다 ① 《덜어지다》 abgezogen werden; ab|nehmen*. ② 《경감·완화》 vermindert (gemindert) werden; herabgesetzt (abgeschwächt; reduziert) werden; nach|lassen*; erleichtert (gelindert) werden. ¶ 걱정이 ~ Sorgen werden erleichtert / 고통이 ~ Schmerzen werden erleichtert (gelindert; gemindert) / 불안이 ~ die Angst läßt nach.

덜먹다 ① nicht auf|essen* (leer|essen*) (다 먹지 않다). ② nicht satt essen*; *js.* Hunger nicht stillen. ③ 《행동이》 unanständig u. widerspenstig handeln.

덜미 Genick *n.* -(e)s, -e. ¶ ~를 잡다 beim Genick (er)greifen* (fassen; packen; fangen*) 《*jn.*》 / ~를 잡히다 《비유적》 entdeckt (enthüllt) werden.

덜미잡이 das gewaltsame Zugreifen* 《-s》 am Nacken. ~하다 *jn.* am Nacken packen (fassen); *jn.* beim Genick fassen.

덜미짚다 ① ☞ 덜미잡이하다. ② 《재촉하다》 *jn.* sehr bedrängen.

덜밉지않다 (im Aussehen) nicht so schlimm sein; eher gut (schön) aus|sehen*; *jn.* gern|haben*.

덜밋대문(一大門) Hintertür *f.* -en; Notausgang *m.* -s, ⸗e.

덜어내다 aus ^{3}*et.* nehmen*^{4}. ¶ 가마니에서 쌀을 ~ etwas Reis aus dem Reis-Sack nehmen* / 그릇에서 밥을 ~ gekochten Reis aus der Schüssel nehmen*.

덜커덕 ① 《소리》 klirr!; klapp!; krach!; klaps!; bums; plumps; klappernd; klirrend; klimpernd; krachend; rasselnd; ratternd; zerplatzend. ~하다 《문이》 klappern; klirren; 《사슬·바퀴·기계 따위가》 rasteln; rattern. ¶ ~하는 소리 ein knarrendes (klapperndes; klirrendes) Geräusch / ~ 떨어지다 mit e-m Plumps (dumpfem Schlag) fallen* Ⓢ / 문을 ~ 열다 die Tür auf|reißen* / 문이 ~하고 닫혔다 Krach! war die Tür zu. ¦ Klaps! fiel die Tür ins Schloß. / 내 눈 앞에서 문을 ~ 닫았다 Er schlug mir die Tür vor der Nase zu.

② 《갑자기》 Knall u. Fall; plötzlich; auf einmal; mit e-m Male; unerwartet; zufällig; unverhofft. ¶ ~ 죽다 plötzlich sterben*[s]; plötzlich ab|leben (ab|kratzen). ③《가슴속이》 ~하다《겁이 나서》zusammen|fahren* [s]; zurück|schrecken [s]; e-n Schreck(en) kriegen. ¶ 그는 그녀를 보고 ~ 겁이 났다 Er fuhr bei ihrem Anblick zusammen. / 그의 말에 가슴이 ~ 내려앉았다 S-e Worte jagten mir Furcht ein.

덜커덕거리다 klappern; knarren; klirren; poltern; rasseln; rattern; rumpeln. ¶ 덜커덕거리는 차 der klapprige Wagen, -s, - / 덜커덕거리는 창문 ein klapperndes(klirrendes; ratterndes) Fenster, -s, - / 문을 ~ an der Tür rasseln / 문 손잡이를 ~ mit der Türklinke rasseln / 차가 보도 위를 덜커덕거리며 간다 Der Wagen rattert über das Pflaster. | Die Räder des Wagens knarren auf dem Pflaster. / 폭풍으로 창문이 덜커덕거린다 Der Sturm rüttelt an den Fensterladen. / 창문이 덜커덕거려서 잠이 오지 않았다 Das Fenster klapperte u. hinderte mich an Schlafen. / 아기 깰라 덜커덕거리지 말아라 Klappre bitte den Säugling nicht aus dem Schlaf!

덜커덩거리다 dauernd rattern (klappern; rasseln; knarren; poltern). ¶ 열차는 덜커덩거리며 건널목을 지났다 Der Zug ratterte über die Kreuzung. / 창문이 바람에 덜커덩거린다 Das Fenster rattert im Winde.

덜컥- ☞ 덜커덕-.

덜컹거리다 ☞ 덜커덩거리다.

덜퍽부리다 laut schreien* u. ⁴sich gemein auf|führen.

덜퍽스럽다 drall; von Gesundheit strotzend; korpulent; reichlich (sein). ¶ 몸이 ~ korpulent sein

덜퍽지다 reichlich; dick; 《몸집이》 korpulent; dick (sein).

덜하다 ① 〖자동사〗 ab|nehmen*; nach|lassen*; ⁴sich vermindern; ⁴sich verringern. ② 〖타동사〗 vermindern⁴; verringern⁴; verkleinern⁴; reduzieren⁴. ③《견주어서》 kleiner; weniger; geringer (sein).

덤 Zusatz *m.* -es, ⸚e; Zugabe *f.* -n; Zulage *f.* -n; 《경품》 Zugabe *f.* -n; Beilage *f.* -n; Prämie *f.* -n. ¶ 덤으로 주다 mit in den Kauf geben*⁴; als Zugabe geben*⁴; obendrein geben*⁴; zu|geben*⁴ / 죄다 사시면 덤으로 그것을 드립니다 Wenn Sie alles kaufen, werde ich Ihnen das zugeben.

덤덤탄(—彈) Dumdum *n.* -(s), -(s); Dumdumgeschoß *n.* ..schosses, ..schosse.

덤덤하다 schweigsam; still (sein); nichts sagen; stillschweigen bewahren; stumm bleiben* [s]; den Mund halten*. ¶ 덤덤히 앉아 있다 schweigend (still) sitzen*.

덤받이 Kind 《*n.* -(e)s, -er》 aus erster (früherer) Ehe; das Kind, das von der Mutter bei ihrer Wiederverheiratung mitgebracht wird.

덤벙 mit e-m Plumps. ~하다 plumpsen. ¶ 물에 ~ 떨어지다 mit e-m Plumps ins Wasser fallen* [s].

덤벙거리다(대다) ①《까불다》 ungebildet (unhöflich; unmanierlich; unvorsichtig; ungezogen; leichtfertig; leichtsinnig; grob; bäurisch; rauh; roh) handeln; (zu) zudringlich (aufdringlich) handeln; ⁴sich vor|dränge(l)n. ¶ 덤벙거리는 사내 Naseweis *m.* -es, -e; Vorwitz *m.* -es, -e; Topfgucker *m.* -s, -; Hans Überall; Hans in allen Gassen / 덤벙거리는 여자 Frau Naseweis / 아무 일에나 ~ ⁴sich in jeden Quark (ein)mischen; in alles (in jeden Quark; in jeden Dreck) die Nase (hinein)stecken (hängen); zudringlich (vordringlich; naseweis; vorlaut; vorwitzig) sein / 그는 아무일에나 덤벙거린다 Er drängt sich überall dazu. | Er mischt sich in alles. / 상관 없는 일에 덤벙거리지 말아요 Kümmern Sie sich um Ihre eigenen Angelegenheiten!
②《물을》 panschen; pantschen; plantschen; manschen. ¶ 물 속에서 ~ im Wasser (umher|)pantschen / 진창 속을 덤벙거리며 오다 im Wasser angepatscht kommen* [s].

덤벙덤벙 ①《경솔히》 leichtfertig; leichtsinnig; unbesonnen; übereilt; hastig. ¶ 아무 일에나 ~ 대들다 *js.* Nase in jeden Dreck stecken. ②《물을》 spritzend; plan(t)schend.

덤벼들다 ①《덤빔》 auf *jn.* springen* [s]; *jn.* an|springen*; ⁴sich auf *jn.* stürzen (werfen*) (돌진하다); auf *jn.* her|fallen* [s] auf *jn.* los|schlagen*; auf *jn.* los|fahren*[s] (덮치다); 《대항》 ⁴sich *jm.* widersetzen; *jn.* die Stirn (Trotz) bieten*; ⁴sich gegen *jn.* auf|lehnen; ⁴sich auf die Hinterbeine stellen (setzen); wider den Stachel lecken; 《칼을 휘두르며》 auf *jn.* ein|schneiden*; auf *jn.* ein|hauen*; auf *jn.* los|schneiden*. ¶ 자 몇 놈이라도 덤벼들어라 Los! Komm 'ran, ich nehme es mit e-r Menge von deinesgleichen auf! / 그에게는 둘이 덤벼들지 않으면 진다 Zwei müssen gegen ihn kämpfen, sonst verliert man den Wettkampf. / 그놈한테 덤벼들었다가는 녹초가 돼 Sie sind wie Wachs in s-n Händen.
②《일에》 an|fangen*; beginnen*; ⁴sich an ⁴*et.* machen; in die Hand nehmen*⁴; Hand legen 《*an*⁴》. ¶ 어서 일에 덤벼들자 Frisch auf! Wollen wir an die Arbeit gehen! / 이 일에는 열 명이 덤벼들어야 돼 Zehn Männer braucht man für diese Arbeit.

덤부렁듬숙 dick; massig; üppig; überwachsen; reich. ~하다 üppig; überwachsen (sein).

덤불 《풀·숲》 Busch *m.* -es, ⸚e; Gebüsch *n.* -es, -e; Dickicht *n.* -(e)s, -e. ¶ 빽빽한 ~ der dichte Baum|wuchs, -es, ⸚e / ~에 숨다 ⁴sich hinter e-m Gebusch verstecken / 가시 ~길을 걷다 e-n Dornenpfad (e-n mit Dornen bedeckten Pfad) wandeln [s].

덤불자작이 〖식물〗 Birke *f.* -n.

덤불혼인(—婚姻) die Trauung (Eheschließung) zweier Leute, die schon durch Heirat verwandt sind.

덤비다 ①《서둘다》 voreilig (zu hastig; unbesonnen) sein; ⁴sich beeilen; ⁴sich fördern; beschleunigen⁴; befördern⁴. ¶ 덤비지 말고 in (mit) kühler Ruhe / 너무 덤비다가 실수하다 ⁴*et.* übereilt tun*; mit ³*et.* heraus|platzen / 그렇게 덤비더니 이 지경을 만들었구나 Warum bist du damit herausgeplatzt? | Wie übereilt du gehandelt hast!
②《공격》 an|greifen*⁴; her|fallen*《*über*⁴》. ¶ 적에게 ~ den Feind an|greifen*; über den Feind her|fallen* / 자 덤벼라 너 같은 놈은 얼마든지 상대해 주마 Los! Komm heran! Ich nehme es mit e-r Menge von deinesgleichen auf! / 자객이 비호같이 그에게 덤볐다 Ein Meuchelmörder fiel ihn wie ein wilder Tiger an.

덤뻑 rasch; zu schnell; rücksichtslos. ¶ ~ 내닫다 stürmen [s]; vor|stoßen* [s]; ⁴sich stürzen; stürzen ⓢ.

덤터기 das Zuschieben* ⟪-s⟫ e-r Schuld (Verantwortung) auf *jn.* ¶ ~ 씌우다 *jm.* [4]*et.* zu|schieben* / 그는 나에게 ~ 씌우고자 했다 Er wollte wir alle Schuld (Verantwortung) zuschieben. ¦ Er wollte mir den Schwarzen Peter zuschieben.

덤턱스럽다 massiv u. reichlich (sein).

덤프카 Hinterkipper *m.* -s, -; Schwerlastwagen *m.* -s, -; Kippwagen *m.* -s, -.

덤프트럭 =덤프카.

덤핑 der Schleuderverkauf ⟪-(e)s, ⸚e⟫ ans Ausland; Dumping [dʌ́m..] *n.* -s, -s. ~하다 zu [3]Schleuderpreisen ans (ins) Ausland verkaufen[4].

덥다 hitzig; mild (온화한); warm ⟪wärmer, wärmst⟫; heiß (sein). ¶ 무더운 schwül; erstickend (drückend) heiß / 덥히다 erwärmen[4]; erhitzen[4] / 점점 더워지다 (immer) heißer (wärmer) werden / 더운 물 warmes (heißes) Wasser, -s / 옷을 덥게 차려 있다 [4]sich warm halten* / 덥게 보존하다 warm halten*[4] / 술을 덥혀 마시다 Reiswein warm (heiß) trinken* / 더울 때에 먹다 warm (heiß) essen*[4] / 더운 자리에 앉다 warm sitzen* / 더운 음식을 대접하다 warm auf|tragen* / 더운 겨울 der milde Winter / 한창 더운 대낮에 in der Tageshitze / 푹푹 찌는 듯이 ~ brennend heiß / 나는 ~ Mir ist warm. / 날이 ~ Es ist warm. / 날이 차차 더워질 것이다 Es wird allmählich warm. / 감기에 걸리면 옷을 덥게 입어라 Halte dich warm, wenn du dich erkältet hast! / 더운 음식을 먹고 싶다 Ich möchte etwas Warmes essen. / 더울 때 드십시오 Essen Sie es heiß! / 더워서 죽겠다 Diese Hitze ist nicht zu ertragen.

덥석 mit e-m Griff; plötzlich; auf einmal; überraschend; in e-m Atem(zug); ⟪단단히⟫ fest; schnapp (집어 먹는 소리); mit e-m Schnapp (한입에, 단숨에). ¶ ~ 물다 nach [3]*et.* schnappen / ~ 잡다 mit e-m Griff erfassen[4]; nach [3]*et.* schnappen; plötzlich [4]*et.* erfassen (erhaschen) / 낚싯밥을 ~ 물다 nach dem Köder schnappen / 손을 ~ 잡다 *jm.* die Hand erhaschen; plötzlich *jn.* bei der Hand fassen / 그는 내 손을 ~ 잡았다 Er haschte m-e Hand kurz u. fest. / 돈을 한 줌 ~ 움켜 쥐었다 Er haschte so viel Geld, wie s-e Hand halten konnte.

덥적거리다 ① ⟪남의 일에⟫ [4]sich ein|lassen* ⟪*in*[4]⟫; [4]sich ungerufen (ein|)mengen ⟪*in*[4]⟫; [4]sich (ein|)mischen ⟪*in*[4]⟫; s-e Nase stecken[(*)] ⟪in anderer Leute Angelegenheiten⟫; s-n Senf dazu|geben*; vorwitzig (naseweis; zudringlich; aufdringlich) sein. ¶ 덥적거리기 좋아하는 사람 Einmischling *m.* -s, -e; der Zudringliche*, -n, -n/ 그는 무슨 일에나 덥적거린다 Er mischt sich gern in alle fremden Angelegenheiten./ 주제넘게 덥적거리지 말라 Kümmern (Bekümmern) Sie sich um Ihre eigenen Angelegenheiten! / 집주인 아주머니가 너무 덥적거려서 성가시다 M-e Hauswirtin ist übertrieben zudringlich.

② ⟪붙임성 있게⟫ *jn.* freundlich bewirten; *jn.* liebenswürdig auf|nehmen*; *jn.* artig empfangen*; *jm.* entgegenkommend sein; [4]sich *jm.* warm halten*; [4]sich gefällig zeigen.

덥적덥적 ① ⟪남의 일에⟫ sich in alles einmischend; die Nase in alles steckend. ¶ 그는 모든 일에 ~ 간섭한다 Er mischt sich in alles ein. ¦ Er steckt s-e Nase in jeden Dreck.

② ⟪붙임성 있게⟫ zuvorkommendes (entgegenkommendes; gefälliges; dienstwilliges) Benehmen zeigend.

덥절덥절하다 gesellig; umgänglich; leutselig; ansprechbar (sein).

덧 ⟪짧은 시간⟫ e-e kurze Zeitspanne. ☞ 어느덧, 덧없다.

덧가지 Seitenzweig *m.* -(e)s, -e.

덧거름 der Kunstdünger ⟪-s, -⟫, der den wachsenden Pflanzen gegeben wird.

덧거리 ① ⟪추가물⟫ Hinzufügung *f.* -en; Beifügung *f.* -en; Nachtrag *m.* -(e)s, ⸚e. ~하다 hinzu|fügen[34]; hinzu|setzen[34]; hinzu|tun*[34]; bei|fügen[34]; ergänzen[4].

② ⟪말⟫ Übertreibung *f.* -en; Übertriebenheit *f.*; Aufgeblasenheit *f.*; Überladenheit *f.*; Schwulst *m.* -es; Bombast *m.* -es; Überschwenglichkeit *f.* -en. ~하다 übertreiben*[4]; überladen*[4]; überspitzen*[4]; überspannen[4]; aus|bauschen[4]; dick auf|tragen*[4]. ¶ 그는 ~가 심했다 Er hat stark übertrieben.

덧거칠다 ⟪일이⟫ schlecht werden; [4]sich verschlechtern (verschlimmern); widrig (sein).

덧걸다 [4]*et.* auf etwas anderes hängen*.

덧걸리다 zusätzlich auf etwas anderes gehängt werden.

덧걸이 ⟪씨름⟫ e-e Armtechnik beim Ringkampf. ¶ ~를 걸다, ~질하다 den Ringkampfgegner durch die Armsperre stolpern lassen*.

덧게비 e-e zusätzliche Sache, -n (Person, -en); Last *f.* -en; etwas Lästiges* (Unangenehmes*). ¶ 개썹에 ~ eine Last; etwas Lästiges; ungewünschte Intervention (Störung) -en / ~치다 [4]sich lästig machen; [4]sich belästigen; ein|greifen*; stören; intervenieren.

덧깔다 [4]*et.* zusätzlich überziehen* (decken).

덧나다[1] ① ⟪병이⟫ schlechter (schlimmer) werden; [4]sich verschlechtern; [4]sich verschlimmern; [4]sich erschweren; kritische Symptome zeigen (entwickeln); ⟪곪다⟫ eitern ⓢ; eitrig werden; schwären*ⓢ; zum Eitern kommen* ⓢ; [4]sich entzünden. ¶ 간밤에 갑자기 병이 덧났다 Gestern abend ist die Krankheit plötzlich in ein kritisches Stadium eingetreten. / 종기가 ~ Die Beule verschlimmert sich.

② ⟪성나다⟫ zornig (ärgerlich; wütend) werden ⟪*über*[4]⟫; böse werden ⟪*auf*[4]⟫; [4]sich ärgern ⟪*über*[4]⟫; Ärgernis nehmen* ⟪*an*[3]⟫; in Zorn (Harnisch) geraten* ⓢ ⟪*über*[4]⟫.

덧나다[2] ⟪이가⟫ auf der Oberfläche (des anderen) wachsen*ⓢ; zusätzlich wachsen*; aus der gemeinsamen Wurzel wachsen*; seitwärts wachsen*; (vom Kurs) ab|kommen*ⓢ. ¶ 이가 ~ e-n Doppelzahn (Seitenzahn) haben; ein Raffzahn wachsen*.

덧날 Zusatzmesser ⟪*n.* -s, -⟫ für den Hobel; Keil *m.* -s, -e. ¶ 대패에 ~을 끼우다 den Keil in den Hobel treiben*.

‖ ~막이 Metallband ⟪*n.* -(e)s, ⸚er⟫ über dem Hobelkeil.

덧내다 ① ⟪병을⟫ schlimm zu bewirken veranlassen[4]; verschlimmern[4]; zur Entzündung verursachen[4]. ¶ 종기를 건드려 ~ ein

Geschwür (e-n Pickel) durch das Herumfingern verschlimmern; ein Geschwür durch das Herumfingern zur Entzündung verursachen.

② 《덧들이다》 *jn.* zum Ärger auf|reizen (provozieren); *jn.* wütend machen; *jm.* zu nahe (auf die Hühneraugen) treten*.

덧니 Seiten¦zahn (Doppel-) *m.* -s, ⸚e.
‖ ~박이 jemand, der den Seitenzahn hat.

덧달다 zusätzlich hängen*[4] 《auf [4]*et.*》. ¶ 덧달리다 zusätzlich gehängt werden 《auf [4]*et.*》; zusätzlich hängen* 《*an*[3]》.

덧대다 hinzu|fügen[4] 《*zu*[3]》; hinzu|tun*[4] 《*zu*[3]》; addieren[4] 《*zu*[3]》. ¶ 덧댄 부분 der hinzugefügte Teil / 책상 다리를 ~ die Beine e-s Tisches verlängern.

덧두리 der Wertunterschied zwischen zwei ausgetauschten Waren; der Barausgleich 《-(e)s, -e》 (im Tauschhandel).

덧드러나다 zutage treten* (kommen*) Ⓢ; [4]sich heraus|stellen.

덧들다 e-n zusätzlichen Eintritt benötigen. ¶ 잠이 ~ *jm.* schwer sein, wieder einzuschlafen; wach sein.

덧들이다 ① 《감정을》 *jn.* auf|reizen; *jn.* zum Ärger provozieren; *jn.* zornig machen; *jn.* in Wut bringen*; *jm.* auf die Hühneraugen treten*. ¶ 아무의 감정을 ~ *js.* Gefühl verletzen; *jn.* beleidigen / 그는 결코 남을 덧들이는 말을 하지 않는다 Er sagt niemals, was den anderen beleidigt (aufreizt). ② 《잠을》 *jn.* davon ab|halten*, wieder einzuschlafen.

덧머리 Perücke *f.* -n.

덧문(—門) 《문》 Außentür *f.* -en; Brettertür *f.* -en; Regentür *f.* -en; Doppeltür *f.* -en; Holzschiebtür *f.* -en; e-e hölzerne Schiebetür, -en; Klapptür *f.* -en (접는 문). ¶ ~을 열다 die Regentüren auf|machen / ~을 닫다 die Regentür zu|machen (schließen*); 《창》 Fensterladen *m.* -s, ⸚; Doppelfenster *n.* -s, -; Rolladen 〖분철: Roll-laden〗 *m.* -s, ⸚; Jalousie [ʒaluzí:] *f.* -n [..zí:en]; Klappfenster *n.* -s, - (회전창).

덧물 《괸 물》 auf dem Eis stehendes Wasser, -s; gesammeltes Wasser auf dem Eis.

덧방붙이다 zusätzlich darauf heften[4].

덧버선 Hüttenschuhe 《*pl.*》.

덧붙다 zusätzlich angeheftet (angehängt) werden.

덧붙이다 ① 《더 붙이다》 an|heften[4] 《*an*[4]》; befestigen[4] 《*an*[4]》; hinzu|fügen[34]; hinzu|setzen[34]; hinzu|tun*[34]; bei|fügen[34]; bei|legen[34]. ¶ 옷에 헝겊을 ~ ein Stück an ein Kleid setzen (an|setzen; an|nähen; an|stücken); flicken / 담에 널빤지를 ~ an e-n Zaun Brettern an|setzen (befestigen) / 두 장의 종이를 풀로 ~ zwei Blatt Papier aneinander kleben.

② 《보태다》 addieren[4]; hinzu|fügen[4]; hin|setzen[4]; zu|setzen[4]; nach|tragen*[4]. ¶ 단서를 ~ e-e Klausel hinzu|fügen (an|fügen) / 부록을 덧붙인 제 2 판 die zweite Auflage mit Anhang / 그러나 확실하지는 않다고 덧붙여 그가 말했다 „Aber ich versichere es Ihnen nicht," fügte er hinzu.

덧빗 der eiserne Kamm 《-(e)s, ⸚e》, der als Zusatz an die Haarschneidemaschine befestigt wird.

덧셈 Addition *f.* -en. ~하다 addieren.

덧소금 oben hinzugelegtes Salz 《-es》 beim Pökeln.

덧신 Überschuhe 《*pl.*》; Gummischuhe 《*pl.*》.

덧신다 über die Schuhe an|ziehen*[4].

덧쓰다 [4]*et.* darüber ziehen* (hinzu|setzen), was e-m auf dem Kopf aufgesetzt ist.

덧양말(—洋襪) Übersocken 《*pl.*》.

덧없다 ① 《속절없음》 flüchtig; vergänglich; vorübergehend; dahineilend; momentan; dahinschwindend; 《단명한》 kurzlebig (sein). ¶ 덧없는 세월 flüchtige (vergängliche) Zeit / 덧없는 명성 der vergängliche Ruhm / 덧없는 사랑 die Liebe von kurzer Dauer / 덧없는 인생 das vergängliche (dahineilende) Leben; das veränderliche Leben / 이 세상의 행복은 모두 다 덧없는 것이다 Wie flüchtig alles Glück in dieser Welt.¦Dem Glück ist nicht zu trauen.

② 《공허》 eitel; leer; nichtig; 《희망없는》 hoffnungslos (sein). ¶ 덧없는 꿈 der leere Traum / 덧없는 희망을 품다 eitle (unbegründete) Hoffnungen hegen / 인생은 덧없는 것이다 Das Leben ist ein (leerer) Traum.¦Unser Leben dauert (währt) nur e-e kurze Spanne.

③ 《자취·근거없음》 grundlos; unbegründet; spurlos; falsch (sein).

덧없이 flüchtig; vergänglich; vorübergehend; schnell; dahinschwindend. ¶ 세월이 ~ 간다 Die Zeit vergeht (verfliegt).

덧옷 Kittel *m.* -s, -; Arbeitskittel *m.* -s, - (작업용); Spielkittel *m.* -s, -. (어린이용); Überwurf *m.* -(e)s, ⸚e; Über¦kleid (Ober-) *n.* -(e)s, -er.

덧입다 über die Kleidung an|ziehen*[4].

덧저고리 der Zusatzmantel, der über den normalen Mantel extra angezogen wird.

덧짐 e-e hinzugelegte Last, -en.

덧칠 Anstrich *m.* -(e)s, -e; Überzug *m.* -(e)s, ⸚e; Glasur *f.* -en (도자기의). ¶ ~을 하다 (fertig) an|streichen*[4] (an|pinseln[4]) 《*mit*[3]》; glasieren[4](도자기에); lasieren[4](니스 따위로)/ 니스로 ~을 하다 mit Firnis überziehen*[4] (an|streichen*).

덩거칠다 《우거지다》 mit den Reben bedeckt (sein.)

덩굴 Ranke *f.* -n; Gabel *f.* -n; Ausläufer *m.* -s, -. ¶ ~모양의 rankenartig / ~이 뻗다 ranken / ~이 퍼지다 die Ranke kriecht (수평으로); die Ranke klettert (위로) / ~로 휘감기다 [4]sich ranken 《*um*[4]》.
‖ ~장미 Kletterrose *f.* -n. ~풀 Kletterpflanze *f.* -n; Schlingpflanze *f.* -n; Rankenpflanze *f.* -n. 고구마~ Ausläufer 《*m.* -s, -》 der Batate. 포도~ Weinranke *f.* -n.

덩굴손 〖식물〗 Ranke *f.* -n.

덩굴지다 [4]sich zum Verschlingen aus|wachsen*. ¶ 포도가 ~ Der Weinstock wächst sich zum Verschlingen aus.

덩그렇다 ① 《높다·헌거롭다》 hoch u. groß; stattlich; imponierend; einzig; alleinstehend; einsam gelegen (sein). ¶ 집을 덩그렇게 높이 짓다 das Haus hoch bauen / 언덕 위에 집 한 채가 덩그렇게 서 있다 Auf dem Hügel ragt ein Haus empor. ② 《텅비다》 groß u. leer (sein). ¶ 덩그런 집 ein großes leerstehendes Haus, -es, ⸚er.

덩달다 mit|laufen*Ⓢ; nur so mit|machen[4]; *jm.* blindlings folgen; *jm.* gedankenlos zu|stimmen.

덩더꿍 Trommelschlag *m.* -s, ⸚e. ¶ ~이 소

출 der Lebenslauf e-s glücklichen Verschwenders, der aufs Geratewohl dahinlebt. ⌈《pl.》.

덩덕새머리 zottlige ungekämmte Haare

덩덩 Trommelschlag m. -s, ⸚e. ¶ 북을 ~ 울리다 laut die Trommel schlagen*; laut trommeln / ~하니 굿만 여긴다 geneigt sein, aus jeder möglichen Situation ein gutes Party (etwas Gutes) zu erwarten.

덩덩그렇다 ① 《헌거롭다》 stattlich sehr imponierend (sein); ② 《텅비다》 groß u. leer; leerstehend (sein).

덩두렷이 auffällig; beachtlich; offensichtlich; deutlich; einleuchtend; ersichtlich; bemerkenswert. ⌈(sein).

덩둘하다 dumm; töricht; albern; närrisch

덩드럭거리다 die Nase hoch tragen*; ⁴sich auf|spielen; ⁴sich wichtig machen; an|geben*; ⁴sich hochnäsig (arrogant) benehmen*.

덩실거리다 herum|hüpfen ⓢ; herum|tollen ⓢ; Luftsprünge machen; fröhlich (heiter; lustig; lebhaft) tanzen. ¶ 기뻐서 ~ vor Freude herum|tanzen.

덩실덩실 《Tanz》 lebhaft; fröhlich; heiter; lustig; freudig; erfreulich; gut aufgelegt. ¶ ~ 춤추다 fröhlich tanzen.

덩싯거리다 ⁴sich hin|lümmeln; ⁴sich hin|-flegeln; ⁴sich rekeln. ¶ 종일 누워 ~ ⁴sich den ganzen Tag auf dem Bett hin|lümmeln.

덩어리 《큰》 Masse f. -n; Menge f. -n; Haufe(n) m. ..fens, ..fen; 《흙 따위의》 Klumpen m. -s, -; Scholle f. -n; Kloß m. -es, ⸚e; 《작은》 Klümpchen n. -s, -; Knöllchen n. -s, -. ¶ ~ 모양의, ~진 knollig; knollicht; klumpig; klümperig (작은 덩어리의) / 한 ~가 되어 《사람 따위가》 in e-r Gruppe / ~가 되어 자라다 《과실 따위가》 in Büscheln wachsen* ⓢ.

‖ 골칫~ Störenfried m. -(e)s, -e; Störer m. -s, -; ein lästiger (beschwerlicher) Kerl m. -(e)s, -e. 눈~ Schneemasse f. -n. 쇳~ Luppe f. -n; Deul m. -(e)s, -e. 얼음~ Eisscholle f. -n. 욕심~ die äußerste Selbstsucht; die Verkörperung der Selbstsucht. 핏~ Blutklumpen m. -s, -; Blutkuchen m. -s, -. 흙~ Erdklumpen m. -s, -.

덩어리지다 Klumpen bilden; ⁴sich an|häufen; ⁴sich zusammen|ballen. ¶ 흙이 ~ Die Erde bildet Klumpen. ¦ Die Erden ballen sich zu Klumpen zusammen. / 얼음이 ~ das Eis bildet e-n Klumpen / 전분은 너무 급히 끓이면 덩어리진다 Die Kornstärke ballt sich zu e-m Klumpen zusammen, wenn man sie zu schnell kocht.

덩이 Klumpen m. -s, -; Scholle f. -n; Stück n. -(e)s, -e.

덩지 《체구》 Körper m. -s, -; Körperbau m. -(e)s; Statur f. -en; 《부피》 Masse f. -n; Menge f. -n; Quantität f. -en. ¶ ~가 큰 《사람》 von großem Wuchs; von großer Gestalt; hochgewachsen; 《물건》 dick; groß; massig; voluminös / ~ 큰 사람 ein großer Mann, -(e)s, ⸚er; Riese m. -n, -n / 그는 꽤 ~가 크다 Er ist von ziemlich großer Figur (Statur). / ~ 크고 꾀 있는 놈 없다 Ein großer Kerl mit wenig Gehirn.

덩치 =덩지.

덩케르크 《프랑스의 항구》 Dunkerque; Dünkirchen.

덫 《창애》 Falle f. -n; Fallgrube f. -n; 《올가미》 Schlinge f. -n; Fallstrick m. -s, -e. ¶ 쥐덫 Mause¦falle (Ratten-) f. / 덫을 놓다 e-e Falle auf|stellen (bauen); e-e Schlinge legen / 덫에 걸리다 in die Falle gehen* ⓢ; in die Schlinge fallen* ⓢ; ⁴sich in e-r Schlinge fangen* / 덫으로 잡다 in e-r Falle (Schlinge) fangen* / 제가 놓은 덫에 제가 걸렸다 Er fing sich in der eigenen Schlinge.

덮개 ① 《침구·커버》 Bettzeug n. -(e)s, -e; Überdecke f. -n; Decke f. -n; Bedeckung f. -en; Überzug m. -(e)s, ⸚e; 《비를 가리는》 Regendecke f. -n; Zeltdecke f. -n.
② 《뚜껑》 Deckel m. -s, -; Haube f. -n; Klappe f. -n.

덮다 ① 《씌우다》 zu|decken⁴; bedecken⁴; über|hängen*⁴; über|ziehen*⁴; ab|decken⁴ 《이상 mit³》; legen⁴; (aus|)breiten⁴; setzen⁴ 《이상 auf⁴》; (ver)hüllen⁴; um|hüllen⁴; ein|-hüllen⁴ 《이상 mit³; in⁴》; decken⁴. ¶ 뚜껑을 ~ (be)decken⁴; zu|decken⁴; zu|machen⁴ (닫다) / 이불을 ~ ⁴sich decken 《mit Bettzeug》 / 잔디로 ~ mit Rasen bekleiden / 테이블보를 ~ den Tisch decken (식사 준비); das Tischtuch auf|legen / 이불을 잘 덮어라 Decke dich gut zu!
② 《엄폐》 verhüllen⁴; verstecken⁴; verhehlen⁴; verschleiern⁴; verbergen⁴; verheimlichen⁴; geheim|halten*⁴. ¶ 자기 죄를 덮어두다 s-e Sünde (Schuld) verschleiern (verhüllen) / 하늘이 구름으로 덮여 있다 Der Himmel bedeckt sich mit Wolken. / 진상을 덮어두다 die Wahrheit verhüllen.
③ 《닫다》 schließen*⁴; zu|schließen*⁴; zu|-machen⁴. ¶ 책을 ~ das Buch zu|machen (schließen⁴).

덮두들기다 《ein ⁴Kind》 zärtlich streicheln (tätscheln).

덮어놓고 draufgängerisch; tollkühn; verwegen; wag(e)halsig; unbesonnen; rücksichtslos; blind(lings); unüberlegt; gedankenlos; unbedacht; übereilt; überstürzt; überstürzend; grundlos; unbegründet; unmotiviert; unberechtigt; aus der Luft gegriffen; ohne allen (jeden) Anlaß; ohne (allen) Grund. ¶ ~ 끝까지 가 보는 성미다 Er geht immer rücksichtslos bis zum Äußersten. / ~ 내가 잘못했다는 말씀이신가요 Wollen Sie mir damit zu verstehen geben, daß Sie mich für schuldig halten? / ~ 그런 말을 하는 게 아니야 Sei nur nicht so unvernünftig! / ~ 그는 내 따귀를 때렸다 Er gab mir ohne allen Grund e-e Ohrfeige. / ~ 열 녁냥금 s-e Schätzung ist unbegründet.

덮어두다 jn. durch die Finger sehen*; (nachsichtig) übersehen*⁴; verschweigen*⁴; ein Auge zu|drücken; beide Augen zu|-drücken; nicht merken*; jm. ⁴et. hin|gehen lassen*; jm. ⁴et. ohne Rüge (Strafe) durch|gehen lassen*; (vor) jm. verhehlen⁴; (vor) jm. verbergen*⁴; (vor) jm. verstecken⁴; (vor) jm. verheimlichen⁴; vor jm. geheim (heimlich) halten*⁴; jm. Zuflucht gewähren. ¶ 사실을 ~ e-e Tatsache verhehlen; die Wahrheit verhüllen / 이 잘못은 덮어둘 수 없다 Ich kann diesen Fehler nicht übersehen. / 불쌍하니까 이번만은 덮어둔다 Weil es mir leid tut, will ich diese Sache für diesmal hingehen lassen.

덮어쓰다¹ =뒤집어쓰다 ②.

덮어쓰다² 《글씨본을》 nach dem Schriftzugmuster darauf nach|zeichnen.

덮어씌우다 ① 《가림》 zu|decken⁴; über|ziehen*⁴; ein|schlagen*⁴; bekleiden⁴; um|hüllen⁴; beziehen*⁴. ② 《죄를》 *jn.* beschuldigen; *jm.* 《die Schuld》 geben* 〔zu|schreiben*; zu|schieben*〕; 《die Schuld》 auf *jn.* ab|wälzen.

덮이다 ① 《가려지다》 mit ³*et.* bedeckt 〔gehüllt; eingehüllt; verhüllt〕 werden. ¶ 녹음으로 ~ mit Grün bedeckt werden / 눈에 ~mit Schnee bedeckt werden / 꽃으로 덮여 있다 mit Blumen bekleidet sein/구름으로 ~ von ³Wolken 《*pl.*》 bedeckt werden; ⁴sich in den ³Wolken verlieren* / 암흑으로 ~ in Dunkel eingehüllt werden / 안개로 ~ in Nebel eingehüllt werden / 잔디로 덮여 있다 mit Rasen bekleidet sein / 뚜껑이 ~ Der Deckel ist gelegt 〔gesetzt〕. / 하늘이 구름으로 덮여 있다 Der Himmel bedeckt sich mit Wolken. ¦ Der Himmel überzieht sich mit Wolken. / 인간의 운명은 비밀의 구름으로 덮여 있다 Ein geheimnisvolles Dunkel hängt über des Menschen Schicksal.
② 《닫히다》 (zu)geschlossen werden; zugemacht werden. ¶ 책이 ~ Ein Buch wird zugemacht.

덮치기 ein großes Vogel(fang)netz, -es, -e.

덮치다 ① 《겹쳐누름》 nieder|drücken⁴; unterdrücken⁴; nieder|halten*⁴; auf|drücken⁴; *jn.* zu Boden zwingen* 〔werfen*〕; an|-greifen 〔-|fallen〕*⁴; befallen*⁴ (질병 따위가); überfallen*⁴; überraschen⁴; überrumpeln⁴; ⁴über her|fallen*; ergreifen*. ¶ 남을 (갑자기) ~ *jn.* überraschen / 적의 좌익을 ~ auf den linken Flügel des Feindes bestürmen / 재앙이 ~ befallen*⁴; als ¹Unglück treffen*⁴; heim|suchen⁴ / 범행 현장을 ~ *jn.* auf frischer Tat ertappen / 칼을 빼어 행인을 ~ Passanten mit dem Schwert überfallen* / 병이 ~ von e-r Krankheit befallen 〔ergriffen〕 werden / 열병이 ~ vom Fieber befallen werden / 자객이 ~ von e-m Meuchelmörder überfallen werden / 폭풍우가 ~ von e-m Sturm überfallen werden / 경관이 강도를 덮쳤다 Ein Schutzmann nahm den Räuber fest. ¦ Der Räuber wurde von e-m Schutzmann festgenommen. / 도둑이 힘이 세어 덮칠려야 덮칠 수 없다 Ich konnte den Dieb nicht zu Boden werfen 〔zwingen〕, er war zu stark.
② 《갖가지 일이》 verschiedene Ereignisse auf einmal passieren Ⓢ; vielerlei Schwierigkeiten zu gleicher ³Zeit entstehen* Ⓢ; mit Geschäften überhäuft 〔überladen〕 sein; von vielen Arbeiten gedrängt sein; 《불행이》 von vielen Unglücksfällen gleichzeitig gedrängt sein. ¶ 주문이 덮쳐 와서 바쁘기만 하다 Wir sind mit Bestellungen überhäuft. / 그는 공무원이라서 이런 일 저런 일이 덮친다 Da er ein Beamter ist, (so) ist s-e Zeit sehr in Anspruch genommen./ 엎친 데 덮친다 Ein Unglück kommt selten allein. / 세밑이면 자질구레한 일들이 덮친다 Am Jahresende sind wir stets beschäftigt, auch wenn nichts Besonderes vorliegt. / 이 땅에는 내우외환이 덮친다 Das Land hat sowohl innere wie auch äußere Schwierigkeiten. ¦ Innere Unruhen u. äußere Verwicklungen wechseln in diesem Lande miteinander (ab).

데 《곳》 Stelle *f.* -n; Ort *n.* -(e)s, -e 〔⸚er〕; Platz *m.* -es, ⸚e; Raum *m.* -(e)s, ⸚e; 《특징》 Merkmal *n.* -(e)s, -e; Eigentümlichkeit *f.* -en; Eigenschaft *f.* -n; 《대목》 Stelle *f.* -n; Schriftstelle *f.* -n; Passus *m.* -, -; 《부분》 Teil *m.* -es, -e; Abschnitt *m.* -(e)s, -e; 《경우》 Fall *m.* -(e)s, ⸚e; Verhältnisse 《*pl.*》; Umstände 《*pl.*》. ¶ 강한 데 die starke Seite; Stärke *f.* -n / 좋지 못한 데 출입하다 verdächtige Örter besuchen / 아무 데나 überall; allenthalben / 본디 있던 데로 되돌리다 wieder an s-n Platz bringen*⁴ 〔tun*⁴〕 / 약한 데 die schwache Seite; Schwäche *f.* -n / 그 점이 그 사람다운 데다 Das ist eben s-e Art. / 누구나 불완전한 데가 있다 Jeder hat s-e Schwächen. / 이 곳은 젊은 사람이 출입할 데가 아니다 Hier ist kein Ort für junge Leute. / 그가 간 데를 모른다 Ich weiß nicht, wo er hingegangen ist. / 앉을 데가 없다 Hier gibt es k-n Platz mehr. / 김 선생 계신 데를 모른다 Ich weiß Herrn *Kims* Adresse nicht. / 그럴 듯한 데가 있다 Es ist auch etwas Wahres dabei 〔daran〕. / 여기가 힘든 데다 Hier fangen die Schwierigkeiten an. ¦ Da liegt der Hund begraben 《속어》. / 그녀는 여자다운 데가 없다 Es ist wenig Weibliches an ihr. / 각자 보는 데가 다르다 Sie haben verschiedene Gesichtspunkte. ¦ Sie sehen die Dinge verschieden an. / 이제부터 제일 힘든 데에 들어섰다 Nun sind wir zum schwersten Teil der Arbeit gekommen.

-데 《종결어미》 es ist beobachtet worden, daß...; es ist bekannt, daß...; Wie wir alle wissen; ich höre 〔habe gehört〕, daß ...; ich habe bemerkt, daß...; ich habe gefunden, daß.... ¶ 구경꾼이 많이 오데 (Wir haben bemerkt, daß) viele Leute kamen, um die Sehenswürdigkeiten zu besichtigen. / 경치가 과연 좋데 Die Landschaft war wirklich schön!

데구루루 ☞ 대구루루.

데굴데굴 ☞ 떼굴떼굴.

데그럭- ☞ 대그락-.

데꺽 ① 《소리》 knallend; krachend; mit e-m Knall; mit e-m Krach; mit e-m Knack(s). ¶ 지팡이가 ~ 부러지다 Der Stock bricht knallend 〔mit e-m Knall〕.
② 《손쉽게》 ohne Schwierigkeiten; mühelos; leicht; glatt; schnell u. leicht; rasch; gleich. ¶ 그는 그 문제를 ~ 풀었다 Er hat das Problem gleich gelöst.

데꺽거리다 knallen; krachen; rattern; rasseln; klappern. ¶ 그릇이 데꺽거린다 Die Teller klappern

데꺽데꺽 klappernd; krachend; ratternd.

데님 《면직물》 grober (Baumwoll)drillich, -(e)s, -e.

데다 ① 《불·열에》 ⁴sich verbrennen*; ³sich e-e Brandwunde zu|ziehen*; 《끓는 물에》 ⁴sich verbrühen. ¶ 덴 자국 die Narbe e-r Brandwunde; Brandnarbe *f.* -n / 손을 ~ ³sich die Hand verbrennen* / 손가락을 불에 데었다 Ich habe mir die Finger verbrannt./덴 곳이 따끔거린다 Die Brandwunde schmerzt stechend.
② 《혼나다》 schlechte Erfahrungen machen; Schreckliches* erleben; Furchtbares* über ⁴sich ergehen lassen müssen*; öfters die bittere Pille schlucken (müssen); teuer zu stehen kommen* Ⓢ. ¶ 이번 여행 중 단

단히 데었네 Auf der diesmaligen Reise habe ich allerlei Schwierigkeiten gehabt./ 저런 사람들과 사귀다 단단히 델 때가 꼭 온다 Sie werden gewiß einmal in Verlegenheit kommen, wenn Sie mit solchen Menschen umgehen. / 아주 데었다 Über das Erlebte habe ich wirklich viel zu klagen.

데데하다 geringfügig; unbedeutend; bedeutungslos; wertlos; nichtswürdig; nichtsnutzig; dumm; albern; blöde; langweilig(지루한); uninteressant (sein). ¶ 데데한 사람 ein unbedeutender (langweiliger; nichtsnutziger) Mensch, -en, -en / 데데한 말을 하다 Unsinn reden; Quatsch reden (verzapfen)/ 데데한 짓을 하다 e-e Torheit begehen*; dummes Zeug machen.

데되다 (qualitativ) mangelnd sein; an [3]*et.* mangeln; [4]*et.* fehlen; mißraten (plump ungeraten) sein.

데드마스크 Totenmaske *f.* -en. ¶ ~를 뜨다 e-e Totenmaske von *jm.* machen.

데드볼 〖야구〗 ein Ball 《*m.* -(e)s》 außer Spiel. ¶ ~을 맞다 von dem geworfenen Ball getroffen werden / ~로 걸어나가다 durch e-n Ball außer Spiel zum ersten Laufmal gehen* Ⓢ.

데려가다 mit|nehmen*[4]; 《연행》 ab|führen[4]; 《도로》 zurück|nehmen*[4]; ab|holen[4]. ¶ 어린 애를 아저씨 댁에 ~ das Kind zum Onkel mit|nehmen* / 너를 길잡이로 데려 가지 Ich nehme dich als Reiseführer mit./데려가 주시오 Bitte, nehmen Sie mich mit! / 매일 아침 그는 양을 목장으로 데려간다 Jeden Morgen hat er die Schafe auf die Weide getrieben. / 순경이 그녀를 경찰서로 데려갔다 Ein Polizist führte sie zur Polizei ab.

데려오다 mit|bringen*[4]; ab|holen[4]; holen[4]. ¶ 어린애를 학교에서 ~ den Jungen (die Mädel) von der Schule ab|holen / 의사를 ~ den Arzt holen.

데리다 《거느리다》 mit|nehmen*[4]; mit|bringen*[4]; begleiten[4]; *jm.* folgen; mit *jm.* gehen*Ⓢ; *jn.* mit|nehmen*. ¶ …을 데리고 mit[3]; begleitet von[3]; in Begleitung von[3] / 아이를 데리고 있는 부인 e-e Frau mit Kindern / 데리고 나오다 *jn.* heraus|bringen* / 데리고 들어가다 mit *jm.* hinein|gehen* Ⓢ; *jn.* hinein|führen / 데리러 가다 (데리러 오다) *jn.* ab|holen gehen* (kommen*) Ⓢ / 데리고 놀다 *jn.* unterhalten* 《*mit*[3]》; *jn.* bei guter Laune halten*; *jn.* e-e schöne Zeit verleben lassen* / 데리고 돌아오다 zurück|-bringen*[4] / 집으로 데리고 돌아오다 nach [3]Hause (zurück|)bringen*[4]; mit|nehmen*[4]/ 데리고 들어온 자식 Kind 《*n.* -(e)s, -er》 aus erster (früher) Ehe / 가족을(처자를) 데리고 온천장으로 가다 mit s-r Familie (mit Frau u. Kindern) nach e-m Badeort gehen*Ⓢ/ 그는 3시에 나를 데리러 온다 Er kommt mich um drei Uhr abholen. / 그도 데리고 오지 않겠읍니까 Wollen Sie ihn auch mitbringen? / 저도 데리고 가 주십시오 Nehmen Sie mich auch mit! / 나는 그를 병원에 데리고 갔다 Ich brachte ihn zum Krankenhaus. / 그녀를 데리고 산 지가 10 년이 되었다 Wir haben uns seit zehn Jahren verheiratet.

데릴사위 der Eingeheiratete*, -n, -n; 《데릴사위가 되는 일》 Einheirat *f.* -en. ¶ ~가 되다(로 들어가다) *js.* (e-e) Erbtochter heiraten; als Schwiegersohn in e-e Familie ein|heiraten.

데릴사윗감 ① 《귀염 못받는》 jemand, der sich leicht unbeliebt macht. ② 《얌전한》 ein junger Mann, der ein vorbildliches Leben führt. ⌈*m.* -s, -.

데림추 Nachfolger (Anhänger; Mitläufer)

데마 Demagogie *f.* -n; Gemunkel *n.* -s; Fabel *f.* -n; Märchen *n.* -s, - (허구). ¶ ~를 퍼뜨리다 《선동함》 auf|wiegeln[4]; auf|putschen[4]; e-e Lügengeschichte verbreiten (거짓말을); Märchen 《*pl.*》 erzählen / ~를 퍼뜨리는 사람 Demagog(e) *m.* ..g(e)n, ..g(e)n; Aufwiegler *m.* -s, - (선동가); Erdichter *m.* -s, -; Flunkerer *m.* -s, - / 대단한 ~를 퍼뜨리는 녀석이다 Er lügt das Blaue vom Himmel herunter.

데면데면하다 《조심성 없다》 achtlos; gedankenlos; unachtsam; unvorsichtig; nachlässig; fahrlässig (sein). ¶ 일을 데면데면히 하지 말고 좀 잘 하거라 Arbeiten Sie nicht fahrlässig! | Ich will, daß Sie sorgfältig arbeiten.

데모 Demonstration *f.* -en; Kundgebung *f.* -en; Massenkundgebung *f.* -en. **~하다** demonstrieren. ¶ 가두 ~를 하다 e-e Straßenkundgebung veranstalten (machen) / ~를 진압하다 e-e Demonstration unter|-drücken (besiegen).

‖ **~대** Demonstrationsmasse *f.* -n; Demonstrationsmenge *f.* -n. **~만능** allmächtige Demonstration (Massenkundgebung) -en. **~행진** Demonstrationszug *m.* -(e)s, ⸗e.

데모크라시 Demokratie *f.* -n. ☞ 민주주의. ¶ ~의 demokratisch.

데밀다 hinein|stoßen*[4]; hinein|schieben*[4].

데뷔 Debüt *n.* -s, -s. **~하다** debütieren. ¶ 그는 부산극장에서 ~하였다 Er feierte sein Debüt im *Busan*-Theater.

데삶기다 halb (leicht) gekocht werden; halbgar (noch nicht gar) sein.

데삶다 leicht (halb) kochen[4]. ¶ 데삶은 nicht gar; halbgar; halbgekocht / 데삶은 달걀 halbgekochtes Ei, -s, -er.

데생 〖미술〗 Dessin [dɛsɛ̃:] *n.* -s, -s. **~하다** dessinieren.

‖ **~화가** Dessinateur [..tø:r] *m.* -s, -e.

데생각하다 ungenügend (unreif; unlogisch; leicht) denken*.

데생기다 unreif (unverarbeitet; unausgebildet) sein.

데설궂다 robust; ungestüm; unfein; ungenau (sein).

데스크 《책상》 (Schreib)tisch *m.* -es, -e; Lese|pult (Schreib-; Zeichen-) *n.* -(e)s, -e; 《신문사 편집국》 Redaktion *f.* -en; Zeitungsredakteur [..tø:r] *m.* -s, -e; der verantwortliche Redakteur, -s, -e.

데시- ¶ 데시그램 Dezigramm *n.* -s, -e 《생략: dg》 / 데시리터 Deziliter *m.* (*n.*) -s, - 《생략: dl》 / 데시미터 Dezimeter *m.* (*n.*) -s, - 《생략: dm》.

데시기다 ungern (widerwillig) essen*[(4)]. ¶ 그녀는 입맛이 떨어져 음식을 데시기기만 했다 Sie hat k-n Appetit, darum ißt sie nur ungern.

데알다 oberflächlich (ungenau; äußerlich) wissen*[4].

데억지다 《너무 크다》 zu groß sein; 《너무 많다》 zu viel sein; das geht über alles Maß.

데우다 (er)wärmen[4]; an|wärmen[4]; warm|-machen[4];. auf|wärmen[4]; 《뜨겁게》 erhit-

zen⁴ ¶ 물을 ~ Wasser kochen / 물을 80도로 ~ ⁴Wasser auf 80 ⁴Grad erhitzen / 술을 ~ Reiswein warm stellen; Reiswein wärmen / 밥을 ~ Reis wieder warm machen / 국을 ~ Suppe wieder warm stellen (machen) / 술을 데워 마시다 Reiswein warm trinken* / 목욕물을 ~ den Badeofen heizen; ein Bad bereiten (zurecht|machen) / 우유를 ~ Milch ab|kochen / 하녀에게 밥을 데우라 하시오 Befehlen Sie dem Mädchen, den Reis (wieder) warm zu machen.
데이비스컵 〖테니스〗 Davis-Pokal *m.* -s; Davispokalmeisterschaften 《*pl.*》 (시합). ¶ 올해의 ~ 한국 대표는 누구일까요 Wer vertritt Korea dieses Jahr beim Davis-Pokal?
‖ ~선수 Davispokalwettkämpfer *m.* -s, -. ~전 Davispokalwettkampf *m.* -(e)s, ⸗e.
데이지 〖식물〗 Gänseblümchen *n.* -s, -; Maßliebchen *n.* -s, -; Tausend¦schön *n.* -s, -e (-schönchen *n.* -s, -).
데이터 Daten 《*pl.*》; Tatsachenmaterial *n.* -s, ..lien; Einzelheiten 《*pl.*》. ¶ …에 관한 ~를 모으다 das Tatsachenmaterial über ⁴*et.* sammeln.
‖ ~분석 Datenanalyse *f.* -n. ~정리 Datenbearbeitung *f.* -en. ~통신 Dateninformation *f.* -en (durch Computer [kɔmpjúːtər]).
데이트 ① 《회합》 Treffen *n.* -s, -; Verabredung *f.* -en; Stelldichein *n.* -s, -; Rendezvous [rãdevúː] *n.* - [..vúː(s)], - [..vúːs]. ~하다 ⁴sich (mit *jm.*) verabreden; e-e Verabredung (mit *jm.*) haben; ein Rendezvous (Stelldichein) haben (verabreden; ein|halten*). ② 《날짜》 Datum *n.* -s, ..ten; Zeitangabe *f.* -n.
데익다 halbgekocht; halbgar (sein).
데치다 ① 《삶아 냄》 halb kochen⁴; leicht kochen⁴. ¶ 푸성귀를 끓는 물에 ~ das Gemüse in heißem Wasser halb (leicht) kochen. ② 《혼내다》 *jm.* auf die Finger klopfen; *jm.* den Kopf waschen*; *jm.* e-e Strafpredigt halten.*
데카- deka-. ¶ 데카리터 Dekaliter *n.* (*m.*) -s.
데카당 〖문학〗 Dekadenz *f.*; 《사람》 der Dekadente*, -n, -n. ¶ ~적 dekadent.
‖ ~문학 Decadence [dekadã́ːs] *f.*; Dekadenz *f.* ~파 die Dekadents 《*pl.*》.
데칸고원(一高原) 《인도의》 Dekhan.
데커레이션 Dekoration *f.* -en; Schmuck *m.* -(e)s, -e; Ausschmückung *f.* -en.
‖ 크리스마스 ~ Weihnachtsdekoration *f.*
데크 Deck *n.* -(e)s, -e (-s); (Außen)plattform *f.* -en (객차의).
데퉁바리 ein plumper Tölpel, -s, -.
데퉁스럽다, 데퉁맞다 plump; schwerfällig (sein).
덱데구루루 ☞ 떽대구루루.
덴가슴 ein erregbares Herz, da es schon einmal Schreckliches (Schlimmes) erfahren hat.
덴겁하다 in Verwirrung geraten* ⓢ; außer Fassung geraten* ⓢ; bestürzt (verlegen) sein; außer ³sich geraten* ⓢ; den Kopf verlieren*. ¶ 덴겁해서 holterdiepolter; bestürzt; fassungslos.
덴덕스럽다 wegen *js.* Gemeinheit ⁴sich unangenehm fühlen.
덴덕지근하다 wegen *js.* Gemeinheit ⁴sich sehr unangenehm fühlen.
덴둥이 jemand, der sich verbrannt (verbrüht) hat.
덴마크 Dänemark *n.* ¶ ~(어)의 dänisch.
‖ ~사람 Däne *m.* -n, -n; Dänin *f.* ..ninnen (여자). ~어 Dänisch *n.* -(e)s.
델리킷 ¶ ~한 《형상》 zart; zierlich; fein; 《성격》 empfindsam; heikel; sensitiv; delikat. ¶ ~한 입장 e-e heikle Situation, -en.
델린저현상(一現象) 〖물리〗 Mögel-Dellinger-Effekt *m.* -(e)s, -e; Dellinger-Effekt *m.* -(e)s, -e.
델타 《삼각주》 Delta *n.* -s, -s (..ten); 《그리스 문자》 Delta *n.* -(s), -s.
뎅그열(一熱) Denguefieber [dέŋgə..] *n.* -s, -.
뎅뎅 bimbam; bimbum; klingklang.
도¹ ① 《역시》 auch; ebenso; und (auch); ebenfalls. ¶ 너도 갔었느냐 Bist du auch da gewesen? / 나는 거절했다, 내 친구도 그랬다 Ich lehnte es ab, ebenso mein Freund. / 너에게도 그런 일은 있을 수 있다 Auch dir kann es so gehen.¦Auch dir kann es so etwas passieren. / 너는 바보야—너도 그래 Du bist dumm.—Du auch. / 배가 고파요—나도 그래요 Haben Sie Hunger?—Ich auch. / 자네가 나를 그렇게 대한다면 나도 자네한테 그렇게 대할 테야 Kommst du mir so, so komme ich dir auch so. / 나도 할 수 있다 Ich kann es ebenfalls (auch).
② 《…도 …도》 〖긍정〗 sowohl... als (auch); sowohl...wie; und (auch); nicht nur (bloß)... sondern auch; sowie; zugleich; 〖부정〗 weder... noch; kein(e)s von beiden; nicht... noch. ¶ 늙은이도 젊은이도 jung u. alt / 귀족도 천민도 vornehm u. gering / 고대광실에도 초가삼간 누옥에도 sowohl in Palästen als auch in Hütten / 서울에서도 부산에서도 in Seoul u. (auch) in Busan; sowohl in Seoul als auch in Busan / 누이도 나도 nicht nur m-e Schwester, sondern auch ich / 그는 독일어로 말도 하고 글도 쓴다 Er spricht Deutsch u. schreibt es auch. / 그는 영어도 잘 하고 불어도 잘 한다 Er kann Englisch ebensogut wie Französisch. / 어느 쪽도 잘못이 없다 K-n von beiden trifft die Schuld. / 검은 것도 있고 빨간 것도 있다 Einige sind schwarz, andere sind rot. / 그는 좋은 선생이기도 하고 또한 좋은 아버지이기도 하다 Er ist sowohl ein guter Lehrer als auch ein guter Vater. / 그녀는 미인도 아니고 부자도 아니다 Sie ist weder schön noch reich. / 그 남자도 그녀도 오지 않았다 Weder er noch sie ist gekommen.
③ 《…조차도》 auch 〖최상급과 함께〗; schon; selbst; sogar; 〖부정사와 함께〗 auch nur nicht; sogar nicht; nicht einmal; kaum noch. ¶ 나는 그런 일은 꿈에도 생각하지 않았다 Ich habe selbst im Traume nicht daran gedacht.¦Das hätte ich mir nie träumen lassen. / 그는 나를 보지도 않고 떠났다 Er ging fort, ohne mich auch nur anzusehen. / 슬쩍 보기만 해도 황홀해진다 Schon der bloße Anblick entzückt. / 보기만해도 그 남자는 구역질난다 Schon sein Anblick ist mir ekelhaft. / 어린아이도 그쯤은 안다 Sogar (Selbst) ein Kind weiß so was. / 그것은 소식통도 모르는 새 정보다 Diese Nachricht ist selbst den Gutinformierten ganz neu. / 단 일 분도 가만 있지 못한다 Sogar (Auch nur) e-e Minute kann er nicht ruhig bleiben. / 삼일분의 식량도 없었다 Wir hatten kaum noch für drei Tage Lebensmittel. / 그에게는 단돈 백 원도 빌려

줄 수 없다 Ihm kann ich nicht einmal 100 *Won* pumpen. / 단 5분도 채 아니 되어서 Fünf Minuten sind kaum noch vergangen, so.... / 그는 읽을 줄도 모른다 Nicht einmal lesen kann er. / 그는 제대로 쓸 줄도 모른다 Nicht einmal richtig schreiben kann er. ④《…라 할지라도》 auch wenn; selbst wenn; und wenn; wenn auch; wenngleich; obschon; obgleich; obwohl; wie auch; wie immer. ¶ 비가 와도 소풍을 갑니까 Machen wir den Ausflug, auch wenn es regnet? / 아무리 상감마마라도 그 일은 못 한다 Obgleich er ein König ist, kann er es nicht machen. / 아무리 부자라도 그것은 가질 수 없다 Auch der reichste kann es nicht haben. / 내고 싶어도 돈이 없다 Ich möchte bezahlen, aber ich habe kein Geld. / 그 같은 영웅도 눈물을 흘렸다 Ein Held, der er ist, vergoß er Tränen. / 그처럼 약은 그도 결국은 함정에 빠지고 말았다 Schlau, wie er ist, ist er endlich in die Schlinge gefallen. / 내게도 한때는 젊은 시절이 있었지 Ich bin auch einmal jung gewesen. / 삼척동자도 그런 것은 알 수 있네 Ein Kind kann so etwas verstehen. / 아무리 용기 있는 자라도 기가 꺾인다 Da verzagt der Mutigste.

⑤《예측·방법·결과》¶ 늦어도 spätestens / 적어도 wenigstens; mindestens / 크게 잡아도 höchststens; kaum / 오늘이라도 그는 올 것이다 Er wird noch heute kommen. / 여기서 역까지 10분도 채 안 걸립니다 Von hier bis zum Bahnhof braucht man höchstens (kaum) zehn Minuten. / 어리석게도 나는 그것을 누설하고 말았다 Dummerweise habe ich es verraten.

도² 〖음악〗 C *n.* -, -; Do *n.* -, -.

도(度) ①《정도》 Maß *n.* -es, -e; Grad *m.* -(e)s, -e; Stufe *f.* -n; Grenze *f.* -n (한도).
②《적당》 Mäßigkeit *f.* ¶ 도를 지키다 Maß halten* (maß|halten*); ⁴sich beherrschen; ⁴sich mäßigen《*in*³》/ 도가 지나치다 maßlos (unmäßig) sein; die Grenzen überschreiten* / 매사는 도가 지나치면 안 된다 Alles hat s-e Grenzen. | Alles hat sein Maß u. Ziel. / 음식은 도가 지나치면 해롭다 Es schadet der Gesundheit, wenn man im Essen u. Trinken unmäßig ist.
③《도수·눈금》 Grad *m.* -(e)s 〖도수·온도·경위도·안경 따위의 도수를 표시할 때는 *pl.* 없음〗; Gradeinteilung *f.* -en. ¶ 영하 10도 10 Grad unter Null / 북위 38도 38 Grad nördlicher Breite / 동경 50도 50 Grad östlicher Länge / 도수가 센 안경 die hochgradige Brille / 10도의 안경 die Brille von 10 Grad / 온도계는 0도이다 Das Thermometer steht auf Null.
④《횟수》 Mal *n.* -(e)s, -e; Zeit *f.* -en. ¶ 도가 잦은 mehrmals; zu wiederholten Malen / 오줌 누는 도가 잦다(드물다) häufig (selten) Wasser lassen müssen*.
⑤《각도》 Grad *n.* -(e)s. ¶ 50도의 각도 der Winkel von fünfzig Grad.
⑥《알콜의》 Prozent *n.* -(e)s. ¶ 30도의 소주 ein dreißigprozentiger Schnaps, -(e)s, -e; ein 30 prozentiger Schnaps.

도(道) ①《행정 구역》 Provinz *f.* -en; (Verwaltungs)bezirk *m.* -s, -e. ¶ 도(립)의 Provinz- / 경기도 *Gyeonggi*-Provinz; *Gyeonggi-Do* / 도당국 Provinzbehörde *f.* -n / 도지사(知事) Statthalter *m.* -s, -; Gouverneur *m.* -s, -e / 도 행정(行政) Provinzverwaltung *f.* -en. ②《도리》 Art *f.*; Verhaltensweise *f.* -n;《도의 가르침》 Sittenlehre *f.* -n; ein sittlicher Grundsatz, -es, ⸚e;《진리》 Wahrheit *f.* -en; Vernunft *f.*; Gerechtigkeit *f.* -en;《종교상의》 Glaubenslehre *f.* -en; Glaube *m.* -ns;《지켜야 할》 Pflicht *f.* -en. ¶ 공자의 도를 펴다 die Lehre von Konfuzius erläutern; den Konfuzianismus predigen/ 도를 구하다 die Wahrheit suchen / 도를 닦다 moralischen (sittlichen) Sinn fördern; religiösen Sinn (Glaubenssinn) fördern.
③《기예·방술 등의》 Kultur *f.* -en; Kunst *f.* ⸚e. ¶ 서도(書道) Schreibkunst *f.* / 다도(茶道) Teekult *m.* -(e)s, -e; Teezeremonie *f.* -n.

-도(度) 《연도》 Jahr *n.* -(e)s, -e; Jahrgang *m.* -(e)s, ⸚e. ¶ 금년도 dieses Jahr; dieser Jahrgang / 내년도 nächstes Jahr; nächster Jahrgang.

-도(渡) 《인도》 Übergabe *f.* -n; Lieferung *f.* -en; Ablieferung *f.* -en; Auslieferung *f.* -en. ¶ 공장도(가격) (Preis) ab Werk.

도가(都家) ① das Versammlungshaus für irgendeinen Gewerbeverein. ② Großhandel *m.* -s (장사); Großhandlungshaus *n.* -(e)s, ⸚er (점포). ¶ ~집 강아지 같다 von raschem Witz sein; scharfsinnig sein; schlau sein.

도가(道家) Taoist *m.* -en, -en. ¶ ~의 taoistisch.

도가니¹ 〖공업〗 Schmelztiegel *m.* -s, -. ¶ 정쟁(政爭)의 ~속에 뛰어 들다 ⁴sich an e-m politischen Streit beteiligen / 전쟁(戰爭)의 ~속에 말려들다 ⁴sich in e-n Krieg verwickeln; in Kriegswirren verwickelt sein / 쇠를 ~에서 녹이다 ⁴Eisen im Tiegel schmelzen*⁴.

도가니² 《쇠무릎》 Rind|hachse (-haxe) *f.* -n.

도가머리 (Vogel)schopf *m.* -(e)s, ⸚e; ein Vogel mit dem Schopf;《사람》 jemand, der den Schopf hat.

도가자류(道家者流) Taoist *m.* -en, -en; Mitglieder《*pl.*》 der Taoistenschule.

도각(倒閣) der Umsturz《-es, ⸚e》 e-s Kabinett(e)s. ~하다 das Kabinett (die Regierung) stürzen.
‖ ~운동 e-e Bewegung《-en》, ein Kabinett zu stürzen.

도감(圖鑑) ein illustriertes Wörterbuch, -(e)s, ⸚er.
‖ 곤충~ ein illustriertes Insektenbuch, -(e)s, ⸚er.

도강(渡江) Flußüberquerung *f.* -en; Flußübergang *m.* -(e)s, ⸚e. ~하다 e-n Fluß überqueren; über|setzen⁴ ⓢ. ¶ 홍수 때문에 ~이 금지되었다 Der Flußübergang ist wegen Hochwasser gesperrt.
‖ ~금지 Verbot《*n.* -(e)s, -e》 der Flußüberquerung; Stillegung《*f.* -en》〖분철: Still-legung〗 des Fähredienstes.

도개교(跳開橋) Klappbrücke *f.* -n; Zugbrücke *f.* -n.

도거리 Gesamtmenge *f.* -n; Gesamtbetrag *m.* -(e)s, ⸚e. ¶ ~로 gesamt; im ganzen; im großen; in Menge; pauschal / ~일 Akkord|arbeit (Stück-) *f.* -en / 일을 ~로 맡아 하다 im Akkord (Stücklohn) arbeiten/ ~로 사다 im ganzen (in Bausch u. Bogen) kaufen⁽⁴⁾.

도검(刀劍) =칼¹.

도계(道界) Provinzgrenze *f.* -n.

도고(都庫) Alleinverkauf *m.* -(e)s, ⸚e; Alleinvertrieb *m.* -(e)s, -e; Alleinhandel

m. -s; Alleinvertretung *f.* -en; Monopol *n.* -s, -e (전매). **~하다** Alleinhandel treiben*; monopolisieren.
도공(刀工) Schwert(er)feger *m.* -s, -.
도공(陶工) Töpfer *m.* -s, -; Keramiker *m.* -s, -. ¶ ~의 keramisch.
‖ **~술** Töpferkunst *f.*; Keramik *f.* -en.
도공(圖工) Zeichnen u. Werken.
도관(導管) ① 《식물의》 Gefäß *n.* -es, -e. ② 《수도·가스 따위의》 Röhre *f.* -n; Rohr *n.* -s, -e; Leitung *f.* -en. ¶ 수도(가스)의 ~ Wasserleitung (Gasleitung) *f.* -en / ~을 놓다(묻다) die Leitung legen.
도괴(倒壞) Einsturz *m.* -es, ⸚e; Zusammensturz *m.* -es, ⸚e. **~하다** ein|stürzen [s]; zusammen|stürzen [s].
도교(道教) Taoismus *m.*
‖ **~신자** Taoist *m*, -en, -en.
도구(道具) 《공구》 Werkzeug *n.* -(e)s, -e; Gerät *n.* -(e)s, -e; Gerätschaften 《*pl.*》; Instrument *n.* -(e)s, -e; Haushaltgerät (가정 도구); Handwerkszeug (직공의); Geschirr *n.* -(e)s, -e(부엌 도구); Utensilien 《*pl.*》 (집안 도구); 〖연극〗 《무대 장치》 Kulisse *f.* -n; Bühnenwand *f.* ⸚e; Szenerie *f.* -n; 《소품》 Requisiten 《*pl.*》 Theaterzubehör *m.* (*n.*) -(e)s, -e. ¶ 대~ 담당 Bühnenarbeiter *m.* -s, -; Maschinist *m.* -en, -en; Kulissenrücker *m.* -s, -; Kulissenschieber *m.* -s, - / 소~ 담당 Requisitenmeister *m.* -s, -; Requisiteur [..tø:r] *m.* -s, -e / ~로 삼다 [4]*et.* als Werkzeug benutzen (benützen); [4]*et.* zur Erreichung s-s Zweck(e)s benutzen (benützen) / 외교 문제를 정쟁의 ~로 삼다 aus diplomatischen Fragen 《*pl.*》 politisches Kapital schlagen*.
도구하다(渡歐—) nach [3]Europa fahren* (reisen) [s]. ¶ 어제 그는 제트기로 도구했다 Gestern ist er mit e-m Düsenflugzeug nach Europa geflogen.
도국(島國) Insel¦land *n.* -(e)s, ⸚er (-reich *n.* -(e)s, -e). ‖ **~근성** insulare Veranlagung (Beschränktheit) -en.
도굴(盜掘) illegale (rechtswidrige; heimliche) Ausgrabung, -en. **~하다** heimlich (illegal) aus|graben*[4].
도규(刀圭) ① 《약숟갈》 Medizinlöffel *m.* -s, -. ② 《의술》 Heilkunde *f.*
‖ **~가** der Heilkundige*, -n, -n; Arzt *m.* -es, ⸚e; Medizinmann *m.* -(e)s, ⸚er. **~계** Medizinwelt *f.*; Heilkundenbereich *m.* (*n.*) -(e)s, -e. **~술** =의술(醫術).
도그마 Dogma *n.* -s, ..men.
‖ **~론(주의)** Dogmatismus *m.*
도금(鍍金) Plattierung *f.* -en; Dublee *n.* -s, -s; Vergoldung *f.* -en. **~하다** plattieren[4]; vergolden[4]; mit Gold überziehen*[4]. ¶ ~한 plattiert; goldüberzogen; goldplattiert; vergoldet / 동판을 은으로 ~하다 ein Kupferblech mit Silber plattieren / 크롬을 전기로 ~하다 mit Chrom galvanisch plattieren / 이 핀은 금~이다 Diese Nadel ist vergoldet. / ~한 것이 벗겨진다 Das Gold (Die Vergoldung) geht ab. / 그런 ~품은 곧 벗겨진다 Solche plattierten Sachen greifen sich schnell ab.
‖ **~공** Plattierer *m.* -s, -; Vergolder *m.* -s, -. **~법** Plattier-verfahren *n.* **니켈~** Vernickelung *f.* -en. **은~** Versilberung *f.* -en: 은~한 versilbert; silberüberzogen. **전기~** das galvanische Verfahren, -s; Elektroplattierung *f.* -en.
도금양(桃金孃) 〖식물〗 Myrte *f.* -n.
도급(都給) Akkord *m.* -(e)s, -e; Verding *m.* -(e)s, -e; Verdingung *f.* -en; 《계약》 Vertrag *m.* -(e)s, ⸚e; Kontrakt *m.* -(e)s, -e. ¶ ~으로 일을 하다 auf (in) [3]Akkord arbeiten/~ 맡다 (auf (in) [3]Akkord) übernehmen*[4]; 《계약 맺다》 e-n Vertrag schließen* / ~주다 *jm.* in [3]Akkord geben*[4]; *jm.* verdingen(*); 《위탁하다》 *jm.* [4]*et.* akkordieren / 평화 건설사가 학교 건축을 10억 원으로 ~ 받았다 Die *Pyeonghua*-gesellschaft hat den Bau des Schulgebäudes für e-e Milliarde *Won* in Akkord genommen.
‖ **~계약** Akkord¦vertrag (Verdingungs-) *m.* -(e)s, ⸚e; Bauvertrag *m.* -(e)s, ⸚s (토목 건축의). **~업자** Bauunternehmer *m.* -s, -. **~일** Akkord¦arbeit (Stück-) *f.* -en. **~임금** Akkord¦lohn (Stück-) *m.* -(e)s, ⸚e.
도기(陶器) Ton¦ware (Töpfer-) *f.* -n; die keramische Ware, -n; Keramik *f.* -en; Porzellan *n.* -s, -e (자기). ¶ ~제의 keramisch; porzellanen.
‖ **~공** Töpfer *m.* -s, -; Keramiker *m.* **~상** Porzellanhandlung *f.* -en; 《상인》 Porzellanwarenhändler *m.* -s, -. **~제조** Tongeschirrfabrikation *f.* -en: ~제조술 Töpferkunst *f.* ⸚e; Keramik *f.* -en.
도깨그릇 Tonware *f.* -n; Keramik *f.* -en (총칭). ☞ 도(자)기.
도깨비 ① 《유령》 Gespenst *n.* -es, -er; Spuk *m.* -(e)s, -e; Schreckbild *n.* -(e)s, -er; Geist *m.* -es, -er; Phantom *n.* -s, -e; Gesicht *n.* -(e)s, -e; Geistererscheinung *f.* -en. ② 《잡귀》 Kobold *m.* -(e)s, -e; Erdgeist *m.* -es, -er; Berggeist *m.* -es, -er; Hausgeist *m.* -es, -er.
③ 《허깨비》 Popanz *m.* -es, -e; Schreckgespenst *n.* -es, -er; Schreckgestalt *f.* -en; Schreckbild *n.* -(e)s, -er.
④ 《괴물》 Monstrum *n.* -s, ..stra (..stren); Ungeheuer *n.* -s, -; Ungetüm *n.* -(e)s, -e; Scheusal *n.* -(e)s, -e. ¶ ~가 나오는 집 Gespenster¦haus (Spuk-) *n.* -es, ⸚er / ~가 나온다 Es spukt.¦Es ist nicht geheuer. 〖꾹 nicht를 수반함〗 / ~다 Huhu, der schwarze (böse) Mann! / 정말 저 여자는 ~같이 생겼다 Sie ist wahrhaftig ein Monstrum (Schreckbild)./~를 사귀었나 Ich muß mich wundern, daß du plötzlich ein reicher Mann geworden bist. / ~ 장난 같다 Ich habe k-e Vorstellung davon. ¦ Ich kann nicht richtig sehen.¦ Ich verstehe den Teufel davon.
도깨비불 ① 《귀화》 Irrlicht *n.* -(e)s, -er; Irrwisch *m.* -es, -e; Totenlicht *n.* -(e)s, -er (묘지 따위의); Elmsfeuer *n.* -s, -.
② 《원인불명》 ein Feuer von unbekannter Ursache.
도꼬마리 〖식물〗 Spitzklette *f.* -n; *Xanthium strumarium* (학명).
도꼭지(都—) der Chef (Meister; Leiter; Führer) in e-m Gebiet.
도끼 Axt *f.* ⸚e; Zimmermannsaxt *f.* ⸚e; 《손도끼》 Beil *n.* -(e)s, -e; Handbeil *n.* -(e)s, -e; 《얼음깨는》 Eisaxt *f.* ⸚e; Eisbeil *n.*; 《전투용》 Streitaxt *f.* ⸚e. ¶ ~모양의 beilförmig / 믿는 ~에 발등 찍힌다 Das heißt vom eigenen Hunde in die Hand gebissen werden.¦Das heißt Undank ernten.¦ Das heißt e-e Schlange am Busen nähren.

도락(道樂) ① 《취미》 Geschmack *m.* -(e)s, ⸗e; Geschmackssinne 《*pl.*》; 《흥미》 Interesse *n.* -s, -n; Hobby *n.* -s, -s; Liebhaberei *f.* -en; Steckenpferd *n.* -(e)s, -e; Vergnügen *n.* -s, -; Zeitvertreib *m.* -(e)s, -e; Zerstreuung *f.* -en. ¶ ~으로 …을 하다 an ³*et.* sein Vergnügen haben; ³sich aus ³*et.* ein Vergnügen machen; zum bloßen Vergnügen ⁴*et.* tun*; als Steckenpferd ⁴*et.* tun*; um sich zu streuen *et.* tun*; aus Liebhaberei ⁴*et.* tun* / 갖가지 ~이 많은 사람 ein Mann von mehreren Lieblingsbeschäftigungen; ein vielseitiger Amateur [..tǿ:r] -s, -e / 우표 수집이 내 ~입니다. Markensammeln ist m-e Liebhaberei. / 그의 ~은 고서 수집이다 Sein Steckenpferd ist das Sammeln alter Bücher.
② 《유흥》 Ausschweifung *f.* -en; Liederlichkeit *f.* -en; Schwelgerei *f.* -en.
‖ 식~ Feinschmeckerei *f.* -en; Gastronomie *f.*: 식~가 Feinschmecker *m.* -s, -; Gastronom *m.* -en, -en; Eßkünstler *m.* -s, - / 식~(가)의 gastronomisch.

도란 Schminke *f.* -n. ¶ ~을 바르다 ⁴sich schminken.

도란거리다 miteinander murmeln (flüstern); 《애인끼리》 zärtlich tun*. ¶ 도란거리는 소리 das durcheinandergebrachte Murmeln*, -s; Geflüster *n.* -s.

도란도란 miteinander (durcheinander) murmelnd; im Flüsterton. ¶ 방에서 ~ 이야기하는 소리가 들린다 Man hört, daß im Zimmer zärtlich im Flüsterton geredet wird.

도랑 Graben *m.* -s, ⸗; Straßengraben *m.* -s, ⸗; Rinne *f.* -n; 《하수구》 Gosse *f.* -n. ¶ ~을 파다 Graben ziehen* (machen) / 밭~을 파다 Furchen graben* / ~을 메우다 ⁴Graben zu|schütten (verschütten).
‖ ~물 Grabenwasser *n.* -s. ~창 Gosse *f.* -n; Rinne *f.* -n; Wasserfurche *f.* -n; Abzugskanal *m.* -s, ⸗e.

도랑이 Räude *f.* -n.

도랑치마 ein kurzer Rock, -(e)s, ⸗e.

도래(到來) das Eintreffen*, -s. ~하다 an|kommen* Ⓢ 《*in*³》; ein|treffen* Ⓢ 《*in*³》; ³sich bieten*(기회가). ¶ 시기가 ~하면 wenn die Zeit dazu kommt... / 그에게 호기가 ~했다 Es bot sich ihm e-e günstige Gelegenheit.

도래(渡來) 《사물의》 das Herüberkommen, -s; Einführung *f.* -en; 《사람의》 Besuch *m.* -(e)s, -e. ~하다 eingeführt werden; besuchen⁴ (사람이). ¶ 불교의 ~ die Einführung des Buddhismus (in ⁴Korea) / 외국인의 ~ der Besuch e-s Ausländers (in Korea) / 외제품의 ~ die Einführung fremder Waren.

도래떡 ein großformativer runder Reiskuchen, -s, -. ¶ ~이 안팎이 없다 Zwei Dinge (Personen) gleichen sich wie ein Ei dem anderen.

도래매듭 Doppelknoten *m.* -s, -; Doppelverschlingung *f.* -en (매듭짓기).

도래목정 Rinderkamm *m.* -(e)s, ⸗e.

도래방석(—方席) ein rundes Sitzkissen, -s, -.

도래샘 die strudelnde Springquelle, -n.

도래솔 die Kiefern 《*pl.*》 um e-n Grab.

도래송곳 ① 《큰 구멍내는》 e-e doppelschneidige Bohrwinde, -n. ② =나사 송곳.

도량(度量) 《마음씨》 Edelmut *m.* -(e)s; Edelsinn *m.* -(e)s, -; Großherzigkeit *f.*; Großmut *f.*; Großzügigkeit *f.*; Hochherzigkeit *f.*; Weitherzigkeit *f.* ¶ ~이 넓은 edel; edel¦denkend (-gesinnt; -herzig; -mütig; -sinnig); groß¦herzig (-zügig); hoch¦herzig (weit-) / ~이 좁은 beschränkt; engherzig; kleinherzig; gemein; kleinlich / ~의 크기 Weitherzigkeit *f.*; Großherzigkeit *f.*; Hochherzigkeit *f.* / 그렇게 ~이 좁아서야 어떻게 되겠는가 Was soll werden, wenn man das so beschränkt betrachtet?

도량(跳梁) das (Über)wuchern*, -s; Überhandnahme *f.*; das Umsichgreifen*, -s; Vorherrschaft *f.* -en; Zügellosigkeit *f.* -en. ~하다 (über)wuchern; Oberhand (Überhand) haben (gewinnen*); sein (Un-) wesen treiben*; überhand|nehmen*; um ⁴sich greifen*; vor|herrschen.

도량(道場) 〖불교〗 Buddhistenseminar *n.* -s, -e (-ien).

도량형(度量衡) Maße 《*pl.*》 u. Gewichte 《*pl.*》.
‖ ~검사관 Eichmeister *m.* -s, -. ~표 die Tabelle von Maßen u. Gewichten. ~학 Metrologie *f.*; Maß- u. Gewichtskunde *f.* 미터 ~법 das Metersystem von Maßen u. Gewichten.

도레미파 Tonleiter *f.* -n; Skala *f.* ..len. ¶ ~로 노래하다 (연주하다) solmisieren; solfeggieren [..dʒí:rən]; Tonleiter spielen / ~를 연습하다 solfeggieren; solmisieren.

도려내다 aus|kratzen³⁴; heraus|schneiden*⁴ 《*aus*³》; weg|schneiden*⁴; operativ entfernen⁴ (종기 따위를); (mit dem Meißel) aus|-höhlen⁴ (둥근 끌로). ¶ 눈을 ~ *jm.* die Augen aus|kratzen / 사과의 썩은 곳을 ~ verfaulte (beschädigte) Stellen der Äpfel heraus|-schneiden* / 신문(에서) 기사를 ~ e-n Artikel aus der Zeitung heraus|schneiden*.

도련(刀鍊) ebenmäßiger Randschnitt des Papiers. ~하다, ~치다 den Papierrand ebenmäßig ab|schneiden*.
‖ ~칼 Papierschneidemaschine *f.* -n.

도련님 der junge Meister, -s, -; der junge Herr, -n, -en; Juniorchef [jú:nĭɔrʃɛf] *m.* -s, -s; 《귀족의》 unverheirateter Junker *m.* -s, -; der junge Sohn 《-(e)s, ⸗e》 e-s Adligen*; der Erbe 《-n, -n》 e-s Adligen*; 《일반적으로 남아에 대한 호칭》 Söhnchen! Junge!; Kadett!; 《젊은이》 Jüngling *m.* -s, -e; der junge Mann, -(e)s, ⸗er. ¶ ~은 당나귀가 제격이다 Es schickt sich für s-n Stand.
‖ ~천량 die heimlichen Ersparnisse e-s Unverheirateten, der sie beliebt anwenden kann.

도련지(搗鍊紙) kalandertes (geglättetes) Papier, -s, -e.

도령 ① 《총각》 Junggeselle *m.* -n, -n.
② 《무당의》 e-e schamanistische Zeremonie (um der Seele des Toten auf ihrer Reise zu helfen). ¶ ~돌다 ⁴sich im *Doreong*-Tanz schwingen*.
‖ ~귀신 Junggesellengespenst *n.* -es, -er.

도령(道令) 《행정 명령》 die Verordnung 《-en》 der Provinzbehörde.

도로 ① 《다시》 wieder; wiederum noch einmal; zweimal; schon wieder; von neuem; aufs neue; zurück. ¶ ~ 가다 wieder zurück|-gehen* Ⓢ; wieder weg|gehen* Ⓢ; wiederum verlassen*⁴ / 오던 길을 ~ 가다 ⁴sich um|kehren; ⁴sich wenden⁽*⁾; ⁴sich um|-wenden⁽*⁾; kehrt|machen; zurück|kehren Ⓢ / ~ 오다 heim|kehren Ⓢ; zurück|kommen (heim|-)* Ⓢ / ~ 주다 zurück|geben*⁴

(-|stellen⁴); wieder|geben*⁴; zurück|setzen / 제 자리에 ~ 갖다 두다 an die alte Stelle zurück|setzen⁴ (zurück|stellen⁴); ⁴et. an s-n Platz zurück|setzen (zurück|stellen) / ~ 찾다 wieder|bekommen*⁴; wieder|kriegen⁴ / 잃었던 돈을 ~ 찾다 sein verlorenes Geld wieder|finden* / ~ 데려오다 wieder|bringen*⁴.

② 《전처럼》 (wie) früher; wie es war; in demselben Zustand wie früher. ¶ ~ 원상으로 돌아가다 wieder in den Normalzustand gebracht werden; zum Normalzustand zurück|kehren(s); in den früheren Zustand zurück|versetzt werden / 두 사람 사이는 ~ 전과 같이 친해졌다 Sie haben sich wieder versöhnt. ¦ Die Beziehung zwischen beiden ist wiederhergestellt worden. / 그는 ~ 건강해졌다 Er ist wieder gesund geworden. ¦ S-e Gesundheit ist wiederhergestellt worden.

도로(徒勞) vergebliche Mühe, -n (Bemühung, -en); vergebenes Mühen, -s; die vergebliche Anstrengung, -en; Arbeitsverschwendung *f.* ¶ ~에 그치다 vergeblich (umsonst) sein; zu nichts werden; zu ³Schaum werden / 모처럼 공을 들였는데 ~에 그쳤다 Die ganze Mühe war umsonst (vergeblich).

‖ ~무익 verlorene Mühe, -n; viel Mühe u. wenig Lohn.

도로(道路) Straße *f.* -n; Weg *m.* -(e)s, -e. ☞ 길¹. ¶ ~상에서 auf der Straße.

‖ ~개수 Straßenumbau *m.* -(e)s, -e. ~건설 Straßenbau *m.* -(e)s, -e. ~계획 Straßenbauplan *m.* -(e)s, ⸗e. ~교통 Straßenverkehr *m.* -s: ~교통 방해 Verkehrshindernis *n.* ..nisses, ..nisse / ~교통법 Verkehrsordnung *f.* -en ~기사 Straßenbauer *n.* -s, -. ~이정표 Meilenstein *m.* -(e)s, -e. ~인부 Straßenarbeiter *m.* -s, -. ~지도 Straßenkarte *f.* -n. ~청소기 Straßenkehrmaschine *f.* -n. ~청소부 Straßenkehrer *m.* -s, -; Straßenfeger *m.* -s, -. ~포장(석) Straßenpflaster *n.* -s, -. ~표지 Richtungsschild *n.* -(e)s, -er; Wegweiser *m.* -s, -. 고속~ Autobahn *f.* -en. 유료~ die zollpflichtige Autostraße, -n; Zollstraße *f.* -n.

도로아미타불(―阿彌陀佛) Zurückführung *f.* -en; Rückfall *m.* -(e)s, ⸗e; Wiederkehr *f.* -en. ¶ ~이 되다 alles, was man gewonnen hat, verlieren*; das Nachsehen haben; in den Mond gucken / 결국 모든 일이 ~이 되었다 Schließlich blieb alles beim alten. / 모처럼 번 돈을 투기에서 손해를 보아 ~이 되었다 Ich habe mein mühsam verdientes Geld durch Spekulation verloren, und bin wieder so arm wie früher.

도록 ① 《목적》 um...+zu 부정법; damit... 〔후치문〕; auf daß... 〔후치문〕; ...so...daß... 〔후치문〕. ¶ ...하지 않도록 daß...nicht; damit ... nicht; auf daß...nicht / 시간에 늦지 않도록 um rechtzeitig da zu sein / 잊어버리지 않도록 모두 메모를 해두었다 Ich schrieb alles auf, um es nicht zu vergessen (damit ich es nicht vergesse). / 이 시계는 일 주일에 한 번만 태엽을 감도록 제조되어 있다 Diese Uhr ist so eingericht, daß man sie wöchentlich nur einmal aufzuziehen braucht. / 빨리 썩지 않도록 나무에 뺑끼칠을 하는 것이다 Man versieht das Holz mit einem Ölfarbenanstrich, damit es nicht so leicht verfault.

② 《명령》 ¶ 목욕물이 식지 않도록 해라 Halte das Bad warm! / 최선을 다해서 내일 오도록 해요 Tun Sie Ihr möglichstes, morgen zu kommen! / 그 사람이 화내지 않도록 하시오 Beleidigen Sie ihn nicht!

③ 《...때까지》 bis⁴ 〔여러 가지 전치사를 병용해서〕; (so lange) bis⁴ in⁴. ¶ 이 세상 다하도록 bis ans Ende dieser Welt / 밤늦도록 bis spät in die Nacht / 밤중이 되도록 bis gegen Mitternacht; bis nahe an Mitternacht/백 살이 되도록 살다 bis an die Hundert (hundert Jahre) leben / 죽도록 사랑하다 bis zum Tod(e) lieben.

④ 《되노록...》 soviel wie (als) möglich; so gut wie (als) ich kann. ¶ 되도록 적게 sowenig als (wie) möglich / 되도록 일찍 오너라 Komm(e) so bald als möglich!

도롱고리 〖식물〗 e-e Sorte der Hirse.

도롱뇽 〖동물〗 der große Salamander, -s, -; 《영원(蠑螈)》 Wassermolch *m.* -(e)s, -e.

도롱이 Strohmantel *m.* -s, ⸗; der Regenmantel aus Stroh.

‖ ~벌레 Sackspinner *m.* -s, -; Sackträger *m.* -s, -.

도롱태¹ ① 《수레》 ein einfaches Holzrad, -(e)s, ⸗er. ② 《바퀴》 Rad *n.* -(e)s, ⸗er.

도롱태² 〖조류〗 ① *Falco Columbarius* (학명). ② 《새매》 ein asiatischer Sperber, -s, -.

도료(塗料) Farbe *f.* -n; Anstrich *m.* -(e)s, -e; 《락카칠》 Lack *m.* -(e)s, -; Lackfarbe *f.* -n; Lackifirnis *m.* ..sses, ..sse; Farbenschmelz *m.* -es, -e (에나멜).

‖ ~공 Lackerer *m.* -s, -. ~기물상 Lackwarengeschäft *n.* -(e)s, -e (가게); Lackwarenhändler *m.* -s, - (상인). ~분무기 Farbenzerstäuber *m.* -s, -; Farbenzerstäubungsapparat *m.* -(e)s, -e.

도루(盜壘) 〖야구〗 ein gestohlenes Mal, -(e)s, -e. ~하다 ein Mal stehlen*. ¶ ~에 실패하다 beim Mal-Stehlen gefangen werden / 2루에 ~하다 ⁴sich ins zweite Mal ein|-stehlen*.

도루묵 〖어류〗 eine Art Sandfisch 《*m.* -es, -e》 mit harten Flossen; *Arctoscopus japonicus* (학명).

도륙(屠戮) Massaker *n.* -s, -; das Schlachten*, -s; Gemetzel *n.* -s, -; Blutbad *n.* -(e)s, ⸗er. ~하다 massakrieren⁴; nieder|metzeln⁴.

도르다¹ 《토함》 (⁴sich) erbrechen*; aus|brechen*⁴. ¶ 먹은 것을 ~ erbrechen*, was man gegessen hat; das Gegessene erbrechen*.

도르다² 《분배》 verteilen⁴ 《*unter*³; *an*⁴》; auf|-teilen⁴ (남김없이); aus|teilen 《*unter*³; *an*⁴》; ein|teilen⁴; zu|teilen; 《배달》 ab|liefern⁴; 《우편물 따위를》 aus|tragen*⁴; aus|geben*⁴; 《할당》 zu|teilen³⁴; zu|messen*³⁴; zu|weisen*³⁴. ¶ 고루 ~ gleichmäßig verteilen⁴ (zu|teilen⁴) / 비례제로 ~ prozentual zu|teilen⁴; anteilmäßig verteilen⁴ / 카드를 ~ *jm.* Karten geben* (aus|teilen) / 신문을 ~ Zeitungen aus|tragen* / 개업 광고장을 ~ Eröffnungsreklamezettel verteilen / 초대장을 ~ Einladungskarten aus|schicken (versenden(*)).

도르다³ 《변통》 hin|kriegen⁴; schaffen⁴; zustande bringen*⁴; zuwege bringen*⁴; ein|-richten⁴; 《융통함》 *jn.* mit ³*et.* versorgen; *jm.* 《Geld》 vor|schießen*; *jm.* ⁴*et* leihen*.
¶ 돈을 ~ das Geld schaffen (hin|kriegen)/

자금을 ~ die (Geld)mittel zur Verfügung stellen; finanzieren.

도르다⁴ 《속이다》 *jn.* herum|kriegen; *jn.* durch geschicktes Reden überlisten; *jn.* betrügen*.

도르래 《활차》 Rolle *f.* -n; Scheibe *f.* -n.

도르르 (rings)herum; rundherum; im Kreise. ¶종이를 ~ 말다 〔감다〕 das Papier zusammen|rollen 〔herum|wickeln 《*um*⁴》〕 / 실이 ~ 풀리다 Das Garn wird abgewickelt 〔abgerollt〕.

도리 〖건축〗 (Dachstuhl)pfette *f.* -n.
‖~목 Pfettenholz *n.* -es, ⸚er 〔*pl.* 목재의 종류를 표시함〕.

도리(道理) ① 《사리》 Vernunft *f.*; Grund *m.* -(e)s, ⸚e; Recht *n.* -(e)s; Gerechtigkeit *f.*; Prinzip *n.* -s, ..ien(원리); Gesetz *n.* -es, -e(법칙); Wahrheit *f.* -en (진리). ¶~상 im natürlichen Verlauf der Dinge; wie es sich von selbst versteht; selbstverständlich; natürlich; natürlicherweise; mit Recht / ~에 맞는 vernünftig; billig; vernunftgemäß; vernunftgerecht; denkgerecht; logisch; schlußrichtig / ~에 어긋난 vernunftwidrig; ungerechtig; ungebührlich; unbillig; unfair [-fɛːr]; ungerechtfertig / ~에 맞는 말〔일〕이다 recht haben; im Recht sein / 그의 말은 언제나 ~에 맞다 Was er sagt, hat immer Hand und Fuß.
② 《의무》 Pflicht *f.* -en; Obliegenheit *f.* -en; Schuldigkeit *f.* -en; Verantwortlichkeit *f.* -en; Verbindlichkeit *f.* -en; Verpflichtung *f.* -en. ¶~를 일깨우다 *jn.* zur Vernunft bringen* / 빚진 돈은 갚는 것이 사람의 ~이다 Man ist verpflichtet, s-e Schulden zu bezahlen. / 늙은 부모를 잘 모시는 것이 자식된 ~이다 Der Sohn ist verpflichtet, für s-n alten Eltern zu sorgen. / 그의 마음을 바로잡는 일이 내 ~인 줄 안다 Es obliegt mir, ihn auf e-e bessere Bahn zurückzubringen. / 이 자식을 자립할 수 있도록 기르는 것이 내가 할 ~이다 Es ist m-e Pflicht, e-n selbständigen Menschen aus dem Kinde zu machen.
③ 《방도》 Art *f.* -en; Weise *f.* -en; Methode *f.* -n; Mittel *n.* -s, -. ¶할 ~가 없다 Da kann man nichts machen. / 딴 ~가 없다 Mir bleibt k-e andere Wahl. / …할 밖에는 별~가 없다 Es bleibt mir k-e Wahl übrig, als.... ¦ Es bleibt mir nichts ander(e)s übrig, als.... / 좋든 궂든 운명이니까 별~가 없다 Wir müssen unser Schicksal nehmen, wie es kommt. / 딴 ~가 없으니 이것을 쓰고 있다 Ich benutze das, weil ich nichts Besseres habe. / 그는 어쩔 ~가 없는 놈이야 Er ist unverbesserlich. ¦ An 〔Bei〕 ihm ist Hopfen u. Malz verloren.

도리기 das Beisammensein* 《-s》 bei getrennter Kasse. ~하다 bei getrennter Kasse beisammen|essen*.

도리깨 Dreschflegel *m.* -s, -; Flegel *m.* -s, -. ¶~질하다 mit e-m (Dresch)flegel schlagen*⁴.

도리다 ① 《베내다》 aus|schneiden*⁴; aus|höhlen⁴; aus|kratzen⁴; aus|bohren⁴. ¶판자 가운데를 톱으로 도려 내다 die Brettmitte mit der Säge aus|höhlen / 상처를 칼로 도려 내다 die Wunde mit dem Messer aus|kratzen 〔aus|schneiden*〕. ② 《삭제함》 (aus|)streichen*⁴; aus|radieren⁴ 〔aus|wischen⁴〕; löschen*⁴. ¶명부에서 이름을 ~ den Namen von der Liste (aus|)streichen*.

도리도리 《아기에게》 ein Kinderspiel mit dem Kopf; Kopfschütteln! Kopfschütteln!

도리머리 das Kopfschütteln*, -s 《als Zeichen der Verneinung》.

도리반- ☞ 두리번-.

도리사(一紗) e-e Art Hanfstoff aus China.

도리스식(一式) der dorische Stil, -(e)s, -e; 〖형용사적〗 dorisch. ¶~ 기둥 dorische Säule, -n.

도리암직하다 hübsch; elegant (sein); klein u. gut aus|sehen*.

도리어 ① 《반대로》 im Gegenteil; im Gegensatz 《*zu*³》; umgekehrt. ¶위병은 약을 복용하면 ~ 해로울 때가 있다 Magenleiden verschlimmert sich oft durch Medizin. / ~ 내가 감사해야지요 Im Gegenteil, ich muß Ihnen danken. / 부자라고 꼭 행복하지는 않으며 ~ 빈자의 행복을 부러워할 때도 있다 Die Reichen sind nicht immer glücklich; im Gegenteil, sie beneiden oft das Glück der Armen. / 어리석은 자식이 ~ 귀여운 법이다 Je dümmer ein Kind ist, desto lieber ist es den Eltern. / 궁지에 몰린 쥐가 ~ 고양이를 문다 Eine Ratte in der Not beißt die Katze. / 궁하면 ~ 통하는 길이 있다 Not bricht Eisen. / 그렇게 되면 ~ 제가 황송합니다 Das würde mich Ihnen immer mehr verpflichten. / 전지 요양이 ~ 그의 건강에 나빴다 Die Luftveränderung wirkte noch schlimmer auf ihn. / 여행을 다녀온 것이 ~ 좋았던가봐 Es war vielleicht gut, daß ich e-e Reise gemacht habe.
② 《오히려》 vielmehr; eher; lieber; gar sehr; dafür. ¶그러지 않은 편이 ~ 좋았을 걸 Man hätte es lieber nicht so machen sollen. / 걸으니까 ~ 기분이 좋아졌다 Das wandern hat mir doch wohl getan. / 그는 바보라기보다는 ~ 어릿광대 같다 Er ist nicht so sehr ein Narr als ein Geck. / ~ 진보를 저해했다 Es hat eher den Fortschritt gehemmt.

도리질 das Kopfschütteln* 《-s》 (des Kindes) zum Spaß. ~하다 das Kopfschütteln spielen.

도린곁 ein abgelegener Platz, -es, ⸚e.

도림장이 Holzschneider *m.* -s, -.

도립(倒立) Kopfstand *m.* -(e)s; 《체조》 Handstand *m.* ~하다 auf dem Kopf stehen*, ¶~해서 걷다 den Handstand machen u. gehen* Ⓢ; auf den Händen gehen* Ⓢ.

도립(道立) ¶~의 Provinz-; Provinzial-; ²der Provinz unterstellt.
‖~고등학교 Provinzialoberschule *f.* -n. ~공업(직업)학교 Provinzialgewerbeschule *f.* -n. ~병원 Provinzialkrankenhaus *n.* -es, ⸚er. ~상업학교 Provinzialhandelesschule *f.* -n. ~중학교 Provinzialmittelschule *f.* -n.

도마 Hack¦klotz *m.* -es, ⸚e; Hackbrett *n.* -(e)s, ⸚er; Küchenbrett *n.*; Schneidebrett *n.* ¶~에 오른 고기 in der Klemme sein (wie ein Fisch auf dem Küchenbrett); weder aus noch ein wissen*; nicht wissen, wo aus, wo ein / ~ 위에 올려 놓다 ein Ding wie e-n Fisch auf dem Küchenbrett zerlegen u. untersuchen; überprüfen⁴; nach|prüfen⁴; durch|sehen*⁴.

도마름(都一) der Hauptaufseher 《-s, -》 der Pächter.

도마뱀 〖동물〗 Eidechse *f.* -n; 《큰 도마뱀》 Krokodileidechse *f.* -n; Warneidechse *f.* -n; Monitor *m.* -s, ..toren; (der fliegende)

Drache, -n, -n (동인도산의 나르는 도마뱀).
‖ ~붙이 〖동물〗 Gecko *m.* -s, -s (-nen).
도막 ☞ 토막.
도말(塗抹) ~하다 ① 《발라 지우다》 aus|streichen*[4]; aus|schmieren[4]; 《칠함》 übermalen[4] (그림물감 따위를); schmieren[4] (기름,골탈 따위를); salben[4] (향유,연고 따위를). ② 《변통하여 꾸밈》 die Sache irgendwie erledigen; [4]sich mühsam (kümmerlich) durch|schlagen*; [4]sich den Bedingungen auf irgend e-e Weise an|passen; [4]sich mühsam in die Umstände schicken.
‖ ~제 Einreibungsmittel *n.* -s, -; Liniment *n.* -(e)s, -e.
도맛밥 Sägemehl *n.* -(e)s, -e.
도망(逃亡) Flucht *f.* -en; das Entfliehen*, -s; das Entkommen*, -s; das Fortlaufen*, -s; das Sichentfernen*, -s 《aus dem Lager》 (군대의 도주); 《탈영》 Fahnenflucht *f.* -en; Desertion *f.* -en. ~치다, ~하다 fliehen*[s] 《*vor*[3]》; entfliehen*[3][s]; flüchten [s] 《*vor*[3]》; entkommen*[3] [s]; entwischen*[3] [s]; entlaufen*[3][s]; [4]sich aus dem Staub machen (몰래); [4]sich dünne machen (슬며시); [4]sich davon machen; auf u. davon gehen*[s]; [4]sich drücken; durch|gehen*[3][s] (남녀가 눈 맞아); 〖속어〗 aus|reißen*[s]; Fersengeld geben*; aus|brechen* 《*aus*[3]》 (탈옥); durch|brennen*[3] [s] (깜쪽같이). ¶ 허둥지둥 ~치다 Hals über Kopf davon|laufen* [s]; überstürzt fliehen* [s] / 겨우 목숨만 건지고 ~치다 mit dem (nackten) Leben davon|kommen*[s]; das nackte Leben davon|tragen* / 산지사방으로 ~치다 nach allen Richtungen entfliehen* [s] / 번개처럼 ~치다 [4]sich wie der Blitz davon|machen / 질풍처럼 ~치다 [4]sich mit Windeseile entfernen/슬그머니 ~치다 [4]sich davon|schleichen*/계집을 꾀어서 ~치다 ein Mädchen entführen / …을 가지고 ~치다 mit [3]*et.* davon|laufen* [s]; mit [3]*et.* durch|gehen*[s] / 이리저리 ~다니다 von e-m Ort zum andern fliehen*[s] / 사내와 ~치다 mit e-m Geliebten (Mann) entlaufen* (durch|gehen*) [s] / ~치려 하다 [4]sich mit Fluchtgedanken tragen* / 호랑이가 ~쳤다 Der Tiger ist ausgebrochen. / 빚장이 몰래 ~했다 Er entwischte heimlich s-n Gläubigern. / ~칠 수가 없다 Entwischen ist unmöglich. / ~쳐라, 경찰이야 Verschwinde! Die Ille kommt. / 도둑은 ~칠 길이 막혀서 붙들렸다 Der Dieb wurde gefangen, indem ihm der Ausweg abgeschnitten wurde.
‖ ~꾼(자) Flüchtling *m.* -(e)s, -e; Ausreißer *m.* -s, -. ~병 Deserteur [-tǿ:r] *m.* -s, -e.
도망길(逃亡—) Flucht *f.* -en; 《수단》 Fluchtweg *m.* -(e)s, -e; 《빠져 나갈 데》 Ausweg *m.* -(e)s, -e. ¶ ~을 남겨두다 *jm.* den Ausweg übrig|lassen* / ~이 막히다 der Ausweg wird *jm.* abgeschnitten.
도망범죄인(逃亡犯罪人) 〖법〗 ein geflohener (flüchtiger) Verbrecher, -s, -; ein geflohener (flüchtiger) Häftling, -s, -e.
‖ ~인도 die Auslieferung des geflohenen Verbrechers (Häftlings).
도맡다 ① 《혼자》 ganz allein übernehmen*[4]; exklusiv auf sich nehmen*[4]; ausschließlich übernehmen*[4]; 《책임지다》 die Verantwortung übernehmen*[4] 《*für*[4]》; verantwortlich sein 《*für*[4]》; [4]sich verantwortlich machen 《*für*[4]》; sorgen 《*für*[4]》. ¶ 빚을 ~ sich für e-e Schuld verantwortlich sein / 식사준비는 내가 도맡겠다 Für Essen sorge ich. / 네가 손해를 보면 내가 도맡아 책임 지겠다 Wenn du e-n Verlust erleidest, will ich dafür einstehen. / 좋아, 그건 내가 도맡겠다 Ja, ich werde es erledigen. / 자금 조달은 내가 도맡았네 Ich habe übernommen, das Geld dazu aufzutreiben. / 되지도 않을 일을 도맡아서는 아니 되네 Du mußt e-e Arbeit, die du nicht erledigen kannst, nicht übernehmen. / 누가 이 일을 도맡아 주었으면 좋겠는데 Ich wünschte, jemand nähme diese Arbeit auf sich! / 적을 혼자 ~ dem Feind allein gegenüber|stehen*; den Feind allein auf sich nehmen*.
② 《도거리로·몰아서》 ausschließlich auf [4]sich nehmen*[4]; 《상품 따위를》 monopolisieren[4]; Alleinhandel treiben*. ¶ 상품을 몽땅 도맡아 사다 Waren auf|kaufen / 철도 공사를 ~ Eisenbahnarbeiten übernehmen*.
도매(都賣) Großhandel *m.* -s, ⸚; Engrosgeschäft [ãgró:..] *n.* -(e)s, -e (영업). ~하다 im großen verkaufen[4]; en gros [ãgró:] verkaufen[4]. ¶ ~값으로 사다 im großen kaufen[4]; en gro kaufen[4] / ~업을 하다 Großhandel (Engroshandel) treiben* / ~값으로 드리겠소 Wir werden es Ihnen für den Engrospreis geben (ablassen).
‖ ~물가 Großhandelspreis *m.* -es, -e; Fabrikpreis *m.* -es, -e (공장도 가격). ~상 《영업》; Engrosgeschäft *n.* -(e)s, -e; 《상인》 Großhändler *m.* -s, -; Engroshändler *m.* -s, -; Engrosverkäufer *m.* -s, -; 《상점》 Großhandlungshaus *n.* -es, ⸚er. ~(가) 판매 Engrosverkauf *m.* -(e)s.
도면(圖面) Zeichnung *f.* -en; Karte *f.* -n (지도 따위); Plan *m.* -(e) s, ⸚e (설계도 따위). ¶ ~을 그리다 e-e Zeichnung machen; e-e Karte zeichnen.
‖ 건축~ Blaupause *f.* -n; Blaukopie *f.* -n.
도모(圖謀) Planung *f.* -en; Absicht *f.* -en; Vorhaben *n.* -s, -; Unternehmung *f.* -en. ~하다 planen[4]; beabsichtigen[4]; vor|haben*[4]; unternehmen*[4]; aus|denken*[4]. ¶ 자살을 ~하다 beabsichtigen, Selbstmord zu begehen / 자기의 이익을 ~하다 *js.* eigenen Vorteil suchen; auf s-n Vorteil sehen* (bedacht sein) / 국가의 공익을 ~하다 [4]sich um das Wohl der Nation bemühen / 일을 ~함은 인간이요 일의 성사는 하늘에 달렸다 Der Mensch denkt, Gott lenkt.
도무지 〖부정사와 함께〗 durchaus; absolut; gänzlich; ganz und gar; ausschließlich; hundertprozentig; durch und durch; schlechterdings; völlig; vollkommen. ¶ 그것은 ~ 말이 안 된다 Das kommt überhaupt (ganz und gar) nicht in Frage. | Das ist absolut (überhaupt) unmöglich. / ~ 소식이 없다 ganz u. gar nichts von sich hören lassen*; (so) lang geschwiegen haben / 저 독일 사람이 하는 말은 ~ 알아들을 수가 없다 Ich verstehe gar nicht, was der Deutsche sagt. / 저 사람은 ~ 신용할 수가 없다 Man kann ihm überhaupt nicht glauben. / ~ 뭐가 뭔지 알 수 없다 Ich habe k-e Ahnung davon. | Das sind mir böhmische Dörfer. | Das kann ich gar nicht verstehen. | Das ist mir ein vollkommenes Rätsel. / 나는 ~ 책을 볼 시간이 없다 Ich habe durchaus k-e Zeit zur Lektüre. / 그가 어디서 죽었는지 ~ 알 수 없다 Ich habe nicht die geringste Idee, wo er

gestorben ist. / 그는 ~ 그런 일에 대해서 신경을 쓰지 않는다 Daraus macht er sich gar nichts.

도미 〖어류〗 Meerbrasse *f.* -n.
‖ ~국 Meerbrassensuppe *f.* -n. ~생선회 rohe Meerbrasse in Scheiben.

도미(掉尾) ① 《꼬리 흔듦》 das Wedeln* 《-s》 mit dem Schwanz. ~하다 mit dem Schwanz wedeln. ② 《활약함》 die letzte Anstrengung, -en; Endspurt [..ʃpurt] *m.* -(e)s, -e.

도미(渡美) die Überfahrt nach Amerika. ~하다 nach Amerika fahren* ⓢ; Amerika besuchen; 《이주하다》 nach Amerika emigrieren ⓢ.

도미노 Domino *n.* -s, -(s). ¶ ~의 말 Dominostein *m.* -(e)s, -e.

도미니카 Dominica *n.* -s. ¶ ~의 dominikanish.
‖ ~공화국 Dominikanische Republik. ~사람 Dominikaner *m.* -s, -.

도민(島民) Inselbewohner *m.* -s, -; Insulaner *m.* -s, -.

도민(道民) Provinzbewohner *m.* -s, -.
‖ 황해~회 der Verband von den Leuten aus der Provinz *Hwanghae.*

도박 〖식물〗 e-e Art rote Alge; *Grateloupia elliptica* (학명).

도박(賭博) Spiel *n.* -(e)s, -e; Glücksspiel *n.* -(e)s, -e; Hasard *n.* -(e)s, -e; Hasardspiel *n.* -(e)s, -e; Spekulation *f.* -en; Wagnis *n.* ..nisses, ..nisse; Wagestück *n.* -(e)s, -e. ~하다 spielen; Hasard spielen; hoch spielen; um [4]Geld spielen; ein Spiel machen; e-n Tempel auf|legen. ¶ ~으로 부자가 되다 durch Spielen reich werden / ~으로 가난해지다 [4]sich arm spielen / ~으로 돈을 따다 das Spiel gewinnen* / ~으로 돈을 잃다 das Spiel verlieren* / ~운이 좋다 Glück im Spiel haben / ~으로 전재산을 날리다 Hab u. Gut verspielen; das ganze Vermögen verspielen / ~으로 세월을 보내다 verspielen[4]; spielend verbringen*[4] / ~을 금지하다 das Hasardspiel verbieten* / ~판을 벌리다 ein Spielhaus halten* / ~으로 알거지가 되다 den letzten Heller verspielen.
‖ ~광 Spielsucht *f.* ..süchte; Spielwut *f.* (성벽); Spielfreund *m.* -(e)s, -e(애호가). ~꾼 Spieler *m.* -s, -; Hasardspieler *m.* -s, -; der leidenschaftliche Spieler, -s, -; Spielratte *f.* -n. ~대(臺) Spieltisch *m.* -es, -e. ~운 Spielglück *n.* -(e)s, -e. ~장 Spielhaus *n.* -es, ⸗er; Spielhölle *f.* -n.

도발(挑發) Herausforderung *f.* -en; Anreiz *m.* -es, -e; Aufreizung *f.* -en; Erregung *f.* -en; Provokation *f.* -en. ~하다 heraus|fordern[4]; an|reizen[4]; auf|reizen[4]; erregen[4]; provozieren[4]. ¶ ~적(으로) aufreizend; anreizend; herausfordernd; erbitternd; Ärgernis erregend; provozierend; 《음란한》 lasziv; schlüpfrig / ~적인 그림 das laszive Gemälde, -s, - / ~적 기사 die aufreizende Beschreibung, -en / ~적 연설 die wühlerische (agitatorische) Rede, -n / ~적 장면 die aufreizende (anreizende) Szene, -n / 열정(劣情)을 ~하다 niedere (laszive) Gefühle aus|lösen (hervor|rufen*).

도배(島配) Verbannung *f.* -en; Exil *n.* -s, -e. ~하다 verbannen[4]; in die Verbannung (ins Exil) schicken[4]. ¶ ~되다 in die Verbannung (ins Exil) gehen*ⓢ; in die Verbannung geschickt werden.

도배(塗褙) Tapezierung *f.* -en. ~하다 tapezieren[4]; mit Wandtapeten (Wandpapieren) bekleiden; mit Papier (Tapete) bekleben. ¶ 벽(천장)을 ~하다 die Wände (Decke) mit Papier bekleben; die Wände (Decke) tapezieren / 방을 새로 ~하다 das Zimmer neu (von neuem) tapezieren.
‖ ~반자 Tapezierung u. Eb(e)nung der Decke. ~장이 Tapezierer *m.* -s, -. ~지 Wandpapier *n.* -s, -e; Tapete *f.* -n.

도배장판(塗褙張板) das Tapezieren* 《-s》 von Wänden, Decke u. hypokaustischem Boden. ~하다 Wände, Decke u. hypokaustischen Boden tapezieren.

도버 Dover. ‖ ~해협 die Straße von Dover.

도벌(盜伐) Holzdiebstahl *m.* -(e)s, ⸗e; das geheime Holzabbauen, -s. ~하다 heimlich Bäume fällen; e-n Holzdiebstahl begehen*; heimlich ab|holzen[4].
‖ 산림~ Forstdiebstahl *m.* -(e)s, ⸗e: 산림~사건 der Skandal 《-s, -e》 e-s Holzdiebstahls.

도범(盜犯) Diebstahl *m.* -(e)s, ⸗e.

도법(圖法) Zeichnung *f.* -en; Skizze *f.* -n.
‖ 평면(투영)~ Grundriß *m.* ..risses, ..risse.

도벽(盜癖) Stehlsucht *f.*; Kleptomanie *f.* ¶ ~이 있다 stehlsüchtig sein; an der Kleptomanie leiden*; kleptomanisch sein; diebisch sein / ~이 있는 사람 der Stehlsüchtige*, -n, -n.

도벽(塗壁) Wandanstrich *m.* -(e)s, -e. ~하다 die Wand an|streichen*.

도별(道別) die Einteilung nach Provinzen.
‖ ~인구표 die Bevölkerungsstatistik (Bevölkerungstabelle) für jede Provinz.

도보(徒步) das Zufußgehen*, -s; das Laufen*, -s; das Gehen, -s. ¶ ~로 zu [3]Fuß / ~로 가다 zu [3]Fuß gehen*ⓢ; laufen*ⓢ; gehen*ⓢ / ~로 통학하다 zur Schule laufen*ⓢ; in die Schule zu Fuß gehen*ⓢ / ~여행을 하다 e-e Fußreise machen; zu Fuß wandern ⓢ.
‖ ~경주 das Wettgehen*, -s. ~여행 Fußreise *f.* -n; Wanderung *f.* -en; Wanderfahrt *f.* -en: ~여행가 der Fußreisende*, -n, -n; Bummler *m.* -s, -; Wand(e)rer *m.* -s, -. ~자 Fußgänger *m.* -s, -; Fußgeher *m.* -s, -(오스트리아에서). ~주의 das Fußreisen*, -s; das Wandern*, -s. 세계 ~여행자 Weltbummler *m.* -s, -.

도복(道服) Taoistentracht *f.* -en.

도본(圖本) Zeichnung *f.* -en; Entwurf *m.* -(e)s, ⸗e; Skizze *f.* -n.

도부(到付) ① 《공문서의 도착》 das Eintreffen amtlicher Urkunden. ~하다 zu|kommen*ⓢ 《*jm.*》; ein|treffen* ⓢ 《*in*[3]》. ② 《행상》 Hausiererhandel *m.* -s; das Hausieren*, -s; Straßenhandel *m.* -s. ~하다, ~치다 hausieren 《*mit*[3]》; hausieren gehen*ⓢ 《*mit*[3]》; [4]*et.* von Haus zu Haus feil|bieten*. ¶ ~치는 소리 Rufe 《*pl.*》 e-s vorbeigehenden Straßenhändlers.
‖ ~꾼, 도붓장수 Hausierer *m.* -s, -; Straßenhändler *m.* -s, -; Höker *m.* -s, -.

도불(渡佛) die Überfahrt nach Frankreich. ~하다 nach Frankreich fahren*ⓢ; Frankreich besuchen.

도비(徒費) Verschwendung *f.* -en; Vergeudung *f.* -en. ☞ 낭비.

도사(道士) 〖도교〗 Taoist *m.* -en, -en; 〖불교〗 ein eingeweihter Buddhist, -en, -en (Mönch, -(e)s, -e).

도사(導師) 〖불교〗 ① allgemeine Benennung

von Buddha u. buddhistischen Heiligen. ② der geistliche Leiter 《-s, -》 in der buddhistischen Zeremonie.

도사공(都沙工) Bootsführer *m.* -s, -; Chefbootsgast *m.* -es, ⸚e; Chefruderer *m.* -s, -.

도사리 ① 《과일》 unreifes Fallobst, -es. ② 《잡풀》 das Unkraut, das im Saatbeet sprießt.

도사리다 ① 《두 다리를》 die Beine kreuzen. ¶ 도사리고 앉다 mit den gekreuzten Beinen sitzen*. ② 《마음을》 [4]sich beruhigen. ¶ 마음을 ~ [4]sich beruhigen; [4]sich fassen.

도산(倒産) ① 《파산》 Bank(e)rott *m.* -es. -e; finanzieller Zusammenbruch, -(e)s, ⸚e. ~하다 bank(e)rott werden; Bank(e)rott machen. ② 〖의학〗 Fuß¦geburt (Steiß-) *f.* -en.

도산하다(逃散—) [4]sich (auf der Flucht) zerstreuen; (in alle Winde) zerstieben* ⓢ; in alle Richtungen fliehen* ⓢ.

도살(屠殺) 《가축의》 das Schlachten*, -s; Schlachtung *f.* -en; 《학살》 Metzelei *f.* -en; Gemetzel *n.* -s. ~하다 schlachten[4]; metzen[4]; metzeln[4]; zur Schlachtbank führen[4].
‖ ~대 Schlachtbank *f.* -en; Schlachtblock *m.* -(e)s, ⸚e. ~업(業) Schlächterei *f.* -en; Schlächterhandwerk *n.* -(e)s, -e. ~자(者) Schlächter *m.* -s, -; Metzger *m.* -s, -. ~장 Schlacht¦hof *m.* -(e)s, ⸚e (-haus *n.* -es, ⸚er). 무통 ~기 das schmerzlose Schlachtzeug, -(e)s, -e. 밀~ die illegale Schlachtung, -en; Schwarzschlachtung *f.* -en.

도상(途上) ¶ ~에 unterwegs; auf dem Weg(e); 《중도에》 auf halbem Weg(e); halbweg(e)s/ 귀국 ~에 있다 auf dem Wege nach der Heimat sein; [4]sich auf der Heimreise befinden*.
‖ 개발~국 Entwicklungsland *n.* -(e)s, ⸚er.

도상(道床) 〖토목〗 Schotter *m.* -s, - (철도, 포장용의); Schotterbett *n.* -(e)s, -en; Bettung *f.* -en (선로의).

도색(桃色) Hellrot *n.* -(e)s; Pfirsichblütenfarbe *f.* -n (복숭아빛); Rosa *n.* -s. ¶ ~의 hellrot; rosa 〖보통 무변화〗; rosafarbig; blaßrot.
‖ ~문학 die schlüpfrige Literatur, -en; Pornographie *f.* -en. ~본(本) das unanständige (obszöne) Buch, -(e)s, ⸚er. ~사건 Weibergeschichte *f.* -n; die skandalöse Affäre, -n. ~사진 das unzüchtige Bild, -(e)s, -er. ~유희 Flirt [flirt, flə:rt] *m.* -(e)s, -s; die unzüchtige Handlung, -en.

도생하다(倒生—) 〖식물〗 anatrop (umgewendet; gegenläufig) sein.

도생하다(圖生—) ([3]sich) s-n Lebensunterhalt verdienen 《*durch*[4]; *mit*[3]》; sein Auskommen haben. ¶ 근근히 ~ s-n knappen Lebensunterhalt verdienen; sein knappes Auskommen haben.

도서(島嶼) Inseln 《*pl.*》. ¶ 이 바다는 많은 ~로 가히 절경을 이루고 있다 In diesem Meere liegen viele Inseln, und die Landschaft ist sehr reizvoll.

도서(圖書) Bücher 《*pl.*》.
‖ ~견본시(장) Buchmesse *f.* -n. ~과 Bibliotheksabteilung *f.* -en. ~목록 Bücherkatalog *m.* -s, -e; Bücherverzeichnis *n.* ..sses, ..sse. ~실 Bücher¦saal *m.* -(e)s, ..säle (-zimmer *n.* -s, -; -stube *f.* -n); Bibliothek *f.* -en; Bücherei *f.* -en. ~열람권 die Benutzkarte (-n) der Bibliothek. ~열람료 Zulassungsgebühren 《*pl.*》 für e-e Bibliothek. ~열람실 Lese¦saal *m.* -(e)s, ..säle (-halle *f.* -n; -zimmer *n.* -s, -; -kabinett *n.* -(e)s, -e). ~열람용지 Bücherzettel *m.* -s, -. ~열람인 Leser *m.* -s, -; Bibliothekbenutzer *m.* -s, -e; der Besucher 《-s, -》 e-r Bibliothek. ~출판업 Buchhandel *m.* -s, ⸚; Verlag *m.* -(e)s, -e; Verlagsgeschäft *n.* -(e)s, -e. ~학 Bücherkunde *f.* -n; Bibliognose *f.* -n. ~해제(解題) Bücherkunde *f.*; Bibliographie *f.* -n. 신간~ ein neues Buch, -(e)s, ⸚er; e-e neue Veröffentlichung, -en; Neuerscheinung *f.* -en.

도서관(圖書館) Bibliothek *f.* -en.
‖ ~원 Bibliothekar *m.* -s, -e (남자); Bibliothekarin *f.* -nen (여자). ~장 Bibliothekdirektor *m.* -s, -en. ~학 Bibliothekographie *f.*

도서다[1] ① 《바람이》 wechseln; [4]sich ändern. ¶ 바람이 남쪽으로 도섰다 Der Wind hat s-e Richtung nach Süden gewechselt (geändert). ② 《태아가》 [4]sich zu regen beginnen*. ③ 《젖이》 Nach der Entbindung beginnt die Muttermilch zu fließen. ④ 《돌아서다》 [4]sich um|drehen; um|kehren ⓢ.

도서다[2] 《농즙이》 zu|heilen ⓢ.

도선(渡船) Fähre *f.* -n; Fährboot *n.* -(e)s, -e; Fährkahn *m.* -(e)s, ⸚e; Fährschiff *n.* -(e)s, -e; 《직업》 Überfahrt *f.* -en.
‖ ~료 Fährgeld *n.* -(e)s, -er; Fährlohn *m.* (*n.*) -(e)s, ⸚e; Überfahrtsgeld *n.* -(e)s, -er. ~부(夫) Fährmann *m.* -(e)s, ⸚er (..leute). ~장 Fährstelle *f.* -n; Fähre *f.* -n; Autoschnellfähre *f.* -n (자동차의).

도선(導船) Lotsendienst *m.* -es, -e. ~하다 (ein Schiff) lotsen.
‖ ~사 Lotse *m.* -n, -n.

도선(導線) Leitungsdraht *m.* -(e)s, ⸚e. ¶ 가옥에 전기 ~을 가설하다 ein Haus mit elektrischen Leitungsdrähten versehen*.

도설(圖說) Illustration *f.* -en. ~하다 illustrieren[4]; bebildern[4].

도섭 Wechselhaftigkeit *f.*; Unbeständigkeit *f.*; Launenhaftigkeit *f.*; Laune *f.* -n. Grille *f.* -n. ~스럽다 launenhaft; launisch; unbeständig; grillenhaft (sein). ¶ ~을 부리다 die Launenhaftigkeit (Unbeständigkeit) zeigen.

도섭(徒涉) Waten *n.* -s. ~하다 waten ⓢ,ⓗ.

도성(都城) Hauptstadt *f.* ⸚e.

도세(渡世) Lebensunterhalt *m.* -(e)s. ~하다 leben 《*von*[3]》; s-n Lebensunterhalt verdienen 《*durch*[4]》.

도소주(屠蘇酒) gewürzter Reiswein 《-(e)s, -e》 für das Neujahr.

도소지양(屠所之羊) ein zum Schlachthaus geführtes Schaf, -(e)s, -e. ¶ ~처럼 wie ein Schaf, das zur [3]Schlachtbank geführt wird.

도수(度數) =돗수.
‖ 통화 ~계 Gesprächszähler *m.* -s, -.

도수(徒手) leere Hände 《*pl.*》; 《무자본》 Mittellosigkeit *f.*; Unbemitteltheit *f.*; Besitzlosigkeit *f.*; 《비무장》 Unbewaffnetheit *f.* ¶ ~ (공권으)로 frei; mit leeren Händen 《*pl.*》; 《자력없이》 mittellos; unbemittelt; 《무장없이》 unbewaffnet / 그는 ~ (공권으)로 미국으로 건너갔다 Er war völlig mittellos, als er nach Amerika ging.
‖ ~체조 Freiübung *f.* -en.

도수로(導水路) (Wasserzuleitungs)graben *m.* -s, ⸚.

도수리구멍 〖공학〗 das Brennloch an der Seite des Brennofens.

도수장(屠獸場) Schlachthof *m.* -(e)s, ⸗e; Schlachthaus *n.* -es, ⸗er. ☞ 도살장.

도숙붙다 niedrige Stirn haben.

도술(道術) taoistische Zauberkunst, ⸗e.

도스르다 [4]sich zusammen|nehmen*; [4]sich bereit|machen (fertig|-); [4]sich rüsten.

도스킨 Rehleder *n.* -s, -; 《옷감》 Doeskin [dó:skin] *n.* -s, -s; Lieferungstuch *n.* -(e)s.

도습(蹈襲) =답습.

도승(道僧) ein buddhistischer Mönch, der zur geistigen Erleuchtung gelangen ist.

도시(都市) Stadt *f.* ⸗e. ¶ ~(풍)의 stadt; städtisch / ~의 인구 집중 Verstädterung *f.* -en / ~ 전체가 다 아는 stadtbekannt / 영원한 ~ 로마 Rom, die Ewige Stadt / ~의 중심 die innere Stadt / ~ 사정에 정통한 stadtkundig / ~에서 자란 in der Stadt erzogen (aufgewachsen) / ~의 외곽에 draußen vor der Stadt / ~ 전체가 모이면 그 이야기를 한다 Die ganze Stadt redet davon.

‖ ~가스 Stadtgas *n.* -es, -e. ~개량 Stadtverbesserung *f.* -en. ~경제 Stadtwirtschaft *f.* -en. ~계획 Städtebau *m.* -(e)s; Stadtplanung *f.* -en. ~국가 Stadtstaat *m.* -(e)s, -en. ~대항전 der Wettkampf 《-es, -e》 zwischen Städten. ~동맹 Städtebund *m.* -(e)s, ⸗e. ~문제 die Problem 《*pl.*》 der Städte. ~민(인) Stadtbürger *m.* -s, -; Bürger *m.* -s, -; Städter *m.* -s, -; Stadtleute 《*pl.*》(총칭). ~발달 die Entwicklung der Städte. ~법 Stadtrecht *n.* -(e)s, -e. ~사회학 Stadtsoziologie *f.* -n. ~재정 Stadtfinanzen 《*pl.*》. ~행정 Stadtverwaltung *f.* -en. ~화(化) Verstädterung *f.* -en: ~화하다 verstädtern[(4)]Ⓢ; städtisch machen 근대~ die moderne Stadt, ⸗e. 대(소)~ Groß|stadt(Klein-) *f.* ⸗e. 대학~ Universitätsstadt *f.* ⸗e. 산업~ Industriestadt *f.* ⸗e. 상업~ Handelsstadt *f.* ⸗e. 주요~ die hauptsächliche (wichtige) Stadt.

도시(都是) 《원래》 eigentlich; im Grunde (genommen); wie denn überhaupt. ☞ 도무지.

도시(圖示) ~하다 vor|zeichnen[3·4]; anhand e-r [2]Zeichnung 《-en》 zeigen[3·4]; illustrieren[4]; graphisch dar|stellen[4].

도시다 《칼로》 mit dem Messer planieren (glätten; ebnen[4]; (herum|)schnitze(l)n[4]; beschneiden*[4]; ab|schaben[4]). ¶ 나뭇가지를 도셔서 채찍을 만들다 aus e-m Zweig e-e Peitsche schnitzen.

도시락 《옛날》 Speisekorb 《*m.* -(e)s, ⸗e》 aus Weide od. Bambus; 《현대의》 Eßbehälter *m.* -s, -; Imbißkasten *m.* -s, ⸗ (-) 《zum Mitnehmen》; 《음식》 Wegzehrung *f.* -en; Imbiß *m.* ..bisses, ..bisse; Lunch [lʌn(t)ʃ] *m.* -(e)s, -e (-s). ¶ ~을 먹다 e-n Imbiß nehmen*; den Lunch ein|nehmen*; lunchen / ~을 싸다 den Lunch (ein|)packen (verpacken); e-n Imbiß zu|bereiten / ~을 가지고 가다 e-n Lunch mit|bringen* (mit|nehmen*) / ~을 주문하다 e-n Imbiß bestellen.

‖ ~값 Imbißkosten 《*pl.*》; Kostgeld *n.* -(e)s, -er. ~밥 Imbiß *m.* ..sses, ..sse; gekochter Reis 《-es》 in e-r Schachtel; die mitgebrachte Mahlzeit, -en. ~장수 Imbißverkäufer *m.* -s, -.

도식(倒植) 〖인쇄〗 umgekehrter Buchstabe, -ns, -n.

도식(圖式) Schema *n.* -s, -s (..men); Diagramm *n.* -s, -e; 〖논리〗 Schlußfigur *f.* -en. ¶ ~으로 나타내다 schematisieren*; in eine Übersicht bringen*[4] / ~적인 schematisch; nach Schema F. / 명령을 ~적으로만 실행하다 e-e Anweisung rein schematisch aus|führen / ~적으로 일하다 nach dem Schema arbeiten.

‖ ~주의 Schematismus *m.* -, ..men. ~해법 〖수학〗 das graphische Verfahren, -s. ~화 das Schematisieren*, -s.

도식하다(徒食一) ① 《무위도식》 ein müßiges Leben führen; in den Tag hinein leben; faulenzen. ② 《채식》 [4]sich von Pflanzenkost ernähren; vegetieren. ¶ 무위도식하는 사람 Müßiggänger *m.* -s, -; Faulenzer *m.* -s, -; Nichtstuer *m.* -s, -.

도신(刀身) Degenklinge *f.* -n.

도신(逃身) das Entkommen*, -s; Flucht *f.* -en.

도심(盜心) Stehlsucht *f.*; Dieb(es)sinn *m.* -(e)s. ¶ ~있는 diebisch; stehlerisch.

도심(지대)(都心(地帶)) der innere Stadtteil, -(e)s, -e; Stadtkern *m.* -(e)s, -e; ein wichtiger Stadtteil, -(e)s, -e; Stadtmitte *f.* -n; Geschäftsviertel [..firtəl] *n.* -s, -; Hauptstraße *f.* -n; Geschäftsstraße *f.* -n.

도심질 das Planieren*, -s; das Glätten*, -s; Schnitzarbeit (Schnitzerei) *f.* -en.

도안(圖案) (Zeichnungs)muster *n.* -s, -; Dessin [dɛsɛ̃:] *n.* -s, -s. ¶ ~을 모집하다 ein Preisausschreiben für Muster veranstalten / ~을 작성하다 Muster zeichnen / ~화하다 stilisieren[4].

‖ ~가 Musterzeichner *m.* -s, -; Zeichner *m.* -s, -. ~과(科) Dekorationsabteilung *f.* -en. ~첩(帖) Musterbuch *n.* -(e)s, ⸗er.

도액(度厄) Geisterbeschwörung *f.* -en. ~하다 (den bösen Geist) beschwören* (bannen; aus|treiben*).

도야(陶冶) Bildung *f.* -en; Erziehung *f.* -en; Kultivierung *f.* -en. ~하다 bilden[4]; erziehen*[4]; kultivieren[4]. ¶ 인격을 ~하다 den Charakter (den Geist) bilden.

도약(跳躍) das Springen*, -s; Sprung *m.* -(e)s, ⸗e; Satz *m.* -es, ⸗e. ~하다 springen* Ⓗ,Ⓢ; hüpfen Ⓗ,Ⓢ 〖이상은 장소의 이동일 때 Ⓢ〗; einen Sprung (Satz) machen.

‖ ~거리 Sprungweite *f.* -n. ~경기 das Springen*, -s; das Wettspringen*, -s. ~운동 Sprungübung *f.* -en. ~종목 Sprungart *f.* -en. ~판 Sprungbrett *n.* -(e)s, -er: ~판으로 이용하다 als [4]Sprungbrett benutzen[4] (verwenden[4]) 《*für*[4]》.

도양(渡洋) 〖형용사적〗 überseeisch; Übersee-; Ozean-.

‖ ~작전 Überseekriegführung *f.* -en. ~폭격 Überseebombardement *n.* -s, -s.

도어(倒語) 〖언어〗 (grammatisch) umgestellte Worte 《*pl.*》; die Umstellung der Ausdrucksweise.

도어 Tür *f.* -en. ¶ ~ 엔진 《자동 개폐 장치》 der pneumatische Türverschluß, ..schlusses, ..schlüsse.

도연명(陶淵明) 《옛 중국의 시인》 T'ao Yüanming (365-427).

도연하다(陶然一) berauscht; trunken; 《취해서》 angetrunken; angeheitert; betrunken; beschwipst (sein). ¶ 그의 연주는 청중을 도연케 했다 Sein Spiel berauschte die Zuhörer.

도열(堵列) (Menschen)schlange *f.* -n. ~하다

Schlange stehen*. ¶ ~시키다 Schlange stehen lassen*[4] / 길 양쪽에 ~하다 zu beiden Setten der Straße Schlange stehen*; Spalier stehen*.

도열병(稻熱病) Reispflanzenfieber *n.* -s, -; Reismeltau *m.* -s.

도영(倒影) Widerspiegelung *f.* -en; das zurückgeworfene Bild, -(e)s, -er; Reflektion *f.* -en.

도영(渡英) die Überfahrt nach England; Englandbesuch *m.* -(e)s, -e. **~하다** nach England fahren* ⓢ; England besuchen.

도예(陶藝) Porzellan|kunst (Töpfer-) *f.* ⸚e; Keramik *f.*; Kunsttöpferei *f.*

‖ **~가** Töpferkünstler *m.* -s, -; Keramiker *m.* -s, -; Kunsttöpfer *m.* -s, -.

도와(陶瓦) (Dach)ziegel *m.* -s, -.

도와주다 ① 《조력》 *jm.* helfen*; *jm.* bei|stehen*; *jn.* unterstützen; *jm.* Hilfe leisten. ¶ 숙제를 ~ *jm.* bei den Hausaufgaben helfen* / 일하는 것을 ~ *jm.* arbeiten helfen* / 딸이 밥짓는 것을 ~ der Tochter kochen helfen*.

② 《구제》 ¶ 가난한 사람들을 ~ den Armen* helfen; den Armen Hilfe leisten.

도외시(度外視) Vernachlässigung *f.* -en; Ausschluß *m.* ..sses. ..schlüsse; das Ignorieren*, -s; das Ausschalten*, -s. **~하다** nicht achten 《*auf*[4]》; außer acht lassen*[4]; nicht beachten[4]; nicht in Betracht ziehen*[4]; [3]*et.* k-e Beachtung schenken; nicht berücksichtigen[4]; vernachlässigen[4]; links liegen lassen* (무시하다); aus|schalten[4] (제외하다). ¶ 그의 말은 전적으로 ~되었다 Man schenkte s-n Worten k-e Beachtung. / 그는 언제나 나를 ~한다 Er läßt mich immer links liegen.

도외치지(度外置之) =치지도외.

도요(새) 〖조류〗 Schnepfe *f.* -n.

도용(盜用) das Stehlen*, -s (훔치기); Entwendung *f.* -en (절취); Aneignung *f.* -en; Unterschlagung *f.* -en (횡령); Plagiat *n.* -(e)s, -e (표절). **~하다** stehlen*[4]; entwenden(*)[4]; unterschlagen*[4]; plagiieren[4]. ¶ 금전을~하다 [3]sich Geld an|eignen; Geld entwenden(*)[4]; Geld unterschlagen*[4] / 물건을 ~하다 [4]*et.* heimlich gebrauchen (benutzen); [4]*et.* stehlen* / 전기를 ~하다 elektrischen Strom stehlen*; elektrischen Strom heimlich benutzen / 남의 도장을 ~하다 *js.* privates Siegel heimlich gebrauchen (benutzen).

도우(屠牛) Rindschlacht *f.* -en.

‖ **~장** Schlachthof *m.* -(e)s, ⸚e. **~탄**(坦) Metzger *m.* -s, -; Schlächter (Schlachter) *m.* -s, -.

도움 Hilfe *f.* -n (조력); Rettung *f.* -en (구조); Unterstützung *f.* -en (후원); 《원조》 (Bei-) hilfe *f.* -n; Beistand *m.* -(e)s; Nutzen *m.* -s, - (효용); Wohltat *f.* -en (남을). ¶ ~이 되다 helfen*[3]; dienen 《*zu*[3]》; *jm.* behilflich sein; bei[3] (in[3]) behilflich sein; zu[3] bei|tragen*; *jm.* zustatten kommen* ⓢ; *jm.* Hilfe sein; *jm.* von [3]Nutzen sein (유익하다) / 아무의 ~으로 mit Hilfe 《*von*[3]; *Gen.*》; durch *js.* [4]Hilfe (Gefälligkeit) / 친구의 ~을 얻어서 mit Hilfe m-s Freundes / 아무의 ~을 청하다 *jn.* um [4]Hilfe bitten* / ~을 청하려고 소리를 지르다 *jn.* um [4]Hilfe rufen* (schreien*) / ~을 주다 *jm.* Hilfe leisten; *jm.* bei|stehen* (Beistand leisten); *jm.* zur Seite stehen*; *jn.* unterstützen / 아무 ~도 되지 않는다 Das hilft (dient) zu nichts. / ~이 될 만한 일이라도 없겠읍니까 Womit kann ich Ihnen dienen?| Kann ich Ihnen irgendwie behilflich sein? / 이 사전은 다소 ~이 된다 Dieses Wörterbuch kann (wird) mir von einigem Nutzen sein. / 다급할 때에는 내가 ~을 드리지오 In der Not werde ich dir helfen. / 다급할 때에 ~을 줄 위인이 아니다 In der Not wird er dich verlassen. / 당신의 후원이 이 사업 완성에 큰 ~이 되었다 Ihre Unterstützung hat viel zur Vollbringung des Unternehmens beigetragen. / 이 운동은 어린이의 발육에 크게 ~이 된다 Dieser Sport trägt viel zur körperlichen Entwicklung der Kinder bei.

도원경(桃源境) Shangrila; Shangri-La; Arkadien; Eden *n.* -s; Paradies *n.* -es, -e.

도읍(都邑) ① 《수도》 Hauptstadt; Residenzstadt; Fürstensitz *m.* -es, -e. **~하다** residieren. ¶ …에 ~하다 s-n Sitz an e-m Ort auf|schlagen*.

② 《소도시》 Kleinstadt *f.* ⸚e.

‖ **~지** der Sitz e-s Staatsoberhauptes od. e-s Fürsten.

도의(道義) Moral *f.*; Moralität *f.*; Sittlichkeit *f.* ¶ ~적 moralisch; ethisch; sittlich; tugendhaft / 비~적 unmoralisch; unsittlich / ~상 (적으로) moralisch; vom moralischen Standpunkte aus / ~의 퇴폐 Niedergang 《*m.* -(e)s, ⸚e》 der Sitte; Demoralisation *f.* -en; Entsittlichung *f.*; Sittenverfall *m.* -s / ~적인 문제 die moralische Frage, -n / ~적인 책임 e-e moralische Obligation, -en / ~에 어긋나다 gegen die Sozialmoral sein; unmoralisch (unsittlich) sein / ~를 중히 여기다 Wert auf die Moral legen / 그는 ~관념이 부족하다 Es fehlt ihm an moralischem Sinn.|Er ist ein unmoralischer Mensch.

‖ **~심** Sittlichkeitsgefühl *n.* -(e)s, -e; Ehrgefühl *n.* -(e)s, -e; der moralishe Sinn, -(e)s, -e. **~앙양** die Förderung der Moralität (der Tugend). **사회~** Sozialmoral *f.*

도의회(道議會) Landtag *m.* -(e)s, -e; Provinzialversammlung *f.* -en; Provinziallandtag *m.* -(e)s, -e.

‖ **~의사당** Provinziallandtagsgebäude *n.* -s, -. **~의원** der Provinzialverordnete*, -n, -n; das Mitglied《-(e)s, -er》 der Provinzialversammlung; der Provinziallandtagsabgeordnete*, -n, -n. **~의장** der Präsident 《-en, -en》 der Provinzialversammlung.

도이칠란트 =독일.

도인(道人) =도사(道士).

도일(渡日) die Überfahrt nach Japan. **~하다** nach Japan fahren* ⓢ.

도임하다(到任—) in dem neu zu bekleidenden Amt an|kommen* ⓢ.

도입(導入) Einführung *f.* -en. **~하다** ein|führen[4] 《*in*[4]》; ein|scheuern[4] (반입하다); an|nehmen*[4](학설 따위를). ¶ 이 단어가 우리말에 ~되었다 Das Wort ist in unsere Sprache aufgenommen.

‖ **외자~** Einführung 《*f.* -en》 (des) fremden Kapitals.

도자기(陶磁器) Keramik *f.* -en; die keramische Ware, -n; Porzellan *n.* -(e)s, -e; Porzellanware *f.* -n; Tonware *f.* -n; Töpferware *f.* -n; Steingut *n.* -(e)s, -e. ¶ ~로 만든 keramisch; porzellanen / 그는 ~장사를 하고 있다 Er treibt Handel mit

Tonwaren (Töpferwaren). ¦ Er betreibt Porzellanladen.

‖ ~공 Keramiker *m.* -s, -; Töpfer *m.* -s, -. ~상 Porzellanladen *m.* -s, - (가게); Porzellanhändler *m.* -s, - (상인). ~제조법 Keramik *f.* -en; Töpferkunst *f.* ⸗e.

도작(盜作) das Abschreiben*, -s; das Plagieren*, -s; Plagiat *n.* -(e)s, -e; 《도작품》 Plagiat *n.* ~하다 ab|schreiben*4; plagiieren; kopieren4; nach|ahmen4.

도작(稻作) Reisbau *m.* -s.

도장(刀匠) Schwertschmied *m.* -(e)s, -e; Schwertfeger *m.* -s, -.

도장(道場) Übungshalle *f.* -n; Übungssaal *m.* -(e)s, ..säle; Ertüchtigungssaal *m.* -(e)s, ..säle.

‖ 검도~ Fechtsaal *m.* -(e)s, ..säle; Fechtboden *m.* -s, - (⸗). 유도~ die Übungshalle 《-n》 für Judo.

도장(塗裝) Anstrich *m.* -(e)s, -e; das Anstreichen*, -s (칠의); das Lockieren, -s. ~하다 (an|)streichen*4《*mit*3》; überziehen*4《*mit*3》. ¶ 페인트 (니스) 로 ~하다 mit Farbe (Firnis) streichen*4.

도장(圖章) Siegel *n.* -s, -; Stempel *m.* -s, -; Petschaft *n.* -(e)s, -e. ¶ ~을 찍다 stempeln4; siegeln4; das Siegel auf|drücken3; das Siegel drücken 《auf 4*et.*》 / ~을 새기다 e-n Stempel schneiden* (ziselieren) / ~을 새기게 하다 e-n Stempel schneiden lassen* / ~을 찍어 보증하다 stempeln4 u. dadurch verbürgen4 《*jm.* 4*et.*》 / 사장님의 ~이 필요하다 Der Präsident muß s-n Stempel daruntersetzen.

‖ ~공 Stempelschneider *m.* -s, -; Siegelstecher *m.* -s, -. ~밥 die rote Stempelfarbe, -n. ~주머니 Siegelkapsel *f.* -n. ~포, ~집 Stempelschneidersgeschäft *n.* -(e)s, -e. ~칼 Siegelschneidemesser *n.* -s, -. 인감~ das eingetragene Siegel, -s, -.

도장방(一房) 《규방》 Damenzimmer *n.* -s, -; *Boudoir* *n.* -s, -s 《불어》.

도저하다(到底一) ① 《썩 좋다》 gut; ausgezeichnet; schön; hervorragend (sein). ¶ 학문이 ~ hervorragende Gelehrsamkeit haben. ② 《극진》 vollkommen; tadellos; fehlerlos; vollständig; gründlich; exakt (sein). ¶ 부모에 대한 효성이 ~ den Eltern ergeben sein.

도저히(到底一) 《아무리 …해도》 gar (durchaus; überhaupt) nicht; k-s Falls; auf k-e Weise; in k-r Weise; keineswegs; um alles in der Welt nicht; um k-n Preis; auf k-n Fall; absolut nicht. ¶ 그것은 ~ 불가능하다 Es ist absolut unmöglich. ¦ Es ist auf k-n Fall möglich. / 그는 이제 ~ 구제할 길이 없다 Ihm ist nicht mehr zu helfen. / 그것은 나로선 ~ 불가능했다 Das war mir überhaupt nicht möglich. / 당신은 그 일론 ~ 돈벌이가 안 될 줄 아는데 Ich glaube kaum, daß Sie dabei Gewinn erzielen werden. / 그는 ~ 시험에 합격할 가망이 없다 Es ist gar k-e Aussicht, daß er die Prüfung besteht. / 있는 힘을 다해서 헤엄을 쳤으나 ~ 그녀를 구해내지 못했다 Er schwamm aus Leibeskräften, aber er konnte sie nicht retten.

도적(盜賊) =도둑.

도전(挑戰) Herausforderung *f.* -en; Aggression *f.* -en; Anreiz *m.* -es, -e; Aufforderung *f.* -en. ~하다 zum Kampf heraus|fordern4; den Fehdehandschuh hin|werfen*3; e-n Streit vom Zaune brechen*; in die Schranken laden*4 (fordern4). ¶ ~적(인) herausfordernd; aggressiv; anreizend; auffordernd; polemisch; trotzig / ~장을 내다 e-e schriftliche Herausforderung zu|stellen3 (zuschicken3) / ~에 응하다 in die Schranken treten*Ⓢ; 4sich e-r Herausforderung gegenüber bereit erklären; e-n Herausforderung an|nehmen* / ~적 태도를 취하다 den Angreifer heraus|kehren; e-e polemische Haltung ein|nehmen*; 4sich streitsüchtig zeigen 《*gegen*4》.

‖ ~자 Herausforderer *m.* -s, -. ~장 die schriftliche Herausforderung 《-en》 zum Kriege.

도전(盜電) die schwarze (heimliche) Benutzung der Elektrizität. ~하다 die Elektrizität schwarz (ohne 4Erlaubnis) benutzen.

도전(導電) 〖전기〗 Elektrizitätsleitung *f.*

‖ ~율 (elektrische) Leitungsfähigkeit. ~체 Elektrizitätsleiter *m.* -s, -.

도정(道程) Entfernung *f.* -en; Entlegenheit *f.* -en; Weg *m.* -(e)s, -e; Weite *f.* -n; das zurückgelegte Stück Weges; 《여정》 Reise *f.* -n.

도제(徒弟) Lehrling *m.* -s, -e; Lehrjunge *m.* -n, -n; 《제자》 Schüler *m.* -s, -. ¶ 아무의 ~가 되다 als Lehrling zu *jm.* kommen*Ⓢ; bei *jm.* in die Lehre treten*Ⓢ; bei *jm.* in die Schule gehen*Ⓢ / ~를 두다 *jn.* in die Lehre nehmen*; *jn.* in die Schule nehmen / 그는 어떤 가구공의 ~로 있다 Er ist bei e-m Tischler in der Lehre.

‖ ~기한 Lehrjahre 《*pl.*》. ~제도 Lehrlingswesen *n.* -s.

도제(陶製) ¶ ~의 porzellanen; keramisch; irden.

‖ ~파이프 Tonröhre *f.* -n.

도조(賭租) die Reisernte, die der Pächter als Pacht abliefert.

도주(逃走) Flucht *f.* -en; Entweichung *f.* -en. ~하다 flüchtenⓈ; (ent)fliehen*3 Ⓢ; entweichen*3Ⓢ. ¶ ~중이다 auf der 3Flucht sein.

‖ ~자 Flüchtling *m.* -s, -e.

도중(途中) während2; im (Ver)lauf(e)2 《*von*3》; an3; auf3; bei3; in3; unter3; binnen3·2 (이내); unterwegs; auf dem Wege; auf halbem Wege (중도에); halbwege(s). ¶ 집으로 가는 ~ auf dem Wege nach Hause / 학교로 가는 ~ auf dem Wege zur Schule / 운송~에 während des Transports / 이야기 ~에 mitten im Gespräch / 일하는 ~에 mitten in der Arbeit/ ~하차하다 die Fahrt unterbrechen* (aus|steigen*Ⓢ) / 학업 ~에 그만두다 das Studium ab|brechen* (unterbrechen*) / ~에서 돌아오다 auf halbem Weg um|kehrenⓈ / 가는 ~에 나는 너만을 생각했다 Während ich ging, dachte ich nur an dich. / 말씀 ~ 미안합니다만 지금 몇 시입니까 Verzeihen Sie, daß ich Sie unterbreche, aber wieviel Uhr ist es? / 가는 ~ 날씨는 좋았다 Wir hatten die ganze Zeit (hindurch) gutes Wetter. / 그는 지금쯤 여행 ~에 있을 겁니다 Der Mann wird jetzt (wohl) unterwegs sein. / 여행 ~ 별별 사람들을 만났다 Ich habe auf der Reise vielerlei Personen getroffen (kennengelernt).

도지(賭地) ① 《논밭·집터》 Pachtgrundstück *n.* -(e)s, -e. ② =도조.

도지개 ein Gestell zur Ausbesserung des

Schießbogens. ¶ ～를 틀다 unruhig sein; nervös 〔zappelig〕 sein.

도지기 physische Verbindung mit der *Gisaeng* zum dritten Mal.

도지다[1] ① 《심하다》 streng; hart; äußerst; extrem; zuviel; radikal; gründlich (sein). ¶ 욕이 ～ Die Beschimpfung ist zuviel. ② 《단단하다》 hart; überanstrengt (sein). ¶ 길을 걸어 다리가 ～ vom Laufen harte Beine kriegen.

도지다[2] 《병이》 ^{4}sich verschlimmern; e-e Wendung 《-en》 zum Schlechten nehmen*; e-n Rückfall bekommen*; zurück|fallen* [s]. ¶ 병이 다시 도지면 좀처럼 낫지 않는다 Ein Rückfall läßt sich nur schwer überwinden. / 그의 병이 도졌다 Er hat bei s-r Krankheit wieder e-n Rückfall gehabt.¦ Er fiel in die Krankheit zurück.

도지사(道知事) Gouverneur *m.* -s, -e (der Provinz); Statthalter *m.* -s, - (der Provinz).

도차지 ＝독차지(獨一).

도착(到着) Ankunft *f.* ⸚e; das Eintreffen*, -s. ～하다 an|kommen* [s] 《*in*^{3}》; ein|treffen* [s] 《*in*^{3}》; an|langen 《*in*^{3}》; 《도달하다》 erreichen^{4}; 《편지 따위》 zu|kommen*; empfangen* 〖사람이 주어〗. ¶ ～순으로 der Ankunftsreihenfolge nach / ～하는 대로 sofort 〔unverzüglich〕 nach Ankunft 〔Eintreffen〕; gleich 〔direkt〕 nach Ankunft / 현장에 ～하다 auf dem Schauplatz an|kommen* [s] / 무사히 ～하다 glücklich an|kommen* [s]; 《물건 따위》 wohlerhalten an|kommen* [s] / 집에 ～하다 zu ^{3}Hause an|kommen* [s] / 서울에 ～하다 in ^{3}Seoul an|kommen* [s] / 마을 〔항구〕에 ～하다 im Dorf 〔im Hafen〕 an|kommen* [s] ※ ankommen은 nach Hause, ins Dorf, in den Hafen 따위와는 함께 쓰이지 않는 점에 주의 / 10시 차로 ～하다 mit dem 10 Uhr-Zug an|kommen* [s] / 자네 편지가 마침내 ～했다 Dein Brief ist endlich da. / 그는 내달 10일에 이곳에 ～할 것이다 Er wird am 10. nächsten Monats hier erwartet.

‖ ～시각 Ankunftszeit *f.* ～시간표 Ankunftstafel *f.* -n. ～역 Ankunftsstation *f.* -en; Bestimmungsstation *f.* -en; 《물건의》 Bestimmungsort *m.* -(e)s, -e 〔⸚er〕. ～지점 〖군사〗 Ankunftspunkt *m.* -(e)s, -e. ～플랫폼 Ankunftsbahnsteig *m.* -(e)s, -e. ～항 Ankunftshafen *m.* -s, ⸚.

도착(倒錯) das umgekehrte Hinstellen*, -s; Inversion *f.* -en; 〖의학〗 Perversion *f.* -en; Perversität *f.* -en. ～하다 ^{4}*et.* umgekehrt hin|stellen. ¶ ～의 pervers; invers; widernatürlich; verkehrt; umgekehrt.

‖ 성욕～ (die geschlechtliche) Perversität 〔Perversion〕 -en: 성욕 ～자 der Perverse*, -n, -n.

도찰(塗擦) das Salben*, -s; Einreibung *f.* -en. ～하다 salben^{4}; ein|reiben*^{4} 《*auf*^{4}》.

도처(到處) 〖부사〗 überall; hie u. da; hier u. dort; auf u. ab; allerorten; allenthalben; weit u. breit; in allen ^{3}Ecken u. ^{3}Enden; auf Schritt u. Tritt; allerwärts; allerwegs; in jeder ^{3}Gegend. ¶ 한국 ～에서 überall in Korea; in ganz Korea; über ganz Korea / 세계 ～에 in allen Seiten der Welt; in allen Teilen; in aller Herren Ländern / 그는 ～에서 환영받았다 Er fand überall gute Aufnahme. / 인간 ～ 유청산(有靑山) Der Mensch findet überall sein Grab. / 쌀은 전국 ～에서 생산된다 Reis wächst überall im Lande. / 그것은 ～에 있다 Das findet man überall. / 저 은행은 거의 전국 ～에 지점을 차리고 있다 Jene Bank hat ihre Zweiggeschäfte in fast allen Teilen des Landes. / ～에서 사람들이 모여든다 Leute kommen von weit u. breit.

도처낭패(到處狼狽) das jedesmalige Scheitern*, was man auch immer unternimmt; der Fehlschlag in jeder Unternehmung. ～하다 in jeder Unternehmung fehl|schlagen*. ¶ 그는 ～했다 Jede Unternehmung von ihm ist gescheitert.

도청(盜聽) das Abhören*, -s; das Abhorchen*, -s; das Schwarzhören, -s (청취료를 안물고 라디오, 강의 따위를); das (Er)lauschen*, -s. ～하다 erlauschen^{4} 《*jm.*》; lauschen 《*jm.*》; ab|hören^{4} 《*jm.*》; ab|horchen 《*jm.*》; horchen《*auf*^{4}》; lauschen 《*auf*^{4}》; *jn.* belauschen; schwarz|hören (라디오, 강의 따위); ^{4}sich beim Telefon heimlich ein|-schalten; ein Telephongespräch ab|hören; mit|hören (전화를). ¶ 강의를 ～하다 Vorlesungen schwarz|hören / 라디오를 ～하다 Radio schwarz|hören (이상 청취료를 안 물거나 무자격자가) / 벽에 귀를 대고 남의 이야기를 ～하는 자는 자신의 욕을 듣는다 Der Horcher an der Wand hört s-e eigene Schand.

‖ ～기 Abhörgerät *n.* -(e)s, -e. ～자 Horcher *m.* -s, -; Lauscher *m.* -s, -; Schwarzhörer *m.* -s, -.

도청(道廳) Regierungsgebäude 《*n.* -s, -》 der Provinz; Verwaltung 《*f.* -en》 der Provinz. ‖ ～소재지 Regierungssitz 《*m.* -es, -e》 der Provinz.

도체(導體) 〖물리〗 Leiter *m.* -s, -; Konduktor *m.* -s, -en (전기); Medium *n.* -s, ..dien; Wärmeleiter *m.* -s, - (열의).

‖ 반～ Semi-Konduktor *m.* -s, -en. 불량～ der schlechte Konduktor, -s, -en. 양～ der gute Konduktor, -s, -en.

도축(屠畜) ＝도살(屠殺).

도취(陶醉) Berauschung *f.* -en; Rausch *m.* -es, ⸚e; 《황홀》 Entzückung *f.* -en. ～하다 ^{4}sich berauschen; entzückt sein 《*vor*^{3}》; e-n Rausch haben; begeistern. ¶ 사랑의 ～ der Rausch der Liebe; Liebesrausch *m.* -es, ⸚e / 그의 연주를 듣고 청중은 ～되었다 Sein Spiel berauschte die Zuhörer. / 청중은 그의 말에 ～되었다 Die Zuhörer waren von seinen Worten hingerissen.

도치(倒置) ～하다 um|kehren^{4}; um|stellen^{4}. ‖ ～법 〖문법〗 Inversion *f.* -en〖정동사 도치〗; Umkehrung *f.* -en; Umstellung *f.* -en.

도칠기(陶漆器) lackierte Töpferwaren 《*pl*》.

도침맞다(擣砧一) kalandert sein; geglättet; merzerisiert. ¶ 도침맞은 무명 merzerisierter Baumwollstoff, -(e)s, -e.

도큐멘터리 Dokumentarbericht *m.* -(e)s, -e. ¶ ～영화 Dokumentarfilm *m.* -(e)s, -e; Dokumentar-Spielfilm (각색한 것).

도킹 Kopp(e)lung 〔Kupp(e)lung〕 *f.* -en. ～하다 koppeln 〔kuppeln〕 miteinander.

도탄(塗炭) Not *f.* ⸚e; Elend *n.* -(e)s; Trübsal *f.* -e. ¶ ～의 괴로움 die äußerste Not; die größte Trübsal / ～에 빠지다 in äußerste Not《⸚e》 geraten* [s] / ～에 빠진 백성을 구하다 das Volk aus großem Elend erretten.

도탑다 ☞ 두텁다.

도태(淘汰) 《자연의》 Zuchtwahl *f.*; Selektion

f. -en; Auslese *f.* -n; 《파면·정리》 Abbau *m.* -(e)s; Entlassung *f.* -en. ~하다 ⁴Zuchtwahl treiben*; aus|lesen*⁴; aus|wählen⁴; 《파면》 ab|bauen⁴; entlassen*⁴. ¶ 종업원을 ~하다 einige Angestellte ab|bauen; e-n Personalabbau durch|führen.

‖ ~설(說) Selektionstheorie *f.* -n. 노후~ die Entlassung (der Abbau) der dienstuntauglichen Beamten. 인위~ die künstliche Zuchtwahl (Auslese). 자연~ natürliche Zuchtwahl (Auslese). 자웅(雌雄)~ die geschlechtliche Zuchtwahl.

도토(陶土) Töpferton *m.* -(e)s, -e; Töpfereierde *f.* -n; Kaolin *n.* -s (고령토). ¶ ~화(化)하다 kaolinisieren⁴.

도토리 Eichel *f.* -n. ¶ 개밥에 ~ der Ausgestoßene*, -n, -n; der Verbannte*, -n, -n / 개밥에 ~가 되다 von allen Freunden verlassen werden; links liegenlassen werden (무시당하다) / ~ 키재기 Sie sind durch die Bank über denselben Leisten geschlagen.¦Sie sind alle mittelmäßig, der e-e wie der andere. ‖ ~깍정이, ~받침 Eichelbecher *m.* -s, -; Eichelnapf *m.* -(e)s, ⸚e; Eichelnäpfchen *n.* -s, -. ~묵 Eichelstärkpaste*f.* -n.

도톨도톨하다 uneben; ungleich; holperig; höckerig; rauh; körnig; knotig (마디가 많은). ¶ 도톨도톨한 길 der holperige Weg, -(e)s, -e / 도톨도톨한 피부 die rauhe Haut, ⸚e / 도톨도톨하게 만든 가죽 das granulierte Leder, -s, - / 여드름이 도톨도톨한 얼굴 das Gesicht 《-(e)s, -er》 voller Pickel; das finnige (pick(e)lige) Gesicht.

도톰하다 ☞ 두툼하다.

도통(都統) ① 《도합》 alles zusammen; im ganzen; ins gesamt; alles einschließlich. ¶ ~ 3만원이다 Das Ganze macht 30000 *Won* aus./인원은 ~ 몇 명인가 Wie groß ist die gesamte Belegschaft?
② 《전혀》 ganz; gänzlich; völlig; ganz u. gar; durchaus; schlechterdings; schlechthin. ¶ 나는 ~ 종잡을 수 없다 Ich habe k-e Ahnung. / 그는 ~ 그것을 믿으려고 하지 않는다 Er will es durchaus nicht glauben. / 그 일에 대해서는 ~ 들은 바가 없다 Ich habe darüber nicht das Geringste erfahren.

도통(道通) geistige Erleuchtung, -en. ~하다 geistig erleuchtet sein; ⁴sich erleuchten. ¶ 그 일에 ~하다 in der Sache bewandert (erfahren) sein.

도투락(댕기) das violette Haarband 《-(e)s, ⸚er》 für das kleine Mädchen.

도투마리 Kettbaum *m.* -(e)s, ⸚e. ¶ ~ 잘라 넉가래 만들기 《속담》 Sehr leicht.

도틀어 =도파니.

도파니 insgesamt; im ganzen; alles zusammengenommen; alles in allem.

도판(圖版) Bildtafel *f.* -n; Abbildung *f.* -en (삽화); Illustration *f.* -en (도해); Bebilderung *f* -en; Bild¦teil (Foto-) *m.* -(e)s, -e (그림, 사진의 부분).

도편수(都一) Zimmermeister *m.* -s, -; Zimmerpolier *m.* -s, -e; Zimmerpolierer *m.* -s, -; Baumeister *m.* -s, -.

도포(塗布) das Schmieren*, -s; Einreibung *f.* -en. ~하다 ⁴*et.* schmieren 《*mit*³》; ein|-schmieren⁴ 《*mit*³》; ein|reiben* 《*mit*³》; 《Salbe auf die Haut》 auf|tragen*.

‖ ~약 《연고》 Salbe *f.* -n; Schmiersalbe *f.* -n; Einreibungsmittel *n.* -s, -; 《물약》 Liniment *n.* -(e)s, -e; Einreibemittel *n.*

도포(道袍) koreanischer Gesellschaftsanzug, -(e)s, ⸚e; koreanische Gala *f.* (in alten Zeiten). ¶ ~ 차림으로 in großem koreanischem Gesellschaftsanzug / ~입고 논을 갈아도 제 멋이라 《속담》 Über den Geschmack läßt sich nicht streiten.¦Der e-e ißt gern Schwartenwurst, der andere grüne Seife.

도표(道標) Wegweiser *m.* -s, -; Wegzeiger *m.* -s, -; Meilenstein *m.* -(e)s, -e; Meilenzeiger *m.* Richtungsschild *n.* -(e)s, -er.

도표(圖表) Tabelle, *f.* -n; e-e graphische (zeichnerische) Darstellung, -en; 《통계 등의》 Diagramm *n.* -s, -e; Schaubild *n.* -(e)s, ⸚er; Kurvenblatt *n.* -(e)s, ⸚er. ¶ ~의 schematisch; graphisch; zeichnerisch / ~로 나타내다 in Form e-s Diagramms dar|stellen; schematisieren; auf e-n Diagramm verzeichnen.

‖ 막대~ Stab¦tabelle *f.* (-diagramm *n.*). 면적~ Flächen¦tabelle *f.* (-diagramm *n.*). 문법~ Grammatiktabelle *f.* 선~ Linientabelle *f.* (-diagramm *n.*). 역사~ e-e historische Tabelle. 점~ Punkt¦tabelle *f.* (-diagramm *n.*). 통계~ Statistik¦tabelle *f.* (-diagramm *n.*).

도품(盜品) ein gestohlener Gegenstand, -(e)s. ⸚e; e-e gestohlene Sache, -n; das Gestohlene*, -s (집합적); Diebesbeute *f.* -n 《속어》.
‖ ~고매(故買) Hehlerei *f.* -en.

도피(逃避) Flucht *f.* -en; das Entrinnen*, -s; das Entkommen*, -s; das Ausweichen*, -s; Umgehung *f.* -en; Ausflucht *f.* ⸚e. ~하다 fliehen*Ⓢ 《*vor*³》; entfliehen*Ⓢ; flüchtenⓈ; ⁴sich fern|halten* 《*von*³》; aus|weichen*Ⓢ 《³*et.*》; ⁴sich entziehen 《³*et.*》*; entwischen Ⓢ 《³*et.*》; entrinnen* Ⓢ 《³*et*》. ¶ 자본의 ~ die Flucht des Kapitals; Kapitalflucht / ~ 중이다 auf der Flucht sein / 사회로부터 ~하다 ⁴sich von der Gesellschaft (Welt) ab|schließen* (ab|sondern).

‖ ~구(口) Ausflucht *f.* ⸚e; Ausweg *m.* -(e)s, -e: ~구를 찾다 e-n Ausweg (e-e Ausflucht) suchen. ~문학 Flüchtlingsliteratur *f.* -en. ~방조자(幇助者) Fluchthelfer *m.* -s, -. ~사상 einsiedlerischer Gedanke, -ns, -n. ~생활(을 하다) ein zurückgezogenes Leben (führen). ~여행 die durchgängerische Reise, -n; Flucht *f.* -en; Fluchtreise *f.* -n. ~자(者) Flüchtling *m.* -s, ⸚e; Ausreißer *m.* -s, -. ~주의 Eskapismus *m.* -. ~행(行) =도피 여행: 사랑의 ~행 die Heirat nach vorheriger Entführung. 현실~ die Flucht von der Wirklichkeit.

도핑 Doping *n.* -s, -s; Anwendung 《*f.* -en》 des Reizmittels.
‖ ~검사 Nachprüfung 《*f.* -en》 des Dopings; Dopingprüfung *f.* -en.

도하(都下) Hauptstadt *f.* ⸚e; Metropole *f.* -n. ¶ ~의 in der Hauptstadt (Metropole)/ ~의 각 국민학교 die Volksschulen 《*pl.*》 in Seoul (in der Hauptstadt).

도하(渡河) Flußüberquerung *f.* -en; Flußübergang *m.* -(e)s, ⸚e. ~하다 e-n Fluß überqueren (überschreiten*); über den Fluß gehen* (fahren*) Ⓢ; über|setzen Ⓢ.
‖ ~기재(器材) Flußüberquerungsmaterial *n.* -s, -ien. ~작전 Flußüberquerungsoperation *f.* -en. ~점 Überquerungsstelle *f.* -n. 적전(敵前)~ Gewaltüberquerung (Gewaltübergang) des Flusses (unter dem Druck

der Feindmächte).
도학(道學) Moralphilosophie *f.* -n; Ethik *f.* Moral *f.* -en; Sittenlehre *f.* -n; Konfuzianismus *m.*(유교); Taoismus *m.*(도교). ¶ ～적 moralphilosophisch; ethisch; moralisch; sittengemäßig; sittlich.
‖ ～군자 tugendhafter Herr, -n, -en; Tugendheld *m.* -n, -en; Tugendbild *n.* -(e)s, -er. ～자 Moralist *m.* -en, -en; Sitten|lehrer (-richter) *m.* -s, -.
도한(盜汗) Nachtschweiß *m.* -es, -e. ¶ ～이 나다 Nachtschweiß haben; im Schlaf schwitzen; Nachtschweiß aus|brechen*.
도합(都合) 《총계》 Gesamtsumme *f.* -n; Gesamtbetrag *m.* -(e)s, ⸗e; Totalsumme *f.* -n; Totalbetrag *m.* -(e)s, ⸗e; 〖부사적〗 in Summe; alles in allem; insgesamt. ¶ ～ 2백명 insgesamt 200 Personen.
도항(渡航) Fahrt *f.* -en; Durchfahrt *f.* -en; Reise *f.* -n (여행); 《배 (비행기)에 의한》 Seefahrt (Luft-) *f.* -en; See|reise (Luft-) *f.* -n. ～하다 auf Fahrt fahren*ⓢ; e-e Seereise machen 《*nach*³》; zur See reisen 《*nach*³》; segeln 《*nach*³》; fahren* ⓢ 《*nach*³》. ¶ 미국으로 ～하다 nach Amerika fahren* ⓢ / 해외로 ～하다 nach Übersee gehen* ⓢ.
‖ ～자 der Reisende*, -n, -n; Passagier *m.* -s, -e. ～증 Reisepaß *m.* ..passes, ..pässe. (für e-e überseeische Reise). 자유～ die unbeschränkte Durchfahrt, -en. 해외～ Übersee|fahrt (-reise) *f.* -en.
도해(圖解) Illustration *f.* -en; die bildliche Erläuterung, -en; Bebilderung *f.* -en; Abbildung *f.* -en. ～하다 illustrieren⁴; bebildern⁴; durch Bilder erläutern. ¶ ～하면 다음과 같다 Bildlich dargestellt, zeigt es wie folgendes ....
‖ ～백과사전 e-e illustrierte Enzyklopädie, -n. ～법 Bildniskunde *f.* -n. ～사전 ein illustriertes Wörterbuch, -(e)s, ⸗er; Bildwörterbuch *n.* 곤충～ die erläuternde (bildliche) Figur, -en (graphische Darstellung, -en; Schaubild, -(e)s, -er; Diagramm, -(e)s, -e) der Insekten.
도형(徒刑) 〖옛제도〗 Zuchthausstrafe *f.* -n.
도형(圖形) Figur *f.* -en; erläuternde (bildliche) Figur, -en; graphische Darstellung, -en; Schaubild *n.* -(e)s, -er; Diagramm *n.* -s, -e. ¶ ～으로 나타낸 figuriert / ～으로 나타내다 durch erläuternde (bildliche) Figur (Schaubild; Diagramm) zeigen; figurieren.
‖ ～기하학 deskriptive Geometrie, -n. 기하학적～ e-e geometrische Figur, -en. 평면 (입체)～ e-e flache (kubische) Figur, -en.
도혼(倒婚) ＝역혼(逆婚).
도홍색(桃紅色) Rosenrot *n.* -(e)s; Rosafarbe *f.* -n; 《연한》 Blaßrot *n.* -(e)s; Rosa *n.* -(s). ¶ ～의 rosa; rosenrot; blaßrot.
도화(桃花) Pfirsichblüte *f.* -n.
도화(圖畫) 《그림》 Zeichnung *f.* -en; Gemälde *n.* -s, -; Bild *n.* -(e)s, -er. ¶ ～를 그리다 zeichnen; malen.
‖ ～지 Zeichenpapier *n.* -s, -e; Malerpappe *f.* -n.
도화(導火) ① 《불》 Zünder *m.* -s, -; Lunte *f.* -n. ② 《불씨·동기》 direkte Ursache, -n; Impuls *m.* -es, -e; Antrieb *m.* -(e)s, -e; Anreiz *m.* -es, -e; Wirkung *f.* -en.
‖ ～관 Zünder *m.* -s, -; Zündröhre *f.* -n; Zündpfanne *f.* -n; Sprengkapsel *f.* -n.
도화선(導火線) 《화약의》 Zündschnur *f.* ⸗e (-en); Zündstrick *m.* -(e)s, -e; Lunte *f.* -n; Zünder *m.* -s, -; Zündband *n.* -(e)s, ⸗er; Zünddraht *f.* ⸗e; 《유인》 Anlaß *m.* ..lasses, ..lässe; Anreiz *m.* -es, -e; Anstoß *m.* -es, ⸗e; Antrieb *m.* -(e)s, -e; Ursache *f.* -n; Beweggrund *m.* -(e)s, ⸗e; Veranlassung *f.* -en. ¶ ～을 붙이다 e-e Zündschnur an|brennen*/～이 되다 hervor|rufen*; veranlassen*; bewirken; herbei|führen; Anlaß geben* 《*zu*³》; verursachen / 그가 그런 짓을 저지르게 된 것은 그것이 ～이 되었다 Das bot ihm e-n Anreiz, so etwas zu begehen. / 최초의 ～은 그였다 Er gab den ersten Anstoß dazu. / 사소한 일이 중대한 일의 ～이 되는 수가 있다 Große Dinge (Ereignisse) haben oft kleine Anfänge.
도회(都會) Stadt *f.* ⸗e. ¶ ～의 städtisch / ～에서 자란 in der Stadt aufgewachsen / 그는 ～에서 자랐다 Er ist ein angeborener Stadtmensch.
‖ ～문학 Stadtliteratur *f.* -en. ～병 Stadtkrankheiten 《*pl.*》. ～분위기 die städtische Atmosphäre, -n. ～생활 Stadtleben *n.* -s, -. ～인 Städter *m.* -s, -; Stadt|bewohner *m.* -s, - (-mensch *m.* -en, -en). ～지 Stadtbezirk *m.* -(e)s, -e; Stadt *f.* ⸗e. ～화(化) Verstädterung *f.* -en: ～화하다 verstädtern. 대～ e-e große Stadt, ⸗e; Großstadt *f.* ⸗e; Metropole *f.* -n.
도흔(刀痕) Säbelhieb *m.* -(e)s, -e; Schnittnarbe *f.* -n.
도흥정(都一) Großhandelshandlung *f.* -en. ～하다 im großen handeln.
독¹ Krug *m.* -(e)s, ⸗e; Topf *m.* -(e)s, ⸗e; Kruke *f.* -n (돌단지). ¶ ～을 깨다 e-n Krug zerbrechen* / ～안에 든 쥐나 같다 schon so gut wie gefangen sein; ganz in der hilflosen Situation sein / 독 틈에 탕관 wie ein Hase unter Löwen / 밑 빠진 ～에 물 붓기 Wasser in Sieben (mit e-m Sieb) schöpfen.
독² Dock *n.* -(e)-s, -e (-s); Hafenbecken *n.* -s, -. ¶ 독에 넣다 docken; (ein Schiff) ins Dock bringen* / 독에 들어가다 (에서 나오다) ins Dock gehen*ⓢ (aus dem Dock kommen* ⓢ) / 독 안에 있다 im Dock sein / 독에서 끌어내다 aus (dem) Dock bringen*.
‖ 독 사용료 die Dockgebühren 《*pl.*》. 건(乾)독 Trockendock *n.* -(e)s, -e. 부(浮)독 Schwimmdock *n.* -(e)s, -e. 습(濕)독 Hafenbecken *n.* -s, -; Dockhafen *m.* -s, ⸗.
독(毒) ① 《성분》 Gift *n.* -(e)s, -e; Giftstoff *m.* -(e)s, -e; 《병독》 Virus *n.* (*m.*) -, ..ren. ¶ 독이 있다 giftig sein; vergiftet (virulent; schädlich) sein / 독이 없다 ungiftig sein; giftfrei sein; unschädlich (harmlos) sein/ 독을 타다 Gift mischen 《in Kaffee》; vergiften 《e-n Brunnen》/ 독을 마시다 Gift (ein) nehmen*; ⁴sich vergiften / 독을 먹이다 Gift bei|bringen* (ein|geben*) 《*jm.*》/ 독을 제거하다 das Gift neutralisieren (entgegen|wirken) 《als Gegengift gegen⁴》/ 독이 퍼지다 Das Gift tritt in Kraft.|Das Gift hat Wirkung. / 독이 전신에 돌았다 Das Gift ging in das ganze System über.
② 《해독》 Schaden *m.* -s, -; Beschädigung *f.* -en; Virus *n.* -, ..ren; schlechte Wirkung, -en. ¶ 독이 되다 ⁴sich giftig (schädlich; nachteilig) erweisen* (heraus|stellen) / 젊은이에게 독을 끼치다 die Seele der Jugend vergiften; die Jugend verderben*.
③ 《독기》 Böswilligkeit *f.* -en; Boshaftig-

keit *f.* -en.

독가스(毒—) Giftgas *n.* -es, -e; giftiges Gas, -es, -e; Kampfgas *n.* -es, -e. ¶ ~를 사용하다 Giftgas verwenden*; vergasen《*jn.*》/ ~로 죽다 vergast werden.

‖ ~공격 Gasangriff *m.* -(e)s, -e. ~마스크 Gasmaske *f.* -n. ~사형실 Gaskammer *f.* -n. ~전(戰) Gaskrieg *m.* -(e)s, -e. ~탄 Gasbombe *f.* -n; Giftkugel *f.* -n.

독감(毒感) Grippe *f.* -n; Influenza *f.*; der heftige Schnupfen, -s, -; die starke Erkältung, -en; ¶ ~에 걸리다 ³sich e-e Grippe (Influenza) holen (zu|ziehen*) / ~으로 고생하다 an e-r ³Grippe (Influenza) leiden*.

독개미(毒—) die giftige Ameise, -n.

독거(獨居) das einsame Leben, -s, -; Alleinsein *n.* -s; Einsamkeit *f.* -en. ~하다 ein einsames Leben führen; allein (für ⁴sich) leben. ¶ ~를 즐기다 die Einsamkeit genießen*; ⁴sich der ²Einsamkeit erfreuen.

독경(讀經) 〖불교〗 die Psalmodie der Sutren; die Rezitation der buddhistischen Schriften. ~하다 die Sutren psalmodieren; die buddhistischen Schriften rezitieren.

독계(毒計) böse Absicht, -en; Verschwörung *f.* -en; Intrige *f.* -n; böser Plan, -s, ⸚e. ¶ ~를 꾸미다 e-e Verschwörung an|zetteln; e-n bösen Plan entwerfen* / ~에 빠지다《*jm.*》in die Falle gehen*.

독기(毒氣) ①《독기운》die schädliche Luft, ⸚e; der giftige Dampf (Dunst) -(e)s, ⸚e; das giftige Gas, -es, -e; Stickluft *f.* ⸚e. ¶ ~를 빼다 giftigen Dampf (Dunst) weg|räumen (ab|räumen). ②《악의》die böse Absicht, -n; Bosheit *f.* -en; Gehässigkeit *f.* -en; Giftigkeit *f.* -en; Boshaftigkeit *f.* -en. ¶ ~가 있다 schädliche Luft haben; boshaft (arglistig; gehässig; heimtückisch; hämisch; böswillig) sein / ~가 없다 unschädlich (harmlos; arglos) sein / ~있는 말 scharfe (strenge; barsche) Bemerkung, -en / 그의 말에는 ~가 있다 S-e Bemerkung ist mit Bitterkeit (Schärfe) vergiftet.| S-e Bemerkung ist scharf (stechend).

독나방(毒—) der giftige Falter, -s, -; Giftfalter *m.* -s, -; e-e gelbe giftige Motte, -n.

독나비(毒—) =독나방.

독납(督納) die Steuerzahlungsaufforderung, -en. ~하다《*jn.*》ermahnen (auffordern), Steuer zu zahlen.

독녀(獨女) =외딸.

독농가(篤農家) ein fleißiger (ertragfähiger) Bauer, -s (-n), -n (Landwirt, -(e)s, -e); der leistungsfähigste Bauer (Landwirt) -s (-n), ⌊-n.

독니(毒—) =독아(毒牙).

독단(獨斷) die willkürliche Beurteilung, -en; eigenmächtige Entscheidung, -en; Dogma *n.* -s, ..men; 〖철학〗 Dogmatismus *m.* ~하다 willkürlich (eigenmächtig) entscheiden*⁴ (beurteilen⁴); dogmatisieren; ⁴sich dogmatisch äußern《*über*⁴》; zum Dogma erheben*⁴. ¶ ~(적)으로 dogmatisch; eigenmächtig; willkürlich; nach eigenem Ermessen; auf eigene Faust / ~적으로 행동하다 eigenmächtig handeln; in e-r Sache eigenmächtig verfahren*.

‖ ~가 e-e eigenwillige (eigensinnige) Person, -en; Dogmatiker *m.* -s, -. ~론 Dogmatismus *m.* -. ~비평 der dogmatische Kritizismus, -.

독담당(獨擔當) alleinige Übernahme der Verpflichtung (Verantwortung). ~하다 allein《für ⁴*et.*》die Verantwortung tragen* (nehmen*).

독두(禿頭) ☞ 대머리.

‖ ~병 Alopezie *f.*; Haarausfall *m.* -(e)s.

독락(獨樂) Selbstgenuß *m.* ..sses, ..nüsse.

독려(督勵) Aufmunterung *f.* -en; Ermutigung *f.* -en; 《비유적》 Förderung *f.* -en; Unterstützung *f.* -en; Antrieb *m.* -(e)s, -e. ~하다 ermutigen; ermuntern; auf|muntern; beleben; an|regen; an|treiben*; fördern; unterstützen. ¶ ~하는 ermutigend; aufmunternd / 일꾼들을 ~하여 일을 서둘다 die Arbeiter zur Arbeit an|treiben*.

독력(獨力) s-e eigene Anstrengung (Mühe; Bemühung). ¶ ~의(으로) eigenhändig; unabhängig《*von*³》; allein; frei; selbständig; auf eigene Faust; aus eigener Kraft; ohne ⁴Hilfe / 이 일에는 도움이 필요 없읍니다, ~으로 할 수 있읍니다 Bei dieser Arbeit brauche ich k-e Hilfe. Ich kann sie schon allein erledigen.

독립(獨立) ①《자립》Unabhängigkeit *f.* -en; Selbständigkeit *f.*; Selbsthilfe *f.*; Selbstsicherheit *f.* -en; Selbstversorgung *f.* -en. ~하다 unabhängig werden《*von*³》; ⁴sich selbständig machen; auf eigenen Füßen stehen*; auf sich selbst gestellt (angewiesen) sein; selbständig denken* u. handeln; auf eigene Faust tun*《⁴*et.*》; ⁴sich auf s-e Faust verlassen*. ¶ ~의(으로) unabhängig; selbständig; auf eigene Faust; aus eigener Kraft / ~하여 생계를 꾸려가다 ³sich sein Brot (Salz) verdienen können*; mit s-m Gehalt gut aus|kommen*; ³sich e-n eigenen Herd gründen / ~하여 장사를 시작하다 ein selbständiger Kaufmann sein / ~하여 살 만한 수입이 있다 finanziell unabhängig sein / ~하기에는 아직도 요원하다 noch lange nicht selbständig sein.

②《정치적》Unabhängigkeit *f.* -en; Freiheit *f.* ~하다 frei u. unabhängig werden. ¶ ~을 선언하다 Unabhängigkeit erklären; ⁴sich unabhängig erklären / ~을 인정하다 die Unabhängigkeit《*von*³》an|erkennen*/ ~을 획득하다 (잃다) Unabhängigkeit gewinnen* (verlieren*).

③《분리》Trennung *f.* -en; 《고립》Absonderung *f.* -en; Isolierung *f.* -en; Isolation *f.* -en. ~하다 getrennt sein《*von*³》; ⁴sich trennen《*von*³》; abgesondert (isoliert) sein《*von*³》. ¶ ~하여 getrennt; isoliert (abgesondert) / 그 건물은 다른 것과 ~되어 있다 Das Gebäude ist von den anderen isoliert (abgesondert).

‖ ~가옥 ein alleinstehendes (freistehendes) Haus, -es, ⸚er; ein einzeln stehendes Haus. ~국(가) unabhängiges Land, -(e)s, ⸚er; unabhängiger Staat, -(e)s, -en; Souveränstaat *m.* -(e)s, -en. ~군 das Heer (die Armee) für staatliche (nationale) Unabhängigkeit. ~권 Autonomie *f.* -n; Selbstbestimmung *f.* -en, Selbstverwaltung *f.* -en; politische Selbständigkeit《e-s Landesteils, e-r Gemeinde *usw.*》. ~기관(機關) unabhängige (selbständige) Organisation, -en. ~기념일《미국의》der Jahrestag der Unabhängigkeitserklärung. ~불기(不羈)(의) aller Fesseln ledig; frei u. ledig. ~생활 unabhängiges (selbständiges) Leben, -s; Eigenleben *n.* ~선언 Unabhängigkeitserklärung *f.* -en: ~선언서 die Schrift zur Unabhängigkeitserklärung Koreas. **~심, ~정신** Unabhängigkeitsgeist *m.* -(e)s, -er; Freiheitsgeist *m.* -(e)s, -er. **~운동** die Bewegung zur Unabhängigkeit (e-s Staates). **~자존**(自尊) Selbständigkeit u. Selbstachtung. **~전쟁** 《미국의》 Der Revolutionäre Krieg, -(e)s, -e; Unabhängigkeitskrieg *m.* -(e)s, -e. **~채산** unabhängige Rentabilität: ~채산제 System (*n.* -s, -e) wirtschaftlicher Unabhängigkeit jeder [2]Abteilung (innerhalb e-s Betriebes); Einzelkontosystem *n.* -s, -e.

독립자영(獨立自營) der unabhängige (selbständige) Betrieb; unabhängige Geschäftsführung. **~하다** unabhängig (selbständig) das Geschäft führen.

독립자존(獨立自存) Unabhängigkeit und Selbst-Dasein. **~하다** unabhängig und selbst-existierend werden.

독립자활(獨立自活) Unabhängigkeit und Selbstversorgung. **~하다** [4]sich selbst versorgen.

독메(獨—) der entfernt allein-stehende kleine Berg, -(e)s, -e.

독목교(獨木橋) =외나무다리.

독목주(獨木舟) Kanu *n.* -s, -s; Paddelboot *n.* -es, -e. ☞ 마상이[2].

독무대(獨舞臺) Alleinbesitz *m.* -es, -e; Unvergleichlichkeit *f.* -en. ¶ ~를 이루다 allein maßgebend sein; beherrschen (*[4]et.*); der [1]Chef [ʃɛf] (Herr) vom Ganzen sein; in s-m Element sein; ohnegleichen sein; das Feld beherrschen / 문학은 그의 ~이다 Im Verständnis der Literatur kommt ihm niemand gleich. / 그 뒤로는 그의 ~였다 Von dann an beherrschte er das Feld.

독물 dunkel-blaue Farbe, -n.

독물(毒物) ① 《물질》 giftiger Stoff, -(e)s, -e; Giftmaterial *n.* -s, -ien. ¶ 위 속에서 아무런 ~도 검출되지 않았다 Kein Giftmaterial wurde im Magen entdeckt. ② 《사람》 ein bösartiger (lasterhaftiger) Mensch, -en, -en; ein barbarischer Mensch.

‖ **~검출** die Entdeckung des Giftmaterials. **~학** 〖의학〗 Toxikologie *f.* -n.

독문(獨文) 《독일어》 Deutsch *n.*; das Deutsche*, -n; 《문장》 der deutsche Satz, -es, ⸗e. ¶ 훌륭한 ~으로 auf gut deutsch / 영문을 ~으로 번역하다 aus dem Englischen ins Deutsche übersetzen.

‖ **~과**(科) die Abteilung für deutsche Literatur (Germanistik). **~법** die Grammatik der deutschen Sprache; deutsche Grammatik, -en. **~연구실** das Institut für Germanistik. **~원문**(原文) der deutsche Text, -es, -e. **~이력서** der Lebenslauf in deutscher Sprache. **~잡지** die Zeitschrift in deutscher Sprache. **~판**(版) die deutsche Ausgabe (Auflage) -n. **~편지** der deutsche Brief, -(e)s, -e. **~학** die deutsche Literatur, -en: ~학을 전공하다 die deutsche Literatur als Hauptfach studieren / ~학자 Germanist *m.* -en, -en; Deutschkundler *m.* -s, - / ~학회 die Gesellschaft für Germanistik / 한국 (미국) ~ 학회 die koreanische (amerikanische) Gesellschaft für Germanistik. **~한역**(韓譯) die Übersetzung aus dem Deutschen ins Koreanische.

독미(獨美) Deutschland und Amerika; 〖형용사적〗 deutsch-amerikanisch.

‖ **~관계** die deutsch-amerikanische Beziehung, -en. ⌈-s, -e.

독미나리(毒—) 〖식물〗 Wasserschierling *m.*

독바늘(毒—) =독침(毒針).

독방(獨房) Einzelzimmer *n.* -s, -; das Zimmer für sich selbst; 《교도소의》 Einzelzelle *f.* -n; Isolierzimmer *n.* -s, -. ¶ ~살이 Leben im Einzelzimmer; Einzelhaft *f.* / ~을 쓰다 das Zimmer für sich allein (selbst) bewohnen.

‖ **~감금** Einzelhaft *f.*; Isolierhaft *f.* **~제** Einzelzellensystem *n.* -s, -e (교도소의).

독배(毒杯) Giftbecher *m.* -s, -. ¶ ~를 들다 den Giftbecher leeren.

독백(獨白) Selbstgespräch *n.* -(e)s; Monolog *m.* -s, -e (연극에서); Alleingespräch *n.* -(e)s. **~하다** *[4]et.* vor [4]sich hin sprechen*; ein Selbstgespräch halten*; mit [3]sich selbst reden; monologisieren; e-n Monolog halten.* ‖ **~극** Monodrama *n.* -s, ..men.

독버섯(毒—) Giftpilz *m.* -es, -e.

독벌레(毒—) =독충(毒蟲).

독법(獨法) das deutsche Recht, -(e)s, -e.

독법(讀法) Leseweise *f.* -n; 《발음》 Aussprache *f.* -n.

독보(獨步) 《걸음》 das Alleingehen*, -s; Alleingang *m.* -(e)s, -e; Unvergleichlichkeit *f.* ¶ ~적인 beispiellos; einmalig; einzig; einzigartig; ohnegleichen; unvergleichlich; unübertroffen / ~적 위치에 있다 in e-r beispiellosen Lage stehen* (sein) / 고금 ~적이다 k-e Parallele in der Geschichte haben.

독보(讀譜) 〖음악〗 das Lesen*, -s.

독본(讀本) Lesebuch *n.* -(e)s, ⸗er.

‖ **~시간** Lesestunde *f.* -n. **국민학교 ~** Volksschullesebuch *n.* -(e)s, ⸗er. **독일어~** das deutsche Lesebuch, -(e)s, ⸗er. **부~** Ergänzungslesebuch *n.* -(e)s, ⸗er.

독부(毒婦) e-e böse Frau; Hexe *f.* -n.

독불(獨佛) Deutschland u. Frankreich; 〖형용사적〗 deutsch-französisch.

‖ **~관계** die deutsch-französische Beziehung, -en. **~사전** deutsch-französisches Wörterbuch, -(e)s, ⸗er. **~전쟁** =보불전쟁.

독불장군(獨不將軍) ① 《제주장하는》 Prahler *m.* -s, -; Prahlhans *m.* -es, ⸗e; Angeber *m.* -s, -; Aufschneider *m.* -s, -; 《고집통이》 Starrkopf *m.* -(e)s, ⸗e; der eigensinnige Mensch, -en, -en. ② 《겉도는 사람》 der isolierte Mensch, -en, -en; der ausgelassene Mensch, -en, -en. ¶ ~들 die ehrgeizigen Dilettanten (*pl.*); die Dilettanten mit falschem Stolz / ~이 되다 überheblich (eitel; großspurig; prahlerisch; ruhmredig) werden; mit überheblichem (falschem) Stolz behaftet sein.

‖ **~노릇** der überhebliche (falsche) Stolz, -es; Prahlerei *f.* -en; Angabe *f.* -n; Aufschneiderei *f.* -en.

독사(毒死) der Tod durch Gift. **~하다** durch Gift um|kommen* (sterben*).

독사(毒蛇) Giftschlange *f.* -n; Natter *f.* -n; Viper *f.* -n (살무사).

독산(禿山) =민둥산.

독살(毒殺) Vergiftung *f.* -en; Giftmord *m.* -(e)s, -e; Giftmischerei *f.* -en. **~하다** vergiften (*jn.*, den Hund *usw.*); durch Gift töten (ermorden) (*jn.*).

‖ **~사건** Vergiftungs¦fall (Giftmord-) *m.* -(e)s, ⸗e. **~자** Vergifter *m.* -s, -; Giftmörder *m.* -s, -; Giftmischer *m.* -s, -.

독살림하다(獨—) s-n eigenen Haushalt führen. ¶ 부모를 떠나 ~ unabhängig von den Eltern s-n eigenen Haushalt führen.
독살부리다(毒殺—) s-e Bosheit 《an *jm.*》 aus|lassen*; ⁴sich boshaft 〔barbarisch〕 betragen*.
독살스럽다(毒殺—) giftig; boshaft; bösartig; böse; lasterhaft; sittenlos; barbarisch; wild; blutdurstig (sein). ¶ 독살스러운 여편네 e-e giftige Frau / 독살스럽게 말하다 boshaft sprechen.*
독살풀이하다(毒殺—) s-e Bosheit 《an *jm.*》 aus|lassen*.
독살피우다(毒殺—) =독살부리다.
독생자(獨生者) 〖기독교〗 Jesu Christus.
독서(讀書) das Lesen*, -s; Lektüre *f.* -n; Leserei *f.* -en; Durchsicht *f.* -en (훑어 봄). **~하다** lesen*; ein Buch 〔in e-m Buch〕 lesen* ※ 4격의 경우는 읽는 행위에, 전치사가 있을 때는 책 자체에 중점이 있다. ¶ ~를 좋아하다 gern lesen*; gern lesen* möchten; Bücher mögen*; Bücherfreund sein / ~를 즐기는 leselustig / ~를 좋아하는 사람 Bücherfreund *m.* -(e)s, -e; Lesefreund *m.* -(e)s, -e / ~삼매에 빠지다 über den Büchern sitzen 〔hocken〕 / 널리 ~하다 umfangreich 〔extensive〕 lesen* / 밤늦게까지 ~하다 bis tief 〔spät〕 in die Nacht (hinein) Bücher lesen* / ~로 날을 보내다 die Zeit 〔den Tag〕 mit Lesen verbringen* 〔hin|bringen*〕 / 그는 ~라고는 전혀 모른다 Er nimmt kein Buch in die Hand.
‖ **~가** ein eifriger 〔leidenschaftlicher〕 Leser, -s, -; Bücherfreund *m.* -(e)s, -e. **~경향** das Interesse der Leser. **~계** Leserkreis *m.* -es, -e; Leseschaft *f.* -en; Lesepublikum *n.* -s; Lesezirkel *m.* -s, -. **~광** Bücherwurm *m.* -(e)s, ⸗er; Leseratte *f.* -n; Lesesucht *f.* ⸗e; Lesewut *f.* **~력**(을 기르다) s-e Lesefähigkeit (aus|bilden). **~벽** die Zuneigung zum Lesen. **~시간** Lesezeit *f.* -en. **~실** Lesehalle *f.* -n; Lesesaal *m.* -(e)s, ..säle; Lesezimmer *n.* -s, -. **~열, ~욕** Leselust *f.* ⸗e. **~주간** Bücherwoche *f.* -n. **~지도** Anweisung im Bücherlesen. **~회** Lesegesellschaft *f.* -en; Lesekreis *m.* -es, -e.
독선(毒腺) Giftdrüse *f.* -n.
독선(獨善) Selbstgefälligkeit *f.*; Selbstgerechtigkeit *f.*; Eigennützlichkeit *f.* ¶ ~적 selbstgefällig; selbstgerecht; egozentlisch; dogmatisch.
‖ **~관료** der selbstgerechte Bürokrat, -en, -en; Aktenmensch *m.* -en, -en. **~주의** Selbstgerechtigkeit *f.*; Selbstgefälligkeit *f.*; Selbstzufriedenheit *f.*
독설(毒舌) Schmähung *f.* -en; Beschimpfung *f.* -en; Giftzunge *f.* -n; Schlangenzunge *f.* -n; ungewaschenes Maul, -(e)s, ⸗er; boshafte 〔schimpfende; schmähende; giftige〕 Bemerkung, -en; Schimpfworte 《*pl.*》. ¶ ~을 퍼붓다 herunter|machen 《*jn.*》; scharf her|nehmen* 《*jn.*》; durch die Hechel 〔den Kakao〕 ziehen* 《*jn.*》; sein Gift verspritzen.
‖ **~가** Schlangezunge *f.* -n; ein boshafter Mensch *m.* -en, -en: 그는 ~가다 Er ist 〔hat〕 e-e böse 〔giftige〕 Zunge.¦Er hat ein loses Maul.
독성(毒性) Giftigkeit *f.* -en; Virulenz *f.* -en; Bosheit 〔Boshaftigkeit〕 *f.* -en; ein giftiger Charakter. ¶ ~의 virulent; ansteckend; giftig.
독소(毒素) Giftstoff *m.* -(e)s, -e; Toxin *n.* -s, -e; Ptomain *n.* -s, -e.
‖ 항(抗)**~** Antitoxin *n.* -s, -e.
독수(毒手) ein gemeiner 〔boshafter〕 Trick; Intrige *f.* -n; Attentat *n.* -(e)s, -e. ¶ 악한의 ~에 걸리다(를 벗어나다) dem Schuft zur Opfer fallen (der Schufterei entkommen).
독수(獨修) =독습(獨習).
독수공방(獨守空房) das Leben in Einsamkeit; das einsame Leben e-r Frau während der Abwesenheit ihres Ehemanns. **~하다** allein leben; das einsame Leben e-r verlassenen Frau führen; in der Strohwitwenschaft leben; dem Ehemann während s-r Abwesenheit treu bleiben*[s]; für ⁴sich 〔getrennt〕 leben. ¶ ~을 지키는 아내 Strohwitwe *f.* -n; e-e einsame (Ehe)frau.
독수리(禿—) Adler *m.* -s, -; Geier *m.* -s, -; Kondor *m.* -s, -; 《비유적》 Blutsauger *m.* -s, -. ¶ ~처럼 눈이 매서운 adleräugig / ~는 파리를 못잡는다 Jede Sache hat ihren Fachmann.
‖ **~집** Horst *m.* -(e)s, -e.
독순술(讀脣術) das Ablesen* von den Lippen. ¶ ~을 하다 von den Lippen ab|lesen*⁴.
독습(獨習) Selbstunterricht *m.* -(e)s, -e; Selbststudium *n.* -s, ..dien. **~하다** allein 〔für ⁴sich; für ⁴sich allein〕 lernen 〔studieren〕. ¶ 기타를 ~하다 die Gitarre allein 〔für ⁴sich; für ⁴sich allein〕 spielen lernen.
‖ 독일어 **~서** Deutsche Sprachlehre zum Selbst¦unterricht 〔-studium〕.
독습(讀習) Leseübung *f.* -en. **~하다** ⁴sich im Lesen üben; das Lesen wiederholen.
독시(毒矢) ein vergifteter Pfeil, -(e)s, -e.
독시하다(毒弑—) 《s-n Vorgesetzten*》 vergiften; 《s-n Vorgesetzten*》 durch Gift töten 〔ermorden〕.
독식(獨食) Monopol *n.* -s, -e; Alleinrecht *n.* -(e)s, -e. **~하다** monopolisieren.
독신(獨身) Ehelosigkeit *f.*; lediger Stand, -(e)s, ⸗e; Ledigenstand *m.* -(e)s, ⸗e; Ledigkeit *f.*; alleinstehendes 〔unverheiratetes〕 Leben, -s, -; 《남자》 Junggesellenleben *n.* -s, -; 《여자》 Jungfernleben *n.* -s, -; 《남자》 Junggesellenstand *m.* -(e)s, ⸗e; Junggesellentum *n.* -s.; 《여자》 Jungfernstand *m.* -(e)s, ⸗e; Altjungferntum *n.* -s. ¶ ~의 alleinstehend; ledig; unverheiratet; ehelos / ~이다 alleinstehend (ledig; unverheiratet) sein 〔bleiben*〕 / ~으로 살다 ledig leben; in Junggesellenstand 〔Jungfernstand〕 leben / 평생을 ~으로 살다 fürs Leben ledig bleiben*; ledig leben u. sterben*[s] / 저 분은 ~입니까, 아니면 부인이 있읍니까 Ist der Herr ledig od. verheiratet?
‖ **~생활** alleinstehendes 〔unverheiratetes〕 Leben *n.* -s, -; 《남자》 Junggesellenleben *n.* -s, -; 《여자》 Jungfernleben *n.* -s, -. **~세**(稅) Junggesellensteuer *f.* -n; Ledigensteuer *f.* -n. **~자** der (die) Unverheiratete*, -n, -n; 《남자》 Junggeselle *m.* -n, -n; lediger Mann -(e)s, ⸗er; 《늙은》 (alter) Hagestolz *m.* -es, -e; 《여자》 Jungfer *f.* -n; Junggesellin *f.* ..innen; alte Jungfer (나이먹은): ~자 합숙소 Ledigenheim *n.* -(e)s, -e. **~주의** Junggesellentum *n.* -s (남자); Jungferntum *n.* -s (여자): ~주의자 《남자》

ein eingefleischter Junggeselle, -n, -n; 《여자》 e-e eingefleischte Jungfer, -n.

독신(篤信) inständiger 〔treuer〕 Glaube, -ns, -n; Frömmigkeit *f.* -en; Treue *f.* -n. ~하다 inständig glauben.
‖ ~자 treuer Anhänger, -s, -; tiefreligiöser Mensch, -en, -en.

독신(瀆神) Blasphemie *f.* -n [..mi:ən]; Gotteslästerung *f.* -en; Entweihung *f.* -en; Entheiligung *f.* -en; Schändigung *f.* -en; Kirchenraub *m.* -(e)s, -e; Gottlosigkeit *f.*; Ruchlosigkeit *f.*; Profanierungen 《*pl.*》; Lästerung *f.* -en; das Fluchen*, -s; Flüche 《*pl.*》. ¶ ~의 gotteslästerlich; blasphemisch.

독실(篤實) Rechtschaffenheit *f.*; Redlichkeit *f.*; Aufrichtigkeit *f.* ~하다 rechtschaffen; redlich; aufrichtig; ernst; treu; wahr (sein).

독심(毒心) Bosheit; Boshaftigkeit; Böswilligkeit *f.* -en. ¶ ~을 먹다 voll von Bosheit sein; von Bosheit erfüllt sein; e-e Bosheit ersinnen.

독심술(讀心術) das Gedankenlesen*, -s; Telepathie *f.* -n. ¶ ~을 하다 Gedanken lesen* 《*js.*》.
‖ ~자(者) Gedankenleser *m.* -s, -; Telepathist *m.* -en, -en.

독아(毒牙) Giftzahn *m.* -(e)s, ⸚e; Fang *m.* -(e)s, ⸚e; Hauer *m.* -s, -; Hauzahn *m.* -(e)s, ⸚e. ¶ …의 ~에 걸리다 zum Opfer fallen* ⓢ 《*jm.*》; zur Beute fallen* ⓢ 《*jm.*》; in die Klaue(n) geraten* ⓢ; erliegen* ⓢ 《*jm.*》; überwältigt werden 《*von*[3]》.

독액(毒液) flüssiges Gift, -(e)s, -e; giftige Flüssigkeit, -en; giftiger Saft, -(e)s, ⸚e.

독약(毒藥) Gift *n.* -(e)s, -e; giftige Droge, -n; giftige Medizinen 《*pl.*》. ¶ ~을 타다 vergiften; Gift mischen 《*in*[4]》 / ~을 마시다 Gift nehmen* / ~을 마시고 자살하다 [4]sich vergiften / ~을 먹이다 Gift bei|bringen* 〔ein|geben*〕 《*jm.*》; vergiften 《*jn.*》. ‖ ~학 Toxikologie *f.*; Giftlehre *f.*

독어[1](獨語) =독백(獨白).

독어[2](獨語) Deutsch *n.*; das Deutsche*, -n; deutsche Sprache, -n. ☞ 독일어. ¶ ~의 deutsch / ~의 실력 s-e Kenntnisse 《*pl.*》 in Deutsch/산 ~ lebendes Deutsch / 훌륭한 ~ (ein) gutes Deutsch / 유창한 ~ fließend(es) Deutsch / 서툰 ~ schlechtes Deutsch / 엉터리 ~ gebrochenes 〔unvollkommenes〕 Deutsch / 토마스 만의 ~ Thomas Manns Deutsch / 어법에 맞는 ~ idiomatisches Deutsch / 외국 말투의 ~ ausländisches Deutsch; Ausländersdeutsch / ~를 사용하는 스위스 지역 die deutschsprechende Schweiz / ~로 auf deutsch / ~가 늘다 im Deutschen Fortschritte machen / 한국어를 ~로 번역하다 aus dem Koreanischen ins Deutsche übersetzen / ~로 쓰다 deutsch 〔in Deutsch〕 schreiben* / ~로 말하다 auf deutsch sprechen* / ~를 하다 Deutsch sprechen* / ~를 할 줄 모르다 kein Deutsch verstehen* 〔können〕/ ~를 좀 할 줄 알다 ein wenig 〔etwas〕 Deutsch sprechen* / ~를 잘하다 〔가 서투르다〕 gut(es) 〔schlecht(es)〕 sprechen* (회화에서); gut 〔schlecht〕 im Deutsch sein; stark 〔schwach〕 im Deutschen sein / 여기서는 누가 ~ 강좌를 맡고 있읍니까 Wer hat hier den Lehrstuhl für Deutsch?
‖ ~교과목 Deutsch als Schulfach. ~국민 deutschsprechendes Volk, -(e)s, ⸚er. ~권 deutschsprechendes Gebiet, -(e)s, -e (사용지역). ~극 deutsches Drama, -s, -en; deutsches Theaterstück, -(e)s, -e. ~말투 deutscher Akzent: ~ 말투의 영어 Englisch deutschen Akzentes. ~선생 Deutschlehrer *m.* -s, -. ~소설 deutscher Roman, -(e)s, -e (장편); deutsche Novelle, -n 〔Erzählung, -en〕 (중편, 단편). ~수업 Deutschunterricht *m.* -(e)s, -e; deutscher Unterricht, -(e)s, -e: ~ 수업을 하다 Deutschunterricht 〔Unterricht in Deutsch; deutschen Unterricht〕 geben* 〔erteilen〕 《*jm.*》 / … 한테 ~수업을 받다 Deutschunterricht nehmen* 〔erhalten* 《bei *jm.*》. ~어법 deutsche Wendung, -en; deutsche Spracheigentümlichkeit, -en. ~학 deutsche Philologie 〔Linguistik; Sprachwissenschaft〕; Germanistik *f.* -en: ~학사 die Geschichte der deutschen Sprache / ~학자 Germanist *m.* -en, -en. ~회화 Umgangsdeutsch *n.*; deutsche Unterhaltung, -en. 고고(古高)~ das Althochdeutsche*, -n: 고고~의 althochdeutsch. 관용~ Kanzleideutsch *n.* 구어체~ Umgangsdeutsch *n.*; deutsche Umgangssprache, -n. 무대~ Bühnendeutsch *n.* 문어체~ Schriftdeutsch *n.* 상용~ Kaufmannsdeutsch *n.* 순수~ reines Deutsch. 신고(新高)~ das Neuhochdeutsche*, -n. 신문(新聞)~ Zeitungsdeutsch *n.* 일상~ Alltagsdeutsch *n.* 중고(中高)~ das Mittelhochdeutsche*, -n. 표준~ das Hochdeutsche*, -n: 표준~의 hochdeutsch / 표준~발음 Bühnenaussprache *f.* -n.

독연(獨演) Soloaufführung *f.* -en; Solovorführung *f.* -en; Solovortrag *m.* -(e)s, ⸚e; Solo *n.* -s, -s (..li). ~하다 allein spielen; allein vor|führen.
‖ ~자 alleiniger Spieler, -s, -; alleiniger Vorsteller, -s, -; Solist *m.* -en, -en.

독염(毒焰) giftige Flamme, -n.

독영(獨英) Deutschland u. England; 〖형용사적〗 deutsch-englisch.
‖ ~관계 deutsch-englische Beziehung, -en. ~사전 ein Deutsch-Englisches Wörterbuch, -(e)s, ⸚er. ~협정 das Deutsch-Englische Abkommen, -s, -.

독오(獨墺) Deutschland u. Österreich; 〖형용사적〗 deutsch-österreichisch.
‖ ~관계 deutsch-österreichische Beziehung, -en. ~동맹 der Deutsch-Österreichische Bund, -(e)s, ⸚e (1879–1914). ~학파 Deutsch-Österreichische Schule, -n. ~합방 Deutsch-Österreichische Annexion, -en (1938년의).

독오르다(毒—) boshaft 〔giftig〕 werden.

독음(獨吟) Deklamation *f.* -en; Rezitation *f.* -en; Solo *n.* -s, -s (..li). ~하다 deklamieren[(4)]; rezitieren[4]; solo singen*[(4)].

독이(獨一) allein; einsam; ohne Hilfe.

독이(毒栮) =독버섯.

독이(獨伊) Deutschland u. Italien; 〖형용사적〗 deutsch-italienisch.
‖ ~관계 deutsch-italienische Beziehung, -en. ~사전 ein Deutsch-Italienisches Wörterbuch, -(e)s, ⸚er. ~협정 das Deutsch-Italienische Abkommen, -s, -.

독인(毒刃) der Dolch des Mörders. ¶ ~에 쓰러지다 dem Dolch des Mörders zum Opfer fallen.

독일(獨逸) 《나라》 Deutschland *n.* -(s). ¶ ~의

deutsch / ~제의 자동차 ein Wagen 《*m.* -s, -》 deutscher Herkunft; ein Wagen aus Deutschland; ein in Deutschland hergestellter Wagen / 분단된 ~ das geteilte Deutschland, -(s) / 공업 국가로서의 ~ Deutschland als Industrieland; Deutschland, das Industrieland / 미국은 ~ 상품과 경쟁할 수 밖에 없을 것이다 Amerika wird mit Waren deutscher Herkunft konkurrieren müssen. / 이 정도의 품질이면 ~ 공업 규격에 맞습니다 Diese Qualität entspricht der deutschen Industrie-Norm(ung).

‖ **~가극**(歌劇) deutsche Oper, -n. **~경제** deutsche Wirtschaft, -en: ~ 경제 부흥 deutscher Wirtschaftswiederaufbau, -(e)s. **~계 미국인** Deutschamerikaner *m.* -s, - (남자); Deutschamerikanerin *f.* -nen (여자). **~고전주의** deutsche Klassik. **~공사**(公使) der deutsche Gesandte*, -n, -n: 주영(駐英) ~공사 der deutsche Gesandte in England / ~공사관 die deutsche Gesandtschaft. **~국가**(國歌) Deutschlandlied *n.* -(e)s; die Nationalhymne Deutschlands. **~국기** die Fahne Schwarz-Rot-Gold (1866 년 이전 및 1950 년 이후의). **~기독교 민주당** Christlich-Demokratische Partei 《생략: CDP》. **~대사**(大使) der deutsche Botschafter, -s, -: 주한(駐韓) ~대사 der deutsche Botschafter in Korea / ~대사관 deutsche Botschaft, -en. **~마르크화**(貨) Deutsche Mark 《생략: DM》. **~문자** deutsche Schrift, -en; deutscher Buchstabe, -ens, -n; Fraktur *f.* -en. **~문학** deutsche Literatur, -en. **~문화** deutsche Kultur, -en. **~민족**(民族) deutsches Volk, -(e)s, ⸗er; Germane *m.* -n. **~ 민주공화국** Deutsche Demokratische Republik 《생략: DDR》. ☞ 동독(東獨). **~분단** die Teilung Deutschlands, -en. **~사상** deutscher Gedanke, -ns, -n; der Gedanke Deutschlands, -ns, -n. **~사회 민주당** Sozialdemokratische Partei Deutschlands 《생략: SPD》. **~연방 검사** deutscher Bundesanwalt, -(e)s, ⸗e. **~ 연방 경찰** deutsche Bundespolizei, -en. **~ 연방공화국** die Bundesrepublik Deutschland 《생략: BRD》 (서독, 서부 독일). **~연방군**(聯邦軍) deutsche Bundeswehr. **~연방 대통령** deutscher Bundespräsident, -en, -en. **~연방 법관** deutscher Bundesrichter, -s, -. **~연방 법원** Deutsches Bundesgericht, -es. **~연방 상원** Deutscher Bundesrat, -(e)s. **~ 연방 수상** deutscher Bundeskanzler, -s, -. **~연방 우편** Deutsche Bundespost 《생략: DBP》. **~연방 은행** Deutsche Länderbank. **~연방 의사당** deutsches Bundeshaus, -es. **~ 연방 의회** Deutsche Bundesversammlung. **~연방 정부** Deutsche Bundesregierung. **~ 연방 철도** Deutsche Bundesbahn 《생략: DB》. **~연방 특허** Deutsches Bundespatent 《생략: DBP》. **~연방 하원** deutscher Bundestag, -(e)s. **~연방 헌법** deutsche Bundesverfassung: ~ 연방 헌법 재판소 Deutsches Bundesverfassungsgericht (서독의 최고재판소: 대법원). **~영사** der deutsche Konsul, -s, -n: 파리주재 ~ 영사 der deutsche Konsul in Paris / ~ 영사관 das deutsche Konsulat, -(e)s, -e. **~의학** deutsche Medizin, -en. **~인** der Deutsche*, -n, -n (남자); die Deutsche*, -n, -n (여자). **~자유당** Freiheitspartei Deutschlands 《생략: FPD》. **~ 적십자** Deutsches Rotes Kreuz, -es 《생략: DRK》. **~정신** der deutsche Geist, -es, ⸗er; Deutschtum *n.* -(e)s; Deutschheit *f.* **~제국** das Deutsche Reich, -(e)s. **~철학** deutsche Philosophie, -n. **~총영사** der deutsche Generalkonsul, -s, -n. **~통일** die Vereinigung Deutschlands. **~학**(學) Germanistik *f.* -en; Deutschkunde *f.*: ~학자 Germanist *m.* -en, -en; Deutschkundler *m.* -s, -. **~한림원**(翰林院) die Deutsche Akademie. **근대**(**근세, 중세, 고대**)**~** das moderne (neuere, Mittelalters-, alte) Deutschland. **남부~** Süddeutschland *n.* **동부~** Ost-Deutschland *n.* (정치상의); Ostzone *f.* (동독, 독일 민주공화국); Ostdeutschland *n.* (지리상의). **북부~** Norddeutschland *n.* **서부~** West-Deutschland *n.* (정치상의); Westzone *f.* -n (서독, 독일 연방공화국); Westdeutschland (지리상의). **신생**(新生)**~** das neue Deutschland, -(s). **현대~** das heutige Deutschland, -(s); das Deutschland von heute.

독일어(獨逸語) das Deutsche, -n; Deutsch *n.* -(s); die deutsche Sprache, -n. ☞ 독어[2](獨語). ¶ ~의 deutsch; (auf) deutsch geschrieben / ~책(편지) das deutsche Buch, -(e)s, ⸗er (der deutsche Brief, -(e)s, -e) / 내 ~ mein Deutsch / 가장 훌륭한 ~ das beste Deutsch / 스위스의 ~ 방언 die deutschschweizerische Mundart / ~를 사용하는 스위스(지방)의 deutschschweizerisch / ~를 사용하는 (지역의) deutschsprachig / ~로 말하면 (auf) deutsch gesagt / 훌륭한 ~로 (auf) gut deutsch (im guten Deutsch) / 현대 ~로 in heutigem Deutsch (im heutigen Deutsch) / ~를 배우다(가르치다, 알다, 할 줄 알다) Deutsch lernen (lehren, verstehen*, können*) / ~로 이야기를 나누다 [4]sich mit *jm.* deutsch unterhalten* / 그 미국 사람은 ~를 잘 한다 Der Amerikaner spricht gut(es) Deutsch. / 그 외국인은 ~라고는 한 마디도 모른다 Der Ausländer versteht kein Wort Deutsch. / 내 형은 ~를 유창하게 한다 Mein Bruder spricht geläufig Deutsch. / 이것을 ~로는 무엇이라고 합니까 Wie heißt das auf deutsch?

‖ **~교수**(敎授) Deutschprofessor *m.* -s, -en. **고대~** das Althochdeutsche, -n. **근세~** das Neuhochdeutsche*, -n. **중세~** das Mittelhochdeutsche*, -n. **현대~** heutiges Deutsch; Gegenwartsdeutsch *n.*: 현대 ~로 im heutigen Deutsch; in heutigem Deutsch.

독자(獨子) der einzige Sohn, -(e)s, ⸗e; das einzige Kind, -(e)s, ⸗er.

독자(獨自) sich selbst (selber). ¶ ~의 《개인의》 individuell; persönlich; 《독특한》 seineigen; eigen(artig); eigentümlich; einzig(artig); originell; apart; besonder; sonderlich; 《유일한》 einzig; alleinig. ¶ ~적인 einmalig; ohnegleichen; außerordentlich; selbständig; unabhängig 《Meinung, Ansicht, Standpunkt, Gesichtspunkt, Stellung, *usw.*》 / ~적인 무늬(옷) ein apartes Muster (Kleid) / ~적인 견해를 버리다 *e-e* eigene Meinung auf|geben* / 그는 ~적인 착상을 한다 Er hat originelle Einfälle.

‖ **~성** Individualität *f.* -en; Eigenart *f.*; Orginalität *f.* -en.

독자(讀者) 《일반적》 Leser *m.* -s, -; 《신문·잡지의》 Leser *m.* -s, -; Abonnent *m.* -en, -en; Subskribent *m.* -en, -en; Vorausbesteller *m.* -s, - (구독자); Publikum *n.* -s, ..ka; Lesekreis *m.* -es, -e; Leseschaft *f.* -en (총칭). ¶ ~의 소리 die Stimme der Leser / ~가 많다 e-n weiten (großen) Lesekreis haben; e-e große Verbreitung finden* (genießen*); e-n guten Absatz haben (finden*); ⁴sich weit verbreiten; 《책이》 viel gelesen werden; es liest sich gut.

‖ ~난 Lesersspalte *f.* -n; Zuschriften zum Redakteur (Schriftleiter). ~수 《신문·잡지의》 Leseschaft *f.* -en. ~취미, ~취향 das Interesse der Leser. ~층 Leserklasse *f.* -n: 이 잡지들은 각각 ~층이 다르다 Diese Zeitschriften haben ihre eigene Leserklasse.

독작하다(獨酌一) allein trinken*; ohne s-n Zechkumpan (Zechgenosse) trinken*; für ⁴sich trinken*.

독장수셈 erfolglose Mühe, -n (Bemühung, -en); vergebliche Anstrengung, -en.

독장치다(獨場一) e-e Alleinmann-Schau geben (machen); in e-m Gebiet allein herrschen; konkurenzlos da|stehen*; 《독점》 monopolisieren. ¶ 문예계에서 ~ in der literarischen Welt allein herrschen / 이야기를 독장쳐서 하다 die Rede monopolisieren.

독재(獨裁) Diktatur *f.* -en; Autokratie *f.* -en; Despotie *f.* -n; Alleinherrschaft *f.* -en; Gewaltherrschaft *f.* -en; Selbstherrschaft *f.* -en. ~하다 allein (diktatorisch; despotisch) beherrschen; Vollmacht haben 《*über*⁴》; die Gewalt in Hände haben. ¶ ~적(으로) diktatorisch; autokratisch; despotisch; gebieterisch; unumschränkt; selbstherrlich / 무산 계급의 ~ die Diktatur des Proletariates.

‖ ~국가 ein despotischer (ein autokratischer) Staat, -es, -en. ~군주 ein despotischer Monarch, -en, -en; Despot *m.* -en, -en; Monokrat *m.* -en, -en; ein absoluter Herrscher, -s, -: ~군주국 die absolute Monarchie, -n. ~자 Diktator *m.* -s, -en; Autokrat *m.* -en, -en; Despot *m.* -en, -en; Alleinherrscher *m.* -s, -; Gewaltherrscher *m.* -s, -; Selbstherrscher *m.* -s, -; Gewalthaber *m.* -s, -; Tyrann *m.* -en, -en. ~정치 Diktatur *f.*; diktatorische Regierung; Monokratie *f.* -n; Autokratie *f.* -n; Despotie *f.* -n; die unumschränkte Regierungsform, -en. ~주의 Diktatur *f.* -en; Gewaltherrschaft *f.* -en; Despotismus *m.* -; Autokratismus *m.* -.

독전(督戰) die Antreibung der Soldaten, um energisch zu kämpfen; Führung in der Schlacht. ~하다 die Soldaten an|treiben*, um energisch zu kämpfen; in der Schlacht führen.

‖ ~대 Beobachtungsheer *n.* -(e)s, -e.

독점(一店) Töpferei *f.* -en.

독점(獨占) ausschließlicher Besitz; Alleinbesitz *m* -es, -e; Monopol *n.* -s, -e; Monopolisierung *f.*; Alleinherrschaft *f.* -en; Alleinhandel *m.* -s, -. ~하다 für ⁴sich allein in Anspruch nehmen*; an ⁴sich reißen* (ziehen*) (e-n Handel; die Unterhaltung); monopolisieren; allein beherrschen. ¶ ~적 monopolistisch; ausschließlich / 시장을 ~하다 e-n Markt monopolisieren / 회화를 ~하다 die Unterhaltung an ⁴sich reißen* (ziehen*) / 방을 ~하다 ⁴sich allein ein Zimmer haben (in Anspruch nehmen*) / …의 사랑을 ~하다 s-e Liebe an ⁴sich ziehen*.

‖ ~가격 Monopolpreis *m.* -es, -e. ~거래 Alleinhandel *m.* -s, -. ~권 Monopolrecht *n.* -(e)s, -e; ausschließliches Recht, -(e)s, -e; Alleinhandelsrecht *n.* -(e)s, -e; Alleinverkaufsrecht *n.* -(e)s, -e; Alleinherstellerrecht *n.* -(e)s, -e; Alleinherrschaft *f.*: 그 신문은 이 뉴스 발표의 ~권을 얻었다 Die Zeitung bekam das ausschließliche Recht auf die Veröffentlichung dieser Nachricht. ~금지법 Antimonopolgesetz *n.* -es, -e; Antitrusgesetz *n.* -es, -e: ~ 금지법에 저촉되다 gegen Antimonopolgesetz (Antitrustgesetz) sein.

독종(毒種) 《종자》 boshafter Abkömmling, -s, -e; ein schlechter Samen, -s, -; 《사람》 ein boshafter (bösartiger) Mensch, -en, -en; ein gefühlloser Mensch; ein gräßlich veranlagter Mensch; 《짐승》 ein wildes Tier, -(e)s, -e.

독주(毒酒) ① 《독한 술》 starker (schwerer) Wein, -(e)s, -e (Likör, -(e)s, -e; Alkohol, -(e)s, -e; Spiritus, -). ② 《독약을 탄》 der vergiftete Wein (Likör; Alkohol; Spiritus).

독주(獨走) ~하다 allein laufen* (rennen*); 《beim Wettlauf》 die anderen weit zurück|lassen*; den anderen e-n großen Vorsprung haben; mit e-m großen Vorsprung gewinnen* (siegen) (낙승). ¶ ~ 태세에 들어가다 großen Vorsprung vor anderen gewinnen*.

독주(獨奏) 〖음악〗 Solovortrag *m.* -(e)s, ⸚e; Solo *n.* -s, -s (..li); Solospiel *n.* -n, -e. ~하다 Solo spielen (vor|tragen*). ¶ 피아노 ~ Klaviersolo *n.*

‖ ~곡 Solo *n.*; Solostück *n.* -(e)s, -e. ~자 《남자》 Solist *m.* -en, -en; Solospieler *m.* -s; 《여자》 Solistin *f.* -nen; Solospielerin *f.* -nen. ~회 Solokonzert *n.* -(e)s, -e; Solovortrag *m.*: 피아노 ~회 Klaviersolo *n.* / ~회를 갖다 ein Solokonzert (e-n Solovortrag) veranstalten (geben*).

독지(篤志) 《자선》 das Wohlwollen*, -s; Güte *f.*; Wohltat *f.* -en; Wohltätigkeit *f.* -en; Mildtätigkeit *f.* -en; Freigebigkeit *f.*; Almosen *n.* -s, -; milde Gabe; 《열심》 Eifer *m.* -s; Diensteifer *m.* -s; Inbrunst *f.*

‖ ~가 《자선가》 wohlwollender (gütiger; wohltätiger; milder) Mensch, -en, -en; Menschenfreund *m.* -(e)s, -e; Philanthrop *m.* -en, -en; interessierter Mensch; 《유지자》 der Freiwillige*, -n, -n: ~가 제씨의 찬조를 바라다 um die Unterstützung deren ersuchen (erbitten), die an diesem Thema besonders interessiert sind. ~사업(事業) Liebeswerk *n.* -(e)s, -e; Werke 《*pl.*》 der Liebe.

독직(瀆職) (amtliche) Korruption, -en; Bestechung *f.* -en; Amtsvergehen *n.* -s, -; Bestechungsgeld *n.* -(e)s. ~하다 ⁴sich bestechen lassen*.

‖ ~공무원 der bestochene (erkaufte) Beamte*, -n, -n; Schieber *m.* -s, -. ~사건 Korruptionsaffäre *f.* -n; Bestechungsaffäre *f.*; Bestechungsfall *m.* -s, ⸚e; Korruptionsskandal *m.* -s, -e. ~죄 Bestechung *f.*; Amtsvergehen *n.*; Amtsdelikt *n.* -es, -e (가벼운 배임); Amtsverbrechen *n.* -s, - (무거운 배임). ~행위 Bestechung *f.*

독차지(獨一) ausschließlicher Besitz, -es, -e; Monopolisierung *f.* -en; Alleinbesitz *m.* -es, -e. ~하다 ⁴sich allein in Anspruch nehmen*; an ⁴sich reißen* (ziehen*); ausschließlich besitzen* (⁴et.); allein beherrschen(⁴et.); monopolisieren (⁴et.). ☞ 독점. ¶ 유산을 ~하다 alle Erbschaften (Erbe) an ⁴sich reißen* (ziehen*) / 방 (이익)을 ~하다 ⁴sich allein ein Zimmer (alle Gewinne) haben (in Anspruch nehmen*) / 어머니의 사랑을 ~하다 die Liebe seiner Mutter an ⁴sich ziehen* / 그는 상품을 ~했다 Er hat alle Preise weggetragen (fortgetragen).

독창(獨唱) Solo *n.* -s, -s (..li); Sologesang *m.* -(e)s, ⸗e; Solovortrag *m.* -(e)s, ⸗e. ~하다 Solo singen*; Solo geben*.
‖ ~곡 Solo *n.*; Sologesang *m.* ~자 (남자) Solist *m.* -en, -en; Solosänger *m.* -s, -; (여자) Solistin *f.* -nen; Solosängerin *f.* -nen. ~회 Solovortrag *m.*; Liederabend *m.* -(e)s, -e (*von*³): ~회를 열다 e-n Solovortrag (Liederabend) veranstalten (geben*).

독창(獨創) Orginalität *f.* -en; Ursprünglichkeit *f.* -en; Erfindung *f.* -en; die einzigartige (originelle) Schöpfung, -en. ~하다 einzigartig (neuartig) schaffen* (schöpfen). ¶ ~적(인) einzig(artig); einmalig; ohnegleichen; originell; eigentümlich; neuartig; erfinderisch; schöpferisch. ¶ ~적인 생각 ein origineller Gedanke, -ns, -n / ~적인 재능 schöpferische Begabung, -en.
‖ ~력 Schöpferkraft *f.* ⸗e; Originalität *f.* -en: 그는 ~력이 없다 es fehlt (mangelt) ihm an Originalität. ~성 Originalität *f.*

독채(獨一) das einsame (alleinstehende) Haus, -es, ⸗er.

독천(獨擅) Überlegenheit *f.* -en; Konkurrenzlosigkeit *f.* ~하다 an ³et. überlegen sein.
‖ ~장 der Platz (-es, ⸗e) ohne Konkurrent; Herr der Situation: 이공이 작고 후 정계는 그의 ~장이었다 Nach dem Tode des Fürsten *Rhie* beherrschte er die politische Welt.

독초(毒草) (독풀) Giftpflanze *f.* -n; Giftkraut *n.* -(e)s, ⸗er; giftige (schädliche) Pflanze; giftiges (schädliches) Unkraut; (담배) starker (schwerer) Tabak, -(e)s, -e.

독촉(督促) Antrieb *m.* -(e)s, -e; Aufforderung *f.* -en; das Drücken*, -s; Druck *m.* -(e)s, ⸗e; Zudringlichkeit *f.* -en; Aufdringlichkeit *f.*; (세금 등의) Mahnung *f.* -en; Anspruch *m.* -(e)s, ⸗e. ~하다 auffordern (*jn. zu*³); mahnen (*jn. um*⁴); drängen (*auf*⁴); an|treiben* (*jn.* zu tun); (빚을) ungestümt mahnen (*jn. um* die Zahlung der Schuld). ¶ 나는 세금 때문에 ~을 받았다 Ich bin um die Steuern (wegen der Steuern) gemahnt worden.
‖ ~수속 Mahnverfahren *n.* -s, -. ~수수료 Mahngebühren (*pl.*). ~자 Mahner *m.* -s, -. ~장 Zahlungaufforderung *f.* -en; Mahnbrief *m.* -(e)s, -e; Mahn|schreiben (Aufforderungs-) *n.* -s, -; Mahnzettel *m.* -s, -.

독충(毒蟲) ① das giftige Insekt, -(e)s, -en; Ungeziefer *n.* -s, -. ② Natter *f.* -n (살무사).

독침(毒針) Giftnadel *f.* -n. ☞ 독바늘(毒一).

독탕(獨湯) Einzelbad *n.* -(e)s, ⸗er; der Baderaum (-(e)s, ⸗e) für den einzelnen Badegast. ~하다 Einzelbad nehmen*; ⁴sich allein baden.

독터 (박사) Doktor *m.* -s, -en (생략: Dr.); Arzt *m.* -es, ⸗e (의사). ¶ ~ 김 Dr. *Kim.*

독특하다(獨特一) eigentümlich; besonder; bezeichnend (*für*⁴); charakteristisch (*für*⁴); eigen; einzig; eigenartig (sein). ¶ 독특한 견해 eigene Meinung, -en / 독특한 방법으로 in einzigartiger (eigentümlicher) Weise / 거기에는 독특한 가치가 있다 Es hat e-n ganz eigenen (besonderen) Wert. / 그에게는 독특한 풍격이 있다 Er hat e-e eigene Art. / 이것은 그의 독특한 면이다 Das ist ihm eigentümlich. / 그것은 독특한 경우다 Das ist ein eigener Fall für sich. / 그 여자한테는 독특한 매력이 있다 Sie besitzt e-n ihr eigenen Zauber.

독파(讀破) das Durchlesen*, -s. ~하다 (ein Buch; ein Schriftstück) fertig lesen*; zu Ende lesen*; durch|lesen* (⁴et.); durchlesen* (⁴et.); ⁴sich durch ein Buch durch|lesen*. ¶ 만 권의 책을 ~하다 e-e Unmasse (Unmenge) Bücher lesen* / 그는 그 책을 ~했다 Er hat das Buch zu Ende gelesen.

독판(獨一) Alleinherrschaft *f.* -en; Alleinverkauf *m.* -s, ⸗e; Monopol *n.* -s, -e. ¶ ~(을) 치다 allein maßgebend sein; beherrschen⁴; der ¹Chef [ʃɛf] (Herr) vom Ganzen sein

독풀이하다(毒一) ☞ 독살풀이하다.

독필(禿筆) ① (붓) abgenutzter (abgeriebener) Schreibpinsel, -s, -; untersetzte Haarfeder, -n. ② (서툰 글씨) ungeschicktes Schreiben, -s. ③ (겸칭) m-e ergebene Anfrage an Sie. ¶ ~을 무릅쓰고 trotz m-r flüchtigen Schrift; trotz m-r ungeschickten Pinselführung; ob ich gleich ein schlechter Schreiber bin ... .

독필(毒筆) die scharfe (beißende; spitze) Feder, -n; e-e scharfe (niederreißende; gehäßige) Kritik, -n. ¶ ~을 휘두르다 e-e scharfe (beißende; spitze) Feder führen (haben); scharfe (gehäßige; niederreißende) Kritik üben (*an*³); sein Gift verspritzen; mit Gift u. Galle schreiben* (angreifen*).

독하다(毒一) ① (유독) giftig; schädlich; verderblich; tödlich; virulent (sein). ¶ 독한 가스 giftiges Gas, -es, -e.
② (맛·성질이) stark; schwer; heftig; hitzig; feurig; scharf; schlecht (sein). ¶ 독한 냄새 scharfer Geruch, -(e)s (der Medizinen) / 독한 술 der starke (schwere; feurige) Wein / 독한 담배 der starke (schwere) Tabak, -es, -e / 독한 약 das starke (scharfe) Medikament, -es, -e; die starke Medizinen (Droge) (*pl.*) (센 약) / 독한 감기 e-e starke Erkältung, -en.
③ (모질·표독) boshaft; gehässig; böse; arglistig; heimtückisch; böswillig; giftig; gräßlich; entsetzlich; scheußlich (sein). ¶ 독한 여편네 e-e boshafte (böse) Frau, -en/ 독한 짓 Entsetzens|tat (Schreckens-) *f.* -en.
④ (꿋꿋함) fest; hart; standhaft; verbissen; entschlossen; störrisch; hartnäckig; zäh; unverdrossen; unentwegt (sein). ¶ 독한 마음 feste Entschlossenheit; Standhaftigkeit *f.*; Zähigkeit *f.*; Hartnäckigkeit *f.* / 독한 마음을 먹고 공부하다 mit fester Entschlossenheit studieren.

독학(篤學) Hingabe an das Studium; ernste Gelehrsamkeit; umfassende Belesenheit. ¶ ~의 arbeitsam; wissensdurstig; lernbegierig; fleißig; emsig; dem Studium (den Wissenschaften) ergeben.
‖ ~자 der fleißig Studierende*, -n, -n; leidenschaftlicher Liebhaber des Lernens; ein belesener Mann, -(e)s, ⸗er.

독학(獨學) Selbstunterricht *m.* -(e)s, -e; Selbststudium *n.* -s, ..dien; Selbsterziehung *f.* -en; Autodidaktentum *n.* -s, ⸗er. ～하다 allein studieren; [4]sich selbst unterrichten und bilden; [4]sich durch Selbstunterricht bilden; ohne Lehrer 《Englisch》 studieren 〔lernen〕. ¶ ～의 autodidaktisch / ～으로 읽고 쓰기를 배우다 allein lesen* u. schreiben lernen / ～으로 독일어를 배우다 ohne Lehrer Deutsch lernen 〔studieren〕.

‖ ～자 Autodidakt *m.* -en, -en; Selbstlerner *m.* -s, -.

독학하다(督學—) dringend verlangen, zu arbeiten.

독한(獨韓) Deutschland u. Korea; 〖형용사적〗 deutsch-koreanisch.

‖ ～관계 deutsch-koreanische Beziehung, -en. ～사전 ein deutsch-koreanisches Wörterbuch, -(e)s, ⸗er.

독항선(獨航船) (ohne Mutterschiff) alleinfahrendes Fischerboot, -(e)s, -e 〔..böte〕; das selbständige Fischerboot.

독해(毒害) ☞ 독살.

독행(篤行) e-e gute Tat, -en; Wohltätigkeit *f.* -en; Mildtätigkeit *f.* -en.

독혈(毒血) 〖한의학〗 schädliches 〔vergiftetes〕 Blut, -(e)s.

‖ ～증 Blutvergiftung *f.* -en.

독회(讀會) Lesung *f.* -en.

‖ 제1 〔2〕～ die erste 〔zweite〕 Lesung, -en: 의안은 제1～에 회부되었다 Der Gesetzentwurf wurde zum erstenmal gelesen. 제3～ die dritte Lesung, -en: 법률안은 제3～를 통과했다 Der Gesetzentwurf wurde in dritter Lesung verabschiedet.

독후감(讀後感) Eindrücke 《*pl.*》 nach der [3]Lektüre; e-n Eindruck auf ein Buch. ¶ ～을 말하다 e-n Eindruck auf ein Buch machen.

돈[1] 《금전》 Geld *n.* -(e)s, -er; Gold *n.* -(e)s; Bargeld *n.* -(e)s; bares Geld, -(e)s (현금); Währung *f.* -en (통화); Münze *f.* -n; Geldstück *n.* -(e)s, -e(주화); Papiergeld *n.* -(e)s; Banknote *f.* (지폐); 《부정한》 Mammon *m.* -s; Moneten 《*pl.*》; 《자금》 Fonds *m.*; 《재산》 Vermögen *n.* -s; Reichtum *m.* -s, ⸗er; Mittel 《*pl.*》 (자력); 《금액》 Summe *f.* -n; Betrag *m.* -(e)s, ⸗e; Unsumme(엄청난 금액); 《비용》 Kosten 《*pl.*》; Unkosten 《*pl.*》 (엄청난 비용). ¶ 돈의 Geld-; geldlich; pekuniär; Finanz-; finanziell / 많은 〔적은〕 돈 e-e große 〔kleine〕 Summe 〔Menge〕 Geld; ein großes 〔kleines〕 Vermögen / 돈 걱정 Geldnot *f.* ⸗e; Geldklemme *f.* -en; Geldverlegenheit *f.* / 돈 문제 Geldfrage *f.* -n; Geldangelegenheit *f.* -en; Geldsache *f.* -n; Finanzfrage / 돈 타령 Klage über Geld; Trauergeschichte vom Geld / 돈과 인연이 없다 zur Armut verurteilt sein / 인간 만사 돈 세상 Geld regiert die (ganze) Welt. / 돈 떨어지니 임 떨어진다 Freunde in der Not gehen hundert 〔zehn; tausend〕 auf ein Lot. ¦ Wer Geld hat, hat auch Freunde. ¦ In der Not erkennt man seine Freunde. ¦ Ein Freund in der Not ist ein Freund in der Tat 〔im Tod〕. / 쉽게 번 돈은 쉽게 없어진다 Wie gewonnen, so zerronnen. / 돈은 돌고 도는 것 Das Geld gehört niemandem. ¦ Es rollt bloß. / 돈만 있으면 개도 멍첨지라 《속담》 Wie man schmiert, so fährt man. / 돈만 있으면 귀신도 부릴 수 있다 Mit Geld kommt man überall durch. ¦ Mit Geld geht alles. ¦ Geld stinkt nicht.

돈이: 있다 (viel) Geld haben; bei Kasse 〔Geld〕 sein; vermögend sein; reich sein / 없다 kein 〔wenig〕 Geld haben; nicht bei Kasse 〔Geld〕 sein; arm sein; es geht bei ihm knapp her (살기 고되다) / 없어 …할 수 없다 aus Mangel an Geld 〔Geldmitteln; Mitteln; Vermögen〕 ... nicht können* / 생기다 Geld bekommen* 〔erhalten*〕; reich werden; Geld machen / 모이다 zu Geld kommen* ⓢ; Geld machen 《*mit*[3]》/ 필요하다 Geld brauchen 〔nötig haben; benötigen〕; Geldes bedürfen*; Mangel an Geld haben / 당장 필요하다 bares Geld 〔Bargeld〕 brauchen 〔nötig haben〕/ 달리다 nicht bei Kasse 〔Geld〕 sein; bei 〔in; mit〕 Geld Pech haben / 마르다 das Geld knapp werden; das Geld gehen* ⓢ 〔werden〕 / 들다 Geld [4]kosten; kostspielig sein; teuer sein; viel (Geld) kosten / 썩다 im Geld schwimmen* ⓢ,ⓗ 〔ersticken; wühlen〕; Geld wie Heu 〔Dreck〕 haben; Geld in Hülle u. Fülle haben; dicke Gelder haben / 되다 einträglich sein; gewinnbringend sein; rentabel sein / 원수다 Alles ist wegen Geldes. ¦ Geldmangel ist die Sorgenlast. / 돈을 번다 Geld bringt 〔macht〕 Geld. / 장사라 《속담》 Wer Geld hat, hat auch Freunde. / 아무리 있어도 행복은 못 산다 Glück ist für Geld u. gute Worte nicht zu bekommen. / 이 노파한테는 없지 않다 Diese Alte ist nicht ohne Mittel. / 적지 않게 들었다 Das hat ein nettes 〔hübsches〕 Sümmchen gekostet. / 얼마가 들지라도 상관없다 Ich scheue k-e Kosten. / 이제는 돈이 한 푼도 없다 Ich habe k-n roten Heller mehr.

돈에: 궁하다 in Geldnot 〔Geldklemme; Geldverlegenheit〕 sein; an Geld Mangel haben 〔leiden*〕; an Geld leiden* / 팔리다 [4]sich verkaufen (lassen*) / 정신이 없다 aufs Geld erpicht 〔verpicht〕 sein; käuflich sein; feil sein; bestechlich sein; gewinnsüchtig sein / 눈이 어두워지다 [4]sich von Geld blenden lassen*; von Gold gelockt 〔angezogen; reizt〕 werden / 맛을 들이다 geldsüchtig 〔geldgierig; geldstolz〕 werden; das Geld lieben / 사랑에 속고 돈에 운다 Ein Unglück kommt selten allein. ¦ Unglück im Spiel, Unglück in der Liebe. ¦ Liebe u. Geld, wie leicht 〔bald〕 bricht das!

돈을: 벌다 Geld verdienen; zu Geld kommen* ⓢ; Geld machen 《*mit*[3]》 / 많이 벌다 Glück machen; ein Vermögen erwerben*; e-n Haufen Geld machen / 벌 만한 일거리 e-e einträgliche 〔gewinnbringende〕 Arbeit, -en; ein fetter Bissen, -s, -; lohnendes Geschäft, -es, -e / 모으다 Geld ersdaren; [3]sich ein Vermögen erwerben*; Geld auf¦bewahren; Geld an¦sammeln; Geld zusammen¦raffen (긁어 모으다) / 변통하다, 두르다 irgendwie Geld bekommen* 〔erhalten*〕; Geld auf¦bringen* 〔auf¦treiben*〕 können*; Geld borgen; [3]sich Geld leihen* / 꾸다 Geld borgen 〔leihen*; entleihen*〕 《*jm.*》 / 갚다 zurück¦zahlen 〔heim-〕 / 꾸어 주다 Geld verleihen* 〔aus¦leihen*〕 《*jm.*》 / 은행에 예금하다 Geld in e-e Bank deponieren / 아무에게 맡기다 Geld an¦vertrauen 《*jm.*》 / 내다 《지불》 zahlen; bezahlen 《für [4]*et.*》; 《기부》 Geld bei¦tragen* 《*zu*[3]》; 《투자》 Geld an¦legen 《*in*[4]》; Geld investieren 《*in*[4]》; 《출자》 finanzieren; Geld bieten* / 들이다 Geld aus|geben*; ³sich Geld kosten lassen* 《*für*⁴》/ 쓰다 Geld aus|geben* 《*für*⁴》; Geld auf|wenden* 〔verwenden*〕 《*für*⁴》/ 요령 있게 쓰다 Geld wohl 〔gut〕 aus|geben* 〔auf|wenden*; verwenden*〕; sein Geld aufs beste 〔möglichst gut〕 aus|nutzen; ³sich sein Geld zunutze machen / 물 쓰듯 〔낭비〕 하다 Geld verschwenden 〔vergeuden〕; Geld 〔mit vollen Händen〕 zum Fenster hinaus|werfen*; viel Geld springen lassen*; Geldscheine aus der Hand fahren lassen*; mit s-n Banknoten verschwenderisch um|gehen* / (그냥) 썩이다 sein Geld müßig liegen* / 걸다 Geld wetten 〔setzen〕 《*auf*⁴》; mit Geld wetten / 먹이다 《뇌물》 bestechen 《*jn.*》; schmieren 《*jn.*》; Schmiergeld bezahlen 《*jm.*》/ 구하려고 쩔쩔 매다 verlegen 〔in Verlegenheit〕 sein, um Geld zu borgen 〔zu leihen*; geliehen zu bekommen*〕/ 구하려고 동분 서주하다 beschäftigt sein 〔⁴sich beschäftigen〕, um Geld zu borgen 〔zu leihen*; geliehen zu haben〕/ 쌓다 Geld auf die hohe Kante liegen* / 부담하다 Geld zahlen 〔bezahlen〕 《für *jn.*》.

돈으로: 매수 안 되는 사람 e-e Menschenseele über Geld u. gute Worte / 바꾸다 zu Geld machen 《⁴*et.*》; ein|wechseln 〔ein|kassieren; ein|lösen〕 《e-n Scheck *usw.*》/ 살 수 없다 für 〔zu; um〕 Geld nicht bekommen* 〔erhalten*〕/ 된다면야 얼마든지 내겠다 Wenn das mir Geld aussetzt, will ich die Unmenge Kosten fragen. / 그는 돈으로나 감언이설로는 움직일 수 없는 사람이다 Für Geld u. gute Worte ist er nicht zu bewegen. / 사랑은 돈으로 살 수 없다 Liebe ist nicht mit Geld zu bezahlen.

돈² 《무게》 *Don* (=3.7565 Gramm).

돈(頓) =톤¹.

돈견(豚犬) ① 《돼지와 개》 ein Schwein und ein Hund. ② 《미련한 사람》 ein stumpfsinniger 〔unempfindlicher; dummer; alberner; dickköpfiger〕 Mann, -(e)s, ⸗er; Dummkopf *m.* -(e)s, ⸗e; Hohlkopf *m.*

돈구멍 ① 《뚫린》 e-e Höhle in der Mitte der früher gebrauchten Münze. ② 《돈의 출처》 Geldquelle *f.* -n. ¶ ~을 뚫다 e-n Weg finden*, Geld zu machen 〔verdienen〕.

돈궤(一櫃) Geldkassette *f.* -n; Sparbüchse *f.* -n; Geldkasten *m.* -s, - 〔⸗〕; Kasse *f.* -n.

돈까스(豚一) =포크커틀렛.

돈꿰미 e-e Schnur durchgezogene Münze in ihrer Höhle.

돈냥(一兩) etwas Geld. ¶ ~이나 있는 사람 der Wohlhabende*, -n, -n.

돈놀이 Geldverleihgeschäft *n.* -(e)s, -e; Geldwucher *m.* -s, -. **~하다** Geld verleihen*; 《고리로》 Wucher treiben*; auf 〔zu〕 Wucherzinsen aus|leihen*.
‖ **~꾼** Geldverleiher *m.* -s, -; Geldwucherer *m.* -s, -; Wucherer *m.* -s, -.

돈단무심하다(頓斷無心一) k-m Höflichkeiten erweisen*; *jm.* gleichgültig sein.

돈대(墩臺) Anhohe *f.* -n; Erhöhung *f.* -en, Hochebene *f.* -n; Höhe *f.* -n. ¶ 그의 집은 ~에 자리잡고 있어 전망이 좋다 Sein Haus steht auf e-r Anhöhe und bietet 〔besitzt〕 e-e schöne Aussicht.

돈독(一毒) ein kränklicher Geschmack an Geld. ¶ ~ 들다 an Geld e-n kränklichen Geschmack finden*; für Geld e-n kränklichen Geschmack bekommen*.

돈독(敦篤) Aufrichtigkeit *f.* -en; Redlichkeit *f.* -en; Naivität *f.* -en. **~하다** aufrichtig; wahr; offen; redlich (sein).

돈들막 in die Höhe schroff gehobener Grund, -(e)s, ⸗e.

돈만(一萬) viel tausend Münzen 《*pl.*》.

돈맛 ein Geschmack an Geld. ¶ ~을 알다 an Geld e-n Geschmack finden* / ~을 들이다 für Geld e-n Geschmack bekommen*.

돈머리 ① 《액수》 Geldsumme *f.* -n; Summe *f.* -n; Betrag *m.* -(e)s, ⸗e. ¶ ~ 수가 크다 die große Summe sein. ② 《일정액》 der bestimmte Betrag. ¶ ~가 들어 맞다 Die Summe ist richtig. / ~가 부족 되다 Die Summe ist mangelhaft. / ~를 맞추다 e-e gewisse Summe aus|machen.

돈목하다(敦睦一) gegen *jn.* freundlich sein; auf *jn.* vertraut sein.

돈바르다 engherzig; förmig; kompliziert; umständlich (sein).

돈백(一百) viel hundert Münzen 《*pl.*》.

돈벌이 Gelderwerb *m.* -(e)s, -e; Geldverdienst *m.* -es, -e; das Erwerben* 《-s》 von Geld 〔Reichtum〕; Gewinn *m.* -(e)s, -e; Profit *m.* -es, -e; das unverdiente Geldeinsacken*, -s (떳떳치 못한). **~하다** ³sich Geld erwerben*; Geld machen 〔verdienen〕《*mit*³》; gute Geschäfte machen. ¶ ~를 잘 하다 ein gutes Geschäft machen; im Gelderwerb geschickt sein / ~를 잘하는 사람 Geldmann *m.* -(e)s, ..leute / 그 일은 ~감이다 Dabei ist viel zu erwerben* 〔verdienen〕.¦Das ist ein fetter Bissen 〔ein lohnendes Geschäft〕. / 이 장사는 ~가 잘 된다 〔되지 않는다〕 Dieses Geschäft trägt 〔bringt〕 viel 〔wenig〕 ein. / ~가 좋다 〔나쁘다〕 e-n guten 〔geringen〕 Verdienst haben / 광산 노동자는 한 달 ~가 얼마나 됩니까 Wieviel verdient ein Bergarbeiter im Monat?

돈벼락 plötzlicher Reichtum, -s, ⸗er. ¶ ~을 맞다 plötzlich ein reicher Mann werden.

돈복(一福) (geldlicher) Glücksfall, -(e)s, ⸗e (재수). ¶ ~이 있다 mit Reichtum gesegnet sein.

돈복(頓服) Schluckmixtur *f.* -en; Dosis *f.* ..sen. **~하다** auf einmal nehmen*.
‖ **~약(藥)** Schluckmixtur *f.*; Dosis *f.*

돈사(頓死) plötzlicher Tod, -(e)s. ☞ 급사(急死). **~하다** plötzlich sterben* Ⓢ.

돈생각 ¶ ~하지 않고 ohne Rücksicht auf die Kosten (아끼지 않고).

돈수(頓首) ① 《절》 Verbeugung *f.* -en. **~하다** e-e Verbeugung vor *jm.* machen. ② 《편지의》 Ihr sehr ergebener; Hochachtungsvoll.

돈아(豚兒) mein Sohn *m.* -(e)s, ⸗e.

돈육(豚肉) Schweinefleisch *n.* -es.

돈절(頓絶) plötzliches Aufhören*, -s; plötzlicher Stillstand, -(e)s, ⸗e. **~하다** plötzlich auf|hören; auf einmal still|stehen*.

돈점박이(一點一) fleckiges 〔scheckiges; gefleckte s〕 Pferd, -es, -e; 《표범》 Leopard *m.* -en, -en.

돈좌(頓挫) das Stocken*, -s; Einhalt *m.* -(e)s; Hemmung *f.* -en; Stillstand *m.* -(e)s; das Stillstehen*, -s. **~하다** stocken; ins Stocken geraten* 〔kommen*〕 Ⓢ; e-n Rückschlag erleiden* 〔erfahren*〕.

돈주다 im Spielen um Geld mit der Hand eins der Münzen zeigen.

돈주머니 Geldbeutel *m.* -s, -; Börse *f.* -en;

Portemonnaie *n.* -s, -s. ¶ ~가 가볍다 die Schwindsucht im Beutel haben / ~가 바닥나다 den letzten Pfennig aus|geben* / ~가 텅 비다 kein Geld bei *jm.* haben / ~를 졸라매다 den Beutel zu|halten* / ~가 두둑해서 bei vollem Beutel / ~를 풀어놓다 den Beutel los|binden* / ~의 끈을 꽉 쥐고 있다 die Schnur des Beutels beaufsichtigen.

돈줄 Geldgeber *m.* -s, -; Finanzier [..tsié:] *m.* -s, -s; Geldquelle *f.* -n. ¶ 드디어 그는 ~을 잡았다 Endlich hat er e-n Geldgeber ausfindig gemacht. / ~이 떨어지다 s-n Geldgeber (Finanzier) verlieren*.

돈지(頓智) Witz *m.* -es, -e; scharfer Witz. ☞ 기지(機智).

돈지갑(—紙匣) Geld¦taschchen (-beutel) *n.* -s, -; Geld¦tasche (Brief-) *f.* -n; Börse *f.* -n; Portemonnaie [..mɔnέ:] *n.* -s, -s.

돈지랄하다 in der verrückten Weise Geld aus|geben*.

돈질 e-e im Spielen um Geld mit der Hand Berührung. **~하다** im Spielen mit der Hand Geld berühren.

돈쭝 ☞ 돈².

돈천(—千) viel tausend Münzen 《*pl.*》.

돈치기 Münzwurf als e-e Art Spiel.

돈치다 Münze werfen* (als e-e Art Spiel).

돈키호테 Don Quichotte [dõ kiʃɔ́t].

돈팔이 ① 《돈벌이》 Besessenheit für Gelderwerb. ② =돌팔이.

돈표(—票) Gutschein *m.* -(e)s, -e; Scheck *m.* -s, -s.

돈푼 etwas Geld (Vermögen). ¶ ~이나 있는지 모르나 큰 돈은 없을 게다 Auf m-e Ehre mag er etwas Geld haben, aber nicht genug. / ~이나 있다고 뻐긴다 Er ist sehr stolz auf das Wenige, was er hat.

돈피(獤皮) Zobel *m.* -s, -; Zobelpelz *m.* -es, -e; Zobelfell *n.* -s, -e; Marder *m.* -s, -; Marderfell *n.*

돈하다 ① 《도지다》 stämmig; stark; handfest; kräftig; 《무겁다》 zu schwer (sein).

돈환 Don Juan [dón-juan, dṍ:-ʒuã:, don-xuá:n] *m.* -s, -s; Frauen¦held (Damen-; Weiber-) *m.* -en, -en; Frauenliebling *m.* -s, -e; Schürzenjäger *m.* -s, -; Casanova *m.* -s, -s; Salonlöwe [zalṍ:..] *m.* -n, -n.

돈후(敦厚) =돈독(敦篤).

돋구다 (e-n Grad (Standard)) höher machen; erhöhen. ¶ 식욕을 ~ Appetit an|regen.

돋다 ① 《해 따위가》 auf|gehen*; empor|steigen*. ¶ 해는 동쪽에서 돋는다 Die Sonne geht im Osten auf. ② 《싹이》 keimen; (auf|)sprossen. ¶ 움이 ~ Knospen treiben* (an|setzen); Schosse treiben* / 풀이 ~ Gras grünt ⁴sich / 수염이 ~ ⁴sich behaaren / 날개가 돋은 geflügelt; flügge. ③ 《발진이》 erscheinen*; ⁴sich zeigen; gestalten. ¶ 여드름이 (두드러기가) ~ Bläschen (Nesselsucht) haben / 발에 종기가 돋았다 Ich habe e-e Beule am Fuße bekommen.

돋보기 ① 《노인경》 lang¦sichtige (fern-) Brille, -n; die Brille für Alterssichtigkeit. ② 《안경》 Brille *f.* ¶ ~를 끼다 e-e Brille tragen* (auf|setzen) / ~를 벗다 e-e Brille ab|setzen.
③ 《확대경》 Vergrößerungsglas *n.*; Lupe *f.* ¶ ~로 보다 durch ein Vergrößerungsglas (e-e Lupe) sehen*.

돋보다 ① 《사람을》 genau (freundlich; aufmerksam) an|sehen*. ② 《사물을》 ⁴*et.* im guten Sinne nehmen*.

돋보이다, 돋뵈다 besser aus|sehen*; anziehend (schön) aus|sehen*; ⁴sich günstig ab|heben* (ab|stechen*) 《*von*³》; ⁴sich zu s-m Vorteil unter|scheiden* 《*von*³》. ¶ 돋보이게 하다 hervor|heben*; hervor|treten lassen*; in ein günstige(re)s Licht stellen; günstig ab|heben* (ab|stechen*) 《*von*³》 / 가구를 이렇게 놓으니 훨씬 돋보인다 Die Möbel sehen in dieser Stellung besser aus. / 이 옷을 입으면 그는 한층 돋보인다 In diesem Anzug sieht er besser aus. / 큰 소나무가 있어서 정원이 한층 돋보인다 Die große Kiefer gibt dem Garten e-n besonderen Reiz. / 회색옷은 붉은 타이를 돋보이게 한다 Ein grauer Anzug hebt (sticht) günstig von e-r roten Krawatte ab. / 깔끔한 옷이 그 여자의 모습을 한층 돋보이게 한다 Die schmucke Kleidung läßt ihre Gestalt hervortreten.

돋우다 ① 《심지를》 nach oben wenden*. ¶ 등잔 심지를 ~ den (Lampen)docht nach oben wenden* / 불을 ~ den (Lampen)docht nach oben wenden*; das Feuer schüren.
② 《높이다》 höher machen; erhöhen; auf|häufen. ¶ 돋운 땅 Aufschüttung *f.* -en / 땅을 ~ den Boden (Grund) auf|schütten (-|werfen*) / 길을 ~ den Weg auf|schütten (-|werfen*) / 베개를 ~ das (Kopf)kissen höher machen; das (Kopf)kissen auf|häufen; mit Kissen stützen.
③ 《목청을》 erheben*. ¶ 목청을 ~ s-e Stimme erheben* / 목청을 돋우어 mit erhobener Stimme / 그런 사소한 일에 목청을 돋울 필요는 없다 Sie brauchen nicht e-e solche (so(lch) e-e) Kleinigkeit anschreien (anbrüllen).
④ 《기운 등을》 an|regen 《*jn.*》; erregen; reizen; an|spornen; an|stacheln; an|treiben*; auf|muntern; beleben; beseelen; ermutigen; erheitern; ermuntern. ¶ 용기를 ~ ermutigen; ermuntern; auf|muntern; beleben; an|regen 《*jn. zu*³》; an|treiben*; an|reizen / 사기를 ~ die Moral (Manneszucht) verbessern / 일을 하도록 그의 힘을 돋아 주었다 Ich trieb ihn an zu arbeiten (zu arbeiten an).
⑤ 《감정 따위를》 (an|)schüren; auf|rühren; hetzen; auf|reizen; auf|wiegeln; 《불러일으키다》 erregen; an|regen; an|reizen; wach|rufen*; wecken; 《흥미를 일으키다》 interessieren 《*jn.*》; ein|nehmen* 《*jn. für*⁴》. ¶ 화(부아)를 ~ um den Verstand bringen* 《*jn.*》; ärgern 《*jn.*》; reizen; erbittern 《*jn.*》; erzürnen; beleidigen 《*jn.*》; kränken / 호기심을 ~ *js.* Neugier(de) wecken / 식욕을 ~ den Appetit an|regen.

돋움 ① 《높임》 das Heben* (Erheben*; Aufheben*) -s. ② 《받침》 Stütze *f.* -n; fester Standpunkt, -(e)s, -e.

돋을무늬 ¶ ~의 천 Gewebe 《*n.* -s, -》 mit erhabenem Muster.

돋을볕 Morgensonne *f.* -n.

돋을새김 〖조각〗 die Schnitzarbeit 《-en》 in Relief; Relief *n.* -s, -s (-e); Reliefarbeit *f.*; erhabenes Schnitzwerk, -(e)s, -e; erhabene Arbeit.

돋치다 ① 《나오다》 (auf|)sprossen; heraus|kommen*. ¶ 날개가 ~ mit den Flügeln schlagen*; 《비유적》 auf|heben* / 날개가 돋치듯 팔리다 flott (gut) ab|gehen*; wie warme Semmel weg|gehen* [s]. ② 《값이》 auf|schlagen*.

돌¹ ① 《일주년》 Jahrestag *m.* -(e)s, -e; Jahresfeier *f.* -n. ¶ 세째 돌 der dritte Jahrestag. ② 《첫돌》 der erste Geburtstag; das erste Jahresfest, -es, -e. ¶ 돌이 돌아오다 das erste Jahresfest feiern / 한국 동란이 일어난 지 서른 두 돌 째 die zweiunddreißigste Wiederkehr des Tages des koreanischen Krieges.

돌² Stein *m.* -(e)s, -e; 《조약돌》 Kiesel *m.* -s, -e; Kieselstein *m.* -(e)s, -e; Geröll(e) *n.* -(e)s, -e; 《보석》 Edelstein *m.* -(e)s, -e; 《라이터》 Feuerstein *m.* -(e)s, -e. ¶ 돌의 steinig / 돌로 만든 steinern; aus (von) Stein / 돌 같은 steinartig / 돌로 쌓은 둑 Steinbank *f.* ⸚e / 돌집 Steingebäude *n.* -s, - / 돌이 많은 steinig; voll Stein / 돌을 잘라내다 Stein hauen*; zerhauen* / 길에 돌을 깔다 e-n Weg mit Steinen pflastern / 돌을 던지다 e-n Stein werfen*; mit Steinen werfen* 《*jn.*》; Steine werfen* 《nach *jm.*》 / 돌에 새기다 schnitzen (aus|schneiden*; meißeln) in Stein.

돌가루 zermalmter Stein, -(e)s, -e.

돌감 Wildpersimonen 《*pl.*》. ‖ ~나무 Wildpersimonen-Baum *m.* -(e)s, ⸚e.

돌개바람 Wirbelwind *m.* -(e)s, -e. ¶ ~이 일다 ⁴sich ein Wirbelsturm erheben*.

돌격(突擊) (Sturm)angriff *m.* -(e)s, -e; Ansturm *m.* -(e)s, ⸚e; Sturm *m.* -(e)s, ⸚e; das Stürzen*, -s; Anfall *m.* -(e)s, ⸚e; Bestürmung *f.* -en. ~하다 (an)stürmen [s]; Sturm laufen* [s] 《*gegen*⁴; *auf*⁴》; los|gehen* [s] 《*auf*⁴》; bestürmen 《⁴*et.*; *jn.*》; überfallen*. ¶ 적을 향해 ~하다 auf den Feind los|gehen* [s] / 적진에 ~하다 die feindliche Stellung (Position) an|stürmen.
‖ ~대 Sturmtruppe *f.* -n; Stoßtruppe *f.*; Stürmer *m.* -s, -; Sturmläufer *m.* -s, -; Streifzug *m.* -(e)s, ⸚e. ~신호 Sturmsignal *n.* -(e)s, -e. ~전 Ansturm *m.*; Bestürmung *f.* -en; Angriff *m.*; Streifzug *m.* ~진지 Sturmstellung *f.* -en.

돌결 Korn *n.* -(e)s, ⸚er. ¶ ~이 곱다 (거칠다) von feinem (grobem) Korn sein.

돌계단(一階段) 《층계》 Steinstufe *f.* -n (한 단); Steintreppe *f.* -n (전부). ¶ ~을 오르다 (내리다) die Steintreppe hinauf|gehen* [s] (hinab|gehen*) [s] / ~에서 넘어지다 (굴러 떨어지다) die Steintreppe hinunter|fallen* [s] (hinunter|rollen* [s]).

돌계집 e-e unfruchtbare (sterile) Frau, -en.

돌고기 〖어류〗 *Pungtungia herzi* (학명).

돌고드름 〖광물〗 Stalaktit *m.* -(e)s, -e (-en, -en); Tropfstein *m.* -(e)s, -e; Kalksinter *m.* -s, -.

돌고래¹ 〖동물〗 Delphin *m.* -s, -e; Meerschwein *n.* -(e)s, -e.

돌고래² 《방고래》 das aus Stein bestehende Flammrohr (des koreanischen Ofens).

돌곪기다 《Geschwulst》 innen schwellen⁽*⁾ [s].

돌공이 Steinmörserkeule *f.* -n; Steinstößel *m.* -s, -.

돌관(突貫) Ansturm *m.* -(e)s, ⸚e; Angriff *m.* -(e)s, -e; das Stürzen*, -s; Anfall *m.* -(e)s, ⸚e; Andrang *m.* -(e)s, ⸚e. ~하다 an|stürmen [s] 《*gegen*⁴; *auf*⁴》; hetzen; jagen.
‖ ~공사 Hetz|arbeit (Akkord-) *f.* -en; rasch erledigenden Arbeit; rasch erledigendes Konstruktionswerk, -(e)s, -e: ~공사를 하다 das Konstruktionswerk an|treiben* (beschleunigen). ~작업 =돌관 공사.

돌기(突起) ① 《두드러짐》 das Vorspringen*, -s; das Hervorragen*, -s; das Hervortreten*, -s; Vorsprung *m.* -(e)s, ⸚e; Überhang *m.* -(e)s, ⸚e; Erhöhung *f.* -en; 〖생물〗 Fortsatz *m.* -es, ⸚e; 〖해부〗 stumpfer Vorsprung, -(e)s, ⸚e. ~하다 hervor|ragen; vor|springen*; hervor|treten* [s]; heraus|treten* [s]; vor|dringen*. ② 《갑자기》 das Hervorragen*, -s; das Vorspringen*, -s. ~하다 vor|springen*; hervor|stechen*; hervor|stehen*; hervor|ragen. ¶ ~한 hervor|springend (-stehend; -ragend).
‖ 충양(蟲樣)~ 〖해부〗 Wurmfortsatz *m.* -es, ⸚e.

돌기둥 die Säule aus Stein; Ständer *m.* -s, -.

돌기와 Schiefer *m.* -s, -. ¶ ~로 지붕을 이다 mit Schiefer decken.
‖ ~지붕 Schieferdach *n.* -(e)s, ⸚er. ~집 Schieferhaus *n.* -es, ⸚er.

돌김 〖식물〗 Grünalge *f.* -n.

돌꼇 e-e Art viereckiges Spinnrad wie Windmesser.
‖ ~잠 beunruhigter Schlaf, -(e)s, -e.

돌나물 〖식물〗 Fetthenne *f.* -n; Mauerpfeffer *m.* -s, -. ‖ ~김치 Fetthenne-*Kimchi*; Fetthenne-Einpökeln.

돌날 der erste Geburtstag e-s Säuglings.

돌능금 Holzapfel *m.* -s, ⸚.

돌다 ① 《회전》 ⁴sich drehen 《*um*⁴》; ⁴sich um|drehen; ⁴sich herum|drehen; wirbeln; kreisen 《*um*⁴》; umkreisen 《⁴*et.*》; ⁴sich bewegen 《*um*⁴》; um|laufen* 《⁴*et.*》; rotieren 《*um*⁴》. ¶ 뱅뱅 ~ ⁴sich im Kreis drehen (bewegen); kreisen 《*um*⁴》; (⁴sich) herum|drehen; ⁴sich drehen / 팽이가 ~ ein Kreisel dreht sich / 시계 바늘과 반대쪽으로 ~ ⁴sich dem Uhrzeiger entgegen drehen (bewegen) / 지구는 태양 주위를 돈다 Die Erde dreht (bewegt) sich um die Sonne (herum).¦Die Erde kreist um die Sonne.¦Die Erde umkreist die Sonne. / 솔개가 빙빙 돈다 Ein Adler fliegt herum.
② 《순회》 die Runde machen; herum|gehen* [s]; e-n Rundgang machen; patrouillieren [s]; e-e Rundreise machen; von e-m Ort zum anderen gehen* [s]; 《차를 타고》 herum|fahren* [s]; umher|fahren* [s]; 《말을 타고》 herum|reiten* [s]; umher|reiten* [s]. ¶ 자동차를 타고 시내를 한 바퀴 ~ mit dem Wagen um die Stadt herum|fahren* [s] (spazieren|fahren* [s]) / 순경이 순회 구역을 ~ ein Schutzmann macht den ihm zugewiesenen Block die Runde / 대통령이 시찰차 전국을 ~ der Präsident macht um das ganze Land e-e Besichtigungsreise / 외무사원이 주문을 받으러 지방을 돈다 Ein Geschäftsreisender reist zur Bestellung auf dem Land von einem Ort zum anderen.
③ 《순환·유통》 um|laufen* 《*um*⁴》[s]; zirkulieren [s]; kreisen [s]; im Umlauf sein; ⁴sich im Kreis drehen (bewegen); 《가지고 돌다》 herum|tragen*; herum|bringen*. ¶ 피가 ~ das Blut läuft um (kreist) / 술이 ~ der Likör (Wein) beginnt Wirkung zu haben / 독이 전신에 ~ das Gift geht in sein System über/돈이 ~ finanziert werden / 돈이 잘 ~ Geld ist reichlich; Geld ist im Überfluß vorhanden / 돈이 잘 돌지 않다 Geld ist

knapp.
④《혀 따위가》 tätig sein; wirksam sein; funktionieren; fungieren. ¶ 혀가 잘 ~ e-e geläufige Zunge haben; redselig sein; Schwatzmaul 〔Schwatzmichel〕 selbst sein / 혀가 잘 돌지 않다 mit der Zunge an|stoßen*; undeutlich 〔unvernehmlich; mundfaul〕 sein / 머리가 잘 ~ e-n klaren Kopf haben; scharfsinnig 〔schlagfertig〕 sein / 머리가 잘 돌지 않다 e-n harten Kopf haben; schwer von Begriff sein; begriffsstutzig 〔stützig〕 sein.
⑤《현기증 나다》 schwindelig 〔taumelnd; benommen〕 sein 〔fühlen; werden〕; ⁴sich drehen 〔bewegen⁽*⁾〕. ¶ 더워서 머리가 ~ die Hitze verdreht ihm den Kopf / 산기(產氣)가 ~ die (Mutter)wehen《*pl.*》 ein|setzen / 눈이 뱅뱅 돌아서 똑바로 서 있을 수가 없었다 Ich fühlte schwindelig und konnte nicht aufrecht stehen.
⑥《손에서 손으로》 übergehen* ⓢ; um|laufen* ⓢ; umkreisen ⓢ; gereicht werden 《über den Tisch》; 《배부되다》 zirkulieren; verbreitet werden. ¶ 회람이 A로부터 B에게 돌았다 Das Rundschreiben 〔Der Laufzettel〕 zirkulierte von A zu B.
⑦《돌림병이》 herrschen; vor|herrschen; vor|wiegen*; überwiegend 〔vorherrschend; weit verbreitet; allgemein verbreitet〕 sein. ¶ 감기가 ~ eine Erkältung herrscht / 온 동네에 홍역이 돌고 있다 Masern《*pl.*》toben durch das ganze Dorf (hindurch).
⑧《소문이》 um|laufen* ⓢ; gehen* ⓢ; laufen*; weit umher sein; ⁴sich verbreiten; zirkulieren; im Umlauf sein; verbreitet 〔entdeckt〕 sein. ¶ 소문이 ~ man sagt, daß...; es geht 〔läuft〕 das Gerücht, daß...; das Gerücht läuft um, daß... / 그가 사망했다는 소문이 돈다 Man sagt, daß er gestorben sei 〔wäre; ist〕.
⑨《소생》 wieder zu Bewußtsein kommen* ⓢ; ⁴sich wieder|herstellen. ¶ 맥이 ~ s-e Pulse beginnen wieder zu klopfen 〔pochen〕.
⑩《모퉁이를》 ⁴sich wenden*; biegen*; gehen* ⓢ. ¶ 모퉁이를 ~ um die Ecke 〔Straßenecke〕 biegen* 〔gehen* ⓢ〕.
⑪《우회》 e-n Umweg machen 〔fahren* ⓢ〕; e-n Abstecher machen. ¶ 길을 돌(아가)다 e-n Umweg machen 〔fahren* ⓢ〕; e-n Abstecher machen.
⑫《정신 이상》〖속어〗 verrückt 〔wahnsinnig〕 werden; ⁴sich umnachten; in Wahnsinn 〔Tobsucht〕 (ver)fallen* ⓢ; von Wahnsinn befallen sein; in geistige Umnachtung fallen* ⓢ 〔geraten* ⓢ〕; 《미치다》 außer ³sich (aus dem Häuschen) geraten* ⓢ《*vor*³; *über*⁴》; den Kopf verlieren*; ⁴sich nicht mehr kennen*. ¶ 돈 사람 der Verrückte* 〔Wahnsinnige*; Tobsüchtige*; Geistesgestörte*〕 -n, -n / 그는 좀 돌았다 Er ist nicht bei Verstand. | Er ist nicht normal. | 〖속어〗 Er ist nicht ganz 〔recht〕 bei Trost. | 〖속어〗 Er ist übergeschnappt.

돌다리¹ 《조그만 다리》 e-e Notbrückchen 〔Hilfsbrückchen〕 aus Stein im Gebirgsdorf.

돌다리² die steinerne Brücke, -n; Steinbrücke *f.* -n. ¶ ~도 두들겨 보고 건너다 ganz sicher gehen wollen*; sehr vorsichtig sein / ~도 두들겨 보고 건너라 Vorsicht ist besser als Nachsicht. | Vorgetan u. nachbedacht hat manchem schon groß Leid gebracht.

돌담 Steinmauer *f.* -n; die steinerne Mauer, -n; Steinwall *m.* -(e)s, ⸚e. ¶ ~을 두르다 die Mauer mit Steinen runden; mit e-r Steinmauer umgeben*⁴.

돌담불 die Masse von Stein.

돌대 Achse *f.* -n; Spindel *f.* -n; Welle *f.* -n.

돌대가리 ①《우둔》 Dummkopf *m.* -(e)s, ⸚e; Hohlkopf *m.* -(e)s, ⸚e. ②《완고》 Dickkopf *m.* -(e)s, ⸚e; Starrkopf *m.* -(e)s, ⸚e; der halsstarrige Greis, -es, -e.

돌덩이 ein Stück Stein; ein Stein *m.* -(e)s, -e. ¶ ~ 같다 steinernes Herz haben.

돌도끼 Steinbeil *n.* -(e)s, -e.

돌돌 rollenförmig; kräuselnd. ¶ 옷자락이 ~ 말리다 der Saum des Kleides ins Rollen kommen* / 잎새가 ~ 말리다 ein Blatt ins Rollen bringen* / 종이를 ~ 말다 Papier rollen; Papier zusammen|rollen / 담배를 ~ 말다 e-e Zigarre drehen / 붕대를 ~ 감다 e-n Verband zusammen|rollen.

돌돌하다 ☞ 똘똘하다.

돌떡 Reiskuchen für den ersten Geburtstag e-s Säuglings.

돌띠 Babyrockband *n.* -(e)s, ⸚er.

돌라가다 mausen; stibitzen 〖*p.p.* stibitzt〗; schleichen* ⓢ. ¶ 볏단을 ~ das Stroh in Garben mausen / 우산을 ~ e-n Schirmen klauen.

돌라놓다 ①《둘러놓다》 herum|legen. ②《돌려놓다》 herum|geben*. ③《전향시키다》 herum|schwenken.

돌라대다 ①《변통》 von *jm.* Aushilfe kommen* lassen*; leihen*. ¶ 집을 사려고 돈을 ~ von *jm.* Aushilfe kommen* lassen*, um ein Haus zu kaufen / 이 달 말까지 천 원만 돌라댈 수 없읍니까 Können Sie mir nicht bis zum Ende dieses Monats mit tausend *Won* aushelfen? ②《말을 꾸며냄》 ⁴sich rechtfertigen 〖*p.p.* gerechtfertigt〗; ⁴sich verteidigen; ⁴sich entschuldigen; über ⁴*et.* Rechenschaft geben*. ¶ 돈 갚지 못하는 이유를 ~ ⁴sich damit entschuldigen, s-e Schuld nicht gut zu machen.

돌라막다 ein|schließen*; umschließen*; umgeben*; ein|hegen; ein|frieden; umringen; umfassen; mit ³*et.* an|legen. ¶ 토지를 철조망으로 ~ den Boden mit e-m Drahthindernis 〔Drahtverhau〕 an|legen.

돌라맞추다 ⁴*et.* an die Stelle e-s Dinges setzen; e-m Dinge ⁴*et.* substituieren; ersetzen. ¶ 책상을 식탁으로 ~ e-n Tisch durch e-e Tafel ersetzen.

돌라매다 ①《새끼를》 binden*; verknüpfen; um|binden*. ¶ 허리에 새끼를 ~ die Hüfte mit Stricken binden* 〔befestigen; an|seilen; umwickeln〕. ②《이자를》 die Zinsen zum Kapital schlagen*.

돌라방치다 wieder an s-n Ort legen 〔stellen〕; wieder hin|stellen; ersetzen ⁴*et.* durch⁴.

돌라버리다 absichtlich aus|speien* 〔aus|werfen*; aus|spucken; ⁴sich erbrechen*〕.

돌라붙다 um|wandeln; um|kehren ⓢ; konvertieren; ab|lenken; andern Sinnes werden. ¶ 유리한 쪽에 ~ zur günstigen Seite ab|lenken.

돌라서다 ⁴sich in e-n Kreis stellen; ⁴sich im Kreise auf|stellen; den Kreis schließen* (bilden); im Kreis stehen* bleiben*.

돌라싸다 ☞ 둘러싸다.

돌라앉다 ☞ 둘러앉다.

돌라주다 aus|teilen; verteilen; zu|teilen. ¶ 배급품을 ~ die in Relationen verteilte Sache zu|teilen / 선물을 ~ Gabe verteilen.

돌라치다 ☞ 돌라방치다.

돌려내다 ① 《빼돌리다》 verlocken; verleiten; ködern; heraus|locken; verführen. ¶ 아무를 민주당에서 ~ *jn.* von der demokratischen Partei heraus|locken / 민주당에서 공화당으로 ~ *jn.* von der demokratischen Partei zur republikanischen Partei verführen. ② 《따돌리다》 aus|lassen*; fort|lassen*; weg|lassen*; vertreiben*; boykotieren; durch das Scherbengericht verbannen. ¶ 나를 돌려내고 저희들끼리 회를 한다 Mich boykotiert, versammeln sie sich. / 그 그룹에서 그를 돌려냈다 Sie vertreiben ihn aus ihrer Gruppe.

돌려놓다 die Richtung ändern. ¶ 책상을 ~ die Richtung des Tisches ändern.

돌려보내다 zurück|geben*; weg|schicken; fort|schicken; wieder|geben*. ¶ 손님을 ~ den Gast fort|schicken / 사자(使者)를 ~ den Boten weg|schicken / 마누라를 친정에 ~ *js.* Frau zu ihren Eltern fort|schicken / 그를 어머니에게 ~ ihn zu s-r Mutter zurück|geben.

돌려보다 zusammen|kommen* u. abwechselnd lesen* (sehen*). ¶ 책을 ~ nach der Reihe lesen*.

돌려쓰다 verreihen*; leihen*; verborgen.

돌려주다 ① 《반환》 zurück|geben* (《^{4}*et.*》); wieder|geben* (《^{4}*et.*》); wieder|bringen* (《^{4}*et.*》); zurück|senden* (《^{4}*et.*》); zurück|zahlen (《^{4}*et.*》); zurück|erstatten (《^{4}*et.*》); wieder|erstatten (《^{4}*et.*》). ¶ 책을 ~ ein Buch zurück|geben* (wieder|geben*)/돈을 ~ das Geld zurück|geben* (wieder|bringen*); das Geld zurück|zahlen (zurück|erstatten; wieder|erstatten) / 빚을 ~ die Schulden tilgen (zahlen) / 상품을 ~ die Waren zurückgehen* lassen* (인수를 거절하여).
② 《반송》 zurück|schicken 《^{4}*et.*》; zurück|senden*. ¶ 주문한 물건을 ~ die bestellten Waren zurück|schicken (zurück|senden*).
③ 《반전》 an die alte Stelle zurück|setzen (zurück|stellen) 《^{4}*et.*》. ¶ 필림을 ~ 《사진의》 zurück|spulen / 시계를 5분 ~ e-e Uhr 5 Minuten zurück|stellen.
④ 《융통》 verleihen* 《*jm.*》; aus|leihen* 《*jm.*》; 《Geld》 vor|schießen* 《*jm.*》; finanzieren; finanziell unterstützen 《*jn.*》. ¶ 돈을 ~ Geld verleihen* 《*jm.*》; mit der Anleihe versehen* (versorgen) 《*jn.*》 / 자금을 ~ ein Geschäft (e-e Unternehmung) finanzieren (finanziell unterstützen).

돌리다[1] ① 《방향을》 ändern; wenden*; ab|wenden*; weg|wenden*; drehen; um|drehen; richten; lenken; ab|lenken; wechseln. ¶ 방향을 ~ die Richtung ändern / 몸을 ~ ^{4}sich um|drehen (um|wenden*) / 눈길을 ~ den Blick (die Augen) ab|wenden* 《*von*^{3}》; weg|blicken 《*von*^{3}》 / 얼굴을 ~ das Gesicht (die Augen) ab|wenden* (weg|wenden*) 《*von*^{3}》 / 화제를 ~ von anderem sprechen*; das Thema (Gesprächsthema) wechseln / 공격의 화살을 딴 데로 ~ den Gegenstand des Angriffes ändern.
② 《마음을》 auf andere Gedanken bringen* 《*jn.*》; *js.* ^{3}Gedanken e-e andere Richtung geben*; den Gedanken (, ^{4}*et.* zu tun,) über Bord werfen* (fallen lassen*); Merksamkeit ab|lenken 《von ^{3}*et.* auf ^{4}*et.*》; auf den Plan verzichten; Abstand nehmen* 《*von*^{3}》. ¶ 마음을 ~ s-m Gedanken e-e andere Richtung geben*; s-n Gedanken ändern; auf s-n Plan verzichten / 마음을 돌려 그와 다시 일하는 것이 어떠냐 Wie denken Sie darüber, ihre Gedanken zu ändern u. mit ihm wieder zu arbeiten? / 그는 그녀의 총애를 받겠다는 생각은 돌려 버리고 말았다 Er verzichtete auf s-n Anteil zu ihren Gunsten.
③ 《회전》 drehen; um|drehen; kreisen lassen*; rotieren lassen*; wirbeln; 《기계 따위를》 in Gang bringen*; in Bewegung (Tätigkeit) setzen; betätigen 《^{4}*et.*》. ¶ 시계바늘을 ~ die Zeiger der Uhr drehen / 팽이를 ~ e-n Kreisel treiben (gehen lassen*) / 프로펠러를 ~ e-n Propeller rotieren lassen* / 빙빙 ~ schnell um|drehen (wirbeln).
④ 《차례로》 herum|gehen* lassen*; herum|reichen; herum|schicken; herum|senden*; verbreiten; um|laufen* (zirkulieren) lassen*; in Umlauf setzen. ¶ 돌려가며 nacheinander; abwechselnd; der Reihe nach / 돌려가며 하라 Tue nacheinander (abwechselnd). / 술잔을 ~ ein Weinglas herum|reichen / 회장(回章)을 ~ ein Rundschreiben (Zirkular) herum|schicken (herum|senden*) / 과자를 ~ Kuchen herum|reichen / 잡지를 돌려가며 보다 e-e Zeitschrift der Reihe nach lesen* / 의장은 돌려가며 하기로 하자 Wir wollen e-r nach dem anderen Vorsitzender sein.| Wir wollen nach der Reihe (der Reihe nach) das Präsidium führen.
⑤ 《보냄·전용·미룸》 übersenden*; übermitteln; schicken; senden*; weiterbefördern; nach|schicken (nach|senden*) (편지 따위를); 《전용》 ersetzen; ergänzen; 《충당》 an|wenden* 《*auf*^{4}》; an|weisen* 《*jm.*》; 《미룸》 e-e Sache beschlafen* (lassen*); auf die lange Bank schieben*. ¶ …은 뒤로 돌리고 ^{4}*et.* beiseite; um auf ^{4}*et.* zurückzukommen* / 자동차를 사무실로 ~ e-n Wagen zum Büro schicken (senden*) / 여비를 생활비로 ~ die Reisekosten 《*pl.*》 auf Unterhaltskosten 《*pl.*》 an|wenden* / 의안을 위원회로 ~ e-n Gesetzentwurf zu e-m Ausschuß (Komitee) nach|schicken (nach|senden*) / 사건을 다른 관청으로 ~ e-e Sache zu e-m anderen Amt nach|schicken (nach|senden*) / 뒤로 ~ verschieben*; auf|schieben*; auf ein Nebengleis schieben*; beiseite|schieben*; beschlafen*(《^{4}*et.*》); auf die lange Bank schieben* / 의안 토의를 뒤로 ~ die Erörterung (Diskussion) des Gesetzentwurfs auf ein Nebengleis schieben* (auf die lange Bank schieben*) / 농담은 뒤로 돌리자 Spaß beiseite!
⑥ 《소생》 ^{4}sich erholen 《*von*^{3}》; genesen* [s] 《*von*^{3}》. ¶ 숨을 ~ Atem holen (schöpfen); für kurze Zeit Atem schöpfen; e-e kleine Pause machen; erleichtert auf|atmen; verschnaufen*; Luft ein|holen / 숨 좀 돌리고 nach e-r kleinen Pause / 잠시 숨 좀 돌리게 해달라 Laß mich ein wenig zu Atem kommen. / 정신을 ~ wieder zum Bewußtsein

kommen* [s]; zu sich kommen* [s]; ^{4}sich zusammen|nehmen* 〔sammeln; fassen; zusammen|reißen*; auf|raffen〕/ 이야기를 다시 제자리로 ~ wieder zur Sache kommen* [s] / 본래의 자리로 ~ an die alte Stelle zurück|setzen 〔zurück|stellen〕.

⑦ 《반환》 zurück|geben*; wieder|geben*; zurück|zahlen. ¶ 책을 ~ ein Buch zurück|-geben*.

⑧ 《탓으로》 zu|schreiben* 《*jm.* ^{4}*et.*》; bei|-messen* 《*jm.* ^{4}*et.*》; zu|eignen 《*jm.* ^{4}*et.*》; zu|rechnen 《*jm.* ^{4}*et.*》; 《…으로 그 원인을 돌리다》 zurück|führen 《auf ^{4}*et.*》; s-n Grund haben 《in ^{3}*et.*》; veranlaßt sein《durch ^{4}*et.*》; beruhen 《*auf*^{3}》; 《쇠·책임을》 die Schuld zu|-schreiben*《*jm.*》; die Schuld zu|schieben* 《auf *jn.*》; (die) Schuld geben* 《*jm.*》; die Schuld auf andere ab|wälzen. ¶ 자기의 성공을 형의 도움으로 ~ s-n Erfolg der Hilfe s-s Bruders zu|schreiben* 〔bei|messen*; zu|rechnen〕/ 그 사람이 실패한 것은 부주의 탓으로 돌려야 할 것이다 Sein Mißerfolg ist auf Nachlässigkeit zurückzuführen. / 폭발의 원인은 잘못 다룬 데로 돌려야 할 것이다 Die Explosion ist auf e-e Fahrlässigkeit zurückzuführen.

⑨ 《영광을》 die Ehre lassen* 〔bringen*〕 《*jm.*》. ¶ 모교에 영광을 ~ s-r Alma mater die Ehre lassen* 〔bringen*〕/ 하느님께 영광을 ~ ^{3}Gott die Ehre lassen* 〔bringen*〕.

돌리다^{2} 《소홀하게》 k-e Notiz nehmen*; ignorieren; 《따돌림》 ^{4}sich fern|halten* 《*von*^{3}》; aus|weichen*; verstoßen*; weit aus dem Wege gehen*. ¶ 아무를 따~ von *jm.* weg|bleiben*; *jn.* meiden*.

돌리다^{3} 《속다》 fremd gemacht werden; entfremdet werden; hinters Licht geführt lassen*.

돌리다^{4} ① 《고비를 넘기다》 über den Berg sein (병이) 〔환자가 주어〕; die Krise überbinden. ② 《변통》 borgen^{4} 《von *jm.*》; ^{3}sich verschulden^{4} 《*jm.*》; ^{4}Geld auf|bringen* 〔-treiben*〕; ^{3}sich ^{4}Geld verschaffen.

돌림 ① 《교대》 die regelrechte Reihenfolge, -n; Reihe *f.* -n. ¶ ~으로 abwechselnd; wechselweise / ~ 차례로 nach der Reihe; der Reihe nach; nach der Reihenfolge; nacheinander; e-r nach dem andern / ~으로 노래하다 ein Lied singen*, wenn e-n die Reihe trifft. ② =돌림병.

‖ ~병 die epidemische Krankheit, -n; Massenkrankheit *f.* -en; Seuche *f.* -n; Epidemie *f.* -n: ~병이 돌다 die Seuche aus|-breiten. ~자 ein Teil des Namens, den im allgemeinen derselbe Familienstamm hat. ~턱 ein der Reihe nach mit Speise u. Trank bewirtendes Fest. ~편지 das Rundschreiben*, -s; die Bittschrift mit strahlenförmigen Unterschriften aller Beteiligten.

돌림감기(一感氣) echte Grippe, -n; epidemische Grippe, -n; akute Viruskrankheit, -en; Influenza *f.* -s. ¶ ~에 걸리다 Grippe zu|ziehen* 〔bekommen*〕.

돌림띠 《건물의》 Karnies *n.* -es, -e; Gesims *n.* -es, -e; Sims *m.* 〔*n.*〕 -es, -e; Gesimsstreifen *m.* -s, -.

돌림장이 der Verstoßene*, -n, -n; der Verbannte*, -n, -n; der Verhaßte*, -n, -n.

돌림통 ① 《시기》 die Zeit, wo die epidemische Krankheit weit verbreitet; Epidemie-Bestürmung *f.* -en. ¶ ~에 어린애를 잃다 während der Epidemie-Bestürmung um *js.* Kind kommen*. ② 《병》 Epidemie *f.* -n. ¶ ~에 어린애가 죽다 während der Epidemie *js.* Kind sterben*.

돌매 kleiner Mühlstein, -(e)s, -e.

돌멘 《고인돌》 Dolmen *m.* -s, -.

돌멩이 ein (einzelner) Stein, -(e)s, -e; ein Stück Stein.

‖ ~질 Steinwurf *m.* -(e)s, ⸗e; Steinigung *f.* -en: ~질하다 Steine werfen* 〔schleudern〕; e-n Stein schwingen*; steinigen 《*jn.*》; mit Steinen werfen* 〔schleudern〕 《nach *jm.*》; mit Steinen bewerfen* 《*jn.*》.

돌무더기 Steinhaufen *m.* -s, -.

돌무덤 steinernes Grab, -(e)s, ⸗er.

돌묵상어 〖어류〗 Riesenhai *m.* -(e)s, -e.

돌물레 das mit Stein versehene Spinnrad, -(e)s, ⸗er.

돌미나리 〖식물〗 die wilde Petersilie, -n.

돌미륵(一彌勒) steinerner Buddha, -s, -s.

돌반지기 mit Stein u. Sand versehener Reis, -es, -e.

돌발(突發) Ausbruch *m.* -(e)s, ⸗e. ~하다 aus|brechen* [s]; hervor|sprudeln [s]; ^{4}sich plötzlich ereignen. ¶ ~적(으로) plötzlich; unvorhergesehen; unerwartet; hastig; vorschnell.

‖ ~사건 plötzlicher Zwischenfall, -(e)s, ⸗e; plötzliches Ereignis, -ses, -se; unerwarteter Unfall, -s, ⸗e.

돌방(一房) Höhle *f.* -n; Zimmer aus Stein.

돌배 〖식물〗 wilde Birne, -n.

돌변(突變) der plötzliche Wechsel, -s, -. ~하다 plötzlich wechseln; 《병이》 dringend sein; in e-r drohenden 〔dringenden〕 Gefahr sein; in e-e dringende Not geraten*. ¶ 날씨가 ~하다 das Wetter plötzlich wechseln.

돌보다 pflegen* 《*jn.*》; ^{4}sich an|nehmen* 《*js.*》 auf|passen 〔achten〕 《*auf*^{4}》; sorgen 《*für*^{4}》; ^{4}sich kümmern 《*um*^{4}》; besorgen^{4}; nach|sehen*; ^{4}sich befassen 《*mit*^{3}》; acht|-geben*《*auf*^{4}》. ¶ 일을 ~ s-e Arbeit besorgen; um s-e Arbeit kümmern 〔sorgen〕/ 아기를 ~ ein Kind pflegen* 〔warten〕 / 환자를 ~ e-n Kranken* pflegen* / 제가 없는 동안 아기를 돌보아 주세요 Bitte passen 〔achten〕 Sie auf das Kind auf während m-r Abwesenheit. ¦ Bitte sehen Sie nach dem Kind während m-r Abwesenheit.

돌부리 die scharfe Kante 〔der scharfe Punkt〕 e-s Steines. ¶ ~를 차면 발부리만 아프다 „Nicht wider den Stachel löcken!“

돌부처 das steinerne Buddhabild, -(e)s, -er. ¶ ~같이 말이 없다 so schweigsam 〔wortkarg〕 wie ein steinernes Buddhabild.

돌비(一碑) steinernes Monument, -(e)s, -e.

돌비늘 Glimmer *m.* -s, -.

돌비알 Abgrund *m.* -(e)s, ⸗e; die jähe Tiefe, -n. ¶ ~에 떨어지다 in e-n Abgrund hinunter|stürzen.

돌사닥다리 Felsenpfad *m.* -(e)s, -e.

돌사막(一砂漠) steinerne Wüste, -n.

돌산(一山) Felsenberg *m.* -(e)s, -e.

돌삼 〖식물〗 wilder Hanf, -(e)s.

돌상(一床) der Tisch für die Feier des ersten Geburtstags e-s Säuglings.

돌샘 Felsenquelle *f.* -n.

돌세공(一細工) Steinwerk *n.* -(e)s, -e; Steinmetzarbeit *f.* -en.

돌소금 Steinsalz *n.* -es, -e.

돌솜 Asbest *m.* -es, -e.
‖ ~타일 Asbest-Ziegel *m.* -s, -.

돌순(一筍) 〖지질〗 Säulentropfstein *m.* -(e)s, -e; Stalagmit *m.* -(e)s, -e (-en, -en).

돌싸움 der Streit des Steinwurfs. ~하다 ^{4}sich gegenseitig mit dem Steinwurf streiten*.

돌아가다 ① 《되돌아》 zurück|kehren [s]; zurück|gehen*[s]. ¶ 돌아가는 길에 auf dem Rückwege / 학교에서 집으로 돌아가는 길에 auf dem Heimwege von (aus) der Schule / 집으로 ~ nach Hause gehen* (fahren*) [s]; heim|gehen* (heim|fahren*) [s] / 고향에 ~ in s-e Heimat zurück|kehren*[s].
② =돌다 ①, ③, ④, ⑩, ⑪.
③ 《떠나다》 weg|gehen*[s]; fort|gehen*[s]; verlassen*(《^{4}et.》); Abschied nehmen*(《*von*^{3}》); ^{4}sich verabschieden (《*bei*^{3}》). ¶ 벌써 돌아가시겠습니까 Gehen Sie schon (fort)? / 그만 돌아가야겠습니다 Nun muß ich mich empfehlen (verabschieden).
④ 《우회》 e-n Umweg (Abweg; Abstecher) machen (fahren* [s]). ¶ 멀리 ~ e-n langen (weiten; großen) Umweg machen; e-n großen Abstecher machen / 이 길로 접어들면 많이 돌아가게 된다 Das da ist ein langer Umweg. ¦ Man macht e-n weiten Umweg, wenn man diesen Weg nimmt.
⑤ 《끝나다》 führen (《*zu*^{3}》); hinaus|laufen*[s] (《*auf*^{4}》); hinaus|kommen* [s] (《*auf*^{4}》); enden (《*in*^{3}》); ^{4}sich ergeben*, zur Folge haben (《^{4}et.》).¶ …의 차지로 ~ *jm.* zu|fallen*[s]; *jm.* zuteil|werden[s]; *jm.* in die Hände fallen* [s]; in *js.* Besitz kommen*[s]; *jm.* anheim|fallen*[s] / 실패로 ~ mit e-m Mißerfolg end(ig)en; der erhoffte Erfolg bleibt aus; mißlingen*[s]; mißglücken[s] / 수포로 ~ zu Wasser (zunichte; vereitelt) werden / 모든 것은 헛수고로 돌아갔다 Die ganze Mühe war vergeblich (umsonst).
⑥ 《분배》 aus|reichen; zugeteilt werden. ¶ 음식이 골고루 돌아가지 않는다 Das Essen reicht zu allen nicht aus.
⑦ 《책임·욕 따위가》 zugeschrieben werden (《*jm.*》); bei gemessen werden (《*jm.*》). ¶ 실패의 책임이 그에게로 돌아갔다 Die Schuld am Mißerfolg wurde ihm zugeschrieben. / 그 일의 모든 책임이 그에게로 돌아갈 수밖에 없다 Das alles ist ihm zuzuschreiben.
⑧ 《복구·회복》 zurück|kehren (《*zu*^{3}》) [s]; zurück|kommen* (《*auf*^{4}》)[s]; zurück|greifen* (《*auf*^{4}》); zurück|fallen* [s](《*in*^{4}》). ¶ 전직으로 ~ in *js.* altes Geschäft zurück|kehren [s] / 모든 것이 다시 자연으로 ~ alles kehrt wieder zur Natur zurück / 독일 외상은 최초 제안으로 돌아갔다 Der deutsche Außenminister griff auf den ersten Vorschlag zurück. / 그 화가는 다시 옛날의 습관으로 돌아갔다 Der Maler fiel in s-e alte Gewohnheit zurück.
⑨ 《죽다》 sterben* [s]; versterben* [s]; entschlafen* [s] ;hin|scheiden* [s]; von hinnen gehen* [s]; heim|gehen* [s]; das Zeitliche segnen; ^{4}sich zu s-n Vätern versammeln; in den Himmel kommen*[s]. ¶ 돌아가신 분 der Selige*, -n, -n; der Verstorbene*, -n, -n; der Heimgegangene*, -n, -n / 아버지께서 돌아가신 지 20년이나 된다 Mein Vater ist 20 Jahre tot. ¦ Mein Vater ist vor 20 Jahren gestorben.

돌아내리다 《비쌔다》 heucheln; ^{4}sich verstellen; 《연이》 zögernd (unschlüssig) kreis|laufen*.

돌아눕다 auf die andere (faule) Seite legen.

돌아다니다 ① 《싸다니다》 herum|gehen* (umher|gehen*)[s]; herum|laufen* (umher|laufen*) [s]; herum|fahren* (umher|fahren*)[s]; 《여행하며》 herum|reisen (umher|reisen)[s]; 《말이나 짐승을 타고》 herum|reiten* (umher|reiten*)[s]; 《분주히》 ^{4}sich tummeln; ^{4} sich beschäftigen (《*mit*^{3}》); 《미친 듯이》 durchtoben (《^{4}et.》); 《여기저기》 herum|rasen (umher|rasen) [s]; 《들고》 herum|tragen* (umher|tragen*); 《할일 없이》 herum|streifen (umher|streifen)[s]; herum|schlendern (umher|schlendern)[s]; herum|lungern (umher|lungern; 《맹수·도둑 따위가》 herum|schleichen* (umher|schleichen*) [s]; herum|streifen (umher|streifen)[s]. ¶ 시내를 ~ um die Stadt herum|gehen* (umher|gehen*) [s] / (택시가) 손님을 태우려고 ~ (ein Taxi) herum|fahren* (umher|fahren*)[s]; um Gäste aufzugabeln / 폭도들이 온 시내를 날뛰며 돌아다녔다 Das wilde Gesindel durchtobte die ganze Stadt.
② 《널리 퍼지다》 ^{4}sich verbreiten; um|laufen*[s]; in Umlauf sein (kommen*[s]); vor|herrschen. ¶ 소문이 ~ es geht (läuft) das Gerücht; das Gerücht läuft um; das Gerücht verbreitet sich / 돌림병이 ~ E-e Epidemie verbreitet sich (nimmt überhand).

돌아(다)보다 ① 《뒤를》 ^{4}sich um|sehen* (《*nach*^{3}》); ^{4}sich um|wenden* (《*nach*^{3}》); ^{4}sich um|drehen (《*nach*^{3}》). ¶ 돌아다보지 않다 außer acht lassen*; nicht beachten (《^{4}et.》); k-n Anteil nehmen* (《*an*^{3}》).
② 《과거를》 zurück|denken*(《*an*^{4}》); zurück|blicken (《*auf*^{4}》); ^{3}sich ins Gedächtnis zurück|rufen*; ^{4}sich erinnern (《*an*^{4}》). ¶ 옛일을 돌아보다 an die Vergangenheit zurück|denken* / 기차가 떠나자 그는 동경어린 표정으로 (서글픈 듯이) 자기 생애를 돌아다보았다 Als der Zug abfuhr, blickte er sehnsüchtig (traurig) auf sein Leben zurück. / 전시의 그 어려움이란 것을 가끔 돌아다보아야 마땅할 것이다 Man soll sich die Not der Kriegszeit öfter ins Gedächtnis zurückrufen.
③ =돌보다.

돌아들다 ① 《되돌아옴》 zurück|kommen*; zurück|kehren; heim|kehren. ¶ 저녁이 되면 새들이 둥우리로 돌아든다 Am Abend fliegen die Vögel zu ihrem Nest zurück.
② 《물이》 ^{4}sich schlängeln; ^{4}sich winden*. ¶ 물이 산골짜기로 돌아든다 Der Bach windet sich durch's Tal.

돌아서다 ① 《뒤로 향해》 um|wenden$^{(*)}$ [s,h]; auf die andere Seite wenden$^{(*)}$; um|drehen; ^{4}sich nach rückwärts wenden$^{(*)}$. ¶ 적을 보고 ~ *jm.* den Rücken (zu|)kehren; den Feind mit dem Rücken an|sehen* / 돌아서서 싸우다 auf die andere Seite wenden$^{(*)}$ u. ^{4}sich mit e-m anderen streiten*.
② 《등지다》 e-n gegen e-n andern (^{4}et.) verstimmen (auf|bringen*); an s-n Platz zurück|gehen*; nicht überein|stimmen.
③ 《병이》 verbessern; vervollkommen; sich bessern.

돌아앉다 ^{4}sich rückwärts wenden$^{(*)}$ u. ^{4}sich setzen.

돌아오다 ① 《귀환》 zurück|kommen*; zurück|kehren; heim|kehren; heim|kom-

men*. ¶ 돌아오지 않는 사람 der Hingeschiedene*, -n, -n / 집에 ~ nach Haus zurück|kehren; heim|kommen* / 가지고 (데리고) ~ ⁴*et.* (*jn.*) zurück|bringen*; ⁴*et.* (*jn.*) mit nach Haus nehmen* / 부자가 되어서 고향에 ~ als reicher Mann in s-e Heimat zurück|kehren / 다시는 돌아오지 못할 길을 떠나다 die Reise ins Jenseits an|treten*.
② 《차례·정신이》 an der Reihe sein; wieder zu sich kommen*. ¶ 차례가 ~ an der Reihe sein; wieder in die Reihe kommen* / 제정신이 ~ wieder zu sich kommen*.
③ 《책임 따위가》 über⁴ her|fallen*; sich für⁴ verantworten. ¶ 책임이 ~ für⁴ die Verantwortung übernommen werden / 욕이 ~ ⁴sich in Ungnade ziehen*.

돌알 《수정알》 Kristallglas *n.* -es, ⸗er; 《삶은 달걀》 gesottenes Ei, -(e)s, -er.

돌연(突然) plötzlich; auf einmal; auf (mit) eins; unerwartet; unvermutet; unvorhergesehen. **~하다** plötzlich; unerwartet; unvermutet; unvorhergesehen; überraschend; jäh (sein). ¶ ~히 =돌연 / ~한 방문 plötzlicher (unerwarteter) Besuch *m.* -(e)s, -e / ~한 사고 (unerwarteter) Vorfall *m.* -s, ⸗e; Unglücksfall *m.* -s, ⸗e / ~한 사태 unvorhergesehene Umstände 《*pl.*》 / ~한 죽음 jäher Tod *m.* -(e)s, -e / ~ 사직하다 unerwartet ab|danken / ~ 나타나다 plötzlich erscheinen* (s) / ~ 자리에서 일어났다 Er ist plötzlich aufgestanden. / 그의 아버지는 ~ 뇌일혈로 돌아가셨다 Sein Vater ist plötzlich an Hirnblutung gestorben.
‖ **~변이**(變異) 〖생물〗 Mutation *f.* -en.

돌옷 Felsenmoos *n.* -es, -e.

돌우물 steinerner Brunnen, -s, -.

돌이키다 ① 《고개를》 ⁴sich um|drehen; ⁴sich um|wenden(*); ⁴sich um|blicken; ⁴sich um|sehen* 《*nach*³》.
② 《신념 등을》 ⁴sich anders besinnen*; s-e Ansicht (Meinung) wechseln; s-n Standpunkt wechseln; *js.* Gesinnung (Ansicht; Meinung) wechseln lassen* (machen); 《재고하다》 von neuem erwägen*; nochmals überlegen; nochmals in Erwägung ziehen*; nach|denken* 《*über*⁴》; ⁴sich e-s Besseren besinnen*. ¶ 돌이켜 생각하니 bei reiflicher (näherer) Überlegung; bei (nach) näherer Erwägung / 과거를 돌이켜 생각하다 auf (in) die Vergangenheit zurück|blicken.
③ 《원 상태로》 wieder|erhalten*; wieder|bekommen*; wieder|gewinnen*; zurück|gewinnen*; wieder|her|stellen; restaurieren; ⁴sich erholen; ungeschehen (rückgängig) machen. ¶ 돌이킬 수 없는 unwiederbringlich; unersetzlich; unwiederruflich / 돌이킬 수 없는 손실 unwiederbringlicher Verlust -es, -e / 과거는 돌이킬 수 없다 Gestern kommt nie wieder. / 그는 돌이킬 수 없는 실패를 저질렀다 Er hat e-n unwiederruflichen Fehler gemacht.

돌입(突入) Eindringung *f.* -en; Einbruch *m.* -(e)s, ⸗e. **~하다** herein|brechen* (s) 《*in*⁴》; ein|stürmen (s) 《*auf*⁴; *in*⁴》; ein|dringen* (s) 《*in*⁴》. ¶ 적진에 ~하다 in die feindliche Stellung (Position) ein|dringen* (ein|stürmen)(s); 《비행기가》 in die feindliche Stellung (Position) e-n Sturzflug machen (sturzfliegen* (s)) / 파업에 ~하다 in den Streik treten* (s) / 적은 시내로 ~했다 Die Feinde drangen in die Stadt ein.

돌잔치 das Fest für den ersten Geburtstag e-s Säuglings.

돌잡히다 beim ersten Geburtstag e-s Säuglings ihn e-e der ersten besten Sachen auf der Tafel wählen lassen, der mit der Speise u. Gabe gedeckt ist.

돌장이 ein Jahr alter Säugling *m.* -(e)s, -e.

돌절구 der steinerne Mörser, -s, -. ¶ ~도 밑 빠질 때가 있다 《속담》 Nichts dauert ewig.

돌제(突堤) Wehrdamm *m.* -(e)s, ⸗e; Wellenbrecher *m.* -s, -; Buhne *f.* -n.

돌조각 Stein¦bruchstück *n.* -(e)s, -e; Steinsplitter *m.* -s, -.

돌진(突進) Anfall *m.* -s, ⸗e; Andrang *m.* -(e)s, ⸗e; Anlauf *m.* -(e)s, ⸗e; Vorstoß *m.* -es, ⸗e; Sturm *m.* -(e)s, ⸗e; Ansturm *m.* -(e)s, ⸗e. **~하다** an|stürmen 《*gegen*⁴; *auf*⁴》; los|stürmen 《auf ⁴*et*》; los|stürzen 《auf *jn.*》; ⁴sich stürzen 《*auf*⁴》. ¶ 적을 향해 ~하다 auf (gegen; wider) den Feind an|stürmen (s); ⁴sich auf den Feind stürzen (werfen*) / 자동차를 향해 ~하다 ⁴sich zum Wagen werfen* (stürzen).

돌질 ☞ 돌멩이질.

돌집 Steinhaus *n.* -es, ⸗er; Steingebäude *n.* -s, -.

돌짬 Felsenkluft *f.* ⸗e.

돌쩌귀 Angel *f.* -n; Scharnier *n.* -s, -e. ¶ 암(수)톨쩌귀 innere (äußere) Seite des Scharniers / ~에 녹이 슬지 않는다 《속담》 Rast' ich, so rost' ich.

돌차간(咄嗟間) Augenblick *m.* -(e)s, -e. ☞ 순간.

돌차기(놀이) Tempelhüpfen *n.* -s.

돌출(突出) das Vorspringen*, -s; das Hervorragen*, -s; das Hervortreten*, -s; Vorsprung *m.* -(e)s, ⸗e; Projektion *f.* -en. **~하다** vor|springen* (s); hervor|ragen (-|stehen*). ¶ ~한 vorspringend; hervor¦ragend (-stehend) / 바다로 ~하다 in die See (ins Meer) vor|springen* (hervor|ragen) (s).
‖ **~부** hervorspringender (hervortretender; hervorragender) Teil, -(e)s, -e; Vorsprung *m.* -(e)s, ⸗e; Ausläufer *m.* -s, - (산, 바위 따위의); 〖생물〗 Sporn *m.* -(e)s, -en.

돌층계(—層階) Steintreppe *f.* -n; Steinstufe *f.* -n.

돌탑(—塔) Pagode *f.* -n.

돌톱 Steinsäge *f.* -n.

돌파(突破) ① 《뚫어 깨뜨림》 Durchbruch *m.* -(e)s, ⸗e; Durchdringung *f.* **~하다** durchbrechen* 《⁴*et.*》; durchdringen* 《⁴*et.*》. ¶ 적진(비상선)을 ~하다 die feindliche Linie (die Polizeipostenkette; die Polizeiabsperrkette) durchbrechen*.
② 《넘어섬》 Überschreitung *f.* -en. **~하다** überschreiten* 《⁴*et.*》. ¶ 10만 마르크대를 ~하다 die Hunderttausendmarke (Hunderttausendlinie) überschreiten* / 지원자는 천 명을 ~했다 Die Anzahl der Bewerber überschritt (ein)tausend.
③ 《극복》 Überwindung *f.* -en; das Übersteigen*, -s; das Überragen*, -s; das Übertreffen*. **~하다** überwinden* 《⁴*et.*》; überwältigen 《⁴*et.*》; übersteigen* 《⁴*et.*》; übertreffen* 《⁴*et.*》; durch|dringen* 《⁴*et*》. ¶ 난관을 ~하다 Schwierigkeiten 《*pl.*》 überwinden*.
‖ **~구**(口) Durchbruch *m.* -(e)s, ⸗e; Ausflucht *f.* ⸗e; Ausweg *m.* -(e)s, -e: ~구를 찾다 Ausflüchte 《*pl.*》 machen (suchen); e-n Ausweg suchen / ~구를 찾지 못하다 k-n Ausweg finden* (wissen*; sehen*).
~작전 Durchbruchsoperation *f.* -en.

돌팔매 Steinwurf *m.* -(e)s, ⸚e; das Steinwerfen*, -s.
‖~질 Steinwurf *m.* -(e)s, ⸚e; das Steinwerfen*, -s: ~질하다 Steine 《*pl.*》 werfen*.

돌팔이 (halbberuflicher) Wanderhändler *m.* -s, -. ‖~선생 schwacher (minderwertiger) Lehrer, -s, -. ~의사 ein ungeschickter Arzt, -(e)s, ⸚e; Kurpfuscher *m.* -s, -; Quacksalber *m.* -s, -.

돌팥 【식물】 wilde Rotbohne, -n.

돌풍(突風) Stoßwind *m.* -(e)s, -e; Windstoß *m.* -es, ⸚e; Bö *f.* -en (바다의). ¶ ~에 휘날리다 von e-m Stoßwind geweht werden.

돌피 【식물】 wilde Hirse, -n.

돌핀키크 ‖~영법(泳法) Dolphinschwimmen ⌊*n.* -s.

돌함(―函) der Kasten aus Stein.

돌확 ① 《돌절구》 steinerner Mörser, -s, -. ② 《우묵한 돌》 hohlgeschliffener Stein, -(e)s, -e.

돐 ① 《사건 따위의》 ein geschlagener (voller) Tag; ein ganzes (volles; rundes) Jahr. ¶ 창립 한 돐맞이 기념 행사를 하다 die erste Wiederkehr der Stiftung feiern / 집을 지은 지 두 돐이 된다 Es ist schon zwei Jahre her, daß ich das Haus gebaut habe. / 한 돐 만에 겨우 정신을 차렸다 Es war ein voller Tag, bevor er zu sich kam. ② 《동안》 e-n Zeitraum; e-n Zeitkreis.

돔 ☞ 도미.

돔바르다 geizig; knauserig; filzig (sein). ¶ 돔바르게 굴지 말라 Sei nicht so knauserig! / 돔바른 끄락서니다 Man sieht ihm den Knauser an.

돔발상어 【어류】 Katzen|hai (Hunds-; Dorn-) *m.* -(e)s, -e.

돕다 ① 《조력》 helfen* 《*jm.*》; bei|stehen* 《*jm.*》; Hilfe leisten 《*jm.*》; behilflich sein 《*jm.*》; unterstützen⁴; Beistand leisten《*jm.*》; zur Seite stehen* 《*jm.*》. ¶ 아무를 ~ helfen* 《*jm.*》 / 일을 ~ *jm.* bei ³*et.* helfen* / 아무를 도우러 가다 *jm.* zu Hilfe kommen* (eilen) ⓢ / 하늘은 스스로 돕는 자를 돕는다 Hilf dir selbst, so wird dir Gott helfen. / 나는 그 아이를 도와 일으켰다 Ich half dem Kind auf die Beine.
② 《구하다》 ⁴unterstützen; helfen* 《*jm.*》. ¶ 가난한 사람을 ~ die Armen* (die Bedürftigen*; die Mittellosen*; die Notleidenden*) unterstützen.
③ 《기여·촉진함》 bei|tragen*³ 《*zu*³》; fördern; dienen³; förderlich sein 《*zu*³》. ¶ 건강을 ~ zur Gesundheit bei|tragen*; für s-e Gesundheit gut (dienlich) sein / 소화를 ~ zur Verdauung bei|tragen* / 사회의 진보를 ~ die Fortschritte der Gesellschaft fördern / 발전을 ~ die Entwicklung fördern / 아무의 노력을 ~ *js.* Bestrebungen fördern / 인류의 복지를 ~ dem Wohl der Menschheit dienen.

돗바늘 Stopfnadel *f.* -n; Sicherheitsnadel *f.* -n.

돗수(度數) ① 《회수》 Mal *n.* -(e)s, -e; Häufigkeit *f.* -en; Frequenz *f.* -en; 《전화의》 Gesprächszahl *f.* -en. ¶ 교통 사고의 ~가 많다 es gibt häufige Verkehrsunfälle; Verkehrsunfälle passieren (geschehen*) häufig; wir haben häufig Verkehrsunfälle.
② 《온도·안경 따위의》 Grad *m.* -(e)s, -e. ¶ 안경의 ~ die Vergrößerungskraft (Vergrößerung) der Brille / ~가 센 안경 die starke Brille, -n / 안경~를 맞추다 die Linsen auf s-e Augen ein|stellen / 안경 ~가 맞지 않다 die Brille paßt nicht für sein Auge / 저이는 꽤 ~ 높은 안경을 쓰고 있다 Er trägt e-e Brille mit e-m ziemlich hohen Grad.|Er trägt e-e starke Brille.
③ 《알콜의》 der Prozentsatz (Hundertsatz; Vomhundertsatz) des Alkohols in Flüssigkeit; Alkoholgehalt *m.* -(e)s, -e. ¶ 술 ~가 높다 Der Alkohol hat e-n hohen Prozentsatz (Hundertsatz; Vomhundertsatz).
‖~료(料) Fernsprechgebühr *f.* -en; Anrufgebühr *f.* Gesprächgebühr *f.* ~요금 《전화의》 Telefongebühr *f.* ~제 《전화의》 das Meßsystem beim Telefon. 통화~계 Gesprächszähler *m.* -s, -.

돗자리 (Stroh)matte *f.* -n; Schilfmatte *f.* -n; Binsenmatte *f.* -n; Mattenstoff *m.* -(e)s, -e (총칭). ¶ ~를 깔다 (치다) e-e (Stroh)matte aus|breiten (bedecken; belegen) / ~를 깐 마루 der mit Strohmatte belegte (Fuß)boden, -s, - (⸚) / 찢어진 ~ e-e abgenutzte (verschlissene) (Stroh)matte / 갓 만든 ~ die (funkel) nagelneue (Stroh)matte.
‖꽃~ die figurierte (gemusterte; geblümte) (Stroh)matte. ⌈-(e)s, -e.

돗총이 legendenhaftes, dunkelblaues Pferd,

돗틀 Mattengestell *n.* -(e)s, -e.

동¹ ① 《묶음》 Bündel *n.* (*m.*) -s, -; Pack *m.* (*n.*) -(e)s, -e(⸚e); Rolle *f.* -n; Ballen *m.* -s, -. ¶ 먹 한 동 ein Bündel (10) Tuschen / 붓 한 동 ein Bündel (10) Pinsel / 감 한 동 1000 Dattelpflaumen / 무명 두 동 zwei Rollen (100 *pil*) Baumwollzeug. ② 《윷놀이의》 e-e der vier Runden, die nötig ist, um ein Spiel von *Yuch* zu beenden.

동² ① 《조리·이치》 der vernünftige Grund *m.* -(e)s, ⸚e; Logik *f.* -en; Zusammenhang *m.* -(e)s, ⸚e; Folgerichtigkeit *f.* -en. ¶ 동이 닿다 der ³Logik genau passend; logisch sein; vernünftig sein / 동닿지 않는 말 unvernünftige (unlogische; unzusammenhängende; ungereimte; törichte) Äußerung *f.* -en / 그가 말하는 바는 동이 닿지 않는다 Was er sagte, ist nicht logisch. / 자네 말은 동이 닿네 Was du sagst, ist vernünftig. ② 《동안》 e-n Zeitraum; e-e bestimmte Zeit; e-e Pause. ¶ 동이 뜨다 e-e Zeitlang dauern; einige Zeit lang ab|laufen* / 동을 띄우다 einige Zeit länger bleiben* als sonst / 전기 요금 받으러 오는 것이 이번은 좀 동이 뜨다 Diesmal haben sie sich verspätet, monatliche, elektrische Rechnung zu bekommen.* ③ 《옷의》 Schlag *m.* -(e)s, ⸚e. ¶ 소맷동, 끝동 Ärmelaufschlag *m.* -(e)s, ⸚e. ④ 《상치의》 der Stengel des Gartensalats.

동(同) 《같은》 derselbe*; dieselbe*; dasselbe*; gleich³ sein; ähnlich³ sein; gleichartig sein; verwandt³ sein 《*mit*³》; 《상기의》 oben (früher; schon; vorher; vorhin) erwähnt; 《문제의》 bewußt (betreffend; fraglich); es handelt sich 《*um*⁴》; strittig (streitig; im Widerspruch; uneinig). ¶ 동일 동시 zur gleichen (selben) Zeit am gleichen(selben; an demselben) Tag / 동 번지 dieselbe (die selbe) Hausnummer / 동 회사 dieselbe (die selbe; die oben erwähnte) Gesellschaft, -en / 동 65 페이지 Seite 65 desselben (des selben; des oben erwähnten) Buches; ebenda S. 65.

동(東) Osten *m.* -(e)s; Ost *m.* -(e)s; O《생략: O., E.》. ¶ 동의 östlich; Ost- / 동에(으로)《동

부》im Osten; 《동방》 nach[3] Osten (zu; hin); gegen[4] Osten / 동으로 가다 nach Osten (ostwärts) gehen* ⓢ / 동이 트다 Es tagt. | Der Tag dämmert auf. | Der Morgen kommt (dämmert). | Es dämmert im Osten. | Der Tag bricht an.

‖ 동로마 Ostrom *n.*: 동로마의 oströmisch / 동로마 제국 das Oströmische Reich. 동아시아 Ostasien *n.*: 동아시아의 ostasiatisch. 동유럽 Osteuropa *n.*: 동유럽의 osteuropäisch. 동프로이센 Ostpreußen *n.*: 동프로이센의 ostpreußisch.

동(垌) Damm *m.* -(e)s, ⸚e; Steindamm *m.*

동(洞) ① 《행정 구역》 *Dong*; Block *m.* -(e)s, ⸚e; Straße *f.* -n; Dorf *n.* -(e)s, ⸚er. ② 《골》 Baumgang *m.* -(e)s, ⸚e.

동(胴) ① 《격검의》 Schutzpolster *n.* -s, -; Körperharnisch *m.* -es, -e; Körperpanzer *m.* -s, -. ② 《몸의》 Rumpf *m.* -(e)s, ⸚e; Leib *m.* -(e)s, ⸚er; Torso *m.* -s, -s (조각의). ¶ 저고리의 동이 길다 Der Rock hat e-e lange Taille.

동(銅) Kupfer *n.* -s 《기호: Cu》. ¶ 동의 kupfern; kupferrot; tüchtig sonn(en)verbrannt (피부의) / 동 세공인 Kupferschmied *m.* -(e)s, -e / 동을 함유한 kupf(e)rig; kupferhaltig; Kupfer- / 동을 입히다 verkupfern[4]; mit Kupfer verkleiden.

동가(同家) die gleiche Familie, -n.

동가(同價) derselbe Preis, -es, -e.

동가리톱 Schrotsäge *f.* -n.

동가식서가숙(東家食西家宿) Landstreicher *m.* -s, -; Vagabund *m.* -en, -en; rastloser, ruheloser, umhergetriebener Mensch, -en, -en.

동각(同角) Gleicheck *n.* -(e)s, -e. ¶ ~의 gleich|eckig (-winklig).

동갈민어 〖어류〗 Hausenblase *f.* -n.

동갈하다(恫喝—) bedrohen; ein|schüchtern; ins Bockshorn jagen.

동감(同感) ① 《같은 감정》 Nachempfindung *f.* -en; das Nachfühlen*, -s; Sympathie *f.* -n [..tíːən]. ~하다 *jm.* [4]*et.* nach|fühlen (-|empfinden*). ¶ 이 작품에는 실로 ~할 수 있다 Ich kann diese Dichtung sehr gut nachempfinden. ② 《같은 의견》 Übereinstimmung *f.* -en; Zustimmung *f.* -en 《*zu*[3]》; dieselbe Meinung (Ansicht) -en. ¶ ~이다 derselbe Meinung sein; überein|stimmen 《*mit*[3]》 / 그 점에 대해서는 모두 ~이었다 Sie waren alle darüber einer Meinung.

동갑(同甲) dasselbe* Alter, -s, -; das gleiche Alter; e-e Person (Personen) desselben Alters (des gleichen Alters); Altersgenosse *m.* -n, -n. ¶ ~이다 in demselben (gleichem) Alter sein; gleich alt sein / 그는 나와 ~이다 Er ist eben so alt wie ich. | Er ist (steht) in m-m Alter. / 그들은 모두 한 ~이다 Sie sind alle Altersgenossen.

동갓 〖식물〗 e-e Art Senf 《*m.* -(e)s, -e》.

동강 Stück *n.* -s, -e; Teil *m.* -s, -e; Stummel *m.* -s, - (꽁초, 양초 따위의); Kerzenstummel (Zigarren-). ¶ ~나다 in Stücke gehen* (fallen*) ⓢ / ~(을) 치다 in Stücke schneiden* / 딱 두 ~나 mitten entzwei; gerade in zwei Teile auseinander gerissen (zerrissen) / 연필이 두 ~나다 Der Bleistift wird in zwei Stücke zerbrochen. / 막대를 세 ~으로 자르다 den Stock in drei Stücke schneiden*.

‖ ~치마 der kurze Rock, -(e)s, ⸚e; Minirock *m.* -(e)s, ⸚e.

동강동강 in Fetzen; in Stücken; fragmentarisch; zerbrochen; zerstückelt. ¶ 막대를 ~ 자르다 den Stock in Fetzen schnitzen/ 엿이 ~ 부러지다 Reis-Zuckerwerk wird in Stücken gebrochen.

동개 der Köder e-s Bogens.

‖ ~살 der mit großen Federn versehene Pfeil. ~철 e-e Art metallischer Streifen zur Verstärkung der Zapfenfuge des schwingenden Tors. ~활 ein rückwärts mit dem Köder gleich tragender Bogen -s, ⸚.

동갱(銅坑) Kupferwerk *n.* -(e)s, -e.

동거(同居) das Zusammenwohnen*, -s; das Zusammenleben*, -s. ~하다 zusammen|-wohnen 《*mit*[3]; *bei*[3]》; zusammen|leben 《*mit*[3]; *bei*[3]》; bei *jm.* wohnen; in e-m (demselben) (od. im gleichen) Haus wohnen 《*mit*[3]》; unter e-m Dach wohnen 《*mit*[3]》. ¶ 난 아저씨와 ~하고 있다 Ich wohne (lebe) mit meinem Onkel zusammen. | Ich wohne bei meinem Onkel.

‖ ~인 Hausgenosse *m.* -n, -n; 《세든 사람, 하숙인》 Insasse *m.* -n, -n; Mitbewohner *m.* -s, -; Kostgänger *m.* -s, -; Mieter *m.* -s, -; Pensionär *m.* -s, -e: ~인을 두다 ein Zimmer vermieten.

동거리 eisernes Stück an der Spitze der Pfeife.

동거리(同距離) die gleiche Entfernung, -en; der gleiche Abstand, -(e)s, ⸚e (간격). ¶ ~의 gleichweit entfernt; abstandsgleich; in gleicher Entfernung.

동격(同格) 《자격의》 der gleiche Rang, -(e)s, ⸚e; der gleiche Stand, -(e)s, ⸚e; Ebenbürtigkeit *f*; Gleichheit *f.*; 〖문법〗 Apposition *f.* -en. ¶ ~의(으로) ebenbürtig; gleichgestellt; gleichwertig (동가치); gleichberechtigt; ranggleich; vom gleichen Rang; 〖문법〗 appositionell. ¶ ~이다 gleich[3] sein; gleich|kommen*[3] ⓢ; gewachsen[3] sein; in Apposition stehen* 《*mit*[3]》 / 그는 나와 ~이다 Er steht auf gleicher Stufe mit mir.

‖ ~명사 das appositionelle Substantiv (Nomen) -s, -e. ~어 das appositionelle Wort, -(e)s, ⸚er.

동결(凍結) das Gefrieren*, -s; das Einfrieren*, -s; das Zufrieren*, -s. ~하다 frieren* ⓢ; gefrieren* ⓢ; ein|frieren* ⓢ; zu|frieren* ⓢ (강 등이); zu Eis werden; erstarren (비유). ¶ ~시키다 zum Gefrieren bringen* (물을); erfrieren* lassen* (생물을); tief kühlen (음식을); sperren; blockieren (자금 따위를); erstarren (schaudern) machen (비유) / ~을 해제하다 《은행》 einen Scheck gültig machen; ein Konto zugänglich machen / 자금을 ~하다 das Kapital blockieren (einfrieren lassen*).

‖ ~자산 eingefrorenes Kapital, -s, -e (-ien). (해외) 자산~ das Einfrieren des Vermögenbetrags (im Ausland). 임금 ~정책 Lohnstoppmaßnahme *f.* -n.

동경(東經) östliche Länge 《생략: ö.L.》. ¶ ~180 도 die internationale Datumsgrenze, -n / ~15 도 20 분 fünfzehn Grad zwanzig Sekunden östlicher [2]Länge 《생략: 15°20′ ö.L.》 / 베를린은 ~ 13도 지점에 있다 Berlin liegt unter 13° östlicher Länge.

동경(銅鏡) kupferner Spiegel, -s, -.

동경(憧憬) Sehnsucht *f.* ⸗e; das Sehnen*, -s; das Verlangen*, -s; das Streben*, -s; Anbetung *f.* -en; Verehrung *f.* -en. ～하다 ⁴sich sehnen《*nach*³》; schmachten《*nach*³》; verlangen《*nach*³》; an|beten; trachten (streben)《*nach*³》; verehren; bewundern. ¶ ～의 대상 der Gegenstand der Anbetung / 영화 배우를 ～하다 e-n Filmschauspieler bewundern / 고국을 ～하다 ⁴sich nach dem Vaterland sehnen / 은근히 ～하다 geheimlich ersehnen.

동경이(東京—) Schwänzchen-Hund *m.* -(e)s, ⌈-e.

동계(冬季) Winter *m.* -s, -; Winterzeit *f.* -en. ‖ ～방학, ～휴가 Winterferien《*pl.*》. ～올림픽 die Olympischen Winterspiele《*pl.*》: 차기(次期) ～올림픽 개최지는 오스트리아의 인스부르크로 예정되어 있다 Die nächsten Olympischen Winterspiele sollen in Innsbruck in Österreich stattfinden.

동계(同系) ¶ ～의 verwandt《*mit*³》; stammverwandt《*mit*³》; versippt; zugehörig³; von demselben Clan《*m.* -s, -e (-s)》; von demselben Stamm《*m.* -(e)s, ⸗e》.
‖ ～회사 Tochter¦gesellschaft (Schwester-) *f.* -en; Zweiggesellschaft; Unterlieferant *m.* -en, -en (하청 회사).

동계(動悸) Herz¦klopfen *n.* -s, - (-pochen *n.* -s, -; -schlag *m.* -(e)s, ⸗e). ～하다 heftig klopfen; unregelmäßig schlagen*; schnell pochen; schlagen*. ¶ ～가 심하다 sein Herz klopft (pocht; schlägt) heftig.

동고동락하다(同苦同樂—) in Glück und Unglück zusammen|halten*.

동고리 ein kleiner, runder Weidenkorb, -(e)s, ⸗e.

동고비 〖조류〗 Spechtmeise *f.* -n; Kleiber ⌈*m.* -s, -.

동곳 Haarspange *f.* -n; Haarpfeil *n.* -(e)s, -e; Haarnadel *f.* -n. ¶ ～을 꽂다 die Haarnadel in den Haarknoten befestigen.

동공(瞳孔) Pupille *f.* -n; Augenstern *m.* -(e)s, -e.
‖ ～막 die pupillarische Membrane, -n. ～반사 Pupillenreflex *m.* -es, -e. ～축소 Pupillenverengung *f.* -en. ～확대 Pupillenerweiterung *f.* -en.

동공이곡(同工異曲) ¶ ～이다 das gleiche in anderer Aufmachung《*f.*》sein.

동공이체(同工異體) gleichmäßige Vorzüglichkeit in der Geschicklichkeit trotz der Verschiedenheit in Stil.

동관(同官) Kollege *m.* -n, -n.

동광(銅鑛) 〖광산〗 Kupferbergwerk *n.* -(e)s, -e; 《광석》 Kupfererz *n.* -es, -e; Rohkupfer *n.* -s, -.
‖ 황～ Kupferkies *m.* -es, -e.

동구(東歐) Osteuropa *n.* -s.

동구(洞口) Dorfeingang *m.* -(e)s, ⸗e.

동국(同國) dasselbe (das gleiche) Land, -(e)s, ⸗er. ‖ ～인 Landsmann *m.* -(e)s, ..leute; Nations¦genosse (Volks-) *m.* -n, -n.

동국(東國) Morgenland *n.* -(e)s, ⸗er; östliches Land, -(e)s, ⸗er; Korea.

동굴(洞窟) Felsenhöhle *f.* -n; Grotte *f.* -n. ¶ ～에 사는 사람(짐승) Höhlenbewohner *m.* -s, - / ～을 탐험하다 höhlenforschen.
‖ ～예술 Höhlenkunst *f.* ⸗e. ～탐험가 Höhlenforscher *m.* -s, -. ～학 Höhlenwissenschaft *f.* -en: ～학자 Höhlenwissenschaftler *m.* -s, -.

동궁(東宮) 《세자》 Kronprinz *m.* -en, -en; 《세자궁》 das Schloß des Kronprinzen. ¶ ～전하 Seine Königliche Hoheit der Kronprinz.

동권(同權) gleiches Recht, -(e)s, -e; Gleichberechtigung *f.*; 《법률상의》 Isonomie *f.* -n; die Gleichheit vor dem Gesetz.
‖ 남녀～ die Gleichberechtigung beider ²Geschlechter《*pl.*》(von Mann u. Frau): 남녀 ～주의 Frauenrechtlertum *n.* -s, ⸗er / 남녀 ～주의자 Frauenrechtler *m.* -s, -.

동그라미 ① 《원》 Kreis *m.* -es, -e; Ring *m.* -(e)s, -e; Rund *n.* -(e)s, -e; Zirkel *m.* -s, -; 《고리》 Schlinge *f.* -n; Schleife *f.* -n; Null *f.* -en(영). ¶ ～를 그리다 e-n Kreis zeichnen (beschreiben*; schlagen*; ziehen*) / ～로 두르다 umringen⁴; ein|kreisen; 《ein Wort》 mit e-m Kreis ein|schließen* / 담배 연기로 ～를 만들어 뿜다 e-e kräuselnde Rauchwolke (Rauchwindung) blasen* / 옳은 말에 ～를 치시오 Ziehen Sie e-n Kreis um das richtige Wort. ② 《돈의 속어》 das liebe Geld; das Nötige*, -n; Moneten《*pl.*》.
‖ ～표 Kreiszeichen *n.* -s, -.

동그라지다 ⁴sich überschlagen*; ⁴sich umkehren; ⁴sich im Fallen um ⁴sich selbst drehen. ¶ 미끄러져 나가 ～ schlüpfen und dann sich überschlagen*.

동그랑쇠 ① 《굴렁쇠》 Reif *m.* -(e)s, -e; Ring *m.* -(e)s, -e. ② ＝삼발이.

동그랗다 rund; kreisförmig; kugelförmig; kugelrund; 〖수학〗 sphärisch; Rund-; Kreis-(sein). ¶ 동그란 모양의 것 Rund *n.* -(e)s, -e; runde Gestalt, -en / 동그란 지붕 Kuppel *f.* -n; Dom *m.* -(e)s, -e; Gewölbe *n.* -s, - / 동그란 얼굴 rundes Gesicht, -es, -er / 동그란 눈 runde Augen《*pl.*》.

동그만이 ① 《홀로》 abgesondert; getrennt; einzeln; allein; einsam; einzig. ② 《홀가분히》 leicht; ohne Schwierigkeit.

동그스름하다 rundlich; etwa rundlich (sein). ¶ 동그스름한 얼굴 rundliches Gesicht.

동글납대대하다 rundlich u. flach (sein).

동글납작하다 rundlich u. flach (sein). ¶ 동글납작한 얼굴 rundliches, flaches Gesicht, -(e)s, -e / 떡을 동글납작하게 만들다 Reiskuchen rundlich und flach machen.

동글다 ☞ 둥글다.

동글동글 ① 《도는 모양》 rund herum. ¶ ～돌다 ⁴sich rund herum|drehen / 바람개비가 ～ 돌아간다 Die Wetterfahne dreht sich. ② 《여러 모양이》 rundlich. ～하다 rund; kreisrund; zirkelrund; kugelrund (sein). ¶ ～한 조약돌 runder Kieselstein, -(e)s, -e / ～한 눈깔사탕 runde Art Bonbon.

동글반반하다 rundlich und flach (sein).

동글붓 der Schreibpinsel mit der kreisförmigen Spitze.

동급(同級) ① 《학급의》 dieselbe*(die gleiche) Klasse (Schulklasse) -n. ② 《동등》 Gleichheit *f.*; derselbe (der gleiche) Rang (Stand) -(e)s, ⸗e. ‖ ～생 Klassen¦genosse *m.* -n, -n (-kamerad *m.* -en, -en). ～회 Klassenversammlung *f.* -en.

동긋하다 rundlich; kreisförmig (sein).

동기(冬期) ＝동계(冬季).

동기(同氣) Geschwister《*pl.*》. ¶ ～간(間) geschwisterliche Verwandtschaft, -en / ～간의 우애 geschwisterliche Zuneigung, -en (Liebe) / ～간이다 Geschwister sein.

동기(同期) dieselbe (die gleiche) Periode, -n; derselbe (der gleiche) Jahrgang, -(e)s, ⸗e; 〖전기〗 Synchronismus *m.* -, ..men; 《학교의》

dieselbe (die gleiche) Klasse (Schulklasse) -n. ¶ ~의 von demselben (vom gleichen) Jahrgang; von derselben (von der gleichen) Periode / …와 ~다 zeitlich zusammen|fallen*[s] 《mit³》…/우린 대학 ~다 Wir waren in derselben (der gleichen) Klasse an der Universität. / 작년 ~에 비하여 물가가 싸다 Im Vergleich mit (zu) demselben Zeitabschnitt des letzten (vorigen) Jahres liegen (stehen) die Preise niedrig.

‖ ~생 Klassenkamerad *m.* -en, -en; Schulkamerad *m.* -en, -en; Klassengenosse *m.* -n, -n; der (die) Graduierte* 《-n, -n》 in demselben (im gleichen) Jahrgang.

동기(動機) Motiv *n.* -s, -e; Beweggrund *m.* -(e)s, ¨e 《zu³; für⁴》; Anlaß *m.* ..sses, ..lässe 《zu³》; Antrieb *m.* -(e)s, -e; Triebfeder *f.* -n; Ursache *f.* -n. ¶ 행위(범죄)의 ~ das Motiv e-r Tat (e-s Verbrechens) / 불순한 ~ gemischtes Motiv; Hintergedanke *m.* -ns, -n / ~가 나쁜 schlecht motiviert / …이 ~가 되어 angetrieben 《von³》; angereizt 《von³》; 〖동기를 주어로 하여〗 Anlaß geben* 《zu³》; e-n Ansporn geben* 《zu³》; herbei|führen; verursachen / … 일의 ~는 이렇다 Die Ursache liegt darin, daß… / 그의 범행의 (주된) ~는 아직 밝혀지지 않았다 Der Beweggrund (Das Hauptmotiv) für s-e Übeltat ist noch unbekannt. / 그 사람이 그런 행동을 하게 된 ~는 질투 때문이었다 Neid war die Triebfeder s-s Handelns. / 그가 어떠한 ~로 그런 짓을 했을까 Aus welchen Motiven heraus mag er das getan haben? / 그의 ~는 좋다 Seine Absichten sind gut. ‖ ~론 〖윤리〗 Motivismus *m.*

동기(童妓) ein kleines *Gisaeng*-Mädchen; das erstmal auftretende *Gisaeng.*

동기(銅器) Kupfergerät *n.* -(e)s, -e; Kupfergeschirr *n.* -(e)s, -e; Kupferware *f.* -n; Bronzewaren 《*pl.*》; Bronze *f.* -n (총칭).

‖ ~시대 〖역사〗 Bronzezeitalter *n.* -s, -; Bronzezeit *f.* -en; Kupferzeitalter *n.* -s.

동끊기다 ① 《동안이》 e-e Verbindung ab|brechen*. ② 《뒤가》 die Zufuhr ab|schneiden*.

동나다 knapp werden 《mit³》; aus|gehen*[s]; alle werden (sein); zu Ende sein; erschöpft (ausgeschöpft) werden; 《상품이》 ausverkauft; nicht mehr auf Lager sein; nicht mehr vorrätig. ¶ 여름 모자가 벌써 동났다 Sommerhüte sind schon ausverkauft. / 휘발유가 동났다 Benzin ist alle geworden (ausgegangen). | Es wird knapp an Benzin.

동나무 das mit dem Bündel verkaufende Brennholz.

동남(東南) Südosten *m.* -s; Südost *m.* -(e)s 《생략: SO》. ¶ ~의 südöstlich; Südost- / ~으로 südostwärts; nach Südosten.

‖ ~동 Ostsüdosten; Ostsüdost 《생략: OSO》. ~아시아 Südostasien. ~풍 südöstlicher Wind, -(e)s, -e; Südost 《생략: SO》. ~향 Südosten (Südost) gegenüber.

동남아(東南亞) Südostasien *n.* -s.

‖ ~조약 기구 SEATO [◀*S*outh *E*ast *A*sia *T*reaty *O*rganization =Südostasiatischer Verteidigungspakt].

동내(洞內) innerhalb des Dorfes; das ganze Dorf. ¶ 온 ~가 뒤집히다 das ganze Dorf in Aufruhr geraten* (kommen*).

동냥 ① 《구걸》 Bettel *m.* -s; Bettelei *f.* -en; das Betteln*, -s. ~하다 betteln; betteln 《um⁴》; das Bettelbrot essen*; vom Bettelbrot leben; betteln gehen*[s]. ¶ ~다니다 betteln gehen*[s]. ② 《주는 금품》 Spende *f.* -n; Almosen *n.* -s, -; Scherflein *n.* -s, -; Trinkgeld *n.* -(e)s, -er (수고한 값); Bettelgeld *n.* -(e)s, -er(거지에게 주는). ¶ ~을 주다 Almosen (Spenden) geben* / ~을 받다 Almosen (Spenden) nehmen*.

‖ ~자루 Bettelsack *m.* -(e)s, ¨e. ~중 Bettelmönch *m.* -(e)s, ¨e; ein bettelnder (buddhistischer) Priester, -s, - (불교의). ~질 Bettel *m.* -s; Bettelei *f.* -en; das Betteln*, -s: ~질하다 betteln 《um⁴》; das Bettelbrot essen*; betteln gehen*[s]; auf Almosen angewiesen sein; von mildtätigen Spenden (Almosen) leben.

동냥아치 ein Bettler (, der versucht, den Schein zu wahren); Bettelmönch *m.* -(e)s, -e. ¶ ~ 쪽박 깨진 셈 in Verlegenheit *js.* Warenbestand verloren gegangen sein.

동네(洞—) *js.* Dorf *n.* -(e)s, ¨er. ¶ 큰 ~ ein größeres Dorf / 작은 ~ Dörfchen *n.* -s, -/ ~ 어귀에서 am Eingang des Dorfs / ~ 사람 Dorfbewohner *m.* -s, -; das ganze Dorf (전체) / ~ 어른 der Ältere eines Dorfes / ~ 색시 믿고 장가 못 든다 《속담》 Das täuschte *js.* Erwartung.

동넷집(洞—) ein Haus im Dorf; Nachbarhaus *n.* -es, ¨er.

동년(同年) 《같은 해》 dasselbe* (das gleiche) Jahr, -(e)s. ¶ ~에 in demselben (im gleichen; dem nämlichen) Jahr; 《동갑》 dasselbe* (das gleiche) Alter, -s. ¶ ~의 gleichaltrig; gleichjährig.

‖ ~배(輩) Altersgenosse *m.* -n, -n: 그들은 ~배이다 Sie sind gleich alt. / 그는 나와 ~배이다 Er steht (ist) in m-m Alter.

동녘(東—) Osten *m.* -s; Ost *m.* -(e)s. ¶ ~이 밝아온다 Der Tag bricht an. | Der Morgen dämmert (kommt). | Es dämmert im Osten.

동단(東端) das östliche Ende, -s, -n.

동당거리다 ☞ 둥덩거리다.

동당이치다 ① 《세게 내던지다》 weg|werfen*; verschlendern; schlendern. ¶ 홧김에 재떨이를 ~ vor Zorn den Aschenbecher weg|werfen*. ② 《그만두다》 im Stich lassen*; auf|geben*. ¶ 일을 중도에 ~ *js.* Arbeit auf halbem Wege liegen* / 일자리를 ~ *js.* kleine Arbeit im Stich lassen* / 지위를 ~ *js.* offizielle Stellung im Stich lassen* / 학교를 ~ von der Schule ab|gehen*; die Schule verlassen*.

동당치기 e-e Art Hasardspiel (mit Karten).

동닿다 ① 《조리가》 angemessen sein; mit ³*et.* überein|stimmen; zu ³*et.* stimmen; ³*et.* reimen; ³*et.* zusammen|passen; genau passend sein; logisch sein; zusammenhängend sein; vernünftig sein. ¶ 동닿는 말 vernünftige (logische; zusammenhängende; gereimte) Äußerung / 동 닿지 않는 말 unvernünftige (unlogische; unzusammenhängende; ungereimte; törichte) Äußerung / 이야기가 ~ *js.* Äußerung vernünftig sein / 그것은 동닿지 않는 이야기다 Die Äußerung ist nicht logisch. ② 《이어지다》 nach|einander|folgen; auf|einander|folgen; hinter|einander|folgen.

동대다 ① 《제때에》 rechtzeitig kommen*; in guter Zeit sein. ¶ 학비를 다달이 동대서 보내다 Geld für das Studium monatlich senden(*). ② 《안 끊어지게》 aushilflich sein; als Notbehelf dienen; ⁴sich behelfen*. ¶ 이

쌀을 가지고는 제철까지 겨우 동댈 수 있겠다 Mit diesem Reis kann man bis zur nächsten Erntezeit kümmerlich aus|kommen*. ③ 《조리 맞춤》 mit ³et. in Einklang bringen*; folgerichtig machen; plausibel machen. ¶ 이야기를 ~ e-e ⁴Erzählung plausibel machen.

동도(同道) ~하다 jn. begleiten 《nach³》; jm. das Geleit geben*; mit|gehen* ⓢ; jn. mit|nehmen* (데리고 가다). ☞ 동행(同行).

동독(東獨) Ostdeutschland n. -(e)s; Ostzone f.; 《정식으로는》 Deutsche Demokratische Republik 《생략: DDR》.

동동¹ =둥실둥실.

동동² auf- und niederspringend (auf- und ab-; hin- und her-). ¶ 추워서 발을 ~ 구르다 vor Kälte auf- und ab|springen* / 발을 ~ 구르며 분해하다 vor Ärger auf|stampfen.

동동거리다 auf- u. nieder|springen* (auf|- u. ab|-; hin|- u. her|-). ¶ 추워서 발을 ~ vor Kälte auf|- u. nieder|springen* / 돈을 어서 달라고 발을 ~ Er verlangt zu viel dafür, ihm Geld zu geben*.|Er drängt durch anhaltende Bitten dafür, ihm Geld zu geben*.

동등(同等) 《평등》 Gleichheit f.; Gleichberechtigung f.; Gleichstellung f.; Ebenbürtigkeit f.; Parität f.; 《지위가》 Gleichstellung; der gleiche Rang, -(e)s; der gleiche Stand, -(e)s, ⸚e; der gleiche Dienstgrad, -(e)s, -e; 《수준이》 Gleichheit; 《동일》 Einheit f. -en; Identität f. -en. ~하다 gleich³ sein; gleichförmig sein; gleichwertig sein 《an³》; gleichmäßig sein; gleichen*³; gleich|kommen*³ ⓢ; gewachsen³ sein; gleichberechtigt sein; ebenbürtig sein; par sein; auf gleichem Fuß stehend; gleichgestellt sein. ¶ ~한 권리 gleiche Rechte 《pl.》 / ~한 입장에서 auf gleichem Fuß stehend / ~하게 gleich; in gleicher Weise; in gleichem Maße; ebenso; gleichgestellt / ~하게 대우하다 gleich behandeln 《jn.》; gleich|stellen; ohne Unterschied behandeln 《jn.》 / ~하게 하다 gleich|machen 《mit³》; gleich|stellen 《mit³》; aus|gleichen* 《mit³》; auf gleiche Stufe (Höhe; Tiefe) bringen* 《mit³》; nivellieren⁴; über e-n Kamm scheren*.

동떨어지다 weit entfernt 《von³》 (weit weg 《von³》; abgelegen 《von³》; entlegen 《von³》; sehr verschieden 《von³》; stark od. sehr abweichend 《von³》) sein. ¶ 동떨어진 weit entfernt; abgelegen; entlegen; sehr verschieden; stark (sehr) abweichend / 도시에서 동떨어진 마을 ein abgelegenes (entlegenes) Dorf / 동떨어진 소리 e-e nicht zur Sache gehörige Bemerkung; e-e unsinnige Rede / 동떨어지게 비싼 값 unsinnig hohe Preise 《pl.》 / 나는 아주 동떨어진 곳에서 살고 있다 Ich wohne ganz am Ende der Welt. / 그의 의견은 내 생각과는 아주 동떨어진다 S-e Meinung weicht stark von m-n Ansichten ab.

동뜨다 ① 《뛰어나다》 überlegen; außerordentlich; außergewöhnlich; viel besser (sein). ¶ 동뜨게 ober; höher; vorzüglich; vortrefflich(er); erhaben; ausnahmsweise; außerordentlich / 독일어를 동뜨게 잘하다 deutsch ausgezeichnet (vortrefflich; außerordentlich) sprechen* / 재간이 ~ außerordentliche Anlage (Talent) zu ³et. haben. ② 《사이가 뜨다》 den Zwischenraum (Abstand; Zeitraum) haben; längeres Intervall haben als sonst. ¶ 두 동네 사이가 ~ ein Dorf von dem andern Abstand halten* / 밤이 늦어 버스가 ~ Es ist zu spät in der Nacht, darum erscheint Bus in langen Zwischenraum.

동락(同樂) Mitfreude f. -n; Mitgenuß m. ..nusses, ..nüsse.

동란(動亂) Aufruhr m. -(e)s, -e; Aufstand m. -(e)s, ⸚e; Empörung f. -en; Erhebung f. -en; Meuterei f. -en; Tumult m. -(e)s, -e. ¶ ~이 일어나다 in Aufruhr geraten* (kommen*) ⓢ; 《동란을 주어로 하여》 aus|brechen* / ~을 일으키다 ⁴et. in Aufruhr bringen* (versetzen); e-n Aufstand erregen; ⁴sich empören* (erheben*) 《gegen⁴》 / ~을 진압하다 den Aufruhr unterdrücken (beruhigen; dämpfen; ersticken).

‖한국~ der Korea-Krieg; der Aufruhr in Korea.

동량지재(棟樑之材) der Begabte*, -n, -n; der Pfeiler des Staates.

동력(動力) 〚기계〛 Triebkraft f. ⸚e; 〚역학〛 die dynamische (treibende; wirkende) Kraft; Kinetik f.; 〚물리〛 Moment n. -(e)s, -e. ¶ ~으로 움직이는 기계 kraftgetriebene Maschine, -n / ~을 공급(供給)하다 《e-e Stadt, Fabrik》 mit Elektrizität (elektrische Kraft; Starkstrom) versorgen.

‖~계(計) Kraftmesser m. -s, -. ~공급 Kraftversorgung f. -en; 〚전기〛 Stromversorgung. ~사정 der Zustand (Umstand) des Kraftstroms. ~선 Kraftstromlinie f. -n. ~자원 die Hilfsquelle (das Hilfsmittel) des Kraftstroms. ~학 =동역학.

동렬(同列) dieselbe (die gleiche) Reihe, -n; derselbe (der gleiche) Rang (Stand) -(e)s, ⸚e. ¶ …와 ~에 두다 in dieselbe* (die gleiche) Kategorie (Klasse) ein|ordnen; auf gleiche Stufe (Höhe; Tiefe) bringen* / 그는 다른 사람과 ~에 놓을 수 없다 Man kann ihn unmöglich den anderen an die Seite stellen.

동록(銅綠) Grünspan m. -(e)s, ⸚e. ¶ ~이 슬다 grün rosten.

동뢰연(同牢宴) Hochzeitsschmaus m. -es, ⸚e.

동료(同僚) Kollege m. -n, -n; Genosse m. -n, -n; Amtsgenosse; Gefährte m. -n, -n; Gesellschafter m. -s, -; 《동지》 Kamerad m. -en, -en.

동류(同類) ① 《같은 종류》 die gleiche Art, -en; die gleiche Klasse, -n; die gleiche Sorte, -n; die gleiche Kategorie, -n; der (die; das) Gleiche*, -n. ¶ ~의 der gleichen ²Art (²Klasse) / …와 ~다 der gleichen ³Art (³Klasse) an|gehören 《mit³》; in der gleichen Kategorie sein 《wie》 verbündet (verwandt) sein 《mit³》.
② 《한패》 Komplice m. -n, -n; der Mitschuldige*, -n, -n; Mittäter m. -s, -; Helfershelfer m. -s, -; Spießgeselle m. -n, -n; Bande f. -n; Rotte f. -n; Meuter m. -s, -. ¶ 그도 ~임에 틀림없다 Er muß einer der Gesellschafter sein.

‖~의식 〚심리〛 Gattungsbewußtsein n. -s: ~의식설 Theorie (Lehre) vom Gattungsbewußtsein. ~항 〚수학〛 das ähnliche (gleiche) Glied, -es, -er.

동리(洞里) Dorf n. -(e)s, ⸚er. ¶ ~ 사람들 Dorfbewohner m. -s, -; das ganze Dorf (전체) / 이웃 ~ Nachbardorf n. -(e)s, ⸚er/

큰 ~ das große Dorf, -(e)s, ⸚er.
동마루 〖건축〗 Grat *m.* -(e)s, -e.
동막이하다(垌—) ein|deichen; ein|dämmen.
동매 Strohseil *m.* -(e)s, -e (-er).
동맥(動脈) 〖해부〗 Arterie *f.* -n; Pulsader *f.* -n; Schlagader *f.* -n; Verkehrsader *f.* -n(교통의). ¶ ~의 arteriell / ~이 경화하다 Die Arterie verkalkt. / 경부선은 한국의 ~이다 Die *Gyeongbu*-Linie ist die Verkehrsader.
‖ ~경화증 〖의학〗 Arterienverkalkung *f.* -en; Arteriosklerose *f.* ~관 Pulsader *f.* -n. ~류(瘤) Pulsadergeschwulst *f.* ⸚e; Schlagadergeschwulst. ~염 Arteritis *f.*; Pulsaderentzündung *f.* -en. ~절개 Pulsaderöffnung *f.* -en. ~학 Pulsaderlehre *f.* -n. ~혈 Arterienblut *n.* -(e)s. ~혈화 Arterienblutbildung *f.* -en. 대~ Aorta *f.* ..ten; Hauptader *f.* -n; Hauptschlagader.
동맹(同盟) Bund *m.* -(es), ⸚e; Bündnis *n.* ..nisses, ..nisse; Pakt *m.* -(e)s, -e; Union *f.* -en; Verband *m.* -(es), ⸚e; Allianz *f.* -en; Entente *f.* -n. ~하다 e-n Bund ein|gehen* [h.s]; ⁴sich verbünden; ein Bündnis (e-n Pakt) schließen* 《*mit*³》; ⁴sich allieren. ¶ …와 ~하여 verbündet sein 《*mit*³》; im Bündnis sein 《*mit*³》 / ~을 맺다 ⁴sich verbinden*; ein Bündnis (e-n Pakt) schließen* 《*mit*³》.
‖ ~국 der Allierte*, -n, -n(개별); 《총칭》 die Verbündeten*; die Allierten*; Bundesgenosse *m.* -n, -n. ~군 die allierte Armee, -n; Bundestruppen 《*pl.*》; die verbündeten Streitkräfte 《*pl.*》 (총칭). ~제국(諸國) Bundesgenossenschaft *f.* -en. ~조약 Bundesvertrag *m.* -(e)s, ⸚e. ~태업(怠業) der Massenstreik für die Verlangsamung. ~휴교 Schülerstreik *m.* -(e)s, -s; Universitätsstreik; Schulstreik: ~휴교하다 in den Schülerstreik treten* [s]. 공수~ Schutz- und Trutzbündnis *n.* 군사~ Militärbündnis *n.* 금주~ Abstinenzverein *m.* -(e)s, -e. 삼국~ Dreibund *m.*; Dreierpakt *m.*; Dreimächtepakt *m.*
동맹파업(同盟罷業) (Massen)streik *m.* -(e)s, -s; Ausstand *m.* -(e)s, ⸚e. ~하다 streiken; in den Ausstand treten* [s].
‖ ~자 die Streikenden* 《*pl.*》.
동메달(銅—) kupferne Medaille, -n. ¶ ~보유자 Inhaber 《*m.* -s, -》 der kupfernen Medaille.
동면(冬眠) Winterschlaf *m.* -(e)s; Überwinterung *f.* -en; Hibernation *f.* -en. ~하다 Winterschlaf halten*; überwintern.
‖ ~동물 Winterschläfer *m.* -s, -. ~장소 Überwinterungsort *m.* -(e)s, -e.
동명(同名) derselbe* (der gleiche) Name, -ens, -n.
‖ ~이물(異物) Homonym *n.* -s, -e; gleichlautendes Wort, -(e)s, ⸚er. ~이인(異人) Namensbruder *m.* -s, ⸚; Namensschwester *f.* -n; Namensvetter *m.* -s, -n: 착각하셨군요, ~이인일 뿐이에요 Das war nicht der richtige. Er ist nur der Namensbruder von ihm (Sie ist nur die Namensschwester von ihr).
동명(洞名) der Name des Dorfs (Dorfgemeinde; *Dong*).
동명사(動名詞) 〖문법〗 Gerundium *n.* -s, ..dien. ¶ ~의 gerundial.
동명태(凍明太) ☞ 동태(凍太).
동무 《친구》 Freund *m.* -(e)s, -e; Genosse *m.* -n, -n; Kamerad *m.* -en, -en; Gesellschaft *f.* -en(교우); Kreis *m.* -es, -e(회원). ~하다 ³sich *jn.* zum Freund machen. ¶ 길~ Reisegefährte *m.* -n, -n / 낚시~ der Begleiter zum Angeln / 한반 ~ Schulfreund *m.* -es, -e; Schulkamerad *m.* -en, -en; der Mitschüler derselben Klasse / 말~ Gesprächspartner *m.* -s, - / 말~하다 mit *jm.* sprechen* / 길~하다 mit|reisen; *jn.* begleiten; *jm.* folgen; mit *jm.* gehen* / ~가 되다 Freund werden / ~가 없다 freundlos sein; einsam sein / 장사하는 데 ~가 없다 In Geschäftsfragen gibt es keine Freundschaft.
동무장사 mit einem geschäftliche Verbindung. ~하다 ⁴sich mit einem geschäftlich verbinden* (assoziieren); gemeinsam handeln.
동문(同文) der gleichlautende Satz, -es, ⸚e; dieselbe* Satzform, -en; die gleichlautende Handschrift (Urschrift) -en; das gleichlautende (gleiche) Original (Manuskript) -s, -e. ¶ ~의 편지를 두 통 내다 e-e Mitteilung in zwei Exemplaren schicken (senden*) / 이하 ~ und so weiter 《생략: usw.》; und so fort 《생략: usf.》; und dergleichen (mehr) 《생략: u. dgl. (m.)》.
‖ ~동종(同種) der gleichlautende Satz; derselbe (der gleiche) Stamm; dieselbe (gleiche) Rasse. ~전보 das Mehrfachtelegramm, -(e)s, -e; das identische Telegramm *n.* ~통첩 die identische Note, -n.
동문생(同門生) Schulkamerad *m.* -en, -en; Mitschüler *m.* -s, -; Lehrlinge unter der Aufsicht desselben Meisters; die von dem gleichen Lehrer Ausgebildeten 《*pl.*》.
동문서답(東問西答) faselhafte Antwort, -en; keine zusammenhängende Antwort, -en. ~하다 zu der Frage in keiner Beziehung stehen*; faseln; ohne Zusammenhang die Antwort geben*. ¶ 자네 말은 전혀 ~이군 Was du sagst, ist ohne Beziehung.
동문수학하다(同門受學—) unter demselben Lehrer mit|studieren.
동물(動物) Tier *n.* -(e)s, -e; lebendes Wesen, -s, -; Lebewesen *n.*; Tierwesen *n.*; 《들짐승》 Vieh *n.* -(e)s; Bestie *f.* -n; Biest *n.* -es, -er (총칭). ¶ ~의 tierisch / ~을 기르다 (길들이다) Tiere auf|ziehen* (züchten; zähmen) / ~을 애호하다 gegen Tiere (zu Tieren) freundlich sein / 사람을 ~ 취급하다 e-e Person wie ein Biest behandeln.
‖ ~계 Tierreich *n.* -(e)s, -e; Tierwelt *f.* -en. ~관(館) Tierhaus *n.* -es, ⸚er. ~구조학 Tierphysik *f.*; Zoophysik *f.* ~매매 Tierhandel *m.* -s, ⸚. ~보호법 Tierschutzgesetz *n.* ~보호소 Tierheim *n.* -(e)s, -e; Tierasyl *n.* -s, -e. ~사육 Tierzucht *f.* ~사회학 Tiersoziologie *f.* ~상(相) 〖생물〗 Fauna *f.* ..nen; Tierwelt *f.* -en; Tierbeschreibung *f.* -en; Zoographie *f.* -n. ~숭배 Tieranbetung *f.* -en; Tierkult *m.* -(e)s, -e; Tierkultus *m.* -, ..te; Zoolatrie *f.* -n: ~숭배자 Tieranbeter *m.* -s, -. ~실험 Tierversuch *m.* -(e)s, -e: ~ 실험을 하다 e-n Tierversuch machen; e-n Versuch mit Tieren machen. ~심리학 Tierpsychologie *f.* ~애호 Tierschutz *m.* -es; Freundlichkeit zu Tieren (gegen Tiere): ~애호가 Tierfreund *m.* -es, -e / ~애호 협회 Tierschutzverein *m.* -s, -e. ~원 Tiergarten *m.* -s, ⸚; Tierpark *m.*

-s, -e (-s); Zoologischer Garten; Zoo *m.* -(s), -s. **~우화** Tierfabel *f.* -n. **~유(油)** Tieröl *n.* -(e)s, -e. **~이야기** Tiergeschichte *f.* -n. **~적 본능** Tierinstinkt *m.* -es, -e. **~적 수성(獸性)** Sinnlichkeit *f.*; Lebenstrieb *m.* -(e)s, -e. **~적 욕망** tierische Gelüste《*pl.*》. **~전설** Tiersage *f.* -n. **~지(誌)** = 동물상(相). **~지리** Tiergeographie *f.* **~질** Tierstoff *m.* -(e)s, -e. **~학** Zoologie *f.* -n; Tierkunde *f.* -n; Tierbeschreibung *f.* -en. **~학대** Tierquälerei *f.*: ~학대 방지회 =동물 애호 협회 / ~학대자 Tierquäler *m.* -s, -. **~학자** Zoologe *m.* -n, -n; Tierkenner *m.* -s, -; der Tierkundige*, -n, -n. **~해부학** Zootomie *f.* **고등~** die höheren Tiere《*pl.*》. **국가적~, 정치적~, 사회적~** Zoon Politikon *n.* -s. **육식~** Raubtier *n.* -s, -e; Fleischfresser *m.* -s, -; ein fleischfressendes Tier *n.* **초식~** Pflanzenfresser *m.*; ein Pflanzenfressendes Tier *n.* **태생(胎生)~** Viviparen《*pl.*》; ein vivipares (lebendgebärendes) Tier. **포유~** Säugetier *n.* **하등~** die niedrigeren Tiere.

동물성(動物性) Tierheit *f.* -en; Animalismus *m.* -; Animalität *f.*; Tiernatur *f.* -en; Lebenstrieb *m.* -(e)s, -e; Sinnlichkeit *f.*
‖ **~기름** das tierische (animalische) Fett; Tieröl *n.* -(e)s, -e. **~단백질** Tierprotein *n.* -s, -e; Tiereiweißkörper *m.* -s, -. **~섬유** Tierfaser *f.* -n. **~식물(食物)** =동물성 음식. **~음식** Fleischernährung *f.* -en. **~제품** tierische Produkte《*pl.*》. **~지방** das tierische (animalische) Fett.

동민(洞民) Bewohner《*m.* -s, -》 e-s Stadtteils; Gemeindebürger *m.* -s, -; Dorfbewohner *m.* -s, -; Stadtleute《*pl.*》; Dorfschaft *f.* -en.
‖ **~대회** Bewohnerversammlung《*f.* -en》 e-s Stadtteils.

동바 Strick *m.* -(e)s, -e; Leine *f.* -n.

동바리 〚건축〛 Sprieße *f.* -n; Auflager *n.* -s, -; Pfosten *m.* -s, -; Hängesäule *f.* -n.

동박새 〚조류〛 (der japanische) Brillenvogel, -s, ⁻.

동반(同伴) Begleitung *f.* -en; Gesellschaft *f.* -en; Zusammensein *n.* -s; Gefolge *n.* -s; Geleit *n.* -(e)s, -e; Geleite *n.* -s, -. **~하다** begleiten《*jn.*》; geleiten《*jn.*》; Gesellschaft leisten《*jm.*》; mit|gehen* ⓢ; mit|kommen* ⓢ; zusammen|gehen* ⓢ; zusammen|kommen* ⓢ; *jn.* bringen*《*nach*[3]》; das Geleit(e) geben*《*jm.*》; mit|nehmen* (데리고 가다). ¶ …를 ~하여 in Begleitung《*js.*》; in Gesellschaft mit *jm.* / 그는 처자를 ~하고 왔다 Er kam mit Weib u. Kind. ¦ Er hat s-e Frau u. Kinder mitgebracht. / 나는 내 친구를 잠시 ~하였다 Ich begleitete meinen Freund ein Stück Wegs.
‖ **~자** Begleiter *m.* -s, -; Geleiter *m.* -s, -; Gefährte *m.* -n, -n; Gesellschafter *m.* -s, -;《여자》 Begleiterin *f.* -nen; Geleiterin *f.*; Gefährtin *f.*; Gesellschafterin *f.* **~자살** ein gemeinsamer Freitod, -(e)s; Doppelselbstmord, *m.* -(e)s; Selbstmord e-r ganzen [2]Familie(전가족이): ~자살하다 zusammen [4]Selbstmord begehen*; [3]sich gemeinsam das Leben nehmen*.

동반구(東半球) die östliche Hemisphäre, -n.

동발 ☞ 동바리.

동방(東方) Osten *m.* -s; Ost *m.* -(e)s; die östliche Richtung, -en; Orient *m.* -(e)s. ¶ ~에 im Osten / ~으로 ostwärts; nach Osten (hin); gegen Osten / ~으로 도주하다 (in der Richtung) nach Osten fliehen* ⓢ / 빛은 ~으로부터 Das Licht kommt aus Osten. ¦ *Ex oriente lux.*《라틴》/ ~에서 온 세 박사들 die drei Weisen* aus dem Morgenlande.
‖ **~정책** Ostpolitik *f.*

동방(東邦) Morgenland *n.* -es, ⁻er; Korea *n.* -s.

동방(洞房) 《침실》 Schlafzimmer *n.* -s, -; Nebenzimmer *n.* -s, -;《화촉 동방》 Brautbett *n.* -(e)s, -en.
‖ **~화촉** Trauungsfeierlichkeit *f.* -en.

동방구리 dickbäuchiger Krug, -(e)s, ⁻e.

동배 auf der Jagd jedem seine Aufgabe abzuteilen.

동배(同輩) Kamerad *m.* -en, -en; Schul¦kamerad (Spiel-) *m.* -en, -en; (Studien)genosse *m.* -n, -n; Kommilitone *m.* -n, -n (대학에서); Kollege *m.* -n, -n; der Gleichstehende*, -n, -n. ¶ 이 사람은 ~중에서 뛰어났다 Dieser Mann hat nicht seinesgleichen.

동백(冬柏) 〚식물〛 Kamelie *f.* -n.
‖ **~기름, ~유** Kamelienöl *n.* -(e)s, -e. **~꽃** Kamelie *f.*; Kamelienblüte *f.* -n. **~나무** Kamelie *f.*; Kamelienpflanze *f.* -n.

동병(同病) dieselbe Krankheit, -en. ¶ ~상련(相憐)하다 Leidensgenossen haben Mitleid miteinander.

동병(動兵) militärische Mobilmachung, -en. **~하다** mobilisieren.

동복(冬服) Winteranzug *m.* -(e)s, ⁻e; Winterkleidung *f.* -en; die winterliche Kleidung *f.*;《여성의》 Winterkleid *n.* -(e)s, ⁻er;《학생의》 Winterjacke *f.* -n.

동복(同腹) von derselben Mutter geborene Kinder. ¶ ~의 von derselben Mutter geboren.
‖ **~누이** Halbschwester *f.* -n. **~동생** Halbbruder *m.* -s, ⁻. **~형제** Halbgeschwister《*pl.*》; Geschwister von der Mutterseite.

동복(童僕) Page *m.* -n, -n; junger livrierter Bote, -n, -n Hotelbursche *m.* -n, -n.

동봉(同封) Anlage *f.* -n; Beilage *f.*; Einlage *f.* Beischluß *m.* ..lusses, ..lüsse; Beipack *m.* -(e)s, -e. **~하다** bei|fügen; bei|legen; bei|schließen*. ¶ ~한 anbei; an|liegend; beiliegend; beigeschlossen; beigepackt; in der Anlage; als Beilage / ~한 편지 ein beiliegender Brief, -(e)s, / ~하여 unter Beischluß von [3]*et.* / ~하여 보내다 anliegend schicken (senden*) / 자세한 견적서를 ~합니다 Genaue Beschreibung liegt bei. / 견본을 ~하겠읍니다 Anbei folgt ein Muster. / 사본을 ~합니다 Wir fügen e-e Abschrift bei. (상용문에서) / 사진을 ~하오니 받아 주시기 바랍니다 Beiliegend erhalten Sie ein Foto. / ~한 서면으로 아실 줄 믿습니다 Aus der Anlage werden Sie ersehen, daß....
‖ **~물** Einlage *f.*; Anlage *f.*; Beilage *f.*; Beischluß *m.*; Beipack *m.* **~서류** Anlage *f.*; Beilage *f.*; Einlage *f.*

동부 《광저기의 씨》 reife Erbse, -n.
‖ **~고물** zermalmte Erbse, -n. **~묵** Erbsenteig *m.* -(e)s, -e

동부(東部) der östliche Teil, -(e)s,-e; die östliche Gegend, -en; Osten *m.* -s. ¶ ~에 im Osten; im östlichen Teil; in der östlichen

Gegend / ~로 가다 nach ³Osten gehen* (fahren*) ⓢ.
‖ ~전선 Ostfront *f*. -en.
동부동(動不動) unfehlbar; ganz gewiß.
동부새(東—) Ostwind *m*. -(e)s, -e; Ost *m*. -es, -e.
동부인(同夫人) der Ausgang mit s-r Frau. ~하다 mit s-r Frau aus|gehen* ⓢ (kommen* ⓢ); s-e Frau mit|nehmen*; s-e Frau begleiten; von s-r Frau begleiten; in Begleitung s-r Frau kommen* ⓢ; von s-r Frau begleitet werden. ¶그는 ~했다 Er ging mit s-r Frau aus.
동북(東北) Nordosten *m*. -s; Nordost *m*. -(e)s 《생략: NO》. ¶ ~의 nordöstlich / ~으로 nach (gegen) Nordosten; nordostwärts.
‖ ~동 Ostnordosten *m*.; Ostnordost *m*. 《생략: ONO》. ~지방 nordöstliche Provinzen (Bezirke) 《*pl*.》. ~풍 Nordost; Nordostwind *m*. -(e)s, -e. ~향 Nordostlage *f*.
동분모(同分母) gleiche Benennung, -en. ¶분수를 ~로 약분하다 Brüche auf gleiche Benennung bringen*.
동분서주(東奔西走) das Hin- u. Herlaufen*, -s; Lauferei *f*. -en; Dichten u. Trachten, des - und -s; das Bestreben*, -s; Anstrengung *f*. -en; Tätigkeit *f*. -en. ~하다 hin und her laufen* ⓢ; von ³Ort zu ³Ort (von e-r ³Stelle zur anderen; überall herum; von Pontius zu Pilatus) laufen* ⓢ; immer (viel) unterwegs sein; auf den Beinen sein; ⁴sich bestreben (an|strengen; bemühen) 《⁴*et*. zu tun》; ³sich Mühe geben*; es ³sich Mühe kosten lassen*; ins Geschirr (Zeug) gehen* ⓢ; ⁴sich ins Geschirr (Zeug) legen; ³sich ⁴*et*. an gelegen sein lassen*; ⁴sich betätigen; ⁴sich tüchtig beschäftigen (befassen) 《*mit*³》. ¶그는 국사(정치일)로 ~한다 Er betätigt sich in den Staatsangelegenheiten (politisch).
동빙(凍氷) das Gefrieren*, -s. ~하다 (ge-) frieren*; erstarren.
동사(同事) derselbe (der gleiche) Beruf, -(e), -e; dasselbe (das gleiche) Geschäft, -(e)s, -e. ~하다 ⁴sich mit *jm*. geschäftlich verbinden* (assoziieren).
동사(凍死) Erfrierung *f*.; das Erfrieren*, -s. ~하다 erfrieren* ⓢ.
‖ ~자 der Erfrorene*, -n, -n.
동사(動詞) 〖문법〗 Verbum *n*. -s, ..ba; Verb *n*. -s, -en; Tätigkeitswort *n*. -(e)s, ⸗er; Zeitwort *n*. -(e)s, ⸗er. ¶ ~의 verbal; zeitwörtlich / ~의 변화 (활용) Konjugation *f*. -en / ~를 변화 (활용)시키다 ein Verbum (Verb) konjugieren.
‖ 강변화~ starke Verben (Zeitwörter) 《*pl*.》. 규칙~ regelmäßige Verben (Zeitwörter). 복합~ zusammengesetzte Verben (Zeitwörter). 분리~ trennbare Verben (Zeitwörter). 분리 비분리~ bald trennbare, bald untrennbare Verben (Zeitwörter). 불규칙~ unregelmäßige Verben (Zeitwörter). 비분리~ untrennbare Verben (Zeitwörter). 비인칭~ unpersönliche Verben (Zeitwörter). 약변화~ schwache Verben. 인칭~ persönliche Verben (Zeitwörter). 자~ das intransitive Verb(um) (Zeitwort). 재귀~ das reflexive Verb(um) (Zeitwort). 정(형)~ das konjugierte Verb(um) (Zeitwort). 조~ Hilfszeitwort *n*.; Hilfsverb *n*. 타~ das transitive Verb(um) (Zeitwort). 혼합변화~ gemischte Verben (Zeitwörter).
동사무소(洞事務所) Dorfamt *n*. -(e)s, ⸗er.
동산 Garten *m*. -s, ⸗; (Erd)hügel *m*. -s, -; (An)höhe *f*. -n; der kleine Berg, -(e)s, -e; Erhebung *f*. -en (구릉).
‖ ~바치 Gärtner *m*. -s, -.
동산(動産) 〖법〗 Mobilien 《*pl*.》; Mobiliar *n*. -s, -e; die bewegliche (fahrende) Habe; bewegliches Vermögen, -s, -; bewegliches Eigentum, -s, ⸗er; Mobiliarvermögen *n*.
‖ ~반환 소송 Eigentumsklage *f*. -n. ~보험 Mobiliarversicherung *f*. -en. ~ 상속인 Mobiliarerbe *m*. -n, -n. ~신용 Mobiliarkredit *m*. -(e)s, -e; Mobilienkredit *m*. ~압류 Beschlagnahme *f*. -n: ~압류하다 beschlagnahmen. ~은행 Hypothekenbank *f*. -en. ~재단 《파산자의》 Mobiliarmasse *f*. -n. 유체 (무체) ~ körperliche (unkörperliche) Mobilien 《*pl*.》.
동산(銅山) Kupferbergwerk *n*. -(e)s, -e.
동살 〖건축〗 der Längsriegel des Gitterwerks.
동살(東—) der erste Lichtstrahl, -(e)s, -en; schwacher Strahl der Dämmerung. ¶ ~잡히다 es dämmert; es tagt.
동삼삭(冬三朔) Wintermonat *m*. -es, -e; drei winterliche Monate 《*pl*.》.
동상(同上) desgleichen; wie oben; detto; dito; ditto.
동상(凍傷) das Erfrieren*, -s; Erfrierung *f*. -en; Frost *m*. -es, ⸗e; 《상처》 Frostbeule *f*. -n; Frostschaden *m*. -s, -. ¶ ~에 걸리다 erfrieren* ⓢ; Frost|beulen (-schaden) bekommen* / ~에 걸린 erfroren; vom Frost beschädigt / 발이 ~에 걸리다 ³sich die Füße erfrieren*.
‖ ~경고(硬膏) Frostpflaster *n*. -s, -. ~방지약 Frostschutzmittel *n*. -s, -. ~약 Frostmittel *n*. ~연고 Frostsalbe *f*. -n. ~자 der Frostbeulen Bekommene*, -n, -n; Erfrierung *f*. -en.
동상(銅像) Bronzestatue *f*. -n; Bronzefigur *f*. -en; e-e Figur aus Bronze. ¶ ~을 세우다 e-e ⁴Bronzestatue errichten 《*jm*.》.
동상례(東床禮) Hochzeitsmahl im Brauthaus nach dem Hochzeitstag.
동색(同色) ① 《빛깔》 dieselbe (die gleiche) Farbe, -n. ② 《당파》 Parteimitglied *n*. -(e)s, -er; Parteigenosse *m*. -n, -n.
동색(銅色) Kupferfarbe *f*. -n. ¶ ~의 kupferfarben; kupferfarbig; kupferrot.
‖ ~인(人) Rothaut *f*. ⸗e; Indianer *m*. -s, -. ~인종 rote Rasse, -n.
동생(同生) 《남동생》 der jüngere (kleine) Bruder, -s, ⸗; 《여동생》 die jüngere (kleine) Schwester, -n; 《남동생과 여동생》 die jüngeren Geschwister 《*pl*.》.
동생공사(同生共死) ~하다 das gleiche Schicksal mit dem andern teilen. ¶우리는 모두 ~의 운명이다 Wir sind alle in gleicher Lage.
동서(同書) dasselbe (das gleiche) Buch, -(e)s, ⸗er (Werk, -(e)s, -e). ¶ ~에서(의) ebenda (selbst) 《생략: ebd.》; ibidem 《생략: ibid; ibd.; ib.》.
동서(同棲) das Zusammenleben* (Beisammenwohnen*) -s; Kohabitation *f*. -en; die wilde Ehe, -n (야합); Beischlaf *m*. -(e)s. ~하다 〔mit³과 함께〕 zusammen|leben; beisammen|wohnen; kohabitieren; Tisch u. Bett teilen; in wilder Ehe leben; bei|-

schlafen*. ¶두 사람은 눈이 맞아 ～ 생활을 하고 있다 Die beiden leben in wilder Ehe.
‖～생활 wilde Ehe, -n; das Beisammenwohnen*; Beischlaf *m.* -(e)s; Geschlechtsverkehr *m.* -s, -e. ～자 《남자》 Beischläfer *m.* -s, -; Bettgenosse *m.* -n, -n; Schlafgefährte *m.* -n, -n; Schlafkamerad *m.* -en, -en; Schlafgenosse *m.* -n, -n; Schlafgeselle *m.* -n, -n; 《여자》 Beischläferin *f.* -nen; Bettgenossin *f.*; Schlaf|gefährtin (-kameradin; -genossin; -gesellin) *f.* -nen.

동서(同壻) ① 《처가 쪽의》 Schwestermann s-r Frau. ② 《시집의》 Brudersfrau ihres Manns.

동서(東西) 《동과 서》 Ost u. West *m.* -(e)s; Osten u. Westen *m.* -s; 《동서양》 Orient u. Okzident *m.* -(e)s; Morgenland u. Abendland *n.* -(e)s. ¶ ～70 마일 etwa 70 Meilen von Osten zu Westen / ～를 막론하고 ob im Osten od. im Westen; auf der ganzen Welt; über die ganze Welt / ～고금을 막론하고 zu allen Zeiten u. in allen Ländern; immer u. überall / ～로 흐르다 durch Osten u. Westen hindurch fließen* / ～도 분간 못하다 weder (nicht) aus noch ein wissen*; k-n Rat wissen*; ³sich (s-m Leibe; s-s Leibes) keinen Rat wissen* / ～간의 긴장을 완화하다 die Spannungen (gespannten Beziehungen) zwischen Osten und Westen entspannen.
‖～남북 die vier Himmelsgegenden 《*pl.*》; die Kardinalpunkte 《*pl.*》; Ost, West, Nord u. Süd *m.* -(e)s.

동석(同席) das Beisammensitzen*, -s; das Beisammensein*, -s. ～하다 beisammen|sitzen*; beisammen|sein*; beieinander (gemeinschaftlich) an e-m Ort (an demselben Tisch) sitzen* 《*mit*³》. ¶나도 ～했다 Ich war auch in Gesellschaft. / 그 사람과는 ～하고 싶지 않다 Ich will (mag) nicht zusammen sein mit ihm. | Ich will (mag) nicht in Gesellschaft sein mit ihm.
‖～자 die Anwesenden* 《*pl.*》

동석(凍石) Seifenstein *m.* -(e)s, -e.

동선(同船) dasselbe (das gleiche) Schiff, -(e)s, -e; Mitfahrt *f.* -en. ～하다 mit (in) demselben Schiff fahren* 《*mit jm.*》 [s]; mit (in) dem gleichen Schiff fahren* 《*mit jm.*》 [s]; mit|fahren* 《*mit*³》 [s]; dasselbe (das gleiche) Schiff nehmen*.
‖～자 Mitfahrer *m.* -s, -; Fahrtgenosse *m.* -n, -n; Mitpassagier *m.* -s, -e; Reisegefährte *m.* -n, -n; der Mitreisende*, -n, -n; Schiffskamerad *m.* -en, -en.

동선(銅線) Kupferdraht *m.* -(e)s, ⸚e.

동설(同說) dieselbe (die gleiche) Theorie, -n (Meinung, -en; Ansicht, -en); diese (jene) Theorie (Meinung; Ansicht). ¶ ～이다 dieselbe (die gleiche) Theorie (Meinung; Ansicht) haben (hegen); derselben (der gleichen) Meinung (Ansicht) sein; *js.* Meinung (Ansicht) teilen; überein|stimmen 《*mit*³》.

동성(同性) 《성질》 Gleichartigkeit *f.*; Geistesverwandtschaft *f.*; 《성(性)》 dasselbe (das gleiche) Geschlecht, -(e)s, -er; Homosexualität *f.* -en. ¶ ～의 homosexuell, gleichgeschlechtlich; 《같은 성질의》 gleichartig; geistesverwandt.
‖～연애 die homosexuelle Liebe; Homosexualität *f.* -en; 《여성간의》 lesbische Liebe; Sapphismus *m.* -; Tribadie *f.* -n; Tribadismus *m.* -; 《남성간의》 Sodomie *f.* -n; Sodomiterei *f.* -en; Uranismus *m.* -; Urningsliebe *f.*; Urningismus *m.* -: ～연애의 homosexuell; lesbisch; sodomitisch; urnisch.

동성(同姓) derselbe (der gleiche) Familienname (Zu-; Sippen-) -ns, -n
‖～동명 derselbe (der gleiche) Vor- u. Familienname; derselbe (der gleiche) Tauf- u. Familienname (Zuname; Sippenname). ～동본 derselbe (der gleiche) Familienname (Zuname; Sippenname) u. dieselbe (die gleiche) Herkunft, ⸚e. ～명 derselbe (der gleiche) Name. ～인 Namensbruder *m.* -s, ⸚; Namensvetter *m.* -s, -n; 《여자》 Namensschwester *f.* -n.

동세공(銅細工) Kupferarbeit *f.* -en.
‖～인 Kupferschmied *m.* -(e)s, -e.

동소(同所) 《같은 (그) 장소》 derselbe (der gleiche) Ort (Platz) -es, -e; 《같은 (그) 대목》 dieselbe (die gleiche) Stelle, -n. ¶ ～에서 《같은 (그) 장소》 an demselben (am selben; am gleichen) Ort (Platz); 《같은 (그) 대목》 an derselben (an der selben; an der gleichen) Stelle.

동소체(同素體) 〖화학〗 Allotropie *f.* -.

동수(同數) dieselbe Zahl, -en. ¶ ～의 gleichzahlig; von derselben Zahl; so viele wie / 이것과 ～다 Es ist ebensoviel wie das.

동숙(同宿) das Mitbewohnen*, -s. ～하다 in demselben (dem gleichen) Haus wohnen; 《호텔》 in demselben (dem gleichen) Hotel wohnen (bleiben* [s]) 《*mit*³》; 《하숙》 in demselben (dem gleichen) Logierhaus (Gasthof) ein|kehren.
‖～인 《하숙의》 Zimmernachbar *m.* -s, -n; Hausgenosse *m.* -n, -n; 《호텔의》 Mitbewohner *m.* -s, -; Insasse *m.* -n, -n.

동승(同乘) Mitfahrt *f.* -en; Mitflug *m.* -(e)s, ⸚e; das Mitreiten*, -s; Zusammenfahrt *f.* -en; das Zusammenflug *m.*; das Zusammenreiten*, -s. ～하다 mit|fahren* [s]; mit|fliegen* [s]; mit|reiten* [s]; zusammen|fahren* [s]; zusammen|fliegen* [s]; zusammen|reiten* [s]; 《우연히》 zufällig mit|fahren* (mit|fliegen*; mit|reiten*) [s]; zufällig sein 《*in*³; *auf*³》; 《편승》 per (auf; mit) Anhalter fahren* (reisen; trampen) [s]. ¶우연히 같은 열차 (자동차)에 ～하게 되다 zufällig denselben Zug (Wagen) nehmen* / 같은 선실에 ～하다 die Kabine teilen 《*mit*³》.
‖～객 Mitfahrer *m.* -s, -; der Mitreisende*, -n, -n. ～자 Insasse *m.* -n, -n; der Mitfahrende*, -n, -n; Sozius *m.* -, -se (오토바이의); Beifahrer *m.* -s, - (자동차나 오토바이의 동승자, 동승 운전 조수); Beobachter *m.* -s, - (비행기의 동승 조종사). ～좌석 Nebensitz *m.* -es, -e; Soziussitz *m.* (오토바이의).

동시(同時) Gleichzeitigkeit *f.* -en; Simultaneität *f.* -en; Simultanität *f.* -en; Synchronismus *m.* -, ..men; Gleichlauf *m.* -(e)s, ⸚e. ¶ ～의 gleichzeitig; simultan; synchron(istisch); 《병발적》 gleichlaufend.
‖～녹음 Synchronismus *m.*; Synchronisation *f.* -en; Synchronisierung *f.* -en: ～녹음하다 synchronisieren / ～녹음의 synchronistisch. ～발생 Synchronismus *m.*; Synchronisierung *f.*; Gleichzeitigkeit *f.*: ～발생의 synchronistisch. ～방송 〖라디오·텔레비전〗 Simultansendung *f.* -en; Simultanübertragung *f.* -en: ～방송하다 simul-

tansenden*; simultanübertragen.* ～성 Gleichzeitigkeit *f.*; Simultaneität *f.*; Simultanität *f.* ～작업 〔조업〕 Simultanbetrieb *m.*-(e)s, -e. ～통역《행위》das Simultandolmetschen* -s; 《사람》 Simultandolmetscher *m.* -s, -: ～통역하다 simultan 〔gleichzeitig〕 dolmetschen[4].

동시(同視) ① 《동일시》 Gleichsetzung *f.* -en. ～하다 gleich|setzen; als gleich an|sehen*. ② 《같은 대우》 gleichartige Behandlung *f.* -en. ～하다 gleichartig behandeln; nicht unterscheiden.

동시(凍屍) die Leiche 《-n》 durch Erfrieren; erfrorene Leiche.

동시(童詩) Kinderlied *n.* -(e)s, -er; Kindervers *m.* -es, -e.

동시대(同時代) dieselbe 〔die gleiche〕 Zeit, -en 〔Periode, -n; Generation, -en〕; dasselbe 〔das gleiche〕 Zeitalter, -s, -. ¶ ～의 zeitgenössisch; von demselben 〔vom gleichen〕 Zeitalter; gleichzeitig / ～의 작가 der Dichter von demselben 〔vom gleichen〕 Zeitalter / 괴테와 실러는 ～의 작가들이었다 Goethe u. Schiller waren die Dichter von demselben Zeitalter. | Der Dichter Goethe lebte in demselben Zeit mit Schiller.

‖ ～인 Zeitgenosse *m.* -n, -n; Altersgenosse *m.*; Mitwelt *f.* -en; Generation *f.* (한 시대의 사람들).

동시에(同時—) gleichzeitig 《*mit*[3]》; in derselben Zeit; zu gleicher Zeit; zugleich; zur selben Zeit 《wie》. ¶ 그 영화는 서울과 부산에서 ～ 상영된다 Der Film wird gleichzeitig in Seoul u. Pusan gezeigt werden. / 모두 ～ 일어섰다 Sie alle standen zugleich auf. / 동이 틈과 ～ 출발하였다 Geichzeitig mit dem Tagesanbruch brachen wir auf.

동식물(動植物) Tiere 《*pl.*》 u. Pflanzen 《*pl.*》; 《어느 지역·시대의》 Fauna u. Flora.

‖ ～계(界) die Tier- u. Pflanzenwelt, -en; das Tier- u. Pflanzenreich, -(e)s, -e. ～지(誌) Fauna u. Flora.

동실(同室) dasselbe 〔das gleiche〕 Zimmer, -s, -; dieselbe 〔die gleiche〕 Stube 〔Kammer〕 -n; dieses 〔jenes〕 Zimmer; diese 〔jene〕 Stube 〔Kammer〕.

‖ ～자 Zimmergenosse *m.* -n, -n.

동실동실 ☞ 둥실둥실.

동심(同心) 《같은 마음》 dieselbe Ansichten, -en; 《마음을 함께 함》 Übereinstimmung *f.* -en; Einklang *m.* -(e)s, ⸚e; Einigkeit *f.* -en; Eintracht *f.* -en. ¶ ～협력 Zusammenwirkung *f.* -en; Mitwirkung *f.* -en / ～협력하다 zusammen|wirken; einstimmig 〔einmütig〕 wirken 〔arbeiten〕 / 두 사람은 ～일체다 Sie sind beide ganz einig.

‖ ～원(圓) 〖수학〗 der konzentrische Kreis, -es, -e.

동심(童心) Kinderseele *f.* -n; Kindlichkeit *f.*; Naivität *f.*; Unschuld *f.*; die (fromme) Einfalt; das unschuldige Gemüt, -(e)s. ¶ ～으로 돌아가다 unschuldig wie ein neugeborenes Kind werden / ～을 좀먹다 ein Kind enttäuschen; die Kinderseele kränken.

동아 〖식물〗 wachsweicher Kürbis; *Benincasa hispida* (학명). ¶ ～ 속 썩는 것은 밭 임자도 모른다 《속담》 Sogar ein vertrautester Freund übersieht die Angst e-s andern.

동아(冬芽) 《싹》 Winterknospe *f.* -n; Winterauge *n.* -s, -n.

동아(東亞) Ostasien; 《동양》 Osten *m.* -s; 《극동》 der Ferne Osten, -s. ¶ ～의 ostasiatisch; fernöstlich.

동아따다 《떨어지다》 nieder|fallen*; ein|stürzen; 《떨어뜨리다》 tröpfeln; sinken*.

동아리 ① 《부분》 Teil *m.* 〔*n.*〕 -(e)s, -e; Anteil *m.* -(e)s, -e. ¶ 웃～ Oberteil *m.*〔*n.*〕 -(e)s, -e / 아랫～ Unterteil *m.* 〔*n.*〕 -(e)s, -e. ② 《무리》 Gruppe *f.* -n; Partei *f.* -en; Horde *f.* -n; Genosse *m.* -n, -n. 〔(-er).

동아줄 Strick *m.* -(e)s, -e; Seil *n.* -(e)s, -e

동안 ① 《사이》 Zwischenzeit *f.* -en; Pause *f.* -n; Zwischenraum *m.* -(e)s, ⸚e; Intervall *n.* -s, -e; Weile *f.* -n; (Zeit)spanne *f.* -n; 〖부사적〗 in[3]; für[4] 《e-e Woche, drei Tage》; während[2] 《der Ferien》; zwischen[3]. ¶ 한 주일 ～ acht Tage; (für) e-e Woche (lang) / 오랜 ～ lange; (für) lange Zeit / 잠시 ～ e-e Zeitlang; einige Zeit / 사흘 ～ drei Tage (lang) / 보름 ～ vierzehn Tage; (für) zwei Wochen / 한 달 ～ (für) e-n Monat (lang); vier Wochen / 여러 해 ～ viele Jahre (lang) / 그 ～ 20 년이라는 세월이 흘렀다 Es sind seitdem 20 Jahre vergangen. / 그 ～ 안녕하십니까 Wie geht es Ihnen, seit(dem) wir uns zum letztenmal gesehen haben? / 최근 10 년 ～에 과학은 여러 모로 눈부신 발전을 보았다 In den letzten 10 Jahren sind auf vielen Gebieten der Naturwissenschaft überraschende Fortschritte gemacht worden.

② 《...하는 동안》 während; solange; inzwischen; indessen; indes; unterdessen; unterdes; mittlerweile; einstweilen; im Lauf(e) 《[2]*et.*》; im Lauf(e) von[3]. ¶ 그가 여행하는 ～ 내가 그의 일을 맡았다 Während er verreist war, habe ich s-e Geschäft besorgt. / 대학에서 공부하는 ～ 나는 여러 가지 좋은 경험을 했다 Während ich an der Universität studierte 〔Während m-s Studiums an der Universität〕, habe ich allerei 〔allerhand〕 angenehme Erfahrungen gemacht. / 내가 없는 ～에 그는 우리 집으로 여러 차례 전화를 했다 Während ich nicht zu Hause war 〔Während m-r Abwesenheit〕, hat er bei mir mehrmals angerufen. / 내가 살아 있는 ～은 너를 도와 주겠다 Solange ich noch lebe, will ich dir helfen.

동안(童顏) das knabenhafte 〔jugendfrische〕 Gesicht, -(e)s, -er. ¶ ～의 knabenhaft 〔jugendfrisch〕 aussehend.

‖ ～노인 jugendlicher Greis, -es, -e.

동안(東岸) das östliche Ufer, -s, - (강의); die östliche Küste -n (바다의).

동안뜨다 e-n längeren Zwischenraum haben (als sonst). ¶ 요즈음은 편지 오는 것이 ～ Heutzutage erhielt ich s-n Brief in längeren Zwischenräumen. / 일요일이 되어서 버스 오는 것이 ～ Da heute Sonntag ist, kommt der Bus sehr selten. / 장사가 동안이 떠서 곤란하다 Es ist unangenehm, daß mein Geschäft so schlecht geht.

동압(動壓) dynamischer Druck *m.* -(e)s, ⸚e.

동액(同額) die gleiche (Geld)summe, -n; der gleiche Betrag, -(e)s, ⸚e.

동야(凍野) ＝툰드라.

동양(東洋) Osten *m.* -s; die östliche Welt; Orient *m.* -(e)s (주로 근동); 《아시아》 Asien *n.* -s; Morgenland *n.* -(e)s 〖Abendland에 대하여〗; Morgen *m.* -s, -. ¶ ～의 östlich; orientalisch; asiatisch; morgenländisch /

～화(化)하다 orientalisieren.

‖ ～무역 Handel 《*m.* -s》 mit Orient. ～문명 orientalische Zivilisation, -en. ～문제 orientalische 〔östliche〕 Frage. ～문학 orientalische Literatur, -en. ～문화 orientalische Kultur, -en. ～미술 orientalische Kunst, ¨e. ～사 orientalische Geschichte. ～사람 Orientale *m.* -n, -n; Orientalin *f.* -nen(여자); Asiate *m.* -n, -n; Asiatin *f.* -nen(여자); Morgenländer *m.* -s, -; Morgenländerin *f.* -nen; die Orientalen(총칭). ～사상 Orientalismus *m.* -; orientalische Gedanken 〔Ideen〕 《*pl.*》. ～어 orientalische 〔asiatische〕 Sprache, -n. ～인종 orientalische Rasse, -n. ～제국(諸國) östliche 〔asiatische; orientalische〕 Länder 〔Nationen〕 《*pl.*》. ～철학 östliche 〔asiatische; orientalische〕 Philosophie: ～ 철학자 östlicher 〔asiatischer; orientalischer〕 Philosoph, -en, -en. ～통(通) Orientalist *m.* -en, -en. ～학(學) Orientalistik *f.*: ～학의 orientalistisch / ～학자 Orientalist *m.* -en, -en. ～화(畫) orientalische Malerei, -en; orientalische Gemälde, -s, -: ～화가 orientalischer Maler, -s, -.

동어(一魚) 《숭어새끼》 Meeräschchen *n.* -s, -; 《가물치》 Schlangenhauptmeeräsche *f.* -n.

동업(同業) das gleiche 〔dasselbe〕 Geschäft -(e)s, -e; der gleiche 〔derselbe〕 Beruf 〔Geschäftszweig〕, -(e)s, -e. ～하다 Geschäfte zusammen machen 《mit^3》; ein Geschäft zusammen leiten 〔führen; betreiben*〕.

‖ ～시세, ～가격 der Preis 《-es, -e》 unter Brüdern. ～자 Berufsgenosse *m.* -n, -n; Kollege *m.* -n, -n; die zeitgenössische Zeitung, -en(신문의); unsere Kollegin, -nen(신문에서 타사를 말할 때): ～자 많은 장사 ein zusammengedrängtes Geschäft / ～자 할인 der Rabatt 〔Dinskonto; Nachlaß〕 unter Brüdern. ～조합 Berufsgenossenschaft *f.* -en; Innung *f.* -en; Gilde *f.* -n; Zunft *f.* ¨e.

동역학(動力學) Kinetik *f.* -en; Dynamik *f.* -en.

동영(冬營) Winter|lager *n.* -s 〔-quartier *n.* -s, -e〕.

동옷 =동저고리.

동요(動搖) ① 《흔들림》 das Rütteln*, -s; das Schwanken*, -s; das Schütteln*, -s; das Beben*; Erschütterung *f.* -en; das Zittern*, -s; 《배가》 das Rollen*, -s(좌우로); das Stampfen*, -s(상하로). ～하다 rütteln; schwanken; schütteln; hin u. her geworfen werden; beben; erschüttern; zittern; rollen; schlingern; stampfen; stoßen*; 《마차 등이》 stoßen*. ¶ 배의 ～ das Rollen e-s Schiff(e)s. ② 《불안》 Rastlosigkeit *f.*; Ruhelosigkeit *f.*; Unruhe *f.*; Bewegung *f.* -en; Erschütterung *f.* -en; Gemütsbewegung *f.* -en; Störung *f.* -en; Erregung *f.* -en; Aufregung *f.* -en; Aufgeregtheit *f.*; Aufruhr *m.* -(e)s, -e; Sorge *f.* -n; 《소요》 Störung *f.*; Verwirrung *f.* -en; Tumult *m.* -(e)s, -e. ～하다 beunruhigt 〔aufgeregt; verwirrt; gestört; bewegt〕 werden; schwanken. ¶ 정계의 ～ politische Unruhen 《*pl.*》 / 종교계의 ～ religiöse Unruhen 《*pl.*》 / 물가의 ～ Schwanken im Preis / 마음의 ～ Gemütsunruhe *f.* -en; Geistesverwirrung *f.* -en / 사상의 ～ Gedankenverwirrung *f.* -en / 결심에 ～가 생기다 in s-m Entschluß wankend werden / 신앙심(충성심)에 ～가 일어나다 in s-m Glauben 〔s-r Treue〕 wankend werden / 민심이 ～하고 있다 Es gärt in der Masse 〔im Volk〕. / 친구의 죽음 때문에 그의 마음은 ～했다 Der Tod des Freundes hat ihn erschüttert.

동요(童謠) Kinderlied *n.* -(e)s, -er; Kinderreim *m.* -(e)s, -e.

‖ ～극 ein Schauspiel 《*n.* -(e)s, -e》 mit Kinderliedern 〔Kinderreimen〕. ～작가 Kinderliederdichter *m.* -s, -; Kinderreimer *m.* -s, -. ～집(集) die Sammlung 《-en》 von Kinderliedern 〔Kinderreimen〕; gesammelte Kinderlieder 〔Kinderreime〕 《*pl.*》.

동우(同友) jemand, der die gleiche Gesinnung hat; jemand, der e-n Teil des Lebens 〔des Tages〕 mit *jm.* verbringt; Kamerad *m.* -en, -en; Kollege *m.* -n, -n.

동원(凍原) 〖지리〗 =툰드라.

동원(動員) Mobilisation *f.* -en; Mobilisierung *f.* -en; Mobilmachung *f* -en. ～하다 mobilisieren 《^{4}*et.*》; mobil|machen 《^{4}*et.*》; in Gang bringen*; ein|setzen (군대 등의 출동). ¶ 노동력을 ～하다 Arbeitskräfte mobilisieren 〔mobil|machen〕 / 많은 관객을 ～하다 das Haus füllen(극장에서).

‖ ～계획 Mobilmachungsplan *m.* -(e)s, ¨e. ～규정 Mobilmachungsbestimmung *f.* -en. ～령 Mobilmachungsbefehl *m.* -s, -e: ～령을 내리다 den Mobilmachungsbefehl erlassen*. ～수당 Mobilmachungszulage *f.* -n. ～해제 Demobilisation *f.* -en; Demobilisierung *f.* -en; Demobilmachung *f.* -en: ～ 해제하다 demobilisieren 《^{4}*et*》; ab|rüsten(복원하다). 물자～ die materielle Mobilmachung. 산업～ die industrielle Mobilmachung, -en. 인력～ die Mobilisation 〔Mobilisierung; Mobilmachung〕 der Menschenkräfte (〖군사〗 Menschenmaterialien). 총～ die allgemeine Mobilmachung, -en.

동월(同月) derselbe 〔der gleiche〕 Monat *m.* -(e)s, -e.

동위(同位) 《같은 직위》 der gleiche Rang 〔Stand〕 -(e)s, ¨e; die gleiche Stellung, -en; Gleichstellung *f.* -en.; 《같은 위치》 die gleiche Lage, -n; 〖수학〗 die gleiche Ziffer, -n; die gleiche Stelle, -n. ¶ ～에 있다 vom gleichen Rang 〔Stand〕 sein; gleich|stehen* 《*jm.*》.

‖ ～각 〖수학〗 der korrespondierende Winkel, -s, -. ～수(數) die Zahl von 〔mit〕 gleichen Ziffern 〔Stellen〕. ～원소 〖물리〗 Isotop *n.* -s, -e: 방사성 ～ 원소 Radioisotop *n.*; radioaktives Isotop.

동유(桐油) 〖화학〗 Tungöl *n.* -(e)s, -e.

‖ ～지(紙) Ölpapier *n.* -(e)s, -e.

동음(同音) Gleichlaut *m.* -(e)s, -e; 〖음악〗 Homophonie *f.* -n. ¶ ～의 gleichlautend.

‖ ～어, ～이의어(異義語) Homonym *n.* -s, -e; das gleichlautende Wort, -(e)s, ¨er.

동의(同義) dieselbe 〔die gleiche〕 Bedeutung, -en; derselbe 〔der gleiche〕 Sinn, -(e)s, -e; Synonymik *f.* -en. ¶ ～의 gleichbedeutend; sinnverwandt; synonym; synonymisch.

‖ ～어 Synonym *n.* -s, -e 〔..onyma〕 〖Antonym *n.*에 내해서〗; ein sinnverwandtes 〔begriffsverwandtes〕 Wort, -es, ¨er.

동의(同意) 《같은 의견》 dieselbe Meinung 〔Ansicht〕 -en; 《승인》 Einwilligung *f.* -en; Zustimmung *f.* -en; Billigung *f.* -en; Einverständnis *n.* -ses, -se; Bewilligung *f.* -en; Genehmigung *f.* -en. ～하다 zu|stimmen^3; bei|stimmen^3; s-e Zustimmung 〔Beistimmung〕 geben*^{3}; bewilligen 《*jm.*》; die

Meinung (Ansicht) teilen 《mit *jm.*》; ein|gehen*[s] 《auf ⁴*et.*》; ein|willigen 《*in*⁴》; einverstanden sein 《*mit*³》; mit *jm.* über ⁴*et.* überein|kommen*[s](의견의 일치); e-r Meinung bei|treten*[s]; derselben ²Meinung sein(같은 의견). ¶ ~를 얻다 Zustimmung (Beifall) finden* / 연방 상원 (하원)의 ~를 얻어서 mit Genehmigung des Bundesrates (Bundestags) / 그 여자는 고개를 끄덕이며 ~를 표시했다 Sie gab durch Kopfnicken ihre Einwilligung zu erkennen.¦Sie nickte ein „Ja" (zustimmend). / 나는 …라는 당신의 의견에 ~합니다 Ich stimme Ihrer Meinung bei, daß .... / 거기에 나는 도저히 ~할 수 없다 Ich kann unmöglich darauf eingehen. / 침묵은 ~를 뜻한다 Stillschweigen bedeutet Zustimmung.

‖ ~서 Genehmigungsschrift *f.* -en; Einverständniserklärung *f.* -en. ~자 Beistimmer *m.* -s, -; Billiger *m.* -s, -. 상호~ gegenseitige Übereinkunft, ⸚e.

동의(胴衣) 《동옷》 Burschenjacke *f.* -n; 《조끼》 Phantasieweste *f.* -n; farbige Weste, -n; Weste *f.* -n.

동의(動議) Antrag *m.* -(e)s, ⸚e; Vorschlag *m.* -(e)s, ⸚e(제의). ~하다 e-n Antrag auf ⁴*et.* stellen (vor|legen); ⁴*et* in Vorschlag bringen*. ¶ 아무의 ~로 auf *js.* Antrag (Vorschlag) (hin) / ~에 찬성하다 e-n Antrag unterstützen / ~를 제출하다 = ~하다 / ~를 철회하다 den Antrag zurück|nehmen* / ~가 성립하다 ein Antrag geht durch / ~를 받아들이다 e-n Antrag an|nehmen* (billigen) / ~를 표결하다 über e-n Antrag ab|stimmen / ~에 찬성 (반대) 투표하다 für (gegen) den Antrag stimmen / ~가 부결되었다 Der Antrag wurde abgelehnt (fiel). / ~는 묵살되었다 Man ließ den Antrag unter den Tisch fallen.¦Man schob den Antrag auf die lange Bank. / 휴회를 ~합니다 Ich stelle e-n Antrag auf Vertagung. / 그 ~는 만장 일치로 가결되었다 Der Antrag wurde mit Stimmeneinheit (Stimmeneinhelligkeit) angenommen.

‖ ~제출자 Antragsteller *m.* -s, -. 긴급~ Dringlichkeitsantrag *m.* -(e)s, ⸚e.

동이 Töpferwärchen *n.* -s, -.

‖ 물~ Wasserkrug *m.* -(e)s, ⸚e.

동이다 ① 《끈으로》 knüpfen⁴; binden*⁴; befestigen⁴; mit Stricken binden*⁴; 《사슬로》 an|ketten; an die Kette legen; fesseln; 《가죽으로》 zu|schnüren; mit e-m Riemen befestigen; fest verbinden*. ¶ 끈으로 짐을 ~ mit Stricken das Paket binden* / 짚단을 ~ das Stroh in Garben binden*. ② 《몸을》 fesseln; binden*; befestigen. ¶ 죄인을 포승으로 ~ den Verbrecher mit Stricken binden*.

동인(同人) ① 《동료》 verwandte Seelen 《*pl.*》; Kollege *m.* -n, -n; Amtsgenosse *m.* -n, -n. ② 《회원》 Mitglied *n.* -(e)s, -er; Mitarbeiter *m.* -s, -; der Mitbeteiligte*, -n, -n; der Mitwirkende*, -n, -n. ¶ 우리는 구인회의 ~들입니다 Wir sind Mitglieder vom *Guin* Verein.¦Wir gehören dem *Guin* Verein an. ③ 《같은 사람》 gerade der Mann (die Frau); derselbe Mann (dieselbe Frau); dieselbe Person, -en; der (die) Betreffende*, -n, -n. ~잡지 Mitgliederzeitschrift *f.* -en. 편집~ Mitredakteur *m.* -s, -e; Mitschriftleiter *m.* -s, -.

동인(動因) Motiv *n.* -s, -e; Beweggrund *m.* -(e)s, ⸚e; Grund *m.*; Ursache *f.* -n.

동인도(東印度) Ostindien. ¶ ~의 ostindisch. ‖ ~회사 die Ostindische Kompanie.

동일(同一) 《꼭같음》 Identität *f.* -en; Einförmigkeit *f.* -en; Einheitlichkeit *f.* -en; Eintönigkeit *f.* -en; Gleichartigkeit *f.* -en; 《평등》 Gleichheit *f.* -en. ~하다 identisch; gleich; derselbe (dieselbe; dasselbe) (sein); der nämliche*; ein u. derselbe*. ¶ ~하게 gleich; identisch; ohne Unterschied / 개와 늑대는 ~ 종류에 속한다 Der Hund gehört derselben Familie an wie der Wolf. / ~인이라는 사실을 밝혀야 합니다 Sie müssen sich identifizieren. / 귀결점은 ~하다 Es kommt auf dasselbe hinaus.

동일(同日) derselbe Tag, -(e)s, -e; dasselbe Datum, -s, ..ta (..ten)(날짜). ¶ 지난 달(내 달)의 ~ derselbe Tag vor e-m Monat (in e-m Monat).

동일시하다(同一視—) identifizieren⁴ 《*mit*³》; gleich|setzen⁴ 《*mit*³》; als gleich an|sehen*; gleich|stellen⁴ 《³*et.*》.

동자 Vorbereitung zum Reiskoch. ~하다 Reis kochen; Speisen für die Tafel zu|bereiten. ‖ ~아치 Hausmädchen *n.* -s, -.

동자(童子) Kind *n.* -(e)s, -er; Junge *m.* -n, -n. ‖ ~꽃 e-e Art Kranzlichtnelke; *Lychnis cognata*(학명).

동자르다 《관계를》 trennen; sondern; s-e Beziehungen zu (mit) *jm.* ab|brechen*; 《토막냄》 zerhauen*.

동자중(童子—) 〖불교〗 ein junger Mönch, -(e)s, -e; Mönchlein *n.* -s, -; der angehende buddhistische Jünger, -s, -; Altarist *m.* -en, -en; Altardiener *m.* -s, -.

동작(動作) 《움직임》 Bewegung *f.* -en; Haltung *f.* -en; das Betragen*, -s; das Benehmen*, -s; Aufführung *f.* -en; das Verhalten*, -s; das Auftreten*, -s; 《태도》 Handlungsweise *f.* -n; 《몸짓》 Gebärde *f.* -n; Geste *f.* -n; 《행위》 Handlung *f.* -en; Tat *f.* -en; Tätigkeit *f.* -en. ~하다 ⁴sich bewegen; handeln; ⁴sich benehmen*. ¶ ~이 아주 민첩하다 Er bewegt sich wie der Blitz (ein Pfeil). / 그의 ~은 원숭이처럼 민첩하다 Er bewegt sich flink u. leicht wie ein Affe. / 그의 ~은 언제나 느리다 Er tut immer nur langsam.

동장(洞長) Dorfrichter *m.* -s, -; Dorfschulze *m.* -n, -n. ⌈-s, -.

동장군(冬將軍) harter (strenger) Winter,

동저고리 Frackhemd *n.* -(e)s, -en.

동저고릿바람 Bekleidung ohne den Rock. ¶ ~으로 나다니다 in Hemdärmeln herum|gehen*.

동적(動的) dynamisch; kinetisch; bewegend. ‖ ~밀도 《인구의》 dynamische Dichte.

동전(同前) wie oben bereits erwähnt; detto.

동전(銅錢) Kupfermünze *f.* -n; Kupfergeld *n.* -(e)s, ⸚er; Kupferstück *n.* -(e)s, ⸚e. ¶ ~ 한 푼 없다 kein Geld bei *jm.* / ~ 한 푼 안 남기고 다 쓰다 alles⁴ verschwenden.

‖ ~투입구 Geldeinwurf *m.* -(e)s, ⸚e.

동전기(動電氣) 〖물리〗 dynamische Elektrizität, -en.

동절(冬節) Winterzeit *f.* -en.

동점(同點) der gleiche Punkt, -es, -e; die gleiche Punktzahl, -en; 《운동에서》 die gleiche Zensur (Note) -en(평점, 점수); das gleiche Zeugnis, ..nisses, ..nisse(학교성적);

das Unentschieden*, -s; Gleichstand *m.* -(e)s, ⸚e (운동에서); Stimmengleichheit *f.* -en; (투표의). ¶ ～이 되다 gleich|stehen* 《*mit*³》; punktgleich sein 《*mit*³》; unentschieden spielen (경기에서) / 그 경기는 3 대 3 의 ～으로 끝났다 Das Spiel (Der Kampf) blieb 3 gegen (zu) 3 unentschieden.

동점(東漸) das Vorrücken gen Osten. **～하다** gen Osten vor|rücken. ¶ 문명은 ～한다 Die Zivilisation hat die Tendenz, ostwärts vorzurücken.

‖ 서력(西力)～ das Vorrücken gen Osten der westlichen Kraft.

동정 e-e Art koreanisches Rockkragens, (der an der Saumspitze des Rocks angeheftet ist). ¶ ～을 달다 den Kragen am Rock an|heften.

동정(同情) Mitgefühl *n.* -(e)s, -e 《*für*⁴》; Mitleid *n.* -(e)s 《*mit*³》; Anteilnahme *f.* 《*an*³》; Teilnahme *f.* 《*für*⁴》; Sympathie *f.* 《*für*⁴》; das Erbarmen*, -s 《*mit*³》. **～하다** mit *jm.* (³*et.*) Mitgefühl haben; mit|fühlen⁴; mit|-empfinden⁴; mit *jm.* Mitleid haben; *jm.* Mitleid bezeigen; bemitleiden⁴; an ³*et.* Anteil nehmen*; für *jn.* Teilnahme empfinden*; mit *jm.* Erbarmen fühlen; ⁴sich *js.* erbarmen; nach|empfinden* 《*jm.*》. ¶ ～의 빛 ein Funke Mitgefühl (Mitleid) / ～의 표시로 als (zum) Zeichen der tiefen Anteilnahme / ～할 만한 mitleidenswert; bejammernswert; mitleiderregend; erbärmlich / ～하여 voll(er) Mitleid; mit tiefer Anteilnahme / ～적인, ～적으로 mitleidig; mitleidsvoll; mitfühlend; teilnahmsvoll; barmherzig / 깊은 (따뜻한) ～ tiefes (warmes) Mitgefühl (Mitleid) / ～을 받다 sein Mitgefühl (Mitleid) gewinnen* / ～을 잃다 sein Mitgefühl verlieren* / ～을 사다 Mitgefühl (Mitleid) bei *jm.* erregen (erwecken; wecken); *jn.* in Mitleidenschaft ziehen* / ～할 만하다 sein Mitgefühl (Mitleid) verdienen / 진심으로 ～하다 von ganzem Herzen (vom Herzen; mit Leib u. Seele) bemitleiden / …에 대한 ～에서 aus Mitgefühl (Mitleid) für *jn.* (⁴*et.*) / …에 대해서 ～을 표시하다 sein Mitgefühl (Mitleid) 《*für*⁴; *mit*³》 aus|drücken (aus|sprechen*)/ ～을 금치 못하겠읍니다 Ich habe ein großes Mitgefühl mit Ihnen. |Ich kann Ihnen den Schmerz sehr gut nachfühlen. / 그는 세인의 ～을 사려고 한다 Er versucht allgemeines Mitleid zu erregen.

‖ **～금** Almosen *n.* -s, -; Liebesgabe *f.* -en; die milde Gabe, -n. **～심** Mitgefühl *n.* -(e)s, -e; Mitleid *n.* -(e)s; Anteilnahme *f.*; Sympathie *f.*; das Erbarmen*, -s: ～심이 많은 mitfühlend; mitleidig; teilnehmend; anteilvoll; rücksichtsvoll / ～심이 없는 mitleid(s)los; anteillos; empfindungslos; gefühllos; dickfellig; herzlos; kaltblütig/ ～심을 자아내는 mitleiderregend; herzzerreißend; rührend; beklagenswert; elend / ～심에 호소하다 sein Mitgefühl (Mitleid) an|-rufen*⁴. **～자** der Mitfühlende*, -n, -n; Anhänger *m.* -s, -; Gönner *m.* -s, -; Freund *m.* -(e)s, -e. **～파업** Sympathiestreik *m.* -(e)s, -s (-e): ～ 파업하다 in den Sympathiestreik treten* Ⓢ / ～ 파업자 Sympathiestreiker *m.* -s, -.

동정(童貞) Keuschheit *f.*; Jungfräulichkeit *f.*; Unbeflecktheit *f.*; Unschuld *f.*; Unberührtheit *f.*; Reinheit *f.*(비유의 뜻). ¶ ～을 잃다 um s-e Keuschheit kommen*Ⓢ / ～을 지키다 ³sich s-e Keuschheit bewahren; unschuldig bleiben* Ⓢ.

‖ **～녀** Jungfrau *f.* -en; Jungfer *f.* -n.; die Heilige Jungfrau (Maria). **～설** die Geburt von der Heiligen Jungfrau (Maria).

동정(動靜) der Stand 《-(e)s》 der Dinge; Bewegungen 《*pl.*》; (Sach)lage *f.* -n; Situation *f.* -en; das Treiben*, -s; Umstände 《*pl.*》. ¶ 정계의 ～ die politische Situation; die Bewegungen in den politischen Kreisen / 적의 ～ das Verhalten (Benehmen; Tun u, Lassen) des Feindes; das, was der Feind vornimmt / ～을 알려주십시오 Lassen Sie uns wissen, wie es mit Ihnen steht (wie es sich mit Ihnen verhält).

동정서벌(東征西伐) Unterjochung von vielen Ländern. **～하다** viele Länder unterjochen.

동정호(洞庭湖) 《중국의 호수》 Tungting-hu; Tungting See.

동제(銅製) kupfernes Erzeugnis, -ses, -se.

‖ **～품** Kupferware *f.* -n.

동조(同調) 《보조 맞춤》 das Ausrichten*, -s; das Schritthalten*, -s 《*mit*³》; Ordnung *f.* -en (in Reih und Glied); 《전기·방송의》 Resonanz *f.* -en; Abstimmung *f.* -en; 〖음악〗 der gleiche Ton, -(e)s, ⸚e; die gleiche Tonart (Stimmung) -en. **～하다** ⁴sich richten 《*nach*³》; e-e Linie bilden 《*mit*³》; Schritt halten* 《*mit*³》; dasselbe tun*; ⁴sich decken 《*mit*³》; mit *jm.* im Einverständnis handeln; für *jn.* Partei nehmen* (ergreifen*).

‖ **～자** der Mitfühlende*, -n, -n; der Sympathierende*, -n, -n; Anhänger *m.* -s, -.

동족(同族) 《종족》 dieselbe* Rasse, -n; derselbe* Stamm, -(e)s, ⸚e; s-e Gattung, -en; 《동포》 Brüder 《*pl.*》; Landsmann *m.* -(e)s, -leute; 《혈족》 Blutsverwandtschaft *f.*; Sippe *f.* -n; 《일족》 dieselbe* Familie, -n.

‖ **～결혼** Endogamie *f.*; Inzucht *f.* **～번식** Inzucht *f.* **～상쟁** Bruderzwist *m.* -(e)s, -e: ～상쟁하다 in Bruderzwist geraten* Ⓢ; unter den Brüdern e-e erbitterte Feindschaft bestehen* (herrschen). **～애** Bruderlichkeit *f.*; Brüderschaft *f.* -en; Bruderliebe *f.* **～어(語)** verwandte Sprachen 《*pl.*》; Schwestersprache *f.* -n. **～회사** Familiengesellschaft *f.* -en; Schwesterfirma *f.* ..men; angegliederte Gesellschaften《*pl.*》.

동종(同種) dieselbe* (die gleiche) Art, -en, (Sorte, -n; Gattung, -en); Gleichartigkeit *f.* ¶ ～의 von derselben (der gleichen) Art (Sorte; Gattung); gleichartig; (bluts)verwandt/～의 식물 verwandte Pflanzen《*pl.*》/ 이것들은 ～에 속한다 Diese Dinge sind von derselben (der gleichen) Art.

‖ **～교배**, **～번식** 〖생물〗 Inzucht *f.*

동죄(同罪) dasselbe Verbrechen (Vergehen)* -s, -; derselbe Verstoß, -es, -e; dieselbe Sünde, -n; Mitschuld *f.*; Mittäterschaft *f.* ¶ ～가 있다 mitschuldig sein; an demselben verbrecherischen Strang gezogen haben.

‖ **～자** der Mitschuldige*, -n, -n.

동주(同舟) das Bringen an denselben (den gleichen) Bord. **～하다** an denselben (den gleichen) Bord bringen* (gehen*).

‖ 오월(吳越)～ die Gegner, die gezwungen worden sind, an denselben Bord zu gehen.

동줄기 für die Lastverbindung auf die tierische Rückseite gebrauchter Strick.

동지(冬至) Wintersonnenwende *f.* -n; Wintersolstitium *n.* -s, ..tien.

‖ ~달 der 11. (elfte) Mondmonat, -(e)s, -e. ~선(線) der Wendekreis des Steinbocks. ~섣달 der 11. (elfte) u. 12. (zwölfte) Mondmonat, -(e)s, -e; Wintermonat *m.* ~점(點) 〖천문〗 Winterpunkt *m.* -(e)s, -e. ~ 팥죽 Reisschleim mit indischen Bohnen, der um Wintersonnenwende gegessen wird.

동지(同地) derselbe Ort, -(e)s, -e; die genannte Stelle, -n.

동지(同志) ① 《한마음》 gleiche Gesinnung, -en; Geistesverwandtschaft *f.* ② 《사람》 Gesinnungsgenosse *m.* -n, -n; der Gleichgesinnte*, -n, -n; Genosse *m.*; der Verbündete*, -n, -n. ¶ ~를 규합하다 die Leute unter sein Banner zusammen|bringen* (sammeln); verwandte Seelen zusam|mentrommeln.

동질(同質) dieselbe Qualität, -en; Homogenität *f.* -en; Gleichartigkeit *f.* -en. ¶ ~의 von derselben Qualität; homogen; gleichartig; übereinstimmend; von gleicher Beschaffenheit.

동쪽(東—) Osten *m.* -s; Ost *m.* -(e)s. ¶ ~의 Ost-; östlich / ~에 im Osten; östlich von³; im Osten von³ / ~으로부터 vom Osten; von Osten / ~으로 ostwärts; nach Osten; gegen Osten / 해는 ~에서 떠서 서쪽으로 진다 Die Sonne geht im Osten auf u. im Westen unter. / 그 방은 ~으로 나 있다 Das Zimmer geht nach Osten. ¦ Das Zimmer ist nach Osten gelegen. / ~ 하늘이 밝아진다 Es dämmert (graut; lichtet sich) im Osten. / 그 항구 도시는 서울에서 약 30 마일 ~에 있다 Der Hafenstadt liegt (ist) etwa 30 Meilen östlich von Seoul entfernt.

동차(童車) =유모차.

동차식(同次式) 〖수학〗 gleichartige Formel, ⌈-n.

동착(同着) gleichzeitige Ankunft, ⸚e; gleichzeitiges Erreichen 《-s, -》 des Ziels. ~하다 gleichzeitig das Ziel erreichen.

동창(同窓) 《대학의》 Mitstudent *m.* -en, -en; Hochschulgenosse *m.* -n, -n; Universitätsgenosse *m.*; Kommilitone *m.* -n, -n; 《대학 이하》 Mitschüler *m.* -s, -; Schulgenosse *m.* -n, -n; Schulkamerad *m.* -en, -en; 《동기생》 Klassenkamerad *m.* -en, -en; der Schüler vom selben Jahrgang; 《졸업생》 früherer Schüler; alter Herr, -n, -en (대학의 남자); frühere Schülerin; alte Dame, -n (대학의 여자). ¶ 우리는 ~이었다 Wir besuchten dieselbe (die gleiche) Schule. ¦ Wir studierten an derselben Universität.

‖ ~생 ☞ 동창. ~회 《조직》 der Verein alter Kommilitonen (Mitstudenten) (대학의); der Verein alter Schulkameraden(대학 이하의); 《회합》 die Versammlung alter Kommilitonen (Mitstudenten) (대학의); die Versammlung alter Schulkameraden (대학 이하의): ~회지(誌) das Nachrichtenblatt der Schulkameraden.

동창(東窓) das östliche Fenster, -s, -.

동처(同處) derselbe (der gleiche) Ort, -(e)s, -e; dieselbe Stelle (Adresse) -n.

동천(冬天) Winterhimmel *m.* -s. ¶ ~에 뜬 달 der Mond am Winterhimmel.

동천(東天) östlicher Himmel, -s; der Himmel im Osten.

동천(洞天) bildhübscher Ort, -(e)s, -e.

동철(冬鐵) Eissporen 《*pl.*》.

동철(銅鐵) Kupfer u. Eisen.

동체(同體) dieselbe Substanz, -en; derselbe Körper, -s, -.

‖ 일심~ ein Herz u. e-e Seele: 부부는 일심 ~다 Mann u. Frau sind eins.

동체(胴體) 《조상의》 Torso *m.* -s, -s (..si); 《몸체의》 Rumpf *m.* -(e)s, ⸚e; 《비행기 따위의》 (Flugzeugs)rumpf *m.*; Körper *m.* -s, -; Leib *m.* -(e)s, -er; 《배의》 Schiffskörper *m.*; Schiffsrumpf *m.*

‖ ~착륙 Bauchlandung *f.* -en: ~ 착륙하다 bauchlanden; e-e Bauchlandung machen.

동체(動體) 〖물리〗 bewegender Körper, -s, -; 《유동체》 Flüssigkeit *f.* -en.

‖ ~사진 Photochronographie *f.* -n.

동치(同値) 〖수학〗 Gleichwertigkeit *f.* -en.

동치다 zu|binden*; zusammen|binden*; verschnüren.

동치미 gehackter u. in Salzwasser eingepökelter Rettig, -(e)s, -e.

동침(一鍼) 〖한의학〗 Akupunkturnadel *f.* -n; Akupunktur *f.* -en. ¶ ~을 놓다 Akupunktur aus|führen.

‖ ~사(師) Akupunktierer *m.* -s, -.

동침(同寢) Beiwohnung *f.* -en; Beischlaf *m.* -(e)s. ~하다 bei|wohnen 《*jm.*》; bei|schlafen*; das Bett mit *jm.* teilen; den Beischlaf aus|üben.

‖ ~자 Beischläfer *m.* -s, -(남자); Beischläferin *f.* ..innen(여자); Mitschläfer *m.* -s, -.

동태(凍太) gefrorener Pollack(Kalmück).

동태(動胎) 〖한의학〗 fötale Bewegung, -en; das Bringen zur Besinnung.

동태(動態) (Bevölkerungs)bewegung *f.* -en.

‖ ~경제 die dynamische Wirtschaft, -en. ~통계 die dynamische Statistik, -en. 인구 ~ Bevölkerungsbewegung *f.* -en. 인구~통계 Bevölkerungsstatistik *f.* -en; die Statistik der Bevölkerungsbewegung.

동통(疼痛) Schmerz *m.* -es, -en; Weh *n.* -(e)s, -e. ¶ 환자는 등에 ~이 난다고 하소연했다 Der Kranke klagte über den Rückenschmerz.

동트기(東—) Dämmerung *f.* -en.

동트다(東—) der Tag bricht an; es dämmert im Osten; der Morgen (Tag) dämmert; der Morgen tagt; es tagt; der Morgen kommt; der Tag (Morgen; Himmel) graut; es graut; es wird hell. ¶ 동틀 무렵 bei Tagesanbruch; beim Morgengrauen; bei Morgendämmerung / 동트기 전에 noch vor Tagesanbruch (Morgengrauen; Morgendämmerung).

동티 bei der Bauarbeit unterirdischen Gott in Aufregung zu bringen; ein Unglück selbst freiwillig herbeizuführen.

동티나다 ein Unglück freiwillig ins Haus herbei|führen.

동파(同派) 《유파》 dieselbe (die gleiche) Schule, -n; 《당파》 dieselbe (die gleiche) Faktion, -en; 《종파》 dieselbe (die gleiche) Sekte, -n; 《파벌》 dieselbe (die gleiche) Bande, -n.

동판(銅版) 〖인쇄〗 Kupferplatte *f.* -n; Kupferstich *m.* -(e)s, -e; der Kupferstich in Schabmanier; 《일반적》 Kupfertafel *f.* -n; Kupferblech *n.* -(e)s, -e.

‖ ~부식술(腐蝕術) Kupferätzung *f.* ~인쇄 Kupferdruck *m.* -(e)s, -e; Kupferdruckerei *f.* -en: ~인쇄업자 Kupferdrucker *m.* -s, -.

~화 Kupferstich *m.*; Kupferdruck *m.*; Kupfertafel *f.*
동패(銅牌) 《작은 것》 Kupfermedaille *f.* -n; 《큰 것》 Kupfermedaillon *n.* -s, -s.
동편(東便) die östliche Seite *f.* -n.
동포(同胞) 《형제》 Brüder 《*pl.*》; 《같은 겨레》 Mitbruder *m.* -s, ⸗; Geschwister 《*pl.*》; der Nächste*, -n, -n; Landsleute 《*pl.*》; Nationsgenosse *m.* -, -n; Volksgenosse *m.*; Mitbürger *m.* -s, -; 《인류》 Mitmensch *m.* -en, -en. ¶ 오천만 ~에게 알리노라 Ein Wort an unsere fünfzig Millionen Mitbürger!
‖ ~애 Bruderliebe *f.* -n; Brudergeist *m.* -(e)s, -e; Nächstenliebe *f.* -n; Brüderlichkeit *f.* -en; Brüderschaft *f.* -en; Mitgefühl *n.* -(e)s, -e. 사해(四海)~ Weltbürger *m.* -s, -; Kosmopolit *m.* -en, -en.
동풍(東風) Ostwind *m.* -(e)s, -e; Ost *m.* -(e)s, -e. ‖ 마이(馬耳)~ tauben Ohren zu predigen: 그것은 마이~이다 Das heißt tauben Ohren predigen.
동하다(動—) ① 《움직임》 ⁴sich bewegen; ⁴sich regen; in Bewegung sein; mobil sein. ② 《흔들림》 wanken; schwanken; wackeln; ⁴sich schütteln. ¶ 동하지 않는 마음 Gemütsruhe *f.*; Gleichmut *m.*; Seelenruhe *f.* / 동하지 않다 ⁴sich nicht leicht aufregen lassen*; unbewegt (unerschüttelt; fest) sein; nicht gerührt sein / 동하지 않고 mit stoischer Ruhe; mit Gleichmut / 그는 남의 말에 동하기 쉽다 Er ist leicht beeinflußbar./ 그는 좀처럼 동하지 않았다 Er verzog k-e Miene. / 그 정도로는 그는 동하지 않는다 So etwas rührt ihn nicht. ③ 《마음·욕심이》 ⁴sich bewegen; ⁴sich rühren; ⁴sich regen; ⁴sich neigen; geneigt sein 《*zu*³》; e-n Hang (e-e Anlage; e-e Neigen) haben 《*zu*³》; Lust haben 《*zu*³》. ¶ 구미가 ~ Appetit auf ⁴*et.* 《nach ³*et.*》 haben; nach ⁴*et.* begehren / 마음이 ~ geneigt sein 《*zu*³》; Lust haben 《*zu*³》/ 여자에게 마음이 ~ nach e-r Frau verlangen.
동학(同學) Mitschüler *m.* -s, -; Schulkamerad *m.* -en, -en; Studiengenosse *m.* -n, -n; Kommilitone *m.* -n, -n.
동항(同行) 《같은 항렬》 derselbe Grad der Verwandtschaft.
동해(東海) Ostsee *f.* -n.
동행(同行) das Zusammengehen*, -s; das Zusammenreisen*, -s; das Mitgehen*, -s; Begleitung *f.* -en. ~하다 zusammen|gehen* [s] 《*mit*³》; mit|gehen* [s]; zusammen|reisen [s] 《*mit*³》; in Gesellschaft mit *jm.* gehen* [s]; begleiten⁴; *jm.* Gefolgschaft leisten (따라가다); *jn.* mit|nehmen* (데리고 가다); 《호송》 *jn.* geleiten; ⁴*et.* bedecken; *jn.* eskortieren. ¶ 소풍에 ~하다 e-n Ausflug mit|machen / 그에게는 ~이 있었다 Er war nicht allein.
‖ ~인 Reisegefährte *m.* -n, -n; Reisegefährtin *f.* ..innen (여자); der Mitreisende*, -n, -n; Begleiter *m.* -s, -; Begleiterin *f.* ..innen (여자); Gefährte *m.*; Gefährtin *f.* (여자); Gefolgschaft *f.* -en (따라가는 사람).
동향(同鄕) dieselbe* Heimat, -en; dieselbe* Präfektur, -en (같은 도); dieselbe* Stadt, ⸗e; dasselbe* Dorf, -(e)s, ⸗er; dieselbe* Provinz, -en. ¶ 그는 나와 ~이다 Er ist mein Landsmann.| Er stammt (kommt) aus derselben Präfektur wie ich.
‖ ~인 Landsmann *m.* -(e)s, ..leute.
동향(東向) Ostlage *f.* -n; die Lage nach Osten; Ostseite *f.* -n; Ostung *f.* ~하다 nach (gegen) Osten liegen*; nach Osten gerichtet sein. ¶ ~의 nach (gegen) Osten gelegen (gerichtet) / 창문은 ~이다 Das Fenster geht (liegt) nach Osten.
‖ ~집 das nach Osten gelegene (gerichtete) Haus, -es, ⸗er. ~판 das nach Osten gelegene (gerichtete) Grundstück, -(e)s, -e.
동향(動向) Tendenz *f.* -en; Richtung *f.* -en; Strömung. *f* -en; Neigung *f.* -en; Lauf *m.* -(e)s, ⸗e. ¶ 경제계의 ~ allgemeine wirtschaftliche Tendenz (Strömung) / 사상계의 ~ allgemeine Tendenz (Strömung) der Gedankenwelt / 일반 ~ die herrschende Richtung / 이 한 가지 일로 여론의 ~을 알 수 있다 Das zeigt die allgemeine Richtung der öffentlichen Meinung.
동혈(洞穴) Höhle *f.* -n; Grube *f.* -n; Aushöhlung *f.* -en; Grotte *f.* -n; Stolle *f.* -n (옆으로 뚫린).
동형(同形) Gleichförmigkeit *f.* -n; Einförmigkeit *f.*; 〖화학〗 Isomorphie *f.* -n; Isomorphismus *m.* -. ¶ ~의 gleichförmig; gleichgestaltet; einförmig.
동형(同型) derselbe* (der gleiche) Typ, -s, -(e)n; derselbe* (der gleiche) Typus, -, ..pen; dasselbe* (das gleiche) Muster, -s, -; dasselbe* (das gleiche) Vorbild, -(e)s, -er; derselbe* (der gleiche) Schlag, -(e)s, ⸗e; dieselbe* Art, -en; dieselbe* Sorte (Schablone) -n; der ähnliche Typ (Typus); 〖속어〗 das gleiche Kaliber, -s, -. ¶ ~이다 von demselben (dem gleichen; dem ähnlichen) Typ (Typus) sein.
동호(同好) der gleiche Geschmack, -(e)s, ⸗e; die gleiche Liebhaberei, -en; das gleiche Hobby, -s, -. ~하다 den gleichen Geschmacken teilen (haben) 《*mit*³》.
‖ ~인 ein Freund 《*m.* -(e)s, -e》 vom gleichen Geschmack (Hobby; Steckenpferd); ein Freund von der gleichen Liebhaberei: 낚시 ~인 Angelfreund *m.* / 미술 ~인 Kunstfreund *m.*; Kunstliebhaber *m.* -s, - / 문학 ~인 Literaturfreund *m.* / 연극 ~인 Theaterfreund *m.* ~회 Gesellschaft *f.* -en: 음악 ~회 die Gesellschaft der Musikfreunde (Musikliebhaber) (단체); Liebhaberkonzert *n.* -(e)s, -e (행사).
동화(同化) 《같게 됨》 Assimilation *f.* -en 《*an*⁴》; Assimilisierung *f.* -en 《*an*⁴》; 〖심리〗 Angleichung *f.* -en 《*an*⁴》; 〖동물〗 Anabolismus *m.* -. ~하다 ⁴sich assimilieren³; ⁴sich an|gleichen³ 《*an*⁴》; ⁴sich an|passen³. ¶ ~할 수 있다 ⁴sich assimilieren (angleichen*; anpassen) lassen*; angleichbar sein / ~할 수 없다 ⁴sich nicht assimilieren (angleichen*; anpassen) lassen* / ~하기 쉽다 (어렵다) ⁴sich leicht (schwer) assimilieren (an|gleichen*; an|passen) lassen*/ 외국 풍습에 ~하다 ⁴sich ausländischen Sitten u. Gebräuchen an|passen / 음식물은 ~되어 유기 조직이 된다 Die Speise (Nahrung) wird assimiliert u. in organisches Gewebe umgesetzt.
‖ ~력 Assimilationsfähigkeit *f.* -en; Assimilationskraft *f.* ⸗e; Assimilationsvermögen *n.* -. ~작용 Assimilationsprozeß *m.* ..sses, ..sse; Assimilation *f.* -en; Anabolismus *m.*; Metabolismus *m.* -. ~조직

assimilierendes Gewebe -s, - .

동화(動畫) animierter Bildfilm, -(e)s, -e; Karikaturfilm (만화의).

동화(童話) Märchen *n.* -s, -; Kindermärchen *n.*; Feenmärchen *n*; Ammenmärchen *n.*; Kindergeschichte *f.* -n. ¶ ~의, ~같은 märchenhaft; märchenartig / ~의 세계 Märchenwelt *f.* -en; Feenwelt *f.*; Feenland *n.* -(e)s, ⸚er.

‖ ~극 Märchendrama *n.* -s, ..men; Feendrama *n.* ~작가 Märchenerzähler *m.* -s, -; Märchendichter *m.* -s, -. ~집(集) Märchensammlung *f.* -en; Märchenschatz *m.* -es, ⸚e. ~책 Märchenbuch *n.* -(e)s, ⸚er.

동화(銅貨) Kupfermünze *f.* -n; Kupferstück *n.* -(e)s, -e; Kupfergeld *n.* -(e)s, -er; Kupfer *n.* -s (총칭). ¶ 10원짜리(의) ~ e-e zehn-*Won* Kupfermünze.

동활차(動滑車) drechbare Rolle, -n.

동홰 große Fackel, -n.

돛 Segel *n.* -s, -; Segeltuch *n.* -(e)s, -e; Kanevas *m.* -(..vasses), -(..vasse). ¶ 순풍에 돛 das Segeln* (die Segelfahrt) mit (vor) dem Wind; e-e einfache Segelfahrt, -en; die glatte Fahrt, -en / 돛을 올리다 die Segel auf|ziehen* (-|hissen) / 배가 돛을 달고 가다 Das Schiff geht (fährt) unter Segel / 돛을 내리다 die Segel nieder|holen (ein|-holen) / 돛을 감다 die Segel auf|rollen / 돛을 풀다 Segel los|machen / 돛을 매달다 die Segel auf|geien / 순풍에 돛을 달고 달리다 mit vollen (vom Wind gefüllten) Segeln gehen* (fahren*) ⓢ / 순풍에 돛 단 듯이 모든 것이 잘 되어 간다 Alles geht reibungslos. | Es klappt alles so gut.

돛단배 Segelschiff *n.* -(e)s, -e.

돛대 Mast *m.* -(e)s, -e (-en); Mastbaum *m.* -(e)s, ⸚e. ¶ ~를 잃은 배 das entmastete Schiff, -(e)s, -e.

돛배 ☞ 돛단배.

돠르르 gluck! (sich mit dumpfem *od.* sattem Geräusch bewegen); gurgel! (mit dumpfem Geräusch sprudeln); der Laut der Flüssigkeit, die durch die schmale Pfeife schnell abfällt.

돼지 ① 《가축》 Schwein *n.* -(e)s, -e (총칭); Eber *m.* -s, - (수놈); Sau *f.* ⸚e (암놈); Ferkel *n.* -s, - (새끼); Mastschwein *n.* -(e)s, -e (살찌운 식용돼지). ¶ 한배 ~새끼 ein Wurf Ferkel / ~에 진주 Perlen vor die Säue werfen* / ~를 치다 Schwein züchten; Ferkel auf|ziehen* / ~ 같다 wie ein Schwein (Sau) sein; schweinisch (säuisch) sein; habgierig sein; gefräßig sein / ~같이 먹다 wie ein Schwein (Sau) fressen* / ~같은 생활을 하다 ein Sauleben führen / 꽉 ~ 머리통 얹어 놓은 것 같다 e-n Schweinskopf haben; e-n dicken Schädel (Kopf) haben. ② 《비유적》 e-e habgierige Person, -en; Schwein *n.*; Sau *f.*; Lümmel *m.* -s, -; Schweinigel *m.* -s, -; Fresser *m.* -s, -; Schlemmer *m.* -s, -; Vielfraß *m.* -es, -e.

‖ ~가죽 Schweinsleder *n.* -s, - (무두질한 피혁); Schweinshaut *f.* ⸚e (피부): ~가죽의 schweinsledern(피혁). ~갈비 Schweinsrippe *f.* -n. ~고기 Schweinefleisch *n.* -(e)s, -e. ~기름 Schweinefett *n.* -(e)s, -e; 《라드》 (Schweine)schmalz *n.* -es, -e. ~다리 Schweinebein *n.* -(e)s, -e. ~떡 《지저분함》 Schmutz *m.* -es; Schweinerei *f.*; Patsche *f.* -n. ~머리 Schweinskopf *m.* -(e)s, ⸚e. ~먹이 Schweinefutter *n.* -s, -; Schweinefraß *m.* ..asses, ..ässe; Schweinemast *f.* -en (살찌우는 먹이). ~불고기 gebratenes Schweinefleisch; Schweinebraten *m.* -s, -; Schweinsbraten *m.* ~뼈 Schweinsknochen *m.* -s, -. ~사료 =돼지먹이. ~우리 Schweinestall *m.* -(e)s, ⸚e; Schweinekoben *m.* -s, -; Schweinekofen *m.* -s, -. ~코 Schweinsrüssel *m.* -s, -. ~털 Schweinsborste *f.* -n (뻣뻣한).

되[1] ① 《곡식 되는》 (Hohl)maß *n.* -es, -e; Trockenmaß *n.* -es, -e; 《액체 되는》 Flüssigkeitsmaß *n.* -es, -e.

② 《계량 단위》 Maßeinheit *f.* -en; ein *Doe* (=1/10 *Mal*, 10 *Hob*). ¶ 되를 속이다, 되가 나쁘다 schlechtes (falsches) Maß geben*; schlecht (karg) messen* / 되를 후하게 주다 gutes (richtiges) Maß geben*; das Maß voll machen; gut (reichlich) messen* / 되로 팔다 maßweise (nach Maß) verkaufen / 되로 주고 말로 받다 für e-e Beleidigung (Kränkung) bitter gerächt werden / 되글을 가지고 말글로 써 먹다 sich seine wenige Erlernung aufs vorteilhafteste zunutze machen; sein kärgliches Bildungsgut aufs beste (möglichst gut) aus|nutzen.

되[2] ① 《만주인》 ein Volk, das einmal im Norden des Flusses Tumen gewohnt hat; ehemaliger Mandschure, -n, -n. ② =오랑캐. ③ =되놈.

되- 《다시·도리어·도로》 zurück; wieder; verkehrt; umgekehrt; Rück-; Kehr-; entgegengesetzt 《[3]*et.*》; (an)statt; gegen-; zuwider; entgegen-; wider-. ¶ 되묻다 wieder (noch einmal; nochmal(s)) fragen; dafür (dagegen) fragen / 되씹다 wieder|käuen; 〖드물게〗 wieder|kauen / 되찾다 wieder|-gewinnen*; wieder|erhalten*; wieder|-erreichen (장소를); zurück|erlangen / 되생각하다 überlegen[4]; nach|denken*; von neuem erwägen; nochmals überlegen; nochmals in Erwägung ziehen*; nach|-prüfen / 되사다 wieder|kaufen; zurück|-kaufen / 되튀다 zurück|prallen; ab|-prallen 《*von*[3]; *auf*[4]》 / 되울리다 wider|-hallen / 되피어나다 wieder auf|blühen / 되죽음을 당하다 《복수하려다》 Der Rächer wird bei dem Racheakt (bei der Revanche) getötet.

-되 ① 《…지만》 trotzdem; dennoch; dessenungeachtet; nichtsdestoweniger; obgleich; obschon; obwohl; wenngleich; wenn ...auch (schon). ¶ 그의 차림은 훌륭하긴 하되 돈이 없다 Trotz seiner guten Kleidung hat er wenig Geld. / 그가 나를 괴롭힌 적은 한 번뿐이로되 아무래도 그가 마음에 안 든다 Obgleich er mir nur einmal zuleide getan hat, kann ich ihn (doch) nicht aus|-stehen. ② 《…이나》 und; aber. ¶ 내가 어제 거기에 갔으되 별로 재미를 못 보았다 Ich war gestern dort, und es gefiel mir nicht gut. / 그는 사내 아이를 넷이나 갖고 있으되 모두 약하다 Er hat vier Knaben, aber sie sind alle schwach. / 동물원에 가 보았으되 별다른 짐승은 없었다 Ich besuchte den zoologischen Garten, wo ich keine seltsame Tiere sah.

되가지다 zurück|nehmen*.

되감다 zurück|rollen; nach hinten rollen; 〖공학〗 zurück|spulen.

되강오리 =농병아리.

되개고마리 〖조류〗 rotgeschwänzter Würger, -s, -.

되걸리다 《병에》 wieder|ein|treten*; wieder|-an|fallen*; von e-r Krankheit wieder heimgesucht werden. ¶ 감기에 ~ ⁴sich wieder erkälten; wieder stärker erkältet sein.

되게 《몹시》 sehr; außergewöhnlich; ungewöhnlich; ungemein; furchtbar; fürchterlich; schrecklich; heftig; stark; schwer; streng; schwierig; bitterlich; scharf; herb; beißend; schneidend; äußerst; höchst; ungeheuer; entsetzlich; sauer. ☞ 되다³ ②.

되깎이 〖불교〗 (³sich die Haare kurz scheren lassen und) Rückkehr zum buddhistischen Priestertum nach dem Zustand des einmaligen Verlassenseins.

되나오다 wieder zum Vorschein kommen*; wieder auf|treten*; wieder|heraus|kommen*.

되내기 betrüglich in Bündel wiedergebundenes Brennholz, -es, ⸗er.

되넘기 das Wiederverkaufen*, -s; Makler *m.* -s, -. ~하다 wieder|verkaufen; Zwischenhandel tun*.

되넘기다 ① 《물건을》 wieder|verkaufen⁴; weiter|verkaufen; herum|reichen⁴; herum|gehen lassen*. ¶ 사과를 과수원에서 사서 소매상에게 ~ Äpfel vom Obstgarten kaufen u. sie e-m Kleinhändler weiter|-verkaufen (wieder|verkaufen).
② 《남의 지식을》 aus zweiter Hand erzählen; *jm.* nach|erzählen. ¶ 지식을 ~ Kenntnisse, die nicht von einem stammen, an den anderen Mann bringen* / 저 녀석은 되넘기는 녀석이다 Das stammt nicht von ihm.

되넘기장사 Makler *m.* -s, -. ~하다 wieder|-verkaufen; Zwischenhandel tun*.

되넘기장수 Zwischenhändler (Trödler; Makler; Pfandleiher) *m.* -s, -.

되놈 ① 《중국인》 Chinese *m.* -n, -n; 《경멸적》 Chinamann *m.* -s, ⸗er; 《미개인》 Barbar *m.* -en, -en.

되뇌다 wiederholen; noch einmal sagen ⌈(tun*).

되다¹ ① 《신분이》 ¹*et.* (zu ³*et.*) werden Ⓢ. ¶ 부자가 ~ reich werden; ein reicher Mann werden / 어른이 ~ ein Mann (zum Mann) werden; erwachsen*Ⓢ / 상인이 ~ ¹Kaufmann werden / 장관이 ~ ¹(Kabinetts)minister werden / 3학년이 ~ in den dritten Jahrgang ein|treten*Ⓢ / 너는 무엇이 되고 싶은가 Was willst du werden?
② 《시간·나이가》 werden; erreichen⁴. ¶ 성년이 ~ mündig werden / 세 살 난 어린이가 ~ ein Kind von drei Jahren (ein dreijähriges Kind) werden / 고령이 ~ ein hohes Alter erreichen / 그 여자는 내일로 열 여섯 살이 된다 Sie wird morgen sechzehn (Jahre alt). / 벌써 시간이 ~ Die Zeit ist schon abgelaufen.
③ 《변화》 werden 《*zu*³》; ⁴sich verändern 《*zu*³》; ⁴sich verwandeln 《*in*⁴》; ⁴sich auf|-lösen 《*in*⁴》; ⁴sich entwickeln (entfalten) 《*zu*³》. ¶ 물이 수증기가 ~ Wasser verwandelt sich in Dampf./술이 초가 ~ Der Wein wird zu Essig. / 얼음이 녹아 물이 ~ Das Eis löst sich in Wasser auf. / 번데기에서 나방이 ~ Aus der Puppe entwickelt sich der Schmetterling. / 싹이 터서 꽃이 ~ Die Knospen entfalten sich zu Blüten. / 감기가 폐렴이 ~ Eine Erkältung entwickelt sich zu Lungenentzündung. / 물은 산소와 수소로 ~ Wasser löst sich in Sauerstoff und Wasserstoff auf.
④ 《계절·때가》 kommen*Ⓢ; ein|setzen Ⓢ; ein|treten*Ⓢ; werden. ¶ 다시 봄이 ~ Der Frühling ist wieder da (gekommen). | Es wird Frühling. | Es frühlingt. / 우기(雨期)가 ~ Eine Regen setzt ein. / 오월 초사흘이 ~ Es wird der dritte Mai.
⑤ 《지나다》 vergehen* Ⓢ; verlaufen* Ⓢ; verfließen*Ⓢ; sein 《*seit; seitdem*》. ¶ 독일에 건너간 지 5년이나 된다 Er ist vor fünf Jahren nach Deutschland gefahren. / 내가 그를 만난 지 벌써 3개월이나 된다 Es sind schon drei Monate verflossen (vergangen), seit(dem) ich ihn traf (getroffen habe). / 저 호두나무를 심은 지 10년이 된다 Vor zehn Jahren haben wir den Nußbaum gepflanzt. / 그 때부터 20년이나 되었다 Seitdem sind zwanzig Jahre verflossen.
⑥ 《수가》 (zusammen|)zählen⁴; betragen*⁴; machen⁴; ⁴sich belaufen* 《*auf*⁴》; aus|machen⁴; ergeben*⁴; 《무게가》 wiegen*; sein; 《용적·넓이·크기가》 messen*⁴; fassen; sein; 《면적이》 ⁴sich erstrecken (aus|dehnen). ¶ 군중의 수는 수천이나 된다 Die Menge zählt viele Tausend. / 이 도시 인구는 삼십만이나 된다 Die Stadt zählt 300000 Einwohner. / 그의 빚은 이백만 원이나 된다 S-e Schulden belaufen sich auf zwei Millionen *Won.*/청구서는 십만 마르크 이상이 된다 Die Rechnung beträgt (ergibt) mehr als zehntausend DM. / 매일 10 페니씩 저금하면 일 년에 36 마르크 가량 된다 Wenn man täglich 10 Pfennig beiseite legt, so macht das im Jahr rund 36 DM aus. / 그의 키는 1 미터 73 센티나 된다 Er ist 173 cm groß. | Er mißt 173 cm. / 산의 높이는 5,000 피트가 된다 Der Berg ist 5000 Fuß hoch. / 내 몸무게는 65 킬로 그람이나 된다 Ich bin 65 kg schwer. | Ich wiege 65 kg. / 강은 폭이 10 미터나 된다 Der Fluß ist 10 m breit. / 이 극장의 객석수는 2,000이나 된다 Das Theater faßt 2000 Personen. / 목장의 경계는 강둑까지가 된다 Das Weideland erstreckt sich bis zum Flußufer.
⑦ 《결과》 zu ³*et.* werden; ⁴sich erweisen*; ⁴sich heraus|stellen; ⁴sich zeigen; ⁴sich bewähren (bestätigen); ⁴sich ergeben*; erfolgen Ⓢ; auf ⁴*et.* (hin)aus|laufen*; ⁴*et.* zur Folge haben. ¶ 거짓말이 ~ ⁴sich als falsch erweisen / 같은 결과가 ~ auf eins (dasselbe) hinauslaufen* / 물거품이 ~ zu Wasser werden; auf nichts hinauslaufen* / 죽게 ~ *js.* Tod herbei|führen/믿게 ~ zu dem Glauben kommen* / 가난하게 ~ in Armut geraten* Ⓢ / 그 결과는 어찌 될까 Was wird daraus erfolgen? / 불행하게도 이 일은 큰일이 되고 말았다 Unglücklicherweise nahm die Sache e-e schlimme Wendung. / 그 소식은 사실이 되었다 Die Nachricht hat sich als wahr erwiesen. / 그는 사기꾼의 탈을 쓰게 되었다 Er hat sich als Betrüger herausgestellt. / 될 대로 되어라 Es geschehe, was es wolle! | Hol' ihn der Teufel! | Ich schere mich den Teufel darum. | Ich mache mir absolut nichts daraus. | Dem sei nun, wie ihm wolle (wie dem auch sei).
⑧ 《성립·구성》 bestehen* 《*aus*³》; zusammengesetzt sein 《*aus*³》; machen⁴ 《*aus*³; *von*³》. ¶ 이 소설은 3부(권으)로 되어 있다

Der Roman besteht aus drei Teilen (Bänden). / 물은 수소와 산소로 되어 있다 Wasser besteht aus Wasserstoff und Sauerstoff. / 시계는 여러 부분으로 되어 있다 Die Uhr ist aus vielen Teilen zusammengesetzt. / 탁자는 나무로 되어 있다 Der Tisch ist aus (von) Holz (gemacht).
⑨ 《성취·완성》 gemacht (fertig; beendet; beendigt; vollendet; fertiggestellt; erreicht, gelangt; erfüllt) sein; Erfolg haben (erreichen); gelingen*³ (glücken³)Ⓢ; 《준비가》 bereit (fertig) sein; so weit sein. ¶ 책이 ~ ein Buch ist fertig (vollendet) / 일이 ~ sein Werk ist getan; 《뜻대로》 sein Versuch gelingen*Ⓢ (glücken Ⓢ); ein Plan gelingen* (glücken) Ⓢ; e-n Entwurf (Plan) verwirklichen / 돈이 ~ *jm.* gelingen* (glücken), zu Geld zu kommen / 나와 전화가 된다 Ich bin telefonisch zu erreichen. / 언제 그 일이 되겠소 Wann ist die Sache erfüllt? / 일이 되고 안 되고는 모두 운에 맡긴다 Er läßt alles auf das Glück ankommen. / 사흘이면 된다 In drei Tagen wird es fertig sein. / 식사 준비가 되었읍니다 Das Essen ist fertig (bereit). / 배는 출범 준비가 되어 있다 Das Schiff ist zur Abfahrt fertig (bereit). / 준비가 되었느냐 Bist du so weit?
⑩ 《생육·흥성》 wachsen* Ⓢ; tragen*⁴; hervor|bringen*⁴; gedeihen* (fort|kommen*) Ⓢ; geraten*Ⓢ; vorwärts|kommen*Ⓢ; blühen; Erfolg (Glück) haben. ¶ 이 땅은 농사가 잘 된다 Der Boden trägt reiche Früchte. / 풍작(흉작)이~ e-e gute (schlechte) Ernte halten*; die Ernte ist (ist nicht) gut ausgefallen / 채소가 잘 ~ das Gemüse wächst gut (gedeiht; kommt fort) 《in diesem Boden》 / 장사가 잘 ~ gute Geschäfte machen; das Geschäft geht gut / 집안이 잘 ~ e-e Familie gedeiht; e-e Familie gerät / 일이 잘 ~ mit der Arbeit fort|kommen*Ⓢ; er kommt in s-m Geschäft gut fort / 그는 잘 안 되어 간다 Es geht mit ihm bergab. / 올해는 일이 잘 되는 해다 Dieses Jahr ist ein erfolgreiches (glückliches) Jahr.
⑪ 《쓸모·적합》 zu³ (als) *et.* dienen; zu (bei) ³*et.* nützen (nutzen) 《*jm.*》; zweckdienlich sein 《*jm.*》; helfen*³; genügen³ 《*für*⁴》; passen³; geeignet (günstig) sein 《*jm.*》; gut tun* 《*jm.*》; bekommen*Ⓢ 《*jm.*》; entsprechen*³; stimmen; in Ordnung sein. ¶ 되지 않은 말 Unsinn *m.* -(e)s, -e; dummes Zeug, -(e)s, -e; Blödsinn *m.* -(e)s, -e / 식사는 3 인분은 된다 Das Essen genügt für drei Personen. / 그 사람은 너한테는 하나의 귀감이 될 수 있다 Er kann dir als Vorbild dienen. / 자물쇠에는 이 열쇠면 되겠는가 Paßt dieser Schlüssel zum Schloß? / 그것은 안 된다 Das stimmt nicht! / 환자에게는 식사가 그만하면 되겠지 Das Essen bekommt dem Kranken. / 네가 부인한다고 되는 것이 아니다 Dein Leugnen hilft dir (zu) nichts. / 그건 말이 되지 않아 Das ist (barer; reiner; glatter; blanker; blühender) Unsinn! / 그런 문제라면 우리는 그 사람과는 이야기가 된다 Wir werden mit ihm darüber einig.
⑫ 《없이 때움》 entbehren⁴ können*; mit ³*et.* aus|kommen*Ⓢ; ⁴sich mit ³*et.* behelfen*. ¶ 한독 사전은 없어도 됩니다 Ich kann ohne ein Koreanisch-Deutsches Wörterbuch auskommen.
⑬ 《분장·쓰임》 als ¹*et.* wirken; als ¹*et.* tätig sein; als ¹*et.* dienen; e-e Rolle spielen. ¶ 파우스트가 ~ die Rolle des Faust spielen (übernehmen*) / 의사가 ~ als Arzt tätig sein / 알콜은 소독약이 된다 Alkohl wirkt (dient) als ein Desinfektionsmittel. / 예전의 성이 지금은 박물관으로 되어 있다 Das frühere Schloß dient jetzt als ein Museum.
⑭ 《…의 관계》 ¶ 그는 내 조카가 된다 Er ist mein Neffe.

되다² 《되질하다》 messen*; mit einem bestimmten Maß messen* (되 따위로). ¶ 되로 ~ mit *Doe* messen* / 되어(서) 팔다 mit Maß verkaufen / 후하게 ~ ein gutes Maß geben*.

되다³ ① 《질지 않다》 dick; unschmackhaft; 《밥 따위》 legiert; hart (sein). ¶ 된 밥 hart gekochter Reis, -es, -e / 된 죽 die legierte Suppe, -n; Grütze *f.* -n; die legierte Reisschleim, -(e)s, -e / 죽을 되게 쑤다 Reisschleim hart kochen.
② 《심하다》 streng; hart; heftig; intensiv; schwer (sein). ¶ 된 서리 der starke (heftige) Reif, -(e)s, -e / 된 추위 die strenge (starke; grimmige) Kälte, -n / 된 형벌 die strenge (heftige) Strafe, -n / 되게 꾸짖다 *jm.* bittere Vorwürfe machen; *jn.* scharf vor|nehmen* / 되게 혼내 주다 *jn.* über ⁴*et.* belehren; *jn.* streng ermahnen; *jm.* Moral predigen / 되게 아프다 *jm.* sehr peinlich sein; einen großen Schmerz empfinden* / 되게 춥다 schneidend (beißend) kalt sein / 되게 부리다 *jn.* zur Eile treiben* / 되게 때리다 derb (tüchtig) schlagen* / 되게 얻어맞다 tüchtig durchgeprügelt werden / 되게 걱정하다 ⁴sich zu Tode (be)kümmern; in äußerster Sorge sein / 오늘 아침에 된 서리가 내렸다 Heute morgen ist alles mit Reif bedeckt.
③ 《벅차다》 mühsam; ermüdend; schwer; schwierig; schlimmst (sein). ¶ 된 일 die schwere (schwierige) Arbeit, -en / 된 고비 das Schlimmste*, -n; die Krise, -n; der entscheidende Augenblick, -(e)s, -e / 병의 된 고비를 넘기다 e-e Krise bestehen* (durch|machen) / 일의 고된 고비를 넘기다 mit knapper (genauer) Not davon|kommen* Ⓢ; e-r Gefahr entkommen*Ⓢ.

-되다 ① 〖동사적 명사에 붙어〗 sein. ¶ 걱정되다 besorgt sein / 손해되다 den Verlust zur Folge haben / 시작되다 an|fangen* / 개최되다 statt|finden* / 버릇되다 zur Gewohnheit werden.
② 〖형용사·부사적 어근에 붙어〗 sein. ¶ 망녕되다 albern sein / 속되다 vulgär (gewöhnlich) sein / 참되다 wahr sein / 헛되다 umsonst (vergebens) sein.

되다랗다 lieber schwer u. dick (sein).

되대패 Hohlhobel *m.* -s, -.

되도록 ① 《될 수 있는 대로》 so ... wie möglich; möglichst. ¶ ~ 빨리 가거라 Gehe so schnell wie möglich. ¦Gehe möglichst schnell. / ~ 일찍 오시오 Kommen Sie so früh wie möglich. ¦ Kommen Sie möglichst früh. / ~ 내일 찾아뵙도록 하겠읍니다 Ich will versuchen, morgen zu Ihnen zu kommen.
② 《될 수 있으면》 wo (wenn) möglich. ¶ ~ 오늘 와 주시면 좋겠읍니다 Kommen Sie wo (wenn) möglich heute schon.
③ 《될 수 있게》 damit; um... zu. ¶ 일등이 ~

힘써 보아라 Sei der Beste in der Klasse.

되돌다 zurück|weisen*.

되돌아가다 ①《오던 길을》zurück|kehren ⓢ; zurück|gehen* ⓢ; zurück|kommen* ⓢ; um|kehren ⓢ; wieder|kehren ⓢ; Kehrt machen; kehrt|machen; rückwärts gehen* (fahren*) ⓢ(역행); zurück|fahren* ⓢ(탈것으로); zurück|fliegen* ⓢ (비행기로). ¶ 집으로 ~ nach Hause zurück|gehen* (zurück|-fahren*; zurück|kommen*) ⓢ; nach Hause gehen* (fahren*; kommen*) ⓢ; heim|-gehen* (heim|kehren; heim|fahren*) ⓢ / / 제자리로 ~ zu s-m Sitz (Platz) zurück|-gehen* / 오던 길을 ~ auf demselben Weg (denselben Weg; den gleichen Weg) zurück|gehen* (zurück|fahren*) ⓢ. ②《원래로》zurück|kehren ⓢ; zurück|gehen* ⓢ; zurück|kommen* ⓢ; zurückgeschickt (zurückgesandt) werden; 《감겼던 것이》los|gehen* ⓢ; [4]sich los|wickeln (ab|-wickeln, ab|winden*); 《태엽 등이》zurück|-springen* (zurück|prallen) ⓢ; ab|laufen* ⓢ. ¶ 원래의 상태로 ~ zum alten Zustand zurück|kehren (zurück|kommen*) ⓢ / 예전 직업으로 ~ zum alten (früheren) Beruf (Geschäft) zurück|kommen* (zurück|kehren) ⓢ / 본론으로 ~ zum Thema (zur Sache) zurück|kommen* (zurück|kehren) ⓢ / 뒤에 다시 이 문제로 되돌아가겠읍니다 Ich werde nachher wieder auf diese Frage zurückkommen (zurückkehren).

되돌아들다 ① 《사람이》 zurück|kommen*; heim|kehren. ¶ 돈이 떨어지자 집으로 되돌아들었다 Er ist nach Haus zurückgekehrt, als sein Geld zu Ende ging. ②《사물이》[4]sich ein|biegen*.

되돌아오다 ①《가다가》zurück|kehren ⓢ; zurück|kommen* ⓢ; um|kehren ⓢ; wieder|-kehren ⓢ; Kehrt machen; kehrt|machen; zurück|fahren* ⓢ (탈것으로); zurück|fliegen* ⓢ (비행기로); zurück|kehren ⓢ (배로). ¶ 우리는 떠났던 곳으로 되돌아왔다 Wir sind auf demselben Weg (denselben Weg, den gleichen Weg) zurückgekehrt (zurückgekommen, zurückgefahren). | Wir sind dorthin (dahin) zurückgekehrt (zurückgekommen, zurückgefahren), wo wir abreisten (aufbrachen). ②《원래로》zurück|kehren ⓢ; zurück|kommen*; zurückgeschickt (zurückgesandt) werden. ¶ 잃은 물건이 주인의 손에 되돌아왔다 Der verlorene Gebrauchsartikel (Gebrauchsgegenstand) wurde s-m Besitzer zurückgebracht. / 그 편지가 수취인 불명(배달 불능)으로 되돌아왔다 Der Brief ist als unbestellbar zurückgekommen.

되들고되나다 kommen* u. gehen*; ein- u. aus|drängen.

되들다 sein Gesicht (Antlitz) trotzend auf|-heben*.

되똑거리다 hinken; wackeln; schwanken; wanken. ¶ 책상 다리가 ~ Das Tischbein (Tischgestell) ist unsicher. / 하이힐을 신고 ~ mit hohen Absätzen schwanken.

되똑되똑 wankend; schwankend; unbeständig; unstät, unsicher. ¶ 어린애가 ~ 걷다 ein Kind watscheln.

되뜨다 unvernünftig (vernunftwidrig; irrational) sein.

되레 lieber; vielmehr. ☞ 도리어.

되롱거리다 baumeln; hin u. her flattern; schwenken.

되롱되롱 schwingend; schwenkend; baumelnd. ¶ 사과가 가지에 ~ 달리다 die Äpfel in der Äste herunter|hängen / 등이 바람에 ~ 흔들리다 Die Laterne schwankt im Winde hin und her.

되룽거리다 hochmütig (stolz) sein.

되리 Frau ohne Schamhaare.

되매기 wieder|her|gestellter Kamm, -(e)s, ⸚e. 「verstellt.

되모시 die Geschiedene, die sich als Jungfer

되밀다 zurück|stoßen*[4].

되바라지다 ① 《그릇 따위가》 seicht; flach; oberflächlich (sein). ¶ 되바라진 그릇 flacher Teller, -s, -. ② 《편협》 engherzig; hart; intolerant; unduldsam; knauserig (sein). ¶ 되바라진 사람 engherziger Mann, -(e)s, ⸚er / 사람이 워낙 되바라져서 친구가 없다 Er ist so engherzig, daß er k-n Freund hat. ③ 《깜찍함》 zu witzig; zu gewandt; weltklug; scharfsinnig; zu scharf; frech; keck (sein). ¶ 되바라진 frühreif u. vorlaut (아이가)/되바라진 아이 ein frühreifes Kind, -(e)s, -er / 되바라진 소리를 하다 frech(keck; witzig; weltklug) sagen.

되박다 Wiederdruck machen; wieder einlegen; wieder ab|drucken.

되박이 Wiederdruck *m.* -(e)s, ⸚e. ~하다 wieder ab|drucken.

되받다 gegen Schelten auf|stehen*.

되부르다 zurück|rufen*; wieder|rufen*.

되사 etwa ein od. zwei *Doe* Überbleibsel (Rest) des Korns nach dem Messen mit *Mal.*

되살다 ①《먹은 것이》unverdaulich (nicht digestibel; nicht digerierend) sein; schwer (wie Blei) im Magen liegen*; Magenverstimmung haben; leichte Verdauungsstörung haben. ②《소생》wieder|auf|leben ⓢ; wieder|belebt werden; wieder ins Leben zurück|kommen* ⓢ; das Leben wieder|-gewinnen*; aus dem Tode erwachen ⓢ; auf|erstehen*; wieder zum Bewußtsein (zu [3]sich (selbst); zu Atem) kommen* ⓢ; wieder zu [3]Kraften kommen* ⓢ; 《불이》 [4]sich wieder entzünden; auf|flammen ⓢ; auf|-lodern ⓢ; auf|brennen* ⓢ. ¶ 인공호흡으로 되살아나다 durch künstliche Atmung wiederbelebt werden (wieder ins Leben zurück|kommen* ⓢ; das Leben wieder|gewinnen*) / 꺼져 가던 불이 ~ Ein erlöschendes Feuer flammte noch einmal auf. / 비가 와서 초목이 되살아났다 Nach dem Regen waren die Pflanzen (die Gräser u. Bäume) wie neu belebt. / 거리에는 활기가 되살아났다 Neues Leben kam in die Stadt.

되살리다 wieder|beleben 《*jn.*》; wieder ins Leben zurück|bringen* (zurück|rufen) 《*jn.*》; wieder zum Bewußtsein (zu [3]sich (selbst); zu Atem) bringen* 《*jn.*》. ¶ 수출이 경제를 되살렸다 Die Ausfuhr hat die Wirtschaft wieder belebt. / 나는 그 그림을 기억에 되살렸다 Ich habe mir das Gemälde ins Gedächtnis zurückgerufen.

되새 【조류】Bergfink *m.* -en, -en.

되새기다 《음식을》 nochmals kauen (wegen dürftigen Appetits); 《소 따위가》 wieder|-käuen; 《비유적》 nach|sinnen*; überlegen.

되세우다 wieder|her|stellen.

되솔새 【조류】ein kleiner Singvogel; *Phylloscopus tenellipes* (학명).

되술래잡다 Gegenangriff nehmen*.
되술래잡히다 Gegenangriff genommen werden.
되쏘다 《총을》 wieder (noch einmal) schießen* (feuern); 《반사하다》 zurück|strahlen⁴ (wider|strahlen⁴); das Licht (den Lichtschein; den Lichtstrahl) reflektieren; die Hitze zurück|werfen* (열을).
되씌우다 *jm.* (die) Schuld bei|messen* (geben*; zu|schieben*; zu|schreiben). ¶ 제 잘못을 남에게 되씌우려 든다 Er wälzt seine Schuld auf andere ab. / 남에게 책임을 ~ ⁴sich Fehltritte zuschulden kommen lassen*.
되씹다 ①《말을》 wiederholen; mehrfach wiederholen. ¶ 한 말을 ~ ⁴sich wiederholen. ② =되새기다.
되알지다 ① 《억짓손세다》 angreifend; zum Angriff geneigt (sein). ② 《벅참》 nicht in *js.* Kräften stehen*; über *js.* Kräfte gehen*.
되양되양하다 leichtsinnig; keck; leichtfertig (sein).
되어가다 ① 《일·시간이》 werden; auf ⁴*et.* gehen*; 《성취》 im Gang bleiben* (erhalten*). ¶ 일이 ~ *js.* Geschäft erhält im Gang / 올해 쌀 추수가 잘 ~ die Reisernte ist dieses Jahr gut.
② 《때가》 ein|setzen; ein|treten*; unterwegs sein. ¶ 봄이 ~ der Frühling ist unterwegs / 장마철이 ~ die Regenzeit setzt ein / 여섯 시가 ~ es geht auf 6.
③ 《거진》 fast (beinahe) sein. ¶ 그때부터 몇 년이 ~ seitdem vergehen Jahre / 일주일이면 만 일년이 되어간다 Noch eine Woche und es ist ein volles Jahr. / 이 식탁보를 갈고 나흘이 되어간다 Diese Tischdecke liegt schon vier Tage auf. / 미국 간 지 3년이 되어간다 Es ist beinahe drei Jahre, seit er in Amerika gewesen ist.
④ 《…에 이름》 hinauf|laufen lassen*; an|-wachsen lassen*. ¶ 총액(總額)이 백만 원이 되어간다 Das Ganze beläuft sich auf eine Millione *Won*.
⑤ 《…하게 됨》 ⁴sich heran|stellen; aus|fallen*; auf⁴ hinaus|laufen*.
⑥ 《물건이》 mit ³*et.* fertig sein; e-n Verlauf nehmen*. ¶ 이 장사는 잘 안 되어간다 Dieses Geschäft bringt nur wenig ein. / 책이 ~ ein Buch stellt sich heran.
되우 sehr; gar; bedeutend. ☞ 매우, 몹시.
되우새 〖조류〗 bebrillte Krickente, -n.
되잖다 nicht gut; nicht tauglich; erbärmlich; nichtswürdig; lumpig; verächtlich; wertlos; untüchtig; 《영터리 없는》 albern; töricht; lächerlich; unsinnig; sinnlos (sein). ¶ 되잖은 물건 wertloser (untüchtiger) Stoff, -(e)s, -e/되잖은 수작 Unsinn *m.* -(e)s, -e; das dumme Zeug, -(e)s, -e/되잖은 일 unbedeutender Gegenstand, -(e)s, ⸚e / 되잖은 자식 Taugenichts *m.* -(es), -e; unbrauchbarer Mensch, -en, -en / 되잖은 핑계 unsinnige (mangelhafte; elende) Entschuldigung, -en.
되지기¹ 《밥》 wieder|erhitzter Reis, -es, -e.
되지기² 《논밭》 (ein Feld) weit genug, eine *Doe* Saat auszusäen.
되지못하다 ① 《미달》 nicht viel leisten; kürzer als... sein; minderjährig (sein). ¶ 열살이 ~ unter 10 Jahren sein / 독일에 간 지 반년이 되지 못하여 다시 돌아왔다 Nach seinem Aufenthalt in Deutschland kehrte er in kürzerer Zeit als halbes Jahr nach Haus zurück.
② 《미완성》 noch nicht zu Ende gehen*; noch nicht zustande bringen*. ¶ 일이 다 ~ Die Stückarbeit geht noch nicht zu Ende.
③ 《격이》 nicht vermögen, ¹*et.* zu werden; ⁴*et.* noch nicht bestehen*; ²*et.* nicht würdig (sein). ¶ 학자가 ~ noch nicht des Gelehrten würdig sein / 지식만으로써는 교사가 되지 못한다 Mit Kenntnissen allein vermag man nicht, ein Lehrer zu werden.
④ 《사람이》 nicht tauglich; unschicklich; unpassend; nicht gut; 《건방짐》 unverschämt ungebührlich; frech (sein). ¶ 되지 못한 녀석 Taugenichts *m.* -(es), -e; unbrauchbarer Mann, -(e)s, ⸚er / 되지 못하게 굴다 ⁴sich böse (übel; schlimm; unanständig; untauglich) verhalten*.
되지빠귀 〖조류〗 graurückige Drossel, -n.
되직하다 etwa kleisterig (grob; dick) (sein). ¶ 풀이 ~ Der Kleister ist etwa dick. / 밥을 되직이 짓다 Reis etwa zu hart kochen.
되질 das Messen* nach ³Maß (*Doe*=1.81 Liter). ~하다 nach ³Maß messen⁴.
되짚어 zurück; sofort (sogleich; gleich) wieder. ¶ ~ 가다 sofort (sogleich; gleich) zurück|kehren (zurück|gehen*; zurück|fahren*)Ⓢ/~오다 sofort (sogleich; gleich) zurück|kehren (zurück|kommen*; zurück|-fahren*; wieder|kommen*; wieder|kehren) Ⓢ / ~ 보내다 sofort (sogleich; gleich) zurück|schicken⁴ (zurück|senden*) / ~ 회답해 주시기 바랍니다 Bitte antworten Sie auf m-n Brief (Bitte beantworten Sie m-n Brief) mit umgehender Post.
되찾다 zurück|nehmen*⁴; wieder|erlangen⁴; wieder zu Kräften kommen*Ⓢ; neue Kräfte sammeln; ⁴sich erholen (주가, 경기 따위를). ¶ 물가가 제 자리를 되찾았다 Die Preise erholten sich. / 자동차 공업은 경기를 되찾았다 Die Autoindustrie hat sich gut erholt. / 환자는 건강을 되찾았다 Der Kranke (Patient) hat sich von der Krankheit erholt.
되채다 eindeutig u. ausdrücklich verkünden⁴.
되치이다 ① 《당하다》 e-n Gegenangriff bekommen* (erleiden*); angegriffen werden.
② 《일이》 umgestürzt werden; umgeschlagen werden; s-r Erwartung widersprechen* (nicht entsprechen*); ⁴sich als etwas anderes heraus|stellen.
되통스럽다 plump; schwerfällig; unbeholfen; ungeschickt; stümperhaft; stumpf (-sinnig); dickköpfig; dumpf; dumm (sein). ¶ 되통스러운 사람 Stümper *m.* -s, -; Pfuscher *m.* -s, - / 몸 (손, 발)이 되통스럽게 생겼다 Er hat e-n plumpen Körper (plumpe Hände, Füße). / 그 사람은 머리가 ~ Er ist schwerfälligen Geistes. / 저 사람은 되통스럽게 대답한다 (걷는다, 말한다) Der Mann antwortet (geht, spricht) schwerfällig. / 그가 하는 것은 모두가 ~ Er tut alles plump (ungeschickt).
되티티 =되지빠귀.
되풀이¹ 《반복》 Wiederholung *f.* -en; Wiederkehr *f.*; wiederholtes Vorkommen, -s (사전 등); ständige Wiederholung, -en. ~하다 wiederholen⁴; ⁴sich wiederholen; ständig wiederholen⁴; weiter|erzählen⁴(이야기를); weiter|verbreiten⁴ (소문 따위를); wie-

der|kehren[s]; noch einmal tun*. ¶ ~하는 wiederholend; mehrmalig; Wiederholungs-; Repetier- / ~하여 wiederholt; wiederholentlich; immer wieder; wieder und wieder; noch einmal/한 말을 ~하다 (⁴sich) wiederholen; wiederholt [immer wieder; wieder und wieder] sagen / 잘못을 ~하다 s-n Fehler wiederholen; s-n Fehler immer wieder [wieder und wieder] machen [begehen*] / 책을 세 번 ~하여 읽다 ein Buch dreimal lesen* / 그는 같은 말을 ~하기를 좋아한다 Er wiederholt sich gern. / 그 정치가는 연설할 때마다 한 이야기를 곧잘 ~하곤 한다 Der Staatsmann wiederholt sich oft in s-n Reden. / 역사는 ~한다 Die Geschichte wiederholt sich. / 역사는 ~할 수 없다 Die Geschichte läßt sich nicht wiederholen.

되풀이² 《계산》 das Ausrechnen nach ³Maß [*Doe* =1, 81 Liter); 《되로 팖》 Verkauf 《*m.* -(e)s, ⸚e》; (von Waren) nach Maß. **~하다** nach Maß aus|rechnen⁴.

된똥 der harte Stuhlgang, -(e)s, ⸚e; der harte Kot, -(e)s.

된마파람 《뱃사람 말》 Südostwind *m.* -(e)s, -e (동남풍).

된매 strenge Züchtigung, -en. ¶ ~를 맞다 Prügel beziehen*; geprügelt werden.

된바람 ① 《북풍》 Nordwind *m.* -(e)s, -e; aus Nordwesten kommender Wind(뱃사람 말). ② 《강풍》 starker Wind; heftiger Wind; Sturmwind.

된밥 zu hart [nicht weich genug] gekochter Reis, -es.

된비알 steil ansteigende (Land)straße, -n; Steilhang *m.* -(e)s, -e.

된새(바람) 《뱃사람 말》 Nordostwind *m.* -(e)s, -e.

된서리 heftiger [strenger] Frost, -es, ⸚e. ¶ ~ 맞다 strengen Frost erleiden⁴; heftigen Frost erdulden⁴; 《타격》 schwer getroffen werden 《*durch*⁴》; *jn.* hat das Unglück getroffen; *jm.* ist ein Mißgeschick 《-(e)s, -e》 geschehen [passieren] / 이번 장사에 ~를 맞았다 Er hat Pech [Unglück] beim letzten Geschäft./면직물 업계는 그 때문에 ~를 맞았다 Die Baumwollindustrie ist dadurch schwer getroffen.

된서방(一書房) grober [barscher] Ehemann, -(e)s, ⸚er. ¶ ~맞다 e-n groben Ehemann heiraten; 《어려움을 당함》 Qualen《*pl.*》 aus|halten [ertragen] müssen; Schwierigkeiten 《*pl.*》 bekommen.

된장(一醬) Sojabohnenpastete *f.* -n. ¶ ~에 풋고추 박히듯 das Festhalten*, -s; das Bleiben* [Beharren*] bei einer Sache; das Sich-an-eine-Sache-Halten*, -s.

‖ **~국** Sojabohnenbrühe *f.* -n.

된침(一針) schmerzhafte Nadel, -n.

된풀 dickflüssiger Klebstoff, -(e)s, -e.

된하늬 《뱃사람 말》 Nordwestwind *m.* -(e)s, -e (북서풍).

될뻔댁(一宅) e-e Person 《-en》, die fast etwas Größeres geworden wäre.

될성부르다 ¶ 될성부른 나무는 떡잎부터 날아본다 《속담》 Was ein Häkchen werden will, krümmt sich beizeiten.

됨됨이 ① 《사람》 Mensch *m.* -en, -en; Persönlichkeit *f.* -en; s-e Natur, -en [s-e Charakteranlage, -n; sein Temperament *n.* -s, -e; s-e Gemütsart, -en; sein Schlag *m.* -(e)s, -e); sein Charakter *m.* -s, -e. ¶ 젊지만 그는 ~가 훌륭하다 Trotz s-r Jugend ist er e-e Persönlichkeit. / ~가 정직하다 Er ist von Natur ehrlich. / 사람 ~가 변변치 못하다 Der Mann taugt nicht viel. / 사람 ~가 근실하다 Er ist von Natur ernsthaft [ernst gemeint; ernst gesinnt). ② 《물건》 Form *f.* -en; Aufmachung *f.* -en; Ausstattung *f.* -en; Struktur *f.* -en; Kunstfertigkeit *f.* -en; Ausführung *f.* -en. ¶ 물건 ~가 잘 되었다 Es hat e-e gute Ausstattung [Aufmachung]. Es ist gut hergestellt.

됫밑 Reis, der beim Messen mit e-m Maß [*Doe* =1,81 Liter] übrig bleibt.

됫박 Meßgefäß 《*n.* -es, -e》 aus e-r halben getrockneten Kürbisschale (zum Getreidemessen). ¶ 쌀을 ~으로 사다 mit Kürbisschalen gemessenen Reis ein|kaufen; kleine Menge Reis ein|kaufen.

‖ **~질** das Messen* mit e-r getrockneten Kürbisschale: ~질하다 mit Kürbisschalen messen*; nach Kürbisschalenmaß Reis ein|haufen.

됫수(一數) Zahl 《*f.* -en》 der Maß- [*Doe-*] Einheiten. ¶ ~가 틀리다 das Maß ist falsch/ ~가 모자라다 das ist unzureichend gemessen.

됫술 etwa ein Maß [*Doe*=1,8 *l*] Reiswein 《*m.* -(e)s, -e》; maßweise verkaufter Reiswein.

두 zwei. ¶ 두가지 《종류》 zweierlei; zwei Arten [Sorten] (von); 《방법》 zwei Weisen [Methoden; Mittel] / 두 가지의 zwei; verschieden; verschiedenartig / 두 배 doppelt; zweifach; zweimal / 두 번 zweimal; doppelt; zweifach / 두 번의 zweimalig / 두 번째 das zweite Mal / 두 번째로 zum zweiten Mal; zum zweitenmal / 두 번째의 아내 die zweite Frau, -en / 두 사람 zwei Personen [Menschen); beide / 두 내외 ein Ehepaar *n.* -(e)s, -e; Ehemann und Ehefrau; Mann und Frau / 두 패 zwei Parteien [Lager; Gruppen] / 두 패로 갈라지다 ⁴sich in zwei entgegenstehende [entgegengesetzte] Parteien [Lager; Gruppen] spalten* / 두 번 다시 그곳에는 가지 않겠다 Ich will nie mehr dorthin [dahin] gehen [fahren]. / 두 가지로 표현할 수 있다 Es gibt zwei Ausdrucksmöglichkeiten. / 이 문장은 두 가지로 해석할 수 있다 Diesen Satz kann man zweierlei auslegen [erläutern].

두(頭) Stück *n.* -(e)s. ¶ 소 20두 20 Stück Kühe 〖Stück은 *pl.*로 하지 않음〗.

두각(頭角) 《뛰어남》 Auszeichnung *f.* -en; Hervorragung *f.* -en; Vorsprung *m.* -(e)s, ⸚e. ¶ ~을 나타내다 ⁴sich aus|zeichnen 《*in*³》; ⁴sich hervor|tun* [heraus|heben*]; e-e glänzende Rolle spielen; im Vordergrund stehen*; hervor|ragen; hervor|treten* [s] / 그는 수학에서 단연 ~을 나타내고 있다 Er zeichnet sich vor [unter] anderen in Mathematik aus. / 그 신진 작가는 최근 새로운 장편 소설로 ~을 나타냈다 Der junge Romanschriftsteller ist kürzlich mit e-m neuen Roman hervorgetreten./ 그 과학자는 원자 물리학 지식으로 ~을 나타내고 있었다 Der Wissenschaftler zeichnete sich durch s-e Kenntnisse Atomphysik aus. / 그 소장 학자는 박학으로 대단한 ~을 나타내고 있다 Der junge Gelehrte tut sich sehr mit s-m Wissen hervor. / 그 외국인은 지금 신진 화가로서 화단에서 ~을 나타내고 있다 Der Ausländer spielt jetzt als ein junger Maler im Malerkreis e-e glänzende

Rolle.

두개(頭蓋) 〖해부〗 Schädel *m.* -s, -; Hirnschale *f.* -n; Hirnschädel; Hirnpfanne *f.* -n. ¶ 장(長)~의 langschäd(e)lig.
‖ **~골** Schädelknochen *m.* -s, -: ~골을 다치다 ³sich s-n Schädelknochen zerbrechen* (brechen*) / ~골 골절 〖의학〗 Schädelbruch *m.* -(e)s, ⸚e. **~근** 〖해부〗 Schädelmuskel *m.* -s, -n (*f.* -n).

두건(頭巾) Hanfkappe 《*f.* -n》 für Trauernde.

두겁 die Zierkappe 《-n》 an der Spitze e-s langen u. schlanken Dinges; Spitzenschoner *m.* -s, -; 《붓두껍》 Pinselkappe *f.* -n.

두겁조상(一祖上) sehr berühmte Ahnen 《*pl.*》.

두견(杜鵑) ① 〖조류〗 Kuckuck *m.* -(e)s, -e. ② 《진달래》 Azalee *f.* -n; Azalie *f.* -n.

두고두고 für immer; 〖속어〗 auf immer; immer wieder; für ewig. ¶ ~ 쓸 수 있다 für immer brauchen (benutzen) ⁴können*/ 과자를 ~ 먹다 mit Süßigkeiten《*pl.*》 sparsam um|gehen*; kaum einmal Kuchen essen* / 잘못한 것을 ~ 나무라다 *jn.* von Zeit zu Zeit auf|merksam machen auf⁴ seinen Fehler, (den er einmal begangen hat) / 은혜를 일생 동안 ~ 잊지 않다 *jm.* stets dankbar sein für seine Hilfe (Wohltat).

두골(頭骨) Schädel *m.* -s, -; Schädelknochen *m.* -s, -.

두그르르 《구르다》 ins Rollen kommen. ¶ 돌이 ~ 구르다 Der Stein kommt ins Rollen.

두근거리다 heftig klopfen; unregelmäßig schlagen*; schlagen*; klopfen; pochen; pulsen; hämmern; nervös fühlen; erregt (aufgeregt; beunruhigt) werden. ¶ 가슴을 두근거리며 mit klopfendem (pochendem) Herzen / 두근거리는 가슴 das klopfende (pochende; schlagende; hämmernde) Herz, -ens, -en; das Klopfen* (Pochen*) des Herzens / 가슴이 ~ Das Herz klopft (pocht; schlägt; hämmert) ihm schnell (heftig; unregelmäßig). / 흥분하여 가슴이 두근거린다 Mir klopft (pocht; schlägt) das Herz vor Erregung. | Das Herz schlägt mir vor Erregung bis zum Hals (herauf). / 기대 때문에 가슴이 두근거린다 Mir klopft (pocht; schlägt) das Herz vor Erwartung.

두근두근 ticktack (심장 따위가). ¶ 가슴이 ~ 하다 Das Herz pocht.

두글두글 das fortlaufende Rollen* e-s großen u. schweren Dinges.

두길(마)보기 Opportunismus *m.* -.

두길마보다 das Ergebnis ab|warten; unentschlossen sein.

두꺼비 〖동물〗 Kröte *f.* -n. ¶ ~ 파리 잡아 먹듯 bereit (fertig) sein, irgend etwas zu essen* / ~ 꽁지만하다 winzig (klein) sein.
‖ **~씨름** Gleichstand *m.* -(e)s, ⸚e; das unentschiedene Spiel, -s, -e.

두꺼비집 ① 〖전기〗 Sicherungskasten *m.* -s, - (⸚). ② 〖건축〗 Nische 《*f.* -n》 für Schieb(e)türen.

두껍다 dick; dicht; schwer; schwergebaut; umfangreich; voluminös; stark (sein). ¶ 두껍게 dick / 두꺼운 책 ein dickes Buch, -(e)s, ⸚er / 두꺼운 벽 e-e dicke (schwere) Wand, ⸚e / 두꺼운 옷 die dicke Kleidung, -en / 두껍게 하다 verdicken; dick(er) machen / 그는 고기를 두껍게 썰었다 Er schnitt das Fleisch in dicke Stücke.

두껍다랗다 dicklich; ziemlich dick (sein).

두껍다리 e-e kleine namenlose Steinbrücke 《-n》 über e-m Gäßchen; Steg *m.* -(e)s, -e.

두껍닫이 der Kasten 《-s, ⸚》 für Schiebetüren; der Rahmen 《-s, -》 e-r Schiebetür (e-s Schiebefensters).

두께 Dicke *f.* -n; Stärke *f.* -n; Dichtheit *f.* -en. ¶ ~가 2인치인 널빤지 ein zwei Zoll dickes (starkes) Brett; e-e zwei Zoll dicke (starke) Diele / ~가 두껍다 dick sein / ~가 5센티다 5 cm dick sein; 5 cm mächtig sein(광산에서) / ~가 얼마나 되느냐 Wie dick ist es? / 이 널빤지는 ~가 반 인치다 Dieses Brett ist e-n halben Zoll dick (stark).

두남두다 ① 《도와줌》 *jn.* unterstützen; *jm.* immer gern helfen; *jm.* den Gefallen tun*. ② 《편역듦》 *jn.* unterstützen; Partei ergreifen 《für *jn.*》.

두뇌(頭腦) Gehirn *n.* -(e)s, -e; Kopf *m.* -(e)s, ⸚e (머리); 《지성·지력》 Verstand *m.* -(e)s; Intelligenz *f.* -en. ¶ 냉정한 ~ ein kühler Kopf (Verstand) / 명민(냉철, 명석, 치밀, 산만)한 ~ ein heller (kalter, klarer, logischer, unklarer) Kopf / ~적인 경기 ein Spiel 《*n.* -s, -e》 mit Gehirn (Kopf) / ~가 명석하다 e-n klaren Kopf (Verstand) haben / 수학적인 ~를 가지고 있다 e-n mathematischen Kopf (Verstand) haben / 그의 ~는 실무에 적합하다 Er hat e-n guten Kopf (Verstand) für Geschäft.
‖ **~노동** Kopfarbeit *f.* -en; Geistesarbeit; geistige Arbeit: ~노동자 Kopfarbeiter *m.* -s, -; Geistesarbeiter/ ~ 노동을 하다 mit Kopf (Geist) arbeiten. **~선** 《손금》 Kopflinie *f.* -n; Gehirnlinie. **~유출**(流出) der Abfluß des Kopfes ins Ausland; Geistesabfluß *m.* ..flusses, ..flüsse. **~작전** Kopfoperation *f.* -en; Geistesoperation. **~집단** Kopfgruppe *f.* -en; Gehirntrust *m.* -(e)s, -e (-s) (브레인 트러스트). **전자~** Elektronengehirn *n.* -(e)s, -e.

두다¹ ① 《놓다》 stellen; legen; setzen; weg|legen; beiseite|legen. ¶ 찻잔을 찬장에 ~ e-e Tasse in den Küchenschrank stellen.
② 《보존》 halten*; auf|bewahren; auf|speichern; ein|lagern; behalten*. ¶ 돈을 금고에 ~ Geld im Geldschrank auf|bewahren / 귀중품은 어디에 둡니까 Wo bewahren Sie Ihre Kostbarkeiten auf?
③ 《뒤에 남김》 hinter ³sich liegen|lassen*⁴; hinter ³sich stehen|lassen*⁴; zurück|lassen*⁴; vergessen*. ¶ 책을 집에 두고 오다 sein Buch zu Haus(e) zurück|lassen* / 모자를 차 속에 두고 왔다 Ich habe m-n Hut im Wagen zurückgelassen.
④ 《방치》 lassen*; liegen (stehen; sitzen; stecken; hängen) lassen*; allein (in Ruhe) lassen*; auf|geben*; preis|geben*; ⁴*et.* im Stich lassen*; s-m Schicksal überlassen*. ¶ 책을 책상 위에 놓아 ~ das Buch auf dem Tisch liegen lassen* / 문을 열어 ~ die Tür offen lassen* / 미해결로 남겨 ~ ⁴*et.* unentschieden (ungewiß) lassen* / 그대로 내버려 둬라 Laß das stehen! / 혼자 있게 내버려 둬라 Laß mich in Ruhe (allein)!
⑤ 《배치함·주재함》 auf|stellen; postieren; stationieren. ¶ 대문에 파수병을 ~ Wachen (e-n Posten) am Tor aus|stellen.
⑥ 《데리고 있음》 halten*; beschäftigen⁴; an|stellen; *jn.* in Dienst nehmen*; dingen; vermieten; haben. ¶ 개를 ~ (³sich) e-n

Hund halten* / 사람을 ~ *jn.* zu e-r Arbeit an|stellen; *jn.* in Dienst nehmen* / 뒷채에 사람을 ~ *jm.* das Hinterhaus vermieten / 양자를 ~ an Kindes Statt an|nehmen*; adoptieren.

⑦《설치·역점》gründen; stiften; errichten; ⁴sich nieder|lassen*. ¶ 각 대학에 도서관을 ~ e-e Bibliothek an jeder Universität errichten (gründen) / 서울에 사무실을 ~ ein Geschäftslokal (Büro) in Seoul haben; ⁴sich in Seoul nieder|lassen*/차이를 ~ zwischen (unter) ³*et.* e-n Unterschied machen / 중점을 ~ auf ⁴*et.* besonderen Nachdruck (Akzent) legen; auf ³*et.* die Betonung (Hervorhebung) liegen*; Akzente setzen⁴.

⑧《기구를》an|stellen; ernennen*; bestimmen; bestellen; ein|richten; organisieren; bilden. ¶ 각 부에 장관을 ~ e-n Minister zu jedem Ministerium an|stellen (ernennen) / 위원회를 ~ e-n Ausschuß (ein Komitee) organisieren (bilden).

⑨《간격을》Abstand halten*; e-n Zwischenraum lassen*. ¶ 2 m 사이를 두고 심다 je 2 m Zwischenraum pflanzen / 석달을 두고 만나지 못한다 drei Monate (lang) nicht gesehen haben.

⑩《마음을》hegen; tragen*; haben. ¶ 의심을 ~ Zweifel hegen; an ³*et.* zweifeln / 애정(미움)을 ~ Liebe (Haß) hegen / 희망을 ~ e-e Hoffnung nähren / 학문에 뜻을 ~ Er hat e-n Lieblingswunsch nach dem Lernen.¦Sein Herz hängt am Lernen.

⑪《다짐을》sein Ehrenwort geben*.

⑫《수결(手決)을》unterschreiben*⁴; unterzeichnen⁴. ¶ 이름에 수결을 ~ s-n Namen unterschreiben* (unterzeichnen).

⑬《장기·바둑을》《Schach, Damenspiel》spielen; 《e-e Schachfigur, e-n Schachstein, e-n Dam(en)stein》ziehen* (rücken); e-n Zug tun* (machen). ¶ 어서 두어라 Bitte, fahren Sie fort und ziehen (rücken) Ihre Schachfigur (Ihren Damstein)! / 한판 ~ mit *jm.* e-e Partie spielen.

⑭《넣다》mischen; bei|mengen; mengen. ¶ 밥에 팥을 ~ Bohnen in den Reis mischen (mengen) / 옷에 솜을 ~ ein Kleidungsstück wattieren.

두다² 〖조동사〗(sein; bleiben) lassen*⁴; ⁴*et.* tun*, (es) zu bekommen*; ⁴*et.* getan haben; ⁴*et.* überwinden* (überstehen*); auf|hören 《*mit*³》; ⁴*et.* gründlich machen. ¶ 나 하는 것을 잘 봐 두게 Nun, sieh sorgfältig, wie ich es mache.¦Schau nun sorgfältig auf die Methode, mit der ich es tue. / 맛은 별로 없지만 그냥 먹어두지 Es ist auch nicht sehr köstlich, wollen wir es jedenfalls verzehren.¦Es schmeckt nicht besonders gut, aber jedenfalls essen wir es auf!

두다리 ¶ ~ 걸치다 rittlings sitzen 《*auf*³》; ein Doppelspiel treiben* (spielen) / ~ 걸쳤다가 실패하다 ⁴sich zwischen zwei Stühle setzen.

두대박이 Zweimaster *m.* -s, -; Segelschiff mit zwei Masten.

두더지 〖동물〗Maulwurf *m.* -(e)s, ¨e. ¶ ~ 혼인 같다 e-e leere Hoffnung nähren; ³sich mit eit(e)len Hoffnungen schmeicheln.

‖ ~가죽 Maulwurfsfell *n.* -s, -e. ~작전 Maulwurfstaktik *f.*; Untergrundkampf *m.* -(e)s, ¨e; Untergrundpropaganda *f.*

두덜거리다 brummen; nörgeln; murrmeln; murren. ¶ 무엇이 못마땅한지 밤낮 두덜거리기만 한다 Ich weiß nicht, was ihm fehlt. Er murrt ständig. / 돈 갚는 게 늦는다고 두덜거렸다 Er beschwerte sich bei mir über den Zahlungsrückstand.

두덜두덜 klagend; murrend.

두덩 ①《논·밭의》Rain *m.* -(e)s, -e; Rand *m.* -(e)s, ¨er. ¶ 논~ Rain e-s Reisfeldes / 밭~ Rain e-s Ackers; Feldrain *m.* -(e)s, -e; Rand e-s Feldes / ~에 누운 소《비유적》jemand, der sich in e-r angenehmer (bequemen) Lage befindet. ②《신체의》erhöhter Teil, -(e)s, -e (des Körpers). ¶ 눈~ Augenlid *n.* -(e)s, -er.

‖ ~톱 dickbäuchige Säge, -n.

두동지다 ³sich selbst wiedersprechend; nicht übereinstimmend; unvereinbar; nicht zusammenhängend; widersprüchlich (sein).

두두룩이 ①《수북하게》geschwollen 《*von*³》; erhoben 《*von*³》; in hohem Grade. ¶ 흙을 ~ 쌓아올리다 Erde aufhäufen / 젖가슴이 ~ 내밀다 einen üppigen Busen 《-s, -》 haben.

②《많이》viel; reichlich; in (im) Überfluß; genug; genügend. ¶ 돈을 ~ 집어 주다 e-e Menge Geld geben.

두두룩하다 geschwollen; üppig; erhoben (sein) 《*von*³》; in hohem Grade sein. ¶ 두두룩한 젖가슴 ein üppiger Busen / 두두룩한 돈지갑 dicke Geld¦tasche 《-n》 (-börse, -n); dicker Geldbeutel, -s, -.

두둑 《경계》Eindämmung *f.* -en; Eindeichung *f.* -en; 《이랑》Rain *m.* -(e)s, -e; Furchenrain *m.* -(e)s, -e. ¶ 논 ~ Rain eines Reisfeldes / 밭~ Furchenrain e-s Ackers; Rand eines Feldes.

두둑하다 ①《두껍다》etwas (ein wenig; einigermaßen) dick (sein); ziemlich schwer (sein). ¶ 짐이 ~ Das Gepäck ist ziemlich schwer.

②《풍부함》reichlich; genügend; befriedigend (sein). ¶ 배가 두둑하게 먹다 e-e reichliche Mahl zu sich nehmen* / 두둑하게 벌다 viel Geld (dicke Gelder) verdienen / 주머니가 ~ e-e wohlgefüllte (gespickte) Börse haben; viel Geld haben.

두둔하다 《die Schwachen》unterstützen; bei|stehen* 《*jm.*》; begünstigen; für *jn.* Partei nehmen* (ergreifen*); es mit *jm.* halten*. ¶ 자기 아이를 ~ 《싸움에》(in e-m Zank) für sein eigenes Kind Partei nehmen* (ergreifen)* / 부하를 두둔하여 말하다 s-m Untergeordneten zu Gunsten reden / 그는 언제나 약한 사람을 두둔한다 Er steht immer bei den Schwachen bei. / 아무도 그를 두둔해 주는 사람이 없었다 Niemand sorgte für ihn.

두둥둥 bum, bum!

두둥실 schwimmend; treibend; schwebend. ¶ 풍선이 ~ 높이 떠 있다 Ein Luftballon schwebt hoch in der Luft.

두드러기 〖의학〗Nesselausschlag *m.* -(e)s, ¨e; Nesselfieber *n.* -s, -; Nesselsucht *f.* ¨e; Nesselanschlag *m.* -(e)s, ¨e; Nesselfriesel *m.* (*n.*) -s, -; Urtikaria (Urticaria) *f.* ¶ ~가 돋다 Nesselausschlag bekommen*; Urtikaria (Urticaria) haben; im Hautausschlag aus|brechen* ⓢ / 얼굴에 ~같은 것이 돋는다 Es bilden sich Hautausschläge (Finnen) auf dem Gesicht.

두드러지다 ①《뚜렷하다》⁴sich ab|heben*; ab|stechen 《*von*³》; in die Augen fallen*ⓢ;

auffallend sein; die Aufmerksamkeit auf ⁴sich ziehen*; 《두각을 나타내다》 ⁴sich aus|zeichnen; ⁴sich hervor|tun*; ⁴sich geltend machen; hervor|ragen. ¶ 두드러지게 하다 hervor|treten lassen*; abstechen lassen* / 두드러진 인상 ein unauslöschlicher Eindruck, -(e)s, ⸚e / 두드러진 인물 ein hervorragender Kopf, -(e)s, ⸚e / 두드러진 특징(이목구비) scharfe Züge / 두드러진 차이 ein ins Auge fallender Unterschied, -(e)s, -e / 두드러지게 hervor|ragend; auffallend; ausgezeichnet; hervorstechend; auffällig; aufsehenerregend; abstechend(대조적); beachtlich; eindrucksvoll (인상적); bedeutend; ansehnlich; 《예외적》 ausnehmend; außerordentlich; 《특히》 besonders; vornehmlich; vor|züglich; 《특징적》 markiert; maßgebend; 《한층》 noch mehr (weiter); 《비교가 되지 않을정도로》 unvergleichlich / 두드러지게 예쁜 아가씨 ein hervorragend schönes Mädchen, -s, - / 그 여자의 흰 살결은 검은 머리카락과 두드러지게 대조가 된다 Ihre weiße Haut hebt die Schwärze ihrer Haare hervor.

두드리다 ① 《치다》 schlagen*⁴; prügeln; stoßen*; treffen*; puffen; knuffen; hämmern; trommeln; hauen* (세게); klopfen; pochen; dreschen*; hin u. her schlagen*; tippen(가볍게); klapsen (손바닥으로). ¶ 아무를 가볍게 ~ e-n Klaps geben* 《*jm.*》 / 아무를 몹시~ durchprügeln 《*jn.*》 / 녹초가 되게 ~ zerprügeln 《*jn.*》 / 북을 ~ die Trommel rühren; trommeln / 문을 ~ an die Tür klopfen (pochen) / 문을 가볍게 (세게) ~ an die Tür tippen (klapsen, puffen) / 대문을 심하게 ~ an das Tor (an die Tür) donnern / 화가 나서 책상을 ~ vor (aus; in) Zorn den Tisch puffen (knuffen) / 못을 두드려 박다 e-n Nagel ein|schlagen* / 누군가가 문을 두드리고 있다 Jemand klopft (pocht) an die Tür.¦Es (Man) klopft / 타이프를 ~ 《타자를 치다》 mit (auf) der Schreibmaschine schreiben*; tippen.
② 《공격하다》 an|greifen*⁴. ¶ 신문에서 ~ *jn.* in den Zeitungen an|greifen⁴; in den Zeitungen angegriffen werden; die Zielscheibe der Angriffe von Journalisten werden.

두럭 ① 《사람의》 e-e Gruppe (Menge) von Spielern (Spielerinnen). ② 《집의》 eine Gruppe von Häusern am selben Platz; Häusergruppe *f.* -n.

두런- ☞ 도란-.

두렁 Uferdamm *m.* -(e)s, ⸚e; der Schutzdamm e-s Flusses; die Bank 《⸚e》 (der Damm, -(e)s, ⸚e) am Reis¦feld (-acker); Furchenrain *m.* -(e)s, -e. ¶ 논~ der Furchenrain auf dem Reisfeld / ~에 든 소 《비유적》 wie ein Scheunendrescher (ein Wolf).

두렁이 eine Art Mädchenrock 《*m.* -(e)s, ⸚e》.

두렁허리 『어류』 eine Art Aal 《*m.* -(e)s, -e》; *Fluta alba* (학명).

두레 ① 《물푸는 기구》 Wasserschippe *f.* -n; Wasserschöpfkelle *f.* -n; Wasserschaufel *f.* -n. ② =두레박. ③ 《농군의 모임》 die mitwirkende (mitarbeitende) Bauerngruppe. ‖ ~우물 Ziehbrunnen *m.* -s, -; Schöpfbrunnen.

두레박 Schöpfeimer *m.* -s, -; Schöpfkübel *m.* -s, -. ¶ ~으로 물을 긷다 mit einem Schöpfeimer (Schöpfkübel) Wasser holen (schöpfen).
‖ ~줄 die an den Schöpfeimer angehefteten (angeknüpften; befestigten) Seile (Stricke); Brunnenkette *f.* -n. ~틀 e-e Schöpfeimer¦vorrichtung (Schöpfkübel-) mit Steingegengewicht.

두레박질 das Wasserschöpfen*, -s (aus e-m Brunnen). ~하다 Wasser mit e-m Eimer aus dem Brunnen holen (ziehen*).

두레질 die Bewässerung mit der Wasser-Schippe. ~하다 mit der Wasser-Schippe bewässern⁴.

두려빠지다 ⁴sich los|lösen* 《*von*³》.

두려움 ① 《무서움》 Furcht *f.*; Angst *f.* ⸚e; Schrecken *m.* -s, -; Grauen *n.* -s; Entsetzen *n.* -s; Grausen *n.* -s. ¶ ~으로, ~때문에 vor ³Furcht (Angst; Schrecken; Schauder); von Furcht befallen*; aus Furcht vor ³*et.* / ~으로 부들부들 떨고 있었다 Vor Schauder zitterte er am ganzen Leibe.
② 《염려》 Besorgnis *f.* -se; Befürchtung *f.* -en.
③ 《외경》 Ehrfurcht *f.*; Verehrung *f.* -en; Respekt *m.* -(e)s, -e; Hochachtung *f.* -en. ¶ 신에 대한 ~ die Furcht Gottes; die Furcht vor Gott (vor dem Herrn).

두려워하다 ① 《무서움》 ⁴sich fürchten 《*vor*³》; Furcht (Angst, Schrecken) haben (empfinden*; hegen 《*vor*³》; erschrecken* 《*vor*³》); es bangt mich (mir) 《*vor*³》; ⁴sich (be)ängstigen 《*vor*³》; ⁴sich scheuen 《*vor*³》. ¶ 죽음을 ~ Furcht (Angst) vor dem Tod haben (hegen); ⁴sich vor dem Tod fürchten / 그는 개를 두려워한다 Er fürchtet sich vor dem Hund. / 그는 아무 것도 두려워하지 않는다 Er fürchtet sich vor nichts. / 그는 혼자 가기를 두려워했다 Er fürchtete sich, allein zu gehen. / 그는 위험이나 죽음 따위는 두려워하지 않는다 Er fürchtet weder Gefahr noch Tod. / 두려워할 것 없다 Hab k-e Furcht!¦Fürchte nichts!
② 《염려》 besorgen⁴; befürchten⁴; fürchten daß. ¶ 시험에 낙제할까 ~ Ich fürchte, daß ich in e-r Prüfung durchfallen sollte.
③ 《외경(畏敬)》 s-e Ehrfurcht bezeigen 《*jm.*》; Ehrfurcht haben (empfinden*; hegen) 《*vor*³》. ¶ 어른을 ~ älteren Personen (Leuten) s-e Ehrfurcht bezeigen; ältere Personen (Leute) verehren / 어른을 두려워할 줄 모르다 älteren ³Personen (Leuten) Trotz bieten*; älteren ³Personen schuldige Achtung nicht erweisen* (beweisen*).

두렵다 《무서움·겁남》 ⁴sich fürchten 《*vor*³》; Furcht (Angst; Schrecken) haben (empfinden*; hegen) 《*vor*³》; *jn.* (be)fürchten; scheuen⁴; ⁴sich scheuen 《*vor*³》; 《염려》 besorgt sein 《*um*⁴》; besorgen⁴; 《외경》 Ehrfurcht haben (empfinden*; hegen) 《*vor*³》.
¶ …이 두려워 aus Furcht (Angst) vor³… / 두려운 분 e-e Ehrfurcht einflößende Persönlichkeit, -en / 예술가를 (예술품을) 두렵게 대하다 ⁴sich e-m Künstler (Kunstwerk) mit Ehrfurcht nahen / 방해가 될까 ~ Ich fürchte zu stören. / 두렵지 않다 k-e Furcht (Angst) empfinden* (hegen) / 죽음이 ~ ⁴sich vor dem Tod fürchten; Furcht (Angst) vor dem Tod haben (empfinden*; hegen) / 갑자기 두려운 생각이 뼛속까지 스며들었다 Der Schrecken fuhr mir in die Knochen (Glieder) durch./올바른 일 하는데

두려울 게 뭐 있나 Tue recht und scheue niemand. / 그 여자를 돕는데 희생(노력, 비용) 같은 것은 두렵지가 않았다 Er scheute k-e Opfer (Mühe, Kosten), ihr zu helfen. / 그 사람이 혹시 사고나 만나지 않았는지 두려운 생각이 든다 Ich besorge, daß er e-n Unfall gehabt hat.

두렷- ☞ 뚜렷-.

두령(頭領) Haupt *n.* -(e)s, ⸚er; Oberhaupt *n.* -(e)s, ⸚er; Führer *m.* -s, -; Leiter *m.* -s, -; Chef *m.* -s, -s.

두루 《골고루》 rundum(her); ringsum(her); rundherum; ringsherum; herum; über u. über; überall; allenthalben; ganz (hin-) durch; weit u. breit; weit erstreckend; ausgedehnt; allgemein; universal. ¶ ~ 알려져 있다 allgemein (weit u. breit) bekannt sein / ~ 살피다 herum|sehen*; wachsame Blicke um [4]sich werfen* / ~ 알리다 das [4]Volk wissen lassen*; [3]jedermann mit|-teilen 《*von*[3]》 / ~ 찾다 herum|suchen[4]; durch|suchen[4] (durchsuchen[4]) 《*nach*[3]》 / 시내를 ~ 안내하다 durch die ganze Stadt führen 《*jn.*》 / 전국을 ~ 돌아다니다 durch das ganze Land reisen (wandern) ⓢ; das ganze Land durchreisen; e-e Rundreise durch das ganze Land machen; im ganzen Land reisen (wandern) / 전염병은 전국에 ~ 퍼지고 있다 Die Epidemie verbreitet sich im ganzen Land.

두루마기 (traditioneller koreanischer) Mantel 《-s, ⸚》 des vornehmen Herrn (der vornehmen Frau).

두루마리 e-e Rolle 《-n》 Papier; das (zusammen)gerollte (Brief)papier, -s, -e. ¶ ~ 모양의 rollenförmig.

‖ ~구름 〖기상〗 Haufenwolke *f.* -n; Kumuluswolke; Kumulus *m.* -, ..li (..lusse). ☞ 적운(積雲). ~그림 Bilderrolle *f.* -n. ~종이 Rollenpapier *n.* -s, -e. ~필름 〖사진〗 Rollfilm *m.* -(e)s, -e.

두루뭉수리 ① 《사물》 Unordnung *f.* -en; Durcheinander *n.* -s, -; Verwirrung *f.* -en. ¶ ~를 만들어 놓다 [4]*et.* in [4]Unordnung bringen; [4]*et.* durcheinander|bringen; [4]*et.* in Verwirrung bringen. ② 《사람》 Taugenichts *m.* -(e)s, -e; dummer Mensch, -en, -en; Nichtsnutz *m.* -(e)s, -e.

두루미 〖조류〗 Kranich *m.* -(e)s, -e. ¶ ~꽁지 같다 e-n kurzen dichten Bart haben.

‖ ~떼 Kranichschar *f.* 재~ grauer Kranich. 흑~ Haubenkranich *m.* -(e)s, -e.

두루미냉이 〖식물〗 Artischocke *f.* -n; *Stachys Sieboldii* (학명).

두루주머니 Tasche *f.* -n; Beutel *m.* -s, -; Börse *f.* -n.

두루춘풍(一春風) ein freundliches Wesen haben; freundlich sein (gegen[4] alle). ¶ ~이라 아무와도 척지는 일이 없다 Er hat ein freundliches Wesen, deswegen hat er keine Feinde.

두루치기 ① 《둘러쓰기》 Gebrauch 《*m.* -(e)s, ⸚e》 für mehrere (verschiedene) Zwecke.
② 《음식》 e-e Art Brühe (aus Muscheln und Tintenfischen).

두룽다리 ein hoher Pelzhut, -(e)s, ⸚e.

두르다 ① 《둘러 가림》 um [4]*et.* legen (stellen); umgeben*[4]; um|legen[4]; umlegen[4]; umstellen[4]; umziehen*[4]; umzingeln[4]; umringen[4]; ein|kreisen[4]; ein|kesseln; ein|schließen*; wickeln. ¶ 뜰을 나무판자로 ~ e-n Garten mit Holzbohlen (Holzbrettern) ein|friedigen (ein|hegen; ein|zäunen; umzäunen) / 집에 돌담을 ~ ein Haus mit e-r Steinmauer umgeben* (umringen) / 치마를 ~ e-n (Frauen)rock tragen* / 손가락에 붕대를 ~ den Verband um den Finger wickeln.
② 《돌리다》 drehen; (her)umdrehen; wenden*; schieben*; schwingen*. ¶ 물레를 ~ ein Spinnrad drehen (umdrehen).
③ 《궁둥이를》 kreisen; wirbeln; drehen. ¶ 궁둥이를 ~ s-e Hüften (Lenden) drehen.
④ 《손아귀에》 führen 《*jn.*》; aus|üben; beherrschen; befehlen* 《*jm.*》; gebieten* 《*jm.*》; Macht (Herrschaft) über *jn.* haben.
⑤ 《변통》 [3]sich behelfen*; auf|bringen*; auf|treiben*; [4]*et.* so ein|richten, daß.... ¶ 돈을 ~ Geld auf|bringen* (auf|treiben*); Geld (ent)leihen* (borgen); [3]sich Geld leihen*; Geldmittel 《*pl.*》 finden*; vor|-schießen* (입체) / 돈을 둘러 주다 Geld verleihen* (ausleihen*; leihen*) 《*jm.*》; mit Geld versorgen (versehen) 《*jn.*》 / 10 만원만 둘러 주실 수 없겠읍니까 Könnten Sie mir nicht (ein)hunderttausend *Won* beschaffen?

두르르 ① 《말리는 모양》 rundum; rundherum. ¶ 종이를 ~ 말다 Papier rollen; e-e Rolle her|stellen aus Papier / 궐련을 ~ 말다 e-e Zigarette drehen.
② 《수레바퀴가》 ringsum; ringsherum. ¶ 수레가 ~ 굴러가다 Der Wagen rollt. ¦ Der Wagen bewegt sich auf Rädern.

두르풍(一風) das Cape [ke:p] 《-s, -s》, das die Alten im kalten Winter meistens im Zimmer tragen*.

두름 《물고기·채소의》 Bund *n.* -(e)s, -e (Maßeinheit für Zusammengebundenes). ¶ 청어 한 ~ ein Bund Hering *m.* -s, -e / 고사리 한 ~ ein Bund (getrocknetes) Farnkraut, -(e)s, ⸚er.

두름성(一性) Findigkeit *f.*; Vielseitigkeit *f.*; Gewandtheit *f.*; Beweglichkeit *f.*; Anpassungsfähigkeit; kluge Handlungsweise, -n. ¶ ~이 있는 findig; wendig; fähig [3]sich zu helfen; anpassungsfähig; tüchtig; tauglich; vermögend (능력, 자산이 있는); erwerbsfähig (생계 능력이 있는) / ~이 없는 unfähig sich zu helfen; untauglich / ~ 있는 사람 ein anpassungsfähiger (findiger) Mann, -(e)s, ⸚er / ~이 있어 돈을 잘 마련한다 Er ist fähig, sich zu helfen und sehr geschickt im Aufbringen (Auftreiben) des Geldes. / 그 여자는 나이는 젊어도 살림을 ~ 있게 잘해 나간다 Obwohl sie jung ist, besorgt (führt) sie den Haushalt geschickt.

두릅 《두릅나무 순》 Sproß 《*m.* ..rosses, ..rosse》 der Aralie.

두리기 das Zusammenessen*, -s.
‖ ~상(床) für mehrere Personen gedeckter Tisch.

두리기둥 〖건축〗 runde Säule, -n; runder Pfeiler, -s, -.

두리목(一木) Baurundholz *n.* -es, ⸚er.

두리반(一盤) großer runder Eßtisch, -es, -e.

두리번거리다 umher|blicken 《*nach*[3]》; umher|gaffen 《*nach*[3]》; glotzen 《*auf*[4]》; scharfe Blicke nach allen Seiten werfen*; scharf nach allen Richtungen blicken. ¶ 눈을 ~ die Augen rollen 《*vor*[3]》; mit den Augen rollen.

두리번두리번 nervös (ängstlich) immer wieder umherblickend (mit offenen Augen);

neugierig; vorwitzig. ¶ ~ 둘러 보다 neugierig (vorwitzig) umher|blicken 《nach³》; umher|gaffen 《nach³》; glotzen 《auf⁴》; mit offenen Augen umher|blicken; die Augen (weit vor Verwunderung) auf|-reißen*; mit prüfendem Blick mustern.

두마음 Doppeltheit *f.*; Doppelzüngigkeit *f.*; Doppelspiel *n.* -s, -e; Falschheit *f.* Tücke *f.* -n. ¶ ~이 있는 doppelzüngig; falsch; tückisch; heuchlerisch / ~이 없는 aufrichtig; redlich; zielbewußt; 《성실한》 offen; treu / ~을 품다 ein Doppelspiel (doppeltes Spiel) spielen.

두말 《이랬다 저랬다》 Doppelzüngigkeit *f.* -en; Zweideutigkeit *f.* -en; Falschheit *f.* -en. **~하다** doppelzüngig sein; sein Wort brechen. ¶ 한 입으로 ~하다 lügen*[s]; mit gespaltener Zunge reden / ~말고 ehrlich; ehrenhaft; ohne Falsch; die Wahrheit sprechend; sofort; treuherzig; einwandfrei; ohne einzuwenden; ohne Klage; ohne Beschwerde / ~말고 어서 바른대로 말하라 Willst du (gleich) die Wahrheit sagen!| Sage doch gleich die Wahrheit! / ~말고 어서 돈을 내라 Bezahle nur sofort die Schulden!

두말없이 ohne weiteres; ohne weitere Umstände; ohne Bedenken; auf der Stelle; an Ort und Stelle; sofort; (so)gleich; unverzüglich; ohne Verzug. ¶ ~ 승낙하다 gern(e) (bereit; bereitwillig; schnell; sofort; (so-)gleich) zu|stimmen (bei|stimmen) / 돈 말을 했더니 ~ 빌려 주었다 Als ich ihn bat mir etwas Geld zu verleihen, tat er so ohne Bedenken. / 그 뒤부터는 ~ 잘 산다 Seitdem kommen sie ohne weitere Umstände bequem (behaglich) aus.

두멍 ① 《큰 가마》 der große Eisen-Topf 《-(e)s, ⸚e》 zum Wasseraufbewahren. ② 《항아리》 der große irdene Topf.

두메 isoliertes (abgelegenes) Dorf 《-(e)s, ⸚er》 auf dem Berge (im Gebirge); die Hinterwälder 《*pl.*》; (weit) entfernter Winkel, -s, -. ¶ ~로 귀양사냥 보내 놓고 das Wichtigste zuerst / 아주 깊숙한 ~에서 살다 tief in e-m Gebirge wohnen (leben); weltfremd leben.
‖ 두멧구석 weit entfernter Winkel in e-m Gebirge: ~에 살다 im weit entfernten Winkel wohnen. 두멧놈 Hinterwäldler *m.* -s, -; ungeschliffener (bäurischer; weltfremder; einfältiger) Mensch, -en, -en. 두멧사람 Bewohner 《*m.* -s, -》 e-s abgelegenen Dorfes im Gebirge; Bergbewohner; Hinterwäldler.

두메오리나무 〖식물〗 e-e Art Erle 《*f.* -n》; *Alnus Maximowiczii* (학명).

두목(頭目) Führer *m.* -s, -; Anführer *m.* -s, -; Haupt *n.* -(e)s, ⸚er; Hauptmann *m.* -(e)s, ..leute; Chef *m.* -s, -; Häuptling *m.* -s, -e; 《괴수》 Rädelsführer; 《장본인·원흉》 Anstifter *m.* -s, -; Urheber *m.* -s, -. ¶ 폭도의 ~ der Rädelsführer e-s Pöbels / 도둑의 ~ Banditenführer; Räuberhauptmann *m.* -(e)s, ..leute / 소매치기의 ~ Taschendiebführer *m.* -s, -.

두묘(痘苗) Impfstoff *m.*-(e)s, -e; Impflymphe *f.* -n.

두문불출(杜門不出) einsames und abgeschlossenes Leben; Einzelleben *n.* -s. **~하다** ein einsames Leben führen; zu Hause verweilen (bleiben* [s]).

두미(頭尾) Kopf u. Schwanz; Beginn u. Ende. ¶ ~ 없다 unzusammenhängend (folgewidrig; nicht folgerichtig; inkonsequent) sein / 그의 이야기는 ~가 없다 Was er sagt, ist ohne Sinn u. Vernunft.

두발(頭髮) (Kopf)haar *n.* -(e)s, -e; Haupthaar *n.* -(e)s, -e.
‖ **~탈락증** 〖의학〗 Alopezie *f.*; 《일반적》 Haarschwund *m.* -es. ☞ 탈모증(脫毛症).

두방망이질 das Schlagen* 《-s》 mit beiden Händen; das Hämmern* (Schlagen*; Klopfen*; Pochen*) s-s Herzens; das Herzklopfen*, -s. ¶ 가슴이 ~하고 있다 Das Herz hämmert mir (klopft; pocht; schlägt) schnell und unregelmäßig.

두벌갈이 〖농업〗 die zweite Aussaat*, -en. **~하다** zweimal säen; zweifach beackern.

두벌솎음 das zweite Ausdünnen*, -s (mit Zwischenräumer) 《Saat, Wald》. **~하다** zweimal aus|dünnen; zum zweiten Mal aus|dünnen.

두벌주검 die sezierte Leiche, -n; die zergliederte Leiche. **~하다** e-e Leiche sezieren (öffnen); Autopsie machen.

두부(豆腐) die quarkähnliche Speise aus ³Sojabohnen. ¶ ~ 한 모 ein Stück Quarkähnliche Speise aus ³Sojabohnen / ~살에 바늘뼈 sehr kränklich (schwächlich; schwach; zerbrechlich) sein.
‖ **~장수** der Händler (Verkäufer; Hersteller) der quarkähnlichen Speise aus Sojabohnen.

두부(頭部) Kopf *m.* -(e)s, ⸚e; Haupt *n.* -(e)s, ⸚e. ¶ ~의 Kopf-; Schädel-.
‖ **~동맥** 〖해부〗 Kopfschlagader *f.* -n.

두사이 ① 《간격》 der Abstand (Zwischenraum) 《-(e)s, ⸚e》 zwischen zwei Plätzen; der Raum 《-(e)s, ⸚e》 zwischen zwei Dingen. ¶ ~에 끼이다 dazwischengelegt werden; in der Mitte gefangen werden; eingeklemmt werden 《*zwischen*⁴》; zwischen zwei Dinge geraten*[s]. ② 《관계》 die Beziehung 《-en》 zwischen zwei Personen; das Verhältnis 《-ses, -se》 zweier Menschen. ¶ ~가 좋다 auf gutem Fuße stehen* (⁴sich gut vertragen*) 《*mit*³》; in gutem Verhältnis stehen* 《*mit*³》 / ~가 나쁘다 auf schlechtem Fuße stehen* 《*mit*³》; ⁴sich nicht (schlecht) vertragen* 《*mit*³》 / ~를 가르다 *jn. jm.* entfremden; die Liebenden (zwei Freunde) trennen; *jn.* von e-m anderen entfernen/~가 버그러지다 ⁴sich spalten⁽*⁾; ⁴sich entzweien; entfremdet (entfernt) werden 《*von*³》; mit *jm.* schlecht aus|kommen* [s].

두상화(頭狀花) 〖식물〗 kopfförmige Blume, -n; (Blüten)köpfchen *n.* -s, -.

두서(頭書) Überschrift *f.* -en. ¶ ~의 überschrieben; 《전기의》 oben erwähnt.

두서(頭緖) ① 《단서》 Schlüssel *m.* -s, -; Anfang *m.* -(e)s, ⸚e; Beginn *m.* -(e)s; der erste Schritt. ¶ 일의 ~를 잡다 den Schlüssel zum Verständnis einer Sache finden. ② 《조리》 Übereinstimmung *f.* -en; Folgerichtigkeit *f.* -en; Konsequenz *f.* -en; Zusammenhang *m.* -(e)s, ⸚e; Zusammenhalt *m.* -(e)s; Klarheit *f.* -en; Ordnung *f.* -en; Reihenfolge *f.* -n. ¶ ~ 없는 unzusammenhängend; widerspruchsvoll; inkonsequent; planlos; ohne Zusammenhang; sinnlos; unklug / ~ 없는 말을 하다 unzusammenhängende Worte《*pl.*》sagen / 너의 말은 ~가 없다 Was du sagst ist widerspruchsvoll.

두서너 ein paar; einige; wenige (aber mehr als zwei). ¶ ~ 사람 einige Leute; einige Menschen / 책 ~ 권 einige Bücher; ein paar Bücher / ~ 번 einige Male / ~마디 ein paar Worte / ~ 마디만 말씀 드리겠읍니다 Darf ich ein paar Worte sprechen?¦Gestatten Sie mir nur ein paar Worte!

두서넛 einige; ein paar.

두손매무리 die hastige Anfertigung, -en (e-r Sache).

두약(杜若) 〖식물〗 e-e Art Alpenbaum《*m.* -(e)s, ⸚e》; *Alpinia japonica* (학명).

두어 einige; ein paar. ¶ ~ 사람 einige Leute; einige Menschen / ~ 마디 ein paar Worte.

두어두다 ①《두다·간직하다》legen; stellen; setzen; stecken; halten*; behalten*;《따로 두다》weg|legen; beiseite|legen; weg|räumen; weg|schaffen; weg|tun*; auf die Seite legen;《아껴서》sparen; auf|sparen; ersparen;《보관·저장》auf|bewahren;《뒤에》zurück|lassen*. ¶ 책을 방에 ~ ein Buch im Zimmer legen (halten*; zurück|lassen*). ②《내버려둠》allein (in Ruhe) lassen*;《물건을》liegen* (stehen*; sitzen; stecken; hängen; kleben; haften) lassen*. ¶ 흥분하고 있으니 가만히 두어두어라 Er ist erregt (aufgeregt). Laß ihn allein (in Ruhe).

두억시니 〖민속〗 Teufel *m.* -s, -; böser Geist, -es, -er; Dämon *m.* -s, -en.

두엄 《거름》Dünger *m.* -s, -; Mist *m.* -es, -e. ¶ 밭에 ~을 주다 den Ackerboden düngen. ‖ ~걸채 Dünger-Raufe *f.* -n. ~더미 Dünger-Haufen *m.* -s, -. ~발치 Abort *m.* -(e)s, -e. ~자리 Sammelstelle für Dünger.

두옥(斗屋) Hütte *f.* -n; Schutzhütte *f.* -n; Baracke *f.* -n; Bude *f.* -n.

두운(頭韻) 〖수사〗 Stabreim *m.* -(e)s, -e; Alliteration *f.* -en. ¶ ~(체)의 alliterierend; stabreimend / ~을 맞추다 alliterieren⁴.
‖ ~법, ~법칙 Stabreim *m.* -(e)s, -e; Alliteration *f.* -en.

두위(頭圍) Kopfumfang *m.* -(e)s, ⸚e. ¶ ~가 크다 (작다) von großem (kleinem) Kopfumfang sein; e-n großen (kleinen) Kopfumfang haben.

두이레 der vierzehnte Tag nach der Geburt; der 14 Tag im Leben e-s Neugeborenen.

두절(杜絕) Stockung *f.* -en (교통 따위); Sperrung *f.* -en (공급 따위); Hemmung *f.* -en (활동 따위); Einstellung *f.* -en (작업, 지불 따위); Stillstand *m.* -(e)s (정지); Unterbrechung *f.* -en (중단); Störung *f.* -en (훼방, 이상); Aussetzung *f.* -en (중지, 연기); Ausschaltung *f.* -en (차단). ~하다 stocken; ins Stocken geraten*Ⓢ; halten*; still|stehen*; stoppen; abgeschnitten (abgestellt; gesperrt; gehemmt; blockiert; unterbrochen; eingestellt) werden; gelähmt (paralysiert) werden. ¶ 눈보라로 교통이 ~되었다 Der Schneesturm (Das Schneegestöber) hat e-n Stillstand des Verkehrs verursacht. / 전력 공급(연락)이 모두 ~되었다 Alle Stromversorgen (Verbindungen) wurden (sind) unterbrochen (abgestellt). / 비 때문에 지난 3 일부터 교통(통신)이 거의 ~되었다 Seit dem dritten dieses Monats ist der Verkehr (die Korrespondenz) wegen des Regens völlig gesperrt.

두족류(頭足類) 〖동물〗 Kopffüß(l)er *m.* -s, -; Zephalopode *m.* -n, -n; Kephalopode *m.*

두주(頭註) Randbemerkung *f.* -en; Randanmerkung *f.* -en; Bemerkungen am Rand(e).

두진(痘疹) Pustel *f.* -n; Blattern《*pl.*》; Pocken《*pl.*》u. Masern《*pl.*》.

두텁다 《정리·인정 따위가》warm《wärmer, wärmst》; herzlich; aufrichtig; liebevoll; zärtlich; innig; empfunden; teilnehmend; warmherzig; sanftmütig; zugetan; eng (sein). ¶ 두터운 우정 e-e warme (enge; innige; herzliche; dicke) Freundschaft, -en / 두터운 사랑 e-e zärtliche (innige) Liebe; e-e zarte Empfindung, -en / 정리가 ~ e-m Freund treu (innig) bleiben* Ⓢ; (von) warmherziger Natur sein / 인정이 ~ ein gefühlvolles (fühlsames) Herz haben; schweren Herzens sein / 우정을 두텁게 하다 die Freundschaft vertiefen / 두 사람의 애정은 날로 두터워졌다 Sie liebten sich (einander) mit wachsendem (zunehmendem) Wohlwollen.

두텁떡 e-e Art von Reiskuchen aus klebrigem Reis, Rotbohnen u. Honig.

두통(頭痛) Kopfschmerz *m.* -es, -en; Kopfweh *n.* -s《구어》. ¶ 머리가 쪼개질 것 같은 ~ rasende (heftige) Kopfschmerzen《*pl.*》/ ~이 나다 Ich habe Kopfschmerzen (Kopfweh).¦Es schmerzt mir der Kopf.¦Es tut mir der Kopf weh. / ~이 심하다 Ich habe schlechte (böse) Kopfschmerzen.¦Ich leide an den schlechten (bösen) Kopfschmerzen. ¶ ~을 가라앉히다 *jn.* von Kopfschmerzen befreien; Kopfweh dämmen / ~에 잘 듣는 약이 있읍니까 Haben Sie ein gutes Mittel gegen Kopfschmerzen?
‖ ~약 Arzneimittel《*n.* -s, -》gegen ⁴Kopfschmerzen (Kopfweh).

두통거리(頭痛—) Kopfschmerz *m.* -es, -en; Kopfweh *n.* -s; das Kopfzerbrechen*, -s; Sorge *f.* -n; Sorgenlast *f.* -en; ein Dorn《*m.* -(e)s, -en》im Auge; Dorn *m.* -(e)s, -en; das räudige Schaft, -(e)s, -e (사람). ¶ 그는 나한테는 ~다 Er ist mir ein Dorn im Auge. / 그것이 그의 ~였다 Das machte ihm viel Kopfzerbrechen (Kopfschmerzen).¦Darüber hat er sich den Kopf zerbrochen. / 교통 문제는 아주 ~다 Das Verkehrsproblem verursacht wirklich viel Kopfzerbrechen (Kopfschmerzen).

두툴두툴하다 ☞ 도톨도톨하다.

두툼하다 etwas (ziemlich; recht) dick; wulstig (sein). ¶ 두툼한 판자 ein ziemlich dickes Brett, -es, -er / 두툼한 이불 ziemlich (recht) dickes Bettzeug *n.* -(e)s, -e; e-e ziemlich (recht) dicke Bettwäsche, -n / 두툼한 입술 wulstige Lippen《*pl.*》/ 두툼한 돈지갑 dickes Geldbeutel, -s, -; e-e dicke Geldtasche, -n.

두한족열(頭寒足熱) kühlen Kopf bewahren und warme Füße (für Gesundheit).

두호(斗護) Begünstigung *f.* -en; Gönnerschaft *f.* -en; Schutz *m.* -es; Protektion *f.* -en; Unterstützung *f.* -en; Hilfe *f.* -n. ~하다 in Schutz nehmen; beschützen; begünstigen; unterstützen. ¶ 약자를 ~하다 schwache Menschen beschützen.

두흔(痘痕) Blatternarbe *f.* -n; Pockennarbe. ¶ ~이 있다 blatter¦narbig (pocken-) sein.

둑 ①《제방》Damm *m.* -(e)s, ⸚e; Deich *m.* -(e)s, -e; Böschung *f.* -en; (Erd)wall *m.*

-(e)s, ⸗e; Erddamm; Eindämmung *f.* -en; Eindeichung *f.* -en; Uferdamm; Schutzdamm; Staudamm; (Wasser)wehr *n.* -(e)s, -e. ¶ 갯둑 der Damm e-s Meeresarms (e-r weiten Flußmündung); Deich / 둑을 쌓다 e-n Damm (Deich) bauen (auf|führen; errichten); 《e-n Fluß》 (ein|)dämmen ((ein|-)deichen) / 둑이 터졌다 Der Damm (Deich) ist gebrochen. ② 《둑길》 Dammweg *m.* -(e)s, -e; Dammstraße *f.* -n; Deichweg; Fußweg; Damm; Deich; Uferdamm. ¶ 둑을 무너뜨리다 e-n Damm (Deich) nieder|-reißen* / 갯둑을 달리다 e-n Deich entlang (am Deich entlang) laufen* ⓢ.

둔각(鈍角) 〖기하〗 der stumpfe Winkel, -s, -. ¶ ~의 stumpfwink(e)lig.
‖ ~삼각형 das stumpfwink(e)lige Dreieck, -(e)s, -e.

둔감(鈍感) Stumpfheit *f.*; Unempfindlichkeit *f.*; Stumpfsinnigkeit *f.*; Dummheit *f.* -en; Stumpfsinn *m.* -(e)s; Schwerfälligkeit *f.* ~하다 unempfindlich; stumpfsinnig; abgestumpft; dumm; dickfellig; dickhäutig; gepanzert; schwerfällig (sein); langsam von Begriff sein; von langsamen Verstand sein. ¶ 그는 정말 ~하다 Er hat wahrhaftig ein dickes Fell (e-e dicke Haut).¦Er ist gegen alles gepanzert.

둔갑술(遁甲術) 〖민속〗 e-e Art der geheimnisvollen Kunst, bei der man sich unsichtbar macht; die magische Kunst 《⸗e》 der Unsichtbarkeit; die Kunst, ⁴sich in ⁴*et.* zu verwandeln. ¶ ~을 쓰다 die Kunst der Unsichtbarkeit aus|führen (aus|üben) / ~을 쓰는 사람 der Zauberkünstler 《-s, -》 der Unsichtbarkeit; der sich unsichtbar Machende*, -n, -n.

둔갑하다(遁甲—) verschwinden* ⓢ; 《변신》 ⁴sich verwandeln 《*in*⁴》; ⁴sich um|gestalten 《*in*⁴》; e-e andere Gestalt an|nehmen*. ¶ 여우가 예쁜 처녀로 둔갑했다 Der Fuchs hat sich in ein schönes Mädchen verwandelt./ 고양이가 할멈으로 ~ Die Katze nimmt die Gestalt e-r alten Frau an.

둔기(鈍器) das stumpfe Werkzeug, -(e)s, -e; das stumpfkantige Gerät, -(e)s, -e; die stumpfe Waffe, -n.

둔덕 Hügel *m.* -s, -; hügelige Stelle. ¶ ~(이) 지다 hügelig sein.

둔병(屯兵) Garnison *f.* -en; Besatzung *f.* -en; Standort (von Truppen).

둔부(臀部) Hinterteil *m.* (*n.*) -(e)s, -e; Gesäß *n.* -es, -e; Hüfte *f.* -n.

둔사(遁辭) ausweichende Bemerkungen 《*pl.*》; Ausflucht *f.* ⸗e; Vorwand *m.* -(e)s, ⸗e; Ausrede *f.* -n; Ausweg *m.* -(e)s, -e; ausweichende Antwort, -en. ¶ ~를 꾸미다 Ausflüchte 《*pl.*》 machen (suchen); ³sich aus|reden; ausweichend antworten.

둔세(遁世) die Abschließung 《-en》 von der Welt; Zurückziehung *f.* -en; Zurückgezogenheit *f.* -en. ~하다 ⁴sich von der Welt ab|schließen* (zurück|ziehen*; ab|scheiden*); der ³Welt entsagen; zurückgezogen leben; einsiedeln; die Klausur betreten*.
‖ ~생활 ein zurückgezogenes Leben, -s: ~생활을 하다 Er führt ein zurückgezogenes Leben. ~자 Einsiedler *m.* -s, -; Klausner *m.* -s, -.

둔영(屯營) Einquartierung *f.* -n; Quartier *n.* -s, -e; Feldlager *n.* - (⸗); Kaserne *f.* -en.

둔재(鈍才) dummer Witz, -e; Dummheit *f.* -en; Albernheit *f.* -en; Stumpfsinn *m.* -(e)s, -e; Schwerfälligkeit *f.*; 《사람》 Dummerling *m.* -s, -e; Dummkopf *m.* -(e)s, ⸗e; Schwachkopf *m.* -(e)s, ⸗e. ¶ ~의 dumm; stumpfsinnig; schwachköpfig; beschränkt; schwer von Begriff sein; schwerfällig; begriffsstutzig; begriffsstützig.

둔전(屯田) der von Truppen kultivierte Ackerboden.

둔주(遁走) Flucht *f.* -en; das Entrinnen*, -s; das Fliehen*, -s. ~하다 die Flucht ergreifen*; fliehen*.
‖ ~곡(曲) 〖음악〗 Fuge *f.* -n.

둔중(鈍重) ~하다 phlegmatisch; bleiern; schwerfällig; teilnahmslos (sein).

둔질(鈍質) Dummheit *f.* -en; Albernheit *f.* -en; Einfalt *f.* -en; Stumpfsinn *m.* -(e)s, -e. ¶ ~의 dumm; töricht; einfältig; albern; stumpfsinnig; betäubt; benommen.

둔치 Wasserrand *m.* -(e)s, ⸗er; der Rand des Wassers; Wasserkante *f.* -n; (Meeres-) ufer *n.* -s, -; Gestade *n.* -s, -; Küste *f.* -n; Strand *m.* -(e)s, ⸗e; das flache Ufer, -s, -.

둔탁하다(鈍濁—) säumig; nachlässig; träge; schwerfällig; dumm; dickköpfig; töricht; betäubt; benommen; stumpfsinnig; 《소리 따위가》 dumpf; stumpf (sein). ¶ 둔탁한 소리 der dumpfe Ton, -(e)s, ⸗e.

둔통(鈍痛) dumpfer Schmerz, -es, -en. ¶ 옆구리에 ~이 있다 Ich habe e-n dumpfen Schmerz an der Seite.

둔팍하다(鈍—) dumm; begriffsstutzig; begriffsstützig (sein).

둔패기 Dummkopf *m.* -(e)s, ⸗e; dummer Mensch, -en, -en; stumpfer Mensch.

둔필(鈍筆) schlechte (miserable) Handschrift, -en.

둔하다(鈍—) ① 《사람이》 schwer (langsam; schwach) von Begriff sein; stumpfsinnig; dumm; schwachköpfig; unempfindlich; geistlos; schwerfällig; träge; beschränkt; dickköpfig; begriffsstutzig; begriffsstützig; dummköpfig (sein). ¶ 둔한 사람 Dummkopf *m.* -(e)s, ⸗e; Schwachkopf; Dickkopf; Esel *m.* -s, -; Tölpel *m.* -s, -; Einfaltspinsel *m.* -s, -; Pappschädel *m.* -s, -; Tor *m.* -s, -en / 특히 수학에 머리가 ~ besonders e-n schweren (langsamen; schwachen) Begriff von Mathematik haben / 그는 머리가 ~ Er ist stumpfsinnig.¦Er hat e-e lange Leitung.¦Er ist langsam (schwer; schwach) von Begriff.¦Er ist drei Meilen hinterm Mond zu Hause. ② 《날붙이가》 stumpf; plump; grob; dumpf (sein). ☞ 무디다.

둘 zwei; 《전화에서》 zwo. ¶ 둘씩 je zwie; auf einmal zwei; paarweise / 둘 걸러 alle zwei...; jeder* zweit... / 둘 중 하나 einer* ²der zwei; e-r* von den zwei / 둘 다 beide; alle* beide; jeder* von den beiden; 《부정》 keiner* von den beiden / 둘도 없는 einzig (in s-r Art); alleinig; einzigartig; einmalig; ohnegleichen; sondergleichen; singulär; vereinzelt / 둘도 없이 좋은 친구 der einzige Freund *m.* -es, -e; der beste (intimste; vertrauteste) Freund / 세상에 둘도 없는 선수 ein unvergleichbarer (unvergleichlicher) Spieler, -s, - / 둘로 접은 doppelt gefaltet / 둘로 접은 책 Foliant *m.* -en, -en / 둘로 나누다 in zwei (gleiche) Teile teilen; halbieren / 둘로 끊다 entzwei|schneiden*; entzwei|hauen* / 둘로 쪼개다 entzwei|brechen*; entzwei|schlagen* / 둘로 찢다 entzwei|reißen* / 둘로 갈라지다 entzwei|gehen*[s]; entzwei|fallen*[s] / 둘도 없는 친구다 David und Jonathan (Damon und Pythias) sein / 둘 다 괜찮다 Beides ist ganz richtig.¦Beides genügt.¦Beides ist recht so. / 둘 다 재미 없다 Keines ist gut.¦Beides geht nicht (an).¦Beides reicht nicht (aus). / 둘 다 좋지 않다 Beides ist nicht gut. / 저렇게 부지런한 사람은 둘도 없다 Keiner (Niemand) ist so fleißig als er. / 둘 다 내 것이 아니다 Keines gehört mir. / 둘 다 부상은 입지 않았다 Keiner von ihnen wurde verwundet (verletzt). / 우미한 점이나 웅대한 점으로 보자면 금강산은 동양에 둘도 없는 산이다 Der Diamantberg hat im Orient nicht seinesgleichen wegen s-r Anmut und Herrlichkeit.

둘- 《새끼 배지 못하는 또는 열매 맺지 못하는》 unfruchtbar; steril; keimfrei. ¶ 둘암탉 unfruchtbare Henne / 둘암소 unfruchtbare Kuh / 둘암캐 unfruchtbare Hündin.

둘되다 dumm; albern; stumpfsinnig; unempfindlich; gefühllos (sein).

둘둘 ☞ 돌돌.

둘러막다 ein|frieden^4; ein|zäunen^4; ein|schließen^4; ein|fassen^4; umringen^4; um|zingeln. ¶ 돌담으로 집을 ～ das Haus mit e-r Stein-mauer umgeben / 병풍으로 ～ mit Wandschirmen umgeben / 적으로 둘러막혀 있다 von Feinden umgeben (umzingelt) sein / 그 연사는 수많은 청중에 의하여 둘러 막혀 있었다 Der Redner war von zahlreichen Zuhörern umgeben.

둘러메다 ^{4}*et.* auf die Schulter heben* (nehmen*).

둘러보다 umher|sehen* (-|blicken); ^{4}sich um|sehen* (-|schauen); um ^{4}sich sehen* (blicken); prüfen; durchsehen*; übersehen*; besichtigen. ¶ 집을 한번 ～ ^{3}sich das Haus um|sehen* (um|schauen); das Haus übersehen* / 좌중을 ～ die Leute umher|blicken; die Gesellschaft übersehen*; s-e Blicke umher|schweifen lassen*.

둘러서다 im Kreis stehen*; ^{4}sich in e-n Kreis stellen; ^{4}sich im Kreis auf|stellen.

둘러싸다 belagern^4; ein|fassen^4 《*mit*^{3}》; umgeben*^{4}; umfassen^4; ein|schließen*^{4}; umhüllen^4; um|schlagen*^{4}; 〖군사〗 umzingeln^4; ein|kreisen^4; ein|kesseln^4; ein|zäunen^4; ein|friedigen^4; umschließen*^{4}; umgürten^4. ¶ 탁자를 ～ ^{4}sich um den Tisch setzen; um den Tisch sitzen* / 적을 ～ den Feind ein|schließen* / 요새를 ～ e-e Festung belagern (bestürmen) / 이 나라는 사방이 산으로 둘러싸여 있다 Das Land ist ringsum von den Bergen eingeschlossen. / 농장은 높은 담으로 둘러싸여 있다 E-e hohe Mauer umschließt das Gehöft.¦Das Gehöft ist von e-r hohen Mauer umschlossen.

둘러싸이다 belagert (umgeben; eingeschlossen; umschlossen; umzingelt; umringt; eingezäunt; umgürtet) werden 《*von*^{3}》. ¶ 바다에 둘러싸인 나라 das meerumschlungene (meerflossene; meerumschlossene) Land, -(e)s, ⸗er / 산에 ～ von Bergen umgeben werden/아이들에게(적에게) ～ von Kindern (Feinden) umgeben (umringt) werden / 도시는 삼면이 물로 둘러싸여 있다 Die Stadt ist auf drei Seiten von Wasser umgeben.

둘러쌓다 umkreisen^4; einen Kreis um ^{4}*et.* schließen.

둘러쓰다 ① 《머리에》 auf dem Kopfe haben; auf|haben*; um den Kopf (herum) tragen*. ② 《몸에》 am ganzen Körper haben; den ganzen Körper bedecken. ¶ 담요를 ～ ^{4}sich in Decken (Wolldecken) ein|hüllen; ^{4}sich in Decken ein|wickeln. ③ 《변통》 entleihen*^{4}; ^{3}sich leihen*; entlehnen^4 《*von*^{3}》.

둘러앉다 ^{4}sich um ^{4}*et.* setzen; ^{4}sich im Kreis (Zirkel) setzen; ^{4}sich im Kreis (Zirkel) sammeln; e-n Kreis (Zirkel) bilden. ¶ 난로가에 ～ ^{4}sich um den Ofen setzen / 방안에 빙 ～ ^{4}sich im Kreis (Zirkel) im Zimmer setzen.

둘러엎다 um|werfen^4; um|kehren^4; um|stoßen^4; um|stürzen^4; 《하던 일을》 beseitigen; weg|schaffen. ¶ 밥상을 ～ den Eßtisch umwerfen / 배를 ～ das Boot kentern; das Boot zum Kentern bringen / 살림을 ～ den Haushalt zugrunde|richten / 정부를 ～ die Regierung stürzen (beseitigen).

둘러차다 《몸에》 um die Taille an|binden.

둘러치다 《두르다》 um ^{4}*et.* stellen (legen; setzen); ein|schließen*^{4}; umschließen*^{4}; umgeben*^{4}; umringen^4; umzingeln^4; ein|kreisen. ¶ 병풍을 벽에 ～ e-e spanische Wand (e-n Wandschirm) um die Wand herum|ziehen* / 운동장에 목책을 ～ den Spielplatz (《-es, ⸗e》) (Schulhof, -(e)s, ⸗e) mit e-r Palisade umgeben*^{4}; den Spielplatz (Schulhof) mit Holzpfählen umgeben* / 집에 담을 ～ ein Haus mit e-r Wand umgeben* (umringen; umschließen*).

둘레 Gurt *m.* -(e)s, -e; Sattelgurt *m.* -(e)s, -e; Umkreis *m.* -es, -e; Peripherie *f.* -n; Umgebung *f.* -en; Umfang *m.* -(e)s, ⸗e. ¶ 옷～ Kleidergürtel *m.* -s, - / 지구의 ～ Erdumfang *m.* -(e)s, ⸗e / ～가 3마일 drei Meilen im Umkreis; drei Meilen Umfang/ 이 연못의 ～는 얼마나 됩니까—약 오백 미터입니다 Wie groß ist dieser Teich im Umkreis?—Es ist etwa fünfhundert Meter im Umkreis. od. Er hat etwa fünfhundert Meter Umfang. / 도시 ～에는 숲이 많다 Die Stadt hat die waldreiche Umgebung. / 이 공원 ～를 돌자면 두시간 걸린다 Der Park hat zwei Stunden im Umfang.

둘레둘레 rundum; rings; im Umkreis; im Kreis 《*um*^{4}》. ¶ ～ 둘러앉다 ^{4}sich im Kreis 《*um*^{4}》 setzen / 주위를 ～ 살피다 Umschau halten; ^{4}sich um|schauen; ^{4}sich um|sehen.

둘리다 ① 《둘레에》 umgeben (umrungen; umschlossen; eingeschlossen) werden. ¶ 집에 담이 둘려 있다 Das Haus ist von Mauern eingeschlossen (umgeben). / 뜰에 울이 둘려 있다 Der Garten ist mit e-m Zaun umgeben (eingeschlossen). / 동네가 사면 산으로 둘려 있다 Das Dorf ist auf allen Seiten von Bergen umgeben. ② 《몸에》 umgebunden werden; getragen werden. ¶ 허리에 치마가 둘려 있다 den Rock um die Taille gebunden haben. ③ 《휘둘리다》 《von e-r Person》 gelenkt (regiert; beherrscht) werden.

둘이 zwei Personen (Menschen) 《*pl.*》; die beiden 《*pl.*》; beide 《*pl.*》; das Paar, -(e)s, -e (한쌍); Ehepaar; Liebespaar; Tanzpaar. ¶ ～서 zu zweit; zu zweien 《문어》; bei (in; zu) paaren; paarweise / ～ 다 alle beide (zwei); jeder* von beiden; keiner* von beiden (부정) / 우리는 ~입니다 Wir sind unser zwei.¦Wir sind zwei von uns.《구어》/ ~ 같이 나갔다 Beide von ihnen gingen aus./ 나는 누이동생과 ~서만 살고 있다 Ich wohne allein mit m-r Schwester. / 우리는 ~서 이익을 나눈다 Wir beiden teilen den Gewinn untereinander. / ~ 앉을 수 있읍니다 Sie können da zu zweit sitzen. / 그 일은 ~서 해낸 것입니다 Zwei Mann haben daran gearbeitet. 〖Mann은 *pl.*로 하지 않음〗/ 그들은 ~ 다 독일 사람이다 Sie sind beide Deutsche*.

둘째 zweit*; Nummer zwei《생략: Nr. 2》. ¶ ~로 zweitens; an ^{3}zweiter Stelle; in ^{3}zweiter Linie / ~번 집 das zweite Haus, -es, ¨er; die zweite Wohnung, -en / 앞에서 ~번 자리 der zweite Sitz von vorn / 끝에서 ~ 동생 der zweitjüngste Bruder, -s, ¨er / ~로 태어난 딸 die zweitgeborene Tochter, ¨ / 독일에서 ~번으로 높은 산 der zweithöchste Berg 《-(e)s, -e》 in Deutschland / 끝에서 ~번 음절 die zweitletzte Silbe, -n / 그는 ~번에 왔다 Er kam als zweiter.¦Er kam an zweiter Stelle.

둘치 steriles (unfruchtbares) weibliches Tier, -(e)s, -e.

둘친 〖화학〗 Dulzin *n.* -s.

둘하다 ungeschickt; unbeholfen; schwerfällig; plump; linkisch (sein). ¶ 둘한 사람 ein ungeschickter Mensch / 둘한 솜씨 ungeschickte Hände.

둥^{1} 〖음악〗 „*Dung*"; die zweite Note der koreanischen Tonleiter.

둥^{2} 《북소리》 Dong (Ton des Trommelwirbels); Trommel *f.* -n. ¶ 북을 둥 울리다 trommeln; die Trommel schlagen.

둥^{3} 《하는 듯 마는 듯》 ¶ 보는 둥 마는 둥 ohne ^{4}*et.* genügend anzusehen / 생각하는 둥 마는 둥 ohne Überlegung / 비가 오는 둥 마는 둥 하다 Es ist schwer zu sagen, ob es regnet od. nicht. / 시간이 바빠서 그와는 말을 하는 둥 마는 둥 했다 Ich hatte kaum Zeit, mit ihm zu sprechen.

둥^{4} 《말이 많음》 einmal... dann. ¶ 짜다는 둥 맵다는 둥 말이 많다 Einmal heißt es, die Speise sei zu salzig, dann heißt es, sie sei zu scharf.

둥개다 《쩔쩔맴》 mit ^{3}*et.* Schwierigkeit haben; mit ^{3}*et.* Mühe haben; ^{3}sich mit ^{3}*et.* Mühe geben*; nicht wissen*, was man mit ^{3}*et.* anfangen soll. ¶ 일을 어떻게 처리했으면 좋을지 몰라 둥개고 있다 Er hat viele Schwierigkeiten mit der Arbeit (Angelegenheit).

둥구나무 großer u. alter Baum 《-(e)s, ¨e》 mit dichtem Schatten (meist vor e-m Dorf stehend).

둥구미 ☞ 멱둥구미.

둥굴대 Schleifholz *n.* -es, ¨er.

둥굴레 〖식물〗 Salomonssiegel *n.* -s, -; Weißwurz *f.* -en.

둥굴이 der abgerindete Holzstamm, -(e)s, ¨e.

둥그렇다 ①《원》 kreis¦förmig (ring-); (kreis-) rund; zirkular; zirkulär (sein). ②《공모양》 kugel(förm)ig; sphärisch (sein). ¶ 둥그렇게 im Kreis(e) (Ring(e); Zirkel).

둥그레모춤 〖농업〗 ein Bündel 《*n.* -s, -》, das aus vier Handvoll von jungen Reispflanzen gemacht ist.

둥그스름하다 ☞ 동그스름하다.

둥근톱 Kreissäge *f.* -n.

둥글다 rund; kreisförmig; kugelförmig; rundlich (sein). ¶ 둥근 얼굴 ein ovales Gesicht / 둥근 달 Vollmond *m.* -(e)s / 둥근 지붕 Kuppel *f.* -n; Gewölbe *n.* -s, - (둥근 천장).

둥글둥글 ☞ 동글동글.

둥글리다 ab|runden(깎아서); runden; rund machen. ¶ 책상 모서리를 ~ die Tischkante stumpf machen / 그는 네모난 판자의 모서리를 둥글렸다 Er rundet das viereckige Brett ab.

둥글뭉스레하다 rund u. stumpf (sein).

둥글번번하다 rund u. platt (flach) (sein).

둥덩거리다 trommeln; die Trommel schlagen. ¶ 북을 ~ die Trommel schlagen.

둥덩둥덩 ☞ 둥둥^{1}.

둥덩실 hoch in der Luft schweben.

둥둥^{1} 《북소리》 Gedröhne *n.* -s; Trommelwirbel *m.* -s, -; Bumbum. ¶ 북을 ~ 울리다 die Trommel (bumbum) schlagen.

둥둥^{2} ☞ 둥실둥실.

둥둥^{3} 《아기 어르는 소리》 das Wort, mit dem man Kinder auf den Armen wiegt.

둥실둥실 《뜨다》 leicht schwimmend; obenhin schwimmend. ¶ 배가 ~ 뜨다 Das Boot ist leicht schwimmend. / 풍선이 ~ 뜨고 있다 Der Luftballon schwebt leicht in der Luft.

둥실둥실하다 《살찌다》 rund(lich); beleibt; korpulent (sein). ¶ 둥실둥실한 얼굴 rundlich beleibtes Gesicht / 둥실둥실한 사람 korpulenter Mensch / 둥실둥실하게 살찌다 dick werden; korpulent werden; zunehmen.

둥싯거리다 ^{4}sich langsam bewegen; ^{4}sich schwerfällig bewegen; ^{4}sich faul bewegen. ¶ 몸이 비대해서 둥싯거린다 Er ist dick und bewegt sich schwerfällig.

둥싯둥싯 langsam; schwerfällig; dumm; ungeschickt; träge. ¶ ~ 걷다 schwerfällig gehen.

둥어리막대 der am packsattel befestigte Stock, -(e)s, ¨e.

둥우리 Korb *m.* -(e)s, ¨e; Lattenkiste *f.* -n. ¶ ~ 장수 Korbflechter (Korbverkäufer). ‖ 대~ Bambuskorb *m.*

둥주리감 runde Dattelpflaume, -n.

둥지 Nest *n.* -(e)s, -er. ¶ 새가 ~를 치다 (틀다) (^{3}sich) ein Nest bauen; nisten; ^{4}sich ein|nisten.

둥치 《밑동》 die Basis eines Baumstammes.

둥치다 ①《동임》 ein|wickeln; ein|packen; zusammen|binden*; verknüpfen. ②《깎음》 ab|schneiden; ab|hauen.

뒈지다 ins Gras beißen*; verrecken (s); krepieren (s); verenden (s). ¶ 너 같은 건 어서 뒈져라 Beiß ins Gras!¦Verrecke!¦Geh zum Teufel!¦Schere dich zum Henker!

뒝박 ☞ 뒤웅박.

뒝벌 〖곤충〗 Hummel *f.* -n.

뒤 ①《후면》 Rücken *m.* -s, -; Hinterseite *f.* -n; Hinterteil *n.* -(e)s, -e; die hintere Seite; Rückseite; Hintergrund *m.* -(e)s, ¨e. ¶ 뒤의 hinter^{3}; Hinter-; Rück- / 뒤에 hintenan; hintennach; im Hintergrund / 뒤에서 hinter^{3}; hinten; hinter *js.* ^{3}Rücken; hinter den ^{3}Kulissen 《*pl.*》/ 뒤로 hinter^{4}; nach hinten; hinterwärts; rückwärts; hintenüber (벌렁) / 뒤로부터 von hinten (her); hinterher; hinterdrein; hintenherum; hinterrücks / 그 뒤에 dahinter / 뒷자리 Hintersitz *m.* -es, -e (자동차 따위의); Soziussitz (오

토바이의) / 뒤에서 조종하는 사람 der Mann《-(e)s, ⸗er》hinter den Kulissen《*pl.*》; Hintermann *m.* -(e)s, ⸗er; Drahtzieher *m.* -s, - / 집(무대) 뒤에서 hinter dem Haus (den Kulissen) / 뒤에서 따라가다 hinter *jm.* her gehen* [s]; *jm.* nach|folgen [s] / 뒤따라가다 *jm.* folgen [s]; begleiten^4 / 뒤로 넘어지다 zurück|fallen* [s]; auf den Rücken (rücklings) fallen* [s] / 뒤를 돌아보다 hinter ^{4}sich blicken / 뒤에 타다 ^{4}sich auf den Hintersitz setzen; auf dem Hintersitz fahren* [s] (자동차 따위의); auf dem Sozius sitzen* (fahren* [s]) (오토바이의) / 뒤로 돌다 hinter *jn.* (^{4}*et.*) kommen* [s]; (^{4}sich) schleichen*; *jm.* in den Rücken fallen* [s] (배후를 찌르다) / 앞서거니 뒤서거니 bald vorausgehend, bald hinterherkommend / 뒤에서 조종하다 hinter ^{3}*et.* stecken; die Fäden in der Hand haben; die geheime Oberleitung haben; insgeheim leiten^4 / 그 뒤에는 무엇인가 있다 Dahinter steckt etwas. / 나는 뒤로 들어왔다 Ich bin von hinten hereingekommen.

② 《미래·장래》 Zukunft *f.*; die Zeit《-en》zu kommen. ☞ 뒷일. ¶ 뒤를 떠맡다 die Folgen tragen*; für die Folgen ein|treten*; 《돌보다》 für s-e Angelegenheit (Sache) sorgen; ^{4}sich um s-e Angelegenheit (Sache) kümmern / 그는 뒤에 큰 사람이 되었다 Später wurde er ein großer Mann.

③ 《나중·다음》 später; späterhin; nachher; nachdem. ¶ 뒤의 später; nachherig; hinter; früher; rückwärtig; 《마지막》 letzt; 《다음 차례》 nächst; (nach)folgend; 《후자》 der (die; das) letztere* / 그 뒤로 danach; 《그 이후》 seitdem; 《그리고 나서》 dann; und dann / 그 뒤 곧 bald darauf / 그 뒤 오랫동안 lange darauf / 5년 뒤에 nach fünf Jahren (과거에서); in fünf Jahren (현재에서) / 뒤를 잇달아 einer* nach dem ander(e)n; hintereinander; in rascher Folge; ununterbrochen / …한 뒤에 nach^3…; …folgend^3; wenn (falls) ^{1}*et.* vorbei (vorüber) ist; nachdem… / 도착한 뒤에 nach s-r Ankunft; nachdem (als) er angekommen ist (war) / 그는 뒤에 온다 Er kommt später (nachher). / 뒤에 가겠다 Ich komme später. / 그 얘기는 뒤에 더 듣기(말하기)로 하자 Später mehr davon. / 뒤에 가서야 비로소 그는 위대한 화가가 되었다 Erst später (in späteren Zeiten) wurde er ein großer Maler. / 뒤에 언젠가는 그를 도와 줄 생각이다 Später einmal werde ich ihn unterstützen.

④ 《결과·뒤끝》 Ende *n.* -s, -n; Schluß *m.* ..usses, ..üsse; Abschluß *m.* ..usses, ..üsse; Folge *f.* -n; Ergebnis *n.* ..nisses, ..nisse; Wirkung *f.* -en. ¶ 뒷맛이 당기다 nach mehr schmecken (음식 따위가) / 그렇게 하면 뒤가 재미없다 Dafür müssen Sie die Suppe ausessen (ausfressen). / 뒤에 산수갑산을 갈 망정 Nach uns die Sintflut (Sündflut)! / 이 술은 뒤가 좋지 않다 Dieses geistige Getränk läßt (hat) e-n bitteren Geschmack (zurück). / 감기 걸린 몸으로 밖에서 목욕을 하는 바람에 뒤가 더 좋지 않았다 Er war schon erkältet, und mit dem Bad im Freien hat er sich noch den Rest geholt.

⑤ 《후손》 Abkömmling *m.* -s, -e; Nachkomme *m.* -n, -n (자손); Erbschaft *f.* -en; Erbteil *n.* -s, -e; Erbe *n.* -s (가독); Nachkommenschaft *f.* -en (총칭적); Abstammung *f.* -en; Herkunft *f.* ⸗e; 《남은 가족》 der Hinterlassene*, -n, -n; die hinterlassene Familie / 뒤가 끊기다 aus|sterben* [s]; erlöschen* [s]; auf|hören zu existieren / 뒤에 남다 zurück|bleiben* [s] / 뒤에는 아내와 두 아이가 남아 있다 Den Verstorbenen überleben s-e Frau und zwei Kinder.

⑥ 《계승》 Nachfolge *f.* -n; Nachfolger *m.* -s, -. ¶ 뒤를 이을 사람 Erbe *m.* -n, -n; Erbin *f.* -nen (여자) / 뒤를 잇다 *jm.* (im Amt) nach|folgen [s]; ^{4}sich als Nachfolger an *js.* ^{4}Stelle setzen; in *js.* ^{4}Fuß(s)tapfen treten* [s]; *jn.* verdrängen (억지로) / 사장의 뒤를 잇다 dem Präsidium nach|folgen [s] / 전임자의 뒤를 이어 사업을 운영하다 das Amt s-s Vorgängers übernehmen* und das Geschäft führen (leiten; betreiben*) / 뒤를 따르다 bald nach dem Tod des (der) Geliebten sterben* [s] (^{4}sich töten).

⑦ 《돌봄·대줌》 was man braucht; Bedürfnis *n.* ..nisses, ..nisse. ¶ 뒤를 대다 *jn.* versorgen; sein Bedürfnis decken; *jn.* mit Geld (Geldmittel) versehen* (versorgen) / 공부하는 아들의 뒤를 대다 s-m Sohn sein Schulgeld bezahlen / 장사하는 사람의 뒤를 대다 e-n Kaufmann mit Geldmittel versehen* (versorgen) / 종이를 하도 많이 써서 뒤 대기가 힘들다 Sie verbrauchen so viel Papier, daß es sehr schwer ist, ihren* Bedarf zu decken.

⑧ 《대변》 Kot *m.* -(e)s; Mist *m.* -es, -e; Exkrement *n.* -(e)s, -e; Auswurfsstoffe《*pl.*》; Stuhlgang *m.*; Darmausleerung *f.*; Stuhl *m.* -s, ⸗e; Stuhlentleerung *f.* -en. ¶ 뒤가 마렵다 e-n Stuhldrang haben (fühlen) / 뒤를 보다 zu Stuhl gehen* [s]; Stuhlgang haben; ein großes Geschäft verrichten; e-e Notdurft (sein Bedürfnis) verrichten; 〖속어〗 ein Geschäft verrichten / 뒤가 순하다(굳다) e-n weichen (harten) Stuhlgang haben / 제때에 뒤를 보다 e-n regelmäßigen Stuhlgang haben / 뒤는 보았는가 Hatten Sie Stuhlgang?

⑨ 《나머지》 Rest *m.* -(e)s, -e; Überrest *m.* -(e)s, -e; das Übrige*, -n (사물); die Übrigen《*pl.*》(사람); Überbleibsel *n.* -s, -.

⑩ 《행방》 Spur *f.* -en; Fährte *f.* -n; 《사냥에서》 Fußspur *f.*; ausgetretener Weg (Pfad) -(e)s, -e; Schweif *m.* -(e)s, -e; Schwanz *m.* -(e)s, ⸗e; schmaler Streifen, -s, - (연기 따위의). ¶ 뒤를 쫓다 (밟다) nach|laufen*^{3} [s]; nach|jagen^3 [s]; (nach|)folgen^3 [s]; nach|schleichen*^{3} [s]; unbemerkt verfolgen^4; *jm.* auf der Ferse (Hacke) folgen [s]; *jm.* auf den Fersen (Hacken) sein (bleiben* [s]).

뒤구르다 ① 《반동》 zurück|schlagen* [s]; zurück|springen* [s]; zurück|prallen [s]; zurück|laufen* [s]. ¶ 총이 몹시 뒤구른다 Das Gewehr schlägt stark zurück.

② 《일의 뒤끝을》 《e-e ^{4}Sache》 vorsichtig ab|schließen* (zu Ende bringen*). ¶ 일을 ~ e-e Sache ab|schließen* u. bestätigen, daß alles richtig ist.

뒤까불다 ^{4}sich leichtsinnig verhalten (benehmen). ¶ 뒤까불지 말고 좀 점잖게 굴어라 Benimm dich nicht so leichtsinnig, sondern anständig!

뒤꼍 Hinterhof *m.* -(e)s, ⸗e; Rückseite *f.* -n; Hinterseite *f.* -n. ¶ 집 ~에서 놀다 auf dem Hinterhof spielen.

뒤꼭지치다 enttäuscht sein; niedergeschlagen (mutlos; traurig) werden; in Verzweiflung geraten* [s]. ¶ 노름에 돈을 다 잃고 뒤꼭지를 치며 일어났다 Beim Spiel hat er all sein Geld verloren u. enttäuscht die Spielhölle verlassen.¦Nachdem er bei dem Kartenspiel alles verloren hatte, stand er mutlos auf.

뒤꽁무니 ☞ 꽁무니.

뒤꽂이 Schmuck 《*m.* -(e)s, -e》 für den Hinterkopf.

뒤꿈치 Ferse *f.* -n; Hacke *f.* -n; Absatz *m.* -es, ⸗e. ¶ 구두 ~ Schuhabsatz *m.* / ~가 높은 〔낮은〕 구두 Schuhe 《*pl.*》 mit hohem 〔niedrigem〕 Absatz / 구두 ~가 닳다 ⁴sich 《der Schuhabsatz》 ab|nutzen 〔-|nützen; -|laufen〕.

뒤끓다 ① 《물이》 kochen; sieden⁽*⁾; auf|kochen [s,h]; auf|sieden⁽*⁾ [s,h]; auf|wallen [s,h]. ¶ 물이 ~ Das Wasser kocht. / 주전자의 물이 ~ Das Wasser in dem Kessel kocht auf.¦Der Kessel siedet.

② 《한데 섞여》 schwärmen [h,s]; ⁴sich drängen; gedrängt voll sein; wimmeln [h,s] 《*von*³》. ¶ 시장에 사람이 ~ Auf dem Marktplatz drängen sich die Leute.¦Der Markt wimmelt von Menschen. / 도둑이 ~ von Räubern überschwemmt sein / 생선에 구더기가 뒤끓고 있다 Der Fisch ist mit Maden übervoll.

③ 《소란》 auf|wallen; kochen; gären⁽*⁾; auf|brausen; in Gärung 〔Wallung〕 geraten* [s]. ¶ 뒤끓는 소란 Tumult *m.* -(e)s, -e; Aufruhr *m.* -(e)s, -e; Gärung *f.* -en; Auflauf *m.* -(e)s, ⸗e / 전쟁이 터질 것이란 소문으로 국내가 뒤끓었다 Das Gerücht, es breche bald ein Krieg aus, verursachte im ganzen Land e-n Tumult.¦Die Kriegsgerüchte erregten e-n nationalen Aufruhr.

뒤끝 Ende *n.* -s, -n (e-r Affäre); Schluß *m.* ..lusses, ..lüsse; Erledigung *f.* -en; Ergebnis *n.* -ses, -se. ¶ 일의 ~을 맺다 e-e Affäre schließen* 〔endigen〕; e-e Angelegenheit bis zum Ende bringen*; e-e Arbeit beenden 〔erledigen〕 / 일을 벌여만 놓고 ~을 못 맺는다 Er führt die begonnene Arbeit nicht zu Ende.

뒤내다 zurück|schrecken; 〔-|fahren*; -|schaudern; -|weichen*; -|treten*〕.

뒤넘기치다 hin|werfen*; nieder|werfen*; um|werfen*; um|stürzen; 《뒤엎음》 um|kehren 〔-|werfen*; -|stoßen*; -|stürzen〕; kentern. ¶ 아무를 ~ *jn.* nieder|werfen* / 밥상을 ~ den Eßtisch um|werfen*.

뒤넘다 um|stürzen; um|fallen*; nieder|fallen*; hinunter|stürzen; ein|stürzen.

뒤넘스럽다 unnatürlich; anmaßend; schnippisch; anspruchsvoll; keck (sein).

뒤놀다 ① 《흔들림》 rütteln; schwanken; wanken [h,s]; schüttern; wackeln; wack(e)lig sein. ¶ 책상다리가 ~ Der Tisch wackelt.

② 《까불림》 heftig rollen 〔schlingern〕; stampfen (앞뒤로). ¶ 물결에 배가 ~ Das Schiff schlingert durch die Wellen. ③ 《돌아다님》 (umher|)wandern [s]; umher|streifen [s]; schwärmen [s,h].

뒤놓다 um|wenden⁽*⁾⁴; um|kehren⁴; um|schlagen*⁴; 《천을》 wenden⁽*⁾⁴.

뒤늦다 Verspätung haben; verfallen*; überfällig; zu spät; verspätet (sein). ¶ 뒤늦게 zu spät; verspätet; post festum; in zwölfter Stunde / 뒤늦게나마 nachträglich; im nachhinein; nachhinkend; verspätet; wenn alle* Sünden vergeben sind; obwohl 〔obgleich; zwar〕 etwas verspätet / 그것은 조금 뒤늦은 느낌이 있었다 Das war ein bißchen zu spät.

뒤다 《널빤지 따위가》 ⁴sich werfen*.

뒤대 Nordteil *m.* -(e)s, -e (von e-m Land); Norden *m.* -s; nördlich gelegenes Gebiet, -(e)s, -e.

뒤대다¹ 《공급》 unterstützen 《*jn.* mit ³*et.*》; verschaffen 《*jm.* ⁴*et.*》; versehen* 《*jn.* mit ³*et.*》; versorgen 《*jn.* mit ³*et.*》; besorgen 《*jn.*》; beliefern 《*jn.* mit ³*et.*》. ¶ 아들 학비를 ~ s-m Sohn das Schulgeld verschaffen; s-n Sohn mit Studiengeld unterstützen / 아우집의 식량을 ~ s-n (jüngeren) Bruder mit Lebensmitteln versorgen / 종이를 ~ *jn.* mit Papierwaren beliefern; *jm.* Papierwaren liefern / 재료를 ~ *jn.* mit Materialien versehen*.

뒤대다² 《비뚜로 말함》 falsch unterrichten 《*jn.* über ⁴*et.*》; falsch berichten 《*jm.* ⁴*et.*》; lügen*; falsche Angabe machen.

뒤덮다 (be)decken⁴ 《*mit*³》; auf|legen⁴ 《*auf*⁴》; verdecken⁴; verhüllen⁴; über|hängen*⁴; überziehen*⁴. ¶ 이불을 ~ die Decke über den Kopf ziehen* / 눈이 산을 ~ Der Schnee bedeckt den Berg. / 흐린 하늘이 바다를 뒤덮고 있다 Ein dunkler Himmel hängt über dem Meer.

뒤덮이다 bedeckt werden 《*mit*³》; verhüllt werden; ausgebreitet werden; abgedeckt sein; überzogen sein. ¶ 땅바닥은 눈으로 뒤덮였다 Die Erde wurde mit Schnee bedeckt. / 봄이 되면 들과 산은 신록으로 뒤덮인다 Im Frühling bedecken sich die Felder u. Hügel mit frischem Grün. / 하늘은 구름으로 뒤덮여 있다 Der Himmel ist mit Wolken verhüllt 〔bedeckt〕. / 테이블은 먼지로 뒤덮여 있었다 Der Tisch war mit Staub bedeckt.¦E-e Staubdecke 〔Staubschicht〕 lag auf dem Tisch.

뒤돌아보다 zurück|sehen*; zurück|blicken; ⁴sich um|sehen* 〔um|blicken〕; ⁴sich um|drehen; 《회고》 zurück|sehen* 〔-|blicken〕 《*auf*⁴》. ¶ 힐끗 ~ flüchtig über|blicken / 생애를 〔지난 날을〕 ~ auf sein Leben 〔die Vergangenheit〕 zurück|blicken 〔zurück|sehen*〕 / 기차가 떠나자 동경의 눈초리로 〔서글픈 듯〕 뒤돌아 보았다 Als der Zug abfuhr, blickte er sehnsüchtig 〔traurig〕 zurück.

뒤두다 ① 《후일로 미루다》 zurück|lassen⁴; auf|schieben*⁴; verschieben*⁴; zurück|stellen⁴. ② 《여유를 둠》 Rücksicht nehmen* 《*auf*⁴》. ¶ 뒤를 두고 잘라 말하지 않다 mit Rücksicht auf die Zukunft nicht eindeutig sagen.

뒤둥그러지다 ① 《뒤틀림》 ⁴sich krümmen; ⁴sich verbiegen*; ⁴sich werfen*; ⁴sich verziehen*; ⁴sich verzerren.

② 《생각·성질·사람이》 verdreht 〔verderbt; verkehrt; verschroben〕 werden.

뒤따르다 folgen [s] 《*jm.*》; begleiten 《*jn.*》; nach|fahren* [s] 《*jm.*》; 《행렬 따위를》 ⁴sich an|schließen*; nach|traben [s] 《*jm.*》. ¶ 한떼의 기마 순경이 뒤따랐다 E-e Gruppe von berittenen Polizisten 〔E-e Schar berittener Schutzleute〕 bildete den Nachtrab.

뒤딱지 Hinter¦deckel *m.* -s, - 〔-klappe *f.* -n〕 (der Uhr).

뒤떠들다 viel Lärm machen; Radau machen; viel Aufhebens 〔viel Wesens〕 machen 《*um*⁴; *von*³》.

뒤떨다 ^{4}sich schütteln; schaudern; zittern; beben; schauern. ¶ 오한으로 온몸을 ~ vor Frost am ganzen Körper zittern.

뒤떨어지다 ① 《처지다》 zurück|bleiben* [s] 《hinter^{3}》; rückständig 〔unmodern〕 sein; aus der Mode kommen* 〔sein〕 [s]; k-n Schritt mit der Zeit halten*. ¶ 그 달리기 선수는 다른 사람들보다 훨씬 뒤떨어졌다 Der Läufer ist weit hinter den anderen zurückgeblieben. / 병으로 내 일이 뒤떨어졌다 Durch die Krankheit bin ich mit m-r Arbeit zurückgeblieben. / 그네들은 시대에 뒤떨어져 있다 Sie bleiben hinter der Zeit zurück.|Sie halten k-n Schritt mit der Zeit. / 깃이 큰 것은 완전히 유행에 뒤떨어진 것이다 Große Kragen sind ganz aus der Mode gekommen. / 그런 것은 시대에 뒤떨어진 생각이다 Das sind rückständige Anschauungen. / 부지런한 점으로는 그 여자는 그 사람에게 뒤떨어진다 Sie steht ihm an Eifer nicht nach. / 내가 그 도시에서 받은 인상은 기대와는 훨씬 뒤떨어지는 것이었다 Der Eindruck von der Stadt blieb weit hinter m-n Erwartungen zurück. / 그는 아주 시대에 뒤떨어진 사람이다 Er ist drei Meilen hinterm Mond.

② 《지능·공부 따위》 nach|stehen* 《jm.》; hinter jm. zurück|stehen*; hinter jm. zurück|bleiben* [s]; zurück sein; nicht so gut 《wie》; nicht gewachsen sein 《^{3}et.》. ¶ 뒤떨어진 아이들 zurückgebliebene Kinder / 소년은 정신의 발달이 뒤떨어지고 있다 Der Junge ist geistig zurückgeblieben. / 그의 아들은 독일어 실력이 매우 뒤떨어져 있다 Sein Sohn ist in Deutsch sehr zurückgeblieben. / 공부가 ~ Das Lernen fällt ihm schwer. / 그 아이는 학교에서 공부가 꽤나 뒤떨어진 편이다 Das Kind ist in der Schule ziemlich zurück. / 네 성적은 전년도에 비해서 뒤떨어지고 있다 Du stehst in deinen Leistungen hinter denen des Vorjahres zurück. / 그는 노상 동생한테 뒤떨어질 수 밖에 없었다 Er mußte dem jüngeren Bruder immer nachstehen.

③ 《처짐·낙오》 zurück|bleiben* [s]; hinten bleiben* [s]; nicht nach|kommen* [s]. ¶ 발이 아파 도중에서 뒤떨어졌다 Weil s-e Füße verwundet waren, blieb er unterwegs zurück.

뒤뚝- ☞ 되똑-.

뒤뚱거리다 schwanken; wanken [h,s]; taumeln [h,s]; wackeln [h,s]; torkeln [h,s]; wankend 〔wackelig〕 sein.

뒤뚱뒤뚱 wankend; schwankend; taumelnd; wack(e)lig; unsicher; watsch(e)lig. ¶ ~ 걷다 torkeln [s,h]; watscheln [s,h] (거위 따위가); wankend 〔schwankend; unsicher〕 gehen* [s].

뒤뚱발이 e-e Person, die schwankend einher geht.

뒤뜨다 ① 《들뜸》 ^{4}sich krümmen u. locker werden. ② 《버티어 겨룸》 Widerstand leisten 《jm.》; ^{4}sich widersetzen 《jm.》; ^{4}sich sträuben 《gegen jn.》; widerstehen* 《jm.》.

뒤뜰 Hinter|hof m. -(e)s, ⸚e 〔-garten m. -s, ⸚〕; der hintere Garten; Hausgarten m.

뒤란 Hinterhof m. -(e)s, ⸚e; Hintergarten m. -s, ⸚; Hausgarten m.; Gemüsegarten m.; Küchengarten m.

뒤룩거리다 ① 《눈알을》 glotzen; stieren. ¶ 눈이 ~ Die Augen strahlen 〔glänzen〕. ② 《몸을》 schwingen*; ^{4}sich hin u. her bewegen; wackeln [h,s]. ¶ 몸을 ~ ^{4}sich schwingen*. ③ 《성이 나서》 auf|brausen; zornig hoch|fahren* [s]; ^{4}sich auf|regen.

뒤룩뒤룩 《눈알을》 glotzend; strahlend; glänzend; stierend; 《몸 따위를》 schwingend; wackelnd; 《성이 나서》 aufbrausend; zornig hochfahrend. ¶ ~ 걷다 wackeln [s]; schwingend gehen* [s].

뒤룽- ☞ 되롱-.

뒤미처 bald darauf; kurz danach. ¶ ~ 쫓아가다 jm. bald darauf folgen [s] / ~ 그도 사직했다 Er gab auch kurz danach s-e Stellung auf.|Er hat auch bald darauf abgedankt.

뒤바꾸다 verwechseln^{4} 《mit^{3}》; vertauschen 《mit^{3}》; verwirren*; verkehren. ¶ 순서를 ~ die Reihenfolge um|kehren; aus der Ordnung bringen* / 우리는 모자를 뒤바꿔 썼다 Wir haben unsere Hüte verwechselt.

뒤바뀌다 verkehrt sein; verwechselt 〔vertauscht; verwirrt; verkehrt〕 werden. ¶ 순서가 ~ die Reihenfolge ist umgekehrt; in Unordnung sein; außer der Reihenfolge sein / 휴대품 보관소에서 외투며 모자가 뒤바뀌었다 In der Garderobe wurden Überzieher, Hüte vertauscht. / 책이 모두 뒤바뀌었다 Die Bücher wurden alle vertauscht.

뒤바르다 《종이 따위를》 bekleben^{4} 《mit^{3}》; voll kleben^{4}; 《분 따위를》 dick auf|tragen*^{4}; stark schminken^{4}; 《칠 따위를》 beschmieren^{4} 《mit^{3}》; voll|schmieren^{4}.

뒤받다 zurück|geben^{4}; scharf erwidern 〔entgegnen〕 《auf^{4}》.

뒤발하다 beschmieren^{4} 《mit^{3}》; ein|schmieren^{4} 《mit^{3}》; ein|reiben*^{4} 《mit^{3}》; dick auf|tragen*^{4}; besudeln^{4} 《mit^{3}》; ^{4}sich bestreuen 《mit^{3}》.

뒤밟다 nach|spüren^{3} [s]; auf|spüren^{4}; verfolgen^{4}; jm. auf der Spur sein; jm. auf der Ferse folgen [s]; unter Beobachtung halten* 《jm.》; jm. auf dem Fuß folgen [s]. ¶ 경관이 범인을 뒤밟고 있다 Der Schutzmann ist dem Täter auf der Spur. / 뒤밟게 하다 e-n Hund auf die Spur setzen / 비밀 경찰이 밤낮 나를 뒤밟고 있다 Die Geheimpolizei folgt mir Tag und Nacht auf der Ferse.

뒤버무리다 (ver)mischen^{4}; (ver)mengen^{4}; zusammen|mischen^{4}; untereinander|mischen^{4}. ¶ 나물을 ~ den Salat an|machen.

뒤범벅 Gemenge n. -s, -; Buntheit f. -en; Gemengsel n. -s, -; Gemisch n. -es, -e; Mengung f. -en; Sammelsurium n. -s, ..rien; das Vermischte*, -n. ¶ ~을 만들다 untereinander (ver)mischen^{4}; durcheinander|mengen^{4} 〔-|mischen^{4}; -|werfen*^{4}〕; alles* in e-n Topf 〔Kessel〕 werfen*; unordentlich vermengen; zusammen|werfen* / ~이 되다 wirr durcheinander liegen*; außer ^{3}Rand u. ^{3}Band sein; in ^{4}Unordnung 〔Verwicklung〕 kommen*; wie Kraut u. Rüben liegen*; drunter u. drüber gehen* [s]; Es herrscht ein heilloses Durcheinander.

뒤변덕스럽다 wankelmütig; unbeständig; launenhaft; launisch; grillenhaft; mutwillig (sein). ¶ 뒤변덕스러운 사나이 ein launenhafter Mensch, -en, -en.

뒤보다¹ 《잘못 봄》 mißverstehen*^{4}; falsch lesen*^{4}; falsch beurteilen^{4}; falsch verstehen*^{4}. ¶ 신호를 ~ das Signal falsch lesen*.

뒤보다² ① 《용변》 ein großes Geschäft 〔e-e

Notdurft, sein Bedürfnis) verrichten; 〖속어〗 ein Geschäft verrichten; zu Stuhl gehen* [s]; Stuhlgang haben. ¶ 뒤보러 가다 auf den Abort (Abtritt; das Klosett; die Toilette; den Toilettenraum; den Waschraum) gehen* [s]; ^{4}sich waschen*. ② ☞ 뒤보아주다.

뒤보아주다 Sorgen 《*für*^{4}》; ^{4}sich kümmern 《*um*^{4}》; auf|passen 《*auf*^{4}》; helfen*^{3}; bei|stehen*^{3}; Hilfe leisten^3; unterstützen^4. ¶ 어머니 없는 애를 ～ für ein mutterloses Kind sorgen / 장사하는 사람을 ～ e-m Händler Hilfe leisten; e-n Kaufmann unterstützen / 그는 나를 친형제처럼 뒤보아준다 Er steht mir wie ein Bruder bei.

뒤뿔치기 Lohnarbeit *f.* -en; die von e-m anderen abhängige Arbeit (gegen Lohn).

뒤뿔치다 für e-e Person arbeiten (gegen Lohn).

뒤서다 nach|stehen*^{3}; zurück sein; zurück|bleiben*[s]; hinten bleiben*[s]; zurückgeblieben sein; rückständig (spätreif) sein. ¶ 경주에서 ～ beim Wettlauf hinter den anderen zurückgeblieben sein / 공부에 있어 ～ mit dem Studium (mit der Arbeit) zurückgeblieben sein / 아무한테도 뒤서지 않다 gegen niemand (hinter niemand) zurück|stehen*.

뒤섞다 《물·액체를》 mischen 《*unter*^{4}; *in*^{4}》; vermischen 《*mit*^{3}》; vermengen 《*mit*^{3}》 (혼화); 〖요리〗 an|rühren 《*mit*^{3}》; zusammen|mischen; melieren (특히 골패를); zusammen|werfen*; wahllos durcheinander|werfen*; in Unordnung bringen*^{4}; mengen 《*in*^{4}》; durchmischen 《*mit*^{3}》; durchmengen; verschneiden* (술을); durcheinander|mischen; durcheinander|mengen; manschen; 〖요리〗 ein|rühren; durcheinander|kneten (반죽함); durcheinander|schaufeln (삽으로); das Unterste* zuoberst (das Oberste* zuunterst) kehren; alles zuunterst u. zuoberst kehren. ¶ 뒤섞어서 (alles) zusammen; durcheinander (뒤죽박죽) / 흙에 모래를 ～ Erde mit Sand mischen / 술에 물을 ～ Wasser in (unter) den Wein mischen / 넣을 수 있는 것은 모두 넣어 잘 뒤섞으시오 〖요리〗 Alle Zutaten sind gut miteinander zu vermengen. / 완전히 뒤섞였다 Es herrschte ein heilloses (wildes, wüstes) Durcheinander.

뒤섞이다 ^{4}sich mischen 《*unter*^{4}; *in*^{4}》; ^{4}sich vermischen (vermengen; zusammen|mischen; durchmischen; durchmengen; durcheinander|mischen; durcheinander|mengen) 《*mit*^{3}》; ^{4}sich mengen 《*in*^{4}》; in Unordnung sein. ¶ 뒤섞여서 in Unordnung; in Verwirrung; bunt durcheinander / 뒤섞여 있다 vermischt (bunt durcheinander) sein / 식탁에 남녀가 뒤섞여 앉아 있었다 Sie machten bunte Reihe am Tisch. / 뒤섞여서 싸우고 있었다 Sie kämpften miteinander im Schlachtgetümmel.

뒤숭숭하다 ① 《혼란》 geräuschvoll; lärmend; laut; tosend; tobend; stürmisch; gestört; beunruhigt; verwirrt; erregt; aufgeregt (sein); in Unordnung (Verwirrung) sein unruhig; ungestüm; bestürzt; wirr; verworren (sein). ¶ 뒤숭숭한 세상 die unruhige Welt, -en / 세상이 ～ Es liegt etwas in der Luft. | Eine Unruhe herrscht im Volk. ② 《마음이》 gestört; beunruhigt; verwirrt; zerstreut (sein); in Verwirrung (Verlegenheit) sein; von Sinnen sein; rastlos; ruhelos; unruhig; unbehaglich (sein). ¶ 오늘은 마음이 ～ Ich bin heute ganz durcheinander (wirr im Kopf). / 마음이 뒤숭숭해서 아무것도 못하겠다 Ich bin zerstreut (unruhig) und habe Lust, etwas zu tun.

뒤스럭거리다 ① 《변덕부림》 ^{4}*et.* aus e-r Laune heraus tun*. ② 《뒤지다》 kramen; wühlen; stöbern; tasten 《*nach*^{3}》. ¶ 뒤스럭뒤스럭 tastend; tappend.

뒤스럭스럽다 tumultuarisch; erregt u. lärmend; geräuschvoll; unruhig (sein).

뒤스르다 arrangieren^4; in Ordnung bringen*^{4}; an|ordnen^4; ^{4}sich zu behelfen wissen*.

뒤어보다 ＝뒤져보다.

뒤어쓰다 ① 《눈을》 rollen (verdrehen) 《die Augen》; das Weiße im Auge zeigen. ② ＝들쓰다.

뒤얽히다 ^{4}sich verwirren*; ^{4}sich verwickeln; ^{4}sich komplizieren; in Verwirrung geraten* [s]. ¶ 뒤얽힌 verwickelt; verworren; verwirrt; kompliziert; wirr / 뒤얽힌 이야기 e-e verwickelte Geschichte, -n.

뒤엉키다 ^{4}sich verwickeln; ^{4}sich verwirren* (실이나 사건에서도); ^{4}sich verfilzen; ^{4}sich verfitzen; ^{4}sich verheddern(실 따위가). ¶ 뒤엉킨 사건 der verwickelte Fall, -(e)s, ⸚e.

뒤엎다 um|stürzen^4; um|werfen*^{4}; umstoßen*^{4}; stürzen^4 (정부를); nieder|werfen*^{4}; um|kehren^4; nieder|reißen*^{4} (건축물, 장애물 등을); besiegen^4(굴복). ¶ 판결을 ～ ein Urteil um|stoßen* / 정부를 ～ e-e Regierung stürzen / 예상을 뒤엎고 그가 패배하고 말았다 Unerwarteterweise ist er besiegt worden.

뒤웅박 Kalebasse *f.* -n; Kürbisflasche *f.* -n; der ausgehöhlte Kürbis, -ses, -se.

뒤웅스럽다 ungestalt; unförmig; plump; häßlich; abstoßend (sein). ¶ 뒤웅스럽게 생겨먹다 häßliche Gesichtszüge haben.

뒤잇다 folgen^3 [s] 《*auf*^{4}》; nach|gehen*^{3} [s]; ^{4}sich an|schließen* 《*an*^{4}》. ¶ 뒤이어 auf ^{4}*et.* folgend; danach; darauf; anschließend.

뒤재주치다 ① 《던짐》 blindlings werfen*^{4}; wahllos werfen*^{4}. ② 《뒤집다》 um|schlagen*; um|kippen^4.

뒤적거리다 durch|suchen^4 (durchsuchen^4); durch|stöbern^4 (durchstöbern^4; durch|stochern^4; durchstochern^4; durch|stören^4; durchstören^4)(샅샅이 뒤짐); umher|fühlen^4; umhertappen^4; betasten^4; befühlen^4; leicht berühren; in die Finger nehmen*^{4}; 《책을》 durchblättern^4; blättern (여기 저기를 펼치다); nach|schlagen*; nach|sehen* (참고, 조사하다). ¶ 칼을 찾느라고 서랍을 ～ die Schubladen nach dem Messer durchstöbern (durchstochern; durchstören) / 책을 여기 저기 ～ in e-m Buch blättern / 어느 단어를 찾느라고 사전을 ～ ein Wort im Wörterbuch nach|schlagen* (nach|sehen*).

뒤적뒤적 kramend 《*in*^{3}》; stöbernd 《*in*^{3}》; aufsuchend; hervorholend.

뒤져내다 hervor|holen^4; aus|kramen^4; heraus|holen^4; auf|stöbern^4; auf|suchen^4; ausfindig machen^4. ¶ 서랍에서 돈을 ～ das Geld aus der Schublade hervor|holen / 벽장에 감춰 둔 과자를 ～ den verborgenen Kuchen aus dem Wandschrank auf|suchen.

뒤져보다 suchen$^{(4)}$ 《*in*^{3}; *nach*^{3}》; durchsuchen^4; kramen 《*in*^{3}》; stöbern 《*in*^{3}》; auf|suchen^4 《*in*^{3}》. ¶ 돈이 있나 서랍을 ～ in der Schublade nach dem Geld kramen (suchen)/쌀을 감춰 두었나 창고를 ~ den Speicher durchsuchen, ob Reis verborgen sei/ 있을 만한 곳은 모두 뒤져 보았으나 못찾았다 Ich habe es überall (wie e-e Stecknadel) gesucht, aber konnte es nicht finden.

뒤조지다 [4]sich versichern; [4]sich überzeugen 《*von*[3]》; sicher|stellen[4]; fest|stellen[4]; versichern; bestätigen[4]; kontrollieren[4].

뒤주 der (hölzerne) Getreidebehälter, -s, -; Reisbehälter *m.* -s, -.

뒤죽박죽 Durcheinander *n.* -s, -; Verwirrung *f.* -en; Mischmasch *m.* -es, -e. ¶ ~인 wirr; verwirrt; verworren; kunterbunt; zusammengeworfen; zusammenhang(s)los; durcheinander; unzusammenhängend; konfus / ~으로 alles (wirr) durcheinander geworfen; drunter u. drüber / ~을 만들다 tüchtig mischen[4]; (ver)mengen[4]; vermischen[4]; durchmischen[4]; durchmengen; verwirren[4]; durcheinander bringen*; wirr durcheinander werfen*; in Unordnung bringen* / 모든 것이 ~이다 Alles steht auf dem Kopf.¦Alles ist verkehrt. / 서가의 책이 ~이 되다 Bücher im (Bücher)regal (Büchergestell) sind alle wirr durcheinander geworfen./ 일을 ~으로 만들어 놓았다 Er hat die Sache (Angelegenheit) in Unordnung gebracht.

뒤쥐 〖동물〗 Spitzmaus *f.* ⸗e.

뒤지(一紙) Toiletten¦papier [toalɛ́tən..] (Klosett-) *n.* -s, -e.

뒤지다[1] 《찾음》 durch|suchen[4]; durchsuchen[4] 《*nach*[3]》; ab|suchen[4] 《*nach*[3]》; durch|stöbern[4] (durchstöbern[4]) 《*nach*[3]》; durchwühlen[4]; umher|fühlen[4]; umher|tappen[4]. ¶ 집을 ~ das Haus durchsuchen; e-e Haussuchung vor|nehmen* / 호주머니를 ~ in der Tasche suchen / 쓰레기통을 ~ im Mülleimer kramen (suchen) / 서랍을 ~ e-e Schublade durchwühlen (durchstöbern).

뒤지다[2] 《낙후됨》 hinter *jm.* zurück|bleiben* Ⓢ (zurück|stehen*) 《*in*[3]》; nach|stehen* 《*jm.*》; hinter anderen zurück|bleiben* Ⓢ 《*in*[3]》; dem anderen unterlegen sein; unterliegen* 《*jm.*》; überholt (übertroffen; besiegt) werden 《von *jm.*》; nicht gleich|kommen* Ⓢ 《*jm.*》; nicht mit|kommen können* 《mit *jm.*》. ¶ 시대에 ~ hinter der Zeit zurück|bleiben* / 유행에 ~ aus der Mode kommen*Ⓢ (sein) / 남에게 뒤지지 않다 k-m nach|stehen*; k-m weichen*; [4]es mit jedem auf|nehmen*; gewachsen sein 《*jm.*》; [4]es gleich|tun* 《*jm.*》/ 독일어라면 그는 아무에게도 뒤지지 않는다 Im Deutschen kommt ihm k-r gleich. / 학식면에서 그는 아무에게도 뒤지지 않는다 Er steht an Gelehrsamkeit niemandem nach. / 한국의 학술은 오늘날 외국의 학술에 뒤지지 않는다 Die koreanischen Wissenschaften geben heutzutage den ausländischen (in) nichts nach.

뒤짐 das Zurückgebliebensein*, -s; Rückständigkeit *f.* (문화, 조류 등의); Rückstand *m.* -(e)s, ⸗e. ¶ 문화의 ~ e-e Rückständigkeit in Kultur / ~을 만회하다 e-n Rückstand auf|holen.

뒤집개질 das Umdrehen*, -s; Umdrehung *f.* -en; das Umwenden*, -s. ~하다 (um|-) wenden[(*)4]; um|drehen[4].

뒤집고핥다 in- und auswendig kennen*[4]; gründlich verstehen*[4]; auf Einzelheiten ein|gehen* Ⓢ; ausführlich erörtern[4].

뒤집다 ① 《안을 밖으로》 um|wenden[4]; um|drehen[4] (책장 따위를); um|kehren[4](호주머니를); wenden[4](옷을); auswärts wenden (setzen) (발을); das Innere* 《-n》 nach außen kehren; verkehrt herum|drehen; auf den Kopf stellen; 《배를》 um|kippen; kentern. ¶ 뒤집은, 뒤집어 verkehrt / 호주머니를 (양말을) ~ die Tasche (die Strümpfe) um|kehren / 옷을 ~ ein Kleid wenden / 손바닥을 ~ die Hand um|drehen / 옷을 뒤집어 입다 ein Kleid verkehrt tragen*.

② 《차례를》 um|kehren[4]. ¶ 순서를 ~ die Reihenfolge um|kehren.

③ 《뒤엎다》 um|kehren[4]; um|werfen*[4] (차 따위를); um|stoßen*[4](부딪쳐서); 《타도》 um|stürzen[4]; um|wälzen; stürzen[4] (정부를); vereiteln; durchkreuzen[4]; 《결정을》 zurück|weisen*[4]; verwerfen*[4]; wieder|rufen*[4]. ¶ 정부를 ~ e-e Regierung stürzen (um|stürzen) / 계획을 ~ e-n Plan über den Haufen werfen* / 학설을 ~ e-e Theorie um|werfen*.

④ 《혼란시킴》 in Verwirrung (Unordnung; Verlegenheit) bringen*; 《형세를》 um|stürzen; den Spieß um|drehen (um|kehren) 《*gegen*[4]》; e-e andere Wendung geben* 《[3]*et.*》. ¶ 그 소식은 장내를 발칵 뒤집어 놓았다 Die Nachricht brachte das Publikum (die Zuhörer) völlig in Verwirrung (Verlegenheit).

뒤집어쓰다 ① 《온몸·머리에》 [4]sich zu|decken; [4]sich ein|wickeln (um|wickeln) 《*in*[4]》; [4]sich (ein)hüllen (um|hüllen) 《*in*[4]》; tragen*[4]; auf|setzen* (모자를); 《찬물 따위를》 [3]sich (Wasser) gießen* (schütten) 《*auf*[4]》. ¶ 이불을 ~ [4]sich in die Bettdecke ein|wickeln / 모포를 ~ [4]sich in e-n Pelz hüllen / 찬물을 ~ [3]sich kaltes Wasser über den Kopf gießen* (schütten) / 먼지를 ~ [4]sich verstäuben / 모자를 ~ den Hut auf|setzen / 나는 일복을 뒤집어 썼다 Ich bin mit der Arbeit völlig zugedeckt.

②《남의 허물을》 auf [4]sich nehmen*(laden*); [4]sich für [4]*et.* verantwortlich machen. ¶ 뒤집어 씌우다 *jn.* [2]*et.* beschuldigen (bezücht(ig)en); die Schuld auf *jn.* ab|schieben* (ab|wälzen); zur Verantwortung ziehen* 《*jn.*》; an|schuldigen 《*jm.* [4]*et.*》/ 남의 죄를 ~ *js.* Schuld (Sünde) auf [4]sich nehmen* (laden*) / 애매한 죄를 ~ falsch angeklagt werden.

뒤집히다 ① 《안이 밖으로》 umgewendet werden; [4]sich um|drehen (책장 따위가); umgekehrt werden(호주머니가); gewendet werden(옷이); das Innere* nach außen gekehrt werden; verkehrt (herum|gedreht) werden; auf den Kopf gestellt werden. ¶ 뒤집힌 옷 ein gewendetes Kleid, -(e)s, ⸗er / 옷이 뒤집혀 있다 Das Kleid ist gewendet.

② 《순서가》 umgekehrt werden. ¶ 순서가 ~ die Reihenfolge wird umgekehrt.

③ 《전복》 um|fallen*Ⓢ; [4]sich um|kehren; 《차·배 등이》 um|schlagen* (um|kippen; kentern)Ⓢ; umgestoßt werden(부딪쳐); 《타도》 um|stürzenⓈ; [4]sich um|wälzen; stürzen Ⓢ (정부가); 《결정이》 zurückgewiesen (verworfen; wiedergerufen) werden. ¶ 뒤집힌 umgekehrt; verkehrt / 정부가 ~ e-e Regierung ist gestürzt / 계획이 ~ ein Plan ist vereitelt (durchkreuzt) worden / 학설이 ~ e-e Theorie ist umgeworfen worden/

배가 ~ ein Boot kippt um 〔kentert〕/ 열차의 객차가 여섯대 뒤집혔다 Sechs Wagen e-s Zuges sind umgeschlagen worden. / 정세가 뒤집혔다 Die Situation ist umgestürzt. ④《소동》gären*; in Gärung sein; Radau machen 〔schlagen*〕; in Aufruhr geraten* 〔kommen*〕 [s]. ¶ 나라가 뒤집힐 듯이 소란했다 Das Land geriet in Aufruhr. / 온 집안이 발칵 뒤집혔다 Die ganze Familie war in höchster Verwirrung. / 그 소식에 온 마을이 발칵 뒤집혔다 Die Nachricht brachte 〔versetzte〕 das ganze Dorf in Aufruhr 〔Verwirrung〕. / 민심이 발칵 뒤집혔다 Das Volk ist in Gärung.|Es gärt in der Masse. ⑤《속이》[4]sich krank 〔übel; unwohl〕 fühlen; 《정신이》den Kopf verlieren*; außer [3]Fassung kommen* [s]; völlig verrückt werden; 〖속어〗ganz übergeschnappt sein. ¶ 눈알이 ~ [4]sich vergessen*; den Kopf verlieren*; außer [3]sich sein; 《화가 나서》die Fassung verlieren*; wütend werden / 배가 고파 눈알이 뒤집힐 것 같다 Ich habe e-n rasenden Hunger. / 그 사람에게 눈이 뒤집혀 있다 Sie liebt ihn wahnsinnig.

뒤쪽 《배후》Hinterseite *f.* -n; 《이면》Rückseite *f.* -n; Kehrseite *f.* -n. ¶ ~방 das hintere 〔nach hinten (hinaus) gelegene〕 Zimmer, -s, -.

뒤쫓다 nach|laufen*[3] 〔nach|folgen[3]〕 [s]; hinter *jm.* her laufen*[s]; auf dem Fuß nach|gehen* [s] 《*jm.*》; auf Schritt und Tritt folgen[3] 〔nach|gehen*[3]〕 [s]; 《추적》verfolgen[4]; hartnäckig 〔überallhin〕 verfolgen[4]. ¶ 경찰이 범인을 뒤쫓고 있다 Die Polizei ist hinter dem Täter her. / 그 녀석은 노상 그 아가씨 꽁무니를 뒤쫓아 다니고 있다 Er bleibt immer an dem Mädchen hängen.

뒤차(一車) 《다음 차》der nächste Zug, -(e)s, ⸚e; der folgende Zug; der folgende Autobus, -ses, -se; das folgende Auto, -s, -s; 《끝차》der letzte Wagen, -s, -; der allerletzte Zug; der Hinterwagen.

뒤채[1] 《집채》Hintergebäude *n.* -s, -; Hinterhaus *n.* -es, ⸚er; hinter dem Haus liegendes zweites Haus; Hofgebäude; von der Straße abgelegener Gebäudeteil, -(e)s, -e.

뒤채[2] 《가마의》die hintere Tragstange 《-n》 e-r Sänfte; die Hinter-Tragstange e-s Tragsessels.

뒤채다 übermäßig 〔überflüssig; überreichlich〕 sein; im Überfluß da 〔vorhanden〕 sein; 《발길에 걸리다》*jm.* in den Weg treten* 〔kommen*〕 [s].

뒤처리(一處理) die Regelung 〔Berichtigung〕 《-en》 e-r Angelegenheit; die nachträgliche Maßnahme, -n. **~하다** das Herumliegende* wieder in Ordnung bringen*; wieder ordnen[4]; 《e-e Angelegenheit》 regeln 〔ab|wickeln; ab|schließen*〕; ab|fertigen[4]. ☞ 뒷갈망, 뒷수습. ¶ 사건의 ~를 하다 e-e Angelegenheit regeln / 파산 회사의 ~를 하다 die Angelegenheit e-r bankrotten Gesellschaft regeln 〔ab|wickeln; ab|schließen*〕.

뒤쳐지다 um|schlagen* [s]; um|kippen [s].

뒤축 Ferse *f.* -n; Hacke *f.* -n(발, 신발, 양말의); Absatz *m.* -es, ⸚e(신발의); Schuhabsatz *m.* (신발의). ¶ ~이 높은〔낮은, 비뚤어진〕 신발 Schuhe 《*pl.*》 mit hohen 〔niedrigen, schiefen〕 Absätzen / ~이 없는 ohne Absätze / 구두 ~이 닳았다 Schuhabsätze sind abgelaufen 〔abgetreten〕.

뒤치다 um|wenden[4]; um|drehen[4]. ¶ 책장을 ~ die Seiten e-s Buches um|drehen; ein Buch durch|blättern 〔um|blättern〕 / 엎어진 삽을 ~ e-e umgeworfene Schaufel 《-n》 um|wenden 〔um|drehen〕.

뒤치다꺼리 ①《돌봄》Aushilfe *f.* -n (von hinten); Pflege *f.*; Obhut *f.*; Fürsorge *f.*; Besorgung *f.* -en; Versorgung *f.* -en. **~하다** aus|helfen*[3] (von hinten); pflegen*[4]; in s-e Obhut nehmen* 《*jn.*》; versorgen 《*jn.*》. ¶ 아이들 ~를 하다 s-e Kinder pflegen; für s-e [4]Kinder sorgen / 동생의 살림 ~를 하다 die Familie s-s Bruders (mit dem täglichen Bedarf) versehen*. ②《뒤처리》Aufräumung *f.* -en; Entwirrung *f.* -en; Anordnung *f.* -en; das Zurechtmachen*, -s. **~하다** auf|räumen[4]; entwirren*[4]; an|ordnen[4]; zurecht|machen[4]; ausbaden müssen; die Folgen (von *js.* schlechten Handlungen) tragen* (müssen*).

뒤탈(一頉) spätere Schwierigkeiten 《*pl.*》. ¶ ~이 두려워 aus Furcht vor den späteren Schwierigkeiten 〔Beschwerden; Folgen〕.

뒤터지다 unfreiwillige Darmentleerung haben.

뒤턱놓다 《als Zuschauer》 e-e Zweitwette ab|schließen*; e-n zweiten Einsatz machen.

뒤통수 Hinterkopf *m.* -(e)s, ⸚e; Hinterhaupt *n.* -(e)s, ⸚er; die Gegend des Hinterkopfes; der Teil des Hinterkopfes. ¶ ~를 갈기다 〔치다〕 *jn.* auf den Hinterkopf schlagen*.

뒤퉁스럽다 ungeschickt; unbeholfen; schwerfällig; plump; stümperhaft; dumm (sein). ¶ 뒤퉁스러운 짓 Fehler *m.* -s, -; Mißgriff *m.* -(e)s, -e.

뒤틀다 ①《얼굴 따위를》verzerren[4]; verziehen*[4]; 《팔 따위를》verdrehen[4]; verbiegen*[4]; 《사실 따위를》entstellen[4]; 《손·발 따위를》verrenken[4]; verstauchen[4]; 《쥐어 짜다》ringen*[4]; ab|drehen[4]; aus|winden[4]; aus|(w)ringen[4]. ¶ 아무의 팔을 ~ *jm.* den Arm verdrehen 〔verrenken〕/ 나뭇가지를 뒤틀어 꺾다 e-n Zweig los|reißen*.
②《방해하다》durchkreuzen[4]; vereiteln[4]; zunichte machen. ¶ 남의 계획을 뒤틀어 놓다 *js.* Plan durchkreuzen 〔vereiteln〕.

뒤틀리다 ①《얼굴·입 따위가》[4]sich verzerren 〔verziehen*〕; 《팔 따위가》verdreht werden; 《휘다》[4]sich verbiegen*; 《사실 따위가》[4]sich entstellen; 《손·발 따위가》verrenkt werden; 《쥐어 짜이다》[4]sich ringen*. ¶ 나무가 말라 ~ Das Bauholz 〔Nutzholz〕 wird in der Hitze verzogen. / 성질이 ~ es geht krumm mit ihm / 그는 사람이 뒤틀렸다 Er ist schon verdorben.
②《일이》[4]sich verdrehen 〔verwickeln〕; schief|gehen* [s]; schlecht gehen* [s]; 《계획이》durchkreuzt 〔vereitelt〕 werden; 《기분이》verdrießlich 〔ärgerlich; mürrisch〕 werden. ¶ 계획이 ~ ein Plan wird durchkreuzt 〔vereitelt〕/ 모든 일이 ~ Bei ihm geht alles schief.

뒤틀어지다 ①《물건이》[4]sich verzerren; [4]sich verziehen*; [4]sich krümmen; 《일이》fehl|schlagen*[s,h]; mißlingen*[s]; schief|gehen* [s]. ¶ 팔다리가 ~ die Gliedmaßen verzerren sich / 판자가 ~ das Brett verzieht sich / 일이 ~ der Plan ist erfolglos 〔geht fehl〕; das Projekt klappt nicht. ② ☞ 틀어지다③.

뒤틈바리 der grobe Mensch, -en, -en; Grobian *m.* -s, -e; Lümmel *m.* -s. -; Flegel *m.* -s, -; Tölpel *m.* -s, -.

뒤폭(一幅) ① 《옷의》 das Hinterstück 《-(e)s, -e》 der Kleidung. ② 《세간의》 das Hinterstück des Kastens (Schrankes).

뒤표지(一表紙) Hinterdeckel *m.* -s, - (des Buches); das Rückblatt 《-(e)s, ⸚er》 des Einbands.

뒤품 die Schulter-Breite 《-n》 der Kleidung; die Schulterbreite des Kleidungsstückes.

뒤흔들다 ① 《사물을》 heftig (stark) schütteln⁴; heftig schwenken⁴; gewaltig schwingen*⁴. ¶ 나무를 ~ e-n Baum schütteln / 열매를 따려고 나무를 ~ Früchte 《Pflaumen; Äpfel》 vom Baum schütteln/ 바람이 나뭇가지를 ~ der Wind schüttelt die Zweige des Baumes. ② 《교란》 stören⁴; in Unordnung bringen*⁴; verwirren⁴; rühren⁴; auf|rütteln⁴. ¶ 사람의 마음을 ~ e-n Gedankengang unterbrechen* / 세상을 ~ die Welt beunruhigen; e-e Unruhe verursachen.

뒤흔들리다 ① 《사물이》 zittern; beben; erschüttert werden; rütteln. ¶ 지진으로 집이 ~ die Häuser werden durch das Erdbeben erschüttert / 길이 나빠 차가 뒤흔들린다 Der Wagen rüttelt wegen des schlechten Weges. ② verwirrt sein; ⁴sich verwirren; in Unordnung geraten* ⓢ; aus der Fassung kommen* (geraten*) ⓢ. ¶ 마음이 ~ die Fassung verlieren*.

뒵들다 streiten*; zanken*; disputieren.

뒷가지 ① 《길마의》 der Hinterstock 《-(e)s, ⸚e》 des Packsattels. ② 〔접미사〕 Suffix *n.* -es, -e; Nachsilbe *f.* -n.

뒷간(一間) =변소. ¶ ~에 갈 적 마음 다르고 올 적 마음 다르다 《속담》 Gefahr vorüber, Gott vergessen; Wenn die Not vorüber ist, vergißt man den Wohltäter.

뒷갈망 das In-Ordnung-Bringen* 《-s》 des Geschehenen; Behandlung 《-en》 der Nachwirkungen. ~하다 ⁴sich mit den Nachwirkungen befassen; (das Geschehene) in Ordnung bringen*; versorgen⁴. ¶ 사건의 ~을 하다 e-e Angelegenheit (e-e Sache) zurecht|machen.

뒷갈이 das Nachpflügen*, -s.

뒷갱기 der Riemen 《-s, -》 an der Ferse e-r Sandale.

뒷거래(一去來) Hintertürgeschäft *n.* -(e)s, -e; Schwarzhandel *m.* -s, ⸚(암거래). ☞ 뒷구멍.

뒷걱정 die spätere Sorge, -n; die nachher kommende Sorge.

뒷걸음질 Rückwärtsbewegung *f.* -en. ~하다 rückwärts gehen* ⓢ.

뒷걸음치다 rückwärts schreiten* (gehen*; bewegen)ⓢ; 《무서워서》 zurück|weichen*³; zurück|schrecken* 《*vor*³》; zurück|schaudern 《*vor*³》; zurück|fahren* 《*vor*³》; den Schwanz ein|ziehen* (hängenlassen*). ¶ 그의 위협에도 난 뒷걸음치진 않았다 S-e Drohungen schreckten mich nicht zurück. / 뒷걸음치지 말라 Nicht zurückhalten!

뒷경과(一經過) die spätere Entwicklung, -en; der spätere Verlauf, -(e)s, ⸚e; Folgen 《*pl.*》.

뒷고대 Hinterkragen *m.* -s, -; der hintere Teil des Kragens.

뒷골목 Nebenstraße *f.* -n; Seitenstraße *f.* -n; Neben¦gasse (Seiten-; Hinter-) *f.* -n; Elendsviertel *n.* -s, - (빈민굴).

뒷공론(一公論) ① 《잡담·소문》 Klatsch *m.* -es; Geschwätz *n.* -es. ~하다 klatschen 《über *jn.*》; schwatzen. ¶ 남의 ~하다 über *jn.* hinter seinem Rücken reden. ② 《비평·험담》 Verleumdung *f.* -en; Nachrede *f.* -n. ~하다 verleumden 《*jn.*》; Schlechtes nach|reden 《*jm.*》; in üble Nachrede bringen* 《*jn.*》; in schlechten Ruf bringen* 《*jn.*》. ③ 《일 뒤의》 leeres Geschwätz nach getaner Arbeit. ~하다 kurz wiederholen⁴; nach getaner Arbeit zusammen|fassen⁴; wieder auf|bringen*⁴; auf|wärmen⁴.

뒷구멍 Hintertür *f.* -n; Hinterpforte *f.* -n; Hintereingang *m.* -(e)s, ⸚e; Hintertreppe *f.* -n; Geheimtür *f.* -en; unrechtliche Mittel 《*pl.*》. ¶ ~으로 맺은 협정 das geheime Einverständnis, ..nisses, ..nisse / ~을 열어 놓다 ³sich e-e Hintertür offen halten* / ~으로 도망치다 ⁴sich heimlich aus dem Staube machen / ~으로 돈을 먹이다 heimlich bestechen* 《*jn.*》 / ~으로 입학하다 hintenherum in die Schule aufgenommen werden / ~으로 아편을 얻어내다 hintenherum das Morphium bekommen* (kriegen).

뒷굽 ① 《동물의》 der Hinterhuf 《-(e)s, -e》 e-s Tiers. ② 《신의》 Absatz *m.* -es, ⸚e.

뒷귀먹다 dumm (schwer von Begriff(en); stumpfsinnig; unempfindlich) sein; nichts ahnend (ahnungslos) sein.

뒷그림자 ① 《그림자》 der hintere Schatten, -s, -. ② 《뒷모습》 der hintere Anschein, -(e)s, -e.

뒷길¹ ① Nebenstraße *f.* -n; Seitenstraße *f.* -n; Nebengasse *f.* -n; Seitengasse *f.* -n; Hintergasse *f.* -n; 《샛길》 Nebenweg *m.* -(e)s, -e; Seitenweg *m.* -(e)s, -e. ② 《장래》 s-e Zukunft, ⸚e; s-e Aussicht, -en. ¶ ~을 보아 용서하다 um s-r Zukunft willen(wegen s-r Zukunft) verzeihen* (vergeben*) 《*jm.*》/ 그렇게 하면 ~이 좋지 않다 Das ist nicht gut für s-e Zukunft.¦Das soll dir teuer zu stehen kommen.

뒷길² 《옷의》 der Rückenteil 《-(e)s, -e》 e-r Oberkleidung.

뒷날 Zukunft *f.* ⸚e; die zukünftige Zeit, -en; später(hin); nachher; die Tage 《*pl.*》 zu kommen; e-s Tages; (der)einst; künftig; in (der) Zukunft; ein andermal. ¶ ~을 생각하다 an ⁴die Zukunft denken* / ~을 점치다 die Zukunft voraus|sagen / ~ 무척 후회하게 되리라 Das wirst du noch bitter bereuen. / ~ 또 들르겠읍니다 Ein andermal komme ich wieder bei Ihnen vorbei.

뒷눈질 ein flüchtiger Rückblick, -(e)s, -e. ~하다 e-n flüchtigen Rückblick werfen*.

뒷다리 Hinterbein *n.* -(e)s, -e; das hintere Bein.

뒷다리잡히다 in *js.* Hände fallen*ⓢ; *jm.* in die Hände geraten*ⓢ; in *js.* Gewalt geraten* ⓢ. ¶ 다른 여자하고 다니다가 아내한테 뒷다리를 단단히 잡혔다 Er ist in die Hände (Gewalt) s-r Frau gefallen, seit sein Umgang mit e-r anderen Frau entdeckt wurde.

뒷담 Hintermauer *f.* -n.

뒷담당(一擔當) Verantwortung 《*f.* -en》 für die Folgen (das Übrige). ~하다 die Verantwortung für die Folgen übernehmen*; Konsequenzen tragen*. ¶ 싸움의 ~을 하다 die Verantwortung für die Folgen des Streits übernehmen* / ~은 내가 할 터이니 싸우려면 싸워라 Schlagt einander, wenn ihr wollt, ich trage Sorge für die Folgen./

일이 잘못되면 ~은 내가 하겠다 Wenn es schief geht, übernehme ich die Verantwortung für die Folgen.

뒷대문(一大門) Hintertor *n.* -(e)s, -e.

뒷대야 Bidet [bidé:] *n.* -s, -s; Waschbecken 《*n.* -s, -》 für Unterleibsspülungen.

뒷덜미 Nacken *m.* -s, -; Genick *n.* -(e)s, -e. ¶ ~를 잡다 beim (am) Nacken (Genick) packen ((er)greifen*; fassen) 《*jn.*》.

뒷도랑 Hinter-wassergraben *m.* -s, ⸚.

뒷돈 ① 《준비금》 Reservefonds *m.* -, -; Rücklage *f.* -n. ② 《밑천》 Geldmittel *m.* -s, -; Fonds *m.* -, -; Kapital *n.* -s, -e (-ien). ¶ 장사 ~을 대다 *jm.* das Geschäftskapital beschaffen (verschaffen)/노름 ~을 대다 *jm.* für das Glücksspiel Geld verschaffen.

뒷동산 Hügel 《*m.* -s, -》 auf der Rückseite e-s Hauses (e-s Dorfs).

뒷마감 (Ab)schluß *m.* ..lusses, ..lüsse; das Abschließen*, -s; Beendigung *f.*; Fertigstellung *f.*; Erledigung *f.* -en. ~하다 ab|schließen*[4]; zu Ende bringen* (führen)[4]; beendigen[4]; fertig machen[4]; erledigen[4]. ¶ 일을 ~하다 e-e Arbeit (e-e Sache) ab|schließen* (erledigen; zu Ende führen)/회계를 ~하다 Schlußabrechnung machen 《*von*[3]》; e-e Rechnung begleichen*.

뒷마구리 das hintere Querholz 《-es, ⸚er》 e-s Sattels.

뒷마당 Hinterhof *m.* -(e)s, ⸚e; ein hinterer Garten, -s, ⸚. ⌈-e.

뒷마루 Hinterdiele *f.* -n; Hinterflur *m.* -(e)s,

뒷막이 ① 《세간 따위의》 zugemachte Rückseite 《-n》 e-s Holzmöbels. ② =뒷마감.

뒷말 =뒷공론.

뒷맛 Nachgeschmack *m.* -(e)s, ⸚e. ¶ ~이 좋다 (깨끗하다) e-n guten (sauberen) Nachgeschmack haben (hinterlassen*) / ~이 나쁘다 (쓰다, 시다, 달다) e-n schlechten (bitteren, saueren, süßen) Geschmack haben (hinterlassen*).

뒷맵시 *js.* Aussehen* 《-s》 von hinten (Rückseite). ¶ ~가 곱다 von hinten gut aus|sehen* / ~가 없다 von hinten schlecht (nicht gut) aus|sehen*.

뒷머리 ① 《물건의》 Rück|seite (Hinter-) *f.* -n. ¶ 책상 ~ Hinterseite e-s Tisches. ② 《행렬의》 Ende *n.* -s, -n. ¶ 줄의 ~에 am Ende der Reihe / 행렬의 ~ Ende der Prozession.

뒷면(一面) ① 《이면》 Rückseite *f.* -n; 《내면》 Innenseite *f.* ¶ 엽서의 ~ Rückseite e-r Postkarte / ~에도 써 있읍니다 《주의서》 bitte wenden 《생략: b.w.》. ② 《동전의》 Wappenseite; Revers *m.* -es, -e.

뒷모습(一貌襲) Figur (Gestalt) 《*f.* -en》 von hinten; Rücken *m.* -s, -. ☞ 뒷모양 ①. ¶ (가는) ~을 지켜보다 *jm.* nach|blicken (-|sehen*) / ~ 이 아버지를 꼭 닮았다 Von hinten gesehen sind Sie Ihrem Vater sehr ähnlich (sind Sie von Ihrem Vater sehr schwer zu unterscheiden).

뒷모양(一貌樣) ① das Aussehen* 《-s》 von hinten. ¶ ~이 좋다 (나쁘다) von hinten gut (nicht gut; schlecht) aus|sehen* / ~을 보다 *js.* Rückenfigur (an|)sehen* / ~이 꼭 내 형과 같다 Er sieht von hinten gleich aus wie mein Bruder. ② 《체면》 das „Gesicht", das sich nach dem Abschluß e-r Sache ergibt.

뒷목 zurückgebliebener Rest 《-es, -e》 nach dem Abmessen gedroschenen Getreides.

뒷문(一門) Hintertür *f.* -en; Hinterpforte *f.* -n. ¶ ~으로 입학하다 hintenherum in die Schule aufgenommen werden / ~으로 도망치다 [4]sich heimlich aus dem Staube machen / ~으로 도망시키다 durch die Hintertür hinaus|lassen* 《*jn.*》.

뒷물 Sitzbad *n.* -(e)s, ⸚er. ~하다 ein Sitzbad nehmen*.

‖ ~통 Sitzbadewanne *f.* -n; Bidet *n.* -s, -s; Frauenbecken *n.* -s, -.

뒷밀이 ① 《일》 das Nachdrängen*, -s; Nachschub *m.* -(e)s, ⸚e. ~하다 《e-n Karren》 nach|drängen (-|schieben*). ② 《사람》 der Nach|drängende* (-schiebende*) -n, -n.

뒷바닥 hinterer Teil 《-s, -e》 e-r Schuhsohle.

뒷바라지 Hilfeleistung 《*f.* -en》 von hinten; Beistand *m.* -(e)s, ⸚e; Pflege *f.*; Fürsorge *f.*; Betreuung *f.* ~하다 *jn.* pflegen; *jm.* Hilfe leisten; für *jn.* sorgen; *jm.* aus|helfen*; *jn.* betreuen. ¶ 아들의 살림 ~를 하다 s-m Sohn den Haushalt führen; für den Haushalt des Sohnes sorgen.

뒷바퀴 Hinterrad *n.* -(e)s, ⸚er.

뒷받침 Hilfe *f.* -n; Unterstützung *f.* -en; Stütze *f.* -n; Schutz *m.* -es; Halt *m.* -(e)s, -e; 《증명》 Beweis *m.* -es, -e 《*für*[4]》; Nachweis *m.* -es, -e; Erhärtung *f.* -en; Bestätigung *f.* -en; 《보증》 Bürgschaft *f.* -en; Gewähr *f.*; Garantie *f.* ..tien. ~하다 unterstützen[4]; bei|helfen*[3]; stützen[4]; schützen[4]; gewährleisten[4] 《*für*[4]》; bürgen[4] 《*für*[4]》; [4]sich verbürgen 《*für*[4]》; beweisen*[4]; nach|weisen*[4]. ¶ ~하는 사람 Helfer *m.* -s, -; Unterstützer *m.* -s, -; Beschützer *m.* -s; Gönner *m.* -s, -; Patron *m.* -s, -e / 생활의 ~을 해 주다 Unterstützung für das Leben zu|sichern 《*jm.*》/ 법률의 ~이 없다 im Gesetz k-e Stütze finden* / 무엇의 ~이 되다 e-n Beweis für [4]et. geben*; e-n Nachweis für [4]*et* liefern / 그에게는 형의 ~이 있다 Er hat e-n Bruder hinter sich (s-m Rücken). / 그것을 ~할 만한 이론이 없다 Es gibt k-e Theorie, die es als wahr beweist.

뒷발 ① 《발》 Hinter|fuß *m.* -es, ⸚e (-bein *n.* -(e)s, -e); der hintere Fuß, -es, ⸚e. ¶ ~로 서다 《말 따위가》 [4]sich auf die Hinterbeine stellen; [4]sich bäumen; bocken / ~로 차다 mit s-r Ferse stoßen* (treten*) / ~로 흙을 차다 mit s-n Hinterbeinen die Erde zusammen|kratzen. ② 《발길》 Fußrücken *m.* -s, -; Ferse (Hacke) *f.* -n.

뒷발굽 Hinterhuf *m.* -(e)s, -e.

뒷발막 e-e Art nahtloser Lederschuhe für Männer.

뒷발질 Stoß 《*m.* -es, ⸚e》 mit den Fersen (Absätzen). ~하다 mit den Fersen (Absätzen) stoßen*.

뒷발톱 ① 《마소의》 Hinterhuf *m.* -(e)s, -e. ② 《며느리발톱》 Sporn *m.* -(e)s, ..ren.

뒷방(一房) Hinterzimmer *n.* -s, -; Hinterstube *f.* -n; das hintere (nach hinten gelegene) Zimmer. ¶ ~에 살다 hinten hinaus wohnen (뒤쪽으로 난).

‖ ~마누라 e-e Frau, die bei ihrem Ehemann in Ungnade fällt (sich die Ungnade ihres Ehemanns zuzieht) und hinten hinaus wohnt, während sein begünstigtes Kebsweib im Wohnzimmer lebt.

뒷배 《후원》 Unterstützung *f.* -en; Beistand *m.* -(e)s; Patronat *n.* -(e)s, -e (특히 교회, 학

교의); Patronage [..náːʒ(ə)] *f.*; 《후원자》 Unterstützer *m.* -s, -; Patron *m.* -s, -e; Gönner *m.* -s, -; Schirm¦herr (Schutz-) *m.* -n, -en; Anhänger *m.* -s, - (지원자); Hintermann *m.* -(e)s, ⸚er (흑막이 있는).

뒷배보다 von hinten helfen* 《*jm.*》; heimlich unterstützen⁴; schirmen⁴; *js.* Gönner (Beschützer, Patron) sein.

뒷배포(一排布) 〖검도〗 das achtsame Verhalten* 《-s》 des Fechters, der sich noch zusammennimmt, nachdem er s-n Gegner gestoßen od. geschlagen hat.

뒷벽(一壁) Hintermauer *f.* -n.

뒷보증(一保證) das Indossament 《-(e)s, -e》 für Überweisung (Anweisung); das Indossament zur Zahlungsanweisung; Sichtvermerk *m.* -(e)s, -e. **~하다** auf der Rückseite überschreiben*⁴; vermerken⁴; für Überweisung ((Zahlungs)anweisung) indossieren. ¶ ~이 있는 indossiert / ~이 없는 ohne Indossament; sichtvermerkfrei / 어음에 ~하다 e-n Wechsel indossieren.

뒷사람 Hintermann *m.* -(e)s, ⸚er; 《뒷세대》 ein Mann der kommenden Generation; kommende Generationen 《*pl.*》.

뒷산(一山) Berg 《*m.* -(e)s, -e》 auf der Rückseite; Hinterberg *m.* -(e)s, -e.

뒷생각 nachträgliche Überlegung, -en.

뒷소리 ① 《응원》 Ermutigungszuruf *m.* -(e)s, -e; anfeuernder Zuruf. ¶ ~치다 ermutigen⁴; anfeuernd zu|rufen*³; an|feuern⁴; an|spornen⁴ / ~치며 응원하다 e-e Mannschaft durch laute Zurufe an|feuern. ② =뒷공론.

뒷소문(一所聞) Nachgerücht *n.* -(e)s, -e.

뒷손 heimliche Annahme (Entgegennahme) -n; Schmiergeldannahme. *f.* ¶ ~ 벌리다 bereit sein, heimlich anzunehmen (entgegenzunehmen); bereit sein, Schmiergeld anzunehmen.

뒷손없다 ein Pfuscher sein; nachlässig; liederlich; ungenau (sein).

뒷수쇄(一收刷) Aufräumung *f.* -en; 《정리》 Neuordnung *f.* -en. **~하다** auf|räumen⁴; neu ordnen⁴; wieder in Ordnung bringen*⁴; regeln⁴; beenden⁴; erledigen⁴. ¶ 파티 뒤의 ~같이 귀찮은 것이 없다 K-e Arbeit ist so lästig (unangenehm) wie das Aufräumen nach e-r Party.

뒷수습(一收拾) Regelung *f.*; Erledigung *f.*; Beilegung *f.*; Schlichtung *f.* ¶ 싸움의 ~을 하다 e-n Streit bei|legen (schlichten).

뒷심 die Hilfe 《-n》 (Unterstützung *f.* -en) von hinten; Stütze *f.* -n. ¶ ~이 든든하다 e-e gute Stütze haben 《an *jm.*》 / 장사하는데 삼촌의 지위가 적지 않은 ~이 된다 Die gesellschaftliche Stellung s-s Onkels ist für ihn k-e unbedeutende Stütze zum geschäftlichen Unternehmen.

뒷이야기 e-e nachfolgende Geschichte 《-n》 in e-r geschlossenen Reihe von Erzählungen.

뒷일 ① 《뒤의 일》 die Nachernte 《-n》 (Nachlese *f.* -n) e-s Ereignisses; spätere Ereignisse 《*pl.*》; Rest *m.* -es, -e; das Übrige*, -n; Folge *f.* -n. ¶ 소송 ~을 처리하다 die Nachernte (Nachlese) e-s Prozesses (e-s Rechtshandels; e-r Klage) erledigen. / ~은 너에게 맡긴다 Ich hinterlasse den Rest an dich. / ~은 책임질 수 없다 Ich will die Verantwortung dafür nicht übernehmen, was später passieren (geschehen) mag. ② 《장래·사후의》 Zukunft *f.* ⸚e; das Zukünftige*, -n; zukünftige Ergebnisse 《*pl.*》; zukünftige Angelegenheiten 《*pl.*》; Angelegenheiten 《*pl.*》 nach *js.* Tod. ¶ 세상 돌아가는 ~이야 누가 알 수 있나 Die zukünftige Weltlage kann noch niemand überblicken. / ~이 어떻게 될 지 끈기 있게 기다릴 줄 알아야 한다 Wir müssen geduldig abwarten, was die Zukunft bringt. / 너는 ~ 생각도 해야 된다 Du mußt auch an die Zukunft denken. / 그는 ~만을 대비하고 있다 Er sorgt nur für die Zukunft. / 왕은 신하들에게 ~을 부탁하였다 Der König vertraute s-n Ministern die Staatsangelegenheiten nach s-m Tod.

뒷입맛 Nachgeschmack *m.* -(e)s, ⸚e.

뒷자락 der Hinterteil 《-(e)s, -e》 e-s Rocks; der hintere Saum 《-(e)s, ⸚e》 e-s Kleids; Schleppe *f.* -n. ¶ 두루마기 ~이 끌린다 Der hintere Saum e-s Mantels schleift am Boden.

뒷자리 Hintersitz *m.* -es, -e; der hintere Sitz. ¶ ~에 앉다 den Hintersitz (hinteren Sitz) nehmen*.

뒷자손(一子孫) Nachkommenschaft *f.* (총칭).

뒷전 ① 《굿의》 die letzte von den 12 Szenen e-r Geisterbeschwörung. ¶ (무당이) ~ 놀다 die letzte Szene e-r Geisterbeschwörung auf|führen. ② 《뒤치다꺼리》 Aufräumung *f.* -en; das Liquidieren*, -s. ¶ ~ 놀다 für die Folgen sorgen.

‖ **~풀이** die Aufführung der letzten Szene in e-r Geisterbeschwörung: ~풀이하다 die Geisterbeschwörung beenden.

뒷정리(一整理) Arrangement 《*n.* -s, -s》 (Vorbereitung *f.* -en) für den Abschluß. **~하다** Vorbereitungen (Anordnungen) treffen*, ⁴*et.* abzuschließen (zu beenden); ⁴*et.* in Ordnung bringen*; auf|räumen⁴ (청소); erledigen⁴ (처리); den Tisch ab|räumen (식사의).

뒷조사(一調査) eingehende (ausführliche) Untersuchung (Ermittlung) -en. **~하다** eingehend (gründlich) untersuchen⁴ (ermitteln 《*gegen*⁴》).

뒷질 das Stampfen*, -s; das Schaukeln*, -s. **~하다** 《ein Schiff》 stampfen; 《ein Kahn》 schaukeln.

뒷짐 das Händefalten* 《-s》 auf dem Rücken. ¶ ~지다 die Hände auf dem Rücken verschränken; die Hände hinter dem Rücken falten / ~지우다 *jn.* die Hände hinter dem Rücken falten lassen*; 《결박》 *jm.* die Arme hinter s-m Rücken binden*.

뒷짐결박(一結縛) das Binden* 《-s》 der Hände hinten auf dem Rücken. **~하다** *jm.* die Hände hinten auf dem Rücken binden*. ¶ ~을 당하다 Ich habe mir die Hände hinten auf dem Rücken binden lassen.

뒷집 das Haus 《-es, ⸚er》, das direkt hinter s-m eigenen Haus liegt; das Nachbarhaus in der Rückseite.

뒹굴다 ① 《누워서》 ⁴sich wälzen; ⁴sich herum|wälzen (-werfen* (심하게)); ⁴sich hin u. her umher|wälzen; 《눕다》 ⁴sich hin|legen (nieder|-); ⁴sich zur Ruhe legen (쉬려고); 《누워있다》 liegen*. ¶ 자리 속에서 ~ ⁴sich im Bett herum|wälzen. ② 《뀐들대다》 auf der Bärenhaut (auf dem Faulbett; auf dem Lotterbett) liegen*; faulenzen.

듀랄루민 〖화학〗 Duralumin *n.* -s.

듀스 〖테니스〗 Einstand *m.* -(e)s, ⸗e ¶ ~가 되었다 Das Spiel steht auf Einstand.

듀엣 〖음악〗 Duett *n.* -(e)s, -e; Duo *n.* -s, -s; Zwiegesang *m.* -(e)s, ⸗e.

드나나나 ob man zu Haus bleibt od. ausgeht; wo man auch immer hingeht. ¶ ~ 걱정거리 뿐이다 Ich habe überall nichts als Sorgen, ob zu Hause od. draußen.

드나들다 ① 《출입》 herein|kommen* ⓢ und aus|gehen* ⓢ; aus- und ein|gehen* ⓢ; häufig (öfters) besuchen⁴; verkehren 《*bei*³》; frequentieren. ¶ 드나드는 사람 ein fleißiger (regelmäßiger) Besucher, -s, - / 드나드는 배 verkehrende Schiffe 《*pl.*》 / 사람들이 종일 ~ Leute gehen den ganzen Tag aus und ein. / 술집에 자주 ~ an der Schenke (am Ausschank) herum|lungern; häufig e-e Schenke besuchen / 마음대로 드나들 수 있다 freien Zugang zu *jm.* haben / 그 사람 집에는 드나들기가 힘들다 Es ist schwer, Zugang zu ihm zu erhalten. / 이 곳에는 높은 분들이 자주 드나든다 Hier verkehren häufig feine Herren. / 그 집에는 밤낮으로 드나드는 사람이 많다 Bei ihm hat (bekommt) man immer viel Besuch.

② 《갈아듦》 häufig (öfters) wechseln. ¶ 그 집에는 찬모가 자주 드나든다 In jener Familie wechseln häufig Köchinnen.

③ 《들쭉날쭉함》 zickzack (zickzackförmig; zickzackig; krumm; gekrümmt; gebeugt; verwachsen; schief; verdreht; gezahnt; (ein)gekerbt; ausgezackt; zackig; buchtig) sein. ¶ 해안선이 ~ Die Küstenlinie läuft zickzack (im Zickzack).

드난 《주로 여자》 das Wohnen* 《-s》 in e-r Familie als Dienstperson; Dienstarbeit 《*f.* -en》 in e-r Familie. **~하다** in e-r Familie als Dienstperson wohnen; in e-r Familie häusliche Arbeiten verrichten. ¶ ~살다 in e-r Familie als Dienstperson leben.

‖ **~꾼** Dienstperson 《*f.* -en》 in e-r Familie. **~살이** das Leben* (Wohnen*) 《-s》 in e-r Familie als Dienstperson (Dienerin).

드날리다 auf|heben u. fliegen lassen*⁴; 《이름을》 ⁴sich selbst berühmt machen; ³sich e-n Namen machen. ¶ 명성을 ~ berühmt werden; e-n guten Ruf haben; bekannt sein 《überall in der Welt》.

드넓다 geräumig; groß; weit; offen ausgedehnt (sein). ¶ 드넓은 방 ein großes (geräumiges) Zimmer, -s, - / 드넓은 운동장 ein großer Spielplatz, -es, ⸗e.

드높다 hoch; hoch gewachsen; lang; lang aufgeschossen; groß; hochragend (sein). ¶ 하늘 드높이 hoch in die Luft.

드다르다 《판이하다》 ganz (völlig) verschieden (sein).

드던지다 weit werfen*⁴.

드디어 endlich; zuletzt; schließlich; am Ende; am Schluß; endgültig; letzten Endes; auf die Dauer. ☞ 마침내. ¶ 열심히 공부하더니 ~ 시험에 우수한 성적으로 합격했다 Er studierte fleißig und am Ende bestand die Prüfung (das Examen) mit Auszeichnung. / ~ 다음 주에 우리들의 여름 방학이 시작되는구나 Nächste Woche beginnen endlich unsere Sommerferien 《*pl.*》!

드라마 Drama *n.* -s, ..men; Schauspiel *n.* -s, -e. ¶ ~의 dramatisch / ~를 쓰다 Dramen 《*pl.*》 schreiben*.

‖ **~론** Dramaturgie *f.* -n. **라디오~** Hörspiel *n.* ☞ 방송극. **텔레비전~** Fernsehspiel *n.*; Fernsehstück *n.* -(e)s, -e.

드라이 trocken; getrocknet.

‖ **~아이스** Trockeneis *n.* -es. **~클리닝** Trockenreinigung *f.* -en(세탁법); Trockenwäsche *f.*; chemische Reinigung *f.*; chemische Wäsche: 이 옷을 ~클리닝해 주시겠오 Bitte, wollen Sie dieses Kleid trockenreinigen?

드라이브 Spazierfahrt *f.* -en; Ausfahrt *f.* -en. **~하다** e-e Spazierfahrt (Ausfahrt) machen; spazieren|fahren*ⓢ; aus|fahren* ⓢ. ¶ ~에 데리고 가다 spazieren|fahren* 《*jn.*》; aus|fahren* 《*jn.*》 / 그네들은 자동차로 ~했다 Sie machten e-e Spazierfahrt (Ausfahrt) im Auto. / 우리들은 유쾌한 ~를 했다 Wir haben e-e angenehme Spazierfahrt (Ausfahrt) gehabt (gemacht).

‖ **~금지(禁止)** Fahrverbot *n.* -(e)s, -e. **~웨이** Fahrweg *m.* -(e)s, -e; Fahrstraße *f.* -n; Fahrbahn *f.* -en; Fahrdamm *m.* -s, ⸗e.

드라이어 Trockner *m.* -s, -; Trockengerät *n.* -(e)s, -e; Trockenapparat *m.* -(e)s, -e.

‖ **헤어~** Fö(h)n *m.* -(e)s, -e.

드러나다 ① 《알려짐》 bekannt (berühmt; hervorragend; auffallend) werden; e-n Ruf erwerben* (verdienen). ¶ 드러나게 hervorragend; hervorstechend; auffallend / 업적이 ~ s-e Errungenschaft (Leistung) 《-en》 werden bekannt.

② 《나타남》 sichtbar werden; heraus|kommen* ⓢ; erscheinen* ⓢ; zum Vorschein kommen* ⓢ; ⁴sich zeigen; ⁴sich stellen; auf|treten* ⓢ; scheinen*; den Anschein haben; auf|tauchenⓢ; hervor|treten*ⓢ; in Erscheinung treten* ⓢ; empor|kommen* ⓢ; ⁴sich entblößen; ⁴sich enthüllen. ¶ 광맥이 ~ ein Erzgang kommt zum Vorschein (erscheint) / 어깨가 ~ s-e Schultern entblößen sich.

③ 《성질·표정》 ⁴sich auf|decken (enthüllen; verraten*; offenbaren; zeigen); zutage treten* ⓢ; auf|fallen* ⓢ; ⁴sich äußern (aus|drücken; erklären). ¶ 본성이 ~ sein wahrer Charakter 《-s, -》 (s-e wahre Natur, -en) enthüllt (offenbart) sich; sein wahres Gesicht 《-es, -er》 zeigt sich / 얼굴에 기쁜 빛이 ~ Freude steht in s-m Gesicht (geschrieben) / 술을 마시면 본성이 드러난다 Im Wein ist Wahrheit.

④ 《감춘 것》 heraus|kommen* ⓢ; entdeckt (enthüllt; aufgedeckt) werden; ans Licht (an den Tag) kommen* ⓢ; an die Öffentlichkeit kommen* ⓢ (gelangen); ⁴sich offenbaren (verraten*; zeigen; entlarven; entblößen); bloßgelegt (bloßgestellt) werden. ¶ 비밀이 ~ ein Geheimnis 《-ses, -se》 offenbart (verrät) sich; ein Geheimnis sickert durch (wird bekannt); ein Geheimnis ist entdeckt / 거짓말은 금방 드러난다 Lügen haben kurze Beine. / 비밀 결사의 조직이 드러났다 Das System des Geheimbundes wurde entdeckt. / 그 일이 드러나면 어떻게 하려나 Was wirst du tun, wenn es herauskommt?

드러내다 ① 《명성·두각을》 ⁴sich berühmt machen; Berühmtheit erlangen; ⁴sich aus|zeichnen (hervor|tun*; heraus|heben*). ¶ 이름을 ~ ³sich e-n Namen machen; ⁴sich aus|zeichnen.

② 《노출》 [3]sich e-e Blöße geben*; entblößen[4]; bloß|legen[4]; enthüllen[4]; offen dar|legen[4]; auf|decken[4]. ¶ 넓적다리를 〔가슴을〕 ~ den (Ober)schenkel 〔die Brust〕 entblößen 〔bloß machen〕 / 가슴을 드러내고 mit offener Brust / 이빨을 ~ blecken / 이빨을 드러내고 웃다 grinsen; feixen / 약점을 〔수치를〕 ~ e-e Blöße (dar|)bieten* 〔geben*〕.

③ 《보임》 auf|zeigen[4]; [4]sich zeigen; erweisen*[4]; beweisen*[4]; für 〔gegen〕 [4]*et.* sprechen*; verraten*[4]; erkennen lassen*[4]; offenbaren[4]; ans Licht 〔an den Tag〕 bringen* 〔legen〕 《[4]*et.*》; an|zeigen[4]; an|deuten[4]; dar|legen[4]. ¶ 이것이 그의 정직함을 드러낸다 Das spricht für s-e Ehrlichkeit. / 이것은 옳은 〔그른〕 것임을 드러낸다 Das erweist sich als richtig 〔falsch〕.¦ Das stellt sich als richtig 〔falsch〕 heraus. / 작품은 그의 재간을 드러냈다 In s-m Werk verrät sich Talent.

④ 《성질》 bezeigen[4]; zu erkennen geben*; ans Licht 〔an den Tag〕 bringen* 〔legen〕; enthüllen[4]; verraten*[4]; erweisen*[4]. ¶ 본성을 ~ s-n wahren Charackter 《-s, -》 〔s-e wahre Natur, -en〕 enthüllen 〔offenbaren〕; sein wahres Gesicht 《-es, -er》 zeigen. / 그는 마침내 정체를 드러냈다 《스스로》 Endlich warf er die Maske von sich.¦Endlich ließ er die Maske von sich fallen. / 얼굴에 놀란 빛을 ~ sein Gesicht verrät s-n Schrecken.

⑤ 《폭로》 auf|decken[4]; entlarven[4]; enthüllen[4]; ans Licht 〔an den Tag〕 bringen* 〔legen〕; bloß|stellen[4]; bloß|legen[4]; entblößen[4]; offenbaren[4]; zeigen[4]; entdecken[4]. ¶ 비밀을 ~ ein Geheimnis verraten* 〔enthüllen; offenbaren; entdecken; auf|decken; lüften〕 / 아무의 잘못을 ~ s-n Fehler 《-s, -》 〔Irrtum -s, ⸚er〕 auf|decken 〔entdecken〕 / 아무의 음모를 ~ sein Komplott 《-(e)s, -e》 〔s-e Verschwörung, -en; s-n Anschlag, -(e)s, ⸚e〕 verraten* 〔auf|decken〕 / 회사 내막을 ~ innere Verhältnisse 《*pl.*》 e-r Gesellschaft 〔Firma〕 verraten* 〔auf|decken〕.

드러눕다 [4]sich hin|legen 〔nieder|-〕; [4]sich legen 《zur Ruhe》; [4]sich (aus|)strecken 〔rekeln; recken〕; [4]sich auf den Rücken legen; auf dem Rücken liegen*. ¶ 드러누운 자세 liegende Stellung 〔Haltung〕 -en / 잔디 위에 ~ [4]sich in den Rasen strecken / 드러누워서 책을 보다 in liegender [3]Stellung 〔Haltung〕 ein Buch lesen* / 병으로 ~ zu 〔im〕 Bett liegen*; das Bett hüten; ans Bett gefesselt sein / 베개를 베고 ~ [4]sich mit s-m Kopf auf ein Kopfkissen legen; mit s-m Kopf auf e-m Kopfkissen liegen*.

드러머 Trommler *m.* -s, -.

드러쌓이다, 드러쌔다 ① 《쌓임》 an¦gehäuft 〔auf-〕 werden; [4]sich an|häufen; aufgestapelt werden; 《눈·먼지 따위가》 liegen* 《*auf*[3]》. ¶ 창고에 쌀이 ~ im Speicher häuft sich Reis an / 눈이 석 자 (깊이)나 드러쌓였다 Der Schnee lag drei Fuß tief. ② 《많다》 reichlich sein; voll sein 《*von*[3]》; in Mengen vorhanden sein.

드러장이다 aufgestapelt werden; [4]sich an|häufen; aufgeschichtet werden. ¶ 창고에 쌀이 드러장였다 Reissäcke wurden im Lager hoch aufgestapelt.

드럼[1] 〖음악〗 Trommel *f.* -n.

드럼[2] 《통》 Kanister *m.* -s, -. ¶ 석유 세 ~ drei Kanister Petroleum 〔Steinöl; Erdöl〕.
‖ ~통 (Öl-; Benzin)kanister *m.* -s, -.; Öltrommel *f.* -n.

드렁거리다 schnarchen.

드렁드렁 laut schnarchend. ¶ 코를 ~ 골다 laut schnarchen.

드레 Würde *f.*; Erhabenheit *f.*; Charakterfestigkeit *f.*

드레나다 《바퀴가》 das Rad e-r Machine wackelt 〔schwabbelt〕.

드레드레 ☞ 다래다래.

드레스 (Damen)kleid *n.* -(e)s, -er; Damenkleidung *f.* -en.
‖ ~메이커 Damenschneiderin *f.* -nen (여자); Damenschneider *m.* -s, - (남자). 웨딩~ Brautkleid *n.* 홈~ Hauskleid *n.*

드레지다 würdig; imponierend; erhaben; gelassen (sein). ¶ 드레진 사람 ein würdiger 〔erhabener; gelassener〕 Mann, -(e)s, ⸚er / 드레져 믿을 만하다 Er ist solid u. vertrauenswürdig. / 그의 태도에는 어딘지 드레진 데가 있다 In s-m Benehmen liegt etwas Würdiges.

드레질 《사람의》 das bedächtige 〔umsichtige〕 Abwägen* 〔Abschätzen*〕 -s; 《물건의》 das Wiegen*, -s. ~하다 《e-e Person》 bedächtig ab|wägen(*)[4]; ab|schätzen[4]; 《e-e Sache》 wiegen*[4].

드로스 《남자용》 (Herren)unterhose *f.* -n; 《여자용》 (Damen)schlüpfer *m.* -s, -; Slip *m.* -s, -s.

드로스테휠스호프 《독일의 여류 시인》 Annette von Droste-Hülshoff (1797-1848).

드론게임 das unentschiedene Spiel, -(e)s, -e; das Unentschieden*, -s.

드롭 〖야구〗 Drop *n.* -s, -s. ¶ ~을 던지다 ein Drop werfen*.

드롭스 Drops *m.* -, -; Fruchtbonbon *m.* (*n.*) -s, -s; Zuckerplätzchen *n.* -s, - 《이상 보통 *pl.*》.

드르렁 schnarchend.

드르렁거리다 weiter schnarchen. ¶ 코를 드르렁거리며 자다 schnarchend tief schlafen* / 드르렁거리기 시작하다 ins Schnarchen geraten* Ⓢ.

드르렁드르렁 laut schnarchend.

드르르 ① 《미끄럽게》 ausrutschend; ausgleitend; glatt; entlangrollend. ¶ ~ 미끄러지다 aus|rutschen Ⓢ; aus|gleiten* Ⓢ / ~ 미끄러져 내려가다 herunter|rutschen Ⓢ; herunter|gleiten* Ⓢ / ~ 열리다 [4]sich glatt 〔reibungslos〕 öffnen. ② 《떠는 모양》 zitternd; bebend; schauernd. ¶ ~ 떨다 heftig zittern 〔beben〕. ③ 《막힘 없이》 glatt; reibungslos; ohne Störung; leicht; ohne Schwierigkeiten; fließend (유창하게). ¶ 글을 ~ 읽다 glatt e-e Passage 〔Textstelle〕 lesen* / 일이 ~ 진행되었다 Die Sache ist glatt gelaufen. / 그는 기억이 좋아 한 반 동무 이름을 ~ 욀 수 있다 Er hat ein gutes Gedächtnis, er kann die ganzen Namen s-r Klassenkameraden herunterrasseln.

드리다[1] ① 《주다》 geben*[34]; an|bieten*[34]; dar|bieten*[34]; dar|bringen*[34]; bieten*[34]; vor|legen[34]; 《선물》 schenken[34]; ein Geschenk machen 〔geben*; dar|bringen*〕; mit [3]*et.* ein Geschenk machen 《*jm.*》; [4]*et.* zum Geschenk machen 《*jm.*》. ¶ 선생님께 선물을 ~ s-m Lehrer ein Geschenk machen 〔geben*; dar|bringen*〕 / 아버지께 진지를 ~ s-m Vater das Essen auf|tragen* / 이것을 드리겠읍니다 Das können Sie behalten. / 무엇을 드릴까요 《점원이》 Was darf's sein?¦ Womit kann ich Ihnen dienen?¦ 《음료수 등

을 권하며》 Was soll ich Ihnen anbieten? ② 〖조동사〗 zugunsten s-r Vorgesetzten* tun*. ¶ 보여 ~ zur gefälligen Durchsicht vor|legen 《⁴et.》 / 알려 ~ von ³et. mit|teilen (berichten; benachrichtigen) 《jm.》 / 어머니 일을 도와 드려라 Hilf deiner Mutter bei der Arbeit. / 그분이 하시는 일은 어떤 찬사를 드려도 모자랄 지경이다 S-e Arbeit ist über alles Lob erhaben.

드리다² 《곡식을》 worfeln⁴; schwingen*⁴. ¶ 부뚜질을 해서 낟알을 ~ durch das Fächeln mit e-r Matte das Getreide worfeln.

드리다³ 《꼬다》 flechten*⁴; drehen⁴; 《머리 따위를》 flechten*⁴ 《zu e-m Zopf》; winden*⁴; schlingen*; spinnen*⁴; zwirnen⁴. ¶ 댕기를 ~ das Haar zu e-m Hängezopf flechten*/ 실을 ~ zwirnen / 바를 세 겹으로 ~ drei Strähnen zu e-m Seil winden*.

드리다⁴ 《방·마루를》 an|bringen*⁴; installieren⁴; ein|richten⁴; bauen⁴; konstruieren⁴; machen⁴. ¶ 광 있던 자리에 새로 방을 하나 드렸다 Ich habe das Lager zum Zimmer umgebaut.

드리다⁵ 《가게를》 《den Laden》 schließen*; zu|machen.

드리블 〖구기〗 das Dribbeln*, -s; Vorsichhertreiben *n.* -s, -. ~하다 dribbeln; den Ball vor sich her|treiben*; (den Ball) vor sich her|treiben*.

드리없다 unregelmäßig; ungleich; unbeständig; veränderlich; unbestimmt; wechselnd (sein). ¶ 값이 ~ der Preis ist nicht festgesetzt; der Preis ist veränderlich / 상영 시간이 어떤 때는 여덟 시 어떤 때는 아홉 시고 하여 ~ Die Filmvorstellung beginnt unregelmäßig, manchmal um acht u. manchmal um neun.

드리없이 unregelmäßig; veränderlich. ¶ ~ 팔다 zu verschiedenem Preis verkaufen⁴/ 수업을 ~ 시작하다 Der Unterricht beginnt nicht zu e-r bestimmten Zeit.

드리우다 ① 《늘어뜨림》 herunterhängen⁴; herab|hängen lassen*⁴. ¶ 막을 ~ den Vorhang fallen lassen* / 머리를 ~ das Haar herunterhängen lassen*. ② 《주다》 《⁴et. e-m Untergebenen》 geben*; erteilen; verleihen*; gewähren. ¶ 교훈을 ~ e-e Lehre erteilen / 은혜를 ~ e-e Gunst erweisen* (gewähren). ③ 《남기다》 《den Namen; ein Beispiel》 zurück|lassen*; hinterlassen*. ¶ 이름을 후세에 ~ der Nachwelt s-n Namen zurück|lassen* (hinterlassen*); ³sich für die Nachwelt e-n Namen machen.

드릴¹ Schauer *m.* -s, -. ¶ ~이 있는 schau(e)rig; spannend; aufregend; packend; sensationell / ~에 넘치는 schauervoll.

드릴² 《송곳》 Drillbohrer *m.* -s, -; 《훈련》 Drill *m.* -(e)s; Übung *f.* -en.

드릴러 Schauer *m.* -s, -.
‖ ~극 Schauer¦drama *n.* -s, ..men (-stück *n.* -(e)s, -e). ~소설 Schauerroman *m.* -s, -e; Kriminalroman *m.*; Detektivroman *m.*; Sensationsroman *m.* ~영화 Schauerfilm *m.* -(e)s, -e; Kriminalfilm *m.*

드림 e-e hängende Sache, -n (=Wimpel *m.* -s, -; Banner *n.* -s, -; Gehänge *n.* -s, - *usw.*). ¶ ~ 장막 (Fall)vorhang *m.* -(e)s, ⁼e / 장대 끝에 빨간 ~이 바람에 펄럭이고 있는 것이 보였다 Man sah e-n roten Wimpel am Gipfel e-s Mastes im Wind flattern.

드림셈 Raten¦zahlung (Teil-; Abschlag(s)-; Ab-; Akonto-) *f.* -en; Rate *f.* -n; teilweise Zahlung. ¶ ~으로 치르다 ratenweise (in Raten; teilweise) (be)zahlen.

드림흥정 das Verhandeln* 《-s》 auf Teilzahlung. ~하다 auf Raten (Teilzahlung) kaufen (verkaufen)⁴.

드맑다 sehr klar (sein).

드문드문 ① 《시간적》 gelegentlich; zuweilen; dann und wann; hier und da; hin und wieder; von Zeit zu Zeit; bei Gelegenheit; selten. ¶ ~ 찾아오다 gelegentlich (zuweilen; dann und wann) kommen* ⓢ; von Zeit zu Zeit erscheinen* ⓢ / 그런 일은 ~ 있는 일이다 So etwas passiert (geschieht; ereignet sich) von Zeit zu Zeit.
② 《공간적》 hie(r) und da; dünn; spärlich; zerstreut; vereinzelt; sporadisch; einzeln liegend (stehend); gelichtet; schütter; an einzelnen (mehreren) Orten; stellenweise; in einzelnen Stücken; zu zweien und dreien. ¶ ~ 흩어져 있는 마을 zerstreut liegende Dörfer 《*pl.*》 / ~ 있다 hier und da zerstreut sein; zerstreut liegen* / 나무를 ~ 심다 hier und da (sporadisch) pflanzen / 털이 ~ 나다 dünnes Haar haben; dünnbehaart sein; sein Haar lichtet sich / 산비탈 남쪽에 인가가 ~ 보인다 Am südlichen (Berg)abhang stehen einzelne Wohnhäuser (befinden sich vereinzelt ein paar Häuser).

드물다 《흔치 않음》 selten; 〖속어〗 rar; ungewöhnlich (außer-); vereinzelt; außerordentlich; ungebräuchlich (sein); 《적음》 spärlich; knapp (sein); 《전례 없음》 beispiellos; unerhört; ohnegleichen; epochal (sein). ¶ 드물게 selten; ungewöhnlich; in großen Zwischenräumen; nur selten einmal; ausnahmsweise / 보기드문 물건 seltenes (seltsames) Ding, -(e)s, -e; e-e seltene (kostbare) Sache, -n; Seltenheit *f.* -en / 보기 드문 미인 e-e außer¦gewöhnlich (un-) schöne Frau, -en; e-e seltene Schönheit, -en / 드물게 보는 학자 ein Wunder der (an) Gelehrsamkeit; ein seltener Gelehrter*; ein Gelehrter* von seltenen (außergewöhnlichen; vortrefflichen) Gaben / 드물게 보는 애국자 ein seltener Patriot, -en, -en / 대단히 ~ wunderselten (außerordentlich; einzigartig) sein / 참으로 보기 드문 것이다 Er ist ein weißer Rabe. / 우리는 만나는 일이 참으로 ~ Wir sehen uns nur noch selten. / 이런 경우는 아주 ~ Das ist ganz selten der Fall. / 이렇게 시간을 안 지키는 것은 그의 경우 드문 일은 아니다 Diese Unpünktlichkeit ist k-e Seltenheit bei ihm.

드새다 übernachten 《in e-m Gasthaus》. ¶ 하룻밤 드새기를 청하다 *jn.* um e-e Übernachtung bitten* (ersuchen) / 도중에 주막에 들러 이틀 밤을 드샜다 Ich habe unterwegs zwei Nächte in e-m Gasthaus übernachtet.

드세다 sehr stark (mächtig); einflußreich; kräftig; gewaltig (sein). ¶ 저 사람은 부내에서 상당히 세력이 ~ Der Mann da übt im Ministerium e-n großen Einfluß aus.

드잡이 ① 《격투》 Handgemenge *n.* -s; Rauferei *f.* -en; Balgerei *f.* -en; das Ringen*, -s. ~하다 handgemein werden 《mit *jm.*》; ins Handgemenge kommen* (geraten*) ⓢ 《mit *jm.*》; ⁴sich raufen (balgen) 《mit *jm.*》; ringen* 《mit *jm.*》. ¶ 서로 ~하다 ³sich gegenseitig packen.
② 《빚장이의》 das Ergreifen* des Küchen-

geräts 〔-geschirrs〕 für Schulden; Besitzergreifung *f.* -en; Beschlagnahme *f.* **～하다** s-e Küchen¦geräte 〔-geschirre〕 für Schulden ergreifen*; mit Beschlag belegen 《[4]*et.*》; in Beschlag nehmen* 《[4]*et.*》. ¶ 가구를 ～하다 s-e Möbel 《*pl.*》 ergreifen*; s-e Möbel in Beschlag nehmen*.
③ 《가마채의》 das Helfen* 《-s》 e-m Palankin¦träger 〔Tragsessel-; Sänfte-〕 beim Schultern* der Querstange. **～하다** e-m Palankin¦träger 〔Sänfte-〕 beim Schultern der Querstange helfen*.

드티다 ① 《자리·날짜가》 verlegt 〔verlängert; erweitert; aufgeschoben〕 werden. ② 《자리·날짜·기한 따위를》 verlegen[4]; erweitern[4]; auf|schieben*[4]; 《den Termin》 verlängern. ¶ 갚는 기한을 ～ den Rückzahlungstermin verlängern / 나무 사이를 드터서 심다 mit weitem Abstand Bäume an|pflanzen.

드팀전(一廛) Textiliengeschäft *n.* -(e)s, -e.

득 ① 《긋다》 《e-e Linie ziehen*》 kraftvoll; energisch; fest drückend. ¶ 줄을 득 내리 긋다 kraftvoll e-e Linie herunter|ziehen*. ② 《긁다》 fest 〔kräftig*〕 kratzend. ¶ 솥 밑을 득 긁다 e-n Topfboden fest schaben / 차체가 철사에 득 긁히다 Die Karosserie wird von e-m Draht verkratzt 〔bekommt Kratzer〕. ③ 《얼다》 《frieren*》 fest; dicht.

득(得) ① ☞ 소득. ② 《이득》 Vorteil *m.* -(e)s, -e; Vorzug *m.* -(e)s, ⸗e; Gewinn *m.* -(e)s, -e; Nutzen *m.* -s, -; Verdienst *m.* -es, -e. ¶ 득이 되다 zum Vorteil 〔Nutzen〕 sein 〔gereichen〕 《*jm.*》; nützlich 〔vorteilhaft〕 sein 《*jm.*; für *jn.*》 / 득이 되는 vorteilhaft; nützlich; gewinnbringend; nutzbar; ein¦träglich 〔zu-〕; sparsam / 득을 보다 gewinnen*[4]; Vorteil haben 《*von*[3]》; sparen[4](시간적으로) / 지하철로 가시면 십 분은 득입니다 Mit der U-Bahn können Sie zehn Minuten sparen.

득남(得男) ＝생남(生男).

득녀(得女) ＝생녀(生女).

득도(得度·得道) Erreichung des Nirwanas; religiöse Erweckung, -en; seelische Aufklärung, -en. **～하다** Nirwana erreichen[4]; zur religiösen Erweckung gelangen ⓢ; seelische Aufklärung erreichen.

득돌같다 ① 《바라는 대로 됨》 ganz zufrieden; befriedigt; vollkommen; tadellos; gerade richtig (sein).. ② 《지체없음》 pünktlich; unverzüglich; bereit (sein). ¶ 득돌같이 대령하다 [4]sich unverzüglich vor|stellen. ③ 《어김없음》 bestimmt; gewiß; unzweifelhaft (sein).

득득 ① 《금·줄을》 wiederholt gewaltig 〔fest; kraftvoll〕 《Linien ziehen*》. ¶ 줄을 ～ 긋다 wiederholt gewaltig Linien ziehen*. ② 《긁다》 wiederholt fest 〔hart〕 kratzend. ¶ ～ 긁다 wiederholt fest kratzen[(4)]; [4]sich heftig kratzen. ③ 《얼어붙다》 überall fest 〔dick〕 《frieren* ⓢ》. ¶ ～ 얼어붙다 überall fest zu|frieren* ⓢ.

득롱망촉(得隴望蜀) Wenn man dem Teufel e-n Finger reicht, so nimmt er die ganze Hand.¦Je mehr er hat, je mehr er will.¦unersättliche Ehrsucht; unersättlicher Ehrgeiz; grenzenlose Habgier.

득보기 《못난이》 Dummkopf *m.* -(e)s, ⸗e; Tor *m.* -en, -en; Esel *m.* -s, -; Narr *m.* -en, -en; der Schwachsinnige*, -n, -n.

득세(得勢) ① 《세력 등을》 Gewinn 《*m.* -(e)s, -e》 an Kraft 〔Einfluß〕. **～하다** Einfluß 〔Herrschaft; Gewalt〕 gewinnen*. ¶ 그의 의견이 점점 ～하고 있다 S-e Ansicht gewinnt immer mehr Boden. ② 《국면이》 e-e günstige Wendung 《-en》 für *jn.* **～하다** e-e günstige Wendung für *jn.* nehmen*; e-e Gelegenheit gewinnen*.

득승(得勝) Sieg *m.* -(e)s, -e; Triumph *m.* -(e)s, -e; Erfolg *m.* -(e)s, -e; Gewinn *m.* -(e)s, -e. **～하다** e-n Sieg erringen*; siegen 《über *jn.*》; e-n Erfolg erzielen 〔haben〕. ¶ 경기에서 ～하다 ein Spiel gewinnen* / 투표에서 ～하다 in der Wahl gewinnen*.

득시글거리다 wimmeln ⓢ; schwärmen ⓢ. ¶ 치즈에 구더기가 득실거린다 Der Käse ist voller Maden.

득시글득시글 Schwarm *m.* -(e)s, ⸗e; Gewimmel *n.* -s; Wimmelei *f.* -en. **～하다** schwärmen 〔wimmeln〕 《*von*[3]》; gedrängt voll 〔übervoll〕 《*von*[3]》; angefüllt 《*mit*[3]》 (sein). ¶ 구더기 떼가 ～ 끓다 es wimmelt von Maden; Maden wimmeln / 호수에 고기가 ～한다 Der See wimmelt 〔Es wimmelt im See〕 von Fischen.¦Fische wimmeln im See. / 옷에 이가 ～한다 Die Kleider wimmeln 〔Es wimmelt in den Kleidern〕 von Läusen.¦Läuse wimmeln in den Kleidern. / 거리에는 사람이 ～한다 Die Straßen wimmeln von Menschen.¦Es schwärmt 〔wimmelt〕 von Menschen auf den Straßen. / 거지가 ～ 모여들다 Bettler drängen sich zusammen 〔im Schwarm〕.

득실(得失) 《얻음과 잃음》 Gewinn und Verlust, des - u. -es; 《이익과 손해》 Vorteil und Nachteil, des - u. -(e)s; 《성패》 Erfolg und Mißerfolg, des - u. -(e)s; 《장단점》 Vorzüge und Mängel 《*pl.*》; 《이해 관계》 Interesse *n.* -s, -n. ¶ ～을 떠나서 ohne Rücksicht auf persönliches Interesse / 그 일의 ～을 따져 보다 die Vor- und Nachteile der Sache ab|wägen* / ～이 거의 반반이다 Gewinne und Verlüste 《*pl.*》 sind beinahe gleich.

득실득실 ☞ 득시글득시글.

득의양양(得意揚揚) Stolz *m.* -es; Hochmut *m.* -(e)s; Überhebung *f.* -en; Anmaßung *f.* -en. **～하다** stolz 《*auf*[4]》 (sein); ([4]sich) groß|tun* 《*mit*[3]》; prahlen 《mit [3]*et.* gegen *jn.*》; [4]sich rühmen 《[2]*et.*; wegen [2]*et.*; mit [3]*et.*》. ¶ ～해서 stolz; triumphierend; hoch¦mütig 〔-fahrend〕 / ～한 얼굴로 mit triumphierender [3]Miene / ～하게 말하다 stolz reden / …라고 생각하며 ～했다 Er gefiel [3]sich in dem Gedanken, daß….

득인심(得人心) Gewinn 《*m.* -(e)s, -e》 von Sympathie 〔Zuneigung〕 bei den Leute. **～하다** die Sympathie 〔Zuneigung〕 der Leute gewinnen*.

득점(得點) 《학교 평점·시험 성적》 Zensur *f.* -en; 《평점·점수》 Note *f.* -n; 《경기의》 Punkt *m.* -(e)s, -e; Punktzahl *f.* -en. **～하다** Punkte machen 〔bekommen*; erhalten*〕[4] (경기에서); 《축구·핸드볼 등에서》 ein Tor 《*n.* -(e)s, -e》 machen 〔schießen*〕. ¶ ～이 없다 k-n Punkt machen 〔bekommen*; erhalten*〕 / ～을 기입하다 Punkte 《*pl.*》 zählen; zählen / 대량 ～을 노리다 die größere Punktzahl erzielen / 이 경기에서 그는 ～이 300이 되었다 Bei diesem* Wettkampf erreichte er 300 Punkte. / 우리팀은 3 대 2의 ～으로 이겼다 Unsere Mannschaft hat 3 gegen 〔zu〕 2 gewonnen.
‖ **～경기** Punktspiel *n.* -s, -e. **～판** An-

zeigetafel *f.* -n. ～표 Punktzahlbuch *n.* -(e)s, ¨er; Punktzahlkarte *f.* -n. 대량～ die größere Punktzahl *f.* -en: 대량 ～하다 《축구에서》 viele Tore erzielen (schießen*). 무～ 경기 〖축구〗 ein Spiel 《*n.*》 ohne Tor.

득책(得策) e-e kluge Politik, -en; ein nützlicher (vorteilhafter) Plan, -(e)s, ¨e; Nützlichkeitsrücksichten 《*pl.*》; Ratsamkeit *f.*; Rätlichkeit *f.*; kluges Verfahren, -s, -. ¶ ～이다 rätlich (ratsam; klug; weise; vorteilhaft) sein / 그렇게 하는 것이 ～이다 Es ist ratsam, das zu tun. / 택시로 가는 것이 ～이다 Sie fahren besser mit dem Taxi.

득표(得票) die bekommene (erhaltene) Stimmen¦anzahl (-zahl) *f.* -en; s-e Stimme *f.* -n; Wahlergebnis *n.* ..nisses, ..nisse. ～하다 Stimmen 《*pl.*》 bekommen* (erhalten*). ¶ 남보다 많이(적게) ～하다 mehr (weniger; minder) Stimmenanzahlen als der andere (die anderen) erhalten* / 최고 ～를 하다 die meisten Stimmen bekommen* (erhalten*)/ 최고 ～로 당선되다 an der Spitze von (mit den meisten) (Wahl)stimmen gewählt werden / 그분의 ～수는 다른 후보자보다 훨씬 많았다 S-e Stimmen waren viel mehr als die irgendeines anderen Kandidaten.¦ Er bekam (erhielt) viel mehr Stimmen als irgendein anderer Kandidat.
‖ 법정 ～수 die gesetzliche Stimmenanzahl.

득하다 《das Wetter》 kalt um|schlagen* ⓢ.

-든 ① 《무관심》 ...auch (immer; noch). ¶ 누구든 (무엇이든, 언제든, 어디든) wer (was, wann, wo) auch (immer) / 무엇이든 좋다 einerlei was / 언제든 좋다 ganz gleich wann / 방법이야 어떻든 gleichviel wie / 누구에게든 물어 보아라 Frage wen immer! ② 《선택》 ob ..., oder nicht. ¶ 가든 안가든 나한테는 상관 없는 일이다 Es ist mir einerlei (gleichgültig; gleich), ob er geht (gehe), oder nicht.

-든가 entweder ... oder .... ¶ 저녁에는 산책을 나가든가 집에서 소설을 읽든가 했다 Am Abend ging ich entweder spazieren oder las zu Hause e-n Roman.

든거지난부자(一富者) e-e Person 《-en》, die reich aussieht, aber in Wirklichkeit arm ist.

든난벌 Haus- u. Ausgehkleid *n.* -(e)s, -er.

든든하다 ① 《굳세다》 kräftig; robust; fest; stark 《stärker, stärkst》; hart 《härter, härtest》; dicht; haltbar; dauerhaft; sicher; standhaft; gesund; heilsam (sein). ¶ 든든한 사람 ein starker Mann, -(e)s, ¨er (Mensch, -en, -en) / 다리가 ～ e-n festen (kräftigen) Bein 《*m.* -(e)s, -e》 haben. ② 《배가》 satt; voll; gesättigt (sein). ¶ 속이 ～ satt sein; e-n satten Leib (Magen) haben / 든든하게 먹다 voll essen*; ⁴sich satt (voll) essen*; ³sich den Magen voll|schlagen*. ③ 《미덥다》 sicher; gesichert; sorglos; ruhig; gewiß; zuversichtlich; beruhigend; zuverlässig; verläßlich (sein). ¶ 마음 든든한 말 die ermutigenden (ermunternden) Worte 《*pl.*》 / 든든한 자리 e-e sichere Stellung, -en / 마음이 ～ ⁴sich sicher (gesichert; ermutigt; aufmuntert) fühlen; beruhigt sein; Zutrauen zu ³sich haben; von ³Zutrauen erfüllt sein; ⁴sich verlassen* 《*auf*⁴》 / 500 마르크를 저금해 두었기 때문에 ～ Ich fühle mich sicher, weil ich mir 500 DM gespart habe. / 자네가 있으면 ～ Deine Gegenwart ist beruhigend. / 그 사람에게 맡겨 놓으면 마음이 ～ Auf ihn können Sie sich ruhig verlassen.

든든히 ① 《굳세게》 robust; kräftig; stark; kraftvoll. ¶ ～ 생기다 kräftig (gesund) aus|-sehen* / 집을 ～ 짓다 ein Haus stabil bauen / 마음을 ～ 먹다 Mut fassen; ³sich ein Herz fassen. ② 《배부르게》 satt; voll. ¶ 밥을 ～ 먹다 ⁴sich voll (satt) essen*. ③ 《미덥게》 sicher; vertrauensvoll; zuverlässig. ¶ 나는 그를 ～ 믿었는데 그렇지도 못하다 Ich dachte, daß er zuverlässig sei, aber ich habe gefunden, daß er es nicht ist.

든번(一番) im Dienst; Dienstschicht *f.* -en. ¶ ～이다 im Dienst sein.

든벌 Hauskleid *n.* -(e)s, -er; Alltagskleidung *f.*

든부자난거지(一富者一) e-e Person 《-en》, die arm aussieht, aber in Wirklichkeit reich ist.

든손 〖부사적〗 in e-m Atem; sofort; auf der Stelle; im Nu; 《서슴지 않고》 unverzüglich; ohne Zögern. ¶ 그까짓 일은 ～으로 됩니다 Ich kann es auf der Stelle erledigen.

-든지 ① 《…일지라도》 irgend-; überhaupt; ungeachtet; rücksichtslos; unbekümmert; ohne Rücksicht auf 《⁴*et.*》; ... auch; ... nur immer. ¶ 무엇을 하든지 was man auch tut/ 얼굴이야 어떠하든지 ohne Rücksicht auf sein Aussehen; wie er auch aussieht.
② 《…하더라도》 ...auch (immer; noch) 《wer ...auch (immer); wo ... auch (immer; noch); wann ... auch (immer; noch); zu jeder* Zeit *usw.*》. ¶ 무슨 일이 있든지 오늘 밤에는 나가지 말라 Gehe nicht heute abend aus, was immer geschehen mag. / 어디로 가든지 편지하시오 Schreiben Sie mir, wohin Sie auch noch gehen mögen.
③ 《안 가림》 entweder ... oder; ob ... ob (oder) nicht. ¶ 알든지 모르든지 ob er weiß, oder nicht / 좋아하든지 않든지 ob man es mag, oder nicht / 이것이든지 저것이든지 둘중에 하나를 가지십시오 Nehmen Sie das eine, entweder dies(es) oder jenes. / 무엇이든지 드십시오 Sie können alles essen. / 어디든지 좋을 대로 장소를 정하시오 Bestimmen Sie den Ort, wie es Ihnen gefällt!

든직하다 《사람됨이》 gewichtig; ernst; gesetzt; gelassen (침착); würdig; stattlich(위엄); ruhig; selbstbeherrscht (sein). ¶ 사람이 든직하여 믿을 만하다 Er ist ein würdiger Mann u. sehr vertrauenswürdig.

든침모(一針母) e-e ortsansässige (wohnhafte) Näherin, -nen.

듣그럽다 geräuschvoll; laut; lärmend; polternd (sein). ¶ 듣그러운 소리 Geräusch *n.* -es, -e; Lärm *m.* -(e)s.

듣다¹ 《물방울이》 tropfen ⓗ,ⓢ; triefen* ⓗ,ⓢ; tröpfeln ⓗ,ⓢ; träufeln ⓗ,ⓢ; ab|tropfen ⓢ; ab|tröpfeln ⓢ; tropfenweise fallen* ⓢ; fallen* ⓢ; herab|fallen* (nieder|-) ⓢ. ¶ 빗방울이 ～ Es tropft.¦Regentropfen fallen.

듣다² ① 《소리를》 hören⁴; vernehmen*⁴; an|-hören⁴; zu|hören³; horchen³; Gehör schenken (leihen*) 《*jm.*》; lauschen³. ¶ 들어 보란 듯이 wie um gehört zu werden; als ob (als wenn) es in s-r Absicht läge, gehört zu werden; (absichtlich) in *js.* Gegenwart / 듣는 데서 in *js.* Gegenwart; vor *js.* Ohren; in Hörweite/듣지 않는 데서 außer Hörweite / 라디오를 (방송을) ～ Radio (Rundfunk) hören; e-r Radiosendung zu|hören³ / 음악회를 라디오로(방송으로) ~ ein Konzert im Radio (Rundfunk) hören / 연설을 ~ e-e Rede hören / 음악을 ~ Musik hören / 강의를 ~ e-e Vorlesung hören; ein Kolleg hören (besuchen) / 설교를 ~ e-e Predigt hören / 듣기가 좋다 angenehm zu hören; das hört sich gut / 듣기가 싫다 grell zu hören / 잘못 ~ falsch hören; ⁴sich verhören / 귀를 곤두세우고 ~ ganz Ohr sein; mit hundert Ohren hören / 열심히 ~ aufmerksam (andächtig; ergriffen) zu|hören³; mit gespanntem Ohr (an) lauschen³ (hören⁴) / 건성으로 ~ mit halbem Ohr hören⁴/ 끝까지 ~ zuende (zu Ende) hören / 들어 주셔서 감사합니다 Ich danke Ihnen sehr, daß Sie mir ein freundliches (od. aufmerksames) Ohr geschenkt haben (,daß Sie mir freundlich zugehört haben). / 목소리를 들으니 그 사람인 줄 알겠다 Ich erkenne ihn an der Stimme. / 김교수한테서 근대사 (철학) 강의를 듣고 있다 Ich höre bei Professor *Kim* neuere Geschichte (Philosophie). / 그 교수의 강의는 듣는 사람이 많다(적다) Der Professor hat viele (wenige) Hörer. / 나는 유럽 지역의 방송을 전부 듣고 있읍니다 Ich höre ganz Europa. / 낮말은 새가 듣고 밤말은 쥐가 듣는다《속담》Die Wände haben Ohren./ 들으면 병이요 안 들으면 약《속담》Was ich nicht weiß, macht mich nicht heiß.

② 《소식·말을》 hören⁴; von *jm.* (durch *jn.*) (《⁴*et.*》 hören (아무한테서); von *jm.* (über *jn.*) (《⁴*et.*》 hören (아무에 관해서); gesagt (erzählt; berichtet; mitgeteilt; benachrichtet; unterrichtet) worden sein 《*jm.* von ³*et.*; über ⁴*et.*》; erfahren*. ¶ 들은 바에 의하면… Ich habe gehört, daß...; Es ist mir gesagt (erzählt; berichtet; mitgeteilt; benachrichtet; unterrichtet) worden, daß...; Wie ich höre; Nach dem, was ich gehört habe; Man sagt, daß...; Wie wir erfahren... / 풍문에 듣기로는 Wie ich vom Hörensagen weiß; Nach dem Hörensagen; Man sagt, daß.../ 우연히 ~ (zufällig) zu Ohren kommen* Ⓢ 《*jm.*》/ 얻어 ~ zu hören bekommen*⁴; hören⁴ / 집 소식을 ~ Nachricht von (zu) Haus bekommen* / 듣기 싫은 소리를 좀 했다 Ich habe ihm ins Ohr e-n Floh gesetzt./ 듣기 싫다 Davon will ich nicht hören./그런 이야기는 들어 본 적이 없다 So etwas habe ich nie gehört. / 그 사람 얘기는 많이 들었다 Ich habe von ihm (über ihn) viel gehört. / 자네가 아프다는 이야기를 들었지 Ich habe gehört (habe sagen hören), du sei(e)st krank. / 이 말을 듣자 그는 자리에서 일어났다 Über diesen Worten stand er auf.

③ 《칭찬·꾸지람을》 gelobt (anerkannt; gerühmt; gepriesen) werden; Lob ernten (gewinnen*); ein Lob aus|sprechen* (erteilen) 《*jm.*》; s-e Anerkennung aus|sprechen* 《*jm.*》; getadelt werden; ⁴sich e-n Tadel zu|ziehen*; über ⁴*et.* e-n Tadel aus|sprechen* (erteilen). ¶ 칭찬을 들을 만하다 Lob verdienen / 그는 칭찬을 듣는다고 해서 우쭐댈 사람이 아니다 Er ist über alles (jedes) Lob erhaben. / 그는 꾸지람 들을 사람이 아니다 Ihn trifft kein Tadel. / 그일 때문에 나는 그 사람한테 꾸지람을 들었다 Damit habe ich mir s-n Tadel zugezogen. / 칭찬을 듣고 좋아 안할 사람 없다 Jeder hört sich gern loben.

④ 《청·요구를》 gehorchen³; befolgen⁴; folgen³; Folge leisten; ⁴sich fügen; an|nehmen*⁴; entgegen|nehmen*⁴; gewähren⁴; gestatten⁴; zu|sprechen*⁴; vergönnen⁴; zu|geben*⁴; zu|lassen*⁴; ein|willigen 《*in*⁴》. ¶ 말을 ~ gehorsam³ sein; folgsam³ sein; fügsam sein; nachgiebig sein / 말을 듣지 않는 ungehorsam; unfolgsam; halsstarrig; starr¦köpfig (-sinnig); unfügsam; unnachgiebig; widerspenstig / 부모 말씀을 잘 ~ s-n Eltern gehorchen (gehorsam sein) / 친구의 충고를 ~ dem Rat s-s Freundes folgen (gehorchen; folgsam sein; gehorsam sein); den Rat s-s Freundes an|nehmen*/ 요구를 들어 주다 e-r Forderung nach|kommen* Ⓢ / 청을 들어 주다 *js.* Bitte erfüllen (gewähren); *js.* Bitte nach|gehen* (nach|-kommen*) Ⓢ / 그가 말을 들어 줄는지 모르겠구나 Ich bin nicht ganz sicher, ob er es dir gewährt.

⑤ 《효험이 있다》 (1) 《약효》 wirken; gute Wirkung haben; Wirkung hervor|rufen* (-|bringen*); (s-e) Wirkung tun* (machen); zur Wirkung kommen* Ⓢ; ⁴sich ans|wirken; an|schlagen*(durch|-); Erfolg (Effekt) haben. ¶ 약이 듣기 시작한다 Die Arznei beginnt zu wirken. / 이 약은 전혀 듣지 않는다 Die Arznei wirkt gar nicht. / 이 약은 가래 삭히는 데 잘 듣는다 Diese Arznei wirkt Lösung des Schleims. / 이 약제는 신경(소화)에 잘 듣는다 Dieses Medikament wirkt auf die Nerven (Verdauung). / 이 약은 신통하게 잘 듣는다 Diese Medizin wirkt Wunder. / 약제가 신속하게(잘, 빨리, 강하게) 듣는다 Das Medikament wirkt rasch (gut, schnell, stark). (2) 《기계 등이》 gut arbeiten (gehen* Ⓢ; laufen* Ⓢ); funktionieren; in Ordnung sein. ¶ 모터는 잘 듣는다 Der Motor arbeitet (läuft; funktioniert) normal. / 브레이크가 안 듣는다 Die Bremse ist nicht in Ordnung.

듣다못해 *jn.* nicht länger hören können; k-e Geduld mehr haben, *jn.* auszuhören. ¶ ~ 화를 냈다 Er wurde es überdrüssig, ihn zu hören u. brach in Zorn aus. / 월급이 적다는 불평을 ~ 나가려면 나가라고 야단을 쳤다 Da ich satt war, ihn am niedrigen Gehalt nörgeln zu hören, habe ich ihn laut angeschrien, mich zu verlassen, wenn er will.

듣보기장사 der Geschäftsbetrieb 《-(e)s, -e》, nur wenn der Markt gut ist; Spekulationsgeschäft *n.* -(e)s, -e; Saisonbetrieb *m.*

듣보다 auf|passen (acht|geben*) 《*auf*⁴》; ab|-passen⁴; ab|warten⁴.

들¹ 《등등(等等)》 und so weiter (fort) 《생략: usw.(f.)》; und andere(s) 《생략: u.a.》. ¶ 가령 …들 wie z.B.; wie etwa / 노리개며 책들 Spielzeuge, Bücher, usw. / 우리는 동물원에 가서 코끼리, 범, 사자, 곰 들을 보았다 Wir sind zum Zoo gegangen u. haben Elefanten, Tiger, Löwen, Bären und dergleichen mehr gesehen.

들² ① 《벌판》 Feld *n.* -(e)s, -er; Flur *f.* -en; 《평야》 Ebene *f.* -n; 《농장》 Bauern¦hof *m.* -(e)s, ⸚e (-gut *n.* -(e)s, ⸚er); Gehöft *n.* -(e)s, -e; 《전답》 Acker *m.* -s, ⸚; Ackerland *n.* -(e)s, ⸚er; 〖시어〗 Gefilde *n.* -s, -. ¶ 넓은 들 e-e weite Ebene, -n; ein weites (freies) Feld, -(e)s, -er / 들에 나가 일하다 auf dem Feld arbeiten / 들을 가로질러 가다

(quer) über Feld gehen* [s] / 들을 가꾸다 das Feld bebauen (bestellen; düngen; pflügen) / 들에서 자다 (밤을 지내다, 야영하다) auf freiem Feld schlafen* (übernachten; zelten) / 곡식을 거두러 들로 나가다 zur Ernte aufs Feld gehen* (fahren*) [s]. ② 〔형용사적〕《야생의》 Feld-; Wiesen-; wild. ¶ 들꽃 Feldblume (Wiesen-) *f.* -n; e-e wilde Blume. ‖ ~길 Feldweg *m.* -(e)s, -e. ~꽃 Feldblume *f.* -n; e-e wilde Blume. ~일 Feldarbeit *f.* -en. ~장미 Heide(n)¦rose *f.* -n (-röschen *n.* -s, -; -röslein *n.* -s, -). ~쥐 Feldmaus *f.* ⸗e.

들- 《몹시》 hart; streng; heftig; völlig.

-들 〔접미사〕 ¶ 우리들 wir; uns; unser* / 사람들 Leute; andere (Leute); man / 어린애들 Kinder / 얘들아, 여보게들 he!; hei!; heia!; heida! / 이분들은 우리 회사 사람들입니다 Das sind m-e Kollegen (Amtsgenossen; Berufsgenossen) in der Gesellschaft (Firma). / 잘들 했소 Sie haben alle wohl getan. / 빨리들 달렸다 Wir liefen (fuhren) schnell. / 이리들 오너라 Ihr Kinder (Jungen; Mädchen), kommt hier. / 놀러들 갑시다 Wollen wir ausgehen und viel Spaß haben. / 다들 갔느냐 Sind alle fortgegangen (weg-)? / 안들 먹느냐 Wollt ihr nicht essen? / 먹기에들 바쁘다 Sie essen alle eifrig. / 이리들 오십시오 Bitte kommen Sie näher. / 쓰지들 마시오 Schreibt nicht. / 가게들 하자 Laßt sie gehen. / 걱정들 말라 Keine Sorgen! / 돈들을 빌어 써 봐야 걱정거리만 늘지요 Borgen macht Sorgen! / 들어들 오시오 Bitte, kommen Sie herein. / 여기들 앉으시오 Nehmen Sie bitte hier Platz. / 집안이 깨끗들도 하다 Die Wohnung ist sehr sauber.

들가뢰 〔곤충〕 e-e Art Sandlaufkäfer 《*m.* ⌈-s, -》.

들개 Straßenköter *m.* -s, -; der herrenlose Hund, -(e)s, -e; 《사람》 Bummler *m.* -s, -; Pflastertreter *m.* -s, -.

들것 (Trag)bahre *f.* -n; Krankenbahre *f.*; (Kranken)trage *f.* -n; Tragbett *n.* -(e)s, -e; Sänfte *f.* -n. ¶ ~으로 나르다 auf e-r Tragbahre tragen*^{4}.

들고나다 ① 《참견》 s-e Nase stecken (begraben*; hängen*) 《*in*^{4}》; ein|greifen* 《*in*^{4}》; ein|wirken 《*auf*^{4}》; ins Mittel treten* [s]; ^{4}sich ins Mittel legen (schlagen*); ^{4}sich ein|mischen (-|mengen) 《*in*^{4}》; ein|schreiten* [s]; dazwischen|treten* [s]. ¶ 크고 작은 일에 ~ In alles (jeden Quark) steckt (begräbt; hängt) er.¦Er mischt (mengt) in alles ein. / 남의 일에 들고날 것 없다 Ungebeten braucht man nicht in fremde Angelegenheiten einzugreifen.¦Ungebeten braucht man sich nicht in fremde Angelegenheiten einzumischen (einzumengen). ② 《물건》 《Haushaltsartikel》 aus|tragen* (veräußern); um Geld aufzubringen (auf|zutreiben). ¶ 들고나는 생활을 하다 durch Veräußerung s-r Haushaltsartikel (Habseligkeiten) s-n Lebensunterhalt erwerben* (sein Leben fristen).

들고뛰다, 들고빼다, 들고튀다 《달아나다》 weg|laufen* [s]; fliehen* [s]; die Flucht ergreifen*; davon|laufen* [s]; ab|hauen* [s]; Fersengeld geben*; 《가축이》 aus|reißen* [s]; aus|brechen* [s] 《aus e-n Käfig》. ¶ 경관을 보더니 도둑놈은 들고뛰었다 Sobald er e-n Polizisten erblickte, ist er davongelaufen. / 그들은 어둠을 타서 들고튀었다 Bei einbrechender Dunkelheit haben sie die Flucht ergriffen.

들고주다 ① 《도주》 davon|laufen* (weg|-) [s]. ② 《낭비》 verschwenden^4; vergeuden^4; vertun^4; das Geld durchs (zum) Fenster hinaus|werfen*.

들국화(—菊花) e-e wilde Chrysantheme, -n; ein wildes Chrysanthemum, -s, ..men.

들그서내다 ^{4}*et.* aufs Geratewohl heraus|nehmen* (-|ziehen*).

들기름 Perilla-Öl *n.* -(e)s, -e.

들길 Feldweg *m.* -(e)s, -e. ¶ ~에 핀 꽃 Blumen am Feldweg.

들까부르다, 들까불다 heftig (lebhaft) schwingen*^{4} (worfeln^4).

들까불거리다 ① 《물건을》 wiederholt lebhaft auf- u. niederschwingen*^{4}. ② 《방정맞게》 ^{4}sich unverschämt benehmen* (betragen*).

들까불리다 heftig (lebhaft) geschwungen (geworfelt) werden.

들깨 ① 〔식물〕 grüne Perilla, ..len. ② 《씨》 Samen 《*m.* -s, -》 der Perilla.

들꾀다 =들끓다.

들꿩 〔조류〕 Haselhuhn *n.* -(e)s, ⸗er.

들끓다 schwärmen 《*von*^{3}》; wimmeln 《*von*^{3}》; wimmelnd sein 《*von*^{3}》; angefüllt sein 《*mit*^{3}》. ¶ 사람이 들끓는 vielbesucht; voll(er) (von) Menschen / 시장에 사람이 ~ der Markt(platz) wimmelt von Menschen; es wimmelt von Menschen auf dem Markt / 설탕 그릇에 개미가 ~ die Zucker¦dose (-schale) wimmelt von Ameisen / 집에 쥐가 ~ ein Haus schwärmt von Ratten / 그 소식에 온 시내(市內)가 들끓다시피 했다 Diese Nachrichte brachte die ganze Stadt in Aufruhr (stellte die ganze Stadt auf den Kopf).

들날리다 ① 《이름이》 《sein Name》 erschallen$^{(*)}$ [s]; berühmt (namhaft; beliebt; bekannt, wohlbekannt) werden; ^{4}sich aus|zeichnen. ¶ 이름이 온 세상에 ~ weltberühmt (-bekannt) werden. ② 《이름을》 ^{4}sich berühmt (bekannt; wohlbekannt) machen; ^{4}sich aus|zeichnen; ^{4}sich e-n Namen machen; Ruf bekommen*; ^{3}sich Ansehen verschaffen*; blühen; gedeihen* [s]; Glück haben (machen). ¶ 온 세계에 이름을 들날리고 있는 학자 der Gelehrte* 《-n, -n》 von Weltruf / 명성을 ~ e-n großen Ruf (Berühmtheit) erlangen; Ruhm ernten / 온 세상에 이름을 ~ Weltruf (Weltruhm) genießen*; Weltruhm erlangen / 이 제품은 온 세계에 명성을 들날리고 있다 Dieses Fabrikat genießt Weltruf (-ruhm).

들내 Geruch 《*m.* -(e)s, ⸗e》 der Perilla.

들녘 Flachland *n.* -(e)s; Ebene *f.* -n; freies Feld, -(e)s, -er.

들놀다 hin u. her schwingen*.

들놀이 Ausflug *m.* -(e)s, ⸗e; Partie *f.* -n; Landpartie *f.* (시골로); Wanderung *f.* -en. ~하다 e-n Ausflug (e-e Partie) machen. ¶ ~가다 aus|fliegen* [s]; (mit) von der Partie sein.

들놓다[1] 《들었다 놓았다》 wiederholt ^{4}*et.* auf|heben* u. (es) nieder|legen.

들놓다[2] 《일손떼다》 das Feld verlassen* (um zu Hause zu Mittag zu essen od. auszuruhen).

들다[1] ① 《입주·숙박》 ^{4}sich ansässig (seßhaft)

machen; ansässig (seßhaft) werden; [4]sich wohnhaft an|siedeln (nieder|lassen*); ein|kehren ⓢ 《*in*[3]》. ¶ 새 집에 ~ [4]sich in e-m neuen Haus wohnhaft nieder|lassen* / 여관에 ~ in e-m Gasthaus ein|kehrenⓢ / 손님이 ~ Besuch (Gäste; Kostgänger) haben (bekommen*).

② 《들어오다》 herein|kommen*(ein|gehen*; ein|treten*; ein|schreiten*) ⓢ 《*in*[4]》. ¶ 금년 들어 처음으로 zum erstenmal (zum ersten Mal) in diesem Jahr / 잠자리에 ~ ins Bett (schlafen*; zu Bett) gehen*ⓢ / 병석에 들어 있다 das Bett hüten; ans Bett gefesselt sein; zu Bett liegen* (sein) / 이 달 들어 날씨가 굉장히 추워졌다 Das Wetter ist seit Beginn dieses Monats ungemein kalt. / 논에 물이 ~ Das Wasser flutet über das Reisfeld. ¦ Das Wasser über¦schwemmt (-fließt; -flutet; -läuft) das Reisfeld. / 배에 물이 ~ Das Schiff bekommt e-n (ein) Leck (leckt). / 밀물이 ~ es ist Flut (flutet); die Flut kommt (läuft; steigt) / 정신이 ~ (wieder) zu sich (zum Bewußtsein; zur Besinnung; zur Vernunft; zu Verstand) kommen* ⓢ; das Bewußtsein wieder|gewinnen* / 그 집에는 사람이 들어 있다 (세들어 있다) Das Haus (Die Wohnung) ist bewohnt (vermietet). / 저 집엔 아직 사람이 들지 않았다 Das Haus (Die Wohnung) ist noch nicht bewohnt (noch leer). / 목욕탕에 ~ Ich nehme ein Bad. ¦ Ich bade mich. ¦ Ich gehe baden.

③ 《햇빛 따위가》 scheinen*; leuchten; strahlen; glänzen. ¶ 이 방은 햇빛이 잘 든다 (안 든다) Das Zimmer hat viel (k-e) Sonne.

④ 《침입》 heimgesucht werden 《*von*[3]》; befallen* werden 《*von*[3]》; befallen*[4]; an|fallen*[4]; angefallen werden 《*von*[3]》; überfallen*[4]; ein|brechen* 《*in*[4]》; ein|dringen* ⓢ 《bei *jm.*》. ¶ 병이 ~ krank werden; erkranken ⓢ 《*an*[3]》; Krankheit bekommen*; [3]sich e-e Krankheit holen (zu|ziehen*) / 감기가 ~ [4]sich erkälten; [3]sich e-e Erkältung holen (zu|ziehen*); 《코감기》 e-n Schnupfen bekommen* / 행운이(불행이) ~ vom Glück (Unglück) heimgesucht werden / 잡념이 ~ von weltlichen Gedanken überwältigt werden / 갑자기 무서운 생각이 들었다 Ich wurde plötzlich von Furcht befallen / 간밤에 창문을 타고 아파트에 도둑이 들었다 Letzte Nacht drang ein Dieb durch ein Fenster in m-e Wohnung ein.

⑤ 《상태》 ein|setzen (-|treten*) ⓢ; beginnen*; an|fangen*. ¶ 장마철에 접어 ~ die Regen¦zeit (der Regenmonat; das Regenwetter) setzt (tritt) ein / 멍이 ~ braun und blau geschlagen werden; tüchtig geprügelt werden / 복(伏)이 ~ Hundstage 《*pl.*》 kehren (kommen) wieder (beginnen) / 풍년 ~ ein fruchtbares (reiches; gutes; glückliches) Jahr haben; e-e gute (reiche) Ernte halten*; die Ernte fällt gut aus / 흉년이 ~ ein schlechtes (mageres) Jahr (Mißjahr; Notjahr; Hungerjahr) haben; e-e schlechte (magere) Ernte halten*; die Ernte fällt schlecht aus / 정이 ~ [4]sich verlieben 《*in*[4]》 / 철이 ~ vernünftig (verständig; klug) werden; zu Verstand kommen* ⓢ / 가뭄이 ~ die Trockenzeit (das trockene Wetter) setzt (tritt) ein; ein dürres Jahr haben.

⑥ 《물들다》 [4]sich färben; 《죄악 따위에》 [4]sich beflecken (beschmutzen; besudeln). ¶ 물이 꺼멓게 ~ [4]sich schwarz färben; schwarz werden / 물이 잘 ~ (들지 않다) [4]sich leicht (schwer) färben / 나뭇잎에 물이 ~ die Blätter färben [4]sich; das Laub färbt [4]sich / 나쁜 물이 ~ [4]sich e-m Laster hin|geben*; e-m Laster verfallen*ⓢ (frönen); [3]sich ein Laster an|gewöhnen.

⑦ 《가입》 ein|treten* 《*in*[4]》; bei|treten*[3]; aufgenommen werden 《*in*[4]》; Mitglied werden 《*von*[3]》; [4]sich ein|schreiben*; teil|nehmen* (teil|haben; [4]sich beteiligen) 《*an*[3]》; [4]sich an|schließen*[(3)] 《*an*[4]》. ¶ 회에 ~ in e-e Gesellschaft (e-n Verein; e-n Verband) aufgenommen werden; als Mitglied zugelassen werden / 클럽에 ~ in e-n Klub aufgenommen werden; [4]sich in e-n Klub aufnehmen* lassen*; in e-n Klub ein|treten*ⓢ / 여당 (야당)에 ~ in die Regierungs¦partei (Oppositions-) ein|treten* ⓢ; der Regierungs¦partei (Oppositions-) bei|treten*ⓢ / 그는 500만원의 생명 보험에 들었다 Er hat sein Leben bei e-r Versicherungsgesellschaft mit fünf Millionen *Won* versichert.

⑧ 《합격》 《e-e Schule》 beziehen*[4]; zugelassen werden 《*zu*[3]》; aufgenommen werden 《*in*[4]》; 《e-e Prüfung》 bestehen*. ¶ 학교에 ~ e-e Schule beziehen*; in e-e Schule aufgenommen werden / 입학 시험에 ~ e-e Aufnahmeprüfung bestehen*.

⑨ 《수용·용량》 enthalten*[4]; fassen[4]; auf|nehmen*[4]. ¶ 이 병은 1 리터 든다 Die Flasche faßt e-n Liter. / 이 홀에는 50 명이 들 수 있다 Der Saal kann 50 Personen aufnehmen / 전부는 들 수 없다 Hier ist kein Raum für alle. / 이 방에는 그렇게 많은 사람이 들 수 없다 Das Zimmer faßt nicht so viele Leute. / 이 상자는 무척 많이 든다 Der Kasten faßt sehr viel.

⑩ 《포함》 fassen[4]; enthalten*[4]; umfassen[4]; ein|schließen*[4]; ein|rechnen[4] 《*in*[4]》; rechnen[4] 《*unter*[3]》. ¶ 이 병에는 물이 들어 있다 Diese Flasche enthält Wasser. / 이 지갑에는 5000원이 들어 있다 Die Geldtasche enthält 5000 *Won.* / 이 리큐르주에는 알콜이 35 % 들어 있다 Dieser Likör enthält 35 % Alkohol. / 이 과자에는 설탕이 너무 많이 들어 있다 Dieser Kuchen ist zu stark gezuckert. / 잡비도 그 안에 들어 있다 Die Nebenausgaben sind mit¦gerechnet (ein-). / 이 책에는 육아에 관한 사항이 모두 들어 있다 In diesem Buch ist alles enthalten, was man über Säuglingspflege wissen muß.

⑪ 《소요》 brauchen[4]; nötig haben[4]; bedürfen*[2]; erfordern[4]; verlangen[4]; aus|geben*[4] 《*für*[4]》; auf|wenden[(*)4]; verwenden[(*)4]; kosten[4]. ¶ 돈이 ~ Geld kosten (brauchen) / 2000만 원이 ~ zwanzig Millionen *Won* kosten (brauchen) / 시간이 ~ Zeit brauchen (erfordern; kosten) / 이 기구는 전기가 많이 든다 Dieses Gerät braucht viel elektrischen Strom. / 이 과제를 하는 데 많은 시간과 노력이 들었다 Für diese Aufgabe hat man viel Zeit und Mühe aufgewendet (aufgewandt). / 외국 여행을 하자면 엄청난 돈이 든다 Die Weltreise erfordert Unmenge Geld.

⑫ 《마음에》 angenehm (willkommen) sein 《*jm.*》; befriedigen[4]; zufriedenstellen[4]; zufrieden (befriedigt) sein 《*mit*[3]》; [4]sich zu-

frieden|geben* (begnügen) 《mit³》; nach *js.* Geschmack sein; gefallen³ 《*jm.*》; *js.* Gunst (Gnade) erlangen (erwerben*); in *js.* (besonderer) Gunst stehen* ¶ 마음에 들도록 nach s-m Geschmack; um zu gefallen 《*jm.*》/ 마음에 드는 집 ein Haus 《-es, ⸚er》 nach s-m Geschmack; ein Haus, das ihm gefällt / 마음에 드는 여자 e-e Frau 《-en》 nach s-m Geschmack (Wunsch); e-e Frau, die ihm gefällt / 가정부가 주인 눈에 ~ das Dienstmädchen erlangt (erwirbt) Gunst ihres Herrn / 마음에 들지 않다 nicht gefallen* 《*jm.*》; s-m Geschmack nicht zu|-sagen; unangenehm (unwillkommen) sein 《*jm.*》; unbefriedigend (unerfreulich; ungenügend; unzugänglich) sein / 저 그림은 마음에 든다 Das Gemälde gefällt mir. / 누구의 마음에나 모두 다 들기는 힘들다 Es ist schwer, jedermann zu gefallen. ¦ Jedermanns Freund ist niemands Freund. / 이 모자가 가장 마음에 든다 Dieser Hut gefällt mir am besten. / 한국의 온화한 기후가 마음에 든다 Das milde Wetter in Korea ist mir angenehm. / 그 녀석 하는 짓이 마음에 들지 않는다 Sein Benehmen ist mir nicht angenehm.
⑬ 《맛이》 ein|setzen (-|treten* ⓢ); s-n Geschmack bilden; schmackhaft werden; eßbar (genieß-) werden; reif werden; reifen. ¶ 사과가 맛이 ~ der Apfel ist reif (mild; mürbe) / 술맛이 ~ Wein wird mild (mürbe; reif).
⑭ 《시중·주선·편역을》 tun*. ¶ 아무의 시중을 ~ bedienen 《*jn.*》; auf|warten 《*jm.*》; pflegen⁽*⁾ 《*jn.*》; servieren 《*jn.*》/ 중매를 ~ als (Heirats)vermittler dienen / 아무의 역성(편역)을 ~ Partei nehmen* (ergreifen*) 《für *jn.*》; es⁴ mit *jm.* halten*.

들다² 《날붙이》 (gut) schneiden*; scharf sein. ¶ 잘 드는 칼 ein scharfes (spitzes) Messer, -s, -; ein Messer, das schneidet gut (scharf ist) / 잘 안 드는 칼 stumpfes Messer; ein Messer, das nur schlecht schneidet (stumpf ist) / 잘 안 ~ schlecht (nicht) schneiden*; stumpf (nicht scharf; unscharf; abgestumpft) sein / 칼이 잘 ~ (들지 않다) ein Messer schneidet gut (schlecht).

들다³ 《나이가》 alt werden; in die Jahre kommen* ⓢ; zu (hohen) Jahren kommen* ⓢ; an ³Jahren vorgeschritten (vorgeruckt) sein; bei Jahren sein. ¶ 나이가 듦에 따라 mit dem Alter / 나이 든 사람 ein älterer (ältlicher) Mann, -(e)s, ⸚er / 나이 든 부인 e-e ältere (ältliche) Dame, -n / 나이 든 분은 공경해야 한다 Das Alter muß man ehren. / 나이 든다고 철드는 것은 아니다 Alter schützt vor Torheit nicht. / 나이 들면 철들기 마련이다 Kommt Zeit, kommt Rat. ¦ Mit den Jahren kommt der Verstand. / 나이가 훨씬 들어 보인다 Du siehst viel älter aus, als du bist (für dein Alter).

들다⁴ ① 《날씨가》 ⁴sich auf|klären (-|heitern; -|hellen); aufklaren. ¶ 날이 ~ es (das Wetter) klärt (heitert; hellt) sich auf; es hört auf zu regnen (zu regnen auf) / 날이 들 것 같다 Es sieht aus, als ob (wenn) es sich aufklärte. / 장마가 들었다 Die Regenzeit ist vorüber. ② 《땀이》 nach|lassen* ⓢ; auf|hören. ¶ 땀이 ~ zu schwitzen auf|-hören.

들다⁵ ① 《손에》 halten*⁴; nehmen*⁴; in der Hand haben⁴; in die Hand nehmen*⁴《⁴*et.*》; tragen*⁴; bei (mit) ³sich haben⁴ (führen). ¶ 두 손으로 ~ mit den Händen halten*⁴ / 손에 모자(트렁크)를 들고 mit e-m Hut (Koffer) in der Hand / 칼을 빼들고 mit e-m bloßen (blanken) Schwert / 붓을 ~ die Feder ergreifen* (führen); zur Feder greifen*; schreiben* / 손에 책을 ~ ein Buch in die Hand nehmen* / 손에 지팡이를 ~ e-n Stock (Spazierstock) 《-(e)s, ⸚e》 an der Hand tragen* (führen) / 강도는 식칼을 들고 있었다 Der Einbrecher war mit e-m Küchenmesser bewaffnet.
② 《올리다》 heben*⁴; auf|heben*⁴ (empor|-; hoch-|; er-); hoch|ziehen*⁴; hissen⁴; in die Höhe heben*⁴ (ziehen*⁴). ¶ 무거운 돌을 ~ e-n schweren Stein 《-(e)s, -e》 heben* / 머리를 ~ s-n Kopf 《-(e)s, ⸚e》 heben* (aufheben*; erheben*) / 얼굴을 ~die Augen(den Blick) erheben*⁴; die Augen empor|heben (auf|heben)* / 손을 ~ s-e Hand 《⸚e》 heben* (erheben*; hoch|heben*).
③ 《사실·실례를》 an|führen⁴; zitieren⁴; an|-geben*⁴; nennen*⁴; benennen*⁴; erwähnen⁴; mit (bei) Namen nennen* 《*jn.*》; 《ein Beispiel》 geben*; bei|bringen*⁴. ¶ 예를 들면 zum Beispiel《생략: z.B.》/ 예를 ~ ein Beispiel 《-s, -e》 an|führen; e-n zutreffenden Fall 《-s, ⸚e》 (ein Muster, -s, -; ein Vorbild, -(e)s, -er) hin|stellen (an|führen) / 이유를 ~ Gründe 《*pl.*》 für ⁴*et.* an|führen (-geben*) / 증거를 ~ e-n Beweis für ⁴*et.* an|-treten* (führen; liefern; erbringen*); von ³*et.* Zeugnis ab|legen / 아무의 이름을 ~ *js.* Namen erwähnen (nennen*; benennen*); mit (bei) Namen nennen* 《*jn.*》/ 뜰에 있는 꽃 이름을 모두 들어 보아라 Nenne mir alle* Blumen im Garten.
④ 《먹다》 essen*⁴; nehmen*⁴; ein|nehmen*⁴; zu ³sich nehmen*⁴; trinken*⁴. ¶ 독(毒)을 ~ Gift nehmen* / 조반을 ~ frühstücken; das Frühstück ein|nehmen* / 점심 식사를 (저녁 식사를) ~ zu Mittag (Abend) essen*; das Mittag¦essen (Abend-) ein|nehmen*⁴ / 하루에 세 끼를 ~ drei Mahlzeiten 《*pl.*》 am Tag ein|nehmen* / 음식을 ~ e-e Speise (zu ³sich) nehmen* / 자 드십시다 Bitte, wollen wir zu|langen (-greifen)!¦Sie zu!/ 더 드시지요 Bitte, langen (greifen) Sie noch zu! / 많이 드십시오 Bitte bedienen Sie sich!¦Bitte langen (greifen) Sie zu! / 빵 좀 드시겠읍니까 Darf ich Ihnen etwas Brot geben? / 고맙습니다만 더 이상(은) 못 들겠읍니다 Danke, ich kann nichts mehr essen (trinken). / 많이 들었읍니다 Ich habe reichlich gegessen (getrunken).

들대 ein freies Feld 《-(e)s, -er》 in der Nähe.

들돌 Hebe-Stein *m.* -(e)s, -e.

들두드리다 heftig schlagen*⁴ (stoßen*⁴; klopfen 《*an*⁴; *auf*⁴》; trommeln 《*auf*⁴》; hämmern 《*an*⁴; *auf*⁴》); verprügeln⁴. ¶ 문을 ~ an die Tür schlagen* / 아무를 ~ *jn.* grün u. blau schlagen*.

들뒤지다 durchwühlen; durchsuchen; plündern.

들들 ☞ 달달.

들때밑 der unartige Knecht unter einer einflußreichen Familie.

들떠들다 Lärm machen; Radau machen; ein Geschrei erheben*; 《격하다》 in Auferregung geraten* ⓢ. ¶ 사소한 일로 ~ wegen Kleinigkeiten Lärm machen / 여럿이 술마

시며 ~ Mehrere Leute machen beim Trinken Lärm.
들떼놓고 indirekt; mittelbar; auf Umwegen. ¶ ~ 말하다 in den Sinn geben*; deuten 《auf ⁴*et.*》; hin|weisen* 《auf ⁴*et.*》.
들떼리다 *js.* Gefühl verletzen; *jn.* um den Verstand bringen*; *jn.* unangenehm berühren.
들뜨다 ① 《붙었던 것이》 auf|gehen* ⓢ; ab|fallen* ⓢ; ab|gehen* ⓢ; ⁴sich lösen (los|machen); los|gehen* ⓢ; ⁴sich lockern. ¶ 기왓장이 들떴다 Ein Dachziegel 《-s, -》 hat sich gelöst. / 나사가 (못이) 들떴다 Eine Schraube 《-n》 (Ein Nagel, -s, ⸚) hat sich gelöst. / 널빤지가 ~ Ein Brett 《-(e)s, ⸚er》 macht sichlos.
② 《마음이》 unruhig werden (sein); ausgelassen (lustig) sein; kreuzfidel (quietschvergnügt) sein; in froher (freudiger; gehobener) Stimmung sein; heiter sein; ⁴sich erheitern; leichtfertig sein; wie auf Nadeln sitzen* (stehen*); kein (rechtes) Sitzfleisch haben. ¶ 마음이 들떠서 flott; lustig; leichtherzig; ekstatisch; entzückt; in Entzückung / 마음이 ~ wie auf Wolken gehen* ⓢ; wie im siebenten Himmel sein / 봄이 되면 마음이 들뜨기 쉽다 Wenn der Frühling kommt, so neigen s-e Gedanken zu wandern.
③ 《살이》 gelblich und geschwollen aus|sehen*. ¶ 독감 끝에 내 얼굴이 누렇게 들떴다 Nach m-r schlimmen (starken) Erkältung wurde mein Gesicht gelblich und geschwollen.
들뜨리다 ☞ 들이뜨리다.
들락날락 beständig ein- u. ausgehend; häufig (öfters) besuchend. ¶ 쥐가 ~ 밤을 다 물어갔다 Ratten schafften, beständig ein- u. ausgehend, alle Kastanien weg.
들랑거리다 beständig ein- u. ausgehen* ⓢ; häufig (öfters) besuchen.
들러리 《신랑의》 der Beistand des Bräutigams; 《신부의》 Brautjungfer *f.* -n; Brautführer *m.* -s, -. ¶ ~서다 als der Beistand des Bräutigams (die Brautjungfer) dienen.
들러붙다 ① 《부착》 kleben; fest haften; an|hangen*. ¶ 찰싹 ~ ⁴sich an ³*et.* klammern / 껌이 마룻바닥에 ~ Kaugummi klebt auf dem Fußboden / 샤쓰가 그의 몸에 ~ Das Hemd klebt ihm am Körper. / 찰깍 들러붙어 떨어지지 않다 kleben bleiben* ⓢ u. nicht davon kommen*ⓢ; wie eine Klette haften / 전복은 바위에 들러붙어 있다 Am Felsen haftet eine Muschel.
② 《바싹》 zusammen|kleben; zusammen|halten (사람들이). ¶ 귀찮게 ~ ⁴sich an eine person halten*; ⁴sich immer in *js.* Nähe halten*.
들레다 Lärm machen; toben; ein Geschrei erheben*.
들려주다 《알리다》 ⁴*et.* von *jm.* hören lassen*; informieren; mit|teilen; 《읽어서》 *jm.* ⁴*et.* vor|lesen*; 《연주하여》 *jm.* ⁴*et.* vor|spielen; 《노래불러》 *jm.* ein Lied vor|singen*. ¶ 이야기를 ~ eine Geschichte erzählen / 시를 ~ ein Gedicht *jm.* vor|lesen* / 라디오를 들려주시오 Bitte, lassen Sie mich doch Radio hören. / 노래 한 곡 들려 주시오 Singen uns doch ein Lied! / 이것은 아이들에게 들려 줄 이야기가 아니다 Das ist keine Geschichte für Kinder.
들르다 vorbei|kommen*ⓢ 《bei *jm.*》; vor|sprechen* 《bei *jm.*》; e-n Abstecher machen; kurz besuchen⁴; auf|suchen*; zu (auf) Besuch sein 《bei *jm.*》; ein|kehren ⓢ 《bei *jm.*》. ¶ 주막에 ~ in e-r Schenke (in e-m Ausschank) ein|kehren ⓢ / 차 마시러 다방에 ~ zu e-r Tasse Tee im Kaffeehaus ein|kehren / 서점에 ~ an e-r Buchhandlung vorbei|kommen* ⓢ / 미국 여행 길에 유럽에 ~ s-e Amerika-Reise nach Europa aus|dehnen / 이 기회에 뮌헨에 ~ bei dieser Gelegenheit e-n Abstecher nach München machen/도중에 쾰른에 ~ Köln ein|fahren* ⓢ / 배가 석탄 실으러 인천에 ~ Ein Schiff läuft (fährt) in *Incheon* für Kohlen ein. / 항구에 ~ e-n Hafen an|laufen* (-|segeln) / 틈이 있으면 한번 들러 주십시오 Wenn Sie Zeit haben, kommen Sie einmal bei uns vorbei. / 돌아가는 길에 꼭 좀 들러라 Gehe doch auf dem Rückweg bei mir vor! / 오늘 저녁에 (한번) 들러도 되겠읍니까 Darf ich Sie heute abend (einmal) aufsuchen? / 학교 가는 길에 형의 집에 들러라 Komm auf dem Schulweg beim Bruder vorbei. / 도중에 본에 잠깐 들렀다 Unterwegs (auf dem Weg) habe ich in Bonn e-n Abstecher gemacht.
들리다¹ ① 《소리가》 hören⁴ (können*); vernehmen*⁴; (mit dem Ohr) wahr|nehmen*⁴; 〖소리를 주어로 하여〗 hör|bar (vernehm-; wahrnehm-) sein; gehört werden können*; zu Ohren kommen* (gelangen) ⓢ 《*jm.*》; zu Gehör kommen*ⓢ; das Ohr treffen*. ¶ 들리는 (안 들리는) 곳에서 in s-r Gegenwart (Abwesenheit); in (außer) Hörweite / 부르면 들리는 곳에 in Ruf|weite (Hör-); innerhalb Hörweite / 들리는 (안 들리는) 소리 ein hörbarer (unhörbarer) Laut, -(e)s, -e / 들리지 않게 되다 《귀가》 das Gehör 《-(e)s》 verlieren*; 《소리》 ⁴sich verlieren*; verhallen (verschallen⁽*⁾; verklingen*; vertönen) ⓢ / 들려 오다 zu Ohren kommen* (gelangen) ⓢ 《*jm.*》 / 천둥 소리가 들린다 Wir können den Donner hören. / 안 들리니 좀 더 큰소리로 말하여라 Sprich lauter—Ich kann dich nicht hören. / 전화가 잘 들리지 않는다 Das Telefon ist nicht deutlich (klar). / 제 말이 들립니까 Hören Sie (Können Sie hören), was ich sage?
② 《…같이》 klingen*; scheinen*; vorkommen*ⓢ. ¶ 이상하게 들릴는지 모르지만 Seltsam wie es klingen mag (Das hört sich zwar sonderbar an), aber (doch).... / 그 얘기는 진정으로 들리지 않는다 Die Geschichte klingt (scheint) mir nicht wahr (kommt mir nicht wahr vor). / (마치)네가 거기에 가 본 것처럼 들리는구나 Das klingt ja, als ob (wenn) du schon dort gewesen wär(e)st. / 아직도 귀에 들리는 것 같다 Das klingt mir noch in den Ohren.
③ 《소문》 man sagt; es heißt; es geht das Gerücht; zu Ohren kommen* (gelangen) ⓢ 《*jm.*》; zur Kenntnis kommen* (gelangen) ⓢ 《*jn.*》; zu *js.* kommen* (gelangen) ⓢ. ¶ 들리는 바에 의하면 wie ich höre, wie es mir (zufällig) zu Ohren kam (gelangte); gerüchtweise verlautet, daß...; es geht (läuft) das Gerücht, daß...; das Gerücht läuft um, daß... / 소문에 ~ das Gerücht ist in Umlauf, daß... / 세금 인하가 임박했다는 소식이 들린다 Die Steuersenkung steht unmittelbar bevor, heißt es. / 이혼했다는 소문이 들린다 Man sagt, daß sie

sich getrennt haben (sie haben sich getrennt). / 돈을 많이 모았다는 소문이 들린다 Er soll viel Geld (〖속어〗 dicke Gelder) verdient haben.

들리다² ① 《병이》 leiden* 《an^3》; befallen (ergriffen; heimgesucht) werden 《von^3》; ⁴sich zu|ziehen* 《³et.》; angesteckt werden 《von^3》. ¶ 병이 ～ krank werden; erkranken ⓢ; von e-r Krankheit befallen (ergriffen; heimgesucht) werden; ⁴sich e-r Krankheit 《-en》 zu|ziehen* / 감기(가) ～ an e-r Erkältung leiden*; ⁴sich erkälten; ³sich e-e Erkältung 《-en》 (e-n Schnupfen, -s, -) holen; von e-r Grippe 《-n》 (Influenza) befallen (ergriffen; heimgesucht) werden; ⁴sich e-e Erkältung (e-n Schnupfen) zu|ziehen* / 그는 중병에 들렸다 Er litt an e-r schweren Krankheit.
② 《귀신이》 besessen sein 《von^3》; heimgesucht; behext (verzaubert; gebannt) werden 《von^3》. ¶ 귀신 들려 있다 vom Teufel besessen sein / 귀신 들린 것처럼 wie besessen (vom Teufel) / 무엇에 들린 것처럼 wie besessen 《von^3》; wie gebannt (behext; verzaubert).

들리다³ ① 《위로》 ⁴sich heben*; ⁴sich auf|heben lassen*; ⁴sich empor|heben* (hoch|-); ⁴sich hoch|ziehen*. ¶ 책상 다리가 ～ ein Tischbein 《-(e)s, -e》 hebt sich (wird gehoben) / 이 돌은 들리지 않는다 Dieser Stein 《-(e)s, -e》 läßt sich nicht aufheben. / 몸이 공중에 ～ Jemand wird in die Höhe gehoben (läßt sich in die Höhe heben). ② ＝바닥나다.

들리다⁴ 《들게 하다》 heben (auf|heben) lassen* 《jn.》; 《운반시키다》 ⁴et. nehmen (tragen) lassen* 《jn.》; ⁴et. halten lassen* 《jn.》. ¶ 보따리를 ～ ein Bündel 《-s, -》 tragen lassen* / 아들에게 선물을 들려 보내다 durch s-n Sohn ein Geschenk 《-(e)s, -e》 schicken (senden*).

들맞추다 jm. ⁴et willfahren; schmeicheln; flattern; sich bei jm. ein|schmeicheln js. Gunst zu gewinnen suchen.

들머리 Eingangspunkt m. -(e)s, -e.

들머리판 die lärmende Fröhlichkeit, 《pl.》; die ausgelassene Lustigkeit 《pl.》; das lärmende Zechgelage, -s, -.

들먹거리다 ① 《사물이》 auf- und ab|gehen* ⓢ; zittern; ⁴sich schütteln. ¶ 바위가 ～ ein Fels 《-en, -en》 geht auf und ab; ein Fels schüttelt ⁴sich / 책상 다리가 ～ ein Tischbein 《-(e)s, -e》 schüttelt sich.
② 《몸·마음이》 《s-e Schultern; Gesäße》 auf- u. ab|gehen* ⓢ; unruhig werden; eifrig (begierig) sein; ⁴sich auf|regen; gereizt sein; geneigt (aufgelegt) sein 《zu^3》. ¶ 어깨가 ～ s-e Schultern zucken; unruhig(ruhelos; rastlos) werden; lebhaft (heiter) werden / 궁둥이가 ～ s-e Gesäße gehen auf und ab; unruhig (ruhelos; rastlos) werden / 한 대 때리고 싶어 팔이 ～ Mir (Mich) zuckt die Hand, Schläge 《pl.》 auszuteilen / 희소식에 마음이 ～ durch gute Nachrichten 《pl.》 emporgehoben werden.
③ 《사물을》 auf und ab (hin und her) bewegen⁴ (rücken); schütteln⁴. ¶ 바위를 ～ e-n Felsen schütteln.
④ 《몸·마음을》 《s-e Schultern; Gesäße》 zucken; hin und her bewegen; rühren; 《충동질》 beunruhigen 《jn.》; auf|hetzen 《jn.》; an|reizen (auf|-) 《jn.》; an|treiben* (-|stiften) 《jn.》. ¶ 어깨를 ～ unstet s-e Schultern bewegen (rühren; zucken) / …의 맘을 ～ beunruhigen; bewegen* 《jn.》, zu tun; begierig machen 《jn.》, zu tun; sein Interesse 《-s, -n》 er|regen (-wecken); erregen(auf|-); hervor|rufen* (wach|-) / 아이들은 기쁜 나머지 마음이 들먹거리고 있다 Die Kinder sind vor Freude aufgeregt. / 집을 팔라고 그는 내 마음을 들먹거려 놓았다 Er bewog mich, das Haus zu verkaufen. / 그 이야기를 듣고 무슨 말을 해야겠다 싶어 나는 마음이 들먹거리는 것을 느꼈다 Ich fühlte mich bewogen, etwas dazu zu sagen.
⑤ 《남을 들추다》 erwähnen 《jn.》; nennen* 《jn.》; benennen* 《jn.》; an|spielen (-|deuten) 《auf jn.》; mit Namen an|geben* (auf|zählen; auf|führen). ¶ 그 사람까지 들먹거릴 필요야 없지 않니 Du brauchst nicht s-n Namen erwähnen (nennen). / 그는 어제 사건을 들먹거렸다 Er spielte (deutete) auf den Vorfall von gestern an.

들먹다 krumm; verdreht; unehrlich (sein).

들먹들먹 ① 《움직임》 auf und ab gehend. ② 《불안정》 rastlos; ruhelos; 《마음이》 aufgeregt; leicht.

들메 Strohschuhriemen fest ziehend.
‖ ～끈 Strohschuhriemen; Schuhriemen.

들메나무 〖식물〗 Esche f. -n.

들메다 fest ziehen*; an ⁴et. binden*.

들무새 ① 《재료》 Material n. -s, -ien (⁴et. herzustellen) ② Hilfeleistung bei einer schweren Arbeit. ～하다 jm. bei einer schweren Arbeit helfen*.

들바람 Steppenwind m. -(e)s, -e.

들배지기 ein Trick 《m. -(e)s, -e》, mit dem ein Ringer um den Bauch griff, mit dem der Gegner zum Boden gezwungen wird.

들병장수(一瓶一) der Hausier 《-s, -》 des Flaschenweins.

들보 〖건축〗 (Quer)balken m. -s, -; Stützbalken m. -s, -; Tragbalken m. -s, -.

들볶다 quälen⁴; plagen⁴; peinigen⁴; belästigen⁴; behelligen⁴; placken⁴; stören⁴; beunruhigen⁴; 《고문》 foltern⁴; martern⁴; hart gegen jn. sein; übel (schlecht; hart; grausam) behandeln⁴; 《학대》 mißhandeln⁴; gegen jn. grausam sein. ¶ 들볶이다 gefoltert (gemartet) werden; gequält werden; übel (schlecht; hart; grausam) behandelt werden; belästigt werden; mißhandelt werden / 몹시 ～ auf die Folter spannen / 며느리를 ～ gegen die Schwiegertochter hart (grausam) sein; die Schwiegertochter schlecht behandeln / 그는 계모한테서 들볶일 대로 들볶였다 Er war der Gnade s-r Stiefmutter ausgeliefert.

들부드레하다 ein bißchen sanft; ein bißchen lieb; ein bißchen hold (sein).

들부딪다 ⁴et. heftig stoßen*.

들부셔내다 reinigen; säubern; auf|waschen*. ¶ 요강을 ～ einen Nachttopf auf|waschen* / 우유병을 ～ Milchflasche auf|waschen*.

들부수다 zerbrechen*; entzwei|brechen*; zerreißen*; zerstören. ¶ 그릇을 ～ Teller zerbrechen* / 성벽을 ～ eine Festung zum Zusammensturz bringen* / 닥치는 대로 ～ zerbrechen, wie man will.

들비비다 stark reiben*.

들뽕나무 〖식물〗 e-e Art Maulbeere 《f. -n》.

들살 Stütze f. -n; Pfahl m. -(e)s, ⸚e.

들새 Federwild *n.* -(e)s; Wildhühner《*pl.*》.

들소 ein wilder Ochse, -n, -n; Wildrind *n.* -(e)s, -er; Auer *m.* -s, -〔-n〕; Büffel *m.* -s, -(아메리카 산); Bison *m.* -s, -s(유럽 산); Auer¦ochse *m.* -n, -n〔-wild *n.* -(e)s〕; Buffalo *m.* -s, -s(아메리카 산).
‖ ~가죽 Büffelleder *n.* -s, -. ~뿔 Büffelhorn *n.* -(e)s, ⸚er. ~털(가죽) Büffelfell *n.* -s, -e; Büffelhaut *f.* ⸚e.

들손 Henkel *m.* -s, -; Bügel *m.* -s, -; Bügelgriff *m.* -(e)s, -e; 〖기계〗 Kurbel *f.* -n; Quergriff *m.* ¶ 주전자 ~ Kessel¦henkel 〔-bügel〕 *m.* -s, -.

들쇠 ① 《갈고리》 ein eiserner Haken, der in der Decke gefestigt war, die Tür aufzuheben. ② 《손잡이》 die eiserne Türklinke, -n; Türgriff *m.* -(e)s, -e,

들숨 Einatmung *f.* -en; Einhauch *m.* -(e)s, -e; Einblasung *f.* -en; Inhalation *f.* -en. ¶ ~날숨 Einatmung u. Ausatmung *f.* -en; Einhauch u. Aushauch *m.* -s; Inhalation und Exhalation *f.* -en; Atmung *f.* -en; Atemzug *m.* -(e)s, ⸚e; das Atmen*, -s; Hauch *m.* -(e)s, -e; das Hauchen*, -s / ~날숨 없다 ^{4}sich in Schwierigkeit befinden*; in Verlegenheit sein; in der 〔e-r schönen〕 Klemme sein 〔sitzen*; stecken〕; ^{4}sich in der 〔e-r schönen〕 Klemme befinden*.

들썩거리다, 들썩이다 =들먹거리다.

들썩하다[1] 《그럴 듯함》 plausibel; äußerlich gefällig; einnehmend (sein).

들썩하다[2] ① 《약간 들림》 ^{4}sich ein bißchen aufwärts drehen 〔wenden$^{(*)}$〕; ^{4}sich ein bißchen auf|richten. ¶ 책귀가 ~ Die Ecke eines Buchs ist ein bißchen aufwärts gebogen. ② 《물건을》 ^{4}*et.* ein bißchen heben* 〔bewegen〕.

들썽거리다 jucken; nach ^{3}*et.* lüsten; große Lust haben. ¶ 때리고 싶어 마음이 ~ Es juckt mir in den Fingern, ihn durchzuprügeln.¦die Hand an *jn.* legen wollen.

들썽들썽 ungeduldig; unwillig; ungeduldsam; begierig; eifrig.

들썽하다 ungeduldig 〔jucken〕 sein.

들쑤시다 ☞ 들이쑤시다.

들쓰다 ① 《덮어 씀》 über den Kopf über|-ziehen*^{4} 〔(be)decken^4〕. ¶ 이불을 ~ die Decke《-n》〔das Deckbett, -(e)s, -en; das Oberbett〕 über den Kopf (über|)ziehen* 〔(be)decken〕; ^{4}sich mit der Decke 〔dem Deckbett; dem Oberbett〕 (be)decken.
② 《물 따위를》 ^{4}sich (be)decken 《*mit*^{3}》; ^{3}sich 《Wasser》 über den Kopf gießen* 〔schütten〕. ¶ 먼지를 ~ ^{4}sich mit Staub bedecken; verstauben [s] / (튀는) 물을 ~ Wasser spritzt auf s-m ganzen Körper.
③ 《머리에》 (auf s-m Kopf) zufällig tragen*. ¶ 모자를 들쓰고 나서다 zufällig e-n Hut aufsetzend aus|gehen* [s].
④ 《허물 따위를》《die Schuld》 auf ^{4}sich nehmen*. ¶ 남의 죄를 ~ andere Schuld 《-en》 auf ^{4}sich nehmen* 〔laden*〕.

들씌우다 ① 《덮어씌움》 ^{4}*et.* mit ^{3}*et.* überziehen* 〔verhüllen〕; ^{4}*et.* mit ^{3}*et.* bedecken. ¶ 머리에 이불을 ~ sein Haupt mit der Decke bedecken.
② 《물 따위를》 ^{4}sich mit ^{3}*et.* übergießen*. ¶ 물을 ~ *jn.* mit Wasser übergießen*.
③ 《모자를》 *jm.* den Hut auf|setzen. ¶ 어린 애에게 모자를 들씌우고 데리고 간다 Man setzt dem Kind den Hut auf und nimmt es mit.
④ 《허물을》 *jm.* ^{4}*et.* an|rechnen; zurechnen; zuschreiben*; bei|messen*; *jm.* zur Last legen; ^{4}*et.* auf *jn.* schieben*. ¶ 죄를 아무에게 ~ die Schuld auf *jn.* schieben*.

들어가다[1] ① 《안으로》 gehen* [s] 《*in*^{4}》; hinein|gehen* [s] 《*in*^{4}》; (ein|)treten* [s] 《*in*^{4}》; hinein|treten* [s] 《*in*^{4}》; betreten*^{4}; (hinein|-)kommen* [s] 《*in*^{4}》; ein|schreiten* [s] 《*in*^{4}》; ein|steigen* [s] 《*in*^{4}》; (hin)ein|fahren* [s] 《*in*^{4}》; (hin)ein|reiten* [s] 《*in*^{4}》. ¶ 방으로 ~ in ein ^{4}Zimmer treten* 〔gehen*〕 [s] / 몰래 ~ ^{4}sich 《in ein Zimmer》 ein|schleichen* / 사지로 ~ ^{4}sich in Todesgefahr begeben* / 기차가 정거장에 ~ der Zug fährt 〔läuft〕 in den Bahnhof ein / 뒷문으로 ~ durch die Hintertür ein|treten* [s] / 현관으로 ~ durch die Vortür ein|treten* [s] / 창문으로 ~ zum Fenster hinein|steigen* [s] / 새생활로 ~ ein neues Leben beginnen*; ^{4}sich bessern / 목욕탕에 ~ ein (warmes) Bad nehmen*; ^{4}sich baden; ins warme Wasser steigen* [s] (탕속에) / 귀에 ~ zu Ohren kommen* 〔gelangen〕 [s] 《*jm.*》 / 담판(심리)에 ~ die Verhandlung eröffnen / 좀 들어 갑시다 Lassen Sie mich hinein! / 들어가도 괜찮겠읍니까 Darf ich (hin)eintreten? / 잔디밭에 들어가지 마시오 《게시》 Bitte den Rasen nicht betreten!¦Das Betreten des Rasens ist verboten. / 차는 들어갈 수 없음 《게시》 Für Wagen 〔Einfahrt〕 verboten! / 바다는 육지 깊숙이 들어가 있다 Der Meeresarm erstreckt sich tief ins Land.
② 《틈·속·사이에》 durch|gehen* [s]; durch|-dringen* [s]; durchdringen*^{4}; ein|dringen* [s] 《*in*^{4}; *bei*^{3}》; ein|brechen* [s] 《*in*^{4}》; ^{4}sich ein|-zwängen 《*in*^{4}》; ein¦geschaltet 〔-gefügt; -gelassen〕 werden 《*in*^{4}》. ¶ 뚫고 ~ ein|-dringen* [s] 《*in*^{4}; *bei*^{3}》; durch|dringen* [s]; durchdringen*/미끄러지듯 ~ hinein|schlüpfen [s] 《*in*^{4}》 / 벽에 총알이 ~ e-e Kugel 《-n》 durchdringt e-e Wand; e-e Kugel bleibt in e-r Wand stecken / 그는 군중 속으로 들어갔다 Er mischte sich unter das Volk. / 소설 속에 그 이야기가 들어갔다 Die Erzählung wurde in den Roman eingeschaltet.
③ 《가입·투신》 ein|treten* [s] 《*in*^{4}》; aufgenommen werden 《*in*^{4}》; ^{4}sich aufnehmen* lassen* 《*in*^{4}》; Mitglied 《*n.* -(e)s, ⸚er》 werden 《*von*^{3}》; 《e-e Schule》 beziehen*^{4}; ^{4}sich an|schließen*$^{(3)}$ 《*an*^{4}》; bei|treten*^{3}; 《관여·참여》 teil|nehmen* 〔-|haben〕 《*an*^{3}》; ^{4}sich beteiligen 《*an*^{3}》; beteiligt sein 《*an*^{3}》; angestellt sein 《*bei*^{3}》; beschäftigt sein 《*an*^{3}; *mit*^{3}》. ¶ 학교에 ~《입학·진학》 in e-e Schule aufgenommen werden; e-e Schule besuchen; 《대학에》 e-e Universität 《-en》 beziehen*; auf e-e Universität gehen* [s]; ^{4}sich als Student einschreiben lassen* / 회사(상사)에 ~ in e-e Gesellschaft 〔Firma〕 ein|-treten* [s]; bei e-r Gesellschaft 〔Firma〕 angestellt werden / 공화당에 ~ in die Republikanische Partei ein|treten* [s], der Republikanischen ^{3}Partei bei|treten* [s]; ^{4}sich der Republikanischen ^{3}Partei 〔an die Republikanische Partei〕 an|schließen* / 실업계에 ~ ins Gewerbleben ein|treten* [s]; Kaufmann werden / 관계(官界)에 ~ beim Staat angestellt werden; Beamter* werden / 군대에 ~ in das Heer ein|treten* [s]; Soldat werden / 불문(佛門)으로 ~ zum

Buddhismus über|treten* ⓢ; Buddhist werden / 내 친구는 요즈음 외무부에 들어갔다 Mein Freund hat neulich e-e Stelle im Außenministerium erhalten (bekommen).
④ 《수용》 fassen⁴; (in ⁴sich) auf|nehmen*⁴. ¶ 이 그릇에는 2 리터가 들어간다 Das Gefäß faßt 2 Liter. / 이 방에는 20 명 쯤 들어간다 Dieser Raum faßt etwa 20 Personen. / 이 자루에는 사과가 몇 개 들어가나 Wie viele Äpfel kann dieser Sack aufnehmen? / 이 트렁크는 많이 들어가지 않는다 In diesen Koffer geht nicht viel hinein.
⑤ 《포함》 enthalten*⁴; in ⁴sich fassen; umfassen⁴. ¶ 이 과자에는 설탕과 우유가 들어갔다 Dieser Kuchen enthält (faßt in sich) Zucker und Milch. / 이 과자에는 설탕이 너무 많이 들어갔다 Dieser Kuchen ist zu stark gezuckert.
⑥ 《돈이》 eingelegt (aufgewendet) werden; aus|geben* 《*für*⁴》; 《Geld; Mittel》 auf (für) ⁴*et.* verwenden(*); an|legen⁴; kosten⁴. ¶ 일하는 (여행하는) 데 많은 돈이 ~ Er wendet viel Geld auf die Arbeit (für die Reise) auf. / 회사를 설립하느라고 막대한 자본이 들어갔다 Sehr viel Kapital ist aufgewendet worden, um die Gesellschaft zu gründen.
⑦ 《눈이》 tiefliegend werden; 《볼이》 eingefallen werden. ¶ 배고파 눈이 ~ s-e Augen werden vor Hunger tiefliegend.
⑧ 《가지고》 hinein|bringen*⁴ (-|schaffen⁴; -|tragen*); herein|bringen*⁴ (-|schaffen⁴; -|tragen*⁴). ¶ 기내(機內)에 (차내에) 갖고 ~ in die Maschine (in den Wagen) mit|nehmen* 《⁴*et.*》.
⑨ 《제출》 vor|bringen*⁴; an|bringen* (하소연 따위가); vorlegen (청원 따위가); vor|-tragen*⁴ (문제 등이). ¶ 하소연하는 소리가 ~ e-e Beschwerde an|bringen* 《*bei*³; *über*⁴》; ⁴sich beschweren 《*bei*³; *über*⁴》.

들어가다² 《가져감》 stehlen*; mausen; weg|-nehmen*; weg|führen. ¶ 남의 우산을 ~ *jm.* e-n Regenschirm stehlen / 좀도둑이 들어와서 몇가지 물건을 들어갔다 Ein Einbrecher hat einige Sachen geklaut.

들어내다 ① 《내놓다》 heraus|bringen*; in die Welt führen; wegnehmen*; wegschaffen. ¶ 뜰에 의자를 ~ e-n Stuhl in den Garten bringen / 화재가 나면 이 상자를 먼저 들어내야한다 Wenn Feuer ausbricht, muß das Kistchen vor allem weggeschafft werden.
② 《쫓아내다》 hinaus|jagen; vertreiben.

들어맞다 ① 《적합》 ausgezeichnet passen⁽³⁾ 《*für*⁴; *auf*⁴; *zu*³; *in*⁴》; angemessen sein 《*für*⁴》; sitzen*³; wie angegossen passen³. ¶ 딱 ~ e-n Treffer 《-s》 ins Schwarze haben; den Nagel 《-s, ⸗》 auf den Kopf treffen* / 옷이 몸에 ~ Das Kleid paßt (sitzt) mir ausgezeichnet. / 구두가 잘 들어맞는다 (들어맞지 않는다) Die Schuhe passen mir (nicht) gut. / 뚜껑은 상자에 (단지에) 들어맞는다 (들어맞지 않는다) Der Deckel paßt (nicht) auf den Kasten (Topf). / 가구는 내 취미에 들어맞는다 Das Möbelstück ist nach m-m Geschmack wie angegossen.
② 《일치》 zusammen|passen; überein|stimmen 《*mit*³》; einig sein 《*über*⁴; *in*⁴》; überein|kommen* 《*mit*³; *über*⁴》; stimmen 《*zu*³; *mit*³》; im Einklang stehen* 《*mit*³》; passen 《*zu*³; *auf*⁴; *in*⁴》; entsprechen*³. ¶ 두 증인의 이야기는 서로 들어맞는다 Die Aussagen der beiden Zeugen stimmen überein. / 수요와 공급이 거의 들어맞는다 Nachfrage und Angebot stimmen fast (miteinander) überein. / 그의 행동은 말과 들어맞지 않는다 S-e Handlungen stimmt nicht mit s-n Reden. / 용의자는 인상서와 들어맞는다 Die Beschreibung paßt auf die Verdachtsperson (den Verdächtigen*).
③ 《적확》 richtig sein; genau sein. ¶ 계산이 ~ Die Rechnung ist richtig. / 그것은 내 계산과 들어맞지 않는다 Das stimmt nicht mit m-r Rechnung.
④ 《적중》 treffen*⁴; schlagen* 《*gegen*⁴》; stoßen* 《*auf*⁴》; den Nagel auf den Kopf treffen*; 《맞히다》 richtig erraten (raten)*⁴; 《예상이》 ⁴sich bewahrheiten; ⁴sich als wahr (richtig) erweisen* (bestätigen). ¶ 표적에 ~ das Ziel 《-(e)s, -e》 treffen* / 화살이 사슴의 몸에 들어맞았다 Ein Pfeil traf den Hirsch. / 쏠 때마다 들어맞았다 Jeder Schuß traf. / 급소에 들어맞았다 Das traf den Nagel auf den Kopf. / 들어맞던 안 맞던 해 보겠다 Mag's treffen oder fehlschlagen, ich will's versuchen. / 내 머리에 들어맞았다 Es hat gegen (auf) m-n Kopf getroffen (geschlagen; gestoßen). / 딱 들어맞지는 않았지만 비슷하게 맞히었다 Das hätte beinahe (fast; um ein Haar) das Ziel getroffen. ¦ Sie haben zwar nicht richtig, aber beinahe richtig erraten. / 추첨이 이번에는 나한테 들어맞았다 Das Los hat diesmal mich getroffen. / 너의 말이 들어맞았다 Du hast recht. ¦ Du hast richtig erraten (geraten). / 꿈 (예언) 이 들어맞았다 Ein Traum (E-e Prophezeiung; E-e Weissagung) erwies (bestätigte) sich als wahr (richtig).
⑤ 《해당·적용》 ⁴sich an|wenden (ver-) lassen* 《*auf*⁴》; gebraucht werden können 《*zu*³》; an¦wendbar (ver-) sein 《*auf*⁴》; zur Anwendung kommen* ⓢ 《*bei*³; *für*⁴》; gelten* 《*von*³》; ⁴sich an|passen⁽³⁾ 《*an*⁴》; entsprechen*³; ⁴sich fügen 《*in*⁴; *nach*³》; ⁴sich richten 《*nach*³》; ⁴sich schicken 《*in*⁴》; unter ³*et.* fallen* ⓢ. ¶ 이런 규칙(방법)은 여기서는 들어맞지 않는다 Diese Regel (Methode) ist hier nicht anwendbar. / 그는 내 기대에 완전히 들어맞는 사람이다 Er entspricht völlig m-n Erwartungen.

들어먹다 auf|essen*; auf|fressen*. ¶ 재산을 ~ sein Hab u. Gut verschwenden / 도박으로 전재산을 ~ sein ganzes Hab u. Gut verspielen / 술로 전재산을 ~ ein ganzes Hab u. Gut vertrinken / 조금 가지고 있던 것을 다 들어 먹었다 Er hat etwas verschwendet, was er besaß.

들어박히다 ① 《사물이》 stecken; stecken|bleiben* ⓢ; fest|sitzen*. ¶ 자동차가 수렁에 ~ Ein Wagen steckt im Schlamm. ¦ Ein Wagen sitzt im Schlamm fest. / 그 집은 다른 집들 사이에 들어박혀 있다 Das Haus steckt zwischen ander(e)n (Häusern). / 총알이 아직도 상처 속에 들어박혀 있다 Die Kugel steckt noch in der Wunde. / 생선 가시 하나가 목에 들어박혀 있다 Mir ist e-e Gräte im Hals steckengeblieben.
② 《집에》 stecken; 〚속어〛 hocken; kleben; ⁴sich ein|schließen* (-|sperren) 《*in*⁴》; ⁴sich ab|schließen* 《*von*³》; ⁴sich abseits halten* 《*von*³》; ⁴sich zurück|halten* 《*von*³》; ⁴sich ein|graben* 《*in*⁴》. ¶ 밤낮 집에만 ~ immer im (zu) Hause stecken (hocken; kleben);

das Haus hüten / 그 이후로 교수는 거의 서재에 들어박혀 있다시피 하고 있다 Seitdem verläßt der Professor kaum das Arbeitszimmer (Studier-). / 도대체 너는 어디에 들어박혀 있느냐 Wo steckst du denn?

들어붓다 ① 《물을》 über|gießen*; ein|gießen*. ¶ 들어 붓듯 쏟아지는 비 der wie aus der Kanne gießende Regen / 비가 사뭇 ~ Es gießt wie aus (mit) der Kanne.¦ Es regnet in Strömen. / 소나기가 ~ ein Schauer strömt stark / 가마에 물을 ~ das Wasser in den Backofen gießen / 아무에게 물을 ~ *jn.* mit Wasser übergießen*.
② 《술을》 trinken*; hinunter|schlucken; hinunter|stürzen. ¶ 술을 ~ Wein hinunter|stürzen / 술을 단숨에 ~ Wein mit e-m Zug trinken*.

들어서다 ① 《안쪽으로》 treten*[s] 《*in*[4]》; (her-)ein|treten*[s] 《*in*[4]》; (hinein)gehen*[s] 《*in*[4]》. ¶ 집안으로 ~ ins Haus (her)ein|treten* (treten*).
② 《대들다》 heraus|fordern[4]; Trotz bieten* 《*jm.*》; trotzen 《*jm.*》; widerstehen*[3]; [4]sich halten* 《*gegen*[4]》; entgegen|treten*[3] [s].
③ 《수효에》 betragen*; die Summe erreichen 《*von*[3]》. ¶ 돈이 제 머릿수에 ~ All(es) das Geld erreicht die erwartete Summe.¦ All(es) das Geld kommt (geht) ein.
④ 《자리에》 folgen[(3)] 《*auf*[4]》; nach|folgen[3]; an|treten*[4]; inne|haben*[4]; bekleiden[4]. ¶ 아무의 자리에 ~ im Amt nach|folgen [s] 《*jm.*》 / 프리드리히 빌헬름에 이어서 프리드리히 2세가 들어섰다 Auf Friedrich Wilhelm folgte Friedrich II (der Zweite). / 부왕에 이어서 프리드리히가 제위(帝位)에 들어섰다 Friedrich folgte s-m Vater auf den (dem) Thron.
⑤ 《접어들다》 beginnen*; an|fangen*; ein|-setzen [s]; ein|treten* [s]. ¶ 장마철에 ~ die Regenzeit setzt ein / 겨울의 문턱에 ~ der Winter beginnt (setzt ein).
⑥ 《건물이》 entstehen*[s]; ins Dasein treten*[s]. ¶ 집이 빽빽이 ~ mit Häusern voll gefüllt (überfüllt) sein; von Häusern dicht gedrängt stehen* (sein) / 번화가에는 큰 건물들이 쭉 들어서 있다 In der verkehrs¦reichen (-starken) Straße stehen viele* Hochhäuser (hohe Gebäude) in (Häuser)reihe.¦ In der verkehrs¦reichen (-starken) Straße stehen viele Hochhäuser dicht gedrängt.¦ In der verkehrs¦reichen (-starken) Straße bildet ein Häusermeer.

들어앉다 ① 《안쪽으로》 hinein|gehen* u. [4]sich setzen; herein|kommen* u. [4]sich setzen. ¶ 방안에 ~ ins Zimmer herein|kommen* u. sich setzen / 이리 들어앉으시오 Kommen Sie herein u. setzen Sie sich!
② 《자리에》 eine Stellung bekommen*. ¶ 아무의 자리에 ~ für *jn.* eine Stellung nehmen* / 본실로 ~ 《Eine Konkubine》 bekommt eine Stellung als eine rechtmäßige Frau / 과장으로 ~ ein Ableitungsleiter werden / 그는 심씨의 사리에 들어앉었다 Er folgt Herrn *Kim* nach.
③ 《은퇴》 zurück|treten* [s]; [4]sich zurück|-ziehen* 《von [3]*et.*》. ¶ 장사를 그만두고 ~ sich von einem Geschäft zurück|ziehen*.
④ 《깊숙이》 zurück|treten*[s]; [4]sich abschließen. ¶ 집이 거리에 ~ Ein Haus steht weiter von der Straße ab.

들어오다 ① 《안으로》 (herein|)kommen* [s] 《*in*[4]》; ein|treten*[s] 《*in*[4]》; herein|treten*[s] 《*in*[4]》; 《기차·배가》 ein|fahren* (-|laufen*) [s]; 《편지·신문·상품·따위가》 ein|kommen* (-|gehen*) [s]; 《도둑 따위가》 ein|brechen* (-|dringen*)[s]. ¶ 들어오세요 Bitte, kommen Sie herein! / 창문으로 ~ zum Fenster herein|steigen* [s] / 시원한 바람이 들어오게 창문 좀 열어라 Mache das Fenster auf, um die frische Luft einzulassen! / 새 원료는 다음 주나 되어야만 들어오게 됩니다 Die neuen Stoffe kommen erst nächste Woche herein. / 들어오십시오 《게시》 Bitte, treten Sie ein! / 배가 항구에 들어왔다 Das Schiff fuhr in den Hafen ein. / 뮌헨행 급행 열차는 몇 분 있으면 3번선으로 들어오겠읍니다 Der D-Zug nach München wird in wenigen Minuten auf das Gleis 3 ein|fahren (-|laufen). / 아가씨는 성장을 하고 들어왔다 In vollem Staat kam das Mädchen herein. / 창문을 타고 집안으로 도둑이 들어왔다 Ein Dieb drang (brach) durch ein Fenster ins Haus (in die Wohnung) ein. / 일 없는 사람은 들어오지 마시오 《게시》 Unbefugten ist der Eintritt verboten.
② 《끼다》 dazwischen|kommen* (-|treten*) [s]; dazwischen|stehen* (-|liegen*); (ein-)geschaltet (-geschoben; -gesetzt; -gefügt) werden. ¶ 그 사이에 ~ dazwischen (ein-)geschaltet (-geschoben) werden.
③ 《입학·입회》 ein|treten* [s] 《*in*[4]》; aufgenommen werden 《*in*[4]》; Mitglied werden 《*von*[3]》; [4]sich an|schließen*[(3)] 《*an*[4]》; bei|-treten*[3] [s]; beziehen*[4] (대학에); besuchen[4] (대학 이외의 학교에); 《고용》 aufgenommen werden 《*in*[4]》; angestellt sein (werden) 《*bei*[3]》; e-e Stelle erhalten* (bekommen*). ¶ 고등학교에 ~ ein Gymnasium besuchen; in ein Gymnasium aufgenommen werden / 대학에 ~ e-e Universität beziehen*; auf e-e Universität gehen* [s]; [4]sich als Student ein|schreiben* / 한국 독어 독문학회에 ~ in die Koreanische Gesellschaft für Germanistik aufgenommen werden; Mitglied von der Koreanischen Gesellschaft für Germanistik werden / 무역회사에 ~ in e-e Handelsgesellschaft aufgenommen werden; bei e-r Handelsfirma angestellt sein (werden); in e-e Handelsgesellschaft ein|-treten* [s] / 네 뒷자리에는 누가 들어왔지 Wer ist dein Nachfolger geworden?
④ 《수입이》 haben; bekommen*[4]; erhalten*[4]; 〖속어〗 kriegen[4]; empfangen*[4]; verdienen[4]; machen[4]. ¶ 그는 한 달에 20만원은 들어온다 Er hat Einkünfte von zweihunderttausend *Won* monatlich. / 오늘은 많은 돈이 들어왔다 Es ist heute viel Geld eingekommen (eingegangen).
⑤ 《눈에》 sichtbar werden; zum Vorschein kommen*[s]; zu Gesicht bekommen*. ¶ 아무리 둘러봐야 사람이라고는 하나도 눈에 들어오지 않았다 Es war k-e Menschenseele da.¦ K-e Seele war weit und breit zu sehen.

들어올리다 heben*[4]; auf|heben*[4] (empor|-; hoch|-); erheben*[4]; in die Höhe ziehen*[4]; hoch|ziehen*[4] (auf|-). ¶ 무거운 것을 ~ ein Gewicht heben* / 팔을 ~ den Arm heben* / 이 저울은 1000파운드 들어올린다 Die Waage hebt 1000 Pfund. / 손을 들어올리고 선서하다 die Hand zum Schwur (er-)heben*; e-n Eid schwören*.

들어주다 《e-e Bitte; e-n Wunsch》 erfüllen: erhören; befriedigen; gewähren; gestatten; ein|willigen; willfahren. ¶ 그는 어떤 소원이라도 들어준다 Er läßt k-n Wunsch offen. / 그는 우리의 청을 들어주었다 Er hat sich unserer Bitte angeschlossen. / 그는 우리의 소원을 들어주지 않았다 Er hat unseren Wunsch nicht erfüllt.

들어차다 ^{4}sich füllen; voll werden; voll von ^{3}*et.* sein; besetzt sein. ¶ 꽉 ~ mit ^{3}*et.* ausgefüllt; vollbesetzt sein / 방에 사람이 ~ Das Zimmer ist vollbesetzt.

들엉기다 verdichten; erstarren; gefrieren*[s].

들엎드리다 ^{4}sich ein|sperren; ^{4}sich auf ^{4}*et.* beschränken; zu Haus hocken bleiben*. ¶ 집에 ~ im Haus eingesperrt sein; zu Haus hocken bleiben / 움쭉 말고 집에 들엎드려 있어라 Bleib doch ruhig zu Haus hocken!

들여가다 《안으로》 ein|nehmen*; herein|bringen*; ein|bringen*; 《사다》 kaufen; ein|-kaufen; bekommen*. ¶ 땔나무를 집에 ~ Brennholz 《*n.* -(e)s, ⸚er》 ins Haus ein|-bringen* / 사과를 좀 들여가시지요 Wollen Sie keine Äpfel kaufen?

들여놓다 《물건을》 hinein|bringen*^{4} (-|nehmen*^{4}; -|schaffen^4; -|tragen*^{4}; -|legen^4; -stellen^4); hin|legen; hin|stellen; 《발을》 (hinein|)gehen* [s] 《*in*^{4}》; (herein|)kommen*[s] 《*in*^{4}》; (ein|)treten*[s] 《*in*^{4}》; (herein-)treten* [s] 《*in*^{4}》; 《상품 따위》 ein|kaufen^{34}; ab|kaufen^{34}; ^{4}sich ein|decken 《*mit*^{3}》; ^{3}sich an|schaffen^4; auf|speichern^4; 《billige Güter》 auf Lager halten*. ¶ 짐을 바로 들여놓아다오 Bitte nimm das Gepäck gleich mit hinein! / 그의 식사를 안으로 들여놓았다 Ich habe ihm sein Essen hineingestellt. / 겨울에 쓸 석탄을 충분히 들여놓았다 Wir haben uns für den Winter ausreichend mit Kohlen eingedeckt. / 두번 다시 그의 집 문턱에 발을 들여놓지 않겠다 Ich werde k-n Fuß mehr über s-e Schwelle setzen.

들여다보다 ①《안·속을》 gucken 《*in*^{4}; *durch*^{4}》; blicken《*in*^{4}; *durch*^{4}》; schauen《*in*^{4}; *durch*^{4}》; hinein|gucken (-|blicken; -|schauen) (밖으로부터). ¶ 창안을 ~ zum Fenster hinein|-sehen* / 열쇠 구멍으로 (벽틈으로) ~ durch das Schlüsselloch (durch die Spalte) (hinein|)gucken / 슬쩍 ~ e-n Blick (hin)werfen* 《*auf*^{4}》 / 우물 속을 ~ in den Brunnen hinein|blicken (-|schauen) / 어깨너머로 책을 ~ über s-e Schulter auf das Buch hin|schauen.

② 《들르다》 vorbei|kommen*[s] 《*bei*^{3}》; vor|-sprechen* 《*bei*^{3}》; auf|suchen^4; kurz besuchen^4. ¶ 도중에 그를 잠깐 들여다 보았다 Unterwegs kam ich bei ihm vorbei.

③ 《자세히》 hinein|blicken (-|schauen); genau prüfen; 《빤히》 an|starren^4; starren 《*auf*^{4}》; auf|passen 《*auf*^{4}》; acht|geben* 《*auf*^{4}》; auf der Hut sein; Augen auf ^{4}*et.* richten (heften). ¶ 아무의 얼굴을 ~ *jm.* ins Gesicht sehen* (schauen); s-e Augen auf *js.* Gesicht richten (heften); *js.* Gesicht genau studieren (prüfen) / 책을 ~ in ein Buch hinein|blicken; ein Buch lesen*.

들여다보이다 durchsichtig sein; durch|scheinen*; leicht zu durchschauen sein. ¶ 들여다보이는 durch|sichtig (-scheinend); fadenscheinig; klar / 속까지 환히 들여다보이는 물 kristalklares Wasser, -s / 속이 환히 들여다보이는 변명 e-e faule Ausrede, -n / 속이 환히 들여다보이는 거짓말 e-e grobe (handgreifliche) Lüge, -n.

들여디디다 hinein|gehen[s]; hinein|treten[s]; herein|fallen[s]. ¶ 잘못하여 개골창에 발을 ~ aus Versehen in den Graben gehen [s] / 들여디딘 발 eine unabänderliche Sache / 들여디딘 발이라 이젠 다시 뺄 수는 없다 Das ist schon eine angefangene Sache; deswegen ist es unabänderlich.

들여보내다 ein|lassen*^{4}; ein|treten lassen*^{4}; hinein|lassen*^{4} (herein|-); Ein|tritt (Zu-) gewähren 《*jm.*》; zu|lassen*^{4}; hinein|-schicken^4 (-|senden*^{4}); herein|schicken^4 (-|senden*^{4}); ein|schicken^4(-|senden*^{4}); ein|-reichen^4. ¶ 아무를 집으로 ~ ins Haus ein|-lassen* (ein|treten* lassen*) 《*jn.*》; Ein|tritt (Zu-) gewähren (gestatten) 《*jm.*》/ 선물을 ~ ein Geschenk (hin)ein|schicken (-|senden*) / 증명서 없이는 들여보내지 않습니다 《게시》 Zutritt nur mit Ausweis (gestattet)! / 들여보내 주십시오 Lassen Sie mich hinein! / 박물관에 무료로 ~ er hat im Museum freien Zutritt / 몇 시에 들여보내나 《영화관·극장 따위에서》 Wann ist Einlaß?

들여앉히다 ① 《손님을》 *jn.* herein|treten und setzen lassen*.

② 《여자를》 eine Frau haushalten lassen*. ¶ 회사에서 일하던 아내를 집에 ~ den Beruf der Frau aufgeben und nur das Haus versorgen lassen* / 기생을 첩으로 ~ *Gisaeng* zu *js.* Konkubine nehmen*.

들여오다 ① 《안으로》 hinein|bringen*^{4} (-|tragen*^{4}; -|schaffen^4; -|nehmen*^{4}) 《*in*^{4}》. ¶ 책을 서재로 ~ Bücher 《*pl.*》 ins Arbeitszimmer (Studierzimmer) hinein|bringen* (-|tragen*; -|schaffen) / 돈을 벌어 ~ Geld verdienen und es nach Hause bringen*.

② 《사들이다》 ein|kaufen^4 (ab|-); ^{3}sich kaufen^4; bekommen*^{4}; erhalten*^{4}; ein|führen^4; importieren^4. ¶ 양털을 오스트레일리아에서 ~ Wolle aus (von) Australien ein|-führen / 채소는 길모퉁이에 있는 채소가게에서 들여온다 Wir kaufen uns das Gemüse von der Gemüsehandlung an der Straßenecke. / 이 책은 들여온 지가 얼마 안 된다 Dieses Buch ist gerade (eben) gekommen.

들연(一椽) 〖건축〗 (Holz)latte *f.* -n; Leiste *f.* -n; Hohlkehle *f.* -n.

들오다 ☞ 들어오다.

들오리 〖조류〗 Wildente *f.* -n.

들은귀 ① 《경험》 das durch eigenes Erleben erworbene Wissen.

② 《지식》 die durch eigene Anschauung erworbenen Kenntnisse. ¶ ~가 밝다 für ^{4}*et.* ein feines (gutes) Ohr haben.

들은풍월(一風月) die durch die anderen erworbene Idee, -n; die durch die anderen erworbene Art und Weise.

-들이 fassend...; auf|nehmend...; enthaltend...; umfassend. ¶ 50리터들이 통 ein 50 Liter (fassendes; haltendes) Faß, ..sses, ..ässer / 2리터들이 병 e-e 2 Liter (fassende) Flasche, -n / 사과 30개들이 상자 e-e Kiste 《-n》 mit dreißig Äpfeln.

들이갈기다 heftig schlagen*.

들이굽다 gebogen sein. ¶ 팔이 들이굽지 내굽나 《속담》 Blut ist dicker als Wasser.

들이긋다 ① 《병독이》 nach innen schlagen*.
② 《금을》 eine Linie nach innen ziehen*.

들이끌다 hinein|ziehen* [h.s].

들이끼우다 stecken 《in ^{4}*et.*》; hinein|stecken 《in ^{4}*et.*》; ein|schalten* 《in ^{4}*et.*》.

들이끼이다 ^{4}sich ein|schalten*; ^{4}sich ein|fügen.

들이다 ① 《안으로》 ein|lassen*^{4}; ein|treten* lassen*^{4}; hinein|lassen*^{4} (herein|-); Eintritt (Zu-) gewähren (gestatten) 《*jm.*》; zu|lassen*^{4}. ¶ 집에 ~ ins Haus ein|lassen* (ein|treten* lassen*) 《*jn.*》 / 손님을 응접실로 모셔~ den Gast ins Empfangszimmer führen.
② 《입회시킴》 auf|nehmen* 《*jn. in*^{4}》; ein|treten* lassen* 《*in*^{4}》. ¶ 새 회원을 맞아~ ein neues Mitglied auf|nehmen*.
③ 《부릴 사람·양자를》 《e-n wohnhaften Diener》 an|stellen; beschäftigen; an|nehmen*; in Dienst nehmen* 《*jn.*》; dingen 《*jn.*》; 《양자를》 an Kindes Statt an|nehmen*; adoptieren; in die Familie auf|nehmen*. ¶ 가정부를 새로 ~ e-e neue Köchin in Dienst nehmen; e-e neue Köchin dingen / 조카를 양자로 ~ s-n Neffen als Sohn an|nehmen* / 가정교사를 ~ e-n Hauslehrer an|nehmen*.
④ 《맛을》 an ^{3}*et.* Geschmack finden* (gewinnen*); auf den Geschmack kommen* ⓢ; für ^{4}*et.* Geschmack bekommen*. ¶ 계집에 맛을 ~ er findet (gewinnt) daran Geschmack, e-r Frau nachzufolgen / 돈에 맛을 ~ für Geld Geschmack bekommen* / 도박에 ~ am Geldspiel Geschmack finden* (gewinnen*) / 영화에 맛을 ~ am (für den) Film Interesse haben.
⑤ 《잠을》 ein|schlafen* wollen*; ein|schläfern 《*jn.*》; schlafen legen 《*jn.*》; zu Bett (zum Schlafen) bringen*. ¶ 어린아이를 잠 ~ ein Kind ein|schläfern; ein Kind schlafen* legen; ein Kind zu Bett (zum Schlafen) bringen*.
⑥ 《물감을》 färben^4. ¶ 옷 (머리)에 검정물을 ~ ^{4}sich das Kleid (Haar) schwarz färben.
⑦ 《길들임》 zähmen^4; ab|richten^4; dressieren^4; trainieren^4; schulen^4; 《미개인을》 zivilisieren^4. ¶ 사자를 길~ e-n Löwen zähmen (zahm machen) / 개를 길~ e-n Hund trainieren (ab|richten) / 말을 길~ ein Pferd trainieren (zähmen; schulen; ab|richten).
⑧ 《힘·시간·비용을》 an|wenden$^{(*)}$ (ver-) 《*auf*^{4}》; aus|geben* 《*auf*^{4}; *für*^{4}》; an|legen 《*in*^{3}; *für*^{4}》; es ^{3}sich ^{4}*et.* kosten lassen*; ^{3}sich Mühe geben*; ^{4}sich an|strengen (bemühen). ¶ 제 돈을 ~ aus s-r eigenen Tasche drauf|legen (zahlen) / 큰 돈을 들여서 mit (unter) großen Kosten 《*pl.*》 / 힘들여서 mit großer Mühe (Anstrengung); mit (knapper) Mühe und Not; mit knapper (genauer) Not; mühsam; mit (großen) Schwierigkeiten / 돈을 ~ auf ^{4}*et.* Geld an|wenden$^{(*)}$ (ver-); in ^{3}*et.* (für ^{4}*et.*) Geld an|legen; auf ^{4}*et.* (für ^{4}*et.*) Geld aus|geben* / 힘을 ~ ^{3}sich Mühe geben*; ^{4}sich bemühen (an|strengen) / 일에 많은 시간을 ~ auf die Arbeit (viel) Zeit an|wenden$^{(*)}$ (ver-) / 돈을 많이 들이었다 Er ließ es sich viel Geld kosten. / 이 일을 해내는 데 많은 노력을 들이었다 Er hat viel Fleiß auf diese Arbeit verwendet.
⑨ 《광내다》 putzen^4 (신발에); glätten^4; polieren^4; wichsen^4; 《마루 따위에》 bohnen; bohnern. ¶ 가구에 길을 ~ Möbel 《*pl.*》 polieren.
⑩ 《땀을》 ^{4}sich den Schweiß (ab|)trocknen; ^{3}sich den Schweiß von der Stirn wischen; Atem holen (schöpfen); auf|atmen; (aus|)ruhen; rasten; ^{4}sich (ab|)kühlen. ¶ 땀 좀 들인 후 걷자 Wollen wir irgendwo ausruhen und erfrischt weitergehen.

들이닥치다 bei *jm.* ein|treten* ⓢ; hinein|treten* (-|kommen*) ⓢ; nahe heran|kommen*ⓢ; 《사람이》 plötzlich Besuch bekommen*; angegriffen werden; 《위험 따위가》 bevor|stehen; drohen^3; überfallen*^{4}. ¶ 눈앞에 들이닥친 위험 die bevorstehende (drohende) Gefahr / 뜻하지 않은 손님이 ~ unerwartet (unangemeldet) Besuch bekommen* / 적병이 ~ von Feinden überfallen werden.

들이대다 ① 《대들다》 Widerstand leisten^3; ^{4}sich widersetzen^3; Trotz bieten*^{3}; trotzen^3; Einspruch (Protest) erheben* 《*gegen*^{4}》; protestieren 《*gegen*^{4}》; an|greifen*; scharf kritisieren. ¶ 감봉이 부당하다고 주인한테 들이댔다 Er protestierte seinem Arbeitgeber gegen die Gehaltskürzung. / 왜 약속을 위반하느냐고 그에게 들이댔다 Ich habe ihn für seinen Bruch des Versprechens angegriffen.
② 《물건·흉기를》 *jm.* vor|halten*^{4}; die Waffe richten 《*auf*^{4}; *gegen*^{4}》. ¶ 단도를 가슴 (코끝)에 ~ *jm.* e-n Dolch vor die Brust (vor die Nase) halten* / 권총을 들이대고 mit vorgehaltener Pistole.
③ 《공급》 ununterbrochen verschaffen 《*jm.* ^{4}*et.*》; fortwährend (unaufhörlich) beschaffen (liefern) 《*jm.* ^{4}*et.*》. ¶ 물자를 ~ Waren (Materialien) ununterbrochen versorgen.
④ 《제시》 vor|legen; vor|bringen*; vor|zeigen; bei|bringen*. ¶ 증거를 ~ den Beweis an|treten* (liefern; führen; erbringen*).

들이덤비다 ① 《서둘다》 ^{4}sich beeilen; *jn.* drängen; sehr beschäftigt sein. ¶ 들이덤비기만 하고 별로 하는 일이 없다 Vergeblich beschleunigt er seine Arbeit. / 여럿이 들이덤벼 일을 잠깐 동안에 해치웠다 Mehrere Leute machten sich eifrig an die Arbeit und beendeten sie schnell. / 그렇게 들이덤빌건 무어냐, 차 시간이 아직 멀었는데 Warum beeilst du dich so?—Du hast genug Zeit, den Zug zu nehmen. ② 《덤벼듦》 auf *jn.* los|gehen*ⓢ; an|fallen*; plötzlich an|greifen*; heraus|fordern. ¶ 윗사람에게 ~ auf s-n Vorgesetzten los|stürzen / 맹렬한 기세로 ~ *jn.* heftig an|greifen* / 들이덤비려면 덤벼 봐라, 네 까짓 것은 우습다 Los! Komm heran! Ich habe ganz u. gar k-e Angst.

들이덮치다 gleichzeitig geschehen*; ^{4}sich zur gleichen Zeit ereignen.

들이떨다 schaudern; zittern.

들이뜨리다 werfen*; schleudern*; zurück|werfen*. ¶ 돈을 서랍에 ~ Geld in die Schublade hin|werfen*.

들이마시다 ① 《액체를》 ein|saugen*^{4}; auf|saugen*^{4}; absorbieren^4; ein|ziehen*^{4}; gierig hinunter|schlucken^4; hinunter|stürzen^4; hinunter|gießen*^{4}. ¶ 국을 ~ Suppe gierig hinunter|schlucken / 맥주 한 조끼를 단숨에 ~ e-n Krug Bier auf e-n Zug aus|trinken* / 술 한 병을 단숨에 ~ e-e Flasche Wein in e-m Zug hinunter|gießen*. ② 《기체를》 ein|atmen^4; ein|ziehen*^{4}; inhalieren^4. ¶ 신선한 공기를 ~ frische Luft ein|atmen / 독기를 ~ Giftgas ein|atmen / 산소를

들이마시고 탄산 가스를 내뱉다 Sauerstoff inhalieren u. Kohlensäuregas exhalieren/ 담배 연기를 깊이 ～ den Zigarettenrauch tief ein|atmen.

들이맞추다 hinein|stecken^4; hinein|setzen^4; ein|schieben*^{4}. ¶ 담뱃대를 대통에 ～ ein Rohr in den Pfeifenkopf fest|stecken / 쐐기를 구멍에 ～ e-n Keil in ein Loch stecken.

들이몰다 ① 《몰아넣음》 zurück|treiben*; ein|-treiben*; hinein|treiben*; verscheuchen. ¶ 닭을 닭장에 ～ Hühner in den Hühnerstall hinein|treiben* / 돼지를 울 안으로 ～ Schweine in Schweinestall zurück|treiben* / 아무를 위험한 곳으로 ～ *jn.* in Gefahren stürzen. ② 《마구몲》 mit hoher Geschwindigkeit lenken; im Gallop laufen lassen*. ¶ 말을 ～ ein Pferd im Galopp laufen lassen* / 차를 ～ ein Auto mit hoher Geschwindigkeit lenken.

들이몰리다 ① 《안쪽으로》 in ^{4}*et.* getrieben werden; eingetrieben werden. ¶ 소가 외양간으로 ～ eine Kuh wird in den Stall getrieben / 아무가 방구석으로 ～ eine Person wird in die Zimmerecke getrieben. ② 《호되게》 zu tadeln sein; verargt werden; gescholten werden; gerügt werden; kritisiert werden. ¶ 약속을 어기어 ～ er wird getadelt, weil er sein Versprechen gebrochen hat / 책임을 등한히 했다고 ～ wegen der Vernachlässigung seiner Pflichten gerügt werden. ③ 《떼지어》 schwärmen; ^{4}sich scharen; ^{4}sich drängen; ^{4}sich zu e-r Herde sammeln (동물이). ¶ 가축이 뒤뜰에 ～ Das Vieh sammelt sich im Hinterhof zu e-r Herde. / 공원에 사람이 ～ ein Park ist schwarz von Menschen.

들이밀다 ① 《안으로》 ein|stoßen*; ein|treiben*; schieben*. ¶ 주먹을 창으로 ～ einen Faustballen durch das Fenster schieben*/ 아무를 ～ *jn.* schieben* / 배를 삿대로 ～ ein Boot mit e-m Stock e-n Stoß geben*.

들이밀리다 hineingeschoben werden; hineingestoßen werden; hineingetrieben werden. ¶ 구석에 ～ in die Ecke getrieben werden / 보트가 바람에 ～ ein Boot wird vom Winde ans Ufer getrieben. ② 《한곳으로》 ^{4}sich haufenweise sammeln; ^{4}sich scharen; zusammen|strömen; ^{4}sich drängen. ¶ 사람들이 백화점으로 ～ viele Leute drängen sich in ein Kaufhaus / 사람들이 사방에서 ～ die Leute strömen von allen Seiten zusammen / 어제 은행에 돈을 찾으러 사람들이 들이밀렸다 Gestern drängten sich viele Leute in die Bank, um Geld aus der Bank zu holen. / 여름이면 금강산에 많은 관광객이 들이밀린다 Im Sommer besuchen zahllose Touristen *Kumkang*-Berg (Diamant-Berg).

들이박다 ein|schlagen*; stoßen*; drücken*. ¶ 못을 ～ einen Nagel ein|schlagen*.

들이받다 gegen *jn.* (^{4}*et.*) laufen (fahren)* ⓢ; mit *jm.* (^{3}*et.*) zusammen|stoßen*ⓢ; *jn.* stoßen*ⓢ. ¶ 전주를 ～ gegen eine Telegraphenstange laufen* (fahren* (차로)) ⓢ / 나무를 ～ gegen einen Baum fahren (laufen)* ⓢ / 머리로 가슴을 ～ mit dem Kopf an die Brust stoßen* / 소가 뿔로 ～ ein Ochs stößt mit den Hörnern eine Person.

들이불다 ① 《이쪽·안쪽으로》 herein|wehen; von draußen nach drinnen wehen; von dort nach hier wehen. ¶ 바람이 이리로 들이분다 Der Wind weht von dort nach hier. ② 《세차게》 tüchtig wehen; heftig blasen*. ¶ 바람이 들이분다 Der Wind bläst heftig.¦ Tüchtig weht es.

들이붓다 ① 《그릇에》 ein|gießen*; schütten; in ^{4}*et.* gießen*. ¶ 솥에 물을 ～ Wasser in den Backofen gießen*. ② 《쏟아지다》 in Massen ein|fallen*ⓢ 《*in*^{4}》; ^{4}sich ergießen* 《*über*^{4}》; 《계속해서》 ununterbrochen gießen*. ¶ 비가 ～ es gießt wie aus der Kanne; es regnet in Strömen.

들이빨다 saugen$^{(*)}$; an|saugen$^{(*)}$; lutschen; ein|saugen$^{(*)}$; ein|atmen. ¶ 담배를 ～ den Rauch der Zigaretten ein|atmen / 빨대로 소다수를 ～ das Sodawasser mit e-r Stroh ein|saugen$^{(*)}$ / 젖을 ～ Milch aus der Brust saugen$^{(*)}$.

들이세우다 ① 《안에》 ^{4}*et.* herein|bringen* u. auf|stellen. ¶ 우산을 방에 ～ einen Regenschirm ins Zimmer herein|bringen* u. ihn auf|stellen. ② 《지위에》 ein|setzen; ein|-führen; bestallen. ¶ 아무를 과장으로 ～ *jn.* zum Abteilungsleiter bestallen / 조카를 양자로 ～ *js.* Neffe als Sohn an|nehmen* / 새 사람을 교장으로 ～ *jn.* zum Schuldirektor bestallen.

들이쉬다 《숨을》 saugen*; ein|atmen; ein|-saugen*. ¶ 숨을 ～ Atem holen (schöpfen)/ 숨을 깊이 ～ tief Atem holen (schöpfen).

들이쌓이다 ^{4}sich häufen; ^{4}sich an|häufen; ^{4}sich an|sammeln; zu|nehmen*. ¶ 창고에 쌀이 ～ Reis häuft sich in der Scheune an / 책상 위에 먼지가 ～ der Schreibtisch ist viel mit Staub bedeckt / 휴지가 방에 들이쌓인다 Das Klosettpapier häuft sich im Zimmer auf.

들이쑤시다 ① 《아프다》 schmerzen; weh tun*; prickeln; stechen*; ^{4}sich entzünden. ¶ 골머리가 ～ heftige Kopfschmerzen haben / 손가락이 곪아 ～ der eiternde Finger schmerzt sehr / 종기가 ～ die Schwäre schmerzt stark / 온몸이 ～ der ganze Körper schmerzt heftig. ② 《구멍을》 picken; hacken; stochern. ¶ 이를 ～ ^{3}sich in den Zähnen stochern / 담뱃대를 ～ die Pfeife kratzen. ③ 《들썩임》 auf|hetzen; an|treiben*; um|rühren; schüren; auf|wiegeln. ¶ 들이쑤셔 싸움을 붙이다 die Leute zum Streit auf|wiegeln. ④ 《뒤지다》 tief um|-graben*; krämen; herum|stöbern. ¶ 남의 비밀을 ～ *jm.* ein Geheimnis entlocken.

들이조르다 belästigen; behelligen; nach ^{3}*et.* schreien*.

들이지르다 ① 《세게 지르다》 stark rücken; heftig drücken; heftig stoßen*. ¶ 칼로 아무의 가슴을 ～ *jm.* mit dem Degen durch die Brust stoßen*. ② 《발길로》 *jn.* kicken *jn.* mit dem Fuß stoßen*. ¶ 옆구리를 발길로 ～ *jm.* mit dem Fuß an die Seite stoßen* / 볼을 골로 ～ den Ball zum Tor schießen*. ③ 《음식을》 auf|fressen*; verzehren; verschlingen*. ④ 《소리를》 schreien*; kreischen; heulen. ¶ 고래고래 고함을 ～ laut schreien*; laut heulen.

들이차다 《안으로》 mit dem Fuß hinein|stoßen*; heftig kicken.

들이치다[1] herein|regnen(비가); herein|schneien (눈이). ¶ 옆으로 들이치는 비 ein Regen, der von Seite her stiebt / 비가 방안으로 (눈이 창문으로) 들이친다 Es regnet ins Zimmer (schneit zum Fenster) herein. / 비

가 옆으로 들이친다 Es regnet schräg u. heftig. ¦ Der Regen fällt schräg.

들이치다^2 ① 《습격》 *jn.* od. ^{4}*et.* an|greifen*; *jn.* überfallen*; e-n Angriff machen 《auf *jn.*》. ¶ 경관이 도박 소굴을 ~ die Polizisten überfallen die Spielhölle. / 성 안의 적군을 ~ e-n Angriff auf die Feinde in der Festung machen. ② 《안으로》 hinein|schlagen*; hinein|stoßen*.

들이켜다 aus|trinken*^{4}; ein Glas leeren 《auf e-n Zug》; hinunter|schlucken^4; in großen Schlucken trinken*^{4}; hinunter|stürzen^4. ¶ 그는 술잔을 단숨에 들이켰다 Er leerte das Glas auf e-n Zug. / 그는 맥주를 쭉 들이켰다 Er stürzte das Bier in e-m kräftigen Zug hinunter.

들이키다 《다그다》 hinein|ziehen*; herein|schleppen; ein|ziehen*. ¶ 나무를 담 가까이 들이켜 심다 e-n Baum an die Mauer pflanzen / 책상을 한구석으로 들이켜 놓다 e-n Schreibtisch in die Zimmerecke schieben*.

들이퍼붓다 ① 《비가》 es regnet heftig 〔stark〕; es gießt; der Regen strömt unablässig; 《눈이》 es schneit tüchtig. ② 《퍼담다》 hinein|schöpfen^4 〔herein|-〕; hinein|gießen*^{4} 〔herein|-〕. ☞ 퍼붓다.

들일 Feldarbeit *f.* -en. ¶ ~하러 가다 ins 〔aufs〕 Feld gehen* Ⓢ / ~을 하다 auf dem Feld arbeiten.

들입다 《몹시》 fleißig; unbarmherzig; ununterbrochen; unnachgiebig; unaufhörlich. ¶ 비가 ~ 오다 es regnet unaufhörlich / 아무를 ~ 패다 *jn.* grün u. blau schlagen* / ~ 시키다 unaufhörlich zwingen*, ^{4}*et.* zu tun / ~ 공부하다 pausenlos lernen / ~ 묻다 alles aus|fragen.

들장대 zusätzliche Seitenstäbe für e-e Sänfte.

들장미(一薔薇) die wilde Rose, -n.

들쥐 Feldmaus *f.* ⸚e.

들짐승 das wilde Tier, -(e)s, -e.

들쩍지근하다 etwas süßlich; nicht süß genug; widerlich süß (sein).

들쭉 〖식물〗 Blaubeeren 《*pl.*》.
‖ **~나무** Blaubeere *f.* -n.

들쭉날쭉 uneben; ungleich; schartig; wechselnd. **~하다** uneben 〔ungleich; wechselnd〕 (sein). ¶ ~한 해안 eine zerrissene Küste/ 잎새 가장자리가 ~하다 Das Blatt ist zackig am Ende.

들차다 an Leib u. Seele gesund; völlig gesund (sein).

들창(一窓) Kippfenster *n.* -s, -.
‖ **~코** Stülpnase *f.* -n; einer* mit der Stülpnase (사람).

들척지근하다 ☞ 들쩍지근하다.

들추다 ① 《폭로》 enthüllen; entdecken; auf|decken; bloß|stellen; ans Licht bringen*. ¶ 아무의 잘못을 ~ *js.* Unrecht an Licht bringen* / 남의 비밀을 ~ *js.* Geheimnis enthüllen / 그의 조상을 ~ seine Vorfahren erinnern. ② 《뒤지다》 nach ^{3}*et.* suchen; durchwühlen; durchsuchen. ¶ 책을 찾느라고 온 방을 ~ ein ganzes Zimmer durchsuchen, um ein Buch zu finden / 연필이 있나 하고 서랍을 ~ die Schublade beim Suchen nach einem Bleistift durchwühlen.

들추어내다 ① 《폭로》 bloß|stellen^4; 《비밀·죄악 등을》 auf|decken^4; enthüllen^4; verraten*^{4}; ans Licht 〔zutage〕 bringen*^{4}; ans Licht ziehen*^{4}; an den Tag bringen*^{4}. ¶ 음모를 ~ e-e abgekartete Sache auf|decken/ 비밀을 ~ ein Geheimnis enthüllen; aus|plaudern^4 (함부로 지껄이다) / 정체를 ~ die Maske ab|reißen*; demaskieren^4 / 추문을 ~ e-n Skandal ans Licht bringen* / 옛 얘기를 ~ alte Geschichten auf|rühren. ② 《찾아냄》 heraus|finden*^{4}; heraus|bekommen*^{4}; auf|suchen^4; auf|stöbern^4; hervor|holen^4. ¶ 서랍에서 돈을 ~ Geld aus der Schublade hervor|holen / 방안에서 감춰둔 장물을 ~ das versteckte Diebsgut im Zimmer heraus|finden*.

들치기 《행위》 Ladendiebstahl *m.* -(e)s, ⸚e; 《사람》 Ladendieb *m.* -(e)s, -e.

들치다 heben*; auf|heben*; ^{4}sich aufrecht|halten*. ¶ 이불을 ~ die Ecke der Decke auf|heben*.

들큰거리다 《비위를》 *jn.* ärgerlich machen; *jn.* verletzen.

들큰들큰 unangenehm; reizend; widerlich. ¶ ~ 아무의 비위를 건드리다 *jn.* widerlich machen.

들큼하다 süßlich (sein).

들키다 gefunden 〔gesehen; entdeckt〕 werden; ertappt 〔erwischt〕 werden (현장에서). ¶ 들키지 않도록 um der Beobachtung zu entgehen; um Aufsehen zu vermeiden / 아무에게도 들키지 않고 ohne *js.* Aufmerksamkeit zu erregen / 장난하다 선생님한테 ~ bei e-m schlechten Streich von dem Lehrer ertappt werden / 도둑질하다 ~ beim Stehlen ertappt werden / 저울눈을 속이다가 ~ bei der mißbräuchlichen Anwendung der Waage ertappt werden.

들타작(一打作) das Dreschen 《-s》 auf dem Feld.

들통(一桶) Eimer *m.* -s, -; Pütze *f.* -n.

들통나다 auf|gedeckt 〔entlarvt; enthüllt〕 werden.

들판 Feld *n.* -(e)s, -er; Flur *f.* -en.

들피지다 wegen Hungers ausgemergelt sein.

듬뿍 übervoll; bis zum Rande voll; reichlich. **~하다** voll 〔bis zum Rande voll〕 sein. ¶ 설탕 한 숟갈 ~ ein gehäufter Löffel Zucker / 돈을 ~ 가지고 있다 Geld wie Heu haben; im Geld ersticken 〔schwimmen* Ⓢ; wühlen〕 / 돈을 ~ 벌다 e-e Unsumme Geldes machen 《*mit*^{3}》; dicke Gelder verdienen / 술이 잔에 ~하다 Das Glas ist mit Wein gefüllt. ¦ Das Glas ist bis zum Rande voll von Wein. / 팁을 ~ 주다 reichlich Trinkgeld geben*.

듬뿍듬뿍 viel; reichlich; voll. ¶ 밥을 ~ 담다 jeden Schüssel mit Reis voll|füllen / 밥을 ~ 먹는다 Jeder ißt viel Reis.

듬성듬성 dünn; zerstreut; vereinzelt; hie u. da. ¶ 털이 ~ 나다 Haare wachsen spärlich / 나무를 ~ 심다 Man pflanzt Bäume hie u. da / 그 언덕에는 나무가 ~ 나 있다 Der Hügel ist spärlich bewaldet.

듬쑥 gierig; gefräßig; voll. ¶ 과자를 손에 ~ 그러쥐다 Kuchen gierig packen / 장작을 한 아름 ~ 안다 ein Armvoll Brennholz fassen.

듬쑥하다 ① =듣직하다. ② 《많다》 voll von ^{4}*et.* sein; füllen. ¶ 밥이 그릇에 ~ Der Schüssel ist voll von Reis. / 밥을 그릇에 듬쑥히 담다 e-n Schüssel mit Reis voll|füllen.

듭시다 ① 《들어가다》 ein|treten* Ⓢ; ein|gehen* Ⓢ. ¶ 임금님께서 침소에 ~ der König geht zu Bett. ② 《들어가자》 Treten wir ein! ③ 《먹자》 Greifen wir zu!

듯 ¶…듯 마는 듯(만 듯, 말 듯)하다 es scheint, (mir scheint, mir kommt vor, mir dünkt,) als ob... kaum... / 밥이 적어서 밥을 먹은 듯 만 듯하다 Mir dünkt, als ob ich Reis kaum gegessen hätte, weil es nicht viel Reis gab. / 어젯밤 모기에 물려 자는듯 마는 듯 했다 Mir scheint, als ob ich gestern abend wegen Mücken kaum geschlafen hätte. / 나는 갈듯 말듯하다 Ich bin nicht sicher, ob ich gehe oder nicht. / 비가 올듯 말듯하다 Es wird wohl regnen oder auch nicht. / 어린애는 자는듯 마는듯 하더니 또 울기 시작했다 Kaum war das Kind eingeschlafen, da fing es zu schreien.

듯싶다 《성싶다》 aus|sehen*, als ob...; aus|sehen wie.... ¶그는 학생인 ~ Es sieht aus, als ob er ein Student wäre. / 좀 클 ~ Mir ist zumute, als wäre es ein bißchen groß. / 범이라도 잡을 ~ Mir scheint, als ob ich einen Tiger fangen könnte. / 벼슬이라도 한 듯 싶은 모양이구나 Du tust, als ob du ein hoher Beamter geworden wäre./안 먹어도 먹은 ~ Mir ist zumute, als ob ich gegessen hätte, obwohl ich nichts gegessen habe.

듯(이) 〖부사〗 anscheinend; scheinbar; aussehend (wie); als ob. ¶기쁜 듯이 strahlenden Gesichtes / 슬픈 듯이 mit betrübter Miene / 만족스런 듯이 wie befriedig / 다 알고 있다는 듯이 mit e-m wissenden Blick; mit wissender Miene / 여봐란 듯이 in auffälliger Weise; demonstrativ; mit augenfälliger Absicht; ostentativ; prahlerisch; zur Schau getragen / 한 대 칠 듯이 덤벼든다 Er greift an, als ob er schlagen wollte. / 그는 큰 벼슬이라도 한 듯이 뻐긴다 Er tut groß, als ob er ein hoher Beamter geworden wäre. / 그는 큰 일이나 하는 듯이 야단 법석이다 Er macht viel Aufhebens, als ob er etwas Wichtiges täte. / 그는 죽은 듯이 가만히 있었다 Er blieb bewegungslos liegen, als ob er tot wäre.

-듯(이) 〖어미〗 wie; als ob. ¶소먹듯이 먹다 wie das Pferd essen*; wie ein Scheunendrescher fressen* / 자기 아들 사랑하듯이 사랑하다 《ein kind》 wie sein eigenes lieben/ 네 형이 하듯이 해라 Mach's (so) wie dein Bruder./눈물이 비오듯 쏟아진다 Die Tränen fallen herab, wie es gießt.

듯하다 《것같다》 scheinen*; erscheinen* ⓢ; aus|sehen*; den Anschein haben. ¶이제라도 비를 몰고 올 듯한 구름 drohende Wolken / 어쩌면 비가 올 ~ Es sieht nach Regen aus. / 그는 적임자인 ~ Er scheint mir der richtige Mann dafür zu sein. / 마치 꿈을 꾸고 있는 듯했다 Es war mir wie im Traume zumute.¦ Mir war, als ob ich träumte (als träumte ich). / 쥐죽은 ~ Kein Laut ist zu hören.¦ Es ist mäuschenstill. / 지금이라도 집이 무너질 ~ Das Haus droht einzustürzen. / 그녀는 네 걱정이나 하라는 듯한 표정이었다 Sie sah aus, als wolle sie sagen: „Bekümmere dich um dich selbst!“

-듯하다 〖어미〗 ähnlich sein; so aus|sehen* wie. ¶가랑잎에 불붙듯하다 auf|flackern ⓢ wie der Zunder / 개미 쳇바퀴 돌 듯하다 herum|gehen*ⓢ (kreisen) wie Ameisen um die Innenseite des Siebrahmens / 글씨를 게발 그리듯하다 schreiben, * wie die Henne kritzelt / 구렁이 담 넘어가듯하다 unbemerkt handeln, wie die Schlange über die Mauer schleicht / 가난한 집에 제사 돌아오듯하다 wieder|kommen* so oft wie der Geldeinsammler.

등 ① 《사람·동물의》 Rücken *m.* -s, -. ¶등을 맞대고 Rücken an (gegen) Rücken; mit dem Rücken gegeneinander gekehrt; dos à dos [do:zadó:] / 등을 돌리다 den Rücken kehren (wenden(*)) 《*jm.*》; [4]sich um|drehen / 등을 돌리고 mit dem Rücken gegen *jn.* / 등을 뵈다 den Rücken zeigen 《*jm.*》; 《등지다》 mit dem Rücken an|sehen* 《*jn.*》/ 적에게 등을 뵈다 dem Feind den Rücken zeigen / 자, 등을 돌려요《진찰때》 Bitte, drehen Sie sich um! ② 《뒤쪽》 Rücken *m.* -s, -. ¶의자의 등 Rückenlehne *f.* -n / 칼의 등 der Rücken des Schwertes / 등 뒤에서 hinter jemandes Rücken / 저고리 등이 나갔다 Die Rückseite des Rockes ist abgetragen./ 등이 더우랴 배가 부르랴 《속담》 Es nützt (hilft) nichts.

등(等) ① 《등급》 Klasse *f.* -n; Rang *m.* -(e)s, ⁼e; Grad *m.* -(e)s, -e. ¶1등상 erster Preis/ 상등(하등)품 die Ware von guter (schlechter) Qualität / 등을 매기다 ab|stufen; in Grade ein|teilen / 1(2)등을 타고 가다 erster (zweiter) [2]Klasse fahren*ⓢ / 죄를 한 등 감하다 die Strafe um e-n Grad vermindern/ 등에 들다 e-m Grad gewachsen sein; e-n Preis erringen* / 등외로 떨어지다 mit der Leistung hinter den anderen zurück|bleiben*; *jm.* mißlingen, e-n Preis zu gewinnen. ② 《따위》 und so weiter 《생략: usw.》; und so fort 《생략: usf.》; et cetera [et tsé:təra] 《생략: etc.》; und dergleichen 《생략: u. dgl.》. ¶한국, 중국, 일본 등의 나라에서 in den Ländern wie Korea, China und Japan / 설탕, 코피 등 Zucker, Kaffee u. dgl. / 그는 금전상의 용건 등 여러 가지로 귀찮게 군다 Er belästigt mich mit der Geldangelegenheit und so weiter.

등(燈) Licht *n.* -(e)s, -er; Lampe *f.* -n. ¶등을 켜다(끄다) e-e Lampe an|zünden (aus|-löschen).

‖분젠등 Bunsenbrenner *m.* -s, -.

등(籐) 〖식물〗 (ein spanisches) Rohr, -(e)s, -e; Rotang *m.* -s, -e. ¶등의자 Rohrstuhl *m.* -(e)s, ⁼e; Korbsessel *m.* -s, - / 등지팡이 Rohrstock *m.* -(e)s, ⁼e.

등가(等價) Gleichwertigkeit *f.*; Äquivalenz *f.* -en; 〖경제〗 Pariwert *m.* -(e)s, -e; Parität *f.* ¶ ~의 gleichwertig; von gleichem Wert; äquivalent.

‖~량 〖화학〗 Äquivalent *n.* -(e)s, -e.

등각(等角) 〖수학〗 der gleiche Winkel, -s, -. ¶~의 gleichwink(e)lig.

‖~삼각형 ein gleichwinkliges Dreieck, -(e)s, -e. ~선 Isogone *f.* -n.

등갈퀴나물 〖식물〗 eine Art Wicke.

등갓(燈—) Lampschirm *m.* -(e)s, -e.

등거리 Rock 《*m.* -(e)s, ⁼e》 ohne Ärmel.

등거리(等距離) gleiche Entfernung, -en. ¶~의 gleich entfernt / ~에 in gleicher [3]Entfernung.

등걸 (Baum)stumpf *m.* -(e)s, ⁼e; Stab *m.* -(e)s, ⁼e. ¶나무 ~을 캐내다 einen Baumstumpf aus|graben*.

‖~불 Feuer 《*n.* -s, -》 mit Baumstümpfen; 《깜부기 불》 ein verlöschendes Feuer. ~숯 durch Baumstumpf-Verkohlung gewonnene Holzkohle, -n.

등걸음치다 《시체를》 Leiche weg|schaffen*

〔weg|tragen*〕; 《사람을》 *jn.* am Genick packen 〔fassen〕.
등걸잠 angekleidet u. ohne Bettdecke zu schlafen.
등겨 Reisspreu *f.* -en.
등경걸이(燈檠—) Laternenpfahl *m.* -(e)s, ⸚e.
등고선(等高線) Höhenlinie *f.* -n; Isohypse *f.* -n. ‖ ～지도 Höhenkurvenkarte *f.* -n.
등골 ① 《등줄기》 die Hohlrinne 《-n》 des Rückens. ¶ ～이 오싹해지는 schauder|haft 〔-erregend〕; grausig / ～이 오싹해지는 이야기 e-e schauderhafte 〔grausige〕 Geschichte, -n; Schauder|geschichte 〔Grusel-〕 *f.* -n / ～이 오싹해지다 schaudern 《*vor*³》; es schaudert 〔graust〕 *jm.* 〔*jn.*〕 《*vor*³》; es überläuft *jn.* kalt / 생각하면 ～이 오싹해진다 Mir schaudert, wenn ich daran denke.|Ich denke mit Schaudern daran. / 그 놈 얼굴을 보면 ～이 오싹해진다 Es schaudert mich 〔Mich schaudert〕 vor ihm. ② 《척수》 Rückenmark *n.* -(e)s. ¶ ～이 빠지다 in der harten Lage sein; höchst Schweres erleben / ～이 빠지게 일하다 sehr hart arbeiten / ～ 뽑다 《Geld》 erpressen 〔aus|pressen〕 《*jm.*; von *jm.*》 / 사내의 ～을 뽑다 e-n Mann um sein Letztes bringen*; e-n Mann bis aufs Blut aus|-saugen* / 여자한테 ～을 뽑히다 von e-r Frau bis aufs Blut ausgesogen werden.
‖ ～뼈 Rückgrat *n.*; Wirbelsäule *f.* -n.
등골나물 〖식물〗 japanisches Eupatorium, -(s), ..rien; *Eupatorium japonicum* (학명).
등과(登科) das Bestehen des Staatsexamens für einen hohen Beamten. ～하다 den Staatsexamen für einen hohen Beamten bestehen.
등교(登校) ～하다 in die Schule 〔zur ³Schule〕 gehen* ⓢ. ¶ ～ 길에 auf dem Weg zur ³Schule.
등귀(騰貴) Steigerung *f.* -en; Teuerung *f.* -en (물가). ☞ 앙등. ～하다 steigen* ⓢ. ¶ 물가 〔주가〕가 ～했다 Die Preise 〔Die Aktien〕 sind gestiegen.
등극(登極) Thronerhebung *f.* -en; Einsetzung *f.* -en (교황의). ～하다 den Thron besteigen.
등글개첩(—妾) die junge Konkubine eines alten Manns.
등글기 Kopie *f.* -n.
등긁이 Rückenkratzer *m.* -s, -.
등급(等級) Klasse *f.* -n; Stufe *f.* -n; 《정도》 Grad *m.* -(e)s, -e; Abstufung *f.* -en; Größe *f.* -n (별의). ¶ ～을 매기다 klassifizieren⁴; in ⁴Klassen ein|teilen⁴; (in Rangklassen) ab|-stufen⁴ / ABC로 ～이 매겨져 있다 in A, B und C abgestuft sein.
등기(登記) ① 《등기 우편》 das Einschreiben*, -s; Einschreib(e)sendung *f.* -en (우편물). ¶ ～로 하다 ein|schreiben*⁴; einschreiben lassen*⁴. ② 〖법〗 Eintragung *f.* -en; Registrierung *f.* -en. ～하다 ein|tragen*⁴ 《*in*⁴》; registrieren⁴. ¶ ～필 《표시》 Eingetragen.
‖ ～료 《등기 우편의》 Einschreib(e)gebühr *f.* -en; Einschreib(e)geld *n.* -(e)s; 《등기소의》 Eintragungs|gebühren 〔Register-〕 《*pl.*》. ～말소 die Streichung 《-en》 der Eintragung. ～번호 Eintragungsnummer *f.* -n. ～부 Register *n.* -s, -; Grundbuch *n.* -(e)s, ⸚er. ～소 Eintragungsamt *n.* -(e)s, ⸚er; Registerbehörde *f.* -n; Grundbuchamt. ～용지 Meldezettel *m.* -s, -. ～우편(소포) Einschreib(e)brief *m.* -(e)s, -e 〔Einschreib(e)paket *n.* -(e)s, -e〕: 이 편지를 ～우편으로 해 주시오 Ich werde diesen Brief einschreiben lassen. / 그것을 ～소포로 해서 보내 주세요 Bitte, schicken Sie es mir in eingeschriebenem Paket! 선적～ die Registrierung der Nationalität des Schiffes.
등꽃(藤—) Glyzinenblüte *f.* -n.
등나무(藤—) Glyzinie *f.* -n; Wistarie *f.* -n (등의 일종, 북미산).
‖ ～덩굴 Glyzinienranke *f.* -n. ～시렁 Glyzinenspalier *n.* -s, -e.
등날 Rückgrat *n.* -(e)s, -e.
등널 Sessellehne *f.* -n.
등단하다(登壇—) ans Rednerpult treten* ⓢ; die Rednerbühne 〔das Rednerpodium〕 besteigen*.
등달다 ⁴sich ärgern; ⁴sich quälen; ⁴sich grämen; ⁴sich erzürnen; ⁴sich in die Nessel setzen; in Aufregung sein. ¶ 등달아 있다 in die Nessel gesetzt sein / 가만히 있거라, 돈을 잃어서 등이 단다 Laß mich doch in Ruhe! Ich ärgere mich, daß ich beim Spielen Geld verloren habe. / 빌려준 돈을 잃어 등이 단다 Der Boden wird ihm zu heiß, weil er sein Geld nicht zurückbekommen kann, das er geliehen hat.
등닿다 ① 《등대다》 auf *js.* Unterstützung rechnen; Unterstützung 〔Hilfe〕 bekommen*; von *jm.* abhängen*; Schutz suchen; auf *jn.* bauen; ⁴sich verlassen* 《auf *jn.*》. ¶ 취직 부탁하려도 등닿는 곳이 없다 Ich sollte jemand haben, der mir zu einer Stellung verhilft, aber ich kann niemand finden. / 서울에 등닿는 친척이 있어서 몸을 의지하러 갔다 Er hat Verwandte, die ihm helfen können, und er ging zu ihnen nach Seoul, um mit ihnen zusammen zu leben. ② 《마소의 등이》 leicht berührt 〔gestreift; aufgeschürt; abgeschabt〕 sein. ¶ 길마에 등이 닿아 소등에서 피가 난다 Der Rücken des Ochsen ist blutig vom Sattel.
등대(等待) das Warten. ～하다 auf *jn.* warten; erwarten.
등대(燈臺) Leuchtturm *m.* -(e)s, ⸚e.
‖ ～선(船) Feuerschiff *n.* -(e)s, -e. ～지기 Leuchtturmwärter *m.* -s, -. 등댓불 das Leuchtfeuer 《-s, -》 des Leuchtturms. 항공～ Luftfahrtleuchtturm.
등대다 ⁴sich auf ⁴*et.* lehnen; ⁴sich auf *jn.* 〔⁴*et.*〕 stützen; ⁴sich verlassen 《auf *jn.*》. ¶ 숙모를 등대고 상경하다 auf der Unterstützung seiner Tante nach Seoul kommen* ⓢ / 그는 관계에 등댈 유력한 몇 사람이 있다 Er kennt mehrere einflußreiche Herren in der Regierung, auf die er sich stützen kann. / 그는 세력있는 형을 등대고 횡포한 짓을 한다 Wenn er keinen einflußreichen Bruder hätte, würde er sich nicht so protzig benehmen.
등덜미 Rücken *m.* -s; Nacken *m.* -s; Genick *n.* -s, -e; der Oberteil des Rückens. ¶ ～를 잡다 *jn.* am Genick packen 〔fassen〕.
등도하다(登途—) eine Reise an|treten*; ⁴sich auf den Weg machen.
등등(等等) und so weiter 《생략: usw.》; und so fort 《생략: usf.》; und andere(s) (mehr) 《생략: u. a. (m.)》; und dergleichen (mehr) 《생략: u. dgl. (m.)》; et cetera [ɛt tsé:tәra] 《생략: etc.》; so und so.
등등거리(籐—) Basthemd *n.* -(e)s, -en.

등등하다(騰騰—) triumphierend; frohlockend; in gehobner Stimmung (sein). ¶ 기세가 ~ in gehobene Stimmung kommen / 노기 ~ wütend sein 《über *jn.*》.

등락(騰落) Steigen* u. Fallen*, des -u. -s; das Schwanken*, -s; Fluktuation *f.* -en.

등량(等量) 〚화학〛 Äquivalent *n.* -(e)s, -e. ¶ ~의 äquivalent.

등록(登錄) Eintragung *f.* -en; Registrierung *f.*; Einschreibung *f.* -en. ~하다 ein|tragen*⁴ 《*in*⁴》; registrieren⁴ 《*in*⁴》; ein|schreiben*⁴ 《*in*⁴》. ¶ ~필의 registriert / 상표를 ~하다 die Schutzmarke registrieren lassen*. ‖ ~금 Studiengebühr *f.* -en (학교의). ~료 Registergebühren 《*pl.*》. ~번호 Registrierungsnummer *f.* -n. ~법 Registrierungsgesetz *n.* -es, -e. ~부 Registratur *f.* -en. ~상표 eingetragene Schutzmarke, -n. ~세 Registrierungssteuer *f.* -n. ~의장(意匠) Gebrauchsmuster *n.* -s, -. ~증 Eintragungsbescheinigung *f.* -en. 금전 ~기 Registrierkasse *f.* -n. 의장~ die Registrierung des Musters. 주민~ die Eintragung des Einwohners.

등롱(燈籠) Laterne *f.* -n; Hängelaterne *f.* -n (걸어놓는); Lampion [lã:pĭɔ̃:] *m.* (*n.*) -s, -s; Steinlaterne (석등롱). ¶ 백중 불공용 ~ Laterne 《-n》 für das Ahnenfest / ~에 불을 켜다(끄다) e-e Laterne an|stecken (aus|-löschen).

‖ ~꾼 Laternenträger *m.* -s, -. ~대 die Stange 《-n》 der Laterne. 회전~ Drehlaterne *f.* -n.

등룡문(登龍門) e-e Gelegenheit 《-n》 zum Erfolg; der Zugang 《-(e)s, ¨e》 zur guten Karriere. ¶ 청년들의 출세의 ~ die Gelegenheit zum Erfolg im Leben für die junge Leute.

등루하다(登樓—) e-n Turm aufklettern (besteigen); 《창녀집에》 ein Bordell 《*n.* -s, -e》 besuchen.

등마루 《등뼈의》 Rückgrat *n.* -s.

등메 die mit Tuch umsäumte Binsenmatte.

등명(燈明) geweihtes Licht, -(e)s, -e. ¶ ~을 올리다 ein Licht (e-e Kerze) an|zünden (machen). ‖ ~접시 der Teller 《-s, -》 für geweihtes Licht.

등밀이 ① 《창살》 eine Art Fenstergitter mit zwei Streifen. ② 《깎는 연장》 ein Werkzeug zum Glätten.

등바대 ein eingenähter Halsband in gefütterter Kleidung.

등반(登攀) das Bergsteigen*, -s. ~하다 steigen 《*auf*⁴》Ⓢ; besteigen⁴; klettern 《*auf*⁴》Ⓢ. ‖ ~자 Bergsteiger *m.* -s, -.

등받이 =등거리.

등방위각선(等方位角線) 〚물리〛 Isogone *f.* -n.

등변(等邊) 〚수학〛 gleiche Seiten 《*pl.*》. ¶ ~의 gleichseitig.

‖ ~삼각형 ein gleichseitiges Dreieck, -(e)s, -e. ~형 e-e gleichseitige Figur, -en.

등본(謄本) Abschrift *f.* -en; Kopie *f.* -n [..pí:ən]. ¶ ~을 뜨다 e-e beglaubigte Kopie erhalten* (machen) / ~을 신청하다 e-e Kopie beantragen. ‖ 호적~ die Kopie des Personenstandesregisters.

등부(登簿) Eintragung *f.* -en; Registrierung *f.* -en. ~하다 ein|tragen*⁴; registrieren⁴. ☞ 등록. ‖ ~톤수 Registertonne *f.* -n.

등분(等分) 《같은 부분》 gleiche Teile 《*pl.*》; 《등분하기》 Teilung 《*f.* -en》 in gleiche Teile. ~하다 in gleiche Teile teilen⁴. ¶ ~으로 in gleichem Maße; in gleiche Teile/ 2~하다 halbieren⁴ / 3~하다 in drei gleiche Teile teilen / ~하여 나누어 주다 gleichmäßig verteilen⁴ 《an *jn.*》/ 비용을 ~하다 die Kosten gleich teilen.

‖ 이~선 Halbierungs|linie (Mittel-) *f.* -n.

등불(燈—) Licht *n.* -(e)s, -er; Lampenlicht. ¶ ~을 켜다 Licht machen (an|zünden) / ~아래서 글을 읽다 beim Lampenlicht lesen*.

등비(等比) 〚수학〛 ein gleiches Verhältnis, ..nisses, ..nisse.

‖ ~급수 e-e geometrische Reihe, -n: ~ 급수적으로 in der geometrischen Reihe. ~수열 e-e geometrische Progression, -n.

등뼈 Rückgrat *n.* -(e)s, ¨e; Wirbelsäule *f.* -n. ‖ ~동물 Wirbeltier *n.* -(e)s, -e.

등사(謄寫) Kopierdruck *m.* -(e)s, -e; Vervielfältigung *f.* -en. ~하다 kopieren⁴; vervielfältigen⁴. ‖ ~기(판) Vervielfältigungsapparat *m.* -(e)s, -e; Kopiermaschine *f.* -n. ~원지 Matrize *f.* -n.

등산(登山) das Berg|steigen* (-gehen*; -wandern*) -s; Bergsport *m.* -(e)s, -e. ~하다 auf e-n Berg steigen*Ⓢ; e-n Berg besteigen*. ¶ 당신은 한라산을 ~한 적이 있읍니까 Haben Sie einmal den *Hanra* bestiegen?| Sind Sie einmal oben auf dem *Hanra* gewesen?

‖ ~가 Berg|steiger *m.* -s, - (-geher); Alpinist *m.* -en, -en. ~시즌 Bergsteigsaison [..sɛzɔ̃ŋ] *f.* -s. ~열 die Leidenschaft 《-en》 fürs Bergsteigen. ~지팡이 Berg|stock (Alpen-) *m.* -(e)s, ¨e. ~철도 Bergbahn *f.* -en. ~화 Bergschuh *m.* -(e)s, -e.

등살 das Fleisch des Rückens. ¶ ~이 꼿꼿하다 in großer Verlegenheit sein; in der Klemme sitzen.

등살바르다 einen steifen Rücken haben.

등색(橙色) Orange *n.* -s; Orangenfarbe *f.* -n. ¶ ~의 orange 〔무변화〕; orange(n)farbig.

등선(登船) =승선(乘船).

등성마루 〚생물〛 Rücken *m.* -s.

등성이 Rücken *m.* -s, -; Bergrücken *m.* -s, - (산의 등성이); Grat *m.* -(e)s, -e (산마루).

등속(等速) gleichförmige (gleichmäßige) Geschwindigkeit, -en.

‖ ~운동 gleichmäßige Bewegung, -en.

등속(等屬) und so fort; und so weiter; et cetera 《생략: etc.》.

등솔기 Saum 《*m.* -(e)s, Säume》 unter dem Rücken des Mantels.

등수(等數) ① 《차례》 Rangklasse *f.* -n. ¶ ~를 매기다 in Rangklassen ab|stufen⁴. ② 《같은 수》 gleiche Zahl, -en.

등시(等時) ¶ ~의 〚물리〛 isochron [..kró:n].

‖ ~성 Isochronismus *m.* -.

등식(等式) 〚수학〛 Gleichheit *f.* -en.

등신(等身) Lebensgröße *f.* -n. ¶ ~대(大)의 lebensgroß; in ³Lebensgröße.

‖ ~상(像) lebensgroßes Bild, -(e)s, -er.

등신(等神) Klotz *m.* -es, ¨e; Dummkopf *m.* -(e)s, ¨e; Idiot *m.* -en, -en. ¶ ~같은 töricht; dumm; idiotisch / 이 ~아 Du Idiot!

등심(一心) (Rinder)lendenstück *n.* -(e)s, -e; Filet [filé:] *n.* -s, -s.

‖ ~구이 (Roast)braten [(ró:st)..] *m.* -s, -.

등심(燈心) (Lampen)docht *m.* -(e)s, -e.

‖ ~초 〚식물〛 Binse *f.* -n.

등쌀 Verdruß *m.* -es, ¨e; Ärger *m.* -s; Qual *f.* -en; Belästigung *f.* -en; Beunruhigung; Plage *f.* -n. ¶ 모기 ~에 잠을 잘 수 가 없다 Mücken sind so belästigend, daß ich nicht schlafen kann. / 이 아이의 ~에 못견디겠다 Das Kind fällt mir so lästig, daß ich es nicht mehr ertragen kann. / 시어머니 ~에 시집을 못 살고 쫓겨왔다 Sie litt zuviel unter der Schwiegermutter, deswegen verließ sie ihren Mann und ging zu ihrem Elternhaus wieder.

등쌀대다 belästigen; verdrießen*; plagen; beunruhigen; quälen. ¶ 동료들이 시기로 몹시 등쌀댄다 Meine Kollegen belästigen mich aus Eifersucht. / 계모가 못살게 등쌀댄다 Meine Stiefmutter quält mich sehr.

등압선(等壓線) 〖기상〗 Isobare *f.* -n.

등에 〖곤충〗 Bremse *f.* -n; Bremsenfliege *f.*

등온선(等溫線) 〖기상〗 Isotherme *f.* -n. ⌊-n.

등외(等外) ¶ ~상을 타다 e-n Trostpreis bekommen*.

등용(登用) 《임관》 Bestallung *f.* -en; Amtseinsetzung *f.* -en; 《임명》 Ernennung *f.* -en; Anstellung *f.* -en; Berufung *f.* -en (교수 등의); 《승진》 Beförderung *f.* -en. ~하다 *jn.* in ein Amt bestallen (ein|setzen); *jn.* ernennen* 《*zu*³》; *jn.* an|stellen 《*zu*³; *als*⁴》; *jn.* berufen 《*zu*³》; 《승진시키다》 *jn.* befördern 《*zu*³》. ¶ 인재를 ~하다 fähige (geeignete) Leute fördern.

등원하다(登院一) der Sitzung beiwohnen; bei der Sitzung anwesend sein.

등위(等位) Rang *m.* -(e)s, ⸗e; Klasse *f.* -n; Grad *m.* -(e)s, -e. ☞ 등급. ‖ ~접속사 die nebenordnende Konjunktion, -n. ⌈-s.

등유(燈油) Brennöl *n.* -(e)s, -e; Kerosin *n.*

등의자(籐椅子) Korb¦sessel *m.* -s, - (-stuhl *m.* -(e)s, ⸗e).

등자(橙子) die bittere Orange [..rã:ʒə] -n; Pomeranze *f.* -n. ¶ ~색의 orange 〖무변화〗; orange(n)farbig.

‖ ~꽃 Orangeblüte *f.* -n. ~나무 Orangenbaum *m.* -(e)s, ..bäume. ~색 Orange *n.* -s; Orangenfarbe *f.* -n.

등자(鐙子) 《마구의》 Steigbügel *m.* -s, -. ¶ ~를 헛밟다 neben den Steigbügel treten*.

등잔(燈盞) Ölkrügelchen 《*n.* -s, -》 als eine Lampe. ¶ ~ 밑이 어둡다 《속담》 Am Fuße des Leuchtturmes ist es dunkel.¦Über Dinge, die uns am meisten angehen, wissen oft andere mehr als wir selbst.

등장(登場) Auftritt *m.* -(e)s, -e; das Auftreten*, -s; das Erscheinen*, -s. ~하다 auf|treten* Ⓢ; erscheinen* Ⓢ; auf der ³Bühne erscheinen* Ⓢ. ¶ 신무기의 ~ das Erscheinen* 《-s》 der neuen Waffen.

‖ ~순 die Reihenfolge 《-n》 des Auftritts. ~인물 die Personen 《*pl.*》.

등재(登載) Aufzeichnung *f.* -en; Register *n.* -s. ~하다 aufzeichnen; registrieren; niederschreiben.

등정(登頂) ~하다 den Berggipfel erreichen; die Spitze e-s Berges erreichen. ¶ 마나슬루산 ~에 성공하다 den Gipfel vom Berg Manaslu erobern.

등정(登程) Reiseantritt *m.* -(e)s, -e; Abreise *f.* -n; Abfahrt *f.* -en. ~하다 eine Reise antreten; ⁴sich auf die Reise machen.

등줄기 Rückgratknöchel *m.* -s, -.

등지(等地) und andre(s). ¶ 마산 ~ *Masan* und andres.

등지느러미 Rückenflosse *f.* -n.

등지다 ① 《불화》 entfremden; ⁴sich auflösen; zanken; ausfällig werden; uneinig werden; entzweien. ¶ 형제가 서로 등진 지 오래다 Es ist schon lange her, daß sich die Brüder miteinander entzweit haben. / 그들은 서로 등져서 내왕하지 않는다 Sie haben sich miteinander entzweit, deshalb haben sie keinen Verkehr miteinander. / 그들은 요새 와서 서로 등졌다 Sie haben in der letzten Zeit gestritten.

② 《배반》 verlassen*; verraten*; an *jm.* einen Verrat begehen*; ein Verräter an *jm.* werden. ¶ 나라를 ~ sein Vaterland verraten; sein Vaterland verlassen / 친구를 ~ an den Freunden e-n Verrat begehen / 세상을 ~ der Welt abgewendet / 그는 우리와 등질게다 Er wird ein Verräter an uns. / 아직 젊은 나이에 세상을 등지고 수녀가 됐다 Trotz ihres jungen Alters entsagt sie allen Dingen der Welt u. wurde e-e Nonne./세상의 부귀를 등지고 은퇴해 산다 Allen Reichtum u. Ehren entsagend, führt er ein zurückgezogenes Leben.

③ 《의지하다》 ³sich auf *jn.* lehnen; von *jm.* abhängen*; ³sich auf *jn.* stützen. ¶ 등진 가재 jemand, der von den Einflüssen anderer Personen abhängt / 벽을 등지고 서다 stehen, ⁴sich an die Wand lehnend / 그 거리는 산을 등지고 있다 Hinter der Stadt liegt ein Berg. ⌈mogen.

등질(等質) Homogenität *f.* -en. ¶ ~의 ho-

등짐 ein Gepäck (eine Last) auf dem Rücken. ¶ ~을 지고 mit einem Gepäck (einer Last) auf dem Rücken / ~을 지다 ein Gepäck auf dem Rücken tragen.

‖ ~장수 der Hausierer.

등차(等差) gleicher Unterschied, -(e)s, -e.

‖ ~급수 arithmetische Reihe, -n. ~수열 arithmetische Progression, -n.

등창(一瘡) 〖한의학〗 Eitergeschwulst 《*f.* ⸗e》 auf dem Rücken.

등청하다(登廳一) ins Amt (Büro) gehen* Ⓢ.

등촉(燈燭) Lampen- und Kerzenlicht *n.* -(e)s, -e; eine entzündete Lampe, -n; Licht *n.*

등축(等軸) ¶ ~의 〖광물〗 kubisch; isometrisch.

‖ ~정계(晶系) kubisches Kristallsystem, -s, ⌊-e.

등치기 《씨름의》 Schulterhebel *m.* -s, -.

등치다 ① 《때림》 *jm.* auf den Rücken schlagen*. ② 《빼앗다》 Geld erpressen 《*jm.*; *von*³》; Geld erzwingen* 《*von*³》; Geld aus|pressen 《*jm.*》. ¶ 등쳐 먹는 놈 Erpresser *m.* -s, - / 등쳐 먹고 살다 durch Erpressung leben / 등치고 간 내 먹다 《속담》 ⁴Gewaltsamkeit durch äußere Liebenswürdigkeit verdecken; mit geballter Faust in der Tasche vor|gehen* Ⓢ 《*gegen*⁴》 / 등치고 배 문지르다 《속담》 *jn.* mit e-r Hand streicheln u. mit der anderen schlagen*.

등타다 《산등성이를》 auf dem Bergrücken gehen.

등태 der Rückkorb 《*m.* -(e)s, ⸗e》 aus Stroh für Gepäckstücke.

등판하다(登板一) 〖야구〗 zum Platz des Pitchers gehen Ⓢ.

등피(橙皮) Orangen¦schale [orã:ʒən..] (Pomeranzen-) *f.* -n. ‖ ~유 Orangenschalenöl (Pomeranzen-) *n.* -(e)s, -e.

등피(燈皮) ① 《유리 꺼펑이》 Lampen¦zylinder *m.* -s, - (-glocke *f.* -n); Lampenschirm *m.* -(e)s, -e. ② 《남포》 Lampe *f.* -n.

등하불명(燈下不明) Am Fuße des Leuchtturmes ist es dunkel.¦Über Dinge, die uns

am meisten angehen, wissen oft andere mehr als wir selbst.

등한(等閑) ～하다 nachlässig; fahrlässig; unachtsam; unbekümmert 《um[4]》 (sein). ¶ ～히 nachlässig / ～히 하다 vernachlässigen[4]; versäumen[4]; außer acht lassen*[4]; unterlassen*[4] / 일을 ～히 하다 die Arbeit vernachlässigen / 직무를 ～히 하다 pflichtvergessen sein / 이 문제는 ～히 할 수 없다 Diese Frage darf man nicht unbeachtet lassen.

등허리 《등과 허리》 Rücken und Hüfte; 《허리의 등쪽》 Kreuz *n*. -(e)s, -e.

등현례(登舷禮) Paradeaufstellung *f*. -en. ¶ ～를 거행하다 Paradeaufstellung ein|nehmen*.

등호(等號) 〖수학〗 Gleichheitszeichen *n*. -s, -.

등화(燈火) (Lampen)licht *n*. -(e)s, -er; Beleuchtung *f*. -en (조명). ¶ ～ 가친(可親)의 계절 rechte Zeit 《-en》 für Lesen / ～가친하다 beim Lampenlicht (bis spät in die Nacht) lesen* [über [3]Büchern sitzen*].
‖ ～관제 Verdunkelung *f*.: ～ 관제하다 Licht verdunkeln. ～신호 das Signalisieren* 《-s》 mit dem Lampenlicht.

-디 ① 《더냐》 Ist es schon bekannt, daß...?; Hast du schon davon gehört, daß...?; Hast du dir gemerkt, daß...?; Hast du gefunden, daß...? ¶ 싼 것이 있디 Hast du etwas Billiges gefunden? / 얼마나 크디 Wie groß war es? ② 《강조》 wirklich; tatsächlich; so; sehr. ¶ 검디 검다 wirklich schwarz sein / 크디 크다 sehr groß sein.

디그르르하다 das dickste von allen dünnen Dingen sein.

디글디글하다 ein wenig dicker als alle anderen Sachen sein.

디기탈리스 〖식물〗 Fingerhut *m*. -(e)s, ⸚e; Digitalis *f*.

디노미네이션 Denomination *f*. -en; Aktienabstempelung *f*. -en.

디디다 ① 《땅을》 treten*; betreten*; mit Füßen treten*; stampfen. ¶ 땅을 ～ den Fuß auf den Boden setzen / 한 발짝 ～ einen Schritt vorwärts gehen* Ⓢ / 외국 땅을 ～ den Fuß in ein fremdes Land setzen; ein fremdes Land besuchen / 한국 땅에 첫 발을 ～ zum ersten Mal Korea besuchen / 정계에 첫발을 ～ die politische Laufbahn betreten*. ② 《누룩을》 gemalzten Mehlbrei in den Teig kneten.

디디티 D.D.T. [◀Dichlordiphenyltricholormethylmethan].

디딜방아 Tretmühle *f*. -n.

디딤널 Tritt *m*. -(e)s, -e; Trittbrett *n*. -(e)s, [-er.

디딤돌 Schrittstein *m*. -(e)s, -e; die steinerne Stufe 《-n》 vor der Tür. ¶ ～로 해서 [4]*et*. als Schrittstein benutzend / 장차 출세를 위한 ～ 역할을 하다 zum Schrittstein für den zukünftigen Erfolg dienen / 실패를 성공의 ～로 삼다 *js*. Mißerfolg zum Schrittstein zum Erfolg machen.

디럭스 Luxusausstattung *f*. -en. ¶ ～한 luxuriös; in Luxusausstattung; Luxus- 《Wagen》. ‖ ～판 《책의》 Luxusausgabe *f*. -n. ～호텔 Luxushotel *n*. -s, -s.

디밀다 ☞ 들이밀다.

디바이더 Zirkel *m*. -s, -. ¶ ～로 재다 ab|zir[keln[4].

디스카운트 Abzug *m*. -(e)s, ⸚e; Rabatt *m*. -(e)s, -e; Diskont *m*. -(e)s, -e. ～하다 diskontieren; abziehen*.
‖ ～세일 Rabattverkauf *m*. -(e)s, ⸚e.

디스크자키 〖방송〗 Schallplattenspieler *m*. -s, -; Diskjockey *m*. -s, -s.

디스템퍼 ① 〖의학〗 Staupe *f*. -n. ② 《채료》 lehmiger Farbstoff 《-(e)s, -e》 (für traditionelle Malerei).

디스토마 Distoma *n*. -s, -ta (벌레); Distomatose *f*. -en (병). ‖ 간～ Leberegel *m*. -s, -.

디아스타제 〖화학〗 Diastase *f*. -n.

디자이너 Zeichner *m*. -s, -; Musterzeichner *m*. ¶ 공업 ～ der industrielle Zeichner.

디자인 Entwurf *m*. -(e)s, ⸚e; Zeichnung *f*. -en; Muster *n*. -s, -. ～하다 entwerfen[4]; Muster zeichnen.

디저트 Nach¦tisch *m*. -es, -e [-speise *f*. -n]; Dessert [dɛsέ:r] *n*. -s, -s. ¶ ～용 나이프 [접시, 스푼] Dessert¦messer *n*. [-teller *m*., -löffel *m*.] -s, -.
‖ ～코스 der Gang 《-es, ⸚e》 des Desserts.

디젤 《독일의 기술자》 Rudolf Diesel (1858–1913).
‖ ～기관 Dieselmotor *m*. -s, -en. ～기관차 [열차] Diesellokomotive *f*. -n [-zug *m*. -(e)s, ⸚e]. ～자동차 Dieselauto *n*. -s, -s.

디지탈 ‖ ～계산기 Digitalrechner *m*. -s, -; Digitalcomputer [..kɔmpju:tər] *m*. -s, -. ～시계 Digitaluhr *f*. -en.

디프테리아 〖의학〗 Diphtherie *f*. ‖ ～혈청 Diphtherieserum *n*. -s, ..ra [..ren].

디플레(이션) 〖경제〗 Deflation *f*. -en.
‖ ～정책 Deflationspolitik *f*. -en.

딜레마 Dilemma *n*. -s, -s [..mata]; Klemme *f*. -n; Entweder-Oder *n*. -, -. ¶ ～에 빠지다 in ein Dilemma geraten* Ⓢ / ～에서 벗어나다 aus dem Dilemma heraus|kommen* Ⓢ / 그는 ～에 빠져 있다 Er befindet sich in e-m Dilemma.

딜레탕트 Dilettant *m*. -en, -en.

딜리 《티모르의 수도》 Dili.

딩딩하다 ① 《힘이》 stark; kräftig; robust; frisch und gesund; ungeschwächt (sein). ¶ 노인이 아직 ～ Der Alte ist noch stark und gesund.
② 《굳음》 hart; fest; solid (sein). ¶ 종기가 밑이 들어 ～ Die Schwäre ist tief und hart.
③ 《팽팽함》 gespannt; angespannt; straff (sein). ¶ 젖이 불어 ～ Die Brust strotzt von Milch. / 배가 불러 ～ [4]sich sättigen; einen vollen Magen haben.
④ 《기반이》 stabil; fest; haltbar (sein). ¶ 살림이 ～ in guten Verhältnissen [wohlhabend] sein / 재정적 배경이 ～ in guten finanziellen Umständen sein.

따갑다 ① ☞ 뜨겁다. ② 《쑤시다》 stechend; schmerzend; prickelig; beißend (sein). ¶ 따가운 시선 stechender Blick, -es, -e / 따갑지요 (Es) brennt, was ?(알콜 따위를 바르고서) / 연기에 눈이 따갑다 Der Rauch beißt in die Augen. / 햇볕이 따갑게 내리 쬔다 Die Sonne sticht.¦Die Sonne sendet brennend heiße Strahlen aus. / 피부 밑이 ～ Es prickelt mir unter der Haut.

따귀 Backe *f*. -n; Wange *f*. -n. ☞ 뺨따귀. ¶ ～를 때리다 *jm*. e-e Ohrfeige [Backpfeife; Watsche] geben*; *jn*. ohrfeigen; *jm*. eine (Ohrfeige) verpassen.

따귀뗄다 *jm*. eine Ohrfeige geben*.

따깜질 [4]*et*. stückweise wegzunehmen. ～하다 Stück für Stück weg|nehmen*; *jm*. [4]*et*. Stückweise entziehen; verehren.

따끈따끈 ☞ 뜨끈뜨끈. ¶ 국을 ～하게 끓이다 Suppe warm machen.

따끈하다 ☞ 뜨끈하다.

따끈히 heiß genug; warm genug. ¶ 물을 ~ 끓이다 Wasser warm genug machen / 술을 ~ 데워 마시다 Reiswein warm machen und trinken / 우유를 ~ 데우다 Milch warm genug machen.

따끔거리다 stechen*; prickeln; brennen*; beißen*. ¶ 연기가 스며 눈이 따끔거린다 Der Rauch beißt in die Augen. / 햇빛에 타서 등이 따끔거린다 Der Rücken brennt vom Sonnenbrand. / 상처가 따끔거린다 Ich habe stechende Schmerzen an der Wunde.

따끔따끔 stechend; prickelnd; brennend; scheidend schmerzlich. ~하다 《아프다》 es prickelt 《*jm.*》; es sticht 《*jn.*》; viele feine Stiche 《*pl.*》 hintereinander bekommen*. ¶ 벌한테 쏘인 데가 ~하다 Die von einer Biene gestochene Stelle ist prickelig.

따끔령(一令) der strenge Befehl.

따끔하다 ① 《쑤시다》 schneidend schmerzlich; stechend; brennend; prickelnd (sein). ¶ 등이 햇볕에 타서 ~ Der Rücken brennt vom Sonnenbrand.
② 《호되다》 scharf; streng; hart; bitter (sein). ¶ 따끔한 비평 scharfe Kritik / 따끔한 맛을 보다 Schreckliches* erleben; Furchtbares* über [4]sich ergehen lassen müssen*; teuer zu stehen kommen* / 따끔한 맛을 보이다 《벌하다》 *jm.* [4]*et.* zu fühlen geben*; (be)strafen[4] 《*mit*[3]》 / 따끔하게 꾸지람을 듣다 scharf gescholten werden / 그 따위 말을 하면 따끔한 맛을 보여 주겠다 Wenn du so etwas sagst, werde ich dir's heimzahlen.

따님 Ihre Tochter, ≒. ¶ 댁의 ~ Ihr(e) Fräulein Tochter.

따다[1] ① 《붙은 것·달린 것을》 (ab|)pflücken[4]; ab|brechen*[4] (꺾어서); ab|reißen*[4] (훑어서); (ein|)sammeln[4] (따 모으다). ¶ 꽃을 〔딸기를〕 ~ Blumen 〔Erdbeeren〕 pflücken / 사과를 ~ Äpfel pflücken / 나무 열매를 ~ Nüsse sammeln / 악의 싹을 따 버리다 das Laster im Keim ersticken.
② 《터뜨리다》 öffnen; (mit einer Lanzette) auf|schneiden*[4]. ¶ 곪은 데를 ~ die Eiterbeule 《-n》 auf|schneiden*.
③ 《요약》 heraus|heben*[4]; zusammen|fassen; e-n Auszug machen 《*aus*[3]》. ¶ 요점을 ~ die Hauptsache 〔das Wichtigste*〕 heraus|heben*; kurz zusammen|fassen.
④ 《표절》 [3]sich an|eignen[4]; stehlen*[4]. ¶ 남의 글귀를 ~ die Worte e-s anderen stehlen*; plagiieren / 춘향전에서 ~ e-n Auszug aus *Tschunhyangzeon* machen / …(의 이름)을 따서 이름짓다 (be)nennen*[4] 《*nach*[3]》.
⑤ 《점수를》 gewinnen*[4]; erhalten*[4]; Punkte machen 〔gewinnen*〕(경기에서). ¶ 만점을 ~ die beste Note bekommen* / 좋은 점수를 ~ e-e gute Note erhalten* / 학위를 ~ e-n Titel 〔e-e Würde〕 erhalten*.
⑥ 《돈을》 gewinnen*. ¶ 노름해 돈을 ~ im Spiel um Geld gewinnen*.

따다[2] ① 《안 만남》 vor|geben*, nicht zu Hause zu sein; nicht sehen wollen, verweigern, Besuch zu empfangen (vorgebend, nicht zu Hause zu sein). ¶ 그는 귀찮은 손님이 오면 언제나 따 버린다 Für unwillkommene Gäste ist er immer aus.
② 《따돌림》 aus|schließen*[4]; aus|stoßen*[4]; kalt|stellen[4]; ignorieren[4]; aus|weichen*[3]; [4]sich entziehen*[3]. ¶ 추적자를 따 버리다 den Verfolger auf die falsche Spur bringen*; [4]sich schlau dem Verfolger entziehen* / 그들은 나를 따 버리고 자기들만 소풍갔다 Sie haben allein e-n Ausflug gemacht, mich absichtlich ausschließend.

따다[3] 《다르다》 nicht in Beziehung stehend; nicht dazugehörig; belanglos; andere 〔anderer; anderes〕(sein) ¶ 딴 문제 e-e belanglose Frage; ganz andere Frage / 딴 것을 보여 주시오 Zeigen Sie mir ein anderes!

따다쓰다 《말·글을》 plagiieren; ein Plagiat 《*n.* -(e)s, -e》 begehen; ausschreiben*. ¶ 남의 글귀를 ~ ein Plagiat begehen*.

따돌리다 *jn.* aus der Gesellschaft 〔Gemeinschaft〕 aus|stoßen* 〔aus|schließen*〕; *jn.* von der Gesellschaft verstoßen*(회, 단체에서); boykottieren[4] [bɔy..]; den Verkehr 〔die Beziehung; den Umgang; die Verbindung〕 mit *jm.* ab|brechen*〔복수, 이를테면 wir를 주어로 하여〕. ¶ 따돌림당한 사람 der Ausgestoßene* 〔Verbannte*〕 -n, -n / 따돌림을 받다 〔위를 수동으로 하는 외에〕 von allen Freunden verlassen werden; links liegenlassen werden (무시당하다) / 모두 그를 따돌린다 Jeder meidet ihn, als ob er die Krätze hätte (옴장이처럼). ¦ Man macht e-n großen Bogen um ihn. / 그는 급우들에게 따돌림을 받고 있다 Er ist die Pest für seine Schulkameraden.

따뜻이 ① 《덥게》 warm; heiß. ¶ 방을 ~ 때다 ein Zimmer warm heizen / 몸을 ~ 하다 [4]sich warm ankleiden 〔anziehen*〕; seinen Körpfer warm halten*. ② 《온정》 warm; freundlich; herzlich. ¶ 아무를 ~ 대하다 *jn.* freundlich behandeln.

따뜻하다 warm 《wärmer, wärmst》; mild; 《마음이》 freundlich; herzlich (sein). ¶ 따뜻함 Milde *f.*; Wärme *f.*; Freundlichkeit *f.* -en; Herzlichkeit *f.* -en (마음의) / 따뜻한 겨울 der milde Winter / 마음이 따뜻한 사람 der gut¦herzige 〔warm-〕 〔gütige〕 Mensch / 따뜻한 가정 das gemütliche Heim; der häusliche Friede(n), ..ens, ..en; Familienglück *n.* -(e)s, -e / 따뜻한 우정 die innige 〔herzliche; warme〕 Freundschaft, -en / 따뜻해지다 warm 〔wärmer〕 werden; [4]sich (er)wärmen 《*an*[3]》 / 날씨가 점점 따뜻해진다 Es wird täglich 〔immer〕 wärmer. / 그는 가정의 따뜻한 맛을 모른다 Er weiß nicht, was ein gemütliches Heim 〔häuslicher Friede; Familienglück〕 ist.

따라가다 ① 《수행함》 folgen Ⓢ 《*jm.*》; gehen* Ⓢ 《mit *jm.*》; begleiten 《*jn.*》; auf der Ferse folgen Ⓢ 《*jm.*》 (바싹); auf den Fersen sein 《*jm.*》; entlang gehen*[4]Ⓢ 《*an*[3]》 (무엇을 따라). ¶ 소풍〔여행〕가는 데 ~ an e-r Partie 〔Reise〕 teil|nehmen* / 강을 ~ den Fluß 〔am Fluß〕 entlang gehen*Ⓢ / 사절단을 ~ die Delegation begleiten / 따라가도 괜찮습니까 Kann ich mitgehen? / 그는 시대의 급속한 진보에 따라가지 못했다 Er konnte dem raschen Fortschritt der Zeit nicht folgen. ¦ Er konnte den raschen Fortschritt der Zeit nicht mitmachen.
② 《남 하는 대로》 nach|folgen 《*jm.*》; befolgen[4]; [4]sich richten 《*nach*[3]》; Folge leisten[3]. ☞ 따르다[1] ②.
③ 《뒤를 좇아가다》 ein|holen 〔auf|-〕 《*jn.*》; erreichen 《*jn.*》; nach|holen[4] (만회하다); nicht mehr nach|stehen 《*jm.*》 (뒤떨어지지 않다); *jn.* verfolgen (미행하다). ¶ 앞서 가는 사람을 ~ den Vorangehenden* ein|holen

/ 서두르면 곧 그를 따라갈 수 있을 것이다 Beeil dich, du wirst bald ihn einholen.
④ 《겨룸》 konkurrieren; [4]sich messen 《mit *jm.*》; gewachsen[3] sein; gleich|kommen 《*jm.*》. ¶ 수학에 있어서는 그를 따라갈 사람이 없다 In der Mathematik kann niemand ihm gleichkommen.

따라다니다 mit|gehen* ⓢ 《mit *jm.*》; *jn.* begleiten; *jm.* nach|laufen* ⓢ; *jm.* hinterher laufen* ⓢ; *jm.* auf Schritt u. Tritt nach|gehen* ⓢ; *jn.* verfolgen. ¶ 아가씨(여자) 꽁무니를 ~ e-m Mädchen (den Schürzen) nach|laufen* ⓢ.

따라붙다 überholen; ein|holen; erreichen; ereilen; 《점차》 (das Versäumte*) einholen.

따라서 ① 《그러므로》 also; daher; darum; demgemäß; demnach; demzufolge; deswegen; deshalb; folglich; infolgedessen; mithin; somit. ¶ 물건은 상등품, ~ 값도 비싸다 Die Ware ist von guter Qualität, demzufolge ist der Preis hoch.
② 《…에 따라·의하여》 nach[3]; gemäß[3]; entsprechend[3]; laut[2·3]; in Gemäßheit[2]. ¶ 그의 제안에 ~ s-m Vorschlag entsprechend / 이성에 ~ 행동하다 der Vernunft gemäß handeln / 각자 희망에 ~ je nach Wunsch / 귀하의 지시에 ~ gemäß Ihren Anordnungen / 규정에 ~ laut den Bestimmungen / 경우에 ~는 unter [3]Umständen; eventuell; möglicherweise; allenfalls / 순서에 ~ nach der Reihe (der Reihe nach) / 그것은 때와 경우에 ~ 다르다 Das ist verschieden je nach dem, wie der Fall liegt.|Es kommt auf die Umstände an.
③ 《…함에 따라 · …할수록》 im Verhältnis zu[3]; je nachdem wie; insofern wie; je... desto (umso); in dem Maße, als (wie); in demselben Grade (Verhältnis), in dem (wo). ¶ 날이 지남에 ~ von Tag zu Tag / 나이를 먹음에 ~ mit den Jahren / 시간이 흐름에 ~ mit der Zeit; im Laufe der Zeit / 수입이 증대함에 ~ 낭비가 심해진다 In dem Maße, wie sich das Einkommen vergrößert, wird man verschwenderisch. / 나이를 먹음에 ~ 한층 더 현명해진다 Je älter man wird, desto klüger wird man.
④ 《끼고》 entlang[4·3] 〔대개 명사 뒤에〕; an[3]... entlang; längs[3·2]. ¶ 냇물을 ~ entlang dem Bach; den (dem) Bach entlang; am Bach entlang 〔이 꼴이 많이 쓰임〕; längs dem Bach (des Baches) / 강둑을 ~ am Ufer entlang / 민주주의 노선을 ~ 가다 die Linie der Demokratie verfolgen.
⑤ 《모방하여》 nach dem Beispiel (Vorbild)[2]. ¶ 어머니를 ~ nach dem Vorbild seiner Mutter.

따라오다 ① 《수행함》 mit|kommen* ⓢ; folgen ⓢ 《*jm.*》; begleiten 《*jn.*》; 《좇아오다》 ein|holen 《*jn.*》; *jm.* (auf der Verse) folgen ⓢ. ¶ 나를 따라 오너라 Folge mir!|Komm mit! / 그는 교육 사절단을 따라왔다 Er ist mit der Delegation für die Erziehungsberatung gekommen.
② 《남이 하는 대로》 folgen 《*jm.*》; desgleichen tun; mit|kommen*. ¶ 그는 학교 공부를 제대로 따라오지 못한다 Er kommt in der Schule nicht recht mit. / 그는 우리를 따라오느라 퍽 애썼다 Er hatte viel Mühe, um mit uns Schritt zu halten.
③ 《겨룸》 konkurrieren; gleich|kommen*[3]. ¶ 독일어에서 나를 따라오려면 아직 멀었다 Es wird lange dauern, bevor du mir in Deutsch gleichkommen kannst.

따라잡다 =따라붙다.

따라지 ① 《난장이》 Zwerg *m.* -(e)s, -e; das winzige Geschöpf, -(e)s, -e; Pygmäe *m.* -n, -n. ② 《노름의》 ein Punkt; der niedrigste Punkt im koreanischen Kartenspielen. ③ 《따분한 존재》 ein unglückliches Dasein. ‖ ~목숨 ein Sklabenleben *n.* -s, -; ein unglückliches Leben.

따로 ① 《별개로》 getrennt; gesondert; einzeln. ¶ ~ 살다 getrennt leben / ~ 두다 auseinander|halten*[4]; getrennt halten*[4].
② 《여분·별도》 extra; besonders; zusätzlich; überdies; außerdem. ¶ 그에게는 ~ 2만 원의 수입이 있다 Er hat ein Extraeinkommen von zwanzigtausend *Won*. / 방세는 월 3만 원입니다만 식비는 따로 4만 원입니다 Das Zimmer kostet 30000 *Won* pro Monat, für das Essen müssen Sie 40000 *Won* extra bezahlen.
③ 《특별히》 besonders; im Besonderen; extra. ¶ ~ 말할 것도 없다 Ich habe nichts Besonderes zu sagen. / ~ 이렇다 할 이유는 없다 Ich habe keinen besonderen Grund dafür. / ~ 이렇다 할 일은 일어나지 않았다 Es ist nichts Erwähnenswertes geschehen.

따로나다 《살림을》 eine neue Familie gründen; einen neuen Hausstand gründen.

따로내다 《살림을》 einen neuen Hausstand gründen lassen*. ¶ 아우의 살림을 ~ seinen jüngeren Bruder einen neuen Hausstand gründen lassen*.

따로따로 getrennt; einzeln; separat; vereinzelt; zerstreut; zusammenhanglos; abgesondert; individuell; für sich; im einzelnen; in einzelnen Teilen; einer nach dem andern*; [4]Stück für [4]Stück. ¶ ~ 떼어 놓다 voneinander trennen / ~ 싸다 einzeln ein|packen[4] / ~ 두다 getrennt halten*[4] / ~ 돌아가다 vereinzelt heimgehen / 입장료를 ~ 내다 die Eintrittskarte einer nach dem andern lösen / 그 부부는 ~ 산다 Das Ehepaar lebt getrennt.

따르다[1] ① 《뒤를》 folgen ⓢ 《*jm.*》; auf der Ferse folgen ⓢ《*jm.*》(바싹); begleiten《*jn.*》; das Geleit geben* 《*jm.*》; verfolgen[4]; auf Schritt und Tritt folgen ⓢ 《*jm.*》. ¶ 그의 뒤를 ~ hinter ihm her|gehen* ⓢ / 경찰이 밤낮 내 뒤를 따른다 Tag und Nacht folgt mir die Polizei auf Schritt und Tritt.
② 《남 하는 대로》 folgen 《*jm.*》; [4]sich ergeben* 《*in*[4]》; [4]sich fügen 《*in*[4]》; [4]sich finden* 《*in*[4]》; [4]sich richten 《*nach*[3]》; [4]sich schicken 《*in*[4]》; [4]sich halten* 《*an*[3·4]》. ¶ 선인(先人)을 ~ den Vorfahren auf dem Fuße folgen ⓢ / 결정에 ~ eine Entscheidung annehmen / 충고를 ~ *js.* Rat folgen ⓢ; *js.* Rat an|nehmen* / 원칙을 ~ dem Grundsatz treu bleiben* ⓢ; nach s-m Grundsatz (Prinzip) handeln / 대세에 ~ mit dem Strom schwimmen* ⓗ,ⓢ; mit den Wölfen handeln; der herrschenden Richtung folgen ⓢ / 운명에 ~ [4]sich in sein Schicksal (in das Unabänderliche) fügen (finden*); [4]sich in sein Geschick ergeben*.
③ 《복종하다》 gehorchen 《*jm.*》; Folge leisten 《*jm.*》; nach|geben*《*jm.*》; unterliegen* 《*jm.*》(굴복); [4]sich unterwerfen*(굴복); [4]sich richten 《*nach*[3]》; nach|folgen[3]; entsprechen*[3]. ¶ 따르지 않다 nicht gehorchen

《*jm.*》; ungehorsam sein 《gegen *jn.*》; nicht befolgen⁴; mißachten⁴ / 판결에 ～ ⁴sich e-m Richterspruche unterwerfen* / 명령에 ～ e-m Befehl gehorchen / 규정을 ～ ⁴sich nach der Vorschrift richten; ⁴sich an die Vorschrift halten*; der Bestimmung entsprechen* (gemäß sein) 〖사물이 주어〗/ 국법에 ～ das Staatsgesetz befolgen / 그것은 경우에 따른다 Das hängt von Umständen ab.

④ 《뜻에》 willfahren 《willfahrte, gewillfahrt》 《*jm. in*³》; bei|stimmen³; ein|willigen 《*in*⁴》; nach|kommen*³ ⓢ. ¶ …에 따르면 nach³; laut²·³; gemäß³; zufolge³ / 일기예보에 따르면 nach der Wettervorhersage / 그의 말에 따르면 nach s-r Aussage; wie ich es von ihm erfahren habe / 나는 그의 요구를 따랐다 Ich habe seine Forderung erfüllt. / 당신의 의견을 따를 수 없읍니다 Ich kann mich Ihrer Meinung nicht anschließen. / 유감이지만 당신의 뜻에 따를 수 없읍니다 Leider kann ich Ihren Wünschen nicht gerecht werden.

⑤ 《견주다》 konkurrieren; gleich|kommen 《*jm.*》; ⁴sich messen 《mit *jm.*》. ¶ 인물로나 학식으로나 그를 따를 사람이 없다 In der Persönlichkeit oder in der Gelehrsamkeit kann niemand ihm gleichkommen.

⑥ 《좋아하다》 hängen* 《*an*³》; ⁴sich gewöhnen 《*an*⁴》; lieb|gewinnen⁴; zahm werden (야생동물이). ¶ 따르게 하다 für sich gewinnen*⁴; auf seine Seite ziehen*⁴ (자기편으로 끌다); an ⁴sich gewöhnen⁴ (정들게 하다); zähmen⁴ (동물을 길들이다) / 여자들이 ～ bei den Frauen (Mädchen) gern gesehen sein / 개가 주인을 따른다 Der Hund hängt an s-m Herrn. / 이 개는 나를 잘 따르고 있다 Dieser Hund ist an mich gewöhnt.

⑦ 《부수》 begleiten⁴ (사람, 물건에); folgen³ (사람, 물건에); mit|nehmen*⁴ (사람, 물건을); mit ³sich bringen*⁴ (사람, 물건을); 《으례》 verknüpft sein 《*mit*³》; gehören⁽³⁾ 《*zu*³》. ¶ 큰 곤란이 ～ große Schwierigkeiten 《*pl.*》 mit ³sich bringen* (nach ³sich ziehen*); mit großen Schwierigkeiten verknüpft sein / 성공에는 흔히 고생이 따른다 Erfolg bringt Schwierigkeiten mit sich. / 크리스마스에는 전나무가 으례 따른다 Zum Weihnachtsfest gehört ein Tannenbaum.

⑧ 《모방》 ⁴sich richten 《*nach*³》; folgen³; nach|ahmen³⁴; nach|machen³⁴. ¶ 남의 예를 ～ dem Beispiel e-s andern folgen / 전례에 ～ dem Präzedenzfall folgen / 본을 ～ ⁴*et.* zum Muster (Vorbild) nehmen*.

따르다² 《액체를》 gießen*⁴ 《*in*⁴; *auf*⁴》; 《부어넣다》 ein|gießen*⁴ 《*in*⁴》; ein|schenken⁴. ¶ 술을 ～ *jm.* Wein ein|schenken / 차를 찻잔에 ～ Tee in die Tasse gießen / 물을 잔에 ～ Wasser ins Glas gießen / 기름을 램프에 ～ Öl in die Lampe gießen / 차를 따라 드릴까요 Soll ich Ihnen Tee einschenken?

따름 nur; bloß; lediglich; nichts als…. ¶ 그것은 단지 소문일 ～이다 Es ist ein bloßes Gerücht. / 나는 그저 그의 명령을 실행했을 ～이다 Ich habe nur (bloß) s-n Befehl ausgeführt.

따리 Schmeichelei *f.* -en; Geschmeichel *n.* -s; Liebedienerei *f.* -en; Lobhudelei *f.* -en. ¶ ～붙이다 schmeicheln 《*jm.*》; heucheln 《*jm.*》; Honig (Papp) ums Maul schmieren; lobhudeln 《*jm.*》; schön|tun* 《mit e-r Dame》 / ～ 붙여 봐야 소용 없네, 대답은 끝까지 「노」다 Schmieren Sie mir keinen Honig um den Mund! Die Antwort ist immer noch „Nein"!

‖ ～꾼 Schmeichler *m.* -s, -; Honigmaul *n.* -(e)s, ⸗er; Kriecher *m.* -s, -; Liebediener *m.* -s, -; Lobhudler *m.* -s, -.

따분하다 ① 《느른함》 ⁴sich schwach (kraftlos) fühlen; schlaff; träge; erschöpft; ermattet (sein). ¶ 날씨가 더워서 ～ Das warme Wetter macht mich träge.

② 《지루함·맥빠짐》 langweilig; ermüdend; verdrießlich; entkräftend (sein). ¶ 따분한 날씨 entkräftendes Wetter, -s, - / 따분한 사람 langweiliger Mensch, -en, -en / 따분한 이야기 langweilige Geschichte, -n; dummes Gespräch, -(e)s, -e / 따분한 일상생활 geschmackloses tägliches Leben, -s, - / 따분한 세상 langweilige Welt, -n; langweiliges Leben / 따분한 직업 unerfreulicher Beruf, -(e)s, -e / 따분해 하다 (die) Daumen drehen; ⁴sich langweilen / 따분해지다 langweilig werden; dumm (monoton) finden*⁴.

③ 《난처하다》 ungelegen; unangenehm; verlegen; 《처량》 hilflos (sein). ¶ 무어라고 대답해야 할지 ～ um die Antwort verlegen sein / 돈이 없어서 ～ um Geld in die Verlegenheit geraten* ⓢ.

따스하다 warm; mild (sein). ¶ 따스한 물 warmes Wasser, -s / 따스한 겨울 der milde Winter / 따스한 방 ein warmes Zimmer, -s / 따스한 날씨 warmes Wetter, -s, - / 따스해진다 Es wird wärmer. / 몸을 따스하게 하다 seinen Körpfer warm halten*.

따습다 warm und gemütlich; schön warm (sein). ¶ 방이 ～ Das Zimmer ist warm und gemütlich.

따오기 〖조류〗 Ibis *m.* -ses, -se.

따옴표(一標) das Anführungszeichen*, -s.

따위 ① 《등등》 und so weiter 《생략: usw.; u. s.w.》; und so fort 《생략: usf.; u.s.f.》; und andere(s) (mehr) 《생략: u.a.(m.)》; und dergleichen (mehr) 《생략: u. dgl.(m.)》; und viele(s) andere (mehr) 《생략: u.v.a.(m.)》; und was nicht alles; et cetera 《생략: etc.》. ¶ 사과 배 ～ Äpfel, Birnen und so weiter / 농작물 ～ Landwirtschaftsprodukte und dergleichen mehr / 완구 ～ Spielzeug u. dgl. ② 《…같은》 dergleichen (wie...); so etwas (wie...); etwas Derartiges; so einer wie.... ¶ 이 ～ 사람들 dergleichen wie diese Leute / 나 ～가 so einer* wie ich / 너 ～가 알게 뭐야 Ein Mann wie du kann es unmöglich verstehen. / 우리 ～는 아직 자동차를 살 처지가 못 된다 Unsereiner kann sich noch kein Auto leisten. / 그 ～ 인간은 싫다 Seinesgleichen ist mir zuwider.

따지기 Tauwetter *n.* -s.

따지다 ① 《시비를》 unterscheiden* (das Richtige vom Falschen); heraus|stellen (, wer recht hat); gründlich untersuchen⁴; in Zweifel ziehen*⁴. ¶ 꼬치꼬치 ～ mit Vernunftgründen bestürmen 《*jn.*》; durch Vernunftgründe überzeugen 《*jn.*》 / 사실 여부를 ～ die Wahrheit e-s Tatbestandes untersuchen.

② 《까닭을》 zur Rede stellen 《*jn*》; zur Antwort drängen 《*jn.*》; zur Rechenschaft ziehen* 《*jn.* wegen e-s Dinges》. ¶ 왜 그가 나를 나쁘게 말하는지 그에게 한번 따지련다

Ich will ihn zur Rede stellen, warum er mich verleumdet.
③ 《셈을》 berechnen⁴; schätzen⁴; aus|rechnen⁴. ¶ 이자를 ~ Zinsen《pl.》 berechnen / 손익을 ~ Gewinn u. Verlust berechnen / 비용을 ~ die Kosten 《pl.》 schätzen.

딱 ① 《소리》 knack(s)!; krach!; mit e-m Knacks. ¶ 딱 부러지다 〔꺾다〕 mit e-m Knacks brechen* ⓢ 〔brechen*〕 / 손가락 마디를 딱 소리내며 꺾다 mit den Fingern knacken / 딱 때리다 eine* knallen; eine* aus|wischen³ 〔herunter|hauen*³; langen³〕.
② 《바라짐·벌림》 vorstoßend nach außen; weit offen. ¶ 가슴이 딱 바라지다 e-e breite vorstoßende Brust haben / 눈을 딱 부릅뜨다 die Augen weit auf|halten* (wie in Zorn) / 입을 딱 벌리다 den Mund auf|sperren (erschrocken).
③ 《아주》 genau; präzis; ganz; völlig. ¶ 딱 들어맞는 표현 der gerade zutreffende Ausdruck, -(e)s, ⸚e / 딱 맞다 wie angegossen sitzen* 〔passen〕 (옷, 구두가); aufs Haar 〔haargenau; bis aufs I-Tüpfelchen〕 stimmen (이야기, 계산이); ganz nach *js.* Geschmack sein(취미에); buchstäblich zu|treffen*《für⁴》/ 표적을 딱 맞히다 die Zielscheibe genau in die Mitte treffen* / 계산은 ~ 맞는다 Die Rechnung stimmt haargenau.
④ 《시간》 genau; pünktlich; auf die Minute. ¶ 딱 세 시다 Es ist genau drei Uhr.¦Punkt 〔Schlag〕 drei (Uhr).¦Glockenschlag drei. / 그는 딱 제 시간에 도착했다 Er kam auf die Minute 〔pünktlich〕.
⑤ 《버티는 꼴》 standhaft; entschlossen; hartnäckig; halsstarrig. ¶ 딱 버티고 서다 entschlossen da|stehen*; ⁴sich nicht von der Stelle rühren wollen.
⑥ 《단호히》 einfach; rund¦weg 〔schlank-〕; rücksichtslos (가차없이); entschieden; ausdrücklich; bestimmt; definitiv; ein für allemal; entschlossen; freimütig; frei u. offen heraus; schlechtweg; glatt; glattweg; ohne weiteres; völlig; ganz. ¶ 딱 잘라 거절하다 glatt 〔rundweg; entschieden; ohne weiteres〕 ab|lehnen⁴ 〔ab|schlagen*⁴; verweigern⁴〕; *jn.* ab|blitzen lassen*; *jm.* einfach e-n (derben) Korb geben* 〔aus|-teilen〕 (남자의 구애를) / 그는 담배를 딱 끊어버렸다 Er hat sich das Rauchen entschieden abgewöhnt.¦Er hat sich des Rauchens 〔vom Rauchen〕 völlig entwöhnt. / 그녀와 인연을 딱 끊어 버렸다 Mit ihr habe ich gänzlich gebrochen. / 그가 아는 체하는 데는 딱 질색이다 Ich empfinde fast Widerwillen vor s-r Besserwisserei. / 그의 태도가 딱 싫어졌다 Sein Gehaben verdrießt mich fast arg.
⑦ 《꼭》 nur. ¶ 딱 한 마디만 하다 nur ein Wort sagen / 딱 한 번만 더 보여 다오 Zeig nur noch einmal her!
⑧ 《뜻밖에》 plötzlich; auf einmal; unerwartet. ¶ 딱 마주치다 stoßen* ⓢ 《auf *jn.*》; (an|)treffen* 《*jn.*》; zufällig begegnen ⓢ 《*jm.*》/ 길에서 딱 마주치다 *jn.* auf der Straße treffen.
⑨ 《명백히》 eindeutig; klipp u. klar; unmißverständlich. ¶ 네 얼굴에 딱 씌어 있다 Das steht dir an der Stirn geschrieben.¦Das kann ich dir deutlich am Gesicht ablesen.

딱다구리 〖조류〗 Specht *m.* -(e)s, -e.

딱다기 《나무토막》 Holzklapper *f.* -n. ¶ 야경꾼이 ~를 친다 Der Nachtwächter klappert mit seinen Holzklappern. 「-n》.

딱다깨비 〖곤충〗 e-e Art Heuschrecke 《*f.*

딱따그르르 rumpelnd; rollend; rasselnd; dröhnend. ¶ ~하고 울리다 rumpeln; poltern; rasseln.

딱딱 ① 《마주치는 소리》 klipp, klapp; mit Geklapper. ¶ ~ 하고 딱총을 놓다 mit der Knallbüchse wiederholt Geklapper erzeugen. ② 《부러지는 소리》 ¶ 나뭇가지가 ~ 부러지다 Die Baumäste brechen ununterbrochen ab.

딱딱거리다 《을러대다》 barsch 〔rauh; harsch; unfreundlich〕 sein; mit *jm.* 〔gegen *jn.*〕 streng sein. ¶ 너무 딱딱거리지 마시오 Bitte, sprechen Sie doch nicht so barsch! / 그 순경은 누구에게나 딱딱거린다 Der Polizist ist streng gegen einen jeden.

딱딱하다 ① 《단단하다·굳다》 hart; trocken u. hart (sein). ¶ 딱딱한 목재 hartes Holz, -es / 딱딱한 빵 hartes Brot, -(e)s, -e.
② 《형식적》 steif; förmlich; zeremoniös; gezwungen; unnatürlich; starr; 《도덕적으로》 streng; puritanisch (sein). ¶ 딱딱한 태도 das formelle 〔gezwungene; steife〕 Benehmen, -s; die steife Haltung, -en / 딱딱한 사람 Holzkopf *m.* -(e)s, ⸚e; Formenmensch *m.* -en, -en / 그렇게 딱딱하게 굴지 마라 Sei nicht so (sehr) förmlich. / 예쁜 여자 앞에 나서면 그는 딱딱해진다 Er wird ganz steif vor e-r schönen Frau.
③ 《문장이》 hart; strikt (sein). ¶ 딱딱한 문장 〔문체〕 harter Stil, -(e)s, -e.

딱바라지다 ① 《물건》 flach und breit (sein). ② 《사람이》 dick; untersetzt (sein).

딱부릅뜨다 《눈을》 die Augen offen halten*; *jn.* anstarren; *jn.* anglotzen. ¶ 눈을 딱 부릅뜨고 보라 Halt doch die Augen offen!

딱부리 Glotzauge *n.* -s, -n.

딱새 〖조류〗 Rotschwänzchen *n.* -s, -.
‖ 검은~ Schwarzkehlchen *n.* -s, -.

딱성냥 Schwefelhölzchen *n.* -s, -; Streichholz *n.* -(e)s, ⸚er. ¶ ~을 긋다 ein Streichholz anzünden.

딱장대 《딱딱한 사람》 e-e strenge 〔rigorose; scharfe; derbe〕 Person. ② 《사나운 사람》 eine unbarmherzige 〔ungebildete〕 Person.

딱장받다 《도둑을》 *jn.* foltern; *jn.* martern; *jn.* e-r Tortur unterwerfen*. ¶ 그 도둑놈은 아무리 딱장받아도 자백을 하지 않았다 K-e Tortur konnte den Dieb zum Eingeständnis bringen.

딱정벌레 〖곤충〗 Käfer *m.* -s.

딱지¹ ① 《피부의》 Schorf *m.* -(e)s, -e; Gnatz *m.* -es, -e; Grind *m.* -(e)s, -e. ¶ ~가 앉은 schorfig; grindig / ~가 앉다 e-n Schorf *usw.* bilden / ~가 떨어지다 der Schorf löst sich los.
② 《종이의》 Fleck *m.* -(e)s, -e.
③ 《동물의》 (Rücken)schild *n.* -(e)s, -er; Schale *f.* -n (게 등의). ¶ 거북의 등~ Schildpatt *n.* -(e)s / 게~만한 집 ein sehr kleines Haus, -es, ⸚er / 소라~ die Schale des Einsiedlerkrebs.
④ 《시계의》 Uhrgehäuse *n.* -s, -. ¶ 금~ 시계 die goldene Uhr, -en; die Uhr im goldenen Gehäuse / 시계 뒤~ die Rückseite 《-n》 des Uhrgehäuses.

딱지² Ablehnung *f.* -en; Zurückweisung *f.* -en; Verweigerung *f.* -en. ¶ ~를 놓다 *jn.*

¶ 이 일 하느라 땀뺐다 Diese Arbeit kostete viel Mühe. / 일 잘못해 놓고 땀뺐다 Wegen des Fehlers, den ich begangen habe, bin ich in große Verlegenheit geraten. / 아버지한테 꾸중듣느라 땀뺐다 Ich schwitzte unter dem Tadel des Vaters.

땀질 das Ausputzen *n.* -s; das Abschneiden. ~하다 ab|schneiden*; aus|putzen; beschneiden*.

땅¹ ① 《대지》 Erde *f.* -n; Erdboden *m.* -s, -; Grund *m.* -(e)s, ⸚e; Land *n.* -(e)s. ¶ 땅을 파다 den Boden um|graben* / 땅에 묻다 unter der Erde verstecken⁴; begraben⁴; vergraben⁴; beerdigen⁴ / 그건 땅 짚고 헤엄치기다 Nichts kann einfacher sein als dies.
② 《영토》 Territorium *n.* -s, ..rien; Landesgebiet *n.* -(e)s, -e; Land *n.* -(e)s, -e. ¶ 이국 땅에서 죽다 in der Fremde sterben*[s] / 외국 땅을 밟다 das fremde Land betreten; in die Fremde ziehen*.
③ 《토지》 Land *n.* -(e)s; das Stück 《-(e)s, -e》 Land; Grundstück *n.* -(e)s, -e; Gut *n.* -(e)s, ⸚er; Baugrund *m.* -(e)s, ⸚e (부지); Grundbesitz *m.* -es, -e. ¶ 땅을 사다 〔팔다〕 ein Grundstück kaufen 〔verkaufen〕 / 땅을 임대〔임차〕하다 ein Grundstück verpachten 〔pachten〕 / 땅을 경작하다 das Land bebauen 〔bestellen〕 / 그는 땅을 가지고 있다 Er hat Grundbesitz.¦ Er ist Grund(stück)besitzer.
④ 《토양》 Boden *m.* -s, -; Erde *f.*; Erdarten《*pl.*》. ¶ 기름진 〔메마른〕 땅 fruchtbarer 〔magerer〕 Boden; fruchtbare 〔magere〕 Erde / 땅이 벼농사에 적당치 않다 Der Boden ist für den Reisbau nicht geeignet.

땅² ① 《총소리》 mit einem Knall. ¶ 총을 땅하고 쏘다 mit einem Knall schießen* / 총알이 땅 하고 나갔다 Die Kugeln gingen mit einem Knall los. ② 《쇳소리》 klang!; mit e-m Klang.

땅가물 Dürre *f.* -n; Trockenheit *f.*

땅강아지 〖동물〗 Maulwurfsgrille *f.* -n; Werre *f.* -n.

땅개 Zwerghund *m.* -(e)s, -e; ein Mensch wie Zwerg.

땅거미¹ 《황혼》 Abenddämmerung *f.* -en; Abendgrauen *n.* -s; der Einbruch 《-(e)s, ⸚e》 der Nacht; Zwielicht *n.* -(e)s. ¶ ~질 무렵 im Dämmerlicht; im Dämmerschein; bei einbrechender Dämmerung; gegen Abend / ~가 지기 전에 ehe es dunkel 〔finster〕 wird / ~가 진다 Es dämmert.¦Es fängt an düster 〔dunkel〕 zu werden.

땅거미² 〖곤충〗 eine Art Spinne 《*f.* -n》.

땅광 《지하실》 Keller *m.* -s, -; Untergrund *m.* -(e)s, ⸚e.

땅굽성(一性) 〖식물〗 Geotropismus *m.* -.

땅기다 krampfhaft verziehen*; zucken. ¶ 옆구리가 ~ es zuckt *jm.* in der Seite / 허리가 쑤시고 땅긴다 Der Schmerz zuckt mir durch die Hüfte.

땅꽈리 〖식물〗 Zwergkirsche *f.* -n.

땅꾼 《뱀잡는》 Schlangenfänger *m.* -s.

땅내 Erdgeruch *m.* -(e)s. ¶ ~ 맡다 《동물이》 ⁴sich niederlassen 《Tiere》; 《식물이》 ⁴sich (ein|)wurzeln; Wurzel schlagen* 〔fassen〕.

땅덩이 《지구》 Erde *f.*; 《국토》 Land *n.* -(e)s, ⸚er; Territorium *n.* -s, -ien. ¶ 이 ~ 위의 모든 인류 die Gesamtmenschheit auf der Erde / 중국은 ~가 크다 China hat ein großes Territorium.

땅딸막하다 《체격이》 untersetzt; gedrungen; dick (sein). ¶ 땅딸막한 사나이 ein Mann 《*m.* -(e)s, ⸚er》 von untersetzter 〔gedrungener〕 ³Gestalt.

땅딸보 der Untersetzte*, -n, -n; der Gedrungene*, -n, -n.

땅땅 《총소리》 Knall auf Knall. ¶ 총을 ~ 쏘다 mit einem Knall auf den anderen schießen. ② 《쇳소리》 kling, klang; klirrend; klingend. ¶ ~ 쇠를 벼르다 einen Eisenklang schlagen*.

땅땅거리다 ① 《큰소리치다》 in einem gebieterischen 〔herrischen〕 Ton sprechen*; prahlen; aufschneiden*. ¶ 땅땅거린다고 무서워할 내가 아니다 Ich bin nicht der Mann, der vor deinem hochtrabenden Wort zurückschreckt./일 년만 있으면 큰 돈을 모은다고 땅땅거린다 Er prahlt, daß er in einem Jahr viel Geld verdienen kann. ② ☞ 떵떵거리다.

땅뙈기 ein kleines Stück Acker 〔Reisfeld〕. ¶ 그 사람이 가진 ~란 얼마 안 된다 Er hat ein kleines bißchen Stück Acker.

땅뜀 die Aufhebung 《*f.* -en》 einer schweren Last 《*f.* -en》 vom Boden. ~못하다 eine schwere Last vom Boden aufheben; 《못 알아냄》 gar nichts verstehen.

땅마지기 ein paar Hektar Reisfeld 《*n.* -es, -er》. ¶ 그 사람은 자기네 살아갈 ~나 가졌다 Er hat ein paar Hektar Reisfeld, nur seine Familie genug ernähren zu können.

땅바닥 Erdboden *m.* -s, ⸚; Erde *f.* -n. ¶ ~에 앉다 ⁴sich auf den nackten Erdboden setzen.

땅버들 《갯버들》 Salweide *f.* -n.

땅벌 〖곤충〗 Wespe *f.* -n.

땅벌레 〖곤충〗 Made *f.* -n; Raupe *f.* -n.

땅볼¹ 〖야구〗 Bodenball *m.* -(e)s, ⸚e; Bodenhüpfer *m.* -s. ¶ ~을 잡다 einen Bodenball auffangen* / ~(의) 안타를 치다 den Ball auf den Boden schlagen.

땅볼² 《낫의》 die Unterseite des Sensenblatts.

땅비싸리 〖식물〗 eine Art Indigopflanze 《*f.* -n.》.

땅빈대 〖식물〗 Wolfsmilch *f.* -.

땅세(一貰) Ackerzins *m.* -(e)s, -en.

땅속 ¶ ~에 unter der Erde / ~으로 in die Erde / ~의 unterirdisch / ~의 보물 unterirdische 〔vergrabene〕 Schätze 《*pl.*》; unter der Erde verborgene Schätze 《*pl.*》 / ~에서 파내다 aus|graben*⁴; ans Tageslicht bringen*⁴.

땅울림 das Dröhnen* 《-e》 der Erde. ¶ ~으로 지면이 흔들렸다 Die Erde dröhnte, u. der Boden wackelte unter den Füßen.

땅임자 Grundbesitzer *m.* -s.

땅재주(一才一) Purzelbaum *m.* -(e)s, -e; Purzelbock *m.* -(e)s, ⸚e. ¶ ~를 넘다 einen Purzelbaum schlagen.

땅질성(一性) 〖식물〗 (negativer) Geotropismus. ¶ ~의 geotropisch.

땅차(一車) Räumpflung *m.* -(e)s, ⸚e; Bulldozer *m.* -s, -.

땅콩 Erd|nuß 〔Kamerun-〕 *f.* ..nüsse.
‖ ~장수 Erdnußverkäufer *m.* -s, -.

땅파기 ① das Umgraben des Bodens. ② 《바보짓》 Dummheit *f.* -en; Unsinn *m.* -(e)s; dummes Zeug, -(e)s.

땅파다 die Erde umgraben*; den Boden umgraben*; in die Erde graben. ¶ 땅 파먹다 Ackerbau 《*m.* -(e)s, -e》 treiben* 《fürs Leben》; vom Ackerbau leben.

땅풍뎅이 〖곤충〗 eine Art Käfer 《*m.* -s, -》.

땋다 flechten⁴. ¶머리를 땋아 늘인 소녀 ein Mädchen 《*n.* -s, -》 mit dem Zopf / 머리를 ~ die Haare frisieren (lassen*); die Haare (in Zöpfe) flechten (lassen*); *jm.* das Haar 〔die Haare〕 machen (lassen*) ✠ lassen을 붙이면 「남의 머리를 땋아 주다」가 됨.

때¹ ① 《시간》 Zeit *f.* -en; Stunde *f.* -en; 〖문법〗 Tempus *m.* -, ..pora. ¶ 때가 감에 따라 mit der Zeit / 때를 같이하여 zur gleichen Zeit; gleichzeitig / 때를 가리지 않고 immer; zu jeder Zeit / 때를 어기지 않고 pünktlich; rechtzeitig / 때를 보내다 die Zeit verbringen*; die Zeit tot|schlagen* 〔vertreiben*〕 / 때가 가다 die Zeit vergeht* ⓢ 〔verfliegt*ⓢ; verstreicht*ⓢ〕 / 이제 자야 할 때다 Es ist Zeit schlafen zu gehen 〔zum Schlafengehen〕.
② 《…한 때·경우》 Zeit *f.* -en; Fall *m.* -(e)s, ⸚e (경우); Jahreszeit *f.* -en (계절); Saison [sɛzɔ̃:] *f.* -s (철). ¶내가 젊었을 때 zu m-r Zeit / 내일 이맘 때 morgen ungefähr zur gleichen Zeit 〔um die gleiche Zeit〕 / 트로이 전쟁 때 in der Zeit des trojanischen Krieges / 전쟁 때 in der Kriegszeit / 필요할 때에는 im Notfall / 복수할 때 die Stunde der Rache / 추수 때 die Zeit der Ernte / 위급한 때에 대비하여 auf den Notfall / 바로 그 때 in dem Augenblick / 그런 때에는 in solchem Fall / 이런 때에는 bei diesem Stand der Dinge; unter diesen Umständen / 그가 만일 오지 않을 때에는 wenn 〔falls〕 er nicht kommen sollte / 그 여자가 어렸을 때에는 als sie noch klein 〔ein Kind〕 war / 그 여자에게도 행복한 때가 있었다 Sie hat auch bessere Zeiten gesehen. / 때가 때인만큼 흥청거리지 맙시다 Machen wir kein Fest daraus, weil Zeit und Umstände es verlangen 〔erfordern〕.
③ 《기회》 Gelegenheit *f.* -en; Chanse [ʃã:sə] *f.* -n; Zeit *f.* -en; Zeitpunkt *m.* -(e)s, -e; der richtige Augenblick, -s, -e; die rechte Zeit. ¶때 지난 unzeitgemäß; ungünstig / 때를 놓치지 않고 unverzüglich; ohne Verzug / 때만난 zeitgemäß; rechtzeitig; günstig / 때를 타다 die (günstige) Gelegenheit benutzen 〔wahr|nehmen*; ergreifen*〕 / 때를 놓치다 die Gelegenheit versäumen 〔verpassen; vorbei|gehen lassen〕; die rechte Zeit verpassen; die Zeit verlieren* / 때를 기다리다 die günstige Zeit ab|warten; die Gelegenheit 〔den rechten Zeitpunkt; den günstigen Augenblick〕 ab|warten; warten, bis die rechte Zeit dazu kommt (때가 익기를) / 때를 놓치지 않다 ³sich k-e Gelegenheit entgehen lassen* / 때를 만난 듯이 거만을 떨다 ⁴sich so stolz benehmen*, wie wenn einer* der Löwe des Tages wäre / 한창 때다 in herrlichster Blüte stehen / 때를 봐서 gelegentlich; bei (passender) Gelegenheit / 때가 오면 wenn e-e (günstige) Gelegenheit sich bietet; wenn die (gelegene) Zeit kommt / 좋은 때를 잡아 die Gelegenheit beim Schopfe fassend 〔packend〕 / 때가 좋다 Die Gelegenheit ist günstig.¦ Jetzt gilt es.¦ Es ist fünf Minuten vor zwölf. / 때는 왔다 Die Zeit ist reif. / 기다리면 때가 온다 „Mit der Zeit pflückt man Rosen."¦ „Die Zeit bringt Rosen." / 이 때를 놓칠 수는 없다 Diese (gute) Gelegenheit soll mir nicht entgehen. / 만사에 때가 있는 법이다 Alles hat seine Zeit.
④ 《당시》 Zeit *f.* -en. ¶그 때의 《당시의》 damalig / 그 때에 《당시에》 damals; zu jener 〔der〕 Zeit / 그 때의 수상 der damalige Ministerpräsident, -en, -en; der Ministerpräsident von damals / 어렸을 때부터 seit *js.* Kindheit; von Kindheit an / 내가 베를린에 있었을 때 als ich in Berlin war / 그 때 그는 여행중이었다 Damals war er verreist.
⑤ 《치세·시대》 Regierung(szeit) *f.*; Herrschaft *f.* -en; Zeitalter *n.* -s, -. ¶프리드리히 대왕 때에 unter der Herrschaft 〔im Zeitalter〕 Friedrichs des Großen.
⑥ 《끼니》 Mahlzeit *f.* -en; Essenszeit *f.* ¶끼니 때를 놓치다 die Mahlzeit verpassen; zu spät zum Essen kommen* ⓢ / 땟거리가 없다 nichts zu essen haben; k-n (Lebens-) unterhalt mehr haben; kein Auskommen mehr haben / 하루 한 때밖에 못 먹었다 Ich nahm nur eine Mahlzeit am Tage ein.

때² ① 《더러움》 Schmutz *m.* -es; Dreck *m.* -(e)s; 《얼룩진 것》 Fleck *m.* -(e)s; Klecks *m.* -es, -e; 《떠 있는 것》 Abschaum *m.* -(e)s; 《가라앉은 것》 Bodensatz *m.* -es. ¶때묻은 〔때투성이의〕 schmutzig; dreckig; unsauber; ungewaschen / 때묻지 않은 sauber; rein; makellos / 때빼다 e-n Fleck entfernen 《*von*³》; 《깨끗이 하다》 reinigen⁴; sauber machen⁴ / 바지의 때를 빼다 die Hosen reinigen / 때가 묻다(끼다) schmutzig 〔dreckig; beschmutzt; befleckt〕 werden / 그 소녀는 시골에서 와서 아직 때를 벗지 못했다 Das Mädchen aus dem Land ist noch ländlich 〔noch nicht elegant geworden〕.
② 《인색》 Filzigkeit *f.* -en; Niedrigkeit *f.* -en. ¶때가 낀 geizig; filzig; knaus(e)rig.
③ 《오명》 Fleck *m.* -(e)s, -e; Makel *m.* -s, -; Schande *f.* -n; Schandfleck *m.* -(e)s, -e; ungerechte Beschuldigung *f.* -en. ¶때묻지 않은 《순결한》 unbefleckt; keusch; unschuldig; unverdorben; rein. ¶때를 벗다 ⁴sich der ²Schande entledigen; der ³Schande entrinnen*.

때가다 《잡혀가다》 gefangen genommen werden; erhascht werden; erwischt werden; geschnappt werden. ¶경찰에 ~ von den Polizisten erhascht werden; von den Polizisten verhaften werden.

때구루루 ☞ 대구루루.

때굴때굴 ☞ 떼굴떼굴.

때그락- ☞ 대그락-.

때까치 〖조류〗 Würger *m.* -s, -; Neuntöter *m.* -s, -.

때깔 die Form 《*f.* -en》 u. Farbe von Tuch.

때꼽재기 Schmutz *m.* -(e)s; Staub *m.* -(e)s, -e; Unrat *m.* -(e)s, -e.

때꾼하다 hohle Augen haben; hohläugig sein 《von Müde》.

때다¹ ① 《잡히다》 ertappt werden; verhaftet werden; umzingelt werden. ¶소매치기가 경찰에 때들어갔다 Ein Taschendieb wurde von dem Polizisten ertappt 〔gefangen〕. / 그들은 모조리 때어갔다 Sie wurden alle verhaftet.¦Sie wurden umzingelt. ② 《배척당하다》 abgewiesen werden; einen Korb bekommen.

때다² 《불》 anzünden; brennen lassen 《Kohlen; Holz》; Feuer machen; heizen; anheizen. ¶장작으로 불을 ~ mit Holz heizen/ 목욕탕에 불을 ~ ein Badefeuer machen / 방에 불을 ~ ein Zimmer heizen / 난로에 불을 ~ einen Ofen heizen / 땔 나무가 없다 kein Brennholz haben.

때다[3] ☞ 때우다.
때때로 ab u. zu; hin u. wieder; von Zeit zu Zeit; manchmal; gelegentlich (때에 따라). ¶ ~ 그의 형에게 들르다 ab u. zu bei seinem Bruder vorbeikommen*ⓢ / 그런 일은 ~ 있다 Das kommt manchmal (ab u. zu) vor.
때때옷 bunte Kleider für Kinder.
때때중 der junge buddhistische Mönch.
때려눕히다 nieder|schlagen*(-|schmettern)[4]; zu Boden schlagen*[4]; hin|strecken[4]. ¶ 주먹으로 늘씬하게 ~ durch|prügeln[4]; verhauen*[4] / 한 주먹에 그를 때려눕혔다 Ein Hieb machte ihn fertig.
때려잡다 erschlagen*[4] (쳐죽이다); tot|schlagen*[4]; ermorden[4] (죽이다).
때로(는) ab u. zu; hin u. wieder; von Zeit zu Zeit; unter Umständen; gelegentlich. ¶ ~ 휴식도 필요하다 Ab u. zu muß man sich auch mal ausruhen. / ~ 실패도 있을 수 있다 Mißlingen ist auch möglich (nicht ausgeschlossen).
때리다 ① 《치다》 schlagen* 《*jn.*》; 〖속어〗 bimsen 《*jn.*》; (ver)hauen* 《*jn.*》; (ver)prügeln 《*jn.*》; klapsen (손바닥으로); 〖속어〗 verwamsen《*jn.*》; eins (e-n Schlag) versetzen 《*jm.*》. ¶ 머리(얼굴)를 ~ auf den Kopf (ins Gesicht) schlagen* 《*jn.*》/ 따귀를 ~ ohrfeigen; e-n Klaps geben* 《*jm.*》; einen langen (knallen); eine herunter|hauen 《*jm.*》; verwamsen[4]/마구 ~ das Fell gerben 《*jm.*》/ durch|prügeln 《*jn.*》/ 때려 눕히다 zusammen|hauen*《*jn.*》; nieder|schlagen*[4]; nieder|schmettern[4]; nieder|strecken[4]; zu Boden strecken[4]; K.O. [ka:-ó:] (knockout [nɔkáut]) schlagen*[4]; zu Boden schlagen*[4]; besiegen[4]; um|hauen*[4] / 일격에 때려 눕히다 mit e-m (Schmetter)schlag nieder|hauen*[4]/ 때리고 차고 하다 Stöße mit der Faust und dem Fuße geben* / 때려 죽이다 tot|schlagen* 《*jn.*》; erschlagen*[4]; zu Tode schlagen*[4] / 때려 부수다 zusammen|brechen*[4]; zerschmettern[4] / 때려서 상처를 입히다 e-e Wunde schlagen《*jm.*》/ 때려 눕혀라 Nieder mit ihm! / 파도가 해안을 때린다 Die Wellen schlagen ans Ufer. ¦ Die Wogen branden an die Küste. / 빗발이 창문을 세차게 때렸다 Der Regen prasselte gegen das Fenster. / 빗방울이 나의 얼굴을 때린다 Der Regen schlägt mir ins Gesicht.
② 《비난하다》 an|greifen*[4]; kritisieren[4]; verurteilen[4]. ¶ 신문에서 ~ in (von) der Zeitung kritisiert (angegriffen) werden.
때마침 gerade zur rechten Zeit; in dem Augenblick, wo es darauf ankommt; rechtzeitig; beizeiten; bei guter Zeit; zu gelegener Zeit; im passenden Augenblick; glücklicherweise; zum Glück. ¶ ~ 오다 zufällig da sein / ~ 그가 왔다 Er kam gerade gelegen.
때맞다 rechtzeitig; gut angebracht; zeitgemäß; passend; der Jahreszeit angemessen (sein). ¶ 때맞은 비 der rechtzeitige Regen/ 때맞은 말 die passende Bemerkung.
때문 Grund *m.* -(e)s, ⸚e (이유); Ursache *f.* -n (원인); Beweggrund *m.* -(e)s, ⸚e (동기); Anlaß *m.* ..lasses, ..lässe (계기); Umstand *m.* -(e)s, ⸚e (사정); aus[3]; infolge[2]; wegen[2]; um einer [2]Sache willen; aus Rücksicht auf[4]; da; weil; indem; nachdem (남부 독일); daß; so daß; so ..., daß; zu ..., um zu (als daß). ¶ 무엇 ~에 wozu; zu welchem Zweck / 이 ~에 zu diesem Zweck / 병 ~ krankheitshalber; wegen e-r Krankheit/ 그 ~에 infolgedessen; folglich / 어떤 사정 ~에 infolge eines Umstandes / 당신 ~에 um Ihretwillen / 명예 ~에 um der Ehre willen / 모터 고장 ~에 wegen e-s Motorschadens / 이 실패는 그의 무지 ~이다 Dieser Fehler ist s-r Unwissenheit zuzuschreiben. / 그는 아팠기 ~에 못 왔다 Da (Weil) er krank war, konnte er nicht kommen. / 그가 그녀 말을 했기 ~에 (잊었던) 약속이 생각났다 Ich erinnerte mich, indem er von ihr sprach, an mein Versprechen. / 사정이 이렇기 ~에 nachdem das einmal so ist / 그는 가난하기 ~에 고생한다 Er leidet darunter, daß er arm ist. / 온 마을이 불탔기 ~에 한 집도 남지 않았다 Das ganze Dorf brannte nieder, so daß kein Haus übrig blieb. / 너무 놀랐기 ~에 말도 못했다 Ich war so erschrocken, daß ich nicht sprechen konnte. / 너무 그럴싸하기 ~에 안 믿어진다 Es ist zu schön, (als) daß es wahr sein könnte. / 그는 너무 쇠약하기 ~에 혼자서는 일어나지 못한다 Er ist zu schwach, um allein aufzustehen. / 돈이 없었기 ~에 그는 그런 짓을 했다 Aus Mangel an Geld hat er es getan. / 술만 마셨기 ~에 위를 해쳤다 Ich habe mir infolge (wegen) des vielen Trinkens den Magen verdorben. / 그는 힘이 세기 ~에 아무도 힘으로는 그를 당하지 못한다 Stark, wie er ist, kommt ihm niemand an Kräften gleich. / 모든 친구에게 버림을 받았기 ~에 그는 어쩔 줄을 모른다 Von allen Freunden verlassen, ist er ganz ratlos. / 나쁘게 생각지 마세요, 사정을 잘 몰랐기 ~입니다 Nehmen Sie es nicht übel! Weiß man doch nicht, wie die Sache steht.
때묻다 《몸·물건이》 schmutzig (dreckig) werden; 《마음이》 niederträchtig (geizig; filzig; schmutzig) sein. ¶ 때묻은 정치인 der besudelte Politiker, -s, -; der widerliche politische Alterfahrene*, -n, -n / 때묻지 않은 jungfräulich; keusch; unberührt; unschuldig; rein; weltfern (세상 물정을 모르는).
때물 Schmutz *m.* -es, -e; das bäuerische Wesen, -s; Tölpelei *f.* -en; Grobheit *f.* ¶ ~벗다 verschönert (verfeinert; poliert) sein (의복, 언어, 행동 등이).
때아닌 unzeitgemäß; unzeitig; unerwartet (뜻밖의); ungelegen; außerzeitlich. ¶ ~ 꽃 die Blume 《-n》 außer der Jahreszeit / ~ 꽃이 피다 außer der Jahreszeit blühen.
때없이 zu jeder (beliebigen) Zeit; wann auch immer; immer; stets; jeder Zeit; allemal. ¶ ~ 먹으려고 한다 Jederzeit will er essen.
때우다 ① 《땜질》 flicken[4]; aus|bessern[4]; löten[4]. ¶ 주전자를 ~ e-n Kessel flicken. ② 《깁다》 stopfen[4]; flicken[4]; aus|bessern[4]. ¶ 종이로 ~ mit [3]Papierstück zusammen|-flicken[4]. ③ 《끼니》 vorübergehend ersetzen[4] 《*durch*[4]》. ¶ 도넛으로 점심을 ~ das Mittagessen durch den Krapfen ersetzen.
때움질 ☞ 땜질.
때죽나무 〖식물〗 Schneeglocke *f.* -n.
때찔레 ＝해당화.
땍대구루루 rollend; rasselnd; dröhnend; ratternd. ¶ ~ 구르다 [4]sich rollen; [4]sich wälzen; umherrollen (회전) / ~ 굴러 떨어지다 hinunterrollen.

땔감 Brennstoff *m.* -(e)s, -e.
땔나무 Brenn|holz *n.* -es, ⸗er (-material *n.* -s, -ien). ¶ ~를 하다 Holz (Reisig) sammeln.
‖ ~꾼 Holzsammler *m.* -s, -; 《농으로》 der naive (arglose) Mensch, -en, -en.
땜 《액운의》 die Befreiung 《-en》 von Belästigung; Loswerden *n.* -s; Errettung *f.* -en; das Wegschaffen. ¶ 수땜(팔자땜)하다 ⁴sich von *js.* verfluchten Schicksal befreien / 돈을 잃었다고 너무 걱정 말라, 수땜인지 누가 알겠니 Mach dir doch keine Sorgen, daß du Geld verloren hast. Dadurch wirst du wohl dem Unglück aus dem Weg gehen.
땜가게 Flicker *m.* -s; Kesselflicker *m.* -s; Klempner *m.* -s.
땜납 Lot *n.* -(e)s, -e; Lötmittel *n.* -s, -; Lötzinn *n.* -(e)s. ¶ ~으로 때우다 löten⁴; auf|löten⁴ (ein|-; zusammen|-); verlöten.
땜인두 Lötkolben *m.* -s; Löteisen *n.* -s.
땜일 Kesselflickerei *f.* -en; Klemperei *f.* -en. ~하다 flicken; ausbessern (Kessel).
땜장이 der (wandernde) Kesselflicker, -s, -; Klempner *m.* -s, -.
땜질 Kesselflickerei *f.* -en; Klempnerei. ~하다 ☞ 때우다 ①.
땜통 《머리흠집》 die Narbe 《-n》 des Kopfes.
땟국 Schmutz *m.* -es, -e; Ruß *m.* -es, -e; Unrat *m.* -(e)s, -e. ¶ 얼굴에 ~이 끼다 Schmutz in dem Gesicht haben.
땟물 ① 《자태》 Gestalt *f.* -en; Form *f.* -en; Anschein *m.* -(e)s, -e. ¶ ~이 훤하다 elegant (vornehm; hübsch) sein. ② 《씻어낸》 schmutziges Wasser; Schmutz *m.* -(e)s, -e.
땟솔 《때 씻는》 Scheuerbürste *f.* -n; Schrubbürste *f.* -n.
땡¹ ① 《땡땡구리》 das große Los 《ziehen》; alle Viere 《haben》. ② 《행운》 Gewinn *m.* -(e)s, -e. ¶ ~ 잡다 das große Los gewinnen.
땡² 《소리》 mit einem Klang.
땡감 《덜 익은 감》 die unreife Persimonen 《*pl.*》.
땡감- ☞ 댕그랑-.
땡땡 《종·시계 따위의 소리》 bimbam(bum); klingklang. ¶ ~ 치다 bimmeln; erklingen ⓢ,ⓗ; klingeln; läuten / 종이 ~ 울린다 Es läutet bimbam.
땡땡이 《장난감》 Kinderrassel *m.* -s, - (in einer Form eines Tamburin) 《Spielzeug》.
‖ ~중 der bettelnde buddhistische Mönch.
땡땡하다 ① 《팽팽하다》 dicht; fest (sein). ② 《속이》 frisch und gesund; ungeschwächt; gedrungen; solid; rüstig (sein). ¶ 땡땡한 감 harte Persimonen 《*pl.*》 / 종기가 부어 ~ Die Schwäre ist hart geschwollen.
땡잡다 《성공하다》 e-n Erfolg 《-(e)s, -e》 erzielen; es treffen*; sein Glück machen; der Zufall verhilft *jm.* zum Erfolg. ¶ 그는 그 사업에 투자하여 땡잡았다 Er hat Kapital in das Geschäft angelegt und großen Erfolg erreicht.
땡추절 der Tempel, wo die unwürdigen Mönche wohnen.
땡추중 《이름만의》 der unwürdige buddhistische Mönch.
떠가다 vom Wasser getragen werden; dahintreiben*.
떠꺼머리(총각)(一(總角)) der alte Junggeselle 《*m.* -n》.
떠나가다 ¶ (장내가) 떠나갈 듯한 갈채 der stürmische (brausende; donnernde; frenetische) Beifall, -(e)s.
떠나다 ① 《퇴거》 verlassen*⁴; (fort|)gehen* ⓢ 《*von*³》; weg|gehen* ⓢ 《*von*³》; ⁴sich entfernen 《*von*³》; 〖속어〗 ab|hauen* ⓢ; 《출발·여행》 〔*von*³과 함께〕 auf|brechen* ⓢ; ab|gehen* ⓢ; ab|fahren* ⓢ; ab|fliegen* ⓢ; ab|reisen ⓢ. ¶ 역을 ~ 《기차가》 Bahnhof verlassen* / 고향을 ~ die Heimat verlassen* / 부모 곁을 ~ s-e Eltern verlassen* / 도시를 ~ die Stadt verlassen*; (⁴sich) aus der Stadt flüchten / 유럽으로 ~ nach Europa ab|reisen ⓢ (ab|fliegen* ⓢ (비행기로)) / 우리는 아침 일찍 떠났다 Wir brachen frühmorgens auf. / 벌써 떠나시겠습니까 Gehen Sie schon (fort)? / 가끔 도시를 떠나는 것도 좋다 Es tut gut, gelegentlich einmal aus der Stadt herauszukommen.
② 《이탈》 ⁴sich (ab|)trennen; ⁴sich ab|sondern; ⁴sich entfernen; ⁴sich scheiden; ab|fallen*ⓢ (떨어져나가다); ab|gehen*ⓢ; ab|kommen* ⓢ; los|gehen* ⓢ; los|kommen* ⓢ; los|lösen 《이상은 *von*³》; verlassen*⁴. ¶ 직을 ~ 《사직》 sein Amt auf|geben*; s-n Posten verlassen*; sich zur Ruhe setzen (은퇴하다) / 왕위를 ~ dem Throne entsagen / 그 생각이 머리를 떠나지 않는다 Der Gedanke will mir nicht aus dem Kopf. / 민심은 현정부를 떠났다 Die öffentliche Meinung hat sich vom gegenwärtigen Kabinett abgewendet.
③ 《죽다》 ¶ 세상을 ~ die Welt verlassen* / 그는 이 세상을 떠났다 Er ist von uns gegangen.
떠내다 ausschöpfen; ausschaufeln; aushöhlen. ¶ 물고기를 그물로 ~ Fische mit dem Netz fangen* / 국자로 국을 ~ Suppe mit dem großen Suppenlöffel schöpfen.
떠내려가다 fort|getrieben (-geschwommen) werden. ¶ 홍수에 ~ 《다리 따위가》 von der Überschwemmung weggewaschen werden / 하류로 ~ stromab fortgetrieben werden; stromabwärts getrieben werden / 물결에 ~ von der Flut hinausgeschwemmt (fortgerissen) werden / 그는 급류에 떠내려갔다 Der reißende Strom hat ihn fortgetrieben. / 홍수로 다리 두 개가 떠내려갔다 Zwei Brücken sind von der Flut weggeschwemmt worden.
떠다니다 ① 《공중·물 위를》 herum|fliegen*; schweben; (dahin|)treiben* ⓗ,ⓢ; flott sein; ⁴sich willenlos treiben lassen*. ¶ 물결에 ~ auf dem Wasser (im Wasser) treiben* / 비행기가 떠다닌다 Ein Flugzeug fliegt herum. / 하늘에 구름이 떠다닌다 Die Wolken ziehen am Himmel. / 얼음덩이가 강물 위에 떠다닌다 Eisschollen treiben auf dem Fluß.
② =떠돌다.
떠다밀다 ① 《밀다》 schubsen; drücken; schieben*; fort|stoßen* (weg|-). ¶ 문을 ~ die Tür drücken / 아무를 ~ *jn.* schubsen / 사람들을 떠다밀며 나가다 ⁴sich durch einen Haufen hindurchdrängen / 아무를 떠다밀어 물 속에 처박다 *jn.* in Wasser hinein|stoßen*. ② 《제 일을 남에게》 *jm.* ⁴*et.* auf|zwingen*; *jm.* ⁴*et.* auf|drängen; *jm.* ⁴*et.* auf|nötigen; *jn.* zu ³*et.* zwingen*.
떠대다 ⁴*et.* erdichten; eine Tatsache falsch darstellen.
떠돌다 ① 《떠돌아다니다》 umher|treiben*; vagabundieren; ohne Wohnsitz leben; ein Nomadenleben führen; umher|wandern ⓢ,ⓗ; umher|streifen ⓢ. ¶ 떠도는 사람 =

gewählt werden; nicht ausgewählt (aufgenommen) werden. ¶시험에 ~ im Examen durch|fallen*[s] / 채용 시험에 ~ die Aufnahmeprüfung nicht bestehen* / 선거에 ~ im Wahl Niederlage erleiden*; nicht gewählt werden / 당 간부는 선거에서 모두 떨어졌다 Alle Vorstandsmitglieder der Partei haben im Wahl Niederlage erlitten.
⑱《해지다》 abgetragen (abgenutzt; zerrissen) sein. ¶옷이 ~ die Kleider sind abgetragen (schäbig geworden) / 떨어진 신발 abgetragene (ausgetretene) Schuhe《pl.》.
⑲《없어지다》〔사람이 주어〕 k-n Vorrat mehr haben; nichts mehr vorrätig haben; 〔사물이 주어〕 alle werden; aus u. gar sein; aus|gehen* [s]; aufgekauft (ausverkauft) sein; ⁴sich erschöpfen; zu Ende gehen* [s]. ¶맷거리가 ~ die Lebensmittel aus|gehen* [s] / 기름이 떨어졌다 Das Öl ist zu Ende. / 돈이 다 떨어졌다 Mein Geld ist alle. / 식량이 떨어지지 않도록 하시오 Hüten Sie sich, daß die Vorräte an Lebensmitteln nicht ausgehen. / 이 작가는 밑천이 떨어졌다 Diesem Schriftsteller ist der Stoff ausgegangen.
⑳《유산》 fehl|gebären*; abortieren. ¶애가 ~ e-e Fehlgeburt haben.
㉑《부합·나뉨》 (überein|)stimmen《mit³》; (ohne ⁴Rest) auf|gehen*[s]; teilbar sein. ¶나뉘어 떨어지는 aliquot; (ohne Rest) aufgehend / 짝수는 모두 2로 나뉘어 떨어진다 Alle geraden Zahlen gehen durch zwei geteilt auf. / 9는 5로 나뉘어 떨어지지 않는다 9 geht nicht in 5 auf. / 책 수효가 생각 했던 수와 맞아 떨어진다 Die Zahl der Bücher stimmt mit der erwartete überein.
㉒《끝남》 fertig (beendigt; vollendet) sein. ¶일이 내일이면 떨어진다 Morgen wird die Arbeit fertig sein.
㉓《숨이》 den letzten Atem aus|hauchen; aus|atmen. ¶그는 막 숨이 떨어지려는 참이었다 Er war gerade dabei, den letzten Atem auszuhauchen.
㉔《병·습관이》 ⁴*et.* los|werden 〔사람이 주어〕. ¶감기가 떨어졌다 Ich bin den Schnupfen los. / 한번 붙은 습관은 잘 떨어지지 않는다 Die einmal angenommene Gewohnheit kann man schwer loswerden.
㉕《고립하다》 isoliert sein. ¶혼자 떨어져 살다 ein isoliertes Leben führen.

떨이 (Über)rest *m.* -es, -e; Ladenhüter *m.* -s; Ramsch *m.* -es, -e.
‖~판 Ausverkauf *m.* -(e)s, ⁼e; Ramschverkauf; Gelegenheitskauf.

떨잠(一簪) e-e Haarschmucknadel《-n》, die mit e-r Feder angehängt ist u. bei der Bewegung leicht zittert.

떨치다¹ ①〔자동사〕《명성이》 berühmt (namhaft; bekannt; wohlbekannt) sein; in aller Munde sein. ¶이름이 온 세상에 ~ weltberühmt (weltbekannt) sein / 그의 명망은 온 세계에 떨쳐 있다 Er ist in der ganzen Welt berühmt. | Sein Ruhm schallt durch die ganze Welt. ②〔타동사〕 aus|üben《Macht; Einfluß》. ¶명성을 ~ ³sich (als ¹*et.*) e-n Namen machen; große Popularität genießen* / 세계적인 명성을 ~ Weltruf haben (genießen*) / 위세를 ~ die Macht aus|üben / 폭풍우는 계속 맹위를 떨쳤다 Der Sturm raste in unverminderter Stärke umher.

떨치다²《흔들어》 ab|schütteln⁴; ab|werfen*⁴ (말이 기수를);《떨쳐버리다》 ab|stoßen*⁴; von ³sich stoßen*⁴;《포기하다》 verlassen*⁴; im Stich lassen*⁴. ¶떨쳐 버릴 듯한 태도를 취하다 ⁴sich abweisend verhalten* (zeigen)《*gegen*⁴》; ⁴sich distanzieren《von *jm.*》/ 그는 이 생각을 끝내 떨쳐버릴 수 없었다 Dieser Gedanke verfolgte ihn und ließ ihm k-e Ruhe.

떫다 herb (sein). ¶떫은 감 die herbe Persimone, -n / 떫은 맛을 없애다 Herbheit weg|schaffen (-|tun*) / 이 감은 ~ Diese Persimone schmeckt herb.

떰치 die Strohmatte《-n》 unter dem Packsattel.

떳떳이 ①《옳게》 recht; richtig. ②《정당하게》 (ge)recht; ehrlich; billig. ¶~ 행동하다 ehrlich (fair) handeln (spielen)《mit *jm.*》.

떳떳하다 ehrlich; offen; redlich; gerecht; fair; unparteiisch (sein); ein gutes Gewissen haben. ¶떳떳하게 offen(kundig); öffentlich; in aller Öffentlichkeit; vor aller Welt / 떳떳하지 못한《과오가 있다》 schämig; schuldbewußt; selbstanklägerisch;《수상쩍다》 anrüchig; zweifelhaft; verdächtig/ 떳떳하게 부부가 되다 öffentlich e-e Familie gründen; vor Gott Mann und Frau werden / 떳떳하지 않게 여기다 ein böses (schuldbeladenes) Gewissen haben; schuldbewußt sein / 떳떳하게 지다《패배를 인정하다》 männlich s-e Niederlage an|erkennen* / 그는 떳떳하지 못한 짓은 안하는 사람이다 Er gebraucht nie e-e Hinterlist. / 나는 떳떳하지 못한 점이 조금도 없다 Ich habe ein reines Gewissen.

떵떵거리다 ① ☞ 땅땅거리다 ①. ②《호화롭게 살다》 ein üppiges Leben führen; fürstlich leben; auf großem Fuß leben; im Luxus (Überfluß) leben; ein luxuriöses Leben führen; wie (der liebe) Gott in Frankreich leben; schwelgen u. prassen.

떼¹《무리》 Haufen *m.* -s, -; Menge *f.* -n; Klumpen *m.* -s, -; Schar *f.* -en; Trupp *m.* -s, -s(-e);《사람의》 Gedränge *n.* -s; Gewimmel *n.* -s; Menschenmasse *f.* -n;《폭도의》 Pöbelhaufen *m.* -s, -; Bande *f.* -n;《동물의》 Herde *f.* -n (특히 소, 양 따위 가축); Rudel *n.* -s, - (사슴, 이리, 산돼지, 곰 등과 해저 동물); Meute *f.* -n (사냥개);《새의》 Flug *m.* -es, ⁼e;《벌레》 Schwarm *m.* -(e)s, ⁼e. ¶떼를 지어서 in Scharen; in Gruppen; in e-r Gruppe; gruppenweise; in Haufen; auf e-m Haufen; haufenweise / 떼를 짓다 ⁴sich (zusammen|)scharen; ⁴sich (zusammen|)drängen; ⁴sich zu e-r Herde zusammen|schließen*; ⁴sich zu Scharen zusammen|tun*; gruppieren; versammelt sein; zusammen|kommen* [s]; schwärmen (동물이); es wimmelt《*von*³》(고기, 벌레 따위) / 사람들이 떼를 지어서 그 건물에서 나왔다 Die Leute kamen in Scharen aus dem Gebäude heraus.

떼²《잔디》 Rasen *m.* -s, -. ¶떼를 뜨다 Rasen ab|heben* (aus|stechen*) / 떼를 입히다 Rasen an|legen.

떼³《뗏목》 Floß *n.* -es, ⁼e. ¶떼로 나르다 flößen⁴ / 떼를 짓다 Treibholz an|häufen.

떼⁴《억지》 unvernünftiges (unbilliges) Verlangen, -s. ¶떼를 쓰다 das Unmögliche verlangen; *jm.* mit Bitten stark zu|setzen; mit Bitten in *jn.* dringen*; *jn.* um ⁴*et.* dringend bitten* / 어린애가 어머니에게 장난

감을 사달라고 떼를 쓴다 Das Kind bettelt s-e Mutter, ihm ein Spielzeug zu kaufen./ 그녀가 남편에게 새 옷을 사 달라고 떼를 쓴다 Sie bittet ihren Mann dringend um ein neues Kleid.

떼거리 =떼⁴.

떼거지 ① 《떼지어 다니는》 Bettelleute 《*pl.*》; Bettelvolk *n.* -(e)s. ② 《재해로 생긴》 die Menge, die durch den Krieg 〔die Katastrophe〕 an den Bettelstand gekommen ist. ¶ 전쟁으로 ~가 생겼다 Der Krieg hat e-e Menge Volk an den Bettel¦stab (-stand) gebracht.

떼걸다 《손을 떼다》 s-e Beziehungen zu 〔mit〕 *jm.* ab|brechen*; ⁴sich von *jm.* trennen; ⁴sich scheiden*.

떼과부(一寡婦) e-e Menge Witwe. ¶ 전쟁으로 ~가 생겼다 Durch den Krieg sind viele Frauen verwitwet.

떼구루루 ☞ 데구루루.

떼굴떼굴 rollend; kugelnd; wälzend. ¶ ~ 굴러내리다 herab|rollen / 돌이 ~ 굴러내린다 Ein Stein rollt herab.

떼꺽- ☞ 데꺽-.

떼꾼하다 ☞ 때꾼하다.

떼다¹ ① 《붙은 것을》 ab|nehmen*⁴; weg|nehmen*⁴; ab|stellen⁴; entfernen⁴; ab|reißen*⁴. ¶ 간판을 ~ das Aushängeschild entfernen / 문짝을 ~ die Tür heraus|nehmen*; die Tür aus den Angeln heben* / 커튼을 ~ den Vorhang ab|nehmen* / 붕대를 ~ den Verband ab|nehmen* / 광고물을 ~ den Anschlag ab|reißen* / 봉투에서 우표를 ~ die Briefmarke vom Briefumschlag ab|nehmen* / 그 자한테서 눈을 떼지 마 Du sollst ein Auge auf ihn haben.¦Laß ihn nicht aus den Augen.

② 《빼다》 ab|ziehen*⁴; weg|nehmen*⁴; ab|rechnen⁴. ¶ 세금을 떼고 20만원의 수입 das Einkommen von 200000 *Won* abzüglich der Steuer / 임금에서 얼마를 ~ *jm.* e-e Summe vom Lohn ab|ziehen* / 쌀 한 말에서 한 되를 ~ ein *Doe* Reis von e-m *Mal* weg|nehmen⁴.

③ 《분리·단절》 ab|trennen⁴; ab|sondern⁴; scheiden*⁴ 《이상 *von*³》; ab|schneiden*⁴ (잘라내다); ab|stoßen* (쳐서); los|lassen*⁴ (손따위를); los|lösen (늦추다); 《차량·기차를》 ab|hängen⁴; entkuppeln⁴. ¶ 기관차를 열차에서 ~ die Lokomotive vom Zug ab|hängen* / 맞붙어 싸우는 자를 ~ zwei sich schlagenden Personen auseinander|trennen / 달갑지 않은 동행을 ~ e-n unerwünschten Begleiter ab|hängen / 글자를 한 자씩 떼어 쓰다 Schriftzeichen einzeln 〔getrennt〕 schreiben* / 친한 사이를 ~ Freunde entzweien / 손을 ~ die Hand ab|ziehen* 《*von*³》; nichts mit e-m zu tun haben wollen; e-e Sache gehen lassen* / 떼려야 뗄 수 없는 사이다 miteinander eng verbunden sein / 발을 ~ ⁴sich auf den Weg machen; an|fangen* zu gehen / 젖을 ~ ein Kind (von der Brust) entwöhnen / 입을 ~ den Mund auf|tun* / 이 사전은 손에서 뗄 수가 없다 Dieses Wörterbuch muß ich immer zur Hand haben.

④ 《봉한 것을》 entsiegeln⁴; das Siegel ab|nehmen*; öffnen⁴. ¶ 봉한 편지를 ~ den Brief öffnen.

⑤ 《병을》 los|werden⁴; heilen⁴. ¶ 학질을 ~ die Malaria los|werden; 《성가신 것을》 Lästiges los|werden.

⑥ 《거절》 ab|lehnen⁴; verweigern⁴; ab|weisen*⁴. ¶ 청하는 것을 잡아 ~ *jm.* e-e Bitte ab|schlagen* 〔ab|weisen*〕.

⑦ 《수표 등을》 e-n Wechsel ziehen* 〔trassieren〕 《*auf*⁴》; aus|stellen⁴. ¶ 수표 〔계산서〕를 ~ e-n Scheck 《-s, -s》 〔e-e Rechnung〕 aus|stellen 〔schreiben*〕 / 은행 앞으로 10만원짜리 어음을 ~ e-n Wechsel für 100000 *Won* auf die Bank ziehen*.

⑧ 《시치미를》 vor|täuschen; tun, als ob...; ⁴sich verstellen. ¶ 시치미 ~ ein gleichgültiges Gesicht machen; ⁴sich gleichgültig 〔unschuldig〕 stellen / 알고도 모르는 체 시치미를 ~ ⁴sich unwissend stellen / 하고도 안 한 체 시치미를 뗐다 Er gab vor, das nicht getan zu haben. / 아무 일도 없는 것처럼 시치미를 뗀다 Er tut, als ob nichts geschehen wäre.

⑨ 《코떼다》 kurz abgewiesen 〔abgefertigt〕 werden; die Tür vor der Nase zugeschlagen bekommen*. ¶ 돈을 좀 취해 달랬다가 코를 뗐다 Ich habe ihn gebeten, mir Geld zu verleihen, aber ich bin kurz abgewiesen worden.

⑩ 《끝냄》 beenden⁴; zu Ende bringen*⁴. ¶ 책을 ~ ein Buch aus|lesen*; ein Buch fertig studieren / 일손을 ~ auf|hören zu arbeiten; Feierabend machen; mit der Arbeit fertig sein.

⑪ 《낙태》 ab|treiben*⁴. ¶ 아이를 ~ die Leibesfrucht ab|treiben*.

⑫ 《끊다》 verzichten 《*auf*⁴》; ⁴sich enthalten*². ¶ 담배를 ~ ⁴sich des Rauchens enthalten* / 버릇을 ~ ³sich ab|gewöhnen⁴; ⁴sich entwöhnen² / 술을 ~ ⁴sich das Trinken ab|gewöhnen.

떼다² =떼먹히다.

떼도둑 Räuber 《*pl.*》; Räuberbande *f.* -n.

떼도망(一逃亡) Gruppenflucht *f.* -en. ~하다 in Gruppen fliehen*Ⓢ.

떼먹다 《갚지 않다》 betrügen* 《*jn.* um ⁴*et.*》; prellen 《*jn.* um ⁴*et.*》; nicht bezahlen; 《잘라먹다》 unterschlagen*⁴; veruntreuen⁴; ³sich widerrechtlich an|eignen⁴. ¶ 떼먹은 재산 veruntreutes Gut / 얼마를 슬쩍 ~ ³sich Schwänzelpfennige machen; e-e Provision nehmen* 《*von*³》 / 술값을 ~ den Wirt um die Zeche prellen; dem Wirt die Zeche prellen / 빚을 ~ um Schulden 《*pl.*》 betrügen* / 공금을 ~ öffentliche Gelder 《*pl.*》 veruntreuen / 빚을 떼먹고 달아나다 ⁴sich heimlich davon|machen, ohne Schulden zu begleichen.

떼먹히다 nicht bezahlt werden; unbezahlt sein; von *jm.* geprellt 〔betrogen〕 werden 《um ⁴*et.*》.

떼몰이 das Flößen*, -s. ~하다 flößen.

떼밀다 stoßen*⁴; schieben*⁴; drücken⁴. ¶ 아무를 ~ nach *jm.* stoßen* / 문을 ~ ⁴sich gegen die Tür drücken / 떼밀어 쓰러뜨리다 um|stoßen*⁴; nieder|stoßen*⁴ / 떼밀어 버리다 weg|stoßen*⁴; beiseite|schieben*⁴ / 사람들을 떼밀고 나가다 ⁴sich e-n Weg durch die Menge bahnen.

떼새 ① 〖조류〗 Regenpfeifer *m.* -s, -. ② 《새떼》 e-e Schar Vögel 《*pl.*》.

떼송장 ein Haufen Leichen 《*pl.*》.

떼쓰다 unverschämt viel verlangen; *jn.* tüchtig rupfen. ☞ 보채다, 떼⁴.

떼어놓다 ① 《분리》 ab|trennen⁴ 〔weg|-〕; ab|sondern⁴ los|lösen⁴; separieren⁴; zertrennen⁴

《이상 *von*³》; auseinander|ziehen*⁴; auseinander|halten*; entzweien⁴; voneinander trennen⁴; entfremden 《*jm. jn.*》(친구 따위를); isolieren. ¶싸우는 사람들을 ~ die Raufenden trennen / 어떤 문제를 다른 문제와 떼어놓고 생각하다 e-e Frage für ⁴sich (getrennt von anderen Fragen) in Betracht ziehen* (behandeln) / 여기서는 인물과 사건을 떼어놓고 생각할 수 없다 Man kann hier die Person von der Sache nicht trennen. ② 《경주에서》 rennen* 《2 m》 vor *jm.*

떼이다 veruntreut (unterschlagen) werden. ¶공금(公金)을 ~ öffentliche Gelder veruntreut (unterschlagen) werden / 빚을 ~ die Schulden werden nicht begleicht (bezahlt; getilgt; honoriert).

떼장이 e-e hartnäckige (beharrliche) Person, -en.

떼적 e-e grobe (plumpe) Matte 《-n》, die man als Schirm gebraucht.

떼전 eine Gruppe Reisacker, die einzelne Familie bestellt.

떼짓다 ⁴sich gruppieren; Gruppen bilden (zusammen|stellen).

떼치다 ① 《물리침》 ab|stoßen*⁴; von ³sich stoßen*⁴; beiseite|schieben*⁴; sich fort|reißen*; los|werden⁴. ¶귀찮은 존재를 떼쳐버리다 ³sich vom Halse schaffen⁴ / 우는 아이를 떼치고 밖으로 나가다 hinaus|gehen*ⓢ, das weinende Kind beiseiteschiebend / 수위를 떼치고 안으로 들어가다 hinein|gehen*ⓢ, den Pförtner abstoßend. ② 《거절》 ab|lehnen⁴; verweigern⁴. ¶요구를 ~ die Anforderung schroff ab|weisen*.

떽데구루루 ☞ 땍대구루루.

뗏말 e-e Schar (Scharen) von Pferden.

뗏목(一木) (Holz)floß *n.* (*m.*) -es, ⸗e. ¶~을 엮다 Baumstämme zu einem Floß zusammen|binden* / ~으로 나르다 mit dem Floß befördern⁴; flößen 《Baumstämme》.
‖ ~꾼 (Holz)flößer *m.* -s, -; Floß|meister *m.* -s, - (-führer *m.* -s, -).

뗏밥 Die Erde, die man auf den Grabenrasen ausstreut, damit der Rasen gut wächst.

뗏일 Die Arbeit, daß man den Rasen anlegt, um den Deich (das Grab) zu schützen. ⌈*f.* -n.

뗏장 Rasenstück *n.* -(e)s, -e; Rasenplagge

뗑겅- ☞ 댕그랑-.

또 ① 《또한》 und; auch; ferner; außerdem; (nicht nur)... auch; (sowohl)... als auch; überdies; zudem; noch dazu; übrigens; obendrein. ¶그의 가족으로는 아버지 어머니가 있고 또 할아버지 할머니가 있다 Er hat seine Eltern und Großeltern in seiner Familie. / 그는 군인이요 또 학자다 Er ist sowohl ein Soldat als auch ein Gelehrter. / 비 오는데 또 바람까지 거칠게 분다 Es regnet und, was noch mehr ist, es weht rauh. / 거기다 또 감기가 잔뜩 걸렸다 Was noch schlimmer ist, ich bin stark erkältet. / 또 누가 있었던가 Wer war denn noch da?/ 또 한 가지 할 말이 있다 Noch eins will ich dir sagen.¦Noch ein Wort!
② 《다시》 noch ein(e); noch einmal; wieder. ¶또 한 번 noch einmal; nochmal / 일을 또 시작하다 *js.* Arbeit wieder an|fangen* / 서울에 또 불이 났다 Es war noch ein Feuer in Seoul. / 또 들려 주시오 Kommen Sie wieder vorbei! / 돈을 또 달란다 Er bittet mich wieder um Geld. / 담배 또 하나 얻을 수 있읍니까 Darf ich noch eine Zigarette haben? / 또 무엇이 필요합니까 《점원이 손님에게》 Sonst noch etwas gefällig? / 또 한 번만 일러 주시오 Sagen Sie mir bitte noch einmal. / 또 뵙겠읍니다 Ich hoffe, Sie wiederzusehen.
③ 《상상외》 während; hingegen; auf der andern Seite; anderseits. ¶제 형은 키가 큰데 저 애는 또 저렇게 작다 Er ist so klein, während sein Bruder sehr groß ist. / 난 또 누구라구 Ach, du bist's! (Ich dachte, irgend ein anderer war es.)

또그르르 rollend; kugelnd 《kleine Kugel》.

또깡또깡 klar; deutlich; genau; bestimmt. ~하다 klar; deutlich (sein). ¶~ 말하다 klar u. deutlich sagen⁽⁴⁾.

또는 oder; (entweder)...oder; 《딴 말로》 mit anderen Worten. ¶내일 ~ 모레 morgen oder übermorgen / 이 달 ~ 내 달에 entweder diesen Monat oder den nächsten / 오든가 ~ 편지를 쓰든가 하지 Entweder komme ich, oder ich schreibe noch.

또다시 《또》 wieder; noch einmal (한번 더); zweimal (두 번); aufs neue; von neuem (새로). ¶~ 하다 wieder|tun*⁴; wieder|an|fangen*⁽⁴⁾ / 그는 ~ 열이 있다 Er hat wieder Fieber. / 그는 ~ 병이 났다 Er ist wieder krank. / ~ 왔읍니다 Da bin ich wieder. / 그는 ~ 담배를 피우기 시작했다 Er hat wieder zu rauchen angefangen

또닥거리다 leise (sanft) klopfen 《*an*⁴; *auf*⁴》 (pochen 《*an*⁴》; schlagen*⁴); tippen 《*an*⁴》. ¶아무의 어깨를 ~ *jm.* auf die Schulter klopfen / 이마를 ~ ⁴sich an die Stirn tippen (klopfen) / 연필로 책상을 ~ mit e-m Bleistift leise auf den Tisch klopfen.

또닥또닥 klopfend; tippend; pochend. ¶책상을 ~ 두드리다 leise auf den Tisch klopfen.

또드락장이 Goldschläger *m.* -s, -.

또랑또랑하다 sehr deutlich (klar) (sein). ¶어린애들의 또랑또랑한 목소리가 들린다 Man hört klare Stimmen der Kinder.

또래 gleich¦altrig (-jährig); gleichgradig. ¶고 ~의 어린애들 die gleichjährigen Kinder 《*pl.*》 / 고 ~(크기)의 양말 die Socken 《*pl.*》 von gleicher Größe / 그는 나하고 같은 ~다 Er ist (steht) in m-m Alter. / 그들은 모두 그 ~다 Sie sind gleich alt.

또렷또렷 lebhaft; lebendig; deutlich; klar. ~하다 lebhaft; lebendig; deutlich; klar (sein). ¶글씨를 ~ 쓰다 deutlich schreiben* / 옛 일이 ~하게 생각나다 ³sich die Vergangenheit lebhaft vor|stellen / 나는 그 장면이 ~하게 생각난다 Ich kann mir die Szene lebhaft vorstellen.

또렷하다 ☞ 뚜렷하다. ¶그는 발음이 ~ Er hat e-e klare (verständliche) Aussprache.

또바기 ① 《한결같이》 gleichmäßig; (wie) immer; regelmäßig. ¶언제나 ~ 존대해 말하다 *jn.* immer siezen. ② 《완전히》 ganz. ¶~ 밤을 새우다 die ganze Nacht wach liegen*; die ganze Nacht (hindurch) auf|bleiben* ⓢ (auf|sitzen*).

또박또박 ① 《정확히》 reinlich; sauber; genau; exakt; sorgfältig; klar u. deutlich; in klarem Ton (말 따위를). ~하다 sauber; genau; sorgfältig (sein). ¶~ 쓴 글씨 saubere Handschrift, -en / 글씨를 ~ 쓰다 e-e saubere Hand(schrift) schreiben*; sauber schreiben* / ~ 말하다 klar u. deutlich sprechen* / 갯수를 ~ 세다 genau zählen. ② 《거르지 않고》 pünktlich; regelmäßig. ¶ ~ 제 시간에 오다 immer pünktlich kommen* ⓢ / 빚을 ~ 갚다 *js.* Schulden regelmäßig bezahlen.

또아리 Kopfpolster 《*n.* -s, -》 aus Stroh, Gras od. Tuch (gebraucht von Frauen, um das Gepäck auf ihren Köpfen zu tragen). ¶ ~를 튼 뱀 e-e zusammengeringelte Schlange, -n / 뱀이 ~를 틀다 ringeln; ⁴sich zusammen|rollen.

또한 auch; ebenfalls; gleichfalls; 〔부정 구문〕 noch 〔weder, nicht, kein 다음에〕. ¶ 나는 그 사람도 알고 ~ 그의 동생도 안다 Ich kenne ihn, auch s-n Bruder. / 나는 할 수도 없지만 ~ 하려고도 않는다 Ich kann nicht, ich will auch nicht. / 그 일은 그 사람도 모르고 ~ 나도 모른다 Das weiß weder er, noch ich. / 그는 말도 안하고 ~ 생각도 안한다 Er spricht nicht, noch denkt er. / 돈도 없고 ~ 재산도 없다 weder Geld noch Gut haben.

똑¹ 《떨어지는 모양》 in e-m Tropfen trofpend; fallend; 《부러지는 소리》 knack(s) !; mit e-m Knacks. ~하다 tippen; sanft schlagen*; ab|brechen* ⓢ. ¶ 똑 부러지다 〔부러뜨리다〕 mit e-m Knacks brechen* ⓢ 〔brechen*⁴〕 / 똑 떨어지다 《액체가》 in e-m Tropfen fallen* ⓢ 《Flüssigkeit》 / 단추가 똑 떨어졌다 Der Knopf ist abgesprungen. / 바늘 끝이 똑 부러지다 Die Nadelspitze bricht ab.

똑² 《꼭·아주 다》 pünktlich; gerade; genau; ganz; vollkommen. ¶ 똑 제 시간에 도착하다 pünktlich an|kommen* ⓢ / 돈이 똑 떨어지다 s-n letzten Pfennig aus|geben*; k-n (roten) Heller haben / 쌍둥이가 똑같다 Die Zwillinge sind einander ganz 〔zum Verwechseln〕 ähnlich.

똑같이 gleich; gleichmäßig; gleichförmig (한결같이); unparteiisch (공평하게); ununterschieden; unterschiedslos (차별 없이); ähnlich; ebenso; gleichfalls. ¶ ~ 보인다 ähnlich aus|sehen* / 두 자매는 ~ 예쁘다 Die beiden Schwestern sind gleich schön.

똑딱거리다 《시계 따위가》 ticken; ticktacken. ¶ 시계가 똑딱거린다 Die Uhr tickt. ¦ Man hört das Ticken der Uhr. ¦ Die Uhr macht ticktack.

똑딱단추 Druckknopf *m.* -(e)s, ⸚e.

똑딱똑딱 ticktack; Ticktack *n.* -(e)s, -.

똑딱선(—船) Motorboot *n.* -(e)s, -e; Dampfschiff *n.* -(e)s, -e.

똑똑 ① 《물이》 triefend einer nach dem anderen; tropfenweise; tröpfelnd. ¶ ~ 듣다 《떨어지다》 tropfen; triefen; tröpfeln; träufeln 《이상 모두 ⓗ,ⓢ》 / 빗방울이 ~ 듣기 시작한다 Es fängt an zu tröpfeln 〔drippeln〕. / 핏방울이 바닥에 ~ 떨어졌다 Das Blut tropfte auf den Boden. / 그는 땀방울이 ~ 떨어졌다 Er triefte von Schweiß.
② 《부러짐》 knack(s); mit Knacks. ¶ 나뭇가지가 ~ 부러진다 Die Baumzweige werden mit Knacks abgebrochen.
③ 《두드림》 tapp (tapp); tappend; klopfend. ¶ ~ 두드리는 소리 das Klopfen* 〔Pochen*〕 -s; der leichte Schlag, -(e)s, ⸚e; Tapp Tapp *n.* -s / ~ 두드리다 klopfen 《*an*⁴》; pochen 《*an*⁴》; schlagen*⁴ / 문을 ~ 두드리다 an die Tür klopfen / 창문을 ~ 두드리는 소리가 들렸다 Man hörte an das Fenster tappen 〔klopfen〕.

똑똑하다 ① 《분명》 klar; deutlich; eindeutig (sein). ¶ 똑똑한 글씨 e-e klare Handschrift, -en / 똑똑한 인쇄 das klare Drucken*, -s / 똑똑한 발음 deutliche Aussprache, -n.
② 《영리·현명》 klug 《klüger, klügst》; (auf-)geweckt; findig; geistreich; gescheit; scharfsinnig; verständig (총명); denkfähig (발명); intelligent (sein). ¶ 똑똑해 보이는 klug 〔(auf)geweckt; findig; geistreich; geschickt; scharfsinnig〕 aussehend / 똑똑한 체하는 사람 Klügler *m.* -s, - / 똑똑한 체하다 klügeln; klug tun*; ³sich den Anschein geben*, als wäre man klug / 똑똑한 체하지 마라 Weg mit deiner Klügelei!

똑똑히 ① 《분명히》 klar; deutlich; genau. ¶ ~ 쓰다 deutlich schreiben*⁽⁴⁾ / ~ 발음하다 deutlich aus|sprechen*⁴ / ~ 말하다 deutlich 〔klar〕 sagen⁽⁴⁾. ② 《영리·현명하게》 klug; gescheit; intelligent. ¶ 똑똑하게 생긴 사람 ein kluger Kopf, -(e)s, ⸚e / 관리는 그 문제를 ~ 처리했다 Der Beamte hat die Sache klug erledigt.

똑바로 ① 《곧게》 gerade; aufrecht; direkt; stracks; in gerader Linie. ¶ ~ 서다 aufrecht stehen*; ⁴sich aufrecht halten* / ~ 가다 geradeaus gehen* ⓢ; immer in gleicher Richtung (vorwärts|)gehen* ⓢ / 자세를 ~ 하다 ⁴sich auf|richten / 글씨를 ~ 쓰다 in gerader Linie schreiben* / ~ 집으로 가다 direkt nach Hause gehen* ⓢ.
② 《바른 대로》 ehrlich; aufrichtig; offenherzig; rechtschaffen; korrekt. ¶ ~ 말하다 offen heraus|sagen⁴; frisch von der Leber weg sprechen*⁴; das Kind beim (rechten) Namen nennen* / ~ 살아가다 ein ehrliches Leben führen / ~ 말하면 um die Wahrheit zu sagen; rund herausgesagt (솔직하게) / 사물을 ~ 보도록 해라 Sieh die Sache richtig an!

똘기 unreife Frucht, ⸚e.

똘똘이 gescheiter Junge, -n, -n.

똘똘하다 klug; gescheit (sein). ¶ 똘똘하게 굴다 ⁴sich klug benehmen*.

똘배(나무) Wildbirne *f.* -n; Wildbirnbaum *m.* -(e)s, ⸚e.

똥 ① 《대변》 Kot *m.* -(e)s; Exkrement *n.* -(e)s, -e; Unrat *m.* -(e)s; Mist *m.* -es, -e (소, 말, 양 따위의); Scheiße *f.* 《비어》. ¶ 새똥 Vogelmist *m.* / 해조의 똥 Guano *m.* -s / 똥 푸는 사람 Kotsammler *m.* -s, - / 똥 푸는 곳 《변소의》 e-e Öffnung 《-en》 fürs Ausschöpfen des Kotes / 똥배짱 Wagehals *m.* -es; Tollkühnheit *f.* / 똥을 치우다 den Kot entfernen 〔sammeln〕 / 똥 먹은 곰의 상을 하다 e-e saure Miene 〔ein Gesicht wie drei Tage Regenwetter〕 machen / 제 똥 구린 줄 모르다 e-n Balken in s-m Auge haben 〔nicht gewahr werden〕 / 똥 싼 주제에 매화타령한다 weiter|gehen* ⓢ, ohne seine schändliche Tat gewahr zu werden / 똥 친 막대기처럼 키만 크다 Er ist sehr groß, aber ein Nichtsnutz. / 똥 묻은 개가 겨 묻은 개 나무란다 Ein Esel schimpft den andern Langohr. / 똥은 건드릴수록 구린내만 난다 Vom Umgang mit e-m schlechten Menschen ist nichts Gutes zu erwarten. / 똥이 무서워 피하랴 Man hält sich von den schlechten Menschen fern, nicht aus Furcht vor ihnen, sondern wegen ihrer Schmutzigkeit.

②《먹물찌끼》 das getrocknete Residuum 《-s, ..duen》 der chinesischen Tinte auf dem Tintenstein. ③《더껑이》 Abschaum *m.* -(e)s; Verfärbung *f.* -en. ¶ 이똥 die gelbe Verfärbung der Zähne.

똥감태기 ¶ ~된 mit Kot ganz bedeckt.

똥값 Schleuderpreis *m.* -es, -e. ¶ ~으로 zu e-m Schleuderpreis; spottbillig; um e-n Pappenstiel / ~으로 사다 [4]*et.* um (für) e-n Pappenstiel kaufen / ~으로 팔다 [4]*et.* zu [3]Schleuderpreisen verkaufen / 100 원이란 ~으로 손에 넣었다 Ich erhielt es zu e-m Schleuderpreis von hundert *Won.*

똥개 ①《개》 Bastardhund *m.* -(e)s, -e. ②《몸무게》 *js.* Körpergewicht *n.* -(e)s, -e.

똥거름 Dung *m.* -(e)s; Dünger *m.* -s, -.

똥겨주다 *jm.* an|deuten; *jm.* e-n Wink geben*. ¶ 나는 그에게 가도 좋다고 똥겨 주었다 Ich deutete ihm an, er könne gehen.

똥구멍 Anus *m.* -, -; After *m.* -s, -. ¶ ~으로 호박씨 까다 [4]sich schlau benehmen*.

똥그라미 ①《원》 Kreis *m.* -es, -e. ②《돈》 Geld *n.* -(e)s, -er; Münze *f.* -n.

똥그랗다 ☞ 동그랗다.

똥기다 =똥겨주다.

똥끝 Kotspitze *f.* -n. ¶ ~ 타다 sehr ängstlich sein; [4]sich quälen; [3]sich Mühe machen.

똥누다 [4]sich entleeren; Stuhlgang haben; s-e große Notdurft (ein großes Geschäft) verrichten; 〖속어〗 ab|protzen (kacken); Aa machen《어린애 말》.

똥독 《뒷간의》 Kottopf *m.* -(e)s, ⸗e; Kotfaß *n.* ..fasses, ..fässer.

똥독(一毒) Kotgift *n.* -(e)s, -e. ¶ ~이 오르다 durch Kotgift Hautausschlag bekommen*.

똥똥하다 rundlich; drall; dicklich (sein). ☞ 뚱뚱하다.

똥마렵다 s-e Notdurft haben (auf die Toilette gehen müssen*).

똥물 ①《똥의》 Jauche *f.* -n. ②《토할 때 의》 gelbe Flüssigkeit aus heftigem Erbrechen.

똥바가지 Dünger|schöpfgefäß (Kot-) *n.* -es, └-e.

똥받기 Mistsammelkasten *m.* -s, -.

똥배 Dickbauch (Bierbauch) *m.* -(e)s, ⸗e; Dickwanst *m.* -es, ⸗e; 〖속어〗 Wampe *f.* -n; Hängebauch *m.* -(e)s, ⸗e; 〖속어〗 Mollenfriedhof *m.* -(e)s, ⸗e (맥주배).

똥싸개 Hosenscheißer *m.* -s, - (ein Kind, das unfähig ist, s-e Notdurft zu beherrschen); 《아이》 Säugling *m.* -s, -e.

똥싸다 ① =똥누다. ②《애쓰다》 [3]sich Mühe machen; [4]sich bemühen《*um*[4]》; [3]sich Mühe geben*《*mit*[3]; *um*[4]》; [4]sich quälen. ¶ 숙제하느라 똥쌌다 Ich habe die Hausaufgabe mit großer Mühe gemacht. / 애들을 달래느라 똥쌌다 Ich hatte alle Mühe, die Kinder zu beruhigen.

똥오줌 die (menschliche) Ausscheidung, -en; Exkret *n.* -(e)s, -e; Kot 《*m.* -(e)s》 u. Urin 《*m.* -s, -e》. ¶ ~을 함부로 갈기다 sein Bedürfnis ohne Rücksicht auf [4]Zeit u. Ort verrichten / 환자의 ~을 받아내다 für die Ausscheidung (Exkretion) e-s Kranken sorgen.

똥요강(一尿鋼) Nachtgeschirr *n.* -(e)s, -e; Nachttopf *m.* -(e)s, ⸗e.

똥주머니 《못난이》 Scheißkerl *m.* -(e)s, -e.

똥줄 rasche dünnflüssige Scheiße im Durchfall. ¶ ~ 빠지다 bis zum Tode erschrecken* ⓢ; Schreckliches erleben; teuer zu stehen kommen* ⓢ.

똥집 ①《큰 창자》 Dickdarm *m.* -(e)s, ⸗e; 《위》 Magen *m.* -s, -. ②《몸집》 großer Körperbau, -(e)s; fettiger Körperbau. ¶ ~ 무거운 사람 schwerleibiger Mann, -(e)s, ⸗er. ③《체중》 Köpergewicht *n.* -(e)s, -e.

똥차(一車) Kotkraftwagen *m.* -s, -; 《고장 잘 나는 차》 baufälliges (klappriges; schäbiges) Auto, -s, -s.

똥창맞다 [4]*et.* mit *jm.* ab|karten (heimlich aus|machen).

똥칠하다 mit Kot bestreichen*[4] (beschmieren[4]); [4]sich blamieren. ¶ 얼굴에 ~ *jm.* Schande bringen* (machen; an|tun*); Schande auf [4]sich laden*.

똥탈 Bauchschmerz *m.* -es, -en; Durchfall *m.* -(e)s, ⸗e.

똥탈나다 《배탈》 Durchfall (Magenbeschwerden) haben; an [3]Diarrhöe leiden*; 《급성병》 an e-r akuten Krankheit leiden*.

똥털 das Haar 《-(e)s, -e》 um den Anus.

똥통(一桶) Kotkübel *m.* -s, -.

똥파리 Kotfliege *f.* -n.

똥항아리 ①《똥요강》 Nachtgeschirr *n.* -(e)s, -e. ②《못난이》 Scheißkerl *m.* -(e)s, -e.

똬리 ☞ 또아리.
‖ ~쇠 metallene Unterlagscheibe, -n.

뙈기 ①《논밭의》 ein Stück 《Feld; Reisfeld》. ¶ 밭(논) 한 ~ ein Stück Feld (Reisfeld) / 논 ~나 가졌다 Er besitzt ein paar Stücke Reisfeld. ②《작품·절》 Stück *n.* -(e)s, -e.

뙤다 ab|schnappen ⓢ; ab|brechen* ⓢ. ¶ 그물코가 ~ 《여자 양말의》 bei *jm.* läuft e-e Masche / 바늘귀가 뙨다 Die Nadelspitze bricht ab. / 책상귀가 뙨다 Die Ecke e-s Tisches bricht ab.

뙤뙤 stammelnd. ~거리다 stammeln.

뙤약볕 brennende (heiße) Sonne; hitziger (blendender) Sonnenschein, -(e)s, -e. ¶ ~을 쬐다 in der hitzigen Sonne liegen* / ~을 받으며 걷다 unter der hitzigen Sonne gehen* ⓢ.

뙤창문(一窓門) die Tür 《-en》, die ein kleines Fenster in sich hat.

뚜 《소리》 tut; tutend; heulend. ¶ 기적이 뚜 울리다 die Dampfpfeife ertönt (tutet); die Sirene heult / 나팔을 뚜 불다 die Trompete blasen*; trompeten.

뚜그르르 ☞ 두그르르.

뚜깔 〖식물〗 *Patrinia villosa* (학명).
‖ ~나물 Patrinia-Gemüse *n.* -s, -.

뚜껑 ①《덮개》 Deckel *m.* -s, -; Haube *f.* -n; Klappe *f.* -n (포켓, 배낭 따위의); Gehäuse *n.* -s, - (시계의); Kappe *f.* -n (만년필의). ¶ ~ 달린 mit Deckel versehen; Deckel- / ~ 없는 ohne [4]Deckel; deckellos / ~을 덮다 (be)decken[4]; zu|decken[4]; zu|machen[4] (닫다) / ~을 열다 den Deckel ab|nehmen*; auf|decken[4]; auf|machen[4] (열다); 《비유적》 eröffnen[4]; ein|weihen[4] / ~을 열어 볼 때까지는 무엇이라 말할 수 없다 Wer kann das Ergebnis voraussagen? ②《모자》 Mütze *f.* -n; Hut *m.* -(e)s, ⸗e.

뚜껑이불 die gepolsterte Bettdecke ohne Bettuch.

뚜덜- ☞ 두덜-.

뚜두두둑 《Regen *od.* Hagel》 prasselnd; 《Zweig》 langsam abbrechend.

뚜드리다, 뚜들기다 ☞ 두드리다.

뚜뚜 tut-tut. ¶ 기적을 ~ 울리다 die Dampfpfeife tuten / 나팔을 ~ 불다 die Trompete blasen* (tuten).

뚜렷이 klar; deutlich; lebhaft; ausdrücklich; klipp u. klar; beträchtlich; glänzend; 《눈에 띄게》 auffallend; augenfällig. ¶ ~ 보이다 ^{4}sich klar zeigen; deutlich sichtbar sein; ^{4}sich klar(scharf) ab|heben*《*von*^{3}; *gegen*^{4}》/ ~ 구별하다 klar unterscheiden*^{4} 《*von*^{3}》/ ~ 감소하다 ^{4}sich deutlich vermindern / ~ 인쇄하다 deutlich drucken^4 / ~ 생각나다 ^{4}sich lebhaft erinnern^2 《*an*^{4}》/ ~ 두각을 나타내다 ^{4}sich glänzend hervor|tun*.

뚜렷하다 klar; deutlich; offen(bar); augenscheinlich; einleuchtend; sichtbar; ausdrücklich; auffallend; 《의심할 바 없이》 gewiß; sicher; unbezweifelt (sein). ¶ 뚜렷한 증거 der klare Beweis, -es, -e / 뚜렷한 용모 scharfe (Gesichts)züge 《*pl.*》/ 뚜렷한 사실 die unbestrittene Tatsache, -n / 뚜렷한 대조 der augenfällige Kontrast, -es, -e / 아주 ~ offen zu Tage (klar auf der Hand) liegen*; sonnenklar (selbstverständlich) sein / 뚜렷해지다 *jm.* ein|leuchten; *jm.* klar werden / 뚜렷이 하다 ^{4}*et.* ins klare bringen*; klar|machen (auf|klären)^4 / 일이 뚜렷해진다 Das erklärt die Sache. / 입장을 뚜렷이 하다 *js.* Standpunkt klar|machen / 뚜렷한 목적이 있다 klare Ziele vor Augen haben.

뚜르르 ☞ 두르르.

뚜벅거리다 stolzieren [h,s]. ¶ 뚜벅거리는 걸음 der stolze Gang, -(e)s.

뚜벅뚜벅 stolzierend; mit stolzierenden Schritten. ¶ ~ 걷다 stolzieren [h,s].

뚜장이 Kuppler *m.* -s, -; Kupplerin *f.* -nen (여자). ¶ ~ 노릇하다 kuppeln.

뚝 ① 《땅에 떨어짐》 bums; mit dem dumpfen Schlag. **~하다** dumpf auf|schlagen* [s] 《*auf*^{4}》. ¶ 물방울이 뚝 떨어지다 in e-m größeren Tropfen fallen* [s] / 호박이 땅에 뚝 떨어지다 ein Kürbis 《*m.* -ses, -se》 schlägt dumpf auf den Boden auf / 큰 빗방울이 내 손에 뚝 떨어졌다 Ein großer Regentropfen fiel auf m-e Hand.
② 《부러짐》 knacks; mit dem Knacks. **~하다** knacken; entzwei|brechen* [s]; ab|reißen* [s]. ¶ 지팡이가 뚝 부러졌다 Der Stock ist mit e-m Knacks entzweigebrochen. / 실이 뚝 끊겼다 Der Faden ist abgerissen. / 대들보가 뚝했다 Der Hauptbalken knackte. / 밧줄의 가장 약한 곳이 뚝 끊어졌다 Das Seil ist an der schwächsten Stelle abgerissen.
③ 《갑자기》 plötzlich; unerwartet; ab-. ¶ 뚝 그치다 (plötzlich) ab|brechen* [s]; ab|reißen* [s] / 여기서 보고가 뚝 끊어졌다 Hier bricht der Bericht ab. / 대화가 뚝 끊어졌다 Das Gespräch riß plötzlich ab. / 그는 이야기를 뚝 그쳤다 Mitten in s-m Gespräch schnappte er ab. / 전화가 뚝 끊어졌다 Abgetrennt wurde das Telephongespräch. / 그는 발걸음을 뚝 끊었다 Auf einmal blieb er aus.

뚝딱- ☞ 똑딱-.

뚝뚝 tropfenweise; in Tropfen. ¶ ~ 떨어지다 tropfenweise fallen* [s]; drippeln [s]; träufeln [s,h] / 애교가 ~ 떨어지다 von Liebenswürdigkeit über|fließen* [s]; die Liebenswürdigkeit selbst sein / 그의 이마에서 땀이 ~ 떨어진다 Der Schweiß trieft ihm von der Stirn. / 그녀는 눈물을 ~ 흘렸다 Tränen tropften ihr über die Wangen.

뚝뚝하다 《굳다》 hart; solid (sein); 《문장이》 steif; papieren; hölzern (sein); 《사람이》 hartnäckig; stur (sein). ¶ 뚝뚝하게 stur wie ein Panzer / 뚝뚝한 사람 ein hartnäckiger Mann, -(e)s, ⸚er / 뚝뚝한 표정을 짓다 steife Züge an|nehmen* / 그의 말씨는 ~ S-e Mundart ist stur.

뚝발이 ☞ 절뚝발이.

뚝배기 Schüssel *f.* -n (unglasierter Töpferware für Speisen).

뚝별나다 heißblütig; reizbar; empfindlich; mürrisch (sein). ¶ 제발 뚝별나게 굴지 말라 Bitte, sei nicht so empfindlich dagegen. / 그는 뚝별난 놈이다 Er ist ein mürrischer Kerl.

뚝별씨 《성질》 Heißblütigkeit *f.*; Reizbarkeit *f.*; Empfindlichkeit *f.*; 《사람》 der (leicht) Reizbare*, -n, -n; Heißsporn *m.* -(e)s, -e; Hitzkopf *m.* -(e)s, -e.

뚝심 körperliche Kraft zum Stützen. ¶ ~ 센 사람 ein Mann 《*m.* -(e)s, ⸚er》 mit starken Sehnen / ~이 있어 쌀 한 가마를 쉽게 들어올린다 Er ist so stark, daß er e-n Strohsack Reis leicht emporheben kann.

뚝지 〖어류〗 e-e Art Meerfisch 《*m.* -(e)s, -e》; *Aptocyclus ventricosus* (학명).

뚝하다 ☞ 뚝뚝하다.

뚤뚤 ☞ 돌돌.

뚫다 ① 《구멍을》 bohren^4 《*in*^{4}; *durch*^{4}》; lochen^4; graben*^{4} 《*in*^{4}》; 《관통》 durchbohren^4; durchbrechen*^{4}; durchschießen*^{4} (총알 따위가); 《돌파》 durchbrechen*^{4}; durch|stoßen*^{4}; 《틀을 대고 두드려서》 aus|stanzen^4; 《방도를》 e-n Weg finden*; ^{3}sich e-n Weg bahnen; 《길을》 e-e Straße bauen; 《틈을》 ^{4}sich drängen 《*durch*^{4}》; durch|gehen* [s]. ¶ 판자에 구멍을 ~ ein Loch in (durch) das Brett bohren / 바위를 ~ e-n Felsen durchbohren (durchbrechen*) / 함석에 구멍을 ~ aus e-m Blech ein Loch stanzen / 성벽을 (봉쇄를) ~ die Mauer (Blockade) durchbrechen* / 방어선을 ~ die Linie durchstoßen* / 터널을 ~ e-n Tunnel bohren (graben*) / 탄알로 벽에 구멍이 뚫리다 die Wand wird von Kugeln durchbohrt / 돈 구멍을 ~ e-n Weg finden*, Geld einzubringen / 산을 뚫어 길을 내다 e-e Straße quer durch den Berg bauen / 사람 사이를 뚫고 나가다 ^{4}sich durch die Menge drängen / 물방울이 돌을 뚫는다 „Steter Tropfen höhlt den Stein."
② 《무릅쓰다》 ^{4}sich hinweg|bringen* 《*über*^{4}》; hinweg|kommen* [s] 《*über*^{4}》; (erfolgreich) hinter sich haben^4; durch|setzen^4 (관철하다); durch|halten* 《*in*^{3}》 (끝까지 지탱하다); ^{4}sich durch|schlagen*; überstehen*^{4} (뚫고 나아가다); überwinden*^{4} (극복하다). ¶ 괴로운 시대를 뚫고 나아가다 in schweren Zeiten durch|halten* / 어둠과 안개를 뚫고 말을 달리다 bei Nacht und Nebel (durch Nacht u. Nebel) reiten* [s].
③ 《이치를》 erreichen^4; erlangen^4; erfassen^4; durchschauen^4. ¶ 학문의 깊은 이치를 ~ die Geheimnisse des Studiums durchschauen.
④ 《법망·감시 따위를》 aus|weichen*^{3} [s]; umgehen*^{4}. ¶ 법망을 ~ das Gesetz umgehen* / 감시의 눈을 ~ der Überwachung aus|weichen* [s].

뚫리다 《구멍이》 (durch)gebohrt werden; gedrillt werden; 《속이》 ^{4}sich höhlen. ¶ 돈벌 구멍이 뚫린다 Man findet e-n Weg, Geld zu verdienen. / 터널이 ~ e-n Tunnel an|-

legen / 계속되는 빗방울에 바위가 뚫린다 《티끌 모아 태산》 Steter Tropfen höhlt den Stein.

뚫린골 《뚫린 골목》 offene Gasse, -n.

뚫어내다 ① 《구멍을》 (durch|)bohren⁴; drillen⁴. ¶ 판자를 ～ ein Brett durch|bohren / 터널을 ～ e-n Tunnel an|legen. ② 《찾아내다》 heraus|finden*. ¶ 돈벌 구멍을 ～ e-n Weg heraus|finden*, Geld zu verdienen.

뚫어뜨리다 ① 《동작》 es gelingt *jm.* ⁴*et.* zu bohren (drillen). ¶ 마침내 그 판자에 구멍을 뚫어뜨렸다 Es hat mir endlich gelungen, das Brett zu bohren. ② 《결과》 ein Loch machen 《*in*⁴》. ¶ 잘못하여 장지문에 구멍을 뚫어뜨렸다 Aus Versehen habe ich in die Papierschiebetür ein Loch gemacht.

뚫어새기다 (aus|)schnitze(l)n⁴; stechen*⁴; ziselieren*⁴.

뚫어지게보다 starren 《*auf*⁴》; prüfend (forschend) an|sehen*⁴. ¶ 아무를 ～ auf *jn.* starren; *jn.* forschend an|sehen* / 아무의 얼굴을 ～ auf *js.* ⁴Gesicht starren / 그녀는 그를 뚫어지게 보았다 Ihre Augen bohrten auf ihm.¦Sie bohrte ihre Augen auf ihn.

뚫어지다 ein Loch bekommen*. ¶ 벽에 구멍이 뚫어졌다 Die Wand bekamm ein Loch. / 이 송곳은 도무지 뚫어지지 않는다 Dieser Bohrer will nicht bohren. / 문구멍이 뚫어졌다 Die Papierschiebetür hat ein Loch bekommen. / 신발이 뚫어졌다 Die Schuhe sind abgenutzt.

뚱그렇다 ☞ 동그랗다.

뚱기다 springen* (hüpfen; hopsen) lassen*⁴; ab|prallen (zurück|-) lassen*⁴ 《*von*³; *auf*⁴》. ¶ 공이 벽에 뚱겨나왔다 Der Ball prallte von der Mauer zurück.

뚱기치다 stark springen* (hüpfen; hopsen) lassen*⁴; stark ab|prallen (zurück|-) lassen*⁴ 《*von*³; *auf*⁴》; e-n Stoß geben*³; ab|stoßen*⁴ (aus|-).

뚱딴지¹ ① 《애자》 Isolator *m.* -s, -en. ② 《사람》 Stümper *m.* -s, -; der stumpfsinnige (dumme) Mensch, -en, -en; Klotz *m.* -es, ¨e; Dummkopf *m.* -(e)s, ¨e. ③ 《엉뚱함》 die absurde (unsinnige; unerwartete) Sache, -n; Unsinn *m.* -(e)s; Albernheit *f.* -en. ¶ ～ 같은 unsinnig; sinnlos; zusammenhangslos; ungereimt; unverständlich / ～ 같은 녀석 der völlig fremde Mensch, -en, -en; ein Mensch, der nichts damit zu tun hat / ～ 같은 대답을 하다 e-e sinnlose Antwort geben* / ～ 같은 소리를 하다 nicht zur ³Sache sprechen*; albernes (unsinniges) Zeug schwatzen / ～ 같은 소리 말라 Blödsinn!¦Dummes Zeug!¦Unsinn!¦Quatsch!

뚱딴지² 〖식물〗 Topinambur *m.* -s, -s (*f.* -en); Erdapfel *m.* -s, ¨.

뚱땅거리다 die Trommel schlagen* u. rühren. ¶ 뚱땅거리며 놀다 schlampampen / 그들은 뚱땅거리며 밤 늦게까지 놀았다 Sie schlampampten bis tief in die Nacht.

뚱땅뚱땅 tromm-tromm.

뚱뚱보 der Dicke*, -n, -n; Fettwanst 《속어》 *m.* -es, ¨e. ¶ 그는 ～다 Er ist ein Fettbauch.

뚱뚱이 ☞ 뚱뚱보.

뚱뚱하다 dick; (wohl)beleibt; feist; fett; fleischig; korpulent; massig; rund; drall(투실투실한); untersetzt (땅딸막한); 《배가 북통 같은》 dickwanstig; schwerbäuchig; dickbäuchig (sein). ¶ 임신으로 배가 뚱뚱한 여자 schwangere Frau, -en / 뚱뚱해지다 dick werden; Fett an|setzen; zu Fleische kommen* [s].

뚱보 ① 《뚱한 사람》 der Wortkarge* (Verschlossene*; Unwirsche*; Mürrische*) -n, -n; Murrkopf *m.* -(e)s, ¨e; Grämler *m.* -s, -. ② 《뚱뚱보》 der Dicke*, -n, -n; Dickerchen *n.* -s, -; Fettwanst *m.* -es, ¨e. ¶ ～의 dick; feist; fett; fleischig; wohlbeleibt.

뚱하다 ① 《성질이》 schweigsam; wortkarg; verschlossen; zurückhaltend (sein). ¶ 뚱하여 말이 적다 zurückhaltend und wortkarg sein. ② 《심술나서》 ärgerlich; übelgelaunt; grämlich; griesgrämig; unwirsch; murrsinnig; mürrisch; finster; sauer; unfreundlich; verdrießlich; verstimmt; ungefällig; barsch; schroff; schlechter ²Laune (sein). ¶ 뚱한 얼굴을 하다 mürrisch aus|sehen* (drein|schauen); e-e mürrische Miene auf|-setzen.

뛰기 Sprung *m.* -(e)s, ¨e.
‖ 높이(넓이)～ Hochsprung (Weitsprung). 삼단～ Dreisprung *m.* -(e)s, ¨e.

뛰놀다 herum|springen* [s]; umher|hüpfen [h,s]; ⁴sich herum|tummeln; herum|tollen. ¶ 어린이들이 운동장에서 뛰놀고 있다 Die Kinder tummeln sich auf dem Spielplatz (umher).

뛰다¹ ① 《달음질》 rennen* [h,s]; laufen* [h,s]; eilen [h,s]; stürzen [h,s]; 《도약》 springen* [h,s]; hopsen[h,s]; hoppen[h,s]; hoppeln[h,s]; hüpfen [h,s]. ¶ 뛰어 올라가다 (올라오다) hinauf|laufen* (-|eilen; -|stürzen; -|rennen*) (*od.* herauf|-) [h,s] / 뛰어 내려가다 (나가다, 들어가다) hinab|laufen* (hinaus|laufen*, hinein|laufen*)[h,s] / 뛰어 오르다 auf|springen* (-|fahren*; -|schnellen)[s]; ⁴sich auf|schwingen*/ 펄쩍 ～ mit einem Sprung auf|fahren*[s] (놀라거나 화나서) / 기뻐서 ～ vor Freude hüpfen[s]. ② 《넘어감》 hinüber|springen*[s] 《*über*⁴》. ¶ 도랑을 뛰어 건너다 über den Graben springen*[s] / 담을 뛰어 넘다 über die Mauer hinüber|springen*[s]/4미터를 ～ 4m weit springen*[s] / 걷기도 전에 뛰려고 한다 versuchen, etwas Schwieriges zu unternehmen, bevor man Leichteres bewältigt; ungeduldig (zu ehrgeizig) sein.

뛰다² ① 《물 따위가》 plan(t)schen; platschen; plätschern; spritzen. ¶ 프라이팬에서 뜨거운 기름이 ～ Das heiße Fett spritzt aus der Pfanne. ② ＝달아나다.

뛰다³ ① 《그네를》 (⁴sich) schaukeln; auf der Schaukel fahren* [s] (wippen). ¶ 애들이 마당에서 그네를 뛴다 Die Kinder schaukeln (sich) im Garten. ② 《널을》 (⁴sich) wippen; auf der Wippe schaukeln. ¶ 아가씨들이 뜰에서 널을 뛴다 Die Mädchen wippen (sich) im Hofe.

뛰다⁴ 《가슴이》 schlagen*; klopfen; pochen; pulsieren (맥박이). ¶ 맥이 ～ Der Puls schlägt (hämmert; klopft; pocht) / 기대로 가슴이 뛴나 Das Herz klopft vor Erwartung. / 기뻐서 가슴이 뛰었다 Mir hüpfte das Herz vor Freude.

뛰어가다 rennen*[s]; laufen*[s]. ¶ 100 미터를 몇 초에 뛰어갈 수 있읍니까 In wieviel Sekunden können Sie 100 Meter laufen? / 나는 단숨에 그곳으로 뛰어갔다 Ich lief in e-m Zug dorthin.

뛰어나가다 hinaus|laufen*[s]. ¶ 문 밖으로 ～ zur Tür hinaus laufen*[s] / 마당으로 ～ in den Garten hinaus|laufen*[s]/방에서 ～ aus dem Zimmer stürzen(s) / 우리 속에서 ~ aus dem Käfig aus|brechen* (s).

뛰어나다 ⁴sich empor|ragen; hervor|ragen 《über⁴》; ⁴sich aus|zeichnen 《in³》; ⁴sich hervor|tun*; ausgezeichnet sein 《in³》; 《…보다》 überbieten* (überflügeln; überholen; überragen; übertreffen* 《jn. in³ (an³)》; überlegen 《jm. in³》) sein; die Oberhand haben 《jm.》; die Spitze halten*; das Übergewicht haben; den Vorrang behalten*. ¶ 뛰어난 ausgezeichnet; hervorragend; vortrefflich; vorzüglich/뛰어나게 bei weitem; überaus; außer|gewöhnlich (-ordentlich) äußerst; in hohem Grade; über alle Maßen; ungemein / 다른 사람보다 재능이 ~ ⁴andere an ³Talent übertreffen* / 그녀는 뛰어나게 예쁘다 Sie ist bei weitem die Schönste.| Sie ist viel viel schöner als die anderen. / 그는 뛰어나게 우수하다 Er ist weitaus (bei weitem) der beste. / 그는 수학에서 뛰어난다 Er zeichnet sich vor andern in Mathematik aus. / 그는 그 재능 탓으로 동급생 중에서도 뛰어나 있었다 Er ragte wegen s-r glänzenden Begabung unter s-n Mitschülern hervor. / 그는 실력면에서 단연 다른 사람보다 뛰어났다 Was das Können angeht, stellt er alle anderen weit in den Schatten.

뛰어내리다 ab|springen* (s) 《von³》; hinab|springen* (herab|-) (s); hinunter|springen* (herunter|-) (s). ¶ 달리는 전차에서 ~ von e-m noch fahrenden Straßenbahnwagen ab|springen*(s) / 바위에서 ~ von e-m Felsen ab|springen*(s) / 말에서 ~ vom Pferd ab|springen* (s) / 낙하산을 타고 비행기에서 ~ mit dem Fallschirm aus e-m Flugzeug ab|springen*(s) / 창문에서 ~ aus dem Fenster ab|springen* (s) / 뛰어내려 자살(을)하다 Selbstmord 《m. -(e)s》 durch Herabspringen begehen*.

뛰어넘다 ① 《도약》 springen*(s) 《über⁴》; überspringen*⁴; hinüber|gelangen (s) 《über⁴》; hinweg|klettern (s) 《über⁴》; hinweg|springen*(s) 《über⁴》 (기마술의 장애물 따위). ¶ 도랑을 ~ über e-n Graben springen*(s); e-n Graben überspringen* / 도둑은 담을 뛰어넘어 도망(을)쳤다 Der Dieb entfloh über die Mauer hinweg. / 이 곤경을 어떻게 하든 뛰어넘고 싶다 Wir möchten irgendwie diese Not hinter ⁴uns bringen. ② 《거르다》 überspringen*⁴. ¶ 두 서너 페이지 ~ ein paar Seiten überspringen* / 한 학년을 ~ e-e Klasse überspringen*.

뛰어다니다 umher|laufen* (herum|-) (s). ¶ 그는 노상 여기저기 뛰어다니고 있다 Er ist dauernd unterwegs. / 그 일 때문에 많이 뛰어다녔다 Ich habe viel Lauferei(en) damit gehabt.

뛰어들다 ① 《도약》 hinein|springen* (herein|-) (s) (도약); hinein|stürzen (herein|-) (s) (달려); hinein|laufen* (herein|-)(s). ¶ 물속에 ~ ins Wasser springen*(s); ⁴sich ins Wasser stürzen / 그는 숨을 헐떡거리면서 방으로 뛰어들어 왔다 Er stürzte mit keuchendem Atem ins Zimmer herein. / 뇌우를 피하여 오두막집으로 뛰어들었다 Wir suchten eilfertig in e-r Hütte Zuflucht vor dem Gewitter.

② 《참견》 unprogrammäßig teil|nehmen* 《an³》; ⁴sich freiwillig beteiligen《an³》; ⁴sich ein|mischen. ¶ 싸움에 ~ ⁴sich in den Streit ein|mischen / 경주에 ~ zufällig an e-m Wettlaufen teil|nehmen*.

뛰어들어오다 herein|laufen* (-|stürzen) (s) 《in⁴》. ¶ 방 안으로 ~ ins Zimmer herein|laufen*(s) / 불의에 어떤 집으로 ~ unvermutet bei jm. hereingestürzt kommen* (s) / 공이 창으로 ~ ein ¹Ball ins Fenster herein|stürzen (s).

뛰어오다 gelaufen kommen*(s); zu|laufen*(s) 《auf⁴》; her|laufen* (s); zu|eilen 《auf⁴》; her|eilen. ¶ 그녀는 뛰어와 아이를 안아 올렸다 Sie eilte auf das Kind zu und hob es in die Höhe. / 그는 곧바로 우리에게 뛰어왔다 Er kam geradewegs auf uns zugelaufen.

뛰어오르다 auf|springen*(s); auf|fahren*(s); in die Höhe springen*(s); auf|schlagen*(s) (물가가). ¶ 의자에 ~ auf e-n Stuhl springen*(s) / 육지로 ~ ans Land (Ufer) springen*(s) / 말에 ~ aufs Pferd springen*(s); ⁴sich aufs Pferd werfen* / 달리는 전차에 ~ auf die fahrende Straßenbahn springen* (auf|springen*) / 나는 뛰어오를 듯이 기뻤다 Mir tanzte das Herz vor Freude. / 물가가 몹시 뛰어올랐다 Die Preise haben furchtbar aufgeschlagen. / 끝 무렵에 가서 시세가 갑작스럽게 뛰어오르는 바람에 거래소는 매우 흥분되어 있었다 Wegen e-r plötzlichen Haussebewegung gegen Schluß war auf der Börse große Aufregung.

뛰엄젓 《개구리젓》 gesalzene Frösche 《pl.》 《Zukost》.

뛰쳐나오다 hinaus|fliegen* (heraus|-)(s); hinaus|springen* (heraus|-)(s). ¶ 방에서 ~ aus dem Zimmer stürzen(s)/집을 ~ 《가출》 vom Hause weg|laufen*(s); sein Haus (s-e Familie) verlassen* / 우리에서 ~ aus dem Käfig aus|brechen*(s).

뜀 《구보》 Lauf m. -(e)s, ⸗e; Rennen n. -s, -; 《도약》 Sprung m. -(e)s, ⸗e; Hupf m. -(e)s, -e; Hops m. -es, -e.

뜀뛰다 ① 《경주》 rennen*(s); laufen*(s); (los-) stürzen (s). ② 《도약》 hüpfen(h,s); springen* (s,h). ¶ 뜀뛰기 내기 das Wettspringen*, -s/ 뜀뛰기 운동 Sprungübung f. -en.

뜀(박)질 ① =달음박질. ② 《뛰어오름》 das Springen*, -s; das Hüpfen*, -s. ~하다 springen* (h,s); hüpfen (h,s).

뜀틀 〖체조〗 Sprungkasten m. -s, - (⸗); Sprungtisch m. -es, -e.

뜨개것 Strickwaren 《pl.》; Wirkwaren 《pl.》; Strickerei f. -en.

뜨개바늘 Strick|nadel (Häkel-; Flecht-; Filet- [filé..]) f. -n.

뜨개질 das Stricken*, -s; Strickerei f. -en; Strickarbeit f. -en; 《갈고리 바늘의》 das Häkeln*, -s; Häkelarbeit f. -en; Häkelei f. -en. ~하다 stricken; häkeln.

‖ ~코 Masche f. -n.

뜨거워하다 ⁴sich heiß fühlen; es heiß haben; ⁴et. zu heiß finden*. ¶ 어린애가 국을 뜨거워한다 Das Kind findet die Suppe zu heiß.

뜨겁다 (sehr) warm 《wärmer, wärmst》; heiß (sein). ¶ 뜨거운 국 heiße Suppe / 뜨겁게 하다 erwärmen⁴; erhitzen⁴/뜨거워지다 ⁴sich erhitzen; heiß werden / 점점 뜨거워지다 (immer) heißer (wärmer) werden / 뜨겁게 목욕하다 ein heißes Bad nehmen* / 뜨거운 눈물을 흘리다 heiße Tränen vergießen* / 오늘은 지독히 ~ Es ist heute drückend heiß. / 부끄러워서 얼굴이 ~ Vor Scham brennt mein Gesicht.

-뜨기 Person *f.* -en. ¶ 사팔뜨기 Schieler *m.* -s, -; der Schieläugige*, -n, -n / 시골뜨기 Bauerntölpel *m.* -s, -; Bauernlümmel *m.* -s, - / 얼뜨기 der Begriffsstutzige*, -n, -n / 칠뜨기 der Schwachsinnige*, -n, -n; Idiot *m.* -en, -en / 시골뜨기 처녀 Landpomeranze *f.* -n.

뜨끈뜨끈 heiß; hitzig; brühheiß. **～하다** hitzig; brühheiß (sein). ¶ ～한 빵 brühheißes Brot, -(e)s, -e; die dampfende warme Semmel, -n / ～한 군고구마 die Süßkartoffel (Batate) 《-n》 frisch aus dem Backofen / ～하게 먹다 ⁴*et.* heiß essen*.

뜨끈하다 warm; ziemlich heiß (sein). ¶ 뜨끈한 국 ziemlich heiße Suppe, -n.

뜨끈히 ☞ 따끈히.

뜨내기 ① 《사람》 Wanderer *m.* -s. -; Landstreicher *m.* -s. -; Vagabund *m.* -en, -en (방랑자); 〖속어〗 Strolch *m.* -(e)s, -e (부랑인); der Fremde*, -n, -n (타향 사람); Gelegenheitsarbeiter *m.* -s. - (뜨내기 일꾼); Wanderbursche *m.* -n, -n; der wandernde Geselle, -n, -n (돌팔이 장색); der wandernde Hausierer, -s, - (행상인).
② 《일》 Gelegenheitsarbeit *f.* -n. ¶ ～로 행상하다 ab und zu wandernd hausieren / ～일을 해서 지내다 mit Gelegenheitsarbeiten aus|kommen* ⓢ.
‖ **～손님** der gelegentliche Besucher(Gast), -s, -; der vorübergehende Gast; Laufkunde *m.* -n, -n.

뜨내기장사 Gelegenheitsgeschäft *n.* -(e)s, -e; das zeitweilige Geschäft. **～하다** ab und zu (zeitweise) Geschäfte machen. ¶ ～로 상당한 돈을 모았다 Er hat eine beträchtliche Summe durch die Gelegenheitsgeschäfte gesammelt.

뜨다¹ ① 《느리다》 langsam (sein); nach|gehen* ⓢ. ¶ 걸음이 ～ e-n langsamen Schritt haben; schwerfüßig sein; schweren ²Fußes sein / 진보가 ～ langsame Fortschritte machen / 시계가 5분 ～ Die Uhr geht (um) 5 Minuten nach. / 물매가 ～ Das Dach ist nicht steil genug. ② 《둔하다》 dumm; schwer (schwach) von Begriff (sein). ¶ 눈치가 ～ Er ist schwer (langsam) von Begriff. |Er hat e-e lange Leitung. ③ 《입이》 schweigsam; wortkarg (sein). ¶ 입이 ～ Er ist schweigsam (wortkarg). / 입이 뜬 사람 ein schweigsamer Mensch, -en, -en. ④ 《다리미·인두가》 langsam heiß werden (⁴sich erhitzen). ¶ 다리미가 ～ Dieses Bügeleisen erhitzt sich langsam.

뜨다² ① 《물·하늘에》 schwimmen* ⓗ,ⓢ; 《떠돌다》 schweben ⓗ,ⓢ; treiben* ⓗ,ⓢ; 《떠오름》 auf|tauchen ⓢ; an die Oberfläche kommen* ⓢ. ¶ 물 위에 떠 있는 나뭇잎 schwimmende Blätter auf dem Wasser / 물 위에 기름이 떠 있다 Öl schwimmt auf dem Wasser. / 하늘에 구름이 떠있다 Die Wolken schweben am Himmel. / 호수에 배가 떠 있다 Ein Boot ist auf dem See. / 연기가 조용한 하늘에 떠 있다 Der Rauch hängt in der stillen Luft. / 그 맹금(猛禽)이 공중 높이 떠있었다 Der Raubvogel schwebte hoch in den Lüften.
② 《해·달이》 auf|gehen* ⓢ. ¶ 해가 (달이) ～ die Sonne (der Mond) geht auf.
③ 《연이》 (ein Papierdrachen) schwebt dahin (wenn die Drachenschnur abgebrochen ist).
④ 《틈이 생김》 ⁴sich los|lösen; ⁴sich ab|lösen; ⁴sich ab|trennen; locker (lose) werden. ¶ 구들장판이 ～ die Schicht des Ölpapiers löst sich von dem Fußboden los / 구들장이 ～ die Zusammenfügung der Steinplatten des Fußbodens wird locker.
⑤ 《관계가》 entfremdet sein; ⁴sich ab|wenden* 《*von*³》. ¶ 부부 사이가 ～ die Eheleute sind einander entfremdet.
⑥ 《사이가》 getrennt (entfernt) sein; in e-m Zeitabstand sein; sehr selten sein. ¶ 십리 사이가 ～ zehn *Ri* entfernt sein / 10년 사이가 ～ in e-m Zeitabstand von 10 Jahren sein / 일요일이라 지하철이 ～ Da es Sonntag ist, ist der Verkehrsdienst der U-Bahn langsam. / 우리집과 그의 집은 상당히 사이가 ～ Meine Wohnung und seine sind ziemlich entfernt voneinander.
⑦ 《돈이》 für immer verlorengegangen sein; dahin sein. ¶ 그에게 빌려 주었던 돈이 떴다 Das Geld, das ich ihm geliehen habe, ist für immer dahin.
⑧ 《미결이다》 in der Schwebe (unentschieden; ungewiß; unentschlossen) sein (bleiben* ⓢ) (떠있다). ¶ 그 문제는 아직 공중에 떠있다 Es hängt (schwebt) in der Luft.

뜨다³ ① 《썩다》 muffig (moderig; faulig; schimmelig) werden; verderben* ⓢ; faulen ⓢ,ⓗ; schlecht werden 《durch die Hitze》. ¶ 날이 더워 창고에 둔 쌀이 떴다 Der Reis im Lagerhaus ist wegen des warmen Wetters verdorben.
② 《얼굴》 gelblich und aufgedunsen werden. ¶ 누렇게 뜬 얼굴 das gelbliche aufgedunsene Gesicht, -es, -e / 그 동안 내내 집에만 들어박혀 있었더니 얼굴이 다 떴다 Weil ich mich die ganze Zeit hindurch im Haus abgeschlossen habe, ist mein Gesicht gelblich und aufgedunsen geworden.
③ 《발효》 fermentieren; gären*.

뜨다⁴ 《뜸을》 aus|brennen*⁴; kauterisieren⁴ 《mit Wermut》; Moxakur machen (lassen*) ¶ 손목에 뜸을 ～ *jm.* das Handgelenk mit Wermut aus|brennen* (kauterisieren).

뜨다⁵ 《자리를》 verlassen*⁴ 《Platz; Wohnung》; fort|gehen* ⓢ 《*von*³》. ¶ 동네를 ～ das Dorf verlassen* / 서울을 ～ Seoul verlassen*; von Seoul fort|gehen* ⓢ / 세상을 ～ aus dem Leben scheiden* ⓢ; das Zeitliche segnen; die Augen schließen*.

뜨다⁶ ① 《조각을》 aus|schneiden*⁴. ¶ 강에서 얼음을 ～ Eisblöcke aus dem Fluß aus|schneiden* / 잔디를 ～ Rasen stechen* / 석재를 ～ den Stein los|hauen*.
② 《물 따위를》 schöpfen⁴; schaufeln⁴ (스푼으로); löffeln⁴. ¶ 물고기를 사내끼로 ～ Fische mit dem Netz fangen* / 국자로 국을 ～ Suppe mit dem Schöpflöffel schöpfen (löffeln) / 손을 오무려 샘에서 물을 ～ Wasser mit der hohlen Hand aus der Quelle schöpfen / 솥에서 더운 물을 떠내다 heißes Wasser aus dem großen Kessel schöpfen.
③ 《종이 따위를》 (Papier) machen (her|stellen); Paste machen 《in Kuchenformen》. ¶ 손으로 뜬 종이 handgeschöpftes Papier, -s, -e; Büttenpapier *n.* -(e)s, -e.
④ 《수란을》 ohne Schale kochen 《Eier》.
⑤ 《각뜨다》 zerlegen⁴. ¶ 소를 잡아 ～ e-e geschlachtete Kuh zerlegen.
⑥ 《저미다》 zerschneiden*⁴ 《Fleisch》; in dünne Scheiben zerschneiden*. ¶ 포를 ～

Fleisch in Scheiben zerschneiden* 《zum trocknen》.
⑦ 《옷감을》 zu|schneiden* (kaufen) 《den Stoff, um Kleid zu machen》. ¶ 장에 가거든 옷감을 하나 떠다 주시오 Wenn Sie auf den Markt gehen, kaufen Sie mir bitte ein Stück Stoff für ein Kleid.

뜨다^{7} ① 《눈을》 öffnen 《Augen》; auf|wachen [s]; erwachen [s]; wach werden. ¶ 눈을 크게 뜨고 mit weit geöffneten Augen / 눈을 ~ die Augen öffnen; auf|wachen [s]; erwachen [s]; ^{3}sich e-r Sache bewußt werden / 성에 눈을 ~ sexual erwachen; ^{3}sich des Geschlechtes bewußt werden. ② 《청각을》 öffnen; spitzen 《die Ohren》. ¶ 귀를 ~ hören; fassen; lernen; zu verstehen beginnen*/음악에 귀를 ~ beginnen*, die Musik zu würdigen.

뜨다^{8} ① 《그물을》 stricken^{4}; Filet arbeiten; Netzarbeit machen; flechten^{4}; häkeln(코바늘로). ¶ 그물을 ~ ein Netz stricken / 양말을 ~ Strümpfe stricken. ② 《깁다》 nähen^{4}; zu|nähen^{4}. ¶ 터진 데를 한 두 바늘 ~ e-n Riß mit einem oder zwei Stichen zunähen. ③ 《문신하다》 tätowieren 《*jn.*》. ¶ 등에 용의 문신을 ~ e-n Drachen auf dem Rücken tätowieren.

뜨다^{9} 《받다》 mit dem Kopfe (mit den Hörnern) stoßen* 《*nach*^{3}; *an*^{4}; *auf*^{4}》. ¶ 소가 아무를 뿔로 ~ der Ochs stößt mit den Hörnern nach *jm.*

뜨다^{10} 《본을》 ^{4}Muster zusammen|stellen; kopieren^{4}; nach|ahmen^{4}. ¶ 블라우스 본을 ~ e-e Bluse nach Schnittmuster kopieren/ 예전 것을 본~ Früheres nach|ahmen / 그림을 본~ ein Gemälde kopieren / 아무를 본~ ^{3}sich *jn.* zum Muster nehmen*; ^{3}sich ein Muster an *jm.* nehmen* / 지형(紙型)을 ~ e-e Matrize aus Spezialpappe machen.

뜨더귀 (in Stücke) Abreißen *n.* -s; Zerreißen *n.* -s. ~하다 ab|reißen*^{4}; zerreißen*.

뜨더귀판 das Abreißbrett; 《-(e)s, -er》, auf dem man den gekneteten Teig zum Kochen abreißt.

뜨덤뜨덤 stammelnd; schwerlich. ¶ ~ 읽다 stammelnd lesen*^{4} / 글을 ~ 뜯어 보다 e-e Stelle (im Buch) mit Schwierigkeiten lesen* 《wegen der Ungebildetheit》.

뜨듯이, 뜨뜻이 warm; heiß. ¶ 구들을 ~ 때다 ein Zimmer warm hitzen / 옷을 ~ 입다 ^{4}sich warm halten*.

뜨듯하다, 뜨뜻하다 warm (sein). ¶ 뜨듯한 방 (옷) ein warmes Zimmer, -s, - (Kleid, -(e)s, -er) / 뜨듯한 날씨 ein warmes Wetter, -s, - / 뜨듯해지다 warm werden / 뜨듯하게 하다 (er)hitzen^{4}; (er)wärmen^{4}.

뜨르르 ☞ 드르르.

뜨막하다 lange sein 《*seit*》; e-e lange Pause haben 《*zwischen*^{3}》; selten sein. ¶ 그는 요새 나를 찾아오는 게 ~ Neuerdings besucht er mich selten.

뜨물 das Wasser 《-s, -》, in dem man den Reis gespült hat.

뜨악하다 ungern; unwillig; widerwillig; abgeneigt (sein). ¶ 나는 그를 찾아가는 것이 어쩐지 ~ Ich besuche ihn ungern.

뜨음하다 selten (sein). ¶ 왕래가 뜨음한 거리 verkehrsschwache Straße, -n / 그는 밖에 나가는 일이 ~ Er geht selten aus.

뜨이다 ① 《눈이》 erwachen [s]; auf|wachen [s]; aufgesperrt werden (귀가); ^{4}sich interessieren 《*für*^{4}》. ¶ 아침 다섯 시에 눈이 ~ um 5 Uhr morgens erwachen / 현실에 눈이 ~ ^{4}sich über die Realität des Lebens klar werden / 성에 눈 ~ sexual erwachen / 눈이 번쩍 ~ plötzlich erwachen; ganz wach sein; auf der Hut sein; die Augen werden weit aufgerissen 《mit Überraschung, Freude》/ 귀가 ~ die Ohren werden aufgesperrt 《mit Überraschung oder Freude》; zu verstehen beginnen* / 음악(그림)에 귀가(눈이) ~ beginnen*, Musik (Malerei) zu würdigen / 그 소리를 들으니 귀가 번쩍 뜨인다 Das zu hören ist e-e große Überraschung!
② 《발견하다》 gesehen werden; gefunden werden; entdeckt werden. ¶ 눈에 뜨이게 auffallend; auffällig; ungewöhnlich; hervorragend; bemerklich; sichtlich / 눈에 뜨이지 않게 unauffällig; unmerklich; heimlich; keine Aufmerksamkeit erregend / 눈에 뜨이게 아름다운 미인 e-e auffallend schöne Frau, -en / 눈에 뜨이게 훌륭한 업적 e-e hervorragende Leistung, -en / 눈에 ~ auf|-fallen*[s] 《*jm.*》; ins Auge fallen*[s] 《*jm.*》; in die Augen springen*[s,h]; Aufmerksamkeit erregen; *js.* Aufmerksamkeit fesseln; ^{4}sich heraus|heben* (ab|heben*) 《*von*^{3}》; auffällig (auffallend; ungewöhnlich; aus dem Rahmen fallend; hervorragend; hervorspringend) sein / 눈에 뜨이게 좋아(건강해) 보이다 merklich gut aus|sehen* / 눈에 띄게 건강이 쇠약하다 *js.* Gesundheit verschlimmert ^{4}sich bemerklich / 눈에 뜨이게 향상했다 Er hat bemerkenswerte Fortschritte gemacht. / 그는 행동거지가 나빠 눈에 뜨인다 Er fällt durch schlechtes Benehmen auf. / 오는 길에 책을 떨어뜨렸는데 혹 눈에 뜨이지 않았나 Hast du zufällig die Straße entlang kein Buch gesehen? Es scheint, daß ich eins fallen lassen habe./ 사진기를 들고 나가다 아버지 눈에 띄었다 Ich nahm die Kamera mit, als ich von meinem Vater ertappt wurde.

뜨직뜨직하다 sehr langsam (sein).

뜬것 《귀신》 Teufel *m.* -s, -; Dämon *m.* -s, -en; Satan *m.* -s, -e.

뜬계집 Schlampe *f.* -n; Schlunze *f.* -n; Schlumpe *f.* -n.

뜬구름 ① 《구름》 schwebende (schwimmende) Wolken 《*pl.*》; Wolkenzug *m.* -(e)s, ⸚e. ② 《비유적》 Flüchtigkeit *f.* -en; Vergänglichkeit *f.* -en. ¶ ~ 같은 인생 flüchtiges Leben, -s, -; die Vergänglichkeit des Lebens / 인생이란 ~이다 Das Leben ist ein eiteler Traum.

뜬눈 wache (offene) Augen 《*pl.*》. ¶ ~으로 밤을 새다 die ganze ^{4}Nacht wach liegen*; die ganze ^{4}Nacht wachen.

뜬돈 das Geld, das man zufällig (unerwartet) gewonnen hat.

뜬벌이 das Geldverdienen* 《-s》 durch die Gelegenheitsarbeit. ~하다 durch die Gelegenheitsarbeit Geld verdienen.

뜬세상(一世上) diese Welt; die vergängliche Welt; irdisches Leben, -s; 《덧없는》 Jammertal *n.* -(e)s. ¶ ~의 weltlich; irdisch.

뜬소문(一所聞) das grundlose (falsche) Gerücht, -(e)s, -e. ¶ …라는 ~이 돌아다니다 das grundlose Gerücht läuft um, daß...; es geht das falsche Gerücht, daß... / 세상 사람들은 내가 돈을 모았다고 하나 ~에 지나지

않는다 Man sagt, daß ich eine Menge Geld verdient habe, aber das stimmt nicht.

뜬숯 die Holzkohle 《-n》 aus ausgebrannten Holzstückchen; Holzkohle-Zinder *m.* -s, -.

뜬재물(一財物) die Güter, die man zufällig 〔unerwartet〕 gewonnen hat. ¶ ~이 굴러 들어오다 unerwartet ⁴Güter gewinnen*.

뜬저울 Schwimmwaage *f.* -n.

뜯게(옷) Lumpen *m.* -s, -.

뜯게질 das Auftrennen* 《-s》 der Naht des Lumpens. ~하다 die Naht des Lumpens auf|trennen.

뜯기다[1] ① 《물리다》 gestochen 〔gebissen〕 werden 《*von*³》. ¶ 벼룩에게 뜯긴 자리 Flohstich *m.* -(e)s, -e / 모기한테 ~ von e-m Moskito gestochen werden. ② 《빼앗기다》 ¹*et. jm.* geraubt werden 《*von*³》; weggenommen werden 《*von*³》; mit Gewalt entrissen werden 《*von*³》. ¶ 돈을 ~ *jm.* das ¹Geld geraubt werden / 노름에 ~ Geld im Spiel verlieren*.

뜯기다[2] 《마소에 풀을》 füttern³⁴; (ab|)weiden⁴. ¶ 소에게 풀을 ~ den Ochsen Grass füttern; die Ochsen (ab|)weiden.

뜯다 ① 《뽑다》 rupfen⁴; pflücken⁴; zupfen⁴; aus|raufen⁴; heraus|reißen*⁴. ¶ 닭의 털을 ~ e-n Hahn 〔an e-m Hahn〕 rupfen / 뜰의 잡초를 ~ den Garten jäten. ② 《뜯어먹다》 beißen*; grasen. ¶ 벼룩이 ~ der Floh beißt / 가축이 풀을 ~ das Vieh grast. ③ 《분해》 auseinander|reißen*⁴; zerlegen⁴; zerreißen*⁴; zerteilen⁴; auseinander|nehmen*⁴; ab|montieren⁴; ab|bauen⁴. ¶ 시계를 ~ e-e Uhr auseinander|nehmen* 《in die Bestandteile》 / 기계를 ~ e-e Maschine ab|montieren 〔demontieren〕 / 공장을 ~ e-e Fabrik nieder|reißen*/고기를 ~ Fleisch in Fetzen zerreißen*; Fleisch essen*. ④ 《돈》 berauben 《*jn.* ²*et.*》; plündern 《*jn.*》; erpressen 《*jm.* ⁴*et.*》; ab|zwingen* 《*jm.* ⁴*et.*》. ¶ 백성한테 돈을 ~ vom Volk Geld erpressen / 아무한테 돈을 ~ einen* seines Geldes berauben / 어머니한테 용돈을 ~ *js.* Mutter um Taschengeld bitten*. ⑤ 《노름판에서》 erhalten*; bekommen*. ¶ 노름판에서 돈을 ~ e-n Schnitt des Gewinns an sich nehmen*; von jedem Spieler ein Trinkgeld bekommen*. ⑥ 《현(絃)을》 an|streichen*. ¶ 현을 ~ e-e Saite an|streichen* 〔an|schlagen*〕 / 가야금을 ~ e-e koreanische Harfe spielen. ⑦ 《편지를》 auf|brechen*. ¶ 편지를 ~ den Brief auf|brechen*.

뜯어내다 ① 《붙은 것을》 ab|nehmen*⁴; ab|reißen*⁴; (ab|)pflücken⁴. ¶ 닭의 털을 ~ ein Huhn rupfen 〔pflücken〕 / 잡초를 ~ das Unkraut pflücken. ② 《분해》 auseinander|nehmen*⁴; analysieren⁴; auf|lösen⁴ 《*in*⁴》; demontieren⁴. ③ 《돈을》 erpressen⁴ 《*jm.*; von *jm.*》. ¶ 아무에게서 돈을 ~ *jm.* Geld erpressen.

뜯어말리다 auseinander|ziehen*⁴ 《die Streitenden》. ¶ 싸움을 ~ die Streitenden auseinander ziehen*; die Raufenden trennen; e-n Streit schlichten 〔bei|legen〕.

뜯어먹다 ① 《이로》 nagen⁽⁴⁾ 《*an*³》; benagen⁴; knabbern 《*an*³》. ¶ 통닭을 ~ an e-m Brathuhn knabbern / 뼈에 붙은 고기를 ~ das Fleisch vom Knochen nagen. ② 《붙은 것을》 ⁴*et.* ab|nehmen* u. essen*. ③ 《붙어서》 von *js.* Einkommen leben; schmarotzen 《bei *jm.*》; nassauern 《bei *jm.*》 ¶ 그는 그녀를 뜯어먹고 산다 Er schmarotzt bei ihr.

뜯어버리다 ① 《뜯어서 내버림》 ab|nehmen*⁴ u. weg|werfen*⁴. ② 《제거》 ab|schaffen⁴; weg|nehmen*⁴.

뜯어벌이다 ① 《벌여놓다》 zerlegen⁴; auseinander|nehmen*⁴; demontieren⁴. ② 《이야기를》 plaudern; verplaudern⁴; verplappern⁴. ¶ 아무에게 넌더리나도록 이야기를 ~ *jm.* die Ohren von ³*et.* voll qlaudern.

뜯어보다 ① 《봉한 것을》 öffnen⁴; erbrechen*⁴ 《Brief》. ¶ 편지를 ~ e-n Brief erbrechen* u. lesen*. ② 《살펴보다》 betrachten⁴; an|sehen*⁴; an|schauen⁴. ¶ 아무를 머리에서 발끝까지 ~ *jn.* von oben bis unten mustern 〔an|sehen*〕. ③ 《간신히 읽다》 stammelnd lesen*⁴; mit der Zunge stolpern 《beim Lesen》; mit Schwierigkeit lesen* 《wegen der Ungebildetheit》. ¶ 편지를 간신히 ~ e-n Brief stammelnd lesen*.

뜯적거리다 kratzen⁴. ¶ 뜯적거려서 피부의 한 군데가 발갛게 되다 e-e Stelle der Haut rot kratzen / 뜯적거려서 몸에 상처가 나다 ⁴sich wund kratzen.

뜯적뜯적 kratzend. ~하다 =뜯적거리다.

뜰 Garten *m.* -s, -; Hof *m.* -(e)s, ¨e (안뜰, 앞뜰); Anlage *f.* -n (정원); Ziergarten *m.* -s, - (화원); Hinterhof *m.* -(e)s, ¨e (뒤뜰). ¶ 뜰 가꾸기 Garten¦bau *m.* -(e)s (-arbeit *f.* -en) / 뜰을 꾸미다 Gartenbau treiben*; e-n Garten an|legen / 뜰을 가꾸다 im Garten arbeiten (취미로); gärtnern (직업적으로) / 뜰을 손질하다 e-n Garten pflegen*.

뜰뜰 ① 《수레 소리》 klirr (의성어); klirrend; klappernd; rasselnd. ② 《잘 시행됨》 dem Befehl gehorsamst nachkommend.

뜰아래채 Laube *f.* -n; Gartenhäuschen *n.* -s, -; Hinterhaus *n.* -es, ¨er.

뜰아랫방(一房) Zimmer 《*n.* -s, -》 im Gartenhäuschen.

뜰층계(一層階) Gartensteige 《*f.* -n》 (vom Garten zur Hausflur).

뜸[1] 《초둔(草芚)》 Binsen¦matte *f.* -n 〔-decke〕 *f.* -n; Strohdecke *f.* -n. ¶ 뜸을 덮다 mit ³Binsenmatten decken⁴.

뜸[2] 〖한의학〗 Moxa *m.* -s, -; Moxakur *f.* -en. ¶ 뜸 자국 die durch die Moxakur gemachte Narbe, -n / 뜸 자리 die mit dem Moxa eingebrannte Stelle, -n / 뜸뜨다 Moxakur machen (lassen*) / 머리에 뜸을 뜨다 den Kopf ein|brennen* 《mit Moxa》.

뜸[3] 《밥 등의》 weich gesotten 〔gekocht〕 sein. ☞ 뜸들이다. ¶ 밥에 뜸이 들다 Der Reis ist weich gekocht 〔gesotten〕.

뜸[4] 《마을》 Wohnviertel *n.* -s, -.

뜸깃 Material zur Anfertigung e-r mattenförmigen Sonnen¦schirm 〔Regen-〕.

뜸단지 Schröpfgerät *n.* -(e)s, -e; Schröpfglas *n.* -es, ¨er; Schröpftopf *m.* -(e)s, ¨e.

뜸들이다 ① 《음식을》 weich sieden 〔kochen〕 lassen*. ¶ 밥을 ~ den Reis weich sieden lassen*. ② 《일할 때》 e-e Pause machen 《bei der Arbeit》. ¶ 일을 뜸들여 하다 mit e-r (Erholungs)pause arbeiten; bei der Arbeit e-e (Erholungs)pause machen.

뜸베질 《소의》 das Stoßen* 《-s》 (mit den Hörnern). ~하다 mit den Hörnern stoßen* 《*nach*³; *an*⁴; *auf*⁴》.

뜸부기 〖조류〗 (Wasser)ralle *f.* -n.

뜸새끼 Strohseil 《*n.* -(e)s, -e》 zum Binden der Bürde auf den Sattel.

뜸손 《뜸을 엮는 줄》 Streifen 《*m.* -s, -》 zur

Anfertigung e-r Binsendecke (mattenförmigen Regen¦schirm (Sonnen-)). ⌈(sein).
뜸지근하다 träge; langsam; schwerfällig
뜸직뜸직 《언행이》 träge; langsam; schwerfällig. ¶말을 ~ 하다 langsam sprechen* / 걸음을 ~ 걷다 langsam gehen* ⓢ; e-n langsamen Schritt haben.
뜸직이 langsam; gelassen; gesetzt; besonnen.
뜸직하다 langsam; gelassen; gesetzt; besonnen; maßvoll; mäßig (sein).
뜸질 《뜸뜨기》 Kauterisation *f*. -en 《mit Wermut》; 《찜질》 Kompresse *f*. -n; der feuchte Umschlag, -(e)s, ⸚e. ~하다 kauterisieren[4] 《mit Wermut》; aus|brennen*[4]; heiße (kalte) Umschläge machen 《*jm.*》.
뜸집 Stroh(dach)hütte *f*. -n (mit Lehm-
뜸하다 ☞ 뜨음하다. ⌊wand).
뜻 ① 《의향》 Absicht *f*. -en; Vorsatz *m*. -es, ⸚e; das Vorhaben*, -s; Intention *f*. -en; 《마음》 Idee *f*. -n; Vorstellung *f*. -en; Gedanke *m*. -ns, -n; Einfall *m*. -(e)s, ⸚e; Wunsch *m*. -es, ⸚e. ¶…할 뜻이 있다, …할 뜻을 갖다 beabsichtigen[4]; vor|haben[4]; im Sinne haben[4]; die Absicht haben zu... / 뜻을 말하다 s-e Absicht äußern (bekunden; bekannt|machen; verkündigen; erklären)/ 뜻을 밝히다 s-e Meinung sagen / 아무의 뜻에 따르다 [4]sich nach *js*. Wünschen richten / 아무의 뜻을 떠보다 *js*. Absichten erkunden / 뜻을 알리다 [4]sich verständlich machen; zu verstehen geben / 뜻이 서로 통하다 [4]sich verständigen 《mit *jm*.》 / 그렇게 하는 것은 내 뜻이 아니었다 Es war nicht m-e Absicht, das zu tun. / 그 여자와 결혼할 뜻은 없다 Ich habe nicht die Absicht (Ich denke nicht daran), sie zu heiraten. / 부모의 뜻을 어겨서는 안된다 Du darfst gegen die Wünsche deiner Eltern nichts tun. / 뜻 있는 분들의 참석을 환영합니다 Die Interessierten sind willkommen.
② 《목적·희망》 Ziel *n*. -(e)s, -e; Zweck *m*. -(e)s, -e; Hoffnung *f*. -en; 《의지》 Wille *m*. -ns, -n. ¶큰 뜻 Ehrsucht *f*.; Ehrgeiz *m*. / 뜻에 어긋나게 gegen *js*. Willen / 뜻을 세우다 [3]sich ein Ziel stecken (setzen); [4]sich entschließen* / 뜻을 높이 가지다 [3]sich ein hohes Ziel stecken / 뜻을 이루다 das Ziel erreichen; ans (zum) Ziel gelangen; s-n Zweck erreichen; s-e Hoffnung verwirklichen / 뜻을 거역하다 gegen *js*. Willen (Wunsch) handeln; *js*. [3]Willen (Wunsch) nicht entsprechen* / 뜻대로 하다 nach s-m Willen handeln / 모든 일이 뜻대로 되지 않다 es geht *jm*. alles schief / 만사 뜻대로 되었다 Mir ging alles nach Wunsch. / 뜻이 있는 곳에 길이 있다 Wo ein Wille ist, ist auch ein Weg. / 그는 뜻을 이루지 못하고 죽었다 Er starb, bevor er s-n Traum verwirklichen konnte. / 연작(燕雀)이 어찌 홍곡(鴻鵠)의 뜻을 알리요 Man muß ein Held sein, um e-n Held zu verstehen.
③ 《의미》 Sinn *m*. -(e)s, -e; Bedeutung *f*. -en; Inhalt *m*. -(e)s, -e. ¶뜻이 있는 (듯한) bedeutsam; andeutend; vielsagend / 뜻없는 sinnlos; bedeutungslos; gehaltlos / 뜻 깊은 bedeutungs¦voll (-schwer; -reich); sinnvoll (-reich); von tiefer Bedeutung; von tiefem Sinn; ausdrucksvoll / 말 뜻 die Bedeutung e-s Wortes; der Sinn dessen, was man sagt / 보통 뜻 die gewöhnliche Bedeutung / 숨은 뜻 der versteckte (latente; potentiale) Sinn / 뜻이 통하지 않는 말 das unsinnige Gerede, -s / 뜻있는 눈짓 der bedeutungsvolle (vielsagende; ausdrucksvolle) Blick, -(e)s, -e / 뜻의 미묘한 차이 die feine Schattierung 《-en》 des Sinnes / …라는 뜻의 mit dem Inhalt, daß...; in dem Sinne, daß...; dahin, daß... / 좁은(넓은, 엄밀한, 글자 그대로의, 원래의) 뜻으로 im engeren (weiteren, strengsten, wörtlichen, eigentlichen) Sinne / 이런 뜻에서 in diesem Sinne / 어떤 뜻에서는 in e-m gewissen Sinne / 뜻이 없다 bedeutungslos (sinnlos) sein / 뜻이 깊다 bedeutungsvoll (sinnvoll; ausdrucksvoll; von tiefem Sinn) sein / 뜻이 애매하다 zweideutig (doppelsinnig; unklar; dunkel) sein; e-e unklare Bedeutung haben / 뜻이 분명하다 die Bedeutung ist klar; e-e deutliche Bedeutung haben / 넓은 뜻으로 쓰다 es im weiteren Sinne gebrauchen / 좋은 뜻으로 해석하다 [4]*et*. im guten Sinne auf|fassen (aus|legen); [4]*et*. gut auf|nehmen* / 나쁜 뜻으로 해석하다 [4]*et*. im schlechten Sinne auf|fassen; [4]*et*. übel auf|nehmen*; [4]*et*. übel|nehmen* / 그 말을 좋은(나쁜) 뜻으로 사용하다 das Wort im guten (schlechten) Sinne gebrauchen / 뜻을 해석하다 den Sinn aus|legen / 뜻을 잘못 해석하다 den Sinn falsch verstehen*; mißdeuten[4]; falsch aus|legen[4] / 뜻을 곡해하다 den Sinn entstellen (verdrehen) / 그는 무엇인가 뜻있는 미소를 나에게 던졌다 Er lächelte mich an, als ob er mir etwas anzudeuten hätte./ 무슨 뜻입니까 Was meinen Sie (damit)? / 그런 뜻으로 말한 것은 아니다 Das habe ich nicht so gemeint.¦ Das habe ich nicht in dem Sinne gesagt. / 그는 내 말의 뜻을 완전히 곡해했다 Er hat den Sinn m-r Worte völlig verdreht. / 그것은 좋은 뜻에서 말한 것입니다 Ich habe es gut gemeint. / 미국은 이 분쟁에 개입하지 않겠다는 뜻을 백악관 대변인이 밝혔다 Der Wortführer des Weißen Hauses hat sich dahin erklärt, daß sich Washington nicht in diese Verwicklungen einmischen möchte. / 곧 상경하겠다는 뜻의 전보를 형으로부터 받았다 Mein älterer Bruder hat mir ein Telegramm geschickt mit dem Inhalt, er würde gleich nach Seoul kommen. ⌈griffszeichen *n*. -s, -.
뜻글자(一字) Ideogramm *n*. -(e)s, -e; Be-
뜻대로 nach s-m Sinn; wie es einer* will; wie gewünscht (erwartet; beabsichtigt). ¶ ~ 되다 [3]Erwartungen entsprechen*/~ 안 되다 hinter den Erwartungen zurück|bleiben* ⓢ / ~ 되지 않는 [4]sich nicht nach *js*. Willen fügend; schwer zu beherrschend/ ~ 되지 않는 세상 das Leben 《-s》 mit all s-n Schikanen/~ 안 되었다 Es blieb hinter meinen Erwartungen zurück. / 만사가 ~ 되었다 Es ging alles nach Wunsch und Willen. / 내게는 만사가 ~ 되지 않았다 Es ging alles schief bei mir. / 그의 ~ 해주자 Er soll s-n Willen haben. / 네 ~ 해라 Mach, was du willst! / 네 ~ 안 되는 것이 이 세상이다 Du kannst nicht hoffen, daß alles nach deinem Willen geht.
뜻맞다 ① 《의기상투합》 überein|stimmen 《*mit*[3]》; einig sein 《*mit*[3]》; im Einklang stehen* (sein) 《*mit*[3]》; entsprechen*[3]; [4]sich vereinigen; einig (eins) sein; ein|stimmen 《*mit*[3]》; ein|willigen 《*in*[4]》. ¶뜻맞는 사람 der Gleichgesinnte*, -n, -n / 그들은 그 일에

뜻이 맞았다 Sie haben sich miteinander darüber vereinigt. / 그는 나와 뜻이 맞는다 Er ist m-r Meinung. / 우리는 뜻이 맞는다 Wir sind e-r Meinung. ② 《마음에 듦》 *jm.* gefallen*; entsprechen*³; (ganz) nach *js.* ³Geschmack sein; bei *jm.* in Gunst stehen* (총애받음). ¶ 뜻맞지 않다 *jm.* nicht gefallen*; gegen *js.* ⁴Geschmack sein; unzufrieden sein 《*mit*³》 / 모든 사람의 뜻에 맞게 할 수는 없다 Allen zu gefallen ist unmöglich.

뜻밖 Überraschung *f.* -en; unerwartete Folge, -n (의외의 결과). ¶ ~의 unerwartet; ungeahnt; unverhofft; unvermutet; unvorhergesehen / ~에 unerwartet; unerwarteterweise; unvermutet; unvorhergesehen; wider Erwarten; überraschend; 《갑자기》 plötzlich; schlagartig; jäh; jählings; aus heiterem Himmel; 《우연히》 zufällig; durch Zufall; 《다행히》 glücklicherweise/~에 빨리 früher als erwartet / ~의 일 Überraschung *f.* -en / ~의 사건 das unvorhergesehene Ereignis, -ses, -se / ~의 결과 die unerwartete Folge, -n / ~의 소식 die überraschende Nachricht, -n / ~의 방문 ein Besuch 《-(e)s, -e》 ohne Anmeldung / ~의 일을 하다 überraschen⁴; überraschende (unerwartete) Ergebnisse bringen* / ~의 재난을 만나다 unerwartet ins Unglück geraten*Ⓢ / ~에도 …하게 되다 es trifft sich, daß…; ⁴*et.* zufällig (zufälligerweise) tun* / ~에도 쉽게 leichter als erwartet (als man sich vorgestellt hat; als man gefürchtet hat) / ~에 사람이 찾아오다 e-n unerwarteten Besuch haben / ~에 그를 만났다 Ich habe ihn zufällig (unerwartet) getroffen. / ~에 비가 오기 시작했다 Unerwarteterweise fing es an zu regnen. / ~의 사태가 벌어졌다 Die Lage wandte sich zum Bösen. / 그것은 ~이다 Das habe ich nicht erwartet.¦Das ist mir ganz unverständlich.¦Ich finde es unerhört. / ~에 그가 와 주어서 매우 기뻤다 Er hat mich mit s-m plötzlichen Besuch sehr angenehm überrascht. / 어제 동생이 가족 동반으로 ~에 찾아 왔다 Gestern hat mich mein Bruder mit s-r ganzen Familie überfallen.

뜻받다 *js.* ³Wunsch (Bitte) nach|kommen* Ⓢ; *js.* ³Willen gehorchen. ¶ 그는 부모의 뜻을 받아 의사가 됐다 Er ist dem Wunsch s-r Eltern nachgekommen u. Arzt geworden.

뜻있게 bedeutsam; bedeutungsvoll; bemerkbar; zweck¦mäßig (-haft); nützlich. ¶ 돈을 ~ 쓰다 Geld zweckhaft aus|geben*.

뜻하다 ① 《마음 먹다》 beabsichtigen⁴; ins Auge fassen⁴; im Sinne haben⁴; ³sich vor|-nehmen*⁴; vor|haben*⁴; s-n Sinn richten 《*auf*⁴》 《이상 「…하려고 한다」의 뜻》; an|-streben⁴; hin|streben 《*nach*³》; bezwecken⁴; erstreben⁴; trachten 《*nach*³》; zielen 《*auf*⁴》 《이상 「뜻하고 노력한다」의 의미》. ¶ 뜻하지 않게 zufällig; unerwarteterweise; von ungefähr / 뜻하지 않은 대실패 der große schreckliche Fehler, -s, - / 뜻하지 않은 일 das unerwartete Ereignis, -ses, -se / 그가 뜻하는 바는 성공이다 Worauf er hinaus will, ist Erfolg.

② 《의미하다》 bedeuten⁴; besagen⁴; meinen⁴; ⁴*et.* in ⁴sich schließen*. ¶ 그것은 무엇을 뜻하느냐 Was bedeutet das? / 침묵은 때때로 동의를 뜻한다 Stillschweigen schließt oft Zustimmung in sich.¦Wer schweigt, gibt zu.

띄다 ① ☞ 뜨이다. ② ☞ 띄우다³.

띄어쓰다 Platz lassend schreiben* 《zwischen den Wörtern》; die Wörter trennen; spatiieren⁴; sperren⁴. ¶ 한줄씩 ~ auf jede zweite (auf jeder zweiten) Zeile schreiben*⁴.

띄엄띄엄 hie u. da(여기저기); ver¦streut (zer-) (산재하여); einzeln; vereinzelt(따로따로); in ³Abständen; in ³Absätzen(사이를 두고); mit (manchen; vielen) Unterbrechungen (Pausen)(단속적으로). ¶ ~ 이어지는 목소리로 mit ³stockender Stimme / ~ 읽다 stellenweise lesen*⁴; diagonal (querdurch) lesen*⁴; durch|blättern⁴; überfliegen*⁴ / 남쪽 기슭에 집이 ~ 흩어져 있다 Am südlichen Abhang stehen einzelne Wohnhäuser (befinden sich vereinzelt ein Paar Häuser).

띄우다¹ ① 《공중에》 fliegen (schweben) lassen*⁴; steigen lassen*⁴. ¶ 연을 ~ e-n Drachen steigen lassen* / 광고풍선을 ~ e-n Reklameballon 《-s, -s》 steigen lassen*. ② 《물위에》 schwimmen lassen*⁴; vom Stapel lassen*⁴(진수); in Gang setzen 《ein Boot》. ¶ 배를 ~ ein Boot in Gang setzen; ein Boot vom Stapel lassen* / 뗏목을 ~ ein Floß gleiten lassen* 《den Fluß hinab》/종이배를 ~ ein Schiffchen aus Papier schwimmen lassen*. ③ 《얼굴에》 aus|drücken⁴; zeigen⁴. ¶ 입가에 미소를 띄우고 mit dem (spielenden) Lächeln um seine Lippen / 눈에 기쁜 빛을 띄우고 mit strahlenden Augen / 당황한 빛을 ~ Verlegenheit zeigen/ 그는 만면에 희색을 띄우고 있었다 Sein Gesicht strahlte vor Freude.¦Er lächelte über das ganze Gesicht. ④ 《발송함》 senden*⁴; ab|senden*⁴; versenden*⁴. ¶ 편지를 ~ e-n Brief senden*.

띄우다² 《훈김으로》 fermentieren⁴; schimmeln lassen*⁴; verderben*⁴. ¶ 더위 때문에 창고 속의 쌀을 띄워 버렸다 Die Hitze hat den Reis im Lagerhaus verdorben.

띄우다³ 《사이를》 e-n Raum lassen* 《*zwischen*³》; Spatien setzen 《zwischen Wörtern》. ¶ 사이를 띄워서 in Abständen; mit Pausen; hier und da; dann und wann / 줄 사이를 ~ zwischen den Zeilen Räume (e-n freien Raum) lassen* / 석 자 띄워서 나무를 심다 Bäume 3 *Ja* getrennt pflanzen / 두 줄씩 ~ jede zwei Zeilen frei lassen*.

띠¹ ① 《허리의》 Gürtel *m.* -s, -; Gurt *m.* -s, -e; Leibbinde *f.* -n (복대); Schärpe *f.* -n (장식띠); Zingulum *n.* -s, -s (..la) (수도복의). ¶ 허리띠 Bund *m.* -(e)s, ⸚e; Gürtel *m.* / 가죽띠 Ledergürtel *m.* / 띠의 죔쇠 Gürtelschnalle *f.* -n / 띠를 매다 den Gürtel binden*/띠를 조르다 den Gürtel fester binden* (enger schnallen) / 띠를 풀다 den Gürtel los|binden* (ab|legen).

② 《물건 매는》 Band *n.* -(e)s, ⸚er.

③ 《아기 업는》 das Band, mit dessen Hilfe man den Säugling auf dem Rücken trägt.

띠² 《활터에서의》 untergeteilte Partie, -n 《beim Bogenschuß》.

띠³ 〖식물〗 e-e Art Schilf, -(e)s, -e.

띠⁴ 《지지(地支)》 das Tierkreiszeichen 《-s, -》, unter dem man geboren wurde; die zwölf Zeichen 《*pl.*》 des Tierkreises; Sternzeichen *n.* -s, -. ¶ 나는 …띠이다 Ich bin unter dem Himmelszeichen von ... geboren.¦Mein Sternzeichen ist.... / 그 여자는 말띠이다

Sie wurde im Jahr des Pferdes geboren.

띠그르르하다 ☞ 디그르르하다.

띠다 ① 《띠를》 um|legen[4]. ¶띠를 ～ e-n Gürtel um|legen; [4]sich umgürten.
② 《지니다》 tragen*[4]; mit sich führen[4]; [4]sich bewaffnen 《mit[3]》. ¶몸에 비수를 ～ [4]sich mit dem Dolch bewaffnen.
③ 《용무를》 beauftragt werden (sein) 《mit e-r Aufgabe》; e-n Auftrag (e-e Aufgabe) haben; bekleidet sein 《mit Vollmacht》. ¶공무를 띠고 in den Angelegenheiten der Amtsgeschäfte / 용무를 띠고 여행하다 für geschäftliche Zwecke reisen / 중대한 사명을 ～ mit e-r wichtigen Mission beauftragt sein / 대사는 전권을 띠고 유엔 총회에 참석했다 Der Botschafter besuchte mit Vollmacht die Vollversammlung der Vereinten Nationen.
④ 《빛·기색을》 zeigen[4]; bieten*[4]; entfalten[4]; erkennen lassen*[4]. ¶말에 노기를 띠고 in ärgerlichem (zornigem; entrüstetem) Ton/ 주기(酒氣)를 띠고 leicht betrunken; e-n Affen habend / 눈에 우수의 빛을 띠고 mit Kummer (Sorge) im Blick / 붉은 빛을 ～ rötlich gefärbt sein; e-n Anstrich von Rot haben / 노기를 ～ ärgerlich (zornig; entrüstet) aus|sehen* / 쓴 맛을 ～ e-n bitteren Beigeschmack haben 《*von*[3]》 / 활기를 ～ e-e große Lebhaftigkeit entfalten / 그는 이채를 띠고 있다 Er sticht hervor.

띠씨름 《씨름》 Ringkampf 《*m.* -(e)s, ⸚e》; wobei der Kämpfer gegenseitig den Gürtel hält u. ringt.

띠앗머리 Geschwisterliebe *f.*

띠톱 Bandsäge *f.* -n.

띳장 《광산에서》 horizontaler Grubenzimmerungsbalken, -s, -; „Pfahl" *m.* -(e)s, ⸚e; 〖건축〗 Querbrett *n.* -(e)s, -er; Riegel *m.* -s, - (am Lattenzaun).

띳집 Schilfdachhütte *f.* -n.

띵띵하다 ☞ 딩딩하다.

띵하다 《두통》 tiefsitzende Kopfschmerzen haben; 《머리가 흐림》 stumpfsinnig; betäubt (sein). ¶머리가 ～ Ich habe rasende Kopfschmerzen. (두통)|Mir dröhnt (saust) der Kopf. (일 따위가 밀려 머리 속이).

-ㄹ 《…할》〔추상명사의 부가어〕 ...zu (tun). ¶갈 시간 Zeit zu gehen / 잘 시간 Zeit schlafen zu gehen / 자동차를 팔 사람 der Mann, der einen Wagen verkaufen will / 그 사람이 팔 자동차 der Wagen, den der Mann verkaufen will / 맥주를 마실 생각이 있다 Ich habe Lust, Bier zu trinken. / 어찌할 도리가 없다 Da ist nichts zu ändern. ¦ Das läßt sich nicht ändern. / 내일 올 사람이 누구냐 Wer ist der Mann, der morgen kommt. / 나는 어찌할 바를 몰랐다 Ich wußte nicht, was ich tun sollte (was zu tun ist).

-ㄹ걸 ① 《추측》 ich glaube (vermute; nehme an); vielleicht. ¶아닐걸 Es könnte nicht so sein. / 그 터는 꽤 비쌀걸 Das Grundstück müßte sehr teuer sein! / 그것으로 충분할걸 Das ist wahrscheinlich genügend. / 네가 더 클걸 Ich glaube, du bist größer als ich. / 그는 지금 집에서 공부하고 있을걸 Ich glaube, daß er jetzt zu Hause arbeitet. / 그 모자는 나한테 좀 클걸 Ich glaube, der Hut ist ein bißchen zu groß für mich.
② 《탄식》〔hätte ... 부정형+sollen *od.* können의 형식으로〕 ¶공부를 더 해두었어야 할걸 Er hätte doch noch fleißiger arbeiten sollen.(했어야 했다) / 친구에게 도움을 청해야 했을걸 Er hätte s-n Freund um Hilfe bitten können.(청하면 되었는데).

-ㄹ것같다 《사물에 대한 추측》 es scheint, daß...; es ist wahrscheinlich, daß; 《막 …할 것 같다》 drohen; wollen; im Begriff sein; 《…같이 보이다》 scheinen; den Anschein haben. ¶곧 울음을 터뜨릴 것 같다 im Begriff sein, in Tränen auszubrechen; fast in Tränen sein / 몹시 배고파 죽을 것 같다 fast vor Hunger sterben* / 죽을 것 같다 Er wird wahrscheinlich sterben. / 그는 올 것 같지 않다 Er kommt wahrscheinlich nicht. ¦ Es ist wahrscheinlich, daß er nicht kommt. / 비가 올 것 같다 Es wird wahrscheinlich regnen. ¦ Es droht zu regnen.(두렵다) / 이 책은 매우 재미 있을 것 같다 Es scheint mir, daß dieses Buch sehr unterhaltend ist. / 그 자동차는 쌀 것 같지 않다 Es ist kaum wahrscheinlich, daß das Auto billig sein wird. / 담이 무너질 것 같다 Die Mauer droht (ist im Begriff) einzustürzen. / 그 할머니는 아흔 살인데 죽을 것 같다 Die alte Frau will mit neunzig sterben.

-ㄹ까 ① 《의문·의심》 Ich möchte wissen, ob (wie; wann; was; wie; wo *usw.*)...; Wüßte ich nur, ob...; ich fürchte; kann (wird) es sein? ¶비가 올까 Glaubst du, daß es regnet? ¦ Ob es regnen wird? / 참말일까 Kann es wahr sein? ¦ Ich fürchte, daß es nicht wahr sein kann. / 몇 시쯤 됐을까 Ich möchte gern wissen, wie spät es jetzt ist. / 살까 Ich möchte mir überlegen, ob ich es kaufen soll. / 설마 그럴까 Wirklich? ¦ Was Sie nicht sagen! / 어떤 사람일까 Was ist er? / 그는 누구일까 Wer ist er? / 내일도 날이 흐릴까 Wird es morgen auch wieder bewölkt sein? / 그가 다시 돌아오는 것은 아닐까 Ob er wohl wiederkommen wird?
② 《제안》 wollen wir...!; laßt uns...! ¶갈까(요) Wollen wir gehen? / 그러면 공원으로 갈까 Laß (Laßt) uns also in den Park gehen! ¦ Wollen wir also in den Park gehen! / 걸어서 갈까 Wollen wir zu Fuß gehen? ¦ Wie denkst du darüber, zu Fuß zu gehen? / 교외로 산책이나 갈까 Laßt uns in die Vorstadt spazierengehen! / 위스키 한 잔 드는 게 어떨까 Wie wäre es, wenn wir ein Glas Whisky trinken?

-ㄹ까보다 es scheint (mir); es mag (sein); es sieht aus 《*nach*[3]》. ¶비가 올까 보다 Es sieht nach Regen aus. / 거기 온 사람이 삼십명은 되었을까 보다 Es mögen etwa dreißig Leute da gewesen sein. / 그는 사십세는 되었을까 보다 Er mag etwa vierzig Jahre alt sein.

-ㄹ까한다 die Absicht haben...; beabsichtigen[4]; vor|haben*[4]; denken 《*an*[4]》. ¶나는 그녀와 결혼할까 한다 Ich habe die Absicht, sie zu heiraten. ¦ Ich denke daran, sie zu heiraten. / 다음 번 회의에는 참가할까 한다 Ich beabsichtige, an der nächsten Konferenz teilzunehmen. / 저녁에는 영화관이나 갈까 한다 Ich habe vor, abends ins Kino zu gehen. / 나는 내일 그를 찾아갈까 한다 Ich habe vor, ihn morgen aufzusuchen. / 나는 사직할까 한다 Ich denke daran, das Amt niederzulegen.

-ㄹ께 Ich werde gleich (*tun*); ich verspreche [4]*et.* zu tun. ¶잠깐 다녀올께 — 기다리고 있거라 Bitte, warte hier!—Ich werde gleich zurückkommen. / 내 얼른 보고 줄께—잠깐만 빌어주어 Zeig's mal her! — Ich werde es gleich zurückgeben. / 문을 열어놔 둬 — 내가 나중에 닫을께 Laß die Tür offen! —Ich werde sie später schließen.

-ㄹ꼬 ¶그는 왜 아직 안 올꼬 Es wundert mich, daß er noch nicht kommt. / 그것이 무엇일꼬 Was soll es sein? / 그 일이 어찌 될꼬 Was soll damit werden? / 이 일을 어찌 할꼬 Was soll ich damit anfangen (tun; machen)?

-ㄹ는지 《불확실》 ob es (sein) wird. ¶그것을 팔는지 물어볼까 Darf ich Sie fragen, ob Sie es verkaufen wollen? / 그가 다시 돌아올는지 모르겠다 Ich weiß nicht, ob er wohl wiederkommen wird.

-ㄹ는지도모르다, -ㄹ는지요 es mag (sein); ich möchte wissen, ob.... ¶그는 병일는지도 모른다 Er mag krank sein. / 당신이 잘못 생각하고 계실는지도 모릅니다 Sie dürften sich wohl irren. / 그가 정말 올는지요 Ich frage mich, ob er wirklich kommt.

-ㄹ듯이 gleichsam; als ob.... ¶당장 때릴 듯이 노려봤다 Er starrte auf mich, als ob er jeden Augenblick auf mich schlagen wollte. / 죽을 듯이 슬퍼한다 Er ist zu Tode betrübt.

-ㄹ라 es ist zu befürchten, daß.... ¶ 빨리 서둘러라 기차를 놓칠라 Beeile dich, sonst versäumst du den Zug. / 공부를 좀 부지런히 하거라 낙제할라 Arbeite fleißig, sonst fällst du bei der Prüfung durch. / 조심해라 넘어질라 Sei vorsichtig, sonst fällst du hin (um). / 비가 올라 우산 갖고 가거라 Nimm den Schirm mit, es sieht nach Regen aus. / 과식할라 그만 먹어라 Laß das Essen, bevor du dich überißt. / 매맞을라 당장 돌려줘라 Gib es ihm sofort zurück, sonst kriegst du Prügel.

-ㄹ라치면 wenn; falls. ¶ 봄이 될라치면 나무에 꽃이 핀다 Wenn der Frühling kommt (Wenn es Frühling wird), blühen die Bäume (stehen die Bäume in Blüte). / 언제나 우리가 소풍을 갈라치면 비가 왔다 Immer wenn wir e-n Ausflug machen wollten, regnete es. / 매번 우리가 그를 초대할라치면 그는 시간이 없다 Jedesmal wenn wir ihn einladen, hat er k-e Zeit.

-ㄹ락말락 kaum; fast; nur mit Mühe; beinahe. ¶ 방세가 2만원 될락말락한다 Die Zimmermiete beträgt beinahe 20,000 *Won.* / 책을 읽으면서 잠이 들락말락했다 Ich bin über e-m Buche fast eingeschlafen. / 안개 때문에 산봉우리가 보일락말락한다 Wegen des Nebels ist der Gipfel des Berges kaum sichtbar. / 그는 목소리가 작아서 들릴락말락한다 Er spricht so leise, daß man ihn nur mit Mühe hören kann.

-ㄹ만한 wert[4·2]; genug; angemessen[3]. ¶ 읽을 만한 lesenswert / 그 일은 애를 쓸 만한 것이 못 된다 Die Sache ist nicht der Mühe wert. / 그는 사람들이 (그에게 대해) 왈가왈부할 만한 사람이 못 된다 Er ist nicht wert, daß man von ihm spricht. / 너는 그 일을 이해할 만한 나이다 Du bist alt genug, (um) das zu verstehen. / 그는 자기 일은 자기가 처리할 만한 남자다 Er ist Manns genug, s-e Angelegenheiten selbst zu ordnen.

-ㄹ망정 obgleich; obwohl; obschon; wenn auch; zwar... aber; wie...auch. ¶ 비록 그는 가난할망정 obwohl er arm ist / 비록 늙었을망정 obgleich er alt ist / 제 아무리 똑똑할망정 wie klug er auch sein mag / 비록 그는 부자일망정 행복하지 못하다 Obgleich er reich ist (Ob er gleich reich ist), ist er doch unglücklich. / 그것이 제 아무리 비쌀망정 나는 사겠다 Ich werde es kaufen und wenn es auch noch so teuer wäre. / 눈이 올망정 나는 오겠다 Ich komme, auch wenn es schneit. / 그는 나이는 들었을망정 아직도 매우 정정하다 Er ist zwar alt (zwar ist er alt), aber noch sehr rüstig.

-ㄹ모양(一模樣) den Anschein haben, als ob .... ¶ …할 모양이다 es scheint, als ob...; es hat den Anschein, als ob (daß)... / 그는 돌아오지 않을 모양이다 Es scheint, als ob er nicht zurückkäme. / 물건 값이 내릴 모양이다 Es gibt Anzeichen dafür, daß die Warenpreise fallen. / 비가 올 모양이다 Es sieht nach Regen aus. / 내일은 날씨가 좋아질 모양이다 Morgen wird es wohl schönes Wetter geben. | Morgen dürfte schönes Wetter sein.

-ㄹ바에(야) in Anbetracht; wenn man sowieso zu *tun* hat; wenn es sowieso zu *tun* ist; wenn es so abgemacht ist. ¶ 이왕 택시를 타야 할 바에야 좀더 있다 출발하자 Wenn wir sowieso mit dem Taxi fahren müssen, brechen wir ein bißchen später auf. / 그에게 돈을 돌려 줄 바에야 빨리 줘라 Wenn du ihm das Geld zurückgeben willst (wußt), gib es ihm schnell. / 구걸을 할 바에야 굶어 죽는 게 낫다 Lieber verhungern als betteln. / 노예가 될 바에야 차라리 죽는 게 낫다 Lieber tot als Sklave! / 이왕 줄 바에야 빨리줘라 Doppelt gibt, wer schnell gibt.

-ㄹ밖에 nichts als (wie).... ¶ 할 일이 없으니 책이나 읽을 밖에 Ich habe nichts zu tun als zu lassen. / 돈이 없으니 빚을 낼 밖에 도리가 없다 Da ich bankrott bin, muß ich Schulden machen. / 그렇게 할 밖에 다른 도리가 없다 Es bleibt nichts and(e)res übrig, als es zu tun. / 나는 그 말을 그에게 전해 줄 수 밖에 없다 Ich kann nicht umhin, es ihm mitzuteilen.

-ㄹ뿐더러 nicht nur... sondern auch; sowohl... als auch. ¶ 그는 영어를 말할 뿐더러 독어도 한다 Er spricht nicht nur Englisch, sondern auch Deutsch. / 그는 시인일 뿐더러 화가이기도 하다 Er ist sowohl Dichter als auch Maler. / 그는 시인도 아닐뿐더러 화가도 아니다 Er ist weder Dichter noch Maler.

-ㄹ세 ja; doch nicht (부정). ¶ 오늘이 벌써 칠월 초하룰세 Heute ist ja schon der erste Juli. / 그것은 내 것이 아닐세 Das ist doch nicht mein.

-ㄹ세라 (doch nicht) etwa. ¶ 어머니는 아들이 입학 시험에 떨어질세라 큰 걱정이다 Die Mutter ängstigt sich sehr, daß ihr Sohn doch nicht etwa bei der Eintrittsprüfung durchfällt.

-ㄹ세말이지 nicht *tun* (*sein*) wollen; es gilt nicht, daß...; es stimmt nicht, daß...; es ist nicht richtig, daß.... ¶ 비가 올세 말이지 Es will nicht regnen. | Es wäre schön, wenn es regnete, aber es will nicht regnen. / 그놈이 사람일세 말이지 Es ist nicht richtig, daß man ihn für e-n Menschen hält. | Er ist doch kein Mensch. | Er mag sagen, was er will.

-ㄹ수록 《비례》 je mehr ..., desto (um so) mehr (더욱 더); je weniger ..., desto mehr (weniger) ... (더욱 더). ¶ 빠르면 빠를수록 좋다 Je eher, desto besser (lieber). / 많으면 많을수록 좋다 Je mehr, desto besser. / 그는 나이를 먹으면 먹을수록 더욱 겸손해진다 Je älter er wird, desto bescheidener wird er. / 격전일수록 승리는 더 빛난다 Je härter der Kampf, um so rühmlicher der Sieg. / 생각하면 생각할수록 점점 더 몰라진다 Je mehr ich denke, desto weniger verstehe ich. / 가진 돈이 적을수록 그 가치를 안다 Man weiß das Geld um so mehr zu schätzen, je weniger man davon hat.

-ㄹ수없다 nicht können; nicht imstande sein; versagen; verhindert werden; zu..., um...; zu... als daß...; nicht leisten können (여유가 없다). ¶ 어쩔 수 없다 unvermeidlich (notgedrungen; unausweichlich; unentrinnbar; unumgänglich) sein / 어쩔 수 없이 notwendigerweise; gezwungenermaßen; zwangsweise; zwangsläufig / 어쩔 수 없이 …하다 genötigt (gezwungen) sein 〔zu 부정구〕; nicht anders können* 《als ... zu ...》; [4]sich genötigt (gezwungen) sehen* 〔zu 부정구〕; k-n Weg sehen* 《als ... zu ...》; k-e Wahl haben 《als ... zu ...》; unter Druck stehen* 〔zu 부정구〕 / 거절할 수 없다 unmöglich ab|schlagen*[4]; nicht übers Herz bringen können*, abzulehnen[4] (nein zu sagen) / 너무 많아서 셀 수 없다 unzählbar (unzählig; ungezählt) vorhanden sein; zu viel, als daß es gezählt werden könnte / 그 여자는 아버지 곁을 차마 떠날 수 없었다 Sie konnte es nicht übers Herz bringen, ihren Vater zu verlassen. / 나는 그런 사치는 할 수 없다 Solchen Luxus kann ich mir nicht leisten. / 그는 둔해서 이런 문제를 해결할 수 없다 Er ist zu dumm, um solches Problem zu lösen. / 다리가 말을 듣지 않아 걸을 수 없다 M-e Beine versagen mir den Dienst. / 그는 일이 있어서 올 수 없었다 Er ist geschäftlich verhindert (zu kommen). / 나로서는 이해할 수 없다 〖über[4]를 써서〗 Das geht über m-n Verstand (m-e Begriffe).

-ㄹ수있다 können*; vermögen*; fähig sein; imstande (in der Lage) sein; möglich sein; [4]sich lassen*; 〖zu 있는 부정구와 함께〗 sein (haben). ¶ 할 수 있다면 wenn möglich; wo möglich / 쉽게 이해할 수 있다 Es ist leicht zu verstehen. / 아직은 어떻게 할 수 있다 Es ist noch zu machen. / 아직은 다소 기대할 수 있다 Etwas haben wir noch zu erwarten. / 돈이 있으면 무엇이든 할 수 있다 Mit Geld läßt sich alles machen. / 그 곳은 기분 좋게 살 수 있다 Dort läßt es sich angenehm wohnen. / 할 수 있는 것은 다 하겠읍니다 Ich werde tun, was in m-r Macht steht. / 그는 정세 판단을 할 수 있는 사람이다 Er ist ein Mann, der die Lage zu beurteilen vermag. / 그는 그것을 할 수 있다 Er ist imstande, das zu tun. | Er kann es tun. / 그것이라면 아직 참을 수 있다 Das ist noch erträglich. / 그 조건이라면 이제라도 받아 들일 수 있다 Diese Bedingung ist nur noch annehmbar. ※ 위의 두 예문처럼 -lich, -bar의 후철(後綴)을 가진 형용사와 sein을 쓰는 방법도 있다. / 그는 무슨 일이든 할 수 있다 Er ist zu allem fähig.

-ㄹ양으로 in der Erwartung, daß ...; um ... zu *tun*; in der Absicht, etwas zu *tun*; damit .... ¶ 친구를 찾아볼양으로 서울에 왔다 Er kam nach Seoul in der Absicht, s-n Freund zu besuchen (um s-n Freund zu besuchen). / 책을 살양으로 돈을 꾸었다 Er hat Geld geliehen, um Bücher zu Kaufen. / 그것을 너에게 이야기할양으로 찾아왔다 Ich bin gekommen, damit ich es dir erzähle. / 그는 우표를 모아둘양으로 사들인다 Er kauft Briefmarken, in der Absicht, sie zu sammeln.

-ㄹ양이면 wenn man ... *tun* will; es ... zu *tun*. ¶ 한국에 갈양이면 한 달은 걸리겠다 Es wird e-n Monat dauern, bis man in Korea ankommt. / 시내 구경을 다할양이면 얼마가 걸릴는지 모른다 Man weiß nicht, wie lange es dauert, wenn man die ganze Stadt besichtigen will.

-ㄹ이만큼 genug, um etwas zu *tun*; so (viel)..., daß.... ¶ 나는 집을 지을(이)만큼 돈이 없다 Ich habe nicht Geld genug, um ein Haus zu bauen. / 그는 스스로 결정할이만큼 나이가 들었다 Er ist alt genug, um selbst zu entscheiden. / 그가 저녁 늦게 부산에 도착했을 때는 방을 하나도 얻을 수 없을이만큼 호텔이 모두 차 있었다 Als er am späten Abend in Pusan ankam, waren die Hotels schon alle besetzt, so daß er kein Zimmer mehr bekommen konnte. / 점심은 우리가 더 먹을 수 없을이만큼 푸짐했다 Das Mittagessen war dermaßen reichlich, daß wir jetzt nicht mehr essen können.

-ㄹ작시면 wenn; falls; vorausgesetzt, daß ...; wofern. ¶ 네가 내일 올작시면, 내가 너를 정거장에서 데려오마 Wenn du morgen hier ankommst, dann hole ich dich vom Bahnhof ab. / 네가 나를 도와줄작시면 나도 너를 돕겠다 Wenn du mir hilfst, so helfe ich dir auch. / 학생이 부지런할작시면 외국어를 빨리 배울 수 있다 Vorausgesetzt, daß der Schüler fleißig ist, kann er die Fremdsprache schnell lernen.

-ㄹ줄 ((nicht) wissen), daß ...; wie .... ¶ 나는 네가 올 줄 몰랐다 Ich wußte nicht, daß du kommst. / 그는 라디오를 만질 줄 안다 Er weiß, wie man das Radio anstellt. / 그는 어찌 줄 몰랐다 Er wußte nicht, wie er sich benehmen sollte.

-ㄹ지 ob...; wer.... ¶ 그가 올지 모르겠다 Ich weiß nicht, ob er kommen wird. / 그가 식사하러 올지 물어 봐라 Frag ihn, ob er zum Essen kommt. / 편지가 그에게 들어갔을지 좀 의문이다 Ich habe einigen Zweifel, ob der Brief ihn erreicht hatte. / 그의 아버지가 그에게 여행할 돈을 주실지 아직 확실치 않다 Es ist noch nicht sicher, ob ihm sein Vater das Geld für die Reise geben wird. / 그가 얼마나 거기 오래 머무를지 확실치 않다 Es ist unbestimmt, wie lange er dort bleibt. / 누가 내일 공장을 견학할지 너희들 아냐 Wißt ihr, wer morgen die Fabrik besichtigen wird? / 그것이 적당할지 모르겠다 Ich zweifle, ob es passend ist. / 당신이 실망하시지 않을지 걱정입니다 Ich fürchte, daß Sie enttäuscht sein werden. / 내일 비나 오지 않을지 Es wird morgen doch nicht etwa regnen. / 그가 그런 일에 시간이 있을지 모르겠다 Ich weiß nicht, ob er dazu (dafür) Zeit hat oder nicht.

-ㄹ지나 eigentlich sollte ..., aber .... ¶ 빨래는 마땅히 밖에서 말려야 할지나 비가 와서 집 안에 널 수 밖에 없었다 Die Wasche sollte eigentlich im Freien trocknen, aber wir mußten sie wegen des Regens im Hause aufhängen.

-ㄹ지니라 sollen*. ¶ 사람은 누구나 남을 도울지니라 Jeder soll dem anderen helfen. / 부모를 공경할지니라 Du sollst d-n Vater u. d-e Mutter ehren. / 도둑질하지 말지니라 Du sollst nicht stehlen.

-ㄹ지도모르다 〖조동사를 써서〗 dürfen*; können*; mögen*; werden; 〖부사를 써서〗 vielleicht; eventuell; möglicherweise; unter Umständen; vermutlich; wahrscheinlich; wohl; 〖es ist와 함께〗 annehmbar; denkbar; nicht ausgeschlossen; möglich《daß..., zu...》. ¶ 그럴지도 모른다 Es kann sein. | Es mag sein. | Es dürfte wohl so sein. / 내일은 갤지도 모른다 Morgen wird wohl schönes Wetter sein. / 오늘 중으로 올지도 모른다 Es ist nicht ausgeschlossen (Es ist wohl möglich), daß er heute noch kommt. / 그 문제는 좀 어려울지도 모른다 Die Frage mag für dich etwas schwierig sein. / 내가 틀렸을지도 모른다 Ich fürchte, daß ich unrecht habe. / 어쩌면 사실일지도 모른다 Es kann wahr sein, soviel ich weiß. / 내가 그렇게 말했을지도 모른다 Es kann sein, daß ich das gesagt habe. / 그가 도와주지 않았더라면 목숨을 잃었을지도 모른다 Ich wäre vielleicht ums Leben gekommen, wenn er mir nicht geholfen hätte.

-ㄹ지라 sollen*. ¶ 부모를 공경할지라 Du sollst Vater u. Mutter ehren. / 도둑질하지 말지라 Du sollst nicht stehlen.

-ㄹ지라도 obgleich; obwohl; obschon; zwar ..., aber; wenn auch; wie... auch. ¶ 눈이 올지라도 wenn es auch schneite / 사실일지라도 obwohl es wahr ist / 그가 아무리 똑똑할지라도 wie klug er auch sein mag / 비록 그는 부자일지라도 행복하지 못하다 Obgleich er reich ist, ist er doch unglücklich. / 비가 올지라도 나는 오겠다 Ich komme, auch wenn es regnet. / 그는 나이가 들었을지라도 아직 매우 정정하다 Obwohl er alt ist, ist er noch sehr rüstig. / 그것이 아무리 비쌀지라도 사겠다 Ich werde es kaufen, wenn es auch noch so teuer wäre.

-ㄹ지어다 sollen; müssen. ¶ …하지 말지어다 nicht dürfen* (sollen*; müssen*); verboten sein; nicht können* (불가능) / 도둑질하지 말지어다 Du sollst nicht stehlen. / 뇌물을 받지 말지어다 Man soll sich nicht bestechen lassen (s-e Amtsgewalt nicht mißbrauchen) / 조국에 충성(忠誠)할지어다 Du sollst dem Vaterland die Treue halten.

ㄹ

-ㄹ지언정 wenn auch; wie ... auch; lieber (eher)... als. ¶ 굶어 죽을지언정 구걸은 싫다 Ich möchte lieber verhungern als betteln. / 나는 죽을지언정 그 여자와 결혼하지 않겠다 Eher will ich sterben als sie heiraten. / 그 일이 아무리 어려울지언정 끝내겠다 Wie schwer auch (immer) die Arbeit sein mag, ich werde sie beenden.

-ㄹ진대 wenn... sollte; 《-ㄹ것 같으면》 wie. ¶ 그가 올진대 내게 편지로 알려 다오 Wenn er kommen sollte, schreib es mir. / 그럴진대 《운명》 wenn es so sein sollte / 내가 볼진대 그는 아직 여기 있다 Er ist noch hier, wie ich sehe.

-ㄹ터이다 wollen*; bereit sein, etwas zu tun; beabsichtigen, etwas zu tun; sollen*. ¶ 나는 지금 친구에게 갈 터이다 Ich will jetzt zu m-m Freund gehen. / 나는 다음 번 회의에 참가할 터이다 Ich habe die Absicht, an der nächsten Konferenz teilzunehmen. / 그 매매 계약은 내주에 맺어질 터이다 Der Kaufvertrag soll nächste Woche geschlossen werden. / 우리는 오지 말았어야 할 터인데 Wir hätten nicht kommen sollen. / 너는 집에 있었어야 할 터인데 Du hättest zu Hause bleiben sollen. / 이 편지를 이미 어제 드렸어야 할 터인데 Eigentlich sollte ich Ihnen den Brief schon gestern geben.

라 【음악】 ① 《제 6 계명》 a *n.* -, -; La *n.* -, -. ② 《라음》 re; D.
‖ 라 단조(短調) d-Moll *n.* - 《기호: d》. 라장조 D-Dur *n.* - 《기호: D》.

-라 ☞ -으라.

라(고) ① 《내용》 (Er sagt), daß...; (nennen; bezeichnen) als. ¶ 그런걸 나는 유머~ 한다 Das heiße ich Humor. / 저는 칼이~ 합니다 Ich heiße Karl. / 그 지명은 무엇이~ 합니까 Wie heißt der Ort? / 그것은 독일어로 무엇이~ 합니까 Wie heißt das auf deutsch?
② 《비꼬는 투》 doch; trotzdem; dennoch. ¶ 그런 놈을 친구~ 할 수 있을까 Kann ich den e-n Freund nennen? / 이것을 그래 먹으~ 주시는 겁니까 Geben Sie uns das doch zum Essen?

-라고 ☞ -으라고. ¶ 그는 부서지라고 문을 닫았다 Er schlug die Tür, daß es nur so krachte. / 그에게 오라고 해라 Sage ihm, daß er kommen soll. / 그분에게 내일 저희 집에 전화해 주시~ 말씀해 주십시오 Sagen Sie bitte dem Herrn, er möchte morgen bei uns anrufen.

라고는 ☞ 이라고는. ¶ 한국에 호수~ 별로 없다 In Korea gibt es eigentlich wenige Seen. | In Korea gibt es k-e nennenswerten Seen.

라고스 《나이지리아의 수도》 Lagos.

라글란 《외투》 Raglan *m.* -s, -s. ¶ ~ 소매 Raglanärmel *m.* -s, -.

라놀린 【화학】 Lanolin *n.* -s.

라는 ¶ 현호~ 소년 ein Junge namens (mit Namen) *Hyonho.*

-라는 ☞ -으라는

-라니 ☞ -이라니. ¶ 자네는 사랑을 해 본 일이 있나 — 사랑을 해 보았느냐라니 Hast du einmal geliebt? — Wie meinst du das?

-라도 《…까지도》 selbst; sogar; noch; 《설사…일지라도》 obwohl; obgleich; obschon; obzwar ※ 이상은 띄어 쓸 때도 있다; wenn auch immer; sei es, daß...; selbst wenn; wenn auch; auch wenn; wie auch (immer); 《어떤 …이라도》 jeder*; 《어떤 것이라도》 entweder... oder. ¶ 농담으로라도 selbst auch im Scherz / 무슨 일이 있더라도 was auch geschehen mag; geschehe was da wolle / 죽는 한이 있더라도 selbst wenn ich dabei umkomme / 비가 오더라도 wenn es auch regnet / 아무리 돈이 많더라도 wie reich er auch ist / 어린애라도 그것을 안다 Selbst ein Kind (Jedes Kind) weiß es. / 꿈에라도 보고지고 Wenn ich dich sehen könnte, wenn auch im Traum! / 내일이 아니라 오늘 저녁이라도 (바로 지금이라도) 해두죠 Ich werde das nicht morgen, sondern noch heute abend (noch in dieser Minute) tun.

라돈 【화학】 Radon *n.* -s 《기호: Rn》.

라듐 【화학】 Radium *n.* -s 《기호: Ra》. ¶ ~을 함유한 radiumhaltig.
‖ ~방사능 Radioaktivität *f.* -en. ~선(線) Radiumstrahlen 《*pl.*》. ~에마나치온 Radiumemanation *f.* -en. ~요법 Radium|behandlung *f.* -en (-heilverfahren *n.* -s, -).

라드 《기름》 (Schweine)schmalz *n.* -es, -e.

-라든가 ¶ 송이라든가 하는 남자(여자) ein gewisser Herr (eine gewisse Frau) *Song* / 예스라든가 노라든가 하기 전에 bevor man ja od. nein sagt / 시드니라든가 샌프란시스코라든가 하는 큰 항구 große Häfen wie Sydney od. San Fransisco. ⌈rad》.

라디안 【수학】 Radiant *m.* -en, -en 《생략:

라디에이터 Heizkörper *m.* -s, -; 《방열기》 Kühler *m.* -s, - (자동차의 기관 냉각기).

라디오 Radio *n.* -s, -s; (Rund)funk *m.* -(e)s; 《기계》 Radioapparat *m.* -(e)s, -e; (Rund-)funkgerät *n.* -(e)s, -e; Rundfunkempfänger *m.* -s, - (수신기); Transistor-Radio *n.* -s, -s (트란지스터 라디오). ¶ 6 구(球) ~ Radio mit sechs Röhren / ~로 방송하다 durch Rundfunk (Radio) übertragen*[4] (드라마 따위를); im Radio (Rundfunk) sprechen* (auf|treten* ⓢ) (이야기하다, 출연하다) / ~를 틀다 (끄다) ~ das Radio an|stellen *od.* an|drehen (ab|stellen *od.* ab|drehen) / ~ 소리를 크게 (작게) 하다 das Radio lauter (leiser) stellen / ~를 듣다 das Radio (an|)hören; dem Radio zu|hören / ~가 켜져 있다 Das Radio

läuft. / 오늘은 ～에 무슨 좋은 프로가 있읍니까 Was läuft (gibt es) heute Schönes im Radio? / 그것은 언젠가 ～로 들은 적이 있다 Das habe ich einmal im Radio gehört.
‖ ～강좌(연설) Radioklasse *f.* 《*für*[4]》 (Funkrede *f.* -n). ～겸용 전축 Radiogrammophon *n.* -(e)s, -e. ～드라마 Hörspiel *n.* -(e)s, -e; Radiodrama *n.* -s, ..men. ～방송 Rundfunk¦sendung (Radio-) *f.* -en; Rundfunk¦übertragung (Radio-) *f.* -en: ～방송국 Radiostation *f.* -en; Rundfunksender *m.* -s, -. ～비콘 Funkbake *f.* -n. ～스포트 아나운스 Radiodurchsage *f.* -n. ～신문 Radiozeitung *f.* -en. ～존데 Radiosonde *f.* -n. ～청취료 Rundfunkgebühr *f.* -en. ～청취자 Rundfunkhörer *m.* -s, -; Hörerschaft *f.* -en (청취자층). ～체조 Rundfunkgymnastik *f.*: ～ 체조를 하다 Rundfunkgymnastik üben. ～프로 Rundfunk¦programm (Radio-) *n.* -(e)s, -e. ～해설자 Funk-Reporter *m.* -s, -; Kommentator *m.* -s, -en.
라르고 〖음악〗 Largo *n.* -s, -s (..ghi); largo (느리게).
라마[1] 《라마승》 Lama *m.* -s, -s.
‖ ～교 Lamaismus *m.* -: ～교도 Lamaist *m.* -en, -en. ～사원 Lamakloster *n.* -s, ⸚. 달라이～ Dalai-Lama *m.* -(s), -s.
라마[2] 〖동물〗 Lama *n.* -s, -s.
라면[1] 《국수》 chinesische Nudeln 《*pl.*》.
라면[2] 《…라 하면》 wenn es ... wäre. ¶ 이 몸이 새～ 그대에게 날아가리 Wenn ich ein Vöglein wäre, flöge ich zu dir.
라무네 ＝레모네이드.
라바트 《모로코의 수도》 Rabat.
라벤더 〖식물〗 Lavendel *m.* -s.
라벨 (Klebe¦)zettel (Anhänge-) *m.* -s, -; Etikett *n.* -(e)s, -e (-s). ☞ 레테르.
라서 《감히·능히》 in der Tat; wirklich; tatsächlich. ¶ 뉘～ 나를 이기리요 Wer kann mich in der Tat besiegen?
라셀 〖의학〗 Rhonchus *m.* -; Rasselgeräusch *n.* -(e)s, -e.
라스트 letzt. ‖ ～스퍼트 Endspurt *m.* -(e)s: ～스퍼트를 올리다 den Endspurt machen; vor dem Ziel spurten. ～신 letzte Szene, -n.
라야, 라야만 nur; allein; erst. ¶ 이 어려운 수술은 능숙한 의사라야만 할 수 있다 Diese schwierige Operation kann nur ein geschickter Arzt durchführen. / 국민에 의해서 선출된 의회라야 법안을 가결할 수 있다 Allein das vom Volk gewählte Parlament darf Gesetze verabschieden.
라오스 Laos *m.* -; Königreich 《*n.* -(e)s》 L. ¶ ～의 laotisch.
‖ ～사람 Laote *m.* -n, -n.
라우드스피커 Lautsprecher *m.* -s, -.
라운드 Runde *f.* -n (권투, 골프의). ¶ 한 ～는 3분이다 Jede Runde zählt 3 Minuten.
라운지 Gesellschaftsraum *m.* -(e)s, ⸚e; (Hotel)diele *f.* -n. 「*n.* -s, -.
라이너 〖야구〗 *liner* 《미어》; 《안 옷감》 Futter
라이노타이프 〖인쇄〗 Zeilensetzmaschine *f.* -n; Linotype *f.* -s.
라이닝 〖기계〗 Futter *n.* -s, -. 「-n.
라이든병(一瓶) 〖물리〗 die Leidener Flasche,
라이벌 Rivale *m.* -n, -n; Gegner *m.* -s, -; Widerpart *m.* -(e)s, -e; Nebenbuhler *m.* -s, - (특히 연적); Konkurrent *m.* -en, -en (경쟁상대); Mitbewerber *m.* -s, - (상대). ¶ 아무와 ～이 되다 rivalisieren 《*mit*[3]》.
‖ ～의식 der Geist 《-es》 der Rivalität.
라이브러리 Bibliothek *f.* -en.
라이센스 Lizenz *f.* -en; Konzession *f.* -en; Genehmigung *f.* -en; Erlaubnis *f.* -se.
라이스 Reis *m.* -es, -e.
‖ ～카레이 Indischer Curry [kʌ́ri] *m.* (*n.*) -s; Curry mit Reis. ～페이퍼 Reispapier *n.* -(e)s, -e. 「놈).
라이온 Löwe *m.* -n, -n; Löwin *f.* -nen (암
라이온즈클럽 Lions [láiənz] 《영어》 [◀Liberty, Intelligence, Our Nations' Safety].
라이카 Leica *f.* -s (상품명).
라이터[1] 《글 쓰는 이》 Schreiber *m.* -s. -; Verfasser *m.* -s. -; Schriftsteller *m.* -s. -.
라이터[2] 《켜는》 Feuerzeug *n.* -(e)s, -e. ¶ ～를 켜다 das Feuerzeug betätigen / 이 ～는 불이 켜지지 않는다 Dieses Feuerzeug versagt.
‖ ～돌 Feuerstein *m.* -(e)s, -e. 가스～ Gasfeuerzeug *n.*
라이트 ① 〖야구〗 das rechte Feld, -(e)s, -er; 《우익수》 der Spieler 《-s, -》 des rechten Außenfeldes. ¶ ～ 플라이를 치다 e-n Ball schlagen und nach rechts fliegen lassen*. ② 〖권투〗 das Schlagen* 《-s》 mit der rechten Hand. ‖ ～윙 〖축구〗 der rechte Außenstürmer, -s, -.
라이트급(一級) 〖권투〗 Leichtgewicht *n.* -es; Leichtgewichtsklasse *f.* -n.
‖ ～경기 Kampf 《*m.* -(e)s, ⸚e》 im Leichtgewicht. ～선수 Leichtgewichtler *m.* -s, -.
라이프니츠 《독일의 철학자》 Gottfried Wilhelm von Leibniz (1646-1716).
라이프치히 《동독의 도시》 Leipzig.
라이플총(一銃) (Repetier)büchse *f.* -n.
라인 《선》 Linie *f.* -n.
라인강(一江) der Rhein, -(e)s ※ 정관사를 붙여서 씀.
라인업 Aufstellung 《*f.* -en》 der Mannschaft; Zusammensetzung 《*f.* -en》 (der Mannschaft). ¶ ～을 발표(소개)하다 die Mannschaftsaufstellung an|sagen (an|kündigen; bekannt machen).
라일락 〖식물〗 (spanischer) Flieder *m.* -s, -; Lilack *m.* -s, -s.
라조(一調) 〖음악〗 D (장조); d (단조).
라켓 《보통 테니스·탁구·배드민턴의》 Schläger *m.* -s, -; 《특히 구별할 때는》 Tennisschläger *m.* -s -; Raket(t) *n.* -(e)s, -e (-s); Tischtennisschläger *m.* -s, -; Schläger für das Federballspiel.
라텍스 《고무나무의》 Latex *m.* -.
라트비아 《소련의 지방》 Lettland. ¶ ～ 사람 Lette *m.* -n, -n / ～(인,어(語))의 lettisch.
라틴 ¶ ～(어)의 lateinisch / ～(어)화하다 latinisieren[4].
‖ ～문자 Lateinschrift *f.* -en; der lateinische Buchstabe, -ns, -n. ～아메리카 Lateinamerika *n.* ～어(語) Latein *n.* -e; Lateinisch *n.*; das Lateinische*, -n; die lateinische Sprache, -n: ～어 학자 Lateiner *m.* -s, -; Latinist *m.* -en, -en.
라파스 《볼리비아의 수도》 La Paz.
라파엘 《이탈리아의 화가》 Raffaello Santi (1483-1520); Raphael. ¶ ～ 전파(前派) pre-Raphaelites.
락 Lack *m.* -(e)s, -e. ¶ 락 칠을 하다 lacken[4].
락깍지진디 〖곤충〗 Lackwurm *m.* -(e)s, ⸚er; *Tachardia lacca* (학명).
-락(말락) ☞ -으락.
락타제 〖화학〗 Laktasen 《*pl.*》.
락토겐 Laktogen.

락토제 〖화학〗 Laktose *f.*; Milchzucker *m.* -s, -.

란 ☞ 이란¹. ¶ 「자유」란 무엇입니까 Was meinen Sie mit „Freiheit" ?¦ Was versteht man unter „Freiheit"?

란도셀 (Schul)ranzen *m.* -s, -; Tornister *m.* -s, -(군대의); 〖속어〗 Affe *m.* -n, -n. ¶ ～을 메다 e-n Ranzen auf dem Rücken tragen*.

란치 Motorjacht *f.* -en; Barkasse *f.* -n; Pinasse *f.* -n (함재정).

란타늄 〖화학〗 Lanthan *n.* -s 《기호: La》.

란탄 ☞ 란타늄.

랍소디 Rhapsodie *f.* -n.

-랑 ☞ -이랑. ¶ 아내랑 아이들을 데리고 mit s-r ³Frau und s-n ³Kindern; mit ³Weib und Kind.

랑데부 Rendezvous [rãdevúː] *n.* - [..vúː(s)], - [..vúːs]; Stelldichein *n.* -s, -. ¶ ～를 하다 ein Rendezvous mit *jm.* haben.

-래(來) seit³ (...her). ¶ 2, 3 일래 seit einigen Tagen; 〖속어〗 seit paar Tagen / 3 년래 서울에 있다 Ich bin (seit) drei Jahre in Seoul. ※동사는 현재형을 쓴다 / 5 년래 그를 만나지 못했다 Es sind fünf Jahre, daß ich ihn nicht gesehen habe. / 20 년래의 큰 눈이다 Das ist ein Schneefall, wie wir seit zwanzig Jahren (in diesen 20 Jahren) noch k-n erfahren haben.

-래서 und dann; daher; darauf; danach. ¶ 그가 저녁을 먹으러 오래서 갔다 Ich bin zu ihm gegangen, weil er mich zum Abendessen eingeladen hat. / 그를 오래서 같이 놀자 Laß ihn kommen und spielen (mit ihm) zusammen.

-래서야 ¶ 이래서야 됩니까 Sie dürfen das nicht machen. / 두 달도 못 되어 그만 두래서야 되겠소 Es ist ungerecht, daß Sie innerhalb zwei Monaten von mir die Stelle aufzugeben verlangen. / 이것이 100 원어치 래서야 말이 됩니까 Wollen Sie etwa sagen, daß es 100 *Won* kostet?

-래야 müssen; haben zu tun; sollten. ¶ 사람을 보내어 그를 오래야 되겠다 Ich muß ihn holen lassen. / 그래야 마땅하지 Du mußt so tun.¦Es sollte so sein.

래커 Lack *m.* -(e)s, -e. ¶ ～를 칠하다 lackieren.

랜덤샘플링 die Entnahme von Stichproben.

랜턴 《등》 Laterne *f.* -n; Lampion [lãːpĩɔ̃ː] *m.* (*n.*) -s, -s.

램프 Lampe *f.* -n. ¶ 매다는 ～ Hängelampe *f.* -n / ～를 켜다 (끄다) die Lampe an¦zünden (löschen*).

‖ ～갓 Lampenschirm *m.* -(e)s, -e. ～등피 Lampenzylinder *m.* -s, -. 석유～ Öllampe *f.*; Petroleumlampe *f.*

랩타임 Rundenzeit *f.* -en; Durchgangszeit *f.* -en. ¶ 최초의 ～은 52 초였다 Die erste Runde wurde in 52 Sekunden gelaufen.¦ Die ersten 400 Meter wurden in 52 Sekunden zurückgelegt. (4 백 미터 트랙의 경우).

랭군 《버마의 수도》 Rangun.

랭킹 《순위》 Rang *m.* -(e)s, ⸗e. ¶ ～을 다투다 mit *jm.* um den Rang streiten*; *jm.* den Rang streitig machen / ～이 하나 위(아래)다 e-n Rang über (unter) *jm.* haben / ～이 같다 den gleichen Rang mit *jm.* haben.

-랴 ① 《반어》 ¶ 내가 설마 그러랴 Ich würde nie so etwas tun. / 그가 차마 그런 말을 했으랴 Wie konnte er wagen, so etwas zu sagen? / 그것이 어찌 저절로 부러지랴 Wie kann das von selbst zerbrechen?¦Das kann nicht von selbst zerbrechen. ② 《문의》 ¶ 걸어 가랴 Soll ich zu Fuß gehen? / 돈을 주랴 Möchtest du etwas Geld haben?¦ Soll ich dir etwas Geld geben?

-량(量) ☞ 양(量) ①. ¶ 교통량의 증가 Verkehrszunahme *f.* / 교통량 조사 Verkehrszählung *f.* -en.

-러 ¶ 너를 보러 왔다 Ich bin gekommen, um dich zu sehen.

러너 〖야구〗 Läufer (Renner) *m.* -s, -. ¶ ～를 내보내다 (홈인시키다) e-n Läufer senden* (zurück¦kommen lassen*) / ～를 일소하다 die Standmäler der Läufer aus¦leeren.

러닝 《달리는 것》 das Rennen* (Laufen*) -s. ‖ ～샤쓰 das armellose Unterhemd, -(e)s, -en (속옷).

러브 Liebe *f.* -n.

‖ ～레터 Liebesbrief *m.* -(e)s, -e. ～신 Liebesszene *f.* -n. 「⸗e.

러셀차(一車) 《제설차》 Schneepflug *m.* -(e)s,

러스크 Sandkuchengebäck *n.* -(e)s, -e.

러시아 Rußland *n.* -s. ¶ ～의 russisch.

‖ ～말 Russisch *n.* -(s); das Russische*, -n; die russische Sprache. ～사람 Russe *m.* -n, -n; 《우스개》 Rußki *m.* -s, -s. ～황제 der Russische Kaiser, -s; Zar *m.* -en (-s), -en (-e). 소비에트 ～ Sowjetrußland. 제정(帝政)～ Zar(en)tum *n.* -(e)s.

러시아워 Hauptverkehrs¦zeit (Stoßverkehrs-) *f.* -en 《보통 *pl.*》. ¶ 아침 저녁의 ～ Berufsverkehrszeit *f.* -en; die Hauptverkehrszeit am Morgen und am Abend.

러식축구(一式蹴球) Rugby [rʌ́gbi] *n.* -s; Rugby-Fußball *m.* -(e)s, ⸗e. 「zone, -n.

러키 glücklich. ‖ ～존 〖야구〗 die Glücks-

러키세븐 〖야구〗 die glückliche siebente Runde. ¶ ～에서 전세를 만회하다 in der glücklichen siebenten Runde ein¦holen (nach¦-).

러프 rauh; grob; unzart.

럭비 〖운동〗 Rugby [rʌ́gbi] *n* -s; Rugby-Fußball *m.* -(e)s, ⸗e. ¶ ～를 하다 Rugby(-Fußball) spielen.

‖ ～팀 Rugby-Mannschaft *f.* -en.

럭스 〖물리〗 Lux *n.* -, - 《생략: lx》.

런던 London.

‖ ～사람 Londoner *m.* -s, -. ～사투리 der Londoner Ausdruck *m.* -(e)s, ⸗e. ～탑 der Turm von London.

런치 《점심》 Mittagessen *n.* -s, -; das zweite Frühstück, -(e)s, -e; Lunch [lan(t)ʃ] *m.* -(e)s, -e; Gabelfrühstück *n.* -(e)s, -e. ¶ ～를 먹다 zu Mittag essen*; frühstücken (특히 외교 용어로서); den Lunch nehmen*.

‖ ～타임 Mittagspause *f.* -n.

럼 Rum *m.* -s, -s (-e). ‖ 럼주(酒) ＝럼.

레 〖음악〗 d *n.* -, -; Re *n.* -, -.

레가타 Regatta *f.* -en (보트 경조(競漕)).

레귤러 《선수》 der aktive Wettkämpfer (Spieler) -s, - (e-r Mannschaft).

‖ ～멤버 das aktive Mannschaftsmitglied, -(e)s, -er; 《정회원》 das ordentliche Mitglied, -(e)s, -er.

레그혼 《닭》 Leghorn *n.* -s, ⸗er; Leghornhuhn *n.* -(e)s, ⸗er.

레늄 〖화학〗 Rhenium *n.* -s.

레닌 Nikolai Lenin (1870-1924).

‖ ～주의 Leninismus *m.* -: ～주의의 leninistisch / ～주의자 Leninist *m.* -en, -en.

레더 Leder *n.* -s, - (다룬 가죽); Kunstleder *n.* -s, - (인조 피혁).

‖ ~코트 Ledermantel *m.* -s. ⸗.
레디메이드 〖형용사적〗 fertig; gebrauchsfertig; Konfektions; 《기성복》 Konfektionskleid *n.* -(e)s, -er 〔-anzug *m.* -(e)s, ⸗e〕; das fertige Kleidungsstück, -(e)s, ⸗e.
레마르크 《독일 태생의 미국 작가》 Erich Maria Remarque (1897-1970).
레모네이드 Zitronenlimonade *f.* -n; Limonade *f.*; Brause *f.* -n; Sprudel *m.* -s, -.
레몬 Zitrone *f.* -n; Zitronenbaum *m.* -(e)s, ⸗e (나무). ¶ ~ 빛의 zitronengelb.
‖ ~산 Zitronensäure *f.* -n. ~수(水) = 레모네이드. ~스콰시 Zitronenwasser *m.* -s, -. ~유 Zitronenöl *n.* -(e)s, -e. ~즙 Zitronensaft *m.* -(e)s, ⸗e. ~차(茶) Zitronentee *m.* -s, -s.
레바논 Libanon *n.* 〔*m.*〕 -(s); Republik 《*f.*》 L. ¶ ~의 libanesisch.
‖ ~사람 Libanese *m.* -n, -n.
레버 ① 《간장》 Leber *f.* -n. ② 《공구》 Hebel *m.* -s, -; Schalthebel *m.* -s, - (자동차 기어의).
‖ ~소시지 Leberwurst *f.* ⸗e.
레벨 Niveau [nivó:] *n.* -s, -s; (die gleiche) Höhe, -n; Stufe *f.* -n. ¶ ~이 높다〔낮다〕 auf e-m hohen 〔niedrigen〕 Niveau stehen* 〖Kultur *f.*; Bildung *f.* 따위가 주어〗; auf hoher 〔niedriger〕 Stufe stehen* 〔sein〕 《*in*[3], 보기: in Bildung》 〖사람이 주어〗; ein 〔kein〕 hohes geistiges Niveau haben 〖사람이 주어〗/ 어느 ~에 이르다 an ein Niveau heran|reichen / ~을 올리다 〔낮추다〕 das Niveau heben* 〔herab|setzen〕/ ~ 이하이다 unter dem Niveau sein / A와 B는 ~이 다르다 A u. B stehen überhaupt nicht auf gleicher Stufe miteinander.¦Man kann B mit A nicht gleichsetzen.
레뷔 Revue [rəvý:] *f.* -n. ¶ ~에 출연하다 als (Revue)girl 《[..gǿ:rl] *n.* -s, -s》 (auf der Bühne) auf|treten* ⓢ.
레뷰 Revue *f.* -n; Rundschau *f.* -en.
레소토 《나라 이름》 Lesotho *n.* -s; Königreich 《*n.* -(e)s》 L. ¶ ~의 lesothisch.
‖ ~사람 Lesother *m.* -s, -.
레스비언 Lesbierin [lέsbĭərin] *f.* -nen; Tribade *f.* -n.
레스토랑 Restaurant [rεstorã́:] *n.* -s, -s; Gaststätte *f.* -n.
레슨 Unterricht *m.* -(e)s, -e; Stunde *f.* -n. ¶ ~을 하다 *jm.* Stunden geben* / 피아노 ~을 받다 bei *jm.* Stunden 〔Unterricht〕 in Klavier nehmen* / 그 여자는 꽃꽂이 ~을 받으러 김 부인의 집에 다니고 있다 Sie geht zu Frau *Kim*, um Stunden in der Kunst des Blumenanordnens zu nehmen. 「-.
레슬러 Ringer *m.* -s, -; Ringkämpfer *m.* -s,
레슬링 〖운동〗 Ringkampf *m.* -(e)s, -e; das Ringen*, -s. ‖ ~선수 Ringkämpfer *m.* -s, -; Ringer *m.* -s, -.
레싱 《독일의 문학가》 Gotthold Ephraim Lessing (1729-81).
레오폴드빌콩고 =자이레.
레용 Reyon [rεjɔ̃́:] *m.* 〔*n.*〕 -, -seiden 《영어: Rayon *m.*》; Kunstseide *f.* -n.
레이 《하와이의》 Lei-Schmuck *m.* -(e)s, -e. ¶ ~를 목에 걸다 den Lei-Schmuck um den Hals hängen.
레이다 Radar *m.* 〔*n.*〕 -s, -s.
‖ ~망 Radarwarnnetz *n.* -(e)s, -e. ~스크린 Radarschirm *m.* -(e)s, -e. ~장치 Radargerät *n.* -(e)s, -e.
레이디 Dame *f.* -n.
레이디퍼스트 Frauen zuerst.
레이스[1] 《경기》 das Wettrennen*, -s; (Wett-)lauf *m.* -(e)s, ⸗e. ¶ ~를 하다 um die Wette laufen* ⓢ 〔rennen ⓢ (말 따위); rudern (보트); fahren*ⓢ (경륜 따위); schwimmen ⓢ (수영)〕/ 100 미터 ~ 100-Meter-Lauf *m.* -(e)s, ⸗e / 학교 대항 ~ Wettlauf 《*zwischen*[3]; *gegen*[4]》 〖전치사 뒤에 학교명을 놓는다〗.
‖ ~코스 Rennbahn *f.* -en; Aschenbahn *f.* -en (트랙).
레이스[2] 《수예품》 Spitze *f.* -n 《보통 *pl.*》. ¶ ~실 Baumwollgarn 〔Klöppelgarn〕 *n.* -(e)s, -e / 손으로 짠 ~ die genähte Spitze; Frivolitätenarbeit *f.* -en (태팅) / ~를 달라 mit Spitzen besetzen 〔säumen〕/ ~를 뜨다 Spitzen häkeln 〔klöppeln; weben*; stricken (자수)〕.
레이싱카 《경주 자동차》 Rennwagen *m.* -s, -; Rennfahrer *m.* -s, -.
레이아우트 Layout [lé:aut] *n.* -s, -s; Lageplan *m.* -(e)s, ⸗e; das Auslegen*, -s; Entwurf *m.* -(e)s, ⸗e.
레이저 Laser [lé:zər] *m.* -s, -.
‖ ~광선 Laserstrahl *m.* -(e)s, -en.
레이캬비크 《아이슬란드의 수도》 Reykjavik.
레이크 《진홍색》 roter Farbstoff *m.* -(e)s, -e; 《쇠갈퀴》 Kratzeisen *n.* -s, -.
레이트 Satz *m.* -es, ⸗e; Kurs *m.* -es, -e.
레인슈즈 Regenschuhe 《*pl.*》.
레인코트 Regen¦mantel 〔Gummi-〕 *m.* -s, ⸗; der imprägnierte Mantel; Froschhaut *f.* ⸗e (얇은 것): Trenchcoat *m.* -(s), -s (벨트 달린); Wendemantel *m.* - (맑은 날 겸용의).
레일 Schiene *f.* -n; Geleise *n.* -s, - 〔Gleis *n.* -es, -e〕. ¶ ~을 깔다 Schienen legen / ~에서 벗어나다 aus den Schienen springen* ⓢ 〖차가 주어〗.
레저 Muße *f.*; freie Zeit, -en.
레지스탕스 Resistance [rezistã́s] *f.*; Widerstand *m.* -(e)s, ⸗e; Resistenz *f.* -en.
레지스터 Register *n.* -s, -; Registrierkasse *f.* -n (금전등록기); Kassierer *m.* -s, - (출납계). ¶ 여자 ~ Registerführerin *f.* -nen; Buchhalterin *f.* -nen.
레커차(一車) Abschleppwagen *m.* -s, -.
레코드 ① 《기록》 Rekord *m.* -(e)s, -e; ☞ 기록(記錄). ② 《음반》 Schallplatte *f.* -n; (Grammophon)platte; Langspielplatte 《LP》. ¶ ~를 틀다 e-e Platte auf|legen; e-e Platte spielen 〔laufen lassen*〕/ ~에 취입하다 auf Platten auf|nehmen*[4] 〔aufnehmen lassen*[4]〕.
‖ ~음악 Schallplattenmusik *f.* -en: ~ 음악 방송 Schallplattensendung *f.* -en. ~콘서트 Schallplattenkonzert *n.* -(e)s, -e. ~취입 Schallplattenaufnahme *f.* -n. ~플레이어 Plattenspieler *m.* -s, -. 어학~ Sprachplatte *f.* -n. 자동 ~체인저 Platten¦wechsler 〔-wender〕 *m.* -s, -.
레크리에이션 Erfrischung *f.* -en; Erholung *f.* -en; Unterhaltung *f.* -en, Belustigung *f.* -en. ‖ ~센터 Vergnügungsstätte *f.* -n.
레터 Brief *m.* -(e)s, -e.
‖ ~페이퍼 Briefbogen *m.* -s, -.
레테르 Etikette *f.* -n; Etikett *n.* -(e)s, -e; Zettel *m.* -s, -; Paket¦zettel 〔Beklebe-〕 *m.* -s, -. ¶ ~를 붙이다 etikettieren[4]; e-n Zettel auf|kleben 《*auf*[4]》; [4]*et.* mit e-m Zettel bekleben.
레토르트 《증류용 기구》 Destillierblase *f.* -n; Retorte *f.* -n.

레퍼리 《심판》 Schiedsrichter *m.* -s, -. ¶ ~를 보다 als Schiedsrichter fungieren 《*bei*[3]》.

레퍼터리 Repertoir [repɛrtoá:r] *n.* -s, -s; Spielplan *m.* -(e)s, ⸗e.

레포터 ①《연락원》 Berichterstatter *m.* -s, -; Reporter *m.* -s, -. ② 《첩자》 Kundschafter *m.* -s, -; Spitzel *m.* -s, -.

레포트 Bericht *m.* -(e)s, -e 《*über*[4]》; 〖군사〗 Meldung *f.* -en; Rapport *m.* -(e)s, -e; Protokoll *n.* -s, -e (의사록 따위의); Referat *n.* -(e)s, -e (학생들에게 부과하는).

레프 〖사진〗 Reflektor *m.* -s, -en.

레프트 links. ¶ ~에 플라이를 치다 〖야구〗 einen Baseball nach dem linken Schlagfeld schlagen.
‖ ~필더 der Fänger 《-s, -》 im linken Schlagfeld. ~필드 das linke Schlagfeld.

레플렉스카메라 〖사진〗 Spiegelreflexkamera *f.* -s. ¶ 1 (2) 안(眼) ~ die einäugige (zweiäugige) Spiegelreflexkamera.

렌즈 Linse *f.* -n; Objektiv *n.* -s, -e (사진의). ¶ ~의 중심 Linsenmitte *f.* -n / ~를 닦다 die Linse putzen (reinigen) / ~를 맞추다 die Linse richten; die Kamera richten 《*auf*[4]》 / ~를 조르다 ab|blenden[(4)].
‖ 대물~ Objektiv *n.* -s, -e. 망원~ Fernobjektiv (Tele-) *n.* -s, -e. 볼록~ Konvexlinse (Sammel-) *f.* -n. 오목~ Konkav|linse (Zerstreuungs-) *f.* -n. 접안~ Okular *n.* -s, -e. 합성~ Linsen|system *n.* -(e)s, -e (-kombination *f.* -en). 확대~ Lupe *f.* -n.

렌치 heftiger Ruck, -(e)s, -e; heftige Drehung, -en.

렌터카 ☞ 렌털카.

렌털카 Miet|auto *n.* -s, -s (-wagen *m.* -s, -). ¶ ~를 세내다 [3]sich ein Auto (e-n Wagen) mieten.

렌트 〖가톨릭〗 Fastenzeit *f.* -en.

-려고 ☞ -으려고. ¶ 그는 뭐든지 알려고 한다 Er ist so neugierig. / 벌써 집에 가려고 하는가 Möchtest du schon nach Hause (gehen)? / 그는 무슨 일에나 참견하려고 든다 Er steckt gern die Nase in alles hinein.

-려기에 weil; da. ¶ 비가 오려기에 우산을 갖고 왔다 Ich habe einen Schirm mitgebracht, weil es zu regnen scheint. / 부모가 보고 싶어 집에 가려기에 허락했다 Ich habe ihm nach Hause zu gehen erlaubt, weil er seine Eltern sehen möchte. / 그가 슬쩍 집에 가려기에 붙들어 두었다 Ich habe ihn festgehalten, weil er heimlich nach Hause gehen wollte.

-려나 ¶ 언제 돈을 주려나 Wann bekäme ich Geld? / 자네 오늘 저녁 산책하러 오려나 Willst du heute abend zu mir kommen, um zu spazieren? / 대관절 내게 무엇을 시키려나 Was verlangst du denn von mir überhaupt zu tun?

-려네 ich will; ich beabsichtige, etwas zu tun. ¶ 나는 그것을 하려네 Ich will das tun. / 이 선물을 자네에게 주려네 Dieses Geschenk ist für dich gedacht. / 나는 무슨 희생을 하더라도 목적을 달성하려네 Um jeden Preis will ich mein Ziel erreichen. / 나는 내년에 외국에 가려네 Ich beabsichtige im nächsten Jahr ins Ausland zu fahren.

-려느냐 ¶ 너는 무엇이 되려느냐 Was willst du werden? / 그것으로 무엇을 하려느냐 Was willst du damit tun? / 어느 것을 가지려느냐 Welches willst du haben? / 언제 가려느냐 Wann willst du gehen?

-려는 ¶ 나는 자네 일에 간섭하려는 의사는 없다 Ich will mich in deine Sache nicht einmischen. / 너를 속이려는 생각은 털끝만큼도 없다 Ich habe keine Absicht, dich zu betrügen. / 이것은 이제 우리가 만나려는 소녀의 사진이다 Das ist das Photo des Mädchens, das wir jetzt treffen wollen.

-려는가 ¶ 너는 무엇을 하려는가 Was willst du tun? / 언제 떠나려는가 Wann wirst du dich verabschieden? | Wann beabsichtigst du Abschied zu nehmen? / 얼마나 이곳에 머무르려는가 Wie lange willst du hier bleiben?

-려는데 ¶ 막 외출을 하려는데 그 여자가 들어왔다 Sie kam eben, als wir weggehen wollten. / 퇴근하려는데 외국인이 나에게 영어로 말을 걸었다 In dem Moment, als ich vom Büro nach Hause zurückkehren wollte, sprach ein Ausländer mich auf englisch an.

-려는지 ¶ 나는 그가 가려는지 안 가려는지 모른다 Ich weiß nicht, ob er gehen will oder nicht. / 그가 직접 오려는지 모르겠다 Ich bin nicht sicher, ob er selbst kommen will.

-려니 ¶ 우리는 그가 시험에 합격되려니 생각했다 Wir dachten, daß er das Examen bestehen würde. / 그들이 진심으로 환영해 주려니 생각했다 Ich hatte angenommen, daß sie mich wirklich willkommen heißen würden. / 그는 곧 나으려니 생각(을) 했다 Er dachte, daß er bald heilen würde. | Er dachte, ich werde bald heilen.

-려니와 ①《또한》 nicht nur... sondern auch; weder..., noch; (eben) so... wie. ¶ 그는 정치가도 아니려니와 학자도 아니다 Er ist weder ein Politiker, noch ein Wissenschaftler. / 취직도 하려니와 곧 결혼도 하겠다 Ich werde nicht nur einen Beruf ergreifen, sondern auch heiraten. ② 《한편》 auf der anderen Seite; anderseits; umgekehrt. ¶ 바이올린은 오래 된 것일수록 좋으려니와 달걀은 새것일수록 좋다 Je älter eine Geige ist, umso besser ist sie. Andererseits kann das Ei nie frisch genug sein.

-려다가 ¶ 소풍을 가려다가 날씨가 흐려서 그만두었다 Da das Wetter trüb war, habe ich die Idee aufgegeben, e-n Ausflug zu machen. / 교사가 되려다가 그만두었다 Mein Vorhaben war ein Lehrer zu werden, aber ich habe mir die Sache anders überlegt.

-려도 ¶ 가려도 사정이 있어서 못 간다 Obwohl ich gehen möchte, bin ich durch die äußern Umstände verhindert. / 아무리 하려도 할 수 없다 Soviel ich es auch tun möchte, kann ich es nicht.

-려면 um ... zu; damit; auf daß...; für[4]; zu[3]. ☞ -으려면. ¶ 돈을 벌려면 um Geld zu machen; wenn Sie Geld verdienen wollen / 성공하려면 um Erfolg zu haben / 그러려면 시간이 걸립니다 Dazu brauche ich Zeit. / 기차를 놓치지 않으려면 서둘러야 합니다 Wir müssen uns beeilen, damit wir den Zug nicht verpassen.

-려면야 ¶ 하려면야 할 수 있지만 Ich könnte es tun, wenn ich wollte. / 이기려면야 이길 수 있다 Ich könnte siegen, wenn ich wollte.

-려무나 tue bitte; komme jetzt; dürfen; besser sein. ¶ 빨리 가려무나 Gehe bitte sofort! / 내 사전을 쓰고 싶으면 쓰려무나 Du darfst mein Wörterbuch benutzen, wenn du willst. / 좀더 누워 있으려무나 Es ist besser, wenn du dich noch länger ausruhen. / 여기 열쇠가 있으니 언제든지 들어오려무나 Hier ist der Schlüssel, du kannst zu jeder Zeit hereinkommen.

-려야 ¶ 나는 웃지 않으려야 웃지 않을 수 없었다 Da mußte ich einfach lachen. / 그것을 잊으려야 잊을 수가 없었다 Ich konnte das nie vergessen.

-려오 wollen. ¶ 당신이 가면 나도 따라가려오 Wenn Sie gehen, will ich mitkommen./ 나라를 위해서는 힘을 다 바치려오 Ich würde für mein Vaterland alles tun. / 다시는 그런 일을 안 하려오 Ich würde nie so etwas wieder tun.

-련 ¶ 매 맞을 보련 Da willst du wohl ausgepeitscht werden!

-련다 ¶ 나는 내일 가련다 Ich will morgen gehen.

-련만 ☞ -으련만.

-렴 ☞ -려무나.

-렵니까 ¶ 댁에 계시렵니까 Wollen Sie zu Hause bleiben? / 언제 이곳을 떠나시렵니까 Wann wollen Sie von hier verreisen? / 함께 영화 구경 가시지 않으렵니까 Wollen Sie nicht mit mir zusammen ins Kino gehen? / 신문을 좀 빌려 주시렵니까 Würden Sie mir bitte die Zeitung leihen?

-렷다 《틀림없음·추측·다짐》 sicher sein; bestimmt so sein; wahrscheinlich.... ¶ 비가 와도 그는 오렷다 Er wird bestimmt kommen, wenn es schon regnen wird. / 그 일은 네 말대로 꼭 시행하렷다 Jetzt wirst du tun, was du versprochen hast, hörst du? / 그가 오는 것만은 사실이렷다 Ich bin sicher, daß er kommt. / 내일쯤은 비가 오렷다 Morgen wird es wahrscheinlich regnen.

로 ① 《수단·방법》 auf⁴; durch⁴; in³; mit³; mittels²; vermittels²; zu³. ☞ 으로. ¶ 분할 지불로 auf Abzahlung / 편지로 통지하다 in e-m Brief (brieflich) mit|teilen⁴ / 숫자로 표시하다 in Ziffern an|geben*⁴ / 구두로 mündlich / 비행기 (기차, 배)로 mit dem Flugzeug (mit der Eisenbahn, mit dem Schiff) / 독일어로 auf deutsch; im Deutschen.

② 《원료·재료》 aus³; von³. ¶ 쇠 (나무)로 만들어져 있다 (만들어지다) aus Eisen (aus Holz) gemacht sein (werden) / 옛날의 거울은 쇠로 되어 있다 Der Spiegel der alten Zeiten ist von Eisen.

③ 《원인·이유》 wegen²; infolge²; aus³; von³; vor³; dank³; durch⁴. ¶ 여러가지 이유로 aus verschiedenen Gründen / 홍수로 durch die Überschwemmung / 추위로 손가락이 곱는다 Die Finger erstarren vor Frost. / 그녀는 감기로 오지 못한다 Sie kann wegen der Erkältung nicht kommen.

④ 《시위·신분·자격》 als; für⁴. ¶ 만이로 태어나다 als erstes Kind geboren sein / 그는 나를 바보로 여긴다 Er hält mich für e-n Narren.

⑤ 《변화》 in⁴; zu³. ¶ 산이 바다로 변하더라도 wenn der Berg auch zur See wird.

⑥ 《방향》 nach³; zu³. ¶ 목포로 가는 차 der Zug nach *Mogpo*.

⑦ 《근거·기준》 auf³; in³; nach³; zu³; um⁴; an³. ¶ 도급제로 일하다 auf (in) Akkord (im Gedinge) arbeiten / 말투로 알다 *jn.* an der Sprechweise erkennen* / 내 시계로 다섯 시였다 Es war fünf nach m-r Uhr. / 하루에 얼마로 일하다 für täglichen Lohn arbeiten.

⑧ 《구성·성립》 aus³. ¶ …로 되다 bestehen* 《*aus*³》.

로가리듬 〖수학〗 Logarithmus *m.* -, ..men.

-로고 ¶ 알 수 없는 일이로고 Was für ein Rätsel es ist! / 참 고약한 놈이로고 Wie unartig ist er! / 참으로 뻔뻔스런 놈이로고 Wie verrucht ist er! / 참으로 해괴한 일이로고 Wie sonderbar ist es!

로고스 〖철학〗 Logos *m.* -s, (드물게) ..goi.

-로구면 ¶ 벌써 두 시로구면 Es ist schon zwei Uhr! / 참 (정말) 아름다운 경치로구면 Welch schöne Landschaft!

-로군 ¶ 정말 예쁜 여자로군 Wirklich schön ist sie! / 그것 참 좋은 생각이로군 Das ist wirklich eine gute Idee! / 그는 신용할 수 있는 인물이 아니로군 Er ist in der Tat ein Mensch, dem man nicht vertrauen kann./ 이 진주는 모두 가짜로군 Diese Perlen sind alle unecht. / 기상 천외로군 Was für eine Idee ist es!

로그 〖수학〗 ☞ 로가리듬.

로도 ☞ 으로도. ¶ 거기는 기차~ 자동차~ 갈 수 있다 Dorthin können Sie sowohl mit dem Zug als auch mit dem Auto fahren.

-로되 ☞ -이로되.

로듐 〖화학〗 Rhodium *n.* -s.

로드게임 Straßenspiel *n.* -s, -e.

로드레이스 《자전거의》 das Straßenrennen*, -s.

로드쇼 die improvisierte Vorführung, -en.

로드안테나 Stabantenne *f.* -n.

로디지아 《아프리카의 공화국》 Rhodesien.

-로라 ¶ 내~ 하고 von s-m Wert überzeugt; keck u. dreist; mit herrischem Auftreten (Gebaren) / 내~ 하다 den (großen) Herrn spielen; *jm.* den Herrn zeigen.

로렐라이 Lorelei *f.*

로렝소마르케스 《모잠비크의 수도》 Lourenço Marques.

로마 Rom *n.* -s. ¶ ~의 römisch / ~는 하루 아침에 이루어진 것이 아니다 „Rom ist nicht an e-m Tage erbaut worden." / 모든 길은 ~로 통한다 „Alle (Viele) Wege führen nach Rom."

‖ **~가톨릭(교)** die Römisch-Katholische Kirche; der römische Katholizismus, -; 〖고어〗 Romanismus *m.* -: ~가톨릭 교도 der römische Katholik, -en, -en. **~교황** Papst *m.* -es, ⸚e: ~교황청 Vatikan *m.* -s / ~ 교황의 자리 der Römische Stuhl, -(e)s. **~교회** die Römische Kirche. **~법** das Römische Recht, -(e)s. **~사람** Römer *m.* -s, -. **~서(書)** Römerbrief *m.* -(e)s. **~숫자** die römische Ziffer, -n. **~제국** das Römische Reich, -(e)s. **동~ 제국** das Oströmische Reich, des ..schen -s. **신성~ 제국** das Heilige Römische Reich Deutscher Nation.

로마네스크 romanisch. ¶ ~풍의 대성당 der romanische Dom, -(e)s, -e / ~ 예술 양식 Romanik *f.*

로마자(一字) 《문자》 das römische (lateinische) Schriftzeichen, -s, - (Alphabet, -(e)s, -e); der römische (lateinische) Buchstabe, -(n)s, -n; Lateinschrift *f.* ¶ ~ 논자 der Verfechter 《-s, -》 der Romanisierung / ~로 적다 mit römischen (lateinischen) Schriftzeichen (in Lateinschrift) schreiben* / ~화하다 romanisieren⁴.

로망 Roman *m.* -s, -e.
로망스어(—語) Romanze *f.* -en; romanische Sprache *f.* -n.
로맨스 Liebes¦affäre *f.* -n (-abenteuer *n.* -s, -; -geschichte *f.* -n).
‖ ~카 der Eisenbahnwagen mit gegenüberliegenden Sitzen.
로맨티시스트 Romantiker *m.* -s, -.
로맨티시즘 Romantik *f.*
로맨틱 romantisch. ¶ ~한 분위기 die romantische Stimmung, -en.
로보토미 〖의학〗 Lobotomie (Leukotomie) *f.* -n.
로보트 Roboter *m.* -s, -; Maschinenmensch *m.* -en, -en. ¶ ~ 장관 „Roboter"-Minister *m.* -s, -; der ein Schattendasein führende Minister.
로비 Foyer [foajé:] *n.* -s, -s; Vor¦halle (Wandel-) *f.* -n; Wandelgang *m.* -(e)s, ⸚e.
로빙 〖정구〗 Lob *m.* -(s), -s; Hoch(flug)ball *m.* -(e)s, ⸚e. ¶ ~을 치다 e-n Lob spielen (schlagen*).
로서 als; zum (als) Zeichen (…의 표로); in s-r Eigenschaft als (…의 자격으로); für⁴; in Anbetracht²; im (in) Hinblick auf⁴; im Verhältnis zu³. ¶ 나~는 ich für meine Person; für mich / 사례〔인사〕~ zum Zeichen des Dankes / 교사~의 책임 die Pflicht des Lehrers / 그는 정치가~ 보다는 소설가~ 더 잘 알려져 있다 Er ist bekannter als Schriftsteller denn als Politiker. / 그애는 그 나이~는 힘이 세다 Der Junge ist für sein Alter kräftig. / 사례~ 5000원은 너무 적다 5000 *Won* als Entschädigung, das ist zu wenig. / 그 나이~는 건강하다 In Anbetracht s-s höhen Alters ist er rüstig. / 그것은 그~는 사활에 관한 문제다 Es ist e-e Lebensfrage für ihn.
로션 Haut¦wasser (Haar- (헤어로션)) *n.* -s, - (⸚).
로스구이 ① 《쇠고기》 (Rinder)lendenstück *n.* -(e)s, -e. ② 《구운고기》 (Roast)braten [(ró:st)..] *m.* -s, - (소); Schweinebraten (돼지); Brathühnchen *n.* -s, - (닭).
로스트 Braten *m.* -s, -
‖ ~ 비프 (Roast)braten [(ró:st)..] *m.* -s, -. ~치킨 Brathühnchen *n.* -s, -. ~ 포크 Schweinebraten.
로스트제너레이션 die verlorene Generation, -en.
로스트타임 die verlorene Zeit, -en.
로써 《수단》 mit³; durch⁴; mittels²; 《재료》 aus³; von³; 《원인》 wegen²; infolge²; aus³; durch⁴; 《결과》 zufolge 〖명사 앞에서는 2격, 뒤에서는 3격 지배〗; gemäß³. ¶ 썰매~ 가다 mit dem Schlitten fahren* ⓢ / 만년필~ 쓰다 mit dem Füller schreiben* / 쌀~ 만들다 aus Reis (zu)bereiten⁴ / 이 금속은 주석과 구리~ 만들어졌다 Dieses Metall ist von Zinn und Kupfer legiert.
로이드안경(—眼鏡) Brille 《*f.* -n》 mit schwarzer ³Zelluloideinfassung (schwarzem Zelluloidsbrillengestell).
로이터 《영국의 저널리스트》 Paul Julius von Reuter (1816–1899).
‖ ~전보 Reuterstelegramm *n.* -s, -e. ~통신사 Reuters Telegraphenbureau, -s; Reuterbüro *n.* -s, -s; Reuter *m.* -s.
로제타석(—石) Rosetta-Stein *m.* -(e)s, -e.
로즈 《장미》 Rose *f.* -n.
로지칼 logisch; folgerichtig; konsequent.
로직 Logik *f.*
로카 ROKA [◀Die Armee der Republik Korea].
로카빌리 〖음악〗 Rockabilly.
로커 (verschließbarer) Schrank, -(e)s, ⸚e; Spind *n.* (*m.*) -(e)s, -e; Schließfach *n.* -(e)s, ⸚er. ‖ ~룸 Zimmer 《*n.* -s,-》 mit ³Spinden (Schließfächern).
로컬 örtlich; lokal; Orts-; Lokal-.
‖ ~뉴스 Orts¦nachricht (Lokal-) *f.* -en. ~방송 Orts¦sendung (Lokal-) *f.* -en. ~선(線) Neben¦bahn (Lokal-) *f.* -n; Nebenlinie *f.* -n. ~컬러 die ortseigene Stimmung, -en.
로케(이션) 〖영화〗 Außenaufnahme *f.* -n. ¶ ~ 장면 Außenaufnahmeszene *f.* -n / ~ 가다 auf ⁴Außenaufnahme gehen* ⓢ.
로케트 Rakete *f.* -n. ¶ ~를 발사하다 e-e Rakete ab¦schießen*.
‖ ~발사 기지 Raketenbasis *f.* ..sen. ~발사탑 Raketenmontageturm *m.* -(e)s, ⸚e. ~비행기 Raketenflugzeug *n.* -(e)s, -e. ~추진 Raketenantrieb *m.* -(e)s, -e. ~탄 Raketenbombe *f.* -n. ~포 Raketenkanone *f.* -n. 우주〔달〕~ Raum(Mond)rakete *f.* -n. 다〔삼〕단식~ Mehrstufenrakete (Drei-) *f.* -n.
로코코 ‖ ~양식 Rokoko *n.* -(s); Rokokostil *m.* -(e)s.
로크아웃 Lockout [lokáut] *n.* (*f.*) -, -s; Aussperrung *f.* -en.
로큰롤 Rock'n'Roll *m.* -s, -s.
로키산맥(—山脈) Felsengebirge *n.* -s, -.
로터리 Kreis¦verkehr *m.* -(e)s (-platz *m.* -es, ⸚e); Kreisel *m.* -s, -.
‖ ~엔진 Drehkolben¦motor (Wankel-; Umlauf-) *m.* -s, -en. ~인쇄기 Rotations(druck)maschine *f.* -n. ~제설차 《기관차》 Kreiselschneepflug *m.* -(e)s, ⸚e.
로터리클럽 Rotaryklub [ró:tari..] *m.* -s. ¶ ~ 회원 Rotarier *m.* -s, -.
로트 《생산단위》 Partie *f.* -n.
로프 Seil *n.* -(e)s, -e; Tau *n.* -(e)s, -e. ¶ ~를 따라 내리다 (ver)mittels(t) (mit Hilfe) e-s Seil(e)s hinunter¦klettern ⓗⓢ. ‖ ~웨이 (Draht)seilbahn *f.* -en; Schwebebahn.
-로하여금 ¶ …로 하여금 …을 하게하다 《강제로》 *jn.* etwas tun machen; *jn.* zu etwas veranlassen; *jn.* zwingen, etwas zu tun; *jn.* tun lassen* *jm* zu tun erlaufen / 그로 하여금 편지를 부치게 하다 ihn einen ⁴Brief auf (zur) Post geben lassen* / 나는 그로 하여금 그 일을 하게 했다 Ich habe ihn dazu veranlaßt.
로힐 die Schuhe 《*pl.*》 mit flachem Absatz.
록클라이밍 das Felsen-Klettern*, -s; das Bergsteigen*, -s; Kraxeln *n.* -s.
록펠러 《미국의 석유왕》 John Davison Rockefeller (1839–1937).
‖ ~재단 Die Rockefeller-Stiftung.
론 〖상업〗 Darlehen *n.* -s, -.
-론(論) ① 《논설》 Aufsatz *m.* -es, ⸚e; Abhandlung *f.* -en; Essay *m.* -s, -s; Kommentar *m.* -s, -e. ② 《논의》 Argument *n.* -(e)s, -e; Disputieren* 《-s》; Auseinandersetzung *f.* -en; Diskussion *f.* -en; Debatte *f.* -n. ¶ 예술론 Kunsttheorie *f.* -n / 한자 폐지론 ein Streit 《*m.* -(e)s, -e》 über die Abschaffung des chinesischen Schriftzeichens.
론도 〖음악〗 Rondo (Rondeau [rɔ̃dó:]) *n.* -s, -s. ¶ 피날레는 ~ 형식이다 Das Finale ist in Rondoform gehalten (ist ein Rondo).
론진 《상표명》 Longine 《eine Uhrmarke》.

론코트 Gerichthof *m.* -(e)s, ⸗e.
론테니스 (Lawn)Tennis *n.* -.
롤러 Walze *f.* -n; (Lauf)rolle *f.* -n. ¶ 새로 건설한 도로 표면을 ~로 고르다 die Oberfläche neugebauter Straßen mit der Walze glätten.
‖ ~스케이터 Roll(schlitt)schuhfahrer *m.* -s, -. ~스케이트 《구두》 Roll(schlitt)schuh *m.* -(e)s, -e. ~스케이팅 das Roll(schlitt)schuhfahren*, -s.
롤링 《옆질》 das Schlingern*, -s. ~하다 schlingern.
롤백정책(一政策) Die strenge Politik des Präsidenten Eisenhowers gegenüber Rußland.
롤빵 Brötchen *n.* -s, -; Semmel *f.* -n.
롬퍼스 (Kinder)spielanzug *m.* -(e)s, ⸗e; Spielhöschen 〔Sonnen-; Strampel-〕 *n.* -s, -. ¶ 어린애에게 ~를 입히다 ein Kind e-n Spielanzug tragen lassen*.
-롭다 ...sein 《Kennzeichnen》; charakteristisch sein 《*für*[4]》. ¶ 향기롭다 Es ist wohlriechend. / 호화롭다 Das ist prächtig. / 해롭다 Es ist schädlich. / 새롭다 Es ist neu.
롱런 《영화 등의》 e-e lange Spieldauer; e-e lange Laufzeit.
롱플레잉레코드 Langspielplatte *f.* -n.
뢴트겐 《독일의 물리학자》 Wilhelm Konrad Röntgen (1845-1923); 《뢴트겐선》 Röntgenstrahlen 《*pl.*》.
‖ ~검사 Röntgenuntersuchung *f.* -en. ~기계 Röntgenapparat *m.* -(e)s, -e. ~사진 Röntgen¦aufnahme *f.* -en 〔-bild *n.* -(e)s, -er〕: ~ 사진술 Röntgenphotographie *f.* / ~ 사진을 찍다 röntgen[4] 〖*p.p.* geröntgt〗; röntgenisieren[4] 《오스트리아》; mit Röntgenstrahlen durchleuchten (투시). ~요법 Röntgen¦behandlung *f.* -en 〔-bestrahlung *f.* -en〕; Röntgen(tiefen)therapie *f.* (뢴트겐 (심층)요법). ~학자 Röntgenologe *m.* -n, -n.
루골액(一液) Lugolsche Jodlösung, -en.
루너파크 der Lunar Park, -(e)s, -e 〔-s〕; Vergnügungszentrum *n.* -s, ..tren.
루르 《독일의 지방》 Ruhrgebiet *n.* -(e)s.
루마니아 Rumänien *n.* -s. ¶ ~의 rumänisch. ‖ ~사람 Rumäne *m.* -n, -n.
루미네슨스 〖물리〗 Lichterregung *f*; Lichtausstrahlung *f.* -en.
루브르 Louvre [lu:vr] *m.* -(s).
‖ ~궁 der Louvre-Palast, -es. ~박물관 das Louvre-Museum, -s.
루블 《소련 화폐》 Rubel *m.* -s, -. 《생략: Rbl.》.
루비 ① 〖광물〗 Rubin *m.* -s, -e; der rote Korund, -(e)s, -e. ¶ ~색의 rubin¦farben 〔-farbig; -rot〕. ② 〖인쇄〗 Parisienne [pariziέn] *f.* (7호 활자).
루사카 《잠비아의 수도》 Lusaka.
루스 locker; lose.
루스리프 Schnellhafter *m.* -s, - (바인더); Loseblattbuch *n.* -(e)s, ⸗er.
루안다 《나라 이름》 Ruanda 〔Rwanda〕 *n.* -s; Republik 《*f.*》 R. ¶ ~의 ruandisch.
‖ ~사람 Ruander *m.* -s, -.
루즈 Rouge [ru:ʒ] *n.* -s, -s 《불어》; Lippenstift *m.* -(e)s, -e. ¶ 새빨갛게 ~를 칠한 입술 die rot geschminkte Lippe / ~를 바르다 [4]Rouge auf|legen.
루지 《썰매경기》 Rodel *m.* -s, -; Rodelschlitten *m.* -s, -.
루키 Rekrut *m.* -en, -en; Neuling *m.* -(e)s, -e; Anfänger *m.* -s, -.
루터 《독일의 종교 개혁가》 Martin Luther (1483-1546).
루트 ① 《경로》 Route [rú:tə] *f.* -n; Weg *m.* -(e)s, -e. ¶ 정식 ~로 auf dem legalen Wege (der Verteilung) / 암(暗) ~로 durch [4]Schieberei; 〖속어〗 hinten (he)rum / 정식 ~를 거치게 하다 auf den legalen Weg (der Verteilung) bringen*[4]. ② 〖수학〗 Wurzel *f.* ¶ ~ 4 die Wurzel von 4 《기호: $\sqrt{4}$》.
루프 Schlinge *f.* -n; Schleife *f.* -n; Windung *f.* -n; Ring *m.* -(e)s, -e.
‖ ~안테나 Drehrahmenantenne *f.* -n.
루피 《인도의 동전》 Rupie *f.* -n.
룩색 Rucksack *m.* -(e)s, ⸗e; 〖방언〗 Schnerfer *m.* -s, -.
룩셈부르크 《나라 이름》 Luxemburg *n.* -s; Großherzogtum 《*n.* -(e)s》 L. ¶ ~의 luxemburgisch. ‖ ~사람 Luxemburger *m.* -s, -.
룩스 〖물리〗 Lux *n.* -s, - 《Einheit der Beleuchtungsstärke》.
룰 《규칙》 Regel *f.* -n. ¶ 경기의 룰 Spielregel / 룰에 위반하다 die Regel übertreten* 〔verletzen〕; gegen die Regel verstoßen*.
룰렛 《도박》 Roulette *f.* -en; 《양재용》 Roulette.
룸 Zimmer *n.* -s, -. ‖ 베드룸 Schlafzimmer. 선룸 Glasveranda *f.* ..den.
룸바 《사교댄스》 Rumba *m.* -s, -s 〔전문 용어로서는 *f.* -s〕.
룸펜 Landstreicher *m.* -s, -; Stromer *m.* -s, -; Vagabund *m.* -en, -en.
룻기(一記) 〖성서〗 Das Buch 《-(e)s》 Ruth.
-류(流) ① 《방식》 Art *f.* -en; Weise *f.* -n; Art u. Weise; Methode *f.* -n; Stil *m.* -(e)s, -e; Weg *m.* -(e)s, -e. ¶ 자기류 s-e eigene 〔eigentümliche〕 Art u. Weise; Eigen¦art 〔Sonder-〕; Eigentümlichkeit *f.* -en. / 한국인류의 사고 방식 die koreanische Denkweise. ② 《등급》 Klasse *f.* -n; Rang *m.* -(e)s, ⸗e. ¶ 일류 호텔 das Hotel 《-s, -s》 erster Klasse 〔ersten Ranges〕; das erstklassige 〔erstrangige〕 Hotel.
-류(類) ① 《강(綱)》 Sorte *f.* -n 《beim Insekt》. ② 《목(目)》 Gattung *f.* -en; Art *f.* -en; Klasse *f.* -en 《beim Rauftier》. ③ 《타이프》 Typus *m.* -, ..en; Stil *m.* -s, -e; Mode *f.* -n.
류머티즘 〖의학〗 Rheumatismus *m.* -, ..men; Rheuma *n.* -s 〖단축형〗. ¶ ~의 rheumatisch / ~ 같은 rheumatoid / ~에 걸리다 Rheumatiker sein; e-n rheumatischen Anfall haben; an [3]Rheumatismus 〔Rheumaleiden*; vom Rheumatismus 〔Rheuma〕 befallen sein.
‖ ~성 질환 Rheumatose 〔Rheumatosis〕 *f.* ..sen. ~환자 Rheumatiker *m.* -s, -; der Rheumatische*, -n, -n. 결핵성 ~ der tuberkulöse Rheumatismus; das tuberkulöse Rheuma / 관절~ Gelenkrheuma(tismus). 근육~ Muskelrheuma(tismus). 급성〔만성〕 ~ der akute 〔chronische〕 Rheumatismus; das akute 〔chronische〕 Rheuma. 유사~ Rheumatoiden 《*pl.*》.
르네상스 Renaissance [rənεsá:s] *f.* -n.
‖ ~양식 Renaissancestil *m.* -(e)s. ~인 Renaissancemensch *m.* -en, -en.
르포(르타즈) Reportage [rəpɔrtá:ʒə] *f.* -n.
를 〔조사〕 ☞ 을. ¶ 덜미를 잡다 beim Nacken packen 〔fassen; ergreifen*〕 《*jn.*》 / 팔에 상처를 내다 am Arm e-e Wunde bei|brin-

gen* 《jm.》; js. Arm verletzen / 기회를 타다 die Gelegenheit ergreifen* / 때를 기다리다 auf die Zeit warten / 어디를 가나 wohin man auch immer geht / 거리를 걷다 auf der Straße auf und ab gehen / 믿을 만한 이유를 충분히 가지고 있다 Ich habe allen Grund zu glauben. / 그녀를 자기 부인으로 삼았다 Er nahm sie zur Frau.

리 《…할 리》 (guter) Grund, -(e)s, ⸚e; Möglichkeit f. -en. ¶ …할 리가 없다 nicht können*; kaum 〔schwerlich〕 möglich sein; ich kann unmöglich einsehen, wie 〔warum〕 ... / 그럴 리가 없다 Das ist unwahrscheinlich 〔unglaubwürdig〕. / 그가 그것을 알고 있을 리가 없다 Wie kann 〔sollte〕 er es wissen? / 그가 불평할 리는 없다 Er hat doch keinen Grund zum Klagen. / 그게 정말일 리가 없다 Das kann nicht wahr sein. / 그가 그런 시시한 소리를 했을 리가 없다 Er kann nicht solchen Unsinn geredet haben.

-리(裡) mitten in...; mitten unter.... ¶ 갈채리에 단(壇)을 내려가다 mitten in dem Applaus des Publikums das Podium verlassen*.

리골레토 〖음악〗 rigoletto 《이탈리아》; Oper von Guiseppe Verdi.

리그 Liga f. ..gen. ¶ ~전(戰) Ligaspiel n. -(e)s, -e; Liga-Turnier n. -s, -e / 6 대학 야구 ~전 Baseball-Ligaspiele [béːs..] zwischen 6 Universitäten / 대학 ~전 Universitätsligaspiel.

-리까 ☞ -으리까. ¶ 지금 곧 가리까 Soll ich jetzt sofort kommen? / 어떻게 하리까 Was soll ich machen?

리놀륨 Linoleum n. -s. ¶ ~을 깐 부엌 die Küche 《-n》 mit Linoleumbodenbelag / ~을 마루 바닥에 깔다 den Fußboden mit Linoleum belegen.

리니어모터카 Fahrzeug 《n. -(e)s, -e》 mit Linearbeschleunigungsantrieb.

-리다 《즐거이 하겠오》 gern tun wollen*. ¶ 내가 하리다 〔읽으리다〕 Ich werde es tun 〔lesen〕. / 그 일은 내가 맡아 보리다 Das werde ich übernehmen.

리더 ① 《독본》 Lesebuch n. -(e)s, ⸚er. ② 《지도자》 Führer m. -s, -.
‖ ~십 Führerschaft f. -en.

리드 ① 〖음악〗 Lied n. -(e)s, -er (가곡); Rohrblatt n. -(e)s, ⸚er (악기의). ② 《앞섬·인도》 Führung f. -en. ~하다 führen; die Führung nehmen* 〔haben〕. ¶ 근소한 차로 ~하다 mit knapper Spanne führen; knapp vor jm. stehen* / 석 점 ~하다 3 Punkten Vorsprung haben / 1 〔2〕 정신(艇身)만큼 ~하다 mit e-r Länge 〔mit zwei Längen〕 führen / 5미터 ~당하다 5 Meter zurück|liegen* / 한 바퀴 ~하다 jn. überrunden / 한국의 김선수가 ~(를)하고 있다 Kim, Korea, führt.

리드미컬 ¶ ~한 rhythmisch.

리듬 Rhythmus m. -, ..men. ¶ ~(이) 있는 rhythmisch.

리딩히터 〖야구〗 der vierte Schläger.

리라 《이탈리아의 화폐 단위》 Lira f. ..re 《생략: L》.

리리시즘 Lyrismus m. -; Betonung 《f. -en》 des Gefühls.

리릭 Lyrik f.; lyrisches Gedicht, -(e)s, -e.

리마 《페루의 수도》 Lima.

리모트콘트롤 Fernsteuerung f. -en. ☞ 원격(遠隔).

리바이벌 Aufschwung f. -en; Wiederbelebung f. -en; Neueinstudierung f. -en; Wiederaufführung f. -en; Wiederaufnahme f. -n; Neuausgabe f. -n.

리버럴 liberal; freigebig; großzügig; frei(-sinnig); aufgeklärt.
‖ ~아트 freie 〔schöne〕 Künste 《pl.》; Geisteswissenschaften 《pl.》.

리버티 Liberalität f. -en; Freiheit f. -en, Ungebundenheit f. -en; Recht n. -(e)s; -e; Vorrecht n.; Privilegium n. -s, -gilen; Erlaubnis f. -nisse; freie Wahl 《-en》; Freibezirk m. -(e)s, -e.

리베리아 《나라이름》 Liberia n. -s; Republik 《f.》 L. ¶ ~의 liberianisch.
‖ ~사람 Liberianer 〔Liberier〕 m. -s, -.

리베이트 Rabatt m. -(e)s, -e. ¶ 4 퍼센트의 ~로 mit 4% Rabatt / ~를 주다 Rabatt geben*[3] 〔gewähren[3]〕.

리벳 Niet m. -(e)s, -e; Niete f. -n. ¶ …을 ~으로 고정시키다, …에 ~을 박다 (ver)nieten[4].

리보핵산(一核酸) Ribonukleinsäure f. -n 《생략: RNS》.

리본 (Farb)band n. -(e)s, ⸚er; Streifen m. -s, - (상자 따위를 매는). ¶ ~을 달다 mit e-m Farbband 〔mit Bändern〕 schmücken[4].

리볼버 Revolver m. -s, -.

리비도 〖심리〗 Libido f. (=Geschlechtstrieb).

리비아 《아프리카의 공화국》 Libyen n. ¶ ~의 libysch.
‖ ~사람 Libyer m. -s, -.

리빙키친 《주방·식당겸 거실》 Wohnküche f. -n.

리사이틀 Vortrag m. -(e)s, ⸚e. ¶ 피아노 ~ Klaviervortrag m. -(e)s, ⸚e / ~을 열다 e-n Vortrag veranstalten.

리셉션 Empfang m. -(e)s, ⸚e. ¶ ~을 열다 jm. e-n Empfang bereiten / ~이 있다 Ein Empfang findet statt. 《bei[3]; in[3]》.

리스본 《포르투갈의 수도》 Lissabon.

리스트[1] Liste f. -n. ¶ ~에 올리다 in die Liste ein|tragen*[4] / ~에서 지우다 von der Liste streichen*[4] / 블랙 ~에 올라 있다 auf der schwarzen Liste stehen*.

리스트[2] ① 《독일의 경제학자》 Georg Friedrich List (1789-1846). ② 《헝가리의 음악가》 Franz von Liszt (1811-86).

리시버 Hörer m. -s, - (전화의); Kopfhörer m. -s, - (머리에 끼는); Empfänger m. -s, - (라디오 따위의 수신기). ¶ ~를 놓다 《전화의》 den Hörer auf|legen (끊기 위해서); den Hörer ab|legen (끊지 않고 옆에) / ~를 들다 den Hörer auf|nehmen* / 서버와 ~ 〖경기〗 Aufschläger 《m. -s, -》 u. Rückschläger 《m. -s, -》.

리아스식(一式) 〖지리〗 Rias f. -, -.
‖ ~해안 Rias-Küste f. -n.

리야드 《사우디아라비아의 수도》 Riyadh.

리어엔진 Heckmotor m. -s, -en.

리어카 Fahrradanhänger m. -en.

리얼 real; realistisch; wirklich. ¶ ~한 묘사 realistische Beschreibung, -en.
‖ ~리스트 Realist m. -en, -en. ~리즘 Realismus m. -: ~리즘의 realistisch.

-리요 Fragesuffix; Ausrufungssuffix. ¶ 어찌 말로 다할 수 있으리요 Keine Sprache kann das ausdrücken. ¦ Es ist einfach unbeschreiblich. / 그 소식을 들으면 얼마나 기뻐하리요 Wie sehr wird er sich auf die Nachricht freuen!

리졸 〖화학〗 Lysol n. -s.

리치 ¶ ~가 길다 《권투의》 e-n langen Arm haben.

리케차 〖생물〗 Rickettsien《pl.》.
리콜제(―制) Abberufungssystem n. -s, -e; das System《-s, -e》der Amtsenthebung auf Grund (aufgrund) e-s Volksbegehrens.
리큐르 Likör m. -s, -e.
리터 《용량 단위》 Liter n. (m.) -s〖m. 은 속어조〗. ¶1~들이 병 e-e 1 Liter enthaltende Flasche, -n.
리터치 Retusche f. -n; Überarbeitung f. -en; Ausbesserung f. -en. ~하다 retuschieren[4]; überarbeiten[4]; aus|bessern[4].
리턴매치 Rückspiel n. -(e)s, -e; Revanchepartie [rəvã́:ʃ(ə)..] f. ..tien.
리토그라피 《석판술》 Lithographie f. -n. ※ Lithograph m. -en, -en은 「석판공」.
리튬 〖화학〗 Lithium n. -s《기호: Li》.
‖ ~폭탄 Lithiumbombe f. -n.
리트 〖음악〗 Lied n. -(e)s, -er (가곡).
리트머스 〖화학〗 Lackmus n. -.
‖ ~시험지 Lackmuspapier n. -(e)s.
리포트 ☞ 레포트.
리프트 Lift m. -(e)s, -e (-s); Fahrstuhl m. -(e)s, ⸚e (엘리베이터); Skilift m. (스키의).
리플릿 Blättchen n. -s, -; Drucksache f. -n; Prospekt m. -(e)s, -e; Broschüre f. -n; Reklamezettel m. -s, -.
리허설 Hauptprobe f. -n.
리히텐슈타인 Liechtenstein n. -s; Fürstentum《n. -(e)s》L. ¶~의 liechtensteinisch.
‖ ~사람 Liechtensteiner m. -s, -.
린네르 Leinen n. -s, -; Linnen n. -s, -; Leinwand f. ¶~ 속옷 Leinenwäsche f. -n; die leinenen Unterkleider《pl.》.
린스 Nachspülmittel《n. -s, -》(zum Haarwaschen).
린치 das Lynchen* [lýnçən, líntʃən] -s; Lynchjustiz f. ¶~를 가하다 lynchen《jn.》/ ~를 당하다 gelyncht werden.
릴 Garnrolle f. -n(실패); Bandspule f. -n(녹음기의); Filmrolle f. -n(필름의); Spinnrolle f. -n (낚싯대의).
릴라 〖식물〗 der (spanische) Flieder, -s, -; Lila(k) m. -s, -.
릴레이 Staffel|lauf (Stafetten-) m. -(e)s, ⸚e. ¶4백 미터 ~ der viermal-hundert-Meter-Staffel-lauf. ‖ ~경주 ☞ 릴레이.
릴리안 Lily-Garn n. -(e)s, -e.
릴리프 Erleichterung; f. -en; Abwechs(e)lung f. -en; Hilfe f. -n.
릴케 《독일 시인》 Rainer Maria Rilke (1875-1926).
림프 〖해부〗 Lymphe f. -n. ☞ 임파(淋巴).
‖ ~관 Lymphgefäß n. -es, -e. ~샘, ~선 Lymphknoten m. -s, -: ~선염 Lymphgefäßentzündung f. -en / ~선이 부었다 Die Lymphknoten sind vergrößert. ~액 Lymphe f.
링 《권투의》 Ring m. -(e)s, -e.
링게르주사(―注射) die Injektion (die Einspritzung)《-en》von Ringer-Lösung.
링궈폰 《상표명》 Linguaphone (Schallplatte).
링커 〖축구〗 Läufer m. -s, -.
링크 ① 〖경제〗 Verbindung f. -en. ② 《골프장》 ☞ 링크스; 《스케이트장》 Schlittschuhbahn f. -en; künstliche Eisbahn (인조의).
‖ ~제(制) Verbindungssystem n. -s, -e.
링크스 《골프》 Golf(spiel)platz m. -es, ⸚e.

-ㅁ세 ich werde; laß mich. ¶내 나중 감세 Ich werde später kommen. / 곧 갚음세 Ich werde bald es zurückzahlen.

마^{1} 《남쪽》 Süd *m.* -(e)s (뱃사람들의 말). ¶마파람 Süd *m.* -(e)s, -e; Südwind *m.* -(e)s, -e.

마^{2} 〖식물〗 Jam(s)¦wurzel (Yam(s)-) *f.* -n. ‖마즙(汁) geriebene Jamswurzel.

마^{3} 〖음악〗 e *n.* -, -. ¶마장조 E-Dur *n.* - 《기호: E》 / 마단조 e-Moll *n.* 《기호: e》.

마(魔) Teufel *m.* -s, -; der böse Geist, -es, -er; Satan *m.* -s, -e. ¶마의 성(城) Zauberschloß *n.* ..sses, ..lösser / 마의 건널목 der unheilvolle Bahnübergang, -s, ⸚e / 마가 들다 vom Teuful besessen sein; von Teufel geritten werden / 마를 쫓다 den Teufel aus|treiben* (bannen; verjagen); den Teufel besprechen*(주문으로) / 그는 마가 들었다 Der Teufel ist in ihn gefahren.

마(碼) Yard [ja:rd, ja:rt] (=91.44cm) *n.* -s, -s 《생략: Yd.》. ¶한 마에 얼마로 팔다 nach dem Yard verkaufen^{4}.

마가린 Margarine *f.*

마가목 〖식물〗 Eberesche *f.* -n.

마가복음(一福音) (das Evangelium 《-s》 nach) Markus.

마각(馬脚) *js.* wahres Gesicht, -(e)s, -er. ¶~을 드러내다 sein wahres Gesicht zeigen; s-n wahren (bösen) Charakter zeigen; den Pferdefuß zeigen; ^{4}sich entlarven / ~이 드러났다 Da schaut der Pferdefuß hervor.¦Da guckt der Pferdefuß heraus.

마감 Schluß *m.* ..lusses, ..lüsse; Abschluß. ~하다 schließen^{*4}; ab|schließen^{*4}. ¶대학 입학 지원 ~ der letzte Termin 《-(e)s, -e》 für den Antrag auf Zulassung zum Studium / 편집의 ~ Redaktionsschluß *m.* / ~후에 도착한 원고 das nach Redaktionsschluß eingegangene Manuskript, -(e)s, -e / 원고 ~하다 〔때의 규정사와 함께〕 die Zeitschrift ab|schließen*(잡지의); die Zeitung ab|schließen* (신문) / 오늘의 신청접수는 ~이다 Die Aufnahme der Anträge für heute abgeschlossen. / 예약은 내일로 ~이다 Die Frist der Subskription läuft morgen ab. ‖~기일 Schlußzeit *f.* -en; der äußerste Termin *m.* -s, -e. ~시간 Schlußzeit *f.* -en; 《신문 기사의》 Drucktermin *m.* -s, -e. (예약) 모집~ der Schluß der Subskription. 일~ das Schließen* 《-s》 der Arbeit.

마개 Stöpsel *m.* -s, -; Kork *m.* -(e)s, -e (병, 통 따위의); Pflock *m.* -(e)s, ⸚e(쐐기); Pfropf *m.* -(e)s, -e (⸚e); Pfropfen *m.* -s, -; Spund *m.* -(e)s, ⸚e (술통 따위의); Stopfen *m.* -s, -; Verschluß *m.* ..schlusses, ..schlüsse; Zapfen *m.* -s, -. ¶~가 (너무) 단단하다 (느슨하다) Der Stöpsel ist (zu) fest (locker). / ~를 막다 (zu|)stöpseln^{4}; (zu|)korken^{4}; verkorken^{4}; (zu|)pfropfen^{4}; (ver)spunden^{4}; (zu|)stopfen^{4}; verstopfen^{4}; verschließen^{*4} / 펑하고 ~를 뽑다 den Stöpsel knellen (springen) lassen* / ~를 뽑다 entkorken^{4}; auf|korken^{4}; entpfropfen^{4}; entstöpseln^{4} / 통의 ~를 따다 ein Faß an|zapfen (an|stechen*). ‖~뽑이 Kork¦zieher (Pfropfen-) *m.* -s, -. 귀~ Ohrenstöpsel *m.* -s, -.

마고자 der Überzieher 《-s, -》 in kurzer Form 《Herrenbekleidung》.

마구 ① 《함부로》 leichtsinnig; blind; unbedacht; unbesonnen; unüberlegt; rücksichtslos; unterschiedslos; ununterschieden; ohne Unterschied; planlos; blindlings; drauflos; aufs Geratewohl; einfach; ohne weiteres. ¶돈을 ~ 쓰다 mit dem Gelde verschwenderisch um|gehen*Ⓢ; sein Geld Zum Fenster werfen* / ~ 먹다 gierig zu|langen; von allem gierig essen*; Teile von verschiedenen Gerichten essen*(이것저것)/총을 ~ 쏘다 aufs Geratewohl schießen* / 글씨를 ~ 쓰다 unordentlich schreiben* / 말을 ~ 하다 reden, ohne zu überlegen / 사람을 ~ 다루다 *jn.* schlecht (grob) behandeln / 그렇게 ~ 허가할 수는 없다 Ich kann es nicht so ohne weiteres erlauben.
② 《과도하게》 maßlos; übermäßig; ausschweifend. ¶~ 일하다 wie ein Pferd arbeiten / 돈이 ~ 들다 viel Geld ist nötig / 사람을 ~ 때리다 *jn.* wütend schlagen*. ‖~발방 das unbesonnene Benehmen*, -s: ~발방하다 ^{4}sich unbesonnen benehmen. ~잡이 《행동》 das wahllose Benehmen*, -s; 《선택》 die blinde Auswahl, -en.

마구(馬具) (Pferde)geschirr *n.* -(e)s, -e; Sattelzeug *n.* -(e)s, -e; Sattlerwaren 《*pl.*》; Pferdeschmuck *m.* -(e)s, -e (장식 마구); Staatsgeschirr (장식 마구); Schabracke *f.* -n (안장 덮개, 마의(馬衣)). ¶~를 채우다 (벗기다) ein Pferd satteln (ab|satteln); ein Pferd an|schirren (ab|schirren). ‖~사(師) Geschirrmacher *m.* -s, -; Sattler *m.* -s, -. ~상 Sattlerei *f.* -en (장사).

마구(馬廐) ☞ 마구간.

마구간(馬廐間) (Pferde)stall *m.* -(e)s, ⸚e. ¶~을 소제하다 den Stall aus|misten. ‖~지기 Stallknecht *m.* -(e)s, -e (직업으로서의); Stalldienst *m.* -es, -e (마구간 근무).

마구리 ① 《양끝》 die beiden Enden des Dinges (e-s Holzstücks). ② 《양끝에 끼우는》 Deckel 《*pl.*》 auf beiden Enden. ‖~판 e-e Art Tischlergerät 《*n.* -(e)s, -e》 zum senkrechten Schneiden der beiden Enden e-s Holzstücks.

마굴(魔窟) 《악마의》 Teufelshöhle *f.* -n; der Versammlungsort 《-(e)s, -e》 aller bösen Geister; 《창녀의》 Bordell *n.* -s, -e; 《아편굴》 Opiumhöhle *f.* -n; 《악한의》 Mördergrube *f.* -n; Räuberhöhle *f.* -n.

마권(馬券) Totalisatorkarte *f.* -n. ¶~을 사다 e-e Totalisatorkarte lösen (kaufen). ‖~매표구 der Schalter 《-s, -》 für Totalisatorkarten.

마귀(魔鬼) Teufel *m.* -s, -; Dämon *m.* -s, -en [..mó:nən]; Satan *m.* -s, -e; der böse Geist, -es, -er. ¶~ 같은 teuf(e)lisch; satanisch; unmenschlich / ~ 같은 행실 Teufelei *f.* -en; e-e teuf(e)lische Tat, -en / ～가 들리다 von e-m bösen Geist besessen sein / 마치 ～가 들린 듯이 wie ein Besessener*.

‖ ～할멈 e-e alte Teufelin, ..linnen; Hexe *f.* -n (마녀).

마그나카르타 〖역사〗 Magna Charta.

마그네슘 〖화학〗 Magnesium *n.* -s 《기호: Mg》.
‖ ～등(燈) Magnesiumlampe *f.* -n. ～섬광 《야간 촬영용》 Magnesiumblitzlicht *n.* -(e)s, -er. 산화～ Magnesiumoxyd *n.* -(e)s; Magnesia *f.* 염화～ Magnesiumchlorid *n.* ⌊-(e)s.

마그네시아 〖화학〗 Magnesia.

마그니튜드 《지진의》 Magnitude *f.* 《기호: *M*》.
¶ ～는 0.0에서 8.6까지 있는데 지진계의 진폭(振幅)으로 정한다 Magnitude bewegt sich zwischen 0.0 u. 8.6, u. wird durch Ausmessung der Schwingungsweite auf den Seismogrammen bestimmt.

마그마 〖지질〗 Magma *n.* -s, ..men.

마기 schließlich; letzten Endes; im Grunde; wirklich; tatsächlich; in der Tat.

마나구아 《니카라구아의 수도》 Managua.

마나님 die edle〔gnädige〕 Frau, -en.

마냥 ① 《실컷·만판》 nach Herzenslust; satt. ¶ ～ 즐기다 nach Herzenslust genießen* / ～ 먹었다 Ich habe satt gegessen. ② 《늦잡아》 die ganze Strecke Weges. ¶ 집까지 ～ 걸었다 Ich ging bis zum Hause die ganze Strecke Weges zu Fuß.

마네킨 Mannequin [manəkɛ́:] *n.* -s, -s.
‖ ～걸 (Moden)vorführdame *f.* -n. ⌈nen.

마녀(魔女) Hexe *f.* -n; Zaub(r)erin *f.* ..rin-

마노(瑪瑙) 〖광물〗 Achat *m.* -(e)s, -e.
‖ 붉은줄～ Sardonyx *m.* -s, -e. 줄무늬～ Onyx *m.* -s, -e.

마누라 ① 《자기아내》 (Ehe)frau *f.* -en; Weib *n.* -(e)s, -er; die bessere Hälfte, -n (베터하프). ¶ ～에 빠진 s-r Gattin sehr ergeben〔unterwürfig〕; in s-e Frau vernarrt / 지독한 ～ Haus¦drache *m.* -n, -n〔-kreuz *n.* -es, -e〕; die böse Sieben; Xanthippe *f.* -n (한부(悍婦))/～를 얻다 *jn.* heiraten; *jn.* zur Frau nehmen*; *jn.* heim¦führen. ② 《노파》 die alte Frau, -en.

마는 《그러나》 aber; allein; dennoch; doch; jedoch; obgleich. ¶ 그는 부자이지～ 행복하지 못하다 Obgleich er reich ist, ist er nicht glücklich. / 가고 싶지～ 틈이 없다 Ich möchte gern kommen, doch habe ich k-e Zeit. / 그렇게도 조심했지～ 그는 속았다 Bei all s-r Vorsicht ist er doch betrogen worden / 가기는 갔지～ 잘 되지는 않았다 Ich bin zwar hingegangen, aber das ist mir nicht gelungen.

마늘 〖식물〗 Knoblauch *m.* -(e)s.
‖ ～모 die Form der dreieckigen Pyramide. ～장아찌 der in Zucker, Essig u. Sojabrühe eingelegte Knoblauch. ～종 der Stengel 《-s, -》 des Knoblauchs.

마니교(摩尼敎) 〖역사〗 Manichäismus *m.* -.

마니아 《광(狂)》 Manie *f.* -n [..ní:ən]; die krankhafte Sucht, ⸚e; 《사람》 der Besessene* 〔Manische*〕 -n, -n. ☞ -광(狂). ¶ 영화～ der Filmbesessene*, -n, -n.

마닐라 《필리핀의 항구》 Manila.
‖ ～삼 〔지(紙), 여송연〕 Manilahanf *m.* -(e)s 〔Manilapapier *n.* -s, -arten, Manilazigarre ⌊*f.* -n〕.

마님 gnädige Frau, -en.

-마님 Exzellenz *f.* -en; gnädiger Herr, -en, -en; Mylord *m.* -s, -s. ¶ 대감〔영감〕 마님 gnädiger Herr; Mylord.

마다¹ 《짓찧다》 schlagen*; zerschmettern; zerdrücken; zermalmen.

마다² 〖조사〗 jeder*; alle; allemal wenn; einerlei wenn; jedesmal〔immer〕 wenn; so oft〔sooft〕 wenn〔als〕. ¶ 그(럴)때 ～ jedesmal; immer; jeweils / 만나는 사람～ ein jeder*, der e-m begegnet; wen man auch treffen mag / 이틀～ alle zwei ⁴Tage; e-n Tag um den andern; jeden zweiten Tag / 오년～ alle fünf ⁴Jahre; jedes fünfte ⁴Jahr / 내집에 올 때～ jedesmal wenn er zu mir (ins Haus) kommt / 5미터～ im Abstand von fünf Meter(n) / 날～ jeden Tag / 곳곳～ überall; allenthalben.

마다가스카르 Madagaskar *n.* -s (섬 이름도); Republik 《*f.*》 M. ¶ ～의 madagassisch.
‖ ～사람 Madagasse *m.* -n, -n.

마담 gnädige Frau, -en; Madame *f.*; Mesdames 《*pl.*》; Wirtin *f.* ..tinnen(술집 등의).
‖ 얼굴～ die Geschäftsführerin 《..innen》 《e-s Cafés》. 유한～ die wohlhabende Dame, -n; die müßige, reiche Frau, -en.

마당 ① 《뜰》 Hof *m.* -(e)s, ⸚e; Garten *m.* -s, ⸚. ¶ 안～ Hof *m.* -(e)s, ⸚e; Hofraum *m.* -(e)s, ⸚e; Innen-Garten *m.* -s, ⸚; der innere Garten / 안～에서 auf dem Hof / 뒷～ Hinterhof *m.* / ～ 빌리다 bei der Braut Hochzeit halten*.
② 《곳》 der flache Platz, -es, ⸚e.
③ 《타작 마당》 Tenne *f.* -n; Dreschboden *m.* -s, -(⸚).
④ 《경우》 Fall *m.* -(e)s, ⸚e; Umstand *m.* -(e)s, ⸚e; Lage *f.* -n. ¶ 공한 ～에 무엇을 가리랴 E-m geschenkten Gaul sieht man nicht ins Maul./이 ～에 무슨 군소리냐 Bei dieser Lage der Dinge darf man so etwas nicht sagen.
‖ ～맥질 das Glätten* 《-s》 des Dreschbodens vor der Erntezeit: ～ 맥질하다 den Dreschboden glatt machen. ～발 der breite Fuß, -es, ⸚e. ～질 das Dreschen* 《-s》 auf dem Dreschboden: ～질(을) 하다 auf dem Dreschboden dreschen* / 벼～질 das Dreschen* 《-s》 des Reises.

마대(麻袋) Hanfsack *m.* -(e)s, ⸚e.

마도로스 Matrose *m.* -n, -n; Teerjacke *f.* -n; Seemann *m.* -(e)s, ..leute.
‖ ～파이프 Shagpfeife *f.* -n [ʃɛ́k..].

마도요 〖소류〗 indischer Brachvogel, -s, ⸚.

마도위(馬一) Pferdmakler *m.* -s, -.

마돈나 Madonna *f.* 《성모의 뜻으로는 *pl.* 없음; 성모상의 뜻으로는 *pl.* ..nnen》.

마되질 Messen *n.* -s; Messung *f.* -en. ～하다 mit *Mal* u. *Doe* messen*.
‖ ～꾼 ＝말장이¹.

마드리드 《스페인의 수도》 Madrid.

마드모아젤 Fraülein *n.* -s, -.

마들가리 ① 《나무의》 Zweig *m.* -(e)s, -e; Ast *m.* -es, ⸚e. ② 《해진 옷의》 Saum 《*m.* -(e)s, ⸚e》 e-s abgetragenen Kleidungsstückes. ③ 《홑맺힘》 Knoten an der Strohschnur.

마들다(魔一) unter e-n übelen Einfluß geraten ⓢ; vom Dämon besessen sein. ¶ 마가 들어 무슨 일을 해도 되지 않는다 Es ist wie verhext, alles geht schief, was ich tue.

마디 ① 《뼈의》 Gelenk *n.* -(e)s, -e(관절); Knöchel *m.* -s, -(손가락, 무릎의). ¶ ～ 마디가 쑤신다 Ich habe Gliederschmerzen. ② 《식물의》 Knorren *m.* -s, -(마디혹); Knoten *m.* -s, -(결절); Ast *m.* -es, ⸚e(나무의). ¶ ～가 많은 knorrig; knotig; ästig / ～ 없는 재목

das astfreie (knotenfreie) (Bau)holz, -es, ⸚er / 대나무 ～ Bambusknoten *m.* -s, -. ③ 《말·노래의》 ein Wort *n.* -(e)s; ein Lied *n.* -(e)s (곡조); ein Tonstück *n.* -(e)s (곡조). ¶ 한 ～로 말하자면 mit e-m Worte / 천금 같은 한 ～(말) ein Wort für Tausend / 노래 한 ～만 하시오 Geben Sie uns ein Lied zum besten.

마디꽃 〖식물〗 e-e Art (Gelb)weiderich 《*m.* -(e)s, -e》; *Rotala uliginosa* (학명).

마디다 haltbar; dauerhaft; strapazierfähig (sein). ¶ 값싼 비단은 마디지 못하다 Billige Seide ist nicht strapazierfähig. / 이 옷들은 마디어 오래 입을 수 있다 Diese Kleider sind lange zu tragen.

마디마디 ① 《식물의》 alle Knoten 《*pl.*》. ② 《뼈의》 alle Gelenke 《*pl.*》. ¶ ～가 아프다 Alle Gelenke tun mir weh. ③ 《말·노래의》 jedes Wort; all die Worte. ¶ ～에 깊은 뜻이 있다 Jedes Wort in diesen Sätzen hat e-n tiefen Sinn.

마디지다 knotenhaft; knorrig (sein). ¶ 마디진 솔 e-e knorrige Kiefer, -n.

마디충(一蟲) Bohr|wurm (Pfahl-) *m.* -(e)s, ⸚er; Holzwurm *m.*

마디풀 〖식물〗 Knöterich *m.* -(e)s, -e.

마따나 ¶ 자네 말～ 옛날에는 여기에 못이 있었다 Wie du sagst, war in früheren Zeiten hier ein Teich vorhanden. / 옛말～ 암탉이 울면 집안이 망하는 법이다 Wie das alte Sprichwort sagt, geht die Familie zu Grunde, wenn die Frau Hosen antut.

마땅하다 ① 《적합한》 geziemend; passend; angemessen; treffend; geeignet; entsprechend; gerecht; vernünftig (sein). ¶ 마땅한 사람과 결혼하다 e-n Passenden* (e-e Passende*) heiraten / 마땅한 값에 사다 zum angemessenen Preis kaufen[4] / 마땅한 조건으로 계약하다 e-n Vertrag unter gerechten Bedingungen schließen* / 마땅한 예를 들다 ein gutes Beispiel geben* / 그 자리에 마땅한 사람이다 Er ist gerade der richtige Mann am richtigen Platz.
② 《당연》 natürlich; naturgemäß; richtig; vernünftig; verdient (sein); 《의당》 sollen. ¶ 벌을 받아 ～ Strafe verdienen / 부모의 말을 순종해야 ～ Du sollst deinen Eltern gehorchen. / 그의 업적은 칭찬받아 ～ S-e Leistungen verdienen Lob.
③ 《만족》 befriedigend; zufriedenstellend; gefällig; erfreulich (sein). ¶ 못마땅해 하다 unzufrieden sein 《*mit*[3]》; nicht mögen[4] / 며느리를 못마땅해 하다 mit s-r Schwiegertochter unzufrieden sein / 마땅찮은 얼굴을 하다 ein mürrisches (mißvergnügtes) Gesicht machen / 그 결과가 마땅찮다 Ich bin mit dem Ergebnis nicht zufrieden.

마땅히 ① 《적당》 passend; angemessen; entsprechend; richtig; anständig; gehörig. ¶ 값을 ～ 부르다 angemessenen Preis verlangen. ② 《의당》 mit Recht; richtig; genau; eigentlich; anständig; natürlich. ¶ 상관의 명령은 ～ 복종해야 한다 Sie müssen natürlich dem Befehl Ihres Vorstandes gehorchen. / 너는 ～ 벌을 받아야겠다 Du wirst richtig gestraft. / 아침 일찍 떠났으면 지금쯤은 ～ 여기에 도착했어야 한다 Er sollte eigentlich schon hier sein, wenn er morgen früh abgefahren ist.

마뜩하다 befriedigend; gefällig; annehmbar (sein). ¶ 마뜩한 천이 없다 Diese Stoffe gefallen mir nicht.

마뜩찮다 unangenehm; unliebenswürdig; ungnädig; widerwärtig; widrig; ekelhaft; beleidigend; anstößig (sein). ¶ 마뜩찮은 소리를 하다 von [3]*et.* Unangenehmem sagen.

마라톤 Marathonlauf *m.* -(e)s, ⸚e. ¶ 10킬로 ～ der 10 km- Marathonlauf.
‖ ～선수 Marathonläufer *m.* -s, -.

마래미 〖어류〗 e-e Art junger Gelbfisch; *Seriola quinqueradiata* (학명).

마량(馬糧) Trockenfutter *n.* -s, -; Heu u. ⌈Stroh.

마력(馬力) 《동력의 단위》 Pferde|kraft *f.* ⸚e (-stärke *f.* -n 《생략: PS》); HP. 《생략》. ¶ 50 ～의 발동기 der Motor 《-s, -en》 von 50PS/ 이 모터는 100 ～입니다 Dieser Motor entwickelt 100 PS.

마력(魔力) 《이상한 힘》 Zauberkraft *f.* ⸚e; die magische Kraft; 《매력》 die bezaubernde (bestrickende) Kraft. ¶ ～이 있는 mit Zauberkraft (magischer Kraft) versehen; bezaubernde (bestrickende) Kraft ausübend.

마련(磨鍊) 《계획》 Plan *m.* -(e)s, ⸚e; Entwurf *m.* -(e)s, ⸚e; Notbehelf *m.* -(e)s, -e; 《준비》 Vorbereitung *f.* -en; Vorkehrung *f.* -en; Vorsorge *f.* **～하다** planen[4]; zuwege bringen*[4]; [4]sich behelfen* 《*mit*[3]》; 《준비》 bereit|stellen[4]; zurecht|machen[4]; mieten[4] (세내다); an|ordnen[4]; arrangieren[4] [arãʒíː..]. ¶ ～ 없다 hilflos (ratlos) sein / ～ 없이 unvorbereitet; ratlos / …하게 ～이다 nicht umhin|können*, [4]*et.* zu tun; unvermeidlich sein (tun*) / 돈을 ～하다 Geld auf|bringen* (-|treiben*); [3]sich Geld verschaffen/ 자리를 ～하다 e-n Platz belegen (frei|halten*) / 음식을 ～하다 das Essen zurecht|machen / 변명을 ～하다 e-e Entschuldigung finden* 《*für*[4]》/ 집을 ～하다 [3]sich ein Haus verschaffen / 배를 ～하다 ein Schiff mieten (세내다) / 비상구 ～이 되어 있다 mit e-m Notausgang versehen sein / 어떻게든 ～해 보겠읍니다 Ich werde versuchen, es irgendwie zuwege zu bringen.

마렵다 ein Bedürfnis nach Ausleerung fühlen; s-e Notdurft verrichten möchten. ¶ 오줌이 ～ ein kleines Bedürfnis haben; kleine Notdurft verrichten möchten / 똥이 ～ ein großes Bedürfnis haben; große Notdurft verrichten möchten. ⌈-n.

마로니에 〖식물〗 die (gemeine) Roßkastanie,

마루 ① 〖건축〗 der gedielte (hölzerne) Boden, -s, - (⸚); Diele *f.* -n. ¶ ～를 놓다(깔다) mit Fußboden versehen*[4]; dielen[4] / ～를 뜯다 den Fußboden ab|reißen*. ② 《지붕·산의》 Kamm *m.* -(e)s, ⸚e; First *m.* -es, -e.
‖ **～방**(房) das mit dem hölzernen Fußboden versehene Zimmer, -s, -. **～청** Fußbodenbrett *n.* -(e)s, -er. **마룻대** 〖건축〗 Dachfirstbalken *m.* -s, -. **마룻바닥** Fußboden *m.* **마룻줄** Fall *n.* -(e)s, -en; das Tau 《-(e)s, -e》 zum Setzen (Herablassen) e-s Segels. **산～** Bergkamm *m.*

마루운동(一運動) 〖체조〗 Bodenturnen *n.* -s.

마루터기, 마루턱 Gipfel *m.* -s, -; Spitze *f.* -n; Höhepunkt *m.* -(e)s, -e.
‖ **고개～** Scheidepunkt des Passes. **산～** Bergspitze; Berggipfel. **지붕～** Dachspitze.

마르다[1] ① 《물 따위가》 trocknen ⓢ; trocken werden; aus|trocknen ⓢ; vertrocknen ⓢ; versiegen ⓢ; 《수목 따위가》 verwelken ⓢ; welk werden; ab|sterben* (-|welken) ⓢ; verdorren ⓢ; (aus|)dorren ⓢ; 《목재가》 aus|-

wittern[s]; trocknen[s]; 《자금 따위가》 alle werden; verbraucht werden. ¶ 마른 가지 der dürre (kahle; nackte; tote; welke) Zweig, -(e)s, -e / 바싹 ~ aus|dorren; aus|trocknen; vertrocknen; verdorren《이상 모두[s]》/ 바싹 마른 dürr; getrocknet / 말라 죽다 《초목이》 verdorren [s]; ganz dürr werden; durch Trockenheit (ab|)sterben*[s] / 샘물이 ~ die Quelle versiegt / 내 자력(資力)이 말라버렸다 Mein Vermögen ist nun alle geworden. / 논이 말라 붙었다 Das Reisfeld ist ausgetrocknet.
② 《목이》 durstig sein. ¶ 목이 ~ Durst haben (bekommen*; leiden*); durstig sein.
③ 《야위다》 mager (hager; dürr) werden; ⁴sich ab|zehren; vom Fleische kommen* (fallen*)[s]; verschmachten. ¶ 바싹 마른 zu schlank; klapperdürr; spindeldürr / 얼굴이 마른 남자 der Mann 《-(e)s, ⸗er》 mit abgemagertem Gesicht / 걱정으로 ~ ⁴sich ab|zehren; vor Sorgen verfallen*[s] / 잘 먹지 못해 ~ unterernährt sein; durch unzureichende Beköstigung mager werden.

마르다² 《옷감·재목을》 schneiden*; sägen; säbeln. ¶ 옷을 ~ Kleider nach dem Muster zu|schneiden* / 재목을 척수에 맞추어 ~ behauenes Bauholz nach dem Maß sägen.

마르멜로 〖식물〗 Quitte *f*. -n (나무 및 열매).

마르모트 =마못.

마르크 Mark *f*. -stücke. ¶ 독일 ~ Deutsche Mark 《생략: DM》/ 500 ~, DM 500 / 금화 ~로 지불하다 in ³Goldmark zahlen⁴.

마르크스 《독일의 경제학자》 (Karl) Marx.
‖ ~레닌주의 Marxismus-Leninismus *m*. -. ~주의 Marxismus *m*. -: ~주의자 Marxist *m*. -en, -en.

마른갈이 〖농업〗 das Pflügen*《-s》 des trockenen Reisfeldes. ~하다 das trockene Reisfeld pflügen.

마른걸레 trockener Mop, -es, -e. ¶ ~질하다 mit dem trocknen Mop (ab|)wischen.

마른과자(一菓子) das trockene Naschwerk, -(e)s (Konfekt, -(e)s, -e).

마른국수 ① 《건면》 trockene Nudel, -n. ② 《날국수》 ungekochte Nudel. ¶ ~로 먹다 Nudeln ungekocht essen*.

마른기침 《가래없는》 trockener Husten, -s, -. ~하다 trocken husten.

마른반찬(一飯饌) die trockene u. salzige Beilage 《-n》 beim Reisessen.

마른밥 ① 《뭉친 밥》 Reis-Kloß *m*. -(e)s, ⸗e. ② 《국 없는》 der ohne Suppe zu essende Reis, -es.

마른버짐 《피부병》 Schuppenflechte *f*. -n; Krätze *f*. -n; Rände *f*. -n.

마른번개 ein Blitz 《*m*. -es, -e》 aus heiterem Himmel.

마른빨래 ① 《그냥 비빔》 das Abreiben* 《-s》 des dreckigen Kleides. ② 《이를 옮김》 das Loswerden* 《-s》 der Läuse 《indem man sie in das Kleid e-s Zimmerkollegen hinüberkriechen läßt》.

마른새우 die getrocknete Garnele (Garale) -n.

마른신 ① 《젖지 않은》 Lederschuhe 《*pl*.》, die mit Öl noch nicht eingeschmiert sind. ② 《마른 땅에 신는》 Schuhe für das trockene Wetter.

마른안주(一按酒) die trockene Beilage 《-n》 (Zukost) beim Trinken.

마른일 Hausarbeit, bei der man Finger nicht naß zu machen braucht. ~하다 arbeiten, ohne Finger naß zu machen.

마른입 ① 《국물 안 먹은》 Mund, der k-e Flüssigkeit genommen hat. ② =잔입.

마른천둥 Donner 《*m*. -(e)s, -》 aus dem blauen Himmel.

마른하늘 der klare, blaue Himmel, -s, -.

마른행주 das trockene Küchentuch, -(e)s, -e.

마름¹ 《이엉 단》 ein Bündel Stroh für das Strohdach.

마름² 〖식물〗 Wassernuß *f*. ..nüsse.

마름³ 《사람》 Meier (Gutsverwalter) *m*. -s, -.

마름모 Rhombus *m*. ..bus, ..ben; Raute *f*. -n; Karo *n*. -s, -s. ¶ ~의 rauten|förmig (karo-); rhombisch/~ 무늬 rautenförmiges Muster, -s, -.

마름쇠 Fußangel *f*. -n.

마름자 Maßstab *m*. -(e)s, ⸗e.

마름질 das (Zu)schneiden*, -s. ~하다 (zu|-)schneiden*⁴; schneidern. ¶ ~이 바느질보다 어렵다고 한다 Das Zuschneiden soll mehr Geschicklichkeit fordern als das Nähen.

마리 Stück *n*. -(e)s, -. ¶ 소 열 ~ 10 Stück Kühe 《Stück은 *pl*.로 하지 않음》/ 개 다섯 ~ fünf Hunde 《*pl*.》.

마리아 Maria; 《성모 마리아의》 die heilige Jungfrau Maria; Mutter Jesus.

마리오넷 Marionette -n. *f*.

마리화나 Marihuana *n*. -s. ¶ ~를 피우다 Marihuana rauchen.

마림바 〖악기〗 Marimba *f*. -s.

마마¹(媽媽) ① 《천연두》 Pocken 《*pl*.》; Blattern 《*pl*.》. ¶ ~에 걸리다, ~를 하다 ³sich Pocken holen; von ³Pocken befallen werden. ② 《역신마마》 Seuche *f*. -n.
‖ ~자국 Blatternarbe *f*. -n: ~ 자국이 있는 blatternarbig; mit Blatternarben bedeckt.

마마²(媽媽) ① 《경칭》 S-e (Ihre) Majestät; Euere Majestät. ② 《귀인의 첩》 gnädige Frau, -en. ‖ 대전~, 상감~ S-e (Eure) Königliche Hoheit. 동궁~ S-e Königliche Hoheit der Kronprinz; Kronprinz *m*. -en. 중전~ Ihre Königliche Hoheit.

마말레이드 Marmelade *f*. -n. ¶ 빵에 ~를 바르다 e-e Schnitte Brot mit Marmelade (be)streichen*.

마멸(磨滅) Verwischung *f*. -en; Abnutzung *f*. -en. ~하다 verwischt (abgenutzt) werden; ⁴sich ab|nutzen (ab|reiben*). ¶ 도장이 ~되었다 Der stempel hat sich abgerieben. / 돌층계가 ~되었다 Die Steinstufen sind ausgetreten.
‖ ~제(劑) Schleifmittel *n*. -s, -.

마못 〖동물〗 Murmeltier *n*. -(e)s, -e; Hamster *m*. -s, -.

마무르다 ① 《끝손질》 die letzte Feile (Hand) legen 《*an*⁴》. ¶ 바느질을 ~ die letzten Stiche machen / 멍석을 ~ die letzte Feile an die Strohmatte legen. ② 《마침》 fertig|bringen*⁴; fertig werden (sein) 《*mit*³》; zu ³Ende bringen*⁴ (schaffen); vollenden⁴; fertig|-stellen⁴ (-|machen⁴); beenden⁴. ¶ 일을 ~ s-e Arbeit beenden; mit seiner Arbeit fertig werden / (일)끝을 ~ zu Ende bringen*⁴.

마무리 Vollendung *f*. -en; Ausarbeitung *f*. -en; die letzte Feile, -n. ~하다 vollenden⁴; aus|arbeiten⁴; aus|feilen⁴ (문장 따위를); die letzte Hand legen 《*an*⁴》. ¶ ~되다 vollendet (fertiggestellt) werden / 그 일은 이틀이면 ~된다 Ich bin in zwei Tagen mit der Arbeit fertig. / 만사는 ~가 중요하다 Ende gut, alles gut.
‖ ~공(工) Fertigsteller *m*. -s, -; Appreteur

마

m. -s, -e. ~기계 die fertigstellende Maschine, -n. ~대패 der fertigbringende Hobel, -s, -. ~줄 Schlichtfeile *f.* -n.

마물(魔物) Gespenst *n.* -es, -er; der Böse*, -n, -n. ¶ 여자는 ~이야 Frauen sind verhexende Wesen.

마바리(馬—) ① 《말》 Lastpferd *n.* -(e)s, -e; Packpferd *n.* ② 《짐》 die vom Pferd beförderte Last, -en. ③ 《수확》 das Ernten* 《-s》 zwei *Seom* Getreides auf e-m *Majigi* Feld. ‖ ~꾼 Pferde¦treiber *m.* -s, - (-führer *m.* -s, -); Packpferdetreiber *m.*

마방(馬房) Pferdestall *m.* -(e)s, ⸗e; 《주막집》 Schenke 《*f.* -n》 mit Pferdestall.
‖ ~집 e-e Art Fuhrgeschäft 《*f.* -(e)s, -e》.

마법(魔法) =마술(魔術).

마병 Trödel *m.* -s; Schund *m.* -(e)s; Abfälle 《*pl.*》. ‖ ~장수 Trödler *m.* -s, -; Schundhändler *m.* -s, -.

마부(馬夫) 《마바리꾼》 Packpferde¦treiber (Saumpferde-; Saumtier-) *m.* -s, -; 《말구종》 Pferdeknecht *n.* -(e)s, -e; 《마차 마부》 Kutscher *m.* -s, -; Fuhrmann *m.* -(e)s, ..leute; Fuhrknecht *m.* -(e)s, -e.
‖ ~석(席) Kutsch(er)bock *m.* -(e)s, ⸗e.

마분(馬糞) Pferde¦dünger *m.* -s, - (-mist *m.* -es, -e); Pferde¦apfel (Roß-) *m.* -s, ⸗; Stalldünger *m.* (거름).
‖ ~지(紙) Pappe *f.* -n; Karton *m.* -s, -s (-e); Kartonpappe *f.* -n: ~지 상자 Karton; Pappschachtel *f.* -n.

마비(痲痺) Lähmung *f.* -en; Anästhesie *f.*; Betäubung *f.* -en; Erstarrung *f.* -en; Paralyse *f.* -n. ~하다 lahmen; gelähmt (anästhesiert; lahm gemacht; betäubt; paralysiert; erstarrt) werden. ¶ ~된 gelähmt; anästhesiert; betäubt; erstarrt; paralysiert/ ~시키다 lähmen⁴; paralysieren⁴; betäuben⁴ / 양심이 ~되어 있다 Sein Gewissen ist betäubt. / 이 사고로 교통이 온통 ~되었다 Der ganze Verkehr wurde durch diesen Vorfall lahmgelegt.
‖ ~약 Anästhetikum *n.* -s, ..ka (마취제). 교통~ Verkehrsstauung *f.* -en. 뇌성~ Gehirnlähmung *f.* -en. 소아~ Kinderlähmung *f.* 심장~ Herzlähmung *f.*; Kardioplegie *f.* -n. 안면~ Gesichtslähmung *f.* 전신(국부)~ allgemeine (örtliche) Betäubung, -en (마취).

마비저(馬鼻疽) 〖수의학〗 Rotz *m.* -es, -e; Rotzkrankheit *f.* -en (말의 질병).

마비풍(馬脾風) 〖의학〗 ☞ 디프테리아.

마사지 Massage [..ʒə] *f.* -n; das Massieren*, -s; Knetkur *f.* -en (마사지 치료). ¶ ~를 하다 massieren⁴; ⁴sich massieren lassen*(치료받다) / 팔에 ~를 하다 *js.* Arme 《*pl.*》 massieren. ‖ ~사(師) Masseur *m.* -s, -e. 여자~사 Masseuse *f.* -n.

마사회(馬事會) ‖ 한국~ die Koreanische Pferdesport-Vereinigung.

마삯(馬—) Gebühren 《*pl.*》 für ein Mietpferd.

마상(馬上) ¶ ~에서 zu Pferde; beritten/ ~의 무사 reitender (gerittener) Krieger, -s, -.

마상이 ① 《작은 배》 das kleine Boot, -(e)s, -e; Kahn *m.* -(e)s, ⸗e. ② 《통나무배》 Einbaum *m.* -(e)s, ⸗e; Kanu *n.* -s, -s.

마샬제도(—諸島) die Marshall-Inseln.

마성(魔性) das Teuflische*, -n, -n; Teufelei *f.* -n. ¶ ~의 teuflisch; verdammt; dämonisch.

마세루 《레소토의 수도》 Maseru.

마소 Pferde u. Vieh. ¶ ~처럼 부려먹다 schinden*《*jn.*》; ab¦hetzen 《*jn.*》; aus¦beuten 《*jn.*》(착취하다).

마손(磨損) das Abreiben*, -s; Abnutzung *f.* -en; Verschleiß *m.* -es, -e.

마수 ① 《그날 운수》 das Tagesglück 《-(e)s》 im Geschäft, das man dem ersten Verkauf e-s Tages beimißt. ¶ ~가 좋다(나쁘다) Der erste Verkauf des Tages hat e-e gute (böse) Vorbedeutung im Geschäft.
② ☞ 마수걸이.

마수(魔手) die Hand 《⸗e》 des Teufels. ¶ ~에 걸리다 *jm.* zum Opfer fallen*Ⓢ; verführt werden (유혹에) / ~를 뻗치다 bösen Einfluß aus¦üben 《*auf*⁴》; verführen 《*jn.*》.

마수걸다 zum ersten Mal verkaufen 《bei der Eröffnung e-s Geschäfts *od.* am Beginn e-s Tages》.

마수걸이 der erste Verkauf, -(e)s, ⸗e (Vertrieb, -(e)s, -e); die erste (Aus)lieferung, -en (첫물 따위); der (aller)erste Fall, -(e)s, ⸗e; das (aller)erste Geschäft, -(e)s, -e. ~하다 dem ersten Käufer e-s Tages verkaufen⁴; das allererste Geschäft machen.
¶ ~로 수박 한 개를 팔다 dem ersten Käufer e-s Tages e-e Wassermelone verkaufen.

마술(馬術) Reitkunst *f.* ⸗e; Reiterei *f.*; Reitkünste 《*pl.*》; Reitsport *m.* -(e)s, -e.
¶ ~에 능하다 ⁴sich mit der Reitkunst vertraut machen / ~을 배우다(가르치다) Reitstunden nehmen* (geben*).
‖ ~경기 Reitturnier *n.* -s, -e. ~(교)사 Reit¦lehrer (-meister) *m.* -s, -. ~연습 Reitstunde *f.* -n: ~ 연습소 Reit¦schule *f.* -n (-haus *n.* -es, ⸗er; -platz *m.* -es, ⸗e). 고등~ Hohe Schule; spanische Reitschule.

마술(魔術) Zauberei *f.* -en; Hexerei *f.* -en; Magie *f.*; Taschenspielerei *f.* -en; Blendwerk *n.* -(e)s, -e; Gaukelei *f.* -en; Zauberkunst. ¶ ~을 부리다 zaubern; Zauberei (Zauberkünste *usw.*) treiben*; hexen.
‖ ~사, ~장이 Zaub(e)rer *m.* -s, -; Hexenmeister *m.* -s, -; Magier *m.* -s, -; Magiker *m.* -s, -; Zauberkünstler *m.* -s, -; Taschenspieler *m.* -s, -; Gaukler *m.* -s, -.

마스카라 Wimper-Schminke *f.* -n; Schminke zum Färben der Wimpern.

마스코트 Maskottchen *n.* -s, -; Glückspüppchen *n.* -s, -. ¶ 이 인형은 나의 ~이다 Diese Figur ist m-e Maskotte.

마스크 Maske *f.* -n; Gasmaske (방독면). ¶ ~를 쓰다 e-e Maske vor¦stecken (tragen*)/ ~를 벗다 e-e Maske ab¦legen.

마스터 Besitzer *m.* -s, -; Chef [ʃɛf] *m.* -s, -s; der Alte*, -n, -n; Boß *m.* ..sses, ..sse; Prinzipal *m.* -s, -e. ~하다 beherrschen⁴; es zur Meisterschaft (sehr weit) bringen* 《*in*³》; vervollkommnen⁴; ⁴sich vervollkommnen 《*in*³》.

마스트 Mast *m.* -es, -e (-en). ¶ ~가 셋인 배 Dreimaster -s *m.* -,.

마시다 ① 《액체를》 trinken*⁴; schlürfen⁴ (빨다); nippen⁴ (조금씩); schlucken⁴ (삼키다); hinunter¦stürzen⁴ (들이켜다); (zu ³sich) nehmen*⁴ (섭취하다); ein¦nehmen*⁴ (약을). ¶ 컵으로(손으로 떠서) ~ aus dem Glas (aus der hohlen Hand) trinken* / 차를 (한 잔) ~ (e-e Tasse) Tee trinken* / 차를 마시며 얘기하다 über e-r Tasse Tee plaudern / 쭉 ~ in langen Zügen trinken* / 꿀꺽 ~ e-n kräftigen Zug (e-n tüchtigen Schluck) tun* 《*aus*³》 / 이물은 마실 수 없다 Das Was-

ser ist nicht trinkbar (zum Trinken).
② 《술을》 trinken*⁴; saufen*⁴; ³sich einen genehmigen; 〖속어〗 einen heben* (kippen; pfeifen*; stemmen); einen hinter die Binde (die Krawatte; den Schlips) gießen*; 《술집에서》 kneipen; zechen. ¶ 고래같이 ~ wie ein Loch (e-e Senke) saufen* / 밤새도록 ~ die Nacht über (die ganze Nacht hindurch) trinken*; die ganze Nacht vertrinken* / 술집을 옮겨가며 ~ (von e-r Kneipe zur andern) e-e Bierreise machen / 한 병다 ~ e-r Flasche den Hals brechen*; e-e Flasche aus|stechen* / 술잔을 돌려가며 ~ e-n Becher (e-n Pokal) herum|reichen / 마지막으로 한 잔 더 마시자 Trinken wir noch e-n zum Abgewöhnen. / 그는 밑빠진 독처럼 마신다 Er hat wohl e-n Schwamm im Magen. / 이 술은 마실 만하다 Dieser Wein läßt sich trinken (ist zu trinken). / 그 집에선 좋은 술을 마실 수 있다 Dort trinkt man gut.
③ 《기체를》 ein|atmen⁴; ein|ziehen*⁴; inhalieren⁴. ¶ 신선한 공기 (꽃향기)를 들이 ~ die frische Luft (den Duft e-r Blume) ein|atmen (ein|ziehen*) / 담배 연기를 들이 ~ Tabakrauch ein|atmen.

마신(魔神) Dämon *m.* -s, -en; Teufel *m.* -s, -; böser Geist, -es, -er; Satan *m.* -s, -e.

마실 =마을②.

마약(痲藥) Rauschgift *n.* -s, -e; Narkotikum *n.* -s, ..ka. ¶ ~으로 마취시키다 narkotisieren 《*jn.*》; durch ⁴Rauschgift betäuben 《*jn.*》 / ~을 밀매하다 mit Rauschgift Handel treiben* / ~에 중독(中毒)되다 der Rauschgiftsucht ergeben sein; rauschgiftsüchtig sein.
‖ ~밀매 Rauschgiftvermittlung *f.* -en: ~밀매자 Rauschgiftvermittler *m.* -s, -. ~밀수업자 Rauschgiftschmuggler *m.* -s, -. ~상습자 der Rauschgiftsüchtige*, -n, -n. ~중독 Narkotismus *m.* -; Rauschgiftsucht *f.* =e. ~환자 =~상습자.

마왕(魔王) ① Erlkönig *m.* -(e)s, -e; Teufel *m.* -s, -; Satan *m.* -s, -e. ② 〖불교〗 der böse Geist, -(e)s, -er.

마요네즈 Mayonnaise (Majonäse) [majonέ:zə] *f.* -n.

마운드 〖야구〗 Werferplatte *f.* -n. ¶ ~를 밟다 als der Werfer spielen.

마을 ① 《동네》 Dorf *n.* -(e)s, =er; Weiler *m.* -s, -. ¶ ~에서 떨어진 abgelegen; entlegen. ② 《옛 관청》 Staatsbehörde *f.* -n.
‖ ~사람 Dorfbewohner *m.* -s, -; Dorfleute 《*pl.*》 새~ 운동 Neudorf-Bewegung *f.* 이웃~ Nachbardorf *n.* -(e)s, =er.

마을가다 den Nachbar besuchen, um die Zeit zu vertreiben 《im Dorf》. ¶ 그 여자는 언제나 마을간다 Sie ist e-e aushäusige Frau.

마음 ① 《생각·정》 Herz *n.* -ens, -en; Geist *m.* -(e)s, -er (정신); Gemüt *n.* -(e)s, -er (심정); Gefühl *n.* -(e)s, -e(감정); Seele *f.* -n(혼).
¶ ~만의 bescheiden; einfach; klein / ~만의 대접 die bescheidene Bewirtung, -en / ~으로부터(의) herzlich(st); vom ganzen Herzen; aus vollem (tiefstem) Herzen; aufrichtig; tiefempfunden / ~에 그리다 ³sich aus|malen⁴ (vergegenwärtigen⁴)/~에 품다 im Busen hegen⁴ (pflegen⁽*⁾⁴) 《보기: Liebe 애정, Haß 증오, e-n Verdacht 혐의 따위를》 / ~에 새기다 im Gedächtnis behalten*⁴; beherzigen⁴; ³sich zu Herzen nehmen*⁴ / ~을 합쳐서 einmütig; einhellig; Hand in Hand / ~을 다해서 mit Herz u. Hand ☞ ~으로부터 / ~을 끄는 anziehend; ansprechend; einnehmend; gewinnend; lockend / ~을 끌다 an|ziehen*⁴; fesseln⁴; locken⁴; reizen⁴; *jm.* in die Augen (in die Nase) stechen* 〖이상 마음을 끄는 것이 주어〗; ⁴sich von *jm.* angezogen fühlen; zu *jm.* Zuneigung haben 〖마음이 끌리고 있는 사람을 주어로〗 / ~을 쓰다 auf|passen 《*auf⁴*》; ⁴sich hüten 《*vor³*》; ⁴sich in acht nehmen* 《*vor³*》; es ³sich angelegen sein lassen* (마음에 두다) / ~을 고쳐 먹다 ⁴sich zum Besseren wandeln; ⁴sich bekehren 《*zu³*》; ein ganz anderer Mensch werden / ~을 괴롭히다 leiden 《*unter³*》; ⁴sich quälen / ~을 나누다 mit|fühlen⁴ (-|empfinden*⁴); Anteil nehmen* 《*an³*》 / ~을 빼앗다 fesseln⁴; bestricken⁴; bezaubern⁴; für ⁴sich ein|nehmen*⁴ / ~을 빼앗기다 bezaubert sein; eingenommen (gefesselt) sein 《*von³*》 (몰두의 뜻으로도); besessen sein 《*von³*》 (열중); versunken (vertieft) sein 《*in⁴*》 (몰두) / ~을 다잡다 ³sich ein Herz fassen; das Herz stählen / ~에 거리낌을 느끼다 《양심의 가책》 Gewissensbisse fühlen; ein schlechtes Gewissen haben / ~ 속을 들여다보다 ins Herz sehen* / ~이 넓다 großherzig; weitherzig / ~이 좁다 engherzig; kleinlich / ~이 무겁다 schwermütig (trübsinnig; düster) sein/~이 턱 놓이다 《믿어워서》 fühlen wie in Abrahams Schoß sitzen* (ruhen; schlafen*) / ~에 떠오르다 ein|fallen* Ⓢ 《*jm.*》; Ideen (Einfälle; Gedanken) 《*pl.*》 haben; in den Sinn kommen* Ⓢ; ein Licht geht auf 《*jm.*》; ³sich einfallen lassen*⁴ / ~에 사무치다 *jm.* zu Herzen gehen* Ⓢ / ~에 걸리다 *jm.* am Herzen liegen*; bekümmern⁴; *jm.* Sorge machen 〖이상 마음에 걸리는 것을 주어로 하여〗 / ~을 사다 ⁴sich ein|schmeicheln 《bei *jm.*》; ⁴sich in die Gunst ein|schleichen* 《*bei³*》; bei *jm.* in Gunst stehen* / ~을 놓다 ⁴sich beruhigen; unvorsichtig sein 《*vor³*》 / ~이 편하다 ⁴sich wie zu Hause fühlen 《*bei³*》 / ~이 놓이지 않다 ⁴sich beunruhigt fühlen; ⁴sich beunruhigen 《*über⁴*》; unruhig (ängstlich) sein; Angst haben / ~든든하다 ⁴sich ermutigt fühlen 《*durch⁴*》; ⁴sich sicher fühlen / ~을 털어놓다 *jm.* sein Inneres (Innerstes) offenbaren / ~이 어수선하다 ⁴sich nicht sammeln können* / ~이 쏠리다 *jm.* zugetan sein; geneigt sein (⁴*et.* zu *tun*) / 서로 ~이 잘 통하다 ⁴sich einander gut verstehen*; auf vertrautem Fuß miteinander stehen* (leben) / 아무의 ~을 상하게 하다 unangenehm berühren⁴; bei *jm.* an|stoßen* / ~을 상하게 하는 말 die anstößigen Worte 《*pl.*》 / ~에 맞다 kongenial (gleichbeseelt; geistesverwandt) sein / 남자 (여자)이 ~은 믿을 수 없다 Manneslieb (Weibergunst) ist wie das Aprilwetter ⌘ 독일에서는 April이 변하기 쉬운 마음의 상징으로 쓰임.
② 《인정》 Sympathie *f.* -n; Mitleid *n.* -(e)s; Güte *f.* -n; Herz *n.* -ens, -en; Seele *f.* -n.
¶ ~을 쓰다 mitfühlend (teilnehmend; rücksichtsvoll) sein / ~이 좋다 gut|mütig (-herzig) sein; herzensgut sein; ein gutes (warmes) Herz haben / ~은 나쁜 사람이 아니다 Im Herzen ist er kein übler Mensch.

ㅁ

Eigentlich ist er e-e gute Seele.
③ 《의향》 Wille *m.* -ns, -n; Vorhaben *n.* -s, -; Absicht *f.* -en; Lust *f.* ⸚e; Gesinnung *f.* -en. ¶ ~대로 wie man will; nach Wunsch; nach Wohlgefallen / ~ 내키는 대로 nach Herzenslust; soviel man mag; sooft man will / 아무리 ~이 있어도 beim besten Willen 〔부정문에서〕/ ~ 에도 없이 ungern; mit Widerwillen (Unwillen); widerwillig; unwillig; widerstrebend / …할 ~이 있다 zu ³*et.* Lust haben / ~이 내키지 않다 k-e Lust zu ³*et.* haben; ⁴*et.* nicht übers Herz bringen* / ~과는 달리 wider Willen / ~을 떠보다 *js.* Gesinnung aus|forschen / 도망칠 ~은 조금도 없었다 Ich hatte gar keine Absicht zu fliehen. / ~이 내키시면 함께 가셔도 좋습니다 Sie können mitgehen, wenn Sie Lust haben.
④ 《취미·기호》 Geschmack *m.* -(e)s, ⸚e; Neigung *f.* -en. ¶ ~에 들다 gefallen*《*jm.*》; befriedigen 《*jn*》; Behagen verursachen; Freude bereiten 《*jm.*》; willkommen sein 《*jm.*》; (ganz) nach *js.* Geschmack sein 〔이상 대상이 주어〕/ ~에 들지 않다 *jm.* nicht gefallen*; gegen *js.* Geschmack sein / ~에 드신다면 wenn es Ihnen gefällt (beliebt) / 이 그림은 ~ 에 든다 Das Bild gefällt mir. / 저 처녀는 ~에 든다 Das Mädchen da sticht mir in die Nase. / 그는 누구에게나 ~에 들게 해준다 Er kann es jedem recht machen.

마음가짐 ① 《마음의 태도》 Gesinnung *f.* -en; Einstellung *f.* -en; Haltung *f.* -en; Anschauung *f.* -en. ② 《각오·결심》 Bereitschaft *f.* -en (-willigkeit *f.*); Vorbereitung *f.* -en (준비); Entschluß *m.* ..lusses, ..lüsse; Entschlossenheit *f.*

마음결 Gemütsart *f.* -en; Charakteranlage *f.* -n; Temperament *n.* -s, -e; Natur *f.* -en. ¶ ~이 곱다 gutes (warmes) Herz haben; guten (warmen) Herzens sein / ~이 사납다 wildes Temperament haben.

마음껏 ① 《실컷》 nach *js.* Herzenslust; so viel wie es e-m gefällt; so viel wie man will. ¶ ~ 먹다 ⁴sich satt essen*/~ 울다 ⁴sich aus|weinen / 휴일을 ~ 즐기다 den Feiertag aus|kosten; den Feiertag in vollen Zügen genießen*.
② 《마음을 다하여》 mit ganzem Herzen; von ganzem Herzen; mit Hingabe; hingebend. ¶ 부모를 ~ 섬기다 hingebend für s-e Eltern sorgen; mit hingebender Liebe für s-e Eltern sorgen.

마음놓다 ① 《안심》 ⁴sich beruhigen; beruhigt sein; unbesorgt (ohne Sorge) sein; erleichtert sein. ¶ 마음 놓고 unbesorgt; getrost; ohne Sorgen (Angst); frei(mütig)/ 마음 놓고 살다 ein sorgenloses Leben führen; sorgenfrei leben / 잘 있으니 마음 놓으십시오 Bitte machen Sie sich k-e Sorgen! Es geht mir hier gut. / 대단한 일이 아니니 마음 놓아도 괜찮소 Beruhigen Sie sich! Es ist nicht so ernst. / 그 점에 대해서는 마음 놓으십시오 Was das betrifft, brauchen Sie sich k-e Sorgen zu machen. / 그 사람이면 마음 놓고 일을 맡길 수 있다 Ihm kann man getrost diese Arbeit überlassen.
② 《방심》 ⁴sich entspannen; schlaff machen (werden); nach|lassen*; ⁴sich lockern; nachlässig (locker) werden. ¶ 마음 놓지 않다 wachsam bleiben*[s]; nicht nach|lassen*; nicht schlaff (nachlässig) werden; auf der Hut bleiben*[s].

마음대로 nach (*js.*) Belieben; wie es (*jm.*) beliebt; ganz, wie es *jm.* gefällt; wie man will; beliebig (독단으로); frei (자유로이); willkürlich(무단히). **~하다** ⁴*et.* tun*, wie es *jm.* beliebt (gefällt); ⁴*et.* tun*, wie man will; ⁴*et.* willkürlich tun*. ¶ ~이다 an *jm.* liegen* [s]; von *jm.* ab|hängen; in (unter) *js.* Gewalt sein; in *js.* Belieben liegen (stehen)* [s] / ~ 되지 않다 nicht fertig werden 《*mit*³》; nicht in der Gewalt haben⁴/사람을 ~ 조종하다 *jn.* in s-r Gewalt haben / 권세를 ~하다 die ⁴Macht willkürlich aus|üben; über große Macht verfügen / ~ 잡수십시오 Bitte greifen Sie zu! ¦ Bitte bedienen Sie sich! / 그건 자네 ~일세 Es liegt an dir. ¦ Es liegt in d-m Belieben. / 그렇다면 ~ 해라 Mach es, wie du willst, wenn es so ist! / 그것은 내 ~ 결정할 수 없읍니다 Das kann ich nicht allein entscheiden. / 나는 그들이 제 ~ 하게 내버려 둔다 Ich überlasse sie sich selbst. / 그렇게 네 ~는 안 될걸 Du hast die Rechnung ohne den Wirt gemacht./너는 ~ 이 방을 써도 좋다 Du kannst über dieses Zimmer frei verfügen. / 나는 그를 ~ 할 수 있다 Ich habe ihn in m-r Gewalt.

마음먹다 ① 《의도》 beabsichtigen; im Sinne haben; wollen; meinen; wünschen. ¶ 아들을 대학에 보내려고 마음먹고 있다 Ich will meinen Sohn in die Universität schicken. / 그 글을 쓰려고 마음 먹기는 했으나 아직 쓰지 못하고 있다 Ich wollte den Artikel schreiben, aber noch nicht dazu kommen. / 만사가 마음 먹은 대로 되지 않았다 Es ging alles schief bei mir.
② 《결심》 ⁴sich entschließen*; ⁴sich klar werden 《*über*⁴》; zu e-m Entschluß kommen* [s]; 《큰마음》 freigebig sein; sein Herz in beide Hände nehmen*. ¶ 굳게 ~ sich fest entscheiden (entschließen) / 마음먹은 대로 실행하다 s-m Entschluß gemäß durchführen⁴ / 큰 마음먹고 백만원을 기부하다 freigebig die Summe von e-r Million *Won* stiften / 한 번 마음 먹었으면 그대로 하는 것이 좋다 Wenn du dich einmal entschieden hast, ist es besser, so durchzuführen. / 큰 학자가 되려고 단단히 마음먹고 있다 Er hat sich fest entschloßen, ein großer Wissenschaftler zu werden. / 하려고 마음 먹으면 못할 일이 없다 Wo ein Wille ist, ist auch ein Weg.

마음보 Wille *m.* -s, -; Intention *f.* -en; Motiv *n.* -s, -e; Natur *f.* -en; Gemüt *n.* -(e)s, -er; Charakteranlage *f.* -n; Gesinnung *f.* -en. ¶ ~가 사납다 bösartig (übelgesinnt) sein / ~ 사나운 사람 der Bösartige*, -n, -n; Querkopf *m.* -(e)s, ⸚e / ~ 사나운 여자 böses Weib, -(e)s, -er; Zankteufel *m.* -s, -; Hexe *f.* -n / ~가 고약하다 bösartig (böswillig; gemein) sein / ~ 사납게 굴다 ⁴sich gemein benehmen*.

마음성 ① 《마음결》 Natur *f.* -en; Temperament *n.* -(e)s, -e; Gemütsart *f.* -en. ¶ ~이 좋다 nett sein; gute Natur haben.
② 《마음보》 Intention *f.* -en; Wille *m.* -s, -; Motiv *n.* -s, -e.

마음속 Herz *n.* -ens, -en; Herzensgrund *m.* -(e)s; Busen *m.* -s, -; das Innere*, -n, -n.

¶ ~에서 우러나오는 말 ein Wort ((-(e)s, -e)) aus dem tiefsten Herzen / ~으로는 innerlich; im Herzen / ~ 깊이 herzlich; innerlich; tief im Herzen; in e-r geheimen Ecke s-s Herzens / ~을 들여다 보다 *js.* Gedanken lesen* / ~을 꿰뚫어 보다 *jn.* durchschauen / ~을 털어 놓다 ⁴sein Herz aus|schütten; *jm.* s-n Busen eröffnen / ~ 깊이 사무치다 *jm.* (sehr) zu Herzen gehen* ⓢ.

마음쓰다 ① 《생각·연구》 ³sich merken; denken 《*an*⁴》; ⁴sich bemühen 《*um*⁴》; ⁴sich (be)kümmern 《*um*⁴》; es ³sich angelegen sein lassen*. ¶ 마음 써주시기 바랍니다 Bitte denken Sie daran!

② 《유의》 acht|geben* 《*auf*⁴》; Ausschau halten* 《*nach*³》; auf der Hut sein; in ³Wachbereitschaft sein; ein wachsames Auge haben 《*auf*⁴》; wachsam sein 《*auf*³》.

③ 《동정》 ⁴sich (be)kümmern 《*um*⁴》; mit|-fühlen.

④ 《걱정》 ⁴Sorge tragen* 《*für*⁴》; sorgen 《*für*⁴》; besorgen⁴; betreuen⁴.

마음씨 Gemütsart *f.* -en; Charakteranlage *f.* -n; Natur *f.* -en; Temperament *n.* -s, -e; Wesen *n.* -s, -. ¶ ~가 좋다 gutes (warmes) Herz haben; gut (hilfsbereit) sein; gutmütig sein / ~가 나쁘다 bösartig (boshaft; böswillig) sein; ein boshaftes Wesen haben / ~가 더럽다 gemein sein; niederträchtig (hinterhältig) sein / ~를 바로 써라 Sei (Handle) ohne Falschheit!

마음졸이다 ⁴sich beunruhigen; ⁴sich ängstigen; um ⁴*et.* (wegen ²*et.*) besorgt sein; in Sorge sein. ¶ 어찌 될 것인가 마음을 졸였다 Zitternd wartete ich auf den Ausgang der Sache. / 시험에 실패할까봐 마음 졸이고 있다 Ich bin um den Ausgang der Prüfung besorgt. ¦ Ich habe große Angst, ob ich nicht doch bei der Prüfung durchfallen würde. / 네가 늦어서 마음을 퍽 졸였다 Ich war sehr beunruhigt, weil du dich verspätet hast.

마음죄이다 《흥분하다》 gereizt (erregt; nervös) werden; 《초조하다》 ungeduldig werden; die Geduld verlieren*. ¶ 마음 죄이게 하다 reizen⁴; auf|regen⁴ / 마음 죄이는 판국 e-e gespannte Situation / 무사히 돌아올지 마음죄인다 Die Sorge, ob er heil zurückkehren wird, versetzt mich in große Unruhe. / 결과가 어떻게 될는지 몹시 마음 죄인다 Ich bin auf die Ergebnisse sehr gespannt. / 그는 마음 죄이며 그녀를 기다렸다 Er wartet ungeduldig auf sie.

마이너스 minus; abzüglich; Minus *n.* -, -; Subtraktion *f.* -en; Abzug *m.* -(e)s, ⸚e; 《결손》 Defizit *n.* -(e)s, -e; Fehlbetrag *m.* -(e)s, ⸚e; 《결점》 Defekt *m.* -(e)s, -e. ¶ ~가 되다 《결손》 e-n Verlust erleiden*; 《불리》 nachteilig sein / 그것은 나한테 오히려 ~가 된다 Im Gegenteil bedeutet das für mich e-n Nachteil. / 10 ~ 3은 7 Zehn minus (weniger) drei ist sieben.

‖ ~부호 Minuszeichen *n.* -s, -.

마이동풍(馬耳東風) als ob man in den Wind redet. ¶ ~이다 in den Wind geschlagen werden; nicht beachtet werden; auf taube Ohren stoßen* ⓢ / 내 충고는 그에게 ~일 것이다 Mein Rat wird von ihm in den Wind geschlagen werden. ¦ Er wird m-n Rat in den Wind schlagen. ¦ Mein Rat stößt bei ihm auf taube Ohren.

마이신 〖약〗 Streptomyzin *n.*

마이크 Mikrophon *n.* -s, -e. ¶ ~ 앞에 서다 ins Mikrophon (hinein|)sprechen* / ~를 통하여 인사하다 im Rundfunk (Radio) e-e Ansprache halten*; durch ⁴Rundfunk (Radio) sprechen*.

‖ ~이동장치 Mikrophongalgen *m.* -s, -. 무선~ drahtloses Mikrophon.

마이크로 Mikro-. ‖ ~버스 Kleinbus *m.* -ses, -se. ~파(波) Mikrowellen 《*pl.*》.

마이크로미터 Mikrometer *n.* -s, -.

마이크로웨이브 Mikrowellen 《*pl.*》.

마이크로톰 Mikrotom *m.* -s, -e.

마이크로폰 ☞ 마이크.

마이크로필름 Mikrofilm *m.* -(e)s, -e. ¶ ~을 만들다 e-n Mikrofilm ((-(e)s, -e)) her|stellen.

마인(魔人) dämonenhafter Mensch, -en, -en.

마일 Meile *f.* -n. ¶ 자동차를 시속 10 ~로 몰다 ein Auto mit e-r Geschwindigkeit von 10 Stundenmeilen fahren lassen*.

마작(麻雀), 마장 Ma(h)-Jongg *n.* -s. ~하다 Ma(h)-Jongg spielen.

‖ ~클럽 Ma(h)-Jongg-Klub *m.* -s, -s.

마장(馬場) Renn¦bahn *f.* -en (-platz *m.* -es, ⸚e); Arena *f.* ..nen (곡마의).

마장수 Hausierer ((*m.* -s, -)), der s-e Waren auf dem Pferd herumträgt und verkauft.

마장스럽다 vom Pech verfolgt (sein).

마저 ① 〖조사〗 sogar; selbst; noch; auch. ¶ 집~ 팔지 않을 수 없었다 Sogar das Haus mußte er verkaufen. / 아내~ 그것을 몰랐다 Sogar m-e Frau wußte es nicht. / 그는 쓰는 것~ 제대로 못한다 Nicht einmal richtig schreiben kann er. / 하인들~ 그를 업신여긴다 Selbst die Diener verachten ihn.

② 〖부사적〗 restlos, ganz u. gar, völlig. ¶ 그는 빚을 ~ 갚았다 Er beglich die Schulden restlos. ¦ Er beglich auch die restlichen Schulden. / 이것까지 ~ 먹어 치워라 Iß das auch auf!

마적(馬賊) berittener Bandit, -en, -en.

마전¹ das Bleichen*, -s. ~하다 bleichen⁽*⁾.

‖ ~장이 Bleicher *m.* -s, -. ~터 Bleichanstalt *f.* -en; Bleichplatz *m.* -es, ⸚e.

마전² Getreide-Messungsplatz ((*m.* -es, ⸚e)) auf dem Markt.

마제(馬蹄) =말굽.

마조(一調) 〖음악〗 ‖ 마단조 e-Moll *n.* - 《기호: e》. 마장조 E-Dur *n.* - 《기호: E》.

마주 von Angesicht zu Angesicht 《*mit*³》; Auge in Auge 《*mit*³》; unter vier Augen (단둘이). ¶ ~보고 앉다 ⁴sich *jm.* gegenüber|-stellen; *jm.* gegenüber sitzen*; einander gegenüber|sitzen* / 단둘이 ~ 앉아 이야기하다 unter vier Augen sprechen* 《*mit*³》 / 단둘이 ~ 앉아 식사하다 tête-a-tête essen* 《*mit*³》; ganz allein mit *jm.* essen*.

마주놓다 gegenüber|stellen⁴ (entgegen-).

마주르카 〖음악〗 Masurka *f.* -s.

마주보다 《얼굴을》 ⁴sich (einander) an|sehen*. ☞ 맞보다. ¶ 우린 서로 얼굴을 마주 보았다 Wir sahen uns (einander) an.

마주서다 ³*et.* gegenüber|stehen* (-|liegen*); ⁴sich ³*et.* gegenüber|stellen.

마주앉다 *jm.* gegenüber sitzen*; ⁴sich *jm.* gegenüber setzen. ¶ 마주앉아 식사하다 zusammen essen*⁴; an demselben Tisch essen*⁴ / 마주앉아 이야기하다 ⁴sich unter vier Augen unterhalten*.

마주잡이 die von zwei Trägern getragene Bahre, -n.

마주치다 ① 《충돌》 zusammen|stoßen* Ⓢ 《*mit*³》; aufeinander|prallen Ⓢ; kollidieren Ⓢ. ☞ 부딪치다. ② 《조우》 auf ⁴*et*. stoßen* Ⓢ; (auf) *jn*. treffen* Ⓢ; *jm*. begegnen* Ⓢ. ¶ 노상에서 친구와 ~ auf der Straße dem Freund begegnen / 막다른 골목에서 원수와 ~ in e-r Sackgasse dem Feind gegenüber|stehen*.

마주하다 *jm*. (³*et*.) gegenüber setzen⁴. ¶ 책상을 마주하고 앉아 있다 am Tische sitzen*.

마중 das Abholen*, -s. ¶ 마중 가다 *jn*. ab|holen; *jn*. empfangen* / 정거장(극장)으로 마중가다 *jn*. am Bahnhof (vom Theater) ab|holen / 정거장에 누가 마중 나와 있을까 Erwartet uns jemand auf dem Bahnhof? / 사람을 역에 ~ 내보내겠다 Ich werde jemand zum Bahnhof schicken, um dich abzuholen.

마중물 das Eingießen* 《-s》 von Wasser. ¶ 펌프에 ~을 붓다 den Pumpenzylinder (das Zylindergehäuse) mit Wasser nach|füllen.

마지막 《최후》 Ende *n*. -s, -n; Schluß *m*. ..lusses, ..lüsse; 〖형용사적〗 letzt. ¶ ~ 수단 das äußerste (letzte) Mittel, -s, - / ~ 사람 der letzte Mann,-(e)s, ⸗er / ~ 말 die letzten Worte / ~ 날 der letzte Tag, -(e)s, -e / ~ 싸움 Endkampf *m*. -(e)s, ⸗e / ~에 zuletzt; zum Schluß; am Ende; endlich / 맨 ~에 오다 als letzter an|kommen* Ⓢ / ~까지 bis zum letzten / ~까지 저항(抵抗)하다 bis zu Ende den Widerstand leisten / ~까지 싸우다 bis zum letzen kämpfen / ~으로 als letztes; zuletzt; zum Schluß / ~으로 한 말씀 드리겠읍니다 zum Schluß möchte ich sagen, daß... / 자 이것이 ~이다 Nun, das ist alles, (was übrig geblieben ist). / 너와 나는 이것이 ~이다 Dich werde ich nie mehr wieder sehen. / 난 이제 ~이다 Nun bin ich verloren.

마지못하다 ⁴sich genötigt (gezwungen; veranlaßt) sehen*, ⁴*et*. zu tun; gezwungen (gezwungenermaßen; mit Widerwillen; ungern; widerstrebend; widerwillig; zaudernd) ⁴*et*. tun*. ¶ 마지못할 사정 zwingende Umstände 《*pl*.》 / 마지못하여 gezwungen; mit Widerwillen; ungern; widerstrebend; zaudernd; zögernd / 마지못해 승낙하다 widerstrebend erlauben⁴ (gestatten⁴) / 마지못해서 돈을 취해 주었다 Ich konnte nicht umhin, ihm Geld zu leihen. ¦ Ich habe ihm nur mit Widerwillen Geld geliehen. / 마지못해서 거짓말을 했다 Ich hatte k-e andere Wahl als zu lügen.

마지않다 nie genug können*. ¶ 기다려 마지 않던 langerwünscht / 경하하여 마지 않습니다 Ich gratuliere Ihnen vielmals. / 감사하여 마지 않습니다 Ich kann mich nie genug bedanken. ¦ Ich äußere m-n herzlichen Dank.

마진(痲疹) 〖한의〗 Masern 《*pl*.》.

마진 ① 《이문의 폭》 Gewinn¦spanne (Verdienst-) *f*. -n; Marge *f*. -n; Handelsspanne. ② 《담보의》 Sicherheits¦summe (Hinterlegungs-) *f*. ③ 《주식의 증거금》 (Bar-)einschußzahlung *f*.; Deckung *f*. ④ 〖인쇄〗 《책의 난외 여백》 (Seiten)rand *m*. -(e)s, ⸗er.

마차(馬車) Wagen *m*. -s, -; Fuhrwerk *n*. -(e)s, -e; Kutsche *f*. -n (대형 사륜); Kupee *n*. -s, -s; Coupé [kupé:] *n*. -s, -s (이인승); Equipage [ek(v)ipá:ʒə] *f*. -n (호화스러운); Omnibus *m*. -ses -se (합승마차); Droschke *f*. -n (삯마차); 〖방언〗 Fiaker *m*. -s, - (삯마차); 〖방언〗 Komfortabel *m*. -s, - (삯마차); Cab [kæb] *n*. -s, -s; Mietwagen (전세 마차); Chaise [ʃέ:zə] *f*. -n (경마차); Break [bre:k] *m*. -s, -s (경마차, 사륜); Phaet(h)on *m*. -s, -s (무개사륜); Jagdwagen (사냥용). ¶ ~로 가다 in (mit) e-m Wagen fahren* Ⓢ / 한 (두) 필이 끄는 ~ Einspänner (Zweispänner) *m*. -s, -.

‖ ~길 Pferdebahn *f*. -en. ~말 Wagenpferd (Kutsch-) *n*. -(e)s, -e. ~삯 Fahrgeld *n*. -(e)s, -er (-preis *m*. -es, -e). 사두~ vierspännige Kutsche; Vier¦spänner *m*. -s, - (-gespann *n*. -(e)s, -e); Viererzug *m*. -(e)s, ⸗e. 우편~ Postkutsche *f*. 의장~ Staatskutsche; Karosse *f*. -n. 털털이~ klappriger Wagen; Klapperkasten *m*. -s, - (⸗). 포장~ verdeckter Wagen; Kalesche *f*. -n; Landauer *m*. -s, -.

마찬가지 ebenso; ähnlich; gleich; gleichartig; derselbe*; identisch. ¶ ~것 das gleiche Ding; derselbe* / ~로 auf gleicher (in gleicher) Art (Weise); ähnlich; gleich; gleichfalls; ebenfalls; ebenso / ~다 gleich (identisch; gleichartig; ähnlich) sein; unverändert bleiben* Ⓢ (sein) / 둘다 ~다 Die beiden sind gleich. ¦ Der eine ist nicht besser als der andere. / 빈부영욕(貧富榮辱)이 내게는 모두 ~다 Es ist mir gleich, ob ich reich u. mit Ehren bedacht werde od. arm u. unbeachtet bleibe. / 새것이나 ~다 Das ist so gut wie neu. / 내 살림은 밤낮 ~다 Mein Leben ist genau so wie früher. / 늙었어도 마음만은 젊었을 때나 ~다 Wenn er auch alt geworden ist, bleibt sein Herz immer noch so jung wie einst. / 어쨌든 결과는 ~다 Jedenfalls läuft es auf dasselbe hinaus.

마찰(摩擦) 《문지름·비빔》 Reibung *f*. -en; das Reiben*, -s; 《알력》 Friktion *f*. -en; Reiberei *f*. -en; Streit *m*. -(e)s, -e; Zwist *m*. -es, -e. ~하다 reiben*⁴ 《*mit*³》; ⁴sich reiben*. ¶ ~이 없는 reibungslos / ~을 방지하다 die Reibung verhindern / 건포(냉수) ~을 하다 ³sich den Körper mit trockenem (naßkaltem) Tuch reiben* / ~을 일으키다 die Reiberei (den Zwist) hervor|rufen* / 양국간의 ~을 제거하다 den Zwist zwischen den beiden Staaten beseitigen.

‖ ~계수 Reibungskoeffizient *m*. -en, -en. ~력 Reibungskraft *f*. ⸗e. ~브레이크 Reibungsbremse *f*. -n. ~음 Frikativa *f*. - (..ve); Reibelaut *m*. -es, -e; Spirant *m*. -en, -en. ~저항 Reibungswiderstand *m*. -(e)s, ⸗e. ~전기 Reibungselektrizität *f*.

마천루(摩天樓) Wolkenkratzer *m*. -s, -; Hochhaus *n*. -es, ⸗er.

마초(馬草) Pferdegrünfutter *n*. -s, -.

마추다 bestellen⁴ 《bei *jm*.》; nach Maß an|fertigen (machen) lassen*⁴. ¶ 구두를 ~ die Schuhe nach Maß anfertigen (machen) lassen* / 양복점에서 양복을 ~ bei e-m Schneider e-n Maßanzug bestellen; bei e-m Schneider den Anzug nach Maß an|fertigen lassen* / 그는 옷을 모두 마추어서 입는다 Er trägt nur Maßanzüge. / 무엇으로 마추실까요 Welches würden Sie sich bitte bestellen?

마춤 《물건의》 das auf Bestellung hergestellte Ding, -(e)s, -e; der nach Maß angefer-

tigte Artikel, -s, -. ¶ ~의 bestellt; nach Maß angefertigt.
‖ ~옷 Maßanzug *m.* -s, ⸗e.

마취(痲醉) Narkose *f.* -n; Betäubung *f.* -en; Anästhesie *f.* -n. ~하다 anästhesieren[4]; betäuben[4]; narkotisieren[4]. ¶ ~에서 깨어나다 aus der Narkose erwachen ⓢ.
‖ ~법 die Methode der Anästhesie. ~상태 Betäubungszustand *m.* -(e)s, ⸗e; Narkotismus *m.* -, ..men. ~약, ~제 Anästhetikum *n.* -s, ..ka; Betäubungsmittel *n.* -s, -; Narkotikum *n.* -s, ..ka. ~요법 Narkoanalyse *f.* -n. ~의사 Anästhesist *m.* -en, -en. ~작용 narkotische 〔betäubende; anästhesierende〕 Wirkung, -en. 국부~ Lokalanästhesie *f.* -n; örtliche Betäubung, -en. 반~상태 Dämmerzustand *m.* -(e)s, ⸗e. 전신~ Totalanästhesie *f.* -n.

마취목(馬醉木) 〖식물〗 *Pieris japonica* (학명).

마치[1] ① 《못 박는》 kleiner Hammer, -s, ⸗. ¶ ~로 못을 박다 mit dem Hammer einen Nagel ein|schlagen*. ② =망치.
‖ ~대가리 Hammerkopf *n.* -(e)s, ⸗e. ~질 das Hammern*, -s: ~질하다 hammern.

마치[2] 《처럼》 wie; als ob; ebenso wie; genau so wie; gleichsam; sozusagen. ¶ ~ 여우같이 간교하다 schlau wie ein Fuchs sein / ~ 죽은 것 같다 wie tot aus|sehen* ⓢ / ~ 한대 얻어 맞은 것처럼 머리가 띵하다 Es ist mir, als ob ich e-n Schlag auf den Kopf bekommen hätte. / 그는 ~ 모든 것을 다 아는 투로 말한다 Er redet, als er von allen Bescheid wüßte.

마치[3] Marsch *m.* -es, ⸗e. ¶ ~가 연주된다 Die Musik spielt den Marsch.
‖ 웨딩~ Hochzeitsmarsch *m.* -es, ⸗e.

마치다[1] ① 《닿다》 an 〔auf; gegen〕 [4]*et.* stoßen* ⓢ. ¶ 말뚝이 바위에 마치어 들어가지 않는다 Der Pfahl ist an e-n Felsen gestoßen u. will nicht weiter dringen. ② 《결리다》 drücken 《*jm. an*[3]》; es sticht *jm.* 〔*jn.*〕 in [3]*et.* ¶ 구두가 발가락에 마친다 Die Schuhe drücken mir an den Zehen. / 옆구리가 마친다 Es sticht mir in der Seite.

마치다[2] 《끝내다》 beend(ig)en[4]; enden 《*mit*[3]》; ein Ende machen 《*mit*[3]》; ab|schließen*[4]; erledigen[4]; fertig sein 《*mit*[3]》; fertig machen[4]; Schluß machen 《*mit*[3]》. ¶ 식사를 마치고 나서 nach dem Essen / 일을 ~ die [4]Arbeit fertig machen / 학업을 ~ e-e Schule absolvieren; das Studium beenden / 모든 시험을 마쳤다 Wir haben alle Prüfungen hinter uns. / 수속은 모두 마쳤읍니까 Sind Sie mit allen Formalitäten fertig?

마침 eben; gerade; just; zufällig. ¶ ~ 그 때에 gerade da / ~ 갖고 있다 [4]*et.* zufällig dabei|haben*; [4]*et.* zufällig auf der Lager haben / ~ 잘 왔다 Gut, daß du gerade jetzt kommst. ¦ Du kommst gerade in dem richtigen Augenblick. / ~ 가진 돈이 없다 Leider habe ich gerade bei mir kein Geld. / 가물던 차에 ~ 비가 왔다 Nach der langen Dürre haben wir rechtzeitig den Regen gehabt. / ~ 사람이 지나가다 나를 물에서 건져 주었다 Glücklicherweise kam ein Mann vorbei u. rettete mich aus dem Wasser. / ~ 찾아가려던 길이다 Ich war gerade dabei, dich aufzusuchen.

마침가락 genau richtiger*; genau passender*. ¶ 그 여자는 네 아내로 아주 ~이다 Sie wird genau die richtige Frau für dich sein. / 그 상자는 쌀궤로 ~이다 Die Kiste läßt sich ideal als Reisbehälter verwenden.

마침내 endlich; letztlich; schließlich; am Ende; zuletzt. ☞ 드디어. ¶ 그는 ~ 그것을 이해하게 되었다 Schließlich hat er das doch verstanden. / ~ 유명한 화가가 되었다 Schließlich wurde er ein berühmter Maler. / ~ 일이 끝났다 Endlich haben wir die Arbeit fertig. / ~ 전쟁이 터지고 말았다 Letztlich brach doch der Krieg aus.

마침표(一標) Punkt *m.* -(e)s, -e. ¶ ~를 찍다 e-n Punkt setzen.

마카로니 Makkaroni 《*pl.*》.
‖ ~치즈 Makkaroni mit geriebenem Käse.

마카롱 《과자》 Makrone *f.* -n.

마케팅 Marketing [má:rkitiŋ] *n.* -s; Marktforschung *f.* -en.

마켓 Markt *m.* -(e)s, ⸗e.
‖ 슈퍼~ Supermarkt *m.* -(e)s, ⸗e.

마크 《상표·레테르》 (Handels)marke *f.* -n; Aufschrift *f.* -en; Etikett *n.* -(e)s, -e; Zettel *m.* -s, -. ~하다 kennzeichnen[4]; bezeichnen[4]; markieren[4]. ¶ ~를 붙이다 mit e-m Etikett 〔Zettel〕 versehen.

마키아벨리 《이탈리아의 정치가》 Niccolo Machiavelli (1469–1527). ‖ 마키아벨리즘 Machiavellismus *m.* -, ..men.

마타리 e-e Art Baldrian 《*m.* -s, -e》.

마태복음(一福音) (das Evangelium 《-s》 nach) Matthäus.

마투리 einige übrig gebliebene *Mal* des Getreides, nachdem es nach *Seom* gemessen war.

마티네 Matinee *f.* -n.

마파람 Südwind *m.* -(e)s, -e. ¶ ~에 게눈 감추듯 (먹다) sehr hastig (alles auf|essen*).

마판(馬板) ① 《마구간의》 Bodenbretter 《*pl.*》 des Stalls. ② 《말 매두는》 der Platz 《-es, ⸗e》 im Freien, auf dem man Pferde an e-m Pfeil gebunden hält.

마편초(馬鞭草) 〖식물〗 Verbene *f.* -n.

마포(痲布) Hanfleinen *n.* -s, -.

마피(馬皮) das Fell 《-(e)s, -e》 des Pferdes.

마필(馬匹) Pferde 《*pl.*》. ¶ ~을 손질하다 Pferde (ab|)warten 〔besorgen; pflegen; putzen〕. ‖ ~개량 Vered(e)lung 《*f.* -en》 der Pferde.

마하 〖물리〗 Mach *n.* -, -; Machzahl *f.* -en.

마호가니 Mahagoni *n.* -s; Mahagonibaum *m.* -(e)s, ⸗e (나무); Mahagoniholz *n.* -es, ⸗er (목재).

마호메트 Mohammed. ‖ ~교 =회교(回敎).

마흔 vierzig. ☞ 사십.

막[1] 《방금》 eben; gerade; soeben; gerade jetzt. ¶ 영화는 지금 막 시작했다 Der Film hat gerade angefangen. / 막 손님이 왔다 Eben kam der Besuch. / 막 나가려는 참에 비가 쏟아졌다 Ich wollte gerade ausgehen, da begann der Platzregen 〔da begann es zu gießen〕. / 지금 막 도착했다 Ich bin soeben angekommen. / 식사를 막 마치자 그가 왔다 Ich war eben mit dem Essen fertig, als er kam. / 그는 막 외출하려던 참이었다 Er war gerade dabei auszugehen.

막[2] ☞ 마구. ¶ 막 살다 ein wildes Leben führen / 막 때리다 heftig schlagen*.

막(膜) Membran(e) *f.* ..nen; Häutchen *n.* -s, -. ¶ 막상(膜狀)의 membranartig.

막(幕) ① 《초라한 집》 Bude *f.* -n; Bretterbude *f.* -n; Hütte *f.* -n; Schuppen *m.* -s, -. ¶ 막을 짓다 e-e Hütte bauen.

② 《천막·휘장》 Zelt *n.* -(e)s, -e; Vorhang *m.* -(e)s, ⸚e. ¶ 막을 치다 ein Zelt auf|schlagen* / 막을 거두다 ein Zelt ab|bauen / 막을 올리다 den Vorhang auf|ziehen* / 막을 내리다 den Vorhang fallen lassen*; den Vorhang zu|ziehen* / 막을 옆으로 당기다 den Vorhang zur Seite ziehen*.

③ 《연극의》 Akt *m.* -(e)s, -e; Aufzug *m.* -(e)s, ⸚e. ¶ 첫막 der erste Akt 〔Aufzug〕 / 끝막 der letzte Akt 〔Aufzug〕 / 3 막 6 장의 극 ein Drama in 3 Akten u. 6 Szenen 〔in 3 Aufzügen u. 6 Auftritten〕 / 막이 열린다 Der Vorhang geht auf. ¦ Der Vorhang eröffnet sich.

④ 《끝장》 Ende *n.* -s; Abschluß *m.* ..sses, ..lüsse; Schluß *m.* ¶ 전쟁은 ~을 내렸다 Der Krieg kam zu e-m Ende. / 이것으로 3개월 간에 걸친 노동 쟁의는 막을 내렸다 Damit kam der 3 Monate dauernde Arbeitskampf zu e-m Abschluß.

막가다 Unfug treiben*; Gewalt an|tun*^{3}; ^{4}sich wie ein Wilder gebärden; ^{4}sich (ungezügelt) aus|toben.

막간(幕間) Pause *f.* -n; Zwischenakt *m.* -(e)s, -e. ¶ ~에 in der Pause; zwischen den Aufzügen 〔Akten〕.

‖ **~극** Zwischenspiel *n.* -s, -e.

막걸리 der ungeläuterte Reiswein, -s; *Mageoli m.* -s.

막깎다 (Haare) kurz schneiden*. ¶ 머리를 ~ *jm.* Haare kurz schneiden*.

막나이 《막치무명》 grober Musselin, -s, -e.

막내 das jüngste Kind 《-(e)s, -er》 e-r Familie.

‖ **~둥이** Nesthäkchen *n.* -s, -; der Nestjüngste*, -n, -n: ~둥이 응석받듯 nachgiebig wie zu e-m Nesthäkchen. **~딸** die jüngste Tochter, ⸚. **~며느리** die Frau des jüngsten Sohnes; die jüngste Schwiegertochter. **~아들** der jüngste Sohn. **~아우** der jüngste Bruder, -s, ⸚. **~아이** ＝막냇자식. **막냇누이** die jüngste Schwester. **막냇동생** der jüngste Bruder 〔Schwester〕. **막냇사위** der jüngste Schwiegersohn; der Mann der jüngsten Tochter. **막냇삼촌** der jüngste Onkel, -s, -. **막냇손자** der jüngste Enkel, -s, -. **막냇자식** das jüngste Kind e-r Familie.

막노동(一勞動) ＝막일.

막다 ① 《구멍 등을》 aus|füllen^4; (ver)schließen*^{4}; stopfen^4; verstopfen^4; zu|stopfen^4; zu|machen^4. ¶ 쥐구멍을 ~ das Mauseloch zu|stopfen / 병마개를 ~ die Flasche verschließen* / 귀를 ~ ^{3}sich die Ohren zu|halten* 〔zu|stopfen〕 / 틈을 종이로 ~ den Spalt mit Papier zu|kleben.

② 《방어·방지》 ab|halten* 《*jn.* *von*^{3}》; ab|wehren^4; auf|halten*^{4}; zurück|halten*《*jn.* *von*^{3}》; hemmen^4; hindern^4; verhindern^4; verhüten^4; verteidigen^4 《*gegen*^{4}》; vor|beugen^3; wehren^3. ¶ 적을 ~ den Feind ab|wehren 〔auf|halten*〕; ^{4}sich gegen den Feind verteidigen / 바람을 ~ gegen den Wind schützen^4 / 도난을 ~ den Diebstahl verhüten 〔verhindern〕 / 소음을 ~ den Lärm dämpfen / 추위를 ~ ^{4}sich 〔*jn.*〕 vor Kälte schützen / 감염을 ~ der ^{3}Infektion vor|beugen / 홍수를 ~ dem Hochwasser 〔der Überschwemmung〕 vor|beugen.

③ 《칸을》 durch e-e Wand 〔e-n Wandschirm〕 ab|teilen^4. ¶ 칸을 ~ ein Zimmer durch e-e Wand ab|teilen / 휘장으로 칸을 ~ ein Teil des Zimmers mit e-m Wandschirm ab|teilen.

④ 《차단·저지》 auf|halten*^{4}; ab|sperren^4; sperren^{34}; versperren^{34}; hindern^4; verhindern^4. ¶ 길을 ~ *jn.* auf|halten*; ^{4}sich *jm.* in den Weg stellen; *jm.* den Weg sperren / 가지 못하게 ~ *jn.* zurück|halten* / 입을 ~ *jm.* den Mund stopfen 〔verbieten*〕 / 큰 돌이 입구를 가로 막고 있다 Ein großer Stein versperrt den Eingang. / 입구를 막지 마세요 Lassen Sie bitte den Eingang frei! / 우리가 가는 것을 아무도 막지 못한다 Niemand kann uns vom Weitergehen abhalten.

막다르다 in e-e Sackgasse geraten* Ⓢ; ans Ende (der Straße) gelangen Ⓢ. ¶ 막다른 집 das Haus am Ende der Sackgasse / 곧바로 가면 길의 막다른 곳에 그것이 있다 Wenn du geradeaus geht, wirst du es am Ende der Straße finden.

막다른골 Sackgasse *f.* -n. ¶ ~목 ☞ 막다른 골 / ~에 다다르다 in e-e Sackgasse geraten* Ⓢ; ^{4}sich in e-e Sackgasse verrennen*; auf den toten Punkt kommen* Ⓢ 〔gelangen Ⓢ〕 / ~에 다다른 국면을 타개하다 über den toten Punkt hinweg|bringen*^{4}; e-n Ausweg aus der Sackgasse suchen 〔finden*〕.

막대기 Stock 〔Stab〕 *m.* -(e)s, ⸚e; Stange 〔Rute〕 *f.* -n. ¶ ~로 때리다 mit dem Stock schlagen*^{4}.

‖ **대~** Bambusstock *m.*

막대잡이 ① 《오른쪽》 die rechte Hand 《⸚e》 e-s Blinden; Rechte *f.* ② 《앞장꾼》 Führer 〔Leiter; Reisebegleiter〕 *m.* -s, -.

막대패 grober Hobel, -s, -; Schrupphobel *m.*

‖ **~질** das Schrubben*, -s: ~질하다 grob hobeln^4; mit dem Schrubbhobel bearbeiten^4.

막대하다(莫大一) ungeheuer; riesig; gewaltig (groß); kolossal; enorm; unermeßlich; immens (sein). ¶ 막대한 비용 enorme Kosten 《*pl.*》 / 막대한 빚 riesige Schuld, -en / 막대한 손실 immenser Verlust, -(e)s, -e / 막대한 금액 Riesensumme *f.* -n; riesiger Geldbetrag, -(e)s, ⸚e / 오랜 불경기로 실업계는 막대한 타격을 받고 있다 Wegen der anhaltenden Konjunkturflaute erleidet die Wirtschaft unermeßlichen Schaden. / 그는 막대한 재산이 있다 Er hat Geld wie Heu. ¦ Er hat dicke Gelder. ¦ Er schwimmt 〔erstickt; wühlt〕 im Geld.

막동이 ① 《막내》 der jüngste Sohn, -(e)s, ⸚e. ② 《잔심부름꾼》 Page *m.* -n, -n.

막되다 ungezogen; unartig; frech; lümmelhaft; flegelhaft (sein). ¶ 막된 놈 ein ungezogener 〔unartiger *usw.*〕 Kerl, -s, -e; Lümmel *m.* -s, -; Flegel *m.* -s, -; Rohling *m.* -(e)s, -e / 막되게 굴다 ^{4}sich ungezogen 〔unartig *usw.*〕 benehmen*.

막론하다(莫論一) ① 《중지》 die Diskussion ab|schließen* 〔beenden〕; nicht mehr über ^{4}*et.* reden. ② 《말할 나위도 없음》 zweifellos 〔selbstverständlich〕 sein. ¶ …을 막론하고 gleichgültig, ob…; ohne ^{4}Rücksicht 《*auf*^{4}》; rücksichtslos 《*gegen*^{4}》; unbekümmert 《*um*^{4}》 / 남녀노소를 막론하고 ohne Rücksicht auf Alter u. Geschlecht / 누구를 막론하고 ohne Unterschied der Personen / 고금동서를 막론하고 zu allen Zeiten u. in allen Ländern; immer u. überall / 지위의 고하를 막론하고 ohne Rücksicht auf den Rang; ohne Unterschied des Standes.

막료(幕僚) Stab *m.* -(e)s, ⸚e (총칭); Stabsoffizier *m.* -s, -e (개인).

막막하다(寞寞—) ① 《쓸쓸함》 einsam; verlassen; wüst; öde; betrübt; trostlos (sein). ② 《의지할 곳 없음》 einsam; verlassen; allein u. hilflos (sein).

막막하다(漠漠—) endlos weit (ausgedehnt); grenzenlos; unbestimmt; vag(e) (sein). ¶ 막막한 사막 die endlos weite Wüste, -n.

막말 derber (grober) Ausdruck, -(e)s, ⸚e. ~하다 derb (grob) aus|drücken. ¶ ~로 개수작이지 무어냐 Grob ausgedrückt, ist das pure Quatsch.

막무가내(莫無可奈) ¶ ~로 starr¦sinnig (eigen-);widerspenstig; hartnäckig; entschlossen; unerschütterlich; hart / ~로 듣지 않다 hartnäckig ab|lehnen; nicht zuhören wollen / 아무리 사정을 해도 ~였다 Ich habe inständig versucht, ihn zu überreden, aber er wollte überhaupt nicht zuhören.

막바지 Ende *n.* -s, -n; Ausgang *m.* -(e)s, ⸚e; Endphase *f.* -n; 《위기》 der letzte Moment, -(e)s, -e. ¶ 길~ das Ende der Straße / 언덕의 ~ die Spitze 《-n》 des Hügels / ~에 몰아넣다 *jn.* in bedrängten Umständen jagen.

막벌다 Arbeitslohn als Tag(e)löhner verdienen.

막벌이 Tagelohn *m.* -s. ~하다 im Tagelohn stehen (arbeiten).
‖ ~꾼 Tag(e)löhner *m.* -s, -.

막베먹다 《밑천을》 anfressen; angreifen; verzehren. ¶ 자본을 ~ s-n Kapital angreifen.

막부득이(莫不得已) unvermeidlich; unumgänglich; unwiderstehlich; notgedrungen. ¶ ~한 경우에는 wenn es unbedingt nötig ist / ~한 사정으로 wegen unvermeidbarer Umstände.

막불겅이 grob geschnittener Tabak, -s.

막사(幕舍) 〖군사〗 Baracke *f.* -n; Kaserne *f.* -n.

막사리 Wasser der Gezeiten (vor dem Zu-frieren).

막살다 ein wildes (ungebundenes) Leben führen.

막상 schließlich; endlich; letzten Endes; im Grunde; wirklich; in der Wirklichkeit. ¶ ~ 때가 닥치면 wenn die Zeit kommt; am (letzten) Ende; 《절박하면》 in Not od. Verlegenheit sein wegen od. um / ~ 팔려고 하니 싸다 Ein Notverkauf bringt wenig ein. / ~ 찾으려고 하니 좀처럼 눈에 안 띈다 Wenn man letzten Endes etwas suchen will, find man es kaum.

막상막하(莫上莫下) nicht besser und nicht schlechter. ~하다 die beide sind gleich. ¶ ~의 열전 ein ausgeglichener Wettkampf; Kopf an-Kopf-Rennen / 그들은 ~다 Die beiden unterscheiden sich kaum. / 두 사람의 기술은 ~이다 Die Geschicklichkeit der beiden ist gleich.

막새 ① 《수키와》 (geboger, konvexer) Ziegelabschluß, ..lusses, ..lüsse (Ziegelabschlußstein, -s, -e). ② 《암·수키와》 (Konkave *od.* Konvexe) Ziegel als Dachabschluß.

막서다 ① 《대들다》 auf|stehen 《*gegen*[4]》; [3]*et.* die Stirn bieten. ¶ 싸우려고 ~ auf|stehen, um zu kämpfen.
② 《함부로 겨루다》 heraus|fordern; Trotz bieten; trotzen. ¶ 버릇없이 어른에게 ~ e-n Älteren heraus|fordern.

막심하다(莫甚—) äußerst; außer¦gewöhnlich (-ordentlich); bemerkenswert; merklich; riesig; schrecklich; ungeheuer (sein). ¶ 막심한 손해를 입다 e-n schweren (unersetzlichen) Verlust erleiden* / 막심한 타격을 받다 e-n harten Schlag erleiden* / 후회가 ~ Ich bereue es äußerst.

막아내다 fern|halten*; ab|halten*; ab|wehren; Einhalt bieten*; auf|halten*; hemmen; kontrollieren; hindern; (be)schützen 《*vor*[3]; *gegen*[4]》; (be)schirmen; sichern; bewahren 《*vor*[3]》. ¶ 화살을 ~ e-n Pfeil ab|wehren / 비바람을 ~ gegen Wind u. Regen schützen / 불길을 ~ das Feuer unter Kontrolle halten*.

막역(莫逆) Vertraulichkeit *f.* -en; Vertrautheit *f.* -en. ~하다 vertraut sein mit [3]*et.* (miteinander); ([4]sich) nahe stehen*. ¶ ~한 친구 enger Freund; getreuer Freund / ~한 사이 ein vertrautes (enges) Verhältnis / ~하게 지내다 vertraut verkehren.

막연하다(漠然—) vag; unbestimmt; undeutlich; unklar; unverfindlich; dunkel; zweideutig (sein). ¶ 막연히 vag; unbestimmt *usw.* / 막연한 말을 하다 unverfindlich sprechen* / 막연한 불안에 사로잡히다 von e-r unbestimmten Angst befallen werden / 당신 말은 막연해서 알 수가 없다 Ihre Äußerungen sind so unbestimmt, daß ich sie kaum verstehe. / 나는 막연하게 그 일을 기억하고 있을 뿐이다 Ich erinnere mich nur dunkel (habe e-e dunkle Erinnerung) daran. / 그는 취직할 수 있으려니 하는 막연한 생각으로 상경했다 Mit der vagen Hoffnung, e-e Arbeit zu finden, kam er nach Seoul.

막이 das Eindeichen (Dämmen; Eindämmen; Abdämmen; Stauen; Hemmen) -s. ¶ 방패~ Verteidigung *f.* -en / 보~ das Naßreisfeld 《-(e)s, ⸚er》 mit Dämmen / 서리~ das Schutzdach gegen Frost / 액~ die Verhinderung von Unheil.

막일 die körperliche (grobe; mühselige; harte) Arbeit, -en; Plackerei *f.* -en. ~하다 körperlich (hart) arbeiten; schuften.
‖ ~꾼 Gelegenheitsarbeiter *m.* -s, -; der Arbeiter ohne Berufsausbildung.

막자 Stößel *m.* -s, -; Reib¦keule (Mörser-) *f.* -n; Pistill *n.* -s, -e. ¶ ~로 갈다 mit e-m Stößel zerreiben*[4]; mit e-r Keule zerstampen[4]. ‖ ~사발 Mörser (Mörtel) *m.* -s, -.

막잡이 ① 《막쓰는》 etwas Grobes, das für alle Zwecke benutzt wird; Fetzen *m.* -s, -. ② ☞ 마구잡이.

막장 〖광업〗 ① 《채벽》 blinder Stollen (in e-m Bergwerk). ② 《작업》 Bergwerksarbeit *f.* -en. ~하다 Bergbau betreiben; abbauen. ‖ ~일 Bergwerksarbeit *f.*: ~일하다 im Bergwerk arbeiten.

막지르다 ① 《앞길을》 (ver)sperren; ein|schließen*; blockieren; auf|halten*; verhindern. ¶ 길을 ~ *jm.* den Weg (ver)sperren / 앞길을 ~ *js.* Weg kreuzen. ② 《냅다지름》 ziellos stoßen* (drängen; treiben*; vorwärts schieben*); laut rufen* (schreien*) (소리를). ¶ 소리를 ~ schreien* / 공을 ~ e-n Ball wild kicken.

막질리다 ① 《길을》 versperrt (blockiert) werden. ¶길을 ~ *jm.* ist (wird) der Weg versperrt. ② 《냅다》 gedrängt (gestoßen; getrieben) werden.

막차(一車) der letzte Zug, -(e)s, ⸗e; 〖속어〗 Lumpensammler *m.* -s, -(전차). ¶~를 놓치다 den letzten Zug versäumen.

막초(一草) grober (schlechter; billiger) Tabak.

막치 billiger Artikel; preiswerter Gegenstand; schlechte Ware.

막판 《마지막 판》 die letzte Runde; die finale Szene; 《중대한 때》 der kritische Moment. ¶~에 와서 im entscheidenden Moment / 그는 정작 ~에 가서 주저앉아 버렸다 Er hat im letzten Moment den Mut verloren.

막후(幕後) hinter dem Vorhang; in dem Hintergrund. ¶~의 인물 der Mann 《-(e)s, ⸗er》 hinter den Kulissen 《*pl.*》; Hintermann *m.*; Drahtzieher *m.* -s, - / (정치의) ~ 흥정(교섭) geheime Verhandlung, -n / 누군가가 ~에서 조종하는 것 같다 Irgendjemand zieht in dem Hintergrund an den Drähten.

막히다 ① 《구멍 따위가》 verstopft werden; geschlossen (verschlossen; zugemacht) werden; zu|gehen* ⓢ. ¶소변이 ~ die Harnverhaltung haben / 숨이 ~ der Atem stockt *jm.* (geht *jm.* aus); außer Atem kommen* ⓢ; erstickt werden / 관이 막혔다 Die Röhre ist verstopft. / 수챗구멍이 막혔다 Der Ausguß ist verstopft. / 굴뚝이 막혔다 Der Schornstein ist verstopft. / 목이 막힐 지경이다 Es ist fast zum Ersticken. / 코가 막혔다 Die Nase ist verstopft.
② 《길·말·생각이》 gesperrt (abgesperrt; versperrt) werden; stocken; stecken|bleiben* ⓢ. ¶막힌 사람 ein verstockter Mensch, -en, -en; Dickkopf *m.* -(e)s, ⸗e / 앞길이 ~ in e-e Sackgasse geraten*ⓢ; k-n Ausweg haben; k-e Zukunft haben / 교통이 막혔다 Der Verkehr stockt. / 그는 시를 낭독하다가 두 번이나 말이 막혔다 Er ist beim Aufsagen des Gedichts zweimal steckengeblieben. / 쓰러진 나무로 길이 막혀 있다 Die Straße ist durch die umgestürzten Bäume versperrt.
③ 《칸이》 abgeteilt sein; durch die Wand getrennt sein; 《가로놓임》 im Wege stehen* ⓢ; quer liegen* ⓢ. ¶벽이 ~ durch e-e Wand getrennt sein / 뒤에 산이 ~ hinten von Bergen ummauert sein / 앞에 강이 막혔다 Ein Fluß versperrt den Weg.

만[1] ① 《다만·뿐》 allein; ausschließlich; nur; bloß. ¶한국어만을 하는 사회 e-e Gesellschaft, in der nur koreanisch gesprochen wird / 1000원만 있으면 Wenn wir nur ein tausend *Won* hätten! / 밥만 먹다 Reis allein essen* / 정군만 왔다 Nur Herr *Jung* ist gekommen. / 혼자만 알고 계세요 Behalten Sie es für sich! / 하나만 주세요 Geben Sie mir nur ein Stück! / 나만 잘못했느냐 Bin ich allein daran schuld? / 그것만은 못 하겠다 Ich will alles tun, aber nur das nicht. / 아기가 자기(울기)만 한다 Der Säugling tut nichts als schlafen (schreien). / 그 두 사람은 만나기만 하면 장사 이야기를 한다 Wenn sie zusammentreffen, sprechen sie immer über ihr Geschäft. / 나 혼자만의 문제라면 간단하지 Es wäre sehr einfach, wenn es mich allein betreffen würde. / 그이만이 안다 Niemand außer ihm weiß es. ¦ Nur er allein weiß es. / 너는 공부만 하면 된다 Du brauchst nur fleißig zu arbeiten. / 보기만 해도 기분이 나빠진다 Der bloße Anblick widert mich an. / 그는 불평만 하고 있다 Er tut nichts anders als klagen. / 오직 그 사람만이 그것을 할 수 있다 Er allein ist imstande, das zu tun.
② 《만큼》 etwa; ungefähr; so viel (wie); 《겨우 그 정도》 so geringfügig; so unbedeutend. ¶석 자만 주시오 Geben mir etwa 3 Fuß davon! / 이만하면 라디오를 살 수 있다 Diese Summe reicht für ein neues Radio. / 그만 일로 화낼 것 없네 Ärgere dich nicht wegen solcher Kleinigkeit! / 그만 빚으로 무슨 걱정인가 Mach dir k-e Sorgen wegen solcher kleiner Summe von Schulden! / 그만 돈이 없나 Hast du tatsächlich nicht einmal so viel Geld?

만[2] 《때의 경과》 nach Verlauf von[3]; nach[3]. ¶10년 만의 더위 das heißeste Wetter in diesen zehn Jahren / 3년 만에 귀향하다 nach 3 Jahren heim|kehren ⓢ / 닷새 만에 목욕하다 nach 5 Tagen ein Bad nehmen* / 오래간만입니다 Lange nicht gesehen! ¦ Wir haben uns lange nicht gesehen. / 5개월 만에 다시 나타났다 Nach 5 Monaten tauchte er wieder auf.

만[3] ☞ 마는.

만(卍) altindisches Sonnenkreuz, -es, -e; buddhistisches Emblem, -(e)s, -e; Hakenkreuz *n.* -es, -e; Swastika *f.* ..ken.

만(滿) voll; ganz. ¶만 5년 volle fünf Jahre / 만 20세에 3개월이 모자라다 in drei Monaten 20 Jahre alt werden / 그가 떠난 지도 만 3년이 된다 Es sind volle 3 Jahre vergangen, seit er uns verließ. / 이 아이는 얼마 전에 만 세 살이 되었다 Das Kind hat erst vor kurzem s-n dritten Geburtstag gehabt. / 그는 이 달 5일로 만 30세가 된다 Er vollendete am 5. dieses Monats sein dreißigstes Lebensjahr. / 벌써 만 5년이 된다 Es ist genau fünf Jahre her.

만(灣) Bucht *f.* -en; Bai *f.* -en; 《큰》 Meerbusen *m.* -s, -; Golf *m.* -(e)s, -e; 《후미》 Einbuchtung *f.* -en. ¶영일만 die Bucht von *Yeongil* / 만을 이루다 (⁴sich) buchten; ein|buchten; ⁴sich aus|tuchen.

만(萬) zehntausend; Myriade *f.* -n; sehr viel; all. ¶만에 하나 eins von den zehntausend; ganz selten / 만에 하나라도 im entferntesten / 만 사람 zehntausend Leute; alle Leute 《*pl.*》 / 수십만 mehrere hunderttausend; Hunderttausende 《*pl.*》 / 만에 하나라도 그런 생각은 하지 않는다 Ich denke nicht im entferntesten daran. / 은혜의 만분의 일이라도 갚겠읍니다 Ich wünsche von ganzem Herzen, Ihnen auch nur ein Zehntausendstel Ihrer Güte vergelten zu können.

만 《독일의 형제 작가》 ① Heinrich Mann (1871-1950). ② Thomas Mann (1875-1955).

만가(輓歌) Grablied *n.* -(e)s, -er; Toten¦gesang (Trauer-) *m.* -(e)s, ⸗e; Trauergedicht *n.* -(e)s, -e (조시(弔詩)); Elegie *f.* -n (비가); Klage¦gedicht (-lied) *n.*

만감(萬感) tausend Gefühle 《*pl.*》; unzählinge (allerlei) Gedanken 《*pl.*》. ¶~이 교차했다 Unzählige Gedanken lösen sich ab. / ~이 복바쳐 말이 나오지 않았다 Die Rührung überkam ihn, u. er konnte nicht ein einziges Wort hervorbringen.

만강(萬康) Frieden *m.* -s, -; Ruhe (Gelassenheit; Sorglosigkeit; Zuversicht; Wohlfahrt; Gesundheit) *f.* -en; das Wohlergehen*, -s. ¶ 댁내의 ～을 빕니다 Ich wünsche Ihrer Familie Frieden u. Wohlergehen.

만강(滿腔) ein ganzes (volles) Herz, -ens, -en; Herzlichkeit *f.* -en. ¶ ～의 herzlich; innig; aus tiefster Seele (aus vollem Herzen; vom tiefsten Innern) kommend; vom ganzen Herzen (tief) empfunden / ～의 사의를 표하다 vom ganzen Herzen danken 《*jm. für*[4]》.

만개(滿開) ＝만발.

만경(晩境) das hohe Alter; Lebensabend *m.* -s; die letzten Jahre des Lebens.

만경(萬頃) Unermeßlichkeit *f.* -en; Weite *f.* -n; ungeheure Größe; Umfang *m.* -(e)s, ¨e; Unendlichkeit *f.* -en.

‖ ～창파(蒼波) die unendliche Weite des Wassers.

만경되다 *js.* Augen sind stumpfsinnig.

만고(萬古) ①《옛날》 das graue Altertum, -(e)s; die graue Vorzeit, -en; Urzeit *f.* -en. ②《영원》 Ewigkeit *f.* -en. ¶ ～의 영웅 ein unsterblicher Held, -en, -en / ～에 유례 없는 einmalig in aller Geschichte.

‖ **～불멸** unsterblich; unvergänglich; ewig. **～불변** ewig; unwandelbar; unveränderlich. **～불역**(不易) unabänderlich; unabänderbar; unveränderbar. **～불후**(不朽) unsterblich; unvergänglich: ～불후의 명작 ein unsterbliches Werk, -s, -e. **～잡놈** ein unverbesserlicher Schuft, -es, -e; ein grundgemeiner Schurke, -n, -n. **～절담**(絕談) ein unsterblicher Spruch, -es, ¨e; e-e ewige Wahrheit, -en. **～절색**(絕色) unvergleichliche (beispiellose) Schönheit, -en. **～절창**(絕唱) ein hervorragender (beispielloser) Sänger, -s, -. **～풍상**(風霜) allerlei Not, ¨e; tausend Nöte 《*pl.*》: ～풍상을 겪다 allerlei Not (tausend Nöte) leiden*.

만곡(彎曲) Biegung *f.* -en; Bogen *m.* -s, - (¨); Krümmung *f.* -en; Kurve *f.* -n; Windung *f.* -en (굴곡). **～하다** [4]sich biegen*; [4]sich krümmen. ¶ ～한 krumm; (durch)gebogen; gekrümmt; gewunden.

‖ **～부** Bogen *m.* -s, ¨ (-); Windung *f.* -en. **～수**(手) Klumphand *f.* ¨e.

만구(灣口) Buchteingang *m.* -(e)s, ¨e; Einfahrt *f.* -en.

만국(萬國) Welt *f.*; alle Länder (Nationen) 《*pl.*》. ¶ ～의 international; universal; weltumfassend; Welt-; Völker- / ～에 in allen Ländern; bei allen Völkern; in der ganzen Welt.

‖ **～기** Flaggen 《*pl.*》 aller Länder. **～박람회** Weltausstellung *f.* -en; internationale Messe, -n. **～우편연합** Weltpostverein *m.* -s. **～음성기호** das Internationale Phonetische Alphabet, -(e)s, -e. **～재판소** Internationaler Gerichtshof, -s. **～평화회의** Internationale Friedenskonferenz, -en. **～표준시** internationale Normalzeit, -en.

만귀잠잠하다(萬鬼潛潛—) ganz ruhig (still) (sein); schweigen*.

만근(輓近) neulich; kürzlich; vor kurzem; in den letzten Jahren. ¶ ～ 이래 seit kurzem (neuestem).

만금(萬金) e-e beträchtliche Geldsumme. ¶ ～을 투자하다 e-e beträchtliche Geldsumme anlegen (in [4]*et.* stecken)/～으로도 바꿀 수 없다 unschätzbar sein; unbezahlbar sein.

만기(萬機) ①《정무》 alle Staatsangelegenheit. ¶ ～총람하다 alle Staatsangelegenheit leiten / ～친람하다 alle Staatsangelegenheit besichtigen. ②《기틀》 alle politisch wichtige Grundsätze. ③《기밀》 Geheimnis aller Art(en); alle vertraulichen Angelegenheiten. ¶ ～에 참여하다 an e-r geheimen Versammlung teilnehmen.

만기(滿期) Ablauf *m.* -(e)s, ¨e; 《어음 따위》 Fälligkeit *f.* -en; 《시효》 Verfall *m.* -(e)s; Verfallzeit *f.* -en. ¶ ～가 되다 《임기가》 ab|laufen*[s]; aus|dienen[4]; s-e Dienstzeit beenden; 《어음 따위가》 fällig werden; verfallen*[s] / 재직 기한이 ～가 되었다 M-e Dienstzeit ist abgelaufen. | M-e Amtsperiode ist zu Ende. / 이 어음은 3개월로 ～가 된다 Dieser Wechsel ist in drei Monaten fällig.

‖ **～병** ausgedienter Soldat, -en, -en. **～상환** die Rückerstattung 《-en》 am Fälligkeitstag. **～석방** die Entlassung 《-en》 nach abgesessener Strafe (nach verbüßter Strafzeit). **～어음** ein fälliger Wechsel, -s, -. **～일** Fälligkeitstag *m.* -(e)s, -e. **～제대** Entlassung aus dem Militärdienst nach Ablauf der vollen Dienstzeit.

만끽(滿喫) das Auskosten* (das ausgiebige Genießen*) -s. **～하다** aus|kosten[4] (durch|-); [4]sich gütlich tun* 《*an*[3]》; [3]sich nichts ab|gehen lassen*; [4]sich mehr als genug weiden 《*an*[3]》; ausgiebig genießen*[4].

만나다 ①《조우》 begegnen[3][s]; treffen*[4]; an|treffen*[3]; zusammen|treffen*[s] 《*mit*[3]》; stoßen*[s] 《*auf*[4]》. ¶ 노상에서 친구를 ～ auf der Straße e-m Freund begegnen / 적을 ～ auf den Feind stoßen* / 난관을 ～ auf Schwierigkeiten stoßen* / 폭풍우를 ～ von e-m Gewitter überrascht werden / 소나기를 ～ von e-m Regenschauer überrascht werden.

②《보다》 sehen*[4]; besuchen[4]; empfangen*[4]; interviewen[4]; ein Interview haben 《*mit*[3]》; sprechen*[4]. ¶ 애인을 ～ s-e Freundin treffen* / 우선 내 친구를 만나 봐야겠다 Vorerst muß ich m-n Freund sprechen. / 두 사람을 만나게 해 주었다 Ich habe e-e Zusammenkunft zwischen den beiden bewerkstelligt. / 만나 본 적이 없는 사람이다 Er ist mir unbekannt. / 직접 만나 뵙고 의논 드릴 일이 있읍니다 Ich habe etwas, worüber ich mit Ihnen persönlich sprechen möchte. / 그 사람 만나지 않도록 해라 Geh ihm aus dem Weg! / 얼마나 너를 만나고 싶었는지 모른다 Wie sehr habe ich dich vermißt!

③《걸리다》 finden*[4]. ¶ 여관을 잘 만났다 Zum Glück kam ich in ein gutes Hotel.

④《알게 되다》 kennen|lernen[4]; bekannt werden 《*mit*[3]》. ¶ 3년 전에 만나 결혼하였다 Sie haben sich vor drei Jahren kennengelernt u. dann verheiratet. / 그와 만나게 된 것이 나의 악운의 시초이다 Die Begegnung mit ihm ist der Anfang m-s Unglücks.

만난(萬難) allerlei Hindernisse 《*pl.*》; tausendfache Schwierigkeiten 《*pl.*》. ¶ ～을 무릅쓰고 auf jede Gefahr (hin); durch dick u. dünn; durch allerlei Hindernisse hindurch; um jeden Preis / ～을 무릅쓰다 [4]sich in [4]Gefahr begeben* / ～을 배제하다 (극복하다) alle Hindernisse (Schwierigkeiten) beseitigen (überwinden*).

만날 immer; stets; ständig; jederzeit; unaufhörlich. ¶ ~ 펭그렁 jederzeit sorglos; stets unbesorgt / ~ 놀다 immer die Zeit verschwenden / ~ 서로 싸우다 allezeit miteinander streiten / ~ 비가 온다 Es regnet ständig. / 그는 ~ 부모에게 걱정만 끼친다 Er ist für s-e Eltern ein ständiger Grund zur Besorgnis.

만네리즘 =매너리즘.

만년(晩年) *js.* hohes Alter, -s, -; *js.* spätere (letzte) Lebensjahre《*pl.*》; *js.* Lebensabend *m.* -s. ¶ ~에 in *js.* späteren Jahren; spät im Leben; am Abend *js.* Lebens / ~을 불우하게 보내다 den Lebensabend im Unglück verbringen*.

만년(萬年) zehntausend Jahre《*pl.*》; Ewigkeit *f.*; Zeitlosigkeit *f.* ¶ ~지계(之計) ein Plan《*m.* -(e)s, ⸗e》für Generationen; weitblickender Plan / ~지택(之宅) ein solides Gebäude, -s, -; ein gut gebautes Haus, -es, ⸗er.

‖ **~설** Firn *m.* -(e)s, -e; Altschnee *m.* -s; der ewige Schnee. **~조수** der ewige Gehilfe (Geselle) -n, -n. **~후보** der ewige Kandidat《-en, -en》(der nie die Wahl gewinnt).

만년필(萬年筆) Füll(feder)halter *m.* -s, -; Füller *m.* -s, -; Füllfeder *f.* -n.

만능(萬能) Allmacht *f.*; Allgewalt *f.*; Vielseitigkeit *f.* ¶ ~의 allmächtig; allgewaltig; in allen Sätteln gerecht; vielseitig / 기계 ~의 시대 das Zeitalter der Technik / 그는 ~이다 Er ist in allen Sätteln gerecht. / 부(富)가 ~이 아니다 Reichtum ist nicht alles. / 지금은 황금 ~의 세상이다 Heutzutage kann das Geld Wunder vollbringen.

‖ **~공**(工) vielseitiger Mechaniker, -s, -. **~선수** Allroundsportler *m.* -s, -; Allroundspieler *m.* -s, -. **~약** Allheilmittel *n.* -s, -; Universalmittel *n.* -s, -; Panazee *f.* -n.

만다라(曼陀羅) *Mandala* *n.* -(s), -s《범어》; mystisches Kreis- od. Vieleckbild der Buddhisten, Hilfsmittel zur Meditation.

만단(萬端) alle Art(en); alle Möglichkeiten《*pl.*》;《온갖 방법》alle (mögliche) Mitteln《*pl.*》. ¶ ~의 준비를 다하다 alles vor|bereiten; alle Vorkehrungen treffen*.

‖ **~개유**(改諭) alle mögliche Ermahnungen (Warnungen). **~설화**(說話) alle Arten Geschichten; Geschichten aller Art(en). **~수심**(愁心) Sorgen aller Art(en).

만담(漫談) lustige Geschichte, -n; Witz *m.* -es, -e. **~하다** Witze erzählen.

‖ **~가** Komiker *m.* -s, -; Spaßmacher *m.* -s, -; Witzbold *m.* -es, -e.

만당(滿堂) das volle Haus; die ganze Halle; der ganze Saal; die ganze Versammlung (Zuhörerschaft). ¶ ~의 갈채를 받다 den stürmischen Beifall des gesamten Publikums hervor|rufen*; den brausenden Beifall aller Zuhörer aus|lösen / ~하신 신사 숙녀 여러분 M-e Damen u. Herren! | M-e Herrschaften, die Sie hier versammelt sind! / ~은 물을 끼얹은 듯 조용해졌다 Es wurde still im Saal, so daß man e-e Nadel zum Boden fallen hätte hören können. / ~이 소연해졌다 Der ganze Saal geriet in Aufruhr.

만대(萬代) alle Generationen; lange Zeit; eine Ewigkeit. ¶ ~에 전하다 an alle Generationen weitergeben; ewig(lich) im Gedächtnis behalten.

만도(滿都) die ganze Stadt.

만돌린 〖악기〗 Mandoline *f.* -n. ¶ ~을 타다 Mandoline spielen.

만두(饅頭) Maultasche《*f.* -en》mit Gemüse- u. Fleischfüllung. ¶ ~를 빚다 gefüllte Maultaschen machen.

‖ **~소** Fleisch- u. Gemüsefüllung für Maultaschen. **고기~** mit Fleisch gefüllte Maultaschen. **팥~** mit kleinen roten Bohnenmus gefüllte Maultasche.

만득하다(晩得—) im hohen Alter ein Kind bekommen* (d.h. etwa ab vierzig Jahre).

만들다 ①《제조·요리》machen⁴; erzeugen⁴; hervor|bringen*⁴; produzieren⁴; her|stellen⁴; verfertigen⁴; an|fertigen⁴; bilden⁴; formen⁴; gestalten⁴; kochen⁴; zu|bereiten⁴. ¶ 상자를 ~ e-e Kiste zimmern / 나무로 책상을 ~ aus Holz e-n Tisch her|stellen / 자동차를 대량으로 ~ die Autos in Massen produzieren / 약초로 약을 ~ aus Heilkräutern Arzneimittel her|stellen / 쌀로 술을 ~ aus Reis den Reisbranntwein brennen* / 음식을 ~ ein Essen (Gericht) zu|bereiten / 영화를 ~ e-n Film drehen / 우리 회사에서는 배를 만들고 있다 Unsere Firma baut Schiffe. / 강철은 철로 만들어진다 Der Stahl wird aus Eisen hergestellt. / 무엇 좀 맛 있는 것을 만들어 주어야지 Ich werde dir was Schmackhaftes zubereiten.

②《되게 하다》zu ³*et.* (*jm.*) machen⁴; nötigen⁴; zwingen*⁴. ¶ 아무를 도둑으로 ~ *jn.* zum Dieb machen / 수술을 잘못 해서 병신으로 ~ *jn.* durch die fehlerhafte Operation zum Krüppel machen / 물러가도록 ~ *jn.* zwingen, zurückzutreten.

③《작성》an|fertigen⁴; verfertigen⁴; formen⁴; entwerfen*⁴; bilden⁴. ¶ 서류(계약서)를 ~ ein Schriftstück (e-n Vertrag) an|fertigen (entwerfen) / 초고를 ~ die erste Fassung nieder|schreiben*; e-n Entwurf an|fertigen.

④《건설》bauen⁴; errichten⁴; auf|bauen⁴; an|legen⁴. ¶ 길을 ~ e-e Straße an|legen (bauen) / 공원을 ~ e-n Park an|legen.

⑤《조직·창립》auf|bauen⁴; errichten⁴; gründen⁴. ¶ 회사를 ~ e-e Firma auf|bauen / 학교를 ~ e-e Schule bauen (errichten).

⑥《도야》aus|bilden⁴; erziehen*⁴. ¶ 사람을 ~ *jn.* zu e-m vernünftigen Menschen erziehen* / 선량한 시민으로 ~ *jn.* zum guten Bürger erziehen*.

⑦《조작》erfinden*⁴; erdichten⁴; ersinnen*⁴. ¶ 만든 이야기 e-e erfundene Geschichte / 만들어서 하는 말 reine Erfindungen《*pl.*》.

⑧《창조》schaffen*⁴; erschaffen*⁴. ¶ 태초에 하느님이 하늘과 땅을 만드셨다 Im Anfang schuf Gott Himmel u. Erde.

⑨《하게 하다》veranlassen*《*jn.* zu ³*et.*》; zwingen*⁴; lassen*⁴; machen⁴; nötigen⁴. ¶ 가게 ~ *jn.* nötigen, wegzugehen / 울게 ~ *jn.* weinen machen / 기계가 돌아가게 ~ die Maschine in Bewegung setzen / 자진해서 기부를 하게 ~ *jn.* zur freiwilligen Spende veranlassen.

만듦새 Bau|weise (Herstellungs-) *f.* -n (*od.* -art *f.* -en); Konstruktion *f.* -en; Struktur *f.* -en; Machart *f.* -en; Ausführung *f.* -en; Arbeit *f.* -en. ¶ 옷 ~가 좋다 Der Anzug hat e-n tadellosen Schnitt.

만록(漫錄) leichter Essay, -s, -s; zufällige

Bemerkung, -en; der komisch u. interessant dargestellter Essay.

만뢰구적하다(萬籟俱寂一) =만귀잠잠하다.

만료(滿了) Ablauf *m.* -(e)s, ⸚e; Exspiration *f.* -en; das Zu-Ende-bringen*, -s. ☞ 만기(滿期). **~하다** ab|laufen* Ⓢ; exspirieren; zu Ende bringen*[4].

‖ **~일** Verfallstag *m.* -(e)s, -e; Abschlußtag. 기한**~** Ablauf des Termins. 임기**~** Ablauf e-r Amtsperiode.

만류(挽留) Zurückhalten *n.* -s; Hinderung *f.* -en. **~하다** zurück|halten*; ab|halten*; ab|raten*. ¶ 싸우지 말라고 ~하다 *jm.* vom Streit zurück|halten* / 소매를 잡고 ~하다 *jn.* an den Ärmeln zurück|halten* / 사임을 ~하다 *jn.* von der Entlassung ab|raten*.

만류(灣流) 〖지리〗《멕시코의》 Golfstrom *m.* -(e)s, ⸚e.

만리(萬里) Tausende von [3]Meilen; e-e große Entfernung, -en. ¶ ~ 창파를 건너서 오다 aus Übersee kommen* Ⓢ; übers Meer kommen* Ⓢ.

‖ **~길** ein sehr langer (weiter) Weg, -(e)s, -e; e-e lange Reise, -n. **~장성** Chinesische Mauer. **~장천**(長天) der unendlich weite u. hohe Himmel, -s, -; Firmament *n.* -(e)s.

만만장이 e-e Person, mit der man leicht umgehen kann; Weichling *m.* -s, -e.

만만하다 ①《무르다》 weich; sanft; mild (sein).
②《다루기가》 leicht (einfach; nicht schwer) zu behandeln sein; gefügig; fügsam; gehorsam; folgsam (sein). ¶ 만만한 사람 e-e Person, mit der man leicht umgehen (fertig werden) kann; ein leicht zubehandelnder Mensch, -en, -en; ein gefügiger Mensch / 만만한 일 e-e leichte Arbeit, -en / 만만치 않은 상대를 만나다 auf e-n harten Gegner stoßen*; e-m schwierigen Gegenspieler begegnen / 그는 만만치 않다 Er ist ein harte Bursche.
③《대수롭지 않다》 unbedeutend; geringfügig; übersehbar (sein). ¶ 만만찮은 적(상대) ein starker (hartnäckiger) Feind (Gegner) / …을 만만하게 여기다 [4]*et.* für unbedeutend (geringfügig; übersehbar) halten*; etwas als unwichtig behandeln / 사람을 만만하게 보다 *jn.* gering|schätzen; *jn.* nicht beachten.

만만하다(滿滿一) voll《*von*[3]》; voller; bis zum Rande voll; überfüllt《*mit*[3]》(sein). ¶ 패기 ~ voller Ehrgeiz sein; unternehmungslustig sein / 야심 ~ voller Ehrgeiz sein; voller Ambitionen sein / 자신이 ~ sehr selbstsicher sein; sehr selbstbewußt sein/ 투지 ~ voller Kampfgeist sein; kampflustig (angriffslustig) sein.

만만히 ①《무르게》 weich; sanft. ②《쉽게》 leicht; bereitwillig. ¶ 그 여자가 ~는 떨어지지 않을 게다 Sie wurde dich nicht so leicht weggehen lassen. ③《우습게》 komisch; geringschätzig; nichtachtend. ¶ ~ 보다(여기다) [4]*et.* für komisch halten; [4]*et.* (*jn.*) geringschätzig behandeln / 그것 ~ 여길 일이 아니다 Die Sache ist nicht so leicht zu behandeln. / 내가 그렇게 ~ 보이느냐 Halten Sie mich für so unerfahren ?

만면(滿面) das ganze Gesicht, -es, -e. ¶ ~에 미소를 띄우고 über das ganze Gesicht lachend; mit vor [3]Freude strahlender Miene / 희색이 ~하다 vor Freude übers ganze Gesicht strahlen.

‖ **~수색**(愁色) ein sorgenvolles Gesicht: ~수색을 띄우다 ein sorgenvolles Gesicht zeigen. **~수참**(羞慚) das schamrote Gesicht: ~수참하다 vor Scham erröten Ⓢ. **~희색** vor Freude strahlendes Gesicht, -(e)s, -er.

만목(滿目) das ganze Blickfeld, -(e)s; der ganze Gesichtskreis, -es; soweit das Auge reicht.

만몽(滿蒙) 〖지리〗 Mandschurei u. Mongolei; Mandschu-Mongole.

만무방 die Lumpen《*pl.*》; die Schurken《*pl.*》; gemeine Menschen《*pl.*》.

만무하다(萬無一) nicht sein können; außer Frage stehen; kein Grund vorhanden sein. ¶ 네가 그것을 모를 리 ~ Ich kann nicht glauben, daß du davon nichts weißt. / 그럴 리가 ~ Das ist unmöglich. | Das kann nicht so sein. / 사실일 리가 ~ Das kann nicht wahr sein.

만문(漫文) ①《수필》 Essay *m.* -s, -s. ②《만필》 Notiz *f.* -e; Vermerk *m.* -(e)s, -e.

만물 aus dem Reisfeld das letzte Unkraut jäten.

만물(萬物) alle Dinge (Wesen)《*pl.*》; Schöpfung *f.*; (Welt)all *n.* -s; Universum *n.* -s; ganze Natur. ¶ 인간은 ~의 영장이다 Der Mensch ist die Krone der Schöpfung.

‖ **~박사** Doktor Allwissend *m.* - -s; jemand, der alles weiß. **~상**(商) Warenhaus *n.* -es, ⸚er; Kramladen *m.* -s, ⸚. 우주**~** die ganze Schöpfung im Universum.

만민(萬民) alle Menschen《*pl.*》; ganze Nation; ganzes Volk, -(e)s. ¶ ~은 그들의 운수에 만족하고 있다 Die Leute sind mit ihrem Los zufrieden.

‖ **~법** *jus gentium*《라틴》.

만반(萬般) alle Dinge (Sachen)《*pl.*》; alles*. ☞ 만단. ¶ ~의 준비를 갖추다 alle Vorbereitungen treffen*; alles vor|bereiten.

만반진수(滿盤珍羞) Das auf dem Tisch aufgetragene Festmahl.

만발(滿發) Blüte *f.* -n; volle Blüte; in voller Blüte. **~하다** in voller (höchster) Blüte sein (stehen* Ⓢ); in schönster Blumenpracht sein (stehen* Ⓢ); voll aufgeblüht sein. ¶ 창경원의 벚꽃이 ~하였다 Die Kirschbäume in *Changgyeongwon* sind in voller Blüte.

만방(萬方) alle Richtungen《*pl.*》; alle Wege《*pl.*》; alle mögliche Mittel《*pl.*》.

만방(萬邦) alle Nationen der Welt; Internationalität *f.*; Universalität *f.*

만병(萬病) allerlei Krankheiten《*pl.*》; alle Arten《*pl.*》Krankheiten. ¶ 감기는 ~의 근원이다 Die Erkältung kann zu allen Arten Krankheit führen.

‖ **~통치약** Allheil|mittel (Universal-; Wunder-) *n.* -s, -; das Mittel für alles; Panazee *f.* -n [..tsé:ən].

만병초(萬病草) 〖식물〗 e-e Art Rhododendron《*n.* (*m.*) -s, ..dren》; Alpenrose *f.* -n; *Rhododendron Fauriei* var. *rufescens* (학명).

만보(漫步) das Herumziehen*, -s; das Herumschlendern*, -s; kleiner Spaziergang, -(e)s, ⸚e. **~하다** herumschlendern; bummeln; wandern; umherstreifen.

만복(滿腹) Sattheit *f.*; Sättigung *f.* -en; der volle Magen, -s. ¶ ~되도록 먹다 satt werden; [4]sich sättigen; [4]sich satt (voll) essen*; genug gegessen haben; den Appetit befriedigt haben.

‖ ~감 das Gefühl ⟪-(e)s, -e⟫ der Sattheit; Sättigungsgefühl *n.* -(e)s, -e.

만복(滿福) großes Glück, -(e)s; das glücklichste Geschick, -(e)s. ¶ 댁내의 ~을 빕니다 Ich wünsche Ihrer Familie alles Glück (alles Gute).

만부당(萬不當) =천만부당.

만분지일(萬分之一) e-r von zehntausend; ein Zehntausendstel; Bruchteil *m.* -s, -e. ¶ 은혜의 ~이라도 보답할까 합니다 Ich möchte wenigstens e-n Bruchteil Ihrer Freundlichkeit wieder gutmachen.

만사(萬事) alle Dinge ⟪*pl.*⟫; jede Sache, -n; alles*; jedes*. ¶ ~에 (있어서) in allen [3]Dingen; in jeder [3]Hinsicht; gänzlich(전적으로); völlig / ~에 마음 쓰다 auf alles achtsam sein; immer umsichtig handeln (aufmerksam sein) / ~에 아는 체를 하고 나서다 an allem [4]*et.* wissen*; in allem [4]*et.* suchen / ~가 뜻대로 되지 않는다 Alles geht mir schief.¦Es geht nichts nach Wunsch. / ~를 터득하고 있다 ein offenes Auge für alles haben (전반적인 이해); ganz orientiert sein ⟪über [4]*et.*⟫ (어떤 일에 대한 이해) / ~형통이다 Alles geht gut.¦Es geht mit allem gut. / ~휴의다 Ich bin verloren (nicht zu retten).¦Alles ist verloren (vorbei).¦Es ist um mich geschehen. / ~를 부탁합니다 Ich stelle Ihnen alles anheim.¦Ich vertraue Ihnen alles an. / 인간 ~ 돈이면 다 된다 Für Geld bekommt man alles.¦Geld regiert die Welt. / ~ 제폐하시고 참석하여 주십시오 Ich bitte Sie, uns gütigst mit Ihrer Anwesenheit zu beehren.

만사여의하다(萬事如意一) alles geht so, wie man es sich wünscht; alles geht gut.

만사태평(萬事太平) ⟪잘 됨⟫ das allgemeine Wohlergehen*, -s; ⟪무격정·태연⟫ Sorglosigkeit *f.* ~하다 alles geht gut; sorglos sein.

만사형통(萬事亨通) das Gedeihen in allen Dingen; allgemeine Wohlfahrt *f.*; Wohlstand *m.* -(e)s. ~하다 alles geht gut; alles ist günstig.

만삭(滿朔) (die letzten Monate der) Schwangerschaft *f.* -en; die letzten Monate vor Entbindung. ~하다 die Zeit der Entfindung ist nahe. ¶ 그녀는 지금 ~이다 Sie befindet sich kurz vor Entfindung.¦Sie ist im letzten Monat.

만산(滿山) der ganze Berg voll; das ganze (buddhistische) Kloster, -s, ⸚; die Gesamtheit der Mönche e-s buddhistischen Klosters. ~하다 der ganze Berge ist voll von[3].

만상(萬象) alle Dinge (Naturen; Wesen) ⟪*pl.*⟫; alles*, was existiert; ganze Schöpfung *f.*; Weltall *n.* -s; Universum *n.* -s.

만석꾼(萬石一) jemand (e-r), der 10,000 Scheffel Getreide hat; Millionär *m.* -s, -e.

만성(晩成) die späte Entwicklung zur Reife; das langsame Reifen. ~하다 spät reifen; langsam zur Reife kommen*; spät reif werden. ¶ 대기(大器)는 ~한다 Ein großes Talent reift spät.

만성(慢性) chronische Natur. ¶ ~의, ~적 chronisch; eingewurzelt; hartnäckig; langwierig; schleichend / ~적 실업 chronische Arbeitslosigkeit, -en / ~이 되다 chronisch werden; e-n chronischen Verlauf nehmen*; in e-n chronischen Zustand über|gehen* (s); Wurzel fassen / 나의 천식은 ~입니다 Ich habe ein chronisches Asthma. / 그의 음주벽은 ~이다 Er ist ein Gewohnheitstrinker.

‖ ~병 e-e chronische Krankheit, -en. ~위장병 e-e chronische Magenbeschwerde, -n. ~인플레 e-e chronische (anhaltende) Inflation, -en. ~전염병 e-e chronische Infektionskrankheit, -en. ~후두염 e-e chronische Kehlkopfentzündung, -en.

만세(萬世) alle Geschlechter (Generationen) ⟪*pl.*⟫; Ewigkeit *f.* ¶ ~ 불변의 ewig; unvergänglich; unabänderlich / ~에 이르도록 durch alle Generationen hindurch / ~에 전하다 durch alle Generationen über|liefern[4] / 그의 업적은 ~에 길이 남을 것이다 S-e großen Leistungen werden von allen kommenden Generationen nicht vergessen werden.

만세(萬歲) ① ⟪만년⟫ zehntausend Jahre; e-e lange Zeit, -en. ② ⟪외침⟫ Hoch *n.* -s, -rufe; Hochruf *m.* -(e)s, -e; Hurra *n.* -s, -s; Hurrageschrei *n.* -(e)s; Hurraruf; hoch!; hurra! ¶ ~ 삼창하다 ein dreifaches Hoch (Hurra) aus|bringen*; dreimal hurra rufen* / 국왕 ~ Hoch lebe der König!¦S-e Majestät der König, hurra! / 우리 아빠 ~ Unser Papa, hurra! / 휴가 ~ Juchhe, der Urlaub!

만수(滿水) ¶ ~가 되다 bis zum Rande mit Wasser füllen; bis an den Rand mit Wasser voll sein.

만수(萬壽) ein langes Leben.

‖ ~무강 ein gesundes und langes Leben: ~무강하다 lang leben; langes Leben genießen*; [4]sich e-s langen Lebens erfreuen.

만수받이 ① ⟪무당의⟫ die echomäßige Wiederholungen der Lieder, die von e-r anderen *Mudang* (Geisterbeschwörerin od. Wahrsagerin) gesungen werden. ② ⟪좋게 받아줌⟫ die Großzügigkeit, die *js.* schlechtes Benehmen verzeiht (hinübersieht).

만시지탄(晩時之嘆) die verspätete Reue, -n; das Bedauern ⟪-s⟫ über die verpaßte Gelegenheit.

만신 Sibille *f.* -en; Wahrsagerin *f.* -rinnen; Geisterbeschwörerin *f.* -rinnen.

만신(滿身) der ganze Körper, -s, -. ¶ ~에 am ganzen Körper; von Kopf bis zu Fuß (den Sohlen; Zeh); vom Kopf bis zu den Füßen; vom Scheitel bis zur Sohle / ~의 힘을 다하여 mit (unter) [3]Aufgebot all s-r (letzten) Kräfte; aus allen Kräften; aus Leibeskräften; mit aller (ganzer) Gewalt/ ~창이(瘡痍)다 übers ganze Körper mit Wunden bedeckt sein; bankrott sein.

만심(慢心) Dünkel *m.* -s; Anmaßung *f.* -en; Arroganz *f.*; Hochmut *m.* -(e)s; der falsche Stolz, -es; Überheblichkeit *f.* -en. ~하다 dünkelhaft sein ⟪*auf*[4]⟫; [4]sich an|maßen[2]; arrogant (hochmütig; überheblich) sein ⟪*auf*[4]⟫; falschen Stolz hegen (haben). ¶ 그의 ~을 꺾어 줄 테다 Wir werden ihm den falschen Stolz schon austreiben. / 약간의 성공으로 ~하다 [3]sich auf den bißchen Erfolg viel ein|bilden / 그는 ~하고 있다 Er bildet sich viel darauf ein.

만안(萬安) Friede *m.* -ns, -n; Ruhe *f.*; Sorglosigkeit *f.* -en; Wohlergehen *n.* -s; Gesundheit *f.* -en. ~하다 in Frieden u. Freud sein; Frieden halten*; ruhig; friedlich;

ungestört; bei guter Gesundheit (sein). ¶ ~하시기 바랍니다 (Ich wünsche Ihnen) alles Gute!

만약(萬若) =만일.

만연(蔓延) Umsichgreifen n. -s; Verbreitung f. -en. ~하다 um [4]sich greifen*; [4]sich verbreiten; anwachsend kein Ende finden*. ¶ 전염병의 ~ die Verbreitung der Infektionskrankheit / 병의 ~을 막다 die Seuche ein|dämmen / 전염병이 지금 인도에 ~하고 있다 Die Seuche verbreitet sich zur Zeit in Indien.

만연히(漫然—) ① 《목적없이》 ziel¦los (plan-; system-; zweck-); ohne [4]Ziel; aufs Geratewohl; desultorisch; unmethodisch; unsystematisch; unzusammenhängend. ¶ ~ 독서하다 wahllos lesen*[(4)]. ② 《맺힌데 없이》 locker; lose. ③ 《질펀히》 langatmig; umständlich; weitschweifig.

만용(蠻勇) blinder (verwegener) Mut, -(e)s; Tollkühnheit f.; Verwegenheit f.; Wagehalsigkeit f. ¶ ~을 부리다 tollkühn (wagehalsig) sein; verwegen (gewalttätig) handeln / ~부리는 사람 Wag(e)hals m. -es, ⸚e.

만원(滿員) das Überfülltsein*, -s; 《극장의》 das volle Haus, -es, ⸚er; 《회장 따위의》 Fassungsraum m. -(e)s, ⸚e; Fassungsvermögen n. -s; 《게시》 „Vollbesetzt!"; „Ausverkauft!" ¶ ~의 관객 das Publikum in dem ausverkauften Haus / ~을 이루다 übervoll (überfüllt; vollgestopft) sein / ~패를 달다 den Schild „Ausverkauft!" aus|hängen / 버스마다 ~이었다 Jeder Bus war überfüllt. / 어느 여관도 초~이었다 Kein Hotel hatte ein einziges freies Zimmer. / 우리가 탄 찻간은 입추의 여지도 없는 ~이었다 In dem Wagen waren wir wie Viecher zusammengepfercht.

‖ ~버스 der überfüllte Bus, -ses, -se.

만월(滿月) Vollmond m. -(e)s. ¶ 지난 밤은 ~이었다 Gestern abend hatten wir Vollmond.

만유(萬有) (ganze) Natur (Schöpfung); Universum n. -s; Weltall n. -s; Kosmos m. -.

‖ ~인력 allgemeine (universale) Gravitation: ~인력의 법칙 das Gesetz der allgemeinen Gravitation. ~신론 Pantheismus m. -. ~내재신론 Panentheismus m. -.

만유(漫遊) Vergnügungs¦reise (Lust-) f. -n; Tour [tu:r] f. -en. ~하다 e-e Vergnügungsreise usw. machen (unternehmen*). ¶ 세계를 ~하다 e-e Vergnügungsreise durch die Welt unternehmen*.

‖ ~객 der Vergnügungs¦reisende* (Lust-) -n, -n; Tourist m. -en, -en. 세계 ~자 Welt(en)bummler (Globetrotter) m. -s, -.

만이(蠻夷) der Wilde*, -n, -n; Barbar m. -en, -en; Vandale m. -n, -n; Ausländer m. -s, -; roher, unwissender Mensch, -en, -en; Unmensch m. -en, -en.

만인(萬人) alle Menschen 《pl.》; alle Leute 《pl.》; jeder*; jedermann*. ¶ 그것은 ~이 인정하는 바이다 Alle Welt erkennt das an.¦Das erkennt jedermann an. / ~의 마음에 들 수는 없다 Man Kann nicht jedermann gefallen.

만인(蠻人) Barbar m. -en, -en; der Wilde*, -n, -n; Ureinwohner m. -s, - (원주민).

만일(萬一) ① 《뜻밖의 일》 Eventualität f. -en; Notfall m. -(e)s, ⸚e. ¶ ~의 경우에는 im Notfall; notfalls / ~의 경우에 대비하다 [4]sich gegen alle Eventualität schützen; [4]sich auf alle Eventualitäten vor|bereiten / ~을 믿다 auf den Glücksfall hoffen; s-m Glück vertrauen / ~에 대비하여 저축하다 für den Notfall sparen[4] / 나에게 ~의 경우가 생기면 Falls mir etwas zustößt, ... / ~의 경우에는 네 형보고 도와달라고 해다 Bitte im Notfall d-n Bruder um Hilfe!

② 《만약》 wenn; falls; im Falle, daß....

(**a**) 〔현재·장래에 관해서의 바람, 가정〕 ¶ ~ 괜찮으시다면 wenn es Ihnen recht ist / ~ 내일 비가 오면 나는 안갑니다 Wenn es morgen regnet, komme ich nicht. / ~ 그 소문이 사실이라면 신문이 보도할테지 Wenn das Gerücht der Wahrheit entspricht, wird die Zeitung darüber berichten.

(**b**) 〔현재의 사실에 반대의 가정·상상〕 ¶ ~ 내가 자네라면 이 집을 살텐데 Wenn ich du wäre, würde ich das Haus kaufen. / ~ 자네가 내 입장에 처한다면 어떻게 하겠나 Was würdest du tun, wenn du in m-r Lage wärest? / ~ 그렇다면 나는 얼마나 행복할까 Wie glücklich würde ich sein, wenn es so wäre? / ~ 그 못된 버릇만 없다면 그를 추천할텐데 Ich hätte ihn empfohlen, wenn er nicht jene schlechte Gewohnheit hätte. / ~ 태양이 없다면 아무 것도 생존 못할 게다 Ohne die Sonne könnte nichts am Leben bleiben.

(**c**) 〔실현성이 적은 현재·미래의 일〕 ¶ ~ 누가 100만원 준다고 한다면 무얼 하겠읍니까 Nehmen wir an, daß jemand Ihnen e-e Million *Won* gibt! Was würden Sie damit tun?

(**d**) 〔현재·미래에 관해서의 강한 의심〕 ¶ ~ 비가 온다 하더라도 나는 가겠읍니다 Wenn es auch regnen sollte, komme ich. / ~ 그렇게 해주신다면 대단히 고맙겠읍니다만 Ich wäre Ihnen sehr verbunden, wenn Sie mir den Gefallen tun würden.

(**e**) 〔과거의 사실에 반하는 가정·바람〕 ¶ ~ 또 한번 해보았더라면 그는 성공했을지도 모른다 Wenn er noch einmal versucht hätte, wäre es ihm vielleicht gelungen. / ~ 당신의 도움이 없었다면 나는 실패했을 테죠 Ohne Ihre Hilfe wäre ich gescheitert. / ~ 마음대로 고를 수 있었다면 자넨 무슨 직업을 택했을까 Welchen Beruf hättest du ergriffen, wenn dir die Wahl frei gestanden wäre?

만입(灣入) Bai f. -en; Bucht f. -en; Golf m. -(e)s, -e; Meerbusen m. -s, -. ~하다 e-e Bucht (e-n Golf) bilden. ¶ 바다는 육지에 깊이 ~해 있다 Das Meer ist tief ins Land eingegriffen.

만자(卍字) Swastika f. ..ken; Swastikakreuz n. -es, -e; Gnostikermuster n. -es, -e. ¶ ~무늬 das Swastikakreuzmuster.

‖ ~창(窓) das Fenster mit Swastikamuster.

만장(萬丈) zehntausend Klafter Tiefe (Höhe) f. -n; unendliche Höhe (Tiefe). ¶ ~(의) 기염 großer Erguß, -es, ⸚e; große Vehemenz / ~의 기염을 토하다 das große Wort führen; auf|schneiden*; e-n übermütigen(hochmütigen) Ton an|schlagen* / 황진 ~의 거리다 Die Straßen sind voller Staubwolken.

‖ ~봉(峯) himmelhohe Bergspitze f. -n.

만장(輓章·挽丈) Trauerlied n. -s, -er; Trauergedicht n. -s, -e; Elegie f. -n(비가); Klagelied n. -s, -er; der Wimpel, worauf Trauerlied geschrieben steht.

만장(滿場) das ganze Haus, -es; der ganze

Saal, -(e)s; die ganze Halle; die ganze Versammlung; die ganze Zuhörerschaft. ¶ ~의 갈채를 받다 stürmischen (brausenden; tosenden; frenetischen) Beifall ernten (finden*).

만장이 großes Holzschiff 《n. -s, -e》 mit vorspingendem Bug.

만장일치(滿場一致) Einstimmigkeit *f.* -en. ¶ ~로 einstimmig; einmütig; ohne e-e einzige Gegenstimme / ~로 가결하다 einstimmig beschließen*⁴ / 수정안은 ~로 가결되었다 Der Änderungsantrag wurde einstimmig angenommen.

만재(滿載) die volle Ladung, -en. **~하다** voll geladen (beladen) sein 《*mit*³》; e-e volle Ladung haben; voll besetzt sein 《*von*³》. ¶ 철근을 ~하고 mit Eisenbarren 《*pl.*》 voll beladen / 승객을 ~하다 von Fahrgästen voll besetzt sein; von Fahrgästen überfüllt sein.

‖ **~흘수선**(吃水線) Tiefladelinie *f.* -n.

만적거리다 fingern; herum|spielen; berühren; an|fassen; an|rühren; betasten. ¶ 넥타이를 ~ an der Krawatte fingern / 열쇠를 ~ mit dem Schlüssel herumspielen/ 시계를 고장날 때까지 ~ solange an e-r Uhr herum spielen, bis sie kaputt ist.

만적만적 herumspielend; herumfingernd; umhertappend; umherfühlend. **~하다** herumpfuschen; herum|spielen; tändeln.

만적이다 =만적거리다.

만전(萬全) vollkommene Sicherheit *f.*; Vollkommenheit *f.* ¶ ~의 sicher; perfekt; absolut (ganz; vollkommen); sicher; unfehlbar / ~지계(之計), ~지책(之策) ein vollkommener Plan, -(e)s, ⸗e; der absolut sicherer Plan; die perfekte Maßnahme, -n / ~을 기하다 alle mögliche Vorkehrungen treffen* / ~책을 강구하다 die allersichersten Maßnahmen treffen* (ergreifen*).

만점(滿點) ① 《백점》 die beste Note, -n; die beste Zensur, -en. ¶ ~을 받다 die beste Note (Zensur) erhalten* / ~을 주다 die beste Note (Zensur) erteilen (geben*) / 백점 ~으로 채점하다 nach dem 100 Punkte-System zensieren⁴. ② 《그만임》 Vollkommenheit *f.* -en. ¶ ~이다 vollkommen (perfekt; makellos; tadellos) sein / 서비스 ~이다 Die Bedienung ist vollkommen. / 이만하면 ~ Damit kann man hochzufrieden sein. / 국회에서의 그의 연설은 ~이었다 S-e Rede in dem Bundestag verdiente die beste Note.

만져보다 fingern; berühren; an|fassen; an|rühren; tasten; betasten. ¶ 손가락으로 ~ nach³ tasten / 만져 보니 차갑다 Es ist kalt anzufassen.

만조(滿朝) der ganze Hof, -(e)s, ⸗e.

‖ **~백관** die ganze Hofleute 《*pl.*》; der ganze Hof.

만조(滿潮) Flut *f.* -en; Hochflut *f.* -en. ¶ ~시에 in der Flutzeit / ~가 되어간다 Es flutet. ¦ Die Flut steigt.

만조하다 schäbig; unansehnlich; häßlich; schlampig (sein).

만족(滿足) Zufriedenheit *f.*; Befriedigung *f.* -en; Genügsamkeit *f.*; Genugtuung *f.* -en. **~하다** 《mit ³*et.*》 zufrieden; zufriedengestellt (befriedigt) (sein); 《*mit*³》 ⁴sich zufrieden geben*. ¶ ~히 《충분히》 genug; vollauf; zur Genüge; zur Zufriedenheit; 《완전히》 vollständig; vollkommen; 《적당히》 angemessen; anständig; ordentlich / ~하여 zufrieden; befriedigt; zufriedengestellt; mit Zufriedenheit / ~케 하다 zufrieden|stellen 《*jn.*》; *jn.* befriedigen; *jm.* genügen; *jm.* Genüge tun*; *js.* Wunsch erfüllen; k-n Wunsch offen lassen* / 야심을 ~시키다 s-n Ehrgeiz befriedigen / ~의 뜻을 표하다 s-e Zufriedenheit (Genugtuung) zum Ausdruck bringen* / 나는 그 결과에 ~하였다 Ich war mit dem Ergebnis zufrieden. / 이것이면 틀림없이 ~하실테죠 Damit werden Sie sich sicher zufrieden geben. / 그것은 모두에게 ~이 가도록 해결되었다 Das Problem wurde zur Zufriedenheit aller gelöst.

‖ **~감** (das Gefühl der) Befriedigung (Genugtuung; Zufriedenheit). 자기**~** Selbstzufriedenheit *f.*

만족(蠻族) das wilde Volk, -s, ⸗er; der wilde (barbarische) Stamm, -s, ⸗e; Ureinwohner *m.* -s, -.

만종(晩鐘) Abend¦glocke (Vesper-) *f.* -n; das Abendläuten*, -s.

만좌(滿座) ganze Versammlung; alle Anwesende* 《*pl.*》; alle Versammelte* 《*pl.*》. ¶ ~중에(서) vor allen Anwesenden (Versammelten); vor ²aller ³Augen / ~중에서 창피를 당하다 vor aller Augen (öffentlich) blamiert (bloßgestellt) werden.

만주(滿洲) Mandschurei *f.* ¶ ~의 mandschurisch.

‖ **~말** Mandschu *n.* -(s); das Mandschurische*, -n. **~문자** das mandschurische Alphabet, -(e)s. **~사람** Mandschu *m.* -(s), -(s).

만지(蠻地) das wilde Land, -s; das unkultivierte Land; 《황무지》 Wildnis *f.* ..nisse; Wüste *f.* -n.

만지다 berühren⁴; an|fühlen⁴; an|rühren⁴; an|tasten⁴; befühlen⁴; betasten⁴; fühlen⁽⁴⁾ 《*auf*⁴》. ¶ 책을 ~ das Buch berühren / 수염을 ~ ³sich den Bart streichen* / 만져 보니 찼다 (껄껄했다, 미끈했다) Das fühlte sich kalt (rauh, glatt) an. / 어깨를 (팔을) 만지지 말라 Faß mir doch nicht an den Schultern (am Arm)! / 만지지 마시오 《게시》 Nicht berühren!

만지작거리다 (be)fühlen⁴; an|fühlen⁴; befingern⁴; berühren⁴; betasten⁴; handhaben⁴; spielen 《*mit*³》. ¶ 콧수염을 ~ mit dem Schnurrbart spielen.

만지작만지작 herumfingernd; umherfühlend; herumspielend; tändelnd.

만질만질하다 ⁴sich weich an|fühlen. ¶ 만질만질한 명주 weiche Seide, -n.

만찬(晩餐) Abendmahl *n.* -(e)s, -e (⸗er); Festmahl *n.* -(e)s, -e (⸗er); Diner [..né:] *n.* -s, -s. ¶ 최후의 ~ das letzte Mahl (Christi) / ~에 초대하다 *jn.* zum Festmahl ein|laden* / ~을 들다 dinieren; festlich zu Abend essen*; das Festmahl ein|nehmen*.

‖ **~회**(를 베풀다) e-e Abendgesellschaft (ein Festmahl; e-e Soiree [soaré:]) (geben* (veranstalten)).

만천하(滿天下) die ganze Welt, -en. ¶ ~에 auf der ganzen Welt; überall in der Welt; unter der Sonne; über die ganze Erde hin / ~에 이름을 떨치다 s-n Namen in der Welt bekannt machen; weltberühmt werden / ~에 알려지다 ⁴sich über die ganze Erde hin verbreiten; weltbekannt werden / 이 사실은 ~에 알려져 있다 Die ist e-e weltbekannte Tatsache.

만초(蔓草) Kletter¦pflanze (Schling-; Ranken-) *f.* -n.
만추(晩秋) Spätherbst *m.* -es, -e; später Herbst; Herbstende *n.* -s, -n. ¶ ~에 gegen Ende des Herbstes; im späten Herbst; im Spätherbst; spät im Herbst.
만춘(晩春) Spätfrühling *m.* -s, -e; später Frühling; Frühlingsende *n.* -s, -n. ¶ ~에 gegen Ende des Frühlings; im späten Frühling; im Spätfrühling; spät im Frühling.
만취(滿醉·漫醉) totale (vollständige) Besoffenheit *f.*; sinnlose Betrunkenheit *f.* ~하다 ⁴sich sinnlos betrinken*; total besoffen (betrunken) sein. ¶ ~한 사람 der Betrunkene*, -n; der Besoffene*, -n, -n / 그는 ~해 있다 Er ist sternhagelvoll (blau wie Märzveilchen).
만큼 ① 《비교》 so... wie...; ebenso... wie...; 《부정》 nicht so... wie...; weniger... als.... ¶ 오늘은 어제~ 춥지 않다 Heute ist es nicht so kalt wie gestern. / 노력한 ~의 보답은 있었다 Das Ergebnis lohnte die Mühe. / 너도 그 사람~ 할 수 있다 Du kannst es auch so gut machen wie er. / 누구는 너~ 못해서 Denkst du, ich könnte es nicht so gut machen wie du? / 나도 하기만 하면 그 사람~ 한답니다 Wenn ich nur will, kann ich es auch genau so gut machen wie er. / 이것도 그것~ 좋다 Dies ist genau so gut wie das. / 걱정했던 것 ~ 나쁘지 않다 Es ist nicht so schlimm, wie ich gefürchtet habe. / 그는 겉보기~ 나이를 먹지 않았다 Er ist nicht so alt, wie er aussieht. / 이~ 재미있는 책은 없다 Ich habe kein interessanteres Buch gelesen wie dieses. / 쇠~ 유용한 금속은 없다 Kein Metall ist so nützlich wie das Eisen. / 이 곳에서 저 사람~ 프랑스말을 잘 하는 사람은 없다 Niemand kann hier so gut Französisch wie er. / 사람을 기다리는 것 ~ 힘드는 일은 없다 Es ist nicht so Schwieriges wie auf jemand warten.
② 《정도》 soviel; so sehr; genug, um... zu.... ¶ 그(이)~ soviel wie das (dies); bis zu diesem Grade / 얼마 ~ wieviel; bis zu welchem Grade / 큰 집을 지을 ~ 돈이 없다 Ich habe nicht genug Geld, um ein großes Haus bauen zu können. / 이젠 싫증날 ~ 먹었다 Ich habe es so oft gegessen, daß ich es jetzt satt bin. / 그는 일어서지 못할 ~ 술이 취했다 Er war so betrunken, daß er nicht aufstehen konnte. / 우리 할아버지는 남아 돌아갈 ~ 돈이 있다 Mein Großvater hat Geld mehr als genug. / 변통할 수 있는 ~의 돈을 꾸어주었다 Ich habe ihm soviel Geld geliehen, wie ich es aufbringen konnte. / 나는 송선생에게 충고할 ~ 친하지 않다 Ich bin mit Herrn *Song* nicht so befreundet, als daß ich ihm e-n Rat geben könnte.
③ 《…이니까》 da; weil; zumal; im Hinblick auf⁴. ¶ 막내딸인 ~ 그녀는 몹시 사랑을 받았다 Sie wurde sehr geliebt, da sie die jüngste war. / 직업이 직업이니 ~ 복장을 화려하게 입어야 한다 Im Hinblick auf m-n Beruf muß ich mich etwas bunt kleiden. / 세상 구경을 많이 한 ~ 그는 분별이 있다 Er ist vernünftig, weil er viel von der Welt gesehen hat. / 이때까지 많이 논 ~ 이젠 공부해야 한다 Ich muß jetzt lernen, zumal ich in letzter Zeit viel versäumt habe.
만큼만 (genau) so viel (wie).
만판 《그저》 völlig; lediglich; nur; ausschließlich. ¶ ~ 놀고만 있다 Er amüsiert sich nur. ¦ Er vertrödelt völlig s-e Zeit mit Spielen.
만평(漫評) Glosse *f.* -n; die spöttische Randbemerkung, -en; der kritische Streifzug, -(e)s, ⸗e; die launenhafte Kritik, -en. ~하다 glossieren⁴; über⁴ s-e Glossen machen; mit Glossen versehen*⁴; über⁴ spöttische Randbemerkungen machen.
‖시사~ politische Glosse, -n; Notiz 《*f.* -en》 über die aktuellen Fragen.
만풍(蠻風) Barbarei *f.* -en; Rohheit *f.* -en; die Gewohnheit des Wilden *m.* -en, -en. ¶ ~의 barbarisch; roh; wilde / ~을 일소하다 die Barbarei (Rohheit) ausrotten.
만필(漫筆) Gedankensplitter 《*pl.*》; Allerlei *n.* -s, -s; Miszellaneen 《*pl.*》; Miszellen 《*pl.*》; das Vermischte* (Verschiedene*) -n; die vermischten Schriften 《*pl.*》.
만하(晩夏) Spätsommer *m.* -s, -; der späte Sommer, -s, -; das Ende 《-s, -n》 des Sommers. ¶ ~지절(之節)에 gegen Ende des Sommers.
만하다 ① 《족하다》 genug sein, um ⁴*et.* zu tun. ¶ 쉴 만한 공원 ein Park in dem man (sich) gut ausruhen kann / 먹을 ~ genießbar (eßbar) sein / 아들을 대학에 보낼 만한 재산이 있다 Er ist reich genug, um s-n Sohn auf die Universität zu schicken.
② 《가치가 있다》 wert²·⁴ sein; würdig²·³·⁴ sein; verdienen; ⁴sich lohnen. ¶ 읽을 ~ lesenswert sein / 칭찬할 ~ den Lob verdienen / 입을 ~ kleidsam (tragbar) sein / 만날 만한 사람이다 Es lohnt sich, ihn zu treffen. / 그는 믿을 만한 사람이다 Er ist unseres Vertrauens wert. ¦ Er verdient unser Vertrauen. / 살 ~ Es lohnt sich, das zu kaufen. / 볼 만도 하고 들을 만도 했다 Es war sowohl sehens- wie hörenswert. / 그 전람회는 볼 ~ Die Ausstellung ist sehenswert. ¦ Die Ausstellung lohnt e-n Besuch.
③ 《때가》 ein gewisses Stadium (e-e gewisse Etappe) erreichen, wo man ⁴*et.* tun kann. ¶ 그는 한창 일할 만한 나이에 죽었다 Er starb gerade in dem Alter, wo er nun s-e Aktivität entfalten konnte.
-만하다 《정도》 etwa so; ungefähr so; so groß (klein) wie. ¶ 새알만하다 die Größe eines Vogeleis haben; so klein wie ein Vogelei sein / 호랑이만하다 so groß wie ein Tiger sein / 키가 이만하다 Er ist etwa so groß. / 오늘은 이만하자 So weit für heute. ¦ Und nun genug für heute. ¦ Das wär's für heute. / 그만한 것쯤은 알고 있다 So viel weiß ja auch ich.
만하바탕 das Bröschen; die Kalbsmilch, die benutzt wird, um *Seolleongtang* zu kochen.
만학(晩學) das Lernen* 《-s》 (das Studium, -s, ..dien) im späteren Alten. ~하다 lernen⁽⁴⁾ (studieren⁽⁴⁾) im späteren Alter. ¶ 그는 ~이다 Er begann im späteren Alter zu studieren. ¦ Er ist ein alter Student. / 어학은 ~으로는 제대로 되지 않는다 Im späteren Alter wird aus Sprachstudium nichts Gescheites.
만학(萬壑) ein tiefes Tal *n.* -es, ⸗er; ein abgelegener Teil in den Bergen.

‖ ~천봉(千峰) steile Berge u. dunkle Täler.

만행(萬幸) ein großes Glück *n.* -(e)s; glücklicher Zufall *m.* -s, ⸗e. ~하다 sehr glücklich sein. ¶ ~으로 durch e-n glücklichen Zufall.

만행(蠻行) Barbarei *f.* -en; Brutalität *f.* -en; Grausamkeit *f.* -en; Gräßlichkeit *f.* -en; Vandalismus *m.* -, ..men; Gewalttätigkeit *f.* -en (폭행). ¶ 그들의 ~을 규탄하다 ihre Gewalttätigkeiten verurteilen; ⁴sie wegen ihrer Gewalttätigkeiten an|klagen.

만혼(晩婚) e-e späte Heirat (Verheiratung) -en. ~하다 spät heiraten⁽⁴⁾. ¶ 저 부부는 ~이다 Das Ehepaar heiratete spät.

만홀(漫忽) Vernachlässigung *f.* -en; Nachlässigkeit *f.* -en; Unterlassung *f.* -en. ~하다 nachlässig; unachtsam 《*auf*⁴》 (sein). ¶ ~히 unachtsam; nachlässig.

만화 Milz 《*f.* -en》 u. Bauchspeicheldrüse 《*f.* -n》.

만화(慢火) gelindes (schwaches) Feuer, -s, -.

만화(漫畫) Karikatur *f.* -en; Scherz|bild (Spott-; Zerr-) *n.* -(e)s, -er; Scherzzeichnung *f.* -en; Comics (Komiks) 《*pl.*》; Comic Strip (Komik Strip) *m.* --, --s. ¶ ~로 그리다 karikieren⁴.

‖ ~가 Karikaturist *m.* -en, -en; Karikaturenzeichner *m.* -s, -. ~ 신문 Witzblatt *n.* -(e)s, ⸗er.

만화경(萬華鏡) Kaleidoskop *n.* -s, -e.

만화방창(萬化方暢) üppiges Wachstum 《*n.* -s》 im Frühling 《*m.* -s, -e》. ~하다 《im Frühling》 alle Vegetation üppig wachsen.

만회(挽回) Wieder|herstellung *f.* -en; Wieder|erlangung *f.* -en (-gewinnung *f.* -en; -nahme *f.*). ~하다 wieder|her|stellen⁴; wieder|gewinnen⁴(-|erlangen⁴; -|nehmen*⁴; -|ein|bringen*⁴); auf|holen⁴; nach|holen⁴; wieder|gut|machen⁴. ¶ ~하기 어려운 unwiederbringlich; nicht wiedererlangbar (wiederherstellbar); unersetzbar; unersetzlich / 가운(家運)을 ~하다 s-e häuslichen Verhältnisse wieder|her|stellen / 손실을 ~하다 den Verlust auf|holen (wieder|gut|machen) / 퇴세를 ~하다 den Rückstand auf|holen / 이 승부는 ~할 수 없다 Dieses Spiel ist nicht mehr zu gewinnen.¦Dieses Spiel ist so gut wie verloren.

‖ ~책(策) die Maßnahme 《-n》 zur Wiederherstellung; das Mittel 《-s, -》 zum Aufholen.

많다 ① 《수가》 viel 《mehr, meist》; zahlreich; 《양이》 viel (sein); 《수·양이》 reichlich vorhanden sein; reich an ³*et.* sein. ¶ 많은 《수가》 viel 〔수식어적 용법에서 형용사 변화〕; zahlreich; 《양이》 viel 〔대부분의 경우 불변화〕; 《수·양이》 e-e Menge 《*von*³》; e-e Fülle 《*von*³》; beträchtlich / 많은 사람 viele Leute; e-e Menge Leute / 많은 물 viel Wasser; e-e Menge Wasser / 많은 노력 viel Arbeit / 이 곳은 비가 ~ Wir haben hier sehr viel Regen. / 많으면 많을수록 좋다 Je mehr, desto besser. / 못에 물고기가 ~ Es gibt e-e Menge Fisch in dem Teich. / 미국에는 석유가 ~ Amerika ist reich an Öl.¦In Amerika kommt reichlich Öl vor. / 한국에는 경치 좋은 곳이 ~ In Korea haben wir e-e Fülle von landschaftlich schönen Orten. / 이 경험으로 우리는 많은 것을 배웠다 Aus dieser Erfahrung haben wir viel gelernt.

② 《잦다》 häufig (sein); oft (öfters) 〔부사로만 쓰임〕. ¶ 일본에는 지진이 ~ Japan hat sehr oft Erdbeben. / 요새 동네에 도난사건이 ~ Neuerdings wird das Dorf von Diebstählen heimgesucht. / 이 병은 소아에게 ~ Diese Krankheit läßt sich sehr oft bei den Kindern beobachten.¦Die Kinder sind gegen diese Krankheit besonders anfällig.

많이 ① 《다수·다량》 viel; zahlreich; in großer Menge; in großer Zahl; in Mengen; in Fülle; reichlich. ¶ 돈을 ~ 쓰다 viel (e-e Menge) Geld aus|geben* / 사람을 ~ 쓰다 viele Leute beschäftigen / 비가 ~ 오다 sehr viel Regen haben / 이 지역에서는 금이 ~ 나온다 Diese Gegend ist reich an Gold. / 할 일이 ~ 있다 Es gibt viel zu tun.¦Ich habe viel zu tun. / 우리는 돈을 ~ 갖고 있다 Wir haben sehr viel Geld.¦Wir haben Geld die Menge.

② 《흔히》 oft; öfters; häufig. ¶ 그는 요새 나한테 ~ 찾아 온다 Er besucht mich jetzt häufig.

맏 《첫째》 erstgeboren; erst; ältest. ¶ 맏형 der älteste Bruder *m.* -s, ⸗ / 맏며느리 die Frau des ältesten Bruders; die erst (älteste) Schwiegertochter *f.* ⸗ / 맏으로 태어나다 als erster geboren sein / 맏딸로 태어나다 als älteste Tochter zur Welt kommen.

맏물 ① 《푸성귀·해산물의》 Erstling *m.* -s, -e. ¶ ~상치 der erste Schnitt 《*m.* -s, -》 des Kopfsalates; der erste Lattich 《*m.* -s, -e》 der Jahreszeit. ② 《곡식·과일의》 die erste Ernte *f.* -n; die ersten Früchte 《*pl.*》 des Jahres. ¶ ~사과 die erste Äpfel des Jahres / ~딸기를 먹다 die ersten Erdbeeren essen* / 이것은 ~입니다 Das sind Erstlinge des Jahres.

맏배 die erste Brut *f.* -en; 《돼지》 das erste Ferkel *n.* -s, -; 《병아리》 die erste Hecke, -n; 《일반적으로》 der erste Wurf, -s, ⸗e.

맏사위 der Ehemann 《-s, ⸗er》 der ältesten Tochter; der erste Schwiegersohn, -s, ⸗e.

맏상제(一喪制) der Hauptleidfragende 《-n》 für die gestorbenen Eltern 《*pl.*》; der älteste Sohn der Gestorbenen 《*pl.*》.

맏아들 der erstgeborene (älteste) Sohn, -s, ⸗e.

맏이 der erstgeborene (älteste) Sohn, -s, ⸗e; das älteste Kind, -s, -er.

맏잡이 der älteste Sohn 《-s, ⸗er》 od. s-e Frau 《-n》.

맏파(一派) Abkömmling 《*m.* -s, -e》 des erstgeborenen Sohnes; der Nachkomme 《-n, -n》 des ältesten Sohnes.

맏형(一兄) der älteste Bruder, -s.

말¹ ① 《용기》 Hohlmaß *n.* -es, -e; Maß *n.* -es, -e; 《곡식용》 das Trockenmaß 《etwa 18 Liter》; 《단위》 die Einheit des Maßes 《18 Liter》.

말² 〔동물〕 Pferd *n.* -(e)s, -e; Roß *n.* ..sses, ..sse. ¶ 새끼말 Füllen *n.* -s, -; Fohlen *n.* -s, - / 생말 Wildpferd *n.* -(e)s, -e / 수말 Hengst *m.* -(e)s, -e; Wallach *m.* -(e)s (-en), -e (-n) (거세한 수말) / 암말 Stute *f.* -n / 경주말 Rennpferd / 연자말 ein Pferd, das in der Mühle arbeitet / 조랑말 Pony *n.* -s, -s / 말을 타다 aufs Pferd steigen*[s]; das Pferd besteigen*; reiten*[s] / 말타고 가다 (zu Pferde) reiten*[s]; zu Pferd gehen*[s] / 말에서 내리다 vom Pferd steigen*[s] / 말을 달리다 ein ⁴Pferd in ⁴Galopp setzen; galoppieren [h.s] / 말을 길들이다 ein Pferd zähmen (bändigen) / 말에서 떨어지다 vom Pferd fallen* (stürzen*)[s] / 말을 세우다 das Pferd an|halten* / 말 갈 데 소 갈 데 다 다녔다 überall gewesen sein / 말꼬리에 파리가 천리 간다 ⁴sich mit fremden Federn schmücken / 말 귀에 염불 die Predigt auf taube Ohren / 말 살에 쇠살 wirres Zeug (Unsinn) reden / 말 갈 데 소간다《속담》Man geht zu e-m Ort, wohin er nicht soll. / 말 타면 경마 잡히고 싶다 Je mehr man hat, desto mehr will man haben.

말³ 〖식물〗 Wasserlinse *f.* -n.

말⁴ 《장기의》(Schach)figur *f.* -en; Spielstein *m.* -(e)s, -e. ¶ 말을 쓰다 e-e Figur ziehen* (rücken).

말⁵ ① 《언어》 Sprache *f.* -n. ¶ 외국말 Fremdsprache *f.* / 자기 나라 말 Muttersprache *f.*; Landessprache *f.* / 우리(한국) 말 die koreanische Sprache; Koreanisch *n.* - / 시골말 Mundart *f.* -en; Dialekt *m.* -(e)s, -e / 표준말 Hochsprache *f.* / 상말 Vulgärsprache *f.*

② 《언사》 Wort *n.* -es, -e (단어의 뜻일 때는 ⸚er); Rede *f.* -n; Ausdruck *m.* -(e)s, ⸚e; Äußerung *f.* -en; Bemerkung *f.* -en; Sprache. ¶ 말투 Ausdrucks¦weise (Sprech-) *f.* -n; Ausdrucks¦art (Sprech-) *f.* -en; Diktion *f.* -en / 말다툼 Wortwechsel *m.* -s, -; Krach *m.* -(e)s, -e (⸚e); Streit *m.* -(e)s, -e; Zank *m.* -(e)s, ⸚e / 인사말 Grußwort *n.* -es, -e / 동정의 말 ein Wort des Mitgefühls (des Mitleids) / 말 없이 wortlos; ohne ein Wort / 조용한 말로 im freundlichen(leisen) Ton / 말로 표현할 수 없는 unbeschreiblich; unglaublich; unsäglich; unaussprechlich/ 말로 표현하다 in Worte fassen; ⁴*et.* zum Ausdruck bringen*; aus|drücken⁴; beschreiben* (mit Worten)/ 말이 많다 vorlaut (naseweis; geschwätzig; schwatzhaft) sein/ 말이 적다 schweigsam (wortkarg; einsilbig; lakonisch; mundfaul) sein / 말이 서투르다 schlecht (nicht gut) sprechen*; beim Sprechen Schwierigkeiten haben / 말이 통하다 ⁴sich gut verstehen; e-e (bestimmte) Sprache wird (hier) verstanden (gesprochen)/ 말이 틀리다 anders sprechen* (als früher); das Versprechen nicht ein|halten* / 말을 꺼내다 über ⁴*et.* zu reden an|fangen*; zur Sprache bringen*⁴; von ³*et.* zu sprechen beginnen* / 말을 건네다 (걸다) *jn.* an|sprechen*; *jn.* an|reden; an *jn.* das Wort richten / 말을 던지다 ein ⁴Wort hin|werfen*; über ⁴*et.* e-e Bemerkung machen/ 말을 꾸미다 lügen; *jm.* ⁴*et.* vor|lügen; beschönigen⁴; schön reden / 말이 어긋나지 않도록 미리 짜다 die Aussage《-n》miteinander ab|sprechen* / 말을 혼자 하다 die anderen nicht zu Worte kommen lassen*; allein sprechen* / 말을 잇다 (mit der Erzählung) fort|fahren*[s]; wieder zu sprechen beginnen* / 말을 돌리다 dem Gespräch e-e andere Wendung geben*; das Thema wechseln/ 말을 잘 하다 beredt (beredsam; eloquent; redegewandt; zungenfertig) sein / 말이 거칠다 derb (hitzig) sprechen* / 말이 야비하다 vulgär (niederträchtig) sprechen* / 말버릇이 사납다 grob (unhöflich) sprechen*/말을 삼가다 ⁴sich zurück|halten*; mit s-n Gefühlen (s-r Meinung; s-m Urteil) zurück|halten*; ⁴sich vorsichtig aus|drücken; s-e Zunge hüten / 말에 궁하다 um e-e Antwort (Ausrede) verlegen sein / 말에 가시가 돋히다 e-e scharfe (spitze) Zunge haben; e-e scharfe (spitze) Sprache führen / 말을 어기다 sein Wort brechen*; sein Wort (Versprechen) nicht halten* / 말을 바꾸어 말하다 anders aus|drücken⁴ / 적절한 말이 생각나지 않다 den passenden Ausdruck (das passende Wort) nicht finden können* / 그의 말은 이렇다 Dies ist, was er sagt. / 말과 행동이 다르다 S-e Taten entsprechen nicht s-n Worten. / 이 아이는 아직 말을 못 한다 Dies Kind kann noch nicht (richtig) sprechen. / 가는 말이 고와야 오는 말이 곱다《속담》Auge um Auge, Zahn um Zahn! / 말이 많으면 쓸 말이 적다《속담》Hohle Köpfe haben den lautesten Klang. / 말 한 마디에 천금이 오르내린다 (천량빚도 갚는다)《속담》Mit dem Hut in der Hand kommt man durch das ganze Land. / 낮말은 새가 듣고 밤말은 쥐가 듣는다《속담》Die Wände haben Ohren. / 죽은 사람은 말이 없다 Die Toten schweigen.

③ 《야단》 Klage *f.* -n; Tadel *m.* -s, -; Rüge *f.* -n; Schelte *f.*; Vorwurf *m.* -(e)s, ⸚e. ¶ 너 그렇게 하면 아버지한테 말 듣는다 Wenn du es so machst, ziehst du dir den Tadel des Vaters zu. / 거기 길을 막으면 동네 사람들이 말을 할 것이다 Wenn man die Straße dort sperrt, werden sich die Dorfbewohner beklagen. / 말 많은 집은 장맛도 쓰다《속담》Die Sauce [zo:sə] in der unruhigen Familie schmeckt nicht gut.

④ 《소문》 Gerücht *n.* -(e)s, ⸚e; Gerede *n.* -s; Geschwätz *n.* -es; Klatsch *m.* -es. ¶ …하다는 말이 있다 man sagt, daß...; ich habe gehört, daß... / …하다는 말이 돌다 das Gerücht geht um, daß... / 말이 나다 bekannt werden / 말이 퍼지다 das Gerücht (Gerede) verbreitet sich / 말을 내다 das Gerücht in Umlauf setzen (bringen*).

⑤ 《이야기》 Geschichte *f.* -n; Erzählung *f.* -en; Spruch *m.* -(e)s, ⸚e. ¶ 옛말 der Spruch der Vorfahren / 옛말 그른 데 없다 Die Sprüche der Vorfahren sind immer beherzigenswert.

⑥ 《전갈》 Botschaft *f.* -en; Mitteilung *f.* -en; Meldung *f.* -en. ¶ 말을 전하다 mit|teilen³·⁴; *jm.* die Botschaft (Nachricht) übermitteln.

⑦ 《의미·경우》 Bedeutung *f.* -en; Fall *m.* -(e)s, ⸚e; Tatsache *f.* -n. ¶ 그게 어떻게 된 말이요 Was meinen Sie damit?¦Was soll es bedeuten? / 이렇게 됐단 말일세 Dies ist nun die Tatsache.

⑧ 《주장》 Behauptung *f.* -en; Meinung *f.* -en; Klage *f.* -n (불평). ¶ 양쪽 말을 듣다 (³sich) die beiden (Behauptungen) an|hören.

말⁶ 《받침》 Holzgestell《*n.* -s, -e》od. Klotz《*m.* -es, ⸚e》zum Zersägen u. Hobeln von Holz; Sägebock *m.* -es, ⸚e.

-말(末) Ende *n.* -s; (Ab)schluß *m.* ..schlusses, ..schlüsse; Ausgang *m.* -(e)s, ⸚e; Endpunkt *m.* -(e)s, -e. ¶ 5월말 Ende Mai/ 세기말에 gegen Ende des Jahrhunderts / 중세 말 der Ausgang des Mittelalters; das ausgehende Mittelalter / 금년말까지 bis zum Ende dieses Jahres.

말갈기 (Pferde)mähme *f.* -n.

말갛다 klar; rein; hell; durchsichtig (sein). ¶ 말간 국물 die klare Suppe, -n; die

Kraftbrühe, -n; *Consomme* 《불어》.
말개지다 klar (rein; durchsichtig) werden.
말거리 ① 《말썽》 der Stoff 《-s, -e》 zum Streiten; der Gegenstand 《-es, ⸚e》 zum Kritisieren; der Anlaß 《..lasses, ..lässe》 der Beschwerde. ¶ 일을 그르쳐 ~가 되다 Fehler machen und den Gegenstand zum Kritisieren werden. ② 《화제》 der Gegenstand 《-(e)s, ⸚e》 des Gesprächs.
말거머리 〖동물〗 Pferdeegel *m.* -s, -.
말경(末境) 《끝판》 Ende *n.* -s, -n; Schluß *m.* ..lusses, ..lüsse; Ausgang *m.* -(e)s, ⸚e; Ablauf *m.* -(e)s, ⸚e; 《말년》 die letzten Jahre des Lebens; die letzten Tage 《*pl.*》; die letzte Periode, -n.
말고 nicht sein; nicht ..., sondern. ¶ 그들은 그 두 아들~도 딸이 하나 있읍니다 Außer den beiden Jungen haben sie noch eine Tochter.¦ Sie haben nicht nur diesen beiden Jungen, sondern auch eine Tochter. / 이것~ 다른 것은 없느냐 Haben Sie kein anderes als dieses?
말고기 Pferdefleisch *n.* -es.
말고기자반 der (die) Betrunkene(n) mit rotem Kopf, -s, ⸚e.
말고삐 Zügel *m.* -s; Zaum *m.* -es, ⸚e(재갈). ¶ ~를 잡다 die Zügel halten; an [3]Zügel führen / ~를 늦추다《비유적으로도》 die Zügel locker (schießen) lassen / ~를 당기다 die Zügel straff halten (anziehen); ein Pferd gut im Zaum halten; 《비유적으로도》 *jm.* den Zaum anlegen; *jm.* die Zügel kurz halten.
말곰 〖동물〗 Bär 《*m.* -en, -en》 von der Mandschurei; der mandschurische Bär.
말공대(一恭待) Höflichkeitsausdruck *m.* -es, ⸚e; Anrede mit dem Höflichkeitsausdruck; mit *jm.* höflich reden; *jn.* mit dem Höflichkeitsausdruck anreden.
말괄량이 ein wildes Mädchen, -s, -; Balg *n.* (*m.*) -(e)s, ⸚er; Backfisch *m.* -es, -e; Flapper *m.* -s, -; Mannsweib *n.* -(e)s, -er; Range *f.* -n; Wildfang *m.* -(e)s, ⸚e. ¶ ~ 길들이기 der Widerspenstigen Zähmung.
말구유 (Pferde)krippe *f.* -n; Futtertrog *m.* -es, ⸚e.
말구종(一驅從) Reitknecht *m.* -(e)s, -e; Pferdewächter *m.* -s, -; Stallknecht; Pferdeknecht *m.* -(e)s, -e; Pferdejunge *m.* -n, -n.
말굳다 stotterig; stotternd; stockend (sein); stammeln; stottern.
말굴레 Halfter *f.* -n (*m.* od. *n.* -s, -); Zaum *m.* -es, ⸚e. ¶ ~를 씌우다 einem Pferde den Zaum anlegen; halftern.
말굽 ① 《발톱》 Pferdehuf *m.* -(e)s, -e. ¶ ~소리 Hufschlag *m.* -(e)s, ⸚e. ② 《편자》 Hufeisen *n.* -s, -. ¶ ~을 달다 Hufeisen auf|schlagen*. ③ ☞ 말굽추녀.
‖ ~옹두리 die hufeisenförmige Kniescheibe der Kuh. ~자석 Hufeisenmagnet *m.* -(e)s, -e. ~추녀 hufeisenförmiges Stück Holz befestigt am Dachfuß.
말귀 ① 《알아 듣는 총명》 Hören *n.* -s; Hörvermögen *n.* -s, -; Verstand *m.* -es, -e; Verständnis 《*für*[4]》; Gehör *n.* -(e)s. ¶ ~가 어둡다 schwerhörig sein; ein dickes Ohr haben; unvernünftig sein; unverständig sein / ~가 밝다 ein scharfes (feines) Ohr haben; sehr gut hören / ~가 빠르다 verständig (vernünftig; verständnis voll; urteilsfähig; schnell begreiflich) sein. ② 《말뜻》 die Bedeutung des Wortes. ¶ ~를 못 알아듣다 nicht begreifen, was man sagt; ohne Verstand sein / 나는 그 ~를 알아들을 수가 없다 das geht über meinen Verstand.
말기 Der obere Bund des koreanischen Frauenrocks od. der Hosen.
말기(末期) die letzte (abschließende) Periode, -n; Ausgang *m.* -(e)s, ⸚e; Ende *n.* -s, -n; Schluß *m.* ..lusses, ..lüsse; Schlußzeit *f.* -en. ¶ 18세기 ~에 im Ausgang des 18. Jahrhunderts / 이조(李朝) ~에 gegen Ende der *Yi*-Dynastie / ~증상을 보이다 das Symptom des Niedergangs (Verfalls) zeigen.
말길되다 einen Weg finden, um *jn.* Rat zu fragen; die Gelegenheit finden, *jn.* zu sehen. ¶ 오늘에야 말길되어 그를 만났다 Erst heute hatte ich Gelegenheit, ihn zu sehen.
말꼬리 =말끝.
말꼬투리 Sprachfehler *m.* -s, -; Sprachschnitzer *m.* -s, -; das Versehen 《-s》 beim Sprechen. ¶ ~를 잡다 (캐다) *jn.* bei einem Sprachschnitzer ertappen; ein falsches Wort auf|greifen*; [4]sich über ein falsch benutztes Wort auf|halten*.
말꼴 Fütterung *f.* -en; Trockenfutter *n.* -s, -; Dürrfutter *n.* -s, -; Frage *f.* ¶ ~을 주다 dem Vieh Futter schütten (geben); ein Pferd mit [3]*et.* füttern.
말꾸러기 ① 《수다장이》 Schwätzer *m.* -s, -; Plaudertasche *f.* -n; Plappermaul *n.* -s. ② 《말썽꾼》 Nörgler *m.* -s, -; Brummer *m.* -s, -; Rebell *m.* -en, -en; Aufrührer *m.* -s, -.
말끄러미 ☞ 물끄러미.
말끔 rein; reinlich; sauber; vollkommen; völlig; gänzlich; vollständig; alle (alles) zusammen. ¶ 빚을 ~청산하다 [4]sich vollkommen schuldfrei machen; eine Schuld ganz ab|zahlen (bezahlen) / 방을 ~ 치우다 das Zimmer völlig ab|räumen; das Zimmer sauber machen.
말끔하다 rein; reinlich; klar; sauber; säuberlich; ordentlich (sein). ¶ 말끔한 방 ein sauberes Zimmer, -s, - / 말끔한 얼굴 ein feines (klares; sauberes) Gesicht, -(e)s, -er.
말끔히 rein; reinlich; klar; sauber; ordentlich; fein. ¶ 얼굴을 ~ 씻다 [3]sich das Gesicht reinigen / 식탁을 ~ 치우다 den Tisch auf|räumen / 방을 ~ 치우다 das Zimmer auf|räumen (reinigen) / ~ 먹어치우다 rein (ganz) auf|essen* / 얼굴이 ~ 생기다 ein feines (hübsches) Gesicht haben.
말끝 das Ende 《-s》 e-r Rede (Äußerung); das Ende e-s Wortes; 《어미》 Endung *f.* -en. ¶ ~을 흐리다 [4]sich zweideutig (undeutlich; verschwommen) aus|drücken; e-e zweideutige (unbestimmte) Antwort geben* 《*jm.*》; Ausflüchte 《*pl.*》 gebrauchen / ~을 잡고 늘어지다 *jn.* bei e-m Sprachschnitzer ertappen; ein falsches Wort auf|greifen*; [4]sich über ein falsch benutztes Wort auf|halten*; an *js.* Wort etwas auszusetzen haben; *js.* Wort bemäkeln / ~마다 그 소리다 Das ist sein drittes Wort.
말나다 ① 《논의》 das Gespräch 《-s, -e》 auf [4]*et.* kommen*; die Rede auf [4]*et.* (*jn.*) kommen* (fallen*); von [3]*et.* (*jm.*) die Rede sein; es geht (läuft) das Gerücht, daß...; das Gerücht läuft um, daß...; man sagt, daß .... ¶ 그 사건에 대해서 말난 것은 어제였다 Gestern kam die Rede auf den Vorfall.

② 《비밀이》 durch|sickern; bekannt od. ruchbar werden; verlauten. ¶말날까 두려우니 아무한테도 이야기 말게 Sag niemand davon! Ich fürchte, daß das allmählich durchsickert.

말내다 ① 《의견·제안을》 das Gespräch auf ^{4}*et.* 〔*jn.*〕 bringen*; die Rede auf ^{4}*et.* 〔*jn.*〕 bringen*; von ^{3}*et.* 〔*jm.*〕 zu sprechen beginnen*; gesprächsweise erwähnen; ^{4}*et.* zur Sprache bringen*. ¶내일 산책 가자고 김군이 말을 냈다 Herr *Kim* hat vorgeschlagen, daß Wir morgen spazieren gehen. / 그 말을 낸 사람이 누군지 제발 알았으면 좋겠다 Ich möchte unbedingt wissen, wer davon erwähnt hat. / 누가 말을 냈는지 모르지만 아무 근거 없는 이야기다 Ich weiß nicht, wer davon zu sprechen begann, aber das ist völlig Unsinn*. ② 《비밀을》 aus|plaudern; verraten*; entdecken; entfüllen; *jm.* etwas Geheimes verraten*. ¶그것은 말을 내서는 안된다 Das muß geheim gehalten werden.¦Das muß unter uns bleiben. / 당분간은 말내지 말아 주십시오 Für einige Zeit behalten Sie die Sache für sich!

말년(末年) ① 《생애의》 die letzten Lebensjahre 《*pl.*》; der Abend 《-(e)s, -e》 des Lebens; Greisenalter *n.* -s, -; das hohe Alter; *js.* alte Tage; 《마지막》 Lebensende *n.* -s, -n. ¶~의 톨스토이 Tolstoi in seiner letzten Lebensjahre / ~에 이르러 im (hohen) Alter; auf *js.* alte Tage. ② =말기(末期).

말눈치 ① 《말의 뜻》 Sinn 《*m.* -(e)s, -e》 des Wortes; Andeutung eines Wortes; Wink *m.* -es, -e; Suggestion *f.* -n; Schattierung *f.* -en. ¶~를 모르다 keinen Sinn für das Wort haben / 그는 사직할 듯한 ~다 Er hat angedeutet, seinen Dienst aufzugeben.¦Er hat einen Wink gegeben, sein Amt niederzulegen. ② 《이해》 die Andeutung des Gesprächs schnell 〔leicht〕 begreifen. ¶그는 ~가 빠르다 Er ist von raschem Witz.¦Er ist scharfsinnig.¦Er ist schnell vom Begriff.

말다¹ 《둘둘》 rollen; herum|rollen; herum|-drehen; ein|wickeln; ein|hüllen zusammen|rollen (텐트 따위를). ¶두루마리를 ~ das gerollte Papier herum|rollen; eine Rolle Papier herum|rollen / 담배를 ~ eine Zigarette drehen; eine Zigarette rollen 〔wickeln〕.

말다² 《국·물에》 (das feste Essen) in die Suppe hinein|tun*; ein|weichen; durchfeuchten. ¶밥을 국에 ~ Reis in die Suppe hinein|-tun* / 국수를 ~ Nudel in die Suppe hinein|tun*; Nudel zu|bereiten.

말다³ 《중지》 auf|hören 《*mit*^{3}》; ein|stellen^{4}; mit ^{3}*et.* Schluß machen; beenden^{4}; auf|geben*^{4}; vermeiden*; ab|lassen* 《*von*^{3}》. ¶말을 ~ nicht reden 《*von*^{3}》; zu reden auf|-hören; ^{3}sich s-e Worte sparen / 말았더라면 좋았을 걸 Es wäre besser, wenn ich es nicht getan hätte. / 비가 오다 말았다 Kaum hatte es zu regnen begonnen, dann hörte es gleich auf. / 내버려 둬라, 싸우다 말겠지 Überlaß es den beiden selbst!¦Sie werden schon des Streites müde.

말다⁴ 〘조동사〙 ① 《금지》 nicht tun*^{4}; vermeiden*^{4}; ab|lassen* 《*von*^{3}》. ¶가지 말라 Geh nicht! / 가지 말자 Gehen wir nicht!¦Lassen wir nicht gehen!¦Lassen wir ihn nicht besuchen! / 마음을 놓지 말게 Sei immer noch vorsichtig! / 서슴지 말고 전화해 주십시오 Zögern Sie nicht, mich anzurufen!¦Rufen Sie mich jederzeit an! / 놀지 말고 일합시다 Hören wir mit dem Faulenzen auf u. gehen wir an die Arbeit!
② 《필경》 schließlich tun*^{4}; mit ^{3}*et.* enden. ¶그는 죽고 말았다 Schließlich ist er gestorben. / 필경 싸움이 벌어지고 말겠구나 Ich fürchte, daß es am Ende doch e-n Kampf geben wird. / 논쟁 끝에 손찌검이 벌어지고 말았다 Der Streit endete mit e-r Prügelei./ 이 일은 꼭 해놓고야 말겠다 Unter allen Umständen werde ich diese Arbeit fertigstellen.

말다래 Schützzeug zum Auffangen des Schmutzes, das auf beiden Seiten des Pferdes gehängt sind.

말다툼 Wort¦wechsel *m.* -s, - 〔-streit *m.* -(e)s, -e〕; Disput *m.* -(e)s, -e; Krach *m.* -(e)s, -e 〔-s; 속어: ⸗e〕; Szene *f.* -n; Zank *m.* -(e)s. **~하다** e-n Wortwechsel 〔Wortstreit〕 haben 《mit *jm. über*^{4}》; disputieren 《mit *jm. über*^{4}》; Krach haben 《mit *jm. über*^{4}》; e-e Szene erleben 《mit *jm. über*^{4}》; zanken 《mit *jm. über*^{4} 〔*um*^{4}〕》. ¶두 사람 사이에 마침내 ~이 벌어졌다 Zwischen den beiden kam es zum Krach. / ~이 격해졌다 Der Wortstreit wurde heftiger. / ~은 종종 주먹다짐으로 변한다 Der Wortwechsel endet oft mit einer regelrechten Prügelei./ 그녀와 하찮은 일로 ~하였다 Er hat wegen einer Kleinigkeit mit ihr Krach gehabt.

말단(末端) Ende *n.* -s, -n; Endstück *n.* -(e)s, -e; der 〔die; das〕 Unterste*, -n; der unterste Rang, -(e)s, ⸗e; die unterste Stufe, -n. ¶~까지 전해지다 auch ^{3}der untersten Stufe bekannt werden; auch ^{4}die unterste Stufe erreichen.
‖**~공무원** der Unterbeamte*, -n, -n; der untergeordnete Beamte*, -n, -n. **~기관** die untergebene 〔untergeordnete〕 Stelle, -n; Unteramt *n.* -(e)s, ⸗er. **~기구** die kleinste Einheit 〔Organisation〕 -en. **~사원** der unbedeutende Büroangestellte*, -n, -n.

말대꾸 ① 《응수》 Entgegnung *f.* -en; Erwiderung *f.* -en. **~하다** scharf u. bestimmt antworten; auf ^{4}*et.* scharf erwidern; *jm.* entgegnen. ② =말대답.

말대답(一對答) die scharfe u. bestimmte Antwort, -en; die scharfe 〔schlagende〕 Entgegnung 〔Erwiderung〕 -en; Widerspruch *m.* -(e)s, ⸗e; Widerrede *f.* -n. **~하다** scharf und bestimmt antworten 《*jm.*》; scharf 〔schlagend〕 entgegnen 〔erwidern〕 《*jm.*》; *jm.* widersprechen*. ¶어른한테 ~해서는 못쓴다 Du sollst den Älteren nicht widersprechen.

말더듬다 stottern; stammeln; stocken (막히다); murmeln(중얼대다). ¶말을 더듬으며 변명하다 stotternd 〔stockend〕 sich entschuldigen; stammelnd sich rechtfertigen / 그는 말을 몹시 더듬는다 Er stottert fürchterlich beim Sprechen.

말더듬이 Stotterer *m.* -s, -; Stammler *m.* -s, -.

말동무 =말벗.

말되다 ① 《사리에 맞음》 einen Sinn haben. ¶말도 되지 않는 소리 Unsinn *m.* -(e)s, -e; Quatsch *m.* -es, -e; dummes Gerede. ② 《합의》 zu einer Übereinkunft mit *jm.* über ^{4}*et.* gelangen; mit *jm.* über ^{4}*et.* sich verständigen; mit *jm.* über ^{4}*et.* sich einigen.

¶그 집을 사기로 말이 되었다 Wir sind uns dahin geeinigt, das Haus anzukaufen. ③《말썽》 zur Zielscheibe der Beschwerde od. des Vorwurfs werden. ¶일찍 퇴근한 것이 말이 되었다 Es ist aufs Tapet gekommen, daß ich etwas früher das Geschäft verlassen habe.

말똥 der Kot 《-(e)s》 des Pferdes; Pferdeäpfel 《*pl.*》 《속어》. ☞ 마분.

말똥가리 【조류】 koreanischer Bussard *m.* -(e)s, -e.

말똥거리다 in die Leere an|starren. ¶누운채 눈을 ~ hellwach liegen*.

말똥말똥 mit unverwandten Augen 《an|sehen》; mit leerem Blick *m.* -s, -e; verwirrt; verblüfft.

말뚝 ①《나무》 Pfahl *m.* -s, ⸗e; Pfosten *m.* -s, -; Pflock *m.* -(e)s, ⸗e (작은). ¶~을 박다 e-n Pfahl ein|schlagen* 〔-|rammen〕《*in*⁴》; pilotieren⁴ / ~을 세우다 e-n Pfahl auf|stellen / ~으로 땅의 경계를 정하다 ein Grundstück 《*n.* -s, -e》 ab|pflöcken 〔-|stecken〕/ ~을 빼다 den Pfahl heraus|ziehen*. ②《뒤꽂이》 e-e koreanische Haarspange, -n.
‖~잠《잠》 der Schlaf 《-(e)s》 im Sitzen. ~잠(簪)《비녀》 e-e koreanische Haarspange, -n.

말뜨다 langsam 〔schwerfällig〕 sprechen*; schwerfällig beim Sprechen sein.

말뜻 die Bedeutung des Wortes.

말라깽이 abgemagerte 〔dünne; magere〕 Person, -en; das wandelnde Skelett, -(e)s, -e.

말라리아 【의학】 Malaria *f.* ¶~의 Malaria-/ ~에 걸리다 von der Malaria infiziert 〔befallen〕 werden; an ³Malaria leiden*.
‖~열(熱) Malariafieber *n.* -s, -. ~요법 Malariakur *f.* -en. ~환자 der Malariakranke*, -n, -n. 악성~ der perniziöse Malaria.

말라빠지다 ab|magern Ⓢ; (⁴sich) ab|zehren; ⁴sich ab|härmen; abgemagert 〔abgezehrt; abgehärmt; mager; hager; dünn; klapperdürr〕 sein. ¶몹시 말라 빠진 klapperdürr; ganz dünn / 그는 아주 말라 빠졌다 Er ist ganz dünn.┆Er ist nur noch Haut und Knochen.┆Er ist ein klapperndes Skelett.┆Bei ihm kann man alle Rippen zählen.

말라위 《나라이름》 Malawi *n.* -s; Republik 《*f.*》 M. ¶~의 malawisch.
‖~사람 Malawiner *m.* -s, -.

말랑거리다 weich werden; ⁴sich weich an|fühlen. ¶말랑거리는 감 weiche Dattelpflaume 〔Kakipflaume〕 -n.

말랑말랑하다 ganz weich; zart und weich; saftig; saftreich (sein). ¶말랑말랑한 만두 eben gedämpftes *Mandu*, -s, -s / 말랑말랑한 고기 das zarte Fleisch / 감이 익어서 ~ Kakipflaume sind reif und werden saftig.

말래카해협(—海峽) 《말레이 반도 남부의》 Malakka-Meerstraße *f.* -n.

말레 《몰디브의 수도》 Malé.

말레이(야) Malaya *n.* -s; Malaien *n.* -s. ¶~의 malaiisch.
‖~반도 die Malaiische Halbinsel; Malakka *n.* -s. ~사람 Malaie *m.* -n, -n. ~어 Malaiisch *n.* -(s); die malaiische Sprache. ~인종 die malaiische Rasse.

말레이지아 Malaysia [..lái..] *n.* -s; Föderation 《*f.*》 M. ¶~의 malaysisch [..lái..].
‖~사람 Malaysier [..lái..] *m.* -s, -.

말레이지아연방(—聯邦) der malaiische Bund, -(e)s.

말려들다 ①《싸움 따위에》 ⁴sich verwickeln; hineingezogen werden; verwickelt werden 《이상 *in*⁴》. ¶싸움에 ~ in e-n Streit verwickelt werden / 전쟁에 ~ in e-n Krieg verwickelt 〔hineingezogen〕 werden. ②《기계 따위에》 erfaßt werden 《*von*³》; hinein|geraten* Ⓢ 《*in*⁴》. ¶기계에 ~ von der Maschine erfaßt werden; in die Maschine hinein|geraten* Ⓢ / 파도에 ~ von den Wellen verschlungen werden.

말로(末路) das bittere 〔böse; üble〕 Ende, -s, -n; Katastrophe *f.* -n; Untergang *m.* -s, ⸗e; Verhängnis *n.* ..nisses, ..nisse. ¶영웅의 ~ das Ende e-s Heldenlebens; die letzten Tage e-s Helden / 인생의 ~ der Abend 《-(e)s, -e》 des Lebens; Lebensabend *m.* / 그의 ~는 비참하였다 Die letzten Tage s-s Lebens waren elend.┆Er starb e-n erbärmlichen Tod.

말류(末流) ①《여예(餘裔)》 Abkömmling *m.* -s, -e; Nachkomme *m.* -n, -n. ☞ 후예. ②《신봉자》 Anhänger *m.* -s, -; Jünger *m.* -s, -; Nachfolger *m.* -s, - (후계자).

말리(茉莉) 【식물】 Jasmin *m.* -s, -e.

말리 《나라이름》 Mali *n.* -s; Republik 《*f*》 M. ¶~의 malisch.
‖~사람 Malier *m.* -s, -.

말리다¹ ①《만류》 *jn.* ab|halten* 《*von*³》; *jn.* zurück|halten* 《*von*³》; ab|reden⁴ 《*jm.*》; ab|raten* 《*jm.* *von*³》; von s-r Absicht ab|bringen* 《*jn.*》. ¶말리는 것도 듣지 않고 obwohl man ihm davon abgeraten hat / 싸움을 ~ *jn.* vom Streit zurück|halten* / 사표 내려는 것을 ~ *jn.* davon ab|raten*, den Entlassungsgesuch einzureichen.
②《금지》 hindern 《*jn.* *an*³》; verbieten*³⁴. ¶나무를 찍지 못하게 ~ *jn.* verbieten*, die Bäume zu fällen.

말리다² 《젖은 것 등을》 trocknen⁴; dörren⁴; sonnen⁴ (햇볕에). ¶말린 고기 Trockenfleisch *n.* -es / 말린 물고기 getrocknete Fisch, -es, -e / 볕에 ~ ⁴*et.* in der Sonne trocknen / 불에 ~ ⁴*et.* zum Feuer auf|hängen; ⁴*et.* am Feuer trocknen / 이불을 (빨래를) ~ das Bettzeug 〔Wäsche〕 sonnen.

말리다³ 《둘둘》 ⁴sich ringeln; ⁴sich schlängeln. ¶치맛자락이 말려 있다 Der Rocksaum ist geringelt. / 등나무 덩굴이 둘둘 말렸다 Die Ranken der Glyzinien haben sich miteinander geschlängert.

말림 ①《금지》 das Schützen* 《-s》 der Wälder; das Sperren* 《-s》 des Weidelandes. ② ☞ 말림갓.
‖~갓 Schützgebiet 《*m.* -es, -e》 der Wälder 〔Weideländer〕.

말마디 Phrase *f.* -n; (kurzer) Satz *m.* -es, ⸗e; Sprechen *n.* -s,-; Satzteil *m.* -s, -e; Redeweise *f.* -n; 《꾸지람》 Nörgelei *f.* -en; Schelte *f.* ¶~나 듣다 Schelte bekommen*; eine (tüchtige) Nase bekommen* / 그 사람 ~나 할 줄 안다 Er hat gut reden.┆Er hat den Mund auf dem rechten Fleck.

말막음 ~하다 über ⁴*et.* zu sprechen verbieten; einen zum Stillschweigen bringen*; *jm.* den Mund stopfen 〔verbieten*〕. ¶걱정이나 듣지 않게 ~이나 해야겠는데 어떻게 했으면 좋을는지 모르겠다 Ich muß seinen Mund stopfen, um nicht gescholten zu werden, aber ich weiß nicht, wie ich machen soll. / 그는 그 일을 발설하지 못하도록 ~을 당했다 Ihm ist verboten, davon zu sprechen. / 하인들은 모두 ~을 당하고 있다 Die ganze Dienerschaft ist zum Stillschweigen verpflichtet.

말말뚝 Pferdepfahl *m.* -s, ⸚e.

말매미 〖곤충〗 Zikade *f.* -n; Zirpe *f.* -n.

말머리 Einleitung 《*f.* -en》 einer Rede; Vorwort *n.* -es, -e; das Thema 《-s, ..men》 einer Rede; die Richtung 《-en》 einer Rede. ¶ ~를 돌리다 von etwas anderem sprechen*; von etwas anderem zu sprechen anfangen*; das Thema einer Rede wenden / ~를 아무에게 돌리다 ⁴sich in seiner Rede an *jn.* wenden.

말머리아이 das Kind 《-es, -er》, das gleich nach der Eheschließung geboren ist.

말먹이 Pferdefutter *n.* -s, -; Heu *n.* -s; Furage *f.* -n. ¶ ~를 주다 ein Pferd füttern; einem Pferd Futter geben.

말몫 ① 《소작인의》 Getreideanteil 《*m.* -s, -e》, den der Pächter bei der Ernte bekommt. ② 《말잡이의》 Getreideanteil, den der Pferdewärter bekommt.

말몰이꾼 Pferde¦knecht 〔Stall-〕 *m.* -es, -e.

말못되다 ein schlechter Fall 《 -s, ⸚e》 sein; in einer sehr armseligen Lage sein. ¶ 말못되게 unbeschreiblich; über alle Beschreibung / 건강이 말못되게 되다 sehr kränklich sein; fürchterlich von Kräften kommen / 요즘 말못되게 수척해졌다 Er ist in letzter Zeit fürchterlich abgemagert.

말문(―門) ¶ ~이 막히다 die Sprache 《-n》 verlieren*; *jm.* die Zunge 《-n》 versagen; vor ³*et.* stumm werden; nicht in Worte fassen können; keine Worte finden*.

말미 《휴가》 Urlaub *m.* -(e)s, -e. ¶ ~를 주다 〔얻다〕 Urlaub geben* 〔nehmen*〕 / ~를 청원하다 um ⁴Urlaub bitten* / 그녀는 지금 ~를 받고 있다 Sie ist auf Urlaub. / 나는 ~를 얻어 고향에 가 보았다 Ich besuchte auf Urlaub die Heimat.

말미(末尾) Ende *n.* -s; Schluß *m.* ..lusses, ..lüsse. ¶ ~에 am Ende 〔Schluß〕.

말미암다 kommen*Ⓢ 〔stammen; verursacht werden〕 《*von*³》; zuzuschreiben³ sein. ¶ 말미암아 infolge²; wegen² / 사고로 말미암아 연착되었다 Infolge e-s Unfalls kam der Zug mit Verspätung an.¦ Die Verspätung wurde durch e-n Unfall verursacht. / 그로 말미암아 일이 틀렸다 Das Scheitern des Unternehmens ist ihm zuzuschreiben.

말미잘 〖동물〗 Seeanemone *f.* -n.

말밑¹ 《되고 남은》 Getreiderest 《*m.* -es, -e》, der nach dem Messen mit *Mal* übriggeblieben ist.

말밑² ① 《어원》 der Ursprung 《-es, ⸚e》 eines Wortes. ② 《말밑천》 Vorrat 《*m.* -es, ⸚e》 des Vokabulars von einem Menschen.

말방울 Pferdeglocke *f.* -n.

말버둥질 ¶ ~치다 das Pferd stampft / 이 말은 ~치니까 위험하다 Dieses Pferd ist gefährlich, da es ausschlägt.

말버릇 ① Sprechweise *f.* -n; Sprechart *f.* -en; Gewohnheit im Reden. ¶ ~이 사납다 im Reden derb 〔rauh; grob〕 sein; mit einem losen Mund sprechen (야비한). ② Lieblingsphrase *f.* -n; Lieblingsredensart *f.* -en. ¶ ~처럼 말하다 stets im Munde führen; ⁴*et.* zu sagen pflegen / 그는 자살하겠다고 ~처럼 말한다 Er droht immer mit Selbstmord.

말버짐 〖한의학〗 Ringelflechte *f.* -n.

말벌 〖곤충〗 Wespe *f.* -n.

말벗 Gesellschafter *m.* -s, -; Gesellschafterin *f.* -nen. ¶ ~이 되다 *jm.* Gesellschaft leisten / 내겐 ~이 없다 Ich habe niemand, der mir Gesellschaft leistet. / ~이 있었으면 좋겠다 Ich hätte gern jemand, mit dem ich mich unterhalten kann.

말보(―褓) Redseligkeit desjenigen, der gewöhnlich schweigsam ist. ¶ ~가 터지다 geschwätzig 〔redselig; gesprächig〕 werden; das Eis brechen.

말복(末伏) der letzte der Hundstage; die dritte von den drei Perioden des heißen Sommermonates.

말본 Grammatik *f.* -en. ☞ 문법.

말사(末寺) Nebentempel *m.* -s, -; der untergeordnete Tempel; Zweigtempel.

말살(抹殺) das Ausradieren*, -s; Ausstreichung *f.* -en; Auslöschung *f.* -en; Verwischung *f.* -en; Austilgung *f.* -en (근절). **~하다** aus|radieren⁴; aus|löschen⁴; aus|streichen*⁴; verwischen⁴; aus|tilgen⁴; vernichten⁴. ¶ 형(刑)의 기록을 ~하다 e-e Eintragung im Strafregister löschen.

말살스럽다(抹殺―) gleichgütig; herzlos; teilnahmslos (sein).

말상(―相) 《얼굴》 Pferdegesicht *n.* -(e)s, -er; das längliches Gesicht; 《사람》 e-e Person 《-en》 mit Pferdegesicht 〔e-m länglichen Gesicht〕. ¶ ~이다 ein Pferdegesicht haben / 그녀는 ~인데다 거만하다 Sie hat ein Pferdegesicht und darüber hinaus sehr arrogant.

말석(末席) letzter 〔unterster〕 Platz, -es, ⸚e. ¶ ~을 더럽히다 bei|wohnen³ (출석하다); gegenwärtig sein 《*bei*³》 (임석하다); die Ehre haben, beiwohnen zu dürfen (참여하다); ein ¹Mitglied 《e-r ²Körperschaft》 sein (어느 단체의 일원이다) / 그 반에서 ~이다 der letzte* 〔unterste*〕 in der Klasse sein.

말선두리 〖곤충〗 Wasserkäfer *m.* -s.

말세(末世) dieses verdorbene 〔sittenlose; verderbte〕 Zeitalter, -s. ¶ ~로군 O tempora, o mores!¦ Oh, dieses sittenlose Zeitalter!

말소(抹消) Auskratzen *n.* -s; Ausradieren *n.* -s; Auslöschung *f.* -en; Vertilgung *f.* -en. **~하다** aus|radieren; aus|streichen*; tilgen; verwischen. ¶ 등기의 ~ das Ausstreichen 〔die Annullierung〕 aus einem Register.

말소리 Stimme *f.* -n. ¶ ~가 높다 hohe Stimme haben; mit lauter Stimme sprechen / ~는 들리는데 보이지 않는다 Man kann ihn zwar hören, aber er ist nicht zu sehen. / 창밖에서 그의 ~가 들렸다 Hinter dem Fenster habe ich ihn reden gehört 〔hören〕.

말속 die Bedeutung 《-en》 *js.* Wortes; der Sinn 《-es, -e》 des Wortes; Absicht *f.* -en; Vorhaben *n.* -s, -; der wirkliche Vorsatz, -es, ⸚e; Was hinter dem Wort gesteckt ist. ¶ 그의 ~은 그의 생각과는 다르다 Er sagt nicht das, was er. denkt. / 그 여자는 내 ~을 알지 못했다 Sie war nicht imstande, meine Absicht zu durchschauen.

말속(末俗) die Gewohnheit 〔die Sitte〕 des verderbten Zeitalter; die verderbte Sitte, -en; die verkommene Sitte.

말솜씨 die Fähigkeit 《-en》 zu sprechen; Beredtheit *f.*; Beredsamkeit *f.* ¶ ~가 좋다

beredsam sein; redegewandt sein / ~가 없다 schwerfällig in der Rede sein; ungeschickt sprechen; der ungeschickte Unterhalter sein.

말수(一數) die Zahl der Wörter, die man spricht. ¶ ~가 적다 einsilbig 〔mundfaul; maulfaul; schweigsam; wortkarg〕 sein / ~가 많다 wortreich 〔geschwätzig; schwatzhaft; klatschhaft; plauderhaft〕 sein.

말승냥이 《늑대》 Wolf *m.* -s, ⸚e; 《사람》 die lange Person, -en; Hopfenstange *f.* -en.

말실수(一失手) Ausdrucksfehler *m.* -s, -; Fehlausdruck *m.* -(e)s, ⸚e; der Lapsus linguae; Sprechfehler *m.* -s, -; das Sichversprechen*, -s; Sprachschnitzer *m.* -s, -; die falsche Darstellung, -en. **~하다** falsch aus|drücken[4]; ungenau dar|stellen[4]; [4]sich im Sprechen irren; [4]sich versprechen* / ~를 사과하다 [4]sich für den Lapsus linguae entschuldigen.

말썽 Unannehmlichkeit *f.* -en; Schwierigkeit *f.* -en; Beschwerde *f.* -n; Sorge *f.* -en; Verdruß *m.* ..sses, ..sse. ¶ ~스러운 beschwerlich; lästig; unbequem; unangenehm / ~을 부리다 stören; belästigen; behelligen; *jm.* Unannehmlichkeiten 〔Kummer; Verdruß〕 bereiten / ~을 일으키다 Unruhe stiften; e-n Aufruhr erregen / 노무자들이 임금을 올려 달라고 ~을 부리고 있다 Die Arbeiter drängen um Lohnerhöhung. / 이 일로 ~이 생길지도 모른다 Das wird wohl Unannehmlichkeiten hervorziehen.

‖ **~거리** die Ursache 《*f.* -n》 einer Unannehmlichkeit 〔Unruhe〕; der Gegenstand 《-es, ⸚e》 der Beschwerden: ~거리가 되다 zum Gegenstand der Unruhe werden / 우리 집의 ~거리는 저 작은 놈이다 Unser Jüngster ist es, der Unruhe immer stiftet. **~꾸러기, ~꾼** Unruhestifter *m.* -s, -; Störenfried *m.* -es, -e.

말쑥이 schick; elegant; rein; fein. ¶ 옷을 ~ 차리다 [4]sich schick kleiden; elegant an|ziehen* / 방을 ~ 치우다 das Zimmer schön 〔sauber〕 machen.

말쑥하다 nett; hübsch; schmuck; tadellos; adrett; elegant; schick; fein; raffiniert; 《집 등이》 niedlich (sein). ¶ 말쑥한 여인 e-e schicke Frau, -en / 말쑥한 방 ein niedliches Zimmer, -s, - / 그녀는 언제나 옷차림이 ~ Sie ist immer nett gekleidet.

말씀 《웃 어른의》 Wort *n.* -(e)s, -e; Rede *f.* -n. ¶ 선생님의 ~ was der Herr Lehrer sagt / 잠깐 ~ 드릴 것이 있읍니다만 Ich habe (etwas) mit Ihnen zu sprechen.¦Ich hätte gerne mal mit Ihnen gesprochen (정중한 표현).¦(Auf) ein Wort! / ~하시는 중 실례입니다만 Entschuldigen Sie bitte, daß ich Sie unterbreche, aber.... / ~을 통 이해할 수 없읍니다 Ich kann gar nicht verstehen, was Sie meinen. / 빨리 ~하세요 Sagen Sie es schnell! / 먼저 ~하십시오 Sprechen Sie bitte zuerst! / 다시 한번 ~해 주십시오 Würden Sie es bitte noch einmal wiederholen?¦Wiederholen Sie es bitte noch einmal!

말씨 ① 《말투》 Sprech¦weise 〔Rede-〕 *f.* -n; 《사투리》 Dialekt *m.* -(e)s, -e; Mundart *f.* -en. ¶ 서울 ~ Seoul Dialekt / 순 시골 ~를 쓰다 ganz dialektisch 〔mundartlich〕 sprechen* / 점잖은 ~ vornehme Ausdrucksweise / 난폭한 ~ grobe Ausdrucksweise / 순 뮌헨 ~ reines Müncherisch / ~가 얌전하다 [4]sich höflich aus|drücken; höfliche Sprache führen / ~가 투박하다 grobe Sprache führen; [4]sich grob aus|drücken / 그녀의 ~가 참 곱다 Sie drückt sich sehr nett aus. / 사람의 성격은 그 ~로 알 수 있다 An s-r Ausdrucksweise kannst du den Charakter eines Menschen erkennen.

말씬- ☞ 물씬-.

말씹조개 e-e Art Süßwassermuschel 《*f.* -n》.

말아니다 ① 《당찮음》 keinen Sinn haben; Unsinn; unvernünftig, sinnwidrig (sein). ¶ 그건 말도 아니다 Das ist lauter Unsinn. / 인제 와서 돈을 못 갚겠다는 것은 말이 아니다 Bei alledem ist es sehr unvernünftig, daß du jetz noch Geld nicht zurückgeben willst. ② 《형편이》 in einer sehr schlechter Lage sein. ¶ 말 아닌 상황 ein armseliges Leben; ein schäbiges Leben / 형편이 말이 아니다 in einem schlimmen Zustand sein; in einer Zwangslage sein / 체면이 말이 아니다 dem Ansehen fürchterlich schaden; [4]sich entehren; in Schande geraten* / 생활이 ~ ein armseliges Leben führen / 그 사람 건강이 ~ Er ist gesundheitlich in einer ganz schlechten Lage.¦Es geht ihm gesundheitlich ganz schlecht.

말안되다 sinnwidrig; unvernünftig; unsinnig (sein). ¶ 말 안 되는 소리 말라 Sei nicht so unvernünftig!¦Rede nicht so einen Unsinn! / 제 자식을 버리다니 말도 안 된다 Das ist eine Schande, sein eigenes Kind im Stich zu lassen 〔auszusetzen〕.

말야 ich meine; du weißt ja; du weißt doch; das heißt; das ist. ¶ 돈을 천원이나 잃었단 ~ Weiß du, ich habe ein Tausend *Won* verloren. / 너 오지 않는다고~ 그가 화내더라 Er ist ganz böse, weißt du, da du nicht gekommen bist. / 그렇게 해선 안된단~ Ich meine, du machst nicht so, wie du machst. / 그 사람은~ 그다지 믿지 못할 사람이야 Du weißt doch, er ist kein vertrauenswürdiger Mann. / 그 여자와 내가 결혼한단~ Ich meine, sie heiratet mich.¦Ich meine, mit ihr verheirate ich mich.

말없이 《조용히》 ohne etwas zu sagen; still; lautlos; stum; verschloßen; 《말썽없이》 ohne Hindernis; ohne Schwierigkeit; 《선뜻》 ohne weiteres; sogleich; bereitwillig; 《무단으로》 unangemeldet; ohne Erlaubnis. ¶ ~ 앉아 있다 still sitzen*; verschlossen sitzen* / 아무 ~ 결근하다 unangemeldet weg|-bleiben*; ohne Meldung nicht zum Dienste erscheinen*; unentschuldigt vom Büro fern|bleiben* / 돈을 취해 달라니까 ~ 취해 주었다 Als ich ihn um Geld bat, hatte er sogleich gegeben, ohne etwas zu sagen.

말엽(末葉) das Ende von einem Zeitalter. ¶ 18세기 ~에 am Ende des 18. Jahrhundert.

말오줌나무 〖식물〗 Holunder *m.* -s, -.

말일(末日) der letzte Tag, -(e)s, -e. ¶ 3월 ~ der letzte Tag des März(es).

말자(末子) der letzte 〔jüngste〕 Sohn, -es, ⸚e.

말잠자리 〖곤충〗 e-e Art Libelle 《*f.* -n》.

말잡이 《마되질하는》 derjenige, der mit *Mal* Getreide mißt.

말장수 Pferde¦händler 〔Roß-〕 *m.* -s, -; Roßtäuscher *m.* -s, -.

말장이¹ 《마되질군》 derjenige, der mit *Mal* Getreide mißt.

말장이² 《수다장이》 Schwätzer *m.* -s, -; Plaudertasche *f.* -n; Zungendrescher *m.* -s, -; Plapperliese *f.* -n (여자 아이); Plapperhans *m.* -ens, -en (남자 아이).

말재간(一才幹) =말재주.

말재기 Klatschmaul *n.* -es, ⸚er; Klatschbruder *m.* -s, ⸚; 《여자》 Klatschbase *f.* -n; Klatschschwester *f.* -n.

말재주 Sprechfähigkeit *f.* -en; Talent 《*n.* -s, -e》 zum Sprechen; Beredtheit *f.* -en; Beredsamkeit *f.* -en. ¶ ~가 있다 gut sprechen, Talent zum Sprechen haben; beredsam sein / ~가 없다 der ungeschickte Sprecher sein; schwerfällig in der Sprache sein.

말전주 Herumklatschen *n.* -s; Unheilbringen 《*n.* -s》 durch das Gerede; Zwisterregen 《*n.* -s》 durch das Geschwätz. ~하다 klatschen; angeben (밀고); schwatzen. ‖ ~꾼 Zwischenträger *m.* -s, -; Angeber *m.* -s, -; Quatschmaul *n.* -s, ⸚er.

말절(末節) ① 《시 따위의》 der letzte Vers, -es, -e; die letzte Strophe, -n; der letzte Paragraph, -en, -en. ② 《사소한 일》 Kleinigkeit *f.* -en; Lappalie *f.* -n; Nichtigkeit *f.* -en. ¶ ~에 구애되다 wegen e-r Lappalie (Kleinigkeit; Nichtigkeit) ⁴sich quälen.

말조심(一操心) Vorsicht 《*f.* -en》 beim Sprechen. ~하다 beim Sprechen (Reden) vorsichtig sein; vorsichtig sprechen.

말주변 Redegabe *f.* -n; Redegewandtheit *f.* -n; Beredsamkeit *f.* ¶ ~이 좋다 redegewandt (beredsam; zungenfertig) sein; ein großer Redner sein / ~이 없다 ein schlechter (ungeschickter) Sprecher sein; schlecht (ungeschickt) sprechen*; s-e Gedanken nicht in richtige Form zu kleiden wissen*.

말죽(一粥) die gekochte Pferdenahrung, -en. ‖ ~통 der Kübel 《-s, -》 für das Pferdefutter.

말즘 〖식물〗 eine Art Sterndistel 《*f.* -n》; Laichkraut *n.* -es, ⸚er.

말증(末症) eine unheilbare Krankheit, -en. ¶ ~으로 고생하다 an einer unheilbaren Krankheit leiden.

말직(末職) das unterste Amt, -es, ⸚er; die unbedeutende Stelle, -n.

말질(末疾) =말증(末症).

말집 das Haus 《-es, ⸚er》 mit Dachtraufen auf allen Seiten.

말짜(末一) 《물건》 der billigste Gegenstand, -es, ⸚e; die schlechte Ware, -n; 《사람》 der wilde Mensch, -en, -en; der rohe Bursche, -n, -n; Renommist *m.* -en, -en; Wüstling *m.* -s, -e.

말짱하다¹ tadellos; vollkommen; einwandfrei; unversehrt; intakt; ganz (sein). ¶ 말짱한 옷 der tadellose Anzug, -(e)s, ⸚e / 자네 신은 아직 말짱하네 Deine Schuhe sind noch ganz. / 그는 술을 아무리 많이 마셔도 (정신이) ~ Wieviel er auch trinkt, er bleibt doch nüchtern.

말짱하다² ☞ 물쩡하다.

말짱히 unversehrt; heil; wohlbehalten; unverletzt; ohne Makel; ungeteilt; im Ganzen. ¶ 고양이가 그 쥐를 ~ 먹어치웠다 Die Katze hat die Ratte mit Haut und Haar aufgefressen.

말째(末一) der Letzte*, -n; der Unterste*, -n; Ende *n.* -s, -n. ¶ ~로 졸업하다 als der Letzte die Schule absolvieren / ~로 달리다 als Letzter rennen.

말참견(一參見) Einmischung *f.* -en; das Dazwischentreten*, -s, -; Eingriff *m.* -s, -e; Beeinträchtigung *f.* -en; Störung *f.* -en. ~하다 ⁴sich in ein Gespräch ein|mischen; in ⁴*et.* hinein|mischen; ⁴sich ein|mischen; ⁴sich ein|greifen*. ¶ 남의 일에 ~하다 ⁴sich in fremde Angelegenheiten ein|mischen; ungebeten in fremde Angelegenheiten ein|greifen* / 쓸데없는 ~ 말게 Genug der Worte! ¦ Halte den Mund! ¦ Nichts gesagt! ¦ Sei still! / 그는 무슨 일에나 ~을 한다 Er mischt sich in alles ein. / 부부싸움에는 ~ 않는 것이 좋다 Man tut besser, sich in e-n Ehestreit nicht einzumengen.

말참례(一參禮) =말참견.

말채찍 Pferdepeitsche *f.* -n. ‖ ~질 das Peitschen, -s, -; das Schlagen 《-s, -》 mit der Peitsche: ~질하다 peitschen; mit der Peitsche schlagen* (an|treiben*).

말초(末梢) Spitze *f.* -n; Ende *n.* -s, -n. ¶ ~적 geringfügig; belanglos; kleinlich; nichtssagend; trivial; unbedeutend; 〖해부〗 distal; peripherisch / ~적인 일에 너무 구애하다 ⁴es mit Geringfügigkeiten allzu ernst meinen; ⁴sich zu sehr mit Kleinlichkeiten befassen. ‖ ~신경 das peripherische Nervensystem, -s, -e; der peripherische Nerv, -s, -en.

말총 Pferdehaar *n.* -es, -e.

말치레 die schöne Rede, -n; Wortgepränge *n.* -s; Floskel *f.* -n; Redeblume *f.* -n; Redefigur *f.* -en. ~하다 schön reden; schöne Worte machen; Froskeln brauchen; ⁴sich rhetorisch aus|drücken.

말캉- ☞ 물컹-.

말코¹ 《베틀의》 Weberbaum *m.* -es, ⸚e; der Balken, worauf das fertig gewebte Stoff eingewickelt wird.

말코² ① 《코》 die Nase, die derjenigen des Pferdes ähnlich ist. ② 《사람》 der Mann, dessen Nase der Pferdenase ähnlich ist.

말코지 der gezweigte Kleiderbügel 《-s, -》 aus Holz.

말타기 《놀이》 das Bockspringen*, -s. ~하다 über den Bock springen* (s).

말투 Ausdrucks¦weise (Sprech-) *f.* -n; die Art 《-en》 zu sprechen (vorzutragen). ¶ 야비한 ~ gemeine (niederträchtige) Ausdrucksweise / ~가 사납다 ⁴sich grob (derb) aus|drücken / ~가 거칠다 ⁴sich rauh (barsch; ungehobelt; ungeschliffen) aus|drücken / 그 사람의 성격은 그의 ~로 안다 An der Ausdrucksweise erkennt man den Charakter eines Menschen.

말판 Spielbrett *n.* -s, -er; *Yuch*-Tafel *f.* -n; Würfelbrett.

말편자 Pferdehuf *m.* -es, -e; Hufeisen *n.* -s. ¶ ~를 붙이다 das Hufeisen beschlagen.

말하다 ① 《이야기를》 sagen⁽⁴⁾; äußern⁴; aus|sprechen*⁽⁴⁾; reden⁽⁴⁾; ⁴sich unterhalten* 《*mit*³》; sprechen*⁽⁴⁾. ¶ 말하기 어려운 듯이 zögernd; stockend / 독일어를 ~ Deutsch sprechen* / 어린애가 말하기 시작하다 Das Kind beginnt zu sprechen. / 낮은(큰) 목소리로 ~ leise (laut) sprechen* / 더듬더듬 ~ stockend reden / 혼자 ~ vor ⁴sich hin sprechen* / 나는 너와 말할 시간이 없다 Ich habe keine Zeit, mit dir zu reden. / 말하기는 쉬우나 행하기는 어렵다 Leichter gesagt als getan.

② 《알림·언급》 sagen[34]; mit|teilen[34]; melden[34]; erzählen[34]; erklären[4]; aus|sagen[4]; offenbaren[4]; an|geben*[4]; versichern[4] (확언); behaupten[4] (주창); bekennen*[4] (고백); gestehen*[4] (고백); an|erkennen*[4] (시인); 《표현》 aus|drücken[4]; äußern[4]; aus|sprechen*[4]; beschreiben*[4]; dar|stellen[4]; bedeuten[4]; meinen[4]; sprechen* 《*von*[3]》 (언급); [4]sich beziehen* 《*auf*[4]》; an|spielen 《*auf*[4]》; an|führen[4]. ¶ 말할 수 없다 unsagbar (unbeschreiblich; unaussprechlich) sein / 말할 수 없는 unsagbar; unsäglich; unbeschreiblich; unaussprechlich; 《비밀의》 geheim; 《절묘한》 unglaublich / 바꿔 말하면 mit anderen Worten / 한마디로 말해서 mit einem Wort / 위에서 말한 바와 같이 wie oben gesagt (erwähnt; beschrieben) / 아무를 좋게(나쁘게) 말하다 gut (schlecht) sprechen* 《*von*[3]》 / 고쳐 ~ [4]sich verbessern; [4]sich berichtigen; seine (eigene) Aussage richtig|stellen / …은 말할 것도 없다 natürlich (selbstverständlich) sein / 어떻게 말해야 좋을 지 몰랐다 Ich wußte nicht, wie ich mich ausdrücken sollte. / 그는 가지 못하겠다고 말했다 Er sagte, daß er nicht kommen könne. / 잠깐 말할 게 있다 Ich muß dich sprechen. ¦ Ich habe was, dir zu sagen. / 그의 고통은 이루 다 말할 수 없었다 Sein Leiden war unbeschreiblich. / 이 사람이 앞서 말한 친구다 Dies ist der Freund, von dem ich dir erzählt habe. / 남자답게 졌다고 말해라 Gib mit Anstand deine Niederlage zu! ¦ Gib deine Niederlage zu, wie es sich für einen Mann gehört! / 너에게만 말한다 Ich sage es nur dir. / 그것은 이렇게도 말할 수 있다 Das läßt sich auch so ausdrücken. / 이 사실은 그의 무죄를 말해주고 있다 Dieser Umstand spricht für seine Unschuld. / 이 행동은 그의 뜨거운 동료애를 말해준다 Diese Tat ist ein beredtes Zeugnis für seine Kameradschaftlichkeit.

③ 《부탁》 bitten* 《*jn.* um [4]*et.*》; einen Wunsch äußern (aus|sprechen*); ein gutes Wort ein|legen 《für *jn.*》. ¶ 말하기 어렵다 schwer zu sagen sein / 돈 취해 달라는 말은 하기가 거북했다 Es war mir recht unangenehm, ihn um Geld zu bitten. / 내가 그 사람한테 잘 말해주지 Ich werde bei ihm ein gutes Wort für dich einlegen. / 그에게 말하면 무엇이나 들어준다 Er ist ein sehr gefälliger Mensch.

④ 《불평·따짐·꾸짖음》 klagen[34] 《*über*[4]》; ermahnen[4]; schelten*[4]; tadeln[4]; ein ernstes Wort reden 《*mit*[3]》. ¶ 불평을 ~ [4]sich beklagen (beschweren) 《*über*[4]》 / 그 애가 말을 듣지 않으니 한번 단단히 말해주시오 Bitte reden Sie mit ihm ein ernstes Wort, da er so ungehorsam ist. / 암만 말해도 듣지 않는다 Wie oft man auf ihn einreden mag, er stellt sich einfach taub.

⑤ 《칭하다》 nennen*[4]; heißen*. ¶ 이 꽃을 독일말로 무엇이라고 말하는가 Wie (Was) heißt diese Blume auf deutsch?

말하자면 ① 《따져 말하면》 genau (streng) genommen; wenn man es genau betrachtet (nimmt); ganz offen gesagt; wenn Sie mich schon fragen; mit einem Wort; kurz. ¶ ~ 네가 잘못이다 Wenn du mich fragst (genau genommen), du bist der Schuldige. / 그것은 ~ 사기지 무엇이냐 Ganz offen gesagt, es ist nichts anderes als ein reiner Schwindel.

② 《이를테면》 sozusagen; gewissermaßen; wenn man es so ausdrücken will; mit anderen Worten. ¶ 그는 ~ 그 동네의 왕이다 Er ist sozusagen der König jenes Dorfes. / 이순신 장군은 ~ 한국의 넬슨이다 General *Yi Sunsin* ist sozusagen der koreanische Nelson.

말향(抹香) Duftpulver *n.* -s, -.

말향고래(抹香—) =향유고래.

말허두(—虛頭) =말머리.

말혁(—革) die Bänder 《*pl.*》, die als Dekoration auf beiden Seiten des Pferdesattels gehängt sind.

맑다 ① 《물건·액체·날씨》 klar; hell; rein; durchsichtig; lauter (sein). ¶ 맑은 물 klares Wasser, -s / 맑은 국 klare Suppe, -n / 맑은 하늘 klarer Himmel, -s, - / 맑은 수정 klarer (reiner) Kristall, -s, -e / 종소리가 맑게 울려 퍼진다 Die Glocke klang schön und breit. / 오늘은 날씨가 ~ Heute ist es heiter. ¦ Heute haben wir heiteres Wetter.

② 《마음·처세·생활 따위》 rein; sauber; lauter; hell; frisch; unschuldig; keusch; klar (sein). ¶ 맑은 마음 reines (lauteres; unschuldiges) Herz, -ens, -en / 맑은 정신 frischer (klarer) Geist, -(e)s; klarer Kopf, -(e)s, ⸚e / 맑은 사람 ein redlicher (lauterer) Mensch, -en, -en / 맑은 생활 ein reines (sauberes; lauteres) Leben, -s, - / 뒤가 ~ nichts zu verbergen haben; reines Gewissen haben.

③ 《청빈》 arm aber lauter (sein). ¶ 맑은 살림 dürftiges aber reines Leben, -s, -.

맑스그레하다 ein wenig hell; ein wenig hellwässerig (sein).

맑은소리 die helle Stimme, -en; der stimmlose (reine) Laut, -(e)s, -e.

맑은술 der geläuterte Reiswein, -s, -e.

맑은장국(—醬—) die helle Fleischsuppe, -n; Bouillon [buljɔ̃:] *f.* -s.

맘마 Speise *f.* -n; Reis *n.* -es, -e. ~하다 essen 《Kinderwort》.

맘모스 ① Mammut *n.* -(e)s, -e (-s). ② mammuthaft; Riesen-.

‖ ~기업 Riesenunternehmen *n.* -s, -. ~도시 Riesengroßstadt *f.* ⸚e.

맘보 Mambo *m.* -s, -s; Gesellschafttanz aus Kuba mit Jazzelementen.

‖ ~바지, ~즈봉 enge Hosen 《*pl.*》.

맛[1] ① 《음식의》 Geschmack *m.* -(e)s, ⸚e(r); Aroma *n.* -s, ..men; Beigeschmack *m.* (뒷맛). ¶ 매운 맛 der scharfe (beißende) Geschmack / 신맛 der saure Geschmack / 맛이 있다(좋다) gut (lecker; delikat) schmecken; schmackhaft (wohlschmeckend) sein / 맛이 없다(나쁘다) schlecht (gar nicht) schmecken; unschmackhaft (fade) sein / 맛을 보다 kosten[4]; probieren[4]; 《간을》 ab|schmecken[4] / 맛을 알다 (et)was vom Essen verstehen*; wählerisch mit dem Essen sein; genießen*[4] (können*) / 맛이 변하다 an [3]Geschmack verlieren*; verderben* (s); sauer (fade; schal) werden / …맛이 나다 nach [3]*et.* (wie [1]*et.*) schmecken / 맛이 어떻습니까 Wie schmeckt es Ihnen? / 맥주 맛이 어때 Wie schmeckt dir das Bier? / 무엇이든지 먹어봐야 그 맛을 알 수 있다 Probieren geht über Studieren. ② 《사물에서 느끼는》 Geschmack *m.* -(e)s, ⸗e(r); Interesse *n.* -s, -n; Genuß *m.* -es, ⸗e; Freude *f.* -n. ¶ 돈 맛 der Geschmack an Geld / 여자 맛 der Geschmack (das Interesse) an den Frauen / 시의 맛 der Genuß der Lyrik; die Freude an der Lyrik; der Reiz 《-es, -e》 der Lyrik / (…에) 맛을 붙이다 an ³*et.* Geschmack finden*; auf (hinter) den Geschmack kommen* (geraten*)ⓢ / 그는 이제 글맛을 알게 되었다 Er kann jetzt die Freude an der Literatur genießen. ③ 《경험》 Erfahrung *f.* -en; Geschmack *m.* -(e)s, ⸗e(r). ¶ 쓴맛 단맛 다 알다 alle Bitternisse und Süßigkeiten des Lebens erfahren haben / 그는 가난의 맛을 아직 모른다 Er weiß noch nicht, was Armut ist. ④ 《…해야》 Geschmack *m.* -(e)s, ⸗e (⸗er). ¶ 하필 오늘 가야 맛이냐 Mußt du denn unbedingt heute abfahren?

맛² 〖조개〗 eine Art eßbare Muschel, -n.

맛깔스럽다 ① 《맛이》 köstlich; appetitlich; einladend; schmackhaft; angenehm (sein). ¶ 맛깔스러운 음식 die appetitliche (einladende) Speise, -n. ② 《마음에》 nach *js.* Geschmack sein; befriedigend; zufriedenstellend; annehmbar; willkommen (sein).

맛나다 《맛있다》 köstlich; wohl¦schmeckend (fein-); schmackhaft; delikat; lecker (sein); 《맛이 들다》 schmackhaft (lecker) werden. ¶ 맛난 음식 köstliches (delikates) Essen, -s; Leckerbissen *m.* -s, -.

맛난이 ① 《조미료》 Würze *f.* -n; Gewürz *n.* -es, -e; Soße (Sauce; Tunke) *f.* -n. ② 《음식》 köstliche Speise, -n.

맛들다 köstlich (schmackhaft; lecker) werden; zum Essen (Trinken) schmackhaft (angenehm) werden; reifen; Geschmack 《*m.* -s, ⸗e》 bekommen*. ¶ 술이 ~ Der Wein ist ausgereift.¦Der Wein hat seinen Geschmack bekommen.

맛들이다 ① 《음식을》 zum Reifen bringen*; würzen; reifen; zum Trinken (zum Essen) köstlich (angenehm) machen. ¶ 김치를 ~ *Kimchi* in Salz lecker ein|legen; *Kimchi* schmackhaft ein|salzen; *Kimchi* schmackhaft zur Reife bringen; *Kimchi* köstlich ab|lagern / 술을 ~ den Wein ausreifen lassen; den Wein zur Reife bringen*; den Wein ab|lagern. ② 《재미》 kosten; genießen*; an ³*et.* Vergnügen finden; an ³*et.* seine Freude haben; ¹*et.* ³sich gut schmecken lassen. ¶ …에 맛을 들여 von ³*et.* angeregt (ermuntert) / 첫번째 성공에 맛을 들여 von seinem ersten Erfolg ermugigt / 돈에 ~ von Geld gefesselt werden (bezaubert werden) / 도박에 ~ ⁴sich dem Spielen ergeben* / 주색에 한번 맛들이면 솜처럼 헤어나지 못한다 Wenn man sich einmal an Spielen und Frauen interessiert, kann man sie schwer aufgeben.

맛맛으로 wie es *jm.* schmeckt; nach *js.* Belieben; je nach seinem Geschmack. ¶ ~ 골라 먹어라 Bitte, greifen Sie zu, je nach Ihrem Geschmack!¦Bitte, essen Sie, wie es Ihnen schmeckt!

맛보다 ① 《시식》 kosten⁴; probieren⁴; ab|schmecken. ¶ 음식을 ~ eine Speise kosten (probieren) / 음료를 ~ ein Getränk kosten (probieren) / (음식의) 간을 ~ ein Gericht ab|schmecken. ② 《겪음》 erfahren*; kosten⁴; kennen|lernen⁴. ¶ 가난을 ~ die Armut kennen|lernen / 그는 운명의 온갖 쓰라림을 맛보았다 Er hat alle Bitternisse des Schicksals erfahren. / 그는 인생의 온갖 기쁨을 맛보았다 Er hat die Freuden (Reize) des Lebens reichlich gekostet (genossen).

맛부리다 ① würzen; würzig machen. ② ⁴sich geschmacklos benehmen.

맛살 Das Fleisch 《-es》 von einer Muschel.

맛없다 ① 《음식이》 unschmackhaft; fad; schal; geschmacklos; abgestanden; abgeschmackt (sein). ¶ 맛없는 음식 unschmackhafte (fade; schale; ...) Speise, -n. ② 《재미·흥미가》 uninteressant; langweilig; flan; fad; schal; abgestanden; abgeschmackt; geschmacklos (sein). ¶ 맛없이 살아가다 ein langweiliges Leben führen / 그는 맛없는 친구다 Er ist ein fader Kerl.

맛있다 ① 《음식이》 lecker; appetitlich; delikat; fein; herrlich; köstlich; mundgerecht; schmackhaft; süß; wohlschmeckend (sein). ¶ 맛있는 음식 Delikatesse *f.* -n; Feinkost *f.*; Gaumenweide *f.* -n; Hochgenuß *m.* ..nusses, ..nüsse; Leckerei *f.* -en; Leckerbissen *m.* -s, - / 아, ~ Schmeckt das köstlich!¦Wie das schmeckt!¦Das ist ein Hochgenuß. ② 《재미·흥미》 interessant; spaßig; lustig (sein).

맛장수 eine geschmacklose Person, -en; ein nüchterner (alltäglicher) Mensch, -en, -en.

맛적다 ① 《맛이》 geschmacklos; unschmackhaft; fade; schal (sein). ¶ 맛적은 음식 unschmackhafte Speise, -en; fade Speise. ② 《재미·흥미가》 geschmacklos; trocken; fade; ledern; 《무무한》 gemein; roh; uninteressant; bitter; unerfreulich; eklich (sein).

맛젓 das eingesalzene Muschelfleisch, -es, -e.

맛피우다 =맛부리다.

망(望) ① 《동정을 살핌》 das Wachen, -s, -; Beobachtung *f.* -en; Wache *f.* -n; Umsicht *f.* -en; Ausschau *f.* -en. ¶ 망을 보다 (서다) wachen; Wache halten*; (auf) Wache stehen*; nach ⁴*et.* Ausschau halten*; ausschauen; auf|passen; beobachten / 망 보는 사람 Wächter *m.* -s, -; Wache *f.* -n; Hüter *m.* -s, -; Posten *m.* -s, -(보초); Wärter *m.* -s, - / 망을 세우다 Wache stellen; einen Posten aus|stellen. ② 《만월》 Vollmond *m.* -es, -e. ③ 《보름》 der 15. Tag 《-(e)s》 nach dem Mondkalendar.

망(網) ① 《그물》 Netz *n.* -es, -e. ¶ 철망 das Drahtnetz / 철조망 Stacheldraht *m.* -(e)s, ⸗e / 머리망 Haarnetz *n.* / 망을 뜨다 Netze knüpfen / 망에 걸리다 ins Netz gehen* ⓢ; ins Netz fallen* ⓢ / 망을 치다 das Netz aus|werfen* (stellen; spannen; ziehen*). ② 《조직》 Netz *n.* -es, -e; System *n.* -s, -e. ¶ 수사망을 펴다 die Suchaktion ein|leiten. ‖ **방송망** das Funk¦netz (-system). **철조망** das Eisenbahnnetz. **통신망** das Kommunikationsnetz.

망각(忘却) Vergessenheit *f.*; Vernachlässigung *f.* ~하다 vergessen*⁴; vernachlässigen⁴. ¶ 의무를 ~하다 die Pflicht vergessen* / 화난 나머지 전후를 ~하다 aus Zorn ⁴sich (völlig) vergessen*.

망간 〖화학〗 Mangan *n.* -s 《기호: Mn》. ¶ ~산 Mangansäure *f.* -n.
‖ **~광** Manganerz *n.* -es, -e.

망거(妄擧) die leichtsinnig Tat, -en; die

dumme (rohe; rücksichtslose) Handlung, -en; das unbesonnene Benehmen, -s, -.

망건(網巾) das Kopfband《-s, ⸗er》aus Pferdehaar. ¶ ~ 자국 die weiße Spur《-en》, die *Mang-Geon* auf die Stirn hintergelassen hat.
‖ ~골 der Holz¦klotz (-block) für *Mang-Geon*. ~당 der Oberteil von *Mang-Geon*: ~당줄 die Schnur《⸗e *od.* -en》von *Mang-Geon*. ~장이 *Mang-Geon* Hersteller, -s, -.

망견(望見) starrer Blick, -s, -e; das Anstarren, -s, -; Ausblick *m.* -s, -e; Aussicht *f.* en. ~하다 auf [3]*et.* starren; starr blicken; [4]*et.* anstarren; ausblicken; Aussicht (Ausblick) haben.

망계(妄計) der unbesonnene (waghalsige) Plan, -s, ⸗e; die leichtsinnige Methode, -en; das schlecht beratene (nicht ratsame) Projekt, -es, -e.

망고 〚식물〛 Mango *f.* -nen; Mangopflaume *f.* -n; Mangobaum *m.* -(e)s, ⸗e (나무).

망구다 =망치다.

망국(亡國) der nationale Ruin, -s; ein dem Untergang geweihtes Land, -(e)s, ⸗er (망하는 나라); ein zugrund gegangenes (untergegangenes) Land (망한 나라);《나라의 멸망》nationaler Zusammenbruch, -(e)s, ⸗e; Untergang《*m.* -(e)s》e-s Landes; Verfall《*m.* -s》e-s Landes. ¶ ~의 dem Lande verderblich (verhängnisvoll); entartet; demoralisiert (퇴폐한) / 그 나라는 ~의 징조가 보인다 Das Land zeigt Zeichen《*pl.*》des Verfalls. / ~민족 ein heimatloses Volk, -(e)s, ⸗er; ein verdorbenes Volk (타락한); ein erobertes Volk(정복된) / ~문학 die dekadente (degenerierte) Literatur, -en.

망군(亡君) =선왕.

망그러뜨리다 in Unordnung bringen*[4]; kaputt machen[4]; zerstören[4]; zerbrechen*[4]; ruinieren[4]. ¶ 모자를 밟아 ~ e-n Hut zertreten* / 책상을 ~ e-n Tisch zerstören/ 장난감을 ~ e-n Spielzeug kaputt machen.

망그러지다 entzwei|brechen* (zerbrechen*) Ⓢ; entzwei (in [4]Scherben; kaputt) gehen* Ⓢ; nach|geben*; zerbrochen (zerstört; zugrundegerichtet) werden. ¶ 다 망그러진 beinahe kaputt; dem Zusammenbruch entgegengehend; schadhaft / 망그러지기 쉬운 leicht zerbrechlich; brüchig; fragil; spröde / 망그러진 차 ein kaputtes Auto, -s, -s / 모자가 ~ Der Hut ist ruiniert (kaputt). / 책상이 ~ Der Tisch ist zerstört./ 장난감이 ~ Das Spielzeug ist kaputt. / 망그러지지 않도록 다루어라 Geh damit sorgfältig um (,damit es nicht kaputt geht).

망극(罔極) ① ~하다《은혜가》übermäßig; extrem; unendlich groß (sein). ¶ ~한 은혜 die unendlich große Liebe (der Eltern); die unermeßliche Gunst (des Königs). ②《슬픔이》ein unendlich großes Schmerz, -es, -en; die Trauer《-n》über alle Beschreibung《über den Tod des Königs od. der Eltern》. ¶ ~지통(之痛) ein großes Schmerz《die Wehklage》.

망꾼(望—) Wache *f.* -n.

망나니 ①《처형리》Henker *m.* -s, -; Scharfrichter *m* -s, -. ②《못된 사람》der Wilde*, -n, -n; Raufbold *m.* -(e)s, -e; Krakeeler *m.* -s, -; Handelsucher *m.* -s, -; Gauner *m.* -s, -. ¶ 예 이 ~ 자식 Du Ruchloser!¦ Du Schamloser!¦ Unverschämter Kerl!

③ =노래기. ‖ 찰~ der Erzgauner.

망녀(亡女) ①《딸》die gestorbene Tochter, -n; die verstorbene Tochter, -n. ②《망골계집》die zuchtlose (unzüchtige; liederliche) Frau, -en.

망년회(忘年會) Silvesterfeier *f.* -n; Jahresschlußgelage *n.* -s, -. ¶ ~를 하다 den Silvesterabend feiern.

망념(忘念) =망상(妄想).

망녕그물 das Netz, das zum Fangen der Hasen und Fasanen benutzt wird; Fallnetz *n.* -es, -e.

망대(望臺) Turm *m.* -(e)s, ⸗e; Wachtturm *m.* -(e)s ⸗e. ¶ ~를 세우다 e-n Turm errichten.

망동(妄動) die leichtsinnige Tat, -en; die dumme (unvorsichtige; übereilte) Handlung, -en. ~하다 leichtsinnig handeln; [4]sich unvorsichtlich benehmen*.
‖ 경거~ leichtsinnige Tat und unvorsichtiges Benehmen: 경거 ~을 삼가다 [4]sich artig benehmen*; [4]sich anständig verhalten* / 경거~을 삼가라 Handle immer mit Besonnenheit!

망둥이 〚어류〛 Grundelfisch *m.* -s, -e; Grundel (Gründel) *f.* -n.

망라(網羅) ①《그물》alle Arten Netze《*pl.*》für den Fisch- u. den Vogelfang. ②《모조리》Umfassung *f.*; das Umfassen*, -s. ~하다 enthalten*[4]; ein|schließen*[4]; ein|begreifen*[4]; umfassen[4]; sammeln[4]. ¶ 일체를 ~한 alles umfassend; komplett; von A bis Z / 그것은 모든 가능성을 ~하고 있다 Das schließt alle Möglichkeiten ein. / 그속에 모든 것이 ~되어 있다 Alles ist darin von A bis Z (mit) enthalten. / 그 모임에는 사회각층의 인사가 ~되어 있다 In der Versammlung sind alle Schichten der Gesellschaft vertreten.

망령(亡靈) die Seele《-n》e-s Verstorbenen*; Manen《*pl.*》; Gespenst *n.* -es, -er; Geist *m.* -es, -er.

망령(妄靈) das Kindischwerden*, -s; Altersschwäche *f.* -n; Greisenhaftigkeit *f.* ~되다, ~스럽다 kindisch; unvernünftig; dumm (sein). ~들다 kindisch weiden*; wieder zum Kind werden; greisenhaft (altersschwach) werden; faseln. ¶ ~든 노인 der alte Mensch; der in Altersschwäche sind; kindischer Greis, -es, -e. ~부리다《노인이》[4]sich wie ein Kind benehmen*; [4]sich unvernünftig verhalten*.

망론(妄論) die unvernünftige Meinung, -en; die absurde Auffassung, -en; die unsinnige Rede, -n; Geschwätz *n.* -es, -e.

망루(望樓) Wachtturm *m.* -(e)s, ⸗e; Ausguck *m.* -(e)s, -e; Feuer(wach)turm *m.* -(e)s, ⸗e; Bergfried *m.* -(e)s, -e.

망막(網膜) Netzhaut *f.* ⸗e; Retina, -e.
‖ ~검시경 Retinoskop *n.* -(e)s, -e. ~검시법 Retinoskopie *f.* ~염 Netzhautentzündung *f.* -en; Retinitis *f.* ~출혈 Netzhautblutung *f.* -en. ~파열 Netzhautspalte *f.* -n.

망망하다(忙忙—) sehr beschäftigt; geschäftig (sein); sehr viel zu tun haben.

망망하다(茫茫—)《끝없이 넓은》endlos weit; (weit) ausgedehnt; grenzenlos; unermeßlich;《막막한》undeutlich; dunkel (sein). ¶ 망망한 바다 das unendliche (weite; offene) Meer, -(e)s, -e.

망명(亡命) Emigration *f.* -en; (freiwilliges)

Exil, -(e)s, -e. ~하다 aus|wandern ⓢ; emigrieren ⓢ; ins Exil gehen* ⓢ; im Ausland Zuflucht suchen. ¶ 미국으로 ~하다 nach Amerika (in die Vereinigten Staaten von Amerika) emigrieren (aus|wandern)/ ~ 생활을 하다 im Exil leben.
‖ ~객 Exilpolitiker *m.* -s, -. ~문학 Exilliteratur *f.* -en; Emigrantenliteratur *f.* ~자 Emigrant *m.* -en, -en; Flüchtling *m.* -(e)s, -e; Auswanderer *m.* -s, -. ~작가 Exilautor *m.* -s, -en. ~정권 Exilregime *n.* -(s), -s. ~정부 Exil¦regierung (Emigranten-) *f.* -en.

망모(亡母) die selige Mutter, ⸗n; die verstorbene Mutter.

망민(罔民) die Verleitung 《-en》 des Volkes; Staatsbetrügerei *f.* -en. ~하다 das Volk verleiten; das Volk betrügen.

망발(妄發) die schändliche (schmähliche; entehrende) Rede, -en; eine unvernünftige (absurde) Rede. ~하다 eine schmählich Rede halten; eine unvernünftige Bemerkung machen; einen Fehler (einen Schnitzer) machen.
‖ ~풀이 die Bewirtung 《-en》, um *js.* unvernünftige Äußerung gut zu machen.

망보다(望—) Wache (Schmiere) stehen*《*für*⁴; *bei*³》; Wache halten* (haben); bewachen⁴. ¶ 죄수를 방심 않고 ~ den Gefangenen scharf bewachen.

망부(亡父) mein seliger Vater; mein verstorbener Vater; mein Vater selig.

망부(亡夫) mein verstorbener Mann, -(e)s; mein seliger Mann.

망사(網紗) Gaze *f.*; Flor *m.* -s, -e; Schleier *m.* -s, -.

망상(妄想) Illusion *f.* -en; Wahn *m.* -(e)s; Einbildung *f.* -en; Phantasie *f.* -n; Wahnvorstellung *f.* -en. ~하다 ⁴sich ein|bilden; spinnen; ⁴sich der Illusion hin|geben*; ³sich Illusionen machen; Luftschlösser bauen; einem Trugbild (Phantom) nach|jagen ⓢ. ¶ ~에 사로잡혀 있다 in einem Wahn befangen sein / ~을 깨뜨리다 *jm.* e-n Wahn zerstören (rauben) / ~을 품다 eine Illusion hegen.
‖ ~증 〖의학〗 Paranoia *f.* 과대~(증) Größenwahn *m.* -(e)s.

망상(網狀) Netz¦form (Maschen-) *f.* -en. ¶ ~의 netzartig; maschig; retikulär / ~이 되다 ⁴Netz (Maschen) bilden; netzartig (maschig) werden.
‖ ~막 Retikulum *n.* -s, ..la. ~조직 das retikuläre Gewebe, -s, -.

망상스럽다 nichtig; wertlos; geringfügig; unbedeutend; leichtfertig; frivol; frech; keck; unverschämt (sein).

망새 der Zierziegel, -s, -; der als Verzierung auf beiden Seiten des Hausdachs gesetzt ist.

망석중이 ① 《꼭두각시》 Marionette *f.* -n; Puppe *f.* -n. ② 《사람》 das Werkzeug 《-s, -e》 (die Kreatur 《-en》) des anderen Menschen.

망설(妄說) die falsche Aussage 《-n》 (Behauptung, -en); Entstellung *f.* -en; ungereimte (unsinnige) Ansicht, -en; Trugschluß *m.* ..schlusses, ..schlüsse; Gerücht *n.* -(e)s, -e. ☞ 망언(妄言).

망설망설 zögernd; unschlüssig; zaudernd; schwankend; unsicher; unentschloßen. ¶ ~ 결정을 짓지 못하다 schwankend zu k-m Entschlusse kommen*; zögernd zu k-r Entscheidung kommen*.

망설이다 zögern 《*mit*³》; schwanken; zaudern 《*mit*³》; unschlüssig (unentschlossen; wankelmütig) sein; ⁴sich nicht entschließen können* 《*zu*³》; zurück|weichen* ⓢ 《*vor*³》; nicht mit ³sich einig werden. ¶ 망설이지 않고 ohne ⁴Zögern; ohne zu zögern; entschlossen / 망설이지 않고 …하다 nicht zögern (zaudern), ⁴*et.* zu tun; keine Bedenken haben, ⁴*et.* zu tun / 갈까 말까 ~ nicht entschließen können, ob man gehen soll oder nicht / 회답을 ~ mit der Antwort zögern / 그는 오래 〔잠시〕 ~가 그것을 사기로 했다 Nach einem großen (kleinen) Zögern entschloß er sich, es zu kaufen.

망솔(妄率) Hastigkeit *f.* -en; Eilfertigkeit *f.* -en; Übereilung *f.*-en; Unbekümmertheit *f.* -en; Unbesonnenheit *f.* -en. ~하다 hastig; unbekümmert; unbesonnen; leichtsinnig (sein).

망쇄(忙殺) das geschäftiges Treiben*, -s. ~하다 stark (sehr) in Anspruch genommen; mit Arbeit (Geschäften) überhäuft (überlastet) (sein); furchtbar viel (alle Hände voll) zu tun haben.

망신(亡身) Schande *f.* -n; Blamage [..má:ʒə] *f.* -n; Schmach *f.*; Unehre *f.* -n; Demütigung *f.* -en. ~하다 das Gesicht verlieren*; ⁴sich blamieren; Demütigungen (Schmach) erleiden*; die Ehre verlieren*; in Schande geraten* ⓢ. ~시키다 blamieren⁴; bloß|stellen⁴; in Schande bringen*⁴; demütigen⁴; Schmach (Schande) an|tun*³. ~스럽다 ¹Schande (¹Schmach) sein; blamierend; schmachvoll; schändlich; demütigend; entehrend; schamhaft (sein).
¶ 집안~을 외부에 드러내다 seine schmutzige Wäsche vor allen Leuten waschen* (aus|breiten) / 그의 도벽은 집안의 ~이 되었다 Sein Diebstahl machte seiner Familie Schande. / 집안 ~시키다 die eigene Familie blamieren (in Schande bringen); der eigenen Familie die Schmach an|tun* / 그는 부정행위를 하여 아버지를 ~시켰다 Seine unehrenhafte Handlung machte seinem Vater Schande.
‖ ~살 das Pech 《-s》, immer wieder Schande und Schmach zu erleiden.

망신(妄信) Leichtgläubigkeit *f.* -en. ~하다 leicht glauben; zu sehr vertrauen; ⁴sich leicht täuschen lassen 《*durch*⁴; *von*³》.

망실(亡失) Verlust *m.* -es, -e; Shaden *m.* -s, -. ~하다 einen Verlust (Schaden) erleiden.

망실(忘失) Vergessenheit *f.* -en; Vergeßlichkeit *f.* -en. ~하다 vergessen; in Vergessenheit geraten; *jm.* ⁴*et.* entfallen.

망아(忘我) Selbstvergessenheit *f.*; Ekstase *f.* -n (황홀); Entzückung *f.* -en (무아경); Verzückung *f.* -en (황홀).

망아지 ① 《수컷의》 (Hengst)fohlen *n.* -s, - (Hengstfüllen *n.* -s, -); 《암컷의》 (Stut)fohlen (Stutfüllen). ② 《몸집이 작은》 Pony [..ni] *n.* -s, -s; Pferdchen *n.* -s, -; das kleine Pferd, -(e)s, -e.

망야(罔夜) =철야(徹夜).

망양보뢰(亡羊補牢) Man trifft erst die Sicherheitsmaßnahme; nachdem die Schafe gestohlen wurden. (=Verspätete Reue nützt nichts.)

망양지탄(望洋之歎) die Wehklage 《-en》 über s-e eigene Unfähigkeit; das Gefühl 《-s, -e》 des Hoffnungslosigkeit; das Gefühl der Unfähigkeit. ¶ ~이 있다 über s-e eigene Unfähigkeit klagen; [4]*et.* unerreichbar fühlen; [4]*et.* unerfüllbar fühlen.

망양하다(茫洋—) unergründlich (sein).

망어(妄語) Lüge *f.* -n; Unwahrheit *f.* -en; Falschheit *f.* -en; Ausflüchte 《*pl.*》.

망언(妄言) das eitle Geschwätz, -es, -e; Unsinn *m.* -(e)s; Lüge *f.* -n (거짓말). ~하다 lauter dummes Zeug schwatzen; ins Blaue hinein schwatzen (schwätzen); lügen[4] (거짓말하다).

망얽이(網—) Netzstricken *n.* -s, -; Filetarbeit *f.* -en; Geflecht *n.* -es, -e.

망연자실하다(茫然自失—) ☞ 망연하다 ②. ¶ 망연자실하여 어찌할 바를 모른다 Er ist einfach verblüfft u. weiß nicht, was er machen soll.

망연하다(茫然—) ① =아득하다. ② 《할 바를 모르다》 ausdruckslos; geistesabwesend; gedankenlos; zerstreut; bestürzt; verblüfft; verdutzt; verwirrt (sein).

망외(望外) das Unerwartetsein*, -s. ¶ ~의 unerwartet; unverhofft; unvermutet / ~의 성공 der unerwartete (unverhoffte; unvermutete) Erfolg, -(e)s, -e.

망운(亡運) Unglück *n.* -(e)s; Mißgeschick *n.* -s; Unheil *n.* -s. ¶ ~이 들다 unter einer Unstern sein; in Unglück geraten; [3]sich ein Unglück zuziehen; in die Tiefe des Mißgeschicks sinken.

망울 ① 《멍어리》 Beule *f.* -n; Klumpen *m.* -s, -; Knolle *f.* -n; Knoten *m.* -s, -. ¶ 젖~ Brustwarze *f.* -n; Zitze *f.* -n / ~지다 eine Beule bekommen*; klumpig (knollig) werden / ~짓다 Klumpen (Knollen) bilden. ② 《꽃의》 (Blüten)knospe *f.* -n. ③ 《림프선의》 Lymphozyt *m.* -en, -en; Lymphadenitis *f.* ..nitiden; Lymphknotengeschwulst *f.* ¨e; Lymphadenom *n.* -(e)s, -e; Lymphadenoma *n.* -s, ..nomata. ¶ ~서다 Lymphadenitis haben.

망원경(望遠鏡) Fernrohr *n.* -(e)s, -e; Teleskop *n.* -s, -e; Fernglas *n.* -es, ¨er (소형의); Feldstecher *m.* -s, - (쌍안경). ¶ ~의(에 의한) teleskopisch / ~으로 보다 durch die Fernrohr (den Feldstecher) sehen*[4] / ~을 목표에 맞추다 ein Fernglas (einen Feldstecher) auf ein bestimmtes Objekt ein|-stellen.

‖ 반사(굴절)~ Spiegelteleskop (das dioptrische Fernrohr); Reflektor (Refraktor) *m.* -s, -en [..tó:rən]. 전파~ Radioteleskop *n.* 천체(지상)~ das astronomische (terrestrische) Fernrohr.

망원렌즈(望遠—) Fernobjektiv *n.* -s, -e; Teleobjektiv; Telephotolinse *f.* -n.

망원사진(望遠寫眞) Fernaufnahme *f.* -n; Telephotographie *f.* -n.

‖ ~기 der telephotographische Apparat, -es, -e.

망월(望月) das Mondanschauen*, -s. ~하다 den Mond an|sehen (an|schauen; bewundern).

망인(亡人) der gestorbene (verstorbene; selige) Mensch, -en, -en; der (die) Verstorbene.

망일(望日) . Vollmond-Tag *m.* -es, -e; der 15. Tag nach dem Mondkalender.

망자(亡者) der Tote*, -n, -n; Geist *m.* -(e)s, -er (유령).

망자존대(妄自尊大) Hochmut *m.* -es, -; Stolz *m.* -es; Anmaßung *f.* -en; Vermessenheit *f.* -en. ~하다 hochmütig sein; [4]sich stolz benehmen; [4]sich anmaßend verhalten*.

망제(亡—) 〖민속〗 =망자(亡者).

망족(望族) die berühmte (erhabene; erlauchte; ansehenliche) Familie, -en.

망종(亡終) die letzte Stunde 《-n》 des Lebens; Sterbebett *n.* -es, -e; Totenbett *n.* -es, -e; Todesstunde *f.* -n.

‖ ~길 der letzte Schritt 《-es, -e》 des Lebens.

망종(亡種) Nichtsnutz *m.* -es, -e; der wertlose Schurke, -n, -n; Taugenichts *m.* -(es), -e; Tunichtgut *m.* -(es), -(e).

망종(芒種) ① 《곡식》 das Getreide 《-s, -》 mit der Granne. ② 《절후》 einer der 24 Jahresabschnitt (um 5. Juni).

망주석(望柱石) ein Paar Schützgeiststeine; die vor der Grabstätt gesetzt sind.

망중한(忙中閑) ein freier Augenblick 《*m.* -s, -e》 im Drang der Geschäfte; Muße 《*f.*》 im Drang der Geschäfte; Pause *f.* -n. ¶ ~을 즐기다 Muße im Drang der Geschäfte genießen; Auch im Drang der Geschäfte kann man e-n freien Augenblick finden* (망중유한).

망지소조하다(罔知所措—) 《당황하다》 aus s-r Fassung kommen*ⓢ; den Kopf verlieren*. ¶ 망지소조한 verwirrt; 《흥분한》 aufgeregt.

망집(妄執) Wahn *m.* -(e)s; Täuschung *f.* -en; Fimmel *m.* -s, - (편집); der bittere Groll, -(e)s (집념).

망처(亡妻) die verstorbene Frau, -en; die selige Frau.

망초(芒硝) 〖화학〗 das Sulfat 《-es, -e》 des Sodas.

망측(罔測) Sinnwidrigkeit *f.* -en; Absurdität *f.* -en; Sinnlosigkeit *f.* -en. ~하다 sinnwidrig; absurd; ungeordnet; zügellos (sein). ¶ ~한 생각 ein absurder Gedanke *m.* -ns, -n; eine zügellose Idee, -n / ~한 이야기 die sinnlose Geschichte, -n / ~한 짓은 그만 둬 Sei nicht so absurd!¦ Mach doch keinen Unsinn!

망치 Hammer *m.* -s, ¨; Holzhammer (나무망치); Eisenhammer (쇠망치); Fäustel *m.* -s, - (석공·광부용); Schlegel (Schlägel) *m.* -s, -. ¶ ~로 치다 mit dem Hammer schlagen*[4] (klopfen[(4)]) 《*an*[4]; *auf*[4]》; hämmern[(4)] 《*auf*[4]》.

‖ ~자루 Hammerstiel *m.* -s, -e. ~질 das Hämmern*, -s: ~질하다 hämmern[(4)].

망치(忘置) =망각(忘却).

망치다 zugrunde richten[4]; ruinieren[4]; verderben[(*)4]; kaputt machen[4]; zunichte machen[4]; verwüsten[4]; verheeren[4]; Verheerung 《*f.* -en》 (Verwüstung 《*f.* -en》) an|richten; vernichten[4]; zerstören[4]. ¶ 농작물을 ~ 《폭풍우 등이》 die Ernte vernichten / 비에 모자를 ~ der Regen macht den Hut kaputt / 개가 화단을 ~ der Hund ruiniert das Blumenbeet / 그가 계획을 망쳐 놓았다 Er machte den Plan zunichte. / 그는 근심과 과로로 건강을 망쳤다 Sorge u. Überarbeitung haben s-e Gesundheit zerrüttet. / 한번 실수로 일생을 망쳤다 Durch den einmaligen Fehler ist er fürs ganze Leben ruiniert. / 그는 술로 몸을 망쳤다 Seine Trunksucht hat ihn zugrunde gerichtet.

망칠(望七) 61 Jahre alt; Einundsechzigjähriger *m.* -s, -.

망태(기)(網―) Netztasche *f.* -n; Stricktasche *f.* -n.

망토 Mantel *m.* -s, ¨; Überrock *m.* -(e)s, ¨e; Überzieher *m.* -s, -; Havelock *m.* -s, -s; Paletot *m.* -s, -s (주로 남자의); Raglan *m.* -s, -s (레인코트); Umhang *m.* -(e)s, ¨e (소매 없는 여자용의).
‖방수～ der wasserdichte Mantel.

망평(妄評) die oberflächliche (ungerechte; leichtfertige) Kritik, -en; die seichte Bemerkung, -en; Bekritt(e)lung *f.* -en (혹평). **～하다** oberflächlich (ungerecht; leichtfertig) kritisieren^{4}; kritteln 《*an*^{3}》; bekritteln^{4}; nörgeln 《*an*^{3}》.
‖～다사 (Ich bitte um) Verzeihung (Entschuldigung) für m-e unmaßgebliche Kritik!

망하다(亡―) ①《멸망》 unter|gehen*[s]; hin|schwinden*[s]; zugrund(e) gehen*[s]; vernichtet werden; zusammen|brechen*(-stürzen)[s]; aus|sterben*[s]. ¶함께 ～ mit unter|gehen*[s]; gemeinsam zugrunde gehen*[s] / 나라가 ～ Ein Staat bricht zusammen. / 일족이 ～ Eine ganze Sippe stirbt aus (geht unter). ②《영락》 verfallen*[s]; verderben$^{(*)}$[s]; vergehen*[s]; herunter|kommen*[s]; ruiniert werden; auf die Hunde kommen*[s]. ¶집안이 ～ Eine Familie kommt herunter (verfällt). / 회사가 ～ Eine Firma wird ruiniert. / 술로 ～ wegen der Trunksucht heruntergekommen sein. ③《못되다·힘들다》 schwer sein, zu behandeln (tun). ¶망할 verdammt / 그 책은 읽기 ～ Das Buch ist (verdammt) schwer zu lesen. / 이 망할 놈의 말이 길을 가주어야지 Dieses verdammte Pferd! Es ist so langsam.

망해(亡骸) Leiche *f.* -n; Leichnam *m.* -(e)s, -e; die sterblichen Überreste 《*pl.*》.

망형(亡兄) der verstorbene alte Bruder, -s, ¨.

망혼(亡魂) die Seele 《-n》 des Verstorbenen; die Manen 《*pl.*》. ¶～을 위로하다 die Seele des Verstorbenen trösten; zum Heil des Verstorbenen religiöse Feier veranstalten; e-n Priester kommen lassen*; Seelenmesse lesen lassen*.

맞- gegen- (Gegen-); konter- (Konter-); frontal; zusammen- (Zusammen-); gegenseitig; gemeinsam; entgegengesetzt; (direkt) gegenüber. ¶맞구멍 ein Loch 《*n.* -(e)s, ¨er》 gegenüber / 맞바람 Gegenwind *m.* -(e)s, -e / 맞닿다 aufeinander stoßen*[s]; ^{4}sich berühren / 맞들다 gemeinsam halten*^{4} (auf|heben*^{4}).

맞갖다 liebenswürdig; willkommen; gefällig; angenehm; zufriedenstellend (sein). ¶맞갖은 집 ein Haus nach *js.* Geschmack ein angenehmes Haus, -es, ¨er / 맞갖은 음식 köstliche Speise, -n; wohlschmeckende Speise / 맞갖은 여자 ein Mädchen 《*n.* -s, -》 nach seinem Herzen.

맞갖잖다 unschmackhaft; geschmacklos; unangenehm; ungenügend; unbefriedigend; unerfreulich; unerwünscht; unbequem (sein). ¶맞갖잖은 음식 unschmackhafte (widerliche) Speise, -n / 맞갖잖은 사람 unerwünschte Person, -en / 맞갖잖은 수작 beleidigende (angreifende) Äußerung; der Streich, der einem im Magen schwer (wie Blei) liegt.

맞걸다 dieselbe Summe wie Gegner aufs Spiel (od. als Einsatz) setzen; wetten 《auf ^{3}*et.*》; eine Wette an|bieten 《auf ^{3}*et.*》; ein|setzen 《Geld auf ^{3}*et.*》.

맞걸리다 ① ^{4}sich ineinander verschlingen*; ineinander|greifen*; ^{4}sich beißen; einander beißen*; ^{4}sich ein|haken; ^{4}sich verbinden*; ^{4}sich zusammen|kuppeln; ^{4}sich paaren. ¶차량 연결기가 ～ die Kuppelstange der Wagen sind gekoppelt. ②《두 사람이》 ^{4}sich (als Gegner) gegenüber|stellen; ^{4}sich einander gegenüber|stellen; ^{4}sich einander gegenüber|setzen; ^{4}sich mit *jm.* von Angesicht zu Angesicht gegenüber|stellen. ¶두 사람이 결승전에서 ～ die Beiden stellen sich beim Endkampf gegenüber.

맞고소(―告訴) Wider¦klage (Gegen-) *f.* -n. **～하다** widerklagen 《*gegen*^{4}》 〖*p.p.* widergeklagt〗; e-e Gegenklage ein|bringen* 《*gegen*^{4}》.

맞교대(―交代) zwei Schichten 《*pl.*》.
‖～작업 die Arbeit in zwei Schichten; zwei Schichten Arbeit *f.* -en.

맞꼭지각(―角) 〖수학〗 Scheitelwinkel *m.* -s, -.

맞다^{1} ①《안틀림》 richtig (korrekt) sein (gehen*[s]); stimmen; ^{3}der Wahrheit entsprechen*. ¶시계가 ～ Die Uhr geht richtig. / 셈이 ～ Die Rechnung stimmt. / 셈이 맞지 않다 Die Rechnung stimmt nicht. / 네 말이 맞았다 Du hast recht.
②《일치》 überein|stimmen 《*mit*^{3}》; entsprechen*^{3}. ¶말이 사실과 ～ Die Aussage stimmt mit der Tatsache überein.¦Die Aussage entspricht der Tatsache. / 사실과 맞지 않다 nicht ^{3}der Tatsache entsprechen*; nicht mit der Tatsache überein|stimmen / 말과 행동이 맞지 않다 S-e Handlungen stehen im Widerspruch mit s-n Worten. / 두 사람 말이 서로 맞는다 / Die Aussagen der beiden stimmen überein.
③《가락·마음이》 harmonieren; zusammen|passen; im Einklang sein (stehen*[s]) 《mit *jm.*》; in Harmonie stehen*[s] 《mit *jm.*》. ¶곡조가 ～ gut gestimmt sein (악기의 조율) / 곡조가 맞지 않다 schlecht gestimmt sein / 손이 ～ gut zusammen|passen; ^{4}sich (einander) gut verstehen*; ^{4}sich mit *jm.* gut verstehen*; mit *jm.* im guten Fuß stehen*[h,s]; mit *jm.* dicke Freundschaft halten* / 배가 ～ aneinander ^{4}Gefallen finden*; ein Herz und eine Seele sein; ^{4}sich ineinander verlieben* / 서로 배가 맞아 달아나다 ^{4}sich ineinander verlieben und gemeinsam durch|gehen*[s] / 마음이 ～ gleich¦gesinnt (-gestimmt) sein; gleichen Gemüts sein; ^{4}sich gut verstehen*; dicke Freunde sein; im Einklang stehen*[s] / 서로 마음이 맞지 않다 miteinander uneinig sein; einander schlecht (nicht) verstehen*; miteinander ^{4}sich schlecht vertragen* / 도둑질도 손이 맞아야 한다 Auch für den Diebstahl braucht man guten Partner.¦Eine Hand wäscht die andere.
④《몸·구멍 등에》 passen 《*auf*^{4}; *in*^{4}》; sitzen*. ¶옷이 ～ das Kleid paßt / 잘 맞는 옷 das gut passende (sitzende) Kleid 《-(e)s, -er》 / 잘 맞지 않는 양복 der schlecht sitzende Anzug 《-(e)s, ¨e》 / 몸에 꼭 ～ wie angegossen sitzen*; genau passen / 쐐기가 구멍에 ～ der Keil paßt in das Loch (hinein)

/ 맞나 안 맞나 입어보겠다 Ich probiere den Anzug an. / 남비에 뚜껑이 꼭 맞는다 Der Deckel paßt auf den Topf. / 이 열쇠가 자물쇠에 꼭 맞는다 Dieser Schlüssel paßt ins Schloß.
⑤ 《어울림》 passen 《*für*^{4}; *zu*^{3}》; *jm.* (gut) stehen* [h,s] angemessen sein 《*für*^{4}》; gemäß^{3} sein. ¶ 타이가 양복에 잘 맞는다 Die Krawatte paßt gut zu dem Anzug. / 양복은 네게 맞지 않는다 Der Anzug steht dir nicht gut. / 그런 행동은 그의 신분에 맞지 않는다 Solches Verhalten ist seinem Stande nicht gemäß.
⑥ 《마음·입·조건·사리 등에》 entsprechen*^{3}; überein|stimmen 《*mit*^{3}》; passen 《*auf*^{4}; *für*^{4}; *in*^{4}; *zu*^{3}》; bekommen*^{3} [s]; angemessen sein 《*für*^{4}》; gemäß^{3} sein. ¶ 마음에 ~ gefallen* 《*jm.*》; zu|sagen 《*jm.*》 / 입에 ~ schmackhaft (wohlschmeckend) sein; *jm.* schmecken (munden) / 마음에 맞는 집 ein Haus 《-es, ⸚er》 nach^{3} *js.* Geschmack / 입에 맞는 음식 angenehmes (köstliches) Essen, -s, - / 비위에 ~ nach *js.* ^{3}Geschmack sein; *js.* ^{3}Geschmack zu|sagen / 비위에 맞지 않다 nicht nach *js.* Geschmack sein; nicht *js.* ^{3}Geschmack zu|sagen / 의견이 맞(지 않)다 (nicht) über|einstimmen; (nicht) einer Meinung sein; (nicht) einig sein / 규격에 ~ der ^{3}Norm entsprechen* / 조건에 ~ die Bedingungen (Voraussetzungen) erfüllen / 사리에 ~ vernünftig (einleuchtend) sein / 이상에 ~ dem Ideal entsprechen* / 국정에 ~ der nationalen Lage entsprechen* (gemäß sein) / 가풍에 ~ der Familientradition entsprechen / 그건 내 취미에 맞는다 Das ist nach meinem Geschmack. / 모습이 인상서와 맞는다 Das Aussehen entspricht der Beschreibung. / 입에 맞으실지 잡수어 보십시오 Bitte probieren Sie es! | Ich weiß nicht, ob es Ihnen schmecken würde.
⑦ 《수지가》 ^{4}sich rentieren (lohnen); rentabel sein. ¶ 수지 맞는 일 rentables Geschäft *n.* -(e)s, -e / 그렇게 하면 수지가 맞지 않는다 Das Geschäft rentiert sich nicht, wenn du es so machst.
⑧ 《명중·적중》 treffen*$^{(4)}$; sitzen; ^{4}sich bewahrheiten (짐작, 예언 따위가). ¶ 화살이 과녁에 ~ Eine Pfeile trifft die Zielscheibe (ins Schwarze) / 오른팔 (눈, 어깨, 머리)에 ~ *jn.* in den rechten Arm (in das Auge, auf die Schulter, auf den Kopf) treffen*/ 맞지 않다 《탄알 등이》 fehl|gehen* [s]; verfehlen^{4} 《*jn.*; die Zielscheibe》; nicht treffen*^{4} / 예언이 ~ die Voraussage bewahrheitet sich / 꿈이 ~ der Traum bewahrheitet sich / 짐작이 ~ in der Vermutung nicht fehl|gehen* [s]; richtig vermuten^{4} / 그의 추측은 맞았다(맞지 않았다) Seine Vermutung war (doch) richtig (falsch). / 네 말이 꼭 맞았다 Damit triffst du den Nagel auf den Kopf. | Du hast ganz recht. / 탄알이 목표물 복판에 맞았다 Der Schuß (Kugel) traf ins Schwarze. / 오늘 일기예보는 맞았다 Die heutige Wettervorhersage hat sich als richtig herausgestellt (hat's gut getroffen).

맞다² ① 《영접》 empfangen*^{4}; begrüßen^{4}. ¶ …를 정거장까지 나가 ~ *jn.* im Bahnhof empfangen* (begrüßen); *jn.* vom Bahnhof ab|holen / …를 반가이 ~ *jn.* willkommen|heißen* / 묵은 해를 보내고 새해를 ~ von dem alten Jahr Abschied nehmen* und ^{4}sich dem neuen Jahr zu|wenden$^{(*)}$ / 20 세가 되는 해를 ~ das zwanzigste Jahr erreichen / 손님을 응접실에 맞아들이다 die Gäste begrüßen und ins Wohnzimmer führen / 손님을 반갑게 맞아들이다 einen Gast herzlich begrüßen.
② 《맞아들임》 auf|nehmen*^{4}; ein|laden*^{4}. ¶ 아내를 ~ heiraten$^{(4)}$ / 양자를 ~ ein Kind (einen Jungen) adoptieren / 사위를 ~ s-e Tochter verheiraten; einen Schwiegersohn bekommen* / 새 교장을 ~ einen neuen Schuldirektor haben / 적을 ~ dem Gegner entgegen|treten (begegnen).
③ 《노출되다·당하다》 ausgesetzt^{3} sein; (er-)leiden*^{4}; ^{4}sich ^{3}*et.* aus|setzen; bekommen*^{4}; erhalten*^{4}. ¶ 비를(눈을) ~ dem Regen (dem Schnee) ausgesetzt sein / 도둑 ~ *jm.* geraubt (gestohlen) werden 〖도둑 맞은 물건이 주어〗; um ^{4}*et.* bestohlen werden; eines Dinges beraubt werden 〖도둑 맞은 사람이 주어〗 / 책을 도둑 맞았다 Ein Buch ist mir gestohlen worden. / 퇴짜를 ~ zurückgewiesen (abgelehnt) werden / 야단(꾸중) 맞다 Schelte 《*f.*》 (Tadel *m.* -s, -) bekommen*; gescholten werden / 퉁(바리) ~ eine glatte Absage erhalten; glatt abgewiesen (zurückgewiesen) werden / 빨래를 비맞지 않도록 하라 Schütz die Wäsche vor dem Regen!
④ 《얻어맞다》 geschlagen werden; schläge (Hiebe) bekommen* (erhalten*). ¶ 매를 ~ Peitschenheibe bekommen* (erhalten*) / 뺨을 ~ eine Ohrfeige bekommen*; geohrfeigt werden; eins hinter die ohren kriegen (bekommen*) / 궁둥이(볼기)를 ~ den Hintern versohlt (verhaut) bekommen*; ein paar auf den Hintern bekommen*; den Hintern voll bekommen* / 콧등을 ~ einen Nasenstüber bekommen*; einen Schlag auf die Nase bekommen*.
⑤ 《주사를》 injiziert werden; 《eine Injektion》 bekommen*; 《도장·검인을》 《einen Stempel》 gesetzt (gedrückt) bekommen*. ¶ 장티푸스의 예방주사를 ~ gegen den Typhus (abdominalis) ^{4}sich impfen lassen* (geimpft werden).
⑥ 《점수를》 《Punkte; Note》 bekommen*. ¶ 시험에서 만점을 ~ in (bei) der Prüfung die beste Note bekommen*.

맞닥뜨리다 gegenüber|stehen* 《*jm.*》; entgegen|treten*; stoßen* 《*auf*^{4}》; treffen*^{4}; stehen* 《*vor*^{3}》; begegnen^{4}; zusammen|treffen*^{4}. ¶ 맞닥뜨린 im vorstehenden / 막다른 골목에 ~ in die Enge getrieben werden; in die Sackgasse geraten* / 외나무 다리에서 원수와 ~ den Feind 《*m.* -s, -e》 auf dem Holzsteg 《*m.* -s, -e》 treffen / 곤란한 문제에 ~ auf Schwierigkeiten stoßen / 우리가 여기서 맞닥뜨린 문제 die Frage, die uns hier entgegentritt.

맞닥치다 zusammen|kommen* 《*mit*^{3}》; *jm.* begegnen; treffen^{4}; 《겹치다》 zusammen|-schlagen*. ¶ 원수와 노상에서 ~ den Feind auf der straße treffen* / 서로 맞닥쳐 싸우다 miteinander schlagen* (zauken) / 난관이 ~ *jm.* Schwierigkeiten entgegen|treten; auf Hindernisse stoßen* / 일요일과 축제일이 ~ der Feiertag fällt auf den Sonntag.

맞담 die Steinwand, ⸚e; die Steinmauer, -n.

맞담배 ¶ ~피우다, ~질하다 vor *js.* Augen

unhöflich rauchen; miteinander zusammenrauchen.

맞당기다 von beiden Seiten 《*f.*》 ziehen*; von beiden Seiten heran|zerren (spannen); von beiden Seiten gespannt (gezerrt; gezogen; gezupft) sein. ¶ 줄이 맞당겨 끊어지다 von beiden Seiten herangezogen ist die Schnur 《*f.* -en》 entzwei / 줄을 ~ den Strick 《*m.* -es, -e》 von beiden Seiten heranziehen.

맞닿다 in Berührung kommen* ⓢ 《*mit*³》; ⁴sich (einander) berühren. ¶ 두 팔꿈치가 서로 ~ Die beiden Ellbogen berühren sich einander. / 하늘과 바다가 서로 ~ Himmel und Meer berühren sich.

맞대다 ① 《접촉 · 정면》 gegenüber|stellen⁴ 《*mit*³》; gegeneinander|stellen⁴; konfrontieren⁴ 《*mit*³》; in Verbindung (Kontakt) bringen*⁴. ¶ 맞대고 direkt; geradeheraus; offen; ohne Umschweife / 이마를 ~ *jm.* von Angesicht zu Angesicht gegenüberstehen; einander gegenüber|sitzen*ⓢ; zusammen|sitzen*ⓢ / 음극을 양극에 ~ den Kontakt zwischen der Kathode und der Anode schließen* / 맞대고 욕하다 *jn.* direkt (geradeheraus) schelten* (schimpfen) / 이마를 맞대고 의논하다 die Köpfe zusammen|stecken / 그와 매일 얼굴을 맞대고 일한다 Ich sehe ihn täglich in unserem gemeinsamen Arbeitsplatz.
② 《대면》 gegenüber|stellen⁴ (gegeneinander-); zusammen|bringen*⁴《*mit*³》; konfrontieren⁴ 《*mit*³》. ¶ 살 사람과 팔 사람을 ~ den Verkäufer und den Kaufwilligen zusammen|bringen* / 원고와 피고를 ~ den Kläger mit dem Angeklagten konfrontieren.
③ 《양쪽에》 an beide Ende (Seiten) an|setzen⁴.

맞대매 Endspiel *m.* -s, -e; Gegenüberstellung *f.* -en. ~하다 aus|tragen*; zur Entscheidung 《*f.* -en》 bringen*; ⁴sich gegenüber|stellen³; mit *jm.* konfrontieren.

맞대면(一對面) Begegnung *f.* -en; Zusammenkunft *f.* ⸚e; 《면담》 Unterredung *f.* -en; Interview *n.* -s, -s (*f.* -s); Entgegentreten 《*n.* -s》; Auge in Auge; Angesicht zu Angesicht. ~하다 ⁴sich treffen*; eine Zusammenkunft haben; ⁴sich gegenüber|stellen³ (-setzen³); interviewen. ¶ ~해서 von Angesicht zu Angesicht.

맞대하다(一對一) ⁴sich treffen*; miteinander begegnen. ¶ 얼굴을 ~ mit *jm.* von Angesicht zu Angesicht kommen; Zusammenkunft haben.

맞돈 Bargeld *n.* -(e)s, -er; Barzahlung *f.* -en. ¶ ~으로 per Kasse; bar; in bar; gegenbar / ~을 내다 bar (in bar) bezahlen⁴ / ~으로만 팔다 nur gegenbar verkaufen⁴.
‖ ~장수 Bargeschäft *n.* -(e)s, -e.

맞들다 ① 《둘이》 zu zwei heben*; miteinander zusammen|heben*. ¶ 둘이 책상을 ~ den Tisch 《*m.* -s, -e》 zu zweit zusammen|heben*. ② 《협력》 zusammen|arbeiten 《*mit*³》; mit|arbeiten 《*mit*³》; mit|wirken 《*mit*³》; die Kräfte vereinigen; kooperieren 《*mit*³》. ¶ 일을 서로 맞들어 하다 an ³*et.* mit *jm.* mit|wirken ⁴*et.* mit vereinigten Kräften tun; im Verein mit *jm.* tun / 일을 서로 맞들어 하면 무엇이나 한결 쉬운 법이다 Alles tut man viel leichter, wenn man zusammenarbeitet. / 서로 맞들어 하지 않으면 사업은 안 된다 Ohne Vereinigung aller Kräfte kann kein Unternehmen gedeihen.

맞뚫다 direkt durchbohren; von beiden Seiten gleichzeitig durchdringen* (durchbohren).

맞먹다 《힘이》 von gleicher Stärke sein; 《비등》 ebenbürtig sein; gleich|wertig (-stehend) sein. ¶ 1마르크는 250원에 맞먹는다 Eine Mark entspricht etwa 250 *Won*.

맞물다 ① 《이가》 einander beißen*; sich beißen*; 〖치과〗 okkuludieren. ② 《톱니바퀴 따위가》 ineinander|greifen*; ineinander|haken; zusammen|arbeiten 《*mit*³》. ¶ X의 톱니바퀴가 Y 톱니바퀴와 맞물었다 das Zahnrad 《-es, ⸚er》 X hat das Zahnrad Y ineinandergegriffen.

맞물리다 ⁴sich miteinander beißen*; ineinander|greifen* (톱니바퀴가); ⁴sich verzahnen (오목·볼록) 부분이.

맞바꾸다 tauschen⁴ 《*gegen*⁴》; aus|tauschen⁴ 《*gegen*⁴; *für*⁴》; aus|wechseln⁴ 《*gegen*⁴》. ¶ 시계와 카메라를 ~ die Uhr gegen das Photoapparat tauschen / 쌀과 기계를 ~ Reis gegen Maschinen tauschen / 비준서를 ~ die Ratifikationsurkunden 《*pl.*》 aus|tauschen.

맞바느질하다 mit zwei Nadeln von beiden Seiten nähen.

맞바둑 das zu unentscheidende Spiel von *Badug* (=japanisch: Go-spiel); Remispartie *f.* -n; der heftige *Badug*-Kampf, -s, ⸚e. ¶ 두 사람은 ~이다 Die Geschicklichkeit dürfte auf beiden Seiten gleich sein.

맞바람 Gegenwind *m.* -(e)s, -e; der Wind 《-(e)s, -e》 von vorn. ¶ ~이다 Der Wind weht gegen uns. / 배가 ~을 안고 가다 gegen den Wind (gerade in den Wind) segeln.

맞바리 das Zwischenhandeln* 《-s》 von den Brennmaterialien; der Vermittler 《-s, -》 des Reisigbündel.

맞받다 ① 《정면으로》 direkt auf|fangen*; direkt auf die Stirn empfangen*. ¶ 햇빛을 ~ den Sonnenschein direkt aufs Gesicht empfangen; die Sonne direkt auf die Stirn aufstrahlen. ② 《응수》 auf der Stelle antworten (erwidern). ③ 《충돌》 zusammen|krachen; zusammen|prallen 《*an*⁴; *gegen*⁴》; miteinander heftig stoßen*. ¶ 둘이 이마를 ~ die Köpfe gegeneinander stoßen* (zusammen|prallen).

맞받이 der gegenüberliegende Platz, -es, ⸚e; die entgegengesetzte Stelle, -n. ¶ ~언덕 der Hügel 《-s》 gegenüber / 길 건너 ~집 das der Straße gerade gegenüber stehende Haus, -es, ⸚er; das Haus, das der Straße gerade gegenüber steht.

맞발기 die geschäftliche Urkunde 《-n》, die Käufer und Verkäufer beiderseitig aufbewahrt sind.

맞배지기 〖씨름〗 Gegenerhebungsgriff 《*m.* -s, -e》 beim koreanischen Ringen.

맞벌이하다 gemeinsam (Geld) verdienen; beide berufstätig sein. ¶ 부부가 ~ Beide von diesem Paar verdienen gemeinsam. ¦ Die Eheleute sind beide berufstätig.
‖ 맞벌이 부부 berufstätige Eheleute 《*pl.*》.

맞벽(一壁) 〖건축〗 das äußere Verputzen der 2 Schichten Wand.

맞보기 die klaren Gläser 《*pl.*》 《mit den unreflektierenden Linsen》.

맞보다 ^{4}sich an|sehen*; Blicke wechseln 《mit *jm.*》. ¶ 맞보고 웃다 ^{4}sich (einander) an|lächeln / 그저 맞보기만 하고 아무 말도 하지 않았다 Sie starrten einander an, ohne ein Wort zu sagen.

맞부딪치다 zusammen|stoßen*[s] 《*mit*^{3}》; aufeinander|stoßen*[s] (gegeneinander-). ¶ 전차와 버스가 맞부딪쳤다 Die Straßenbahn ist mit dem Bus zusammengestoßen. / 우리는 머리가 맞부딪쳤다 Wir stießen mit den Köpfen zusammen.

맞붙다 ① 《한데》 zusammen|kleben; aneinander haften; zusammen|halten*; zusammen|stecken. ¶ 두 집이 맞붙어 있다 Die beiden Häuser stehen dicht nebeneinander./ 둘은 밤낮 맞붙어 (돌아)다닌다 Die beiden stecken dauernd zusammen. / 종이가 맞붙어 떨어지지 않는다 Die beiden Blätter sind so hart aneinander geklebt, daß sie sich nicht trennen lassen. ② 《격투》 *jm.* (im Wettkampf) gegenüber|stehen* [s]; ^{4}sich mit *jm.* messen*; aufeinander|stoßen*[s]. ¶ 맞붙어 씨름하다 miteinander ringen* / 맞붙어 싸우다 mit *jm.* ^{4}sich balgen (raufen); ^{4}sich prügeln; ringen* 《*mit*^{3}》; handgemein werden 《*mit*^{3}》.

맞붙들다 ^{4}sich einander ergreifen*; ^{4}sich einander erfassen; ^{3}sich einander helfen*; 〖권투〗 Umklammerung *f.* -en. ¶ 어깨를 양쪽에서 ~ *jn.* bei den Schultern erfassen.

맞붙이 ① 《대면》 Interview *n.* -s, -s (*f.* -s); Unterredung 《*f.* -en》 unter vier Augen; Zusammentreffen *n.* -s; die direkte Verhandlung, -en. ② 《겹옷》 das ungefütterte Kleidungsstück 《-es, ⸚e》 für den Frühling und Herbst.

맞붙이다 ① 《사람을》 *jn.* mit *jm.* zusammen|bringen*; *jn.* mit *jm.* zum Kontakt 《*m.* -es, -e》 bringen; 《경기에서》 ^{4}sich einander kämpfen lassen*; *jm.* gegenüber|stellen. ② 《붙임》 zusammen|kleben; an|heften; auf|kleben. ¶ 두 종이를 ~ zwei Blätter 《*n.* -es, -er》 Papier zusammen|kleben.

맞붙잡다 ^{4}sich einander ergreifen*; ^{4}sich einander erfassen.

맞비겨떨어지다 aus|gleichen*; im Gleichgewicht halten*; begleichen; ab|schließen; saldieren. ¶ 셈이 ~ ^{4}sich saldieren; ^{4}sich aus|gleichen*; eine Rechnung 《*f.* -en》 ab|schließen* (saldieren).

맞상(一床) der für zwei Personen gedeckte Tisch, -s, -e. **~하다** zu zweit essen; speisen *à deux* 《불어》.

맞상대(一相對) die Unterredung 《-en》 unter vier Augen; das direkte Entgegentreten*, -s.

맞서다 ① 《마주 섬》 gegenüber|stehen*^{3} [s]; von Angesicht zu Angesicht stehen*[s]. ② 《대결》 ^{4}sich entgegen|stellen^{3} (-|setzen^{3}); ^{4}sich widersetzen^{3}; widerstehen*^{3}; Widerstand leisten^{3}; die Stirn (Trotz) bieten*^{3}; entgegen|treten*^{3}; trotzen^{3}. ¶ 맞서 싸우다 miteinander kämpfen; den Kampf auf|nehmen* 《*mit*^{3}》 / 작은애가 큰애와 맞서 겨룬다 Der Bengel bietet dem Halbwüchsigen die Stirn und nimmt den Kampf auf. / 그와 맞설 자가 누군가 Wer kann sich ihm entgegenstellen? ③ 《견줌》 es mit *jm.* auf|nehmen können*; *jm.* gewachsen (ebenbürtig) sein; es *jm.* gleich|tun*; ^{4}sich messen können* 《mit *jm.*》. ¶ 그는 누구와도 맞설 수 있다 Er kann es mit jedem aufnehmen. / 노래로는 그를 맞설 자가 없다 Im Gesang hat er k-n Ebenbürtigen.¦Im Gesang kommt ihm k-r gleich.

맞선 Interview *n.* -s, -s (*f.* -s) (mit der Absicht zu heiraten). ¶ ~보다 sich gegenseitig ansehen, mit der Absicht zu heiraten / ~도 안 보고 결혼했다 Sie wurden selbst ohne die Formalitäten e-s vorherigen Interviews verheiratet.

맞소송(一訴訟) Gegenklage *f.* -n; Widerklage *f.* -en. ¶ ~을 걸다 gegen *jn.* e-e Gegenklage erheben; wider|klagen.

맞쇠 Hauptschlüssel *m.* -s, -. ☞ 곁쇠.

맞수(一手) gute Partie, -n; ausgezeichnetes Paar, -s, -e; Remis-Partie *f.* -n. ¶ 장기의 ~ ausgezeichnetes Wettpaar im koreanischen Schachspiel.

맞쐬다 vergleichen* 《*mit*^{3}》 u. kollationieren.

맞아들이다 herein|führen; im Empfang 《*m.* -s, ⸚e》 nehmen*.

맞아떨어지다 (überein)stimmen; entsprechen*; bei der Rechnung richtig sein. ¶ 계산이 ~ die Rechnung korrekt (richtig) sein; die Rechnung stimmen / 네 계산과 내 계산이 맞아 떨어진다 M-e Rechnung stimmt mit deiner überein.

맞욕(一辱) die gegenseitige Beschimpfung, -en; das Zurückschimpfen*, -s; Beleidigung 《*f.* -en》 von Angesicht zu Angesicht. **~하다** mit den Schimpfworten antworten; zurück|schimpfen.

맞은바래기 die entgegengesetzte (gegenüberliegende) Seite, -n.

맞은편 《위치》 gegenüberliegende Seite, -n; die andere Seite; 《상대편》 Gegenseite *f.* -n. ¶ 바로 ~ gerade gegenüber (vorn); auf der gerade entgegengesetzten Seite / 바로 ~의 집 das Haus 《-es, ⸚er》 gerade gegenüber; das auf der gerade entgegengesetzten Seite gelegene Haus / 강 ~ die gegenüberliegende Seite des Flusses; auf der anderen Seite des Flusses / 길 ~ 집 das Haus 《-es, ⸚er》 gegenüber der Straße / 병원 바로 ~에 살다 direkt gegenüber dem Krankenhaus wohnen / 바람이 ~에서 불어오다 den Gegenwind haben.

맞이 Empfang *m.* -(e)s, ⸚e; Begrüßung *f.* -en; Aufnahme *f.* -n. **~하다** empfangen*^{4}; begrüßen^{4}; auf|nehmen*^{4}; begegnen^{3}; willkommen heißen^{4}; ab|holen^{4}. ¶ 아내를 ~하다 heiraten; die Ehe schließen (ein|gehen* [s]) 《*mit*^{3}》 / 정거장에 나가 손님을 ~하다 den Gast vom Bahnhof ab|holen / 집에 손님을 ~하다 Besuch haben; den Gast bei ^{3}sich begrüßen (empfangen*) / 따뜻하게 ~하다 *jn.* freundlich empfangen* (begrüßen); *jm.* e-n warmen Empfang (e-e freundliche Aufnahme) bereiten / 환호로써 ~하다 mit Jubel empfangen*^{4} / 새해를 ~하다 das Neujahr feiern / 16세를 ~하다 das 16. Lebensjahr erreichen / 적을 ~하여 싸우다 dem feindlichen Angriff begegnen[s]; dem Feinde entgegen|treten*[s].

‖ **달~** Vollmondfeier *f.* -n; die Besichtigung 《-en》 des Vollmonds. **손님~** der Empfang (die Begrüßung) der Gäste.

맞잡다 ① 《…을》 zusammen|halten*^{4}; gemeinsam halten*^{4} (fassen^{4}; ergreifen*^{4}; packen^{4}). ☞ 맞들다. ② 《사람끼리》 einander fassen^{4} (ergreifen*^{4}; packen^{4}). ¶ 손에

손을 맞잡고 Hand in Hand / 서로 맞잡고 싸우다 ^{4}sich mit *jm.* raufen; miteinander ringen*; handgemein werden / 손을 맞잡고 울다 ^{4}sich gegenseitig bei der ^{3}Hand fassen und weinen / 머리끄덩이를 맞잡고 싸우다 einander in die Haare geraten*Ⓢ; einander an den Haaren ziehen* (reißen*). ③ 《협력》 zusammen|arbeiten (-|halten*; -|stehen*Ⓢ; -|wirken). ¶ 손을 맞잡고 사업을 하다 in guter Zusammenarbeit ein Geschäft führen.

맞잡이 gute Partie, -n; der ebenbürtiger Kämpfer, -s, -. ¶ 씨름의 ~ der ebenbürtige Kämpfer im koreanischen Ringen.

맞장구치다 *jm.* bei|stimmen; *jm.* Recht geben*; mit dem Kopf (zustimmend) nicken; *jm.* zum (nach dem) Munde reden; in demselben Ton ein|stimmen 《mit *jm.*》.

맞장기(一將棋) das unentschiedene Schachspiel, -s, -; den Schach 《*m.* -s, -e》 ebenbürtig spielen.

맞절 die gegenseitige Verbeugung, -en; die gegenseitige Begrüßung, -en. **~하다** gegenseitig Verbeugung machen; miteinander begrüßen.

맞접다 zusammen|falten; zusammen|legen.

맞추다 ① 《조립·합치다》 zusammen|setzen^{4} (-|stellen^{4}). ¶ 분해했던 시계를 ~ die zerlegte Uhr wieder zusammen|setzen / 입을 ~ küssen^{4}; ^{4}sich küssen / 라디오 세트를 ~ das Radio (das Rundfunkgerät) zusammen|setzen.

② 《시계·셈·수지 등을》 (richtig) stellen^{4}; korrigieren^{4}; berichtigen^{4}; regeln^{4}; richten^{4} 《*nach*^{3}》; ein|stellen^{4} 《*auf*^{4}》. ¶ 자기 시계를 정거장 시계에 ~ s-e Uhr nach der Bahnhofsuhr richten / 수지를 ~ Einnahmen u. Ausgaben aus|gleichen* / 계산을 ~ die Rechnung (Berechnung) korrigieren.

③ 《조절·적응·적합》 (^{4}sich) an|passen^{3}; ein|-stellen^{4} 《*auf*^{4}》; ab|stimmen^{4} 《*auf*^{4}》; richten^{4} 《*nach*^{3}》; ein|stimmen^{4} 《*mit*^{3}》; ein|-richten^{4} 《*nach*^{3}》; regulieren^{4}; regeln^{4}. ¶ …에 맞추어서 in Übereinstimmung mit^{3} / 안경 도수를 ~ die Brille an die Sehkraft an|passen; die Brillenstärke ermitteln / 망원경을 눈에 ~ ein Fernglas scharf ein|-stellen / 라디오 다이얼을 제 2 방송에 ~ das ^{4}Radio auf das 2. Programm ein|stellen/ 시계를 라디오 시보에 ~ die Uhr nach dem Zeitzeichen des Rundfunks richten / 구두를 발에 맞추어 짓다 die ^{4}Schuhe nach Maß machen lassen* / 몸에 맞추어 옷을 만들다 den Anzug nach Maß anfertigen (machen) lassen / 이론을 사실에 ~ die Theorie den Tatsachen anpassen / 틀에 맞추어 만들다 nach e-m Muster her|stellen^{4} / 아무의 비위를 ~ *jm.* schmeicheln; *jm.* nach dem Munde reden / 곡조를 ~ stimmen^{4}; ab|stimmen^{4} (ein|-) / 피아노에 맞추어 노래하다 in Klavierbegleitung singen*$^{(4)}$ / 악보에 맞추어 노래하다 nach Noten singen*$^{(4)}$ / 넥타이를 옷에 ~ zu dem Rock die richtige (passende) Krawatte nehmen*.

④ 《대조》 vergleichen*^{4} 《*mit*^{3}》; gegeneinander|stellen^{4}. ¶ 원문과 ~ mit dem Original vergleichen^{4} / 원부(原簿)와 맞춰보게 Vergleiche es mit dem Hauptbuch! / 답을 내 것과 맞춰봐라 Vergleiche deine Lösungen mit den meinen!

맞춤법(一法) die Regel 《*f.* -n》 der Rechtschreibung; Orthographie *f.* -n.
‖ **~통일안** der Musterentwurf 《*m.* -s, ⸚e》 der Rechtschreibung. 한글**~** die Vorschrift 《*f.* -en》 der koreanischen Orthographie. 현행**~** das bestehende Rechtschreibungssystem, -s, -e.

맞혼인(一婚姻) Eheschließung 《*f.* -en》 mit den gleichen Bedingungen zwischen Bräutigam u. Braut.

맞흥정 das unmittelbare (direkte) Handeln 《-s, -》 zwischen Käufer u. Verkäufer ohne Vermittler. **~하다** zwischen Käufer u. Verkäufer unmittelbar (ohne Vermittler) handeln.

맞히다 ① 《알아맞힘》 raten*^{4}; erraten*^{4}; herausfinden*^{4}. ¶ 바로 ~ (richtig) raten*^{4}; (richtig) erraten*^{4}; treffen*^{4}; richtig heraus|finden*^{4} / 잘못 ~ falsch raten; fehlgehen*Ⓢ; ^{4}sich irren / 답을 ~ die richtige Lösung finden*; richtig antworten. ② 《목표에》 treffen$^{(4)}$. ¶ 바로 ~ das Schwarze (das Richtige) treffen* / 화살을 과녁에 ~ mit der Pfeile in die Zielscheiße (ins Schwarze) treffen*.

③ 《비·바람 따위를》 aus|setzen$^{3\cdot4}$. ¶ 눈을 (비를) ~ dem Schnee (dem Regen) aus|setzen^{4} / 비를 맞히지 않도록 하다 vor dem Regen schützen^{4}.

맡기다 ① 《물건을》 an|vertrauen 《*jm.* ^{4}*et.*》; betrauen 《*jn.* *mit*^{3}》; ab|geben* 《*jm.* ^{4}*et.*》; anheim|geben* (-stellen) 《*jm.* ^{4}*et.*》; in ^{4}Verwahrung (zur Aufbewahrung; zum Verwahren) geben* 《*jm.* ^{4}*et.*》; deponieren (ein|zahlen; ein|legen; hinterlegen) 《^{4}Geld auf (in) der ^{3}Bank》 (예금함); überlassen* 《*jm.* ^{4}*et.*》; übertragen* 《*jm.* ^{4}*et.*》. ¶ 짐을 ~ das Gepäck auf|geben* / 돈을 주인에게 ~ das Geld dem Wirt zur Aufbewahrung geben* / 은행에 돈을 ~ ^{4}Geld auf (in) der Bank deponieren (ein|zahlen; ein|legen; hinterlegen) / 집을 이웃 사람에게 ~ das Haus dem Nachbar anvertrauen / 내 없는 동안 가게를 그에게 맡겼다 Für die Dauer meiner Abwesenheit habe ich ihm das Geschäft anvertraut. / 우산을 입구에 맡겨주십시오 Bitte geben Sie Ihren Regenschirm an der Garderobe ab!

② 《사람을》 anvertrauen^{4} 《*jm.*》; in *js.* Obhut geben*^{4}; überlassen*^{4} 《*jm.*》. ¶ 어린애를 식모에게 ~ das Kind dem Hausmädchen an|vertrauen (überlassen*) / 몸을 ~ ^{4}sich überlassen*^{3}; ^{4}sich hin|geben*^{3} / 환자를 의사에게 ~ e-m Arzt den Patienten überlassen* (an|vertrauen).

③ 《위임》 betrauen 《*jn.* *mit*^{3}》; beauftragen 《*jn.* *mit*^{3}》; überlassen* 《*jm.* ^{4}*et.*》; übertragen* 《*jm.* ^{4}*et.*》; anheim|geben* (-stellen) 《*jm.* ^{4}*et.*》; an|vertrauen 《*jm.* ^{4}*et.*》. ¶ 아무에게 일을 ~ *jn.* mit e-r Arbeit betrauen (beauftragen) / 책임을 ~ *jn.* verpflichten; *jm.* e-e Pflicht auf|erlegen / 경영을 ~ ^{4}die Leitung (e-s Betriebes) *jm.* in die Hand legen; *jm.* ^{4}die Leitung (e-s Betriebes) an|vertrauen / 가게를 남에게 ~ e-m Dritten das Geschäft anvertrauen (überlassen*) / 일체를 ~ *jm.* alles überlassen*/ 운을 하늘에 ~ ^{4}alles dem Schicksal (dem Zufall) überlassen* / 그에게 맡겨두세요 Überlassen wir es ihm! / 그녀는 모든 것을 남에게 맡긴다 Sie überläßt alle Arbeit den anderen. / 모든 걸 자네한테 맡기네 Ich überlasse dir alles. ¦ Ich vertraue dir alles an.

맏다¹ ① 《물건·책임을》 übernehmen*⁴; auf ⁴sich nehmen*⁴; in ⁴Verwahrung (in ⁴Obhut) nehmen*⁴; auf|bewahren⁴; verwahren⁴; mit ³*et.* betraut (beauftragt) werden; betreuen⁴; verwalten⁴. ¶ 돈을 ~ ⁴Geld in Verwahrung nehmen* / 창고를 ~ die Aufsicht über das Lagerhaus übernehmen* / 어린애를 ~ ein ⁴Kind in Obhut nehmen* / 일을 ~ e-e ⁴Arbeit übernehmen*; mit e-r Arbeit betraut (beauftragt) werden / 책임을 ~ die Pflicht übernehmen* (auf ⁴sich nehmen*) / 영어를 ~ 《학교에서》 den Englischunterricht übernehmen*/회계를 ~ die Kasse verwalten / 한 분야를 ~ ein ⁴Sach¦gebiet (Arbeits-) betreuen / 이 돈 좀 맡아주게 Nimm dies Geld bitte doch in Verwahrung! / 찾으러 올 때까지 맡고 있겠읍니다 Ich werde es aufbewahren, bis Sie es abholen.
② 《허가를》 bekommen*⁴; erhalten*⁴. ¶ 자동차 운전 면허를 ~ die Fahrerlaubnis bekommen*; den Führerschein bekommen* (machen) / 담당 의사의 허가를 ~ die Erlaubnis des zuständigen Arztes bekommen* / 허가를 맡지 않고 영업하다 ohne den Gewerbeschein ein Gewerbe aus|üben (betreiben*).

맡다² ① 《냄새를》 riechen*⁴; schnüffeln⁽⁴⁾; schnuppern⁽⁴⁾; schnobern⁽⁴⁾; schnopern⁽⁴⁾. ¶ 냄새를 맡아보다 an ³*et.* riechen; beriechen*⁴; beschnüffeln⁴; beschnuppern⁴; beschnobern⁴; beschnopern⁴ / 이 장미꽃 좀 맡아보세요 Riechen Sie doch (mal) an dieser Rose! / 감기가 들어서 냄새를 못 맡아요 Wegen des Schnupfens kann ich nichts riechen.
② 《김새를》 wittern⁴; auf|spüren⁴; erspüren⁴; spüren⁴; merken⁴; ⁴Wind von ³*et.* bekommen*; auf die Spur kommen*³(s). ¶ 계획을 냄새 ~ Wind von dem Plan bekommen* / 경찰은 그 사건의 냄새를 맡은 것 같다 Die Polizei scheint die Sache schon gewittert zu haben. / 돈 있는 것을 냄새맡고 나를 찾아왔다 Da er merkte, daß ich Geld habe, suchte er mich auf. / 내가 여기 있는 것을 어떻게 냄새를 맡았지 Wie hast du herausbekommen, daß ich hier bin.

매¹ ① 《때리는》 Rute *f.* -en; Gerte *f.* -n; Stab *m.* -s, -e; Stock *m.* -s, ⸗e; Prügel *m.* -s, -. ¶ 매를 때리다 peitschen⁴; mit der Peitsche schlagen* 《*jn.*》; mit der Rute schlagen*⁴; *jm.* Rute geben*; mit der Peitsche züchtigen⁴ / 매를 맞다 geschlagen werden; geprügelt werden; gepeitscht werden; mit der Peitsche gezüchtigt werden. ② 《매질》 Schlägerei *f.* -en; das Schlagen*, -s; Prügelei *f.* -en. ¶ 혹독한 매 die harte Züchtigung, -en / 사정 없는 매 die schonungslose Schlägerei.

매² Mühle *f.* -n; Mühlstein *m.* -(e)s, -e (맷돌). ¶ 매로 갈다 mit der ³Mühle mahlen⁴ (zerreiben*⁴).

매³ 《매흙》 der feine, graue Lehm 《-s, -e》 für die Stuckarbeit.

매⁴ 〖조류〗 ① 《일반적》 Falke *m.* -n, -n. ¶ 꿩 잡는 것이 매라 Ende gut, alles gut. ② = 송골매. ‖ 매사냥 Falkenjagd *f.* -en: 매사냥꾼 Falkenier *m.* -s, -e / 매사냥하다 mit Falken jagen.

매⁵ 《울음소리》 das Blöken*, -s; mäh! ¶ 양이 매 울다 das Schaf 《-s, -e》 blöckt.

매- röllig; durchaus; wirklich; genau. ¶ 매한가지다, 매일반이다 genau dasselbe sein.

매-(每) jeder*; aller*. ¶ 매달 jeden Monat/ 매페이지에 auf jeder Seite.

-매 Form *f.* -en; Gestalt *f.* -en; Figur *f.* -en; Haltung *f.* -en. ¶ 몸매 Figur; Gestalt; Körperbau *m.* -s, -e / 눈매 der Ausdruck 《-s, ⸗e》 des Auges; die Schattierung 《-en》 des Auges. 「(張).

-매(枚) Blatt *n.* -(e)s; Stück *n.* -(e)s. ☞ 장

매가(買價) Kauf¦preis *m.* -es, -e (-geld *n.* -es, -er); Einkaufs¦preis (Anschaffungs-; Netto-) *m.* -es, -e.

매가(賣家) Verkauf 《*m.* -(e)s, ⸗e》 des Hauses; Haus 《*n.* -es, ⸗er》 zu verkaufen.

매가(賣價) (Verkaufs)preis *m.* -es, -e; Richtpreis (Laden-) *m.* -es, -e.
‖ ~절하(切下) Preisabbau *m.* -s, -.

매가오리 〖어류〗 Adler-Rochen *m.* -s, -.

매각(賣却) Verkauf *m.* -(e)s, ⸗e; Veräußerung *f.* -en. ~하다 verkaufen 《*jm.* ⁴*et.*》; veräußern⁴.
‖ ~공고 die Bekanntmachung 《-en》 e-s Verkaufs. ~대금 der Erlös 《-es, -e》 aus dem Verkauf. ~물 Verkaufsgegenstand *m.* -(e)s, ⸗e. ~인 Verkäufer *m.* -s, -. ~조건 Verkaufsbedingung *f.* -en.

매갈이 das Reisschälen (Reisenthülsen, -s, -) mit der Holzmühle.
‖ ~꾼 der Reisschäler. 매갈잇간(間) das Zimmer 《-s, -》 für den Reisenthülsen.

매개 Situation *f.* -en; Sachlage *f.* -en; der Stand 《-es》 der Dinge; die Verhältnissen 《*pl.*》; die Umstände 《*pl.*》; Zustand *m.* -es, ⸗e. ¶ ~(를) 보다 die Sachlage prüfen; die Umstände berücksichtigen; sehen, woher der Wind weht.

매개(每個) jedes Stück, -s, -e; pro Stück; pro Kopf (사람).

매개(媒介) Vermitt(e)lung *f.* -en; Dazwischenkunft *f.* (중재); Intervention *f.* -en. ~하다 vermitteln⁴; ⁴sich ins Mittel legen (schlagen*) (중재함); intervenieren(중재함); den Zwischenträger spielen; übertragen*⁴ (병독을). ¶ …의 ~로 durch die Vermittlung von³ / 말라리아는 모기의 ~로 퍼진다 Die Malaria wird von den Moskitos übertragen.
‖ ~물 Medium *n.* -s, ..dien; Träger *m.* -s, -; Mittel *n.* -s, - (매개체). ~자 (Ver-) mittler *m.* -s, -; Mittelsperson *f.* -en; Zwischenhändler *m.* -s, - (중개인); Agent *m.* -en, -en (대리인).

매거(枚擧) das Aufzählen*, -s. ~하다 auf|zählen⁴; einzeln erwähnen⁴. ¶ 일일이 ~할 수 없다 nicht alles auf|zählen können; zu viel sein, um es einzeln erwähnen zu können.

매거진 Unterhaltungszeitschrift *f.* -en; Magazin *n.* -s, -e; „Illustrierte" *f.* -n.

매고르다 alles völlig gleichmäßig (glatt; regelmäßig; gleich) sein.

매골 das schlechtes Aussehen, -s, -.

매관매직(賣官賣職) der Verkauf 《-(e)s, ⸗e》 der Ämter (für Geld). ~하다 die Regierungsstelle verkaufen; die Ämter verkaufen.

매국(賣國) Landesverrat *m.* -(e)s; Verrat 《*m.* -(e)s》 am Volke. ~하다 sein Land verraten*; den Landesverrat üben (begehen*).
¶ ~적 landesverräterisch / 그는 ~을 했다

Er verriet sein Vaterland.
‖ ~노 Landes¦verräter 〔Vaterlands-〕 *m.* -s, -. ~외교 Diplomatie 《*f.* -n》 des Ausverkaufs.

매기^{1} 〖건축〗 das gleichmäßig Machen* der Sparren; die Einrichtung 《-en》 des Sparrenwerks.

매기^{2} ① 《상상의 동물》 die Kreuzung 《*f.* -en》 zwischen Schwein u. Kuh. ② 《트기》 Mischling *m.* -s, -e.

매기(買氣) Kaufstimmung *f.*; Kauflust *f.* ¶ ~를 돋우다 die Kauflust an|regen; e-e Kauflust bewirken 〖사물이 주어〗.

매기(霉氣) Schimmel *m.* -s, -; Moder *m.* -s, -; Muffigkeit *f.* -en. ¶ ~가 끼다 modrig 〔muffig; dumpf; schimmelig〕 werden.

매기다 《값을》 an|setzen^4; veranschlagen^4; fest|legen^4; 《등급을》 ein|stufen^4; 《숫자를》 numerieren^4; beziffern^4; 《세금 따위를》 auf|-erlegen 〔erheben*〕 《e-e Steuer 〔e-n Zoll〕 auf ^{4}*et.*》. ¶ 어떤 물건에 터무니 없는 값을 ~ für e-e Ware e-n unverschämten Preis an|setzen 〔verlangen〕 / 점수를 ~ zensieren^4 / 그의 집에는 비싼 세금이 매겨졌다 Sein Haus wurde hoch besteuert.

매기단하다 nach dem Geschäft 《*n.* -es, -e》 alles einrichten; nach der Arbeit alles in Ordnung 《*f.* -en》 bringen.

매꾸러기 das unartige Kind, das immer Schlägerei bekommt.

매끄럽다 ① 《반드럽다》 glatt; eben; reibungslos (sein). ¶ 매끄러운 표면 e-e glatte Fläche, -n / 매끄러운 털 glatter Pelz, -es, -e. ② 《미끄럽다》 glatt; schlüpfrig; rutschig (sein). ¶ 미꾸라지처럼 ~ aalglatt sein; äußerst schwer zu fassen sein; mit allen Wassern gewaschen sein (교활함) / 길이 아주 ~ Die Straßen sind sehr rutschig 〔glatt〕.

매끈하다 glatt; eben; reibungslos; rein (sein). ¶ 얼굴을 매끈하게 면도하다 ^{4}sich glatt rasieren.

매끼 die Strohschnur 《*f.* ⸗e 〔-en〕》 zum binden; Strohseil *n.* -es, -e 〔-er〕.

매나니 ① 《맨손》 die leere Hand, ⸗e. ¶ ~로 mit leeren Händen. ② 《맨밥》 die Speise 《*f.* -n》 ohne Zukost 《*f.*》; die einfache 〔schmale; kärgliche; magere〕 Kost, -.

매너리즘 Manierismus *m.* -; Manier *f.* -en; Manieriertheit *f.* -en. ¶ ~에 빠지다 in e-e Manier 〔Manieriertheit〕 geraten* Ⓢ; e-r Manier 〔Manieriertheit〕 anheim|fallen* Ⓢ.

매년(每年) jedes Jahr; alle ^{4}Jahre; ^{4}Jahr für ^{4}Jahr. ¶ ~의 jährlich / ~ (한번)의 jährlich wiederkehrend / ~ …(의 비율로) das ^{4}Jahr; jährlich; pro ^{4}Jahr / 이 고장에는 ~같이 홍수가 진다 Fast jedes Jahr einmal wird dieses Dorf von dem Hochwasser heimgesucht. / ~ 이맘때가 되면 눈이 내리기 시작한다 Jedes Jahr zu dieser Zeit beginnt es zu schneien.

매니저 Geschäftsführer *m.* -s, -; Manager [mέnədʒər] *m.* -s, -; Veranstalter *m.* -s, - (주최자); Verwalter *m.* -s, -.

매니큐어 Hand- u. Nagelpflege *f.* -n; Maniküre *f.* -n. ~하다 《스스로》 ^{4}sich maniküren; 《남을 시켜》 Hand- u. Nagelpflege vornehmen lassen*; Hände u. Nägel gepflegt bekommen*. ‖ ~사 《여자》 Handpflegerin *f.* ..rinnen; Maniküre.

매니퓰레이터 〖물리〗 Manipulator *m.* -s, -en.

매다 ① 《끈·매듭 등을》 binden*^{4} 《*an*^{4}》; an|-binden*^{4}; fest|binden*^{4} 《*an*^{3}》; fest|machen^4 《*an*^{3}》; zu|binden*^{4}; (zu|)schnüren^4; fesseln^4 《*an*^{4}》. ¶ 작은 배를 기슭에 ~ den Kahn ans Ufer binden*; das Boot am Ufer fest|machen / 사슬에 ~ an die Kette 〔in ^{4}Ketten〕 legen^4; an|ketten^4 / 구두끈을 ~ die Schuhe (zu|)schnüren / 허리띠를 ~ den Gürtel schnallen 〔um|binden*〕 / 상처를 동여 ~ eine Wunde verbinden*.
② 《달아맴》 hängen^4; auf|hängen^4. ¶ 목을 ~ ^{4}sich auf|hängen 〔erhängen〕 / 목 매어 죽이다 *jn.* auf|hängen 〔erhängen〕 / 나무에 목을 ~ ^{4}sich an einem Baum erhängen.
③ 《일·직업 등에》 binden*^{4} 〔fesseln^4〕 《*an*^{4}》. ¶ 일에 매이다 an die Arbeit gebunden sein; zuviel zu tun haben / 시간에 매이다 an die Zeit gebunden sein; keine Zeit übrig haben; sehr beschäftigt sein.
④ 《김을》 jäten^4; entfernen^4; aus|rotten^4. ¶ 김을 ~ ^{4}Unkraut jäten 〔entfernen; ausrotten〕 / 논을 ~ Unkraut in Reisfeldern jäten 〔entfernen; aus|rotten〕.
⑤ 《베를》 stärken^4; steifen^4.
⑥ =매기다.
⑦ 《만들다》 binden*^{4}; ein|binden*^{4}; zusammenbinden*^{4}. ¶ 책을 ~ das ^{4}Buch (ein|-) binden* / 붓을 ~ eine Pinsel her|stellen.

매달(每一) monatlich; jeden Monat; alle Monate. ¶ ~ 두 번씩 monatlich 〔jeden Monat〕 zweimal / 그는 ~ 월급의 2할을 저축한다 Er legt jeden Monat 20 Prozent s-s Gehaltes zurück.

매달다 ① 《달아맴》 herab|hängen^4; auf|hängen^4; hängen^4. ¶ 창문에 ~ vom Fenster heraus|hängen^4 / 등을 처마 끝에 ~ an das Dachgesims e-e ^{4}Laterne (auf|)hängen / 아무를 나뭇가지에 ~ *jn.* an e-n Baumzweig hängen. ② 《일·직장에》 binden*^{4} 《*an*^{4}》; (an|)ketten^4; fesseln^4. ¶ 몸을 어떤 일에 ~ ^{4}sich e-r Sache widmen 〔hin|geben*〕 / 어떤 회사에 목숨을 ~ mit Leib und Seele an e-r Firma gebunden sein.

매달리다 ① 《무엇이》 hängen*; herab|hängen*; herunter|hängen*. ¶ 시체가 나뭇가지에 매달려 있다 Die Leiche hängt an dem Zweig herunter. / 램프가 천장에 매달려 있다 Die Lampe hängt an der Decke (herunter).
② 《일·지위 따위에》 ^{4}sich (fest|)klammern 《*an*^{4}》; ^{4}sich fest|halten* 《*an*^{3}》; von ^{3}*et.* 〔*jm.*〕 ab|hängen*; an ^{3}*et.* 〔*jm.*〕 gebunden sein. ¶ 자기 지위에 ~ ^{4}sich an sein Amt 〔s-e Stellung〕 klammern / 생명이 ~ *js.* Leben hängt von ^{3}*et.* ab; *js.* Leben steht auf dem Spiel / 지푸라기에라도 ~ ^{4}sich an jeden Strohhalm klammern.
③ 《열매 따위가》 hängen*; (herunter|)baumeln. ¶ 나무에 사과가 주렁주렁 매달려 있다 Viele Äpfel hängen an dem Baum.
④ 《붙들나·빌리다》 ^{4}sich (fest|)klammern 《*an*^{4}》; ^{4}sich fest|halten* 《*an*^{3}》. ¶ 어린애가 겁이나서 엄마한테 ~ Das Kind klammert sich ängstlich an die Mutter. / 줄에 ~ ^{4}sich an der Seile fest|halten* / 그녀한테는 매달린 애가 셋이 있다 Sie hat drei Kinder zu ernähren. / 매달린 가족이 많다 Ich habe e-e große Familie zu ernähren.
⑤ 《간청》 inständig 〔flehentlich〕 um ^{4}Hilfe bitten* 《*jn.*》; um Hilfe an|flehen 《*jn.*》; um Hilfe flehen 《zu *jm.*》; mit Bitten be-

stürmen《*jn.*》 mit Bitten zu|setzen《*jm.*》. ¶남의 자비심에 ~ an *js.* Barmherzigkeit appellieren / 살려달라고 ~ ums Leben flehen《zu *jm.*》; *jn.* flehentlich ums Leben bitten*.

매대기 Anstrich *m.* -(e)s, -e. ~치다 beschmieren; besudeln. ¶벽에 진흙을 ~치다 die Wand mit Schlamm beschmieren / 얼굴에 분을 ~치다 das Gesicht dick pudern (schminken).

매도(罵倒) Beschimpfung *f.* -en; Schimpf *m.* -(e)s, -e; Schmähung *f.* -en; Kränkung *f.* -en(모욕). ~하다 beschimpfen⁴; schimpfen⁽⁴⁾《*auf*⁴》; mit Schimpf (Spott u. Hohn) überschütten《*jn.*》; schmähen《(auf; gegen; über) *jn.*》; kränken⁴ (모욕하다).

‖~연설 Schmährede *f.* -n;《탄핵 연설》 Strafrede; Philippika *f.* ..ken.

매도(賣渡) Verkauf *m.* -(e)s, ⸗e; Veräußerung *f.* -en. ~하다 verkaufen⁴; veräußern⁴. ab|stoßen*⁴; begeben*⁴. ¶그는 재고품을 헐값으로 ~했다 Er stieß das Lager zu Schleuderpreisen ab.

‖~계약 Verkaufsvertrag *m.* -(e)s, ⸗e. ~인 Verkäufer *m.* -s, -. ~증서 Verkaufsbrief *m.* -(e)s, -e. ~품 목록 Frachtbrief *m.* -(e)s, -e.

매독(梅毒) 〖의학〗 Syphilis *f.*; Lues *f.*; Lustseuche *f.* -n; Franzosenkrankheit *f.* -en; 〖속어〗 die Franzosen《*pl.*》. ¶~성의 syphilitisch; luetisch / ~에 걸리다 an (der) ³Syphilis (Lues) erkranken ⓢ; Syphilis bekommen*; syphilitisch werden.

‖~환자 Syphilitiker *m.* -s, -; der Lueskranke* (-erkrankte*) -n, -n; Luetiker *m.* -s, -. 뇌~ Hirnsyphilis. 선천(유전)성 ~ (ver)erbliche (angeborene) Syphilis. 양성(음성)~ floride (latente) Syphilis. 제일(이, 삼)기~ primäre (sekundäre, tertiäre) Syphilis.

매듭 Knoten *m.* -s, -; Band *n.* -es, ⸗e; Schlinge *f.* -n. ¶~을 맺다 e-n Knoten machen; knoten⁴; verknoten⁴ / ~을 풀다 e-n Knoten auf|knüpfen (lösen) / ~이 풀리다 der Knoten löst sich (auf).

매듭짓다 fertig machen⁴; ein Ende machen (setzen)³; in ⁴Ordnung bringen*⁴; zum Abschluß bringen*⁴. ¶일을 ~ e-e Arbeit fertig machen; mit der Arbeit fertig werden / 원만히 ~ zum guten Abschluß bringen*⁴; zum guten Abschluß kommen*ⓢ.

매력(魅力) Reiz *m.* -es, -e; Zauber *m.* -s, -; Charme [ʃarm] *m.* -s; Anziehungskraft *f.* ⸗e. ¶여성적 ~ Weiblichkeit *f.* -en; weiblicher Charme / 성적 ~ Sex-Appeal *m.* -s, - / ~있는 reizend; bezaubernd; charmant [ʃarmánt]; faszinierend / ~이 없는 여자 e-e reizlose Frau / …에 ~을 느끼다 von³ … fasziniert werden / 그녀에게는 어딘가 ~이 있다 Sie hat etwas Faszinierendes. / 이런 일은 나에게 별로 ~이 없다 Zu dieser Arbeit habe ich k-e Lust.

매리(罵詈) Beschimpfung *f.* -en; Beleidigung *f.* -en; Schimpf *m.* -(e)s.

매립(埋立) das Zuschütten*, -s; Trockenlegung *f.* ~하다《땅》(ein Land) trocken|legen;《못 따위》(e-n Teich) zu|schütten.

‖~공사 Trockenlegung *f.*; Landgewinnung *f.* -en. ~지 durch ⁴Trockenlegung gewonnenes Neuland, -(e)s; trockengelegtes Land, -(e)s.

매만지다 pflegen⁴; richten⁴; in Ordnung bringen*⁴. ¶머리를 ~ die Haare machen (ordnen; pflegen).

매맛 Schmerz von Schlägen. ¶~을 보련 Willst du die Peitsche schmecken? / 너 ~ 좀 봐야겠다 Du mußt mal den Schmerz e-r Peitsche fühlen.

매맞다 geschlagen werden; gepeitscht (geprügelt) werden. ¶그런 짓을 하면 매맞는다 Wenn du das tust, mußt du geprügelt werden. / 또 매맞고 싶니 Willst du nochmal Prügel haben?

매매(賣買) Kauf u. Verkauf; Ein- u. Verkauf; Handel *m.* -s(거래); Umsatz *m.* -es, ⸗e(거래); Geschäft *n.* -(e)s, -e(장사); Geschäftsverkehr *m.* -(e)s(상거래). ~하다 kaufen u. verkaufen⁴; handeln《*mit*³》; Handel treiben*《*mit*³》. ¶~ 당사자 Handelspartner *m.* -s, - / 표의 ~《선거에서》 Kauf u. Verkauf der Stimmen / ~가 잘되다 ⁴sich leicht verkaufen; guten (reißenden) Absatz finden* (haben) / 그는 토지 ~를 하고 있다 Er handelt mit den Grundstücken. / 그는 부동산 ~를 하고 있다 Er handelt mit den Immobilien.

‖~가격 Kaufwert *m.* -(e)s, -e. ~계약 Kaufvertrag *m.* -(e)s, ⸗e. ~원장 Hauptbuch *n.* -(e)s, ⸗er. ~조건 Kaufbedingungen《*pl.*》. ~증서 Kaufbrief *m.* -(e)s, -e. 견본~ Kauf u. Verkauf nach Probe. 부정~ illegaler Handel. 위탁~ Kommissionsgeschäft *n.* -(e)s, -e. 현금~ Bar|geschäft (Kassen-). 현물~ Loko|geschäft (-verkehr); Effektivgeschäft.

매머드 ☞ 맘모스.

매명(賣名) Selbstreklame *f.* -n; eigene Propaganda. ~하다 Selbstreklame machen; sein eigenes Loblied singen*. ¶~에 급급하다 nach Berühmtheit streben / ~을 위하여 um ³sich e-n Namen (⁴sich berühmt) zu machen; um ³sich den Ruf zu erwerben (verdienen).

‖~가(家) Ehrenjäger *m.* -s, -. ~행위 Eigenlob *m.* -(e)s, -e; Hascherei《*f.* -en》 nach öffentlicher Anerkennung: 그의 ~행위를 남들은 모두 치사하게 생각하고 있다 Man findet s-e (dauernde) Selbstreklame geschmacklos.

매목(埋木) Sumpfholz *n.* -es, ⸗er; versteinertes (fossiles) Holz. ‖~세공 Bearbeitung《*f.* -en》 des fossilen Holzes.

매몰(埋沒) Verschüttung *f.* -en; das Begraben*, -s; das Vergraben*, -s. ~하다 begraben*⁴; vergraben*⁴; verschütten⁴. ¶화산의 폭발로 여러 지역이 ~되었다 Durch den Vulkanausbruch wurden mehrere Orte verschüttet (zugeschüttet).

매몰스럽다 unfreundlich; gefühllos; hartherzig; kaltherzig; kühl (sein). ¶매몰스럽게 herzlos; kalt(herzig) / 매몰스럽게 대하다 *jn.* kalt behandeln / 매몰스럽게 말하다 *jm.* ⁴*et.* Unfreundliches sagen / 그는 매몰스러운 남자다 Er ist hartherzig. / 나는 그런 매몰스러운 짓은 못 한다 Ich kann so etwas Unmenschliches nicht übers Herz bringen*.

매몰차다 sehr unfreundlich; sehr kalt; hart; spröde; herzlos (sein).

매몰하다 =매몰스럽다.

매무시 die Art《-en》, wie jemand sich anzuziehen weiß; Kleidung *f.* -en(복장); Aufmachung *f.* -en (채비); Ausstattung *f.* -en

(장비); Putz *m.* -es, -e (장식); Toilette [toalɛ́tə] *f.* -n (화장). ¶ ~가 단정하다 adrett angezogen sein.

매문(賣文) literarische Tagelöhnerei, -en. ~하다 von der Feder leben; viel schreiben*. ¶ ~을 업으로 하다 das Skribentendasein fristen.

‖ ~업자 Federfuchser *m.* -s, -; Lohnschreiber *m.* -s, -; Schreiberling *m.* -(e)s, -e; Zeilen¦reißer (-schinder) *m.* -s, -; Zeitungsschreiber; Skribent *m.* -en, -en.

매물(賣物) Verkaufsgegenstand *m.* -(e)s, ⸗e; Zu verkaufen! (광고). ¶ ~로 내놓다 zum Verkauf stellen⁴ (an|bieten*⁴); feil|bieten*⁴ (-|halten*⁴); auf den Markt bringen*⁴ / ~로 나오다 zum Verkauf (auf den Markt) kommen* [s].

매미 Zikade *f.* -n; Zirpe *f.* -n. ¶ ~가 울다 Die Zikade zirpt (singt). / ~의 우는 소리 ~ das Zirpen* ((-s)) der Zikade.

매발톱꽃 〖식물〗 Akelei *f.* -en; Aglei *f.* -en.

매방(買方) (An)käufer *m.* -s, -; Haussier *m.* -s, -s (증권).

매방(賣方) Verkäufer *m.* -s, -; 《증권》 Baissepartei [bɛ́:sə..] *f.* -en; Baissier *m.* -s, -s.

매번(每番) 《언제나》 jedesmal; immer (wieder); stets; 《자주》 oft; des öfteren; öfters; vielfach; (häufig) wiederholt. ¶ 여러 차례 해보았으나 ~ 실패했다 Ich habe es mehrere Male versucht, aber jedesmal ist es mir mißlungen. / ~ 죄송합니다 Verzeihen Sie mir, daß ich Sie so oft stören muß!

매복(埋伏) ~하다 im Hinterhalt liegen*. ¶ ~했다가 공격하다 den Feind aus dem Hinterhalt attackieren.

‖ ~소 Hinterhalt *m.* -(e)s, -e.

매복하다(賣卜—) ⁴sich berufsmäßig mit der Wahrsagerei beschäftigen; wahrsagen 〖*p.p.* gewahrsagt〗; weissagen 〖*p.p.* geweissagt〗; prophezeien.

매부(妹夫) Schwager *m.* -s, ⸗; Stiefbruder *m.* -s, ⸗; der Mann *js.* Schwester.

매부리¹ 《매 부리는 사람》 Falkenier *m.* -s, -e; Falkner *m.* -s, -.

매부리² der Schnabel ((-s, -)) des Adlers.

‖ ~코 Hakennase *f.* -s; Adlernase *f.* -n.

매사(每事) jede Angelegenheit, -en; jede Sache, -n; jedes Unternehmen*, -s. ¶ ~에 in allem (u. jedem); bei jeder Gelegenheit; jedesmal; immer wieder / ~에 성공하다 in allem erfolgreich sein / ~는 불여(不如) 튼튼 Sicher ist sicher. ¦ Vorsicht ist besser als Nachsicht.

‖ ~불성 das Mißglücken* ((-s)) jedes Unternehmens.

매사(媒辭) 〖논리〗 Mittelbegriff *m.* -(e)s, -e.

매사냥 Falkenbeize *f.* -n; Falkenjagd *f.* -en. ~하다 mit dem Falken jagen. ‖ ~꾼 Falkner *m.* -s, -; Falkenier *m.* -s, -e.

매삭(每朔) jeder Monat ((-(e)s, -e)); 〖부사〗 jeden Monat; monatlich.

매상(買上) An¦kauf (Ein-) *m.* -es, ⸗e; Beschaffung (An-) *f.* -en. ~하다 ein|kaufen⁴; (an|)kaufen⁴.

‖ ~가격 Anschaffungs¦preis (Einkaufs-; Kauf-) *m.* -es, -e.

매상(賣上) Erlös *m.* -es, -e; Ertrag *m.* -(e)s, ⸗e; Umsatz *m.* -es, ⸗e; Gewinn *m.* -(e)s, -e; Einnahme *f.* -n. ¶ 그 날의 ~ der Verkauf des Tages; Tageseinnahme *f.*(하루의) / 하루의 ~ 평균은 천 원이 된다 Die täglichen Verkäufe belaufen sich durchschnittlich auf 1000 *Won.*

‖ ~계정 Verkaufsberechnung *f.* -en. ~금 Umsatzbetrag *m.* -(e)s, ⸗e; Ertrag *m.* -(e)s, ⸗e. ~장부 Verkaufsbuch *n.* -(e)s, ⸗er. ~전표 Verkaufsrechnung *f.* -en.

매상고(賣上高) Umsatz *m.* -es, ..sätze; Einnahme *f.* -n; Ertrag *m.* -(e)s, ⸗e. ¶ 매달 영업의 ~는 얼마나 오릅니까 Wie hoch ist Ihr Monatsumsatz? ‖ 순~ Nettoeinnahme *f.* 총~ Bruttoeinnahme *f.*

매석(賣惜) die Zurückhaltung mit dem Verkauf. ~하다 mit dem Verkauf zurück|halten*; nicht gern verkaufen⁴.

매설(埋設) das unterirdische Legen* (Installieren*) -s. ~하다 unterirdisch (unter der Erde) legen⁴. ¶ 가스관(수도관)을 ~하다 Gas¦leitung (Wasser-) (unterirdisch) legen.

‖ ~선 unterirdische Leitung, -en. ~안테나 die untere (unter der Erde gelegte) Antenne, -n.

매섭다 《눈초리》 grimmig; scharf; streng; schrecklich; fürchterlich; wütend (sein). ¶ 매서운 눈초리 der grimmige (strenge; fürchterliche) Blick, -es, -e / 매섭게 생기다 streng (scharf) aus|sehen*.

매세하다(賣勢—) mit geborgter Stimmung s-n Mut zeigen.

매소(賣笑) =매음(賣淫).

매수(枚數) Blätter¦zahl (Bogen-) *f.* -en.

매수(買收) ① 《매입》 Ankauf *m.* -(e)s, ⸗e; (Ein)kauf. ~하다 auf|kaufen⁴; an|kaufen⁴; (ein|)kaufen⁴. ¶ 토지를 ~하다 das Grundstück ein|kaufen / 회사를 ~하다 e-e Firma auf|kaufen.

② 《뇌물로》 Bestechung *f.* -en; Erkaufung *f.* -en. ~하다 bestechen⁴; (er)kaufen⁴. ¶ ~할 수 있는 bestechlich; käuflich / 국회의원을 ~하다 einige ⁴Abgeordnete bestechen / 유권자를 ~하다 die Wähler (die Stimmberechtigten) erkaufen / 반대편에 ~되다 ⁴sich an die Gegenpartei verkaufen.

‖ ~가격 Ankauf¦preis (Einkauf-) *m.* -es, -e; Kaufpreis. ~계획 Einkaufsplan *m.* -(e) s, ..pläne. ~운동 Bestechungsversuch *m.* -(e)s, -e.

매수(買受) Kauf *m.* -(e)s, ⸗e; Erwerbung *f.* -en. ~하다 *jm.* ab|kaufen⁴; von *jm.* übernehmen⁴.

‖ ~대금 Anschaffungskosten 《*pl.*》; Kaufpreis *m.* -es, -e. ~인 Käufer *m.* -s, -; Abnehmer *m.* -s, -.

매스게임 das Massenschauturnen, -s; Massenspiel *n.* -(e)s, -e.

매스껍다 ☞ 메스껍다.

매스미디어 Massenmedium *n.* -s, ..dien 《*pl.* 일 때가 많다》.

매스코뮤니케이션 Massenmedien 《*pl.*》; Massenkommunikationsmittel *n.* -s, -.

매스프로덕션 Massen¦fabrikation (-produktion) *f.* -en.

매슥- ☞ 메슥-.

매시(每時) jede Stunde; pro Stunde. ¶ ~ 100 킬로의 속도로 mit der Geschwindigkeit von 100 Kilometer pro Stunde.

매시근하다 schlaff; matt; schwach; müde; träge (sein). ¶ 몸이 ~ Ich bin sehr matt. / 매시근해서 일하기가 싫다 Ich fühle mich zu träge zu arbeiten.

매식(買食) 《행위》 der Kauf des Essens (der Speise); 《음식》 das bezahlte Mahl, -(e)s, -e

(⸗er). ~하다 auswärts essen* (speisen); im Restaurant essen*.
매실(梅實) Pflaume *f.* -n. ‖ ~주(酒) Pflaumenschnaps *m.* -es, ..schnäpse.
매실매실하다 schlau; unehrlich; tückisch; verschlagen; durchtrieben (sein). ¶ 매실매실한 녀석 schlauer Kerl, -(e)s, -e; der alte Fuchs, -es, ⸗e.
매씨(妹氏) =영매(令妹).
매암 Kreislauf *m.* -(e)s, ⸗e. ~돌다 ⁴sich im Kreise bewegen (drehen). ¶ 그의 생각은 그 일점을 싸고 ~ 돌고 있다 S-e Gedanken kreisen immer nur um den einen Punkt.
매암돌리다 《제자리에서》《e-e Person》 rund herum|drehen; 《e-e Person》 rund wirbeln; 《이리저리》 mit e-r Botschaft nach der anderen laufen lassen*.
매암매암 Zirpenlaut (der Zikade). ¶ 매미가 ~ 울다 E-e Zikade singt (zirpt).
매암쇠 die Rinde des Mühlsteins.
매약(賣約) Verkäufs|kontrakt *m.* -(e)s, -e (-vertrag *m.* -(e)s, ⸗e). ~하다 e-n Verkaufsvertrag ab|schließen* 《mit *jm.*》. ¶ ~이 끝났다 Der Verkauf ist abgeschlossen.
매약(賣藥) Arzneiware *f.* -n; Droge *f.* -n; Drogenwaren 《*pl.*》; Drogeriewaren 《*pl.*》; Quacksalberei *f.* -en (엉터리 약); Geheimmittel *n.* -s, - (엉터리 약). ~하다 die Arzneimittel verkaufen.
‖ ~상인(점) Arznei|händler *m.* -s, -; Drogist *m.* -en, -en; Apotheker *m.* -s, - (약제사); Drogenhandlung *f.* -en; Drogerie *f.* -n [..rí:ən]; Apotheke *f.* -n (이상 약국).
매양(每—) immer; zu jeder Zeit; jederzeit; stets. ¶ 돈 좀 취해달라면 그는 ~ 없다고 한다 Er sagt immer, daß er kein Geld hat, wenn ich ihn darum bitte.
매연(煤煙) Ruß *m.* -es; Rauch *m.* -(e)s; Abgas *n.* -(e)s, -e. ¶ ~이 많은 도시 e-e rauchige Stadt; e-e Stadt mit großer Luftverschmutzung / ~으로 더러워진 방 verräuchtertes Zimmer.
‖ ~차량 Kraftfahrzeug 《*n.* -(e)s, -e》 mit übermäßig vielem schädlichem Abgas.
매염(媒染) das Beizen*, -s.
‖ ~료, ~제 Beize *f.* -n: ~제를 사용하다 ⁴*et.* beizen; mit Beize behandeln⁴. ~염료 beizendes Färbemittel, -s, -.
매옴하다 ein bißchen scharf; etwas beißend (sein). ¶ 그 시가는 ~ Die Zigarre ist mir ein bißchen scharf.
매우 sehr; äußerst; stark; übermäßig; recht; ganz. ¶ ~ 많은 돈 sehr viel Geld / ~ 아름다운 여인 e-e sehr (äußerst) schöne Frau / ~ 빨리 sehr (recht; ganz) schnell / ~ 놀랍게도 zu *js.* größter Überraschung / ~ 크다 sehr (äußerst; ganz) groß sein / ~ 피곤하다 sehr (äußerst; ganz) müde sein / ~ 곤란을 겪고 있다 Er ist in großer Not. / ~ 유감스럽다 äußerst bedauerlich sein / ~ 감사하고 있다 *jm.* sehr verpflichtet (verbunden) sein / ~기쁘다 Ich bin sehr froh. / 그는 ~ 놀란 표정이다 Er sah sehr erstaunt (erschrocken) aus.
매운바람 scharfer (beißender) Wind, -(e)s, -e. ¶ ~은 어디서 불어오나 Woher weht (kommt) der schneidende Wind? / ~은 북쪽으로 방향이 바뀌었다 Der scharfe Wind hat sich nach Norden gedreht.
매운탕(—湯) die Topfsuppe 《-en》 mit Paprika.
매움하다 ☞ 매옴하다.

매월(每月) =매달.
매음(賣淫) Prostitution *f.* -en; Hurerei *f.* -en. ~하다 ⁴sich prostituieren; huren; auf die Straße gehen* (s).
‖ ~굴 Bordell *n.* -(e)s, -e; Freudenhaus *n.* -es, ⸗er; Dirnenhaus *n.* ~녀 die Prostituierte, -n; Hure *f.* -n; Dirne *f.* -n; Straßenmädchen *n.* -s, -. ~반대운동 Prostitutionbekämpfungskampagne *f.* -n; Antiprostitutionsbewegung *f.* -en. ~방지법 das Gesetz 《-es, -e》 gegen die Prostitution. ~행위 Prostitution *f.*; Hurerei *f.*: ~행위를 하다 ⁴sich prostituieren; huren; auf die Straße gehen* (s).
매이다 ① 《끈으로》 gebunden (verbunden; geschnürt; gefesselt) werden. ¶ 이 소포는 잘 매였다 Dies Paket ist fest geschnürt. / 소가 나무에 매여 있다 Die Kuh ist an e-n Baum gebunden. ② 《목이》 aufgehängt (erhängt) werden. ¶ 목이 나뭇가지에 ~ an e-m Baumzweig erhängt(aufgehängt) werden. ③ 《일에》 an ⁴*et.* gebunden (gefesselt) sein. ¶ 일에 ~ an die Arbeit gebunden sein; zuviel zu tun haben; sehr beschäftigt sein; alle Hände voll zu tun haben / 규칙에 ~ an die Regel gebunden sein.
매인(每人) jede Person; jeder*. ¶ ~당 für jede Person; pro ⁴Kopf / ~당 두 개씩 주어라 Gib jedem zwei Stück!
매인목숨 die Verhältnisse ohne Freiheit; der Untergeordnete, -n, -n; Sklave *m.* -n, -n. ¶ ~이라 나다닐 시간이 없다 Ich habe k-e Zeit, frei umherzugehen, weil ich untergeordnet bin. / 회사에 ~이 되어 일요일 밖에는 몸을 빼낼 수 없다 Weil ich ein Untergeordneter e-r Gesellschaft bin, habe ich nur am Sonntag freie Hand.
매일(每日) jeden Tag; alle ⁴Tag; ⁴Tag für ⁴Tag; täglich. ¶ ~의 täglich / ~ 하는 일 die tägliche Arbeit, -en / ~같이 fast täglich / ~매일 Tag für Tag; tagtäglich; tagein, tagaus.
매일반(—一般) =매한가지.
매입(買入) (Ein)kauf *m.* -(e)s, ⸗e; Beschaffung *f.* -en; Besorgung *f.* -en. ~하다 kaufen⁴; ein|kaufen⁴; (³sich) beschaffen⁴ (besorgen⁴). ¶ 돈을 토지를 ~하는 데 돌리다 das Geld für den Kauf des Grundstücks verwenden / 고본 고가(古本高價) ~《게시》 Zahle gute Preise für alte (antiquarische) Bücher.
‖ ~가격, ~원가 Einkaufspreis *m.* -es, -e.
매자(媒子) =중매(仲媒).
매자기 〖식물〗 Simse *f.* -n; e-e große Simse, -n.
매자나무 〖식물〗 e-e Sorte von Simse.
매자목(賣子木) 〖식물〗 Schneeglöckchen *m.*
매작지근하다 ☞ 미지근하다.
매잡이¹ ① 《매듭의》 Grad der Straffheit der Knoten. ② 《일의》 Fertigstellung *f.*; Vollendung *f.*; Ausarbeitung *f.* ~하다 die letzte Hand legen 《*an*⁴》; die letzte Feile geben*; fertig machen; vollenden. ¶ ~는 다른 공장의 일이다 Die Fertigstellung ist die Sache e-r anderen Fabrik.
매잡이² 《사냥》 Falkenjagd *f.* -en; 《사람》 Falkenjäger *m.* -s, -. ~하다 e-n Falken jagen.
매장(埋葬) ① 《시체의》 Beerdigung *f.* -en; Begräbnis *n.* ..nisses, ..nisse; Bestattung *f.* -en. ~하다 beerdigen⁴; begraben*⁴; bestatten⁴; *jm.* das letzte Geleit geben*; *jn.*

zur Grabe tragen*; *jn.* zur letzten Ruhe betten.

② 《사회적인》 Ächtung *f.* -en; Acht *f.*; Ausschluß 《*m.* ..lusses, ..lüsse》 aus der Gemeinschaft. ～하다 über *jn.* die Acht aus|sprechen*; *jn.* in die Acht erklären (tun*); ächten[4]. ¶ 그런 놈은 사회에서 ～해 버려야 한다 Solcher Kerl muß von der Gesellschaft ausgestoßen werden.¦Solcher Kerl sollte geächtet werden.

‖ ～비 Bestattungskosten 《*pl.*》. ～식 Toten¦feier (Beerdigungs-; Begräbnis-; Bestattungs-; Leichen-) *f.* -n; Leichenbegängnis. ～증명서 Beerdigungs¦schein (Begräbnis-; Bestattungs-) *m.* -(e)s, -e. ～지 Begräbnis¦stätte (Grab-) *f.* -n.

매장(埋藏) ① 《묻어 감춤》 das Vergraben*, -s. ～하다 unter der Erde verstecken[4]; vergraben*[4].

② 〖광업〗 Ablagerung *f.* -en; Lager *n.* -s, -. ～하다 abgelagert sein; den Vorrat von (Kohle *usw.*) haben.

‖ ～량 die Menge 《-n》 des Erzvorkommens; gewinnbarer Erzvorrat 《-(e)s, ⸚e》 in der Erde: 석탄 (석유)의 ～량 der Kohlen(lager)¦vorrat (der Öl-); die Menge des Kohlen¦vorkommens (des Öl-). ～물 vergrabene Schätze 《*pl.*》; Bodenschätze 《*pl.*》. ～지대 Lagerstätte *f.* -n.

매장(賣場) Ladentisch *m.* -es, -e; Verkaufstheke *f.* -n (가게 내부의); Verkaufsstelle *f.* -n; Stand *m.* -(e)s, ⸚e; Kiosk *m.* -(e)s, -e (매점); Kasse *f.* -n (표의). ¶ 가정용품 ～ 《백화점의》 Haushaltsabteilung *f.* -en.

‖ ～감독 Aufsicht 《*f.* -en》 in der Verkaufsstelle. ～판매원 Verkäufer 《*m.* -s, -》 am Stand; Ladenmädchen *n.* -s, -.

매저키즘 Masochismus *m.* -. ¶ ～적인 masochistisch.

매점(買占) Aufkauf *m.* -(e)s, ⸚e; das Aufkaufen*, -s; 〖증권〗 Korner *m.* -s, -; Schwänze *f.* -n. ～하다 auf|kaufen[4]; 《증권거래에서》 auf|schwänzen[4]; kornern[4]. ¶ 쌀을 ～하다 den Reis auf|kaufen.

매점(賣店) (Verkaufs)stand *m.* -(e)s, ⸚e; Verkaufslokal *n.* -(e)s, -e; (Markt)bude *f.* -n (노점); Meßbude (박람회 등의); 《신문·음료수 등의》; Kiosk *m.* -(e) s, -e; Verkaufshäuschen *n.* -s, -. ¶ 역의 ～ Bahnhofkiosk *m.* / ～을 내다 e-n Laden (Kiosk) auf|machen (eröffnen).

‖ 신문～ (Zeitungs)kiosk *m.*

매정하다, 매정스럽다 barsch; boshaft; hart; herb; grausam; schroff; unfreundlich (sein). ¶ 매정하게 다루다 *jm.* arg (hart; schlimm; übel) mit|spielen; mißhandeln[4]; *jm.* hart zu|setzen.

매제(妹弟) Schwager *m.* -s, ⸚; der Ehegatte 《-n, -n》 ((Ehe)mann, -(e)s, ⸚er) der jüngeren (kleinen) Schwester.

매조미쌀(一糙米一) 《현미》 Braß *m.* ..sses; der unpolierte Reis, -es.

매조지 die letzte Hand; die letzte Feile. ～하다 die letzte Hand legen 《*an*[4]》; die letzte Feile geben*.

매주(每週) jede Woche; alle acht Tage; wöchentlich. ¶ ～의 wöchentlich / ～토요일 jeden Samstag (Sonnabend).

매주(買主) 《사람》 (An)käufer *m.* -s, -; 《증권 거래의》 Haussier *m.* -s, -s.

매주(賣主) Verkäufer *m.* -s, -; Abgeber *m.* -s, - (주식의); Bassier [bɛsjé:] *m.* -s, -s (증권 시장의).

매지구름 Regenwolke *f.* -n.

매지근하다 ☞ 미지근하다.

매지매지 Stück für Stück; stückweise; portionsweise.

매진(賣盡) das Ausverkauftsein* -s, -. ～하다 ausverkauft sein; aus|verkaufen[4]. ¶ 금일 ～ 《게시》 Ausverkauft für heute. / 전 자리가 보조의자까지 ～ 되었다 Alle Plätze, sogar Notsitze, sind schon ausverkauft.

매진(邁進) das eifrige Bemühen* 《-s》 nach vorwärts. ～하다 [4]sich mutig vor|drängen*; mutig vorwärts dringen* ⓢ; mit tapferen Schritten vorwärts|gehen* ⓢ; [4]sich tapfer und eifrig bemühen 《*um*[4]》. ¶ 다같이 새로운 조국 건설에 ～하자 Schließen wir unsere alle Kräfte zusammen, um ein neues Vaterland aufzubauen.

매질 die tätliche Beleidigung, -en; das Schlagen*, -s. ～하다 schlagen*; prügeln; peitschen.

‖ ～꾼 Schläger *m.* -s, -.

매질(媒質) 〖물리〗 Medium *n.* -s, ..dien.

매차(每次) jedesmal; wiederholt; immer.

매체(媒體) 〖물리〗 Medium *n.* -s, ..dien. ¶ 에테르는 전파의 가상 ～이다 Der Äther ist ein hypothetisches Medium für die elektrischen Wellen.

‖ 대중～ Massenmedium *n.* -s, ..dien.

매초롬하다 die gesunde Schönheit haben; wohl (gesund) aus|sehen*.

매축(埋築) ＝매립.

매춘(賣春) ＝매음(賣淫).

매출(賣出) Ausverkauf *m.* -(e)s, ⸚e. ～하다 Waren verbilligt verkaufen, um etwa die Lager zu leeren; das Lager räumen.

‖ ～가격 (Aus)verkaufspreis *m.* -es, -e. 연말 대～ Großausverkauf zum Jahresschluß. 하절말 (동절말) 대～ Sommerschluß¦verkauf (Winterschluß-) *m.* -(e)s, ⸚e.

매치 Wettspiel *n.* -(e)s, -e. ☞ 경기(競技).

매치다 ☞ 미치다[1].

매캐하다 ① 《연기내》 rauchig; räucherig; voll Rauch; scharf (sein). ¶ 방이 ～ Das Zimmer ist rauchig (voll Rauch). ② 《곰팡내》 schimmelig; muffig; moderig (sein). ¶ 매캐한 냄새가 나다 schimmelig sein; nach Moder riechen* / 책에서 매캐한 냄새가 난다 Das Buch riecht verschimmelt.

매콤하다 ein bißchen scharf (beißend; gepfeffert; stark); etwas prickelig (brennend) (sein). ¶ 고추맛이 ～ Der Paprika 《-s, -s》 ist ein bißchen scharf.

매큼하다 gepfeffert riechen. ¶ 매큼한 냄새 der gepfefferte Geruch, -(e)s, ⸚e.

매통 der Handmörser 《-s, -》 aus Holz.

매트 Matte *f.* -n.

매트리스 Matratze *f.* -n.

매파(一派) Falke *m.* -n, -n.

매파(媒婆) alte Kupplerin, -nen.

매판 Unterlage *f.* -en, Matratze *f.* -n (für den Mühlstein).

매판자본(買辦資本) das Kapital des chinesischen Maklers.

매팔자(一八字) angenehmes (gutes) Verhältnis, -ses, -se.

매표소(賣票所) Theaterkasse *f.* -n (극장의). Fahrkarten¦schalter *m.* -s, - (-ausgabe *f.* -n) (승차권 따위의).

매품(賣品) Verkaufsartikel *m.* -s, -; (광고) Verkäuflich!; Zu verkaufen!

매한가지 derselbe*; gleich; egal. ¶ 오늘 가나 내일 가나 ～다 Es ist gleich, ob du heute oder morgen gehst. / 그래도 ～다 Das ist Jacke wie Hose. / 한국돈으로 내시건 독일 돈으로 내시건 매한가집니다 Es ist mir gleich, ob Sie es mit koreanischem od. deutschem Geld bezahlen.

매합(媒合) Kuppelei *f.* -en. ～하다 verkuppeln. ¶ ～을 업으로 삼다 Kuppelei treiben*.

매형(妹兄) älterer Schwager, -s, ⸚; der Mann *js.* älteren Schwester.

매호(每戶) jedes Haus; alle Häuser; per Haus.

매호(每號) jede Nummer 〔Auflage〕 -n.

매혹(魅惑) Bezauberung *f.* -en; Faszination *f.* -en; Zauber *m.* -s, -; Liebreiz *m.* -es, -e. ～하다 〖*jn.* 을 목적어로 해서〗 verführen; berücken; bestricken; betören; entzücken; faszinieren; fesseln; verliebt machen; verlocken; 《호리다》 bezaubern; bannen; behexen. ¶ ～적인 verführerisch; berückend; bestrickend; betörend; entzückend; hinreißend; fesselnd; vermachend; verlockend; üppig (풍만한); liebreizend wollüstig (육감적인) / ～적인 얼굴 《여자의》 ein Gesicht 《*n.* -(e)s, -er》 von berückendem Liebreiz / 사람을 ～하는 일종의 마력이 있다 die Zauberkraft haben, die Leute zu faszinieren / 여자의 매력에 ～당하다 dem Liebreiz der Frau verfallen* ⓢ; von dem Zauber der Frau betört sein.

매화(梅花) 〖식물〗 Pflaumenbaum *m.* -(e)s, ⸚e (나무); Pflaumenblüte *f.* -n (꽃).

매회(每回) jedesmal; jede Runde (권투 따위); jeder Gang, -(e)s, ⸚e.

매흙 Lehm *m.* -(e)s, -e; Ton *m.* -(e)s, -e. ‖ ～질 Tonarbeit *f.* -en: ～질하다 die Wand mit Lehm tünchen 〔verputzen〕.

맥(脈) ① 《맥박》 Puls *m.* -es, -e; Pulsschlag *m.* -(e)s, ⸚e; das Pulsieren*, -s. ¶ 맥이 뛰다 pulsieren; der Puls schlägt 〔hämmert; pocht〕 / 맥이 빠르다 der Puls schlägt schnell / 맥이 약하다 e-n schwachen Puls haben; der Puls schlägt schwach / 맥이 뜨다 der Puls geht langsam / 맥이 고르다 〔고르지 못하다〕 der Puls ist regelmäßig 〔unregelmäßig〕 / 맥이 끊어지다 der Puls setzt aus / 맥이 있다 Der Puls schlägt noch. / 맥이 없다 Der Puls hat ausgesetzt.¦ kraftlos 〔schwach〕 sein / 맥을 보다 *jm.* den Puls fühlen (집맥, 비유적으로도) / 맥도 모르고 침통 흔든다 ⁴*et.* unternehmen*, ohne die geringste Ahnung davon zu haben. ② 《광맥》 (Erz)ader *f.* -n; (Erz)lager *n.* -s, -. ¶ ～을 찾아내다 auf e-e Ader stoßen* ⓢ; ein (neues) Lager entdecken. ③ 《풍수지리》 ein günstiger Ort 《-(e)s, -e》, in dem sich der Geist der Drache weilen soll.

맥고(麥藁) Weizen¦stroh 〔Gersten-〕 *n.* -(e)s. ‖ ～모자 Strohhut *m.* -(e)s, ⸚e.

맥노(麥奴) schwarze Ähre, -n. ☞ 깜부기.

맥농(麥農) Weizenbau *m.* -(e)s; Gerstenbau *m.* -(e)s. ¶ ～에 종사하다 Gerstenbau treiben*.

맥도(脈度) Pulsfrequenz *f.* -en.

맥동(脈動) das Pulsieren*, -s; die pulsierende Bewegung, -en. ¶ 대도시의 ～ der Puls (-schlag) e-r Großstadt.

맥락(脈絡) ① 《혈맥》 Ader *f.* -n; Adersystem *n.* -(e)s, -e. ② 《일의》 Zusammenhang *m.* -(e)s, ⸚e; Verbindung *f.* -en; Verkettung *f.* -en; Verknüpfung *f.* -en. ¶ 이야기의 ～이 없었다 Er verlor den Faden in s-r Erzählung. ‖ ～막 Aderhaut *m.* -(e)s, ⸚e.

맥량(麥凉) kühles Wetter in der Gerstenreifezeit.

맥량(麥糧) die Gerste für Sommer-Proviant.

맥류(麥類) Gerste, Weizen, Roggen *usw.*

맥리(脈理) ① 《문맥의》 Kontext *m.* -es, -e; Kombination des Kontextes. ② 《맥을 짚는》 die Theorie 《-n》 vom Puls.

맥망(麥芒) Gerstenbart *m.* -(e)s, ⸚e; Bart *m.* -(e)s, ⸚e.

맥맥하다 ① 《코가》 verstopft; zugestopft (sein). ¶ 코가 ～ M-e Nase ist verstopft. ② 《생각이》 ratlos; gedankenlos; zerstreut; betäubt (sein). ¶ 시골에서 갓 나왔기 때문에 그는 그저 맥맥하기만 하다 Da er frisch vom Lande kommt, ist er wie vor den Kopf geschlagen.

맥무병(脈無病) 〖의학〗 pulsloses Symptom, -s, -e.

맥박(脈搏) ＝맥(脈)①.

맥보다(脈—) ① 《진맥》 *jm.* (an) den Puls fühlen. ② 《살피다》 warten 《*auf*⁴》; ab|warten; lauern 《*auf*⁴》; aus|spähen.

맥분(麥粉) Weizenmehl *n.* -(e)s, -e.

맥비(麥肥) Dünger 《*m.* -s》 für Gerstenbau.

맥빠지다, 맥나다(脈—) ① 《피곤》 erschlaffen ⓢ; ⁴sich kraftlos 〔schwach; erschöpft〕 fühlen; erschöpft sein. ¶ 20 킬로나 걸었더니 맥이 빠진다 Nach 20 km Marsch bin ich ganz erschöpft. ② 《낙심》 enttäuscht 〔niedergeschlagen〕 sein. ¶ 그 일 때문에 그는 아주 맥 빠져 있다 Deswegen ist er ganz niedergeschlagen. / 토요일엔 수업이 없는 줄 알았는데 있다니 맥이 빠진다 Ich habe gedacht, es gäbe am Samstag k-n Unterricht. Ich bin sehr enttäuscht, da es doch welchen auch am Samstag geben soll. ③ 《김새다》 e-e Entspannung tritt ein. ¶ 어제 축구는 아주 맥 빠진 시합이었다 Das gestrige Fußballspiel war ohne jede Spannung.

맥시류(脈翅類) 〖곤충〗 Netzflügler 《*pl.*》; Neuropteren *f.*

맥시(스커트) Maxirock *m.* -(e)s, ⸚e. ¶ ～를 입고 있다 maxi gehen* ⓢ 〔tragen*〕.

맥아(麥芽) Malz *n.* -es. ¶ ～로 만들다 malzen⁴; mälzen⁴. ‖ ～당(糖) Maltose *f.*; Malzzucker *m.* -s. ～맥주 Malzbier *n.* -(e)s, -e.

맥암(脈岩) 〖지질〗 das aderige Gestein, -(e)s, -e; der Felsen 《-s, -》 mit Adern; Ganggestein *n*, -(e)s, -e.

맥없다(脈—) 《기운이》 kraftlos; schwach; erschlafft; erschöpft (sein); 《풀없다》 enttäuscht; entmutigt; niedergeschlagen (sein).

맥없이(脈—) ① 《기운없이》 kraftlos; niedergeschlagen; schwach; deprimiert; niedergedrückt; entmutigt; in gedrückter Stimmung; mutlos; schwermütig; verzagt. ¶ ～ 쓰러지다 kraftlos hin|fallen* ⓢ (stürzen ⓢ) / ～ 앉다 erschöpft sich setzen. ② 《공연히》 grundlos; ohne Grund 〔Ursache〕; beim geringfügigsten Anlaß. ¶ ～ 울다 beim geringfügigsten Anlaß zu weinen an|fangen*.

맥우(麥雨) der Regen, der in der Reifezeit des Gerstens kommt.

맥작(麥作) Gerstenbau *m.* -(e)s; Weizenernte *f.* -n. ¶ 금년 ～은 매우 좋지 않다 Die Gerstenernte ist dieses Jahr sehr schlecht.

맥적다 ①《심심함》 eintönig; gelangweilt (sein). ¶ 맥적은 얼굴을 하다 gelangweilt aus|sehen*; ein gelangweiltes Gesicht machen/할 일이 없어서 ~ Weil ich nichts zu tun habe, langweile ich mich tödlich. ②《낯이 없다》 schüchtern; verschämt; geniert; scheu (sein). ¶ 또 돈을 부탁하기가 매우 ~ Es schämt mich sehr, wieder ihn um Geld zu bitten.

맥주(麥酒) Bier *n.* -(e)s, -e; helles Bier (보통 맥주). ¶ 김빠진 ~ schales (abgestandenes) Bier / ~ 한 조끼 ein Maß《*n.* -es, -》 Bier; ein Krug《*m.* -(e)s, ⸗e》 Bier / ~의 거품 Bierschaum *m.* -(e)s, ⸗e / ~를 한잔하다 ein Glas Bier trinken* / 김빠진 ~ 같다 so schal wie das abgestandenes Bier sein / 이 ~는 거품이 잘 인다 Dies Bier hat viel Schaum.
‖ ~병 Bierflasche *f.* -n. ~양조 Bierbrauerei *f.*《*pl.* 없음》: ~양조장 Bierbrauerei *f.* -en. ~집 Bier¦halle *f.* -n (-haus *n.* -es, ⸗er; -schenke *f.* -n); Kneipe *f.* -n (간소한); Wirtshaus. ~홀 =~집. 병~ Flaschenbier. 생~ Faßbier. 흑~ dunkles Bier.

맥줄(脈—) Ader *f.* -n.

맥진(驀進) (An)sturm *m.* -(e)s, ⸗e; Stoß *m.* -es, ⸗e. ~하다 dahin|schießen* ⓢ; los|stürmen《*auf*⁴》; los|stürzen ⓢ《*auf*⁴》; mit Ungestüm (an|)laufen* ⓢ《*gegen*⁴》.

맥추(麥秋) die Erntezeit des Gerstens; Juni *m.* -(s), -s.

맥풀리다(脈—) ①《기운이 빠짐》 erschlaffen; sich erschöpft (entkräftigt; kraftlos; ganz schwach) fühlen. ②《낙심》 enttäuscht (entmutigt; niedergeschlagen) sein.

맨¹《오로지》 meistens; gänzlich; vor allem; voll; viel; nichts als...; lauter. ¶ 못에는 맨 고기다 Im Teich ist es voll Fisch. / 그 쪽 갱도에는 맨 금이다 In jener Grube ist es lauter Gold.

맨²《제일》 höchst; äußerst; besonders; ganz; am meisten; zuerst; erstens; fürs erste; zuvörderst; vor allen Dingen. ¶ 맨 처음 zuerst; an erster Stelle; vor allen Dingen/ 맨 나중 das hinterste; das letzte; ganz spät (nachher) / 맨 꼭대기 das höchste; ganz oben / 맨 아래 das unterste; ganz unten / 맨 왼편 집 das Haus an der ganz linken Seite / 맨 먼저 뭘 할까 Was soll ich zuerst tun. / 그가 맨 먼저 왔다 Er ist als Erster gekommen.

맨-〖접두사〗 leer; kahl; nackt; entblößt; unbekleidet. ¶ 맨머리 Kahlkopf *m.* -(e)s, ⸗e; der Kopf ohne Hut / 맨손으로 돌아오다 mit leeren Händen zurück|kehren / 맨발로 걷다 barfuß gehen* ⓢ; mit nackten Füßen gehen* ⓢ / 맨몸으로 가다 nackt gehen* ⓢ/그는 점심에 맨밥을 먹었다 Er hat zu Mittag ohne Nebenspeise gegessen.

맨꼴찌 der Letzte*, -n, -n; der Unterste*, -n, -n; Ende *n.* -s, -n. ¶ 그는 학급에서 ~다 Er ist der Letzte (Unterste) (in) seiner Klasse. / 그의 이름은 명부에서 ~로 실려 있다 Sein Name steht am Ende der Liste.

맨꽁무니 ¶ ~로 ohne Geld; mit leeren Händen; gedankenlos / ~로 장사를 하려 든다 Ohne Geld will er mit dem Geschäft beginnen*.

맨끝 das allerletzte Ende, -s, -n. ¶ ~에(서) am allerletzten Ende; an der allerletzten ³Stelle《*f.*》/ 편지 ~에 am Ende (zum Schluß) des Briefes / 책의 ~ 페이지 die letzte Seite des Buches / 회의 ~에 zum Schluß der Versammlung.

맨나중 das hinterste*; das letzte*. ¶ ~의 später; nachherig; letzt; final / ~에 endlich; zum Schluß / 그는 ~에 왔다 Er ist als Letzter gekommen.

맨둥맨둥하다 ohne Baum; bar; kahl (sein).

맨뒤 die ganz hintere Seite, -n. ¶ ~에 ganz hinten / 줄 ~에 서 있다 Er steht am Ende der Reihe.

맨드라미〖식물〗 Hahnenkamm *m.* -(e)s, ⸗e.

맨드리 ①《옷맵시》 die Figur des Zuschnittes (der Kleidung); *fs.* Erscheinung *f.* -en. ②《만듦새》 die Erscheinung (die Form; das Aussehen*) e-r Sache.

맨땅 barer Boden, -s, ⸗ (Grund, -(e)s, ⸗e).

맨망떨다 leichtsinnig (leichtfertig) handeln; unvorsichtig behandeln; übereilt tun*.

맨망스럽다 leichtsinnig; leichtfertig; voreilig; übereilt; hastig (sein).

맨머리 ①《아무 것도 안 쓴》 Barhaupt *n.* -(e)s, ⸗er. ¶ 맨머릿 바람으로 나가다 ohne Hut aus|gehen*ⓢ; aus|gehen*, ohne e-n Hut zu tragen*. ②《쪽찐 머리》 e-n Haarpfeil gestecktes Haar.

맨먼저 vor allem; als erstes. ¶ ~의 (aller-) erst / 그가 ~ 왔다 Er kam als erster. / 봄이 오면 ~ 매화꽃이 핀다 Der Pflaumenbaum blüht im Frühling als erster. / 그의 이름이 ~ 나와 있다 Sein Name steht an der ersten Stelle. / ~ 그가 입을 열었다 Als erster nahm er das Wort.

맨몸 ①《벗은 몸》 nackter Körper, -s, -; Nacktheit *f.* ¶ ~으로 nackt; unbekleidet; bloß / ~이 되다 nackt werden; sich entkleiden; sich frei machen / ~으로 자다 nackt schlafen*. ②《무일푼》 Habenichts *m.* -, -e. ¶ ~이 되다 mittellos werden.

맨몸뚱이 =맨몸.

맨밑 der unterste Boden, -s, ⸗. ¶ ~에 ganz unten.

맨바닥 unbedeckter Boden *m.* -s, ⸗.

맨발 der bloße (nackte) Fuß, -es, ⸗. ¶ ~의 barfüßig / ~로 걷다 barfuß (in *od.* mit nackten Füßen) gehen* ⓢ.

맨밥 Reis ohne Nebenspeise (Nebengericht). ¶ ~을 먹다 nur Reis essen*; Reis ohne Nebenspeise essen*.

맨살 die bloße (nackte) Haut, ⸗e. ¶ ~에 걸치다 auf der bloßen (nackten) Haut tragen*⁴.

맨션 Herrenhaus *n.* -es, ⸗er. ¶ 그는 ~에서 살고 있다 Er wohnt in e-r stattlichen Wohnung. ‖ ~하우스(아파트) die stattliche Wohnung.

맨손 die bloße Hand, ⸗e. ☞ 맨주먹.

맨숭맨숭하다 ①《털없음》 haarlos; bar; kahl (sein). ¶ 턱이 ~ bartlos sein*; k-n Bart haben; Das Kinn hat keinen Bart. ②《나무가 없다》 ohne Baum sein; bar; kahl (sein). ③《안 취함》 nicht betrunken (bezecht; bekneipt; berauscht) (sein). ¶ 맥주 다섯 병을 비웠지만 그는 아직 ~ Er hat schon fünf Flaschen Bier getrunken, aber er ist noch nicht betrunken.

맨아래 der unterste Boden, -(e)s, ⸗ (Grund, -s, ⸗e). ¶ ~의 unterst; niedrigst / ~에 ganz unten.

맨앞 Vorderseite *f.* -n; Front *f.* -en; Spitze *f.* -n. ¶ ~의 vorder; front / ~에 voran;

an der Spitze / ～에서 걷다 voran schreiten* ⓢ; voran gehen* ⓢ / ～에 서 있다 ⁴sich an die Spitze stellen; an der Spitze stehen*.

맨위 das Obere*, -n; Oberseite *f.* -n; Oberfläche *f.* -n; Gipfel *m.* -s, -; Kopf *m.* -(e)s, ¨e. ¶ ～의 höchst; oberst / ～의 선반 das oberste Gesims, -es, -e; das oberste Wandbrett, -(e)s, -er.

맨입 der leere Mund, -(e)s, ¨er [Magen, -s, -(¨)]. ¶ ～으로 집을 떠나다 ohne Essen das Haus verlassen.*

맨주먹 nackte Faust, ¨e; nackte [bloße; leere] Hand, ¨e. ¶ ～으로 mit nackten Fäusten; unbewaffnet; ungerüstet; ohne Waffen [Rüstung]; mit leeren Händen 《*pl.*》; mittellos; unbemittelt / ～으로 싸우다 unbewaffnet kämpfen 《*mit*³; *gegen*⁴》 / ～으로 돌아오다 mit leeren Händen zurück|kehren ⓢ / ～으로 장사를 시작했다 Praktisch mit nichts in der Hand hat er angefangen, e-n Handel zu betreiben. / ～으로 범을 잡다 mit bloßen Händen e-n Tiger töten / ～으로 큰 돈을 모았다 Mit leeren Händen angefangen, ist er jetzt zu Vermögen gekommen.

맨처음 Anfang *m.* -(e)s, ¨e; Beginn *m.* -(e)s; Ursprung *m.* -(e)s, ¨e; der [die] erstere(n). ¶ ～에 am Anfang; erst; erstens; zunächst; zuvörderst; vor allen Dingen / 그가 ～에 왔다 Er ist als Erster gekommen. ¦ Er ist früher als die anderen gekommen / 학술회의에서는 ～에 김교수의 연설이 있었다 Die wissenschaftliche Versammlung wurde mit dem Reden von Herrn Prof. *Kim* gehalten.

맨투맨방어(―防禦) die Mann zu Mann Defensive, -n.

맨틀 《가스맨틀》 (Gas)strumpf *m.* -(e)s, ¨e.

맨틀피스 Kamin¦(ge)sims *n.* -es, -e [-mantel *m.* -s, ¨].

맨해튼 ① 《뉴욕시의》 Manhattan. ② 《칵테일의 일종》 Manhattan (Cocktail).

맨홀 Einsteig(e)loch *n.* -(e)s, ¨er.

맬다이브 《나라 이름》 Malediven *n.* -s; Republik 《*f.*》 M. ¶ ～의 maledivisch. ‖ ～사람 Malediver *m.* -s, -.

맬더스주의(―主義) Malthusianismus *m.* -. ‖ ～자 Malthusianer *m.* -s. -

맴돌다 ☞ 매암돌다.

맵다 ① 《고추 따위가》 scharf 《schärfer, schärfst》; beißend; gepfeffert; prickelnd; stechend (sein). ¶ 후추가 너무 ～ Pfeffer beißt auf der Zunge. / 연기로 눈이 ～ Der Rauch beißt in die Augen. / 고추는 작아도 ～ Der Paprika ist, wenn auch klein, scharf beißend. ② 《혹독》 ¶ 매운 날씨 kaltes Wetter, -s / 매운 바람 kalter, schneidender Winter, -s, -.

맵살스럽다 ☞ 밉살스럽다.

맵시 Schönheit *f.* -en; Stattlichkeit *f.*; Lieblichkeit *f.*; Reiz *m.* -es, -e; Eleganz *f.*; Schick *m.* -(e)s; Wohlgestalt *f.* -en; Formschönheit *f.*; Ebenmaß *n.*; Figur [Form] *f.* -en. ¶ ～있다 hübsch [schön; stattlich; großzügig; edelmütig; ansehnlich; beträchtlich; wohlgestaltet] sein / ～없다 ungeschickt [linkisch; unbeholfen; verlegen; ungünstig; ungelegen; peinlich; unangenehm; mißlich; plump; schwerfällig; ungestaltet; mißgestaltet; unförmig; unziemlich; unschicklich; unschön] sein / ～있는 몸매 die schöne [hübsche] Figur, -en / ～ 없는 구두 die formlosen Schuhen 《*pl.*》 / ～ 있는 저고리 der elegante Rock, -(e)s, ¨e; der schöne Damenmantel, -s, - / 옷～에 신경을 쓰다 ⁴sich mit Geschmack kleiden / 그녀는 ～가 좋다 Sie hat eine hübsche Figur.

맵싸하다 (prickelnd) scharf; bitter; beißend; gepfeffert; prickelig; stark; brennend (sein).

맵자하다 e-e gut passende [feste] Erscheinung [Figur; Form] haben; ein solides Aussehen haben.

맷가마리 der Mann, der gerecht geschlagen wird.

맷고기 Fleischschnitte für Wiederverkauf.

맷돌 Handmühle *f.* -n; Steinmühle *f.* -n. ¶ ～로 갈다 mit e-r Handmühle mahlen*.

맷맷하다 ☞ 밋밋하다.

맷방석(―方席) e-e runde Strohmatte, die unter dem Handmörser ausgebreitet ist.

맷손 ① 《맷돌의》 der Griff des Handmörsers. ② 《매질의》 die Stärke des Schlages. ¶ ～이 맵다 *jn.* sehr hart schlagen* [prügeln].

맷수쇠 der Griff des Handmörsers.

맹격(猛擊) der heftige Angriff, -(e)s, -e; der heftige Anfall [Überfall] -(e)s, ¨e. ～하다 heftig an|greifen* [an|fallen*; überfallen*]⁴.

맹견(猛犬) der bissige [wilde; grausame] Hund, -(e)s, -e. ¶ ～ 주의 Bissiger Hund! (게시).

맹고 〖식물〗 =망고.

맹공격(猛攻擊) der heftige Angriff, -(e)s, -e. ☞ 맹격. ～하다 heftig an|greifen*⁴; hart attackieren⁴.

맹그로브 〖식물〗 Mangrovebaum *m.* -(e)s, ¨e.

맹근하다 ein bißchen warm sein.

맹금(猛禽) Raubvogel *m.* -s, ¨.

맹꽁맹꽁 der Quakenlaut des Frosches.

맹꽁이 ① 〖동물〗 e-e Sorte vom kleinen runden Frosch. ¶ ～ 결박한 것 같다 untersetzt [klein u. stark; klein u. dick] sein. ② 《맹추》 Dummkopf *m.* -(e)s, ¨e; Schafskopf *m.*; Tor *m.* -en, -en; Narr *m.* -en, -en.

맹눈(盲―) der unwissende Analphabet, -en, -en; Ignorant *m.* -en, -en; der Unwissende*, -n, -n.

맹도견(盲導犬) Blindenhund *m.* -(e)s, -e.

맹독(猛毒) das tötliche Gift, -(e)s, -e. ¶ ～성의 tödlich giftig.

맹동(孟冬) der zehnte Monat nach dem Mondkalender; 《초겨울》 der Beginn des Winters.

맹동(萌動) das Keimen*, -s; Sproß *m.* ..sses, ..sse; Sprößling *m.* -s, -e. ～하다 keimen; sprießen*.

맹랑하다(孟浪―) ① 《허망》 unwahr; falsch; lügenhaft (sein); 《믿을 수 없다》 unglaublich; untreu; unehrlich (sein); 《근거없다》 grundlos; unwahrhaft (sein); 《터무니없다》 absurd; unsinnig; verkehrt; schrecklich; töricht (sein). ¶ 맹랑한 이야기 e-e unglaubliche Geschichte / 맹랑한 잘못 ein großer [schrecklicher] Irrtum [Fehler]/맹랑한 요구 e-e unsinnige [verkehrte] Forderung / 맹랑한 가격 ein schrecklicher Preis / 맹랑한 장난 ein törichter Streich / 맹랑한 소문을 퍼뜨리다 ein unglaubliches Gerücht verbreiten; Klatsch in der Stadt herum|tragen*/ 누가 그런 맹랑한 말을 하더냐 Wer hat solch eine törichte Geschichte erzählt? ② 《허무

루 볼 수 없다》 stärker sein, als man gedacht hat; härter sein, als man erwartet hat. ¶ 맹랑한 아이 das kluge (schlaue) Kind / 일이 ~ Das ist zu schwer zu lösen.

맹렬하다(猛烈—) heftig; rasend; stürmisch; ungestüm; wild; unbändig; wütend; 《기세》 feurig; hitzig (sein). ¶ 맹렬한 분노 der unbändige Zorn, -(e)s / 맹렬한 증오 der feurige Haß, ..sses / 맹렬한 타격 ein heftiger Schlag, -(e)s, ⸗e / 맹렬한 폭풍 ein heftiger Sturm, -(e)s, -e / 맹렬한 복통 heftiges Leibweh, -(e)s, -e / 불길이 맹렬한 속도로 번지다 Das Feuer breitet sich mit rasender Schnelligkeit. / 그는 조국을 위해 맹렬히 싸웠다 Auf Leben und Tod (Wie ein Löwe) hat er fürs Vaterland gekämpft.

맹목(盲目) Blindheit *f.* -en. ¶ ~적인 blind/ ~적으로 blindlings; blind; ganz unbesonnen; dreist; übermütig; verwegen / ~적인 사랑 blinde Liebe, -n / ~적인 증오 blinder Haß, ..sses / ~적인 사람 Tausendsasa *m.* -s, -(s); Wagehals *m.* -(e)s, ⸗e.
‖ ~비행(착륙) ein blinder Flug, -(e)s, ⸗e (eine blinde Landung).

맹문모르다 unsinnig (sinnlos; albern; unvernünftig) sein. ¶ 맹문도 모르고 지껄여 대다 Unsinn reden (schwatzen) / 그렇게 맹문도 모를 말은 하지 마라 Sei nur nicht so unvernünftig!

맹문이 die unverständige (unvernünftige) Person, -en; Unverstand *m.* -(e)s; Dummkopf *m.* -(e)s, ⸗e; die halsstarrige (widerspenstige) Person. ¶ 그는 ~이다 Er ist unverständig. / 그런 ~는 처음 보았다 Ich habe solch einen Dummkopf noch nie gesehen.

맹물 ① 《물》 Süßwasser *n.* -s, -. ¶ 그것은 맥주가 아니고 ~이다 Das ist nicht Bier, sondern Süßwasser. ② 《사람》 der stumpfe (stumpfsinnige) Mensch, -en, -en; der unelegante (geschmacklose; nüchterne; trockne) Mensch. ¶ 그 사람은 ~이다 Er ist geschmacklos.

맹반격하다(猛反擊—) e-e heftige Gegenattacke machen.

맹방(盟邦) der verbündete Staat, -(e)s, -en; Bundesgenosse *m.* -n, -n.

맹성(猛省) ernste Reflexion (Wiederspiegelung; Überlegung; Erwägung) -en. ¶ ~을 촉구하다 *jn.* ernstlich ermahnen 《*zu*[3]》; *jn.* aufs strengste mahnen 《*zu*[3]》; *jm.* ins Gewissen reden.

맹세 Eid *m.* -(e)s, -e; Eidablegung *f.* -en; Eidesleistung *f.* -en; (Eid)schwur *m.* -(e)s, ⸗e; die feierliche Beteuerung, -en; Gelöbnis *n.* ..nisses, ..nisse; Gelübde *n.* -s, -. ~하다 e-n Eid ab|legen (leisten; schwören*); ein Gelübde ab|legen (leisten). ¶ ~를 결행하다 ein Gelübde in Erfüllung bringen*/ ~를 지키다(어기다) e-n Eid (ein Gelöbnis; e-n Schwur) heilig halten* (brechen*; verletzen) / ~코 (bei) m-r Treu!; bei m-r Ehre!; bei Gott!; auf m-n Wort!; Ehrenwort! / 거짓 ~하다 e-n Meineid (falsch) schwören / 엄숙히 ~하다 Stein u. Bein (hoch u. teuer) schwören* / 성서에 손을 얹고 ~하다 auf die Bibel schwören* / 무엇을 걸고 ~하다 bei [3]*et.* schwören* / 군기에 대해서 ~하다 zur Fahne schwören* / 영원한 충성 (사랑)을 ~하다 ewige Treue (Liebe) schwören* / 나는 ~코 나의 약속을 지킨다 Ich schwöre dir, ich halte m-n Wort.

맹세지거리 der Schwur 《-(e)s, ⸗e》 auf e-r gemeinen Sprache (auf Slang). ~하다 auf e-r gemeinen Sprache (auf Slang) schwören*.

맹수(猛獸) das wilde Tier, -(e)s, -e; 《상식적으로는》 Raubtier *n.* -(e)s, -e (학문적으로는 개, 고양이도 포함됨). ¶ ~ 사냥을 하다 das wilde Tier (Raubtier) jagen; nach e-m wilden Tier (e-m Wild) jagen.
‖ ~사냥 die Jagd nach e-m Wild.

맹습(猛襲) der heftige (ungestüme) Angriff, -(e)s, -e. ☞ 맹격. ~하다 e-n heftigen Angriff machen.

맹신(盲信) der blinde Glaube, -ns; Leichtgläubigkeit *f.*; Aberglaube *m.* -ns (미신). ~하다 leichtgläubig (abergläubig) sein; blind (blindlings) vertrauen[(3)] 《*auf*[4]》.

맹아(盲啞) 《남자》 der Blinde* u. der Stumme*; 《여자》 die Blinde* u. die Stumme*.
‖ ~교육 Blinden- u. Stummenerziehung *f.* ~학교 Blinden- u. Stummenanstalt *f.* -en.

맹아(萌芽) Keim *m.* -(e)s, -e; Knospe *f.* -n; Sproß *m.* ..sses, ..sse; Keimung *f.* (발아).

맹약(盟約) ① 《서약》 Eid *m.* -(e)s, -e; Gelöbnis *n.* ..nisses, ..nisse; Gelübde *n.* -s, -; Schwur *m.* -(e)s, ⸗e. ② 《동맹》 Bund *m.* -(e)s, ⸗e; Bündnis *n.* ..nisses, ..nisse. ~하다 e-n Bund (ein Bündnis) schließen* 《*mit*[3]》; [4]sich verbünden 《*mit*[3]》; e-n Pakt mit *jm.* machen ((ab)schließen*). ¶ ~을 파기하다 ein Bündnis lösen.
‖ ~국(자) der Verbündete*, -n, -n.

맹연습(猛練習) das starke Trainieren*, -s; die eifrige Übung, -en. ~하다 [4]sich stark (heftig) trainieren; eifrig üben.

맹위(猛威) Raserei *f.*; das Toben (Tosen)* -s; Wut *f.* ¶ ~를 떨치다 《전염병 따위가》 überhand|nehmen*; 《전쟁 따위가》 verheeren[4] (폐허화하다); 《비바람 따위가》 rasen(h.s); toben; wüten / 노도가 ~를 떨친다 Die Brandung tost. ¦ Die Wellen toben. / 비바람이 온종일 ~를 떨쳤다 Den ganzen Tag raste der Sturm in unverminderter Stärke umher. / 불길이 삽시간에 ~를 떨쳤다 Das Feuer breitete sich mit rasender Schnelligkeit aus.

맹이 der Körper 《-s, -》 des Sattels.

맹인(盲人) der Blinde*, -n, -n.
‖ ~교육 Blindenerziehung *f.* -en. ~학교 Blindenanstalt *f.* -en; Blindenschule *f.* -n.

맹자(孟子) ① 《사람》 Mengtse *m.* -s. ② 《책》 die Werke Mengtses.

맹장(盲腸) Blinddarm *m.* -(e)s, ⸗e. ¶ ~수술을 하다 die Blinddarmoperation aus|führen; 《환자가》 den Blinddarm operieren lassen* / ~ 수술을 받다 den Wurmfortsatz (die Appendix) heraus|sezieren (lassen*).
‖ ~염 Blinddarmentzündung *f.* -en; Appendizitis *f.* ..zitiden; Typhlitis *f.* ..itiden.

맹장(猛將) der kühne (gewaltige) Held, -en, -en; der kühne (gewaltige) General, -s, -e (Feldherr, -n, -en).

맹장지(盲障—) Schiebe¦tür (Tapeten-) *f.* -en.

맹장질(盲杖—) der heftige Prügel, -s, -. ~하다 heftig prügeln[4].

맹점(盲點) 【해부】 Skotom *n.* -s, -e; 《비유적》 Lücke *f.* -n. ¶ 법의 ~ e-e Lücke im Gesetz / 법의 ~을 찌르다 e-e Lücke im Gesetz aus|nutzen; Vorteil aus e-r Lücke im Gesetz ziehen*.

맹종(盲從) der blinde Gehorsam, -(e)s. ～하다 blind(lings) gehorchen³.

맹주(盟主) Führer *m.* -s, -; die führende Macht, ⸗e(나라). ¶ ～가 되다 Führer werden; über *jn.* herrschen.

맹진(盲進) das blinde Rennen, -s. ～하다 blindlings 〔draufgängerisch〕 rennen* ⓢ 《*in*⁴》; ⁴sich mir nicht, dir nichts stürzen 《*auf*⁴; *in*⁴》.

맹진(猛進) das Drauflosgehen*, -s. ～하다 drauflos|gehen* ⓢ 《*auf*⁴》. ¶ 그는 저돌 ～형이다 Er ist ein richtiger Draufgänger.

맹추 Dummkopf *m.* -(e)s, ⸗e; Dummerjan *m.* -s, -e; Narr *m.* -en, -en; Ochs *m.* -en, -en; Einfaltspinsel *m.* -s, -. ¶ ～야 Du, Narr 〔Einfaltspinsel〕!¦Hol dich der Teufel! / 그런 ～ 같은 이야기가 어디 있나 Das ist reiner Unsinn!¦Das ist ja Quatsch!

맹추(孟秋) Herbstanfang *m.* -(e)s, ⸗e; der Beginn des Herbstes; Juli nach dem Mondkalender.

맹춘(孟春) Frühlingsanfang *m.* -(e)s, ⸗e; der Beginn des Frühlings; Januar nach dem Mondkalender.

맹타(猛打) der heftige Schlag, -(e)s, ⸗e. ～하다 stark schlagen*⁴; den Ball heftig weg|schlagen*(야구).
‖ ～자 der gefährliche Schläger, -s, -.

맹탕 ① 《국물》 Schalheit *f.*; Geschmacklosigkeit *f.* ¶ 그 국은 ～이다 Die Suppe ist geschmacklos. / 그 맥주는 ～이다 Das Bier ist schal. ② 《사람》 e-e gedankenlose 〔leere〕 Person; e-e uninteressante 〔freudlose〕 Person. ¶ ～으로 =건으로.

맹폭(盲爆) Bombenteppichwurf *m.* -(e)s, ⸗e; Blindabwurf 《*m.* -(e)s, ⸗e》 (der Bomben). ～하다 Bomben blindlings ab|werfen* 《*auf*⁴》.

맹폭(猛爆) der heftige Bombenangriff, -(e)s, -e. ～하다 Bomben heftig ab|werfen*.

맹풍(猛風) der wütende 〔tobende〕 Wind, -(e)s, -e; Taifun *m.* -s, -e.

맹하(孟夏) früher Sommer, -s, -; der Beginn des Sommers; April nach dem Mondkalender.

맹한하다(猛悍―) rauh u. heftig; grob u. wild (sein).

맹호(猛虎) der wilde Tiger, -s, -.

맹화(猛火) das wütende Feuer, -s; der verheerende Brand, -(e)s, ⸗e.

맹활동(猛活動) die eifrige Tätigkeit, -en; die energische Wirksamkeit, -en. ～하다 ⁴sich eifrig betätigen; energisch wirken.

맹훈련(猛訓鍊) die harte Übung 〔Ausbildung〕; das heftige Trainieren*, -s. ～하다 ⁴sich hart trainieren; hart üben 〔schulen; aus|bilden〕.

맹휴(盟休) Streik *m.* -(e)s, -e; die 〔gemeinsame; gemeinschaftliche〕 Arbeitsniederlegung 〔Arbeitseinstellung〕 -en; Ausstand *m.* -(e)s, ⸗e; Schüler¦streik 〔Studenten-〕 *m.* (학교의). ～하다 streiken; Streik machen; in den Streik treten* ⓢ; die Arbeit 〔gemeinsam; gemeinschaftlich〕 ein|stellen 〔nieder|legen〕; in den Ausstand treten* / ～ 중이다 ⁴sich im Ausstand befinden*.

맺다 ① 《끈 따위》 verknüpfen⁴; verbinden*⁴; verknoten⁴; verschlingen*⁴; zusammen|binden*⁴. ② 《체결》 (ab|)schließen* 《e-n Kontrakt》; ein|gehen* 《e-n Handel》. ③ 《종료》 (be)end(ig)en⁴; (be)schließen*⁴; zu ³Ende bringen*⁴; Schluß machen 《*mit*³》. ¶ 연설을 끝～ e-e Rede schließen* / 여기서 이야기를 끝맺는다 Die Erzählung schließt hier. ④ 《동맹》 ⁴sich verbünden 《*mit*³》; schließen* 《e-n Bund》; konspirieren (공모). ⑤ 《연결》 verbinden*⁴ 《*mit*³》. ⑥ 《열매를》 tragen* 《Früchte》 《*pl.*》.

맺음말 Konklusion *f.* -en; die konkludenten Worte 《*pl.*》.

맺히다 ¶ 열매(봉오리)가 ～ Früchte 〔Knospen〕 an|setzen / 가슴에 피가 ～ Das Herz blutet 《*vor*³》. / 피맺힌 가슴으로 blutenden Herzens / 아무에게 원한이 ～ einen Groll gegen *jn.* hegen / 눈에 눈물이 가득히 ～ die Augen voll Tränen haben / 장미꽃에 이슬이 맺혔다 Die Rose stand im Tau. / 첫 열매가 ～ die Erstlinge getragen werden.

맺힌데 Verwicklung *f.* -en; Mißhelligkeit *f.* -en; 《원한이》 Groll *m.* -(e)s. ¶ ～가 있다 e-n Groll haben 《auf *jn.*》.

머 So so!; Mmh!; Oh! Ja!; Wahr?; Nicht wahr? ¶ 시계 하나 꼭 사줘야 돼 머 Was—Du kaufst mir eine Uhr!

머귀나무 〘식물〙 Paulownia *f.* ..nien; Kaiser¦baum 〔Zier-〕 *m.* -(e)s, ⸗e.

머금다 ① 《입에》 im Munde (be)halten*. ¶ 물을 머금고 mit dem Mund voll Wasser. ② 《마음에》 halten*; hegen. ¶ 의심을 ～ Zweifel hegen / 어떠한 생각을 ～ ⁴sich mit einem Gedanken tragen*. ③ 《눈물·이슬 따위》 ¶ 미소를 머금고 lächelnd / 눈물을 ～ Tränen in den Augen haben.

머나멀다 ① 《거리》 weit; fern; entfernt; entlegen; weit entfernt (sein). ¶ 머나먼 길 der weite Weg / 머나먼 길을 와주셔서 반갑습니다 Es ist sehr freundlich von Ihnen, daß Sie sich so weit hierher bemüht haben. ② 《시간》 머나먼 옛날 das graue Altertum, -(e)s, ⸗er / 머나먼 앞날에 in der fernen Zukunft.

머다랗다 weit; lang (sein). ¶ 머다란 데서부터 von weitem; aus der Ferne / 머다란 데서 in geraumer Entfernung / 머다란 길 der weite 〔lange〕 Weg.

머드러기 die große Sache, -n; die ausgesuchte Frucht, ⸗e; der sortierte Fisch, -es, -e.

머루 wilde Weintraube *f.* -n.

머름 〘건축〙 Paneel *n.* -s, -e; Getäfel *n.* -s, -; Täfelwerk *n.* -(e)s, -e; Täfelung *f.* -en; Fuß¦leiste 〔Wand-〕 *f.* -n; Holzverkleidung *f.* -en. ¶ ～을 대다 täfeln; verschalen; verkleiden.

머리 ① 《두부》 Kopf *m.* -(e)s, ⸗e; Haupt *n.* -(e)s, ⸗er; Spitze *f.* -n. ¶ ～가 큰 großköpfig / ～(끝)에서 발(끝)까지 vom Scheitel bis zur Sohle; von ³Kopf bis ⁴Fuß / ～를 긁다 ⁴sich hinterm Ohr kratzen / ～를 숙이고 mit gesenktem Kopf(e); unter ³Verbeugungen 《*pl.*》; 《공손하게》 ehrerbietig; höflich; 《간절히》 flehend; flehentlich / ～를 짜다 ³sich den Kopf zerbrechen* 《*über*⁴》; klügeln; spintisieren 《*über*⁴》 / ～를 짜서 생각해 내다 aus|klügeln⁴; aus|tüfteln⁴ / ～가 모자라다 wenig 〔nicht alle〕 auf den Kasten haben; Stroh im Kopf haben / ～에 부상을 입다 am Kopf verwundet werden / ～를 숙이다 ⁴sich bescheiden 〔höflich〕 verhalten*; ⁴sich gebückt halten* / ～를 두 손에 파묻다 den Kopf auf die Arme stützen / ～ 위에 auf dem Kopf(머리에 얹혀 있을 경우); über

dem Kopf (머리 위쪽에) / ~ 위에서 von oben / ~ 위에 떨어지다 *jm.* auf den Kopf fallen* [s] / ~ 위를 쳐다보다 nach oben sehen*; die Augen in die Höhe richten / ~에 수건을 매다 den Kopf mit e-m Handtuch, den Knoten vorn, umwinden* / 검은 ~ 파뿌리 되도록 bis in alle Ewigkeit.
② 《생각》 Idee *f.* -n; Vorstellung *f.* -en; Begriff *m.* -(e)s, -e; Gedanke *m.* -ns, -n; Meinung *f.* -en; Ahnung *f.* -en; Plan *m.* -(e)s, ⸚e. ¶ 그녀는 이와 같은 생각으로 ~가 꽉 찼다 Sie war von diesem Gedanken besessen (ergriffen). / 오늘은 ~가 복잡하다 Ich bin heute ganz durcheinander. / 미래에 대한 걱정이 그녀의 ~를 무겁게 했다 Die Sorge um die Zukunft beschwerte ihr Herz.
③ 《두뇌》 Verstand *m.* -(e)s; Intelligenz *f.* ¶ ~에 떠오르다 *jm.* in den Kopf kommen* [s] / ~가 좋다 e-n guten Kopf (Verstand) haben; ein gutes (starkes) Gedächtnis haben / ~가 나쁘다 einen geringen Verstand haben; schwach im Kopf sein; schwachköpfig sein / ~가 좋은 (나쁜) 사람 der helle (blöde) Kopf, -(e)s, ⸚e / ~를 쓰다 den Geist betätigen.
④ 《머리털》 Haar *n.* -(e)s, -e; Locke *f.* -n (곱슬머리); Haartracht *f.* -en (머리 모양) / 블론드 (갈색, 반백, 하얀, 염색) ~ blondes (braunes, halbergrautes, graues, gefärbtes) Haar / 부드러운 (매끄러운, 손질이 잘 된, 곱슬곱슬한, 웨이브진, 감긴, 더부룩한) ~ die schlichten (glatten, (wohl)gepflegten, krausen, welligen, lockigen, struppigen) Haare. ¶ 머리를 만지다 ^{3}sich die Haare machen (auf|stecken; frisieren; richten) ※ 빗어줄 때는 sich 대신에 *jm.*; 빗기울 때는 동사 뒤에 lassen을 붙인다 / ~를 깎다 (끝을 자르다, 빡빡깎다) die Haare schneiden* (stutzen, scheren) (lassen*) / ~를 빗다 die Haare kämmen; ^{4}sich kämmen (자기의); *jn.* kämmen (남의) / ~를 풀다 die Haare auf|lösen / ~를 다듬다 (땋다, 매다) die Haar glatt kämmen (flechten*, binden*) / ~를 지지다 die Haare brennen (lassen*); Wellen legen (lassen*) / ~를 세트하다 (파마하다, 웨이브를 내다) die Haare legen (lassen) (Dauerwellen machen (lassen), die Haare ondulieren (lassen*)) / ~를 (갈색으로) 염색하다 (표백하다) die Haare (braun) färben (lassen) (bleichen (lassen)) / ~를 올리다 (땋아내리다, 포니테일로 하다) e-n Dutt (e-n Zopf, e-n Pferdeschwanz) tragen* / ~를 가르다 e-n Scheitel ziehen* / ~카락을 잡아당기다 *jn.* an den Haaren ziehen* / ~를 세트하러 가다 zum Legen (Auskämmen) gehen* [s] / 그녀는 ~를 길게 길러 풀어 놓고 있다 Sie läßt die Haare lang wachsen u. trägt sie offen. / 절망한 나머지 ~카락을 쥐어뜯었다 Er raufte sich vor Verzweifelung die Haare (aus). / 늘어뜨린 ~ nach hinten offen getragenes Haar / 칠흑 같은 ~ rabenschwarzes Haar / ~를 풀어헤치고 mit zerzausten (wirren) Haaren / 짧은 ~ der kurzgeschorene Kopf; das kurz (ab)geschnittene (gestutzte) Kopf.
⑤ 《끝·꼭대기》 Oberteil *m.* -(e)s, -e; Spitze *f.* -n; Kopf *m.* -(e)s, ⸚e; Wipfel *m.* -s, -; Gipfel *m.* -s, -; höchster Punkt; Höhe *f.* -n. ¶ 책상 ~ Tischkante *f.* -n / 기둥~ der Oberteil einer Säule / 1 페이지 ~에 Seite 1 oben.
⑥ 《첫머리》 Anfang *m.* -(e)s, ⸚e; Beginn *m.* -(e)s; Ursprung *m.* -(e)s, ⸚e.
‖ **~말** Vorbemerkung *f.* -en; die einleitende Bemerkung; Gleit¦wort (Vor-) *n.* -(e)s, -e; Vorrede *f.* -n; Einleitung *f.* -en: 책의 ~말을 쓰다 ein Buch einleiten; mit einer Vorrede versehen. **~뼈** Schädel *m.* -s, -s. **~쓰개** Helm *m.* -(e)s, -e. **~장식** Haarschmuck *m.* -(e)s, -e. **~형** Frisur *f.* -en. **머릿기름** Haaröl *n.* -(e)s, -e; Pomade *f.* -n; Brillantine *f.* **머릿니** Kopflaus *f.* ⸚e **머릿솔** Haarbürste *f.* -n.

머리감다 (das) Haar waschen*.

머리끄덩이 das wilde (verwirrte; verfilzte) Haar, -es, -e. ¶ ~를 잡다 *jn.* beim Haar greifen*.

머리맡 oberes Ende 《des Bettes》. ¶ ~에 am Kopfende; neben dem Kopfkissen / 침대 ~ oberer Teil (oberes Ende) des Bettes.

머리얹다 ① 《머리를》 ^{3}sich das Haar machen (lassen*); *jm.* das Haar machen. ② 《혼인》 heiraten 《e-n Mann》; die Frau *js.* werden; e-e Partie machen. ③ 《기생이》 s-e Keuschheit verlieren*; die Jungfräulichkeit (die Jungfernschaft) nehmen*; e-e *Gisaeng* in Sex an|leiten.

머리치장(―治粧) Haarschmuck *m.* -(e)s, -e; Haarpflege *f.* -n. **~하다** ^{3}sich das Haar pflegen (besorgen; putzen).

머리카락 Haar *n.* -(e)s, -e. ¶ 앞 ~ Stirn¦locke (Vorder-) *f.* -n; Stirnhaar *n.* -(e)s, -e / 긴 ~ langes Haar / 까만 (흰) ~ schwarzes (weißes) Haar / 그녀는 바람에 ~을 날리며 서 있었다 Sie stand mit zerzausten, webenden Haaren im Wind. / 무시무시해서 ~이 곤두섰다 Vor Schreck richteten sich seine Haare empor (stiegen seine Haare zu Berge).

머리칼 ☞ 머리카락.

머리털 das Haar auf dem Kopf. ¶ ~이 세다 das Haar wird grau / ~을 염색하다 ^{3}sich die Haare färben.

머리통 der Umfang 《-(e)s, ⸚e》 des Kopfes. ¶ ~이 크다 e-n großen Kopf haben.

머릿골[1] 〖해부〗 Gehirn *n.* -(e)s, -e; Hirn *n.*

머릿골[2] 《기름 짜는》 Ölpresse *f.* -n.

머릿니 Kopflaus *f.* ⸚e; die Laus im Harr. ¶ ~가 끓다 im Harr verlaust sein / ~가 옮다 Kopfläuse bekommen* 《von *jm.*》.

머릿살 die Nerven 《*pl.*》 des Kopfes. ¶ ~이 아프다 Kopfschmerz haben / ~을 앓다 Stechen im Kopf haben.

머릿수(―數) Kopf¦zahl (Personen-) *f.* -en. ¶ ~로 나누어 pro Kopf (일인당) / ~로 나누다 (gleichmäßig) untereinander|teilen^{4}.

머릿줄 ① 《연줄》 die Schnur, die zwischen beiden Enden der oberen Pole des Papierdrachen gebunden ist. ② 《부호》 das Zeichen* über einem Wort, das den langen Vokal zeigt; Längestrich *m.* -(e)s, -e.

머무르다 auf|halten*; ab|halten*; stoppen; stehen|bleiben*; an|halten*; bleiben*; verweilen; wohnen; ein|kehren; ab|steigen*; zurück|bleiben*; übrig|bleiben*. ¶ 주막에 ~ beim (im) Gasthof ab|steigen* / 집에 ~ zu Haus(e) bleiben* / 현직에 ~ noch im Amt(e) bleiben*.

머무적거리다 zögern; zaudern; unschlüssig sein; Bedenken tragen*; zweifelhaft sein; wanken; schwanken; wackeln; nicht fest sitzen*; unentschlossen sein; trödeln bummeln. ¶ 머무적거리며 zögernd; zaudernd;

zaghaft / 그는 대답을 머무적거린다 Er zögert mit der Antwort. / 너무 머무적거리지 마라 Du darfst nicht länger zögern. / 그는 잠시 머무적거렸다 Er zauderte einen Augenblick.

머무적머무적 zögernd; zaudernd; schwankend; wankelmütig.

머슴 der Hausangestellte*, -n, -n; Dienstbote *m.* -n, -n; Landarbeiter *m.* -s, -; Bauernknecht *m.* -(e)s, -e; Knecht *m.* -(e)s, -e. ¶ ~을 살다 als Knecht tätig sein; knechten. ‖ **~살이** das Leben des Knechtes: 농가에서 ~살이를 하다 bei e-m Bauern als Knecht dienen.

머시 was! was?; Ach was! ¶ ~ 그 사람 이름이 뭐드라—어제 왔던 사람 말이야 Was war der Name des Mannes—der Mann, der gestern hier war, meine ich? / ~ 그렇게 걱정할 필요 없어요 Ach was! Sie brauchen sich das nicht so zu Herzen zu nehmen. / ~ 낙방을 했어 Was? Er ist im Examen durchgefallen ? / ~ 상관 없어 Ach was! das ist mir ganz gleich. / 꼭 머신가 하는 사람이 되고 말 테야 Ich werde mir bestimmt einmal e-n Namen in der Welt machen.

머쓱하다 ① 《키가》 schlank und dünn; lang und dünn; schmächtig (sein). ¶ 머쓱한 사내 ein langer, dünner Mann; e-e lange Latte, -n. ② 《기가 죽다》 ^{4}sich klein fühlen; den Mut verlieren*; *jm.* sinkt der Mut.

머위 〚식물〛 Huflattich *m.*

머줍다 langsam; säumig; saumselig; träge; schwerfällig (sein).

머지다 im Winde von selbst ab|brechen*.

머츰하다 e-e Weile auf|hören; ^{4}sich e-e Weile legen. ¶ 비가 ~ Es hört eine Weile auf zu regnen. / 바람이 ~ Der Wind legt sich eine Weile. / 폭풍우가 머츰한 사이에 급히 돌아왔다 Wir kamen heim, während der Storm aufgehört hat.

머큐러크롬 Quecksilberchrom *n.* -s.

머플러 das wollene Halstuch, -(e)s, ⸚er; der wollene Schal, -s, -e; 《소음장치》 Schalldämpfer *m.* -s, -.

먹 Tusche *f.* -n; Tuschstein *m.* -(e)s, -e (고형의); schwarze Tinte, -n. ¶ 먹빛의 tuschfarben / 먹을 갈다 Tusche an|reiben* / 묽은 ~ die dünne Tusche.
‖ **~통** Tuschkasten *m.* -s, ..kästen.

먹감 die in der Sonne gebrannten Persimonen 《*pl.*》.

먹구름 dichte 〔schwere〕 Wolken 《*pl.*》. ☞ 암운. ¶ ~이 하늘을 덮었다 Der Himmel bedeckte sich mit dichten Wolken.

먹그림 das Bild, in dem die elementare Grundierung mit schwarzer Tinte gezeichnet ist.

먹놓다 e-n Grundriß auf|nehmen* 〔zeichnen〕. ¶ 치수를 ~ mit schwarzer Tinte Skala 《*f.* ..len 〔-s〕》 zeichnen.

먹다^1 ① 《음식을》 essen*; speisen; kosten; genießen*; zu ^{3}sich nehmen*; 《동물처럼》 fressen*; verschlingen*; 《먹고 마시다》 zehren; verzehren; 《먹어치우다》 auf|zehren. ¶ 먹을것 Speise *f.* -n; Lebensmittel 《*pl.*》; Eßwaren 《*pl.*》 / 먹는 법 die Art u. Weise, wie man ißt / 먹을 수 없는 uneßbar; ungenießbar / 아침을 ~ das Frühstück (ein)nehmen*; frühstücken / 점심〔저녁〕을 ~ zu Mittag 〔Abend〕 essen* / 먹을 수 있는 eßbar; genießbar / 먹어 보다 《시험삼아》 probieren / 아무 것도 먹고 싶지 않다 Ich habe keinen Appetit. / 아주 맛있게 먹었읍니다 Es hat mir sehr gut geschmeckt. / 먹고 마시다 essen* und trinken* / 실컷 ~ satt essen* 〔bekommen*〕 / 나는 그에게서 이 생선을 먹는 법을 배웠다 Ich habe von ihm gelernt, wie man diesen Fisch ißt.
② 《생활》 leben 《*von*^{3}》; aus|kommen* ⓢ 《*mit*^{3}》. ¶ 먹고 살기가 어렵다 sehr kümmerlich leben; kaum das liebe Brot haben*/ 먹고 사는데 어렵지 않다 zu leben haben; sein Brot haben / 남의 집 밥을 ~ fremdes Brot essen* / 먹을 것도 먹지 않고 지내다 ^{4}es ^{3}sich am 〔vom〕 Munde ab|darben / 먹고살 수 있다 leben können*; ^{4}sich ernähren können*; aus|kommen können* 《*mit*^{3}》; auszukommen sein 《*mit*^{3}》 / 먹고살 수 없다 den Haushalt nicht bestreiten können*; nicht leben können*; ^{4}sich nicht ernähren können*; nicht aus|kommen können《*mit*^{3}》; nicht auszukommen sein 《*mit*^{3}》 / 월 3만원으로는 여간해서 먹고 살 수가 없다 Man kann unmöglich 〔durchaus nicht〕 von monatlich 30000 *Won* leben. ¦ Mit 30000 *Won* Monatseinkommen ist es unmöglich auszukommen. / 근근히 먹고 살다 von der Hand in den Mund leben.
③ 《담배·물 따위》 rauchen; trinken*. ¶ 담배를 ~ rauchen; Zigarre 〔Zigaretten〕 rauchen / 물〔술〕을 ~ Wasser 〔Wein〕 trinken* / 젖을 ~ 《유아가》 Milch saugen.
④ 《남의 것·재물을》 ^{4}sich e-s Dinges bemächtigen; ^{3}sich ^{4}*et.* an|eignen; an ^{4}sich reißen; beschlagnahmen; in Beschlag 〔Besitz〕 nehmen*; mit Beschlag belegen; in den Besitz setzen; fest|nehmen*; unterschlagen*; veruntreuen. ¶ 공금을 ~ Staatsgelder unterschlagen* 〔veruntreuen〕 / 그는 내 돈을 많이 먹었다 Er hat mich um viel Geld betrugen.
⑤ 《이문·구문 따위를》 erhalten*; empfangen*; kriegen*; ^{3}sich verschaffen; beschaffen*; erwerben*; verdienen; gewinnen*; erlangen; besorgen. ¶ …으로부터 큰 이문을 ~ aus ^{3}*et.* großen Gewinn ziehen* / 10% 의 이익을 ~ e-n Gewinn von 10 Prozent kriegen.
⑥ 《욕·겁을》 ertragen*; erdulden; (er)leiden*; aus|stehen*; erfahren*. ¶ 욕을 ~ Schelte bekommen* / 죽음에 대해 겁을 ~ Furcht vor dem Tod(e) haben.
⑦ 《나이를》 älter werden. ¶ 나이 먹은 사람들 alte Leute 《*pl.*》 / 나이 먹은 부인 e-e alte Dame / 아무보다 두살 더 ~ 2 Jahre älter als jemand.
⑧ 《더위를》 an der Hitze leiden*.
⑨ 《마음을》 ^{4}sich entschließen*; ^{4}sich klar werden; zu dem Schluß 〔der Überzeugung〕 kommen*. ¶ 그 그림을 사기로 마음 먹었다 Ich entschloß mich, das Bild zu kaufen. / 그녀는 결혼하기로 굳게 마음 먹었다 Sie ist fest entschlossen zu heiraten. / 녀의 아버지를 만나보기로 마음 먹었다 Ich bin zu dem Schluß gekommen, deinen Vater zu treffen.
⑩ 《해침》 ¶ 한대 ~ 《맞음》 e-n Schlag bekommen*.
⑪ 《판돈·상금 등을》 gewinnen*; erringen*; erhalten*; erlangen. ¶ 일등상을 ~ den ersten Preis gewinnen* / 큰 사례를 받아 ~ e-e große Prämie gewinnen* 〔erringen*〕.

먹다² ①《날이 잘 들다》 gut schneiden*; zerschneiden*; ab|schneiden*; scheren*; ab|sägen; zersägen. ¶ 이 톱은 잘 먹는다 Diese Säge ist scharf. / 대패가 잘 먹지 않는다 Der Hobel ist stumpf. / 맷돌이 잘 ~ Der Mühlstein läßt sich gut mahlen.
②《물감·풀 따위가》 färben; ein|sickern; ein|gehen*; ein|dringen*; ein|sinken*; ⁴sich aufstreichen lassen*. ¶ 천에 물감이 ~ in der Wolle färben / 이 분은 잘 먹는다 〔먹지 않는다〕 Diese Schminke haftet gut (schlecht).
③《씨아가》 egrenieren; entkörnen. ¶ 씨아가 잘 ~ Die Egreniermaschine entkörnet sich gut.
④《들다》 kosten; ausgegeben werden; aufgewandt werden; verwandt werden; angelegt werden; zugebracht werden; verbracht werden. ¶ 사업이 큰돈을 잡아 ~ viel Geld auf die Arbeit auf|wenden / 시간을 많이 잡아 ~ viel Zeit verbringen* (zu|bringen*).

먹다³ 《귀가》 taub (schwerhörig) sein; taub werden. ¶ 그는 한쪽 〔양쪽〕 귀가 먹었다 Er ist auf einem Ohr (auf beiden Ohren) taub. / 그는 아주 귀가 먹었다 Er ist ganz stocktaub. / 그는 태어날 때부터 귀가 먹었다 Er ist taub geboren.

먹똥 ①《먹물찌끼》 der getrockne Überrest 《-es, -e》 der schwarzen Tinte. ②《먹자국》 Tintenfleck *m.* -(e)s, -e; der Fleck der schwarzen Tinte.

먹먹하다 《귀가》 taub; betäubt (sein). ¶ 귀가 ~ taub sein; betäubt sein / 시끄러운 소리에 귀가 ~ Der Lärm ist betäubend.

먹물 Tusche *f.* -n; chinesische Tusche *f.* -n. ¶ ~이 들다 mit chinesischer Tusch befleckt (beschmutzt; gefärbt; gesudelt) werden.

먹보 《걸귀》 Fresser *m.* -s, -; der starke Esser, -s, -; Vielfraß *m.* -es, -e; 《군것질을 좋아하는》 der Naschsüchtige*, -n, -n; Nascher (Näscher) *m.* -s, -.

먹빛 die Farbe der schwarzen Tinte; Kohlschwarz (Pech-) *n.* -(e)s.

먹시과 〖식물〗 e-e Sorte 《-n》 von süßer, schwarzer Melone *f.* -n.

먹새 ☞ 먹음새②.

먹성 Gefräßigkeit *f.*; Völlerei *f.*; 《군것질 좋아하는》 Naschsucht *f.* ¶ ~이 좋은 gierig; gefräßig; naschsüchtig (군것질하는).

먹실 ①《실》 das schwarz gefärbte Garn, -(e)s, -e. ② 《문신》 Tätowierung *f.* -en. ¶ ~ 넣다 tätowieren; ⁴sich tätowieren (자기가) / 등에 ~을 넣다 ⁴sich auf dem Rücken tätowieren lassen*.

먹은금 Einkaufspreis *m.* -es, -e; Kostenpreis *m.* -es, -e. ¶ 먹은 금새 =먹은금 / ~에 팔다 zum Einkaufspreis verkaufen / ~ 이하로는 팔 수 없다 Ich kann es nicht unter dem Einkaufspreis verkaufen.

먹을알 〖광산〗 die vorzügliche Goldader, -n; das rohe Gold von vortrefflicher Qualität.

먹음새 ①《음식 범절》 Kochkunst *f.*; das Kochen*; Kochbuch *n.* ¶ 그 집 ~가 아주 훌륭하다 Ihr Kochen ist prima (wunderbar).
②《식욕》 Appetit *m.* -(e)s, -e; Eßlust *f.* ⸗e. ¶ ~가 좋다 guten Appetit haben.

먹음직스럽다 appetitlich; verlockend; köstlich (sein). ¶ 그 파이는 ~ Die Ananas 《-》 ist appetitlich.

먹음직하다 =먹음직스럽다.

먹이 Futter *n.* -s, -; Fraß *m.* -es, -e; Köder *m.* -s, - (미끼); (Lock)speise *f.* -n. ¶ ~를 주다 füttern⁴ 《*mit*³》; mästen⁴ 《*mit*³》; dem Vieh Futter geben* (schütten) / ~가 떨어지다 mit dem Futter knapp werden; das Futter nicht mehr vorrätig haben / ~를 찾아 헤매다 nach dem Futter umher|streifen / ~로 하다 Beute machen 《*auf*⁴》; berauben; plündern / ~로 되다 zur Beute (zum Opfer) fallen*.
‖ ~주머니 Futtersack *m.* -(e)s, ⸗e. 소〔말〕 ~ Futter für die Kuh (das Pferd).

먹이다¹ ①《음식을》 *jm.* ⁴*et.* zu essen geben*; *jn.* speisen 《*mit*³》; *jn.* bewirten 《*mit*³》; 《동물에게》 ⁴*et.* zu fressen geben*; füttern 《*mit*³》. ¶ 아기에게 젖을 ~ den Säugling stillen (모유); dem Säugling die Flasche geben* (우유) / 약을 ~ *jm.* e-e Arznei geben* (verabreichen) / 말에게 물을 ~ ein Pferd tränken.
②《부양·사육》 unterhalten*; ernähren; unterstützen; helfen; an|schaffen; beschaffen; verschaffen*; besorgen; bei|stellen; liefern; füttern; auf|ziehen*. ¶ 대가족을 ~ e-e große Familie unterhalten* / 거저 ~ *jn.* umsonst ernähren / 가축을 ~ Vieh züchten / 개를 ~ e-n Hund halten*.
③《뇌물을》 *jn.* bestechen*; durch Bestechung verleiten; *jn.* schmieren; *jm.* Schmiergeld bezahlen; ködern; an|locken. ¶ 그 밀수자는 세관원에게 뇌물을 먹이려고 했으나 소용없었다 Der Schmuggler versuchte vergeblich, den Zollbeamten zu bestechen.
④《때리다》 geben*; schlagen*; klapsen. ¶ 한대 ~ *jm.* e-n Schlag (Stoß) versetzen / 따귀를 한대 ~ *jn.* ohrfeigen / 주먹을 ~ *jn.* mit der Faust schlagen*.
⑤《피해·겁·욕을》 leiden lassen*; auf|erlegen; zu|fügen; verhängen; bei|bringen*. ¶ 겁을 ~ erschrecken; auf|schrecken; in Schrecken jagen / 아무를 욕~ *jn.* Schelte bekommen lassen*.

먹이다² ①《물감을》 färben; umfärben. ¶ 검정물을 ~ ⁴*et.* schwarz färben.
②《풀을》 stärken. ¶ 빨래에 풀을 ~ Wäsche stärken.
③《기름을》 Öl schmieren. ¶ 기름먹인 종이 Ölpapier *n.* -(e)s, -e / 책상에 기름을 ~ e-n Tisch mit Öl beschmieren.
④《밀을》 mit Wachs überziehen* (bestreichen*⁴); wachsen; bohnern.
⑤《기계에》 ein|setzen; ein|stecken*; ein|legen; ein|stellen; ein|rücken.
⑥《시위에 살을》 e-n Pfeil auf die Sehne setzen.
⑦《돈을 들이다》 Geld ein|setzen.

먹자 der Maßstab 《-(e)s, ⸗e》 des Zimmermanns für schwarze Tintenlinie.

먹자판 ein großes Fest, -es, -e, ein appetitlicher (verlockender) Tisch.

먹장 ein Stück der chinesischen Tinte. ¶ ~ 갈아부은 듯하다 schwarz wie Tusche sein; kohlschwarz (pechschwarz) sein.
‖ ~구름 =먹구름. ~쇠 das kürzeste Joch vor dem Bauch des Ochsen (des Pferdes).

먹줄 ①《실》 das mit Tusche gefärbte Garn. ②《금》 die Tuschenlinie des Zimmermanns. ¶ ~을 띄우다 Tuschenlinie

ziehen* / ~친 듯하다 gerade und eben.
‖ ~꼭지 der Griff e-r Tuschierschnur.
먹집게 ein Halter《m. -s, -》 für ein kurzgewordenes Tuschestück.
먹초 ein Papierdrache 《m. -n, -n》, der außer dem oberen Teil ganz schwarz ist.
먹치마 ein Papierdrache 《m. -n, -n》 mit schwarzem Unterteil.
먹칠하다(一漆一) 《명예 등》 beflecken[4]; besudeln[4]; beschmutzen[4]. ¶ 아무의 얼굴에 ~ jm. Schande an|tun* 〔bereiten; bringen*〕; js. Ehre 〔js. Ansehen〕 besudeln.
먹칼 Tuschenspatel m. -s, - 《des Zimmermanns》.
먹통(一桶) ① 《목수의》 Tuschenfaß n. ..sses, ..fässer. ② 《바보》 Tor m. -en, -en; Schafskopf m. -(e)s, ⸚e.
먹투성이 e-e mit Tinte schmierte Person 〔Sache〕. ¶ 옷이 ~가 되다 Die Kleider werden mit Tusche befleckt.
먹황새 〖조류〗 der Storch 《-es, ⸚e》 mit schwarzem Kopf.
먹히다 ① 《먹음을 당하다》 gegessen 〔gefressen; zerfressen; verzehrt; verschlungen; verschluckt; hingenommen; heruntergeschluckt〕 werden. ¶ 먹느냐 먹히느냐의 싸움 der Kampf ums Dasein; der Daseinskampf / 쥐가 고양이 한테 ~ E-e Rate wird von der Katze gefressen.
② 《음식이》 gegessen werden können*; aufgebracht werden. ¶ 밥이 많이 ~ guten Appetit auf Reis haben / 오늘은 술이 먹히지 않는다 Heute kann ich nicht viel trinken.
③ 《돈이》 eingesetzt 〔eingesteckt; eingelegt〕 werden; kosten. ¶ 비용이 크게 ~ [3]sich große Kosten machen; es [3]sich viel kosten lassen / 덜 ~ erspart werden / 이 기계는 비용이 덜 먹힌다 Diese Maschine erspart mir Kosten.
④ 《빼앗김》 um e-e Sache betrugen werden; verlieren*; verwirken; ein|büßen; kommen um [4]et.; verlustig gehen*. ¶ 그에게 돈을 주었다가는 먹히기가 쉽다 Vielleicht können Sie das Geld nicht wieder nehmen, wenn Sie es an ihn verleiht.
⑤ 《기타》 ¶ 먹혀 들(어가)지 않는 schlau; durchtrieben; verschlagen; listig; gerieben; verschmitzt; abgefeimt / 먹혀 들(어가)지 않는 녀석 ein verschlagener Fuchs, -es, ⸚e.
먼가래 provisorisches Begräbnis der Leiche.
먼가래질 ein weites Werfen* der Erde, wenn man schaufelt.
먼길 e-e lange Reise 〔Wanderung〕; Ferne f. -n; die weite Distanz, -en; weiter Weg m. -(e)s, -e. ¶ ~을 돌아서 auf Umwegen / ~의 노고를 치하하다 für e-e lange 〔weite〕 Reise belohnen / ~ 떠나다 e-e weite Reise machen; e-e lange Strecke (zu Fuß) gehen* / ~을 돌아가다 e-n Umweg machen 〔fahren* ⓢ〕.
먼나라 Ferne f. -n; Ausland n. -(e)s; Weite f. -n.
먼눈[1] 《소경의》 ein blindes Auge, -s, -n.
먼눈[2] 《멀리 보는 눈》 Weit|sichtigkeit 〔Fern-〕 f.; Fern(an)sicht f. -en. ¶ ~으로(는) aus der [3]Ferne (gesehen) / ~이 밝다 e-e gute Fernansicht haben.
먼데 《먼곳》 der ferne Ort, -(e)s, -e; 《변소》 Toilette f. -n; Klosett n. -(e)s, -e; Abort m. -(e)s, -e. ¶ ~서 weit; entfernt; in der Ferne / ~서 오다 e-n langen Weg kommen* ⓢ; von ferne kommen* ⓢ / ~로 가다 weit gehen* ⓢ.
먼동 Tagesanbruch m. -(e)s, ⸚e; das Morgengrauen*, -s; Morgendämmerung f. -en. ¶ ~이 틀 때 bei anbrechendem Tag; bei Tagesanbruch / ~이 트기 전 vor Tagesanbruch / ~이 트다 Der Tag bricht an. ¦ Es beginnt zu dämmern.
먼로비아 《리베리아의 수도》 Monrovia.
먼로주의(一主義) Monroe-Doktrin [mɔ́nro:..] f. -en.
먼물 trinkbares gutes Wasser.
먼발치(기) der ferne Ort. ¶ ~로 보다 in die Ferne blicken / ~로 총을 놓다 von ferne schießen*.
먼빛으로 aus der Ferne; weither; von ferne 〔weitem〕. ¶ ~ 보면 wenn man von ferne blickt / ~ 보다 aus der Ferne blicken.
먼산(一山) entferntes Gebirge, -s, -.
‖ ~바라기 e-e Person, die entzückt in die Ferne blickend aussicht.
먼오금 das untere Sechste e-s Bogens e-s Bogenschützen.
먼일 entfernte Sache, -n; Angelegenheit in der Zukunft; kommende Geschäft. ¶ ~을 예상하다 entfernte Sache vermuten; an|nehmen*, was geschieht / ~을 생각하다 in die Zukunft aus|blicken.
먼저 ① 《우선》 zuerst; als Erstes 〔Wichtigstes〕; anfangs; in erster Linie; zunächst; zuvor; zuvörderst; vor allem; vor allen Dingen. ¶ 무엇보다 ~ 집을 사다 vor allem das Haus kaufen / ~ 빚을 갚다 zuerst Schuld begleichen*.
② 《미리》 früher; vorn; voraus; im voraus. ¶ ~ 지불하다 das Geld voraus|zahlen/ 우리가 ~ 도착했다 Wir kamen früher an.
③ 《앞서》 vorwärts; geradeaus; voraus; voran. ¶ ~ 실례합니다 Darf ich mal vorangehen? ¦ Darf ich mich früher verabschieden? / ~ 가십시오 Nach Ihnen! ¦ Bitte, gehen Sie voran!
먼저께 der vorhergehende Tag, -(e)s, -(e); der Tag vorher; vor kurzem; vor einigen Tagen; neulich. ¶ ~ 만났을 때엔 아주 건강해 보였다 Vor einigen Tagen sah er ganz gesund aus.
먼지 Staub m. -(e)s, -e; Sandsturm m. -(e)s, ⸚e (사진(砂塵)). ¶ ~투성이의 staubig; staubbedeckt; verstaubt / ~가 나다 stauben ⓗ.ⓢ; staubig werden / ~를 일으키다 stäuben[4]; bestauben[4]; staubig machen[4]; (den) Staub auf|wirbeln / ~가 쌓이다 Staub sammelt sich an. / ~를 떨다 ab|stäuben[4] 〔aus|-〕; ab|bürsten[4] 〔aus|-〕; ab|klopfen[4] 〔aus|-〕; Staub wischen / ~를 가라앉히다 / den Staub löschen / ~가 눈에 들어갔다 Mir ist Staub in die Augen geflogen. / 입속까지 ~투성이가 되었다 Ich mußte viel Staub schlucken. ‖ ~떨이 Abwischer m. -s, -; Abstäuber m. -s, -.
먼촌(一寸) e-e entfernte 〔weitläufige〕 Verwandtschaft, -en. ¶ ~일가 der entfernte 〔weitläufige〕 Verwandte*, -n, -n.
멀개지다 [4]sich auf|klären; hell werden; [4]sich erhellen.
멀거니 zerstreut; in Gedanken verloren 〔vertieft〕; gedankenlos; ausdruckslos. ¶ ~ 앉아 있다 zerstreut sitzen* / ~ 보다 gedankenlos blicken.
멀건이 e-e zerstreute Person; Schafskopf

m. -(e)s, ⸚e; Tor *m.* -en, -en.

멀겋다 ① 《흐릿하게 맑다》 matt; dunkel; trübe; unklar; unrein; blaß; bleich (sein). ¶ 멀건 얼굴 Bleichgesicht *n.* -(e)s, -er / 멀건 하늘 blaßblauer Himmel, -s, -. ② 《묽다》 wässerig; feucht; naß; verwässert; dünn (sein). ¶ 멀건 맥주 helles Bier, -s, -e / 멀건 술 der wässerige Wein, -(e)s, -e.

멀구슬나무 〖식물〗 e-e Sorte von Zeder *f.* -n.

멀끔- ☞ 말끔-.

멀다¹ ① 《거리가》 weit; fern; entfernt; abgelegen (sein). ¶ 먼 거리 e-e weite (große) Entfernung / 먼 길 ein weiter Weg, -(e)s, -e / 먼 나라들 ferne Länder / 멀리서 von fern / 마을은 여기서 아직 ~ Das Dorf ist noch weit weg von hier. ¦ Es ist noch weit bis zum Dorf. ② 《시간적으로》 ¶ 먼 옛날 das graue Altertum, -s, ⸚er / 멀지않아 in nicht ferner Zeit; in absehbarer Zeit; in kurzem; bald / 먼 장래에 in ferner Zukunft / 먼 옛적부터 seit uralten Zeiten / 먼 옛적에 in uralten Zeiten / 멀지 않아 봄이 올 것이다 Es wird nicht mehr lange dauern, bis der Frühling kommt. ③ 《관계가》 entfernt; weit entfernt; kühl (sein). ¶ 먼 친척 weitläufiger (entfernter) Verwandter / 안 보면 정도 멀어진다 Aus den Augen, aus dem Sinn. / 그들은 서로 멀어졌다 Sie sind einander entfremdet worden. ④ 《정도》 ³*et.* gewachsen sein; unerfahren; unkundig; ungelernt; ungeschickt; unbeholfen; gering; unbedeutend; unzureichend (sein). ¶ 먼 희망 entfernte (schwache) Hoffnung / 내 영어는 아직도 멀었다 Ich bin noch schwach im Englisch.

멀다² ¶ 한쪽 눈이 먼 auf e-m Auge blind / 돈에 눈이 먼 für das Geld blind / 눈이 ~ das Augenlicht (Gesicht) verlieren*; erblinden.

멀떠구니 das Verdauungsorgan 《-s, -e》 e-s Vogels.

멀뚱멀뚱 ① 《눈이》 **~하다** zerstreut; geistesabwesend; gedankenlos; ausdruckslos (sein). ¶ ~한 눈 zerstreute Augen 《*pl.*》 / ~ 바라보다 gedankenlos starren (an|sehen*). ② 《국물이》 wässerig; schwach; dünn. ¶ ~한 국 dünne (wässerige) Suppe *f.* -n.

멀리 fern; entfernt; weit weg; weit entfernt. ¶ ~서 aus weiter Ferne; fernher; von fern (her); weit her / 바다 건너 ~ weit übers Meer / ~ 떨어져 있는 weit entfernt 《*von*³》 / 그는 먼길을 마다않고 ~서 찾아왔다 Er hat den langen Weg nicht gescheut und ist aus weiter Ferne gekommen.

멀리하다 ① 《접근 못하게》 entfernen⁴; fern halten*⁴; ³sich vom Leibe halten*⁴. ¶ 사람을 멀리하고 bei (hinter) verschlossenen Türen, unter vier ³Augen. ② 《접근하지 않다》 ⁴sich fern halten* 《*von*³》; 《식제 · 절제》 ⁴sich enthalten*²; ⁴sich zurück|halten* 《*von*³》; abstinent leben; ab|schwören*. ¶ 술을 ~ ⁴sich des Alkohols enthalten*.

멀미 ① 《배·차 따위의》 Nausea *f.*; Brechreiz *m.* -es, -e. **~하다, ~나다** es ist *jm.* übel (ekel); Brechreiz haben; es wird *jm.* übel; Nausea fühlen. ¶ 뱃~ Seekrankheit *f.* -en / 비행기~ Luftkrankheit *f.* -en / 차~를 하다 im Wagen Brechreiz haben/ 나는 뱃~를 잘 한다 Im Schiff wird es mir leicht übel (ekel). ¦ Ich bin schwach gegen Schiff. ② 《진저리》 Übersättigung *f.* -en; Sattheit *f.*; Ekel *m.* -s. **~나다** überdrüssig werden; müde werden; Ekel empfinden* 《*vor*³》. ¶ 이제 그 일에는 ~가 난다 Ich bin es müde. ¦ Ich bin es satt. ¦ Ich empfinde davor Ekel.

멀쑥하다 ① 《키가》 schlank; schmächtig; lang u. dünn (sein). ¶ 그는 키가 ~ Er ist schlank. ② 《국물이》 wässerig; dünn (sein). ¶ ~한 국 wässerige (dünne) Suppe, -n.

멀어지다 ① 《소원》 ⁴sich entfernen 《*von*³》; ferner werden; weg|gehen*; immer seltener kommen*Ⓢ (발길이); entfremdet (abtrünnig; geschieden) sein 《*von*³》. ② 《소리》 verhallen; verklingen*. ¶ 잡음이 ~ Das Geräusch verhallt (verklingt).

멀쩡하다 ☞ 말짱하다①.

멀찌막- ☞ 멀찍-.

멀찍멀찍 fern; entfernt; in großen Abständen; mit Zwischenräumen; e-e Strecke entfernt. ¶ ~ 떨어져 앉다 Plätze in großen Abständen nehmen* / 나무를 ~ 심다 Bäume mit weiten Zwischenräumen pflanzen.

멀찍이 ziemlich entfernt; ein schönes Stück Wegs von hier; weit weg; weit entfernt. ¶ ~ 사이를 두다 e-n entfernten Platz (Raum) für ⁴*et.* lassen / 나무를 집에서 ~ 심다 e-n Baum von dem Haus ziemlich entfernt pflanzen / ~ 떨어져서 동네가 있다 Ziemlich entfernt von hier gibt es ein Dorf.

멀찍하다 ziemlich entfernt; recht schön entfernt; weit weg von hier (sein).

멈추다 ① 《…이》 halten*; still|stehen*; stehen|bleiben*; stoppen; auf|hören; an|halten*; enden; zu Ende kommen*. ¶ 멈추어 서지 마시오 Nicht stehenbleiben!; Gehen Sie weiter! / 그는 멈추어 서서 담배에 불을 붙였다 Er blieb stehen, um sich eine Zigarette anzuzünden. / 차가 집앞에 ~ das Auto hält vor dem Haus an. ② 《정지시키다》 an|halten*; zum Stehen bringen*; stillen; sperren. ¶ 숨을 ~ Atem an|halten* / 아픔을 ~ den Schmerzen stillen / 출혈을 ~ die Blutungen stillen. ③ 《억제하다》 zurück|halten* 《*von*³》; ab|halten* 《*von*³》; hemmen; hindern. ¶ 나는 당신을 오래 멈추어있게 하고 싶지 않습니다 Ich will Sie nicht länger zurückhalten./ 나는 눈물을 멈출 수가 없었다 Ich konnte meine Tränen nicht zurückhalten.

멈칫거리다 zögern (zaudern; unschlüssig; stockend 《beim Sprechen》; trödeln 《bei der Arbeit》; verzögernd) sein. ¶ 멈칫거리며 = 멈칫멈칫 / 방에 들어서지 않고 ~ zaudern, ins Zimmer einzutreten; vor der Tür zögern / 멈칫거리고 일어서지 않다 zögern u. nicht auf|stehen*.

멈칫멈칫 zögernd; zaudernd; fackelnd; zaghaft. ¶ ~ 좀처럼 대답을 않다 zögern, ⁴*et.* zu beantworten / ~ 자리에서 일어서지 않다 zögern, von dem Sitzplatz aufzustehen.

멈칫하다 plötzlich auf|halten*; 《주춤》 zusammen|schrecken 《*vor*³》. ¶ 무서워서 발을 ~ aus Furcht den Schritt zurück|halten* / 하던 말을 ~ die Unterhaltung plötzlich auf|hören / 비가 ~ vorbeigehend auf|hören, zu regnen.

멋 Anmut *f.*; Reiz *m.* -es, -e; Eleganz *f.*; Grazie *f.*; Geschmack *m.* -s, ⸚e; Geckenhaftigkeit *f.*; Gigerltum *n.* -(e)s; Stutzerei *f.* ¶ 멋있는 elegant; fein; gepflegt; geschmackvoll; schick; graziös; geckenhaft/ 멋없는 langweilig; geschmacklos; prosaisch; gemütsarm; unelegant; unfein; taktlos; fade; geistlos; ledern / 멋으로 des Scheins wegen; umsonst; ohne Zweck / 멋없는 말씨 die trockene Redensweise, -n / 멋없는 사람 ein Mann ohne Feingefühl / 멋있는 여자 eine schicke Frau, -en / 이 도시는 중세적인 멋이 있다 Diese Stadt trägt ein mittelalterliches Gepräge. / 그녀의 동작은 멋이 있다 Ihr Gehaben zeigt Anmut.¦Sie macht graziöse Bewegungen. / 멋으로 안경을 쓰다 Er trägt eine Brille nur, um sich ein Ansehen zu geben. / 이 칼은 멋으로 차고 있는 것이 아니야 Umsonst trage ich diesen Degen nicht. / 멋있는 말을 하다 witzige Bemerkungen machen / 사귈수록 멋있는 사람이다 Er gewinnt bei näherer Bekanntschaft. / 멋을 알게 되다 an [3]*et.* Geschmack finden*; auf (hinter) den Geschmack kommen* (geraten*) / 멋을 부리다 [4]sich putzen; [4]sich schön machen; [4]sich schmücken.

멋거리 Stutzerhaftigkeit *f.*; Affigkeit *f.*

멋내다 =멋부리다.

멋대가리 ¶ ~ 없는 사람 der ungeschliffene (ungehobelte) Mensch, -en, -en.

멋대로 ① 《임의로》 nach Belieben; aus eigener Bequemlichkeit (자기 형편대로); nach eigenem Gutdünken (제 멋대로의 해석으로 써). ¶ 네 ~ 해라 Schere dich zum Teufel! / …하는 것은 당신 ~이다 Es steht Ihnen frei 《zu 부정구》.
② 《자진하여》 aus freiem Willen; aus freiem (eigenem) Antriebe; aus freien [3]Stücken 《*pl.*》.
③ 《허락없이》 ohne [4]Erlaubnis.
④ 《독단으로》 eigenmächtig; aus eigener Initiative.
⑤ 《저절로》 von selbst.
⑥ 《좋을대로》 eigen¦nützig (-süchtig). ¶ 무엇을 아무가 ~하게 하다 *jn.* über [4]*et.* verfügen lassen*; *jm.* freie [4]Hand lassen* 《in [3]*et.*》 / ~ 하게 하다 *jn.* s-r [2]Wege gehen lassen*; *jn.* zufrieden lassen* / ~ …하다 [3]sich die Freiheit nehmen* 《zu 부정구》; [3]sich erlauben[4] / ~ 쓰십시오 Das steht zu Ihrer Verfügung / 그것은 당신의 ~이다 Das steht in Ihrem Belieben.¦Das können Sie machen, wie Sie wollen. / ~ 하십시오 Tun (Machen) Sie es, wie Sie wollen (wie es Ihnen beliebt)! / ~ 상상하다 [4]sich der Phantasie hin¦geben*; der [3]Phantasie die Zügel schießen lassen*.

멋들다 schöner werden; charmant sein; bezaubernd (reizend; entzückend) sein. ¶ 멋든 계집 charmantes Mädchen; reizendes Mädel; bezaubernde Dirne *f.* -n.

멋들어지다 《뛰어난·멋있는》 gut; schön; ausgezeichnet; vorzüglich; vortrefflich (sein); 《적절한》 passend; treffend; glücklich (sein). ¶ 멋들어진 노래 ein gutes Lied, -(e)s, -er / 멋들어진 생각 e-e gute Idee, -n [ideːən]; ein glücklicher Einfall, -(e)s, ⸚e / 멋들어진 표현 ein passender Ausdruck, -(e)s, ⸚e / 용기로 멋들어진 성공을 거두었다 Das Wagnis hatte einen guten, großen Erfolg.

멋부리다 [4]sich putzen; [4]sich schön (hübsch) machen. ¶ 멋부리는 stutzerhaft; affig; erkünstelt; geckenhaft; geziert; zimperlich (새치부리는); 〖속어〗 etepetete / 너무 멋부리지 말아 Du darfst dich nicht mit soviel Schmuck behängen!

멋있다 ¶ 멋있는 남자 Haupt¦kerl (Mords-; Pracht-) *m.* -(e)s, -e / 멋있는 여자 die schöne (hübsche; nette) Frau, -en; die Schöne*; die Schönheit.

멋장이 《남자》 Stutzer *m.* -s, -; Geck *m.* -en, -en; Dandy [dǽndiː] *m.* -s, -s; Modenarr *m.* -en, -en; 《여자》 Stutzerin *f.* ..rinnen; Modepuppe *f.* -n.

멋적다 ① 《멋없다》 geschmacklos; unfein; taktlos; unelegant (sein).
② 《거북하다》 ungeschickt; linkisch; unbeholfen; verlegen; unangenehm; mißlich; unbequem; unbehaglich; ungemütlich; unerfreulich; beunruhigend (sein). ¶ 멋적게 웃다 gezwungen lachen / 멋적으니까 um s-e Verlegenheit zu verbergen (nicht zu verraten*) / 아무를 멋적게 하다 *jn.* in Verlegenheit bringen* (setzen) / 그는 아주 멋적어하며 양손을 바지 주머니에 넣었다 Er steckte vor lauter Verlegenheit die Hände in die Hosentasche.

멋지다 großartig; herrlich; prächtig; toll; wunderbar; fabelhaft; famos; märchenhaft; elegant; schick; fesch; reizend; entzückend; phantastisch (sein). ¶ 멋진 생각 ein toller (großartiger) Einfall; e-e ausgezeichnete Idee / 멋진 넥타이 e-e elegante (schicke) Krawatte / 멋진 승리 glänzender Sieg / 씩씩하고 멋진 사람 der lebhafte, reizende Mensch / 멋지게 해치우다 geschickt (gut; sauber) aus¦führen / 옷을 멋지게 입다 [4]sich gut (geschickt; schick) (an)kleiden / 한국 팀은 멋지게 승리를 거두었다 Die koreanische Mannschaft hat einen herrlichen Sieg davongetragen.

멋질리다 liederlich werden; schlampig (unordentlich) werden; in die Schlamperei verfallen. ¶ 멋질린 계집 Schlampe *f.* -en; e-e liederliche Dirne.

멍 ① 《타박상》 Quetschung *f.* -en; Quetschwunde *f.*; Beule *f.* -n; blauer Fleck, -(e)s, -e. ¶ 멍들게 하다 quetschen / 시퍼렇게 멍들게 하다 blau u. braun (grün u. gelb) schlagen* (hauen*) / 눈에 멍이 들다 blaues Auge haben.
② 《일의 탈》 Mühe *f.* -n; Beschwerde *f.* -n; Last *f.* ⸚e; Schwierigkeit *f.* -en; Fehler *m.* -s, -; Defekt *m.* -(e)s, -e; Störung *f.* -en; Panne *f.* -n. ¶ 아무를 멍들게 하다 *jm.* Mühe verursachen; *jm.* die Mühe machen; *jm.* zur Last fallen*.

멍구럭 ein großes lockergestricktes Strohnetz.

멍, 멍군 ein Verteidigungszug gegen die Mattstellung (schachmatt). ~하다 von der Schachmattstellung freikommen. ¶ 장군 멍군, 장이야 멍이야 Es ist schwer zu sagen, welcher von beiden recht hat.

멍들다 ① 《피맺힘》 e-e Prellung bekommen; leicht innerlich verletzt sein. ¶ 눈에 ~ Am Auge e-e Prellung bekommen. ② 《일이》 e-e ernste Stockung leiden; in e-e Schwierigkeiten verfallen.

멍멍 wauwau; blaff!; 《개》 Wauwau (Wauau) *m.* -s, -s (소아어). ¶ ~ 짖다 laut bellen; blaffen; belfern.

멍멍하다 betäubt; benommen (sein); in einer Benommenheit (Betäubung) bleiben. ¶ 멍멍히 schweigend; verwirrend; verstört;

geistesabwesend.
멍석 die (grobe) (Stroh)matte, -n.
멍에 Joch *n.* -(e)s, -e. ¶ ~에 메우다 ins Joch spannen[4] / ~를 씌우다 ein Joch [auf|erlegen[3].
멍울 ☞ 망울.
멍청이 Trottel *m.* -s, -; Blödling *m.* -s, -e; Dummerjan *m.* -s, -e; Klotz *m.* -es, ⸚e; Dumm¦kopf (Schafs-) *m.* -(e)s, ⸚e; Idiot *m.* -en, -en; (dummer) Hans. ¶ 이 ~야 Du Idiot! / 첫 아이는 종종 ~이다 Der Erstgeborene ist öfters ein rechter Hans.
멍청하다 einfältig; albern; blöde; dämlich; doof; gimpelhaft; töricht; dumm; unsinnig; stupid; stumpfsinnig (sein). ¶ 멍청한 얼굴 das blöde Gesicht / 멍청하게 보이다 dumm aus|sehen* / 그는 멍청한 사람이다 Er kann nicht bis drei zählen. ¦ In s-m Kopf ist e-e Schraube locker (los).
멍추 ☞ 맹추.
멍텅구리 Tor *m.* -en, -en; der Alberne* (Blödsinnige*; Dumme*) -n, -n; Narr *m.* -en, -en; der Schwachsinnige*, -n, -n; Trottel *m.* -s, -. ¶ ~ 같은 녀석 Du Esel!
멍하니 《망연히》 zerstreut; geistesabwesend; müßig; träge; träumerisch. ¶ ~ 입을 벌리고 gaffend; mit offenem Munde; Maulaffen feilhaltend / ~ 살아가다 müßig|leben; vertrödeln[4]; verbummeln[4] / ~ 생각에 잠기다 in Träumerei versunken sein; [4]sich in Gedanken verlieren* / ~ 쳐다보다 ins Leere starren; verschwommen sehen*.
멍하다 zerstreut; geistesabwesend; gedankenleer; geistlos; ausdruckslos; abgelenkt; entrückt; verträumt (sein); 《부주의》 nicht auf|passen; nicht aufmerksam sein. ¶ 그는 오늘 완전히 멍해 있다 Er ist heute ganz zerstreut. ¦ Er hat heute s-e Gedanken nicht beisammen. / 그는 놀란 나머지 아직도 멍해 있다 Er ist vor dem Schreck noch ganz benommen. / 이렇게 멍하고만 있어서는 안 된다 Wir dürfen nicht müßig bleiben. / 뭘 멍하고 있지 Wo bist du denn?!
메[1] Schlegel *m.* -s, -; hölzerner Hammer, -s, -; Klöppel *m.* -s, -(목제). ¶ ~로 치다 hämmern; mit dem Hammer schlagen*.
메[2] 〖식물〗 Winde *f.* -n.
메[3] 《제사밥》 Geweihter Reis für die abgeschiedenen Geister u. die Götter.
메- 《메진》 nicht glutinös; nicht klebrig.
메가사이클 =메가헤르츠.
메가톤 Megatonne *f.* -n 《생략: Mt》. ¶ ~급 폭탄 Megatonnenbombe *f.* -n / ~급으로 《e-e Wasserstoffbombe》 megatonnenweise.
메가폰 Megaphon *n.* -s, -e.
메가헤르츠 Megahertz *n.* 《생략: MHz》.
메갈로폴리스 Megalopolis *f.* ..polen; Riesenstadt *f.* ⸚e.
메곤이 ein hammerartiger Stößel, -s, -.
메귀리 Wildhafer *m.* -s.
메기 〖어류〗 Wels *m.* -es, -e.
‖ ~입 der breite Mund, -(e)s, ⸚e(r); das breite Maul, -(e)s, ⸚er.
메기다[1] ① 《소리를》 (ein Lied) an|stimmen; leiten. ¶ 소리를 ~ ein Lied (e-e Melodie) an|stimmen. ② 《톱질에서》 die Leitung an|nehmen* 《im Sägen》. ¶ 톱을 ~ die Säge an|setzen.
메기다[2] ① 《화살을》 auf|legen 《den Pfeil》. ¶ 화살을 ~ den Pfeil auf|legen 《zum Schießen》. ② 《윷놀이》 ziehen* 《die Spielfiguren》. ¶ 말을 ~ Figuren ziehen* 《beim Spiel》.
메기장 unklebrige indische Hirse, -n.
메꽃 〖식물〗 Winde *f.* -n.
메꾼 Hämmerer *m.* -s; Schmied *m.* -s.
메꿎다 hartnäckig u. bösartig (sein).
메누엣 〖음악〗 Menuett *n.* -(e)s, -e.
메뉴 Speise¦karte *f.* -n (-zettel *m.* -s, -). ¶ 그 요리는 ~에 실려 있지 않다 Das Gericht steht nicht auf der Speisekarte. / 급사, ~를 부탁합니다 Herr Ober, die Speisekarte bitte!
메다 ① 《지다》 tragen*; nehmen* (auf die Schulter; auf den Rücken); schultern. ¶ 낚싯대를 메고 mit einer Angelrute auf der Schulter / 어깨에 ~ auf der Schulter tragen* / 등에 ~ auf dem Rücken tragen* / 배낭에 넣어 ~ im Rucksack tragen* / 메고 나가다 hinaus|tragen* (heraus|-) / 팔을 멜빵붕대로 ~ den Arm in der Schlinge tragen*. ② 《가슴·목 따위》 zugestopft (verstopft) werden; gehindert (gehemmt) werden; belastet (beschwert) werden. ¶ 가슴이 ~ *jm.* im Magen liegen* / 목이 ~ *jm.* im Halse (in der Kehle) stecken|bleiben* / 가슴이 ~ [1]*et.* beklemmt sein Herz / 이 광경을 보자 가슴이 메었다 Dieser Anblick zerriß mir das Herz.
메달 Medaille [medáljə] *f.* -n; Denk¦münze (Schau-) *f.* -n; Plakette *f.* -n.
‖ ~수집가 Medaillensammler *m.* -s, -. ~조각가 Medaillenstecher *m.* -s, -. ~획득자 Medaillenträger *m.* -s, -. 금~ Goldmedaille. 은~ Silbermedaille.
메더디스트 ‖ ~교도 Methodist *m.* -en, -en. ~교파 Methodismus *m.* -. ~교회 Methodistenkirche *f.* -n.
메들리레이스 Lagenstaffel.
메떡 aus unglutinösen Getreiden gebackener Kuchen.
메떨어지다 bäurisch; ungeschliffen (sein).
메뚜기[1] 〖곤충〗 Heuschrecke *f.* -n; Grashüper *m.* -s, -.
메뚜기[2] 《기구》 Handgriff *m.* -s, -e (meistens aus Knochen gemacht, um die Dinge nicht rutschen zu lassen).
메뜨다 träge; langsam; schwerfällig (sein).
메리고라운드 Karussell *n.* -s, -e.
메리야스 Trikotage [..ʒə] *f.* -n; Strick¦ware (Wirk-) *f.* -n.
‖ ~기계 Strickmaschine *f.* -n. ~샤쓰 Trikothemd *n.* -(e)s, -en.
메린스 Musselin *n.* -s, -e.
메마르다 trocken; getrocknet; dürr; regenarm; regenlos; derb; ausgetrocknet; vor Durst verschmachtet; wasserlos; unfruchtbar (sein); 《마음 등이》 geistlos; teilnahmslos; streng; unsanft (sein). ¶ 메마른 입술 trockene Lippen / 메마른 들 unfruchtbares Feld / 메마른 마음 teilnahmsloses Herz.
메모 Vermerk *m.* -(e)s, -e; Notiz *f.* -en; etwas Schriftliches; Note *f.* -n; Vermerk *m.* -(e)s, -e (코피); Memorandum *n.* -s, ..da (..den) (비망록). ~하다 [4]*et.* schriftlich nieder|legen; [4]*et.* in die schriftliche Form bringen*; [3]sich e-e Notiz machen; notieren; auf|schreiben*.
메밀 〖식물〗 Buchweizen *m.* -s.
‖ ~가루 Buchweizenmehl *n.* -(e)s. ~국수 Buchweizennudel *f.* -n.
메부수수하다 bäurisch; schlicht; einfach (sein). ¶ 메부수수한 계집아이 ein ländliches

Mädchen.
메소포타미아 Mesopotamien *n.* -s. ¶ ~의 mesopotamisch.
‖ ~사람 Mesopotamier *m.* -s, -.
메숲지다 dicht; buschig (sein). ¶ 메숲진 숲 ein buschiger wald.
메스 Skalpell *n.* -s, -e; ein chirurgisches Messer, -s, -; Seziermesser *n.* -s, -. ¶ 어떤 책에 예리한 비판의 ~를 가하다 e-e scharfe Kritik über ein Buch schreiben*.
메스껍다 es ekelt [4]sich; Ekel empfinden* 《*vor*[3]》 an|ekeln; mit Ekel erfüllen; [4]sich unwohl 〔übel〕 fühlen; 《비유적》 abscheulich; ekelhaft; scheußlich; verabscheuungswürdig; widerlich (sein). ¶ 메스꺼운 냄새 ein ekelhafter Geruch / 메스껍게 굴다 [4]sich abscheulich betragen* 〔verhalten*; benehmen*〕 / 그런 일은 ~ Es ekelt mich es zu tun. / 나는 그가 ~ Ich bin sehr ärgerlich über ihn.
메슥거리다 [3·4]sich ekeln 《*vor*[3]》; Ekel 〔Übelkeit〕 verspüren 〔empfinden*〕; [4]sich angeekelt; [4]sich übel 〔widerwärtig〕 fühlen.
메슥메슥하다 ¶ 속이 ~ Es ekelt mir 〔mich〕 《*vor*[3]》. | Es kehrt mir den Magen um. | Übelkeit empfinden* 〔verspüren〕. | Mir ist schlecht 〔nicht wohl〕.
메시지 Botschaft *f.* -en. ¶ ~를 보내다 *jm.* e-e Botschaft senden* 〔zukommen lassen*〕.
메신저 Bote *m.* -n, -n; Kurier *m.* -s, -e.
‖ ~보이 Botenjunge *m.* -n, -n; Page [..ʒə] *m.* -n, -n.
메아리 Echo *n.* -s, -s; Widerhall *m.* -s, -e. ¶ ~치다 wider|hallen 〔-|schallen〕; echoen; ein Echo zurück|werfen*.
메어붙이다 *jm.* über die Schulter hinweg|werfen*.
메어치기 〖씨름〗 (Nieder)wurf *m.* -(e)s, ⸗e.
메어치다 〖유도〗 über die Schulter schleudern[4] 〔werfen*〕; *jm.* e-n Niederwurf geben*.
메역취 〖식물〗 (die europäische) Goldrute, -n.
메우다[1] ① 《손실 따위》 entschädigen[4]; vergüten[4]; wieder|gut|machen[4] 《ich mache es wieder gut, wiedergutgemacht》; ersetzen[4]; aus|gleichen*; decken[4]. ¶ 손실을 ~ e-n Verlust ersetzen 〔wieder|gut|machen; decken〕. ② 《구멍·빈 곳 따위를》 füllen; aus|füllen; zu|füllen; zu|stopfen; ein|legen; plombieren; ergänzen; voll|füllen. ¶ 구멍을 ~ die Höhle an|füllen / 여백을 ~ leeren Raum füllen.
메우다[2] ① 《테를》 Reifen auf [4]*et.* auf|ziehen*. ¶ 통에 테를 ~ Reifen aufs Faß auf|ziehen*.
② 《북을》 das Trommelfell auf e-e Trommel auf|ziehen*; e-e Trommel verfertigen.
③ 《쳇불을》 ein Siebnetz auf den Siebrahmen fixieren. ¶ 체를 ~ ein Siebnetz auf den Siebrahmen auf|ziehen*; ein Sieb verfertigen.
④ 《멍에를》 an|jochen; (Tiere) ins Joch spannen. ¶ 소에 멍에를 ~ e-n Ochs an|schirren; den Ochs ins Joch spannen.
⑤ 《짐을》 *jn.* Last tragen lassen*.
메이다 ① 《테를》 Reifen aufziehen lassen*. ¶ 통에 테를 ~ Reifen aufs Faß aufziehen lassen*. ② 《북을》 das Trommelfell auf e-e Trommel aufziehen lassen*. ¶ 북을 ~ das Fell auf eine Trommel aufziehen lassen*; e-e Trommel verfertigen lassen*. ③ 《체를》 ein Siebnetz auf den Rahmen fixieren lassen*. ¶ 체를 ~ ein Sieb verfertigen lassen*; Netz auf den Siebrahmen aufziehen lassen*.
메이데이 der 1. Mai; Arbeitag *m.* -(e)s, -e; Maitag *m.* -(e)s, -e.
메이커 Hersteller *m.* -s, -; Erzeuger *m.* -s, -. ¶ 일류 ~의 제품 die Waren 《*pl.*》 von gutbekannter Marke.
메이크업 Schminke *f.*; Make-up [me:k-áp] *n.* -s. ~하다 schminken[4].
메조 〖식물〗 nichtglutinöse 〔normale〕 Hirse.
메조소프라노 〖음악〗 Mezzosopran *m.* -s, -e.
메주 Sojabohnenmalz *n.* (für Sojabohnenmus). ¶ ~를 쑤다 Sojabohnen kochen (um Sojabohnenmus *od.* Sojabohnensoße anzufertigen). ‖ ~덩이 Klumpen 《*m.*》 von Sojabohnen Malz. ~콩 Sojabohne *f.* -n.
메지[1] 〖건축〗 Fuge *f.* -n (Öffnung zwischen benachbarten Bauteilen-Mauersteinen, Holzbalken *usw.*).
메지[2] 《일단락》 Schluß *m.* ..sses, ..lüsse; Abschluß *m.* ..sses, ..lüsse. ¶ 일을 ~내다 Arbeit zum Abschluß bringen* / 일이 ~나다 e-e Arbeit wird abgeschloßen.
메지다 nicht glutinös; nicht klebrig (sein).
메지메지 jeder für sich; portionsweise.
메질 Hämmerung *f.* -en 《*auf*[4]》; Zerstoßung *f.* -en. ~하다 hämmern; zermalmen.
메추라기 〖조류〗 Wachtel *f.* -n.
‖ ~도요 〖조류〗 Schnepfe *f.* -n.
메추리 ☞ 메추라기.
메치다 ☞ 메어치다.
메카 Mekka; 《동경의 땅》 ein Mekka 《für Künstler》. ¶ 파리는 화가들의 ~이다 Paris ist das Mekka der Maler.
메카니즘 Mechanismus *m.* -, ..men.
메탄 Methan *n.* -s.
‖ ~가스 Sumpfgas *n.* -es, -e.
메탕(一湯) ① 《국》 Suppe *f.* -n. ② 《갱》 Gemüsesuppe, die dem abgeschiedenen Geist geweiht ist.
메트로놈 〖음악〗 Metronom *n.* -s, -e.
메틸알콜 Methylalkohol *m.* -s.
멕시코 Mexiko *n.* -s. ¶ ~의 mexikanisch.
‖ ~만 der Golf 《-(e)s, -e》 von Mexiko. ~사람 Mexikaner *m.* -s, -.
멘델 Gregor Johann Mendel (1822-84).
‖ ~법칙 〖생물〗 Mendelsches Gesetz.
멘델스존 《독일의 작곡가》 Felix Mendelssohn (1809-47).
멘셰비즘 Menschewismus *m.* -, ..men.
멘셰비키 Menschewik *m.* -en, -en.
멘스 〖생리〗 Menses 《*pl.*》 〔*sg.* Mensis〕; Menstruation *f.* -en.
멘탈테스트 Intelligenzprüfung *f.* -en.
멘톨 〖화학〗 Menthol *n.* -s.
멘히르 〖고고학〗 Menhir *m.* -s, -e.
멜대 Trage *f.* -n; (Trag)stange *f.* -n. ¶ ~로 메다 an e-r Trage 〔(Trag)stange〕 tragen*[4].
멜로드라마 Melodrama *n.* -s, ..men. ¶ ~적인 melodramatisch; sensationell.
멜로디 Melodie *f.* -n; Weise *f.* -n.
멜론 〖식물〗 Melone *f.* -n.
멜빵 Trag|riemen 〔Schulter-〕 *m.* -s, -; Hosenträger *m.* -s, - (바지의). ¶ 부러진 팔에 ~을 하다 den gebrochenen Arm in der Schlinge tragen*.
‖ ~붕대 Schlinge *f.* -n; Binde *f.* -n.
멤버 Mitglied *n.* -(e)s, -er. ¶ 그 팀은 최고의 축구 ~들로 구성되어 있다 Die Mannschaft besteht aus den besten Fußballspielern.

멥쌀 Reis *m.* -es. ⌈-en.
멧갓 《산림》 Holzung *f.* -en; Waldung *f.*
멧괴새끼 Rauhbein *n.* -s, -e; Grobian *m.* -s, -e; wilde Hexe, -n.
멧굿 Exorzismus *m.* ..men; schamanistischer Tanz, -(e)s, ⸗e.
멧나물 eßbare Gebirgenkräuter 《*pl.*》.
멧누에 〖곤충〗 wilde Seidenraupe, -n; Tussahspinner *m.* -s, -.
‖ ~고치 Tussahkokon. *m.* -s, -s. ~나비 Tussahmotte *f.* -n. ⌈⸗e.
멧닭 〖조류〗 ussurischer Schwarzhahn, -(e)s,
멧대추 Jujube *f.* -n; Brustbeere *f.* -n.
‖ ~나무 Brustbeerenbaum *m.* -s, ⸗e.
멧도요 〖조류〗 Waldschnepfe *f.* -n.
멧돝 ☞ 멧돼지. ¶ ~ 잡으려다 집돝 잃는다 ^{4}sich zwischen zwei ^{4}Stühle setzen.
멧돼지 Wildschwein *n.* -(e)s.
멧두릅 〖식물〗 traubige Aralie, -n; indische Narde, -n.
멧부리 Bergspitze *f.* -n; Gipfel *m.* -s, -.
멧부엉이 Bauernlackel *m.* -s, -; Bauerntölpel *m.* -s, -; ungebildeter Kerl, -s, -e.
멧새 〖조류〗 Ammer *f.* -n. ⌈-n.
멧종다리 〖조류〗 bergige Heckenbraunelle,
멧짐승 Gebirgentiere 《*pl.*》.
며 ☞ 이며. ¶ 사과며 포도며 기타 여러 가지 Äpfel, Trauben u. andere verschiedenen Früchte.
-며 und; oder. ¶ 비가 오며 말며 한다 Es regnet ab und an. / 울며 말하다 weinend sprechen*.
며느리 Schwiegertochter *f.* ⸗. ¶ 아무를 ~로 맞다 *jn.* zur Schwiegertochter für s-n Sohn nehmen*.
며느리고금 〖한의학〗 Quotidianfieber *n.* -s, -; Malaria *f.* ⌈*usw.*).
며느리발톱 Sporen 《*pl.*》 (e-s Haushahns
며느리밥풀 〖식물〗 Kuhweizen *m.* -s, -.
며래 〖식물〗 e-e Art Nessel 《*f.* -n》.
며루 〖곤충〗 die Larve der Erdschnake.
며칟날 wievielter Tag des Monats?; Datum.
¶ 오늘이 ~이냐 Wievielter Tag ist heute?
며칠 wie lange?; wie viele Tage?; einige Tage. ¶ ~전 vor einigen (ein paar) Tagen; vor einiger (kurzer) Zeit jüngst; kürzlich; neulich; vor kurzem / ~전 아침(밤) neulich am (an e-m) Morgen (Abend) / ~ 전부터 seit kurzem; seit einigen Tagen / 지난 (요) ~ 동안에 in den letzten Tagen / 불과 ~ 전에 erst vor einigen Tagen / 불과 ~ 전까지도 noch bis vor einiger Zeit / 처음 ~ die ersten Tage 《*pl.*》 / 오늘이 ~이냐 Der wievielte ist heute? | Den wievielten haben wir heute? | Welches Datum ist heute? | Welches Datum haben wir heute?
멱^{1} 《목》 Kehle *f.* -n. ¶ 돼지 멱따는 소리 schrilles Geschrei; quäkende Stimme, -n / 멱을 따다 *jm.* den Kopf ab|schlagen*; *jm.* die Kehle durch|stecken/멱을 그러잡다 *jn**. an der Kehle ergreifen*.
멱^{2} 〖장기〗 e-e Schachfigur befindet sich in e-m Feld, durch das sich andere Figuren nicht bewegen können. ¶ 말멱 Blockade 《*f.* -n》 gegen Pferdefigur / 멱장기 das Schachspielen* 《-s》 gegen die Spielregeln; 《두는 사람》 ein Schachspieler 《*m.* -s, -》, der die Regeln nicht einmal versteht.
멱^{3} ☞ 멱서리. ¶ 멱 진 놈 섬 진 놈 verschiedenartige Menschen 《*pl.*》.
멱^{4} ☞ 미역^{1}.
멱(冪) 〖수학〗 Potenz *f.* -en. ¶ 멱수 Exponent *m.* -en, -en.
멱둥구미 ein aus Stroh geflochtener rundtiefer Korb, -(e)s, ⸗e.
멱미레 Wammenfleisch *m.* -(e)s.
멱부리 der Huhn 《-(e)s, ⸗er》 mit federigen Lappen.
멱부지(—不知) ein Schachspieler 《*m.* -s, -》, der die Regeln nicht gut kennt.
멱살 Gurgel *f.* -n; Kehle *f.* -n; Hals *m.* -s, ⸗e. ¶ ~을 잡다 bei der Brust packen (kriegen; zu|packen) 《*jn.*》; *jn.* an der Brust (am Rockkragen) schütteln.
멱서리 e-e aus Stroh geflochtene Tasche, -n.
멱신 Strohschuh *m.* -(e)s, -e.
멱씨름 der Ringkampf 《-(e)s, ⸗e》, bei dem die Kämpfer beiderseitig an der Kehle des Gegners zu greifen haben. ~하다 an der Kehle ergreifend kämpfen.
멱통 Kehle *f.* -n.
면^{1} 《흙》 die Erde, die von Ratten, Krebsen od. Ameisen ausgegraben ist.
면^{2} 《연동(戀童)》 ein jugendlicher passiver Partner 《-s, -》 der Homosexualität.
면^{1}(面) ① 《얼굴》 Gesicht *n.* -(e)s, -er. ② 《검술 따위의》 Fechtmaske *f.* -n. ③ 《표면》 Oberfläche *f.* -n. ④ 《측면》 Seite *f.* -n. ¶ 금전면에서는 was Geld betrifft.
면^{2}(面) 《보석 따위의 깎은 면》 Facette [..sɛ́tə] *f.* -n. ⌈⸗er.
면^{3}(面) ¶ 면사무소 Gemeindeamt *n.* -(e)s,
면(綿) Baumwolle *f.* -n. ¶ 면의 baumwollen / 면빌로드 Baumwoll(en)sam(me)t *m.* -(e)s, -e / 면플란넬 Baumwoll(en)flanell *m.* -s, -e.
-면 ☞ -으면. ① 《만일 …라면》 ¶ 그가 온다면 wenn er kommt / 그렇다면 wenn dem so ist / 만일 비가 온다면 wenn es regnet; wenn es regnen sollte / 가능하다면 wenn es möglich ist; womöglich / 필요하다면 wenn es nötig ist; nötigenfalls / 오늘이라면 갈 수 있다 Heute kann ich gehen. ② 《…에 관해서는》 was *jn.* (^{4}*et.*) betrifft / 나의 일이라면 was mich betrifft / 수학이라면 그가 제일이다 In der Mathematik ist er der erste.
면경(面鏡) Handspiegel *m.* -s, -; ein kleiner Kosmetikspiegel. ⌈(免職).
면관(免官) Amtsenthebung *f.* -en. ☞ 면직
면괴(面愧) Schüchternheit *f.*; Scheu *f.*; Scham *f.* ~하다 schüchtern; scheu; verschämt; geniert (sein). ¶ ~스럽게 생각하다 ^{4}sich verschämt fühlen / ~스러운 얼굴을 하다 ein verschämtes Gesicht machen.
면구(面灸) =면괴(面愧).
면구스럽다(面灸—) Scham empfinden*; ^{4}sich in die Erde verkriechen wollen*.
면급하다(免急—) e-r ^{3}Gefahr (Krise) entrinnen* ⓢ.
면나다(面—) 《체면이 섬》 Ehre retten. ¶ 면나는 일 e-e Sache (Arbeit), die *jm.* Ehre bringt / 그렇게 하지 않으면 면이 나지 않는다 Es schadet mir, wenn ich es nicht tue./ 그것으로 친구에 대해서 겨우 면이 났다 Damit habe ich m-e Ehre vor m-n Freunden gerettet.
면내다 ① 《쥐·개미가》 nagen 《*an*^{3}》; benagen^{4}; knabbern 《*an*^{3}》; aus|graben*; aus|wühlen. ¶ 쥐가 벽에 ~ e-e Ratte nagt ein Loch durch die Wand. ② 《훔쳐냄》 mausen; stibitzen; klemmen.
면내다(面—) *jm.* Ehre bringen*; die Ehre

e-s anderen retten. ¶ 자기 면내느라고 10만 원을 기부했다 Er hat hundert tausend *Won* geschenkt, um sich Ehre zu bringen.
면담(面談) Besprechung *f.* -en; Unterredung *f.* -en; Interview [intərvjúː] *n.* -s, -s. ~하다 *jn.* sprechen*; ⁴sich besprechen* ((mit *jm.*)); ⁴sich unterreden ((mit *jm.*)).
‖ ~시간 Sprechstunde *f.* -n (의사, 교수).
면대(面對) Begegnung *f.* -en; Zusammenkunft *f.* ¨e; ((면담)) Unterredung *f.* -en. ~하다 *jm.* begegnen; e-e Zusammenkunft haben* ((mit *jm.*)); sehen*; ⁴sich treffen*. ¶ ~해 von Angesicht zu Angesicht / 부자는 20년만에 ~했다 Vater u. Sohn trafen sich nach zwanzigjähriger Trennung.
면도(面刀) Rasiermesser *n.* -s, -. ¶ ~날처럼 날카로운 scharf(sinnig); schneidend / ~칼을 갈다 das Rasiermesser schärfen (ab|ziehen* (가죽으로)). ~하다 rasieren.
‖ 안전 ~기 Rasierapparat *m.* -(e)s, -e. 안전 ~날 Rasierklinge *f.* -n. 전기 안전 ~기 Trockenrasierer *m.* -s. -.
면려(勉勵) Anstrengung *f.* -en; Beflissenheit *f.*; Eifer *m.* -s; Emsigkeit *f.*; Fleiß *m.* -es; das Bemühen* (Streben*) -s. ~하다 fleißig (emsig) arbeiten; eifrig (beflissen) sein; ⁴sich an|strengen; ⁴sich befleißigen²; ³sich ⁴Mühe geben* ((*mit*³; *um*⁴; *von*³)). ¶ 직무에 ~하다 s-r ³Pflicht eifrig nach|kommen* [s].
면류(麵類) Nudelarten ((*pl.*)).
면류관(冕旒冠) (Königs)krone *f.* -n; Diadem *n.* -s, -e.
면마(綿馬) 『식물』 e-e Art von Farnkraut.
면먹다 ① ((내기에서)) die Schuld ((-en)) zwischen den Spielern ignonieren (auf|heben*). ② ((편됨)) teil|nehmen*((*an*³)); auf *js.* Seite ein|stehen*; *js.* Partei nehmen*; für *jn.* treten*[s]; *jm.* helfen*.
면면(綿綿) ¶ ~히 ununterbrochen; fortdauernd; pausenlos; fort u. fort.
면모(面貌) die Gesichtszüge ((*pl.*)); das Aussehen*, -s; Miene *f.* -n. ¶ ~를 일신하다 e-e vollkommene Umgestaltung erleben.
면목(面目) ① ((명예)) Ehre *f.* -n; (ein guter) Ruf, -(e)s. ¶ ~을 세우다 *js.* Ehre (Gesicht) retten (wahren) / ~을 잃다 die Ehre (das Gesicht) verlieren* / 이것은 나의 ~에 관한 문제이다 Es handelt sich um m-e Ehre. / ~ 없다 Ich schäme mich. ② ((모양)) ¶ ~을 일신하다 ⁴sich ganz verändern; wie neugeboren aus|sehen*. ③ ((체면)) Gesicht *n.* -(e)s, -er; Miene *f.* -n. ¶ ~을 세우다 den Schein retten.
면밀(綿密) Genauigkeit *f.* -en; Sorgfältigkeit *f.* -en. ¶ ~한 (히) genau; sorgfältig; mit ³Sorgfalt / ~한 관찰 genaue Beobachtung / ~한 검사 sorgfältige Prüfung (Untersuchung) / ~한 사람 ein überbedenklicher Mensch / ~히 조사하다 eine Sache genau untersuchen (erforschen).
면바르다(面—) wohlgestaltet; gut geformt; von gutem Schnitte; niedlich; nett (sein).
면박(面駁) die Widerlegung *jm.* ins Gesicht. ~하다 *jm.* ins Gesicht schimpfen; *jm.* Schande ein|bringen*; *jn.* mit Vorwürfen überhäufen.
면벽(面壁) 『불교』 die Ausübung des Zens gegen die Wand.
면보다(面—) s-e Ehre retten; *js.* Ehre retten; nicht kalt (kühl; schlecht) behandelt werden.
면부(面部) Gesichtsteil *m.* -(e)s, -e; Gesicht *n.* -(e)s, -er.
면부득하다(免不得—) unvermeidlich; unentrinnbar; unumgänglich (sein). ☞ 불가피.
면분(面分) (Zufalls)bekanntschaft *f.* ¶ ~이 있다 *jn.* kennen*; mit *jm.* bekannt sein.
면사(免死) das Entrinnen* ((-s)) vom Tode. ~하다 vom Tode gerettet werden; dem Tode entrinnen* [s].
면사(綿絲) Baumwollgarn *n.* -(e)s, -e.
면사무소(面事務所) Gemeindehaus *n.* -es, ¨er.
면사포(面紗布) Trauungs¦schleier (Gesichts-) *m.* -s, -.
면상(面上) *js.* Gesicht *n.* -(e)s, -er. ¶ ~을 치다 *jn.* auf das Gesicht schlagen*; *jm.* Ohrfeigen geben* / ~에 흉이 지다 auf dem Gesicht e-e Narbe haben.
면상(面相) Gesicht *n.* -(e)s, -er; Gesichtszüge ((*pl.*)); Miene *f.* -n; Physiognomie *f.* -n. ¶ ~을 한대 갈기다 *jm.* eins in die Visage (Fresse) hauen*.
-면서 ((하면서)) indem; während⁽²⁾; ((또한)) sowohl... als auch...; ((동시에)) zugleich; gleichzeitig ((*mit*³)). ¶ 식사하면서 이야기하다 über³ Tisch (während des Essens) sprechen* / 웃으면서 말하다 mit e-m Lächeln sagen⁴ / 눈물을 흘리면서 헤어지다 unter³ Tränen Abschied nehmen* ((*von*)); weinend ⁴sich trennen ((*von*³)) / 그녀는 미인이면서 교양도 있다 Sie ist ebenso gebildet wie schön. / 밤이 새면서 곧 출발했다 Gleichzeitig mit dem Tagesanbruch brachen wir auf.
면서기(面書記) der Schreiber (Buchhalter) ((-s, -)) in e-r Lokalbehörde von e-m *Myeon*.
면세(免稅) Steuer¦erlaß *m.* ..lasses, ..lasse; Steuer¦freiheit *f.* -en. ¶ ~가 되다 steuerfrei (zollfrei) werden.
‖ ~품 steuer¦freier (zoll-) Artikel, -s, -.
면소(免訴) Freisprechung *f.* -en; Freispruch *m.* -(e)s, ¨e. ~하다 *jn.* frei|sprechen*. ¶ ~되다 freigesprochen werden / 증거 불충분으로 ~되다 aus Mangel an Beweisen freigesprochen werden.
면솔(面—) die kleine Bürste ((-n)) für Seitenbackenbart.
면수(免囚) der entlassene Sträfling, -(e)s, -e.
면숙(面熟) Bekanntschaft *f.* ((mit *jm.*)). ~하다 wohlbekannt; vertraut (sein) ((mit *jm.*)).
면식(面識) Bekanntschaft *f.* ¶ ~이 있다 *jn.* kennen*; bekannt sein ((mit *jm.*)) / 그 사람과는 약간의 ~이 있다 Ich kenne ihn nur flüchtig. / 그와는 전혀 ~이 없다 Er ist mir ganz fremd.
면실(棉實) Baumwollsame(n) *m.* ..ens, ..en.
면양(緬羊) Schaf *n.* -(e)s, -e.
면업(綿業) Baumwollindustrie *f.* -n.
면역(免疫) Immunität *f.* -en; *jn.* vom Militärdienst befreien; Befreiung von der öffentlichen Arbeit. ¶ ~(성)의 immun / ~이 되다 von der öffentlichen Arbeit befreit werden; immun werden / ~이 되게 하다 *jn.* immunisieren; *jn.* von der öffentlichen Arbeit befreien; vom Militärdienst befreit werden.
‖ ~체 Immunkörper *m.* -s, -. ~학 Immunologie *f.* ~혈청 Immunserum *n.* -s, ..ren (..ra).
면욕(免辱) das Entkommen von der Schan-

de (Beschimpfung). ~하다 der [3]Schande entgehen* [s].

면욕(面辱) persönliche Beschimpfung. ~하다 *jn.* persönlich beschimpfen.

면의회(面議會) *Myeon*-Ratsversammlung *f.* -en; Gemeindeversammlunlg *f.* -en.

면작(棉作) Baumwollpflanzung *f.* -en.

면장(免狀) 《면허장·허가증 따위》 Erlaubnisschein *m.* -(e)s, -e. ¶ 본(가) ~ volle (provisorische) Erlaubnis, -se.

면장(面長) Gemeindevorsteher *m.* -s, -. ¶ 부 ~ der stellvertretende Schultheiß, -en, -en (Schulze, -n, -n).

면적(面積) Fläche *f.* -n; Raum *m.* -(e)s, ⸚e; Gebiet *n.* -(e)s, -e; Flächenmaß *n.* -es, -e; Quadratmaß *n.* -es, -e; Flächen¦inhalt *m.* -(e)s, -e (-raum *m.* -(e)s, ⸚e). ¶ 섬의 ~은 10,000평방 킬로미터이다 Die Insel streckt sich 10000 qkm.

면전(面前) ¶ ~에서 in [3]Gegenwart《*js.*》; vor den Augen《*js.*》; im Beisein《*js.*》/ 공중의 ~에서 vor der Öffentlichkeit / 나의 ~에서 in m-r Gegenwart; vor m-n Augen.

면접(面接) Besprechung *n.* -en; Unterredung *f.* -en.
‖ ~시간 Sprechstunde *f.* -n. ~시험 die mündliche Prüfung, -en; das mündliche Examen, -s, ..mina.

면제(免除) Befreiung *f.* -en; Erlassung *f.* -en; Erlaß *m.* ..lasses, ..lasse; Zurückstellung *f.* -en; Freisein *n.* -s. ~하다 *jn.* befreien《*von*[3]》; *jm.* erlassen*[4]; *jm.* ersparen[4]. ¶ 세금 ~ Steuerfreiheit *f.* / 병역 ~ Militärdienstfreiheit *f.* / 병역을 ~받다 vom Militärdienst befreit werden / 수업료를 ~받다 vom Schulgeld befreit werden.

면제품(綿製品) Baumwoll¦ware *f.* -n (-fabrikat *n.* -(e)s, -e).

면조(免租) =면세(免稅).

면종(面從) Augendienst *m.* -(e)s, -e; Dienstleistung nur unter Aufsicht des Herrn. ~하다 nur unter Aufsicht des Herrn Dienst leisten; Augendienst machen.

면종(面腫) das Blutgeschwür《-(e)s, -e》auf dem Gesicht.

면죄(免罪) Begnadigung *f.* -en; Straferlaß *m.* ..lasses, ..lasse; 〚가톨릭〛 Ablaß *m.* ..lasses, ..lasse; Absolution *f.* -en. ~하다 *jn.* begnadigen; *jm.* die Strafe erlassen*; 〚가톨릭〛 *jm.* Ablaß erteilen.
‖ ~부(符) Ablaßbrief *m.* -(e)s, -e.

면줄(面—) die dritte Querlinie auf dem Schachbrett.

면지(面紙) 《책의》 Vorsatz *m.* -es, ⸚e.

면직(免職) Entlassung *f.* -en; (Personal)abbau *m.* -(e)s; Abdankung *f.* -en; Absetzung *f.* -en; Amtsenthebung *f.* -en. ~하다 entlassen*[4]; ab|bauen[4] (-|setzen[4]; -|danken[4]) *jn.* des Amtes entheben*. ¶ 그 관리는 ~됐다 Der Beamte wurde abgebaut (entlassen). / 그는 직무 태만으로 ~되었다 Er wurde wegen der Pflicht des Amtes enthoben.
‖ 의원~ Amtsenthebung auf seine Bitte. 징계~ Disziplinarentlassung.

면직물(綿織物) Baumwoll¦stoff *m.* -(e)s, -e (-zeug *n.* -(e)s, -e); Kattun *m.* -s, -e (캘리코).

면질(面叱) persönlicher Vorwurf, -(e)s, ⸚e (Tadel, -s, -). ~하다 *jm.* ins Gesicht schimpfen (vor|werfen*).

면질(面質) Konfrontation *f.* -en; Gegenüberstellung *f.* -en. ☞ 대질(對質). ~하다 [4]sich gegenüber|stellen[3]. ¶ ~시키다 konfrontieren[4]; gegenüber|stellen[4].

면책(免責) die Befreiung von der Verantwortung (Pflicht). ~하다 [4]sich von der Verantwortung (Pflicht) befreien.
‖ ~조항 Immunitätsklausel *f.* -n; die Klausel《-n》, kraft deren jemand aller [2]Verantwortung enthoben ist. ~특권 Immunität *f.* -en.

면책(面責) ein persönlicher Verweis, -(e)s, -e. ~하다 *jm.* persönlich e-n Verweis erteilen; *jm.* ins Gesicht schelten* (schimpfen).

면치다(面—) die Fläche《-n》zu|hauen (zu|richten).

면치레(面—) Schein *m.* -(e)s, -e; die äußerliche Verschönerung. ~하다 äußerlich verschönern; den Schein (das Äußere) aufrecht erhalten*; den Schein wahren; auf sein Äußeres sehr viel geben*.

면포(綿布) Baumwollstoff *m.* -(e)s, -e.

면하다(免—) ①《모면》 entkommen*[3] [s]; entfliehen*[3] [s]; entgehen*[3] [s]; entrinnen*[3] [s]; entschlüpfen[3] [s]; gnädig davon|kommen* [s]; los|werden[4·2]; [4]sich los|machen《*von*[3]》. ¶ 가까스로 ~ mit knapper (genauer) Not entkommen* [s]; ein knappes Entrinnen haben; nur eben mit heiler Haut entrinnen*[3] / 위기 일발에서 ~ Das hätte ihn um Haaresbreite erwischt.¦Um ein Haar wäre es aus mit ihm gewesen. / 위험을 ~ einer [3]Gefahr entgehen* (entkommen*).
②《면제》 frei (befreit; verschont) sein《*von*[3]》. ¶ 병역을 ~ vom Militär(dienst) frei|kommen* (los|kommen*) [s] / 과세를 ~ steuerfrei sein.
③《회피》. ¶ 책임을 ~ die Verantwortung ab|schütteln《*für*[4]》/ 면하기 어렵다 unentrinnbar (unvermeidlich) sein.
④《받지 않게 되다》 los|werden*. ¶ 욕을 ~ [4]sich vor Demütigung schützen / 고생을 ~ [3]sich die Mühe ersparen.

면하다(面—) gegenüber|stehen*[3] (-|liegen*[3]); (hinaus|)gehen*《*auf*[4]》[s]; gehen* [s] (liegen*; sehen*)《*nach*[3]》; an|stoßen*《*an*[4]》. ¶ …에 면하여 gegenüber[3] 〚명사 뒤에 오는 수가 많다〛; angesichts[2] / 이 방은 남쪽에 면하여 있다 Dieses Zimmer sieht (geht) nach Süden. / 큰 길에 면하고 있다 an der Straße liegen*; auf die Straße gehen* [s].

면학(勉學) Studium *n.* -s, ..dien; das Lernen*, -s. ~하다 eifrig studieren; fleißig lernen.

면허(免許) Erlaubnis *f.* ..nisse; Genehmigung *f.* -en; Konzession *f.* -en; Lizenz *f.* -en; Zulassung *f.* -en; Bewilligung *f.* -en; amtliche Genehmigung, -en. ~하다 *jm.* Konzession (behördliche Genehmigung) erteilen.
‖ ~료 Lizenzgebühr *f.* -en. ~장 Erlaubnisschein *m.* -(e)s, -e. ~증《자동차 운전의》 Führerschein: ~승 소지사 Konzessionsinhaber *m.* -s, -; Konzessionär *m.* -s, -e; Lizenzinhaber *m.* -s, -.

면화(免禍) die Rettung vor e-m Unfall (Unglück); das Loskommen von e-m Unglück. ~하다 Schaden vermeiden*; [4]sich aus dem Unfall retten (befreien).

면화(棉花) Rohbaumwolle *f.* -n. ¶ ~ 같은 baumwollartig; weich.
‖ ~대(帶) Baumwollgegend *f.* -en. ~재배자 Baumwollpflanzer *m.* -s, -. ~제품

Baumwollwaren 《*pl.*》.
면화약(棉火藥) Schießbaumwolle *f.* -n.
면회(面會) Besuch *m.* -(e)s, -e; Besprechung *f.* -en; Unterredung *f.* -en. ~하다 *jn.* besuchen; *jn.* sprechen*; *jn.* sehen*; [4]sich unterreden 《mit *jm.*》. ¶ ~를 신청하다 *jn.* zu sprechen bitten* / ~를 사절하다 *jn.* zu sehen ab|lehnen (ab|weisen*) / 김씨를 ~하고 싶습니다 Ich möchte mit Herrn *Kim* sprechen*.
‖ ~사절 Besuchsverbot *m.* -(e)s, -e; „K-s Besuche" (게시). ~시간 Sprechstunde *f.* -n. ~인(人) Besucher *m.* -s, -; Besuch *m.* -(e)s, -e. ~일 Empfangstag *m.* -(e)s, -e.
멸각하다(滅却—) zerstören; vernichten; demolieren.
멸공정신(滅共精神) der Geist, den Kommunismus (die Kommunisten) zu vernichten.
멸구 〖곤충〗 Kleinzirpe *f.* -n.
멸균(滅菌) Pasteurisation *f.*; Sterilisierung *f.* ~하다 pasteurisieren; sterilisieren.
‖ ~작용 sterilisiernde Wirkung, -en.
멸도(滅度) 〖불교〗 Nirwana *n.* -s; die endliche Emanzipation, -en.
멸망(滅亡) Untergang *m.* -(e)s, ⸚e; Zusammenbruch *m.* -(e)s, ⸚e. ~하다 unter|gehen* ⓢ; zusammen|brechen* ⓢ; zugrunde gehen* ⓢ. ¶ 제 3 제국의 ~ der Zusammenbruch des Dritten Reichs / ~시키다 zugrunde richten[4]; vernichten[4] / 독일 제국의 ~ 후에 nach dem Zusammenbruch des Deutschen Reiches / 그들은 ~에 직면하고 있다 Sie gehen ihrem Untergang entgegen.
멸문(滅門) die Ausrottung (Vertilgung) e-s ganzen Familie.
‖ ~지화 das Unglück, das e-e ganze Familie ausrottet (vernichtet).
멸시(蔑視) Geringschätzung *f.* -en; Mißachtung *f.* -en; Verachtung *f.* -en; Vernachlässigung *f.* -en. ~하다 verachten; gering|schätzen; verschmähen; mißachten; nicht achten 《*auf*[4]》; nicht beachten; außer Acht lassen*; herab|sehen* 《*auf*[4]》; herab|blicken 《*auf*[4]》; vernachlässigen. ¶ ~받는 직업 ein verachteter Beruf / 그는 그녀를 ~의 눈초리로 보았다 Er sah sie mit Verachtung an.
멸절(滅絕) Ausrottung *f.*; Vertilgung *f.*; Vernichtung *f.*; Zerstörung *f.*
멸족(滅族) die Ausrottung (Vertilgung) e-r Familie. ~하다 e-e Familie aus|rotten (vernichten).
멸종(滅種) die Vertilgung (Ausrottung) des Stammes. ~하다 aus|sterben*; untergehen*. ¶ ~된 동물 die ausgestorbenen Tiere 《*pl.*》 / 아이누족은 ~ 직전에 있다 Die Ainus stehen vor dem Aussterben.
멸치 〖어류〗 e-e Art von Sardelle.
‖ ~젓 die eingesalzene Sardellen 《*pl.*》.
멸하다(滅—) zerstören; aus|rotten; vernichten; aus|tilgen. ¶ 적을 ~ den Feind vernichten.
면 ① 《무명》 Baumwollstoff *m.* -(e)s, -e. ② 《목화》 Baumwolle *f.* -n; Baumwollpflanze *f.* -n.
명(名) ¶ 남자 8 명 여자 5 명 8 Männer u. 5 Frauen / 모두 13 명 insgesamt 13 Personen / 3 명 (4 명, 5 명)이 zu dritt (zu viert, zu fünft) / 군대는 50,000 명을 헤아린다 Das Heer ist 50000 Mann stark. 〖Mann은 *pl.* 을 쓰지 않음〗.
명(命) ① 《목숨》 Leben *n.* -s; die vom Schicksal bestimmte Lebensdauer. ¶ 명이 길다 lange leben; sehr alt werden / 명이 짧다 kurz¦lebend (-lebig) sein / 제 명에 죽다 e-s natürlichen Todes sterben* ⓢ / 명이 조석에 이르다 Sein Leben ist im Erlöschen / 이래서는 제 명대로 못 살겠다 Das wird mich früh um|kommen lassen*. ② ☞ 운명. ③ 《명령》 Befehl *m.* -(e)s, -e; Kommando *n.* -s, -s. ¶ 당국의 명에 의하여 im Auftrag von der Behörde / 명을 받다 den Befehl über|nehmen* / 명을 따르다 e-n Befehl befolgen.
명(銘) 《비의》 (Grab)inschrift *f.* -en; Epitaph *n.* -s, -e; Epitaphium *n.* -s, ..phien; Denkmal *n.* -(e)s, -e; Monument *n.* -(e)s, -e. ¶ 좌우명 Wahl¦spruch (Denk-; Kern-; Leit-) *m.* -(e)s, ⸚e; Devise *f.* -n; Motto *n.* -s, -s.
명가(名家) ① 《가문》 die berühmte (gute) Familie, -n. ¶ ~의 자녀 der Nachkomme von hoher Geburt / ~의 출신이다 von hoher Geburt (Herkunft) sein; aus guter Familie sein. ② 《저명인》 der berühmte Mensch, -en, -en; Berühmtheit *f.* -en; der Mann 《-(e)s, ⸚er》 von [3]Ruf; Größe *f.* -n; Stern *m.* -(e)s, -e; Zelebrität *f.* -en. ③ =대가(大家).
명가(冥加) der göttliche Beistand, -(e)s, ⸚e; die Gnade 《-n》 Gottes; das größte Glück, -(e)s; Vorsehung *f.*
명가수(名歌手) der berühmte (bekannte) Sänger, -s, -.
명개 Lehm *m.* -(e)s, -e.
명검(名劍) Meisterschwert *n.* -(e)s, -er.
명견(名犬) feiner Hund, -(e)s, -e.
명견만리(明見萬里) weitsichtige (weitblickende) Fähigkeit, -en; tiefe Beobachtungsgabe, -n. ~하다 tiefe Beobachtungsgabe haben; die Fähigkeit für die Umsicht haben.
명경(明鏡) der klare Spiegel, -s, -. ¶ ~지수(止水)와 같다 Mein Gewissen ist so (hell u.) klar wie ein unbefleckter Spiegel u. ruhig wie stilles Wasser.
명계(冥界) =명도(冥途).
명곡(名曲) das berühmte Musikstück, -(e)s, -e; die klassische Musik.
‖ ~감상 der Genuß 《..nusses, ..nüsse》 des berühmten Musikstücks: ~을 감상하다 ein ausgezeichnetes Musikstück genießen*.
명공(名工) Meister *m.* -s, -; Meisterhand *f.*; der ausgezeichnete (hervorragende) Handwerker, -s, -; Kunsthandwerker *m.*
명관(名官) der gute Beamte, -n, -n; der bekannte Beamte.
명구(名句) ① 《문구》 der schöne (goldene; weise) Spruch, -(e)s, ⸚e (Ausdruck, -(e)s, ⸚e); die schöne (bekannte; berühmte) Stelle, -n.
② 《시가》 der schöne (ausgezeichnete; berühmte; vorzügliche) Vers, -es, -e.
‖ ~집 die Sammlung 《-en》 der ausgewählten schönen Stellen.
명군(明君, 名君) der weise (aufgeklärte; erleuchtete) Herrscher, -s, - (Landesherr, -(e)n, -en; Monarch, -en, -en).
명궁(名弓) der berühmte Bogenschütze, -n, -n; der erfahrene Bogenschütze, -n, -n.
명금(鳴禽) Singvogel *m.* -s, ⸚; Sänger *m.* -s, -. ‖ ~류 Singvögel 《*pl.*》.

명기(名妓) e-e berühmte *Gisaeng*, -s, -s; e-e beliebte *Gisaeng*.

명기(名器) das kostbare Geschirr, -(e)s, -e; Kuriosität *f.* -en.

명기(明記) das deutliche (ausdrückliche) Schreiben, -s, -. ~하다 ausdrücklich (bestimmt; klar u. deutlich; eindeutig; unzweideutig) erwähnen[4] (an|geben*[4]; bezeichnen[4]; dar|legen[4]).

명기하다(銘記—) =명심하다(銘心—).

명년(明年) =내년(來年).

명념하다(銘念—) =명심하다(銘心—).

명단(名單) Rolle *f.* -n; Verzeichnis *n.* -ses, -se; Liste *f.* -n; Register *n.* -s, -. ¶ 초대자의 ~ e-e Namenliste der Gäste; die Eingeladenen* 《*pl.*》.

명단(明斷) die richtige (genaue) Entscheidung, -en; das klare (weise) Urteil, -(e)s, -e. ~하다 über [4]*et.* ein weises Urteil ab|geben*. ¶ ~을 내리다 =~하다.

명담(名談) die weisen Worte 《*pl.*》; der kluge Ausspruch, -(e)s, ¨e. ¶ 그것은 ~인데 Die Worte ist unsterblich.

명답(名答) e-e treffende (schlagfertige) Antwort, -en. ~하다 treffend (richtig) antworten.

명답(明答) =확답(確答).

명당(明堂) ① 《정전》 die Haupthalle 《-n》 e-s Palastes. ② 《평지》 der flache Raum vor dem Grab. ③ 《묏자리》 die günstige Stelle (Stätte) für das Grab.

명도(明渡) Auslieferung *f.* -en; Überlieferung *f.* -en; Übergabe *f.* -n; das Räumen*, -s. ~하다 *jm.* [4]*et.* aus|liefern; *jn.* [4]*et.* über|geben*; (e-e Wohnung) räumen; (ein Zimmer) frei|machen. ¶ ~를 요구하다 *jn.* um[4] e-e Auslieferung bitten*.

‖ ~소송 Räumungsklage *f.* -n. ~신청 der Antrag 《-(e)s, ¨e》 auf das Räumung.

명도(冥途) Totenreich *n.* -(e)s, -e; das Reich der Schatten; Hades *m.* -; Orkus *m.* -. ¶ ~의 길에 오르다 ins Totenreich hinab|steigen* ⓢ; in ein besseres Reich abberufen werden; gen Himmel fahren* ⓢ.

명동(鳴動) das Dröhnen* u. Poltern*, des - u. -s; das Donnern* u. Beben*, des - u. -s. ~하다 dröhnen u. poltern; donnern u. beben. ¶ 태산~ 서일필 《속담》 „Viel Lärm um nichts.“ ¦ „Viel Geschrei, wenig Wolle.“

명란(明卵) der Rogen 《-s, -》 des Pollacks.

‖ ~젓 eingesalzene Pollacksrogen 《*pl.*》.

명랑(明朗) Heiterkeit *f.* -en; Fröhlichkeit *f.* -en; Munterkeit *f.* -en; Frohsinn *m.* -(e)s, -e. ~하다 lustig; freudig; fröhlich; ausgelassen (sein); [4]sich auf|muntern. ¶ ~하게 freudig; lustig; munter; aufmunternd; belebend / ~한 목소리로 mit fröhlicher Stimme / ~한 사람 der lebenslustige (muntere) Mensch, -en, -en / ~한 날씨 ein schönes (helles; heiteres) Wetter, -s, - / ~한 처녀 das ausgelassene Mädchen, -s, - / ~한 정치 e-e ehrliche (redliche) Politik, -en / ~한 가정 eine lustige (glückliche) Familie, -n / ~해지다 lustig (munter; heiter; fröhlich) werden/~하게 하다 auf|muntern; auf|heitern / 기분을 ~하게 하다 *jn.* aufgeweckt machen / ~하게 지내다 ein vergnügtes Leben führen / ~하게 노래하다 fröhlich singen* / ~한 사람이다 sonniger (fröhlicher)[2] Natur sein.

명령(命令) Befehl *m.* -(e)s, -e; Anordnung *f.* -en; Anweisung *f.* -en (지시); Dekret *n.* -(e)s, -e; Einschärfung *f.* -en (엄명); Gebot *n.* -(e)s, -e; Geheiß *n.* -es; Instruktion *f.* -en (훈령); Order *f.* -n; Verordnung *f.* -en; Weisung *f.* -en. ~하다 befehlen*[4]; an|ordnen[4]; an|weisen*[4]; diktieren[4]; ein|schärfen[4]; gebieten*[4]; instruieren[4]; verordnen[4]; weisen*[4] 《이상 모두 *jm.*》; beordern 《*jn.*》; heißen*[4] 《*jn.*》. ¶ ~으로 auf [4]Befehl (Anordnung; Anweisung; Einschärfung; Instruktion; Order; Weisung); aufs Dekret (Gebot; Geheiß) / ~조의 befehlerisch; befehlshaberisch / ~투로 im Befehlstone; im gebieterischen Tone / ~대로 하다 e-m Befehl gehorchen (nach|kommen*ⓢ) / ~을 내리다 e-n Befehl erlassen* (erteilen; geben*) / ~을 실행하다 e-m Befehl aus|führen (befolgen) / ~적으로 gebieterisch; in[3] befehlendem Tone / ~에 의하여 auf *js.* Befehl; im Auftrag von *jm.* / ~을 무시하다 die Anordnung (Vorschrift; Anweisung) nicht beachten / ~을 어기다 e-r Anordnung (Anweisung; Vorschrift) nicht gehorchen / ~을 철회하다 den Befehl zurück|nehmen* / 진군 ~을 내리다 den Marschbefehl erlassen* / 나는 그에게 가라고 ~하였다 Ich befahl ihm, wegzugehen. / 당신은 그에게 무어라고 ~하였읍니까 Was haben Sie ihm befohlen? / 그 배는 출범 ~을 받고 있다 Das Schiff hat den Befehl bekommen, unter Segel zu gehen. / 나는 당신의 ~은 듣지 않겠소 Von Ihnen lasse ich mir nichts befehlen.

‖ ~문 〖문법〗 Imperativsatz *m.* -es, ¨e. ~법 〖문법〗 Imperativ *m.* -s, -e; Befehlsform *f.* -en. ~서 der schriftliche Befehl, -(e)s, -e. ~위반 die Übertretung 《-en》 e-s Gebotes. ~자 Befehlshaber *m.* -s, -. 일반~ 〖군사〗 Tagesbefehl *m.* -s, -.

명론(名論) e-e ausgezeichnete (vorzügliche) Darlegung, -en (Ausführung, -en); ein wohlbegründetes Argument, -(e)s, -e; die hervorragende Ansicht, -en (Meinung, -en). ‖ ~탁설(卓說) ein wohlbegründetes Argument u. e-e hervorragende Ansicht.

명료(明瞭) =분명. ¶ ~한 (하게) klar; deutlich; klar u. deutlich.

명류(名流) die berühmte Person, -en; die berühmte Persönlichkeit, -en; Zelebrität *f.* -en. ☞ 명사(名士).

명리(名利) Ruhm u. Reichtum, -s; Ehre u. Glück. ¶ ~에 급급하다 auf [4]Ruhm u. Reichtum (Ehre u. Glück) aus (erpicht; versessen) sein / ~에 담박하다 wenig auf [4]Ruhm u. Reichtum halten*; [4]es nicht auf Ruhm u. Reichtum ankommen lassen* (abgesehen haben); [3]sich Ruhm u. Reichtum nicht aufechten lassen*.

명마(名馬) das edle Roß, ..osses, ..osse; das berühmte (temperamentvolle; vorzügliche) Pferd, -(e)s, -e.

명망(名望) das hohe Ansehen, -s; die besondere Achtung; die hohe Geltung. ¶ ~을 잃다 sein gutes Ansehen (s-n guten Ruf) verlieren*; nicht mehr hoch angesehen werden.

‖ ~가 ein Mann 《-(e)s, ¨er》 von hohem (großem) Ansehen (von hoher *od.* großer Geltung); ein besonders geachteter Mann; der angesehenste Bürger, -s, -; die besseren Kreise 《*pl.*》; Honoratioren 《*pl.*》.

명매기 〖조류〗 =칼새.

명맥(命脈) Leben *n.* -s, -; Lebenskraft *f.* ⸚e. ¶ ~을 유지하다 am Leben sein (bleiben* ⓢ); zu leben haben / 겨우 ~을 유지하다 kaum das nackte Leben (Dasein) fristen; kaum noch lebensfähig sein.

명멸(明滅) ~하다 blinken; flackern; flimmern; bald schimmern, bald erlöschen* ⓢ.
‖ ~신호 Blinkfeuer *n.* -s, -.

명명(命名) Benennung *f.* -en; Namengebung *f.* -en; Taufe *f.* -n. ~하다 (be)nennen* 《*jn.*》; e-n Namen geben* 《*jm.*》; mit e-m Namen belegen 《*jn.*》; (auf e-n Namen) taufen 《*jn.*》.
‖ ~식 Benennungsfeier *f.* -n; die feierliche Namengebung; Taufe.

명모(明眸) die klaren Augen 《*pl.*》.
‖ ~호치(皓齒) die schönen Augen u. Perlenzähne 《*pl.*》; Schönheit *f.* -en.

명목(名目) ① 《명칭》 Titel *m.* -s, -; Bezeichnung *f.* -en; Name(n) *m.* ..mens, ..men. ② 《구실》 Vorwand *m.* -(e)s, ⸚e; Ausflucht *f.* ⸚e; Vorschützung *f.* -en. ¶ …라는 ~하에 unter dem Vorwand, daß…; ⁴*et.* vorschützend.
‖ ~임금 Bruttokommen *n.* -s, -.

명목하다(瞑目—) ① 《눈을 감다》 die Augen 《*pl.*》 (zu|)schließen* (zu|machen). ② 《죽다》 die Augen für immer schließen*; (im Herrn) entschlafen* (entschlummern) ⓢ.

명문(名文) Meisterprosa *f.*; der mustergültige (meisterhafte) Stil, -(e)s, -e; die glänzende (vortreffliche) Sprache.
‖ ~가 der Meister 《-s, -》 der Sprache; Sprach¦meister (Stil-): 그만한 ~가는 없다 Keiner meistert die Sprache glänzender als er.

명문(名門) das adlige (distinguierte; edle; vornehme) Geschlecht, -(e)s, -er; die adlige (distinguierte; edle; vornehme) Familie, -n. ¶ ~ 출신이다 von hoher (vornehmer) Geburt (Abkunft; Abstammung) sein; von altem Adel (e-r adligen Familie) ab|stammen; im Purpur geboren sein (왕가에 태어나다).

명문(明文) 〖법〗 die ausdrückliche Bestimmung, -en; die eindeutige Feststellung, -en; die unzweideutige Darstellung, -en.

명물(名物) ① 《명산》 Sonder¦produkt (Spezial-) *n.* -(e)s, -e; Sonder¦erzeugnis (Spezial-) *n.* -ses, -se; das charakteristische Produkt (Erzeugnis) 《e-r Gegend》. ¶ 이 곳의 ~은 무엇인가요 Was für ein Produkt ist für hier charakteristisch?
② 《이름난 것》 Berühmtheit *f.* -en; Zelebrität *f.* -en; 《이름난 사람》 der berühmte Mensch, -en, -en; der Mann 《-(e)s, ⸚er》 von ³Ruf.

명미하다(明媚—) malerisch; bildschön; herrlich; bezaubernd (sein). ¶ 풍광 명미한 곳 die Gegend 《-en》 mit malerisch schöner Aussicht; die Landschaft 《-en》 voll malerischer Schönheit.

명민(明敏) Scharfsinn *m.* -(e)s; Klugheit *f.* ~하다 von hellem (klarem) Geist (Kopf); klar¦blickend (-sichtig); aufgeweckt (sein). ¶ 그는 ~한 사람이다 Er ist nicht auf den Kopf gefallen.

명반(明礬) Alaun *m.* -s, -e.
‖ ~석 Alaunstein *m.* -(e)s, -e. 소(燒)~ der gebrannte Alaun.

명백하다(明白—) klar; (klar u.) deutlich; klipp u. klar; augenscheinlich; einleuchtend; handgreiflich; offenbar; offensichtlich; unverkennbar (sein). ¶ 명백히 mit ³Klarheit / 명백해지다 klar (u. deutlich) werden; klar gelegt (gemacht) werden; ins klare kommen* ⓢ; ⁴sich klar heraus|-stellen.

명복(冥福) die ewige Seligkeit, -en; das Glück 《-(e)s》 im Tode. ¶ ~을 빌다 für *js.* ewige Seligkeit beten; die ewige Seligkeit wünschen 《*jm.*》

명부(名簿) Namen¦liste *f.* -n (-buch *n.* -(e)s, ⸚er; -register *n.* -s, -); Namensverzeichnis *n.* ..nisses, ..nisse; Rolle *f.* -n. ¶ ~에 올리다 auf die Liste setzen⁴ (auf|nehmen*⁴); ins Register ein|tragen*⁴ / ~에서 지우다 aus der Liste streichen*⁴; aus dem Register entfernen⁴/~를 작성하다 e-e Liste (ein Verzeichnis) auf|stellen; ein Register an|fertigen / 너의 이름이 ~에 올라 있지 않다 Dein Name fehlt in der Liste.

명부(冥府) Unterwelt *f.*; Totenreich *n.* -(e)s, -e; das Reich der Schatten; Hades *m.* -; Orkus *m.* -.

명분(名分) Pflichtgebot *n.* -(e)s, -e; die moralische (sittliche) Bindung, -en; das moralische Gebot; die Forderung 《-en》 der Gesellschaft. ¶ 그러면 ~이 서지 않는다 Dadurch kann man sich nicht rechtfertigen.¦Das ist dem Pflichtgebot zuwider.

명사(名士) e-e berühmte Person (Persönlichkeit) -en; Berühmtheit *f.* -en.

명사(名詞) 〖문법〗 Haupt¦wort (Ding-) *n.* -(e)s, ⸚er; Substantiv *n.* -(e)s, -e. ¶ ~의 변화 die Flexion der Hauptwörter; Deklination *f.* -en. ※ 동사 변화는 Konjugation.

명사(名辭) 〖논리〗 Ausdruck *m.* -(e)s, ⸚e; Name *m.* -ns, -n.
‖ 대(소)~ Ober¦satz (Unter-) *m.* -(e)s, ⸚.

명산(名山) der bekannte Berg, -(e)s, -e.
‖ ~대천(大川) herrliche Gebirge u. Flüsse.

명산(名産) Spezialität *f.* -en. ¶ 뻐꾸기 시계는 슈바르츠발트의 ~이다 Kuckucksuhren sind die Spezialität des Schwarzwaldes.

명상(瞑想) Meditation *f.* -en; Kontemplation *f.* -en; Betrachtung *f.* -en; das Nachsinnen* (Nachdenken*) -s. ~하다 meditieren 《*über*⁴》; nach|denken* 《*über*⁴》. ¶ 그는 ~에 잠겨 있다 Er ist in Gedanken versunken.

명색(名色) =명목(名目). ¶ 봄이라곤 ~뿐이다 Auf dem Kalender nur ist es Frühling. / 이것도 ~이 수프냐 Soll dieses armselige Zeug Suppe sein?

명석하다(明晳—) klar; deutlich (sein). ¶ 두뇌가 ~ ein klarer Kopf sein; e-n klaren Kopf haben.

명성(名聲) Ruhm *m.* -(e)s; (ein guter) Ruf, -(e)s; Ansehen *n.* -s. ¶ ~(이) 있는 angesehen; bekannt; berühmt; populär (인기 있는) / 세계적인 ~을 떨치는 피아니스트 ein Pianist 《*m.* -en, -en》 von ³Weltruf / 그는 의사로서 ~을 얻었다 Er hat sich als Arzt e-n Namen gemacht.

명성(明星) =샛별.

명세(明細) Einzelheit *f.* -en; Detail [detáj] *n.* -s, -s. ¶ ~한 (하게) einzeln; detailliert [detají:rt]; 《상세》 ausführlich; genau.
‖ ~서 Spezifikation *f.* -en; Einzelaufzäh-

lung *f.* -en.
명소(名所) Sehenswürdigkeit *f.* -en; ein berühmter Ort, -(e)s, -e; ein berühmter Platz, -es, ⸚e. ¶ ~ 구경을 하다 Sehenswürdigkeiten besichtigen / 소요산은 단풍의 ~다 (Der Berg) *Soyo* ist ein berühmter Platz der herbstlichen Ahornbäume.
명수(名手) Meisterhand *f.*; (Kunst)meister *m.* -s, -; der vollendete Künstler, -s, -; Könner *m.* -s, -; Virtuose *m.* -n, -n (음악 등의). ¶ 수영의 ~ der hervorragende Schwimmer, -s, -.
명수(命數) Lebensdauer *f.*; die Länge des Lebens; Schicksal *n.* -s, -e (운명). ¶ 그는 ~가 다했다 S-e Stunde hat geschlagen.
명승(名勝) ein landschaftlich schöner Ort, -(e)s, -e.
명승(名僧) ein großer Priester, -s, -; Meister-Mönch *m.* -(e)s, -e.
명시(明示) die klare 〔deutliche〕 Darstellung, -en 〔Schilderung, -en〕; Veranschaulichung *f.* -en. ~하다 klar 〔deutlich〕 dar|stellen[4] 〔schildern[4]〕; veranschaulichen[4].
명시(明視) klare Vision, -en; klare Wahrnehmung, -en. ~하다 klar sehen*; klarsehend (sein). ‖ ~거리 die Distanz 《-en》 der Sichtbarkeit.
명실(名實) Name u. Wesen; Ruf u. wirkliches Können; *nomen et omen* 《라틴》. ¶ ~ 공히 sowohl was den Namen als auch was das Wesen betrifft; in Wort u. Tat; ebenso dem Ruf als auch dem wirklichen Können nach / ~ 상부하다 Benennung u. Bedeutung decken sich; der Name besagt wohl schon; Name u. Wesen entsprechen einander.
명심하다(銘心—) [3]sich ein|prägen[4]; fest im Gedächtnis behalten*[4]; ins Gedächtnis ein|schreiben*[4] 〔prägen[4]〕; tief in die Seele eindringen lassen*[4].
명아주 〖식물〗 Gänsefuß *m.* -es, ⸚e.
명안(名案) Prachtidee *f.* -n; der glückliche 〔ausgezeichnete; famose; prächtige; vorzügliche〕 Gedanke, -ns, -n. ¶ ~이 있다 Da habe ich e-n herrlichen 〔famosen〕 Plan.
명암(明暗) Licht u. Dunkel *n.* -s 〔Schatten *m.* -s〕; Helldunkel *n.* -s; Nuance [nyã:sə] *f.* -n; Schattierung *f.* -en; Abschattung (농담(濃淡)).
‖ ~등(燈) Blinkfeuer *n.* -s, - (등대).
명야(明夜) morgen abend 〔nacht〕.
명약관화하다(明若觀火—) sonnenklar sein; am Tage liegen*; [4]*et.* mit Händen greifen können*; über jeden Zweifel erhaben sein.
명언(名言) die trefflichen Worte 《*pl.*》; die schlagende Bemerkung, -en. ¶ 천고의 ~ die ewig gültigen 〔unsterblichen〕 Worte / 그건 ~이다 Das ist trefflich bemerkt! | Ausgezeichnete Bemerkung!
‖ ~집 Lesefrüchte 《*pl.*》; Blumenlese *f.* -n; Analekten 《*pl.*》; die Auswahl trefflicher Worte.
명언하다(明言—) ausdrücklich erklären[4]; deutlich dar|legen[4]; klar u. deutlich aus|sprechen*[4].
명역(名譯) e-e meisterhafte 〔gute; gelungene〕 Übersetzung, -en.
명연(名演) schöne Aufführung, -en; ausgezeichnete Wiedergabe, -en.
명예(名譽) Ehre *f.* -n; Ruhm *m.* -(e)s; Glorie *f.* -n; ein guter Name, -ns, -n; ein guter Ruf, -(e)s. ¶ 나의 ~를 걸고 bei m-r Ehre / ~를 중히 여기다 auf [4]Ehre halten*; auf s-e Ehre bedacht sein / ~를 더럽히다 *jn.* um s-e Ehre bringen*; [4]Schande machen[3] / ~의 전사를 하다 auf dem Feld der [2]Ehre fallen* ⓢ; für das Vaterland fallen* (조국을 위해).
‖ ~교수 ein emeritierter Professor, -s, -en. ~박사 Ehrendoktor *m.* -s, -en. ~시민 Ehrenbürger *m.* -s, -. ~심(心) Ehrbegierde *f.* -n 〔-geiz *m.* -es〕; Geltungsbedürfnis *n.* ..sses, ..sse. ~직(職) Ehrenamt *n.* -(e)s, ⸚er. ~회복 Rehabilitation *f.* -en. ~회장 〔회원〕 Ehren¦präsident *m.* -en, -en 〔-mitglied *n.* -(e)s, -er〕. ~훼손 Ehrverletzung *f.* -en; Verleumdung *f.* -en.
명왕성(冥王星) 〖천문〗 Pluto *m.* -.
명우(名優) ein großer 〔hervorragender〕 Schauspieler, -s, -.
명월(明月) 《밝은 달》 der helle 〔silberne〕 Mond, -(e)s, -e; 《만월》 Vollmond *m.* -(e)s, -e; der volle Mond. ¶ 중추(의) ~ Herbstvollmond.
명유(名儒) bekannter Konfuzianist, -en, -en; berühmter Gelehrte*, -n, -n.
명의(名儀) (*js.*) Name(n) *m.* ..mens, ..men. ¶ ~상의 nominell; nominal; nur dem Namen nach; Namen-Schein-Soll; Nenn- / …의 ~로 im Namen[2]; namens / ~상의 사원 der nominelle Teilnehmer, -s, - 〔Teilhaber, -s, -〕.
‖ ~변경 die Umschreibung 《-en》 auf e-n anderen Namen. ~소득 das nominelle 〔nominale〕 Einkommen, -s, -. ~인(人) der nominelle 〔nominale〕 Vertreter, -s, -.
명의(名醫) bekannter Arzt, -es, ⸚e.
명인(名人) (Kunst)meister *m.* -s, -; der vollendete Künstler, -s, -; Könner *m.* -s, -; Meisterhand *f.* (명수); Virtuose *m.* -n, -n (음악 등의). ¶ 장기의 ~ Schachmeister.
명일(名日) Festtag *m.* -(e)s, -e; Nationalfeiertag *m.* -(e)s, -e.
명일(明日) =내일(來日).
명일(命日) Jahrestag 《*m.* -(e)s, -e》 e-s Gestorbenen.
명자(名字) ① 《이름자》 die Schrift 《-en》 von *js.* Namen. ② 《평판》 Name *m.* -ns, -n; Ruhm *m.* -(e)s.
명작(名作) Meister¦stück *n.* -(e)s, -e 〔-werk *n.* -(e)s, -e; -arbeit *f.* -en〕. ¶ 피카소 ~전(展) die Ausstellung der Meisterwerke von Picasso / 세계 문학 ~선(選) e-e Sammlung Meisterstücke (aus) der Weltliteratur.
명장(名匠) Meister(hand) *m.* -s, - 〔*f.* ⸚e〕; geschickter Arbeiter, -s, -.
명장(名將) ein hervorragender Feldherr, -n, -en (탁월한); ein berühmter General, -(e)s, ⸚e (유명한).
명재상(名宰相) tüchtiger Kanzler, -s, -.
명저(名著) das ausgezeichnete 〔vorzügliche〕 Werk, -(e)s, -e 〔Buch, -(e)s, ⸚er〕; Meister¦stück 〔Glanz-〕 *n.* -(e)s, -e; Meisterwerk *n.* -(e)s, -e.
명절(名節) 《날》 Festtag *m.* -(e)s, -e; große Ferien 《*pl.*》; Freuden¦tag 〔Glücks-〕 *m.* -(e)s, -e. ¶ 그래서 거리에는 ~ 기분이다 Die Stadt ist aus diesem Anlaß in Feststimmung.
명정(酩酊) (Be)trunkenheit *f.* -en; Besoffenheit *f.* -en. ~하다 [4]sich betrinken*; [4]sich

besaufen*; ⁴sich beschwipsen. ☞ 취하다.
명정(銘旌) die Fahne 《-n》 mit dem Namen des Verstorbenen; Trauerfahne *f.* -n.
명제(命題) (Lehr)satz *m.* -es, ⸗e; Behauptung *f.* -en.
명조(明朝) ① 〖역사〗 *Ming*-Dynastie *f.* -n. ② 《활자》 die *Ming*-artige Druckertype, -n.
명조(冥助) die Hilfe 《-n》 des Unsichtbaren; der göttliche Schutz, -es; Gotteshilfe *f.* -n.
명주(明紬) Seide *f.* -n.
‖ ~실 Seiden|faden *m.* -s, ⸗ 〔-garn *n.* -(e)s, -e〕.
명주(銘酒) ein *Sul* 《*m.* -s, -s》 (=Reiswein) von berühmter ³Marke (유명한); ein *Sul* von guter ³Qualität (양질의).
명줄 ein steifer Strick 《-(e)s, -e》, der an dem Pflug gebraucht wird.
명중(命中) das Treffen*, -s. ~하다 treffen*⁴; das Ziel 〔das Richtige; den rechten Fleck; ins Schwarze〕 treffen*. ¶ ~수(數) Trefferzahl *f.* -en / ~(율)이 확실한 treffsicher.
‖ ~탄 Treffer *m.* -s, -; Treffschuß *m.* ..schusses, ..schüsse.
명질 ☞ 명일(名日).
명징(明澄) Klarheit *f.* -en; Durchsichtigkeit *f.* -en. ~하다 klar; durchsichtig (sein).
명찰(名札) Namensplatte *f.* -n; Namensschild *n.* -(e)s, -er.
명찰(明察) Einsicht *f.* -en; 《명민》 Scharfsinn *m.* -(e)s.
명창(名唱) 《노래》 ein berühmtes Lied, -(e)s, -er; 《사람》 der bekannte 〔ausgezeichnete〕 Sänger, -s, -.
명철(明哲) Weisheit *f.* -en. ~하다 weis; scharfsinnig; klug (sein).
명추(明秋) nächster Herbst, -es -e.
명춘(明春) nächster Frühling, -s, -e.
명충(螟虫) =마디충.
명치 Herz|grube 〔Magen-〕 *f.* -n.
명칭(名稱) Name(n) *m.* ..mens, ..men; Bezeichnung *f.* -en; Benennung *f.* -en; Titel *m.* -s, - (칭호, 표제). ¶ ~을 붙이다 e-n Namen geben*³ / ~을 변경하다 den Namen ändern; e-n anderen Namen geben*³.
명콤비(名—) treffliches Paar, -(e)s, -e. ¶ ~를 이루다 ein treffliches Paar machen.
명쾌(明快) ¶ ~한 〔하게〕 klar; (klar u.) deutlich; klipp u. klar; einleuchtend; handgreiflich; überzeugend (설득적) / ~한 답변 e-e unmißverständliche Antwort, -en.
명태(明太) 〖어류〗 Alaskapollack *m.* -s, -e.
명토(名—) Anzeige *f.* -n; Angabe *f.* -n; Andeutung *f.* -en; Merkmal *n.* ¶ ~박다 an|deuten; an|geben*; an|zeigen.
명필(名筆) e-e gute 〔schöne〕 Handschrift, -en; 《사람》 ein vorzüglicher Kalligraph, -en, -en 〔Schreibkünstler, -s, -〕. ¶ 그는 상당한 ~이다 Er hat e-e sehr schöne Handschrift.|Er kann sehr schön schreiben.
명하다(命—) ① 《명령》 befehlen*³⁴; e-n Befehl geben* 〔erteilen〕. ☞ 명령. ¶ 양심의 명하는 바에 따르다 der ³Stimme des Gewissens folgen ⓢ. ② 《임명》 ernennen*⁴ 《*zu*³》. ☞ 임명.
명함(名銜) Karte *f.* -n; Besuchs|karte 〔Namens-; Visit(en)-〕. ¶ ~을 내놓다 s-e Karte ab|geben* 《bei *jm.*》.
‖ ~판(判) 〖사진〗 Visit(en)kartenformat *n.* -(e)s, -e.
명현(名賢) der bekannte Weise, -n, -n.
명화(名花) e-e berühmte Blume, -n; 《사람》 e-e schöne 〔berühmte〕 Buhlerin, -nen.
명화(名畫) Meistergemälde *n.* -s, -; das ausgezeichnete 〔vorzügliche〕 Gemälde, -s, -.
명확(明確) Bestimmtheit *f.* -en; Ausdrücklichkeit *f.* -en; Exaktheit *f.* -en; Genauigkeit *f.* ~하다 bestimmt; ausdrücklich; exakt; fest umrissen; genau; präzis; unzweideutig (sein).
명후일(明後日) =모레.
몇 wie; wieviel; wie viele. ¶ 몇 개 wieviele (Stück) / 몇 개월 wieviele Monate / 몇 살 wie alt / 몇 시간 wieviel Stunden; wie lange / 몇 시에 um wieviel Uhr; um welche Zeit; wann / 몇 해 wie viele Jahre / 죽은 사람은 몇 명이나 되나 Wie viele Menschen sind ums Leben gekommen?
몇몇 einige(s); etliche(s). ¶ ~ 사람 einige Personen 《*pl.*》 / 그 중에서 낙제한 자도 ~ 있다 Von ihnen fielen einige durch.|Einige von ihnen sind durchgefallen. / 우리들 중에서 ~은 걸어서 갔다 Einige von uns sind zu Fuß gegangen. / 그들의 ~은 이성을 잃고 있었다 Einige von ihnen haben die Vernunft verloren.
몇번 wie oft; wievielmal; wie viele Male. ¶ ~이고 oft; einmal über das andere; häufig; wiederholt; immer wieder; zu wiederholten Malen.
모¹ 《벼의》 die junge Reispflanze, -n; 《모종》 Pflänzling *m.* -s, -e. ☞ 모내다¹.
모² ① 《네모》 Viereck *n.* -(e)s, -e; 《모서리》 Ecke *f.* -n; Winkel *m.* -s, -. ¶ 모가 나다 ☞ 모나다. ② ☞ 모퉁이.
모³ 《윷》 die 5 Punkte, die man durch Werfen der 4 *Yuch*-Stöcke, so daß sie auf das Gesicht fallen, gewonnen hat.
모⁴ 《두부 따위의》 ein Stück (Bohnenstich, -(e)s).
모(母) =어머니, 어미.
모(某) 《어떤》 ein*; ein gewisser* 〔irgendein〕 Herr, -n (모씨); Herr Soundso 〔X〕 (모씨); der u. der* 〔die u. die*〕 (아무개). ¶ 김모 ein gewisser *Kim* / 모시(市) die Stadt X / 모처 ein gewisser Ort, -(e)s / 모처에 irgendwo; an e-m gewissen Ort / 5월 모일 der soundsovielte* Mai / 어제 김모라는 사람이 우리 집에 왔다 Gestern kam ein gewisser *Kim* zu uns.
모가디시오 《소말리아의 수도》 Mogadiscio.
모가비 Haupt *n.* -(e)s, ⸗er; Chef [ʃɛf] *m.* -s, -s; Boß *m.* ..sses, ..sse.
모가지 ☞ 목. ¶ ~를 자르다 *jn.* enthaupten; *jn.* köpfen; 《면직》 *jn.* entlassen* 《aus dem Amt》; *jn.* ab|setzen / ~ 잘리다 entlassen werden; den Abschied bekommen* (군대); an die Luft gesetzt werden 《속어》.
모감주 〖식물〗 e-e Art von Seifenbeere.
모개 ¶ ~로 alles zusammen; in Bausch u. Bogen / ~로 사다 alles zusammen kaufen / ~로 얼마죠 Was kostet alles zusammen?
‖ ~흥정 Groß|handel 〔Engros-〕 *m.* -s, ⸗.
모걸음질 die Fortwanderung 《-en》 mit den Knickenbeinen.
모경(暮景) Abendlandschaft *f.* -en; Abenddämmerung *f.* -en.
모경(暮境) das hohe Alter, -s, -; Lebensabend *m.* -s, -e; Lebensneige *f.* -n.
모계(母系) die mütterliche Linie, -n. ¶ ~의 in weiblicher Linie; von mütterlicher Seite; mütterlicherseits; von der Mutter her. ‖ ~친척 die Verwandten 《*pl.*》 von mütterlicher Seite.

모계(謀計) Anschlag *m.* -(e)s, ⸗e; Verschwörung *f.* -en; Intrige *f.* -n; die Ränke 《*pl.*》; geheime Kniffe 《*pl.*》; Trick *m.* -s, -e 〔-s〕. ¶ ~를 꾸미다 e-e Verschwörung an|zetteln; e-n Anschlag machen 《auf *jn.*; gegen *jn.*》; Ränke schmieden 〔spinnen*〕; intrigieren / 암살 ~를 꾸미다 e-n Anschlag auf *js.* Leben machen.

모골(毛骨) Haar und Knochen. ¶ ~이 송연해지는 haarsträubend; entsetzlich; fürchterlich; schauerlich / ~이 송연해지는 이야기 Schauer¦geschichte 〔Gruel-〕 *f.* -n / ~이 송연해지다 Das Haar sträubt sich.

모공(毛孔) Pore *f.* -n; kleine Öffnungen 《*pl.*》.

모과 〖식물〗 die japanische Quitte, -n; Quittenbaum *m.* -(e)s, ⸗e.

모관(毛管) Kapillare *f.* -n. ☞ 모세관.

모교(母校) *js.* Alma mater *f.* - - (대학); *js.* Schule *f.* -n.

모국(母國) Heimat¦land 〔Mutter-; Vater-〕 *n.* -(e)s, ⸗er.

‖ ~관광단 die Reisegesellschaft nach dem Heimatland. ~어 Muttersprache *f.* -n.

모국(某國) ein gewisses Land, -(e)s, ⸗er.

모군(募軍) ① =모병. ② 《공사판의》 (Aufbau-) arbeiter *m.* -s, -; Erdarbeiter *m.* -s, -; Tagelöhner *m.* -s, -; Kuli *m.* -s, -s. ¶ ~서다 ein Erdarbeiter werden; als ein Kuli arbeiten. ‖ ~삯 Tagelohn *m.* -(e)s, ⸗e. ~일 Aufbauarbeit *f.* -en.

모권(母權) die mütterliche Autorität; die mütterlichen Rechte 《*pl.*》. ¶ ~을 신장하다 die mütterliche Autorität steigern.

‖ ~사회 die mütterliche Gesellschaft, -en. ~시대 der mütterliche Stand, -(e)s, ⸗e. ~제 Matriarchat *n.* -(e)s, -e.

모근(毛根) Haarwurzel *f.* -n.

모금 Zug *m.* -(e)s, ⸗e; Schluck *m.* -(e)s, ⸗e 〔-e〕; Mundvoll *m.* ¶ 한 ~에 auf e-n Zug; auf einmal / 물 한 ~ ein Schluck von Wasser / 술은 한 ~도 안 마신다 Er ist Abstinenzler.¦Er trinkt k-n Wein.

모금(募金) Geldsammlung *f.* -en. ~하다 es wird gesammelt; Geld auf|treiben* 〔auf|bringen*〕.

‖ ~함 Sammelbüchse *f.* -n.

모기 〖곤충〗 Moskito *m.* -s, -; Schnake *f.* -n; (Stech)mücke *f.* -n. ¶ ~에 물리다 von e-m Moskito *usw.* gestochen werden.

‖ ~장 Moskitonetz *n.* -es, -e: ~장을 치다 〔걷다〕 ein Moskitonetz auf|spannen 〔ab|nehmen*〕. 모깃불 Ausräucherung *f.* -en.

모기둥 quadratischer Pfeiler, -s, -.

모기방동사니 〖식물〗 Binse *f.* -n; Schilfgras *n.* -es, ⸗er.

모꼬지 Versammlung *f.* -en; Zusammenkunft *f.* ⸗e; Partie *f.* ..tien. ~하다 [4]sich versammeln.

모끼 e-e Art Hobel um Ecken abzurunden.

‖ ~연(椽) 〖건축〗 Dachsparren *m.* -s, -.

모나다 ① 《물건이》 eckig 〔kantig〕 sein. ¶ 모나게 깍다 [4]*et.* gut eckig machen; [4]*et.* scharfkantig machen.

② 《성질·태도가》 eckig 〔unfreundlich; rauh; scharf; schroff〕 sein; barsch 〔beißend; ungeschliffen; ungehobelt〕 sein. ¶ 모나지 않은 사람 ein gewandter Mensch, -en, -en; ein Mann 《-(e)s, ⸗er》 von guten Manieren; e-e milde Person, -en; ein nachsichtiger Mensch / 말에 모가 나다 es klingt unfreundlich 〔hart; rauh〕.

모나코 《나라 이름》 Monaco 〔Monako〕 [..ko] *n.* -s (시(市)도 같음). ¶ ~의 monegassisch.

‖ ~대공국 Fürstentum 《*n.* -(e)s》 M. ~사람 Monegasse *m.* -n, -n; Monegassin *f.* -nen.

모내기 das Reispflanzen*, -s. ~하다 Reis pflanzen.

‖ ~노래 das Lied 《-(e)s, -er》 der Reispflanzer. ~철 die Zeit 《-en》 zum Reispflanzen 〔des Reispflanzens〕.

모내다[1] 〖농업〗 Reis verpflanzen 〔pikieren〕.

모내다[2] rechtwinklig machen[4]; eckig machen[4]. ¶ 기둥을 ~ den Pfeiler eckig machen.

모녀(母女) Mutter u. Tochter. ¶ ~간 zwischen Mutter u. Tochter.

모년(某年) ein gewisses Jahr, -(e)s.

모년(暮年) =모경(暮境).

모노레일 Einschienenbahn *f.* -en; Alwegbahn.

모노마니아 Monomanie *f.* -n [..ní:ən]; fixe Idee, -n [..dé:ən]; Zwangsvorstellung *f.* -en.

모노섹스 Unisex *m.* -es.

모노크롬 monochrom; 《단색화(單色畫)》 einfarbiges Gemälde, -s, -.

모놀로그 Monolog *m.* -s, -e; Selbstgespräch *n.* -(e)s, -e

모니터 Monitor *m.* -s, -en; Überwacher 《*m.* -s, -》 der Auslandssendungen 《*pl.*》; Überwachungsgerät *n.* -(e)s, -e (장치); Abhörer *m.* -s, - (라디오나 텔레비전의).

모닝 ‖ ~드레스 Morgenrock *m.* -(e)s, ..röcke. ~코트 Cut(away) [kœ́təvə, kát..] *m.* -(e)s, -s; Schwalbenschwanz *m.* -es, ⸗e.

모다 ☞ 모으다.

모다기- auf einmal; mit e-m Male. ¶ 모다기령(令) e-e Flut von Befehlen; Befehle von links u. rechts.

모닥불 Freuden¦feuer *n.* -s, - 〔Reisig-, Kartoffel- *usw.*〕; Feuer *n.* -s, -. ¶ ~을 피우다 Feuer (an|)machen 〔an|zünden〕.

모당(母堂) =대부인(大夫人).

모더니스트 Modernist *m.* -en, -en.

모더니즘 Modernismus *m.* -.

모던 modern. ‖ ~걸 〔보이〕 ein modernes Mädchen, -s, - 〔moderner Junge, -n, -n〕.

모데라토 〖음악〗 *moderato.*

모델 Modell *n.* -s, -e; Muster *n.* -s, -; Vorbild *n.* -(e)s, -er (비유); Akt *m.* -(e)s, -e (누드); Vorführdame *f.* -n (패션 모델). ¶ ~이 되다 *jm.* Modell 〔Akt〕 stehen* 《*zu*[3] 보기: zu e-m Standbild 입상(立像)의》; *jm.* als Modell zu s-m Roman 〔für die Hauptperson s-s Romans〕 dienen (소설의) / ~을 보고 그리다 nach e-m Modell malen[4].

‖ ~소설 Schlüsselroman *m.* -(e)s, -e.

모도록 dick; dicht; fest; gedrängt. ~하다 dick; dicht (sein).

모도리 willenstarker u. strenger Mensch, -en, -en.

모독(冒瀆) Entweihung *f.* -en; Entheiligung *f.* -en; Blasphemie *f.* -n [..mí:ən]; (Gottes-) lästerung *f.* -en; 《신성의》 Kirchenraub *m.* -(e)s, -e; Heiligtumsschändung *f.* -en. ~하다 entweihen[4]; lästern[4]; schänden[4]; in den Schmutz zerren[4]. ¶ 적절하지 못한 행동으로 신성한 장소를 ~하다 eine heilige Stätte durch unpassendes Benehmen entweihen.

모두 alles*; alle* 《*pl.*》; jeder (각자): sämtlich; (alles) zusammen; alles zusammengerechnet 〔zusammengenommen〕; ganz; insgesamt; samt u. sonders; ausnahmslos; ohne Ausnahme; ausschließlich; durchaus; durch u. durch; durchweg; ganz u. gar; gänzlich; rein(e)weg; total; völlig; vollkommen; vollständig; mit Mann^{3} u. Maus^{3} (전원); alles in allem; von Anfang bis zu Ende; durchgehend(s). ¶ ~ 얼마입니까 Was (Wieviel) macht das (alles) zusammen? / ~ 같이 갑시다 Wir wollen alle zusammen gehen. / ~ 안녕히 주무십시오 Gute Nacht allerseits! / ~ 다 오셨읍니까 Sind Sie alle schon gekommen? / 그것은 ~ 내 탓이다 Das ist einzig u. allein m-e Schuld. / 다섯 명 ~ 돌아왔다 Die fünf Menschen waren alle wieder da. / 위원들은 ~ 의안에 반대였다 Die Ausschußmitglieder waren bis auf den letzten Mann gegen den Antrag. / 번쩍인다고 ~ 금은 아니다 Es ist nicht alles Gold, was glänzt. / 현인(賢人)이라고 ~ 위대한 것은 아니다 Nicht alle Weisen sind groß.

모두(冒頭) Anfang *m.* -(e)s, ⸗e; Eingang *m.* -(e)s, ⸗e; Kopf *m.* -(e)s, ⸗e (편지의 처음 부분·신문의 표제 따위).
‖ ~언 die Eingangsworte《*pl.*》. ~진술 Eingangsaussage *f.* -n.

모두거리 mit beiden Füßen gleichzeitig stolpern [s,h].

모두뜀 mit beiden Füßen gleichzeitig hüpfen [s].

모두머리 Haarkrone *f.* -n.

모드 Mode *f.* -n. ¶ ~ 잡지 Modejournal [..ʒur..] *n.* -s, -e.

모드라기풀 〖식물〗 =끈끈이주걱.

모드레짚다 im Kriechstoß schwimmen* [h,s]; im Wasser kriechen* [s,h].

모든 all; ganz; gänzlich; (ins)gesamt; restlos; völlig; vollständig. ¶ ~ 사람 alle (Leute); jeder Mann, -(e)s / ~ 것(일) alles / ~ 종류의 채소 Gemüse《*n.* -s》 aller Art(en) / ~ 방향으로 in alle Richtungen《*pl.*》/ ~ 경우에 auf alle Fälle《*pl.*》; auf jeden Fall / ~ 점으로 보아 in jeder Hinsicht / ~ 시작은 어렵다 Aller Anfang ist schwer. / 나는 ~ 일을 혼자 해야 한다 Ich muß alle Arbeit allein tun. / 애인에게 ~ 것을 바치다 ^{4}sich gänzlich ihrem (s-r) Geliebten hin|geben*.

모들뜨기 schielende Person, -en; schieläugige Person. ‖ ~눈 Schielaugen《*pl.*》; Einwärtsschielen *n.* -s.

모들뜨다 Schielaugen《*pl.*》 haben. ¶ 눈을 ~ schielen.

모뜨다(模—) 《모방》 nach|ahmen^{4} (-|bilden^{4}); nach|äffen^{4}. ¶ 남의 행동을 (말투를) ~ *js.* Benehmen (Sprechweise) nachahmen.

모라토륨 Moratorium *n.* -s, ..rien; Zahlungsaufschub *m.* -(e)s, ⸗e.

모락모락 dampfend. ¶ 음식에서 김이 ~ 나고 있었다 Das Essen wurde dampfend heiß serviert. / 안개가 ~ 피어오르다 die Nebel dampfen / 물에서 김이 ~ 오르다 das Wasser dampft.

모란(牡丹) Päonie *f.* -n; Pfingstrose *f.* -n.
‖ ~밭 Päoniengarten *m.* -s, ⸗.

모란채(牡丹菜) Sprossen|kohl (Rosen-) *m.* -(e)s, -e; Grünkohl *m.* -(e)s, -e.

모랄 Moral *f.* -en.
‖ ~리스트 Moralist *m.* -en, -en.

모래 Sand(stein) *m.* -(e)s, -e. ¶ ~가 많은 sandig / 바닷가의 ~알처럼 무수한 zahlreich wie der Sand am Meer / 바닥에 ~를 깔다 (뿌리다) den Fußboden mit Sand bestreuen / ~로 닦다 (문지르다) mit Sand reiben / ~ 위에 집을 짓다 auf Sand bauen / 무엇을 ~ 위에 적어 놓다 *jm.* Sand in die Augen streuen / 한줌의 ~ e-e Handvoll Sand.
‖ ~길 Sandweg *m.* -(e)s, -e. ~땅 Sandboden *m.* -s, -(⸗). ~무더기 Sanddüne *f.* -n. ~밭 Sandfeld *n.* -(e)s, -er. ~벌판 Sandebene *f.* -n. ~사장(沙場) ① =모래벌판. ② =모래톱. ~시계 Sanduhr *f.* -en. ~알 Sandkorn *n.* -(e)s, ⸗er. ~언덕 Düne *f.* -n. ~주머니 Sandsack *m.* -(e)s, ⸗e. ~찜 Sandbad *n.* -(e)s, ⸗er. ~톱 Sandstrand *m.* -(e)s, -e; Sandküste *f.* -n. ~펄 die mit Sand bedeckte Marsch, -en. ~흙 sandige Erde, -n.

모래강변(—江邊) 《물가》 Sandufer *n.* -s, -; Sandstrand *m.* -(e)s, -e.

모래무지 〖어류〗 (Meer)gründel *f.* -n; Gründling *m.* -s, -e; Kaulkopf *m.* -(e)s, ⸗e.

모래지치 〖식물〗 Phlox *f.* -e; Flammenblume *f.* -n.

모래집 〖해부〗 Amnion *n.* -s.
‖ ~물 Amnionwasser *n.* -s; Fruchtwasser.

모략(謀略) List *f.* -en; Intrige *f.* -n; Komplott *n.* -(e)s, -e; Machenschaften《*pl.*》; Ränke《*pl.*》. ¶ ~을 잘 쓰다 voller List u. Ränke sein / ~을 쓰다 Kniffe u. Ränke (Pfiffe) an|wenden*. ☞ 계략.
‖ ~선전 strategische Propaganda.

모레 übermorgen.
‖ ~아침 (저녁) übermorgen früh (abend).

모로 ① 《비껴서》 diagonal. ¶ ~ 자르다 diagonal schneiden*. ② 《옆으로》 quer; seitwärts. ¶ ~ 걷다 seitwärts gehen* [s] / ~ 드러눕다 ^{4}sich auf die Seite legen / ~ 가도 서울만 가면 된다《속담》 Der Zweck heiligt die Mittel.

모로코 《나라 이름》 Marokko *n.* -s. ¶ ~의 marokkanisch. ‖ ~가죽 Marokkoleder *n.* -s, -. ~사람 Marokkaner *m.* -s, -.

모롱이 Biegung *f.* -en (Kurve *f.* -n) (der Bergstraße).

모루 Amboß *m.* ..bosses, ..bosse.
‖ ~채 Hammer *m.* -s, ⸗.

모르다 ① 《알지 못함》 nicht wissen* (kennen*^{4}); k-e Ahnung haben 《*von*^{3}》; ahnungslos; unwissend; unbekannt; fremd; nie begegnet (gehört; gesehen); unkundig (sein). ¶ 모르는 곳 fremder Ort *m.* (*n.*) -(e)s, -e / 모르는 사람 der (die(여자)) Fremde*, -n, -n / 모르고 unwissend; unwissentlich; unwillentlich; unbeabsichtigt / 모르는 사이에 ehe man es weiß (merkt) / 글을 ~ Analphabet《*m.* -en, -en》 sein / 어찌해야 좋을지 모르겠다 Ich weiß nicht, was ich tun soll. / 그곳 지리를 ~ ^{4}sich in der Gegend nicht zurecht|finden* / 집안 구조를 ~ ^{4}sich in der Wohnung nicht aus|kennen* / 그런 거 몰라 Wer weiß? ¦ Gott weiß! / 죽은 사람의 신원은 아직 모른다 Der Tote ist noch nicht identifiziert. / 사리를 모르는 사람 Holzkopf *m.* -(e)s, ⸗e; der bornierte Mensch, -en, -en / 자넨 모를 걸 Du machst dir kein Bild. ¦ Hast du es kapiert? (비꼬아서) / 그는 유머를 전연 모른다 Für Humor hat er k-n Sinn. ¦ Der Sinn für Humor fehlt ihm völlig. / 모르는 게 약이다 Was man (ich) nicht weiß, macht e-n (mich) nicht heiß. / 한두 번이라면 모르지만 《용서할 수 있지만》 Ein- oder zweimal wäre noch verzeihlich. / 쥐도 새도 모르게 im ge-

heimen; insgeheim; heimlich; versteckt.
② 《이해 못함》 nicht verstehen*⁴. ¶ 듣긴 들었으나 뭔지 모르겠다 Ich habe es gehört, aber nicht verstanden. / 나는 너를 모르겠다 Ich verstehe dich nicht! / 이 말〔문장〕을 모르겠다 Dieses Wort 〔Diesen Satz〕 verstehe ich nicht. / 좀더 크게 말해라, 한 마디도 모르겠다 Sprich lauter, ich verstehe kein Wort!
③ 《인식 못함》 nicht schätzen; nicht zu schätzen wissen*; nicht an|erkennen*⁴. ¶ 어른을 ~ ältere Leute nicht schätzen|lernen / 돈을 ~ gegen Geld gleichgültig sein.
④ 《깨닫지 못함》 ⁴sich e-r ²Sache nicht bewußt sein; ⁴sich nicht im klaren sein 《über⁴》; erkennen*. ¶ 너는 네 잘못을 모르는 모양이다 Dir ist anscheinend gar nicht deines Fehlers 〔Irrtums〕 bewußt!
⑤ 《무감각》 unempfindlich 《*fur*⁴》 〔bewußtlos; gleichgültig〕 sein. ¶ 은혜를 모르는 undankbar / 추위를 ~ unempfindlich gegen Kälte sein/부끄럼을 ~ unverschämt sein.
⑥ 《무경험》 keine Erfahrung haben; unerfahren; unbewandert 《*in*³; *auf*³》; unwissend; unkundig (sein). ¶ 여자를 ~ keine Erfahrung mit Mädchen haben / 그는 그것을 아직 모른다 Er ist darin noch unerfahren. / 그 분야에 대해서 ~ auf 〔in〕 dem Gebiet unbewandert sein.
⑦ 《무관계·냉담》 nichts zu tun haben 《*mit*³》. ¶ 그런건 난 모른다 Damit habe ich nichts zu tun.¦Das geht mich nichts an.

모르면모르되 wenn ich richtig verstanden habe; m-r Ansicht nach; wenn ich richtig vermute. ¶ ~ 50은 넘었을게다 M-r Ansicht nach muß er über 50 Jahre alt sein.

모르모트 《기니아픽》 Meerschweinchen *n.* -s, -; 《마못》 Murmeltier *n.* -(e)s, -e. ¶ 사람을 ~로 하다《시험대》 *jn.* als Versuchskaninchen benutzen.

모르몬교(一教) Mormonentum *n.* -(e)s.
‖ ~도 Mormone *m.* -n, -n.

모르쇠 《불가지론》 Agnostiker *m.* -s, -; 《벙어리 노릇》 das Dummspielen, -s. ¶ ~잡다 dumm spielen; angeben* ⁴*et.* nicht zu wissen; Unwissenheit vorspiegeln.

모르스 ‖ ~부호 Morse¦abece *n.* -, - 〔-alphabet *n.* -(e)s, -e〕. ~신호기 Morseapparat *m.* -(e)s, -e; Morseempfänger *m.* -s, - (수신기). ~코드 Morseschrift *f.* -en.

모르타르 Mörtel *m.* -s, -. ¶ ~를 바르다 〔칠하다〕 mörteln⁴; mit Mörtel bewerfen*⁴.

모르핀 Morphium *n.* -s.
‖ ~중독 Morphinismus *m.* -: ~ 중독자 Morphinist *m.* -en, -en; der Morphiumsüchtige*, -n, -n.

모른체하다 ① ⁴sich gleichgültig stellen 《*gegen*⁴》; Gleichgültigkeit vor|täuschen; ³sich nichts anmerken lassen*. ② 《못본체함》 nicht kennen 〔schon〕 wollen*⁴; nicht beachten⁴; unbeachtet lassen*; ignorieren⁴; schneiden* 《*jn.*》; übergehen*⁴; vorbei|sehen* 《*an*³》; (hin)weg|sehen 《*über*⁴》. ¶ 그는 나를 모른 체했다 Ich war Luft für ihn.¦Er tat, als ob ich nicht da wäre 〔als ob er mich nicht sähe〕.

모름지기 auf jeden Fall; um jeden Preis; unter allen Umständen. ¶ ~ 도리를 지켜야 한다 Man muß jedenfalls Vernunft annehmen.

모름하다 《생선이》 etwas faul; von zweifelhafter Genießbarkeit (sein).

모리(謀利) Kriegswucher *m.* -s; Wuchergeschäfte 《*pl.*》. ~하다 Wucher treiben*; e-n unrechten 〔ungebührlichen〕 Gewinn machen. ¶ ~를 단속하다 Maßnahmen gegen den Wucherer treffen*.
‖ ~간상배 Schieber *m.* -s, -. 전쟁 ~배 Kriegswucherer *m.* -s, -; Kriegsgewinnler *m.* -s, -.

모리시어스 《아프리카의 자치국》 Mauritius.

모리타니 Mauretanien *n.* -s; Islamische Republik M. ¶ ~의 mauretanisch.
‖ ~사람 Mauretanier *m.* -s, -.

모말 《되는》 ein koreanisches kastenähnliches Hohlmaß, -es, -e.

모면(謀免) Umgehung *f.*; Ausflucht *f.*; das Ausweichen*, -s; das Entrinnen*, -s. ~하다 geschickt umgehen*; aus|weichen; ⁴sich entziehen*³; entschlüpfen; entgehen*³. ¶ ~할 수 없는 unvermeidlich; nicht zu umgehen(d) / 위험을 ~하다 e-r Gefahr aus|weichen* / 충돌을 ~하다 e-m Schlag 〔Stoß〕 aus|weichen / 책임〔형벌〕을 ~하다 ⁴sich der ³Verantwortung 〔Strafe〕 entziehen*.

모멸(侮蔑) Beleidigung *f.* -en; 《경멸》 Verachtung *f.* -en; Geringschätzung *f.* -en; 《조소》 Spott *m.* -(e)s; Hohn *m.* -(e)s. ~하다 *jn.* beleidigen; *jn.* verschmähen; *jn.* verachten (경멸). ¶ ~을 받다 beleidigt werden; verachtet werden.

모모(某某) =아무아무.
‖ ~인 gewisse Personen 《*pl.*》; Herren 《*pl.*》 Soundso.

모모한(某某一) berühmt; sehr bekannt. ¶ ~ 인사 Zelebrität *f.*; berühmte Persönlichkeit, -en; Berühmtheit *f.* -en.

모물(毛物) Pelzwerk *n.* -(e)s, -e.
‖ ~전 Pelzwerkgeschäft *n.* -(e)s, -e.

모반(母斑) (Mutter)mal *n.* -(e)s, -e 〔⸗er〕.

모반(謀叛) ① 《반역》 Verrat *m.* -es; Verschwörung *f.* -en; Treubruch *m.* -(e)s, ⸗e. ② 《반란》 Empörung *f.* -en; Aufruhr *m.* -(e)s, -e; Aufstand *m.* -(e)s, ⸗e; Putsch *m.* -es, -e. ~하다 ⁴sich empören 《*gegen*⁴》; ⁴sich erheben* 《*gegen*⁴》; aufstehen* 《*gegen*⁴》; revolutieren 《*gegen*⁴》. ¶ ~을 꾀하다 ⁴sich verschwören 《*gegen*⁴; *mit*³》; (hinterlistige) Ränke schmieden 〔an|zetteln〕 《*gegen*⁴》(음모를 꾸미다).
‖ ~자 Verräter *m.* -s, -; Verschwörer *m.* -s, -; Empörer *m.* -s, -; Rebell *m.* -en, -en.

모발(毛髮) Haar *n.* -(e)s, -e 〖집합적 의미일 때, 이를테면 머리카락 전체를 말할 때는 단수〗. ¶ ~이 빠지다 Haare fallen* aus.
‖ ~건조병(病) Xerasia. ~습도계 (Haar-) Feuchtigkeitsmesser *n.* -s, -. ~영양제 Haarwasser *n.* -s. ~탈락 Haarausfall *m.* -(e)s, ⸗e.

모방(模倣) Nachahmung *f.* -en; das Nachmachen*, -s; Nachbildung *f.* -en; Imitation *f.* -en; 《나쁜 의미로》 Nachahmerei *f.* -en; Nachmacherei *f.* -en. ~하다 nach|ahmen³·⁴; 〔-|machen³·⁴; -|bauen⁴; -|bilden⁴〕; kopieren⁴; imitieren⁴. ¶ ~적(인) nachahmend; mimisch; nachgeahmt / 아무의 말투〔행동〕을 ~하다 *js.* Sprechweise 〔Bewegungen〕 nach|ahmen / ~할 만하다 nachahmenswert sein / 그것은 서양 건축의 완전한 ~이다 Das ist e-e vollkommene Nachahmung der europäischen Bauart.
‖ ~광(一狂) Nachahmungssucht *f.* ~본능

Nachahmungstrieb *m.* -(e)s, -e. ~자 Nachahmer *m.* -s, - (-macher *m.* -s, -; -äffer *m.* -s, -); Imitator *m.* -s, ..tatoren. ~의 재능 Nachahmungsgabe *f.*; Nachahmungstalent *n.* -(e)s, -e. ~품 Kopie *f.* -n.

모범(模範) Vorbild *n.* -(e)s, -er; Muster *n.* -s, -; Beispiel *n.* -(e)s, -e (범례). ¶ ~적인 vorbildlich; mustergültig; musterhaft; Muster- / ~을 보이다 *jm.* ein (gutes) Beispiel geben*; *jm.* mit gutem Beispiel voran|gehen*[s] / ~으로 삼다 ^{3}sich ein Beispiel (Muster) nehmen* 《*an*^{3}》; ^{3}sich zum Vorbild nehmen*^{4} / …을 ~으로 하여(서) nach dem Vorbild 《*von*^{3}》 / 그의 태도는 당신들의 ~이 될 수 없다 Sein Betragen soll euch nicht zur Nachahmung dienen.

‖ ~경기 Schaukampf *m.* -(e)s, ⸚e. ~경영 Musterbetrieb *m.* -(e)s, -e. ~공무원 vorbildlicher Beamte, -n, -n. ~농장 Mustergut *n.* -(e)s, ⸚er; Musterwirtschaft *f.* -en. ~생 Musterschüler *m.* -s, -. ~수업 Modellunterricht *m.* -(e)s, -e. ~시설 Musteranstalt *f.* -en (학교 따위).

모병(募兵) (An)werbung *f.* -en; Aushebung *f.* -en; Rekrutierung *f.* -en. ~하다 rekrutieren^{4} (징모하다); (als Rekruten) an|werben^{4} (징모하다); Rekruten (Soldaten) aus|heben* (신병을 모집하다).

‖ ~계 장교 Rekrutierungsoffizier *m.* -s, -e; Werber *m.* -s, -. 「《-n》.

모본단(模本緞) e-e ^{1}Sorte chinesische ^{1}Seide

모붓다 Reis säen.

모사(毛絲) Wollgarn *n.* -(e)s, -e.

모사(模寫) Kopie *f.* -n [..píːən]; Abschrift *f.* -en; Abbild *n.* -(e)s, -er (그림 등을); Imitation *f.* -en (서화). ~하다 kopieren^{4}; ab|schreiben*^{4}; ab|malen^{4}; nach|zeichnen^{4} (그림 등을). ¶ 미켈란젤로의 「다비드」 ~ e-e Kopie von Michelangelos „David".

모사(謀士) Pläneschmied *m.* -(e)s, -e; Projektmacher *m.* -s, -; 《음모가》 Intrigant *m.* -en, -en; Taktiker *m.* -s, -.

모사(謀事) Plan *m.* -(e)s, ⸚e; Entwurf *m.* -(e)s, ⸚e. ~하다 Pläne schmieden (entwerfen*; machen); e-n Plan machen 《*zu*^{3}; *von*^{3}》; planen^{4}; beabsichtigen^{4}; projektieren^{4}. ‖ ~꾼 Pläneschmied *m.* -(e)s, -e.

모사탕(一砂糖) Würfelzucker *m.* -s ※ 복수는 zwei (drei) Stück Würfelzucker.

모살(謀殺) Mord *m.* -(e)s, -e; Ermordung *f.* -en. ~하다 (meuchlings) ermorden^{4}; morden^{4}.

‖ ~기도 Mordanschlag *m.* -(e)s, ⸚e. ~미수 Mordversuch *m.* -(e)s, -e. ~범 Mörder *m.* -s, -. ~사건 Mordfall *m.* -s, ⸚e.

모새 Feinsand *m.* -(e)s, -e.

모색(暮色) Abenddämmerung *f.* -en.

모색하다(摸索一) tappen [h.s] 《*nach*^{3}》; tasten 《*nach*^{3}》. ¶ 암중 ~ im finstern (dunkeln) tappen; ^{4}sich vorwärts|tasten.

모샘치 『어류』 Meergrundel *f.* -n, Kaulkopf *m.* -(e)s, ⸚e; *gobius* 《라틴어》.

모생약(毛生藥) Haarwuchsmittel *n.* -s, -.

모서리 Ecke *f.* -n; Winkel *m.* -s, - (「각도」에도); Kante *f.* -n. ¶ ~를 후리다 schräg|kanten; ab|runden / ~가 선 scharf; eckig; kantig.

모선(母船) Mutterschiff *n.* -(e)s, -e.

‖ 포경~ Walermutterschiff.

모성(母性) Mutter *f.* ⸚; Mutterschaft *f.*

‖ ~상담 Mütterberatung *f.* ~애 Mutterliebe *f.*; Mütterlichkeit *f.* ~예찬 Verehrung der Mutterschaft.

모세 Moses *m.* ..sis. ¶ ~의 십계(十戒) die Zehn Gebote (Mosis).

모세관(毛細管) Kapillare *f.* -n; Haarröhrchen *n.* -s, -; Kapillargefäß *n.* -es, -e (모세 혈관).

‖ ~인력 Kapillarattraktion *f.* ~현상 Kapillarität *f.*

모세혈관(毛細血管) Haar¦gefäß (Kapillar-) *n.* -es, -e. 「sam sein.

모션 Bewegung *f.* -en. ¶ ~이 느리다 lang-

모손(耗損) das Abschaben*, -s; das Abreiben*, -s. ~하다 ^{4}sich ab|schaben; ab|reiben* (마손).

모순(矛盾) Widerspruch *m.* -(e)s, ⸚e; Unvereinbarkeit *f.*; Unverträgbarkeit *f.* ¶ ~되다 ^{3}*et.* widersprechen*; ^{3}sich (einander) widersprechen* (서로); in ^{3}Widerspruch stehen* 《*mit*^{3}; *zu*^{3}》; unvereinbar sein 《*mit*^{3}》 / ~된 wider¦spruchsvoll (-sprechend); unvereinbar / ~되지 않는 widerspruchslos; folgerichtig / 말의 ~ der Widerspruch in sich. ‖ ~율(律) Widerspruchsprinzip *n.* -s, -e (..pien).

모숨 e-e Handvoll; Büschel *m.* (*n.*) -s, -.

모스크바 《소련의 수도》 Moskau *n.* -s.

모슬린 《직물》 Musselin *m.* -s, -e. ☞ 메린스.

모습(貌襲) (Gesichts-, Grund-, Haupt-, Charakter-)zug *m.* -(e)s, ⸚e; Gesichtsteil *m.* -s, -e; (charakterisches) Merkmal *n.* -(e)s, -e; Gesichtsbildung *f.* -en; Aussehen* *n.* -s; Erscheinung *f.*; Gestalt *f.* -en; 《흔적》 Spur *f.* -en. ¶ 입언저리의 ~ ein Zug 《*m.* -(e)s, ⸚e》 um den Mund / 날카로운 ~의 mit scharfen Zügen 《*pl.*》 / 고상한[섬세한; 끔찍한; 굳은; 엄한; 부드러운] ~ edle (feine; grausame; harte; strenge; weiche) Gesichtszüge 《*pl.*》 / 옛 ~은 하나도 없다 nur noch ein Schatten s-r selbst sein(사람); all s-n Wohlstand verloren haben (도시 따위)/서울에는 옛날 한양의 ~은 하나도 없다 In Seoul gibt es kaum etwas, was an das ehemalige *Hanyang* erinnert./어릴 적 ~이 아직도 남아 있다 Er hat immer noch sein Kindergesicht.

모시 《옷감》 Ramiestoff *m.* -(e)s, -e.

모시(某時) e-e gewisse Zeit.

모시다 ① 《어른을》 begleiten^{4}; eskortieren^{4}; bedienen^{4}; dienen^{3}. ¶ 부모를 ~ *js.* Eltern versorgen 《*mit*^{3}》 / 어른을 모시고 가다 ältere Leute begleiten / 역까지 모시고 가겠읍니다 Ich werde Sie bis zum Bahnhof begleiten. / 선생을 모시어 오다 *js.* Lehrer zu einem Treffen einladen / 손님을 방으로 ~ e-n Gast ins Zimmer führen.

② 《신으로》 vergöttern^{4}; vergöttlichen^{4}; unter die Götter versetzen^{4}; 《사당을》 e-n Tempel (e-n Schrein) weihen*^{3}; in e-n Tempel (e-n Schrein) ein|schließen*.

③ 《떠받들다》 an|beten^{4}; verehren^{4}; vergöttern. ¶ 회장으로 ~ *jn.* zum Vorsitzenden erheben* / 선배로서 ~ Respekt (Achtung) vor *jm.* als e-m Vorgänger haben; *jn.* als e-n Vorgänger hoch|achten.

모시조개 Venusmuschel *f.* -n.

모시풀 『식물』 Ramie *f.* -n; Chinagras *n.* -(e)s, ⸚er.

모시항라(一亢羅) locker gewebter Ramiestoff, -(e)s, -e.

모씨(某氏) Herr Soundso; Herr X; ein gewisser Herr, -n.

모아들다 ＝모여들다.

모야(暮夜) dunkle Nacht, ⸚e; spät in der Nacht.

모양(模樣·貌樣) ① 《형태》 Form *f.* -en; Gestalt *f.* -en; Figur *f.* -en; Haltung *f.* -en; Körperbau *m.* -(e)s; Wuchs *m.* -es, ⸚e.
② 《생김새·맵시》 das Aussehen*, -s. ¶ 얼굴 ~ Gesichtszüge 《*pl.*》; persönliche Erscheinung *f.* / ~이 좋다 e-e gute (schöne) Figur (Gestalt) haben; wohlgestaltet (schöngeformt) sein / ~이 나쁘다 unförmig (ungestaltet) sein; e-e plumpe (häßliche) Form haben / ~이 단정한 wohlgestaltet; schöngeformt / ~이 일그러져 있다 außer [3]Fasson 《*f.* -s》 sein; zerknüllt (zerrauft) sein (머리 모양이) / ~을 갖추다 in (die) gehörige Form bringen**[4] / 우스꽝스런 ~을 하고 있는 사람이다 Er gibt e-e komische Figur ab. / ~을 만들다 formen[4]; gestalten[4]; bilden[4]; modellieren[4] (소상을).
③ 《체면》 Würde *f.*; Anstand *m.* ¶ ~이 안되다 den Anstand verletzen.
④ 《형편·상태》 die Lage e-r Sache 《*f.*》; Umstände 《*pl.*》; Verlauf *m.* -s, ⸚e (경과). ¶ 사건의 되어가는 ~을 알리다 über den Verlauf der Ereignisse berichten.
⑤ 《전망·징후》 das Aussehen*, -s; Vorzeichen *n.* -s, -; Anzeichen *n.* -s, -; Andeutung *f.* -en; Symptom *n.* -s, -e. ¶ …~이다 aus|sehen*; scheinen* / 비가 올 ~이다 Es sieht nach Regen aus. ¦ Es hat den Anschein, als wollte es regnen. / 그녀는 자네에게 화를 내고 있는 ~이더라 Sie schien auf dich böse zu sein. / 만족한 ~이다 Er scheint zufrieden (zu sein).
⑥ 《방식》 Weise *f.* -n; Art *f.* -en. ¶ 이 ~으로 derartig, daß….
‖ ~다리 Form *f.* -en; Figur *f.* -en; Gestalt *f.* -en.

모양새(模樣―) 《됨됨이》 Gestalt *f.* -en; Erscheinung *f.* -en; Umrisse 《*pl.*》; das Aussehen*, -s; Wuchs *m.* -es, ⸚e; äußere Form *f.* -en.

모양체(毛樣體) 〖해부〗 Ziliarkörper *m.* -s, -.

모어(母語) Muttersprache *f.* -n.

모여들다 [4]sich sammeln; [4]sich versammeln; [4]sich zusammen|drängen. ¶ 사람들이 모여든다 Die Menschen laufen zusammen. / 학생들이 학교 앞에 모여들었다 Die Schüler versammelten sich vor der Schule.

모오리돌 der runde Stein, -(e)s, -e.

모옥(茅屋) das armselige Häuschen, -s, -; die elende Hütte, -n; das strohgedeckte Haus, -es, ⸚er; Strohhütte *f.* -n.

모욕(侮辱) Beleidigung *f.* -en; Beschimpfung *f.* -en; Kränkung *f.* -en. **~하다** beleidigen[4]; beschimpfen[4]; kränken[4]; schänden[4]. ¶ ~을 당하다 beleidigt werden; in Schimpf u. Schande geraten* Ⓢ.
‖ 법정 ~(죄) die Mißachtung des Gerichtes, -n, -n.

모우(牡牛) Ochs(e) *m.* -(e)n, -(e)n; Bulle *m.*

모우(暮雨) Regen 《*m.* -s, -》 beim Einbruch der Nacht.

모월(某月) ein gewisser Monat, -(e)s. ¶ ~모일에 an e-m gewissen Tag e-s gewissen Monats; irgendwann innerhalb des Jahres.

모유(母乳) Muttermilch *f.*; Brust *f.* ⸚e (젖). ¶ ~로 아이를 기르다 das Kind selbst nähren / 아기에게 ~를 먹이다 e-m Kind die Brust geben*.

모으다 ① 《사물·인원을》 sammeln[4]; versammeln[4]; zusammen|bringen**[4]; ein|sammeln[4]; werben* (모집). ¶ 동지를 ~ Gleichgesinnte suchen / 병사를 ~ Soldaten (Freiwillige) werben* / 회원을 ~ Mitglieder werben* / 기부금을 ~ Geld (freiwillige Beiträge) sammeln / 공채를 ~ e-e Anleihe auf|legen (auf|nehmen*).
② 《집중함》 vereinigen[4] 《*auf*[4]》; konzentrieren[4] 《*auf*[4]》; beschäftigen[4] (in[4] Anspruch nehmen**[4]) 《*js.* Aufmerksamkeit》; ([4]sich) im Brennpunkt vereinigen. ¶ 정신을 ~ Aufmerksamkeit konzentrieren 《*auf*[4]》.
③ 《끌다》 an|ziehen**[4]; Aufmerksamkeit auf [4]sich ziehen; auf [4]sich nehmen*. ¶ 인망을 ~ [4]sich mit Ruhm bedecken / 시선을 ~ *js.* Blicke auf [4]sich ziehen.
④ 《쌓아올림》 zusammenscharren[4]; zusammen|schaufeln[4] (삽으로).
⑤ 《축적》 ein|treiben**[4]; ein|ziehen**[4]; erheben**[4]; (er)sparen[4]; auf|bewahren[4]; zurück|legen[4]; auf|speichern[4] (금전 따위를). ¶ 그는 돈을 상당히 모은 듯하다 Er scheint viel gespart zu haben.
⑥ 《조각을》 montieren[4]; zusammen|setzen[4]; zusammen|bauen[4]; zusammen|fügen[4]; zusammen|stellen[4].
⑦ 《의견을》 nach *js.* [3]Meinung fragen; befragen[4]; konsultieren[4]; [3]sich Rat[4] holen 《*bei*[3]》; um Rat bitten* (an|gehen*; fragen) 《*jn.*》; zu Rate ziehen* 《*jn.*》.

모음(母音) Vokal *m.* -s, -e; Selbstlaut *m.* -(e)s, -e. ¶ ~의 vokal(isch).
‖ ~조화 Vokalharmonie *f.* -n [..ni:ən]. ~화 Vokalisation *f.* -en; Vokalisierung *f.* -en 《von [3]Konsonanten》. 간~의 변화 Ablaut (모음 교체); Brechung *f.* -en (모음혼화). 반〔변, 간(幹), 기본〕~ Halbvokal (Umlaut, Stammvokal, Grundvokal). 이중〔단〕~ Diphthong (Monophthong) *m.* -(e)s, -e.

모의(毛衣) Pelzkleidung *f.* -en.

모의(模擬) Imitation *f.* -en; Nachahmung *f.* -en.
‖ ~선거 Probeabstimmung *f.* -en. ~시험 Examen *n.* -s, -; Prüfung *f.* -en ※「모의」는 번역할 필요 없음. ~전투 Scheingefecht *n.* -(e)s, -e; Scheinkrieg *m.* -(e)s, -e.

모의(謀議) 《협의》 Beratung *f.* -en; Besprechung *f.* -en (상담); 《공모》 Konspiration *f.* -en; Komplott *n.* -(e)s, -e; Verschwörung *f.* -en. **~하다** [4]sich beraten* (besprechen*) 《mit *jm.* über [4]*et.*》; konspirieren; komplottieren; [4]sich verschwören 《*zu*[3]》.

모이 Futter *n.* -s, -. ¶ ~를 주다 füttern[4]; Futter geben*[3].
‖ ~주머니 Kropf *m.* -(e)s, ⸚e; Vogelmagen *m.* -s, ⸚. ~통 Futterkasten *m.* -s, -; (Futter)trog *m.* -(e)s, ⸚e.

모이다 ① 《집합》 [4]sich (ver)sammeln (scharen); in e-m Schwarm schwärmen (떼지어); zusammen|laufen* (-|strömen; -|treten*), zusammen|kommen*; zusammen|treffen* 《*mit*[3]》; e-n Haufen bilden; [4]sich zusammen|drängen. ¶ 우리는 10시에 학교 앞에서 모인다 Wir versammeln uns um 10 Uhr vor der Schule. / 회원들은 1년에 한번 모인다 Einmal im Jahr kommen die Mitglieder zusammen. / 학생들이 선생님 주위에 모였다 Die Schüler scharten sich um den Lehrer. / 모여라 Angetreten! (구령) / 다 ~ [4]sich vollzählig versammeln / 줄지어 ~ [4]sich in

Reih u. Glied auf|stellen.
② 《회합》 ⁴sich treffen (회담하다); ⁴sich versammeln.
③ 《물건·돈이》 zusammen|kommen*; eingesammelt (einkassiert) werden; ⁴sich an|häufen (auf|-).
④ 《집중》 ⁴sich vereinigen; ⁴sich konzentrieren 《auf *od.* um e-n (in e-m) Punkt》. ¶ 일동의 시선이 그에게 모였다 Aller Augen richteten sich auf ihn.

모인(某人) e-e gewisse Person; jemand*.

모일(某日) ein gewisser Tag, -(e)s. ¶ 5월 ~ der soundsovielte* ¹Mai.

모임 ① 《집합》 Versammlung *f.* -en; Gesellschaft *f.* -en; Sitzung *f.* -en; Tagung *f.* -en; Zusammenkunft *f.* ⸚e; Gemeinde *f.* -n (교회의); das Zusammen¦kommen* (-treffen*) -s; Rendezvous [rãdevú:] *n.* -(s), -(s). ¶ ~을 갖다 e-e Versammlung (ab|)halten* / 성대한 ~ die gut besuchte Versammlung, -en / 성대한 ~이었다 Die Versammlung war gut besucht. ¦ Das war e-e Gesellschaft mit vielen Besuchern. / 외국 유학생의 ~ Zusammentreffen 《*n.* -s》 der Auslandsstipendiaten.
② 《무리》 Menge *f.* -n; Gesellschaft *f.* -en; Gruppe *f.* -n; Haufe(n) *m.* ..fens, ..fen.

모자(母子) Mutter u. Sohn (Kind). ¶ ~가 다 잘 있다 Mutter u. Kind befinden sich gut.

모자(帽子) Hut *m.* -(e)s, ⸚e; Mütze *f.* -n; Kopfbedeckung *f.* -en (총칭); Filzhut (펠트 모자). ¶ ~를 쓰다 den Hut auf|setzen; den Hut in die Augen (ins Gesicht) ziehen* (눌러쓰다) / ~를 쓴 채로 mit dem Hut auf / ~를 써 보다 e-n Hut probieren / ~를 안 쓰고 있다 ohne den Hut (unbedeckt; barhaupt) sein / ~를 돌리다 den Hut herumgehen lassen* (돈을 걷기 위해) / ~를 벗다 den Hut ab|nehmem*; ab|legen; den Hut lüften (인사하려고) / ~를 벗지 않고 있다 den Hut auf|behalten* / ~를 뒤로 젖혀 쓰다 den Hut burschikos (zurückgeschoben) tragen* / ~의 테(두리) Einfassung *f.* -en; (Hut)krempe *f.* -n (차양) / ~의 차양 (Mützen)schirm *m.* -(e)s, -e / ~의 리봉 Hutband *n.* -(e)s, ⸚er (-schnur *f.* ⸚e) / ~의 속테《땀받이》 Schweißband *n.* -(e)s, ⸚er / ~의 골 Hut¦form *f.* -en (-stock *m.* -(e)s, ⸚e).
‖ ~걸이 Hut¦ständer *m.* -s, - (-haken *m.* -s, -). ~상(商) Hut¦verkäufer *m.* -s, - (-laden *m.* -s, ⸚); Modewarengeschäft *n.* -(e)s, -e (여성용). ~제조인 Hutmacher *m.* -s, -.

모자라다 ① 《부족》 fehlen; mangeln; ab|gehen*; entbehren; ermangeln²; gebrechen*; hapern; vermißt sein; 《불충분》 ungenügend (unzulänglich) sein; 《결함》 mangelhaft sein. ¶ …이 ~ es fehlt (mangelt; gebricht) 《*jm.* an ³*et.*》; es hapert bei *jm.* 《*an*³; *in*³》 / 그것으론 모자란다 Das genügt nicht. / 난 돈이 모자란다 Es fehlt (mangelt) mir an Geld. / 소질이 모자라는 것을 근면으로 보충한다 Was ihm an Begabung abgeht, ersetzt er durch Fleiß. / 한 사람이 ~ einer fehlt; einer ist vermißt / 실행력이 모자란다 Er ermangelt der Tatkraft.
② 《우둔》 dumm (schwachköpfig) sein.

모자반 〖식물〗 Golfkraut *n.* -(e)s, ⸚er.

모자이크 〖미술〗 Mosaik *n.* -s, -e; Mosaikarbeit (Musiv-) *f.* -en; Einlegearbeit *f.* -en; die eingelegte (musivische) Arbeit, -en.
‖ ~바닥 Mosaikfußboden *m.* -s, ⸚.

모작패 〖광산〗 anteilmäßige Bergbaurechte 《*pl.*》; anteilmäßige Abbaurechte 《*pl.*》.

모잠비크 《아프리카의 공화국》 Mosambik.

모잡이 Reispflanzer *m.* -s, -.

모장이 〖농업〗 Reispflanzenzubringer *m.* -s, -.

모쟁이 〖어류〗 Meeräsche *f.* -n.

모정(慕情) Sehnsucht *f.* ⸚e 〖복수는 드묾〗; Liebe *f.* -n.

모조(毛彫) Haarstriche 《*pl.*》 (in Gravierarbeiten).

모조(模造) Nach¦ahmung *f.* -en (-bildung *f.* -en; -bau *m.* -(e)s, -e); Fälschung *f.* -en (위조). ~하다 nach|ahmen⁴ (-|bauen⁴; -|bilden⁴); kopieren⁴.
‖ ~금지 Nachahmung verboten! ~자 Nachahmer *m.* -s, -; Fälscher *m.* -s, -. ~품 Nachahmung *f.* -en; Imitation *f.* -en; die nachgemachte Ware, -n.

모조리 《모두》 alle; alles; alle(s) zusammen; alles in allem; insgesamt; völlig; ohne Ausnahme; bis in die kleinsten Einzelheiten (Details [detáis]); bis ins kleinste (genau); durchaus; vollkommen. ¶ 나는 이 도시들을 ~ 보았다 Diese Städte habe ich alle gesehen. / 그는 ~ 자기 것으로 하려 한다 Er will alles für sich haben. / 우리 책과 가구들은 폭격에 ~ 타 버렸다 Unsere Bücher und Möbel sind beim Bombenangriff verbrannt. / 그 사건은 ~ 날조되었다 Die Angelegenheit war von Anfang bis Ende erlogen.

모조지(模造紙) Velin(papier) [vəlí:n..] *n.* -s, -e; Pergamentpapier *n.* -s, -e.

모종 〖농업〗 Säm¦ling (Keim-; Pflänz-) *m.* -s, -e; die junge Keimpflanze. ~하다 Sämlinge *usw.* pikieren (verpflanzen; verstopfen). ¶ 그 ~들은 밖에 심어졌다 Die Sämlinge wurden ins Freie gepflanzt.
‖ ~장수 Pflänz¦lingshändler (Keim-; Säm-) *m.* -s, -. 나무~ Setzling *m.* -s, -e; das junge Bäumchen, -s, -. 벼~ junge Reispflanze, -n.

모종(某種) e-e gewisse Art. ¶ ~의 ein gewisser (남성); e-e gewisse (여성); ein gewisses (중성); etwas / ~의 이유로 aus e-m gewissen Grund.

모종내다 =모종하다.

모주 Bacchusbruder *m.* -s, ⸚; Gewohnheitstrinker *m.* -s, -; Schnapsteufel *m.* -s, -; Zecher *m.* -s, -; Säufer *m.* -s, -; Trunkenbold *m.* -(e)s, -e. ‖ ~꾼, ~망태 =모주.

모주(母酒) =밑술. ‖ ~집 ärmlicher Kneipe *f.* -n; Schnapsbudike *f.* -n.

모지(某地) ein gewisser Ort, -(e)s.

모지다 ① 《모양이》 winklig; spitz; eckig; kantig; ungelenk; rechtwinklig (sein). ¶ 모진 기둥 ein quadratischer Pfeiler, -s, - / 날카롭게 ~ scharfkantig sein. ② 《원만치 못하다》 eckig; ungelenk (sein).

모지라지다 ⁴sich abnützen; ⁴sich abtragen*. ¶ 모지라진 abgenützt; stumpf (연필 등이) / 붓끝이 모지라졌다 Der Pinsel ist bis auf den Stiel abgeschrieben. ¦ Der Schreibpinsel ist bis auf den Stiel aufgebraucht.

모지락스럽다 eckig; steif; eigensinnig; hartnäckig; rauh; streng; unharmonisch (sein). ¶ 모지락스러운 짓을 하다 ⁴sich grausam gegen *jn.* verhalten*.

모지랑붓 ein bis auf den Stiel abgeschriebener Pinsel, -s, -.

모지랑비 ein bis auf den Stiel aufgebrauchter Besen, -s, -.

모지랑이 ein auf den Stiel aufgebrauchtes Ding, -(e)s, -e; Stumpf *m.* -(e)s, ⸚e.

모직(毛織) ¶ ~의 wollen; Woll-; aus Wolle. ‖ **~물** Wollstoff *m.* -(e)s, -e; Wollwaren 《*pl.*》: ~물상 Wollhändler *m.* -s, -(사람); Wollhandlung *f.* -en (가게).

모진목숨 das verdammte Leben, -s, -; das verfluchte Leben; das elende 〔unglückliche〕 Leben; das jämmerliche Leben; das verfluchte Schicksal, -(e)s, -e. ¶ ~을 어쩌지 못하다 ⁴sich dem verfluchte Leben ergeben*; das verfluchte Leben hin|nehmen*/~이 아직도 붙어 있소 Ich lasse mein elendes Leben dauern.

모질다 ① 《잔인함·냉혹함》 verrucht; gottlos; grausam; hartherzig; mitleidlos; unbarmherzig; erbarmungslos (sein). ¶ 모진 사람 der grausame Mensch, -en, -en; die unbarmherzige Person, -en; Grobian *m.* -(e)s, -e/모진 말 grobe Worte 《*pl.*》/ 모질게 굴다 ⁴sich ungestüm benehmen*. ② 《배겨냄》 zähe; hartnäckig; hart (sein). ¶ 모진 사람 die beharrliche Person, -en / 모질게 재난에 견디다 e-e Schwierigkeit mit Geduld tragen* / 마음을 모질게 먹다 mit eisernen Willen Schwierigkeiten überwinden* / 사람이 모질어서 겁이 없다 Er ist unerschütterlich, deswegen fürchtet er sich vor nichts. ③ 《바람·날씨 따위》 rauh; heftig; streng; bitter (sein). ¶ 모진 바람 der starke Wind, -(e)s, -e / 모진 날씨 rauhes Wetter, -s / 모진 더위 die heftige Hitze.

모질음 Rauheit *f.*; Herbheit *f.*; Härte *f.* ¶ ~을 쓰다 ⁴sich sträuben 《*gegen*⁴》; kämpfen 《*gegen*⁴》.

모집(募集) Sammlung *f.* -en; 《기부》 Geldsammlung *f.* -en; Subskription *f.* -en; 《모집광고》 öffentliche Ankündigung, -en; 《징모》 Anzeige *f.* -n; Annonce [anɔ̃:sə] *f.* -n; Stellungsangebot *n.* -(e)s, -e; Anwerbung *f.* -en; Anschreibung *f.* -en; 《공채 따위》 Auflegung *f.* -en. **~하다** an|kündigen⁴; aus|heben*⁴; auf|legen⁴; (an|)werben*⁴; rekrutieren (신병을). ¶ 가정교사 〔속기타자수〕 ~ Hauslehrer 〔Stenotypistin〕 gesucht! / 군인을 ~하다 Soldaten 《*pl.*》 anwerben*; gewinnen* 《*für*⁴》/ 회원 ~ Mitglieder 《*pl.*》 gesucht! / 현상 소설을 ~하다 einen Wettbewerb für Romane aus|schreiben*/여점원 ~ Verkäuferin 《*f.* -nen》 gesucht!
‖ **~광고** eine Anzeige für Subskription. **~액** die Summe gesammelten Geldes. **~요강** Werbeprospekt *m.* -(e)s, -e.

모집다 ① 《허물 등을》 auf ⁴*et.* hin|weisen*; zeigen 《Fehler》. ② 《집다》 packen⁴; fassen⁴; ergreifen*⁴.

모찌기 der Verzug 《-(e)s》 von Reiskeimlingen.

모착하다 《체격》 untersetzt; gedrungen (sein). ¶ 모착한 사나이 ein Mann 《*m.* -(e)s, ⸚er》 von untersetzter 〔gedrungener〕 ³Gestalt.

모채(募債) die Auflegung 《-en》 der Anleihe. **~하다** e-e Anleihe auf|nehmen* 〔auf|legen〕. ‖ **~가격** Anleihevaluta *f.* ..ten.

모처(某處) 〔명사〕 ein gewisser Ort, -(e)s; 〔부사〕 irgendwo.

모처럼 ① 《오래간만에》 endlich; schließlich; letzt; endgültig; nach langer Zeit. ¶ ~의 《귀중한》 kostbar; wertvoll; lang erwartet / ~의 좋은 날씨 ein schönes Wetter nach vielen Regentagen 《*pl.*》/ ~ 서로 만나 대단히 기뻐했다 Sie haben sich sehr gefreut, sich nach langer Zeit wiedergesehen zu haben. / ~의 일요일인데 비가 올게 뭐람 Ausgerechnet am Sonntag mußte es regnen! ② 《벼른 끝에》 zum erstenmal nach langem Zögern; (so) freundlich. ¶ ~ 주시는 것이니 받겠읍니다 Ich danke Ihnen für das nette Geschenk. / ~ 초대해 주셨는데 못 가게 되니 미안합니다 Ich bedanke mich bei Ihnen für die Einladung, aber ich kann leider nicht kommen.

모체(母體) ① 《어머니》 der ²Mutter Körper *m.* -s, -; Mutterleib *m.* -(e)s, -er (모태); Mutter *f.* ⸚. ¶ ~ 보호를 위해 für die Gesundheit der Mutter.
② 《바탕》 Elternteil *m.* -s; Kern *m.* -(e)s, -e. ¶ …을 ~로 하다 stammen 《*aus*³》/ 프랑스말은 라틴어를 ~로 하여 발달되었다 Französisch stammt aus dem Lateinischen.
‖ **~발아(發芽)** 〖식물〗 Lebendgeburt *f.* **~전염** erbliche Übertragung, -en.

모춤 〖농업〗 ein Bündel Reiskeimling; gebündelter Reis, -es.

모춤하다 etwas zu lang 〔groß; viel〕 (sein).

모친(母親) Mutter *f.* ⸚.
‖ **~상** Trauer um die Mutter: ~상을 당하다 um s-e Mutter Trauer haben; s-e Mutter (durch den Tod) verlieren*.

모카 《코피》 Mokka *n.* -s, -s.

모탕 ① 《장작 팰 때의》 Klotz 《*m.* -es, ⸚e》 zum Holzhacken. ② 《괲목》 Block *m.* -(e)s, ⸚e (물건 쌓기 위한).
‖ **~세(貰)** Verwahrungskosten 《*pl.*》; Aufbewahrungsgebühr *f.* -en.

모태(母胎) Mutterleib *m.* -(e)s, -er; 《자궁》 Uterus *m.* -, ..ri. ¶ ~로부터 von Mutterleib an / ~에 있는 아이 das Kind 《-(e)s, -er》 im Mutterleib.

모태끝 Beim Schneiden des Reiskuchens übriggebliebene Randstücke 《*pl.*》.

모택동(毛澤東) 《전 중공 주석》 Mao Tse-tung (1893-1976).

모터 Motor *m.* -s, -en; Kraftmaschine *f.* -n. ¶ ~의 발동을 걸다 den Motor an|lassen* 〔an|werfen*〕/ ~를 끄다 den Motor ab|stellen / ~를 분해하다 〔녹이다, 오버홀하다〕 den Motor auseinander|nehmen* 〔an|wärmen, überholen〕/ ~를 끈〔건〕 채 mit abgestelltem 〔laufendem〕 Motor.
‖ **~보트** Motorboot *n.* -(e)s, -e. **~사이클** Kraft¦rad 〔Motor-〕 *n.* -(e)s, ⸚er.

모터풀 Parkplatz *m.* -es, ⸚e.

모텔 Motel *n.* -s, -s.

모토 Motto *n.* -s, -s; Leit¦spruch 〔Wahl-〕 *m.* -(e)s, ⸚e; Kennwort *n.* -(e)s, ⸚er.

모투저기다 allmählich 〔nach u. nach〕 auf|-sparen⁴.

모퉁이 Ecke *f.* -n; Winkel *m.* -s, -. ¶ 길~ Straßen¦ecke *f.* -n (-biegung *f.* -en); Kurve *f.* -n / ~를 바른쪽 〔왼쪽〕 으로 돌다 um die Ecke rechts 〔links〕 biegen* ⓢ; in die Straße rechts 〔links〕 ein|biegen* ⓢ / 집이 ~에 있다 Das Haus steht um die Ecke. / 네 ~ vier Ecken 〔Winkel〕 《*pl.*》.
‖ **~집** ein Haus an der Ecke. **모퉁잇돌** 〖건축〗 Grundstein *m.* -s, -e.

모티브 Motiv *n.* -s, -e.

모판(一板) 〖농업〗 Reisbeet *n.* -(e)s, -e.

모페드 Moped *n.* -s, -s.

모포(毛布) Wolldecke *f.* -n.

모표(帽標) Kokarde *f.* -n; Abzeichen 《*n.* -s,

-》der Mütze.

모풀 pflanzlicher Reisdünger, -s, -.

모프 《자루박이 걸레》 Mop *m.* -s, -(s); (Scheuer)wisch *m.* -es, -e.

모피(毛皮) Fell *n.* -s, -e; Pelz *m.* -es, -e.
‖ ~깃《목 둘레의》 Pelzkragen *m.* -s, -. ~상 Fell¦händler〔Pelz-〕*m.* -s, -(사람); Pelzhandel *m.* -s(직업). ~상의(上衣) Pelzjacke *f.* -n. ~안 Pelzfutter *n.* -s, -: ~안을 대다 mit Pelz füttern[4]. ~외투 Pelzmantel *m.* -s, ⸚e. ~장화 Pelzstiefel *m.* -s, -. ~제품류 Pelzwaren《*pl.*》; Pelzwerk *n.* -(e)s, -e.

모필(毛筆) Pinsel *m.* -s, -. ¶ 그는 가느다란 ~로 그림을 그린다 Er malt mit einem dünnen Pinsel.

모하메드 《회교의 개조》 Mohammed (570 ?-632).

모함(母艦) Mutterschiff *n.* -(e)s, -e.
‖ 잠수~ Unterseetender *m.* -s, -. 항공~ Flugzeug¦mutterschiff〔-träger *m.* -s, -〕.

모함(謀陷) Überlistung *f.*; das Überlisten*, -s; Überlist *m.* -(e)s, -e; Verleumdung *f.* -en (중상); Intrige *f.* -n (모략); Betrug *m.* -(e)s; ⸚e (기만); Falle *f.* -n. ~하다 *jn.* überlisten; *jm.* e-e Falle stellen. ¶ ~에 빠지다 (*jm.*) in die Falle gehen*[s]; e-r [3]Intrige zum Opfer fallen*[s] / 남을 ~하려는 자는 도리어 자기가 구렁에 빠진다 Wer andern e-e Grube gräbt, fällt selbst hinein.

모해(謀害) Komplott《*n.* -(e)s, -e》, *jm.* zu schaden. ~하다 Komplott an|zetteln, *jm.* zu schaden.

모험(冒險) Abenteuer *n.* -s, -; das gewagte Unternehmen, -s, -; Risiko *n.* -s, -s (..ken); Wag(e)stück *n.* -(e)s, -e; Wagnis *n.* -ses, -se. ~하다 wagen[4]; riskieren[4]; [4]sich (den) Gefahren[3] aus|setzen; aufs Spiel setzen[4]. ¶ ~에 나서다 auf [4]Abenteuer aus|gehen*〔aus|ziehen*〕/ ~적인 abenteuerlich; gewagt; (toll)kühn; verwegen; waghalsig; riskant (위험한) / ~적 정신 der abenteuerliche Geist, -(e)s; Abenteuerlust *f.* (모험심) / ~적으로 해보다 [4]sich wagen《*an*[4]》; auf gut Glück[4] versuchen[4]; es darauf〔auf [4]*et.*〕ankommen lassen*.
‖ ~가 Abenteurer *m.* -s, -; Glücksjäger *m.* -s, -; Wag(e)hals *m.* -es, ⸚e. ~담 die abenteuerliche Geschichte, -n; Abenteu(r)ergeschichte *f.* -n. ~대 e-e Gruppe von Abenteurern; Mitglieder《*pl.*》e-r [2]Expedition (탐험가). ~사업 das gewagte〔kühne〕Unternehmen. ~소설 Abenteurerroman *m.* -s, -e.

모헤어 《피륙》 Mohär *m.* -s, -e.

모형(母型) 〖인쇄〗 Hohlform *f.* -en; Matrize *f.* -n.

모형(模型) Modell *n.* -s, -s; Schablone *f.* -n; Miniatur *f.* -en. ¶ ~을 만들다 ein Modell an|fertigen《*nach*[3]》.
‖ ~기차 Modelleisenbahn *f.* -en. ~비행기 Flugmodell *n.* (플라스틱 모델 따위); Fesselflugmodell (끈을 달아 날리는 것). 군함~ das Modell e-s Kriegsschiffes.

모호하다(模糊—) 《애매함》 unerklärlich; unklar; schleierhaft; verschwommen; dämmerig; nebelhaft; diesig; düsig (sein). ¶ 일이 어찌 끝날지 ~ Wie diese Arbeit fertig werden soll, ist mir schleierhaft. / 그는 항상 그렇게 모호하게 표현한다 Er drückt sich immer so verschwommen aus. / 그 일이 어떻게 일어날 수 있었는지 ~ Es ist mir unerklärlich, wie das geschehen konnte.

목 ① 《모가지》 Hals *m.* -es, ⸚e; Kopf *m.* -(e)s, ⸚e; Haupt *n.* -(e)s, ⸚er; Nacken *m.* -s, -. ¶ 목을 매다 [4]sich auf|hängen〔erhängen〕/ 목을 자르다 den Kopf〔das Haupt〕ab|schlagen*〔-hauen*〕《*jm.*》; enthaupten《*jn.*》; köpfen《*jn.*》; (um) e-n Kopf kürzer machen; 《해고》 entlassen*《*jn.* aus dem Dienst》; ab|bauen《*jn.*》; ab|setzen《*jn.* vom Amte》; auf die Straße setzen〔werfen*〕《*jn.*》; entsetzen《*jn.* s-s Amtes》; weg|jagen《*jn.*》/ 목 잘리다《해고》 entlassen werden《aus dem Dienst》; abgebaut werden; abgesetzt werden《vom Amte》; auf die Straße gesetzt〔geworfen〕werden; entsetzt werden《s-s Amtes》; 〖속어〗 hinaus|fliegen*[s]; weggejagt werden / 목이 빠지게 기다리다 voller Ungeduld〔Sehnsucht〕warten〔harren〕《*auf*[4]》; voller Erwartung entgegen|harren[3] / 황소 목 Stiernacken *m.* -s, -; der gedrungene〔breite u. starke〕Nacken / 황소 목의 stiernackig; mit gedrungenem〔breitem u. starkem〕Nacken.
② 《목구멍》 Kehle *f.* -n; Gurgel *f.* -n; Rachen *m.* -s, -; Schlund *m.* -(e)s, ⸚e. ¶ 목 안이 발갛다 Der Rachen ist rot. / 목이 마르다 Durst haben〔bekommen*〕/ 목에 걸리다 *jm.* im Hals〔in der Kehle〕steckenbleiben*[s]《Gräte》(생선가시가) / 목이 아프다 Halsschmerzen haben.¦Der Hals tut *jm.* weh.¦Der Hals ist heiser〔trocken; rauh; entzündet〕. / 목을 축이다 den Durst stillen〔löschen(*)〕/ 목을 조르다 *jm.* die Kehl〔die Gurgel〕zu|schnüren〔zusammen|pressen〕; *jn.* würgen; *jn.* an〔bei〕der Gurgel fassen〔packen〕/ 목을 그(르)렁그(르)렁하다 keuchen; schnaufen; 《고양이가》 schnurren / 목놓아 울다 wie ein Schoßhund〔Kettenhund〕heulen; laut weinen.
③ 《좁은 부분·요충》 Schlüsselstellung *f.* -en; enger Teil -s, -e. ¶ 길목 Engpaß *m.* ..passes, ..pässe / 버선목 die Knöchellänge《-*n*》koreanischen Strumpfes.

목(目) ① 《항목》 Einzelheit *f.* -en; Punkt *m.* -(e)s, -e; (Rechnungs)posten *m.* ② 《동식물의 분류》 Ordnung *f.* -en. ③ 《바둑의》 Feld *n.* -(e)s, -er (반면); Stein *m.* -(e)s, -e (돌).

목가(牧歌) Pastorale *f.* -n; Bukolik *f.*; Idylle *f.* -n; Hirtengedicht *n.* -(e)s, -e. ¶ ~적인 pastoral; bukolisch; idyllisch; Hirten-; Schäfer-.

목각(木刻) 《조각》 Holzschnitzerei *f.* -en; 《목각화》 Holzschnitt *m.* -(e)s, -e; Holzdruck; 《활자》 Holztype *f.* -en. ~하다 in〔aus〕Holz schnitzen. ‖ ~인형 e-e aus Holz geschnitzte Puppe, -n.

목간(沐間) 《목욕》 Bad *n.* -(e)s, ⸚er; 《목욕간》 Badezimmer *n.* -s, -. ~하다 ein Bad nehmen*; ([4]sich) baden. ¶ ~하러 가다 baden gehen*[s] / ~시키다 *jn.* baden; ein Kind baden (아이를) / ~물이 준비되었다 Das Bad ist zurechtgemacht. / ~물을 데우다 das Bad heizen / ~물을 채우다 die Badewanne mit Wasser füllen.
‖ ~통 Badewanne *f.* -n.

목걸이 《장식품》 Hals¦band *n.* -(e)s, ⸚er〔-kette *f.* -n; -schmuck *m.* -(e)s, -e〕; Kollier *n.* -s, -s; 《개의》 Halsband *n.* -(e)s, ⸚er; Kum(me)t *n.* -s, -e (말의).

목검(木劍) Holzschwert *n.* -(e)s, -e.

목격(目擊) ~하다 mit eigenen Augen sehen*[4]; [3]sich (selbst) an|sehen*[4]; (Augen-)

zeuge sein 《*von*^{3}》; als Zeuge zugegen sein 《*bei*^{3}》; beobachten^{4}.
‖ ~자 Augenzeuge *m.* -n, -n 《*von*^{3}》.

목곧다 《완고》 hartnäckig (sein).

목곧이 der Hartnäckige*, -n, -n; die hartnäckige Person, -en.

목공(木工) Holzhandwerk *n.* -(e)s, -e; Holzhandwerker *m.* -s, - (사람); 《소목장이》 Schreiner *m.* -s, -; Tisch(l)er *m.* -s, -.
‖ ~기계 Holzbearbeitungsmaschine *f.* -n. ~기술 (Geschicklichkeit 《*f.*》 in der) Holzbearbeitung *f.* -en. ~선반 Holzbearbeitungsdrehbank *f.* -e. ~소 Werk¦statt (-stätte) 《*f.* -n》 zur Holzbearbeitung. ~일 Holzbearbeitung *f.* ~품 Holzarbeit *f.* -en; Holzwaren 《*pl.*》.

목관(木管) die hölzerne Röhre, -n.
‖ ~악기 Holz(blas)instrument *n.* -(e)s, -e.

목구멍 Kehle *f.* -n; Gurgel *f.*; Hals *m.* -es, ⸚e; Speiseröhre *f.* -n; Schlund *m.* -(e)s, ⸚e. ☞ 목. ¶ 그의 이름이 ~까지 나왔는데 생각이 나지 않는다 Sein Name schwebt mir auf der Zunge, ich finde ihn aber nicht.

목귀질하다 ebenmachen^{4}; glätten^{4}; ebnen^{4}; Ungleichheiten 《*pl.*》 beseitigen^{4}.

목금(木琴) 〖악기〗 Xylophon *n.* -s, -e.

목기(木器) 《그릇》 Gefäß 《*n.* -es, -e》 aus Holz; Holz¦geschirr *n.* -(e)s, -e (-gefäß); 《기구》 Holz¦gerät (-werkzeug) *n.* -(e)s, -e.

목누름 《씨름의》 das Zuschnüren* 《-s》 der Kehle (beim Ringkampf).

목눌(木訥) Unschuld 《*f.*》 u. Kunstlosigkeit 《*f.*》. ~하다 ehrlich u. ungelernt sein; im Reden naiv u. ungeübt sein.

목다리(木一) =목발.

목다심 die Linderung (Besänftigung) der Kehle.

목닫이 Stehkragen *m.* -s, -.

목달이 ① 《버선》 gefütterter Strumpfrand 《-(e)s, ⸚er》 der koreanischen Socken. ② 《다 해진》 abgetragene Socke, -n.
‖ ~양말 Kniestrümpfe 《*pl.*》.

목담 〖광산〗 Mauer 《*f.* -n》 aus taubem Erz; Mauer aus erzlosem Gestein.

목대잡다 beaufsichtigen^{4}; überwachen^{4}; kommandieren^{4}; die Aufsicht führen 《*über*^{4}》.

목대잡이 Aufseher *m.* -s, -; Prüfer *m.* -s, -; Inspektor *m.* -s, -en; Kommandeur *m.* -s, -e; Befehlshaber *m.* -s, -.

목덜미 Genick *n.* -(e)s, -e; Nacken *m.* -s, -. ¶ ~를 잡다 beim Genick (er)greifen* (fassen; packen; fangen) 《*jn.*》.

목도(木刀) =목검.

목도(目睹) =목격(目擊).

목도꾼 Bürdenträger 《*m.* -s, -》 mit zwei Holzstangen 《*pl.*》. ¶ ~의 노래 Arbeitslied 《*n.* -(e)s, ⸚er》 des Holzarbeiters.

목도리 Schal (Shawl) [ʃa:l] *m.* -s, -e; Halstuch (Umschlag(e)-) *n.* -(e)s, ⸚er; 《케이프》 Pelerine *n.* -n; Umhang *m.* -(e)s, ⸚e; (Feder)boa *f.* -s (새털의); Halspelz *m.* -es, -e (모피의).

목도리도요 〖조류〗 Kampfhahn *m.* -(e)s, ⸚e (-en).

목돈 ① 《모갯돈》 e-e runde (beträchtliche) Summe, -n. ② 《무당에 주는》 der Geisterbeschwörerin im voraus bezahltes Geld *n.*

목돌림 (ansteckende) Halsschmerzen 《*pl.*》; Halsweh *n.* -(e)s, -e.

목동(牧童) Hirtenjunge *m.* -n, -n; Hirt *m.* -en, -en; Rinderhirt *m.* -en, -en (카우보이).

목두기 《목두개비》 Holzstücke 《*pl.*》; 《귀신》 das namenlose (unbekannte) Gespenst, -es, -er.

목련(木蓮) Magnolie *f.* -n; 《자목련》 purpure Magnolie; 《백목련》 weiße Magnolie.
‖ ~화 Magnolienblüte *f.* -n.

목례(目禮) das Nicken*, -s; das Winken*, -s. ~하다 nicken^{3}; winken^{3}. ¶ 아무에게 ~하다 *jm.* e-n Gruß nicken.

목로(木櫨) Schanktheke *f.* -n.
‖ ~술집, 목롯집 Stehausschank *m.* -(e)s, ⸚e.

목록(目錄) Verzeichnis *n.* ..nisses, ..nisse; Aufstellung *f.* -en; Liste *f.* -n; 《카탈로그》 Katalog *m.* -(e)s, -e; Prospekt *m.* -(e)s, -e; Inventar *n.* -s, -e (재고품, 재산 따위의); Urkunde *f.* -n(전래의). ¶ ~을 작성하다 ein Verzeichnis auf|stellen (an|legen).
‖ 도서~ Bücherkatalog *m.* -(e)s, -e. 상품~ Warenkatalog *m.* -(e)s, -e. 재산~ Inventar *n.* -s, -e; Inventur *f.* -en.

목리(木理) 《나뭇결》 Maserung *f.* -en; Maser *f.* -n; Holzmusterung *f.* -en; das unlackierte Holz, -es, ⸚er; 《나이테》 Jahresring *m.* -(e)s, -e.

목마(木馬) das hölzerne Pferd, -(e)s, -e; (Sprung)pferd (체조의); Schaukelpferd *n.* -(e)s, -e (아이들의); Karussel *n.* -s, -e (-s) (회전목마).

목마르다 ① 《갈증》 durstig (sein); Durst haben. ¶ 목마름이 얼마나 괴로운 것인가를 생각해 보십시오 Stellen Sie sich vor, wie unerträglich der Durst ist! ② 《갈망》 ^{4}sich sehnen 《*nach*^{3}》; verlangen 《*nach*^{3}》; schmachten 《*nach*^{3}》; begehren 《*nach*^{3}》. ¶ 목마르게 기다 voller Erwartung sein; gespannt erwarten^{4} / 목마르게 기다리던 날 der lang ersehnte Tag, -(e)s / 돈(지식)에 ~ auf ^{4}Geld (^{4}Kenntnisse) begierig sein.

목말 ¶ ~을 타다 auf *js.* ^{3}Schultern 《*pl.*》 reiten* / 어린애를 ~을 태우다 ein Kind auf die Schultern 《*pl.*》 nehmen*.

목매기 das getüderte Kalb, -(e)s, ⸚er.
‖ ~송아지 ☞ 목매기.

목매다 ① 《죽임》 erwürgen^{4}; erdrosseln^{4}. ¶ 끈으로 목매어 죽이다 *jn.* mit e-m Strick erwürgen. ② 《죽음》 ^{4}sich auf|hängen; Selbstmord durch Erhängen begehen*. ☞ 목매달다.

목매달다 ① 《남을》 *jn.* auf|hängen; *jn.* henken. ¶ 아무를 나무에 ~ *jn.* an e-m Baum auf|hängen (erhängen). ② 《자살》 ^{4}sich auf|hängen (erhängen). ¶ 나무에 목매달아 죽다 ^{4}sich an e-m Baum auf|hängen,

목매아지 das getüderte Füllen, -s, -.

목메다 ¶ 목메어 울다 in Tränen ersticken ⓢ (schwimmen*); in Tränen$^{3 \cdot 4}$ zerfließen*ⓢ / 음식에 목이 잘 멘다 Er würgt (sich) an dem Bissen.¦Der Bissen würgt ihm im Halse.

목면(木綿) Baumwolle *f.* -n. ☞ 무명.

목민(牧民) ‖ ~관 Gouverneur *m.* -s, -e; Statthalter *m.* -s, -.

목발(木) Krücke *f.* -n. ¶ ~을 짚고 다니다 auf (an) ^{3}Krücken gehen* ⓢ.

목부용(木芙蓉) 〖식물〗 Eibisch *m.* -es, -e.

목불(木佛) Buddha 《*m.* -s, -s》 aus Holz.

목불식정(目不識丁) Analphabet *m.* -en, -en.

목불인견(目不忍見) häßlich, ^{4}*et.* anzusehen; unerträglich; ^{4}*et.* anzusehen; außerordentlich erbärmlich. ¶ 그 참상은 ~이었다 Der tragische Anblick ist einfach abstoßend.

목비 Regenzeit *f.*

목사(木絲) Baumwollgarn *n.* -(e)s, -e;

Baumwollenfaden *m.* -s, ⸚; Baumwollenzwirn *m.* -(e)s, -e (연사).

목사(牧師) der Geistliche*, -n, -n; Pfarrer *m.* -s, -; Pastor *m.* -s, -en [..tó:rən]; Vikar *m.* -s, -e; Kaplan *m.* -s, ⸚e. ¶ ~가 되다 Pfarrer werden; ein Pastoramt übernehmen*. ‖ **~관**(館) Pfarrhaus *n.* -es, ⸚er; Pastrat *n.* -(e)s, -e. **~직**(職) geistliches Amt《-es, ⸚er》; Pastoramt *n.* -es, ⸚er.

목사리 Oxenzügel *m.* -s, -; Oxengeschirr *n.* -(e)s, -e.

목상(木像) 《조각품》 das hölzerne Bild, -(e)s, -er; die hölzerne Bildsäule, -n; 《망석중이》 die hölzerne Puppe, -n.

목새[1] feiner Flußsand, -(e)s, -e.

목새[2] Reispflanzfieber *n.* -s, -.

목석(木石) ① 《나무와 돌》 Bäume u. Steine 《*pl.*》; das leblose Wesen, -s, -. ② 《무감정》 Unempfindlichkeit *f.*; Gleichgültigkeit *f.*; Hartherzigkeit *f.* ¶ ~ 같은 unempfindlich; gleichgültig; teilnahmslos / ~ 같다 wie ein Felsblock gefühllos sein / ~이 아니다 von Fleisch u. Blut sein; kein gefühlloser Mensch sein.

목선(木船) Holzboot *n.* -(e)s, -e; Holzschiff *n.* -(e)s, -e.

목성(木星) Jupiter *m.* -s.

목세루(木—) Baumwoll-Serge [sɛrʒ] *f.* -n.

목소리[1] Stimme *f.* -n; Laut *m.* -(e)s, -e; Ton *m.* -(e)s, ⸚e; Schrei *m.* -(e)s, -e (외침); Ruf *m.* -(e)s, -e (부르는 소리) / 높은(낮은) ~ hohe (tiefe) Stimme / 굵은 ~ volle Stimme / 가는 ~ schwache Stimme / 큰 ~ laute Stimme / 작은 ~ leise Stimme / 고운 ~ schöne (gute) Stimme / 낭랑한 ~ sonore (klangvolle) Stimme / 맑은 ~ klare (klingende) Stimme / 밝은 ~ helle Stimme / 새된 ~ schrille Stimme / 쉰 ~ heisere Stimme / 쩌렁쩌렁한 ~ widerhallende Stimme / 높은 (큰) ~로 mit lauter Stimme, laut / 낮은 (작은) ~로 mit leiser (gedämpfter) Stimme, leise / 떨리는 ~로 mit zitternder Stimme / ~를 돋구다 laut sprechen* (singen*); die Stimme erheben* (an|strengen) / 문 앞에서 사람의 ~가 들린다 Vor der Tür läßt sich e-e Stimme hören.

목소리[2] 《후음》 Kehllaut *m.* -(e)s, -e; Gaumenlaut *m.* -(e)s, -e; Guttural *m.* -(e)s, -e.

목송(目送) *jm.* (³*et.*) nach|sehen*; *jm.* mit den Augen folgen.

목수(木手) Zimmermann *m.* -(e)s, ..leute. ‖ **~도구** Zimmergerät *n.* -(e)s, -e. **도~** Zimmermeister *m.* -s, -.

목수(木髓) 《고갱이》 Mark *n.* -(e)s.

목숨 Leben *n.* -s, -. ¶ 그 일이 ~에 관계된다 das geht ihm ans Leben / 겨우 ~만 건지다 nur das nackte Leben retten; mit dem nackten Leben davon|kommen*; das nackte Leben davon|tragen* / ~만 살려 주십쇼 Verschonen Sie mich doch! / ~만 살려 달라고 애걸하다 *jn.* um sein Leben bitten* / ~에는 이상 없다 außer Gefahr sein / 사람의 ~은 초로와 같다 Das Leben ist vergänglich. / 내 ~도 이젠 끝장이다 Mein Leben ist jetzt zu Ende. / ~처럼 아끼다 teuer halten*⁴, wie das Leben.

목숨이: 붙어 있는 한 solange ¹*jd.* am Leben ist / 아깝거든 그것을 하지 마시오 Bei Leib u. Leben, tun Sie das nicht! / 위태롭다 Es geht um Leben u. Sterben. / 끊어지다 sterben* ⓢ; *js.* Leben lassen* / 끈질기다 ein zähes Leben haben / 있는 동안은 solange ich noch lebe; während ich noch leibe u. lebe / 아깝다 Das Leben ist mir zu teuer. / 제일이다 Dabei handelt es sich nur um das Leben.

목숨을: 걸고 für sein Leben; mit Lebensgefahr; auf Leben u. Tod; aus allen Kräften (힘껏) / 건 lebensgefährlich (위험한) / 걸다 sein Leben (Leib u. Leben) ein|setzen / 위태롭게 하다 *js.* Leben ins Gefahr bringen* / 줄이다 *js.* Leben verkürzen / 버리다 sein Leben hin|geben*; ⁴sich um|bringen* (자살하다); ⁴sich töten (자살하다); Selbstmord begehen / 바치다 sein Leben (Leib u. Leben) hin|geben* 《*für*⁴》; sein Leben opfern 《*für*⁴》 / 아끼다 den Tod scheuen / 구하다 *jm.* das Leben (*js.* Leben) retten; *js.* Leben schonen (죽이지 않다) / 빼앗다 *jn.* ums Leben bringen*; *jm.* das Leben (*js.* Leben) rauben; um|bringen* töten⁴ / 빼앗기다 umgebracht werden / 잃다 sein Leben verlieren*; ums Leben kommen* / 노리다 *jm.* nach dem Leben trachten / 가까스로 건지다 knapp mit s-m Leben (mit knapper Not) davon|kommen* / 빌다 um sein Leben bitten* (flehen) 《*jn.*》 / 아끼지 않는 사람 Wagehals *m.* -es, ⸚e; Draufgänger *m.* -s, - / 아끼지 않는 wagehalsig; verwegen.

목쉬다 heiser werden; ⁴sich heiser sprechen*; *js.* Stimme erschöpfen. ¶ 목쉰 소리 die heisere (rauhe) Stimme, -n / 목쉰 소리로 mit heiserer Stimme.

목양(牧羊) Schäferei *f.* -en. ‖ **~업자** Schafzüchter *m.* -s, -. **~장**(場) Schafweide *f.* -n.

목양말(木洋襪) Baumwoll(en)socke *f.* -n.

목요일(木曜日) Donnerstag *m.* -(e)s, -e.

목욕(沐浴) Bad *n.* -(e)s, ⸚er; das Baden*, -s; Abwaschung *f.* -en. **~하다** ein Bad nehmen*; ⁴sich baden; ⁴sich ab|waschen*. ¶ ~하러 가다 baden gehen* / ~ 준비를 하다 das Bad zurecht|machen (vor|bereiten) / 갓난아기를 ~시키다 (ein neugeborenes Kind⁴) zum erstenmal baden.
‖ **~간, ~실** Badezimmer *n.* -s, -; Badestube *f.* **~값** Badekosten 《*pl.*》. **~물** Badewasser *n.* -s: ~물을 가늠보다 die Temperatur des Bades prüfen / ~물은 덥습니까 Ist das Bad heiß genug? **~비누** Badeseife *f.* -n. **~수건** Badetuch *n.* -(e)s, ⸚er. **~재계**(齋戒) Waschung *f.* -en: ~ 재계하다 s-e Waschung verrichten. **~탕** Bade¦anstalt *f.* -en (-haus *n.* -es; ⸚er). **~통** Badewanne *f.* -n: ~통에 물을 넣다 Wasser in die (Bade)wanne ein|lassen*.

목우(木偶) die hölzerne Figur, -en. ‖ **~인** Statist *m.* -en, -en; Dummkopf *m.* -(e)s, ⸚e; Strohman *m.* -(e)s, ⸚er.

목우(牧牛) Rinderzucht *f.* -en. ‖ **~장**(場) Rinder¦farm *f.* -en (-züchterei *f.* -en).

목운동(—運動) Halsbewegung *f.* -en.

목이(木耳 · 木栮) 〖식물〗 Judasohr *n.* -(e)s, -en.

목자(牧者) ① 《양치는 목자》 Hirt *m.* -en, -en; Schäfer *m.* -s, -. ② 《목사》 Pastor *m.* -s, -en; Pfarrer *m.* -s, -; der Geistliche*, -n, -n.

목잠 《이삭의 병》 Meltau *m.* -s.

목잠(木簪) die hölzerne Haarnadel, -n.

목잠기다 heiser werden. ¶ 소리 질러 ~ ⁴sich heiser schreien*.

목장(牧場) Weide *f.* -n; Weideplatz *m.* -es, ⸚e; Trift *f.* -en; Koppel *f.* -n (울타리가 있는); Wiese *f.* -n; Viehfarm *f.* -n ¶ 가축을 ~에 몰아넣다 Vieh auf die Weide treiben*[4] (führen); ab|weiden[4].
‖ ~주인 Farmbesitzer *m.* -s, -; Farmer *m.* -s, -; Viehzüchter *m.* -s, -.

목재(木材) Holz *n.* -es, ⸚er; Bauholz *n.* -es, ⸚er; Nutzholz *n.* -es, ⸚er; Zimmerholz *n.* -es, ⸚er (건축용).
‖ ~공업 Holzindustrie *f.* -n. ~공장 Holzfabrik *f.* -en; Sägewerk *n.* -(e)s, -e. ~방부 Kyanisation *f.*(발명자 Kyan의 이름을 따서): ~ 방부를 하다 kyanisieren[4]. ~벌채업 Holzwirtschaft *f.* ~벌채인 Holzfäller *m.* -s, -. ~상 Holzhandel *m.* -s, - (업); Holzhändler *m.* -s, - (사람); Holzhandlung *f.* -en (점포). ~소 Holz¦platz *m.* -es, ⸚e (-markt *m.* -(e)s, ⸚e).

목적(目的) Zweck *m.* -(e)s, -e; Ziel *n.* -(e)s, -e; Absicht *f.* -en; das Vorhaben*, -s (Vorsatz *m.* -es, ⸚e) (의도); Objekt *n.* -(e)s, -e (목적물). ¶ ~이 없는 zwecklos; ziellos; ohne Zweck; ohne Ziel / …할 ~으로 um … zu 〖부정법〗; mit der Absicht (dem Zweck) 〖zu를 갖는 부정법 또는 daß…와 함께〗; zwecks[2] / ~ 없는 인생 ein Leben ohne Zweck u. Ziel / …을 ~으로 하다 zielen 《*auf*[4]》; beabsichtigen[4]; bezwecken[4] / ~을 이루다 (이루지 못하다) den Zweck od. das Ziel erreichen (verfehlen) / ~에 부합되다 zweckmäßig sein; den Zweck erfüllen; dem Zweck entsprechen* / 당신의 여행 ~은 무엇입니까 Was ist der Zweck Ihrer Reise? / 그 일의 ~은 다음과 같다 Der Zweck der Sache ist folgender.... / 그것은 무슨 ~에 쓰일까 Welchem Zweck soll das dienen? / 이 식물은 의학적 ~을 위해 사용된다 Diese Pflanze wird für medizinische Zwecke 《*pl.*》 gebraucht. / 너는 무슨 ~으로 그것을 가지려고 하니 Zu welchem Zweck willst du das haben? / 내 개인적인 ~을 위해 그것이 필요하다 Das brauche ich für private Zwecke. / 그렇게 해서는 너는 ~을 이루지 못한다 So kommst du nicht zum Ziel. / 그것이 내가 ~하는 바다 Das ist es, worauf ich ziele. / ~을 위해서는 수단 방법을 가리지 않는다 Zur Erreichung des Ziels ist ihm jedes Mittel recht.¦Der Zweck heiligt die Mittel.
‖ ~격 〖문법〗 Akkusativ *m.* -s, -e; Akkusativus *m.* -, ..ve. ~론 Teleologie *f.* -n. ~물 Objekt *n.* -es, -e; Ziel *n.* -(e)s, -e. ~어 Objekt *n.* -(e)s, -e. ~지 Reiseziel *n.* -(e)s, -e; Bestimmungsort *m.* -(e)s, -e (행선지).

목적(牧笛) Rohrpfeife *f.* -n; Hirtenflöte *f.* -n.

목전(目前) ¶ ~의 nahe bevorstehend; drohend / ~에 vor (*js.*; den) Augen; vor der Nase; in *js.* Gegenwart; persönlich; unmittelbar; 《그 자리에서》 an [3]Ort u. Stelle; zur Stelle; gerade dort, wo [1]*et.* geschieht; 《상대에게》 [4]Aug(e) in [4]Aug(e); von Angesicht zu Angesicht / ~에 두고서 angesichts[2]; im Angesichte[2]/~의 이익 augenblicklicher Vorteil, -(e)s, -e / ~에 닥치다 heran|kommen*; im Anzug sein; drohen; herauf|ziehen*; in der Luft liegen* / 그 참사를 ~에 보았다 Das Unglück spielte sich vor m-n Augen ab.¦Ich habe den Unfall mit m-n Augen gesehen. / 그는 ~의 일만 생각한다 Er kann nicht über die Gegenwart hinausdenken.

목정 Nackenstück 《*n.* -(e)s, -e》 des Rindes.
‖ ~강이 Nackenknochen *m.* -s, -.

목정(木精) Methyl *n.* -s; Methylalkohol *m.* -s, -e; Holzgeist *m.* -(e)s.

목젖 Zäpfchen *n.* -s, -.

목제(木製) ¶ ~의 hölzern; aus (von) Holz; Holz-.
‖ ~품 Holz¦ware *f.* -n (-arbeit *f.* -en).

목조(木造) ¶ ~의 hölzern; aus (von) Holz; Holz-. ‖ ~가옥 Holz¦haus *n.* -es, ⸚e (-bau *m.* -(e)s, -ten). ~물 Holzwerk *n.* -(e)s, -e.

목조(木彫) Holz¦plastik (-schnitzerei) *f.* -en. ¶ ~의 in Holz (aus Holz) geschnitzt; Holz- / 그는 ~상을 새겼다 Er schnitzte e-e Figur aus Holz. ‖ ~인형 Holzpuppe *f.* -n.

목줄기 Nackenlinie *f.* -n.

목질(木質) die Qualität 《-en》 des Holzes. ¶ 이 재목은 ~이 대단히 좋다 Dieses Holz ist von ausgezeichneter Güte.

목찌르다 *jn.* ([4]sich) in die Kehle stechen*.

목차(目次) Inhaltsverzeichnis *n.* ..nisses, ..nisse; Inhalt *m.* -(e)s, -e.

목책(木柵) Holzzaun *m.* -(e)s, ⸚e; Holzpikett *n.* -(e)s, -e; Holzbarrikade *f.* -n.

목첩(目睫) Nähe *f.*; das Bevorstehen*, -s. ¶ ~에 다다르다 nahe dabei sein; dicht bei der Hand sein; vor der Tür sein.

목청 ① 《성대》 Stimmbänder 《*pl.*》. ¶ ~을 울리다 Stimmbänder vibrieren.
② 《목소리》 Stimme *f.* -n. ¶ ~이 좋다 e-e schöne Stimme haben / ~을 자랑하는 사람 e-e Person 《-en》, die stolz auf ihre Stimme ist / ~껏 소리지르다 aus vollem Halse (voller Kehle) schreien* (rufen*) / 있는 ~을 다하여 so laut wie möglich.

목초(牧草) Weide *f.* -n; Grasfutter *n.* -s, -; Heu *n.* -(e)s (건초). ‖ ~지 Weideland *n.* -(e)s, ⸚er; Wiese *f.* -n.

목축(牧畜) Viehzucht *f.*; Sennerei *f.* -en (낙농). ~하다 Vieh züchten; Viehzucht treiben*. ‖ ~가(업자) Viehzüchter *m.* -s, -. ~시대 die pastorale Zeit, -en; Nomadenzeit *f.* -en.

목측(目測) Augenmaß *n.* -es, -e. ~하다 mit den Augen messen*[4]. ¶ ~으로는 nach dem Augenmaß / ~을 잘(잘못)하다 ein gutes (schlechtes) Augenmaß haben / 그 거리가 ~으로는 대략 10 미터쯤 된다 Die Entfernung beträgt nach Augenmaß 10 Meter.

목침(木枕) Holzstütze *f.* -n. ¶ ~찜하다 *jn.* mit der Holzstütze massieren.

목탁(木鐸) ① 〖불교〗 der (das) hölzerne Gong, -s, -s. ② 《사회의》 Führer *m.* -s, -; Lehrer *m.* -s, -. ¶ 사회의 ~이 되다 Führer e-r Gesellschaft (e-s Volkes) werden.

목탄(木炭) ① 《숯》 Holz¦kohle (Zeichen-) *f.* -en. ② 〖미술〗 Kohlestift *m.* -es, -e.
‖ ~가스 Holzkohlengas *n.* -es. ~지 Kohlezeichnungspapier *n.* -s, -e. ~화(畫) Kohlezeichnung *f.* -en.

목통 ① Kehle *f.* -n; Gurgel *f.* -n; Schlund *m.* -(e)s, ⸚e; Nacken *m.* -s, -. ¶ ~이 굵다 (가늘다) Specknacken (dünnen Hals) haben. ② 《사람》 der Gewinnsüchtige*, -n, -n.

목판(木板) 《음식 나르는》 Holzbrett *n.* -(e)s, -er; Platte *f.* -n.
‖ ~차 offner Wagen, -s, -; Kabriolett *n.* -(e)s, -e.

목판(木版) Holzschneidekunst *f.* ⸚e; Holzschnitt *m.* -(e)s (목판술); Holzdruck *m.* -(e)s, -e; Xylographie *f.* -n [..fí:ən]; Holzplatte f. -n

‖ ~사 Holzschneider m. -s, -. ~인쇄 Handdruck m. -(e)s, -e: ~ 인쇄의 handgedruckt. ~화 Holzschnitt m. -(e)s, -e.

목편(木片) ein Stück 《-(e)s, -e》 Holz; Holzklotz m. -es, ⸗e.

목포수(一砲手) der im Anschlage liegende Jäger, -s, -.

목표(目標) Ziel n. -(e)s, -e; Zielscheibe f. -n (표적); Kampf|ziel (Angriffs-) n. -(e)s, -e; Endziel n. -(e)s, -e (목적); Merkzeichen n. -s, - (안표). ¶ …을 ~로 auf^4; nach^3 《보기: auf ^{4}et. (jn.) ab|zielen 노리다; nach ^{3}et. streben 노력하다》/ …을 ~로 하다 zielen 《auf^4; nach^3》; ^{3}sich ein Ziel setzen (stecken) 《auf^4》/ 명백한 ~를 갖고 있다 klare Ziele haben / 저 건물을 ~로 삼고 오십시오 Gehen Sie auf das Gebäude da zu!

‖ ~선 Ziellinie f. -n. ~숫자 gezielte Ziffer, -n. ~액 Zielleistung f. -en. ~연도 gezieltes Jahr, -(e)s, -e. ~지점 Zielort m. -(e)s, -e. ~착륙 Ziellandung f. -en.

목하(目下) jetzt; augenblicklich; derzeit; gegenwärtig; zur Zeit; 《현재로서는》 jetzt vorläufig; für jetzt; für den Augenblick; vorderhand. ¶ ~의 jetzig; augenblicklich; derzeitig; gegenwärtig; bestehend / ~의 상태로는 wie die Dinge jetzt stehen* (liegen*); unter den obwaltenden Umständen.

목합(木盒) Holznapf m. -(e)s, ⸗e; Holzschüssel f. -n.

목화(木花) Baumwollbaum m. -(e)s, -e; Baumwollstaude f. -n; Baumwollpflanze f. -n.

‖ ~가공업 Baumwollindustrie f. -n. ~실 Baumwoll(en)garn n. -(e)s, -e. ~씨 Baumwollsame(n) m. ..mens, ..men: ~씨 기름 Baumwollsamenöl n. -s. ~재배 Baumwollpflanzung f.

몫 《할당》 Anteil m. -(e)s, -e; Zu|teilung (Ver-) f. -en; Portion f. -en; Kontingent n. -(e)s, -e; Quote f. -n; Beitrag m. -(e)s, ⸗e (분담액). ¶ 몫에 따라 anteil|mäßig (quoten-)/ 몫을 치르다 js. Anteil bezahlen / 몫을 주다 als Anteil zu|teilen^4 / 한 몫 끼다 (sein) Anteil haben (erhalten*) 《an^3》/ 몫이 적었다 Mir fiel nur wenig zu.|Es kam nur wenig auf m-n Teil. / 노획물의 몫을 많이 (받을 만큼) 받다 e-n großen (gebührenden) Anteil an der Beute erhalten* (bekommen*) / 비용 중 내 몫은 얼마인가 Wie hoch ist mein Anteil an den Kosten? / 우리 몫의 유산 Unser Anteil an dem Erbe.

몫몫이 anteilig; anteilmäßig. ¶ ~ 나누다 gleichmäßig (in ^{3}Rationen (먹을 것)) verteilen^4 (aus|teilen; zu|teilen)$^{3\cdot4}$; zu|-messen$^{3\cdot4}$ (-|weisen$^{3\cdot4}$).

몬다위 《마소의》 Pferdeschulter f. -n; 《낙타의》 Höcker m. -s, -s.

몬순 【기상】 Monsun m. -s, -e.

몬존하다 ruhig; gefaßt; beruhigt (sein); s-e Fassung zurück|gewinnen*.

몬테비데오 《우루과이의 수도》 Montevideo.

몰¹ 【화학】 Mol n. -(e)s, -e. ¶ 몰의 molar.

몰² Borte f. -n. ¶ 금 몰 Goldborte f. -n / 금몰의 mit Goldborten gesäumt / 은 몰 Silber|tresse f. -n (-borte f. -n) / 은 몰의 mit^3 Silbertressen (Silberborten) besetzt.

몰- 《전부》 all-; sämtlich; gesamt; 《없음》 ohne; alle.

몰각(沒却) Geringschätzung f.; Vernachlässigung f. ~하다 außer acht (unbeachtet) lassen*; nicht beachten; gering|schätzen; vernachlässigen; vergessen*.

몰강스럽다 grausam; hart; rauh; brutal; erbarmungslos; unbarmherzig (sein).

몰골 das Verkrüppeln*, -s; Mißgestaltung f. -en; Formlosigkeit f. -en. ¶ ~사납다 häßlich (unförmig; niedrig; gemein) sein/ ~사나운 짓 das gemeine Benehmen, -s / ~사나운 복장을 하다 ärmlich gekleidet sein/ 그런 짓 하면 내 ~은 무엇이 되는가 Ich halte es für unter meiner Würde, das zu tun.

몰교섭(沒交涉) ¶ ~의 unabhängig 《von^3》; ohne ^{4}Beziehung 《mit^3》; ohne Zusammenhang 《mit^3》; nicht hierher (dazu) gehörig / ~이다 mit jm. (^{3}et.) nichts zu tun haben; k-e Beziehung haben 《mit^3》; in k-r Beziehung stehen* 《mit^3》.

몰다 ① 《마소·차 따위를》 (an|)treiben*^{4}; vorwärts|treiben*^{4} (voran|-); an|spornen^4; laufen lassen*^{4}; fahren*^{4}; 《말을》 reiten*^{4}; die Sporen geben*^{3}; zügeln^4; 《배를》 lenken^4; steuern^4. ¶ 차를 ~ e-n Wagen fahren* / 말을 급히 (빨리, 천천히) ~ (im) Galopp (Trab, Schritt) reiten*.

② 《뒤쫓다》 hetzen^4; Jagd machen 《auf^4》; jagen^4; jagend verfolgen^4; dicht auf den Fersen sein 《jm.》; auf der Ferse folgen 《jm.》. ¶ 사냥개로 토끼를 ~ Hasen mit Hunden hetzen.

③ 《궁지에》 in die Ecke (Enge) treiben*^{4}. ¶ 아무를 궁지에 ~ jn. an (gegen) die Wand drücken; jn. in Schach halten*

④ 《죄책을 지움》 beschuldigen^4; an|klagen^4. ¶ 아무를 살인죄로 ~ jn. des Mordes an|klagen (beschuldigen) / 사람들은 그가 돈을 훔친 것으로 몰았다 Man hat ihn beschuldigt, Geld gestohlen zu haben.

몰두(沒頭) Hingabe f.; Versunkenheit f.; Vertiefung f. ~하다 ^{4}sich vertiefen 《in^4》, ^{4}sich ^{3}et. ergeben* (ganz hin|geben*); von ^{3}et. ganz gefesselt sein; ^{4}sich in ^{3}et. versunken (verloren) sein; ^{4}sich ^{3}et. widmen. ¶ 연구에 ~하고 있다 Er vertieft sich in s-e Arbeit.

몰라보다 nicht beachten^4; nicht erkennen*. ¶ 나를 이젠 몰라보겠니 Erkennst du mich nicht mehr? / 그 여자는 몰라볼 만큼 예뻐졌다 Sie ist so schön geworden, daß man sie nicht wieder erkennt.

몰락(沒落) Untergang m. -(e)s, ⸗e; Ruin m. -s; Fall m. -(e)s; Verfall m.; Sturz m. -es (실각); 《파산》 Bankrott m. -(e)s, -e; Konkurs m. -es, -e; der finanzielle Zusammenbruch, -(e)s, ⸗e (재정상의). ~하다 unter|gehen*[s]; in Verfall (Konkurs) geraten*[s]; zu Grund gehen*[s]; Konkurs machen; herab|kommen* (herunter|-); herab|sinken*. ¶ 그가 그토록 ~할 줄은 몰랐었다 Ich hätte nicht gedacht, daß er so tief herabsinken würde.

몰래 geheim; heimlich; insgeheim; inoffiziell (비공식으로); im geheimen; unter der Hand; unter vier Augen; vertraulich; verborgen; verstohlen; hinter^3 js. Rücken; hinter^3 den Kulissen 《pl.》; versteckt. ¶ 양친 ~ hinter dem Rücken der Eltern / 나 ~ ohne mein Wissen / ~ 알아보다 ^{4}sich im geheimen erkundigen 《nach^3》; inoffiziell Erkundigungen 《pl.》 ein|ziehen*; nicht öffentlich zu ermitteln suchen^4 / ~ 빠져나가

다 ^{4}sich schleichen* 〔stehlen*〕 《*aus*^{3}》; 《도망》 ^{4}sich heimlich entfernen / 나는 ~ 빠져나왔다 Ich habe mich französisch empfohlen. / ~ 방을 빠져나가다 ^{4}sich aus dem Zimmer schleichen* / ~ 들어가다 ^{4}sich 〔ein|schleichen*; stehlen*〕 《*in*^{4}》; 《도둑이》 ein|brechen* 《*in*^{4}》 / ~ 방에 들어가다 ^{4}sich ins Zimmer stehlen* / ~ 다가서다 ^{4}sich heran|schleichen* 《*an*^{4}》; 《등 뒤에서》 hinter-her|schleichen* 《*jm.*》 / ~ 미행하다 *jn.* unbemerkt verfolgen.

몰려가다 ① 《밀려감》 getrieben werden. ② 《떼지어감》 in ^{3}Massen 〔in großer Menge〕 gehen* 〔kommen*〕 [s] 《여럿이》; ^{4}sich auf|drängen 《*jm.*》; ungebeten gehen* 《zu *jm.*》 (불청객으로); ^{4}sich scharen; zusammen|strömen.

몰려나다 《쫓겨나다》 vertrieben 〔verjagt; fortjagt〕 werden; 《해고》 entlassen 〔ausgesperrt〕 werden. ¶ 그의 처는 몰려났다 S-e Frau wurde verstoßen. / 하인이 몰려났다 Der Diener wurde hinausgeworfen. / 그는 회사에서 몰려났다 Er wurde von der Gesellschaft entlassen. / 도둑이 밖으로 몰려났다 Der Dieb wurde aus dem Haus gejagt.

몰려다니다 《쫓기어》 hin u. her vertrieben 〔verjagt〕 werden; 《떼지어》 in Gruppen 〔Haufen〕 umher|laufen* [s.h]. ¶ 애들이 몰려다닌다 Kinder laufen in Gruppen umher. / 새들이 몰려다니고 있다 Die Vögel fliegen in Haufen umher.

몰려들다 ^{4}sich drängen 《*um*^{4}》; zusammen|strömen [s] 《*zu*^{3}》. ¶ 역에는 그 유명한 배우를 보려고 많은 사람들이 몰려들었었다 Auf dem Bahnhof hatten sich viele Menschen eingefunden, um den berühmten Schauspieler zu bewundern. / 호기심이 강한 사람들이 많이 몰려들었다 E-e Menge neugieriger Menschen 《*pl.*》 sammelte ^{4}sich. ¦ Die Neugierigen 《*pl.*》 bildeten e-e Mauer 《*um*^{4}》.

몰려오다 ^{4}sich vor|drängen; vor|dringen* [s]; ^{4}sich heran|drängen (이쪽으로); heran|rücken [s] (이쪽으로); in Haufen 〔dicht gedrängt〕 kommen*. ¶ 비바람이 몰려온다 ein Gewitter zieht auf 〔ist im Anzug〕.

몰리다 ① 《밀리다》 gestoßen 〔gedrängt; gerückt〕 werden. ¶ 방 한구석으로 ~ in den Winkel gedrängt werden / 일에 ~ mit Arbeit überlastet sein; sehr beschäftigt sein / 시간에 ~ kaum Zeit haben; in der Zeit beschränkt sein.
② 《쫓김》 gejagt 〔getrieben〕 werden. ¶ 토끼가 개한테 ~ e-e Hase wird von dem Hund gejagt / 도둑이 골목으로 ~ ein Dieb wird in die Sackgasse getrieben.
③ 《궁해지다》 in Not sein; Mangel haben. ¶ 돈에 ~ um Geld verlegen sein; an Geld knapp sein / 대답에 ~ um eine Antwort verlegen sein.
④ 《죄로》 getadelt 〔vorgeworfen; gemartert; gefoltert〕 werden. ¶ 도둑 〔살인범〕 으로 ~ e-s Diebstahls 〔e-s Mordes〕 beschuldigt werden.
⑤ 《한 곳에》 ^{4}sich sammeln; ^{4}sich drängen; ^{4}sich scharen (사람이); schwärmen (벌레). ¶ 벌이 꽃에 몰려 있다 Die Bienen wimmeln um die Blumen.

몰리브덴 〖화학〗 Molybdän *n.* -s 《기호: Mo》.
‖ ~강(鋼) Molybdänstahl *m.* -(e)s. ~광(鑛) Molybdänit *m.* -(e)s.

몰몰아 in allem; alles zusammen. ¶ ~ 얼마지요 Was kostet alles zusammen?

몰박다 zusammen|bringen*; zwingen*; verbinden*.

몰사(沒死) die völlige Vernichtung 〔Zerstörung〕. **~하다** völlig vernichtet werden; vollständig zerstört werden; annihiliert werden; alle bis auf den letzten Mann sterben* [s].

몰살(沒殺) Massenmord *m.* -(e)s, -e; Gemetzel *n.* -s, -; Blutbad *n.* -(e)s, ⸚er. **~하다** bis auf den letzten Mann hin|metzeln^4; ohne ^{4}Ausnahme vernichten^4.

몰상식(沒常識) Mangel 《*m.* -s, ⸚》 an gesundem Menschenverstand; Unvernunft *f.* ¶ ~한 sinnlos; albern; unvernünftig; absurd; überspannt (터무니 없는); lächerlich; irrational; ungereimt; un¦sinnig 〔wider-〕; vernunftwidrig; dem gesunden Menschenverstand gerade ins Gesicht schlagend.

몰서(沒書) der zurückgewiesene Beitrag, -(e)s, ⸚e. **~하다** zurück|weisen*^{4}; nicht an|nehmen*^{4}; in den Papierkorb werfen*^{4} 〔schmeißen*^{4}〕.

몰수(沒收) Beschlagnahme *f.* -n; Einziehung *f.* -en; Konfiskation *f.* -en. **~하다** ein|ziehen*^{4}; beschlagnahmen^4; konfiszieren^4; mit Beschlag belegen^4. ¶ 라디오는 전부 ~당했다 Alle Radioapparate wurden beschlagnahmt 〔eingezogen〕.
‖ ~상품 die mit Beschlag belegten Waren 《*pl.*》. ~재산 das verfallene Gut, -s, ⸚er.

몰식자(沒食子) Gallapfel *m.* -s, ⸚.
‖ ~산(酸) 〖화학〗 Gallapfelsäure *f.*

몰씬하다 ☞ 물씬하다.

몰아 alles; alle. ¶ ~서 in allem; alles zusammen; alles in allem; im ganzen / ~ 사다 alles kaufen / ~ 값이 얼마요 Was kostet das insgesamt 〔alles zusammen〕.

몰아(沒我) Selbstlosigkeit *f.*; Uneigennützlichkeit *f.* ¶ ~적 selbstlos; uneigennützlich.

몰아가다 ① 《몰고 감》 fort|jagen; an|treiben*; fort|treiben*. ¶ 말을 ~ ein Pferd an|treiben* / 바람이 구름을 ~ der Wind treibt Wolken fort. ② 《휩쓸어》 weg|nehmen*; weg|tragen*. ¶ 가게의 물건을 ~ alles im Laden weg|nehmen*.

몰아내다 heraus|jagen^4 〔-|hetzen^4; -|treiben*^{4}〕; hinans|drängen; hinaus|stoßen*; hinaus|weisen*; verdrängen; vertreiben*; entheben* 《e-s Amtes》. ¶ 관직에서 ~ *jn.* s-s Amtes entheben* / 근로자들을 ~ Arbeiter 《*pl.*》 entlassen* / 난민들을 ~ Flüchtlinge 《*pl.*》 aus|weisen*^{4}.

몰아넣다 ① 《안으로》 hinein|treiben*^{4} 〔-|jagen^4; -|zwängen^4〕. ② 《궁지에》 in die Ecke 〔Enge〕 treiben*^{4}; an die Wand rücken^4. ③ 《한데》 zusammen hinein|stecken^4.

몰아대다 ① 《막 해냄》 *jn.* zum Schweigen bringen*; *jm.* eins auf den Mund geben*; widerlegen. ¶ 나는 그를 몰아댔다 Ich gab ihm eins auf den Mund.
② 《독촉》 auf|fordern; mahnen. ¶ 그는 나에게 일을 빨리 하도록 몰아댔다 Er forderte mich auf, die Arbeit schnell fertig zu machen. / 돈을 내라고 ~ *jn.* um Geld mahnen.

몰아들이다 ① 《몰아 넣다》 hinein|treiben*. ¶ 닭을 닭장에 ~ die Hühner in den Stall treiben*. ② 《휩쓸어》 alles ein|kaufen. ¶ 그는 장터의 장작을 몽땅 몰아들였다 Er hat

all das Holz im Markt eingekauft.
몰아때리다 =몰아치다.
몰아받다 ① 《한꺼번에》 alles auf einmal bekommen*. ¶ 돈을 ~ das Geld auf einmal bekommen*. ② 《도맡아》 alles erhalten*; en gros bekommen*.
몰아붙이다 ① 《한쪽으로》 (alles) auf e-e Seite schieben*; beiseite legen. ¶ 서류를 책상 한 편에 ~ alle Papiere auf eine Seite des Tisches schieben*. ② 《벽 따위에》 beiseite stellen; auf e-e Seite an|kleben. ¶ 게시를 벽 한쪽에 ~ alle Anzeigen in einen Winkel der Wand an|kleben.
몰아사다 in Haufen kaufen; alles zusammen kaufen; in Bausch u. Bogen kaufen.
몰아세우다 schelten*; aus|schelten*; zur Rede stellen; tadeln. ¶ 선생은 그가 게으르다고 몰아세웠다 Der Lehrer hat ihn wegen seiner Faulheit ausgescholten. / 그는 빚을 갚지 않는 장사치를 호되게 몰아세웠다 Er hat den Kaufmann, der s-e Schuld noch nicht bezahlt, hart gescholten. / 정부의 미온적인 외교를 ~ die schwache Außenpolitik der Regierung sehr tadeln.
몰아오다 ① 〘자동사적〙 ¶ 비가 (눈이) ~ es regnet (es schneit) auf einmal / 오랜 가뭄 끝에 큰비가 몰아왔다 Nach einer langen Dürre hat es auf einmal stark geregnet. ② 〘타동사적〙 her|treiben*; her|jagen; 《휩쓸어 옴》 aus|kaufen. ¶ 바람이 소낙비를 ~ der Wind bringt ein Gewitter / 그는 가게의 달걀을 몰아왔다 Er hat die Eier im Laden ausgekauft.
몰아주다 alles auf einmal geben*; die ganze Summe auf einmal bezahlen. ¶ 1년의 생활비를 ~ den Lebensunterhalt für ein Jahr auf einmal geben*.
몰아치다 ① 《한꺼번에》 auf einmal tun* (arbeiten); mit e-m Schlag machen. ¶ 밀린 일을 ~ die versäumte Arbeit auf einmal tun* / 시험 공부를 ~ [3]sich für die Prüfung ein|pauken. ② 《몰아붙임》 alles auf e-e Seite stellen.
몰약(沒藥) 〘식물〙 Myrrhe *f.* -n.
몰염치(沒廉恥) =파렴치.
몰이 Treibjagd *f.* -en; das Treiben*, -s. ~하다 jagend verfolgen[4]; hetzen[4]; 《das Wild》 treiben*[4].
‖ ~꾼 Treiber *m.* -s, -; Treibjagdhelfer *m.* -s, -; Klopfer *m.* -s, -.
몰이해(沒理解) Verständnislosigkeit *f.*; Mangel 《*m.* -s, ⸗》 an Verständnis (Verstehen*); Unverständnis *n.* -ses, -se; 《몰인정》 Gefühllosigkeit *f.*; Hartherzigkeit *f.*; Teilnahmslosigkeit *f.* ¶ ~한 verständnislos; an [3]Verständnis (Verstehen*) mangelnd; 《몰인정한》 gefühl¦los (teilnahms-); hartherzig.
몰인정(沒人情) Unmenschlichkeit *f.* (참혹); Unfreundlichkeit *f.* (불친절); Gefühllosigkeit *f.* (무정). ¶ ~한 unmenschlich; grausam; unfreundlich; gefühllos; hartherzig/ ~한 짓을 하다 herzlos (gefühllos) behandeln[4].
몰입(沒入) ① 《몰두》 Versunkenheit *f.*; Vertiefung *f.*; das Tauchen*, -s (잠입). ~하다 [4]sich vertiefen 《*in*[4]》. ② 《몰수》 Beschlagnahme *f.* -n. ~하다 ein|ziehen*[4]; beschlagnahmen[4]; konfiszieren; mit Beschlag belegen.
몰지각(沒知覺) Unverständnis *n.* -ses, -se; Unvernunft *f.* ~하다 unverständig; unvernünftig; verbiestert (sein).
몰취미(沒趣味) Geschmacklosigkeit *f.*; Ungeschmack *m.* -(e)s; Flach¦heit (Fad-) *f.*; Nüchternheit *f.*; Trockenheit *f.* ~하다 geschmacklos; flach; fad(e); geistesstumpf; nüchtern; prosaisch; trocken; alltäglich; abgedroschen; gewöhnlich; langweilig; taktlos (sein). ¶ ~한 사람 Alltags¦mensch *m.* -en, -en (-seele *f.* -n); Banause *m.* -n, -n; Philister *m.* -s, - (속물).
몰칵 ☞ 물컥.
몰타 《나라 이름》 Malta *n.* -s (섬도 가리킴); Staat 《*m.* -(e)s》 M. ¶ ~의 maltesisch.
‖ ~사람 Malteser *m.* -s, -.
몰풍정(沒風情) Geschmacklosigkeit *f.* ~하다 geschmacklos; anmutlos; unfein (sein).
몰풍치(沒風致) Geschmacklosigkeit *f.*; Unfeinheit *f.* ~하다 geschmacklos; anmutlos; unfein (sein).
몰하다 ein wenig geringer umfangreich (groß; dick; bänderreich) als man erwartet hat.
몰하다(歿—) 《죽다》 sterben*; hin|scheiden*; verscheiden* 《이상 모두 ⓢ》.
몸 ① 《몸뚱이》 Körper *m.* -s, -; Körperbau *m.* -(e)s; Leib *m.* -(e)s, -er; Statur *f.*; Wuchs *m.* -es, ⸗e. ¶ 건강한 몸 gesunder Körper / 튼튼한 몸 kräftiger Körper(bau) / 약한 몸 schwacher Körper(bau) / 부드러운 몸 zarter Körperbau / 단련된 몸 trainierter Körper / 병든 몸 kranker Körperbau / 몸의 körperlich; leiblich; physisch / 온 몸에 am ganzen Körper / 강건한 몸의 von kräftiger Statur / 부부는 한 몸이다 Mann u. Weib ist ein Leib. / 몸과 마음을 다하여 mit Leib und Seele / 건전한 정신은 건전한 몸에 깃든다 Ein gesunder Geist in e-m gesunden Körper.
몸이: 큰 groß / 작은 klein / 작다 von kleinem Körperbau (Wuchs) sein; von kleiner Statur (Gestalt) sein / 좋은 wohlgebaut; wohlgebildet / 여윈 dünn; schlank / 병신인 körperbaubehindert / 오싹한 haarsträubend. ¶ 온 몸이 떨린다 am ganzen Körper (Leib) zittern 《vor Angst, Kälte》 / 나는 두려움으로 온 몸이 떨렸다 Ich zitterte vor Angst am ganzen Körper. / 그녀는 홀몸이 아니다 《임신 중》 Sie ist schwanger.
몸에: 걸치다 ([4]sich) an|ziehen*[4]; tragen*[4] / 꼭 지니다 immer bei [3]sich tragen*[4] (haben). ¶ 그 코트는 내 몸에 맞는다 Der Mantel 《-s, ⸗》 paßt mir.
몸을: 쉬다 ([4]sich) aus|ruhen / 단련하다 (den Körper) ab|härten (pflegen*; stählen; trainieren)/닦다 [4]sich waschen* / 돌리다 schnell aus|weichen*; beiseite|springen* / 망치다 [4]sich zugrunde richten; verderben* / 맡기다 [4]sich *jm.* hin|geben*; [4]sich *jm.* preis|-geben* / 바치다 [4]sich widmen[3]; fleißig arbeiten 《*an*[3]》; [4]sich opfern 《*jm.*; *für*[4]》 / 팔다 [4]sich verkaufen; [4]sich an|bieten*; [4]sich prostituieren (매춘) / 허락하다 《여자가》 [4]sich *jm.* hin|geben* / 아끼다 s-n Leib pflegen (게으르다).
② 《몸통》 Rumpf *m.* -(e)s, ⸗e (사지를 제외한). ¶ 몸을 굽히다 (돌리다, 펴다) Rumpf beugen (drehen, strecken) (체조에서).
③ 《건강》 Körper¦beschaffenheit (Leibes-) *f.*; Gesundheit *f.*; Konstitution *f.* -en;

Leibeskraft *f.* ⸗e (체력).
몸이: 튼튼하다, 건강하다 gesund sein / 좋아지다 gesund werden / 좋지 않다 ⁴sich nicht wohl (unpäßlich; unwohl) fühlen; es geht (ist) schlecht (nicht gut; übel) 《*jm.*》 / 지탱하지 못하다 die Anstrengung 《-en》 (die Anspannung, -en) nicht aus|halten (ertragen) können*.
몸을: 상하다 seine Gesundheit ist angegriffen / 회복하다 ⁴sich erholen; wieder zu Kräften kommen*; gesund werden / 돌보지 않다 mit der Gesundheit unvorsichtig; unmäßig sein; *js.* Gesundheit nicht in acht nehmen*; mit der Gesundheit wüsten. ¶ 그것은 몸을 해친다 Das schadet der Gesundheit.
몸에: 좋다 der Gesundheit nützen / 나쁘다 der Gesundheit schaden / 이롭다 heilsam (gesundheitsfördernd; zuträglich) sein; heilsam (fördernd) auf die Gesundheit wirken; gut bekömmlich sein 《*jm.*》 / 해롭다 der ³Gesundheit schaden; schädlich auf die Gesundheit wirken.
④ 《습관》 ¶ 몸에 익다 e-s Dinges (⁴*et.* od. an ⁴*et.*) gewohnt sein / 나는 일찍 일어나는 버릇이 몸에 익었다 Ich gewöhnte mich, früh aufzustehen. / 몸에 익은 gewohnheitsmäßig.
⑤ 《신분》 *js.* Stand *m.* -(e)s, ⸗e; Stellung *f.* -en. ¶ 종의 몸 Zustand 《*m.* -(e)s, ⸗e》 des Sklaveseins / 첩의 몸에서 난 아들 der von einer ³Konkubine gebohrene Sohn, -(e)s, ⸗e / 귀(貴)한 몸 erhabene Persönlichkeit -en; wichtige Person, -en / 천(賤)한 몸 Person aus unterer Gesellschaftsschicht.
⑥ 《월경》 Menstruation *f.* -en; Periode *f.* -n. ¶ 몸을 하다 menstruieren.

몸가지다 《임신》 schwanger sein; in andern Umständen sein; guter ²Hoffnung sein; 《월경》 ihre Zeit (Tage) haben; das Monatliche* 《-n》 haben.

몸가짐 (Körper)haltung *f.* -en; Positur *f.* -en; Stellung *f.* -en; 《품행》 Manieren 《*pl.*》; das Benehmen*, -s; Gehaben *n.* -s; Sitten 《*pl.*》; Etikette *f.* -n. ¶ ~이 얌전하다 fein sittsam u. bescheiden sein / ~이 단정한 사람 ein Mensch 《*m.* -en, -en》 von guten Sitten (von angenehmen Umgangsformen) / ~이 나쁘다 gegen gute Sitten verstoßen* / ~이 그게 뭔가 Was sind das für Manieren? / ~을 깨끗이 하다 ⁴sich sauber (ordentlich) halten* / ~이 훌륭하다 ⁴sich gut halten*; eine gute Haltung haben.

몸가축 die Beachtung der persönlichen Erscheinung; Anständigkeit *f.* -en; die guten Manieren 《*pl.*》. **~하다** auf seine persönliche Erscheinung achten; gute Manieren haben; den guten Ton beachten.

몸값 Lösegeld *n.* -(e)s, -er; das für die Prostitution bezahlte Geld. ¶ ~을 주고 구출하다 los|kaufen.

몸골 Körper *m.* -s, -; Statur *f.* -en; Körperbau *m.* -s. ¶ ~이 크다 e-n großen (riesigen) Körperbau haben / ~이 가냘프다 sein Körper ist schwach; e-n schwächlichen (gebrechlichen) Körperbau haben.

몸나다 fett werden; zu Fleisch kommen* ⓢ; Fleisch an|setzen; dick (stark) werden.

몸닦달 Training *n.* -s, -s; Ausbildung *f.* -en. **~하다** trainieren; exerzieren; aus|bilden; ein|üben.

몸단속(一團束) Schutz *m.* -es; Wehr *f.* -en; Verteidigung *f.* -en. **~하다** ⁴sich schützen (wehren; verteidigen) 《*gegen*⁴; *vor*³》.

몸단장(一丹粧) Kleidung *f.* -en; Tracht *f.* -en; Putz *m.* -es; Schmuck *m.* -(e)s, -e; Toilette *f.* -n. **~하다** ⁴sich schmücken; Toilette machen; tragen*; Kleider tragen*; gekleidet sein; ⁴sich auf|putzen.

몸달다 ⁴sich beunruhigen 《*über*⁴》; *jn.* beängstigen (beunruhigen) 〖원인이 주어〗; unruhig (nervös) sein; 《…하고 싶어》 schmachten 《*nach*³; ⁴*et.* zu *tun*》; ⁴sich sehnen 《*nach*³》. ¶ 그는 여기를 떠나지 못해 몸달아 있다 Er sehnt sich fort von hier.

몸두다 bleiben* ⓢ; leben. ¶ 세상에서 몸둘 곳이 없다 In der Welt gibt es keinen Raum für mich. / 몸두어 일할 곳을 구하다 e-e Arbeitsstätte suchen / (부끄러워) 몸둘 바를 모르겠습니다 Ich schäme mich zu Tode.¦Vor Scham möchte ich in die Erde sinken.

몸때 Menstruationsperiode *f.* -n; Zeit *f.* -(e)n.

몸뚱이 Körper *m.* -s, -; Körperbau *m.* -s. ¶ ~가 크다 e-n großen Körperbau haben / ~가 작다 e-n kleinen Körperbau haben / ~가 뚱뚱하다 fett (dick) sein; e-n dicken Körper haben.

몸맨두리 Figur *f.* -en; Erscheinung *f.* -en; Kleidung *f.* -en. ¶ ~를 꾸미다 schmücken; ⁴sich schminken; tragen*; gekleidet sein.

몸받다 übernehmen*; eine Arbeit übernehmen*. ¶ 일을 몸받아 하다 für *jn.* (an *js.* Statt) e-e Arbeit tun*.

몸보신(一補身) Gesundheitspflege *f.* -n. **~하다** ⁴sich pflegen.

몸부림 **~하다, ~치다** 《노력》 kämpfen 《*für*⁴; *gegen*⁴; *mit*³》; ⁴sich ab|placken (ab|mühen); 《저항》 ⁴sich sträuben 《*gegen*⁴》; an|kämpfen 《*gegen*⁴》; 《버둥버둥》 ⁴sich (krümmen u.) winden* 《vor Schmerzen *od.* vor Seelenqual》; mit Händen u. Füßen zappeln; ⁴sich (sehr) quälen 《*mit*³》; ⁴sich ab|härmen 《*um*⁴》; 《딩굴딩굴》 ⁴sich wälzen; ⁴sich herum|werfen*. ¶ ~쳐도 소용 없다 Da hilft kein Sträuben.¦Es hat k-n Zweck, weiter dagegen zu kämpfen.

몸빠진살 ein fliegender Pfeil, -(e)s, -e; ein dünner Pfeil, -(e)s, -e.

몸살 das Leiden* 《-s》 vor Überarbeit; die wegen Überanstrengung leidende Krankheit. ¶ ~나다 vor Überarbeit krank werden; wegen Überanstrengung leiden*.

몸상(一床) ein kleiner Eßtisch vor einem großen bei Gelegenheit wie 60 Geburtstag.

몸서리 das Zittern* ((Er)beben*; Schaudern*) -s; Schauder *m.* -s, -. ¶ ~치는 schauder¦haft (-erregend); grauenhaft; gräßlich; furchtbar; entsetzlich; schrecklich / ~ 치다 (나다) zittern; (er)beben; schaudern; es schaudert *jm.* / 그걸 생각하니 지금도 ~가 난다 Mir schaudert jetzt noch, wenn ich daran denke. / 기다리기에 ~가 난다 Ich bin des langen Wartens überdrüssig. / 이런 변명 따위는 ~가 난다 Ich habe diese Ausreden 《*pl.*》 satt.

몸소 selbst; selber; persönlich; in Person. ¶ ~ 일을 하다 ⁴*et.* aus freiem Willen (freiwillig) tun* / ~ 가다 selbst (persönlich) gehen* [s] / ~ 지휘하다 persönlich führen / ~ 방문하다 *jn.* selbst besuchen / 아버지께서 ~ 뜰을 쓰신다 Der Vater selbst fegt den Garten.

몸솔 Rückenkratzer *m.* -s, -.

몸수색(一搜索) die körperliche Durchsuchung, -en; Suche *f.* -n. ~하다 durch|suchen.

몸쓰다 e-e Tat vollbringen*.

몸엣것 《월경》 Menstruation *f.* -en; Monatsfluß *m.* ..lusses, ..lüsse.

몸있다 ihre Zeit (Tage) haben; das Monatliche* haben.

몸져눕다 ^{4}sich zu Bett legen; krank (im Bett) liegen*; das Bett hüten.

몸조리(一調理) Gesundheitspflege *f.* -n; Diät *f.* -en. ~하다 ^{4}sich schonen; ^{4}sich pflegen; diät leben. ¶ ~하기 위하여 der Gesundheit wegen; gesundheitshalber / 그는 ~하기 위하여 산으로 간다 Er geht nach dem Gebirge, um seine Gesundheit zu fördern.

몸조심하다(一操心一) ^{4}sich in ^{4}acht nehmen*; ^{4}sich schonen; ^{4}sich nicht überanstrengen; seine Kräfte sorgsam einteilen; auf seine Gesundheit bedacht sein. ¶ 병이 나은 후에 그는 오랫동안 몸조심해야 했다 Nach der Krankheit mußte er sich noch längere Zeit schonen.

몸종 Stubenmädchen *n.* -s, -; Zimmerjungfer *f.* -n.

몸주체 die körperliche Schwerfälligkeit. ¶ 늙어서 자기 ~를 못한다 Wegen hohen Alters bewegt er sich schwerfällig.

몸집 Statur *f.* -en; Wuchs *m.* -es, ⸗e. ¶ 작은 ~ kleine Statur; kleiner Wuchs; kleine Gestalt, -en / ~이 작은 von kleiner ^{3}Gestalt; klein an ^{3}Gestalt; von kleinem Wuchs / ~이 작은 남자 ein kleiner Mann, -(e)s, ⸗er; ein Mann von kleinem Wuchs (von kleiner Gestalt) / ~이 거의 같다 fast die gleiche Statur sein 《wie》 / 그의 ~은 당신만하다 Er ist so ungefähr von Ihrem Wuchs.

몸짓 Gebärde *f.* -n; Geste *f.* -n. ~하다 ^{4}Gebärde (Geste) machen; gestikulieren. ¶ 그는 실감나는 ~으로 그 일을 보고했다 Er begleitete s-n Bericht mit ausdrucksvollen Gesten.

몸차림 Kleidung *f.* -en; Tracht *f.* -en; Putz *m.* -es; Schmuck *m.* -(e)s, -e. ~하다 gekleidet sein; Kleider tragen*; ^{4}sich auf|putzen; ^{4}sich schmücken.

몸채 《집의》 Hauptgebäude *n.* -s, -.

몸치장(一治粧) das Schmücken*, -s; Verzierung *f.*; Toilette [toalɛ́tə] *f.* -n. ~하다 Toilette machen; ^{4}sich verschönern; ^{4}sich schmücken.

몸통 Körper *m.* -s, -; Statur *f.* -en; Körperbau *m.* -(e)s. ¶ ~이 절구통 같다 Der Körper ist so groß wie ein Mörser.

몸풀다 《해산》 gebären*; entbunden werden 《von e-m Kinde》; *jn.* zur Welt bringen*; 《피로를》 ruhen; rasten; ^{4}sich aus|ruhen; zur Ruhe gehen* [s].

몸피 Körper *m.* -s, -; Figur *f.* -en; Körperbau *m.* -(e)s, -e.

몸하다 《월경》 ihre Zeit haben; das Monatliche* haben.

몹시 ① 《대단히》 schrecklich; furchtbar; abscheulich; verflucht; verdammt; äußerst; aufs äußerst; außer|gewöhnlich (-ordentlich); enorm; gar; höchlich; höchst; im höchsten Grade; sehr; über alle Maßen; ungeheuer; ungemein; übermäßig; maßlos; unmäßig. ¶ ~ 아름다운 sehr schön / ~ 더운 schrecklich (furchtbar) heiß / ~ 추운 abscheulich kalt / 그는 ~ 시장했다 Sein Hunger war unmäßig groß. / ~ 비싼 비용 übermäßige hohe Kosten 《*pl.*》 / ~ 많이 먹다(피우다) übermäßig essen* (rauchen) / 그는 ~ 검소하게 생활한다 Er lebt äußerst bescheiden. / 그 새 기계는 ~ 실용적이다 Das neue Gerät ist enorm praktisch. / 물가가 ~ 올랐다 Die Preise sind enorm gestiegen. / 그런 일은 ~ 드물게 일어난다 Das kommt höchst selten vor. / 그 일은 ~ 어렵다 Die Aufgabe ist ungeheuer schwer. / 그는 ~ 흥분하였다 Er war ungeheuer erregt. / 나는 ~ 슬프다 Ich bin sehr traurig.

② 《심하게》 hart; stark; bitter; beißend; streng; grausam. ¶ 비가 ~ 온다 Es regnet stark. / 나는 ~ 실망했다 Ich habe mich grausam enttäuscht. / 그는 ~ 불평했다 Er hat sich bitter beklagt. / ~ 벌을 주다 streng bestrafen / 아무에게 ~ 심하게 굴다 *jn.* grausam behandeln; quälen / 그 여자는 ~ 영리하다 Sie ist grausam gescheit (intelligent; klug) 《속어》 (농담으로).

몹쓸 ① 《도덕적으로》 ungehörig; nicht zu rechtfertigend; unrecht; 《더 구체적으로는》 frevelhaft; lasterhaft; schändlich; sündhaft; tadelhaft; unmoralisch; unsühnbar; unverantwortlich; widerrechtlich. ¶ ~놈 der verächtliche Kerl, -s, -e / ~짓 Ungehörigkeit *f.* -en; das schlechte Betragen*, -s / ~ 짓을 하다 *jm.* ein Unrecht (an|)tun*; ^{4}sich vergehen* 《gegen das Gesetz; gegen *jn.*》; etwas Unverzeihliches tun* / 그런 ~ 것이 어디 있나 Das ist nicht zu rechtfertigen (nicht mehr gutzumachen). | Das ist ja e-e Unverschämtheit.

② 《악성의》 boshaft; böswillig; virulent; bösartig. ¶ ~ 감기 eine starke (tüchtige) Erkältung, -en.

못^1 《박는》 Nagel *m.* -s, ⸗. ¶ 못대가리 Nagelkopf *m.* -(e)s, ⸗e / 나무못 Holznagel *m.* / 대못 Bambusnagel *m.* / 쇠못 ein Nagel aus Eisen / 못을 박다 e-n Nagel ein|schlagen* 《*in*^{4}》; 《다짐하다》 *jn.* erinnern (ermahnen) 《*an*^{4}》 / 못질하다 vernageln^4 / 못이 발에 박히다 ^{3}sich e-n Nagel in den Fuß treten* / 못을 빼다 e-n Nagel heraus|ziehen* 《*aus*^{3}》 / 못으로 고정시키다 fest|nageln^4 / 못을 구부리다 e-n Nagel krumm schlagen* / 무엇을 못에 걸다 etwas an einem Nagel auf|hängen* (옷 따위).

못^2 《살의》 Schwiele *f.* -n; Hornhaut *f.* ⸗e. ¶ 못이 박이다 e-e Schwiele bekommen* (haben) / 귀에 못이 박이도록 듣다 mehr als genug hören^4 / 정원 일로 손에 못이 생겼다 Ich habe von der Gartenarbeit Schwielen (an den Händen) bekommen.

못^3 《연못》 Teich *m.* -(e)s, -e; Bassin [basɛ̃:] *n.* -s, -s (분수지); Becken *n.* -s, - (분수지); Reservoir [..voá:r] *n.* -s, -e (저수지); Weiher *m.* -s, - (양어지). ¶ 못의 물을 빼다 e-n Teich ab|lassen* / 이 못에는 물고기가 많다 In diesem Teich gibt es viele Fische.

못^4 《불가·불능》 nicht (möglich); nie(mals); unmöglich; sicher nicht; unter k-n Umständen. ¶ 못 잊을 인상 (시간) unvergeßliche Eindrücke (Stunden) 《*pl.*》 / 못 가겠다

Ich kann nicht gehen.¦Ich will nicht gehen. / 여기서는 담배를 못 피운다 Hier darf nicht geraucht werden. / 너는 그 책 못 가져간다 Du darfst das Buch nicht mitnehmen. / 못 믿을 이야기 e-e unglaubliche Geschichte, -n / 그 증인은 못 믿겠다 Der Zeuge ist unglaubwürdig. / 나를 버리고는 가지 못하오 Du sollst mich nicht verlassen.

못가새 ein Drittel e-r handvoll Reiskeimlinge.

못걸이 Haken *m.* -s, -. ¶ ~에 걸다 an den Haken hängen.

못나다 ① 《어리석음》 dumm; unfähig; tatenlos (sein). ¶ 못난 짓 Dummheit *f.* -en / 내가 못났는진 몰라도… Wie ich auch dumm sei, …. ② 《생김새》 häßlich; unschön (sein). ¶ 지독히 못난 얼굴 ein abschreckend häßliches Gesicht, -(e)s, -er. ☞ 못생기다.

못난이 Dummkopf *m.* -s, ⸚e; Tor *m.* -en, -en; Narr *m.* -en, -en; Schafskopf.

못내 für immer; für alle Zeiten; ohne Grenzen; ohne Ende; ewig. ¶ ~ 은혜를 잊지 못할 겁니다 Ich werde Ihre Freundlichkeit nicht vergessen, so lange ich lebe.

못되다[1] ① 《덜됨》 unfertig werden (sein); nicht beendigt sein; unvollendet sein. ¶ 그 일은 아직 못 되었다 Die Arbeit ist noch nicht fertig.
② 《미달》 weniger als (nicht mehr als; kaum; nicht wert[2]) sein; nicht würdig[2] sein; unwert[2] sein; nicht brauchen. ¶ 백 원도 못되는 돈 nicht ganz hundert *Won*/ 두 시간도 못되어 in kaum zwei Stunden/ 마을에서 2마일도 못되는 곳 kaum zwei Meilen vom Dorf (entfernt) / 논할 것이 ~ nicht der Rede wert[2] sein / 칭찬할 것이 ~ des Lobes unwert[2] sein / 별로 놀랄 것이 못된다 Man braucht sich darüber nicht zu wundern.
③ 《모양이》 unschön (häßlich; schlecht; blaß; krank; unwohl) sein. ¶ 앓고 나서 얼굴이 ~ nach einer Krankheit blaß (schlecht) aussehen* / 건강이 ~ krank (unwohl) sein / 경기가 날로 ~ Die Handelsaussichten werden von Tag zu Tag schlimmer (schlechter).

못되다[2] 《나쁨》 unrecht; schlecht; schlimm; böse (sein). ¶ 못된 놈 Spitzbube *m.* -n, -n / 못된 장난 Schelmen¦streich *m.* -(e)s, -e (-stück *n.* -(e)s, -e) / 못된 생각을 품다 auf unrechte (schlimme) Gedanken kommen* Ⓢ / 못된 나무에 열매가 많다 Unkraut vergeht nicht. / 넌 정말 못된 놈이로구나 《화를 내면서》 Du bist mir ein schöner Freund.¦Das finde ich sehr nett von dir. / 못된 것은 빨리 배운다 Böses zu tun, lernt man rasch. / 못된 짓을 한 기억이 없읍니다 Ich habe ein gutes Gewissen. / 못된 짓을 해서 미안합니다 Entschuldigen Sie, ich habe unrecht gehandelt. / 못된 짓은 다 하고 다녔다 Er ist mit allen Hunden gehetzt.

못듣다 überhören[4]; nicht vernehmen*[4]; zu hören versäumen[4].

못마땅하다 ungenügend; unbefriedigt; unzulänglich; nicht reichend; mangelhaft; unzufrieden (sein). ¶ 못마땅하게 보이는 unzufrieden (enttäuscht) aussehend / 못마땅한 기분이다 [4]sich unbefriedigt fühlen; [4]*et.* vermissen / 그는 못마땅하게 보인다 Er sieht aus, als ob er nicht ganz zufrieden wäre./ 무엇인가 좀 못마땅한 점이 있다 Es läßt etwas zu wünschen übrig. / 그의 설명은 못마땅하다 S-e Erklärung befriedigt uns nicht.

못박다 nageln; 《남의 가슴에》 quälen; foltern; peinigen; betrüben. ¶ 십자가에 ~ kreuzigen.

못박이다 ① 《손발에》 e-e Schwiele bekommen*. ¶ 못박인 손가락 der Finger mit e-r Schwiele / 발가락에 못이 박였다 Ich habe e-e Schwiele an m-r Zehe bekommen.
② 《가슴 속에》 e-e Beule bekommen* (in *js.* Herzen); [3]sich [4]*et.* (ins Gedächtnis) ein¦prägen; [4]sich grämen 《*um*[4]》; [4]sich härmen 《*um*[4]; *über*[4]》. ¶ 가슴 속에 ~ e-n Groll hegen.
③ 《시선·발 따위》 an¦starren[4]; wie angenagelt stehen*. ¶ 놀라서 그 자리에 ~ vor [3]Schrecken wie angenagelt stehen*.

못보다 ① 《못보고 빠뜨리다》 übersehen*[4]. ② 《못보고 남기다》 unbesehen lassen*[4]. ¶ 급한 사정으로 마지막 한막은 못 보았다 Weil ich es in Eile war, konnte ich leider den letzten Akt nicht sehen.

못본체하다 nicht sehen (kennen) wollen* 《*jn.*》; (hin)weg¦sehen* 《über *jn.*》; ignorieren; k-e Notiz nehmen* 《von *jm*》; absichtlich meiden* 《*jn.*》; absichtlich nicht beachten 《*jn.*》; mit Nichtachtung strafen 《*jn.*》; schneiden* 《*jn.*》; bei¦sehen*[4] 《an *jm.*》; [3]sich den Schein geben*, als ob man [4]*et.* nicht sähe; ein Auge zu¦drücken 《*bei*[3]》; durch die Finger sehen*[4]; Nachsicht haben 《*mit*[3]》 (너그럽게 보아 주다). ¶ 그는 나를 못본체했다 Ich war Luft für ihn.¦Er tat, als ob ich nicht da wäre. / 곤경에 처한 친구를 못본 체했다 Er hat s-n Freund in Not im Stich lassen.

못비 segenbringender Regen für die Reisverpflanzung.

못뽑이 Nagel¦zange *f.* -n (-auszieher *m.* -s, -); Kneipzange *f.* -n; Klauenhammer *m.* -s, ⸚.

못살게굴다 mißhandeln 《*jn.*》; schlecht behandeln 《*jn.*》; drangsalieren 《*jn.*》; foltern 《*jn.*》; kujonieren 《*jn.*》; placken u. schinden* 《*jn.*》; plagen 《*jn.*》; quälen 《*jn.*》; schikanieren 《*jn.*》. ¶ 약자를 ~ die Schwachen quälen / 그는 아내를 못살게 굴었다 Er hat der Frau übel mitgespielt.

못생기다 ① 《얼굴이》 häßlich (unschön) sein. ¶ 못생긴 사람 e-e häßliche Person, -en / 못생긴 얼굴 ein häßliches Gesicht, -(e)s, -er/ 못생긴 처녀 ein häßliches Mädchen, -s, -/ 아주 못생긴 사람 e-e ausgesprochen häßliche Person, -en / 못생겼지만 총명한 얼굴이다 Sie hat häßliche, aber durchgeistigte Gesichtszüge. / 어지간히 못생긴 여자다 Sie ist ziemlich häßlich (unschön). ② 《어리석다》 dumm (unfähig; tatenlos) sein. ¶ 못생긴 사람 Taugenichts *m.* - (-es), -e.

못쓰다 ① 《행위·사람》 nicht gut (schlecht; schlimm) sein. ② 《쓸모가 없다》 nutzlos (unnütz; untauglich; unbrauchbar) sein. ¶ 사람이 못쓰게 되다 《병으로》 Es scheint mit dem Kranken zu Ende zu gehen. ③ 《사물》 unnütz (sein). ¶ 못쓰게 된 außer Gebrauch; aus der Mode; veraltet / 못쓰게 되다 außer [3]Gebrauch kommen* Ⓢ; zu nichts werden; ins Wasser fallen* Ⓢ / 못쓰게 하다 [4]*et.* zurück¦weisen*; [4]*et.* ab¦lehnen / 이 연장은 못쓴다 Das Werkzeug ist unbrauchbar.

못자리 Samenschule *f.* -n; Beet *n.* -(e)s, -e.
못정 ①《공구》 ein Durchschlag, um Nägel tiefer ins Holz treiben zu können. ②《광산》 Kreuzmeißel *m.* -s, -.
못주다 nageln; Nagel ein|schlagen*. ¶ 벽에 ~ Nagel an die Wand ein|schlagen*.
못줄 Richtleine bei der Verpflanzung von Reis.
못지않다 nicht nach|stehen*[3]; gleich|kommen*[3]. ¶(그의 아버지도 엄하셨지만) 어머니도 그에 못지 않게 엄하셨다 S-e Mutter war nicht weniger (minder) streng. / 오늘도 어제 못지 않게 춥다 Heute ist es ebenso kalt wie gestern. / 그녀는 언니에 못지 않게 예쁘다 Sie ist nicht weniger hübsch wie ihre ältere Schwester. / 그는 학식에 있어서 그녀에 ~ Er steht ihr an Kenntnissen nicht nach.
못질하다 《널·뚜껑 따위를》 fest|nageln[4]; 《궤짝 따위를》 vernageln[4]; zu|nageln[4]. ¶ 못질해서 널빤지를 고정시키다 ein Brett an|nageln.
못하다[1] 《비해서》 schlechter aus|sehen* 《im Vergleich *zu*[3]》; nach|stehen*[3]; zurück|stehen* 《*hinter*[3]》; unterlegen[3] (sein). ¶ 못하지 않다 nicht nach|stehen*[3]; gleich|kommen*[3] ⓢ / 너는 지성면에서 그만 ~ Du stehst ihm an Intelligenz nach.
못하다[2] 《불능》 nicht können*; nicht wollen*; nicht tun*; ab|sagen; fehl|schlagen*; einen Fehler machen. ¶ 하다 못해 wenigstens; mindestens; höchstens/가지 ~ nicht gehen können* (wollen*) / 먹지 ~ nicht essen können* (wollen*) / 말을 하지 못한다 Er kann nichts sagen. / 일을 하지 못한다 Er kann nicht arbeiten. / 너무 어려워서 못 하겠다 Es ist zu schwer zu tun. | Es geht über meine Kräfte. / 수학을 못 한다 Ich bin schwach in Mathematik.
못하다[3] 《부정》 nicht sein. ¶ 물이 맑지 ~ Das Wasser ist nicht klar. / 그는 유능하지 ~ Er ist nicht tüchtig.
몽 ☞ 몽니.
몽고(蒙古) Mongolei *f.* ¶ ~의 mongolisch; mongoloid (몽고적인).
‖ ~공화국 die Mongolische Volksrepublik. ~말 Mongolisch; das Mongolische*, -n. ~문자 mongolische Schrift, -en. ~반점 Mongolenfleck *m.* -(e)s, -e. ~사람 Mongole *m.* -n, -n(남자); Mongolin *f.* -nen (여자). 외(내)~ die Äußere (Innere) Mongolei.
몽구리 ①《까까머리》 der geschorene Kopf, -es, ⸗e; Tonsur *f.* -en. ②《중》 Bonze *m.* -n, -n; Mönch *m.* -(e)s, -e.
몽그작거리다 ☞ 뭉그적거리다.
몽근 ‖ ~벼 der bartlose Reis, -es. ~짐 die gestopfte Last, -en.
몽글다 bartlos; gleich groß (tüchtig); von gleicher Qualität; gleich gelehrt (sein).
몽글리다 ①《꺼끄러기를》 den Bart beseitigen; fremde Elemente aus|nehmen* (auf|heben*). ¶ 벼를 ~ den Bart vom Reis beseitigen. ②《단련》 [4]sich üben; [4]sich trainieren; verbessern; stählen. ¶ 몸을 ~ s-n Körper stählen (ab|härten). ③《옷맵시》 ordnen; in Ordnung bringen*; ein|richten; zurecht|machen. ¶ 옷맵시를 ~ [4]sich zurecht|machen.
몽글몽글하다 klumpig; knollig (sein). ¶ 풀이 ~ Die Pappe ist knollig. / 편도선이 부어서 ~ Die Mandeldrüse ist geschwollen und klumpig.
몽긋- ☞ 뭉그적-.
몽깃돌 Schiffballast 《*m.* -(e)s, -e》 in Form eines angehängten Steines.
몽니 Starrsinn *m.* -(e)s; Hartnäckigkeit *f.* -en; Eigensinnigkeit *f.* -en. ¶ ~궂다, ~사납다 starrsinnig (starrköpfig; hartnäckig; eigensinnig) sein / ~부리다 hartsinnig sein; seinen Kopf (für sich) haben.
‖ ~장이 Starrkopf *m.* -(e)s, ⸗e; Geizhals *m.* -es, ⸗e.
몽달귀(—鬼) der Geist vom Junggesellen.
몽당붓 der verwischte Pinsel, -s, -; der Stumpf 《-(e)s, ⸗e》 des Schreibpinsels.
몽당비 der verwischte Besen, -s, -; der Stumpf 《-(e)s, ⸗e》 des Besens.
몽당이 ①《모지랑이》 eine verwischte Sache, -n; ein verwischter Stumpf, -(e)s, ⸗e. ②《실뭉치》 Garnball *m.* -(e)s, ⸗e.
몽당치마 der kurze Rock, -(e)s, ⸗e.
몽동발이 der verwischte Stumpf, -(e)s, ⸗e.
몽둥이 Stab *m.* -(e)s, ⸗e; Stock *m.* -(e)s, ⸗e; Stange *f.* -n (장대); Pfahl *m.* -(e)s, ⸗e (말뚝); Knüttel *m.* -s, - (곤봉); Prügel *m.* -s, - (곤봉); Konstablerstab (경찰봉); Keule *f.* -n. ¶ ~로 때리다 mit e-m Stock schlagen*[4]; knüppeln[4] / ~로 때려 죽이다 《*jn.*》 mit e-m Stock tot|schlagen*/~로 얻어 맞다 mit e-m Stock geschlagen werden.
몽둥이세례(—洗禮) Schlagen* mit dem Stock (mit dem Knüttel; mit der Keule). ¶ ~를 주다 mit dem Stock (Knüttel) schlagen* / ~를 받다 mit der Keule geschlagen werden.
몽둥이찜 Schlagen* mit dem Stock (mit dem Knüttel). ~하다 mit dem Stock schlagen*.
몽따다 [4]sich unwissend stellen; Unwissenheit heucheln; tun*, als ob man nichts wüßte.
몽땅 《전부 다》 alles* u. jedes*, was es gibt (was man hat); alles* zusammen; sämtlich; so viel es gibt (einer* kann *usw.*); total; 《다 털어서》 mit allem, was dazu gehört; mit allem Drum u. Dran; mit dem ganzen Kram; in Bausch u. Bogen. ¶ ~ 손해를 보다 e-n vollständigen Verlust erleiden* / ~ 차지하다 das ganze Stück für [4]sich nehmen*; ganz (allein) in der Hand haben[4]; gepachtet haben[4]; monopolisieren[4]; ausschließlichen Besitz zergreifen* 《*von*[3]》/ ~ 털리다 *jm.* wird alles, aber auch alles gestohlen; bis auf den letzten Pfennig beraubt werden / 가산을 ~ 팔다 ein Haus samt dem Grundstück verkaufen.
몽땅몽땅 ☞ 뭉떵뭉떵.
몽똑몽똑 stumpf; verwischt; abgerieben. ~하다 stumpf; verwischt; abgerieben (sein).
몽롱하다(朦朧—) dunkel; trüb; verschwommen; nebelhaft; diesig; unbestimmt; nebelig (sein). ¶ 의식이 ~ ganz benommen sein.
몽매(蒙昧) Unwissenheit *f.* -en; Ignoranz *f.*; Unaufgeklärtheit *f.* ~하다 unwissend; unaufgeklärt; unerleuchtet; ungebildet; unzivilisiert; unkultiviert (sein). ¶ 그 섬의 주민들은 모두 무지 ~하다 Die Bewohner in der Insel sind alle unaufgeklärt (dumm).
몽매(夢寐) Schlaf u. Traum. ¶ ~간에도 sogar während der Schlafenszeit / ~간에도

그녀의 모습은 잊을 수 없다 Im Wachen u. Träumen kann ich ihre Gestalt nicht vergessen.¦Im Wachen u. Träumen schwebt mir ihre Gestalt vor (den) Augen.

몽블랑 《알프스 산맥의 최고봉》 Mont Blanc.

몽상(夢想) (Traum)gesicht *n.* -(e)s, -e; Einbildung *f.* -en; Luftschloß *n.* ..schlosses, ..schlösser; Vision *f.* -en. ~하다 träumen 《*von*[3]》; Luftschlösser 《*pl.*》 bauen; in den Wolken schweben; phantasieren 《*von*[3]》; [3]sich Illusionen machen.
‖ ~가 Idealist *m.* -en, -en; Träumer *m.* -s, -; Luftschloßbauer *m.* -s, -; Phantast *m.* -en, -en; Schwärmer *m.* -s, -; Visionär *m.* -s, -e.

몽설(夢泄) Pollution *f.* -en; 〖속어〗 Abgänger *m.* -s, -; Abläufer *m.* -s, -; Blindgänger *m.* -s, -. ¶ ~했다 Mir ist einer abgelaufen.

몽실몽실 《통통함》 drall; (wohl)beleibt; dick (u. fett); korpulent; plump; rund. ¶ ~한 어린애 ein pausbäckiges Kind, -(e)s, -er / ~한 젖가슴 der weiche, beleibte Busen, -s, -.

몽유병(夢遊病) 〖의학〗 Somnambulismus *m.* -; das Nachtwandeln*, -s; Mondsucht *f.*
‖ ~자 Nachtwandler *m.* -s, -; Somnambulist *m.* -en, -en; der Mondsüchtige*, -n, -n.

몽은(蒙恩) Begünstigung (Begnadigung) *f.* -en. ~하다 begünstigt sein; [4]sich der Gunst *js.* erfreuen; Wohltat genießen*.

몽정(夢精) Pollution *f.* -en; 〖속어〗 Abgänger *m.* -s, -; Abläufer *m.* -s, -; Blindgänger *m.* -s, -. ☞ 몽설(夢泄).

몽조(蒙兆) =꿈자리.

몽중(夢中) im Traum. ☞ 꿈.

몽진(蒙塵) =파천(播遷).

몽짜스럽다, 몽짜치다 hell; klar (sein); mehr geschickt sein als man denkt; mehr gewandt sein als man aussieht.

몽총하다 ① 《푸접 없음》 dumm; kalt; gleichgültig; kaltherzig; gehässig (sein). ¶ 몽총한 사람 eine dumme (kalte; gehässige) Person, -en / 몽총한 짓을 하다 eine Dummheit (Torheit) begehen*. ② 《몽톡》 stumpf; stoppelig (sein). ¶ 비 끝이 ~ Das Ende des Besens ist stumpf.

몽치 die kurze und dicke Keule, -n; Keule *f.* -n. ¶ ~로 때리다 mit Keule schlagen*/ ~로 얻어 맞다 mit Keule geschlagen werden. ‖ 쇠~ die Eisenkeule, -n.

몽타즈 Montage [..ʒə] *f.* -n.
‖ ~사진 Photomontage [..ʒə] *f.* -n.

몽태치다 stehlen*; weg|nehmen*; entwenden*; mausen.

몽톡 ☞ 뭉뚝.

몽혼(矇昏) =마취(痲醉).

몽환(夢幻) Träumerei *f.* -en; Phantasie *f.* -n [..zí:ən]; Phantasma *n.* -s, ..men. ¶ ~적인 träumerisch; traumhaft.
‖ ~곡 Phantasie. ~극 Phantasie-Drama *n.* -s, ..men. ~세계 Traumwelt *f.* -en.

뫼 ① 《무덤》 Grab *n.* -(e)s, ⸗er; Grab¦stätte (Begräbnis-) *f.* -n; Friedhof *m.* -(e)s, ⸗e. ¶ 선산에 뫼를 쓰다 *js.* Überreste im Grabe der Ahnen bestatten / 뫼를 파 헤치다 ein Grab erbrechen* (öffnen; aus|graben*). ② 《산》 Berg *m.* -(e)s, -e.

뫼쓰다 begraben*[4]; beerdigen[4]; bestatten[4]; Begräbnisstätte benutzen.

묏자리 Grabstätte *f.* -n. ¶ ~를 구하다 eine Grabstätte suchen / ~를 정하다 eine Grabstätte fest|setzen.

묘(卯) 〖민속〗 ① 《십이지의》 das Zeichen des Hasen; das 4. im zwölfjähriges Zyklus. ② ☞ 묘방(卯方). ③ ☞ 묘시(卯時).

묘(墓) =무덤.

묘(廟) 《사당》 Schrein *m.* -(e)s, -e; Ahnenkapelle (Friedhof-; Grab-) *f.* -n; Reliquienschrein *m.* -(e)s; -e; 《능》 Mausoleum *n.* -s, ..leen.

묘계(妙計) der gute Plan, -(e), ⸗e; das kluge Vorhaben, -s, -. ☞ 묘책.

묘구도적(墓丘盜賊) ① 《물건 파내는》 Grabdiebstahl *m.* -(e)s, ⸗e; Grabplünderer *m.* -s, -. ② 《송장 파내는》 Leichenräuber *m.* -s, -.

묘기(妙技) 《솜씨》 die bewundernswerte (ausgezeichnete; vortreffliche; außerordentliche; vorzügliche) Geschicklichkeit (Kunstfertigkeit); 《연기 따위》 die verblüffende Leistung; die geschickte (gewandte) Bearbeitung (세공). ¶ ~를 보이다 s-e Kunstfertigkeiten zeigen (zur Schau stellen).
‖ 공중~ Luftkunst¦stück (Kunstflug-) *n.* -(e)s, -e.

묘령(妙齡) das blühende Alter, -s; Jugendblüte *f.* ¶ ~의 mannbar (여성에게만); geschlechtsreif; heiratsfähig / ~의 여성(처녀) das Mädchen 《-s, -》 im blühenden Alter; die holde Maid 《-e(n)》 in ihren zarten Siebzehn / ~에 달하다 zum blühenden Alter kommen*; die Ehemündigkeit erreichen.

묘리(妙理) Grundprinzip *n.* -s, -ien; das mystische (geheimnisvolle) Prinzip; Hauptpunkt *m.* -(e)s; das Wesentliche*, -s. ¶ ~를 터득하다 [3]sich ein mystisches Prinzip an|eignen; ein Grundprinzip beherrschen; das Wesentliche* 《-s》 erleben.

묘막(墓幕) ein Zelt 《*n.* -(e)s, -e》 (eine Hütte) beim Grab.

묘망하다(渺茫―) weit (ausgedehnt); weit u. breit; endlos; grenzenlos; übermäßig groß (sein).

묘목(苗木) Setzling *m.* -s, -e; das junge Bäumchen, -s, -. ¶ ~을 옮겨 심다 Sämlinge pikieren (verpflanzen; verstopfen).
‖ ~밭 Baum¦schule (Pflanz-) *f.* -n; Baumgarten *m.* -s, ⸗. ~장수 (상인) Säm¦lingshändler (Keim-; Pflänz-) *m.* -s, -.

묘미(妙味) (Lieb)reiz *m.* -es; Zauber *m.* -s; Schönheit *f.*; Charme *m.* -s (Scharm *m.* -(e)s); etwas Berückendes*; Feinheit *f.* -en. ¶ 시의 ~를 알다 [4]sich in dichterischen Zauber einfühlen können*; für den (Lieb)reiz der Dichtung aufgeschlossen sein; der Schönheit e-s Gedichtes gutes Verständnis entgegenbringen können* / 그의 문체에는 말할 수 없는 ~가 있다 Sein Stil hat e-n unbeschreiblichen Reiz. / 속물들은 이런 ~를 이해하지 못한다 Gewöhnliche Menschen (Philister) können die Feinheit dieser Stelle nicht verstehen.

묘방(卯方) 〖민속〗 die Richtung des Hasen; Ost *m.* -(e)s.

묘방(妙方) ① 《약방문》 das mystische Rezept, -(e)s, ② =묘법 ①.

묘법(妙法) ① 《방법》 eine vortreffliche Weise (Methode) -n. ② 《불법》 die mystische (wundervolle) Vorschrift von Buddha.

묘비(墓碑) Grab¦stein (Leichen-) *m.* -(e)s, -e; Grabmal *n.* -(e)s, -e (⸗er) (큰 묘비). ¶ ~를 세우다 e-n Grabstein stellen.
‖ ~명 Grabschrift *f.* -en; Epitaph *n.* -s,

-e; Epitaphium *n.* -s, ..phien (비문)

묘사(描寫) Beschreibung *f.* -en; Darstellung *f.* -en; Schilderung *f.* -en; das Malen*, -s. ～하다 beschreiben*[4]; dar|stellen[4]; schildern[4]; (ab|)malen.
‖사실적～ realistische Deskription, -en. 성격～ Charakter|schilderung *f.* -en. 실물～ das Zeichnen nach Vorlagen (Modellen). 심리적～ psychologische Deskription.

묘상(苗床) ① 《모종판》 Beet *n.* -(e)s, -e; Baum|schule (Pflanz-) *f.* -n; Baumgarten *m.* -s, ⸚. ② =못자리.

묘석(墓石) Grabstein *m.* -(e)s, -e; Grabmal *n.* -(e)s, -e.

묘수(妙手) ① 《사람》 Meister *m.* -s, - (im Schachspiel, Go-spiel, *usw.*). ② 《수》 ein ausgezeichneter (guter) Zug, -(e)s, ⸚e (im Schachspiel, Go-spiel, *usw.*).

묘시(卯時) 〖민속〗 der Wacher des Hasen: ① die 4. Periode innerhalb des Zwölfstundentages. ② die 7. Periode innerhalb des Vierundzwanzigstundentages.

묘안(妙案) Prachtidee *f.* -n; Kardinalgedanke(n) *m.* ..kens, ..ken; die ausgezeichnete (herrliche; prächtige) Idee, -n [idé:ən]. ¶ ～을 생각해 내다 wunderbare Idee finden*; etwas Raffiniertes erdenken*.

묘안석(猫眼石) 〖광석〗 Katzenauge *n.* -s, -n.

묘약(妙藥) Sonder|mittel (Eigen-; Haupt-; Spezial-) *n.* -s, -; das gegebene (allbekannte; erprobte; unfehlbare) Mittel, -s, -; Spezifikum *n.* -s, ..ka. ¶ 두통의 ～ das beste Mittel gegen (für) [4]Kopfschmerzen.

묘연하다(杳然—) ① 《자취 등》 spurlos verschwinden*. ¶ 행방이 ～ Er ist spurlos verschwunden.| Von ihm fehlt jede Spur. ② 《기억·소식 등》 nicht klar (sein); nichts[4] verraten*; nicht vermuten[4]. ¶ 그는 소식이 ～ Ich verrate nichts von ihm.

묘연하다(渺然—) endlos; grenzenlos (sein).

묘우(廟宇) Tempel *m.* -s, -; Heiligtum *n.* -s, ⸚er.

묘음(妙音) die vorzügliche (ausgezeichnete; vortreffliche) Musik; der wunderbare Laut, -(e)s, -e.

묘전(墓前) vor dem Grab. ¶ ～에서 곡을 하다 über *js.* Grab Tränen gießen*.
‖～제 Gedächtnisfeier 《*f.* -n》 vor dem Grab.

묘제(墓祭) das Fest vor dem Grab.

묘지(墓地) Friedhof *m.* -(e)s, ⸚e (공동 묘지의 뜻으로도); Grabstätte *f.* -n; Kirchhof; Begräbnisplatz *m.* -es, ⸚e. ¶ 가족 ～에 매장하다 *jn.* da begraben*, wo s-e Vorfahren schlafen.
‖공동～ gemeinsamer (städtischer) Friedhof. 국립～ nationaler Friedhof. 유엔～ der (Gedächtnis) Friedhof für die Gefallenen der UN-Truppe.

묘지(墓誌) Grabschrift *f.* -en; Epitaph *n.* -s, -e.
‖～명(銘) Inschrift 《*f.* -en》 auf Grabstein.

묘지기(墓—) Grabhüter *m.* -s, -; Küster *m.* -s, -.

묘책(妙策) der vorzügliche (ausgezeichnete; wohldurchdachte) Plan, -(e)s, ⸚e; die glückliche Idee, -n. ☞ 묘안. ¶ ～이 떠오르다 auf e-e glänzende Idee kommen*Ⓢ.

묘체(妙諦) das Wesentliche* 《-n》, auf das es ankommt; des Pudels Kern 《*m.* -(e)s》; Haupt|punkt (Angel-; Dreh-; Kardinal-) *m.* -(e)s, -e.

묘판(苗板) =묘상(苗床).

묘포(苗圃) 〖농업〗 Baum|schule (Pflanz-) *f.* -n; Baumgarten *m.* -s, ⸚.

묘표(墓標) Grabdenkmal *n.* -(e)s, ⸚er (-e).

묘필(妙筆) die vortreffliche (ausgezeichnete) Schrift (Handschrift) -en.

묘하다(妙—) ① 《이상한》 seltsam; absonderlich; kurios; merkwürdig; sonderbar; wunderlich (sein). ¶ 묘한 말을 하다 etwas Seltsames* aus|sprechen*; von etwas Merkwürdigem reden / 묘하게 들리다 seltsam klingen*; [4]sich sonderbar an|hören / 묘한 꿈 der seltsame Traum, -(e)s, ⸚e / 묘한 물건 das merkwürdige Ding, -(e)s, -e / 묘한 기계 die seltsam aussehende Maschine, -n / 묘하게 생각하다 [4]*et.* für sondarbar (seltsam) halten*. ② 《음색 따위가 아름답다》 köstlich; bezaubernd; göttlich; schön; herrlich; himmlisch; vorzüglich; wunder|bar (-voll) (sein).

묘혈(墓穴) Grab *n.* -(e)s, ⸚er. ¶ 그는 스스로 ～를 파고 있다 Er gräbt (schaufelt) sich selbst sein Grab.|Er führt selbst s-n Untergang herbei.

무[1] 《옷옷의》 Schweißeinlager in der Achsel eines Kleidungsstücks.

무[2] 〖의학〗 die akute Periostitis, ..tiden.

무(戊) 〖민속〗 der 5. der 10 Himmel.

무(武) Militarismus *m.* -, ..men; Macht *f.* ⸚e; übersteigerte militärische Gesinnung. ¶ 무를 숭상하다 auf kriegerische Ertüchtigung viel (großen) Wert legen / 무를 닦다 (연마하다) [4]sich kriegerisch (militärisch) ertüchtigen (aus|bilden; züchten) / 문(文)은 무(武)보다 강하다 Feder ist stärker als Schwert.

무(無) 《없음》 nichts; Nichts *n.* -. ¶ 무가 되다 zunichte (zu Wasser) werden; ins Wasser fallen* Ⓢ / 모든 희망은 무로 돌아갔다 All m-e Hoffnungen wurden zunichte. / 무로 돌아가게 하다 zunichte machen / 무에서 유(有)는 생기지 않는다 „Aus nichts wird nichts."

무가내(無可奈), 무가내하(無可奈何) unlenksam; unbändig; unbeherrschbar; eigensinnig. ☞ 막무가내. ¶ 그녀는 ～다 Ich habe keine Gewalt über sie.

무가치(無價値) Unwert *m.* -(e)s, -e; Wertlosigkeit *f.* -en. ～하다 unwert[2]; wertlos; unwürdig[2] (sein).

무간섭(無干涉) Nichteinmischung *f.* -en.
‖～주의 die Politik der Nichteinmischung.

무간하다(無間—) vertraut; intim; innig; zärtlich; liebevoll (sein). ¶ 무간한 친구 der vertraute Freund, -es, -e; Busenfreund *m.* -es, -e / 우리는 무간하게 지내고 있다 Wir vertragen uns sehr gut.

무감각(無感覺) 《무감동》 Unempfindlichkeit *f.*; Empfindungslosigkeit *f.*; Abstumpfung *f.*; Apathie *f.* ～하다 unempfindlich; empfindungslos; abgestumpft; apathisch (sein). ¶ ～해지다 unempfindlich *usw.* werden / 추위에는 ～하다 Ich bin gegen Kälte unempfindlich.

무감찰(無鑑札) ¶ ～의 ohne [4]Erlaubnis (Berechtigung; Autorisierung; Freibrief; Genehmigung; Lizenz); unberechtigt; unerlaubt.

무개(無蓋) ohne Dach. ¶ ～의 offen; unverdeckt. ‖～차 der offene Wagen, -s, - (자동

차); Break [bre:k] *m.* (*n.*) -s, -s(마차); der offene Güterwagen(화차).

무거리 Mehlrückstand《*m.* -(e)s, ⸚》im Sieb.

무겁 《활터의》 der Damm《-(e)s, ⸚e》 hinter dem Ziel.

무겁다 ① 《무게》 schwer(wiegend) (sein). ¶ 무거운 짐《부담》 die schwere Last, -en / 무겁게 하다 schwer(er) machen⁴ / 무거워지다 schwer(er) werden.

② 《언행이》 langsam; schwer (sein). ¶ 입이 무거운 사람 der Schweigsame* (Einsilbige*) -n, -n; der Mund¦faule* (Maul-) -n, -n; der Wortkarge*, -n, -n / 입이 ~ langsam in Reden sein; e-e schwere Zunge haben.

③ 《기분》 nieder¦geschlagen (-gedrückt); bedrückt; deprimiert; entmutigt (sein). ¶ 무거운 마음으로 schweren Herzens; mit schwerem Herzen; von ³Angst bedrückt / 머리가 ~ e-n schweren Kopf haben / 발걸음이 ~ ⁴sich mühsam fort|schleppen; mühsam zu Fuß gehen* ⓢ; schweren Schritte gehen* ⓢ.

④ 《병》 ernst(haft); bedeutend; bedeutsam; (ge)wichtig; seriös (sein). ¶ 무거운 병 die schwere (ernste; heftige) Krankheit, -en. / 무거운 벌 die schwere (strenge) Strafe, -n.

⑤ 《중대함》 ernst; groß; schwer (sein). ¶ 무거운 책임 die schwere (ernste; große) Verantwortlichkeit.

무게 ① 《중량》 Gewicht *n.* -(e)s, -e(근수); Schwere *f.* (중량). ¶ ~를 달다 wiegen*⁴ / ~가 부족하다 ⁴es an ³Gewicht fehlen lassen*; das Gewicht reicht nicht zu / 그는 ~가 120파운드다 Er ist 120 Pfund schwer.¦Er wiegt 120 Pfund.

② 《언행의》 Geltung *f.* -en; Ansehen *n.* -s; Einfluß *m.* ..flusses, ..flüsse; Machtstellung *f.* -en; Prestige *n.* -s. ¶ ~가 없는 wenig Geltung (Ansehen) habend; einflußlos/ ~가 있는 autoritativ; maßgebend; tonangebend; führend / ~가 있다 in hohen Ansehen stehen*; vom großen Einfluß sein; ins Gewicht fallen* ⓢ; zur Geltung kommen* ⓢ / ~ 있는 사람 e-e autoritative (angesehene; führende; maßgebende) Persönlichkeit, -en; ein Mann《-(e)s, ⸚er》 von hohem Ansehen (von ³Gewicht; von großem Einfluß); Autorität *f.* -en; Koryphäe *f.* -n; Leuchte *f.* -n; Spitz *f.* -n.

무결근(無缺勤) =무결석(無缺席).

무결석(無缺席) der ständige (regelmäßige) Besuch, -(e)s; das Nichtfehlen*, -s. ¶ 그는 ~이다 Er hat nie in der Schule gefehlt.

무경고(無警告) ¶ ~로 ohne (vorherige) Warnung; ungewarnt.

무경험(無經驗) Unerfahrenheit *f.*; Erfahrungslosigkeit *f.*; Mangel《*m.* -s》 an ³Erfahrung; Unvertrautheit *f.* ¶ ~의 unerfahren《*in*³》; erfahrungslos; unvertraut《*mit*³》; grün(미숙한).

무계획(無計劃) ~하다 ohne ⁴Plan; aus dem Stegreif; unvorbereitet (sein).

무고(無故) 《무사》 Sicherheit *f.*(안전); Friede *m.* -ns, -n; Ruhe *f.* (평온); Wohlbefinden *n.* -s(건강). ~하다 〔형용사적〕 glücklich; friedlich; gefahrlos; sicher; unversehrt; ruhig; ereignislos; gesund; heil; wohlbehalten (sein); 〔동사적〕 ⁴sich wohl befinden; in Frieden leben.

무고(無辜) Unschuld *f.*; Schuldlosigkeit *f.* ~하다 unschuldig; schuldlos; arglos; harmlos (sein).

무고(誣告) Verleumdung *f.* -en; die falsche Anschuldigung, -en. ~하다 verleumden; falsch an|klagen.

‖ ~자 Verleumder *m.* -s, -.

무곡(舞曲) Tanzmusik *f.*

무골충(無骨蟲) ① 《벌레》 der knochenlose Wurm, -(e)s, ⸚er. ② 《사람》 Waschlappen *m.* -s, -; Schlappschwanz *m.* -es, ⸚e. ¶ 그는 ~이다 Er hat k-n Schneid.¦Er hat kein Rückgrat.

무골충이 Rillenecke《*f.* -n》 in einem Pfeiler.

무골호인(無骨好人) der Gutmütige* (Einfältige*) -n, -n.

무공(武功) die militärische Heldentat, -en; das kriegerische Verdienst, -es, -e. ¶ ~을 세우다 ⁴sich im Kriege aus|zeichnen; ausgezeichnete kriegerische Dienste leisten.

‖ ~훈장 der Orden für die militärische Heldentat.

무관(武官) Militär¦offizier (Marine-) *m.* -s, -e; Offizier *m.* -s, -e. ‖ 대(공)사관 근무~ Militär¦attaché [..ʃe:] (Marine-) *m.* -s, -s.

무관(無冠) ¶ ~의 ohne Krone / ~의 제왕(帝王) der König《-(e)s, -e》 ohne Krone; der ungekrönte König.

무관계(無關係) k-e Beziehung; k-e Relation. ~하다 fremd; beziehungs¦los (bezugs-; verbindungs-) (sein); in k-r Beziehung mit³ (zu³) stehen*; nicht zur Sache gehörig sein; unbeteiligt sein《*an*³》; uninteressiert sein《*an*³》; unschuldig⁽²⁾ sein《*an*³》(책임이 없는). ¶ 그와는 ~하다 Ich habe nichts mit ihm zu tun. / 그건 너와 ~하다 Das liegt nicht in d-m (eigenen) Interesse.

무관심(無關心) Gleichgültigkeit *f.*; Indifferenz *f.*; Mangel《*m.* -s, ⸚》 an ³Interesse; Lauheit *f.*; Teilnahmslosigkeit *f.*; Unbekümmertheit *f.*; Uninteressiertheit *f.*; Nonchalance [nɔ̃ʃalá:s] *f.* ~하다 〔형용사적〕 gleichgültig; indifferent; teilnahmslos; unbekümmert; uninteressiert; nonchalant [..lá:]; (völlig) gleichgültig《*gegen*⁴; *über*⁴; *um*⁴》(sein); 〔동사적〕 ⁴sich bei e-r Sache uninteressiert zeigen. ¶ 그는 정치에 ~하다 Er will nichts von Politik wissen.

무교육(無教育) Unerzogenheit *f.*; Mangel《*m.* -s, ⸚》 an ³Erziehung; Ungebildetheit *f.*; Analphabetentum *n.* -(e)s. ¶ ~의 unerzogen; an ³Erziehung mangelnd; ungebildet; analphabetisch.

‖ ~자 der Unerzogene* (der mangelhaft Erzogene*; der Ungebildete*) -n, -n; Analphabet *m.* -en, -en.

무구(無垢) Reinheit *f.* -en; Keuschheit *f.* -en. ~하다 rein; keusch; nicht entweiht; unbefleckt; unschuldig; unverdorben (sein). ¶ ~한 처녀 die keusche (unbefleckte; unschuldige) Jungfrau, -en.

무궁(無窮) Unendlichkeit (Ewigkeit) *f.* -en. ~하다 unendlich; endlos; ewig; grenzenlos (schranken-); unbegrenzt; unermeßlich (sein). ¶ ~하게 auf (für) immer; auf ewig; in ⁴Äonen; in ⁴Zeit u. Ewigkeit.

무궁무진(無窮無盡) Ewigkeit *f.*; Unendlichkeit *f.* ~하다 ewig; unendlich; endlos (sein). ¶ ~하게 (auf) ewig; in (alle) Ewigkeit; unendlich / 천지와 같이 ~하다 unvergänglich wie Himmel und Erde sein.

무궁화(無窮花) Eibischstrauch *m.* -(e)s, ⸚er.

‖ ~동산 das schöne Land Koreas. ~대훈장 der höchste Mugunghwa-Orden, -s, -.

무궤도(無軌道) schienenlose Bahn *f.* -en; Ordnungslosigkeit *f.* -en. ~하다 abwegig; abweichend; exzentrisch (sein). ¶ ~한 생활 das absonderliche Leben, -s / ~한 생활을 하다 ein entgleistes Leben führen; von der moralischen Bahn ab|kommen* ⓢ.

‖ ~전차 O(berleitungs)bus *m.* -ses, -se.

무균(無菌) 〖의학〗 Asepsis *f.* ¶ ~의 keimfrei; aseptisch; steril.

무극(無極) ① 《무한》 Unendlichkeit *f.*; das Unendliche*, -n. ② 〖화학〗 ohne Pole.

무근(無根) Grundlosigkeit *f.* -en; Bodenlosigkeit *f.* -en. ~하다 grundlos; ohne ⁴Grund (Anhaltspunkt); unbegründet; unhaltbar; aus der Luft gegriffen (sein). ¶ ~지설 die reine Erfindung, -en (Erdichtung, -en; Fiktion, -en); das tolle Märchen, -s, - / 그 보고는 사실 ~이다 Diese Nachricht hat k-n Grund.

무급(無給) ¶ ~의 unbelohnt; unbesoldet; ehrenamtlich / ~으로 일하다 ohne ⁴Lohn (Gehalt; Sold) arbeiten (dienen; Dienst leisten).

무기(武技) die militärische Kunst, ⸗e; die militärische Technik, -en.

무기(武器) Waffe *f.* -n; Zeug *n.* -(e)s, -e. ¶ ~를 들다 die Waffen ergreifen*; zu den Waffen greifen* / ~를 버리다 die Waffen nieder|legen (strecken).

‖ ~고(庫) Rüstkammer *f.* -n; Zeughaus *n.* -(e)s, ⸗er. ~대여(법) Verpachtung der Waffen u. Munition (Leih- u. Pachtgesetz *n.*). ~밀수 Waffenschmuggel *m.* -s, -.

무기(無期) Unbestimmtheit *f.* ¶ ~의 indefinit; unbestimmt; uneingeschränkt.

‖ ~연기 der Aufschub (Verschub) 《-(e)s, ⸗e》 auf unbestimmte Zeit; das Vertagen* 《-s》 auf e-n unbestimmten Termin (회의 따위): ~ 연기하다 auf unbestimmte Zeit auf|schieben*⁴ (verschieben*⁴); auf e-n unbestimmten Termin vertagen⁴ (회의 따위). ~형 die Freiheitsstrafe 《-n》 auf unbestimmte Strafzeit.

무기(無機) ¶ ~의 anorganisch; unbelebt; unorganisch.

‖ ~계(界) die anorganische Welt, -en. ~물(체) der anorganische (unorganische) Stoff, -(e)s, -e. ~산(酸) anorganische Säure, -n. ~안료(顔料) Mineralpigment *n.* -(e)s, -e; anorganisches Pigment, -(e)s, -e. ~질 질소 das anorganische Nitrogen(ium). ~화학 die anorganische Chemie. ~화합물 die anorganische Verbindung, -en.

무기(舞妓) Tanzerin *f.* -nen.

무기력하다(無氣力—) kraft- u. saftlos; mutlos (kraft-); ohnmächtig; 《지쳐서》 unvermögend; matt (sein).

무기명(無記名) ¶ ~의 nicht verzeichnet (eingeschrieben; eingetragen; registriert) / ~으로 in blanko; unausgefüllt; leer; offen.

‖ ~공채 die nicht registrierte öffentliche Anleihe, -n. ~배서(背書) Blankoindossament *n.* -(e)s, -e. ~위임장 Blankovollmacht *f.* -en; Blankovollmachts¦brief *m.* -(e)s, -e (-schein *m.* -(e)s, -e). ~투표 geheime Abstimmung: ~ 투표로 뽑다 durch geheime Abstimmung wählen 《*jn.*》; geheim wählen 《*jn.*》.

무기음(無氣音) 〖언어〗 unbehauchter Laut, -es, -e.

무기한(無期限) ¶ ~의 frist¦los (termin-), unbestimmt.

‖ ~사채(社債) e-e Schuldverschreibung auf unbestimmten Termin.

무꾸리(질) 〖민속〗 schamanistische Riten 《*pl.*》. ~하다 schamanistische Riten durchführen.

무난(無難) ~하다 ① 《어렵지 않음》 sicher; gefahrlos; unversehrt (sein). ② 《무던함》 leidlich; erträglich; tragbar; annehmbar (sein). ¶ ~한 조건 annehmbare Bedingungen 《*pl.*》 / 장관으로서 ~하다 Als Minister ist er doch tragbar. / ~히 해치웠다 Er hat die Arbeit leidlich gut gemacht.

무남독녀(無男獨女) Tochter 《*f.*》 ohne Geschwister.

무너뜨리다 nieder|reißen*⁴; untergraben*⁴; unterhöhlen⁴; unterminieren⁴; zerstören⁴; vernichten⁴. ¶ 담을 ~ Mauer ab|stürzen lassen* / 집을 ~ Haus nieder|reißen* (ab|reißen*; zerstören) / 적의 방위선을 ~ feindliche Verteidigungslinie durchbrechen* / 반대당의 결속을 서서히 ~ das Solidaritätsgefühl der Opposition allmählich unterminieren.

무너지다 《붕괴》 zerfallen*ⓢ; zusammen|brechen* (-|fallen*; -stürzen)ⓢ; 《함몰》 ein|stürzen (-|fallen*)ⓢ; 《제방이》 brechen*ⓢ; ins Wasser fallen*ⓢ. ¶ 담이 ~ die Mauer ist kaputt (fällt herunter; bricht ab) / 벽이 무너지기 시작했다 Die Wand hat begonnen, einzufallen. / 제방이 무너졌다는 소식을 들었읍니까 Haben Sie von dem Dammbruch gehört? / 지진으로 둑이 무너졌다 Das Erdbeben hat den Damm zerstört.

무녀(巫女) =무당.

무녀리 Erstling *m.* -s, -e; der (die) Erstgeborene*, -n, -n.

무념무상(無念無想) 〖불교〗 die Auflösung aller Gedanken ins Nichts; das Abgelöstsein* 《-s》 von allem Gedanklichen; die absolute Gemütsruhe. ~하다 von allem Gedanklichen befreit sein.

무뇨증(無尿症) 〖의학〗 Anurie *f.* ..ien.

무느다 =무너뜨리다.

무능(無能) 《무재능》 Talentlosigkeit *f.* -en; 《무능력》 Unvermögen *n.* -s; Machtlosigkeit *f.*; Unfähigkeit *f.*; Untauglichkeit *f.*; Untüchtigkeit *f.* ~하다 unvermögend; machtlos; unfähig; untauglich; untüchtig (sein). ¶ ~한 사람 der Unvermögende*, -n, -n; Nichtskönner *m.* -s, -; Nichtsnutz *m.* -es, -e; Tunichtgut *m.* -(e)s, -e; Taugenichts *m.* -es, -e / ~한 정치인 der unfähige (untaugliche) Politiker, -s, - / ~한 정권 unfähige (untaugliche) Regierung, -en / ~하여 파면되다 wegen ²Unfähigkeit entlassen werden / 아무에게 그의 ~을 드러내다 *jm.* sein Unfähigkeit verraten*.

무능력(無能力) Unzuständigkeit *f.*; Inkompetenz *f.* ~하다 inkompetent; unfähig; ungeeignet; untüchtig (sein); nicht in der Lage sein.

‖ ~자 Tunichtgut *m.* -(e)s, -e; Nichtsnutz *m.* -es, -e; Taugenichts *m.* -es, -e; das räudige Schaf, -(e)s, -e.

무늬 Damast *m.* -es, -e; Muster *n.* -s, -; Figur *f.* -en. ¶ ~ 있는 gemustert; mit Mustern / ~를 넣다 ⁴*et.* mit Mustern bedrucken; mustern⁴; mit Mustern versehen* / 고운 ~ das feine Muster / 새 ~ ein neues Muster / ~를 넣어 짜다 mustern⁴; gemustert weben⁽*⁾ / ~가 든 옷감 der gemusterte Stoff, -(e)s, -e / ~가 큰 großgemustert / 이 천의 ~는 너무 단조롭다 Das Muster dieses Stoffes ist zu einfach.

무단(武斷) der kriegerische Geist, -es. ‖ ~정치 Militärherrschaft *f.*; Säbelregiment *n.* -(e)s, -er. ~주의 Militarismus *m.* -.

무단(無斷) ¶ ~히, ~으로 ohne ⁴Entschuldigung (계출 없이); ohne ⁴Erlaubnis (⁴Genehmigung) (무허가); ohne ⁴(An)meldung / 남의 물건을 ~히 사용하다 die ⁴Sache der anderen ohne Erlaubnis (Entschuldigung) benutzen / ~히 차용하다 ohne Wissen des Besitzers (Inhabers) von ³*et.* Gebrauch machen / ~ 출판하다 ohne Genehmigung des Urhebers (vom Inhaber des Urheberrechtes) verlegen⁴ (heraus|geben*⁴) / ~ 흥행 금지 Aufführung ohne Genehmigung streng verboten.
‖ ~결근 〔결석〕 das unentschuldigte Ausbleiben*, -s: ~ 결석 〔결근〕 하다 ohne Entschuldigung von der Schule aus|bleiben*; die Schule schwänzen (수업을 빼먹음). ~이탈 Fahnenflucht *f.* ⁼e. ~해고 die Entlassung ohne Kündigung.

무담보(無擔保) Pfand ohne Sicherheit. ¶ ~의〔로〕 ungedeckt; ungesichert / ~로 대금하다 Geld ohne Deckung leihen*.

무당(巫—) Priesterin *f.* -nen; Tempelmädchen *n.* -s, -; Geister¦beschwörer (Toten-) *m.* -s, -; Schamane *m.* -n, -n.

무당개구리 ein rotbauchiger Frosch, -es, ⁼e.

무당벌레 〖곤충〗 Marienkäfer *m.* -s, -.

무당새 〖조류〗 die gelbe Ammer, -n; *Emberiza variabilis* (학명).

무당서방(巫—書房) ① 《남편》 der Mann 《-(e)s, ⁼er》 e-r Schamanin. ② 《공것을 바라는》 Naßauer *m.* -s, -.

무당선두리 〖곤충〗 eine Art Wasserspinne 《*f.* -n》.

무대 《흐름》 Sprudel *m.* -s, -; Strömung *f.* -en; Wirbel *m.* -s. -.

무대(舞臺) 《연극의》 Bühne *f.* -n; Bretter 《*pl.*》; Schaubühne *f.* (활동의). ¶ 독~다 die wichtigste (maßgebendste) Persönlichkeit sein; *js.* Solo-Vorstellung sein / ~에 맞는 〔어울리는〕 bühnen¦fähig (-gerecht) / 사회 활동의 ~에서 물러서다 vom Schauplatz der öffentlichen Tätigkeit ab|treten*ⓢ/~에 서다 zur Bühne treten*ⓢ / ~서 은퇴하다 von der Bühne ab|treten*ⓢ / (작품을)~에 올리다 (ein Stück) auf die Bühne bringen* / ~인이 되다 zur Bühne gehen*ⓢ / ~가 바뀌다 die Szene wechselt / ~는 18세기의 독일이다 Der Schauplatz ist das Deutschland vom 18. Jahrhundert.
‖ ~감독 Regie [ʀeʒíː] *f.* -n; Regisseur [..ʒisǿr] *m.* -s, -e (연출자). ~극 Drama *n.* -s, ..men; Bühnenstück *n.* -(e)s, -e. ~뒤 Kulisse *f.* -n. ~연습 Probe *f.* -n; Hauptprobe (General-) *f.* -n. ~예술 Bühnenkunst *f.* ⁼e. ~장면 Szene *f.* -n; Auftritt *m.* -(e)s, -e. ~장치 Bühnen¦ausstattung *f.* -en (-bild *n.* -(e)s, -er); Dekoration *f.* -en. ~조명 Bühnenbeleuchtung *f.* -en. ~중계 Bühnenübertragung *f.* -en. 처녀~ Debüt [debýː] *n.* -s, -s; das erste Auftreten*, -s: 처녀 ~에 서다 debütieren; zum ersten Mal auf|treten*ⓢ. 회전~ Drehbühne *f.* -n. ~효과 Bühnen¦effekt *m.* -(e)s, -e (-wirkung *f.* -en).

무대소(無大小) der elastische Artikel, -s, -; Elastiks 《*pl.*》; ein Elastisches*; das Elastische*, -n.

무더기 Menge *f.* -n; Haufe(n) *m.* ..fens, ..fen. ¶ 한 ~ e-e Menge; ein Haufen, -s / ~로 in ³Haufen (Schichten; Stapeln) / 한 ~ 100원 Ein Haufen kostet 100 *Won.* / 그들은 ~로 쓰러졌다 Sie fielen massenweise.¦Sie stürzten haufenweise.
‖ ~돈 e-e große Summe Geld: 그는 남아프리카에서 버터를 팔아 ~돈을 벌었다 Er hat in Süd-Afrika durch Butterverkauf e-e große Summe Geld verdient.

무더기무더기 in Haufen; viel; in Menge; in Masse; in Hülle und Fülle. ¶ 돌이 ~로 쌓이다 Die Steine liegen in Hülle und Fülle. / 쓰레기를 ~로 쌓아 놓다 den Schutt bergehoch auf|häufen.

무더위 Schwüle *f.*; Hitze *f.*; Wärme *f.* ¶ 대단한 ~다 sehr schwül sein¦Die Hitze ist mörderisch.

무덕(無德) der Mangel 《-s》 an Tugend; Unwürdigkeit *f.* ~하다 unwürdig; wertlos (sein). ¶ 모두 제가 ~한 탓입니다 Ich bin allein daran schuld.

무던하다 《무난함》 gut; günstig; tadelfrei; tadellos; vorwurfsfrei; ehrlich; redlich; anständig; sanft; mild (sein). ¶ 무던한 물건 ein guter Artikel, -s, - / 무던한 사람 ein ehrlicher Mann, -es, ⁼er.

무던히 ① 《좋게》 ganz gut; ganz freundlich. ¶ ~ 굴다 freundlich benehmen* / 그는 우리 애들에게 ~ 굴었다 Er war ganz gut für unsere Kinder. ② 《어지간히》 ziemlich; leidlich; verhältnismäßig; beträchtlich. ¶ ~ 크다 ziemlich groß sein / ~ 많다 beträchtlich viel sein / ~ 애를 쓰다 ⁴sich verhältnismäßig an|strengen / 무던하게 살아가다 ein erträgliches Leben führen.

무덤 Grab *n.* -(e)s, ⁼er; Grabstätte *f.* -n. ¶ ~ 파는 사람 Totengräber *m.* -s, - / ~을 파다 ein Grab graben* / ~을 파헤치다 ein Grab erbrechen* (öffnen) / ~에 묻다 begraben*⁴; beerdigen⁴; bestatten⁴.

무덥다 schwül; feuchtwarm; drückend heiß; föhnig (sein). ¶ 오늘은 무더워서 견디기 어렵다 Heute ist es bedrückend schwül.

무도(武道) ① 《도리》 Ritterlichkeit *f.* -en; Rittergeist *m.* -es, -er.
② 《무예》 militärische Kunst, ⁼e; militärische Wissenschaft, -en.

무도(無道) Unmenschlichkeit *f.*; Gottlosigkeit *f.* -en; Grausamkeit *f.* -en. ~하다 gottlos; grausam; entmenscht; unmenschlich (sein).

무도(舞蹈) Tanz *m.* -es, ⁼e; das Tanzen*, -s. ~하다 tanzen ⓗ,ⓢ 〖타동사로서는 e-n Tango (Walzer) tanzen〗
‖ ~가 (Kunst)tänzer *m.* -(e)s, -; Tänzerin *f.* -nen. ~곡 Tanzmusik *f.* ~광 Tanzbesessener*. ~교사 Tanzlehrer *m.* -s, -. ~병 Veitstanz *m.* -es. ~복 Gesellschaftskleidung *f.* -en; Abendanzug *m.* -(e)s, ⁼e. ~상대자(者) Partner *m.* -s, -; Partnerin *f.* -nen. ~실〔장〕 Tanz¦diele *f.* -n (-saal *m.* -s, ..säle); Tanzlokal *n.* -(e)s, -e (댄스홀); Bumslokal *n.* (저속한). ~학교 Tanzschule -n. ~화 Tanzschuh *m.* -(e)s, -e. ~회

Tanzgesellschaft *f.* -en; Ball *m.* -(e)s, ⸚e: ~회에 가다 auf e-n Ball gehen* ⓢ / ~회를 열다 e-n Ball geben*.
무독(無毒) ①《무해함》 Unschädlichkeit *f.*; Harmlosigkeit *f.* **~하다** unschädlich; arglos; harmlos (sein). ¶ 이 음식은 위(胃)에 ~하다 Diese Speise schadet dem Magen nicht. ②《성질》 Ehrlichkeit *f.*; Milde *f.* **~하다** ehrlich; mild (sein).
무두장이 Gerber *m.* -s, - (사람); Gerberei *f.* -en (직업).
무두질 ①《모피의》 Gerbung *f.* -en. **~하다** gerben; weiß|gerben. ②《쓰라림》 Hunger *m.* -s; Magenschmerz *m.* -es, -en. ¶ 뱃속에서 ~하다 Hunger haben; Magenschmerzen haben.
무드 Stimmung *f.* -en; Atmosphäre *f.* -n. ¶ ~가 있는 멜로디 eine romantische und behagliche Melodie / ~ 있는 다방 stimmungsvolle Konditorei, -en / ~를 조성하다 Stimmung 〔Atmosphäre〕 erschaffen*.
‖ **~뮤직** Stimmungsmusik *f.*
무드기 in Haufen; in Menge; in Masse; in Hülle und Fülle.
무드럭지다 reichlich; im Überfluß; in großer Menge 〔Anzahl〕; in Fülle; in reicher 〔großer〕 Masse; in Hülle u. Fülle; vollauf; voll (sein).
무득무실(無得無失) ohne Vorteil und Nachteil.
무득점(無得點) ohne [4]Punkte 《*pl.*》. ¶ 양 축구팀은 ~으로 끝났다 Beide Mannschaften haben kein Tor erzielen können.
무디다 ①《칼날 등이》 stumpf; abgestumpft; unscharf (sein). ¶ 무딘 면도칼 ein unscharfe Rasiermesser, -s, -e.
②《우둔함》 unempfindlich; stumpfsinnig; dumpf; geistlos; platt; abgeschmackt; langweilig (sein). ¶ 눈치가 무딘 사람 der Stumpfsinnige*, -n, -n; Stumpfbock *m.* -(e)s, ⸚e / 눈치가 ~ Er ist stumpfsinnig.¦ Er ist schwerfällig.
③《말이》 stumpf; barsch; schroff; ungeschliffen; herb (sein). ¶ 말을 무디게 하다 ungeschickt sprechen*.
무뚝뚝하다 ①《성미》 schroff; barsch; derb; grob; trocken; unfreundlich (sein). ¶ 무뚝뚝한 대답 e-e schroffe 〔barsche; trockne〕 Antwort, -en / 무뚝뚝한 말투를 쓰다 schroff sprechen* / 무뚝뚝한 사람 ein grober Bursche, -n, -n; Murr|kater *m.* -s, - 〔-kopf *m.* -(e)s, ⸚e〕 / 무뚝뚝하게 굴다 gegen *jn.* 〔mit *jm.*〕 kurz angebunden sein.
②《불친절》 unliebenswürdig; abstoßend; ungesellig; nicht gastfreundlich; ungefällig; unsympatisch (sein). ¶ 무뚝뚝한 태도 die kalte 〔unfreundliche〕 Haltung.
무람없다 unmanierlich; ungesittet; unhöflich; rauh; roh; derb (sein).
무량(無量) Unermäßlichkeit *f.* -en; Unendlichkeit *f.* -en. **~하다** unermeßlich; unendlich; unzählbar; zahl|los 〔end-〕 (sein). ¶ 감개 ~하다 Mein Herz ist voll 〔von Erinnerungen aus der Vergangenheit〕.
‖ **~대복** grenzenloses Glück, -(e)s, -e; Seligkeit *f.* -en. **~수(壽)** ewiges Leben, -s, -.
무럭무럭 ①《자람》 rasch; schnell; gesund; sorglos; gut. ¶ ~ 자라다 gesund 〔sorglos〕 auf|wachsen* ⓢ (애가); rasch 〔schnell〕 wachsen* ⓢ (식물, 나무 등이). ②《연기·김 따위》 dick; stark; dicht (안개, 구름 따위가). ¶ 부엌에서는 벌써 김이 ~ 나고 있다 Das Wasser dampft bereits auf dem Herd. / 음식에서 여전히 김이 ~ 나고 있다 Das Essen dampft noch.
무럼생선(一生鮮) 《식품으로서의》 Qualle *f.* -n.
무려(無慮) ungefähr; etwa; fast; rund; gegen. ¶ ~ 3천 명 ungefähr drei tausend / 군중은 ~ 천 명이었다 Der Versammlung wohnten fast tausend Menschen bei.
무력(武力) Kriegsmacht *f.* ⸚e; Heereskraft *f.* ⸚e; Waffe *f.* -n; Wehrmacht *f.* ¶ ~으로 mit gewaffneter Hand / ~에 호소하다 zu den Waffen greifen*; die Waffen ergreifen*.
‖ **~간섭** bewaffnete Intervention, -en. **~공격** militärischer Angriff, -(e)s, -e. **~외교** die bewaffnete Diplomatie. **~정치** Machtpolitik *f.* -en; Militärdiktatur *f.* -en. **~행사** Gewaltanwendung *f.* -en.
무력(無力) Kraft¦losigkeit 〔Macht-〕 *f.*; Ohnmacht *f.*; Unfähigkeit *f.*; Unvermögen *n.* -s. **~하다** kraft¦los 〔macht-〕; ohnmächtig; unfähig; unvermögend (sein). ¶ ~화하다 entkräften[4]; neutralisieren[4] / 어떤 일의 추이를 ~하게 보고만 있다 ohnmächtig zu|sehen*, wie etwas geschieht.
무렵 Zeit, wo...; etwa; ungefähr. ¶ 다음 월요일 ~에 etwa 〔ungefähr〕 nächsten Montag / 해가 뜰 ~ etwa beim [3]Sonnenaufgang; wenn die Sonne aufgeht / 해질 ~ gegen [4]Abend; beim [3]Sonnenuntergang.
무례(無禮) Unhöflichkeit *f.* -en; Unartigkeit *f.* -en; Frechheit *f.* -en; Grobheit *f.* -en; Roheit *f.* -en; Beleidigung *f.* -en. **~하다** unhöflich; unartig; frech; grob; roh (sein). ¶ ~한 말을 하다 *jm.* Grobheiten sagen / ~한 짓을 하다 [4]sich gegen *jn.* ungebührlich 〔unhöflich〕 benehmen* / 왜 이렇게 ~하지 Wie kannst du mir so grob sein?
무뢰한(無賴漢) Halunke *m.* -n, -n; Lump *m.* -en, -en; Raufbold *m.* -(e)s, -e; Schelm *m.* -(e)s, -e; Schuft *m.* -(e)s, -e; Schurke *m.* -n, -n; die gemeine Bande, -n (악당).
무료(無料) ¶ ~의 kostenlos; (kosten)frei; gratis; ohne [4]Bezahlung; unentgeltlich. ¶ ~로 für nichts; gratis; um Gottes [4]Lohn; umsonst / 관람 〔입장〕 ~ Eintritt 〔Zutritt〕 frei! (게시) / ~로 보내다 umsonst zukommen lassen*; kostenlos schicken[4] 〔zu|senden*[4]〕 《*jm.*》 / ~ 운임으로 frachtfrei.
‖ **~관람 〔입장〕** der freie Eintritt 〔Zutritt〕: ~ 관람권 Freibillet [..biljɛt] *n.* -(e)s, -e (-s); freie Eintrittskarte, -n. **~배달** die freie Lieferung 〔Zustellung〕 -en. **~숙박소** Frei¦logierhaus [..ʒi:r..] *n.* -es, ⸚er 〔-stätte *f.* -n〕; das Asyl 《-s, -e》 für Obdachlose; die freie Herberge, -n. **~승차권** Freifahrkarte *f.* -n (열차의); Freifahrschein *m.* -(e)s, -e (전차, 버스). 내용 견본 **~증정** Prospekt gratis zu erhalten. 운임**~** der freie Transport, -(e)s, -e.
무료(無聊) Lang(e)weile *f.*; Langweiligkeit *f.* **~하다** langweilig; ennuyant [anyjánt]; 《단조로운》 eintönig (sein); 〖동사〗 [4]sich langweilen. ¶ ~하게 하다 langweilen[4]; ennuyieren[4] / ~를 달래기 위해 vor 〔aus〕 [3]Lang(e)weile; um die Lang(e)weile 〔Zeit〕 zu vertreiben / 잡담으로 ~함을 달래고 있읍니다 Ich vertreibe mir die Zeit durch Plaudern.
무룡태 e-e Person 《-en》 ohne Schwungkraft.

무루(無漏) erschöpfend; ohne Auslassung; ausnahmslos; alles; alle.

무르녹다 ① 《과일·음식이》 reifen; reif werden. ② 《수목이》 üppig wachsen*. ③ 《녹음 따위》 dunkel (tief; dick; dicht; voll) sein.

무르다[1] ① 《물건이》 spröde; bröckelig; brüchig; mürbe; zerbrechlich; 《기계 따위》 empfindlich (sein).
② 《사람이》 mitfühlend; zartbesaitet; rührhaft; weichherzig; weinerlich; weich 《*gegen*[4]》; außerordentlich nachsichtig 《*gegen*[4]》; sehr zugetan[3] (sein). ¶ 무른 어미 e-e nachsichtige (hätschelnde) Mutter, = (자식에게) / 여자에게 ~ schwach (weich) gegen Frauen sein; [4]sich leicht mit e-r Frau ein|lassen* / 그는 마누라에게 ~ Er ist außerordentlich nachsichtig gegen s-e Frau. / 그는 여자에게 ~ Er verwöhnt alle Frauen.

무르다[2] ① 《과일 따위가》 [4]sich erweichen*; weich werden. ¶ 복숭아가 ~ die Pflaume wird weich. ② 《삶은 것이》 [4]sich erweichen*; weich werden; weich gekocht werden; zart werden. ¶ 무른 감자 die gekochte Kartoffel / 잘 ~ gut gekocht werden / 알맞게 ~ gerade richtig gekocht werden / 고기는 잘 물렀읍니까 Ist das Fleisch gut gekocht?

무르다[3] ① 《장기·바둑에서》 wieder|bekommen*[4]; zurück|nehmen*[4]; zurück|holen[4]; zurück|ziehen*[4]; zurück|bringen*[4]. ¶ 잠깐 한 수 무릅시다 E-n Augenblick, bitte! Ich möchte es zurücknehmen. / 무르기 없기 Zurücknehmen darf man beim Spiel nicht. Zurücknehmen ist beim Spiel verboten. ② 《산 것을》 ¶ 집을 샀다가 ~ ein gekauftes Haus zurück|bekommen* / 팔았던 시계를 물러주다 e-e verkaufte Uhr zurück|-geben lassen*. ③ 《삭치다》 aus|gleichen*[4]; kompensieren[4]. ¶ 주고 받을 것을 ~ Soll u. Haben aus|gleichen*.

무르익다 ① 《과일 등이》 reifen; zeitigen; reif werden; zur Reife kommen* ⓢ. ¶ 무르익은 술 der gegorene, trinkbare Wein, -s. ② 《기회가》 reif werden; für [4]*et.* bereit werden. ¶ 무르익은 나이에 in reif(er)en Jahren / 때가 무르익으면 wenn die rechte Zeit gekommen ist / 그의 계획이 무르익었다 Sein Vorhaben ist gereift. / 봄은 아직 무르익지 않았다 Der Frühling ist noch nicht vorgerückt (hat erst angefangen).

무르춤하다 ☞ 무춤하다.

무르팍 =무릎.

무름하다 richtig gekocht werden.

무릅쓰다 《위험 등을》 Gefahr laufen*; e-r Gefahr entgegen|treten* ⓢ; riskieren[4]; den Trotz (die Stirn) bieten*[3]; trotzen[3]; wagen.[4] ¶ 더위를 무릅쓰고 trotz der [3]Hitze / 풍우를 무릅쓰고 bei Wind u. Wetter; trotz Wind u. Regen; unbekümmert um den Sturm / 배는 격랑을 무릅쓰고 달렸다 Der Schiff fuhr trotz der hohen See. / 우리 함대는 맹렬한 포화를 무릅쓰고 항구를 향해 돌진했다 Unsere Flotte machte der furchtbaren Kanonade zum Trotz e-n kühnen Angriff auf den Hafeneingang.

무릇[1] 〚식물〛 Scilla *f.* ..lien; Meerzwiebel *f.* -n.

무릇[2] meistens; im allgemeinen. ¶ ~ 사람이란 die meisten Menschen / ~ 사람이란 해야 할 의무가 있다 Die meisten Menschen haben ihre Pflichten.

무릎 Knie *n.* -s, -; Schoß *m.* -es, ⸚e (앉은 사람의 허리에서 무릎까지의 부분). ¶ ~까지 차는 knietief / ~을 꿇다 das Knie beugen 《vor *jm.*》 / ~을 펴다 ungezwungen sitzen*; [4]es [3]sich bequem machen / ~을 맞대고 이야기하다 sein Herz öffnen 《*jm.*》 / 어린애를 ~에 안다 ein Kind 《-er》 auf den Schoß nehmen* / 남의 ~을 베다 s-n Kopf auf den Schoß e-s anderen legen / 한쪽 ~을 세우다 ein Knie auf|richten / 물이 ~까지 찼다 Sie standen bis an die Knie im Wasser.
‖ ~덮개 Kniedecke *f.* -n (마차의); Schürze *f.* -n (앞치마). ~마디, ~관절 Kniegelenk *n.* -(e)s, -e. ~뼈 Kniescheibe *f.* -n.

무릎맞춤 Konfrontation *f.* -en. ~하다 eine Konfrontation haben; konfrontiert werden.

무릎치기 ① 《바지》 Kniehosen 《*pl.*》; 《씨름에서》 das Kniehauen*, -s.

무리[1] ① 《떼》 Haufe(n) *m.* ..fens, ..fen 〚Haufe는 드물게 씀〛; Gruppe *f.* -n; Menge *f.* -n; Schar *f.* -en; Partei *f.* -en (당파). ② 《도당》 Pöbelhaufe(n); Pöbel *m.* -s, -; Bande *f.* -n; Horde *f.* -n; Masse *f.* -n; Meute *f.* -n; Mob *m.* -s; Pack *n.* -(e)s; Rudel *n.* -s, -; Schar *f.*; Gesellschaft *f.* (한패). ¶ 방자한 ~들 ruchlose Menschen. ③ 《짐승의》 (Vieh)herde *f.* -n; Koppel *f.* -n (사냥개, 말 따위); Meute *f.* -n (사냥개); Rudel *n.* -s, - (사슴, 영양, 이리 따위); Trupp *m.* -s, -s (사자 따위); Wurf *m.* -(e)s, ⸚e(개, 돼지 따위의 한 배 새끼).
④ 《새의》 Volk *n.* -(e)s, ⸚er; Brut *f.* -en (한 배로 깐 새끼); Hecke *f.* -n (한 배의 새끼); Kette *f.* -n (들새 떼); 《나는 새의》 Flug *m.* -(e)s, ⸚e; Schar *f.*; Zug *m.* -(e)s, ⸚e. ⑤ 《벌레 따위의》 Schwarm; Wolke *f.* -n 《von Heuschrecken》.
⑥ 《물고기의》 Schule *f.* -n 《von Walfischen, von Tümmlern》; Schar *f.*; Zug *m.* ¶ 청어의 ~ e-e Schar Heringe 《*pl.*》.

무리[2] Reishefe *f.* -n.
‖ ~떡 der von der Hefe gemachte Reiskuchen, -s, -. 무릿가루 das Pulver 《-s, -》 von der getrocknen Reishefe.

무리[3] Hof *m.* -(e)s, ⸚e; Strahlenkranz *m.* -es, ⸚e. ¶ 오늘밤에는 달~가 섰다 Heute hat der Mond e-n Hof.

무리(無理) Unrecht *n.* -(e)s (부정); 《부당》 Unbill *f.*; Unfug *m.* -(e)s; 《부조리》 Unvernünftigkeit *f.*; Vernunftwidrigkeit *f.*; 《강제》 Zwang *m.* -(e)s. ~하다 unrecht; unbillig; unvernünftig; vernunftwidrig; zwangsmäßig (sein). ¶ ~하게 gewaltsam; mit (durch) Gewalt (Zwang); wider [4]Willen; zwangsweise / ~한 요구 die zwangsmäßige Forderung, -en; Erpressung *f.* -en; Erzwingung *f.* -en / ~한 주문 Unmöglichkeit *f.* -en; das unbescheidene Ansinnen, -s, -; die freche Forderung, -en; die harte Nuß, ..usses, ..üsse; das starke Stück, -(e)s, -e; die starke Zumutung, -en / 돈을 ~하게 요구하다 Geld zusammen|-kratzen; mit Ach u. Krach (Müh u. Not) Geld auf|bringen* (auf|treiben*) / 그것은 ~다 Da fordern (verlangen) Sie zu viel. / 그리 말하는 것은 ~가 아니다 Es ist natürlich, daß er es behauptet. Es ist ganz verständlich, warum er es behauptet. /

~가 통하면 도리는 빠진다 Macht (Gewalt) geht vor Recht.¦Wo die Unvernunft durch geht, zieht sich die Vernunft zurück. / ~하게 승낙되었다 Ich wurde zur Einwilligung gezwungen. / 그 일이 ~하게 떠맡겨졌다 Die Arbeit ist mir aufgezwungen worden. / ~한 주문이야 Das ist zuviel verlangt. / 그런 일은 당신에게 부탁하는 것이 ~일지도 모른다 Es ist Ihnen vielleicht unmöglich, m-e Bitte zu erfüllen./ 저를 위해서 여러 가지로 ~를 하셨읍니다 Sie haben mir schon viele Opfer gebracht. / 그의 말은 ~가 아니다 Er hat nicht unrecht. / 그는 ~를 해서 병이 났다 Er ist infolge Überarbeitung krank geworden./ ~한 노력은 오래 가지 못한다 Übermäßige Anstrengung läßt sich auf die Dauer nicht aushalten. / 그런 신체의 사람에게는 그 일은 ~다 Die Arbeit wird sich für e-n Mann von s-r Konstitution als zu schwer herausstellen. / 자리가 없는 데도 ~로 그 회사에 채용됐다 Obwohl k-e Stelle frei war, wurde ich in die Firma eingeschoben. / 그가 화를 내는 것도 ~가 아니다 Er hat allen Grund, zornig zu sein.

‖ ~방정식 die irrationale Gleichung, -en.

무리고치 die schmutzigen Seidenraupenkokons 《*pl.*》.

무마(撫摩) ① 《어루만짐》 Mitleid *n.* -(e)s; Trost *m.* -es; Sorge *f.* -n. **~하다** bemitleiden; trösten; für *jn.* sorgen. ② 《달램》 Trost *m.* -es; Beruhigung *f.* -en; Versöhnung *f.* -n. **~하다** trösten; besänftigen; beruhigen; beschwichtigen; versöhnen. ¶ …의 노여움을 ~시키다 *js.* Zorn beschwichtigen (mildern).

무망중(無妄中) unbewußt; unerwartet.

무면허(無免許) ¶ ~의 unbefugt; unberechtigt; unerlaubt; unkonzessioniert; ohne [4]Befugnis (Berechtigung; Erlaubnis; Konzession) / ~로 자동차 운전을 하다 ohne Führerschein Auto fahren* ⓢ.

‖ ~운전사 unkonzessionierter Autofahrer, -s, -. **~의사** Kurpfuscher *m.* -s, -.

무명 Baumwolle *f.* -n. ¶ ~으로 만든 baumwollen / 바래서 하얗게 된 ~ gebleichter Kattun, -s, -e.

‖ **~베** Baumwoll¦stoff *m.* -(e)s, -e (-zeug *n.* -(e)s, -e); Kattun *m.* -s, -e (캘리코). **~실** Baumwoll¦zwirn *m.* (-garn *n.*) -(e)s, -e.

무명(武名) Kriegs¦ruhm (Waffen-) *m.* -(e)s. ☞무훈. ¶ ~을 떨치다 [4]sich mit Waffenruhm bedecken; [3]sich als Krieger e-n Namen machen.

무명(無名) ① 《이름이 없는》 namenlos; anonym; ohne Namen(snennung); unbenannt; ungenannt. ② 《이름이 알려지지 않은》 unbekannt; dunkel; obskur; ruhmlos.

‖ **~씨** Herr Ungenannt: 나는 ~씨로부터 편지를 받았다 Ich habe e-n anonymen Brief empfangen. **~용사** der unbekannte Soldat, -en, -en: ~ 용사의 무덤 das Grab des unbekannten Soldaten. **~인사** ein Niemand *m.* -(e)s. **~작가** der unbekannte (unberühmte) Schriftsteller, -s, -. **~지** Ringfinger *m.* -s, -. 「-en.

무명(無明) 〖불교〗 Ignoranz *f.*; Illusion *f.*

무명조개 〖조개〗 *Cytherea meretrix* (학명).

무모(無毛) ¶ ~의 haarlos; kahl.

‖ **~증** Atrichie *f.* -n [..cí:ən].

무모(無謀) Draufgängertum *n.* -(e)s; Tollkühnheit *f.*; Verwegenheit *f.*; Wag(e)halsigkeit *f.* **~하다** draufgängerisch; tollkühn; verwegen; wag(e)halsig; unbesonnen (sein). ¶ ~한 시도 das tollkühne Unternehmen, -s, - / ~한 사람 Wagehals *m.* -es, ⸗e / ~한 짓을 하다 e-n Sprung ins Dunkle (Ungewisse) tun* (wagen); in die Höhe des Löwen wagen (좋은 의미로는 「대담한 짓을 하다」).

무무하다(貿貿—) barbarisch; grob; roh; wild; 《몸치장이》 ruppig (sein). ¶ 무무한 사람 Barbar *m.* -en, -en; Rohling *m.* -s, -e; grober (roher) Mensch, -en, -en.

무문근(無紋筋) 〖의학〗 der ungespannte Muskel, -s, -n (*f.* -n).

무미(無味) **~하다** ① 《맛이 없는》 geschmacklos (salz-; würz-); abgestanden; matt; ungewürzt (sein). ② 《취미 없는》 trocken; fade; platt; poesielos; prosaisch; schal (sein).

무미건조(無味乾燥) **~하다** abgeschmackt; abschmeckig; langweilig; trost¦los (freude-); leer; eintönig (sein). ¶ ~ 하게 ohne [4]Saft u. [4]Kraft / ~한 강연 e-e trockene Vorlesung / ~한 문체 der nüchterne Stil, -(e)s, -e / ~한 사람 der geschmacklose Mensch, -en, -en / ~한 생활을 하다 ein trostloses, ödes Leben führen; des Lebens überdrüssig sein / 삶이 ~하다 Das Leben ist öde u. leer.

무반(武班) 《가문》 e-e kriegerische Familie, -n; Kriegerkaste *f.* -n. ¶ ~ 출신이다 Er stammt aus e-r Krieger-Familie.

무반동총(無反動銃) 〖군사〗 die rückstoßlose Flinte, -n.

무방비(無防備) ¶ ~의 wehr¦los(schutz-); unbefestigt. ‖ **~도시** die offene Stadt, ⸗e.

무방침(無方針) ¶ ~의 planlos; ziellos; unvorbereitet / ~으로 ohne [4]Vorhaben (Plan; Prinzip; Politik); aufs Geratewohl.

무방하다(無妨—) dürfen* (허락하다); können* (사정이 허락하다); nichts dagegen (nichts einzuwenden) haben (이의 없다); frei sein (haben) (틈이 있다). ¶ 아무때 와도 ~ Sie können zu jeder Zeit (zu mir) kommen. / 물어보는 것은 ~ Fragen schadet nicht. / 내가 없어도 무방할 테죠 Ich kann schon gehen, nicht wahr?¦Ohne mich können Sie sich ja selbst helfen? / …라 해도 ~ Man kann ruhig sagen, daß....¦Es liegt nahe 《zu 부정구》.

무배당(無配當) ohne Dividende. ¶ ~이다 Keine Dividende ist verteilt.

무법(無法) Gesetzlosigkeit *f.*; Zügellosigkeit *f.* **~하다** gesetzlos; gesetzwidrig; unrechtmäßig; zügellos; ungefüge; 《사나움》 wild (sein). ¶ ~한 짓을 하다 ein Unrecht begehen*; *jm.* Unrecht an|tun*.

‖ **~상태** Gesetzlosigkeit *f.*; der gesetzlose Zustand, -(e)s, ⸗e; Anarchie *f.*; das allgemeine Drunter u. Drüber, -(s); die allgemeine Auflösung; Staatsauflösung *f.* **~자** ein zügelloser Mensch, -en, -en. **~행동** gesetzwidrige Handlung.

무변(武弁) Soldat *m.* -en, -en; Militär *m.* -s, -s; Offizier *m.* -s, -e.

무변(無邊) ① 《무한》 Unendlichkeit *f.* -en; Unbegrenztheit *f.* -en; Unermeßlichkeit *f.* -en; Grenzenlosigkeit *f.* -en; Ewigkeit *f.* -en. **~하다** unendlich; grenzenlos; unbegrenzt (sein). ¶ 광대 ~한 unermeßlich ausgedehnt. ② 《무이자》 ohne Zinsen. ¶ ~으로

돈을 빌려 주다 Geld zinsfrei aus|leihen*.
‖ ～대해(大海) der unermeßliche Ozean. ～전(錢) das zinsfreie Geld.

무변화(無變化) Unveränderlichkeit *f.* -en; 《단조》 Monotonie *f.* -n; Eintönigkeit *f.* -en. ¶ ～의 unveränderlich; monoton; eintönig.

무병하다(無病一) gesund; frisch und gesund ⌈(sein).

무보수(無報酬) ¶ ～로 unentgeltlich; ohne ⁴Entgelt (Belohnung; Vergütung); um Gotteslohn; umsonst; gratis / ～로 조회에 응합니다 《문의에 대한》 Auskünfte werden unentgeltlich erteilt. / 나는 ～로 해 주었다 Für Gotteslohn habe ich es getan. ¦ Die Führung wird unentgeltlich erteilt.

무복(巫卜) Schamanen und Prophezeihung.

무복친(無服親) der entfernte Verwandte*, -n, -n.

무부(武夫) Krieger *m.* -s, -; Ritter *m.* -s, -; Held *m.* -en, -en.

무분별(無分別) Unbesonnenheit *f.* -en; Unvernunft *f.* (비상식); Leichtsinn *m.* -(e)s (경솔). ～하다 unbesonnen; gedankenlos (사려가 없다); leicht¦sinnig (-fertig) (경솔하다); unvernünftig (sein). ¶ ～한 녀석이다 Ist aber ein leichtsinniger Mensch (Bursche; Bruder)!

무불간섭(無不干涉) Einmischung (Einmengung) in alles.

무비(武備) Kriegs(aus)rüstung *f.* -en; Bewaffnung *f.* -en; Kriegsmacht *f.* ⸗e. ☞ 군비(軍備)

무비(無比) ¶ ～의 einzigartig; beispiellos; einmalig; ohnegleichen 〔명사 뒤에 둔다〕; unvergleichlich; unübertrefflich; einzig (in s-r Art); ohne Vorgang (미증유); ausnehmend (다소 과장해서). ¶ ～의 업적 die beispiellose Leistung, -en; e-e Leistung ohnegleichen.

무비판(無批判) ¶ ～적(으로) unkritisch; 《무차별》 ohne Unterschied; unterschiedslos.

무빙(霧氷) Eisblumen 《*pl.*》.

무사(武士) Krieger *m.* -s, -; Ritter *m.* -s, -; Soldat *m.* -en, -en. ☞ 기사(騎士). ¶ ～다운 ritterlich; soldatisch.
‖ ～수업 das fahrende Rittertum, -(e)s: ～수업자 der fahrende (abenteuernde) Ritter.

무사(無死) 〔야구〕 keiner aus.

무사(無私) ～하다 selbst¦los (-verleugnend); uneigennützig; unegoistisch; 《공평하다》 unparteiisch (sein).

무사(無事) Sicherheit *f.* (안전); Friede *m.* -ns, -n; Ruhe *f.* (평온); Wohlbefinden *n.* -s (건강). ～하다 glücklich; friedlich; gefahrlos; sicher; unversehrt; ruhig; ereignislos; gesund; heil; wohlbehalten (sein). ¶ ～히 있다 ⁴sich wohl befinden*; in Frieden leben/ ～히 도망치다 unversehrt davon kommen* ⓢ / ～히 일을 마치다 s-e Pflicht befriedigend erfüllen / ～하게 해결하다 glücklich erledigen 《e-e Frage, e-n Streit》 (분쟁, 선쟁 등을) / ～히 일이 진행되다 glatt verlaufen* (gehen*) ⓢ / ～히 돌아오다 glücklich zurück|kommen* ⓢ / 짐이 ～히 닿다 das Gepäck kommt unversehrt an / ～히 다녀오세요 Glückliche Reise! / 그는 사건을 ～히 해결했다 Er erledigte die Sache glücklich. ¦ Er brachte die Angelegenheit friedlich in Ordnung. / 그는 만사가 ～했다 Alles ist mit ihm gut gegangen.
‖ ～도착 gute Ankunft (전문). ～주의 Pazifi(zi)smus *m.* -; Friedenspredigertum *n.* -(e)s: ～주의 정책 Vogel-Strauß-Politik *f.* / ～주의 정책을 쓰다 es machen wie der Vogel-Strauß.

무사(無嗣) keine Nachkommen haben.

무사고비행(無事故飛行) das Fliegen* 《-s》 ohne Unfall.

무사마귀 〔의학〕 Warze *f.* -n. ¶ ～가 생기다 Es bildet sich eine Warze.

무사분주(無事奔走) ～하다 sehr beschäftig mit nichts sein.

무사불참(無事不參) Naseweisheit in alles; Vorwitz in alles. ～하다 ⁴sich unberufen ein|mischen; seine Nase stecken 《*in*⁴》; vorwitzig (naseweis; zudringlich) sein.

무산(無産) ‖ ～계급 Proletariat *n.* -(e)s, -e; die besitzlose Klasse; die Besitzlosen* 《*pl.*》; 《사람》 Proletarier *m.* -s, -; Prolet *m.* -en, -en; der Besitzlose*, -n, -n; der geringe Mann, -(e)s; der Mann aus dem niederen Volke: ～계급의 독재 die Diktatur des Proletariates. ～대중 die proletarische Klasse: ～대중의 혁명 die proletarische Revolution. ～정당 die proletarische Partei, -en.

무산(霧散) das Verschwinden* 《-s》 wie Nebel. ～하다 verschwinden* ⓢ; schwinden* ⓢ; vergehen* ⓢ.

무삶이 〔농업〕 ① 《고르기》 Ebenung des Reisfeldes mit Wasser. ② 《갈기》 Pflügen* 《-s》 des nassen Reisfeldes.

무상(無上) ¶ ～의 (aller)höchst; (aller)best; (aller)größt / ～의 영광(榮光) die allerhöchste Ehre, -n.
‖ ～권 Obergewalt *f.*; Supremat *m.*; die höchste Gewalt; Oberhoheit *f.*; Herrschaft *f.*; Vorherrschaft *f.* ～명령 der kathegorische Imperativ, -s.

무상(無常) Vergänglichkeit *f.*; Flüchtigkeit *f.*; Unbeständigkeit *f.*; Wandelbarkeit *f.* ～하다 vergänglich; flüchtig; unbeständig; wandelbar; zeitlich (sein). ¶ 이 세상의 ～을 깨닫다 die Eitelkeit des irdischen Lebens erkennen* / 모든 ～한 것은 영상에 지나지 않는다 Alles Vergängliche ist nur ein Gleichnis.
‖ 제행(諸行)～ Alles ist vergänglich.

무상(無償) ¶ ～으로 unentgeltlich; für nichts; gratis; um Gottes Lohn; umsonst.
‖ ～계약 der einseitige Kontrakt, -(e)s, -e. ～교부 die freiwillige Übergabe, -n. ～대부 das unentgeltliche Leihen, -s. ～배급 die unentgeltliche Verteilung, -en. ～원조 die einseitige Beihilfe, -n. ～행위 die unentgeltliche Handlung, -en.

무상무념(無想無念) ＝무념무상.

무상출입(無常出入) Unbeständiger Ein- und Ausgang. ～하다 unbeständig ein- und aus|treten*; nach Belieben besuchen.

무색(一色) 〔형용사적〕 farbig; mit e-r od. mehreren Farben versehen; bunt; gefärbt.
‖ ～옷 ein farbiges Kleid.

무색(無色) ① 《빛깔없음》 Farblosigkeit *f.*; farblose Beschaffenheit *f.* ¶ ～의 farblos; farbenfrei; ohne ⁴Farbe; achromatisch. ② 《무안》 Schande *f.* -n; Unehre *f.* -n. ¶ ～케 하다 überstrahlen; in den Schatten stellen; aus|stechen*; *jn.* aus dem Sattel heben* / 꽃을 ～케 하는 미인 e-e blühende Schönheit, -en / 젊은이들을 ～케 하다 die jungen Männer 《*pl.*》 in den Schatten stellen / 네 솜씨는 전문가를 ～케 한다 D-e Geschicklichkeit stellt den Fachmann in den Schatten.

무생기원설(無生起源說) 〖생물〗 Abiogenesis *f.*

무생물(無生物) das leblose Wesen, -s, -; das Leblose* (Unorganische*) -n.
‖ ~계 die unbeseelte Natur; die Welt der leblosen Dinge (der Leblosen). ~시대 Azoikum *n.*

무서리 der erste Reif. ¶ ~가 내리다 Es fällt der erste Reif.

무서움 Furcht *f.*; Grauen *n.* -s. ¶ ~을 타다 Furcht haben (empfinden*; hegen); es graut *jm.* 《*vor*³》 / ~이 없다 keine Furcht haben / ~에 떨다 vor Furcht zittern.

무서워하다 ⁴sich fürchten; Furcht haben; ⁴sich scheuen. ¶ 무서워서 울다 vor Furcht weinen/무서워할 것 없다 Du brauchst keine Furcht zu haben./벌레를 ~ ⁴sich vor dem Wurm fürchten / 지진을 ~ Angst vor Erdbeben haben.

무석인(武石人) die Statue von e-m Krieger.

무선(無線) die drahtlose Telegraphie; Funken¦telegraphie (Radio-) *f.* (무선전신(술)). ¶ ~ 전신으로 drahtlos; durch Rundfunk (Radio); funkentelegraphisch / ~을 치다 drahtlos telegraphieren; drahten⁽⁴⁾; ohne Draht (drahtlos) mit|teilen⁴; funken.
‖ ~공학 Funktechnik *f.* ~기사 Funkoperator *m.* -s, -en. ~방송 Rundfunk *m.* -(e)s; Rundfunksendung *f.* -en. ~방향탐지기(수심측정기) Funkpeileinrichtung *f.* -en; Funkpeiler *m.* -s, -. ~연락 Funkverkehr *m.* -(e)s. ~전보 das Drahtlose*, -n. ~전신국 Funkstation *f.* -en; Sender *m.* -s, -. ~전신기구 Funkgerät *n.* -(e)s, -e. ~전신대 〖군사〗 Funkenabteilung *f.* -en. ~전신수작업실 《배의》 Funkerbude *f.* -n. ~전신술 die drahtlose Telegraphie. ~전신(방송)탑 Funkturm *m.* -(e)s, ⸗e. ~전신장치 Telegraphenapparat *m.* -(e)s, -e. ~전파 탐지기 Funkmeßgerät *m.*; Radargerät *n.*: ~ 전파 탐지기에 의한 위치 탐지 Funkortung *f.* -en. ~전화 die drahtlose Telephonie, -n; Funken¦telephonie (Radio-): ~전화를 걸다 drahtlos telephonieren (fern|sprechen*). ~조정 Fernlenkung *f.*; Telegramm *n.* -(e)s, -e; Funktelegramm *n.*: ~ 조정을 하다 fern|lenken⁴. ~주파 Funkerfrequenz *f.* -en. ~통신(문) Funkspruch *m.* -(e)s, ⸗e. ~통신병 Funker *m.* -s, -. ~표지등(燈) Funkfeuer *n.* -s, -; Funkbake *f.* -n. ~회로 der drahtlose Stromkreis, -es, -e ※ Telegraphie, Telephonie에서 -ph-는 -f-로 쓰일 때가 많음.

무선(舞扇) Tanzfächer *m.* -s, -.

무섬타다 Angst haben; ⁴sich scheuen.

무섭다 ① 《끔찍·지독함》 fürchterlich; entsetzlich; furchtbar; gräßlich; schauderhaft; schauerlich; schrecklich (sein). ¶ 무서운 얼굴 das grimmige Gesicht; das zornige Aussehen; der böse Blick / 무서운 구두쇠 der schreckliche Geizhals / 무서운 병 die fürchterliche Krankheit / 무서운 생각 der grauenhafte (entsetzliche) Gedanke / 무서운 밤 Schreck(ens)nacht *f.* / 무서운 광경 der schreckliche Anblick; Schreckenbild *n.* / 무서운 순간 der gefürchtete Augenblick / 무서운 속도로 mit halsbrecherischer Geschwindigkeit / 보기에도 ~ schrecklich anzusehen sein / 무서운 눈초리로 보다 *jn.* finster an|sehen* / 무서운 꿈을 꾸다 e-n furchtbaren Traum haben / 무서운 얼굴을 하다 ein grimmiges Gesicht haben(machen); zornig aus|sehen*; böse drein|schauen; e-e bedrohliche Miene machen / 오늘은 무섭게 춥다(덥다) Heute ist es schrecklich kalt (Heute ist e-e unvernünftige Hitze).
② 《흉악해서》 furchtbar; fürchterlich; schrecklich; scheußlich; entsetzlich; gräßlich; grausig (sein). ¶ 무서운 범죄 ein gräßliches (grauenhaftes; schreckliches) Verbrechen, -s, - / 무서운 놈 ein scheußlicher (schrecklicher) Kerl, -(e)s, -e.
③ 《두렵다》 ⁴sich vor e-r Sache fürchten. ¶ 전쟁은 생각만 해도 ~ bei dem Gedanken an e-n Krieg zittern / 죽음도 귀신도 무서워 않고 Tod u. Teufel nicht fürchtend / 나쁜 결과가 될까 ~ Wir fürchten ernste Folgen.

무성(茂盛) Üppigkeit *f.*; Geilheit *f.*; Geilung *f.* ~하다 wuchern; dicht; dick; geil; üppig (sein). ¶ 내 집 뜰에 잡초가 ~하다 In m-m Garten wuchert das Unkraut.

무성(無性) Geschlechtslosigkeit *f.*; Ungeschlechtigkeit *f.*; geschlechtsloses Wesen, -s; geschlechtslose Beschaffenheit. ¶ ~의 geschlechtslos; ohne Geschlecht; ungeschlechtig.
‖ ~번식 Agamie *f.* ~생식 geschlechtslose Fortpflanzung. ~세대 geschlechtslose Generation, -en. ~식물 geschlechtslose Pflanze, -n. ~아(芽) Gemme *f.* -n. ~화(花) geschlechtslose Blume, -n.

무성(無聲) ¶ ~의 stumm; laut¦los (ton-; stimm-).
‖ ~영화 der tonlose (stumme) Film, -(e)s, -e. ~음 〖음성〗 der stimm¦lose (ton-) Laut, -(e)s, -e; Hauchlaut *m.* -(e)s, -e. ~총 das geräuschlose Gewehr, -(e)s, -e.

무성의(無誠意) ~하다 uninteressiert; kühl; gleichgültig; teilnahmslos; unaufrichtig; falsch (sein). ¶ ~한 대답 die kühle Antwort, -en.

무세(無稅) ¶ ~의 steuer¦frei (abgaben-); von Steuern unbelastet. ‖ ~품 die steuerfreie (abgabenfreie) Ware, -n.

무세력하다(無勢力—) einfluß¦los (bedeutungs-; kraft-; macht-; wirkungs-); ohnmächtig; unwirksam (sein).

무소 〖동물〗 Nashorn *n.* -(e)s, ⸗er; Rhinozeros *n.* - (-ses), -se.

무소권(無訴權) kein Recht haben, e-n ordentlichen Prozeß zu führen.

무소득(無所得) ¶ ~으로 ohne ⁴Einkommen (Einkünfte; Einnahmen; Bezüge) 《*pl.*》.

무소속(無所屬) ¶ ~의 unabhängig; parteilos; zu k-r Partei gehörig; selbständig / ~이다 von *jm.* (³*et.*) unabhängig sein.
‖ ~의원 der parteilose Abgeordnete*, -n, -n; Independent *m.* -en, -en; der Unabhängige*, -n, -n. ~자 Söldner *m.* -s, -. ~정치인 der unabhängige Staatsmann.

무소식(無消息) k-e Nachricht 《*von*³》. ¶ 영 ~이다 von ³sich nichts hören lassen*/ 그는 고향에 돌아간 뒤로 영 ~이다 Seitdem er in die Heimat zurückgekehrt ist, hört man nichts mehr von ihm.

무솔다 《푸성귀가》 vermodern; in Fäulnis über|gehen* Ⓢ.

무쇠 Gießeisen *n.* -s, -; Eisen *n.* -s, -. ¶ 그는 ~처럼 튼튼하다 Er ist wie von Eisen.

무수(無水) 〖화학〗 〔형용사적〕 anhydrobios. ¶ ~의 wasserfrei; kalziniert.

‖ ~물 Anhydrid *n.* ~비산 arsenhaltiges Anhydrid. ~산(酸) Anhydrid *n.* ~아황산 schwerfälliges Anhydrid. ~알콜 absoluter Alkohol, -s, -e. ~질산 Saueres *n.* ~탄산 Kohlendioxyd. ~화합물 anhydrobiose Verbindung. ~황산(黃酸) schwerfälliges Anhydrid.

무수(無數) Unzählbarkeit *f.* -en; unzählbares Wesen, -s, -. ~하다 zahl|los (-reich); unzählbar; unzählig; ungezählt; wie Sand am Meer (sein).

무수기 der Unterschied des Wasserstandes zwischen Ebbe u. Flut.

무수다 schonungslos zertrümmern; ohne Bedauern demolieren.

무수리 《궁중의》 e-e Magd, die das Waschwasser für die Hofdame verwaltet.

무수입(無收入) =무소득.

무순(無順) ¶ ~의 unordentlich; unregelmäßig.

무술 bei e-r Zeremonieanstelle von Wein benutztes Wasser.

무술(戊戌) die 35. Periode des sechzigjährigen Zyklus.

무술(武術) die kriegerischen Künste 《*pl.*》; Taktik *f.* -en.

무쉬 der 9. u. 24. Tag im Lunar-Monat, wenn die Flut nach der Ebbe beginnt.

무슨 was; was für ein; welcher; etwas. ¶ ~일 《의문》 was; 《어떤 일》 etwas; 《만사》 alles / ~ 일에도 in allem; in allen Sachen/ ~ 까닭에 warum; worum / ~ 일이 일어나더라도 was geschehen mag / ~ 일이 있더라도 wohl od. übel; gleichgültig wie; unter allen [3]Umständen; was auch immer(양보)/ ~ 일이냐 Was ist geschehen ?|Was ist los?/ ~일이 일어난 것 같다 Es scheint etwas passiert zu sein. / ~ 일이든지 나에게 맡기십시오 Bitte, überlassen Sie mir alles ! / ~ 수든 써야만 되겠다 Dagegen muß man irgendetwas unternehmen. / 오늘은 ~요일이냐 Welchen Tag (Wochentag) haben wir heute ? / 그것은 ~ 책이냐 Was für ein Buch ist das ? / 도대체 그것은 ~ 뜻이냐 Was meinen Sie denn damit ? / ~ 까닭으로 안 갔느냐 Warum gingst du nicht ?

무승부(無勝負) das unentschiedene (aufgeschobene; unausgefochtene) Spiel, -(e)s, -e; das tote Rennen*, -s (경마); Remis [rəmí:] *n.* -, - (-en). ¶ ~가 되다, ~로 끝나다 unentschieden aus|gehen* (bleiben*) ⓢ / ~로 끝나게 하다 unentschieden lassen*[4] / 이 시합은 ~로 끝난다 Das Spiel soll unentschieden bleiben.

무시(無視) ~하다 nicht beachten[4]; außer acht (unbeachtet) lassen*[4]; die kalte Schulter zeigen 《*jm.*》; ignorieren[4]; k-e Notiz nehmen* 《*von*[3]》; links liegen lassen*[4]; über die Achsel (die Schulter) an|sehen*[4]; übergehen*[4]; übersehen*[4]; wie Luft behandeln 《*jn.*》. ¶ 그것은 ~할 수 없다 Das ist nicht zu verachten ! / 남의 의견을 ~하다 andere Meinungen ignorieren (nicht beachten)/모처럼의 호의를 ~하다 *js.* freundliches Angebot nicht an|nehmen*; *js.* Güte nicht benutzen / 민의를 ~하다 die Meinungen des Volkes ignorieren / 규칙을 ~하다 die Regel übertreten* (verletzen).

무시근하다 schlampig; schlaff; lose; locker (sein).

무시로(無時—) zu jeder Zeit; wann auch immer; immer; stets.

무시류(無翅類) Apterygoten 《*pl.*》.

무시무시하다 schrecklich; entsetzlich; fürchterlich; furchtbar; gräßlich; grauen|haft (-voll); schauderhaft; schauerlich; unheimlich; geister|haft (gespenst-); nicht geheuer; haarsträubend; gruselig (sein). ¶ 무시무시한 말 die drohenden (einschüchternden) Worte 《*pl.*》; die Furcht (Schrecken) einjagenden Worte 《*pl.*》 / 자동차는 무시무시하게 달렸다 Der Wagen sauste nur so dahin. / 그것은 보기만 해도 무시무시했다 Das war ein grauenhafter Anblick. / 무시무시한 폭풍우 der fruchtbare (schreckliche) Sturm, -(e)s, ¨e / 무시무시한 방 das düstere (grauenhafte) Zimmer, -s, - / 무시무시해지다 e-e unerklärliche Furcht empfinden*.

무시무종(無始無終) ohne Anfang u. Ende.

무시험(無試驗) ¶ ~으로 ohne [4]Prüfung, -en (Examen *n.* -s, ..mina) / ~으로 K 대학교(대학)에 입학하다 ohne Prüfung zum Studium bei der Universität (Hochschule) *K* zugelassen werden.

무식(無識) Ignoranz *f.*; Unwissenheit *f.* ~하다 unwissend; unbelehrt; unbelesen; ungebildet (sein). ¶ ~한 사람 der unwissende Analphabet, -en, -en; Ignorant *m.* -en, -en / ~한 탓 wegen [2]der Unwissenheit / 자신의 ~을 드러내다 seine Ignoranz enthüllen.

무신(戊申) 〖민속〗 die 45. Periode des 60 Jahreszyklus.

무신경(無神經) Unempfindlichkeit *f.*; Empfindungslosigkeit *f.*; Phlegma *n.* -s; Apathie *f.* (냉담). ~하다 unempfindlich; empfindungslos; phlegmatisch; abgestumpft; dickfellig; apathisch (sein). ¶ 실로 ~한 녀석이다 Er hat in der Tat ein dickes Fell. / 그는 무슨 소리를 해도 ~이다 Er hat e-e dicke Haut u. macht sich nicht daraus, was andere sagen.

무신고(無申告) ¶ ~로 ohne Anmeldung. ‖ ~집회 die Sitzung ohne Anmeldung.

무신론(無神論) 〖철학〗 Unglaube *m.* (*f.*); Atheismus *m.* ¶ ~의 atheistisch. ‖ ~자 Atheist *m.* -en, -en.

무심(無心) ① 《생각없음》 Unachtsamkeit *f.*; Nachlässigkeit *f.*; Fahrlässigkeit *f.*; Irrtum *m.*; Versehen *n.* ~하다 unachtsam; nachlässig; fahrlässig; unabsichtigt; unabsichtlich (sein). ¶ ~히(코) aus Versehen; versehentlich; 《문득》 zufällig; gelegentlich; beiläufig; unbestimmt; gleichgültig; 《부주의하게》 unbewußt; sorglos; unüberlegt; unbedachtsam; unachtsam. ¶ ~히 말하다 unbesonnen heraus|sagen / ~코 고개를 들다 zufällig (unvorsichtig) den Kopf heben* / ~코 그런 일을 저질렀다 Er tat es ganz unwillkürlich.|Das hat er in e-m unbedachten Augenblick getan. / 내가 ~코 한 말이 그를 화나게 했다 M-e unbedachte Äußerung machte ihn böse. / 나는 ~코 했다 Ich habe es nicht absichtlich getan.|Das geschah ohne Absicht.
② 〖불교〗 Seligkeit *f.*; Glückseligkeit *f.*; Seligpreisungen 《*pl.*》.

무쌍(無雙) =무비(無比).

무아(無我) Ekstase *f.* -n; Rausch *m.* -es, ¨e (황홀); Selbstlosigkeit *f.*; Selbstvergessenheit *f.* ¶ ~의 ekstatisch; schwärmerisch; selbst|los (-vergessen) / ~의 경지에 이르다 in Ekstase geraten*ⓢ; in frommer

Betrachtung versunken sein.
‖ ~애 die absolute Selbstlosigkeit.

무아경(無我境) Entzückung *f.* -en; Begeisterung *f.* -en (열광); Ekstase *f.* -n. ¶ ~에 빠지다 in ⁴Entzücken (Ekstase) geraten*[s]; vor ³Freude außer ³sich geraten* / ~이다 entzückt (begeistert) sein 《*von*³》; vor ³Freude außer ³sich sein; überglücklich (überselig) sein / 그는 ~에 이른 것 같았다 Er war wie im siebenten Himmel.

무악(舞樂) Tanz u. Musik.

무안(無顔) Scham *f.*; Schamröte *f.* ~하다 ⁴sich schämen; rot werden; erröten. ¶ ~을 주다 *jn.* erröten machen; *jn.* beschämen / 그렇게 말씀하시면 제가 ~합니다 Sie machen mich erröten. / 그것 때문에 그는 ~을 당했다 Darum hat er sich geschämt.

무액기압계(無液氣壓計) 〖물리〗 Aneroidbarometer *n.* -s, -.

무액면주(無額面株) Aktie 《*f.* -n》 ohne Pari.

무양무양하다 inflexibel; unbiegsam; unveränderlich (sein).

무어 ① 《무엇》 was; was für ein*; etwas; irgend ein*; nichts (부정); all* (무엇이든지). ¶ 이건 대체 ~야 Was ist denn das? / ~하러 왔어 Wozu bist du gekommen? / 저 친구가 하긴 무얼 해 Was vermag er zu tun? / ~라 말씀드려야 좋을지 모르겠습니다 Was (Wie) soll ich sagen?
② 《감탄·놀람》 was?!; ach?! ¶ ~ 그가 왔다고 Was? Ist er gekommen? / ~ 그리 걱정 안하셔도 좋습니다 Ach was! Sie brauchen sich das nicht so zu Herzen zu nehmen. / ~ 그가 낙제하다니 Was! Er ist im Examen durchgefallen? / ~ 상관없어 Ach was! Es schadet gar nichts.¦O, das ist mir ganz gleich! / ~학교에 불이 났다고 Was? Die Schule brennt?
③ 《어리광·대단함》 aber; bitte. ¶ ~ 괜찮아 Tut nichts.¦Hat nichts zu sagen!¦Laß gut sein! / ~ 별말씀을 Bitte schön!
④ 《무어니 무어니해도》 schließlich. ¶ ~니 무어니해도 그는 아직 젊으니까 Schließlich ist er ja noch jung. / ~니무어니해도 너는 그의 애비가 아니냐 Schließlich bist du ja sein Vater.

무어라 ¶ ~ 하든 vor allem; vor allen Dingen; was auch geschehen (passieren) mag / ~ (말)할 수 없다 《단언 못함》 wer weiß; Gott weiß; nicht versichern können*; 《형용키 어려움》 unsagbar (unaussprechbar; unbeschreiblich; unerklärbar; unbestimmt) sein / ~ 대답할까요 Wie soll ich antworten? / ~ 감사의 말씀을 드려야 할지 모르겠습니다 Ich finde k-e Worte, um m-n Dank auszudrücken. / 남들이 ~ 하든 나는 안 간다 Was man auch sagen mag, ich gehe nicht. / ~하든 그는 바보였다 Schließlich war er dumm.

무언(無言) das (Still)schweigen*, -s; Stummheit *f.*; Schweigsamkeit *f.* ¶ ~의 stumm; schweigsam; schweigend; wortlos; verschwiegen / ~의 계행(戒行) die geistige Übung 《-en》 durch Schweigen / ~의 시선 der stumme Blick, -(e)s, -e.
‖ ~극 Pantomime *f.* -n; Gebärdenspiel *n.*

무언실행(無言實行) die Tatenfreudigkeit e-s Schweigsamen; Tatendrang《*m.* -(e)s》 ohne ⁴Wortgepränge. ¶ 그는 ~하는 사람이다 Er ist ein Mann von Taten, kein Maulheld.

무얼 《무엇을》 ¶ ~ 달라고 Was wollen Sie von mir?¦Was haben Sie gesagt?¦Was darf es sein?

무엇 was(의문); etwas; alles(만사); nichts(부정). ¶ ~이든 alles (일체); jedes (모든); welcher* auch immer; was nur immer; mag sein, was will / ~하러 wozu / 나는 ~이든 먹습니다 Ich kann alles essen. / ~이든 먹을 것을 좀 주시오 Geben Sie mir zu essen, egal was! / 그는 ~이든 할 수 있다 Er kann alles. / 나는 ~이든 좋다 Mir ist alles egal (gleichgültig). / ~을 감추랴마는 um es offen zu sagen / ~을 드릴까요 《가게에서》 Was möchten Sie haben?¦Was darf das sein? / ~이 좋아 그러한 곳에서 산책을 하고 있는가 Was kannst du für e-n Grund haben, in solcher Gegend spazierenzugehen? / 그 젊은이는 ~이 돼도 될 것이다 Der Junge wird so wie so groß (macht sich).¦Er verspricht viel. / ~을 생각하고 계십니까 Woran denken Sie! / ~이 일어났나 Was gibt's? / 실러의 ~을 읽었읍니까 Welches von Schillers Werken haben Sie gelesen?

무엇보다 besonders; insbesondere; insonderheit; vor allen Dingen; vor allem; ganz besonders; hauptsächlich; in erster Linie; vornehmlich; allererst. ¶ ~ 뛰어나 über alles / ~ 아름다운 선물 schönstes Geschenk / ~ 괴로운 일은 …이다 Es ist das Schlimmste, daß.... / 안녕하시다니 ~(도) 반갑습니다 Es freut mich sehr, daß Sie gesund sind. / ~ 건강에 유의하십시오 Nehmen Sie sich vor allen Dingen gesundheitlich in acht!¦Schonen Sie sich vor allem! / 그는 담배를 ~ 좋아한다 Er liebt Rauchen mehr als alles andere. / ~도 이 점을 주의해야 된다 Hierauf ist in erster Linie Rücksicht zu nehmen.

무엇하다 ungern; schwer zu sagen; schwer zu beschreiben*; nicht in Worte zu fassen. ¶ 그 일을 하기에는 내가 좀 ~ Es ist umständlich für mich, das selbst zu tun* / 무엇하지만 돈 천원만 주세요 So ungern ich es tue, darf ich Sie um tausend *Won.*

무에리수에 „Lassen Sie sich Ihre Zukunft sagen!" 《Ruf des blinden Wahrsagers》.

무역(貿易) Handel *m.* -s; Handelsverkehr *m.* -(e)s. ~하다 Handel treiben* 《*mit*³》. ¶ ~에 종사하다 ⁴sich mit dem Außenhandel beschäftigen / ~을 진흥하다 den Außenhandel befördern / 한국과 독일과의 ~이 최근 장족의 발전을 했다니 기쁜 일이다 Es ist erfreulich, daß der Handel zwischen Korea u. Deutschland in den letzten Jahren so große Fortschritte gemacht hat. / 우리 나라 수출 ~의 총계는 그 후 증가되지 못했다 Die Gesamtsumme unseres Exporthandels hat sich seitdem nicht vermehrt.
‖ ~결산 Handelsbilanz *f.* ~과 die Abteilung für Handel. ~관계 die Handelsbeziehung. ~권 Handelsgerechtigkeit *f.*; Handelsgerechtsame *f.* ~균형 das Gleichgewicht des Handels. ~금지 Handelssperre *f.* ~상 Ausführer *m.* -s. ~상회(회사) Handels¦firma *f.* ..men (-genossenschaft *f.* -en). ~수입상 Einführer *m.* -s, -; Importeur [..tø:r] *m.* -s, -e. ~시장 Handelsplatz *m.* -es, ⸗e; Emporium *n.* -s, ..rien. ~연감 Handelsjahrbuch *n.* -(e)s, ⸗er. ~정책 Handelspolitik *f.* -en. ~차액 Handelsbilanz

f. ～품 Handels¦artikel *m.* -s, - (-ware *f.* -n). ～풍 Passat(wind) *m.* -(e)s, -e. ～항(港) Handelshafen *m.* -s, ⃛. 내(외)국～ Binnenhandel (Außen-). 대미～ der Handel mit USA. 보호～ Schutzzoll *m.* -(e)s, ⃛e: 보호～주의 Protektionismus *m.* -. 중간～ Zwischenhandel *m.* 한독～ der Handel zwischen Korea u. Deutschland. 해상～ der Handel zu Wasser.

무연(無煙) ¶ ～의 rauch¦los (-frei; -schwach).
‖ ～탄(炭) Anthrazit *m.* -(e)s. ～화약 das rauchlose Schießpulver.

무연(無緣) ☞ 무연고.

무연고(無緣故) ¶ ～의 ohne Relation; ohne Beziehung / ～의 분묘 das Grab《-(e)s, ⃛er》 e-s Unbekannten; das verwilderte Grab.
‖ ～묘지 Friedhof 《*m.* -(e)s, ⃛e》 für Familienlose.

무예(武藝) die kriegerischen Künste 《*pl.*》; Waffentat *f.* -en. ¶ ～에 능한 사람 ein Meister in den kriegerischen Künsten / ～에 통달하다 in den kriegerischen Künsten stark (tüchtig; geschickt) sein / ～를 익히다 ^{4}sich in den kriegerischen Künsten üben.

무오(戊午) 〖민속〗 die 55. Periode des 60 Jahreszyklus.

무욕(無慾) Bedürfnis¦losigkeit (Anspruchs-) *f.*; Genügsamkeit *f.*; Uneigennützigkeit *f.* ～하다 bedürfnis¦los (anspruchs-); genügsam; uneigennützig; frei von Habsucht (sein). ¶ 그는 실로 ～한 사람이다 Er ist uneigennützig bis zum Übermaß.

무용(武勇) Helden¦tat *f.* -en (-mut *m.* -(e)s); Heroismus *m.* -; Kühnheit *f.* -en; Tapferkeit *f.* -en. ¶ 군인은 ～을 숭상해야 한다 Die Soldaten müssen den Mut als die Hauptsache betrachten.
‖ ～담 die heroische Erzählung, -en. ～전 Heldenbuch *n.* -(e)s, ⃛er.

무용(無用) Unnützlichkeit *f.* -en. ～하다 《필요없다》 unnötig; entbehrlich; überflüssig (sein); 《쓸모없다》 nutz¦los (sinn-; zweck-); unbrauchbar; unnütz (sein); 《볼일없다》 nichts zu tun habend; unbeteiligt (sein). ¶ ～자 출입 금지 Unbeteiligte dürfen nicht herein! ¦ Betreten (Eintritt) verboten! (게시).

무용(舞踊) Tanz *m.* -es, ⃛e; Bühnentanz *m.* -es, ⃛e.
‖ ～가 Berufs¦tänzer (Kunst-) *m.* -s, -. ～극 ein dramatischer Tanz. ～단 Tänzerschaft *f.*; Ballettkorps *n.* ～선생 Tanzlehrer *m.* (남); Tanzlehrerin *f.* (여). ～연구소 Tanzschule *f.* 민속～ Volks¦tanz (Heimats-).

무용지물(無用之物) Tunichtgut *m.* - (-(e)s), -(e); Nichtsnutz *m.* -es, -e; Taugenichts *m.* -(es), -e. ¶ ～이다 das fünfte Rad am Wagen sein; zu nichts taugen (gut sein).

무우 〖식물〗 Rettich (Rettig) *m.* -(e)s, -e. ¶ 갓 절인 ～ der frischeingesalzene Rettich.
‖ ～김치 eingemachter Rettich: ～김치를 담그다 Rettich einmachen. ～말랭이 getrockenes Schnitzel Rettich. ～장아찌 getrockenes Schnitzel Rettich eingelegt in Sojasoße. ～짠지 eingesalzener Rettich. ～채 Schnitzel (dünne Scheibe) Rettich. ～청 Rettichstengel *m.* -s, -.

무운(武運) Kriegsglück *n.* -(e)s. ¶ ～장구 Mit Gott für König u. Vaterland; Für Gott, Ehre, Vaterland / ～장구를 빌다 um immerwährendes Kriegsglück beten 《zu Gott》 / ～이 다하여 패했다 Das Kriegsglück lächelte uns nicht, u. wir mußten zu Kreuz kriechen.

무운(無韻) ¶ ～의 reimlos; ungereimt; ohne ^{4}Reim.
‖ ～시(詩) Blankvers *m.* -es, -e.

무위(武威) Waffen¦ruhm *m.* -(e)s; (-tat *f.* -en). ¶ ～를 떨치다 den kriegerischen Ruhm erhöhen (vermehren).

무위(無爲) das Nichtstun*, -s; Müßiggang *m.* -(e)s; das Drohnendasein*, -s; Tagedieberei *f.* -en. ¶ ～하게(로) nichtstuend; müßig; tatenlos; faul / ～하게 지내다 ein müßiges Leben führen; s-e Zeit tatenlos hin|bringen*; auf der Bärenhaut (auf dem Lotterbett; auf dem Faulbett) liegen* / ～가 되다 auf unfruchtbaren Boden fallen*[s]; zu nichts (Wasser; Schaum; Essig) werden; ins Wasser fallen*; mit ^{3}*et.* ist es Essig; Schiffsbruch erleiden* / ～로 끝나다 ohne Wirkung bleiben* [s]; k-e Wirkung hinterlassen*; 《노력 등이 허사로 끝나다》 vergeblich sein; 《아무일도 하지 않고 죽다》 sterben* [s]; ohne etwas Besonderes geleistet zu haben.
‖ ～도식 ein müßiges Leben: ～도식하다 ein müßiges Leben führen; in den Tag hinein leben.

무위(無違) ohne Fehler.

무육(撫育) das Aufziehen*, -s; Pflege *f.* -n; Hegen u. Pflegen, des -u. -s. ～하다 auf|ziehen*^{4}; hegen u. pflegen^4; pflegen^4.

무의무신(無義無信) Untreue u. Unaufrichtigkeit. ～하다 untreu u. unaufrichtig (sein).

무의무탁(無依無托) Einsamkeit u. Verlassenheit. ～하다 einsam u. verlassen (sein).

무의미(無意味) ～하다 sinnlos; bedeutungslos; nichtssagend; zwecklos; ungereimt; unsinnig (sein); k-n Sinn (Zweck) haben. ¶ ～한 소리를 하다 dummes Zeug schwatzen / ～한 생활 das sinnlose Leben / ～한 생활을 하다 ein sinnloses Leben führen.

무의식(無意識) Unbewußtheit *f.* ¶ ～의 unbewußt; unwillkürlich; triebhaft (충동적으로); instinktiv (본능적으로); mechanisch (기계적, 습관적으로) / 그녀는～적으로 한 것이다 Sie tat es unwillkürlich. (몽태치기 따위) / ～의 동작 die unwillkürliche Handlung.
‖ ～철학 die Philosophie des Unbewußten.

무의촌(無醫村) das arztlose Dorf, -es, ⃛er.

무이다 《머리가》 aus|fallen*[s]; kahl werden*.

무이자(無利子) ¶ ～의 unverzinslich; unverzinsbar; k-e Zinsen bringend (tragend); passiv / ～로 돈을 꾸어주다 Geld ohne ^{4}Zinsen (zinsfrei) aus|leihen.
‖ ～공채 die unverzinsliche Anleihe, -n. ～채무 die unverzinsliche Schuld.

무익(無益) Nutzlosigkeit *f.* -en; Vergeblichkeit *f.* -en; 《낭비》 Vergeudung *f.* -en; Verschwendung *f.* -en. ～하다 unnütz; nutzlos; vergeblich; erfolglos; fruchtlos; resultatlos; 《낭비하다》 verschwenderisch; verschwendend (sein). ¶ ～한 토론 die nutzlose (wertlose) Diskussion / 백해 ～하다 mehr Schaden als Nutzen bringen*.

무인(戊寅) 〖민속〗 die 15. Periode des 60 Jahreszyklus.

무인(武人) Krieger *m.* -s, -; Degen *m.* -s, -; Soldat *m.* -en, -en. ¶ ～다운 kriegerisch; militärisch; soldatenhaft; soldatisch.

무인(拇印) Daumenabdruck *m.* -(e)s, ⸚e. ¶ ~을 찍다 mit e-m Daumenabdruck siegeln[4].

무인(無人) Mangel 《*m.* -s, ⸚》 an Personal; die kleine Dienerschaft, -en; Mangel an Arbeitskräften. ¶ ~의 ohne Hilfskräfte; unbewohnt / ~지경 die unbewohnte Gegend, -en; Niemandsland *n.* -(e)s, ⸚er / ~지경을 가듯 mühelos; spielend; wie vor dem Wind segeln; wie mit dem Strom schwimmen*.

‖ ~비행기 das fernsteuerbare Flugzeug, -(e)s, -e.

무인(無因) Ungültigkeit *f.*

‖ ~계약 nicht gültiger Vertrag, -es, ⸚e.

무일푼(無一一) kein Pfennig; kein roter Heller. ¶ ~으로 ohne e-n Pfennig / ~이 되다 k-n Pfennig haben*; alles verlieren*; verloren sein* / 거의 ~으로 장사를 시작하다 ein Geschäft mit so gut wie nichts an|fangen*.

무임(無賃) ¶ ~으로 kostenlos; frei; gebührenfrei (spesen-); franko; ohne [4]Fahr¦karte (-schein) / ~ 승차하다 schwarz|fahren* ⓢ.

‖ ~승객 Freikarteninhaber *m.* -s, -; 《부정한》 Schwarzfahrer *m.* -s, -; der blinde Passagier [..ʒí:r] -s, -e. ~승차권 Freikarte *f.* -n.

무임소(無任所) ¶ ~의 ohne [4]Portefeuille [pɔrtfœ́:j(ə)].

‖ ~공사 der zu k-r Gesandtschaft gehörige Gesandte*, -n, -n. ~장관 der Minister 《-s, -》 ohne [4]Portefeuille (Geschäftsbereich).

무자(戊子) 〖민속〗 die 25. Periode des 60 Jahreszyklus.

무자각(無自覺) Mangel 《*m.* -s, ⸚》 an Selbstbewußtsein (Selbstgefühl; Selbstvertrauen); Unverantwortlichkeit *f.*; Gewissenlosigkeit *f.* ¶ ~한 ohne Selbstbewußtsein *usw.*; unverantwortlich.

무자격(無資格) das Fehlen* 《-s》 der Berechtigung (der Qualifikation); (Rechts-) unfähigkeit *f.* -en. ~하다 unberechtigt; unqualifiziert; (rechts)unfähig (sein). ¶ ~이다 k-e Berechtigung (Qualifikation; (Rechts-) fähigkeit) haben 《*zu*[3]》.

‖ ~교사 der Lehrer 《-s, -》 ohne [4]Berechtigung (Qualifikation).

무자력(無資力) Unbemitteltheit *f.*; Mittellosigkeit (Besitz-; Vermögens-) *f.*

‖ ~자 ein Mittel¦loser (Besitz-; Vermögens-)*.

무자맥질 Tauchen* *n.* -s. ~하다 tauchen; ins Wasser gehen* ⓢ (schwimmen* ⓢ,ⓗ).

무자본(無資本) der Mangel des Kapitals. ¶ ~으로 ohne Kapital / ~으로 시작하다 mit nichts an|fangen*.

무자비(無慈悲) Unbarmherzigkeit *f.*; Mitleidlosigkeit *f.* ~하다 erbarmungslos; unbarmherzig; herzlos; hartherzig; unerbitterlich; schonungslos (sein). ¶ ~한 짓을 하다 etwas Herzloses tun*.

무자식하다(無子息一) kein Kind haben; kinderlos (sein).

무자위 Wasserpumpe *f.* -n.

무자치 〖동물〗 e-e Art von Wasserschlange 《*f.* -n》.

무작위(無作爲) ¶ ~(적으)로 aufs Geratewohl; zufällig / ~의 beliebig; zufällig ausgewählt / ~ 추출하다 Stichprobe nehmen*.

무작정(無酌定) ~하다 blind; blindlings; planlos; zwecklos (sein). ¶ ~하게 aufs Geratewohl; auf gut Glück; ins Blaue hinein / ~으로 해 보다 [4]*et.* aufs Geratewohl versuchen / 그는 ~ 상경했다 Er ist ohne Zweck nach Seoul gekommen.

무장(一醬) dünne (wässerige) Bohnensoße, ⌈-n.

무장(武將) Kriegsheld *m.* -en, -en; General *m.* -s, -e.

무장(武裝) Kriegs¦rüstung (Aus-) *f.* -en; Bewaffnung *f.* -en; Rüstung *f.* -en. ¶ ~한 bewaffnet; bis an die Zähne bewaffnet(빈틈없이 무장한) / ~하고 있다 mit [3]*et.* bewaffnet sein; unter den Waffen stehen*; die volle Rüstung (e-n Panzer) an|legen; [4]sich rüsten (aus|rüsten); [4]sich bewaffnen / ~을 해제하다 entwaffnen[4]; ab|rüsten[4]; entfestigen[4] (요새의).

‖ ~열차 Panzerzug *m.* -(e)s, ⸚e(장갑 열차). ~중립 bewaffnete Neutralität, -en. ~평화 der bewaffnete Frieden, -s, -. ~해제 Entwaffnung *f.* -en; Abrüstung *f.* 비~ 지대 die entmilitarisierte Zone, -n.

무재(無才) ~하다 ungebildet; ohne Fertigkeiten; im Naturzustand (sein).

무저항(無抵抗) Widerstandslosigkeit *f.* ¶ ~으로 ohne [4]Widerstand zu leisten[3]; ohne Einspruch zu erheben 《*gegen*[4]》.

‖ ~주의(主義) der Grundsatz 《-es, ⸚e》 der Widerstandslosigkeit; das Prinzip 《-s, -e (..pien)》, k-n Widerstand zu leisten.

무적(無敵) ¶ ~의 unüberwindlich; unüberwunden; unübertreff¦bar (-lich); unübertroffen; unbesieg¦bar (-lich); unbesiegt.

‖ ~함대 die (Große) Armada (스페인의).

무적(無籍) Heimatlosigkeit *f.*; ohne Staatsangehörigkeit.

‖ ~자 der im Familienregister (Personenregister) nicht Eingetragene*, -n, -n; 《떠돌이》 Landstreicher *m.* -s, -; Vagabund *m.* -en, -en.

무적(霧笛) Nebelhorn *n.* -es, ⸚er.

무전 e-e Art von Fahrrad mit der Handbremse, die nur mit dem Vorderrad verbunden ist.

무전(無錢) Geldmangel *m.* -s, -. ¶ ~ 유흥하다 in e-m Vergnügungslokal prassen, ohne die Kosten bestreiten zu können.

‖ ~여행 die Reise 《-n》 mit leerer Tasche; Vagabundentum *n.* -(e)s: 세계 ~여행 das Globetrottertum 《-(e)s》 ohne [4]Geld. ~취식 Zechprellerei *f.* en: ~ 취식하다 ohne Geld in e-m Wirtshaus essen* u. trinken*; den Wirt um die Zeche betrügen*; ein Zechpreller sein / ~ 취식하고 달아나다 fort|gehen* ⓢ, ohne die Zeche zu zahlen; (den Wirt) um die Zeche prellen.

무전(無電) Funktelegraphie *f.* -n; Radiotelegramm *n.* -(e)s, -e. ¶ ~으로 durch Funk; auf dem Funkweg.

‖ ~대(臺) Funkstelle *f.* -n. ~방송국 Rundfunkstation *f.* -n; Rundfunkstelle *f.* -n. ~연락 Funkverbindung *f.* -en. ~조종 Fernsteuerung *f.* -en.

무절조(無節操) Unbeständigkeit *f.* ~하다 wankelmütig; flatterhaft; launisch; unbeständig; unstet; 《불충실한》 treulos (sein).

무정(無情) 《인정이 없음》 Mitleid(s)¦losigkeit (Gefühl-; Herz-). ~하다 mitleid(s)¦los (gefühl-; herz-); unbarmherzig kalt; kaltherzig; unmenschlich; grausam (sein).

‖ ~세월 die Flüchtigkeit (Vergänglichkeit) der Zeit.

무정견(無定見) Gesinnungslosigkeit *f.*; Opportunismus *m.* -; der Mangel an festem Prinzip (an festen Grundsätzen; an fester Politik). ∼하다 gesinnungslos; opportun; ohne festes Prinzip; unbeständig; veränderlich; wankend (sein).

무정란(無精卵) unbefruchtetes Ei, -(e)s, -er; Windei *n.* -(e)s, -er.

무정부(無政府) Anarchie *f.* -n [..çí:ən]; das Fehlen* 《-s》 e-r Regierung.

‖ ∼공산주의 der anarchistische Kommunismus, -. ∼상태 der anarchische Zustand, -(e)s, ⸚e; Staatsauflösung *f.* -en; das allgemeine Drunter u. Drüber, -(s). ∼주의 Anarchismus *m.* -: ∼주의자 Anarchist *m.* -en, -en.

무정수(無定數) ohne bestimmte Nummer, -n.

무정위(無定位) ¶ ∼의 astatisch; unruhig.

‖ ∼검류계 astatisches Galvanometer, -s, -n. ∼조속기 astatischer Regler, -s, -. ∼침 astatische Nadel, -n.

무정형(無定形) Formlosigkeit *f.*; Gestaltlosigkeit *f.* ∼하다 amorph; form¦los (gestalt-) (sein).

‖ ∼상태 〖화학〗 der amorphe Zustand. ∼성운 〖천문〗 der formlose Nebel. ∼유황 〖화학〗 der amorphe Schwefel. ∼탄소 〖화학〗 der amorphe Kohlenstoff.

무제(無際) ∼하다 frei; unbeschränkt; uneingeschränkt (sein). ¶ ∼로 ohne Einschränkung; frei.

무제(無題) 《예술작품 따위의》 kein Titel *m.* -s, -. ¶ ∼의 titellos; ohne Titel.

무제한(無制限) Unbeschränktheit *f.*; Unbedingtheit *f.* ∼하다 unbeschränkt; unbedingt; unbegrenzt; uneingeschränkt; frei (sein). ¶ ∼으로 ohne [4]Einschränkung; unbeschränkterweise.

‖ ∼입국 die unbeschränkte Einreise. ∼통화 das freie Kurant.

무조건(無條件) ¶ ∼의(으로) bedingungs¦los (vorbehalt-); ohne [4]Einwände; uneingeschränkt (무제한의); absolut (절대적인) / ∼승낙하다 vorbehaltlos an|nehmen*[4].

‖ ∼반사 〖심리〗 der unbedingte Reflex. ∼항복 die bedingungslose Kapitulation, -en; ∼ 항복하다 [4]sich auf Gnade u. Ungnade ergeben*; bedingungslos kapitulieren. ∼협상 die unbedingte Verhandlung.

무조음악(無調音樂) 〖음악〗 atonale Musik.

무조지(無租地) 〖법〗 das steuerfreie Land, -es, ⸚er.

무족류(無足類) 〖어류〗 *Apodes* (학명); 〖동물〗 *Gymnophina* (학명).

무좀 〖의학〗 Fuß¦pilz (Haut-) *m.* -es, -e; Ekzem *n.* -s, -e; Ekzembläschen *n.* -s, -. ¶ 내 발가락 사이에 ∼이 생겼다 Zwischen m-n Zehen haben sich Ekzembläschen gebildet.

무종교(無宗敎) ¶ ∼의 religionslos; irreligiös; freigläubig; unkirchlich.

‖ ∼자 Atheist *m.* -en, -en: 나는 ∼자이다 Ich bin ein Freidenker.

무종아리 der Teil zwischen der Ferse u. der Wade vom Bein.

무죄(無罪) Unschuld *f.*; Schuldlosigkeit *f.* ∼하다 unschuldig; schuldlos; frei von [3]Schuld (sein). ¶ ∼가 되다 freigesprochen (losgesprochen) werden; von e-r Strafe befreit werden / ∼를 주장하다 s-e Unschuld behaupten; e-e Tat (ein Verbrechen) leugnen / ∼로 하다 frei|sprechen* (los|-) 《*jn.*》; von e-r Strafe befreien 《*jn.*》; e-e Strafe erlassen* 《*jm.*》 / 그는 마침내 ∼ 방면되었다 Er ist schließlich freigesprochen u. entlassen worden. / 그는 ∼ 선고를 받았다 Er wurde für „nicht schuldig" erklärt.

‖ ∼석방 Freispruch 《*m.* -(e)s》 (Freisprechung *f.*; Unschuldserklärung *f.*) u. Entlassung. ∼선고 Urteil 《*n.* -(e)s, -e》 auf „unschuldig".

무주(無主) ¶ ∼의 herrenlos.

‖ ∼고혼(孤魂) einsamer wandernder Geist, -(e)s, -er. ∼공처(空處) herrenloses Land, -(e)s, ⸚er.

무주의(無主義) ¶ ∼의 k-e festen (sittlichen) Grundsätze 《*pl.*》 habend; frei von festen (sittlichen) Grundsätzen.

무중력(無重力) schwerelos; gewichtslos.

‖ ∼상태 Schwere¦losigkeit (Gewichts-) *f.*

무지 nicht genug Korn, um e-n Sack zu füllen.

무지(拇指) Daumen *m.* -s, -.

무지(無地) ¶ ∼의 ungemustert; ohne [4]Muster; einfarbig; einfach / ∼의 천 der ungemusterte Stoff, -(e)s, -e.

무지(無知) Unwissenheit *f.* (무학); Unkenntnis *f.* (모름). ∼하다 unwissend; ungebildet; einfältig (sein). ¶ 그들은 ∼하니까 in ihrer Unwissenheit; in ihrer Unkenntnis des Gesetzes(법률에 대해) / ∼몽매한 백성 nicht aufgeklärtes Volk, -es, ⸚er.

무지각(無知覺) Bewußtlosigkeit (Stumpfheit) *f.* -en. ∼하다 ohne Bewußtsein; ohne Besinnung; gefühllos; unempfindlich; stumpf (sein).

무지각(無遲刻) ¶ ∼이다 niemals verspätet sein / 3년 동안 나는 ∼이다 Seit 3 Jahre bin ich niemals verspätet.

무지개 Regenbogen *m.* -s, ⸚. ¶ ∼가 서다 (서 있다) Ein Regenbogen erscheint (steht am Himmel; spannt sich über den Himmel; überspannt den Himmel).

무지근하다 unklar; schwer; düster; trübe (sein). ¶ 머리가 ∼ leichten Kopfschmerz haben / 어쩐지 가슴이 ∼ Ich fühle mich irgendwie in der Brust bedrückt. / 뒤가 ∼ an Verstopfung leiden*.

무지기 Unterrock *m.* -s, ⸚e.

무지러지다 verschleißen*Ⓢ; [4]sich ab|nutzen (ab|reiben*). ¶ 무지러진 verschlissen; abgenutzt; abgerieben / 이 연필은 쉬 무지러진다 Dieser Bleistift schreibt sich schnell ab.

무지렁이 Tor (Narr) *m.* -en, -en; Dummerjan *m.* -s, -e; Dummkopf *m.* -s, ⸚e.

무지르다 ab|schneiden*. ¶ 나뭇가지를 ∼ die Zweige vom Baum ab|schneiden* / 머리를 ∼ [3]sich die Haare abschneiden lassen*.

무지막지(無知莫知) Ungeschliffenheit *f.* ∼하다 derb; rauh (sein). ¶ ∼한 사람 der ungeschliffene Mensch, -en, -en; Grobian *m.* -(e)s, -e / ∼한 말을 쓰다 derb (rauh) sprechen*; gemeine (garstige) Reden führen.

무지몰각(無知沒覺) Ignoranz u. Mangel an Verständnis. ∼하다 unwissend; ungelehrt (sein); nichts wissen*.

무직(無職) ¶ ∼이다 berufslos (arbeitslos; beschäftigungslos) sein; k-n Beruf (k-e Arbeit; k-e Beschäftigung) haben; nicht angestellt sein; k-e Arbeit kriegen (bekommen*; finden*); mit leeren Händen kommen* [s]; ohne Arbeit (arbeitslos; geschäftslos) sein.

무직하다 ☞ 무지근하다.

무진(戊辰) 〖민속〗 die 5. Periode des 60 Jahreszyklus.

무진(無盡) ① 《무한》 Endlosigkeit *f.* ~하다 《끝없는》 unerschöpflich; endlos (sein). ② 《금융》 der Verein 《-(e)s, -e》 zur gegenseitigen Finanzierung. ¶ ~에 당첨되다 in der Lotterie gewinnen*.
‖ ~회사 Kreditgenossenschaft *f.* -en; die genossenschaftliche Kreditanstalt, -en.

무진동(一銅) 〖광물〗 ein Felsen, der mehr 50 % Eisen-Sulfat enthält.

무진장(無盡藏) ~하다 unerschöpflich; unbegrenzt; voll unendlicher Fülle (sein). ¶ ~한 자연산물(재력) die unerschöpflichen Naturprodukte (die unbegrenzten Mittel) 《*pl.*》 / 이 지방은 철광이 ~이다 Die Gegend hat e-e unerschöpfliche Mine (Lagerung) von Eisenerz. / 돈이 ~이다 Die Geldquellen sind unerschöpflich.

무질리다 abgeschnitten werden. ¶ 나뭇 가지가 ~ Die Zweige werden vom Baum abgeschnitten.

무질서(無秩序) Unordnung *f.* -en; Wirrsal *n.* -(e)s, -e (혼란); Wirrwarr *m.* -s (혼잡); Chaos [ká:ɔs] *n.* -; Tohuwabohu *n.* -(s), -s (혼돈). ~하다 ungeordnet; unordentlich; verwirrt; chaotisch; planlos; regellos; unsystematisch (sein).

무집게 Nagelzange *f.* -n; Nagelauszieher *m.* -s, -.

무쩍 auf einmal; in e-m Atem (Zuge). ¶ ~ 마셔 버리다 auf e-n Zug aus|trinken*.

무찌르다 zugrunde richten^4; zum Untergang führen^4; ruinieren^4; zerstören^4; verderben*^{4}; vernichten^4 (전멸시키다); vertilgen^4 (전멸시키다); aus|rotten^4 (근절시키다). ¶ 적을 ~ den Feind vernichten.

무찔리다 ① 《살륙》 getötet (umgebracht; niedergehaut) werden. ② 《공격당함》 angegriffen (überfallen; bestürmt) werden. ¶ 적에게 ~ vom Feinde überfallen werden.

무차별(無差別) Unterschiedslosigkeit *f.*; Gleichheit *f.* (평등); Unparteilichkeit *f.* (공평); Wahllosigkeit *f.* (무선택). ¶ ~하게 다루다 unterschiedslos (gleich; unparteilich) behandeln^4; k-n Unterschied machen 《*zwischen*^{3}》.

무착륙(無着陸) ¶ ~비행 Ohnehalt-Flug (Nonstop-) *m.* -(e)s, ⸚e / 부산까지는 ~입니다 Wir fliegen bis nach Busan ohne Zwischenlandung.

무참(無慘) Unbarmherzigkeit *f.*; Mitleidlosigkeit *f.* ~하다 ① 《참혹》 grausam; erbarmungs¦los (mitleids-); kaltblütig; unbarmherzig (sein). ¶ ~하게 사람을 죽이다 kaltblütig e-n Mord begehen* / 보기에도 ~하다 schrecklich (erbärmlich) anzusehen sein. ② 《불민(不憫)》 herzzerreißend; bejammernswert; mitleiderregend; rührend (sein). ¶ ~한 최후를 마치다 e-n jämmerlichen Tod (e-s jämmerlichen Todes) sterben* [s]; ein tragisches Ende finden*.

무책(無策) die Planlosigkeit (Kurzsichtigkeit; Mangelhaftigkeit) der Politik; die kümmerliche (unfähige) Politik. ¶ 속수~이다 Es mangelt der Politik an Schwung.

무책임(無責任) Verantwortungslosigkeit *f.*; Unverantwortlichkeit *f.*; Pflichtvergessenheit *f.* ~하다 verantwortungslos; unverantwortlich; pflichtvergessen (sein). ¶ ~하게 ohne ^{4}Verantwortungsgefühl / ~한 말을 하다 e-e unverantwortliche Erklärung ab|gehen* / ~한 남자다 Er ist kein Verantwortungsgefühl.

무처(無妻) Unbeweibtheit *f.*; die Ehelosigkeit e-s Mannes. ¶ ~의 unbeweibt.

무척 sehr; ganz; viel; stark; hart; hoch; äußerst; schrecklich. ¶ ~ 칭찬하다 hoch preisen / ~ 피를 흘렸다 Er hat viel Blut verloren. / 그는 ~ 키가 크다 Er ist ganz groß. / ~ 즐거웠다 Ich habe viel Spaß gehabt. / ~ 행복하다 Ich bin sehr glücklich. / ~ 피로하다 Ich bin todmüde.

무척추동물(無脊椎動物) 〖동물〗 das wirbellose Tier, -(e)s, -e.

무체(無體) ¶ ~의 unkörperlich; unberührbar; immateriell.
‖ ~재산권 Immaterialgüterrecht *n.* -(e)s.

무춤하다 halten*; stillstehen*; zurück|schaudern; zurück|weichen* [s,h]; zögern. ¶ 문 앞에서 ~ vor dem Tor plötzlich halten* / 뱀을 보고 ~ vor der Schlange zurück|weichen* [s,h].

무취(無臭) Geruchlosigkeit *f.* ~하다 geruchlos; ohne ^{4}Geruch (sein).

무취미(無趣味) =몰취미.

무치다 ein|machen; ein|salzen. ¶ 나물을 ~ Gemüse ein|salzen.

무턱대고 draufgängerisch; tollkühn; verwegen; wag(e)halsig; blindlings; zweck¦los (ziel-) (맹목적); ohne Ziel; planlos. ¶ ~ 일자리를 찾다 aufs Geratewohl nach e-r Arbeit suchen / ~ 돈을 꾸다 ohne Aussicht auf Zurückzahlung Schulden machen / ~ 교외로 빠져 나갔다 Ich ging ziellos ins Freie. / ~ 집을 나갔다 Ich ging aus, unentschieden wohin.

무텅이 Korn in ein neu-kultiviertes Land säen.

무테(無一) rahmenlos.
‖ ~안경 die Brille ohne Rahmen.

무통(無痛) Schmerzlosigkeit *f.* ¶ ~의, ~한 schmerz¦los (-frei).
‖ ~분만 der Dämmerschlaf 《-(e)s》 zur Durchführung e-r schmerzlosen Geburt.

무통제(無統制) ¶ ~의 unbeaufsichtigt; unkontrolliert.

무투표(無投票) ohne Stimme.
‖ ~당선 ☞ 당선(當選).

무트로 in Menge; in Haufen.

무패(無敗) Unbesiegbarkeit *f.* ¶ 여전히 ~를 자랑하다 ungeschlagen (unbesiegt) bleiben* [s]; immer noch k-e Niederlage erleben 〖완료 시칭으로〗.

무표정(無表情) Ausdruckslosigkeit *f.* ~하다 ausdruckslos; nichtssagend (sein).

무풍(無風) Windstille *f.*; Kalme 《*pl.*》; Flaute *f.* -n. ¶ ~의 windstill; ohne Wind.
‖ ~지대 die Gegend der Windstillen; Kalmenzone *f.* -n.

무풍류(無風流) Geschmacklosigkeit *f.* -en; Prosa *f.*; Mangel 《*m.*》 an Eleganz. ~하다 geschmacklos; prosaisch; unfein; vulgär; bauerisch (sein).

무학(無學) Unwissenheit *f.*; Ungelehrtheit *f.* ~하다 unwissend; unbelehrt; unbelesen; ungebildet; analphabetisch (sein).

무한(武漢) 《중국의 도시》 Wuhan.

무한(無限) Unendlichkeit *f.* -e; das Unendliche, -n; Infinität *f.* -en; Unermeßlicihket *f.* -en; Ewigkeit *f.* -en (영원). ~하다 unendlich; infinit; unermeßlich; unbegrenzt; endlos; ewig; unerschöpflich (sein). ¶ ~한 권력 die unbegrenzte Macht, ⸗e / ~대의 unendlich groß; unendlich《기호: ∞》/ ~소(小)의 unendlich klein; infinitesimal.
‖ ~급수 die unendliche Reihe, -n. ~책임 die unbeschränkte Haftpflicht, -en.

무함(誣陷) falsche Verleumdung gegen e-e Person. ~하다 *jm.* e-e Falle stellen〔legen〕.

무항산(無恒產) kein fester Besitz. ¶ ~이면 무항심이다 Wer kein festes Einkommen hat, hat auch k-e feste Gesinnung.

무해(無害) Harmlosigkeit *f.* ~하다 harmlos; ungefährlich; nicht gefährlich; unschädlich (sein). ¶ ~ 무익한 unbedeutend / ~ 무익한 사람 ein Mann, der kein Wässerchen trübt.

무허가(無許可) ¶ ~의 ohne Erlaubnis 〔Einwilligung; Zustimmung; Billigung〕; ohne Genehmigung《zu ³*et.*》.
‖ ~건축 Schwarzbau *m.* -(e)s, -ten. ~술집 Spelunke *f.* -n.

무혈(無血) Blutleere *f.* -n; verminderte〔antgehobene〕Blutzufuhr zu e-m Organ.
‖ ~혁명 die blutlose Revolution, -en.

무협(武俠) Ritterlichkeit *f.*; Heldenmut *m.* -es. ¶ ~적 ritterlich.

무형(無形) Amorphie *f.* ¶ ~의《형태가 없는》gestalt¦los 〔form-〕;《비물질의》stofflos 〔körper-; wesen-〕; immateriell; unkörperlich;《추상적》abgezogen; abstrakt; rein bildlich;《정신적》geistig; spirituell;《눈에 안 보이는》unsichtbar / 지식은 ~의 재산이다 Kenntnisse sind ein geistiges Eigentum.
‖ ~문화재 das geistige Kulturgut, -(e)s, ⸗er. ~세계 die immaterielle Welt. ~재산 der immaterielle 〔unantastbare〕 Besitz, -es, -e.

무호동중(無虎洞中) ¶ ~ 이작호(狸作虎) Im Reich der Blinden ist ein Einäugiger König.¦In e-r Tigerhöhle ohne Tiger ist der Hase König.

무화과(無花果) Feige *f.* -n (과일).
‖ ~나무 Feigenbaum *m.* -(e)s, ⸗e.

무환자나무(無患子—) 〖식물〗 Seifen¦kraut *n.* -(e)s, ⸗er 〔-wurz *f.* -en〕.

무효(無効) Ungültigkeit *f.*; Frucht¦losigkeit 〔Wirkungs-〕 *f.*; Nichtigkeit *f.*; Unwirksamkeit *f.* ¶ ~의 ungültig; wirkungs¦los 〔frucht-〕; nichtig; unwirksam / ~가 되다 ungültig 〔fruchtlos; wirkungslos; (null u.) nichtig; unwirksam〕 werden; Gültigkeit 〔Wirksamkeit〕 verlieren*; außer ⁴Kraft gesetzt werden / ~로 하다 ungültig〔fruchtlos; wirkungslos; (null u.) nichtig; unwirksam〕 machen⁴; annullieren⁴; auf|heben*⁴; außer Kraft setzen⁴ / 김씨의 당선은 ~로 선언되었다 Die Wahl des Herrn *Kim* ist für ungültig erklärt. / 도중에서 하차하면 그 표는 ~가 된다 Wenn man die Fahrt unterbricht, wird dieses Billet ungültig. / 강요된 약속은 ~다 Ein unter Zwang gemachtes Versprechen verbindet nicht 〔ist unverbindlich〕. / 이 조약은 이제 완전 ~다 Dieser Vertrag ist jetzt null u. nichtig 〔außer Kraft〕.
‖ ~입장권 die ungültige Eintrittskarte. ~전력 der wattlose Strom. ~차표 der ungültige 〔unbrauchbare〕 Fahrschein, -(e)s, -e (전차, 버스 등); die ungültige 〔unbrauchbare〕 Fahrkarte, -n (열차의). ~투표 die (rechts)ungültige Stimme, -n.

무후하다(無後—) kinderlos (sein).

무훈(武勳) Waffenruhm *m.* -(e)s; Kriegsehren《*pl.*》; Militärverdienst *n.* -(e)s, -e.
¶ ~ 혁혁한 mit Waffenruhm bedeckt.

무휴(無休) ¶ ~의 ohne ⁴Feiertag 〔Ferien《*pl.*》〕/ 연말 연시에도 ~ 봉사 die vorzügliche Bedienung, bei der sowohl am Jahresende als auch Jahresanfang 〔-anfang〕 das Geschäft nicht geschlossen wird.
‖ 연중~《신문》das ganze Jahr hindurch täglich erscheinend;《업무》das ganze Jahr hindurch ohne Feiertag geöffnet.

무휼(撫恤) Hilfe *f.* -n; Unterstützung *f.* -en. ~하다 helfen*³; bei|springen*Ⓢ; zu Hilfe kommen*Ⓢ; unterstützen⁴.

무희(舞姬) Tänzerin *f.* ..rinnen; das tanzende Mädchen, -s, -.

묵 Gelee *n.* -s, -s.
‖ 녹두~ Gelee《*n.* -s, -s》, die man mit dem Mehl der grünen Bohnen geknetet u. verdichtet hat. 메밀~ Buchweizengelee.

묵객(墨客) Kalligraph *m.* -en, -en; Schreibkünstler *m.* -s, -.

묵계(默契) die stille Übereinkunft, ⸗e; das stillschweigende Einverständnis, ..nisses, ..nisse. ~하다 e-e stille Übereinkunft 〔ein stillschweigendes Übereinkommen〕 treffen*《*mit*³》. ¶ 양자간에는 ~가 있다 Es herrscht stillschweigendes Einverständnis zwischen beiden. / 양국간에는 ~가 있는 것 같다 Die beiden Staaten scheinen ein stillschweigendes Einverständnis miteinander zu haben.

묵고(默考) =묵상.

묵과(默過) ~하다 *jm.* verzeihen*⁴; *jm.* nach|sehen*⁴; *jm.* über|sehen*⁴; *jm.* durch|gehen lassen*⁴; ein Auge zu|drücken《*bei*³》; *jm.* durch die Finger sehen*⁴; mit Stillschweigen hinweg|gehen* Ⓢ《*über*⁴》. ¶ 그런 것은 ~할 수 없다 So etwas ist nicht zu verzeihen.

묵념(默念) ① =묵상. ② =묵도.

묵다¹ ①《낡다》nicht mehr zeitgemäß 〔altmodisch; veraltet; außer Gebrauch; nicht mehr üblich; unmodern; rückständig〕 sein. ¶ 묵은 학설 e-e veraltete Theorie / 묵은 사상 e-e bemooste 〔moosüberwachsene; altmodische〕 Vorstellung / 묵은 빵 abgestandenes Brot / 묵은 쌀 der alte Reis, -es / 케케묵은 생각 ein ganz veralteter Gedanke, -ns, -n / 케케묵은 수작 e-e alte Geschichte / 케케 묵었다 abgenutzt werden.
②《낙제하여》aus 〔weg; fort〕 sein. ¶ 입학시험에 떨어져 일년 묵었다 Wegen des Mißerfolgs im Eintrittsexamen blieb ich ein Jahr durch aus der Schule weg.

묵다²《숙박하다》übernachten《*in*³; bei *jm.*》; bleiben*Ⓢ《*in*³; bei *jm.*》; ein|kehren《*in*³》;《체재하다》⁴sich auf|halten*《*in*³; *an*³; bei *jm.*》;《머물고 있다》logieren [..ʒiː..]; wohnen. ¶ 하룻밤 묵어가기를 청하다 *jn.* um ein Nachtlager 〔um Unterkunft für e-e Nacht〕 bitten* / 하룻밤 ~ übernachten; die ⁴Nacht über bleiben* Ⓢ / 어느 호텔에 묵을 셈이십니까 In welchem Hotel wollen Sie wohnen? / 그녀는 이모댁에 가서 묵고 있다 Sie ist bei ihrer Tante zum Besuch.

묵도(默禱) die stille Andacht, -en. ~하다 still beten 《zu Gott *für*^{4}》; e-e stille Andacht verrichten.

묵독(默讀) ~하다 still 〔vor ^{4}sich hin〕 lesen*$^{(4)}$ 《*in*^{3}》.

묵례(默禮) leichte Verbeugung; das Nicken, -s. ~하다 ^{4}sich leicht verbeugen; nicken^3; winken^3; den Hut lüften. ¶ 서로 ~하다 ^{4}sich gegenseitig mit den Augen grüßen.

묵묵(默默) ~하다 schweigend; still; stumm; wortlos (sein). ¶ ~히 말이 없다 ^{4}sich in Schweigen hüllen; stumm bleiben* ⓢ.

묵볶이 e-e Art von Speise aus gebratenen Gelee.

묵비권(默秘權) Schweigerecht *n.* -(e)s, -e. ¶ ~을 행사하다 das Schweigerecht führen.

묵사발(一沙鉢) ¶ ~을 만들다 《때려서》 *jn.* halbtot prügeln 〔machen〕; *jn.* hauen$^{(*)}$, daß die Fetzen fliegen 〔daß die Schwarte knackt〕; *jm.* das Leder gerben / ~이 되다 《얻어맞아》 halbtot geprügelt werden; beinah getötet werden.

묵살(默殺) Totschweigen *n.* -s. ~하다 tot|schweigen*^{4}; k-e Notiz von ^{3}*et.* nehmen*; links liegen lassen*^{4}; *jn.* wie Luft behandeln; beiseite|legen^4; unberücksichtigt lassen*^{4}; unter den Tisch fallen lassen*; auf die lange Bank schieben*^{4}. ¶ 의안〔제안〕을 ~하다 e-n Antrag ersticken 〔unterdrücken〕.

묵상(默想) Einkehr *f.* -en; Betrachtung *f.* -en; das Nachdenken*, -s; Meditation *f.* -en. ~하다 ^{4}sich in Gedanken vertiefen 〔verspinnen*〕; bei ^{3}sich Einkehr halten*.

묵새기다 ^{4}sich lange auf|halten*, (ohne ^{4}*et.* zu *tun*); langen Aufenthalt haben.

묵수(墨守) das Beharren*, -s; das Festhalten*, -s. ~하다 beharren 《*bei*^{3}》; fest|halten* 《*an*^{3}》; bleiben* 《*bei*^{3}》.

묵시(默示) Offenbarung *f.* -en. ~하다 *jm.* offenbaren^4.

‖ ~록 〖성경〗 die Offenbarung Johannis.

묵시(默視) ~하다 mit|an|sehen*^{4}; übersehen*; stillschweigend dulden^4 〔übergehen*^{4}〕. ¶ ~할 수 없다 ^{4}*et.* nicht länger 〔nicht ruhig〕 mitansehen können* / 그 사실을 ~할 수 없다 Ich kann das nicht still mitansehen. |Ich kann m-e Augen den Tatsachen gegenüber nicht verschließen.

묵언(默言) das Schweigen*, -s. ~하다 schweigen*; nichts sagen; stumm 〔still〕 werden; den Mund halten*.

묵연(默然) ~하다 schweigend; still; schweigsam; stumm (sein).

묵은세배(一歲拜) die Abendverbeugung gegenüber Ältern.

묵은해 das letzte 〔vorige〕 Jahr, -(e)s, -e; Vorjahr *n.* -(e)s, -e.

묵이 e-e alte Sache, -n.

묵인(默認) ~하다 ^{4}*et.* stillschweigend durch|gehen lassen*; ^{4}*et.* mit Stillschweigen über|gehen ⓢ; über ^{4}*et.* mit Stillschweigen hinweg|gehen* ⓢ. ¶ 부정 행위를 ~해서는 안 된다 Man darf nicht die unredliche 〔ungesetzliche〕 Handlung stillschweigend durchgehen lassen.

묵자(默字) die lautlose Schrift, -en.

묵정밭 das verwüstete Feld, -es, -er.

묵정이 alte Sache, -n.

‖ ~땅 verwüstetes Land, -es, ⁼er. ~쌀 alter Reis, -es, -e.

묵종(默從) die schweigende Ergebung, -en; Hinnahme *f.* -n. ~하다 ^{3}*et.* 〔in ^{4}*et.*〕 schweigend ergeben*; hin|nehmen*^{4}; ^{3}sich gefallen lassen*^{4}; die Suppe aus essen*. ¶ 아무의 뜻에 ~하다 ^{4}sich *jm.* ganz zu Willen ergeben* / 운명에 ~하다 ^{4}sich in sein Schicksal ergeben*.

묵주(默珠) 〖가톨릭〗 Römisch-katholischer Rosenkranz, -es, ⁼e.

묵주머니 ① 《묵의》 Geleesack *m.* -(e)s, ⁼e. ② 《일의》 Durcheinander *n.* -s, -; Wrack, *n.* -(e)s, -e. ¶ 일을 ~를 만들다 alles durcheinander bringen*.

묵죽(墨竹) die chinesische Tintenzeichnung 《-en》 mit Bambusmotiv.

묵즙(墨汁) Tusche *f.* -n.

묵지(墨紙) =복사지.

묵직이 schwer; gewichtig. ¶ 짐을 ~ 싣다 schwere Fracht laden* 〔gewichtiges Gepäck laden*〕.

묵직하다 schwer; wichtig; gewichtig; 《몸가짐》 würdevoll (sein). ¶ 묵직한 사람 ein Mensch von würdevollem Aussehen*.

묵철(一鐵) Vogelschrot *n.* -(e)s, -e 《als Munition》.

묵허(默許) die stillschweigende Einwilligung, -en 《*zu*^{3}》. ~하다 stillschweigend dulden^4; e-e stillschweigende Einwilligung geben*^{3} 《*zu*^{3}》; fünf gerade sein lassen* (까다롭게 굴지 않다). ☞ 묵과.

묵화(墨畫) Tuschmalerei *f.* -en.

묵흔(墨痕) Tuschenmakel *m.* -s, -.

묵히다 《상품·자금 따위를》 (unbenutzt) liegen lassen*^{4}; brachliegen lassen*. ¶ 달력을 ~ e-n Kalender unbenutzt liegen lassen* / 밭을 ~ den Acker brachliegen lassen*.

묶다 ① 《매다》 binden*^{4}; an|binden*^{4} 《*an*$^{3 \cdot 4}$》; fest|binden*^{4}; zu|schnürren^4; um|binden*^{4} (둘레에); zusammen|binden*^{4} (다발 짓다); befestigen^4 《*an*^{3}》; bündeln^4. ¶ 짐을 ~ ein Bündel schnürren / 볏단을 ~ den Reis zur 〔in〕 Garbe binden* / 편지를 끈으로 ~ Briefe mit Schnur binden* / 십자로 ~ kreuzweise verbinden*^{4}.

② 《사람을》 binden*^{4}; fesseln^4. ¶ 아무의 손발을 ~ *jm.* ^{4}Hände u. ^{4}Füße binden* 〔fesseln〕 / 아무를 약속으로 묶어두다 《속박하다》 *jn.* durch ein Versprechen binden*.

묶어치밀다 in Exstase kommen*; über|schäumen.

묶음 Bündel *n.* -s, -; Bund *n.* -(e)s, -e. ¶ 물거리(섭나무) ~ Reisigbündel *n.* -s, - / 장작 한 ~ ein Bündel Brennholz / 꽃 한 ~ ein Bündel Strauß 《*m.* -es, ⁼e》 / 짚 한 ~ ein Bündel Stroh 《*n.* -(e)s》 / 한 ~에 만 원 zehn tausend *Won* ein Bündel / ~으로 in e-m Bündel / ~으로 묶다 in Bündel zusammen|binden*; e-e Garbe machen 《*aus*^{3}》; zu Garbe binden*^{4} / ~을 풀다 auf|binden*^{4}; auf|knoten^4 / ~으로 팔다 bündelweise verkaufen^4.

묶이다 ① 《물건이》 gebunden werden; gefesselt werden. ¶ 짐이 단단히 묶여 있다 Ein Bündel ist fest gebunden.

② 《사람이》 (fest)gebunden werden; gekettet werden. ¶ 손발이 ~ von *jm.* Hände u. Füße 〔die Glieder〕 festgebunden werden / 손발이 묶이어 mit gefesselten Händen u. Füßen.

③ 《규칙·일·시간에》 beschränkt werden; gefesselt 〔gekettet〕 werden. ¶ 규칙에 ~ durch Regeln beschränkt werden / 시간에

묶여 있다 k-e Zeit für sich selbst haben / 그는 일에 묶여 있다 Er ist an s-e Arbeit (ans Geschäft) gefesselt.

④《정에》 gebannt werden. ¶ 정에 ~ durch Liebe gebannt werden.

문(文) ①《문장》 Satz *m.* -es, ⸗e; Aufsatz *m.* (작문, 논문); Prosa *f.* ..sen (산문); Stil *m.* -(e)s, -e (문체). ¶ 문(장)의 Satz-.

②《문학》 Literatur *f.* -en; Dichtung *f.* -en. ③《무에 대한》 Zivilangelegenheit *f.* -en; Gelehrsamkeit *f.* -en. ¶ 문의 Zivil- / 문은 무(武)보다 강하다 Die Feder ist mächtiger als das Schwert.

④《신발의》 die Größe der (Gummi)schuhe 《*pl.*》. ¶ 10문 짜리 신발 Gummischuhe 《*pl.*》 von Größe 10.

문(門) Tür *f.* -en; Tor *n.* -(e)s, -e (대문); Flügeltür *f.* (열어젖히는); Schiebetür *f.* (미닫이); 《망사를 친》 Maschentür *f.*; Moskitofenster *n.* -s, -; 《덧문》 Fensterladen *m.* -s, - (⸗). ¶ 집(방)의 문 Haustür (Zimmer-) / 문을 열다 die Tür öffnen (auf|machen) / 문을 닫다 die Tür schließen* (zu|machen) / 문을 쾅 닫다 e-e Tür zu|schlagen (-|werfen)* / 문을 두드리다 an der [3]Tür (an die Tür) klopfen / 문을 열어두다 die Tür offen (stehen) lassen* / 문을 달다 mit e-m (e-r Tür) versehen* / 문에 빗장을 지르다 das Tor verriegeln (zu|riegeln).

②《부문》 Ordnung *f.* -en; Klasse *f.* -n.
③《분류상의》 Abteilung (Gattung) *f.* -en.
④《해부의》 Nabel *m.* -s, - (⸗); 《생물의》 Klasse *f.* -n.

⑤《대포의 수》 Geschütz *n.* -es, -e. ¶ 대포 5문 fünf Geschütze 《*pl.*》.

문(紋) 《무늬》 Muster *n.* -s, -.

문(問) Problem *n.* -s, -e; Frage *f.* -n.

문간(門間) Tür *f.* -en; (Tür)eingang *m.* -(e)s, ⸗e. ¶ ~에(서) an (vor) der [3]Tür; am Eingang / ~에 서 계시지 말고 들어오시오 So kann ich Sie nicht empfangen, bitte, treten Sie herein!

‖ ~방 Vorzimmer *n.* -s, -.

문갑(文匣) Brief¦behälter *m.* -s, - (-kästchen *n.* -s, -; -schachtel *f.* -e; -schächtelchen *n.* -s, -).

문경지교(刎頸之交) die verschworene Freundschaft, -en; die Freundschaft bis zum Tode.

문고(文庫) ①《도서관·장서》 Bibliothek *f.* -en; Bücherei *f.* -en; Archiv [arçí:f] *n.* -s, -e. ②《총서·문고본》 Bücherei *f.*; Bibliothek *f.*; Sammlung *f.* -en. ③《문갑》 Schatulle *f.* -n; Schreibkästchen *n.* -s, -.

‖ ~본 das Buch 《-(e)s, ⸗er》 im Papp(ein-) band. 통속~ Volksbibliothek *f.* -en.

문고리(門—) der Eisenring 《-(e)s, -e》 der Tür.

문공부(文公部) das Ministerium für Kultur u. Information. ‖ ~장관 der Minister fur Kultur u. Information.

문과[1](文科) 《인문과》 humanistische Fächer 《*pl.*》; die philosophische Fakultät, -en; die geisteswissenschaftliche Abteilung der Oberschule (Hochschule; Universität).

문과[2](文科) 《과거의》 Staatsdienstexamen *n.* -s, ..mina (in alter Zeit).

문관(文官) der Zivil¦beamte* (Staats-) -n, -n. ‖ ~우위(優位) die herrschende Lage der Zivilbeamten.

문교(文敎) Erziehung *f.* -en; Erziehungswesen *n.* -s, -.

‖ ~당국 die (zuständige) Behörde 《-n》 für Erziehungswesen. ~부 Kultusministerium *n.* -s, ..rien; Ministerium für Erziehung u. Unterricht: ~부 장관 Kultusminister *m.* -s, -. ~정책 Erziehungspolitik *f.* -en. 주(州)~장관 협의회 《독일 연방 공화국의》 Kultusministerkonferenz *f.* -en.

문구(文句) Ausdruck *m.* -(e)s, ⸗e; Worte 《*pl.*》; Redensart *f.* -en; (Rede)wendung *f.* -en; Bemerkung *f.* -en. ¶ 적절한 ~ der passende Ausdruck / 좋은 ~ die schönen Worte 《*pl.*》.

문구(文具) Schreibwaren 《*pl.*》.

문구멍(門—) das Loch 《-(e)s, ⸗er》 der Tür.

문기둥(門—) Torpfeiler *m.* -s, -.

문다 =무너뜨리다.

문단(文壇) Schriftsteller¦kreise (Literaten-) 《*pl.*》; die literarische Welt, -e. ¶ ~의 거두 der literarische Matador, -s (-en), -en/ ~에 등장하다 als Schriftsteller auf|treten* ⓢ (debütieren) / 그는 ~에서 이름이 났다 Er hat sich e-n Namen in den Literatenkreisen gemacht.

문단속(門團束) Abschließung der Tür. ~하다 die Tür ab|schließen* (verschließen*). ¶ ~을 잘 하다 die Tür fest verschließen* / ~이 되어 있는가 돌아보다 nach|prüfen, ob die Türe fest verschlossen sind / ~이 잘 되어 있다 Die Türe sind fest verschlossen.

문답(問答) Frage u. Antwort, der - u. -; 《대화》 Dialog *m.* -(e)s, -e. ~하다 ein Gespräch in Frage u. Antwort führen. ¶ ~식으로 in Frage u. Antwort / ~식으로 이야기가 진행되었다 Ein Gespräch wurde in Frage u. Antwort geführt. ‖ 교리~ 《기독교의》 Katechismus *m.* -, ..men.

문대다 =문지르다.

문덕 plump; plumps. ¶ ~ 떨어지다 mit e-m Plumps fallen* ⓢ.

문도(門徒) Anhänger *m.* -s, -; der Gläubige*, -n, -n; Jünger *m.* -s, -.

문돋이(紋—) Brokat *m.* -(e)s, -e; Seidenstoff mit gewebten Mustern.

문둥병(—病) =나병(癩病). ⌈-n.

문둥이 der Aussätzige* (Leprakranke*) -n,

문드러지다 《염증으로》 [4]sich entzünden; eitern; 《썩어》 verrotten; verfaulen; faul werden; 《옷 따위가 낡아서》 abgetragen sein; 《난숙해서》 überreif werden (sein); aus|reifen ⓗ,ⓢ.

문득 ☞ 문뜩.

문뜩 zufällig(erweise); plötzlich; unerwartet (-erweise); unvorgesehen; unbeabsichtigt; von ungefähr. ¶ ~ 생각이 났다 es fiel mir (plötzlich) ein, daß...; es kam mir der Gedanke, daß.... / ~ 한 가지 생각이 떠올랐다 Ein Gedanke fuhr mir durch den Kopf.¦ Es fuhr mir plötzlich durch den Sinn, daß.... / ~ 좋은 생각이 떠올랐다 Plötzlich fiel mir e-e gute Idee ein / 나는 ~ 잠이 깨었다 Ich erwachte zufällig. / ~ 영화가 보고 싶어졌다 Ich hatte gerade Lust, ins Kino zu gehen.

문뜩문뜩 plötzlich; unerwartet; unvorhergesehen; von Zeit zu Zeit; gelegentlich. ¶ ~ 어머니께서 살아 계신 듯한 생각이 든다 Von Zeit zu Zeit kommt es mir vor, als ob meine Mutter noch lebte.

문란(紊亂) Unordnung *f.* -en; Verwirrung *f.* -en; das Durcheinander*, -s; Konfusion

f. -en; Chaos [ká:ɔs] *n.* -; Wirrwarr *m.* -s; Zerrüttung *f.* -en; Mischmasch *m.* -es, -e; Wirrsal *n.* -es, -e; Verworrenheit *f.*; Nachlässigkeit *f.* **~하다** unordentlich; verwirrt; verworren; zerrüttet (sein). ¶ ~한 재정 zerrüttete Vermögensverhältnisse《*pl.*》/ ~해지다 in ⁴Unordnung geraten* (kommen*) ⓢ; ⁴sich verwirren⁽*⁾ / ~시키다 in ⁴Unordnung bringen*⁴; verwirren⁽*⁾⁴; zerrütten⁴ / 사회 질서를 ~시키다 gegen die gesellschaftliche Ordnung verstoßen* / 풍기가〔규율이〕~해지다 Die Sitten werden (Die Disziplin wird) locker.
‖ **풍기~** der Verstoß《-es, ⸗e》gegen die öffentliche Moral.

문례(文例) Beispiel *n.* -(e)s, -e; Mustersatz *m.* -es, ⸗e. ¶ ~를 들다 e-n Musteraufsatz als Beispiel an|geben*.

문루(門樓) das Oberstockwerk《-(e)s, -e》e-s Burg- od. Schloßtors.

문리(文理) ①《문장의 조리》die Deutung der Sätze; Satzzusammenhang *m.* -(e)s, ⸗e. ②《조리 터득의 길》Denkprozeß *m.* ..sses, ..sse. ③《문과와 이과》Geisteswissenschaften u. Naturwissenschaften《*pl.*》.
‖ **~과 대학** philosophische u. naturwissenschaftliche Fakultät; die literarische (geisteswissenschaftliche) u. naturwissenschaftliche Hochschule (Abteilung; Fakultät).

문맥(文脈) Kontext *m.* -es, -e; Satzzusammenhang *m.* -(e)s, ⸗e. ¶ ~상 kontextmäßig; aus dem (im) Satzzusammenhang / ~상 그렇게 된다 Das ergibt sich aus dem Satzzusammenhang.

문맹(文盲) Analphabet *m.* -en, -en (사람). ¶ ~의 analphabetisch.
‖ **~자** der Unwissende*, -n, -n; Ignorant *m.* -en, -en. **~타파**, **~퇴치** Kampf gegen den Analphabetismus (Analphabetum).

문머리(門—) das Obergefüge e-s Burg- od. Schloßtores.

문면(文面) Inhalt *m.* -(e)s, -e《e-s Briefes》; Wortlaut *m.* -(e)s, -e; Tenor *m.* -s, -. ¶ ~에 의하면 nach dem Brief (dem Schreiben); Der Brief lautet, ...

문명(文名) der dichterische (schriftstellerische) Ruhm, -(e)s. ¶ ~을 날리다 ⁴sich als Autor mit Ruhm bedecken; ³sich als Dichter e-n Namen machen / ~이 자자하다 als Dichter in hohem Ansehen stehen*.

문명(文明) Zivilisation *f.* -en; Gesittung *f.*; Kultur *f.* **~하다** zivilisiert; aufgeklärt (sein). ¶ ~의 zivilisiert; aufgeklärt / ~의 이기 die Faktoren (Mittel)《*pl.*》der Zivilisation / 외국의 ~을 받아들이다 fremde Zivilisation (Kultur) auf|nehmen* (an|-*) / 한국의 ~은 중국에서 영향받은 바 있다 Koreanische Zivilisation wurde zum Teil von China beeinflußt.
‖ **~국**〔국민〕das zivilisierte Land (Volk) -(e)s, ⸗er. **~병** der Übelstand der Zivilisation; Kulturkrankheit *f.* **~사** die Geschichte der Zivilisation. **~시대** das aufgeklärte Zeitalter, -s, -; die Zeiten《*pl.*》der Zivilisation. **기계~** die mechanische Zivilisation. **물질~** die materielle Zivilisation.

문묘(文廟) das Gedächtnishaus für Konfutze.

문무(文武) Zivil u. Militär; Zivil- u. Militärangelegenheiten《*pl.*》. ¶ ~의 도 Gelehrsamkeit u. Kriegskunst / ~를 겸비하다 sowohl gelehrt als auch kriegerisch ertüchtigt sein.
‖ **~겸전** die Bekleidung des Zivilamtes u. des Militärdienstes. **~(백)관** Zivil- u. Militärbeamter*; Staatsbeamter* u. Offizier; Representanten des Staats u. der Wehrmacht.

문문하다 ①《무르다》weich; mürbe; zart; geschmeidig; milde; schwächlich (sein). ¶ 문문한 가죽 ein zartes Leder, -s, - / 문문한 고기 das mürbe Fleisch, -(e)s, -e. ②《우습다·만만함》leicht; nachgiebig; fügsam; lenkbar; lenksam (sein). ¶ 문문한 사람 ein Mann, der leicht zu behandeln ist / 문문하게 보다 verachten⁴; beiseite|setzen⁴; den Rücken zeigen³; nicht viel halten《*von*³》; vernachlässigen⁴.

문물(文物) Zivilisation *f.* -en; Kultur *f.* -en; Kunst u. Wissenschaft. ¶ 서양의 ~ europäische Kultur (Einrichtungen《*pl.*》).

문미(門楣) Oberschwelle *f.* -n.

문밖(門—) ①《문의 바깥》draußen. ¶ ~에서 놀다 spielen draußen (in der Nähe von dem Hause). ②《성문 밖·교외》vorstädtisch; in der Vorstadt; auf dem Vorort. ¶ 서울 ~에 살다 in der Vorstadt von Seoul wohnen.

문발(門—) Rouleau [ruló:] *n.* -s, -s; Vorhang *m.* -(e)s, ⸗e.

문방구(文房具) Schreibwaren《*pl*》; Schreibgerät *n.* -(e)s, -e.
‖ **~상** Schreibwarenhändler *m.* -s, - (장수); Schreibwarenhandlung *f.* -en (장사). **~점** Schreibwarenladen *m.* -s, ⸗ (-); Schreibwarengeschäft *n.* -es, -e.

문뱃내《술냄새》übelriechender Hauch mit dem Alkohol. **~나다** nach dem Alkohol riechen*.

문벌(門閥) Familie *f.* -n (집안); Geburt *f.* -en (태생); Abstammung *f.* -en (가문). ¶ ~ 있는 집에 태어나다 von alter, guter Familie sein; von hoher Geburt (Abstammung) sein / ~도 없고 돈도 없다 weder Geburt noch Geld haben.
‖ **~가** ein Mann《-es, ⸗er》von Familie; ein Mann von alten (hohen) Adel.

문범(文範) das Modell《-(e)s, -e》der Satzbildung.

문법(文法) Grammatik *f.* -en. ¶ ~(상)의, ~상으로 grammatisch; grammatikalisch/ ~에 맞는〔안 맞는〕grammatisch richtig (falsch) / ~을 틀리다 e-n grammatischen Fehler machen / ~을 무시한 ungrammatisch / ~에 구애받다〔안 받다〕an der Grammatik kleben (nicht kleben).
‖ **~학자** Grammatiker *m.* -s, -.

문병(門屛) der Vorhang《-(e)s, ⸗e》(das Rouleau, -s, -s) des Türeinganges.

문병(問病) Krankenbesuch *m.* -(e)s, -e; Erkundigung《*f.* -en》nach dem (e-m) Kranken*. **~하다** besuchen⁴; e-n Besuch ab|-statten³; ⁴sich erkundigen《nach e-m Kranken³》. ¶ 병원에 있는 친구를 ~하다 e-n Freund im Krankenhaus besuchen.

문복하다(問卜—) sein Schicksal wahrsagen lassen*; ³sich wahrsagen lassen*.

문빗장(門—) Riegel *m.* -s, -; Sicherheitsschloß *n.* ..losses, ..lösser.

문사(文士) Literat *m.* -es -en; Schriftsteller *m.* -s, -; ein Ritter《*m.* -s, -》(ein Mann,

-(e)s, ¨er) von der Feder; Federheld *m.* -en, -en. ☞ 문인(文人).
‖삼류~ Federfuchser *m.* -s, -.

문사(文詞·文辭) Ausdrucksweise *f.* -n; Stil *m.* -(e)s, -e; Sprache *f.* -n.

문살(門—) Tür¦rahmen (Fenster-) *m.* -s, -; hölzernes Gitter, -s, -.

문상(問喪) Kondolenzbesuch *m.* -(e)s, -e; Beileidbezeigung *f.* -en; Anteilnahme 《*f.* -n》 (an dem Todesfall). ~하다 s-n Beileid bezeigen (aus|sprechen*) 《*jm.*》.

문서(文書) Akte *f.* -n; Brief *m.* -(e)s, -e; Dokument *n.* -(e)s, -e; Schreiben *n.* -s, -; Literatur *f.* -en; Unterlage *f.* -n; Urkunde *f.* -n. ¶~로서 schriftlich / ~에 서명하다 e-e Urkunde unterschreiben.*
‖~과 (과장) Archiv *n.* -s, -e (Archivar *m.* -s, -e). ~위조 Urkundenfälschung *f.* -en: ~위조자 Urkundenfälscher *m.* -s, -. ~함 Brieffach *n.* -(e)s, ¨er. 공증~ das notarielle Dokument, -(e)s, -e. 불온~ das falsche (gefährliche; aufreizende) Dokument. 외교~ die diplomatische Schreiben (Dokumente) 《*pl.*》.

문석(文石) ① 《마노》 Achat *m.* -es, -e. ② 《문석인》 e-e steinerne Menschenfigur 《-en》 an der königlichen Grabstätte.

문선(文選) ① 《시문집》 e-e Anthologie *f.*; (Gedicht)sammlung *f.* -en. ② 〖인쇄〗 Letternauslese *f.* -n. ~하다 Lettern (Schrifte) aus|lesen*. ‖~공 Ausleser *m.* -s, -.

문설주(門—) 〖건축〗 der Seitenpfosten der Tür (des Fensters).

문세(文勢) die Kraft des (literarischen) Stils.

문소리(門—) der Lärm (das Geräusch) bei der Türöffnung (Türschließung). ¶~가 난다 Man hört die Tür schlagen (klopfen).

문수(文殊) 〖불교〗 *Mañjuśri*; *Bodhisattwa* (=ein buddhistischer Heiliger für die Erleuchtung bestimmtes Wesen).
‖~보살 =문수(文殊).

문수(文數) die Größe der Schuhe; Schuhnummer *f.* -n; Schuhgröße *f.* ¶신발 ~가 얼마입니까 Welche Schuhgröße tragen Sie?¦Welche (Schuh)nummer haben Sie?

문수(紋繡) die Figuren u. Stickereien auf dem Seidensatin.

문식(文飾) die rhetorische Ausschmückung, -en; die stilistische Verschönerung, -en; Bombast *m.* -es (미사여구); Schwulst *m.* -es, ¨e (문체의 과장). ¶~이 지나치다 Der Ausdruck ist bombastisch (schwülstig)./ ~으로 장식하다 literarisch (rhetorisch; stilistisch) aus|schmücken (verschönern).

문신(文臣) Hofleute 《*pl.*》; Zivilbeamte *m.* -n, -n.

문신(文身) Tätowierung *f.* -en; das Tätowieren*, -s, - (문신하는 일); das Tatauieren*, -s, - (문신하는 일). ~하다 《남에게》 *jn.* tätowieren; *jn.* tatauieren; 《자신이》 ⁴sich tätowieren. ¶~을 한 젊은이 ein tätowierter Bursche, -n, -n (Kerl, -s, -e) / 등에 ~하다 ⁴sich auf dem Rücken tätowieren lassen*.

문신(門神) der Schütz¦geist (-gott) für die Tür.

문아(文雅) Eleganz *f.*; Zierlichkeit *f.* -en; Anmut *f.*; Feinheit *f.* -en. ~하다 fein; zierlich; anmutig; gefällig; elegant; geschmackvoll (sein).

문안(文案) 《의안 따위》 Entwurf *m.* -(e)s, ¨e; Kladde *f.* -n; Konzept *n.* -(e)s, -e; Skizze *f.* -n. ¶~을 만들다 (작성하다) entwerfen*⁴; auf|setzen⁴ 《e-n Verrtag, e-n Vortrag 계약, 강연의》 / ~을 짜내다 e-n Entwurf aus|arbeiten (bearbeiten).

문안(門—) ① 《문의 안》 ¶~에 innerhalb des Tores / ~으로 durch das Tor hinein. ② 《성내》 innerhalb des Burgtors (Schloßtors). ‖~사람 Städter *m.* -s; -, ein Mensch, der in der Stadt lebt.

문안(問安) Besuch *m.* -(e)s, -e; das Aufsuchen, -s; die Erkundigung nach *js.* ³Befinden. ~하다 s-e Anteilnahme aus|drücken³. ¶~드리다 *jm.* e-e Aufwartung machen. ‖~객 Besuch *m.*; Besucher *m.* -s, -. ~편지 Beileidsbrief *m.* -(e)s, -e (사망, 재난 따위에 대한). 병~ Krankenbesuch *m.*

문약(文弱) Weichlichkeit 《*f.* -en》 (wegen Literaturliebhaben); Schwächung *f.* -en; Verweichlichung *f.* -en; morbides Künstlertum, -s. ¶~한 weichlich; weibisch; rückgratlos; vom Frieden verwöhnt / ~에 흐르다 (젖다) zu sehr vom Frieden verwöhnt sein; in vergeistigte Verfeinerung und Schwächung verfallen* Ⓢ.

문어(文魚) 〖동물〗 Achtfüßler *m.* -s, -; Achtfüßling *m.* -s, -e; Seepolyp *m.* -en, -en.
‖~대가리 Kahlkopf *m.* -(e)s, ¨e (대머리).

문어(文語) Schriftsprache *f.* -n; der literarische (gehobene) Ausdruck, -(e)s, ¨e. ¶~로 쓰다 in der Schriftsprache schreiben*⁴.
‖~체 schriftsprachlicher Stil, -s, -e.

문얼굴(門—) 〖건축〗 der Rahmen 《-s, -》 des Tors (der Tür).

문예(文藝) Literatur *f.* -en; Kunst u. Literatur; 《문예작품》 das dichterische Werk, -(e)s, -e; das literarische Kunstwerk. ¶~에 종사하다 ⁴sich mit der Literatur beschäftigen / ~에 조예가 깊다 in der Literatur gut bewandert sein.
‖~가 ☞ 문인: ~가 협회 der Literarten-Verein, -(e)s, -e. ~강좌 Literaturkursus *m.* -, ..kurse. ~극 literarisches Drama, -s, ..men. ~기자 Feuilletonist [fœjətoníst] *m.* -en, -en. ~난 Feuilleton [fœjətɔ̃ː] *n.* -s, -s. ~부 die Abteilung 《-en》 für Kunst u. Wissenschaft; Feuilletonabteilung. ~부흥 Renaissance [rənɛsɑ̃ːs] *f.* ~비평(가) die Kritik 《-en》 über Kunst u. Literatur; Kunstkritik *f.*; die literarische Rezension, -en (Kunstkritiker *m.* -s, -). ~잡지 die Zeitschrift für Kunst u. Literatur. ~학 Literarturwissenschaft *f.*

문외한(門外漢) der Außenstehende*, -n, -n; Außenseiter *m.* -s, -; der Uneingeweihte*, -n, -n (국외자); Laie *m.* -n, -n (비전문가). ¶나는 그 일에 ~이다 Ich habe mit der Sache nichts zu tun.

문우(文友) literarischer Freund, -es, -e; Freunde in der literarischen Gesellschaft.

문운(文運) ① 《발전상》 kulturelle Entwicklung, -en; das Vorschreiten* 《-s》 (der Fortschritt) der Kultur. ② 《운수》 die Schicksalsfügung des Dichters.

문원(文苑) ① =문단. ② Sammlung 《*f.* -en》 der literarischen Meisterwerke; Anthologie *f.* -n. ③ Feuilleton [fœjətɔ̃ː] *n.* -s, -s (문예난).

문의(文義) Sinn 《*m.* -(e)s, -e》 (Bedeutung *f.* -en; Inhalt *m.* -(e)s, -e) des Satzes; Tenor *m.* -s (취지).

문의(問議) Anfrage *f.* -n; Erkundigung *f.*

-en. **~하다** e-e Anfrage richten 《an *jn.*》; an|fragen^4 《bei *jm.*》; ^{4}sich erkundigen 《bei *jm.*》; *jn.* um ^{4}Auskunft bitten*. ¶ 서면으로 〔전화로〕 ~하다 schriftlich 〔telephonisch〕 an|fragen 《bei *jm.*》 / 안부를 ~하다 ^{4}sich nach *js.* Befinden erkundigen / 진위를 ~하다 ^{4}sich erkundigen, ob etwas wahr ist od. nicht / 전 주인에게 신원을 ~하다 *js.* vorigen Dienstherrn um Auskunft bitten* / ~한 결과 그 보도는 오보였다 Bei Nachfrage stellte sich der Bericht als falsch heraus. / 자세한 것은 간사에게 ~하십시오 Für das Weitere wenden Sie sich, bitte, an den Geschäftsführer!
‖ **~서**(書) Anfrageschreiben *n.* -s, -. **~처**(處) Information *f.*; Auskunft *f.*; Informationsbüro *n.* -s, -s; Auskunftsbüro.

문인(文人) Literat *m.* -en, -en; der Gelehrte*, -n, -n; Schriftsteller *m.* -s, -.
‖ **~사회** Gelehrtenkreis *m.* -es, -e; gebildeter Kreis, -es, -e. **~협회** die Gesellschaft 《-en》 der Literaten. **~화가** Dichtermaler *m.* -s, -.

문인(門人) Schüler *m.* -s, -; Jünger *m.* -s, -; Anhänger *m.* -s, -. ¶ 코흐의 ~ ein Schüler von Koch.

문일지십(聞一知十) Ein Ausdruck für ein gescheites Wesen.¦Wer Eins hört, versteht schon Zehn.

문자(文字) Schrift *f.* -en; Buchstabe *m.* -ns, -n; Schriftzeichen *n.* -s, -; Charakter *m.* -s, -e [..té:rə]; Hieroglyphe *f.* -n (상형문자); Ideographie *f.* -n [..fí:ən] (표의문자); Keilschrift *f.* -en (설형문자). ¶ 대〔소〕~ der große 〔kleine〕 Buchstabe / 대〔소〕~로 쓰기 시작하다 groß 〔klein〕 schreiben*^{4} / ~ 그대로 buchstäblich; (wort)wörtlich (축어적) / ~그대로 해석하다 buchstäblich aus|legen^4/~에 구애하다 am Buchstaben hangen* 〔kleben〕/ ~ 그대로 흠뻑 젖었다 Ich habe buchstäblich 〔im brutalen Sinne des Wortes〕 k-n trockenen Faden mehr am Leib. / 공자 앞에서 ~쓰기 „Eulen nach Athen tragen."
‖ **~판** Zifferblatt *n.* -(e)s, ⸚er (시계의).

문자새(門―) 〖건축〗 allgemeine Bezeichnung für Türen u. Fenster.

문장(文章) Satz *m.* -es, ⸚e; Aufsatz *m.* -es, ⸚e (작문); Abhandlung *f.* -en (논문); Essai [εsé:] 〔Essay [έse:]〕 *m.* -s, -s (수필); Prosa *f.* ..sen (산문); Stil *m.* -(e) s, -e (문체). ¶ ~의 줄거리 der Gedankengang e-s Aufsatzes / 유창한 ~ der fließende Stil, -(e)s, -e / ~이 좋다 gut stilisieren^4 / ~체로 쓰다 in der Schriftsprache schreiben* / 남의 ~을 흉내내다 *js.* Stil nach|ahmen.
‖ **~가** (Prosa)schriftsteller *m.* -s, -; Stilist *m.* -en, -en; Prosaiker *m.* -s, -. **~론** Syntax *f.*; Satzlehre *f.* -(e)s, -e. **~분석** Satzanalyse *f.* -n. **~어** Schriftsprache *f.* -n; die geschriebene Sprache.

문장(門帳) 《장막》 Vorhang *m.* -(e)s, ⸚e; Gardine *f.* -n.

문장(紋章) Wappen *n.* -s, -. ¶ 수놓은 ~ das gestickte Wappen, -s, -.
‖ **~학** Wappenkunde *f.* -n.

문장부(門―) 〖건축〗 Tür¦angel 〔Tor-〕 *f.* -n.

문재(文才) dichterische 〔literarische〕 Begabung 〔Veranlagung; Fähigkeit〕 -en; das schriftstellerische Talent, -(e)s, -e. ¶ ~가 있다 literarisch begabt 〔veranlagt〕 sein.

문전(文典) 《문법》 Grammatik *f.* -en; 《문법책》 Grammatikbuch *n.* -(e)s, ⸚er.

문전(門前) vor dem 〔das〕 Tor. ¶ ~성시를 이루다 großen Zulauf von Menschen haben (군중); großen Zulauf von Kunden haben (상업의 번창) / ~에서 따돌리다 den Empfang verweigern; *jn.* zwischen Tür u. Angel ab|fertigen; ^{4}sich verleugen lassen* 《*vor*^{3}》; für *jn.* nicht zu Hause 〔zu sprechen〕 sein; 〖강조〗 *jm.* die Tür vor der Nase zu|schlagen*.

문정(文政) Zivilverwaltung *f.* -en (문치(文治)); Erziehungswesen *n.* -s, - (교육 제도).

문제(問題) Frage *f.* -n (답, 해결이 필요한); Aufgabe *f.* -n (과제); Problem *n.* -(e)s, -e (위의 두 가지 뜻으로); Thema *n.* -s, ..men 〔-ta〕 (논제); 《건(件)》 Angelegenheit *f.* -en; Sache *f.* -n; Gegenstand *m.* -(e)s, ⸚e (연구 따위의 대상). ¶ ~의 사나이 der Mann 《-(e)s, ⸚er》 in Frage; der bekannte Mann / ~를 내다 *jm.* e-e Aufgabe geben* 〔stellen〕; e-e Frage stellen 〔richten〕 《*an*^{4}》; *jm.* e-e Frage vor|legen (제출하다) / ~에 답하다 e-e Frage beantworten; e-e Aufgabe 〔ein Problem; e-e Frage〕 lösen (풀다) / ~가 되다 in Frage kommen* Ⓢ; zur Sprache 〔Erörterung〕 kommen*; allgemeine Kritik hervor|rufen*; Aufsehen erregen / ~이다 zweifelhaft 〔fraglich〕 sein, ob... (의심스러운); es ist noch die Frage, ob... (알지 못하는); es fragt sich, ob... (…여하의 문제) / ~는 …이다, …이 ~다 die Frage ist, daß...; es handelt sich 《*um*^{4}》; es ist von ^{3}*et.* die Rede; es kommt darauf an, ob... / ~ 를 해결하다 e-e Frage lösen 〔klären〕; e-e Frage erledigen 〔entscheiden*〕/~를 심의하다 e-e Frage 〔Sache〕 besprechen*/~외이다 es steht außer Frage 〔Zweifel〕, daß... (확실하다); nicht zur Sache 〔hierher〕 gehören (본제가 아닌); k-e Rede sein 《*von*^{3}》 / ~가 되지 않다 nicht in Frage kommen* Ⓢ / ~에서 빗나가다 entgleisen Ⓢ; von dem Thema ab|kommen* Ⓢ / 여러 가지 ~에 걸치다 allerlei Fragen umfassen; alle Einzelheiten behandeln / ~의 책 das besagte 〔betreffende〕 Buch, -(e)s, ⸚er (상술한, 해당); das in Frage stehende 〔viel besprochene〕 Werk (화제의) / 그 ~는 꺼낼 필요가 없다 Die Frage ist belanglos 〔gegenstandslos〕. / 그것은 ~가 된다 Darüber kann man geteilter Meinung sein. / 그것이 ~다 Das ist (ja) die Sache 〔das Problem〕.¦Das ist eben e-e Frage. / 그것은 별 ~다 Das ist e-e andere Frage./ 그것은 시간 ~다 Das ist nur e-e Frage der Zeit. / 성공 여부가 ~다 Es ist die Frage, ob es ihm gelingt od. nicht. / 그것은 ~가 되지 않는다 So etwas kommt hier gar nicht in Frage.¦Das gehört nicht zur Sache.
‖ **~소설**(극) Problem¦novelle *f.* -n 〔-drama *n.* -s, ..men〕. **~아** Problemkind *n.* -(e)s, -er. **문젯점** Streitpunkt *m.* -(e)s, -e. **극동~** die Frage im Fernen Osten. **노동~** Arbeiterfrage *f.* **선결~** Vorfrage *f.* **사회~** Sozialfrage *f.*; das soziale Problem. **시사~** Zeitfrage *f.*; die aktuelle Frage, -n. **시험~** Prüfungsaufgabe *f.* -n: 시험 ~를 작성하다 Prüfungsaufgaben auf|stellen. **정치~** die politische Frage.

문조(文鳥) 〖조류〗 Reisvogel *m.* -s, ⸚.

문죄(問罪) Anklage *f.* -n; Anschuldigung

f. -en; Beschuldigung f. -en; formelle Anklage; Anklageerhebung f. -en; gerichtliche Belangung, -en. ~하다 an|klagen⁴; beschuldigen⁴; jn. vor Gericht ziehen*.
문중(門中) (Bluts)verwandtschaft f. -en; verschlossene Verwandten《pl.》(Familie).
문지기(門—) Pförtner m. -s, -; Torhüter m. -s, -; Portier [pɔrtiéː] m. -s, -s.
문지도리(門—) die Angel《-n》der Tür (des Tors).
문지르다 ab|kratzen⁴; aus|löschen⁴ (문질러 지우다); ab|reiben*⁴ (weg|-); ab|scheuern⁴; ab|feilen⁴(줄로). ¶ 고약을 ~ Pflaster (Salbe) ein|reiben / 구두에 크림을 문질러 바르다 die Schuhe mit Schuhcreme ein|reiben / 이마의 땀을 ~ ³sich den Schweiß von der Stirn trocknen / 마루를 걸레로 ~ den Fußboden mit dem Lappen ab|scheuern.
문지방(門地枋) 〖건축〗 Schwelle f. -n; Fensterbrett n. -(e)s, -er; Süll m. (n.) -(e)s, -e. ¶ ~을 넘다 die Schwelle betreten (überschreiten) / ~이 닳도록 찾아 다니다 jn. mehrmalig (wiederholt) besuchen.
문직(紋織) figurierte Zeuge《pl.》; abgebildetes Gewebe, -s, -.
문진(文鎭) Brief¦beschwerer (Papier-) m. -s, ⌐-.
문질리다《남을 시켜》reiben* (frottieren; ab|reiben*) lassen; 《수동》gerieben (frottiert) werden.
문집(文集) Auswahl《f. -en》von Prosaschriften; Essaysammlung [ésɛː..] f. -en; Causerien [kozəríːən]《pl.》(만필집); Anthologie f. -n [..gíːən].
문짝(門—) Türflügel m. -s, -. ¶ ~을 열어 젖치다 das Fenster (die Tür) weit öffnen.
문채(文彩) ①《문장》literarische Ausdrucksform, -en. ②《무늬》Muster n. -s, -; Zeichnung f. -en; Markierung f. -en; Verzierung f. -en.
문책(文責) die Verantwortlichkeit《-en》für den Inhalt eines Artikels. ¶ ~은 편집자에게 있음《문책기자》Für den Inhalt (Wortlaut) ist der Redakteur verantwortlich.
문책(問責) Rüge f. -n; Verweis m. -es, -e; Tadel m. -s -n; Vorwurf m. -(e)s, ⸚e. ~하다 e-e Rüge《für⁴》(e-n Verweis《wegen²》) erteilen³; jn. zur Rede stellen; jn. zur Rechenschaft ziehen*; schelten; tadeln; jm. Vorwurf machen. ¶ ~하는 tadelnd / ~할 만한 verwerflich.
문체(文體) Stil m. -(e)s, -e; Ausdrucksweise f. -n. ¶ 박력없는 ~ der kraftlose Stil / 아름다운 ~로 in feinem Stil / 이상의 ~로 쓰다 im Stile *Yisangs* schreiben*⁽⁴⁾ / …의 ~를 흉내내다 im Stil von jm. schreiben*.
‖ ~론 Stilistik f.; Stilkunde f.
문초(問招) polizeiliche Vernehmung, -en; gerichtliche Untersuchung, -en; Erforschung f. -en; Inquisition f. -en. ~하다 Fragen stellen; erforschen; untersuchen. ¶ 엄중히 ~하다 jn. e-r strengen Vernehmung durchziehen* / 경찰의 ~를 받다 von der Polizei untersucht (verhört) werden.
문치(文治) die Verwaltung《-en》durch Zivilbeamte und Gelehrte; Gelehrtenrepublik f. -en.
문치(門齒)《앞니》Schneidezahn m. -(e)s, ⸚e.
문치적거리다 ⁴sich zögernd benehmen*; unentschlossen handeln; die Zeit vertrödeln.
문치적문치적 unentschlossen; schwankend; zögernd.
문턱(門—) Schwelle f. -n. ¶ ~에 걸터 앉다 auf der Schwelle sitzen* / 죽음의 ~에 서 있다 mit e-m Fuß im Grabe (mit e-m Bein am Rand des Grabes) stehen*.
문투(文套) literarischer Stil, -s, -e (Form, -en); Schreibweise f.
문틈(門—) die Ritze《-n》(der Riß, ..sses, ..sse; der Spalt, -(e)s, -e) zwischen den geschlossenen Türen (den Fenster; Toren). ¶ ~으로 들여다보다 gucken durch die Ritze der Tür; durch den Türspalt schauen.
문패(門牌) Tür¦schild n. -(e)s, -er. ¶ ~를 달다 ein Türschild auf|hängen.
문풍지(門風紙) die Papierkrempe《-n》am Fensterrahmen zur Verdeckung des Türspaltes.
문필(文筆) Schreiberei f. -en; Schriftstellerei f. -en. ¶ ~로 생활하다 (먹고 살다) von der Feder leben; durch Schreibereien den Lebensunterhalt verdienen / ~에 종사하다 ⁴sich dem literarischen Beruf widmen; als Schriftsteller tätig sein / ~에 재주가 있다 schriftstellerisches Talent haben.
‖ ~가 ein Mann《-(e)s, ⸚er》von der Feder; Schriftsteller m. -s, -; Federheld m. -en, -en; Journalist [ʒurnalíst] m. -en, -en; Feuilletonist [fœjətoníst] m.; Federfuchser m. -s, -. ~노동 literarische (schriftstellerische) Arbeit f.: ~노동자 geistiger Arbeiter m. -s, -(정신노동자); Literaturproduzent m. -en, -en.
문하(門下) 〖형용사적〗 unter (bei) jm. studierend.
‖ ~생, ~인 Schüler m. -s, -: …의 ~생이다 bei jm. studieren⁴ (studiert haben).
문학(文學) Literatur f. -en; Dichtung f. -en; Schrifttum n. -s. ¶ ~(상)의, ~적인 literarisch; dichterisch / ~을 말하다 über Literatur sprechen* / ~의 소양 die literarische Bildung, -en / ~의 소질 literarische Anlage f. -n; die dichterische Ader, -n / ~적인 재능이 있다 literarisch veranlagt (begabt) sein / ~으로 생활을 하고 있다 Er bringt sich mit der Schriftstellerei durch.
‖ ~가 Literat m. -en, -en. ~개론 Einleitung in die Literatur(wissenschaft). ~계 die literarische Welt, -en; die literarischen Kreise《pl.》. ~과 der literarische Kursus, -, ..sen; Literaturkurs m. -es, -e. ~론 die Kritik (Abhandlung) über die Literatur; Literaturtheorie f. -n. ~박사 Doktor der Philosophie《생략: Dr. Phil.》. ~부 die philosophische Fakultät, -en: ~부장 der Dekan《-s, -e》der philosophischen Fakultät. ~사(史) Literaturgeschichte f. -n: ~사가 Literaturhistoriker m. -s, -. ~상 Literaturpreis m. -es, -e. ~석사 Magister《m. -s, -》Artium《생략: MA》. ~연구 Literaturstudium n. -s, ..dien; die Studien《pl.》zur Literatur. ~작품 literarisches Werk, -(e)s, -e. ~잡지 die Zeitschrift für Literatur. ~청년 der junge Literaturfreund, -(e)s, -e. ~취미 der Geschmack an der Literatur. 국~ Nationalliteratur f. 대중~ Unterhaltungs¦literatur (Trivial-) f. 세계~ Weltliteratur f. 통속~ Unterhaltungs¦literatur (Trivial-) f. 한국(독일) ~ die koreanische (deutsche) Literatur. 향토~ Heimatdichtung f. -en.
문헌(文獻) Literatur f. -en; Archiv n. -s,

-e; Urkunde *f.* -n; Bibliographie *f.* -n. ¶이 문체에 관한 ~ die (einschlägige) Literatur zu diesem Problem / ~에 의하면 nach den Geschichtsurkunden; nach den historischen Dokumenten.
‖ ~학 Bibliographie. *f.*; Philologie *f.*: ~학자 Philolog(e) *m.* ..gen, ..gen; Archivar *m.* -s, -e; Bibliograph *m.* -en, -en. 참고~ Bibliographie *f.* -n; Literaturverzeichnis *n.* -ses, -se.

문호(文豪) ein großer Dichter, -s, -; ein hervorragender Schriftsteller, -s, -.

문호(門戶) Tür *f.* -en. ¶~를 개방하다 *jm.* alle Türen offenstehen lassen*; *jm.* Tür u. Tor öffnen / ~를 개방하지 않다 die Tür schließen* 《*gegen*[4]》.
‖ ~개방주의 die Politik 《-en》 〔das Prinzip, -s, ..pien〕 der offenen Tür: ~개방주의자 die Politik 《-en》 〔das Prinzip, -s, ..pien〕 der offenen Tür.

문화(文化) Kultur *f.* -en; Zivilisation *f.* -en. ¶~적 kulturell; kultiviert / 비~적 unkultiviert; kulturfeindlich / ~가 발달한 kultiviert; gebildet; gesittet; von hohen Kultur / ~가 뒤(떨어)진 unkultiviert; ungebildet.
‖ ~가치 Kulturwerte 《*pl.*》. ~공보부 das Ministerium 《-s》 für Kultur und Information. ☞ 문공부(文公部). ~과학 Kulturwissenschaft *f.* ~교류 Kulturaustausch *m.* -es. ~국가 Kulturstaat *m.* -(e)s, -en. ~국민 Kulturvolk *n.* -(e)s, ⸚er. ~단체 Kulturorganisation *f.* -en. ~(대)혁명 Kulturrevolution *f.* ~부 Kulturabteilung *f.* ~사 Kulturgeschichte *f.* -n. ~사업 Kulturarbeit *f.* -en. ~사절 Kulturdelegation *f.* -en. ~생활 Kulturleben *n.* -s, -. ~시설 Kultureinrichtung *f.* -en. ~영화 Kulturfilm *m.* -(e)s, -e. ~운동 Kulturbewegung *f.* -en. ~인 Kultiviertermensch *m.* -en, -en. ~재 Kulturgüter 《*pl.*》: 무형 ~재 das geistige Kulturgut / ~재 관리〔보호〕 위원회 die Gesellschaft 《-en》 zur Erhaltung der Kulturgüter 〔-denkmäler〕. ~정책 Kulturpolitik *f.* -en. ~제 Kulturfest *n.* -es, -e. ~주택 das moderne Haus, -es, ⸚er. ~훈장 Verdienstorden 《*m.* -s, -》 der Kultur. ~협정 Kulturabkommen *n.* -s, -.

문후(問候) die Anfrage (mit dem Brief) nach *js.* Ruhe u. Friede 〔Gesundheit; Alltagsleben〕. ~하다 *jm.* e-n Brief schreiben* u. nach s-m Wohlbefinden 〔Wohlergehen〕 fragen.

묻다[1] 《붙다》 haften 《*an*[3]》; 《더러워지다》 beschmiert 〔besudelt〕 werden 《*von*[3]; *mit*[3]》. ¶피 묻은 손수건 ein blutbeflecktes 〔blutiges〕 Taschentuch, -(e)s, ⸚er / 피가 묻어 있다 blutbefleckt sein / 때가 묻어 있다 schmutzig 〔beschmutzt〕 sein / 잉크가 묻어 있다 mit Tinte befleckt sein / 당신 넥타이에 얼룩이 묻어 있네요 Sie haben e-n Fleck auf der Krawatte.

묻다[2] ① 《속에》 graben*[4] 《*in*[4]; *unter*[4]》; 《매장함》 begraben*[4]; beerdigen[4]; 《보물 따위를》 vergraben*[4] 《*in*[4]》. ¶시체를 땅에 ~ ein Aas 〔e-e Leiche〕 in 〔unter〕 die Erde (ver)graben* / 지뢰를 ~ e-e Mine legen / 불을 재로 ~ Feuer mit [3]Asche bedecken.
② 《숨김》 verbergen*[4]; verstecken*; 《비밀을》 verhehlen[4]; verheimlichen[4] 《이상 모두 vor *jm.*》; verschweigen[4]. ¶오랫 동안 그것을 묻어 두었다 Ich habe es lange verschwiegen 〔heimlich〕 gehalten.

묻다[3] ① 《질문》 fragen 《*jn.* *nach*[3] 〔*über*[4]; *wegen*[2]》; *jn.* 〔von *jm.*〕 [4]*et.*》; e-e Frage 《-n》 stellen 〔richten; tun*〕 《*jm.*; an *jn.*》; befragen 《*jn.* *nach*[3] 〔*über*[4]; *um*[4]; *wegen*[2]〕》. ¶다시 ~ wieder fragen[4] / 안부를 ~ [4]sich nach *js.* [3]Befinden erkundigen / 글의 뜻을 ~ *jn.* über die Bedeutung des Satzes fragen / 주소를 ~ *jn.* nach s-r Adresse fragen / 전문가에게 ~ e-n Fachmann zu Rate ziehen* / 물어 보는 것은 한때의 수치요 묻지 않는 것은 일생의 수치다 „Fragen ist für den Augenblick beschämend, Nichtfragen aber bringt Schande für das ganze Leben."
② 《조회》 [4]sich erkundigen 《bei *jm.* *nach*[3]》; nach|fragen[3]. ¶진위를 ~ [4]sich erkundigen, ob etwas wahr ist od. nicht.
③ 《죄를》 beschuldigen[2] 《*jn.*》. ¶ 책임을 ~ *jn.* zur Rechenschaft ziehen* 《*wegen*[2]》; von *jm.* Rechenschaft fordern 《*für*[4]》.

묻히다[1] 《가루·물 따위를》 tauchen[4]; pudern[4]. ¶손에 물을 ~ die Hand ins Wasser (ein|-)tauchen / 손에 물 한방울 묻히지 않고 ohne jede Mühe; völlig mühelos / 펜에 잉크를 ~ e-e Feder in (die) Tinte tauchen / 빵에 버터를 ~ Butter auf das Brot streichen* / 케이크에 사탕을 ~ Zucker auf den Kuchen streuen.

묻히다[2] 《매장》 begraben werden. ¶묻혀 있다 begraben sein 〔liegen*〕 / 묻혀서 살다 in Vergessenheit geraten* ⓢ; ganz zurückgezogen 〔in (der) Verborgenheit〕 leben (은둔 생활) / 눈에 ~ im Schnee begraben werden / 길이 완전히 눈에 묻혀 있다 Die Wege sind ganz verschneit.

물[1] Wasser *n.* -s; Hochwasser *n.* -s, - (큰물); Überschwemmung *f.* -en (홍수). ¶찬 물 kaltes Wasser, -s, - / 뜨거운 물 warmes Wasser; Warmwasser *n.* / 끓는 물 das kochende Wasser / 큰 물지다 〖강이나 물이 주어〗 überschwemmen[4]; überfluten[4] / 물을 먹다 Wasser trinken*; Wasser schlucken (수영 중에 또는 물에 빠져서) / 물을 푸다 Wasser schöpfen / 물을 타다 (mit Wasser) verdünnen[4]; verwässern[4]; pan(t)schen[4] (나쁜 의미로) / 물을 주다 begießen*[4]; besprengen[4] (식물에); tränken[4] (말 따위에) / 물이 새지 않는 wasserdicht; wassersicher / 물로 샤워하다 [4]sich mit kaltem Wasser übergießen*; e-e Dusche nehmen* / 물은 트는 대로 흐른다 Das Wasser richtet sich (in der Form) nach dem Gefäß, (der Mensch nach Freunden). / 많은 집들이 물에 잠겼다 Viele Häuser standen unter Wasser. / 물이 빠지다 〔써다〕 Die Flut geht 〔fällt〕.¦Es tritt Ebbe ein.¦Es ebbt. / 물이 들어온다 Die Flut steigt 〔kommt〕.¦ Es flutet. / 이 논들에는 물이 잘 돈다 Diese Reisfelder sind gut bewässert. / 수도에서 물이 나오지 않는다 Aus der Wasserleitung kommt kein Wasser. / 이곳 물은 몸에 맞지 않는다 Das Wasser hier bekommt mir sehr schlecht. /청중은 물을 끼얹은 듯이 조용하다 Ein Schweigen fiel über die Zuhörerschaft.

물[2] 《빛깔》 die (aufgedruckte) Farbe, -n. ¶물들다 [4]sich färben; e-e Farbe an|nehmen* / 물이 날다 verbleichen* ⓢ; verblassen ⓢ / 물이 날은 verblichen; verschossen; matt / 피로 물들다 mit Blut beschmiert 〔bedeckt〕 werden / 가지각색으로 물들이다

bunt färben⁴; bunt¦farbig (viel-) machen⁴/ 가지각색으로 물들인 bunt¦farbig (verschieden-; viel-); buntscheckig (잡색의).

물³ ① 《옷·빨래의》 die Periode zwischen e-m Waschen u. anderem. ¶ 물 옷, 첫물 옷 neue Kleidung, -en / 한물 빤 옷 die Kleidung, die schon einmal gewaschen ist.
② 《선도(鮮度)》 von rechter (bester) Zeit. ¶ 첫물 상치 der erste frische Salat, -(e)s, -e / 물이 좋은 frisch; lebendig / 물이 좋은 생선 der frische Fisch; der lebendige Fisch (팔딱팔딱 뛰는) / 첫물 과일 Erstling *m.* -s, -e / 만물 사과 die erste Ernte von Äpfeln / 끝물 고등어 der letzte Makrelenhecht, -(e)s, -e / 참외가 한물지다 Die Melonen sind in der besten Zeit.
③ 《누에의》 das Brüten* 《-s》 der Seidenraupen. ¶ 첫물 누에 das erste Brüten der Seidenraupen.

물가 Wasser¦rand *m.* -(e)s, ⸚er (-seite *f.* -n); Ufer *n.* -s, -; Meeres¦ufer (See-; Fluß-; Strom-) *n.* -s, -; Küste *f.* -n; Strand *m.* -(e)s, -e (모래사장). ¶ ~에(서) am Ufer; am Rand des Wassers (des Baches; des Brunnens) / ~로 an den Rand des Wassers; zum Ufer.

물가(物價) (Waren)preis *m.* -es, -e; Wert *m.* -(e)s, -e. ¶ ~를 올리다 den Preis erhöhen / ~를 내리다 den Preis herab|setzen / ~가 올라가다(내려가다) die Preise steigen* (fallen*)[s] / ~를 안정시키다 den Preis stabilisieren / ~가 비싸다 teuer (kostbar; hoch im Preise) sein; der Preis ist hoch / ~가 싸다 billig sein / ~를 매기다 e-n Preis setzen 《auf⁴》/ ~는 오를 대로 올랐다 Die Preise sind jetzt auf der Spitze (auf dem Gipfel). ‖ ~고 hoher Preis der Waren. **~대책** Preispolitik *f.* -en. **~등귀** Preissteigerung *f.* **~변동** Preisschwankung *f.* **~수준** Preisniveau *n.* -s, -s. **~안정** Preisstabilisierung *f.* **~인상** Preisheraufsetzung *f.* **~인하** Preisherabsetzung *f.* **~조절** Preiskontrolle *f.* **~지수** Preisindex *m.* -es, -e. **~통제(령)** Preisverordnung *f.* -en. **~표** Preis¦liste *f.* -n (-verzeichnis *n.* -ses, -se); Preiszettel *m.* -s, - (정찰). **~하락** Preissenkung *f.* -en. **~현실화** die Anpassung der kontrollierten Warenpreise an die realen Verhältnisse *f.* **소비자~** Konsumentenpreis *m.*; Verbraucherpreis *m.* **주요~** Preise 《*pl.*》 der wichtigsten Güter.

물갈래 Flußarm *m.* -(e)s, -e; Seitenlauf eines Flusses. ¶ ~는 거기에서 갈라진다 Der Flußarm zweigt dort ab.

물갈이 〖농업〗 die Wasserpflugarbeit für den Reisbau. **~하다** für den Reisbau mit dem Wasser pflügen.

물갈퀴 Schwimmhaut *f.* ⸚e.

물감 Farbstoff *m.* -(e)s, -e; Färbemittel *n.* -s, -. ¶ ~을 들이다 ⁴*et.* färben / ~이 잘 먹다 ⁴sich gut färben lassen* / ~이 날다 verbleichen* [s]; verblassen [s].

물개 〖동물〗 Seelöwe *m.* -n, -n.

물거름 flüssiges Düngemittel, -s, -. ‖ **~통** der Eimer von dem flüssigen Mist.

물거리 《땔나무》 Reisig *n.* -s. ¶ 한 다발의 ~ ein Bündel Reisig.

물거리(―距離) 《뱃길의》 die schiffbare Distanz bei der Flut.

물거미 〖동물〗 Wasserspinne *f.* -n.

물거품 Schaum *m.* -(e)s, ⸚e; Blase *f.* -n; Bläschen *n.* -s, -. ¶ ~같은 schaumartig / ~이 되다 zu Schaum (Wasser; nichts) werden / 그의 노력은 ~으로 돌아갔다 S-e Bemühungen wurden zu Schaum (Wasser; nichts).¦S-e Bemühungen waren vergeblich.

물건(物件) ① 《일반 유형물》 Ware *f.* -n; Artikel *m.* -s, -; Gut *n.* -(e)s, ⸚er; Gegenstand *m.* -(e)s, ⸚e. ¶ ~이 떨어지다 《품절》 (den Artikel) nicht mehr vorrätig haben; 〖물건이 주어〗 alle werden (sein) / 이것이 무슨 ~이오 Was ist das? / 이것은 내 ~이오 Das ist mein. / 여러 가지 ~을 판다 Sie verkaufen viele (verschiedene) Waren (Artikel). / ~에 욕심을 내지 마라 So gierig (habsüchtig) darf man nicht sein.
② 《품질》 Qualität *f.* -en; Güte *f.* ¶ ~이 좋다 (나쁘다) von guter (schlechter) Qualität sein / ~이 떨어지다 《질이》 gering(er) an Qualität sein; unter dem Durchschnitt sein / ~을 보증하다 für Güte (Qualität) bürgen.

물걸레 naßer Scheuer¦lappen (Wisch-) -s, -.

물것 stechendes (beißendes) Insekt, -(e)s, -en.

물결 Welle *f.* -n. ¶ 큰 ~ Woge *f.* -n; große Welle, -n / 크고 작은 ~ große u. kleine Wellen / ~ 소리 das Brausen* 《-s》 der Wellen / 거친 ~ die hohe Welle; heftig bewegte (aufwallende; stürmische) Wellen (Wogen) 《*pl.*》; Brandung *f.* -en / 잔잔한 ~ plätschernd Wellen 《*pl.*》 / 사람 (자동차)의 ~ der Strom der Leute (Autos); Menschenstrom (Auto-) *m.* -(e)s, ⸚e / ~에 실려서 den Wellen preisgegeben; von den Wellen getragen / ~을 일으키다 Wellen schlagen* / ~을 헤치고 나아가다 die Wellen (die See) durchschneiden* / ~에 떠다니다 auf den Wellen treiben*[h,s] / ~을 타다 auf den Wellen reiten*[h,s] / ~에 휩쓸리다 von den Wellen weggeschwemmt werden / ~이 높다 Die See geht hoch. / ~이 자다 Die Wellen legen sich. / ~이 기슭에 밀려 들고 있다 Die Wellen schlagen ans Ufer. / ~이 기슭에 부서지다 Das Meer brandet ans Ufer. / 인생의 거친 ~에 시달리다 Er wird von den wilden Wogen des Lebens umhergetrieben.

물결치다 wogen; wellen. ¶ 물결치는 대로 willenlos (blindlings) folgend / 물결치는 머리 das wallende Haar, -(e)s, -e / 물결치는 전답 Wogengefilde *n.* -s, - / 물결치는 바다 das tobende (wogende) Meer, -(e)s, -e / 물결치는 대로 떠돌다 ⁴sich von den Wellen treiben lassen*; den Wellen preisgegeben sein / 물결치는 대로 세상을 살다 als ein Spielzeug des Schicksals das Leben durchwandern.

물겹것 locker gestricktes Gewand, -(e)s, ⸚er.

물경(勿驚) überraschend; erstaunlich; verwunderlich; merkwürdig; bewunderswert. ¶ 그는 그녀에게 ~ 천만원이나 되는 빚이 있다 Zu meiner Überraschung ist er ihr zehn Millionen *Won* schuldig.

물계 《쌀》 Reis von einer niedrigen Sorte, der mit dem klebrigeren gemischt ist.

물계(物―) ① 《시세》 laufende Preise 《*pl.*》.
② 《물정》 die Lage der Dinge. ¶ ~를 알다 (모르다) Er weiß (nicht), wie es verläuft.¦Er versteht (nicht), wie die Dinge (nun einmal) liegen.

물계(物界) 《물질계》 die materielle (physische)

Welt.

물고(物故) die Hinrichtung 《-en》 des bekannten Mannes; die Hinrichtung des Gefangeners. ¶ ~나다 tot sein; sterben; leblos sein / ~내다 töten; hin|richten; um|-bringen*.

물고기 Fisch *m.* -es, -e. ¶ ~가 물을 만난 격이다 wieder in s-m Element sein / ~를 잡다 Fische fangen*; fischen⁴ / ~를 낚다 (Fische) angeln.
‖ ~떼 Fischzug *m.* -(e)s, ⸚e. ~뼈 Gräte *f.* -n.

물고기자리 〖천문〗 die Fische 《*pl.*》.

물고늘어지다 ① 《이빨로》 die Zähne 《*pl.*》 fest|beißen* 《*in*⁴》; ⁴sich ein|beißen*; ⁴sich (fest|)beißen* 《*in*⁴》; ⁴sich verbeißen* 《*in*⁴》. ¶ 아무의 다리를 ~ *jn.* ins Bein beißen* / 개가 그의 다리를 물고 늘어졌다 Der Hund biß sich ihm an der Bein fest.
② 《약점 따위를》 (*js.* Schwäche (Fehler)) an die große Glocke hängen; 《비유적》 wie Pech haften 《*an*³》; ⁴sich nicht abschütteln lassen*.
③ 《늘어붙다》 ⁴sich fest|klammern 《*an*³》; ⁴sich fest|halten*; 《지위에》 ⁴sich klammern. ¶ 끝까지 ~ ⁴sich bis zum Ende fest|klammen 《*an*³》 / 한 자리를 ~ ⁴sich an sein Amt klammern.

물고동 Hahn *m.* -(e)s, -en; Zapfen *m.* -s, -. ¶ ~을 틀다 den Hahn auf|drehen (an|-stellen) / ~을 잠그다 den Hahn ab|drehen (ab|stellen; zu|drehen).

물고의(一袴衣) das Frauen|unterzeug 《-(e)s, -e》 (-leibwäsche, -n) bei der Badearbeit od. den Waschereien.

물곬 das Ableiten*, -s; Drän *m.* -s, -s; Ablaufkanal *m.* -s, ⸚e; Entwässerungsgraben *m.* -s, -. ¶ 도랑에 ~을 내다 e-n Graben ziehen (ausheben).

물구나무서다 kopf|stehen*; auf dem Kopf stehen; ⁴sich auf den Kopf stellen. ¶ 물구나무서기 das Kopfstehen*, -s; Kopfstand *m.* -(e)s / 물구나무서서 걷다 auf den Händen laufen* Ⓢ.

물구덩이 stehendes Wasser, -s, -; Pfuhl *m.* -(e)s, -e; Lache *f.* -n; Tümpel *m.* -s, -. ¶ 개구리 뛰어 봤자 그 ~ 《속담》 Der Frosch hüpft wieder in den Pfuhl.

물굽성(一性) 〖식물〗 Hydrotropismus *m.* -, ..men. ‖ 양성(음성)~ positiver (negativer) Hydrotropismus.

물굽이 die Biegung, -en (Krümmung, -en; Kurve, -n). ¶ ~지다 Der Fluß hat e-e Biegung.

물권(物權) Realrecht [reá:l..] *n.* -(e)s, -e; das Recht *in rem.* ¶ ~의 설정 die Gründung des Realrecht(e)s / ~의 이전 die Übertragung des Realrecht(e)s.
‖ ~법 Sachenrecht *n.* -(e)s, -e.

물귀신(一鬼神) 《바다의》 Wasserdämon *m.* -s, -e; See|ungeheuer (Meer-) *n.* -s, -; 《물의 요정》 Nix *m.* -es, -e; Nixe *f.* -n. ¶ ~이 되다 ertrinken* Ⓢ; ersaufen* Ⓢ.

물그릇 (Wasser)schale *f.* -n; (Wasser-)Schüßel *f.* -n; (Wasser)napf *m.* -(e)s, ⸚e.

물그림자 der Schatten 《-s, -》 auf dem Wasser.

물금(一金) 〖광물〗 Amalgam *n.* -s, -e.

물긋물긋하다 sehr wässerig (zart; schwach; fein; dünn); viel Wasser enthaltend (sein).

물긋하다 《묽다》 ziemlich wässerig (zart; fein; schwach; dünn) (sein).

물기(一氣) Nässe *f.*; Feuchtigkeit *f.* -en; Saftigkeit *f.*(과일의). ¶ ~가 있는 wässerig; wäßrig; wasserhaltig; feucht; naß; saftig/ ~가 없는 trocken; dürr; saftlos / ~가 많은 과일 das saftige Obst, -es / ~ 많은 야채 das saftige Gemüse, -s, - / 땅에 ~가 없다 Die Erde ist trocken.

물기근(一飢饉) Wasser|not *f.* (-mangel *m.* -s).

물기둥 Wasser|säule *f.* -n (-strahl *m.* -(e)s, -en); Wasserhose *f.* -n (바닷물이 솟구치는 모양).

물기름 Haaröl *n.* -(e)s, -e; Haarwasser *n.* -s, -.

물길 Schiffahrtsweg *m.* -(e)s, -e; Wassergang (-lauf) *m.* -(e)s, ⸚e; Wasserstraße *f.* ¶ 배가 다니는 ~ schiffbarer Wasserlauf als Verkehrsweg.

물까마귀 〖조류〗 Wasseramsel *f.* -n.

물까치 〖조류〗 e-e Art Elster; *Cyanopica cyanus koreensis* (학명).

물까치수염(一鬚髥) 〖식물〗 e-e Art Weiderich (Pfennigkraut *n.*).

물꼬 Einlaßschleuse *f.* -n (입구); Ablauf *m.* -(e)s, ⸚e (출구).

물끄러미 starrend; stier. ¶ ~ 쳐다 보다 vor ⁴sich hin|starren.

물난리(一亂離) ① 《홍수》 Sintflut *f.*(노아의); Flut *f.* -en; Überschwemmung *f.* -en. ¶ ~가 나다 unter Wasser setzen; überfluten/ 홍수가 기슭을 넘쳐 초원과 밭에 ~가 났다 Der Flut trat über die Ufer und überschwemmte die Wiesen u. Äcker. ② 《물부족》 Wassermangel *m.* -s, ⸚; Dürre *f.* -n; Trockenheit *f.* -en (한발).

물납(物納) Natural|leistung *f.* -en (-abgaben 《*pl.*》). ~하다 in Waren bezahlen⁴; in Sachen entrichten³·⁴.
‖ ~세 die Naturalabgaben 《*pl.*》.

물내리다¹ 《기운 빠짐》 schwach (schwächer; kränklich; kraftlos; matt) werden; die Stärke (die Lebenskraft) verlieren*.

물내리다² 《체질》 das Mehl, Honig u. Wasser drauf eingießend, durch ein Sieb rühren.

물너울 Wellengang *m.* -(e)s, ⸚e; Seegang; Anschwellung *f.*; bewegende Welle *f.* -n (Woge *f.* -n). ¶ ~을 뒤집어 쓰다 von ³Wellen 《*pl.*》 geschlagen (gepeitscht) werden.

물놀이 Plansch *m.* -es, -e. ~하다 planschen; plätschern (im Wasser).
‖ ~터 Planschbecken *n.* -s, - (얕은 풀장, 대야 등).

물다¹ ① 《동물이》 beißen*《*in*⁴》; an|beißen*⁽⁴⁾ 《*an*³》; 《물고 늘어지다》 haften 《*an*³》; ⁴sich fest|halten 《*an*³》; ⁴sich an|haften 《*an*³》; an|beißen*(고기가). ¶ 미끼를 ~ an den Köder an|beißen*; nach dem Köder schnappen (덥석 물다) / 다리를 ~ *jn.* ins Bein beißen* / 물어 뜯다 ab|beißen*⁴; ab|nagen⁴/ 물어 죽이다 erbeißen*⁴; tot|beißen*⁴ / 고기가 덧밥을 문다 Der Fisch beißt an den Köder an.
② 《벌레가》 beißen*⁴(벼룩이); zerfressen*⁴ (벌레가); stechen*(모기 따위가). ¶ 벼룩(모기)에 물리다 von Flöhen (Mücken) gestochen werden / 모기에 손이 물렸다 Ich bin von e-r Mücke in die Hand gestochen worden. / 모기에 물려서 잘 수가 없다 Mückenstiche lassen mich nicht schlafen.
③ 《차지하다》 gewinnen*⁴; bekommen*⁴; locken⁴. ¶ 계집이 사내를 물었다 E-e Frau

hat e-n Mann gelockt.
④ 《입에》 im Munde halten*⁴; zwischen den Zähnen halten*⁴; 《개가》 im Maul halten*⁴. ¶ 손가락을 입에 물고 mit dem Finger im Munde / 파이프를 입에 물고 mit e-r Pfeife zwischen den Zähnen; die Pfeife im Munde / 실을 입에 ~ Garn zwischen den Zähnen halten* / 고양이가 생선을 물고 달아났다 E-e Katze lief mit e-m Stück Fleisch weg.
⑤ 《톱니바퀴가》 ein|greifen* 《in⁴》.

물다² ① 《돈을》 zahlen⁴; bezahlen³·⁴. ¶ 세금을 물어야 하는 steuer¦pflichtig (zoll-); zu versteuernd (verzollend) / 빚을 ~ e-e Schuld bezahlen / 책값을 ~ die Bücher bezahlen / 계산을 ~ die Rechnung bezahlen. ② 《보상·배상》 entschädigen 《*für*⁴》; *jm.* ersetzen⁴ (erstatten⁴); *jm.* Ersatz leisten 《*für*⁴》; *jm.* vergüten⁴; *jm.* wieder|gut|machen⁴. ¶ 아무에게 손해를 물어주다 *jm.* für den Schaden Ersatz leisten.

물다³ 《살이》 (ver)faulen; verrotten. ¶ 생선 (과일)이 ~ Der Fleisch (Obst) geht in Fäulnis über.¦Der Fleisch (Obst) verfault.

물대 Rohr *n.* -(e)s, -e; Röhre *f.* -n.

물덤벙술덤벙 wahllos; blind(lings); unbesonnen; auf(s) Geratewohl. ¶ ~ 저돌적(猪突的)으로 그는 덤벼 들었다 Er stürmte blindlings drauflos.

물독 Wasserkrug *m.* -(e)s, ⸚e; Wassertopf *m.* -(e)s, ⸚e.

물동 〖광산〗 ein großer Wasserklug in der Mine, um das Wasser der Grube zu bewahren.

물동계획(物動計劃) ein stofflicher Mobilizationsplan; ein Mobilizationsprogram für die materiellen Zuflucht (Wendigkeit; Findigkeit).

물동이 Wasserkrug *m.* -(e)s, ⸚e.

물두부(一豆腐) ein im Wasser gekochter Bohnenquark.

물들다 ① 《빛이》 ⁴sich färben; gefärbt werden; e-e Farbe an|nehmen*; koloriert werden (채색되다); angesteckt werden (병폐에); ergeben sein (악풍에). ¶ 붉게 ~ (karmesin-) rot werden / 검게 ~ ⁴sich schwarz färben/ 피에 ~ mit Blut beschmiert (bedeckt) werden / 나뭇 잎이 붉게 물들기 시작했다 Die Blätter fingen an, rot zu werden (sich zu röten).
② 《사상·행실·버릇이》 angesteckt werden. ¶ 물들지 않은 unschuldig; unverdorben; rein / 악습에 ~ e-e schlechte Gewohnheit an|nehmen* / 공산주의에 ~ mit Kommunismus angesteckt werden / 순박한 시골 사람들은 유행에 물들지 않는다 Die einfachen Dorfbewohner werden von der Mode nicht angesteckt (beeinflußt).

물들이다 färben⁴; e-e Farbe geben*³; von Farbstoffen durchdringen lassen*⁴. ¶ 옷을 ~ Kleider 《*pl.*》 färben / 머리를 (검게) ~ das Haar (schwarz) färben / 지는 해는 하늘을 붉게 물들이고 있다 Die untergehende Sonne färbt den Himmel rot. / 계절은 자연을 오색으로 물들인다 Die Jahreszeit färbt die Natur bunt.

물딱총(一銃) Spritze *f.* -n; Wasserpistole *f.* -n. ¶ ~을 쏘다 spritzen⁽⁴⁾.

물때¹ 《조수 시간》 die Gezeiten 《*pl.*》; 《밀물》 Flut *f.* -en. ¶ ~가 바뀌다 Die Gezeiten wechseln. / ~를 이용하다 die Flut benutzen.

물때² 《물의》 Kesselstein *m.* -(e)s (주전자, 남비, 보일러 따위의); Niederschlag *m.* -(e)s, ⸚e; Bodensatz *m.* -es, ⸚e. ¶ ~가 끼다 ⁴Kesselstein bekommen*; der Kesselstein setzt an / ~를 없애다 (벗기다) den Kesselstein entfernen.

물때까치 〖조류〗 ein chinesischer Würger, ⌈-s, -.

물떼새 〖조류〗 Regenpfeifer *m.* -s, -.

물똥 ① 《물의》 Spritzer *m.* -s, -. ¶ ~을 튀기다 *jn.* bespritzen 《*mit*³》. ② ☞ 물찌똥.

물똥싸움 das Spritzen*, -s; das Plätschern*, -s. ~하다 mit Wasser spielen (어린애들이); spritzen; plätschen.

물량(物量) e-e Menge 《-n》 von Materialien; 《군사상의》 e-e Menge von Kampfmitteln. ¶ ~의 우세 materielle Überlegenheit (Vorrang *m.*); physischer (körperlicher) Vorzug (Übergewicht *n.*; Übermacht *f.*) / 몇 배의 ~공세에 맞서다 gegen e-e vielfache materielle Übermacht kämpfen / 적의 ~ 공세에 밀려 나다 der feindlichen materiellen Übermacht weichen*.

물러가다 ① 《후퇴》 zurück|treten* ⓢ 《*von*³》; ⁴sich zurück|ziehen* 《*von*³》; rückwärts gehen* ⓢ. ¶ 한걸음 뒤로 ~ e-n Schritt rückwärts tun* (zurück|treten* ⓢ) / 적이 ~ Der Feind zieht sich zurück.
② 《어른 앞·지위 따위에서》 weg|gehen* ⓢ; von *jm.* Abschied nehmen*; ⁴sich zurück|-ziehen*; zurück|treten* ⓢ. ¶ 관직에서 ~ von s-m Amte zurück|treten* ⓢ; 《은퇴》 in den Ruhestand treten* ⓢ; 《하야》 in das Privatleben zurück|kehren* ⓢ / 이만 물러가라 Weg (da)!¦Fort mit dir! / 그만 물러가야겠읍니다 Nun muß ich mich empfehlen (verabschieden).
③ 《연기》 auf|schieben*⁴; verschieben*⁴; verzögern⁴; fristen⁴; vertagen⁴ (회의 따위를). ¶ 기한이 ~ e-e Frist verlängern / 결혼 날짜가 사흘 물러갔다 Die Hochzeit wurde um drei Tage verschoben.

물러나다 ① 《벌어지다》 locker werden; ⁴sich lösen; ⁴sich trennen. ¶ 못이 ~ der Nagel wird locker.
② 《퇴거》 ⁴sich zurück|ziehen*; ab|treten* (zurück|-) ⓢ; ⁴sich entfernen; fort|gehen* (weg|-) ⓢ. ¶ 이렇게 되면 한 걸음도 물러날 수 없다 Unter diesen Umständen (Nun) bin ich entschlossen, k-n Zoll breit nachzugeben. / 그는 그 방에서 물러났다 Er ist aus dem Zimmer herausgekommen.
③ 《은퇴·퇴직》 zurück|gehen* (-|treten*) ⓢ; ⁴sich zurück|ziehen*; ⁴sich zur Ruhe setzen. ¶ 공직에서 ~ von e-m Amt ab|treten* ⓢ; e-n Dienst (ein Amt) auf|geben*; sein Amt (s-e Arbeit) nieder|legen; ⁴sich ins Privatleben zurück|ziehen* (하야).

물러서다 ① 《뒤로》 zurück|treten* ⓢ (퇴거); ⁴sich zurück|ziehen* (퇴거). ¶ 한 걸음 ~ e-n Schritt zurück|treten* ⓢ / 고향에서 ~ s-e Heimat verlassen* / 사람이 지나가게 ~ *jm.* Platz machen. ② 《후퇴》 zurück|ziehen* ⓢ; zurück|gehen* ⓢ. ③ 《은퇴·사직》 ab|danken; ⁴sich zurück|ziehen; ⁴sich zur Ruhe setzen. ¶ 관직에서 ~ von e-m Amt ab|-treten* ⓢ.

물러앉다 ① 《자리를》 zurück|setzen. ¶ 텔레비전 있는 곳에서 얼마만큼 떨어져 물러 앉아 있어야 해 Du sollst dich beim Fernsehen etwas weiter zurücksetzen. ② 《관직 따위》 zurück|ziehen* (treten*); verabschieden;

pensionieren; in den Ruhestand versetzt werden. ¶ 65 세의 나이로 그는 사업에서 물러 앉았다 Im Alter von 65 Jahren zog er sich von seinen Geschäften zurück.

물러오다 denselben Weg zurück|gehen*; ⁴sich zurück|ziehen*; rückwärts gehen*.

물러지다 ① 《물건》 weich(er) werden; enthärten; (ab)schwächen. ¶ 딱딱한 빵이 물에 ~ hartes Brot wird in Wasser weich. ② =누그러지다.

물렁팥죽 ① 《사람》 Muttersöhnchen *n.* -s, -; Weichling *m.* -s, -. ② 《물건》 ein schwacher Stoff, -(e)s, -e; ein weiches (zärtliches) Material, -s, ..rien (Zeug, -(e)s, -e).

물렁하다 ① ☞ 말랑말랑하다. ② 《성질》 willfährig; nachgiebig; biegsam; schwach; schwachlich; schlaff (sein).

물레 Spinnrad *n.* -(e)s, ⸚er.
‖ ~바퀴 Spinnrad *n.* -(e)s, ⸚er. ~방아 ☞ 물레방아. ~질 das Spinnen*, -s. 물렛가락 Spindel *f.* -n. 물렛줄 die Schnur 《-en》 des Spinnrads.

물레나물 〖식물〗 Johanneskraut *n.* -(e)s, ⸚er.

물레방아 Wasser¦mühle *f.* -n (-rad *n.* -(e)s, ⸚er).

물려받다 erben; Geschenk bekommen*; übernehmen*. ¶ 그는 아버지가 돌아가신 다음에 그의 일을 물려 받았다 Er hat nach dem Tod seines Vaters dessen Praxis übernommen. / 아무의 재산을 ~ *js.* Vermögen erben / 돈 (집, 장식품)을 아무로부터 ~ Geld (ein Haus, Schmuck) von *jm.* erben.

물려주다 über|geben*; über|liefern; über|-lassen*; ab|geben*³·⁴; über|tragen* 《*auf*⁴》; über|weisen*; aus|liefern. ¶ 사업을 ~ Geschäft ab|geben / 후임자에게 자리를 ~ s-m Nachfolger das Amt über|geben / 이런 관습(기술)은 우리 선조들이 물려주신 것이다 Dieser Brauch (diese Technik) ist uns von unseren Vorfahren überliefert.

물려지내다 in *js.* Gewalt sein; e-m auf Gnade und Ungnade ausgeliefert sein.

물론(勿論) natürlich; selbst¦verständlich (-redend); gewiß; freilich ※이상 두 단어는 가끔 aber, doch로 받는다; zweifellos; ohne ⁴Zweifel (의심할 여지없이); unbestreitbar; unumstößlich (논쟁의 여지가 없는). ¶ …은 ~ von ³*et.* ganz zu (ge)schweigen; abgesehen 《*von*³; daß ...》 / ~이지 Das versteht sich (von selbst). ¦Das liegt auf der Hand (명백). / 그는 이번은 ~이고 먼저번 계산도 하지 않았다 Er bezahlt die letzte Rechnung noch nicht, geschweige denn die jetzige. / 영어는 ~ 독일어와 프랑스 말도 한다 Er kann Deutsch und Französisch, nicht zu sprechen von Englisch.

물리(物理) ① 《자연의》 die Natur 《-n》 der Dinge; Naturgesetz *n.* -es, -e. ② 《물리학》 Physik *f.* ¶ ~(학)의 physikalisch.
‖ ~기계 das physikalische Instrument, -(e)s, -e. ~변화 die physikalische Veränderung, -en. ~성질 die physikalische Eigenschaft, -en. ~실험 das physikalische Experiment, -(e)s, -e. ~요법 physikalische Therapie, -n. ~적 현상 ein physikalisches Phänomen, -s, -e. ~학 Physik *f.*: ~학자 Physiker *m.* -s, -. ~화학 physikalische Chemie *f.*

물리다¹ 《싫증남》 *jm.* zum Überdruß werden; über ⁴*et.* verdrießlich werden; 《포식》 ⁴*et.* satt haben; ⁴sich statt essen*; ⁴sich übersättigen 《*von*³》; ⁴*et.* satt bekommen* (흥미를 잃다). ¶ 물릴 정도로 mehr als genug; zur Genüge / 물리도록 먹다 bis zum Hals essen*⁽⁴⁾; ⁴sich mehr als satt essen* 《*an*³》 / 물릴 줄 모르다 gierig; unersättlich; nicht zu befriedigend / 아무리 보아도 물리지 않다 nicht genug sehen können*⁴; die Augen nicht wegwenden können* / 물리지 않다 Er kann nicht genug haben. ¦Er wird gar nicht satt werden.

물리다² 《푹 익힘》 weich (enthärtend; sanft) kochen.

물리다³ ① 《연기함》 verschieben*; auf|schieben*; zurück|stellen. ¶ 여행을 (휴가를) ~ die Abreise (den Urlaub) verschieben* / 다음 날로 일을 ~ e-e Arbeit auf den nächsten Tag verschieben*. ② 《옮김》 (um die Achse) drehen; wenden; richten 《*auf*⁴》; um|schalten.

물리다⁴ 《치워 버림》 weg|nehmen*; fort|nehmen*; ab|ziehen*; weg|räumen; ab|räumen. ¶ 상을 ~ den Tisch wegräumen; aus|essen / 자네 물건들 좀 물려 주게 Bitte räum deine Sachen weg!

물리다⁵ 《잡귀를》 exorzieren⁴; beschwören⁴; bannen; aus|treiben*; reinigen. ¶ 귀신을 ~ Dämonen (Geister; Naturmächte) weg|-zaubern (aus|treiben*).

물리다⁶ ① 《동물에게》 gebissen werden. ¶ 개에게 ~ von e-m Hund gebissen werden / 뱀한테 다리를 물렸다 Ich wurde von e-r Schlange ins Bein gebissen. ② 《입에》 in den Mund geben*³·⁴. ¶ 애기에게 젖을 ~ e-m Kind die Brust geben*(reichen); ein ⁴Kind säugen. ③ 《두 부분을》 hinein|passen⁴ 《*in*⁴》; 《물건을》 ineinander|passen; ⁴sich ineinander|fügen.

물리다⁷ 《배상》 ersetzen lassen*; aus|gleichen lassen*; entschädigt werden; kompensieren lassen*; zurück|zahlen lassen*; decken lassen*. ¶ 그 손해는 다시 물려질 수 없는 것이다 Der Schaden ist nicht wieder zu ersetzen. / 아무에게 든 비용을 ~ jemanden für entstandene Kosten entschädigen.

물리치다 ① 《요구를》 ab|lehnen⁴; ab|schlagen*⁴; ab|weisen*⁴ (zurück|-); von der Hand weisen*⁴. ¶ 요구를 ~ e-e Forderung ab|weisen* / 남의 호의를 물리쳐서는 안 된다 Man verschmähe (verwerfe) nicht den freundlichen Angebot e-s anderen. ② 《적을》 zurück|schlagen*⁴ (-|treiben*⁴); in die Flucht schlagen*⁴. ¶ 공격을 ~ e-n Angriff zurück|schlagen*. ③ 《멀리함》 *jn.* entfernen 《*von*³》; *jn.* fern|halten*; ⁴sich zurück|halten* 《*von*³》. ¶ 사람을 ~ die Anwesenden* entfernen. ④ 《배제》 trotz²; beseitigen⁴. ¶ 반대를 물리치고 trotz der ²Einwendungen / 만난을 물리치고 trotz aller ²Schwierigkeiten; auf alle Fälle / 장애를 ~ Hindernisse (Schwierigkeiten) beseitigen.

물리학(物理學) Physik *f.* ¶ ~적인 physisch.
‖ ~기구 physische Instrumente 《*pl.*》. ~자 Physiker *m.* -s, -. 이론(실험)~ theoretische (experimentale) Physik. 정신~ Psychophysik *f.* 지구~ Geophysik *f.*

물림 ① 《연기함》 Verschiebung *f.* -en; Aufschub *m.* -(e)s, ⸚e; Zurückstellung *f.* -en. ② 〖건축〗 ein Extraraum 《*m.* -(e)s, ⸚e》 vom halben *Kans*, der als eine Art von der Vorhalle zu einem ordentlichen Zimmer beifügt. ③《넘겨 받음》 Erbschaft *f.* -en; Vererbung *f.* -en; ein vererbtes Eigentum, -(e)s, ⸗er (옷, 물건 따위).

물림쇠 Krampe *f.* -n; Haspe *f.* -n; Heftklammer *f.* -n. ¶ ~로 죄다 mit einer Klammer od. Krampe befestigen.

물마 ein Regenwasser auf dem Boden (der Erde).

물마개 Pflock *m.* -(e)s, ⸗e; Stöpsel *m.* -s, -; Zapfen *m.* -s, -.

물마루 Wellenkamm *m.* -(e)s, ⸗e; der Kamm der Wellen.

물만두(一饅頭) die mit Wasser gekochte Maultasche.

물말이 ①《밥》 das mit Wasser gemischte, gekochte Reis. ②《몹시 젖은》 ein durchnäßtes Ding. ¶ (비를 맞아) ~가 되었다 Ich bin völlig (vom Regen) durchnäßt.

물맛 der Geschmack des Wassers. ¶ ~이 어때 — 쓴데 Wie schmeckt dir das Wasser? — Das schmeckt bitter.

물망(物望) die Hoffnung (Unterstützung) der Leute; das Wohlwollen des Publikums. ¶ ~에 오르다 die Unterstützung der öffentlichen Meinung gewinnen.

물망초(勿忘草) 〖식물〗 Vergißmeinnicht *n.* -(e)s, -e.

물맞이 Das Trinken* des Heilwassers (das Baden im Heilwasser), um die Krankheit zu heilen.

물매[1] 《매질》 der harte Schlag, -(e)s, ⸗e; das bittere Peitschen (Schlagen). ¶ ~맞다 (mit der Peitsche) bitterlich geschlagen werden.

물매[2] 《무릿매》 Schlinge *f.* -n; Schleuder *f.* -n; Wurf (Schwung) *m.* -(e)s, ⸗e.

물매[3] 《경사》 der Hang 《-(e)s》 (der Abhang; die Schiefe; die Steigung; die Schräge) des Daches. ¶ ~가 싼 《산·해안》 stark ansteigende; schroff abfallend 《Berg, Küste》.

물매질 das bittere Peitschen (Schlagen). ~하다 peitschen; bitterlich schlagen*.

물매화풀(一梅花一) 〖식물〗 e-e Art Parnassus.

물멀미 die Seekrankheit mit dem Schwindel¦anfall (-gefühl). ~하다 an [3]Seekrankheit leiden*.

물면(一面) die Oberfläche (der Spiegel) des Wassers.

물명(物名) der Name der Dinge.

물목 ①《물어귀》 der Abzweigungsort 《-(e)s, -e》 des Stromes; die Meerenge. ¶ ~을 지키다 an der Meerenge Posten stehen. ② 〖광물〗 ein Ort, wo die Goldstäube am reichesten versammelt sind.

물목(物目) der Katalog 《-(e)s, -e》 der Waren 《*pl.*》; Warenverzeichnis *n.* ..nisses, ..nisse.

물몽둥이 eine Art Hammer, der zum Grobschmieden und Mauerei gebraucht wird.

물문(一門) Schleuse *f.* -n; Siel *m.* (*n.*) -(e)s, -e; Schleusentor *n.* -(e)s, -e.

물물교환(物物交換) Tauschhandel *m.* -s, -; Tausch *m.* -es, -e. ~하다 c n Tauschhandel treiben*; durch Tausch handeln.

물미 Eisenkeil *m.* -(e)s, -e; eiserne Spitze, -n. ‖ ~작대기 die Holzstange 《-n》 mit dem Eisenkeil.

물밀다 《조수가》 fluten ⓢ; strömen ⓢ; die Flut steigt. ¶ 물밀 때 die Fluten des Meers.

물바가지 Kürbis *m.* -ses, -se; Schöpfeimer *m.* -s, -; ein Kürbis für das Wasserschöpfen.

물바다 Überschwemmung *f.* -en; das Unterwasserstehen*, -s. ¶ 강이 넘쳐 시내가 ~가 되었다 Der Fluß ist aus den Ufern getreten und hat die Stadt überschwemmt.

물바람 der vom Meer (Fluß) her wehende Wind 《-(e)s》 an der Küste (Ufer).

물박 ☞ 물바가지.

물방아 ①《방아》 Wassermühle *f.* -n. ¶ ~를 돌리다 《물의 힘으로》 durch Wasserkraft die Getreidemühle betreiben. ②《방아두레박》 der Wassereimer der Mühle. ‖ 물방앗간 Wassermühle *f.*

물방아잠자리 〖곤충〗 eine Art von Wasserjungfrau (Libelle).

물방울 Wasser¦tropfen *m.* -s, - (-tröpfchen *n.* -s, - (작은 물방울)). ‖ ~무늬 das gepunktete Muster, -s, -.

물뱀 〖동물〗 Wasserschlange *f.* -n.

물벌레 Wasserinsekt *n.* -(e)s, -en; Wasserkäfer *m.* -s, -.

물베개 der Kopfkissen 《-s, -》 aus dem ungeschliffenen Stein.

물벼 ungetrockneter Reis *m.* -es, -e.

물벼락 das plötzliche Gießen* des Wassers auf *jn.* in Strömen. ¶ ~을 맞다 mit Wasser plötzlich (unerwartet) übergegossen werden.

물벼룩 〖동물〗 Wasserfloh *m.* -(e)s, ⸗e.

물병(一瓶) Wasser¦flasche *f.* -n (-kanne *f.* -n). ‖ 유리~ Karaffe *f.* -n.

물보낌 Massenschlägerei *f.* -n. ~하다 alle Leute rücksichtslos schlagen*.

물보라 Wasserwolke *f.* -n; Spritz¦wasser (Sprüh-) *n.* -s; Gischt *m.* -(e)s, -e; Wasserstaub *m.* -(e)s. ¶ ~를 일으키다 spritzen; sprühen; zerstieben* ⓢ; in Wasserwolken gehüllt sein 〖일으키는 것이 주어〗.

물볼기 der Schlag, der dem Weib zur Strafe gegeben wird, nachdem es durch Wasser übergossen wurde. ¶ ~(를) 치다 ein Weib zur Strafe schlagen* (peitschen), nachdem man ihm die Kleidung mit Wasser übergossen hat.

물부리 ①《담뱃대의》 Mundstück *n.* -(e)s, -e. ②《궐련의》 Filter *m.* (*n.*) -s, -.

물분(一粉) der flüssige Puder, -s, -.

물불 ¶ 나는 그녀를 위해서 ~을 가리지 않는다 Ich gehe für sie durchs Feuer. / 사랑할 때는 ~을 모른다 Die Liebe liegt außerhalb der Überlegung.

물빛 ①《물의 빛깔》 Wasserfarbe *f.* -n; 《남색》 das Hellblau*, -s. ¶ ~의 hellblau. ②《물감》 die hellblaue Farbe, -n.

물빨래 ¶ ~하다 waschen lassen*[4]; reinigen lassen*[4] (드라이클리닝에 대해).

물뿌리개 Gieß¦kanne (Spritz-) *f.* -n.

물산(物産) Produkt *n.* -(e)s, -e; Erzeugnis *n.* ..nisses, ..nisse. ☞ 산물. ‖ ~진열관 Ausstellung 《*f.* -en》 der Produkte; Produktenausstellungsgebäude *n.* -s, -. ~회사 Produkten-Handelsgesellschaft *f.* -en.

물살 Fluß *m.* ..lusses, ..lüsse; Lauf *m.* -es, ⸗e; Strömung *f.* -en. ¶ ~이 세다 Der Fluß hat e-e starke Strömung.

물상(物象) 《사물》 Gegenstand *m.* -es, ⸗e; Objekt *n.* -(e)s, -e; 《현상》 materielles Phänomen, -s, -e; 《학과》 die Wissenschaft 《-en》 der unbelebten Natur; Phänomenologie *f.* -n.

물상(物像) die Gestalt (Form; Figur) 《-en》 e-s Gegenstandes.

물상담보(物上擔保) 〖법〗 ein gesichertes gepfändetes Grundstück, -(e)s, -e; die Hypothek. ¶ ~부 사채 Pfandbrief *m.* -(e)s, -e; Pfandverschreibung *f.* -en.
물새 ① 《수금》 Wasservogel *m.* -s, ⸚. ② ☞ 물총새.
물색(物色) ① 《물건의 빛깔》 die Farbe 《-n》 e-s Dinges. ② 《물들인 빛》 ein Gefärbtes*; die Färbung. ③ 《풍경》 Landschaft *f.* -en; Szenerie *f.* -n; Natur *f.* -en. ④ 《고름》 das Auswählen*, -s; Auswahl *f.* -en; 《찾음》 Suche *f.* -n.
물색없다 absurd; unvernünftig (sein).
물색하다(物色—) 《고르다》 suchen[4] 《*nach*[3]》; [4]sich um|sehen* 《*nach*[3]》. ¶ 일을 ~ e-e Anstellung (e-e Arbeit) suchen / 후임을 ~ e-n Nachfolger suchen / 일자리를 ~ e-e Stelle suchen.
물샐틈없다 ① 《꽉 막힘》 zugepfropft; verstöpselt; verkorkt (sein). ② 《완벽》 dicht; gerieben; taktvoll; aufmerksam; uneinnehmbar (sein). ¶ 물샐 틈 없는 방비 die uneinnehmbare Verteidigungsanlage, -n / 물샐 틈 없이 둘러싸이다 auf dichteste eingeschlossen (umzingelt) werden / 물샐 틈 없이 살피다 s-n Auge überall haben / 그는 물샐 틈 없는 자다 Er weiß, wo er bleibt.
물성(物性) das Eigentum e-s Gegenstandes.
물세(物稅) 〖법〗 Vermögensteuer *f.* -n; Gütersteuer *f.* -n.
물세례(—洗禮) ① 〖기독교〗 Taufe *f.* -n. ② = 물벼락
물소 〖동물〗 Büffel *m.* -s, -. ¶ ~의 가죽 Büffelleder *n.* -s, - / ~의 뿔 Büffelhorn *n.* -(e)s, ⸚er.
물소리 der Klang 《-(e)s, -e》 (das Geräusch, -es, -e) des Wassers (des Flusses).
물속 im Wasser; tief im Wasser; auf den Grund des Wassers; in der Tiefe des Wassers. ¶ ~으로 가라앉다 im Wasser sinken* / ~으로 처박다 *jn.* ins Wasser (unter Wasser) drücken / 배는 ~ 깊이 가라앉았다 Das Schiff ist auf den Grund des Flusses gesunken (untergegangen).
물손 der Verwässerungsgrad beim Mehlkneten; die relative Feuchtigkeit 《-en》 des Mehls.
물수건(—手巾) naßes Handtuch *n.* -(e)s, ⸚er; gedampftes Handtuch.
물수랄 das ohne Schale im Wasser gekochte Ei, -es, -er.
물수리 〖조류〗 Fischadler *m.* -s, -.
물수세미 〖식물〗 e-e Art Netzgurke 《*f.* -n》.
물수제비뜨다 Steine auf das Wasser hinauslaufen lassen*; Hüpfsteine werfen.
물시계(—時計) ① 《시계》 Wasseruhr *f.* -en. ② 《수도 계량기》 Wassermesser *m.* -s, -.
물신선(—神仙) unempfindlicher Mensch *m.* -en, -en.
물심부름 das Servieren* 《-s》 des Trinkwassers (des Waschwassers). ~하다 *jm.* Trinkwasser (Waschwasser) servieren.
물심양면(物心兩面) ¶ ~으로 materiell u. moralisch; physisch u. geistig.
물싸움 ① 《논물의》 Wasserrechtstreit *m.* -(e)s, -e. ~하다 um ein Wasserrecht streiten*. ② = 물동싸움.
물써다 verebben ⓢ; zurück|fluten (-|gehen) ⓢ. ¶ 물썰 때 Ebbe *f.* -n; das Zurückfluten*, -s.
물썽하다 nicht eigensinnig (widerspenstig; standhaft); unentschlossen (spröde) (sein); es scheint närrisch zu sein.
물쑥 〖식물〗 eine Art Beifuß; *Artemisia selengensis* (학명).
물쓰듯하다 reichlich von [3]*et.* Gebrauch machen; [4]*et.* überreichlich in Gebrauch nehmen*. ¶ 돈을 ~ viel Geld d(a)raufgehen lassen*; nicht scheuen, [4]sich es viel Kosten zu lassen / 여자에게 미쳐서 돈을 ~ wegen e-s Mädchen den Kopf verlieren u. e-e Unmenge Geld verschwenden, viel Geld für (ein) Mädchen verschwenden.
물씬 stark. ¶ 향내를 ~ 풍기며 stark durchduftend / 그는 술냄새를 ~ 풍기고 있다 Er hat so e-e Fahne vor der Nase.
물씬거리다 ☞ 물씬하다.
물씬하다 ① 《부드러움》 sanft; weich (sein). ¶ 물씬한 고기 das weiche gekochte Fleisch, -es. ② 《냄새가》 stark riechen*; e-n scharfen (stechenden; betäubenden) Geruch verbreiten; die Luft mit Duft (Geruch) schwängern; stinken* (악취).
물아(物我) 〖철학〗 das Objekt u. Ich; *ego* u. *non-ego.*
물아래 ① unterhalb des Flusses. ② =물속.
물안개 feuchter Nebel, -s, -; der Nebel des Regens.
물안경(—眼鏡) Schwimm(schutz)brille *f.* -n.
물알 junges, noch unreifes Korn (Getreide) *n.* -(e)s, ⸚er.
물앵도(—櫻桃) 〖식물〗 *Lonicera ruprechtiana* (학명).
물약(—藥) die flüssige Arznei, -en; das flüssige Medikament, -(e)s, -e.
‖ ~병 Arznei|flasche (Medizin-) *f.* -n.
물어내다 ① =물어주다. ② 《퍼뜨리다》 ein Familiengeheimnis an die Öffentlichkeit bringen*; die Dinge im Haus heimlich heraus|nehmen*.
물어내리다 fragen 《*nach*[3]》; [4]sich erkundigen (bei e-r älteren Person).
물어넣다 zurück|erstatten; zurück|zahlen; entschädigen. ¶ 손해난 만큼 물어 넣어야 한다 Du sollst für die entstandene Verluste entschädigen.
물어떼다 ab|beißen*[4]; mit den Zähnen ab|reißen*[4]. ¶ 떡을 한 입 ~ e-n Mundvoll Reiskuchen ab|beißen* (-|reißen*).
물어뜯다 ab|beißen*[4]; mit den Zähnen ab|reißen*[4]; 《망을》 durchnagen[4]. ¶ 코를 ~ *js.* [4]Nase ab|beißen*.
물어보다 fragen 《*nach*[3]》; e-e Frage stellen; [4]sich erkundigen. ¶ 길을 ~ nach dem Weg fragen / 귀찮게 ~ mit den Fragen plagen (quälen) / 안부를 ~ [4]sich nach jemandes Befinden erkundigen / 주문한 책이 왔는지 물어보고 싶다 Ich möchte mich erkundigen, ob das bestellte Buch schon da ist. / 뭐 좀 물어봐도 되겠읍니까 Darf ich Ihnen eine Frage stellen? / 물어본다고 손해날 것 없지 Eine Frage schadet nichts.
물어주다 《갚다》 zahlen; bezahlen; Geld geben*; 《보상》 ersetzen; aus|gleichen*; kompensieren; Ersatz geben*. ¶ 내가 입은 손해는 보험이 물어 줄거야 Die Versicherung wird mir den Verlust ersetzen.
물억새 〖식물〗 Rohr *n.* -(e)s, -e; Schilfrohr *n.*
물역(物役) ① 《건축 재료》 Baustoff *m.* -(e)s, -e; Baumaterial *n.* -s, -ien. ② 《품과 비용》 die Arbeit od. die Kosten für e-n Bau.
‖ ~장수 der Händler, -s, -, der die Baumaterialien verkäuft.

물엿 die weiche Karamelle, -n 〖보통 *pl.*〗; Melasse *f.* -n.
물오르다 ① 《나무에》 frische, saftige Knospen an|setzen (treiben*). ② 《가난하던 사람이》 reich werden; Geld verdienen.
물오리 〖조류〗 Wildente *f.* -n; die wilde Ente, -n.
물오리나무 〖식물〗 sibirische Erle, -n.
물외 〖식물〗 (Wasser)gurke *f.* -n.
물욕(物慾) Hab¦sucht (-gier) *f.* ¶ ~에 눈이 어둡다 gierig nach weltlichen Dingen sein; habsüchtig (habgierig) sein / ~에 사로 잡히다 an Hab u. Gut hängen* / 그의 ~은 한〔끝〕이 없다 Seine Habgier kennt keine Grenzen.
물위 ① 《물 겉면》 die Oberfläche 《-n》 des Wassers. ¶ 배가 ~에 뜨다 ein Schiff auf dem Wasser schweben. ② 《상류》 Oberlauf *m.* -(e)s, ¨e. ¶ ~로 stromaufwärts.
물유리(一琉璃) 〖화학〗 Wasserglas *n.* -es, ¨er.
물음 Frage *f.* -n. ¶ ~에 답하다 e-e Frage beantworten; auf e-e Frage antworten.
‖ ~표 Fragezeichen *n.* -s, -.
물의(物議) die kritische Bemerkung, -en; Diskussion *f.* -en; die öffentliche (allgemeine) Erörterung, -en; Kritik *f.* -en; Unruhe *f.* -n. ¶ ~를 일으키다 zur allgemeinen Kritik Anlaß geben*; öffentliches Ärgernis erregen; e-r öffentlichen Kritik unterzogen werden.
물이끼 Torfmoos *n.* -es, -e; Sumpfmoos *n.*
물잇구럭 die Bezahlung 《-en》 *js.* Schulden. ~하다 für *jn.* Schulden bezahlen.
물자 Wasserstandsanzeiger *m.* -s, -.
물자(物資) ① 《원료·자재》 Material *n.* -s, ..lien; Roh¦material *n.* -s, ..lien (-stoff *m.* -(e)s, -e). ② 《자원》 Hilfsquelle *f.* -n; Naturprodukte 《*pl.*》; Naturalien 《*pl.*》. ③ 《상품》 Ware *f.* -n; Artikel *m.* -s, -; Proviant *m.* -(e)s, -e (양식). ¶ ~가 풍부하다 an Naturalien reich sein / ~를 공급하다 *jn.* mit Rohmaterialien (Naturalien *usw.*) versehen* (versorgen) / ~를 확보하다 ein [4]Material sicherstellen.
‖ ~공급 Warenangebot *n.* -s, -e. ~동원 e-e Mobilisierung des Materials. ~부족 Warenknappheit *f.* -en. ~수요 Warenbedarf *m.* -(e)s. ~활용 die Benutzung 《-en》 des Materials. 생활~ Lebensmittel *n.* -s, -. 천연~ Natur¦erzeugnis *n.* -ses, -se (-produkt *n.* -(e)s, -e).
물자동차(一自動車) Sprengwagen *m.* -s, -; Wasserwagen *m.*
물자체(物自體) 〖철학〗 Ding an sich.
물잡다 bewässern[4]; berieseln[4]; Wasser holen (schöpfen) (für den Reisbau od. die Reisernte). ¶ 논에 ~ die Felder 《*pl.*》 berieseln (bewässern).
물장구 《헤엄을 칠 때》 das Plätschern* mit den Füßen auf der Wasserfläche beim Schwimmen; 《장단》 der rhythmische Schlag (das rhythmische Trommeln) auf das leere Kürbis, der im Wassereimer umgekippt liegt. ¶ ~치다, ~질하다 mit den Füßen auf dem Wasser plätschern.
물장난 Plansch *m.* -es, -e. ~하다 planschen; plätchern 《im Wasser》.
물장사 《술집》 Gast¦gewerbe *n.* -s, - (-wirtschaft *f.* -en). ¶ ~하는 여자 Wirtin *f.* -nen / ~는 틀림없는 장사라고는 할 수 없다, 잘만 되면 별문제지만 Ein solides Geschäft ist das Gastgewerbe nicht; es sei denn, daß es glückt.
물장수 der Händler 《-s, -》, der Wasser verkäuft.
물적(物的) physisch; material.
‖ ~원조 materiale Beihilfe. ~자원 Rohstoff *m.* -(e)s, -e; Hilfsquelle *f.* -n; Rohmaterial *n.* -s, -ien. ~증거 Materialbeweis *m.* -es, -e.
물정(物情) 《인심》 die öffentliche Stimmung, -en; 《정세》 Sachlage *f.* -n. ¶ 세상 ~에 밝은 welt¦erfahren (-klug) / 세상 ~에 밝은 사람 ein Mann 《*m.* -(e)s, ¨er》 von [3]Welt; ein welterfahrener Mensch, -en, -en / 세상 ~을 알다 die Welt kennen|lernen / 그는 세상 ~에 밝다 Er kennt das Leben./ 그는 세상 ~에 어둡다 Er hat noch nichts von der Welt gesehen.
물주(物主) ① 《자본주》 Finanzmann *m.* -(e)s, ¨er; Kapitalist *m.* -en, -en; Geldverleiher *m.* -s, -. ② 《노름판의》 Bankhalter *m.* -s, -.
물주다 Wasser geben*; Wasser gießen*; begießen*; tränken. ¶ 마부가 말에게 ~ der Kutscher tränkt die Pferde.
물줄기 ① 《흐름》 die Richtung des Flusses (des Wassers); Strom *m.* -(e)s, ¨e; (Wasser)lauf *m.* -(e)s, ¨e. ¶ ~가 여기에서 두 갈래로 나누어진다 Der Fluß zweigt hier in zwei Seitenläufe ab. ② 《내뿜는》 Wasserhose *f.* -n; Guß *m.* ..usses, ..üsse; das Hervorströmen* des Wassers; Wasserstrahl *m.* -(e)s, -e. ¶ ~가 세게 뻗쳐 나온다 Das Wasser strömt stark hervor.
물쥐 Wasserratte *f.* -n.
물지게 das hölzerne Gerät 《-(e)s, -e》 zur Beförderung der Wassereimer.
물질(物質) Materie *f.* -n; Stoff *m.* -(e)s, -e; Substanz *f.* -en. ¶ ~의, ~적 materiell; physisch; stofflich / ~상의 손해 Materialschaden *m.* -s, ¨ / ~적 위안 der materielle Genuß, ..nusses, ..nüsse/~화하다 materialisieren[4] / ~적 원조를 하다 *jn.* materiell unterstützen / ~적으로 어렵다 übel daran sein; Not (Mangel) haben / ~적으로 풍성하다 materiell gut gestellt sein; [4]sich gut stehen*.
‖ ~계 Materialwelt *f.* -en. ~명사 Stoffname *m.* -ns, -n. ~문명 die materielle Zivilisation, -en. ~불멸의 법칙 das Gesetz 《-es, -》 der Erhaltung der Materie. ~욕 die materielle Begierde, -n. ~주의 Materialismus *m.* -: ~주의자 Materialist *m.* -en, -en.
물집[1] 《피부의》 Blase *f.* -n; Brandblase (화상에 의한). ¶ 발에 ~이 생기다 e-e Blutblase 《-n》 an den Füßen haben; e-e Blase 《-n》 an der [3]Fußsohle bekommen* / 화상으로 ~이 생기다 Brandblasen bekommen*.
물집[2] 《염색소》 Farbstoff *m.* -(e)s, -e.
물쩌지근하다 langweilig (eintönig; ermüdend) (sein).
물쩡하다 sehr weichlich (weibisch; nachgiebig); geschmeidig; zart (sein).
물찌똥 《똥》 Durchfall *m.* -(e)s, ¨e; wässeriger Stuhlgang, -(e)s, ¨e. ¶ ~을 싸다 e-n wässerigen Stuhlgang haben.
물차(一車) Sprengwagen *m.* -s, -; Wasserwagen *m.*
물차돌 〖광물〗 lauter Quartz *m.* -es, -e.
물참 《만조》 Flut *f.* -en; höchster Flutstand

m. -(e)s, ⸚e.
물참나무 die japanische Eiche, -n; der japanische Eichbaum, -(e)s, ⸚e.
물체(物體) der feste Körper, -s, -; Gegenstand *m.* -(e)s, ⸚e; Objekt *n.* -(e)s, -e; Substanz *f.* -en.
‖ ~거리 〖사진〗 Objektdistanz *f.* -en. ~심도 〖사진〗 die Tiefe des Feldes. ~학 Somatologie *f.* -n.
물초 das Durchnäßtsein*, -s.
물총새 〖조류〗 Königsfischer *m.* -s, -; Eisvogel *m.* -s, ⸚.
물치 〖어류〗 eine Art Makrele; *Auxis thajard* (학명).
물커지다 ☞ 물크러지다.
물컥(물컥) Gestank *m.* -(e)s; stinkender (übler) Geruch, -(e)s. ¶ 술냄새가 ~ 난다 Es stinkt nach Alkohol.
물컵 Trinkglas *n.* -es, ⸚er.
물컹거리다 überreif u. mürbe sein; verdorben (verfault) u. weich sein. ¶ 고기가 〔과일이〕 ~ das Fleisch (Obst) ist verdorben u. mürbe.
물컹물컹하다 quabbelig; weichlich (sein). ¶ 무엇인가 물컹물컹한 것을 밟았다 Ich trat auf etwas Weichliches.
물컹이 ① 《물건》 mürber (weicher) Stoff, -(e)s, -e (Material *n.* -s, -ien). ② 《사람》 der Weichherzige*, -n, -n; der Einfältige*, -n, -n; Weichling *m.* -(e)s, -e; Muttersöhnchen *n.* -s, -.
‖ ~복숭아 überreifer Pfirsich, -(e)s, -e.
물쿠다 schwül u. hitzig sein. ¶ 물쿠는 여름 schwüler Sommertag / 오늘은 꽤 물쿤다 Heute ist es ziemlich schwül.
물크러지다 《너무 익어》 überreif u. breiartig (weich) werden; 《썩어》 verdorben u. mürbe werden.
물큰(물큰) mit starkem Geruch; pikant; 《악취가》 stinkend; mit dem Gestank. ¶ 마늘 〔치즈, 생선〕 냄새가 ~ 난다 Es riecht stark nach Knoblauch (Käse, Fisch) / 제비꽃 향내가 그녀의 몸에서 물큰거렸다 Ein Geruch von Veilchenparfüm strömte von ihr aus.
물타작(一打作) die Ernte 《-n》 des noch unreifen Reises. ~하다 noch unreifen Reis ernten.
물탕¹(一湯) Bade|platz *m.* -es, ⸚e (-anstalt *f.* -en; -ort *m.* -(e)s, -e).
물탕²(一湯) 〖광산〗 der Tank 《-(e)s, -e》, in dem die Zyansäule, mit der Schlacken 《*pl.*》 aufgelöst werden, hergestellt wird.
물통(一桶) Wasser|behälter *m.* -s, - (-becken *n.* -s, -; -trog *m.* -(e)s, ⸚e; -eimer *m.* -s, -).
물퉁이¹ ① 《물건》 das Ding 《-(e)s, -e》, das mit Wasser durchtränkt u. angeschwollen ist. ② 《사람》 dicker (fetter) jedoch schwacher Mensch, -en, -en.
물퉁이² 〖식물〗 *Pilea peploides* (학명).
물퍼붓듯 strömend; gießend; in reißendem Strom. ¶ ~ 말하다 ununterbrochen sprechen / 비가 ~ 줄기차게 내렸다 Es goß in Strömen, wie aus Eimern.
물편 allgemeine Bezeichnung für alle Reiskuchen außer *Shiruddeok.*
물표(物標) Zettel *m.* -s, -; Schein *m.* -(e)s, -e; Liste *f.* -n.
물푸레나무 〖식물〗 Esche *f.* -n.
물품(物品) ① 《물건》 Ding *n.* -(e)s, -e; Sache *f.* -n; Gegenstand *m.* -(e)s, ⸚e. ② 《상품》 Artikel *m.* -s, -; Ware *f.* -n; Güter 《*pl.*》. ¶ ~ 인수 후 지불할 것 Betrag ist nachzunehmen. / ~을 대금 후불로 부치다 ⁴*et.* als (unter; mit) Nachnahme schicken / ~으로 지불하다 in Waren bezahlen⁴.
‖ ~거래 Warengeschäft *n.* -(e)s, -e. ~교환 Warentausch *m.* -es, -e. ~세 Warensteuer *f.* -n. ~임금제 Bezahlung mit Waren; Trucksystem *n.* -s, -e.
물할머니 e-e Fee, die in den Brunnen od. Quellen lauert.
물행주 (feuchtes) Abwaschtuch, -(e)s, ⸚er.
물홈 die Furche 《-n》 auf der Türschwelle für Schiebetür.
물화(物貨) Ware *f.* -n; Gebrauchsgüter 《*pl.*》; Handelswaren 《*pl.*》; Güter 《*pl.*》.
물활론(物活論) 〖철학〗 Animismus *m.* -; Hylozoismus *m.* -.
물후미 kleine Bucht, -en.
묽다 ① 《물이》 schwach; dünn; 《물같이》 wäßrig (sein). ¶ 묽은 차 der schwache Tee, -s, -s / 묽은 코피 der dünne Kaffee, -s / 묽게 하다 verdünnen⁴ (농도를); verwässern⁴ (물로) / 밀크 〔수프, 소스〕를 묽게 하다 die Milch (die Suppe, die Tunke) verlängern (strecken). ② 《사람이》 empfindsam; schwach; weich (sein).
묽디묽다 《물이》 sehr dünn (verdünnt; wässerig; flüssig; fade) (sein).
묽숙하다 ziemlich wässerig (dünn; flüssig) (sein).
뭇¹ 《큰 작살》 großer Fischspeer, -(e)s, -e.
뭇² ① 《생선의》 ein Bündel von zehn Fische. ¶ 청어 두 뭇 zwei Bündel von Hering. ② 《땔나무의》 Bündel *n.* -s, -; Bund *n.* -(e)s, -e. ¶ 물거리〔섶나무〕 한 뭇 Reisigbündel *n.* -s, - / 장작 한 뭇 ein Bündel Brennholz. ③ 《짚·볏단》 Garbe *f.* -n. ¶ 볏짚 한 뭇 e-e Garbe von Reisstroh.
뭇³ 《여러》 viel; all; allerlei. ¶ 뭇 사람들 allerlei Leute / 우리는 그것을 뭇 방법을 다해 시도해 봤다 Wir haben es mit allerlei Mitteln versucht.
뭇가름 das Binden* der mehreren kleineren Bündel aus e-m großen Bündel. ~하다 aus e-m großen Bündel mehrere kleinere Bündel machen.
뭇갈림 ein System der Reisernteverteilung, nach dem die Reisbündel zu gleichen Teilen zwischen dem Grundbesitzer u. Pächter geteilt werden.
뭇나무 gebündeltes Brennholz, -es, ⸚er. ¶ 나무를 ~로 팔다 Brennholz in Bündeln verkaufen.
뭇따래기 lästige Leute, die einer nach dem andern auf|tauchen.
뭇매 e-e Tracht Prügel *m.* -s, -. ¶ ~ 맞다 e-e derbe (gehörige; ordentliche) Tracht Prügel beziehen* 《von e-r Menge Menschen》 / ~질하다 ⁴Prügel (Schläge) aus|teilen³; verhauen*⁴ / 그는 ~를 맞았다 Man hat ihm eine Tracht Prügel verabreicht.
뭇발길 《발길》 Fußtritte 《*pl.*》 von allen Seiten.
뭇방치기 Zudringlichkeit *f.* -en; (unberufene) Einmischung, -en; 《사람》 Naseweise 《*pl.*》. ~하다 ⁴sich vor|dränge(l)n; ⁴sich in jeden Quark (ein|)mischen; in alles (in jeden Dreck; in jeden Quark) die Nase (hinein|)stecken (hängen).
뭇소리 Stimmen 《*pl.*》; viele Stimmen 《*pl.*》; verschiedene (verschiedenartige; allerlei 〖무변화〗; mannigfaltige; mannigfache) Meinungen 《*pl.*》. ¶ 사람들이 아무리 ~를 다

해도 Was die anderen auch sagen mögen, ...; Was man auch sagen mag, ...
뭇시선(一視線) jedermanns Augen 《pl.》. ¶ ~이 그에게 집중되었다 Alle sahen ihn an.|Er zog aller Augen auf sich.
뭇입 Kritiken《pl.》 aller Leute. ¶ 그는 ~을 막기 힘들었다 Es war ihm schwer, sich vor den allseitigen Kritiken zu hüten.
뭇줄 (dickes) Hanfseil, -(e)s, -e; Hanftau n. -(e)s, -e.
뭉개다[1] 《으깨다》 zerquetschen[4]; zermalmen[4]; zerdrücken[4]. ¶ 감자를 ~ Kartoffeln (zer-) quetschen / 밟아 ~ [4]et. unter die Füße zertreten* / 모자를 깔고 ~ e-n Hut zerdrücken.
뭉개다[2] 《자리에서》 trödeln; die Zeit vertrödeln; 《쩔쩔매다》 ungeduldig werden; die Geduld verlieren*. ¶ 한 자리에서 ~ an e-m Platz trödeln; die Zeit verschwenden / 그 애가 오늘은 뭉개고만 있다 Das Kind ist heute sehr ungeduldig.
뭉게구름 〖기상〗 Kumulus m. -, ..li《생략: Cu》; Wolkenhaufe(n) m. ..fens, ..fen; Haufenwolke f. -n; Gewölk n. -(e)s; die turmhoch aufragende Wolkenmasse, -n.
뭉게뭉게 《연기가》 qualmend; 《구름이》 auftürmend; ballend; in Wolken. ¶ ~ 피어오르다 in dicken Wolken steigen*[s] (schweben [h,s]) / 굴뚝에서 ~ 연기가 피어오른다 Der Schornstein qualmt. / 구름이 ~ 하늘에 피어오른다 Die Wolken türmen sich am Himmel auf.
뭉구리 ① 《까까머리》 kurzgeschnitter (kahlgeschorener) Kopf, -(e)s, ⸚e. ② 《중》 buddhistischer Mönch, -(e)s, -e.
뭉그러뜨리다 um|stoßen*[4]; zum Umfallen bringen*[4]; zerstören[4]; ab|brechen*[4]; nieder|reißen*[4]. ¶ 돌담을 ~ die Steinmauer ab|brechen* / 제방(堤防)을 ~ den Damm nieder|reißen*.
뭉그러지다 um|fallen* [s]; ein|stürzen (um|-) [s]; zerfallen*[s]; ein|fallen*[s]. ¶ 오래된 돌담이 ~ die alte Mauer ist umgefallen / 풍우(風雨)에 씻겨 ~ durch Witterungseinfluß ein|stürzen.
뭉그적거리다 trödeln; (die Zeit) vertrödeln; zögern; (ver)weilen; langsam arbeiten (sein); die Zeit verschwenden. ¶ 한 자리에서 ~ an e-m Platz trödeln.
뭉그적뭉그적 (ver)trödelnd; zögernd; (ver-) weilend. ☞ 뭉그적거리다.
뭉근하다 gelind; schwach (sein). ¶ 뭉근한 불 gelindes (schwaches) Feuer, -s, - / 뭉근한 불에 삶다 bei gelindem Feuer kochen[4] / 불이 ~ Das Feuer ist schwach.
뭉글- ☞ 몽글-.
뭉긋이 《비스듬히》 flach; sanft; leicht. ¶ 고개가 ~ 경사지다 der Abhang ist sanft (flach) / 막대가 ~ 휘다 der Stock ist kaum krumm (gebogen).
뭉긋하다 ① 《기울어짐》 flach; sanft (sein). ¶ 뭉긋한 언덕 der sanfte Hügel, -s, -. ② 《휘어짐》 leicht gebogen (sein). ¶ 막대가 뭉긋하게 휘었다 Der Stock ist leicht gebogen.
뭉기다 nieder|reißen*[4]; ab|brechen*[4]; zerstören[4]; zusammenbrechen* (zusammenfallen*; einstürzen) lassen*. ¶ 헌 집을 ~ ein altes Haus nieder|reißen* / 돌담을 ~ e-e Steinmauer ab|brechen*.
뭉때리다 ① 《시치미떼다》 [4]sich unwissend (unschuldig) stellen. ¶ 그는 뭉때리고 시치미를 떼었다 Er tat, als ob er davon nichts wüßte. ② 《안 하다》 [4]sich s-r Pflicht entziehen*; s-e Pflicht umgehen*.
뭉떵뭉떵 Stück für Stück; in dicke Stücke. ¶ 떡을 ~ 자르다 den Reiskuchen in dicke Stücke schneiden*.
뭉뚝하다 stumpf; gedrungen; plump (sein). ¶ 뭉뚝한 연필 ein stumpfer Bleistift, -(e)s, -e / 뭉뚝한 사람 ein Mann 《m. -(e)s, ⸚er》 von gedrungener Gestalt.
뭉뚱그리다 (flüchtig) bündeln[4]; in Bündel packen[4]. ¶ 짐을 ~ das Gepäck bündeln.
뭉실뭉실 ☞ 몽실몽실.
뭉우리돌 Geröll n. -(e)s, -e; Geröllblock m. -(e)s, ⸚e.
뭉치 ① 《덩이》 Bündel n. -s, -; Bund n. -(e)s, -e; Klumpen m. -s, - (쇠 등의). ¶ 지폐 ~ Banknotenbündel n. -s, - / 편지 한 ~ ein Bündel von Briefen / 쇠~ Eisenklumpen m. -s, -. ② 《뭉치사태》 Oberschale f. -n.
뭉치다 ① 《단결하다》 [4]sich zusammen|schließen* 《zu[3]》; [4]sich verbinden* ((ver)einigen) 《mit[3]》. ¶ 뭉친 vereinigt; verbunden; verbündet / 뭉쳐서 vereinigt; verbunden / 굳게 뭉치다 die Vereinigung fester machen / 뭉쳐서 일하다 eng verbunden arbeiten / 뭉쳐서 대들었다 Sie haben sich miteinander gegen mich vereinigt. / 백성은 뭉쳐서 임전태세를 갖추었다 Das ganze Volk 《-(e)s, ⸚er》 war einig in dem Entschluß, den Krieg zu führen. / 뭉치면 살고 흩어지면 죽는다 Einigkeit macht stark.
② 《합치다》 binden*[4]; zusammen|binden*[4]; in eins binden*[4]. ¶ 두 꽃다발을 하나로 ~ zwei Sträuße in e-n zusammen|binden*. ③ 《덩이 짓다》 hart machen[4]; (ver)härten[4]. ¶ 눈을 ~ Schnee ballen / 종이를 ~ Papier zusammen|knüllen.
뭉크러- ☞ 뭉그러-.
뭉클하다 ① 《먹은 것이》 es ist jm. übel; Brechreiz (Ekel) haben. ¶ 속이 ~ Es wird mir übel. ② 《가슴이》 jm. zu Herzen gehen*[s]; [3]sich [4]et. zu Herzen nehmen*. ¶ 나는 그의 우정에 가슴이 뭉클했다 S-e Freundschaft geht mir zu Herzen.
뭉키다 ① 《몰리다》 schwärmen; [4]sich drängen; wimmeln; [4]sich scharen; [4]sich (ver-) sammeln.
② 《덩어리짐》 erstarren; gerinnen*[s]; hart werden; [4]sich verhärten; fest werden; [4]sich verdichten. ¶ 우유가 ~ die Milch gerinnt.
뭉텅 ☞ 몽땅.
뭉텅이 Klumpen m. -s, -; Bündel n. -s, -; Bund n. -(e)s, -e. ¶ 지폐 한 ~ ein Bündel von Geldscheinen (Banknoten) / 한 ~로 뭉치다 in ein Bündel packen[4].
뭉툭하다 ☞ 뭉뚝하다.
뭍 Land n. -(e)s; das feste Land. ¶ 뭍에 오르다 an(s) Land gehen* / 뭍을 떠나다 vom Lande (ab)stoßen* / 뭍에 얹히다 auf den Strand geraten* [s] (getrieben werden).
뭐 ☞ 무어.
뭣 ☞ 무엇.
뮌헨 《독일의 도시》 München n. -s.
뮤즈 Muse f. -n.
뮤지컬 Musical [mjú:zikəl] n. -s, -s; Operette f. -n; (leichtes lustiges) Singspiel, -(e)s, -e.
-므로 ① 《그러므로》 also; daher; darum; demnach; folglich (논리적 결론); somit. ② 《왜냐하면》 da; denn (병열적 어순); weil (실

제상의 원인). ¶그러한 사정이므로 da dem so ist, ... / 그녀는 앓고 있으므로 올 수 없다 Da (Weil) sie krank ist, kann sie nicht kommen.

므바바네 《스와질랜드의 수도》 Mbabane.

미 〖음악〗 e *n.* -, -; Mi *n.* -, -.

미(未) 〖민속〗 ① 《십이지의》 Zeichen 《*n.* -s, -》 des Schafes (der Ziege); der achte der 12 Erdenzweige. ② =미방(未方). ③ =미시(未時).

미(美) Schönheit *f.* -en; das Schöne*, -n; 〖시어〗 die Schöne*. ¶자연의 미 landschaftliche Schönheiten 《*pl.*》.

미-(未)| noch nicht; un-. ¶미완성 nocht nicht vollendet (fertig); unvollendet; unvollständig; unfertig / 미착 (未着) noch nicht angekommen; noch unterwegs.

미가(米價) Reispreis *m.* -es, -e.
‖~조절 die Regulierung 《-en》 des Reispreises: ~ 조절책 Maßregeln 《*pl.*》 zur Kontrolle des Reispreises.

미가공(未加工) ¶~의 roh; unverarbeitet; noch nicht verarbeitet.

미각(味覺) Geschmack *m.* -(e)s; Geschmackssinn *m.* -(e)s. ¶~을 돋우는 appetitlich/~이 예민하다 e-n verfeinerten Geschmackssinn haben.
‖~기관(器官) Geschmacksorgan *n.* -(e)s, -e. ~세포 Geschmackszelle *f.* -n. ~신경 Geschmacksnerv *m.* -s (-en), -en.

미간(未刊) ¶~의 noch nicht herausgegeben (veröffentlicht); unveröffentlicht.

미간(眉間) ☞ 양미간.

미간지(未墾地) unbebautes (unkultiviertes; unbeschlossenes) Land, -(e)s.

미감(米泔) 《쌀뜨물》 Reiswasser *n.* -s.

미감(美感) Schönheits|gefühl *n.* -(e)s, -e (-sinn *m.* -(e)s).

미개(未開) ~하다 unzivilisiert; roh; primitiv (sein). ¶~한 민족 ein unzivilisiertes (primitives) Volk, -(e)s, ⸗er / ~한 나라 das unkultivierte (unzivilisierte) Land, -(e)s, ⸗er.
‖~인 der Wilde*, -n, -n; Barbar *m.* -en, -en. ~지 das unbebaute Land.

미개간(未開墾) =미개발.

미개발(未開發) ¶~의 unkultiviert; unentwickelt; unerschlossen; unbebaut; wild.
‖~국 das unkultivierte (unbebaute) Land, -(e)s, ⸗er. ~지 das unentwickelte Gebiet, -(e)s, -e.

미개척(未開拓) ¶~의 unkultiviert; unentwickelt; unerschlossen; unbebaut; wild.

미거(美擧) die bewunderungswürdige (lobenswerte) Tat, -en (Unternehmung, -en).

미거하다(未擧—) dumm; stumpfsinnig (sein).

미결(未決) ¶~의 noch nicht entschieden; unerledigt; schwebend / 아직 ~이다 schweben; in der Schwebe sein / 그 문제는 아직 ~이다 Das Problem schwebt noch.
‖ ~감(監) Untersuchungsgefängnis *n.* -ses, -se. ~구류 Untersuchungshaft *f.* ~수(囚), ~수용자 der Untersuchungsgefangene*, -n, -n.

미결산(未決算) ¶~의 (noch) nicht festgestellt; offenstehend; unabgeschlossen; unbezahlt (미불의). ‖~계정 die offenstehende (offene) Rechnung, -en.

미결제(未決濟) ¶~의 offen(stehend); unbezahlt (미불의).
‖~계정 die offene (offenstehende) Rechnung, -en.

미경지(未耕地) ungenutztes Land, -(e)s, ⸗er; unbebautes Land.

미경험(未經驗) ¶~의 unerfahren; erfahrungslos; unreif.
‖~자 der Unerfahrene*, -n, -n; Grünhorn *n.* -(e)s, ⸗er.

미곡(米穀) Reis *m.* -es.
‖~거래소 《미두》 Reis|börse (Getreide-) *f.* -n. ~상 Reishändler *m.* -s, -. ~시장 Reismarkt *m.* -(e)s, ⸗e. ~중매(자) Reis|makler (-zwischenhändler) *m.* -s, -.

미골(尾骨) 〖해부〗 Steißbein *n.* -(e)s, -e.

미관(味官) 〖생물〗 Geschmacksorgan *n.* -(e)s, -e; Geschmackssinnesorgane 《*pl.*》.
‖~구(球) Geschmacksknospen 《*pl.*》.

미관(美觀) schöner Anblick, -(e)s, -e; schöne Ansicht, -en. ¶~을 해치다 das schöne Aussehen² verderben* / ~을 과시하다 e-n herrlichen (schönen) Anblick bieten*.

미관(微官) der kleine Beamte*, -n, -n. ¶나 같은 ~ 말직에 있는 사람 ein Beamter* 《-n, -n》 von verschwindend kleiner Bedeutung, wie ich.

미광(微光) Glimmer *m.* -s, -; Glimmlicht *n.* -(e)s, -er; Schimmer *m.* -s, -.

미구(未久) ¶~에 bald; in (binnen) kurzem; über ein kleines; in absehbarer Zeit.

미구불원하다(未久不遠—) baldig; nicht fern; nah (sein). ¶미구불원하여 bald; in kurzem; in absehbarer Zeit.

미국(美國) Amerika *n.*; die Vereinigten Staaten von Amerika (US(A)) (합중국). ¶~의 amerikanisch.
‖~국기 amerikanische Nationalflagge, -n; Sternenbanner *n.* -s (성조기). ~군인 amerikanischer Soldat, -en, -en. ~기질(식) Amerikanismus *m.* -; Yankeetum *n.* -s; Yankee-Art *f.* ~담배 Ami *f.* -s; die amerikanische Zigarette, -n. ~령 amerikanisches Territorium, -s, ..rien. ~말 amerikanisches Englisch (미식 영어); amerikanische Sprache, -n: ~ 말투 ein amerikanischer Akzent, -(e)s, -e. ~본토 Heimatland 《*n.* -(e)s, ⸗er》 von Amerika. ~사람 Amerikaner *m.* -s, -; 〖멸칭〗 Yankee [jɛ́ŋki:] *m.* -s, -s; 〖속어〗 Ami *m.* -s, -s. ~의 소리 방송 die Stimme von Amerika. ~정부 amerikanische Regierung, -en. ~톤 amerikanische Tonne, -n. ~화(化) Amerikanisierung: ~화하다 amerikanisieren.

미군(美軍) US (amerikanische) Armee, -n; amerikanische Streitkräfte 《*pl.*》; 《병사》 amerikanischer Soldat, -en, -en. ¶주한 ~ US Streitkräfte in Korea.
‖~점령 지역 US Besatzungszone *f.* -n.

미궁(迷宮) Labyrinth *n.* -(e)s, -e; Irr|garten *m.* -s, ⸗ (-gänge 《*pl.*》; -gebäude *n.* -s, -; -wege 《*pl.*》); Verschlingungen 《*pl.*》 (분규); verschlungene Wege 《*pl.*》. ¶사건은 ~에 빠졌다 Der Fall hat keinen Anhaltspunkt (zu seiner Lösung) mehr.| Der Fall wird immer verwirrender.

미귀환(未歸還) ¶~의 noch nicht zurückgekommen / 비행기 석 대가 ~이다 Drei Flugzeuge sind verschollen.
‖~자 diejenigen, die ausgeblieben sind.

미균(黴菌) =세균(細菌).

미그 《제트기》 MIG Düsenjäger *m.* -s, -. ¶ ~ 23 MIG-23.

미급하다(未及—) unzulänglich (unzureichend; nicht (aus)reichend; nicht genug; unerreichbar) sein; nicht reichen; nicht gleich|kommen*[3] [s]; nach|stehen*[3]. ¶ 생각이 거기까지는 미급했다 Ich dachte nicht daran.

미기(美技) 《솜씨》 brillante (saubere) Technik, -en (스포츠, 연주자의); sauberes Spiel, -(e)s, -e (파인플레이).

미기(美妓) schöne (hübsche) *Gisaeng*, -s.

미꾸라지 〖어류〗 Schmerle *f.* -n; Bartgrundel *f.* -n. ¶ ~같이 매끄러운 aalglatt; unfaßbar; schlüpferig / 그는 ~ 같은 친구다 Er ist glatt wie ein Aal.

미끄러뜨리다 gleiten lassen*[4]. ¶ 발을 미끄러뜨려 넘어지다 aus|gleiten* [s] u. fallen* [s].

미끄러지다 (aus|)gleiten* [s]; aus|glitschen [s]; glitschen [h,s]; aus|rutschen [s]; rutschen [h,s]; schlüpfen [s]; schleudern (차 바퀴가 옆으로). ¶ 죽죽 미끄러지는 얼음판 Glatteis *n.* -es / 발이 ~ aus|gleiten* (-|rutschen); das Gleichgewicht verlieren* u. fallen* / 미끄러져 내리다 hinunter|gleiten* (hinab|-) [s]; hinunter|rutschen (hinab|-) [s] (저쪽으로); herunter|gleiten* (herab|-) [s]; herunter|rutschen (herab|-) [s] / 미끄러져 들어가다 hinein|gleiten* (-|rutschen) [s] / 수면을 미끄러지듯 나아가다 über die Wasserfläche gleiten* [s] / 파도 사이를 미끄러져 나아가다 durch die Wellen gleiten* [s].

미끄럼 das Gleiten*, -s; Rutsch *m.* -es, -e. ¶ 얼음판에서 ~ 타다 über das Eis gleiten* [s] / 눈 위에서 썰매로 ~ 타다 über den Schnee Schlitten fahren* [s].

‖ ~틀 Rutschbahn *f.* -en; Rutsche *f.* -n.

미끄럽다 glitsch(e)rig; glitschig; glatt 《glatter (glätter), glattest (glättest)》; schlüpfrig (sein). ¶ 미끄러운 길 ein schlüpfriger (glatter) Weg, -(e)s, -e / 미끄러운 마루 ein glatter Fußboden, -s, -(¨) / 미끄러운 얼음판 Glatteis *n.* -es.

미끈거리다 ① 《반들반들함》 glatt; schlüpf(e)rig (sein). ¶ 종이가 ~ das Papier ist glatt. ② 《물기·진기 따위로》 schlüpf(e)rig; ölig (sein). ¶ 뱀장어가 ~ der Aal ist schlüpf(e)rig / 길이 ~ der Weg ist schlüpf(e)rig.

미끈미끈 ~하다 《반드럽다》 glatt; 《미끄럽다》 schlüpfrig (sein). ¶ ~한 길 ein glatter (schlüpfriger) Weg, -(e)s, -e / ~한 마루 ein glatter Fußboden, -s, ¨ / ~ 미끄러지는 얼음판 《노면의》 Glatteis *n.* -es / 뱀장어가 ~해서 손에 잡히지 않는다 Der Aal ist so schlüpf(e)rig, daß ich ihn nicht fangen kann.

미끈하다 ① 《사람이》 elegant; schick; fesch (sein). ¶ 미끈한 다리 schöne (schlanke) Beine 《*pl.*》 / 미끈하게 생기다 elegant aus|sehen*; e-e gute Figur haben / 미끈하게 차리다 schick gekleidet sein. ② 《사물이》 glatt; geschmeidig (sein).

미끼 Lockspeise *f.* -n; Köder *m.* -s, -; Lockmittel *n.* -s, -. ¶ ~를 물다 Futter 《*n.* -s, -》 nehmen* 《*von*[3]》; an|beißen* (고기가); nach dem Köder schnappen / ~로 쓰나 als Köder gebrauchen[4] (benutzen[4]) / 낚시 바늘에 ~를 달다 e-n Haken beködern (mit Köder versehen*) / ~를 잘 물다 《물고기가》 gut 《besser, am besten》 an|beißen* (den Köder schnappen) / ~로 사람을 낚다 *jn.* zu ködern versuchen; *jm.* e-e Lockspeise hin|halten*; *jm.* in [4]Aussicht stellen[4] / ~에 걸려 들지 않다 nicht an den Köder gehen* [s]; nicht an|beißen*; der Lockung (Verlockung) widerstehen*.

미나리 〖식물〗 asiatische Petersilie, -n; *Oenanthe japonica* (학명).

‖ ~꽝 Petersilienfeld *n.* -(e)s, -er. ~아재비 Hahnenfuß *m.* -es; Butterblume *f.* -n.

미남자(美男子) der hübsche Mann, -(e)s, ¨er. ¶ ~인 체하다 e-n hübschen Mann spielen.

미납(未納) Rückständigkeit *f.* -en. ¶ ~의 rückständig; noch nicht bezahlt.

‖ ~금 Rückstände 《*pl.*》; Rest *m.* -(e)s, -e. ~세 die rückständige Steuer, -n. ~자 der rückständige Schuldner, -s, -.

미네랄 Mineral *n.* -s, -e (-ien); 《미네랄 워터》 Mineralwasser *n.* -s, ¨.

미녀(美女) schönes Mädchen, -s, -; schöne Frau, -en; Schöne *f.* -n; Schönheit *f.* -en. ¶ 절세의 ~ wunderschöne Frau; e-e vollendete Schönheit.

미농지(美濃紙) eine Art von japanischem Reispapier.

미뉴에트 〖음악〗 Menuett *n.* -(e)s, -e.

미늘 《낚시의》 der Widerhaken 《-s, -》 des Angelhakens; 《갑옷의》 schuppenförmige Eisenplättchen 《*pl.*》; die Schuppen 《*pl.*》 des Panzers.

미니 mini; Mini-. ¶ ~를 입고 있다 mini gehen* [s].

‖ ~스커트 Minirock *m.* -(e)s, ¨e; Mini *m.* -s, -s. ~카 Minicar *n.* -s, -s; Kleinwagen *m.* -s, -.

미니어처 Miniatur *f.* -en.

‖ ~가든 Miniaturgarten *m.* -s, ¨.

미다[1] 《머리털이》 kahl(köpfig) werden; die Haare verlieren*; glatzköpfig werden.

미다[2] 《찢어지다》 (zer)reißen* [s]. ¶ 그 종이는 잘 미어진다 Das Papier zerreißt leicht.

미다[3] 《따돌리다》 verstoßen*[4]; aus|schließen*[4]. ¶ 아무를 모임에서 ~ *jn.* von (aus) der Gesellschaft verstoßen*.

미닫이 Schiebetür *f.* -en.

‖ ~창문 Schiebefenster *n.* -s, -.

미담(美談) bewunderungswürdige (lobenswerte) Geschichte, -n; schöne Anekdote, -n; Groß|tat (Helden-) *f.* -en. ¶ 그 이야기는 아직도 ~으로 전해지고 있다 Die Geschichte wird noch heute lobend erzählt.

미대다 ① 《전가》 zu|schieben*[4] 《*jm.*》; schieben*[4] 《auf *jn.*》; beschuldigen[2] 《*jn.*》; an|schuldigen 《*jn.*》. ¶ 책임을 ~ die Verantwortung auf *jn.* schieben* (laden*); *jm.* die Verantwortlichkeit (Verantwortung) zu|schieben*. ② 《미루다》 verschieben*[4]; auf|schieben*[4]; verzögern[4]; in die Länge ziehen*[4].

미덕(美德) die (schöne) Tugend, -en; der ausgezeichnete (schöne) Charakterzug, -(e)s, ¨e; die sittliche Vortrefflichkeit, -en. ¶ ~을 갖춘 사람 der tugendhafte Mensch, -en, -en; ein Mann 《*m.* -(e)s, ¨er》 von Tugend / ~을 행하다 (기르다) e-e Tugend üben (der [3]Tugend nach|streben) / 단정한 것은 여기의 ~이다 Sittsamkeit ist e-e schöne Tugend der Frauen.

미덥다 zuverlässig; vertrauenswürdig (sein); 《앞날이》 hoffnungsvoll; vielversprechend (sein). ¶ 미더운 청년 hoffnungsvoller junger Mensch, -en, -en / 미덥지 못한 회사 die unzuverlässige Firma, ..men / 미덥지 않은 unsicher; bedenklich; unzuverlässig; zweifelhaft / 미덥게 여기다 vertrauen 《auf *jn.*》; viel erwarten 《von *jm.*》.

미동(美童) 《예쁜 아이》 ein hübscher Knabe,

-n, -n; ein schöner Junge*, -n, -n.

미동(微動) ① 《경미한 움직임》 leichte (schwache) Bewegung, -en. ¶ ~도 하지 않다 fest (unverwandt) stehen*; nicht um ein Haar (breit) weichen* [h,s].
② 《미진》 leichtes Erdbeben, -s, -.
‖ ~계(計) Mikroseismometer *n.* (*m.*) -s, - (미진계).

미두(米豆) Spekulation 《*f.* -en》 in Reis. ¶ ~에 손을 대다 in Reis spekulieren; ^{4}sich auf e-e Spekulation in Reis ein|lassen*.

미들급(一級) Mittelgewicht *n.* -(e)s, -e.
‖ ~선수 Mittelgewichtler *m.* -s, -. ~챔피언 Mittelgewichtsmeister *m.* -s, -.

미등(尾燈) Schluß¦licht (Rück-) *n.* -(e)s, -er; Hecklicht (비행기의).

미등(微騰) 〖경제〗 weniges (geringes; kleines) Steigen*, -s; geringe Steigerung, -en.

미디(스커트) Midirock *m.* -(e)s, ⸚e.

미락(微落) 〖경제〗 kleine (geringe; wenige) Abnahme; geringer Rückgang, -(e)s, ⸚e; kleines Fallen* (Sinken*) -s.

미란(靡爛) 《염증》 Entzündung *f.* -en; 《화농》 das Eitern*, -s; Geschwür *n.* -(e)s, -e; 《부패》 das Verfaulen*, -s; Verwesung *f.* -en; Zersetzung *f.* -en. ~하다 ^{4}sich entzünden; eitern [h,s]; schwären; verfaulen [s]; verwesen [s]; ^{4}sich zersetzen. ‖ ~성 가스 Senfgas *n.* -es; Gelbkreuz *n.* -es.

미래 《농기구》 Landwirtschaftgerät 《*n.* -(e)s, -e》 zum Einebnen des Feldes.

미래(未來) ① 《장래》 Zukunft *f.*; die kommende Zeit, -en; die späteren Tage 《*pl.*》. ¶ ~의 zukünftig; künftig / ~에 in ^{3}Zukunft / ~의 계획 Zukunftspläne 《*pl.*》 / ~에 살다 der Zukunft leben / ~를 예상하다 vermuten (voraus|sehen*), was kommen wird / 그에게는 찬란한 ~가 있다 Er hat eine glänzende Zukunft. / ~는 청년의 것이다 Die Zukunft gehört der Jugend. ② 《내세》 Jenseits *n.* -; künftiges Leben, -s. ③ 《문법》 Futurum *n.* -s, ..ra; Futur(um) I (eins); Zukunft(sform) *f.* -en.
‖ ~사 die Affäre 《-n》 in der Zukunft. ~상 e-e Vision 《-en》 für die Zukunft. ~완료 Futurum exaktum; Futur II (zwei); Vorzukunft(sform). ~음악 Zukunftsmusik *f.* ~인 Futurist *m.* -en, -en. ~파 Futurismus *m.* -. ~학 Futurologie *f.*

미량(微量) e-e geringe (minimale) Menge, -n. ¶ ~의 ein (ganz) klein wenig.
‖ ~분석 Mikroanalyse *f.* -n. ~천칭 Mikrowaage *f.* -n. ~화학 Mikrochemie *f.*

미레자 Reißschiene *f.* -n.

미레질 das Hobeln*, -s.

미려(美麗) Schönheit *f.* -en; Pracht *f.*; Eleganz *f.*; Anmut *f.*; Grazie *f.* ~하다 elegant; schön; hübsch; prächtig; anmutig (sein).

미력(微力) die geringe (schwache) Kraft, ⸚e. ¶ ~을 다하다 alle s-e Kräfte an|strengen; ^{4}sich ^{3}*et.* mit ganzer (voller) ^{3}Kraft widmen; sein Bestes (Äußerstes; Möglichstes) tun* / 그것은 나의 ~으로는 할 수 없는 일이다 Das geht über meine Kräfte. / ~이나마 다 하겠읍니다 Was in meinen Kräften steht, werde ich tun.

미련 Unbeholfenheit *f.*; Ungeschick *n.* -(e)s; Dummheit *f.* ~하다, ~스럽다 unbeholfen; ungeschickt; dumm; blöde; trottelhaft (sein).
‖ ~장이, ~퉁이 der Dumme, -n, -n; Blödling *m.* -s, -e; Dummerjan *m.* -s, -e; Tölpel *m.* -s, -.

미련(未練) das Bedauern*, -s; Anhänglichkeit *f.* -en. ¶ ~이 있다 (을 남기다) nicht vergessen können*^{4}; nicht verzichten können* 《*auf*^{4}》 / 그 일에 ~이 있다 Er bedauert die Sache noch immer. / 그 여자에게 ~이 있다 Er hängt noch immer an ihr. / 아직 그 지위에 ~이 있다 Ich habe noch immer Verlangen nach der Stellung.

미령(靡寧) Unpäßlichkeit *f.* -en. ~하다 unpäßlich; unpaß (sein).

미로(迷路) ① 《그릇된 길》 Irrgang *m.* -(e)s, ⸚e. ② 《섞갈림길》 Labyrinth *n.* -(e)s, -e. ¶ ~의 labyrinthisch / ~에 빠지다 ^{4}sich im Irrgang (Labyrinth) verlaufen* (verirren).

미료(未了) ¶ ~의 unbeendet; unvollendet / 심의 ~의 의안 unerledigte Vorlagen (Anträge).

미루다 ① 《연기함》 auf|schieben (hinaus|-)*^{4}; verschieben*^{4}; bis später auf|heben*^{4}; vorübergehend ein|stellen^{4}; zurück|stellen^{4}. ¶ 시간을 뒤로 ~ auf die spätere Stunde verlegen^{4} / 출발을 ~ e-e Abreise verschieben* / 월요일로 ~ auf den Montag auf|schieben*^{4} / 순서를 ~ die Reihenfolgen hinunter|rücken / 회답(지불)을 뒤로 ~ mit der Antwort (Zahlung) zögern.
② 《남에게》 überlassen*^{4} 《*jm.*》; anheim|stellen^{4} 《*jm.*》; übertragen*^{4} 《*jn.*》; auf(er)legen^{4}; laden*^{4}; zu|schieben*^{4}. ¶ 일을 남에게 ~ *jm.* e-e Sache (Arbeit) überlassen* / 책임을 ~ die Verantwortlichkeit auf *jn.* laden* 《*für*^{4}》 / 의무를 ~ *jm.* e-e Pflicht auf(er)|legen; *jn.* verpflichten 《*zu*^{3}》 / 나에게 책임을 미루었다 Er schob mir die Verantwortung zu.
③ 《헤아림》 mutmaßen^{4}; vermuten^{4}; 《추정》 folgern^{4} 《*aus*^{3}》; schließen*^{4} 《*aus*^{3}》. ¶ 여러 가지로 미루어 보아서 alles in Betracht gezogen; auf alle Umstände Rücksicht genommen / …으로 미루어 보다 beurteilen^{4} 《*nach*^{3}》 / 다른 일은 미루어 쉽게 알 수 있다 Das andere läßt sich leicht denken. / 그의 거동으로 미루어 보아 그는 백치다 Aus s-m Benehmen habe ich geschlossen, daß er blödsinnig ist.

미루적거리다 verschieben*^{4}; auf|schieben*^{4}; in die Länge ziehen*^{4}; hinaus|rücken^{4}. ¶ 하루하루 ~ von Tag zu Tag auf|schieben* / 본건(本件)은 이 이상 미루적거릴 수 없다 Die Sache duldet (verträgt) keinen Aufschub mehr.

미루적미루적 zögernd; verschiebend; unentschieden. ¶ 지불을 (하지 않고) ~하다 Zahlungen verzögern; nur zögernd zahlen.

미류나무(美柳一) Pappel *f.* -n.

미륵(彌勒) 〖불교〗 *Maitreya m.* -s, -s 《범어》; 《돌부처》 Buddhastatue aus Stein.

미리 voraus-; im (zum) voraus; vorher. ¶ ~ 약속한 대로 wie (schon) verabredet / ~ 계획한 대로 wie früher geplant / ~ 주문(지불)하다 voraus|bestellen^{4} (-|bezahlen^{4}) / ~감사를 드리다 im voraus danken^{3} 《*für*^{4}》 / ~ 말씀드립니다만 Ich schicke hier eine Bemerkung voraus, daß.... ¦ Ich möchte vorausschicken, daß.... ¦ Es muß dabei vorausgeschickt werden, daß.... / ~ 통지하다 vorher bekannt|machen$^{3 \cdot 4}$; zuvor benachrichtigen 《*jm. von*^{3} (*über*^{4})》 / ~ 준비하다 ^{4}sich vor|bereiten《*auf*^{4}》; Vorbereitungen《*pl.*》 treffen*《*zu*^{3}》/ 돈을 ～ 내다 im voraus bezahlen / ～ 알았으면 가지 않았을 것을 Ich wäre nicht gegangen, wenn ich es im voraus gewußt hätte.

미림(味淋) gesüßter Reis-Wein, -s; destilliertes Getränke《*pl.*》.

미립 Kniff *m.* -(e)s, -e; Kunstgriff *m.* -(e)s, -e; Geschicklichkeit *f.*; Haupt¦punkt (Kern-) *m.* -(e)s, -e; Kern *m.* -(e)s, -e; Gewandtheit *f.*; Fertigkeit *f.* -en; Geübtheit *f.* -en. ¶ ～을 얻다, ～이 나다 Kunstgriffe (Kniffe)《*pl.*》 kennen*; bewandert sein《*in*^{4}》; große Fertigkeiten haben《*in*^{3}》.

미립(微粒) Körnchen *n.* -s, -; Körperchen *n.* -s, -; Fünkchen *n.* -s, -; kleines Stückchen, -s, -; Teilchen *n.* -s, -.
‖ ～체 〖생물〗 Mikrosom *n.* -(e)s, -en.

미립자(微粒子) 〖사진〗 Feinkorn *n.* -(e)s, ⸗er; Feinkörnigkeit *f.* (미립자성(性)); Körperchen *n.* -s, -. ¶ ～상(狀)의 feinkörnig; atomistisch.
‖ ～필름 der feinkörnige Film, -(e)s, -e. ～현상 Feinkornentwicklung *f.*

미만(未滿) unter^{3}; weniger (geringer) als. ¶ 16세 ～의 소년들 Jungen unter sechzehn ^{3}Jahren/ 100원 ～ weniger als 100 *Won* / 10미터 ～ kürzer als 10 meter (knapp 10 m.).

미망(迷妄) Täuschung *f.* -en; Wahn *m.* -(e)s; Illusion *f.* -en; Irrtum *m.* -(e)s, ⸗er; Trüglichkeit *f.* -en; Einbildung *f.* -en; Selbsttäuschung *f.* -en; Verblendung *f.* -en.

미망인(未亡人) Witwe *f.* -n. ¶ ～이 되다 Witwe werden; den Ehegatten durch den Tod verlieren*. ‖ 전쟁～ Kriegswitwe *f.*

미면(美綿)《미국면》 amerikanische Rohbaumwolle, -n.

미명(未明) ¶ ～에 vor ^{3}Tagesanbruch; ^{3}vor ^{3}Sonnenaufgang; bevor die Sonne aufgeht.

미명(美名) der gute Name(n), ..ens, ..en; der gute Ruf, -(e)s, -e. ¶ 자선이라는 ～으로 im Namen (unter dem Vorwand) der Wohltätigkeit.

미모(美貌) schönes (hübsches) Gesicht, -(e)s, -er; elegantes (reizendes) Aussehen, -s, -; feine Züge《*pl.*》. ¶ ～의 남성《미남》schöner (hübscher) Mann, -(e)s, ⸗er / ～의 여인《미녀》schöne (hübsche) Frau, -en / 여자의 ～에 사로잡히다 (반하다) von der ^{3}Schönheit e-r ^{2}Frau gefesselt werden / 그녀의 ～가 그녀를 망쳤다 Ihre Schönheit war ihr Ruin (gereichte ihr zum Verderben). / 드물게 보는 ～의 여인이다 Sie ist eine Dame von seltner Schönheit. / 그녀는 스스로 ～임을 뽐낸다 Sie ist stolz auf ihre eigene Schönheit.

미목(眉目) Gesicht *n.* -(e)s, -er; Gesichtsbildung *f.* -en; Gesichtszüge《*pl.*》; Antlitz *n.* -es, -e; das Aussehen*, -s (모습). ¶ ～이 수려한 청년 ein schöner (hübscher) Jüngling, -s, -e.

미몽(迷夢) der leere (schöne) Wahn, -(e)s; Einbildung *f.* -en; Illusion *f.* -en; Luftschloß *n.* ..losses, ..lösser; Traum¦bild (Trug-) *n.* -(e)s, -er. ¶ ～에서 깨다 aus e-m Wahn gerissen werden; von e-m Wahn befreit werden; ernüchtert werden; wieder zur Vernunft gebracht werden / ～을 깨우치다 *js.* Wahn zerstören; den Traum zerstören《*jm.*》; an *js.* Vernunft appellieren; zu ^{3}sich kommen lassen*《*jn.*》; zur Vernunft zurück|bringen*《*jn.*》.

미묘(微妙) Feinheit *f.*; Eleganz *f.*; Zartheit *f.*; Zierlichkeit *f.* ～하다 fein; delikat; elegant; wundersam; zart; zierlich; subtil (sein). ¶ ～한 뜻의 차이 der feine Unterschied der Bedeutung / 그것은 ～한 문제다 Das ist e-e delikate (schwierige; heikle) Angelegenheit.

미문(美文) kunstvolle Prosa. ‖ ～체 eleganter (feiner; schöner) Stil, -(e)s, -e.

미물(微物) Mikrobe *f.* -n; Mikrobion *n.* -s, ..bien; Mikroorganismus *m.* -, ..men;《하찮은》wertloses Zeug, -(e)s, -e; Kleinigkeit *f.* -en.

미미(美味) ①《훌륭한 맛》der feine (köstliche) Geschmack, -(e)s, ⸗e; Köstlichkeit *f.*; Wohlgeschmack *m.*; Schmackhaftigkeit *f.*; Feinkost *f.* ②《맛있는 것》Leckerbissen *m.* -s, -; Leckerei *f.* -en; Delikatesse *f.* -n.

미미하다(微微―) gering(fügig); sehr klein; unbedeutend; winzig (sein). ¶ 미미하고 부진하다 in e-m unentwickelten Zustand sein; nicht gedeihen* (auf|kommen*) ⓢ; unbelebt (untätig) sein; flau gehen* ⓢ / 미미한 일 die unbedeutende (geringfügige; untergeordnete) Arbeit, -en / 이 상품의 수요는 ～ Nach dieser Ware ist wenig Nachfrage./ 이 나라의 수출도 처음에는 미미한 것이었다 Der Ausfuhrhandel des Landes war anfangs sehr unentwickelt.

미발달(未發達) ¶ ～의 unentwickelt;《저개발》unterentwickelt.

미방(未方) 〖민속〗 die Richtung des Schafes; Südwest-Süd.

미복(微服) Verkleidung *f.* -en. ¶ ～으로 inkognito; heimlich; verkleidet; unerkannt / ～으로 잠행하다 schleichen* ⓢ; inkognito reisen ⓢ; unerkannt reisen ⓢ.

미봉(彌縫) das (Zusammen)flicken*, -s; Ausbesserung *f.* -en; Flickwerk *n.* -(e)s, -e; Vertusch(el)ung *f.* -en. ～하다 (～책을 쓰다) (zusammen|)flicken^{4}; halbe ^{4}Maßregeln treffen*;《임기응변》den Mantel nach dem Winde hängen; ^{4}sich nach den Umständen richten; ^{4}sich behelfen*《*mit*^{3}》(임시변통); bemänteln^{4} (beschönigen^{4}) (둘러대다). ¶ ～적으로 해결하다 zur Not (vorläufig; provisorisch) flicken; dürftig aus|bessern^{4}; e-n Notbehelf treffen*.
‖ ～책 Auskunftsmittel *n.* -s, -; halbe Maßregeln《*pl.*》(어중간한 조치); Notbehelf *m.* -(e)s, -e; Lückenbüßer *m.* -s, -: 그것은 일시 ～책이다 Das ist nur aufgepfropft.

미부(尾部) der hintere Teil, -(e)s, -e; Leitwerk *n.* -(e)s, -e (비행기의). ¶ ～의 〖동물〗 Schwanz-; Hinter-.

미분(微分) Differential *n.* -s, -e. ～하다 differentiieren.
‖ ～계수 Differentialkoeffizient *m.* -en, -en. ～방정식 Differentialgleichung *f.* -en. ～자 Atom *n.* -s, -e; Körperchen *n.* -s, -. ～적분학 die Differential- u. Integralrechnung, -en. ～학 Differentialrechnung *f.*

미분명(未分明) Unklarheit *f.*; Unsicherheit *f.*; Undeutlichkeit *f.*; Unentschiedenheit *f.*; Unbestimmtheit *f.*; Ungewißheit *f.* ～하다 unklar; undeutlich; unsicher; ungewiß (sein).

미불(未拂) Rückstand *m.* -(e)s, ⸗e. ¶ ～의 unbezahlt; rückständig / 셈이 ～로 남아 있다 mit ^{3}Zahlungen im Rückstand sein.

‖ ~계정 die noch unbezahlte Rechnung, -en; die rückständige Zahlung, -en. ~대금 der rückständige Kaufpreis, -es, -e. ~액 die rückständige [unbezahlte] Summe, -n. ~월급 das unbezahlte [rückständige] Gehalt, -(e)s, -e. ~이자 die rückständigen Zinsen《*pl.*》. ~출자 die rückständige Einlage, -n.

미불(美弗) =미화(美貨) ①.

미비(未備) Mangel *m.* -s, ⸚; Mangelhaftigkeit *f.*; Defekt *m.* -(e)s, -e; Lückenhaftigkeit *f.* -en; Unvollständigkeit *f.*; Unzulänglichkeit *f.* -en. ~하다 mangelhaft; defekt; lückenhaft; schadhaft; unvollständig; unzulänglich (sein). ¶ ~한 점 Mängel《*pl.*》; das Mangelhafte*, -n; Mangelhaftigkeiten《이하 모두 *pl.*》; Defekte; Lückenhaftigkeiten; Unzulänglichkeiten / ~한 점을 시정하다 Defekt verbessern / ~한 점이 많다 Die Mängel sind genug da.¦Es weist verschiedene Mängel.¦Es läßt viel zu wünschen übrig. / ~한 점은 재판에서 증보한다 Was noch fehlt, wird in der zweiten Auflage ergänzt.

미쁘다 =미덥다.

미사(美辭) die schönen Worte《*pl.*》; Wortgeprange *n.* -s.

‖ ~여구 Rede¦blume *f.* -n (-floskel *f.* -n).

미사(彌撒) 〖가톨릭〗 Messe *f.* -n. ¶ ~를 올리다 e-e Messe lesen* [zelebrieren] / ~에 참례하다 in die Messe gehen* Ⓢ / 바하의 나단조 ~곡 die Hohe Messe in h-Moll von J. S. Bach. ‖ 위령~ Requiem *n.* -s, -s; Totenmesse [Seelen-] *f.* -n.

미사리 haariger, wilder Mann, der im Gebirge von Kräutern u. Beeren lebt.

미사일 Flugkörper *m.* -s, -; Fernlenkgeschoß *n.* ..schosses, ..schosse; Rakete *f.* -n. ¶ ~을 발사하다 e-e Rakete《-n》ab|schießen*.

‖ ~기지 Raketen¦basis *f.* ..basen (-stützpunkt *m.* -(e)s, -e). ~발사대 Raketenabschußrampe *f.* -n. ~병기 Raketenwaffe *f.* -n. ~순양함 Raketenkreuzer *m.* -s, -.

미삼(尾蔘) kleine Wurzel《-n》des Ginsengs.

미상(未詳) Unbekanntheit *f.* ~하다 (noch) nicht bekannt [identifiziert] (sein). ¶ 작자 ~Verfasser unbekannt; namenlos (무명, 익명의) / 신원 ~이다 noch nicht identifiziert sein.

미상(迷想) Wahn *m.* -(e)s; Täuschung *f.* -en; Illusion *f.* -en.

미상불(未嘗不) sicher; in der Tat; wahrlich; gewiß; bestimmt; unfehlbar; ohne Zweifel; zweifellos; auf jeden Fall.

미상환(未償還) Rückstand *m.* -(e)s, ⸚e. ¶ ~의 noch nicht zurückbezahlt; rückständig. ‖ ~액 rückständige Summe, -n.

미색(美色) Schönheit *f.* -en (der Frau); Charme *m.* -s; Reiz *m.* -es, -e; die weiblichen Reize《*pl.*》.

미생물(微生物) Mikrobie *f.* -n; Mikrobion *n.* -s, ..bien; Mikroorganismus *m.* -, ..men.

‖ ~연구소 das Institut《-(e)s, -e》für Mikrobie. ~학 Mikrobiologie *f.* -n; Mikrologie *f.* -n: ~학자 Mikrologist *m.* -(e)s, -en.

미성(未成) ¶ ~의 unvollendet; unfertig.

미성(美聲) die schöne [süße; melodische] Stimme, -n.

미성년(未成年) Minderjährigkeit *f.*; Unmündigkeit *f.* ¶ ~의 minderjährig; unmündig / ~자 입장 금지 Jugendliche haben keinen Zutritt.

‖ ~노동 Jugendarbeit *f.* -en. ~범죄 Jugendsünde *f.* -n. ~시대 Jugendzeit *f.* -en. ~자 der Minderjährige*, -n, -n; der Jugendliche, -n, -n (14세에서 18세까지의): ~자의 흡연을 [음주를] 금하다 das Rauchen* [das Trinken*]《-s》der Minderjährigen verbieten*.

미성숙(未成熟) Unreife *f.* ~하다 unreif (sein). ☞ 미숙하다.

미성안(未成案) unvollendeter Plan, -(e)s, ⸚e; Vorschlag《*m.* -(e)s, ⸚e》, der noch nicht verwirklicht wurde.

미성품(未成品) unfertiger [unvollendeter] Artikel, -s, -; unfertiges Produkt, -(e)s, -e [Erzeugnis, -ses, -se; Fabrikat, -(e)s, -e].

미세기[1] 《밀물 썰물》 Ebbe u. Flut; Gezeiten《*pl.*》.

미세기[2] 〖광산〗 die schief abgegrabene Grube am Eingang des Bergwerks.

미세기[3] 〖건축〗 doppelte Schiebetür, -en.

미세스 Mrs.《영어》; Frau *f.* -en.

미세하다(微細―) 《미소한》 winzig; (haar-)klein; (haar)fein; 《미묘한》 delikat; zart; 《상세한》 ausführlich; eingehend; genau; umständlich (sein). ¶ 미세한 데에 이르기까지 ins Detail [detái] [in die Einzelheiten] ein|gehen* Ⓢ; eingehend besprechen*[4] [prüfen[4]].

미션스쿨 Missionsschule *f.* -n.

미소(美蘇) Amerika u. die Sowjet Union; 〖형용사적〗 Sowjetisch-Amerikanisch; Russisch-Amerikanisch.

‖ ~공동 위원회 U.S.-Sowjet-Verbindungskommission in Korea.

미소(微小) ~하다 winzig; klein; geringfügig (sein). ‖ ~식물 mikroskopisch kleines Gewächs, -es, -e.

미소(微笑) das Lächeln*, -s. ~하다 lächeln; schmunzeln (회심의 미소). ¶ ~를 띠고 lächelnd; mit e-m Lächeln um den Mund (입가에)/귀여운[상냥한, 비꼰] ~를 짓다 lieblich [verbindlich, ironisch] lächeln / 그는 입가에 ~를 띠고 있었다 Um s-n Mund spielte ein Lächeln. / 눈물어린 눈에 ~를 지었다 Er lächelte unter Tränen. / ~로 찬의를 표하다 zustimmend lächeln; Beifall zu|lächeln《*jm.*》.

미소년(美少年) der schöne Junge, -n, -n [Jüngling, -s, -e]; Adonis *m.* -, ..nisse.

미송(美松) Douglasfichte [dʌgləs..] *f.* -n; Douglastanne[dʌgləs..] *f.* -n (미국산 전나무).

미수(未收) ¶ ~의 noch nicht (ein)gesammelt (einkassiert). ‖ ~금 ausstehende Forderungen [Gelder]《*pl.*》.

미수(未遂) Versuch *m.* -(e)s, -e. ¶ ~의 unvollendet; versucht / 암살 계획은 ~로 끝났다 Das Attentat wurde nicht ausgeführt./ 방화~로 체포되었다 Er wurde wegen versuchter Brandstiftung festgenommen.

‖ ~범 der versuchte Verbrecher, -s, -. ~죄 unvollendetes Verbrechen, -s, -; Versuch *m.* -(e)s, -e. 살인~ versuchter Mord, -(e)s, -e. 자살~ Selbstmordversuch *m.* -(e)s, -e.

미수가리 nicht gar gekochter Hanfstengel, -s, -.

미숙(未熟) ① 《과일의》 Unreifheit *f.* ~하다 unreif [grün] sein. ② 《경험의》 Unerfahrenheit *f.*; Ungewohntheit *f.* ~하다 unerfahren [ungewohnt[2]; unkundig[2]; unbekannt《*mit*³》; nichtvertraut《*mit*³》;《서투른》ungeschickt) sein. ¶~한 선원 der unerfahrene Matrose, -n, -n / ~한 솜씨 die unentwickelten Fähigkeiten《*pl.*》/ 그는 생각이 아직 ~하다 S-e Meinung ist noch unreif. / 저의 독일어는 아직 ~합니다 Ich bin im Deutschen ungewandt. / 그는 그런 일에는 아직 ~하다 Er ist noch neu in der Sache.

‖**~아**(兒) Frühgeburt *f*. -en; ein vorzeitig geborenes Kind, -(e)s, -er.

미숙련(未熟練) **~하다** ungelernt (ungeschickt) sein.

‖**~공**(工) ungelernter (ungeschickter) Arbeiter (Handwerker) -s, -; Hilfsarbeiter *m*. -s, -.

미술(美術) Kunst *f*. ⸗e; schöne Künste《*pl.*》. ¶~적 künstlerisch / ~을 감상하다 Kunst genießen* (würdigen).

‖**~가** Künstler *m*. -s, -. **~감독** Kunstdirektor *m*. -s, -. **~감식안** das Auge für die Kunst. **~감식가** Virtuose *m*. -n, -n; Kunstkenner *m*. -s, -. **~계** Kunstwelt *f*. -en; Kunstgebiet *n*. -(e)s, -e. **~공예** Kunstgewerbe *n*. -s, -. **~공예전** Kunstgewerbeausstellung *f*. -en. **~관** Kunsthalle *f*. -n. **~교육** Kunsterziehung *f*. -en. **~대학** Kunstakademie *f*. -n. **~비평** Kunstkritik *f*. **~사** Kunstgeschichte *f*. -n. **~상** Kunsthandel *m*. -s, -. **~원** Kunstakademie. **~전람회** Kunstausstellung *f*. -en. **~취미** Kunstgeschmack *m*. -(e)s, ⸗e. **~평론가** Kunstkritiker *m*. -s, -. **~품** Kunst¦werk *n*. -(e)s, -e (-erzeugnis *n*. ..nisses, ..nisse). **~학교** Kunstschule *f*. -n. **응용~** die angewandte Kunst, ⸗e. **조형~** die bildende Kunst, ⸗e.

미스《미혼녀》Fräulein *n*. -s, -; Jungfer *f*. -n; Mädchen *n*. -s, -. ¶~ 김 Fräulein《생략: Frl.》*Kim* / 그녀는 ~다 Sie ist unverheiratet.

‖**~유니버스** Miß Welt *f*. **~코리어** Miß Korea *n*. -s.

미스터 Mister《생략: Mr.》《영어》; Herr *m*. -n, -en.

미스(테이크)《틀린 것(데)》Fehler *m*. -s, -; Mißgriff *m*. -(e)s, -e. ¶그것은 내 ~였읍니다 Das war mein Fehler.

미스프린트 Druckfehler *m*. -s, -; Fehldruck *m*. -(e)s, -e.

미시 Honigwasser《*n*. -s》mit geröstetem Fettreispulver. ‖미싯가루 Puder des gerösten Fett¦reises (Kleb-).

미시(未時)〖민속〗Stunde des Schafes; Zeit zwischen 1 u. 3 Uhr nachmittags.

미시시피강(一江) der Mississippi.

미시적(微視的) mikroskopisch.

미식(米食) **~하다** Reis essen*; von Reis leben.

‖**~인종**(人種) Reisesser《*pl.*》; die Menschen《*pl.*》, die von Reis leben.

미식(美式) amerikanischer Stil, -(e)s, -e; Yankee-Art *f*. ‖**~축구** amerikanischer Fußball, -(e)s.

미식(美食) Leckerbissen *m*. -s, -; Delikatesse *f*. -n; Feinkost *f*.; Leckerei *f*. -en; Schlemmerei *f*. -en (식도락). **~하다** Leckereien gern essen* (haben); leckern (lecker sein); schlemmen.

‖**~가** Feinschmecker *m*. -s, -; Gourmand [gurmã:] *m*. -s, -s; Gourmet [gurmɛ́:] *m*. -s, -s; Leckermaul *n*. -(e)s, ⸗er; Schlemmer *m*. -s, -. **~법** Gastronomie *f*. -n; Feinschmeckerei *f*. -en.

미신(迷信) Aber¦glaube(n) (Irr-) *m*. ..bens, ..ben. ¶~적인 aber¦gläubig (-gläubisch) / ~을 믿다 abergläubisch (abergläubig) sein; zu Aberglauben neigen; an ⁴Omina glauben / ~을 타파하다 den Aberglauben ab|schaffen (beseitigen); den Aberglauben aus|rotten / ~에 매혹되다 von dem Aberglauben bezaubern.

‖**~가** der Abergläubige*, -n, -n.

미심(未審) **~스럽다, ~쩍다, ~하다** fraglich; bedenklich; zweifelhaft; verdächtig; verdachterregend (sein). ¶~쩍은 얼굴로 fragend; mißtrauisch; mit fragenden Blicken/ ~쩍은 말투로 in fragendem Ton / ~쩍은 곳에 체크(×표)를 하다 unverständliche (fragliche) Stellen an|haken (-|kreuzen) / ~쩍게 여기다 ⁴sich wundern; *jm*. seltsam vor|kommen*Ⓢ (이상하게 여기다); bezweifeln⁴; zweifeln《*an*³》; ⁴*et*. in Zweifel stellen (ziehen*); auf *jn*. (*jn*. im) Verdacht haben.

미싱《재봉틀》Nähmaschine *f*. -n. ¶전기~ e-e elektrische Nähmaschine / ~으로 박다 mit der ³Maschine nähen⁴.

미아(迷兒) das verlaufene (verirrte; vermißte) Kind, -(e)s, -er. ¶~가 되다 ⁴sich verlaufen*; ⁴sich verirren; vermißt werden / ~를 찾다 ein verlaufenes Kind suchen; nach e-m fehlenden Kind suchen.

‖**~명찰**《미아 방지용의》die Erkennungsmarke für ⁴Kinder.

미안(美顔) schönes Gesicht, -(e)s, -er.

‖**~수** Schönheitswasser *n*. -s; Gesichtswasser *n*. -s. **~술** Schönheitspflege *f*.; Kosmetik *f*.

미안스럽다(未安―) =미안하다.

미안쩍다(未安―)《낯없다》es tut mir leid; ich schäme mich. ¶지각해서 ~ Es tut mir aufrichtig leid, daß ich mich verspätet habe!

미안하다(未安―)《안됐음·유감》¶미안합니다 Es tut mir leid. / 늦어서 미안합니다 Entschuldigen Sie, daß ich mich verspätet habe! / 이것을 나한테 주는 거냐, 미안한데 Das schenkst du mir? Danke schön. / 미안하지만 같이 갈 수 없겠니 Willst du so freundlich sein, mitzukommen?

미안해하다(未安―) (aufrichtig) bedauern (wegen). ¶아무에게 무엇을 ~ *jm*. sein aufrichtiges Bedauern über etwas aus|drücken.

미약(媚藥) Liebestrank *m*. -(e)s, ⸗e; Aphrodisiakum *n*. -s, ..ka.

미약하다(微弱―) gering; klein; kraftlos; schwach《schwächer, schwächst》; unbedeutend; leise (sein).

미양(微恙) Unpäßlichkeit *f*. -en; leichtes Unbehagen, -s; Unwohlsein *n*. -s. ¶그는 ~을 앓고 있다 Er ist unpäßlich. |Ihm ist unwohl.

미어(美語) Amerikanismus *m*. -, ..men (미국 특유의 영어); amerikanisches Englisch, -(s).

미어뜨리다 ein Loch reißen*《*in*⁴》. ¶바지를 ~ ein Loch in die Hose reißen*.

미어지다《팽팽한 종이·가죽이》zerreißen*Ⓢ. ¶그 옷감은 잘 미어진다 Der Stoff zerreißt leicht.

미역¹《목욕》das Baden*, -s; Wannenbad *n*.

-(e)s, ⸚er. ¶ ～감다 ein Wannenbad nehmen* / 내에 ～감으러 가다 zum Flusse baden (schwimmen) gehen* ⓢ.

미역² 〖식물〗 Seetang *m.* -(e)s, -e. ¶ ～을 따다 Seetang sammeln.

미역국 Seetangssuppe *f.* ¶ ～ 먹다 《비유적》 entlassen (abgesetzt) werden (해고); durch|fallen*ⓢ 《im Examen; bei der Prüfung》 (떨어짐) / 그는 입학 시험에서 ～ 먹었다 Er ist im Eintrittsexamen durchgefallen.

미연에(未然—) ehe (bevor) *et.* geschieht. ¶ ～ 방지하다 verhüten⁴ 《보기: ein ⁴Unglück》; vor|beugen³ 《보기: e-r ³Gefahr》; zuvor|kommen*³ⓢ; im Keime ersticken⁴.

미열(微熱) das leichte Fieber, -s, -. ¶ ～이 있다(나다) leichtes Fieber haben (bekommen*).

미염(美髥) der schöne Bart (Schnurrbart) -(e)s, ⸚e. ¶ ～을 기르다 ³sich den schönen (Schnurr)bart wachsen lassen*.

미온(微溫) Lauheit *f.*; die geringe (leichte) Wärme. ¶ ～적인 mild (엄하지 않은); gelinde (엄하지 않은); nachsichtig (관대한); nachlässig (성의 없는); lau; gleichgültig/～적인 처벌 e-e milde (gelinde) Strafe, -n/～적으로 하다 locker|lassen*; nachsichtig sein / ～적 태도를 취하다 ⁴sich gleichgültig stellen.

‖ ～수 das lauwarme Wasser, -s, -. ～정책 die lauwarme Politik, -en.

미완(未完) Unvollständigkeit *f.*; Unvollendetheit *f.* ～하다 nicht vollendet haben. ¶ ～의 noch nicht vollendet (fertig); unvollendet; unvollständig; un¦fertig (halb-) / ～ 《잡지 등에서》 Fortsetzung folgt. (다음 호에 계속) / ～의 원고 das unvollendete Manuskript, -(e)s, -e / ～인 채로 있다 unvollendet sein.

미완성(未完成) ☞ 미완. ¶ 슈베르트의 ～ 교향곡 die Unvollendete Symphonie von Schubert.

미용(美容) das schöne Gesicht, -(e)s, -er; die schöne Erscheinung, -en. ～하다 das Gesicht schön machen.

‖ ～사 《여자》 Friseuse [..zø:zə] *f.* -n; Frisörin *f.* ..rinnen. ～술 Schönheitspflege *f.* -n; Kosmetik *f.* ～원 Schönheits¦büro *n.* -s, -s (-salon *m.* -s, -s); Salon *m.* -s, -s. ～수술 die kosmetische Operation, -en. ～체조 die rhythmische Gymnastik.

미우(眉宇) (Augen)braue *f.* -n. ¶ ～에 불퇴전의 결의가 보인다 Die Frechheit steht ihm an der Stirn geschrieben.¦Er sieht unerschrocken aus.

미욱하다 dumm; stumpfsinnig (sein).

미움 Haß *m.* ..sses; Groll (Grimm) *m.* -(e)s. ¶ ～을 사다 ³sich Haß (*js.* Feindschaft) zu|ziehen*; ⁴sich verhaßt machen 《bei *jm.*》 / ～을 받다 gehaßt werden; verhaßt sein / 그는 누구에게나 ～을 받고 있다 Er ist allgemein verhaßt.

미워하다 hassen⁴; (mit) *jm.* grollen; feindlich gesinnt sein; verabscheuen⁴. ¶ 그 죄를 미워하되 사람을 미워하지 않는다 Man soll zwar die Sünde verdammen, aber sich des Sünders erbarmen.

미음(米飮) dünner Reisschleim, -(e)s, -e. ¶ ～을 쑤다 dünnen Reisschleim kochen.

미의식(美意識) ästhetisches Bewußtsein, -s; ästhetischer Sinn, -(e)s.

미이다 《팽팽한 종이·가죽이》 zerreißen*ⓢ.

미이라 Mumie *f.* -n. ¶ ～로 만들다 mumifizieren⁴; ein|balsamieren⁴.

미익(尾翼) Höhenflosse *f.* -n (비행기의).

미인(美人) ① 《미녀》 Schönheit *f.* -en; die Schöne*, -n, -n; schöne (hübsche) Frau, -en; schönes (hübsches) Mädchen, -s. ¶ 절세의 ～ e-e Schönheit ersten Ranges / 그녀는 절세의 ～이다 Sie ist ein Ausbund (Wunder) von Schönheit (e-e vollendete Schönheit). / ～은 박명하다 Schönheit bringt selten Glück. ② 《미국 사람》 Amerikaner *m.* -s, -.

‖ ～계(計) die Benützung der Schönen. ～선발 대회(콘테스트) Schönheits¦wettbewerb *m.* -(e)s, -e (-konkurrenz *f.* -en).

미작(米作) Reisbau *m.* -(e)s (재배); Reisernte *f.* -n (수확).

미장 〖한의학〗 Stuhlzäpfchen *n.* -s, -.

‖ ～질 das Einführen e-s Stuhlzäpfchen 《durch den After in den Darm》: ～질하다 ein Stuhlzäpfchen durch den After in den Darm ein|führen.

미장(美粧) das Schminken* (das Gesichtsmalen*) -s.

‖ ～원 Damensalon [..zalɔ̃:] *m.*, -s, -s.

미장이 Maurer *m.* -s, -.

미저골(尾骶骨) 〖해부〗 Steißbein *n.* -(e)s, -e.

미적(美的) ästhetisch.

‖ ～가치 der ästhetische Wert, -(e)s, -e. ～관념 der ästhetische Sinn, -(e)s, -e. ～교육 die ästhetische Erziehung, -en. ～생활 das ästhetische Leben, -s, -.

미적거리다 ① 《내밀다》 bewegen⁴; leicht stoßen*⁴ (drängen*⁴; schieben*⁴; an|treiben*⁴). ② ＝미루적거리다.

미적분(微積分) 〖수학〗 Infinitesimalrechnung *f.*

미적지근하다 ＝미지근하다.

미전(美展) Kunstausstellung *f.* -en.

미절 kleine (einzelne) Stücke 《*pl.*》 vom Rindfleisch; Überreste 《*pl.*》 des Rindfleisches.

미점(美點) die feine (gute) Eigenschaft, -en; Vorzug *m.* -(e)s, ⸚e; Vortrefflichkeit *f.* -en; Stärke *f.* -n; starke (gute) Seite, -n; Lichtseite *f.* -n. ¶ 그녀는 여러 가지 ～이 있다 Sie hat viele Vorzüge (gute Seiten).

미정(未定) Unbestimmtheit *f.* ¶ ～의 noch nicht bestimmt; (noch) unbestimmt (unentschieden; ungewiß) / 연제는 아직 ～이다 Das Thema des Vortrags steht noch nicht fest. / 출발할 날짜는 아직 ～이다 Das Datum der Abreise ist noch nicht bestimmt.

‖ ～고(稿) ein rohes (ungefeiltes) Manuskript, -(e)s, -e.

미제(未濟) Unvollständigkeit *f.*; Rückständigkeit *f.* ¶ ～의 《미불》 unbezahlt; rückständig; 《미완》 unvollendet; ungeklärt.

‖ ～사건 die unerledigte (ungeklärte) Sache, -n.

미제(美製) ¶ ～의 in den USA hergestellt (gemacht); amerikanisch; von amerikanischem Produkt; produziert in USA.

미제품(未製品) unvollendetes (unfertiges) Produkt, -(e)s, -e; unfertiger Artikel, -s, -.

미조(美爪) Nagelpflege *f.*; Maniküre *f.*

‖ ～도구 Nagelreiniger *m.* -s, -. ～사 Manikure *m.* -n, -n; 《여자》 Maniküre *f.* -n. ～술 Maniküre *f.*; Manikur *f.*

미조직(未組織) das Unorganiertsein. ¶ ～의 unorganisiert. ‖ ～노동자 ein unorganisierter Arbeiter, -s, -.

미죄(微罪) das leichte 〔unbedeutende〕 Vergehen*, -s; die kleine Sünde, -n. ¶ ~로 석방되다 wegen der Geringfügigkeit der Verfehlung freigelassen werden.

미주(美洲) amerikanischer Kontinent, -(e)s. ‖ ~기구(機構) die Organisation der Amerikanischen Staaten 《생략: OAS =《영어》 the *O*rganization of *A*merican *S*tates》.

미주신경(迷走神經) 〖의학〗 herumschweifender Nerv, -s, -en; Vagus *m.* -, ..gi.

미주알 Afterschließer *m.* -s, -; Afterschließmuskel *m.* -s, -n; Afterschnürer *m.* -s, -; Anus *m.* -, -; After *m.* -s, -.

미주알고주알 neugierig; wißbegierig; bis ins kleinste(einzelne). ¶ ~ 캐묻다 neugierig fragen 《*jn. nach*³》; aus|fragen 《*jn. nach*³》.

미증유(未曾有) ¶ ~의 beispiellos; unerhört; rekordbrechend(기록을 깨뜨리는); einmalig; ohnegleichen; phänomenal (희한한); epochal (획기적) / ~의 대사업 das größte Unternehmen seit Menschengedenken.

미지(一紙) 《납지》 Wachspapier *n.* -s, -e.

미지(未知) Unbekanntheit *f.*; Fremdheit *f.* ¶ ~의 unbekannt; fremd / ~의 사람 der Unbekannte* 〔Fremde*〕 -n, -n.
‖ ~수 〖수학〗 e-e unbekannte Größe, -n.

미지(微志) eigene (bescheidene) Absicht. ¶ 당신의 친절에 대한 나의 ~로서 이것을 받아주세요 Bitte, nehmen Sie das als meine Dankbarkeit für Ihre Freundlichkeit.

미지근하다 lau; lauwarm; schlapp; unentschlossen; unschlüssig (sein). ¶ 미지근한 물 laues Wasser, -s / 미지근한 방 das lauwärme Zimmer, -s, - / 미지근한 태도 das unschlüssige Benehmen*, -s / 물을 미지근하게 데우다 das Wasser lauwarm machen/ 미지근해지다 lauwarm werden; ein wenig warm werden.

미진(微震) leichtes Erdbeben, -s, -. ☞ 미동(微動). ‖ ~계 Mikroseismometer *n.* -s, -.

미진(微塵) Stäub¦chen 〔Stück-〕 *n.* -s, -.

미진하다(未盡一) unerschöpft; unvollkommen; unfertig; unvollendet (sein); noch nicht zu Ende bringen*⁴ 〔führen⁴〕.

미착(未着) ¶ ~의 noch nicht angekommen; noch unterwegs / 이 상품은 아직 ~이다 Die Waren sind noch nicht da. ¦ Die Waren sind noch unterwegs.
‖ ~품 zu erwartende Waren 《*pl.*》; noch ausstehende Waren 《*pl.*》.

미착수(未着手) ¶ ~의 noch nicht angefangen.

미채(迷彩) Tarnung *f.*; Tarnanstrich *m.* -(e)s, -e. ¶ 대포에 ~를 하다 Kanonen tarnen.

미처 bis an⁴ 〔zu³; auf⁴〕; so weit als; weit genug; früh genug; im voraus. ¶ ~ 상상도 못 하다 über alle Vermutung gehen*ⓢ / 그까지는 ~ 생각지 못했다 Das kam mir nicht in den Sinn. ¦ Das übersteigt m-n Verstand. / 책을 ~ 돌려드리지 못해서 미안합니다 Es tut mir leid, daß ich Ihnen das Buch noch nicht zurückgegeben habe. / 바빠 ~ 준비를 못 했다 Ich war zu beschäftigt, um mich darauf vorzuarbeiten. / 나는 너무 늦게 와서 그것에 관해서 ~ 말을 못했다 Ich kam so spät, daß ich davon nicht sprechen konnte.

미처리(未處理) ¶ ~의《사무 따위》 unerledigt; unverrichtet.

미처치(未處置) ① 《치료》 ¶ ~의 noch nicht (ärztlich) behandelt. ② =미처리.

미천(微賤) Niedrigkeit 《*f.*》der Abstammung; die niedrige Herkunft; der niedere Stand, -(e)s, ¨e; die bescheidene Stellung. ~하다 niedrig; nieder; gering; bescheiden (sein). ¶ ~한 몸으로 입신출세하다 ⁴sich aus niedriger ³Stellung empor|arbeiten; von der Pike 〔von unten〕 auf dienen (졸병에서부터 잔다리밟다).

미추(美醜) Schönheit u. 〔od.〕 Häßlichkeit; das persönliche Aussehen*, -s (용모). ¶ 용모의 ~를 불문하고 ob er 〔sie〕 schön ist od. nicht.

미추룸하다 gesund u. ansehnlich 〔hübsch; anständig〕; frisch u. gesund (sein).

미취학(未就學) ‖ ~아동 das Kind《-(e)s, -er》, das noch nicht die Volksschule besucht.

미치광이 ① 《광인》 der Irre*, -n, -n; der Wahnsinnige*, -n, -n; der Verrückte*, -n, -n; der Geistesgestörte*, -n, -n.
② 《열광자》 Fanatiker *m.* -s, -; Schwärmer *m.* -s, -; Eiferer *m.* -s, -; der Besessene*, -n, -n. ¶ 그는 영화 ~이다 Er ist filmbesessen. / 그는 댄스 ~이다 Er hat e-e wahre Manie für das Tanzen. ¦ Er hat e-e leidenschaftliche Vorliebe für das Tanzen. ¦ Er ist ein leidenschaftlicher Tänzer.

미치다¹ ① 《정신 이상》 verrückt 〔irrsinnig; wahnsinnig; geisteskrank; toll; verstört〕 werden; von ³Sinnen kommen*ⓢ. ¶ 미쳐 있다 verrückt 〔irrsinnig; wahnsinnig; geisteskrank; verstört; toll〕 sein; von ³Sinnen sein / 미친듯이 toll; rasend; wie wahnsinnig / 미치게 하다 《정신을》 verrückt 〔wahnsinnig; verstört〕 machen / 미쳐 죽다 wahnsinnig sterben*ⓢ; zu Tode rasen 〔toben〕 / 미친 듯이 기뻐하다 vor Freude außer sich sein; vor Freude springen*ⓢ 〔hüpfen ⓢ; tanzen〕; frohlocken 《*über*⁴》 / 미쳐 날뛰다 toben; wüten; rasen / 미쳐 날뛰는 wütend; tobend; rasend / 그것은 미친 수작(짓)이다 Das ist doch Wahnsinn! / 더워서 미칠 지경이다 Die Hitze verdreht mir den Kopf. / 그는 조금 미친 것 같다 Irgend etwas scheint bei ihm nicht richtig zu sein.
② 《열광》 verrückt (sein); außer ³sich geraten*ⓢ. ¶ 여자에 미친 weibertoll / 여배우에 ~ auf e-e Schauspielerin toll 〔besessen〕 sein / 그는 그 여자에게 미쳤다 Er vernarrt sich in sie. / 그는 춤에 미쳤다 Er ist von der Tanzleidenschaft wie besessen.

미치다² ① 《달하다》 reichen; erreichen⁴; ⁴sich aus|dehnen; ⁴sich erstrecken. ¶ 힘이 미치는 한 nach besten Kräften / 눈이 미치는 한 so weit das Auge reicht / 힘이 미치는 데까지 다하다 sein Bestes tun* / 손이 미치는 데 in Greifweite / 나는 그에게 미치지 못한다 Ich kann es mit ihm nicht aufnehmen. / 그것은 내 재력이 미치지 못한다 So weit reichen m-e Mittel nicht. / 그것은 내 힘에 미치지 않는다 Das geht weit über m-e Kräfte. / 그것은 상상이 미치지 못했다 Das ging über alle Vermutung.
② 《끼치다》 aus|dehnen⁴; aus|üben⁴. ¶ 영향을 ~ beeinflussen⁴; ein|wirken《*auf*⁴》; aus|wirken 《*auf*⁴; *in*³》 / 악영향을 ~ e-n nachteiligen Einfluß haben 〔aus|üben〕 《*auf*⁴》 / 건강에 해를 ~ der ³Gesundheit schaden / 그에게 불행이 미쳤다 ihm ist ein Unglück zugestoßen; ihm widerfuhr ein Unglück / 그녀의 미모는 몸에 화를 미쳤다 Ihre Schönheit gereichte ihr zum Unheil 〔Unglück〕.

③ 《필적》 gleichen; gewachsen (sein)《*jm.*》; erreichen⁴. ¶ 힘으로는 그에게 미치지 못한다 An Kräften kann ich mich nicht mit ihm messen. / 영어에 있어서는 그에게 미치는 자가 없다 Im Englischen kommt ihm niemand gleich.

미칭(美稱) Ehren|name *m.* -ns, -n (-titel *m.* -s, -) (존칭).

미크론 〖물리〗 Mikron *n.* -s, - 《생략: My; 기호: μ》.
‖ 밀리~ Millimikron *n.* -s, - 《기호: mμ》.

미타(彌陀) 〖불교〗 Amita Buddha *m.* -s.

미태(媚態) das kokette Benehmen*, -s; Koketterie *f.* -n [..rí:ən]. ☞ 교태(嬌態).

미터 ① 《척도의》 Meter *n.* -s, - 《생략: m》. ¶ 길이 3 ~ 나비 1 ~ 3 Meter lang, 1 Meter breit. ② 《계량기》 Zähler *m.* -s, -; Messer *m.* -s, -. ¶ 전기(가스) ~ Elektrizitätszähler (Gaszähler) *m.* -s, -.
‖ ~검사원 Zählerkontrolleur *m.* -s, -s. ~법 metrisches System, -(e)s, -e.

미투리 Hanf(schnur)sandale *f.* -n.

미트 〖야구〗 Fanghandschuh *m.* -(e)s, -e.

미풍(美風) gute (schöne; feine) Sitte *f.* -n; gute Gebräuche 《*pl.*》.
‖ ~양속 gute Sitten u. Benehmen: ~양속에 어긋나다 gegen gute Sitten verstoßen*.

미풍(微風) (sanftes; leises) Lüftchen, -s, -; Lufthauch *m.* -(e)s, -e; Luft *f.* ⸗e; leichter (gelinder; sanfter) Wind, -(e)s, -e; Brise *f.* (연풍).

미필(未畢) ¶ ~의 unfertig; unvollendet; ungedient (병역).
‖ 병역 ~자 der Ungediente*, -n, -n.

미학(美學) Ästhetik *f.* ¶ ~상의 ästhetisch.
‖ ~자 Ästhetiker *m.* -s, -.

미해결(未解決) ¶ ~의 ungelöst; ungeklärt; unentschieden; schwebend / 본건은 아직 ~이다 Die Sache ist noch nicht geklärt.|Die Sache schwebt noch. / 그 소송은 아직 ~이다 Der Prozeß schwebt noch.|Der Prozeß ist noch im Gange.

미행(尾行) das Nachgehen*, -s. ~하다 nach|-schleichen* (-|gehen*) ⓢ 《*jm.*》; beschatten (scharf beobachten) 《*jn.*》; unbemerkt (überwachend) verfolgen 《*jn.*》. ¶ 형사가 그림자처럼 ~하는 범인 ein Verbrecher 《*m.* -s, -》, dem ein Geheimpolizist wie sein Schatten folgt / 그의 뒤에는 형사가 ~하고 있다 Der Detektiv geht ihm nach.

미행(美行) die gute (lobenswerte) Tat, -en; Wohltat *f.* -en.

미행(微行) ~하다 inkognito (unter fremdem Namen) reisen ⓢ,ⓗ 《ⓗ는 장소의 이동의 뜻이 적을 때》; verkleidet gehen* ⓢ; das Inkognito wahren.

미혹(迷惑) Verwirrung *f.* -en; Verwechselung *f.* -en; 《미망》 Täuschung *f.* -en. ~하다 verwirrt sein.

미혼(未婚) ¶ ~의 unverheiratet; ledig.
‖ ~자 die unverheiratete Person, -en; 《남자》 Junggeselle *m.* -n, -n; der Unverheiratete*, -n, -n; Hagestolz *m.* -en (-es), -e(n); 《여자》 die ledige Frau, -en; die Unverheiratete*, -n, -n; Jungfer *f.* -n.

미화(美化) Verschönerung *f.* -en. ~하다 schön|machen⁴; aus|schmücken⁴; verschönern⁴; verzieren⁴.

미화(美貨) ① 《화폐》 amerikanische Münze, -n; amerikanisches Geld, -(e)s, -er. ② 《상품》 amerikanische Waren 《*pl.*》.

미확인(未確認) ¶ ~의 unbestätigt.
‖ ~비행 물체 ein noch unbestätigter Flugkörper, -s, -. ~정보 e-e noch unbestätigte Nachricht, -en.

미흡하다(未洽—) unvoll|kommen (-ständig); mangelhaft; unerfahren (미숙하다); unzufrieden (sein). ¶ 미흡하나마 so gut ich kann (남을 도울 때 겸손의 말로) / 미흡하나마 힘을 다하겠읍니다 Ich werde alles tun, was in m-n (schwachen) Kräften steht. / 미흡하지만 잘 지도해 주십시오 Ich bin unerfahren, aber ich bitte Sie, mich gütigst zu leiten. / 미흡한 점은 용서를 빌겠어요 Ich bitte Sie um Verzeihung für m-e Unvorsichtigkeit.

미희(美姬) die schöne (Jung)frau, -en; schönes Mädchen, -s, -.

믹서 Mixmaschine *f.* -n.
‖ 콘크리트~ Betonmischer *m.* -s, -.

민가(民家) Privathaus *n.* -es, ⸗er.

민간(民間) Leute 《*pl.*》; Volk *n.* -(e)s, ⸗er. ¶ ~의 privat; zivil; Zivil- / ~에서 unter den Leuten / ~의 풍설 das Gerücht unter den Leuten; was man auf der Straße sagt / 그는 ~에 세력이 있다 Er hat e-n großen Einfluß auf das Volk.
‖ ~공로자 Sozialwohltäter *m.* -s, -. ~단체 Privatgesellschaft *f.* -en. ~대표 Volksvertreter *m.* -s, -. ~무역 der private auswärtige Handel, -s, ⸗. ~ 방송 회사 e-e private Rundfunkgesellschaft, -en. ~비행기 Zivilflugzeug *n.* -(e)s, -e. ~비행사 Zivilflieger *m.* -s, -. ~사업 ein privates Unternehmen, -s, -. ~설화 Volkskunde *f.* -n. ~ 신앙 Volksglaube *m.* -ns, -n. ~은행 Privatbank *f.* ~전설 Volkssage *f.* -n.

민감(敏感) Empfindlichkeit *f.* -en; Empfänglichkeit *f.* -en; Feingefühl *n.* -(e)s; Sensibilität *f.* ~하다 empfänglich 《*für*⁴》; empfindlich 《*gegen*⁴》; feinfühlig; reizbar; sensibel (sein). ¶ ~한 사람 ein empfindlicher Mensch, -en, -en / ~한 기질이다 empfindlich (reizbar; nervös) sein / 더위에 ~하다 gegen Hitze empfindlich sein.
‖ ~도 Empfindlichkeit *f.* ~성 Empfänglichkeit *f.*; Empfindlichkeit *f.*; Sinnlichkeit *f.*

민국(民國) Republik *f.* -en.
‖ 대한~ die Republik (von) Korea.

민권(民權) Rechte 《*pl.*》 des Volkes. ¶ ~을 주장하다 Volksrechte geltend machen / ~을 옹호하다 Volksrechte verteidigen / ~을 신장하다 Volksrechte aus|dehnen / ~을 유린하다 Volksrechte unterdrücken (nieder|-treten*).
‖ ~수호 운동 die Bewegung für die Verteidigung der Volksrechte. ~운동 demokratische Bewegung, -en.

민꽃식물(—植物) 〖식물〗 Kryptogame *f.* -n; Sporenpflanze *f.* -n.

민날 nackte Schneide (Schärfe) 《-n》 des Schwertes.

민낯 ungeschminktes Gesicht, -(e)s, -er (e-r Frau).

민단(民團) ausländische Kolonie, -n (in e-m Land).
‖ 재일 한국 거류~ die Gesellschaft der Koreaner in Japan.

민도(民度) das wirtschaftliche (kulturelle) Niveau [nivó:] 《-s, -s》 des Volkes.

민도리 〖건축〗 spitzer Balken, -s, -.

민둥민둥하다 kahl; baumlos; unbewachsen (sein). ¶ 민둥민둥한 산 der kahle (nackte; baumlose) Berg, -es, -e.

민둥산(一山) der kahle 〔nackte; baumlose; unbewachsene〕 Berg, -(e)s, -e.

민들레 〖식물〗 Löwenzahn *m.* -(e)s, ⸚e.

민란(民亂) (Volks)auflauf *m.* -(e)s, ⸚e; Aufruhr *m.* -(e)s, -e; Aufstand *m.* -(e)s, ⸚e; Empörung *f.* -en; Erhebung *f.* -en; Meuterei *f.* -en; Putsch *m.* -es, -e; Tumult *m.* -(e)s, -e; Zusammenrottung *f.* -en (도당). ¶ ~을 일으키다 e-n (Volks)auflauf 〔Aufruhr; Aufstand〕 an|stiften; [4]sich empören 〔erheben*〕 《*gegen*[4]》; meutern; putschen; tumultuieren; [4]sich zusammen|rotten / ~이 일어나다 ein Aufstand bricht aus / ~이 진압되었다 Der Aufstand ist niedergehalten 〔bekämpft; unterdrückt〕 worden.

민력(民力) Volkskraft *f.* ⸚e. ¶ ~을 기르다 die Volkskraft nähren; den Volksreichtum (be)fördern.

민망하다(憫惘一) armselig; elend; erbärmlich; jämmerlich; bemitleidenswert; kläglich (sein). ¶ 민망한 입장 die armselige Lage, -n / 그의 초라한 모습이란 민망할 정도였다 Er war zu bedauern. ¦ Er führte ein elendes Leben.

민머리 ① 《백두》 „jemand ohne (Beamten-)hut" = jemand ohne Amt. ② 《대머리》 Kahlkopf *m.* -(e)s, ⸚e; unbedeckter Kopf, -(e)s, ⸚e. ③ 《쪽안찐》 unfrisierter Kopf.

민며느리 ein Mädchen 《*n.* -s, -》, das man in s-m Haus als zukünftige Schwiegertochter aufzieht.

민물 Süßwasser *n.* -s, -.

‖ ~고기 Süßwasserfisch *m.* -es, -e. ~호수 Süßwassersee *m.* -s, -n.

민박(民泊) Pension *f.* -en. ~하다 in e-m Privathaus übernachten.

민방위(民防衛) Zivilwehr *f.* -en; Bürgerwehr *f.*

‖ ~대 Bürgerwehr *f.* ~체제 Zivilwehrwesen *n.* -s, -.

민법(民法) Bürgerliches Recht, -(e)s; Zivilrecht *n.* -(e)s.

‖ ~전 Bürgerliches Gesetzbuch, -(e)s, ⸚er; Zivilgesetzbuch. ~학 Zivilrecht *n.* -(e)s: ~학자 der Gelehrte* des Zivilrechtes.

민병(民兵) Miliz *f.* -en (부대); Milizsoldat *m.* -en, -en (대원).

‖ ~단 Bürgerwehr *f.* -en. 여자~ weiblicher Milizsoldat, -en, -en.

민복(民福) Wohlfahrt 《*f.*》 des Volkes.

민본주의(民本主義) Demokratie *f.* -n.

민비녀 ein einfacher Silberstab 《-(e)s, ⸚e》 als Kopfschmuck e-r verheirateten Frau.

민사(民事) zivilrechtliche Angelegenheit, -en; Zivilsache *f.* -n.

‖ ~범 Zivilverbrecher *m.* -s, -. ~법원 Zivilgericht *n.* -(e)s, -e. ~사건 Zivilsache *f.* -n. ~소송 Zivil¦klage *f.* -n 〔-prozeß *m.* ..zesses, ..zesse〕: ~소송을 일으키다 *jn.* zivilrechtlich verfolgen. ~재판 Ziviljustiz *f.* ~행정 Zivilverwaltung *f.* -en.

민사(悶死) der qualvolle Tod, -(e)s, ⸚e. ~하다 aus Gram sterben* ⓢ; e-s qualvollen Todes 〔e-n qualvollen Tod〕 sterben* ⓢ.

민색떡(一色一) farbiger Reiskuchen, -s, - (für das Fest).

민생(民生) Volksleben *n.* -s, -. ¶ ~을 위한 대책을 강구하다 die Maßregeln 《*pl.*》 für das Volksleben treffen*.

‖ ~고(苦) die ökonomischen Schwierigkeiten 《*pl.*》 des Volkslebens. ~문제 die Probleme 《*pl.*》 der öffentlichen Wohlfahrt. ~안정 öffentliche Wohlfahrt, -en: ~의 안정을 도모하다 [4]sich um die öffentliche Wohlfahrt bemühen. ~위원 Für¦sorger *m.* -s, - 〔-sorgerin *f.* ..rinnen (여자)〕.

민선(民選) Volkswahl *f.* -en. ¶ ~의 durch das Volk gewählt.

‖ ~의원 der durch das Volk gewählte Abgeordnete*, -n, -n.

민성(民聲) Volksstimme *f.* -n; die Stimme des Volkes; die Meinung 《-en》 der Öffentlichkeit; die öffentliche 〔allgemeine〕 Meinung; Volksmeinung *f.* -en.

민속(民俗) Volks¦sitte *f.* -n 〔-brauch *m.* -(e)s, ⸚e〕.

‖ ~무용 Volkstanz *m.* -(e)s, ⸚e: 국립 ~무용단 Nationalvolksballettkorps *n.* ~문학 Volksdichtung *f.* -en. ~예술 Volkskunst *f.* ⸚e: 전국 ~ 예술 제전 Nationalvolkskunstfest *n.* -(e)s, -e. ~음악 Volksmusik *f.* ~학 Volkskunde *f.* -n; Folklore *f.* -n: ~학자 Folklorist *m.* -en, -en.

민속(敏速) Schnelligkeit *f.*; Behendigkeit *f.* ~하다 schnell; geschwind; flink; hurtig; rasch (sein). ☞ 민첩. ¶ ~하게 행동하다 [4]sich schnell benehmen*; [4]sich rasch betragen* / 사무를 ~하게 처리하다 die Geschäfte schnell 〔rasch〕 leiten 〔führen; besorgen; verrichten〕.

민수(民需) ein privater 〔nichtmilitärischer〕 Bedarf, -(e)s.

‖ ~산업 nichtmilitärische Industrie, -n. ~품 Waren 《*pl.*》 für privaten 〔nichtmilitärischen〕 Verbrauch.

민수기(民數記) 〖성경〗 Numeri *n.* -s (Das 4. Buch Mose).

민숭민숭하다 ☞ 맨숭맨숭하다.

민스볼 〖요리〗 ein gebackenes Fleischklößchen, -s, -; Frika(n)delle *f.* -n.

민심(民心) Volksgefühl *n.* -(e)s, -e; die Lage 《-n》 der Dinge; Sachlage *f.* -n; die allgemeine Stimmung, -en. ¶ ~이 소연하다 Die große Masse ist sehr erregt 〔aufgeregt; sehr unruhig〕. ¦ Diese Sachlage hat große Unruhe hervorgerufen. / ~을 얻다(잃다) die Volksgunst gewinnen* 〔verlieren*〕 / 그는 ~에 역행하는 일은 하지 않는다 Er wagt nicht, wider das Volksgefühl zu handeln. / ~은 차츰 그에게서 떠났다 Er hat sich nach u. nach dem Herzen des Volkes entfremdet.

민약(民約) Gesellschafts¦vertrag 〔Sozial-〕 *m.* -(e)s (사회 계약).

‖ ~론(설) Lehre 〔Theorie〕 《*f.* -n》 vom Gesellschaftsvertrag; Vertragslehre *f.* -n.

민어(民魚) 〖어류〗 e-e Art Meeresfisch; *Nibea imbricata* (학명).

민영(民營) ein privates Unternehmen, -s, -. ¶ ~의 privat; Privat- / ~이다 unter privater Leitung sein / 이 철도는 ~으로 되어야 한 것이다 Diese Eisenbahn sollte e-m Privatunternehmen überlassen werden.

‖ ~사업 ein privates Geschäft, -(e)s, -e; ein privates Unternehmen, -s, -. ~은행 Privatbank *f.* -en.

민예(民藝) Volkskunst *f.* ⸚e; volkstümliches Kunsthandwerk, -(e)s.

‖ ~품 (volkstümliche) Kunsthandwerksarbeit, -en.

민완(敏腕) Tüchtigkeit *f.*; Fähigkeit *f.* -en; Geschicklichkeit *f.*; Talent *n.* -(e)s, -e.

~하다 fähig; geschickt; gewandt; tüchtig (sein). ¶ ~한 솜씨를 보이다 s-e Fähigkeiten (Gewandtheit) zeigen.
‖ ~가 der tüchtige (talentvolle; schlagfertige) Mensch, -en, -en; ein Mann 《m. -(e)s, ⸗er》 von Fähigkeit (Talent). ~형사 der geschickte Detektiv, -s, -e.

민요(民謠) Volkslied n. -(e)s, -er.

민요(民擾) Volkserhebung f. -en; Volksrevolte f. -n; Volksaufruhr m. -(e)s, -e.

민원(民怨) Volksmißmut m. -(e)s; Volksklage f. -n; allgemeine Unzufriedenheit.

민원(民願) ‖ ~상담소 Volks¦beratungsdienstzentrum (Bürger-) n. -s, ..tren. ~서류 간소화 die Vereinfachung des Papierkrieges.

민유(民有) Privatbesitz m. -(e)s, -e. ¶ ~의 privat; Privat-; in ³Privatbesitz.
‖ ~지 Privatgrundstück n. -(e)s, -e. ~철도 Privatbahn f. -en.

민의(民意) Volkswille m. -ns, -n; die öffentliche Meinung, -en (여론). ¶ ~를 존중하다 den Willen des Volkes achten / ~를 묻다 das Urteil des Volkes befragen.

민의원(民議院) Abgeordneten¦haus (Repräsentanten-) n. -es. ☞ 하원.
‖ ~의원 der Abgeordnete*, -n, -n. ~의장 der Präsident 《-en, -en》 des Abgeordnetenhauses.

민재(民財) Volksvermögen n. -s, -; Volkseigentum n. -(e)s, ⸗er; 《사유재산》 Privatvermögen n. -s, -; das persönliche Vermögen; Privatbesitz m. -es.

민적(民籍) Personenstand m. -(e)s; Familienstand m. -(e)s; Zivilstand m. -(e)s; Personenregister n. -s, -; Familienregister n. -s, -.

민절(悶絶) der qualvolle Tod, -(e)s. ~하다 aus Gram (Qual) zusammen|brechen*; in krampfhaften Zuckung ohnmächtig werden.

민정(民政) Zivilverwaltung f. -en. ¶ ~을 펴다 e-e Volksregierung auf|stellen (errichten); unter Zivilverwaltung stellen.
‖ ~장관 Zivilgouverneur [..nø:r] m. -s, -e.

민정(民情) allgemeine Verhältnisse des Volkes. ¶ ~을 살피다 allgemeine Verhältnisse des Volkes beobachten.
‖ ~시찰 여행 e-e Reise für die Beobachtung der Volksverhältnisse.

민족(民族) Volk n. -(e)s, ⸗er; Nation f. -en (국민); Volksstamm m. -(e)s, ⸗e; Rasse f. -n (인종). ¶ 국가는 ~을 바탕으로 구성되어야 한다 Ein Staat muß den Grundzügen der Rasse entsprechend aufgebaut werden.
‖ ~국가 Nationalstaat m. -(e)s, -en. ~문제 Rassenfrage f. -n. ~생물학 Ethnobiologie f. ..gien. ~성 Charakter 《m. -s, -e [..te:rə]》 e-s Volkes; National¦charakter (Volks-) m. -s, -e. ~심리 Nationalpsychologie f. ..gien: ~심리학 Völkerpsychologie f. ..gien. ~운동 Rassenbewegung f. -en; Nationalbewegung für die Unabhängigkeit. ~음악 Volksmusik f. ~의식 Nationalbewußtsein n. -s. ~이동 《게르만 민족의》 Völkerwanderung f. -en. ~자결 die Selbstbestimmung des Volkes: ~자결주의 das Prinzip der Selbstbestimmung des Volkes. ~자본 Nationalkapital n. -s, -e. ~전선 Rassenkampflinie f. -n. ~정신 Volks¦geist m. -es, -er (-seele f. -n). ~주의 Nationalismus m. -. ~주체성 Nationalidentität f. -en. ~학 Ethnologie f.; Völkerkunde f. -n: ~학자 Ethnolog(e) m. ..gen, ..gen. 소수~ Minderheit f. -en: 소수 ~ 문제 Minderheitenfrage f. -n.

민족두리 *Tschokduri* ohne Juwelen; der weibliche Schwarzkopfschmuck, -(e)s, -e.

민주(民主) Demokratie f. -n; Volksherrschaft f. -en; Volksregierung f. -en. ¶ ~적(인) demokratisch / ~적으로 되다 demokratisch werden.
‖ ~공화국 demokratische Republik, -en. ~국 ein demokratisches Land, -(e)s, ⸗er; ein demokratischer Staat, -(e)s, -en. ~당 e-e demokratische Partei, -en. ~사상 die demokratischen Ideen 《pl.》. ~정당 e-e demokratische Partei, -en. ~정체 Demokratie f. -n; Volksregierung f. -en; Volksherrschaft f. -en. ~정치 e-e demokratische Form der Regierung. ~제도 ein demokratisches System, -(e)s, -e. ~주의 Demokratie f. -n [..tí:ən]: ~주의자 Demokrat m. -en, -en / ~주의 혁명 demokratische Revolution, -en. ~화 Demokratisierung f. -en: ~화하다 demokratisieren⁴ / 그 국민은 ~화 되어 가고 있다 Die Nation ist auf dem Wege zur Demokratie. 기독교~동맹 《서독의》 Christliche Demokratische Union 《생략: CDU》. 사회 ~당 《서독의》 Sozialdemokratische Partei Deutschlands 《생략: SPD》.

민주대다 nicht gern leiden mögen*; *jn.* hassen; verabscheuchen.

민주스럽다 in Verlegenheit; verlegen; betreten (sein).

민줄 die gewöhnliche Schnur des Papierdrachens.

민중(民衆) Volk n. -(e)s; Masse f. -n (대중). ¶ ~의 populär; volkstümlich; Volks- / ~의 적 Volksfeind m. -(e)s, -e.
‖ ~극 Volksschauspiel n. -(e)s, -e. ~대회 Volksversammlung f. -en. ~심리 Volkspsychologie f. -n. ~예술 Volkskunst f. ⸗e; die populäre Kunst, ⸗e. ~오락 Volksvergnügen n. -s, -; Volks¦unterhaltung (-belustigung) f. -en. ~운동 Volksbewegung f. -en. ~화 Popularisierung f.: ~화하다 popularisieren⁴.

민지(民智) die völkische Vernunft, ⸗e.

민짜 gewöhnliche Sachen (Dinge); gewöhnlicher Artikel, -s, -.

민첩(敏捷) Behendigkeit f.; Flinkheit f.; Promptheit f.; Schnelligkeit f. ~하다 《동작이》 schnell; hurtig; behende; wendig (sein); 《성격이》 klug; gescheit; scharfsinnig; schlau u. flink (sein). ¶ ~한 행동 das schnelle Benehmen*, -s.

민틋하다 glatt; sanft; fließend (sein).

민패 gewöhnliche Sachen (Dinge); gewöhnlicher Artikel, -s, -.

민폐(民弊) der volkschädigende Mißbrauch, -(e)s, ⸗e.

민하다 gedankenlos; dumm; albern; einfältig; töricht (sein).

민화(民話) Volkskunde f. -n; die Märchen- und Sagenkunde f. -n.

민활(敏活) Regsamkeit f.; Behendigkeit f.; Flinkheit f.; Schnelligkeit f. ~하다 regsam; behend(e); flink; schnell (sein).

믿다 ① 《신용》 glauben⁴; Glauben (Vertrauen) schenken³; für richtig halten*⁴. ¶ 내가

믿는 바로는 m-r Meinung 〔Ansicht〕 nach / 아무의 말을 ~ *jm.* Vertrauen 〔Zutrauen〕 schenken; *jm.* zu|trauen / 믿을 만하다 vertrauenswürdig 〔glaubwürdig; sicher; zuverlässig; zuversichtlich〕 sein / 믿을 수 없다 unglaubwürdig 〔unsicher; unzuverlässig; fragwürdig; unbeständig; launisch〕 sein / 남의 말을 잘 ~ leichtgläubig sein/ 남의 말을 잘 믿지 않다 nicht leichtgläubig sein; fragwürdig sein / 그대로 ~ fest glauben / 그는 믿을 만하다 Er ist zuverlässig. / 그는 믿을 만한 사람이 아니다 Er verdient kein Vertrauen. / 나는 그의 결백을 믿는다 Ich bin von s-r Unschuld fest überzeugt./ 나는 그를 (안) 믿는다 Ich habe (kein) Zutrauen zu ihm. / 그는 믿을 수 없다 Ihm ist nicht zu trauen. / 나는 절대로 그를 믿고 있다 Ich traue ihm unbedingt. / 그는 남을 지나치게 믿는다 Er ist vertrauensselig. / 옳다고 믿는 바를 행하라 Tu' was man für richtig hält!
② 《신뢰》 vertrauen 〔glauben〕 《*jm.*》: (zu-) trauen 《*jm.*》; Vertrauen schenken 《*jm.*》; Vertrauen haben 〔hegen〕 《*zu*³》; 《기대》 erwarten⁴. ¶ …을 ~ bauen 〔rechnen〕 《*auf*⁴》; vertrauen 《*auf*⁴》; ⁴sich verlassen* 《*auf*⁴》; zählen 《*auf*⁴》 / …을 믿고 im Vertrauen 《*auf*⁴》; ⁴Glauben schenkend³ / 믿을 만한 사람 e-e vertrauenswürdige Person, -en / 믿을 만한 소식통에서 von zuverlässiger Seite; aus glaubwürdiger Quelle / 믿을 데가 〔사람이〕 없다 k-e Stütze haben; niemand haben, auf den man sich stützen könnte/ 의사를 ~ auf Ärzte Vertrauen setzen / 자기 힘을 ~ ⁴sich auf s-e eigene Fähigkeit verlassen*; an ⁴sich glauben / 남을 믿지 말라 Verlasse dich nur auf dich selbst! Baue nicht auf fremde Hilfe! / 그 뉴스의 출처는 믿을 수 없다 Die Nachricht stammt aus e-r unzuverlässigen Quelle. / 그는 아저씨를 믿고 상경했다 Er kam im Vertrauen auf s-n Onkel nach Seoul. / 그는 믿을 수 없다 Auf ihn ist kein Verlaß. / 자네를 믿겠네 Ich will mich auf dich verlassen./ 믿는 도끼에 발등 찍힌다 《속담》 M-e eigene Hoffnung auf Schutz läßt mich in Stiche.
③ 《확신》 überzeugen 《*von*³》; e-r ³Sache sicher 〔gewiß〕 sein; vertrauen⁴; fest glauben⁴. ¶ 믿고 있다 überzeugt sein 《*von*³》; die Überzeugung haben 〔hegen〕, daß…/ 그의 무죄를 믿고 있다 Ich bin von s-r Unschuld fest überzeugt. / 승리를 믿고 있다 Ich bin des Sieges sicher 〔gewiß〕. / 그는 그것을 허락하리라고 나는 믿고 있다 Ich bin gewiß 〔sicher〕, daß er es mir erlauben wird.
④ 《신앙심》 glauben 《*an*⁴》. ¶ 신을 ~ an Gott glauben / 기독교(불교)를 ~ ⁴sich zum Christentum 〔Buddhismus〕 bekennen*; 《예수님〔부처님〕을》 an Christus 〔Buddha〕 glauben / 종교를 믿지 않다 k-e Religion haben; ohne (alle) Religion sein / 그는 신도 부처님도 믿지 않는다 Er glaubt weder an Gott noch an Buddha.

믿음 ① 《믿는 마음》 Glaube *m.* -ns, -n; das Vertrauen*, -s; Zuversicht *f.* ☞신뢰. ¶ ~을 두다 *jm.* Glauben 〔sein Vertrauen〕 schenken / ~을 잃다 *js.* Vertrauen verlieren*. ② 《신앙》 Glaube *m.* -ns, -n. ¶ ~이 두텁다 gläubig 〔fromm; andächtig〕 sein / ~을 버리다 s-n Glauben auf|geben* / 친구 사이의 ~ Treue unter Freunden / 나는 그에게 ~을 가질 수 없다 Ich habe kein Zutrauen zu ihm 〔zu seinen Worten〕.

믿음성(一性) das Vertrauen*, -s; Zuverlässigkeit *f.*; Gewißheit *f.* ¶ ~ 있다 zuverlässig 〔gewiß; sicher; zweifellos〕 sein / ~ 없다 unzuverlässig 〔unbestimmt; ungewiß; zweifelhaft (이야기 따위)〕 sein.

믿음직하다 treu; getreu; aufrichtig; gewissenhaft; redlich; zuverlässig (sein). ¶ 믿음직하지 못한 treulos; gewissenlos; unzuverlässig / 믿음직한 사람 der zuverlässige Mensch, -en, -en / 믿음직하게 생각하다 viel erwarten 《von e-r Person》; *jn.* für redlich halten*.

밀¹ 〖식물〗 Weizen *m.* -s. ¶ 밀밭 Weizenfeld *n.* -(e)s, -er.

밀² ① 《밀랍》 Wachs *n.* -es, -e. ② 〖광물〗 die verfeinerte Minerale 《*pl.*》.

밀가루 Weizenmehl *n.* -(e)s, -e.

밀감(蜜柑) 〖식물〗 Mandarine *f.* -n.

밀개떡 e-e Keksart, -en; Weizenkuchen *m.* -s, -.

밀계(密計) ein geheimer 〔heimlicher〕 Plan, -(e)s, ⸗e; Verschwörung *f.* -en (음모).

밀계(密啓) die Eingabe eines geheimen Bericht an die Regierung 〔an den Kaiser〕. ~하다 der Regierung 〔dem Kaiser〕 ⁴*et.* im geheimen berichten.

밀고(密告) die (geheime) Anzeige, -n; Denunziation *f.* -en. ~하다 (heimlich) an|zeigen⁴; denunzieren⁴. ‖ ~자 Anzeiger *m.* -s, -; Denunziant *m.* -en, -en.

밀골무 Fingerling 《*m.* -s, -e》 aus Bienenwachs; Däumling 《*m.* -s, -e》 aus Bienenwachs.

밀교(密敎) die esoterische Schule des Buddhismus.

밀국수 Nudel 《*f.* -n》 aus Weizenpulver 《*n.* -s》.

밀굽 das Hufeisen 《*n.* -s》, das wegen des Hinkens des Pferdes nach außen gestoßen wird.

밀기름 die aus Bienenwachs und Sesamöl hergestellte Pomade.

밀기울 Kleie *f.* -n.

밀깜부기 die durch Meltau verdorbenen Weizenähren 《*pl.*》.

밀나물 ① 〖식물〗 der grüne Baumstrauch, -(e)s, ⸗er; die grüne Baumheide, -n. ② 《멸》 der Schwanz 《*m.* -es, ⸗e》 der Eidechse.

밀낫 Sichel *f.* -n.

밀다 ① 《떠밀다》 stoßen*⁴; schieben*⁴; drängen⁴; rücken⁴. ¶ 수레를 ~ e-n Karren schieben* / 반죽을 ~ aus|rollen⁴; aus|walzen⁴ / 밀어젖히다 beiseite stoßen*⁴; weg|stoßen*⁴ / 군중을 밀어 젖히고 나아가다 ⁴sich e-n Weg durch die Menge bahnen / 밀어내다 hinaus|schieben*⁴; hinaus|stoßen*⁴; hinaus|drängen⁴ / 링에서 밀어내다 aus dem Ring hinaus|stoßen*⁴ / 밀어 올리다 hinauf|schieben*⁴ (-|stoßen*⁴); nach oben stoßen*⁴ / 밀어 넘어뜨리다 nieder|stoßen*⁴ (um|-) / 밀고 나가다 durch|führen⁴; durch|setzen⁴ (관철) / 밀어 붙이다 auf die Seite 〔beiseite〕 schieben*⁴; drücken⁴ 《*an*⁴; *gegen*⁴》 / 서로 서로 ~ ⁴sich 〔aneinander〕 drängen / 불행 속으로 밀어 넣다 *jn.* ins Elend stürzen / 문 밖으로 밀어내다 *jn.* hinaus|stoßen*; *jn.* vor die Tür setzen / 후보자로 ~ *jn.* als ⁴Kandidaten vor|schlagen*.

② 《깎다》 rasieren; ab|rasieren; scheren (머리를); ab|hobeln (대패로). ¶수염을 ~ den Bart rasieren / 머리를 ~ [3]sich den Kopf kahl|scheren lassen / 대패로 판자를 ~ das Brett glatt machen.

③ ☞ 미루다.

밀담(密談) e-e geheime Besprechung, -en; ein geheimes Gespäch, -(e)s, -e; ein Gespräch (e-e Besprechung) unter vier [3]Augen (두 사람만의). ~하다 heimlich (unter vier Augen) besprechen*[4].

밀대 ① 《막대》 Stoßstange *f.* -n; Schubstange *f.* -n. ② 《총의》 Tragband *n.* -s, -e.

밀도(密度) 〖이학·수학〗 Dichte *f.* -n; Dichtheit *f.* -en; Dichtigkeit *f.* -en.

‖ ~계 Dichtemesser *m.* -s, -. ~류(流) 〖해양〗 Dichtestrom *m.* -(e)s, ⸚e. ~측정 das Dichtemessen*, -s. 인구~ Bevölkerungsdichte: 이 지방 인구 ~는 1 평방 마일에 100 명 꼴이다 Die Bevölkerungsdichtheit in der Gegend beträgt 100 Personen auf die Quadratmeile.

밀도살(密屠殺) Schwarzschlachterei *f.* -n; die Schwarzschlachtung der Tiere. ¶~을 적발하다 die Schwarzschlachterei entdecken.

밀따리 eine späte rötliche grannenlose Reisart, -en.

밀떡 das Labungsmittel 《*n.* -s》 aus Weizenmehl mit Honig (Zucker).

밀뜨리다 weg|stoßen*[4]. ¶아무를 팔굽으로 ~ *jn.* mit dem Ellbogen weg|drängen / 무엇을 발로 ~ [4]*et.* mit dem Fuße weg|stoßen*.

밀랍(蜜蠟) Bienenwachs *n.* -es.

밀려들다 [4]sich vor|drängen; vor|dringen* ⓢ; [4]sich heran|drängen(이쪽으로); heran|rücken ⓢ. ¶밀려드는 물결 die sich herandrängenden Wogen / 문 안으로 ~ [4]sich ins Tor drängen / 군중이 그를 만나려고 밀려들었다 Die Menge drängte sich, um ihn zu sehen. / 예금자들이 은행으로 밀려들었다 Die Deponenten bestürmten die Bank. / 큰 파도가 밀려들었다 Hohe Wellen wälzten sich uns entgegen.

밀렵(密獵) Wilddieberei *f.* -en. ~하다 wildern; wilddieben.

‖ ~선 Wilddiebboot *n.* -(e)s, -e (⸚e). ~자 Wilddieb *m.* -(e)s, -e; Wilderer *m.* -s, -.

밀리 ‖ ~그램 Milligramm *n.* -(e)s, -e 《생략: mg》. ~리터 Milliliter *n.* -s, - 《생략: ml》. ~미터 Millimeter *n.* -s, - 《생략: mm》. ~바 Millibar *n.* -(s), - 《생략: mbar》.

밀리다 ① 《떠밀림》 gestoßen (geschoben; gedrängt) werden. ¶밀려 나가다 hinausgetrieben (-gestoßen) werden; hinaus|geschoben (-gedrängt) werden / 인파에 ~ im Gewühl der Menge hin u. her gestoßen werden / 배가 파도에 이리 밀리고 저리 밀렸다 Das Schiff war den Wellen preisgegeben. / 그는 링 밖으로 밀려났다 Er wurde aus dem Ring hinausgestoßen. / 그는 직장에서 밀려났다 Er wurde aus dem Dienste entlassen.

② 《깎임》 rasiert werden (수염이); abgehobelt werden; glatt (eben) werden (대패로). ¶수염이 잘 ~ Sein Bart wird gut rasiert. / 송판이 ~ Das Brett wird gut abgehobelt.

③ 《일이》 im Rückstande (rückständig) 《*mit*[3]》 sein; (an)gehäuft sein. ¶일이 밀려 있다 Ich habe viel Arbeit. Ich bin sehr beschäftigt. / 버스가 여러 대 밀려 있다 Mehrere Busse stehen vor uns. / 나는 지금 일이 많이 밀려 있다 Ich bin jetzt mit Arbeiten überhäuft. / 전화통에 사람이 밀려 있다 Das Telephon ist jetzt besetzt.

④ 《지불이》 im Rückstand sein 《*mit*[3]》; rückständig sein 《*mit*[3]》. ¶지불이 ~ mit [3]Zahlungen rückständig sein / 집세가 ~ mit der Miete im Rückstand sein / 그는 집세가 밀려 있다 Er ist mit der Miete rückständig.

밀림(密林) ein dichter Wald, -(e)s, ⸚er; Dickicht *n.* -(e)s, -e; Dschungel *f.* -n (*m.* od. *n.* -s, -).

‖ ~지대 Dschungelgebiet *n.* -(e)s, -e.

밀막다 unter dem Scheine von [3]*et.* zurückweisen*; unter der Maske von [3]*et.* verweigern.

밀매(密賣) ein ungesetzlicher (illegaler) Handel, -s, ⸚; Schwarzhandel *m.* -s, ⸚. ~하다 heimlich (illegal; schwarz) verkaufen[4].

‖ ~자(者) Schmuggler (Schleichhändler; Schwärzer) *m.* -s, -. ~장소 Schmuggelhöhle *f.* -n. ~품 Schmuggelware *f.* -n.

밀매음(密賣淫) die ungesetzliche Prostitution, -en; die unöffentliche Prostitution. ~하다 [4]sich heimlich prostituieren; [4]sich heimlich der Prostitution ergeben*.

‖ ~녀 Dirne *f.* -n; Hure *f.*

밀모(密謀) Komplott *n.* -(e)s, -e; Verschwörung *f.* -en; Anschlag *m.* -(e)s, ⸚e; Intrige *f.* -n. ~하다 komplottieren[4]; [4]sich verschwören; e-n Anschlag machen.

밀무역(密貿易) Schmuggel *m.* -s; Schmuggelei *f.* -en. ~하다 schmuggeln; einschmuggeln. ‖ ~업자 Schmuggler *m.* -s, -.

밀물 Flut *f.* -en; die steigende Flut. ¶~이 들어온다 Die Flut steigt (kommt). / 군중이 ~처럼 의사당으로 밀려왔다 E-e große Menschenmenge flutete (strömte wie Flutwellen) zum Parlamentsgebäude (heran).

밀방망이 Rollholz *n.* -es, ⸚er; Nudelholz *n.* -es, ⸚er.

밀벌 〖곤충〗 e-e Art Wespe 《*f.* -n》.

밀범벅 Pudding 《*m.* -s, -s》 aus Weizen und Kürbis.

밀보리 ① Weizen 《*m.* -s》 und Gerste 《*f.* -n》. ② =쌀보리.

밀봉(密封) ~하다 gut versiegeln[4].

‖ ~교육 Geheimerziehung *f.* -en.

밀봉(蜜蜂) 〖곤충〗 (Honig)biene *f.* -n.

밀사(密使) Geheimbote *m.* -n, -n; Emissär *m.* -s, -e.

밀사(密事) Geheimnis *n.* ..nisses, ..nisse; Heimlichkeit *f.* -en. ¶~가 폭로되었다 Die Heimlichkeiten kamen an den Tag.

밀생(密生) ~하다 dicht wachsen*ⓢ; dicht stehen*. ¶이 섬에는 수목이 ~하고 있다 Die Insel ist mit Bäumen dicht bewachsen.

밀서(密書) Geheimschreiben *n.* -s, -.

밀선(密船) Schmugglerschiff *n.* -(e)s, -e.

밀송하다(密送—) heimlich senden* (schicken).

밀수(密輸) Schmuggel *m.* -s; Schmuggelei *f.* -en. ~하다 schmuggeln[4]; Schleichhandel treiben*. ¶~입하다 heimlich ein|führen[4]; ein|schmuggeln[4] / ~출하다 heimlich aus|führen[4] / 값진 사진기를 ~입했다 Er hat e-n kostbaren Photoappart heimlich eingeführt.

‖ ~선 Schmugglerschiff *n.* -(e)s, -e. ~입

자 Schmuggler *m.* -s, -. ～품 Schmuggelware *f.* -n; Schleichgut *n.* -(e)s, ⸚er.
밀수제비 eine Art Weizenmehlkloß 《*m.* -es, ⸚e》.
밀실(密室) Geheimzimmer *n.* -s, - (비밀방); ein verschlossenes Zimmer (닫혀진 방). ¶ ～에서 hinter geschlossenen Türen / ～에서 밀담하다 e-e geheime Beratung (Unterredung) haben / ～에 감금하다 *jn.* in Einzelhaft halten*.
‖ ～감금 Einzelhaft *f.* ～회의 die geheime Versammlung, -en.
밀쌀 Weizenkörnchen *n.* -s.
밀약(密約) das geheime Einvernehmen, -s; e-e geheime Vereinbarung, -en(비밀 약속); ein geheimer Vertrag, -(e)s, ⸚e (Pakt, -(e)s, -e(n)) (비밀 협정). ～하다 ⁴sich mit *jm.* heimlich vereinbaren* 《*über*⁴》.
¶ ～을 맺다 e-n geheimen Vertrag schließen* / 두 나라 사이에는 ～이 있다 Zwischen den beiden Ländern besteht ein geheimes Einverständnis.
밀어 《통밀어》 in Masse(n) gekauft; in großer Zahl; *en masse* 《불어》.
밀어(密語) Geflüster *n.* -s; das Flüstern*, -s; das Wispern*, -s.
밀어(密漁) Raubfischerei *f.* -n; die heimliche (unerlaubte) Fischere. ～하다 Raubfischerei treiben*; heimlich fischen.
‖ ～선 Raubfischerboot *n.* -es, -e; Raubfischerschiff *n.* -(e)s, -e. ～자 Raubfischer.
밀어넣다 hinein|stoßen*⁴ (-|drängen⁴) 《*in*⁴》.
밀어닥치다 ① 《파도가》 rollen (schlagen*) 《*an*⁴; *gegen*⁴》. ¶ 놀이 해안에 밀어닥쳤다 Die Wogen schlugen an den Strand.
② 《불청객이》 ⁴sich ungebeten drängen (hinzudrängen); ungebeten vorgedrungen sein 《zu *jm.*》. ¶ 친구들이 우리집에 ～ die Freunde drängen sich bei uns / 적군이 아군에게 ～ Feinde drängen auf uns los.
밀월(蜜月) Honig¦mond *m.* -(e)s (-wochen 《*pl.*》); Flitterwochen 《*pl.*》. ¶ ～을 보내다 die Flitterwochen verleben.
‖ ～여행 Hochzeitsreise *f.* -n: ～여행을 하다 Hochzeitsreise machen.
밀음쇠 Briefkastenklappe *f.* -n; Gürtelschnalle *f.* -n.
밀의(密議) e-e geheime Beratung, -en; die Beratung (Besprechung, -en) hinter verschlossenen ³Türen. ～하다 heimlich (bei verschlossenen Türen) beraten⁴.
밀입국(密入國) das Einschmuggeln*, -s. ～하다 ⁴sich ein|schmuggeln 《in ein Land》; ⁴sich ein|schleichen 《in ein Land》.
‖ ～단 Schmugglerbande 《*pl.*》.
밀장(密葬) e-e heimliche Bestattung. ～하다 heimlich bestatten 《*jn.*》.
밀장지(一障一) Schiebetür *f.* -en.
밀전병(一煎餠) der geröstete (gebratene) Weizenkuchen, -s, -.
밀접(密接) ～하다 eng; nah; intim (sein). ¶ ～한 관계 e-e enge (nahe) Beziehung, -en /～한 관계에 있다 eng zusammen|hängen* 《*mit*³》; in engen ³Beziehungen stehen* 《*zu*³》/ 음식은 건강과 ～한 관계가 있다 Essen steht in untrennbarem (engem) Zusammenhang mit der Gesundheit. / 양국간의 관계는 더욱 더 ～해 질것이다 Die Beziehungen der beiden Ländern werden in Zukunft immer intimer werden.
밀정(密偵) Spion *m.* -s, -e; (ein heimlicher) Kundschafter, -s, -; Späher *m.* -s, -; Spitzel *m.* -s, -.
밀조(密造) die illegale Herstellung, -en; Schwarzherstellung *f.* ～하다 schwarz (heimlich) her|stellen⁴. ¶ 맥주 (소주)를 ～하다 heimlich Bier brauen (Branntwein brennen*).
밀주(密酒) der heimlich gebraute Reiswein, -s; der im geheimen hergestellte Reiswein, -s.
밀집(密集) Geschlossenheit *f.*; Zusammenschließung *f.* -en; Zusammenschluß *m.* ..schlusses, ..schlüsse. ～하다 ⁴sich dicht (zusammen|)scharen; in ³Scharen stehen*; ⁴sich (zusammen|)drängen. ¶ ～된 dicht gedrängt; geschlossen / 기병은 우익으로 ～되어 있었다 Die Kavallerie war auf dem rechten Flügel geschlossen.
‖ ～대형 die geschlossene Ordnung, -en.
밀짚 Stroh *n.* -s.
‖ ～모자 Strohhut *m.* -(e)s, ⸚e; Kreissäge *f.* -n. ～세공 Strohgeflecht *n.* -(e)s, -e.
밀착(密着) ～하다 kleben 《*an*³》; haften 《*an*³》.
‖ ～인화 〖사진〗 Kontaktkopie *f.* -n; Kontaktabzug, -(e)s, ⸚e.
밀초 Wachskerze *f.* -n; Kerze aus Wachs.
밀초(蜜炒) die geröstete, honighaltige medizinische Pflanze, -n.
밀치 ein Stock 《*m.* -(e)s, ⸚e》 im Sattel.
밀치다 ¶ 되～ zurück|stoßen*⁴; schieben*⁴; drängen⁴ / 아무를 ～ *jn.* schieben*⁴ / 팔꿈치로 ～ *jn.* mit dem Ellbogen weg|drängen / 밀치고 나가다 ⁴sich durch die Menge drängen; ⁴sich durch|drängen.
밀치락달치락 schiebend u. ziehend. ～하다 ⁴sich aneinander drängen.
밀칙(密勅) der geheime Befehl (die geheime Anordnung) vom König.
밀크 (Kuh)milch *f.* ¶ ～로 기르다 mit ³Milch auf|ziehen*⁴.
‖ ～홀 Milch¦bar *f.* -s (-halle *f.* -n). 가루 ～ Trockenmilch *f.*; Milchpulver *n.* -s, -. 콘덴스～ kondensierte Milch; Kondensmilch *f.*
밀타(승)(密陀(僧)) 〖화학〗 Bleiglätte *f.* -n; Lithargyrum *n.* -s, -en.
밀탐하다(密探一) auskundschaften; erspähen; *jm.* nachspionieren; ³*et.* nachspüren.
밀통(密通) die wilde Ehe, -n; Betrug *m.* -(e)s, ⸚e; Ehebruch *m.* -(e)s, ⸚e; Liebeshandel *m.* -s, -. ～하다 in wilder Ehe leben 《*mit*³》; ehe|brechen*; ihren Mann (s-e Frau) betrügen 《mit *jm.*》; Ehebruch begehen*; e-n (Haus)freund haben.
밀펌프 Druckpumpe *f.* -n.
밀폐(密閉) der feste Verschluß, ..schlusses, ..schlüsse. ～하다 fest verschließen*⁴; hermetisch (luftdicht) verschließen*⁴ (공기가 못 들어가게). ¶ ～된 상자 der luftdicht (hermetisch) verschlossene Kasten, -s, - (⸚) / 공기가 들어가지 않도록 ～해 두시오 Verschließen Sie es fest, so daß die Luft von außen nicht heran kann.
밀푸러기 Mehlsuppe *f.*
밀풀 Klebstoff 《*m.* -s, -e》 aus Weizenmehl; die Paste aus Weizenmehl.
밀항(密航) die heimliche Überfahrt (ohne behördliche ⁴Erlaubnis). ～하다 heimlich (ohne behördliche ⁴Erlaubnis) mit|fahren* Ⓢ. ¶ 나라에서 금하는 데도 불구하고 ～을 하려고 했다 Er hatte trotz des Landesver-

botes versucht, heimlich überzufahren.
‖ ~선 Schmugglerschiff *n.* -(e)s, -e. ~자 ein blinder Passagier [..ʒi:r] -(e)s, -e.

밀행(密行) das heimliche Herumgehen*, -s. ~하다 heimlich gehen* ⓢ; heimlich patrouillieren [..tru(l)jí:..] (경찰의).

밀화(密畫) das sorgfältig durchgearbeitete Bild, -(e)s, -er; Miniaturbild *n.* -(e)s, -er.

밀회(密會) die geheime (heimliche) Zusammenkunft; Stelldichein *n.* -s (Rendezvous [rãdevú:] *n.* -) (남녀의). ~하다 [4]sich heimlich treffen*. ¶ ~를 즐기다 ein Rendezvous genießen*.
‖ ~장소 der Ort für e-e heimliche Zusammenkunft; das heimliche Rendezvous.

밉광스럽다 verhaßt; gehässig; hässlich (sein).

밉다 verhaßt; abscheulich; widerwärtig; boshaft; gehässig (sein). ¶ 미운 이 e-e abscheuliche Person, -en / 미운 짓 e-e gehässige Behandlung, -en / 밉게 굴다 [4]sich boshaft benehmen* / 그 애는 지금이 가장 미울 때다 Das Kind ist jetzt in s-n unartigen Jugendjahren. / 미운 일곱살 Ein Junge von sieben od. acht Jahren ist nicht mehr brav (gehorsam). / 죄가 밉지 사람이 미운 건 아니다 Man soll das Verbrechen verdammen, aber nicht den, der es verübt hat.

밉살맞다 =밉살스럽다.

밉살스럽다 unsympathisch; garstig; ekelhaft; häßlich; unangenehm; unschön; widerlich (sein). ¶ 밉살스럽게 말하다 gehässig sprechen* / 참 밉살스러운 놈이군 Was für ein abscheulicher (widerwärtiger) Kerl! / 비도 참 밉살스럽게도 오는군 Was für ein widerwärtiger Regen! / 그 여자는 밉살스러울 정도로 침착하다 Ihre Gelassenheit ist beinahe (geradezu) herausfordernd.

밉상(一相) das ekelhafte Aussehen; die widerliche Erscheinung, -en; das Abneigung erweckende Gesicht, -(e)s, -er. ¶ 그녀가 그다지 ~만은 아니겠지 Glaubst du, daß sie ein abstoßendes Gesicht hat?

밋밋하다 《모양이》 schlank; dünn; 《성질이》 sanft (sein). ¶ 밋밋이 lang u. schlank / 밋밋한 애나무 der große schlanke Baum (ohne Zweige) / 밋밋한 턱 das bartlose Kinn, -(e)s, -e.

밍근하다 =미지근하다.

밍밍하다 geschmacklos; schwach; dünn; ungeschmackhaft; platt (sein). ¶ 밍밍한 국 dünne Suppe, -n / 밍밍한 맥주 abgestandenes Bier, -s.

밍크코트 Nerzmantel *m.* -s.

및 und (auch); sowie; sowohl ... als auch. ¶ 신사 및 숙녀 여러분 m-e Damen u. Herren! / 한국 및 중국 sowohl Korea als auch China.

밑 ① 《위치·방향이》 Unterteil *m.* -(e)s, -e; der (das) untere Teil, -(e)s, -e. ¶ 밑의 unter; nieder; 《하위의》 untergeordnet / 밑에 unten / …의 밑에 unter[3·4]; unterhalb[2] / 밑으로 nach unten; abwärts / 밑에서 von unten / 계단 밑에 am Fuße der Treppe / 밑도 끝도 없는 unbegründet / 밑도 끝도 없는 거짓말 e-e glatte Lüge / 바로 밑에 gerade (direkt; unmittelbar) unten / 산 밑에 am Fuße des Berges / 책상 밑에서 unter e-m Tische hervor / 나무 밑에 unter e-m Baum; im Schatten e-s Baumes / 하늘 밑에 unter freiem Himmel / 위에서 밑에까지 von oben bis unten / 밑에 거주하다 unten wohnen / 책을 팔 밑에 끼다 die Bücher unter den Arm nehmen* / 그는 내 밑이다 Er ist (steht) unter mir. / 그는 나보다 두 살 밑이다 Er ist zwei Jahre jünger als ich. / 우린 나무 밑에 가 앉았다 Wir setzten uns unter den Baum. / 밑에는 밑이 있다 Das ist nicht das Schlimmste.
② 《바닥》 Boden *m.* -s, - (¨); Grund *m.* -(e)s, ¨e; Tiefe *f.* -n; Sohle *f.* -n (구두의); Bett *n.* -(e)s, -en (강의). ¶ 바다 밑 Meeresboden *m.* -s, - (¨); Meerestiefe *f.* -n / 통 밑을 갈다 e-m Faß e-n Boden ein|setzen / 밑빠진 독에 물붓기 Das ist nur ein Tropfen auf dem heißen Stein.
③ 《근본》 Grund *m.* -(e)s, ¨e; Basis *f.* ..sen; Wurzel *f.* -n; Fundament *n.* -(e)s, -e.
④ 《뿌리》 Wurzel *f.* -n.
⑤ 《음부》 Scham¦teile (Geschlechts-) 《*pl.*》.
⑥ 〖수학〗 Basis *f.* ..sen; Wurzel *f.* -n.

밑각(一角) 〖수학〗 Basiswinkel *m.* -s, -.

밑감 《원료》 Rohstoff *m.* -(e)s, -e.

밑거름 〖농업〗 eine Art Düngsmittel von Säen.

밑구멍 ① 《밑의 구멍》 Loch 《*n.* -es, ¨er》 im Boden. ② 《항문》 Aster *m.* -s; Astermündung *f.* -en. ③ 《음부》 Fotze *f.* -n; Schamgegend *f.* -en.

밑그림 Entwurf *m.* -(e)s, ¨e; Skizze *f.* -n.

밑널 hölzerne Grundplatte, -n.

밑넓이 Grundfläche *f.* -n.

밑동 《밑부분》 Unterteil *m.* -(e)s, -e; Stumpf *m.* -(e)s, ¨e; Stamm *m.* -(e)s, ¨e. ¶ 나무~ der Fuß des Baumes / 기둥 ~ der Unterteil des Pfeilers.

밑둥치 Wurzel *f.* -n (vom Baum).

밑들다[1] 《밑이 들다》 Wurzeln schlagen*; mit Wurzeln festgewachsen sein. ¶ 감자가 밑 들었다 Kartoffeln sind mit Wurzeln festgeschlagen.

밑들다[2] 《밑에 들다》 Ein Papierdrache gelangt unter einen anderen.

밑머리 der dichte Haarwuchs, -es, ¨e.

밑면(一面) 〖수학〗 Basis *f.* ..sen; Grundfläche *f.* -n.

밑면적(一面積) Grundflächen¦inhalt *m.* -(e)s, -e (-raum *m.* -(e)s, ¨e).

밑바닥 Tiefe *f.* -n; Boden *m.* -s, ¨; die unterste Schicht, -en. ¶ ~에 빠지다 ins äußerste Elend geraten* (versinken*) ⓢ; vor Nichts stehen* (im wahrsten Sinne des Wortes); rettungslos verloren sein / ~ 생활을 하다 ein Hundeleben führen; in bitterer Not sein / 무지와 죄악의 ~ Abgrund 《*m.* -(e)s, ¨e》 von Unwissenheit u. Laster.
‖ 강~ das Bett des Flusses. 구두~ Schuhsohle *f.* -n. 통~ der Boden des Fasses.

밑바탕 die eigene Natur, -en; der ursprüngliche Charakter, -s, -e; Veranlagung *f.* ¶ 그녀는 ~이 좋지 않다 Sie ist von Natur aus schlecht.¦Sie ist von der Natur stiefmütterlich bedacht. / 그는 ~이 드러난다 Er kann s-e Natur nicht verleugnen.

밑받침 ① 《받치는》 Unterlage *f.* -n; Matratze *f.* -n; Unterstützung *f.* -en. ¶ ~을 대고 글씨를 쓰다 mit Unterlage schreiben*. ② 《버팀》 Stütze *f.* -n; Sockel *m.* -s. ¶ 기둥의 ~ Sockel 《für Pfeiler》 / 담의 ~ Stütze 《für Mauer》; Mauerstütze *f.* -n.

밑밥 《낚시질의》 Köder *m.* -s; Lockspeise *f.* -n. ¶ ~을 치다 e-n Köder aus|legen (aus|werfen*).

밑변(一邊) 〖수학〗 Grundlinie *f.* -n; Basis *f.*

..sen.
밑불 Anzündefeuer *n.* -s.
밑살 ① 《미주알》 der anale Schließmuskel, -s. ② 《여자의》 Fotze. ③ 《쇠고기》 das Rumpfstück 《-es, -e》 des Rindfleisches.
밑세장 das Querholz von Tschige.
밑술 der Bodensatz 《*m.* -(e)s, ⸗e》 beim Reiswein.
밑싣개 Schaukelsitz *m.* -(e)s, -e; Hängeschaukelsitz *m.* -(e)s, -e.
밑쌀 Hauptgetreide 《*n.* -s》 im gemischten Korn.
밑씨 【식물】 Samenanlage *f.* -n.
밑씻개 Klosettpapier *n.* -s.
밑알 Nestei *n.* -s, -er.
밑절미 Basis *f.* ..sen; Grund *m.* -(e)s, ⸗e; Gründung *f.* -en; Grundlage *f.* -n.
밑정 Anzahl der täglichen Windelwechsel bei einem kleinen Kind.
밑조사(一調査) 《예비조사》 Voruntersuchung *f.* -en; Vorarbeit *f.* -en. **～하다** e-e Voruntersuchung an|stellen.
밑줄 Unterstreichen *n.* -s. ¶ …에 ～을 긋다 [4]*et.* unterstreichen.
밑줄기 der untere Teil e-s Stengels (Stammes).
밑지다 den kürzeren ziehen*; Schaden (er-) leiden*; zu kurz kommen* Ⓢ. ¶ 밑지는 일 die schlechte Arbeit, -en / 밑지고 팔다 mit Verlust (Nachteil) verkaufen / 밑지는 장사를 하다 gegen s-n Nutzen handeln; gegen das eigene Interesse handeln / 밑져야 본전이다 Auch wenn es mir nicht klappt, verliere ich nichts dabei.
밑질기다 Sitzfleisch haben; wie eine Klette sein. ¶ 밑질긴 사람 eine Person wie Klette / 밑질겨 환영을 못 받다 niemand heißt ihn willkommen, weil er Sitzfleisch hat.
밑창 Boden *m.* -s, -; Grund *m.* -(e)s, ⸗e; Sohle *f.* -n. ¶ 통의 ～을 빼다 dem Faß den Boden aus|stoßen* / 상자의 ～이 빠졌다 Der Boden des Kastens ist ausgestoßen (ausgeschlagen).
밑천 ① 《자본》 Kapital *n.* -s, -e (..lien); Geldanlage *f.* -n. ¶ ～을 들이다 (Geld *od.* ein Kapital) an|legen; stecken; investieren 《이상 *in*[4]》 / ～을 대주다 finanzieren[4] 《für *jn.*》; die Geldmittel beschaffen 《*für*[4]》 / 한 ～ 잡다 [3]sich ein Vermögen erwerben*; [4]es zum Reichtum bringen*. ② 《비유적》 ¶ 말했다가 ～도 찾지 못했다 Er hat mich zum Schweigen gebracht.¦Er hat mich mundtot gemacht. ③ 《성기》 *js.* Hode *f.* -n; *js.* Kapital *n.* -s, -e.
밑층(一層) Erdgeschoß *n.* ..sses, ..sse.
밑판(一板) hölzerne Grundplatte, -n.

-ㅂ니까 《의문》 나와 함께 가시겠읍니까 Wollen Sie mit mir zusammen hingehen? / 언제 가십니까 Wann gehen Sie hin? / 그는 어떤 사람입니까 Was für ein Mann ist er? / 이건 당신 만년필입니까 Ist dies Ihr Füller? ¦ Gehört Ihnen diese Füllfeder? / 내 지팡이는 어디에 있느냐 Wo steht mein Stock?

-ㅂ니다 sein; ⁴*et.* machen; ⁴*et.* tun. ¶ 비쌉니다 teuer sein / 갑니다 man geht / 놉니다 man spielt.

-ㅂ디까 Haben Sie wohl gemerkt, daß...; Wissen Sie, daß...; Haben Sie gehört, daß...; Haben Sie gefunden, daß.... ¶ 그의 시계가 잘 간다고 합디까 Haben Sie gehört, daß seine Uhr richtig geht?

-ㅂ디다 Ich habe gemerkt, daß....; Ich habe gesehen, daß....; wie ich erfahren habe; meines Erachtens; meines Wissens. ¶ 당신 시계는 수선하는 데 한 달 걸린다고 합디다 Die Reparatur Ihrer Uhr soll einen Monat (lang) dauern.

-ㅂ시다 lassen*. ¶ 갑시다 Laß (Laßt) uns gehen! ¦ Gehen wir! / 놉시다 Spielen wir!

바¹ 〖음악〗 f *n.* -, -. ¶ 바 장조 F-Dur *n.* - 《기호: F》 / 바 단조 f-Moll *n.* - 《기호: f》.

바² 《밧줄》 Seil *n.* -(e)s, -e; Trosse *f.* -n (배 매는); Strick *m.* -(e)s, -e (마소용); Kabel *n.* -s (전선줄); Schnur *f.* -en (끈). ¶ 바를 치다 ein Seil spannen.

바³ ① 《한》 ¶ 내가 아는 바로는 soviel ich weiß / 내가 보는 바로는 m-r ³Meinung nach / 이제 이렇게 된 바엔 별 수 없다 Jetzt kann man nichts mehr machen. ② 《일》 Sache *f.* -n; was. ¶ 네가 말하는 바를 나는 이해한다 Ich verstehe, was du sagst (meinst). / 그것은 내가 알 바가 아니다 Es ist nicht m-e Sache. ¦ Das geht mich nichts an. / 우스워서 어찌할 바를 몰랐다 Ich konnte nicht umhin zu lachen. ¦ Ich mußte einfach lachen.

바⁴ Bar *f.* -s; Schenk¦stube *f.* -n (-tisch *m.* -es, -e); Schenke *f.* -n.
‖ 바걸 Bar¦mädchen (Schenk-) *n.* -s, -; Kellnerin *f.* ..rinnen. 바텐더 Schenkwirt *m.* -(e)s, -e; Büfettier [byfɛtiέ:] *m.* -s, -s; Mixer *m.* -s, -.

바⁵ ① 《높이뛰기의》 Sprunglatte *f.* -n; 《축구골의》 Torlatte *f.* -n. ② 〖기상〗 Bar *n.* -, - (Maßeinheit für Luftdruck).

바가지 Kürbis *m.* -ses, -se; Kalebasse *f.* -n. ¶ ~로 물을 푸다 mit der Kalebasse Wasser schöpfen / ~를 긁다 《남편 한테》 quälen⁴; *jm.* zu¦setzen.

바가지쓰다 beschwindelt werden; über die Ohr gehauen werden. ¶ 어제 난 바에서 바가지를 썼다 Gestern bin ich in einer Bar beschwindelt worden.

바가지씌우다 *jn.* an¦schmieren; *jm.* an¦drehen⁴ (auf¦schwindeln⁴); *jm.* auf¦schwatzen⁴ (따리 붙여); e-n hohen Preis fordern.

바각 mit einem Krachen. ~거리다 krachen u. krachen; scharren u. kratzen. ¶ 부엌에서 무엇이 ~거리느냐 Was kracht in der Küche?

바각바각 Krach auf Krach.

바겐세일 Ausverkauf *m.* -(e)s, ⸗e (zu besonders niedrigen Preisen) (특별봉사 가격); Ramschverkauf (떨이); Gelegenheitskauf *m.* -(e)s, ⸗e.

바곳¹ 《송곳》 Bohrer *m.* -s.

바곳² 〖식물〗 Akonit *n.* -(e)s, -e.

바구니 Korb *m.* -(e)s, ⸗e; Henkelkorb *m.* -(e)s, ⸗e (자루가 달린); Tragkorb (운반용의). ¶ ~ 가득찬 der Korb voll / 시장 ~ Einkaufstasche *f.* -n; Einkaufsnetz *n.* -es, -e.

바구미 〖곤충〗 Kornwurm *m.* -(e)s, ⸗er.

바그너 《독일의 작곡가》 Wilhelm Richard Wagner (1813-83).

바그다드 《이라크의 수도》 Bag(h)dad.
‖ ~조약 der Vertrag von Bag(h)dad: ~조약 기구 Mittelost-Vertrag.

바그르르 ① 《물이》 wallend. ~하다 wallen. ¶ 물이 ~ 끓다 Wasser wallt auf. ② 《거품이》 schäumend; aufwallend. ~하다 schäumen; aufwallen; Blasen aufwerfen. ¶ 비누 거품이 ~ 일어나다 Seife schäumt auf.

바깥 ① 《일반적》 Außenseite *f.* -n; das Äußere* (Freie*) -n; Exterieur [..ø:r] *n.* -s, -e. ¶ ~의 äußer; Außen-; im Freien befindlich; außer dem Hause / ~에서 draußen; im Freien; unter freiem Himmel / ~에 서 있다 draußen (vor der Tür) stehen* / ~에서 놀다 draußen spielen / ~에서 식사하다 auswärts essen* (speisen); draußen essen* (주로 정원 등에서) / ~으로 나가다 hinaus¦gehen*; ins Freie gehen* / ~에서 문을 잠그다 e-e Tür von (dr)außen verschließen* / ~은 꽤 춥다 Draußen ist es sehr kalt. / 그는 ~ 출입을 하지 않는다 Er hockt immer zu Hause. ② 《남성》 männlich.
‖ ~고름 das Außenbindeband des koreanischen Rocks. ~공기 die Luft im Freien. ~뜰 Vordergarten *m.* -s, ⸗. ~문 Außentür (Haus-) *f.* -en. ~방 das Zimmer in dem Außenflügel des Hauses; Vorderzimmer *n.* -s, -. ~부모 *js.* Vater *m.* -s, ⸗. ~사돈 der Vater von *js.* Schwiegersohn (Schwiegertochter). ~세상 Außenwelt *f.* -en. ~소문 Geschwätz *n.* -es; Klatschgeschichte *f.* -n; was man draußen sagt. ~소식 die Nachricht 《-en》 von draußen: ~소식에 어둡다 nur wenig von der Welt wissen*; nicht welterfahren sein. ~식구 die männlichen Mitglieder e-r Familie. ~심부름 Botengang *m.* -(e)s, ⸗e: ~심부름 하다 e-n Botengang tun; für *jn.* e-e Besorgung machen/~심부름 보내다 e-n Boten senden*. ~양반, ~어른 Herr *m.* -n, -en; Gatte *m.* -n, -n. ~일 die Arbeit außerhalb des Hauses; Außendienst *m.* -es, -e: ~일(을) 하다 außerhalb des Hauses arbeiten. ~주인 = ~양반. ~짝 darüber; jenseits. ~쪽 Außen¦seite (Vorder-) *f.* -n.

~채 Vorder¦gebäude (Hof-) *n.* -s, -; Hinterhaus *n.* -es, ⸚er: ~채가 몸채보다 크다 Das Hofgebäude ist größer als das Hauptgebäude.

바께쓰 (Wasser)eimer *m.* -s, -. ¶ 물 한 ~ ein Eimer voll Wasser.

바꾸다 ① 《교환》 (aus|)tauschen⁴; um|tauschen⁴; vertauschen⁴ 《이상 *mit*³; *gegen*⁴; *für*⁴》; (um|)wechseln⁴ 《*mit*³; *gegen*⁴》; aus|wechseln⁴ 《*gegen*⁴》. ¶ 돈으로 ~ ein|wechseln⁴; ein|lösen⁴; zu Geld machen⁴; in Geld um|setzen⁴; realisieren⁴; ins Geld konvertieren⁴ / 수표를 현금으로 ~ e-n Scheck ein|kassieren (ein|lösen)/친절은 돈과 바꿀 수 없다 Freundlichkeit kann nicht mit Geld bezahlt werden. / 건강은 무엇과도 바꿀 수 없다 Gesundheit geht über alles. / 여자의 정조는 무엇과도 바꿀 수 없다 Keuschheit ist der Frauen höchstes Gut. / 생명은 무엇과도 바꿀 수 없다 Das Leben läßt sich durch nichts ersetzen.¦ Leben ist unersetzlich.
② 《변화》 (ver)ändern⁴; ab|ändern⁴; ab|wandeln⁴; um|wandeln; 《꼴을》 um|modeln⁴; um|formen⁴; um|gestalten⁴; um|bilden⁴; wechseln⁴; 《날짜·시간을》 verschieben*⁴; 《모습을》 ⁴sich verkleiden 《*in*⁴》. ¶ 모습을 바꾸어 verkleidet 《*als*》 / 가락을 바꾸어 in e-m anderen Ton / 장소를 ~ den Ort wechseln / 길을 ~ e-n anderen Weg ein|schlagen* / 옷을 ~ die Kleider 《*pl.*》 wechseln / 바꾸어 말하면 anders ausgedrückt; mit (in) anderen Worten (gesagt); das heißt 《생략: d.h.》; um es in andere Worte zu kleiden / 프로그램을 ~ das neue Programm vor|führen/꽃을 바꾸어 꽂다 Blumen neu stecken / 계획을 ~ s-e Pläne ändern / 의사를 ~ e-n anderen Arzt zu Rate ziehen*.
③ 《방향·주의 따위를》 ändern⁴. ¶ 의견을 ~ die Meinung (die Ansicht) ändern / 주의를 ~ s-e Prinzipien ändern / 배의 방향을 ~ das Schiff wenden*; den Kurs ändern.
④ 《개정》 verändern⁴; um|ändern⁴; um|formen⁴; um|wandeln⁴; verwandeln⁴. ¶ 제도를 ~ Einrichtungen 《*pl.*》 verändern.
⑤ 《갱신》 erneuern⁴. ¶ 매트의 커버를 새것으로 ~ e-e Matte neu über|ziehen* / 우산 천을 바꾸어 씌우다 e-n Regenschirm neu bespannen.
⑥ 《대용》 substituieren⁴; als Ersatz gebrauchen⁴. ¶ 대명사를 명사로 ~ ein Fürwort für das Hauptwort substituieren / 다른 것으로 바꿀 수 없을까요 Wollen Sie nicht etwas anderes dafür nehmen?
⑦ 《옷감을 뜨다》 kaufen. ¶ 비단 다섯 자를 ~ fünf Yards Seide kaufen.

바꿈질 ① 《물물》 Austausch *m.* -(e)s, -e; Umtausch *m.* -(e)s, -e; 《의견의》 (Gedanken-)austausch *m.* -(e)s. ~하다 um|tauschen; aus|tauschen; um|wechseln.
② 《갊》 Zurückstellung *f.* -en; Umstellung *f.* -en. ~하다 zurück|stellen; um|stellen.

바꿔 ¶ ~치다 um|tauschen 《*gegen*⁴; *für*⁴》; aus|tauschen 《*mit*³; *gegen*⁴; *für*⁴》; wechseln 《*mit*³》; benutzen 《*anstatt*²》 / ~ 말하면 mit anderen Worten; in anderen Worten ausgedrückt / 옷을 ~ 입다 ⁴sich um|kleiden; ⁴sich um|ziehen*; Kleider 《*pl.*》 wechseln / 입장을 ~ 생각하다 ⁴sich in *js.* Lage versetzen; ⁴*et.* von e-m neuen (anderen) Standpunkt betrachten / 시간을 ~ 치다 die Stunden um|wechseln.

바뀌다 ⁴sich verändern ((um|)ändern); Veränderungen 《*pl.*》 erfahren*. ¶ 모양이 ~ umgemodelt (umgeformt; umgestaltet) werden / 해가 ~ ein neues Jahr kommen* Ⓢ / 파수꾼이 바뀌었다 Der Wächter hat gewechselt. / 가게 주인이 바뀌었다 Der Besitzer des Ladens hat gewechselt. / 바람이 남쪽으로 바뀌었다 Der Wind hat sich nach Süden gedreht. / 도시의 모습이 완전히 바뀌었다 Die Stadt sieht jetzt völlig verändert aus.

바나나 Banane *f.* -n. ¶ ~ 껍질을 벗기다 Banane schälen.

바나듐 〖화학〗 Vanadium *n.* -s 《기호:V》.

바느질 das Nähen*, -s; Näherei *f.* -en; Näharbeit *f.* -en (물건). ~하다 nähen⁽⁴⁾; die Näharbeit machen. ¶ 성긴 ~ das lose Nähen*, -s; die lose Näharbeit, -en / ~로 품을 팔아 살아가다 ⁴sich mit Näherei fort|bringen* / ~이 곱다 (거칠다) gut (schlecht) genäht (geschnitten); von gutem(schlechtem) Schnitt.
‖ ~고리 ☞반짇고리. ~삯 Schneider¦lohn (Macher-) *m.* -(e)s, ⸚e; Nähgeld *n.* -(e)s, -er. ~손 jemand, der Näharbeit anderer gegen Zahlung übernimmt.

바늘 ① 《실 꿰는》 Nadel *f.* -n; Nähnadel *f.* -n (재봉침); Stecknadel *f.* -n (핀); Stricknadel(뜨개바늘); Zwecke *f.* -n(압정). ¶ ~로 찌르는 듯한 아픔 stechende Schmerzen 《*pl.*》 / ~로 찌르는 것 같다 Es sticht. / ~에 실을 꿰다 die Nadel ein|fädeln / ~을 꽂다 Nadel stecken / 상처를 여섯 ~ 꿰매다 e-e Wunde mit 6 Stichen zu|nähen / ~ 가는 데 실 간다 unteilbar (solidarisch) sein; immer mit|gehen*Ⓢ / ~ 방석에 앉은 것 같다 wie auf Nadeln sitzen / ~ 들어설 자리도 없을만큼 꽉 찼다 Es konnte keine Nadel zur Erde fallen, so dicht standen die Leute. / ~만한 일을 홍두깨만큼 늘여서 말한다 Er macht aus e-r Mücke e-n Elefanten.¦ Er übertreibt maßlos.
② 《시계의》 Zeiger *m.* -s, -; Stundenzeiger (단침); Minutenzeiger (장침).
‖ ~겨레 Nadelkissen *n.* -s, -. ~구멍 e-e Höhle, die von der Nadel gehöhlt wurde. ~귀 Nadel¦loch *n.* -(e)s, ⸚er (-öhr *n.* -(e)s, -e); Auge *n.* -s, -n. ~밥 Stich *m.* -(e)s, -e. ~쌈 Nadelbrief *m.* -(e)s, -e.

바늘꼬리도요 〖조류〗 Spießente *f.* -n.

바늘꼬리칼새 eine Art Mauersegler 《*m.* -s》; Turmschwalbe *f.* -n.

바늘꽃 eine Art Weiderich 《*m.* -(e)s, -e》.

바니싱크림 Tageskrem *m.* -s, -e.

바다 Meer *n.* -(e)s, -e; See *f.* -n [zé:ən]; 《대양》 Ozean *m.* -s, -. ¶ ~ 건너 weit übers Meer / 거울 같은 ~ das spiegelglatte Meer, -(e)s, -e / 너른 ~ das weite Meer, -(e)s, -e/ 고요한 ~ das ruhige Meer / 푸른 ~ das blaue Meer / ~의 생활 Seeleben *n.* -s, -/ ~로 둘러싸인 나라 das meerumschlungene (von Meer umgebene) Land, -(e)s, ⸚er / ~가 없는 나라 ein Land ohne Zugang zu Meer / ~에 나가다 in See gehen*Ⓢ / ~에 가다 an die See gehen*Ⓢ / ~에 뛰어들다 über Bord springen*Ⓢ / ~를 달리다 auf dem Meer fahren* Ⓢ / ~ 위를 날다 über dem Meer fliegen* Ⓢ / ~가 거칠다 Die See geht hoch. / 여름에는 ~로 가는 사람이 많다

Im Sommer gehen viele Leute an die See. / 올 여름에는 ~에 갈 겁니다 Ich werde diesen Sommer an die See (ans Meer) fahren.

‖ ~말 Seegras *n.* -es, ⸗er. ~밑 Meeresboden *m.* -s, -(⸗) (-grund *m.* -(e)s, ⸗e; -tiefe *f.* -n). 바닷가 Strand *m.* -(e)s, -e; Küste *f.* -n; Meeresufer *n.* -s, -: 바닷가에 가다 zum Strand hinunter|gehen* ⓢ. 바닷길 Seeweg *m.* -(e)s, -e. 바닷물 Seewasser *n.* -s, -. 바닷물고기 der Fisch im Seewasser. 바닷바람 Seewind *m.* -(e)s, -e. 바닷사람 Seemann *m.* -(e)s, ..leute. 바닷새 See¦vogel (Meer-) *m.* -s, ⸗.

바다거북 〖동물〗 Seeschildkröte *f.* -n.

바다꿩 〖조류〗 die langschwänzige Ente.

바다매 〖조류〗 Wanderfalke *m.* -n, -n.

바다뱀 〖동물〗 See¦schlange (Meer-) *f.* -n.

바다뱀자리 〖천문〗 Hydra *f.* ..ren.

바다비오리 〖조류〗 eine Art Säger 《*m.* -s》.

바다쇠오리 〖조류〗 Alk *m.* -(e)s, -e.

바다오리 〖조류〗 Lumme *f.* -n.

바다장어(一長魚) Meeraal *m.* -(e)s, -e.

바다제비 〖조류〗 See¦schwalbe (Sturm-) *f.* -n.

바다표범(一豹一) 〖동물〗 Seehund *m.* -(e)s, -e; Robbe *f.* -n; Seal [zi:l] *m.* (*n.*) -s, -s. ¶ ~ 가죽 Robbenfell *n.* -(e)s, -e; Sealskin [zí:l..] *m.* (*n.*) -s, -s.

바닥 ① 《평면》 Boden *m.* -s, -; Grund *m.* -(e)s, ⸗e; Tiefe *f.* -n; Sohle *f.* -n (신발의); Meeres¦boden *m.* -s, - (-grund *m.* -(e)s, ⸗e) (바다의); Bett *n.* -(e)s, -en (강의). ¶ 땅~에 auf dem Grund / 마룻~에 auf dem Bretterboden / 방~ der Boden des Zimmers/ 손~ Hand¦teller *m.* -s, - (-fläche *f.* -n)/ 땅~에 눕다 ⁴sich auf den Grund legen.
② 《밑부분》 Boden *m.* -s, -; Grund *m.* -(e)s, ⸗e; Tiefe *f.* -n. ¶ ~짐 die unterste Ware, -n; Ballast *m.* -(e)s, -e (배의) / ~짐을 싣다 Waren 《*pl.*》 im Boden (e-s Schiffes) verstauen / ~에 쌓다 im Boden auf|häufen / ~에 이르다 den Boden erreichen / 발이 ~에 닿다 auf Grund geraten*ⓢ / 찻잔 ~에 금이 갔다 Diese Tasse hat Sprünge im Boden bekommen.
③ 《고갈》 das Austrocknen*, -s; Erschöpfung *f.* -en. ¶ 지갑을 ~까지 털다 auf (bei) Heller u. Pfennig bezahlen. ☞ 바닥나다.
④ 《짜임새》 das Weben*, -s; Beschaffenheit *f.* -en. ¶ ~이 고운 (거친) fein (grob) in Beschaffenheit.
⑤ 《번잡한 곳》 der verwickelte (verworrene) Bezirk, -(e)s, -e. ¶ 서울 ~ die Stadt (-mitte) Seoul; das Herz der Stadt Seoul (본바닥) / 시장 ~ Marktplatz *m.* -es, ⸗e.
‖ ~첫째 der erste von hinten: ~첫째로 졸업했다 Er absolvierte die Schule als der erste von hinten.

바닥나다 ⁴sich erschöpfen; zu Ende gehen* ⓢ; 〖속어〗 alle werden. ¶ 돈이 ~ mit s-m Geld zu Ende kommen*ⓢ / 술이 바닥이 났다 Der Wein ist alle (zu Ende). / 식량이 바닥이 나고 있다 Die Lebensmittel sind (bei uns) knapp geworden.

바닥보다 mißlingen*; mißglücken; keinen Erfolg haben.

바닷개 Seehund *m.* -(e)s, -e.

바닷게 Krebs *m.* -(e)s, -e 《im Meer》.

바대 die Verstärkung der Innenseite der Jacke.

바더리 〖곤충〗 die langbeinige Wespe; eine Art Wespe.

바동- ☞ 버둥-.

바둑 *Badug*-Spiel (*Go*-Spiel) *n.* -(e)s, -e. ¶ 진 ~ das verlorene *Go*-Spiel, -(e)s, -e / ~을 두다 e-e Partie (ein Spiel) *Badug* (*Go*) spielen.
¶ ~돌 *Badug*-Stein (*Go*-Stein) *m.* -(e)s, -e. ~판 *Badug*-Spielbrett (*Go*-Spielbrett) *n.* -(e)s, -er: ~판 무늬의 kar(r)iert; gewürfelt; gekästelt. ⌈-n.

바둑말 〖동물〗 Schek *m.* -es, -e; Schecke *f.*

바둑이 der gefleckte Hund, -(e)s, -e; der Hund mit weißen u. schwarzen Flecken.

바드 Bad *n.* -(e)s, ⸗er.
‖ ~룸 Bade¦stube *f.* -n (-zimmer *n.* -s, -). ~타올 Badetuch *n.* -(e)s, ⸗er.

바드득 mit einem knirschenden Laut. ~하다 knirschen; knarren. ~거리다 knirschen; knarren. ¶ 이를 ~ 갈다 mit Zähnen knirschen.

바드득바드득 wiederholt knirschend.

바득바득 ☞ 부득부득.

바들바들 ☞ 부들부들. ⌈-(e)s, ⸗er).

바디 Weber¦kamm *m.* -(e)s, ⸗e (-blatt *n.*

바따라지다 schmackhaft u. duftend (sein).

바라(哱囉) ① 《자바라》 e-e kleine Zimbel *f.* -n. ② 《소라》 die Trumpete aus Muschel.

바라기 das kleine Porzellangeschirr, -s, -e.

바라다 ① 《소원》 (³sich) wünschen⁴; wollen*; verlangen 《*nach*³》; ⁴sich sehnen 《*nach*³》; trachten 《*nach*³》. ¶ 관직을 ~ e-e offizielle Stelle suchen / 평화를 ~ ⁴sich nach Frieden sehnen / 자비를 ~ um Gnade flehen / 행복을 ~ Glück wünschen (남의); ³sich Glück ersehnen / 부귀를 ~ nach dem Reichtum trachten/바라건대 ich wünsche; es wäre zu wünschen 〖daß+접속법〗; ich würde mich freuen; es wäre schön 〖wenn +접속법〗; ich hoffe (u. wünsche); hoffentlich / 바라던 대로 되다 nach ³Wunsch gehen*ⓢ / 바라건대 그가 곧 와 주었으면 Hoffentlich kommt er bald wieder. / 바라던 바가 마침내 실현되었다 M-e Sehnsucht wurde endlich gestillt. / 그것은 바로 내가 바라던 바다 Das entspricht gerade m-m Wunsch u. m-r Erwartung. / 당신이 속히 건강해지길 바랍니다 Wir hoffen, daß Sie bald wieder gesund werden. / 그가 바라는 것은 돈뿐이다 Er will nur Geld. / 명예는 바라지 않는다 Nach Ruhm u. Ehre trachte ich nicht. / 내일까지 마쳐 주기 바라네 Ich bitte dich (darum), es bis morgen fertig zu machen. / 무엇을 바라십니까 Was wünschen Sie von mir?
② 《기대·예기》 hoffen 《*auf*⁴》; erwarten⁴. ¶ 요행을 ~ verzweifelt geringe Hoffnung setzen 《*auf*⁴》; e-n Glücksfall erhoffen; am Grabe noch die Hoffnung auf|pflanzen/ …을 바라고 in der Hoffnung, daß...; in der Erwartung, daß... / 용서를 ~ auf *js.* Verzeihung hoffen / 최선을 ~ das Beste hoffen / 그건 바랄 수 없다 Das läßt sich kaum erwarten. / 우리는 자네 도움을 바라고 있네 Wir verlassen uns sehr auf d-e Hilfe. / 그에게서는 큰 것을 바랄 수 없다 Man kann von ihm nichts Großes erwarten. / 보수를 바라고 한 것은 아닙니다 Ich tat es nicht in der Erwartung irgendeiner Belohnung.
③ 《간원·부탁함》 bitten* 《*jn.* um⁴》; wünschen⁴; verlangen 《*nach*³》; nach|suchen

《bei *jm.* um⁴》. ¶ 회답을 ~ *jn.* um Antwort bitten* / 앞으로도 호의를 베풀어 주시길 바라겠읍니다 Bleiben Sie bei Ihrer Freundschaft! / 진열품에 손 대지 마시기 바랍니다 Ich bitte Sie, die ausgestellten Sachen (mit der Hand) nicht zu berühren.
④ 《선택》 lieber wollen* 《*als*》; vor|ziehen*³⁴. ¶ 명예보다 돈을 ~ der ³Ehre das Reichtum vor|ziehen* / 수치를 당하느니 죽음을 바란다 Ich ziehe der Schande den Tod vor. / 바라는 것은 뭐든지 주겠다 Ich gebe dir alles, was du willst.

바라(다)보다 《건너다보다》 e-n (guten) Überblick 〔Ausblick〕 haben 《*von*³; *über*⁴》; den Blick schweifen lassen*; überblicken⁴; übersehen*⁴; überschauen⁴; e-e freie 〔weite〕 Aussicht haben 《*über*⁴; *auf*⁴》. ¶ 바다를 ~ über das Meer hin|blicken / 먼 곳을 ~ in die Ferne blicken / 달을 ~ den Mond an|blicken / 눈이 빠지게 ~ eifrig an|sehen*⁴; starr an|sehen*⁴; an|starren⁴ / 여기서는 식장이 잘 바라(다)보인다 Hier haben wir e-n guten Überblick über den Festplatz. / 군중이 지나가는 것을 바라다보았다 Er sah zu, wie die Leute vorbeigingen. / 그도 이제 90세를 바라본다 Er ist jetzt schon fast neunzig Jahre alt. ¦ Er erreicht nun das hohe Alter von beinahe neunzig. ¦ Er hat schon nahezu neunzig Jahre auf dem Rücken 〔Buckel〕 《구어》.

바라문(婆羅門) ① 《종족》 Brahmane *m.* -n, -n; Brahmine *m.* -n, -n. ② 《바라문교의 승려》 Brahmane; Brahmine; Brahmapriester *m.* -s, -. ¶ ~의 brahmanisch; brahminisch. ‖ ~교 Brahma(n)ismus *m.* -s: ~교도 Brahmane *m.* -n, -n.

바라밀다(波羅蜜多) 〖불교〗 der Eingang ins Nirwana.

바라보이다 übersehen werden; überblickt werden. ¶ 멀리 삼각산이 ~ e-e ferne Aussicht auf den *Samgag*-Berg haben / 내 집은 바다가 바라보이는 언덕 위에 있다 Mein Haus steht auf e-m Hügel, das e-e Aussicht auf die See hat. / 호텔에서 바다가 잘 바라보인다 Vom Hotel aus hat man e-e schöne Aussicht auf die See. / 높은 창문에서 시내의 반이 바라보인다 Durch das hohe Fenster hat man e-e Aussicht auf die halbe Stadt.

바라지 Sorge *f.* -n 《für *jn.*》; Kummer *f.* 《um *jn.*》; das Aufpassen*, -s 《auf *jn.*》; Hilfeleistung; Unterstützung *f.* ~하다 für *jn.* sorgen; ⁴sich um *jn.* kümmern; auf *jn.* auf|passen; *jn.* unterstützen; *jn.* mit ³*et.* versehen*; *jn.* mit ³*et.* versorgen. ¶ 자식 ~ Sorge für *js.* Sohn / 옷~ 하다 *jn.* mit Kleidungen versorgen / 그이는 자식~에 늙어 버렸다 Durch die Sorge für seinen Sohn wurde er alt.

바라지다¹ ① 《몸이》 dick untersetzt; kurz u. stark, klein u. dick (sein). ¶ 바라진 사람 ein dicker Mann, -(e)s, ⸚er / 몸이 ~ klein u. dick sein. ② 《그릇이》 flach; seicht (sein). ¶ 바라진 접시 der flache Teller, -s, -. ③ 《언행이》 frühreif; frühzeitig; frühklug; altklug; vorlaut; vorwitzig; überklug (sein). ¶ 바라진 계집애 ein frühreifes Mädchen, -s, -.

바라지다² 《갈라지다》 ⁴sich spalten; ⁴sich entzweien; ⁴sich von ³*et.* trennen.

바라크 Baracke *f.* -n; Bude *f.* -n; Hütte *f.* -n; Kabache *f.* -n; Schuppen *m.* -s, -. ¶ 이 집은 ~처럼 지은 집이다 Das ist ein temporäres 〔vorläufiges; zeitweiliges〕 Haus.

바락 ☞ 버럭.

바락바락 verzweifelt; rasend; außer sich. ¶ ~ 기를 쓰다 ⁴*et.* verzweifelt versuchen; außer sich sein / ~ 덤비다 verzweifelt auf *jn.* los|gehen*.

바람¹ ① 《대기의 유동》 Wind *m.* -(e)s, -e; 《미풍》 Lüftchen *n.* -s, -; Windhauch *m.* -(e)s, -e; leichter 〔sanfter〕 Wind; Brise *f.* -n; 《폭풍》 Sturm *m.* -(e)s, ⸚e; Sturmwind *m.*; 《열풍》 scharfer Wind; 《태풍》 Orkan *m.* -s, -e; 《선풍》 Wirbelwind *m.*; Windwirbel *m.* -s, -; 《돌풍》 Stoßwind *m.*; Windstoß *m.* -es, ⸚e; Bö *f.* -en (해상의). ¶ ~이 센 windig / ~이 없는 windstill / 일진의 ~ Stoßwind *m.* / 거슬러 부는 ~, 맞~ der widrige 〔ungünstige〕 Wind / 뒷~ der gute 〔günstige〕 Wind; Schiebewind *m.* / 살을 에는 듯한 ~ der schneidende Wind / 찬 ~ der kalte Wind / 센 ~ der starke 〔steife〕 Wind / ~의 방향 Windrichtung *f.* -en / ~을 안고 gegen den Wind; gerade in den Wind / ~이 일다 es erhebt sich ein Wind / ~이 자다 der Wind legt sich / ~이 불다 es geht ein Wind; der Wind weht 〔bläst〕.; Es windet. / ~한 점 없다 Es weht kein Lüftchen. ¦ Es regt sich kein Lüftchen. / ~이 어디서 불어오느냐 Woher kommt 〔weht; bläst〕 der Wind? / ~은 서쪽에서 불어온다 Der Wind kommt von 〔weht aus〕 Westen. / ~의 방향이 바뀌었다 Der Wind hat sich gedreht. / 그들은 저녁 ~을 쐬었다 Sie haben die Abendkühle genossen. ¦ Sie haben sich in der kühlen ³Luft des Abends erfrischt. / ~이 윙윙거린다 Der Wind heult. ¦ Es pfeift der Wind. / ~이 모자를 날렸다 Der Wind hat m-n Hut weggeweht. / 촛불이 ~에 가물거린다 Das Kerzenlicht flackert im Winde. / 가지 많은 나무에 ~ 잘 날 없다 Ein hoher Baum fängt viel Wind.
② 《외풍》 Zug¦wind *m.* -(e)s, -e 〔-luft *f.* ⸚e〕; Zug *m.* -(e)s, ⸚e. ¶ ~이 통하게 하다 lüften⁴; ventilieren⁴ / ~이 들어온다 Hier zieht es. / 벽이 엷어서 사방에서 ~이 들어온다 Die Wände sind so undicht, daß überall der Wind durchweht. / ~이 문틈으로 들어왔다 Der Wind kam 〔pfiff〕 durch die Türspalten 〔Türritzen〕.
③ 《들뜸》 Liebelei *f.* -en; Seitensprung *m.* -(e)s, ⸚e; die kleine Ausschweifung, -en. ¶ ~난 locker; leichtsinnig; liederlich; ausschweifend; ausgelassen; zügellos; ungebunden / ~난 여자 Schlampe *f.* -n; Weibchen *n.* -s, -; das lose(liederliche) Frauenzimmer, -s, -; die leichtfertige Dirne, -n/ ~피우다 e-n Seitensprung machen; (s-e Frau *od.* ihren Mann) betrügen*; den Frauen nach|laufen* Ⓢ.
④ 《공기》 Luft *f.* ⸚e. ¶ 이 타이어는 ~이 빠졌다 Aus dem Reifen ist die Luft heraus.
⑤ 《허풍》 Prahlerei *f.* -en; Großsprecherei *f.* -en; Übertreibung *f.* -en. ¶ ~이 센 친구 Prahler *m.* -s, -.
⑥ 《중풍》 die (halbseitige) Lähmung, -en; Gichtbrüchigkeit *f.* ☞ 바람맞다 ①.
⑦ 《비유적》 ¶ 무슨 ~이 불어서 이 도시로 왔소 Welcher gute Wind 〔günstige Zu-

fall) hat Sie in diese Stadt geweht (getrieben)?

‖ ~구멍 Luft|loch (Wind-) *n.* -(e)s, ⸗er. ~기 Ausschweifung *f.* -en; Liederlichkeit *f.* -en. ~둥이 (1) 《바람잡이》 der liederliche Mensch, -en, -en; der unbeständige Liebhaber, -s, -; 《여자》 die liederliche (leichtsinnige) Frau, -en. (2) =허풍선(이). ~막이 Wind|brecher (-schützer) *m.* -s, -; Windschirm *m.* -(e)s, -e: 이 나무는 집의 ~막이가 된다 Diese Bäume schützen das Haus vor dem Wind. ~벽 Wand *f.* ⸗e; Mauer *f.* -n. ~비 =비바람. ~세 Windstärke *f.* ~잡이, ~장이 =바람둥이.

바람² 《길이》 die Spannweite der Arme. ¶ 새끼 두 ~ zwei Armspannen Seil.

바람³ ① 《기세》 (als) Folge (Wirkung; Folgerung) von ³*et.*; auf Grund von ³*et.*; in der Folge von ³*et.*; (unter dem) Einfluß von ³*et.* ¶ 사고가 나는 ~에 길이 차단되어 있다 Infolge eines Unfalls ist die Straße gesperrt. / 떠드는 ~에 In der Folge von lärmendem Durcheinander / 자동차를 피하려는 ~에 발목을 삐었다 Ich habe mir den Fuß verrenkt, als ich einem Wagen ausweichen wollte. ② 《차림》 ohne ⁴*et.* anzuziehen. ¶ 샤쓰 ~으로 im bloßen Hemden; nur mit dem Hemd bekleidet.

바람개비 ① 《풍향계》 Wetterfahne *f.* -n; Wetterhahn *m.* -(e)s, ⸗e. ¶ ~가 바람에 돈다 Die Wetterfahne dreht sich mit dem Wind herum. ② =팔랑개비.

바람결 ① 《바람에 불려》 ¶ ~에 zufällig(erweise); von ungefähr / ~에 귀뜨이다 zufällig hören⁴; von ungefähr zu Ohren 《*pl.*》 kommen* 《*jm.*》; durch ⁴Zufall Kenntnis nehmen* 《*von*³》 / ~에 새 소리가 들린다 Der Wind bringt den Gesang des Vogels. ② 《풍편》 das Hörensagen*, -s; Gerede *n.* -s, -. ¶ ~에 들으니 Mein kleiner Finger hat mir gesagt, daß...; Ich habe ein Vögelchen davon singen hören, daß... / ~에 알다 vom Hörensagen wissen*⁴ / ~에 그가 남방에서 죽었다는 것을 들었다 Mein kleiner Finger hat mir gesagt, daß er im Süden gestorben ist.

바람꽃 ① 《뽀얀 기운》 Dunst|wolke (-schicht) *f.* -en. ② 〖식물〗 Anemone *f.*

바람끼다 wankelmütig (flatterhaft; leichtsinnig) werden.

바람나가다 dumm (langweilig; unfreulich) werden.

바람나다 ① 《들뜨다》 wankelmütig (flatterhaft; launisch; launenhaft; ausschweifend (방탕한)) sein. ② 《신명나다》 unterhaltend (ergötzend; belustigend; unerschöpflich; interessant) sein.

바람둥이 der launenhafte (wankelmütige) Mensch, -en, -en; 《남자》 Schürzenjäger *m.* -s, -; Schwerenöter *m.* -s, -; Don Juan [dɔn-xuán, ..jú:an] *m.* - -s, - -s; Frauenheld *m.* -en, -en; 《여자》 Kokette *f.* -n.

바람들다 ① 《푸성귀가》 breiartig (weich) werden; klitschig (feucht; naß) werden. ② 《바람나다》 liederlich (ausschweifend) werden; 《부정한》 unkeusch (untreu) werden; ⁴sich auf Liebeleien einlassen*. ¶ 바람든 여자 die liederliche Frau / 바람든 남자 der liederliche Mann. ③ 《일·계획이》 schief gehen*; ins Wasser fallen*; verhindert sein.

바람막이 Windbrecher *m.* -s, - (나무, 울 따위에 의한); Windschirm *m.* -(e)s, -e (병풍류 및 비행기의); Windschutzscheibe *f.* -n (자동차의).

바람맞다 ① 《중풍》 von der Paralyse getroffen werden; e-n Schlaganfall bekommen*. ¶ 그는 바람을 맞아 오른쪽 반신을 못 쓴다 Durch die Paralyse ist die rechte Seite seines Körpers gelähmt. ② 《속다》 betrogen werden; beschwindelt werden; 《남에게》 e-n Korb bekommen*. ¶ 여자한테 ~ e-n Korb von e-r Dame bekommen*.

바람맞히다 d(a)rauf|setzen⁴; sitzen lassen*⁴; vergeblich warten lassen*⁴ (기다리고 있는 사람을).

바람받이 ¶ ~에 있는 dem Winde ausgesetzt; voll Windeswehen; windig / ~에 있는 오두막집 die vom Winde umwehte Hütte, -n.

바람자다 ① 《바람이》 der Wind legt sich. ② 《들뜬 마음이》 ⁴sich beruhigen; Beruhigung finden*; ⁴sich ruhig finden*.

바람잡다 ① wankelmütig sein; e-n Liebeshandel treiben*; Dummheit begehen*. ② 《허황하다》 ³sich schmeicheln 《mit e-r Hoffnung》; e-n unerfüllbaren Wunsch hegen; ³sich etwas Unmögliches vor|stellen.

바람직하다 wünschenswert; erwünscht; ratsam (sein). ¶ 바람직하지 않은 unerfreulich; unerwünscht; unlieb; unratsam 〖또는 wünschenswert 따위를 nicht 로 부정한다〗 / …이 ~ Es ist erwünscht, daß.... | Es wäre zu empfehlen, daß.... / 그 사람이 같이 오는 것이 매우 ~ Es ist sehr zu begrüßen, wenn (daß) er mitkommt.

바람켜다 ein ausschweifendes Leben führen; unbeständig sein.

바랑 Tornister *m.* -s, -; Rucksack *m.* -(e)s, ⸗e. ¶ ~을 지다 einen Tornister auf dem Rücken tragen*; *js.* Rucksack hin|stellen (hin|legen).

바래다¹ ① 《빛이》 verblassen ⓢ; ⁴sich entfärben; ⁴sich verfärben. ¶ 바래지 않는 nicht verbleichend; (licht)echt; haltbar / 바래기 쉬운 leicht verbleichend; empfindlich / 색이 바랜 verblichen; matt; verschossen / 잘 바래는 색 die leicht verbleichende Farbe, -n / 자줏빛으로 ~ in den Purpur verblassen / 방석이 햇볕에 바랬다 Das Sitzkissen hat sich im Sonnenschein entfärbt. / 문의 페인트칠이 바랬다 Die Farbe der Tür ist (hat) abgegangen (sich gelöst). ② 《빨래를》 bleichen⁽*⁾⁴; ab|bleichen⁽*⁾⁴ (aus|-). ¶ 햇볕에 ~ in (an) der Sonne bleichen⁽*⁾⁴/무명이 ~ Kattun bleichen⁽*⁾.

바래다² 《배웅》 *jn.* bei der Abschied begleiten; *jm.* bei der Abreise das Geleit geben*; 《집으로》 *jn.* nach Haus bringen*. ¶ 버스 정류장까지 ~ 드리죠 Ich werde Sie zur Bushaltestelle bringen.

바래(다)주다 《집으로》 *jn.* nach Haus bringen*; *jn.* bei der Abschied begleiten. ¶ 집까지 ~ *jn.* nach Haus bringen* / 손님을 역까지 ~ e-n Gast bei der Abschied zum Bahnhof begleiten / 아이를 집까지 바래다 주어라 Bring das Kind nach Haus!

바레인제도(一諸島) 《페르시아 만의 섬》 Bahrain Inseln.

바로¹ 《바르게·곧게》 richtig; korrekt; wahrhaft(ig); anständig; genau; aufrichtig; ehrlich; gerade(aus). ¶ ~ 말하면 genau gesagt (gesprochen); um genau zu sein / ~ 맞히다 das Richtige treffen*; den Nagel auf den Kopf treffen*; erraten*⁴ / ~ 일으키다 gerade auf|richten⁴ (machen⁴) / ~ 눕다 auf dem Rücken liegen* / ~ 발음하다 (ein Wort) korrekt aus|sprechen* / 모자를 ~ 써라 Trag d-n Hut anständig! / ~ 알아맞혔다 Du hast es richtig geraten.

② 《곧·곧장》 gleich; sofort; auf der Stelle; im Nu; augenblicklich. ¶ 지금 ~ bald; sofort; im Augenblick / ~ 돌아오너라 Komm direkt zurück! / ~ 오너라 Komm gleich! / ~ 호텔로 가겠다 Ich komme gleich zum Hotel.

③ 《꼭·정확히》 genau; gerade; dicht; direkt; gleich; ganz; richtig; pünktlich. ¶ ~위 (뒤)에 gerade (direkt) über³⁴ (hinter³⁴) / ~ 가까이에 dicht 《*an*³; *bei*³》; nahe; in der Nähe / ~ 눈 (코) 앞에 dicht vor den Augen; gerade vor der Nase / ~ 옆에 gleich nebenan / ~ 조금 전에 gerade jetzt; soeben / ~ 최근에 erst neulich / ~ 거기서 gerade (gleich) dort; ganz in der Nähe / ~ 그 날 gerade an dem Tag / ~ 4시에 Punkt (genau) um 4 Uhr / ~ 한가운데 genau in der Mitte / ~ 학교 가까이에 nahe (bei³; an³) der Schule / ~ 다음 날 아침에 gleich am nächsten Morgen / 정거장은 ~ 저기다 Der Bahnhof liegt ganz nah(e) da drüben. / 그의 집은 ~ 이 근처에 있다 Zu ihm ist ja nur ein Katzensprung. / 그는 ~ 옆에 살고 있다 Er wohnt gleich nebenan. / ~ 오늘이 내 생일이다 Gerade heute ist mein Geburtstag.

④ 《마치》 als ob; als wenn; wie wenn; wie. ¶ ~ 뭐나 아는 듯이 말한다 Er sagt, als ob er etwas wüßte. / 인명은 ~ 풍전등화나 다름이 없다 Das menschliche Leben ist wie ein Licht vor dem Winde.

⑤ 《구령》 Augen geradeaus! ¶ 우로 나란히 ~ Augen rechts!

바로² gerade. ¶ ~ 맞은 편에 우리 학교가 있다 Unsere Schule steht gerade gegenüber. / ~ 종로에 불이 났다 Feuer ist irgendwo in *Jongro* ausgebrochen.

바로미터 《청우계》 Barometer *n.* -s, -; 《추측의 표준》 Barometer *n.* -s, -; Indikator *m.* -s, -. ¶ 건축업은 상황(商況)의 ~다 Das Baugewerk ist ein Barometer der Geschäftsverhältnisse. / 증권 시세의 변동은 경기의 ~이다 Das Fluktuieren des Fondsmarktes ist das Barometer der Geschäftslage.

바로잡다 ① 《굽은 것을》 gerade machen⁴; wieder gerade biegen*⁴. ¶ 굽은 나무를 ~ gekrümmtes Holz wieder gerade biegen* (machen). ② 《잘못을》 Fehler verbessern (korrigieren); Irrtümer berichtigen (richtig|stellen). ¶ 마음을 ~ ⁴sich verbessern / 행실을 ~ ⁴sich bessern / 결점을 ~ e-e Schwäche (e-n Fehler) heilen / 폐해를 ~ e-n Mißstand (ein Übel) ab|stellen (beheben*) / 나쁜 버릇을 ~ mit e-r schlechten Gewohnheit brechen*; e-r schlechten ³Gewohnheit entsagen.

바로크 Barock *n.* (*m.*) -s. ¶ ~의 barock.
‖ ~시대 Barockzeit *f.* ~양식 Barockstil *m.* -(e)s. ~음악 Barockmusik *f.*

바루다 ＝바로잡다.

바륨 【화학】 Barium *n.* -s 《기호: Ba》.

바르다¹ ① 《곧다》 gerade (sein). ¶ 바른 길 der gerade Weg, -(e)s, -e / 바른 자세로 in e-r guten (aufrechten) Haltung, -en. ② 《정직》 ehrlich; redlich; aufrichtig; rechtschaffen (sein). ¶ 바른 사람 der rechtschaffene (aufrichtige; ehrliche) Mensch, -en, -en / 바른 행실 das korrekte (richtige) Benehmen*, -s / 바른 일 하다 das Richtige* tun*. ③ 《옳다》 recht; wahrhaft(ig) (sein). ¶ 바른 대로 말하면 um die Wahrheit zu sagen; wenn ich unverblümt die Wahrheit sagen darf; offen gesagt (솔직히 말해); um ehrlich zu sein / 바른 말을 하다 die Wahrheit sagen. ④ 《햇볕이》 sonnig (sein). ¶ 양지바른 곳 der sonnige Platz, -es, ⸚e.

바르다² ① 《칠하다》 streichen*⁴; an|streichen*⁴ (be-); überziehen⁴; ein|reiben*⁴; auf|legen⁴ 《*auf*⁴》. ¶ 빵에 버터를 ~ Butter auf das Brot schmieren / 상처에 연고를 ~ Salbe auf e-e Wunde auf|legen; Salbe auf die Wunde (die Wunde mit e-r Salbe) ein|reiben* / 과자에 설탕을 ~ e-n Kuchen überzuckern / 기름을 ~ ölen⁴; mit Öl schmieren⁴ / 벽을 희게 ~ e-e Wand weißen; weiß tünchen / 구두에 약을 ~ die Schuhe mit Schuhcreme ein|reiben* / 분을 얼굴에 ~ ⁴sich pudern / 덕지 덕지 분을 ~ ³sich das Gesicht dick pudern (schminken) / 빵에 잼을 발라 주시오 Bestreichen Sie, bitte, das Brot mit Marmelade! / 상처에 약을 좀 발라 두시오 Reiben Sie irgend e-e Medizin auf Ihre Wunde!

② 《붙이다》 kleben 《*an*⁴》; an|kleben; kleistern; 《반창고 등을》 bepflastern; ein Pflaster auf ⁴*et.* legen. ¶ 플래카드를 벽에 ~ Plakate an e-e Mauer kleben / 벽지로 벽을 ~ die Wand mit Tapete bekleben / 방을 ~ ein Zimmer neu tapezieren (lassen*) / 반창고를 상처에 ~ ein Pflaster auf die Wunde legen / 벽을 ~ die Wand tapezieren / …을 종이로 ~ ⁴*et.* mit Papier bekleben (überziehen*) / …에 종이 한 장을 ~ ein Blatt Papier an (auf) ⁴*et.* kleben. / 고약을 바르면 상처는 나을 것이다 Leg dir doch das Pflaster, und die Wunde wird heilen. / 피부에 그것을 바르시오 Legen Sie sich es auf die Haute!

바르다³ 《발라내다》 enthülsen; schälen; spalten; brechen*. ¶ 조개를 ~ Muschel aus der Schale heraus|nehmem*; Kastanien schälen.

바르르 ① 《끓는 소리》 aufwallend; brodelnd; Blasen aufwerfend. ¶ ~ 끓다 brodeln; sieden / 물이 ~ 끓기 시작한다 Wasser fängt an zu brodeln.

② 《성냄》 äußerst wütend; in Wut. ¶ 그는 ~ 성이 났다 Er kochte (schäumte) vor Wut. Er ballte die Fäuste in ohnmächtiger Wut. Er wurde rot vor Wut.

③ 《탐》 ¶ 불이 ~ 타오르다 Feuer flammt auf.

④ 《떪》 zitternd; schaudernd. ¶ 추워서 ~ 떨다 vor Kälte zittern / 무서워서 ~ 떨다 vor Angst schaudern / 성이나서 여자의 입술이 ~ 떨리다 Ihre Lippen zittern vor Zorn.

바르바도스 《서인도 제도의》 Barbados *n.* ¶ ~의 barbadosisch.
‖ ~사람 Barbadose *m.* -n, -n.

바르샤바 《폴란드의 수도》 Warschau.

바르작- ☞ 버르적-.

바르집다 ① ☞ 버르집다 ①. ② 《폭로》 entdecken; auf|decken; an den Tag bringen*. ¶ 비밀을 ~ ein Geheimnis auf|decken / 거짓을 ~ *jn.* bei einer Lüge ertappen. ③

《떠벌리다》 übertreiben*; übertrieben dar|stellen; bei ^{4}*et.* verweilen; zu stark beschönigen.

바른길 ①《곧은 길》 der gerade Weg, -(e)s, -e. ②《옳은 길》 der richtige Weg; der Weg der Gerechtigkeit; Menschenpflicht *f.* -en. ¶ ～로 인도하다 *jn.* zum richtigen Weg führen / ～을 밟다 einen richtigen Weg betreten*; den Weg der Gerechtigkeit ein|schlagen* / ～을 벗어나다 ^{4}sich von dem richtigen Weg ab|weichen*; ^{4}sich verirren.

바른말 《옳은 말》 das richtige (logische; vernünftige) Wort, -(e)s, -e; 《직언》 die direkte Mahnung, -en; der offene Rat, -es. **～하다** direkt mahnen; geradeaus sagen. ¶ 그는 항상 ～을 한다 Er spricht immer logisch.

바리[1] ①《그릇》 das Tischgeschirr aus Messing für Frauen. ② ＝바리때.
‖ **～때** das hölzerne Tischgeschirr, das von buddhistischen Mönchen benutzt wird. **～뚜껑** der Deckel von *Bari.* **～전** (廛) das Geschäft für Messingwaren.

바리[2] 《짐을 세는 단위》 eine Wagenladung, -en. ¶ 장작 두 ～ zwei Wagenladungen Brennholz / 마차에 나무 한 ～를 실었다 Er hat einen Wagen mit Holz beladen. / 마차 한 ～의 돌 (모래) eine Pferdwagenladung Steine (Sand).

바리캉 Haarschneidemaschine *f.* -n.

바리케이드 Barrikade *f.* -n. ¶ ～를 치다 (ver)barrikadieren^4; versperren^4.

바리콘 〖전기〗 Drehkondensator *m.* -s, -en (가변 축전지).

바리톤 〖음악〗 Bariton *m.* -s, -e; Baritonist *m.* -en, -en (가수). ¶ 그의 목소리는 ～이다 Er hat e-e Baritonstimme.

바림 〖미술〗 Abschattung *f.* -en; Abstufung *f.* -en; Nuance [nyã:sə] *f.* -n; Schattierung *f.* -en. **～하다** ab|schattieren^4; ab|stufen^4; nuancieren^3 [nyã:s..]. ¶ ～화(畫) (사진) Vignette [vinjέtə] *f.* -n.

바마코 《말리의 수도》 Bamako.

바바리아 《독일의 지방 이름》 Bayern. ¶ ～의 bay(e)risch.
‖ **～사람** Bayer *m.* -n, -n; Bayerin *f.* -nen.

바베이도스 《서인도제도의 독립국》 Barbados.

바베큐 Barbecue [bá:bikju:] *n.* -(s), -s; großer Bratrost, -es, -e (통구이 틀).

바벨[1] 《역기의》 Scheibenhantel *f.* -n. ¶ ～을 들어올리다 e-e Scheibenhantel (hoch|)stemmen.

바벨[2] 〖성서〗 Babel. ¶ ～의 탑 Turm zu Babel.

바빌로니아 Babylonien. ¶ ～의 babylonisch.
‖ **～사람** Babylonier *m.* -s, -.

바보 Dummkopf *m.* -(e)s, ⸗e; Dummerjan *m.* -s, -e; Dummbart *m.* -(e)s, -e; dummer Hans, -en, -en (⸗e); Dümmling *m.* -(e)s, -e; (Einfalts)pinsel *m.* -s, -; Esel *m.* -s, -; Geck *m.* -en, -en; Gimpel *m.* -s, -; Hohlkopf; Idiot *m.* -en, -en; Narr *m.* -en, -en; Schaf *n.* -(e)s, -e; Schafskopf; Schöps *m.* -es, -e (멍충이); Schwachkopf; Simpel *m.* -s, -; Strohkopf; Tölpel *m.* -s, -; Tor *m.* -en, -en (천치). ¶ ～ 같은 albern; töricht; närrisch; unklug; dumm; blödsinnig / ～같은 소리 (albernes) Geschwätz, -es, -e; Narrengeschwätz; Klatscherei *f.* -en; 〖속어〗 Quatsch *m.* -es, -e; Unsinn *m.* -(e)s, -e / ～ 같은 짓 Dummheit *f.* -en; Narrheit *f.* -en; Albernheit *f.* -en (얼빠진); Stumpfheit *f.* -en; Blöd|sinn (Un-) *m.* -(e)s, -e / ～ 같은 짓을 하다 e-e Dummheit (Torheit) begehen*; Stuß (Unsinn; dummes Zeug) machen; dämeln / ～ 같은 말을 하다 dummes (albernes; tolles) Zeug reden; Stuß (Unsinn) reden / ～ 취급을 받다 ^{4}sich zum Narren her|geben*; ^{4}sich lächerlich machen / ～ 취급을 하다 am Narrenseile führen 《*jn.*》; zum Narren haben (halten*; machen) 《*jn.*》; foppen^4 (hänseln^4); zum besten haben 《*jn.*》 (놀림); ^{4}sich lustig machen《über *jn.*》(웃음거리로 만듦) / ～인 척하다 ^{4}sich dumm (an|)stellen; ein dummes Gesicht machen / 그것은 ～ 같은 짓(말)이다 Das ist aber e-e dumme Sache (Geschichte). / ～ 같은 짓 말라 Mache k-n Kohl! / ～ 없는 동네(는) 없다 Die Narren werden nicht alle. / ～는 약으로 못 고친다 „Mit der Dummheit kämpfen Götter vergebens."| „Narrenkopf wird nimmer klug." / 보기처럼 그렇게 ～는 아니다 Er ist nicht so dumm, wie er aussieht. / 그는 ～천치다 Er ist mit Dummheit geschlagen.| Er kann nicht bis drei zählen. | Er ist dumm wie die Nacht. / ～와 애들은 거짓말을 못 한다 Kinder u. Narren reden die Wahrheit. / 나는 그렇게 ～는 아닐세 So dumm bin ich nicht. / 이 천치 ～야 Dummer Kerl!|Du Einfaltspinsel (Ochs)!

바쁘다 ①《틈없다》〖형용사〗 beschäftigt; geschäftig; rührig (sein); 〖동사〗 beschäftigt (gedrängt) sein 《*mit*^{3}》; ^{4}sich beschäftigen 《*mit*^{3}》; in Anspruch genommen sein 《*von*^{3}》. ¶ 바쁘게 geschäftig; rührig / 일에 ～ mit e-r Arbeit beschäftigt sein / 눈코 뜰 새 없이 ～ mit Arbeiten überhäuft (überladen) sein / 바쁜 생활을 하다 ein geschäftliches Leben führen / 하는 일 없이 ～ ^{4}sich mit Nichtigkeiten beschäftigen / 시험 준비에 ～ ^{4}sich eifrig zu e-m Examen beschäftigt sein / 바쁜 하루였다 Es war ein unruhiger Tag. / 나는 지금 ～ Ich bin jetzt beschäftigt. / 그는 하루 종일 바빴다 Den ganzen Tag hatte er viel zu tun. / 주문이 쇄도해서 우리는 ～ Wir sind mit Bestellungen überladen. / 나는 장사에 바빠서 눈이 돌 지경이다 Ich bin geschäftlich äußerst in Anspruch genommen. / 여전히 바쁘시군요 Sie scheinen ja wie immer beschäftigt zu sein.| Sie sind immer emsig wie e-e Biene. / 매우 바빠서 조금도 여가가 없다 Ich habe nicht e-n Augenblick für mich selbst. / 세모에는 뭔지 ～ Am Jahresende sind wir stets beschäftigt, auch wenn nichts Besonderes zugeht.
②《급하다》 dringend; sogleich (sein); 〖동사〗 Eile haben; es eilig haben. ¶ 바쁜 일 e-e eilige Arbeit, -en (Sache, -n) / 바쁜 세상 die raschlebige Welt, -en / 바쁜 걸음으로 mit raschen Schritten / 나는 ～ (바쁘지 않다) Ich habe Eile (k-e Eile). / 그 일은 바쁘지 않다 Es hat k-e Eile damit.| Die Sache hat k-e Eile. / 거리에 다니는 사람들의 발걸음이 ～ Die Leute auf der Straße gehen schnellen Schrittes.

바삐 ①《쉴새없이》 geschäftig; rührig. ¶ ～ 지내다 ein geschäftiges Leben führen / ～ 일하다 emsig arbeiten; hart arbeiten.
②《급히》 eilig; schnell; hastig; hurtig; in Eile; in Hast. ¶ 한시 ～ im großer Eile;

ohne Aufschub / ～ 걷다 rasch gehen* [s]; schnell gehen* [s]; mit schnellen Schritten gehen* [s] / ～ 떠나다 hinaus|eilen [s]; weg|eilen [s]; fort|eilen [s] / ～ 차에 오르다 hinein|eilen [s]; eilig besteigen* / ～ 차에서 내리다 hinaus|eilen [s] / ～ 계단을 내려가다 die Treppe hinab|eilen (hinunter|eilen) [s] / ～ 서둘러라 Beeil(e) dich! ¦ Schnell! ¦ Hurtig! ¦ Mach schnell! / ～ 서두를 필요는 없다 Wir haben damit k-e Eile. ¦ Es hat damit k-e Eile. ¦ Wir brauchen uns nicht zu beeilen.

바사기 Dummkopf *m.* -(e)s, ⸚e; dummer Mensch, -en, -en; Dummerjan *m.* -s, -e; Tölpel *m.* -s, -; dummer Hans, -en, ⸚e (-en); Esel *m.* -s, -.

바삭 mit einem Rascheln (Rauschen); raschelnd (마른 풀 따위가); säuselnd (바람에 나뭇잎 따위가); rauschend (옷 따위가 스치는 소리). **～하다** rascheln; säuseln; rauschen.

바삭거리다 knistern (명주 따위가); rasseln; rauschen; rascheln. ¶ 가랑잎이 바람에 바삭거린다 Die abgefallene Blätter knistern in der Brise. / 곰이 숲에서 바삭거리며 나왔다 Ein Bär kam raschelnd aus dem Dickicht.

바삭바삭 ¶ ～ 소리나다 rascheln; rauschen; säuseln / ～ 소리내며 raschelnd; rauschend; mit e-m Rascheln (Rauschen) / 서리를 ～ 밟다 den Reif knirschen (zerbrechen*) / 이 과자는 ～한다 Dieser Kuchen ist knusprig.

바서만반응(一反應) 〖의학〗 die Wassermannsche Reaktion, -en.

바소 〖한의학〗 e-e Nadel 《-n》, ein Loch ins Geschwür zu bohren (in der Volksmedizin).

바소쿠리 Weidenkorb 《*m.* -(e)s, ⸚e》 (aus Weidenreis gemachter Korb), um Schutt, Mull usw. zu tragen.

바수다 ☞ 부수다.

바수지르다 ＝바스러뜨리다.

바순 Basson *m.* -s, -s 《불어》; Fagott *n.* -(e)s, -e. ‖ **～연주자** Fagottist *m.* -en, -en.

바스 〖음악〗 Baß *m.* ..asses, ..ässe; 《가수》 Bassist *m.* -en, -en; Baßsänger *m.* -s, -.

바스대다 ^{4}sich rastlos (ununterbrochen) bewegen; unruhig (ruhelos) sein. ¶ 바스대는 아이 ruheloses (unruhiges) Kind, -(e)s, -er / 바스대지 말라 Bleibe ruhig u. gelassen!

바스라기 ☞ 부스러기.

바스락거리다 rascheln; e-n knisternden Laut 《-(e)s, -e》 von ^{3}sich geben*. ¶ 바스락거리는 소리 das Rascheln* (Knistern*) -s / 낙엽이 바람에 바스락거린다 Die abgefallene Blätter knistern im Winde.

바스락바스락 ☞ 바삭바삭.

바스러뜨리다 zerbrechen*^{4}; zerschmettern^4; zertrümmern^4; in Stücke schlagen*^{4}; in Trümmer schlagen*^{4}; kurz u. klein schlagen*^{4}.

바스러지다 ① 《조각나다》 zerfallen* [s]; auseinander|fallen* [s]; ^{4}sich in tausend Stücke auf|lösen; in Stücke gehen* (fallen*) [s].
② 《얼굴이》 mager (hager; abgemagert; knochig) sein. ¶ 바스러진 얼굴 abgemagertes (abgezehrtes) Gesicht, -(e)s, -er.

바스스 weich; sanft; mild. ¶ 바람에 먼지가 ～ 날다 Im Wind wird ein wenig Staub aufgewirbelt.

바스켓 Korb *m.* -(e)s, ⸚e.
‖ **～볼** 〖농구〗 Basketball [bá:skət..] *m.* -(e)s; Korbball.

바스트 ＝버스트.

바슬바슬 bröcklig; trocken (가루 따위). ¶ ～한 모래 feiner (weicher) trockener Sand, -(e)s, -e / 떡이 너무 말라서 만지는 대로 ～ 부스러진다 Der Kuchen ist so trocken, daß er zerbröckelt, wenn man ihn berührt.

바심 ① 《풋바심》 das Dreschen* 《-s》 unreifen Getreides. ② 《바심질》 das Hobeln* (Glätten*) des Bauholzes. **～하다** hobeln^4; mit dem Hobel glatt|machen^4; glätten^4.

바싹 ① 《물기가 없는》 ¶ ～ 마른 trocken; (aus)gedörrt; (aus)getrocknet; verdorrt; dürr; vertrocknet / ～ 마르다 vertrocknen [s]; aus|dörren (-|trocknen) [s]; verdorren [s] / ～ 마른 길 der trockene (ausgedörrte) Weg, -(e)s, -e / 우물이 ～ 말랐다 Der Brunnen ist ausgetrocknet.
② 《몸이 마른》 dünn; mager; hager; abgemagert. ¶ ～ 마른 얼굴 das abgemagertes Gesicht, -(e)s, -er / 몸이 ～ 마르다 zum Skelett abgemagert sein / 그는 전보다 ～ 말랐다 Er ist viel dünner geworden.
③ 《죄는 모양》 fest; nicht losgehend. ¶ ～ 매다 fest binden*^{4} / ～ 손을 쥐다 *jm.* die Hand pressen / ～ 그러쥐다 (밀다) ^{4}*et.* mit Gewalt greifen* (schieben*) / ～ 다가 앉다 gedrängt sitzen* / ～ 땅에 엎드리다 ^{4}sich auf den Grund ausgestreckt legen / ～ 뒤따르다 *jm.* (dicht) auf den Fersen od. auf dem Fuß folgen / 띠를 ～ 죄다 den Gürtel fest um|binden* / 손톱을 ～ 깎다 ^{3}sich die Nägel ganz kurz schneiden* / 책꽂이를 ～ 벽에 붙여 놓다 das Regal dicht an die Wand stellen.
④ 《완강히》 halsstarrig; hartnäckig; starr; unbeugsam. ¶ ～ 우기다 hartnäckig bestehen*^{4} 《*auf*^{3}》.
⑤ 《바삭》 raschelnd; rauschend.

바야흐로 ① 《한창》 gerade mitten 《*in*^{3}》; gerade in der Mitte; in vollem Gange. ¶ 회담이 ～ 진행 중이다 Das Gespräch ist in vollem Gange.
② 《이제 막》 eben; gerade; nahezu; beinahe; fast; kaum. ¶ ～ …하려 하다 im Begriff sein (stehen*), ^{4}*et.* zu tun; auf dem Punkte stehen*, ^{4}*et.* zu tun; drauf u. dran (gerade dabei) sein, ^{4}*et.* zu tun / 해가 ～ 지려하고 있었다 Die Sonne wollte eben untergehen. ¦ Die Sonne war gerade im Untergehen.

-바에야 《이왕 …이면·차라리》 lieber; vielmehr; überhaupt. ¶ 이왕 돈을 벌 바에야 wenn man überhaupt ^{4}Geld verdienen will / 공부를 할 바에야 차라리 자는 편이 낫다 Ich will lieber schlafen als studieren.

-바와같이 wie; als; so... wie; so... als. ¶ 아시는 바와 같이 wie Sie wissen / 이미 말씀드린 바와 같이 그런 일은 없었읍니다 Das war wie (ich bereits) gesagt, nicht der Fall.

바운드 Sprung *m.* -(e)s, ⸚e; Satz *m.* -es, ⸚e. **～하다** springen* [s]; hüpfen [s].

바울 《그리스도의 사도》 Paulus (?–67? n. Chr.).

바위 Fels *m.* -en, -en; Felsen *m.* -s, -; 《절벽》 Klippe *f.* -n; 《암초》 Riff *m.* -(e)s, -e. ¶ ～가 많은 (～같은) felsig; felsicht / ～틈 Felsenkluft *f.* ⸚e; Felsenriß *m.* ..risses, ..risse / ～처럼 굳은 felsenfest / ～에서 샘물이 솟는다 Dem Felsen entspringt e-e Quelle. / 그것은 심산의 ～에서 자란다 Es wächst tief im Gebirge auf Felsen. / 지구의 표면은 ～로 되어 있다 Die Fläche der

Erde besteht aus Felsen. / 사방은 고요하고 매미 소리가 ~에 스며든다 Ach wie still ist es ringsum! Die Stimme der Zikaden sickert in den Felsen hinein.

‖ ~너설 Felsenecke *f.* -n. ~옹두자리 die Spur《-en》des Felsens. ~자리 der felsenförmige Untersatz für die Statue des Buddhas.

바위솔 〖식물〗 Hauslauch *m.* -(e)s; *Orostachys iwarenge* (학명).

바위옷 〖식물〗 Felsenmoos *n.* -es, -e; Flechte *f.* -n. ¶ ~이 끼다 bemoost sein; mit Moos bedeckt sein.

바위제비 〖조류〗 Schwalbenart; *Delichon urbica dasypus* (학명).

바위종다리 〖조류〗 Lerchenart; *Prunella collaris erythropygia* (학명).

바위채송화(—菜松花) 〖식물〗 Fetthenne *f.* -n; *Sedum polystichoides* (학명).

바위취 〖식물〗 Steinbrech *m.* -(e)s, -e.

바윗돌 Fels *m.* -en, -en; Felsstück *n.* -(e)s, -e; Felsblock *m.* -s, ⸚e.

바음자리표(—音—標) 〖음악〗 F-Schlüssel *m.* -s; Baßschlüssel *m.*

바이 überhaupt; durchaus. ~없다 durchaus nichts. ¶ 당신이 ~ 진심이라면 wenn's Ihnen überhaupt Ernst ist / 나로서는 방법이 ~ 없다 Ich weiß nicht, was ich damit anfangen soll.

바이러스 Virus *n.* -, ..iren.

바이마르 《독일의 도시》 Weimar.

‖ ~헌법 die Weimarer Verfassung.

바이메탈 〖물리〗 Bimetall *n.* -s, -e.

바이브레이터 Vibrator *m.* -s, -en [..tó:rən].

바이블 Bibel *f.* -n; Heilige Schrift *f.* -en. ☞ 성경(聖經). ¶ ~의 번역 Bibelübersetzung *f.* -en / ~에 맹세하다 bei der Bibel schwören*.

바이스 〖기계〗 Schraubstock *m.* -(e)s, ⸚e; (Feil)kloben *m.* -s, -(소형).

바이애들론 Baiathlon [bí:atlɔn] *n.* -s, -s.

바이어 Käufer *m.* -s, -.

바이올렛 〖식물〗 Veilchen *n.* -s, -; Violett *n.* -s (빛깔). ¶ ~빛의 violett; veilchenblau.

바이올리니스트 Violinist *m.* -en, -en; Geigenspieler *m.* -s, -; Geiger *m.* -s, -; 《여자》 Violinistin *f.* -nen; Geigerin *f.* -nen.

바이올린 Geige *f.* -n; Violine *f.* -n; 〖속어〗 Fiedel *f.* -n. ¶ ~의 명수 Meister *m.* -s《auf der Geige》; Violinvirtuose *m.* -n, -n / ~을 켜다 die Geige (auf der Geige) spielen; die Violine spielen / 제 1 ~을 연주하다 die erste Geiger spielen.

‖ ~독주자 Sologeiger *m.* -s, -. ~주자 Geiger *m.* -s, -; Geigenspieler *m.* -s, -; 《여자》 Geigerin *f.* -nen; Violinistin *f.* -nen. ~협주곡 Violinkonzert *n.* -es, -e. 제 1 ~주자 der erste Geiger.

바이칼호(—湖) 《시베리아의》 der Baikalsee, -s.

바이킹 〖요리〗 das Essen mit [3]Selbstbedienung; das Essen von [3]Wikinger Art.

바이패스 Umgehungsstraße *f.* -n.

바일병(—病) Weilsche Krankheit; infektiöse Gelbsucht.

바자[1] 《울타리용》 Matte《*f.* -n》 aus Schilfrohr, Bambus *usw.* zum Bau von Zäunen, Gehegen.

‖ ~울 Bambusgehege. 바잣문 aus kleinen Zweigen gemachte Tür im Gehege.

바자[2] 《자선시》 Basar (Bazar) *m.* -s, -e; Wohltätigkeitsbasar. ¶ ~를 열다 e-n Wohltätigkeitsbasar veranstalten; e-n Basar halten* (eröffnen).

바자위다 geizig; knauserig; übertrieben sparsam (sein).

바작바작 ① 《소리》 knist(e)rig; knisternd; knack(s). ¶ ~ 소리내다 knistern / 이 나무가 탈 때는 ~ 소리를 낸다 Das Holz knistert beim Brennen. / 불이 ~ 소리내며 벽난로 안에서 타고 있었다 Das Feuer knisterte in dem Herd. / 밥이 솥에서 ~ 탄다 Der Reis zischt in dem Kochtopf. ② 《초조》 in e-m Angstzustand; bekümmert; nervös erregt. ¶ 속이 ~ 탄다 Es brennt mir unter den Sohlen.

바장이다 müßig hin u. her gehen* ⓢ; ziellos umher|schlendern ⓢ.

바제도병(—病) Basedowsche Krankheit.

바조(—調) F-Dur *n.* -《장조, 기호: F》; f-Moll *n.* -《단조, 기호: f》.

바주카포(—砲) Bazooka [bazú:ka] *f.* -s; Panzerabwehrrakete *f.* -n.

바지 Hose *f.* -n《보통 *pl.*》; Beinkleid *n.* -(e)s, (드물게) -er. ¶ 접어 올린 ~단 umgeschlagener Armel, -s, -; Umschlag *m.* -(e)s, ⸚e / ~단을 접다 die Hosen unten auf|schlagen* (um|schlagen*) / ~ 주름을 세우다 die Falten (Knitter) der Hosen glätten (aus|-plätten) / ~에 솔질을 하다 die Hosen bürsten / ~를 입다 die Hosen an|ziehen*.

‖ ~걸이 Hosen¦bügel *m.* -s, - (-spanner *m.* -s, -). ~멜빵 Hosen¦träger *m.* -s, -. ~주머니 Hosen¦tasche *f.* -n. ~줄 Bügelfalte *f.* -n. 가죽~ Lederhose. 반~ kurze Hose. 속~ Unterhose *f.* 승마~ Reithose *f.*

바지게 Kraxe《*f.* -n》 mit e-m geflochtenen Aufsatz (zum Tragen von Kies, o.a. kleinen Gegenständen).

바지락(조개) 〖조개〗 Muschelart; *Mactra veneriformis* (학명).

바지랑대 Wäschestütze *f.* -n.

바지런 《면려》 das eifrige Arbeiten*, -s; das Bemühen* (Streben*) -s; Anstrengung *f.* -en; Emsigkeit *f.*; Beflissenheit *f.*; Eifer *m.* -s; Fleiß *m.* -es. ~하다 emsig; arbeitsam (betrieb-); rührig; unternehmend; aktiv; beflissen; betriebsam; diensteifrig; dienstwillig (sein). ☞ 부지런-.

바지지, 바지직 zischend. ~하다 zischen. ~거리다 fortdauernd zischen.

바지직바지직 knirschend (타고 있는 나무 따위가); knisternd; knarrend. ~거리다 knistern.

바짝 ① 《마른 모양》 ganz; völlig. ¶ ~ 마르다 völlig getrocknet sein. ② 《죄는 모양》 dicht; fest; nicht lose; stark; genau; eng. ¶ ~ 다가붙어서 dicht nebeneinander《sitzend; stehend》/ ~매다 fest binden*[4] / ~대다 fest drücken[4].

-바치 Künstler *m.* -s, -; Arbeiter *m.* -s, -. ¶ 갖바치 Schuhmacher *m.* -s, -; Schuster *m.* -s, - / 성냥바치 Schmied *m.* -(e)s, -e.

바치다[1] 《드리다》 dar|bieten*[4] (-|bringen*[4]; -|reichen[4]) 《*jm.*》; feierlich an|bieten*[4] 《*jm.*》; verehren[4] 《*jm.*》; 《제물을》 opfern[4] 《*jm.*》; weihen[4]《*jm.*》; feierlich widmen[4] 《*jm.*》; 《책 따위를》 widmen[4] 《*jm.*》; zu|-eignen[4] 《*jm.*》; 《심신 따위를》 [4]sich hin|-geben*《*jm.*》; [4]sich mit Haut u. Haaren verschreiben*《*jm.*》; 《선물을》 schenken[4] 《*jm.*》; beschenken《*jm.*》; [4]*et.* als Geschenk geben*《*jm.*》. ¶ (이 책을) S 씨에게 바친다

Herrn S. gewidmet. / 그는 그녀에게 시를 바쳤다 Er hat ihr ein Gedicht zugeeignet. / 국가에 목숨을 ～ dem Vaterland sein Leben weihen (opfern) / 인류를 위해 일생을 ～ ⁴sich das ganze Leben hindurch dem Dienst der Menschheit weihen / 일생을 학문을 위해 ～ sein ganzes Leben dem Studium widmen / 이 책은 그리운 어머니께 바친 것이다 Dieses Buch ist meiner geliebter Mutter gewidmet.

바치다² 《즐기다·빠지다》 ⁴sich ³*et.* ergeben*; ³*et.* ergeben sein; verrückt (wild) sein 《*nach*³; *auf*⁴》; scharf sein 《*auf*⁴》. ¶ 술을 ～ ⁴sich dem Trunk ergeben*; dem Trunk ergeben sein / 노름을 ～ ⁴sich dem Spiel ergeben* / 색(계집)을 ～ ⁴sich geschlechtlichen Ausschweifungen hin|geben*; auf Mädchen (Weiber) scharf sein.

바칠루스 Bazillus *m.* -, ..llen; Stäbchenpilz *m.* -es, -e. ¶ ～(에 대해서)의 bazillär / 정계의 ～ politischer Bazillus (Unruhstifter -s, -) / 그와 같은 사람은 교육계의 ～이다 Solcher Mann ist Bazillus in der pädagogischen Welt.

바커스 〖로마 신화〗 Bacchus *m.*

바퀴¹ ① 《수레의》 Rad *n.* -(e)s, ⸗er. ¶ ～를 멈추는 장치 Bremse *f.* -n / ～를 멈추게하다 bremsen/운명의 수레～ das Rad des Glück. ② 《빙돎》 e-e Runde, -n; ein Kreis *m.* -es. ¶ 한～ 돌다 ⁴sich einmal um|drehen; die Runde (e-n Kreislauf) machen / 그 지방을 한 ～ 돌다 e-e Rundreise (Tour) in die Provinz machen / 세계를 서쪽으로 한 ～ 돌아 봅시다 Machen wir die Reise um die Welt in westlicher Richtung!

‖ ～자국 Wagenspur *f.* -en; Geleise *n.* -s, -. ～살 Speiche *f.* -n.

바퀴² 〖곤충〗 gemeine Küchenschabe, -n; Deutsche Sch(w)abe, -n; *Blattidae* (학명).

바탕¹ ① Grund *m.* -es, ⸗e; Grundlage *f.* -n (기초); Grundwerk *n.* -es, -e (토대); Grundierung *f.* -en (초벌칠하는 것); Unterlage *f.* -n (화장 따위의); Anlage *f.* -n; Naturanlage, -n; Neigung *f.* -en (소질). ¶ ～이 있다 《성질》 e-n Hang haben 《*zu*³》 / …을 ～으로 하여 auf Grund von... / ～이 단단하다 auf e-m festen Grund stehen* (liegen*; sein) / ～을 견고히 하다 s-n Grund (s-e Grundlage) befestigen (sichern; bestärken) / 거동에서 ～이 드러나다 sein Benehmen verrät s-e Herkunft / 이것이 타고난 ～이다 Das liegt ja in s-r Natur! ② 《그림의》 Farbgrund *m.* -es, ⸗e. ¶ 흰 ～ der weiße Grund.

바탕² 《동안》 Runde *f.* -n; 〖부사적〗 einmal; e-e Zeitlang. ¶ …와 한 ～ 싸우다 mit *jm.* einmal Zank u. Streit haben.

바터 Tauschhandel *m.* -s, ⸗.

‖ ～무역 Tauschhandel *m.* -s, ⸗. ～제(制) das System des Tauschhandels.

바톤 Baton [batɔ̃:] *m.* -s, -s; Stab *m.* -(e)s, ⸗e (계주용의); 〖음악〗 (Takt)stock *m.* -(e)s, ⸗e (지휘봉). ¶ ～을 넘겨주다 den Stab weiter geben* 《an e-n nächsten Läufer》 / ～을 받다 den Stab erhalten*.

바투 dicht; nah(e); gedrängt; eng; kurz. ¶ ～ 가다 nahe gehen* Ⓢ.

바특이 zu eng; zu dicht. ¶ 손톱을 ～ 깎다 ³sich die Nägel zu kurz schneiden*.

바특하다 eingekocht; nicht saftig (sein); k-n Saft enthalten*.

바티스카프 Bathyskaph *m.* -en, -en; Bathyscaphe [batyská:f] *m.* (*n.*) -(s), -.

바티칸 Vatikanstadt [va..] *f.* ¶ ～의 vatikanisch.

‖ ～궁전 《교황청》 Vatikan *m.* -s; Vatikanpalast *m.* -es. ～시국 Staat Vatikanstadt.

바하 《독일의 작곡가》 Johann Sebastian Bach (1685-1750).

박¹ 〖식물〗 Kürbis *m.* -ses, -se; Kalebasse *f.* -n; Flaschenkürbis *m.* (호리병박). ¶ 박꽃 Blüte 《*f.* -n》 des Kürbisses.

박² ① 《긁거나 가는 소리》 mit kratzendem Geräusch (wie ein Reibeisen).
② 《찢는 소리》 ratsch!

박(泊) das Übernachten*, -s; Übernachtung *f.* -en. ¶ 1 박하다 übernachten / 3 박 4일의 여행 e-e viertägige Reise / 나는 여기서 1 박만 하겠다 Ich bleibe hier nur e-e Nacht.

박(箔) (Metall)blatt *n.* -(e)s, ⸗er; Folie *f.* -n; Flitter *m.* -s, - (장식용의). ¶ 금박 Goldblatt *n.* -(e)s, ⸗er (-blättchen *n.* -s, -).

박격(迫擊) der bis an den Feind heranreichende Angriff, -(e)s, -e, ～하다 den Angriff bis an den Feind heran|tragen*.

‖ ～포 〖군사〗 Grabenmörser *m.* -s, -; Minenwerfer, -s: ～포탄 Granate *f.* -n.

박공(膊栱) 〖건축〗 Giebel *m.* -s, -.

‖ ～지붕(창문) Giebel¦dach *n.* -(e)s, ⸗er (-fenster *n.* -s, -).

박구기 Schöpfkelle *f.* -n (aus e-r kleinen getrockneten Kürbisschale).

박다 ① 《못·말뚝을》 (ein|)schlagen*⁴ 《*in*》; (ein)|treiben*⁴ 《*in*⁴》; hinein|treiben*⁴. ¶ 못을 벽에(말뚝을 땅에) ～ e-n Nagel in die Wand (e-n Pfahl in den Boden) ein|schlagen* / 쐐기를 ～ e-n Keil treiben* (schlagen*) 《*in*⁴; *zwischen*³》.
② 《사진·인쇄 따위를》 photographieren; von ³*et.* e-e Aufnahme machen; in den Druck geben*; drucken⁴. ¶ 석판으로 ～ von dem Steine ab|drucken / 그는 판에 박은 듯이 거짓말을 한다 Er lügt wie gedruckt.
③ 《보석 따위를》 ein|setzen⁴; ein|legen⁴(상감하다); besetzen⁴ 《*mit*³》. ¶ 반지에 보석을 ～ e-n Edelstein in e-n Ring ein|setzen.
④ 《바느질》 nähen; 《이에 봉을》 plombieren⁴. ¶ 자봉틀로 ～ mit der Nähmaschine nähen.

박다위 geflochtene Schnur, um etwas auf der Schulter zu tragen.

박달(나무) Birke *f.* -n; *Betula Schmidtii* (학명).

박답(薄畓) unfruchtbares (mageres) Reisfeld, -(e)s, -er.

박대(薄待) schlechte (unfreundliche) Behandlung, -en; Ungastlichkeit *f.* ～하다 unfreundlich (schlecht) behandeln⁴; ungastlich (nicht gastfreundlich) auf|nehmen*⁴.

박덕(薄德) wenig Tugend. ～하다 wenig Tugend haben. ¶ ～한 사람 ein Mann mit wenig Tugend.

박도(博徒) ＝노름꾼

박두(迫頭) nahes Bevorstehen*, -s. ～하다 nahe bevor|stehen*; nahe kommen* Ⓢ; nahe sein; heran|rücken Ⓢ. ¶ 결정적 순간이 ～하다 Der entscheidende Augenblick rückt heran. / 위협이 그에게 ～하다 Ihm droht Gefahr. / 위기가 ～하다 E-e Krise steht bevor.

박락(剝落) Abblätterung *f.* -en; Abschieferung *f.* ～하다 los|gehen* Ⓢ; ab|fallen* Ⓢ; ab|schiefern.

박람(博覽) Belesenheit *f.*; Gelehrsamkeit *f.*; die umfassenden (reichen) Kenntnisse 《*pl.*》; das vielseitige, reiche Wissen*, -s. **～하다** belesen 《*in*³》 (kenntnisreich; vielwissend; enzyklopädisch) sein. ¶ ～ 강기한 사람 ein sehr belesener Gelehrter mit treuem Gedächtnis.

박람회(博覽會) Ausstellung *f.* -en; Messe *f.* -n (견본시). ¶ ～에 가다 in die Ausstellung gehen*[s]; die Ausstellung besuchen / ～를 개최하다 e-e Ausstellung veranstalten (eröffnen).

‖ **～장** Ausstellungsgebäude *n.* -s, -. **국내～** Landesausstellung *f.* -en. **국방～** Landesverteidigungsausstellung *f.* -en. **만국～** Weltausstellung *f.* -en.

박래품(舶來品) die importierte Ware, -n; Einfuhrartikel *m.* -s, -; das ausländische Erzeugnis, ..nisses, ..nisse.

박력(迫力) Spannung *f.* -en; Lebhaftigkeit *f.* ¶ ～이 있는 spannend; fesselnd; packend; 《힘찬》 kräftig; 《마음을 움직이는》 rührend; packend / 그의 연설에는 ～이 없다 S-e Rede ist nicht packend (nicht energisch).

박론(駁論) ＝논박.

박리(薄利) der kleine Nutzen, -s, -; der geringe Gewinn, -(e)s, -e; der kleine Profit, -(e)s, -e. ¶ ～로 팔다 mit geringerem Gewinn (Nutzen) verkaufen⁴; billig feil|bieten*⁴.

‖ **～다매** Kleiner Nutzen, schneller Umsatz.¦Großer Umsatz, kleiner Nutzen: ～다매주의 das Prinzip des großen Umsatzes mit geringem Gewinn.

박멸(撲滅) Ausrottung *f.* -en; Austilgung (Vernichtung; Vertilgung) *f.* -en. **～하다** aus|rotten⁴; aus|tilgen⁴; vernichten⁴; vertilgen⁴. ¶ 해충을 ～하다 Ungeziefer vertilgen; bekämpfen⁴ (구제) / 사회악을 ～하다 soziale Übel 《*pl.*》 aus|rotten / 전염병을 ～하다 e-e Seuche unterdrücken / 페스트를 ～하다 die Pest aus|rotten.

‖ **～운동** Kampagne [kampánjə] *f.* -n. 매춘 **～운동** Kampagne gegen Prostitution.

박명(薄命) das traurige Schicksal, -s, -e; Ungunst 《*f.* -en》 des Schicksals; Mißgeschick *n.* -(e)s, -e; Unglück *n.* -(e)s, -e; Unstern *m.* -(e)s, -e. **～하다** unglücklich; mitleiderregend; trostlos; unselig; unter e-m Unstern geboren; unter k-m günstigen Stern gestanden (sein). ¶ ～한 사람들 die Unglücken 《*pl.*》 / ～한 몸으로 태어나다 unter e-m Unstern geboren werden/ 자신의 ～에 울다 sein Unglück beweinen.

‖ **가인(미인)～** Schönheit u. Glück vertragen sich selten.

박명(薄明) der matte Lichtschein, -(e)s, -e; Schimmer *m.* -s, -; 《미명·박모》 Dämmerung *f.* -en; Zwielicht *n.* -(e)s. ¶ ～에 im matten Licht.

박모(薄暮) ＝땅거미¹.

박문(博聞) die vielseitigen (umfassenden) Kenntnisse (Erfahrungen) 《*pl.*》; die große Gelehrsamkeit. **～하다** wohlunterrichtet; von vielseitigen Kenntnissen; gelehrsam; gelehrt (sein). ¶ ～한 사람 der wohlunterrichtete Mensch, -en, -en; der Mensch von vielseitigen Kenntnissen.

박물(博物) ① 《넓은 견문》 die vielseitigen (reichen) Kenntnisse (Erfahrungen) 《*pl.*》; Vielseitigkeit *f.* -en. ② ＝박물학.

‖ **～관** Museum *n.* -s, ..seen: 과학 ～관 naturwissenschaftliches Museum / 국립 ～관 Nationalmuseum / 대영 ～관 Großbritannienmuseum. **～군자** ein Mann mit reichen Kenntnissen. **～학** Natur¦kunde *f.* -n (-beschreibung *f.*): ～학자 der Naturkundige*, -n, -n.

박박 ① 《긁는 소리》 heftig; stark; energisch; tüchtig. ¶ ～ 긁다 heftig (tüchtig) kratzen⁴; schaben⁴; scharren⁴ / 개가 문을 ～ 긁는다 Der Hund kratzt tüchtig an der Tür. / 그는 ～ 소리내며 수염을 밀고 있다 Er schabt sich mit Geräusch den Bart.

② 《짧게》 gänzlich; glatt; rein; völlig; durchaus. ¶ 머리를 ～ 깎다 ³sich den Kopf kahl scheren lassen*; ³sich das Haar ganz kurz schneiden lassen*.

③ 《찢는 소리》 in Stücke; stückweise. ¶ 편지를 ～찢었다 Er riß den Brief in Stücke.

박복(薄福) **～하다** unglücklich; unselig; unter e-m Unstern geboren; mitleiderregend (sein).

박봉(薄俸) das kleine (kärgliche; knappe) Gehalt, -(e)s, ⸚er; Hungerlohn *m.* -(e)s, ⸚e; der geringe Lohn; der niedrige Monatslohn. ¶ 겨우 생활을 할 수 있을 정도인～ ein Lohn, mit dem man nur kärglich leben kann / ～을 받다 e-n geringen Lohn beziehen* / ～으로 생활하다 von dem niedrigen Lohn leben / 그 학교의 선생은 ～이다 Die Lehrer der Schule sind schlecht bezahlt. / 이런 ～으로는 굶주릴 뿐이다 Ich verhungere bei diesem kleinen Gehalte.

‖ **～자** Kleingehaltsempfänger *m.* -s, -.

박빙(薄氷) das dünne Eis, -es; die dünne Eisdecke (Eisschicht) -n (-en).

박사(博士) Doktor *m.* -s, -en [..tó:rən] 《생략: Dr.》. ¶ ～ 학위를 수여하다 (따다) *jm.* den Grad des Dr. verleihen* (erwerben*)/ 문학 ～ 아무개 Dr. phil. N.N.

‖ **～논문** Dissertation *f.* -en; Doktorarbeit *f.* -en; Doktorschrift *f.* -en: ～논문 지도교수 Doktorvater *m.* -s, ⸚. **～학위** Doktorat *n.* -es, -e; Doktorwürde *f.* -n; Doktortitel *m.* -s. - (독토르 칭호). **～후보생** Doktorand *m.* -en, -en.

박사(薄謝) das (der) kleine Entgelt, -(e)s; die kleine Belohnung (Entschädigung).

박살(撲殺) Totschlagen (Schlachten) *n.* -s; Abschlachten *n.* -s. **～하다** erschlagen*⁴; tot|schlagen*⁴; schlachten⁴; metzeln⁴; metzen⁴. ¶ ～나다 《무너지다》 zusammen|brechen* (-|fallen*) [s]; ein|stürzen; 《깨지다》 zerbrechen* [s]; 《터지다》 auf|platzen [s]; zerplatzen [s]; 《망그러지다》 zunichte werden; kaputt gehen* [s].

박새 〖조류〗 Meise *f.* -n.

박색(薄色) abstoßende (häßliche) Frau, -en. ¶ 지독한 ～이다 häßlich wie die Nacht (Sünde) sein.

박속 das Innere des Kürbisses (eßbarer Teil).

박수 (männlicher) Schamane, -n, -n; Geisterbeschwörer *m.* -s, -.

박수(拍手) das Hände¦klatschen* (Beifall-). **～하다** in die Hände klatschen; *jm.* (³*et.*) Beifall klatschen (spenden; zollen); *jn.* (⁴*et.*) beklatschen; hoch rufen*; *jm.* applaudieren. ¶ 우뢰 같은 ～ der stürmische (brausende; tosende; frenetische) Beifall, -(e)s / 그는 만장의 ～를 받았다 Das ganze publikum begrüßte ihn mit Beifall (Händeklatschen). / 공연이 끝나자 우뢰 같은 ~가 터졌다 Es wurde nach der Vorführung stark (stürmisch) geklatscht.

‖ ~갈채 das Beifallklatschen*, -s; Beifallruf *m.* -es; Applaus *m.* -es.

박식(博識) die reichen Kenntnisse 《*pl.*》; Belesenheit *f.*; das vielseitige, reiche Wissen*, -s; das Vielwissen*, -s; Gelehrsamkeit *f.* -en. ~하다 belesen; kenntnisreich; vielwissend; gelehrt; beschlagen (sein). ¶ ~한 사람 der Kenntnisreiche* (Gelehrte*) -n, -n / 그는 ~하다 Er weiß viel. ¦ Er ist belesen.

박신거리다 schwärmen[h,s] 《*von*³》; wimmeln [h,s] 《*von*³》; ⁴sich drängen. ¶ 거리에 사람들이 박신거린다 Die Straßen wimmeln von Menschen.

박신박신 schwarmweise; in Schwärmen; gedrängt.

박애(博愛) Menschen¦liebe *f.* (-freundlichkeit *f.* -en); Philanthropie *f.* ¶ ~의 menschenfreundlich; philanthropisch / ~심에서 aus Menschenliebe; zu wohltätigem Zwecke.

‖ ~사업 die menschenfreundliche Tätigkeit, -en; die wohltätige Unternehmung, -en. ~자 Menschenfreund *m.* -es, -e; Philanthrop *m.* -en, -en. ~주의 Philanthropismus *m.* -.

박약(薄弱) Schwäche *f.* -n; Schwachheit *f.* -en (의지 등이). ~하다 schwach; haltlos (sein). ¶ 의지가 ~한 willensschwach; charakterlos; willenlos; ohne Rückgrat; entschlußlos / 성격이 ~한 charakterschwach / 정신이 ~한 schwachsinnig; idiotisch; verblödet / 근거가 ~하다 nicht genügend (entsprechend) begründet / ~한 논리 die schwache Logik / ~한 신용 der wackelige Kredit, -(e)s,-e.

‖ 성격~ Charakterschwäche *f.* -n. 의지~ Willensschwäche *f.* -n; Willenlosigkeit *f.* -en; Schwachheit *f.* -en. 정신 ~자 der Schwachsinnige*, -n, -n; Schwachkopf *m.* -es, ⸚e; Idiotie *f.* -n; Kretine *m.* -n, -n.

박옥(璞玉) ungeschnittener Edelstein, -(e)s, -e; Rohedelstein *m.* -(e)s, -e.

박음질 Steppstich *m.* -(e)s, -e; das Nähen*, -s; Näherei *f.* -en; Näharbeit *f.* -en. ~하다 (mit Steppstichen) nähen⁽⁴⁾.

-박이 《박혀 있는》 jemand, der...hat (mit... versehen ist); etwas, das...hat (mit ... versehen ist). ¶ 쌍열~ Doppelflinte *f.* -n / 나이~ jemand, der älter aussieht als er ist.

박이것, 박이옷 mit Steppstichen (mit der Nähmaschine) genähte Kleidung (Kleidungsstücke 《*pl.*》).

박이다¹ ① 《속에》 stecken⁽*⁾; hineingestoßen sein; 《마음에》 im Gedächtnis bleiben*. ¶ 목구멍에 가시가 박였다 E-e Gräte stak mir in der Kehle. ② 《죽치다》 ⁴sich ein|sperren; ⁴sich ein|schließen* 《*in*³·⁴》. ¶ 집에 ~ immer im Haus stecken.

박이다² 《인쇄》 drucken lassen*; 《사진》 ⁴sich fotographieren lassen*; (³sich) e-e Aufnahme machen lassen*.

박이부정(博而不精) wenig über viel wissen*.

박자(拍子) Takt *m.* -(e)s, -e; Rhythmus *m.* -, ..men. ¶ ~를 맞추다 den Takt halten* (schlagen*) / ~가 맞다 im Rhythmus (Ebenmaß) bleiben* [s] / 발로 ~를 맞추다 den Takt mit dem Fuß an|geben* / 손으로 ~를 맞추다 mit den Händen den Takt schlagen* (an|geben*).

‖ ~기호 〖음악〗 Taktvorzeichnung *f.* -en (-zeichen *n.* -s). 삼~ der Tripeltakt. 이~ der gerade Takt.

박작- ☞ 북적-.

박장대소(拍掌大笑) Gelächter 《*n.* -s, -》 mit Beifall. ~하다 applaudieren.

박재(雹災) Hagelschaden *m.* -s, ⸚.

박절기(拍節器) 〖음악〗 Metronom *n.* -s, -e; Taktmesser *m.* -s, -.

박절하다(迫切—) 《야박함》 kaltherzig; hartherzig; herzlos; unmenschlich; erbarmungslos; nachsichtslos; rücksichtslos (sein).

박정(薄情) Gefühllosigkeit *f.* -en; Fischblut *n.* -(e)s; Gefühlshärte *f.*; Herz¦losigkeit (Mitleid-) *f.*; Kaltblütigkeit *f.*; Kaltherzigkeit *f.*; Treulosigkeit *f.* (부실); Unbarmherzigkeit *f.*; Unmenschlichkeit *f.* ~하다 kalt; empfindungs¦los (gefühls-; herz-); kalt¦blütig (-herzig); mitleidlos; teilnahmslos; treulos, unbarmherzig; unmenschlich (sein). ¶ ~한 짓을 하다 schlecht behandeln; mißhandeln; hart verfahren* / ~한 말 gefühllose Worte / 사나이의 ~한 마음을 꾸짖다 ⁴sich über die Kälte e-s Mannes beklagen / 그는 ~한 사나이다 Er ist hartherzig. ¦ Er hat kein Gefühl.

박제(剝製) das (Tier)ausstopfen*, -s; das ausgestopfte Tier, -(e)s, -e. ¶ ~의 ausgestopft / ~로 하다 aus|stopfen⁴.

‖ ~사 (Tier)ausstopfer *m.* -s, -. ~술 die Kunst 《⸚e》 des Tierausstopfers. ~표본 das ausgestopfte Exemplar, -s, -e 《e-s Tiers, e-s Vogels, *usw.*》.

박주(薄酒) mit Wasser verdünnter Likör, -s, -e; geschmackloser Schnaps, -es, ⸚e.

박주가리 〖식물〗 Schwalbenkraut *n.* -(e)s, ⸚er; Seidenpflanze *f.* -n; *Metaplexis japonica* (학명).

박쥐 〖동물〗 Fledermaus *f.* ⸚e.

‖ ~우산 Regenschirm *m.* -es, -e: ~ 우산을 펴다 den Regenschirm auf|spannen.

박쥐구실 Opportunismus *m.* -; Nützlichkeitspolitik *f.*; Gesinnungslumperei *f.* ¶ ~을 하는 사람 Opportunist *m.* -en, -en; Gesinnungslump *m.* -en, -en.

박지(薄志) Willensschwäche *f.*; Unentschlossenheit *f.*; Weichlichkeit *f.* ¶ ~ 약행한(의) willensschwach u. unentschlossen; charakterschwach u. schwankend / 그는 ~ 약행이어서 틀렸어 Ich halte nicht viel von ihm. Er ist immer ängstlich u. weiß nicht, was er will.

박지(薄紙) das dünne Papier, -s, -e 〖*pl.*은 종류를 말할 때〗.

박진(迫眞) die Natürlichkeit u. Wahrhaftigkeit. ~하다 naturgetreu; genau nach der Natur; lebenstreu; lebenswahr (sein). ¶ ~의 realistisch.

박차(拍車) Sporn *m.* -(e)s; Sporen [ʃpóːrən]; 《자극·격려》 Antrieb *m.* -(e)s, -e; Ansporn *m.* -(e)s, -e. ¶ ~를 단 장화 Sporenstiefel 《*pl.*》 / 장화에 ~를 달다 die Stiefel spornen / ~를 가하다 die Sporen geben* 《*jm.*; e-m Pferde》; an|spornen⁴; an|stacheln⁴; an|treiben*⁴ 《이상 *zu*³와 함께》.

박차다 mit dem Fuß stark stoßen*⁴; e-n Fußtritt geben*³; 《거절》 ab|weisen*⁴; verwerfen*⁴; zurück|weisen*⁴; ab|schlagen*⁴. ¶ 요구를 ~ ein Verlangen zurück|weisen* / 모든 장애를 박차고 나가다 alle Hindernisse aus dem Weg räumend s-n Weg gehen*.

박처(薄妻) Mißhandlung《*f.* -en》der Ehefrau. ∼하다 s-e Frau mißhandeln; s-e Frau schlecht behandeln.

박치기하다 *jm.* mit dem Kopf stoßen*.

박타다 ①《박을》e-n Kürbis entzwei|schneiden*. ②《낭패》⁴sich in s-n Erwartungen enttäuscht sehen*; in s-n Hoffnungen betrogen sein.

박탈(剝脫) das Abgehen*, -s; das Ausfallen*, -s; das Ausgehen*, -s; Abblätterung *f.* -en; Abschieferung *f.* -en; Hautschürfung *f.* -en; Abschuppung *f.* -en; Abschelferung *f.* -en. ∼하다 ⁴sich schälen; ab|blättern Ⓢ; ab|bröckeln Ⓢ; ⁴sich ab|schelfern; ⁴sich ab|schiefern; ⁴sich ab|schuppen.

박탈(剝奪)《권리 따위》Aberkennung *f.* -en;《관직 따위》Beraubung *f.* -en; Entziehung *f.* -en. ∼하다 ab|erkennen*⁴;《관직을》entkleiden⁴; entziehen*⁴; berauben⁴. ¶ 관직을 ∼하다 *jn.* s-s Amtes entsetzen / 지위를 ∼당하다 s-s Ranges für verlüstig erklärt werden / 아무의 권리를 ∼하다 *jm.* s-e Rechte entziehen*.

‖ 공(민)권∼ die Aberkennung der Ehrenrechte; die Entziehung des Bürgerrechtes: 공민권을 ∼하다 *jm.* die Ehrenrechte ab|erkennen*; *jm.* die Bürgerrechte entziehen*.

박태(薄胎)《도자기》das leichte (dünne) Porzellan, -s, -e; die dünne Keramik, -en. ¶ ∼의 dünn; (besonders) dünn bearbeitet (hergestellt).

‖ ∼자기 das leichte Porzellan.

박태기나무〖식물〗Judasbaum *m.* -(e)s, ⸚e.

박테리아 Bakterie *f.* -n. ☞ 병균.

박토(薄土) unfruchtbarer (magerer; steriler) Erdboden, -s.

박통(博通) ＝박식(博識).

박피(薄皮) die dünne Haut, ⸚e; Häutchen *n.* -s, -; der dünne Überzug, -(e)s, ⸚e; Membran(e) *f.* ..nen (막). ¶ ∼의 dünnhäutig (-schalig); mit e-m Häutchen überzogen (bedeckt) / ∼가 덮이다 Es bildet sich ein (feines) Häutchen.

박하(薄荷)〖식물〗(Pfeffer)minze *f.* -n.

‖ ∼뇌 Menthol *n.* -s. ∼드롭스 Pfefferminzplätzchen *n.* -s, -. ∼유 Pfefferminzöl *n.* -es, -e. ∼주 Pfefferminzlikör *m.* -s, -e. ∼파이프 Pfefferminzpfeife *f.* -n.

박하다(薄―) ①《인색한》geizig; knickerig; filzig; schäbig;《충분하지 않은》wenig; gering; knapp; dürftig; ungenügend (sein). ¶ 그의 박한 수입 sein geringes Einkommen / 그 선생님은 점수가 ∼ Der Lehrer erteilt (gibt) strenge (strikte) Zensuren. ②《인정이》kalt; kaltherzig; hartherzig; herzlos; gefühllos (sein).

박학(博學) Gelehrsamkeit *f.* -en; die vielseitigen Kenntnisse《*pl.*》; das vielseitige Wissen, -s, -; das umfassende Wissen, -s, -. ¶ ∼의 gelehrt; wohlunterrichtet; belesen / ∼ 다재(多才)하다 sehr gelehrt u. talentvoll sein; tiefe Gelehrsamkeit u. große Fähigkeit besitzen*.

‖ ∼자 der Gelehrte*, -n, -n; ein Mensch《*m.* -en, -en》von umfassendem Wissen; der belesene Mensch.

박해(迫害) Verfolgung *f.* -en; Bedrückung *f.* -en;《고문》Folter *f.* -n. ∼하다 verfolgen⁴; bedrücken⁴; foltern⁴; martern⁴; quälen⁴; peinigen⁴. ¶ ∼를 당하다 verfolgt werden; unter Verfolgung leiden*.

‖ ∼자(者) Verfolger *m.* -s, -; Peiniger *m.* -s, -.

박히다 ① stecken|bleiben*; stecken; ⁴sich stechen*. ¶ 가시가 손에 ∼ ³sich mit e-m Dorn in den Finger stechen* / 못이 벽에 ∼ Ein Nagel wird in die Wand eingeschlagen*. ②《찍히다》aufgenommen werden (사진이); gedruckt werden (책이). ¶ 사진이 잘 박혔다 Das Photo ist deutlich geworden. ③《뿌리박다》⁴sich fest|setzen; tief eingewurzelt sein.

밖 ①《바깥》Außenseite *f.* -n (외측); das Äußere*, -n (외면). ¶ 밖에(서) im Freien; außen; auswärts; in der freien Luft; draußen; außer dem Hause; unter freiem Himmel / 밖의 im Freien (außer dem Hause) befindlich; außen; äußer; außenseitig; oberflächlich / 밖에서 놀다 draußen spielen / 밖에서 식사하다 auswärts essen*⁽⁴⁾ / 밖으로 열리다《문이》⁴sich nach außen öffnen / 밖으로 나가다 hinaus|gehen* Ⓢ; ins Freie gehen* Ⓢ / 창 밖을 내다보다 zum Fenster hinaus|sehen* / 밖은 꽤 춥다 Draußen ist es sehr kalt. / 문을 밖에서 잠그다 e-e Tür von draußen verschließen* / 밖으로 나오너라 Komm heraus! / 밖이 소란하다 Man hört draußen Lärm. / 그는 밖에 통 나가지 않는다 Er hockt immer zu Haus.

②《이외》nur; bloß; allein. ¶ 그 밖에 daneben; außerdem; darüber hinaus; dazu noch; überdies; zudem; ferner; sonst noch; weiter / 한번 밖에 nur einmal / 그에게는 범용한 재능 밖에 없다 Er ist nur mäßig begabt./ 이 해도 한 달 밖에 남지 않았다 Von diesem Jahr ist nur noch ein Monat übrig. / 그 밖에 또 누가 (달리, 어디에서) irgendjemand anders (irgendwie anders, irgendwo anders) / 그 밖에 또 무엇을 드릴까요《점원이 손님에게》Sonst noch was? / 그 밖에 또 주의주실 말씀은 없으신지요 Haben Sie noch etwas zu erinnern? / 그 밖에 아무도 (어디서도) … 않다 niemand (nirgends) anders als.... / …할 수 밖에 없다 Es bleibt nichts anderes übrig als....; Man kann nichts anders tun als.... / 고백할 수 밖에 없었다 Ich konnte nicht anders tun als zu gestehen.

반 e-e dünne Lage, -n. ¶ 솜반 e-e dünne Lage Baumwolle.

반(反) ①〖논리〗Antithese *f.* -n (변증법의). ②〔접두사〕anti-; Anti-.

‖ 반군국주의 Antimilitarismus *m.*: 반군국주의적 antimilitaristish. 반일운동 die antijapanische (japanfeindliche) Bewegung, -en. 반제국주의 Antiimperialismus *m.* -. 반파쇼주의 Antifaschismus *m.* -.

반(半) Hälfte *f.* -n; das Halbe*, -en; halb〖형용사〗. ¶ 하나 반 ein(u.)einhalb; anderthalb / 둘 반 zwei(u.)einhalb; dritt(e)halb / 셋 반 ∼ drei(u.)einhalb; viert(e)halb / 반 시간 e-e halbe Stunde / 한 시간 반 ein u. e-e halbe Stunde〖2격: ein u. e-r halben Stunde〗; anderthalb (eineinhalb) Stunden ✱ 형용사 어미의 유무, 명사 단복수에 주의, 이하 마찬가지 / 이틀 반 zwei u. ein halber Tag; dritthalb (zweieinhalb) Tage / 3 마일 반 drei u. e-e halbe Meile; viert|halb (drei-ein-) Meilen / 4 피트 반 vier u. ein halber (fünfthalb; viereinhalb) Fuß 도량형 단위를 나타내는 남성·중성 명사 때는 복수로 안 함 / 전 (후) 반 die erste (zweite) Hälfte / 아 벌써 반이구나 Ach, es ist (schlägt) schon halb. / 매시 정각과 반 《한시, 한시 반, 두시, 두시 반》 um voll u. halb jeder Stunde / 면접을 위해 반 시간이 배정되었다 Für das Interview ist e-e halbe Stunde angesetzt. / 반 우향 우 Halbrechts um! / 이 방은 옆 방의 반밖에 안 된다 Dies Zimmer ist nur halb so groß wie das Benachbarte. / 나는 강연을 반밖에 알아듣지 못했다 Ich habe den Vortrag nur halb verstehen können. / 나는 사과를 애들에게 반씩 나누어 주었다 Ich gab von dem Apfel jedem Kinde e-e Hälfte.

반(班) Trupp *m.* -s, -s; Abteilung *f.* -en; Gruppe *f.* -n; Sektion *f.* -en; Gesellschaft *f.* -en; Partie *f.* -n; Klasse *f.* -n. ¶ 우리 학교에는 아홉 반이 있다 Unsere Schule hat neun Klassen. / 제 3중대 제 1반 der erste Trupp der dritten Kompanie.
‖ 반장 Gruppenführer *m.* -s, -.

반(盤) 《음반》 (Schall)platte *f.* -n; 《엘피반》 LP-Platte; Langspielplatte. ¶ 원반 Scheibe *f.* -n / 배전반(配電盤) Schalttafel *f.* -n / 수반(水盤) Becken *n.* -s, - / 시계의 문자반 Zifferblatt *n.* -(e)s, ⸚er.

반가(半價) =반값.

반가공품(半加工品) Halbfabrikat *n.* -(e)s, -e.

반가부좌(半跏趺坐) halber Lotossitz, -es (Begriff der buddhistischen Ikonographie).

반가와하다 《기뻐함》 froh sein (*über*^{4}); erfreut sein (*über*^{4}); ^{4}sich freuen (*an*^{3}; *über*^{4}); 《즐거워함》 ^{4}sich vergnügen (*an*^{3}; *mit*^{3}); ^{4}sich ergötzen (*an*^{3}); ^{4}sich belustigen (*an*^{3}; *mit*^{3}; *über*^{4}). ¶ 이 소식을 듣고 그는 무척 반가와했다 Diese Nachricht hat ihm e-e große Freude bereitet.

반가움 Freude *f.* -n; Beglückung *f.* -en; Befriedigung *f.* -en; Fröhlichkeit *f.* -en.

반가이 freudvoll; freudig; fröhlich; mit Freude. ¶ ~ 맞이하다 mit Freude empfangen*^{4}.

반감(反感) Antipathie *f.* -n [..tí:ən]; Abneigung *f.* -en; Feindschaft *f.* -en; Haß *m.* ..asses; Widerwille *m.* -ns, -n. ¶ ~을 품다 Abneigung gegen *jn.* fühlen; e-e Abneigung gegen *jn.* haben (fassen) / ~을 사다 ^{3}sich die Feindschaft e-r Person (*js.* Unwillen) zu|ziehen*; ^{3}sich *jn.* zum Feind machen; bei *jm.* Anstoß erregen / 그는 나에게 ~을 품고 있다 Er ist mir feindlich gesinnt.¦Er faßt e-e Abneigung gegen mich. / A씨에 대한 ~은 크다 Die (allgemeine) Abneigung gegen Herrn A ist groß. / 그 행위가 세상에 ~을 일으켰다 Sein Verhalten hat die öffentliche Meinung gegen ihn gewendet.

반감(半減) Verminderung (Verringerung; Herabsetzung) (*f.* -en) auf (um) die Hälfte. ~하다 um die Hälfte herab|setzen^{4} (vermindern^{4}; verringern^{4}); auf die Hälfte reduzieren^{4}. ¶ 여름 이래 생산이 ~되었다 Seit dem Sommer ist die Produktion um die Hälfte herabgesetzt worden. / 그래서 가격이 ~되었다 Damit hat sich der Wert um die Hälfte vermindert. / 정가를 ~하다 e-n fünfzigprozentigen Abzug machen.
‖ ~기 〖물리〗 Halbierungszeit *f.* -en.

반갑다 ^{4}sich freuen; freundlich; herzlich; innig; froh; angenehm; höflich verbindlich; gefällig; warmherzig; erfreulich; reizend; wonnig (sein). ¶ 반갑잖은 손님 der ungern gesehene Gast, -es, ⸚e / 반가운 이야기 e-e willkommene Nachricht, -en / 반가운 소식 e-e frohe Nachricht, -en / 반가와서 vor Freude / 손님을 반갑게 맞이하다 e-n Gast herzlich auf|nehmen* / 편지를 받고 반가왔읍니다 Mit außerordentlicher Freude habe ich Ihren Brief erhalten. / 당신을 알게 되어 반갑습니다 Es freut mich sehr, Sie kennenzulernen.

반값(半一) der halbe Preis, -es, -e. ¶ ~에 zum halben Preis / ~으로 깎다 den Preis um 50 Prozent ermäßigen / 떨이로 ~에 팝니다 Räumungshalber verkaufen wir zu halben Preisen.

반개(半個) Hälfte *f.* -n; das halbe Stück, -(e)s, -e. ¶ 아버지는 아이들에게 사과를 ~씩 나누어 주었다 Der Vater gab von dem Apfel jedem Kinde e-e Hälfte.

반개(半開) ① 《문이》 ~하다 halb geöffnet (geschlossen) sein. ② 《꽃이》 das Halbaufbrechen*, -s. ~하다 halb erblüht (aufgebrochen) sein. ③ 《문화가》 halbes Zivilisieren*, -s. ~하다 halb zivilisiert sein.
‖ ~국(國) einhalb zivilisiertes Land, -(e)s, ⸚er.

반거(들)충이(半一) der Halbgebildete*, -n, -n; der Halbgelehrte*, -n, -n. ¶ ~의 halbgebildet; halbgelehrt.

반격(反擊) Gegen|angriff *m.* -(e)s, -e (-offensive *f.* -n). ~하다 den Gegenangriff ergreifen*. ¶ ~ 태세를 취하다 zur Gegenoffensive über|gehen*Ⓢ / ~을 격퇴하다 den Gegenangriff zurück|weisen*.
‖ ~기지 Wiedervergeltungsbasis *f.* ..sen. ~작전 Gegenangriffsoperation *f.* -en.

반경(半徑) Radius *m.* -, ..dien; Halbmesser *m.* -s, -. ¶ ~을 그리다 e-n Halbmesser beschreiben* (zeichnen) / 원주(圓周)는 ~의 대략 여섯 배입니다 Der Kreisumfang ist etwa sechsmal größer als der Radius.

반공(反共) Antikommunismus *m.* -(주의). ¶ ~ 보루를 구축하다 e-e Schanze gegen Kommunismus auf|führen (auf|werfen*).
‖ ~교육 antikommunistische Erziehung, -en. ~운동 die antikommunistische Bewegung, -en; Antikomintern-Kompagne *f.* -n. ~정책 e-e antikommunistische Politik. ~주의자 Antikommunist *m.* -en, -en.

반공식(半公式) ¶ ~의 halbamtlich; offiziös.

반공일(半空日) der halbe Feiertag, -(e)s, -e; der freie Nachmittag, -(e)s, -e; Samstag *m.* -(e)s, -e; Sonnabend *m.* -(e)s, -e. ¶ 오늘은 ~이다 Wir haben heute nachmittag frei.

반과거(半過去) 〖문법〗 Imperfekt *n.* -(e)s, -e; Imperfektum *n.* -s, ..ta; die unvollendete Vergangenheit.

반관반민(半官半民) halbstaatliche Verwaltung, -e. ¶ ~의 halbstaatlich. ‖ ~회사 die halbstaatliche Gesellschaft, -en.

반구(半球) Halbkugel *f.* -n; Hemisphäre *f.* -n; Erdhälfte *f.* -n. ¶ ~의 halbkugelig; hemisphärisch / 서 (동) ~ die westliche (östliche) Hemisphäre / 양~ die beiden Erdhälften.

반군(反軍) ¶ ~의 antimilitaristisch.

반군(叛軍) die rebellische Armee, -n; die

aufrührerischen Truppen《pl.》; die Aufständischen*《pl.》; Rebellentruppen《pl.》.

반기 (Opfer)speisen, die nach e-r (Ahnen-)feier auf e-m Holzbrett an die Nachbarn verteilt werden. ~하다 nach e-r (Ahnen-)feier Opferspeisen an die Nachbarn verteilen.
‖반깃반 Holzbrett *n.* -(e)s, -er; Holztablett *n.* -s, -e.

반기(反旗) die Fahne《-n》der Rebellion. ¶ ~를 들다 ⁴sich gegen *jn.* empören〔rebellieren; verschwören*〕.

반기(半期) Halbjahr *n.* -(e)s, -e. ¶ ~의 halbjährig; Halbjahres- / ~마다 halbjährlich / 4 ~ Quartal *n.* -s, -e; Vierteljahr [fír..] *n.* -(e)s, -e / 4~마다 quartal(s)weise; vierteljährlich [fír..].
‖~결산 Halbjahresabschluß *m.* ..lusses, ..lüsse. ~배당 Halbjahresdividende *f.* -n. 상〔하〕~ die erste〔zweite〕Hälfte《-n》des Geschäftsjahres〔des Rechnungsjahres〕.

반기(半旗) Flagge《*f.* -n》auf Halbmast. ¶ ~를 걸어 조의를 표하다 die Flagge halbmast〔auf Halbmast〕hissen; halbmast flaggen / ~가 걸려 있다 Die Flagge weht〔ist〕auf Halbmast.

반기다 froh sein; ⁴sich freuen; über ⁴*et.* erfreut sein. ¶ 손님을 ~ froh sein, e-n Gast zu sehen.

반기생(半寄生)〖생물〗Halbschmarotzen *n.* -s; Semiparasitismus *m.* -. ¶ ~의 semiparasitisch; semiparasitär; halbschmarotzend.
‖~생물 Hemiparasit *m.* -en, -en. ~식물 die Halbschmarotzer《pl.》; die Halbparasiten《pl.》.

반나마(半—) über〔mehr als〕die Hälfte.

반나절(半—) einige Zeit lang. ¶ ~ 일 die Arbeit《-en》des halben Tages / 도서관에서 ~을 보내다 Einige Zeit in der Bibliothek verbringen*.

반나체(半裸體) ¶ ~의(로) halb¦nackt〔-entblößt〕/ 아이들이 ~로 뛰어다닌다 Die Kinder rennen halbnackt herum.
‖~화 ein e-e Halbnackte darstellendes Gemälde, -s, -; der Halbakt《-(e)s, -e》e-r Frau.

반날(半—) ein halber Tag, -(e)s, -e ※ 또는 간단히 Vormittag, Nachmittag 을 쓴다
‖~일 die Arbeit《-en》e-s halben Tages.

반납(返納) Zurückgabe *f.* -n; Rückgabe *f.* -n; (Zu)rückerstattung *f.* -en. ~하다 zurück|geben*⁴; wieder|erstatten⁴; wieder|geben*⁴; zurück|erstatten⁴.

반년(半年) ein halbes Jahr, -(e)s, -e; Halbjahr *n.* -(e)s, -e. ¶ ~(간)의 halbjährig / ~마다(의) halbjährlich.

반단(半—) die Hälfte《-n》des Bundes; ein halbes Bündel, -s.

반닫이(半—) Kleidertruhe *f.* -n (mit Klappe an der Vorderseite).

반달(半—) ①《달》Mondsichel *f.* -n; der zunehmende〔abnehmende〕Mond, -(e)s, -e (상현, 하현의 달); Halbmond *m.* -es, -e.
②《보름》ein halber Monat, -es, -e; Halbmonat *m.* -es. ¶ ~치(분)의, ~마다(의) halbmonatlich.

반당(反黨)《행위》innerparteiliche Opposition, -en. ~하다 zur innerparteilichen Opposition gehören.
‖~분자 zur innerparteilichen Opposition Gehörender*.

반대(反對) ①《역(逆)》Gegen¦teil *n.* -es, -e〔-satz *m.* -es, ⁼e〕; das Gegenüber*〔Umgekehrte*, -n〕; Umkehrung *f.* -en; Kehrseite〔Rück-〕*f.* -n (이면). ¶ ~의 umgekehrt; entgegengesetzt / ~로 umgekehrt; entgegengesetzt; in entgegengesetzter Richtung (방향);《…에 비해서》im Gegenteil; dagegen / ~ 방향에서 오다 von der entgegengesetzen Richtung kommen*ⓢ / 사실은 정~다 Das Gegenteil ist der Fall. / 그의 성격은 나와 정~다 Sein Charakter bildet den geraden Gegensatz zu dem meinigen. / 나의 의견은 너와 정~다 Ich bin gerade entgegengesetzter Meinung wie du. / 그는 언제나 시키는 것과는 ~되는 일을 한다 Er tut immer das Gegenteil von dem, was man ihn heißt. / 그의 말과 생각은 정 ~다 Er meint stets anders als er sagt. / 전연 ~ 방향으로 와 버렸다 Ich bin ganz entgegengestzt gegangen. / 지나치게 엄하게 하면 오히려 ~로 일이 그릇된다 Mit d-r übertriebenen Strenge erreichst du nur das Gegenteil.
②《반항·이론》Widerstand *m.* -es, ⁼e; Einspruch *m.* -es, ⁼e; Einwand *m.* -es, ⁼e; Widerspruch *m.* -es, ⁼e; Widerstreit *m.* -es, -e. ~하다 ⁴sich widersetzen³; ein|wenden*《*gegen*⁴》; entgegen|setzen³⁴(-|treten*³ⓢ); gegenüber|stellen⁴; widersprechen*³. ¶ …에 ~하여 aus Trotz《*gegen*⁴》; ³*et.* zum Trotz; gegen⁴ / ~의 entgegengesetzt; gegenüberstehend; feindlich / ~ 운동을 일으키다 e-e Gegenbewegung《-en》gegen ⁴*et.* ins Leben rufen* / ~ 투표하다 gegen ⁴*et.*〔*jn.*〕stimmen / 완강한 ~에 부딪치다 bei *jm.* auf starken Widerspruch stoßen* / ~하기 위해 ~하다 aus Widerspruchsgeist opponieren / ~의 의견이 있읍니까 Haben Sie etwas dagegen einzuwenden? / 그 일에 대해서는 ~가 없다 Ich habe nichts dagegen einzuwenden. / 타협에는 ~한다 Ich bin durchaus gegen jeden Kompromiß. / 그녀 양친은 그 혼담에 ~한다 Ihre Eltern sind gegen den Heiratsantrag. / 다른 사람의 ~ 의견도 인정해야만 한다 Du mußt den Einwand anderer gelten lassen.
‖~급부 Gegenleistung *f.* -en. ~당 Opposition *f.* -en. ~동의 Gegenantrag *m.* -es, ⁼e. ~무역풍 Antipassat *m.* -es, -e. ~설 die entgegengesetzte Meinung, -en. ~성명 Gegenerklärung *f.* -en. ~세력 Gegenmacht *f.* ⁼e. ~심문 Kreuz¦verhör *n.* -s, -e〔-frage *f.* -n〕. ~어 Antonym *n.* -s, -e. ~자 Gegenpart *m.* -es, -e; Widersacher *m.* -s. ~투표 Gegenstimme *f.* -n.

반대기 ein flacher Kuchen, -s, -.
‖~떡 ein flacher Reiskuchen.

반더포겔 Wandervogel *m.* -s, ⁼.

반도(半途) =중도(中途).

반도(半島) Halbinsel *f.* -n. ¶ ~ 모양의 halbinselförmig.
‖~민 die Bowohner《pl.》e-r Halbinsel. 말레이~ die Malaische Halbinsel. 스칸디나비아~ Skandinavien *n.* 한~ Koreanische Halbinsel.

반도(叛徒) Aufrührer *m.* -s, -; Empörer *m.* -s, -; der Aufständische*, -n, -n; Rebell *m.* -en, -en.

반도미(半搗米) der halbgereinigte Reis, -es.

반도체(半導體)〖물리〗Halbleiter *m.* -s, -.

반독(反獨)〖형용사적〗antideutsch; deutschfeindlich.

반독립(半獨立) partielle Unabhängigkeit, -en; Quasiunabhängigkeit *f*.

‖ ~국 der teilweise unabhängige Staat, -(e)s, -en; quasiunabhängiger Staat.

반동(反動) Gegen¦wirkung (Rück-) *f*. -en; Reaktion *f*. -en; Gegen¦stoß (Rück-) *m*. -es, ⸗e (총 따위의); Rücklauf *m*. -es, ⸗e (대포의). ~하다 gegen|wirken (zurück|-); e-e Gegenwirkung aus|üben; reagieren 《이상 *auf*⁴》. ¶ ~적인 reaktionär; rückwirkend / ~으로 als e-e Rückwirkung / 이 총은 ~이 적다 Diese Flinte hat wenig Rückstoß.

‖ ~기 Reaktionszeit *f*. -en. ~력 die rückwirkende Kraft. ~분자 die reaktionären Elemente. ~사상 die reaktionäre Gesinnung. ~주의 Reaktion *f*. -en: ~주의자 Reaktionär *m*. -s, -e. 역~ die umkehrbare Rückwirkung.

반두 Handnetz (Fangnetz) *n*. -es, -e.

반드럽다 glatt; poliert; geschmeidig; eben (sein). ¶ 반드러운 마루 glatter Fußboden, -s, - / 반드러운 가죽 geschmeidiges Leder, -s, - / 반드러운 얼굴 glattes Gesicht, -(e)s, -er / 반드러운 사람 glatter Mensch, -en, -en / / 반드럽게 하다 glatt machen⁴; glätten⁴; eben⁴; schlüpf(e)rig machen⁴.

반드르르 glatt; poliert; geschmeidig; eben; schlüpf(e)rig. ~하다 =반드럽다.

반드시 ① 〔긍정적〕 bestimmt; gewiß; sicher (-lich) (틀림없이); notwendigerweise (필연적으로); unvermeidlich (불가피하게); immer; stets(언제나); auf jeden Fall; auf alle Fälle (여하튼) ✠ 그외 (1) 부정문+관계대명사+부정문 (2) 부정문+ohne... zu... (3) 부정문+ohne daß+부정문 접속법 제2식 (4) jeder; all을 사용하여 나타낸다. ¶ 태풍이 오면 ~ 피해가 있다 Kein Taifun kommt, der k-n Schaden anrichtet. / 모든 사물에는 ~ 두 가지 면이 있다 Jedes Ding hat zwei Seiten.¦Alles hat s-e zwei Seiten. / 그것은 ~ 해야 한다 Es muß auf jeden Fall gemacht werden.

② 〔부정적〕 nicht immer; nicht alles (allein; jeder*; ganz; überall); nicht gerade; nicht notwendig(erweise); nicht ohne weiteres; nicht gänzlich ✠ 그 외 (1) nicht 또는 ohne와 함께 darum, deshalb, deswegen, jedoch를 사용하는 방법 (2) nicht brauchen (müssen) (…할 필요가 없다)를 이용한다 (3) nicht etwa, daß...; nicht (etwa), als ob... 를 접속법 제2식과 함께 사용하는 방법이 있다, 다음 예문 참조. ¶ 번쩍인다고 ~ 황금은 아니다 Es ist nicht alles Gold, was glänzt. / 민주주의를 얘기하는 사람이라고 ~ 민주주의자는 아니다 Nicht jeder, der von Demokratie spricht, ist ein Demokrat. / ~ 틀렸다고 말할 수 없지만 그와 같이 말하는 것은 피하는 것이 좋다 Das ist nicht gerade falsch, aber vermeiden Sie lieber diesen Ausdruck. ✠ 「틀렸나고는 ~빌힐 수 없지만 …」과 falsch를 강조하여 문장의 처음에 내놓을 때는 Falsch ist das gerade nicht, aber.... 처럼 gerade nicht를 사용한다 / 부자라고 ~ 행복하지는 않다 Der Reiche ist nicht immer glücklich.¦Wer reich ist, ist darum (deswegen) nicht glücklich.¦Man kann reich sein, ohne deshalb (zugleich) glücklich zu sein. / 이 일을 하고 있는 것은 ~ 박사가 되기 위해서가 아니라, 흥미가 있기 때문이다 Ich beschäftige mich mit dieser Arbeit, nicht etwa, daß ich damit m-n Doktor machen wollte (nicht etwa, als ob ich damit den Doktortitel erwerben könnte), sondern weil ich mich dafür interessiere. / ~ 그런 것은 아니다 Das ist nicht immer der Fall. / / ~ 나쁜 면만 있는 것은 아니다 Immerhin hat er auch s-e guten Seiten. / ~ 불가능한 것은 아니지만 어렵다 Das ist nicht unmöglich, aber schwierig.

반득하다, 반득거리다 funkeln; glänzen; blitzen; scheinen*; leuchten; strahlen; schimmern; glimmern; glitgern; blinkern. ¶ 햇빛에 반득거리다 in der Sonne glänzen / 하늘에는 무수한 별이 반득거리고 있다 Unzählige Sterne funkeln am Himmel. / 수면이 달빛에 반득거린다 Die Wasseroberfläche glänzt in Mondschein. / 도시가 불빛으로 반득거린다 Die Stadt glänzt von Lichtern.

반득반득 flack(e)rig; blink u. blank; glitzerig; blitz(e)blank.

반들거리다 ① 《게으르다》 ⁴sich vor e-r Arbeit drücken. ② 《윤나다》 glatt; schlüpfrig (sein). ¶ 반들거리는 마루 ein glatter Fußboden, -s, -(⸗).

반들반들 glitsch(e)rig; glitschig; glatt; glänzend.

반듯반듯하다 gerade; ohne Krümmung (sein).

반듯이 aufrecht; aufgerichtet; nach oben gerichtet; senkrecht; lotrecht; perpendikular; vertikal. ¶ ~ 눕다 ⁴sich um|drehen u. auf dem Rücken liegen*(자다가 뒤쳐서) / ~ 서다 senkrecht stehen* / 연필을 ~ 잡다 e-n Bleistift richtig halten* / 몸을 ~ 가누다 ⁴sich aufrecht halten* / 몸을 ~ 해라 Halt dich gerade! / ~ 놓아라 Stelle es aufrecht (gerade)!

반듯하다 gerade; eben; flach; aufrichtig (sein). ¶ 반듯한 자세 die gerade (gute) Körperhaltung, -en / 반듯한 길 der gerade Weg, -(e)s, -e / 반듯한 땅 quadratisches flaches Grundstück, -(e)s, -e.

반등(反騰) überraschende Teuerung, -en (Steigerung, -en). ~하다 überraschend (plötzlich) teurer werden.

반딧불 das Glänzen* 《-s》 e-s Leuchtkäfers; Schimmer 《*m*. -s, -》 (Schein *m*. -(e)s, -e) e-s Leuchtkäfers.

반뜻- ☞ 반듯-.

반락(反落) (Kursver)fall *m*. -(e)s. ~하다 überraschend im Kurs fallen* ⓢ.

반란(反亂·叛亂) Empörung *f*. -en; Auflehnung *f*. -en; Aufruhr *m*. -(e)s, -e; Aufstand *m*. -(e)s, ⸗e; Meuterei *f*. -en; Rebellion *f*. -en. ¶ ~을 일으키다 ⁴sich empören 《*jm*.; *gegen*⁴》; ⁴sich erheben* 《*gegen*⁴》; meutern; ⁴sich auf|lehnen 《*gegen*⁴》; rebellieren / ~을 진압시키다 e-n Aufstand nieder|werfen* (nieder|schlagen*).

‖ ~자 Aufrührer *m*. -s, -; Empörer *m*. -s, -; Insurgent *m*. -en, -en.

반려(伴侶) Gefährte *m*. -n, -n; Genosse *m*. -n, -n; Gesellschafter *m*. -s, -; Kamerad *m*. -en, -en; Gatte *m*. -n, -n (남편); Gattin *f*. -nen (처); 《동행》 Begleiter *m*. -s, -; Begleiterin *f*. -nen. ¶ 이 책은 여름 동안 나의 가장 좋은 ~가 될 것이다 Dieses Buch wird während des Sommers mein bester Gesellschafter sein.

반려(返戾) Rückgabe *f*. -n; Zurückgabe *f*. -n; das Zurückgeben*, -s; Wiedergabe *f*. -n; Erstattung *f*. -en. ~하다 zurück|ge-

ben*[4]; wieder|geben*[4]; erstatten[4].
반례(返禮) =답례(答禮).
반론(反論) 《반대 의론》 Widerspruch *m.* -es, ⸗e. ~하다 widersprechen*[3].
반만(半萬) e-e halbe Myriade; fünftausend. ‖ ~년 fünftausend Jahre 《*pl.*》.
반말(半—) 《거친 말》 rauhe 〔grobe〕 Worte 《*pl.*》; unfreundliches Gespräch; „halbe Sprache" niedrigste der fünf Höflichkeitsstufen der koreanischen Sprache. ~하다 unfreundlich sprechen*; rauh 〔grob〕 sagen. ¶ 그는 나에게 ~짓거리로 말을 걸어왔다 Er redete mich in e-m rauhen Ton an.
반맹(半盲) ¶ ~의 halbblind; blödsichtig (약시(弱視)). ‖ ~증 Hemianopsie *f.*; Halbblindheit *f.*
반면(反面) die andere Seite, -n. ¶ ~에 auf der ander(e)n Seite; andererseits 〔einerseits에 대해〕; zum ander(e)n 〔einmal에 대해〕; während〔종속접속사〕/ 어두운(약한) ~을 갖다 s-e schwarze 〔schwache〕 Seite haben / 이 문제에는 다른 ~이 있다 In diesem Problem gibt es e-e andere Seite. / 싼 ~에 좋지 않다 Es ist billig, aber andererseits ist es nicht gut.
반면(半面) das halbe Gesicht, -(e)s, -er; Profil *n.* -s, -e. ¶ ~의 진리 die halbe Wahrheit / 네가 말하는 ~에는 진리가 있다 Es steckt etwas Wahres in dem, was du sagst./문제의 ~을 보다 e-e Seite einer Frage betrachten / 그는 신경통으로 ~이 이지러져 있다 Sein halbes Gesicht ist vom Nervenschmerz verzerrt. ‖ ~상 Profil *n.* -s, -e.
반모음(半母音) Halbvokal *m.* -s, -e.
반목(反目) Fehde *f.* -n; Feindlichkeit *f.* -en; Feindschaft *f.* -en; Gegnerschaft *f.* -en; Zwie¦spalt *m.* -(e)s, -e 〔-tracht *f.*〕; Antagonismus *m.* -, ..men. ~하다 [4]sich feindlich gegenüber|stehen*; *jm.* 〔gegen *jn.*〕 feindlich sein; mit *jm.* in Fehde liegen*; [3]sich *jn.* zum Gegner 〔Feind〕 machen; mit *jm.* auf schlechtem 〔gespanntem〕 Fuß stehen* 〔leben〕. ¶ ~을 일으키다 Zwietracht säen 〔stiften〕 《*unter*[3]》; e-n Keil treiben* 《*zwischen*[4]》/ 그들은 서로 ~하고 있다 Sie leben in Feindschaft miteinander. ¦ Es herrscht Zwietracht unter ihnen. / 그 문제는 온 가족들 사이에 ~을 일으킨다 Die Sache stiftet unter den ganzen Familienmitgliedern Zwietracht.
반몫(半—) ein halber Anteil, -(e)s, -e; e-e halbe Portion, -en; die Hälfte 《-n》 des Anteils.
반문(反問) Gegen¦frage 〔Rück-〕 *f.* -n; 〖법〗 Kreuz¦frage *f.* -n 〔-verhör *n.* -(e)s, -e〕; 《대꾸》 Entgegnung *f.* -en; Erwiderung *f.* -en. ~하다 rückfragen 〔*pp.* rückgefragt〕; ein Kreuzverhör an|stellen 《*mit*[3]》; e-e Gegenfrage stellen; *jn.* ins Kreuzverhör nehmen*; 《대꾸하다》 *jm.* auf [4]*et.* erwidern; *jm.* entgegnen.
반문(斑紋) Fleck *m.* -(e)s, -e; Tüpfel *m.* 〔*n.*〕 -s, -; Sprenkel *m.* -s, -.
반물 Schwarzblau *n.* -s; Dunkelblau *n.* -s; Indigo *n.* 〔*m.*〕 -s. ‖ ~집 Färberei *f.* -en. ~치마 schwarzblauer 〔dunkelblauer〕 (Frauen)rock, -(e)s, ⸗e.
반물질(反物質) 〖물리〗 Antimaterie *f.* -n.
반미(飯米) Reis 《*m.* -es》 zum Kochen; Reis für ein Mahl. ‖ ~콩 Bohnen 《*pl.*》 zum Mischen mit Reis.
반미(反美) ¶ ~의 anti-amerikanisch. ‖ ~사상 anti-amerikanischer Gedanke, -ns, -n. ~주의 Anti-Amerikanismus *m.* -; Anti-Yankeetum *n.* -s: ~주의자 Anti-Amerikanist *m.* -en, -en.
반미개(半未開) Halbbarbarei *f.*; halbwilder Zustand, -(e)s, ⸗e. ¶ ~의 halbwild; halb zivilisiert. ‖ ~인(人) der Halbwilde*, -n, -n; Halbbarbar *m.* -en, -en.
반미치광이(半—) der Halbwahrsinnige*, -n, -n.
반바닥 Daumenwurzel *f.* -n.
반바지(半—) Kniehose *f.* -n; die kurze Hose, -n; Knickerbocker *m.* -s, - (골프용).
반박(反駁) Widerlegung *f.* -en; Anfechtung *f.* -en; die treffende scharfe Erwiderung, -en. ~하다 widerlegen[4]; an|fechten*[4]; bestreiten[4]; *jm.* zurück|geben*[4]. ¶ 우리들은 그의 주장을 ~했다 Wir haben s-e Ansichten widerlegt.
반반(半半) ¶ ~으로 halb u. halb; zu gleichen Hälften / ~으로 나누다 halbieren[4]; in zwei gleiche Teile teilen[4] 〔schneiden*[4]〕; mit *jm.* halbpart machen (절반) / ~으로 섞다 halb u. halb mischen[4] / 모든 비용은 양쪽 회사에서 ~ 부담한다 Alle Unkosten werden zu gleicher Hälfte von beiden Firmen getragen.
반반하다 ① 《반듯하다》 eben; geglättet; flach; horizontal; waagerecht (sein). ¶ 반반한 땅 ebenes 〔flaches〕 Land, -(e)s / 반반한 거리 ebene Straße, -n.
② 《인물이》 glatt; elegant; hübsch; zierlich; gefällig (sein). ¶ 반반한 처녀 hübsches 〔zierliches〕 Mädchen, -s, - / 반반한 얼굴 glattes Gesicht, -(e)s, -er.
반발(反撥) Abstoßung *f.* -en; Rück¦schlag *m.* -(e)s, ⸗e 〔-stoß *m.* -es, ⸗e〕; Elastizität *f.* -en (탄력성); Spannkraft *f.* ⸗e. ~하다 ab|stoßen*[4]; zurück|prallen ⓢ 〔-|schlagen*[4]; -|stoßen*[4]; -|werfen*[4]〕. ¶ 젊은이의 ~력 Spannkraft der Jugend / ~력이 있는 spannkräftig; elastisch; federnd / 그가 하는 방식은 언제나 나의 ~을 일으킨다 S-e Art stößt mich immer ab. ¦ Ich stoße mich immer an s-r Art. / 같은 극은 서로 ~하고 다른 극은 서로 잡아 당긴다 Gleiche Pole stoßen sich ab, ungleiche ziehen sich an. / 그들이 그를 구타하려고 했을 때 그는 강경하게 ~하였다 Als sie ihn verprügeln wollten, hat er kräftig zurückgeschlagen.
반백(半白) ① 《머리》 graues Haar, -(e)s. ¶ ~의 grau; ergraut. ¶ 그는 아직 젊은데 ~이 되었다 Er ist vorzeitig ergraut. ② 《쌀》 die Halb-u.-halb-Mischung 《-en》 von Poliertem u. unpoliertem Reis. ‖ ~노인 ein grauhaariger alter Mann.
반백(半百) ein halbes Hundert, -(e)s, -e; ein halbes Jahrhundert; 50 Jahre alt (von Lebensalter).
반벙어리(半—) der Halbstumme*, -n, -n; Stotterer *m.* -s, -; Stammler *m.* -s, -; die zungengelähmte Person, -en.
반베(斑—) der Handtuchstoff 《-(e)s, -e》 der mit dem Weißen gemischten Indigofaden; Baumwollstoff mit blauer und schwarzer Farbe.
반병두리 die Suppenschüssel aus Messing mit flachem Boden.
반병신(半病身) ① 《반불구자》 der halbkranke Mensch, -en, -en; die kränkliche 〔gebrech-

liche; schwächliche) Person, -en. ② 《반편》 Schafskopf *m.* -(e)s, ¨e.

반보(半步) Kurzschritt *m.* -(e)s, -e; die Hälfte e-s Schritts; der halbe Schritt, -(e)s, -e.

반복(反復) Wiederholung *f.* -en. ~하다 wiederholen⁴; nochmals machen (sagen). ¶ ~하여 wiederholt; wieder u. wieder; immer wieder / 역사는 ~한다 Die Geschichte wiederholt sich. / ~ 연습하는 것은 학생에게 가장 긴요하다 Wiederholtes Üben ist für die Lernenden am wichtigsten.

‖ ~기호 〖음악〗 Wiederholungszeichen *n.* -s, -. ~발생 〖생물〗 Auszugsentwicklung *f.* -en. ~설 〖철학〗 das biogenetische Grundgesetz, -es, -e.

반복(反覆) 《언행의》 Unbeständigkeit *f.* -en; Wankelmut *m.* -(e)s; Flatterhaftigkeit *f.* -en; 《생각의》 das Wechseln* (*js.* Meinung, Entscheidung, *u.s.w.*). ~하다 wechseln; überleiten 《auf ⁴*et.*》.

반봇짐(半一) das kleine Päckchen, das man in der Hand tragen kann; das kleine Bündelchen, -s, -.

반봉건(半封建) Halbfeudalismus *m.* -, ..men. ‖ ~사회 die halbfeudalistische Gesellschaft, -en.

반부새 das Traben* 《-s》 des Pferdes; das Troten* 《-s》 des Pferdes.

반분(半分) Hälfte *f.* -n; das Halbe*, -n; das Halbieren*, -s; der halbe Teil, -es, -e; fünfzig vom hundert; fünfzig Prozent. ~하다 halbieren⁴; in gleiche Teile teilen⁴ (등분하다); gleichmäßig verteilen⁴ (꼭 같이 나누다). ¶ 우리 둘이 그 돈을 ~했다 Wir beide bekamen jeder die Hälfte von dem Geld.

반불겅이(半一) ① 《담배》 der Tabakschnitt aus Mittelqualität. ② 《고추》 der mittelgereifte scharfe Pfeffer, -s, -.

반비(飯婢) Köchin *f.* ..nen.

반비(反比) 〖수학〗 das umgekehrte Verhältnis, -ses, -se.

반비례(反比例) das umgekehrte Verhältnis, ..nisses, ..nisse; die umgekehrte Proportion, -en. ~하다 im umgekehrten Verhältnis (in umgekehrter Proportion) stehen* 《zu³》 ※ 관사, 무관사 두 가지 용법이 있다. ¶ …에 ~하여 im umgekehrten Verhältnis zu³….

반비알지다 《땅이》 ein wenig winbelig sein; leicht ansteigend sein; schräg sein.

반빗(飯一) die Köchin für Zwischengericht. ‖ ~간(間) Küche *f.* -n. ~아치 die offizielle Köchin für Zwischengericht (im Palast).

반사(反射) Reflex *m.* -es, -e; Reflexion *f.* -en; Abglanz *m.* -es; Gegen¦schein (Wider-; Rück-) *m.* -(e)s, -e; Rückstrahl *m.* -(e)s, -en; Spiegelung *f.* -en; Zurückstrahlung *f.* -en. ~하다 reflektieren⁴; ab|spiegeln⁴; ab|strahlen⁴; zurück|strahlen⁴ (-|werfen*⁴). ¶ ~적(인) reflektiv; reflektorisch; abspiegelnd; ab¦strahlend (rück-) / 열을 ~하다 die Hitze zurück|werfen* / 달은 태양빛을 ~하여 비친다 Der Mond scheint durch den reflektierten Strahl der Sonne.

‖ ~각 Reflexwinkel *m.* -s, -. ~감각 Reflexempfindung *f.* -en. ~경 Reflektor *m.* -s, -en. ~광 Reflex *m.* -es, -e; der reflektierte (zurückgeworfene) Strahl, -es, -en. ~광학기계 Spiegel¦instrument *n.* -es, -e (-apparat *m.* -es, -e). ~기 Lichtwerfer *m.* -s, -; Reflektor. ~등 Spiegellampe *f.* -n. ~로 Reverberier¦ofen (Flamm-) *m.* -s, ¨. ~망원경 Spiegel¦teleskop *n.* -s, -e (-fernrohr *n.* -es, -e). ~면 Reflexionsfläche *f.* -n. ~법칙 Reflexionssatz *n.* -es, ¨e. ~병 Reflexerkränkung *f.* -en. ~상 Reflexbild *n.* -es, -er. ~운동 Reflexbewegung *f.* -en. ~작용 Reflex; Reflexwirkung *f.* -en. ~현미경 Spiegelmikroskop *n.* -s, -e. ~현상 Reflexerscheinung *f.* -en. 조건~ bedingter Reflex.

반사회적(反社會的) antisozial; antisozialistisch. ¶ ~으로 gesellschaftsfeindlich; asozial; antisozial.

반삭(半朔) Halbmonat *m.* -es, -e; die Hälfte e-s Monats; der halbe Monat.

반상(班常) Der Adel und der Bürger; der Adelige* und der Niedrige*.

반상(기)(飯床(器)) Tafelgeschirr *n.* -(e)s, -e; Tafelgerät *n.* -(e)s, -e.

반색하다 die große Freude zeigen; ⁴sich freuen 《*über*⁴》; über ⁴*et.* erfreut sein; an ³*et.* (große) Freude haben. ¶ 반색하며 옛친구를 맞다 den alten Freund mit großer Freude (mit offenen Armen) empfangen*.

반생(半生) das halbe Leben, -s, -; die Hälfte 《-n》 des Lebens. ¶ ~을 보내다 die Hälfte des Lebens verbringen*.

‖ 전~ die erste Hälfte des Lebens (der Lebenszeit).

반생반사(半生半死) ¶ ~의 halbtot / 그는 ~의 상태였다 Er war mehr tot als lebendig. ¦ Er lag wie tot da.

반생반숙하다(半生半熟一) halbroh; halbgekocht; unreif; halbgebraten; halbgar; halb(ge)backen; halbverbrannt; teilweise verbrannt (sein).

반석(盤石) der (riesengroße) Felsen, -s, -; die Felsenspitze, -n; 《견고》 Festigkeit *f.* -en. ¶ ~같은(같이) unbeweglich wie ein Felsen; felsenfest; sehr (stein) hart / 국가를 ~위에 놓다 den Staat auf dem sicheren Fuße stellen/그의 신념은 ~과 같이 확고하다 Seine Überzeugung ist so fest wie ein Felsen.

반설음(半舌音) =반혓소리.

반성(反省) ① 《내성》 Einkehr *f.*; Reflexion *f.* -en; das Nachdenken* (Nachsinnen*) -s; Betrachtung *f.* -en; Erwägung *f.* -en; Überlegung *f.* -en. ~하다 innere Einkehr halten*; bei (in; mit) ³sich (selbst) Einkehr halten*; ⁴sich selbst zum Gegenstand stiller Betrachtung machen; ³sich Gedanken machen; nach|denken* (-|sinnen*); reflektieren 《이상 *über*⁴》. ¶ 그는 그 일에 대해서 전혀 ~치 않고 있다 Er macht sich darüber durchaus k-e Gedanken. / ~을 촉구하다 *jn.* bitten*, ⁴*et.* ernstlich zu überlegen / 정부의 ~을 요구하다 von der Regierung e-e nochmalige Überlegung verlangen / 자기의 행위를 ~하다 über sein eigenes Betragen nach|denken*.

② 《숙고》 die reifliche (sorgfältige) Überlegung, -en; das Nachdenken*, -s. ~하다 reiflich überlegen; nach|denken*; überdenken*.

‖ ~적 심리학 Reflexionspsychologie *f.* ~적 판단력 die reflektierende Urteilskraft.

반성유전(伴性遺傳) 〖생물·의학〗 Geschlechtsverkettung *f.* -en.

반세(半世) die Hälfte des Lebens; die halbe Lebenszeit; die Hälfte *js.* Lebenszeit.

ㅂ

‖ ~기(紀) die Hälfte des Jahrhunderts; das halbe Jahrhundert, -(e)s, -e.

반소(反訴) Wider¦klage (Gegen-) *f.* -n. ~하다 widerklagen 《*gegen*⁴》 〖*p.p.* widergeklagt〗; e-e Gegenklage ein|bringen* 《*gegen*⁴》. ¶ ~를 제기하다 e-e Gegenklage gegen *jn.* erheben* (ein|geben*; ein|reichen) /피고가 원고에게 ~를 제기했다 Der Angeklagte hat gegen den Kläger e-e Gegenklage eingereicht. ‖ ~자 Gegenkläger *m.* -s, -; Widerkläger *m.* -s, -.

반소(反蘇) Antisowjet *m.* -s, -s. ¶ ~적 경향 Antisowjetismus *m.* -, ..men.

‖ ~감정 das antisowjetische Gefühl, -(e)s, -e. ~봉기 der antisowjetische Aufstand, -(e)s, ⸗e. ~주의 Antisowjetismus *m.*

반소경(半—) halbblind; stockblind; blödsichtig.

반소매(半—) der kurze Ärmel, -s, -. ¶ ~ 샤쓰 ein kurzarmiges Hemd, -s, -.

반소하다(半燒—) 《집이》 halb¦verbrannt (-gebrannt) sein. ¶ 10호는 반소됐다 10 Häuser wurden durch Feuer teilweise zerstört.

반송(返送) Rücksendung *f.* -en; Zurück¦-schickung *f.* -en (-sendung *f.* -en). ~하다 rücksenden(*)⁴; zurück|schicken⁴ (-|senden(*)⁴). ¶ 주소 불명일 때에는 발송인에게 ~할 것 Bitte schicken (senden) Sie zurück, wenn die Adresse unbekannt ist!

반송장(半—) die halbtote Person 《-en》 (aus Alter und Gebrechlichkeit); die Person, die mit einem Fuße (Bein) im Grab steht; der nichtsnutzige alte Mann 《-es, ⸗er》 (Frau *f.* -en); der senile Mensch, -en -en. ¶ 그는 ~이다 Er ist so gut wie tot.

반송하다(伴送—) zusammen|schicken⁴.

반수(半數) die Hälfte 《-n》 (der Zahl). ¶ 위원의 ~ 개선 die Wiederwahl der Hälfte des Komitees / 회원 과~의 표를 얻은 사람이 당선된다 Gewählt wird, wer die Stimmen der Mehrheit der Mitglieder erhält (auf sich vereinigt). / 단지 회원의 ~ 미만이 출석했었다 Nur weniger als die Hälfte der Mitglieder waren anwesend.

‖ 과~ Mehrheit *f.* -en.

반수(礬水) das alaunhaltige Leimwasser, -s. ¶ 종이에 ~를 입히다 Papier leimen (planieren; satinieren).

반숙(半熟) ~하다 halbkochen⁴; weich kochen⁴; nur aufkochen lassen*⁴. ¶ ~의 halbgar; weichgekocht (달걀).

‖ ~달걀 das weichgekochte Ei, -(e)s, -er.

반시(半時) 《반시간》 e-e halbe Stunde, -n; 《잠깐》 eine kurze Weile; ein Moment, -(e)s, -e. ¶ 한시 ~ 놀지 않다 die ganze Zeit arbeiten; die Zeit nicht müßig hin|bringen*.

반시(盤柿) flache Dattelpflaume, -n.

반시간(半時間) e-e halbe Stunde, -n. ¶ ~마다 alle halben Stunden; um halb jeder Stunde.

반시류(半翅類) 〖곤충〗 Halbflügler 《*pl*》; Hemiptere *m.* -n, -n; *Hemiptera* (학명).

반식자(半識者) Halbwisser *m.* -s, -.

반신(半身) der halbe Körper, -s, -; die Hälfte 《-n》 des Körpers. ¶ 상~을 벗다 den Oberkörper frei machen.

‖ ~불수 Hemiplegie *f.* -n; die halbseitige Lähmung, -en: ~ 불수의 hemiplegisch; halbseitig gelähmt. ~사진 Brustphotographie *f.* -n. ~상(초상) Büste *f.* -n; Brustbild *n.* -es, -er. 상(하)~ Oberkörper (Unterkörper) *m.* -s, -.

반신(半神) Halbgott *m.* -es, ⸗er.

반신(返信) Antwortschreiben *n.* -s , -. ~하다 auf e-n Brief antworten (erwidern); e-n Brief beantworten; ein Antwortschreiben ab|schicken. ¶ 언제 ~이 올까요 Wann darf ich die Antwort erwarten ?

‖ ~료 Rückporto *n.* -s, -s; das beigelegte Porto 《-s, -s》 für Antwort: ~료 선납 Antwort (voraus)bezahlt / ~료 선납 전보 ein Telegramm 《*m.* -s, -e》 mit bezahlter Rückantwort. ~용 엽서 die Postkarte 《-n》 für Rückantwort.

반신(叛臣) Empörer *m.* -s, -; Rebell *m.* -en, -en; Verräter *m.* -s, - (배신자); Putschist *m.* -en, -en (반역자).

반신반수(半神半獸) das halbgöttliche und halbtierische Wesen, -s, -.

반신반의(半信半疑) das Bedenken* (Mißtrauen*) -s; Ungewißheit *f.*; Unsicherheit *f.*; Zweifel *m.* -s, -. ~하다 noch in (im) Zweifel sein 《*über*⁴》; noch einige Bedenken haben《*gegen*⁴》; in Ungewißheit schweben. ¶ ~의 zweifelhaft· unbestimmt; unsicher/ 그가 할 수 있을 지 나는 ~다 Ich traue es ihm nicht ganz zu.

반실(半失) ~하다 halb verlieren*; halb verwüsten. ~되다 halb verloren sein; halb verwüstet sein.

반심(叛心) die rebellische Gesinnung, -en; der aufrührerische Gedanke, -ns, -n.

반암(斑岩) 〖광물〗 Porphyr *m.* -s, -e.

반액(半額) der halbe Preis, -es, -e; die Hälfte 《-n》 der Summe (des Betrags). ¶ ~으로 zum halben Preise / ~으로 하다 den Preise um 50% herab|setzen (ermäßigen) / 파손품은 ~으로 팔렸다 Die beschädigten Waren wurden zu halben Preisen verkauft. / 여비의 ~은 우리가 부담합니다 Die Reisekosten werden wir Ihnen zur Hälfte vergüten.¦ Die Hälfte der Reisekosten tragen wir. / ~에 주시겠어요 Wollen Sie sich zur Hälfte mit mir einlassen? / 아이들은 ~이다 Kinder zahlen den halben Preis.

반야(半夜) 《한밤중》 Mitternacht *f.* ⸗e; 《반밤》 die Hälfte der Nacht.

반야심경(般若心經) 〖불교〗 *Prajñā-paramitā-sutra* 《범어》.

반양자(反陽子) 〖원자물리〗 Antiproton *n.* -s, ⌈-en.

반어(反語) Ironie *f.* -n [..ní:ən]; rhetorische Frage, -n. ¶ ~적인 ironisch / ~를 쓰다 ironisch sprechen*.

반역(反逆) Auflehnung *f.* -en; Aufruhr *m.* -(e)s, -e; Aufstand *m.* -(e)s, ⸗e; Empörung *f.* -en; Hoch¦verrat (Landes-) *m.* -(e)s; Meuterei *f.* -en; Putsch *m.* -es, -e; Verräterei *f.* -en; Verschwörung *f.* -en; Rebellion *f.* -en; Revolte *f.* -n. ~하다 ⁴sich empören; ⁴sich auf|lehnen; ⁴sich revoltieren; ⁴sich verschwören《이상 *gegen*⁴》; abtrünnig³ werden. ¶ ~적 verräterisch; treulos; rebellisch; aufrührerisch / ~을 기도하다 heimlich auf Hochverrat aus|gehen* (s); Verrat an|zetteln; ⁴sich verschwören*; e-e Verschwörung an|spinnen* (an|stiften); 《음모》 intrigieren; Ränke schmieden 《*gegen*⁴》 / 시대의 ~아 Revolutionär 《*m.* -s, -e》 der Zeit.

‖ ~심 der empörerische Geist; die verräterische Absicht. ~자 Verräter *m.* -s, -; Empörer *m.* -s, -; Aufrührer *m.* -s, -; Verschwörer *m.* -s, -.

반영(反英) Antienglisch *n.* -(s). ¶ 강력한 ~ 운동 die starke antienglische Bewegung.

반영(反映) Wider¦spiegelung *f.* -en (-schein *m.* -(e)s, -e); Zurückwerfung *f.* -en; Reflexion *f.* -en. **~하다** wider|spiegeln[4]; widerscheinen*; zurück|werfen*[4]. ¶ 국민성은 그 예술에 ~되어 있다 Das Wesen des Volks spiegelt sich in s-r Kunst (wider). / 국민의 여론은 의회에 ~된다 Die öffentliche Meinung spiegelt sich im Parlament wider. / 그분의 숭고한 덕망은 그의 한마디 한마디 말 속에 ~되어 있다 S-e hehren Tugenden spiegeln sich in jedem einzelnen s-r Worte wider.

반영(反影) Reflexion *f.* -en; Zurückstrahlung *f.* -en; Widerschein *m.* -(e)s, -e; Abglanz *m.* -es, -e.

반영(半影) Halbschatten *m.* -s.
‖ **~식**(蝕) die halbschattige Sonnen¦finsternis (Mond-) -se.

반영구적(半永久的) halbpermanent; halbständig; fast auf ewig; fast für immer; fast fristlos; ohne (besondere) Zeitangabe.

반올림(半—) Auf- od. Abrundung e-r Zehnerbruchstelle (Dezimalstelle). **~하다** beim Rechnen e-e Bruchzahl unter 0.5 ab|streichen* u. über 0.5 als ganze (volle) Zahl ein|rechnen. ¶ 0.5 이상의 수를 ~하다 die Bruchzahlen 《*pl.*》 nicht niedriger als 0.5 als 1 rechnen.

반원(半圓) Halbkreis *m.* -es, -e. ¶ ~(형)의 halbkreisförmig; halbrund / ~을 그리다 e-n Halbkreis ziehen* (zeichnen).
‖ **~주**(周) der halbe Kreisumfang, -s, ⸚e.

반월(半月) ① 《반달》 Halbmond *m.* -(e)s, -e. ¶ ~형의 halb¦mondförmig (-kreisförmig). ② 《보름》 ein halber Monat, -es, -e; Halbmonat *m.* -es, -e.
‖ **~창**(窓) halbmondförmiges Fenster, -s, -. **~형**(形) Halbkreis *m.* -es, -e.

반유동체(半流動體) die zähe Flüssigkeit, -en; der halbflüssige Körper, -s, -. ¶ ~의 zähflüssig; halbflüssig.

반유태(反猶太) ¶ ~의 antisemitisch; judenfeindlich. ‖ **~주의** Antisemitismus *m.* -, ..men: ~주의자 Antisemit *m.* -en, -en; Judenfeind *m.* -(e)s, -e.

반음(半音) Halbton *m.* -(e)s, ⸚e. ¶ ~의 chromatisch; in halben Tönen fortschreitend (반음계의).
‖ **~계** chromatische Tonleiter, -n; Chromatik *f.*(반음계법). **~정** das chromatische Intervall, -s, -s. **~표** die halbe Note, -n.

반응(反應) Reaktion *f.* -en; Gegenwirkung *f.* -en; Wirkung *f.* -en (효과); Folge *f.* -n (결과); Rückwirkung *f.* -en (반동); Rückschlag (Gegen-) *m.* -es, ⸚e (반향); Widerstand *m.* -es, ⸚e(저항); Effekt *m.* -es, -e(효과). **~하다** reagieren 《*auf*[4]》; zurück|wirken 《*auf*[4]》; e-e Gegenwirkung aus|üben 《*auf*[4]》; entgegen|wirken[3] (ein|- 《*auf*[4]》). ¶ ~이 있다 Wirkung haben; widerstehen*[3]; widerstreben[3]; Widerstand leisten[3]; nicht nach|geben*[3]; wirksam (wirkungsvoll; effektiv) sein; [4]sich aus|wirken / ~이 있는 《저항》 wider¦stehend (-strebend); unnachgiebig; 《효과있는》 effektiv; wirksam; wirkungsvoll / ~이 없는 widerstandslos; nachgiebig; passiv; gleichgültig(무관심한); ilnahmslos(무관심한); ineffektiv; unwirksam; wirkungslos / 알칼리성(산성)의 ~을 보이다 eine alkalische (sauere) Rückwirkung zeigen; alkalisch (sauer) reagieren / 무엇에나 ~이 없다 Alles, was ich tue, bleibt wirkungslos (hat k-e Wirkung). / 주사를 놓았지만 환자는 아무런 ~도 없었다 Die Einspritzung wirkte gar nicht auf den Kranken. / 그는 그것에 대해서 아무런 ~도 보이지 않고 있다 Er reagiert nicht darauf. ¦Er geht nicht darauf ein..
‖ **~기**, **~로**(爐) Reaktor *m.* -s, -. **~속도** Reaktionsgeschwindigkeit *f.* -en. **~열** Reaktionswärme *f.* -n. **~차수**(次數) Reaktionsordnung *f.* -en. 양성(음성)**~** die positive (negative) Reaktion. 화학**~** die chemische Reaktion.

반의반(半—半) Viertel *n.* -s, -; Quart *n.* -(e)s, -e.

반의식(半意識) das Halbbewußtsein*, -s. ¶ ~적 halbbewußt.

반의어(反意語) 〖언어〗 Antonym *n.* -s, -e; das adversative Bildewort, -(e)s, ⸚er 〖보기: aber; doch〗.

반이(搬移) Umzug *m.* -(e)s, ⸚e; Wohnungswechsel *m.* -s, - (-veränderung *f.* -en). ~하다 (um|)ziehen* Ⓢ; s-e Wohnung verändern (wechseln).

반일(反日) ¶ ~의 antijapanisch / ~ 감정 das antijapanische Gefühl, -(e)s, -e.

반일(半—) Halbtagsarbeit *f.* -en; Halbtagsstellung *f.* -en; die Hälfte der Arbeit.

반일(半日) Halbtag *m.* -(e)s, -e; die Hälfte e-s Tages; der halbe Tag. ☞ 한나절.

반입(搬入) Einbringung *f.* -en. **~하다** ein|-bringen* (-|tragen*)[4]; hinein|schaffen 《*in*[4]》.

반입자(反粒子) Antipartikel *f.* -n.

반자 (Zimmer)decke *f.* -n. ¶ ~를 하다 die Decke verschalen; die Decke mit Brettern verkleiden (bekleiden).

반자(半字) das vereinfachte Schriftzeichen, -s, -; die vereinfachte Buchstabe, -n.

반작(半作) 〖농업〗 Halbpacht *f.* -en (*m.* -(e)s, -e). **~하다** als Pächter [4]*et.* beherbergen*; pachten.
‖ **~자**(者) der kleine Farmpächter (, der s-e Pacht mit e-m Teil der Ernte einrichtet).

반작용(反作用) Reaktion *f.* -en; Gegen¦wirkung (Rück-) *f.* -en. **~하다** reagieren; rück|wirken 《이상 *auf*[4]》; •e-e Gegenwirkung auf [4]*et.* aus|üben. ¶ ~을 일으키다 zurück|wirken 《*auf*[4]》 / 작용과 ~ Wirkung u. Rückwirkung *f.* -en / 작용이 있으면 반드시 ~이 있다 E-e Wirkung zieht unvermeidlich e-e Rückwirkung nach sich. ¦K-e Wirkung ohne Rückwirkung.

반잔(半盞) ein halbes Glas, -es. ¶ ~ 마시다 ein Halbes (ein halbes Glas; ein halbes Seidel) trinken*.

반장(叛將) Rebellenführer *m.* -s, -; Aufstandsführer *m.* -s, -.

반장(班長) Gruppenführer *m.* -s, -; 《학급의》 Klassenführer *m.* -s, -; Klassenleiter *m.* -s, -; Klassenaufseher *m.* -s, -; 《직공의》 Vorarbeiter *m.* -s, -; 《동네의》 Bezirksvorsteher *m.* -s, -.

반장화(半長靴) Halbstiefel *m.* -s, -.

반적(叛賊) Verräter *m.* -s, -; Rebell *m.* -en, -en; Aufrührer *m.* -s, -; Empörer *m.* -s, -; der Aufständische*, -n, -n.

반전(反戰) Antikrieg *m.* -(e)s, -e. ¶ ~을 외치

다 gegen den Krieg schreien*.
‖ ～론 Pazifismus *m.* -: ～론자 Pazifist *m.* -en, -en. ～운동 Antikriegsbewegung *f.* -en. ～주의 Antikriegsgesinnung *f.* -en.

반전(反轉) Drehung *f.* -en; Wendung *f.* -en; das Rollen*. -s. ～하다 ⁴sich drehen; ⁴sich wenden⁽*⁾; ⁴sich wälzen; ⁴sich um|-wenden⁽*⁾; ⁴sich herum|wälzen; ⁴sich drehend bewegen; rollen; drehen; wenden*.
‖ ～과정 Umklapprozeß *m.* ..sses, ..sse. ～비행 Rückenflug *m.* -(e)s, ⸚e. ～성 Parität *f.* -en. ～필름 Umkehrfilm *m.* -s, -e. ～현상 Umkehrung *f.* -en.

반전(返電) Antwort¦telegramm *n.* -s, -e (-sendung *f.* -en); Drahtantwort *f.* -en. ～하다 zurück|telegraphieren; durch (per) Draht antworten; telegraphisch antworten; ein Telegramm in Beantwortung senden*.

반절(半―) Halbverbeugung *f.* -en; die halbe Verbeugung. ～하다 ⁴sich vor *jm.* halb verbeugen.

반절(反切) 《한글의》 Das Paradigma 《-s, ..men》 des koreanischen Alphabets, angeordnet nach der Silbentabelle.

반절(半折) ① 《접음》 das Halbieren*, -s.
② 《반쪽》 Hälfte *f.* -n. ～하다 halbieren⁴; in zwei Hälften teilen⁴.
‖ ～지 ein halbes Blatt Papier, -s, -e. ～판(형) das halbe Format, -(e)s, -e.

반점(半點) 《점》 Halbpunkt *m.* -(e)s, -e; der halbe Punkt; 《시간》 Halbstunde *f.* -n; die halbe Stunde, -n.

반점(斑點) Fleck *m.* -(e)s, -e; Sprenkel *m.* -s, -; Tüpfel *m.*(*n.*) -s, -. ¶ ～이 있는 fleckig; gefleckt; sprenk(e)lig; gesprenkelt; tüpf(e)-lig; getüpfelt / ～을 내다 flecken⁴; sprenkeln⁴; tüpfeln⁴.
‖ ～지 das gesprenkelte Papier, -s, -e.

반정(反正) ① 《왕에게》 die Reform der Regierung durch das Absetzen des Königes (gegenwärtigen Herrschers); das Erheben auf den Throne nach der Entthronung des bösen Königes. ～하다 um|gestalten; um|formen; um|bilden; reformieren 《die Regierung》; ab|setzen; entheben; entthronen; den Herrscher ab|setzen; 《*jn.*》 auf den Throne auf|setzen.
② 《회복·쇄신》 Restaurierung *f.* -en; Renovierung *f.* -en.

반정립(反定立) 〖철학〗 Antithese *f.* -n; Gegensatz *m.* -es, ⸚e; Widerspruch *m.* -(e)s, ⸚e. ¶ ～의 antithetisch; im Widerspruch stehend; gegensätzlich.

반정부(反政府) ¶ ～의 regierungsfeindlich; dem Ministerium feindlich.
‖ ～당 Oppositionspartei *f.* -en; Gegenpartei 《*f.* -en》 zur Regierung. ～신문 die regierungsfeindliche Zeitung, -en; Oppositionsblatt *n.* -es, ⸚er.

반정신(半艇身) e-e halbe Länge (die Hälfte 《-n》 der Länge) 《e-s Ruderbootes》. ¶ ～의 차로 이기다 《eine Wettfahrt》 mit der halben Länge gewinnen*.

반제(反帝) Antiimperialismus *m.* -, ..men.
‖ ～(국주의) 운동 die antiimperialistische Bewegung. ～사상 der antiimperialistische Gedanken, -s, -; die antiimperialistische Idee, -n. ～투쟁 der Kampf 《-es, ⸚e》 gegen Imperialismus.

반제(返濟) Bezahlung *f.* -en; Zurückzahlung *f.* -en; Zahlung *f.* -en; Tilgung *f.* -en; Rückzahlung *f.* -en; Amortisation *f.* -en. ～하다 bezahlen; zahlen; zurück|zahlen; tilgen; amortisieren. ¶ 그는 빚을 ～했다 Er hat die Schulden getilgt. / ～ 기일엔 틀림없이 빚을 갚아 주시오 Bezahlen Sie das (Ver)leihen unbedingt, wenn die Rückzahlungsfrist fällig wird.
‖ ～금 Rückzahlung; das Geld für Rückzahlung. ～기간 Rückzahlungsfrist *f.* -en.

반제품(半製品) Halb¦fabrikat *n.* -(e)s, -e (-erzeugnis *n.* -ses, -se; -zeug *n.* -(e)s, -e).

반조(返照) Abendglanz *m.* -es, -e; Abendglut *f.* -en; Reflexion *f.* -en; Zurückwerfung *f.* -en. ～하다 zurück|werfen*; wider|spiegeln.
‖ ～기(器) Reflektor *m.* -s, -en; Rückstrahler *m.* -s, -; Scheinwerfer *m.* -s, -.

반주(半周) Halbkreis *m.* -es, -e. ～하다 e-e halbe Runde machen.

반주(伴奏) (musikalische) Begleitung, -en; Musikbegleitung *f.* -en. ～하다 begleiten⁴; akkompagnieren⁴. ¶ ～없이 ohne ⁴Begleitung; a cappella / 아무의 (피아노) ～로 unter *js.* Begleitung (Klavierbegleitung) / 피아노로 노래의 ～를 하다 den Gesang auf dem Klavier begleiten / 내가 노래를 부를테니 네가 ～해라 Bitte, begleite mich beim Singen!
‖ ～부 Begleitstimme *f.* -n. ～자 Begleiter *m.* -s, -; Begleiterin *f.* ..rinnen (여자).

반주(飯酒) der Wein (das Trinken) beim Essen. ¶ 저녁 ～를 하다 e-n Abendtrunk 《-(e)s, ⸚e》 nehmen*.

반주권국(半主權國) halbunabhängiger Staat, -(e)s, -en.

반주그레하다 hübsch (schön; gut) aus|sehend (sein). ¶ 반주그레하게 생긴 여자 die anmütige, hübsche Frau, -en; das hübsche, schöne Weib, -(e)s, -er.

반죽 Teig *m.* -(e)s, -e. ～하다 kneten⁴; mengen⁴; an|rühren⁴; durch|kneten⁴; durcheinander drücken⁴.

반죽음 äußerste Not, ⸚e. ～하다 halbtot sein; in e-r äußerst schwierigen Lage sein. ¶ ～을 시키다 halbtot (nicht ganz tot) machen⁴.

반죽좋다 unerschütterlich; gelassen (sein).

반중간(半中間) Mittel *n.* -s, -; Mitte *f.* -n. ¶ ～에 auf halbem Weg; in der Mitte (liegend).

반증(反證) Gegenbeweis *m.* -es, -e; Widerlegung *f.* -en. ¶ ～을 내세우다 e-n Gegenbeweis an|treten* (bei|bringen*; führen; geben*; liefern) / 그에 대한 ～이 없다 Es gibt k-n Beweis dagegen.¦Es gibt k-n Gegenbeweis dafür.¦Es ist unwiderlegbar. ‖ ～제시 die Widerlegung durch Gegenbeweis.

반지(半指·斑指) Ring *m.* -(e)s, -e; Fingerreif *m.* -(e)s, -e. ¶ ～를 끼다 e-n Ring an|-stecken / ～를 끼고 있다 e-n Ring (am Finger) tragen* / ～를 빼다 e-n Ring vom Finger ziehen* (ab|streifen) / 그들은 서로 ～를 교환하였다 Sie wechselten miteinander die Ringe.
‖ 결혼(약혼)～ Ehe¦ring (Verlobungs-). 다이아몬드 (진주)～ Diamant¦ring (Perlen-).

반지(半紙) das gewöhnliche japanische Schreibpapier, -s, -e; Reispapier *n.* -s, -e.

반지기 〖형용사적〗 mit ³*et.* verfälscht (verderbt; verschlechtert). ¶ 모래(돌, 겨, 뉘) ~ 쌀 der enthüllte Reis mit Sand (Steinen, Hülsen, Kleien) in sich.

반지랍다 glatt und glänzend; glatt; kahl (sein). ¶ 반지라운 마루 der gut polierte (Fuß)boden, -s - (=); der glatt glänzende (Fuß)boden / 반지랍게 하다 glatt machen; e-m Dinge glanz geben*; 《기름 따위로》 schmieren.

반지르르 glatt; glänzend; blank; poliert. ¶ 머리에 기름을 ~ 바르다 das Haar pomad(is)ieren, bis es glänzt.

반지름(半一) Radius *m.* -, ..dien; Halbmesser *m.* -s, -. ☞ 반경(半徑).

반지반(半之半) Viertel *n.* -s, -; Quart *n.* -(e)s, -e; ein Viertel.

반지빠르다 ① 《교만함》 snobistisch; hochnäsig; affektiert; gönnerhaft; herablassend; beleidigend; anstoßig; keck; anmaßend; unverschämt; ungezogen; frech (sein). ¶ 반지빠른 자식 ein unverschämter (frecher) Kerl, -(e)s, -e; ein eingebildeter Fatzke, -n, -n; Snob *m.* -s, -s.
② 《어중됨》 ⁴sich sträuben, ³sich ⁴*et.* zu binden; 《물건이》 unzulänglich; ungenügend; mangelhaft; ungeeignet; unpassend; unangenehm (sein). ¶ 옷감이 치마 만들기에는 짧고 저고리 만들기에는 길어 ~ Der Stoff ist e-e unangenehme Größe—zu kurz e-n Rock und zu lang e-e Jacke zu machen.

반지화(斑枝花) Seiden-Baumwollpflanze *f.* -n ‖ ~솜 Kapok *m.* -s.

반직업적(半職業的) halbberuflich.

반짇고리 Nähkorb *m.* -(e)s, -e.

반질거리다 ① 《매끈》 schlüpfrig (glatt; glitschig) sein. ¶ 새로 기름을 먹여서 마루가 반질거린다 Der (Fuß)boden, der neulich gewächst ist, ist schlüpfrig. ② 《교활함》 schlau (raffiniert; gerissen; verschlagen; listig) sein.

반질반질 ① 《매끈함》 schlüpfrig; glatt; glitschig. ~하다 schlüpfrig; glatt; glitschig (sein). ¶ ~한 대머리 völlig kahler Kopf, -(e)s, =e; der glatt glänzende Kahlkopf (Glatze *f.* -n).
② 《교활함》 schlau; verschlagen; listig. ~ ~하다 schlau; verschlagen; listig (sein).

반짝 funkelnd; glitzernd. ~이다 (거리다) glitzern; blenden; glänzen; strahlen; blitzen (번개가); glimmern; blinken; blinkern; gleißen; flinken (별이); schillern; schimmern. ¶ ~이는 glitzernd; glänzend; strahlend; leuchtend; funkelnd / 손가락에 낀 다이아몬드가 ~인다 Die Brillanten an den Fingern funkeln.

반짝반짝 funkelnd; glitzernd.

반짝이다 ☞ 반짝.

반쪽(半一) das halbe Stück, -(e)s, -e.

반쯤(半一) ungefähr halb (zur Hälfte; die Hälfte). ¶ ~ 핀 담배 angerauchte Zigarette, -n / ~ 하다 만 일 e-e unvollendete Arbeit, -en.

반찬(飯饌) Zu¦kost *f.* (-speise *f.* -n); Beilage *f.* -n. ¶ 고기 ~ Fleischbeilage *f.* -n / 그것은 맛있는 ~이다 Es ist e-e köstliche (schmackhafte) Beilage. / 시장이 ~이다 Hunger ist der beste Koch.
‖ ~가게 Kolonialwarenhandlung *f.* -en; Gemüseladen *m.* -s, - (=); Spezereihandlung *f.* -en.

반창고(絆瘡膏) (Heft)pflaster *n.* -s, -; Klebepflaster. ¶ ~를 붙이다 ein Heftpflaster auf|legen 《auf e-e Wunde》.
‖ 고무~ Gummipflaster *n.* -s, -. 일회용(테이프)~ einmaliges Klebepflaster, -s, -.

반청(半晴) teilweise klar. ¶ ~ 반담(半曇) teils klar, teils wolkig.

반추(反芻) das Wiederkäuen*, -s. ~하다 wieder|käuen⁴; nach|sinnen*《über⁴》(숙고).
‖ ~류(동물) Wiederkäuer *m.* -s, -.

반출(搬出) das Herausbringen*, -s. ~하다 (her)aus|bringen*⁴; (hin)aus|tragen*; retten⁴ (화재에서).

반춤(半一) das sanftes Wiegen* des Körpers; das leichtes Schaukeln* (Schwanken*) des Körpers.

반취(半醉) Halbtrunkenheit *f.* -en; der leichte Rausch, -es, =e. ~하다 halb betrunken (leicht berauscht; angeheitert; beschwipst) sein. ‖ ~반성(半醒) ☞ 반취.

반측하다(反側一) ① 《뒤척임》 ⁴sich um|drehen 《im Bett》; ⁴sich im Schlaf hin- u. her|werfen*; hin- u. her|schwanken.
② 《배반》 Verrat begehen* 《an³》; verraten*⁴; die Treue brechen*; abtrünnig werden; zum Feind über|gehen* Ⓢ.

반칙(反則) 《경기 등의》 Foul [faul] *n.* -s, -s; Regel¦verstoß *m.* -es, =e (-widrigkeit *f.* -en); Fehlstart *m.* -(e)s, -e (-s) (출발시의); Fehlsprung *m.* -(e)s, =e(도약경기의); Fehlwurf *m.* -(e)s, =e(투척경기의). ¶ ~구역 〖축구〗 Strafzone *f.* -n. ¶ ~을 범하다 ein Foul (e-e Regelwidrigkeit) begehen*; regelwidrig spielen / 그것은 ~이다 Das ist ein regelwidriges (unfaires) Spiel (ein Fehlsprung; ein Fehlstart). ¦Das ist e-e Übertretung (Überschreitung). (위법) / 너의 행위는 ~이다 Was du tust, widerspricht den Regeln.
‖ ~자 Regel¦verletzer (-verstoßer) *m.* -s, -; Übertreter *m.* -s, -.

반침(半寢) das kleine Zimmer, das an großem Zimmer angeschlossen ist; das kleine, dem großen Zimmer zugehörige Zimmer; die kleine Kammer, -en.

반타작(半打作) 〖농업〗 das Teilen* 《-s》 der Pächtersgesamternte halb u. halb mit dem Landbesitzer; das gleiche Teilen* 《-s》 der Ernte zwischen dem Landbesitzer u. dem Pächter. ~하다 mit dem Landbesitzer gleicherweise (halb u. halb) teilen; die Ernte gleich|teilen.

반탁음(半濁音) P-Laut *m.* -(e)s, -e; Tenuis 《*f.* ..nues》 P.

반토(礬土) 〖화학〗 Ton¦erde (Alaun-) *f.* ¶ ~의 alaun¦haltig (-artig).

반투명(半透明) Halbdurchsichtigkeit *f.*; das Durchscheinen*, -s. ~하다 halbdurchsichtig; durchscheinend (sein).
‖ ~체 der halbdurchsichtige Körper, -s, -.

반편(半偏) Narr *m.* -en, -en; Dummkopf *m.* -(e)s, =e, ~스럽다 dumm; albern; läppisch (sein). ¶ ~노릇(짓) Torheit *f.* -en; Dummheit *f.* -en; die dumme Haltung, -en (Tat, -en) / ~ 같은 수작 das dumme Reden*, -s; die absurde Geschichte, -n / ~노릇(짓)하다 e-e Dummheit machen; ⁴sich dumm an|-stellen.
‖ ~이 =반편.

반포(反哺) 《*js.* Eltern》 dafür (als Gegenleistung) nähren. ☞ 안갚음. ¶ 까마귀에는 ~지효가 있다 Die Krähe ist bekannt durch die Erfüllung der kindliche Pflicht, ihre Eltern zu nähren.

반포(頒布) Austeilung *f.* -en; Verteilung *f.* -en; 《통고》 Bekanntmachung *f.* -en; Verkündigung *f.* -en. **~하다** aus|teilen^4; verteilen^4; in Umlauf setzen^4; bekannt|machen^4; verkünden^4. ¶ 법령의 ~ die Verkündung e-s Gesetzes.

‖ **무료~** freie (kostenlose) Verteilung, -en.

반품(半—) Halbtagsarbeit *f.* -en.

반품(返品) 《일반적》 die an den Produzenten zurückgesandte Ware, -n; die unabgesetzt zurückgehende Ware; 《책·잡지의》 die Remittenden 《*pl.*》; die Krebse 《*pl.*》. ¶ 이 잡지는 대부분이 ~이다 Der größte Teil dieser Zeitschrift geht unverkauft zurück.

반하다^1 ^{4}sich in *jn.* verlieben (vergucken; verknallen); für *jn.* (^{4}*et.*) Faible [fɛ́:bl] haben; bezaubert (betört; gefesselt) werden. ¶ 홀딱 ~ ^{4}sich in *jn.* vernarren; an *jm.* e-n Narren fressen*; in *jn.* bis über beide Ohren verknallt sein / 여자에 ~ ^{4}sich toll in e-e Frau verlieben / 첫눈에 ~ ^{4}sich beim ersten Anblick verlieben 《in *jn.*》 / 그의 인간미에 반했다 Ich bewundere s-e Persönlichkeit. / 그녀는 남자에 반한 것이 아니라 돈에 반해 있다 Sie liebt ihn nicht um seinetwillen, sondern um seines Geldes willen. / 나는 이 색채에 반했다 Ich fand gefallen an dieser Farbe.

반하다^2 ☞ 빤하다.

반하다(反—) ① 《반대·대립》 ^{4}sich entgegen|-setzen (-|stellen); entgegen|stehen* 《*jm.*; ^{3}*et.*》; entgegengesetzt (das Gegenteil von ^{3}*et.*) sein.

② 《거역하다》 ^{4}sich widersetzen^3; wider ^{4}*et.* (gegen ^{4}*et.*) sein; widerstehen*. ¶ 뜻에 반하여 wider (*js.*) Willen; widerstrebend / 이에 반하여 im Gegenteil; dagegen; anderseits / 기대에 반하여 wider Erwarten; über alles Erwarten (기대 이상으로).

반할인(半割引) die Ermäßigung (die Herabsetzung) von 50%; der halbe Preis, -es, -e. **~하다** die Hälfte des Preises ermäßigen; 50% Ermäßigung machen; zu halbem Preise ermäßigen.

반합(飯盒) Kochgeschirr *n.* -(e)s, -e.

반항(反抗) Widerstand *m.* -(e)s, ..e; Auflehnung *f.* -en 《*gegen*^{4}》; Ungehorsam *m.* -(e)s; Opposition *f.* -en; Resistenz *f.* -en. **~하다** Widerstand leisten 《*jm.*; ^{3}*et.*》; *jm.* Trotz bieten*; *jm.* trotzen; ^{4}sich entgegen|stellen; ^{4}sich widersetzen^3; widerstehen*^{3}; widerstreben^3; *jm.* widersprechen* (말로). ¶ ~적인 widerspenstig; störrisch; trotzig; gegnerisch / 소극적 ~ der passive Widerstand / …에 ~하여 zuwider^3; zum Hohn^3; trotz^3 / 정부에 ~하다 ^{4}sich gegen die Regierung auf|lehnen / ~적인 태도를 취하다 e-e widerspenstige Haltung ein|-nehmen*; widerspenstig sein.

‖ **~심** der Geist 《-es》 des Ungehorsams; der widerspenstige Geist; Feindschaft *f.*

반향(反響) Echo *n.* -s, -s; Widerhall *m.* -(e)s, -e; das Widerhallen*, -s; Erwiderung *f.* -en; 《영향》 Einfluß *m.* ..flusses, ..flüsse; Einwirkung *f.* -en 《이상 모두 *auf*^{4}》; Sensation *f.* -en (평판). **~하다** wider|hallen; echoen; beeinflussen^4; Einfluß haben (aus|-üben) 《*auf*^{4}》; (ein|)wirken 《*auf*^{4}》. ¶ ~이 있다 ein Echo (e-n Widerhall) finden* / ~을 불러 일으키다 Sensation erregen / 이 방송은 청취자들 사이에 대단한 ~을 불러일으켰다 Diese Sendung fand in der Hörerschaft ein starkes Echo (e-e starke Resonanz). / 아버지의 말도 그에겐 아무런 ~이 없었다 Vaters Worte fanden bei ihm gar k-n Widerhall. / 이 유리한 보도는 물가에 큰 ~을 불러 일으켰다 Diese günstigen Berichte haben e-n großen Einfluß auf die Preise.

반혁명(反革命) Gegenrevolution *f.* -en; Konterrevolution. ¶ ~적인 antirevolutionär; gegenrevolutionär.

‖ **~당** Gegenrevolutionäre 《*pl.*》. **~운동** die gegenrevolutionäre Bewegung, -en.

반현(半舷) Breitseite *f.* -n.

‖ **~상륙** Beurlaubung 《*f.* -en》 der halben Besatzung. **~포** das Geschütz 《-es, -e》 an der Breitseite; Breitseite *f.* -n.

반혓소리(半—) 〖언어〗 Halbzungenlaut *m.* -(e)s, -e; Koreanisch „I".

반환(返還) Zurück|gabe (Wieder-; Rück-) *f.* -n. **~하다** zurück|geben*^{4} (wieder|-) 《*jm.*》; zurück|senden* (-|schicken).

반휴일(半休日) der halbe Feiertag, -(e)s, -e; der freie Nachmittag, -(e)s, -e.

반흘림(半—) Halbschreibschrift *f.* -en.

받걷이 ① 《거둬들임》 das Sammeln des Geldes (des Ähnlichen) hie(r) und da. **~하다** das Geld hier u. da sammeln. ② =받자 ②.

받고차기 ① 《받고 참》 Stoß 《*m.* -es, ..e》 u. Schuß 《*m.* ..sses, ..üsse》; das Stoßen* u. das Schießen*. **~하다** stoßen u. schießen*. ② 《다툼》 Streit *m.* -(e)s, -e; Zank *m.* -(e)s, ..e; Argument *n.* -(e)s, -e. **~하다** zanken 《mit *jm.* über (um) ^{4}*et.*》; streiten 《mit *jm.*》; argumentieren; krakeelen.

받낳이 das Fadenkaufen* u. -weben*, -s.

받내다 auf den Harn (den Stuhlgang) eines Kranken auf|passen.

받다^1 ① 《얻다》 bekommen*^{4}; erhalten*^{4}; empfangen*^{4}; in Empfang nehmen*; 《접수》 (an|)nehmen*^{4}; kriegen^4; gewinnen*^{4} (획득); haben*^{4}; genießen*^{4}; geschenkt bekommen*^{4} (선물로); erwerben*^{4}; 《비난·조소를》 ^{3}sich zu|ziehen*^{4}; ^{4}sich aus|setzen^3. ¶ 받지 않다 《거부함》 nicht an|nehmen*^{4}; ab|lehnen^4; ab|weisen*^{4}; verweigern^4 / 상(품)을 ~ den Preis gewinnen* (erhalten*) / 월급을 많이 ~ ein hohes Gehalt beziehen* / 주문(위탁)을 ~ e-e Bestellung (e-n Auftrag) bekommen* / 환영을 ~ e-e freundliche (herzliche) Aufnahme finden*; freundlich (herzlich) aufgenommen werden / 허가를~ die Erlaubnis bekommen* (erhalten*) / 신뢰를(존경을) ~ Vertrauen (Achtung) genießen* / 보낸 것을 되~ zugeschickt bekommen* / 칭찬(갈채)을 ~ Anerkennung (Beifall) ernten / 사회의 존경을 ~ die öffentliche Achtung gewinnen* / 총애 ~ bei *jm.* in Gunst stehen* / 학위를 ~ e-n Titel (e-e Würde) erhalten* / 2만 원의 월급을 ~ das Gehalt von 20000 *Won* beziehen* / 뇌물을 ~ ^{4}sich bestechen lassen* / 이자를 ~ Zinsen 《*pl.*》 nehmen* (fordern) / 얼마나 받을 수 있읍니까 Wieviel kann ich bekommen? / 한 개에 10원 받습니다 Zehn *Won* pro Stück, bitte!

② 《입다》 bekommen*^{4}; (er)leiden*^{4}. ¶ 모욕(심한 대접)을 ~ beleidigt (schlecht behandelt) werden / 혐의를 ~ in ^{4}Verdacht

kommen* (geraten*) ⓢ / 갈채를 ～ mit ^{3}Beifall begrüßt werden / 달빛을 ～ im Mondlicht gebadet sein (liegen*; stehen*).
③《치료·수술 따위를》^{4}sich unterziehen*^{3}. ¶맹장 수술을 ～ ^{4}sich e-r Blinddarmoperation unterziehen*; ^{3}sich den Blinddarm herausnehmen lassen*.
④《검사·시험을》^{4}sich e-r Prüfung (e-m Examen) unterwerfen* (unterziehen*); ein Examen machen.
⑤《공 따위를》auf|fangen^4.
⑥《아기를》vom Kinde entbinden*《*jm.*》.
⑦《…에 관계함》^{4}sich beziehen*《*auf*^{4}》. ¶이 관계대명사는 주문의 주어를 받는다 Dieses Relativpronomen bezieht sich auf das Subjekt des Hauptsatzes.
⑧《이어받다》erben^4.
⑨《되받다》zurück|bringen*^{4} (-|nehmen^4).
⑩《뿔로》mit den Hörnern stoßen*^{4}《*nach*^{3}》.
⑪《받아넘기다》ab|wehren^4. ¶가볍게 받아넘기다 nicht ernst nehmen*^{4}; nicht ernstlich ein|gehen*ⓢ《*auf*^{4}》.
⑫《…받고 싶다》〖*p.p.*+haben (wissen; sehen)+wollen (mögen)의 꼴로〗. ¶그것을 설명받고 싶다 Ich will es (möchte es gern) von dir erklärt haben (wissen).

받다²《구미에 맞다》überein|stimmen《mit *jm.*》; nach *js.* Geschmack sein; sitzen* ⓢ《Kleidung》gut. ¶음식이 잘 ～ gut essen*; e-n guten Appetit haben / 음식이 안 ～ den Appetit verlieren*; gar keinen guten Appetit haben / 좋은 음식이지만 입에 받지 않는다 Das Essen ist sehr gut, aber es bekommt mir nicht.

받들다 ①《분부·명령 따위를》Folge leisten^3; befolgen^4; beobachten^4; gehorchen^3; ^{4}sich *jm.* fügen; nach|gehen*^{3} ⓢ. ¶그의 명령을 받들어 auf s-n Befehl / 왕명을 받들어 auf den königlichen Befehl.
②《찬미·칭찬》verherrlichen《*jn.*》; huldigen《*jm.*》; verehren《*jn.*》; voll(er) Ehrfurcht sein《vor *jm.*》.
③《종지(宗旨)를》^{4}sich bekennen*《*zu*^{3}》; an|nehmen*^{4}; glauben《*an*^{4}》; ^{4}sich hin|geben^3.
④《신같이·신을》vergöttern^4; zum Gott weihen^4; an|beten^4.
⑤《존경》verehren^4; hoch|achten^4; respektieren^4; mit Ehrerbietung betrachten^4. ¶공손히 ～ huldigend dar|bringen*^{4} / 웃사람으로 ～ *jn.* als den Ältesten verehren.
⑥《받쳐들다》hin|halten*^{34}; hoch|halten*^{4}; mit den Händen (in der Hand) vor Augen halten*^{4}; feierlich auf|heben*^{4}. ¶총을 ～ das Gewehr präsentieren.
⑦《모시다》¶총재로 ～ zum Präsidenten haben《*jn.*》.

받들어총(—銃)《구령》präsentiert das Gewehr! **～하다** das Gewehr präsentieren.

받아다팔다 Waren im kleinen; en détail verkaufen; im Einzelhandel verkauft werden. ¶도매상에서 ～ en gros ein|kaufen und en détail verkaufen.

받아들이다 ①《승인하다》hören^4 (들어주다); an|nehmen*^{4} (청원, 신청 따위를); erlauben^4 (허락하다); billigen^4 (찬성함); akzeptieren^4. ¶의견을 ～ auf *js.* ^{4}Ansicht ein|gehen*ⓢ; *js.* Meinung zu|geben* / 청을 ～ e-e Bitte erhören (gewähren)/충고를 ～ *js.* Rat an|nehmen*(hören) / 요구를 ～ e-e Forderung akzeptieren; e-r Forderung entsprechen*/ 이 초대를 받아들일 수 없읍니다 Diese Einladung kann ich nicht annehmen.
②《고용하다》*jn.* in Dienst nehmen*; an|stellen^4 (ein|-); engagieren^4 [ãgaʒí:rən]; *jn* auf|nehmen*《*in*^{4}》. ¶우리 회사는 당신을 받아들일 자리가 없읍니다 Unsere Firma hat k-e Stelle frei, Sie anzustellen. / 당신을 우리 회에 받아들이겠읍니다 Wir nehmen Sie in unseren Verein auf.
③《…로 이해하다》halten*《*für*^{4}》. ¶진지하게 ～ ernst nehmen*^{4} / 참말로 ～ für wahr halten*^{4}.
④《채용함》auf|nehmen*^{4}; an|nehmen*^{4}. ¶제안을 ～ e-n Vorschlag《-es, ⸚e》auf|nehmen / 남의 설(說)을 맹목적으로 ～ e-e Meinung blindlings übernehmen* / 나의 제안은 받아들여지지 않았다 Mein Vorschlag hat k-e Gegenliebe gefunden.

받아쓰기 Diktat *n.* -(e)s, -e; Nachschreibeprüfung *f.* -en(시험). ¶～를 시키다 *jm.* ^{4}*et.* in die Feder (in die Maschine) diktieren (펜, 타이프로)/～를 하다 nach Diktat schreiben*^{4}; Diktat auf|nehmen* (받아쓰다).

받아쓰다 (nach|)schreiben*^{4}; nach Diktat schreiben*^{4}. ¶받아쓰게 하다 (nach Diktat) schreiben lassen*.

받을어음 ausstehende Wechselforderungen 「《*pl.*》.

받자 ①《징세》Das Sammeln* der Steuer.
②《관용》angesichts der Unvernunft (des Ärgers; der Beleidigung) großzügig sein; über ^{4}*et.* großzügig sein. **～하다** der Unvernunft (dem Ärger; der Beleidigung) mit guter Laune (mit der Großzügigkeit) gegenüber|stehen*ⓗ,ⓢ; über ^{4}*et.* großzügig sein.

받치다 ①《괴다》stützen^4; unter|stützen. ¶바지랑대로 빨랫줄을 ～ wäscheleine mit e-m Stock stützen / 기둥으로 ～ mit e-m Pfahl stützen / 글 쓰는 데 받칠 것을 좀 다오 Gib mir Unterlage, ^{4}*et.* zu schreiben!
②《우산 따위를》halten*^{4}. ¶아무에게 우산을 ～ e-n Regenschirm über (für) *jn.* halten*. ③〖언어〗e-m Vokal e-n finalen Konsonant an|fügen (für koreanische Rechtschreibung).

받침 ①《괴는 물건》Unterstützung *f.* (지지); Stutze *f.* -n; Strebe *f.* -n;《책받침》Unterlage *f.* -n;《접시》Untertasse *f.* -n. ¶～을 괴다 Stütze (hinein|)legen (-|schieben*)《*unter*^{4}》/ 책상 다리 밑에 ～을 괴다 unter das Stuhlbein Stütze fügen / 지렛대 밑에 ～을 괴다 unter den Hebel Stütze (hinein|)legen. ②〖언어〗der e-m Vokal angefügte finale Konsonant, -en, -en.

받히다 gestoßen werden; an|gestachelt werden; geschlagen werden. ¶소에게 ～ vom Stier gestoßen werden.

발¹ ①《일반적》Fuß *m.* -es, ⸚e;《동물의》Pfote *f.* -n; Tatze *f.* -n; Klaue *f.* -n(발톱 있는 앞발) ¶발이 느린 사람 ein träger Fußgänger, -s, - / 발이 빠른 사람 Schnelläufer *m.* -s, - 〖분철: Schnell-läufer〗/발걸음이 가볍(무겁)다 leichtfüßig (schwerfüßig) sein; leichten (schweren) Fußes sein / 발걸음도 재게 1) mit voller Geschwindigkeit; so schnell wie irgend möglich. 2) immer der Nase nach gehen* / 발이 잰 schnellfüßig; flink / 발이 느린 von langsamem Schritte / 발을 삐다 aus|gleiten* (-|rutschen) / 발걸음을 빨리하(늦추)다 den Gang beschleunigen (verlangsamen); schneller (langsamer) gehen* / 발을 잡아채이다 《^{1}*et.*》 reißt die Füße fort/발을 멈추다 verweilen; ^{4}sich (vorübergehend) auf|halten* / 발을 맞추다 (gleichen) Schritt halten* 《*mit*^{3}》 / 발이 아프다 Fußschmerzen haben / 남의 발을 밟다 *jm.* auf den Fuß treten* / 한쪽 발을 관에 들여놓고 있다 mit e-m Fuße im Grabe stehen*/ 발로 차다 mit dem Fuß treten*^{4}(stoßen*^{4}); *jm.* e-n Fußtritt geben* (versetzen) / 발이 닿지 않다 《물속에서》 den Boden unter den Füßen verlieren/발을 질질 끌다 ^{4}sich fort|-schleppen / 난 그를 발의 때만큼도 안 여긴다 Ich achte ihn nicht im mindesten. / 부산에서 돌아오는 길에 아주머니 댁에서 잠시 발을 멈추었다 Auf dem Rückwege von Busan sprach ich bei m-r Tante vor.

② 《비유적》 ¶발이 길다 rechtzeitig kommen* (erscheinen*) ⓢ; in guter Zeit sein / 발이 짧다 die Gelegenheit versäumen; zum Essen zu spät kommen*ⓢ / 발이 넓다 ^{4}sich e-s großen Bekanntkreises erfreuen; weit u. breit bekannt sein / 제발로 서다 auf eigene Faust handeln; auf eigenen Füßen Stehen*; unabhängig werden / 발을 빼다 zögern; zurück|weichen* ⓢ; Verbindung mit *jm.* unterbrechen / 발이 묶이다 e-e Straße ist gesperrt; *jm.* im Wege stehen*.

③ 《물건의》 Fuß *m.* ..sses, Füße; Bein *n.* -(e)s, -e. ¶네 발 달린 책상 der vierbeinige Tisch, -(e)s, -e.

④ 《내왕》 ¶발이 멀어지다 selten erscheinen*ⓢ / 그들은 차차 발을 끊었다 Die beiden haben sich nach u. nach entfremdet. ‖발가락 Zeh *m.* -es, -en; Zehe *f.* -n. 발등 Fußrücken *m.* -s, -; Rist *m.* -es, -e. 발바닥 Fußsohle *f.* -n.

발^{2} ①《가리는》 Bambusvorhang *m.* -(e)s, ⸚e; der Rolladen (-s, -; 분철: Roll-laden) aus Bambus. ¶발을 내리다 e-n Bambusvorhang herunter|lassen*/ 발을 걷어올리다 e-n Bambusvorhang auf|rollen; e-n Fensterladen (aus Rohr) hoch|ziehen*.

발^{3} ☞ 발쇠.

발^{4} 《버릇》 die schlechte Gewohnheit, -en.

발^{5} 《천의》 Gewebe *n.* -s, -. ¶발이 굵은 locker gewebt (gewoben) / 가볍고 발이 고운 leicht u. feingewoben.

발^{6} ①《길이》 die Spanne der leiden Arme. ¶발로 밟다 über|spannen; ab|messen* / 발이 크다 die lange Armspanne haben. ② 《단위》 die Maßeinheit der Länge wie die volle Spanne der beiden Arme. ¶길이가 열발이다 zehn Faden lang sein.

발(跋) Epilog *m.* -s, -e; Schlußrede *f.* -n; Nachschrift *f.* -en. ☞ 발문.

발(發) ①《탄환 따위의 수효》 (Gewehr-, Geschütz-) Salve *f.* -n; Schuß *m.* ..sses, ..üsse (소총의); Patrone *f.* -n (대포의). ¶탄약 1만발 10000 Schüße (Monitonen) / 10발 쏘다 10 Schüße ab|feuern / 그는 20발 쏘았다 Er feuerte 20 Schüße ab. / 백발 백중했다 Jeder Schuß ist getroffen.

② 《출발》 Abfahrt *f.* -en; Abreise *f.* -n; Absendung *f.* -en. ¶부산발 Abfahrt von Busan / 아홉시발 급행 der 9 (a.m., p.m.) Schnellzug; Der Schnellzug, der um 9 Uhr (Vormittags, Nachmittags) ab|fährt* (-|geht*) / 1월 1일 부산발 기선 das Dampfschiff, das Busan am 1. Jan. verläßt* / A.P.발 통신 A.P. Sendung *f.* -en.

-발 《줄·기세》 Linie *f.* -n; Strich *m.* -(e)s, -e; Strahl *m.* -(e)s, -en; Eindruck *m.* -(e)s, -e. ¶빗발 Strichregen *m.* -s, -.

발가락 Zehe *f.* -n. ¶새끼~ die kleine Zehe, -n; der kleine Zeh, -es, -en / 그의 ~이 양말에서 드러나 보인다 S-e Zehen schauten aus den Strümpfen hervor. / 그의 ~ 하나가 부러졌다 Er hat ^{3}sich e-n Zeh gebrochen.

발가벗기다 entkleidet werden; nackt ausgezogen werden; ^{4}sich von den Kleidern befreien lassen*.

발가벗다 ^{4}sich entkleiden; ^{4}sich nackt aus|-ziehen*. ¶발가벗은, 발가벗고 nackt; bloß; entkleidet(옷을 벗은); ungekleidet(옷을 안 입은) / 발가벗고 헤엄치다 nackt schwimmen*ⓗⓢ / 목욕하려고 ~ ^{4}sich nackt aus|-ziehen*^{4}, (um) Bad zu nehmen.

발가숭이 ☞ 벌거숭이.

발각(發覺) Entdeckung *f.* -en; Enthüllung *f.* -en; Bloßstellung *f.* -en; Aufdeckung *f.* -en. ~되다 entdeckt (enthüllt) werden 《*von*^{3}》; an den Tag (ans Licht) kommen* ⓢ. ¶조사 결과 놀라운 사실이 ~되었다 Die Untersuchung hat eine überraschende Tatsache enthüllt.

발간(發刊) Herausgabe *f.* -n; Verlag *m.* -(e)s, -e; Neuherausgabe(창간). ~하다 heraus|geben*^{4}; veröffentlichen^{4}; verlegen^{4}; publizieren^{4}; neu heraus|geben*^{4}(창간함). ¶모 교수에 의해 ~된 herausgegeben von Professor ... / 새로운 그 잡지는 멀지 않아 ~될 것이다 Die neue Zeitschrift erscheint bald./ 그의 논문들은 한 유명한 출판사에 의해 ~되었다 S-e Aufsätze wurden von e-m bekannten Verlag herausgegeben.

발감개 Fußlappen *m.* -s, -; Gamasche *f.* -n.

발강이 〖어류〗 der junge Karpfen, -s, -; Karpfenbrut *f.* -en.

발갛다 scharlachrot; glänzend rot; hell rot (sein). ¶뺨이 ~ rote Wangen haben.

발개지다 rot werden; erröten ⓢ; erglühen ⓢ. ¶기쁨으로 (수치로, 당황하여) ~ vor Freude (Scham, Verlegenheit) erröten ⓢ / 그녀는 얼굴이 발개졌다 Schamröte überzog ihr Gesicht.

발개찌트리다 mit überschlagenen Beinen ⌈sitzen*ⓗⓢ.

발갯깃 Fasanenfeder *f.* -n.

발거리 ①《알려줌》 das Informieren* 《über *jn.*; ^{4}*et.*》; das Warnen* vor *js.* Betrügerei; die vorherige Warnung, -en. ~놓다 *jm.* mit|teilen 《^{4}*et.*》; *jn.* vor *jm.* (^{3}*et.*) warnen. ② 《못된 꾀》 Betrügerei *f.* -en; Schlauheit *f.* -en; Intrige *f.* -n; List *f.* -en; Trick *m.* -s, -e (-s). ~놓다 Ränke schmieden (spinnen*); mit Ränken um|gehen* ⓢ; 《*jn.*》 täuschen; *jm.* e-n Streich spielen.

발걸음 Schritt *m.* -(e)s, -e; Gang *m.* -(e)s, ⸚e. ¶~ 밟다 schreiten ⓢ / ~을 돌리다 um|kehren ⓢ; umwenden ⓗⓢ; Kehrt machen / 아무와 ~을 맞추다 mit *jm.* Schritt halten* / ~으로 누구임을 알다 *jn.* am Schritt erkennen* / ~이 안 떨어지다 die Trennung sehr schmerzlich auf|finden*.| die Trennung fällt *jm.* recht schwer (berührt *jn.* sehr schmerzlich). / 나는 잊은 것이 있었으므로 도중에서 ~을 돌려야 했다 Ich mußte auf halbem Wege kehrtmachen, weil ich etwas vergessen hatte.

발걸이 《의자 따위의》 (Leiter)sprosse *f.* -n; Stufe *f.* -n; 《자전거의》 Pedal *n.* -s, -e; 《발 놓는 데》 Fußstütze *f.* -n.

발견(發見) Entdeckung *f.* -en; Fund *m.* -(e)s, -e; Enthüllung *f.* -en; Erfindung *f.* -en; 《발각》 Aufdeckung *f.* -en. ～하다 entdecken⁴; finden*⁴; auf|decken⁴ (폭로). ¶ 과오를 ～하다 e-n Fehler (Irrtum) aufdecken / 범인은 시체로 ～됐다 Der Verbrecher wurde tot aufgefunden. / 그것은 나의 일대 ～이었다 Das war mir gleichsam e-e Offenbarung (Erleuchtung). / 그는 현장에서 ～되었다 Er wurde bei dem Ladendiebstahl ertappt. / 수면병의 병원체는 김박사에 의해서 ～되었다 Der Erreger der Schlafkrankheit wurde von Dr. *Kim* erkannt. / 미국의 ～ die Entdeckung Amerikas.

‖ ～물 Fundsache *f.* ～욕 Entdeckungseifer *m.* ～자 Entdecker *m.* -s, -; Finder *m.* -s, -.

발고무래 〖농업〗 Rechen *m.* -s, -; Harke *f.* -n; Handrechen mit vier od. sechs Zinken.

발광(發光) (Aus)strahlung *f.* -en; das Strahlen*, -s; das Glänzen*, -s. ～하다 (aus|-) strahlen; Licht aus|strömen; Licht aus|-senden*; in Strahlen aus|laufen* ⓢ.

‖ ～균 Strahlenpilz *m.* -es, -e. ～도료 Leuchtfarbe *f.* -n. ～동물 Strahltiere 《*pl.*》. ～력 Lichtstärke *f.* ～반응 Leuchtreaktion *f.* -en. ～점 Ausstrahlungspunkt *m.* -es, -e. ～체 der strahlende Körper, -s, -.

발광(發狂) Wahnsinn *m.* -(e)s; Verrücktheit *f.* -en; Tollheit *f.* -en. ～하다 wahnsinnig (verrückt; toll) werden. ¶ ～케 하다 verrückt (toll; wahnsinnig) machen / ～할 정도이다 versessen sein; außer ³sich sein.

‖ ～자 der Wahnsinnige* (Verrückte*) -n, -n. ⌈-s, -.

발구 Pferdeschlitten *m.* -s, -; Schlitten *m.*

발구르다 stampfen. ¶ 발을 구르며 화를 내다 vor Ärger trampeln (mit den Füßen stampfen).

발군(拔群) Vortrefflichkeit *f.*; Vorzüglichkeit *f.* ～하다 *jn.* bei weitem übertreffen*. ¶ ～의 hervorragend; ausgezeichnet; unübertrefflich; unvergleichlich; einzig / ～의 성적으로 mit vorzüglicher Leistung / ～의 성적으로 시험에 합격하다 e-e Prüfung mit Glanz bestehen*/그의 수학(학식)은 ～이었다 Er zeichnete sich (unter (vor) andern) in Mathematik (durch s-e Kenntnisse) aus.

발군(撥軍) Eilbote *m.* -n, -n; Kurier *m.* -s, -e. ¶ ～을 보내다 e-n Eilboten schicken.

발굴(發掘) Ausgrabung *f.* -en. ～하다 aus|-graben*⁴; öffnen⁴ (무덤을). ¶ 시체를 ～하다 e-n Leichnam wieder aus|graben*.

‖ ～자 Ausgräber *m.* -s, -. ～품 Fund *m.* -(e)s, -e.

발굽 Huf *m.* -(e)s, -e. ¶ ～에 채다 e-n Hufschlag bekommen*.

‖ ～소리 Hufschlag *m.* -(e)s, ⸚e; Huftritt *m.* -(e)s, -e. ～자국 Hufspur *f.* -en.

발권(發券) Notenausgabe *f.* -n; Herausgabe der Banknote.

‖ ～액 die Höhe der Notenausgabe. ～은행 Notenbank *f.* -en; Emissionsbank *f.* -en.

발그대대하다, 발그댕댕하다 dreckig; schmutzig; unsauber; rot (sein).

발그레하다 mit dem Rot gefärbt; rötlich; gerötet; errötet (sein); den roten Farbton haben. ¶ 얼굴이 ～ *jm.* das Blut ins Gesicht schießen*; vor ³*et.* glühen / 기뻐서 얼굴이 발그레했다 Ihr Gesicht war vor Freude gerötet (glühend; erregt).

발그림자 Fußspur *f.* -en; (Wild)spur *f.* -en; Schattenbild *n.* -(e)s, -er; Schleppe *f.* -n. ¶ ～도 안비친다 Kein Schattenbild 《e-r Person》 ist zu sehen*. / ～도 얼씬 안한다 gar nicht kommen*ⓢ; nicht erscheinen* / 그후 그는 ～도 얼씬 안했다 Seitdem hat man keine Spur von ihm gefunden.

발그무레하다 rötlich (sein).

발그스름하다 rötlich; ein wenig rot; etwas rot (sein).

발그족족하다 rötlich; gerötet; rot (sein).

발근(拔根) Ausrottung *f.* -en; Entwurzelung *f.* -en. ～하다 aus|rotten; entwurzeln.

발금(發禁) Verkaufen verboten; der verbotene Verkauf, -(e)s, ⸚e.

발급하다(發給—) aus|geben*; aus|stellen. ¶ 여권을 ～ e-n Reisepaß aus|stellen.

발긋발긋 mit der roten Farbe bespritzt; überall rot; hier und da rot. ～하다 mit roten Punkten verstreut (sein). ¶ 꽃이 들에 ～ 피었다 Die roten Blüten liegen verstreut auf den Feldern.

발기(—記) Liste *f.* -n (des Artikels); Katalog *m.* -s, -e; Verzeichnis *n.* -ses, -se.

발기(發起) Anregung *f.* -en; Anstoß *m.* -es, ⸚e; Antrag *m.* -(e)s, ⸚e; Initiative *f.* -n; Veranlassung *f.* -en; Vorschlag *m.* -(e)s, ⸚e. ～하다 den ersten Anstoß geben*《*zu*³》; die Initiative ergreifen*; e-n Vorschlag machen; Veranlassung geben*《*zu*³》. ¶ …의 ～로 auf *js.* Anregung (hin), auf *js.* Veranlassung / 우리의 ～로 auf unsere Veranlassung / 적십자사의 ～로 즉시 구원의 손길이 뻗쳤다 Auf Veranlassung des Roten Kreuzes wurde sofort Hilfe gesandt.

‖ ～인 Stifter *m.* -s, -; Förderer *m.* -s, - (축하회 등); der Vorschlagende*, -n, -n(운동회 등); Gründer *m.* -s, -; Urheber *m.* -s, -; Veranstalter *m.* -s, -: ～인 주(株) Gründeraktien 《*pl.*》 / ～인 회 Versammlung 《*f.* -en》 der Gründer (der Veranstalter) / 그가 ～인이다 Die Anregung geht von ihm aus.

발기(勃起) das Aufrichten*, -s; Erektion *f.* -en. ～하다 ⁴sich auf|richten; gerade stehen*.

‖ ～근 Aufrichtemuskel *m.* -s, -n (*f.* -n). ～불능 Erektionsunfähigkeit *f.* ～성 Erektionsfähigkeit *f.* ～적 조직 das erektile Gewebe, -s, -.

발기계(—機械) die Maschine 《-n》 mit Fußantrieb; die Maschine mit Pedal.

발기다 öffnen 《e-e Venusmuschel》; auf|reißen*; schälen; in Stücke reißen*. ¶ 콩을 ～ Erbsen schälen / 밤을 ～ Kastanienschale (die Schale von der Kastanie) schälen / …의 불(알)을 ～ kastrieren; entmannen.

발기름 Bauchfett *n.* -(e)s, -e (vom Tier); das Fett vom Unterleibsteil (Bauchteil).

발기발기 in Stücke; in Fetzen. ¶ ～ 찢다 in Stücke reißen*; in Fetzen reißen*.

발길 ① das Scharren*, -s; das Stampfen*, -s ¶ 말 ～에 채이다 von e-m Pferd ausgeschlagen werden.

② 《걸음》 Schritt *m.* -(e)s, -e. ¶ ～이 빠른 schnellfüßig; leichtfüßig / ～이 빠른 사람 der schnelle (flinke) Läufer, -s, - / ～을 재촉하다 s-e Schritte beschleunigen / ～을 돌리다 zurückkehren ⓢ; ⁴sich um|wenden* / 빈객도 ～이 잦으면 대접을 못받는다 Ein häufiger Gast ist ein lästiger.

‖ ～질 《말따위》 das Scharren* (Stampfen*)

-s: ～질하다 stampfen⁴; scharren⁴.
발길다 rechtzeitig im Festschmause (in der Unterhaltung) sein.
발김장이 Schuft *m.* -(e)s, -e; Schurke Halunke *m.* -n, -n; die boshafte Person, -en.
발깍 ☞ 발칵. ¶ ～ 뒤집어 놓다 alles auf dem Kopf stellen; in Unordnung bringen*; in Verwirrung bringen*. ¶ 집안이 ～ 뒤집혔다 Das ganze Haus ist auf dem Kopf gestellt im Zustand der Verwirrung (in Aufruhr geraten). / 서울 장안이 ～ 뒤집혔다 Die ganze Stadt Seoul ist im Aufruhr gekommen.
발깍거리다 ① 《술 따위가》 sprudeln [s,h]; brodeln [h,s] 《in der Gärung; beim Kochen》. ¶ 술이 ～ Der Reislikör brodelt (, während es gärt). ② 《진흙 따위를》 den Schlamm unter den Füßen (am Boden) zertrampeln. ¶ 진흙을 ～ den Schlamm unter *js.* Füßen zerquetschen.
발꿈치 ☞ 발뒤꿈치.
발끈 plötzlich; auf einmal; mit einmal. ～하다 gereizt werden; Sauer reagieren. ¶ ～하는 jähzornig; aufbrausend; cholerisch; heißblütig; hitz(köpf)ig; leichterregbar; zornmütig / ～거리기 잘하는 사람 Hitz¦kopf (Brause-) *m.* -(e)s, ⸚e; Heißsporn *m.* -(e)s, -e / ～ 화를 내다 plötzlich ärgerlich (hitzig) werden; ⁴sich plötzlich ärgern / 내가 그 말을 했을 때 그는 ～ 화를 냈다 Als ich das sagte, wurde er plötzlich zornig.
발끈거리다 leicht in Wut geraten* [s,h]; prompt zum Gefühlsausbruch kommen* [s]; leicht verrückt werden. ¶ 그는 발끈거리기를 잘 한다 Er ist leicht erregbar (schnell reizbar). ¦ Er ist empfindlich.
발끈발끈 vor Wut berstend; in Wut geratend; leicht ärgerlich.
발끝 Zehenspitze *f.* -n; Zehe *f.* -n. ¶ 머리끝에서 ～까지 vom Wirbel bis zur Zehe / ～으로 걷다 auf ³Zehenspitzen gehen* [s] / ～으로 서다 ⁴sich auf die Zehen stellen.
발노구 der Kessel 《-s》 aus Messing mit Beinen; der Messingkessel mit Beinen.
발단(發端) Anfang *m.* -(e)s, ⸚e; Beginn *m.* -(e)s, -e; Entstehung *f.* -en; Geburt *f.* -en; Herkunft *f.* ⸚e; Quelle *f.* -n; Ursprung *m.* -(e)s, -e. ～하다 beginnen*; an¦fangen* 《*mit*³》; s-n Ursprung haben (nehmen*) 《*von*³》. ¶ ～의 anfänglich; ursprünglich; original / 사건의 ～ der Ursprung der Sache / …이 ～이다 s-n Ursprung in ³*et.* nehmen*; von ³*et.* stammen / 사건의 ～을 조사하다 ⁴*et.* bis zum Ursprung verfolgen.
발달(發達) die Entwick(e)lung 《-en》 《der Industrie》; die Fortschritte 《*pl.*》 《der Menschheit》; die Vergrößerung 《-en》 《der Kenntnisse》; das Wachstum 《-(e)s》 《e-r Stadt》. ～하다 ⁴sich entwickeln; den Kinderschuhen entwachsen [s]; Fortschritte machen; ⁴sich vergrößern; wachsen* [s]. ¶ 크게 ～한 hoch entwickelt / ～이 빠른 도시 e-e schnell wachsende Stadt, ⸚e / 도시의 ～ die Entwicklung e-r Stadt / 지식의 ～ der Fortschritt der Kenntnisse / 육체와 정신의 ～ die körperliche u. geistige Entwicklung / 인지의 ～ die Fortschritte der Wissenschaften / 한국은 최근 10년 동안에 엄청난 ～을 이룩했다 Korea hat in den letzten zehn Jahren unerhörte Fortschritte gemacht.
발덧 Müdigkeit der Füßen; die wunde Füße (durch das lange Wandern); die ermüdete Füße. ¶ ～이 나다 wunde Füße bekommen* [s]; ³sich die Füße wund gehen* [s]; die wunden Füße haben.
발돋움 das Stehen* auf der Fußspitze. ～하다 ⁴sich auf die Zehen stellen; auf (den) Zehenspitzen stehen*; ⁴sich recken; ⁴sich hoch strecken. ¶ ～하고 키를 재서는 안됩니다 Sie dürfen nicht auf den Zehenspitzen stehen, wenn Sie Ihre Größe messen lassen.
발동(發動) 《기계의》 Bewegung *f.* -en; Gang *m.* -(e)s, ⸚e 《der Maschine》; 《권력·무력 등의》 Ausübung *f.* -en; Wirkung *f.* -en; Wirksamkeit *f.* -en. ～하다 《기계를》 bewegen; in Bewegung setzen (halten*; (an¦-) treiben*); in Tätigkeit setzen; 《법·권력을》 aus¦üben; in Bewegung setzen; 《Gesetze》 in Kraft treten* (실시). ¶ 사법권의 ～ die Ausübung der rechtlichen Gewalt / 규약 제 9조를 ～하다 den Artikel 9 des Vertrags an¦wenden* / 사법권을 ～하다 die Justitzgewalt aus¦üben. ‖ ～력 Triebkraft *f.* ⸚e; Bewegungskraft *f.*
발동기(發動機) Motor *m.* -s, -en. ¶ 100마력의 der Motor mit 100 Pferdestärke (PS). ‖ ～선 Motorboot *n.* -(e)s, -e (..böte); Motorschiff *n.* -(e)s, -e. 석유(증기)～ das Petroleummotor (Öl-). 수력～ die Wasserkraftmaschine, -n.
발뒤꿈치 Ferse *f.* -n. ¶ ～에 바싹 붙어서 dicht hinter der Ferse bleibend 《*jm.*》; auf der Ferse folgend 《*jm.*》 / A는 B의 ～에도 못따라간다 A kann dem B bei weitem nicht das Wasser reichen.
발뒤축 ☞ 뒤축.
발등 Fußrücken *m.* -s, -; Rist *m.* -es, -e; Spann *m.* -s, -e. ¶ 제 ～의 불을 먼저 끈다 Jeder ist sich selbst der Nächste.
발등거리 die kleine Laterne, -n (besonders beim Trauer gebraucht).
발등걸이 ① 《씨름에서》 das Treten* 《-s》 auf die Gegnersfüße, um ihn aus dem Gleichgewicht umzulegen. ② 《앞지름》 das Zuvorkommen*, -s (hindernd). ③ 〖체조〗 die Turnkunst 《⸚e》 des Fußhängens an die Barren. ～하다 (an die Barren) mit Füßen hängen.
발딱- ☞ 벌떡-.
발떠퀴 Glück oder Unglück, das sich als Ergebnis seiner Auswahl des zugehenden Orts entsteht.
발라내다 fein schneiden*⁴; 《살 따위를》 in Flocken schneiden*⁴. ¶ 발라 낸 살코기 Schabe¦fleisch (Hack-) *n.* -es.
발라맞추다 《말로》 beschwatzen; bereden; 《속이다》 beschwindeln⁴; betrügen*⁴. ¶ 발라맞춰서 돈을 빼앗다 *jm.* Geld beschwindeln.
발라먹다 um¦schmeicheln《*jn.*》; beschwatzen 《*jn.*》; über¦reden; ab¦schmarotzen 《*jm.* ⁴*et.*》; ab¦schwatzen 《*jm.* ⁴*et.*》; gut zu¦reden; schmeicheln.
발란(撥亂) ＝평정(平定). ¶ ～반정하다 Frieden auf dem Lande wieder¦her¦stellen.
발랄하다(潑剌―) lebhaft; rege; temperamentvoll; dynamisch; frisch (sein). ¶ 재기 발랄한 사람 der findige (schlagfertige) Mensch, -en, -en; der Mensch mit hervorsprudelnden Geisteskräften / 생기 ～ voller Leben sein.
발랑- ☞ 벌렁-.
발레 Ballett *n.* -(e)s, -e. ¶ ～를 배우다 Ballett

lernen. ‖ ~단(團) Ballettkorps [..ko:r] *m.* - [..ko:r(s)], -. ~댄서 Ballet¦tänzer *m.* -s, - (남자) (-tänzerin *f.* ..rinnen (여자)); Balletteuse [..tǿ:zə] *f.* -n (여자). ☞ 발레리나.

발레리나 Ballerina *f.* ..nen; Ballerine *f.* -n.

발령(發令) 《발포》 Erlassung 《*f.* -en》 e-s offiziellen Befehls; Proklamation 《*f.* -en》 e-s Gesetzes (e-r Verordnung); 〖법〗 die öffentliche Ordnung, -en; die öffentliche Bekanntmachung (Proklamation) -en; Bekanntmachung im Amtsblatt. ~하다 den offiziellen Befehlen erlassen*; ein Gesetz proklamieren; öffentlich bekannt|machen 《*js.* Ernennung》; Befehle aus|gehen*. ¶ ~되다 im Amtsblatt bekannt|gegeben werden.

발로(發露) Ausdruck *m.* -(e)s, ⸚e; Äußerung *f.* -en; Offenbarung *f.* -en; Ausstellung *f.* -en. ~하다 aus|drücken; offenbaren; aus|-stellen; manifestieren. ¶ 애국심의 ~ Ausdruck des Patriotismus (der Vaterlandsliebe) / 아름다운 우정의 ~ Ausdruck der herzlichen Freundschaft 《*zwischen*³》.

발록- ☞ 벌룩-.

발록구니 Faulenzer *m.* -s, -; Müßiggänger *m.* -s, -; Lebemann *m.* -(e)s, ⸚er; Playboy [plé:bɔi] *m.* -s, -s.

발론(發論) Vorschlag *m.* -(e)s, ⸚e; Antrag *m.* -(e)s, ⸚e. ~하다 vor|schlagen*; beantragen* 《⁴*et.*》; 《e-n》 Antrag stellen auf 《⁴*et.*》. ‖ ~자 Antragsteller *m.* -s, -; der Anschneider 《-s, -》 e-s Themas; der zur Sprache Bringende*, -n, -n.

발룽거리다 ① ☞ 벌렁거리다. ② =벌룩거리다.

발름하다 weit offen; gaffend (sein). ¶ 입이 ~ den offenen Mund haben.

발리다 ① 《속의 것을》 öffnen; auf|machen; knacken; auf|reißen*; schälen. ② 《불까다》 kastrieren. ¶ 돼지의 불을 ~ ein Schwein kastrieren. ③ 《벌리다》 den Raum (die Lücke) breiter machen; (⁴sich) erweitern; (⁴sich) verbreitern.

발리(볼) 《배구》 Volley¦ball [vɔ́li..] (Wurf-) *m.* -(e)s.

발맘발맘 Schritt für Schritt; langsam; nach und nach. ~하다 langsam gehen* ⓢ; langsam sein. ¶ ~ 걷다 in langsamem Tempo (im Schneckentempo) gehen.

발맞다 Schritt (Tritt) halten*; Tritt fassen. ¶ 발맞지 않다 《보조가》 aus dem Schritt kommen* ⓢ.

발맞추다 mit *jm.* Schritt halten*. ¶ 발맞추어 in gleichem Schritt u. Tritt / 발맞추어 걷다 in gleichem Schritt u. Tritt marschieren ⓢ / 외교정책에 있어 야당은 여당과 발을 맞추었다 In der Außenpolitik hielt die Oposition mit der Regierungspartei gleiches Schritt.

발매 Holzschlag *m.* -(e)s, ⸚e; Abforstung *f.* -en; Abholzung *f.* -en; Holz-aufbereiten*. ~하다 fällen 《Bäume》; ab|holzen; ab|forsten; um|hauen; nieder|schlagen*.

‖ ~나무 Schnittholz 《*m.* -es, ⸚er》 für Brennholz. ~시기 Holzzeit *f.* -en; Fallzeit *f.*; Abholzungsperiode *f.* -n. ~치 die gesammelten Brennhölzer nach dem Fällen e-s großen Baums. ~허가 Genehmigung 《*f.* -en》 der Abholzung.

발매(發賣) Verkauf *m.* -(e)s, ⸚e; die Ausstellung 《-en》 zum Verkauf; Bereitstellung zum Käufer. ~하다 verkaufen; auf den Markt bringen*; zum Verkauf aus|stellen. ¶ ~ 중 verkäuflich; zum Verkauf; erhältlich / ~ 중이다 zu verkaufen sein (auf dem Markt) / 책의 ~를 금하다 Buch verbieten* (unterdrücken); den Verkauf des Buches verbieten*.

‖ ~금지 Verkaufsverbot *n.* -(e)s, -e; Verkauf verboten (게시); Unterdrückung *f.* -en 《des Buches》: ~ 금지가 되다 Der Verkauf wird untersagt. ~부수 Auflage(n)ziffer *f.* -n. ~처 Verkaufsstelle *f.* -n; Verkaufsagentur *f.* -en.

발매넣다 abzuholzen an|fangen*; zu fällen an|fangen*; ab|zuforsten an|fangen*.

발매놀다 überall Futter schütten, wie die vom Baum fliegenden Splitter.

발매놓다 e-n stehenden Baum auf einen Sitz nieder|schlagen*.

발명(發明) ① 《새 고안》 Erfindung *f.* -en; Findigkeit *f.* -en. ~하다 erfinden*; aus|-denken*; 《고안함》 ersinnen*; entwerfen*. ¶ 신~의 neulich erfunden / ~의 천재 Erfindungsgenie *n.* -s, -s; Erfindungsgabe *f.* -n / ~의 재간이 있다 die Erfindungsgabe haben / ~을 영리화하다 aus e-r Invention ein Geschäft machen / ~을 실용화하다 die Erfindung praktisch an|wenden* (-|verwenden*) / 필요는 ~ 의 어머니다 Not macht erfinderisch. / 유리는 유사(有史) 이전에 ~됐다 Die Erfindung des Glases ergab sich in der vorgeschichtlichen Zeit.¦Das Glas wurde in der vorgeschichtlichen Zeit erfunden.

② 《변명》 Verteidigung *f.* -en; Entschuldigung *f.* -en; Rechtfertigung *f.* -en; Verteidigung *f.* -en; Erklärung *f.* -en. ~하다 ⁴sich erklären; ⁴sich rechtfertigen. ¶ 당신은 당신이 한 일을 ~할 수 있읍니까 Können Sie selbst rechtfertigen, was Sie getan haben?

‖ ~가 Erfinder *m.* -s, -. ~품 Erfindung *f.* -en; Vor¦richtung (Ein-) *f.* -en; Gerät *n.* -(e)s, -e.

발모가지 (Fuß)knöchel *m.* -s, -. ☞ 발목.

발목 Fußknöchel *m.* -s, -. ¶ ~까지 올라오는 눈 fußknöchelhoher Schnee, -s / ~을 잡다 *jn.* bei dem Fußknöchel ergreifen* / ~이 잡히다 《일에》 beschäftigt sein; gedrängt sein 《*von*³》; 《약점이 있어》 *jm.* e-e Handhabe (e-e günstige Gelegenheit) geben (bieten*) / 나는 그의 ~을 잡고 있다 Ich packe ihn an s-r empfindlichen Stelle. / 요새는 일에 ~을 잡혔다 Ich bin neulich von der Arbeit gedrängt.

발묘(拔錨) der gelichtete Anker, -s, -. ~하다 die Anker lichten; 《출범하다》 ab|fahren* ⓢ 《*von*³》; ab|segeln ⓢ 《*von*³》; aus|laufen* ⓢ 《*von*³》.

발문(跋文) Epilog *m.* -s, -e; Nach¦schrift *f.* -en (-wort *n.* -(e)s, -e); Post¦skript *n.* -(e)s, -e (-skriptum *n.* -s, ..te (..ta)).

발밑 der Platz 《-es, ⸚e》 (der Raum, -(e)s, ⸚e) für den Fuß. ¶ ~에 zu (vor den) Füßen / …에 있어서는 그의 ~에도 미치는 사람이 없다 K-r ist ihm gewachsen in³….¦Man kann k-n Vergleich aushalten mit ihm in³…. / 나는 그의 ~에도 못 따른다 Ich kann ihm nicht das Wasser reichen.

발바닥 Fußsohle *f.* -n. ¶ ~에 티눈이 생기다 die Hühneraugen auf der Fußsohle haben.

발바리 《개》 Mops *m.* -es, ⸚e; Schoßhund *m.* -(e)s, -e.

발바심 〖농업〗 das Dreschen* durch Trampeln* mit den Füßen; das Dreschen mit den Füßen. ～하다 Getreide mit den Füßen dreschen; Körner durch Fußschlagen lösen.

발바투 recht an den Füßen; gerade an den Füßen; *jm.* direkt vor der Nase.

발발[1] ☞ 벌벌.

발발[2] 《삭아빠져》 《zerreißen*, zerbrechen》 leicht; auseinander; in Stücke. ～하다 leicht zerreißen*. ¶상보가 낡아서 ～ 나간다 Die Tischdecke ist so alt, daß sie leicht zerreißt.

발발(勃發) Ausbruch *m.* -(e)s, ⸚e; das plötzliche Vorkommen (Vorfallen) -s. ～하다 aus|brechen* [s]; ^{4}sich plötzlich ereignen; plötzlich vor|fallen* [s]. ¶전쟁의 ～ Ausbruch des Krieges / 반동이 ～했다 E-e Reaktion trat ein.

발밤발밤 《wandern [s,h], spazieren|gehen* [s]》 ziellos; zwecklos. ～하다 ziellos wandern. ¶～ 걷다 wandern, wie die Gelegenheit *jm.* gegeben wird; wandern, wohin *js.* Beine *jn.* tragen*; ziellos wandern.

발밭다 die Gelegenheit schnell aus|nutzen; den günstigen Augenblick benutzen; den Trick nicht verpassen; auf *js.* eigenes Interesse aufmerksam (sein).

발버둥이치다 《das Kind》 mit den Fußen scharren; mit dem Fuß stampfen; trampeln; unruhig sein; nicht ruhig sitzen können; wackeln; 《헛애를 씀》 vergeblich (fruchtlos) versuchen. ¶분해서 ～ vor Ärger (Verdruß; Zorn; Kränkung) mit dem Fuß stampfen / 발버둥이쳐도 소용이 없다 Es nutzt nicht, sich anzustrengen. / 아이가 안아 달라고 발버둥이친다 Das Baby windet sich, um sich in den Armen getragen zu werden.

발버둥질 das Krümmen*, -s; das Sichwinden*, -s; das Stampfen*, -s. ～치다 fest|stampfen 《mit dem Fuß》; ^{4}sich winden*; zappeln; ^{4}sich sträuben 《gegen *jn.* (^{4}*et.*)》.

발벗다 barfuß; werden. ¶발벗고 barfuß; barfüßig / 발벗고 나서다 unter die Arme greifen* (fassen) 《*jn.*》; helfen* 《*jm.*》.

발병(一病) Fußkrankheit *f.* -en; Fußwunde *f.* -en; Schmerzen im Fuß. ¶～이 나다 *js.* Fuß bekommt Krankheit; fußkrank sein.

발병(發病) Erkrankung *f.* -en. ～하다 erkranken [s]; krank werden.

발보이다 ①《재주를》 entfalten; zeigen*; offenbaren; *js.* Fähigkeit prahlen; *jm. js.* Begabung zeigen; *js.* Fähigkeit zur Schau stellen; *js.* Geschick zeigen. ②《일의 끝만을》 e-n Teil 《e-s Dinges》 zeigen; die Franse 《e-r Materie》 berühren.

발복(發福) die Verwandlung in den Glücksszufall (für das Bessere). ～하다 *js.* Glücks verwandelt sich ins Bessere; die Sachen verbessern sich für e-e Person; ^{4}sich im glücklichen Wege befinden*; der Zufall wendet sich zu *js.* Gunst.

발본(拔本) ① 《원인의》 Ausrottung *f.* -en; Entwurzelung *f.* -en. ～하다 aus|rotten; entwurzeln. ¶～적 gründlich; drastisch; radikal; durchgreifend.
② 《밑천 뽑음》 das Herausnehmen* 《-s》 *js.* Kapitals 《aus der Investment》. ～하다 *js.* Kapital 《aus der Investment》 heraus|nehmen*.

발본색원(拔本塞源) die Ausrottung der Quelle des Bösen* (des Übels); Das Legen* des Axt an die Wurzel des Übels. ～하다 das Übel aus|rotten; die Axt an die Wurzeln des Übels legen.

발부(髮膚) Haar und Fleisch; *js.* Körper *m.* -s, -. ‖신체～ Körper *m.* -s, -.

발부리 Zehe *f.* -n; Spitze *f.* -n; Zehenspitze *f.* -n; 《구두의》 die Spitze od. die Kappe (von Schuhen, Strümpfen *etc.*). ¶머리끝에서 ～까지 《fein angezogen》 von Kopf bis Fuß (bis zu den Sohlen; zu Zeh); vom Kopf bis zu den Füßen / ～로 걷다 auf den Zehen gehen*[s] / 돌에 ～를 채다 straucheln 《über ^{4}*et.*》 [h,s]; stolpern / ～를 조심해라 Gehe vorsichtig!¦Sieh dich vor!

발분(發憤) Anregung *f.*; Aufregung *f.*; Erregung *f.* ～하다 ^{4}sich auf|raffen; ^{4}sich auf|schwingen*; ^{4}sich ermannen; ^{4}sich ermuntern; ^{4}sich ermutigen; den Mut zusammen|raffen.
‖～망식(忘食) das Studieren* 《-s》 ohne Essen: ～ 망식하다 studieren, ohne zu essen; fleißig studieren (arbeiten).

발붙이다 ^{4}sich fest|halten* 《an^3》; ^{4}sich klammern 《an^4》. ¶발붙일 데도 없다 hilflos da|stehen* (sein).

발빠지다 *js.* Freundschaft 《mit *jm.*》 lösen; die Beziehung 《mit *jm.*》 ab|brechen*; los|brechen*; ab|brechen*; brechen* 《mit *jm.* (^{3}*et.*)》. ¶장사에서 ～ ein Geschäft auf|geben* (auf|lösen).

발빼다 die Hände in Unschuld waschen*; nichts mit der Sache zu tun haben; brechen 《mit ^{3}*et.* (*jm.*)》. ¶그 일에서 발뺐다 Ich hatte nichts mit der Sache zu tun.

발뺌 e-e ausweichende Antwort, -en; Ausflucht *f.* ⸚e; Ausrede *f.* -n; die falsche Entschuldigung, -en; Vorwand *m.* -(e)s, ⸚e. ～하다 ^{4}sich mit ^{3}Ausreden entschuldigen; Ausflüchte 《*pl.*》 machen; ^{4}sich rein|waschen*; Vorwände 《*pl.*》 brauchen; der Wahrheit ^{4}Gewalt an|tun*. ¶～을 잘하는 aalglatt ausweichend; geschickt Ausflüchte machend / ～해도 소용없다 Es ist zwecklos, aalglatt auszuweichen.

발사(發射) das Abfeuern* (Abschießen*) -s; Abschuß *m.* ..schusses, ..schüsse. ～하다 (ab|)feuern^4; (ab|)schießen*^{4}; entladen*^{4}; los|schießen*^{4}; aus|stoßen*^{4}(어뢰를). ¶인공위성을 ～하다 Erdsatelliten ab|schießen*.
‖～각 Abfeuerungswinkel *m.* -s, -. ～관 Torpedorohr *n.* -(e)s, -e. ～기지 Abschußbasis *f.* ..basen. ～대 《로케트 등의》 Abschußrampe *f.* -n. ～물 Geschoß *n.* ..sses, ..sse. ～시험 Probeschuß *m.* ..sses, ..üsse. 어뢰 ～관 Torpedo(ausstoß)rohr *n.* -(e)s, -e.

발산(發散) ① Ausdünstung *f.* -en (증기 따위); Ausstrahlung *f.* -en (빛, 열); Ausbreitung *f.* -en. ～하다 aus|breiten^4; aus|duften^4 (향내를); aus|dünsten[s]; aus|senden*^{4}; aus|strahlen^4; von ^{3}sich geben*^{4}. ② 〖수학〗 das Divergieren*, -s. ～하다 divergieren^4. ¶빛을 ～하다 Licht aus|strömen / 향기를 ～하다 den Wohlgeruch verbreiten / 태양은 빛을 ～한다 Die Sonne strahlt Licht aus. / 오랑캐 꽃은 좋은 향기를 ～한다 Das Veilchen verbreitet den Wohlgeruch.
‖～광속(光束) das divergierende Strah-

lenbündel, -s, -. ~급수 die divergierende Reihe, -n. ~렌즈 Zerstreuungslinse *f.* -n.
발삼 Balsam *m.* -s, -e.
‖ ~재(材) Balsamholz *n.* -es, ⸚er.
발상(發喪) Todesanzeige *f.* -n. ~하다 die Todesanzeige 《bei der Zeitung》 auf|geben*; den Tod an|zeigen.
발상(發想) 〖음악〗 Expression *f.* -en; 《사상》 Konzeption *f.* -en.
발상지(發祥地) ① 《임금의》 der Geburtsort 《-(e)s, -e》 des Königs. ② 《요람》 Wiege *f.* -n; Entstehungsort *m.* -(e)s, -e 〔⸚er〕; Heimat *f.* -en. ¶ 문명의 ~ die Wiege der Zivilisation.
발샅 der Zwischenraum 《-(e)s, ⸚e》 zwischen Zehen; der Abstand 《-(e)s, ⸚e》 zwischen Zehen. ¶ ~의 때꼽재기 das Ding 《-(e)s, -s》, das keine Aufmerksamkeit verdient; das nicht erwähnenswerte Ding.
발생(發生) Entwicklung *f.* -en; Ausbruch *m.* -(e)s, ⸚e (질병 따위); Entstehung *f.* -en; das Erscheinen*, -s; Erzeugung *f.* -en (전기, 가스 따위); das Vorkommen*, -s (사건); das Wachsen*, -s (식물). ~하다 ⁴sich entwickeln; aus|brechen* ⓢ; ⁴sich erzeugen; ⁴sich ereignen(사건이); vor|kommen*ⓢ; wachsen*ⓢ. ¶ ~적(상의) genetisch 〔Entstehungs-〕/ 사건의 ~ die Entstehung e-s Ereignisses / 문명의 ~ der Tagesanbruch der Zivilisation / 문명의 ~지 die Wiege der Zivilisation / ~의 종류 Entstehungsart *f.* -en / 상해에서 콜레라가 ~하였다 Die Cholera ist in Shanghai ausgebrochen.
‖ ~기 Entstehungszeit *f.* -en. ~사 Genesis *f.*; Entstehungsgeschichte *f.* -n. ~학 Embryologie *f.* -n.
발선(發船) Schiffahrt *f.* -en; die Abfahrt 《-en》 des Schiffes; Absendung des Schiffes; Das In-See-Gehen*, -s 〔Stechen*, -s〕. ~하다 unter Segel gehen*ⓢ 《*nach*³》; ab|fahren* ⓢ 《*nach*³》; in See stechen*ⓢ; 《das Schiff》 ab|fahren*ⓢ; ein Schiff ab|senden*.
발설(發說) Enthüllung *f.*; Erschließung *f.*; das Verraten*, -s. ~하다 《비밀을》 verraten*⁴; enthüllen⁴; 《말하다》 aus|lassen*⁴ 《*an*³; *gegen*⁴》.
발섭(跋涉) die Riese über Land u. Wasser. ~하다 durchstreichen*⁴; durchstreifen⁴; durchwandern⁴; durchforschen⁴ (답사하다); umher|wandern ⓢ (편력); durchreisen⁴ (주유). ¶ 산야를 ~하다 über ⁴Berg u. ⁴Tal wandern ⓢ; ⁴Berg u. ⁴Tal durchstreichen* / 전국을 ~하다 das Land nach allen Richtungen durchstreifen 〔durchwandern〕.
발성(發聲) Stimmbildung *f.* -en; Phonation *f.* -en. ~하다 e-n Laut hervor|bringen*; die Stimme erschallen lassen*; aus|sprechen*⁴(발음). ¶ ~을 연습하다 Stimme üben.
‖ ~기 Stimmorgan *n.* -s, -e. ~법 Vokalisation *f.* -en. ~영화 Tonfilm *m.* -(e)s, -e. ~학 〖음악〗 Stimmgebung *f.* -en.
발소리 Schritt *m.* -es, -e; Getrampel *n.* -s. ¶ ~를 죽이고 mit verstohlenen Schritten; schleichend heimlich; mit verhaltenen Schritten 《*pl.*》 / ~를 죽이고 오다 geschlichen kommen* ⓢ / ~가 난다 Ich höre Schritte. / ~가 멀어진다 Die Schritte werden schwächer. ¦ Die Schritte verhallen allmählich.
발송(發送) Versendung *f.* -en; Versand *m.* -(e)s, -e; Beförderung *f.* -en; Übersendung *f.* -en. ~하다 versenden*⁴; ab|liefern⁴; (ab|)senden*⁴; befördern⁴; spedieren⁴; verfrachten⁴; über|senden*⁴ 《*an*⁴》.
‖ ~계 Frachtführer *m.* -s, -; Paketannahme *f.* -n (우체국의). ~인 Absender *m.* -s, - 《생략: Abs.》; (Waren)versender. ~지 Ort 《*m.* -es, -e 〔⸚er〕》 der Ablieferung; Verladungshafen *m.* -s, ⸚ (항구); Bahnstation 《*f.* -en》 der Auflieferung (역).
발송전(發送電) die Lieferung 〔Erzeugung und Übersendung〕 des Stroms. ¶ ~ 회사 die Elektrizitätsgesellschaft, -en.
발솥 der drei beinige Topf, -(e)s, ⸚e.
발쇠 das Mitteilen*, -s 《*jm.* ⁴*et.*》. ~서다 benachrichtigen; informieren.
‖ ~꾼 Angeber *m.* -s, -; Spitzel *m.* -s, -; Spion *m.* -s, -e.
발수(發穗) das Bekanntwerden* 《-s》 zu Ohren. ~하다 *jm.* zu Ohren kommen*ⓢ; ⁴*et.* zu Ohren nehmen*.
발신(發信) das Aufgeben*, -s (e-s Briefes); das Drahten*, -s; Fortsendung *f.* -en. ~하다 《편지를》 (e-n Brief) auf|geben*; zur Post geben*⁴; in den Briefkasten stecken⁴; 《전신》 drahten⁽⁴⁾; kabeln⁽⁴⁾; telegraphieren⁽⁴⁾ (telegrafieren).
‖ ~기 Sender *m.* -s, -; Sendegerät *m.* -(e)s, -e. ~신호 Transmissionssignal *n.* -s, -e. ~인 Absender *m.* -s, -《생략: Abs.》; Sender *m.* -s, -. ~지 Aufgabeort *m.* -es, -e 〔⸚er〕; Aufgabe(post)amt *n.* -es, ⸚er (국).
발신하다(發身―) aus der (beruflichen *od.* gesellschaftlichen) Niedrigkeit auf|steigen* ⓢ; (e-e gute) Karriere machen; ⁴sich zur hohen stellung bringen*; den Erfolg im Leben haben.
발심(發心) ① 〖불교〗 das religiöse Erwachen*, -s; Bekehrung *f.* -en 《*zu*³》. ~하다 religiös erwachen ⓢ; ⁴sich bekehren 《*zu*³》. ② 《마음 먹음》 der von neuem gefaßte Mut. ~하다 neuen Mut fassen; ⁴sich entschließen*; e-n Entschluß fassen.
¶ 그는 ~하여 다시 공부하기 시작했다 Er hat von neuem den Mut gefaßt u. angefangen, wieder zu arbeiten.
발싸개 Socke *f.* -n; Fußlappen *m.* -s, -. ¶ 거지 ~ 같은 놈 schmutziger, dreckiger Kerl, -(e)s, -e.
발싸심 das Herumzappeln*, -s; das Sich-Winden* 《-s》 auf verschiedene Weise; um ⁴sich von der Langweile zu befreien. ~하다 herum|zappeln; unruhig sein.
발씨 die Vertrautheit mit *js.* Füßen; die Kenntnis in *js.* Füßen; *js.* Art und Weise des Gehens; Schritt *m.* -(e)s, -e. ¶ 경쾌한 ~로 mit leichten Schritten.
발씨름 das Ringen* mit dem Fußknöchel 〔mit der Haut〕; Fußknöchelkampf *m.* -(e)s, ⸚e.
발씨익다 gut bekannt; geübt; vertraut (sein). ¶ 발씨익은 길 der gut bekannte Weg 〔Straße〕 -(e)s, -e; der vertraute Pfad, -(e)s, -e.
발아(發芽) das Keimen*, -s; das Sprossen*, -s; die Knospenbildung, -en. ~하다 keimen; sprossen; entsprießen*; hervor|keimen. ‖ ~력 Keimkraft *f.* ⸚e.
발악(發惡) Schmähung *f.* -en; Verglimpfung *f.* -en; Schimpfworte 《*pl.*》. ~하다 Schimpfworte an|wenden*; schmähen;

schimpfen; fluchen 《*über*⁴》; irrereden; toben; wüten. **~스럽다** leidend beharrlich; standhaft (sein).

발안(發案) 《생각해 냄·제안함》 das Initieren* 《-s》 e-r Idee; der Entwurf 《-(e)s, ⸗e》 e-s Plans; Gesetzentwurf *m.* -(e)s, ⸗e; 《고안·제안》 die initierte Idee, -n; Vorschlag *m.* -(e)s, ⸗e; Anregung *f.* -en; Plan *m.* -(e)s, ⸗e; Antrag *m.* -(e)s, ⸗e; Idee *f.* -n. **~하다** ein|führen* 《e-e Idee》; entwerfen* 《e-n Plan》; vor|schlagen*; den Antrag stellen; 《고안》 e-n Plan aus|denken*; ersinnen*; 《발명》 erfinden*. ¶ 아무의 ~으로 auf Initiative e-r Person / 그것은 그녀의 ~이었다 Es war ihre Idee. / 이 계획을 ~한 자는 그였다 Es war er, der dieses Schema initiert hat. ‖ **~자** Antragsteller *m.* -s, -; Begründer *m.* -s, -; Erfinder *m.* -s, -.

발암성(發癌性) ¶ ~의 krebserzeugend; karzinogen. ‖ **~물질** ein krebserzeugender (karzinogener) Stoff, -(e)s, -e.

발양(發揚) Erhöhung *f.* -en; Begünstigung *f.* -en; Erhebung *f.* -en; Förderung *f.* -en. **~하다** erhöhen⁴; begünstigen⁴; erheben*⁴; fördern⁴. ¶ 국위를 ~하다 die Staatswürde fördern; das Prestige des Staates erhöhen.

발언(發言) Äußerung *f.* -en; Ausspruch *m.* -(e)s, ⸗e; 《제언》 Vorschlag *m.* -(e)s, ⸗e. **~하다** aus|sprechen*; äußern; das Wort ergreifen* (nehmen*); den Mund auf|tun*; vor|schlagen*. ¶ ~의 기회를 잃다 die Gelegenheit zum Sprechen versäumen / ~을 취소하다 die Aussage wider|rufen / ~을 허용하다 *jm.* das Wort geben* / ~을 금하다 *jm.* das Wort verbieten* (entziehen*) / 그가 ~할 차례다 Er ergreift das Wort. / ~중이다 das Wort haben / ~을 요구하다 das Wort verlangen; ums Wort bitten*. ‖ **~자** Sprecher *m.* -s, -; Antragsteller *m.* -s, -.

발언권(發言權) das Recht 《-(e)s, -e》 zu sprechen*; das Recht auszudrücken; 《의원의》 das Wort, -(e)s, ⸗er. ¶ ~이 있다 (없다) die Stimme (keine Stimme) 《in dat.》 haben / 의회에서 ~을 얻다 das Wort ergreifen* (bekommen*).

발연(勃然) ¶ ~히 《갑자기》 plötzlich; auf einmal; 《분연히》 vor Wut; von Wut erfüllt; vom Zorn ergriffen. ¶ 7월에 접어들자 ~ 무더워졌다 Seit Juli ist es plötzlich heiß geworden.

발연(發煙) der ausströmende Rauch, -(e)s; das Rauchen*, -s; das Dunsten*, -s. **~하다** rauchen; dampfen; dunsten.
‖ **~병기** Rauchwaffen 《*pl.*》. **~제** Ausräucherungs¦mittel (Desinfektions-) *n.* -s, -. **~탄** Rauchgranate *f.* -n. **~통** Rauchskerze *f.* -n. **~폭탄** Nebel¦bombe (Rauch-) *f.* -n. **~황산(黃酸)** rauchende Schwefelsäure, -n.

발열(發熱) ① 《열을 냄》 Wärmeerzeugung *f.* -en; Wärmeentwicklung *f.* -en. **~하다** die Wärme erzeugen (entwickeln).
② 〖의학〗 Fieberzustand *m.* -(e)s, ⸗e; Fieberanfall *m.* -(e)s, ⸗e. **~하다** Fieber haben; Fieber bekommen*; fieberhaft (fieberig; fieberisch) werden; im Fieber sein; fiebern.
‖ **~량** Wärmeäquivalent *n.* -(e)s, -e. **~력** Heizkraft *f.* ⸗e. **~물질** der fiebererregende Stoff, -(e)s, -e. **~반응** die exotherme Reaktion, -en. **~요법** Fiebertherapie *f.* -n. **~체** Heizkörper *m.* -s, -; der fiebererregende Stoff.

발원(發源) **~하다** 《근원을》 entspringen* ⓢ (강 따위); stammen ⓢ 《*aus*³》 (데마 따위). ¶ 라인 강은 스위스에서 ~한다 Der Rhein entspringt in der Schweiz.

발원(發願) Gebet *n.* -(e)s, -e 《zu Gottheit》. **~하다** das Gebet dar|bringen* 《der Gottheit》; das Gebet 《zur Gottheit》 sprechen* (verrichtigen; schicken).

발육(發育) Wachstum *n.* -(e)s; Entwicklung *f.* -en. **~하다** wachsen*ⓢ; ⁴sich entwickeln. ¶ 한창 ~하는 아이 ein im Wachstum begriffenes Kind, -(e)s, -er / 충분히 ~한 ausgewachsen / ~이 불완전한 nicht ausgewachsen / ~이 좋다 (나쁘다) gut (schlecht) gewachsen sein / ~이 빠르다 (늦다) schnell (langsam) wachsen* ⓢ / ~을 돕다 das Wachstum fördern / ~을 방해하다 (*jn.*) im Wachstum hindern; das Wachstum hindern / 굴은 충분히 ~하는 데 5년 걸린다 Es dauert fünf Jahre, bis sich die Auster zu seinem vollen Wachstum entwickelt.
‖ **~기** Entwicklungsperiode *f.* -n. **~기관** Vegetativorgan *n.* -s, -e. **~병** Entwicklungskrankheit *f.* -en. **~부전(不全)** Unterentwicklung *f.*; Unterwachstum *n.*: ~부전의 unterentwickelt.

발음(發音) Aussprache *f.* -n; Artikulation *f.* -en. **~하다** aus|sprechen*; prononcieren; aspirieren; artikulieren. ¶ 명확히 ~된 artikuliert / ~대로 phonetisch; lautlich / 잘못된 ~ die falsche Aussprache, -n; die fehlerhafte Aussprache / ~이 명확한 사람 der Artikulierende*, -n, -n / ~대로의 철자법 das phonetische Schreiben*, -s / 바르게 ~하다 richtig aus|sprechen* / 잘못 ~하다 falsch aus|sprechen* / ~이 좋다 (나쁘다) e-e gute (schlechte) Aussprache haben; *js.* Aussprache ist gut (schlecht) / 이 단어는 어떻게 ~합니까 Wie spricht man dieses Wort aus? ¦ Was ist die Aussprache dieses Wortes? / 그것은 두 번째 분철에 악센트를 주어 ~한다 Es wird ausgesprochen mit dem Akzent auf der zweiten Silbe. / 영어에서 철자대로 ~되는 단어는 거의 없다 Im Englischen werden wenige Wörter ausgesprochen, wie sie geschrieben werden.
‖ **~기관** Sprechwerkzeug *n.* -(e)s, -e. **~기호** das phonetische Zeichen, -s, - (Symbol, -s, -e; System, -s, -; Alphabet, -s, -). **~사전** Aussprachewörterbuch *n.* -(e)s, ⸗er. **~연습** die Übung der Aussprache. **~학** Phonetik *f.* -en; Orthoepik *f.* -en: ~학자 Phonetiker *m.* -s, -.

발의(發意) Initiative *f.* -n; Anregung *f.* -en; 《고안》 die eingeweihte Idee, -n; Entwurf *m.* -(e)s, ⸗e; Plan *m.* -(e)s, -e. **~하다** e-e Idee hervor|bringen*. ¶ 자기 ~로 한 것이다 Er handelt aus eigener Initiative.

발의(發議) Vorschlag *m.* -(e)s, ⸗e; Antrag *m.* -(e)s, ⸗e; 《의견·계획의》 Initiative *f.* -n; die erste Anregung, -en; Veranlassung *f.* -en. **~하다** e-n Vorschlag machen 《*zu*³》; *jm.* vor|schlagen*⁴; e-n Antrag stellen 《bei *jm.*; *auf*⁴》; *jm.* beantragen⁴. ¶ …의 ~로 auf *js.* Veranlassung / 기습적으로 ~하다 auf blitzschnelle Weise ein|bringen* / 이 연기 요청은 한국 정부의 ~에 의한 것이다 Die Verschiebung wurde gebeten

durch den Vorschlag der koreanischen Regierung.
‖ ~권 Vorschlagsrecht *n.* -(e)s, -e; Antragsrecht *n.* -(e)s, -e; Initiative *f.* -n: 직접 ~권 die direkte Initiative. ~자 Proponent *m.* -en, -en; der Vorschlagende*, -n, -n; Antragsteller *m.* -s, -.

발인(發靷) der Aufbruch 《-es, -e》 e-s Leichenzuges; das Abgehen* 《-s》 e-s Leichenzuges. ¶ 오전 10시에 ~한다 Der Leichenzug wird vormittags um 10 Uhr vom Hause abgehen.

발자국 (Fuß)spur *f.* -en; Fuß¦tapfe *f.* -n (-tapfen *m.* -s, -). ¶ ~을 남기다 e-e Fußspur legen 《*auf*⁴》; e-e Fußspur zurück|lassen* / ~을 따라가다 *js.* Spur verfolgen; der Spur folgen ⓢ.

발자귀 Tierfußspur *f.* -en; Tierfußstafe *f.* -n.

발자취 Fuß¦spur *f.* -en (-stafe *f.* -n). ¶ ~를 더듬다 der ³Fährte (Spur) folgen ⓢ; die Fährte (Spur) verfolgen / 그의 ~가 닿지 않은 곳이 없다 Überall hat er gereist.

발작(發作) Anfall *m.* -(e)s, ⸚e; Anwand(e)lung *f.* -en; Paroxysmus *m.* -, ..men; 〖속어〗 Krampf *m.* -(e)s, ⸚e. ~하다 an|fallen*; an|wandeln. ¶ ~적으로(인) anfallsweise; krampfartig; paroxysmal / ~을 일으키다 e-n Anfall bekommen* / 우울증의 ~ der Anfall von Schwermut / 그는 졸중 ~ 증세가 있다 Er hat e-n Schlaganfall. / 그는 ~을 일으켜 실신했다 Es wandelte ihn e-e Ohnmacht an.

발장구 (Fuß)tritt *m.* -(e)s, -e; Stoß *m.* -es, ⸚e. ~치다 《발질》 (mit dem Fuß) stoßen* (treten*); 《태평히 지냄》 die Zeit lässig verbringen*; die Tage träge verbringen*; das Brot der Untätigkeit essen*.

발장단(一長短) das Taktieren* 《-s》 mit den Füßen. ¶ ~을 치다 mit den Füßen taktieren.

발전(發展) ① 《확장》 Entfaltung *f.* -en; Entwicklung *f.* -en; das Sichentfalten*, -s; 《신장》 Ausdehnung *f.* -en; 《성장》 das Wachsen*, -s; Wachstum *n.* -(e)s; 《진보》 Fortschritt *m.* -(e)s, -e. ~하다 ⁴sich entfalten; ⁴sich entwickeln ((aus)dehnen) (신장하다); wachsen* ⓢ (성장하다); Fortschritte machen (진보하다); ⁴es bringen* 《(*bis*) *zu*³》 (출세); in Schwung (Fluß) kommen* ⓢ; auf hohe Touren [tú:rən] kommen* ⓢ (회사 따위가); Boden gewinnen*; (festen) Fuß fassen (지반을 굳히다). ¶ ~적 expansiv; wachsend; Entwick(e)lungs- / 사건의 ~을 주시하다 die Entwicklung der Dinge beobachten / 국민 산업의 ~을 도모하다 die Nationalindustrie befördern / 서울은 교외로 ~해 나간다 Die Stadt Seoul dehnt sich ins Freien aus. / 형세는 유리하게 ~했다 Die Lage hat sich günstig entwickelt.
② 《번영》 das Gedeihen*, -s; Wohlfahrt *f.*; das Wohlergehen*, -s. ~하다 gedeihen* ⓢ; auf|kommen* ⓢ; blühen. ¶ ~적 해소 Aufhebung *f.* -en; die entwick(e)lungsentsprechende Auflösung, -en / 사업의 ~ das Gedeihen* des Geschäfts / 최근 그 도시는 갑자기 ~했다 Neulich ist die Stadt plötzlich aufgekommen. / ~을 기원하나이다 Mit den besten Glückwünschen für Ihr Wohlergehen! (편지의 맺는 말).
‖ ~도상국 Entwicklungsland *n.* -(e)s, ⸚er. ~성 Entwicklungsmöglichkeit *f.* -en: ~성 있는 entwicklungsmöglich; vielversprechend; hoffnungsvoll / ~성 있는 사업 die hoffnungsvolle Industrie, -n.

발전(發電) ① 《전기》 Erzeugung 《*f.* -en》 der elektrischen Kraft; Elektrizitätserregung *f.* -en. ~하다 Elektrizität erzeugen; elektrischen Strom erzeugen.
② 《전보》 das Depeschieren*, -s; das Telegraphieren*, -s; Drahtung *f.* -en; das Senden* 《-s》 e-s Telegramms. ~하다 telegraphieren; ein Telegram ab|senden* (senden*; auf|geben*); drahten; depeschieren; kabeln. ¶ 파리 ~ ein Telegramm aus Paris.
‖ ~관 Vakuumsröhre, die zum Erzeugen des oszillatorischen Stroms gebraucht wird. ~기 Dynamo *f.* -s; Dynamomaschine *f.* -n; Elektrisiermaschine *f.* -n; Elekerizitätserreger *m.* -s -; Stromerzeuger *m.* -s, -. ~동기 Elektrodynamo *f.* -s; Dynamomaschine *f.* -n. ~소 Kraftwerk *n.* -(e)s, -e; Elektrizitätswerk *n.* -(e)s, -e; die elektrische Kraftstation, -en (Kraftanlage, -n). ~자 Armatur *f.* -en; Anker *m.* -s, -. ~체 der geladene Körper, -s, -. 수(증기)력 ~소 das Wasser¦kraftwerk (Dampf-). 직접~로 die direkt umformende Drossel(spule) -n.

발정(發情) Geschlechtstrieb *m.* -(e)s, -e; Brunst *f.* ⸚e; 《수컷의》 Hitze *f.*; Läufigkeit *f.* ~하다 brünstig (läufig) werden. ¶ ~한 brünstig; brunftig; läufig.
‖ ~기 Pubertät *f.*; Pubertätszeit *f.* -en; Geschlechtsreife *f.*; Mannbarkeit *f.*; 《동물의》 Brunst¦zeit (Brunft-) *f.*: ~기에 달하다 mannbar werden.

발정(發程) Start *m.* -(e)s, -e (-s)《eine Reise》; Abfahrt *f.* -en. ~하다 ab|fahren* ⓢ; auf|-brechen*; ⁴sich auf e-e Reise begeben*.

발족(發足) Anfang *m.* -(e)s, ⸚e; Beginn *m.* -(e)s; Start *m.* -(e)s, -e (-s); (Be)gründung *f.* -en; Einweihung *f.* -en. ☞ 출발. ~하다 mit ³*et.* beginnen*⁴; mit ³*et.* den Anfang 《-(e)s, ⸚e》 machen; starten ⓗⓢ; an|-fangen*⁴; eröffnen⁴; ein|weihen⁴. ¶ 회사가 ~하다 e-e Kompanie eröffnet werden / 새 계획에 따라서 ~하다 nach e-m neuen Plan starten / 두 회사가 합병해서 새로운 회사로 ~했다 Die zwei Firmen haben sich amalgamiert (fusioniert) u. als e-e neue Firma das Geschäft eröffnet.

발주(發注) das Erteilen* 《-s》 e-s Auftrags; das Aufgeben* 《-s》 e-r Bestellung; das Bestellen*, -s. ~하다 e-n Auftrag erteilen; e-e Bestellung auf|geben*; 《die Waren》 bestellen.

발주저리 das Anhaben* 《-s》 e-r schmutzigen (dreckigen) Socken.

발진(發疹) (Haut)ausschlag *m.* -(e)s, ⸚e; Hautausschlag *m.* -(e)s, ⸚e. ~하다 e-n Ausschlag bekommen*. ¶ ~성(性)의 von Ausschlag begleitet / 피부가 ~하다 Die Haut schlägt aus.
‖ ~성 열병 Ausschlagsfieber *n.* -s, -. ~티푸스 Flecktyphus *m.* -.

발진기(發振器) 〖물리〗 Oszillator *m.* -s, -en.

발짝 Schritt *m.* -(e)s, -e 《gebraucht für Babys beim Lehren zu gehen》. ¶ 걸음마, 한 ~ 두 ~ Komm, Baby, nimm e-n Schritt — und nun den anderen.

발짧다 zu spät zu 《Tisch *od.* ³*et.*》 kommen* ⓢ; (ver)missen 《⁴*et.*》; unglücklich; un(glück)selig (sein).

발쭉거리다 runzeln; fälteln. ¶입을 ~ Mund 〔Lippen〕 ziehen* 〔spitzen〕/ 입을 발쭉거리며 웃다 〔울다〕 runzeln und lächeln 〔weinen〕.

발쭉발쭉 das Ziehen 〔Spitzen〕* -s 《*js.* Lippen; Mund》.

발쭉이 mit halb offenem Mund; mit leicht offenen Lippen 《*pl.*》; mit dem Lächeln.

발차(發車) Abfahrt *f.* -en; Abgang *m.* -(e)s, ⸗e. **~하다** ab|fahren* ⓢ; an|fahren* ⓢ; ab|gehen* ⓢ; ⁴sich in Bewegung setzen. ¶3번선에서 ~하다 vom Bahnsteig 3 ab|fahren* ⓢ / ~의 벨이 울린다 Es pfeift zur Abfahrt. / 역장은 ~의 신호를 올린다 Der Bahnhofsvorsteher hebt die Kelle hoch. / ~ 직전에 차에 올랐다 Gerade noch vor Abgang des Zuges bin ich eingetiegen. / 역장의 ~ 신호에 따라 열차는 서서히 떠났다 Der Fahrdienstleiter gab das Abfahrtszeichen, u. der Zug fuhr weich an.
‖**~계**, **~원** Starter *m.* -s, -. **~시간** Abfahrtszeit *f.* -en. **~신호** Kelle *f.* -n; Abfahrtssignal *n.* -s, -e. **~플랫폼** Abfahrtshalle *f.* -n; Bahnsteig *m.* -(e)s, -e.

발착(發着) Abfahrt u. Ankunft. **~하다** an|kommen* ⓢ u. ab|fahren* ⓢ.
‖**~시간표** Fahrplan *m.* -(e)s, ⸗e; Stundenplan *m.*; Zeittabelle *f.* -n.

발채 der matteähnliche Streckrahmen, -s, -.

발췌(拔萃) Extraktion *f.* -en (추출); Auszug *m.* -(e)s, ⸗e; Extrakt *m.* 〔*n.*〕 -(e)s, -e; Exzerpt *n.* -(e)s, -e (초록(抄錄)); Auslese *f.* -n (정선); Auswahl *f.* -en. **~하다** aus|ziehen*⁴; e-n Auszug 〔e-n Extrakt; ein Exzerpt〕 machen 《*aus*³》; extrahieren⁴; exzerpieren⁴; e-n Teil von ³*et.* ab|schreiben*; (her)aus|schreiben*. ¶신문(잡지)의 ~ Abschnitt 《*m.* -(e)s, -e》 aus e-r Zeitung 〔Zeitschrift〕; Zeitungs¦ausschnitt 〔Zeitschrifts-〕 *m.* -(e)s, -e / 대본 일부를 ~하다 die Rolle e-s Theaterstücks aus|schreiben* / 중요한 대목을 ~하다 das Wesentliche aus ³*et.* heraus|ziehen*.
‖**~개헌안** der ausgewählte Änderungsantrag 《-(e)s, ⸗e》 〔-vorlage *f.* -n〕 der Verfassung. **~곡** Auslese *f.* -n; Auswahl *f.* -en; (Klavier)auszug *m.* -(e)s, ⸗e (피아노 발췌곡).

발치 ① 《방의》 die dunkle Seite des Zimmers 《die Seite dem Fenster gegenüber, zu der ordentlich die Füße liegen, wenn man schläft》; der dunkle Winkel 《-s, -》 des Zimmers.
② 《근처》 Zähe *f.* -n; Umgebung *f.* -en. ¶…의 ~에 in der Nähe von³…; unweit von³ … / …에 있어서는 그의 ~에도 미치는 사람이 없다 K-r ist ihm gewachsen in³….¦ Man kann k-n Vergleich aushalten mit ihm in³….
‖발칫잠 der Schlaf im Winkel des Zimmers.

발칙하다 《무례하다》 grob; unverschämt; ungezogen (sein); 《괘씸하다》 unverzeihlich; anmaßend; frevelhaft; abscheulich (sein). ¶발칙한 녀석 ein grober Kerl, -s, - / 발칙하게 굴다 ⁴sich ungezogen benehmen* 《gegen *jn.*》 / 이 따위 편지를 보내다니 발칙한 녀석 같으니 Was für ein unverschämter Kerl ist er, daß er mir solchen Brief schreibt.

발칵 《갑자기·돌연》 plötzlich; auf einmal. ☞ 발깍. ¶~ 화를 내다 in Zorn aus|brechen* 《*gegen*⁴》; vor Wut kochen 〔beben; platzen; schäumen〕; Feuer u. Flamme speien* / ~ 흥분하다 plötzlich aufgeregt werden; plötzlich in Aufregung geraten* ⓢ.ⓗ / 그는 ~ 화를 내며 나를 때렸다 Er schlag mich in plötzlicher Aufwallung. / 그의 집에서는 ~ 뒤집혔다 Bei ihm war ein wüstes Durcheinander.

발칸 Balkan *m.* -s.
‖**~반도** Balkanhalbinsel *f.* **~제국** Balkanstaaten 《*pl.*》.

발코니 Balkon *m.* -s, -e 〔-s [..kɔ̃:]〕. ¶~로 나가다 auf den Balkon hinaus|gehen ⓢ / ~로 나가 시원한 바람을 쐬다 auf dem Balkon frische Luft ein|atmen 〔-|ziehen*〕.

발타다 《ein junges Tier》 versucht zum erstem Male s-e Beine gebrauchen zu lernen. ¶발탄 강아지 Herumtreiber *m.* -s, -; Bummler *m.* -s, -.

발탁(拔擢) Aus¦lese *f.* -n 〔-wahl *f.* -en〕; Bevorzugung *f.* -en; 《임명》 Ernennung *f.* -en; 《승진》 Beförderung *f.* -en. **~하다** aus|(er)lesen* 〔aus|wählen〕 《*jn.*》; bevorzugen 《*jn.* vor anderen》; ernennen* 《*jn.* zu³》; befördern 《*jn.*》. ¶천여 명의 지원자 중에서 단 30명이 ~ 되었다 Nur dreißig wurden aus den über tausend Bewerbern ausgewählt. / 그는 부장으로 ~되었다 Er wurde als Chef gewählt.
‖**~승진** die Beförderung außer der Reihe.

발톱 《사람의》 Zehennagel *m.* -s, ⸗; Klaue *f.* -n; Kralle *f.* -n (새, 짐승의). ¶~은 (~이 있는) krallig / ~으로 할키다 mit Klaue 〔Kralle〕 kratzen / ~을 갈다 die Klaue 〔die Kralle〕 schärfen.
‖**~눈** Lunula *f.*; (weißer) Halbmond an der Wurzel des Finger¦nagels 〔Zehen-〕.

발트 ¶~의 baltisch. ‖**~해** Ostsee *f.* -n.

발틀 Nähmaschine 《*f.* -n》 mit Fußpedal.

발파(發破) das Schießen*, -s; das Sprengen*, -s. **~하다**, **~시키다** schießen*⁴; sprengen⁴. ¶~장치를 하다 Dynamit 《*n.* 〔*m.*〕 -(e)s》 setzen; fürs Sprengen vor|richten.
‖**~계** Schießmeister *m.* -s, -; Schießsteiger *m.* -s, - (갱내의). **~약** Sprengstoff *m.* -(e)s, -e. **~작업** Schieß¦arbeit 〔Spreng-〕 *f.* -en. **~점화 장치** Zündkerze *f.* -n.

발판(一板) ① 《비계의》 Fußbank *f.* ⸗e; (Bau)gerüst *n.* 〔Fußgestell *n.*〕 -(e)s, -e. ¶~을 걸다 ein Gerüst auf|richten⁴ (errichten⁴). ② 《발돋움》 Schemel *m.* -s, -; Stütze *f.* -n; Stand *m.* -(e)s, ⸗e; 《차 등의》 Fußtritt *m.* -(e)s, -e; Trittbrett *n.* -(e)s, -er; Trittstufe *f.* -n. ③ 《지반》 Halteplatz *m.* -(e)s, ⸗e; Stütze *f.* -n; Halt *m.* -(e)s, -e; Stützpunkt *m.* -(e)s, -e. ¶~을 얻다 festen Fuß fassen⁴; e-e feste Stellung erringen*⁴. ④ 《도구·수단》 Mittel *n.* -s, -; Werkzeug *n.* -(e)s, -e. ¶~으로 삼다 als Werkzeug gebrauchen⁴ (benutzen⁴); ³sich von *jm.* die Kastanien aus dem Feuer holen lassen*; ⁴sich als Mittel zum Zweck bedienen². ⑤ 《도약판》 Sprungbrett *n.* -(e)s, -er (수영의).

발포(發布) Erlaß *m.* ..lasses, ..lasse; Proklamation *f.* -en; Promulgation *f.* -en; Verkünd(ig)ung *f.* -en; Bekannt¦gabe *f.* -n 〔-machung *f.* -en〕. **~하다** erlassen*⁴; amtlich bekannt|machen⁴; proklamieren⁴; promulgieren⁴; verkünd(ig)en⁴. ¶헌법을 ~하다 die Verfassung promulgieren.

발포(發砲) das Schießen* (Feuern*) -s. ~하다 feuern; schießen*^{4} 《*auf*^{4}》; ab|feuern^{4}; ab|schießen*^{4}; los|schießen*^{4}; entladen*^{4}. ¶ ~를 시작하다 das Feuer eröffnen (포문을 열다) / 경찰은 처음에 위협 ~를 했다 Der Polizist feuerte (schoß) zunächst in die Luft. / 함장은 부하에게 ~를 명령했다 Der Kapitän 《-(e)s, -e》 befahl s-n Männern zu feuern.

발표(發表) 《법률·작품 따위의》 Veröffentlichung *f*. -en; (öffentliche) Bekanntmachung, -en; 《의견 따위의》 das Äußern*, -s; das Aussprechen*, -s; 《고지》 Verkündigung *f*. -en. ~하다 veröffentlichen^{4}; an|künd(ig)en^{4}; (öffentlich) bekannt|machen^{4}; äußern^{4}(의견을); aus|sprechen*(의견을); verkündigen (통지). ¶ 미~ 원고 ein unveröffentliches Manuskript, -(e)s, -e / 정식 ~ e-e öffentliche Bekanntmachung / 비공식 ~ die inoffizielle (nicht amtliche) Bekanntmachung, -en / 비공식으로 ~하다 inoffiziell (nicht amtlich) bekannt machen^{4} / 성명서를 ~하다 das Manifest 《-es, -e》 bekannt machen^{4} (veröffentlichen^{4}) / 정견을 ~하다 politische Ansichten bekannt machen^{4} / 의견을 ~하다 ^{4}sich aus|sprechen* 《*über*^{4}》; s-e Meinung äußern^{4}; ^{4}sich erklären^{4} / 연구를 ~하다 den Erfolg 《-es, -e》 des Studiums veröffentlichen^{4} / ~를 보류하다 Bekanntmachung (Veröffentlichung) 《*f*. -en》 zurück|halten* / 당의 방침이 ~되었다 Die Richtung der Partei wurde verkündigt. / 시험 성적이 ~됐다 Der Erfolg 《-es, -e》 des Examens wurde verkündigt. / 성명서는 내일 ~될 것이다 Die Erklärung wird morgen veröffentlicht werden. / 의견의 ~를 보류했다 Ich hielt mit der Äußerung m-r Meinung zurück. / 사건은 끝내 ~되지 않았다 Die Sache kam nie ans Licht.

발하다(發—) ① 《빛·열 따위를》 aus|strahlen^{4}; aus|strömen; (aus|)duften (향기를). ② 《명령·법령 따위를》 ergehen lassen*^{4}; erlassen*^{4}; erteilen^{4}; verkünden^{4}; öffentlich bekannt|machen^{4}. ¶ 명령을 ~ e-n Befehl 《-(e)s, -e》 erlassen*^{4} / 격문을 ~ e-n Aufruf erlassen*^{4}. ③ 《보내다》 schicken^{4}; senden*^{4}.

발한(發汗) Schweißausbruch *m*. -(e)s, ⸗e; das Schwitzen*, -s; 〖의학〗 Hautausdünstung *f*. -en; Transpiration *f*. -en; das Transpirien*, -s. ~하다 schwitzen; transpirieren. ¶ ~시키다 zum Schwitzen bringen*^{4} / ~시키는 schweißtreibend; schweißbefördernd.
‖ ~요법 Schwitzkur *f*. -en. ~욕 Schwitzbad *n*. -(e)s, ⸗er. ~제(劑) Schweißmittel *n*. -s.

발항(發航) Abfahrt *f*. -en; Abreise *f*. -n. ~하다 ab|fahren* Ⓢ; ab|segeln Ⓢ.
‖ ~지 Abfahrtshafen *m*. -s, ⸗.

발해만(渤海灣) der Golf 《-(e)s, -e》 von Pechili.

발행(發行) Herausgabe *f*. -n; Verlag *m*. -(e)s, -e; Publikation *f*. -en. ~하다 heraus|geben*^{4}; verlegen^{4}; publizieren^{4}; erscheinen lassen*^{4}. ¶ 매일 ~되는 täglich herausgegeben / 매주 (월) ~되는 wöchentlich (monatlich) erscheinend / 월 2회 ~되는 잡지 Halbmonatsschrift *f*. -en / 잡지를 ~하다 e-e Zeitschrift begründen^{4} (heraus|geben*^{4}) / ~을 금지하다 die Publikation (vorübergehend) verbieten*^{4} / ~이 정지되다 unterdrückt werden / 그 잡지는 ~ 날짜가 엉망이다 Jene Zeitschrift erscheint sehr unregelmäßig.
② 《어음 따위의》 Ausgabe *f*. -n; das Ziehen*, -s; Ausstellung *f*. -en. ~하다 aus|stellen^{4} (trassieren^{4}; ziehen*^{4}) 《e-n Wechsel auf *jn*.》 (아무에게 어음을); in Umlauf setzen^{4}. ¶ ~된 환어음 Tratte *f*. -n; der gezogene Wechsel, -s, - / 1만 원의 환어음을 ~하다 e-n Wechsel der Summe von zehn tausend *Won* ziehen*^{4} 《auf *jn*.》 / 새로운 화폐를 ~하다 neue Münzen in Umlauf setzen.
‖ ~가격 Emissionskurs *m*. -es, -e. ~권 Publikationsrecht *n*. -(e)s, -e. ~금지 das gesetzliche Verbot 《-(e)s, -e》 der Herausgabe. ~부수 Aufgabe(höhe) *f*. -n: 이 신문은 ~ 부수(部數)가 많다 Diese Zeitung hat e-e große Verbreitung (e-n großen Leserkreis). ~소(所) Verlagsbuchhandlung *f*. -en. ~연도 Erscheinungsjahr *n*. -(e)s, -e. ~인, ~자 Herausgeber *m*. -s, -; 《어음 따위의》 Aussteller *m*. -s, -; Ausgeber *m*. -s, -; Bezieher *m*. -s, -; Trassant *m*. -en, -en. ~일 Erscheinungstag *m*. -(e)s, -; 《어음 따위의》 Ausstellungstag *m*. -(e)s, -e. ~정지 die Einstellung 《-en》 der Herausgabe. ~지 Ausstellungsort *m*. -(e)s, -e (어음 따위의).

발허리 der Rist 《-es, -e》 des Fußes.

발헤엄 das Wassertreten*, -s. ~하다 Wasser treten*.

발현(發現) Offenbarung *f*. -en; Enthüllung *f*. -en. ~하다 ^{4}sich offenbaren; ^{4}sich enthüllen; aufgedeckt werden.

발호(跋扈) das anmaßende Benehmen*, -s; Ausgelassenheit *f*. -en (방종); Zügellosigkeit *f*. -en (방자); das Überhandnehmen*, -s (만연); das Umsichgreifen* (Vorherrschen*) -s. ~하다 ^{4}sich anmaßend benehmen* (방자하게 굴다); ausgelassen (mutwillig; ungezähmt; zügellos) werden; überhand|nehmen* (만연하다); um ^{4}sich greifen*; vor|herrschen. ¶ 졸부(猝富)들의 ~ das Sichbreitmachen der Neureichen / 한국 실업계에서는 한때 전쟁 졸부들이 ~했다 Die koreanischen Geschäftskreise wurden einmal von Kriegsgewinnlern beherrscht.

발화(發火) ① 《점화》 das Anzünden*, -s; Entzündung *f*. -en; Verbrennung *f*. -en. ~하다 an|zünden; entzünden. ¶ ~하기 쉬운 zündbar / ~되었다 das Feuer ist gemacht. ② 《화재》 Feuersbrunst *f*. ⸗e; Schadenfeuer *n*. -s; Brand *n*. -(e)s, ⸗e. ~하다 ^{4}sich entzünden^{4}; Feuer fangen*. ¶ ~의 원인 die Ursache des (Schaden)feuers / …에서 ~했다 Das Feuer brach aus 《*in*^{3}》. / 본관에서 ~했다 Das Feuer brach in dem Hauptgebäude aus.
③ 《발사》 das Feuern*, -s; das Abfeuern*, -s; das Abschießen*, -s. ~하다 ab|feuern; feuern; ab|schießen*. ¶ 일제히 ~하다 gleichzeitig ab|schießen* / 이 총은 ~하지 않았다 Die Flinte hat versagt.
‖ ~기(器) Entzündungsapparat *m*. -(e)s, -e. ~약 Sprengmittel *n*. -s, -; Sprengstoff *m*. -(e)s, -e. ~장치 Zündvorrichtung *f*. -en. ~전 Zündkerze *f*. -n. ~전선(電線) elektrische Zündschnur, -en. ~점(點) Entzündungspunkt *m*. -(e)s, -e. 자연~ Selbstentzündung *f*. -en.

발회(發會) Eröffnung *f*. -en. ~하다 eröffnen^{4}.
‖ ~식 Eröffnungsfeierlichkeit *f*. -en.

발효(發効) das Inkrafttreten*, -s; Inkraftsetzung *f.* **～하다** in ⁴Kraft treten* Ⓢ. ¶ ～시키다 in ⁴Kraft setzen⁴ / 평화 조약의 ～에 따라 mit der Inkraftsetzung des Friedensvertrags / 이 법률은 내월 1 일에 ～한다 Das Gesetz tritt am 1. nächsten Monats in Kraft.

발효(醱酵) Gärung *f.* -en; Fermentation *f.* -en. **～하다** gären⁽*⁾; fermentieren. ¶ ～성의 gärungsfähig / ～시키다 gären lassen*; säuern / ～되고 있다 in Gärung sein / 술이 ～해서 초가 되었다 Der Wein ist zu Essig gegoren.

‖ **～균** Gärungspilz *m.* -es, -e. **～력, ～성** Gärungsfähigkeit *f.* -en. **～방지제** Antiferment *n.* -(e)s, -e. **～법** Gärungsverfahren *n.* -s, -. **～소** Gärungs|stoff *m.* -(e)s, -e (-mittel *n.* -s, -); Ferment *n.* -(e)s, -e. **～학** Zymologie *f.* -n.

발휘(發揮) Entfaltung *f.* -en; das Zeigen*, -s; Offenbarung *f.* -en. **～ 하다** entfalten⁴; zeigen⁴; offenbaren⁴; beweisen*⁴. ¶ 실력을 ～하다 s-e (wirkliche) Fähigkeit beweisen* / 재능을 ～하다 s-e Fähigkeit beweisen*⁴/ 천재를 충분히 ～하다 *js.* ³Genie freie Bahn schaffen* / 외교 수완을 ～하다 die diplomatische Geschicklichkeit beweisen* / 국체(國體)의 정화(精華)를 ～하다 die Herrlichkeit des Staatswesens zur Entfaltung bringen*.

발흥(勃興) Aufschwung *m.* -(e)s, ⸚e; Aufstieg *m.* -(e)s, -e; das Erheben* (Emporkommen*) -s. **～하다** e-n Aufstieg machen; e-n Aufschwung nehmen*; ⁴sich erheben*. ¶ 고구려의 ～ der Aufstieg von *Goguryeo*/ 무역 ～의 기미가 보인다 Der Außenhandel zeigt Zeichen 《*pl.*》 des Aufschwungs. / 경제는 급격하게 ～했다 Die wirtschaftlichen Verhältnisse nehmen e-n raschen Aufschwung. / 독일은 끊임없이 ～한다 Deutschland ist in e-m unaufhaltsamen Aufstieg (begriffen).

밝다¹ ① 《빛이》 hell; klar; licht; strahlend (빛, 얼굴); 《거울》 blank (sein). ¶ 밝게 hell; klar / 밝은 곳에서 im (bei) Licht / 밝은 동안에 während es noch hell ist / 밝은 방 das helle (hell beleuchtete) Zimmer, -s, - / 밝은 햇빛 der strahlende Sonnenschein, -(e)s, -e / 달 밝은 밤 die helle Mondnacht, ⸚e / 밝아지다 ⁴sich erhellen; hell werden; ⁴sich auf|klären (하늘이); dämmern (밤이)/ 밝게 하다 hell machen; erhellen; 《등을 켜서》 erleuchten; beleuchten / 거리는 대낮같이 ～ Die Straße ist hell wie Tag. / 밖은 아직 ～ Draußen ist es noch hell. / 그 전구는 ～ (흐리다) Die (Glüh)birne gibt helles (dunkles) Licht. / 하늘이 밝아졌다 Der Himmel hat sich aufgeklärt. / 등불을 밝혀라 Mach Licht! / 태양이 밝게 비친다 Die Sonne scheint hell (strahlend).

② 《눈·귀가》 scharf; fein; schnell; durchdringend; akut (sein). ¶ 밝은 눈 der durchdringende (scharfe) Blick, -(e)s, -e; das scharfe Auge, -s, -n / 밝은 귀 das scharfe Ohr, -(e)s, -en / 눈이 (귀가) ～ scharfes Auge (Ohr) haben; ein feines (schnelles) Auge (Gehör) haben; ein gutes Auge (Ohr) haben / 그 개는 귀가 ～ Der Hund hat ein scharfes Ohr.

③ 《사정 등에》 eingeweiht sein 《*in*⁴》; ³*et.* beschlagen (bewandert; erfahren) sein; ²*et.* kundig (mit ³*et.* vertraut) sein; wohl (gut) unterrichtet sein 《*von*³; *über*⁴》; gut kennen*⁴; Kenner sein; bekannt sein《*mit*³》. ¶ 그 방면에 밝은 사람 der Sachverständige* (Sachkundige*) -n / 독일 습관에 ～ Er ist mit den deutschen Gewohnheiten wohl vertraut. / 그는 이 곳 지리에 ～ Er kennt sich hier aus.¦ Er kennt diese Gegend wie s-e (linke) Westentasche. / 그는 음악 (예술) 방면에 ～ Er ist Musiker von Fach (Er ist Kunstkenner). / 그는 독일 문학에 ～ Er ist in der deutschen Literatur wohl belesen.¦ Er weiß genau Bescheid in der deutschen Dichtung.

④ 《성격·표정이》 klar; heiter; hell; schön; fröhlich; froh(mütig); erfreut; munter; sonnig (sein). ¶ 기분이 ～ ⁴sich aufgeheitert (erheitert; erfrischt) fühlen / 그는 언제나 밝은 표정을 짓고 있다 Er zeigt immer e-e fröhliche Miene. / 그의 얼굴이 밝아졌다 Sein Gesicht klärt sich auf. / 해외 무역의 전망은 ～ Es gibt e-e gute (helle) Aussicht für den Außenhandel.

⑤ 《정치가》 klar (sein). ¶ 밝은 정치 die klare Politik, -en / 밝은 사회 die klare Gesellschaft, -en / 사회를 밝게 하다 die Gesellschaft ordentlich klar machen.

밝다² 《날이 새다》 an|brechen*; dämmern; grauen; hell werden; tagen; Tag werden. ¶ 밝아오는 하늘 der dämmernde (grauende) Himmel, -s, - / 날이 밝기 전에 일어나다 vor Tagesanbruch auf|stehen* ⓢ,ⓗ / 날이 밝아온다 Der Tag bricht an. / 새해가 밝아온다 Das Neujahr beginnt. / 동녘이 밝아온다 Im Osten graut es (beginnt es zu grauen).

밝을녘 Dämmerstunde *f.* -n; Tagesanbruch *m.* -(e)s, ⸚e; Morgendämmerung *f.* -en. ¶ ～에 am Tagesanbruch; beim Anbruch des Tages / ～까지 공부하다 bis zur Morgendämmerung (bis zur frühen Morgenstunde) arbeiten / 수탉은 ～에 운다 Jeder Hahn kräht beim Anbruch des Tages.

밝히다¹ ① 《알림·발표》 gestehen*⁴; äußern; bekannt machen⁴; erklären⁴; proklamieren⁴; verkündigen; veröffentlichen⁴; 《비밀을》 enthüllen; auf|decken; 《계획을》 mitteilen⁴. ¶ 이름을 ～ s-n Namen offenbaren (bekannt machen) / 계획을 ～ *jm.* s-n Plan mit|teilen (enthüllen) / 의견을 ～ ⁴sich aus|sprechen*⁴ 《*über*⁴》; s-e Meinung äußern; ⁴sich erklären⁴ 《*über*⁴》 / 의중을 ～ *jm.* sein Herz öffnen⁴; s-e Gedanken offenbaren⁴ / 비밀을 ～ ein Geheimnis an|vertrauen⁴ (mit|teilen⁴)/사정을 ～ die reine Wahrheit enthüllen⁴ / 태도를 ～ s-e Haltung bestimmen⁴.

② 《확인·구명》 ermitteln⁴; bestätigen; fest|stellen⁴(증거물을); beglauben⁴(확증); bezeugen⁴(확증); 《구명》 ergründen⁴; erforschen⁴; gründlich untersuchen⁴. ¶ 신원을 ～ *js.* Identität beweisen*⁴ (fest|stellen⁴); 《자기의》 ⁴sich aus|weisen*⁴ 《*als*》 / 원인을 ～ die Ursache ermitteln⁴ (heraus|finden*⁴) / 죽은 자 (피해자)의 신원은 아직 밝혀지지 않았다 Der Tote (Verletzte) 《-n, -n》 ist noch nicht identifiziert. / 그의 사인(死因)은 아직 밝혀지지 않았다 Die Ursache s-s Todes ist noch nicht ermittelt.

③ 《환하게 하다》 beleuchten⁴; erleuchten⁴; hell machen⁴; erhellen. ¶ 방을 ～ das Zimmer beleuchten⁴.

밝히다² 《밤을》 übernachten; die ganze ⁴Nacht auf|bleiben* ⓢ (auf|sitzen*); hin|bringen*; verbringen*; zu|bringen*; vertreiben*ⓢ. ¶ 밤을 ～ die Nacht auf|sitzen* (auf|bleiben*ⓢ); die Nacht hin|bringen*⁴ / 얘기로 (눈물로) 밤을 ～ e-e Nacht verplaudern (verweinen) / 밤을 마시고 (놀며) ～ die ganze Nacht hindurch schwelgen⁴.

밞다 ① 《팔로》 《die Länge e-s Stoffes *od.* des Ähnlichen》 mit der Spanne der beiden Arme aus|messen*.
② 《걸음으로》 《e-n Abstand》 mit dem Schritt messen*; ab|schreiten*ⓢ 《e-n Abstand》. ¶ 방의 길이를 ～ die Länge e-s Zimmers ab|schreiten* ⓢ.

밟다 ① 《디디다》 treten* ⓗ,ⓢ 《*auf*⁴》 〖걸어갈 경우는 ⓢ〗; mit Füßen treten*⁴; stampfen ⓗ,ⓢ 《mit dem Fuß (den Fuß) auf die Erde》 〖걸어갈 경우에는 ⓢ〗. ¶ 밟아 굳히다 fest|treten*⁴ / 밟아 부수다 in Stücke treten*⁴; zertreten*⁴ / 짓밟다 fest|stampfen⁴ (-treten*⁴) / 단단히 밟고 서서 festen Fußes / 밟아 다지고 고르다 die Erde mit dem Fuß (mit den Füßen) stampfen u. ebnen (흙을); e-n Weg glatt treten* (ebnen) (길을) / 밟아다진 길 Trampel¦pfad *m.* -(e)s, -e (-weg *m.* -(e)s, -e) / 개구리를 밟아 죽이다 e-n Frosch tot|treten* / 담배 꽁초를 밟아 끄다 den Zigarettenstummel aus|treten*⁴ / 판자를 밟아 부수다 ein Brett durch|treten*⁴ / 벌레를 짓밟다 e-n Wurm treten*⁴ / 모국 땅을 ～ den heimischen Boden betreten* / 그는 나의 발을 밟았다 Er hat mir (mich) auf den Fuß getreten. / 그녀는 첫 무대를 밟았다 Sie ist zum ersten Male aufgetreten. / 잔디를 밟지 마시오 Bitte den Rasen nicht zu betreten!/ 밟히고 채이다 mit Füßen getreten (schlecht behandelt) werden 《von *jm.*》.
② 《순서·절차 따위를》 aus|führen⁴. ¶ 과정을 ～ e-n Kursus besuchen (durch|machen) / 수속을 ～ ein Verfahren ein|leiten; die vorgeschriebenen Formalitäten erfüllen / 대학 과정을 ～ auf der Universität studieren.
③ 《멸시하다》 geringschätzig behandeln⁴; mißachten; nicht beachten⁴; verschmähen⁴. ¶ 그것은 나를 짓밟는 처사다 Das ist e-e Beleidigung für mich.
④ 《미행》 *jm.* nach|folgen³ ⓢ; verfolgen⁴; 〖속어〗 beschatten. ¶ 도둑의 뒤를 바짝 ～ den Dieb hart verfolgen.

밟다듬이 das Treten* (das Trampeln*) 《-s》 auf die Wäsche (um sie weich zum Bügeln zu machen); Fußdrücken *n.* -s, -; das Drucken* 《-s》 des Fußes. **～하다** auf die Wäsche (mit dem Fuß) treten*; der Wäsche das Fußdrücken geben*.

밟히다 *jm.* auf den Fuß getreten werden; mit dem Fuß gestampelt werden; getrampelt werden.

밤¹ ① 《야간》 Nacht *f.* ⸚e; Abend *m.* -(e)s, -e ※ 계절이나 지역에 따라 대개 6시부터 밤 10시나 11시경까지를 Abend라 하고, 그 후 새벽까지를 Nacht라고 한다. ¶ 밤의 nächtlich; abendlich / 오늘 밤 heute nacht; heute abend / 어젯밤 letzte Nacht; gestern abend ※ 다만 「어젯밤」이라도 영시 이후이면 반드시 heute abend 라고 한다 / 전날 밤 vorletzte Nacht / 밤에 in der ³Nacht; am Abend; bei ³Nacht / 밤을 틈타서 unter dem Schutz der Nacht / 밤의 서울 Seoul bei Nacht / 토요일 밤에 Samstag abend / 밤 8시에 um 8 Uhr abend / 밤이 되기 전에 bevor (ehe) es dunkel wird / 밤늦도록 공부하다 bis spät (in die Nacht) studieren / 밤이나 낮이나 ⁴Tag u. ⁴Nacht; bei ³Tag u. ³Nacht / 밤늦게 in später Nacht; spät in der Nacht; am späten Abend; spät / 밤을 새우다 die Nacht verbringen*; übernachten / 밤새(도록) die ganze Nacht (hindurch) / 밤마다 ⁴Nacht für ⁴Nacht; jede Nacht / 어느 날 밤에 e-s Nachts; e-s Abends / 여름 밤 Sommerabend *m.* -(e)s, -e / 밤이 되었다 Es wurde Nacht (Abend). / 밤이 깊어가다 Die Nacht rückt vor. / 오늘 밤 여기서 묵읍시다 Heute nacht wollen wir hier bleiben (übernachten)!
② 《행사》 Abend *m.* -(e)s, -e. ¶ 모짜르트의 밤 Mozart-Abend; Mozartabend / 음악의 밤을 열다 musikalischen ⁴Abend eröffnen⁴.

밤² 《밤나무열매》 Kastanie *f.* -n; Nuß *f.* ..üsse. ¶ 밤색(의) kastanienbraun / 밤 따러 가다 in die Nüsse gehen* ⓢ; Kastanien sammeln gehen* ⓢ.

밤³ 《놋그릇 틀》 Muster *n.* -s, -; (Preß-)form *f.* -en; (Spritz)form *f.*

밤거리 die Straße bei Nacht; die Stadt in der Nacht. ¶ ～의 여인 Strich¦mädchen (Straßen-) *n.* -s, -; Straßendirne *f.* -n.

밤글 das Lesen* 《-s》 in der Nacht.

밤길 das Wandern* 《-s》 bei Nacht; Nachtwanderung *f.* -en; Nachtreise *f.* -n; der Weg 《-(e)s, -e》 durch die Nacht; Nachtweg *m.* -(e)s, -e. ¶ ～을 걷다 bei (in der) Nacht gehen*ⓢ (herum|laufen*ⓢ,ⓗ) / 혼자 ～을 걷는 것은 위험하다 Es ist gefährlich, in der Nacht allein zu gehen (allein herumzulaufen).

밤꾀꼬리 〖조류〗 (europäische) Nachtigall, -en.

밤나무 Kastanienbaum *m.* -(e)s, ⸚e.

밤낚시 das Nachtangeln*, -s. **～하다** in der Nacht angeln gehen*ⓢ; die Angelleine in der Nacht herab|lassen*.

밤낮 ① 《밤과 낮》 Tag u. Nacht. ② 《밤이나 낮이나》 ⁴Nacht u. ⁴Tag; bei ³Nacht u. ³Tag. ③ 《늘》 stets u. ständig; alle¦zeit (jeder-); ohne Unterlaß. ¶ ～으로 공부한다 Er arbeitet (studiert) Nacht u. Tag. / ～ 그 소리야 Immer wieder das alte Lied!

밤놀이 das abendliche Vergnügen, -s, -; Nachtschwärmerei *f.*
¶ ～하다 (나가다) abends (u. nachts) zum Vergnügen aus|gehen* ⓢ / ～에 빠지다 dem nächtlichen ³Vergnügen nach|gehen* ⓢ; ein reges Nachtleben führen.
‖ **～꾼** Nachtschwärmer *m.* -s, -.

밤눈¹ ¶ ～에도 밝은 hell auch bei ³Nacht / ～에도 뚜렷이 보이다 ⁴sich im Dunkel deutlich in den Umrissen ab|zeichnen⁴ / ～이어서 분명치 않다 im Dunkel nicht klar gesehen werden können* / ～에도 그것인줄 알았다 Es war auch im Nachtdunkel deutlich zu sehen.

밤눈² 《내리는 눈》 Schnee 《*m.* -s》 in der Nacht.

밤느정이, 밤늦 Kastanienblüte *f.* -n.

밤늦다 spät in der ³Nacht (bei ³Nacht) (sein). ¶ 밤늦게 spät bei Nacht / 밤늦게까지 bis tief in die Nacht hinein / 밤늦도록 자지 않다 bis spät auf|bleiben*ⓢ; (erst) spät schlafen (zu ³Bett) gehen*ⓢ / 밤늦도록 공부하다 bis tief (spät) in die Nacht arbeiten; noch (bis) spät studieren / 밤늦도록 일어나 있다 spät auf|bleiben* ⓢ.

밤대거리 Nachtschicht *f.* -en; Nachtbesatzung *f.* -en; Nachtunterstützung *f.* -en. ¶그는 ~로 나간다 (일한다) Er arbeitet in der Nachtschicht.

밤도와 die ganze Nacht (hindurch); bis tief (spät) in die Nacht hinein; tief (mitten) in der Nacht; über Nacht. ¶ ~ 일하다 bis tief (spät) in die Nacht arbeiten; die ganze Nacht über arbeiten.

밤들다 Es wird dunkel.¦Die Dunkelheit verbreitet sich.¦Die Dunkelheit bricht herein.¦Die Nacht vertieft sich (Die Nacht wird dunkler). ¶밤들어서야 공부한다 Ich arbeite nicht, bis es dunkel wird.

밤똥 Stuhlgang 《*m.* -(e)s, ⸚e》 des Nachts.

밤마다 ⁴Nacht für ⁴Nacht; jede ⁴Nacht; allnächtlich.

밤바 ① 《완충장치》 Stoßstange *f.* -n. ② 《차 번호》 Autonummerschild *m.* -(e)s, -e.

밤바람 Nachtwind *m.* -(e)s, -e; Nachtluft *f.*

밤볼 die runde (pralle) Wange, -n. ⌊⸚e.

밤비 der Regen 《-s》 in der Nacht. ¶ ~에 자란 사람 e-e Person, die doof (dumm; ein Idiot) ist; e-e Person, die schwach und gemein ist / 어제 ~가 내렸다 Es regnete gestern in der Nacht.

밤사이, 밤새 seit gestern (heute) Nacht (작야 이래); seit der vorigen ³Nacht (전야 이래). ¶ ~ 내린 비로 wegen des Regenfalls von gestern abend / ~ 오던 비도 마침내 개었다 Der Regen, der die ganze Nacht hindurch geregnet hatte, hörte endlich auf.

밤새도록, 밤새껏 die ganze ⁴Nacht (hindurch). ¶ ~ 자지 않다 die ganze Nacht auf|-bleiben* ⓢ / ~ 한숨도 잘 수 없었다 Ich konnte die ganze Nacht kein Auge zutun. / 우리는 ~ 술을 마셨다 Wir haben die ganze Nacht getrunken./~ 이가 아팠다 Die ganze Nacht hatte ich Zahnschmerzen.¦Die Zähne taten mir die ganze Nacht weh. / 어머니는 침식을 잊고 ~ 아이의 병간호를 했다 Die Mutter hat die ganze Nacht über die Krankenpflege des Kindes Essen u. Schlafen vergessen.

밤새(우)다 die ganze Nacht auf|bleiben* ⓢ (auf|sitzen*). ¶밤새워 얘기하다 die Nacht verplaudern; die ganze Nacht plaudern; e-e Nacht mit ³Gesprächen verbringen* / 밤새워 바느질하다 die ganze Nacht vernähen / 밤새워 간호하다 die ganze Nacht hindurch pflegen / 밤새워 일하다 die ganze Nacht arbeiten / 그들은 밤새워 카드 놀이를 했다 Sie saßen die ganze Nacht über dem Kartenspiel auf.

밤새움 ☞ 밤샘.

밤색(一色) Rotbraun *n.* -s; 【형용사적】 rotbraun. ¶ ~이 돌다 rotbraun werden; rötlich braun an|laufen* ⓢ / ~ 말 das rotbraune Pferd, -es, -e.

밤샘 das Durchwachen* 《-s》 der Nacht; 《상가에서》 Totenwache 《*f.* -n》 bei ³Nacht. ~하다 die ganze Nacht durchwachen (auf|-bleiben* ⓢ; auf|sitzen*); die Nacht durchwachen; übernachten; die Nacht verbringen*. ¶상가에서 ~을 하다 (die ganze ⁴Nacht hindurch) Totenwache halten* / 책을 읽으며 ~하다 die ganze Nacht mit Lesen zu|bringen* / 간호하며 ~하다 bei e-m Kranken die ganze Nacht hindurch wachen / ~을 해서 오늘은 매우 피곤하다 Ich bin heute sehr müde, weil ich die ganze Nacht hindurch aufgeblieben bin.

밤소경 Nachtblindheit *f.* ¶ ~의 nachtblind / 그는 ~이다 Er ist nachtblind.

밤소일(一消日) das Ausgehen* 《-s》 am Abend; Abendspaß *m.* -es, ⸚e; das Abendvergnügen*, -s; Abendunterhaltung *f.* -en. ~하다 einen Abend aus|spannen; zum Abendvergnügen aus|gehen* ⓢ; ⁴sich in der Nacht amüsieren.

밤손님 Nachtherumtreiber *m.* -s, -; Nachteinbrecher *m.* -s, -; Nachtdieb *m.* -(e)s, -e; Nachtvogel *m.* -s, ⸚; Nachtschwärmer *m.* -s, -. ¶어젯밤 ~이 들었다 Ein Nachtdieb brach gesternabends ins Haus ein.

밤송이 Klette *f.* -n; Stachelhülle *f.* -n; die stachelige Hülle. ¶ ~ 속에 들어있는 밤 die Kastanie 《-n》 in der Schale.

밤송이솔 die Reinigungsbürste aus Palmbaumfäserchen (aus Kastaniengrat).

밤안개 Nacht¦nebel *m.* -s, - (-dunst *m.* -es, ⌊⸚e).

밤알 e-e (einzelne) Kastanie, -n.

밤얽이 e-e Art des Knotens; so etwas wie ein Knoten (wie ein Doppelschleife). ¶ ~를 치다 e-e Doppelschleife binden*.

밤엿 Kastaniensahnebonbon *m.* (*n.*) -s, -s.

밤윷 *Yuch* Holzstücke, klein wie Kastanien.

밤이슬 Nachttau *m.* -(e)s; Abendtau *m.* -(e)s; Tau der ²Nacht. ¶ ~을 맞다 ⁴sich dem Nachttau aus|setzen / ~이 내리다 (Der) Abendtau fällt.

밤일 Nachtarbeit *f.* -en; Nacht¦dienst *m.* -es, -e (-schicht *f.* -en). ~하다 in der Nacht (bei Nacht; nachts) arbeiten. ¶ ~을 시작하다 die Nachtarbeit an|fangen* / 그는 오늘 ~이 있다 Er hat heute Nachtdienst (Nachtschicht).

밤자갈 Kieselstein *m.* -(e)s, -e (für das Plastern, den Fußbodenbelag); Kies *m.* -es, -e; Kissel *m.* -s, -.

밤잔물 das Trinkwasser 《-s》, das während der Nacht am (neben dem) Bett liegt; die Bowle 《-n》 des Wassers, die während der Nacht am (neben dem) Bett liegen bleibt.

밤잠 das Schlafen* in der Nacht; das Nachtschlafen, -s; der Nachtschlaf, -(e)s, -e. ⌈⸚e.

밤장(一場) Nacht¦markt (Abend-) *m.* -(e)s,

밤재우다 die Nacht 《⸚e》 über bleiben* ⓢ (bis zum Morgen); über Nacht bleiben* ⓢ.

밤저녁 die Zeitdauer vom Sonnenuntergang bis Schlafenszeit; (später) Abend, -s, -e; nach Einbruch der Dunkelheit.

밤주악 der gestopfte Pfannkuchen 《-s, -》 von Kastanienmehl und Honig.

밤중(一中) die Mitte der Nacht. ¶ ~에 nachts; (spät) abends / 오~에 mitten in der ³Nacht; um ⁴Mitternacht; mitternachts / ~에 늦게까지 bis spät in die Nacht / ~에 늦게 전화를 드려 죄송합니다 Entschuldigen Sie den späten Anruf (die nächtliche Störung)! / 그녀가 오~에 어디로 갔는지 모르겠다 Ich weiß nicht, wo sie mitten in der Nacht hingegangen ist.

밤차(一車) Nachtzug *m.* -(e)s, ⸚e. ¶그는 서울에서 부산까지 ~로 달렸다 Von Seoul bis Busan ist er mit dem Nachtzug gefahren.

밤참 der Nachtimbiß, ..bisses, ..bisse. ¶ ~을 먹다 e-n Nachtimbiß ein|nehmen*.

밤톨 die (einzelne) Kastanie; ein Ding 《*n.* -es, -e》, so groß wie eine Kastanie. ¶ ~만한 우박 das Hagelkorn, so groß wie Kastanien / ~만하다 so groß wie eine Kastanie sein.

밤하늘 Nachthimmel *m.* -s, -. ¶ ~에 별들이 반짝이고 있다 Am Nachthimmel funkeln die Sterne.

밥[1] ① 《쌀밥》 gekochter Reis, -es. ¶ 조(보리, 콩, 팥)밥 der mit Kolbenbirsen (Gersten, Bohnen, Mungobohnen) zusammengekochte Reis / 밥을 짓다 Reis kochen / 밥을 푸다 Reis in die Schale tun* / 밥짓기 das Reiskochen, -s / 밥 짓는 이 Küchenjunge *m.* -n, -n (남자); Küchenmädchen *n.* -s, - (여자) / 증기 밥솥 Reisdampfkochtopf *m.* -(e)s, ⸚e. ② 《식사》 Mahlzeit *f.* -en; Essen *n.* -s, -. ¶ 밥을 먹다 e-e Mahlzeit halten* (ein|nehmen*); essen*; speisen / 밥 먹었는가 Hast du schon gegessen? / 밥이 다 되었어요 Es ist angerichtet!¦Das Essen ist fertig.
③ 《생계》 *js.* tägliches Brot, -(e)s. ¶ 밥도 먹을 수 없다 sein Brot nicht verdienen können*.
④ 《먹이》 Beute *f.* -n; Futter *n.* -s (가축의); Köder *m.* -s, - (미끼); Lockspeise *f.* -n (미끼); Opfer *n.* -s, - (희생물); Raub *m.* -(e)s. ¶ 돼지밥 Schweinefutter *n.* -s / 밥이 되다 zur Beute (zum Opfer; zum Raub) fallen*Ⓢ / 밥으로 삼다 [4]*et.* 《*jn.*》 zur Beute (zum Opfer) fallen lassen* / 아무의 밥이 되다 *js.* Raub werden; *jm.* zur Beute fallen* / 쥐는 고양이의 밥이다 Die Maus 《⸚e》 ist die Beute der Katze.
⑤ 《시계의》 ¶ 시계에 밥을 주다 die Uhr aufziehen*.

밥[2] 《부스러기》 das nutzlose Material, das beim Schneiden entsteht. ¶ 톱밥 Sägemehl *n.* -(e)s, -e (종류를 말할 때) / 대팻밥 Hobelspan *m.* -(e)s, ⸚e / 끌밥 Meißelmehl *n.* -(e)s, -e / 가윗밥 Stoff¦fetzen (Papier-) 《*pl.*》; ein Fetzen 《*m.* -s, -》 Papier übrig geblieben nach dem Schneiden mit der Schere.

밥값 Verpflegungskosten 《*pl.*》. ¶ ~을 내다 für die Verpflegung (Kost) zahlen / ~을 떼먹고 달아나다 fortgehen*Ⓢ, ohne die Zeche zu zahlen[4]; (den Wirt) um die Zeche prellen[4].

밥그릇 Reisschüssel *f.* -n. ¶ 밥을 ~에 담다 Reis in die Bowle (Schüssel) ein|legen; die Bowle (Schüssel) mit dem Reis erfüllen.

밥내다 foltern (mißhandeln), um Geständnisse e-s Verbrechers zu erzwingen*.

밥맛 ① 《밥의 맛》 der Geschmack (das Aroma) des Reises. ② 《식욕》 der Appetit, -(e)s, -e.

밥물 ① 《밥짓는》 das Wasser 《-s, -》 zum Kochen des Reises. ② 《넘치는》 Reis-Wasser *n.* -s, -. ¶ ~이 넘는다 Das Reis-Wasser kocht über.

밥밑 die mit dem Reis gekochten Bohnen 《*pl.*》 (Gerste *f.* -n *usw.*).
‖ ~콩 die feinsten Bohnen (geeignet zum Kochen mit Reis).

밥배기 ein Baby, das plötzlich entwöhnt ist (wegen der neuen Schwangerschaft) u. sich mit dem Reis vollstopft.

밥벌레 Taugenichts *m.* -(es), -e; Drohne *f.* -n; Faulenzer *m.* -s, -; Faulpelz *m.* -es, -e; Lotter *m.* -s, -; Lotterbube *m.* -n, -n; Müßiggänger *m.* -s, -; Nichts¦nutz *m.* -es, -e (-tuer *m.* -s, -); Tagedieb *m.* -(e)s, -e. ¶ 그는 ~다 Er ist nicht wert, daß die Sonne ihn bescheint.

밥벌이 die Ergänzung 《-en》 *js.* Lebens; das kärgliche Lebensunterhaltsmittel, -s, -; Beruf *m.* -(e)s, -e; das Brotverdienen*, -s; das Lebensunterhaltsverdienen*, -s; genug Verdienst 《*m.* -es, -e》 für knappe (Lebens-) bedürfnisse. **~하다** s-n Lebensunterhalt verdienen; sein Brot verdienen. ¶ ~가 되다 [4]*et.* genug zu essen* verdienen / ~가 떨어지다 *js.* Lebensunterhaltsmittel 《*n.* -s, -》 verlieren* / 그는 겨우 ~나 하고 있다 Er verdient seinen kärglichen Lebensunterhalt. / 요새 ~가 없다 Ich bin gerade stellungslos (arbeitslos). / 이 장사는 ~가 안된다 Dieses Geschäft geht nicht gut (schlecht).

밥보자(一褓子) Hanfstoffstück 《*n.* -(e)s, -e》, das gebraucht wird, um die Reisschüssel auf dem Tisch zu decken; der Überzug 《-(e)s, ⸚e》 (die Decke, -n) für den gekochten Reisbehälter.

밥상(一床) Eßtisch *m.* -es, -e; Tafel *f.* -n; 《소형의》 Eßtischchen *n.* -s, -; Täfelchen *n.* -s, -. ¶ ~을 차리다 den Tisch (die Tafel) decken[4] / ~을 받다 [4]sich zu Tisch setzen / ~에 올리다 die Speisen auf|tragen* (vor|-setzen) / ~을 치우다 die Tafel (den Tisch) auf|heben* (ab|decken); vom Tisch (Speisen) ab|tragen*.

밥소라 die große Bowle 《-n》 (die Schüssel, -n) aus Messing.

밥솥 Reistopf *m.* -(e)s, ⸚e; (Koch)kessel 《*m.* -s, -》 zum Kochen des Reises.

밥술 der gekochte Löffelvoll Reis, -es; das magere Essen*, -s; die dürre Kost. ¶ ~이나 얻어 먹으려고 이 일을 합니다 Ich übe diesen Beruf aus, gerade um mich aufrecht zu erhalten (am Leben zu bleiben).

밥쌀 der Reis 《-es》 zum Kochen*; (Eß-)reis *m.* -es, -.

밥알 ein gekochtes Reiskorn, -(e)s, ⸚er; ein Körnchen 《*n.* -s, -》 des gekochten Reises.

밥자배기 die große Schüssel, -n (zum Behalten* des Reises).

밥잔치 e-e kleine, einfache Abendgesellschaft, -en.

밥장사 Restaurantsgewerbe *n.* -s, -; Gaststättengewerbe *n.* -s, -; der Betrieb 《-(e)s, -e》 von Gaststätten; Essenverkauf *m.* -(e)s, ⸚e. **~하다** ein Restaurant betreiben*; eine Gaststätte führen; ein Speiselokal 《-(e)s, -e》 leiten.

밥장수 einer, der ein Restaurant (ein Speiselokal) betreibt; einer, der das Essen verkauft; Gast¦wirt (Speise-) *m.* -(e)s, -e; Restaurateur *m.* -s, -e.

밥주걱 die Holzschaufel 《-n》, den Reis zu servieren.

밥주머니 der Unbrauchbare*, -n, -n; der Nichtsnutzige*, -n, -n.

밥줄 Lebensmittel *n.* -s, -; die Mittel zum Lebensunterhalt. ¶ ~이 끊어지다 arbeitslos werden; die Mittel zum Lebensunterhalt (das [4]Einkommen) verlieren* / 움직이면 ~은 끊어지지 않는다 Man kann auskommen, solange man arbeitet.

밥집 Speisehaus *n.* -es, ⸚er; Gasthaus *n.* -es, ⸚er.

밥짓다 den Reis kochen; das Essen* kochen;

das Essen vorbereiten.

밥통(一桶) ①《밥을 담는》Reis¦kübel *m.* -s, -〔-zuber *m.* -s, -〕. ¶ ～에 밥을 담다 e-n Reiskübel mit Reis füllen. ②《위》Magen *m.* -s, -. ③《밥벌레》Taugenichts *m.* -(e)s, -e; Faulenzer *m.* -s, -; Lotter *m.* -s, -; Müßiggänger *m.* -s, -.

밥투정 das Sich-Beschweren* 《-s》 über die Unzulänglichkeit (in Menge und Qualität) des Essens; das Brummen 《-s》 über das Essen. ～하다 über das Essen brummen; [4]sich über die Unzulänglichkeit s-s Essens beschweren. ¶ 밥을 다 먹고도 ～을 한다 Du hast den ganzen Schüsselvoll (Reis) gegessen, dennoch schreist du nach mehr Reis.

밥풀 die gekochten Reiskörner 《*pl.*》〔die Körner des Reises〕, das als Klebstoff〔Stärkemehl〕gebraucht wird; Reisklebstoff *m.* -(e)s, -e.

밥풀강정 der gebackene Kuchen 《-s, -》 mit Reisüberzug aus leimartigem Reis und Honig.

밥풀과자(一菓子) der Honigkuchen 《-s, -》, mit dem Puffreis überzogen〔mit dem Puffreisüberzug〕.

밥풀질 das Bekleben* 《-s》〔das Stärken*, -s〕 mit dem gekochten Reiskörnern. ～하다 mit gekochten Reiskörnern bekleben〔stärken〕.

밧줄 《배·글라이더의》Schlepp¦seil〔Zug-〕*n.* -(e)s, -e; Schlepptau; Zugstrang *m.* -(e)s, ⸚e. ¶ 굵은 ～ Trosse *f.* -n; Kabeltau *n.* -(e)s, -(굵은 참바) / ～이 끊어지다 das Zugseil 《-(e)s, -e》 reißt〔platzt〕.

방(房) ①《거처하는》Zimmer *n.* -s, -; Gelaß *n.* ..lasses, ..lasse; Gemach *n.* -(e)s, ⸚er; Kammer *f.* -n; (Wohn)raum *m.* -(e)s, ⸚e; Räumlichkeit *f.* -en; Stube *f.* -n; Kajüte *f.* -n(선실). ¶ 방세 (Zimmer)miete *f.* -n / 셋방 ein Zimmer zu vermieten; Mietwohnung *f.* -en / 양지바른 방 das sonnige Zimmer, -s, - / 빈 방 das freie Zimmer / 방이 셋 있는 집 das Haus mit drei Zimmern / 방수색 Zimmersuche *f.* / 방을 세들다 ein [4]Zimmer mieten / 방을 세주다 ein Zimmer vermieten / 방으로 모시다 in ein Zimmer führen 《*jn.*》 / 지붕밑 방을 예약하다 auf ein Dachzimmer subskribieren〔abonnieren〕/ 방을 비우다 ein Zimmer frei machen〔leeren〕/ 방에 틀어박히다 [4]sich in ein Zimmer ein|schließen*; im Zimmer bleiben*; ein Zimmer hüten / 방에 가두다 in e-r Stube ein|sperren[4] 《*jn.*》 / 이 방은 나의 서재다 Dieses Zimmer ist mein Studierzimmer.¦Dieses Zimmer dient mir als〔zu〕Arbeitzimmer. / 빈 방이 있읍니까 Haben Sie (ein) Zimmer frei?
②〔명사 뒤에서〕Laden *n.* -s, -(⸚); Händler *m.* -s, -; Handlung *f.* -en. ¶ 책방 Buchhändler *m.* -s, - / 주방 Weinhändler *m.* -s, - / 약방 Apotheke *f.* -n / 시계방 Uhrhandlung *f.* -en.

방(放) Schuß *m.* ..usses, ..üsse. ¶ 한 방의 총성 der Knall 《-(e)s, -e》 e-s Flintenschusses/ 단방에 쏘아 죽이다 mit e-m Schuß töten[4] / 한방 먹다〔먹이다〕e-n Schuß bekommen*〔versetzen〕/ 한 방 쏘다〔놓다〕e-n Schuß ab|feuern.

방(榜) ①《방목》die Liste des erfolgreichen Kandidaten (für die höhere Prüfung des Staatsdienstes). ②《방문》Plakat *n.* -(e)s, -e; Anschlag *m.* -(e)s, ⸚e; die öffentliche Bekanntmachung, -en.

-방(方) ①《방위》Richtung *f.* -en. ¶ 동방 Ost *m.* -(e)s. ②〔명사 뒤에서〕bei[3]; per Adresse[2]/ N씨 방 bei Herrn N; per Adresse Herrn N (des Herrn N) / N씨 방 M씨 Herrn M bei Herrn N.; Herrn M per Adresse Herrn N.

방가(放歌) das lautes Singen, -s; das ungestüme〔lärmende〕Gesang, -(e)s, ⸚e. ～하다 laut〔ungestüm〕singen*; mit der lauten Stimme singen*.

방갈로 Bungalow [..lo:] *m.* -s, -s; Bangalo *m.* -s, -s.

방갓(方一) der Trauerhut 《-(e)s, ⸚e》 mit der breiten Krempe aus Bambusspalt; der Bambushut 《-(e)s, ⸚e》, getragen von den Trauernden〔Leidentragenden〕.
‖ ～장이 e-e Person 《-en》, die den Trauerhut mit der breiten Krempe trägt.

방게〖동물〗e-e Sorte des kleinen Krebses 《*m.* -es, -e》.

방계(傍系) Seiten¦linie〔Kollateral-〕*f.* -n. ¶ ～의 von e-r Seitenlinie (abstammend); kollateral; seitlich.
‖ ～비속(존속) Kollateral¦blutsverwandtschaft *f.* -en〔-vorfahren《*pl.*》〕. ～인족(姻族) die kollaterale Verwandtschaft durch Heirat; Schwägerschaft *f.* -en. ～친족(親族) die kollaterale Verwandtschaft, -en. ～혈족 die kollaterale Blutsverwandtschaft, -en; der Kollateral¦verwandte*〔Seiten-〕-n, -n; Seitenverwandtschaft *f.* -en(총칭). ～회사 Tochtergesellschaft *f.* -en; die abhängige Gesellschaft, -en.

방고래(房一) der Feuerkanal 《-s, ⸚e》 des Heizgewölbes (zur Fußbodenheizung). ¶ ～를 켜다(놓다) das Feuerkanalsystem in den (Fuß)boden des Zimmers ein|richten / ～를 쑤셔내다 den Feuerkanal unter dem Zimmer reinigen / ～가 메다 Der Feuerkanal des Heizgewölbes ist verstopft.

방공(防共) Antikomintern *f.* -; Defensive 《*f.* -n》 gegen den Kommunisten〔Kommunismus〕. ～하다 gegen Kommunisten〔Kommunismus〕kämpfen.
‖ ～협정 Antikominternabkommen *n.* -s, -.

방공(防空) Luft¦schutz *m.* -es〔-abwehr *f.*〕; Luftverteidigung *f.* -en. ～하다 gegen〔vor〕Luftangriff verteidigen〔schützen〕.
‖ ～감시원 der Wächter gegen den Luftangriff. ～대 Luftschutztruppe *f.* -n. ～시설 Luftschutzmaßnahmen 《*pl.*》. ～연습 Luftschutzübung *f.* -en. ～호 Luftschutzkeller *m.* -s, -〔-bunker *m.* -s, -〕.

방과(放課) die Freilassung von der Schule. ～하다《학교가》aus sein; vorüber〔vorbei〕sein; end(ig)en; beend(ig)en; zu Ende〔zum Schluß〕bringen*. ¶ ～후 nach der Schule; nach den Schulstunden.
‖ ～시간 Spiel¦zeit〔Ruhe-〕*f.* -en; das Ende von Schulstunden.

방관(傍觀) das Zu¦sehen*〔-schauen*〕-s. ～하다 mit an|sehen*[4]; zu|schauen[3]; (ruhig) zu|sehen*[3]. ¶ ～적 태도를 취하다 e-e gleichgültige Haltung an|nehmen* 《*bei*[3]》 / 수수～하다 mit den gekreuzten Armen zu|schauen; mit den Händen im Schoß zu|schauen / 이 참사를 어찌 ～할 수 있으랴 Wie kann ich bei e-m tragischen Anblick gleichgültig bleiben?

‖ ~자 Zuschauer *m.* -s, -; die Umstehenden* 《*pl.*》.

방광(膀胱) Harnblase *f.* -n.

‖ ~결석 Harnblasenstein *m.* -(e)s, -e. ~염 Harnblasenentzündung *f.* -en. ~카타르 Harnblasekatharsis *f.* ~파열 Harnblasebruch *m.* -(e)s, ⸗e.

방구들(房—) Feuerungskammer *f.* -n (im Fußboden); Unterfußbodensystem *n.* -s, -e (der Heizung).

방구리 Wasserkrug *m.* -(e)s, ⸗e. ¶ 옹~ ein kleiner Wasserkrug.

방구멍 das Loch 《-(e)s, ⸗er》 in der Mitte e-s Papierdrachens.

방구석(房—) Zimmerecke *f.* -n. ¶ ~에 in der Zimmerecke; im Zimmer; zu Hause / 언제나 ~에 틀어박혀 있다 Ich bin immer zu Hause.

방귀 (Bauch)wind 〔Darmwind〕 *m.* -(e)s, -e; Blähung *f.* -en; 〖속어〗 Furz *m.* -es, ⸗e. ¶ ~를 뀌다 e-n (Wind) fahren lassen*; 〖속어〗 furzen; Blähungen haben.

방그레 mild(e) 〔freundlich〕 lächelnd; lächelnd. ¶ ~ 웃다 gütig lächeln; herablassend lächeln; über *jn.* (^{4}*et.*) lächeln; *jm.* zu|lächeln; *jm.* an|lächeln / 그는 눈물이 고인 채 ~ 웃었다 Er lächelte unter Tränen.

방글거리다 nachsichtig lächeln; lautlos lachen. ☞ 벙글거리다. ¶ 방글거리는 얼굴 strahlendes Gesicht, -(e)s, -er.

방글라데시 Bangladesch 〔Bangladesh〕 *n.* -es; Volksrepublik B. ¶ ~의 bangalisch.

‖ ~사람 Bangali *m.* -(s), -(s).

방글방글 mild(e) lächelnd; heiter lächelnd; freundlich lächelnd; günstig lächelnd. ☞ 글벙벙글.

방금(方今) eben erst; eben jetzt; soeben; jetzt. ¶ ~ 말씀 드린 것처럼 wie ich eben jetzt gesagt habe / 어머니는 ~ 나가셨읍니다 Die Mutter ist eben jetzt ausgegangen. / ~ 그를 만났다 Ich habe ihn eben erst gesehen 〔getroffen〕. / ~ 그 분은 누굽니까 Wer ist der Mann, der gerade jetzt hier vorbeigegangen ist.

방긋 lächelnd; mit e-m Lächeln. ¶ ~이 웃다 lächeln; an|lächeln^{4} / 그녀는 자기도 모르게 ~ 웃었다 Sie lächelte unbewußt.

방긋방긋 lächelnd; strahlend 《vor Freude; vor Glück; vor Dankbarkeit *usw.*》; gut aufgelegt. ¶ ~ 웃다 lächeln; schmunzeln; strahlen《*vor*^{3}》〖das Gesicht 가 주어〗; leuchten lassen* 《*über*^{3}》〖das Antlitz 가 주어〗; das Lächeln nicht halten können* / ~하는 얼굴로 mit e-m freudestrahlenden Gesicht; freudestrahlend; froh|mütig 〔-gelaunt〕 / 너무 기뻐서 ~ 웃다 vor Freude lächeln / ~ 웃으며 바라보다 an|lächeln; zu|lächeln.

방긋이 ① 《웃다》 mit e-m (ungewußten) Lächeln; lächelnd; freudestrahlend; heiter; gütig; liebreich. ¶ ~ 웃다 lächeln / 그녀는 자기도 모르게 ~ 웃었다 Sie lächelte unbewußt.

② 《열리다》 artig; sanft; halb¦geöffnet 〔-geblast; -aufgebläht; -aufgeblüht〕. ¶ 미닫이를 ~ 열다 die Schiebetur ein wenig öffnen / 그녀는 문을 ~ 열고 들어왔다 Sie öffnete die Tür artig u. guckte hinein. / 장미꽃이 ~ 피어 있다 Die Rose ist halb geblast.

방긋하다 halb offen; angelehnt; halb aufgeblüht (sein); Blüten treiben*. ¶ 문이 ~ Die Tür ist angelehnt. / 꽃이 ~ Die Blume ist halb aufgeblüht.

방기 《중앙 아프리카 공화국의 수도》 Bangui.

방기(放棄) ＝포기(抛棄).

방나다 Bankrott machen; pleite gehen* ⓢ; in Konkurs geraten ⓢ.

방나다(榜—) ① 《일이》 bekannt werden; entschieden werden. ② 《명단이》 (durch Anschlag) öffentlich bekanntgegeben werden.

방년(芳年) das blühende Alter, -s, -. ¶ 그 여자는 ~ 18세다 Sie steht im blühenden Alter von 18.¦Sie ist ein liebliches Mädchen von 18.

방념(放念) Sorgenlosigkeit *f.* -en; Gemütsruhe *f.* ¶ ~하십시오 Machen Sie sich darum 〔darüber〕 k-e Sorge mehr!¦Machen Sie k-e Gedanken mehr darüber!

방놓다(房—) ein Zimmer hinzu|fügen; ein Zimmer renovieren; ein Zimmer erneuern; ein Zimmer wieder|her|stellen.

방뇨(放尿) das Harnlassen*, -s; das Harnieren*, -s. ~하다 sein Wasser ab|schlagen*; harnen; pinkeln (오줌을 누다).

방담(放談) das unverantwortliche Gerede, -s; das Gespräch 《-(e)s, -e》 aufs Geratewohl. ~하다 unverantwortlich sprechen*(reden).

‖ ~회 Unterhaltung *f.* -en; e-e Gesellschaft zur Unterhaltung.

방대하다(厖大—) ungewöhnlich 〔ungeheuer〕 groß; gigantisch; gewaltig; riesig 〔riesenhaft〕; kolossal(isch) (sein). ¶ 방대한 계획 das extensive Programm, -s, -e / 방대한 예산 das ungeheuer große Budget [bʏdʒéː] / 방대한 자료 massive Materien 《*pl.*》 / 방대한 지출 massive Ausgaben 《*pl.*》 / 방대한 책 ein dickes Buch, -(e)s, ⸗er.

방도(方道·方途) ① 《방법》 die Art u. Weise; Behandlungs¦weise 〔Darstellungs-〕 *f.* -n; Methode *f.* -n; Verfahren *n.* -s, -. ¶ ~가 없는 nichtswürdig; hoffnungslos; unwürdig; unverbesserlich (어찌할 수 없는); unbrauchbar (쓸모가 없는); zweck¦los (sinn-) (쓸모가 없는); unlenkbar(제어하기 어려운) / 별~ 없이 da man sich gezwungen sah; weil k-e andere Wahl übrigblieb; da man nicht anders konnte / 이 폐해를 어찌할 ~가 없을까 Ist dem Übel(stand) nicht irgendwie abzuhelfen? ② 《수단》 Mittel *n.* -s, -; Weg *m.* -(e)s, -e; Mittel u. Wege 《*pl.*》. ¶ 달리 ~가 없다 kein Mittel mehr haben; es gibt keinen anderen Weg, als... zu....

방독(防毒) Gasschutz *m.* -es; der Schutz 《-es》 gegen Gasgift. ~하다 *jm.* 《von *jm.*》 Gasgift ab|wehren.

‖ ~면 Gasmaske *f.* -n. ~실 Gasschutzraum *m.* -(e)s, ⸗e. ~의(衣) Schutzkleidung *f.* -en. ~장갑 Schutzhandschuhe 《*pl.*》. ~제 das Schutzmittel 《-s, -》 gegen Gasgift.

방둥구부렁이 ein Kriechtier, dessen Hinterteil gebogen ist.

방둥이 Hinterteil *m.* 〔*n.*〕 -(e)s, -e; Hinterbacke *f.* -n; Gesäß *n.* -es, -e.

방랑(放浪) Wanderung *f.* -en; das Landstreichen*, -s. ~하다 wandern; durchstreifen^{4}; umher|streifen 〔-|wandern; -|ziehen〕; vagabundieren 〖이상 모두 ⓢ〗; nomadisieren. ¶ ~의(하는) wandernd; umherirrend; landstreichend / ~성이 있는 wanderlustig; nomadenhaft; zigeunerhaft / ~성이 있다 Wanderlust 《*f.* ⸗e》 haben / ~의 길을 떠나다 ^{4}sich auf den Weg der Wanderung machen / 국내를 ～하다 im Lande umher|streichen* / ～하는 화란인 der fliegende Holländer (바그너의 악극명).

‖ ～객, ～자 Wanderer *m.* -s, -; Landstreicher *m.* -s, - (부랑자); Strolch *m.* -(e)s, -e (유랑자); Vagabund *m.* -en, -en; Nomade *m.* -n, -n. ～문학 Bohemienliteratur *f.* -en; böhmische Literatur, -en. ～벽 Wanderlust *f.* ⸚e. ～생활 Wanderleben *n.* -s, -; Nomadenleben (유목); Vagabondage [..dá:ʒə] *f.*

방략(方略) Plan *m.* -(e)s, ⸚e (계획); Mittel *n.* -s, - (수단); Taktik *f.* -en (타산); Politik *f.* -en (정략); Diplomatie *f.* -n (권모술수); Kriegskunst *f.* ⸚e (전술); Strategie *f.* -n (전략); List *f.* -en (책략); Ränke 《*pl.*》 (책모). ¶ ～을 정하다(세우다) e-n Plan entwerfen* / ～을 생각해 내다 e-n Plan ersinnen* / ～을 강구하다 Maßregeln nehmen* (treffen*).

방론(放論) Redeschwall *m.* -(e)s, -e; leeres Gerede, -s. ～하다 hochtrabend (schwülstig) reden; theatralisch her|sagen; unverantwortlich sprechen*.

방류하다(放流—) 《물을》 wegfließen lassen*; ablaufen lassen*; auslaufen lassen*; 《고기를》 (die Fische) in den Strom wegschwimmen lassen* (um sie zu pflegen). ¶ 강에 잉어를 ～ die Karpfen in den Strom wegschwimmen lassen*.

방리(方里) ein Quadrat *Ri* (Flächenmaß).

방만(放漫) Lockerheit *f.* -en; Laxheit *f.* -en; 《방종》 das Sichgehenlassen*, -s; Zügellosigkeit *f.* -en. ～하다 locker; lose; nachlässig; 《단정치못한》 liederlich; 《해이한》 schlaff; 《방탕한》 ausschweifend (sein). ¶ ～한 정책 die unbesonnene Politik, -en / ～한 비평 die unverantwortliche Kritik, -en.

방망이 das hölzerne Hämmerchen, -s, -. ¶ 요술～ das Wunder wirkende Hämmerchen; Füllhorn *n.* -(e)s, ⸚er; Zauberhämmerchen *n.* -s, - / 다듬잇～ das hölzerne Hämmerchen (das man gebraucht, das gewaschene Tuch zu glätten) / 빨랫～ das hölzerne Waschhämmerchen.

방매(放賣) ＝매출.

‖ ～가(家) (ein) Haus zu verkaufen.

방면(方面) ① 《지방》 Richtung *f.* -en; Seite *f.* -n; 《지방》 Bezirk *m.* -(e)s, -e; Gegend *f.* -en; 《영역》 Bereich *m.* (*n.*) -(e)s, -e; Gebiet *n.* -(e)s, -e. ¶ 부산 ～ Busan Gegend / 각 ～ alle Richtungen; alle Seiten; alle Gebiete / 이 ～에서 in dieser [3]Richtung (Gegend) / 모든 ～에서(으로) von allen Orten u. Enden; von allen Seiten; nach allen Richtungen; nach allen Seiten; auf allen Gebieten / 장사차 부산 ～으로 떠났다 Er ist in Geschäften nach Busan abgereist.

② 《분야》 Feld *n.* -(e)s, -er; Gebiet *n.* -(e)s, -e; Fach *n.* -(e)s, ⸚er; Gesichtspunkt *m.* -(e)s, -e; Winkel *m.* -s, -; Sphäre *f.* -n; Quelle *f.* -n. ¶ 문학 ～ das Feld der Literatur / 각 ～에서 《견지》 von allen Gesichtspunkten; 《뉴스 따위》 von verschiedenen Quellen; 《각도》 von allen Winkeln / 의학(운동) ～에서는 in dem Feld der Medizin (des Sportes) / 모든 ～에서 고찰하다 von verschiedenen Gesichtspunkten betrachten; [4]*et.* von allen Seiten (allseitig) überlegen / 그의 관심은 의학 ～에 있는 것 같다 Er scheint in dem Feld der Medizin Interesse zu haben. / 그는 각～에 친구가 있다 Er hat viele Freunde aus allen Klassen. / 자료는 각～에서 수집되었다 Die Materialien wurden von allen Quellen gesammelt.

방면(放免) Freilassung *f.* -en; Befreiung *f.* -en; Entlassung *f.* -en; Freisprechung *f.* -en (무죄방면). ～하다 frei|lassen*[4]; befreien[4]; entlassen*[4]; frei|sprechen*[4]; *jn.* in Freiheit setzen. ¶ 집행 유예로 ～하다 bedingt freilassen[4]; auf Bewährung entlassen[4] / 보석금 5,000 마르크로 ～하다 (되다) gegen e-e Kaution von 5000 DM frei|lassen[4] (entlassen werden).

‖ 무죄～ Freisprechung u. Entlassung: 피고를 무죄～하다 e-n Angeklagten von e-m Verbrechen frei|sprechen* / 무죄～의 선고 das freisprechende Urteil, -(e)s, -e. 훈계～ Entlassung nach Ermahnung.

방명(芳名) 《경칭》 Ihr werter Name, -ns, -e; 《명성》 Ruhm *m.* -(e)s; der (gute) Ruf, -(e)s; das Ansehen*, -s (명망); Beliebtheit *f.* -en. ¶ ～을 먼 나라에까지 떨쳤다 Sein Ruf ist bis in ferne Länder geklungen.

‖ ～록(錄) Namenliste *f.* -n; Gästebuch *n.* -(e)s, ⸚er.

방목(放牧) das (Ab)weiden*, -s. ～하다 weiden[4]; das Vieh weiden[4]; das Vieh auf die Weide treiben*. ‖ ～권 (Vieh)trift *f.* -en. ～지 Weide *f.* -n.

방목(榜目) die Liste 《-n》 der in der Staatsprüfung erfolgreichen Kandidaten.

방문(方文) Rezept *n.* -(e)s, -e; Vorschrift *f.* -en; Verordnung *f.* -en.

방문(房門) Tür *f.* -en.

방문(訪問) Besuch *m.* -(e)s, -e; Aufwartung *f.* -en (의례방문); Visite *f.* -n. ～하다 besuchen[4]; bei *jm.* e-n Besuch machen; *jm.* e-n Besuch ab|statten; auf|suchen[4]; vorbei|kommen* Ⓢ 《*bei*[3]》 (들르다); vor|sprechen* 《*bei*[3]》; (bei) *jm.* s-e Aufwartung machen (의례적); interviewen[4] [intərvjú:ən] (기자들이). ¶ 답례로 ～하다 e-n Besuch erwidern / 용무로 ～하다 in Geschäften e-n Besuch machen / ～을 받다 e-n Besuch erhalten* (bekommen*) / 그는 며칠 전에 그녀를 ～했다 Vor einigen Tagen besuchte er sie. / 후에 그를 ～할 것이다 Später werde ich ihn besuchen.

‖ ～객 Besucher *m.* -s, -; Besuch *m.* -(e)s, -e; Visite *f.* -n: ～객을 접하다 Besuch empfangen* / ～객이 있다 Besuch haben / 그에게는 ～객이 많다 Er bekommt zahlreiche Besuche. / 오늘은 ～객이 있읍니다 Wir haben (erwarten) heute e-n Besuch. / 그는 ～객을 친절히 맞이했다 Er empfang den Besuch freundlich. ～기사 Interview *n.* -(s), -s. ～기자 Interviewer *m.* -s, -; Reporter *m.* -s, -. ～외교 Besuchsdiplomatie *f.* -n. ～용 명함 Besuchskarte *f.* -n. 공식～ formaler Besuch.

방문(榜文) Plakat *n.* -(e)s, -e; ein öffentliche Bekanntmachung, -en; Anzeige *f.* -n. ¶ ～을 내붙이다 ein Plakat an|schlagen*.

방문차(房門次) ein auf die Papiertür aufgeklebtes Gemälde, -s, -.

방물 Galanteriewaren 《*pl.*》 der Frauen; Modewaren 《*pl.*》 der Frauen.

‖ ～장사 das Hausieren* 《-s》 mit Galanteriewaren der Frauen. ～장수 ein Hausierer mit Frauenmodewaren.

방밑(枋—) 【건축】 niedriger Teil 《-(e)s, -e》 (Sockel, -s, -) e-r Wand.

방바닥(房—) der Fußboden 《-s, ⸚》 e-s Zimmers. ¶ 맨~ ein leerer (barer) Fußboden/ ~이 차다 Der Fußboden ist kalt.

방방곡곡(坊坊曲曲) das ganze Land, -(e)s, ⸗er; alle Ecken u. Enden. ¶ ~에(서) überall; allerorts; in allen Ecken u. Enden; im ganzen Land; überall im Lande / 한국의 ~ über ganz Korea; überall in Korea / ~에서 사람들이 모인다 Die Leute sammeln von weit u. breit. / ~에 알려지다 überall bekannt werden; weit u. breit bekannt werden.

방범(防犯) die Vorbeugung 《-en》 von Verbrechen. **~하다** dem Verbrechen vor|beugen; vor dem Verbrechen verwahren.

‖ **~대원** Nachtwache *f.* -n. **~벨** Alarmklingel *f.* -n 《gegen den Einbrecher》. **~주간** die Woche der Vorbeugung von Verbrechen.

방법(方法) Methode *f.* -n; Art *f.* -en; Weise *f.* -n; Art u. Weise, der - u. -, -en u. -n; Weg *m.* -(e)s, -e; Verfahren *n.* -e, -(수법); Mittel *n.* -s, -(수단); Schritt *m.* -(e)s, -e; Maßnahme *f.* -n (조처). ¶ 이런 ~으로 auf diese Weise / 여러 가지 ~으로 auf mehr als e-e Weise; auf verschiedene Wege / 일정한 ~으로 nach e-r bestimmten Methode / 확실한 ~ die bewährte Methode / 수단 ~ Mittel u. Wege 《*pl.*》 / ~을 강구하다 Maßregeln nehmen* (treffen*; ergreifen*); ein Verfahren ein|schlagen*; die Mittel auf|-treiben* / 갖은 ~을 강구하다 alle Mittel u. Wege versuchen / ~을 그르치다 ein falsches Verfahren ein|schlagen* / 더 좋은 ~이 없다 Es gibt kein besseres Verfahren. / …밖에 다른 ~이 없다 es gibt keinen anderen Weg als... zu.... / 나는 모든 ~을 다해 보았다 Ich habe alles mögliche versucht. / 그것이 가장 좋은(간단한) ~이다 Das ist das Beste (Einfachste). / 그것은 ~이 나빴다 Das liegt an der Methode. / 나대로의 ~이 있다 Ich habe m-e eigene Methode. / 이것은 보통 ~으로는 안 된다 Das geht nicht auf dem normalen Wege. / 새로운 수단 ~을 발견했다 Er hat neue Mittel u. Wege gefunden. / 우리는 전과 같은 ~으로 장사를 계속할 것이다 Wir werden das Geschäft in der bisherigen Weise fortsetzen.

‖ **~론** Methodologie *f.* -n. **~연구** die Studie der Methode.

방벽(防壁) Schutz|mauer *f.* -n (-wall *m.* -(e)s, ⸗e; -wand *f.* ⸗e); Bollwerk *n.* -(e)s, -e 《*gegen*[4]》. ¶ 공산주의에 대한 ~ ein Bollwerk gegen Kommunismus / 농민계급은 국제주의에 대한 ~이다 Das Bauerntum ist ein Bollwerk gegen den Internationalismus.

‖ **~지대** die sichere Zone, -n; Sicherheitsgebiet *n.* -(e)s, -e.

방보라 〖건축〗 《욋가지 대신의》 die kleine Stöcke, die waagerecht in eine kleine Wand eingeflochten werden (anstatt der Latten); 《설외의》 die schmalen Holzstücke, die zur Unterstützung des Wandbaues gebraucht werden, im Fall daß die Latten eingeflochten werden. **~치다** die Holzstücke an|heften (an|knüpfen; an|binden*; fest|machen; befestigen).

방부(防腐) die Verhütung der Fäulnis; Konservierung *f.* -en; Einbalsamierung *f.* -en (시체의); 《상처 따위의》 Asepsis *f.*; Aseptik *f.* **~하다** vor der Fäulnis bewahren[4]; ein|-balsamieren[4]. ¶ ~성의 antiseptisch; fäulniswidrig; fäulnistilgend; keimwidrig / 재목의 ~ 보존제 Karbolineum *n.* -s; Anstrichöl 《*n.* -(e)s, -e》 zum Erhalten des Holzes.

‖ **~제**(劑) Erhaltungsmittel *n.* -s, -; das antiseptische Mittel; das fäulniswidrige Mittel; Aseptol *n.* -s: ~제를 쓰다 antiseptisch (fäulniswidrig) behandeln[4]; 《시체에》 ein|balsamieren[4]; salben[4].

방불(彷彿·髣髴) die äußerste (große) Ähnlichkeit, -en. **~하다** mit [3]*et.* (große; viel) Ähnlichkeit haben; sehr ähnlich sein 《*jm.*》; sehr ähneln 《*jm*》. ¶ ~케 하다 ein Bild geben* 《*von*[3]》; *jn.* erinnern 《*an*[4]》 / 그의 풍모는 그의 부친을 ~케 한다 Sein Aussehen erinnert mich an s-n Vater.

방비(房—) Zimmerbesen *m.* -s, -.

방비(防備) Verteidigung *f.* -en; Wehr *f.* -en; Verteidigungsanstalten 《*pl.*》 (방어 시설); Verteidigungswerke 《*pl.*》 (방어공사); Befestigung *f.* -en (축성); Festungswerke 《*pl.*》(축성); Besatzung *f.* -en (수비대); Ausrüstung *f.* -en. **~하다** verteidigen; schützen; befestigen. ¶ ~가 된 (안 된) befestigt; verschanzt (schutzlos; unverteidigt; wehrlos) / ~를 강화하다 e-e Festung (die Besatzung) verstärken / ~시설을 하다 befestigen 《e-e [4]Stadt》; Befestigungen an|legen; verschanzen[4] 《ein [4]Lager》 (보루를 설치하다); verteidigen[4] 《e-e [4]Stadt; e-e [4]Festung》 (방위하다).

‖ **무~도시** die offene Stadt, ⸗e.

방사(房事) der geschlechtliche Verkehr, -(e)s; Beischlaf *m.* -(e)s. **~하다** Geschlechtsverkehr 《*m.* -(e)s, -e》 haben. ¶ ~를 삼가다 keusch sein. ‖ **~과도** die geschlechtliche Ausschweifung, -en.

방사(放射) 《방출함》 (Aus)strahlung *f.* -en; Ausströmung *f.* -en; 《발사함》 Emission *f.* -en; Radiation *f.* -en. **~하다** aus|strahlen[4]; aus|senden[(*)4]; aus|strömen[4]; [4]sich strahlenförmig (aus|)breiten[4]. ¶ ~성의 ausstrahlend; radial; Strahlungs-; radioaktiv / ~상의 radial; strahlenförmig; vom Mittelpunkt ausgehend / 열을 ~하다 Wärme 《*f.*》 aus|strömen / 태양은 빛과 열을 ~한다 Die Sonne sendet Licht u. Wärme aus.

‖ **~상 도로** Radial|straße (-linie) *f.* -n. **~성 물질** der radioaktive Stoff, -(e)s, -e. **~성 동위원소** das radioaktive Isotop, -s, -e (Element, -(e)s, -e); Radioindikator *m.* -s, -n. **~성 오염** raidioaktive Verseuchung (Kontamination) -en.

방사능(放射能) Radioaktivität *f.* ¶ ~이 있는 radioaktiv / ~에 오염된 야채 das Gemüse 《-s, -》, das von der Radioaktivität beschmutzt ist / ~을 쐰 사람 e-e [3]Radioaktivität berührte (ausgesetzte) Person, -en / 수폭 실험으로 비에는 ~이 들어 있다 한다 Wegen des Experimentes mit der Wasserbombe soll der Regen radioaktiv sein. / ~측정에는 가이거 계수관이 사용된다 Zur Messung der Radioaktivität benutzt man den Geigerschen Spitzenzähler (das Geigersche Zählrohr). / 비에서 800 카운트의 ~이 검출되었다 800 Zählstöße sind im Regen nachgewiesen.

‖ **~낙진** der radioaktive Staub, -(e)s, -e. **~비(구름)** der (die) radioaktive Regen (Wolke). **~시험** Radiometrie *f.* -n. **~원소** das radioaktive Element, -(e)s, -e. ～장애 〖의학〗 Radiokrankheit *f.* -en. ～화학 Radiochemie *f.* -n.

방사림(防沙林) Die auf Sand gepflanzten Bäume, die Verschiebungen verhüten sollen*.

방사선(放射線) X-Strahlen 《*pl.*》; radiale Strahlen 《*pl.*》.

‖ ～병 radioaktive Krankheit, -en. ～사진 Radiographie *f.* -n. ～요법 Strahlentherapie *f.* -n.

방산(放散) 《방사》 Ausstrahlung *f.* -en; Ausströmung *f.* -en; Diffusion *f.* -en; Emanation *f.* -en; Irradiation *f.* -en(감정, 진통 등); Radiation *f.* -en. ～하다 aus|strahlen⁽⁴⁾; aus|strömen⁽⁴⁾ 〖이상 자동사일 경우 ⓢ〗; ⁴sich strahlen; aus|breiten; diffundieren⁴; emanieren ⓢ.

‖ ～충(蟲) Radiolarie [ra:diolá:riə] *f.* -n.

방석(方席) Sitzkissen *n.* -s, -; Polster *n.* -s, -. ¶ ～을 깔다(에 앉다) ⁴sich auf ein Kissen setzen.

‖ 수～ das gestickte Sitzkissen, -s, -.

방선(傍線) Unterstreichung *f.* -en. ¶ ～을 치다 unterstreichen*⁴ / ～을 친 unterstrichen.

방설(防雪) der Schutz 《-es》 gegen den Schnee; Schneeschutz *m.* -es.

‖ ～림 der gegen den Schneebruch geschützte Wald, -es, ⸚er; der Wald als Schneeschutz. ～장치 《철로·도로의》 Schneeschutz *m.*; Schneeschutzanlage *f.* -n.

방성대곡(放聲大哭) ＝방성통곡.

방성통곡(放聲痛哭) das (laute) Wehklagen*, -s. ～하다 bitterlich (herzzerreißend; jämmerlich; laut) weinen; lamentieren.

방세(房貰) Zimmermiete *f.* -n. ¶ 비싼(싼) ～를 내다 hohe (niedrige) Miete (für ein Zimmer) zahlen / ～를 올리다 die Zimmermiete erhöhen / ～는 얼마입니까 Wie hoch ist die Zimmermiete? | Was macht die Miete?

방세간(房―) Zimmermöbel 《*pl.*》; Mobiliar *n.* -s, -e.

방송(放送) 《라디오·텔레비전》 Radio *n.* (*m.*) -s, -s; Rundfunk *m.* -(e)s, -e; Rundfunkübertragung *f.* -en; Funk *m.* -(e)s; Sendung *f.* -en. ～하다 durch Rundfunk übertragen*⁴; im Rundfunk (Radio) senden⁴ 〖약변화〗; über Rundfunk singen*⁴ (sprechen*). ¶ ～을 듣다 Radio hören; im Radio hören⁴ / 이 ～은 전국에 중계된다 Alle Sender sind für diese Sendung angeschlossen. / 지금 ～극이 나오고 있다 Ein Hörspiel läuft jetzt (ist im Gang). / 이 ～은 청취자들 사이에 대단한 반향을 불러 일으켰다 Diese Sendung fand in der Hörerschaft e-e starke Resonanz (hatte ein starkes Echo unter den Hörern). / 이 행사는 내일 ～된다 Diese Veranstaltung kommt morgen vors Mikrophon. / 올림픽 실황은 밤에 다시 한번 ～될 것이다 Der Olympia-Hörbericht geht im Nachtprogramm wieder in den Äther.

‖ ～국 Sender *m.* -s, -; Rundfunkstation *f.* -en. ～극 Hörspiel *n.* -(e)s, -e. ～도청자 Schwarzhörer *m.* -s, -. ～시간 Sendezeit *f.* -en. ～실 Senderaum *m.* -(e)s, ⸚e. ～아나운서 Ansager *m.* -s, - (Ansagerin *f.* -nen). ～차 Übertragungswagen *m.* -s, -. ～청취료 Hörgebühren 《*pl.*》. ～청취자 Rundfunkteilnehmer *m.* -s, -. ～토론회 Radio-Forum *m.* -s, -s. ～프로 Radio|programm (Fernseh-) *n.* -es, -e. 녹음～ Aufnahmesendung *f.* -en. 뉴스～ Zeitfunk *m.* -(e)s. 생～ Originalsendung *f.* -en. 실황～ Hörbericht *m.* -(e)s, -e. 심야～ Nachtprogramm *n.* -es, -e. 오락～ Unterhaltungssendung *f.* -en. 제1(제2)～ das erste (zweite) Programm, -es, -e. 중계～ Übertragung *f.* -en. 중계～국 Zwischensender *m.* -s, -. 퀴즈～ Rätselsendung *f.* -en.

방수(防水) ① 《큰 물의》 der Schutz 《-es》 (die Schutzmaßnahmen《*pl.*》) vor (gegen) Überschwemmung. ② 《스며드는 물의》 Wasserdichtheit *f.* -en; Wasserdichtigkeit *f.* -en; Regendichte *f.* -n. ～하다 wasserdicht machen⁴; wasserfest machen⁴. ¶ ～의 wasserdicht; wasserfest.

‖ ～대책 Wasserschutzmaßnahme *f.* -n. ～모 Matrosenhut *m.* -(e)s, ⸚e; Sturmhaube *f.* -n. ～설비 Wasserschutzanlagen 《*pl.*》; der Schutzdamm 《-(e)s, ⸚e》 gegen Überschwemmung. ～외투 der wasserdichte Überrock, -(e)s, ⸚e; Gummimantel *m.* -s, ⸚; Mackintosh *m.* -, -. ～장치 Wasserschutzapparat *m.* -(e)s, -e; die wasserdichte Anlage, -n. ～제 der wasserdicht Stoff, -(e)s, -e. ～포(布) Persenning *f.* -en; der wasserdichte Stoff, -(e)s, -e; Zeltbahn *f.* -en; Ölzeug *n.* -(e)s; Ölkleidung *f.* -en; das geteerte Tuch, -(e)s, ⸚er. ～화 Gummischuhe 《*pl.*》; Wasserstiefel 《*pl.*》.

방수(防守) Verteidigung *f.* -en; Wacht *f.* -en; Bewachung *f.* -en. ～하다 verteidigen⁴; bewachen⁴. ☞ 방어(防禦).

방수(放水) Abfluß *m.* ..flusses, ..flüsse; Ablauf *m.* -(e)s, ⸚e; Abzug *m.* -(e)s, ⸚e. ～하다 ab|ziehen*⁴; abfließen (ablaufen) lassen*⁴.

‖ ～관 Abfluß|rohr *n.* -(e)s, -e(-röhre *f.* -n). ～로 Abzugsgraben *m.* -s, ⸚; Abfluß *m.* ～문 Schleuse *f.* -n; Schleusentor *n.* -(e)s, -e.

방수(傍受) das Zuhören* (Abhören*; Anhören*) -s. ～하다 ab|hören⁴. ¶ 무전을 ～하다 e-e drahtlose Meldung ab|hören.

방술(方術) ① 《방법과 기술》 Methode 《*f.* -n》 u. Verfahren 《*n.* -s, -》. ② 《마법》 Geisterbeschwörung *f.* -en; Schwarzkunst *f.* ⸚e; Zaubermittel *n.* -s, - (der Taoisten).

방습(防濕) der Schutz 《-es》 gegen Feuchtigkeit. ¶ ～의(된) naßfest; feuchtdicht; gegen Feuchtigkeit geschützt.

방시레 ＝방그레.

방식(方式) Form *f.* -en; Formel *f.* -n; die Art u. Weise; 《양식》 Formular *n.* -s, -e; 《방법》 Methode *f.* -n; System *n.* -s, -e; Norm *f.* -en (규격). ¶ ～대로 in gehöriger ³Form / 일정한 ～에 따라서 nach e-r bestimmten Methode / ～에 따르다 der ³Form folgen / ～을 어기다 der ³Form zuwider|handeln / ～을 지키다 die Form beobachten / ～이 틀리다 falsch machen; falsch handeln / 이 증서는 ～대로 씌어 있다 Das Dokument ist den Vorschriften entsprechend geschrieben.

방식제(防蝕劑) 〖화학〗 Antiseptikum *n.* -s, ..ka. ☞ 방부제.

방실거리다, 방실대다 lächeln. ¶ 방실거리며 lächelnd; freundlich / 아무에게 방실거리다 *jn.* an|lächeln / 그녀는 방실거리며 대답했다 Sie antwortete lächelnd (mit e-m feinen Lächeln).

방심(放心) ① 《얼빠짐》 Geistesabwesenheit *f.*; Gedankenlosigkeit *f.* -en; Zerstreutheit *f.* -en. ～하다 geistesabwesend (zerstreut; gedankenlos) sein. ¶ ~한 geistesabwesend; gedankenlos; zerstreut / ~케 하다 *js.* Gedanken zerstreuen; *jn.* (*js.* Aufmerksamkeit) ab|lenken / 그때 그는 멍하니 ~ 상태에 있었다 Dabei war er völlig zerstreut u. nicht bei der Sache.

② 《부주의》 das Unvorbereitetsein*, -s; Unbedachtsamkeit *f.* (경솔); Unvorsichtigkeit *f.* (주의, 산만). **~하다** nicht auf|passen 《*auf*⁴》; unachtsam (unaufmerksam; unvorsichtig; zerstreut) sein. ¶ ~한 unvorbereitet 《*für*⁴; *auf*⁴》; nicht bereit 《*zu*³》; unbedacht; unbedachtsam; unvorsichtig; übereilt 《*in*³; *mit*³》 / ~하여 aus Unvorsichtigkeit; unvorsichtigerweise / ~하지 않고 wachsam; aufmerksam; vorsichtig / ~은 금물이다 Sie müssen aufpassen (vorsichtig sein). / ~하지 마시오 Seien Sie vorsichtig! Passen Sie auf!

③ 《안심》 Beruhigung *f.*; Sicherheit *f.*; Sorgenlosigkeit *f.* **~하다** ⁴sich beruhigen 《*über*⁴》; ⁴sich beruhigt fühlen.

방심(傍心) 〖수학〗 Exzenter *m.* -s, -.

방아 Mörser *m.* -s, -; Handmühle *f.* -n. ¶ ~를 찧다 ⁴*et.* in e-m Mörser zerstoßen*.

‖ **~굴대** die Achse (Welle) 《-n》 des Mörsers. **~꾼** Müller *m.* -s, -. **~두레박** Brunnenschwengel 《*m.* -s, -》 mit e-m Schöpfeimer; der Stiel 《-(e)s, -e》 der Mörserkeule. **~확** die Höhle des Mörsers. **방앗간** Mühle *f.* -n. **방앗공이** Mörserkeule *f.* -n; Stößel *m.* -s, -.

방아깨비 〖곤충〗 Heuschrecke *f.* -n; Grashüpfer *m.* -s, -; *Acrida lata* (학명).

방아다리 aus Gold od. Silber gemachtes Schmuckstück, -s, -e; die Form 《-en》 e-s Edelsteines.

방아살 Rinderrippenstück *n.* -(e)s, -e.

방아쇠 《총포의》 Drücker *m.* -s, -; Abzug *m.* -(e)s, ⸚e; Hahn *m.* -(e)s, ⸚e. ¶ ~를 당기다 den Hahn spannen.

방아타령(一打令) e-e Art von koreanischen Volksliedern.

방아풀 〖식물〗 e-e Art Minze 《*f.* -n》; *Amethystanthus japonicus* (학명).

방안(方案) Plan *m.* -(e)s, ⸚e; Schema *n.* -s, -s (-ta); Programm *n.* -(e)s, -e. ¶ ~을 세우다 Pläne schmieden; Plan entwerfen*; planen⁴.

방안지(方眼紙) Millimeterpapier *n.* -s.

방약무인(傍若無人) Frechheit *f.* -en; Unverschämtheit *f.* -en; Unbescheidenheit *f.* -en. **~하다** dreist; frech; unverschämt; schamlos; 《불손한》 anmaßend (sein). ¶ ~하게도 …하다 ⁴sich an|maßen (⁴sich erdreisten), ⁴*et.* zu tun / ~하게 굴다 ⁴sich unverschämt benehmen* / 범인은 ~한 태도로 범행을 부인했다 Der Verbrecher hatte die Stirn (Dreistigkeit) s-e Tat zu leugnen.

방어(防禦) Abwehr *f.*; Gegenwehr *f.* -en; Schutz *m.* -es; Verteidigung *f.* -en; Defensive *f.* -n (수비). **~하다** (be)schützen⁴ 《*gegen*⁴; *vor*³》; verteidigen⁴ 《*gegen*⁴》; ⁴sich wehren 《*gegen*⁴; *wider*⁴》; ⁴sich zur Wehr setzen (stellen). ¶ ~가 안 된 schutzlos; unbefestigt; wehrlos / ~의 schützend; verteidigend; defensiv / ~하기 어려운 unhaltbar; nicht zu verteidigen / 자신을 ~하다 ⁴sich verteidigen; ⁴sich schützen / ~의 태세를 취하다 e-e Verteidigungsstellung ein|nehmen*; 《수세를 취함》 die Defensive ergreifen*; ⁴sich in der Defensive befinden* / 적의 공격을 ~하다 den Angriff des Feindes ab|wehren / ~에 나서다 ⁴sich zur Wehr setzen (stellen).

‖ **~갑판** Schutzdeck *n.* -(e)s, -e (-s). **~공사** Verteidigungswerke 《*pl.*》. **~구역** Verteidigungs|zone (Abwehr-) *f.* -n. **~동맹** Verteidigungs|bündnis (Schutz-) *m.* -ses, -se. **~력** Abwehrkraft *f.* **~물** Schutzwehr *f.* -en; Schirmer *m.* -s, -; Schild *m.* -(e)s, -e. **~병기** Abwehr|waffe (Verteidigungs-) *f.* -n. **~상태** Verteidigungs(zu)stand *m.* -(e)s, ⸚e. **~선(線)** Schutz|linie (Verteidigungs-) *f.* -n: 최후 ~선 die letzte Schutzlinie, -n. **~설비** Verteidigungsanstalten 《*pl.*》. **~자** Verteidiger *m.* -s, -; Beschützer *m.* -s, -. **~전** Defensiv|krieg (Verteidigungs-) *m.* -(e)s, -e; Abwehrkampf *m.* -(e)s, ⸚e. **~진지** Defensivstellung *f.* -en. **~책** 《수단》 Verteidigungsmaßregel *f.* -n. **공세(수세)~** die aktive (passive) Defensive, -n. **공중~** Luftverteidigung *f.* -en. **해안~** Küstenverteidigung *f.* -en.

방어(放語) =방언(放言).

방어(魴魚) 〖어류〗 Gelbschwanz *m.* -es, ⸚e; *Seriola quinqueradiata* (학명).

방언(方言) Mundart *f.* -en; Dialekt *m.* -(e)s, -e; Provinzialismus *m.* -, ..men. ¶ ~적인 mundartlich.

‖ **~연구** Dialektologie *f.* **~지도** Dialektatlas *m.* -ses, -se. **~학(학자)** Mundartforschung *f.* -en (Mundartforscher *m.* -s, -). **계급~** Klassendialekt *m.* -(e)s, -e. **지역~** der regionale (lokale) Dialekt, -(e)s, -e.

방언(放言) Bombast *m.* -(e)s; Renommisterei *f.* -en (호언장담); Wortschwall *m.* -(e)s, ⸚e (허풍); Kraftausdruck *m.* -(e)s, ⸚e; Kraftwort *n.* -(e)s, ⸚er (버릇없는). **~하다** aus|schneiden*; bombastisch reden; e-n leeren (hochtrabenden) Wortschwall entwickeln; e-n Kraftausdruck gebrauchen. ¶ 수상의 ~으로 장내에는 일대 소동이 일어났다 Der Kraftausdruck des Ministerpräsidenten hat die Versammlung in Aufruhr gebracht. / 그의 반복되는 ~은 매우 곤란하다 Sein immer wiederkehrender Wortschwall (Redeschwall) ist ganz schlimm.

방역(防疫) Seuchenbekämpfung *f.* -en; die Verhütung (Vorbeugung) 《-en》 ansteckender ²Krankheiten. **~하다** die (³der) ansteckenden Krankheiten verhüten (vorbeugen). ¶ ~조치를 강구하다 Vorbeugungsmaßregeln gegen ⁴Seuchen treffen* (ergreifen*; nehmen*).

‖ **~관** der Sanitätsbeamte*, -n, -n; der Quarantenbeamte* (검역관). **~대책** Maßregel 《*f.* -n》 gegen die ansteckenden Krankheiten; die antiepidemische Maßregel, -n. **~선** Quarantenlinie *f.* -n.

방연광(方鉛鑛) Bleiglanz *m.* -es.

방열(放熱) Wärmeausstrahlung *f.* -en. **~하다** Wärme ab|strahlen (aus|-).

‖ **~기** Wärmestrahler *m.* -s, -; Heizkörper *m.* -s, -; Radiator *m.* -s, -en.

방영하다(放映一) 〖텔레비전〗 im Fernsehen übertragen*⁴.

방울 ① 《종》 Klingel *f.* -n; Glöckchen *n.* -s, -; Schelle *f.* -n; Zugglocke *f.* -n (당기는 줄이 달린). ¶ ~을 울리다 klingeln; schellen; die Glocke ziehen*; auf den Klingelknopf drücken (초인종 단추를 누르다) / 썰매의 ~

Schlitterschelle *f.* -n / ~을 울리는 듯한 목소리 die klingelnde (silberne) Stimme, -n/ 고양이에게 ~을 달다 ³der Katze die Schelle an|hängen/~이 울린다 Die Schelle klingelt.¦Es klingelt.

② 《물의》 Tropfen *m.* -s, -; Tröpfchen *n.* -s, -. ¶ 한 ~씩 tropfenweise / 두세 ~ zwei, drei (ein paar; einige) Tropfen / ~이 떨어지다 tropfen; tröpfeln / 빗~이 지붕에서 뚝뚝 떨어졌다 Der Regen (Die Tropfen des Regens) troff(en) (triefte(n)) vom Dach.

‖ ~소리 Schellengeläut *n.* -(e)s, -e; der Klang 《-(e)s, ⸚e》 der Schelle (des Glöckchens). 눈물(빗, 물)~ Tränen¦tropfen (Regen-, Wasser-) *m.* -s, -.

방울뱀 〖동물〗 Klapperschlange *f.* -n.

방울벌레 〖곤충〗 Grille *f.* -n; Heimchen *n.* -s, -; *Homoeogryllus japonicus* (학명).

방울새 〖조류〗 Grünfink *m.* -en, -en; *Chloris sinica ussuriensis* (학명).

방울집게 Kneif¦zange (Beiß-; Nagel-) *f.* -n.

방위(方位) (Himmels)richtung *f.* -en; Weltgegend *f.* -en; Kompaßstrich *m.* -(e)s, -e. ¶ ~를 (측)정하다 (an|)peilen⁴ / 길(吉)한 ~ Glücksrichtung *f.* -en; die glückliche Richtung, -en.

‖ ~각 Azimut *m.* (*n.*) -(e)s, -e; Azimutalwinkel *m.* -s, -; Deklination *f.* -en. ~경 Azimutspiegel *m.* -s, -. ~계기 Peilkompaß *m.* ..sses, ..sse. ~권 Azimutbezirk *m.* -(e)s, -e. ~기점 die Kardinalpunkte 《*pl.*》 des Kompasses; die vier Punkte《*pl.*》 des Horizonts. ~나침반 Azimutkompaß *m.* ..sses, ..sse. ~의 Kompaß *m.* ..sses, ..ess. ~주점(主點) die vier Himmelsrichtungen 《*pl.*》. ~측정 Peilung *f.* -en: ~측정기 Azimutsucher *m.* -s, -; Peilkompaß *m.* ..sses, ..sse / ~측정소 die Himmelrichtung suchende Station, -en. ~판 Skalabrett *n.* -(e)s, -er; Direktion *f.* -en. 무선~계 Peiler *m.* -s, -. 자석~ das magnetische Azimut.

방위(防衛) Verteidigung *f.* -en; (Gegen)wehr *f.* -en; Schutz *m.* -es; Defensive *f.* -n; Abwehr *f.* ~하다 verteidigen⁴; schützen⁴; defendieren⁴; ab|wehren⁴. ¶ 자기 ~를 위해서 für Selbstschutz; für Selbstverteidigung /~를 분담하다 e-n Teil der Verteidigung auf ⁴sich nehmen* / ~태세를 취하다 e-e Stellung (Haltung) 《-en》 der Verteidigung an|nehmen*; ⁴sich zum Schutz bereit machen/~선을 펴다 die defensive Postenkette erweitern (aus|dehnen; aus|breiten) / 적에 대해서 조국을 ~하다 das Vaterland gegen ⁴Feinde verteidigen (vor ³Feinden schützen).

‖ ~군 das defensive Korps [ko:rs] -, -; die defensive Truppe, -en. ~계획 der defensive Plan, -(e)s, ⸚e. ~대 das defensive Korps [ko:rs] -, -; Schutztruppe *f.* -n: ~대원 Schutztruppler *m.* -s, -. ~동맹 Verteidigungs¦bündnis (Schutz-; Defensiv-) *n.* -ses, -se. ~력 Wehrkraft *f.* ⸚e. ~비 die defensive Ausgabe, -n. ~산업 die defensive Industrie, -n; Munitionsindustrie *f.* -n. ~소집 die defensive Mobilisierung (Einberufung). ~수단 Verteidigungsmittel *n.* -s, -. ~시설 Verteidigungsvorrichtung *f.* -en. ~체제 das defensive System, -s, -e. ~해역 die defensive Küste, -n. ~협정 das defensive Abkommen, -s, -; Schutzvereinbarung *f.* -en. 민간~ Zivilwehr *f.* -en. 정당~ Notwehr *f.* -en: 정당 ~를 위해서 aus (in) Notwehr.

방음(防音) Geräuschdämpfung *f.* -en. ~하다 Schall dämpfen (ab|halten*). ¶ ~이 된 schalldicht.

‖ ~장치 Schalldämpfer *m.* -s, -.

방일(放逸) =방종(放縱).

방임(放任) Nichteinmischung *f.*; Laisser-faire [lɛsefɛ́:r] *n.* -, -. ~하다 lassen*⁴; ⁴*et.* gehen (laufen) lassen*; ⁴*et.* geschehen lassen* (되는 대로 내버려두다); ⁴*et.* bleiben (liegen u. stehen) lassen*(그대로); ⁴*et.* gut sein lassen*; es dabei bewenden lassen* (그것으로 만족하다); *jm.* (³*et.*) freien Lauf (freie Bahn; freie Hand) lassen* (내버려 두다); ⁴sich in ⁴*et.* nicht ein|-mischen (ein|mengen) (간섭하지 않다). ¶ 사태는 ~할 수 없다 Man kann die Sache nicht mehr so weiter laufen lassen. / 아이들은 ~되었다 Die Kinder waren auf ihrer freien Bahn.

‖ ~주의 Latitudinar(ian)ismus *m.* -; Freigeisterei *f.*: 그는 자식들에 대해 ~주의로 임한다 Er macht es sich zum Prinzip, sich in die Angelegenheiten s-r Kinder nicht einzumischen.

방자 Verwünschung *f.* -en; Fluch *m.* -(e)s, ⸚e; Verdammung *f.* -en; Verfluchung *f.* ~하다 *jm.* (auf *jn.*) fluchen; *jn.* verfluchen.

방자(房子) Diener *m.* -s, -; Lakai *m.* -en, -en; Kammerdiener *m.* -s, -.

방자(放恣) Ausgelassenheit *f.* -en; Ausschweifung *f.* -en; Ungebundenheit *f.*; Zügellosigkeit *f.* ~스럽다, ~하다 ausgelassen; ausschweifend; ungebunden; zügellos; außer Rand u. Band; wild (sein). ¶ ~한 사람 der Eigensinnige*, -n, -n / ~한 놈이다 Er hat s-n Kopf für sich.

방자고기 das nur mit Salz gebratene Fleisch, -es. ⌈-es, -e.

방잠망(防潛網) Unterseebootsabwehrnetz *n.*

방장(方丈) ① 《주지》 Abt *m.* -(e)s, ⸚; Vorsteher e-s Kloster. ② 《처소》 Residenz 《*f.* -en》 des Abtes.

방재(防材) Hafenbaum *m.* -(e)s, ⸚e; Hafensperre *f.* -n. ¶ 항구에 ~를 부설하다 den Hafeneintritt sperren.

방재(防災) Unglücks¦verhütung *f.* -en (-schutz *m.* -es). ‖ ~계획 die Vorsichtsmaßnahmen 《*pl.*》 gegen Unglücksfälle.

방적(紡績) das Spinnen*, -s; Spinnerei *f.* -en. ~하다 spinnen*⁴.

‖ ~견사 Spinnseide *f.* ~공 (여공) Spinner *m.* -s, - (Spinnerin *f.* -nen). ~공업 Spinnindustrie *f.* -n. ~공장 Spinnerei *f.* -en; Spinnfabrik *f.* -en. ~기계 Spinnmaschine *f.* -n. ~사 Spinn¦faser *f.* -n (-garn *n.* -(e)s, -e). ~업자 Spinnfabrikant *m.* -en, -en. ~회사 Textilgesellschaft *f.* -en.

방전(防戰) Abwehrschlacht *f.* -en; Defensivkrieg *m.* -(e)s, -e; Verteidigungskampf *m.* -(e)s, ⸚e. ~하다 die Defensive ergreifen*; ⁴sich verteidigen 《*gegen*⁴》; ⁴sich defensiv verhalten*; in der Defensive beharren.

방전(放電) 〖물리〗 Entladung *f.* -en. ~하다 entladen*.

‖ ~간격 Funkenabstand *m.* -(e)s, ⸚e. ~관 Entladungsröhre *f.* -n. ~기 Funkenzieher *m.* -s, -. ~등 Entladungslampe *f.* -n. ~색

Entladungstau *m.* -(e)s, -e. ～자 Entlader *m.* -s, -. ～전류 〔전압〕 Entladungs¦strom *m.* -(e)s, ⸗e 〔-druck *m.* -(e)s, ⸗e〕. ～차(叉) Entladungsstange *f.* -n. 공중～ die atmosphärische Entladung, -en. 불꽃～ Funkenentladung *f.* -en.

방점(傍點) Seitenpunkt *m.* -(e)s, -e (in e-m chinesischen Text als Betonungszeichen).

방접원(傍接圓) 〖수학〗 Ankreis *m.* -es, -e.

방정 Flüchtigkeit *f.* -en; Fahrigkeit *f.* -en; Flatterhaftigkeit *f.* -en; Leichtfertigkeit *f.* -en; Leichtsinn *m.* -(e)s, -e; Frivolität *f.* -en; Unbeständigkeit *f.* -en; Unverschämtheit *f.* -en.

‖ ～꾼, ～꾸러기 fahriger 〔flüchtiger; frivoler; leichtfertiger; leichtsinniger; unbeständiger; schwindelköpfiger〕 Mensch, -en, -en.

방정(方正) ① 《언행이》 Rechtschaffenheit; Aufrichtigkeit; Biederkeit; Rechtlichkeit; Tugendhaftigkeit 《이상 모두 *f.*》. ～하다 rechtschaffen; aufrichtig; gerecht; ordentlich; sittenstreng; tugendhaft (sein). ¶ 품행이 ～한 사람 ein Mann 《*m.* -(e)s, ⸗er 〔Leute〕》 von Sittenreinheit / ～히 aufrichtig; sittenstreng; tugendhaft. ② 《물건이》 Nettheit u. Redlichkeit. ～하다 nett u. redlich (sein).

방정떨다 leichtfertig handeln; ⁴sich leichtsinnig benehmen*; übertrieben schildern; leichtsinnig tun*. ¶ 방정떨지 말라 Sei ernst! / 네가 방정을 떨어 일을 망쳤다 D-e leichtsinnige Haltung hat unsere Arbeit zunichte gemacht.

방정맞다 ① 《경망스럽다》 flüchtig; leichtfertig; leichtsinnig; frivol; unbeständig; unzuverlässig (sein). ¶ 방정맞은 여자 leichtfertiges 〔unbeständiges〕 Frauenzimmer, -s, -; leichtsinnige Frau, -en. ② 《불길하다》 ominös; verhängnisvoll; unheilvoll; von übler Vorbedeutung (sein).

방정식(方程式) 〖수학〗 Gleichung *f.* -en. ¶ 1 〔2, 3〕차 ～ Gleichung ersten 〔zweiten, dritten〕 Grades; die einfache 〔quadratische, kubische〕 Gleichung / ～식을 세우다 e-e Gleichung an|setzen / ～식을 풀다 e-e Gleichung auf|lösen.

‖ 고차～ Gleichung hohen Grades. 미분 〔적분, 지수, 대수, 이항, 부정〕～ die Differential- 〔Integral-, Exponential-, algebraische, binominale, diophantische〕 Gleichung. 연립～ Gleichung mit mehreren Unbekannten.

방조(幇助) Begünstigung *f.* -en (법); Beistand *m.* -(e)s, ⸗e; Unterstützung *f.* -en. ～하다 begünstigen⁴; *jm.* Vorschub 〔Beistand〕 leisten; *jn.* an|stiften 《*zu*³》 (교사).

‖ ～자 Helfershelfer *m.* -s, -; Anstifter *m.* -s, -. 자살 ～죄 die Anstiftung des Selbstmordes.

방조제(防潮堤) Hochwasserdeich *m.* -(e)s, -e.

방종(放縱) Zügellosigkeit *f.* -en; Unmäßigkeit *f.* -en; Ausschweifung *f.* -en. ～하다 zügellos; disziplinlos; maßlos; zuchtlos; 《향락적》 ausschweifend; genußsüchtig; liederlich; schwelgerisch; schlampig (타락한); locker (sein). ¶ ～한 생활을 하다 ⁴sich e-m ungebundenen Lebenswandel ergeben*; ein ausschweifendes 〔lockeres〕 Leben führen; in Saus u. Braus leben; schwelgen u. prassen / 자유를 ～으로 생각하다 Freiheit für Unmäßigkeit halten*.

방주(方舟) Arche *f.* -n. ¶ 노아의 ～ die Arche ²Noah(s).

방주(旁註) Bemerkungen 《*pl.*》 am Rande; Rand¦bemerkung *f.* -en 〔-glosse *f.* -n〕. ¶ ～를 붙이다 mit den Bemerkungen am Rande versehen*.

방죽(防―) Deich *m.* -(e)s, -e; (Stau)damm *m.* -(e)s, ⸗e; Wehr *n.* -(e)s, -e. ¶ ～을 쌓다 e-n Deich 〔Damm〕 bauen 〔auf|führen; errichten〕; ein|deichen⁴; ein|dämmen⁴ / 강에 ～을 쌓다 e-n Fluß ein|dämmen / ～을 쌓아 막다 durch e-n Deich ab|halten* / ～이 무너지다(터지다) der Damm reißt 〔bricht〕.

‖ ～공사 Deicharbeit *f.* -en.

방증(傍證) Indizienbeweis *m.* -es, -e; Indiz *n.* -es, ..zien. ¶ ～을 수집하다 Indizien sammeln / 경찰은 살인자를 체포하고 ～ 수집에 나섰다 Die Polizei verhaftete den Mörder u. begann Indizien zu sammeln.

방지(防止) Verhinderung *f.* -en; Verhütung *f.* -en; Vorbeugung *f.* -en (예방). ～하다 ab|halten* 《*von*³》; auf|halten*⁴; hemmen⁴; hindern⁴; verhindern⁴; verhüten⁴; ³*et.* zuvor|kommen* ⓢ; ³*et.* Einhalt gebieten*. ¶ 소년 범죄의 ～ die Verhinderung des jugendlichen Verbrechens / 고기 썩는 것을 ～하다 Fleisch vor Fäulnis schützen 〔bewahren〕 / … ～에 이바지하다 zu der Vorbeugung bei|tragen* / 전쟁 ～에 노력하다 e-n Krieg zu verhindern versuchen.

‖ ～책 Verhinderungsmaßregel *f.* -n: 인플레 ～책 Anti-Inflationspolitik *f.* -n / 전쟁 ～책 Verhinderungsmaßregel des Krieges.

방직(紡織) Spinnen* u. Weben*, des - u. -s. ～하다 spinnen* u. weben.

‖ ～공업 Textilindustrie *f.* -n. ～기 Textilmaschine *f.* -n. ～업자 Textilfabrikant *m.* -en, -en.

방진(方陣) Karree *n.* -s, -s; Quarre *n.* -s, -s. ¶ 밀집 ～ 상태로 in geschlossenem Karree/ ～을 펴다 ein Quarre formieren.

방진(防塵) ¶ ～의 staubdicht.

‖ ～안경 Schutzbrille *f.* -n. ～커버 《가구 등의》 Staubdecke *f.* -n. ～코트 Staubmantel *m.* -s, ⸗.

방짜 Messinggeschirr *n.* -(e)s, -e (von guter Qualität).

방책(方策) Plan *m.* -(e)s, ⸗e (계획, 안); Maßregel *f.* -n (조치); Maßnahme *f.* -n. ¶ ～을 강구하다 Maßnahmen 〔Maßregeln〕 ergreifen* / ～을 세우다 Pläne machen / ～을 가르쳐주다 *jm.* e-n Rat 〔Ratschläge〕 geben*/ 우리는 이미 모든 ～을 다 썼다 Wir wissen uns k-n Rat mehr.

방책(防柵) Staket *n.* -(e)s, -e; Stakete *f.* -n; Schanzpfahl *m.* -(e)s, ⸗e; Palisade *f.* -n; Barrikade *f.* -n. ¶ ～을 두르다 palisadieren⁴; mit e-r Palisade umgeben*⁴; sperren⁴; barrikadieren⁴.

방척(放擲) Verzicht *m.* -(e)s, -e; Aufgabe *f.* -e; Entsagung *f.* -en; Unterlassung *f.* -en (중지); Vernachlässigung *f.* -en; Versäumnis *f.* ..nisse 〔*n.* ..nisses, ..nisse〕 (등한). ～하다 verzichten 《*auf*⁴》; auf|geben*⁴; entsagen³; unterlassen*⁴; vernachlässigen⁴; versäumen⁴.

방첩(防諜) die Verhütung 《-en》 der Spionage [ʃpioná:ʒə].

‖ ～강조주간 die Woche 《-n》 für die festere Verhütung gegen Spionage [..ná:ʒə]. ～대 Verhütungskorps 《*n.* -, -》 gegen

Spionage.

방청(傍聽) das Zu¦hören (An-)* -s. ~하다 zu|hören (*jm.*); an|hören[4]. ¶ ~을 금지하고 unter [3]Ausschluß der [2]Öffentlichkeit; bei verschlossenen [3]Türen (비밀리에) / ~을 금지하다 die Öffentlichkeit aus|schließen* / 강연을 ~하다 e-m Vortrag zu|hören / 공판을 ~하다 e-r Verhandlung zu|hören / ~을 허용하다 e-e Verhandlung unter Öffentlichkeit beginnen*; e-e Verhandlung mit offener Tür versuchen / ~무료 《게시》 Eintritt frei (zu allen Personen)! / ~금지 Eintritt verboten! / 국회를 ~하다 während der Session das Parlament besuchen / 공판은 ~을 금지하고 개정되었다 Die (Gerichts)verhandlung hat unter Ausschluß der Öffentlichkeit begonnen.

‖ ~객(자) Zuhörerschaft *f.* -en (총칭); Zuhörer *m.* -s, -. ~권 Einlaß¦karte (Eintritts-) *f.* -n. ~료 Eintrittsgeld *n.* -(e)s, -e. ~석 Zuhörer¦platz *m.* -(e)s, ⸚e (-raum *m.* -(e)s, ⸚e).

방초(芳草) grünes Gras, -es, ⸚er; duftende Blumen (*pl.*).

방촌(方寸) ① 《단위》 ein Quadratzoll *m.* -(e)s; ein Quadrat *Chi.* ② 《마음》 Herz *n.* -ens, -en; Sinn *m.* -(e)s, -e; Absicht *f.* -en (의도).

방추(方錐) (vierseitige [fír..]) Pyramide, -n.

‖ ~형 Pyramide *f.* -n; Pyramidenform *f.* -en : ~형의 pyramidal; pyramidenförmig.

방추(紡錘) Spindel *f.* -n. ¶ ~형의 spindelförmig.

방축(防築) ☞ 방죽.

방축(放逐) 《추방》 Ausstoßung *f.* -en; Verbannung *f.* -en; Vertreibung *f.* -en; Verstoßung *f.* -en. ~하다 aus|stoßen*[4]; verbannen[4]; vertreiben*[4]; verstoßen*[4].

방축가공(防縮加工) ¶ ~한 im voraus eingeschrumpft; sanforisiert; 《상표 이름》 Sanforized.

방춘(芳春) ① 《봄》 Frühlingszeit *f.* -en (des Blühens); Frühling *m.* -s, -e. ② 《여자의》 die Tugendblüte e-s Mädchens; die Blüte des Mädchens; Frühling des Lebens; des Lebens Mai.

방출(放出) ① 《액체의》 Ausströmung *f.* -en; Ausfluß *m.* ..flusses, ..flüsse; Ausguß *m.* ..gusses, ..güsse. ~하다 aus|fließen* ⓢ; aus|gießen*[4]; aus|strömen[4]. ② 《곡류·돈 등의》 Veräußerung *f.* -en; Freigabe *f.* -n. ~하다 veräußern[4]; feil|bieten*[4]; frei|geben*[4]. ¶ 정부(보유)미의 ~ die Freigabe (-n) des von Regierung bewahrten Reises / 수입 양곡의 ~ 허가 die Gestattung der Freigabe von Importreis (dem importierten Reis).

‖ ~물자 die aus dem Überfluß abgegebene Waren (*pl.*).

방충(防蟲) ¶ ~가공(加工)의 mottensicher; mottengeschützt; mottenfest. ‖ ~제 Mottenschutzmittel *m.* -s, -; 《분말》 Mottenpulver *n.* -s, -; 《둥근》 Mottenkugel *f.* -n.

방취(防臭) Desodorisierung *f.* -en. ~하다 schlechte Gerüche besteigen* (überdecken; räuchern).

‖ ~제 Desodorans *n.* -s, ..ranzien; Räucherkerze *f.* -n. ~판 die Klappe (-n) (das Ventil, -s, -) gegen Geruch.

방치(放置) ~하다 liegen lassen*[4]; 《고려치 않다》 außer [3]acht (aus der [3]Acht) lassen*[4]; (auf [3]sich) beruhen lassen*[4]. ¶ 그 땅은 ~되어 있다 Das Land ist so verwüstet liegen lassen.

방침(方針) ① 《일반적으로》 Richtung *f.* -en; Prinzip *n.* -s, -e (..pien) (주의); Politik *f.* -en (정책). ¶ 일정한 ~에 따르다 e-r bestimmten Richtung folgen / ~을 변경하다 *js.* [4]Prinzip wechseln / 그는 일정한 ~이 없다 Er hat k-e bestimmte Richtung. / 이 문제에 대한 당국의 ~은 어떠냐 Was ist die Ansicht der betreffenden Behörde über diese Frage?

② 《목적》 Absicht *f.* -en; Ziel *n.* -(e)s, -e; Zielsetzung *f.* -en; Zweck *m.* -(e)s, -e; 《의도·계획》 Plan *m.* -(e)s, ⸚e; Programm *n.* -s, -e; das Vorhaben*, -s, -; Vorsatz *m.* -es, ⸚e. ¶ ~도 없이 ohne [4]Zweck u. [4]Ziel; planlos / ~을 정하다 (세우다) [3]*et.* e-e (bestimmte) Richtung geben*; e-n Plan entwerfen*; [3]sich ein Ziel setzen / ~을 그르치다 e-n falschen Weg ein|schlagen*; [4]sich falsch ein|richten / ~대로 programmäßig; wie vorgesehen / 장래의 ~을 세우다 [4]sich für die Zukunft fest|legen; für die Zukunft sorgen / 사업의 기본 ~을 정하다 den Grundsatz des Geschäftes fest|legen.

‖ 교육~ Erziehungsprinzip *n.* -s, -e (..pien). 국가~ die nationale Politik, -en. 기본~ Grundprinzip *n.*; die fundamentale Politik, -en. 사업~ Geschäftsplan *m.* -(e)s, ⸚e. 시정~ Regierungsmaxime *f.* -n; Verwaltungsprinzip *n.* 외교~ Außenpolitik *f.* -en. 행동~ die Richtung der Aktion.

방콕 《타이의 수도》 Bangkok.

방탄(防彈) ¶ ~이 된 kugelfest; bomben¦fest (-sicher).

‖ ~내각 Schildkabinett *n.* -(e)s, -e. ~모 der kugelfeste Helm, -(e)s, -e. ~실 das kugelfeste Zimmer, -s, -. ~유리 das kugelfeste Glas, -es, ⸚er. ~조끼 die kugelfeste Weste (Jacke), -n. ~창 das kugelfeste Fenster, -s, -.

방탕(放蕩) Ausschweifung *f.* -en; Liederlichkeit *f.* -en; Prasserei *f.* -en; Unzucht *f.* (음행). ~하다 ausschweifend; genießerisch; liederlich; locker; lüstern (sein); aus|schweifen; ein ausschweifendes (liederliches) Leben führen; der [3]Sinnlichkeit frönen; in Saus u. Braus leben. ¶ ~한 자식 der verlorene Sohn / 그는 한껏 ~하게 굴었다 Er hat sich ausgetobt. / ~에 빠지다 e-m liederlichen Leben frönen / 그는 술과 도박으로 ~한 생활을 했다 Er führte trinkend u. spielend ein liederliches Leben.

‖ ~생활 ein liederliches (übersättigtes) Leben. ~자 Liederja(h)n *m.* -(e)s, -e; Lockerling *m.* -s, -e; der lockere Vogel, -s, ⸚.

방파제(防波堤) Hafendamm *m.* -(e)s, ⸚e; Mole *f.* -n; Wellenbrecher *m.* -s, -. ¶ ~를 쌓다 e-n Hafendamm bauen.

방판(方板) Quadratbrett *n.* -(e)s, -er.

방패(防牌) Schild *m.* -(e)s, -; Rundschild (둥근 방패); (Hand)tartsche *f.* -n (중세 기사의). ¶ …을 ~로 삼다 [4]*et.* zum Vorwand nehmen*; [4]*et.* vor|schützen / ~로 삼고 im Vertrauen auf[4]; auf Grund[2]; auf *js.* Angaben (Wort) hin / 나무를 ~로 삼다 [4]sich hinter e-m Baum (e-n Baum) verstecken / 법을 ~ 삼아 auf Grund des Gesetzes / 위험(질병)의 ~ 막이를 하다 e-r Gefahr (Krankheit) vorbeugen.

방편(方便) 《수단》 (Hilfs)mittel *n.* -s, -; (Not-)behelf *m.* -(e)s, -e; 《벗어날 길》 Aus¦weg *m.* -(e)s, -e (-flucht *f.* ⁼e). ¶ ~의 behelfsmäßig / ~으로서의 거짓말 Notlüge *f.* -n / 일시적 ~으로서 als Notbehelf / ~으로 쓰다 ⁴*et.* (e-e Person) als Instrument benutzen / 거짓말도 한 ~이다 In der Not ist auch die Lüge erlaubt. / 좋은 ~이 없을까요 Sollte sich kein gutes Mittel finden lassen?

방포(放砲) Schuß 《*m.* ..usses, ..üsse》 mit Platzpatornen. ~하다 mit Platzpatronen schießen*.

방풍(防風) Windschutz *m.* -es.
‖ ~림 Wald 《*n.* -es, ⁼er》 als Windschutz. ~유리 Windschutzscheibe *f.* -n.

방학(放學) Ferien 《*pl.*》. ¶ ~ 동안에 während der Ferien / ~을 하다 die ⁴Schule schließen*; Ferien machen / ~이 시작된다 Die Ferien beginnen. ¦ Die Schule schließt.
‖ 겨울~ Winterferien 《*pl.*》. 여름~ Sommerferien 《*pl*》: 15 일부터 여름~이다 Die Sommerferien beginnen am 15. ¦ Ab 15. schließen wir die Schule.

방한(防寒) der Schutz 《-es》 gegen die Kälte. ¶ ~준비를 하다 Vorkehrungen 《*pl.*》 gegen die Kälte treffen* / ~용으로는 플란넬이 최고다 Der Flanell 《-s, -e》 schützt am besten gegen die Kälte.
‖ ~구 Schutzmittel *n.* -s, -; die Schutzvorrichtung gegen die Kälte. ~모 Pelz¦kappe (-mütze) *f.* -n. ~복 Winterkleid *n.* -(e)s, -e. ~설비 die Vorkehrungen 《*pl.*》 gegen die Kälte. ~외투 Winterüberzieher *m.* -s, -. ~화 Winterschuhe 《*pl.*》; die Schuhe 《*pl.*》 für kaltes Wetter.

방한(訪韓) der Besuch nach Korea. ~하다 Korea besuchen; in Korea an|kommen* ⓢ; nach Korea kommen* ⓢ. ¶ 지금 ~중의 D씨 Herr D, der jetzt zu Besuch in Korea ist (weilt) / 그의 ~ 중 während s-s Aufenthalt(e)s in Korea.
‖ ~경제 사절단 die ökonomische Komission zu Korea.

방해(妨害) Hindernis *n.* ..nisses, ..nisse; Störung *f.* -en; (Ver)hinderung *f.* -en; Hemmung *f.* -en(저지); Unterbrechung *f.* -en(중단); Obstruktion *f.* -en(의사진행). ~하다 stören⁴; (ver)hindern⁴; hemmen⁴; unterbrechen⁴; obstruieren⁴; ⁴sich (ein|)mischen 《*in*⁴》 (간섭함). ¶ ~가 되다 im Wege stehen* (sein) / ~가 되는 hindernd; hemmend; störend / ~를 가하다 *jm.* Hindernisse in den Weg legen / 안면을 ~하다 *jn.* im Schlafe stören; die Ruhe stören / 치안을 ~하다 den öffentlichen Frieden stören / 영업을 ~하다 den Handel stören / 상업 발전을 ~하다 die Entwicklung des Handels hindern / 교통을 ~하다 den öffentlichen Verkehr stören / 아무의 공부를 (연설을) ~하다 *jn.* bei der ³Arbeit (in s-r ³Rede) stören / 의사진행을 ~하다 den parlamentarischen Geschäftsgang hemmen (obstruieren) / ~하지 말라 Störe nicht! ¦ Wegnehmen! (비켜라) / ~가 되어 죄송합니다 Entschuldigen Sie bitte die Störung! / 그것은 내 공부에 ~가 되니까 치워라 / Laß das, es stört mich bei der Arbeit!
‖ ~물 Hindernis (Hemmnis) *n.* -ses, -se; Last *f.* -en. ~방송 (Rundfunk)störung *f.* -en. ~자 Störer *m.* -s, -. ~전파 Störwelle *f.* -n. 공무집행~ die Störung e-s Beamten bei der Ausführung s-r öffentlichen Pflicht. 안면~ Ruhestörung *f.* -en.

방해석(方解石) 〖광물〗 Kalzit *m.* -(e)s, -e; Kalkspat *m.* -(e)s, -e (⁼e).

방향(方向) ① 《방각》 Richtung *f.* -en; Himmels¦richtung *f.* -en (-gegend *f.* -en) (방위). ¶ ~을 잃다 die Richtung (die Orientierung) verlieren*; ⁴sich verirren / ~을 정하다 ⁴sich orientieren / 어느 ~을 잡다 e-e Richtung ein|schlagen* (-|nehmen*) / …의 ~으로 in der Richtung 《*nach*³; *auf*⁴》 / ~을 탐지하다 peilen⁴; an|peilen⁴; e-e Richtung aus|peilen / ~을 바꾸다 die Richtung ändern / 반대 ~으로(에) in entgegengesetzte(r) Richtung / 같은 ~에서(으로) in derselben (dieselben) Richtung / 배의 ~을 돌리다 das Schiff wenden* / ~을 잘못 잡다 e-e falsche Richtung nehmen* / ~을 전환하다 ⁴sich wenden* / 바람은 어느 ~으로 불고 있느냐 Woher kommt der Wind? ¦ Wo steht der Wind? / 그는 ~에 대한 감각이 없다 Er hat kein Orientierungsgefühl.
② 《의향》 Ziel *n.* -(e)s, -e; Zweck *m.* -(e)s, -e. ¶ ~을 그르치다 e-n falschen Weg betreten* / ~을 바꾸다 sein Ziel ändern.
‖ ~감각 Richtungsgefühl *n.* -(e)s, -e. ~전환 Richtungsänderung *f.* -en. ~지시기 Richtungs¦weiser (-zeiger) *m.* -s, -; Winker *m.* -s, - (자동차); Blinker *m.* -s, - (자동차). ~타 Seitenruder *n.* -s, - (비행기). ~탐지 Peilung *f.* -en: ~탐지기 Peiler *m.* -s, -. ~판 Laufschild *n.* -(e)s, -er (전차 따위의).

방향(芳香) Wohlgeruch *m.* -(e)s, ⁼e; Duft *m.* -(e)s, ⁼e; Aroma *n.* -s, -s. ¶ ~이 있는 wohlriechend; duftend; aromatisch / ~이 나다 duften; angenehm (wohl) riechen* / ~을 발산하다 e-n Wohlgeruch verbreiten.
‖ ~제 Aroma *n.* -s, ..men; Parfüm *n.* -s, -e; 《향료》 Spezerei *f.* -en; Gewürz *n.* -(e)s, -e (양념).

방형(方形) Quadrat *n.* -(e)s, -e. ¶ ~의 quadratisch.

방호(防護) Protektion *f.* -en; Verteidigung *f.* -en; Schutz *m.* -es. ~하다 schützen⁴ 《*vor*³》; verteidigen⁴ 《*gegen*⁴》; in Schutz nehmen*⁴. ‖ ~자 Protektor *m.* -s, -en; Verteidiger *m.* -s, -; (Be)schützer *m.* -s, -.

방화(防火) Feuerschutz *m.* -es. ~하다 das Feuer schützen. ¶ ~(성)의 feuer¦beständig (-fest; -sicher); brandfest / ~에 힘쓰다 das Feuer zu schützen versuchen / ~장치를 하다 Vorkehrungen gegen Feuer treffen*.
‖ ~간막이 Feuer¦schirm (Ofen-) *m.* -(e)s, -e. ~건축물 das feuerfeste Gebäude, -s, -. ~금고 der feuerfeste Geldschrank, -(e)s, ⁼e. ~도료 Feuerschutzanstrich *m.* -(e)s, -e. ~벽 Brand¦mauer (Feuer-) *f.* -n. ~선 Feuerschutzlinie *f.* -n. ~시설 Feuerschutzvorrichtung *f.* -en. ~연습 Feueralarmübung *f.* -en. ~재료 das feuerfeste Material, -s, ..lien. ~전 Feuerhahn *m.* -(e)s, ⁼e, Hydrant *m.* -en, -en. ~정(선) Feuerlöschboot *n.* -(e)s, -e. ~(강조)주간 die Woche des Feuerschutzes.

방화(邦貨) 《화폐》 die koreanische Währung, -en; das koreanische Geld, -(e)s, -er. ¶ ~로 바꾸다 ins koreanische Geld wechseln.

방화(邦畫) der koreanische Film, -s, -e.

방화(放火) Brandstiftung *f.* -en; das Anlegen 《-s》 von Feuer. ~하다 Brand (Feuer) (an|)legen (an|stiften); ⁴*et.* in Brand setzen (stecken); brandstiften⁴. ¶ 집에 ~하다 ein Haus an|stecken (in Brand setzen); Feuer an ein Haus legen; *jm.* den roten Hahn aufs Dach setzen.

‖ ~광 Brandstiftungstrieb *m.* -(e)s, -e. ~범 Brandstifter *m.* -s, -. ~죄 Brandstiftung *f.* : ~죄를 범하다 (das Verbrechen der) Brandstiftung begehen*. 독일국회 ~사건 Reichstagsbrand *m.* -(e)s 《1933》.

방황(彷徨) das Wandern*, -s; das Umherstreifen*, -s; das Umherirren*, -s. ~하다 wandern [s,h]; umher|streifen [s]; umher|irren [s]; umher|ziehen* [s]. ¶ ~하는 wandernd; umherstreifend / ~하는 사람 Wand(e)rer *m.* -s, -; Vagabund *m.* -en, -en; Landstreicher *m.* -s, - / 이곳 저곳을 ~하다 hier u. dort umher|wandern / 며칠 동안이나 그는 생사지경을 ~했다 Einige Tage schwebte er zwischen Leben u. Tod.

밭 Feld *n.* -(e)s, -er; Acker *m.* -s, ⸚; Flur *f.* -en; Küchen¦garten (Gemüse-) *m.* -s, ⸚. ¶ 야채 밭 Gemüsegarten *m.* -s, ⸚ / 감자 밭 Kartoffelfeld *n.* -(e)s, -er / 밭을 갈다 den Acker bauen (bestellen); ackern⁴; pflügen⁴ / 밭에서 일하다 auf dem Feld arbeiten / 밭에 보리를 심다 ein Feld mit Weizen bepflanzen / 밭에 나가다 auf das Feld gehen* [s].

밭갈이 Bebauung *f.* -en; Bestellung *f.* -en. ~하다 bebauen⁴; bestellen⁴; pflügen⁽⁴⁾.

밭걷이 Ernte *f.* -n. ~하다 ernten⁴. ¶ ~에 바쁘다 mit der Ernte beschäftigt sein.

밭고랑, 밭골 Furche *f.* -n. ¶ ~을 짓다 (auf dem Feld) Furchen ziehen*; (durch) furchen⁴.

밭곡식(一穀食) Ackergetreide *n.* -s; Ernte *f.* -n. ¶ 금년은 ~이 잘 되었다 Dieses Jahres halten wir e-e gute Getreideernte.

밭귀 Ackerecke *f.* -n.

밭날갈이 ein weiter Acker, den zu pflügen einige Tage dauert.

밭농사(一農事) (Trocken)ackerbau *m.* -s (im Gegensatz zur Naßfeldwirtschaft). ~하다 Ackerbau (be)treiben*; Feld beackern; Land bebauen.

밭다¹ 《졸아 붙다》 verkochen [s].

밭다² 《체에》 (durch)seihen⁴; durchschlagen*⁴; durch|sickern (-|sintern) lassen*⁴; filtern⁴; filtrieren⁴. ¶ 술을 ~ Reis¦likör (-wein) 《*m.* -(e)s, -e》 seihen / 모래로 물을 ~ das Wasser durch Sand seihen (filtrieren).

밭다³ ① 《가깝다》 zu nahe; zu dicht (sein; stehen*). ¶ 책장과 책상 사이가 밭으니 좀 사이를 떼어라 Der Bücherschrank u. der Tisch stehen zu nahe beieinander. Lassen Sie Platze zwischen ihnen. ② 《인색하다》 geizig; knauserig; filzig; karg; sparsam (sein). ¶ 사람이 ~ ein Geiziger (knauseriger Kerl; Geizhals) sein. ③ 《기침이》 trocken; gewohnt; gewohnheitsmäßig; verzehrend; schwindsüchtig (sein). ¶ 기침이 ~ e-n trockenen Husten haben; trocken husten.

밭도랑, 밭돌 (Entwässerungs)graben *m.* -s, ⸚ (um e-n Acker). ¶ ~을 파다 e-n Graben aus|heben*.

밭두둑 (Feld)rain *m.* -(e)s, -e.

밭둑 Damm 《*m.* -(e)s, ⸚e》 zum Abschluß e-s Ackers.

밭뒤다 wiederholt den Acker pflügen.

밭매기 Unkrautvertilgung *f.* -en; das Jäten*, -s. ~하다 Unkraut jäten.

밭머리 zwei Endseiten des Ackerrains; Angewende *n.* -s, -.

밭문서(一文書) (Eigentums)urkunde 《*f.* -n》 des Ackers.

밭벼 Trockenreispflanze *f.* -n; Hochlandreis *n.* -es, -e.

밭보리 Gerste *f.*

밭사돈(一査頓) Vater 《*m.* -s, ⸚》 des Schwiegersohns (der Schwiegertochter).

밭어버이 Vater *m.* -s, ⸚.

밭은기침 trockener (verzehrender; schwindsüchtiger) Husten, -s; kurzer Husten. ¶ 그는 ~을 한다 Er hat e-n trockenen Husten.

밭이다 durchgeseiht (ausgesiebt; gefiltert; filtriert) werden; abgeklärt werden.

밭이랑 (Acker)rain *m.* -(e)s, -e; Ackerfurche *f.* -n. ¶ ~을 짓다 Ackerrain machen.

밭일 Ackerarbeit *f.* -en; Feldarbeit *f.* -en. ~하다 auf dem Acker arbeiten.

밭장다리 die auswärtsgesetzten Füße 《*pl.*》. ¶ ~로 걷다 beim Gehen die Füße auswärts|setzen (-|stellen); die Füße auswärts auf|setzen; mit den Zehen einwärts (auswärts) gehen* [s].

밭장이 Gemüsegärtner *m.* -s, -; Bauer *m.* -s, -.

밭치다 ☞ 밭다².

밭팔다 ⁴sich prostituieren u. davon leben; ⁴sich für Geld hin|geben*.

배¹ ① 〖해부〗 Bauch *m.* -(e)s, ⸚e; Unterleib *m.* -(e)s, -e; Darm *m.* -(e)s, ⸚e (장); Magen *m.* -s, - (위). ¶ 배가 나온 dickbäuchig / 배가 나오다 der Bauch dick werden / 배가 고프다 Hunger bekommen* (haben); hungrig werden (sein); es hungert *jn.* / 배가 부르다 ⁴sich sättigen; e-n vollen Magen haben / 배를 앓다 Magenschmerzen haben / 배가 차다 satt (voll) sein/배를 불리다 Nahrung zu sich nehmen*/배불리 먹다 ³sich satt (dick; voll) essen* / 배가 꾸르륵거린다 Der Magen knurrt. / 배를 움켜쥐고 웃다 ⁴sich bucklig (schief; krumm) lachen; ³sich vor Lachen die Seiten (den Bauch) halten* / 배를 채우다 ein|stecken⁴; ein|sacken⁴; ⁴sich bereichern / 제 배만 채우다 sein Schäfchen ins Trockene bringen*; s-e Tasche spicken / 배탈나다 ³sich den Magen verderben*/배를 가르다 ³sich den Bauch auf|schlitzen / 배가 고파서는 싸울 수 없다 Mit leerem Magen kann man nicht gut kämpfen.

② 《마음》 Herz *n.* -ens, -en; Gemüt *n.* -(e)s, -er; Absicht *f.* -en; Mut *m.* -(e)s. ¶ 배짱이 큰 groß¦mütig (-herzig; -zügig) / 뱃속이 시커먼 hinterhältig; boshaft; ränkevoll; intrigant / 뱃속을 떠보다 bei *jm.* an|klopfen (an|tippen; sondieren); bei *jm.* auf den Busch klopfen; *js.* Gedanken ergründen (erforschen) / 배가 아프다 blaß (gelb; grün) vor Neid werden / 배가 맞다 ⁴sich verschwören; es halten* 《mit *jm.*》 / 배가 아파서 im (vor) Zorn / 그의 뱃속은 뻔했다 Ich habe ihn durchschaut. / 그를 보면 배가 아프다 Die Galle läuft mir über, wenn ich ihn sehe.

③ 《태내》 Gebärmutter *f.* ⸚n; Mutterkuchen *m.* -s, -. ¶ 배가 부르다 《임신해서》 gesegneten Leibes sein; schwanger sein; guter Hoffnungen sein / 배가 다르다 von verschiedenen Müttern geboren sein/훗배를 앓다 die Nachwehen verspüren / 그 형제는 배가 다르다 Sie sind Brüder von verschiedenen Müttern.

배² 《타는》 (Wasser)fahrzeug *n.* -(e)s, -e (총

칭); Schiff *n.* -(e)s, -e (선박 전체, 좁은 뜻으로는 대형선박); Dampfer *m.* -s, - (기선); Segelschiff *n.* (돛단배); Barkasse *f.* -n (란치); Boot *n.* -(e)s, -e (보트); Kahn *m.* -(e)s, ⸚e (작은 배); Leichter *m.* -s, - (거룻배); Linienschiff *n.* (정기선). ¶ 전셋배 Miets¦boot (Leih-) *n.* -(e)s, -e; Boote 《*pl.*》 zu verleihen* / 배로 zu ³Schiff (³Wasser); per ⁴Schiff (선편으로) / 배에서 떨어지다 vom Schiff ins Wasser fallen* ⓢ; über Bord fallen* (gehen*) ⓢ / 배에서 내리다 aus|steigen*ⓢ 《aus Schiff》; von Bord gehen*ⓢ; 《상륙하다》 an ⁴Land gehen*; ans Land kommen* (steigen*) ⓢ / 배에 오르다 ein ⁴Schiff besteigen*; an ⁴Bord (des Schiffes) gehen* ⓢ; an ⁴Schiff (zu ³Schiff) gehen*; ⁴sich ein|schiffen 《*nach*³》 / 배에 태우(싣)다 an ⁴Bord bringen*⁴ (nehmen*⁴); ein|schiffen⁴ / 배를 젓다 rudern[h,s] / 배가 떠나다 Das Boot segelt (fährt) aus. ¦ Der Dampfer fährt. ¦ Das Schiff dampft ab. ¦ Das Schiff sticht in See. / 배가 입항(출항)했다 Das Schiff ist in den Hafen eingelaufen (aus dem Hafen ausgelaufen).

배³ 《과일》 Birne *f.* -en (열매, 나무). ¶ 배 먹고 이 닦기 《속담》 „Zwei Fliegen mit e-r Klappe schlagen*." ¦ Zwei Vögel mit e-m Stein totschlagen*. / 배 주고 속 빌어먹다 *jm.* ⁴*et.* geben*, aber das Beste für sich selbst behalten wollen*.
‖ 배나무 Birnbaum *m.* -(e)s, ⸚e.

배(胚) Keim *m.* -(e)s, -e. ☞ 씨눈.

배(倍) 〔명사적〕 das Doppelte*; das Zweifache* (-fältige*); 〔부사적〕 doppelt (noch einmal) soviel. ¶ 배의 doppelt; zweifach (zwiefach); zweifältig (zwiefältig) / 3 배 dreimal soviel; dreifach / 천 배의 현미경 das Mikroskop von (mit) tausendfacher Vergrößerung / 여러 배의 viel¦fach (mehr-) / 배전의 노력을 하다 s-e Anstrengung verdoppeln / 남보다 배나 공부하다 doppelt soviel wie andere arbeiten; doppelt so fleißig sein wie andere / 배(3배)가 되다 ⁴sich verdoppeln (⁴sich verdreifachen) / 배(3배)로 만들다 (ver)doppeln⁴ (verdreifachen⁴); doppelt (dreifach) machen⁴ / 천 배 tausendmal (soviel); tausendfach / 여러 배로 만들다 vervielfachen⁴; vervielfältigen⁴ / 남보다 몇 배 일하다 doppelt soviel wie andere (mit verdoppelten Anstrengungen) arbeiten / A는 B보다 2배 반 크다 (길다, 연상이다) A ist zweieinhalbmal so groß (lang, alt) als B. / 3의 2배는 6이다 Zweimal drei ist sechs. / 그는 나보다 배나 번다 Er verdient doppelt soviel wie ich. / 학생의 수는 배가 되었다 Die Zahl der Studenten hat sich verdoppelt. / 한 알의 씨알이 백 배가 되었다 Ein Same hat hundertfältig Frucht getragen. / 크기를 그 배로 만들어라 Mache es doppelt so groß! / 아시아는 유럽보다 4배 반이나 크다 Asien ist viereinhalbmal so groß wie Europa.

-배(輩) Kerl *m.* -(e)s, -e; Bursche *m.* -n, -n. ¶ 불량배 〔집합명사〕 Gesindel *n.* -s, -; Lumpenpack *n.* -(e)s.

배가(倍加) Verdoppelung *f.* -en. ~하다 verdoppeln⁴; vermehren⁴; vergrößern⁴; verstärken⁴; erhöhen⁴. ¶ 수입을 ~하다 das Einkommen verdoppeln / 노력을 ~하다 die Anstrengung (die Mühe; die Bemühung; das Bestreben) verstärken.

배갈 starker chinesischer Schnaps, -es, ⸚e (aus e-r Hirseart).

배겨나다 stand|halten*; aus|halten*; ertragen*⁴. ¶ 그는 십 년 동안 갖은 고생에 배겨났다 Er hat zehn Jahre lang alle bitt(e)ren Erfahrungen gemacht.

배겨내다 ☞ 배기다².

배격(排擊) Verwerfung *f.* -en; Ausschließung *f.* -en; Vertreibung *f.* -en. ~하다 aus|schließen*⁴; zurück|weisen*; ab|weisen*; verwerfen*; vertreiben*; weg|jagen. ¶ 교활한 그는 모든 사람에게 ~당했다 Da er zu schlau ist, geht ihm jeder aus dem Wege.

배견(拜見) das Sehen*, -s; das Ansehen*, -s. ~하다 sehen*⁴; (³sich) an|sehen*⁴; (³sich) an|schauen⁴; betrachten⁴; ¶ 귀하의 서한 감사히 ~하였읍니다 Dankend habe ich Ihren Brief erhalten.

배경(背景) ① 《공간적인》 Hintergrund *m.* -(e)s, ⸚e; 《무대 장치》 Szenerie *f.* -n; Bühnenausstattung *f.* -en; (Hintergrund-) kulisse *f.* -n (무대 측면 장치). ¶ ~을 갈다 Bühnenausstattung wechseln / 산을 ~으로 사진을 찍다 mit e-m Hügel als Hintergrund photographieren⁴ / 저녁 하늘을 ~으로 탑이 우뚝 솟아 있다 Der Turm 《-(e)s, ⸚e》 ragt in den Abendhimmel hochhinein.
② 《추상적인》 Hintergrund *m.* -(e)s, ⸚e; Unterstützung *f.* -en (후원). ¶ 정치적 ~ der politische Hintergrund / 유력한 ~ die mächtige Hilfe (Unterstützung) -n; 《사람》 bedeutender Helfer (Unterstützer) -s, - / ~이 없다 k-e Hilfe (Unterstützung) haben (bekommen*) / ~이 되다 *jm.* (*jn.*) helfen* (unterstützen) / 그에게는 아무런 정치적 ~이 없다 Er hat k-n politischen Hintergrund.
‖ ~막 Hintergrundbehang *m.* -(e)s, ⸚e. ~음악 Hintergrundmusik *f.* ~화 Dekorations¦malerei (Theater-) *f.* -en; Kulisse *f.* -n (측면의): ~화가 Dekorations¦maler (Theater-) *m.* -s, -.

배고프다 hungrig (sein); Hunger haben; es hungert *jn.* ¶ 배고파지다 hungrig werden; Hunger bekommen* / 굉장히 ~ e-n heftigen Hunger haben; e-n Wolfshunger haben / 배고픈 나머지 aus blindem Hunger; vor Hunger / 배고파하다 über ⁴Hunger klagen / 배고프면 일할 수 없다 Mit leerem Magen kann man nicht gut arbeiten. / 배고파 죽어서는 안된다 Man muß vor Hunger (Hungers) nicht sterben*. / 어린애들을 배고프게 해서는 안된다 Die Kinder dürfen k-n Hunger haben (bekommen).

배곯다 Hunger leiden* (haben). ¶ 그는 배곯고 지낸다 Er ist immer hungrig.

배공(胚孔) 〔동물〕 die Nahrungshöhle 《-n》 des Embryos.

배관(配管) Rohrlegen *n.* -s; Rohr¦leitung (Röhren-) *f.* -en; Rohr *n.* -(e)s, -e. ~하다 die Leitung legen; mit Rohren versehen*.
‖ ~공사 Rohrleitungsbau *n.* -s, -e.

배관(拜觀) Besichtigung *f.* -en; Besuch *m.* -(e)s, -e (가서 봄). ~하다 sehen*⁴; besichtigen⁴; (³sich) an|sehen*⁴; (³sich) an|schauen⁴; die Ehre haben*, ⁴*et.* zu sehen; besuchen⁴ (가 보다). ¶ ~을 허락하다 Besichtigung erlauben 《*jm.*》.

배관(陪觀) als Begleiter (in Begleitung) e-s Vorgesetzten an|sehen*⁴ ¶ 폐하와 ~할 영광을 얻다 die Ehre haben, ⁴*et.* als ¹Begleiter des Kaisers zu besichtigen.

‖ ~자 der zu e-r kaiserlichen Zeremonie Geladene*, -n, -n.

배광(背光) =후광.

배교(背敎) Apostasie *f.* -n; Perversion *f.* -en. ~하다 ein Apostat werden.

‖ ~자 Apostat *m.* -en, -en; der (Glaubens-) abtrünnige*, -n, -n; Renegat *m.* -en, -en.

배구(倍舊) Verdoppelung *f.* -en; Verstärkung *f.* -en. ¶ ~의 doppelt; zunehmend / ~의 노력을 하다 s-e Anstrengungen verdoppeln; ^{4}sich mehr an|strengen / ~의 애고(愛顧)를 바랍니다 Ich hoffe auf Ihre weitere Unterstützung.

배구(排球) Volleyball [vɔ́libal] *m.* -(e)s; Volleyballspiel *n.* -(e)s (경기). ~하다 Volleyball spielen.

‖ ~경기 Volleyballspiel *n.*

배근(背筋) 〖해부〗 Rückenmuskel *m.* -s, -n.

배금(拜金) die Anbetung des Geldes. ~하다 Geld an|beten.

‖ ~주의 Mammonismus *m.* -; Mammonsdienst *m.* -(e)s, -e: ~주의자 Mammonsdiener *m.* -s, -.

배급(配給) Verteilung *f.* -en; Austeilung *f.* -en; Rationisierung *f.* -en (통제된). ~하다 verteilen 《*jm.* ^{4}*et.* 이하 같음》; aus|teilen; in Rationen zu|teilen. ¶ ~ 대상에서 제외되다 von der Rationenliste ausgeschlossen werden / ~이 늦다 Die Ration ist verschoben (aufgeschoben).

‖ ~기관 Verteilungsorgan *n.* -s, -e. ~량 Ration *f.* -en. ~미,~쌀 in ^{3}Rationen verteilter Reis, -es. ~소 Verteilungsstation *f.* -en. ~제도 Verteilungssystem *n.* -s, -e. ~통장 Rationsbuch *n.* -(e)s, ⸚er. ~통제 Rationisierung *f.* -en. ~표 Rationsticket *n.* -s, -s. ~품 Verteilungswaren 《*pl.*》. 식량~, 양곡~ Nahrungs¦ration (Reis-) *f.* -en: 식량~이 줄었다 Die Nahrungsration hat abgenommen.

배기(排氣) Auspuff *m.* -(e)s, ⸚e (가스 따위가 나오는 일); Ventilation *f.* -en (통풍); Lüftung *f.* -en (통풍). ~하다 auf|puffen^4.

‖ ~가스 Auspuffgas *n.* -es, -e. ~관(管) Dampfablaßrohr *n.* -(e)s, -e (증기의); Ventilator *m.* -s, -en (환기장치). ~구 Aus¦laß *m.* ..lasses, ..lässe (-lauf *m.* -(e)s, ⸚e). ~기 Ventilator *m.* -s, -en. ~장치 Luftauspuffverrichtung *f.* -en. ~펌프 Luftpumpe *f.* -n.

배기다[1] 《마치다》 hart sein; drücken; quetschen. ¶ 의자가 등에 배긴다 Der Stühl drückt m-n Rücken hart.

배기다[2] ertragen*; aus|stehen*; ^{4}sich enthalten*. ¶ 배길 수 있는 erträglich; zu ertragend; auszustehend / 배길 수 없다 unerträglich sein; nicht ertragen (leiden) können* / 더워서 못 배기겠다 Die Hitze ist schwer zu ertragen.¦Die Hitze ist unerträglich. / 나로서는 배겨낼 수 없다 Es ist mehr als ich ertragen kann. / 추워서 못 배기겠다 Die Kälte ist unerträglich. / 그는 너무 질겨서 내가 못 배기겠다 Er ist zu hartnäckig, als daß ich ertragen könnte.

배꼽 《몸의》 Nabel *m.* -s, -; Umbilicus *m.* -; Dolle *f.* -n. ¶ 내민 ~ der vorstehende (vorstoßende) Nabel, -s, - / ~이 빠지도록 웃다 vor Lachen bersten (platzen) wollen* / 배보다 ~이 크다 Die Brühe kommt über die Brocken. ¦ Die Nabel ist größer als der Bauch. ② 《과실의》 der Nabel der Frucht.

‖ ~노리 Umgegend des Nabels. ~장이 e-e Person, die vorstehenden Nabel hat. ~점(占) 〖민속〗 e-e Sorge von Wahrsage, in der man Dominos benutzt. ~참외 e-e Melone, die vorstehenden Nabel hat.

배끗거리다 ① 《어긋나다》 gegen ^{4}*et.* verstoßen*; ^{4}*et.* verletzen; *jm.* widersprechen. ② 《일이》 schief gehen* ⓢ; nicht in Ordnung sein; schlecht gehen*ⓢ. ¶ 일이 늘 배끗거린다 Alles, was ich tue, geht immer schief.

배끗배끗 《일이》 schief; nicht ganz korrekt; verkehrt; nicht in Ordnung; unrecht. ¶ 일이 ~ 잘 안 된다 Es geht alles schief bei mir.

배나무 Birnbaum *m.* -(e)s, ⸚e.

배낭(胚囊) 〖식물〗 Embryosack *m.* -(e)s, ⸚e; Fruchtkeimsack *m.* -(e)s, ⸚e.

배낭(背囊) 〖군사〗 Tornister *m.* -s, -; Rucksack *m.* -(e)s, ⸚e (등산용); Ranzen *m.* -s, -; Ränzel *n.* -s, -. ¶ ~을 메다 e-n Tornister fest|schnallen/~을 내려놓다 e-n Tornister ab|nehmen* / ~에 물건을 넣다 ^{4}*et.* in e-n Tornister packen.

배내 das Vieh e-s anderen züchten u. sich den Gewinn mit ihm teilen.

‖ 배냇닭(돼지, 개) die Hühner (die Schweine, die Hunde), die man aufzieht u. den Gewinn mit dem Besitzer teilt.

배내- ① 《갓난이의》 von e-m neugeborenen Kind; e-s Kindes. ② von Natur. ③ innerhalb des Magens (Bauchs). ¶ ~옷 Säuglingskleidung *f.* -en(일반적으로); Jäckchen *n.* -s, -(저고리); Hemdchen *n.* -s, -(속옷)/ ~똥 die Exkrete 《*pl.*》 (die Ausscheidung; der Auswurf) e-s neugeborenen Kindes.

배내밀다 *jm.* Hilfe hochmütig verweigern; hochnäsig sein. ¶ 그는 배내밀고 내 의견을 듣지 않았다 Hochnäsig hörte er nicht auf m-e Meinung.

배냇냄새 Geruch 《*m.* -s》 des neugeborenen Säuglings.

배냇니 Milchzahn *m.* -(e)s, ⸚e.

배냇머리 Woll¦haar (Flaum-) *n.* -(e)s, -e.

배냇병신(一病身) Idiot 《*m.* -en, -en》 (der Schwachsinnige*, -n, -n) von Geburt.

배냇짓 das Zucken* 《-s》 im Gesicht e-s neugeborenen Säuglings beim Schlafen.

배뇨(排尿) 〖의학〗 das Urinieren*, -s; das Harnen*, -s. ~하다 urinieren; harnen; den Harn (Urin) lassen*.

배니싱크림 Tagescreme *f.*; Hautcreme *f.*

배다[1] ① 《젖다》 durch|dringen*《*in*^{4}》; durchfeuchten 《*in*^{4}》; durch|schlagen*(잉크 따위가); naß (feucht) werden. ¶ …이 밴 naß; feucht; dunstig(땀에); auf|saugen; ein|saugen; 《냄새》 noch duften (riechen*) 《*nach*^{3}》 / 땀에 밴 옷을 입고 dunstige Kleider gekleidet / 물이 상보에 ~ die Tischdecke vom Wasser durchfeuchtet werden / 땀이 샤쓰에 ~ *js.* Hemd ist mit dem Schweiß durchfeuchtet/담배 냄새가 몸에 ~ der Leib nach Tabak riechen* / 붕대에 피가 배었었다 Der Band (Die Bandage) war mit Blut beschmiert (bedeckt). / 상자에 커피 냄새가 배었다 Die Kiste riecht noch nach Kaffee.

② 《버릇이》 gewöhnt (gewohnt; geübt) werden. ¶ 몸에 밴 일 die gewohnte Arbeit/ 아무는 심한 노동이 몸에 배어 있다 *jn.* an körperlich, schwere Arbeit gewöhnen / 그녀의 연기는 몸에 배어 있다 Die Aufführung ist ihr nichts Neues. / 그는 그런 일이 몸에 배어 있다 Er ist an solcher Arbeit gewöhnt.

배다[2] 《아이를》 schwanger werden; empfangen*[4]. ¶ 아이를 ~ schwanger sein; ein Kind erwarten; guter Hoffnung sein; in anderen (gesegneten) Umständen sein; (ein Kind unter dem Herzen) tragen*; trächtig sein (동물이) / 배게 하다 schwängern[4]; schwanger machen[4] / 배지 않은 아이를 낳으라고 하다 e-n unmöglichen Anspruch machen / 그녀는 어느 외국인의 아이를 배고 있다 Sie erwartet ein Kind von e-m gewissen Ausländer. / 말이 새끼를 배고 있다 Die Stute ist trächtig.

배다[3] ① 《조밀》 dicht; eng (sein). ¶ 올이 밴 옷감 der Kleidungsstoff 《-(e)s, -e》 aus eng bestricktem Gewebe / 나무를 배게 심다 Bäume dicht pflanzen / 씨를 배게 뿌리다 die Samen dicht säen / 나무 사이가 너무 ~ Der Zwischenraum der Bäume ist zu eng. ② 《속이 차다》 voll gedrängt; fest zusammengepackt; gefüllt; vollgepackt; vollgepfropft; vollgestorpft; eingefüllt; ausgefüllt (sein).

배다[4] ☞ 배우다.

배다르다 halbbürtig (sein). ¶ 배다른 형제 Halb¦geschwister 《pl.》 (-bruder m. -s, ⸚; -schwester f. -n).

배다리 Schiffsbrücke f. -n; Pontonbrücke [pɔntɔ̃:..] (주교(舟橋)); Lauf¦planke f. -n (-steg m. -(e)s, -e). ¶ 강 위에 ~를 놓다 über dem Fluß e-e Schiffsbrücke an|legen (bauen; schlagen*).

‖ 배다릿집 ein Haus 《n. -(e)s, ⸚er》 mit der Pontonbrücke vor dem Tor.

배달(配達) (Ab)lieferung f. -en; Zustellung f. -en; Austragung f. -en (우편, 신문 등의); Bestellung f. -en (우편). ~하다 ab|liefern[4]; aus|tragen*[4] (우편물을); aus|geben*[4] (우편물을). ¶ ~불능의 편지 der unbestellbare Brief, -(e)s, -e / 10시 ~편으로 mit der 10 Uhr Bestellung / ~해 주시겠읍니까 Können Sir es mir, bitte, zustellen?¦Kann ich es zugeschickt bekommen?/그는 신문(우유)를 ~한다 Er trägt Zeitungen (Milch) aus. / 대금은 ~후 지불 Zahlung gegen Lieferung./ 집으로 ~하다 ins Haus liefern[4] / 시내는 무료~이다 Die Waren werden innerhalb der Stadt kostenfrei ins Haus gebracht. / 그 편지는 잘못 ~되었다 Der Brief wurde an e-e falsche Adresse bestellt. / 그 소포는 아직 ~되지 않았다 Das Paket ist noch nicht ausgetragen worden.

‖ ~료 Ablieferungsgebühren 《pl.》. ~시간 Ablieferungszeit f. -en; Bestellzeit f. -en. ~원 Ablieferer m. -s, -; Austräger m. -s, -(신문 등의); Briefträger m. -s, -. ~증명서 Empfangsbescheinigung f. -en. ~지 Bestimmungsort m. -(e)s, -e; Adresse f. -n. ~자 Liefer(kraft)wagen m. -s, -. 시내~ Stadtbestellung f. -en. 착오~ die falsche (Ab)lieferung; die falsche Bestellung, -en (우편의).

배달(倍達) (der älteste Name für) Korea.

‖ ~겨레, ~민족 die koreanische Rasse; das koreanische Volk, -(e)s.

배당(配當) 《할당》 Zuteilung f. -en; Verteilung f. -en. ~하다 zu|teilen[34]; verteilen[4] 《an[4]》; Dividende zahlen[3] (배당금을 지불하다). ¶ 주에 대한 ~ die Dividende auf Aktien / 일할을 ~하다 e-e zehnprozentige Dividende zahlen / 이익~에 참여하다 an dem Gewinn teilhaben / 일(역할)을 ~하다 e-e Arbeit (Rolle) an|weisen* (zu|teilen).

‖ ~금 Dividende f. -n. ~부(附)(락(落)) einschließlich (ausschließlich) [4]Dividende; mit den Dividenden (ohne Dividende). ~안 der vorgelegte Dividendeplan, -(e)s, ⸚e. ~율 der Satz der Dividende. ~이득 Einnahme 《f. -n》 von Dividende. 주식~ Dividenden 《pl.》 der Aktien.

배더스트 《갬비아의 수도의 구칭》 Bathurst.

배덕(背德) Unsittlichkeit f.; Sittenlosigkeit f.; Verderbtheit f.; Immoralität f. ¶ ~의 unsittlich; sittenlos; immoralisch.

‖ ~자 Sittlichkeitsverbrecher m. -s, -; der unsittliche Mensch, -en, -en. ~행위 die unsittliche Handlung, -en.

배돌다 [4]sich von den Leuten fern|halten*; [4]sich von den anderen Leuten ab|schließen*; den Leuten aus|weichen* ⓢ.

배동바지 die Zeit, in der die Reispflanzen Körner ansetzen.

배두렁이 Bauchbinde f. -n. ☞ 두렁이.

배둥근끌 Bildhauermeißel m. -s, -; Gutsche f. -n.

배둥근대패 Schiff(s)hobel m. -s, -.

배드민턴 Federball m. -(e)s, ⸚e; Federballspiel n. -(e)s, -e.

배듬하다 ☞ 비스듬하다.

배때기 Ranzen m. -s, -; Wanst m. -es, ⸚e; Bauch m. -(e)s, ⸚e; Magen m. -s, -.

배때벗다 frech werden; unverschämt werden.

배뚤다 ☞ 비뚤다.

배라먹다 ☞ 빌어먹다.

배란(排卵) 〖생물〗 Follikelsprung m. -s; Ovulation f. -en. ~하다 Ovulation haben.

배랑뱅이 Bettler m. -s, -; Landstreicher m. -s, -; Strolch m. -s, -e; Stromer m. -s, -.

배래 hohe See, -n. ¶ ~에 auf hoher See; auf offenem Meer; von der Küste entfernt.

배래(기) ① 《물고기의》 der Bauch 《-(e)s, ⸚e》 des Fisches. ② 《옷소매의》 das niederhängende Unterteil des Mantels (von der Achselhöhle bis zum Ärmel); der Tuchstreifen 《-s, -》 entlang den Ärmelsaum.

배려(配慮) 《걱정》 Sorge f. -n; Besorgnis f. -se; 《알선》 Gutachtung f. -en; 《동정》 Anteil m. -s, -e; 《진력》 Mühe f. -n. ~하다 besorgen[4]; sorgen 《für[4]》. ¶ 세심한 ~ die sorgfältige (bedachtsame) Teilnahme, -n / …의 ~에 의하여 durch die Besorgnisse 《pl.》 von[3]... / ~해 주셔서 감사합니다 Ich danke Ihnen herzlichst für Ihre Mühe.

배례(拜禮) Verehrung f.; Anbetung f. ~하다 an|beten[4]; verehren[4].

배롱나무 *Lagerstroemia indica* (학명).

배리(背理) Sinnwidrigkeit f. -en; Verkehrtheit f. -en; Vernunftwidrigkeit f. -en; Absurdität f. -en. ¶ ~의 sinnwidrig; verkehrt; vernunftwidrig, absurd.

배리다 ☞ 비리다.

배릿- ☞ 비릿-.

배맞다 mit jm. im rechtswidrigen geschlechtlichen Verkehr stehen*; mit jm. Ehebruch begehen*. ¶ 그는 그녀와 배가 맞아 달아났다 Er beging Ehebruch mit ihr u. entführte sie.

배메기 〖농업〗 die Halbierung des Pachtbesitzes. ~하다 den Pachtbesitz halbieren.

‖ ~농사 die Landwirtschaft auf e-m geteilten Pachtbesitz.

배면(背面) Rücken *m.* -s, - (사람, 동물의); Rückseite *f.* -n (이면). ¶ 적의 ~을 공격하다 dem Feinde in den Rücken fallen* [s].
‖ ~공격 Rückangriff *m.* -(e)s, -e. ~비행 Rückflug *m.* -(e)s, ¨e.

배명(拜命) ① 《임명을》 der Empfang der amtlichen Ernennung. ~하다 ernannt werden 《von *jm. zu*^{3}》; e-e (amtliche) Ernennung empfangen*. ¶ 외무부 관리를 ~하다 Er wurde zum Beamten ins Außenministerium ernannt.
② 《명령을》 die Erhaltung, -en 〔der Empfang, -(e)s, ¨e〕 e-s Befehls. ~하다 e-n Befehl erhalten* 〔empfangen*〕.

배목(一目) 〖건축〗 Metallbolzen 《*m.* -s, -》, an dem der Türring befestigt ist.

배물교(拜物教) Fetischismus *m.* -.
‖ ~도 Fetischist *m.* -en, -en.

배미 ein Streifen 〔das Stück; der Fleck〕 des Reisackers; der einzelne Reisacker, -s, ¨. ¶ 논 두 ~ zwei Streifen des Reisackers; zwei Reisäcker / 논~ der einzelne Reisacker / 넓은 논~를 가지고 있다 e-n großen Streifen e-s Reisackers haben.

배밀이^{1} 《어린애의》 das Kriechen*, -s; das Krabbeln*, -s. ~하다 kriechen*[s,h]; krabbeln [s,h].

배밀이^{2} 《대패》 Falzhobel *m.* -s, -. ~하다 《대패질》 mit dem Falzhobel bearbeiten.

배반(背反) ① 《저버림》 Verrat *m.* -(e)s. ~하다 verraten*^{4}; 《변절하다》 anderen Sinnes werden; den Sinn ändern; um|schwenken; 《기대 따위》 (ent)täuschen^{4}. ¶ 남자를 ~하다 e-n Mann verraten* / 아내에게 ~당하다 von der Frau verraten werden / 친구를 ~하다 s-n Freund verraten*; e-n Verrat an s-m Freund begehen* / 신뢰를 ~하다 *js.* Vertrauen täuschen 〔mißbrauchen〕.
② 《어긋남》 Verstoß *m.* -es, ¨e (위반); Widerspruch *m.* -(e)s, ¨e (모순). ~하다(되다) verstoßen* 《*gegen*^{4}》 〔verstoßen werden〕; widersprechen*.
③ 《반역》 ~하다 ^{4}sich auf|lehnen《*gegen*^{4}》; abtrünnig werden 《*jm.*》; ^{4}sich empören 《gegen *jn.*; wider *jn.*》; ^{4}sich erheben* 《*jn.*》; ^{4}sich revoltieren; verraten* 《*jn.*》. ¶ 조국을 ~하다 ^{4}sich gegen das Vaterland empören; dem Vaterland abtrünnig werden / 그는 친구들에게 ~당했다 S-e Freunde wurden (ihm) alle abtrünnig.
‖ ~자 Verräter *m.* -s, -; Verräterin *f.* -nen (여자); 《변절자》 der Abtrünnige*, -n, -n; 《밀고자》 Ankläger *m.* -s, -; Anklägerin *f.* -nen (여자).

배반(胚盤) 〖동물〗 Keimscheibe *f.* -n.

배배꼬다, 배배틀다 ☞ 비비꼬다, 비비틀다.

배백(拜白) „Ihr* sehr ergebener*..." 《…친 곳은 발신인의 이름》; „Herzlichst"; „Mit besten Grüßen"; „Hochachtungsvoll"《letztes Wort e-s Briefes, folgt der Unterschrift des Schreibers》.

배번(背番) Startnummer *f.* -n (auf Rücken).

배변(排便) Stuhlgang *m.* -(e)s. ~하다 Stuhlgang haben; ein großes Geschäft verrichten.

배복(拜伏) Fußfall *m.* -(e)s, ¨e. ~하다 e-n Fußfall machen 《vor *jm.*》; demütig ^{4}sich nieder|werfen* 《vor *jm.*》.

배복(拜復) „Lieber Herr: Vielen Dank für Ihren freundlichen Brief. In Erwiderung auf^{4}..." 《Erstes Wort e-s Antwortbriefes》.

배본(配本) Lieferung *f.* -en. ~하다 ein Buch liefern; die Bücher verteilen. ¶ 제 1 회 ~ die erste Lieferung.

배부(配付) Verteilung *f.* -en; Austeilung *f.* -en (분배); Zuteilung *f.* -en (분배); Teilung *f.* -en (분할). ~하다 verteilen^{4} 《*an*^{4}》; aus|teilen^{4} 《*an*^{4}; *unter*^{4}》; zu|teilen^{4} 《*jm.*》.

배부개가하다(背夫改嫁一) dem eigenen Mann den Rücken kehren 〔den eigenen Mann verlassen*〕 u. e-n anderen Mann heiraten.

배부도주하다(背夫逃走一) den eigenen Mann verlassen* u. mit e-m anderen Mann verschwinden* [s].

배부르다 《양이 차다》 satt; voll (sein). ¶ 배불리 먹다 ^{3}sich satt 〔voll〕 essen*; genug haben; satt sein; ^{4}sich sättigen; satt werden / 나는 ~ Ich habe genug. ¦ Ich bin satt. ② 《넉넉하다》 viel; reich; genug; genügend; hinreichend (sein). ¶ 배부른 소리를 하다 mit großer Miene sagen; jeden hochmütig sprechen*.

배부른흥정 Gleichgültigkeit 《*f.*》 〔Gleichmut *m.* -s〕 gegen das Ergebnis 〔die Folge〕 e-r Handlung; e-e hochmütige Haltung gegen *jn.* ¶ ~을 하다 gegen die Folge der Handlung gleichgültig bleiben* [s]; 《비유적》 ^{4}sich gegen ^{4}*et.* gleichgültig benehmen*; teilnahmslos gegen ^{4}*et.* bleiben* [s]; kein Interesse für ^{4}*et.* haben.

배부장나리 Dickbauch *m.* -(e)s, ¨e; Dicksack *m.* -s, ¨e; Fettwanst *m.* -es, ¨e.

배분(配分) Verteilung *f.* -en (분배); Zuteilung *f.* -en (할당); Anteil *m.* -(e)s, -e (배분된 것). ~하다 verteilen^{4}; zu|teilen^{4}.

배불뚝이 Dickbauch *m.* -(e)s, ¨e; Dickwanst *m.* -es, ¨e; ein Mensch 《*m.* -en, -en》 mit e-m Schmerbauch.

배불리 voll; genug; reich. ¶ ~ 먹다 ^{3}sich den Bauch voll schlagen* / ~ 먹었읍니다 Ich habe mir satt gegessen.

배불리다 ^{3}sich den Magen füllen. ¶ 남의 것으로 자기를 ~ ^{3}sich *js.* Eigentum 〔Besitztum; Besitz; Vermögen〕 an|eignen; *js.* Vermögen unterschlagen*; ^{4}sich bereichern auf Kosten e-s anderen.

배붙이기 Stoff 《*m.* -(e)s, -e》 aus Seide u. Baumwolle.

배비(配備) Aufstellung *f.* -en; Einsatz *m.* -es, ¨e. ~하다 ein|setzen; auf|stellen. ¶ 군대를 ~하다 (die) Truppen auf|stellen.
‖ 전투~ die Aufstellung der Truppen in Schlachtordnung.

배사(背斜) 〖지질〗 Antiklinale *f.* -n. ¶ ~의 antiklinal.
‖ ~축 die Achse 《-n》 der Antiklinale.

배상(拜上) 《편지의》 „Hochachtungsvoll";„voller Hochachtung" 《Schlußwort e-s Briefes nach der Unterschrift des Schreibers》.

배상(賠償) Entschädigung *f.* -en; (Schaden-)ersatz *m.* -es; Schadloshaltung *f.* -en; Genugtuung *f.* -en; Vergütung *f.* -en; Reparation *f.* -en (특히 전쟁의); Indemnisation *f.* -en; Kompensation *f.* -en (상쇄). ~하다 entschädigen 〔schadlos halten*〕 《*jn. für*^{4}》; Ersatz 〔Genugtuung〕 leisten 《*jm. für*^{4}》; ersetzen 〔vergüten; wieder|gut|machen〕 《*jm.* ^{4}*et.*》. ¶ …의 ~으로 zum Ersatz für^{4} .../손해를 ~하다 Schaden ersetzen; *jm.* für den Schaden Ersatz leisten / ~을 청구하다 Schadenersatz erheben* 〔machen〕 / 손해 ~

을 하도록 판결하다 zum Schadenersatz verurteilen / 아무에게 손해 ~의 소송을 제기하다 *jn.* auf [4]Schadenersatz verklagen.

‖ ~금 Geldentschädigung *f.* -en; Ersatzsumme *f.* -n; Reparationen《*pl.*》(전쟁): ~금을 요구 〔지불〕하다 Ersatzsumme verlangen 〔bezahlen〕. ~요구 Entschädigungsforderung *f.* -en; Entschädigungsanspruch *m.* -(e)s, ⸗e (청구). ~의무 Entschädigungspflicht *f.* -en. ~자 Entschädiger *m.* -s, -; der Ersetzende*, -n, -n. ~지불 Reparationszahlung *f.* -en. ~청구권 Entschädigungsanspruchsrecht *n.* -(e)s, -e. ~협정 Entschädigungsvertrag *m.* -(e)s, ⸗e. ~회의 Reparationskonferenz *f.* -en. 손해~ Entschädigung *f.* -en. 현물〔금전〕~ die Entschädigung in Waren 〔in Bargeld〕.

배상꾼 ein Mensch, der frech u. schlau ist.

배상부리다 eitel u listig sein; an *jm.* unverschämt 〔anmaßend u. verschlagen〕 handeln; frech u. schlau sein.

배색(配色) die Zusammenstellung der Farben; Farbkombination *f.* -en; Farbenmischung *f.* -en; Kolorit *n.* -(e)s, -e. ~하다 die Farben zusammen|stellen; die Farben mischen; die Farben arrangieren. ¶ ~이 좋다〔나쁘다〕 die Farben passen gut 〔schlecht〕 zueinander.

배서(背書) 〖경제〗 Giro [ʒí:ro:] *n.* -s, -s; Indossament *n.* -(e)s, -e. ~하다 girieren[4] [ʒi..]; indossieren[4].

‖ ~인 Girant [ʒiránt] *m.* -en, -en; Indossant *m.* -en, -en. 피~인 Girat [ʒirá:t] *m.* -en, -en; Indossat *m.* -en, -en.

배석(陪席) das Beisitzen*, -s. ~하다 als Richter bei|sitzen*.

‖ ~자 Beisitzer *m.* -s, -. ~판사 beisitzender Richter, -s, -; Beisitzer *m.* -s, -; Assessor *m.* -s, -en.

배선(配船) die Verteilung der Schiffe auf verschiedene Linien. ~하다 ein Schiff bestimmen 《*für*[4] e-e Linie》.

배선(配線) die (elektrische) Leitung, -en; 《공사》 das Drahtlegen*, -s. ~하다 Draht legen; mit [3]Draht versehen*[4].

‖ ~반(盤) 《전자 계산기의》 das elektrische Leitungsbrett, -(e)s, -er.

배설(排泄) 〖의학〗 das Ausscheiden*, -s; Ausscheidung *f.* -en; Entleerung *f.* -en; Absonderung *f.* -en; Exkretion *f.* -en. ~하다 aus|scheiden*[4]; entleeren[4]; ab|sondern[4].

‖ ~강(腔) Kloake *f.* -n. ~관 Nephridium *n.* -(e)s, ..dien. ~기(관) Ausscheidungsorgan *n.* -(e)s, -e. ~물 Exkret *n.* -(e)s, -e; Ausscheidung *f.* -en; Auswurf *m.* -(e)s, ⸗e. ~선(腺) die abführende Drüse, -n. ~작용 Evakuation *f.* -en.

배설(排設) Arrangement *n.* -s, -s; Vorbereitung *f.* -en; Anordnung *f.* -en. ~하다 (beim religiösen Fest die Opfergefäße auf den Altar) vor|bereiten 〔arrangieren〕. ¶ 연석을 ~하다 Plätze für e-n Festmahl vor|bereiten.

배속(配屬) Zuweisung *f.*; Anfügung *f.* ~하다 zu|weisen*[34].

‖ ~장교 der zu e-r Schule zugewiesene Offizier, -s, -.

배수(拜受) Empfang *m.* -(e)s, ⸗e. ~하다 empfangen*[4]; erhalten*[4]. ¶ 귀하의 서한 ~하였나이다 Ich bestätige Ihnen den Empfang Ihres Schreibens.

배수(配水) Wasserversorgung *f.* -en; die Verteilung des Wassers. ~하다 mit [3]Wasser versorgen[4]; Wasser verteilen.

‖ ~관 Wasserleitungsröhre *f.* -n. ~지(池) der Teich 《-(e)s, -e》 für die Wasserleitung.

배수(倍數) ① 〖수학〗 das Vielfache*, -n. ¶ 9는 3의 ~다 9 ist multipel von 3. ② 《갑절》 die doppelte Nummer, -n.

‖ ~비례 multiple Proportion, -en. ~염색체 der doppelte Chromosomensatz, -es, ⸗e. 최소공~ das kleinste gemeinsame Vielfache.

배수(排水) Abfluß 〔Auslaß〕 *m.* ..ses, ..flüsse; Wasserableitung *f.* -en; Entwässerung *f.* -en; Dränierung *f.* -en; Wasserabschlag *m.* -(e)s, ⸗e. ~하다 Wasser ab|leiten; 《논의 물을》 entwässern[4] 《[4]Felder》; dränieren[4]. ¶ ~가 잘〔안〕 되다 gut 〔schlecht〕 ab|fließen* / ~에 결함이 있다 Es ist ein Fehler in der Entwässerungsanlage. / 이곳은 ~가 잘 〔안〕 된다 Das Wasser fließt hier gut 〔schlecht〕 ab.

‖ ~공사 Entwässerungsanlage *f.* -n. ~관 Abflußröhre *f.* -n; Entwässerungsröhre *f.* -n. ~구 Abflußgraben *m.* -s, ⸗. ~기 (Wasser)ableiter *m.* -s, -. ~기관 Ableitungsmaschine *f.* -n. ~량 Wasserverdrängung *f.* -en 《von 4000 Tonnen》: 이 배의 ~량은 5천톤이다 Das Schiff verdrängt 5000 Tonnen. ~로 Entwässerungskanal *m.* -(e)s, ⸗e. ~장치 Dränung *f.* -en. ~톤수 Wasserverdränungstonnage [..na:ʒə] *f.* -n.

배수성(背水性) 〖식물〗 negativer Hydrotropismus.

배수진(背水陣) ① 《싸움》 ¶ ~을 치다 alle Schiffe hinter [3]sich verbrennen*; alle Brücken hinter [3]sich ab|brechen*.
② 《진지》 ein Lager 《*m.* -s, - 〔⸗〕》, das mit dem Fluß hinter dem Korps [ko:r] aufgeschlagen wurde.

배숙(一熟) die gekochte, im Honig eingelegte Birne.

배승(陪乘) das Zusammenfahren* 《-s》 mit e-m Vorgesetzten 〔Höhergestellten〕. ~하다 mit e-m Vorgesetzten zusammen fahren[s].

배시(陪侍) das Begleiten* 《-s》 e-s Vorgesetzten; das Mitgehen*, -s; das Aufwarten* 《-s》 für e-n Vorgesetzten. ~하다 e-n Vorgesetzten begleiten; e-m Vorgesetzten Gefolge leisten; e-n Vorgesetzten bedienen. ¶ 주군 곁에 ~하다 den Herrn bedienen; dem Herrn Dienste leisten 〔auf|warten〕.

배식(陪食) das Diner 《-s, -s》 mit dem Vorgesetzten. ~하다 mit dem Vorgesetzten Diner haben; mit dem Hochgestellten Mahlzeit halten*. ¶ 어전 ~의 분부를 받다 zur Tafel des Kaisers 〔zur kaiserlichen [3]Tafel〕 (ein)geladen werden / ~의 영광을 받다 die Ehre haben, dem Hofdiner beizuwohnen.

배신(背信) Treubruch *m.* -(e)s, ⸗e; Verrat *m.* -(e)s. ~하다 die Treue brechen*. ¶ ~적인 verräterisch.

‖ ~자 Treubrecher *m.* -s, -; Verräter *m.* -s, -. ~행위 der Bruch 《-(e)s, ⸗e》 der Treue; die verräterische Handlung, -en.

배신(陪臣) Begleiter *m.* -s, -; Diener *m.* -s, -.

배심(背心) aufrührerisches Herz, -ens, -en; aufständisches Herz; rebellische Absicht, -en; verräterisches Vorhaben, -s, -.

배심(陪審) 《재판》 Geschwor(e)nen|gericht

〔Schwur-〕 *n.* -(e)s, -e; Jury [ʒý:ri] *f.* -s 〔..ries〕. **~하다** beim Schwurgericht als Richter bei|sitzen*.

‖ **~원** der Geschworene*, -n, -n; Jurat *m.* -en, -en; Juryman *m.* -, ..men; die Geschworenen《*pl.*》(총칭): ~원은 범인에게 유죄 판결을 내렸다 Die Geschworenen sprachen den Verbrecher schuldig. / ~원석 Geschwor(e)nenbank *f.* ⸗e. **~재판** Geschworenengericht *n.* -(e)s, -e: ~ 재판에 부치다 vor die Geschwornen stellen《*jn.*》/ 아무를 ~ 재판에 호출하다 *jn.* vor die Geschworenen stellen. **~제도** Schwurgerichtswesen *n.* -s, -.

배쌈 die Schiffsseiten u. die Reling《*f.* -s》.

배아(胚芽) Keimknospe *f.* -n.

‖ **~미** der Reis mit Keimknospe.

배악비 das Stoffutter《-s, -》koreanischer Lederschuhe.

배알 ①《창자》Eingeweide《*pl.*》; innere Organe《*pl.*》; Därme《*pl.*》. ②《배짱》Kühnheit *f.* -en; Verwegenheit *f.* -en; Dreistigkeit *f.* -en. ③《부아》Erbitterung *f.* -en; Ärger *m.* -s; Zorn *m.* -s.

배알(拜謁) Audienz *f.* -en《*bei*³》. **~하다** in Audienz empfangen werden《vom König》. ¶ ~을 윤허하시다 *jm.* e-e Audienz erteilen 〔gewähren〕.

배앓이 Magenschmerzen *n.* -(e)s, -e; Kolik *f.* -en; Bauchgrimmen *n.* -s. ¶ 배를 앓다 Magenschmerz haben; Es grimmt mich 〔mir〕 im Bauch.

배액(倍額) doppelter Betrag, -(e)s, ⸗e; zweifache Gebühr《*pl.*》; Verdoppelungssumme *f.* -n. ¶ 요금의 ~을 물다 das doppelte Fahrgeld zahlen / 시간 외에 일하여 ~의 임금을 받다 infolge der ²Überstunden verdoppelten Lohn《-(e)s, ⸗e》erhalten.

‖ **~지불 조항** 〖보험〗 Doppelindemnitätsartikel 〔-klausel〕 *m.* -s, -.

배양(培養) (An)bau *m.* -(e)s (재배); Kultivierung *f.* -en; Kultur *f.* -en; Pflanzung *f.* -en (재배); Pflege *f.* -n (재배); Zucht *f.* -en (특히 세균의). **~하다** (an|)bauen⁴ (식물의); ziehen*⁴ (꽃 따위를); kultivieren⁴; züchten⁴ (세균을).

‖ **~가** Pflanzer *m.* -s, -; Züchter *m.* -s, -. **~균** die gezüchtete Bakterie, -n. **~기(基)** Nährboden *m.* -s, ⸗ 〔-〕. **~법** die Methode der Pflanzung. **~소** Pflanzschule *f.* -n; Baumschule *f.* -n (묘포). **~액** Kultur¦lösung 〔Nähr-〕 *f.* -en. **~토** der anbauende Boden, -s, ⸗. 병균 **~기(器)** Brutapparat *m.* -(e)s, -e. 세균**~** die Züchtung der Bakterien《*pl.*》. 인공**~** die künstliche Kultivierung, -en.

배어루러기 ein Tier mit dem gefleckten 〔gesprenkelten; melierten〕 Bauch.

배역(背逆) Verrat *m.* -s; Treubruch *m.* -(e)s, ⸗e; Rebellion *f.* -en. **~하다** an *jm.* einen Verrat begehen gegen⁴ *jn.* rebellieren. ¶ ~할 사람을 키우다 eine Schlange an seinem Busen nähren.

배역(配役) 〖연극〗 Rollen¦besetzung *f.* -en 〔-verteilung *f.* -en〕. ¶ ~을 정하다 e-e Rolle besetzen《mit *jm.*》; e-e Rolle verteilen《*jm.*》/ ~중의 아역(兒役) Kinderschauspieler *m.* (unter der Rollenverteilung) / 이 영화의 ~은 훌륭하다 Die Besetzung in diesem Film ist ausgezeichnet.

배열(排列·配列) (An)ordnung *f.* -en; Aufstellung *f.* -en; Disposition *f.* -en. **~하다** (an|)ordnen⁴; auf|stellen⁴; in ⁴Ordnung bringen*⁴. ¶ 편리한 ~로 in bequemer (An)ordnung / 알파벳 순서로 ~하다 alphabetisch an|ordnen.

배엽(胚葉) 〖식물〗 Keimhaut *f.* ⸗e.

배영(背泳) Rückschwimmen *n.* -s. **~하다** auf dem Rücken schwimmen*.

‖ **~선수** Rückenschwimmer *m.* -s, -.

배영(排英) ‖ **~감정** das anti-britische Gefühl, -(e)s, -e.

배외(排外) Fremdenfeindlichkeit *f.* ¶ ~적, ~의 fremdenfeindlich.

‖ **~사상** der fremdenfeindliche Gedanke, -ns, -n. **~운동** die fremdenfeindliche Bewegung, -en. **~정책** Abschließungspolitik *f.* -en. **~주의** Chauvinismus *m.* -.

배우(俳優)《연기자》Schauspieler *m.* -s, - (남자); Schauspielerin *f.* ..rinnen (여자). ¶ ~가 되다 Schauspieler 〔Schauspielerin〕 werden; zur Bühne gehen* ⓢ (무대에 서다).

‖ **~학교** Schauspielschule *f.* -n. 명**~** der ausgezeichnete Schauspieler, -s, -; Bühnengröße 〔Theater-〕 *f.* -n; Löwe *m.* -n, -n. 무대**~** Bühnenschauspieler *m.* -s, -. 엉터리**~** ein schlechter Schauspieler, -s, -. 영화**~** Filmschauspieler *m.* -s, -;《여자》Filmschauspielerin *f.* -nen. 인기**~** ein beliebter 〔populärer〕 Schauspieler, -s, -.

배우는이 Student des Buddhismus; Student *m.* -en, -en; Wissenschaftler *m.* -s, -.

배우다 lernen⁴; erlernen⁴; erwerben*⁴ (지식을); ⁴sich aus|bilden《*in*³》; gelehrt werden; studieren⁴ (대학에서); Unterricht nehmen* (레슨을 받다); ⁴sich üben《*in*³》(연습하다). ¶ 독일어를 ~ Deutsch lernen / 피아노를 ~ Klavier (spielen) lernen/외국어를 ~ e-e fremde Sprache lernen / 법률을 ~ Jura studieren / 독일어 회화를 ~ Deutsch sprechen lernen / 장사를 ~ ein Gewerbe 〔Geschäft〕 lernen / 그에게 노래를 배우고 있다 Ich habe bei ihm Unterricht im Singen. / 누구에게서 우리말을 배우셨읍니까 Von wem haben Sie Koreanisch gelernt? / 그의 저서에서 많은 것을 배웠다 Ich habe viel von s-m Buch gelernt. / 그녀는 일곱살 때 비로소 무용을 배웠다 Sie hat im Alter von 7 Jahren ihren ersten Unterricht im Tanzen genommen. / 배우느니 보다 익혀라《속담》„Übung macht den Meister." / 독일 사람 한테서 독일어를 배우고 있다 Er hat 〔nimmt〕 deutschen Unterricht bei e-m Deutschen.

배우자(配偶子) 〖생물〗 Gamet *m.* -en, -en; Keimzelle *f.* -n.

배우자(配偶者) ①《남편》Gemahl *m.* -(e)s, -e; Gatte *m.* -n, -n; Lebens¦gefährte *m.* -n, -n 〔-genoß *m.* ..nossen, ..nossen〕; Mann *m.* -(e)s, ⸗er. ②《아내》Gemahlin *f.* ..linnen; Gattin *f.* ..tinnen; Lebens¦gefährtin *f.* ..tinnen; Genossin *f.* ..nossinnen; Frau *f.* -en. ¶ 적당한 ~를 고르다 e-e passende Partie suchen.

배움 das Lernen*, -s; Gelehrsamkeit *f.* ¶ ~의 길 der Weg《-(e)s, -e》zur Wissenschaft / ~의 벗 Mitschüler *m.* -s, -; Klassenkamerad *m.* -en, -en; Studienfreund *m.* -(e)s, -e / ~에 뜻을 두다 studieren wollen.

배움배움 wissenschaftliche Kenntnisse《*pl.*》; Gelehrsamkeit *f.* -en; das Lernen*, -s; Lernfleiß *m.* ..sses. ¶ ~ 없다 ungelehrt sein; ungebildet sein; unwissend sein / ~

이 많다 gelehrt sein; gebildet sein; erfahren sein; belesen sein.
배움터 Lernplatz *m.* -es, -e (⸚e); Schule *f.* -n,
배웅 Abschied *m.* -(e)s, -e; Lebewohl *n.* -s, -s. **~하다** *jn.* beim Abschied ein Stück des Weges begleiten; ihm Lebewohl sagen. ¶ ~ 나가다 *jn.* zur Tür begleiten / 손님을 정거장까지 ~하다 den Gast bis zum Bahnhof begleiten / 교수님을 비행장까지 ~해 드리다 meinen Professor zum Flughafen bringen.
배유(胚乳) =배젖(胚—).
배율(倍率) Vergrößerungskraft *f.* ⸚e; Vergrößerung *f.* -en. ¶ 100 ~의 망원경 das Vergrößerungsglas mit hundertfacher Vergrößerung / 이 현미경의 ~은 어느 정도입니까 Wievielfach vergrößert dieses Mikroskop?
배은망덕(背恩忘德) Undank *m.* -(e)s; Undankbarkeit *f.* **~하다** undankbar《*gegen*[4]》(danklos) sein. ¶ ~한 사람 ein undankbarer Mensch, -en, -en; der Undankbare*, -n, -n / ~을 사죄하다 *jn.* um Verzeihung wegen der Undankbarkeit bitten*.
배음(倍音) 〖음악〗 Oberton *m.* -(e)s, ⸚e; Nebenton *m.* -(e)s, ⸚e; die Beitöne《*pl.*》.
배일(排日) antijapanisch; japanfeindlich. ¶ 그 나라에서는 ~감정이 강하다 Das Land fließt vor dem antijapanischen Gefühl über.
‖ **~론자** Japanfeind *m.* -(e)s, -e. **~법** antijapanisches Gesetz, -es. **~운동** antijapanische Bewegung, -en.
배일성(背日性) =해질성(—性).
배임(背任) Treubruch *m.* -(e)s, ⸚e; das Brechen*《-s》der Treue; Verrat *m.* -(e)s. ¶ 업무상 ~ die Unterlassung der Pflicht.
‖ **~죄** das Brechen* der Treue; Treubruch *m.* -(e)s, ⸚e: ~죄로 고발 당하다 des Treubruches angeklagt werden. **~행위** die Handlung《-en》des Treubruchs.
배자(褙子) Weste *f.* -n.
배재기 die Schwangere*, -n, -n.
배전(倍前) ¶ ~의 verdoppelt / ~의 애호를 바랍니다 Wir bitten Sie um Ihre beständige Begünstigung.
배전(配電) die Verteilung《-en》der Elektrizität. **~하다** die Elektrizität verteilen. ¶ ~을 중지하다 mit der Verteilung der Elektrizität auf|hören.
‖ **~기** die elektrische Verteilungsmaschine, -n. **~반** Schalt¦brett *n.* -(e)s, -er (-tafel *f.* -n). **~선** Verteilungsleitung *f.* -en. **~소** Verteilungszentrale *f.* -n. **~회사** die Verteilungsgesellschaft der Elektrizität.
배젊다 sehr jung (sein).
배점(配點) die Zuteilung von Punktes; Punktverteilung *f.* -en. **~하다** Punkte zu|teilen. ¶ 한 문제에 15점을 ~하다 für e-e Aufgabe (e-e Frage; ein Problem) 15 Punkte geben* (zu|teilen).
배정(配定) Arrangement *n.* -s, -s; Zuteilung *f.* -en. ¶ 역을 ~하다 *jm.* eine Rolle an|-weisen.
배정과(—正果) in Honig eingelegte Birnenscheiben (-stücke).
배젖(胚—) 〖식물〗 Endosperm *n.* -s, -e; Nährgewebe *n.* -s, -.
배제(排除) Ausschließung *f.* -en; Ausschluß *m.* ..schlusses, ..schlüsse (배척, 제명); Wegschaffung *f.* -en (제거). **~하다** aus|schließen*[4]; weg|schaffen[4] (제거하다); aus|pumpen[4] (물 따위를) ¶ …을 ~하고 ausgeschlossen[4]; ausgenommen[4] / 회담에서 정치문제를 ~하다 in der Konferenz politische Probleme aus|schließen* / 물을 ~하다 das Wasser aus|pumpen.
‖ **~법** 〖논리〗 die Methode《-n》der Ausschließung.
배제(配劑) Rezept *n.* -(e)s, -e. ¶ 약을 ~하다 *jm.* eine Arznei verschreiben.
배좁다 ☞ 비좁다.
배종(胚種) 〖식물〗 Keim *m.* -(e)s, -e; Keimling *m.* -s, -e.
‖ **~세포** Keimzelle *f.* -n.
배종(陪從) das Begleiten* für den Vorgesetzten (Höhergestellten); das Mitgehen*, -s. **~하다** e-n Vorgesetzten (Höhergestellten) begleiten; e-m Vorgesetzten Gefolge leisten.
배주(胚珠) =밑씨.
배주룩하다 ☞ 비주룩하다.
배중율(排中律) 〖논리〗 Satz《*m.* -(e)s, ⸚e》vom ausgeschlossenen Dritten.
배증(倍增) Doppelung *f.* -en; Verdoppelung *f.* -en. **~하다** verdoppelt sein; um das Doppelte vergrößert werden; verdoppeln[4]. ¶ 급료를 ~하다 die Löhne auf das Doppelte erhöhen / 노동자들은 임금의 ~을 요구했다 Die Arbeiter verlangten, ihre Löhne um das Doppelte zu erhöhen.
배지 =배때기.
배지 Ab¦zeichen (Kenn-) *n.* -s, -; Ordenszeichen (종단(宗團) 등의); Kragen¦abzeichen (-merkzeichen) *n.* -s.
배지기 〖씨름〗 Bauchgriff *m.* -s, -e; Bauchwurf *m.* -s, ⸚e (im Ringkampf).
배지느러미 〖어류〗 Bauchflosse《*f.* -n》der Fische.
배지성(背地性) =땅질성(—性).
배진(背進) Rück¦marsch *m.* -es, ⸚e (-bewegung *f.* -en); 《철수》 Zurück|ziehung *f.* -en. **~하다** zurück|marschieren (-|gehen*) [s]; [4]sich zurück|ziehen*.
배질 ①《노질》das Rudern*, -s; Ruderfahrt *f.* -en. **~하다** rudern* [s,h]; segeln* [s,h]. ②《졸기》das Nicken*, -s. **~하다** nicken*.
배짱 ①《뱃심》Mut *m.* -(e)s; Kühnheit *f.*; Herzhaftigkeit *f.* ¶ ~좋은 mutig; beherzt; schneidig / ~없는 furchtsam; ängstlich; zaghaft / ~ 세게 나오다 [4]sich unnachgiebig zeigen《*gegenüber*[3]》/ ~이 좋다 Er kann Haltung bewahren.¦Er hat starke (eiserne) Nerven. / 그는 해볼만한 ~이 없다 Er hat k-n Mut, es zu versuchen. / 시험 볼 때에는 ~이 필요하다 Starke Nerven sind die Hauptsache bei e-r Prüfung. ②《속 마음》das Innere*; Absicht *f.* -en; die innere Haltung, -en; Charakterfestigkeit *f.* ¶ ~을 정하다 [4]sich bereit finden*; [4]sich in [4]*et.* ergeben* / 두 사람은 ~이 서로 맞는다 Beide stehen in bester Freundschaft. / 말은 그러나 ~은 나르나 Er sagt nicht das, was er denkt.
배쭉 ☞ 비죽.
배차(配車) die Verteilung der Wagen. **~하다** Wagen verteilen.
‖ **~계, ~원** der Verteiler der Wagen.
배참하다 seinen Ärger an *jm.* aus|lassen* (, nachdem man selbst von einem Vorgesetzten gescholten wurde).
배척 Hammerklaue《*f.* -n》für das Herausziehen* großer Nägel.

배척(排斥) 《거부》 Verwerfung *f.* -en; 《제외》 Ausschluß *m.* ..schlusses, ..schlüsse; Ausschließung *f.* -en; 《추방》 Verbannung *f.* -en; 《보이콧》 Verruf *m.* -(e)s, -e. ～하다 verwerfen⁴; aus|schließen*⁴; verbannen⁴; verrufen*⁴. ¶ 일본 상품에 대한 ～ der Verruf (von) der japanischen Waren / 그는 교활하기 때문에 모든 사람한테서 ～당하고 있다 Da er zu schlau ist, geht ihm jeder aus dem Wege.

‖ ～운동 die Bewegung, -en 《*gegen*⁴》: 교장 ～운동이 일어나고 있다 E-e Bewegung, den Rektor zum Rücktritt zu zwingen, ist im Gange.

배청(拜聽) das Hören* 《-s》 mit größer Höflichkeit. ～하다 hören⁴; (³sich) an|hören⁴. ¶ 귀하의 의견을 ～하고 있읍니다 Ich höre Ihren Erklärungen gespannt zu.

배추 der weiße Kohl, -(e)s, -e.

‖ ～김치 der gesalzene weiße Kohl (mit Paprika u. anderen Gewürzen). ～꼬랑이 die Wurzel 《-n》 des weißen Kohles. ～벌레 e-e Kohlpflanzen zerfressende Raupe, -n; die grüne Raupe, -n. ～속대 das Herz des weißen Kohles.

배출(排出) Ausstoßung *f.* -en; Ablassung *f.* -en. ～하다 aus|stoßen*⁴; ab|lassen*⁴; aus|werfen*⁴.

‖ ～관 Auslassungsröhre *f.* -n. ～구 Ausfluß *m.* ..flusses, ..flüsse: ～구를 찾다 《감정 따위의》 ein Ventil 《*n.* -s, -e》 suchen. ～판(瓣) (Auslassungs)ventil *n.* -s, -e.

배출(輩出) Hintereinandererscheinung *f.* -en. ～하다 hintereinander erscheinen* ⓢ. ¶ 그 지방에서는 영재가 많이 ～되었다 Aus dem Ort sind e-e große Anzahl von Talenten hervorgegangen. / 그 시대에는 위인이 속속 ～되었다 Das Zeitalter war reich an großen Leuten.

배치(背馳) der Widerspruch, -(e)s, ⸗e; Gegensatz, -es, ⸗e; Unvereinbarkeit *f.* -en; Widrigkeit *f.* -en. ～하다 *jm.* entgegen|stehen*; *jm.* widersprechen*; *jm.* zuwider|laufen* ⓢ,ⓗ; divergieren; von *jm.* ab|weichen* ⓢ; mit *jm.* in Konflikt geraten*ⓢ. ¶ 전혀 사실과 ～되다 gänzlich (völlig; ganz) den Tatsachen widersprechen*/ 이런 풍습은 우리나라의 전통적인 것과는 ～된다 Diese Sitte läuft unserer Tradition zuwider.

배치(配置) Anordnung *f.* -en; Arrangement [arɑ̃ʒ(ə)mɑ́:] *n.* -s, -s; 《구분》 Einteilung *f.* -en; Gliederung *f.* -en; 《분배》 Verteilung *f.* -en; 《군대 따위의》 Aufstellung *f.* -en; 《설치》 Einrichtung *f.* -en; 《정원 따위의 설계》 Plan *m.* -(e)s, ⸗e. ～하다 an|ordnen⁴; arrangieren⁴ [arɑ̃ʒí:rən]; ein|teilen⁴; gliedern⁴; verteilen⁴; 《군대를》 auf|stellen⁴; ein|setzen⁴; stationieren⁴; ein|richten⁴(설치하다). ¶ 경관이 길가에 ～되어 있었다 Die Polizisten waren die Straße entlang stationiert. / 이 집의 방은 ～가 좋다 (나쁘다) Die Zimmer in diesem Hause sind gut (schlecht) angeordnet (verteilt).

‖ ～계획 《도시계획 따위의》 Stadtviertelplan *m.* -(e)s, ⸗e; 《건축》 Bauplan *m.* -(e)s, ⸗e. ～전환 Umstellung *f.* -en; Transposition *f.* -en. 공격～ Angriffsstellung *f.* 방어～ Verteidigungsstellung *f.*; Schutzstellung *f.* 부대～ die Aufstellung der Truppe.

배치(排置) Arrangement *n.* -s, -s. ～하다 arrangieren; an|ordnen; in Ordnung bringen; ordnen; veranstalten; vor|bereiten.

배치근하다 =비릿하다.

배코 das Haar 《*n.* -(e)s, -e》 unter dem Haarknoten. ¶ ～치다 das Haar unter dem Haarknoten schneiden.

배타(排他) Ausschließung *f.* -en. ¶ ～적(의) ausschließlich; exklusiv.

‖ ～론자 e-r, der für Ausschließung ist. ～주의 Exklusivität *f.* -en.

배탈 Magenschmerz *m.* -es, -en. ¶ ～이 나다 Magenschmerzen haben.

배태(胚胎) Keimung *f.* -en; Schwangerschaft *f.* -en. ～하다 《움트다》 keimen; 《기인하다》 entspringen*ⓢ 《*aus*³》; her|rühren (-|kommen* ⓢ) 《*von*³》; 《새끼를 배다》 schwanger gehen* ⓢ; trächtig sein (동물이).

배터 Schläger *m.* -s, - (야구의).

배터리 ① 〖야구〗 Werfer u. Fänger, des -s u. -s, - u. -. ② 〖전기〗 Batterie *f.* -n.

배퉁기다 =배내밀다.

배퉁이 Bauch *m.* -(e)s, ⸗e; Magen *m.* -s, -.

배트 Schlagstock *m.* -(e)s, ⸗e (야구의).

배틀- ☞ 비틀-.

배팅 〖야구〗 das Schlagen*, -s.

배편(—便) das geeignete Schiff, -(e)s, -e; das zur Abfahrt bereitliegende Schiff, -(e)s, -e; die erste Schiffsgelegenheit. ¶ ～으로 mit dem Schiff (Dampfer) / ～으로 보내다 mit dem Schiff senden* / ～이 나는대로 bei erster ³Fahrgelegenheit / ～을 기다리다 die günstige Fahrgelegenheit ab|warten; auf das nächste Schiff warten / 다음 ～을 이용할 겁니다 Ich werde das nächste Schiff als Fahrgelegenheit benutzen. / 바로 ～이 있어서 해로를 택했다 Da gerade ein Schiff abging, habe ich den Seeweg gewählt.

배포(配布) Verteilung *f.* -en; Austeilung *f.* -en; Zuteilung *f.* -en. ～하다 ⁴*et.* an *jn.* verteilen; aus|teilen; *jm.* ⁴*et.* zu|teilen; ein|teilen.

‖ ～망(網) die Netzarbeit der Verteilung.

배포(排布·排鋪) ① 《도량》 Großmut *f.*; Großherzigkeit *f.*; Großzügigkeit *f.* ¶ ～가 크다 groß|herzig (-mütig; -zügig) sein / ～를 정하다 e-n Entschluß fassen / 가슴 속에는 딴 ～가 들어 있다 andere Absicht haben / 그의 ～는 알 수 있다 Ich kann ihn nicht durchschauen.

배풍(背風) Rückenwind *m.* -(e)s, -e; Wind von Rücken.

배필(配匹) Lebensgefährte *m.* -n, -n; Lebensgefährtin *f.* ..tinnen (여자의). ¶ 좋은 ～을 찾다 ⁴sich nach e-r guten Partie um|sehen*; e-n gut passenden Ehepartner finden wollen* / ～을 앞세우다 s-e Frau (ihren Mann) überleben / 천생 ～이다 ein gut passender Partner 《-s, -》 (e-e gut passende Partnerin, -nen) sein.

배합(配合) ① 《조화》 Zusammensetzung *f.* -en (약제 따위); Zusammenstellung *f.* -en (색깔); Harmonie *f.* -n [..ní:ən] (조화). ～하다 zusammen|setzen⁴ (화합하다); zusammen|stellen⁴ (한데 모음); 《합금》 legieren⁴; vermischen⁴. ¶ ～이 잘된 harmonisch; gut zusammengesetzt / 잘 ～되다 gut passen; *jm.* gut stehen* / 그 색은 ～이 좋다 Diese Farben passen gut zusammen.

② 《혼합》 Mischung *f.* -en; Verbindung *f.* -en; Kombination *f.* -en. ～하다 mischen; kombinieren. ¶ ～되다 gemischt (kombiniert) werden / 그 ~은 완전하다 Die Kombination ist vollkommen.

‖ ~비료 gemischtes Düngemittel, -s, -; Mischdünger *m.* -s, -. ~사료 Mischfutter *n.* -s, -; das gemischte Futter, -s, -.

배행(陪行) ①《모시고 감》 Begleitung *f.* (für e-n Vorgesetzten). ~하다 e-n Vorgesetzten begleiten. ② =배웅.

배혁(背革) Halbleder *n.* -s, -. ¶ ~으로 장정한 in Halbfranz (gebunden); (in) Halbleder gebunden.

‖ ~장정(본) Halbleder(band) 〔Halbfranz(-band)〕 *m.* -(e)s, ⸚e. ~제본 das Halblederbuchbinden*, -s, -.

배화(排貨) Boykott *m.*; Verrufserklärung *f.* -en. ~하다 boykottieren.

배화교(拜火敎) 〖종교〗 Feueranbetung *f.* -en.

‖ ~도 Feueranbeter *m.* -s, -.

배회하다(徘徊—) umher|wandeln ⓢ 〔-|streichen* ⓢ; -|streifen ⓗ,ⓢ〕; umher|gehen* ⓢ (돌아다니다); hin- u. her gehen*ⓢ (오락가락하다); bummeln (빈둥거리다). ¶ 이리저리 ~ hin u. her wandern / 여러 곳을 ~ vom Ort zu den anderen wandern / 들을 ~ auf dem Feld wandern / 밀림을 ~ durch die Dschungel wandern / 이상한 남자가 이 부근을 배회하고 있다 Ein verdächtiger Mann streicht hier umher.

배후(背後) Rücken *m.* -s, -; Hinterseite *f.* -n (건물 따위의); Hintergrund *m.* -(e)s, -e (배경). ¶ ~에 hinter[3]; im [3]Rücken / ~에서 조종하는 사람 Lenker *m.* -s, -; Drahtzieher *m.* -s, -; Hintermann *m.* -(e)s, ⸚er / ~에서 조종하다 *jn.* tanzen lassen*; hinter [3]*et.* stecken; die Fäden in der Hand haben; die geheime Oberleitung haben; insgeheim leiten[4] / 적의 ~를 찌르다 dem Feinde in den Rücken fallen* ⓢ / 그의 ~에는 백만장자가 있다 Hinter ihm steht ein Millionär.

백(白) Weiß *n.* -es.

백(百) hundert; Hundert *n.* -(e)s, -e (백의 수). ¶ 2 〔3, 4〕백 zwei 〔drei, vier〕 hundert / 백 번째 hundertst / 수백의 Hunderte von[3]; einige 〔viele〕 hundert / 기백씩 zu Hunderten / 백미터 경주 Hundert-Meter-Lauf *m.* -(e)s, ⸚e / 기백명의 사람들 hunderte von Menschen / 백을 단위로 hundertweise; nach Hunderten.

백 ① 〔명사적〕 Rücken *m.* -s, -; Rückseite *f.*(배후); Hintergrund *m.* -(e)s, ⸚e; Verteidiger *m.* -s, - (후위).

② 〔부사적〕 rückwärts (뒤로). ¶ 백하다(시키다) rückwärts gehen*ⓢ (rückwärts gehen lassen*[4]).

백가서(百家書) die Bücher der vielen Philosophen und Wissenschaftler.

백각(白—) 〖광물〗 Weißquarz *m.* -es, -e.

백계(百計) alle Hilfsmittel, -s, -; alle Mittel, -s, -; alle Maßregel, -s, -. ¶ ~가 다하다, ~가 속수무책이다 hilflos sein; nutzlos sein; ratlos sein; zwecklos sein; *js.* Kraft erschöpfen; mit seinem Verstand 〔Latein〕 am Ende sein; [3]sich nicht mehr zu helfen wissen; ohne etwas dagegen tun zu können / ~를 다 하다 alle Mittel greifen; alle Maßregeln treffen; alle möglichen Mittel anwenden.

‖ ~무책 Hilflosigkeit *f.* -en.

백계노인(白系露人) Weißrusse *m.* -n, -n.

백곡(百穀) alle Getreidearten 《*pl.*》.

백골(白骨) ① 《뼈》 Gerippe *n.* -s, -; Skelett *n.* -(e)s, -e. ¶ ~난망이다 sehr dankbar sein/ 은혜는 ~난망입니다 Ihre Freundlichkeit wird nie vergessen. ② 《목기류》 das hölzere Gefäß, -es, -e.

백곰(白—) der weiße Bär, -en, -en; Eis|bär (Polar-) *m.* -en, -en.

백과(白瓜) Beutelmelone *f.* -n.

백과사전, 백과전서(百科事典, 百科全書) Enzyklopädie *f.* -n [..dí:ən]; Sachwörterbuch *n.* -(e)s, ⸚er.

백관(百官) alle Regierungsbeamten, -n, -n.

‖ 문무~ Zivil- und Militärbeamte 《*pl.*》.

백구(白鷗) 〖조류〗 Möwe *f.* -n.

백군(白軍) ① 〖역사〗 die weißrussische Armee, -n (zur Zeit der russischen Revolution). ② 《경기에서》 die Weißen, die Mannschaft mit den weißen Trikots.

백귀(百鬼) die Dämonen 《*pl.*》. ‖ ~야행(夜行) Pandämonium *n.* -s, ..nien; Höllenspektakel *n.* -s, -; Walpurgisnacht *f.*; das Umhergehen* 《-s》 der Dämonen in der Nacht: ~야행하다 Die Dämonen gehen in der Nacht umher.

백그라운드 Hintergrund *m.* -(e)s, ⸚e.

백금(白金) 〖화학〗 Platin *n.* -s 《기호: Pt》.

백기(白旗) die weiße Fahne, -n; Parlamentärflagge *f.* -n. ¶ ~를 올리다 die weiße Flagge auf|hissen; die Flagge streichen* (항복하다).

백날(百—) =백일(百日).

백납(白—) 〖한의학〗 Hornhauttrübung *f.* -en. ¶ ~먹다 eine Hornhauttrübung haben; an einer Hornhauttrübung leiden.

백내장(白內障) der graue Star, -(e)s, -e; Katarakta *f.* ..ten; Katarakt *f.* -e.

백넘버 《신문·잡지》 alte 〔frühe〕 Nummer, -n 《e-r [2]Zeitung 〔Zeitschrift〕》.

백년(百年) (ein) hundert Jahre; Jahrhundert *n.* -(e)s, -e. ¶ ~의 hundertjährig; hundertjährlich(백년마다의) / 몇 ~ 후에 nach Jahrhunderten / ~을 약속하다 [3]sich 〔einander〕 ewige Treue schwören* / ~해로하다 bis ins hohe Alter zusammen|leben / ~ 하청을 기다리는 격이다 Da fließt noch viel Wasser die Donau 〔den Rhein〕 hinab 〔hinunter〕.| Du kannst lange warten, bis dir die gebratenen Tauben ins Maul fliegen.

‖ ~대계 der weitreichende 〔weitblickende; weitsehende〕 Plan, -(e)s, ⸚e; die weitsichtige Politik, -en; das weitgesteckte 〔hohe〕 Ziel, -(e)s, -e. ~전쟁 der Hundertjährige Krieg, -(e)s, -e. ~제 Hundertjahr|feier 〔Zentenar-〕 *f.* -n; Zentenarium *n.* -s, ..rien: 창립 ~제 Feier 《*f.* -n》 zum hundertjährigen Bestehen / 탄생~제 der hundertjährige Geburtstag.

백년초(百年草) 〖식물〗 Kaktus *m.* - 〔-ses〕, ..teen 〔-se〕.

백단향(白檀香) 〖식물〗 Sandel|holz *n.* -es, ⸚er 〔-baum *m.* -(e)s, ⸚e〕.

백대(百代) die Hundert Generationen; eine sehr lange Zeit.

백대하(白帶下) Leukorrhöe *f.*

백도(白桃) Weißpfirsich *m.* -(e)s, -e.

백동(白銅) ☞ 백통.

백두(白頭) Weißhaar *n.* -(e)s, -e; weißhaarig; der weißhaarige Mensch.

백랍(白蠟) 〖약〗 das weiße Wachs, -es, -e.

백랍(白鑞) 《땜납》 Lot *n.* -(e)s, -e; Löte *f.* -n. ¶ ~으로 때우다 löten; zusammen|löten.

백러시아(白—) Weißrußland; Byelorussia.

백련(白蓮) ①《연꽃》 Weißer Lotus *n.* -, -. ② ☞ 백목련.
백로(白露) ①《이슬》 Weißtau *m.* -(e)s, -e. ②《계절》 die 16. der 24 Jahreszeitteilungen (=um den 8. September).
백로(白鷺) 〖조류〗 der weiße Reiher, -s, -; Silberreiher *m.* -s, -.
백리(白痢) 〖한의학〗 die Ruhr《*f.* -en》〔Dysenterie〕 mit Durchfall, der von Schleim weiß gefärbt wird.
백마(白馬) weißes Pferd, -(e)s, -e; Schimmel *m.* -s, -.
백막(白膜) 〖해부〗 die Lederhaut des Auges; *Sklera* (학명).
‖ ~염 *Skleritis* (학명).
백만(百萬) Million *f.* -en. ¶ ~분의 1의 milli-on(s)tel / ~번째의 million(s)t / ~시민 e-e Million Stadtbewohner《*pl.*》/ ~배의 millionenfach / 인구 8 ~의 서울 도시 die Achtmillionenstadt Seoul.
‖ ~장자 Millionär *m.* -s, -e.
백면(白麪) 《가루》 Buchweizenmehl *n.* -(e)s, -e; 《국수》 Buchweizenfadennudeln《*pl.*》.
백면서생(白面書生) der grüne〔unerfahrene〕 Junge, -n, -n; der junge Bursche, -n, -n; Milchbart *m.* -(e)s, ⸚e.
백모(伯母) Base *f.* -n; Tante *f.* -n; Muhme *f.* (구식 말씨). ¶ 프리다 ~님 Tante Frieda.
백목(白木) Baumwollkleid *n.* -(e)s, -er.
백목련(白木蓮) Weißmagnolie *f.* -n.
백묵(白墨) =분필(粉筆).
백문(白文) ①《문서》 e-e schriftliche Erklärung《*f.* -en》 ohne das Regierungssiegel. ②《한문》 ein chinesischer Text ohne Satzzeichen; ein chinesischer Satz ohne Satzzeichen und Kommentar.
백문불여일견(百聞不如一見)《속담》 Erfahrung ist die beste Lehrmeisterin.¦Ein Beweis macht alle Argumente zunichte.¦Beweise sind besser als Erörterungen.
백물(百物) viele Dinge; allerlei Dinge; alle möglichen Dinge.
백미(白米) der gereinigte Reis, -es. ¶ ~에 뉘 섞이듯 하다 sehr Selten sein.
백미(白眉) der Beste*, -n, -n《*von*³; *unter*³》; Ausbund *m.* -(e)s, ⸚e; Meisterwerk *n.* -(e)s, -e (걸작). ¶ 단편 소설의 ~ eine der besten Novellen.
백미러 Rückblickspiegel *m.* -s, -.
백반(白飯) der reine gekochte Reis (ohne Beimischung anderer Getreidearten).
백반(白礬) Alaun *m.* -(e)s, -e.
백반(百般) ¶ ~의 all*; jeder*; allerhand; allerlei; alles mögliche; verschiedene.
백발(白髮) das weiße〔graue〕Haar, -(e)s, -e. ¶ ~의 weiß¦haarig〔grau-〕; ergraut; silberhaarig (은발의) / ~이 희끗희끗한 grau meliert / ~이 되다 graue〔weiße〕 Haare bekommen*〖사람이 주어〗; grau〔weiß〕 werden〖머리털이 주어〗/ ~이 성성한 머리 das grau melierte Haar, -(e)s, -e / 근심으로 ~이 되었다 Sein Haar ist vor Sorgen grau geworden. / 어느덧 ~이 생겼다 Er hat schon einzelne graue Haare.
‖ ~노인 der〔die〕Silber¦haarige*〔Grau-〕 -n, -n.
백발백중(百發百中) nie das Ziel〔die Scheibe〕 verfehlen; nie fehl|schießen*⁴. ¶ ~이다 unfehlbar sein / 총알이 ~하였다 Jeder Schuß traf. / 그는 ~의 명사수다 Er ist ein sicherer Schütze. / 그 의사의 진단은 ~이다 Der Arzt stellt k-e falsche Diagnose.
백방(白放) Lossprechung *f.* -en; Freisprechung *f.* -en; Sündenerlaß *m.* ..sse, ..sse; Absolution *f.* -en; Rechtfertigung *f.* -en. ~하다 los|sprechen*; frei|sprechen*; rechtfertigen; entschuldigen; *jm.* Absolution erteilen.
백방(百方) auf jede Weise; auf verschiedene Weise. ¶ ~으로 손을 쓰다 kein Mittel unversucht lassen*; alle Mittel ein|setzen〔auf|bieten*〕; alle Minen springen lassen* / ~으로 사람을 찾다 überall e-e Person suchen / ~으로 진력하다 k-e Mühe scheuen; sein Bestes tun* / ~으로 위로하다 *jn.* auf jede Weise trösten.
백배(百倍) ein Hundertmal *n.* -(e)s, -e; hundertfach. ~하다 verhundertfachen; vermehren hundertmal; multiplizieren hundertfach; zu|nehmen*. ¶ ~의 hundertfach; hundertfältig / 그 소식을 듣고 용기 ~했다 Die Nachricht machte uns kriegerischen Mut.
백배(百拜) Verbeugung *f.* -en (hundertmal). ~하다 hundertmal eine Verbeugung vor *jm.* machen. ¶ ~ 사례하다 ⁴sich dankend hundertmal verneigen; herzlich danken; herzliche Dankbarkeit aus|sprechen*; besten〔schönsten; großen; tausend; vielen〕 Dank sagen / ~ 사죄하다 Ich bitte hundertmal um Entschuldigung〔Verzeihung〕.
백범(白帆) weißes Segel, -s, -.
백변(白邊) Splint *m.* -(e)s, -e; Splintholz *n.* -es, -er; Grünholz *n.* -es, ⸚er.
백병(百病) alle Krankheiten《*pl.*》.
‖ ~통치약 Allheilmittel *n.* -s, -; Panazee *f.* -n.
백병전(白兵戰) Handgemenge *n.* -s, -; Nahkampf *m.* -(e)s, ⸚e; Kampf Mann gegen Mann; Kampf bis aufs Messer. ¶ ~을 벌이다 Mann gegen Mann kämpfen; e-n Nahkampf führen〔kämpfen〕.
백부(伯父) Onkel *m.* -s, -; Oheim *m.* -(e)s, -e. ¶ ~ 테오도어 Onkel Theodor.
백분(白粉) 《분》 Schminkweiß *n.* -es; Puder *m.* -s, -;《가루》 Pulver *n.* -s, -;《과일 표면의》 Duft *m.* -(e)s, ⸚e; Hauch *m.* -(e)s, -e.
백분(百分) Zentesimal(ein)teilung *f.* -en. ~하다 in hundert teilen⁴. ¶ ~의 zentesimal; hundertteilig / ~의 일 ein Prozent *n.*〔*m.*〕 -(e)s, -e《생략: Proz.; v.H.》; ein Hunderstel; eins vom Hundert.
‖ ~도표 hundertteilige Projektion, -en〔Zeichnung, -en〕. ~비, ~율 Prozent *n.*; Prozent¦satz〔Hundert-〕*m.* -(e)s, ⸚e: ~율의 prozentual.
백비 ☞ 배악비.
백비탕(白沸湯) das heiße Wasser, -s. ¶ ~으로 마시다 mit heißem Wasser nehmen*⁴ (약을).
백사(白沙) weißer Sand, -(e)s, -e.
‖ ~장 Sand¦ufer〔-küste〕*f.* -n; Sand¦ebene〔-wüste〕*f.* -n. ~지 Sanderde *f.* -n. ~청송(青松) der sandige Strand《-(e)s》 mit Kiefern; das schöne Meeresufer mit weißem Sand u. grünen Kiefern.
백사(百事) alle Dinge《*pl.*》. ¶ ~ 불성하다 Alle Dinge schlagen fehl.
백사과(白一) Beulenmelone *f.* -n.
백살(百一) (ein)hundert Jahre alt. ¶ ~난 사람 der Hundertjährige*, -n, -n.
백삼(白蔘) weißer Ginseng, -s, -s.

백색(白色) ① 《흰색》 Weiß *n.* -es; das Weiße*, -n; die weiße Farbe, -n. ¶ ~의 weiß; hell; grau (머리칼); unbeschrieben (블랭크)/ ~으로 칠하다 weißen⁴; weiß machen⁴. ② 《우익》 der weiße Flügel, -s, -. ‖ ~인종 die weiße Rasse, -n; weiße Leute. ~테러, ~공포 weißer Terror, -s.
백서(白書) Weißbuch *n.* -(e)s, ⁼er. ‖ 외교〔경제〕 ~ das diplomatische 〔wirtschaftliche〕 Weißbuch.
백서(白鼠) weiße Ratte, -n.
백석(白石) weißer Stein, -s, -e.
백석(白晳) weiße Hautfarbe, -n; weiße Gesichtfarbe, -n. ~하다 weißhäutig (sein).
백선(白癬) 〖의학〗 Grind *m.* -(e)s, -e. ‖ 두부(頭部)~ Grindkopf *m.* -(e)s, ⁼e.
백설(白雪) (weißer) Schnee, -s. ¶ ~ 같은 schneeweiß; weiß wie Schnee / ~ 같은 살결 die schneeweiße Haut, ⁼e / ~이 덮인 산 der schneebedeckte Berg, -(e)s, -e.
백설기(白一) der gedünstete Reiskuchen, -s, -.
백설탕(白雪糖) der weiße Zucker, -s, -.
백성(百姓) Volk *n.* -(e)s, ⁼er; Nation *f.* -en; Untertan *m.* -s, -en (신민); das gemeine Volk, -(e)s, ⁼er (서민); Volksschicht *f.* -en; Masse *f.* -n; Kleinbürger *m.* -s, -. ¶ 만~ die Leute von allen Nationen.
백세(百世) hundert Generationen 《*pl.*》; Ewigkeit *f.* -en.
백수(白首) =백두(白頭).
백수(白鬚) weißer Schnurrbart 〔Backenbart〕 -(e)s, ⁼e
백수(百獸) alle Tiere 《*pl.*》. ¶ ~의 왕 der König 《-(e)s, -e》 aller Tiere.
백수건달(白手乾達) Taugenichts *m.* - 〔-es〕, -e; Faulpelz *m.* -es, -e; Wüstling *m.* -s, -e.
백수풍신(白首風神) der weißhaarige, vornehme Herr, -n, -en.
백숙(白熟) das im Wasser gekochte Fleisch, -(e)s 〔Fisch *m.* -(e)s, -e〕.
백스트로크 《배영》 das Rückenschwimmen*, -s; das Gegenschwimmen*, -s.
백십자(白十字) das weiße Kreuz, -es, -e. ¶ ~회 der Verein 《-(e)s, -e》 vom Weißen Kreuz.
백씨(伯氏) Ihr Herr Bruder, -es -n -s, -e -en ⁼ 《제삼자인 경우》 sein* Bruder, -es -s, -e ⁼ ※ 특히 연상을 강조할 때만 älter 를 형용사로서 붙인다.
백악(白堊) Kreide *f.* -n; 《흰벽》 die weiße Wand, ⁼e. ¶ ~(질)의 kreidig. ‖ ~관 das Weiße Haus, -es (미 대통령 관저). ~기(紀) 〖지질〗 Kreidezeit *f.* -en. ~층 Kreideschicht *f.* -en.
백안시(白眼視) das unfreundliche Anblicken*, -s. ~하다 abgünstig 〔verbittert〕 an|blicken⁴; teilnahmslos 〔kaltblütig〕 an|sehen*⁴; mit Blicken erdolchen⁴; gleichgültig an|sehen*⁴.
백야(白夜) helle Nacht, ⁼e, Mitternachtssonne *f.* -n; Polarnacht *f.* ⁼e.
백약(百藥) alle Arzneien 《*pl.*》. ¶ ~지장(之長) die beste aller Arzneien; die Arzenei der Arzneien / ~이 무효다 Alle Arzneien sind unwirksam. / 술은 ~의 으뜸이다 Guter Wein 《-(e)s, -e》 ist die beste aller Arzneien.
백양(白羊) weißes Schaf, -(e)s, -e. ‖ ~궁 Widder *m.* -s, -.
백양(白楊) 〖식물〗 Espe *f.* -n.
백어(白魚) =뱅어.
백업 〖야구〗 backup 《영어》; Unterstützung *f.* ~하다 unterstützen.
백여우(白一) Silberfuchs *m.* -es, ⁼e. ¶ ~의 모피 Silberfuchspelz *m.* -es, -e.
백연(白鉛) Bleiweiß *n.* -es. ‖ ~광 Weißbleierz *n.* -es, -e.
백열(白熱) ① 〖물리〗 das Weißglühen*, -s; Weißglut *f.* ¶ ~(화)하다 (weiß)glühen; den Höhepunkt erreichen / ~점에 이르다 Höhepunkt 《*m.* -(e)s, -e》 〔Klimax *f.* -e〕 erreichen (경기 따위의). ② 《정열》 Passion *f.* -en; Klimax *f.* -e; Enthusiasmus *m.* -, ..men. ‖ ~가스등 das hitzige Gaslicht, -es, -e. ~전(戰) der hitzige 〔gewaltige〕 Kampf, -(e)s, ⁼e. ~전등(電燈) die hitzige elektrische Lampe, -n.
백옥(白玉) der weiße Edelstein, -(e)s, -e; Perle *f.* -n (진주).
백옥(白屋) (elende) Hütte, -n; niedriges Bauernhaus, -es, ⁼er.
백옥루(白玉樓) Ewigkeit *f.* -en. ¶ ~ 중의 사람이 되다 in die Ewigkeit ein|gehen* ⓢ 〔abgerufen werden〕; das Zeitliche segnen; heim|gehen* ⓢ.
백운(白雲) die weiße 〔helle〕 Wolke, -n; Lammerwolke *f.* -n (솜구름).
백운모(白雲母) 〖광물〗 Katzensilber *n.* -s.
백운석(白雲石) 〖광물〗 Bitterkalk *m.* -(e)s, -e.
백의(白衣) ① 《옷》 das weiße Gewand, -(e)s, ⁼e(r) 〔Kleid, -(e)s, -er〕. ¶ ~의 weiß bekleidet; in Weiß / ~(의) 천사 《간호부》 Krankenschwester 《*f.* -n》 in Weiß; Ordensschwester 〔Rotkreuz-〕 *f.* -n; Johanniterin *f.* -nen / ~의 부인 e-e Dame 《-n》 in Weiß (gekleidet). ② 〖불교〗 Laie *m.* -n, -n. ‖ ~민족 das Volk, das weiße Kleider trägt; koreanische Leute 《*pl.*》. ~용사 der Kriegsbeschädigte* 《-n, -n》 in Weiß.
백인(白人) ① 《피부가 흰》 der Weiße*, -n, -n. ¶ ~으로 통하다 als der Weiße gelten*. ② 〖의학〗 Albino *m.* -s, -s. ‖ ~여자 europäische Frau, -en 〔Dame, -n〕. ~종 die weiße Rasse, -n; die Weißen* 《*pl.*》.
백인(白刃) das blanke 〔bloße〕 Schwert, -(e)s, -er; die blanke Waffe, -n; die nackte 〔blanke〕 Klinge, -n.
백일(白日) der helle Tag, -(e)s, -e. ¶ ~하에 드러내다 ⁴*et.* an den Tag bringen* 〔legen; ziehen*〕; ⁴*et.* an das Sonnenlicht 〔an die (breite) Öffentlichkeit〕 bringen* / ~하에 드러나다 an den Tag gebracht werden; ans Licht gebracht werden. ‖ ~몽 (Tages)träumerei *f.* -en; Tagtraum *m.* -(e)s, ⁼e.
백일(百日) 《백날》 (ein)hundert Tage; der hundertste Tag des Neugeborenen; 《백일간》 ein Hundert Tage. ‖ ~기도 das Gebet für ein Hundert Tage. ~산지 e-e Feier des hundert Tage alten Kindes. ~재(齋) 〖불교〗 e-e Buddhistische Zeremonie an dem hundertsten Tage nach *js.* Tod. ~해(咳) Keuchhusten *m.* -s; Pertusis *f.*
백일장(白日場) das Wettdichten*, -s.
백일초(百日草) 〖식물〗 Zinnie *f.* -n.
백일홍(百日紅) 〖식물〗 indischer Flieder, -s, -; *Lagerstroemia indica* (학명).
백작(伯爵) Graf *m.* -en, -en; Grafschaft *f.* -en (신분).

‖ ~부인 Gräfin *f.* -nen.
백장 ① 《최하층민》 die niedrigste Klasse (*Yi* Dynastie), deren Angehörige sich vornehmlich als Scharfrichter, Friedhofsarbeiter, Schlächter, Lederarbeiter und mit dem Flechtwerk beschäftigt waren; Metzger *m.* -s, -; Schlächter *m.* -s, -. ¶ ~이 버들잎을 물고 죽는다 《속담》 Die Farbe läßt sich nicht auswaschen.
② 《도살자》 Fleischer *m.* -s, -; Metzger *m.* -s, -; Schlächter *m.* -s, -.
③ 《욕》 Bastard *m.* -(e)s, -e; Metze *f.* -n.
백저(白苧) Grassleinen *n.* -s, -; Nesseltuch *n.* -(e)s, ⸚er.
백전(百戰) ununterbrochener Kampf, -(e)s, ⸚e. ¶ ~ 백승 e-n Sieg nach dem andern erringen* (davon|tragen*) / ~ 백승의 immer triumphal; unbesiegbar; unüberwindlich / ~ 백승의 군대 die unbesiegbare Armee, -n / ~ 백승하다 jede Schlacht 《-en》 gewinnen*.
‖ ~노장, ~노졸 Veteran *m.* -en, -en.
백전풍(白癜風) =백납.
백절불굴(百折不屈) ¶ ~의 unermüdlich; unverdrossen; unbezwinglich; unbezähmlich; unbeugsam; unnachgiebig / ~의 정신 ein unermüdlicher Geist, -es, -er.
백절불요(百折不撓) =백절불굴(百折不屈).
백점(百點) hundert Punkte; die beste Zensur, -en (만점). ¶ ~ 맞았다 〖학생어〗 Ich habe hundert gebaut.
백정(白丁) =백장.
백조(白鳥) ① 《고니》 Schwan *m.* -(e)s, ⸚e. ¶ ~의 노래 Schwanen¦lied *n.* -(e)s, -er (-gesang *m.* -(e)s, ⸚e). ② 《해오라기》 der weiße Reiher, -s, -.
‖ ~사육자 Schwanzüchter *m.* -s, -. ~사육장 Schwanzucht *f.* ⸚e. ~자리 〖천문〗 Schwan *m.* -(e)s.
백종(百種) alle Sorten 《*pl.*》; alle Waren 《*pl.*》.
백주(白酒) Weißwein *m.* -(e)s, -e; Liqueur *m.* -s, -s.
백주(白晝) der hell(icht)e Tag, -(e)s, -e 〖분철: hell-licht〗. ¶ ~에 am hell(icht)en Tag.
백중(伯仲) ① 《맏형과 그 다음》 *js.* ältester Bruder und nächstältester Bruder.
② 《실력 따위가》 ~하다 *jm.* gleich|kommen*[s]; es mit *jm.* auf|nehmen* (aufnehmen können*); *jm.* ebenbürtig sein; *jm.* die Waage halten*; *jm.* gewachsen sein. ¶ 그는 나와 ~하다 《일반적으로 기량이나 힘이》 Er kann es mit mir aufnehmen. / 두 사람의 학문(힘)은 ~하다 Die beiden sind fast gleich gelehrt (stark). / 두 사람의 기량은 ~하다 Beide sind an Geschicklichkeit kaum zu unterscheiden.
백중날(百中—·百衆—) 〖불교〗 der 15. Juli nach dem Mondkalender.
‖ ~맞이 das Fest 《-(e)s, -e》 für den Toten. ~물 Regenfall 《*m.* -(e)s, ⸚e》 gegen die Zeit von *Baegjung*. ~불공 buddhistische Zeremonie für den Toten.
백지(白—) der weiße Stein 《-(e)s, -e》 auf dem chinesischen Schachbrett.
백지(白紙) ① 《흰 종이》 das weiße Papier, -s. ¶ 얼굴이 ~장 같다 wie ein weißes Tuch aus|sehen* / ~ 한 장도 맞들면 낫다 《속담》 Kooperation macht die Arbeit leichter.¦„Vier Augen sehen besser als zwei."
② 《공지》 das blanke (ungeschriebene; leere) Papier, -s. ¶ ~ 답안을 내다 ein ungeschriebenes Papier ein|reichen 《beim Examen》.
③ 《백지 상태》 ¶ ~ 상태로 ohne vorherige Bindung / ~로 돌리다 das Bisherige vergessen*; Geschehenes ungeschehen sein lassen* / 지금까지의 일은 ~로 돌리자 Laß das Vergangene vergangen sein!
‖ ~동맹 Sendung 《*f.* -en》 des blanken Prüfungspapiers im Streik der Studenten 《*pl.*》. ~위임장 Blankovollmacht *f.* -en; die unbeschränkte Vollmacht. ~투표 die blanke Stimme, -n.
백지도(白地圖) Umrißkarte *f.* -n.
백척간두(百尺竿頭) der Rand 《-(e)s, ⸚er》 e-s Abgrundes. ¶ ~에서 am Rande e-s Abgrundes (der jähen Tiefe) / ~에서 또 일보를 더 나아가다 noch e-n gewagten Schritt weiter gehen* [s]; noch e-n Sprung ins weitere machen; e-n letzten Schritt tun*.
백천만사(百千萬事) alles; alle Sorten 《*pl.*》.
백철광(白鐵鑛) Markasit *m.* -(e)s, -e.
백청(白淸) Feinhonig *m.* -s.
백출하다(百出—) in rascher (bunter) Folge erscheinen* (auf|treten*; vor|fallen*) [s]; [4]sich ununterbrochen ereignen. ¶ 이 문제로 의론이 백출했다 Diese Frage wurde hin u. her besprochen.¦Die Sache kam zur heftigen Diskussion.¦Die verschiedensten Ansichten über diese Sache wurden geäußert.¦In rascher Reihe wurden Vorschläge u. Gegenvorschläge vorgetragen.
백치(白痴) 《병》 Idiotie *f.* -n; Blödsinn *m.* -(e)s; Schwachsinn *m.*; 《사람》 Idiot *m.* -en, -en; der Blödsinnige* (Schwachsinnige*) -n, -n. ¶ ~의 (같은) idiotisch; blödsinnig; schwachsinnig / 그녀는 ~미(美)다 Sie ist nur e-e hübsche Puppe.
백탄(白炭) die feine Holzkohle, -n.
백태(白苔) ① 《혀의》 der weiße Belag, -(e)s, ⸚e 《der Zunge》. ¶ 혀에 ~가 끼어 있다 Die Zunge ist weiß (mit e-r weißen Bakterienschicht) belegt.
② 《눈의》 die krankhafte Bedeckung auf dem Augapfel.
백토(白土) Weißton *m.* -(e)s, -e; Weißlehm *m.* -(e)s, -e; *terra alba* 《라틴》.
백통(百—) Nickel *m.* -s. ‖ ~돈 (전) Nickel *m.* -s, -; Nickelmünze *f.* -n.
백판(白板) ① 《무일푼》 ohne einen Pfennig; arm; mittelos; blank; pleite. ② 《흰 널판》 Weißbrett *n.* -(e)s, -er.
‖ ~건달 der arme Lump, -en, -en; der Lump ohne e-n Pfennig.
백팔(百八) 〖불교〗 Einhundertacht.
‖ ~번뇌 Einhundertundachtpein des Menschen. ~염주 der buddhistische Rosenkranz 《-es, ⸚e》 mit 108 Perlen. ~종 die Tempelglocke, die jeden Morgen und jeden Abend 108 mal geläutet wird.
백팔십도(百八十度) hundert Prozent *n.* (*m.*) -(e)s, -e. ¶ ~ 전환하다 [4]sich 100%ig (hundertprozentig) um|stellen 《*auf*[4]》.
백퍼센트(百—) hundert Prozent *n.*(*m.*) -(e)s, -e. ¶ ~ 미국 사람 der hundertprozentige Amerikaner, -s, -; ein Amerikaner von echtem Schrot u. Korn / 효과 ~의 hundertprozentig wirksam.
백편(白—) der gedünstete Reiskuchen, -s, -.
백포도주(白葡萄酒) Weißwein *m.* -(e)s, -e.
백학(白鶴) 〖조류〗 Kranich *m.* -(e)s, -e.
백합(白蛤) 〖조개〗 eßbare Muschel, -n;

Dosinia japonica (학명).
백합(百合) ① 《나리》 Lilie *f.* -n. ② 《뿌리》 die Lilienwurzel mit dem goldenem Band (für den medizinischen Gebrauch).
‖ ～꽃 Lilienblüte *f.* -n.
백해(白海) 〖지리〗 das Weiße Meer.
백해무익(百害無益) großer 〔unersetzlicher〕 Schaden 《-s, ⸗》 ohne einzigen Vorteil. ～하다 sehr schädlich 〔ganz ungünstig; sehr nachteilig〕 sein. ¶ 그것은 내게는 ～이다 Es bringt mir mehr Nachteil als Vorteil.¦Es gereicht mir nur zum Nachteil.
백핸드 〖테니스·탁구〗 Backhand *m.* -(s), -s 《영어》; Rückhand *f.*; Rückhandschlag *m.* -(e)s, ⸗e.
백혈구(白血球) das weiße Blutkörperchen, -s, -; Leukozyten 《*pl.*》. ‖ ～증가 〔감소〕 증 Leuko¦zytose 〔-penie〕 *f.* -n.
백혈병(白血病) Leukämie *f.* -n. ¶ ～의 leukämisch.
백형(伯兄) der älteste Bruder, -s, ⸗.
백호(白虎) ① 〖천문〗 „Weißer Tiger", -s, -; eine Gruppe der chinesischen Tierkreiszeichen, die im Westen 7 Sternbilder enthält. ② 〖민속〗 ein Symbol des Gottes, der für den Westen zuständig ist. ③ 《지맥》 die Berge, die sich auf der rechten Seite des Hauptberges abzweigen.
‖ ～날 〖민속〗 der Bergrücken, der sich auf der rechten Seite des Hauptberges abzweigt.
백호(白狐) Weiß¦fuchs 〔Polar-〕 *m.* -es, ⸗e.
백호(白濠) Weißaustralien.
‖ ～주의 das Weißaustralische Prinzip, -s, -e 〔-ien〕.
백화(白話) „pai hua"; die chinesische Umgangssprache; Umgangschinesisch *n.* -(s); das mündliche Chinesisch.
‖ ～문 die geschriebene chinesische Umgangssprache (im Gegensatz zur Klassischen Schriftsprache).
백화(白樺) =자작나무.
백화(百花) alle Sorten von Blumen. ¶ ～가 난만하다 voll von verschiedenen Blumen stehen*; mit verschiedensten Blumen wie übersät sein.
백화점(百貨店) Waren¦haus 〔Kauf-〕 *n.* -es, ⸗er. ¶ ～의 여점원 Verkäuferin *f.* -nen; Gehilfin *f.* -nen (학생 아르바이트의 경우와 같은) / ～의 식당 Erfrischungsraum *m.* -(e)s, ⸗e.
밴대(보지) die Vulva ohne Schamhaar.
밴대질 der Geschlechtsverkehr 《-(e)s》 zwischen Frauen; die Lesbische Liebe. ～하다, ～치다 eine Frau hat Geschlechtsverkehr mit einer anderen Frau.
밴댕이 〖어류〗 Hering 《*m.* -s, -e》 mit großen Augen.
밴둥- ☞ 빈둥-.
밴드 ① 《띠·끈·혁대》 (Schnür)band *n.* -(e)s, ⸗er; Schnur *f.* ⸗e; Gürtel *m.* -s, -; Riemen *m.* -s, -. ② 《악단·악대》 (Musik-)kapelle *f.* -n. ‖ ～마스터 Kapellmeister *m.* -s, -. 브라스～ Trompeterkorps [..ko:r] *n.* - [..ko:r(s)], - [..ko:rs].
밴들- ☞ 빈둥-.
밴조 〖음악〗 Banjo [bánjo:, ..dʒo:] *n.* -s, -s.
밴텀급(一級) Bantamgewicht *n.* -(e)s.
밸러스트 Ballast *m.* -es, -e.
‖ 모래～ Sandballast *m.*
밸런스 Gleichgewicht *n.* -(e)s; Balance [balã:sə] *f.* -n; Saldo *m.* -s, -s 〔..den, ..di〕 (차감잔액). ¶ ～가 잡힌 wohl balanciert / ～를 유지시키다 〔유지하고 있다〕 im Gleichgewicht halten*⁴ 〔sein〕.
‖ ～시트 《대차 대조표》〖경제〗 Bilanz *f.* -en (결산표); Bilanzbogen *m.* -s, -〔⸗〕.
밸류 Wert *m.* -(e)s, -e.
밸브 《안전판》 Klappe *f.* -n; Ventil *n.* -s, -e. ¶ ～를 열다 〔닫다〕 ein Ventil öffnen 〔schließen*〕.
‖ ～장치 Ventilgetriebe *n.* -s, -; Ventilsteuerung *f.* -en. ～콕 Ventilhahn *m.* -(e)s, ⸗e.
뱀 Schlange *f.* -n; Reptil *n.* -s, -e 〔-ien〕; Schuppenkriechtier *n.* -(e)s, -e. ¶ 뱀의 허물 die abgezogene Haut 《⸗e》 e-r Schlange / 뱀 같은 geschlängelt; schlangen¦artig 〔-förmig〕 / 뱀 부리는 사람 Schlangen¦beschwörer 〔-zauberer〕 *m.* -s, - / 뱀에 물려 죽다 von e-r Schlange totgebissen werden.
뱀날 〖민속〗 der Tag der Schlange.
뱀도랒 〖식물〗 Heckenpetersilie *f.* -n; *Torilis Japonicus* (학명).
뱀딸기 Walderdbeere *f.* -n; *Duchesnea indica* (학명).
뱀띠 〖민속〗 das Kennzeichen der Schlange (die Leute, die im Jahre der Schlange geboren sind).
뱀무우 〖식물〗 japanischer Rettich, -s, -e; *Geum japonicum* (학명).
뱀밥 〖식물〗 Equisetazeearve *f.* -n; *Equisetum arvense* (학명).
뱀뱀이 Ausbildung *f.* -en; Schulung *f.* -en. ¶ ～가 있는 〔없는〕 ausgebildet; erzogen 〔ungebildet; unerzogen〕 / ～있다 〔없다〕 gut ausgebildet 〔ungebildet〕 / ～가 좋다 〔나쁘다〕 Er ist eine Persönlichkeit 〔keine Persönlichkeit〕.
뱀장어(一長魚) 〖어류〗 Aal *m.* -(e)s, -e. ☞ 장어(長魚).
뱀차조기 〖식물〗 Salbei *m.* 〔*f.*〕.
뱀해 〖민속〗 das Jahr der Schlange.
뱀혀 〖식물〗 Fünffingerkraut 〔Fünfblatt〕 *n.* -(e)s, ⸗er; *Potentilla kleiniana* (학명).
뱁대, 뱁댕이 die Stangen, die die Faden auf dem Webstuhl ab|trennen.
뱁새 〖조류〗 der koreanische Zaunkönig, -(e)s, -e. ¶ ～가 황새를 따라가면 가랑이가 찢어진다 Der Rabe, der den Kormoran nachmacht, ertrinkt im Wasser.
‖ ～눈이 e-e Person mit den kleinen Augen; der Kleinäugige*, -n, -n.
뱁티스트 《침례교도》 Baptist *m.* -en, -en.
뱃가죽 =뱃살.
뱃고동 Dampfpfeife *f.* -n.
뱃구레 Unterleib *m.* -(e)s, -er.
뱃길 Fahrwasser *n.* -s (수로); 《항로》 Kurs *m.* -es, -e; Seeweg *m.* -(e)s, -e; Seereise *f.* -n (선박 여행). ¶ 3일 걸리는 ～ e-e Drei-Tage-Schiffsroute, -n / ～로 가다 zur See 〔zu ³Schiff; zu ³Wasser〕 reisen ⓢ,ⓗ 〖ⓗ 는 장소 이동의 뜻이 적을 때〗.
뱃노래 Schiffer¦lied 〔Matrosen-〕 *n.* -(e)s, -er. ¶ ～를 부르다 Schifferlied singen*.
뱃놀이 Boot¦fahrt 〔Wasser-〕 *f.* -en. ¶ ～가다 e-e Ruderfahrt 〔Kahnfahrt〕 machen; Boot 〔Kahn〕 fahren*; rudern gehen* ⓢ.
뱃놈 Matrose *m.* -n, -n; Seemann *m.* -(e)s, ..leute 《*pl.*》. ¶ ～이 되다 zu See gehen*ⓢ; Seemann 〔Matrose〕 werden.
뱃대끈 ① 《여자의》 Schlupfhosenleibbinde *f.* -n. ② 《마소의》 Sattelgurt *m.* -(e)s, -e. ¶ ～을 조르다 den Sattelgurt zusammen|ziehen.
뱃덧 Verdauungsstörung *f.* -en; Magenver-

stimmung *f.* -en. ¶ ~(이)나다 schwer verdaulich sein.
뱃두리 e-n Art Krug (Topf) 《*m.* -(e)s, ⸚e》.
뱃머리 Bug *m.* -(e)s, ⸚e; (Schiffs)schnabel *m.* -s, ⸚; Vorder¦steven *m.* -s, -(-teil *m.* -(e)s, -e). ¶ ~로부터 갈아앉다 bei dem Bug sinken* / ~를 돌리다 Schiff wenden*.
뱃멀미 Seekrankheit *f.* ~하다 seekrank werden; nicht seefest sein. ¶ 그는 ~를 안한다 Er ist seefest.¦Er wird nicht seekrank.
뱃바닥 ① 《살》 der Magenfleisch des Tiers. ② 《바닥》 die Unterseite des Tiersbauchs.
뱃바람 Gegenwind *m.* -(e)s, -e; Wind aus entgegengesetzter Richtung (als man fährt *od.* geht).
뱃밥 die dünne Bambusstreifen, die zur Beschlagung der Bootslücke gebraucht. ¶ ~을 메우다 die Bootslücke scharf beschlagen*.
뱃병(一病) Verdauungsstörung *f.* -en; Magenverstimmung *f.* -en. ¶ ~이 나다 eine Verdauungsstörung haben; an einem Magenweh leiden.
뱃사공(一沙工) Bootsmann *m.* -(e)s, ..leute; Schiffer *m.* -s, -.
뱃사람 ① 《선주》 Schiffspatron *m.* -s, -e. ② 《뱃사공》 Schiffer *m.* -s, -; Seefahrer *m.* -s, -; Seemann *m.* -(e)s, ⸚er (..leute); Matrose *m.* -n, -n. ¶ ~의 생활 Seemannsleben *n.* -s, - / ~이 되다 Seemann werden; zur See gehen* [s].
뱃삯 《승객의》 Fahrgeld *n.* -(e)s -er; Fahrpreis *m.* -es, -e; 《나룻배의》 Fährbootspreis *m.* -es, -e; 《용선료》 Privilegsgebühren 《*pl.*》; 《화물의》 Frachtgeld *n.*; Frachtlohn *m.* -(e)s, ⸚e.
뱃살 Bauchfleisch *n.* -(e)s. ¶ ~을 잡다 in ein lautes Gelächter aus|brechen* [s]; ein lautes Gelächter erheben*; [4]sich totlachen / 연사의 재담으로 청중은 ~을 잡았다 Wegen (Infolge)[2] des komischen Witzes lachtete sich das Publikum (der Zuhörer) tot.
뱃소리 Seemannslied *n.* -s, -er; Seemannsgesang *m.* -(e)s, ⸚e; Schifferlied *n.*
뱃속 ① 《배의 속》 Magen *m.* -s, -. ¶ ~을 앓다 Magenschmerzen haben / ~이 편치 않다 Mein Magen ist in Unordnung. ② 《속마음》 Herz *n.* -ens, -en; das Innere*, -n; Absicht *f.* -en. ¶ ~이 시커먼 boshaft; hinterhältig; ränkevoll; intrigant / ~을 떠보다 bei *jm.* an|klopfen (an|tippen; sondieren); bei *jm.* auf den Busch klopfen / ~을 털어놓고 말하다 offen sagen(gestehen*) / ~을 털어 놓고 말하면 offen gestanden.
뱃심 Kühnheit *f.*; Beherztheit *f.* ¶ ~(이) 좋은 beherzt; unerschrocken; dreist; frech; keck; unverschämt; mutig; verwegen / ~좋게 굴다 frech handeln; [4]sich unverschämt benehmen* / 그는 ~이 좋다 Er ist takt¦los (rücksicht-).¦ Er ist ein unverschämter Mensch.
뱃일 die Arbeit an Bord e-s Schiffes.
뱃자반 die Fische, die gleich nach dem Fang eingesalzen werden.
뱃장사 der Hausierhandel mit kleinen Booten. ‖ ~꾼 der Hausierer des Schiffes.
뱃전 die Seite e-s Schiffes. ¶ ~을 맞대고 나란히 Bord an [3]Bord; Schiff an [3]Schiff / ~이 기울다 [4]sich auf die Seite legen; [4]sich nach e-r Seite neigen.
뱃줄 (Schiffs)tau *n.* -(e)s, -e. ¶ ~을 풀(고 떠나)다 ein Schiff von den [3]Tauen los|machen; ab|fahren* (출범).
뱃지게 von Dockarbeitern benutzte Kraxe, -n; benutztes Tragegestell, -s, -e.
뱃짐 Fracht *f.* -en; Frachtgut *n.* -(e)s, ⸚er; Schiffsladung *f.* -en. ¶ ~을 부리다 die Fracht entladen*; das Frachtgut abladen* / ~을 싣다 Waren auf das Schiff aufladen; Fracht stauen; das Frachtgut einladen*.
뱃집 〖건축〗 e-e Art Giebelhaus 《*n.* -(e)s, ⸚er》 ohne Dachrinne.
뱅그래, 뱅글, 뱅긋, 뱅시래, 뱅실 ☞ 방그레.
뱅그르르 ☞ 빙그르르.
뱅글뱅글 ☞ 빙글빙글[1,2].
뱅니 der Gatte eines (einer) Verstorbenen, dessen (deren) Seele (Geist) von einem Schamanen gerufen (beschworen) wird.
뱅뱅 rund herum. ¶ ~ 돌다 [4]sich rund herum|drehen 《*um*[4]》.
뱅어(一魚) Weißfisch *m.* -(e)s, -e. ‖ ~젓 gesalzener Weißfisch. ~포 getrockneter Weißfisch.
뱅충맞다 《똘똘하지 못함》 plump; ungeschickt; schwerfällig; 《어리석음》 dumm; töricht; albern (sein). ¶ 뱅충맞게 plump.
뱅충맞이 ☞ 뱅충이.
뱅충이 ein plumper (ungeschickter; dummer) Mensch; ein närrischer (unkluger) Kerl.
뱉다 ① 《입 밖으로》 speien* (spucken) 《Blut》. ¶ 뱉듯이 말하다 verächtlich (geringschätzig; hochmütig; höhnisch) sagen / 아무의 얼굴에 침을 ~ *jm.* ins Gesicht speien. ② 《기침을 하여》 aus|husten 《Schleim》. ¶ 가래를~ Schleim aus|husten. ③ 《비유적》 auf|geben* 《die gestohlenen Dinge》; preis|geben*[4]; aus|liefern; aus|händigen; auf [4]*et.* verzichten*; aus|werfen*[4]. ¶ 그는 착복한 돈을 뱉아 놓았다 Er hat das veruntreute Geld wieder herausgegeben.
뱌비다 ☞ 비비다.
뱌슬거리다 etwas langsam aus dem Wege gehen, ohne [4]sich mit der Arbeit zu beeilen; [4]sich fern halten; neutral bleiben.
뱌미주룩하다 oberflächlich sichtbar (zu sehen) sein; [4]sich flüchtig zeigen.
뱐뱐하다 ☞ 변변하다.
뱐주그레하다 ☞ 반주그레하다.
뱐죽거리다 leichtsinnig handeln.
뱝뛰어가다 Freudensprünge machen; hüpfen* [s,h].
버걱- ☞ 바각-.
버겁다 zu groß, als daß man es behandeln könnte; mir über den Kopf gewachsen sein.
버그러뜨리다 spalten; zerbrechen*; zersprengen. ¶ 물동이를 ~ dem Wasserkrug zerbrechen* / 금고를 ~ e-n Geldschrank auf|brechen*.
버그러지다 spalten; zerteilen; auf|teilen; [4]sich trennen. ¶ 책상다리가 ~ die Tischbeine lockern sich (werden locker) / 틈이 ~ der Spalt (Riß; Sprung) wird breiter.
버그르르 ☞ 바그르르.
버근하다 locker; lose (sein).
버글거리다 ① 《끓다》 sieden*; wallen [s,h]; brausen. ② 《거품이》 schäumen; auf|wallen [s,h]; Blasen auf|werfen. ¶ 맥주 거품이 버글거린다 Das Bier schäumt. ③ 《많이 모여》 gedrängt (überfüllt; angefüllt) sind.
버글버글 《끓어서》 (auf)brausend; 《거품이》 schäumend; 《많이 모여서》 in Schwärmen.

버금 der (die; das) zweite der Reihe; der (die; das) nächste. ¶ ~ 가다 stehen* 《*neben*^{3}》; rangieren [rāʒí:..] 《*hinter*^{3}》 / 임금에 ~가는 벼슬아치 der oberste Beamte* 《-n》 nach dem König / 그는 황제에 ~가는 분이다 Er ist nach dem Kaiser der erste Mann.

버긋하다 ein Bißchen locker werden; klein getrennt (sein). ¶ 석류가 버긋하게 벌어졌다 Der Granatapfel hat sich ein bißchen gespalten.

버꾸 〖악기〗 eine Art kleiner Trommel 《|-s, -》. ‖ **~잡이** Trommler *m.* -s, -; Trommelschläger *m.* -s, -.

버덩 das dürre Plateau, -s, -s; das verwüstete Land, auf dem Unkraut wächst.

버둥거리다 mit Händen u. Füßen zappeln; ^{4}sich sträuben《*gegen*^{4}》(저항); zappeln(동작); ^{4}sich um|treiben*^{4}; rabanzen (rabantern); rabasteln; rabastern (마음이 가라앉지 않아). ¶ 버둥거려도 소용없다 Es ist zwecklos, sich zu sträuben. ¦Ihm geht das Latein aus (만사가 끝났다). / 어머니는 버둥거리는 애기를 달랬다 Die Mutter milderte (beruhigte) das zappelnde Kind.

버둥버둥 windend; krümmend; ringend; mit Anstrengung. ¶ ~ 애를 써서 일을 시간에 대어 마쳤다 Mit Anstrengung habe ich m-e Arbeit zur rechten Zeit fertiggemacht.

버둥질 ☞ 발버둥질.

버드나무 〖식물〗 Weide *f.* -n; Weidenbaum *m.* -(e)s, ⸗e; Trauerweide *f.* -n (능수버들).

버드러지다 ① 《이 등이》 vor|stoßen*; vor|schieben*; hervor|strecken. ② 《뻣뻣해지다》 steif (starr) werden; steifen; ungelenk (unbeugsam) werden; 《죽다》 sterben.

버드름하다 vor|stoßen*; ein Bißchen vor|schieben*. ¶ 이가 ~ vorstehende Zähne haben.

버들 〖식물〗 Weide *f.* -n. ¶ ~ 같은 허리 die schlanke (geschmeidige) Hüfte, -n / 물이 오른 ~ die grüne (aufkeimende) Weide, -n. ‖ **~개지** Weidenkätzchen *n.* -s. -. **~고리** Weidenkoffer *m.* -s, -; Weidenkorb *n.* -(e)s, ⸗e (바스켓). **~눈** Weidensproß *m.* ..sses, ..sse.

버듬하다 ☞ 버드름하다.

버라이어티 Abwechs(e)lung *f.* -en (변화); Mannigfaltigkeit *f.* -en (다양성); Varietät *f.* -en (변종, 변형); 〖연예〗 Varieté [varieté:] *n.* -s, -s; Varietétheater *n.* -s, -.

버럭 plötzlich. ¶ ~ 화내다 in ^{4}Wut geraten* Ⓢ; vor ^{3}Wut außer ^{4}sich geraten* (platzen) Ⓢ; auf|fahren* Ⓢ; aus der Haut fahren* Ⓢ; wild (wütend; zornig) werden / ~ 소리를 지르다 plötzlich auf|schreien* (brüllen).

버럭버럭 ☞ 바락바락.

버렁 ① 《범위》 Gesichtskreis *m.* -es, -e; Rahmen *n.* -s, -; Ausdehnung *f.* -en. ② 《장갑》 die dicken Handschuhe 《*pl.*》 für die Falkenjagd.

버력¹ 《천벌》 Gotteszorn *m.* -(e)s; göttliche Vergeltung, -en; göttliche Strafe, -n. ¶ ~을 입다 vom Himmel bestraft werden; Gott^4 in Zorn bringen; *jn.* zum Zorn reizen / 이 ~을 입을 놈 같으니 Hol dich der Teufel! (저주).

버력² 〖광물〗 der Felsen ohne den Mineralinhalt; minderwertiges Erz. ¶ 감돌과 ~ der Erzfelsen und der Felsen ohne Erz. ‖ **~탕** Abfallhaufen *m.* -s, -.

버르르 ☞ 바르르.

버르장머리, 버르장이 ＝버릇.

버르적거리다 ^{4}sich winden; krümmen; ^{4}sich an|strengen; ^{4}sich ab|mühen; ringeln; ^{4}sich ab|arbeiten. ¶ 아파서 몸을 ~ ^{4}sich vor Schmerzen krümmen.

버르적버르적 sich windend; sich anstrengend; krümmend.

버르집다 ① 《펴다》 e-n Einschnitt auf|schneiden*; aus|schneiden*; schneiden* u. vergrößern. ② 《떠벌리다》 prahlen; ^{4}sich e-r Sache rühmen; ^{4}sich wichtig machen; auf|schneiden*; übertreiben*; zu stark betonen. ③ 《들추어내다》 auf|decken; enthüllen; verraten*; offenbaren; zeigen; entlarven; aus|setzen.

버름버름하다 viele Sprünge (Risse; Spalte) bekommen; ^{4}sich spalten.

버름하다 Sprünge (Risse) bekommen*; Spalten bekommen*; ^{4}sich spalten.

버릇 ① 《습관》 (An)gewohnheit *f.* -en; 《성벽》 Hang *m.* -(e)s, ⸗e; Neigung *f.* -en; Sucht *f.* ⸗e (병벽); 《악벽》 Laster *n.* -s, -; Schwäche *f.* -n. ¶ 술 (자주) 마시는 ~ Trunksucht *f.* / 게으름 피는 ~ Hang zum Müßiggang/말~ Eigenart beim Sprechen; *jm.* eigentümliche Sprechweise (Sprachwendung) / 고치지 못할 ~ unverbesserliche Gewohnheit / ~을 고치다 《남의》 *jm.* ab|gewöhnen^4; 《자기의》 e-e Gewohnheit ab|legen; ^{3}sich ab|gewöhnen^4 / ~이 들다 ^{3}sich ^{4}*et.* an|gewöhnen; ^{4}sich gewöhnen 《*an*^{4}》; ^{4}*et.* (von ^{3}*et.*) nicht mehr lassen können* / 흡연의 나쁜 ~이 붙다 ^{3}sich die schlechte Gewohnheit des Rauchens an|eignen / … 하는 ~이 있다 die Gewohnheit (Neigung) haben, ...zu / ~이 되다 zur Gewohnheit werden / 그는 낭비하는 ~이 있다 Er neigt zur Verschwendung. / 그런 것은 먹어 ~하지 않았다 Er war (ein) solches Essen nicht gewohnt. ¦Er war nicht gewohnt, so etwas zu essen. / 나쁜 ~은 붙기는 쉽고 고치기는 어렵다 E-e schlechte Gewohnheit ist leicht anzunehmen u. schwer abzulegen. / 그는 말을 되풀이 하는 ~이 있다 Er hat die Gewohnheit, sich zu wiederholen. / 제 ~ 개 줄까 E-e schlechte Gewohnheit ist schwer abzulegen. / 그렇게 응석을 받아주면 ~이 나빠집니다 Sie würden auf diese Weise das Kind verwöhnen. / 그 후로 담배 피우는 ~이 생겼다 Seitdem kann er das Rauchen (vom Rauchen) nicht mehr lassen. / 그는 저녁 식사후 산책하는 ~이 있었다 Er pflegte nach dem Abendessen e-n Spaziergang zu machen. ¦Es war s-e Gewohnheit, nach dem Abendbrot spazieren zu gehen.
② 《예의》 Höflichkeit *f.* -en; Etikette *f.* -n; die Manieren 《*pl.*》; Bildung *f.* -en; die feine Sitte, -n. ¶ ~없는 unmanierlich; ungehobelt; ungeschliffen; ungesittet; un gezogen / ~ 없게 ungesitterweise; bäuerisch; grob; unhöflich / ~없는 애 das unartige (ungezogene) Kind, -(e)s, -er / ~이 없다 unartig (grob; beleidigend; dreist; frech) sein; Unfug treiben* / ~ 없는 말을 하다 schimpfen; Grobheiten 《*pl.*》 sagen 《*jm.*》; beleidigen 《*jn.*》; zu nahe treten* Ⓢ / ~없게 기르다 verwöhnen^4; verziehen^4; hätscheln / ~없이 굴다 zu *jm.* unhöflich sein; beleidigen^4; rücksichtslos vor|gehen* Ⓢ /

그것은 정말 ~없는 짓일세 Das ist recht ungezogen von dir. / 손~이 사납다 diebisch sein; langfingerig sein / 세살적 ~이 여든까지 간다 《속담》 „Jung gewohnt, alt getan.“¦„Art läßt nicht von Art.“¦„Die Katze läßt das Mausen nicht.“¦Die Seele des dreijährigen Kindes bleibt unveränderlich während des ganzen Lebens. / 저마다 ~은 있다 Jeder hat s-e Schelle (s-n Fehler).
③ 《특성》 Eigentümlichkeit *f.* -en; Eigenart *f.* -en.

버릇소리 〖언어〗 gewohnter (gewöhnlicher; gewohnheitsmäßiger) Ton, -(e)s, ⸗e.

버릇하다 gewohnt sein zu...; pflegen zu...; ³sich etwas angewöhnen. ¶ 술을 먹어 ~ ³sich das Trinken angewöhnen / 무엇이든지 버릇하기에 달렸다 Alles kann e-m zur Gewohnheit werden.

버릊다 kratzen; ritzen; graben; umgraben; ausgraben. ¶ 닭이 모이를 ~ Die Hühner kratzen das Futter aus.

버리다 ① 《내버리다》 weg|werfen*⁴ (-|schleudern⁴). ¶ 쓰레기를 ~ Müll ab|laden* / 왕위를 ~ ab|danken; dem Thron entsagen; auf den Thron verzichten / 지위를 ~ e-e Stellung auf|geben*; ein Amt nieder|-legen; von e-m Amt zurück|treten* ⓢ / 권리를 ~ ein Recht auf|geben*.
② 《사람을》 verlassen*⁴; im Stich lassen*⁴; aus|setzen⁴(갓난아기를); sitzen lassen*; *jm.* den Rücken kehren. ¶ 버림받다 schmählich verlassen werden; einsam u. hilflos gelassen werden; im Stich gelassen werden; s-m Schicksal überlassen werden / 버림받은 첩 die im Stich gelassene Konkubine, -n / 곤경에 처한 친구를 ~ e-n Freund in Not verlassen* / 애인을 ~《결혼약속을 어김》 ein Mädchen sitzen lassen*.
③ 《방기하다》 auf|geben*; entsagen³; verzichten 《*auf*⁴》; opfern⁴ (희생시키다). ¶ 희망을 ~ die Hoffnung auf|geben* / 세상을 ~ der ³Welt entsagen / 습관을 ~ e-e Gewohnheit ab|legen / 신에게 버림받다 von Gott verdammt werden / 누가 아이를 문 앞에 버렸다 Jemand hat ein Kind vor dem Tor ausgesetzt. / 그녀는 자기 생명을 버리고 애기를 구했다 Sie hat ihr Kind unter Aufopferung ihres eigenen Lebens gerettet./ 나라를 위해서는 생명을 버릴 각오가 되어 있다 Wir sind alle bereit, fürs Vaterland unser Leben hinzugeben.
④ 《더럽히다》 beschmutzen⁴; beschmieren⁴. ¶ 바지를 다 버렸다 Ich habe m-e Hosen vollständig beschmutzt. / 어쩌다가 그렇게 옷을 버렸니 Wie hast du d-e Kleider so beschmutzt?
⑤ 《조동사》 ¶ 가 ~ fort|gehen* ⓢ; weg|-gehen* ⓢ / 그는 인사도 없이 가 버렸다 Er ging (weg), ohne Abschied zu nehmen.

버림치 unverwertbarer Stoff, -(e)s, -e; unbrauchbarer Stoff; Abfall *m.* -s, ⸗e; Altmaterial *n.* -s, ..ien; Altwaren *f.* -n; Verwertung *f.* -en. ¶ ~도 쓸 때가 있다 Auch der Abfall kann eines Tages benutzt werden.

버마 Birma. ¶ ~의 birmanisch.
‖ ~말 Birmatisch *n.* -(s). ~사람 Birmane ⌊*m.* -n, -n.

버마재비 =사마귀².

버무리 gemischte Speise, -n.

버무리다 vermischen; mischen. ¶ 나물을 ~ den Salat anmachen.

버물다 ⁴sich in ⁴*et.* verwickeln; in e-e Angelegenheit hineingeraten (hineingezogen) werden. ¶ 범죄 (음모)에 ~ in ein Verbrechen (ein Komplott) verwickelt werden.

버물리다 ① 《버무려지다》 gemischt werden; vermischt werden. ② 《버물게 하다》 *jn.* in ⁴*et.* verwickeln; *jn.* mit ³*et.* verwickeln. ¶ 가정부에게 나물을 ~ das Hausmädchen den Salat anmachen lassen.

버새 〖동물〗 Maul¦tier *n.* -(e)s, -e (-esel *m.* ⌊-s, -).

버석- ☞ 바삭-.

버선 koreanische Socke, -n. ¶ ~을 신다(벗다) Socken an|ziehen* (aus|ziehen*).

버섯 〖식물〗 der eßbare Pilz, -es, -e (식용); Champignon [ʃámpinjɔ̃:, ʃá:p..] *m.* -, -s (송이버섯); Schwamm *m.* -(e)s, ⸗e; Giftpilz (독버섯). ¶ ~을 따다 Pilze sammeln / ~ 따러가다 Pilze suchen / 여기서 ~이 많이 난다 Hier wachsen viele Pilze.
‖ ~구름 《핵폭발의》 Pilzwolke *f.* -n. ~벌레 Pilzparasit *m.* -en, -en. ~요리 Pilzgericht *n.* -(e)s, -e. ~재배자 Pilzzüchter *m.* -s, -. ~중독 Pilzvergiftung *f.* -en.

버성기다 ① 《틈이》 locker; lose; schlaff; lappig; ordnungswidrig; nicht in Ordnung (sein). ¶ 버성긴 그물 ein in Maschen locker geknüpftes Netz, -es, -e / 사개가 버성기었다 Der Zapfen wurde locker. ② 《사이가》 entfremden; ⁴sich e-m entfremden. ¶ 둘의 사이가 버성기었다 Die Beiden sind einander entfremdet.

버스 《합승 버스》 Omnibus *m.* ..busses, ..busse; 《합승 자동차》 Autobus; Kraftomnibus; Bus *m.* ..sses, ..sse 《생략》. ¶ 트롤리 ~ Oberleitungsbus; O-Bus; Obus / ~로 가다 mit Bus fahren*ⓢ / ~를 놓치다 (den) Bus verfehlen (verpassen; versäumen) / 마지막 ~는 언제 떠납니까 Wann fährt der letzte Bus ab? / 다음 마을까지 ~편이 있다 Der Bus fährt bis zum nächsten Dorf. / ~ 고장으로 학교에 늦었다 Wegen der Busstörung kam ich spät zur Schule. / ~가 붐벼 종점까지 내내 서서 갔다 In dem Bus war es so voll, daß ich bis zur Endstation gestanden habe.
‖ ~여차장 Omnibusschaffnerin *f.* ..rinnen. ~정류장 (Bus)haltestelle *f.* -n. 관광~ Touristenbus *m.* ..sses, ..sse.

버스러지다 ① 《살이》 ⁴sich häuten; ⁴sich ab|schälen; ⁴sich schälen; ab|gehen*ⓢ. ¶ 무릎이 ~ Das Knie häutet sich. ② 《벗겨지다》 aufgedeckt werden; bloßgelegt werden; freigelegt werden; entblößt werden; ausgesetzt werden; ausgelegt werden. ¶ 이마가 ~ e-n Kahlkopf haben; e-e Glatze haben. ③ 《맨 것이》 los|gehen*ⓢ; auf|gehen. ¶ 노끈이 ~ die Schnur (⸗e (-en)) geht los. ④ 《범위 밖》 überschreiten; übertreffen. ¶ 값이 생각했던 값에서 버스러진다 Der Preis ist über mein Erwarten hoch.

버스럭- ☞ 바스락-.

버스름하다 ☞ 버슷하다.

버스트 Büste *f.* -n; (weiblicher) Busen, -s, ⌊-.

버슬버슬 ☞ 바슬바슬.

버슷하다 《관계가》 entfremden; ⁴sich einem entfremden; einander unfreundlich (sein). ¶ 둘 사이가 ~ Die Beiden sind einander entfremdet.

버썩 ☞ 바싹.

버저 Summer *m.* -s, -. ¶ ~를 울리다 auf

den Summer drücken.
버적버적 ☞ 바작바작.
버젓하다 reines Gewissen haben; ansehnlich; erhaben; stattlich (sein). ¶버젓이 mit gutem Gewissen / 버젓한 이유가 있어서 aus guten Gründen / 버젓한 직업 die angesehne Arbeit; der geachtete Beruf.
버정이다 müßig (träge; gemütlich; untätig) spazieren gehen.
버지다 ①《긁다》《ein Messer》 schneiden. ¶잘 버지는 칼 ein Messer, das gut schneidet. ②《날붙이에》 4·3sich in den Finger schneiden. ③《찢어지다》 4sich aus|fasern; 4sich ab|nutzen. ¶소매가 버졌다 Der Ärmel reibte sich ab.
버짐 Ringelflechte *f.* -n; Fungus *m.* -, -(..gi); tuberkulöse, schwammige Geschwulst an Gelenken.
버쩍 =바싹.
버찌 〖식물〗 Kirsche *f.* -n; Kirschstiel *m.* -(e)s, -e.
‖~술 Kirsch¦wasser *n.* -s, - (-likör *m.* -s, -e; -wein *m.* -(e)s, -e). ~씨 Kirschkern *m.* -(e)s, -e. ~편 dicke Kirschsoße, die mit Honig und Stärke gekocht wurde.
버치 eine große tiefe Schüssel, -n.
버캐 die kristallisierte Substanz, -en; Kristall *m.* -s, -e.
‖소금~ das kristallisierte Salz, -es, -e. 오줌~ der getrockene (kristallisierte) Urin, -s, -e.
버커리 häßliches altes Weib, -(e)s, -er; abstoßend häßliches Geschöpf, -(e)s, -e; Vettel *f.* -n.
버클 Schnalle *f.* -n; Spange *f.* -n; Koppelschloß *n.* ..schlosses, ..schlösser.
버터 Butter *f.* ¶~ 냄새가 나는(풍기는) nach Butter riechend; butterig; 《서양풍의》 ausländisch; europäisch; fremd; exotisch; von europäischer (fremder) Art (angesteckt) / 빵에 ~를 바르다 Butter aufs Brot schmieren (streichen*); das Brot mit Butter bestreichen*.
‖~나이프 Buttermesser *n.* -s, -. ~밀크 Buttermilch *f.* ~빵 Butterbrot *n.* -(e)s, -e; Butterschnitte *f.* -n. ~토스트 Röstschnitte (geröstete Brotschnitte) 《*f.* -n》 mit Butter. ~통 Butterdose *f.* -n(식탁용 버터접시); Buttertopf *m.* -(e)s, ⸗e (버터종지). 인조~ Kunstbutter; Margarine *f.* -n.
버터플라이 〖수영〗 Schmetterlingsstil *m.* -(e)s, -e.
버튼 Knopf *m.* -(e)s ⸗e; Kragenknopf (칼라의); Manschettenknopf (커프스의).
버티다 ①《태도》 die Beine spreizen (다리를); grätschen. ¶떡 버티고 서다 e-e drohende (trotzige) Haltung ein|nehmen* / 문에 몸을 ~ 4sich gegen die Tür stemmen.
②《노력》 4sich an|strengen (bemühen) (애쓰다); 4sich ins Zeug (Geschirr) legen (열심히 하다).
③《겨루다》 aus|dauern (참아내다); aus|harren (참아내다); 4sich behaupten; aus|halten*4; durch|halten* (끝까지); fest|halten* 《an s-r Meinung》 (자기 주장을 고집하다); treu bleiben* [s] 《e-r Überzeugung》; stand|halten* (힘껏함); beharren (고집함) 《*auf*3; *bei*3; *in*3》; bestehen 《*auf*3·4》(고집하다) 〖보통 3격; 열망의 대상일 때엔 4격지배〗. ¶자기 주장을 ~ bei s-r Meinung (auf s-m Standpunkte) verharren [h,s] / 끝까지 ~ bis zum Ende ertragen*4; durch|halten* 《bis zum äußersten》(어디까지나); beharrlich bleiben* [s] 《bei s-m Vorsatze》 / 한번 더 버텨 보다 4sich noch einmal an|strengen (bemühen)/ 입구에는 경관이 버티고 서 있다 Ein Schutzmann bewachte den Eingang. / 버텨라 Halt aus!¦Feste!
④《견뎌내다》 ertragen; erdulden; erleiden*; aus|harren; aus|halten*. ¶버틸 수 있는 erträglich / 버틸 수 없는 unerträglich / 나는 더 이상 버틸 수 없다 Das ist mehr als ich ertragen kann.¦Es ist zu viel für mich.
⑤《괴다》 stützen; e-n Halt geben*. ¶담을 ~ die Mauer stützen / 작대기로 나무를 ~ dem Baum e-n Halt geben*.
버팀대 Strebe *f.* -n; 〖광산〗 Stempel *m.* -s, -.
버팀목(—木) Stütze *f.* -n; Stützpfeiler *m.* -s, -; Strebe *f.* -n; Trag¦pfeiler *m.* -s, - (-säule *f.* -n). ¶~을 대다 stützen / 그는 나무를 ~으로 버티었다 Er stützte den Baum mit dem Stutzpfeiler.
벅벅 ☞ 박박①,③.
벅벅이 ohne Versagen; bestimmt; mit Sicherheit; zweifellos.
벅스킨 Wildleder *n.* -s, -; Buckskin *m.* -s, -s. ¶~(제)의 aus 3Wildleder; aus 3Buckskin / ~ 구두 Wildlederschuh *m.* -(e)s, -e.
벅신- ☞ 박신-.
벅적- ☞ 북적-.
벅차다 ①《힘에 겹다》 *js.* Kräfte übersteigen* (überfordern); anstrengend (sein). ¶벅찬 일 eine überfordernde Arbeit, -en / 일이 나한테 ~ Die Arbeit übersteigt meine Kräfte.¦Ich bin der Aufgabe nicht gewachsen. / 나 혼자서는 ~ Ich kann die Arbeit nicht allein erledigen (bewältigen).
②《넘침》 überwältigend; großartig (sein).
③《가슴이》 ergriffen (sein); *jm.* zu Herzen gehen*. ¶나는 가슴이 벅차 말을 못했다 Ich war so ergriffen, daß ich die Sprache verlor.
번(番) ①《감시》 Bewachung *f.* -en; Wache *f.* -n; das Wachen*, -s; Aufsicht *f.*; Hut *f.* -en; Dienst *m.* -es, -e (당직); Wächter *m.* -s, - (사람). ¶번을 들다 bewachen4; Wache halten* 《*über*4》; wachen 《*über*4; *auf*4》; hüten4; die Aufsicht führen (haben) 《*über*4》; in 4Obacht nehmen*4; 4sich in 4Obachtnehmen* 《*vor*3》; wachsam sein 《*auf*4; *über*4》 / 당(비)번이다 Dienst (k-n Dienst) haben / 밤번 Nachtwache.
②《순번》 Reihe *f.* -n; (Reihen)folge *f.* -n. ¶번갈아 abwechselnd; wechselweise.
③《번호》 Nummer *f.* -n. ¶1번 Nummer eins; der Erste*, -n, -n; der Erste* in der 3Klasse (수석) / 몇번입니까 《교환수가》 Welche Nummer, bitte?¦Ihre Nummer, bitte./ 왼쪽에서 다섯번째 남자 der fünfte Mann von links / 댁의 전화는 몇번입니까 Was ist Ihre Telephonnummer?
④《대소의 형태》 Größe *f.* -n; Format *n.* -(e)s, -e; Nummer *f.* -n (실의 굵기) / 30번사(糸) Garn Nummer 30.
⑤《횟수》 Mal *n.* -(e)s, -e. ¶한(두) 번 einmal (zweimal) / 두세 번 zwei- bis dreimal; einigemal / 이번에는 dieses 4Mal; diesmal/ 두번 zweimal; noch einmal/두번째의 (der*) zweite / 두번째로 beim (zum) zweiten Mal / 여러번 mehr als einmal / 두번 다시 하지 않다 nie wieder tun*.

번가루 Mehlzusatz zum Verhindern der Klebrigkeit des Teigs beim Kneten.

번각(翻刻) Abdruck *m.* -(e)s, -e; Nachdruck *m.* -(e)s, -e. ~하다 ab|drucken⁴; nach|drucken⁴.
‖ ~물〔서(書)〕 Abdruck *m.* -(e)s, -e. ~자 Nachdrucker *m.* -s, -. ~판 Raubausgabe *f.* -n.

번갈아(番—) abwechselnd; (hinter)einander; einer* für den andern; einer* nach dem andern; gegenseitig; wechselseitig; wechselweise. ¶ ~ 들다 miteinander ab|wechseln/~ 들이다 Schichtarbeit machen/ ~ 근무하다 nach der Reihe Dienst tun* 〔leisten〕/ 맥주와 소주를 ~가며 마시다 Bier u. Branntwein wechselweise trinken* / 그들은 여덟 시간마다 ~ 들어 일한다 Sie machen jede acht Stunden Schichtarbeit.

번개 Blitz *m.* -es, -e; Blitzstrahl *m.* -(e)s, -en. ¶ ~같다 blitzschnell; schnell wie ein Gedanken / ~같이 wie der Blitz; im Blitz/ ~가 친다 Es blitzt. / ~같은 속도로 모퉁이를 돌다 schnell wie ein Blitz um die Ecke laufen* / 밤새도록 ~가 쳤다 Es hat die ganze Nacht geblitzt. / ~가 번쩍하자 천둥소리가 울렸다 Kaum blitzte es, da begann es zu donnern. / 좋은 생각이 ~같이 떠올랐다 Mir kam plötzlich ein guter Gedanke 〔e-e gute Idee〕.

번갯불 Blitzstrahl *m.* -(e)s, -en. ¶ ~에 솜 구워 먹겠다 unverschämt lügen / ~에 콩 볶아 먹겠다 flink 〔gewandt; hitzig; jäh〕 sein.

번거롭다 ①《귀찮다》 lästig; ermüdend quälend; verdrießlich (sein). ¶ 세상이 번거로와지다 vom Leben angewidert sein / 그것이 점점 번거로와졌다 Das wurde ihm allmählich lästig.
②《복잡하다》 kompliziert; schwierig; verwickelt (sein). ¶ 그 연극의 줄거리는 너무 ~ Die Handlung des Dramas ist zu kompliziert.

번거롭히다 《귀찮게 함》 belästigen⁴; stören⁴; *jn.* geschäftig halten*; *jm.* Ärger bereiten; *jn.* in Schwierigkeit bringen*. ¶ 그 일로 그 분을 번거롭혔다 Ich habe mit der Angelegenheit ihn belästigt.

번거하다 =번거롭다.

번견(番犬) Wach|hund 〔Haus-〕 *m.* -(e)s, -e.

번극(煩劇) Zustand 《*m.* -(e)s, ⸗e》 höchster Beschäftigkeit. ~하다 außerordentlich beschäftigt sein; (mit Arbeit, Einladungen *etc.*) überhäuft sein; alle Hände voll zu tun haben.

번나다(番—) dienstfrei haben; mit dem Dienst fertig sein; abgelöst werden.

번뇌(煩惱) weltliche Sorgen 《*pl.*》; die sinnliche Begierde, -n; Sinngenuß *m.* ..nusses, ..nüsse; Weltlust *f.* ⸗e; Wollust. ¶ ~가 일다 sündhafte Begierden auf|flammen / ~의 노예 Sklave 《*m.* -n, -n》 der Leidenschaft / ~로 괴로워하다 vom weltlichen Leiden belästigt werden / ~의 기반을 끊다 ⁴sich von allen weltlichen Beziehungen lösen; der irdischen Welt entsagen.

번다(煩多) Lästigkeit *f.* -en; Beschwerlichkeit *f.* -en. ~하다, ~스럽다 lästig; beschwerlich; verdrießlich; leidig (sein).

번답(反畓) 〖농업〗 Umwandlung *f.* -en; eines trockenen Feldes in ein Reisfeld. ~하다 ein trockenes Feld in ein Reisfeld umwandeln.

번데기 〖곤충〗 Puppe *f.* -n. ¶ ~가 되다 sich ein|puppen.

번둥- ☞ 빈둥-.

번드럽다 ☞ 반드럽다.

번드르르하다 flitterhaft; flitterig; wie Gold glitzernd; prunkvoll (sein).

번드치다 ①《뒤집다》 um|drehen⁴; um|kippen⁴; um|werfen*⁴; um|stürzen⁴. ②《변심하다》 (s-e Meinung) ändern. ¶ 초지를 ~ von s-m anfänglichen Vorhaben ab|lassen* 〔Abstand nehmen*〕.

번득- ☞ 반득-.

번득이다 funkeln. ¶ 번득이는 눈 die unheimlich funkelnden Augen 《*pl.*》.

번들다(番—) im Dienst sein.

번듯- ☞ 반듯-.

번뜩- ☞ 반득-.

번뜻- ☞ 반듯-.

번로(煩勞) Mühe *f.* -n; Plage *f.* -n; Last *f.* -en; Ärger *m.* -s. ~하다 lästig; beschwerlich; ärgerlich; verdrießlich (sein).

번론(煩論) lästige 〔verdrießliche; beschwerliche〕 Argumente.

번롱하다(翻弄—) tändeln 《*mit*³》; spielen 《*mit*³》; *jn.* an der Nase herum|führen (제멋대로 끌고 다니다); *jn.* zum Narren haben (우롱하다). ¶ 그녀는 그의 감정을 번롱하고 있다 Sie treibt ihr Spiel mit s-n Gefühlen./ 고양이는 쥐를 번롱하고 있다 Die Katze spielt mit der Maus.

번루(煩累) Ärgernis *n.* -ses, -se; Ärger *m.* -s; Sorge *f.* -n; Kummer *m.* -s. ¶ 인생의 ~ die Sorgen des Lebens.

번망(煩忙) Drang 《*m.* -(e)s》 der Geschäfte; Überbürdung *f.* ~하다 geschäftig; sehr beschäftigt; mit Arbeit sehr belastet; stark in Anspruch genommen (sein).

번무(煩務) lästige Arbeit; ärgerliche Aufgabe.

번문욕례(繁文縟禮) Bürokratismus *m.* -; Beamtenwirtschaft *f.*; Amtsschimmel *m.* -s. ¶ ~의 bürokratisch; vom grünen Tisch aus verfügt / 그는 ~의 족속이다 Er reitet gern den Amtsschimmel.

번민(煩悶) Seelen|pein *f.* 〔-qual *f.* -en; -not *f.* ⸗e〕; Beunruhigung *f.* -en; der innere Kampf, -(e)s, ⸗e; Kummer *m.* -s; Leiden *n.* -s, -. ~하다 ⁴sich beunruhigen 《*über*⁴; *um*⁴; *wegen*²》; ⁴sich quälen《*über*⁴; *wegen*²》; ⁴sich grämen 《*über*⁴》; ³sich Kopfschmerzen machen. ¶ ~끝에 죽다 ⁴sich zu Tode grämen 〔quälen〕/ 그는 매우 ~했다 Er litt furchtbare (seelische) Qualen. / 이 생각으로 나는 ~했다 Dieser Gedanke lag wie ein Alpdruck auf m-m Herzen. / 그녀는 심한 ~이 있는 것 같다 Sie scheint großen Kummer zu haben. / 그는 술로 ~을 잊으려고 했다 Er suchte s-e Qual durch Trinken zu betäuben.

번바라지(番—) Versorgung e-s Familienangehörigen auf Wache mit Wäschen, Lebensmitteln *etc.* ~하다 e-n Familienangehörigen auf Wache versorgen.

번방(番房) Raum, wo Wache gehalten wird.

번번이(番番—) jedesmal; jederzeit; allzeit; immer; gewohnheitsmäßig. ¶ 올 때마다 ~ jedesmal wenn (er) kommt; wenn auch immer (er) kommt / 그는 세 번 해 봤지만 ~ 실패했다 Er versuchte dreimal und versagte alle drei Male. / 거기 갈 때마다 나는 ~ 그런 일을 당한다 Jedesmal, wenn ich dort hingehe, erlebe ich so etwas.

번번하다 ☞ 반반하다.

번복(翻覆) (Ver)änderung *f.* -en; Wendung *f.* -en. ~하다 ändern; verändern; wenden*. ¶ 뜻을 ~하다 ⁴sich anders besinnen* / 말을 ~하다 sein Wort brechen* / 그는 드디어 결심을 ~했다 Endlich hat er s-n Entschluß geändert.

번본(翻本) Nachdruck *m.* -(e)s, -e; Neudruck *m.* -(e)s, -e; Neuauflage *f.* -n.

번분수(繁分數) zusammengesetzter Bruch, -s, ¨e.

번서다(番—) Wache stehen*; Dienst haben.

번설(煩屑) Ärgernis *n.* -ses, -se; Lästigkeit *f.* -en; Beschwerlichkeit *f.* -en; Qual *f.* -en; Sorge *f.* -n; Kummer *m.* -s.

번설(煩說) 《잔말》 langweilige (weitschweifige) Plauderei, -en; 《소문냄》 Geplapper *n.* -s, -; Geschwätz *n.* -es, -e; Plauderei. ~하다 langweilig reden; schwatzen; plaudern; plappern.

번성(蕃盛) 《자손의》 das Gedeihen*, -s; 《수목 따위의》 Üppigkeit *f.* -en; üppiger Wuchs, -es. ~하다 gedeihen* [s]; wuchern; üppig wachsen* [s].

번성(繁盛) das Gedeihen* (Blühen*) -s; Aufschwung *m.* -(e)s, ¨e; Wohlstand *m.* -(e)s, ¨e. ~하다 gedeihen* [s]; blühen; florieren; fort|kommen (vorwärts|-) [s]; gutes Geschäft machen; Erfolg haben; viel (stark) besucht werden (극장 따위가). ¶ ~하는 gedeihlich; blühend; erfolgreich; florierend/ ~하는 가게 blühender Laden, -s, -(¨) / ~하게 하다 gedeihen (florieren) lassen* / 장사가 ~하다 (하지 못하다) Das Geschäft blüht (stockt). / 그 가게는 매우 ~하고 있다 Jener Laden macht vorzügliche Geschäfte.

번쇄(煩瑣) Umständlichkeit *f.* -en; Weitschweifigkeit *f.* -en; Umstandskrämerei *f.* -en. ~하다 umständlich; lästig; langatmig; peinlich genau; weitschweifig (sein).
‖ ~철학 die scholastische Philosophie, -n [..fí:ən]; Scholastismus *m.* -: ~철학자 Scholastiker *m.* -s, -.

번수(番數) 《실의》 die Gewichtsnummerierung 《-en》 der Garne; Titer *m.* -s, -.

번식(繁殖) Wachstum *n.* -s, -; Zuwachs *m.* -es, -; Fortpflanzung *f.* -en; Vermehrung *f.* -en. ~하다 (an|)wachsen*[s]; ⁴sich fort|-pflanzen; ⁴sich vermehren; gedeihen*[s]. ¶ 세균의 ~ die Vermehrung (Fortpflanzung) 《-en》 der Bakterie / 쥐는 ~이 빠르다 Die Ratten vermehren sich schnell.
‖ ~기 Wachstumsperiode *f.* -n; Brutzeit *f.* -en. ~기관 Wachstumsorgan *n.* -s, -e. ~력 Fortpflanzungsfähigkeit *f.* -en; Fruchtbarkeit *f.* -en: ~력이 있는 befruchtend; fruchtbar. 인공~ die künstliche Fortpflanzung, -en.

번안(翻案) Bearbeitung *f.* -en. ~하다 bearbeiten⁴; um|arbeiten⁴. ¶ 그것은 안데르센의 ~이나 Das ist nach Andersen bearbeitet.
‖ ~소설 ein bearbeiteter Roman, -s, -e.

번역(翻譯) Übersetzung *f.* -en; Übertragung *f.* -en; Version *f.* -en. ~하다 ⁴*et.* (aus dem Englischen ins Deutsche) übersetzen (영어를 독어로); ⁴*et.* (ins Koreanische) übertragen*(한글로); ⁴*et.* mit ³*et.* übersetzen(어느 말로). ¶ ~이 (불)가능한 übersetzbar (unübersetzbar) / 잘못 ~하다 falsch übersetzen / 그 낱말은 ~하기 힘들다 Das Wort ist unübersetzbar. / 그것은 ~으로 읽었다 Ich habe die Übersetzung davon gelesen. / 그는 고양이를 개로 ~했다 Er hat Kater mit Hund übersetzt. / 그저 축어적으로 ~한 것 뿐이다 Ich habe es nur Wort für Wort (wortwörtlich) übersetzt. / 그것은 ~하기 쉽다 Es läßt sich leicht (gut) übersetzen. / 그는 ~을 잘 한다 Er ist ein guter Übersetzer. / 시의 ~은 어렵다 Die Poesie ist schwer zu übersetzen. / 그 문장을 독일어로 ~하시오 Übersetzen Sie den Satz ins Deutsche!
‖ ~가, ~자 Übersetzer *m.* -s, -. ~권 Übersetzungsrecht *n.* -(e)s, -e. ~료 Übersetzungsgebühr *f.* -en. ~문학 Übersetzungsliteratur *f.* -en. ~서, ~물 Übersetzung *f.* -en; übersetzte Literatur. 전자 ~기 elektronische Übersetzungsmaschine, -n.

번연히(幡然—) mit e-m Mal; plötzlich; jäh; wie vom Blitz getroffen. ¶ ~ 개심하다 ⁴sich mit e-m Mal zum Bessern wandeln; plötzlich e-n neuen Menschen an|ziehen*.

번열증(煩熱症) Fieber *n.* -s, -; fieberhafte Krankheit, -en.

번영(繁榮) das Gedeihen*, -s; der wirtschaftliche Aufschwung, -(e)s, ¨e; Wohlstand *m.* -(e)s, ¨e. ~하다 gedeihen* [s]; blühen; auf|kommen* [s]. ¶ ~의(하는) gedeihlich; emporkommend / 국가의 ~ der Wohlstand des Landes / ~에 이바지하다 der Aufschwung bei|tragen* / 도시의 ~을 크게 위협하다 den (dem) Aufschwung der Stadt viel drohen / ~하시기를 빌어 마지 않습니다 Ich wünsche Ihnen besten Erfolg (viel Glück)! Mögen Sie Glück (guten Erfolg) haben!(편지의 맺음말) / 그 나라는 강력한 정부 밑에서 ~하고 있다 Das Land gedeiht unter der mächtigen Regierung. / 악인은 망하고 선인은 ~한다 Böse Menschen fallen u. gute haben viel Glück!

번요하다(煩擾—) ärgerlich; lästig (sein).

번육(燔肉) gebratenes Fleisch, -es; Braten *m.* -s, -.

번의(翻意) Widerruf 《*m.* -s》 des Entschlusses; Meinungsänderung *f.* -en; nochmalige Überlegung (Erwägung). ~하다 s-e Meinung ändern; s-n Entschluß wider|rufen*; nochmals überlegen.

번인(蕃人) 《토인》 der Eingeborene*, -n, -n (von Taiwan); 《야만인》 Barbar *m.* -s, -en; der Wilde*, -n, -n.

번잡(煩雜) 《복잡》 Kompliziertheit *f.* -en; Verwicklung *f.* -en; Lästigkeit *f.* -en; Umständlichkeit *f.* -en. ~하다 verwickelt; beschwerlich; kompliziert; umständlich; lästig (sein). ¶ ~한 형식 die verwickelten Formalitäten 《*pl.*》.

번적- ☞ 반짝-.

번전(反田) Umwandlung eines Reisfeldes in ein trockenes Feld. ~하다 ein Reisfeld in ein trockenes Feld umwandeln.

번족[1](蕃族·繁族) gedeihende (florierende) Familie. ~하다 gedeihen* [s]; florieren.

번족[2](蕃族) Urbevölkerung von Taiwan.

번주그레하다 ein Flitter sein (beim flüchtigen Sehen tadellos aussehen).

번죽거리다 ⁴sich frech benehmen*; irritierendes Verhalten zeigen; belästigen; provozieren; *jm.* auf die Nerven fallen* (gehen*).

번지 〖농업〗 Harke *f.* -n; Rechen *m.* -s, -.

번지(番地) Haus¦nummer (Straßen-) *f.* -n;

Adresse *f.* -n (주소). ¶ ~있는 A시의 지도 Stadtplan 《*m.* -(e)s, ⸚e》 von A mit Hausnummern/같은 ~에 살다 bei gleicher ³Nummer wohnen / 그것은 ~수가 틀렸다 Damit bist du hier (bei mir) an die falsche (verkehrte) Adresse gekommen (geraten). ¦ Du bist damit an den Unrechten gekommen. / 이 편지는 ~수가 틀렸다 Der Brief ist falsch adressiert / 댁은 몇 ~입니까 Welche Hausnummer haben Sie?

번지기 〖씨름〗 eine defensive Stellung mit einem vorgestreckten Fuß des Kämpfers.

번지다 ① 《잉크 등이》 durch|sickern ⓢ (삼투하다); heraus|sickern ⓢ (스며나오다); langsam ab|laufen* (ab|fließen*) ⓢ; laufen* ⓢ; durch|dringen*; durch|feuchten; durch|schlagen* (잉크 따위). ¶ 번져 있다 durchtränkt sein 《*von*³; *mit*³》 / 이 종이(잉크)는 번진다 Dieses Papier (Diese Tinte) läuft aus. / 독이 온 몸에 ~ Die Gift läuft durch den ganzen Körper. / 너의 샤쓰에 피가 번져 있다 Dein Hemd ist mit Blut befleckt. / 상처에서 피가 번져 나온다 Die Wunde blutet leicht. ¦ Das Blut fließt langsam aus der Wunde ab.
② 《확대》 ⁴sich verbreiten; ⁴sich aus|dehnen; ⁴sich erstrecken; um ⁴sich greifen*; ⁴sich vergrößern; ⁴sich erweitern; ⁴sich aus|breiten; über|greifen*; ergreifen*⁴. ¶ 불이 ~ Feuer fangen* / 불은 옆집으로 번졌다 Die Flammen ergriffen das nächste Haus. / 불이 그의 집으로 번졌다 Das Feuer griff auf sein Haus über. ¦ Sein Haus fing auch Feuer. / 그는 그 일이 그렇게 번질 줄을 몰랐다 Er wußte nicht, daß die Sache so ernst geworden wäre. / 홍역이 이웃 마을로 번졌다 Die Masern verbreiteten sich zu dem nächsten Dorf.

번지럽다 ☞ 반지랍다.

번지르르 ☞ 반지르르. ~하다 spiegelblank; glänzend (sein). ¶ 머리를 ~하게 손질하다 das Haar sorgfältigst gepflegt haben.

번지질 das Harken*; das Rechen*. ~하다 harken; rechen.

번질- ☞ 반질-.

번쩍 ① 《빛이》 Glanz *m.* -es, -e (강한); das Blinken*, -s(섬광); 《명멸》 Geflimmer *n.* -s; Gefunkel *n.* -s. ¶ ~하다, ~거리다 auf|blitzen; zucken / 전광이 ~했다 Aufblitzte es. ¦ Ein Blitz zuckte durch die Luft. / 회중전등이 ~거렸다 Aufzuckte e-e Taschenlampe. ✻ 전철 auf-를 문두에 두어서 쓴다.
② 《들다》 leicht; mit e-m Ruck. ¶ 그는 궤짝을 ~ 들어 올렸다 Mit e-m Ruck hob er die Kiste hoch.

번쩍이다 glänzen; flimmern; funkeln; (auf|-) blitzen 〖장소의 이동에 중점을 둘 때 ⓢ〗; blinken; flackern ⓗ,ⓢ(화염이). ¶ 번쩍이게 하다 leuchten (auf|leuchten; blitzen) lassen*⁴ / 번쩍이는 glänzend; glitzernd; blinkend; funkelnd; flimmernd/황금처럼 번쩍이는 wie Gold glitzernd / 내 마음 속에 어떤 생각이 번쩍였다 Es ist mir ein Gedanke durch die Seele geblitzt.

번차례(番次例) Reihenfolge *f.* -n. ¶ ~로 der Reihe nach; nach der Reihenfolge / ~를 기다리다 warten, daran zu kommen* / 나는 5월달이 ~다 Mein Dienstmonat ist Mai.

번창(繁昌) das Gedeihen* (Blühen*) -s; Aufschwung *m.* -(e)s, ⸚e; Wohlstand *m.* -(e)s, ⸚e. ~하다 gedeihlich; blühend; erfolgreich; florierend (sein); gedeihen* ⓢ; blühen; florieren. ¶ ~하지 않다 flau (geschäftlos; still; stockend; tot) sein / ~하는 사업 ein blühendes Geschäft, -(e)s, -e / 장사가 ~하다 (하지 못하다) Das Geschäft blüht (stockt). ¦ Das Geschäft geht gut (schlecht). ☞ 번성(繁盛).

번철(燔鐵) Bratpfanne *f.* -n.

번초(蕃椒) 〖식물〗 Paprika *m,* -s, -s.

번트 〖야구〗 leichter Schlag, -(e)s, ⸚e 《ins Spielfeld》. ~하다 leicht schlagen*. ¶ 1루 쪽으로 ~하다 zu erstem Laufmal leicht schlagen*.

번폐(煩弊) lästiges Übel; beharrliches Laster.

번하다 dämmerig; dämmerhaft (sein). ¶ 번해지다 allmählich hell(er) (grau(er)) werden; 《새벽에》 es dämmert; es graut.

번호(番號) Nummer *f.* -n 《생략: Nr.; *pl.* Nrn.》. ¶ ~ 붙이지 않은 unnumeriert; ohne ⁴Nummer / ~를 붙이다 numerieren⁴; (be-) nummern⁴; mit Nummern versehen*⁴ / ~가 낮은(높은) mit niedriger (hoher) Nummer / ~를 매기다 nummern; die Nummer zeichnen / ~를 부르다 *js.* Nummer nennen* (rufen*) / ~가 없다 nummerlos / ~가 틀렸다 Du hast e-e falsche Nummer (bekommen). / ~ 《구령》 Nummer! ¦ Abzählen! / 책에는 모두 ~가 찍혀 있다 Alle Bücher haben ihre (s-e) eigene Nummer.
‖ ~순 Nummernfolge *f.* -n: ~순대로 nach der Nummer (Reihenfolge). ~판 Nummerschild *n.* -(e)s, -er (차의). ~패 Nummerkarte *f.* -n. 일련~ laufende Nummer 《생략: lfd. Nr.》. 자동 ~ 날인기 automatische Numerierungsmaschine, -n.

번화(繁華) Lebhaftigkeit *f.* ~하다 lebhaft; belebt; verkehrsreich (sein); in Blüte stehen*. ¶ ~해지다 gedeihen*; blühen / ~한 도시 die blühende Stadt, ⸚e / ~한 거리 die belebte Straße, -n.
‖ ~가 (Haupt)geschäftsstraße *f.* -n; die lebhafte (verkehrsreiche) Straße, -n.

벋가다 irre|gehen*; ⁴sich verirren; ⁴sich verlaufen*; verkehrt (falsch) handeln. ¶ 저만한 나이에는 흔히 벋가기 쉽다 In seinem Alter kann man sich leicht verirren.

벋나다 heraus|stehen* (ab|-; hervor|-); herausragen.

벋놓다 loslassen*; 《s-r Phantasie *etc.*》 freien Lauf lassen*.

벋니 =뻐드렁니.

벋다¹ 《이가》 heraus|ragen.

벋다² ☞ 뻗다¹.

벋대다 =버티다.

벋디디다 ① 《발을》 s-e Füße fest auf den Boden setzen. ¶ 발을 벋디디고 서다 mit beiden Füßen auf der Erde stehen*. ② 《금밖으로》 Markierung übertreten*. ¶ 그는 공을 잡기는 했지만 벋디뎠다 Er hat zwar den Ball gefangen, hat aber dabei die Markierung übertreten.

벋버듬하다 eine Lücke zwischen zwei Enden haben.

벋버스름하다 《두 사이가》 ⁴sich miteinander nicht gut vertragen*; auf gespanntem Fuße stehen*.

벋새 〖건축〗 flacher Ziegel.

벋서다 =버티다.

번장다리 steifes Bein. ¶ 그는 ~로 걷는다 Er geht mit einem steifen Bein.

벌[1] Feld *n.* -(e)s, -er; Flur *f.* -en; 〖시어〗 Gefilde *n.* -s, -; Einöde *f.* -n (황야); Wildnis *f.* ..nisse (황야). ¶ 벌에서 일하다 auf dem Feld arbeiten / 벌에는 민들레가 가득 피어 있다 Das ganze Feld ist mit Löwenzahn bedeckt. / 전라도에는 넓은 벌이 있다 *Jeonra* Provinz hat breite Felder.

벌[2] 《짝》 Garnitur *f.* -en; Satz *m.* -es, ⸚e; Sortiment *n.* -(e)s, -e; Anzug *m.* -(e)s, ⸚e (의복의); Paar *n.* -s, -e (한 벌). ¶ 차잔 한 벌 ein Teeservice [..sɛrvi:s] *n.* -s, -s / 카드 한 벌 ein Spiel 《*n.* -s, -e》 Karten / 금잔 한 벌 ein Satz 《*m.* -es, ⸚e》 Goldbecher / 의복 한 벌 ein Anzug *m.* -(e)s, ⸚e / 젓가락 한 벌 ein Paar (Eß)stäbchen.

벌[3] 〖곤충〗 Biene *f.* -n; 《꿀벌》 Honigbiene *f.* -n; 《땅벌》 Wespe *f.* -n; 《말벌》 Hornisse *f.* -n. ¶ 벌(의) 떼 Bienenschwarm *m.* -(e)s, ⸚e / 벌(의) 살 Bienenstachel *m.* -s, -n / 벌집 Bienenstock *m.* -(e)s, ⸚e; Honigwabe *f.* -n; Wespen¦nest (Hornissen-) *n.* -(e), -e / 벌(에) 쐬다 von einer Biene gestochen werden / 벌이 윙윙거리다 Bienen summen.

벌(罰) Strafe *f.* -n; Bestrafung *f.* -en; Züchtigung *f.* -en (징벌). ¶ 벌주다, 벌하다 strafen; bestrafen 《이상 *jn.*》; e-e Strafe auf|-erlegen 《*jm.*》; e-e Strafe verhängen 《über *jn.*》; (be)strafen 《*jn.*》 / 벌받다 e-e Strafe (er)leiden*; in [4]Strafe verfallen* ⓢ; bestraft werden 《*wegen*[2]》 / 벌을 받지 않고 ungestraft; frei / 벌을 받을 만한 strafbar; straf¦fällig (-würdig) / 벌을 면제하다(용서하다) e-e Strafe erlassen* (schenken) 《*jm.*; *für*[4]》 / 벌을 면하다 ungestraft davon|kommen* ⓢ / 그가 벌받는 것은 당연하다 Er erleidet recht e-e Strafe. / 그런 짓하면 벌받는다 Dafür lädt er auf sich die Strafe des Himmels. / 너는 벌을 면할 수 없다 Du kannst nicht ungestraft davon|kommen*. / 범인은 법에 따라 벌을 받았다 Der Verbrecher wurde nach dem Gesetz bestraft.

벌(閥) Clique [klí(:)kə] *f.* -n; Sippschaft *f.* -en; 〖멸칭〗 Klüngel *m.* -s, -; 《당파》 Faktion *f.* -en; Partei *f.* -en; 《당파심》 Cliquenwesen *n.* -s; Parteigeist *m.* -es; Exklusivität *f.* (배타·독점주의). ¶ 벌족 Clan [kla:n] *m.* -s, -e; Lehns¦verband (Stamm-) *m.* -(e)s, ⸚e; Clanschaft *f.* / 군벌 militärische Gruppe, -n; Militaristen 《*pl.*》 / 벌족정부 Clankabinett *n.* -(e)s, -e / 학벌 akademische Clique; Zunft 《*f.* ⸚e》 der [2]Gelehrten / 벌족타파 Zerstörung 《*f.* -en》 des Cliquenwesens / 벌족정치 Clanregierung *f.* -en / 벌을 이루다 e-e Clique (Koterie) bilden.

벌개지다 ☞ 발개지다.

벌거숭이 der nackte Körper, -s, -; die nackte Gestalt, -en; Nacktheit *f.* -en; Blöße *f.* -n; Nudität *f.* -en. ¶ ~로 nackt; entkleidet (옷을 벗고); ungekleidet (옷을 입지 않고) / ~가 되다 《산이》 kahl werden / 산들은 폭격으로 ~가 되었다 Durch die Bombardierung sind die Gebirge kahl geworden.

‖ ~산 kahle Berge 《*pl.*》.

벌겋다 ☞ 발갛다.

벌그데데하다, 벌그뎅뎅하다 unsauber rot; schmutzig und unangenehm rot (sein).

벌그레하다 ☞ 발그레하다.

벌그무레하다 rötlich (sein).

벌그숙숙하다, 벌그죽죽하다 ungleichmäßig rot (sein).

벌그스름하다 rötlich (sein).

벌금(罰金) (Geld)strafe ((Geld)buße) *f.* -n; Strafgeld *n.* -(e)s, -er (벌금액). ¶ ~으로 때우다 mit e-r Geldstrafe davon|kommen* ⓢ / ~을 과하다 e-e Geldstrafe auf|erlegen 《*jm.*》; mit e-r Geldstrafe belegen 《*jn.*》; um Geld strafen 《*jn.*》; zu e-r Geldstrafe verurteilen 《*jn.*》 / ~을 물다 Buße zahlen/ / 그는 속도 위반으로 만원의 ~을 물어야 했다 Er mußte wegen Schnellfahrens zehn tausend *Won* Strafe bezahlen.

‖ ~형 Geldstrafe *f.* -n: 그는 5,000 원의 ~형을 받았다 Er wurde zu fünftausend *Won* (Geldstrafe) verurteilt.

벌긋벌긋 ☞ 발긋발긋.

벌기다 ☞ 발기다.

벌깍- ☞ 발깍-.

벌꿀 Honig *m.* -s.

벌끈- ☞ 발끈-.

벌낫 Sense *f.* -n.

벌노랑이 〖식물〗 Serradella *f.* ..llen.

벌다[1] ① 《틈 따위가》 ausdehnen, sich erweitern. ¶ 사이가 ~ der Riß dehnt sich aus / 마루의 사이가 벌었다 Der Riß im Fußboden hat sich erweitert. ② 《몸피가》 zu groß sein (für etwas zu halten).

벌다[2] ① 《돈을》 gewinnen*[4]; verdienen[4] 《*an*[3]》; (Brot) erwerben*[4]; Einnahmen (Einkünfte) haben; erarbeiten[4]; verdienen[4]. ¶ 시간을 ~ Zeit gewinnen*; an [3]Zeit sparen / 돈을 ~ Geld verdienen (machen) / 힘들여 번 돈 das Geld, das man mühsam verdient hat / 앉아서 돈을 ~ den Gewinn ein|heimsen, ohne e-n Finger zu rühren / 용돈을 ~ Taschengeld verdienen / 생활비를 ~ für das Leben arbeiten / 그는 하루에 천원 번다 Sein Tag(e)lohn beträgt 1000 *Won*.¦Er verdient täglich 1000 *Won*. / 그는 날마다 잘 번다 Jeden Tag ist er auf s-n Erwerb bedacht.¦Er verdient täglich recht viel. / 아내가 번 돈으로 생활한다 Er lebt von den Einnahmen s-r Frau. / 한 달에 얼마나 버느냐 Wieviel verdienst du monatlich? / 한 달에 5만원 번다 In e-m Monat mache ich Geld von fünfzig tausend *Won*. / 그는 이 사업으로 많은 돈을 벌고 있다 Er verdient viel Geld bei diesem Unternehmen.

② 《처벌 따위를》 auf [4]sich laden*[4] (bringen*); bekommen*; gewinnen*. ¶ 매를 ~ geschlagen werden 《von *jm.*》 / 욕을 ~ Schande 《*f.* -n》 auf sich laden*.

벌떡 《일어서는 모양》 plötzlich; auf einmal; schnell; mit eins. ¶ ~ 일어나다 auf|springen* (-|fahren*) ⓢ; auf die Füße springen* ⓢ; [4]sich schnell in die Höhe richten; auf|-fahren* ⓢ / 자리에서 ~ 일어나다 aus dem Schlaf (Bett) auf|fahren* ⓢ/ 의자에서 ~ 일어나다 vom Stuhl auf|fahren* ⓢ / 화가 나서 ~ 일어나다 vor Zorn auf|springen* ⓢ/ ~ 자빠지다 plötzlich auf den Rücken fallen* ⓢ.

벌떡거리다 ① 《물을》 saufen*[4]; hinunter|-schlingen*[4]; gierig, hastig trinken. ¶ 물을 벌떡거리며 마시다 Wasser hastig hinunter|schlingen. ② 《가슴·맥박이》 pochen; klopfen; schlagen; pulsieren.

벌떡벌떡 ¶ ~ 마시다 hinunter|schlucken[4]; in großen Schlucken trinken*[4] / ~ 뛰다 《맥·심장이》 heftig pulsieren; schnell (stark) schlagen* [h,s].

벌렁 rücklings; auf dem Rücken. ¶ ~ 눕다 [4]sich auf dem Rücken hin|legen / ~ 자빠지다 rücklings (auf den Rücken) fallen* [s]; lang (der [3]Länge nach) auf den Boden (die Erde) fallen* [s].

벌렁거리다 《민첩》 flink agieren; gewandt bewegen; [4]sich leichtfertig verhalten*; 《들떠서》 [4]sich herum|treiben; herum|streunen.

벌렁벌렁 《민첩히》 flink; gewandt; geschwind; 《들떠서》 [4]sich herum|treibend (herum|-streunend).

벌렁코 Stumpfnase *f.* -n; Stupsnase.

벌레 Insekt *n.* -(e)s, -en; Wurm *m.* -(e)s, ¨er (지렁이, 구더기 따위); Mücke *f.* -n (나방 따위); Raupe *f.* -n(모충); Larve *f.* -n(유충). ¶ ~먹은 wurmig; wurm¦fräßig (-stichig); von Würmern angefressen (angenagt) / ~먹은 이 der hohle (schlechte; faule; brüchige) Zahn, -(e)s, ¨e/~먹은 사과 der wurmfräßige Apfel, -s, - / 우는 ~ das singende Insekt, -(e)s, -en / ~가 나다 die Insekten brüten / ~ 먹다 von Würmern zerfressen (zernagt) werden; wurmfräßig (wurmstichtig; wurmig) werden; von Würmer be fallen sein / ~ 우는 소리를 듣다 das Insekt zirpen hören / 그는 책~다 Er ist ein Bücherwurm. / ~같은 녀석 Gewürm *n.* -(e)s, -e; Würmchen *n.* -s, -

‖ ~집 Kokon [kokɔ̃:] *m.* -s, -s.

벌레잡이식물(一植物) insekten-, fleischfressende Pflanze, -n.

벌레잡이통풀 〖식물〗 Kannenstrauch *m.* -(e)s, ¨e.

벌룩거리다 ¶코가 벌룩거린다 S-e Nüstern blähen sich. / 코를 벌룩거린다 Er bläht s-e Nüstern.

벌룩벌룩 ruckartig; stoßweise.

벌룽거리다 ☞ 벌렁거리다.

벌름거리다 ☞ 벌룩거리다.

벌리다[1] 《돈이》 gewonnen (verdient) werden. ¶그것은 돈이 많이 벌린다 Damit kannst du viel Geld verdienen.

벌리다[2] ① 《열다》 öffnen; auf|tun*. ¶입을 크게 벌리시오 Öffnen Sie Ihren Mund weit! ② 《넓힘》 frei lassen*; weiter machen; öffnen; verbreiten. ¶팔을 ~ s-e Arme aus|-strecken (-breiten) / 날개를 ~ Flügel aus|-breiten / 걸상과 걸상 사이를 ~ Raum zwischen den (Schul)bänken lassen* / 그는 두 팔을 벌리고 서 있었다 Er stand s-e Arme ausbreitend.

벌린춤 ¶ ~이다 „Wer A sagt, muß auch B sagen."¦Wenn schon, denn schon.¦Es gibt kein Zurück.

벌림새 Art der Ausstellung (von Waren *etc.*); Arrangement *n.* -s, -s. ¶진열창의 물건 ~가 훌륭하다 Die Waren in dem Schaufenster sind ausgezeichnet ausgestellt.

벌매듭 bienenförmige Schleife.

벌모 〖농업〗 Reispflanzen, die außerhalb der Samenbeet wachsen.

벌목(伐木) das Holzen*, -s; das Holzfällen*, -s. **~하다** Bäume fällen; holzen.

‖ **~기**(期) Saison des Holzfällens. **~꾼** Holzfäller *m.* -s, -; Waldarbeiter *m.* -s, -. **~령** Fällalter. **~작업** Fällarbeit *f.* -en; Arbeit des Holzfällens.

벌물 《논·그릇의》 überlaufenes (verschüttetes) Wasser.

벌물(罰一) ① 《고문하는》 Wasserfolter *f.*; gezwungenes Wasserschlucken, -s. ② 《마구 마시는》 hinuntergeschlungenes Wasser. ¶ ~ 켜듯 하다 hinunterschlingen; saufen*/ 그는 맥주를 ~켜듯 했다 Er hat das Bier gierig hinuntergeschlungen.

벌바람 Wind 《*m.* -(e)s, -e》 auf dem offenen Feld.

벌배(罰杯) =벌주(罰酒).

벌벌 zitternd; schaudernd; schauernd. ¶ ~ 떨다 Angst (Furcht) haben 《*vor*[3]》; furchtsam sein; [4]sich fürchten 《*vor*[3]》; vor Furcht zittern / ~ 떨려, ~ 떨며 in Angst (Bangigkeit; Schüchternheit) befangen; angstbefangen; in nervöser Unruhe / ~ 떨면서 그는 간신히 그 이야기를 했다 Mit Zittern u. Zagen hat er es endlich gesagt. / 그는 ~ 떨고 있다 Ihm ist angst u. bange. / 그렇게 ~ 떨지 마라 Sei nicht so ängstlich!¦Laß dich nur nicht einschüchtern. / 나는 그 자한테 ~ 떨지는 않네 Ich habe nichts von ihm zu fürchten. / 손이 ~ 떨려서 글씨를 쓸 수 없었다 M-e Hand zitterte so stark, daß ich nicht schreiben konnte.

벌벙거지 〖민속〗 Kappen zur Unterscheidung der gegeneinander angetretenen Parteien

벌봉(罰俸) =감봉(減俸).

벌부(筏夫) Flößer *m.* -s, -.

벌불 seitlich entwickelter Teil einer Flamme. ¶ ~지다 die Flamme entwickelt einen Ableger.

벌사양, 벌생 Haartracht 《*f.*》 einer Braut.

벌새 〖조류〗 Fliegenvogel *m.* -s, ¨.

벌써 bereits; schon; vor langer Zeit; längst. ¶ ~ 네시다 Es ist schon vier Uhr. / ~ 돌아왔나 Schon zurück?¦Schon wieder da?/ ~ 떠났습니까 Ist er schon abgereist? / 그와 헤어진 지 ~ 오래다 Es ist schon lange her, daß (seit) ich von ihm Abschied nahm. / 내가 도착했을 때 그는 ~ 떠나고 없었다 Als ich hier ankam, ist er schon weggegangen. / 저의 할머니는 ~ 돌아가셨읍니다 M-e Großmutter ist schon lange tot.

벌쐬다 von einer Biene gestochen werden. ¶벌쐰 사람 같다 abrupt verlassen.

벌쓰다(罰一) bestraft werden.

벌씌우다(罰一) bestrafen. ¶선생은 그 아이를 벌씌웠다 Der Lehrer bestrafte das Kind.

벌어먹다 s-n Brot verdienen; für den Lebensunterhalt arbeiten; [4]sich mit Arbeit durchschlagen; ernähren. ¶겨우 벌어먹고 지내다 [4]sich mit Mühe durchschlagen / 붓으로 ~ [4]sich mit der Feder ernähren / 정직하게 ~ [4]sich mit ehrlicher Arbeit ernähren / 일해 벌어먹고 지내다(살다) [4]sich durch Arbeit ernähren / 그는 방물장사를 해서 벌어먹는다 Er verdient s-n Lebensunterhalt durch das Hausieren.

벌어지다 ① 《틈이》 [4]sich erweitern; größer werden. ¶틈이 ~ die Kluft erweitert sich/ 그 부부의 사이가 점점 벌어졌다 Das Ehepaar hat sich mehr und mehr entfremdet. ② 《일이》 groß werden; [4]sich aus|weiten; [4]sich entwickeln. ¶일이 크게 ~ die Angelegenheit wird ernst. / 소동이 크게 벌어졌다 Der Aufruhr weitete sich aus. ③ 《몸이》 stämmig (kräftig) sein. ¶어깨가 딱 ~ breitschultrig sein.

벌열(閥閱) prominente Familie *f.* -n; Klan *m.* -s, -s.

벌윷 *Yutch*-Stäbchen, das außerhalb des Spielfeldes fällt.

벌이 Gewinn *m.* -(e)s, -e; Erwerb *m.* -(e)s,

-e; Einnahme *f.* -n; Broterwerb *m.* -(e)s, -e; Beschäftigung *f.* -en; Verdienst *m.* -es, -e; Einkommen *n.* -s, -; Einkünfte 《*pl.*》 (수입). ¶ ~가 되는 gewinnbringend; einträglich; ergiebig; profitabel / ~가 (안)좋다 (nicht) viel Gewinn bringen*; (nicht) viel ab|werfen* / ~를 잘하다 viel Geld verdienen; viel Verdienst haben* / ~나가다 auf (die) Arbeit gehen*ⓢ; ^{4}sich auf s-n Erwerb (s-e Beschäftigung) legen / 객지로 ~나가다 aus|wandern ⓢ; s-n Lebensunterhalt im Ausland suchen / 큰 ~였다 〖속어〗 Das war ein fetter Braten! / 그것은 전연 ~가 되지 않는다 Das macht sich gar nicht bezahlt. / 큰 ~가 되지 않았다 Das warf nicht viel ab. / ~가 좋다 Er verdient viel. / 나는 요새 좋은 ~가 없다 In letzter Zeit habe ich selten viel Verdienst.

‖ **~꾼** Broterwerber *m.* -s, -; Erhalter *m.* -s, -; Ernährer *m.* -s, -. **~터** Arbeitsstätte *f.* -n. **벌잇줄** das Kapital der Erwerbung. **돈~** Gelderwerb *m.* -(e)s, -e.

벌이다 ① 《베풀다》 (ab|)halten*; veranstalten; geben*. ¶ 회의를 ~ e-e Sitzung ab|halten* / 박람회를 ~ e-e Ausstellung ab|halten* (veranstalten) / 연회를 ~ ein Fest veranstalten. ② 《가게 등을》 öffnen; eröffnen; an|fangen*; errichten; gründen. ¶ 가게를 ~ e-n Laden eröffnen / 장사를 ~ ein Geschäft eröffnen / 사업을 ~ ^{4}sich auf e-e Unternehmung ein|lassen*. ③ 《진열》 aus|stellen; zur Schau (aus|)stellen; aus|legen. ¶ 상품을 진열장에 ~ die Waren im Regal aus|stellen.

벌이줄 Seil (Faden; Draht) zum Spannen verschiedener Vorrichtungen.

벌전(罰錢) Geldstrafe *f.* -n; Strafe *f.* -n.

벌점(罰點) Strafzensur *f.* -en; schlechte Zensur, -en; ungenügende Zensur (낙제점). ¶ ~을 받다 e-e schlechte Note (Zensur) bekommen* / ~을 주다 *jm.* e-e schlechte Zensur geben*.　「*m.* -s, -s.

벌족(閥族) prominente Familie, -n; Clan

벌주(罰酒) alkoholisches Getränk 《-(e)s, -e》 zum Schlucken zur Strafe.

벌주다(罰—) strafen; bestrafen; *jm.* e-e Strafe auferlegen; über *jn.* e-e Strafe verhängen. ☞ 벌(罰).

벌집 Bienenstock *m.* -(e)s, ⸚e; Wabe *f.* -n; Wespennest *n.* -es, -e. ¶ ~을 건드리다 in ein Wespennest stechen* (greifen*) / ~을 쑤셔놓은 것 같다 e-m Stich ins Wespennest gleich|kommen*.

벌쩍거리다 ① 《움직거리다》 strampeln; zappeln; ^{4}sich winden*; ^{4}sich schlängeln. ¶ 아이가 일어나려고 벌쩍거린다 Das Kind strampelt zum Aufstehen. ② 《비벼 빨다》 energielos reiben. ¶ 벌쩍거리지 말고 잘 빨아라 Reibe nicht so energielos — Schrubb tüchtig!

벌쩍벌쩍 ① 《움직거리다》 strampelig; zappelig; windend; schlängelnd. ② 《빨다》 energielos reibend.

벌쭉- ☞ 발쭉-.

벌창하다 überschwemmen; überfluten. ¶ 강물이 ~ der Fluß überflutet / 상품이 시장에 ~ Der Markt wird mit der Ware überschwemmt.

벌채(伐採) Holzschlag *m.* -(e)s, ⸚e; Holzung *f.* -en; Abholzung *f.* -n; Fällung *f.* -en; Lichtung *f.* -en (간벌). **~하다** fällen(schlagen*) 《Bäume》; ab|holzen 《e-n Wald》; ab|forsten^4; lichten 《den Wald》 (간벌함) ¶ 산림을 ~하다 e-n Wald ab|holzen / 산판은 대부분 ~되었다 Der große Teil des Forstes wurde abgeholzt.

‖ **~구역** Holzschlagrevier *n.* -s, -e. **~면적** der Flächen¦raum (-inhalt) der Abholzung.

벌책(罰責) Tadel *m.* -s, -; Verweis *m.* -es, -e; Rüge *f.* -n; Rüffel *m.* -s, -; Maßregelung *f.* -en; Ermahnung *f.* -en. **~하다** tadeln^4; verweisen*^{4}; rügen^4; ermahnen^4; maßregeln^4. ¶ ~을 당하다 getadelt (verwiesen; gerügt; gemaßregelt) werden.

‖ **~처분** =벌책.

벌초(伐草) das Mähen* des Grases um den Grab. **~하다** Gras um den Grab mähen; Grab pflegen.

벌충 Ersatz *m.* -es; Entschädigung *f.* -en; Entgeltung *f.* -en; Wiedergutmachung *f.* -en; Ausgleich *m.* -(e)s, -e. **~하다** ersetzen^4 Ersatz leisten 《*für*^{4}》; *jm.* entschädigen^4 (entgelten*^{4}); wieder|gut|machen^4; aus|gleichen*^{4}; nach|holen(손실 따위). ¶ 손해의 ~ Schadenersatz *m.* -es / 수면부족을 ~하다 den Schlaf nach|holen / 손해를 ~하다 für den Verlust (Schaden) auf|kommen* / 허비한 시간을 ~하다 vertrödelte Zeit nach|holen / 내가 그 ~을 해주지 Ich werde für den Verlust aufkommen.

벌치 wilde Kantalupe, -n.

벌칙(罰則) Straf¦bestimmung (-ordnung) *f.* -en; Strafstatuten 《*pl.*》; Strafgesetz *n.* -es, -e (형법). ¶ ~에 따라 nach dem Strafgesetz / ~에 저촉되다 die Strafstatuten verletzen.

벌컥 ① 《갑자기》 plötzlich; auf einmal; mit e-m Male.

② 《분연히》 vor Wut; von Wut erfüllt; vom Zorn ergriffen; aufgebracht; wütend; zornig. ☞ 발칵. ¶ ~ 화를 내다 in Zorn geraten*; aufgebracht werden.

벌타령(—打令) das Tun* aufs Geratewohl; gedankenloses (zielloses) Tun*.

벌통(—桶) Bienenstock *m.* -(e)s, ⸚e.

벌판 Feld *n.* -(e)s, -er; Ebene *f.* -n; Wiese *f.* -n; Wildnis *f.* ..nisse (황야). ☞ 벌^1.

범 Tiger *m.* -s, -; 《암컷》 Tigerin *f.* -nen. ¶ 새끼 범 Tigerjunge *m.* -n, -n / 범의 가죽 Tigerfell *n.* -(e)s, -e / 범이 울다 ein Tiger heult / 범 꼬리를 밟은 기분이다 vor Furcht zittern wie Espenlaub / 자는 범에 코침 주기 in ein Wespennest stechen* (greifen*); sehr gefährlich sein / 범없는 골에는 토끼가 스승이라 《속담》 Unter den Blinden ist der Einäugige König.¦Wenn die Katze fort ist, tanzen die Mäuse. / 범굴에 들어가야 범을 잡는다 《속담》 Wagen gewinnt.¦Wer wagt, gewinnt. / 범에 날개 《속담》 Die Kräfte sind verdoppelt.¦Es läßt nichts mehr zu wünschen übrig.¦Ein Teufel ist mit e-r Eisenstange bewaffnet.

범-(汎) pan- (Pan-); gesamt- (Gesamt-). ¶ 범미국주의 Panamerikanismus *m.* - / 범태평양회의 der panpazifische Kongreß, ..gresses, ..gresse / 범슬라브주의 Panslavismus *m.* - / 범독일주의 Pangermanismus *m.* -.

-범(犯) das Verbrechen*, -s; Delikt *n.* -(e)s, -e; das Vergehen*, -s; 《사람》 Verbrecher *m.* -s, -; der Schuldige*, -n, -n. ¶ 지능범 das intellektuelle Verbrechen*, -s; der intellektuelle Verbrecher, -s, - (사람) / 강력범

das Gewaltverbrechen*, -s; Gewaltverbrecher *m.* -s, -(사람)/전과 3범 die dreimalige Vorstrafe/파렴치범 das entehrende Verbrechen*.

범계(犯界) Grenzverletzung *f.* -en. ～하다 Grenze verletzen.

범고래 〖동물〗 Schwertwal *m.* -s, -e.

범골(凡骨) ＝범인(凡人).

범과(犯過) Fehler *m.* -s, -; Irrtum *m.* -s, ⸚er; falsches Tun. ～하다 Fehler begehen*; ⁴sich irren.

범국민(汎國民) gesamtnational.
‖～운동 gesamtnationale Kampagne, -n (Bewegung, -n).

범금(犯禁) Verletzung der Restriktionen; Rechtsbruch *m.* -(e)s, ⸚e; Überschreitung *f.* -en; Übertretung *f.* -en; Verstoß *m.* -es, ⸚e. ～하다 Restriktionen verletzen; Recht brechen; Gesetz überschreiten (übertreten); ⁴sich gegen das Gesetz verstoßen*.

범나비 ＝호랑나비. ‖～벌레 Raupe《*f.* -n》 des Schwalbenschwanzes.

범독(泛讀) das Lesen aufs Geratewohl; zielloses Lesen; flüchtiges Lesen; das Überfliegen*. ～하다 aufs Geratewohl lesen; flüchtig lesen; überfliegen*⁴.

범띠 〖민속〗 Attribut einer Person, die im Jahre des Tigers geboren ist.

범람(氾濫) Hochwasser *n.* -s, -; Über¦flutung *f.* -en (-schwemmung *f.* -en; -strömung *f.* -en). ～하다 überfluten⁴; überströmen⁴; überschwemmen⁴ 〖이상 자동사일 때 분리동사로 됨〗. ¶～해 있다 überschwemmt sein/큰 비로 강이 ～했다 Die schweren Regenfälle haben Hochwasser verursacht. /강이 ～해서 시내가 물바다가 되었다 Der Fluß ist aus den Ufern getreten u. hat die Stadt überschwemmt./시장에는 외래품이 ～하고 있다 Der Markt ist mit fremden Erzeugnissen überschwemmt (überflutet)./한강이 ～했다 Der *Han*-Fluß ist übergetreten.

범례(凡例) Zeichenerklärung *f.* -en; Verzeichnis《*n.* -ses, -se》 der Zeichen u. Abkürzungen; Vorbemerkung *f.* -en.

범론(汎論·氾論) ①《개괄적》 Grundriß *m.* ..risses, ..risse; Umriß *m.*; Überblick *m.* -(e)s, -e. ② ＝범론(泛論).

범론(泛論) vage Bemerkung, -en.

범류(凡類) gewöhnlicher Mensch, -en, en; Durchschnittsmensch *m.* -en, -en; kleiner Geist, -(e)s, -er.

범리론(汎理論) 〖철학〗 Hegelismus *m.* -, ..men; Panlogismus *m.* -, ..men.

범문학(梵文學) Sanskritliteratur *f.* -en.

범미(汎美) panamerikanisch; gesamtamerikanisch.
‖～주의 Panamerikanismus *m.* -, ..men. ～회의 gesamtamerikanische Konferenz.

범민(凡民) gewöhnlicher Sterblicher; Plebejer *m.* -s, -; gemeines Volk, -(e)s, ⸚er.

범방(犯房) Beischlaf *m.* -(e)s; Geschlechtsverkehr *m.* -s, -e. ～하다 beischlafen*; geschlechtlich verkehren.

범백(凡百) ①《사물》 alles und jedes. ②《언행》 das Benehmen*, -s; Etikette *f.* -n; Zucht *f.*; das Alltagsverhalten*, -s. ¶～을 가르치다 *jm.* das Benehmen beibringen/～을 배우다 ³sich gutes Benehmen aneignen.

범벅 ①《음식》 ein dicker, scharfer Brei mit e-m Gemisch von verschiedenen Getreiden. ②《뒤죽박죽》 Mischmasch *m.* -es, -e; Durcheinander *n.* -s; Wirrwarr *m.* -s; Ramsch *m.* -es, -e; komplizierte Angelegenheit, -en. ¶～이 되다 vermischt (bunt durcheinandergebracht) werden/일이 모두 ～이 되었다 Alles ist durcheinandergeworfen worden. ¦Es liegt alles wie Kraut und Rüben durcheinander.

범범하다(泛泛—) unvorsichtig; leichtsinnig; unaufmerksam (sein).

범법(犯法) 《행위》 das Verbrechen*, -s; Frevel *m.* -s, -. ～하다 das Gesetz brechen* (übertreten*). ‖～자 Verbrecher *m.* -s, -; Frevler *m.* -s, -.

범부(凡夫) ① Alltagsmensch *m.* -en, -en, der Sterbliche*, -n, -n ☞범인(凡人). ¶그와 같은 ～로선 Ein Durchschnittsmensch, der er ist, ...; von gewöhnlichem Schlag, wie er ist, .../부처님도 본시는 ～였다 Der Buddha《-s》 war eigentlich ein Alltagsmensch. ② ＝범속.

범부채 〖식물〗 eine Art Iris《*f.* -》.

범분(犯分) Anmaßung *f.* -en; das Vergessen* s-r eigenen Position; das Überschreiten s-r Befugnisse (Vollmachten). ～하다 s-e eigene Position vergessen; s-e Befugnisse (Vollmachten) überschreiten; überheblich sein.

범사(凡事) ①《모든 일》 alles und jedes. ②《평범한 일》 gewöhnliche Angelegenheit.

범살장지(—障—) 〖건축〗 Schiebetür《*f.* -en》 mit e-m groben Gitterwerk.

범상하다(凡常—) gewöhnlich; üblich; normal; mittelmäßig; durchschnittlich (sein). ¶범상치 않은 ungewöhnlich; außerordentlich/범상한 사람 Durchschnittsmensch *m.* -en, -en/범상치 않은 재능 ungewöhnliche Begabung, -en/그녀에겐 어딘지 범상치 않은 데가 있다 Sie hat etwas ungewöhnliches an sich.

범서(凡書) gewöhnliches (mittelmäßiges) Buch, -(e)s, ⸚er.

범서(梵書) ①《범어의》 ein Buch《-(e)s ⸚er》 in Sanskrit od. Pali. ②〖불교〗 buddhistische Literatur, -er.

범선(帆船) Segler *m.* -s, -; Segel¦boot *n.* -(e)s, -e (-schiff *n.* -(e)s, -e).

범속(凡俗) Alltäglichkeit *f.* -en; Trivialität *f.* -en; Mittelmäßigkeit *f.* -en; der gewöhnliche Schlag, -(e)s; Laienschaft *f.* -en. ～하다 gewöhnlich; laienhaft; philiströs; profan; vulgär; weltlich (sein). ¶～한사람(들) Welt¦mensch (Herden-) *m.* -en, -en; Philister *m.*-s, -; die große Masse, -n; 《비성직자》 Laie *m.* -n, -n/～을 초탈하다 irdische Dinge hintan|setzen; ⁴sich über irdische Dinge hinweg|setzen/～과 상종하지 않다 ³der großen Masse nicht in Verkehr stehen*.

범수(犯手) ①《손찌검》 das Schlagen*, -s; das Hauen*, -s. ～하다 schlagen*⁴; hauen⁴. ② ＝범용(犯用).

범신론(汎神論) 〖종교〗 Pantheismus *m.* -.
¶～적 pantheistisch.
‖～자 Pantheist *m.* -en, -en.

범심론(汎心論) 〖철학〗 Panpsychismus *m.* -,

범아귀 Raum《*m.* -(e)s》 zwischen dem Daumen und dem Zeigefinger.

범아라비아(汎—) panarabisch; gesamtarabisch.

‖ ∼주의 Panarabismus *m.* -.
범아시아(汎—) panasiatisch; gesamtasiatisch.
‖ ∼주의 Panasiatismus *m.* -.
범안(凡眼) Auge《*n.* -s, -n》e-s Laien; uneingeweihtes Auge; gewöhnliche Begabung, -en. ¶ ∼을 가진 사람 Laie *m.* -n, -n; der Uneingeweihte*, -n, -n; Novize *m.* -n, -n; Novizin *f.* -nen (여자).
범애(汎愛) ＝박애(博愛).
범야당전선(汎野黨戰線) gesamtoppositionelle Front, -en.
범어(梵語) Sanskrit *n.* -(e)s. ¶ ∼의 sanskritisch. ‖ ∼학자 Sanskritist *m.* -en, -en.
범연하다(泛然—) unaufmerksam; unvorsichtig; schlampig; indifferent (sein). ¶ 범연히 indifferent; unvorsichtig; schlampig.
범용(凡庸) Mittelmäßigkeit *f.* -en. ∼하다 mittelmäßig; gewöhnlich; durchschnittlich (sein). ¶ ∼지재(之才) ein Mensch《*m.* -en, -en》von Mittelmäßiger Begabung.
범용(犯用) Unterschlagung *f.* -en; Veruntreuung *f.* -en. ∼하다 unterschlagen*[4]; veruntreuen[4]; [4]sich widerrechtlich an|eignen; illegal verwenden[(*)].
범월(犯越) illegale Grenzüberschreitung, -en; Grenzverletzung *f.* -en. ∼하다 (die Grenze) illegal überschreiten*; verletzen; ein|brechen*《*in*[4]》.
범위(範圍) Bereich *m.* -(e)s, -e; Kreis *m.* -es, -e; Sphäre *f.* -n; Umfang *m.* -(e)s, ⸚e; Weite *f.* -n; 《한계》Grenze *f.* -n; Rand *m.* -(e)s, ⸚er; Umgrenzung *f.* -en. ¶ ∼내에(서) im Bereich; im Rahmen; in den Grenzen 〖이상 *von*[3] 또는 2격과〗/ ∼밖에(서) außer dem Bereich; außerhalb der Grenzen 〖이상 *von*[3] 또는 2 격과〗/ 들리는 ∼ Hörweite (Ruf-) *f.* / ∼를 제한하다 [3]*et.* Grenzen setzen; begrenzen[4]; beschränken[4]; ein|schränken[4]《*auf*[4]》/ 내가 아는 ∼에서는 soviel ich weiß; soweit ich (davon) weiß; soviel ich gehört (gesehen) habe / 좁은 ∼에 한정되다 [4]sich in engen Grenzen halten* / 이 비행기의 행동 ∼는 넓다 Der Aktionsradius dieses Flugzeugs ist groß. / 그의 활동 ∼는 국한되어 있다 Sein Wirkungskreis ist beschränkt. / 장사의 ∼가 좁기 때문에 이윤이 적다 Bei diesem Umfang des Geschäfts ist der Gewinn nur gering. / 그의 독서 ∼는 넓다 S-e Belesenheit ist sehr umfangreich.
‖ 세력∼ Einflußgebiet *n.* -es, -e. 활동∼ Tätigkeits|kreis (Wirkungs-) *m.* -es, -e.
범의(犯意) die böse Absicht, -en. ¶ ∼ 없이 ohne böse Absicht / …의 ∼를 갖고 mit Absicht zu tun 《보기: töten; stehlen*》/ ∼를 인정하다 die böse Absicht zu|geben* / ∼를 나타내지 않다 k-e böse Absicht zeigen.
범의귀 〖식물〗 der kriechende Steinbrech, -s, -e.
범인(凡人) Alltags|mensch (Durchschnitts-) *m.* -en, -en; mittelmäßiger Kopf, -(e)s, ⸚e; Spießbürger *m.* -s, -; Dutzendmensch (흔히 볼 수 있는 인간). ¶ ∼이 아니다 Kein gewöhnlicher (alltäglicher) Kopf ist er. Er ist nicht von gewöhnlichem Schlag. / 그것은 ∼의 힘으로는 할 수 없다 Das geht über die Kräfte des Alltagsmenschen hinaus.
범인(犯人) Täter *m.* -s, -; Frevler *m.* -s, -; Missetäter *m.* -s, -; Verbrecher *m.* -s, -. ¶ ∼을 찾다 nach dem Täter suchen (fahnden); den Täter ermitteln (ausfindig machen) / ∼을 발견하다 〔체포하다, 체포 구금하다, 처벌하다〕 den Täter entdecken (ergreifen*, fest|nehmen*, bestrafen) / ∼을 현장에서 체포하다 e-n Täter auf (bei; in) frischer Tat ertappen / ∼을 쫓다 e-n Täter verfolgen / ∼을 은닉하다 e-n Verbrecher verbergen* (verstecken) / ∼은 아직 잡히지 않았다 Der Täter ist noch nicht ergriffen.
‖ ∼수사 die Nachforschung 《-en》 des Verbrechers. ∼신병 인도 협정 Auslieferungsvertrag *m.* -(e)s, ⸚e. ∼체포 Verhaftung *f.* -en.
범일(汎溢) ＝범람.
범입(犯入) unbefugtes Betreten*, -s; illegales Eintreten*, -s. ∼하다 unbefugt betreten* (ein|treten*).
범자(梵字) Sanskritschrift *f.* -en.
범재(凡才) ein mittelmäßiger Kopf, -(e)s, ⸚e; ein Mann 《*m.* -(e)s, ⸚er》 (Schüler *m.* -s, -) von mittelmäßigen Fähigkeiten.
범절(凡節) Etikette *f.* -n; Anstand *m.* -(e)s; gute Umgangsformen 《*pl.*》; das Benehmen*, -s; das Betragen*, -s.
범종(梵鐘) Tempelglocke *f.* -n.
범죄(犯罪) Verbrechen *n.* -s, -; Delikt *n.* -(e)s, -e; Frevel *m.* -s, -. ¶ ∼의 verbrecherisch; kriminal; kriminell (범죄상의) / ∼를 저지르다 ein Verbrechen begehen* / ∼를 발견하다 〔의 진상을 구명하다, 밀고하다, 수사하다, 처벌하다〕 ein Verbrechen auf|decken (auf|klären, an|zeigen, untersuchen, bestrafen).
‖ ∼감정(鑑定) kriminale Identität, -en: ∼감정을 하다 kriminale Identität fest|stellen. ∼(과)학 Kriminologie *f.* -n. ∼사실 kriminale Tatsache, -n. ∼사회학 kriminale Soziologie. ∼수사 kriminale Nachforschung, -en. ∼심리학 kriminale Psychologie, -n, ∼인(자) Verbrecher *m.* -s, -; Täter *m.* -s, -: 전쟁 ∼자 Kriegsverbrecher *m.* -s, -. ∼통계 kriminale Statistik, -en ∼학자 Kriminolog(e) *m.* ..gen, ..gen. ∼행위 Verbrechen *n.* -s, -. ∼현장 Tatort *m.* -(e)s, -e. ∼혐의자 der kriminale Verdächtige*, -n, -n. 소년∼ das jugendliche Verbrechen, -s, -.
범주(帆走) das Segeln*, -s. ∼하다 segeln [s,h]. ¶ 역풍 (순풍)에 ∼하다 gegen den Wind (mit dem Wind; vor dem Wind) segeln.
범주(泛舟) ziellose Bootfahrt, -en. ∼하다 Boot treiben lassen*.
범주(範疇) Kategorie *f.* -n [..rí:ən]. ¶ …의 ∼에 들다 in die Kategorie (zu der Kategorie) 《*von*[3]》 gehören / …의 ∼에 넣다 unter die Kategorie setzen.
범천왕(梵天王) 〖불교〗 Brahma *n.* - (＝Schöpfer *m.* -s, -).
범청(泛聽) unachtsames Zuhören*, -s. ∼하다 unachtsam zu|hören[3].
범칙(犯則) Gesetzesüberschreitung *f.* -en; Regelverletzung *f.* -en; Fehler *m.* -s, -. ∼하다 Gesetz überschreiten*; Regel verletzen; Fehler begehen*.
‖ ∼자 Übeltäter *m.* -s, -; Missetäter *m.* -s, -; Straffälliger *m.* -s, -.
범칭(泛稱·汎稱) allgemeiner Term, -(e)s, -e. (Titel, -s, -); populärer Name, -ns, -n.
범타(凡打) 〖야구〗 schwacher Ball, -(e)s, ⸚e. ∼하다 e-n schwachen Ball schlagen*. ¶ 그들은 모두 ∼에 그쳤다 Sie alle haben

bloß schwache Bälle geschlagen.

범태평양(汎太平洋) 〖형용사적〗 gesamtpazifisch.
‖ ~회의 gesamtpazifische Konferenz, -en.

범퇴하다(凡退—) 〖야구〗 leicht herausgeschlagen werden. ¶ 3자 ~ alle drei wurden e-r nach dem anderen herausgeschlagen.

범포(帆布) Segelleinwand *f.* ⁼e; Segeltuch *n.* -(e)s, ⁼er 〔천 종류를 말할 때는 -e〕.

범하다(犯—) ① 《죄를》 begehen*[4]; [4]sich schuldig[2] machen; verüben[4]; 《법률 따위를》 verletzen[4]; überschreiten*[4]; übertreten*[4]; verstoßen* 《*gegen*[4]》; 《여자를》 vergewaltigen[4] 《e-e Frau》; Gewalt an|tun* 《e-r Frau》; schänden[4] 《e-e Frau》; schwächen[4] 《e-e Jungfrau》. ¶ 교칙을 ~ gegen die Schulregeln verstoßen* / 그는 죄를 범했다 Er hat ein Verbrechen begangen.
② 《토지를》 ein|dringen* 〔ein|fallen*〕 ⓢ 《*jn.*》; e-n Einfall unternehmen*; an|greifen*[4]; überfallen*[4]. ¶ 그들은 자주 우리 국경을 범했다 Sie drängten oft über unsere Grenze.
③ 《권리 따위를》 übergreifen* 《*in*[4]》; übertreten*[4]; Übergriffe tun* 《*in*[4]》; ein|greifen* 《*in*[4]》; Eingriffe machen 《*in*[4]》; verletzen[4]. ¶ 직권을 ~ in *js.* Funktionen ein|greifen* / 전매권을 ~ ein Patent verletzen.

범행(犯行) Verbrechen 〔Vergehen〕 *n.* -s, -. ~하다 verbrechen*; vergehen*; begehen*. ¶ 대담한 〔잔인한〕 ~ unmenschliches Verbrechen*, -s / ~을 자백하다 ein Verbrechen (ein|)gestehen* / ~ 을 부인하다 das Verbrechen in Abrede stellen 〔nicht an|erkennen*〕 / ~은 밝혀지지 않았다 Das Verbrechen ist unaufgeklärt geblieben.

법(法) ① 《법률》 Gesetz *n.* -es, -e; Recht *n.* -(e)s, -e; Regel *f.* -n; Vorschrift *f.* -en; Satzung *f.* -en; Gebot *n.* -(e)s, -e. ¶ 법에 어긋나는 ungesetzlich; gesetzwidrig; ungesetzmäßig / 법에 합당한 recht|mäßig 〔gesetz-〕 / 법에 비추어 laut des Gesetzes 〔dem Gesetz〕; dem Gesetz entsprechend / 법에 호소하다 rechtlich handeln[4]; den rechtlichen Weg ein|schlagen*; *jn.* beim Gericht verklagen / 법을 어기다 ein Gesetz verletzen 〔übertreten*; umgehen*〕; e-m Gesetz zuwider|handeln; gegen die Gesetze verstoßen*/법을 시행하다 das Gesetz in Kraft setzen / 법을 고치다 〔지키다, 정하다, 범하다〕 ein Gesetz verbessern 〔halten*, geben*, brechen*〕 / 법은 멀고 주먹은 가깝다 《속담》 Macht geht vor Recht.
② 《예의·도리》 Vernunft *f.*; Recht *n.* -(e)s; Grund *m.* -(e)s, ⁼e. ¶ 그런 법은 없다 Das ist unvernünftig 〔unmöglich〕. / 그런 법이 어디 있느냐 Warum denkst du so?|Wie hast du e-e solche Richtung 〔e-n solchen Weg〕 eingeschlagen? / 너는 그렇게 말할 법하다 Du sagst es mit Recht. / 그러니까 학교를 쉬어도 좋다는 법은 없다 Das ist kein Grund, in der Schule zu fehlen. / 그렇게 묻는 법이 아니야 Es gehört sich nicht, e-e derartige Frage zu stellen.
③ 《방법》 Methode *f.* -n; die Art u. Weise; Art *f.* -en; Weise *f.* -n. ¶ 생각하는 법 Denkart *f.* -en; Denkweise *f.* -n / 걷는 법 Gangart *f.* -en; die Art zu laufen / 교수법 Unterrichts|methode 〔-weise〕 *f.* / 편지 쓰는 법 Wie man e-n Brief schreibt.
④ 〖수학〗 Divisor *m.* -s, -en.
⑤ 〖문법〗 Modus *m.* -, ..di. ¶ 서술법 〔직설법〕 indikativer Modus.
⑥ 〖불교〗 das Dogma 《-s, ..men》 des Buddhismus.

법계(法系) Kodex *m.* -es, -e 〔..dizes〕; Gesetzbuch *n.* -(e)s, ⁼er.
‖ 로마~ römischer Kodex. 중국~ chinesischer Kodex.

법계(法界) ① 〖불교〗 Universum *n.* -s; Reich 《*n.* -(e)s, -e》 des Buddhismus; 《불교 사회》 Welt 《*f.* -en》 〔Kreis *m.* -es, -e; Gesellschaft *f.* -e〕 der Buddhisten. ② 《법조계》 juristischer Kreis; Juristenkreis *m.*

법과(法科) die juristische Fakultät, -en. ¶ 나는 ~공부를 했다 Ich habe Jura studiert.
‖ ~대학 die juristische Hochschule, -n. ~생 Jurist *m.* -en, -en. ~출신 der juristische Abiturient, -en, -en.

법관(法官) der Gerichtsbeamte*, -n, -n; Richter *m.* -s, -.

법권(法權) das gesetzliche Recht, -(e)s, -e.

법규(法規) ① 《일반적인》 Gesetze u. Verordnungen 《*pl.*》. ¶ ~의 정하는 바에 따라 gemäß den Bestimmungen des Gesetzes 〔der Verordnung〕 / ~의 불비 때문에 wegen mangelnder Gesetzgebung / ~상의 절차를 밟다 die gesetzlichen Formalitäten erfüllen / ~에 따라 처벌하다 nach dem Gesetz strafen.
② 《헌법상의》 Gesetz *n.* -es, -e; Recht *n.* -(e)s, -e.
‖ 현행~ das bestehende Gesetz, -es, -e; das in Kraft stehende Gesetz: 현행 ~를 무시하다 das bestehende Gesetz unbeachtet lassen*.

법당(法堂) Halle 《-n》 mit Buddhastatue; Predigthalle *f.*

법도(法度) Gesetze und Regelungen.

법등(法燈) 〖불교〗 ① 《불법》 Licht 《*n.* -(e)s, -er》 des Buddhismus. ② 《등불》 Lampe 《*f.* -n》 vor dem buddhistischen Altar. ③ 《전통》 buddhistische Tradition, -en; buddhistische Erbe, -n, -n.

법랑(琺瑯) 《유약》 Email [emá:j] *n.* -s, -s; Emaille [emá:jə] *f.* -n. ¶ ~을 바른 〔먹인〕 emailliert / ~을 바르다 〔먹이다〕 emaillieren[4] [emají:rən]; glasieren[4].
‖ ~질 Email [emá:j] *n.* -s, -s; Glasur *f.* -en; Schmelz *m.* -es -e (이빨의). ~철기 Emaillegefäß *n.* -es, -e.

법령(法令) Gesetze u. Verordnungen 《*pl.*》. ¶ ~에 정해지다 im Gesetz bestimmt werden / ~의 정하는 바에 따라서 [3]der Bestimmung des Gesetzes gemäß.
‖ ~양식 gesetzliche Form, -en. ~집 Gesetz(es)sammlung *f.* -en; Gesetz|buch *n.* -(e)s, ⁼er 〔-blatt *n.* -(e)s, ⁼er〕.

법례(法例) Regelung 《*f.* -en》 über die Anwendung des Gesetzes; Erlaß *m.* ..lasses, ..lasse; Verfügung *f.* -en. ¶ ~의 정하는 바에 의하여 den Regelungen über die Anwendung des Gesetzes gemäß.

법률(法律) Gesetz *n.* -es, -e; Recht *n.* -es, -e. ¶ ~상(의) gesetzlich; rechtlich; gesetzmäßig; von Rechts wegen / ~상 유효한 rechtskräftig; rechtsgültig / ~상 허용된 gesetzlich erlaubt/~ 위반의 rechts|widrig 〔gesetz-〕; ungesetzlich / ~에 정통한 gesetzkundig; rechtserfahren / ~상의 근거 Rechtsgrund *m.* -es, ⁼e / ~상 책임 Rechtsverbindlichkeit *f.* -en / ~을 범하다 ein

Gesetz brechen* (übertreten*) / ～을 지키다 ein Gesetz halten* (beobachten) / ～을 제정하다 ein Gesetz geben* / ～상의 수단을 취하다 den Rechtsweg betreten* / ～을 배우다 die Rechte (Jura) studieren / ～을 실시하다 ein Gesetz in Kraft setzen (treten lassen*) / 그것은 ～에 위배된다 Das verstößt gegen das Gesetz. / 그것은 ～상 금지되어 있다 Das ist gesetzlich verboten. / ～은 만인에게 평등하다 Jeder Mensch ist vor dem Gesetz gleich.

‖ ～가 der Rechtsgelehrte* (Rechtsverständige*) -n, -n; Jurist *m.* -en, -en. ～고문 Rechtsberater *m.* -s, -; Rechtskonsulent *m.* -en, -en. ～문제 Rechtsfrage *f.* -n. ～사무 Rechtsgeschäft *n.* -(e)s, -e. ～사실 Rechtstatsache *f.* -n. ～서 Rechtsschrift *f.* -en; Gesetzbuch *n.* -(e)s, ⸚er. ～용어 Rechtssprache *f.* -n. ～위반 Gesetzübertretung *f.* -en. ～통 der Gesetzkündige*, -n, -n. ～행위 Rechtsgeschäft *n.* -(e)s, -e.

법리(法理) Gesetz *n.* -es, -e; die gesetzliche Verfügung, -en. ¶ ～의 정하는 바에 따라서 [3]der Bestimmung des Gesetzes gemäß.

‖ ～학 Rechts¦wissenschaft (-philosophie) *f.*: ～학자 der Rechtsgelehrte*, -n, -n; Rechtsphilosoph *m.* -en, -en.

법망(法網) der Arme 《-s, -n》 des Gesetzes (der Justiz); das Auge 《-s, -n》 des Gesetzes. ¶ ～에 걸리다 [4]sich ins Netz des Gesetzes verstricken; im Netz des Gesetzes gefangen sein; vom Arm des Gesetzes erreicht werden / ～을 벗어나다 durch die Lücke des Gesetzes (durch|)schlüpfen ⓢ; ein Gesetz umgehen* / ～을 벗어나려고 하다 nach Mitteln u. Wegen suchen, um gesetzlichen Bestimmungen zu entgehen.

법명(法名) 〖불교〗 der buddhistische Name, -ns, -n.

법무(法務) die gerichtlichen Angelegenheiten 《*pl.*》.

‖ ～관 der Justizbeamte*, -n, -n. ～부 Justizministerium *n.* -s, ..rien (Amt 《*n.* -(e)s, ⸚er》 für Justiz): ～부 장관 Justizminister *m.* -s, -.

법문(法文) ① 〖법〗 der Wortlaut 《-(e)s》 des [2]Gesetzes; Gesetz *n.* -es, -e. ¶ ～에 명시되어 있다 in dem Gesetz dargelegt sein / ～의 정신을 해치지 말라 Man darf den Geist des Gesetzes nicht verletzen. ② 〖불교〗 buddhistische Schrift, -en.

‖ ～화 Gesetzmäßigkeit *f.* -en: ～화하다 gesetzmäßig machen.

법문(法門) 〖불교〗 Buddhismus *m.* -; Priestertum 《*n.* -s》 des Buddhismus; heilige Gebote 《*pl.*》. ¶ ～에 들어가다 das buddhistische Priestertum ein|treten*; die heiligen Gebote des Buddhas an|nehmen*.

법문학부(法文學部) die juristische u. literarische Fakultät, -en.

법복(法服) ① 〖법〗 Amts¦tracht (-kleidung) *f.* -en. ② 《왕의》 Robe *f.* -n; Talar *m.* -s, -e. ③ ＝법의(法衣).

법사(法師) 《설법승(僧)》 Bonze *m.* -n, -n; der Geistliche*, -n, -n.

법석 ① 《소란》 Lärm *m.* -(e)s, -e; Gelärm *n.* -(e)s; Geräusch *n.* -(e)s; Getöse *n.* -s. ② 《소동》 Getue *n.* -s; Radau *m.* -s; 〖속어〗 Theater *n.* -s, -; Erregung *f.* -en (흥분상태); Aufruhr *m.* -(e)s, -e; Tumult *m.* -(e)s, -e (소요). ¶ ～을 떨다 e-n Skandal machen; e-n Aufruhr erregen 《*mit*[3]》; Krach machen 《*mit*[3]》 (싸움): ein Theater machen (지나치게 떠들다); blinden Lärm machen / 사소한 일로 ～을 떨다 viel Wesens um nichts machen; über (wegen) e-r Kleinigkeit viel Lärm machen / 술을 마시며 야단 ～을 부리다 e-n Heidenlärm machen / 그녀는 시시한 일로 ～을 떤다 Sie macht von Kleinigkeiten viel Aufhebens.

법수(法手) Wege u. Mittel; Weg *m.* -(e)s, -e; Methode *f.* -n.

법수(法數) 〖수학〗 Teiler *m.* -s, -.

법식(法式) ① 《법도와 양식》 Regeln 《*pl.*》 u. Formen 《*pl.*》 des Umgangs; Formalitäten 《*pl.*》. ¶ 일정한 ～ angemessene (geregelte) Umgangsformen 《*pl.*》 / ～에 따르다 (어긋나다) [3]Regeln des Anstandes folgen (zuwider|laufen*). ② 《방식》 Schema *n.* -s, -s (..mata). ③ 〖불교〗 Formalitäten 《*pl.*》 der buddhistischen Zeremonie; buddhistisches Ritual, -(e)s, -e (-ien).

법안(法案) (Gesetz)antrag *m.* -(e)s, ⸚e; Gesetzentwurf *m.* -(e)s, ⸚e; Vorlage *f.* -n. ¶ ～을 통과시키다 (제출하다) e-e Vorlage durch|bringen* (ein|bringen*) / ～을 가결하다 e-n Gesetzantrag an|nehmen*.

법어(法語) 〖불교〗 ① 《설교》 buddhistische Predigt, -en; buddhistische Literatur, -en. ② ＝법언. ③ 《불교의 용어》 buddhistischer Ausdruck, -(e)s.

법언(法言) kanonische Äußerungen 《*pl.*》.

법열(法悅) ① 《황홀감》 Seligkeit *f.* -en; Seelenheil *n.* -s. ② 〖불교〗 (die religiöse) Ekstase, -n. ¶ ～에 잠기다 beseligt sein; von göttlicher Gnade beseelt sein; in Ekstase geraten* (일반적 의미로).

법왕(法王) 〖불교〗 *Tathagata* 《범어》; Buddha.

법요(法要) 〖불교〗 Totenfeier *f.* -n; der buddhistische Dienst, -(e)s, -e. ¶ 어머니의 3주기 ～ die dritte Gedächtnisfeier für m-e selige Mutter.

법원(法院) Gericht *n.* -(e)s, -e; Gerichtshof *m.* -(e)s, ⸚e.

‖ ～서기 Gerichtsschreiber *m.* -s, -. ～장 Gerichtspräsident *m.* -en, -en; Gerichtsvorstand *m.* -(e)s, ⸚e. 가정～ das Gericht von Familienangelegenheiten. 고등～ das Höhere Gericht. 대～ das Oberste Gericht; der Oberste Gerichtshof, -(e)s, ⸚e. 지방～ Landesgericht *n.* -(e)s, -e.

법의(法衣) Priester¦rock *m.* -(e)s, ⸚e (-gewand *n.* -(e)s, ⸚er); Soutane [zut..] *f.* -n; Habit *n.* -s, -e (수도승의).

법의학(法醫學) die gerichtliche Medizin, -en. ¶ ～적인 gerichtsmedizinisch.

‖ ～자 Gerichtarzt *m.* -es, ⸚e.

법인(法人) die juristische Person, -en; Körperschaft *f.* -en. ¶ ～체를 조직하다 in e-r (e-e) Körperschaft zusammen|schließen*[4] / ～을 설정하다 als juristische Person ein|-tragen*[4].

‖ ～과세 die Besteuerung auf die juristische Person. ～권 Korporationsrecht *n.* -(e)s, -e. ～단체 Körperschaft *f.* -en. ～설정 die Eintragung 《-en》 als juristische Person. ～세 Körperschaftssteuer *f.* -n. ～소득 das Einkommen 《-s, -》 e-r Körperschaft. 공개～(체) die öffentliche Körperschaft. 단독～ die juristische Person. 사단(社團)～ Korporation *f.* -en. 재단～ Stiftungsperson *f.* -en.

법적(法的) Rechts-; gesetzlich; gesetz|mäßig (recht-); juristisch. ¶ ~ 근거 Rechtsgrund *m.* -(e)s, ¨e.

법전(法典) Gesetzbuch *n.* -(e)s, ¨er; Kodex *m.* -(es), -e (..dizes). ¶ 현행 ~ das bestehende (in Kraft stehende) Gesetzbuch, -(e)s, ¨er / ~을 편찬하다 das Gesetzbuch zusammen|stellen (kompilieren).
‖ ~편찬 Kodifikation *f.* -en.

법정(法廷) Gericht *n.* -(e)s, -e; Gerichtshof *m.* -(e)s, ¨e; Gerichtsstätte *f.* -n; Tribunal *n.* -s, -e; Schranke *f.* -n (재판소); Gerichtssaal *m.* -(e)s, ..säle; Gerichtshalle *f.* -n. ¶ ~의 gerichtlich / ~을 열다 zu Gericht sitzen* / ~에 끌어내다 *jn.* vor (ein) Gericht bringen*; *jn.* vor (bei) Gericht verklagen / ~에 소환하다 *jn.* vor Gericht laden* (fordern); gerichtlich vor|laden*; vor die Schranke laden* / ~에 서다 vor Gericht erscheinen*[s]; zu Gericht gehen* [s]; ^{4}sich vor Gericht stellen (ein|finden*) / ~에서 싸우다 vor Gericht gehen* [s]; gegen *jn.* gerichtlich vor|legen / ~에서 변호하다 ^{4}sich vor Gericht verantworten / 사건은 ~ 문제가 되었다 Die Sache kam vor Gericht. / 죄인을 ~에 끌어내다 e-n Verbrecher vor Gericht schleppen.
‖ ~용어 Gerichtssprache *f.* -n. ~투쟁 Gerichtsstrategie *f.* -n.

법정(法定) ¶ ~의 gesetzlich; anerkannt; festgesetzt; vorgeschrieben; gesetzmäßig; amtlich; gültig; rechtsgültig; rechtmäßig.
‖ ~가격 der gesetzlich festgesetzte Preis, -es, -e. ~기간 der gesetzliche Termin, -s, -s. ~노동시간 Normalarbeitstag *m.* -(e)s, -e. ~대리(인) der gesetzliche Vertreter, -s, -. ~상속인 der gesetzliche Erbe, -n, -n. ~수 die beschlußfähige Anzahl. ~어음시세 die gesetzliche Valuta, ..ten; der amtlich gültige Kurs, -es, -e. ~예상 기간 die Vorzugstage 《*pl.*》. ~이식 der gesetzmäßige Zins, -es, -en (-e). ~이율 der gesetzliche Zins|fuß, -es, ¨e (-satz, -es, ¨e). ~준비금 der gesetzliche (festgesetzte) Reservefonds [..fɔ̃:], - [..fɔ̃:(s)], - [..fɔ̃:s]. ~통화 das gesetzliche Zahlungsmittel, -s, -.

법제(法制) Gesetzgebung *f.* -en; Rechtsinstitut *n.* -(e)s, -e; Legislation *f.*; die Gesetze 《*pl.*》; Rechtsverfassung *f.* -en.
‖ ~경제 Rechts- u. Wirtschaftslehre *f.* -n. ~국(局) Legislatur *f.* -en; Legislaturbüro *n.* -s, -s. ~사 die Geschichte der Rechtsverfassung. ~사법 분과 위원회 Legislations- u. Justizkomittee *n.* -s, -s. ~실장 der Chef 《-s, -s》 des Legislationsbüro.

법조(法曹) der Justizbeamte*, -n, -n.
‖ ~계 die juristische Welt, -en; der juristische Kreis, -es, -e. ~협회 Juristenverein *m.* -(e)s, -e.

법주(法主) 〖불교〗 Oberhaupt 《*n.* -(e)s, ¨er》 e-r Sekte; 《법사》 Bonze *m.* -n, -n; buddhistischer Priester, -s, -; 《종파의 우두머리》 Sektenhaupt *n.* -(e)s, ¨er; buddhistischer Erzbischof, -s, ¨e.

법치(法治) das verfassungsmäßige Regieren*, -s.
‖ ~국가 Verfassungsstaat *m.* -(e)s, -en; der verfassungsmäßige Staat; der konstitutionelle Staat. ~주의 Konstitutionalismus *m.* -.

법칙(法則) Gesetz *n.* -es, -e; Regel *f.* -n; Norm *f.* -en. ¶ 자연의 ~ Naturgesetz *n.* -es, -e.
‖ ~과학 Gesetzeswissenschaft *f.* -en. ~론 〖철학〗 Nomologie *f.* -n: ~론적 nomologisch. ~정립학(定立學) die nomothetische Wissenschaft.

법폐(法幣) (chinesisches) gesetzliches Zahlungsmittel, -s, -.

법하다 ① 《당연》 gute Gründe haben 《*zu*^{3}》. ¶ 그가 성날 법도 하다 Er hat gute Gründe, verärgert zu sein.
② 《상정》 es gibt Gründe zu erwarten, daß; man darf erwarten, daß; es ist anzunehmen, daß. ¶ 그가 올 법도 한데 Er müßte kommen. / 그 키 큰 이가 대장일 ~ Der große Mann muß Anführer sein. / 그이가 왔을 법도 하다 Er könnte gekommen sein. / 비가 올 법도 하건만 Eigentlich müßte es regnen. / 그 때는 내가 거기 갔을 법한데 Ich müßte damals dort gewesen sein.
③ 《추측》 es ist wahrscheinlich, daß. ¶ 비가 올 법도 하다 Es sieht nach Regen aus. / 그 일이 될 ~ Die Sache scheint zu gelingen. / 그 신이 내 발에 약간 작을 ~ Diese Schuhe scheinen für meine Füße etwas klein zu sein.

법학(法學) Rechtswissenschaft *f.*; Jura 《*pl.*》; Jurisprudenz *f.*; Juristerei *f.* ¶ ~의 rechtswissenschaftlich; juristisch.
‖ ~도 Jurist *m.* -en, -en; der Rechtsbeflissene*, -n, -n. ~박사 Doktor 《*m.* -s, -en》 (habil.) der Rechte; Dr. jur. ~부 die juristische Fakultät, -en. ~사 der Doktor der Rechte; Dr. jur. (juris). ~자 Jurist *m.*; der Rechtsgelehrte*, -n, -n; der Rechtskundige*, -n, -n. ~통론 die allegemeine Rechtslehre, -n. ~협회 Juristenverein *m.* -(e)s, -e.

법호(法號) (postumer) buddhistischer Name, -ns, -n.

법화(法貨) gesetzliches Zahlungsmittel, -s, -.

법화(法話) 〖불교〗 (Moral)predigt *f.* -en; Kanzelrede *f.* -n; Glaubensrede *f.* -n.

법화경(法華經) Sutra 《*n.* -s》 vom Lotus der guten Lehre; *Saddharmapuṇḍarika-sūtram* 《범어》.

법회(法會) 《설법》 buddhistische Vortragsversammlung; 《재(齋)》 buddhistische Messe *f.* ¶ ~를 열다 Messe ab|halten*; Gottesdienst (für e-n Toten) veranstalten.

벗 Freund *m.* -(e)s, -e; 《동료》 Genosse *m.* -n, -n; Kamerad *m.* -en, -en; Gefährte *m.* -n, -n; Kommilitone *m.* -n, -n (대학 시절의). ¶ 동창인 벗 Schulfreund; Kommilitone *m.* -n, -n (대학의) / 진실한 벗 der wahre Freund / 친한 벗 der intime (vertraute; gute) Freund / 신앙의 벗 Glaubensgenosse *m.*; Glaubensgenossin *f.* / 벗을 고르다 e-n Freund wählen / …을 벗으로 삼다 ^{3}sich *jn.* zum Freunde machen / 벗을 사귀다 e-n Freund gewinnen* / 벗과 헤어지다 ^{4}sich vom Freunde trennen; die Freundschaft brechen* / 빈곤이 벗을 멀게 한다 Armut trennt Freundschaft. / 좋은 벗은 찾기 보다 잃기 쉽다 Guter Freund ist leichter zu verlieren als zu finden.

벗가다 =벗나가다.

벗개다 klar werden; ^{4}sich auf|klären.

벗겨지다 ☞ 벗기어지다.

벗기다 ① 《옷을》 *jn.* aus|ziehen*; *jn.* entkleiden; *jn.* s-s Kleides berauben; *jm.* ablegen helfen*; *jn.* entblößen; ab|reißen* (붙은 것을). ¶ 외투를 벗겨 주다 *jm.* aus dem Mantel helfen* / 아이들의 옷을 ~ Kinder auskleiden / 시녀가 주인의 옷을 벗겨 주었다 Die Zofe entkleidete ihre Herrin. / 외투 벗는 것을 도와 줘 Hilf mir den Überzieher aus|ziehen! / 깝대기를 ~ 《비유적》 *jn.* aus|plundern; *jn.* berauben² / 가면을 ~ Maske ab|ziehen*⁴. ② 《껍질·가죽을》 ab|balgen⁴; ab|häuten⁴; ab|streifen⁴; (ent)häuten⁴; ab|ziehen*; schinden*⁴ 〔이상 짐승은 4격〕; ab|schälen⁴ 〔콩·과일은 4격〕; enthülsen⁴; schälen 〔콩·과일은 4격〕. ¶ 나무 껍질을 ~ e-n Baum ab|rinden (entrinden); die Rinde ab|schälen / 동물의 가죽을 ~ ein Tier ab|häuten (ab|balgen; schinden*) / 사과 껍질을 (칼로) ~ e-n Apfel (mit dem Messer) schälen. ③ 《덮은 것을》 ¶ 뚜껑을 ~ ⁴Deckel ab|nehmen*. ④ 《비유적으로》 ¶ 가면을 ~ *jn.* entlarven. ⑤ 《때 따위를》 ab|waschen*⁴ (weg|-).

벗기어지다 ① 《옷이》 *jm.* ab|fallen*Ⓢ; *jm.* entgleiten*Ⓢ; aus|gehen*Ⓢ; ausfallen*Ⓢ; abrutschen; herunter|rutschen (옷, 바지 따위가). ¶ 신발이 ~ der Schuh fiel mir ab (weg). ② 《껍질·가죽·비늘이》 ⁴sich ab|schelfern; ⁴sich ab|schuppen; ab|gehen* Ⓢ (칠한 것이); ⁴sich (ab|)schälen; die Haut (die Schale) ab|sondern; 〖속어〗 ⁴sich aus|pellen; ⁴sich ab|schiefern; ab|blätternⓈ (입힌 것이). ¶ 씻어도 벗겨지지 않는 waschecht / 니스 (페인트)가 벗겨졌다 Der Lack (Die Farbe) ist abgegangen.

벗나가다 ⁴sich verirren; ⁴sich verlaufen*; ab|schweifen Ⓢ 《*von*³》; ab|irren Ⓢ 《*von*³》; ⁴sich trennen 《*von*³》; getrennt werden 《von *jm.*》.

벗다¹ ① 《옷 따위를》 (⁴sich) aus|ziehen*⁽⁴⁾; ⁴sich aus|kleiden; ⁴sich entkleiden; ab|nehmen*⁴. ¶ 옷을 벗어던지다 ³sich s-r Kleider entledigen; die Kleider ab|werfen* (ab|streifen) / 신발〔장갑〕을 ~ die Schuhe (die Handschuhe) aus|ziehen* / 모자를 ~ den Hut ab|nehmen* / 안경을 ~ die Brille (-n) ab|setzen / 웃도리를 ~ den Oberkörper frei|machen / 웃도리를 벗은 채 in Hemdärmeln. ② 《껍질을》 ⁴sich häuten.

벗다² 《벗어지다》 ab|gehen*; los|gehen*; ab|färben. ¶ 칠이 ~ Die Farbe geht ab.

벗바리 Unterstützung *f.* -en; (verborgene) Hilfe. ¶ ~ 좋다 viel Unterstützer haben.

벗어나다 ① 《헤어나다》 ³*et.* entgehen* Ⓢ; ⁴sich heraus|ziehen* 《*aus*³》; ⁴sich befreien 《*von*³; *aus*³》; entkommen*³ (entweichen*³) Ⓢ; ⁴sich entziehen*³; los|kommen* Ⓢ 《*von*³》; los|werden*⁴; ⁴sich retten 《*aus*³》; ⁴sich los|machen 《*von*³》 (이상 탈출, 면하다); ab|fallen* Ⓢ 《*von*³》; ⁴sich los|lösen 《*von*³》; ⁴sich trennen 《*von*³》; ⁴sich zurück|ziehen*³ (이상 탈퇴, 절연); ⁴sich erheben* 《*über*⁴》; erhoben sein 《*über*⁴》 (초월). ¶ 벗어나기 힘든 unausweichlich; unvermeidlich; unentrinnbar; zwangsläufig / 간신히 ~ mit knapper Not entkommen* / 법망을 ~ das Gesetz um|gehen* Ⓢ / 책임을 ~ ⁴sich von s-n Verpflichtungen drücken; s-r ²Verantwortung enthoben werden / 죽음을 ~ dem Tode entgehen*Ⓢ / 악습에서 ~ e-e üble (schlechte) Gewohnheit ab|legen / 곤경을 ~ ⁴sich aus der Klemme ziehen*; aus der Patsche kommen* Ⓢ / 벗어날 길 Ausweg *m.* -(e)s, -e; Zuflucht *f.* -en; Rettung *f.* -en; Hintertür *f.* -en / 벗어날 길이 없다 k-n Ausweg finden* 《*aus*³》 ¦Es gibt k-e Rettung mehr. / 경찰의 추적에서 ~ der Verfolgung der Polizei entgehen* Ⓢ / 그는 도저히 범인(凡人)의 경지를 벗어나지 못한다 Er erhebt sich nie über das Alltägliche. / 그는 그 점에서는 아마추어의 영역을 벗어나 있다 Darin ist er kein Laie mehr.
② 《어그러지다》 aus|gleiten* Ⓢ; entgleisen Ⓢ; widersprechen*³; in Widerspruch stehen* 《*mit*³》; verstoßen* 《*gegen*⁴》; ab|weichen* Ⓢ 《*von*³》. ¶ 이야기가 주제에서 ~ vom Thema ab|schweifen Ⓢ / 정도에서 ~ vom Pfad (Weg) der Tugend ab|weichen* Ⓢ; den falschen Weg beschreiten*; auf dem Holzwege sein / 원칙에 ~ den Grundsätzen widersprechen*; von den Grundsätzen ab|weichen* Ⓢ / 사회 도덕〔미풍 양속〕에 ~ gegen die öffentliche Moral (gegen die gute Sitte) verstoßen* / 도리에서 ~ der gesunden Vernunft widersprechen*; gegen das, was recht ist, handeln / 사람의 도리에서 ~ von der Pflicht ab|weichen* Ⓢ / 자연에서 ~ mit der Natur in Widerspruch stehen*.

벗어버리다 《옷 등을》 schnell ab|legen⁴; ab|schütteln⁴; 《신 등을》 schnell aus|ziehen*. ¶ 옷을 아무데나 ~ s-e Kleider aus|ziehen* u. überall hin|werfen* / 그는 저고리를 벗어버리고 일을 시작했다 Er zog s-e Jacke aus, warf sie hin u. fing zu arbeiten an. ② 《책임 따위를》 ⁴sich befreien 《*von*³》; ⁴sich los|machen 《*von*³》. ¶ 그는 책임을 벗어버렸다 Er hat sich von der Verantwortung losgemacht. / 빚을 다 벗어버렸다 Ich habe alle m-e Schulden zurückgezahlt.

벗어지다 ⁴sich ab|schürfen⁴; ⁴sich wund|reiben; ⁴sich ab|scheuern. ¶ 피부가 〔무릎이〕 ~ ³sich die Haut (das Knie) ab|schürfen / 머리가 ~ kahl (köpfig) werden; die Haare verlieren* / 나는 두 손바닥이 벗어지고 말았다 Ich habe mir die beiden Hände wundgerieben.

벗장이 ungelernter Arbeiter *m.* -s, -; Hilfsarbeiter; Hilfskraft *f.* ⸗e.
‖ 목수~ ungelernter Zimmerer. 활량~ schlechter Bogenschütze.

벗트다 intim werden; zum Duzen kommen.

벗하다 ① 《벗삼다》 intim werden; guter Freund von³ werden. ② 《비유적》 Gefährte 《*m.* -n, -》 (Gefährtin *f.* -nen) von³ werden; leben mit³. ¶ 책을 ~ mit Büchern leben / 풍월〔자연〕을 벗하고 지내다 mit der Natur leben.

벙거지 《군인이 썼던》 Filzhut e-s Soldats od. e-s öffentlichen Bediensteten des 19. Jahrhunderts; 《모자》 Hut. ¶ ~ 시울 만지는 소리 vage (verschwommene; unklare) Bemerkungen (= „Geräusch, wenn man den Rand e-s Filzhutes berührt“).

벙거짓골 offene Schmorpfanne mit Rand zum Kochen von Tschongol.

벙그레 ☞ 방그레.

벙글거리다, 벙긋거리다 lächeln; strahlen; glücklich aus|sehen*.

벙글벙글, 벙긋벙긋 mit strahlendem Gesicht; lächelnd; glücklich.

벙벙하다 verblüfft; überwältigt; vor Überraschung sprachlos (sein). ¶ 그는 벙벙했다 Er war sprachlos.

벙벙히 sprachlos; wie gelähmt. ¶ ~ 서 있지

말고 무엇 좀 해라 Steh nicht so sprachlos herum —tu etwas! / 그 광경에 나는 ~ 있을 수 없었다 Bei diesem Anblick konnte ich nicht ruhig bleiben.

범시레 =방그레.

범실- =방글-.

벙어리[1] der Stumme*, -n, -n; Stummheit *f.*; Taubstummheit *f.*; der Taubstumme*, -n, -n. ¶ ~의 stumm; taubstumm/ ~가 되다 stumm werden; taubstumm werden / 그는 ~다 Er ist stumm. / 그녀는 꿀 먹은 ~처럼 말이 없었다 Sie war stumm wie ein Fisch. / 그는 태어날 때부터 벙어리다 Er ist von Geburt (an) stumm.

벙어리[2] 《저금통》 Sparschwein *n.* -s, -e.

벙어리매미 〖곤충〗 weibliche Zikade, -n.

벙커 《골프의》 Bunker *m.* -s, -.

벙태기 Kopfbedeckung *f.* -en; Hut *m.* -(e)s, ⸚e.

벚꽃 Kirschblüte *f.* -n.

‖ ~구경 Kirschblütenschau *f.* -en.

벚나무 Kirschbaum *m.* -(e)s, ⸚e.

베 《삼베》 Hanftuch *n.* -(e)s, ⸚er; 《피륙》 Stoff *m.* -(e)s, -e.

베개 (Kopf)kissen *n.* -s, -; Kopfhalter *m.* -s, -; (Kopf)polster *n.* -s, - (장침). ¶ ~머리에 zu Häupten des Bettes; am Kopfende (des Bettes) / ~를 베다 den Kopf aufs Kissen legen / ~를 높이하고 자다 ruhig (sorglos) schlafen*.

‖ 베갯잇 Kopfkissen¦bezug (-überzug) *m.* -(e)s, ⸚e.

베갯모 bestickte Beläge auf beiden Seiten e-s koreanischen Kopfkissens.

베갯밑공사(—公事) Gardinenpredigt *f.* -en.

베거리 Sondierung der Meinung e-r Person.

베겡이 dreieckiger Klotz an e-m Webstuhl zum Auseinanderhalten des Garns.

베고니아 〖식물〗 Begonie [..nĭə] *f.* -n.

베끼다 《복사》 kopieren[4]; ab|schreiben*[4]; pausen[4]; durch|pausen[4] (-zeichnen[4]) (투사); nach|schreiben*[4]; mit|schreiben*[4] (강의 등을); ab|tippen[4] (타이프로). ¶ 책을 ~ ein Buch kopieren / 책에서 문제를 ~ e-e Frage aus e-m Buch ab|schreiben* / 이것은 그 편지를 베낀 것이다 Das ist e-e Kopie des Briefes.

베네수엘라 《나라이름》 Venezuela *n.* -s; Republik 《*f.*》 V. ¶ ~의 venezolanisch.

‖ ~사람 Venezolaner *m.* -s, -; Venezolanerin *f.* -nen (여자).

베네치아 《이탈리아의 도시》 Venedig.

베넬룩스 Benelux *f.*; Beneluxstaaten 《*pl.*》.

베니스 =베네치아. ¶ ~의 상인 der Kaufmann von Venedig.

베니어판(—板) Furnier *n.* -s, -e; Furnierholz (Blatt-) *m.* -es, ⸚er; Auslegebrett *n.* -(e)s, -er. ¶ ~을 붙이다 furnieren[4]; mit Furnieren belegen[4].

베다[1] 《베개를》 s-n Kopf auf das Kopfkissen legen; als Kopfkissen benutzen[4]. ¶ 그는 책을 베고 잤다 Er schlief mit s-m Kopf auf e-m Buch.

베다[2] 《자름》 (ab|)mähen[4] (풀을); (ab|)schneiden*[4] (곡물을); aus|putzen[4]; aus|schneiden*[4]; beschneiden*[4]; stutzen[4] (이상 나무를); scheren*[4] (잔디 따위를); (ab|)ernten[4]; ein|ernten[4] (베어 들이다); hinunter|schneiden*[4] (herunter|-) (*od.* -|hauen*[4]; -|schlagen*[4]); ab|hauen* (weg|-) 《*von*[3]》; ab|schlagen*[4] 《*von*[3]》; schneidend beseitigen[4] (entfernen[4]) (이상 베어내다); ein|hauen* 《*auf*[4]; *in*[4]》; hauend ein|dringen*Ⓢ 《*auf*[4]; *in*[4]》 (이상 베어 들이다). ¶ 벼를 ~ den Reis mähen / 나뭇가지를 ~ die Bäume aus|schneiden* (beschneiden*); die Zweige weg|schneiden*; die Bäume stutzen (kappen)/ 아무의 목을 ~ *jm.* den Hals ab|schneiden* / 잘게 ~ in kleine Stücke schneiden*/발을 ~ [3]sich ins Bein hauen / 비가 와서 풀 베는 데 좋지 않다 Der Regen ist für das Mähen ungünstig. / 손가락을 베었다 Ich habe mich in den Finger geschnitten.

베돌다 ☞ 배돌다.

베돌이 《사람》 ungeselliger, zurückhaltender Mensch, -en, -en; schlechter Gesellschafter, -s, -; jemand, der e-r Sache fernbleibt, wenn es in s-m Interesse ist.

베드 Bett *n.* -(e)s, -en.

‖ 더블~ Doppelbett *n.* -(e)s, -en.

베드로 〖성경〗 Heiliger (Simon) Petrus (?-A.D. 67 ?).

‖ ~전(후)서 erster (zweiter) Petrusbrief.

베들레헴 《그리스도의 출생지》 Bethlehem.

베란다 Veranda *f.* ..den; Vorlaube *f.* -n; die überdeckle, (halb) offene Vorhalle, -n.

베레(모) Basken¦mütze (Teller-) *f.* -n.

¶ ~를 비스듬하게 쓰고 있다 Er setzt Baskenmütze schief auf den Kopf auf.

베로날 〖약〗 Veronal [ve..] *n.* -(s).

베르무트 〖식물〗 Wermut *m.* -(e)s; 《술》 Wermutwein *m.* -(e)s.

베르사유 《프랑스의 도시》 Versailles [vɛrzáj] -. ‖ ~평화 조약 〖역사〗 Friedensvertrag 《*m.* -(e)s》 von [3]Versailles; Versailler [..záiər] Vertrag.

베르크송 《프랑스의 철학자》 Henri Louis Bergson (1859-1941).

‖ ~철학 Bergsonismus *m.*

베르트하이머 《독일의 심리학자》 Max Wertheimer (1880-1944).

베른 《스위스의 수도》 Bern.

베른슈타인 《독일의 사회주의자》 Eduard Bernstein (1850-1932).

베를린 《독일의 도시》 Berlin. ‖ ~시민 Berliner *m.* -s, -; Berlinerin *f.* -nen.

베리줄 Seile, die an den beiden Enden e-s *Geolchae* Tragegestells angebracht sind.

베릴륨 〖화학〗 Beryllium *n.* -s 《기호: Be》.

베링[1] 《독일의 세균학자》 Emil Adolph von Behring (1854-1917).

베링[2] 《덴마크의 항해가》 Vitus Bering (1680-1741). ‖ ~해 Beringmeer *n.* -s. ~해협 Beringstraße *f.*

베물다 ab|beißen*[4].

베붙이 Hanfkleid *n.* -(e)s, -er; Hanfkleidung *f.*

베스트 ① 〖형용사적〗 best. ② 〖명사적〗 das Beste*, -n; e-e Reihe erster Größen (bekannter Namen). ¶ ~를 다하다 sein Bestes (Möglichstes) tun*.

‖ ~멤버 die Auswahl der Besten; Versammlung talentierter Geister. ~셀러 Bestseller [..sɛlər] *m.* -s, -s; Reißer *m.* -s, -; bestgehendes Buch, -(e)s, ⸚er.

베슥거리다 trödeln; bummeln; zagen; [4]sich vor e-r direkten Konfrontation (mit e-r Arbeit, e-m Problem *etc.*) scheuen; verzagen.

베슥베슥 zag; zaghaft.

베슬거리다 [4]sich von e-r Sache fern|halten*; [4]sich zurück|halten*.

베슬베슬 zurückhaltend*.
베실 Hanfgarn *n.* -(e)s, -e.
베(어)내다 ab|schneiden*4 (weg|-) (*od.* -|hauen*4); kupieren4; beschneiden*4; aus|schneiden*4; ab|hauen*4. ¶ 나뭇가지를 ~ Bäume schneiden* (aus|schneiden*; beschneiden*)/ 팔을 (다리를) ~ ein Glied ab|nehmen* (ab|lösen; ab|schneiden*; amputieren (수술하여))/고기 한 점을 ~ ein Stück Fleisch ab|schneiden*.
베어링 〖기계〗 (Wellen)lager *n.* -s, -.
‖ 볼~ Kugellager.
베(어)먹다 ab|schneiden*4 u. essen*4. ¶ 케이크를 ~ Kuchen ab|schneiden* u. essen*; vom Kuchen essen.
베(어)버리다 schneiden*4; fällen4. ¶ 고깃덩어리를 단번에 ~ e-n Stück Fleisch mit e-m Schnitt ab|schneiden* / 주저하지 말고 베어버려라 Zögere nicht, schneide es einfach ab!
베어울프 《고대 영어시》 Beowulf.
베오그라드 《유고슬라비아의 수도》 Belgrad.
베옷 Hanfkleid *n.* -es, -er; Bekleidungsstück 《*n.* -s, -e》 aus Hanf.
베이다 geschnitten werden. ¶ 나는 손가락을 칼에 베였다 Ich schnitt mir mit e-m Messer in den Finger.
베이루트 《레바논의 수도》 Beirut.
베이스 〖야구〗 Mal *n.* -(e)s, -e (⸚er); 《임금 등의》 Basis *f.* ..sen; Grundlohn *m.* -(e)s, ⸚e; 〖음악〗 Baß *m.* ..asses, ..ässe.
‖ ~라인 Grundlinie *f.* -n (테니스 따위의). ~볼 Baseball [bé:sbo:l] *m.* -s: ~볼을 하다 Baseball spielen. ~엄파이어 〖야구〗 der Mal-Unparteiische*, -n, -n. ~캠프 〖등산〗 Haupt¦lager (Ausgangs-) *n.* -s, -. 임금~ 인상 Grundlohnerhöhung *f.* -en.
베이커리 Bäckerei *f.* -en (제과점).
베이컨 《먹는》 Speck *m.* -(e)s, -e.
베이클라이트 〖화학〗 Bakelit *n.* -(e)s.
베이킹파우더 Backpulver *n.* -s, -.
베일 Schleier *m.* -s, -. ¶ ~을 씌우다 e-n Schleier breiten (werfen*; ziehen*) 《*über*4》; verschleiern4 / ~을 쓴 부인 verschleierte Frau, -en / ~을 쓰다 e-n Schleier an|legen; 4sich verschleiern / ~을 내리다 den Schleier herunter|lassen* / ~을 들고 얼굴을 보이다 den Schleier vor dem Gesicht zurück|schlagen* / 신부가 ~을 쓰고 있다 Die Braut trägt e-n Schleier.
베정적 gegen e-e Herausforderung (e-e Gewalt) aufstehend. ~하다 gegen e-e Drohung auf|stehen*; 4sich e-r Drohung (e-m Angriff) widersetzen.
베주비오산(一山) 《이탈리아의 산》 der Vesuv.
베짱베짱 zirp-zirp; zirpend.
베짱이 〖곤충〗 Grashüpfer *m.* -s, -; Heupferd *n.* -(e)s, -e. ¶ ~가 운다 Der Grashüpfer zirpt.
베타 Beta *n.* -s, -s (zweiter Buchstabe des griechischen Alphabets, β).
‖ ~나프톨 Betanaphtol *n.* ~선 Betastrahl *m.* -s, -en. ~입자 Betapartikel *f.* -n.
베테랑 Veteran *m.* -en, -en; Virtuose *m.* -n, -n. ¶ 그 방면의 ~이다 Er ist ein Meister in s-m Fach.
베토벤 《독일의 작곡가》 Ludwig van Beethoven (1770-1827).
베트남 《인도차이나의 공화국》 Vietnam [viɛtnám] *n.* -s; Viet-Nam; Viet Nam. ¶ ~의 vietnamesisch.
‖ ~공화국 Demokratische Republik Vietnam. ~말 Vietnamesisch *n.* -(s). ~사람 Vietnamese *m.* -n, -n; Vietnamesin *f.* -nen. ~전쟁 Vietnamkrieg *m.* -(e)s.
베트콩 Viet Cong; Vietcong.
베틀 Webstuhl *m.* -(e)s, ⸚e. ¶ ~로 무명을 (명주를) 짜다 mit dem Webstuhl Baumwollenstoff (Seidenstoff) weben*.
‖ ~다리 vier Beine 《*pl.*》 des Webstuhls. ~신 Tretschuhe 《*pl.*》 des Webstuhls.
베풀다 ① 《적선을》 geben*34; (ver)schenken34; spenden34; zukommen lassen23; erteilen34; Almosen (Spenden) geben*; e-e Gabe reichen. ¶ 은혜를 ~ *jm.* e-e Gunst erweisen* (verschenken); *jm.* gut gesinnt sein / 동정을 ~ 4Mitleid haben 《*mit*3》 / 자선을 ~ *jm.* wohltun*; *jm.* Gutes tun*; *jm.* Wohltaten erweisen* / 인정을 ~ das Volk mit Wohlwollen regieren / 스스로 원치 않는 것을 남에게 베풀지 말라 Was du nicht willst, das man dir tu', das füg' auch k-m andern zu. ② 《잔치를》 ab|halten*4; verhalten*4; geben*4. ¶ 연회를 ~ ein Fest veranstalten.
벡터 Vektor *m.* -s, -en.
‖ ~공간 Vektorraum *m.* -s, ⸚e. ~함수 Vektorfunktion *f.* -en. ~해석 Vektoranalysis *f.*
벤젠 〖화학〗 Benzol *n.* -s, -e.
‖ ~핵(核) Bozolkern *m.* -(e)s, -e. ~환 Benzolring *m.* -s, -e.
벤졸 〖화학〗 =벤젠.
벤진 〖화학〗 Benzin *n.* -s, -e.
벤치 Bank *f.* ⸚e; die öffentliche Bank.
벤틸레이터 Ventilator *m.* -s, -en [..tó:rən]; (Ent)¦lüfter (Durch-) *m.* -s, -; Lüftungsvorrichtung *f.* -en.
벨 《현관의》 Klingel *f.* -n; Türklingel *f.* -n (문의). ¶ 벨을 누르다 auf die Klingel drücken / 벨을 울리다 klingeln 《bei *jm.*》 (어느 집 문의) / 벨을 눌러 사람을 깨우다 *jn.* aus dem Schlaf klingeln; *jm.* klingeln / 식사 벨을 울리다 zum Essen klingeln / 벨을 눌러 누구를 부르다 (nach) *jm.* klingeln / 벨이 울린다, 벨소리가 난다 Es klingelt.
벨기에 《나라 이름》 Belgien, -s. ¶ ~의 belgisch. ‖ ~사람 Belgier *m.* -s, -.
벨벳 《옷감》 Samt *m.* -(e)s, -e.
벨트 Gürtel *m.* -s, -; Treibriemen *m.* -s, - (기계의).
‖ ~콘베이어 Bandförderer *m.* -s, -.
벰베르크 《상표명》 Bembergseide *f.*
벵골 《본래 인도의 주》 Bengalen. ¶ ~의 bengalisch.
‖ ~만 Golf von Bengalen. ~사람 Bengale *m.* -n, -n; Bengalin *f.* -nen.
벼 Reis *m.* -es; Reispflanze *f.* -n. ¶ 벼의 낟알 Reis in Hülse / 벼의 그루터기 Reisstoppeln 《*pl.*》 / 벼를 베다 den Reis schneiden* (ernten) / 벼를 떨다 den Reis hecheln / 벼가 잘 된다 Der Reis ist wohl (gut) geraten. / 언제 벼를 베게 될까요 Wann wird der Reis geerntet?¦Wann ist die Reisernte?
벼농사(一農事) Reis¦bau *m.* -(e)s (-ernte *f.* -n). ~하다 Reis bauen.
벼때 〖농업〗 (die Zeit der) Reisernte *f.* -n.
벼락 der Einschlag 《*m.* -(e)s, ⸚e》 des Blitzes. ¶ ~ 같은 소리 Riesenstimme *f.* -n/~이 치다 der Blitz schlägt ein 《*in*4》 / ~ 같은 소리가 나다 los|donnern; mit e-r Riesenstimme schreien* / ~ 같은 소리를 지르다 mit donnernder Stimme rufen*; e-e

Donnerstimme (Stentorstimme) erschallen lassen* / 그는 ~에 맞은 것처럼 꼼짝을 않고 있다 Er stand wie vom Blitz getroffen.
벼락감투 ① 《관》 ein Amt, das an Privatpersonen verkauft wurde, um die Staatskasse zu füllen. ¶ ~를 쓰다 übernacht (ein) Regierungsbeamter werden. ② 《정실의》 aus politischen Erwägungen vergebenes Amt. ¶ ~를 쓰다 übernacht vom einfachen Mann zum Regierungsbeamten avancieren / ~를 씌우다 ein Amt aus politischer Dankbarkeit vergeben.
벼락공부(—工夫) Einpaukerei *f.* -en; Büffelei *f.* -en. **~하다** [4]sich ein|pauken (im letzten Augenblick); (notgedrungen) büffeln (ochsen); pauken[4]. ¶ 그는 시험을 맞아 ~하고 있다 Er paukt fürs Examen. ¦ Er ochst für e-e Prüfung. / 그는 입학시험을 앞두고 ~를 한다 Er büffelt für das Eintrittsexamen.
벼락김치 kurzfristig angemachtes (eingelegtes) *Kimchi.*
벼락닫이 〖건축〗 Klappe *f.* -n; Falltür *f.* -en.
벼락대신(—大臣) Rohling *m.* -s, -e; Besserwisser *m.* -s, -; harte Nuß (zum Knacken). ¶ 그는 ~이다 Er will alles besser wissen. ¦ Er ist e-e harte Nuß (zum Knacken).
벼락덩이 〖농업〗 Erdklumpen, der beim Unkrautjäten ausgegraben wird.
벼락맞다 der Blitz schlägt ein; vom Blitz getroffen werden. ¶ 벼락맞을 verdammt; verflucht; verwünscht / 벼락맞을 놈 ein verdammter Kerl, -(e)s, -e/삼나무가 벼락을 맞았다 Es hat in die Zeder eingeschlagen.
벼락바람 unerwartete Anklage; plötzlicher u. heftiger Angriff.
벼락부자(—富者) der Neureiche*, -n, -n; Emporkömmling *m.* -es, -e; Parvenü[parvəný:] *m.* -s, -s (멸시하여); Raffke *m.* -s, -s; Herr (Frau) Neureich (Raffke)(경멸적으로). ¶ ~가 되다 wie Heu Geld machen (verdienen); ohne jegliche Mühe sein Glück machen; Geld verdienen, ohne [4]sich anzustrengen / 전시중의 ~ Kriegsgewinnler *m.* -s, -; Kriegsmillionär *m.* -s, -e/갑자기 ~가 되다 plötzlich ein reicher Mann werden (arrivieren; empor|kommen*).
벼락불 =불벼락.
벼락장(—醬) schnell zubereitete Paprika-Soja-Paste.
벼락출세(—出世) das Emporkommen*, -s. ¶ ~한 사람 Emporkömmling *m.* -es, -e; Parvenü [parvəný:] *m.* -s, -s / 그는 낮은 신분에서 ~하였다 Er ist aus niedriger Stellung emporgestiegen.
벼락치기 Blitzschlag *m.* -(e)s, ⸗e. ¶ ~로 세운 판잣집 e-e behelfsmäßige (in aller Eile gebaute) Baracke, -n / ~로 만든 eiligst vorbereitet; zur Not (in Eile) zusammengestellt (zusammengesetzt) (편성, 조립).
벼락치다 Blitz schlägt ein. ¶ 벼락치는 하늘도 속인다 Du kannst jeden übers Ohr hauen, wenn du willst. ¦ „Sogar den blitzenden Himmel täuschen." / 근처 절에 벼락이 쳤다 In den Tempel in der Nachbarschaft hat der Blitz eingeschlagen.
벼랑 Bergwand *f.* ⸗e; Abgrund *m.* -(e)s, ⸗e; Klippe *f.* -n; Steilufer *n.* -s, -. ¶ ~을 기어오르다 Klippe besteigen / ~에서 떨어지다 e-e Bergwand herunterfallen.
벼루 Tuschreibestein *m.* -(e)s, -e.
‖ 벼룻돌 Tuschreibestein *m.* -(e)s, -e. 벼룻물 Tusche *f.* -n. 벼룻집 《연상》 Schreibkasten *m.* -s, - (⸗).
벼룩 Floh *m.* -(e)s, ⸗e. ¶ ~에 물린 자리 Flohstich *m.* -(e)s, -e; Flohbiß *m.* ..bisses, ..bisse / ~에게 물리다 (시달리다) von Flöhen gebissen (geplagt) werden / ~을 잡다 *jn.* flöhen; nach Flöhen ab|suchen[4] / 개가 ~을 잡는다 Der Hund flöht sich.
벼룻길 der Pfad, der zu e-m Abgrund führt.
벼르다[1] 《마음먹다》 [4]sich bereit machen 《*zu*[3]》; [4]sich vor|bereiten 《*auf*[4]; *zu*[3]》; erwarten[4]. ¶ …을 ~ erwarten[4]; hoffen 《*auf*[4]》; rechnen / …을 벼르며 in der Erwartung von...; in der Hoffnung 《*auf*[4]》; mit der Aussicht 《*auf*[4]》 / 잔뜩 벼르고 wohl vorbereitet; fieberhaft gespannt / 잔뜩 벼르고 기다리다 ungeduldig harren[(2)] (warten) 《auf *jn.*》 / 그가 돌아오는 것을 ~ auf s-e Rückkehr warten / 암살하려고 ~ e-n Anschlag auf *js.* Leben machen / 그는 복수의 기회를 벼르고 있다 Er lauert auf e-e Gelegenheit zur Rache. / 벼르고 있던 보수를 받지 못해서 실망했다 Ich bin in m-r Hoffnung auf Belohnung getäuscht worden.
벼르다[2] 《배당하다》 gleichmäßig (in [3]Rationen) (먹을 것); verteilen[4] (aus|teilen; zu|teilen)[34]; zu|messen*[34] (-weisen*[34]); *jm.* e-e bestimmte Summe 《-n》 aus|setzen (zukommen lassen*) (돈을). ¶ 먹을 것을 ~ sein Essen mit anderen teilen / 어머니는 아이들에게 과자를 별려 주었다 Ich teilte die Süßigkeiten an (unter) die Kinder aus.
벼름 《할당》 Anteil *m.* -(e)s, -e; Verteilung *f.* -en; Zuteilung *f.* -en.
벼름질 das Teilen*, -s; Teilerei *f.* -en.
벼리 ① 《그물의》 Leine *f.* -en. ¶ 그물이 열 자라도 ~가 으뜸이다 Viele können e-e Meinungen haben, aber was zählt ist die Meinung des Chefs. ② 《책의》 Inhaltsverzeichnis *n.*
벼리다 《칼 따위를》 tempern[4]; härten[4]. ¶ 칼을 ~ ein Schwert härten (an|lassen*[4]; tempern).
벼릿줄 ☞ 벼리 ①.
벼슬 Regierungsamt *n.* -(e)s, ⸗er. **~하다** Regierungsamt bekleiden; in den Staatsdienst ein|treten*. ¶ ~이 높다(낮다) hohes (niedriges) Amt inne|haben* / ~을 얻(잃)다 e-n Posten im Staatsdienst bekommen* (verlieren*) / ~자리에 앉아 있다 im Regierungsamt sein; im Staatsdienst sein / ~을 그만두다 aus dem Staatsdienst aus|treten;* vom Regierungsamt zurücktreten; resignieren / 임금은 그의 ~을 올려 대신을 시켰다 Der König beförderte ihn zum Minister.
벼슬길 Weg zum Staatsdienst; Laufbahn im Staatsdienst. ¶ ~에 나서다 in den Staatsdienst ein|treten* / 그는 ~에 올랐다 Er begann s-e Karriere als Regierungsbeamter.
벼슬살이 Leben als Regierungsbeamter; Staatsdienst *m.* -(e)s, -e. **~하다** im Staatsdienst stehen; Posten in der Regierung innehaben. ¶ 그의 ~도 끝났다 Auch sein Beamtenlaufbahn kam zu Ende.
벼슬아치 Regierungsbeamter *m.* -n, -n. ¶ ~가 되다 als Beamte eingestellt werden; in den Staatsdienst ein|treten* / ~ 노릇을 그만두다 vom Regierungsamt zurück|treten* / ~가 되더니 사람을 깔본다 Er sieht auf die Leute herab, seitdem er ein Regie-

rungsamt bekleidet.
‖ ~근성 Beamtenmentalität *f.* -en. ~생활 Beamtenleben *n.* -s, -.
벼이삭 Reisähre *f.* -n. ¶ ~이 팼다 Die Reisähren sind alle aufgegangen.
벼팔이 Spekulation mit Reis. ~하다 mit Reis spekulieren.
‖ ~꾼 Reisspekulant *m.* -en, -en.
벼훑이 Gerät 《*n.* -(e)s, -e》 zum Reisdreschen; Dreschmaschine *f.* -n.
벽 ☞ 비역.
벽(碧) ☞ 벽색.
벽(壁) Wand *f.* ⸗e (집안의); Mauer *f.* -n (집 밖의). ¶ 벽을 치다 (쌓다) e-e Wand errichten / 벽을 종이로 바르다 die Wände mit Papier (Tapete) bekleben / 벽에 기대다 [4]sich gegen (an) die Wand lehnen.
‖ 벽거울 Wandspiegel *m.* -s, -. 벽걸이 Wandbehang *m.* -(e)s, ⸗e. 벽걸이 달력 Wandkalender *m.* -s, -. 벽틈 die Ritze (der Spalte) in der Wand.
벽(癖) ☞ 버릇.
벽개(劈開) Spaltung *f.* -en (e-s Felsen). ~하다 spalten[4].
‖ ~면 Spaltfläche *f.* -n.
벽견(僻見) ☞ 편견(偏見).
벽계(碧溪) blauer (klarer) Fluß, ..usses, ..üsse.
벽공(碧空) blauer Himmel.
벽난로(壁煖爐) Kamin *m.* -s, -e.
벽도(碧桃) ① 《과일》 „Nephritpfirsich" sagenhafter Pfirsich, der im Feenland wachsen soll. ② 《꽃》 Blüte dieses Pfirsichbaums.
벽돌(甓—) Ziegel *m.* -s, -; Back¦stein (Mauer-; Ziegel-) *m.* -(e)s, -e. ¶ ~을 굽다 Ziegel brennen*; ziegeln / ~로 지은 mit Ziegeln gebaut/ ~색의 ziegel¦farben (-rot)/ ~을 쌓다 mauern / ~로 깔다 mit Ziegeln bedecken[4] / ~ 굽는 가마 Ziegelofen *m.* -s, -/ ~ 굽는 사람 Ziegelbrenner *m.* -s, -; Ziegelstreicher *m.* -s, -.
‖ ~공장 Ziegelei *f.* -en. ~벽 Mauer 《*f.* -n》(aus Ziegelstein). ~조각 das Stück 《-(e)s, -e》 von Ziegelstein. ~직공 Ziegeldecker *m.* -s, -; Mauer *m.* -s, -. ~집 Backsteinbau *m.* -(e)s, -ten. 나무~ eingelassener Holzblock, -(e)s.
벽두(劈頭) Anfang *m.* -(e)s, ⸗e; Beginn *m.* -(e)s, -e. ¶ ~에 der erste*; Anfang *m.* -(e)s, ⸗e; am Alleranfang; in erster Linie; zu allererst; zuerst; zuvörderst; vor allen Dingen; vor allem.
벽력(霹靂) der plötzliche Donnerschlag, -(e)s, ⸗e; das plötzliche Gebrüll, -(e)s. ¶ ~ 같은 소리를 지르다 *jn.* vor Zorn an|brüllen (an|donnern). ‖ 청천~ der Blitz 《-es, -e》 aus heiterem Himmel.
벽로(壁爐) Kamin *m.* -s, -e.
‖ ~불 Kaminfeuer *n.* -s, -. ~선반 Kamineinfassung *f.* -en; Kaminsims *m.* -es, -e.
벽론(僻論) einseitiges Argument, -(e)s, -e; die vorgefaßte Meinung, -en; Vorurteil *n.* -s, -e.
벽루(僻陋) 《두멧구석》 entlegener (abgelegener; einsamer) Ort; 《성격이》 Exzentrizität *f.* -en; Perversität *f.* -en. ~하다 entlegen; abgelegen (sein); 《성격이》 exzentrisch; pervers (sein).
벽보(壁報) Wandzeitung *f.* -en; Plakat *n.* -(e)s, -e. ¶ ~를 붙이다 Plakat an|schlagen* (kleben) / ~를 붙이지 말라 Plakate ankleben nicht gestattet! ‖ 괴~ illegal (heimlich) angebrachtes Plakat.
벽색(碧色) ¶ ~의 jadegrün; grünlich-blau.
벽서(僻書) seltenes u. kurioses Buch, -(e)s, ⸗er; ungewöhnliches Buch; literarische Kuriosität, -en.
벽서(壁書) Wandkritzelei *f.* -en.
벽성(僻姓) ungewöhnlicher (seltener) Familienname, -ns, -n.
벽시계(壁時計) Wanduhr *f.* -en.
벽신문(壁新聞) Wandzeitung *f.* -en.
벽안(碧眼) das blaue Auge, -s, -n. ¶ ~의 blauäugig / ~의 소년 der blauäugige Junge, -n, -n. ⌈..nien.
벽오동(碧梧桐) 〖식물〗 e-e Art der Paulownia,
벽옥(碧玉) Jaspis *m.* ..pisses, ..pisse.
벽자(僻字) selten gebrauchtes Schriftzeichen, -s, -.
벽장(壁欌) Wandschrank *m.* -(e)s, ⸗e. ¶ ~에 옷을 거시오 Hängen Sie Ihr Kleid in den Wandschrank!
벽장코 Stups¦nase (Stumpf-) *f.* -n.
벽지(僻地) der abgelegene (entlegene) Ort, -(e)s, -e; die abgelegene (entlegene) Gegend, -e. ¶ 한국에는 산간 ~에도 국민 학교가 있다 In Korea gibt es selbst in den abgelegensten Orten Volksschulen.
벽지(壁紙) Tapete *f.* -n; Wandpapier *n.* -s, -. ¶ ~를 바르다 tapezieren[4]. ⌈(sein).
벽지다(僻—) entlegen; abgelegen; einsam
벽창호(碧昌—) der Halsstarrige* (Starrköpfige*) -n, -n; der Begriffsstutzige*, -n, -n; der Engherzige*, -n, -n; der unverbesserliche Kerl, -(e)s, -e; Holzkopf *m.* -(e)s, ⸗e.
벽채 〖광산〗 e-e Art von Bergwerkshaue 《*f.* -n》.
벽촌(僻村) das abgelegene (entlegene) Dorf, -(e)s, ⸗er; das einsam gelegene Dorf.
벽토(壁土) (Wand)bewurf *m.* -(e)s, ⸗e; Mörtel *m.* -s, -; Mauererde *f.* -n.
벽하다(僻—) 《궁벽함》 entlegen; abgelegen; 《괴벽》 seltsam; unstet (sein).
벽항(僻巷) entlegenes Dorf, -(e)s, ⸗er.
벽해(碧海) blaues Meer, -(e)s, -e.
벽향(僻鄕) entlegene Gegend, -en.
벽화(壁畫) Wand¦malerei *f.* -en (-gemälde *n.* -s, -); Wandbild *n.* -(e)s, -er; Freskobild; Fresko *n.* -s, ..ken. ¶ ~를 그리다 Fresko malen. ‖ ~가 Wandmaler *m.* -s, -.
변 Gaunersprache *f.* -n; das Rotwelsche*, -n; Jargon *m.* -s, -s.
변(便) Exkrement *n.* -(e)s, -e 《보통 *pl.*》; Kot *m.* -(e)s.
변(邊) ① 《가》 Seite *f.* -n. ¶ 도로변의 집들 die Häuser 《*pl.*》 an der Straße / 강변의 집 das Haus am Fluß.
② 〖수학〗 Seite *f.* -en. ¶ 삼각형의 삼변 die drei Seiten 《*pl.*》 e-s Dreieckes.
③ 《변리》 Zins *m.* -es, -en (-e). ¶ 6 푼 변으로 zu 6 Prozent Zinsen / 5 푼 변으로 빌려주다 zu 5 Prozent Zinsen aus|leihen*[4].
④ 《바둑》 das Seitenfeld 《-(e)s, -er》 des *Go*-Blattes (*Baduk*-).
⑤ 《과녁》 das weiße Feld der Zielscheibe.
변(變) ① 《위급》 Notfall *m.* -(e)s, ⸗e; das unerwartete, gefährliche Ereignis, ..nisses, ..nisse. ② 《난》 Aufruhr *m.* -(e)s, -e; Aufstand *m.* -(e)s, ⸗e; Auseinandersetzung *f.* -en. ③ 《재화》 Un(glücks)fall *m.* -(e)s, ⸗e; der gefährliche Zufall, -(e)s, ⸗e. ¶ 변을 당하다 *jm.* ist ein Unfall zugestoßen;

e-n Unfall erleiden* / 변을 모면하다 e-m Unglück entkommen* ⓢ.
④《돌발사》 Vor|fall (Un-) *m.* -(e)s, ⸚e; Affäre *f.* -n; das ungewöhnliche Ereignis, ..nisses, ..nisse.

변격(變格) Irregularität *f.* -en; Anomalie *f.* -n; 〖문법〗 unregelmäßige Beugung (Konjugation) -en.

변경(邊境) Grenzland *n.* -(e)s, ⸚er; Grenzgebiet *n.* -(e)s, -e; Mark *f.* -en; entlegenes Gebiet. ¶ ~을 침범하다 Grenze verletzen; ins Grenzland ein|dringen*.
‖ ~개척자 Grenzsiedler *m.* -s, -. ~개척정신 Grenzsiedlergeist *m.* -(e)s, -er.

변경(變更) Veränderung *f.* -en; Wandel *m.* -s, -; 《수정》 Modifikation *f.* -en; Abänderung *f.* -en; Berichtigung *f.* -en. ~하다 ändern⁴; verwandeln⁴; modifizieren⁴; ab|ändern⁴; berichtigen⁴. ¶ ~할 수 있는 (없는) veränderlich (un-); wandelbar (un-) / 외교정책의 ~ Reorientierung der Außenpolitik / 항로의 ~ Korrektur der Fahrtrichtung / 예정을 ~하다 den Plan verändern / 아들 명의로 ~하다 (s-n Vermögen) auf s-n Sohn übertragen* / 날짜를 ~하다 Datum verändern.

변계(邊界) Grenzgebiet *n.* -(e)s, -e.

변고(變故) Unglück *n.* -s; Unfall *m.* -s, ⸚e; Mißgeschick *n.* -s, -e; unvorhergesehenes Ereignis, -ses, -se; Störung *f.* -en. ¶ ~없이 지내다 ohne Störung leben / ~를 만나다 e-n Unfall haben / 무슨 ~가 생긴 모양이다 Ich fürchte, daß ihm irgendetwas passiert ist.

변광성(變光星) 〖천문〗 veränderlicher Stern; Stern von wechselnder Helligkeit.

변괴(變怪) ①《재변》 Kalamität *f.* -en; Katastrophe *f.* -n. ②《악행》 außerordentliche Missetat, -en.

변기(便器) Nacht|geschirr *n.* -(e)s, -e (-stuhl *m.* -(e)s, ⸚e); (Nacht)topf *m.* -(e)s, ⸚e.

변놀이(邊—) das Geldleihen*, -s; Wucherei *f.* -en. ~하다 Geld leihen für Zinsen.

변덕(變德) Wankel|mut *m.* -(e)s (-mütigkeit *f.*); Laune *f.* -n; Launenhaftigkeit *f.*; Grille *f.* -n 《보통 *pl.*》; Schrulle *f.* -n; der wunderliche Einfall, -(e)s, ⸚e; Flattersinn *m.* -(e)s, -e; Unbeständigkeit *f.* -en. ~스럽다 wankelmütig; launenhaft; kapriziös; launisch; wechselnd; wetterwendisch; unbeständig; wandelbar; unstet; veränderlich; grillenhaft; grillig; schrullenhaft; schrullig (sein). ¶ ~스러운 날씨 veränderliches Wetter, -s, -; die unsichere Wetterlage, -n / ~을 부리다 Grillen 《*pl.*》 fangen*; ³sich Grillen 《*pl.*》 machen; Launen 《*pl.*》 haben / 그는 ~스럽다 (~이 심하다) Er ist launenhaft (launisch). ¦Er bleibt bei k-r Sache.
‖ ~꾸러기, ~장이 der Launenhafte*, -n, -n; der komische Kauz, -es, ⸚e; Grillenfänger *m.* -s, -; der launenhafte (wetterwendische) Mensch, -en, -en.

변돈(邊—) Darlehen (Kredit) von e-m Geldverleiher.

변동(變動) Ablösung *f.* -en; Abwechselung *f.* -en; Wechsel *m.* -s, -; Veränderung *f.* -en; Umstellung *f.* -en (경질); Wendung *f.* -en. ~하다 aus|wechseln⁴; erneuern⁴; verändern⁴; ab|lösen⁴; um|wandeln⁴. ¶ 물가의 ~ Preisveränderung / 시세의 ~ Kurswechsel / 정치적 ~ politische Veränderung. ‖ ~소득 schwankendes (unbeständiges) Einkommen, -s, -. 대~ völliger Umsturz, -es, ⸚e.

변두(邊頭) 〖의학〗 Migräne *f.* -n; bösartiger Kopfschmerz. ¶ ~맞다 mit der Akupunktur s-e Migräne behandeln lassen.

변두리(邊—) ①《교외》 Vorstadt *f.* ⸚e; Vorort *m.* -(e)s, -e; nächste Umgebung, -en 《e-r ²Stadt》; der Rand 《-(e)s, ⸚er》 der Stadt. ¶ ~의 vorstädtisch / ~에 살다 am Rande der Stadt wohnen; in der Vorstadt wohnen. ②《가장자리》 Grenze *f.* -n; Rand *m.* -(e)s, ⸚er; Kante *f.* -n; Randgebiet *n.* -(e)s, -e.

변란(變亂) 《난동》 (soziale) Unruhe *f.* -n; Unordnung *f.* -en; Aufruhr *m.* -s, -e; 《반란》 Aufstand *m.* -es, ⸚e; Rebellion *f.* -en; 《전쟁》 Krieg *m.* -(e)s, -e.

변론(辯論) Debatte *f.* -n; Diskussion *f.* -en; Erörterung *f.* -en; Verhandlung *f.* -en; Argumentation *f.* -en (논증); Plädoyer [plɛdoajé:] *n.* -s, -; 《법정에서의》 Verteidigung *f.* -en (논증); Verteidigungsrede *f.* -n(논증). ~하다 debattieren 《mit *jm.* (über) ⁴*et.*》; diskutieren⁴; erörtern⁴; argumentieren; bestreiten*⁴ (논쟁); verhandeln⁴ 《über ⁴*et.*》; plädieren (법정에서); vor Gericht verteidigen⁴. ¶ 피고인을 위해서 ~하다 für den Angeklagten plädieren / ~을 끝내다 das Plädoyer schließen*.
‖ ~가 der Debattierende*, -n, -n; Disputant *m.* -en, -en; Redner *m.* -s. ~부 Debattier|verein *m.* -(e)s, -e (-klub *m.* -s, -s); Redeverein.

변리(辨理) 《취급》 Behandlung *f.* -en; Handhabung *f.* -en; 《처리》 Führung *f.* -en.
‖ ~공사 Ministerresident *m.* -en, -en. ~사 Agent *m.* -en, -en; Vertreter *m.* -s, -; Geschäftsträger *m.* -s, -. 특허 ~사 Patentagent.

변리(邊利) ☞ 변(邊) ③.

변말 =변.

변명(辯明) Rechtfertigung *f.* -en; Verteidigung *f.* -en; Apologie *f.* -n [..gí:ən]; 《해명》 Rechenschaft *f.*; Erklärung *f.* -en; Entschuldigung *f.* -en; 《구실》 Vorwand *m.* -(e)s, ⸚e; 《발뺌》 Ausflucht *f.* ⸚e; Ausrede *f.* -n. ~하다 ⁴sich rechtfertigen 《vor *jm.* *wegen*²》; Rechenschaft ab|legen (geben*) 《*jm.* von ³*et.*; über ⁴*et.*》; ⁴sich entschuldigen 《bei *jm.* *wegen*²》; Ausflüchte (Ausreden) machen. ¶ ~을 요구하다 Rechenschaft fordern 《von *jm.* *über*⁴》; zur ³Rechenschaft ziehen* 《*jn.* wegen ²*et.*》/ 자신을 ~하다 ⁴sich selbst verteidigen / 너의 행동은 ~의 여지가 없다 Dein Betragen ist nicht zu rechtfertigen. / 그는 ~할 여지가 없다 Er hat k-e Entschuldigung dafür. / 그는 ~에 궁했다 Er wußte k-e Entschuldigung vorzubringen. ¦Er wußte nicht, wie er sich herausreden sollte. / 그런 ~은 통하지 않는다 Das ist e-e faule Ausrede. / 그녀는 뭐라고 ~할까 Was kann sie zu ihrer Rechtfertigung sagen?
‖ ~서 Rechtfertigungs|schrift (Verteidigungs-) *f.* -en.

변명(變名) falscher Name, -ns, -n; Deckname *m.* -ns, -n; Namensänderung *f.* -en. ~하다 e-n anderen Namen an|nehmen*; s-n Namen wechseln. ¶ (…라는) ~으로 unter dem Decknamen....

변모(變貌) Umgestaltung *f.* -en; Änderung des Aussehens. **~하다** umgestaltet werden; s-n Aussehen ändern; ⁴sich e-m (vollkommenen) Wandel unterziehen*; neues Aussehen an|nehmen*.
변모없다 《무례함》 derb; rüde; unverschämt (sein); 《세련되지 못하다》 ungehobelt; unkultiviert; ungebildet (sein); 《변통성 없다》 inflexibel; nicht anpassungsfähig (sein).
변민(邊民) Bevölkerung des Grenzlandes.
변박(辯駁) Widerlegung *f.* -en; Konfutation *f.* -en; Widerrede *f.* -n; Widerspruch *m.* -(e)s, ⸗e (항의); Polemik *f.* -en (논전); der gelehrte Streit, -(e)s, -e. **~하다** widerlegen⁴; widersprechen* 《*jm.*》; an|fechten*⁴ (논박하다); bestreiten*⁴; polemisieren 《gegen *jn.*》 (논전하다); Einwände (Einwendungen) machen 《*gegen*⁴》. ¶ 어떤 의견을 ~하다 ⁴sich e-r Meinung widersetzen.
변발(辮髮) Zopf *m.* -(e)s, ⸗e. **~하다** das Haar zöpfen. ¶ ~의, ~을 한 bezopft.
변방(邊方) =변경(邊境).
변변치않다 ① 《생김새 등이》 nichtanziehend; reizlos (sein). ② 《흠이 있다》 raudig; nicht tauglich; nicht nützlich (sein). ¶ 변변치 못한 사람 das räudige Schaft, -(e)s, -e; Nichtsnutz *m.* -es, -e; Taugenichts *m.* -es, -e; der verdorbene Mensch, -en, -en / 변변치 않은 식사 die magere (kärgliche; knappe; schmale) Kost. ③ 《약소함》 gering (fügig); unbedeutend; klein (sein). ¶ 변변치 않은 것이지만 받아 주십시오 Das ist zwar etwas Bescheidenes, aber wollen Sie es bitte annehmen.¦ Darf ich Ihnen diese Kleinigkeit überreichen?
변변하다 ① 《생김새가》 recht gut aussehen; hübsch; stattlich (sein). ¶ 변변하게 생기다 gut aussehen; hübsches Aussehen haben. ② 《흠이 없다》 gut; passabel; annehmbar (sein). ¶ 사람이 ~ e-n recht guten Charakter haben / 물건이 ~ Die Ware ist annehmbar. / 그는 영어로 편지도 변변히 못 쓴다 Er kann nicht einmal e-n anständigen Brief auf Englisch schreiben. / 어찌나 소심한지 사람들 앞에서 변변히 말도 못한다 Er ist so schüchtern, daß er sich kaum wagt, vor den Leuten s-n Mund aufzumachen. / 좀 더 변변한 것은 없읍니까 Haben Sie nicht etwas besseres? / 이 여관에는 변변한 방이 없다 In diesem Hotel gibt es kein anständiges Zimmer.
변별(辨別) Unterscheidung *f.* -en. **~하다** unterscheiden*⁴.
‖ **~력** Unterscheidungsvermögen *n.* -s, -; Urteilskraft *f.* ⸗e.
변보(變報) Katastrophenmeldung *f.* -en; Nachricht über e-e Kalamität (e-n Aufruhr).
변복(變服) Verkleidung *f.* -en; Vermummung *f.* -en; Inkognito *n.* -s, -s (암행의). **~하다** ⁴sich verkleiden; ⁴sich vermummen. ¶ ~하여 verkleidet; vermummt; inkognito / 여자로 ~하다 ⁴sich als e-e Frau verkleiden / ~하지 말고 오세요 Bitte, ziehen Sie sich nicht erst um!
변비(便祕) (Stuhl)verstopfung *f.* -en; Hartleibigkeit *f.*; Stuhlmangel *m.* -s, -; Konstipation *f.* -en; Obstipation *f.* -en. ¶ ~의 hartleibig; verstopft / ~가 있는 사람 ein hartleibiger Mensch, -en, -en / ~가 되게 하다 verstopfen⁴ / ~에 걸리다 verstopft sein; an ³Verstopfung leiden*; harten Leib haben / 나는 지금 ~로 고생한다 Ich leide augenblicklich an Verstopfung.
‖ **~약** Verstopfungsmittel *n.* -s, -. **~증**(症) ☞ 변비.
변사(辯士) Redner *m.* -s, -; Sprecher *m.* -s, -; Ansager *m.* -s, -; Filmerklärer *m.* -s, - (영화의).
변사(變死) der unnatürliche (gewaltsame) Tod, -(e)s, -e. **~하다** e-s unnatürlichen (gewaltsamen) Todes sterben* [s].
‖ **~자** der durch e-n unnatürlichen Tod ums Leben Gekommene*.
변사(變事) =이변(異變).
변사(變辭) Zurücknahme des Wortes. **~하다** s-n Wort zurücknehmen.
변상(辨償) 《보상》 Entschädigung *f.* -en; Ersatz *m.* -es; Ersatzleistung *f.* -en; Schaden(s)ersatz; Vergütung *f.* -en; Wiedergutmachung *f.* -en; 《변제》 Bezahlung *f.* -en; Rückzahlung *f.* -en. ☞ 판상(辦償). **~하다** 《보상하다》 entschädigen 《*jn.* für ⁴*et.*; *jm.* ⁴*et.*》; ⁴Ersatz leisten 《für ⁴*et.*》; ersetzen⁴ (vergüten⁴) 《*jm.*》; wieder|gutmachen⁴; 《변제하다》 bezahlen⁴; heim|zahlen⁴ 《*jm.*》; zurück|zahlen⁴. ¶ 손해를 ~하다 Schaden (Verlust) ersetzen; für den Verlust (den Schaden) Ersatz leisten 《*jm.*》; Schadenersatz leisten 《*jm.*》; e-n Verlust aus|gleichen* / 돈으로 ~하다 ⁴*et.* mit Geld büßen/ ~을 받다 entschädigt werden; ersetzt erhalten*⁴.
‖ **~금** Entschädigungsgeld *n.* -(e)s, -er; Ersatzsumme *f.* -n; Abstandsgeld.
변색(變色) ① 《빛깔의》 Farben¦wechsel *m.* -s, - (-veränderung *f.* -en); Entfärbung *f.* -en; Verfärbung *f.* -en. **~하다** die Farbe wechseln; ⁴sich verfärben (entfärben); aus|bleichen* [s]. ¶ ~하지 않는 beständig; haltbar; dauernd; dauerhaft. ② 《안색의》 Gesichtsfarbe *f.* -n. **~하다** die Gesichtsfarbe (ver)ändern.
변설(辯舌) das Reden* (Sprechen*) -s; Redegabe *f.* -n; Beredsamkeit *f.*; die beredete Zunge, -n. ¶ ~이 유창하다 geläufig (fließend) sprechen*; e-e beredete Zunge haben. ‖ **~가** guter Redner, -s, -; beredeter Sprecher, -s, - (Mensch, -en, -en). **~재**(才) Redegabe *f.* -n; Redetalent *n.* -(e)s, -e.
변설(變說) Gesinnungswechsel *m.* -s, -; Widerruf *m.* -(e)s, -e. **~하다** das früher Behauptete zurück¦nehmen*; s-e Meinung ändern.
변성(變成) Regeneration *f.* -en; Metamorphose *f.* -n. **~하다** regenerieren; metamorphosieren; ⁴sich e-r Metamorphose unterziehen*.
‖ **~암**(岩) metamorph(isch)es Gestein, -(e)s, -e.
변성(變性) Degeneration *f.* -en; Entartung *f.* -en. **~하다** 《바뀌다》 degenerieren⁴; entarten⁴. ¶ ~의 degenerativ.
‖ **~제**(劑) Denaturierungsmittel *n.* -s, -. 지방(脂肪)~ Fettdegeneration *f.* -en; Fettentartung *f.* -en.
변성(變姓) Änderung des Familiennamens. **~하다** s-n Familiennamen ändern.
변성(變聲) Stimm¦bruch *m.* -s, ⸗e (-wechsel *m.* -s, -). **~하다** s-e Stimme brechen*; ⁴sich die Stimme wechseln. ¶ 그는 ~하였

다 S-e Stimme brach sich.¦S-e Stimme hat sich gewechselt.

변성명(變姓名) Änderung des Familien- u. Vornamen. ～하다 s-n vollen Namen ändern; e-n anderen Namen an|nehmen.

변소(便所) Toilette [toalέtə] *f.* -n; Abort *m.* -(e)s, -e; Abtritt *m.* -(e)s, -e; Klosett *n.* -(e)s, -e; gewisser Ort, -(e)s, -e; Örtchen *n.* -s, -; 〖속어〗 Lokus *m.* -, - (..kusse). ¶ ～에 가다 auf die Toilette (das Klosett) gehen* ⓢ; die [4]Toilette besuchen; den Abort auf|suchen; 〖속어〗 zu „Tante Meier" gehen* ⓢ; verschwinden* ⓢ; aus|treten* ⓢ; 〖속어〗 sein Bedürfnis (s-e Notdurft) verrichten (용변 보다); zu Stuhl gehen* ⓢ / ～는 어디에 있읍니까 Wo ist die Toilette?¦Wo kann ich mir die Hände waschen? (점잖은 표현) / 그는 지금 ～에 있다 Er ist auf dem Abort (bei Tante Meier 《속어》). / ～는 사용중이다 Die Toilette (das Klosett) ist besetzt.
‖ 남자(여자)용～ „(für) Herren (Damene)" (호텔 따위의 게시); „Männer (Frauen)" (역 따위의 게시). 공동(공중)～ (öffentliche) Bedürfnisanstalt, -en; Abort.

변속(變速) die Wechselung der Geschwindigkeit.
‖ ～운동 die Bewegung 《-en》 mit veränderlichen Geschwindigkeiten. ～장치 Transmission *f.* -en.

변수(變數) 〖수학〗 e-e variable Größe, -n; die Variable*, -n, -n.

변스럽다(變一) merkwürdig; seltsam; komisch; kurios (sein). ¶ 변스럽게 굴다 [4]sich merkwürdig verhalten*.

변신(變身) ① 《변장》 Verkleidung *f.* -en. ～하다 [4]sich verkleiden; [4]sich verstellen. ② 《변태》 Metamorphose *f.* -n; Transformation *f.* -en. ～하다 metamorphosieren.

변심(變心) Gesinnungs¦wechsel (Farben-; Sinnes-) *m.* -s; Abtrünnigkeit *f.* -en; Treubruch *m.* -(e)s, ⸗e; Vertrauensbruch *m.*; Verrat *m.* -(e)s; Untreue *f.*; Wankelmut *m.* -(e)s. ～하다 s-e Gesinnung (s-n Sinn) ändern; [4]sich untreu (wankelmütig) bestätigen; abtrünnig[3] (untreu) werden; *jm.* die Treue brechen*. ¶ ～하기 쉬운 wankelmütig; launisch; wetterwendisch.

변압(變壓) 〖전기〗 Transformation *f.* -en. ～하다 transformieren; (elektrische Spannung) erhöhen (herabsetzen).
‖ ～기 Transformator *m.* -s, -en; Trafo *m.* -s, -s. ～소 ＝변전소.

변역(變易) ① 《변개》 Mutation *f.* -en. ～하다 mutieren. ② ＝변경(變更).

변위(變位) 〖물리〗 Verschiebung *f.* -en.
‖ ～전류 Verschiebungsstrom *m.* -(e)s, ⸗e.

변음(變音) 〖음악〗 um e-n halben Ton erniedrigter Ton, -(e)s, ⸗e.

변이(變移) Veränderung *f.* -en; Wechsel *m.* -s, -; Wandel *m.* -s, -. ¶ 봄에서 여름으로의 ～ der Übergang vom Frühling zum Sommer.

변이(變異) Variation *f.*; Abänderung *f.*
‖ ～설 Variationstheorie *f.* -n. ～종 variable Spezies. 돌연～ plötzliche Abänderung; Mutation *f.* -en.

변자(邊子) die Verzierung am Rand (돗자리의). ¶ ～ 두른 돗자리 die (dünne) Binsenmatte 《-n》 mit der Verzierung am Rand.

변작(變作) Alteration *f.* -en; Umgestaltung *f.* -en. ～하다 alterieren; umgestalten.

변장(變裝) Verkleidung *f.* -en; Maskierung *f.* -en; Maskerade *f.* -n; Maskenkleid *n.* -(e)s, -er; Maskentracht *f.* -en; Vermummung *f.* -en. ～하다 [4]sich verkleiden (maskieren) 《als [1]*et.*》. ¶ ～하여 verkleidet; inkognito (암행으로); maskiert/…으로 ～하고 als [1]*et.* (in [4]*et.*) verkleidet; unter der Maske[2] / 상인으로 ～하고 als Kaufmann getarnt / 여자로 ～하다 [4]sich als e-e Frau verkleiden (vermummen; maskieren) / 그는 외국인으로 ～했으나 목소리는 바꿀 수 없었다 Er verkleidete sich als Fremden, konnte aber s-e Stimme nicht verstellen.
‖ ～술 die Kunst 《⸗e》 der Verkleidung.

변재(邊材) Splint *m.* -(e)s, -e; Splintholz *n.* -es, ⸗er.

변재(辯才) Rede¦gabe (Redner-) *f.* -n; Beredsamkeit *f.*; Beredtheit *f.*; Redetalent *n.* -(e)s, -e; Redefertigkeit *f.* -en; Zungenfertigkeit *f.* ¶ ～가 있는 beredsam; beredt; rede¦fertig (-gewandt) / ～가 있는 사람 ein beredter Mensch, -en, -en / 그는 ～가 있다 (없다) Er hat e-e geläufige (schwere) Zunge.¦Er spricht fließend (ist unbeholfen im Sprechen).

변전(變轉) Wandel *m.* -s, -; Änderung *f.* -en; Wechsel *m.* -s, -. ～하다 wandeln; [4]sich verändern. ¶ ～ 무상한 stets wandelnd; wechselvoll / 국제 정세의 ～ Wandel in den internationalen Kräfteverhältnissen.

변전소(變電所) Transformatorenhäuschen *n.* -s, -.

변절(變節) die punische Treue; Abtrünnigkeit *f.*; Treu¦losigkeit *f.* (-bruch *m.* -(e)s); Mantelträgerei *f.* -en; Verrat *m.* -(e)s; Abfall *m.* -(e)s, ⸗e; Apostasie *f.* -n. ～하다 untreu (abtrünnig) werden; die Treue brechen*; über|gehen* ⓢ 《*von*[3]; *zu*[3]》; verraten*[4]; ab|fallen* ⓢ 《*von*[3]》; um|satteln[4].
‖ ～자 der Treulose* (Treubrüchige*; Abtrünnige*) -n, -n; Mantel¦träger *m.* -s, - (-hänger *m.* -s, -); Renegat *m.* -en, -en; Verräter *m.* -s, -; die verräterische Person, -en; Apostat *m.* -en, -en.

변제(辨濟) Rück¦zahlung (-vergütung) *f.* -en; Tilgung *f.* -en; Begleichung *f.* -en; Liquidation *f.* -en (청산); Abrechnung *f.* -en (청산). ～하다 zurück|zahlen[4]; tilgen[4]; begleichen*[4]; liquidieren[4]; ab|rechnen 《mit *jm.*》. ¶ 빚을 ～하다 e-e Schuld aus|gleichen* (begleichen*; bezahlen; tilgen.
‖ ～기간 Fälligkeits¦termin (Rückzahlungs-; Liquidations-) *m.* -s, -e: ～기간이 되다 (지나다) fällig (überfällig) werden.

변조(變造) das Fälschen*, -s; (Ver)fälschung *f.* -en; Falsifikat *n.* -(e)s, -e; Entstellung *f.* -en. ～하다 entstellen[4]; verfälschen[4]; fälschen[4].
‖ ～어음 der gefälschte Scheck, -s, -s. ～자 Verfälscher *m.* -s, -. ～화폐 die gefälschte Münze, -n.

변조(變調) 〖음악〗 Variation *f.* -en; 〖물리〗 Modulation (der Stimme); 《언행의》 Unregelmäßigkeit *f.* -en; Anomalie *f.* -en. ¶ ～를 가져오다 aufhören, gut zu funktionieren; 《몸의》 Störung tritt ein.
‖ ～관 Modulationsröhre *f.* -n. ～기 Modulator *m.* -s -. 주파(수)～ Frequenzmodulation. 진폭～ Amplitudenmodulation.

변종(變種) e-e besondere Sorte, -n; 〖동·식물〗

Abart (Spielart) *f.* -en; 《잡종》 Bastard *m.* -(e)s, -e; Bastardart *f.* -en; Varietät *f.* -en; Mutation *f.* -en; 《괴물같은》 Ungeheuer *n.* -s, -.

변주곡(變奏曲) 〖음악〗 Variation *f.* -en.

변죽(邊—) Anzüglichkeit *f.* -en; Andeutung *f.* -en 《*an*⁴; *auf*⁴》; die (versteckte) Anspielung, -en 《*auf*⁴》; die andeutende (indirekte) Rüge, -n; Stichelei *f.* -en; der leise Wink, -(e)s, -e. ¶ ~울리다 Anzüglichkeiten 《*pl.*》 machen 《*auf*⁴》; (hämisch) an|deuten 《*an*⁴; *auf*⁴》; allegorisch sprechen* 《*von*³》; (versteckt) an|spielen 《*auf*⁴》; nahe|legen³·⁴; versteckt (indirekt) rügen⁴; sticheln 《auf *jn.*》; e-n leisen Wink geben*³.

변증(辯證) Beweisführung *f.* -en. **~하다** Beweis führen.

‖ **~법** Dialektik *f.*: ~법적 dialektisch / ~법적 신학 die dialektische Theologie / ~법적 유물론 dialektischer Materialismus, -.

변지(邊地) 《가장자리 땅》 entlegener Ort, -(e)s, -e; 《변경》 Grenzland *n.* -(e)s, ⸗er; Grenzgebiet *n.* -es, -e.

변질(變質) Entartung (Abartung; Ausartung) *f.* -en; Degeneration *f.* -en; Verschlechterung *f.* -en (악화); Transmutation *f.* -en. **~하다** entarten [s]; ab|arten [s]; aus|arten [s]; degenerieren [s]; aus der Art schlagen* [s].

‖ **~성 정신병** das degenerative Irr(e)sein. **~자** der Degenerierte*, -n, -n.

변천(變遷) Wechsel *m.* -s, -; Veränderung *f.* -en; Wechselfälle 《*pl.*》; Wandel *m.* -s, -; Abwechselung *f.* -en; Übergang *m.* -(e)s, ⸗e. **~하다** Wechsel treten ein; mit ³*et.* gehen Veränderungen vor. ¶ 시대의 ~ der Wandel der Zeiten; Zeitwechsel *m.* / 요즈음처럼 시대의 ~이 뚜렷한 적이 없었다 Der Wechsel der Zeiten hat sich noch nie so deutlich gezeigt wie jetzt.

변체(變體) Anomalie *f.* -n; Abnormalität *f.* -en; anomaler Zustand, -(e)s, ⸗e. ¶ ~의 anomal; abnorm.

변칙(變則) Unregelmäßigkeit *f.* -en; Abnormität *f.* -en; Regellosigkeit *f.* -en. ¶ ~적인 unregelmäßig; abnorm; ungewöhnlich / ~적인 발음 die unrichtige Aussprache, -n / 그의 독일어는 ~적이다 Er radebrecht Deutsch.|Er spricht gebrochenes Deutsch.|Sein Deutsch ist inkorrekt.

‖ **~교육** unregelmäßige (ungeregelte) Erziehung, -en. **~동사** das unregelmäßige Verbum, -s, ..ba.

변칭(變稱) 《바꿈》 Namensänderung *f.* -en; 《이름》 veränderter Name, -ns, -n. **~하다** umbenennen*⁴; neu benennen*; umtaufen lassen*.

변태(變態) ① Anomalie *f.* -n [..líːən]; Abnormität *f.* -en; Mißbildung *f.* -en. ② 〖생물〗 Metamorphose *f.* -n. ③ 《변형》 Transformation *f.* -en; Umwandlung *f.* -en.

‖ **~성욕** der abnorme Geschlechtstrieb, -(e)s, -e. **~심리** die abnorme Mentalität, -en: ~ 심리학 die pathologische Psychologie.

변통(便通) 〖의학〗 Stuhlgang *m.* -(e)s; Stuhl *m.* -(e)s, ⸗e; Stuhlentleerung *f.* -en; Defäkation *f.* -en. ¶ ~이 있다 (없다) Stuhl (-gang) (k-n Stuhl(gang)) haben / ~이 정적(불규칙적)이다 e-n regelmäßigen (unregelmäßigen) Stuhlgang haben / ~이 순하다(굳다) weichen (harten) Stuhl(gang) haben / ~을 잘되게 하다 Stuhlgang fördern / ~이 좋다(나쁘다, 많다) e-n guten (e-n harten, viel) Stuhlgang haben / 하루 세 번 ~이 있읍니다 Ich habe dreimal Stuhlgang an e-m Tage. / ~은 어떻습니까 (아직도 없읍니까, 몇 번 있읍니까) Wie ist der Stuhlgang? (Sind Sie noch verstopft?| Wie oft sind Sie zu Stuhl gegangen?).

변통(變通) 《융통성》 Anpassungsfähigkeit *f.*; Geschmeidigkeit *f.*; Erfindung *f.* -en (고안); Aufbringung 《*f.* -en》 des Gelds (돈 마련). **~하다** beschaffen⁴; bewerkstelligen⁴; ein|richtigen⁴; arrangieren⁴ [arɑ̃ʒíːrən]; 《가능하게 하다》 möglich machen⁴; 《조달하다》 besorgen⁴; auf|bringen*⁴; erfinden*⁴; fertig bringen*⁴; zuwege bringen*⁴. ¶ ~이 되는 (안 되는) anwendbar (unanwendbar) / ~되는 대로 bei der ersten Gelegenheit; sobald es mir möglich wird / 이리저리 ~하다 irgendwie aus|kommen* [s] 《*mit*³》; ⁴sich behelfen* 《*mit*³》 / 돈을 ~하다 Geld beschaffen; den Zaster auf|treiben*; ⁴Geld auf|bringen* (-|treiben*); ³sich ⁴Geld verschaffen / 여행을 떠나고 싶은데 돈이 ~ 안 돼 Ich möchte gerne verreisen, aber es fehlt mir das nötige Geld. / 어떻게든 ~해 보겠다 Ich werde versuchen, es irgendwie zuwege zu bringen.

‖ **~성** Anwendbarkeit *f.*; Anpassungsfähigkeit *f.*: ~성이 있는 anwendbar. **~수** Hilfs|mittel *n.* -s, - (Geld- 《*pl.*》). 임시~ Extranotbehelf *m.* -(e)s, -e.

변폭(邊幅) das Säumen*, -s; Saum *m.* -(e)s, ⸗e; Salband *n.* -(e)s, ⸗er.

변하다(變—) ① 《…이》 ⁴sich verändern; anders werden; ⁴sich e-r Veränderung unterziehen*; 《가지각색으로》 variieren; 《…으로 변형하다》 zu ... werden. ¶ 변하기 쉬운 veränderlich; unbeständig; unbestimmt; wankelmütig; launisch; launenhaft / 영원히 변하지 않는 ewig; immerwährend / 변하지 않다 unveränderlich sein (bleiben*); beständig sein; derselbe sein wie früher / 모양이 ~ (안 ~) s-n Aussehen verändern (bei|behalten*) / 태도가 아주 ~ e-e völlig andere Haltung an|nehmen* / 목소리가 ~ brechen*; mutieren; ⁴sich im Stimmwechsel befinden* / 음식맛이 ~ schlecht werden (speisen) / 참 그도 사람이 변했군 Er ist ganz anders geworden. / 그 얘기를 듣자 그녀의 얼굴빛이 변했다 Auf diese Worte hat sie die Farbe gewechselt. / 연민의 정이 노여움으로 변했다 Aus Mitleid wurde Zorn.

② 《…을》 ändern; wechseln; verwandeln. ¶ 마음을 ~ s-e Meinung ändern / 얼굴빛을 ~ Farbe wechseln.

변함(變—) 《변화》 Wechsel *m.* -s, -, ⸗e; Verwandlung *f.* -en; (Ver)änderung *f.* -en, 《다양》 Abwechselung *f.*; Verschiedenheit *f.* -en; 《변경》 (Ver)änderung *f.* -en; Um|änderung (Ab-) *f.* -en. ¶ ~ 없다 unverändert sein (bleiben* [s]); beständig (unveränderlich) sein; unwandelbar (stet; fest) sein / 그는 언제나 ~ 없다 Er bleibt sich gleich (treu). / 그는 십년 전에 비해 조금도 ~이 없다 Er ist noch derselbe wie vor zehn Jahren. / 어쨌든 결론에는 ~이 없다 Jedenfalls läuft es auf eins (das Gleiche) hinaus.

변혁(變革) Umwälzung *f.* -en; Umbruch *m.* -s, ⸚e; Reform *f.* -en; Renovation *f.* -en; Veränderung *f.* -en. ～하다 um|wälzen; reformieren; renovieren; revolutionieren. ¶ 자동차나 텔레비전은 우리들 생활에 일대 ～을 가져왔다 Das Auto u. das Fernsehen haben in unser Leben e-e große Umwälzung gebracht.

변형(變形) 《바뀜·바꿈》 Transformation *f.* -en; Metamorphose *f.* -n; Modifikation *f.* -en; Variation *f.* -en; 《바뀐 것》 Abart *f.* -en; Variante *f.* -n; Varietät *f.* -en; Modifikation *f.* -en; Mißgestalt *f.* -en. ～하다 《…이》 [4]sich verwandeln 《*in*[4]》; metamorphosieren; 《…을》 verändern[4]; transformieren[4]. ‖ ～문법 Transformationsgrammatik *f.* -en.

변호(辯護) Verteidigung *f.* -en; Rechtfertigung *f.* -en; Ehrenrettung *f.* -en (변명); Verfechtung *f.* -en (옹호); Rechtsbeistand *m.* -(e)s, ⸚e; das Plädieren*, -s. ～하다 für *jn.* advozieren; *jn.* 〔*js.* Sache〕 vor Gericht verteidigen 〔vertreten*; erörtern〕; für *jn.* vor Gericht sprechen*; rechtfertigen[4]; für *jn.* Partei nehmen*; plädieren; befürworten[4]; *jm.* das Wort reden; für *jn.* auf|treten* 〔ein|treten*〕 ⓢ (편을 들다). ¶ ～할 수 없는 사건 ein Rechtsfall 《*m.* -(e)s, ⸚e》, den man nicht verteidigen kann / 피고를 ～하다 den Angeklagten verteidigen; [4]sich für den Angeklagten verwenden[(*)].
‖ ～료(料) Advokaten¦gebühren 〔Anwalts-〕 《*pl.*》; Honorar *n.* -s, -e. ～의뢰자 Klient *m.* -en, -en. ～인 Verteidiger *m.* -s, -; Fürsprecher *m.* -s, -; Advokat *m.* -en, -en. ☞ 변호사. 국선 ～인 der bestellte 〔gewählte〕 Verteidiger. 자기～ Selbstverteidigung *f.* -en.

변호사(辯護士) (Rechts)anwalt *m.* -(e)s, -e 〔⸚e〕; Advokat *m.* -en, -en; Rechts¦beistand *m.* -(e)s, ⸚e 〔-vertreter *m.* -s, -〕. ¶ 말을 잘하는 ～ der beredte Rechtsanwalt, -(e)s, ⸚e / ～가 되다 [4]sich als Advokat 〔Rechtsanwalt〕 nieder|lassen* (개업); zur Advokatur zugelassen werden (면허 얻다); in den Advokatenstand 〔unter die Advokaten〕 aufgenommen werden (면허를 얻다)/ ～를 업으로 삼다 als Rechtsanwalt praktizieren; als [3]plädierender Anwalt tätig sein / ～를 대다 e-n Anwalt (an|)nehmen*.
‖ ～업(직) Advokatur *f.* -en; Anwaltschaft *f.* -en. ～회 Advokatenverein *m.* -(e)s, -e; Anwaltskammer *f.* -n; Anwaltschaft *f.* -en; Advokatenzunft *f.* ⸚e (법조계). 엉터리～ Winkeladvokat *m.* -en, -en.

변화(變化) ① 《바꿈·바뀜》 Veränderung *f.* -en; Wechsel *m.* -s, -; Um¦änderung 〔Ab-〕 *f.* -en; Mutation *f.* -en; Übergang *m.* -s, ⸚e. ～하다 [4]sich verändern; [4]sich verstellen 〔um|stellen〕; [4]sich e-m Wandel unterziehen*; variieren. ¶ ～하기 쉬운 veränderlich; wechselvoll; variabel / ～ 없는 unveränderlich; konstant; 《단조로운》 monoton 《Leben》; ohne Vielfalt / ～ 무쌍한 ständig wechselnd; kaleidoskopisch; proteisch; wandelhaft / ～ 무쌍한 인생 Wechselspiel 《*n.* -s》 des Lebens / 정세〔환경〕의 ～ Veränderung der Lage 〔Umwelt〕 / 일기의 ～ Veränderung des Wetters / 온도의 ～ Veränderung der Temperatur / ～를 일으키다 e-n Wechsel hervor|rufen*.
② 《변태·변형》 Transformation *f.* -en; Umgestaltung *f.* -en. ～하다 transformiert 〔umgestaltet〕 werden.
③ 《다양》 Vielfalt *f.*; Mannigfaltigkeit *f.* -en. ¶ ～ 많은 vielfältig; abwechselungsreich; verschiedenartig; 《파란 많은》 voller Ereignisse / 색채의 ～ Vielfalt der Farbe / ～를 주다 〔구하다〕 Abwechselung geben* 〔suchen〕.
④ 〖문법〗 Flexion *f.* -en (어형변화); Deklination *f.* -en (격변화); Konjugation *f.* -en (동사활용). ～하다 deklinieren; konjugieren; flektieren. ¶ ～ 무궁 unendlicher Wechsel.

변환(變換) Wechsel *m.* -s, -; Umkehrung *f.* -en; 《수로 따위의》 Ablenkung; 〖수학〗 Transformation *f.* -en; Umformung *f.* -en. ～하다 wechseln; umkehren; ab|lenken. ¶ ～할 수 있다 umkehrbar sein.

별 Stern *m.* -(e)s, -e; Sternchen *n.* -s, -; Gestirn *n.* -(e)s, -e (전체). ¶ 별 모양의 sternartig; sternförmig / 별이 반짝이는 sternhell (-klar) / 별의 궤도 Sternbahn *f.* -en / 별이 반짝이는 밤 Sternenabend *m.* -(e)s, -e; die sternhelle 〔gestirnte〕 Nacht, ⸚e / 별이 반짝이는 하늘 Stern(en)himmel *m.* -s / 별이 총총한 sternbesät; sternig; gesternt; gestirnt; besternt; bestirnt / 빛나는 〔밝은, 반짝이는, 깜박이는〕 별 leuchtende 〔helle, funkelnde, blinkende〕 Sterne 《*pl.*》/ 하늘에 별들이 떠 있다 Die Sterne stehen am Himmel.

별가(別家) Zweigfamilie *f.* -n; Neben¦linie 〔Seiten-〕 *f.* -n 《e-r [2]Familie》. ¶ ～를 차리다 e-n eigenen Hausstand 〔e-e Nebenfamilie〕 gründen.

별가락(別一) anderer 〔separater〕 Ton.

별갑(鱉甲·鼈甲) Schild¦krötenschale *f.* -n 〔-patt *n.* -(e)s〕. ¶ ～빛의 bernsteinfarben / ～제의 schildpatten.
‖ ～세공 Schildpattarbeit *f.* -en. ～테 안경 Brille 《*f.* -n》 mit Schildpattrand.

별개(別個) andere Sorte, -n; andere 〔besondere〕 Rechnung, -en. ¶ ～의 ander; besonder; speziell; einzeln; abgesondert; getrennt; verschieden / ～로 anders; besonders; getrennt / 이것은 ～의 문제다 Das ist e-e and(e)re Frage 〔etwas anderes〕. / 이것은 그것과는 ～의 것으로 언급되어야 한다 Dies sollte von jenem getrennt erörtert werden. / 그것은 ～의 일이다 Das ist e-e andere Sache 〔etwas anderes〕. ¦ Das gehört nicht zur Sache.

별거(別居) Trennung *f.* -en; Trennung von Tisch u. Bett (부부간의); das getrennte Leben, -s. ～하다 getrennt leben 《von *jm.*》; [4]sich trennen 《von *jm.*》; an e-m anderen Orte wohnen. ¶ 그 부부는 ～ 생활을 하고 있다 Die Eheleute leben getrennt 〔voneinander〕.
‖ ～수당 Alimente 《*pl.*》 (처에 대한 부조금); Unterhaltsbeiträge 《*pl.*》 (für die getrenntlebende Frau); die Verpflegungsgelder 《*pl.*》 für die geschiedene Frau.

별건(別件) 《별스러운 것》 ungewöhnliche Sache; 《별사건》 ungewöhnliches Ereignis; 《별개의 것》 anderer Punkt 〔Fall〕.

별것(別一) ① 《진귀》 Rarität *f.* -en; Seltenheit *f.* -en. ¶ 그것은 ～이 아니다 Das ist nichts besonderes. / 내 얘긴 ～이 아니다 An meiner Geschichte ist nichts ungewöhnliches. / 금강석은 ～이 아니라 석탄의 한가지다

Der Diamant ist nichts anderes als e-e Art Kohle. ② 《괴상한 것》 etwas Exzentrisches; unerwartetes Ereignis. ¶ ~ 다 봤다 So etwas Merkwürdiges! ③ 《별개의 물건》 andere Sache; andere Angelegenheit.

별격(別格) Sonderstatus *m.*; Sonderstellung *f.* -en; Ausnahmestellung *f.* -en. ¶ ~의 Sonder-; Ausnahme- / ~으로 다루다 e-e Ausnahme machen 《*bei*³; *mit*³》.

별견(瞥見) (flüchtiger) Blick, -(e)s, -e; Streifblick. **~하다** e-n (flüchtigen) Blick werfen* 《*auf*⁴》; flüchtig sehen*⁴; flüchtig 〔plötzlich〕 blicken 《*auf*⁴》.

별고(別故) ① 《사고》 Zufall *m.* -(e)s, ⸗e; Unglück *n.* -(e)s, -e; Unfall *m.* -(e)s, ⸗e. ¶ ~ 없읍니까—고맙습니다 ~ 없읍니다 Wie geht es Ihnen?¦Wie befinden Sie sich?—Danke, es geht mir gut. ② 《까닭》 Sonderursache *f.* -n.

별과(別科) der besondere Kursus, -, ..se; Sonder¦kursus 〔Spezial-〕 *m.* -, ..kurse. ¶ ~에 들어가다 an e-m Sonderkursus teil|nehmen*.

‖ **~생** der Schüler 《-s, -》, der an e-m Sonderkursus teilnimmt; der Teilnehmer 《-s, -》 an e-m Sonderkursus.

별관(別館) Nebengebäude *n.* -s, -; Nebenbau 〔Annex-〕 *m.* -(e)s, -ten.

별군(別軍) Detachement [detaʃəmã:] *n.* -s, -s; die abgeschickte Truppenabteilung, -en; Kommando *n.* -s, -s.

별궁(別宮) 〖옛제도〗 der Palast 《-(e)s, ⸗e》 der Königin 〔der Kronprinzessin〕.

별기(別記) 《별개의 기록》 andere Aufzeichnung, -en; 《부록》 Beilage *f.* -n; Nachtrag *m.* -(e)s, ⸗e; Zusatz *m.* -es, ⸗e. **~하다** besonders schreiben*⁴(verzeichnen⁴). ¶ ~와 같이 wie in e-m anderen Paragraphen verzeichnet / 이것은 ~가 되어 있다 Das ist woanders 〔besonders〕 geschrieben.

별꼴(別—) anrüchiges Ding; merkwürdiger Anblick. ¶ ~이다, ~ 다 보겠다 So etwas Merkwürdiges!¦So etwas Komisches!

별꽃 〖식물〗 Vogelmiere *f.* -n.

별나다(別—) 《기이한》 seltsam; merkwürdig; eigentümlich; sonderbar; wunderlich; originell (기괴한); 《이상한》 ungewöhnlich; exzentrisch (괴벽); absonderlich; eigenartig; 《특별한》 besonder; 《예외적인》 außerordentlich (sein). ¶ 별난 사람 der exzentrische 〔verschrobene〕 Mensch, -en, -en; Sonderling *m.* -s, -e; Eigenbrötler *m.* -s, - / 그는 언제나 별난 모자를 쓰고 있다 Er trägt immer e-n wunderlichen Hut.

별나라 Sternenland *n.* -(e)s.

별다르다(別—) von besonderer Art sein; ungewöhnlich (sein). ¶ 별다른 일 besonderes Ereignis; etwas Besonderes / 별다른 일 없이 잘 지냅니다 Mir geht es gut u. es gibt k-e besonderen Ereignisse. / 별다른 일 없으면 놀러 오십시오 Besuchen Sie uns mal, wenn Sie nichts Besonderes vorhaben! / 그는 별다른 일 없이 학교에 안 갔다 Er fehlte ohne triftigen Grund in der Schule. / 댁에는 별다른 일 없으십니까 Geht es ihnen gut? / 그에겐 아무 별다른 점도 없었다 An ihm war nichts Besonderes.

별달리(別—) besonders; sonderlich; merkwürdig. ¶ ~ 굴다 ⁴sich merkwürdig verhalten* / ~ 굴지 말라 Sei nicht so merkwürdig! / 내 말을 ~ 생각하지 마십시오 Nehmen Sie m-e Worte nicht so wichtig!¦Nehmen Sie es mir nicht übel!

별당(別堂) ① 《딴 집》 Nebenbau *m.* -s, -ten. ② 《퇴설당》 die Residenz 《-en》 des Abtes in e-m buddhistischen Tempel; Residenz e-s buddhistischen Predigers.

별도(別途) ① 《방면》 getrennter 〔anderer〕 Weg, -(e)s, -e. ② 《용도》 besondere Anwendung 〔Benutzung〕 -en. ¶ ~ 취급하다 Ausnahme machen; anders behandeln / …은 ~로 하고 abgesehen 《*von*³》; ausgenommen⁴·¹ 〖앞에 오는 때는 1격 지배임〗; mit ³Ausnahme 《*von*³》; ungerechnet 〔nicht zu rechnen〕 《daß...》 / 그의 경우는 ~ 취급이다 Wir machen bei 〔mit〕 ihm e-e Ausnahme 〔behandeln ihn anders〕. / 그것과 이것은 ~의 것이다 Das ist etwas anderes.¦Das ist verschieden von jenem. / 그는 봉급 이외에 집에서의 ~ 수입이 있다 Neben s-m Gehalt hat er noch Einkünfte durch sein Haus.

‖ **~계산** Extrabezahlung *f.* -en. **~비용** Extraausgaben 《*pl.*》. **~적립금** Fonds [fɔ̃:] 《*m.* - [fɔ̃:(s)], - [fɔ̃:s]》 für besondere Ausgaben. **~주문** besondere Bestellung, -en; Bestellung nach ³Maß: ~ 주문하다 besonders bestellen⁴; nach ³Maß machen lassen*⁴.

별도리(別道理) andere Lösung; besserer Weg; Alternative *f.* -n; Wahl *f.* -en. ¶ ~ 없이 aus Mangel an Alternativen; aus Not / …할 수밖에 ~ 없다 Man kann nichts anderes tun als ....¦Es gibt k-e andere Lösung als zu.... / ~가 없었다 Es gab k-e Alternative.¦Es gab k-n Ausweg.

별동(別棟) Nebengebäude *n.* -s, -.

별동대(別動隊) fliegende Kolonne -n; Streifkolonne *f.* -n (-korps [..ko:r] *n.* -[..ko:r(s)], - [..ko:rs]).

별똥 《운석》 Stern¦schnuppe *f.* -n (-schuß *m.* ..schusses, ..schüsse). ¶ ~이 떨어지다 Sternschnuppen fallen*[s].

별로(別—) anders; besonders; außerdem; extra; sonst; im besondern; sonderlich; speziell. ¶ ~ 이렇다 할 이야기(용건)도 없다 Ich habe nichts Besonders zu sagen 〔tun〕. / ~ 변한 것도 없다 Es gibt nichts Neues.¦Es ist alles beim alten. / 그것은 ~ 좋지가 못하다 Es ist nicht gerade besonders gut. / ~ 슬퍼해야 할 이유가 없다 Es gibt k-n besonderen Grund zur Traurigkeit 〔Sorge〕. / 그와는 ~ 친하지 않다 Gerade mit ihm bin ich nicht besonders befreundet.

별리(別離) =이별(離別).

별말(別—) besondere 〔zusätzliche; überflüssige〕 Bemerkung, -en. **~하다** besondere 〔zusätzliche; überflüssige〕 Bemerkung machen. ¶ ~ 다 한다 Du redest Unsinn.¦Es ist nicht der Rede wert.¦K-e Ursache! / 그가 천재라고, ~ 다 듣겠다 Er soll ein Genie sein? Unsinn!

별명(別名) anderer Name(n), ..mens, ..men; andere Bezeichnung, en; Beiname *m.* ns, -n; Deckname (익명); Pseudonym *n.* -s, -e (익명); Spitz¦name 〔Neck-; Spott-; Bei-〕. ¶ ~을 부르다 Spitznamen geben* 《*jm.*》 / ~으로 부르다 mit dem Necknamen nennen* 《*jn.*》.

별무늬 Sternmuster *n.* -s, -.

별문제(別問題) e-e andere Frage, -n; ein anderes Problem, -s, -e. ¶ 그것은 ~로 하고 abgesehen davon; ⁴das ausgenommen 〔ausgeschlossen; ungerechnet〕 / 그것은 ~다

Das ist e-e andere Frage.¦Das gehört nicht zur Sache. / 이것은 ~이기 때문에 여기서 논의될 필요가 없다 Dies ist e-e andere Frage u. braucht daher nicht erörtert zu werden.

별미(別味) 《맛》 besonderer Geschmack; 《음식》 Delikatesse *f.* -n; Leckerbissen *m.* -s, -; Feinkost *f.* -en.

별미적다(別味—) merkwürdig; eigenartig; verwunderlich; ungewöhnlich, abnormal (sein).

별박이 《말》 das Pferd 《-(e)s, -e》 mit e-m weißen Stirnfleck〔mit e-r Blesse〕.

별반(別般) =별로.

별배(別杯) Abschiedstrunk *m.* -s, ⸚e.

별배달(別配達) Eilzustellung *f.* -en; Sonderzustellung *f.* -en.
‖ ~우편 ☞ 별배달.

별법(別法) andere Methode, -n; anderer Weg, -(e)s, -e.

별별(別別) 〘형용사적〙 vielfältig u. ungewöhnlich. ¶ ~ 경험 allerlei Erlebnisse / ~ 사람 vielerlei ungewöhnliche Menschen / ~일 ungewöhnliche u. merkwürdige Begebenheiten / ~ 음식 verschiedene seltene Gerichte / ~ 일을 다 봤다 Ich habe manche ungewöhnliche Sachen gesehen.

별보(別報) andere Nachricht, -en; besonderer Bericht, -(e)s, -e; Sonderbericht *m.*

별봉(別封) 《첨서》 Begleitschreiben *n.* -s, -; Begleitbrief *m.* -(e)s, -e. ¶ ~의 편지 anderer Brief, -(e)s, -e; Brief in e-m anderen Umschlag.

별빛 Sternlicht *n.* -(e)s; Sterne 《*pl.*》. ¶ ~ 속에서 im Sternlicht / ~이 밝다 Die Sterne leuchten hell.

별사(別使) Sonderbote *m.* -n, -n; Sonderbotschafter *m.* -s, -.

별사건(別事件) ungewöhnliche Begebenheit, -en; merkwürdiger Fall, -(e)s, ⸚er.

별사람(別—) Sonderling *m.* -s, -e; seltener Vogel; Kauz *m.* -es, ⸚e; ungewöhnlicher Mensch. ¶ ~ 다 보겠다 So ein seltener Vogel! / 그도 ~은 아니다 Auch er ist kein besonderer Mensch.¦Auch er ist ein gewöhnlicher Sterblicher.

별석(別席) Sondersitz *m.* -es, -e; ein besonderer Sitz; Sonderplatz *m.* -es, ⸚e. ~하다 e-n Sonderplatz nehmen*; e-n Sondersitz haben.

별세(別世) das Ableben*, -s; Hinscheid *m.* -(e)s. ~하다 ab|leben ⓢ; hin|scheiden* ⓢ.

별세계(別世界) andere〔verschiedene〕Welt, -en. ¶ 여기 생활은 ~와 같다 Hier lebt man wie in e-r andern Welt〔wie im Paradies〕. / ~에 온 느낌이 든다 Ich habe das Gefühl, als ob ich in e-r anderen Welt wäre.

별소리(別—) =별말.

별송하다(別送—) mit Sonderpost zu|senden(*)〔schicken; befördern〕; mit getrennter Post schicken.

별쇄(別刷) Abdruck *m.* -(e)s, -e; Sonder(ab)druck *m.* -(e)s, -e.

별수(別數) 《행운》 Glück *m.* -(e)s, -e; Fortuna *f.*; die Gunst des Geschick; Dusel *m.* -s; 《수단·방법》 besondere Methode, -n; andere Weise, -n; andere Mittel u. Wege 《*pl.*》; 《묘안·묘책》 Prachtidee *f.* -n; Kardinalgedanke(n) *m.* ..kens, ..ken; die ausgezeichnete〔herrliche〕Idee; der vorzügliche〔ausgezeichnete〕Plan, -(e)s, ⸚e; die glückliche Idee. ☞ 별도리.

별수없다(別數—) unverbesserlich; hoffnungslos; unvermeidlich; unumgänglich (sein). ☞ 별도리. ¶…밖에는 ~ Es bleibt nichts anderes übrig als....¦Man kann nichts anderes tun als.... / 가 보았자 ~ Es hat k-n〔wenig〕Zweck, hinzugehen. / 별수없이 자백해야만 했다 Ich konnte nicht anders tun zu gestehen. / 달리 별수가 없다 Mir bleibt k-e andere Wahl.

별스럽다(別—) =별나다(別—).

별식(別食) ein feines Gericht, -(e)s, -e; ungewöhnliche Speise, -n.

별실(別室) das getrennte Zimmer, -s, -; anderes〔besonderes〕Zimmer; Sparatzimmer *n.*; Séparée [zeparé:] *n.* -s, -s (요리집 따위의). ¶ ~에서 해 봅시다 Wir wollen es in e-m anderen Zimmer machen.

별안간(瞥眼間) (ur)plötzlich; unvermittelt; unvermutet; unversehens; auf einmal; wie ein Blitz aus heiterem Himmel. ¶ ~ 물이 용솟음쳤다 Herausströmte das Wasser 《*aus*[3]》. ※ 대개 분리 전철을 문장 처음에 두어 그 어감을 나타냄. 그리고 전철을 기본 동사와 같이 쓰는 데 주의. / ~ 따귀를 때리다 *jm.* plötzlich e-e Ohrfeige geben* / ~ 소나기가 왔다 Plötzlich kam ein Regenschauer.

별유천지(別有天地) =별세계(別世界).

별일(別—) e-e seltsame Sache, -n; e-e ungewöhnliche Angelegenheit, -en; ein sonderbares Ding, -(e)s, -e. ¶ ~ 없이 sicherlich; unversehrt; in sicherem Gewahrsam; außer Gefahr / ~ 없으면 Wenn Sie nicht besonders vorhaben / ~ 없이 지내시겠지요 Kommen Sie gut zurecht? / ~없이 잘 지냅니다 Ich komme gut zurecht. / ~ 다 보겠다 Lächerlich!; Unsinnig!

별자(別者) =별사람.

별자리 〘천문〙 Sternbild *n.* -(e)s, -er; Konstellation *f.* -en.

별장(別莊) Land¦haus *n.* -es, ⸚er〔-sitz *m.* -es, -e〕; Villa *f.* ..llen; Sommer¦haus *n.*〔-wohnung *f.* -en〕(여름 별장). ¶ 나는 올해 여름을 ~에서 보냈다 Ich habe dieses Jahr den Sommer in m-r Villa zugebracht.
‖ ~생활자 Villenbewohner 《*pl.*》. ~지기 Hüter 《*m.* -s, -》 e-r [2]Villa. ~지대 Villenkolonie *f.* -n〔-viertel *n.* -s, -〕.

별저(別邸) =별장.

별제(別製) =특제(特製).

별종(別種) spezielle Sorte, -n〔Art, -en〕; Abart *f.* -en (변종); Spielart; Varietät *f.* -en. ¶ ~의 verschieden(artig); ander.

별주(別酒) 《이별주》 Abschiedstrunk *m.* -(e)s; e-n für den Weg; 《특제술》 besonders hergestellter Likör, -s, -s.

별증(別症) e-e hinzutretende Krankheit, -en; Komplikation *f.* -en; ein sekundäres Leiden*, -s; ein begleitendes Leiden*.

별지(別紙) 《따로 첨부한》 das Beigefügte*, -n; Anhang *m.* -(e)s, ⸚e; 《동봉한》 Einlage *f.* -n; Anlage *f.* -n; Einschluß *m.* ..schlusses, ..schlüsse; Beischluß. ¶ ~와 같이(여히) laut [3]Anlage〔beiliegendem Briefe〕/ ~ 견본을 보아 주십시오 Ich bitte das anhängende Muster zu beachten.

별쭝나다, 별쭝맞다, 별쭝스럽다 =별나다.

별채(別—) Nebenhaus *n.* -es, ⸚er; das alleinstehende Haus, -es, ⸚er.

별책(別冊) anderer〔besonderer〕Band, -(e)s, ⸚e; Sonderdruck *m.* -(e)s, -e. ¶ 부록은 ~으

로 되어 있다 Der Anhang bildet e-n besonderen Band.
별천지(別天地) =별세계.
별체(別體) ein besonderer Stil, -(e)s, -e; e-e seltsame Ausdrucksweise, -n.
별칭(別稱) ein anderer Name, -ns, -n; Spitzname *m.*
별파(別派) 《종파》 andere Sekte, -n; Zweigsekte; 《유파》 andere Schule, -n; Zweigschule *f.* -n; 《당파》 andere Partei, -en.
별판(別—) e-e seltsame (unerwartete) Entwicklung; eigentümliche Wendung des Schicksals.
별편(別便) Extrapost *f.* -en; e-e andere Post. ¶ ~으로 송부하다 (부치다) mit der Extrapost schicken[4].
별표(一標) Sternzeichen *n.* -s, -. ¶ ~가 붙은 mit Sternchen gezeichnet / ~를 붙이다 ein Sternchen markieren.
별표(別表) e-e beiliegende Liste, -n; Anhang *m.* -(e)s, ⸗e.
‖ ~양식 ein beiliegendes Formular, -s, -e.
별품(別品) 《특상품》 ausgezeichneter Artikel, -s, -; Qualitätsware *f.* -n.
별항(別項) anderer Paragraph, -en, -en; besonderer Abschnitt, -(e)s, -e; neuer Absatz, -es, ⸗e; spezieller Artikel, -s, -; besondere Klausel, -n (조문의); Separatparagraph *m.* ¶ ~에 unter dem besonderen Rubrik / ~에 기재한 바와 같이 wie in Separatparagraph angegeben; wie im anderen Paragraphen (Abschnitt) erwähnt (verzeichnet).
별호(別號) Schriftstellername *m.* -ns, -n; 《별명》 Spitzname *m.* -ns, -n.
볍 Futterstoff *m.* -(e)s, -e. 「⸗er.
볍씨 Reissamen *m.* -s, -; Reiskorn *n.* -(e)s,
볏[1] 《새의》 Hahnenkamm *m.* -es, ⸗e; Kopfhaube *f.* -n. 「Pflugs.
볏[2] 《보습의》 das Formbrett 《-(e)s, -er》 des
볏가리 große Haufen von Reisstroh.
볏가을 Reisernte *f.* -n. ~하다 Reis ernten.
볏단 Garbe *f.* -n.
볏모 eine junge Reispflanze, -n; Reissprößling *m.* -s, -e.
볏섬 ein Sack 《*m.* -(e)s》 Reis.
볏자리 die Stelle, an der die Pflugschar am Pflug befestigt ist.
볏짚 Reisstroh *n.* -(e)s, -e. ¶ ~단을 묶다 Reisstroh in Garben binden* / ~을 깔다 mit Reisstroh die Erde bedecken / ~을 엮다 Reisstroh flechten*.
병(病) Krankheit *f.* -en; Übelkeit *f.* -en; das Übelbefinden*, -s; das Unwohlsein*, -s (불편); Unpäßlichkeit *f.* -en; Leiden *n.* -s, - (병고); Seuche *f.* -n (악역); Infektionskrankheit *f.* (전염병); e-e akute Krankheit (급성병); e-e chronische Krankheit (만성병); Beschwerde *f.* -n (고통). ¶ 병들다 krank werden; an [3]*et.* erkranken; in e-e Krankheit fallen* ⓢ; e-e Krankheit bekommen*; von e-r Krankheit befallen (heimgesucht) werden; [3]sich e-e Krankheit haben (zu|ziehen*) / 병든 krank 《*an*[3]》 / 병약한 kränklich; anfällig; gebrechlich; leidend; schwächlich; siech; mit e-r Krankheit behaftet (병 들어 있는) / 병중(中)이다 krank sein 《*an*[3]》; leiden* 《*an*[3]》; bettlägerig sein; in Behandlung sein; *jm.* unwohl (nicht wohl) sein; es fehlt *jm.* [1]*et.*; nicht recht zu Wege sein / 병이 재발하다 e-n Rückfall bekommen*; in e-e Krankheit zurück|fallen* ⓢ; wieder erkranken ⓢ / 병이 고황에 들다 unheilbar (nicht leicht zu heilen) sein / 죽을 병에 걸리다 e-e tödliche Krankheit bekommen*; an e-r tödlichen Krankheit leiden* (상태) / 큰 병을 앓고 있다 schwer krank sein; ernstlich (gefährlich) krank sein / 병이 낫다 heilen ⓢ,ⓗ; wieder gesund werden; [4]sich wieder|her|stellen (erholen) 《*von*[3]》; e-e Krankheit überstehen* / 병의 고비를 넘기다 über den Berg sein 〔병자가 주어〕.
‖ 병경과 Krankheitsverlauf *m.* -(e)s, ⸗e; Krankheitsvorgang *m.* -(e)s, ⸗e; Krankheitsablauf *m.* -(e)s, ⸗e. 병문안 Krankenbesuch *m.* -(e)s, -e. 병징후 Krankheitserscheinung *f.* -en; Krankheitssymptom *n.* -s, -e.
병(甁) Flasche *f.* -n; Karaffe *f.* -n (마개 달린 식탁용); Karaffine *f.* -n (소형); Phiole *f.* -n (프라스코); Arzneiglas *n.* -es, ⸗er (약병). ¶ 맥주 한 병 e-e Flasche Bier / 병술 (포도주) Flaschenwein *m.* -(e)s, -e / 우유병 Milchflasche *f.* -n / 병에 담은 in [4]Flaschengefüllt / 병에 담다 auf [4]Flaschen (ab|)ziehen*[4] (füllen) / 병 마개를 따다 e-e Flasche entkorken; den Kork (Pfropfen) aus e-r Flasche ziehen* / 한 병을 다 마시다 e-r [3]Flasche den Hals brechen*; e-e Flasche aus|stecken*.
병가(兵家) 《병법가》 Taktiker *m.* -s, -; Stratege *m.* -n, -n.
병가(病暇) Krankheitsurlaub *m.* -(e)s, -e; Krankenurlaub *m.*; Erholungsurlaub *m.*
병갑(兵甲) Waffe *f.* -n; Waffengattung *f.* -en; Rüstung *f.* -en; Harnisch *m.* -es, -e; Panzerschutzdecke *f.* -n.
병객(病客) der Kranke*, -n, -n; Patient *m.* -en, -en.
병거(兵車) Streitwagen *m.* -s, -; Kriegswagen (mit Wagenlenker u. Krieger).
병결(病缺) das Ausbleiben* 《-s》 wegen e-r Krankheit; das Fehlen* 《-s》 wegen e-r Krankheit; 〔형용사적〕 wegen der Krankheit abwesend.
병고(病苦) Leiden *n.* -s, -; Beschwerde *f.* -n; Störung *f.* -en; Übel *n.* -s; Weh *n.* -(e)s, -e; Folter 《*pl.*》 (Schmerz) der Krankheit. ¶ ~에 시달리다 von e-r Krankheit gefoltert werden / ~에서 벗어나다 [4]sich von e-r Krankheit erholen.
병고(病故) Krankheit *f.* -en; das Unwohlsein*, -s; Übelkeit *f.* -en.
병골(病骨) ein kränklicher Mensch, -en, -en; Schwächling *m.* -s, -e.
병과(兵戈) ① 《전쟁》 Krieg *m.* -(e)s, -e; Streit *m.* -(e)s, -e; bewaffneter Konflikt, -(e)s, -e. ② 《창》 Lanze *f.* -n; Speer *m.* -(e)s, -e.
병과(兵科) Waffen|gattung (Truppen-) *f.* -en; Truppenart *f.* -en; Dienstzweig *m.* -(e)s, -e; Waffe *f.* n. ¶ 각 ~ 군인 Mannschaften 《*pl.*》 aller Waffengattungen.
‖ 보병(기병, 포병)~ die Waffengattung der Infanterie (Kavallerie, Artillerie).
병구(病軀) kränkliche Körperbeschaffenheit, -en. ¶ ~를 무릅쓰고 trotz der Krankheit.
병구완(病—) Krankenpflege *f.* -n; Betreuung der Kranken. ~하다 für *js.* Wohl sorgen; für e-n Kranken sorgen; [4]sich mit Fürsorge der Pflege e-r Person widmen. ¶ 자지 않고 ~하다 bei dem Patienten

wachen; bei dem Patienten Nachtwache halten* / 그녀의 정성어린 ~으로 나는 곧 회복됐다 Wegen ihrer sorgsamen Pflege wurde ich bald gesund.¦Danke ihrer sorgfältigen Pflege, wurde ich wieder gesund. / 약도 약이지만 ~이 중요하다 《속담》 Pflege geht vor Medizin.

병권(兵權) Kriegsmacht *f.* ⸗e; Wehrmacht *f.*; die Kontrolle 《-n》 der Arme. ¶ ~을 잡다 militärische Macht an ⁴sich reißen*.

병균(病菌) Virus *n.* -, ..ren; Bakterie *f.* -n; Bazillus *m.* -, ..zillen; Krankheits¦erreger *m.* -s, - (-keim *m.* -(e)s, -e); Bakterium *n.* -s, ..rien; Spaltpilz *m.* -es, -e (분열균); Stäbchenpilz (간상균); Mikrob(i)e *f.* -n; Mikrobion *n.* -s, ..bien; 〖생물〗 Mikroorganismus *m.* -, ..men (미생물). ¶ ~의 bazillär; bakteriell / ~이 없는 keimfrei; 〖의학〗 steril (무균의) / ~을 발견하다 das Virus ab|sondern (aus|-).

병근(病根) =병원(病原).

병기(兵器) Waffe *f.* -n; Kriegsmaterial *n.* -s, ..lien; Rüstung *f.* -en; Rüstzeug *n.* -(e)s, -e. ¶ ~를 빼앗다 entwaffnen.
‖ ~검사 Waffenmusterung *f.* -en. ~고 Rüst¦kammer (Munitions-) *f.* -n; Arsenal *n.* -s, -e; Zeughaus *n.* -s, ⸗er. ~공 Waffenfabrikant *m.* -en, -en; Waffenschmied *m.* -(e)s, -e. ~과학 Rüstungswissenschaft *f.* -en; Waffenkunde *f.* ~수선 Waffenreparatur *f.* -en. ~제조소 Waffenfabrik *f.* -en. ~창 Arsenal *n.* -s, -e; Militärdepot *n.* -s, -s. ~학 Waffenlehre *f.* -n.

병꽃나무 Deutzia *f.* ..zien.
‖ ~꽃 Deutzienblüte *f.* -n.

병나다(病—) ① =병들다. ② 《고장나다》 nicht in Ordnung sein; nicht funktionieren; auf Abwege geraten.

병내다(病—) e-e Krankheit verursachen; ⁴*et.* in Unordnung bringen*; ⁴*et.* kaputt machen.

병단(兵端) Feindschaft *f.* -en; Feindseligkeit *f.* -en; Kriegshandlung *f.* -en. ¶ ~을 열다 die Feindseligkeit eröffnen; die Feindschaft aufkommen lassen*; das Feuer eröffnen.

병단(兵團) Armeekorps [..ko:r] *n.* -[..ko:r(s)], -[..ko:rs]; Heermasse *f.* -n; Truppenkörper *m.* -s, -; Truppenkorps *n.*

병독(病毒) Virus *n.* -, ..ren; Bazillus *m.* -, ..zillen; Krankheits¦erreger *m.* -s, - (-keim *m.* -(e)s, -e). ¶ ~에 감염되다 ⁴sich mit e-r Krankheit an|stecken; von e-r Krankheit angesteckt werden; von Gift angesteckt werden / ~의 전염(만연)을 막다 der Verbreitung der Viren vor|beugen³; gegen Viren vorbeugende Maßnahmen treffen*.
‖ ~매개자 Keimvermittler *m.* -s, -. ~잠복기 Inkubationszeit *f.* -en.

병동(病棟) Station *f.* -en; Krankenrevier *n.* -s, -e.

병들다(病—) krank werden; ⁴sich krank stellen; erkranken. ¶ 병든 krank; unwohl; körperlich nicht gesund / 병들기 쉽다 leicht krank werden / 그는 병들었다 Er wurde von e-r Krankheit befallen.

병란(兵亂) Krieg *m.* -(e)s, -e; militärischer Konflikt, -(e)s, -e; Kampf *m.* -(e)s, ⸗e; Zusammenstoß *m.* -es, ⸗e.

병략(兵略) =군략.

병력(兵力) Heeres¦kraft (Kriegs-; Streit-) *f.* ⸗e; Heeres¦macht (Kriegs-; Streit-; Militär-) *f.* ⸗e; Heeres¦stärke (Kriegs-) *f.* -n. ¶ 소수의 ~ kleine Streit¦macht (Heer-) ⸗e; die kleine (geringe) Truppenstärke / ~ 200명의 중대 e-e 200 Mannstärke Kompa(g)nie [..paní:], -n [..ní:ən] / ~을 감소하다 das Heer vermindern; die Heeresstärke herab|setzen (das Heer verstärken) / 새로운 ~을 투입해서 공격하다 mit Einsatz neuer Truppen den Angriff erneuern; frische Streitkräfte ein|setzen; mit frischen Truppen an|greifen*; den Feind mit frischen Truppen schlagen* / 소수의 ~으로 공격하다 mit wenigen Truppen an|greifen*⁴; mit e-r kleinen Truppenzahl an|greifen*⁴.

병력(病歷) Krankheitsgeschichte *f.* -n; Anamnese *f.* -n.

병렬(並列) das Nebeneinander¦stehen* (Nebenher-) -s; Parallele *f.* -n. ~하다 《…을》 nebeneinander|stellen⁴; in e-r Linie (Reihe) auf|stellen⁴; 《…이》 in e-r Linie (Reihe) stehen*. ‖ ~회로 der parallel geschaltete Stromkreis.

병리(病理) 《병리학》 Krankheitslehre *f.* -n; Krankheitskunde *f.* -n; Pathologie *f.*
‖ ~학 총론 《일반병리학》 die allgemeine Pathologie. ~해부 pathologische Anatomie, -n. 세포~ die zellulare Pathologie. ~실험 experimentelle Pathologie.

병립(並立) das Nebeneinanderbestehen*, -s; Mitdasein *n.* -s. ~하다 nebeneinander|bestehen*; Seite an Seite stehen*; mit|dasein ⓢ. ¶ 발칸 반도에는 많은 나라들이 ~해 있다 Auf der Balkanhalbinsel bestehen viele Staaten nebeneinander.

병마(兵馬) Soldaten u. Kriegspferde 《*pl.*》; Kriegs¦macht (Militär-) *f.* ⸗e. ¶ ~의 대권을 잡다 die oberste Kriegs¦macht (Militär-) ergreifen* / ~를 동원하다 Waffen 《*pl.*》 ergreifen*; zu den Waffen greifen* (rufen*⁴); über die militärische Autorität verfügen; e-e Armee mobilisieren (mobilmachen).

병마(病魔) Krankheit *f.* -en. ¶ ~가 덮치다 von e-r Krankheit befallen* (mitgenommen sein) / ~에 시달리다 mit e-r Krankheit zu kämpfen haben; an e-r Krankheit leiden* / 그는 드디어 ~에 쓰러졌다 Schließlich starb er an s-r Krankheit.¦Er erlag s-r Krankheit.

병마개(瓶—) Flaschenverschluß *m.* ..lusses, ..lüsse. ¶ ~를 뽑다 e-e Flasche eröffnen (auf|machen) / ~로 막다 e-e Flasche zukorken; e-e Flasche verschließen*.

병막(病幕) Quarantänenanstalt *f.* -en; Quarantänenstation *f.* -en.

병명(病名) Krankheitsname *m.* -ns, -n. ¶ ~미상의 병 die noch nicht festgestellte Krankheit, -en / ~은 아직도 밝혀지지 않았다 Die Krankheit ist noch nicht festgestellt.

병목(瓶—) Flaschenhals *m.* -es, ⸗e.

병몰(病歿) =병사(病死).

병무(兵務) militärische Affäre, -n.
‖ ~국 Wehrdienstkommando *n.* -s, -s. ~소집 die Einberufung 《-en》 zum Militärdienst. ~청 Wehrdienstbehörde *f.* -n. ~행정 Wehrdienstverwaltung *f.* -en.

병발(並發) das Hinzutreten*, -s; das gleichzeitige Geschehen*, -s; der gleichzeitige Ausbruch, -(e)s, ⸗e; Komplikation *f.* -en

(병발 증세에도). **~하다** hinzu|treten* (s) 《zu³》; begleitet werden 《von³》; gleichzeitig geschehen* (aus|brechen*) (s); ⁴sich gleichzeitig ein|stellen; verbunden werden 《mit³》. ¶그는 병의 ~ 증세를 보이고 있다 Er leidet an e-r Komplikation.

병방(丙方) 〖민속〗 Südsüdosten *m.* -s.

병배(瓶—) e-e flaschenförmige Birne, -n.

병법(兵法) Kriegskunst *f.* ⸚e; Strategie *f.* -n (전략); Taktik *f.* -en (전술).
‖ **~가** der Kriegskundige*, -n, -n; Stratege *m.* -n, -n; Strategiker *m.* -s, -; Taktiker *m.* -s, -.

병벽(病癖) e-e krankhafte Angewohnheit, -en (Sucht, ⸚e); Absonderlichkeit *f.* -en.

병변(兵變) =병란(兵亂).

병병(病兵) der kranke Soldat, -en, -en; der Invalide*, -n, -n.

병비(兵備) Kriegsrüstung *f.* -en; Bewaffnung *f.* -en.

병사(兵士) ① 《사병》 Soldat *m.* -en; -en; Krieger *m.* -s, -; Kämpfer *m.* -s, -; Feldherr *n.* -(e)s, -e; der Gemeine*, -n; -n; Landser *m.* -s, -; Mannschaft *f.* -en (총칭). ② =군사(軍士).

병사(兵舍) Kaserne *f.* -n; Baracke *f.* -n; Kriegslager *n.* -s, -; Quartier *n.* -s, -e.

병사(兵事) Kriegs¦wesen (Heer-) *n.* -s; die militärischen Angelegenheiten 《*pl.*》; die militärischen Fragen 《*pl.*》.
‖ **~계** der Geschäftsführer 《-s, -》 für militärische Angelegenheiten. **~과**(課) die Abteilung 《-en》 für militärische Angelegenheit.

병사(病死) das Sterben* (an e-r Krankheit). **~하다** an e-r Krankheit sterben* (s); im Bett sterben*; e-n natürlichen Tod sterben*; e-r ³Krankheit erliegen*. ¶~자가 200명 이상이었다 Mehr als 200 Personen sind an der Krankheit gestorben.

병사(病舍) Krankenhaus *n.* -es, ⸚er; Hospital *n.* -s, -e (⸚er).
‖ 격리~ Quarantänenstation *f.* -en; Isolationshospital *n.* -s, -e (⸚er).

병상(病床) Kranken¦bett *n.* -(e)s, -en (-lager *n.* -s, -). ¶~에 눕다 bettlägerig sein; dauernd das Bett hüten / ~을 지키다 an *js.* Bett sitzen*; pflegen⁴; warten⁴ / ~에서 갓 일어난 몸으로 noch schwach (kaum genesen) von s-r letzten ³Krankheit.
‖ **~일지** Kranken¦journal [..ʒurna:l] *n.* -s, -e (-diarium *n.* -s, ..rien); Krankentagebuch *n.* -(e)s, ⸚er. **~학** Klinologie *f.* -n.

병상(病狀) Zustand 《*m.* -(e)s, ⸚e》 des Kranken; Krankheits¦bild *n.* -(e)s, -er (-kennzeichen *n.* -s, -); das Befinden* 《-s》 e-s Patienten; Krankheitserscheinung *f.* -en (징후); Krankhaftigkeit *f.* -en (병적 상태). ¶환자의 ~에는 아무 변화도 없다 Der Zustand des Kranken ist unverändert.

병상병(病傷兵) ein kranker u. verwundeter Soldat, -en, -en; ein kampfunfähiger Soldat.

병색(病色) das kranke Gesicht, -(e)s, -e; das kranke, schlechte Aussehen*, -s.

병서(兵書) das militärische Buch, -(e)s, ⸚er; das militärische Werk, -(e)s, -e; die militärwissenschaftliche Abhandlung, -en; ein Werk über ⁴Strategie (Kriegswesen).

병석(病席) Kranken¦bett *n.* -(e)s, -en (-lager *n.* -s, -). ¶~에 눕다 krank (danieder|-) liegen*; das Bett hüten; bettlägerig sein; auf dem (im) Krankenbett liegen* / ~에서 일어나다 auf die Beine stehen*.

병선(兵船) Kriegsschiff *n.* -(e)s, -e.

병세(兵勢) Militärkraft *f.* ⸚e; Kriegsmacht *f.* ⸚e; Wehrmacht *f.* ⸚e; die Gesamtheit der Streitkräfte.

병세(病勢) Krankheits¦zustand *m.* -(e)s (-verlauf *m.* -(e)s). ¶~가 악화하다 (되다) Der Zustand des Kranken verschlechtert sich. ¦Die Krankheit verschlimmert sich. ¦Die Krankheit nimmt eine kritische Wendung. / ~가 호전되다 Eine Krankheit bessert sich. / 아드님 ~는 어떻습니까 Wie steht es mit Ihrem kranken Sohn? / ~에는 변화가 없다 Der Zustand des Kranken ist unverändert.

병소(病巢) Krankheitsherd *m.* -(e)s, -e; Fokus *m.* -, -(se); der Streuherd für Bakterien 《*pl.*》; der Herd der Krankheit.

병쇠(病衰) Schwächlichkeit *f.* -en; Abmagerung *f.* ¶~해지다 ⁴sich ab|zehren; ab|-magern (s); angegriffen werden / ~해 있다 angegriffen (heruntergekommen; mitgenommen) sein.

병술(瓶—) in Flaschen abgefüllter Alkohol, -s, -e.

병시(丙時) 〖민속〗 Zeitangabe etwa 22.30–23.30.

병신(丙申) 〖민속〗 das 33ste im sechzigteiligen Zyklus (bestimmt nach Himmels- u. Erdezeichen).

병신(病身) ① 《불구》 Mißgestalt *f.* -en; Mißbildung *f.* -en; körperliches Gebrechen*, -s; 《사람》 Krüppel *m.* -s, -; Mißgeburt *f.* -en. ¶~이 되다 zum Krüppel werden; verkrüppelt (entstellt) werden / ~으로 만들다 verunstalten⁴; entstellen⁴; verkrüppeln⁴; zum Krüppel machen / ~으로 태어나다 e-e Mißgeburt sein; als Krüppel geboren sein.
② 《병든 몸》 der Kranke*, -n, -n; der Kränkelnde*, -n, -n.
③ 《바보》 Dummkopf *m.* -(e)s, ⸚e; Narr *m.* -en, -en; der dumme Mensch, -en, -en. ¶~같이 굴다 den Narren spielen; ⁴sich dumm stellen / 이 ~아 Dummer Kerl! / ~처럼 굴지 말라 Stell dich nicht so dumm! ¦Mach dich nicht lächerlich!
‖ **~구실** das Benehmen* 《-s》 e-s Narren: ~ 구실하다 ⁴sich zum Narren machen; ⁴sich dumm stellen.

병신성스럽다(病身—) schwachsinnig; albern; närrisch; töricht; läppisch (sein).

병실(病室) Kranken¦raum *m.* -(e)s, ⸚e (-saal *m.* -(e)s, ..säle; -stube *f.* -n); Krankenzimmer *n.* -s, -; Krankenverschlag *m.* -(e)s, ⸚e (배의); Krankenrevier *n.* -s, -e (병동). ¶~을 한 바퀴 돌다 Krankenraum in der Runde besuchen.

병아리 Kücken *n.* -s, -; Hühnchen *n.* -s, -; ‖ **~감별사** Kückengucker *m.* -s, -.

병약(病弱) Schwächlichkeit *f.* -en; Kränklichkeit *f.* -en; Gebrechlichkeit *f.* -en; Hinfälligkeit *f.* -en; Ungesundheit *f.* -en. **~하다** kränklich; gebrechlich; hinfällig; schwächlich; von schwacher Konstitution; siech; ungesund; infolge e-r Krankheit schwächlich (sein).

병어 〖어류〗 Plattfisch *m.* -(e)s, -e; Flunder *m.* -s (*f.* -n). ‖ **~주둥이** jemand, der den ganz kleinen Mund hat.

병역(兵役) Militär¦dienst (Heeres-) *m.* -es, -e. ¶ ~에 복무하다 bei der Armee (als Soldat) dienen; im Heere dienen / ~을 기피하다 [4]sich vom Heeresdienst drücken; [4]sich dem Militärdienst entziehen* / 모든 국민은 ~ 의무를 갖고 있다 Jeder Staatsangehörige ist dienstpflichtig.

‖ **~만기** der Abschluß der Dienstjahre; die Vollendung der Dienstzeit. **~면제** die Freiheit 《-en》 von (Militär)dienst; die Befreiung von Heeresdienst. **~연한** (Militär)dienstzeit *f.* -en. **~의무** die allgemeine Dienst¦pflicht (Militär-) -en. **2 년제~** das System 《-s, -e》 des zweijährigen Dienst(e)s.

병영(兵營) Kaserne *f.* -n; Barake *f.* -n.

‖ **~생활** Soldatenleben *n.* -s, -.

병오(丙午) 〖민속〗 das 43ste im sechzigteiligen Zyklus (bestimmt nach Himmels- und Erdezeichen).

병용(並用) **~하다** zugleich (gleichzeitig; zusammen) gebrauchen[4]; den gleichzeitigen Gebrauch machen 《*von*[3]》. ¶ 가루약과 물약을 ~하다 ein Pulver zugleich mit e-m flüssigen Arzneimittel ein|nehmen*.

병원(兵員) Mannschaft *f.* -en; Truppenzahl *f.* -en; die Zahl der Soldaten; die Gesamtzahl der Soldaten; Personal *n.* -s, -e; Stärke *f.* ¶ ~을 증가(감축)하다 die Truppenzahl vermehren (vermindern).

‖ **~명부** Musterrolle *f.* -n.

병원(病院) Krankenhaus *n.* -es, ⃛er; Hospital *n.* -s, -e (⃛er); Klinik *f.* -en; Lazarett *n.* -(e)s, -e. ¶ ~에 입원시키다(입원하다) ins Krankenhaus schicken[4] (kommen* ⓢ) / ~에 입원해 있다 im Krankenhaus liegen* (sein) / ~에 가다 zur Klinik gehen* ⓢ; die Klinik besuchen; ambulatorisch behandelt werden / ~으로 문병을 가다 *jn.* im Krankenhaus besuchen.

‖ **~관리** Krankenhausverwaltung *f.* -en. **~설비** Hospitaleinrichtung *f.* -en. **~열차(선)** Lazarett¦zug *m.* -(e)s, ⃛e (-schiff *n.* -es, -e). **~장** Krankenhausdirektor *m.* -s, -en. **~차** Ambulanzwagen *m.* -s, -; Krankenauto *n.* -s, -s. **격리~** Isolier¦baracke *f.* -n (-krankenhaus *n.*). **대학 부속~** Klinik *f.* -en. **야전~** das fliegende Lazarett; Feldhospital *n.* -s, ⃛er; Feldlazarett *n.* -(e)s, -e. **적십자~** das Hospital des Roten Kreûzes. **정신~** Irren¦anstalt *f.* -en (-haus *n.*).

병원(病原) Krankheitsursache *f.* -n; Pathogenese *f.* -n; Pathogenie *f.* ¶ ~의 ätiologisch; pathogenisch / ~ 불명의 병 e-e Krankheit von unfeststellbarer (unbekannter) Ursache.

‖ **~균** Virus *n.* -, ..ren; Bakteriengift *n.* -(e)s, -e; Krankheitserreger *m.* -s, -. **~침입구** die Invasionspforte der Krankheitserreger. **~학** Ätiologie *f.*; Krankheitsentstehungslehre *f.* -n; Krankheitsursachenlehre *f.* -n.

병유하다(並有一) [4]sich zweier [2]Sachen erfreuen; zwei Dinge (in sich) vereinigen.

병인(丙寅) 〖민속〗 das dritte im sechzigteiligen Zyklus (bestimmt nach Himmels- u. Erdenzeichen).

병인(病因) Ursache 《*f.* -n》 der Krankheit; ätiologischer Faktor, -(e)s, -en.

‖ **~론, ~학** Ätiologie *f.*

병자(丙子) 〖민속〗 das 13te Jahr im 60 Jahreszyklus (bestimmt nach Himmels- und Erdenzeichen).

병자(病者) der Kranke*, -n, -n; Patient *m.* -en, -en; der Invalide*, -n, -n (폐질자); Fall *m.* -(e)s, ⃛e. ¶ ~를 왕진하다 Krankenbesuch machen / 어느 가정에나 ~가 있기 마련이다 In jeder Familie liegt immer irgendeiner krank darnieder. / 의사는 ~를 왕진 중이다 Der Doktor ist auf Krankenbesuch.

‖ **~명단** 《환자 명단》 Krankenliste *f.* -n.

병작(並作) unter zwei Personen den Erntenertrag zu gleichen Teilen aufteilen.

병장(兵長) der Obergefreite*, -n, -n.

병적(兵籍) Stammrolle *f.* -n. ¶ ~에 오르다 unter die Soldaten gehen* ⓢ; Dienst nehmen*; ins Heer ein|treten* ⓢ; in den Militärdienst treten*; in die Stammrolle eingetragen werden; zu den Soldaten kommen* ⓢ.

‖ **~부** Musterrolle *f.* -n.

병적(病的) krankhaft; ungesund; pathologisch; abnorm. ¶ ~인 상태 ein krankhafter Zustand, -(e)s, ⃛e / ~으로 좋아하다 krankhaft lieben[4] (gern haben); leidenschaftlich gern haben[4] / 그의 공명심은 이미 ~이다 Sein Ehrgeiz ist schon krankhaft.

‖ **~소양** die krankhafte Anlage, -n. **~소질** die pathologische Prädisposition; Diathese *f.* -n. **~심리** die krankhafte Psyche.

병점(病占) Vorhersage 《*f.* -n》 des Krankheitsverlaufs (durch die Weissagung). ¶ ~을 보다 (mit dem Wahrsager) über s-e Krankheit [4]sich beraten* / ~을 치고 있다 Der Wahrsager sagt den Krankheitsverlauf vorher.

병정(兵丁) Soldat *m.* -en, -en; 〖해군〗 Seesoldat *m.* -en, -en; Mariner *m.* -s, -; Heer *n.* -(e)s, -e; Truppe *f.* -n. ¶ ~놀이를 하다 Soldaten spielen/~으로 뽑혀 가다 ins Heer ein|treten*.

병제(兵制) =군제(軍制).

병졸(兵卒) Gemeine *m.* -n, -n; gemeiner Soldat, -en, -en.

병종(丙種) der dritte Grad bei der medizinischen Untersuchung für die Wehrdienstpflicht. ¶ 신체 검사에서 ~을 받다 bei der medizinischen Untersuchung für die Wehrdienstpflicht den dritten Grad erhalten*.

병종(兵種) Waffengattung *f.* -en.

병주머니(病一) jemand, der ständig krank ist; jemand, der viele Krankheiten in sich hat.

병중(病中) während *js.* Krankheit. ¶ ~이다 krank sein (liegen*; darnieder|liegen*) / ~에도 (불구하고) trotz der Krankheit.

병증(病症) die Natur der Krankheit; Krankheits¦bild *n.* -(e)s, -er (-erscheinung *f.* -en); Symptom *n.* -s, -e; Krankheitserscheinung *f.* -en.

‖ **~불명** Akrisie *f.* **~증진** Anabasis *f.*

병진(丙辰) 〖민속〗 das 43ste im sechzigteiligen Zyklus (bestimmt nach Himmels- u. Erdenzeichen).

병진(兵塵) der Staub 《-(e)s》 des Schlachtfeldes; der Tumult 《-(e)s, -e》 des Kriegs.

병진(並進) das parallele Vorgehen*, -s. **~하다** nebeneinander vor|gehen*; Seite an Seite vor|gehen*.

‖ **~운동** 〖기계〗 Translation *f.* -en; Parallelverschiebung *f.* -en.

병참(兵站) Etappe *f.* -n.

‖ **~간부** der Stab 《-(e), ⃛e》 der Etappeninspektion. ~감 Etappeninspektor *m.* -s, -en; Generalproviantmeister *m.* -s, -. ~로 Etappenstraße *f.* -n; Etappenweg *m.* -(e)s, -e. ~병원 Etappenlazarett *n.* -(e)s, -e. ~부 Verpflegungsamt *n.* -(e)s, ⸗er; Intendantur *f.* -en. ~사령부 Etappenkommandantur *f.* -en. ~사령관 Etappenkommandant *m.* -en, -en. ~사항 Etappenwesen *n.* -s, -. ~선 Etappenlinie *f.* -n. ~중대 Etappenkompagnie *f.* -n. ~지 Etappenort *m.* 〔*n.*〕 -(e)s, -e; Etappenposten *m.* -s, -. ~지구 Etappenbezirk *m.* -(e)s, -e. ~지역 Etappengebiet *n.* -(e)s, -e.

병추기(病―) der Kränkliche*, -n, -n; ein kränklicher Mensch, -en, -en. ¶이 아이는 ~다 Dieses Kind ist dauernd kränklich.

병충해(病蟲害) Schädlingsbefall *m.* -(e)s, ⸗e; Ungezieferschaden *m.* -s, ⸗.

병칭(並稱) Gleichstufung *f.* -en. ~하다 zusammen ein|stufen.

병탄(倂呑) Einverleibung *f.* -en; Annektierung *f.* -en; Annexion *f.* -en; Eingliederung *f.* -en; Absorption *f.* -en; Aufsaugung *f.* -en; 《점유》 Besitzergreifung *f.* -en; Besitznahme *f.* -n. ~하다 ein|verleiben^{4}; annektieren^{4}; an ^{4}sich nehmen*; ^{3}sich ein|gliedern^{4} 〔an|-〕; absorbieren^{4}; auf|saugen*; Besitz ergreifen*. ¶러시아의 만주 ~ die Einverleibung 〔die Annexion〕 der Mandschurei von Seiten Rußlands / 천하를 ~하다 das ganze Reich in 〔unter〕 s-e Gewalt bringen*.

병태(病態) Krankheitszustand *m.* -(e)s, ⸗e; der Zustand eines Patienten.

병통(病―) Beschwerde *f.* -n; Belästigung *f.* -en; Unannehmlichkeit *f.* -en; Last *f.* -en; Störung *f.* -en; Panne *f.* -n. ¶~이 생기다 in Not 〔Verlegenheit〕 sein; in e-r mißlichen Lage sein; Unannehmlichkeit zu|-ziehen*; ^{4}sich in die Nesseln setzen; 《기계에》 nicht in Ordnung sein.

병폐(病弊) Übel *n.* -s, -; Laster *n.* -s, -; Verderbtheit *f.* -en; Gebrechen *n.* -s, -.

병폐(病廢) Körperbehinderung *f.* -en; Unfähigkeit *f.* -en (wegen der Krankheit). ~하다 körperlich behindert 〔schwer verletzt; untauglich〕 sein.

병풍(屛風) Setzwand *f.* ⸗e; Wandschirm *m.* -(e)s, -e; Faltschirm *m.* -(e)s, -e; die spanische Wand, ⸗e. ¶여섯 쪽 ~ die sechsflügige (Steh)wand, ⸗e / 머릿~ der Klappschirm 《-(e)s, -e》 am Kopfende des Lagers / 금박을 입힌 ~ der mit Gold¦blättchen 〔-folien〕 überzogene Wandschirm, -(e)s, -e / ~을 세운 듯한 절벽 e-e schroffe Felswand; e-e steile 〔jähe; lotrechte; senkrechte〕 Felswand / ~을 세우다 e-e Setzwand hin|stellen; e-n Faltschirm auf|stellen.

병학(兵學) Militärwissenschaft *f.* -en.

병합(倂合) Einverleibung *f.* -en; Annektierung *f.* -en; Annexion *f.* -en; Vereinigung *f.* -en (결합); Amalgamierung *f.* -en (융합); Absorption *f.* -en (병탄). ~하다 ein|verleiben^{4}; annektieren^{4}; fusionieren^{4}; vereinigen; absorbieren.

‖~죄 〖법〗 das konkurrierende Verbrechen, -s, -; das gleichzeitige Begehen von mehreren Verbrechen. ~형 Gesamtstrafe *f.* -n.

병행(並行) paralleler Verlauf, -(e)s, ⸗e; Zusammenarbeit *f.* -en. ~하다 in der Parallele verlaufen*; Seite an Seite gehen*; 《…을》 zusammen|arbeiten.

병화(兵火) Kriegs¦flamme *f.* -n 〔-brand *m.* -(e)s, ⸗e〕; unheilvolle Folgen e-s Krieges; der durch e-e Kriegshandlung entstandene Brand, -(e)s, ⸗e.

병환(病患) Krankheit *f.* -en; das Unwohlsein*, -s; Unpäßlichkeit *f.* -en. ¶~으로 자리에 누어 있다 an e-r Krankheit darnieder|liegen* 〔leiden*〕.

병후(病後) nach der Krankheit. ¶~ 쇠약 die Entkräftung nach der Krankheit / ~ 요양 die Erholung nach der Krankheit / ~ 회복기 Rekonvaleszenz *f.*; Genesungszeit *f.* / ~ 회복기에 있는 사람 Rekonvaleszent *m.* -en, -en; der Genesende*, -n, -n / 그는 ~ 얼마 되지 않았다 Er ist erst vor kurzem (von seiner Krankheit) wiederhergestellt.

별 《태양·일광》 Sonne *f.* -n; Sonnen¦licht *n.* -(e)s, -er 〔-schein *m.* -(e)s; -strahl *m.* -(e)s, -en〕. ¶별이 잘 드는 sonnig; viel Sonne habend; von der Sonne beleuchtet 〔beschienen〕 / 별에 탄 sonnenverbrannt; sonnengebräunt; sonnengegerbt / 별을 쬐다 《일광욕》 ^{4}sich sonnen; im Sonnenschein liegen*; ^{4}sich an der Sonne wärmen / 별에 말리다 an der Sonne trocknen^{4} 〔trocken machen^{4}〕/ 별에 쏘이다 ^{3}Sonnenstrahlen aus|setzen^{4} / 별에 바래다 in der Sonne bleichen$^{(4)}$ / 별이 들게 하다 Sonnenstrahlen ein|lassen*; Sonnenlicht hereinkommen lassen* / 별을 가리다 die Sonne ab|halten*^{4}; vor Sonnenstrahlen beschirmen^{4} / 별에 녹다 an der ^{3}Sonne schmelzen$^{(*)}$Ⓢ / 이 집은 별이 들지 않는다 Das Haus hat keine Sonne. / 방에 창문으로 별이 든다 Die Sonne sendet ihre Strahlen in das Zimmer. / 이 방에는 저녁 무렵에 별이 잘 든다 Dieses Zimmer hat spätnachmittags viel Sonne.

별기(―氣) Sonnenhitze *f.*; Sonnenwärme *f.*; Gluthitze *f.*

보 Balken *m.* -s, -; Träger *m.* -s, -; Holm *m.* -(e)s, -e; Tragbaum *m.* -(e)s, ⸗e; Wagebalken *m.* -s, -.

보(保) 《보증》 Garantie *f.* -n; Sicherheit *f.*; 《보증인》 Bürge *m.* -n, -n; Gewährsmann *m.* -(e)s, ⸗er (..leute); Garant *m.* -en, -en; Bürgerschaft *f.* -en (연대의); Referenz *f.* -en. ¶보(를) 두다 *jn.* als Referenz an|geben* / 보(를) 서다 für *jn.* gewährleisten (verbürgen; bürgen) / 보를 세우다 für *jn.* Bürgerschaft stellen.

보(洑) ① 《둑》 Fang¦damm 〔Kasten-〕 *m.* -(e)s, ⸗e. ② ＝봇물.

보(褓) Einband *m.* -(e)s, ⸗e. ¶상보 Tischdecke *f.* -n / 책보 Bucheinband.

보(步) ① 《걸음》 Schritt *m.* -(e)s, -e; Gang *m.* -(e)s, ⸗e; Tritt *m.* -(e)s, -e. ¶제1보 der erste Schritt / 일보 전진(후퇴)하다 vorwärts 〔rückwärts〕 e-n Schritt machen. ② 《단위》 e-e Maßeinheit für die Länge (＝6 *Ja*). ③ 《평》 e-e Maßeinheit für die Fläche od. das Quadrat.

-보(補) Assistent *m.* -en, -en; Gehilfe *m.* -n, -n; Beistand *m.* -(e)s, ⸗e. ¶서기보 zweiter Sekretär, -s, -e / 외교관보 Probediplomat *m.* -en, -en / 차관보 Assistentvizeminister *m.* -s, -.

보가지 〖어류〗 Kugelfisch *m.* -es, -e.

보각(補角) 〖수학〗 Supplement¦winkel 〔Ergänzungs-〕 *m.* -s, -; der supplementäre Winkel.
보각- ☞ 부걱-.
보감(寶鑑) ① 《책》 Handbuch *n.* -(e)s, ⸗er; Lexikon *n.* -s, ..ka 〔..ken〕; Supplement *n.* -(e)s, -e. ② 《모범》 Vorbild *n.* -(e)s, -er; Muster *n.* -s, -; Exemplar *n.* -s, -e.
보강(補強) Verstärkung *f.* -en; Stärkung 《*f.* -en》 des Körpers. ~하다 verstärken⁴; befestigen⁴ (진지 따위를).
‖ ~물 Verstärkung *f.* -en. ~제 das tonische Mittel, -s, -; Tonikum *n.* -s, ..ka; Stärkungsmittel *n.*; Kräftigungsmittel *n.*
보강(補講) das Nachholen* 《-s》 e-r Vorlesung. ~하다 e-e Vorlesung 〔die Stunde〕 nach|holen.
보건(保健) Gesundheitspflege *f.*; Hygiene *f.*; Sanität *f.* (위생 상태). ¶ ~상 gesundheitlich; hygienisch; aus der Gesundheitsrücksichten; sanitär.
‖ ~강장제 das tonische Mittel. ~사회부 Volkswohlfahrtsministerium *n.* -s, ..rien. ~상태 Gesundheits¦verhältnisse 《*pl.*》 〔-zustand *m.* -(e)s, ⸗e〕. ~소 Gesundheitsamt *n.* -(e)s, ⸗er; Sanitätsbehörde *f.* -n. ~시설 gesundheitliche 〔hygienische〕 Einrichtungen. ~식물 die gesunde Nahrung; die der Gesundheit zuträgliche Nahrung. ~의(醫) Gesundheitsarzt *m.* -(e)s, ⸗e. ~체조 die Körperbewegung zur Förderung der Gesundheit; Gesundheitsgymnastik *f.* 세계 ~ 기구 Weltgesundheitsorganisation *f.* 《생략: WHO》.
보검(寶劍) 《칼》 ein wertvoller Degen, -s, -; Säbel *m.* -s, -; 《예복에 쓰던》 ein zum Festtagsgewand gehöriges Schwert, -(e)s, -er.
보결(補缺) 《보궐》 Ausfüllung *f.* -en; Ergänzung *f.* -en; Ersetzung *f.* -en; (Stell)vertretung *f.* -en. ~하다 die Lücke aus|füllen; e-e freie Stelle aus|füllen 〔wieder|besetzen〕; an *js.* Stelle treten* ⓢ; ergänzen⁴; ersetzen⁴. ¶ ~의 Ergänzungs-; Ersatz-; Hilfs- / ~ 입학하다 in e-e Schule aufgenommen werden, um die Schülerzahl vollzumachen.
‖ ~생 모집 die nachträgliche Studentenwerbung, -en; die Werbung um Studenten zur Erreichung der vollen Zahl. ~선거 Ersatzwahl *f.* -en. ~선수 Ersatzspieler *m.* -s, -. ~자 Substitut *m.* -en, -en; Stellvertreter *m.* -s, -; Ersatzmann *m.* -(e)s, ⸗er.
보고(報告) Bericht *m.* -(e)s, -e; Auskunft *f.* ⸗e; Meldung *f.* -en; Mitteilung *f.* -en; Nachricht *f.* -en; Rapport *m.* -(e)s, -e; Anzeige *f.* -n (관공서에 대한); Referat *n.* -(e)s, -e (조사, 연구의). ~하다 berichten 《*jm.* *von*³; *über*⁴》; benachrichtigen⁴ 《*jn.* *von*³》; Bericht erstatten 《*von*³; *über*⁴》; Nachricht geben*《*jm.* über³》; melden³⁴; mit|teilen³⁴; an|zeigen³⁴; referieren 《*über*⁴》. ¶ 그것에 관한 ~를 모아 보겠읍니다 Ich werde Erkundigungen darüber einziehen. / 그것에 관해서 계속 ~하겠읍니다 Sie werden darüber laufend unterrichtet. / 그 일에 대해서 상세히 ~하겠읍니다 Ich werde darüber ausführlich berichten.
‖ ~문학 Reportageliteratur *f.* ~서 Bericht *m.*; Rechenschaft *f.* -en. ~자 Melder *m.* -s, -; Berichterstatter *m.* -s, -; Referent *m.* -en, -en. ~함 Meldehülse *f.* -n. 선거 ~서 Wahlbericht *m.* 연차~ Jahresbericht *m.*
보고(寶庫) Schatz¦kammer *f.* -n 〔-haus *n.* -es, ⸗er〕. ¶ 이 책은 진실로 지식의 ~이다 Dieses Buch ist in der Tat ein Schatzhaus des Wissens.
보고 =더러².
보고타 《콜롬비아의 수도》 Bogota.
보관(保管) Aufbewahrung *f.* -en; Gewahrsam *m.* -(e)s, -e; Verwahrung *f.* -en; Aufspeicherung *f.* -en (창고보관); Lagerung *f.* -en. ~하다 auf|bewahren⁴; verwahren⁴; in Verwahrung behalten*⁴; in Gewahrsam 〔Verwahrung〕 nehmen*⁴. ¶ ~시키다 in Verwahrung geben*⁴; zur Aufbewahrung geben*⁴; zur Verwahrung übergeben*⁴ / 귀중품은 사무실에 ~시켜 주십시오 Wertsachen können beim Geschäftsleiter in Verwahrung gegeben werden. / 나는 그 그림을 ~하고 있다 Ich habe das Gemälde in Verwahrung. / 도둑 맞은 물건들이 경찰에 ~되어 있다 Die gestohlenen Sachen sind bei der Polizei verwahrt.
‖ ~료 Lagergeld *n.* -(e)s, -er; Verwahrungskosten 《*pl.*》. ~물 Gegenstand 《*m.* -(e)s, ⸗e》 in Verwahrung. ~소 Depositorium *n.* -(e)s, ..rien. ~인 Verwahrer 〔Aufbewahrer〕 *m.* -s, -; Depositar 〔Depositär〕 *m.* -s, -e; Verwalter *m.* -s, - (관리인). ~증 Aufbewahrungsschein *m.* -(e)s, -e; Depositenschein (공탁금 및 유가 증권의); Gepäckschein (물표); Lagerschein (창고 증권).
보관(寶冠) (Adels)krone *f.* -n; Diadem *n.* -s, -e. ‖ ~장 Kronenorden *m.*
보교(步轎) Sänfte *f.* -n; Trag¦sessel *m.* -s, - 〔-stuhl *m.* -s, ⸗e〕. ¶ ~로 가다 e-e Sänfte benutzen / ~를 타다 〔~에서 내리다〕 in e-e Sänfte ein|steigen* ⓢ 〔aus der Sänfte aus|-steigen* ⓢ〕.
‖ ~꾼 Sänftenträger *m.* -s, -.
보국(報國) die Bezeugung 《-en》 der Dankbarkeit gegen das Vaterland. ¶ ~의 vaterländisch; patriotisch; dankbar gegen sein Vaterland.
‖ ~심 das dankbare Gefühl 《-(e)s, -e》 gegen sein Vaterland; 《애국심》 Patriotismus *m.* -; Vaterlandsliebe *f.*; die vaterländische Gesinnung. ~정신 Patriotismus *m.* -; Vaterlandssinn *m.* -(e)s, -e.
보국안민(輔國安民) Aufbau 《*m.* -(e)s, -en》 der Nation u. Wohlfahrt 《*f.*》 des Volkes.
보굿 ① 《나무의》 Borke *f.* -n. ② 《그물의》 Floß *m.* 〔*n.*〕 -(e)s, ⸗e.
보궐(補闕) =보결(補缺).
보균자(保菌者) Bazillenträger *m.* -s, -.
보그르르 ☞ 바그르르.
보글보글 ¶ ~ 끓다 wallen; brodeln.
보금자리 Nest *n.* -es, -er; Liebesort *m.* 〔n.〕 -(e)s, -e; Schlafsitz *m.* -es, -e; Lager *n.* -s, -; Vogelstange *f.* -n; Hühnerstange *f.* -en (홰); Bienen¦korb *m.* -(e)s, ⸗e 〔-stock *m.* -(e)s, ⸗e〕 (벌의); Horst *m.* -es, -e (맹수의); Schlupfwinkel *m.* -s, - (짐승의); Hühnerstall *m.* -(e)s, ⸗e (닭장); Hühnerhaus *n.* -es, ⸗er. ¶ ~를 치다 ein Nest bauen; (⁴sich) nisten / 사랑의 ~를 만들다 ³sich ein Nest bauen / ~에 들다 schlafen gehen* ⓢ(자려고) / 옛 ~로 돌아가다 nach s-m älten Nest zurück|kehren ⓢ/ 옛 ~를 그리워하다 ⁴sich nach s-m alten Nest sehnen / 새들이 ~를 지킨다 〔떠난다〕 Die Vögel verteidigen 〔verlassen〕 ihr Nest. / 새가 ~로 돌아간다

Die Vögel fliegen zu ihrem Nest zurück. ‖새～ Vogelnest *n.* -es, -er; der Wohnsitz von Vögeln.

보급(普及) Aus|breitung (Ver-) *f.* -en; Ausdehnung *f.* -en; Verallgemeinung *f.* -en (일반화); Popularisierung *f.* -en (대중화). **～하다** aus|breiten^{4}; verbreiten^{4}; verkünd(ig)en^{4}; popularisieren^{4}. ¶～되다 ^{4}sich aus|breiten (verbreiten); ^{4}sich aus|dehnen / 지식의 ～을 꾀하다 ^{4}sich um die Verbreitung von ^{3}Kenntnissen bemühen / 교육은 오늘날 도처에 ～되었다 Bildung hat sich heutzutage überall verbreitet. / 우리들은 교육의 ～을 유의해야만 한다 Man muß die Verbreitung der Bildung im Auge haben.
‖～판 die wohlfeile Ausgabe; Volksausgabe *f.* -n. 교육～ die Verbreitung der Bildung. 지식～ die Verbreitung von Kenntnissen.

보급(補給) Versorgung *f.* -en; Ersetzung *f.* -en; Nachschub *m.* -(e)s, ⸚e; Ergänzung *f.* -en; Speisung *f.* -en; Zuschluß *m.* ..lusses, ..lüsse. **～하다** versorgen^{4}; ersetzen^{4}; speisen^{4}; ergänzen^{4}; tanken^{4}. ¶기계에 동력을 ～하다 e-e Maschine speisen / 가솔린을 ～하다 das Gasolin ergänzen; wieder mit Gasolin auf|füllen; ein Automobil speisen / 적의 ～을 끊다 dem Feinde den Nachschub 《-(e)s, ⸚e》 (die Proviantzufuhr, -en) ab|schneiden.
‖～기지 Lieferungsstation *f.* ～로 Nachschublinien 《*pl.*》; Versorgungswege 《*pl.*》. 석탄 ～소 Kohlenstation *f.* -en. 석탄 ～차 Speisungswagen *m.* -s, -; Tender *m.* -s, -. 연료 ～(비행)기 Tankflugzeug *n.* -(e)s, -e.

보기[1] 《예》 Beispiel *n.* -(e)s, -e; 《본보기》 Vorbild *n.* -(e)s, -er; Exemplar *n.* -s, -e; 《설명》 Erläuterung *f.* -en; Erklärung *f.* -en; Veranschaulichung *f.* -en. ¶…을 ～로 들다 ^{4}*et.* als Beispiel nennen (setzen) / …의 사실을 ～로 들어 보자 Nehmen wir z. B. an, daß…. / 이것이 ～가 될 수 있다 Dies kann uns als Beispiel dienen.

보기[2] 《보는 각도》 Betrachtungsweise *f.* -n. ¶～에 따라서는 in gewisser Hinsicht; aus anderer Sicht.

보기(補氣) ☞ 보양(補陽).

보기(寶器) kostbares Gefäß, -(e)s, -e; Schatz *m.* -es, ⸚e.

보기차(一車) der Blockwagen 《-s, -》 mit Drehgestell; der Bahnwagen 《-s, -》 mit beweglichem Radgestell.

보깨다 《가슴이》 Sodbrennen haben; Brennen im Magen haben.

보꾹 〖건축〗 (Zimmer)decke *f.* -n; Innenbeplankung *f.* -en; Gipfelhöhe *f.* -n; Steighöhe *f.* -n.

보내기(洑一) e-n Wassergraben anlegen (ziehen*).

보내다 ① 《물건·사람 따위를》 senden$^{(*)4}$; schicken^{4}; nach|senden$^{(*)4}$(편지를); nach|schicken^{4}; ab|fertigen^{4}; ab|schicken^{4}; ab|senden$^{(*)4}$; her|schicken^{4}; versenden$^{(*)4}$; verfrachten^{4}; befördern^{4}; übersenden$^{(*)4}$ 《*an*^{3}》. ¶외무부가 보내준 자동차로 mit dem Wagen, den das Außenministerium stellt (geschickt hat) / 편지를 ～ *jm.* e-n Brief schicken; *jm.* schreiben*; an *jn.* e-n Brief schreiben (senden); richten^{4} 《*an*^{4}》 / 학교에 ～ in die Schule schicken; in die Schule (zur Schule) gehen lassen* / 항공편(선편)으로 ～ mit Luftpost (per Schiff) senden$^{(*)4}$ / 우편으로 ～ mit der Post senden$^{(*)4}$ / 전보를 ～ ein Telegramm auf|geben* (ab|senden*) / 집에 ～ *jm.* ins Haus (in die Wohnung) schicken^{4} / 박수 갈채를 ～ Beifall klatschen (rufen*; spenden; zollen) 《*jm.*》; applaudieren 《*jm.*; *jn.*》; freudig begrüßen 《*jn.*》; zu|jubeln《*jm.*》 / 심부름을 ～ e-n Boten senden* (schicken) 《*nach*^{3}》; e-n Boten ab|senden* / 의사에게 사람을 ～ zu (nach) e-m Arzt schicken / 내 차를 보내 드리겠읍니다 Ich werde meinen Wagen schicken. / 편지가 오면 휴가지로 보내 주십시요 Bitte senden Sie mir die Post an meinen Urlaubsort nach!
② 《시간을》 verbringen*^{4}; hin|bringen*^{4} (zu|-). ¶시간을 ～ die Zeit tot|schlagen* (töten; verlieren*); ^{3}sich die Zeit vertreiben* 《*mit*^{3}》 (심심풀이하다); die Zeit (unnütz) verbringen* / 멍청하게 시간을 ～ die Zeit vertrödeln (vertändeln; müßig hin|bringen*); die Zeit unnütz zu|bringen* / 독서로 (잡담으로) 시간을 ～ die Zeit mit Lesen (Plaudern) zu|bringen* / 만년을 편안히 ～ e-n glücklichen (ruhigen; schönen) Lebensabend genießen*; s-e Lebenstage in Frieden (friedlich) beenden / 시간을 보내기 위하여 um die Zeit zu verbringen.
③ 《배웅》 *jm.* bei der Abreise das Geleit geben*; *jn.* bei Abschied begleiten; *jn.* Abreisen sehen. ¶친구를 보내기 위해서 부산에 다녀왔다 Ich bin nach Busan gegangen, um m-n Freund zu verabschieden.

보너스 Bonus *m.* - (..nusses), - (..nusse); das dreizehnte (vierzehnte…) Gehalt, -(e)s, ⸚er (봉급외 급여); Extraprämie *f.* -n; Sondergewinnanteil *m.* -(e)s, -e; Zulage *f.* -n. ¶3개월분 ～ der Bonus, der dem Gehalt von drei Monaten entspricht / 이와 같은 상황에서는 아무런 ～도 기대할 수 없다 Bei dieser Sachlage dürfen wir überhaupt keinen Bonus erwarten.

보늬 die bittere Haut, ⸚e (von Kastanien).

보닛 Bonnet [bɔné:] *n.* -s, -s; Haube *f.* -n.

보다[1] ① 《눈으로》 sehen*^{4}; schauen^{4}; 《자세히》 an|sehen*^{4}; an|blicken^{4}; an|schauen^{4}; betrachten^{4}; an|gucken^{4}; 《구경·방관》 mit an|sehen*^{4}; zu|sehen*^{3}; zu|schauen*^{3}. ¶보시는 바와 같이 wie Sie sehen / 보기에는 anscheinend; scheinbar; wie es scheint; dem Anschein nach / 어느 모로 보나 in jeder ^{3}Hinsicht / 거울을 ～ in den Spiegel sehen* / 볼 수 있다 zu sehen sein / 시계를 ～ auf die Uhr blicken (sehen*) / 그것 봐 Siehst du? / 축구 경기를 ～ dem Fußballspiel zu|sehen* / 영화(텔레비전)을 ～ ^{3}sich e-n Film (e-e Fernsehsendung) an|sehen* / 보여 주다 zur Besichtigung unterbreiten^{34}; zur Ansicht vor|legen^{4} / 끝까지 ～ bis zu ^{3}Ende sehen*^{4} / 좀 보았으면 좋겠는데 Kann ich dich ein paar Minuten sprechen? / 어디 두고 보자 Du sollst es noch büßen / 보다 못하다 nicht mit an|sehen können* / 볼 줄 아는 사람 jemand, der sehen kann; der gebildete Mensch; der verständige (vernünftige) Mensch; ein Mann von Verstand / 우연히 ～ zufällig sehen*^{4} / 힐끔 ～ flüchtig erblicken^{4} / 아무의 얼굴을 응시하여 ～ *jm.* ins Gesicht sehen*^{4} / 놀라서 ～ erstaunt blicken^{4} / 본 적이 없는 unbekannt; fremd; neu / 망원경을 통해서 ～ durch ein Teleskop (Fernrohr) sehen*^{4} / 배는 이젠 아주 볼 수가 없다 Von dem Schiff ist nicht zu sehen. / 그가 오는 것을 보았다 Ich sah ihn kommen. / 그가 어디에 있는지 보고 오시오 Sehen Sie nach, wo er ist! / 보세요 저기 요트가 있어요 Gucken Sie mal an! Da ist ein Segelboot. / 보여 드리겠읍니다 Ich bitte Sie um Ihre gefällige Durchsicht 〔Ihr geeignetes Durchsehen〕. / 그것 보십시오 Da sehen Sie! Habe ich nicht recht gehabt? / (너무 비참해서) 눈뜨고 볼 수 없다 Das ist zu schrecklich 〔miserabel〕, als daß man es an|sehen 〔an|schauen〕 könnte. ¦ Das ist ein so schrecklicher 〔miserabler〕 Anblick, daß man den Blick davon ab|wenden muß. / 나는 그가 김씨 집에 있는 것을 보았다 Ich sah ihn bei Herrn *Kims.* / 그가 보기도 싫다 Ich kann ihn nicht vor Augen sehen. / 거기에는 볼 만한 것이 아무것도 없다 Es gibt dort nichts zu sehen. / 나는 그가 무엇인가를 줍는 것을 보았다 Ich habe ihn etwas aufheben sehen.

② 《간주》 für ^{4}*et.* an|sehen^{*4} 〔-halten^{*4}; -nehmen^{*4}〕; ab|schätzen^{4} 《*für*^{4}》. ¶ 손해를 약 10억 원으로 ～ den Schaden auf etwa 1 Milliarde *Won* ab|schätzen / 나이를 더 ～ *jn.* für noch älter schätzen / 좋게 ～ ^{4}*et.* von der heiteren Seite nehmen*; alles von der guten Seite an|sehen*.

③ 《고려》 ¶ …을 보아서 aus 〔mit〕 Rücksicht 《*auf*^{4}》; rücksichtlich / 아이들을 봐서 그 이상 말할 수 없었다 Aus Rücksicht auf die Kinder konnte ich nicht weiter sprechen.

④ 《관찰·고찰》 besehen^{*4}; an|sehen^{4}; betrachten^{4}; halten^{*4}; besichtigen^{4}. ¶ 내가 보는 바로는 m-s Erachtens; m-r ^{3}Ansicht nach; m-r ^{3}Meinung nach / 어느 모로 보나 von jedem Gesichtpunkt aus / 교육적 견지로 보아 vom pädagogischen Gesichtpunkt aus / 전체적으로 보아 im Ganzen gesehen / 육안으로 보아 mit offenen Augen sehen* / 단지 경제적으로만이 아니라 정치적 및 국제법적으로 보더라도 nicht nur wirtschaftlich, sondern auch politisch u. völkerrechtlich gesehen / 법적으로 보아 모든 인간은 평등하다 Vom Gesetz aus betrachtet, sind alle Menschen gleich. / 제가 몇 살이라고 당신은 보십니까 Für wie alt halten Sie mich? / 인간의 수명이 60 세라고 볼진데 나는 앞으로 10년은 더 살 수 있다 Wenn ich annehme, daß die menschliche Lebensdauer sechzig Jahre beträgt, habe ich noch 10 Jahre vor mir.

⑤ 《판단》 urteilen^{4}; beurteilen^{4}; lesen^{*4}. ¶ …으로 미루어 보아 nach ^{3}*et.* zu urteilen; Daraus wäre zu schließen, daß… / 손금을 ～ aus der Hand sehen* / 관상을 ～ ^{4}*et.* aus *js.* Gesichtszügen lesen* / 운명을 ～ das Schicksal voraus|sagen / 그는 사람을 볼 줄 아는 재간이 있다 Er hat ein Talent, die Menschen zu verstehen 〔erkennen〕 / 세평에 의하면 그는 유능한 사람인 것으로 보인다 Dem Rufe nach scheint er ein tüchtiger Mann zu sein.

⑥ 《검사·조사》 untersuchen^{4}; prüfen^{4}; examinieren^{4}; probieren^{4}; proben^{4}. ¶ 서류를 ～ die Papiere 《*pl.*》 untersuchen / 사전을 ～ ein Wörterbuch nach|schlagen* / 달력을 ～ im Kalender nach|sehen* / 답안지를 ～ Examenspapiere 《*pl.*》 durch|sehen* 〔nach|sehen*; korrigieren; zensieren〕.

⑦ 《돌보다》 hüten^{4}; wachen^{4}. ¶ 집을 ～ das Haus hüten; den Haushüter 〔Hauswärter〕 spielen; zu Hause bleiben* / 집을 보아 달라고 부탁하다 zum Haushüter 〔Hauswärter〕 bestellen 《*jn.*》; die Bewachung des Hauses während der Abwesenheit überlassen* 《*jm.*》 / 가게를 ～ den Laden hüten / 어린아이를 ～ ein wachsames Auge auf das Kind haben / 제가 없는 동안에 우리 아이좀 보아 주시겠읍니까 Würden Sie bitte während meiner Abwesenheit nach meinem Kinde sehen? / 우리 아이의 숙제 좀 보아 주십시오 Bitte, beaufsichtigen Sie mein Kind bei seiner Schularbeit!

⑧ 《구경하다》 sehen^{*4}; ^{4}sich besehen^{*4}; besichtigen^{4}; besuchen^{4}. ¶ 연극을 보러 가다 ins Theater gehen*; ^{3}sich ein Theaterstück an|sehen* / 박물관을 보러 경주로 가려고 한다 Wir wollen nach *Gyeongju* gehen, um das Museum zu besichtigen. / 그와 같은 엉터리 탁구 경기는 볼 수가 없다 Ich kann so ein schlechtes Tischtennisspiel nicht mit an|sehen.

⑨ 《일》 führen^{4}; verwalten^{4}. ¶ 용무를 ～ ein Geschäft besorgen 〔erledigen; verrichten〕; Besorgungen 〔Einkäufe〕 machen (쇼핑 따위); ein Geschäft führen / 변을 ～ ein (großes) Geschäft verrichten (대변); ein (kleines) Geschäft verrichten (소변) / 그녀는 장을 보러 읍내로 갔다 Sie ging in die Stadt, um einzukaufen.

⑩ 《구독》 halten^{*4}. ¶ 신문〔잡지〕를 ～ e-e Zeitung 〔Zeitschrift〕 halten*.

보다^{2} 《시험삼아 하다》 mit ^{3}*et.* e-n Versuch machen; aus|probieren; durch|probieren; prüfen; erproben; 《맛보다》 probieren. ¶ 포도주를 맛～ den Wein probieren / 음료수를 맛～ das Getränk 《-(e)s, -e》 probieren / 새 모자를 써 ～ e-n neuen Hut an|probieren / 새 치마를 입어 ～ e-n neuen Rock an|probieren / 중국에 가 보았읍니까 Sind Sie einmal in China gewesen? / 해 볼 테면 해 봐 Versuch es, wenn du Mut hast! / 이 책은 읽어 보니 무척 재미있었다 Ich habe gefunden, daß das Buch sehr interessant ist. / 어디 생각해 봅시다 Ich werde es mir überlegen. / 생각해 보십시오 Überlegen Sie sich bitte!

보다^{3} 《추측》 Es scheint, daß…; Ich vermute, daß…. ¶ 비가 올까 ～ Es scheint zu regnen. / 비가 오는가 ～ Vermutlich regnet es. / 그사람 벌써 왔는가 ～ Vermutlich ist er schon da.

보다^{4} 《비교》 als; denn. ¶ ～ 좋다 besser als … / ～ 나쁘다 schlechter als…; schlimmer als… / ～ 아름다운 〔큰〕 schöner 〔größer〕 / 이 집～ 5 배 높다 fünfmal so hoch wie das Haus. / 그는 나～ 훨씬 젊다 Er ist viel jünger als ich. / 오늘은 평소～ 일찍 돌아왔다 Ich kam heute früher als sonst nach Hause. / 이～ 더 좋은 것은 있을 수(가) 없다 Besser 〔Schöner〕 kann gar nichts sein. ¦ Es kann gar nichts Besseres 〔Schöners〕 geben. / 낮은 가을～ 봄에 더 길다 Im Frühling sind die Tage länger als im Herbst. / 내가 생각했었던 것～ 더 빨리 나는 나의 일을 끝냈다 Schneller, als ich gedacht hatte, bin ich mit meiner Arbeit fertig geworden. / 그는 예술가로서～ 인간으로서 위대하다 Er ist als Mensch größer denn als Künstler. ※이와 같이 denn 은 als 의 중복을 피하기 위해 쓰는 경우가 많다 / 나는 빨간 것

～ 흰 것을 더 좋아한다 Ich ziehe das Weiße dem Roten vor. / 그는 정치가라기～는 오히려 상인이다 Er ist mehr Geschäftsmann als Politiker. / 나는 실러～ 괴테를 높이 평가한다 Ich stelle Goethe über Schiller. / 그 여자와 결혼하느니～ 차라리 죽어 버리겠다 Eher will ich sterben als sie heiraten.

보답(報答) Dankbarkeitsbezeigung *f.* -en; die Vergeltung einer Wohltat. ¶～으로 als Dank; zum Dank; aus Dankbarkeit/ 호의에 ～하다 e-e Wohltat vergelten* 《*jm.*》; [4]sich für e-e Wohltat dankbar (erkenntlich) zeigen / 원수를 은혜로 ～하다 Böses mit Gutem vergelten* (danken) / 노고에 ～하다 *jm.* für *js.* [4]Bemühung danken (감사하다); *jn.* für *js.* [4]Bemühung belohnen (보수를 주고) / 아무의 친절에 ～하다 *js.* für s-e Güte belohnen / 선행은 ～을 받는다 Das Gute belohnt sich.

보도(步道) Bürger¦steig (Geh-) *m.* -(e)s, -e; Fußweg *m.* -(e)s, -e; Trottoir *n.* -s, -e.
‖횡단～ Fußgängerübergang *m.* -(e)s, ⸗e; Überweg; 〖속어〗 Zebrastreifen *m.* -s, -.

보도(步度) Schritt *m.* -(e)s, -e; Gang *m.* -(e)s, ⸗e; Tritt *m.* -(e)s, -e; Paßgang.

보도(報道) Nachricht *f.* -en; Bericht *m.* -(e)s, -e; Meldung *f.* -en; Mitteilung *f.* -en; Reportage [..áːʒə] *f.* -n; Rapport *m.* -(e)s, -e. **～하다** berichten[34]; Bericht erstatten 《*jm. über*[4]》; benachrichtigen 《*jn. über*[4]; *von*[3]》; Nachricht geben*[34]; melden[34]; mit¦teilen[34]. ¶～의 신속 die Schnelligkeit (Geschwindigkeit) der Benachrichtigung (Mitteilung) / 신문 ～에 의하면 wie in der Zeitung steht; wie die Zeitung meldet / 동아일보는 …을 ～한다 Die *Dong-A* sagt (teilt mit), daß.... / 아무에게 무엇에 대하여 ～하다 *jm.* Nachricht von [3]*et.* geben.
‖**～난** die Spalte für Neuigkeiten. **～망** Nachrichtennetz *n.* -es, -e. **～자** Benachrichtiger (Berichterstatter) *m.* -s, -; Korrespondent *m.* -en, -en. **～진** Nachrichtenwesen *n.* -s, - (-agenturen 《*pl.*》) Pressevertreter 《*pl.*》. **사회～** Gesellschaftsberichte 《*pl.*》. **3면 ～** vermischte Nachrichten 《*pl.*》.

보도(輔導) Pflege *f.* -n; Führung *f.* -en; Leitung *f.* -en. **～하다** pflegen[(*)4]; führen[4]; leiten[4]; den Weg zeigen[3]; ergänzungsweise aus¦bilden[4]; beraten*[4].
‖**직업～** Berufsberatung *f.* -en; Lehrlingsausbildung *f.* -en. **청소년 ～관** Jugendpfleger *m.* -s, -.

보도(寶刀) Prunkschwert *n.* -(e)s, -er; Schatzschwert *n.* -(e)s, -er; das wertvolle Schwert. ¶전가의 ～를 빼다 aus s-r Reserve heraus¦gehen* Ⓢ; die letzte Reserve heran¦holen.

보도독 ☞ 바드득.

보드기 《나무》 verkrüppelter (zwergwüchsiger*) Baum, -(e)s, ⸗e.

보드득 ☞ 바드득.

보드랍다 ☞ 부드럽다.

보드레하다 ☞ 부드레하다.

보득솔 e-e verkrüppelter u. viel verzweigende Kiefer, -n.

보들보들하다 ＝부드럽다.

보디빌(딩) Bodybuilding [bɔ́dibildiŋ] *n.* -(s). **～하다** Bodybuilding betreiben*.

보따리(褓─) Pack *m.* -(e)s, -e (⸗e); Packen *m.* -s, -; Päckchen *n.* -s, - (작은 보따리); Paket *n.* -(e)s, -e (작은 보따리); Bündel *m.* -s, - (뭉치). ¶～를 풀다 aus¦packen[4]; das Eingepackte öffnen / ～를 꾸리다 packen; e-n Pack (ein Paket) machen; in (ein) Bündel binden* (packen).
‖신문 (책) **～** ein Pack Zeitungen (Bücher). 여행용 **～** Gepäck *n.* -(e)s, -e.

보라[1] ☞ 보랏빛.

보라[2] 《쐐기》 Keil *m.* -(e)s, -e; Spaltkeil. ¶나무에 ～를 박다 (치다) e-n Keil in Holz treiben.

보라매 junger, für die Falknerei abgerichteter Falke, -n, -n.

보라장기(─將棊) ein langsam treibendes Schachspiel, -(e)s, -e.

보라초 roter Milan, -s, -e.

보람 《효과》 Wirkung *f.* -en; Effekt *m.* -(e)s, -e; Ergebnis *n.* -ses, -se; Erfolg *m.* -(e)s, -e; Wirksamkeit *f.* -en; Kraft *f.* ⸗e; 《가치》 Wert *m.* -(e)s, -e; Geltung *f.* -en; 《이득》 Nutzen *m.* -s, -; Vorteil *m.* -(e)s, -e. ¶～있는 lohnend; nützlich (쓸모 있는); nutzbringend (유익한); gewinnbringend (유리한); wirksam; wirkungsvoll (효과있는); fruchtbar; fruchtreich (-bringend); erfolgreich / ～없는 vergeblich; nutzlos; unnütz; wirkungslos (효과없는); 《성과 없는》 ergebnislos; erfolglos; fruchtlos / ～이 있다 wirken; lohnend sein; Wirkung tun*; zur Wirkung kommen* Ⓢ; [4]sich aus¦wirken; Erfolg (Effekt) haben; der Mühe wert sein; [4]*et.* wert sein; es lohnt [4]sich; e-e Wirkung haben; e-e Wirkung hervor¦bringen* (äußern); wirksam sein; [4]*et.* mit Erfolg tun*; erfolgreich sein; gelingen* Ⓢ / ～없다 k-e Wirkung haben; nicht wirken; erfolglos (nutzlos; unnütz; wirkungslos; vergeblich) sein; die Mühe nicht wert sein / 나는 애써 보았지만 ～이 없었다 Ich gab mir vergebliche Mühe.¦Ich mühte mich vergebens ab. / 그는 아무런 ～도 없이 돌아왔다 Er kehrte unverrichteter Dinge (ergebnislos; mit leeren Händen; ohne Erfolg) zurück. / 열심히 애쓴 ～도 없이 그는 결국 실패하고 말았다 Bei allem Fleiß (Trotz aller Bemühung) ist es ihm doch nicht gelungen. / 그는 ～있는 생을 영위한다 Er führt ein lohnendes (wertvolles; sinnvolles) Leben. / 일하라 그러면 너는 이 세상에서 살 ～을 발견하게 될 것이다 Arbeite, dann wirst du finden, daß es sich lohnt in dieser Welt zu leben. / 치료는 아무런 ～이 없었다 Bei mir hat die Kur gar nicht angeschlagen. / 애쓴 ～도 없었다 Meine Bemühung half nichts.¦Meine Mühe blieb ohne jede Wirkung.¦Es hat gar keinen Erfolg.¦Ich habe mich vergebens bemüht. / 말(을)한 ～이 있었다 Mein Rede war wert.¦Mein Rat war nicht ohne Wirkung.¦Meine Worte waren keine verlorenen Worte (waren nicht verloren). / 애쓴 ～이 없다 Es lohnt sich der Mühe nicht. / 가난한 자 역시 사는 ～이 있다 Der Arme ist auch des Lebens würdig (wert).¦Der Arme ist auch lebens¦würdig (-wert). / 나는 애써 보았지만 ～이 없었다 Meine Bemühungen waren vergebens (umsonst).

보랏빛 Purper *m.* -s; Purpurfarbe *f.* -n; Lila *m.* -s (연보라); das helle (lichte) Violette; Lilafarbe; Veilchen¦blau *n.* -s (-farbe (진보라)); Violett *n.* -s. ¶연～의 lila;

lilafarbig / ~의 violett / ~이 되다 ⁴sich violett (purpurn) färben / 그녀의 입술은 ~으로 물들었다 Ihre Lippen färbten sich lila (blau).
‖ ~수정 Amethyst *m.* -(e)s, -e.
보령(寶齡) e-e Benennung für das Alter von König.
보로통하다 ☞ 부루퉁하다.
보료 bunte, gepolsterte Matratze, -n.
보루(堡壘) Fort *n.* -s, -s; Schanze *f.* -n; Festung *f.* -en; Festungswall *m.* -(e)s, ⸗e; Verschanzung *f.* -en; Schanzwehr *f.* -en. ¶ ~를 세우다 schanzen; e-e Schanze auf|führen*(-|werfen*) / ~를 쌓다 verschanzen⁴; umwallen⁴; ⁴sich verschanzen.
‖ ~대 Fortgürtel *m.* -s, -. ~선 Schanzlinie *f.* -n.
보류(保留) Reserve *f.* -en; Reservation *f.* -en; Vorbehalt *m.* -(e)s, -e. ~하다 reservieren⁴; vor|behalten*⁴; aus|bedingen*⁴; auf|bewahren (보관); ³sich ⁴*et.* ausbedingen (reservieren); ⁴sich enthalten*²; zurück|halten*⁽⁴⁾ 《*mit*³》; unentschieden lassen*⁴ (승부의 판정을). ¶ …을 ~하여 (유보하여) mit dem Vorbehalt, daß... / 나의 권리를 ~하고 mit Vorbehalt m-r Rechte / 모든 권리를 ~하고 unter Vorbehalt aller Rechte/ 권리를 ~하다 ³sich Rechte vor|behalten/ 그는 최종 결정을 ~하였다 Die letzte Entscheidung hat er sich vorbehalten.
‖ ~권리 Reservatrecht *n.* -(e)s, -e. 심중 ~ der stille Vorbehalt; *reservatio mentalis* 《라틴》.
보르네오 〖지리〗 Borneo *n.* -s. ¶ ~의 borneisch. ‖ ~주민 der Bewohner 《-s, -》 von Boruneo.
보르도 《프랑스의 도시》 Bordeaux [bordó:] *m.* -, -; 《포도주》 Bordeauxwein [..dó:..] *m.* -(e)s, -e.
보름 ① 《동안》 Halbmonat *m.* -(e)s, -e; ein halber Monat. ¶ ~마다 halbmonatlich. ② 《보름날》 am 15. des Monats. ¶ 이 달 ~에 am 15. dieses laufenden Monats / 지난 달 ~의 귀하의 서신 Ihr Schreiben vom 15. vorigen Monats / 정월 ~ am 15. Januar.
‖ ~달 Vollmond *m.* -(e)s, -e: ~달이다 Der Mond ist voll.
보리 〖식물〗 Gerste *f.* ¶ ~의 (~로 만든) gersten / ~를 타작하다 Gerste dreschen*.
‖ ~낟알 Gerstenkorn *n.* -(e)s, ⸗er. ~밭 Gerstenfeld *n.* -(e)s, -er; Gerstenacker *m.* -s. ~수확 Gerstenernte *f.* -n. ~쌀 Gerstengraupe *f.* -n. ~차 Gerstentee *m.* -s; Gerstenwasser *n.* -s; Gerstenschaft *m.* -(e)s, ⸗e; Gerstentrank *m.* -(e)s, ⸗e. 보릿가루 Gerstenmehl *n.* -s, -: 보릿가루 빵 Gerstenbrot *n.* -(e)s, -e. 탄~ Gerstengrütze *f.* -n.
보리(菩提) ① 《깨달음》 das Erkennen* 《-s》 der höchsten Wahrheit; Erleuchtung *f.* ② 《불과 달성의 길》 Seligkeit *f.*; Seelenheil *n.* -(e)s; Buddhatum *n.* -s; Nirwana *n.* -(s). ¶ ~를 열망하다 ⁴sich nach Seligkeit sehnen; das Buddhatum ersehnen / ~를 위해 죽다 nach dem Buddhatum sterben.
‖ ~소 Familienbegräbnisplatz *m.* -es, ⸗e; Familientempel *m.* -s, - (보리사). ~수 Linde *f.* -n; Lindenbaum *m.* -(e)s, ⸗e. ~심 die religiöse Gesinnung, -en; die fromme Gemüts¦art (Sinn-) -en.
보리새우 〖동물〗 kleine Krabbe, -n; ähnliche Sorte von Garnele. ‖ ~무침 gewürztes Krabbengericht, -(e)s, -e.
보린(保隣) Nachbarschaftshilfe *f.* -n.
‖ ~관 Sozialinstitut *n.* -(e)s, -e. ~사업 Sozialarbeit *f.* -en. ~회 Hilfswerk *n.* -(e)s, -e; soziale Organisation, -en.
보링 《구멍을 뚫음》 Bohrung *f.* -en; das Bohren*, -s.
보매 dem Anschein nach. ¶ ~ 장사치 같다 Er scheint ein Kaufmann zu sein. / ~ 그 여자는 부자인 것 같다 Sie scheint reich zu sein. / ~ 그는 정직한 것 같지만 실은 그렇지 않다 Er ist nicht so ehrlich wie er aussieht.
보모(保姆) Kindergärtnerin *f.* -nen (유치원의); Kinderfräulein *n.* -s, - (유치원의); Kinderwärterin *f.* -nen; Kinderfrau *f.* -en; Kindermädchen *n.* -s, -.
보무(步武) Marschschritt *m.* -(e)s, -e; Gleichschritt *m.* -(e)s, -e. ¶ ~ 당당하게 in Reih' und Glied marschierend / ~ 당당하다 marschieren; schreiten.
보무라지, 보풀 Papierschnipsel *m.* (*n.*) -s, -; Fussel *f.* -n. ¶ 실보무라지 Fadenabfälle 《*pl.*》 / 양복에 보풀이 묻어 있다 Du hast e-e Fussel am Anzug.
보물(寶物) Schatz *m.* -es, ⸗e; Kleinod *n.* -(e)s, -e; Hort *m.* -(e)s, -e; Kostbarkeiten 《*pl.*》. ¶ 가보로 내려오는 ~ Familienerbschatz *m.* / ~의 전시 die Ausstellung der Schätze / 조상 전래(傳來)의 ~ Erbstück *n.* -(e)s, -e.
‖ ~섬 Schatzinsel *f.* -n. ~장 Schatzhaus *n.* -es, ⸗er; Schatzkammer *f.* -n. ~ 진열장 Schatzausstellungssaal *m.* -(e)s, ..säle; Schatzausstellungsraum *m.* -(e)s, ..räume. ~찾기 Schatz¦sucherei (-gräberei) *f.* -en.
보배 Schatz *m.* -es, ⸗e; Juwel *n.* -s, -en (*m.* -s, -e); Edelstein *m.* -s, -e; Kleinod *n.* -(e)s, -e; wertvolle Sachen. ~롭다, ~스럽다 wertvoll; kostbar (sein). ¶ 숨은 ~ verborgener (eingegrabener) Schatz/ 나라 (집안) 의 ~ National¦schatz (Familien-) / 그는 우리 나라의 ~다 Er ist der Stolz unserer Nation.
보병(步兵) ① Infanterist *m.* -en, -en; Fußsoldat *m.* -en, -en; der Soldat zu Fuß. ② 《병과》 Infanterie *f.* -n; Fuß¦truppe *f.* -n (-volk *n.* -(e)s, ⸗er). ¶ ~과 기병 Infanterie u. Kavallerie / ~으로 복무하다 bei der Infanterie dienen; zu Fuß dienen.
‖ ~대위 Infanteriehauptmann *m.* -(e)s, ⸗er. ~연대(사단) Infanterieregiment *n.* -(e)s, -er (Infanteriedivision *f.* -en). ~장교 Infanterieoffizier *m.* -s, -e. ~전 Infanteriegefecht *n.* -(e)s, -e. ~총 Infanteriegewehr *n.* -(e)s, -e; Karabiner *m.* -s, -.
보복(報復) Vergeltung *f.* -en; Repressalie *f.* -n. ~하다 ⁴*et.* mit ³*et.* vergelten* ; Vergeltung üben 《*an*⁴》; Repressalien an|wenden* (ergreifen*) 《*gegen*⁴》; *jm.* heim|zahlen. ¶ ~적 Vergeltungs- / ~적 관세율 ein auf Gegenseitigkeit beruhender Zolltarif / 아무에게 무엇의 ~을 하다 *jm. et.* vergelten* / 똑같은 ~을 하다 mit Gleichem vergelten*.
‖ ~ 관세 Vergeltungszoll *m.* -(e)s, ⸗e. ~권 Vergeltungsrecht *n.* -(e)s, -e. ~수단 Vergeltungsmaßnahme 《*pl.*》: 아무에 대하여 ~ 조치를 취하다 gegen *jn.* Repressalien an|wenden* (ergreifen*).
보부상(褓負商) Hausierer *m.* -s, -. ¶ ~을 하다 hausieren; hausieren gehen*.

보불(普佛) französisch-preußisch.
‖ ~전쟁 französisch-preußischer Krieg (1870-71).

보비리 Geizhals *m.* -es, ⸗e; Geizhammel *m.* -(e)s, -; Geizhund *m.* -(e)s, -e.

보비위(補脾胃) Stärkung 《*f.* -en》 des Magens u. der Milz. ~하다 den Magen anregen; die Verdauung fördern; 《비위맞춤》 *jm.* willfahren; *jm.* den Willen tun; *jm.* Komplimente machen; *js.* Eitelkeit befriedigen.

보살(菩薩) Bodhisattva [bodizátva] *m.* -, -s 《범어》; der buddhistische Heilige*, -n, -n; einer, der die Buddhaschaft erlangt hat. ¶ 외면은 ~ 내면은 야차(夜叉) ein Bodhisattva scheinen*, ein Teufelsweib sein¦ ein Engel mit [3]Teufelsherzen¦ Äußerlich ein Engel, innerlich ein Teufel.¦ Der Wolf im Schafspelz.
‖ ~탑 der Turm 《-(e)s, ⸗e》, unter dem ein Teil von dem Überrest des Boddhisattvas begrabt ist. ~할미 Buddhistische alte Nonne mit ungeschorenem Kopf.

보살피다 ① 《감독》 wachen 《*auf*[4]》; wachsam 〔aufmerksam〕 sein 《*auf*[4]》; auf|merken 《*auf*[4]》; bewachen[4]; Obacht geben*〔haben〕 《*auf*[4]》; [4]sich hüten 《*vor*[3]》; ein wachsames Auge haben 《*auf*[4]》. ② 《배려》 sorgen 《*für*[4]》; Sorge tragen* 《*für*[4]》; Fürsorge treffen* 《*für*[4]》; umsichtig sein; [3]sich Sorge machen 《*um*[4]》. ¶ 자기 일만 ~ nur für sich tragen* / …을 ~ [4]sich vor [3]*et.* in Obacht nehmen* / 누구의 보살핌을 받고 있다 in 〔unter〕 *js.* Hut sein.

보상(報償) 《갚음》 das Zurück¦geben* 〔Wieder-〕 -s; Rück¦gabe 〔Wieder-〕 *f.* -n; Zurückerstattung *f.* ~하다 zurück|geben*[4] 〔-|stellen[4]〕.

보상(補償) Entschädigung *f.* -en; Ausgleich *m.* -(e)s, -e; Ersatz *m.* -es; Schadloshaltung *f.*; Vergütung *f.* -en; Kompensation *f.* -en; Wiedergutmachung *f.* -en. ~하다 entschädigen 《*jm.* [4]*et.*; *jn. für*[4]》; aus|gleichen*[4]; ersetzen[4]; Ersatz leisten 《*für*[4]》; schadlos halten* 《*jn. für*[4]》; vergüten[4]; kompensieren[4]. ¶ 죄를 ~하다 die Schuld büßen 〔sühnen〕. / 회사는 5,000 마르크의 ~을 요구했다 Die Gesellschaft beanspruchte 5000 DM als Entschädigung. / 모든 손실에 대해서 반드시 ~하겠읍니다 Wir erklären uns, bereit, Sie für jeden Verlust schadlos zu halten, der entstehen könnte.
‖ ~금 Entschädigung *f.* -en; Entschädigungsgeld *n.* -(e)s, -er; Schadenersatz *m.* -es; Entschädigungssumme *f.* -n (금액): ~금으로 …마르크의 금액을 받았다 Ich erhielt eine Summe von DM ... als Entgelt. 상호 ~ Kompensation *f.* -en; Aufrechnung *f.* -en.

보색(補色) Komplementär¦farben 〔Ergänzungs-〕 《*pl.*》.

보서다(保一) für *jn.* gewährleisten; für *jn.* [4]sich verbürgen.

보석(步石) ① 《디딤돌》 Schrittstein *m.* -(e)s, -e; Stufenleiter *f.* -n. ② 《섬돌》 Steinstufe *f.* -n; Treppenflucht *f.* -en.

보석(保釋) Freilassung 《*f.* -en》 gegen Bürgschaft. ~하다 gegen 〔auf〕 Bürgschaft frei|lassen*[4]; gegen Kaution aus dem Gefängnis entlassen*[4]; durch Kautionserlegung auf freien Fuß setzen[4]. ¶ ~을 허가하다 *jm.* 〔dem Angeklagten〕 die Erstellung e-r Bürgschaft 〔Kaution〕 bewilligen. / ~인이 되다 Bürgschaft leisten 《für *jn.*》; für *jn.* bürgen / ~으로 출감하였다 Er ist gegen Kaution aus der Haft entlassen worden. / ~금을 내다 Kaution stellen / ~원을 제출하다 ein Entlassungsgesuch einreichen hinterlegte für ihn e-e Bürgschaft, um s-e Freilassung zu bewirken.
‖ ~금 Bürgschaft *f.* -en; Kaution *f.* -en; Bürgschafts¦summe 〔Kautions-〕 *f.* -n (보석 금액): 그녀는 ~금을 내고 그를 석방시켰다 Sie bewirkte seine Freilassung durch Erstellung e-r Bürgschaft. ~보증서 Bürgschaftsschein *m.* -(e)s, -e; Bürgschaftsbrief. ~원 das Gesuch um Entlassung 〔gegen Kaution〕 *m.* -(e)s, -e.

보석(寶石) Edelstein *m.* -(e)s, -e; Juwel *n.* -s, -en; Kleinod *n.* -(e)s, -e; Bijouterie [..zu..] *f.* -n; Gemme *f.* -n. ¶ ~같은 juwelenartig / ~을 장식하다 juwelen / ~을 박아 끼우기 Juwelenfassung *f.* -n / ~이 있는 시계 Juwelenuhr *f.* -en / ~으로 장식하다 mit Edelsteinen schmücken[4] 〔verzieren[4]〕 / ~을 박아 넣다 mit Juwelen aus|legen[4]; Edelsteine ein|setzen.
‖ ~류 Schmuck¦sachen 〔-waren〕 《*pl.*》; Juwelen(waren) 《*pl.*》. ~상 Juwelenhandel *m.* -s; Juwelier¦laden 〔Schmuck-〕 *m.* -s, -〔⸗〕 (상점); Juwelier *m.* -s, -e; Juwelenhändler 〔Schmuck-〕 *m.* -s, - (사람). ~상자 Juwelen¦kästchen 〔Schmuck-〕 *n.* -s, -. ~세공 Juwelierarbeit 〔Schmuck-〕 *f.* -n. ~장식물 Juwelenschmuck *m.* -(e)s, -e. ~조각술 Gemmenschneidekunst *f.* ⸗e. ~학 Gemmenkunde *f.*

보선(保線) Unterhaltung 〔Instandhaltung〕 《*f.* -en》 der Schienen 〔der Gleise〕.
‖ ~공 Bahnarbeiter *m.* -s, -; Streckenwärter 〔Bahn-〕 *m.* -s, -; Streckenarbeiter *m.* -s, -: ~공 감독 Bahnarbeiteraufseher *m.* -s, -. ~공사 Streckenarbeit *f.* -en; Schieneninstandhaltungsarbeit *f.* -n. ~사무소 das Büro 《-s, -s》 für Schieneninstandhaltung.

보선(普選) Volksabstimmung *f.* -en.

보세(保稅) Warenniederlage 《*f.*》 unter Aufsicht der Zollbehörde. ¶ ~창고에 유치된 unter Verschluß des Zollamts 〔lagernd〕; unverzollt im Zollhaus / ~창고에 넣다 in Entrepot [ãtrəpó:] geben*[4]; unter Zollverschluß legen[4] 〔bringen*[4]〕; in Zollverschluß bringen*[4] / ~창고로부터 꺼내다 aus dem (Zoll)verschluß nehmen*[4].
‖ ~입고 Zollverschluß *m.* ..sses, ..üsse. ~제도 Entrepotsystem *n.* -s, -e. ~창고 Entrepot [ãtrəpó:] *n.* -(s), -s; Zollspeicher *m.* -s, -; Packhaus *n.* -es, ⸗er; Packhof *m.* -(e)s, ⸗e. ~화물 Packhofslager *n.* -s, -〔⸗〕; Waren 《*pl.*》 unter Zollverschluß.

보소(譜所) Amt 《*n.* -(e)s, ⸗er》, das Familienstammbaume erstellt.

보송보송하다 getrocknet; eingetrocknet (sein). ¶ 말라서 ~ ausgetrocknet 〔vertrocknet; verdorrt〕 sein.

보수(保守) die Erhaltung 《-en》 der Hergebrachten 〔des Bestehenden〕; Aufrecht(er)haltung *f.* -en (유지); Konservat(iv)ismus *m.* -(주의). ~하다 das Herkommen* 〔das Hergebrachte*; das Bestehende*〕 erhalten*; am Hergebrachten hangen* (보존하

다); konservieren^{4}. ¶ ~적 konservativ / ~적 정신 der konservative Geist, -es, -er.

‖ ~기질 Konservativismus *m.* -; die konservative (beharrende) Gesinnung, -en; das Festhalten* 《-s》 am Alten (Überlieferten); die altmodische Gesinnung, -en; die unmoderne Denkweise, -n; das Haften* 《-s》 an der Hergebrachten; das konservative Wesen, -s, -: ~ 기질의 konservativ (gesinnt); beharrend; beharrlich; am Alten (Überlieferten) festhaltend; von alter Schule (구파); altmodisch; unmodern / 그는 ~기질을 가졌다 Er klebt am Hergebrachten. ¦ Er ist änderungsfeindlich. ~당 die konservative Partei, -en.: ~당원 (주의자) der Konservative*, -n, -n; ein Mitglied der Rechten; Tory *m.* -s, -s [..ries] (영국의) / 순수 ~당원 ein echter Konservativer*; der Hochkonservative / ~당 후보 der konservative Kandidat, -en, -en. ~세력 der konservative Einfluß, ..sses, ..üsse. ~진영 das konservative Lager, -s, -. ~반동주의 der reaktionäre Konservat(iv)ismus.

보수(補修) das Ausbessern*, -s; das Flicken*, -s; Reparatur *f.* -en; Instandsetzung *f.* -en; Wiederherstellung *f.* -en. ~하다 ausbessern; reparieren.

‖ ~공사 Ausbesserungsarbeit *f.* -en; Reparaturarbeit *f.* -en.

보수(報酬) Bezahlung *f.* -en; Besoldung *f.* -en; Entgeht *n.* (*m.*) -(e)s; Entschädigung *f.* -en; Ehren¦lohn(-sold) *m.* -(e)s, ⸗e; Honorar *n.* -s, -e (의사, 변호사의); Gehalt *n.* -(e)s, ⸗er; Sold *m.* -(e)s, -e; Lohn *m.* -(e)s, ⸗e (임금, 급료); Gage *f.* -n (배우의); Gratifikation *f.* -en (사례); Trinkgeld *n.* -(e)s, -er (팁); Vergütung *f.* -en (상여금). ¶ ~를 주다 belohnen^{4} 《*mit*^{3}》; lohnen 《*jm.* ^{4}*et.*; *mit*^{3}》; entgehen^{4}; entschädigen 《*jn. für*^{4}》; erwidern^{3} 《*mit*^{3}》; honorieren^{4}; vergelten^{4}; bezahlen^{4}; 〖속어〗 ^{4}sich revanchieren [..vä..] 《*mit*^{3}》; e-e Belohnung 《*von*^{3}》 aus|setzen 《*für*^{4}》 / ~를 얻다 bezahlt werden; s-n Lohn empfangen* / ~로서 als Entschädigung (Honorar); zum Entgelt 《*für*^{4}》 / 무~로 um Gotteslohn; ohne ^{4}Entgelt; gratis; umsonst; unbesoldet; unbezahlt / ~를 받을 가치가 있는 belohnenswert / 무엇을 위한 ~로서 zur Belohnung für ^{4}*et.* / ~로 받다 ^{4}*et.* zur Belohnung (als Belohnung) erhalten*^{4} / ~를 충분치 않게 주다 schlecht lohnen^{4}; schlecht bezahlen^{4} / 그는 충분한 ~를 받는다 Er wurde gut bezahlt. / ~는 요구치 않겠읍니다 Wir werden keine Entschädigung beanspruchen. / 내 부하에겐 마음대로 시키십시요, 그러나 물론 ~는 생각하셔야 합니다 Meine Leute stehen Ihnen zur Verfügung, natürlich gegen eine Entschädigung. / 10,000원의 ~를 발견자에게 드리겠읍니다 Eine Belohnung von 10000 *Won* wird dem Finder gegeben.

보수계(步數計) Schritt¦messer (-zähler) *m.* -s, -; Pedometer *n.* (*m.*) -s, -.

보스 Chef [ʃɛf] *m.* -s, -s; der „Alte"*, -n, -n; Boß *m.* ..osses, ..osse.

보스턴백 Reisetasche *f.* -n.

보슬보슬 《눈·비가》 rieselnd; sanft; sacht. ¶ 비가 ~ 내리다 es nieselt; es rieselt.

보슬비 der feine (leise) Regen, -s, -; Sprühregen *m.* -s, -; 〖방언〗 Nieselregen (세우). ¶ ~가 내린다 Es regnet fein. ¦ Es nieselt (sprüht). ¦ Feiner Regen fällt.

보습 Pflugschar *f.* -en (쟁기의 날).

보습(補習) Ergänzung *f.* -en; Fortbildung *f.* -en; die ergänzende Ausbildung, -en. ~하다 fort|bilden^{4}; ergänzen^{4}; ^{4}sich fort|bilden; ergänzenderweise aus|bilden^{4} / 견습 기간 동안에 상업 ~ 학교에 다녔다 Während meiner Lehrzeit besuchte ich einer kaufmännische Fortbildungsschule.

‖ ~과 Fortbildungskursus *m.* -, ..kurse. ~교육 Fortbildung *f.* -en. ~독본 Ergänzungslesebuch *n.* -(e)s, ⸗er. ~학교 Fortbildungs¦schule *f.* -n (-anstalt *f.* -en).

보시(布施) Almosen *n.* -s, -; Gabe *f.* -n; Spende *f.* -n. ~하다 ein Almosen geben*^{3}. ¶ 절에 ~하다 e-m Tempel Gaben dar|bringen*.

보시기 kleine Porzellan¦schale (도기) (Messing- (유기)) -n.

보신(保身) Selbst¦erhaltung (-verteidigung) *f.*; Notwehr *f.*(정당방위). ¶ 그는 ~을 위해서는 꺼리는 것이 없다 Er scheut nichts, um sich zu verteidigen.

‖ ~술 Selbstverteidigungskunst *f.* ⸗e.

보신(補身) ~하다 ^{4}sich durch tonische Getränke stärken.

‖ ~탕 Hundfleischbrühe *f.* -n.

보신(補腎) ~하다 ^{4}sich durch Stärkungsmittel kräftigen.

‖ ~제 Stärkungsmittel *n.* -s, -.

보싸기 den Griff des Bogens mit Kirschbaumrinde umwickeln.

보쌈김치(褓—) mit e-m Kohlblatt umwickelter *Kimchi* (Gemüse).

보아 in Anbetracht von; hinsichtlich; aus Rücksicht auf ^{4}*et.* ¶ 그의 아버지 체면을 ~ aus Rücksicht für s-n Vater.

보아란듯이 prahlerisch; prunkhaft; zu Stolz berechtigend; hochmütig; stattlich; prächtig. ¶ ~ 자랑하다 stolz wie ein Pfau sein 《*auf*^{4}》; ^{3}sich e-n Stiefel ein|bilden 《*auf*^{4}》; ^{4}sich wie ein Pfau brüten 《*mit*^{3}》.

보아주다 schonen^{4}; Milde walten lassen*; Nachsicht üben; ein Auge zu|drücken (schließen*) 《*gegen*^{4}》; durch die Finger sehen*^{4}; fünf gerade sein lassen*^{4}; verzeihen*^{4}; vergeben*^{34}. ¶ 사정을 보아 줄 만한 mildernd; entschuldbar; nachfühlbar; verzeihlich; zu rechtfertigend / 봐 줄 수 없는 nicht zu vergeben; unentschuldbar; unverzeihlich / 실수를 ~ *jm.* den Fehler verzeihen; *jm.* s-n Vergehen vergeben*/ 그와 같은 것은 봐 줄 수 없다 So etwas ist nicht zu verzeihen (unverzeihlich). / 이번만은 봐 주마 Nur diesmal werden wir dich stillschweigend durchgehen lassen.

보아하니 =보매.

보아한들 bei sorgfältiger Betrachtung; bei näherer Erwägung. ¶ ~ 그럴 수가 있나 Erwäg doch die Möglichkeit der Sache!

보안(保安) Aufrechterhaltung 《*f.* -en》 der (des) öffentlichen Sicherheit (Friedens).

‖ ~경찰 Ordnungspolizei *f.* -en; Sicherheitspolizei. ~과 Ordnungsamt *n.* -(e)s, ⸗er. ~관 Bezirksrichter *m.* -s, -. ~림 Waldschutzgebiet *n.* -(e)s, -e. ~요원 《탄광 따위의》 Instandhaltungspersonal *n.* -s, -e; Wartungspersonal *n.*

보암직하다 anziehend; fesselnd; reizend; entzückend (sein).

보약(補藥) Stärkungsmittel *n.* -s, -; Belebungsmittel *n.*; Tonikum *n.* -s, ..ka.

보양(保養) Gesundheitspflege *f.* -en; Kur *f.* -en; Ausspannung *f.* -en; Erholung *f.* -en; Erquickung *f.* -en. ¶ ~을 위하여 zur Erholung; zur Kur; um sich zu erholen (pflegen). ~하다 ⁴sich pflegen; ⁴sich erfrischen 《*an*³; *mit*³; *durch*⁴》; dem Geiste Ruhe gönnen; dem Geiste Erholung gönnen (gewähren; verschaffen); ⁴sich erholen; ⁴sich aus|ruhen (aus|spannen); ⁴sich erquicken; Ferien machen; e-e Kur machen / 그는 ~을 하기 위해 시골로 갔다 Er ging zur Erholung aufs Land.
‖ ~객 Kurgast *m.* -(e)s, ⸚e. ~지 Kurort *m.* -(e)s, ⸚e; Erholungsstätte *f.* -n; Erholungsort *m.* ~원 Sanatorium *n.* -s, ..riem.

보양(補陽) Stärkung der Manneskraft. ~하다 ⁴sich stärken; ein Stärkungsmittel nehmen. ‖ ~제(劑) Medizin zur Stärkung der Manneskraft.

보얗다 ① 《빛깔이》 milchweiß; perlenweiß; frostig (sein). ¶ 살결이 ~ e-e glatte Haut haben. ② 《연기·안개가》 dünstig; neblig; diesig (sein). ¶ 안개가 ~ Der Nebel ist dicht. / 하늘이 먼지로 ~ Der Himmel ist von einer Dunstglocke (Staubwolke) verhängen. ③ 《또렷이 안 뵈다》 verschwommen; verwischt (sein).

보어(補語) 〖문법〗 Komplement *n.* -(e)s, -e.
‖ 주격(목적격)~ Subjekt¦komplement (Objekt-) *n.* -(e)s, -e.

보여주다 zeigen⁴; (an|)sehen lassen*⁴; zur Schau stellen⁴; aus|stellen⁴. ¶ 좀 보여 주겠읍니까 Darf (Kann) ich mal sehen? ¦ Bitte, zeigen Sie es mir! / 다른 방 좀 보여 주십시오 Bitte, zeigen Sie mir ein anderes Zimmer! / 차표 좀 보여 주세요 Bitte, Fahrkarten (vorzeigen)! / 신분증(證)을 보여 주십시오 Bitte, zeigen Sie mir Ihren Ausweis!

보오(普墺) preußisch-österreichisch.
‖ ~전쟁 preußisch-österreichischer Krieg, -(e)s (von 1866); Siebenwochenkrieg *m.*

보옥(寶玉) =보석(寶石).

보온(保溫) das Warmhalten*, -s; Wärmeschutz *m.* -es. ~하다 ⁴sich warm|halten*. ¶ ~이 잘되다 ⁴*et.* lange warm halten*.
‖ ~병 Thermoflasche *f.* -n. ~장치 Thermostat *m.* -(e)s (-en), -e(n).

보우(保佑) Schutz *m.* -(e)s; Protektion *f.* -en; Sicherung *f.* -en. ~하다 beistehen³; helfen³; unterstützen⁴. ¶ 하느님의 ~ Hilfe 《*f.* -n》 der Vorsehung; göttliche Hilfe.

보위(寶位) Thron *m.* -(e)s, -e; königliche Macht, ⸚e. ¶ ~를 잇다 auf den Thron folgen. ‖ ~계승 Thronfolge *f.* -n.

보유(保有) das Behalten*, -s; (Aufrecht)erhaltung *f.* -en; Beibehaltung *f.*; Besitz *m.* -es, -e; das Zurückhalten*, -s. ~하다 (bei-)behalten*⁴; (aufrecht)erhalten*⁴; besitzen*⁴; bewahren⁴; zurück|halten*⁴; im Besitz haben⁴; inne|haben*⁴. ¶ 지위를 ~하다 s-e Stellung behalten* / 극동의 영원한 평화를 유지하기 위하여 전투력을 ~하다 um den Frieden im Fernen Osten für immer zu erhalten, die Kampfkraft behalten*.
‖ ~고(량) Bestand *m.* -(e)s, ⸚e 《an Reis *od.* Seide》; 《현금의》 Kassenbestand; das Vorhandene*, -n; Saldo *n.* -s, ..den (-s, ..di); der vorhandene Geldbetrag, -(e)s, ⸚e; die ganze Summe. ~자 Halter *m.* -s, -; Erhalter *m.* -s, -; Besitzer *m.* -s, -. ~자재 das vorrätige Material, -s, -ien. ~품 Vorrat *m.* -(e)s, ⸚e; Barbestand *m.* -(e)s, ⸚e. 세계기록(선수권) ~자 Weltrekordmann *m.* -(e)s, ⸚er (Weltmeister *m.* -s, -). 영토권~ die Erhaltung der Territorialrechte.

보유(補遺) Nachtrag *m.* -(e)s, ⸚e; Anhang *m.* -(e)s, ⸚e; Zusatz *m.* -(e)s, ⸚e; Ergänzung *f.* -en; Supplement *n.* -(e)s, -e; Ergänzungsband *m.* -(e)s, ⸚e. ¶ ~의 nachträglich; ergänzend; ergänzungsweise.

보유스름하다 milchweiß (sein).

보육(保育) das Aufziehen*, -s; Pflege *f.* -n; Aufziehung *f.* -en; Aufzucht *f.* ~하다 auf|ziehen*⁴; auf|erziehen*⁴; groß|ziehen*⁴; hegen⁴; (hegen u.) pflegen⁽*⁾⁴.
‖ ~자 Kinderpfleger *m.* -s, -.

보은(報恩) die Wiedervergeltung 《*pl.*》 von Wohltaten; 《사은》 Dankbarkeit *f.* -en; Dank *m.* -(e)s. ~하다 *jm.* die Wohltaten vergelten*; 《사은》 *jm.* für die Wohltaten danken.

보음(補陰) 〖한의학〗 Stärkung der Zeugungskraft. ~하다 die Zeugungskraft stärken; ein Stärkungsmittel für die Zeugungskraft nehmen*.
‖ ~제 Medizin für die Zeugungskraft.

보이 Boy [bɔy] *m.* -s, -s; Junge *m.* -n, -n (〖속어〗 Jungs *od.* -ns); 《음식점의》 Kellner *m.* -s, -; Ober(kellner) *m.* -s, - (급사(장)); Aufwärter *m.* -s, -; 《열차의》 Zugwärter *m.* -s, -; 《기선의》 Schiffsjunge; *m.* Steward [stjú:ərt] *m.* -s, -s; 《호텔의》 Hotelboy *m.*; Page [pá:ʒə] *m.* -n, -n.
‖ ~프렌드 Freund *m.* -(e)s, -e 《e-s Mädchens》.

보이다¹ ① 《눈에 들어오다》 aus|sehen*; scheinen*; den Anschein haben; *jm.* ins Auge fallen* Ⓢ. ¶ 잘 보이는 leicht zu sehen; leicht sichtbar (verständlich); augen¦fällig (-scheinlich); offensichtlich; unverkennbar; ersichtlich; offenbar; einleuchtend; klar; deutlich; leserlich (읽기에 잘 보이는) / 잘 보이는 장소 ein Platz 《*n.* -es, ⸚e》, wo man gut sehen kann / 보기 쉬운 책 das leichtverständliche Buch / 저기 섬이 보입니다 Da sehen Sie eine Insel. / 여기서는 시내 전체가 보인다 Von hier aus sieht man die ganze Stadt. / 그 때 고향의 해안선이 보였다 Da wurde die Küste m-r Heimat sichtbar. / 내 시계가 어제부터 안 보인다 Seit gestern kann ich meine Uhr nirgends finden. / 수평선상에 섬이 하나 보인다 Am Horizont wird eine Insel sichtbar. / 아무 곳에도 보이지 않는다 Es läßt sich nirgend(s)wo finden. / 한 사람도 볼 수가 없다 Kein Mensch ist zu sehen. / 하늘에는 구름 한 점 보이지 않는다 Am Himmel war keine Wolke.
② 《생각되다》 (er)scheinen*; aus|sehen*. ¶ 그는 정직해 보인다 Er scheint ehrlich zu sein. / 그는 나이보다 젊게 보인다 Er sieht jünger aus als er ist. / 겉보기에 그는 30 세가량 된 것으로 보인다 Dem Aussehen nach ist er ungefähr dreißig Jahre alt. / 나에게는 꼭 그렇게만 보이지는 않는다 Das will mir nicht so ganz scheinen. / 그들은 부자로 보인다 Sie scheinen reich zu sein. ¦ Es scheint, daß sie reich sind.

보이다² 《…에게》 zeigen⁴ 《*jm.*》; präsentieren⁴ 《*jm.*》; sehen lassen*⁴; vor|führen⁴ (-|weisen*⁴; -|zeigen⁴) 《*jm. in*⁴》; e-n Einblick geben* (gewähren) 《*jm. in*⁴》. ¶ 아이를 의사에게 ~ das Kind vom Arzt untersuchen lassen* / 속을 드러내 ~ *jn.* in e-e Sache (in ein Geheimnis) ein|weihen / 자신의 정직함을 ~ ⁴sich ehrlich zeigen; er zeigt Ehrlichkeit / 보이라니까 Zeig mal her! / 보여 드릴까요 Darf ich es Ihnen mal zeigen? / 그 사진을 보여 다오 Zeige mir die Photographie! ¦ Laß mich die Photographie ansehen. / 내가 그 돌덩이를 어떻게 들어올릴 수 있는가 보여 주마 Ich will dir zeigen, wie ich den Stein hoch heben kann.

보이스레코더 Voice-Recorder [vɔ́is-rεkɔrdər] *m.* -s, -.

보이스카우트 《단체》 Pfadfinder *m.* -s, -; 《단원》 ein Pfadfinder; 〖방언〗 Pfader *m.* -s, -. ‖ ~대장 der Leiter des Pfadfinders. ~대회 Pfadfindertagung *f.* -en; Pfadfinderversammlung *f.* -en.

보이콧 Boykott [bɔykɔ́t] *m.* -(e)s, -e; Boykottierung *f.* -en; Verruf *m.* -(e)s, -e; Verrufserklärung *f.* -en. ~하다 boykottieren⁴; in ⁴Verruf erklären⁴ (tun*⁴); verrufen*⁴; verfemen⁴.

보이프렌드 der Liebste*, -n, -n; Freund *m.* ⌈-(e)s, -e.

보익(輔翼) Hilfe *f.* -n; Beistand *m.* -(e)s, ¨e; Unterstützung *f.* -en. ~하다 helfen³; bei|stehen³; Hilfe leisten.

보인(保人) Gewährsmann *m.* -(e)s, ¨er; Bürge *m.* -n, -n.

보일러 Boiler [bɔ́ilər] *m.* -s, -; (Dampf)kessel *m.* -s, -; Dampfzeuger *m.* -s, -.

보잇하다 etwas neblig; dunstig; verschwommen (sein).

보자기 Einschlagtuch *n.* -(e)s, ¨er; Umschlagtuch *n.* ¶ ~에 싸다 in ein Tuch ein|schlagen*⁴ (ein|wickeln⁴).

보잘것없다 miserabel; sehr schlecht; wertlos; winzig (sein). ¶ 보잘것 없는 klein; bescheiden; anspruchlos / 보잘것 없는 집 die bescheidene Wohnung; die kleine Hütte / 보잘것 없는 장사 ein bescheidenes Geschäft / 그것은 전혀 ~ Das ist von gar keinem Wert. / 이 작문은 ~ Dieser Aufsatz ist einfach unmöglich.

보장(保障) Garantie *f.* -n; Gewähr *f.*; Gewährleistung *f.* -en; Sicherstellung *f.* -en; Versicherung *f.* -en; Verbürgung. ~하다 gewähr|leisten 《*für*⁴》; garantieren 《*für*⁴》; sicher stellen⁴; sichern⁴; versichern⁴. ¶ 헌법으로 ~된 durch die Verfassung garantiert / 생활을 ~하다 *jm.* den Lebensunterhalt sichern / 편지의 비밀은 헌법으로 ~되어 있다 Das Briefsgeheimnis ist durch die Verfassung garantiert (gewährleistet).

‖ ~조약 Beistandspakt *m.* -(e)s, -e. 사회 ~ soziale Versicherung, -en. 안전~이사회 Sicherheitsrat *m.* -(e)s, ¨e. 집단 안전 ~ die kollektive Sicherheit, -en.

보쟁기 《쟁기》 Metalpflug m. -(e)s, ¨e; von zwei Ochsen gezogener Pflug.

보쟁이다 Ehebruch 《*m.* -(e)s, ¨e》 begehen*; die Ehe 《-n》 brechen*.

보전(保全) Sicherstellung *f.* -en; Unversehrtheit *f.*; Konservierung *f.* -en; Bewahrung *f.* -en; Erhaltung *f.* -en. ~하다 in Sicherheit stellen⁴; unverlezt (unversehrt) bewahren⁴ (erhalten*⁴); konservieren⁴; unversehrt (intakt) erhalten*⁴. ¶ 국토를 ~하다 das Land intakt erhalten*; die Integrität des Landes erhalten* / 대한 민국의 영토를 ~하다 die Territorialintegrität Koreas erhalten* / 극동의 평화를 ~하다 den Frieden im Fernen Osten aufrecht|erhalten*. ‖ 국토 ~, 영토 ~ Territorialintegrität *f.*

보전(補塡) Deckung *f.* -en; Ausgleich *m.* -(e)s, -e. ~하다 decken⁴; aus|gleichen*⁴. ¶ 적자를 ~하다 e-n Verlust decken / 손실은 이익으로 ~되었다 Der Verlust ist durch einen Gewinn ausgeglichen.

보전(寶典) Thesaurus *m.* -, ..ren (..ri); Handbuch *n.* -(e)s, ¨er; Lexikon *n.* -s, ..ka; Sprachschatz *m.* -es, ¨e.

보정(補正) Berichtigung *f.* -en; Verbesserung *f.* -en; Korrektion *f.* -en; Korrektur *f.* -en; Revision *f.* -en. ~하다 berichtigen⁴; verbessern⁴; korrigieren⁴; revidieren⁴.

‖ ~예산 der revidierte Etat [etá:] -s, -s.

보정(補整) Ausgleichung *f.* -en; Ausgleich *m.* -(e)s, -e; Regelung *f.* -en; Kompensation *f.* -en. ~하다 aus|gleichen*⁴; regeln⁴; kompensieren⁴.

‖ ~기 Kompensator *m.* -s, -en; Ausgleicher *m.* -s, -. ~진자 Kompensationspendel *m.* (*n.*) -s, -; Ausgleichungspendel.

보제(補劑) =보약(補藥).

보조(步調) Schritt *m.* -(e)s, -e. ¶ 느린 ~로 langsamen Schrittes / ~를 맞추다 Schritt (Tritt) halten* / ~를 빨리하다 (늦추다) s-e Schritte beschleunigen (verlangsamen) / ~가 맞지 않다 aus dem Schritt kommen* Ⓢ / ~를 바꾸다 (den) Schritt (Tritt) wechseln / 행동의 ~를 맞추다 im Einverständnis handeln 《*mit*³》/ ~를 맞춰라 Im Tritt! ¦ Tritt gefaßt! / 우리는 ~를 맞추어 나아가지 않으면 안 된다 Wir müssen dabei einheitlich vorgehen.

보조(補助) Hilfe *f.* -n; Beistand *m.* -(e)s, ¨e; Unterstützung *f.* -en; Ersatz *m.* -es (보충); 《보조금》 Hilfsgeld *n.* -(e)s, -er; Subsidium *n.* -s, ..dien; Subvention *f.* -en; Staatszuschuß *m.* ..schusses, ..schüsse; 《사람》 Gehilfe *m.* -n, -n; Aushilfe *f.* -n. ~하다 *jm.* Hilfe (Beistand) leisten; *jm.* helfen* (bei|-stehen*); unterstützen⁴; subventionieren⁴. ¶ ~금(金)을 주다 mit Hilfsgeldern unterstützen / ~금을 받다 unterstützt werden; Geldhilfe erhalten* / 국가의 ~를 받다 staatlich durch Geldmittel unterstützt werden / 생활비를 ~하다 *jn.* für s-n Unterhalt mit Hilfsgeldern versorgen / 학비(學費)를 ~하다 bei der Bestreitung der Studienkosten unterstützen / 이 기업은 국가의 ~를 받고 있다 Dieses Unternehmen ist staatlich subventioniert. / 그는 명실공히 나의 ~자다 Er steht mir mit Rat u. Tat bei. / 그는 그녀의 생활을 ~하고 있다 Er kommt für ihre Unterhaltskosten auf.

‖ ~기관 Hilfsmaschine *f.* -n. ~날개 Querruder *n.* -s, -; Hilfsflügel *m.* -s, - (비행기의). ~도로 Hilfs¦strecke (Neben-) *f.* -n. ~의자 Notsitz *m.* -es, -e. ~장치 Hilfsvorrichtung *f.* -en. ~학과 Hilfswissenschaft *f.* -en. ~함 Hilfs(kriegs)schiff *n.* -(e)s, -e. ~항로 die subventionierte Dampferlinie. ~화(폐) Scheidemünze *f.* -n; Kleingeld *n.* -(e)s, -er.

보조개 Grübchen *n.* -s, -. ¶ ~있는 얼굴 das Gesicht mit Grübchen / ~가 생기다 (~를 짓다) Grübchen bekommen* (bilden 《*auf*³》).

보족(補足) Ergänzung *f.* -en; Vervollständigung *f.* -en; Zusatz *m.* -(e)s, ¨e; Nachtrag *m.* -(e)s, ¨e; Komplement (Supple-

ment) *n.* -(e)s, -e. ～하다 ergänzen⁴; vervollständigen⁴; zu|setzen⁴; nach|tragen*⁴. ¶ ～의 ergänzend; Ergänzungs-; komplementär; nachträglich / ～적으로 in (als) Ergänzung; ergänzungsweise.
‖ ～어 Objekt *n.* -(e)s, -e; Ergänzung.

보존(保存) Verwahrung *f.* -en (Bewahrung) *f.* -en; Erhaltung *f.* -en; Instand|haltung (Unter-) *f.* -en; Konservierung *f.* -en. ～하다 (auf|)bewahren⁴; ein|machen⁴(과일 따위를); erhalten*⁴; in gutem Zustand halten*⁴; instand|halten*⁴; konservieren⁴; unterhalten*⁴; verwahren⁴.
‖ ～비 Erhaltungskosten 《*pl.*》; Verwahrungskosten 《*pl.*》. ～자 Erhalter *m.* -s, -; Bewahrer *m.* -s, -. ～자료 Erhaltungsmittel *n.* -s, -. 세력～ die Erhaltung der Kräfte. 자기 ～ 본능 Selbsterhaltungstrieb *m.* -(e)s, -e.

보좌(補佐) 《일》 Hilfe *f.* -n; Hilfsleistung *f.* -en; Beistand *m.* -(e)s, ⸚e; Assistenz *f.* -en; 《사람》 Gehilfe *m.* -n, -n; Beirat *m.* -(e)s, ⸚e; Beisteher *m.* -s, -; Berater *m.* -s, -. ～하다 *jm.* helfen*; *jm.* bei|stehen*; *jm.* Beistand leisten. ¶ ～의 임무를 맡다 bei *jm.* als Ratgeber (Beirat; Beistand) wirken.
‖ ～관 Berater *m.* -s, -.

보주(補註) die ergänzende Bemerkung, -en.

보중(保重) die Aufbewahrung 《*f.* -en》 der Gesundheit. ～하다 《몸을》 die Gesundheit bewahren.

보증(保證) Garantie *f.* -n; Bürgschaft *f.* -en; Gewähr *f.*; Gewährleistung *f.* -en; Gutsagung *f.* -en; Haftung *f.* -en; Sicherheit *f.* -en; Sicherheitsleistung *f.* -en; Sicherstellung *f.*; Versicherung *f.* ～하다 gut sprechen*; ein|stehen*《*für*⁴》; garantieren⁴; bürgen; e-e Bürgschaft leisten (stellen); gewähr|leisten⁴; haften 《이상 모두 *für*⁴》; versichern 《*jm.* ⁴*et.*; *jn.* ²*et.*》. ¶ ～된 verbürgt; versichert; garantiert / ～인(人)이 되다 für *jn.* Bürge werden; für *jn.* bürgen / ～을 떠맡다 die Bürgschaft übernehmen* / 그의 정직함을 ～할 수 있다 Ich kann mich für seine Ehrlichkeit verbürgen. / 그는 나에게 경제적 도움을 ～했다 Er versicherte mir seine finanzielle Unterstützung. / 상품이 가짜가 아님을 ～합니다 Wir bürgen für die Echtheit der Ware. / 이 시계는 일년간 ～할 수 있읍니다 Wir garantieren ein Jahr für diese Uhr.
‖ ～계약 Garantievertrag *m.* -(e)s, ⸚e. ～금 Bürgschaft *f.* -en; Kaution *f.* -en; Garantiesumme *f.* -n. ～서 Garantieschein *m.* -(e)s, -e. ～인 Bürge *m.* -n, -n; Garant *m.* -en, -en; Gewährsmann *m.* -(e)s, ⸚er (..leute): ～인을 세우다 e-n Bürgen stellen. ～적립 예비금 Garantiefond *m.* -s, -s. ～채무 Bürgschaftsobligation *f.* -en.

보지 〖해부〗 Vulva *f.* ..ven; äußerliche, weibliche Scham *f.*

보지(保持) Erhaltung *f.* -en; Aufrechterhaltung *f.* -en; Bewahrung *f.* -en; Verwahrung *f.* -en; Konservierung *f.* -en. ～하다 erhalten*⁴; aufrecht|erhalten*⁴; behaupten⁴; behalten*⁴; bewahren⁴. ¶ 지위를 ～하다 s-e Stellung behalten* / 명예를 ～하다 s-e Ehre bewahren / 영토권을 ～하다 die Territorialrechte 《*pl.*》 erhalten*.

보지(報知) Nachricht *f.* -en; Bericht *m.* -(e)s, -e; Mitteilung *f.* -en; Kunde *f.* -n. ～하다 berichten⁴《*jm.*》; mit|teilen; *jm.* Mitteilung machen; *jn.* in Kenntnis setzen 《von ³*et.*》; benachrichtigen 《*jn. von*³》.

보지락 Regen 《*m.* -s, -》, der nur pflugtief eindringt. ‖ ～비 leichter Regen.

보직(補職) Stelle *f.* -n; Amt *n.* -(e)s, ⸚er; Ernennung *f.* -en; Ausstellung *f.* -en. ¶ ～되다 e-e Stelle innehaben.

보짱 ☞ 배짱.

보찜만두(褓一饅頭) gefüllter Dampfkloß, -es, ⸚e.

보채다 verdrießlich (mürrisch) sein; quengeln; mißmutig reden; weinerlich tun*. ☞ 떼쓰다. ¶ 보채는 아이를 달래다 ein ärgerliches (verdrießliches; mürrisches) Kind beruhigen.

보철(補綴) Ergänzung 《*f.* -en》 u. Vervollständigung 《*f.* -en》; Ersatz *m.* -es. ～하다 ergänzen u. vervollständigen.

보첩(譜牒) Familienforschung *f.* -en; Genealogie *f.* -n; Stammbaum *m.* -(e)s, ⸚e.

보청기(補聽器) Hörapparat *m.* -(e)s, -e; Hörinstrument *n.* -(e)s, -e.

보초(步哨) Posten *m.* -s, -; Vorposten *m.* -s, -; (Schild)wache *f.* -n. ¶ ～를 서다 Posten (Wache) stehen*; auf Wache sein; auf Posten sein/～를 교대하다 den Posten ab|lösen / ～를 서러 가다 auf Posten (Wache) ziehen*Ⓢ / 아무를 ～로 세우다 *jn.* auf Posten stellen.
‖ ～근무 Postdienst *m.* -es, -e. ～막 Schilderhaus *n.* -es, ⸚er. ～선 Postkette *f.* -n; Postlinie *f.* -n.

보추 《진취성》 Schlagfertigkeit *f.* -en; Angriffslust *f.* ⸚e; Ergeiz *m.* -es; Ehrsucht *f.* ⸚e. ¶ ～ 없다 nicht ehrgeizig sein; ehrsuchtlos sein.

보충(補充) Ergänzung *f.* -en; Ersatz *m.* -es; Ersetzung *f.* -en; Nachtrag *m.* -(e)s, ⸚e; 《증보》 Vervollständigung *f.* -en; Zusatz *m.* -es, ⸚e. ～하다 ergänzen⁴; ersetzen⁴; vervollständigen⁴; aus|füllen⁴; wieder|besetzen; rekrutieren⁴; 《손실》 nach|holen⁴; wieder|ein|bringen*. ¶ ～의 ergänzend; nachträglich; vervollständigend; zusätzlich / 결원을 ～하다 e-e freigewordene Stelle aus|-füllen / 연대의 신병을 ～하다 ein Regiment rekrutieren / 뒤진 것을 ～하다 Versäumtes nach|holen / ～되다 ersetzt werden; vervollständigt werden; wieder|besetzt werden/ 아무의 말을 ～하다 *js.* Aussage ergänzen / 부족을 ～하다 e-n Mangel ersetzen / 손실을 ～하다 e-n Verlust ergänzen; ein Defizit decken / 결점을 ～하다 s-e Schwäche aus|-gleichen / 수입의 부족을 ～하다 *js.* Einkommen ergänzen / 뒤진 독일어 공부를 ～하겠다 Ich werde mein deutsches Studium nachholen.
‖ ～대대 Ersatzbataillon [..bataljó:n] *n.* -s, -e. ～법규 Ergänzungsgesetz *n.* -es, -e. ～병 Reservist *m.* -en, -en; Ersatz *m.* -es; Ersatzmannschaft *f.* -en (군대). ～부대 Ersatztruppen 《*pl.*》. ～징집 die Aushebung zum Ersatz.

보츠와나 《나라 이름》 Botsuana (Botswana) *n.* -s; Republik 《*f.*》 B. ¶ ～의 botsuanisch; botswanisch.
‖ ～사람 Botsuaner (Botswaner) *m.* -s, -.

보칙(補則) 〖법〗 zusätzliche Regel, -n; Anweisung *f.* -en.

보크 Fehlwurf *m.* -(e)s, ⸚e (야구); abgestrichenes Viertel der Kader (당구).

보크사이트 〖광물〗 Bauxit *m.* -(e)s, -e.

보태다 ① 《보충하다》 ergänzen^4; vervollständigen^4; helfen*^{3}; dienen 《*zu*^{3}》. ¶ 수입을 ~ das Einkommen ergänzen 《*mit*^{3}》/ 힘을 ~ Kraft geben*^{34} (verleihen*) / 그건 아무 보탬도 안 된다 Das hilft (dient) zu nichts. ② 《보태어말함》 (^{3}sich) den Mund voll|nehmen*; übertreiben*^{4} aus e-r Mücke e-n Elefanten machen; zu hoch an|geben*^{4}; zu stark betonen^4; dick auf|tragen*^{4}. ③ 《가산하다》 addieren^4; hinzu|fügen^4; zusammen|zählen^4 (합산하다). ¶ …을 보태서 einschließlich^2; inklusiv^2 / 이자를 원금에 ~ die Zinsen zum Kapital schlagen* / 셋에 둘을 ~ 3 u. 2 addieren / 여섯에 일곱을 보태면 열 셋이 된다 Sechs und sieben macht dreizehn.

보통(普通) ① 《보통의》 gewöhnlich; üblich; gebräuchlich; allgemein; verbreitet; generell; alltäglich (일상의); normal (정상); mittelmäßig (중 정도의); durchschnittlich; Durchschnitts- (범용한); im allgemeinen; regulär. ¶ ~ 사람 Durchschnittsmensch *m.* -en, -en; der gewöhnliche Mann 《-(e)s, Leute》 auf der Straße; Laie *m.* -n, -n / ~ 이상의 (으로) außer¦gewöhnlich (un-); ungemein; außerordentlich; überdurchschnittlich / ~ 이상이다 über dem Durchschnitt stehen* / 그녀는 그에게 ~ 이상의 호의를 보여 주었다 Sie bewies ihm ein ungewöhnliches Wohlwollen. / 그는 ~ 사람이 아니다 Er ist kein gewöhnlicher Mensch. ¦ Er ist gewiß nicht von gewöhnlichem Schlage. / 이 추위는 ~이 아니다 Diese Kälte ist ungewöhnlich. / 그녀가 그 나이에도 결혼하지 않았다는 것은 ~ 일이 아니다 Etwas muß nicht stimmen, daß sie in ihrem Alter nicht verheiratet ist. / 나는 ~ 사람에 불과하다 Ich bin nur ein gewöhnlicher Sterblicher. / 그녀의 독일어 실력은 ~ 이상이다 Ihre Kenntnisse im Deutschen gehen über den Durchschnitt. ② 〖부사적〗 meistens; in den meisten Fällen; im allgemeinen; gewöhnlich; üblich; gebräuchlich; generell. ¶ ~ 나는 다섯 시에 일어난다 Ich stehe gewöhnlich um fünf Uhr auf. / 우리는 ~ 여섯시에 저녁을 먹는다 Wir essen gewöhnlich um sechs Uhr zu Abend.
‖ **~개념** Allgemeinebegriff *m.* -(e)s, -e. **~교육** die allgemeine Schulpflicht (Erziehung) -en. **~급행** (gewöhnlicher) Eil¦zug (Schnell-). **~명사** Gattungsname *m.* -ns, -n. **~법** das allgemeine Recht, -(e)s, -e. **~선거** die allgemeine Wahl, -en; das allgemeine Wahlrecht, -(e)s, -e. **~열차** Personen¦zug (Bummel-) *m.* -(e)s, ⸗e. **~우편** die gewöhnliche Post, -en.

보통내기(普通—) ＝행내기.

보퉁이(褓—) Bündel *n.* -s, -; Pack *m.* (*n.*) -(e)s, ⸗e. ¶ 옷 한 ~ ein Kleiderbündel / ~를 싸다 zusammen|packen / ~를 풀다 aus|packen.

보트 Boot *n.* -(e)s, -e; Barke *f.* -n; Gig *f.* -s; Kahn *m.* -(e)s, ⸗e; Kutter *m.* -s, -. ¶ ~를 타다 Boot fahren* / ~를 (끌어)내리다 ein Boot ab|schleppen (herunter|lassen*) / ~를 타러 가다 rudern gehen* ⓢ.
‖ **~레이스** (Ruder)regatta *f.* ..gatten; Ruderwettfahrt *f.* -en; Bootwettfahrt *f.* -en. **~승무원(선수)** Rudermannschaft *f.* -en; Besatzung *f.* -en.

보편(普遍) Allgemeinheit *f.*; Allgegenwart *f.* ¶ ~적인 allgemein; allumfassend; universal; universell / ~적(으로) im allgemeinen(일반적); weit u. breit; überall; allenthalben. ‖ **~성** Allgemeinheit *f.*; Universalität *f.* **~타당성** Allgemeingültigkeit *f.*

보폭(步幅) Schritt *m.* -(e)s, -e; Schrittlänge *f.* -n; Gang *m.* -(e)s, ⸗e.

보표(譜表) 〖음악〗 Notenlinien 《*pl.*》; Notensystem *n.* -s, -e.
‖ **~기법** die Notation des Notensystems.

보풀, 보푸라기 Fussel *f.* -n. ¶ 보풀이 인 fusselig; zottig; struppig.
‖ **보풀명주** Rohseide *f.* -n.

보풀다 auf|gerauht sein.

보풀리다 (Tuch *od.* Papier) aufrauhen.

보필(輔弼) Beistand *m.* -(e)s, ⸗e; Hilfe *f.* -n; Beratung *f.* -en. **~하다** *jm.* bei|stehen*; *jm.* helfen*; *jn.* beraten* 《*über*^{4}》; *jm.* Beistand leisten; *jm.* zur Seite stehen*. ☞ 보좌. ‖ **~신하** der Berater der Krone; der kaiserliche Rat, -(e)s, ⸗e.

보하다(補—) ernennen*^{4}; bestellen^4 《모두 *zu*^{3}》; an|stellen^4; ein|setzen^4. ¶ 제 1 사단장에 ~ zum Kommandeur der ersten Division ernennen 《*jn.*》.

보학(譜學) Genealogie *f.* -n; Familienforschung *f.* -en.
‖ **~자** Genealog *m.* -en, -en.

보합(保合) das Stabilsein*, -s; das Standhalten*, -s. **~하다** in ruhiger (fester) Haltung sein; ^{4}sich halten*; ^{4}sich stationär behaupten. ¶ ~ 상태이다 linear verlaufen* ⓢ (가격, 생산 등) / 증권 시세는 ~ 상태이다 in den Kursen k-e Veränderungen; Die Börse ist in ruhiger (fester) Haltung. / 시세는 ~ 상태에 있다 Der Kurs behauptet sich fest.

보행(步行) das Gehen*, -s; Gang *m.* -(e)s, ⸗e; Schritt *m.* -(e)s, -e. **~하다** (zu Fuß) gehen* ⓢ; laufen* ⓢ; schreiten* ⓢ; ^{4}sich fort|bewegen; ^{4}sich ergehen. ¶ ~의 자유를 잃다 lahm werden; die Gangfähigkeit verlieren / 이 길은 ~하기가 어렵다 Es geht sich schwer auf diesem Weg.
‖ **~연습** Gangübung *f.* -en; Gehübung *f.* -en; die Übung im Schreiten: ~연습을 하다 zur Gehübung Schritte 《*pl.*》 machen / ~연습을 위하여 zur Gehübung; um ^{4}sich im Gehen zu üben. **~자** Fußgänger *m.* -s, -; der Gehende*, -n, -n; der Fußreisende*, -n, -n; Fußgeher *m.* -s, - 《오스트리아》: ~자 천국 Fußgängerparadies *n.* -es, -e.

보험(保險) Versicherung *f.* -en; Assekuranz *f.* -en. ¶ ~을 신청하다 die Beantragung e-r Versicherung stellen / ~에 들다 ^{4}sich versichern (lassen*) 《*gegen*^{4}》/ ~을 계약하다 e-e Versicherung ab|schließen / ~을 해약하다 e-e Versicherung auf|heben* / 도난 ~에 들다 ^{4}sich gegen Einbruch versichern/ 상해 ~에 들다 ^{4}sich gegen Unfälle versichern / ~회사에 근무하다 in e-r Versicherungsgesellschaft arbeiten / 귀사에 생명 ~을 들고 싶습니다 Ich wünsche mein Leben bei Ihrer Gesellschaft versichern. / 우리 집을 화재~에 넣었다 Ich habe mein Haus gegen Feuer versichert (versichern lassen). / 자동차 ~은 5월 3일로 만기가 됩니다 Die Autoversicherung läuft am 3. Mai ab. / 나는 연금 ~을 해약했다 Ich habe meine Rentenversicherung aufgegeben. / 그 집

은 2백만 원짜리 화재 ~에 들어 있다 Das Haus ist gegen Feuer mit 2 Millionen *Won* versichert.

‖ ~가격 Versicherungswert *m.* -(e)s, -e. ~계약 Versicherungsvertrag *m.* -(e)s, ⸗e: ~ 계약 기간 Versicherungs¦dauer (-frist) *f.* -en / ~계약자 der Versicherte*, -n, -n; Versicherungsnehmer *m.* -s, -. ~권유원 Versicherungsmakler *m.* -s, -. ~규약 Versicherungs¦klausel *f.* -n (-bedingungen 《*pl.*》). ~금액 Versicherungssumme *f.* -n. ~금 수취인 Empfänger 《*m.* -s, -》 der Versicherungssumme. ~료 Versicherungsprämie *f.* -n (-gebühr *f.* -en). ~물 Versicherungsgegenstand *m.* -(e)s, ⸗e. ~신청서 Versicherungsantrag *m.* -(e)s, ⸗e. ~업 Versicherungs¦unternehmung *f.* -en (-geschäft *n.* -(e)s, -e): ~업자 Versicherer *m.* -s, -. ~율 Prämiensatz *m.* -es, ⸗e. ~증서 Versicherungs¦police *f.* -n (-schein *m.* -(e)s, -e). ~회사 Versicherungs¦gesellschaft *f.* -en (-agent *m.* -en, -en). 건강~의(사) Krankenkassenarzt *m.* -(e)s, ⸗e. 피~자 der Versicherte*, -n, -n. 화재(생명, 해상, 건강, 상해, 손해 배상, 신용, 도난, 양로)~ Feuer¦versicherung (Lebens-, See-, Kranken-, Unfalls-, Haftpflcht-, Kredit-, Diebstahls-, Alters-).

보혈(補血) Blutersatz *m.* -es.

보혈(寶血) 〖기독교〗 das unschätzbar wertvolle Blut (von Jesus).

보호(保護) Schutz *m.* -es; Beschützung *f.* -en; Beschirmung *f.* -en; Hut *f.*; Obhut *f.*; Pflege *f.* -n; Schirm *m.* -(e)s, -e; Protektion *f.* -en; Deckung *f.* -en. ~하다 schützen⁴; behüten⁴ 《*von*³》; (be)schirmen⁴; pflegen*⁴; *jn.* in Schutz (Obhut) nehmen*; *jm.* Schutz gewähren (leihen*); *jn.* unter s-e Fittiche nehmen*; im Schutz u. Schirm nehmen*; *jm.* s-n Schutz angedeihen lassen*; Sorge tragen* 《*für*⁴》. ¶ ~ 없는 schutzlos; ungeschirmt; wehrlos; hilflos / ~받다 unter *js.* Schutz sein (stehen*); *js.* Schutz erhalten*; geschützt werden / 한국 주민을 ~하기 위하여 zum Schutz der koreanischen Bewohner / ~를 청하다 bei *jm.* Schutz (u. Schirm) (Zuflucht) suchen / 생명과 재산의 ~를 위하여 경찰이 투입되었다 Die Polizei wurde zum Schutz des Lebens und Eigentums eingesetzt. / 이 나라에서는 고액의 관세를 부과하여 외래품과의 경쟁을 ~하고 있다 Dieses Land ist gegen ausländischen Wettbewerb durch eine Mauer hoher Schutzzölle geschützt. / 고아들은 잘 ~되어 있다 Die Waisen sind in guten Händen.

‖ ~관세 Schutzzoll *m.* -(e)s, ⸗e (Schutzzolltarif *m.* -s, -e (세율)). ~국 Protektorat *n.* -(e)s, -e; Schutzgebiet *n.* -(e)s, -e. ~림 Schutzwald *m.* -(e)s, ⸗er. ~무역 Schutzhandel *m.* -s, -: ~무역론 Schutzzollsystem *n.* -s, -e; Protektionismus *m.* - / ~무역론자 Schutzzöllner *m.* -s, -; Protektionist *m.* -en, -en / ~무역 제도 Schutzzollsystem. ~색 Schutzfarbe *f.* -n. ~자 (Be)schützer *m.* -s, -; Schirm¦herr (Schutz-) *m.* -n, -en; Gönner *m.* -s, -; Patron *m.* -(e)s, -e; Aufseher *m.* -s, -. ~조 Schutzvogel. 문화(천연) 기념물 ~ Kultur¦denkmalpflege (Natur-) *f.* -n. 자연~ Naturschutz *m.* -es: 자연~ 지구 Naturschutzgebiet *n.* -(e)s, -e. 피~ 자 Schützling *m.* -s, -e; der Schutzbefohlene*, -n, -n.

보호관찰(保護觀察) Schutz *m.* -es; Bewährung *f.* -en. ¶ ~에 부치다 unter Schutz u. Bewährung stellen.

‖ ~관 Schutzbeamte *m.* -n, -n. ~제도 Schutz- u. Bewährungssystem.

보화(寶貨) =보물(寶物).

보히미아 《체코의 지방》 Boheme.

보히미안 Bohemien *m.* -s, -s. ¶ ~의, ~적인 böhmisch; zigeunerisch; zigeunerhaft.

복 〖어류〗 Igel¦fisch (Kugel-) *m.* -(e)s, -e. ¶ 복은 먹고 싶고 목숨은 아깝고 Kugelfische möchte man essen, doch einem ist das Leben teuer.

‖ 복국 Igelfischsuppe *f.* -n. 복중독 das Gift des Igelfisches.

복(伏) ☞ 복날.

복(福) Glück *n.* -(e)s; Glücksfall *m.* -(e)s, ⸗e; Glückseligkeit *f.*; Segen *m.* -s, - (축복); Glücksgabe *f.* -n; Glückfall *m.* -(e)s, ⸗e. ¶ 복된 glück¦lich (-haft; -selig); beglückt; segens¦voll (-reich) / 복 많은 glücklich; gesegnet; unter e-m glücklichen Stern geboren / 복 없는 unglück¦lich (-haft; -selig); unbeglückt; unselig / 복 많은 자 Glückskind *n.* -(e)s, -er; Glückspilz *m.* -es, -e / 굴러 들어온 복 das unverhoffte Glück, -(e)s/ 그는 복을 타고 났다 Ihm lächelt Fortuna. ¦Das Glück ist ihm günstig (hold). / 마음이 가난한 자는 복이 있나니 Selig sind, die da geistlich arm sind. / 나는 복된 생활을 하고 있다 Ich führe ein glückliches Leben. ¦Mein Leben ist voll Glück. / 그는 복 받은 아이이다 Er ist ein Glückskind. / 복은 한꺼번에 굴러 들어 온다 Wo das Glück hinkommt, kommt es in Haufen. / 명랑한 자에게 복이 온다 Das Glück kommt zu dem Fröhlichen. ¦Dem Fröhlichen ist das Glück hold. / 나에게 복이 왔다 Das Glück hat sich mir zugewandt.

복-(複) Komplex *m.* -(e)s, -e; Zusammensetzung *f.* -en; Gemisch *n.* -(e)s, -e; Doppel-.

복각(伏角) 〖물리〗 die Inklination der Magnetnadel; Neigungswinkel *m.* -s, -.

‖ ~계 Neigungsmesser *m.* -s, -. ~측원기 Neigungswinkelsucher.

복간(復刊) Neuauflage *f.* -n; Wieder(her-)ausgabe *f.* -n; Wiederaufnahme 《*f.* -n》 der eingestellten Herausgabe (von Zeitung *od.* Zeitschrift)(휴간중의 신문, 잡지 따위의).

¶ ~잡지 제 1 호 Erstausgabe e-r wiederaufgelegten Zeitschrift.

복강(腹腔) 〖해부〗 Bauchhöhle *f.* -n. ‖ ~임신 Bauchhöhlenschwangerschaft *f.* -en.

복걸(伏乞) Bettelei *f.* -en; Bettel *m.* -s.

복계(復啓) e-e Art der Anrede in Briefform wie: Herzlichen Dank für Ihren Brief....

복고(復古) Restauration *f.* -en; Wiederherstellung *f.* -en 《früherer ²Staatsformen》; die Rückkehr zum Alten, die Reaktion, -n (정치상). ~하다 zum Alten zurück|-kehren [s]; restaurieren⁴; wieder|stellen⁴.

‖ ~론자 der Anhänger 《-s, -》 der Restauration; der Legitimist, -en, -en. 왕정~ Restauration; Wiedereinsetzung *f.* -en 《des Herrschers》; die Rückkehr (Rückkunft) auf den Thron; die Wiederstellung der kaiserlichen Herrschaft (der Kaisermacht).

복교(復校) die Rückkehr in die Schule. ~하다 zur Schule zurück|gehen*[s]. ¶ ~가

허가되다 wieder zur Schule zugelassen werden.

복구(復舊) Wiederherstellung *f.* -en; Wiedergutmachung *f.* -en (회복); Restauration *f.* -en; Zurücknahme *f.* -n; Wiedererlangung *f.* -en. **~하다** zurück|nehmen*[4]; wieder|bekommen*[4]; wieder|erlangen[4]; zum alten Zustand zurück|kehren ⓢ. ¶ ~되다 wieder|hergestellt (ausgebessert) werden; in den früheren Zustand zurückgeführt werden; rehabilitiert werden / 철도는 곧 ~될 것이다 Der Betrieb der Eisenbahnen wird in Kürze wiederaufgenommen werden. / 그 철도가 ~되기까지는 3일이 걸릴 것이다 Es sind 3 Tage nötig, die Linie wieder in Betrieb zu setzen.

‖ **~공사** Wiederaufbauarbeit *f.* -en. **~비** die Ausbesserungs¦kosten(Reparatur-)《*pl.*》.

복권(復權) Wiedereinsetzung *f.* -en 《in die früheren Rechte》; Rehabilitation *f.* -en; Rehabilitierung *f.* -en. ¶ ~시키다 wieder|ein|setzen 《*jn.* in s-e Rechte》; rehabilitieren[4] / ~되다 in die früheren Rechte wiedereingesetzt werden; rehabilitiert werden / 그들은 ~하였다 Sie sind wieder in ihre Rechte eingesetzt worden.

복권(福券) Lotterie *f.* -n; Lotterielos *n.* -es, -e (복권표); Verlosung *f.* -en; Los *n.* -es, -e. ¶ ~에 당첨되다 in der [3]Lotterie gewinnen*; e-n Treffer machen / ~을 뽑다 in der [3]Lotterie spielen; das Los ziehen* / ~을 사다 ein Lotterielos kaufen / ~에 1등으로 당첨하다 das große Los gewinnen* (ziehen*). ‖ **~당첨** Lotteriegewinn *m.* -(e)s, -e: ~당첨자 Lotteriegewinner *m.* -s, -; Gewinnlos *n.* -(e)s, -e.

복귀(復歸) Umkehr *f.*; Rück¦kehr (-kunft) *f.*; das Wiederauftreten*, -s (무대로). **~하다** um|kehren ⓢ; zurück|kehren ⓢ 《*zu*[3]; *auf*[4]》; zurück|kommen* ⓢ. ¶ 원적지로 ~하다 zu dem gesetzlichen Wohnsitz (Wohnort) zurück|kehren ⓢ / 우리는 그의 무대로의 ~를 축하했다 Wir feierten s-e Rückkehr (Rückkunft) zur Bühne. / 그는 구직에 ~되었다 Er wurde in das frühere Amt wiedereingesetzt.¦Er hielt den früheren Posten wieder.

복근(複根) 〖화학〗 das zusammengesetzte Radikal, -s, -e.

복근(腹筋) 〖해부〗 Bauchmuskel *f.* -n.

복날(伏—) Bezeichnung für die 3 Hundstage. ¶ ~ 개맞듯 (패듯) aus|gepeitscht, windelweich geschlagen.

복놀이(伏—) Hochsommerpicknick *n.* -s, -e (-s). **~하다** ein Hochsommerpicknick veranstalten.

복닥- ☞ 북적-.

복달임(伏—) ① 《철》 heiße Tage im Juli u. August. ② 〖민속〗 das Essen* 《-s》 heißer Suppe zur Bekämpfung der Sommerhitze. ⌈Partei.

복당(復黨) Wiederaufnahme 《*f.* -n》 in die

복대(腹帶) Bauchbinde *f.* -n; Bauchgurt *m.* -(e)s, -e (말의); Leibbinde *f.* -n; Leibband *n.* -(e)s, ⸚er; Leibgürtel *m.* -s, -. ¶ ~를 하다 e-e Bauchbinde an|legen (말의); den Bauchgurt schnüren.

복대기다 ① 《떠들다》 geräuschvoll sein; lärmend sein. ② 《정신 못 차리다》 [4]sich hin und her wälzen; [4]sich herum|werfen*; hin und her geworfen werden. ¶ 나는 두시간 동안이나 사람들 속에서 복대기었다 Ich war zwei Stunden lang in Menschenmassen hin und her gewälzt.

복대기치다 =복대기다.

복더위(伏—) Hitzewelle *f.* -n.

복덕(福德) Glück 《*n.* -(e)s》 u. Wohlstand 《*m.* -(e)s, ⸚e》; 〖불교〗 der Lohn 《*m.* -(e)s, ⸚e》 der Tugend. ¶ ~을 갖춘 사람 ein glückseliger u. wohlhabender Mensch.

복덕방(福德房) Makler *m.* -s, -; Grundstücksmakler (토지 전문); Hausmakler (가옥 전문); Zwischenhändler *m.* -s, -; Sendal *m.* -s, -e (토지, 가옥 등의); Unterhändler *m.* -s, -; Wechselagent *m.* -en, -en. **~하다** Maklergeschäfte 《*pl.*》 treiben*.

복도(複道) Korridor *m.* -s, -e; (Durch-) gang *m.* -(e)s, ⸚e; (Wohnungs)flur *m.* -(e)s, -e; Foyer [foajé:] *n.* -s, -s (극장의); Gal(l)erie *f.* -n (회랑); Diele *f.* -n (마룻방); 《두 건물 사이의》 Verbindungsgang *m.* -s, ⸚e. ¶ ~가 본채까지 이어져 있다 Der Korridor führt zum Hauptgebäude.

복되다(福—) =복스럽다.

복량(服量) Dosis *f.* ..sen; Dose *f.* -n.

복리(福利) =복지(福祉).

복리(複利) Zinseszins *m.* -es, -en. ¶ ~로 계산하다 auf Zinseszinsen rechnen[(4)].

‖ **~법** Zinsenverzinsung *f.* -en; Anatozismus *m.* -, ..men. **~표** Zinseszinsberechnungstabelle *f.* -n.

복마(卜馬) Pack¦pferd (Saum-) *n.* -(e)s, -e; Bagagepferd [bagá:ʒə..] (군용의); Klepper *m.* -s, -.

복마전(伏魔殿) der Aufenthalt 《-(e)s, -e》 der bösen Geister; Pandämonium *n.* -s, ..nien; Brutstätte *f.* -n (음모, 죄악의 획책지). ¶ 정계의 ~ das Sammelbecken politischer Skandale / 죄악의 ~ e-e Brutstätte des Lasters.

복막(腹膜) Bauchfell *n.* -(e)s, -e.

‖ **~농양** Bauchfellabszeß *m.* ..sses, ..sse. **~암** Bauchfellkrebs *m.* -es, -e. **~염**(炎) Bauchfellentzündung *f.* -en. **~화농** Bauchfelleiterung *f.* -en.

복망하다(伏望—) ersehnen; erhoffen; erflehen. ¶ 의무를 다하시기 복망하나이다 Ich erhoffe, daß Sie Ihre Pflicht erfüllen.

복면(覆面) Schleier *m.* -s, -; Maske *f.* -n (가면). **~하다** das Gesicht verschleiern; das Gesicht verhüllen; das Gesicht verdecken; [4]sich maskieren (vermummen); [4]sich (mit e-m Schleier) verhüllen. ¶ ~한 maskiert; vermummt; mit verhülltem Gesicht.

‖ **~강도** der maskierte Einbrecher, -s, -. **~두건** Hülle *f.* -n; Binde *f.* -n.

복명(復命) Bericht *m.* -(e)s, -e. **~하다** amtlich berichten[4] 《*über*[4]》; *jm.* [4]*et.* berichten; *jm.* über [4]*et.* berichten; *jm.* Bericht erstatten 《*über*[4]》. ¶ 그 위원회는 조사 결과를 ~하였다 Das Komitee hat über das Resultat der Untersuchung berichtet.

‖ **~서** der amtliche (schriftliche) Bericht.

복모음(複母音) 〖음성〗 Diphthong *m.* -(e)s, -e.

복무(服務) Dienst *m.* -es, -. **~하다** dienen; e-n Dienst versehen* (tun*; verrichten). ¶ 지금 ~ 중이다 Er ist gerade im Dienst.

‖ **~규정** Dienst¦ordnung (-vorschrift) *f.* -en. **~시간** die Dienststunden 《*pl.*》. **~연한** Dienstalter *n.* -s, -; Dienst¦zeit (Amts-) *f.* -en. ⌈⸚e.

복문(複文) der zusammengesetzte Satz, -es,

복물(伏—) starker Sommerregen, -s, -. ¶ ~(이) 지다 während den 3 Hundstagen regnet es stark.
복받치다 hoch|kommen*; hervor|sprudeln; hervor|brechen*. ¶ 가슴 속에 복받치는 슬픔 Traurigkeit, die einen überwältigt / 분이 ~ Zorn überwältigt einen; Zorn (Ärger) macht sich Luft.
복배(伏拜) demütige Verneigung, -en. ~하다 demütig (demutvoll) an|beten⁴; e-n Fußfall machen u. an|beten⁴.
복배(腹背) der Bauch 《-(e)s, ⸚e》 u. der Rücken 《-s, -》; die Vorder- u. Hinterseite 《f. -n》. ¶ ~ 수적(受敵)하다 von hinten u. vorn angegriffen (ringsum von Feinden eingeschlossen) werden.
복백(伏白) Schlußformel des Briefschreibens.
복벗다(服—) die Trauer 《-n》 ab|legen.
복벽(復辟) ~하다 die Monarchie 《-n》 wiederher|stellen.
‖ ~운동 monarchische Bewegung, -en.
복벽(腹壁) Bauchfell *n.* -(e)s, -e.
‖ ~절개수술 Bauchfellschnitt *m.* -(e)s, -.
복병(伏兵) Hinterhalt *m.* -(e)s, -e; die Truppen 《*pl.*》 im Hinterhalt. ¶ ~을 배치하다 *jm.* e-n Hinterhalt legen³ / ~을 만나다 in e-n Hinterhalt geraten* (fallen*) ⓢ; e-m Hinterhalt zum Opfer fallen* ⓢ / 적의 ~이 있다 Der Feind liegt dort. ¦ Der Feind legt uns dort einen Hinterhalt.
복본위(複本位) ‖ ~제 Doppelwährung *f.* -en; Bimetallismus *m.* -. ~론자 Bimetallist *m.* -en, -en.
복부(腹部) Bauch *m.* -(e)s, ⸚e; Unterleib *m.* -(e)s, -er; Unterleibgegend *f.* -en; Hinterleib (물고기, 새 따위의). ¶ ~의 Unterleibs-; Bauch-. ‖ ~경련 Bauchkrampf *m.* -(e)s, ⸚e. ~임신 Bauchhöhlenschwangerschaft *f.* -en. ~절개 수술 Bauchschnitt *m.* -(e)s, -e: ~절개 수술을 하다 an *jm.* den Bauchschnitt aus|führen.
복비(複比) das zusammengesetzte Verhältnis, -ses, -se; Doppelverhältnis *n.*
복비례(複比例) die zusammengesetzte Proportion, -en.
복사(伏射) =엎드려쏴.
복사(複寫) Kopie *f.* -n; Nachbildung *f.* -en; Reproduktion *f.* -en; Vervielfältigung *f.* -en. ~하다 kopieren⁴; nach|bilden⁴ (그림 따위를); reproduzieren⁴; vervielfältigen⁴; durch|schreiben*⁴ (복사지 따위로); ab|bilden; ab|lichten⁴ (사진복사). ¶ 원고를 (사진을) ~하다 ein Manuskript kopieren (e-e Photographie reproduzieren).
‖ ~기 Kopierpresse *f.* -n (압착식); Kopiermaschine *f.* -n; Vervielfältigungsapparat *m.* -(e)s, -e. ~용잉크 Kopiertinte *f.* -n; Vervielfältigungsfarbe *f.* -n. ~용지 Kopierpapier *n.* -s, -e. ~지 Kohlepapier (묵지). 사진~ Photokopie *f.* -n.
복사(輻射) (Aus)strahlung *f.* -en; Radiation *f.* -en. ~하다 (aus)strahlen⁽⁴⁾. ¶ ~하는 strahlend; strahlig; radial; radiant.
‖ ~계 Strahlungsmesser *m.* -s, -. ~력 Ausstrahlungskraft *f.* ⸚e. ~선 Strahl *m.* -(e)s, -en. ~열 Strahlungswärme *f.* ~체 e-e Wärme (aus)strahlender Körper.
복사뼈 Knöchel *m.* -s, -; Knöchelgelenk *n.* -(e)s, -e. ¶ 안쪽 ~ der innere Knöchel.
복사화채(—花菜) Pfirsichpunsch *m.* -es, -e.
복상(服喪) Trauer *f.* -n. ~하다 Trauer tragen*.
복상(福相) 〖민속〗 ein mit Glück versehendes Gesicht.
복색(服色) Farbe 《*f.* -n》 e-r Uniform; 《의상》 Kleidung *f.* -en.
복서(卜書) 〖연극〗 Bühnenanweisung *f.* -en.
복서(卜筮) Weissagung *f.* -en; Wahrsagung *f.* -en; Ahnung *f.* -en. ~하다 weis|sagen³⁴ (점치다); prophezeien⁴; vorher|sagen⁴ (voraus|-); wahr|sagen⁽⁴⁾ 〖또는 비분리〗. ¶ 운명을 ~하다 *js.* Schicksal vorher|sagen; *jm.* das Horoskop stellen.
복서 Boxer *m.* -s, -.
복선(複線) Doppel¦geleise *n.* -s, - (-gleis *n.* -es, -e). ¶ ~의 doppelg(e)leisig; zweispurig / 철도는 ~화되어 있다 Die Eisenbahn fährt zweigeleisig. ‖ ~공사 das Anlegen* 《-s》 von Doppelgleisen.
복성(福星) 《목성》 Jupiter *m.* -s.
복성(複姓) zwei-silbiger Familienname, -ns, -n.
복성스럽다 glücklich aus|sehen*. ¶ 그녀의 얼굴은 ~ Sie hat ein rundes, glücklich aussehendes Gesicht.
복소수(複素數) 〖수학〗 komplexe Zahl, -en.
복속(服屬) Unterwerfung *f.* -en; Ergebenheit *f.* -en; Gehorsam *m.* -(e)s. ~하다 ⁴sich unterwerfen*; ⁴sich unterziehen*; ⁴sich ergeben*.
복수(復水) Kondenswasser *n.* -s; Verdichtungswasser. ‖ ~실 Verdichtungskammer *f.* -n; Verdichtungsventil *n.* -s, -e.
복수(復讐) Rache *f.*; (Wieder)vergeltung *f.* -en(보복); Blutrache (혈수); Vendetta [vɛn..] *f.* ..detten (혈수); Revanche [rəvɑ̃ːʃə] *f.* -n. ~하다 《아무를 위하여》 rächen⁽*⁾ 《*jn. für*⁴ (wegen²)》; 《아무에게》 ⁴sich an *jm.* rächen⁽*⁾ 《*für*⁴; *wegen*²》; an *jm.* ⁴Rache nehmen* 《*für*⁴; *wegen*²》; ⁴*et.* an *jm.* ahnden; vergelten* (heim|zahlen) 《*jm.* ⁴*et.*》; Repressalien ergreifen* 《gegen *jn.*》 (보복 수단을 취하다). ¶ ~ 행위를 취하다 Wiedervergeltung üben 《*an*³》 / ~심에 불타다 nach ³Rache lechzen (dürsten); (nach) Rache schnauben; 〖형용사적〗 rachedurstig; rachgierig; rachsüchtig; rächend / ~의 검 Racheschwert *n.* -(e)s, -er / ~전에서 그가 이겼다 Das Rückspiel wurde von ihm gewonnen. / 나는 그에게 ~할 것이다 Ich will mich an ihm rächen. / 그들은 지독한 ~를 당했다 Es wurde ihnen tüchtig heimgezahlt.
‖ ~심 Rach¦gier *f.* (-sucht *f.*); Rachgefüll *n.* -(e)s, -e. ~자 Rächer *m.* -s, -; Vergelter *m.* -s, -; Ahnder *m.* -s, -. ~전 Revanchespiel *n.* -(e)s, -e (경기의); Rückspiel (경기의); Vergeltungskampf *m.* -(e)s, ⸚e. ~희생 Racheopfer *n.* -s, -.
복수(腹水) Bauchwasser *n.* -s, -; Bauchwassersucht *f.* ⸚e (병). ¶ ~가 괴다 Bauchwasser sammelt sich (in der Bauchhöhle) an. ¦ Das Wasser sammelt sich in der Bauchhöhle (an).
복수(複數) Plural *m.* -s, -e 《생략: pl.; Plur.》; Mehrzahl *f.* -en. ¶ ~의 pluralisch / ~로만 쓰이는 명사 Pluraletantum *n.* -s, -e; Pluralitantum / ~로 쓰이다 im Plural gebraucht werden.
‖ ~선거제 Pluralwahlrecht *n.* -(e)s, -e. ~어미 Pluralendung *f.* -en.
복수초(福壽草) Adonisröschen *n.* -s, -; Adonis *m.* -, -se; Adonisblume *f.* -n.
복술(卜術) Wahrsagekunst *f.* ⸚e; Wahrsa-

gung *f.* -en.

복숭아 Pfirsich *m.* -es, -e.
‖ ~꽃 Pfirsichblüte *f.* -n. ~나무 Pfirsichbaum *m.* -s, ⸚e; Pfirsich *m.* ~씨 Pfirsichkern *m.* -(e)s, -e. ~정원 Pfirsichgarten *m.* -s, ⸚.

복스 《상자》 Büchse *f.* -n; Schachtel *f.* -n; Dose *f.* -n; 《좌석》 Box *f.* -en; 《가죽》 Boxkalf *n.* -s, -s.
‖ ~구두 Boxschuh *m.* -(e)s, -e.

복스럽다(福—) glückstrahlend; glücklich aussehend; pausbackig; pausbäckig (sein). ¶ 복스러운 볼 Pausbacke *f.* -n; Pausbacken *m.* -s, -; die dicke Wange, -n / 복스러운 얼굴 das pausbackige Gesicht, -(e)s.

복습(復習) Wiederholung *f.* -en; Repetition *f.* -en. ~하다 wiederholen[4]; repetieren[4]; (nochmals) durchsetzen*[4]; immer wieder durch|lesen*[4]; auf|frischen[4]. ¶ 나는 그것을 여러번 ~했다 Ich habe es mehrere Male wiederholt. ‖ ~시간 die Zeit für die Repetition (Wiederholung).

복시(複視) 〖의학〗 das Doppeltsehen*, -s; Diplopie *f.*; Doppelsichtigkeit *f.* -en. ¶ ~의 mit Doppelsichtigkeit behaftet.

복식(服飾) Fashion [fέʃn] *f.*; Mode *f.* -n; Kleidungs- und Schmuckgegenstände e-r Frau. ‖ ~디자이너 Modezeichner *m.* -s, -; Modeschöpfer *m.* -s, -.

복식(複式) ¶ ~의 doppelt; zusammengesetzt.
‖ ~기관 Verbundmaschine *f.* -n; die doppeltwirkende Maschine, -n: ~ 기관차 die doppeltwirkende Lokomotive. ~부기 die doppelte Buchführung, -en. ~투표(권) Plural|wahlrecht (Mehrstimmen-) *n.* -(e)s. ~현미경 das zusammengesetzte Mikroskop.

복식호흡(腹式呼吸) Bauchatmung *f.* -en.
‖ ~법 die Methode des Bauchatmens.

복신(福神) Gott 《*m.* -es, ⸚er》 des Wohlstandes; Glücksgöttin *f.* -nen.

복심(腹心) =심복(心腹).

복심(覆審) erneute Untersuchung *f.* -en; erneute Verhandlung *f.* -en; Nachprüfung *f.* -en; Rezension *f.* -en.

복싱 das Boxen*, -s; Faustkampf *m.* -(e)s, ⸚e. ‖ ~글러브 Boxhandschuhe 《*pl.*》.

복쌈(福—) 〖민속〗 in Seetangblättern gewickelter Reis, der am 15. Januar des Mond kalenders gegessen wird.

복안(腹案) Plan *m.* -(e)s, ⸚e; Absicht *f.* -en (의도); Entwurf *m.* -(e)s, ⸚e (구상); Vorhaben *n.* -s, - (기획). ¶ ~ 없이 말하다 aus dem Stegreif (ohne [4]Vorbereitung) reden[(4)] / ~을 세우다 e-n Plan entwerfen* (fassen; schmieden; machen[4]; ersinnen*[4]); planen[4] (planmäßig zurecht|legen[4]); mit e-m Gedanken um|gehen* ⓢ.

복안(複眼) Netzauge *n.* -s, -n; Facett(en)auge *n.*

복약(服藥) ~하다 Arznei nehmen* (ein|nehmen*; gebrauchen); Arznei zu [3]sich nehmen*. ¶ 아무에게 약을 ~시키다 *jm.* Arznei ein|geben*.

복어 =복.

복업하다(復業—) wieder an die Arbeit gehen*ⓢ; [4]sich wieder an die Arbeit machen.

복역(服役) (Militär)dienst *m.* -es, -e (병역); Zwangsarbeit *f.* -en (징역). ~하다 dienen 《als gemeiner Soldat 사병으로서; bei der Artillerie 포병으로서》; s-e Strafe (Zeit) ab|sitzen* (교도소에서).

복연(復緣) die Versöhnung getrennter Eheleute. ~하다 als *js.* Frau (Gattin) wiederaufgenommen werden.

복염(伏炎) Hochsommerhitze *f.* (von Hundstagen).

복엽(複葉) 〖식물〗 Doppelblatt *n.* -(e)s, ⸚er.
‖ ~(비행)기 Doppeldecker *m.* -s, -.

복용(服用) ~하다 (Arznei) (ein|)nehmen*[4]; gebrauchen[4]; verordnen[4]; ein|geben*[4]. ¶ 약을 1일 3회 ~하다 e-e Arznei (ein Medikament) dreimal täglich ein|nehmen / 계속 ~하다 fortdauernd (ein|)nehmen*.

복원(復元) Wiederherstellung *f.* -en. ¶ ~시키다 wieder|her|stellen[4].
‖ ~력 Stabilität *f.* (선박 따위의).

복원(復員) Demobilisation *f.* -en; Demobilmachung (Demobilisierung) *f.* -en. ~하다 demobilisieren[4]; auf den Friedensstand zurück|führen[4]; aus dem Heere entlassen*[4] (병사를). ¶ 미~의 noch nicht demobilisiert / 군대를 ~하다 die Armee auf den Friedensstand zurück|führen.
‖ ~군인 der ehemalige Frontsoldat, -en, -en. ~령 Demobilmachungsbefehl *m.* -(e)s, -e. 군대~ die Zurückführung der Armee auf den Friedensstand.

복위(復位) Wiedereinsetzung *f.* -en; Wiederherstellung *f.* -en; Rehabilitierung *f.* -en; Ehrenrettung *f.* -en. ~하다 wieder ein|setzen[4]; rehabilitieren[4]; wieder zu Ehren bringen*[4].

복음(福音) ① 《좋은 소식》 die gute Nachricht (Botschaft) -en; 《뜻밖의 행복》 das unerwartete Glück, -(e)s; Glücksfall *m.* -(e)s, ⸚e. ② 《기독교의》 Evangelium *n.* -s, ..lien; die Frohe Botschaft. ¶ ~을 전하다 das Evangelium predigen (verkünd(ig)en); *jn.* für das Evangelium gewinnen* / 하늘의 ~ Gottesgabe *f.* -n / 이 약의 발명은 결핵에 대한 하늘의 ~이다 Die Erfindung dieser Medizin ist e-e Gottesgabe für die Schwindsüchtigen.
‖ ~교회 die evangelische Kirche, -n. ~서 Evangelienbuch *n.* -(e)s, ⸚er; Evangelium *n.* -s, ..lien. ~전도 die Verkündung des Evangeliums: ~전도자 Evangelist *m.* -en, -en. ~회 Evangeliengesellschaft *f.* -en.

복음(複音) Polyphonie *f.* -n [..níːən]; Vielstimmigkeit *f.*; der zusammengesetzte Ton, -(e)s, ⸚e. ¶ ~의 vielstimmig; polyphon(isch).

복이나인 Dienerin 《*f.* -nen》 e-r Hofdame.

복입다(服—) Trauer 《*f.* -n》 haben.

복자 ☞ 기름복자.

복자(福者) e-e seliggesprochene Person 《*f.* -nen》; der Gesegnete*, -n, -n

복자(覆字·伏字) Fliegenkopf *m.* -(e)s, ⸚e. ¶ ~로 하다 blockieren[4]; durch andere [4]Zeichen ersetzen 《fehlende [4]Lettern》.

복작거리다 ☞ 북적거리다.

복잡(複雜) Verwick(e)lung *f.* -en; Komplikation *f.* -en; Kompliziertheit (Schwierigkeit) *f.* -en; Umständlichkeit *f.* -en (번잡); Verwirrung *f.* -en; Durcheinander *n.* -s; Unordnung *f.* -en(혼잡). ¶ ~한 verwickelt; verworren; kompliziert; schwierig; beschwerlich; umständlich; zusammengesetzt; komplex / ~한 사정 die Verwicklung von Umständen; ein komplizierte Sachlage, -n / ~한 문제 das verzwickte (verwickelte) Problem, -s, -e / ~한 사건 die verwickelte (komplexe; komplizierte)

Angelegenheit, -en; ein komplizierter (verwickelter) Fall, -(e)s, ⸗e / ~한 얘기 e-e verwickelte Geschichte, -n / ~한 구조 die komplizierte Struktur / ~한 기구 die komplizierte Maschinerie / ~한 인생 das verschlungene Leben / ~하게 하다 verwickeln[4]; verwirren[(*)4]; verzwicken[4]; komplizieren[4]; erschweren[4]; verwickelt machen[4] / ~해지다 [4]sich verwickeln (komplizieren); in [4]Verwirrung geraten* Ⓢ; schwierig (verwickelt; kompliziert; komplex) werden / 그 사람에게 뭔가 ~한 일이 생긴 모양이다 Bei ihm scheint etwas passiert zu sein. / 당신은 ~한 가운데서 사시는 것 같습니다 Es scheint mir, daß Sie in ungeordneten Verhältnissen leben.

복장 Mitte des Brustkastens 《*m*. -s, -》.

복장(服裝) Kleidung *f*. -en; Kostüm *n*. -s, -e; Tracht *f*. -en. ¶ 중국식 ~ die chinesische Kleidung, -en; die Kleidung chinesischen Stils / 검은 ~을 입다 [4]sich schwarz kleiden / ~을 개량하다 die Kleidung reformieren / 톱 모드의 (경쾌한) ~을 하다 [4]sich nach der neuesten Mode kleiden ([4]sich leicht an|ziehen*) / 그녀의 ~은 눈에 띈다 Sie geht auffallend gekleidet. / ~이 너무 사치스럽다 Die Kleidung wird zu luxuriös. / 그는 ~에 대해 신경을 쓰지 않는다 Er kümmert sich nicht um die Kleidung.
‖ ~개량 Kleiderreform *f*. -n. ~검사 Kleidungsinspektion *f*. -en. 남자(여자)~ die männliche (weibliche) Kleidung.

복재(伏在) ~하다 dahinter stecken[(*)]; verborgen sein; versteckt sein; verborgen liegen*. ¶ 이면에는 비밀이 ~하고 있다 Es (Da) steckt etwas dahinter. ¦ Dahinter ist ein Geheimnis verborgen.

복재기(服一) *jm*. der Trauer hat.

복쟁이 〖어류〗 Kugelfisch *m*. -es, -e.

복적(復籍) die Wiedereintragung 《-en》 in das Familienregister; die Rückkehr zur Familie. ~하다 wiederaufgenommen werden 《in die eigene Familie》; ins Elternhaus zurück|kommen* Ⓢ 《nach der Ehescheidung》; zur eignen Familie zurück|kehren Ⓢ; wieder in das Register der eig(e)nen Familie eingetragen werden / ~수속을 하다 die Rückkehr in das eig(e)ne Familie herbei|führen.

복제(服制) ① 《거상입은》 traditionelle Trauerkleidung, -en. ② 《복식》 Bekleidungsvorschrift *f*. -en. ¶ ~를 정하다 e-e Uniform einführen.

복제(複製) Wiedergabe *f*. -n (durch Druck); Reproduktion *f*. -en; Nachdruck *m*. -(e)s, -e (복제본); Vervielfältigung *f*. -en (복제물). ~하다 nach|drucken[4]; reproduzieren[4]; vervielfältigen[4]; wieder|geben*[4].
‖ ~본 nachgedrucktes Buch, -(e)s, ⸗er. ~불허(금지) Nachdruck (Abdruck) verboten. ¦ Alle Rechte vorbehalten. ~자 Nachdrucker *m*. -s, -. ~허가 Nachdruckerlaubnis. *f*. ..nisse

복종(服從) Unterwerfung *f*. -en; Unterwürfigkeit *f*. -en (굴복); Folgsamkeit *f*.; Gehorsam *m*. -(e)s (순종). ~하다 gehorchen[3]; folgen[3]; gehorsam[3] sein; [4]sich unterwerfen*[3]; [4]sich fügen[(3)] 《*in*[4]》 (순응하다); *jm*. Gehorsam leisten. ¶ ~적 gehorsam (순종적); unterwürfig (굴종적); knechtisch / …에 ~하고 있는 unterworfen / ~시키다 zum Gehorsam bringen*[4]; unterwerfen*[4] / 우리들은 기꺼이 당신의 판단에 ~하겠읍니다 Wir unterwerfen uns gerne Ihrem Urteil.
‖ ~심 Gehorsam *m*. -(e)s; der gehorsame Geist *m*. -es, -er. 절대~ der unbedingte Gehorsam: 절대 ~을 요구하다 unbedingten [4]Gehorsam verlangen.

복죄(服罪) Schuldbekenntnis *n*. -ses, -se. ~하다 s-e Schuld bekennen* (ein|gestehen*); [4]sich schuldig bekennen*; [4]sich (für) schuldig erklären; [4]sich e-m Richterspruch unterwerfen* (판결에); ein Verbrechen eingestehen; [4]sich e-r Strafe unterwerfen*; [4]sich e-s Verbrechens schuldig erklären. ¶ ~하지 않다 s-e Schuld (sein Verbrechen) leugnen; [4]sich für unschuldig erklären.

복주감투 Wintermütze 《*f*. -n》 für Mönche od. alte Leute.

복중(伏中) die heißesten Tage 《*pl*.》; die heißeste Zeit, -en; die Mitte des Sommers; Hochsommer *m*. -s; die Hundstage (7월 24일-8월 24일). ¶ ~에 안부를 묻기 위해 아무에게 편지를 쓰다 *jm*. schreiben, um [4]sich nach dem Befinden in der heißesten Zeit zu erkundigen.
‖ ~문안 die Erkundigung 《-en》 nach *js*. Befinden während der heißesten Tage; Sommergrüße 《*pl*.》. ~휴가 Sommerferien 《*pl*.》; Hundstagsferien 《*pl*.》.

복중(服中) in Trauer; Trauerzeit.

복지(服地) (Kleider)stoff *m*. -(e)s, -e; Tuch *n*. -(e)s 《*pl*. 종류를 나타낼 때: -e, 개개의 직물인 경우: ⸗er》. ¶ ~를 선택하다 ein Tuch aus|wählen / 그 ~는 싱글(더블)에 맞는 폭이다 Der Stoff liegt einfach (doppelt) breit.

복지(福地) gelobtes Land, -(e)s, ⸗er; Paradies *n*. -es, -e.

복지(福祉) Glück *n*. -(e)s; Wohlergeh(e)n *n*. -s; Wohlfahrt *f*.; Wohl *n*. -(e)s; Wohlstand *m*. -(e)s. ¶ 국민 ~를 증진시키다 das Wohl des Volkes (die öffentliche Wohlfahrt) fördern.
‖ ~국가 Wohlfahrtsstaat *m*. -(e)s, -en. ~사업 Wohlfahrtspflege *f*. -n. ~시설 die Wohlfahrtseinrichtungen 《*pl*.》. 아동~ Kinderfürsorge *f*.

복직(復職) Wieder¦anstellung *f*. -en (-einsetzung *f*. -en; -eintritt *m*. -(e)s, -e); Reaktivierung *f*. -en; die erneute Übernahme e-s Amtes. ¶ ~시키다 wieder|an|stellen[4]; in ein Amt wieder|ein|setzen[4] / ~되다 wieder ernannt werden; wiedereingesetzt werden; reaktiviert werden; ein Amt wieder|an|treten*Ⓢ; wieder in s-e alte Stellung zurück|kehrenⓈ / 회사에 ~하다 in s-e frühere Firma wieder|ein|treten* Ⓢ.

복찜 gut gewürzte Fischsuppe, -n.

복찻다리 Steg *m*. -(e)s, -e; schmale Brücke, ⌊-n.

복채(卜債) Wahrsagegebühr *f*. -en.

복처리(福一) der Unglückliche*, -n, -n.

복통(腹痛) Bauchschmerzen 《*pl*.》; Leibweh *n*. -(e)s; Magenschmerzen (위통); Grimmen *n*. -s. ¶ ~이 난다 Ich habe Bauchweh (Leibschmerzen). ¦ Der Magen tut mir weh (schmerzt mir).

복판 ① 《가운데》 mitten in; in der Mitte. ¶ 대양~ auf offenem Meer / 상업지구의 ~ im Herzen (Zentrum) des Geschäftsviertels / 도시 ~ in der Mitte der Stadt / 머리

를 ~에서 가르다 e-n Mittelscheitel 《m. -s, -》 ziehen* / 과녁의 ~에 맞다 den Nagel auf den Kopf treffen*; den Kern e-r Sache treffen* / 시청은 서울 ~에 있다 Das Rathaus von Seoul liegt im Zentrum der Stadt.

복표(福票) Lotterielos n. -es, -e.

복합(複合) Zusammensetzung f. -en. **~하다** zusammen|setzen⁴. ¶ ~의 zusammengesetzt; komplex.
‖ **~경기** kombinierte Wettkämpfe 《pl.》. **~기업** Konglomerat n. -(e)s, -e; Betriebskomplex m. -es, -e. **~명사(동사)** das zusammengesetzte Substantiv, -s, -e (Verb, -s, -en). **~문** der zusammengesetzte Satz, -es, ⸚e; Satzgefüge n. -s, - (종속의); Satzverbindung f. -en (병열의). **~비타민** zusammengesetzte Vitamine [vitamí:nə] 《pl.》. **~어** Kompositum n. -s, ..ta (..siten); das zusammengesetzte Wort, -(e)s, ⸚er.

복항(復航) Rückfahrt f. -en; Heimreise f. -n. ¶ ~하는(중의) auf der Rückreise (befindlich).

복화술(腹話術) Bauchrede(kunst) f. ¶ ~로 말하다 bauchreden 〖p.p. gebauchredet〗.
‖ **~사** Bauchredner m. -s, -.

볶다 rösten⁴; dörren⁴; brennen*⁴; braten*⁴ (기름으로); schmoren⁽⁴⁾. ¶ 커피(차)를 ~ Kaffee rösten (brennen*) / 볶은 쌀(콩, 보리) der geröstete Reis, -es (die gerösteten Bohnen 《pl.》, die geröstete Gerste) / 콩은 충분히 볶아지지 않았다 Die Bohnen sind nicht genug geröstet.

볶아대다 drängen⁴ 《auf⁴; zu³》. ¶ 돈을 내라고 ~ auf ⁴Zahlung (wegen der ²Bezahlung) drängen⁴ / 빨리 하라고 ~ zur ³Eile drängen⁴ / 그렇게 볶아대지 마 Dränge (Hetze) mich nicht so!¦Sei nicht so ungeduldig!

볶아치다 zur Eile an|treiben* 《jn.》; k-e Ruhe geben* 《jm.》; nicht in Ruhe lassen* 《jn.》; mit aller Gewalt betreiben*⁴; jn. drängen; bei jm. auf Eile drängen. ¶ 너는 그를 볶아쳐야 한다 Du mußt ihn zur Eile antreiben.

볶음 das Braten*, -s; das Rösten*, -s.
‖ **~밥** gebratener Reis, -es.

본(本) 《본보기》 Muster n. -s, -; Modell n. -s, -e; Vorbild n. -(e)s, -er; Vorlage f. -n; Schablone f. -n; Schnittmuster n. ¶ 본을 뜨다 ein Muster ab|drucken 《auf⁴》.
‖ **그림본** Musterbild n. -(e)s, -er. **습자본** Vorschriftenbuch n. -(e)s, ⸚er.

본 《서독의 수도》 Bonn.

본-(本) ① der*; derselbe*; der nämliche*; der gleiche*; dieser* (이); unser (우리들의). ¶ 본교 diese (unsere) Schule, -n / 본학기 dieses Semester, -s, -. ② 《문제의》 fraglich; in Frage stehend; vorliegend (당면의); betreffend (당해). ¶ 본건에 있어서는 im vorliegenden Falle. ③ 《주요한》 Haupt-. ¶ 본국 Hauptamt n. -(e)s, ⸚er; Hauptpost f. -en (우체국의). ④ 《정식》 ordentlich; regelrecht. ¶ 본회원 das ordentliche Mitglied, -(e)s, -er.

본가(本家) ① =본집. ② 《친정》 Familie, aus der e-e verheiratete Frau stammt.

본값(本―) die ursprünglichen Kosten 《pl.》. ¶ ~에 팔다 zu Selbstkosten verkaufen / ~을 건지다 die Kosten decken.

본거(本據) Hauptquartier n. -s, -e; (Operations)basis f. ..sen; Stützpunkt m. -(e)s, -e; Stütze f. -n; Hauptgrund m. -(e)s, ⸚e; Hauptwohnort m. -(e)s, -e (⸚er). ¶ 생활의 ~ die Stütze des Daseins.

본건(本件) die betreffende Angelegenheit, -en; die in Frage stehende Angelegenheit; die (unentschiedene) Sache.

본격(本格) ¶ ~적인(으로) regelrecht; ernstlich; ernsthaft; gründlich; ordentlich; richtig / ~적인 조사 die regelrechte Untersuchung, -en / ~적인 장마가 시작된다 Jetzt beginnt die richtige Regenzeit. / 이제부터 ~적이다 Es wird ernst./그는 ~적으로 일을 시작했다 Er fing an zu arbeiten, daß es nur so e-e Art hatte. / ~적으로 비가 내리기 시작했다 Es fängt an richtig zu regnen.¦Jetzt wird es ein richtiger Landregen (장마초기 따위의).

본견(本絹) die reine (unvermischte) Seide f. -n.

본고장(本―) 《고향》 Wiege f. -n; Heimat f. -en; die beste Gegend, -en 《für⁴》; Geburtsort m. -(e)s, -e; 《본바닥》 Urquelle f. -n; Ursprung m. -(e)s, ⸚e. ¶ ~의 《순수한》 echt; unverfälscht; 《그 고장의》 lokal; Lokal-; Orts-; Stadt-.
‖ **~사람** Ortseinwohner m. -s, -; Landeskind n. -(e)s, -er. **~팀** Orts¦mannschaft (Platz-) f. -en.

본고향(本故鄕) Heimat f. -en; Heimatdorf n. -(e)s, ⸚er; Heimatstadt f. ⸚e.

본과(本科) der reguläre Lehrgang, -(e)s, ⸚e; der regelmäßige Kursus, -, ..se; Hauptkursus m. -, ..se. ¶ ~를 졸업하다 den regelmäßigen Kursus durch|machen.
‖ **~생** Student 《m. -en, -en》 des regulären Lehrgangs; der Schuler des regelmäßigen Kursus. **~정교원(正教員)** ein ordentlicher Lehrer, -s, -.

본관(本官) der Staatsbeamte*, -n, -n 《Referent 촉탁에 대해서》; Hauptamt n. -(e)s, ⸚er. ¶ ~에 임명되다 zum Staatsbeamten ernannt werden; richtig beamtet werden.

본관(本貫) Heimat 《f. -en》 des Vorfahren.

본관(本館) Hauptgebäude n. -s, -.

본교(本校) 《이 학교》 unsere (diese) Schule.

본국(本局) Hauptbüro n. -s, -s; 《전화》 Zentrale f. -n. ¶ ~ 3371 Zentrale 3371 / ~을 대어 주십시오 Verbinden Sie mich bitte mit Zentrale.

본국(本國) Heimat¦land n. -(e)s, ⸚er (-e) (-staat m. -(e)s, -en); Vater¦land (Mutter-); js. (eigenes) Land, -(e)s, ⸚er; js. (eigener) Staat, -(e)s, -en. ¶ ~의 heimatlich; heimisch; vaterländisch / ~에 daheim; im Heimatland; in der Heimat / ~으로 heimwärts / ~으로 가지고 가다 heim|bringen*⁴/ ~으로 돌아가다 ⁴sich heim|begeben*; in das Heimatland zurück|kehren ⓢ; 《급히》 heim|eilen ⓢ / ~으로 돌려보내다 heim|schicken⁴; heim|senden⁴ / ~으로 송환하다 jn. in sein Vaterland zurück|schicken.
‖ **~정부** unsere Regierung, -en 《koreanisch, deutsch 따위의 형용사를 넣어서 구체적으로 말하는 것이 좋다》.

본궤도(本軌道) Haupt¦bahn f. -en (-geleise n. -s, -). ¶ ~에 오르다 so recht im Zug sein; im besten Zug sein / 일이 ~에 올라 있다 Die Sache ist im Zuge.

본금(本金) ursprünglicher Betrag, -(e)s, ⸚e; ursprüngliche Geldsumme, -n.

본금새(本―) angemessener Preis, -es, -e.

본남편(本男便) 《전남편》 früher Mann, -(e)s, ⸚er; 《남편》 angetrauter Mann; rechtmäßiger Ehemann.

본년(本年) dieses Jahr; das laufende Jahr. ‖ ~도 dieses Jahr: ~도의 예산 das Budget 《n. -s, -s》 für das laufende Jahr.

본노루 ein altes, großes Reh, -(e)s, -e.

본능(本能) Instinkt *m.* -(e)s, -e; (Natur)trieb *m.* -(e)s, -e; Drang *m.* -(e)s; der (angeborene) Trieb. ¶ ~적(으로) instinktiv; instinkt¦artig 〔-mäßig; -haft〕; trieb¦mäßig 〔-artig; -haft〕; von Instinkt geleitet; aus Instinkt / 사회적 ~ der soziale Instinkt / 자아 보존의 ~ Selbsterhaltungstrieb *m.* / ~ 생활을 영위하다 ein Triebleben führen / ~을 만족시키다 den Trieb befriedigen / ~에 따르다 dem Instinkt folgen / 동물은 ~에 따라 행동한다 Das Tier läßt sich von s-m Instinkt leiten.
‖ 창조~ Schöpfertrieb.

본당(本堂) Hauptgebäude 《n. -s, -》 des buddhistischen Tempels; Haupttempel *m.* -s, -; die Haupthalle 《-n》 e-s Tempels.

본대(本隊) Haupttrupp *m.* -s, -s; Hauptmacht *f.* ¨e (주력); Hauptarmee *f.* -n. ¶ 거기서 ~와 합류했다 Dort haben wir uns an den Haupttrupp angeschlossen.

본댁(本宅) Wohnung *f.* -en; Wohnsitz *m.* -es, -e (거처); Domizil *n.* -(e)s, -e (법률상의); die eigentliche Wohnung, -en; Hauptwohnung; Hauptgebäude *n.* -s, -.

본데 Erfahrung *f.* -en; Disziplin *f.* -en; gutes Benehmen, -s. ¶ ~ 없다 bäu(e)risch 〔ungehobelt; ungezogen; unkultiviert; wild〕 sein.

본도(本道) Landstraße *f.* -n; Chaussee [ʃɔsé:] *f.* ..seen; der richtige 〔rechte〕 Weg, -(e)s, -e (정도(正道)); Hauptstraße *f.* -n; Hauptweg *m.* -(e)s, -e.

본디(本一) von Anfang an(처음부터); eigentlich; ursprünglich (원래); von früher her (전부터); von Natur (천성). ¶ ~ 그 친구 말을 믿지 않았어 Von Anfang an habe ich s-n Worten k-n Glauben geschenkt. / 그는 ~ 출신이 좋을 것이다 Er ist wohl von gutem Stall. / 그는 ~ (허)약하다 Er ist von Natur schwächlich.

본때 Warnung *f.* -en; Mahnung *f.* -en; Ermahnung *f.* -en (경고); Abschreckungsmittel *n.* -s, - (위협수단); Beispiel *n.* -(e)s, -e; das gute Beispiel; Exempel *n.* -s, - (실례); Lektion *f.* -en (교훈). ¶ ~를 보여 주기 위해 zur Warnung für andere / ~를 보이다 ein Beispiel setzen; ein Exempel statuieren; *jn.* bestrafen / 난 너에게 ~를 보여줄 것이다 Ich werde an dir ein Exempel statuieren 〔Beispiel aufstellen〕. / 그것은 ~를 보이기 위한 것이다 Das soll e-e Warnung sein. / 그것은 그에게 ~가 될 것이다 Das wird ihm e-e Warnung sein!

본뜨다(本一) modellieren[4]; formen[4]; gestalten[4]; bilden[4] 《이상 *nach*[3]》; kneten[4] (점토로); gießen*[4] (주형에 붓다); kopieren[4] (베끼다; 사본을 뜨다); imitieren[4]; nach|bilden[4] (예술품을 모조함); nach|machen[3·4]; nach|ahmen[4] (태도를 모방하다); nach|malen[4]; auf|zeichnen[4] 〔durch|-〕 (본떠 만들다). ¶ 나는 응접실을 한국 고전식으로 본떴다 Ich habe ein Empfangszimmer in altkoreanischem Stil eingerichtet.

본뜻(本一) ① 《의도》 ursprüngliches Ziel, -(e)s, -e; Absicht *f.* -en; das Vorhaben*, -s; Vorsatz *m.* -es, ¨e. ¶ ~을 이루다 sein Ziel verwirklichen; s-n Wunsch erfüllen/ 그렇게 하는 것은 나의 ~이 아니다 Es geht mir gegen den Strich.¦Es widerstrebt mir, das zu tun. ② 《의미》 die eigentliche Bedeutung, -en (e-s Texts); der ursprüngliche Sinn, -(e)s, -e; die zugrundliegende Bedeutung. ¶ 헌정의 ~ das grundlegende Prinzip e-r konstitutionellen Regierung / 그 말의 ~을 모르겠읍니다 Ich kann die eigentliche Bedeutung des Wortes nicht verstehen.

본래(本來) anfänglich; von Anfang an; wesentlich; von Natur; im wesentlichen. ¶ ~의 eigentlich; ursprünglich; urtümlich; im Grund genommen; natürlich; original; eigentümlich (고유의); innenwohnend 〔inwohnend〕; eigen; wesentlich / 낱말 ~의 뜻 die eigentliche Bedeutung 《e-n》 e-s Wortes / 말의 ~의 뜻으로는 im eigentlichen 〔eigentlichsten〕 Sinne des Wortes / 인간 ~의 면목 das eigentliche Wesen des Menschen / ~ 이 대상은 논리학에 속한다 Eigentlich gehört dieser Gegenstand zur Logik. / ~ 나는 그것으로 돈을 좀 벌 의도를 갖지 않았었다 Ursprünglich hatte ich nicht die Absicht, etwas damit zu verdienen.

본령(本領) 《본성》 Element *n.* -(e)s, -e; Wesen *n.* -s, -; Charakteristik *f.* -en; das Charakteristische*, -s; 《본분》 das eigentliche Gebiet, -(e)s, -e; das eigentliche Territorium, -s, ..rien; Fach *n.* (-e)s, ¨er (본직); Amt *n.* -(e)s, ¨er (본무(本務)). ¶ ~을 발휘하다 in s-m Element sein; sein Wesen treiben* 〔zeigen*〕 / 그것은 그의 ~이다 Das ist sein besonderes Fach.

본론(本論) Haupt¦frage *f.* -n 〔-sache *f.* -n〕; Grundgedanke *m.* -ns, -n; Wesensgehalt *m.* -(e)s, -e; Hauptrede *f.* -n; Hauptgegenstand *m.* -(e)s, ..stände; Hauptlehre *f.* -n. ¶ ~에 도달하다 zur Hauptsache kommen*ⓢ / 다시 우리들의 ~으로 돌아가기 위하여 um wieder zu unseren Gegenstand zurückzukehren; um wieder auf unseren Gegenstand zu kommen ⓢ 〔zurückzukommen ⓢ〕.

본루(本壘) 〖야구〗 Schlagmal *n.* -(e)s, -e; Stützpunkt *m.* -(e)s, -e (중요 기지); Hauptfestung *f.* -en (주요새(主要塞)).
‖ ~타 Vier-Mal-Lauf *m.* -(e)s, ¨e.

본류(本流) Hauptstrom *m.* -(e)s, ¨e; Hauptfluß *m.* ..flusses, ..flüsse; der Hauptlauf 《-(e)s, ..läufe》 e-s Flusses; Hauptstamm *m.* -(e)s, ¨e (본줄기). ¶ 문학(文學)의 ~ die Hauptströmung der Literatur.

본말(本末) das A u. O, des - u. -s; das Alpha u. das Omega, des -s u. des -s; Haupt- u. Nebensache, der - u. -. ¶ ~을 전도하다 das Pferd beim Schwanze auf|zäumen; die Pferde hinter den Wagen spannen.

본맛 der ursprüngliche Geschmack, -(e)s, ¨e; das ursprüngliche Aroma, -s, ..men.

본망(本望) der lang gehegte Wunsch, -es, ¨e; die eigentliche Absicht, -en. ¶ ~을 이루다 am Ziel s-r Wünsche gelangen 〔an|langen〕 ⓢ; hohe Ziele erreicht haben 〔sehen*〕.

본명(本名) *js.* wirklicher 〔richtiger; wahrer; eigentlicher〕 Name.

본무(本務) Pflicht *f.* -en; Amt *n.* -(e)s, ¨er; Amtspflicht; Obliegenheit *f.* -en; die eigentliche Aufgabe, -n; Verpflichtung *f.* -en; die *jm.* obliegende Pflicht. ¶ 나에게 주어진 ～ die mir obliegende Pflicht / ～에 잘 좇다 Pflichten beobachten 〔tun*〕/ 그것은 나의 ～이다 Es liegt mir ob.

본무대(本舞臺) Hauptbühne *f.* -n; Öffentlichkeit *f.*(세상, 사회); der öffentliche Platz, -es, ⸚e.

본문(本文) Wortlaut *m.* -(e)s, -e; Text *m.* -es, -e; Inhalt *m.* -(e)s, -e. ¶ ～에 따라 dem Wortlaute nach.

본문제(本問題) 《본래의》 das eigentliche Problem, -s, -e; die eigentliche Frage, -n; 《기본의》 das zugrundliegende Problem; das fundamentale Problem; Grundfrage *f.* -n; 《이 문제》 dieses Problem; die vorliegende Sache, -n.

본밑(천)(本—) ＝밑천.

본바닥(本—) Heimat *f.* -en; die beste Gegend, -en《*für*⁴》; Hauptort *f.* -(e)s, -e; Fundort *m.* -(e)s, -e; Zentralstelle *f.* -n. ¶ ～의 echt; unverfälscht / 사과의 ～ die Heimat des Apfels / 그것은 ～겁니다 Das ist echt! / 영국은 의회주의의 ～이다 England ist die Heimat des Parlamentarismus. / 파리는 유행의 ～이다 Paris ist die Zentralstelle der Mode.

본바탕(本—) Substanz *f.* -en; das Wesentliche*, -n, -n; wesentliche Eigenschaft; innerstes Wesen, -s, -; Kern *m.* -(e)s, -e; Extrakt *m.* -(e)s, -e. ¶ ～이 정직한 von Natur (aus) ehrlich 〔rechtschaffen〕/ 그는 ～이 나쁜 사람이 아니다 Er ist im Grunde kein schlechter Mensch.

본받다(本—) *js.* ³Beispiel folgen; ³sich ein ⁴Muster nehmen*《*an*³》; nach|ahmen⁴; ³sich ein Vorbild 〔ein Beispiel〕 nehmen* 《an *jm.*》; ³sich zum Vorbild nehmen*《*jn.*》. ¶ 본받을 만한 행동 die muster¦gültige 〔-hafte〕 Haltung 〔Handlung〕 -en; das mustergültige Verhalten, -s / …을 본받아서 nach dem Muster 〔Vorbild〕 von³ / 너희들은 그의 행실을 본받지 말라 Sein Betragen sollt ihr nicht zum Muster 〔Vorbild〕 nehmen.¦ Sein Betragen soll euch nicht zur Nachahmung dienen.

본보기(本—) Beispiel *n.* -(e)s, -e; Muster *n.* -s, -; Vorbild *n.* -(e)s, -er; Ideal *n.* -s, -e. ¶ ～를 보이다 für *jn.* mit gutem Beispiel voran|gehen*ⓢ/아무를 ～로 삼다 ³sich ein Beispiel an *jm.* nehmen*; ³sich *jn.* zum Vorbild nehmen* / ～가 될 수 없다 nicht mit gutem Beispiel vorangehen können*/ 영국의 제도를 ～로 삼다 die englische Einrichtung zum Muster nehmen* / ～가 되다 *jm.* zum Vorbilde dienen.

본봉(本俸) das feste Gehalt, -(e)s, ⸚er.

본부(本夫) ＝본남편.

본부(本部) Zentrale *f.* -n; Hauptquartier *n.* -s, -e; Hauptbüro *n.* -s, -s; Stab *m.* -(e)s, ⸚e; Stabquartier.

‖ ～장 Stabschef *m.* -s, -s. 참모～ großer Generalstab: 참모 ～ 장교 Generalstabsoffizier *m.* -s, -e.

본분(本分) Pflicht *f.* -en; Aufgabe *f.* -n; Obliegenheit *f.* -en; Verpflichtung *f.* -en; Hauptpflicht; 《천직》 Beruf *m.* -(e)s, -e; Bestimmung *f.* -en; 《직무》 Amt *n.* -(e)s, ⸚er; Dienst *m.* -(e)s, -e. ¶ ～을 지키는〔다하는〕 treu; pflichtgetreu / ～을 다하다 s-e Pflicht tun* 〔erfüllen〕; das Seine 〔Seinige〕 tun* / 자기의 ～을 소홀히 하다 s-e Pflicht vernachlässigen / 학생은 학생의 ～을 다해야 한다 Der Student soll s-e Studentenpflichten erfüllen.

본사(本寺) 《불교에서》 Tempel 《*m.* -s, -》, wo man zum buddhistischen Priester geweiht wurde; 《자기가 있는》 sein (zugehöriger) Tempel; 《본산》 Haupttempel *m.* -s, -.

본사(本社) Hauptverwaltung *f.* -en; Zentrale *f.* -n; Hauptgeschäft *n.* -(e)s, -e; Stammhaus *n.* -es, ⸚er; unser Büro, -s, -s (우리 회사); Hauptgesellschaft *f.* -en; Haupthandlung *f.* -en (상사의).

본사내(本—) ＝본남편(本男便).

본산(本山) Hauptsitz 《*m.* -es, -e》 e-r Sekte; Kathedrale *f.* -n.

본새(本—) ① 《생김새》 natürliches Aussehen*, -s; der ursprüngliche Gesichtszug, -(e)s, ⸚e. ¶ ～가 곱다 hübsch sein; schöne Gesichtszüge haben. ② 《바탕》 Naturanlage *f.* -n; Charakteranlage *f.* -n; Beschaffenheit *f.* ¶ ～가 사납다 ein häßliches Naturell haben.

본색(本色) die unverstellten Worte 《*pl.*》; die wirkliche Absicht, -en. ¶ ～을 드러내다 die Wahrheit ein|gestehen*; Farbe bekennen; die Katze aus dem Sack lassen*; 《정체를》 sein wahres Gesicht zeigen; die Maske fallen lassen* 〔von ³sich werfen*〕; s-e wirkliche Absicht mit|teilen 〔kund|geben*〕; ⁴sich in s-r wahren Gestalt zeigen; den Pferdefuß zeigen / 드디어 그의 ～을 알아냈다 Endlich haben wir ihn ausgeforscht.

본서(本書) 《이 책》 dieses Buch, -(e)s, ⸚er; das vorliegende Buch; das besagte Buch.

본서(本署) Hauptpolizeiwache *f.* -n; Polizeipräsidium *n.* -s, ..dien; Hauptamt *n.* -(e)s, ⸚er; Hauptpolizeiamt *n.* -(e)s, ⸚er (경찰의); das Zentralbüro 《-s, -s》 der Polizei.

본서방(本書房) ＝본남편(本男便).

본선(本船) Hauptschiff *n.* -(e)s, -e; Mutterschiff; dieses 〔unser〕 Schiff, -(e)s, -e (이 배). ¶ 화물은 ～으로부터 내린다 Die Waren werden vom Schiff ausgeliefert.

‖ ～인도 〖상업〗 fob; frei an Bord; die freie Lieferung an Bord.

본선(本線) 〖철도〗 Hauptlinie *f.* -n; Stammlinie; Hauptleitung *f.* -en.

본성(本性) die (angeborene) Natur, -en; Wesen *n.* -s, -; der wahre Charakter, -s, -e [..té:rə]. ¶ ～을 드러내다 ⁴sich entlarven 〔entpuppen; entschleiern〕; sein wahres Gesicht zeigen; die Maske fallen lassen* 〔von ³sich werfen*; herunter|reißen*; ab|reißen*〕/ 그의 ～은 그렇다 Das liegt in s-r Natur.¦S-e Natur ist nun einmal so. (어쩔 수 없다) / 그는 ～은 좋은 인간이다 Eigentlich 〔Im Grunde〕 ist er ein guter Mensch.

본성(本姓) der eigentliche Familienname, -ns, -n. ¶ 그녀의 (결혼 전의) ～은 마이어다 Sie ist e-e geborene Meyer.

본성(本城) Hauptburg *f.* -en; Bergfried *m.* -(e)s, -e.

본숭만숭하다 flüchtig überblicken⁴; flüchtig betrachten⁴; rasch durch|sehen*⁴. ¶ 그는 편지를 본숭만숭했다 Er hat den Brief flüchtig durchgelesen. / 본숭만숭하지 말고 잘 읽어라 Lies es genau, laß nichts aus dabei. / 그 사람은 어디서 본숭만숭한 사람인데 Kann sein, daß ich ihn mal flüchtig gesehen habe.

본시(本是) =본디.

본실(本室) die rechtmäßige Ehefrau, -en; erste Frau.

본심(本心) Herz *n.* -ens, -en (마음속); die wahre (wirkliche) Absicht, -en (진의); Gesinnung *f.* -en (의향); Gewissen *n.* -s, - (양심); Sinn *m.* -(e)s, -e (분별); Vernunft *f.* (이성); Besinnung *f.* -en (의식, 자각); Ernst *m.* -es (진심); Ernsthaftigkeit *f.* -en; das wahre Herz, -ens, -en; das innerste Herz. ¶ ～은 im Grunde; im Herzengrunde; im Herzen; im Innern / ～을 잃다 von Sinnen kommen* ⓢ; die Besinnung verlieren*; bewußtlos werden ⓢ; die Fassung verlieren*; aus der (außer) Fassung kommen* ⓢ; gewissenlos sein / ～으로 돌아가다 wieder zur Vernunft (zum Verstand; zur Besinnung; zu Bewußtsein; zu Sinnen) kommen* ⓢ / ～을 말하다 aus tiefstem Herzen sprechen* / 그것은 ～에서 우러나온 것이다 Es kommt aus dem Herzen.

본안(本案) ① 《원안》 Originalentwurf *m.* -(e)s, ⸚e; Originalplan *m.* -(e)s, ⸚e. ② 《이안》 dieser Plan; dieser Entwurf.

본얼굴(本—) das ungeschminkte Gesicht, -(e)s, -er. ¶ 모든 배우들은 무대 위에서 보다 ～이 더 아름답지 못하다 Jeder Schauspieler ist nicht schöner in Wirklichkeit als auf der Bühne.

본업(本業) Haupt¦beruf *m.* -(e)s, -e (-beschäftigung *f.* -en); Hauptbetrieb *m.* -(e)s, -e (주된 사업); der eigentliche Beruf, -(e)s, -e; die eigentliche Beschäftigung, -en. ¶ ～에 열심히 종사하다 s-n Beruf eifrig betreiben*/ 그의 ～은 의사다 Er ist (ein) Arzt seinem Beruf nach.

본역(本驛) Zentral¦bahnhof (Haupt-) *m.* -(e)s, ⸚e.

본연(本然) =본래.

본영(本營) Hauptquartier *n.* -s, -e; Hauptlager *n.* -s, -. ¶ 대～ das große Hauptquartier.

본원(本源) Urquelle *f.* -n; Ursache *f.* -n; Ursprung *m.* -(e)s, ⸚e; Quelle *f.* -n; Anfang *m.* -(e)s, ⸚e (발단, 기원); Entstehung *f.* -en (발생, 기원); Grund *m.* -(e)s, ⸚e (근본); Grundquelle *f.* -n; Grundquell *m.* -(e)s, -e. ¶ ～의 original; ursprünglich; anfänglich / ～의 연구 Quellenforschung *f.* -en / 사물의 ～을 연구하다 nach der Quelle e-r Sache forschen; e-r Sache auf den Grund gehen* ⓢ.

본월(本月) =이달.

본위(本位) ① Basis *f.* ..sen; Maßstab *m.* -(e)s, ⸚e; Niveau [nivó:] *n.* -s, -s; Norm *f.* -en; Richtschnur *f.* -en; Muster *n.* -s, -; Standard *m.* -(s), -s.
② 《주의》 Prinzip *n.* -s, -e (-ien).
③ 《화폐의》 Währung *f.* -en; Münzfuß *m.* -es, ⸚e; Valuta *f.* ..ten; Münzwährung *f.* -en. ¶ 자기 ～ Selbsucht *f.* ⸚e; Egoismus *m.* - / 자기 ～의 selbstsüchtig; egoistisch; egozentrisch / 품질 ～의 Qualität zuerst; Qualität ist die Hauptsache / 오락 ～의 잡지 e-e der Unterhaltung gewidmete Zeitschrift; Unterhaltungsblatt *n.* -(e)s, ..blätter / 영리 ～의 학교 e-e Schule, die vor allem auf eigenen Vorteil bedacht ist / 그는 자기 ～로 생각한다 Er denkt zuerst an sich selbst.
‖ ～화폐 das gesetzliche Zahlungsmittel, -s, -. 금～ Gold¦währung *f.* -en (-standard *m.* -(e)s, -e). 단～ die einfache Währung. 복(금은)～ Doppelwährung *f.* -en. 은～ Silberwährung *f.* -en. 품질～ Qualität vor Quantität.

본의(本意) der wahre (eigentliche; wirkliche) Wille, -ns, -n; der wirkliche Wunsch, -es, ⸚e. ¶ ～ 아니게 gegen *js.* [4]Willen; wider *js.* [4]Willen; mit [3]Widerwillen; ungern; der [3]Not gehorchend / 그렇게 한 것은 그의 ～가 아니었다 Er tat es gegen s-n Willen. / ～ 아니나 당신의 소원대로 해 드리지 못하겠읍니다 Es tut mir sehr leid, Ihren Wunsch nicht erfüllen zu können. / 그것은 전혀 제 ～가 아닙니다 Das ist ganz gegen m-n Wunsch.

본의(本義) =본지(本旨).

본이름(本—) der richtige (eigentliche) Name, -ns, -n; Originalname *m.* -ns, -n.

본인(本人) der Betreffende,* -n, -n; die in Frage kommende (in Rede stehende) Person, -en; er* (sie*) selbst; jemand in (eigener) Person (대리 아닌); die Person selbst; Hauptperson *f.* -en; Original *n.* -s, -e. ¶ ～ 스스로 persönlich; in (eigener) Person; selbst / ～이 출두할 것 Persönlich erscheinen! / ～의 출현 das persönliche Erscheinen*, -s / ～의 출두를 요구하는 Persönliches Erscheinen erforderlich / ～을 알고 있다 Ich kenne ihn in Person. / 그것은 ～에게서 들은 이야기다 Ich habe es von ihm selbst gehört. ¦ Ich hab's aus erster Hand.

본임자(本—) der ursprüngliche Eigentümer, -s, -; der eigentliche Besitzer, -s, -.

본적(本籍) familienrechtlicher Wohnort, -(e)s, -e. ¶ ～을 서울로 옮기다 s-n familienrechtlichen Wohnort nach Seoul verlegen.
‖ ～지 der registrierte Wohnort, -(e)s, -e; der familienrechtliche Wohnort: 나의 ～지는 서울이다 Mein familienrechtlicher Wohnort ist in Seoul.

본전(本錢) Kapital *n.* -s, -e (..lien); Kapitalsumme *f.* -n; Anfangskapital; Stock *m.* -(e)s, ⸚e. ¶ 밑져야 ～이다 Auch wenn es mir nicht klappt, ich verliere nichts dabei.

본점(本店) Hauptgeschäft *n.* -(e)s, -e; Zentrale *f.* -n; unser (dieser) Laden, -s, - (⸚) (이 상점); Haupthandlung *f.* -en; Hauptbüro *n.* -s, -s; Hauptbank *f.* -en (은행의).

본정(本情) =본의(本意).

본제(本題) Sache *f.* -n; Haupt¦frage *f.* -n (-problem *n.* -(e)s, -e; -punkt *m.* -(e)s, -e; -sache *f.* -n); der vorliegende Gegenstand, -(e)s, ⸚e; die vorliegende Sache (Frage) -n (당면문제). ¶ ～에서 벗어난 nicht zur Sache gehörig / ～로 돌아가다 wieder zu s-m Gegenstande zurück¦kehren ⓢ.

본존(本尊) die geweihte Buddhastatue, -n; Buddha als Gegenstand des Anbetens; Hauptbuddhastatue *f.* -n; der Gegenstand 《-(e)s, ⸚e》 der Verehrung; Idol *n.* -s, -e; Abgott *m.* -es, ⸚er. ¶ 이 사원의 ～은 아미타불이다 Dieser Tempel ist Amitabha geweiht.

본종(本宗) der Angehörige* desselben Familienstamms (Clans); Sippschaft *f.* -en; Sippe *f.* -n.

본주인(本主人) der eigentliche Besitzer, -s, -; der eigentliche Inhaber, -s, -; der ursprüngliche Eigentümer, -s, -.

본줄기(本—) Hauptlinie *f.* -n.

본지(本旨) Hauptsache *f.* -n; das Wesentliche*, -n; Herzstück *n.* -(e)s, -e (핵심); Grundgedanke *m.* -ns, -n; Hauptgrundsatz *m.* -es, ⸚e; Kern *m.* -(e)s, -e; die eigentliche Absicht (Meinung) -en; Kerngedanke *m.* -ns, -n. ¶ ~에 상응하다 dem wahren Zweck entsprechen* / 교육의 ~와 모순되다 dem wahren Zweck der Erziehung widersprechen*.

본지(本紙) diese Zeitung; unsere Zeitung; 《논설 따위에서》 wir; uns. ¶ ~의 애독자 unsere Leser 《*pl.*》.

본지(本誌) diese (unsere) Zeitschrift.

본직(本職) ① 《본무》 das eigentliche Amt, -(e)s, ⸚er; Hauptberuf *m.* -(e)s, -e; (Haupt-) fach *n.* -(e)s, ⸚er; Hauptbeschäftigung *f.* -en; Profession *f.* -en.
② 《전문가》 Fachmann *m.* -(e)s, ..leute; der Sachverständige*, -n, -n; der Professionelle*, -n, -n; Spezialist *m.* -en, -en. ¶ ~의 beruflich; Berufs-; Fach-; professionell; berufsmäßig / 그는 ~이 의사다 Er ist Arzt vom Beruf.¦Er ist Arzt s-m Berufe nach.¦Er ist s-s Zeichens (ein) Arzt./ 그것은 저의 ~이니까요 Das ist doch mein besonderes Fach. / 경륜(競輪)이 그의 ~이다 Er ist Berufsfahrer.

본진(本陣) =본영(本營).

본질(本質) Wesen *n.* -s, -; Essenz *f.* -en; Kern *m.* -(e)s, -e; Substanz *f.* -en (실체); das Wesentliche*, -n; die innere Natur, -en. ¶ ~적으로 wesentlich; entscheidend; ausschlaggebend; im wesentlichen; an (u. für) sich / ~적인 wesentlich; essentiell; inner / ~적으로는 dem Wesen nach.

본집(本—) Wohnung *f.* -en; Wohnsitz *m.* -es, -e (거처); die eigentliche Wohnung; Hauptwohnung *f.* -en; Hauptgebäude *n.* -s, - (본관).

본처(本妻) die richtige (rechtmäßige; legitime) Frau, -en; Ehefrau; Hauptfrau. ¶ ~로 삼다 ein Mädchen durch (rechtmäßige) Heirat zu Ehren bringen*; aus e-m Mädchen e-e rechtmäßige Ehefrau machen.

본체(本體) Hauptteil *m.* -(e)s, -e; 〖철학〗 Noumenon *n.* -s, ..mena; Wesen *n.* -s, -; Substanz *f.* -en (실체); das Ding an sich (사물자체). ¶ ~와 가상 Wesen u. Schein.
‖ ~론 Ontologie *f.* ..gien: ~론적 ontologisch / ~론적 증명 der ontologische Beweis, -es, -e.

본체만체하다 =못본체하다.

본초(本草) 〖한의학〗 chinesisches Heilkraut, -(e)s, ⸚er; Heilkräuter 《*pl.*》; 《본초학》 chinesische (Kräuter)medizin, -en; Heilpflanzenkunde *f.* -n. ¶ ~채집을 하다 Heilpflanzen sammeln; botanisieren.
‖ ~가 Kräuterdoktor *m.* -s, -en. ~강목 Blumenwelt *f.* -en; e-e botanische Liste, -n. ~학 Botanik *f.*; Pflanzenkunde *f.*

본초자오선(本初子午線) der erste Meridian, -s, -e (Längenkreis, -es, -e).

본치 Gestalt *f.* -en; Form *f.* -en; äußere Erscheinung, -en.

본토(本土) Festland *n.* -(e)s, ⸚er; Hauptland. ¶ ~산의 eingeboren; einheimisch.
‖ ~인 die Eingeborenen (Einheimischen) 《*pl.*》; die Urbewohner 《*pl.*》; die Ureinwohner 《*pl.*》 (원주민). 영국~ die Hauptinsel 《-n》 Großbritannien. 중국~ das Chinesische Festland.

본형(本刑) 〖법〗 reguläre Strafe, -n; angemessene Bestrafung, -en.

본형(本形) ursprüngliche Form, -en; ursprüngliche Gestalt, -en.

본회담(本會談) Hauptkonferenz *f.* -en; Gipfelkonferenz (정상회담).

본회의(本會議) Voll¦sitzung *f.* -en (-versammlung *f.* -en); Plenarsitzung *f.* -en; Hauptsitzung *f.* -en; die öffentliche Sitzung; Generalversammlung (총회).

볼[1] ① 《뺨》 Backe *f.* -n; Wange *f.* -n. ¶ 볼이 붉은 rotwangig; mit roten Wangen (Backen) / 볼이 움푹 패다 hohlwangig sein; eingefallene Backen haben / 볼이 미어지게 먹다 den Mund füllen 《*mit*[3]》 / 그 아이의 볼은 포동포동하다 Der Knabe hat volle Wangen.¦Der Knabe ist pausbackig. / 부끄러워서 그 여자의 볼은 빨개졌다 Die Scham rötete ihre Wangen.
② 《버선의》 ¶ 버선에 볼을 대다 (받다) Socken (Strümpfe) stopfen.

볼[2] 《공》 Ball *m.* -(e)s, ⸚e; Kugel *f.* -n. ¶ 볼던지기하다 Ball spielen; e-n Ball werfen*.

볼가심 etwas zu beißen; etwas Eßbares; Imbiß *m.* ..bisses, ..bisse. ~하다 e-n Imbiß ein|nehmen*. ¶ 생쥐 ~할 것도 없다 „Nicht einmal etwas für ein Rattenjunges zu beißen haben" (= gar nichts zu beißen haben) / 나는 ~할 것도 없다 Ich habe sogar nichts zu beißen.

볼가지다 ☞ 불거지다.

볼강거리다 《e-e Bewegungsart des Kauens》 zäh kauen.

볼강볼강 hart zu kauen; zäh.

볼거리 〖한의학〗 Mumps *m.* -; Ziegenpeter *m.* -s, -; *Parotitis epidemica* (학명). ¶ ~가 나다 Ziegenpeter haben.

볼그대대하다, 볼그댕댕하다 rötlich; gerötet (sein).

볼그레하다 rötlich; mit roten Farbe gefärbt (sein).

볼그무레하다, 볼그스름하다 rötlich; gerötet; errötend; rötlich gefärbt (sein).

볼그족족하다 ☞ 볼그대대하다.

볼긋볼긋 ☞ 발긋발긋.

볼기 Hinterbacke *f.* -n; Hinterteil *n.* -(e)s, -e; Gesäß *n.* -es, -e; Hintern *m.* -s, -. ¶ ~를 때리다(치다) (als Strafe) den Hintern versohlen (verdreschen*) / ~를 맞다 ein Paar auf den Hintern bekommen*; den Hintern voll|bekommen*.
‖ ~짝 =볼기.

볼꼴 äußerliche Erscheinung, -en; Gestalt *f.* -en; Anschein *m.* -(e)s, -e; das Aussehen*, -s. ¶ ~사납다 unansehnlich; häßlich; unschön; unziemlich (sein) / ~사납게 auf plumpe Art / ~사납게 굴지 말라 Blamier dich nicht! / 참 ~사납구나 Was für ein Anblick!

볼끼 Ohrenschützer *m.* -s, -.

볼달다 e-e Klinge schleifen*.

볼되다 ① 《벅참》 e-e Belastung sein; schwierig (sein). ② 《억셈》 straff; gespannt; fest; stark (sein).

볼록거리다 auf|schwellen* u. sinken*; heftig klopfen.

볼록거울 Konvexspiegel *m.* -s, -; ein nach außen gewölbter Spiegel.

볼록렌즈 Konvexlinse *f.* -n.

볼록면(—面) Konvexfläche *f.* -n; konvexe (runderhabene) Oberfläche, -n.

볼리비아 《나라 이름》 Bolivien *n.* -s; Bolivia; Republik 《*f.*》 B. ¶ ~의 bolivisch.
‖ ~사람 Bolivianer (Bolivier) *m.* -s, -.

볼링 Bowling [bóːliŋ] *n.* -s, -s; Kegelspiel *n.* -(e)s, -e; Kegelschieben *n.* -s. ~하다 Kegel schieben*; kegeln.
‖ ~장 Kegelsporthalle *f.* -n.

볼만장만 schweigendes Zusehen*, -s. ~하다 =볼만하다[1].

볼만하다[1] 《방관》 schweigend zu|sehen*; ruhig zu|sehen*.

볼만하다[2] 《보암직하다》 sehenswert; sehenswürdig (sein). ¶ 서울은 볼만한 도시이다 Die Stadt Seoul ist sehenswert.

볼맞다 ① 《손이 맞다》 Hand in Hand arbeiten; mit *jm.* gut aus|kommen*; gut zusammen|arbeiten können*. ② 《걸맞다》 gut zusammen|passen (zusammen|stimmen).

볼멘소리 ärgerliche Worte 《*pl.*》. ¶ ~로 in ärgerlichem Ton; mit ärgerlicher Stimme / ~로 대답하다 e-e ärgerliche Antwort geben* / 그렇게 ~하지 않아도 좋을 텐데 Du könntest ohne ärgerliche Worte auch freundlicher sein.

볼모 Geisel *m.* -s, - (*f.* -n); Leibbürge *m.* -n, -n. ¶ ~로 잡다 als [4]Geisel nehmen* 《*jn.*》 / ~로 잡히다 als Geisel genommen werden 《von *jm.*》.

볼받다 《Socke *od.* Strumpf》 flicken[4]; stopfen[4].

볼받이 geflickte Socken 《*pl.*》; gestopfte Socken.

볼셰비즘 Bolschewismus *m.* -. ¶ ~의 bolschewistisch.

볼셰비키 Bolschewik *m.* -en, -en (..wiki); Bolschewist *m.* -en, -en.

볼썽사납다 unanständig; ungebührlich; unschön (sein).

볼쑥 ☞ 불쑥.

볼씨 《방아의》 Auflage 《*f.* -n》 für die Achse e-s Mühlrades.

볼일 Geschäft *n.* -(e)s, -e; 《용건》 Angelegenheit *f.* -en; Sache *f.* -n; 《일을》 Arbeit *f.* -en. ¶ ~을 보다 ein Geschäft (e-e Angelegenheit; e-n Auftrag) erledigen; e-e Arbeit (e-e Sache) verrichten / 급한 ~ die dringende Angelegenheit, -en; ein Fall 《-(e)s, ⸚e》 von (großer) Dringlichkeit / 급한 ~이 있어서 in (wegen) e-r dringenden Angelegenheit; wegen dringender Geschäfte / 오늘은 ~이 있다 (많다) Ich habe heute etwas (viel) zu tun. / 내일은 ~이 없다 Morgen habe ich nichts zu tun. | Morgen bin (habe) ich frei. / 오늘 밤에 ~이 있읍니까 Haben Sie (für) heute abend etwas vor? / 자네에게 ~이 좀 있네 Ich habe etwas mit dir zu besprechen.

볼장다보다 nicht wieder gut machen können; kaputt sein; ruiniert sein. ¶ 이 장사도 이젠 볼장 다 보았다 Dieses Geschäft ist ruiniert.

볼칵- ☞ 불컥-.

볼퉁- ☞ 불퉁-.

볼트 Volt *n.* -(-(e)s), -; Voltspannung *f.* -en. ¶ 10,000 ~의 전력 10000 Voltsstrom *m.* -(e)s, ⸚e.
‖ ~계 Voltmeter *n.* (*m.*) -s, -s. ~암페어 Voltampere *m.* -(s), -. ~수 Spannung *f.* -en; Voltzahl *f.* -en.

볼펜 Kugelschreiber *m.* -s, -.

볼품 Aussehen *n.* -s; Anschein *m.* -(e)s (외관); das Äußere*, -n; (die äußere) Erscheinung, -en; Form *f.* -en. ¶ ~ 있는 hübsch aussehend; von gutem Aussehen; nett; schick(날씬한); präsentierbar(선물 따위) / ~이 있다 gut (schön; hübsch; vorteilhaft) aus|sehen*; [4]sich ab|heben* 《*von*[3]》; von gutem Aussehen sein; geschmackvoll sein (모양 따위가) / ~이 없는 unansehnlich; unscheinbar; unziemlich; schäbig; plump; schlecht aussehend / ~이 없다 schlecht aus|sehen*; geschmacklos sein(모양 따위가); von schlechtem Aussehen sein; nicht zur Wirkung kommen* (s).

볼프람 〖화학〗 Wolfram *n.* -s(텅스텐) 《기호: W》.

볼호령(一號令) ärgerliches Brüllen*, -s; Geheul *n.* -(e)s. ~하다 heulen; an|schreien*[4]; brüllen. ¶ 그는 종업원에게 ~을 하였다 Er schrie die Angestellten an. / 「그것은 정말 철면피한 짓이야」라고 그는 ~하였다 „Das ist e-e Frechheit", so brüllte er.

봄 Frühling *m.* -s, -e; Frühlingszeit *f.* -en. ¶ 봄 날씨 Frühlingswetter *n.* -s, - / 봄 같은 (봄 기운이 도는) frühlinghaft / 봄에 frühlings / 봄의 시작 Frühlingsanfang *m.* -(e)s, ⸚ / 봄철용 상품 Frühlingsbedarf *m.* -(e)s / 봄의 꽃 Frühlingsblume *f.* -n / 봄의 축제 Frühlingsfest *n.* -es, -e / 봄의 입김 Frühlingshauch *m.* -(e)s, -e / 봄다운 frühlingsmäßig / 봄이 되다 Es frühlingt.

봄가물 Frühlingstrockenheit *f.*; Frühlingsdürre *f.* -n.

봄갈이 Frühlingsbestellung *f.* -en; das Pflügen* (-s) im Frühjahr. ~하다 im Frühjahr pflügen[(4)].

봄날 Frühlingstag *m.* -(e)s, -e; Frühlingswetter *n.* -s, -; Frühlingszeit *f.* -en. ¶ 온화한 ~ milde Frühlingstage 《*pl.*》 / ~ 아침 Frühlingsmorgen *m.* -s, -.

봄낳이 im Frühjahr handgewebter Baumwollstoff, -(e)s, -e.

봄내 im Frühling; den (ganzen) Frühling hindurch. ¶ ~ 비 한 방울 오지 않았다 Wir haben das ganze Frühjahr hindurch k-n Tropfen Regen gehabt.

봄눈 Frühlingsschnee *m.* -s. ¶ ~ 슬듯하다 [4]sich in Luft auf|lösen; verschwinden* (s); 《음식이》 im Munde zergehen* (s); wohlschmeckend sein.

봄바람 Frühlings|wind (-hauch) *m.* -(e)s, -e; Frühlingsbrise *f.* -n. ¶ ~이 솔솔 분다 Der Frühlingswind weht sacht. | Die Frühlingsbrise säuselt.

봄베 Bombe *f.* -n; Gasflasche *f.* -n.
‖ 산소~ Sauerstoffflasche *f.* -n; Sauerstoffzylinder *m.* -s. -.

봄베기 das Baumfällen* 《-s》 im Frühjahr.

봄볕 Frühlingssonne *f.*; Frühlingssonnenschein *m.* -(e)s, -e; Frühlingsglanz *m.* -es.

봄보리 im Frühlinggesäte Gerste; Frühaussaat 《*f.*》 der Gerste; Gerstenaussaat in der Frühlingszeit.

봄비 Frühlingsregen *m.* -s; der Sprühregen im Frühling; der Nieselregen im Frühling.

봄빛 Frühlingsszene *f.* -n; Frühlingslandschaft *f.* -en.

봄새 Frühlingszeit *f.* -en; 〖부사적〗 während der Frühlingszeit, im Frühling.

봄철 Frühling *m.* -s, -e; Frühjahr *n.* -(e)s, -e; Frühlingszeit *f.* -en. ¶ ~용 물품 Frühlingswaren 《*pl.*》.

봄추위 die Kälte im Frühling; kalte Tage 《*pl.*》 im Vorfrühling; der Frost 《-es, ⸚e》 im Vorfrühling.

봄타다 von Frühjahrsmüdigkeit befallen sein; von Frühjahrsmüdigkeit betroffen sein; im Frühling den Appetit verlieren*.

봅슬레이 《썰매》 Bobsleigh [bɔ́psleː] *m.* -s, -s;

Bob *m.* -s, -s; 《경기》 Bobrennen [bɔ́prɛnən] *n.* -s, -; Bobfahren *m.* -s, -. ⌈-(e)s, -er.
봇논(洑—) ein künstlich bewässertes Feld,
봇도랑, 봇돌(洑—) Bewässerungs¦graben (Zuleitungs-) *m.* -s, ⸚.
봇돌 ① 《아궁이의》 Stützsteine 《*pl.*》 zu beiden Seiten der Feuerstelle. ② 《지붕의》 Steine 《*pl.*》 zur Beschwerung der Dachbretter. ⌈im Stausee.
봇물(洑—) Stauwasser *n.* -s, -; das Wasser
봇줄 Anziehungsstrick 《*m.* -(e)s, -e》, mit dem das Vieh gebändigt wird.
봇짐(褓—) Bündel *n.* -s, -; Pack *m.* -(e)s, -e (⸚e). ¶ ~을 짊어지다 ein Bündel auf dem Rücken tragen*; ein Bündel auf die Schulter nehmen*.
‖ ~장수 Hausierer 《*m.* -s, -》, der s-e Waren auf dem Rücken trägt.
봉¹ 《메우는》 Lot *n.* -(e)s, -e; Lötmetall *n.* -s, -e; Lotblei *n.* -(e)s, -e. ¶ 봉(을) 박다 die Lötstelle verlöten; löten⁴.
봉² ☞ 봉돌.
봉(封) (Wachs)siegel *n.* -s, -; Petschaft *n.* -(e)s, -e; Siegelabdruck *m.* -(e)s, ⸚e. ¶ 봉을 하다 (be)siegeln⁴; versiegeln⁴; ein Siegel drücken 《*auf*⁴》; mit e-m Siegel verschließen*⁴; in e-n Umschlag tun*.
봉(鳳) ① ☞ 봉황. ② 《비유적》 Gimpel *m.* -s, -; Opfer *n.* -s, -; Beute *f.* -n. ¶ 봉이 되다 leicht zum Opfer werden; zur Beute fallen* ⓢ.
봉건(封建) 《제도》 Feudalismus *m.* -; Feudalsystem *n.* -s, -e; Feudalwesen *n.* -s; Leh(e)n(s)wesen; Leh(e)n(s)verfassung *f.* -en. ¶ ~(제도)의, ~적인 feudal; feudalistisch; Feudal-; Leh(e)ns- / ~ 군신의 관계 Lehnsverhältnis *n.* ..sses, ..sse.
‖ ~국가 Feudalstaat *m.* -(e)s, -en. ~군주 Leh(e)nsherr *m.* -n, -en. ~법 Feudalrecht *n.* -(e)s, -e; Leh(e)nsrecht. ~사상 die feudalistische Gesinnung, -en. ~시대 Feudalzeit *f.* -en. ~신하 Lehnsmann *m.* -(e)s, ⸚er; Vasall *m.* -en, -en. ~정치 Feudalherrschaft *f.* -en. ~제도 Feudalität *f.* -en; Feudalsystem *n.* -s; Feudalwesen *n.* -s. ~주의 Feudalismus *m.* -.
봉고도(棒高跳) Stabhochsprung *m.* -(e)s, ⸚e; das Stabhochspringen*, -s.
봉급(俸給) Gehalt *n.* -(e)s, ⸚er; Besoldung *f.* -en; Bezüge 《*pl.*》; Lohn *m.* -(e)s, ⸚e (임금); Löhnung *f.* -en (군대의); Sold *m.* -(e)s, -e; Salär *n.* -s, -e. ¶ ~으로 생활하다 von dem Gehalt leben; auf das Gehalt angewiesen sein / ~을 올리다 das Gehalt erhöhen (auf¦bessern) / ~을 내리다 *jm.* das Gehalt kürzen; *jn.* um das Gehalt kürzen; das Gehalt herab¦setzen / ~을 지불하다 Gehalt (be)zahlen; besolden⁴ / ~을 받다 Gehalt beziehen* / ~ 가불을 청하다 *jn.* um e-n Vorschuß bitten* / ~을 가불해주다 *jm.* e-n Vorschuß leisten / 대학 교수의 ~은 적은 편이다 Die Professoren sind schlecht bezahlt.
‖ ~날 Zahl¦tag (Löhnungs-) *m.* -(e)s, -e. ~봉투 Lohntüte *f.* -n. ~삭감 Gehaltsabzug *m.* -(e)s, ⸚e; Lohnverminderung *f.* -en. ~생활자 Gehaltsempfänger *m.* -s, -. ~인상 Gehalt(s)erhöhung *f.* -en; Gehaltsvermehrung *f.* -en; Gehaltsaufbesserung *f.* -en; Gehaltszulage *f.* -n; Besoldungszulage. ~표 Gehaltsliste *f.* -n. 고정~ das feste Gehalt; Fixum *n.* -s, ..xa.
봉기(蜂起) Empörung *f.* -en 《*gegen*⁴》; Aufstand *m.* -(e)s, ⸚e; Aufruhr *m.* -(e)s, -e; Insurrektion *f.* -en. ~하다 ⁴sich empören 《*gegen*⁴》; auf¦stehen* 《*gegen*⁴》; ⁴sich erheben* 《*gegen*⁴》. ¶ 농민 ~ Bauernaufstand *m.* -(e)s, ⸚e; Bauernaufruhr *m.* -(e)s, -.
봉납(奉納) Darbringung *f.* -en; Einweihung *f.* -en; Weihe *f.* -n; Widmung *f.* -en; Opferung *f.* -en. ~하다 dar¦bringen*⁴; (ein)¦weihen⁴; widmen⁴; opfern⁴. ¶ ~의 geweiht; Widmungs-; Votiv-; Opfer-.
‖ ~금 Opfergeld *m.* -(e)s, -er. ~물 Weihgeschenk (Votiv-) *n.* -(e)s, -e; Votiv¦bild *n.* -(e)s, er (-gemälde *n.* -s, -); Weih¦gabe (Opfer-) *f.* -n (그림); Votivtafel *f.* -n (액자). ~식 Weihe *f.* -n; Votivfeier *f.* -n. ~자 der Widmende*, -n, -n; der Darbringende*, -n, -n; der Opfernde*, -n, -n.
봉놋방(—房) Schlafraum 《*m.* -(e)s, ⸚e》 für mehrere Personen in e-m Gasthaus (in e-r Herberge).
봉당(封堂) Lehmfußboden 《*m.* -s, ⸚》 zwischen zwei Zimmern. ¶ ~을 빌려 주니 안방까지 달란다 《속담》 "Gibt man ihm ein Stück Lehmboden, verlangt er gleich das beste Zimmer."=Wenn du ihm den kleinen Finger gibst, nimmt er die ganze Hand.
‖ ~마루 Lehmfußboden *m.* -s, ⸚. ⌈-n.
봉대(烽臺) Leuchtturm *m.* -s, ⸚e; Bake *f.*
봉돌 Bleigewicht 《*n.* -(e)s, -e》 an der Angel; Senkblei *n.* -(e)s, -e; Senker *m.* -s, -. ¶ ~을 달다 e-e Angel beschweren.
봉두(峰頭) Gipfel *m.* -s, -; Spitze *f.* -n; Höhe *f.* -n; Scheitelpunkt *m.* -(e)s, -e.
봉두난발(蓬頭亂髮) zott(l)iges Haar, -(e)s, -e; struppiges Haar; verfilztes Haar; Rattennest *n.* -(e)s, -er.
봉랍(封蠟) Siegel¦lack *m.* (*n.*) -(e)s, -e (-wachs *n.* -es, -e); das Wachs 《-es》 zum Schießen e-s Briefes. ¶ ~으로 봉하다 siegeln⁴; hermetisch verschließen*⁴ (밀봉하다).
봉밀(蜂蜜) Honig *m.* -s. ⌈en.
봉바리 Messingreisschale 《*f.* -n》 für Frau-
봉박다 《구멍에》 ein Loch stopfen; ein Loch flicken; die Lötstelle verlöten; löten⁴.
봉박다(封—) e-m Packet ⁴*et.* bei¦legen.
봉방(蜂房) (Honig)wabe *f.* -n; Honigzelle *f.* -n.
봉변(逢變) 《변을》 Unglück *n.* -(e)s, -e; Unfall *m.* -(e)s, ⸚e; 《욕을》 Beleidigung *f.* -en; Beschimpfung *f.* -en; Erniedrigung *f.* -en; Kränkung *f.* -en. ~하다 von e-m Unglück getroffen werden; Opfer e-s Unglück werden; beleidigt werden; gekränkt werden.
봉봉 Bonbon [bɔ̃bɔ̃:] *m.* (*n.*) -s, -s (알사탕).
봉분(封墳) Grabhügel *m.* -s, -. ~하다 ein Grab errichten.
봉사(奉仕) Dienst *m.* -es, -e; Aufwartung *f.* -en; Bedienung *f.* -en; Dienstleistung *f.* -en; Kundendienst *m.* -es, -; Liebesdienst *m.* -es, -e (자선의). ~하다 dienen³; auf¦warten³; bedienen⁴; *jm.* zu Diensten stehen*; mit Verlust verkaufen⁴. ¶ 고객에 대한 ~ der Dienst an den Kunden; der freiwillige (unentgeltliche) Dienst.
‖ ~사업 Wohlfahrtspflege *f.* -n. 공공~ die öffentliche Wohlfahrtspflege, -n. 노동~ Arbeitsdienst. 사회~ Dienst an der

Gesellschaft.

봉사(奉事) 《소경》 der (die) Blinde*, -n, -n.

봉사(奉祀) Ahnenkult *m.* -(e)s, -e. ~하다 Ahnenkult durch|führen. ‖ ~손 jemand, der s-n Vorfahren Opfer darbringt.

봉상(棒狀) ¶ ~의 stangenartig.

봉서(封書) der (versiegelte) Brief, -(e)s, -e.

봉선화(鳳仙花) Springkraut *n.* -(e)s, ⸗er; Balsamine *f.* -n.

봉쇄(封鎖) Blockade *f.* -n; Blockung *f.* -en; Einschließung *f.* -en; Sperrung *f.* -en; Sperre *f.* -n. ~하다 blockieren⁴; ein|schließen*⁴; sperren⁴ (항만, 수로 따위를). ¶ ~를 선언(해제, 파기)하다 die Blockade erklären (auf|heben*, brechen*) / ~를 돌파하다 die Blockade durch|brechen*.

‖ ~계정 Sperrkonto *n.* -s, -s. ~돌파 Blockadebruch *m.* -(e)s, ⸗e: ~돌파선 Blockadebrecher *m.* -s, -. ~선(船) Blockadeschiff *n.* -(e)s, -e. ~선(線) Blockadelinie *f.* -n. ~예금 Sperrdepot [..po:] *n.* -s, -s. ~함대 Blockadegeschwader *n.* -s, -. 해상~ Seesperr *f.* -n.

봉수(烽燧) Feuerzeichen *n.* -s, -; Signalfeuer *n.* -s, -.

봉숭아 =봉선화(鳳仙花).

봉신(封臣) Lehnsmann *m.* -(e)s, ⸗er (..leute); Dienstmann *m.* -(e)s, -en.

봉양(奉養) Unterstützung 《*f.* -en》 der Eltern. ~하다 s-e Eltern unterhalten*; s-e Eltern unterstützen. ¶ 노모를 ~할 사람은 그뿐이다 Er ist die einzige Stütze s-r alten Mutter.

봉오리 Knospe *f.* -n; Keim *m.* -(e)s, -e (싹); Blütenknospe; Auge *n.* -s, -n. ¶ ~ 질 때에 im Keim / ~가 지다 Knospen an|setzen / 사랑의 ~ die keimende Liebe, -n / 꽃~가 (싹이) 나오다 knospen / ~(싹) 모양의 (같은) knospenartig.

봉욕하다(逢辱—) =욕보다(辱—).

봉우리 《산의》 Gipfel *m.* -s, -; Spitze *f.* -n. ¶ ~위의 구름 die Wolken 《*pl.*》 auf dem Gipfel.

봉인(封印) Siegel *n.* -s, -; Petschaft *n.* -(e)s, -e; Stempel *m.* -s, -. ~하다 (be)siegeln⁴; versiegeln⁴; petschieren⁴. ¶ ~된 gesiegelt; versiegelt.

‖ ~개봉 Siegelbruch *m.* -(e)s, ⸗e.

봉인(鋒刃) die Klinge, -n (des Degens, des Schwerts, der Lanze, *usw.*).

봉입(封入) Beilegung *f.* -en; Einlegung *f.* -en. ~하다 bei|fügen (-|legen)³⁴; ein|legen⁴ 《in e-n Brief》. ¶ 편지에 수표를 ~하다 e-m Briefe e-n Scheck bei|legen / …을 ~하였으니 받아 주십시오 Anbei (Beifolgend) erhalten Sie.... / 견본을 ~하여 보내드립니다 Als (In der) Anlage senden wir Ihnen e-e Probe.

‖ ~물 Beilage *f.* 《e-s Briefes》; Einlage; Einschluß *m.* ..schlusses, ..schlüsse.

봉작(封爵) die Erhebung 《-en》 in den Adelsstand. ~하다 *jn.* in den Adelsstand erheben*.

봉접(蜂蝶) Biene 《*f.* -n》 u. Schmetterling 《*m.* -s, -e》. ⌐-es, ⸗e.

봉접(鳳蝶) 《호랑나비》 Schwalbenschwanz *m.*

봉정(奉呈) Überreichung *f.* -en; die feierliche Überreichung. ~하다 überreichen⁴.

봉제사(奉祭祀) =봉사(奉祀).

봉족(奉足) Beistand *m.* -(e)s, ⸗e; Hilfe *f.* -n; Unterstützung *f.* -en. ~하다, ~들다 *jm.* bei|stehen*; *jm.* helfen*; *jn.* unterstützen. ‖ ~꾼 Gehilfe *m.* -n, -n; Assistent *m.* -en, -en.

봉지(封紙) ¶ 한 ~ e-e Dosis / 환약 한 ~ e-e Dosis der ²Pillen / 이 약을 매시간에 한 ~씩 환자에게 먹이시오 Geben Sie dem Patienten stündlich e-e Dosis von dieser Medizin!

봉직(奉職) Dienst *m.* -es, -e; Dienstleistung *f.* -en. ~하다 ein Amt (e-n Dienst) an|treten*; in ein Amt ein|treten* Ⓢ. ¶ ~하고 있다 ein Amt bekleiden (inne|haben*); amtieren; amten / 외무부에 통역으로 ~하고 있다 Er bekleidet das Amt e-s Dolmetschers im Auswärtigen Amt.

봉착하다(逢着—) ³*et.* begegnen Ⓢ; auf ⁴*et.* stoßen* Ⓢ. ¶ 난관에 ~ auf Schwierigkeiten stoßen* Ⓢ.

봉창(封窓) ① 《봉한 창》 versiegeltes Fenster, -s, -; das Versiegeln* 《-s》, von Fenstern (봉하기). ② 《뚫은 창》 kleines Fenster an der Wand.

봉창질 das Schätzesammeln*, -s; das Hamstern*, -s. ~하다 ⁴Schätze sammeln; auf|häufen⁴; hamstern⁽⁴⁾. ¶ ~한 돈 die heimlichen Ersparnisse 《*pl.*》 《e-r ²Ehefrau》; die Mutterpfennige 《*pl.*》; Nadelgeld *n.* -(e)s, -er; das heimlich Ersparte*, -n.

봉축(奉祝) Feier *f.* -n; das Begehen*, -s. ~하다 feiern⁴; feierlich begehen*⁴.

‖ ~문 Ehrenpforte *f.* -n.

봉치(封—) Hochzeitsgeschenk 《*n.* -(e)s, -e》 von der Familie des Bräutigams.

‖ 봉칫시루 Reiskuchen 《*m.* -s, -》 zur Feier der Übergabe (des Empfangs) e-s Hochzeitsgeschenks.

봉친(奉親) Unterstützung 《*f.* -en》 der Eltern. ~하다 die Eltern unterstützen.

봉토(封土) 《영지》 Lehen *n.* -s, -; Lehnsgut *n.* -(e)s, ⸗er.

봉투(封套) (Brief)umschlag *m.* -(e)s, ⸗e; Kuvert *n.* -(e)s, -e. ¶ ~에 넣다 ⁴*et.* in den Umschlag stecken (tun*) / ~의 우편 날인 der Poststempel 《-s, -》 auf dem Umschlag / 편지를 ~에 넣다 e-n Brief in den Umschlag tun*; e-n Brief kuvertieren.

봉피(封皮) Umschlag *m.* -(e)s, ⸗e; Packung *f.* -en. ¶ ~를 뜯다 den Umschlag öffnen.

봉하다(封—) ① 《문 따위를》 verschließen*⁴; 《봉투를》 siegeln⁴; versiegeln⁴; unter ⁴Siegel legen⁴. ¶ 봉하지 않은 편지 der offene (nicht geschlossene; nicht versiegelte) Brief, -(e)s, -e/봉하지 않은 편지 봉투 der offene Briefumschlag, -(e)s, ⸗e / 봉하지 않고 부치다 unversiegelt senden*⁴. ② 《입을》 ¶ 아무의 말문을 ~ 《함구》 *jm.* den Mund versiegeln. ③ 《땅을》 *jn.* mit e-m Land belehnen; *jm.* ein Gut zu Lehen geben*; zum Lehnsmann machen 《*jn.*》.

봉함(封緘) Siegel *m.* -s, -. ~하다 (sorgfältig) zuslegeln⁴; versiegeln⁴.

‖ ~엽서 Kartenbrief *m.* -(e)s, -e.

봉합(縫合) 〖의학〗 das Nähen*, -s; Naht *f.* ⸗e. ~하다 durch e-e Naht verbinden*⁴; zusammen|nähen⁴; vernähen⁴.

봉행(奉行) Gehorsam *m.* -(e)s; das Gehorchen*, -s. ~하다 ⁴sich richten 《*nach*³》; gehorchen³; (e-n Befehl) aus|führen.

봉헌(奉獻) Weihe *f.* -n; Weihung *f.* -en; Widmung *f.* -en; Darbringung *f.* -en; Konsekration *f.* -en. ☞ 헌납. ~하다 widmen[3·4]; ehrfurchtsvoll dar|bieten*[4] 〔dar|-bringen*[4]〕; weihen[3·4]; ein|weihen[4].

‖ ～물 Weihgabe *f.* -n; Weihgeschenk *n.* -(e)s, -e; Votivgeschenk. ～자 der Widmende*, -n, -n; der Darbringende*, -n, -n.

봉화(烽火) 《신호의》 Wachtfeuer *n.* -s, -; Lagerfeuer; Signalfeuer; Fanal *m.* 〔*n.*〕 -s, -e; Rakete *f.* -n. ¶ ～를 올리다 ein Signalfeuer 〔ein Wachtfeuer〕 an|zünden 〔an|machen; machen〕; e-e Rakete ab|brennen* 〔-|schießen*〕.

‖ ～불 Signalfeuer *n.*

봉황(鳳凰) der chinesische Wundervogel, -s, ⸗; Phönix *m.* -(es), -e.

봐란듯이 ☞ 보아란듯이.

봐하니 dem Anschein nach; dem Aussehen nach; allem Anschein nach. ¶ ～ 그는 신사 같은데 행실이 좋지 못하다 Dem Anschein nach ist er ein vornehmer Mann, aber er benimmt sich schlecht.

뵈다 ① ☞ 보이다. ② e-e Audienz haben 《bei *jm.*》; in Audienz empfangen werden 《von *jm.*》; ein Interview [intərvjúː] haben 《mit *jm.*》. ☞ 뵙다.

뵘 das Ausstopfen*, -s; das Auffüllen*, -s; das Zustopfen*, -s.

뵙다 sehen* 《*jn.*》; empfangen* 《*jn*》; sprechen* 《*jn.*》; zusammen|kommen* ⓢ 《mit *jm.*》; zusammen|treffen* 《mit *jm.*》; die Ehre 〔Freude〕 haben *jn.* zu sehen 〔sprechen〕. ¶ 이렇게 뵙게 되니 반갑습니다 Ich freue mich sehr, Sie zu sehen. / 언제쯤 찾아 뵐까요 Wann soll ich zu Ihnen kommen? / 교장 선생님께서 뵙고자 합니다 Der Direktor wünscht Sie zu sprechen. / 오랫동안 뵙지 못했읍니다 Wir haben uns lange nicht gesehen.

부(父) Vater *m.* -s, ⸗; Papa *m.* -s, -s.

부(否) Nein *n.* -s; Neinstimme *f.* -n. ¶ 부표가 절대 다수였다 Neinstimmen haben überwogen. / 찬부 das Ja u. das Nein.

부(負) ＝음(陰).

부(部) ① 《부·국·과 따위》 Abteilung *f.* -en; Büro *n.* -s, -s (이상 국(局)); Unterabteilung *f.* -en; Sektion *f.* -en (이상 과). ② 《인쇄물의》 Exemplar *n.* -s, -e (책); Band *m.* -(e)s, ⸗e (권). ¶ 「마의 산」의 신판 한 부 ein Exemplar der neuen Auflage des „Zauberberg". ③ 《부문》 Abteilung; Klasse *f.* -n; Sektion; Teil *m.* -(e)s, -e. ¶ B의 부 Sektion B / 제 2 부 Abteilung Ⅱ. ④ 《부분》 Teil; Anteil *m.* -(e)s, -e; Gegend *f.* -en.

부(富) Reichtum *m.* -(e)s, ⸗er; Vermögen *n.* -s, -; Besitz *m.* -es, -e. ¶ 부의 분배 die Verteilung e-s Reichtums / 부를 이룩하다 reich werden; [3]sich ein Vermögen erwerben*; zu [3]Vermögen kommen* ⓢ.

부(賦) Prosagedicht *n.* -(e)s, -e.

부-(副) Hilfs-; Assistenz- (보조); stellvertretend; Sub- (대리의); Neben-; Unter-; Vize- (사람에 씀); sekundär; untergeordnet; beigefügt; akzessorisch; Bei-; Ergänzungs-; nachträglich (이상 부차적). ¶ 부지사 Vizegouverneur [..guvɛrnøːr] *m.* -s, -e / 부통령 〔의장, 총장〕 Vizepräsident *m.* -en, -en / 부회장 〔위원장〕 der stellvertretende Vorsitzende*, -n, -n / 부감독 Unteraufseher *m.* -s, - / 부지배인 der stellvertretende Geschäftsführer, -s, - / 부사령관 Unterbefehlshaber *m.* -s, -; Unterfeldherr *m.* -n, -en / 부주장 der zweite (Mannschafts)führer, -s, -.

-부(附) ① 《날짜》 ¶ 8월 15일 부 편지 der Brief vom 15. August. ② 《소속》 zugeteilt. ¶ 대〔공〕사관부 무관 Militärattaché [..ʃeː] *m.* -s, -s / 5푼 이자부의 mit fünfprozentigem Zinssatz; mit fünf Prozent Zinsen.

부가(附加) Beifügung *f.* -en; Hinzufügung *f.* -en; Hinzusetzung *f.* -en; Anhängung *f.* -en; Ergänzung *f.* -en. ～하다 bei|fügen[4]; (hin)zu|fügen[4] 〔hinzu|setzen[4]〕 《*zu*[3]》; an|hängen[4] (첨부); ergänzen[4] (보충). ¶ ～한〔된〕 beigefügt; hinzufügt; hinzugesetzt; ergänzt (보충적); nachträglich (추가적); zusätzlich; Ergänzungs-; Extra-; Sonder-.

‖ ～물 Anhang *m.* -(e)s, ⸗e; Ergänzung *f.* -en (추가); Nachtrag *m.* -(e)s, ⸗e; Zusatz *m.* -es, ⸗e. ～세 (Steuer)zuschlag *m.* -(e)s, ⸗e; Zuschlagsteuer *f.* -n. ～어 Attribut *n.* -(e)s, -e; Beifügung *f.* -en. ～저당 die doppelte Sicherheit. ～형 Nebenstrafe *f.* -n.

부가가치(附加價値) Mehrwert *m.* -(e)s, -e.

‖ ～세 Mehrwertssteuer *f.* -n.

부각 in Klebreispulver gewendeter u. in Fett schwimmend ausgebackener Seetang, ⌊-s, -e.

부각(負角) ＝음각(陰角).

부각(俯角) Depressionswinkel *m.* -s, -; 〖천문〗 Depression *f.* -en.

‖ ～계 Neigungsmesser *m.* -s, -. ～제한장치 Neigungskontrollvorrichtung *f.* -en. ～측원기(測遠器) Depressionsentfernungsmesser *m.*

부각(浮刻) Relief *n.* -s, -s 〔-e〕. ～하다 mit dem Hammer treiben*[4]; prägen[4]; bossieren[4]; gaufrieren[4]. ¶ ～되다 scharf hervor|-treten* ⓢ; [4]sich scharf ab|heben*; [4]sich in helles Licht setzen / ～시키다 [4]*et.* recht plastisch 〔lebendig〕 hervor|heben*.

부감(俯瞰) Vogelschau *f.* -en; Vogelperspektive *f.* -en. ～하다 überblicken[4]; überschauen[4]; aus der Vogelschau betrachten[4].

‖ ～도 Vogelperspektive *f.* -n; Vogelschau *f.* -en.

부강(富強) Reichtum 《*m.* -(e)s, ⸗er》 u. Macht 《*f.* ⸗e》. ～하다 reich u. mächtig (sein). ¶ 국가의 ～을 증진하다 Reichtum u. Macht e-r Nation fördern 〔mehren〕.

부개비잡히다 gegen eigenen Willen zu [3]*et.* gezwungen werden.

부걱 aufwallend; brodelnd; schäumend. ～거리다 auf|wallen; Blasen auf|werfen*; schäumen; brodeln.

부걱부걱 schäumend; brodelnd; sprudelnd.

부검지 Strohschnipsel *m.* 〔*n.*〕 -s, -.

부결(否決) Ablehnung *f.* -en; Negation *f.* -en; Verwerfung *f.* -en; Zurückweisung *f.* -en; Verneinung *f.* -en. ～하다 ab|lehnen[4]; negieren[4]; überstimmen[4]; verwerfen*[4]; zurück|weisen*[4]. ¶ ～되다 abgelehnt 〔negiert; überstimmt; verworfen; zurückgewiesen〕 werden / 증세안은 8대 3으로 ～되었다 Der Antrag auf Steuererhöhung ist mit 8:3 《acht zu drei》 abgelehnt worden.

‖ ～권 Veto *n.* -s, -s; Einspruchsrecht *n.* -(e)s, -e.

부계(父系) die männliche Linie, -n; die väterliche Linie; die väterliche Seite, -n. ¶ ～의 väterlicherseits.

‖ ～가족 die Familie 《-n》 väterlicherseits. ～친족 Agnat *m.* -en, -en; die Verwandtschaft 《-en》 väterlicherseits.

부고(訃告) Traueranzeige *f.* -n; schwarzumränderte Anzeige, -n (사망광고). ¶ ~를 받다 die Trauernachricht erhalten*.
부고환(副睾丸) 〖해부〗 Nebenhoden *m.* -s, -; Epididymis *m.* -..sen.
부골(跗骨) Fußwurzel *f.* -n; Tarsus *m.* -,
부과(賦課) Auf(er)legung *f.* -en; Erhebung *f.* -en; Verpflichtung *f.* -en; Aufgabe *f.* -en. ~하다 auf|erlegen[4]; erheben*[4]; verpflichten[4]; auf|geben*[4]. ¶ 세금을 ~하다 e-e Steuer legen《*auf*[4]》; *jm.* Steuern auf|-erlegen; besteuern[4].
‖ ~금 Abgaben (Gebühren)《*pl.*》; Steuer *f.* -n. ~액 auferlegter Betrag, -(e)s, ⸗e. 자동~(세)제 Besteuerung《*f.* -en》 nach der Steuerklasse.
부관(副官) Adjutant [at-jutánt] *m.* -en, -en. ‖ ~참모 Generaladjutant *m.* -en, -en. 연대~ Regimentsadjutant.
부광(富鑛) 〖광산〗 wertvolles metallhaltiges Mineral, -s, -e. ‖ ~대(帶) die ertragreiche Mine, -n.
부교(浮橋) Ponton¦brücke [pɔ̃tɔ̃:..] (Schiff-) *f.* -n.
부국(部局) Abteilung *f.* -en; Department [..mά:] *n.* -s, -s; Sektion *f.* -en. ¶ ~의 Abteilungs-.
부국(富國) das reiche Land, -(e)s, ⸗er; die Bereicherung e-s Landes.
‖ ~강병 Bereicherung u. Verstärkung: ~강병책 Maßregeln zur Bereicherung u. Verstärkung / ~강병책을 세우다 Maßregeln zur Bereicherung u. Verstärkung des Landes treffen*.
부군(夫君) Ehemann *m.* -(e)s, ⸗er; Gemahl *m.* -(e)s, -e.
부권(夫權) Gattenrecht *n.* -(e)s, -e.
부권(父權) Vaterrecht *n.* -(e)s, -e; Patriarchat [..arçά:t] *n.* -(e)s, -e.
‖ ~사회 e-e patriarchalische Gesellschaft, -en. ~제도 Patriarchat *n.* -(e)s, -e.
부귀(富貴) Reichtum u. hohe Stellung; Wohlhabenheit *f.* ~하다 reich u. vornehm (sein). ¶ ~한 집안에 태어나다 in e-r reichen (wohlhabenden) Familie geboren werden / ~영화를 누리다 herrlich leben.
‖ ~공명 Reichtum, hohe Stellung u. Ruhm. ~빈천 arm u. reich; hoch u. niedrig; vornehm u. gering (Vornehme u. Geringe《*pl*》.).
부그르르 ☞ 바그르르.
부근(附近) Nähe *f.*; Umgebung *f.* -en (주위). ¶ ~에 in der Nähe[2] (der Umgegend[2]); nahe《*an*[3]; *bei*[3]》/ ~에 있는 benachbart; in der Nähe (nahe) liegend / 이 ~에 hierherum (hier herum) / ~의 경치 die umgebende Landschaft, -en / ~의 책방에서 in der benachbarten Buchhandlung; in der nahe befindlichen Buchhandlung / 서울 ~에 in der Nähe von Seoul / 이 ~이었음이 틀림없다 Es muß hier in der Nähe gewesen sein. / 이 ~을 잘 알고 있다 In dieser Gegend kenne ich mich aus.
부글거리다 ①《끓어서》 wallen; brodeln. ¶ 물이 부글거린다 Das Wasser kocht. ②《거품》 auf|sprudeln Ⓢ; schäumen; Blasen auf|-werfen*. ¶ 물이 돌 틈에서 부글거리며 솟아 나왔다 Wasser sprudelte zwischen den Steinen hervor.
부글부글 《끓어서》 ¶ ~ 거품이 나다 sprudeln; schäumen / ~ 가라앉다 schäumend sinken* Ⓢ / ~ 끓다 kochen; sieden*.
부기 Tölpel *m.* -s, -; Narr *m.* -en, -en; Hanswurst *m.* -(e)s, ⸗e; Tropf *m.* -(e)s, ⸗e; Idiot *m.* -en, -en; Dummkopf *m.* -(e)s, ⸗e; Schwachkopf *m.* -(e)s, ⸗e.
부기(附記) Nachwort *n.* -(e)s, -e (발문); Anhang *m.* -(e)s, ⸗e (부록). ~하다 hinzu|fügen[4]; an|hängen*[4]; nach|tragen*[4].
‖ ~등기 Nachtrag《*m.* -(e)s, ⸗e》 zu e-r Registratur.
부기(浮氣) Wassersucht *f.*; (An)schwellung *f.* -en (der Haut); Beule *f.* -n. ¶ ~가 있는 wassersüchtig; angeschwollen / ~가 가라앉다 E-e Wassersucht (Schwellung) geht nieder.
부기(簿記) das Buch¦führen* (-halten*) -s; Buchführung *f.* -en; Buchhaltung *f.* -en. ¶ ~를 하다 Buch führen; Buch halten*.
‖ ~계원 Buchhalter *m.* -s, -; Rechnungsführer *m.* -s, -. ~법 Regel《*f.* -n》 der Buchführung. ~봉 Lineal *n.* -s, -e. ~장 Kontobuch *n.* -(e)s, ⸗er. ~학 Buchführung. 단식(복식)~ die einfache (doppelte) Buchführung, -en. 상업~ Handelsbuchführung *f.*
부기우기 《춤》 Boogie-Woogie *m.* -(s), -s.
부꾸미 Reisgebäck *n.* -(e)s, -e.
부끄러워하다 [4]sich schämen[(2)]《*über*[4]》;《얼굴을 붉힘》 erröten Ⓢ《*über*[4]》; schamrot werden; Scham empfinden*; [4]sich in die Erde verkriechen wollen. ¶ 남의 눈을 ~ [4]sich schämen, gesehen zu werden / 자신을 ~ [4]sich [2]seiner selbst schämen / 당신은 그것을 부끄러워할 필요가 없읍니다 Sie brauchen sich dessen (deshalb; deswegen) nicht zu schämen. / 그는 자신의 태도를 부끄러워하고 있다 Er schämt sich s-s Betragens. / 나는 그것을 말하지 않을 수 없음을 부끄러워한다 Ich schäme mich, das sagen zu müssen.
부끄럼 ①《창피》 Scham *f.*; Schamgefühl *n.* -(e)s, -e; Schmach *f.*; Schande *f.* -n; Unehre *f.* ¶ ~을 알다 Ehrgefühl haben; [4]sich schämen; [4]sich genieren / ~을 모르다 alle Scham abgelegt haben; aller [3]Scham bar sein; k-e Scham im Leibe haben / 그는 질문하는 것을 ~으로 안다 Er hält Fragen für e-e Schande.¦Er schämt sich, zu fragen. / 그는 ~도 없이 거짓말을 한다 Er lügt schamlos. / 너는 집안에 ~을 끼쳤다 Du hast unserer Familie Unehre (Schande) gebracht. ②《수줍음》 Scheu *f.*; Schüchternheit *f.*; Zurückhaltung *f.* ¶ ~타다 scheu sein; schüchtern sein; zurückhaltend sein / 이 소녀는 ~을 탄다 Das Mädchen ist schüchtern.
부끄럽다 ①《양심에》 [4]sich schämen《e-r [2]Sache》; [4]sich beschämend fühlen. ¶ 부끄러워 낯을 붉히다 vor Scham erröten / 부끄럽지 않다 würdig[2] (wert[2]) sein / 부끄러워 고개를 못들다 verschämt den Kopf senken / 매우 부끄러워하다 [4]sich in Grund u. Boden schämen; [4]sich zu Tode schämen / 그런 짓을 하는 것은 신사로서 부끄러운 일이다 Es ist e-s Ehrenmanns nicht würdig, so etwas zu tun. / 그런 짓을 해서 ~ Ich schäme mich, so etwas getan zu haben. / 부끄럽지 않으냐 Schäme dich! / 부끄러운 일입니다만 저는 …을 했읍니다 Zu m-r Schande muß ich gestehen, daß.... / 너는 너의 행실이 부끄럽지 않으냐 Schämst du dich nicht d-s Betragens? / 그렇게 말하는 것은 신사로서 부끄러운 일이다 Er ist für e-n Ehrenmann

unwürdig, so etwas zu sagen. / 부끄러운 것도 모르느냐 Hast du das Schämen verlernt? / 너는 그것을 부끄러워할 필요가 없다 Du brauchst dich dessen nicht zu schämen./칭찬해 주시니 도리어 부끄럽습니다 Ihr Lob beschämt mich. ② 《불명예》 schändlich; unehrenhaft; entehrend (sein). ¶ 청빈은 부끄러운 일이 아니다 Armut ist k-e Schande. / 부끄러운 짓을 하지 말라 Gib dich der Schande nicht preis!¦Sei nicht gemein! / 그것은 그의 가문에 부끄러운 일이다 Es bringt s-r Familie Schande. ③ 《스스러움》 scheu 〔schüchtern〕 (sein). ¶ 남들이 보면 ~ Ich fühle mich schüchtern, wenn mich die Leute zusehen. / 그녀는 부끄러워서 말 한 마디도 못했다 Sie war zu scheu, um ein Wort zu sagen./나는 사진 찍는 것이 ~ Sie scheut sich vor der Bildaufnahme. / 그 계집애는 부끄러워서 두 손으로 얼굴을 가렸다 Das kleine Mädchen hat vor Scheu ihr Gesicht mit den Händen.

부나비 〖곤충〗 Nachtfalter *m.* -s, -.

부낭(浮囊) 《수영용의》 Schwimmring *m.* -(e)s, -e; Schwimmgürtel *m.* -s, - (몸에 감는 것); 《구조용의》 Rettungs¦ring *m.* -(e)s, -e 〔-gürtel *m.* -s, -〕; Schwimmweste *f.* -n; 《물고기의》 Schwimmblase *f.* -n.

부내(部內) Kreise 《*pl.*》; Abteilung *f.* -en. ‖ 정부~ die Regierungskreise.

부녀(父女) Vater 《*m.* -s, ¨》 u. Tochter 《*f.* ¨》.

부녀자(婦女子) Frau *f.* -en; Weib *n.* -(e)s, -er; 《총칭》 die Frauen (u. Mädchen) 《*pl.*》; die Weiber 《*pl.*》 (여자들). ¶ ~ 같은 weibisch; schwach.

부농(富農) ein reicher Landwirt, -(e)s, -e; Pächter *m.* -s, -.

부늴다 ^{4}sich liebenswürdig verhalten*; freundlich 〔gütig〕 handeln. ¶ 착착 ~ schmeichelhaft sein; ^{4}sich übermäßig freundlich benehmen*.

부다듯하다 fiebrig; fieberkrank; fieberhaft (sein); hohes 〔starkes〕 Fieber haben.

부다페스트 《헝가리의 수도》 Budapest.

부닥뜨리다 =부닥치다.

부닥치다 《만나다》 treffen*^{4}; begegnen^{3} ⓢ; stoßen*; 《곤란 따위에》 auf Schwierigkeiten stoßen* ⓢ; ^{4}sich Schwierigkeiten gegenüber|sehen*; gegenüber|stehen*^{3}. ¶ 재난에 ~ Das Unglück begegnet ihm.

부단(不斷) Standhaftigkeit *f.*; Beständigkeit *f.*; Festigkeit *f.*; Dauerhaftigkeit *f.* **~하다** ununterbrochen; beständig; dauernd; fort u. fort; in einem fort; fortgesetzt; immerzu; immerfort; ohne aufzuhören; ohne zu halten; ohne Unterlaß 〔Unterbrechung〕; unaufhörlich (sein). ¶ ~한 주의 die dauernde Aufmerksamkeit, -en / ~한 노력 der unaufhörliche Fleiß, -es; die stetige Anstrengung, -en; das ausdauernde 〔beharrliche; beständige〕 Bestreben*, -s / ~히 노력하다 ^{4}sich unaufhörlich anstrengen; stets streben 《*nach*^{3}》; ^{4}sich dauernd bemühen / 모두 목적 달성을 위해서 ~히 힘써야 한다 Jede tue beständig sein Bestes, um das Ziel zu erreichen.

부담(負擔) Bürde *f.* -n; Druck *m.* -(e)s, ¨e; Last *f.* -en; Verpflichtung *f.* -en. **~하다** die Kosten 〔die Schuld〕 tragen* (비용 〔부채〕); (e-e Last) auf ^{4}sich 〔auf ^{4}Schultern〕 nehmen*; übernehmen*^{4}. ¶ ~시키다 auf|-bürden^{34}; auf|(er)legen^{34}; belasten^{4} 《*mit*^{3}》/ ~을 경감하다 die Lasten erleichtern / ~이 되다〔되어 있다〕 *jm.* zur Last fallen* 〔liegen*〕 ⓢ; lasten 《*auf*^{3}》 / 애들에 대한 걱정이 그에게는 큰 ~이 돼 있다 Die Sorgen um s-e Kinder belasten 〔bedrücken〕 ihn sehr. / 여러 가지 의무상의 ~이 많다 Es lasten viele Verpflichtungen auf mir. / 비용을 각자 ~한다 Jeder zahlt für sich. / 비용은 일체 그가 ~했다 Er hat alle Kosten bestritten. ‖ ~액 Beitrag *m.* -(e)s, ¨e.

부당(不當) Ungerechtigkeit *f.*; Ungebührlichkeit *f.*; Ungehörigkeit *f.*; Unvernünftigkeit *f.* **~하다** ungerecht; unbillig; unfair; ungebührlich; ungehörig; unvernünftig (sein). ¶ ~한 값 ein ungebührlicher Preis, -es, -e / ~한 대답 e-e ungebührliche Antwort, -en / ~한 요구 e-e ungebührliche Zumutung, -en / ~한 조처 e-e ungerechte Maßnahme, -n / ~한 처벌 e-e ungerechte Bestrafung, -en / ~한 태도 ungerechtes Verhalten*, -s. ‖ **~가정**(假定) e-e unvernünftige Hypothese, -n. **~노동 행위** e-e unbillige Arbeitsausübung, -en. **~대부** das unberechtigte Darlehen, -(e)s, -. **~이득** ungerechtfertigte Bereicherung; Schieberei *f.* -en; Wucherei *f.* -en. **~해고** ungerechte Entlassung, -en.

부대(附帶) **~하다** begleiten^{4}; gehören 《*zu*^{3}》; zu ^{3}*et.* gehörig sein; hinzu|kommen* ⓢ. ¶ ~의 nebensächlich; beiläufig; Neben-. ‖ **~결의** Nebenschluß *m.* ..lusses, ..lüsse. **~범**(犯) Nebenabsicht *f.* **~사건** Nebending *n.* -(e)s, -e; Nebensache *f.* -n. **~의무** Nebenpflicht *f.* **~조건** Nebenbedingung *f.* -en. **~증명** Nebenbeweis *m.* -es, -e. **~지출** Nebenausgabe *f.* -n. **~청구** Nebenforderung *f.* -en. **~행위** Nebenhandlung *f.* -en.

부대(負袋) Sack *m.* -(e)s, ¨e. ¶ 쌀 한 ~ ein Sack Reis 《*m.* -es》.

부대(浮袋·浮帶) =부낭(浮囊).

부대(部隊) Abteilung *f.* -en; Truppe *f.* -n; Korps [ko:r] *n.* - [ko:r(s)], - [ko:rs]. ‖ **~기** Truppenfahne *f.* -n. **~사열** Truppenparade *f.* -n. **~의무관** Truppenarzt *m.* -es, ¨e. **~장** Truppenführer *m.* -s, -; Kommandeur *m.* -s, -e. **~훈련장** Truppenübungsplatz *m.* -es, ¨e. 기갑~ Panzertruppe *f.* -n; Panzerkorps *n.* 아군~ unsere Truppe, -n. 외인~ Fremdenlegion *f.* -en. 전투~ Kampfeinheit *f.* -en.

부대(富大) Beleibtheit *f.*; Fettheit *f.*; Dicke *f.* **~하다** dick; fett; beleibt; feist (sein).

부대끼다 gequält werden; belästigt werden; geplagt werden. ¶ 잔 일에 ~ von Kleinigkeiten belästigt werden / 가난에 ~ in bitterer Armut leben / 깡패한테 ~ von Gangstern belästigt werden / 더위에 몹시 ~ unter der Hitze leiden* / 빚장이에게 ~ von den Gläubigern gequält werden 〔wegen der Bezahlung gedrängt werden〕.

부덕(不德) 《덕이 부족함》 Mangel 《*m.* -s》 an Tugend; Unwürdigkeit *f.*; 《패덕》 Untugend *f.* -en; Unsittlichkeit *f.* -en; die moralische Verderbnis, -se. **~하다** unwürdig^{2}; unwert^{2}; lasterhaft; ungerecht; unmoralisch (sein). ¶ ~한 사람 der lasterhafte Mensch, -en, -en / 이것은 모두 제 ~의 탓입니다 Ich muß allein dafür büßen.¦Daran bin ich allein schuld.

부덕(婦德) weibliche Tugend, -en. ¶ 그녀는 ~의 귀감이다 Sie ist e-e vorbildliche Frau.

부덕의(不德義) Unehrenhaftigkeit *f.*; Ungerechtigkeit *f.*; Unsittlichkeit *f.* **~하다** nicht ehrenhaft; lasterhaft; ungerecht; unsittlich (sein).

부도(不渡) Nicht¦honorierung (-zahlung; -einlösung) *f.* -en. ¶ ~ 나다 nicht honoriert werden; protestiert werden.
‖ **~수표** der nicht honorierte Scheck, -s, -s. **~어음** der protestierte (nicht honorierte) Wechsel, -s, -: ~ 어음을 발행하다 e-n nicht einlösbaren Wechsel ziehen* (aus|stellen).

부도(附圖) Abbildung *f.* -en; Illustration *f.* -en; e-e beigefügte Karte, -n.

부도(婦道) Würde《*f.* -n》 der Frau; Frauentum *n.* -(e)s; Fraulichkeit *f.*

부도덕(不道德) Unsittlichkeit *f.*; Immoralität *f.*; Verderbtheit *f.* **~하다** unsittlich; entartet; immoralisch; sittenwidrig; unmoralisch; verderbt (sein). ☞ 불의. ¶ ~한 행동 das unsittliche Betragen*, -s / ~한 짓을 하다 unmoralisch handeln.

부도체(不導體) 《전기의》 Nichtleiter *m.* -s, -; Isolator *m.* -s, -en. ¶ 유리는 전기의 ~다 Glas ist ein Nichtleiter der Elektrizität.

부독본(副讀本) Ergänzungstextbuch *n.* -(e)s, ⸗er; Ergänzungslektüre *f.* -n (zu e-m Lehrbuch).

부동(不同) Ungleichheit *f.* -en; Differenz *f.* -en; Unebenheit *f.* -en; Ungleichartigkeit *f.* -en; Unterschied *m.* -(e)s, -e; Verschiedenheit *f.* -en. **~하다** ungleich (uneben; ungleichartig; verschieden) (sein); differieren; [4]sich unterscheiden 《*von*[3]》. ¶ 표리가 ~한 unaufrichtig / 순서가 ~하다 Die Reihe ist nicht in Ordnung.¦Es ist nicht der Reihe nach geordnet.

부동(不動) Unbeweglichkeit *f.*; Unveränderlichkeit *f.*; Festigkeit *f.*; Beständigkeit *f.*; Unerschütterlichkeit *f.* **~하다** unbeweglich; bewegungslos; unerschütterlich (sein). ¶ ~의 신념 ein fester Glaube, -ns, -n / 한국의 민주주의 정책은 ~한 것이다 Die demokratische Politik Koreas bleibt unerschütterlich.
‖ **~물** e-e unbewegliche (feste) Sache, -n. **~자세** die stramme militärische Haltung, -en: ~ 자세를 취하다 still|stehen*; in strammer militärischer Haltung stehen*.

부동(浮動) das Schweben*, -s; das Schwanken*, -s. **~하다** hin u. her schwanken (schwingen*; wackeln); fluktuieren; in der Luft hängen; nicht zur Ruhe kommen* Ⓢ; [4]sich zwischen zwei Zuständen befinden*.
‖ **~구매력** die schwankende Kaufkraft, ⸗e. **~인구** fluktuierende Bevölkerung, -en. **~자금** Umlaufskapital *n.* -s, -e (-ien). **~표** die unzuverlässige (Wahl)stimme, -n.

부동(符同) Verschwörung *f.* -en; Komplott *n.* -(e)s, -e; Konspiration *f.* -en; Vereinigung 《*f.* -en》 von zwei (mehr) Personen zu rechtswidrigem Handeln. **~하다** [4]sich verschworen*; [4]sich zu rechtswidrigem Handeln vereinigen (verbünden); gemeinsame Sache machen; mit *jm.* unter e-r Decke stecken*.

부동명왕(不動明王) 【범어】 *Āryacalanātha* (*Aksobhya*), e-r der fünf *Dhyānibuddhas*.

부동산(不動產) die unbewegliche (liegende) Habe; Immobilien 《*pl.*》; Liegenschaften 《*pl.*》; Grundstück *n.* -(e)s, -e; Grundvermögen *n.* -s, -. ¶ ~을 매매하다 Immobilien handeln / 그는 부모에게서 1,000만 원에 달하는 ~을 물려받았다 Er hat von s-n Eltern das Grundvermögen im Wert von zehn Millionen *Won* geerbt.
‖ **~등기** Immobilieneintragung *f.* **~보험** Sachversicherung *f.* **~양도세** Immobilienverkaufssteuer *f.* -n. **~업** Immobiliengeschäft *n.* -(e)s, ⸗e: ~업자 (Grundstück-) makler *m.* -s, - (토지매매의); Immobilienhändler *m.* -s, -. **~취득세** Immobilienerwerbssteuer *f.* -n. **~투자** Kapitalanlage 《*f.* -n》 im Grundvermögen. **~회사** Immobilienfirma *f.* ..men.

부동액(不凍液) Gefrierschutzmittel *n.* -s, -.

부동항(不凍港) der eisfreie Hafen, -s, ⸗.

부동화(不同化) Dissimilation *f.* -en; Entähnlichung *f.* -en.

부두(埠頭) Kai *m.* -s, -s (-e); Werft *f.* -en; Hafendamm *m.* -(e)s, ⸗e; Landungsplatz *m.* -es, ⸗e. ¶ 배가 ~에 정박한다 Das Schiff vertäut sich (geht vor Anker). ‖ **~노동자** (일꾼) Kai¦arbeiter (Hafen-) *m.* -s, -.

부둑부둑 gut trocken; feucht-trocken; bügeltrocken; noch ein wenig feucht, aber schon steif. **~하다** feucht-trocken bügeltrocken (sein). ¶ 빨래가 ~하게 말랐다 Die Wäsche ist gerade bügeltrocken.

부둑하다 feucht-trocken (sein).

부둥부둥하다 ☞ 포동포동하다.

부둥키다 *jn.* umarmen; *jn.* im Arm halten*; umfangen*; umfassen; umranken. ¶ 부둥켜 안다 *jn.* umarmen / 그 두 여자는 서로 부둥키고 울었다 Die beiden Frauen umarmten sich u. weinten. / 어머니는 아이를 부둥켜 안았다 Die Mutter umarmte ihr Kind.

부둥팥 ① 《붉은》 e-e fetthaltige rote Bohne, -n. ② 《덜 마른》 e-e weiche, nicht, getrocknete Bohne.

부드드하다 habgierig; geizig; knauserig; karg (sein).

부드득 ¶ 이를 ~ 갈다 mit den Zähnen knirschen; die Zähne aufeinander|beißen* (zusammen|-).

부드럽다 weich; sanft; zart; mild; sacht; gütig (sein). ¶ 부드럽게 하다 weich machen; erweichen; mildern; lindern; besänftigen; beschwichtigen / 부드러운 눈길로 mit sanftem (mildem) Blick / 부드러운 목소리 die weiche Stimme, -n / 부드러운 음색 ein weicher Ton, -s, ⸗e / 부드러운 베개 ein weiches Kopfkissen, -s, - / 마음씨가 부드러운 사람 der sanftmütige Mensch, -en, -en / 마음씨가 ~ ein gütiges Herz haben / 고양이를 부드럽게 쓰다듬다 ein Kätzchen sanft streicheln / 봄볕은 ~ Im Frühling sind die Sonnenstrahlen noch mild. / 그에게 부드럽게 대해 줘라 Sei ihm gut! / 이 담배는 맛이 ~ Dieser Tabak ist mild.

부드레하다 weich; nachgiebig; empfindsam (sein).

부득부득 hartnäckig; widerspenstig, eigensinnig; halsstarrig; beharrlich. ¶ ~ 조르다 aufdringlich (hartnäckig) fragen; hartnäckig bitten* / ~ 고집을 부리다 hartnäckig an e-r Idee fest|halten*; hartnäckig an e-r Meinung beharren.

부득불(不得不) unvermeidlich; notwendigerweise; durchaus; unumgänglich; gezwungenermaßen. ¶ ~ …하다 nicht anders können als; gezwungen sein; unter dem Zwang stehen, [4]*et.* zu tun / ~ 최후의 수단을

쓰다 von e-r schrecklichen Notwendigkeit zum Handeln gezwungen werden; zu harten Maßnahmen gezwungen werden / ~ 그렇게 하지 않으면 안 되었다 Die Notwendigkeit zwang ihn zu dieser Tat. ¦ Der Zwang der Umstände trieb ihn zu dieser Tat.

부득이(不得已) notgedrungen; aus Not; unvermeidlich; unumgänglich; unter dem Zwang der Not; ungern; unwillig; widerwillig; zwangsweise. ¶ ~ 도둑질하다 e-n Diebstahl aus Not begehen*/~하다면 wenn es nicht anders geht; wenn es nötig ist; wenn k-e andere Wahl da ist / ~했읍니다 Es ging eben nicht anders. ¦ Es war halt nicht zu vermeiden. / ~ 엄한 조치를 취하였다 Ich sah mich gezwungen, strengere Maßnahmen zu ergreifen. / ~해서 그는 집을 팔았다 Er mußte sein Haus verkaufen, da er sich anders nicht zu helfen wußte.

부득책(不得策) Unratsamkeit *f.*; Unrätlichkeit *f.*; Unzweckmäßigkeit *f.* ¶ ~의 nicht ratsam; nicht zu empfehlend; undienlich; ungünstig; unklug; unzweckmäßig.

부들 Teichbinse *f.* -n; Sumpfbinse *f.* -n. ‖ **~김치** gepökelte Binsensprossen, -n, -n; Teichbinsen-*Kimchi.*

부들부들 zitternd; schauernd; bebend. ¶ ~ 떨다 zittern (u. beben); schau(d)ern; vibrieren; zucken(경련을 일으킨 듯) / 무서워서 ~ 떨다 vor Schrecken (Entsetzen) schaudern; 〖비인칭적으로〗 Es schaudert mich vor Schrecken (Entsetzen). / 추위로 (온몸을) ~ 떨다 vor Kälte (vor Frost) (am ganzen Leibe; an allen Gliedern) zittern; ich friere wie ein Schneider.

부들부들하다 =부드럽다.

부듯하다 voll; satt; gesättigt; dicht; abgedichtet; straff (sein). ¶ 부듯한 신발 ganz straff passende (sitzende) Schuhe 《*pl.*》 / 겨드랑이가 ~ die Achselhöhle drückt straff.

부등(不等) Verschiedenheit *f.* -en; Ungleichheit *f.* -en. **~하다** verschieden; ungleich; 〖수학〗 inkongruent (sein). ‖ **~변 삼각형** das ungleichseitige Dreieck, -es, -e. **~식** Ungleichung *f.* -en.

부등가리 Feuerschaufel *f.* -n; Herdschaufel *f.* -n (für die Feuerstelle in der Küche).

부등깃 Flaumfedern (die weichen Federn) 《*pl.*》 e-s jungen Vogels.

부디 《기어이·꼭》 unbedingt; auf jeden Fall; unter allen Umständen; um jeden Preis; 《바라건대》 wenn ich bitten darf; gefälligst; bitte sehr. ¶ ~ 와 주세요 Kommen Sie bitte unbedingt. / ~ 경주를 구경하시오 Sie sollten unbedingt die Stadt *Gyeongju* besuchen. / ~ 안부 전해 주십시오 Bestellen Sie ihm bitte viele Grüße. ¦ Versichern Sie ihm bitte m-r Hochachtung. / ~ 몸조심하십시오 Sorgen Sie bitte gut für sich selbst! ¦ Passen Sie gut auf sich auf! / ~ 그렇게 해 주십시오 Würden Sie bitte das tun? ¦ Könnten Sie das bitte tun?

부딪다 ☞ 부딪치다.

부딪뜨리다 stoßen*[4] 《*auf*[4]; *gegen*[4]》; mit [3]*et.* stoßen* ⓢ 《*auf*[4]; *gegen*[4]》. ¶ 자동차를 전신주에 ~ mit dem Wagen gegen e-n Mast rennen* ⓢ / 머리를 벽에 ~ [4]sich mit dem Kopf an (gegen) die Wand stoßen*.

부딪치다 zusammen|stoßen* (-prallen) ⓢ,ⓗ 《*mit*[3]》; kolidieren 《*mit*[3]》; gegeneinander|-stoßen* (aufeinander|-) ⓢ,ⓗ; prallen ⓢ,ⓗ; fliegen* ⓢ (rennen* ⓢ; schlagen*; stoßen* ⓢ,ⓗ; stürzen ⓢ) 《*gegen*[4]; *an*[4]》. ¶ 암초에 ~ auf e-e Klippe auf|laufen* (stoßen*) ⓢ / 부딪쳐보다 《면담》 persönlich (direkt) mit *jm.* sprechen* / 머리를 벽에 ~ mit dem Kopf gegen die Wand schlagen* / 교섭이 난관에 부딪쳤다 Die Verhandlung ist auf Schwierigkeiten gestoßen. / 어떻게 되든 부딪쳐 보자 Versuchen wir's immerhin, auf den Erfolg kommt es uns nicht an!

부뚜 das Mattenschwingen*, -s. ‖ **~질** das Schwingen* 《-s》 mit Matten; das Ausscheiden* 《-s》 der Matten: ~질하다 schwingen*; wannen; sieben; worfeln.

부뚜막 Feuerstelle in der Küche; Herd *m.* -(e)s, -e. ¶ ~엣 소금도 집어 넣어야 짜다 《속담》 Jede Sache verlangt Arbeit. ¦ Niemandem fällt etwas in den Schoß.

부라리다 《눈을》 (an|)starren; (an|)glotzen; große Augen machen. ¶ 누구의 얼굴을 부라리고 보다 *jm.* ins Gesicht starren / 화가 나서 눈을 ~ *jn.* wütend an|starren / 그는 그녀의 말을 듣고 눈을 부라렸다 Er machte Glotzaugen, als er ihre Worte hörte.

부라질 e-e Art der Handlung, wodurch die Beine e-s Babys wie den Blasebalg e-s Schmieds hin u. her bewegen wird. **~하다** die Babys hin u. her bewegen wie den Blasebalg e-s Schmieds.

부라퀴 ① 《암상스러운》 e-e urwüchsige (ungeschliffene) Person; ein rauber Kerl, -(e)s, -e. ② 《이익에 악착 같은》 jemand, der hartnäckig sich zu Nutzen macht.

부락(部落) Dorf *n.* -(e)s, ⸗er; Dörfchen *n.* -s, -; Ortsgemeinde *f.* -n; Weiler *m.* -s, -. ‖ **~민** Dorfbewohner *m.* -s, -. **~회의** Dorfversammlung *f.* -en.

부란(腐爛) Fäulnis *f.*; Verwesung *f.* -en. **~하다** faulen; in [4]Fäulnis über|gehen* ⓢ; vermodern ⓢ; verwesen ⓢ.

부란(孵卵) das (Aus)brüten*, -s; Inkubation *f.* -en. **~하다** in der Brut sein; ausgebrütet werden. ‖ **~기** Brutapparat *m.* -(e)s, -e.

부랑(浮浪) Landstreicherei *f.*; das Umherstreichen*, -s; Vagabundage [..dá:ʒə] *f.* **~하다** herum|lungern; umher|streichen* ⓢ; umher|streifen* ⓗ,ⓢ; vagabundieren; vagieren. ¶ ~ 생활을 하다 ein Vagabundenleben führen; [4]sich als Landstreicher durch|-schlagen*. ‖ **~배** verkommener Mensch, -en, -en. **~아** die verlassenen Kinder 《*pl.*》; Gassenbube *m.* -n, -n. **~자** Landstreicher *m.* -s, -; Vagabund [va..] *m.* -en, -en; Stromer *m.* -s, -《속어》. **~죄** Landstreicherei *f.*

부랴부랴 flugs; hurtig; in Eile; in großer Eile; stehenden Fußes; ohne Verzug; unverzüglich; Hals über Kopf; so schnell wie (nur) möglich (되도록 빨리). ¶ 그들은 ~ 여행을 떠났다 Sie reisten Hals über Kopf ab. / 그는 기차를 놓칠까봐 ~ 떠났다 Er eilte hurtig (unverzüglich) zum Bahnhof, um den Zug nicht zu verpassen.

부러 absichtlich; mit Absicht; geflissentlich; vorsätzlich; wissentlich (알면서). ¶ ~ 한 것은 아니다 Das war nicht m-e Absicht. ¦ Es geschah ohne Absicht. ¦ Ich meinte es nicht böse. ¦ Ich habe es nicht absichtlich getan. / 그는 ~ 그것을 했다 Er hat es mit Absicht gemacht.

부러뜨리다 brechen*[4]; zerbrechen*[4]; 《딱소리 내며》 mit e-m Knacks zerbrechen*[4]; 《다리를》 (das Bein) brechen*. ¶ 나뭇가지를 ~ e-n Zweig von e-m Baum ab|brechen* / 아무(자기)의 팔을 ~ jm. (³sich) den Arm brechen* / 그는 대지팡이를 무릎에 대고 딱 부러뜨렸다 Er hat e-n Bambusstab mit e-m Knacks über s-n Knien zerbrochen.

부러워하다 beneiden[4] 《um[4]》; jm. neiden[4]; neidisch sein 《auf[4]》; 《시새우다》 scheel sehen*[4] 《um[4]》; ein mißgünstiges Auge (scheele Blicke) auf jm. werfen*; jn. mit scheelen Augen (Blicken) betrachten; schielen 《nach[3]》 (갖고 싶어). ¶ 그는 여간 부러워하고 있지 않다 Er weiß sich vor Neid nicht zu lassen. ¦ Er platzt vor Neid 《gegen[4]》. / 그는 나의 행운을 부러워하고 있다 Er beneidet mich um mein Glück. / 네가 사람들의 열광을 받을 때 나는 너를 매우 부러워했다 Ich habe dich glühend beneidet, als dir die Leute zujubelten.

부러지다 ab|brechen* (s); ab|bröckeln (s); (stückweise) ab|fallen* (s). ¶ 이빨이 ~ ein Zahn ist abgebrochen / 칼날이 부러졌다 Die Klinge des Messers ist ausgebrochen (hat Scharten bekommen). / 낙마로 팔이 부러졌다 Infolge e-s Sturzes vom Pferde brach der Arm. ¦ Der Sturz vom Pferde hat e-n Armbruch zur Folge.

부럼 Nüsse, die am 15. Tag des ersten Monats nach dem Mondkalender gegessen werden (um sich selbst für ein Jahr vor Furunkel zu schützen).

부럽다 beneidenswert; neidisch (sein); 〖동사적〗 beneiden[4] 《um[4]》; zu beneiden sein; neidisch sein 《auf[4]》. ¶ 부러운 듯이 neidisch; neiderfüllt; mißgünstig; scheelsüchtig / 저 사람이 ~ Er ist zu beneiden. ¦ Ich beneide ihn. / 부러워 죽겠다 Ich müßte bald vor Neid platzen. / 정말 부럽군 Wie beneidenswert! / 그 계통 사람들은 그의 수집을 부러워하고 있다 S-e Sammlung erweckt den Neid aller Kenner.

부레 ① 《물고기의》 Schwimm¦blase (Luft-) f. -n. ② 《부레풀》 der aus Schwimmblasen gemachte Leim, -(e)s, -e; Fischleim m.
‖ ~뜸 Stärkung 《f.》 des Papierdrachenfadens mit dem Fischleim. ~질 Klebarbeit 《f. -en》 mit dem Fischleim.

부레끓다 rasend werden; vor Wut schäumen.

부려먹다 überanstrengen[4]; jn. sehr stark (für ⁴sich) in Anspruch nehmen*; jn. zu fortwährender Arbeit an|halten* (an|treiben*); jn. hetzen zu arbeiten.

부력(浮力) Tragfähigkeit f.; Auftrieb m. -(e)s, -e; Schwimmkraft f. ⸚e. ¶ ~의 중심 Auftriebszentrum n. -s, ..tren.
‖ ~계 Auftriebsmesser m. -s, -.

부력(富力) Reichtum m. -(e)s, ⸚er; Vermögen n. -s, -.

부령(部令) Ministerial¦erlaß m. ..sses, ..sse (-verordnung f. -en). ¶ 문교~ ein Erlaß vom Erziehungsministerium.

부록(附錄) Anhang m. -(e)s, ⸚e; Nachtrag m. -(e)s, ⸚e; Ergänzungsband m. -(e)s, ⸚e (보전); 《신문의》 Beiblatt n. -(e)s, ⸚er; Beilage f. -n. ¶ 잡지의 ~ die Beilage zur Zeitschrift / ~을 붙이다 e-n Anhang 《zu e-m Buch》 bei|fügen (hinzu|-).

부루나가다 länger dauern (länger halten*) als erwartet.

부루말 Schimmel m. -s, -; weißes Pferd, -(e)s, -e.

부루퉁이 e-e Sache (ein Ding), die (das) heraustritt; ein vorstehendes Ding.

부루퉁하다 ① 《부어서》 aufgeblasen; angeschwollen (sein). ¶ 부루퉁한 손 die angeschwollene Hand, ⸚e / 부루퉁한 입 der aufgeworfene Mund, -(e)s, ⸚e; die aufgeworfenen Lippen 《pl.》 / 부루퉁하게 부어오르다 an|schwellen* (s).
② 《불만스러워》 mürrisch; verdrießlich; mißgestimmt; verstimmt; verärgert; trotzig (sein). ¶ 부루퉁한 얼굴 ein mürrisches Gesicht, -(e)s, -er / 부루퉁한 사람 der Mürrische*, -n, -n / 부루퉁하여 잠만 자다 aus Trotz gegen jn. das Bett nicht verlassen* / 그녀는 그의 말을 듣자 부루퉁해졌다 Sie ließ das Maul hängen, als sie ihn hörte.

부룩 〖농업〗 der Rain 《-(e)s, -e》, zwischen zwei Gerstenfeldern, den man zum Pflanzen einzelner Gemüsepflanzen benutzt. ¶ ~ 박다 im Zwischenraum zwischen zwei Gerstenfeldern pflanzen.
‖ ~곡식 die Ernte 《-n》 der Pflanzen, die zwischen Feldern gewachsen sind.

부룩소 ein junger, kleiner Stier, -(e)s, -e.

부룩송아지 ein ungezähmtes Kalb, -(e)s, ⸚er; ein Kalb, das man noch nicht gebändigt hat.

부룬디 《아프리카의 공화국》 Burundi.

부릇 die Größe e-r Masse (Menge); die Anzahl (von Menschen od. Dingen) in e-r Menge.

부릇동 der Strunk 《-(e)s, ⸚e》 e-s Lattichblatts.

부류(浮流) ~하다 schwimmen* (h,s); treiben* (h,s) (표류하다). ‖ ~기뢰 die schwimmende Mine, -n: ~기뢰를 띄우다 e-e schwimmende Mine legen / 배가 ~기뢰에 부딪쳤다 Das Schiff lief auf e-e (schwimmende) Mine.

부류(部類) Klasse f. -n; Art f. -en; Gattung f. -en; Gruppe f. -n; Kategorie f. -n. ¶ ~에 들다 zur Klasse (Gattung; Gruppe; Kategorie) gehören / ~에 넣다 in die Klasse 《von[3]》 auf|nehmen* / ~로 가르다 in Klassen ein|teilen (ab|teilen; ordnen).

부르걷다 auf|rollen; ein|wickelen; hoch|krempeln. ¶ 팔을 부르걷고 mit aufgekrempelten Ärmeln / 소매를 ~ die Ärmel aufkrempeln.

부르다[1] ① rufen*[4]; 《오라고》 herbei|rufen*[4]; 《소환》 vor|laden*[4]; vor Gericht laden*[4]. ¶ 부르면 들릴 곳에 in Rufweite/아무를 ~ jn. rufen* / 아무의 이름을 ~ js. Namen aus|rufen*; jn. beim Namen auf|rufen* / 전화로 아무를 ~ jn. an|rufen* / 택시를 ~ ein Taxi rufen* / 의사를 부르러 보내다 e-n Arzt holen lassen*; nach e-m Arzt schicken / 의사를 부르러 가다 e-n Arzt ab|holen gehen* (s) / 불러 모으다 zusammen|rufen* / 고향에서 가족을 불러오다 s-e Familie von der Heimat kommen lassen* / 부르셨읍니까 Haben Sie mich gerufen (rufen lassen)? / 불러내어서 미안합니다 Es tut mir leid, Sie hierher bemüht zu haben. / 그 부인은 남편을 큰 소리로 불렀다 Die Frau hat laut nach ihrem Mann gerufen. / 그는 하인을 불렀다 Er hat den Diener kommen lassen.
② 《일컫다》 (be)nennen*[4]; bezeichnen[4]; betiteln[4]; heißen[4]. ¶ 배신자라고 ~ jn. e-n Verräter nennen* / 그는 자칭 시인이라고 부

른다 Er nennt sich Dichter. / 우리는 그를 우리들 시대의 가장 위대한 정치가라고 불렀다 Wir haben ihn als den größten Politiker unserer Zeit bezeichnet. / 저는 김이라고 부릅니다 Ich heiße Herr *Kim.* / 저기 저 것을 동대문이라고 부른다 Das da heißt das Osttor.

③ 《청하다》 ein|laden*⁴ 《*jn.*》; bitten* 《*jn. zu*³》. ¶ 손님을 잔치에 ~ Gäste zu e-m Fest ein|laden* / 기생을 ~ e-e *Gisaeng* herein|rufen* / 편지로 아무를 ~ *jn.* schriftlich zu ³sich bitten.

④ 《값을》 e-n Preis an|setzen; 《살 사람이 값을》 e-n Preis bieten*. ¶ 부르는 값 der angebotene Preis, -es, -e / 터무니없는 값을 ~ 《für e-e Ware》 e-n unverschämten Preis an|setzen (verlangen) / 비싼(싼) 값을 ~ e-n hohen (niedrigen) Preis bieten*.

⑤ 《노래를》 singen*⁴. ¶ 노래를 ~ ein Lied singen* / 그는 피아노에 맞춰 노래를 불렀다 Er hat in e-r Klavierbegleitung gesungen.

⑥ 《외치다》 rufen*; schreien*. ¶ 만세를 ~ hurra rufen*.

⑦ 《혼백을》 (herauf)beschwören*⁴. ¶ 혼백을 ~ e-n Geist (e-n Toten) beschwören*.

부르다² ① 《배가》 satt; gesättigt (sein); ⁴sich an ³*et.* satt (dick) gegessen haben; ⁴sich voll gegessen haben. ¶ 배부르게 먹다 tüchtig essen; ⁴sich satt essen; essen bis zum Vollsein / 이젠 배가 부르다 Ich habe mich ganz satt gegessen. ② 《애를 배서》 schwanger (sein). ¶ 그녀는 배가 ~ Sie ist guter Hoffnung. | Sie ist schwanger. | Sie ist in anderen Umständen. ③ 《중배가》 bauchig; angeschwollen (sein). ¶ 그 통은 배가 ~ Das Faß ist in der Mitte ausgebaucht.

부르대다 wüten u. rasen; laut schreien*; brüllen.

부르르 ☞ 바르르.

부르릉 e-e Art des Lärms (mit e-m Husten); der Lärm 《*m.* -(e)s, -》 e-s Verbrennungsmotors; der Knall 《*m.* -(e)s, ⸚e》 bei der Zündung e-s Verbrennungsmotors. ~하다, ~거리다 knallen.

부르조아 Bourgeois [burʒoá] *n.* -, -; Bürger *m.* -s, -. ‖ ~계급 Bourgeoisie [..ʒoazí:] *f.* -n [..zí:ən]; Bürgerstand *m.* -(e)s, ⸚e.

부르쥐다 zusammen|pressen. ¶ 주먹을 ~ die Faust ballen / 주먹을 부르쥐고 치다 *jn.* mit der geballten Faust schlagen*.

부르짖다 schreien*; auf|schreien*; aus|rufen; laut rufen. ¶ 성이 나서 ~ wütend schreien; vor Wut schreien/목이 쉬도록 ~ ⁴sich heiser schreien / 개혁을 ~ laut nach e-r Reform rufen / 억압된 자유를 찾기 위해 ~ gegen die unterdrückte Freiheit laut schreien; gegen die Unterdrückung der Freiheit protestieren / 주권론을 ~ für den Krieg befürworten / 여성 교육의 필요를 ~ für die Ursache der Bildung für Frauen eintreten (befürworten) / 이구 동성으로 ~ wie mit e-r Stimme rufen / 남북통일을 ~ die Wiedervereinigung Koreas fordern (im Sprechchor fordern).

부르짖음 《외침》 Ruf *m.* -(e)s, -e; Ausruf *m.* -(e)s, -e; laute Klage, -n; 《비명》 Schrei *m.* -(e)s, -e; Geschrei *n.* -(e)s; Gekreisch *n.* -(e)s. ¶ 개혁의 ~ ein Ruf nach Reform / 임금인상의 ~ ein Ruf nach Lohnerhöhung (nach mehr Geld)/민족의 ~ die Forderung (Meinung) des Volks.

부르터나다 (die noch nicht bekannte Sache) entdeckt werden; bekannt werden.

부르트다 in Blasen auf|brechen*; viele Blasen haben. ¶ 발바닥이 ~ Blasen (Hühneraugen) an der Fußsohle haben / 손끝이 데어 부르텄다 Ich habe e-e Brandblase an der Fingerkuppe. / 새 구두를 신어서 발 뒤꿈치가 부르텄다 Von m-n neuen Schuhen habe ich Blasen an den Fersen bekommen. / 장작을 팼더니 손이 온통 부르텄다 M-e Hände sind voller Blasen vom Holzhacken.

부릅뜨다 《눈을》 starren; große Augen machen; mit feuerigen Augen an|sehen* (an|starren). ¶ 눈을 부릅뜨고 mit feuerigen (wütenden) Augen / 눈을 부릅뜨고 보다 *jn.* an|starren / 그는 호랑이처럼 눈을 부릅뜨고 서 있었다 Er stand da mit feurigen Augen wie ein Tiger.

부리¹ 《주둥이》 Schnabel *m.* -s, ⸚; 《끝》 Spitze *f.* -n.

‖ ~망 Maulkorb *m.* -(e)s, ⸚e: ~망을 씌우다 e-n Maulkorb an|legen; e-n Maulkorb tragen lassen*. 발~ Zehenspitze *f.* -n. 총~ Mündung *f.* -en.

부리² 〖민속〗 die Benennung des Schutzgeistes e-r Familie durch die Schamanen. ¶ ~세다 《집안이》 unter e-m großen Einfluß des Schutzgeistes stehen*.

부리나케 eilig; übereilt; flüchtig; zur Eile antreibend. ¶ ~ 가다 Höchstgeschwindigkeit fahren* / ~ 걷다 übereilt laufen* / ~ 일하다 ⁴sich mit der Arbeit beeilen / ~ 도망가다 in große Eile fliehen*; Hals über Kopf fliehen* / ~ 계단을 올라(내려) 가다 ganz schnell die Treppen hinauf (hinunter) rennen / ~ 식사하다 in Eile essen*; e-e eilige Mahlzeit ein|nehmen*.

부리다¹ ① 《시키다》 beschäftigen⁴; an|stellen⁴; gebrauchen⁴; verwenden*⁴. ¶ 누구를 오만한 태도로 ~ *jn.* von oben herab behandeln / 소나 말처럼 ~ *jn.* wie ein Lasttier an|treiben* / 그는 200명의 노무자를 부리고 있다 Er beschäftigt 200 Arbeiter. / 그는 사람 부릴 줄을 안다 Er weiß mit den Leuten umzugehen. / 저 사람은 마음대로 부릴 수가 없다 Ich werde nicht fertig mit ihm.

② 《조종》 bedienen⁴ 《e-e Maschine》; betätigen⁴; in Betrieb setzen⁴; hand|haben*⁴. ¶ 기계를 ~ e-e Maschine bedienen / 자동차를 ~ e-n Wagen fahren*.

③ 《행사》 《Macht》 aus|üben⁴ 《*über*⁴》; mißbrauchen⁴. ¶ 권력을 ~ Macht aus|üben.

④ 《꾀·재주·말썽》 vor|führen⁴; bereiten⁴ 《Schwierigkeiten》. ¶ 재주 (곡예)를 ~ ein Kunststück vor|führen/익살을 ~ e-n Witz reißen*/추태를 ~ ⁴sich lächerlich machen.

부리다² 《짐을》 ab|laden*⁴ 《vom Lastwagen; vom Zug》; aus|laden*⁴ 《vom Schiff》; aus|schiffen⁴; entladen*⁴ 《보기: ein Schiff; e-n Wagen》; löschen*⁴ 《보기: e-e Schiffsladung; Waren》. ¶ 차(배)의 짐을 ~ e-n Wagen ab|laden* (ein Schiff aus|laden*) / 말에서 짐을 ~ ein Pferd ab|laden*.

부리부리하다 groß u. strahlend; leuchtend; hell (sein). ¶ 부리부리한 눈 großes u. strahlendes Auge.

부리이다 von jemand anderem benutzt werden; von jemand anderem angestellt werden.

부리잡히다 (der Furunkel) ⁴sich zu|spitzen.

부림꾼 der Angestellte*, -n, -n; Arbeitnehmer *m.* -s, -; Diener *m.* -s, -.

부마(도위)(駙馬(都尉)) der Schwiegersohn 《*m.* -(e)s, ⸚e》 des Königs.

부메랑 Bumerang *m.* -s, -e. ¶ ~을 던지다 e-n Bumerang werfen*.

부면(部面) Gebiet *n.* -(e)s, -e; Fach *n.* -(e)s, ⸚er; Feld *n.* -(e)s, -er; Seite *f.* -n; Zweig *m.* -(e)s, -e.

부명(父命) der Befehl 《*m.* -(e)s, -e》 des Vaters.

부모(父母) Vater u. Mutter; die Eltern 《*pl.*》; die Erzeuger 《*pl.*》. ¶ ~의 사랑 Elternliebe *f.* / 젊어서 ~를 여의다 in s-r Jugend die Eltern verlieren*; noch jung verwaist werden / ~의 원조를 받다 den Eltern auf der Tasche liegen*; auf Kosten der Eltern leben.

‖ ~시해(살해) Elternmord *m.* -(e)s, -e. 생~ leibliche Eltern. 양~ Pflegeeltern.

부목(副木) 〖의학〗 Schiene *f.* -n. ¶ ~을 대다 Schienen an|legen 《*jn. an*³》.

부문(部門) Klasse *f.* -n; Gruppe *f.* -n; Sektion *f.* -en; Zweig *m.* -(e)s, -e; Teilung *f.* -en; Spaltung *f.* -en; Kategorie *f.* -n [..ríːən]. ¶ 생활의 모든 ~ in allen Gebieten (Bereichen) des Lebens / ~별로 나누다 (in Klassen) ein|teilen⁴; klassifizieren⁴; kategorisieren⁴ / …의 ~에 넣다 unter den Abschnitt setzen⁴ / …의 ~에 들다 unter e-e Gruppe fallen* (kommen*) Ⓢ.

부문장(副文章) Nebensatz *m.* -es, ⸚e.

부민(浮民) Landstreicher *m.* -s, -; Vagabund *m.* -en, -en; Zigeuner *m.* -s, -.

부민(富民) reiche (wohlhabende) Leute 《*pl.*》; der (die) Reiche*, -n, -n.

부박(浮薄) Flatterhaftigkeit *f.* -en; Leichtfertigkeit *f.* -en; Leichtherzigkeit *f.* -en. ~하다 flatterhaft; leicht¦fertig (-herzig; -sinnig); oberflächlich (sein). ¶ ~한 인간 ein flatterhafter Mensch, -en, -en / ~한 문학 die nichtige (wertlose) Literatur, -en.

부반장(副班長) Vizepräsident *m.* -en, -en (der Klasse).

부보(訃報) Todesnachricht *f.* -en. ☞ 부고(訃告). ¶ ~를 받다 über *js.* ⁴Tod Nachricht 《*f.* -en》 erhalten*.

부복(俯伏) Fuß¦fall (Knie-) *m.* -(e)s, ⸚e. ~하다 e-n Fußfall machen (tun*) 《vor *jm.*》; ⁴sich *jm.* zu Füßen werfen*; ⁴sich nieder|-werfen* 《vor *jm.*》.

부본(副本) Abschrift; Zweitausfertigung; Zweitschrift 《이상 모두 *f.* -en》; Kopie *f.* -n; Duplikat *n.* -(e)s, -e. ¶ ~을 만들다 e-e Kopie an|fertigen.

부부(夫婦) Mann u. Frau; Eheleute 《*pl.*》; (Ehe)paar *n.* -(e)s, -e; das verheiratete Paar, -(e)s, -e. ¶ ~의 ehelich; verehelicht; verheiratet; Ehe- / ~의 연분 Ehe¦band *n.* -(e)s, -e (-bund *m.* -(e)s, ⸚e) / ~의 애정 die eheliche Liebe; Gattenliebe *f.* / 김씨 ~ Herr u. Frau *Kim*; Herr *Kim* u. (s-e) Frau / 젊은 ~ das junge Ehepaar / ~가 되다 Mann u. Frau werden; ⁴sich ehelichen⁴; e-e Ehe ein|gehen* Ⓢ 《*mit*³》; in den Hafen der Ehe ein|laufen* Ⓢ; ehelich (durch e-e Heirat) verbunden werden; ⁴sich verheiraten (vermählen); vermählt werden / ~의 인연을 맺다 e-n Ehe¦kontrakt (-vertrag) schließen*; einander ewige Treue schwören*; ⁴sich verloben 《*mit*³》 / ~의 금실이 좋다 Das Ehepaar ist einander glücklich.

‖ ~생활 Ehe¦leben *n.* -s, - (-stand *m.* -(e)s, ⸚e; -verhältnis *n.* ..nisses, ..nisse). ~싸움 Ehestreit *m.* -(e)s, -e (-zwistigkeit *f.*): ~싸움에는 뛰어드는 법이 아니다 Man soll sich in den Streit e-s Ehepaares nicht einmischen. 맞벌이~ das werktätige Ehepaar, -(e)s, -e. 신혼~ das jung verheiratete Paar, -(e)s, -e; das neuvermählte Ehepaar, -(e)s, -e.

부분(部分) Teil *m.* -(e)s, -e; Abschnitt *m.* -(e)s, -e; Portion *f.* -en. ¶ ~적 teilweise; partiell; Teil-; örtlich; beschränkt (국한, 제한된) / 한국의 대~ der größte Teil Koreas / 그의 이야기는 다만 ~적으로만 진실이다 S-e Erzählung ist nur teilweise wahr. / 이 책은 3~으로 되어 있다 Dieses Buch besteht aus drei Teilen. / 그 집은 일~만 완성되었다 Das Haus ist zum Teil fertig.

‖ ~색맹 einseitige Farbenblindheit. ~식(蝕) Teilfinsternis *f.* ..nisse. ~표상 Teilvorstellung *f.* -en. ~품 Zubehör *n.* (*m.*) -(e)s, -e; Ersatzteil *m.* -(e)s, -e; Teile 《*pl.*》.

부빙(浮氷) Treib¦eis (Drift-) *n.* -es; das schwimmende Eis, -es.

부사(副使) Stellvertreter *m.* -s, -; Bevollmächtigte *f.* (*m.*) -n, -n; Geschäftsträger *m.* -s, -.

부사(副詞) Adverb [..vɛ..] *n.* -s, ..bien 《생략: adv.》; Adverbium *n.* -s, ..bia; Umstandswort *n.* -(e)s, ⸚er. ¶ ~적 adverbial / ~적 규정 das Adverbiale* (상황어); die adverbiale Bestimmung, -en.

‖ ~구 die adverbiale Wendung, -en. ~문(문장) Adverbialsatz *m.* -es, ⸚e.

부사리 ein Stier 《*m.* -(e)s, -e》, der gewöhnlich mit den Hörnern anzugreifen neigt.

부사장(副社長) Vizepräsident *m.* -en, -en (e-r Firma).

부산물(副産物) Nebenprodukt *n.* -(e)s, -e; 〖화학〗 Ruckstand *m.* -(e)s, ⸚e; Residuum *n.* -s, ..duen.

부산하다 ① 《바쁘다》 beschäftigt; emsig; eifrig (sein). ¶ 부산하게 beschäftigt; geschäftig; emsig / 일로 ~ mit einer Sache beschäftigt sein / 짐 싸기에 ~ mit Einpacken beschäftigt sein / 할 일 없이 ~ mit nichts Besonderem beschäftigt sein; viel zu tun haben, ohne daß es etwas besonders Erwähnenswertes gäbe (gibt). ② 《시끄럽다》 geräuschvoll; lärmend; laut (sein). ¶ 부산히 geräuschvoll; ungestüm / 부산하게 굴다 viel Aufhebens machen; Wesens machen; viel (u. übertreibend) davon reden.

부삽(一鍤) Kohlenschaufel *f.* -n.

부삽하다(浮澁一) der Teig 《*m.* -(e)s, -e》 ist nicht gut geknetet.

부상(父喪) der Tod 《*m.* -(e)s》 des (eigenen) Vaters; die Trauer 《*f.* -n》 um den (eigenen) Vater.

부상(負傷) Verletzung *f.* -en; Verwundung *f.* -en; Wunde *f.* -n; Brausche *f.* -n (타박상); Quetschung *f.* -en (좌상); Schnitt *m.* -(e)s, -e (칼자국); Schmarre *f.* -n (얼굴의 칼자국). ~하다 ⁴sich verletzen; ⁴sich verwunden; e-e Wunde bekommen* 《이상 *an*³》. ¶ 발에 ~을 당하다 ⁴sich am Bein (³sich das Bein) verletzen (verwunden) / 적어도 30명이 ~하고 그 중 5명은 중상을 입었다 Wenigstens gab es dreißig Verletzte u. darunter fünf Schwerverletzte.

‖ ~병 der verwundete Soldat, -en, -en; die Verwundeten* 《*pl.*》 (총칭). ~자 der

Verletzte* (Verwundete*) -n, -n.
부상(副賞) Extra¦preis (Neben-) *m.* -es, -e.
부생(浮生) dieses flüchtige (vergängliche) Leben, -s.
부서(部署) Posten *m.* -s, -; Amt *n.* -(e)s, ⸗er; Stelle *f.* -n. ¶ ~를 맡다 s-n Posten (sein Amt) an|treten* / ~를 지키다 auf s-m Posten bleiben* ⓢ / ~를 떠나다 den Posten auf|geben* (verlassen*).
부서(副署) Gegen¦unterschrift *f.* -en (-zeichnung *f.* -en). ~하다 gegen|zeichnen; mit s-r Gegenunterschrift versehen*⁴. ¶ 법령에는 장관의 ~도 필요하다 Die Verfügung bedarf noch der Gegenzeichnung des Ministers.
부서뜨리다 ☞ 부스러뜨리다.
부서지다 zerbrechen* ⓢ; zerbrochen werden; brechen* ⓢ; zerfallen* ⓢ; zerschmettert (zertrümmert) werden; zerschellen* ⓢ; kaputt gehen*. ¶ 부서진 zerbrochen; zertrümmert; kaputt; zerschmettert / 부서지기 쉬운 spröde; bröckelig; brüchig; mürbe; zerbrechlich / 산산이 ~ in Stücke gehen* ⓢ; zerfallen* ⓢ.
부석(浮石) Bimsstein *m.* -(e)s, -e.
부석부석 leicht (an)geschwollen. ~하다 leicht angeschwollen (sein). ¶ 그의 얼굴이 ~하다 Sein Gesicht war (leicht) etwas angeschwollen.
부선(艀船) Leichter (Lichter) *m.* -s, -. ‖ ~료 Leichter¦geld *n.* -(e)s, -er (-fracht *f.* -en).
부선거(浮船渠) Schwimmdock *n.* -(e)s, -e (-s); U-Dock *n.* -(e)s, -e (-s).
‖ ~료 Schwimmdockgebühr *f.*
부설(附設) Beiwerk *n.* -(e)s, -e; Anhängsel *n.* -s, -. ~하다 Beiwerk an ⁴*et.* ein|richten.
부설(浮說) das falsche (grundlose) Gerücht, -(e)s, -e; die falsche Meldung, -en (허위보도); 〖속어〗 Ente *f.* -n (허위보도).
부설(敷設) das Legen*, -s; das Bauen*, -s (건설). ~하다 legen⁴ (기뢰, 해저전선 따위를); an|legen⁴ (철도 따위를); bauen⁴ (철도 따위를).
‖ ~기뢰 die unterseeische Mine, -n. ~함 Minenleger *m.* -s, -. 철도~ Eisenbahnbau *m.* -(e)s, -ten: 철도~권 Eisenbahnkonzession *f.* -n.
부성분(副成分) ein zusätzlicher (nebensächlicher) Bestandteil, -(e)s, -e.
부성애(父性愛) Vaterliebe *f.* -n.
부세(浮世) vergängliche Welt, -en; vergängliches (flüchtiges) Leben, -s.
부세 《독일의 시인》 Karl Busse (1872-1918).
부속(附屬) Beifügung *f.*; Zusatzvorrichtung *f.* -en; Anschluß *m.* ..lusses, ..lüsse. ~하다 zu|gehören 《*zu*³》; gehören 《*zu*³》; an|hängen*³. ¶ ~의 (zu)gehörig 《*zu*³》; hinzukommend 《*zu*³》; zusätzlich 《*zu*³》.
‖ ~국민학교 die zugehörige Volksschule, -n. ~서류 das beigefügte Papier, -s, -e. ~품 Zubehör *m.* (*n.*) -(e)s, -e; das Dazugehörige*, -n, -n; Zutat *f.* -en; Ausrüstung *f.* -en. 대학 ~병원 Universitätsklinik *f.* -en.
부손 e-e kleine Feuerschaufel, -n.
부수(負數) e-e negative Zahl, -en. ☞ 음수.
부수(附隨) das Begleiten*, -s; das Beilegen*, -s. ~하다 begleitet sein 《*von*³》; verbunden sein 《*mit*³》; gehörig sein 《*zu*³》. ¶ ~적인 begleitend; hinzukommend; Neben- / 그 조처에는 다소간의 위험이 ~된다 Die Maßnahmen sind mehr od. weniger von Gefahr begleitet. / 이것은 다만 ~적인 데 불과하다 Das ist nur ein nebensächlicher Punkt.¦Dies nur nebenbei.
‖ ~사건 Nebenpunkt *m.* -(e)s, -e. ~서류 das beigefügte Papier, -(e)s, -e. ~현상 Begleiterscheinung *f.* -en: 그것은 전쟁의 ~현상이다 Das sind die Begleiterscheinungen des Krieges.
부수(部數) die Zahl 《-en》 der Exemplare. ¶ ~에 제한이 있다 Die Zahl der Exemplare ist begrenzt.
‖ 발행~ Auflage *f.* -n: 이 신문의 발행 ~는 얼마나 됩니까—100 만 부입니다 Wie hoch ist die Auflage dieser Zeitung?— Sie hat e-e Auflage von e-r Million. / 초판의 발행 ~는 1,000 부였다 Die 1. Auflage erschien in 1000 Exemplaren.
부수다 zerbrechen*⁴; zerstören*⁴; zerschmettern⁴; zertrümmern⁴; zermalmen⁴; ab|reißen*⁴ (nieder|-); entzwei|brechen*⁴; zugrunde|richten⁴. ¶ 산산이 ~ in Stücke brechen*⁴ (schlagen*⁴) / 때려 ~ zerschlagen*⁴ / 건물을 ~ das Gebäude ab|reißen* (nieder|-) / 접시를 ~ den Teller zerbrechen* / 자물쇠를 ~ das Schloß auf|brechen*.
부수뜨리다 ＝부스러뜨리다.
부수수 unordentlich; zerzaust; aufgelöst. ~하다 in Unordnung; aufgelöst; unordentlich (sein). ¶ ~한 머리 unordentliches (wirres) Haar.
부수식물(浮水植物) Schwimmpflanze *f.* -n; Wasserlinse *f.* -n.
부수입(副收入) Nebenverdienst *m.* -es, -e; zusätzliches Einkommen*, -s.
부숭부숭하다 ☞ 보송보송하다.
부스대다 ☞ 바스대다.
부스러기 Schnitzel *n.* -s, -; Abfälle 《*pl.*》; das abgeschnittene Stückchen, -s, -; Fetzen *m.* -s, -; Lappen *m.* -s, -; Splitter *m.* -s, -; Bruch *m.* -(e)s, ⸗e; Bruchstück *n.* -(e)s, -e; Rest *m.* -(e)s, -e.
‖ 고기~ Fleischschnitte *f.* -n. 나무~ Holzsplitter *m.* -s, -. 빵~ Brotkrume *f.* -n.
부스러뜨리다 zerschmettern; zertrümmern; zerbrechen*. ¶ 산산이 ~ in Splitter zerbrechen*.
부스러지다 ab|bröckeln ⓢ; in Stücken ab|-fallen* ⓢ. ☞ 바스러지다.
부스럭대다 rauh (roh) sein; 《돌아다니다》 heimlich umher|gehen* ⓢ; ⁴sich still u. leise umher|bewegen. ¶ 부스럭대며 mit Rauschen; rauschend.
부스럼 (An)schwellung *f.* -en; Ödem *n.* -s, -e; Wassersucht *f.*; Hautausschlag *m.* -(e)s, ⸗e; Furunkel *m.* -s, -; Geschwür *n.* -(e)s, -e; Geschwulst *f.* ⸗e; Schwäre *f.* -n; Beule *f.* -n. ¶ ~이 난 (an)geschwollen; ödematös; wassersüchtig / ~이 나다 (an-)schwellen* ⓢ; ödematös werden; ein Geschwür (e-e Geschwulst) kriegen.
부스스 ☞ 바스스. ¶ ~한 얼굴 ein behaartes Gesicht; ein unrasiertes Gesicht / 머리가 ~하다 Das Haar ist leicht (etwas) gekraust (etwas wellig).
부슬부슬[1] ☞ 보슬보슬.
부슬부슬[2] ☞ 바슬바슬.
부슬비 ☞ 보슬비.
부시 Metalstück 《*n.* -(e)s, -e》, das mit dem Feuerstein zum Feuerschlagen gebraucht wird. ¶ ~(를) 치다 Feuer schlagen*.
‖ ~쌈지(통) Zunderbüchse *f.* -n. 부싯깃 Zunder *m.* -s, -. 부싯돌 Feuerstein *m.*

-(e)s, -e.

부시다[1] 《씻다》 aus|waschen*; aus|spülen; mit Wasser rein|machen. ¶ 병을 ~ e-e Flasche auswaschen, d.h. innen reinigen.

부시다[2] 《눈이》 blendend; grell (sein). ¶ 눈이 부시도록 아름다운 여자 e-e Frau von betörender Schönheit; e-e Frau von strahlender Schönheit / 눈이 부시게 빛나다 blenden; strahlen; glänzen / 눈이 ~ Die Augen werden geblendet. / 햇빛에 눈이~ Die Sonne blendet mich. / 자동차의 헤드라이트에 눈이 ~ M-e Augen werden von den Scheinwerfern am Auto geblendet. / 태양이 눈~ Die Sonne blendet stark. / 조명이 ~ Die Beleuchtung blendet mich. / 눈이 부셔서 눈을 뜰 수가 없다 Ich werde so geblendet, daß ich die Augen nicht aufmachen kann. / 광선이 세어서 눈이 부셨다 Das starke Licht blendet m-e Augen.

부식(扶植) Einpflanzung *f.* -en; Ausdehnung *f.* -en; Erweiterung *f.* -en; Gründung *f.* -en (확립). **~하다** ein|pflanzen[4]; aus|dehnen[4]; [4]sich durch|setzen; erweitern[4]; vergrößern[4]; begründen[4]. ¶ 세력을 ~해 가다 den Wirkungskreis aus|dehnen / 그는 모든 장애를 뚫고 지반을 ~했다 Er setzte sich gegen alle Widerwärtigkeiten durch.

부식(腐蝕) Korrosion *f.* -en; Ätzung *f.* -en; das Beizen*, -s; Anfressung *f.* -en; Zerfressung *f.* -en (-nagung *f.* -en; -störung *f.* -en); Vermoderung *f.* -en; Verwesung *f.* -en. **~하다** korrodieren[4]; ätzen[4]; beizen[4]; an|fressen*[4]; zerfressen*[4]; zernagen[4]. ☞ 부패(腐敗). ¶ ~하기 쉽다 leicht ätzbar sein; anfällig gegen Korrosion sein / 산은 금속을 ~한다 Säure ätzt Metal.
‖ **~제** Ätzmittel *n.* -s, -; Beize *f.* -n. **~토** Humus *m.* -; Humusboden *m.* -s, -; Gartenerde *f.* -n.

부식물(副食物) Zukost *f.*; Zuspeise *f.* -n.

부신(符信) Kerbholz *n.* -es, ⸚er; Gegenstück (Seiten-) *n.* -(e)s, -e.

부신(副腎) 〖해부〗 Nebenniere *f.* -n.
‖ **~피질** Nebennierenrinde *f.* -n: ~피질 호르몬 Nebennierenrindenhormon *n.* -s, -e.

부실(不實) Unaufrichtigkeit *f.* -en; Treulosigkeit *f.* -en (불신); Falschheit *f.* -en (허위). **~하다** ① 《몸이》 schwach; kraftlos; angegriffen (sein). ¶ 몸이 ~하다 angegriffen (schwach) sein. ② 《부족》 unzureichend; ärmlich; mangelnd (sein). ¶ 볏섬이 ~하다 Der Reissack ist unzureichend gefüllt. ③ 《믿음성이》 unwürdig; untreu; unzuverlässig (sein). ¶ ~한 아내 e-e unwürdige Frau, -en / 그는 사람이 ~하다 Er ist e-e unzuverlässige Person. ④ 《불성실》 unaufrichtig; unredlich; unehrlich; untreu (sein). ¶ 그는 일하는 것이 ~하다 Er arbeitet nicht sorgfältig (gewissenhaft).
‖ **~기업** ein instabiles (insolventes) Unternehmen, -s, -.

부실(副室) Konkubine *f.* -n; Beischläferin *f.* -nen.

부심(副審) Beisitzer *m.* -s, -; Ko-referent *m.* -en, -en.

부심(腐心) das Bangen*, -s; Besorgnis *f.* -se; Beklemmerung *f.* -en; Beängstigung *f.* -en. **~하다** [3]sich große Mühe geben, um [4]*et.* zu ringen (lösen); [3]sich den Kopf zerbrechen. ¶ 이름을 팔려고 ~하다 um Publizität ringen; um öffentliches Bekanntwerden ringen.

부싯깃고사리 〖식물〗 e-e Sorte von Farn 《*m.* -(e)s, -e》.

부썩 ☞ 바싹.

부아 ① 《허파》 Lunge *f.* -n. ② 《분함》 Ärger *m.* -s; Verdruß *m.* ..drusses; ..drusse; Zorn *m.* -(e)s; Wut *f.* ¶ ~가 나다, ~를 내다 [4]sich ärgern 《*über*[4]》; es verdrießt *jn.*; [4]sich entrüsten 《*über*[4]》; ärgerlich (verdrießlich; zornig) werden 《*über*[4]》; entrüstet werden 《*über*[4]》; in Harnisch kommen* (geraten*) Ⓢ; *jm.* läuft die Galle über / ~가 나서 aus Zorn (Ärger) / 나는 그의 말에 ~가 났다 Ich ärgerte mich über s-e Worte.

부양(扶養) Unterhaltung *f.* -en; Unterstützung *f.* -en; Ernährung *f.* -en. **~하다** unterhalten*[4]; ernähren[4]; unterstützen[4]. ¶ 그는 대가족을 ~하고 있다 Er unterhält (ernährt) e-e große Familie. / 부모를 ~해야 할 의무가 있다 Wir sind verpflichtet, unsere Eltern zu ernähren. / 자식을 ~할 의무가 있다 Wir sind verpflichtet, für unsere Kinder zu sorgen.
‖ **~가족** die Familie (Familienmitglieder) zu unterhalten: 자네는 ~가족이 몇인가 Wie viele Familienmitglieder haben Sie zu unterhalten? **~(가족)수당** Familienzuschuß *m.* ..schusses, ..schüsse. **~료** Verpflegungsgeld *n.* -(e)s, -er. **~의무** Unterhaltungspflicht *f.* -en. **~자** Ernährer *m.* -s, -.

부양(浮揚) 《작업》 das Flottmachen*, -s; Bergung *f.* -en. **~하다** 《좌초한 배 등을》 flott machen[4]; bergen*[4]; heben*[4].
‖ **~력** Tragfähigkeit *f.*; Schwimmfähigkeit *f.* **~작업** Bergungsarbeit *f.* -en.

부언(附言) die nachträgliche (zusätzliche) Bemerkung, -en; Anhang *m.* -(e)s, ⸚e; Nach¦schrift *f.* -en (-wort *n.* -(e)s, -e); Zusatz *m.* -es, ⸚e. **~하다** hinzu|fügen[4] 《zu [3]*et.*》.

부얼부얼하다 fett u. rundlich; pausbäckig; rundwangig (sein).

부업(副業) Neben¦beschäftigung *f.* -en (-arbeit *f.* -en; -gewerbe *n.* -s, -); Nebenberuf *m.* -(e)s, -e. ¶ 유리한 ~ e-e günstige Nebenbeschäftigung, -en / ~으로 하다 [4]*et.* als Nebenbeschäftigung machen (tun*) / ~을 갖다 e-n Nebenberuf haben.

부엉부엉 das Geschrei 《*n.* -(e)s》 der Eule 《*f.* -n》; das Geheul der Eule.

부엉이 〖동물〗 Eule *f.* -n. ¶ ~가 부엉부엉 운다 Die Eule schreit. / ~ 소리도 제가 듣기에는 좋다고 Es ist schwer, s-e eigenen Fehler zu sehen.
‖ **~셈** e-e dumme (alberne) Rechnung. 수리~ Uhu *m.* -s, -s.

부엌 Küche *f.* -n. ¶ ~에서 일하다 in der Küche arbeiten; 《식모로서》 als Küchenpersonal arbeiten.
‖ **~데기** Küchenpersonal *n.* -s, -e. **~문** Kücheneingang *m.* -(e)s, ⸚e. **~바닥** Küchenboden *m.* -s, -. **~세간** Küchengerät (-geschirr) *n.* -(e)s, -e: ~세간 장사 Küchengerät¦händler (Küchengeschirr-) *m.* -s, - (사람); Küchengerät¦laden (Küchengeschirr-) *m.* -s, ⸚e. **~쓰레기** Küchenabfäll 《*pl.*》.

부에노스아이레스 《아르헨티나의 수도》 Buenos Aires.

부여(附與) Gewährung (Erteilung; Verleihung) *f.* **~하다** erteilen[34]; bekleiden[4] 《*mit*[3]》; gewähren[34]; verleihen*[34]; zu|geben*^{4}; zu|gestehen*^{34}; zu|erkennen*^{34}; zuteilwerden lassen* 《*jm.* ^{4}*et.*》. ¶ 권리를 ～하다 *jm.* ein Recht erteilen / 직권을 ～하다 *jn.* mit e-m Amt bekleiden / 특전을 ～하다 *jm.* e-e Vergünstigung zu|erkennen*.

부여(賦與) Ausstattung *f.* -en; Stiftung *f.* -en; Dotation *f.* -en. **～하다** schenken; stiften; subventionieren; dotieren. ¶ 재능이 ～되다 Talent haben; mit Talent begabt 〔gesegnet〕 sein / 우리들에게는 양심이 ～되어 있다 Wir alle haben Gewissen.¦ Wir alle sind ausgestattet mit e-m Gewissen. / 자연은 그녀에게 미와 이지를 ～했다 Die Natur hat ihr Schönheit und Klugheit geschenkt.

부여잡다 fest ergreifen*; grapsen; haschen; nach ^{3}*et.* haschen.

부역(賦役) Zwangsarbeit 《*f.* -en》 u. erpreßte Abgabe 《*f.* -n》. ¶ ～을 과하다 e-e Fronarbeit auf|(er)legen 《*jm.*》.

부연(附椽) 〖건축〗 an den Enden der (Dach-) sparren befestigte Dachrinne 〔Traufe〕; gehämmerte Dachrinne, -n.

부연(敷衍) Erweiterung *f.* -en; Ausdehnung *f.* -en; Entwick(e)lung *f.* -en; Vergrößerung *f.* -en. **～하다** erweitern^4; aus|dehnen^4 《*auf*^{4}》; entwickeln^4; vergrößern^4. ¶ 그는 그 문제를 ～하여 설명했다 Er hat die Erklärung des Themas 〔des Gegenstandes〕 erweitert.

부영사(副領事) Vizekonsul *m.* -s, -n.

부영이 《빛》 milchweiße Farbe, -n; 《짐승》 e-e Bennenung des Tiers, dessen Haut milchweiß ist.

부옇다 ☞ 보얗다.

부예지다 neb(e)lig werden; verschwommen werden; verdickt werden; getrübt werden. ¶ 나는 근시이므로 안경을 벗으면 모든 것이 부예진다 Da ich kurzsichtig bin, wird alles verschwommen, wenn ich m-e Brille aus|setze.

부용(芙蓉) 《연꽃》 Lotos *m.* -, -; Lotosblume *f.* -n.

부운(浮雲) e-e ziehende Wolke, -n; Wolkenzug *m.* -(e)s, ⸚e.

부원(部員) 《한 사람》 Mitglied *n.* -(e)s, -er; 《전체》 Mitgliederschaft *f.* -en; Stab *m.* -(e)s, ⸚e.
‖ **편집～** Redaktionsmitglied *n.* -(e)s, -er.

부원(富源) Bodenschätze 《*pl.*》. ¶ 무진장의 ～ e-e unerschöpfliche Quelle des Reichtums / ～을 개발하다 natürliche Rohstofflager 〔Rohstoffquellen〕 ausbeuten.

부월(斧鉞) ① 《도끼》 Streitaxt 《*f.*》 u. Hellebarde 《*f*, -n》. ③ 《정벌》 Eroberung *f.* -en; Unterwerfung *f.* -en; Unterjochung *f.* -en. ③ 《의장의》 e-e Art zeremonieller Hellebarde.

부유(浮遊) das Schwimmen*, -s; das Schweben*, -s; Schwebung *f.* **～하다** (obenauf) schwimmen* ⓢ; schweben ⓢ; treiben* ⓢ; (in der Luft *od.* im Wasser) ^{4}sich leicht fort|bewegen. ¶ 공중에 ～하다 in der Luft schweben ⓢ.
‖ **～기뢰** die schwimmende 〔treibende〕 Mine, -n. **～물** der schwimmende Gegenstand, -(e)s, ⸚e. **～생물** Plankton *n.* -s. **～식물** die schwimmende Pflanze, -n.

부유(富裕) Wohlstand *m.* -(e)s; Reichtum *m.* -(e)s, ⸚er. **～하다** reich; wohlhabend; bemittelt (sein). ¶ ～한 사람 der Wohlhabende*, -n, -n / ～한 나라 das reiche Land, -(e)s, ⸚er / ～한 집안에 태어나다 in e-r reichen Familie geboren werden / ～하게 살다 reich leben.

부유(蜉蝣) ＝하루살이.

부유(腐儒) Pedant *m.* -en, -en; Schulfuchs *m.* -es, ⸚e; Prinzipienreiter *m.* -s, -; modrige(r) Gelehrte(r).

부유스름하다 ergraut; unklar; verschwommen; neb(e)lig (sein).

부육(腐肉) das angegangene Fleisch, -es; Aas *n.* -es, -e 〔Äser〕 (동물의 주검).

부음(訃音) Todesanzeige *f.* -n; Todesnachricht *f.* -en. ¶ ～에 접하다 die Todesnachricht e-r Person hören.

부응하다(副應—) ^{3}*et.* entgegen|kommen*; ^{3}*et.* entgegen|treten*; entsprechen*; nach|-kommen*. ¶ 목적에 ～ dem Zweck entsprechen / …의 희망에 ～ die Wünsche e-r Person erfüllen 〔genügen; befriedigen〕/ 기대에 부응토록 노력하겠읍니다 Ich will mein Bestes tun, um Ihre Erwartungen zu erfüllen.¦Ich werde mich nach besten Kräften bemühen, um Ihre Erwartungen zu erfüllen.

부의(附議) Das Vorlegen* 《-s》 zur Diskussion 〔Debatte〕. **～하다** zur Sprache 〔Besprechung〕 bringen*^{4}; in der Sitzung 〔Konferenz〕 besprechen*^{4} 〔behandeln^4; beraten*^{4}; debattieren*$^{(4)}$ 《*über*^{4}》; diskutieren^4; erörtern^4〕; zur Debatte stellen^4; an die Tagesordnung setzen.

부의(賻儀) Trauergabe *f.* -n; Kondolenzgabe *f.* -n. **～하다** zum Begräbnis beisteuern.
‖ **～금** Beisteuer 《*f.* -n》 zum Begräbnis.

부의장(副議長) Vizepräsident *m.* -en, -en; stellvertretender Vorsitzender, -s.

부이 Boje [bó:jə] *f.* -n; Bake *f.* -n; Rettungsring *m.* -(e)s, -e.

부익(副翼) e-e Art von Flügel.

부익부빈익빈(富益富貧益貧) Die Reichen werden immer reicher u. die Armen werden immer ärmer.

부인(夫人) Frau *f.* -en; Gattin *f.* ..tinnen; Gemahlin *f.* ..linnen; 《경칭》 Frau 《생략: Fr.》. ¶ H～ Frau H / 신혼의 ～ Braut *f.* ⸚e / 젊은 ～ die junge Frau / ～께도 안부 전해주시기 바랍니다 Bitte empfehlen Sie mich gütigst Ihrer Frau Gemahlin!

부인(否認) Verleugnung *f.* -en; Ableugnung *f.* -en; Abweisung *f.* -en; Ablehnung *f.* -en; Absage *f.* -n; Verneinung *f.* -en. **～하다** (ver)leugnen^4; ab|leugnen^4; ab|weisen*^{4}; ab|lehnen^4; ab|sagen^4; verneinen^4. ¶ 자기 행위를 ～하다 s-e eigene Handlung verleugnen / 의무를 ～하다 e-e Pflicht ab|-lehnen / ～할 수 없다 unleugbar sein.
‖ **～권** Veto *n.* -s, -s.

부인(婦人) Frau *f.* -en; Dame *f.* -n; das weibliche 〔schöne; schwache; zarte〕 Geschlecht, -(e)s (총칭). ¶ ～용 für Damen; Damen- / ～용 자전거 Damenrad *n.* -(e)s, ⸚er / ～용 장갑 Damenhandschuh *m.* -(e)s, -e / ～용품 Damenartikel *m.* -s, -.
‖ **～과** Frauenheilkunde *f.* -n; Gynäkologie *f.*: ～과 의사 Frauenarzt *m.* -(e)s, ⸚e; Gynäkolog(e) *m.* ..gen, ..gen. **～노동보호** Frauenarbeitsschutz *m.* -es. **～단체** Frauenorganisation *f.* -en. **～모자** Damenhut *m.* -(e)s, ⸚e. **～병** Frauenkrankenheit *f.* -en. **～복** Frauen|kleid 〔Damen-〕 *n.* -(e)s, -er;

Frauenkleidung *f.* -en (구두, 모자 등을 포함한 차림 전체). ~실 《기차의》 Damen¦abteil (Frauen-) *n.* (*m.*) -(e)s, -e. ~(해방)운동 Frauenbewegung *f.* ~참정권 Frauenstimmrecht *n.* -(e)s. ~회 Frauenverein *m.* -(e)s, -e.

부임(赴任) der neue Amtsantritt, -(e)s, -e. ~하다 ⁴sich nach s-m (neuen) Posten (Amt) begeben*; sein neues Amt an|treten*. ¶ 새로 ~한 선생 ein neuer Lehrer; ein neuberufener Lehrer.
‖ ~지 der Ort 《-(e)s, -e》 *js.* neuen Amtes (Postens); der neue Posten, -s, -.

부자(父子) Vater u. Sohn, des - u. -(e)s.

부자(夫子) der Weise*, -n, -n; Meister *m.* -s, -. ¶ 공(孔)~ Konfuzius.

부자(富者) der Reiche*, -n, -n; der reiche (vermögende) Mann, -(e)s, Leute; Millionär *m.* -s, -e (백만장자); Milliardär *m.* -s, -e (천만장자). ¶ ~이다 reich sein; vermögend (wohlhabend) sein; mit Glücksgütern gesegnet sein; im Fett (in der Wolle) sitzen*; 《대부호》 steinreich (stockreich) (wie ein Krösus) sein; Geld wie Heu (Sand) haben; Kisten u. Kasten voll haben; im Geld schwimmen* [s.h] (ersticken; wühlen); ⁴sich im Golde wälzen; (förmlich) im Gold wühlen / ~가 되다 reich werden; zu Geld (zu e-m Vermögen) kommen* [s]; ⁴sich bereichern / ~로 태어나다 reich geboren sein / ~와 결혼하다 reich heiraten⁴; (nach) Geld heiraten (돈을 보고) / ~나 가난한 사람이나 reich u. arm; Reiche u. Arme, der -n u. -n.
‖ ~집 ein reiches Haus, -es, ⸗er: ~집 색시를 얻다 e-e reiche Partie machen; ein reiches Mädchen heiraten; reich heiraten/ ~집에 장가들다 in ein reiches Haus ein|-heiraten.

부자연(不自然) Unnatürlichkeit *f.*; Künstlichkeit. ~하다, ~스럽다 unnatürlich; widernatürlich; künstlich (인위적); geziert (점잔빼는); gesucht (꾸민); forciert (무리한); 《인위적》 gemacht (sein). ¶ ~스러운 웃음 das forcierte Lachen*, -s / ~스러운 말 (표현) die unnatürliche Redensart, -en; der unnatürliche Ausdruck, -(e)s, ⸗e / ~스러운 태도 das gezierte (unnatürliche) Benehmen*, -s.

부자유(不自由) 《불편》 Unbequemlichkeit (Unbehaglichkeit) *f.* -en; Ungemach *n.* -(e)s, -e; 《곤경》 Mangel *m.* -s, ⸗; Not *f.* ⸗e. ~하다 unbefriedigend; unbequem; 《궁핍한》 mangelhaft; notleidend; 《손발이》 krüppelhaft (sein). ¶ ~스러운 생활을 하다 kümmerlich leben; in ärmlichen (dürftigen; gedrückten) Verhältnissen leben/~가 없는 사람들 wohlhabende Leute 《*pl.*》/아무런 ~없이 살다 bequem (angenehm; vergnügt) leben; ein gutes Leben haben; gut dran sein; in guten Verhältnissen leben/ …에 ~스럽다 es mangelt (fehlt) *jm.* 《*an*³》; Mangel haben (leiden*) 《*an*³》/ 그는 다리가 ~스럽다 Die Beine versagen ihm den Dienst.

부자지 Hode 《*m.* -n, -n》 u. Penis 《*m.* -, ..nisse》.

부작용(副作用) Nebenwirkung *f.* -en. ¶ ~이 없는 harmlos; unschädlich / ~을 일으키다 e-e Nebenwirkung veranlassen* (hervor|rufen*) / ~이 없다 k-e Nebenwirkung haben (veranlassen*; hervor|rufen*) / 이 약은 위에 ~이 없다 Dieses Medikament veranlaßt k-e Nebenwirkung auf dem Magen.

부작위(不作爲) 〖법률〗 Unterlassung *f.* -en.
‖ ~범 Unterlassungsdelikt *n.* -(e)s, -e.

부잔교(浮棧橋) e-e schwimmende Landungsbrücke, -n.

부장(部長) Chef [ʃɛf] 《*m.* -s, -s》 e-r Abteilung; Abteilungsleiter *m.* -s, -.
‖ 인사~ Chef e-r Personalabteilung.

부장품(副葬品) (e-e Ware, die in ein Grab gelegt ist) Grabbeigabe *f.* -n.

부재(不在) Abwesenheit *f.* -en. ~하다 abwesend sein; nicht da sein; nicht zu Hause sein. ¶ ~중에 손님이 오셨읍니다 Sie haben während Ihrer Abwesenheit e-n Besuch gehabt. / 그 사람이 오면 ~ 중이라고 해주시오 Ich bin für ihn nicht zu Hause.
‖ ~자 투표 die Wahl 《-en》 in Abwesenheit. ~증명 Alibi *n.* -s, -s. ~지주 der nicht auf s-m Gut lebende Gutsherr, -n, -en; der abwesende Landbesitzer, -s, -.

부적(符籍) Talisman *m.* -s, -e; Amulett *n.* -(e)s, -e; Schutzzauberzeichen *n.* -s, -; Zauberschutzmittel *n.* -s, -. ¶ 화재 예방의 ~ ein Talisman (Amulett) gegen Feuer.

부적격(不適格) ¶ ~의 untauglich; ungeeignet; unfähig / ~으로 판정되다 zu ³*et.* als untauglich (ungeeignet) erklärt werden.

부적당(不適當) Unangemessenheit *f.*; Ungehörigkeit *f.* (부당); Unschicklichkeit *f.*; Unziemlichkeit *f.* ~하다 nicht am Platz sein; es ziemt ⁴sich nicht 《⁴*et.* zu *tun*; daß ...》; nicht zu|treffen*; 〖형용사적〗 unangemessen 《*zu*³》; ungeeignet (unpassend) 《*zu*³; *für*⁴》; ungehörig; unschicklich; un(ge)ziemend³; unziemlich³; 《부적절》 nicht geeignet; nicht richtig; nicht zutreffend (sein). ¶ ~한 예 ein unschickliches (ungeeignetes; unpassendes) Beispiel, -(e)s, -e / 그런 일은 ~하다 Das ist nicht zweckmäßig (nicht zweckentsprechend). / 여기에는 그런 원칙이 ~하다 Hier gilt der Grundsatz nicht. / 그 말은 여기에 ~하다 Das Wort paßt hier nicht (gut).

부적임(不適任) Unangemessenheit *f.*; Untauglichkeit *f.* ¶ ~의 unangemessen; ungeeignet; unfähig; unpassend; untauglich; untüchtig 《이상 *zu*³》/ ~이다 zu ³*et.* nicht taugen; nicht am richtigen Platz sein. ¶ 그는 모든 일에 ~이다 Er ist zu allem unfähig. / 외무장관에는 ~이다 Er eignet sich nicht zum Außenminister.
‖ ~자 e-e unangemessene (unpassende) Person, -en.

부적절(不適切) Unangemessenheit *f.*; Ungeeignetheit *f.*; Untauglichkeit *f.* ~하다 ungeeignet; unpassend; ungehörig (sein).

부전 ein farbig besticktes Band 《*n.* -(e)s, ⸗er》, das vorn am Kleid e-s Mädchens befestigt wird.

부전(不戰) die Ächtung 《-en》 des Krieges.
‖ ~조약 Kriegsächtungspakt *m.* -(e)s, -e; 〖역사〗 Kellogg-Pakt, -(e)s (1928년의): ~조약이 체결되었다 Ein Kriegsächtungspakt wurde zwischen beiden Ländern geschlossen.

부전(附箋) (Anhangs)zettel *m.* -s, -; Etikett *n.* -(e)s, -e; Allonge [alɔ̃:ʒə] *f.* -n (어음의).
¶ ~을 붙이다 mit e-m Zettel versehen*⁴;

bezetteln⁴; etikettieren⁴ / 편지에 ~을 붙여 서 내다 e-n Brief mit e-m Adreßzettel nach|senden* / 그 편지에는 많은 ~이 붙어 왔다 Der Brief erreichte mich mit vielen Zetteln versehen.

부전승(不戰勝) Sieg 《m. -(e)s, -e》 ohne Kampf; kampfloser Sieg.

부전자승(父傳子承) =부전자전.

부전자전(父傳子傳) Überlieferung 《f. -en》 von Vater zu Sohn; Wie die Alten singen, so zwitschern auch die Jungen. ~하다 von Vater zu Sohn überliefert werden. ¶ 그 마법은 ~해 온 것이다 Die Zauberkunst ist von Vater zu Sohn überliefert worden.

부절(不絕) Kontinuität f.; Fortsetzung f. -en; Stetigkeit f.; Unablässigkeit f. ~하다 unaufhörlich 〔unablässig; fortgesetzt〕 sein. ¶ ~히 unaufhörlich; kontinuierlich; fortwährend; beständig; ständig; beharrlich.

부절(符節) Kerbholz n. -es, ⸚er.

부절제(不節制) Unmäßigkeit f. -en; Maßlosigkeit f. -en; Völlerei f. -en (음식 등의); Ausschweifung f. -en (성적인). ~하다 unmäßig 〔maßlos; ausschweifend〕 sein (방자한). ¶ 생활이 ~하다 ein ausschweifendes Leben führen.

부점(附點) 〖음악〗 ① e-e Bezeichnung des Punktes in Musik. ② 《음표점(音標點)》 Stakkato n. -s, -s.

‖ ~음표 〖음악〗 e-e punktierte halbe Note.

부접못하다 ① 《접근》 Man kann e-r Person nicht näherkommen; daran gehindert werden. ¶ 그 사람은 아예 부접할 수가 없다 Er ist von Anfang an unnahbar. ② 《못 있음》 nicht lang bleiben können; nicht vertragen können. ¶ 그의 집은 식모가 부접(을) 못한다 Die Hausmädchen bleiben nicht lange in s-m Haus. ¦ Bei ihm geben sich die Hausmädchen die Türklinge in die Hand.

부젓가락 (Feuer)zange f. -n. ¶ 빨갛게 단 ~ der rotglühende Speiler, -s, -.

부정(不正) 《불공정》 Ungerechtigkeit f. -en; Unrecht n. -(e)s, -e; 《위법》 Ungesetzlichkeit f. -en; Rechtsbruch m. -(e)s, ⸚e; 《그릇됨》 Unrichtigkeit f. -en; Unrecht n. -(e)s, -e; 《불온당》 Unschicklichkeit f. -en; Ungehörigkeit f. -en; 《부정직》 Unredlichkeit f. -en; 《나쁜일》 Schlechtigkeit f. -en. ~하다 ungerecht; unrecht; unbillig; ungebührlich; unredlich; ungehörig; unschicklich; schlecht; falsch; unrichtig; unrechtmäßig (sein). ¶ ~한 돈 der verächtliche Gewinn, -(e)s, -e; Schiebergewinn m. -(e)s, -e / ~을 행하다 ein Unrecht begehen*; ³sich Unregelmäßigkeiten zu Schulden kommen lassen* (사기 횡령하다).

‖ ~공무원 der korrupte 〔bestechliche〕 Beamte*, -n, -n. ~대출 ein illegales 〔rechtswidriges〕 Darlehen, -s, -. ~사건, ~수뢰 Unregelmäßigkeiten《pl.》; Unterschlagung f. -en; Bestechung f. -en. ~수단 die unerlaubten Mittel 《pl.》; Schiebung f. -en (암거래). ~승객 Schwarzfahrer m. -s, -. ~업자 Schacherer m. -s, -; Wucherer m. -s, - (폭리행위자); Schwarzhändler 〔Schieber〕 m. -s, - (암거래 업자). ~품 die verfälschte Ware, -n (나쁜 것을 섞은 식품); Falsifikat n. -(e)s, -e (위조품); Schleichware (암거래 상품). ~행위 die unehrliche 〔unredliche〕 Handlung, -en; Schwindelei f. -en; Mogelei f. -en 《beim Spiel》 (속임수).

부정(不定) Unbestimmtheit f. -en; Ungewißheit f. -en; Unsicherheit f. -en; Unbeständigkeit f. -en. ~하다 unbestimmt; ungewiß; unsicher; unbeständig; unstet; schwankend; veränderlich; unentschieden; unentschlossen (sein). ¶ 주소 ~의 ohne festen Wohnsitz.

‖ ~관사 der unbestimmte Artikel, -s, -. ~대명사 das Indefinitpronomen, -s, -. ~사(형) Infinitiv m. -s, -e. ~수입 ein unregelmäßiges Einkommen*, -s.

부정(不貞) Betrug m. -(e)s, ⸚e (부부간의); Treubruch m. -(e)s; Untreu f.; Treulosigkeit f. -en; 《변덕》 Flatterhaftigkeit f.; Wankelmut m. -(e)s. ~하다 treu¦brüchig 〔-los〕; untreu; flatterhaft (sein). ¶ ~한 짓을 하다 e-n Treubruch begehen*; betrügen⁴ 〖남편·아내가 주어〗.

부정(不淨) ① 《더러움》 Unsauberkeit f. -en (불결); Unreinheit f. -en (더러움); Unehrlichkeit f. -en (마음의). ~하다 unsauber; unehrlich; unrein(lich) (sein). ② 《기위(忌諱)할 때》 Fluch m. -(e)s, ⸚e; Unheil n. -(e)s. ¶ ~타다 vom Verhängnis verfolgt werden / ~탄 사람 der von e-m rachsüchtigen Geiste verfolgte Mensch, -en, -en / 그 집은 ~을 타고 있다 Es liegt 〔ruht〕 ein Fluch auf jener Familie. / 그런 일을 하면 ~을 탈 것이다 Das würde der Familie Unglück bringen. ③ 〖민속〗 der erste kultische Tanz des schamanistischen Ritus. ~치다 (beim schamanistischen Ritus) die bösen Geister vertreiben*.

‖ ~물 Unreinlichkeiten 《pl.》; Schmutz m. -es; Dreck m. -(e)s.

부정(否定) Verneinung f. -en; Negation f. -en; Ableugnung f. -en; Dementi n. -s, -s. ~하다 verneinen⁴; negieren⁴; ab|leugnen⁴; dementieren⁴; in ⁴Abrede stellen⁴. ¶ ~적 verneinend; negativ / ~할 수 없는 unleugbar; unstreitig; unbestreitbar / 소문을 ~하다 ein Gerücht dementieren / 그것은 ~할 수 없다 Das läßt sich nicht leugnen. ¦ Es ist nicht zu leugnen. / 당국자는 어디까지나 그 사실을 ~하고 있다 Die Behörde dementiert die Tatsache hartnäckig.

‖ ~명제 die negative Behauptung, -en. ~문 ein negativer Satz, -es, ⸚e. ~설 Negation f. -en. ~어 Verneinungswort n. -(e)s, ⸚er.

부정기(不定期) Unregelmäßigkeit f.; ein unregelmäßiger Termin, -s, -e; e-e Schwankende Periode, -n. ¶ ~의 unregelmäßig; ohne festen Fahrplan.

‖ ~선 Schiff 《n. -(e)s, -e》 ohne festen Fahrplan; Tramp m. -s, -s; Trampdampfer m. -s, -. ~열차 Sonderzug m. -(e)s, ⸚e (임시 열차); der Zug, der nicht täglich (nur während e-r bestimmten Zeit) fährt. ~항공 der unregelmäßige Flugverkehr, -(e)s.

부정당(不正當) Unrecht n. -(e)s; Ungerechtigkeit f.; Ungesetzlichkeit f. ~하다 unrichtig; falsch; unrecht; ungesetzlich (sein).

부정직(不正直) Unehrlichkeit f.; Unredlichkeit f.; Unaufrichtigkeit f. ~하다 unehrlich; unredlich; unaufrichtig; verlogen (sein).

부정확(不正確) Ungenauigkeit *f.* -en; Unrichtigkeit *f.* -en 〖이상 *pl.*은 오류의 뜻〗; Fehlerhaftigkeit *f.* **~하다** ungenau; unrichtig; fehlerhaft; 《불확실한》 ungewiß (sein).

부제(副題) Untertitel *m.* -s, -; Nebentitel *m.* (zweiter Titel unter dem Haupttitel).

부조(父祖) Vater u. Großvater; Vorfahr *m.* -en, -en; Ahne *f.* -n. ¶ ~ 전래의 ererbt; angestammt.

부조(不調) Ungunst *f.* (z.B. Wetter *od.* Gesundheit); Unvorteilhaftigkeit *f.* **~하다** ungünstig; unvorteilhaft; widrig (sein); in schlechter Verfassung sein; nicht in Form sein. ‖ **~증** =월경 불순(月經不順).

부조(扶助) (Bei)hilfe *f.* -n (원조); Unterhalt *m.* -(e)s (부양); Unterstützung *f.* -en (보조). **~하다** bei|stehen*[3]; helfen*[3]; unterhalten*[4]; unterstützen[4]. ¶ 아무를 ~하다 zu *js.* Unterhalt bei|tragen* / 아무를 물심 양면으로 ~하다 *jm.* mit Rat u. Tat bei|stehen*.
‖ **~금** Unterstützungsgelder 《*pl.*》(국고금 등의); Alimente (Unterhaltsbeiträge) 《*pl.*》 (부양료, 별거 수당): 유가족 ~금 Witwen- u. Waisengeld *n.* -(e)s, -er; Pension [pãsió:n] *f.* -en.

부조(浮彫) 〖미술〗 Relief *n.* -s, -s (-e); Reliefarbeit *f.* -en; Flachbildwerk *n.* -(e)s, -e. **~하다** in ein Relief meißeln; bossieren.
‖ **~세공** die erhabene Arbeit; Bossierarbeit *f.*

부조리(不條理) Unvernunft *f.*; Vernunftwidrigkeit *f.*; Widersinn *m.* -(e)s; Absurdität *f.* -en. ¶ ~한 unvernünftig; vernunftwidrig; widersinnig; absurd; ungereimt.
‖ **~연극** 〖연극〗 absurdes Theater, -s.

부조화(不調和) Uneinigkeit *f.*; Disharmonie *f.* -n; Zwietracht *f.* **~하다** uneinig (disharmonisch; zwieträchtig) sein; disharmonieren; nicht überein|stimmen 《*mit*[3]》; nicht gut aus|kommen* ⓢ 《*mit*[3]》.

부족(不足) 《모자람》 Mangel *m.* -s, ¨; Unzulänglichkeit *f.* -en; Knappheit *f.* -en; Mangelhaftigkeit *f.* -en; Defizit *n.* -s, -e; Fehlbetrag *m.* -(e)s, ¨e; Ausfall *m.* -s, ¨e; 《결핍》 das Fehlen*, -s; Mangel *m.* -s, ¨; Dürftigkeit *f.* **~하다** fehlend; mangelhaft; knapp 《이상 모두 *an*[3]》; vermißt(빠진); unzulänglich; 《불충분》 unzureichend (sein); [4]*et.* fehlt (ermangelt; mangelt) *jm.*; es fehlt (mangelt; ermangelt) *jm.* 《*an*[3]》. ¶ 수면~ 때문에 wegen des Schlafmangels; aus Schlafmangel / 비타민 ~ 때문에 wegen des Vitaminmangels / 증거 ~으로 무죄 판결을 받다 aus Mangel an Beweisen freigesprochen werden / 용기(경험, 교육, 이해) 의 ~ Mangel an Mut (Erfahrung, Erziehung, Verständnis) / ~ 없이 살다 in guten Verhältnissen leben; [4]es gut haben; in der Wolle (warm u. weich) sitzen* (유복)/~하게 살다 in engen Verhältnissen leben; [3]sich das Leben fristen; knapp gehalten werden(송금, 배급, 식료품 등이)/아직 2 명이 ~하다 Zwei Personen sind noch vermißt. / 천 원이 ~하다 Es fehlt (*jm.*) 1000 *Won.* / 여기는 전력이 매우 ~하다 Der (elektrische) Strom ist hier sehr knapp.
‖ **~액** Fehlbetrag *m.* -(e)s, ¨e; Defizit *n.* -s, -e. **수면~** der ungenügende Schlaf, -(e)s. **준비~** unzulängliche Vorbereitung, -en; Mangel 《*m.* -s, ¨》 an Vorbereitung.

부족(部族) Stamm *m.* -(e)s, ¨e; Geschlecht *n.* -(e)s, -er; Tribus *f.*; Völkerschaft *f.* -en.

부종(浮腫) =부증(浮症).

부주의(不注意) Unaufmerksamkeit *f.* -en; Unachtsamkeit *f.* -en; Sorglosigkeit (Fahrläßigkeit; Nachläßigkeit) *f.* -en. **~하다** unaufmerksam; unachtsam; fahrläßig; nachläßig (sein). ¶ ~로 aus Fahrläßigkeit (Unachtsamkeit; Unaufmerksamkeit)/운전사의 ~로 인한 사고 ein Unfall 《*m.* -(e)s, ¨e》, der aus Fahrläßigkeit des Fahrers passiert ist / ~로 실수를 하다 aus Unachtsamkeit e-n Fehler machen / 내가 정말 ~하였다 Es war recht unaufmerksam von mir. ‖ **운전~** e-e unachtsame Fahrt, -en.

부주제(副主題) Hilfsthema *n.* -s, ..men; das untergeordnete Thema; 〖음악〗 Nebenthema *n.* -s, ..men.

부증(浮症) 〖의학〗 Tumor *m.* -s, -en; Geschwulst *f.* ¨e.

부지(不知) Unwissenheit *f.*; Unkenntnis *f.* -se. **~하다** nicht wissen; nicht kennen.
‖ **~거처** vermißt werden; als vermißt erklärt werden; nicht wissen, wo ungefähr (ungefähr den Ort wo). **~기수** unzählig; zahllos. **~불각**(不覺) unbewußt; unbeabsichtigt; unfreiwillig; unwillkürlich; bewußtlos; ohnmächtig; 《본능적으로》 instinkthaft. **~불식간**(不識間) =부지중. **~중**(中) in Unwissenheit: ~중에 unbewußt; unwissentlich unbeabsichtigt. **~하세월**(何歲月) nicht wissen, wann [4]*et.* fertig (vollendet; abgeschlossen) wird: 그것은 언제 완성될 지 ~하세월이다 Niemand kann sagen, wann es fertig wird.

부지(扶支) das Aushalten*, -s; das Ausstehen*, -s; Instandhaltung *f.*; Aufrechterhaltung *f.*; Ausdauer *f.*; Beständigkeit *f.* **~하다** aus|halten*; aus|stehen*; ertragen*; aufrecht|halten*; bestehen*. ¶ 목숨을 ~하다 dem Tode entgehen* ⓢ / 그 덕분에 나는 목숨을 ~할 수 있었다 Das hat mir das Leben gerettet.

부지(敷地) Grundstück *n.* -(e)s, ¨e; Platz *m.* -es, ¨e 《*zu*[3]; *für*[4]》; Bau¦grundstück *n.* (-platz *m.*). ¶ 박람회의 ~ der Platz für die Ausstellung / ~의 선정 die Wahl des Platzes/~를 구하다 nach e-m (geeigneten) Platz suchen; e-n Platz 《*für*[4]》 wählen / ~를 구입하다 ein Grundstück zum Bauzweck (ein Baugrundstück) kaufen.
‖ **건축~** Bauplatz *m.* -(e)s, ¨e; Baustelle *f.* -n.

부지깽이 Feuerhaken *m.* -s, -; Schür¦eisen *n.* -s, - (-stange *f.* -n).

부지꾼 e-e unaufrichtige u. arglistige Person; e-e treulose u. (verdrießliche) mißmutige Person; e-e treulose u. übelwollende Person.

부지런 Arbeitsamkeit *f.*; Fleiß *m.* -es; Eifer *m.* -s. **~하다** eifrig; fleißig; arbeitsam; unermüdlich; strebsam (sein); eifrig betreiben*; [4]sich mit Fleiß betätigen 《*bei*[3]》; [4]sich an|strengen; [4]sich befleißigen[2]; [3]sich Mühe geben*. ¶ ~하면 굶어 죽지 않는다 Ein fleißiger Arbeiter kennt k-e Armut.¦Wer fleißig arbeitet, dem kann die Armut nichts antun. / ~히 드나들다 häufig (öfters) besuchen; frequentieren.

부지런히 fleißig; eifrig; unermüdlich. ☞ 부지런. ¶ ~ 일하다 fleißig arbeiten; [4]sich mit

Fleiß betätigen. ⌈tor, -s, -en.
부지배인(副支配人) stellvertretender Direk-
부지사(副知事) stellvertretender Gouverneur [gu:vɛrnø:r] -s, -e.
부지지, 부지직 ☞ 바지지.
부직(副職) zusätzliche Stellung, -en; zusätzliches Amt, -(e)s, ⸚er.
부진(不振) Flauheit *f.* -en; Depression *f.* -en; Stille *f.* -n; das Stilliegen*, -s 〖분철: Still-liegen〗; Stillstand *m.* -(e)s; Stockung *f.* -en; Trägheit *f.* -en; Unbelebtheit *f.* -en. ～하다 flau (still; stilliegend; stockend; träge; untätig) sein. ¶ 영업이 ～하다 Die Geschäfte gehen flau. / 그는 오늘 아주 ～했다 《씨름·권투 등의 경기에서》 Er war heute ein völliger Versager. ¦ S-e Kraft hat heute völlig versagt. / 거래가 매우 ～하다 Die Geschäfte stehen still.
부진(不進) das Nichtfortschreiten*, -s. ～하다 kaum Fortschritt machen. ¶ 지지～하다 schlechten Fortschritt machen.
부진(不盡) Unerschöpflichkeit *f.*; Endlosigkeit *f.*; Unendlichkeit *f.* -en. ～하다 endlos; unendlich; unerschöpflich (sein).
‖ ～근(수) 〖수학〗 e-e irrationale Wurzel; e-e irrationale Zahl.
부질간(一間) Messingschmelzofen *m.* -s, ⸚ (der Schmelzofen e-s Handwerkers, der Messing od. Messingwaren herstellt).
부질없다 vergeblich; nutzlos; zwecklos; nichtig (sein). ¶ 부질없는 걱정을 하다 unnötige Sorgen 《*pl.*》 vor ³Zukunft haben / 부질없는 생각 ein nutzloser Gedanke, -ns, -n / 부질없는 소리를 하다 Unsinn reden / 부질없는 짓을 하다 Unsinn (Unfug; Faxen) treiben*.
부질없이 müßig; untätig; umsonst; zwecklos; ohne Zweck. ¶ ～ 기다리다 umsonst warten / ～ 돈을 쓰다 das Geld verschwenden (vergeuden) / ～ 날을 보내다 in Trägheit (Müßiggang) leben / ～ 시간을 보내다 faulenzen; s-e Zeit tatenlos verbringen*.
부집게 Feuerzange *f.* -n; Kerzenschere *f.* -n; Lichtputzschere *f.* -n.
부쩍 bedeutend; bemerklich; beträchtlich; sichtlich; plötzlich (갑자기); auffallend (눈에 띄게). ¶ ～ 날씨가 추워졌다 Es ist sichtlich kalt geworden.
부차적(副次的) ¶ ～인 sekundär; subordiniert; untergeordnet; neben-; nebensächlich/～ 현상 sekundäre Erscheinung, -en; Begleiterscheinung *f.* -en (수반 현상).
부착(附着) das Stecken* (das Ankleben*; das Zusammenleimen*; das (Zusammen)kleben*; das Kleben*; das Heften*) -s; Adhäsion *f.* -en; Agglutination *f.* -en. ～하다 an|haften³; adhärieren³; ⁴sich fest|halten* 《*an*³》; (fest|)kleben 《*an*³》; fest|sitzen* 《*in*³》; haften 《*an*³》; kleben bleiben* 《*an*³》.
‖ ～력 Haftvermögen *n.* -s, -. ～어 e-e agglutinierende Sprache, -n.
부채 (Falt)fächer *m.* -s, -. ¶ ～를 부치다 mit dem Fächer wedeln; ⁴sich fächeln / ～질하다 fächeln; 《불을》 das Feuer (die Flamme) an|fachen; (an|)schüren; 《선동》 an|reizen; auf|hetzen; auf|wiegeln. ‖ ～꼴 Fächerform *f.* -en: ～꼴의 fächer¦artig (-förmig). 부챗살 Fächerstäbchen *n.* -s, -.
부채(負債) Schuld *f.* -en; 〖상업〗 die Passiva 《*pl.*》. ¶ ～를 갚다 e-e Schuld bezahlen(tilgen; begleichen*; löschen⁽*⁾; ab|tragen*)/ ～를 지다 in Schulden geraten* / 많은 ～를 지고 있다 stark verschuldet sein; bis über die Ohren (tief) in Schulden stecken⁽*⁾ / 그 집은 ～가 없다 Das Haus ist frei von Schulden.
‖ ～액 Schuldbetrag *m.* -(e)s, ⸚e; Höhe 《*f.* -n》 e-r Geldschuld. ～자 Schuldner *m.* -s, -. 유동～ die schwebende Schuld, -en.
부처 《석가모니》 Buddha *m.* -s, -s; 《성인》 der buddhistische Heilige*, -n, -n; 《불상》 ein Bild 《*n.* -(e)s, -er》 des Buddhas; der Buddha; 《사람》 ein frommer Mann, -(e)s, ⸚er. ¶ ～님 가운데 토막 같은 사람 ein Mann, der zu fromm ist, um wahr zu sein / 그는 ～님 같은 사람이다 Er ist ein frommer Mensch. / ～ 밑을 기울이면 삼거웃이 들어난다 《속담》 „Jeder hat s-e Schwäche." ¦ „Niemand ist ohne Fehler."
부처(夫妻) Ehepaar *n.* -(e)s, -e. ¶ 김씨 ～ Herr u. Frau *Kim.*
부처꽃 〖식물〗 ein purpurrotes Gemeines Pfennigkraut, -(e)s, ⸚er; Gemeiner Weidesich, -(e)s, -e.
부처손 〖식물〗 Selaginelle *f.* -n.
부척(副尺) Nonius *m.* -, ..nien (-se); Feinsteller *m.* -s, -. ⌈-(e)s, ⸚er.
부촌(富村) ein wohlhabendes (reiches) Dorf,
부총리(副總理) der stellvertretende Premierminister, -s, -; Vizepremierminister *m.*
부총재(副總裁) Vizepräsident *m.* -en, -en.
부추 〖식물〗 Lauch *m.* -(e)s, -e.
부추기다 《개를》 auf *jn.* e-n Hund hetzen; 〖수렵〗 mit e-m Hund (Hunden) hetzen⁴; 《사람을》 *jn.* auf|hetzen (-|reizen) 《*zu*³》; *jn.* an|fachen (-|zeigen) 《*zu*³》. ¶ 그는 학생들을 부추겨 폭동을 일으키게 했다 Er stachelte die Studenten zum Aufruhr auf.
부축하다 unter die Arme greifen* 《*jm.* 이하 같음》; die Stange halten*; auf die Beine helfen*; den Rücken stützen; *jm.* den Arm bieten* (reichen); *jm.* helfen* (bei|stehen*). ¶ 노인을 부축해서 차를 태우다 dem Alten in den Wagen helfen* / 부인을 차에서 부축해 내리다 der Frau aus dem Wagen helfen*.
부춛돌 die Steine, auf die man die Füße stellt, wenn man e-e Toilette auf dem Hof benutzt.
부출 ① 《양복장의》 die vier Eckstangen e-s Kleiderschranks. ② 《뒷간의》 Sitzbrett 《*n.* -(e)s, -er》 e-r koreanischen Toilette auf dem Hof.
부치다¹ 《힘에》 über *js.* Kraft gehen*Ⓢ. ¶ 이 일은 내 힘에 부친다 Diese Arbeit geht über m-e Kraft. / 힘에 부치는 일은 아무것도 하지 말라 Wagen Sie nichts, was über Ihre Kraft geht!
부치다² ① 《인편에》 schicken 《⁴*et.* durch e-e Person》. ¶ 집에 가는 편지를 친구 편에 ～ e-n Brief durch e-n Freund nach Hause schicken. ② 《우편·기차로》 mit der Post senden⁽*⁾⁴; zur Post geben*⁴. ¶ 기차로 상품을 ～ die Waren mit der Bahn senden* / 돈을 ～ Geld schicken / 편지를 ～ e-n Brief zur Post geben*. ③ 《회부하다》 vor|legen⁴; überweisen*⁴; übergeben*⁴. ¶ 문제를 위원회에 ～ die Angelegenheit dem Ausschuß überweisen* (vor|legen) / 인쇄에 ～ in Druck geben*/경매에 ～ ⁴*et.* zur Versteigerung bringen* / 감정(鑑定)에 ～ *jm.* ⁴*et.* zur Begutachtung vor|legen / 불문에 ～ ⁴*et.* stillschweigend durchgehen lassen*.

부치다³ 《논밭을》 Landwirtschaft betreiben*; bebauen⁴; bewirtschaften⁴; beackern⁴. ¶ 논을~ Reisfeld beackern / 밭을 ~ ein Feld bebauen (beackern).

부치다⁴ 《번철에》 auf dem Backblech braten*⁴; in der Pfanne braten*⁴. ¶ 달걀을 ~ die Eier braten*.

부치다⁵ 《부채를》 fächeln. ¶ 부채를 ~ ⁴sich fächeln / 불을 ~ Feuer an|fachen / 나무에 불을 ~ Holz an|zünden.

부칙(附則) die zusätzliche (ergänzende) Regel, -n; Nebenbestimmung *f.* -en; Zusatzklausel *f.* -n.

부친(父親) eigener Vater, -s, ⸚.

부침(浮沈) Aufstieg 《*m.* -(e)s, -e》 u. Untergang 《*m.* -(e)s, ⸚e》; Ebbe 《*f.* -n》 u. Flut 《*f.* -en》; Wechsel *m.* -s; Wandel *m.* -s; Veränderung *f.* -en. ~하다 steigen* u. fallen*; auf|steigen* u. nieder|gehen* (untergehen*); ebben u. fluten; schwanken. ¶ 일생의 ~의 분기점 ein entscheidender Moment 《-(e)s, -e》 des Lebens von Aufstieg od. Untergang; kritischer Augenblick, in dem man aufsteigt od. untergeht / ~을 같이하다 auf Verderb u. Gedeih zusammenleben; sein Schicksal mit *jm.* teilen; mit *jm.* gemeinsame Sache machen.

부침개 flacher, gebratener Kuchen, -s, -; gebratenes Essen*, -s.

부침하다 säen 《Same》; besäen 《Feld》; die Landwirtschaft bebauen. ⌈-s, -.

부칭(浮秤) Senkwaage *f.* -n; Aräometer *n.*

부쿠레시티 《루마니아의 수도》 Bucharest.

부탁(付託) 《맡김》 Überweisung *f.* -en; Verpflichtung *f.* -en; Auftrag *m.* -(e)s,⸚e; 《당부》 das Verlangen*, -s; Bitte *f.* -n; Gesuch *n.* -(e)s, -e. ~하다 überweisen* 《*jm.* ⁴*et.*》; beauftragen* 《*jn.* mit ³*et.*》; bitten* 《*jn.* um ⁴*et.*》; e-e Bitte richten (stellen; tun*). ¶ ~을 들어 주다 s-e Bitte gewähren/ 의사를 ~하다 e-n Arzt rufen lassen* / 환자를 전문의에게 ~했다 e-n Kranken zu e-m Facharzt überweisen* / 그의 ~으로 auf s-e Bitte / ~드릴 말씀이 있습니다 Ich möchte Sie um e-e Gefälligkeit bitten. / ~이니 그리 해 주게 Tu' es um meinetwillen! / 네게 ~이 있다 Ich habe e-e Bitte an dich. / 나의 이 ~이 이루워지게 해 주십시요 Gewähren Sie mir diese Bitte! / 잘 ~하오 Bitte, nicht zu hart! / 제발 ~이다 Ich bitte dich./ 그로부터 당신에게 전갈을 ~받았읍니다 Ich habe Ihnen etwas von ihm auszurichten. / 택시를 ~합니다 Lassen Sie bitte ein Taxi kommen./내일까지 그것을 끝내 주실 것을 ~합니다 Ich will es bis morgen getan (erledigt) haben. / 내가 공부하는 데 도와 주실 것을 ~합니다 Ich bitte Sie, mir bei der Arbeit zu helfen. / 나는 그에게 책을 가져올 것을 ~했다 Ich habe ihn beauftragt, die Bücher abzuholen.

부탄¹ 《남부 아시아의 왕국》 Bhutan *n.* -s. ¶ ~의 bhutanisch. ‖ ~사람 Bhutaner *m.* -s, -.

부탄² 〖화학〗 Butan *n.* -s, -e.

부터 ① 《시간》 von³; ab³; um⁴; seit³ (이후). ¶ 아침~ 저녁까지 vom Morgen bis zum Abend / 처음~ 끝까지 vom Anfang bis zum Ende / 언제~ seit wann; wie lange / 두 시~ 세 시까지 von zwei bis drei/여덟 시 ~ 시작하다 um acht Uhr an|fangen* / 다음~ 조심해 Sei vorsichtiger von nun an!/ 찻삯의 인상은 9월 1일~입니다 Das erhöhte Fahrgeld gilt ab dem ersten September. / 집무 시간 : 오전 9시~ 오후 4시까지 Geschäftszeit: 9 Uhr vormittags—4 Uhr nachmittags/이 법률은 1982년 1월 1일~ 시행한다 Dieses Gesetz tritt ab 1. 1. 1982 in Kraft. / 그는 어렸을 때~ 영어를 배워 왔다 Er hat seit s-r Kindheit an Englisch gelernt. / 그는 어렸을 때~ 여기에 산다 Er lebt hier seit s-r Kindheit an.

② 《순서》 mit ³*et.* (*jm.*) beginnend; zuerst. ¶ …~ 시작하다 mit ³*et.* (*jm.*) beginnen* / 안 선생~ 시작해서 von Herrn *An* angefangen / 역사 공부~ 시작하다 mit dem Studium der Geschichte beginnen* / 한씨 댁~ 방문하자 Wir wollen unsere Besuchstunde bei Herrn *Han* beginnen./우선 방을 치우기 ~ 하세 Wir wollen zuerst mit dem Aufräumen des Zimmers beginnen. / 무엇~ 할까요 Was soll man zunächst tun? / 너~ 해라 Du machst zuerst.

③ 《장소》 von³; aus³; ab³. ¶ 서울~ 부산까지 von Seoul bis Busan / 창으로~ 내다보다 aus dem Fenster sehen* (blicken; schauen)/ 지붕으로~ 떨어지다 vom Dach hinunter|fallen* Ⓢ/15 페이지 다섯째 줄~ 읽어라 Lies doch ab fünfter Zeile auf Seite 15! / 몇 장에서~ 시작할까요 Mit welchem Kapitel soll ich anfangen (beginnen)?

④ 《…에게서》 von³; durch⁴. ¶ 친구로~ 온 편지 ein Brief 《*m.* -(e)s, -e》 von e-m Freund / …으로~ 독립하다 ⁴sich befreien von³… / 자네 얘기는 송군으로~ 들었네 Ich habe durch Herrn *Song* von Ihnen gehört.

⑤ 《견지·표준》 nach³. ¶ 이러한 사실로~ 판단하면 geurteilt nach diesen Tatsachen.

⑥ 《범위》 von(ab)… bis. ¶ 200 원~ 300 원 사이 von (ab) 200 *Won* bis 300 *Won* / 열 살~ 열다섯 살까지의 소년 die Jungen von zehn bis fünfzehn Jahren / 초급(初給)은 15만 원 ~ 20만 원까지입니다 Der Anfangsgehalt beträgt von 150000 bis 200000 *Won.*

부통령(副統領) Vizepräsident *m.* -en, -en.

부패(一牌) 〖광산〗 der (die) Mitwirkende* 《-n, -n》 des Bergbaus (der Mine).

부패(腐敗) ① 《물질의》 Fäulnis *f.* -se; Vermoderung *f.* -en (식물의); Verwesung *f.* -en (동물의); Zersetzung *f.* -en.

② 《정신적》 Verderbnis *f.* ..nisse (*n.* ..nisses, ..nisse); Verderbtheit *f.*; die sittliche Schlechtigkeit, -en. ~하다 verfaulen Ⓢ; vermodern Ⓢ(식물이); verwesen Ⓢ (동물이); in ⁴Fäulnis über|gehen* Ⓢ; durch ⁴Fäulnis zerstört werden; verderben* Ⓢ; ⁴sich zersetzen; entarten (degenerieren) Ⓢ; korrumpiert werden; verderbt werben; verkommen Ⓢ; ⁴sich sittlich verschlechtern. ¶ ~한 verfault; vermodert; verwest; durch Fäulnis zerstört; verdorben; zersetzt; entartet; degeneriert; korrumpiert; verderbt; verkommen / ~하기 쉬운 leicht verderblich (vermodernd; verweslich) / ~를 방지하는 antiseptisch; aseptisch; Fäulnis verhindernd; fäulniswidrig; konservierend. ‖ ~균 Fäulniserreger (Fäulnisbakterien) 《*pl.*》. ~물 e-e verfaulte Sache, -n. ~중독 die septische Vergiftung, -en.

부평초(浮萍草) 〖식물〗 Wasserlinse *f.* -n. ¶ ~와 같은 생활 ein nomadenhaftes Leben, -s.

부표(否票) e-e „Nein"-Abstimmung, -en.

부표(附票) angehängter Zettel, -s, -; angehängtes Etikett, -(e)s, -e.

부표(浮漂) das Schweben*, -s; das Schwimmen*, -s. ～하다 obenauf schwimmen*; flott sein. ‖ ～식물 Wasserlinse *f.* -n.
부표(浮標) ① 《표지》 Boje *f.* -n. ¶ ～를 달다 bojen⁴; durch ⁴Bojen bezeichnen⁴. ② 《낚시찌》 Kiel *m.* -(e)s, -e.
‖ ～등 Bojelicht *n.* -(e)s, -e. ～설치 Betonnung *f.* -en. 정박～ Hafen¦boje (Moorings-; Vertäuungs-) *f.*
부푸러기, 부풀 ☞ 보풀.
부풀다 ⁴sich (aus|)bauchen; (an|)schwellen; ⁴sich (auf|)blähen; ⁴sich entfalten; ⁴sich (aus|)weiten. ¶ 부푼 꽃망울 die schwellende Knospe, -n / 감격에 가슴이 ～ die Brust (das Herz) schwillt vor Begeisterung / 돛이 바람에 ～ die Segel bauschen sich im Wind.
부풀리다 auf|schwellen lassen*; 《머리·옷을》 puffen; bauschig machen; 《과장》 übertreiben*. ¶ 빵을 ～ das Brot aufgehen lassen*.
부품(部品) Teil *m.* (*n.*) -(e)s, -e; Zubehör *n.* -s, -e; Stück *n.* -(e)s, -e; 《부속품》 Ersatzteil *m.*; Extrateil *m.* ¶ ～을 조립하다 die Ersatzteile zusammen|stellen (-|bauen).
부프다 ① 《부피가》 groß; massig; voluminös (sein). ¶ 부픈 짐 ein großes Gepack, -(e)s, -e. ② 《성질이》 ungeduldig; unduldsam; begierig (sein). ¶ 그는 부픈 사람이다 Er ist ein ungeduldiger Mann.
부픗하다 ① 《부피가》 dick und groß (sein). ② 《말이》 übertrieben (sein).
부피 《용적》 Umfang *m.* -(e)s, ⸗e; (Raum-)inhalt *m.* -(e)s, -e; Volumen *n.* -s, - (..mina); 《양》 Quantität *f.* -en; Menge *f.* -n; 《두께》 Stärke *f.* -n; Dicke *f.* -n. ¶ ～가 큰 (있는) umfangreich; dick; groß; massig; voluminös; dickleibig / ～가 큰 책 ein dickleibiger Wälzer, -s, - / ～가 늘다 an³ Umfang gewinnen*; umfangreich werden.
부하(負荷) Bürde *f.* -n; Last *f.* -en; Belastung *f.* -en; 〖전기〗 Ladung *f.* -en. ～하다 belasten; überladen.
‖ ～력(力) Lade¦fähigkeit (Belastungs-; Trag-) *f.* ～장 Ladungsplatz *m.* -es, ⸗e.
부하(部下) der Untergeordnete*, -n, -n; Anhänger *m.* -s, -; Schützling *m.* -es, -e; Gefolgsmann *m.* -(e)s, ⸗er (..leute); Vasall *m.* -en, -en; Trabant *m.* -en, -en; Satellit *m.* -en, -en; der Hörige*, -n, -n; Gefolge *n.* -s, -; 《멸칭》 Mietling *m.* -s, -e. ¶ ～가 되다 *js.* Anhänger werden; ⁴sich *jm.* unterstellen / …의 ～이다 *jm.* unterstehen*; *jm.* untergeben sein / …의 ～로 일하다 unter *jm.* arbeiten / 많은 ～가 있다 ein großes Gefolge haben / 보스와 ～의 관계 das Verhältnis zwischen Meister u. Gesellen (Führer u. Anhänger).
부하다(富—) reich; wohlhabend (sein). ¶ 부하게 하다 bereichern⁴; reich machen⁴.
부합(符合) Übereinstimmung *f.* -en; Angemessenheit *f.*; das Entsprechen*, -s; Entsprechung *f.* -en; Koinzidenz *f.*; das Zusammenfallen* (das Zusammentreffen*) -s. ～하다 überein|stimmen 《*mit*³》; angemessen³ sein; ⁴sich (einander) decken; entsprechen³; koinzidieren 《*mit*³》; zusammen|-fallen* (-|treffen*) Ⓢ 《*mit*³》. ¶ …의 희망에 ～하다 *js.* Wunsch erfüllen; *js.* Verlangen entsprechen*; Genüge tun* 《*jm.*》 / 목적에 ～되다 dem Zweck dienen; der Sache gemäß sein / 그의 인상 착의와 ～한다 Das entspricht s-r Personalbeschreibung.
부항(附缸) an Furunkel den Schröpfkopf zu legen.
‖ ～항아리 Schröpfkopfglas *n.* -es, ⸗er.
부형(父兄) Beschützer *m.* -s, - (보호자).
‖ ～회 Elternvereinigung *f.* -en.
부호(符號) (Geheim)zeichen *n.* -s, -; Chiffre [ʃífər] *f.* -n; Marke *f.* -n; Ziffer *f.* -n. ¶ ～로 적다 in Chiffren schreiben*⁴ / 그것은 무슨 ～입니까 Was für ein Zeichen ist es?
부호(富豪) Millionär *m.* -s, -e; Geld¦adel *m.* -s (-aristokrat *m.* -en, -en); Krösus *m.* -, ..susse; Protz *m.* -en, -en; der Reiche*, -n, -n. ¶ ～가 되다 ein Millionär werden / 그는 굉장한 ～이다 Er ist ein Krösus.
‖ ～계급 Plutokratie *f.*; Geldaristokratie *f.*; die wohlhabende Klasse, -n.
부화(浮華) Schaustellung *f.* -en; Prahlerei *f.* -en; Tand *m.* -(e)s; Geckenhaftigkeit *f.* -en. ～하다 prangend; prunkhaft; prahlend; auffällig (sein).
부화(孵化) Ausbrütung *f.* -en; das Brüten*, -s. ～하다 aus|brüten⁴; aus|hecken⁴; ausgebrütet werden (알이). ¶ 병아리를 ～하다 Eier aus|brüten.
‖ ～기 Brutapparat *m.* -(e)s, -e. ～장(場) Brutanstalt *f.* -en. 인공～ die künstliche Ausbrütung, -en.
부화뇌동(附和雷同) das blindliche Bekennen*, -s; Unbesonnenheit *f.* ～하다 ⁴sich blind bekennen* 《*zu*³》; unbesonnen ins gleiche Horn blasen* (stoßen*Ⓢ; tuten); ohne Überlegung auf *js.* Seite treten* Ⓢ; an e-r Leine ziehen*; den Mantel nach dem Wind hängen (기회주의자처럼).
부활(復活) Auferstehung *f.* -en (죽은 사람의); Wiederbelebung *f.* -en(재생); das Wiederaufblühen*, -s (부흥); Wiederaufstieg *m.* -(e)s (인기 따위가). ～하다 auf|erstehen*Ⓢ; wiedergeboren werden; wieder|auf|leben Ⓢ; wieder|auf|kommen* Ⓢ (유행이); wieder|auf|blühen Ⓢ (부흥하다). ¶ ～시키다 wieder|beleben⁴; ins Leben zurück|rufen*⁴; erneuern⁴; wieder|ein|setzen⁴ (복직시키다); wieder|ein|führen⁴ (습관 따위를); wieder|her|stellen⁴(부흥시키다) / 그리스도의 ～ die Auferstehung Christi / 이 회사는 ～할 가망이 없다 Es besteht k-e Aussicht, daß diese Firma wiederauflebt.
‖ ～절 Ostern *n.* -, -: 금년에는 ～절이 늦다 Ostern fällt (Die Ostern fallen) diesmal spät. ～주일 Ostersonntag *m.* -(e)s, -e.
부회(附會) =견강부회.
부회장(副會長) Vizepräsident *m.* -en, -en; der Vizevorsitzende*, -n, -n.
부흥(復興) das Wiederaufblühen* (Wiederaufleben*) -s (부활); Wiederherstellung *f.* -en (복구); Wiederaufbau *m.* -(e)s (재흥); Rekonstruktion *f.* -en (재건). ～하다 wieder|auf|blühenⓈ; wieder|auf|lebenⓈ; wieder|auf|bauen⁴; wieder|beleben⁴; wieder|-her|stellen⁴.
‖ ～사업 Restaurationsarbeit *f.* -en; Wiederaufbauarbeit. 유럽～ 계획 das europäische Wiederaufbauprogramm, -s, -e; das Hilfsprogramm für ⁴Europa.
북¹ 《베틀의》 (Weber)schütze *f.* -n; Web(er)schiff *n.* -(e)s, -e; Schiffchen *n.* -s, -.
북² 《악기》 Trommel *f.* -n; (Kessel)pauke

f. -n (팀파니). ¶ 큰(작은) 북 e-e große- (kleine) Trommel / 북을 치다 e-e Trommel schlagen* (rühren) / 북 치는 사람 Trommler *m.* -s, -.
‖ 북방망이 Schlegel *m.* -s, -. 북소리 Trommelschlag *m.* -(e)s, ⸚e.

북³ 《흙》 Erde, die um eine Pflanze herum aufgehäuft wird. ¶ 나무에 북을 주다 Erde um eine Pflanze herum aufhäufen.

북⁴ 《소리가》 ein mit dem Riß (mit der Schramme) entstehender Lärm, -(e)s. ¶ 북 긁다 kratzen; ritzen; kritzeln; aus|streichen / 헝겊을 북 찢다 den Kleidungsstoff zerreißen.

북(北) Norden *m.* -s; Nord *m.* -es. ¶ 북의 nördlich; Nord- / 북으로 nach Norden; nordwärts / 북에서 남으로 von Nord nach Süd.

북경(北京) Peking [pé:kiŋ].
‖ ～원인(猿人) Peking-Mensch *m.* -en, -en; Sinanthropus *m.* -; *Sinanthropus pekinensis* (학명).

북광(北光) Nordlicht *n.* -(e)s, -er; Polarlicht.

북구(北歐) Nordeuropa *n.* -s; Nordland *n.* -(e)s, ⸚er (스칸디나비아, 핀란드, 덴마크).
‖ ～사람 Nordeuropäer *m.* -s, -. ～신화 die Nordische Mythologie, -n.

북국(北國) die nördliche Provinz, -en; Norden *m.* -s; Nordland *n.* -(e)s, ⸚er 〖*pl.*은 가끔 북구 제국(諸國)을 말함〗.
‖ ～사람 der nördlich Wohnende*, -n, -n; Nordländer *m.* -s, - (때로는 북구 사람).

북극(北極) Nordpol *m.* -(e)s. ¶ ～의 arktisch; Nordpolar- / ～ 횡단 비행을 기도하다 versuchen, über den Nordpol zu fliegen.
‖ ～곰 Polar¦bär (Eis-) *m.* -en, -en. ～광 Nordlicht *n.* -(e)s, -er. ～권 Nordpolkreis *m.* -es, -e. ～성 〖천문〗 Nordpolarstern *m.* -s, -e. ～여우 Polarfuchs *m.* -es, ⸚e. ～탐험 Nordpolexpedition *f.* -en.

북녘(北一) Norden *m.* -s.

북단(北端) Nordende *n.* -s, -n; das nördliche Ende.

북대서양(北大西洋) das Nordatlantische Meer, -es; Nordatlantik *m.* -s.
‖ ～조약 Nordatlantikpakt *m.* -es: ～ 조약기구 Organisation 《*f.*》 des Nordatlantikpaktes.

북더기 Strohabfall *m.* -(e)s, ⸚e.

북덕지(一紙) zerknülltes Papier, -s, -e.

북도(北道) 《경기도 이북의》 die nördlichen Provinzen; die Provinzen nördlich von *Gyeong-gi*; 《남·북도의》 Nordprovinz *f.* -en. ‖ 경상～ Nord-*Gyeongsang*.

북돋다 ☞ 북돋우다.

북돋우다 ① 《북주다》 mit Erde umgeben*; häufeln. ¶ 감자를 ～ Kartoffeln häufeln. ② 《원기를》 auf|muntern; beleben; ermutigen; erheitern; ermuntern; Kraft geben* 《*jm.*》; *jm.* Mut ein|flößen. ③ 《고무하다》 an|regen; erregen, reizen; an|spornen; an|stacheln; an|treiben*. ¶ … 하도록 아무를 ～ *jn.* zu ³*et.* an|regen (an|treiben*).

북동(北東) ＝동북.

북두 Geschirr 《*n.* -(e)s, -e》 eines Lasttiers; Sattelgurt 《*m.* -(e)s, -e》 für ein Lasttier (Tragtier). ‖ ～갈고리 ein Haken, mit dem das Geschirr befestigt wird.

북두(北斗) Großer Bär, -en; Himmelswagen *m.* -s. ‖ ～칠성 die sieben Sterne des Großen Bären.

북등(一燈) e-e Lampe 《-n》 in Form einer Trommel.

북레뷰 Bücher-Rundschau *f.* -en; Bücher-Revue *f.* -n.

북류하다(北流一) nach Norden fließen*.

북망산(北邙山) der Ort 《-(e)s, -e》, wo ⁴sich viele Gräber befinden. ¶ ～으로 가다 sterben*[s]; zur großen Armee (zu s-n Vätern) versammelt werden.

북메우다 Trommelfell 《*m.*》 auf|ziehen*.

북면(北面) ① 《북향》 nach Norden gewandt. ～하다 ⁴sich nach Norden wenden. ② 《임금을 섬김》 dem König als Untertan dienen. ③ 《면》 nördliche Seite, -n.

북미(北美) Nordamerika *n.* -s. ¶ ～의 nordamerikanisch. ‖ ～합중국 die Vereinigten Staaten von Amerika; die USA.

북바늘 ein Leitshift 《*m.* -(e)s, -e》 im Inneren e-s Weberschiffchens (e-s Nähmaschinenschiffchens).

북반구(北半球) nördliche Hemisphäre, -n.

북받자 ein volles Maß Korn zu bekommen.

북받치다 ☞ 복받치다.

북방(北方) Nord *m.* -(e)s; Norden *m.* -s; die nördliche Richtung, -en. ¶ ～의 nordisch; nördlich / ～으로 nordwärts / ～3킬로 지점에 있다 drei Kilometer nördlich (von hier) liegen* (stehen*).

북벌(北伐) ein Feldzug, -(e)s, ⸚e, um den Norden zu erobern. ～하다 eine Truppe aussenden, die den Norden erobern soll.

북부(北部) Norden *m.* -s; der nördliche Teil, -(e)s, -e.

북북 《찢거나 긁는 소리》 ritsch; ratsch! ¶ ～비벼대다 rubbeln; rübbeln; stark reiben*; ab|reiben*; schrubben (솔 따위로); scheuern (바닥을); frottieren (피부를 브러시로).

북북동(北北東) Nordnordosten *m.* -s 《생략: NNO》.

북북서(北北西) Nordnordwesten *m.* -s 《생략: NNW》.

북빙양(北氷洋) das Nördliche Eismeer, -(e)s.

북상(北上) ～하다 nach Norden gehen*; in nördlicher Richtung voran|schreiten.

북새 Hochbetrieb *m.* -(e)s, -e; Gedränge *n.* -s; Verwirrung *f.* -en. ¶ ～놓다 drängen und hetzen.
‖ ～통 Folge 《*f.* -n》 des Durcheinanders: ～통에 아이를 잃다 sein Kind im Gewimmel der Menge verlieren / ～통에 잠입하다 schleichen (kriechen), während eines Gedrängen. ～판 die Szene (Situation) einer Verwirrung, z.B. eines Verkehrschaos.

북서(北西) ＝서북.

북슬개 der zottige Hund, -(e)s, -e.

북슬북슬하다 zottig (sein). ¶ 북슬북슬한 개 der zottige Hund, -(e)s, -e.

북안(北岸) Nordküste *f.* -n; nördliche Küste.

북양(北洋) der nördliche Ozean, -s, -e; Nordmeer *n.* -(e)s (대서양과 북빙양 중간).
‖ ～어업 Nordmeerfischerei *f.* -en.

북어(北魚) getrockneter Alaska-Seelachs 《*m.* -(e)s, -e》.
‖ ～보풀음 kleine Scheiben von getrocknetem Alaska-Seelachs. ～찜, ～증 mit Gewürzen gekochter Alaska-Seelachs.

북위(北緯) die nördliche Breite, -n. ¶ ～50도에 auf dem 50. Grad nördlicher Breite; unter 50° nördlicher Breite / 그 지점은 ～35도 39분 17초의 장소다 Der Ort liegt 35 Grad 39 Minuten 17 Sekunden nördlicher Breite. ※ 분, 초를 붙일 때에는 전치사를 쓰지 않고 그것을 *pl.*로 한다.

‖ ～선 der nördliche Parallel¦kreis (Breiten-) -es, -e.

북잡이 der Trommler in einer Gruppe bettelnder Mönche.

북장구 *Bug* und *Jang-gu* Trommel *f.* -n 《koreanisches Musikinstrument》.

북장지 eine Schiebetüre, deren beide Seiten mit Papier bespannt sind.

북적(北狄) nördliche Barbaren; ein Barbar 《*m.* -en, -en》 aus dem Norden.

북적거리다 〖장소가 주어〗 wimmeln 《*von*^{3}》; gedrängt (voll) sein 《*von*^{3}》; 〖사람이 주어〗 ^{4}sich drängen. ¶ 북적거리는 거리 die Straße 《-n》 im Gewühl der Menschen / 거리는 사람들로 북적거렸다 Die Straßen wimmelten von Menschen. / 시장이 북적거리고 있다 Auf dem Markte drängen sich viele Leute.¦Auf dem Markte herrscht ein großes Gedränge.

북적북적 tumultuarisch; unruhig; aufrührisch; ungestüm; tumultvoll.

북주다 ☞ 북^{3}.

북지(北地) nördliche Gegend, -en; nördliche Provinz, -en.

북진(北進) nach Norden gehen* (marschieren).

북쪽(北一) Nord(en) *m.* -s; die nördliche Seite, -n; Winterseite *f.* -n. ¶ ～의 nördlich; Nord- / ～으로 향해 가다 nordwärts gehen*Ⓢ / 한국은 ～으로 만주와 접하고 있다 Korea grenzt im Norden an der Mandschurei. / 그 도시는 부산의 ～에 있다 Die Stadt liegt nördlich (im Norden) von Busan.

‖ ～바람 Nordwind *m.* -(e)s, -e.

북채 Trommel¦schlegel *m.* -s, - (-stock *m.* -(e)s, ⸚e).

북천(北天) Nordhimmel *m.* -s, -; nördlicher Himmel.

북춤 ein Hoftanz 《*m.* -es, ⸚e》, der von *Gisaengs* mit Trommeln getanzt wurde.

북통(一筒) Trommel¦gehäuse *n.* -s, - (-kasten *m.* -s, ⸚).

북틀 Trommelständer *m.* -s, -.

북편(北便) nördliche Seite; Norden *m.* -s. ¶ ～에 auf der nördlichen Seite.

북풍(北風) Nordwind *m.* -(e)s, -e. ¶ 차디찬 ～ der kalte (beißende) Nordwind / ～이 살을 에는 듯이 차다 Der Nordwind schneidet mir die Haut. / ～으로 변했다 Der Wind hat sich nach Norden gedreht.

북한(北韓) Nordkorea *n.* -s.

북해(北海) 《유럽 북쪽의》 Nordsee *f.*; 《북쪽의 바다》 das nördliche Meer, -(e)s, -e.

북행(北行) nach Norden gehen.

북향(北向) Nordlage *f.* ～하다 auf (den) Norden gehen* Ⓢ; nach Norden liegen*.

‖ ～집 das nach Norden gelegene Haus, -es, ⸚er.

북회귀선(北回歸線) der Wendekreis 《-es, -e》 des Krebses.

분(分) ① 《시간》 Minute *f.* -n. ¶ 1분도 틀리지 않고 auf die Minute; pünktlich / 15분 fünfzehn Minuten; e-e Viertelstunde [fír..] / 30분 dreißig Minuten; e-e halbe Stunde / 30분마다 alle halben ^{4}Stunden / 1시 10분전 zehn (Minuten) vor eins / 2시 15분(45분) (ein) Viertel nach zwei (vor drei); Viertel (drei Viertel) drei / 3시 20분(40분) zwanzig nach drei (vor vier); zehn vor (nach) halb vier / 8시 30분이다 Es ist halb neun. ② 《각도》 ¶ 북위 30도 15분에서 in 30°15′ (30 Grad 15 Minuten) nördlicher ^{2}Breite. ③ 《분수·신분》 ¶ 분에 넘치는 영광 e-e unverdiente (zu große) Ehre, -n / 분에 맞게 s-m Stande gemäß (entsprechend; angemessen).

분(忿) Zorn *m.* -(e)s; Ärger *m.* -s; Entrüstung *f.* -en; Erbitterung *f.* -en; Grimm *m.* -(e)s; Unwille(n) *m.* ..willens; Verdruß *m.* ..drusses, ..drusse; Wut *f.* ¶ 분 김에 in Wut; vor (aus) ^{3}Zorn / 분이 풀리다 besänftigt werden; ^{4}sich erweichen lassen*; s-n eigenen Zorn beschwichtigen / 분을 이기지 못해 펄펄 뛰다 vor ^{3}Zorn glühen; auf¦-brausen; in ^{3}Wut entbrennen* / 분을 참다 s-n Zorn unterdrücken (ein¦dämmen; hinunter¦würgen; zurück¦halten*).

분(盆) 《화분》 Blumentopf *m.* -(e)s, ⸚e. ¶ 분에 꽃을 기르다 eine Pflanze im Blumentopf züchten.

‖ 분받침 Blumenständer *m.* -s, -.

분(粉) Schminkweiß *n.* -es; Puder *m.* -s, -. ¶ ～을 바르다 ^{4}sich pudern; ^{4}sich schminken.

‖ ～갑 Puderdose *f.* -n. ～첩 Puderquaste *f.* -n.

분(糞) ＝똥.

분 e-e hochgeschätzte Person, -en. ¶ 이 분 dieser Herr, -n, -en (남자); diese Dame, -n (여자) / 여러 분 m-e Herrschaften 《*pl.*》 / 손님 두 분 zwei Gäste; zwei Kunden / 강씨라는 분이 와 있읍니다 Ein gewisser Herr *Kang* ist da.

-분(分) ① 《부분》 ein Teil *m.* -(e)s, -e. ¶ 2분의 1 halb; ein halber* / 3분의 1 ein Drittel / 4분의 1 ein Viertel [fír..] / 20분의 1 ein Zwanzigstel / 100분의 5 fünf Hundertstel / $1\frac{1}{2}$ = ein(und)einhalb; anderthalb / $2\frac{1}{2}$ = zwei(und)einhalb; drittehalb / $3\frac{1}{2}$ = drei(und)einhalb; viertehalb [fír..] / 한국의 대부분 der größere Teil Koreas / 도시의 일부분이 불타버렸다 Ein Teil der Stadt ist niedergebrannt. ② 《분량》 Portion *f.* -en; Ration *f.* -en. ¶ 2인분 식사 zwei Portionen Essen / 3일분의 약 Arznei für drei Tage / 1주일분의 쌀 배급 Reis-Ration für e-e Woche / 3인분의 일을 하다 die Arbeit von (für) drei Personen tun* / 그는 2인분을 먹었다 Er ließ sich zweimal vorlegen. ③ 《정도》 ¶ 십분 《충분히》 in vollem Maß.

분가(分家) Zweigfamilie *f.* -n; Nebenlinie *f.* -n (혈통상의 방계). ～하다 ^{4}sich e-n neuen Hausstand gründen. ¶ ～쪽이 본가쪽보다 더 잘 산다 Die Nebenfamilie ist wohlhabender als der Stammfamilie.

분간(分揀) Unterscheidung *f.* -en; das Unterscheiden*, -s. ～하다 unterscheiden* 《*von*^{3}》; ^{4}sich aus¦kennen* 《*in*^{3}》; Bescheid wissen* 《*in*^{3}; *mit*^{3}》; auseinander¦halten*. ¶ ～하기 어려운 ununterscheidbar / ～ 못할 정도로 bis zur Unkenntlichkeit / 선악을 ～ 못하다 Gutes u. Böses nicht unterscheiden können* / 크기와 색에 따라 ～하다 nach Größe u. Farbe unterscheiden* / 두 자매를 ～할 수 있느냐 Kannst du die beiden Schwestern voneinander unterscheiden? / 그는 술에 취하면 앞뒤를 ～ 못한다 Wenn er einmal betrunken ist, dann weiß er nicht, was er tut.

분감(分監) 《감옥의》 Gefängnisaußenstelle *f.* -n; Zweiggefängnis *n.* -ses, -se.

분갑(粉匣) Puderdose *f.* -n.

분개(分介) 〖부기〗 in ein Journal ein¦tragen*.

‖ ～장(帳) Journal *n.* -s, -e.

분개(分槪) oberflächliche Beurteilung, -en.

¶ ～ 없다 kaum für ⁴*et.* Verständnis haben; wenig Urteilsvermögen zeigen (haben); geringes Verständnis haben.
분개(憤慨) Ärger *m.* -s; Entrüstung *f.* -en; Wut *f.*; Zorn *m.* -(e)s. ～하다 ärgerlich 《*auf*⁴》 (aufgebracht; entrüstet; zornig 《*über*⁴》) sein; ergrimmen[s] 《*gegen*⁴; *über*⁴》; ⁴sich ärgern 《*über*⁴》; ⁴sich empören (entrüsten) 《*über*⁴》; in Wut (Zorn) geraten*[s]. ¶ ～시키다 *jn.* ärgerlich (zornig) machen/ ～해서 aus Ärger; wütend; erregt; entrüstet; aufgeregt / 그는 몹시 ～하고 있다 Er speit (ist) Gift u. Galle.|Er ist aufs äußerste erbittert. / 나는 그 말에 몹시 ～했었다 Ich habe mich sehr über das Wort geärgert. / 사장의 불공평한 처사에 ～하여 그는 사직했다 Er verließ die Firma, da er sich über die Parteilichkeit des Direktors entrüstet hatte. / 그는 그 일에 매우 ～하고 있었다 Er war darüber sehr zornig. / 그는 ～한 끝에 죽었다 Er tötete sich vor Wut.
분격(憤激) Erregung *f.* -en; Aufregung *f.* -en; Entrüstung *f.* -en. ～하다 ⁴sich erregen (auf|regen; entrüsten). ☞ 분개. ¶ ～하여 aus Ärger / 그 말을 하자 그는 매우 ～하였다 Als ich ihm das sagte, wurde er ganz falsch (auf mich).
분견(分遣) das Abkommandieren*, -s; Kommando *n.* -s, -s. ～하다 zu ³*et.* ab|kommandieren⁴; detachieren⁴ [..ʃíː..] (파견함). ‖ ～대 Kommando *n.*; Detachment [detaʃəmɑ̃ː] *n.* -s, -s. ～함대 ein abkommandiertes Geschwader, -s, -; e-e abgeschickte Flotte, -n.
분결같다(粉—) 《die Haut》 glatt u. weiß (sein).
분계(分界) 《한계》 Abgrenzung *f.* -en; Grenzziehung *f.* -en; 《지계》 Grenze *f.* -n. ～하다 ab|grenzen; die Grenzen ziehen*. ¶ ～선을 긋다 die Grenze (Grenzlinie) ziehen* 《*zwischen*³》. ‖ ～선 Grenz|linie (Trennungs-; Scheide-; Zwischen-) *f.* -n: 군사 ～선 die militärische Grenzlinie, -n.
분골쇄신하다(粉骨碎身—) alle Kräfte an|spannen (an|strengen; auf|bieten*); alles (mögliche) (s-e ganze Macht) auf|bieten*; sein Bestes (sein möglichstes) tun*; alles tun*, was in s-r Macht steht; ⁴sich äußerst an|strengen 《um ⁴*et.* zu tun》.
분공장(分工場) Zweig|fabrik *f.* -en (-werkstatt *f.*; -werkstätte *f.* -n).
분과(分科) Fach *n.* -(e)s, ⸗er; Abteilung *f.* -en; Fakultät *f.* -en; Zweig *m.* -(e)s, -e; Gebiet *n.* -(e)s, -e (분야).
‖ ～위원회 Sonder|ausschuß (Unter-) *m.* ..schusses, ..schüsse.
분과(分課) Unterabteilung *f.* -en; Abteilung; Zweig *m.* -(e)s, -e. ～하다 ein Amt in Amtsbereiche aufteilen; ein Amt (ein Büro) in Abteilungen gliedern.
분관(分館) Anbau *m.* -(e)s, -e; Nebengebäude *n.* -s, -.
분광(分光) Spektrum *n.* -s, ..tren (..tra). ‖ ～기 Spektroskop *n.* -s, -e. ～분석 Spektralanalyse *f.* ～사진 Spektrographie *f.* -n [..fiːən].
분광학(分光學) Spektroskopie *f.* -n.
분교(分校) Zweigschule *f.* -n; Zweiganstalt *f.* -en.
분교장(分敎場) Zweigschule *f.* -n; Annexbau 《*m.* -(e)s, -ten》 der Schule (신관, 별관).
분국(分局) Zweig|amt *n.* -(e)s, ⸗er (-stelle *f.* -n).
분권(分權) Dezentralisation *f.* -en. ～하다 dezentralisieren⁴; die Verwaltungsbehörden in verschiedene Orte legen.
‖ 지방～ Dezentralisation *f.*
분규(紛糾) Verwicklung *f.* -en; Verwirrung *f.* -en; Wirrnis *f.* ..nisse; Wirrsal *n.* -(e)s, -e; Konfusion *f.* -en. ¶ ～에 쌓인 문제 ein verwickeltes Problem, -s, -e; e-e verwickelte Angelegenkeit, -en / ～를 해결하다 Verwicklungen (die verwickelte Lage) entwirren (auseinander|wirren⁴).
분극(分極) 〖물리〗 Polarisation *f.* -en.
‖ ～작용 Polarisation; polarisierende Aktion, -en.
분근하다(分根—) 〖식물〗 die Wurzeln teilen.
분급(分給) Verteilung *f.* -en; Zuteilung *f.* -en; Austeilung *f.* -en; Einteilung *f.* -en; Verleih *m.* -(e)s, -e. ～하다 verteilen; zuteilen; austeilen; einteilen.
분기(分岐) das Divergieren*, -s; Verzweigung (Verästelung) *f.* -en. ～하다 (⁴sich) ab|zweigen; ⁴sich gabeln; ⁴sich trennen; ⁴sich verästeln; ⁴sich verzweigen; auseinander|gehen* [s]. ‖ ～선 Zweigbahn *f.* -en; Zweig|linie (-strecke) *f.* -n. ～점 Gabelung *f.* -en; Kreuzweg *m.* -(e)s, -e; Weiche *f.* -n; Wendepunkt *m.* -(e)s, -e.
분기(噴氣) Ausstoßung *f.* -en (von Gas); Auswerfung *f.* -en; Herauswerfung *f.* -en. ～하다 sprudeln; quellen; spritzen.
‖ ～공(孔) 〖지질〗 vulkanische Gasausstrahlung *f.*; 〖기계〗 Dampfventil *n.* -s, -e; Dampfverschlußvorrichtung *f.* -en; 《고래의》 Speirohr *n.* -(e)s, -e; Abflußrohr.
분기(奮起) Aufrütt(e)lung *f.* -en; Ermannung *f.*; Ermutigung *f.* -en. ～하다 ⁴sich auf|raffen (empor|raffen) 《*zu*³》; ⁴sich auf|rütteln; ⁴sich ermannen 《*zu*³》; s-n Mut zusammen|raffen (-|nehmen*). ¶ ～시키다 auf|rütteln⁴; zur Tat begeistern 《*jn.* durch s-e Rede》 (연설로) / 사람을 ～시키는 이야기 e-e begeisternde Geschichte, -n / 너는 ～해야 한다 Du mußt dich aufraffen.
분김(忿—) ¶ ～에 aus Ärger; aus Zorn / ～에 방화했다 Er hat das Haus nur aus Ärger in Brand gesteckt.
분꽃(粉—) 〖식물〗 falsche Jalape, -n.
분납(分納) Abzahlung *f.* -en; Abschlagszahlung *f.* -en; Ratenzahlung *f.* -en; Teilzahlung *f.* -en. ～하다 auf Teilzahlung liefern; in Raten zahlen; ratenweise bezahlen⁴.
분내(粉—) Pudergeruch *m.* -(e)s.
분네 ① 《분들》 verehrte Personen. ② 《분》 e-e verehrte Person. ¶ 아까 나간 ～가 누구냐 Wer ist der Mann, der eben ausging?
분노(憤怒) Ärger *n.* -s; Zorn *m.* -(e)s; Grimm *m.* -(e)s; Groll *m.* -(e)s (원한). ～하다 ⁴sich ärgern 《*über*⁴》; in Zorn geraten*[s]; zornig werden; in Wut geraten* [s]; wütend werden. ¶ ～한 나머지 aus Ärger (Zorn)/ ～에 찬 소리 e-e ärgerliche Stimme, -n/ ～에 못이기다 ⁴sich des Zorns nicht enthalten können* / ～를 가라앉히다 *js.* Ärger (Zorn) beschwichtigen / 그의 눈은 ～에 불타고 있었다 S-e Augen loderten zornig auf.
분뇨(糞尿) Fäkalien 《*pl.*》; menschliche Ausscheidungen 《*pl.*》.
‖ ～관(管) Abwasserleitung *f.* -en; Kloake *f.* -n. ～비료 Fäkaldünger *m.* -s. ～소각장

치 Abfallverbrennungsofen *m.* -s, ⸚; Müllverbrennungsanlage *f.* -n. ～수거인 ein Arbeiter, der Fäkalien sammelt u. beseitigt. ～차 Mistkarren *m.* -s.

분단(分團) Orts¦gruppe 〔Unter-〕 *f.* -n; Sektion *f.* -en.

분단(分斷) Teilung *f.* -en; Aufteilung *f.* -en. ～하다 teilen⁴ 《*in*⁴》; auf|teilen⁴. ¶ ～되어 있다 aufgeteilt sein 《*in*³》; 《두 쪽으로》 in zwei Teile geteilt sein.
‖ ～국 das (politisch) geteilte Land, -(e)s, ⸚er.

분담(分擔) Arbeitsteilung *f.* -en Übernahme *f.* -n (인수); Zuteilung *f.* -en (할당); Kontingent *n.* -s, -e (금액); Pflichtanteil *m.* -(e)s, -e. ～하다 (mit)übernehmen*⁴; mit|tragen*⁴ 《die Kosten; den Verlust》; auf ⁴sich nehmen*⁴; ⁴sich in ⁴*et.* teilen. ¶ ～시키다 *jm.* ⁴*et.* an|weisen*; *jm.* ⁴*et.* zu|messen*; *jm.* ⁴*et.* zu|teilen; *jm.* ⁴*et.* zu|weisen* / ～된 일 e-e zugewiesene Aufgabe 〔Arbeit〕 -n / 비용을 ～하다 die Kosten mit|tragen* / 이 손해는 우리 모두 ～키로 하세 Wollen wir alle diesen Verlust mittragen.

분당(分黨) 《나눔》 die Spaltung e-r politischen Partei; 《당》 der Flügel e-r gespalten Partei. ～하다 e-e politische Partei spalten. ‖ ～파 Separatist *m.* -en, -en.

분대 ☞ 분대질.

분대(分隊) Korporalschaft *f.* -en; Abteilung *f.* -en; Gruppe *f.* -n. ‖ ～장 Korporal *m.* -s, -e; Abteilungsführer *m.* -s, -.

분대꾼 Unruhestifter *m.* -s, -; Störenfried *m.* -(e)s, -e; Eindringling *m.* -s, -e; Aufdringling *m.* -s, -e.

분대질 《참견》 das Dazwischentreten*, -s; Einmischung *f.* -en; 《교란·방해》 Störung *f.* -en; Beunruhigung *f.* -en; Behinderung *f.* -en; 《소란》 Getue *n.* -s; das Aufheben*, -s; Lärm *m.* -(e)s; 《귀찮음》 Belästigung *f.* -en. ～치다, ～하다 andere ärgern 〔stören; auf|regen〕; Schwierigkeiten machen; beunruhigen; behindern.

분도기(分度器) ＝각도기(角度器).

분돋우다(忿—) den Ärger e-s Menschen entfachen 〔erregen〕; zum Unrecht Beleidigung hinzufügen.

분동(分銅) (Gegen)gewicht *n.* -(e)s, -e; Gleichgewicht *n.* -(e)s, -e.

분란(紛亂) Verwirrung *f.* -en; Wirre *f.* -n 《보통 *pl.*》; Zwist *m.* -es, -e; Unruhe *f.* -n (소요); Aufruhr *m.* -(e)s, -e (소요). ～하다 in Verwirrung 〔Unordnung〕 geraten* ⓢ.
¶ ～을 해결하다 Verwicklungen entwirren; Streitigkeiten 〔Unruhen〕 schlichten (조정하다) / 정치적 ～을 일으키다 politische Unruhen an|stiften 〔entfachen〕; politische Verwicklungen 〔Wirren〕 verursachen.

분량(分量) Quantität *f.* -en; Quantum *n.* -s, ..ta 〔..ten〕; Maß *n.* -es, -e; Menge *f.* -n; Größe *f.* -n; Dosis *f.* ..sen (약의 복용량). ☞ 양(量). ¶ ～적 quantitativ / ～을 정해서 마시다 ein bestimmtes Quantum trinken* / ～을 넘다 über das richtige Maß hinaus|gehen* ⓢ.

분려(奮勵) Anstrengung *f.* -en; Eifer *m.* -s. ～하다 ⁴sich sehr an|strengen; ⁴sich eifrig beschäftigen 《*mit*³》; s-e Anstrengungen 〔Kräfte〕 verdoppeln.

분력(分力) 〖물리〗 Komponente *f.* -n.

분류(分流) Arm *m.* -(e)s, -e. ～하다 ⁴sich aus|breiten.

분류(分溜) 〖화학〗 das Fraktionieren*, -s. ¶ ～시키다 fraktionieren.
‖ ～관 fraktionierende Säule, -n.

분류(分類) Klassifikation *f.* -en; Anordnung *f.* -en; Einteilung *f.* -en (in Klassen); System *n.* -s, -e; das Zusammenordnen*, -s; das Sortieren*, -s. ～하다 klassifizieren⁴; in Klassen ein|teilen⁴; ordnen⁴; systematisieren⁴; sortieren⁴; passend zusammen|stellen⁴. ¶ 상품의 ～ Sortierung 〔Klassifikation〕 der Waren / 색깔을 ～하다 zwischen Farben unterscheiden* / 두 종류로 ～하다 in zwei Klassen ein|teilen / 색깔에 따라 ～하다 nach Farbe sortieren 〔klassifizieren〕 / 잘게 ～하다 in kleine Gruppen ein|teilen.
‖ ～번호 Sortierungsnummer *f.* -n. ～법 Einteilungssystem *n.* -s, -e. ～표 Klassifikationstafel *f.* -n. ～학 Systematik *f.* -en. ～함 Aktenschrank *m.* -(e)s, ⸚e; Ordnerschrank *m.* -(e)s, ⸚e.

분류(奔流) ein reißender Strom, -(e)s, ⸚e; (stürzend) brausendes Wasser, -s, -. ～하다 stürzend fließen; rasend fließen*.
‖ ～전기 springender Strom, -(e)s, ⸚e.

분류(噴流) eruptiver Strom, -(e)s, ⸚e; stürzender Strom.

분리(分離) Trennung *f.* -en; Absonderung *f.* -en; Abscheidung *f.* -en; Abtrennung *f.* -en; Isolierung *f.* -en; Loslösung *f.* -en; Scheidung *f.* -en; 〖화학〗 Segregation *f.* -en. ～하다 (ab|)trennen*⁴ 《*von*³》; ab|sondern⁴ 《*von*³》; (ab|)scheiden*⁴ 《*von*³》; isolieren⁴; 〖화학〗 rein dar|stellen⁴.
¶ ～할 수 없는 untrennbar / 여기에서 종교와 과학의 ～를 볼 수 있다 Hier ist die Trennung zwischen Religion u. Wissenschaft zu sehen.
‖ ～기(器) Separator *m.* -s, -en [..tóːrən]; Zentrifugalabscheider *m.* -(e)s, -. ～주의〔론〕 Separatismus *m.* -.

분립(分立) Separation *f.* -en; Selbständigkeit *f.*; Unabhängigkeit *f.*; Dezentralisation *f.* ～하다 ⁴sich separieren; selbständig werden; ⁴sich getrennt behaupten. ¶ 군소정당으로 ～되다 in viele kleine Parteien geteilt werden.

분마(奔馬) das durchgehende 〔störrige〕 Pferd, -(e)s, -e.

분만(分娩) Entbindung *f.* -en; das Gebären*, -s; Geburt *f.* -en; Niederkunft *f.* ⸚e. ～하다 (ein Kind) gebären* 〔zur Welt bringen*; hervor|bringen*〕; mit e-m Kind nieder|kommen* ⓢ; von e-m Kind entbunden werden.

분만(憤懣·忿懣) Grimm 〔Ingrimm〕 *m.* -(e)s; Groll *m.* -(e)s; Ärger *m.* -s; Verbitterung *f.*; Ressentiment [rɛsãtimãː] *n.* -s, -s.

분말(粉末) Pulver *n.* -s, - (분말 전체, 특히 가루약); Staub *m.* -(e)s (특히 광물의); Mehl *n.* -(e)s, -e 〖특히 곡식의 *pl.*은 종류를 나타냄〗; Puder *m.* -s, - (화장분 따위). ¶ ～로 만들다 pulverisieren⁴; zu Staub verfeinern⁴; (zer)pulvern⁴; (zer)mahlen*⁴.
‖ ～비누 Seifenpulver *m.* -s, -.

분망(奔忙) ～하다 sehr beschäftigt; wegen des Drucks der Geschäfte beschäftigt (sein). ¶ 이와 같은 ～한 시기에는 in dieser gehetzten Zeit / … 준비에 ～하다 sehr beschäftigt sein mit den Vorbereitungen für ⁴*et*.

분매(分賣) Einzel¦verkauf (Klein-) *m*. -(e)s, ⸚e. ~하다 einzeln verkaufen⁴; teilweise liefern⁴; (den Boden) parzellieren (토지); in Parzellen verkaufen⁴. ¶한권씩으로도 ~합니다 Jeder Band ist einzeln zu haben.

분명(分明) Klarheit *f*.; Deutlichkeit *f*.; Unverkennbarkeit *f*.; Augenscheinlichkeit *f*. ~하다 klar; deutlich; kenntlich; handgreiflich; augenscheinlich; augenfällig; offenbar; unverkennbar (sein). ¶~히 klar; offenbar; unverkennbar; augenscheinlich / ~한 사실 e-e klare Tatsache; e-e zweifellose Tatsache, -n; ein unleugbares Faktum, -s, ..ta (..ten) / ~한 음성 e-e deutliche Stimme, -n / ~한 기억 e-e frische Erinnerung, -en; e-e unvergeßliche Erinnerung / ~한 대답 e-e definitive Antwort, -en; e-e entschiedene Antwort / ~한 증거 ein schlagender Beweis, -es, -e; ein sprechender Beweis/~해지다 klar werden; ans Licht kommen*; entdeckt (deutlich) werden; ⁴sich heraus|stellen; ⁴sich ergeben; aus|fallen* / ~히 하다 ⁴*et*. klar machen; erhellen; erklären / 태도를 ~히 하다 s-e Haltung (Stellungnahme) erklären / 그에게 ~한 대답을 했다 Ich habe ihm bestimmt geantwortet.¦Ich habe ihm e-e entschiedene Antwort gegeben. / 네가 글렀다는 것은 ~하다 Es ist klar (Es steht fest), daß du dich irrst.¦Es ist klar, daß deine Aussagen(Vorstellungen) ganz falsch sind. / 그의 태도는 그리 ~치가 않다 Seine Haltung war nicht sehr bestimmt.

분모(分母) 〖수학〗 Nenner *m*. -s, -; Divisor *m*. -s, -en. ¶~를 없애다 e-n Nenner durch|streichen* (auf|heben*).
‖(최소) 공~ General¦nenner (Haupt-) *m*. -s, -; der gemeinschaftliche Nenner.

분묘(墳墓) Grab *n*. -(e)s, ⸚er; Gruft *f*. ⸚e; Grabstätte *f*. -n.

분무(噴霧) das Spritzen*, -s; Verstäubung *f*. ‖~기 Zerstäuber *m*. -s, -; Zerstäubungsapparat *m*. -(e)s, -e; 〖원예〗 Spritze *f*. -n. ~(도장)법 Spritzverfahren *n*. -s, -. ~도장기(塗裝器) Spritzpistole *f*. -n.

분문(噴門) 〖생물〗 Magenmund *m*. -(e)s, -e; Kardia.

분바르다(粉一) Gesicht pudern. ¶하얗게 분바른 얼굴 ein stark gepudertes Gesicht, -(e)s.

분반(分班) Einteilung 《*f*. -en》 in ⁴Gruppen (Klassen). ~하다 in ⁴Gruppen (Klassen) ein|teilen⁴; ordnen⁴ 《*nach*³》.

분받침(盆一) Blumentopfständer *m*. -s, -; ein Ständer für e-n Keramikblumentopf.

분발(奮發) eifrige (energische) Anstrengung, -en; Spurt *m*. -s, -e; Bemühung *f*. -en; Eifer *m*. -s. ~하다 ⁴sich an|strengen; ⁴sich befleißigen²; alle Kräfte (s-e ganze Fähigkeit) auf|bieten*; sein Äußerstes tun*. ¶아무를 ~하게 하다 *jn*. beleben; *jn*. an|feuern; *jn*. begeistern; *jn*. ermutigen / 그는 ~할 것이다 Er wird alle Kräfte aufbieten. / 너는 지금부터 ~해야 한다 Du mußt von jetzt an große Anstrengungen machen. / 최후의 ~을 해서 그것을 완성하자 Wir wollen e-e letzte Anstrengung machen, um es zu vollenden. / 일대~이 필요할 것이다 Es wird große Mühe (Anstrengung) kosten.

분방(奔放) ~하다 《힘차게 달림》 kräftig rennen; 《멋대로임》 entfesselt; ungezwungen; unbehindert (sein).

분배(分配) Verteilung *f*. -en; Austeilung *f*. -en; Einteilung *f*. -en (시간, 일 따위의); Zuteilung *f*. -en (할당, 몫). ~하다 verteilen⁴ 《*unter*³; *an*⁴》; auf|teilen⁴ (남김없이 분배하다); aus|teilen 《*unter*³; *an*⁴》 (나눠주다); ein|teilen⁴; zu|teilen³⁴. ¶공평하게 ~하다 gleichmäßig verteilen⁴ (zu|teilen⁴) / 몫을 ~받다 an ³*et*. e-n Anteil erhalten*; an ³*et*. teil|haben* / 응분의 ~가 있다 e-n gebührenden u. rechtmäßigen Anteil haben / 비례 ~하다 prozentual zu|teilen⁴; anteilmäßig verteilen; die Anteile in entsprechenden Verhältnissen verteilen / 이익은 우리끼리 ~했다 Wir teilten den Gewinn unter uns.
‖~금 Gewinnanteil *m*. -(e)s, -e. ~론 Verteilungstheorie *f*. -n. ~액 Anteil *m*. -(e)s, -e: 그이도 ~액을 받게 된다 Er auch bekommt s-n Anteil.

분별(分別) 《식별》 Unterscheidung(sfähigkeit) *f*. -en; Urteilskraft *f*.; 《사려》 Vernunft *f*.; Verstand *m*. -(e)s; Verständnis *n*. ..nisses, ..nisse; Besonnenheit *f*.; der gesunde Sinn, -(e)s, -e; 《분류》 Klassifikation *f*. -en; das Ordnen*, -s. ~하다 《구별》 unterscheiden* (können*) 《⁴*et*. *von*³; *zwischen*³》; auseinander|halten*⁴; nach dem Gehör unterscheiden*⁴; den Unterschied heraus|bekommen*; 《알고있다》 ⁴sich aus|kennen* 《*in*³; *über*⁴》; Bescheid wissen* 《*von*³; *über*⁴》; verstehen⁴; ⁴sich verstehen 《*auf*⁴》; wissen* 《zu 부정구》; 《분류》 sortieren⁴; in Klassen ein|teilen⁴; ordnen⁴. ¶~이 있는 (없는) vernünftig (un-); besonnen (un-); urteilsfähig (urteilslos) / ~있는 사람 ein vernünftiger Mensch, -en, -en / 아무 ~도 없이 außer sich geraten* 《*vor*³》; den Kopf verloren; ganz verwirrt (verworren); völlig unbeherrscht; (wie) vom Teufel geritten / ~없는 질문을 하다 indiskrete Frage stellen / 사물에 대한 ~이 있다 s-e fünf (sieben) Sinne beisammen haben.
‖~기 (장치) 〖화학〗 Fraktionierapparat *m*. -(e)s, -e.

분봉(分封) Belehnung *f*. -en; Lehnsbrief *m*. -(e)s, -e. ~하다 belehnen; e-e Person mit e-m Lehen belehnen.

분봉(分蜂) 《벌의》 das (Aus)schwärmen*, -s. ~하다 schwärmen [h.s].

분부(分付·吩咐) (An)weisung *f*. -en; Anleitung *f*. -en; Anordnung *f*. -en; Geheiß *n*. -es; Befehl *n*. -(e)s, -e; Bestellung *f*. -en; Direktive *f*. -n. ~하다 (an)weisen* 《*jn*. *zu*³》; an|leiten 《*jn*. *zu*³》; an|ordnen; bestellen; heißen*. ¶~대로 auf *js*. Geheiß (Befehl; Anweisung) / ~대로 하다 gehorchen 《*jm*.》; auf Geheiß tun* / ~대로 하겠습니다 Zu Befehl!; Jawohl!; Wie Sie befehlen!

분부(分賦) Anteil *m*. -(e)s, -e; Zuteilung *f*. -en; Verteilung *f*. -en (z.B. von Steuer, Arbeit). ~하다 zuteilen; verteilen.

분분하다(紛紛一) verworren; unordentlich; 《난잡한》 kunterbunt (sein). ¶분분히 durcheinander / 낙화~ Die abfallenden Blüten wirbeln im Winde. / 제설(諸說)이 ~ Darüber ist man verschiedener Meinung.¦Die Meinungen (Urteile) darüber sind geteilt.

분비(分泌) 〖생물〗 Sekretion *f*. -en; Absonderung

derung *f*. -en; Sekret *n*. -(e)s, -e (분비물). ~하다 sekretieren⁴; ab|sondern⁴. ‖ ~기관 Sekretionsorgan *n*. -s, -e. ~선 Sekretionsdrüse *f*. 내~ innere Sekretion, -en.

분비나무 〖식물〗 (Sachalin)tanne *f*. -n.

분사(分詞) 〖문법〗 Partizip *n*. -s, ..pien; Partizipium *n*. -s, ..pien (옛말 ..pia); Mittelwort *n*. -(e)s, ⸗er. ¶ ~의 partizipial.
‖ ~구문 Partizipialbildung *f*. -en. 현재(과거) ~ Partizip Präsens (Perfekt).

분사(憤死) das Sterben* ((-s)) vor Ärger (Entrüstung; Wut; Verdruß; Groll); der Tod ((-(e)s)) infolge von Wut. ~하다 vor Ärger (Groll; Wut; Entrüstung) sterben* ⓢ. ¶ ~할 정도다 ³sich das Herz aus dem Leibe ärgern; ⁴sich zu Tode ärgern.

분사(噴射) das Ausstoßen*, -s; das Ausströmen*, -s; das Herausschießen*, -s; Strahl *m*. -(e)s, -e ((von Flüssigkeit; Gas)). ~하다 aus|stoßen*⁴; aus|strömen⁴; heraus|-schießen*⁴; aus|strahlen⁴. ¶ ~ 추진식의 mit ³Düsenantrieb (Strahlmotor).
‖ ~반동 추진 Düsen¦antrieb (Strahl-) *m*. -(e)s, -e. ~추진(推進) 기관 Strahlmotor *m*. -s, -en.

분산(分散) das Auseinandergehen*, -s; Zerstreuung *f*. -en; das Auseinanderziehen*, -s; Dispersion *f*. -en; Dezentralisation *f*.; das Divergieren*, -s; ((파산)) Bankrott *m*. -(e)s, -e; 〖물리〗 Dispersion *f*. -en. ~하다 auseinander|ziehen*; zerstreuen; dispergieren; dezentralisieren; divergieren; aus|-streuen. ¶ ~적 dispers / 빛의 ~ Dispersion des Lichts / ~되다 zerstreut werden / 그의 가족은 ~됐다 S-e Familie hat sich aufgelöst.
‖ ~가족 e-e getreunte Familie, -n. ~도 Dispersionsstärke *f*. ~성 Dispersität *f*. -en.

분상(粉狀) ¶ ~의 staubig; pulverig; pulverartig.

분서(分署) Zweigamt *n*. -(e)s, ⸗er; Polizeiwache *f*. -n (경찰); Feuerwache (소방서).

분서(焚書) die Verbrennung der Bücher. ~하다 die Bücher verbrennen.
‖ ~갱유 die Bücher verbrennen und die lebenden Gelehrten begraben (ein historisches Ereignis in der chinesischen Geschichte).

분석(分析) Analyse *f*. -n; Zerlegung *f*. -en; Erz¦probe (Metall-) *f*. -en; Untersuchung *f*. -en; Prüfung *f*. -en. ~하다 analysieren; zerlegen; e-e Probe mit ³*et*. machen (금속); untersuchen; prüfen. ¶ ~적 analytisch / 문제를 ~하다 das Problem (die Frage) im Detail prüfen (zergliedern; zerlegen) / 실패의 원인을 ~하다 den Grund des Fehlschlags (des Mißerfolgs) analysieren (untersuchen) / ~ 결과 이것은 비타민 B를 함유하고 있음이 판명되었다 Die Analyse hat gezeigt, daß es Vitamin B enthält.
‖ ~기하 analytische Geometrie. ~비평 analytischer Kritizismus, -. ~적 사고 analytisches Denken*, -s. ~학 Analytik *f*. ~화학 analytische Chemie. 정신~ Psychoanalyse *f*. 정질(정량)~ qualitative (quantitative) Analyse.

분선(分線) Zweiglinie *f*. -n.

분설(分設) Errichtung einer Zweigstelle; getrennte Anlage; Sonderanschluß od. separate Leitung (von Telefon, Strom, Gas *usw*.).

분설(粉雪) =가랑눈.

분성(分性) 〖물리〗 Teilbarkeit *f*. -en.

분손(分損) 〖경제〗 ein partieller Verlust, -es, -e; Teilschaden *m*. -s.

분쇄(粉碎) Pulverisierung *f*. -en; das Zermalmen*, -s. ~하다 zermalmen⁴; zerschlagen*⁴; zerschmettern⁴; zerstören⁴ (파괴함); zertrümmern⁴ (파괴함); vernichten⁴ (섬멸함). ¶ 적은 ~되었다 Der Feind wurde geschlagen. / 적을 ~하다 den Feind zersprengen.
‖ ~기(機) Zerstäuber (Zerkleinerer) *m*. -s, -; Zerkleinerungsmaschine *f*. -n.

분쇠(粉—) Blei ((*n*. -(e)s, -e)), das man bei der Pulverherstellung verwendet.

분수(分水) Wasser-Scheiden*.
‖ ~령, ~선 Wasserscheide *f*. -n.

분수¹(分數) ① ((사려·분별)) Um¦sicht (Rück-) *f*.; Diskretion *f*.; Schicklichkeit (Angemessenheit) *f*. ¶ ~없는 unbesonnen; indiskret; unvorsichtig; rücksichtslos / ~있는 besonnen; diskret; um¦sichtig (vor-) / ~없는 짓 das unbesonnene Handeln*, -s; Unbesonnenheit *f*. -en / 그는 ~없이 말한다 Er redet unbesonnen (rücksichtslos).
② ((분한)) *js*. soziale Stellung, -en; Stand (Rang) *m*. -(e)s, ⸗e; (Geld)mittel *n*. -s, - (자력). ¶ ~에 맞춰서 standes¦gemäß (-mäßig); nach *js*. Kräften; *js*. Vermögen gemäß / ~에 맞지 않게 ungebührlich; ungehörig; über *js*. Mittel / ~에 안 맞는 생활을 하고 있다 Sie leben über ihre Verhältnisse. / 자기 ~에 만족하고 있다 ⁴sich mit s-r Stellung zufrieden geben*; ⁴sich in sein Los schicken / ~를 모르다 ⁴sich vermessen; zu hoch hinaus|wollen* / 제 ~를 알다 ⁴sich s-r Stellung bewußt sein / 네 ~를 알라 „Schuster, bleib bei d-m Leisten!"
③ ((본분)) Pflicht *f*. -en; das Meinige* (Seinige*). ¶ ~를 다하다 s-e Pflicht erfüllen (leisten); das Seinige tun*.

분수²(分數) 〖수학〗 Bruch *m*. -(e)s, ⸗e; Bruchzahl *f*. -en. ¶ ~의 gebrochen; Bruch-/ ~를 약분하다 e-n Bruch heben* (kürzen)/ ~를 통분하다 Brüche unter den Generalnenner bringen*; die Nenner gleichnamig machen.
‖ ~(방정)식 Bruch¦formel (-gleichung) *f*. 진(가)~ echter (unechter) Bruch.

분수(噴水) Springbrunnen *m*. -s, -; Fontäne *f*. -n. ¶ ~가 솟고 있다 Aus dem Springbrunnen schießt das Wasser.
‖ ~공(孔) Strahlrohr *n*. -(e)s, ⸗e; Düse *f*. -n. ~기 Wasserspeier *m*. -s, -.

분승하다(分乘—) ⁴sich auf mehrere Verkehrsmittel verteilen; getrennt fahren* (d.h. die Mitglieder einer Gruppe fahren nicht gemeinsam mit e-m Verkehrsmittel, z.B. Bus, sondern mit verschiedenen).

분식(分蝕) die partielle Eklipse, -n (Finsternis, ..nisse).

분식(粉食) die mehlhaltigen (stärkehaltigen) Speisen ((*pl*.)); Mehlspeisen ((*pl*.)). ~하다 Mehl essen*. ¶ ~을 장려하다 Mehlspeisen fördern.

분식(粉飾) das Schminken*, -s; Schmuck *m*. -(e)s, -e; Beschönigung *f*. -en (겉치장); Toilette *f*. -n; Verschönerung *f*. -en; Dekoration *f*. -en. ~하다 schminken ((⁴sich 화장하다; ⁴*et*. 윤색하다)); (aus|)schmücken⁴; bemänteln⁴; beschönigen⁴; übertünchen⁴; Toilette machen; dekorieren. ¶ 이야기를

～하다 e-e Erzählung verschönern; e-e Geschichte aus|schmücken.

분신(分身) ① 〖불교〗 e-e Verkörperung 《-en》 von Buddha. ② 《제2의 나》 Alter ego *n.* -s, -s; sein anderes (zweites) Ich, -(s), -(s); das andere Ich. ③ 《자식》 sein eigenes Kind, -(e)s, -er.

분신(焚身) Selbstverbrennung *f.* -en; Selbstmord 《*m.* -(e)s, -e》 durch Selbstverbrennung. ¶ ～을 기도하다 e-n Versuch machen, 4sich selbst zu verbrennen.
‖ **～자살** ＝분신(焚身).

분실(分室) 《관청 등의》 Nebengebäude *n.* -s, -; Zweigstelle *f.* -n; Zweig *m.* -(e)s, -e; 《병원의》 e-e isolierte Krankenstube, -n.

분실(紛失) Verlust *m.* -es, -e. **～하다** verlieren*4; fallen lassen*4. ¶ ～한 verloren / ～되다 verloren|gehen* ⓢ; abhanden kommen* ⓢ / 책이 ～되었다 Das Buch ist mir abhanden gekommen. / 무엇을 ～하지 않았읍니까 Haben Sie nicht etwas verloren?
‖ **～물** die verlorene Sache, -n; Fund *m.* -(e)s, -e (습득물). **～자** Verlierer *m.* -s, -; der Eigentümer 《-s, -》 e-s verlorenen Gegenstandes.

분야(分野) Gebiet *n.* -(e)s, -e; Fach *n.* -(e)s, ¨er; Feld *n.* -(e)s, -er; Zweig *m.* -(e)s, -e. ¶ (학문의) 새 ～를 개척하다 ein neues Feld (der Wissenschaft) bebauen (erweitern) / 그는 이 ～에서는 남에게 뒤지지 않는다 Auf diesem Gebiet steht er s-n Mann. / 그것은 내 ～가 아니다 Das schlägt nicht in mein Fach. ¦ Das liegt außerhalb m-r Kompetenz. / 외교 ～에서 일하다 Er steht in diplomatischen Diensten. / 이 ～에서는 통달해 있지 않다 Auf diesem Gebiet bin ich nicht bewandert. / 그는 자기 ～에서는 대단히 정통하다 Er weiß auf s-m Gebiet (in s-m Fach) hervorragend Bescheid. / 정치적 ～에서는 사정이 다르다 Auf politischem Gebiet verhält es sich anders.

분양(分讓) Verkauf 《*m.* -(e)s, ¨e》 in Parzellen; Parzellierung *f.* -en; der stückweise Verkauf, -(e)s, ¨e. **～하다** parzellieren u. verkaufen; in Parzellen (stückweise) verkaufen.
‖ **～주택** Haus 《*n.* -es, ¨er》 zum Teilverkauf. **～지** Parzelle *f.* -n (zu verkaufen); das Grundstück 《-(e)s, -e》 zum Verkauf in Parzellen.

분업(分業) Arbeitsteilung *f.* -en; Fließarbeit *f.* -en (일관작업); Spezialisierung *f.* -en. **～하다** die Arbeit teilen; 4sich spezialisieren 《auf 4*et.*》. ¶ 일을 ～으로 하다 die Arbeit parzellieren / ～의 이익 der Nutzen 《-s, -》 der Arbeitsteilung / 기술적 ～ die Arbeitsteilung nach den Fähigkeiten / 직업적 ～ die Arbeitsteilung nach dem Beruf.
‖ **～시대** die Zeit 《-en》 der Spezialisierung (der Fließarbeit).

분여(分與) ＝분급.

분연(히)(忿然 憤然(—)) aufgebracht; entrüstet; rasend; wütend. ¶ ～ 일어나다 wütend auf|fahren*ⓢ; 4sich wütend erheben* / ～ 그는 자리를 떴다 Entrüstet ist er zurückgezogen. ¦ Er hat s-n Sitz aufgebracht verlassen.

분연(히)(奮然(—)) beherzt; entschlossen; mutig; standhaft; tapfer. ¶ ～ 일어서다 4sich auf|raffen 《zu3》 / ～ 적(敵)과 싸우다 dem Feind mutig entgegen|treten* ⓢ.

분열(分列) Schaustellung *f.* -en; Defilee *n.* -s, -n [..léːən].
‖ **～보조** Paradeschritt *m.* -(e)s, -e. **～식** Parade *f.* -n; Parademarsch *m.* -es, ¨e: ～식 교련 Paradedrill *m.* -(e)s, -e / ～식을 행하다 e-e Parade (über ein Regiment) ab|halten* defilieren; e-e Parade ab|nehmen* (열병을 하는 측에서 말할 때).

분열(分裂) Spaltung *f.* -en; Teilung *f.* -en(세포의); Zerstückelung *f.* -en (사분오열); Furchung *f.* -en (난세포분열); 《불화》 Trennung *f.* -en; Zwiespalt *m.* -(e)s, -e; Riß *m.* ..isses, ..isse; Schisma *n.* -s, ..men (-ta) (교회, 종파의). **～하다** 4sich spalten(*); 4sich teilen; 4sich zerspalten(*); 4sich zerstückeln; 4sich trennen《*von*3》; mit *jm.* brechen*. ¶ ～되다 geteilt (gespalten) werden / 둘로 ～되다 in zwei geteilt werden / 불화 ～의 씨를 뿌리다 Zwietracht säen / 당은 ～되었다 Die Partei hat sich gespalten. / 그들의 의견은 ～되었다 Sie waren geteilter Meinung. / ～시켜서 정복하라 Teile und herrsche!
‖ **～균** Spaltpilz *m.* -es, -e. **～생식** Spaltzeugung *f.* -en. **～식물** Schizophyten《*pl.*》; Spaltpflanzen 《*pl.*》. **～조직** Meristem *n.* -s, -e. **～편(片)** Segment *n.* -(e)s, -e. **세포～** Zellteilung *f.* -en. **(원자)핵～** Kernspaltung *f.* -en.

분외(分外) ¶ ～의 jenseits des Status; unverdient; ungebührlich / ～의 영광 e-e unverdiente Ehre, -n / ～의 지위 e-e unverdiente Stelle, -n / ～의 명예욕 e-e übertriebene Ehrsucht.

분요(紛擾) ＝분란(紛亂).

분울(憤鬱) ＝분만(憤懣).

분원(分院) Zweig¦hospital *n.* -s, -e (¨er) (-anstalt *f.* -en).

분위기(雰圍氣) Atmosphäre *f.* -n; Umgebung *f.* -en; Milieu *n.* -s, -s; Stimmung *f.* -en. ¶ 문학적 ～를 자아내다 e-e literarische Atmosphäre hervor|rufen* / 시민적 ～ 속에 자라다 in e-m bürgerlichen Milieu [..lĭøː] auf|wachsen*ⓢ / ～를 깨다 *jm.* die Stimmung verderben* / ～를 조성하다 Stimmung machen / 침체된 (유쾌한) ～로 가득 차 있다 Es herrschte e-e gedrückte (fröhliche) Stimmung. / 그는 이런 ～ 속에서 쾌감을 느낀다 Er fühlt sich wohl in dieser Umgebung. / 두 사람 사이에는 긴장된 ～가 감돌고 있다 Zwischen den beiden herrscht e-e gespannte Atmosphäre.

분유(粉乳) Trockenmilch *f.*

분의(紛議) 《논쟁》 Streit *m.* -(e)s, -e; Streitfrage *f.* -n; 《분규》 Verwicklung *f.* -en; Verwirrung *f.* -en. ¶ ～를 일으키다 e-n Streit (Zwist) herauf|beschwören*; Verwirrung an|richten (an|stiften).

분자(分子) ① 〖수학〗 Zähler *m.* -s, -. ② 〖물리〗 Molekül *n.* -s, -e; Molekel *f.* -n. ③ 《구성원》 Element *n.* -(e)s, -e; Person *f.* -en. ¶ 당내의 부패 ～를 일소하다 die Partei von den verdorbenen Elementen säubern; die verdorbenen Elemente der Partei beseitigen / 불순 ～가 세력을 잡았다 Schlechte Elemente gewannen die Oberhand.
‖ **～량** Molekulargewicht *n.* -(e)s, -e. **～론** Molekulartheorie *f.* -n. **～배열** Molekularlagerung *f.* -en. **～생물학** Molekularbiologie *f.* **～식** Molekularformel *f.* -n. **～유전학** Molekulargenetik *f.* **～인력** Molekularanziehungskraft *f.* ¨e. **불평～** aufsässige Elemente 《*pl.*》.

분잡(紛雜) Gedränge *n.* -s; Andrang *m.* -(e)s, ⸚e; Gewimmel *n.* -s; Gewühl *n.* -s; Verwirrung *f.* -en; Unordnung *f.* -en. ～하다 〖장소가 주어〗 wimmeln《*von*³》; gedrängt voll sein《*von*³》; 〖사람이 주어〗 ⁴sich drängen.

분장(分掌) Arbeitsteilung *f.* -en; Übernahme《*f.* -n》geteilter Arbeit. ～하다 e-n Teil der Arbeit übernehmen*; ⁴sich mit *jm.* in e-r Arbeit teilen.

분장(扮裝) das Schminken*, -s (화장); Aufmachung *f.* -n (메이크업); Darstellung *f.* -en《e-r ²Rolle》(연기); Verkleidung *f.* -en (가장). ～하다 ⁴sich schminken; dar|stellen《e-e ⁴Rolle》(역을 맡아하다); ⁴sich verkleiden《als (in)》(변장하다). ¶ ～시키다 verkleiden⁴ (kostümieren⁴)《als》/ 마도로스로 ～하고 그는 거리로 나섰다 Als Matrose verkleidet, ging er auf die Straße. / 그가 ～한 파우스트는 훌륭했다 Er stellte Faust meisterhaft dar. / 도망치려고 그는 여자로 ～했다 Zur Flucht hat er sich als Frau verkleidet.

분재(分財) ～하다 ein Erbe《*n.* -s》gleichmäßig auf|teilen.
‖ ～깃 der Anteil《-(e)s, -e》der Erbschaften.

분재(盆栽) Topfblume *f.* -n (꽃); Topfpflanze *f.* -n (식물); Zwergbaum *m.* -(e)s, ⸚e.

분쟁(分爭) die Rivalität《-en》der Parteiflügel. ～하다 in der Partei Streit haben; e-m anderen feindlich gegenüber|stehen*. ¶ ～을 일삼다 ⁴sich dem Parteigezänk hin|geben⁴ / ～에 끼지 않다 (초연하다) ⁴sich aus dem Parteistreit heraus|halten*.

분쟁(紛爭) Streit *m.* -(e)s, -e; Streitfrage *f.* -n; Zwiespalt *m.* -(e)s, -e; Konflikt *m.* -(e)s, -e; Verwicklung *f.* -en. ～하다 disputieren; zanken; streiten; in e-n Konflikt geraten*Ⓢ《mit *jm.*》; ⁴sich in e-n Streit verwickeln lassen*. ¶ ～의 씨 Zankapfel *m.* -s, ⸚ / ～의 평화적 해결 e-e friedliche Beilegung《-en》des Streits (Zwiespalts)/ ～ 중이다 in e-n Streit verwickelt sein / ～을 일으키다 e-n Streit an|fangen* (beginnen*; entfachen) / 국제간의 ～을 빚다 e-e internationale Verwicklung herbei|führen / ～에 말려들다 in e-n Streit mit *jm.* verwickelt werden / ～을 피하다 Streitigkeiten vermeiden*.

분전(奮戰) der erbitterte (heiße; hartnäckige; verzweifelte) Kampf, -(e)s, ⸚e. ～하다 e-n heißen Kampf führen; mit dem Mut der Verzweiflung kämpfen (결사적으로 싸우다). ¶ 최후까지 ～하다 죽다 bis zu s-m Tod e-n erbitterten Kampf kämpfen.

분점(分店) Zweiggeschäft *n.* -(e)s, -e; Zweigstelle *f.* -n. ¶ 서울에 ～을 내다 e-e Zweigstelle in Seoul eröffnen.

분점(分點) 〖천문〗 Äquinoktialpunkt *m.* -(e)s, -e; Äquinoktium *n.* -s, ..tien.
‖ 평균～ mittlere Tag- und Nachtgleiche.

분종(盆種) das Anpflanzen*《-s》in e-m Topf; Topfpflanze *f.* -n. ～하다 in e-m Topf an|pflanzen.

분주다사하다(奔走多事—) mit Arbeit sehr belastet; überlastet (sein). ¶ 분주 다사한 생활을 하다 ein arbeitsreiches (anstrengendes) Leben führen.

분주스럽다(奔走—) sehr beschäftigt zu sein scheinen.

분주하다(奔走—) beschäftigt; geschäftig; rastlos; rührig (sein); alle Hände voll zu tun haben. ¶ 분주한 생활 ein rastloses Leben, -s, - / 언제나 ～ immer beschäftigt sein / 눈코 뜰 새 없이 분주했다 Ich wußte gar nicht, wo mir der Kopf stand. / 손님을 준비 없이 맞아야 했기 때문에 우리는 몹씨 분주했다 Da wir die Gäste ohne Vorbereitung empfangen mußten, hatten wir alle Hände voll zu tun.

분지(盆地) 〖지학〗 Becken *n.* -s, -; Mulde *f.* -n. ¶ ～를 이루다 e-e Mulde bilden.

-분지(分之) ☞ -분(分) ①.

분책(分冊) Lieferung *f.* -en; Einzelausgabe *f.* -n. ¶ ～으로 lieferungsweise; im einzelnen / ～으로 팔다 im einzelnen verkaufen.

분철(分綴) ‖ ～법 Silbentrennung *f.* -en.

분첩(粉貼) Puderquaste *f.* -n; Puderquast *m.* -(e)s, -e.

분초(分秒) e-e Minute und e-e Sekunde; die genaue (exakte) Zeit; ein Augenblick *m.* -(e)s, -e. ¶ ～를 아낄 때이다 Wir haben k-e Zeit (k-n Augenblick) zu verlieren. | Hier gilt kein Zaudern. | Jetzt gilt es! (지금이 기회다). | Es ist höchste Zeit (höchste Eisenbahn)! (때는 지금이다).

분출(噴出) das Herausspritzen* (Hervorströmen*) -s; Auswurf *m.* -(e)s, ⸚e (화산, 분출물의 뜻으로도). ～하다 heraus|spritzen Ⓢ; hervor|brechen* (-|sprudeln) Ⓢ; spritzen⁴; aus|werfen*⁴ (화산이 불, 재를).
‖ ～물 Auswurf *m.* -(e)s, ⸚e (용암).

분침(分針) Minutenzeiger *m.* -s, - (시계의).

분칭(分秤) e-e kleine Waage, -n.

분탄(粉炭) Staubkohle *f.* -n; (Kohlen)grus *m.* -(e)s, -e; Holzkohlenpulver *n.* -s, -.

분탕질(焚蕩—) Verschwendung *f.* -en; Vergeudung *f.* -en. ～하다 verschwenden; vergeuden.

분토(糞土) Düngererde *f.* -n; verfaulte Erde, -n; Dreck *m.* -(e)s, -e; Mist *m.* -es, -e.

분통(憤痛) (Jäh)zorn *m.* -(e)s; der plötzliche Wutanfall, -(e)s, ⸚. ¶ ～이 터지다 vor Zorn glühen; auf|brausen; in³ Wut entbrennen* / ～을 터뜨렸다 Bei ihm hat es ausgehakt | Ihm ist der Kragen vor Ärger geplatzt.

분투(奮鬪) der erbitterte (heftige; schwere) Kampf, -(e)s, ⸚e; das heftige Ringen*, -s. ～하다 heftig (schwer) kämpfen (ringen*); äußerste (heftige) ⁴Anstrengungen machen; sein Äußerstes tun*. ¶ ～적 kämpferisch / ～하여 지위를 얻다 ³sich e-e Stellung erkämpfen / ～하여 승리하다 ³sich den Sieg erkämpfen / 자유를 위하여 ～하다 um s-e Freiheit kämpfen.

분파(分派) Zweig *m.* -(e)s, -e; Ausläufer *m.* -s, -; Sekte *f.* -n; 《정당의》 Splitterpartei *f.* -en; Fraktion *f.* -en. ☞ 종파(宗派). ～하다 ⁴sich spalten (teilen); ⁴sich verzweigen; e-e neue Sekte bilden.

분패(憤敗) =석패.

분포(分布) Verbreitung *f.* -en; Verteilung *f.* -en. ～하다 ⁴sich verbreiten. ¶ 동식물의 ～ geographische Verbreitung《-en》der Tiere und Pflanzen.
‖ ～곡선 Verteilungskurve *f.* -n. ～도 Verbreitungskarte *f.* -n.

분풀이(憤—) Vergeltung *f.* -n; Rache *f.* -n. ～하다 *jn.* rächen《*für*⁴; *wegen*²》; ³sich rächen《an *jm.* *für*⁴》; ³sich Genugtuung verschaffen; s-n Ärger aus|lassen* 《an *jm.*》.

분필(分筆) die Teilung 《-n》 der Parzelle.

분필(粉筆) Kreide *f.* -n; Kreidestift *m.* -(e)s, -e. ¶ ~ 한(두) 개 ein (zwei) Stück Kreide/ ~로 쓰다 mit Kreide schreiben*⁴ (zeichnen⁴) kreide(l)n⁴.

분하다(憤一) ① 《억울·원통》 geärgert; erbittert; verdrießlich; verübelt; grollend (sein); über ⁴*et.* (auf *jn.*) ärgerlich sein. ¶ 분하게도 zum *js.* Ärger / 분한 나머지 aus Ärger (Kummer)/분하게 하다 *jn.* aufgebracht machen; *jn.* auf|regen; *jn.* wütend machen/ 아이 분해 Wie ärgerlich! / 그의 말이 분하다 Ich nehme ihm seine Bemerkungen übel./ 그는 분해서 미칠 지경이었다 Er wurde fast verrückt vor Ärger. / 그의 말을 들으니 분했다 Seine Aussage macht mich verrückt. / 그 대우를 받고 나는 분했다 Ich war entrüstet (aufgebracht) über die Behandlung, die mir widerfuhr. / 그의 불공평한 처사가 분해서 나는 사직했다 Ich habe die Stelle aufgegeben, weil ich über seine Handlungsweise aufgebracht (entrüstet) war.
② 《섭섭함》 es ist zu beklagen; 〖형용사〗 bereuend; bekümmert; betrübt; bedauernd (sein). ¶ 그를 보지 못해 ~ Es tut mir leid, daß ich die Gelegenheit, ihn zu treffen, verpaßt habe. / 그는 낙제한 것이 분했다 Er war unglücklich darüber, daß er das Examen nicht bestanden hatte.

분한(分限) ① 《실용성》 Nützlichkeit *f.*; 《경제성》 ökonomischer Gebrauch, -(e)s, ⸗e; sparsamer Gebrauch. ¶ ~이 없다 verschwenderisch sein / ~이 있다 sparsam verbrauchen (gebrauchen) / ~ 있게 돈을 쓰시오 Verwenden Sie Ihr Geld sinnvoll. / 요새는 전보다 돈이 ~ 없다 Heute ist das Geld nicht mehr so wertvoll wie früher. ¦Heute ist Geld auch nicht mehr, was es einmal war. ② =분수¹(分數) ②.

분할(分割) Teilung *f.* -en; Spaltung *f.* -en; Abteilung *f.* (구분); Aufteilung *f.* -en (영토 따위의); Zergliederung *f.* -en (사지, 나라 따위의). ~하다 teilen⁴ 《*in*⁴》; ab|teilen⁴; auf|teilen⁴; zerteilen⁴; spalten⁴; trennen⁴ 《*von*³》; zergliedern⁴. ¶ 영토를 ~하다 ein Gebiet ab|treten* / 재산의 일부를 ~하다 *jm.* e-n Teil des Besitzes ab|treten* / 토지를 ~하다 Grund u. Boden ein|teilen; e-n Bauplatz ein|teilen (건축 대지 등을).
‖ ~공급 Teillieferung *f.* -en. ~지불 Ratenzahlung *f.* -en. 토지~ Einteilung 《*f.* -en》 des Grundstücks. 폴란드~ Teilung 《*f.*》 Polens.

분할(分轄) separate (getrennte) Verwaltung, -en. ~하다 separat (getrennt) verwalten.

분할불(分割拂) Ab¦zahlung (Teil-) *f.* -en; Rate *f.* -n. ¶ ~로 사다 auf Ratenzahlung kaufen / ~로 지불하다 ratenweise zahlen; in Raten ab|zahlen.

분합(分閤) 〖건축〗 Fenster (zugleich Schiebetüre), mit denen die Diele zum Hof hin abgeschlossen werden kann.

분해(分解) Analyse *f.* -n (분석); Auflösung *f.* -en; Auseinandersetzung *f.* -en; Zerlegung *f.* -en; Demontage [demɔntáːʒə] *f.* -n (기계 따위). ~하다 analysieren⁴; auf|lösen⁴《*in*⁴》; zerlegen⁴; 〖화학〗 ab|scheiden⁴; 《기계 따위》 auseinander|nehmen*⁴ (-|setzen⁴; -|tun*⁴); demontieren⁴. ¶ 기계를 ~하다 e-e Maschine (ein Gerät; e-n Apparat) auseinander|nehmen* (demontieren) / ~할 수 없는 〖화학〗 unlösbar / 물을 산소와 수소로 ~하다 Wasser in Oxygen und Hydrogen zersetzen.
‖ ~작용 zersetzende Wirkung, -en; Verwitterung *f.* -en (풍화). 전기~ Elektrolyse *f.* -n.

분해하다(憤一) ① 《분격하다》 über ⁴*et.* Entrüstung fühlen. ¶ 발을 동동 구르며 ~ entrüstend die Füße stempeln / 그녀의 말에 그는 분해했다 Er entrüstete sich (regte sich auf) über ihre Bemerkungen.
② 《원통》 Ärger 《*m.* -s》 fühlen; Kummer 《*m.* -s》 fühlen. ¶ 그는 상을 못 탄 것을 분해했다 Er war verärgert, weil er keinen Preis gewonnen hat.

분향(焚香) Weihrauch *m.* -(e)s. ~하다 Weihrauch brennen*.

분홍(粉紅) Rosa *n.* -s; Hell¦rot (Blaß-) *n.* -(e)s. ¶ ~(빛)의 rosa 〖무변화〗; hell¦rot (blaß-).

분화(分化) Differenzierung *f.* -en; Spezialisierung *f.* -en. ~하다 ⁴sich differenzieren; ⁴sich spezialisieren.

분화(噴火) (Vulkan)ausbruch *m.* -(e)s, ⸗e; Eruption *f.* -en. ~하다 aus|brechen* Ⓢ; tätig sein〖이상 화산이 주어〗. ¶ ~ 중의 tätig.
‖ ~구 Krater *m.* -s, -; Feuerschlund *m.* -(e)s, ⸗e. ~산 Vulkan *m.* -s, -e; der feuerspeiende Berg, -(e)s, -e: ~산의 vulkanisch.

분회(分會) der Ortsverein 《-(e)s, -e》 e-r Organisation; die Zweigstelle 《-n》 e-r Gesellschaft.

붇다 (an|)schwellen*Ⓢ; ⁴sich bauchen; auf|gehen* Ⓢ; auf|quellen* Ⓢ; eingeweicht werden; durchnäßt werden; durchtränkt sein 《*von*³》; ⁴sich aus|dehnen (팽창하다); ⁴sich vermehren; ⁴sich vergrößern; ⁴sich verstärken. ¶ 물에 불은 완두콩 aufgequollene (eingeweichte) Erbsen 《*pl.*》 / 강물이 불었다 Der Fluß ist angeschwollen. / 인구가 급격히 불었다 Die Bevölkerung wuchs schnell an. / 재산이 불었다 Das Vermögen vermehrte sich. / 가축이 불었다 Das Vieh vermehrte sich.

불¹ ① 《일반적인》 Feuer *n.* -s, -; Brand *m.* -(e)s, ⸗e; Flamme *f.* -n; Glut *f.* -en; Funke(n) *m.* ..kens, ..ken; Licht *n.* -(e)s, -er; Lohe *f.* -n. ¶ 불이야 Es brennt!¦ Feuer! Feuer! / 서울에는 불이 자주 난다 In Seoul brennt es oft. / 불붙기 쉬운 entzünd¦bar (-lich); leicht brennend / 불타고 있는 feurig; flammend; glühend / 불이 타오르다 auf|flammenⓈ; auf|lodern (empor|-)Ⓢ; auf|lohen Ⓢ; in ⁴Flammen auf|gehen*Ⓢ / 불이 붙다 Feuer fangen*〖타는 물건이 주어〗/ 불을 쬐다 ⁴sich am Feuer (durch)wärmen (durch|wärmen) / 불에 올려놓다 ans Feuer setzen⁴; den Flammen übergeben* / 불에 태우다 ins Feuer (hinein|)werfen*⁴; ein Raub der Flammen werden lassen*⁴ / 불을 일으키다 Feuer an|fachen (schüren) / 불을 토하다 Feuer schlagen*; Flammen speien* / 불을 지피다 dem Feuer Kohlen zu|führen; das Feuer mit Kohlen speisen / 불을 묻다 das Feuer vergraben* (verscharren) / 불을 헤집다 das Feuer schüren / 불을 피우다 Feuer (an|)machen (zum Brennen bringen*)/ 불을 끄다 das Feuer (aus|)löschen (aus|gehen machen) / 파이프 (엽궐련)에 불을 붙이다 die Pfeife an|zünden (³sich e-e Zigarre an|brennen*).

② 《화재》 Feuer *n.* -s, -; Brand *m.* -(e)s, ⸗e; Feuersbrunst *f.* ⸗e. ¶ 불길 das (auf)lodernde Feuer; die aufflackernde Flamme, -n / 불을 놓다 《방화》 Häuser an|brennen* (an|stecken; in [4]Brand stecken)(집에); Feuer an|legen / 불은 창고에서 났다 Die Scheune war es, wo das Feuer ausbrach.

③ 《등불》 Licht *n.* -(e)s, -er; Beleuchtung *f.* -en. ¶ 불을 켜다 das Licht an|zünden (ein|schalten; machen) / 램프에 불을 켜다 e-e Lampe an|zünden / 불을 줄이다 das Licht verdunkeln; e-e Lampe herunter|-schrauben / 불을 끄다 das Licht (aus|-) löschen* (ab|schalten) / 불이 꺼졌다 Das Licht ist ausgegangen.

④ 《비유적》 ¶ 불 같은 feurig; fürchterlich; hetzig; kochend; leidenschaftlich; rasend / 성질이 불 같은 사람 ein feuriger Mensch, -en, -en / 불 안 땐 굴뚝에 연기 날까 „Wo Rauch ist, da ist auch Feuer" / 불을 보듯이 명백하다 sonnenklar sein; am Tage liegen*; [4]*et.* mit Händen greifen können*; über jeden Zweifel erhaben sein / 눈에서 불이 난다 Es ist *jm.* (zumute), als ob s-e Augen vor Schrecken Funken sprühten. (놀라서).

불[2] ① 《음낭》 Hodensack *m.* -(e)s, ⸗e. ② 《불알》 Hode *f.* -n. ¶ 돼지의 불을 까다 ein Schwein kastrieren.

불[3] 〖농업〗 die Seitenklappen 《*pl.*》 e-s Ladegestells; die Seitenklappen des Ladeaufbaus.

불(佛) ① 《불타》 Buddha *m.* -s. ¶ 불구(佛具) Altarseinrichtung *f.* -en. ② 《프랑스》 Frankreich *n.* -s.

불(弗) Dollar *m.* -s, -s. ¶ 10 불 zehn Dollar.

불-(不) Nicht-; Un-.

-불(拂) das Zahlen*, -s; (Be)zahlung *f.* -en; Rechnung *f.* -en.

‖ 선불 Vorauszahlung *f.* -en. 전액불 volle Bezahlung, -en. 현금불 Zahlung 《*f.*》 in bar; bare Bezahlung, -en. 후불 (현금상환불) Nachnahme *f.* -n: 피아노는 현금 상환불로 보내드리겠읍니다 Wir werden Ihnen das Klavier gegen Nachnahme senden.

불가(不可) Unbilligkeit *f.* -en; Unrecht *n.* -(e)s. ~하다 unbillig; unerlaubt; unrecht; unberechtigt; 《성적이》 nichtgenügend; ungenügend (sein). ¶ ~로 하다 mißbilligen[4]; verurteilen[4]; vor|werfen*[3·4] / 가(可)도 ~도 아니다 erträglich (leidlich; mittelmäßig; weder gut noch schlecht) sein / 가(可) 8에 ~ 3이었다 Die Stimmen dafür waren acht, die dagegen drei.

불가(佛家) ① 《신자·불문(佛門)》 Buddhist *m.* -en, -en; buddhistische Familie, -n. ② 《절》 buddhistischer Tempel, -s, -.

불가결(不可缺) Unentbehrlichkeit *f.* -en; Notwendigkeit *f.* -en. ~하다 unerläßlich; unentbehrlich; (unbedingt) notwendig; unbedingt nötig; nichts anderes als nötig; unausbleiblich (sein). ¶ 공기는 생명에 ~의 것이다 Die Luft ist zum Leben unentbehrlich. / 나는 그것을 ~한 것으로 생각한다 Ich halte es für notwendig.

불가능(不可能) Unmöglichkeit *f.* -en; Unerreichbarkeit *f.* -en; Undenkbarkeit *f.* -en. ~하다 unmöglich; 《실행하기 어려운》 unausführbar; 《있을 수 없는》 undenkbar; 《미치지 못할》 unerreichbar (sein). ¶ ~한 일 das Unmögliche*, -n / ~한 일을 시도하다 Unmögliches versuchen (an|streben); dem Unmöglichen nach|jagen [s,h]; mit dem Kopf durch die Wand (rennen) wollen*/ 그것은 거의 ~한 일이다 Es ist beinahe unmöglich (kaum zu erwarten). | Es läßt sich k-e Möglichkeit absehen. | Es ist k-e Aussicht dazu vorhanden. ⌈-n.

불가래 e-e kleine hölzerne Feuerschaufel,

불가리아 Bulgarien *n.* ¶ ~의 bulgarisch.

‖ ~사람 Bulgare *m.* -n, -n.

불가물 e-e schwere Dürre, -n.

불가분(不可分) Unteilbarkeit *f.*; Untrennbarkeit *f.* ~하다 unteilbar; untrennbar; unzertrennlich (sein). ¶ 양자는 ~의 관계가 있다 Die beiden sind untrennbar verbunden.

불가불(不可不) unvermeidlich; unumgänglich; gezwungenermaßen. ¶ ~ 해야만 하다 nicht umhin können* / 나는 ~ 내일 떠나야 한다 Ich muß wirklich morgen weggehen. / ~ 가야 한다 Ich habe k-e andere Wahl als zu gehen. | Mir bleibt nichts anderes übrig als zu gehen.

불가사리 〖동물〗 Seestern *m.* -(e)s, -e.

불가사의(不可思議) Wunder *n.* -s, -; Rätsel *n.* -s, - (수수께끼); Unbegreiflichkeit (Unerforschlichkeit) *f.* -en (불가해); Geheimnis *n.* ..nisses, ..nisse; Mysterium *n.* -s, ..rien; etwas Wunderbares* (물건); Wundertat *f.* -en (기적); das übernatürliche Ereignis, ..nisses, ..nisse. ~하다 unbegreiflich; unergründlich; unverständlich; geheimnisvoll (신비적); rätselhaft; übernatürlich (초자연적); wunderbar; wundervoll (sein). ¶ 세계의 일곱 가지 ~ die sieben Wunder der Welt / ~를 낳다 Wunder tun* (wirken; voll|bringen*).

불가시(광)선(不可視(光)線) 〖물리〗 ein unsichtbarer Strahl, -(e)s, -en.

불가역(不可逆) Nichtumkehrbarkeit *f.* ¶ ~의 unumkehrbar; irreversibel; unabänderlich; unwiderruflich.

‖ ~반응 e-e irreversible Reaktion, -en. ~성 Unabänderlichkeit *f.*; Nichtumkehrbarkeit *f.* ~현상 unabänderliches (nicht umkehrbares) Phänomen, -s, -e.

불가입성(不可入性) 〖물리〗 Undurchdringlichkeit *f.*

불가지(不可知) Unerkennbarkeit *f.* -en; Unbegreiflichkeit *f.* -en; Unerforschlichkeit *f.* ~하다 unerforschlich; unerkennbar; unergründlich (sein).

‖ ~론 Agnostizismus *m.* -: ~론자 Agnostiker *m.* -s, -.

불가침(不可侵) Unverletzlichkeit *f.*; Unangreifbarkeit *f.* ¶ ~ 조약을 맺다 e-n Nichtangriffspakt 《-(e)s, -e》 (ab|) schließen* 《*mit*[3]》 / ~의 unantastbar; unverletzlich; heilig (신성한); unangreifbar.

‖ ~권 ein unverletzliches Recht, -(e)s, -e: 영토 ~권 die Unverletzlichkeit des Territoriums. 인간권리 ~성 die Unverletzlichkeit der Menschenrechte.

불가피(不可避) Unabwendbarkeit *f.*; Unausweichlichkeit *f.*; Unentrinnbarkeit *f.*; Unumgänglichkeit *f.* ~하다 unabweisbar; unabweislich; unabwendbar; unausweichlich; unentrinnbar; unumgänglich; unvermeidlich; 《긴급한》 unaufschiebbar; dringend (sein). ¶ ~한 사정으로 in e-r unumgänglichen Angelegenheit / ~하게 되다

schön in die Klemme kommen* ⓢ; schön in der Klemme sitzen*(상태) / 죽음은 ~하다 Der Tod ist unentrinnbar. / 전쟁은 ~한 것이 아니다 Der Krieg ist nicht unvermeidlich.

불가항력(不可抗力) Unwiderstehlichkeit *f.* -en; Unvermeidlichkeit *f.* -en. ¶ ~의 unkontrollierbar; unwiderstehlich; unvermeidlich; unentrinnbar / ~의 사고 ein unvermeidlicher Unfall, -(e)s, ¨e / ~의 숙명 das unentrinnbare Schicksal, -(e)s, -e.

불가해(不可解) Unbegreiflichkeit *f.* -en; das Geheimnisvolle [Rätselhafte*] -n; das Mysteriöse*, -n; Dunkel *n.* -s. **~하다** unbegreiflich; unerklärlich; geheimnisvoll; rätselhaft; mysteriös; dunkel (sein). ¶ ~한 사람 der rätselhafte Mensch, -en, -en; Sphinx *f.* -e.

불각(佛閣) =불당(佛堂).

불간섭(不干涉) Nichteinmischung *f.* -en; Nichtintervention *f.* -en. ‖ **~주의** Nichtinterventionsprinzip *n.* -s, -e [..pien].

불감증(不感症) 〖의학〗 Geschlechtskälte *f.*; Frigidität. ¶ ~의 geschlechtskalt; frigid / ~의 여자 e-e frigide Frau, -en.

불강아지 ein magerer Hund, -(e)s, -e.

불개 ein mythischer Hund, der Sonnen- u. Mondfinsternis verursachen soll, indem er Sonne bzw. Mond aufzufressen versucht.

불개미 〖곤충〗 rote Ameise, -n.

불개입(不介入) Nichteinmischung *f.* **~하다** ⁴sich nicht ein|mischen; nicht dazwischen|treten* ⓢ; nicht intervenieren.

‖ **~정책** Nichteinmischungspolitik *f.* -en; Politik der Nichteinmischung: 전쟁 ~ 정책을 취하다 e-e Politik der Nichteinmischung in den Krieg verfolgen.

불거웃 Schamhaar *n.* -(e)s, -e.

불거지다 hervor|ragen; hervor|stehen*; heraus|treten*ⓢ; vor|springen*ⓢ; ⁴sich aus|bauchen.

불걱거리다 ① 《씹다》 (mit vollem Mund) etwas Zähes kauen. ② 《빨래를》 die Wäsche scheuern u. scheuern.

불걱불걱 ① 《씹다》 e-e Bewegung des Kauens zäher Sachen. ② 《빨래》 anstrengende Reinigung der Wäsche.

불건강(不健康) schlechte Gesundheit; schlechte Körperbeschaffenheit. **~하다** in schlechter Gesundheit sein. ‖ **~상태** 〖의학〗 Kachexie *f.*; Kräfteverfall *m.* -s.

불건전(不健全) Ungesundheit *f.*; Schädlichkeit *f.*; Verdorbenheit *f.* **~하다** ungesund; schädlich; verdorben (sein). ¶ ~한 생각 gefährliche Gedanken 《*pl.*》 / ~한 사상 dekadente Ideologie / ~한 정신 gefährliche Gesinnung, -en.

불겅거리다 mit vollem Mund kauen; den Mund voll nehmen*.

불겅불겅 zäh; schwer zu kauen.

불겅이 geschnittener rötlicher Tabak, -(e)s, -e.

불결(不潔) Unreinlichkeit *f.* -en; Unsauberkeit *f.* -en; Schmutzigkeit *f.* -en. **~하다** unrein(lich); unsauber; schmutzig (sein). ¶ ~한 손 schmutzige Hände 《*pl.*》 / ~한 거리 die dreckige Straße, -n / ~한 이야기 e-e unanständige Rede, -n / 부엌이 ~하다 Die Küche ist schmutzig. / ~한 것 die Unreinlichkeiten 《*pl.*》 / ~한 놈 〖속어〗 Schmutzfink *m.* -en, -en.

불결과(不結果) das Fehlschlagen*, -s; das Mißlingen*, -s; ein ungünstiges Resultat, -(e)s, -e. ¶ ~로 끝나다 mit e-m Mißerfolg enden; e-n schlechten Ausgang nehmen*; ⁴sich als unfruchtbar erweisen*.

불경(不敬) Unehrerbietigkeit *f.* -en 《*gegen*⁴》; (Gottes)lästerung *f.* -en (모독). **~하다** unehrerbietig; unhöflich; gotteslästerlich (sein). ¶ ~한 태도를 취하다 ⁴sich unehrerbietig benehmen* / ~한 대답 e-e unhöfliche Antwort, -en.

‖ **~죄** Majestätsbeleidigung *f.* -en.

불경(佛經) Heilige Schriften 《*pl.*》 des Buddhismus; Sutra *n.* -s, ..tren 《범어》. ¶ ~을 읽다 den Text für die Kultfeier intonieren.

불경기(不景氣) Flaue *f.*; Flaute *f.* -n; Faulheit *f.*; schlechte wirtschaftliche Lage, -n. ¶ 심각한 ~ e-e ernste Wirtschaftskrise, -n / ~가 도처에 심하다 Die Wirtschaftskrise ist überall spürbar. / 전쟁 후에는 ~가 온다 Nach dem Krieg folgen schlechte Zeiten. / 실업계의 ~는 심각하다 Die Wirtschaftswelt ist in e-r ernsten Krise.

불경제(不經濟) Unwirtschaftlichkeit *f.*; schlechte Wirtschaft, -en; armselige Wirtschaft; Verschwendung *f.*. **~하다** unökonomisch; verschwenderisch; unwirtschaftlich (sein). ¶ ~적인 사람 ein unwirtschaftlicher [verschwenderischer] Mensch, -en, -en/시간과 노력의 ~ Verschwendung 《*f.*》 von Zeit u. Mühe / 값싼 물건을 사는 것은 오히려 ~다 Billige Sachen zu kaufen ist eher e-e Geldverschwendung.

불고(不顧) Nachlässigkeit *f.* -en; Unachtsamkeit *f.* **~하다** vernachlässigen⁴; versäumen⁴; unterlassen*⁴; nicht acht|geben* 《*auf*⁴》. ¶ ~ 체면[체면~]하고 ohne Rücksicht auf Gesichtsverlust / 염치 ~하고 그에게 일을 부탁했다 Ich konnte nicht umhin, ihn darum zu bitten.

불고기 gebratenes Fleisch, -es; Braten *m.* -s, -; Rinderbraten *m.* -s, - (쇠고기).

‖ **돼지~** gebratenes Schweinefleisch, -es; Schweinebraten *m.* -s, -.

불공(不恭) Unehrerbietigkeit *f.*; Mißachtung *f.*; Geringschätzung *f.* **~하다** unehrerbietig (sein); ⁴sich unehrerbietig benehmen*; mißachten⁴; geringschätzig behandeln⁴.

불공(佛供) e-e buddhistische Messe, -n. ¶ ~을 드리다 e-e buddhistische Messe halten*.

불공대천(不共戴天) ¶ ~의 원수 der geschworene [unversöhnliche] Feind, -(e)s, -e; der grimmig gehaßte Gegner, -s, -; der bis auf den Tod gehaßte Feind; Todfeind *m.* -(e)s, -e.

불공정(不公正) Unbilligkeit *f.*; Unehrlichkeit *f.*; Ungerechtigkeit *f.*; Unrecht *n.* -(e)s, -e. **~하다** unfair; unbillig; ungerecht (sein). ¶ ~하게 nicht gerecht; unfair; unbillig; parteiisch / ~한 경쟁 unfairer Wettkampf, -(e)s, ¨e; unlauterer Wettbewerb, -(e)s, -e.

불공평(不公平) Ungerechtigkeit *f.* -en; Unbilligkeit *f.* -en; Einseitigkeit *f.* -en (일방적); Parteilichkeit *f.* -en (편파). **~하다** unbillig; ungerecht; unredlich; einseitig; parteiisch [parteilich] (sein). ¶ ~한 처사를 하다 ein Unrecht an|tun*³ [zu|fügen³] / ~한 조처를 취하다 e-e ungerechte Maßnahme treffen* / 여기서는 어린이를 ~하게 다루지 않습니다 Die Kinder werden hier unterschiedslos behandelt. / 그의 판단은 ~하다 Das Urteil von ihm ist ungerecht.

불과(不過) nicht mehr als; nichts (weiter) als; bloß; nur. **~하다** nicht mehr als ... sein; nichts (weiter) als ... sein. ¶ ~ 십 명 nicht mehr als zehn Personen (Leute) / ~ 일 주일 전에 bloß (nur) vor e-r Woche / 허튼 소리에 ~하다 nichts als leere Redensarten / 구실에 ~하다 Es ist bloß e-e Ausrede. / 그는 그저 친구에 ~하다 Er ist nicht mehr als ein Freund von mir. / 그는 소위에 ~하다 Er ist nicht mehr als Leutnant.

불과(佛果) Nirwana *n.* -s; Erleuchtung *f.* -en. ¶ ~를 얻다 die Erleuchtung erlangen; in das Nirwana ein|gehen* ⓢ.

불관(不關) k-e Beziehung 《zu [3]*et.* haben》. **~하다** mit [3]*et.* nichts zu tun haben; in [4]*et.* [4]sich nicht ein|mischen; zu [3]*et.* kein Verhältnis haben.

불교(佛教) Buddhismus *m.* -. ¶ ~의 buddhistisch / ~를 믿다 Ich glaube an Buddhismus.

‖ **~도** Buddhist *m.* -en, -en. **~문학** buddhistische Literatur. **~문화** buddhistische Kultur. **~미술** buddhistische Malerei. **~음악** buddhistische Musik. **~청년회** buddhistischer Verein 《-s》 junger Männer.

불구(不具) Entstellung *f.* -en; Fehl|bildung (Miß-) *f.* -en; Mißgeburt *f.* -en; Mißgestalt (Un-) *f.* -en; Verkrüppelung *f.* -en; Verstümm(e)lung *f.* -en. ¶ ~의 entstellt; fehl|gebildet (miß-); mißgeboren; mißgestalt (un-); verkrüppelt; verstümmelt. / ~가 되다 entstellt (verkrüppelt; verstümmelt) werden.

‖ **~자** Krüppel *m.* -s, -; der Entstellte*, -n, -n; der Fehlgebildete* (Mißgebildete*) -n, -n; Mißgeburt *f.* -en; der Verkrüppelte* (Versehrte*; Verstümmelte*) -n, -n.

불구(不拘) **~하다** nicht verhindert (gehindert; aufgehalten; zurückgehalten; behindert) werden; nicht beachten; ignorieren; kein Hindernis in sich eingreifen (intervenieren) lassen*. ¶ ~하고 trotz[2·3]; ungeachtet[2]; dessenungeachtet; nichtsdestoweniger; gleichwohl; dennoch; trotzdem; jedoch; bei alledem; was...auch (immer) ...; obwohl; obschon; obgleich; ob (wenn) ... auch; unabhängig 《*von*[3]》; ohne Rücksicht 《*auf*[4]》 / 수고에도 ~하고 trotz aller Mühe; bei aller [3]Mühe / 그 모든 결함에도 ~하고 trotz all s-r [2]Mängel; bei all s-n [3]Mängeln / 우천에도 ~하고 trotz des Regenwetters; obwohl es regnet / 내 충고에도 ~하고 ohne auf m-n Rat Rücksicht zu nehmen (zu hören) / 결과 여하를 ~하고 unabhängig von den Folgen / 남녀를 ~하고 ohne Rücksicht auf das Geschlecht / 노소를 ~하고 ohne Unterschied des Alters / 청우(晴雨)를 ~하고 ob es regnet od. nicht.

불구대천(不具戴天) =불공대천.

불구속(不拘束) ¶ ~으로 ohne [4]Freiheitsbeschränkung (Verhaftung).

불굴(不屈) Unbeugsamkeit *f.*; Unerschütterlichkeit *f.*; Unbezähmbarkeit *f.*; Standhaftigkeit *f.* ¶ ~의 unbeugsam; unbezwingbar; unerschütterlich / ~의 의지를 가지다 e-n eisernen (stählernen; starken) Willen haben.

불귀객(不歸客) ein verstorbener Mensch, -en, -en. ¶ ~이 되다 von dem irdischen Leben Abschied nehmen*; s-e letzte Reise an|treten*.

불규칙(不規則) Unregelmäßigkeit *f.* -en; Uneinheitlichkeit *f.* -en; Regellosigkeit *f.* -en. **~하다** unregelmäßig; regellos; regelwidrig; anomal (변칙적인); unmethodisch; unsystematisch (무질서); uneinheitlich (sein). ¶ ~한 생활을 하다 e-n unordentlichen Lebenswandel (ein liederliches Leben) führen / ~하게 수업에 나오다 unregelmäßig zum Unterricht kommen* ⓢ.

불균형(不均衡) Der Mangel 《-s》 an Ebenmaß; Mißverhältnis *n.* ..nisses; Ungleichmäßigkeit *f.* -en; Asymmetrie *f.* -n. **~하다** nicht ebenmäßig; ungleichmäßig; unsymmetrisch; asymmetrisch (sein).

불그데데하다 rötlich (sein). ¶ 그녀의 볼이 좀 불그데데해졌다 Ihre Wangen waren leicht errötet.

불그뎅뎅하다 ☞ 불그데데하다.

불그레하다 rötlich; rot gefärbt (sein).

불근신(不謹慎) Unbesonnenheit *f.* -en; Unklugheit *f.* -en; Unvorsichtigkeit *f.* -en. **~하다** unbesonnen (unvorsichtig; unbeschämt) sein.

불금하다(不禁—) erlauben[34]; nicht umhin können. ¶ 눈물을 ~ die Tränen nicht zurückhalten können*.

불급(不急) **~하다** nicht dringend (eilig) (sein); es pressiert nicht 《*jm.*》; es nicht eilig haben. ¶ ~불요한 일 unwesentliche Dinge 《*pl.*》; Nebensächlichkeiten 《*pl.*》.

불긋불긋 ☞ 발긋발긋.

불기(一氣) Spuren 《*pl.*》 vom Feuer. ¶ ~가 없다 kein Zeichen vom Feuer auf|weisen* / ~없는 방 ein ungeheiztes Zimmer, -s, - / 난로에는 ~가 없다 Im Ofen gibt es k-e Spuren vom Feuer.

불기(不羈) Unabhängigkeit *f.* -en; Ungezwungenheit *f.* -en; Freiheit *f.* -en. ¶ ~의 unabhängig; frei; ungebunden; ungezwungen / ~ 독립의 정신 ein freier u. unabhängiger Geist, -(e)s, -er / ~의 생활을 하다 ein ungebundenes Leben führen.

불기(佛紀) buddhistische Ära, ..ren; buddhistisches Zeitrechnung. ¶ ~ 2500년 das Jahr 2500 buddhistischer Zeitrechnung (entspricht dem Jahr 1935).

불기둥 Feuersäule *f.* -n. ¶ ~이 일다 E-e Feuersäule lodert auf. | Ominöse Flammen lodern hoch.

불기소(不起訴) die Einstellung 《-en》 des (gerichtlichen) Verfahrens. **~하다** nicht an|klagen[4]; gerichtlich nicht belangen[4] (verfolgen[4]); k-e (gerichtliche) Anklage erheben* 《gegen *jn.*》. ¶ 그는 ~되었다 Sie haben gegen ihn das (gerichtliche) Verfahren eingestellt.

불기운 Feuerhitze *f.*; die Stärke des Feuers. ¶ ~이 더해가다 das Feuer breitet sich aus / ~이 떨어지다 das Feuer erlischt.

불길 Flamme *f.* -n; Lohe *f.* -n; 〖시〗 Waberlohe *f.* -n. ¶ ~같은 flammig; flammenartig / ~이 일다 es flammt (auf); in Flammen auf|gehen* ⓢ (stehen*); es lodert (loht; wabert) / 사랑〔질투〕의 ~이 일다 von Liebe (von Eifersucht) entflammt sein / ~을 잡다 dem Feuer Einhalt tun*; die Flammen unterdrücken / ~이 재빨리 번졌다 Das Feuer griff rasch um sich. / ~이 하늘로 치솟는다 Die Flammen lodern zum Himmel. / 그 집은 순식간에 ~에 휩싸

였다 Das Haus geriet gleich in Flammen.

불길(不吉) das böse (schlimme) Vorzeichen, -s, -(Omen, -s, ..mina); Unglück *n.* -(e)s; Unglückszeichen *n.* -s, -. **~하다** unglücks|verheißend (-schwanger); unheildrohend; verhängnisvoll (sein). ¶그것은 ~한 징조다 Das ist von böser (schlechter; schlimmer) Vorbedeutung. / ~한 행위 e-e verhängnisvolle Tat, -en.

불김 die Wärme des Feuers. ¶~에 젖은 옷이 말랐다 Die nassen Kleider trockneten durch die Wärme des Feuers.

불깃 e-e Schneise ((-n)) brennen*, um die Ausbreitung e-s Waldbrandes zu verhindern.

불까다 kastrieren^{4}; verschneiden*^{4}. ¶불깐 돼지 kastriertes Schwein, -(e)s, -e / 불깐 말 Wallach *m.* -(e)s, -e (*m.* -en, -en) / 말을 ~ ein Pferd kastrieren.

불깍정이 Geizhals *m.* -es, ¨e; Geizhammel *m.* -s, -; Geizhund *m.* -(e)s, -e; Geizkragen *m.* -s, -.

불꽃 《화염》 Funke(n) *m.* ..kens, ..ken; 《놀이의》 Feuerwerk *n.* -(e)s, -e. ¶~이 튀다 funkeln; Funken ((*pl.*)) sprühen (schlagen*) / ~을 튀기며 싸우다 unerbittlich (mit aller Anstrengung (Kraft; Wucht) kämpfen / ~ 튀는 설전을 하다 hitzig hin u. her disputieren ((*über*^{4})) / ~ 튀는 설전 die hitzige Diskussion, -en; e-e erhitzte Debatte, -n / ~을 올리다 ein Feuerwerk ab|brennen* (laufen lassen*) / 이제 화려한 ~이 터질 겁니다 Jetzt werden Brillantsätze (bengalische Feuerwerke) abgebrannt.

‖**~놀이** das Feuerwerken*, -s.

불끈 plötzlich; heftig. **~하다** auf|fahren* ⓢ; in Wut geraten* ⓢ. ¶성을 ~ 내다 heftig auf|fahren* ⓢ; plötzlich in Wut geraten* ⓢ / 주먹을 ~ 쥐고 mit geballten Fäusten / 주먹을 ~ 쥐다 die Faust ((¨e)) ballen.

불끈불끈 《화가나서》 aufgebracht; wütend. **~하다** schnell in Wut geraten* ⓢ; leicht böse sein (werden).

불나다 ein Feuer bricht aus. ¶그 호텔에 불났다 In dem Hotel ist ein Feuer ausgebrochen. / 불난 집에 부채질하다 Öl ins Feuer gießen*; e-e Sache noch verschlimmern; ein Übel noch vergrößern.

불나방, 불나비 =부나비.

불난리(一亂離) Getümmel ((*n.* -s, -)) an der Brandstätte. ¶~속에 많은 사람이 다쳤다 Im Getümmel an der Brandstätte wurden viele Leute verletzt. / ~ 속의 도둑 Dieb ((*m.* -(e)s, -e)) an der Brandstätte.

불내다 unbeabsichtigt e-n Brand verursachen.

불놀이 ☞ 불꽃놀이. ¶오늘 밤 한강에 ~자 있다 Heute abend findet am *Han*-Fluß ein Feuerwerk statt.

불놓다 ① 《방화》 Feuer an|legen; in Brand stecken^{4}; an|zünden^{4}; in Brand setzen^{4}. ¶집에 ~ ein Haus in Brand stecken. ② 《광산》 im Bergwerk e-e Explosion zünden.

불놓이 das Jagen* ((-s)) mit Jagdgewehr.

불능(不能) Unfähigkeit *f.* -en; Inkompetenz *f.* -en; Unmöglichkeit *f.* -en; Untauglichkeit *f.* -en; Unvermögenheit *f.* -en. **~하다** unfähig; inkompetent; unvermögend; untauglich (sein).

‖**성교~** Impotenz *f.* -en; Zeugungsunfähigkeit *f.* -en. **지불~** Zahlungsunfähigkeit *f.* -en.

불다^{1} 《바람이》 wehen; blasen*. ¶바람이 모질게 분다 Die Winde toben. / 바람이 어느 쪽에서 불어 오느냐 Von welcher Richtung her weht der Wind?

불다^{2} ① 《입으로》 blasen*; auf|blasen*; pfeifen*. ¶손을 호호 ~ in die Hände blasen* / (더운) 커피를 ~ den Kaffee blasen*/ 나팔을 ~ e-e Trompete blasen* / 풍선을 ~ e-n Ballon auf|blasen* / 휘파람을 ~ pfeifen*. ② 《자백》 gestehen*^{4}; ein|gestehen*^{4}; die Katze aus dem Sack lassen*. ¶사실대로 ~ die Wahrheit gestehen* / 죄를 ~ ein Verbrechen gestehen* / 빨리 불어 Heraus damit! / 그는 마침내 불고 말았다 Endlich hat er gepfiffen.

불단(佛壇) der buddhistische Hausaltar, -s, ¨e.

불당(佛堂) der buddhistische Tempel, -s, -.

불당그래 Feuerhaken *m.* -s, -.

불덩어리 Feuerkugel *f.* -n; Brandkugel *f.* -n. ¶~가 되어 in e-m Flammenmeer.

불도(佛徒) Buddhist *m.* -en, -en.

불도(佛道) die Lehre von Buddha; die buddhistische Doktrin.

‖**~수행** buddhistische Askese.

불도두개 Haken ((*m.* -s, -)) zum Aufrichten des Lampendochts.

불도저 Raumpflug *m.* -(e)s, ¨e; Bulldozer *m.* -s, -.

불독 Bulldogge *f.* -n; Bullenbeißer *m.* -s, -.

불돌 flache Steinstücke, mit denen man die brennende Holzkohle bedeckt, um das Feuer im Kupferkessel länger zu halten.

불되다 grausam; brutal (sein).

불두덩 Schamgegend *f.* -en.

불등걸 glühendes Holzstück, -(e)s, -e; glühende Holzkohle, -n.

불땀 die Brennkraft des Feuerholzes. ¶~이 세다 《장작 따위가》 Die Brennkraft des Feuerholzes ist stark. / 썩은 장작은 ~이 적다 Das verfaulte Feuerholz brennt nicht gut.

불땀머리 das gut getrocknete Ende e-s Holzstücks.

불때다 Feuer machen. ¶방에 ~ ein Zimmer heizen / 아궁이에 ~ Feuer im Kamin machen; den Ofen an|feuern.

불땔감 Brennholz *n.* -es; Brennstoff *m.* -(e)s, -e.

불땔꾼 Störenfried *m.* -(e)s, -e; Unruhestifter *m.* -s, -.

불똥 ① 《숯·숯불》 Schnuppe *f.* -n. ② 《불덩이》 Funke *m.* -n(s), -n. ¶~을 튀기다 die Funken sprühen / ~이 튀다 《비유적》 in ^{4}*et.* hinein|ziehen* / 발밑에 ~이 떨어지다 《비유적》 brandeilig sein; unter den Nägeln brennen* / 굴뚝에서 ~이 날았다 Aus dem Schornstein sprühten Funken.

불뚝 in e-m plötzlichen Zornausbruch; in Zorn ausbrechend.

불뚝불뚝 immer wieder in Zorn ausbrechend.

불뚱거리다 vor Ärger (Zorn) bersten*; vor Wut zittern.

불농불농 wutend; tobend.

불뚱이 《성질》 Reizbarkeit *f.*; Jähzorn *m.* -(e)s; 《사람》 jähzorniger Mensch, -en, -en; empfindlicher (reizbarer) Mensch. ¶~(가) 나다 wütend werden; die Vernunft verlieren*; jähzornig werden; verrückt werden.

불란서(佛蘭西) =프랑스.

불량(不良) Schlechtigkeit *f.* -en; schlechte Qualität, -en; geringerer Wert, -(e)s, -e; Fehler *m.* -s, -; Bosheit *f.* -en. **~하다**

schlecht; schlimm; böse(악독한); niedrig(저열한); verderbt(타락한); verdorben(부패한); schädlich(유해한); fehlerhaft(결점있는); ungesund (건강하지 못한) (sein). ¶ 품질이 ～하다 Die Qualität ist schlecht. / 그는 학업 성적이 ～하였다 Er bekam schlechte Zensuren (Noten; Zeugnisse) in der Schule. / 금년의 농작은 ～하다 Die Ernte ist dieses Jahr mißraten.

‖ ～도체 Nichtleiter *m.* -s, -; Isolator *m.* -s, -en. ～배 Gesindel *n.* -s, -; Schweinebande *f.* -n 《속어》; die Sakramenter 《*pl.*》 《속어》; der Halbstarke*, -n, -n 《속어》; Halunke (Schurke) *m.* -n, -n; Schuft *m.* -(e)s, -e. ～소녀 das ungeratene (schlechte) Mädchen, -s, -. ～소년 der ungeratene Bube, -n, -n; Gassenbube *m.* -n, -n; Straßenjunge *m.* -n, -n. ～품 die schlechte (fehlerhafte) Ware, -n; Ausschußware (손상품). ～화 Entartung *f.* -en; Verfall *m.* -(e)s: ～화하다 entartet (verderbt) werden.

불러내다 ① 《밖으로》 heraus|rufen*⁴; heraus|locken⁴ (꾀어내다). ¶ 그를 불러내어 주시겠읍니까 Wollen Sie ihm sagen, daß er hierher kommen soll? ② 《지정된 장소에》 bestellen⁴; auf|fordern⁴; zitieren⁴; vor|laden*⁴ (소환하다). ¶ 법정에 ～ gerichtlich vor|laden*⁴ / 호텔로 ～ ins Hotel bestellen⁴. ③ 《전화통에》 ans Telefon (an den Apparat) rufen*⁴.

불러들이다 herein|rufen*⁴; herein|locken⁴ (꾀어들이다). ¶ 그를 불러들여라 Er soll hereinkommen.

불러먹기 (nächtliche) Erpressung, -en. ～하다 erpressen⁴ (unter Gewaltandrohung, bes. bei Nacht).

불러오다 *jn.* zu ³sich rufen*; *jn.* zu ³sich kommen lassen*.

불력(佛力) die Macht 《=》 Buddhas; der Einfluß 《..flusses, ..flüsse》 Buddhas.

불령(不逞) ¶ ～의 pöbelhaft; rebellisch; widerspenstig; zügellos.

‖ ～지도(之徒) der ⁴sich gegen die Autorität Auflehnende*, -n, -n; der (politisch) Unzufriedene*, -n, -n; Gesindel *n.* -s, -; Pöbel *m.* -s; Rebell *m.* -en, -en.

불로(不老) die ewige Jungend; das ewige Leben, -s (영생). ～하다 ewig jung (sein); die ewige Jugend genießen*. ¶ ～의 영약 Lebenselixier *n.* -(e)s, -e; Ambrosia *f.*

불로소득(不勞所得) das arbeitslose Einkommen, -s, -; das Einkommen aus Kapitalvermögen; unverdientes Geld, -(e)s, -er; ein ungeahntes Einkommen, -s. ¶ ～에는 고액의 세금이 부과된다 Das arbeitslose Einkommen wird mit hohen Steuern belegt.

불로장생(不老長生) ewige Jugend u. langes Leben. ～하다 ewig jung u. lang leben. ¶ ～의 비결 das Geheimnis 《-ses, -se》 ewiger Jugend u. langen Lebens.

불룩하다 zum Besten voll; weich und voll; voll; ausgebaucht; geschwollen; aufgebläht; dick (sein). ¶ 빰을 불룩하게 하여 mit vollen Backen.

불륜(不倫) Unmoral *f.*; Unsittlichkeit *f.* ¶ ～의 unmoralisch; unsittlich / ～한 행위를 하다 unmoralisch handeln; ⁴sich unsittlich benehmen*.

불리(不利) Nachteil *m.* -(e)s, -e; Schaden *m.* -s, = (손실); Ungunst *f.* ～하다 nachteilig; ungünstig; unvorteilhaft (sein). ¶ ～한 입장에 있다 im Nachteil(e) sein 《*jm.* gegenüber》 (…에 대하여) / ～해 지다 zum Nachteil(e) gereichen 《*jm.*》 (…에게) / 형세가 ～하다 Die Verhältnisse liegen ungünstig. / 그것은 그에게 ～한 말이다 Das spricht zu s-n Ungunsten. / 전세(戰勢)가 ～해졌다 Das Kriegsglück hat ihm den Rücken gekehrt (ihn verlassen).

불리다¹ 《배를》 ⁴sich satt essen*; ³sich den Bauch voll|schlagen*; ³sich den Magen füllen. ¶ 공직을 이용하여 자기 배를 ～ ein öffentliches Amt zum privaten Vorteil nutzen / 공금으로 자기 배를 ～ ⁴sich an öffentlichen Geldern bereichern.

불리다² ① 《쇠를》 härten⁴; tempern⁴; schmieden⁴. ¶ 쇠를 ～ Eisen 《*n.* -s》 schmieden. ② 《곡식을》 schwingen*⁴; worfeln⁴. ¶ 곡식을 ～ Getreide schwingen*.

불리다³ ① 《액체에》 ein|weichen⁴ 《*in*³》; ein|wässern⁴; durchtränken⁴ 《*mit*³》; auf|quellen⁴. ¶ 콩을 물에 ～ Erbsen (Bohnen) in Wasser ein|weichen (auf|quellen). ② 《증가》 vermehren⁴; vergrößern⁴; verstärken⁴; schwellen lassen*. ¶ 재산을 ～ das Vermögen vermehren.

불리다⁴ 《바람에》 wehen; geblasen werden. ¶ 먼지가 바람에 ～ Der Staub wird vom Wind aufgewirbelt.

불리다⁵ 《부름을 받다》 gerufen (vorgeladen; bestellt; eingeladen) werden. ¶ 생일 잔치에 ～ zur Feier *js.* Geburtstags eingeladen werden / 법정에 ～ vor Gericht vorgeladen werden.

불리다⁶ 《명명되다》 genannt werden; heißen*. ¶ 칼이라고 불리는 사나이 ein Mann namens Karl / 아버지가 외국인인 한국인은 독일에서는 반한국인(半韓國人)이라고 불린다 E-n Koreaner, dessen Vater ein Ausländer ist, nennt man in Deutschland e-n Halbkoreaner.

불림¹ 《쇠의》 das Tempern*, -s; das Glühen* 《-s》 des Metalls.

불림² 《공범자의》 Information 《*über*⁴》 der Komplicen. ② 《투전판에서》 Aufforderung *f.* -en; das Ausrufen*, -s. ‖ 투전～ Aufforderung zum Abwerfen der Karten.

불만(不滿) Unzufriedenheit *f.* -en; Mißfallen *n.* -s; Mißvergnügen *n.* -s; Unmut *m.* -(e)s; Unwille *m.* -ns, -n; Beschwerde *f.* -n; Klage *f.* -n. ～하다 unzufrieden 《*mit*³》; mißfällig (mißvergnügt) 《*über*⁴》; unbefriedigt 《*von*³》; unbefriedigend; unmutig 《*über*⁴》 (sein). ¶ ～스러운 unbefriedigt; unbefriedigend / ～스러운 결과 ein unbefriedigendes Ergebnis, -ses, -se / ～으로 여기다 ⁴sich nicht zufrieden geben* 《*mit*³》 / ～의 빛을 나타내다 sein Mißfallen 《*über*⁴》 zu erkennen geben* / ～을 털어 놓다 ⁴sich beschweren 《bei *jm.* *über*⁴》; brummen; ein|wenden* 《*gegen*⁴》; nörgeln; murren 《*über*⁴》; quengeln / ～은 없다 vollkommen zufrieden sein 《*mit*³; *über*⁴》 nichts einzuwenden haben 《*gegen*⁴》; ¹*et.* läßt nichts zu wünschen übrig / ～스러운 표정을 짓다 ein unzufriedenes Gesicht machen / 거기에는 ～스러운 점이 많다 Das läßt viel zu wünschen übrig.

불만족(不滿足) ☞ 불만(不滿).

불매동맹(不買同盟) Verbraucherstreik *m.* -(e)s, -e (-s); Boykott [bɔykɔ́t] *m.* -(e)s, -e; das Boykottieren*, -s. ¶ ～을 하다 boy-

kottieren 《*jn.* [⁴*et.*] bei Waren von bestimmten Unternehmungen *od.* aus gewissen Ländern》; nicht kaufen wollen*.
불면불휴(不眠不休) ohne Rast u. Ruh; Tag u. Nacht; rastlos; unaufhörlich. ～하다 Tag u. Nacht (ohne Rast u. Ruh arbeiten).
불면증(不眠症) 〖의학〗 Schlaflosigkeit *f.* -en. ¶ ～에 걸리다 an Schlaflosigkeit leiden*.
‖ ～환자 der an Schlaflosigkeit Leidende*, -n, -n.
불멸(不滅) Unvergänglichkeit *f.*; Unzerstörbarkeit *f.*; Unsterblichkeit *f.* ～하다 unvergänglich; unzerstörbar; unsterblich (sein). ¶ 영혼의 ～ die Unsterblichkeit der Seele / 물질 ～의 원리 das Prinzip 《-s》 der Erhaltung der Materie.
불멸(佛滅) der Tod 《-(e)s》 Buddhas.
불명(不明) ① 《불분명》 Unklarheit *f.*; Undeutlichkeit *f.* -en; Ungewißheit *f.* -en. ～하다 unklar; undeutlich; ungewiß; vage; unbestimmt; verschwommen (sein). ¶ ～의 zweifelhaft; zweideutig; unbekannt / 국적 ～의 비행기 ein Flugzeug 《*n.* -(e)s, -e》 von unbekannter Nationalität / 신원 ～의 시체 e-e nicht identifizierte Leiche, -n.
② 《사리에》 Kurzsichtigkeit *f.* (단견); Unverstand *m.* -(e)s; Dummheit *f.* -en; Unwissenheit *f.* ～하다 einsichtslos; kurzsichtig; unverständig; albern; dumm (sein). ¶ 자신의 ～을 부끄럽게 여기다 ⁴sich s-r Unwissenheit schämen / 그것은 모두 내가 ～한 탓이다 Es ist alles m-e Schuld.
불명(佛名) ① ＝불호. ② 《신자의》 Buddhistenname *m.* -ns, -n; buddhistischer Name, -ns, -n.
불명료(不明瞭) Unklarheit *f.*; Undeutlichkeit *f.* -en; Verschwommenheit *f.* ～하다 unklar; undeutlich; dunkel (sein). ¶ 그의 발음은 ～하다 Er hat e-e undeutliche Aussprache.
불명예(不名譽) Unehre *f.*; Schande *f.* -n; Schmach *f.* ～스럽다 schändlich; unehrenhaft; schmachvoll; schimpflich; 《굴욕적》 ehrlos (sein). ¶ ～로 여기다 für e-e Schande halten*⁴ / 아무에게 ～가 되다 e-e Schande für *jn.* sein; *jm.* zur Unehre [Schande] gereichen / 그는 집안의 ～이다 Er ist der Schandfleck s-s Hauses [die Schande s-r Familie]. Er macht s-r ³Familie Schande.
‖ ～제대 unehrenhafte Entlassung, -en.
불모(不毛) Unfruchtbarkeit *f.*; Sterilität *f.* -en; Dürre *f.* -n. ¶ ～의 unfruchtbar; steril; unergiebig; dürr; öde; wüst / 그들은 ～의 땅을 개간했다 Sie kultivierten das Ödland. Sie machten das wüste Land urbar.
‖ ～지(地) Ödland *n.* -(e)s, ⸗er; das wüste [unfruchtbare] Land, -(e)s, ⸗er.
불목 der wärmste Platz e-s Zimmers mit Fußbodenheizung. ¶ ～에 앉다 ⁴sich auf den wärmsten Platz der Fußbodenheizung setzen.
불목(不睦) Fehde *f.* -n; Streit *m.* -(e)s, -e; Zank *m.* -(e)s, ⸗e; 《적대》 Feindschaft *f.* -en. ～하다 mit *jm.* in Feindschaft sein; mit *jm.* in Fehde liegen*; mit *jm.* in Streit geraten* Ⓢ. ¶ 가정의 ～ Familienzwist *m.* -es, -e / ～하게 되다 in Streit geraten* Ⓢ; ⁴sich *jm.* entfremden.
불목하니 〖불교〗 Tempeldiener *m.* -s, -; Küster *m.* -s, -.
불무하다(不無―) es fehlt an ³nichts; es mangelt *jm.* an ³nichts.
불문(不問) das Nicht-fragen*, -s; das Nichtberücksichtigen*, -s; das Hinwegsehen*, -s. ～하다 nicht fragen; über ⁴*et.* hinweg|sehen*; nicht berücksichtigen; ein Auge zu|drücken. ¶ ～에 부치다 stillschweigend übergehen*; übersehen* 《e-n Fehler》; ignorieren; unbeachtet lassen*; k-e Notiz nehmen* 《von ³*et.*》; unerörtert lassen* / ～곡직하고 man mag [mag man] wollen od. nicht; gern od. ungern (nicht); 《무리하게》 gezwungen; mit Gewalt / ～곡직하고 체포하다 mit Gewalt fest|nehmen 《*jn.*》 / …을 ～하고 《…을 고려하지 않고》 ohne Rücksicht 《*auf*⁴》; 《…의 구별없이》 ohne Unterschied⁽²⁾ 《*von*³》; 연령을[성별을] ～하고 ohne Unterschied des Alters [des Geschlechtes] / 청우를 ～하고 bei jedem Wetter; einerlei, ob es regnet od. nicht / 주야를 ～하고 sei es in der Nacht, sei es am Tage; Tag u. Nacht / 다소를 ～하고 mehr od. weniger/ 그것은 ～에 부치겠다 Ich will darüber hinweg sehen. / 그 문제는 ～에 부칠 것이 아니다 Das soll nicht stillschweigend übergangen werden.
불문(佛文) französischer Satz, -es, ⸗e; das Französische*, -n.
‖ ～과 französische Abteilung, -en. ～학 französische Literatur.
불문(佛門) Buddhismus *m.* -; das buddhistische Priestertum, -s. ¶ ～에 들어가다 buddhistischer Priester werden / ～에 귀의하다 zum Buddhismus über|treten* Ⓢ.
불문율(不文律) das ungeschriebene Gesetz, -es, -e; Gewohnheitsrecht *n.* -(e)s, -e.
불미(不美) Häßlichkeit *f.*; Widerwärtigkeit *f.*; Schändlichkeit *f.* ～하다, ～스럽다 häßlich; garstig; widerwärtig; abstoßend; niederträchtig; unangenehm; skandalös; gemein; schimpflich (sein). ¶ ～스러운 문제 ein skandalöser Fall, -(e)s, ⸗e; ein anstößiger Fall/～스러운 소문 ein geschmackloses Gerücht, -(e)s, -e; ein widerliches, anstößiges Gerücht; Skandal *m.* -s, -e / 신사로서 ～한 행동 ein unwürdiges Verhalten* 《-s》 e-s vornehmen Menschen.
‖ ～지설 abstoßende Bemerkung, -en.
불민(不敏) Unfähigkeit *f.* -en; Untauglichkeit *f.* -en; Dummheit *f.* -en; Albernheit *f.* -en. ～하다 stumpfsinnig; dumm; untauglich; albern (sein). ¶ 그것은 전적으로 나의 ～한 소치입니다 Es ist auf m-n Mangel an Klugheit zurückzuführen.
불바다 Flammenmeer *n.* -(e)s, -e. ¶ ～를 이루었다 Die Flammen greifen langsam um sich.
불받다 beleidigt werden; an e-r Beleidigung leiden*.
불발(不拔) Standhaftigkeit *f.*; Unbeugsamkeit *f.*; Beständigkeit *f.*; Ausdauer *f.* ～하다 standhaft [ausdauernd; ohne ⁴Wanken; unbeugsam; unbezahmbar; unbiegsam; unentwegt; unermüdlich; unerschütterlich; unverwüstlich; zäh(e); zielbewußt) sein. ¶ ～의 정신 der entschlossene Geist, -es; der unbeirrbare Wille, -ns, -n.
불발(不發) das Versagen* [Nichtlosgehen*] -s. ～하다 versagen; nicht platzen Ⓢ; nicht zünden.
‖ ～탄 Versager *m.* -s, -; Blindgänger *m.* -s, -; das nicht geplatzte Geschoß, ..schosses, ..schosse; das Geschoß, das nicht ge-

zündet hat.

불밤송이 e-e vertrocknete Kastanie, die unreif herunterfällt.

불범(不犯) ① 《침범 안함》 ~하다 nicht übertreten*⁴ (ein|dringen* 《in⁴》; über|greifen* 《auf⁴》); ⁴sich nicht ein|drängen 《in⁴》. ② 〖불교〗 die Enthaltung vom Geschlechtsverkehr. ~하다 ⁴sich des Geschlechtsverkehr enthalten*.

불법(不法) Gesetzwidrigkeit *f.* -en; Ungesetzlichkeit *f.* -en; Illegalität *f.* -en; Widerrechtlichkeit *f.* -en; Ungebühr *f.*; Ungehörigkeit *f.* -en; Unrecht *n.* -(e)s. ~하다 rechtswidrig; illegal; ungesetzlich; widerrechtlich; unbillig; ungehörig; un(ge)recht (sein). ¶ ~을 범하다 *jm.* ein Unrecht an|tun* (zu|fügen); ein Unrecht begehen* (부정한 짓을 하다) / ~한 짓을 하다 unrecht tun*.

‖ ~감금 die ungesetzliche Haft, -en; Freiheitsberaubung *f.* -en. ~몰수 unrechtmäßige Enteignung, -en. ~소지 der unerlaubte (illegale) Besitz, -es, -e. ~월경 Grenzverletzung *f.* -en. ~입국 illegaler Eintritt, -(e)s, -e; widerrechtliche Einwanderung, -en. ~침입 das unbefugte Betreten*, -s. ~행위 die ungesetzliche Handlung, -en; die Unrechtmäßigkeiten 《*pl.*》; Gesetzübertretung *f.* -en. 무기~소지 der unerlaubte Besitz von Waffen.

불법(佛法) ① 〖불교〗 Buddhismus *m.* -. ② 《교법》 die Lehre des Buddha.

불벼락 ① 《번갯불》 das Aufleuchten* 《-s》 des Blitzes. ② 《비유적》 e-e tyrannische Verordnung, -en. ¶ ~을 내리다 e-e tyrannische Verordnung erlassen*.

불변(不變) Unveränderlichkeit *f.*; Unwandelbarkeit *f.*; Beständigkeit *f.*; Konstanz *f.* ~하다 unveränderlich; unwandelbar; beständig; konstant (sein). ¶ ~의 진리 ewige Wahrheit, -en.

‖ ~가속도 die gleichmäßige Beschleunigung, -en. ~기간 die peremtorische Frist, -en. ~면 die invariable Ebene, -n. ~색 die feste (dauerhafte; gleichbleibende; waschechte; lichtechte) Farbe, -n. ~수 〖수학〗 Konstante *f.* -n; die unveränderliche Größe, -n. ~식 Invariable *f.* -n. ~오차 der konstante Fehler, -s, -. ~자본 fixes Kapital, -s, -e (..lien). ~층 die unveränderliche Schicht, -en.

불변화사(不變化詞) e-e unflektierbare Wortart, -en; Partikel *f.* -n.

불병풍(一屏風) e-e kleine Stellwand 《*f.* ⸚e》 als Windschutz bei e-m Feuer.

불볕 brennende (glühende) Sonnenhitze. ¶ ~나는 날 ein sengendheißer Tag, -(e)s, -e/ ~(이) 나다 Die Sonne wird immer brennender. / ~이다 Die Sonne brennt.

불복(不服) 《항의》 Einrede *f.* -n; Einspruch *m.* -(e)s, ⸚e; Einwand *m.* -(e)s, ⸚e; Protest *m.* -es, -e; Wider|rede *f.* -n (-spruch *m.* -(e)s, ⸚e). ~하다 e-e Einrede vor|bringen* 《*gegen⁴*》; e-n Einspruch (Einwand; Widerspruch) erheben* 《*gegen⁴*》; protestieren 《*gegen⁴*》; widerreden 《*jm.*》. ¶ 그는 ~을 용납하지 않는다 Er duldet k-e Widerrede. / 그는 제일심의 판결에 대하여 ~ 항소했다 Gegen die Entscheidung erster Instanz legte er bei Gericht Berufung ein.

불본의(不本意) Abneigung *f.* -en; Widerwille *m.* -ns.

불부채 der Fächer 《-s, -》 zum Anblasen des Feuers.

불분명(不分明) ☞ 불명, 불명료.

불붙다 zu brennen an|fangen*; an|brennen* ⓢ; an|gehen* ⓢ; ⁴sich entzünden; Feuer fangen*; in Brand (Feuer) geraten* ⓢ. ¶ 불이 잘 붙는 leicht entzündlich (brennbar)/ 불이 잘 안붙는 schwer entzündlich (brennbar) / 불 붙는데 부채질하다 die Sachen noch schlimmer machen.

불붙이다 an|zünden⁴; entzünden⁴; an|feuern⁴; 《선동》 *jm.* zum Zanken (Streiten) reizen. ¶ 난로에 ~ Feuer im Ofen machen / 나무에 ~ das Brennholz an|zünden / 담배에 ~ ³sich e-e Zigarette an|zünden.

불비(不備) Mangel *m.* -s, ⸚; Unzulänglichkeit *f.* -en; Fehlerhaftigkeit *f.* -en; Mangelhaftigkeit *f.* -en. ~하다 unzulänglich; defekt; mangelhaft; unvollständig (sein). ¶ ~한 점 Mangelhaftigkeit; Defekt *m.* -(e)s, -e / 교통 기관의 ~ mangelhafte Verkehrsmittel 《*pl.*》 / 위생 설비의 ~ Mangel an sanitären Einrichtungen / 제도상의 ~ Fehler 《*m.* -s, -》 an organisatorischen Bestimmungen; organisatorischer Fehler / 이 서류에는 ~한 점이 있다 Diese Dokumente sind nicht richtig ausgearbeitet.

불빛 ① 《빛깔》 die Farbe 《-n》 der Flamme. ¶ 시퍼런 ~ e-e blaue Flamme.

② 《빛》 Feuerlicht *n.* -(e)s, -er; Feuerschein *m.* -(e)s, -e; Licht *n.* -(e)s, -er. ¶ ~에 비추어 보다 ⁴*et.* gegen das Licht halten* / 가물거리는 ~ das flackernde Licht, -(e)s, -er / ~이 흐리다 Das Licht ist schwach. / ~이 스며든다 Das Licht strömt hinein.

불사(不死) 《안죽음》 Unsterblichkeit *f.* -en; Ewigkeit *f.* -en. ~하다 unsterblich (unvergänglich; ewig) sein. ‖ ~약 Ambrosia *f.* ~조 Phönix *m.* -(es), -e.

불사(佛寺) Buddhistentempel *m.* -s, -; buddhistischer Tempel, -s, -.

불사(佛事) das buddhistische Ritual, -s, -e; der buddhistische Ritus, -, ..ten; die buddhistische Trauerfeier, -n; das buddhistische Totenfest, -(e)s, -e. ¶ ~를 행하다 buddhistische Riten voll|ziehen*; e-e buddhistische Trauerfeier veranstalten.

불사르다 verbrennen*⁴; in Brand stecken⁴. ¶ 헌 신문을 ~ altes Zeitungspapier verbrennen* / 쓰레기를 ~ den Schutt (den Abfall) verbrennen*.

불사신(不死身) der unverwundbare Körper, -s, -; Unverwundbarkeit *f.* ¶ ~의 unverletzlich; unverwundbar; gefeit 《*gegen⁴*》; unbeugsam (불굴의). ¶ 그는 ~이다 Er ist unverwundbar.

불사하다(不辭一) nicht nach|lassen*⁴; ⁴sich nicht zurück|halten*; *jm.* nicht nach|geben*. ¶ …하기를 ~ bereit sein, ⁴*et.* zu tun / 그는 두주(斗酒)를 불사한다 Er säuft wie ein Loch (wie das liebe Vieh; wie ein Bürstenbinder).

불상(不祥) Unglücklichkeit *f.* -en; Unheil *n.* -(e)s; Anstößigkeit *f.* -en; Schändlichkeit *f.* -en. ~하다 von böser (schlimmer) Vorbedeutung; unglückverheißend; unheilverkündend; unheil voll; verhängnisvoll; ominös (sein). ¶ ~의 징조 ein böses Omen, -s, ..mnia.

불상(不詳) Unklarheit *f.* -en; Ungewißheit *f.* -en. ～하다 unbekannt; nicht klar; unsicher; ungewiß (sein).
불상(佛像) Buddhastatue *f.* -n; Buddhabild *n.* -(e)s, -er.
불상놈(一常一) ein ordinärer, vulgärer Mensch 《-en, -en》 aus der Unterschicht.
불상당하다(不相當一) unangebracht; unangemessen; ungebührend; ungeeignet; ungehörig; ungeziemend; unpassend; unschicklich (sein). ¶ 신분에 불상당한 생활을 하다 über s-e Verhältnisse leben.
불상사(不祥事) Unfall *m.* -(e)s, ⸗e; Unglück *n.* -(e)s, -sfälle; Skandal *m.* -s, -e; schmachvolles Ereignis, -ses, -se; skandalöser (Kriminal)fall, -s, ⸗e; schändliche Tat, -en; ruchloses Verbrechen, -s, -.
불상정안(不上程案) der aufgeschobene Antrag 《-(e)s, ⸗e》 e-r Angelegenheit; Zurückstellung 《*f.*》 e-s Antrags bei e-r Diskussion.
불서(佛書) buddhistische Schriften 《*pl.*》; buddhistische Literatur, -en.
불선(不善) Übel *n.* -s, -; das Böse*, -n; Unrecht *n.* -(e)s, -e; Unfug *m.* -(e)s. ¶ 소인 한거하면 ～을 한다 „Müßiggang ist aller Laster Anfang."
불선명(不鮮明) Undeutlichkeit *f.* -en; Unklarheit *f.* -en; Unverständlichkeit *f.* -en; Verborgenheit *f.* -en; Unbekanntheit *f.* -en; 〖사진〗 Unschärfe *f.* ～하다 undeutlich; unklar; verschwommen; unscharf (sein).
불설(佛說) die buddhistische Doktrin; die Lehre des Buddha.
불섭생(不攝生) das Nichtschonen* 《-s》 der Gesundheit; Vernachlässigung 《*f.* -en》 der Gesundheit (Gesundheitsfürsorge; Gesundheitspflege); Unmäßigkeit *f.*
불성공(不成功) Mißerfolg *m.* -(e)s, -e; das Mißlingen*, -s; Fehlschlag *m.* -(e)s, ⸗e (실패). ～하다 erfolglos sein; mißlingen* ⓢ; mißglücken ⓢ; fehl|schlagen* ⓢ. ¶ 그의 계획은 ～으로 끝났다 Sein Unternehmen ist gescheitert (mißraten).
불성립(不成立) das Nichtzustandekommen*, -s (계획, 협정 따위의); das Mißlingen*, -s (실패). ～하다 nicht zustande kommen* ⓢ; fehl|schlagen*; mißlingen* ⓢ; nicht angenommen werden (법률안, 안건이).
불성실(不誠實) Unaufrichtigkeit *f.* -en; Unwahrheit *f.* -en; Falschheit *f.*; Mangel 《*m.* -s, ⸗》 an Ernst. ～하다 unaufrichtig; unredlich; untreu; unwahr; 《부실한》 falsch (sein). ¶ ～한 태도 ein unaufrichtiges Verhalten*, -s / 그는 ～해서 믿을 수가 없다 Man kann sich wegen s-r Unaufrichtigkeit nicht auf ihn verlassen.
불세지재(不世之才) ein außerordentlich begabter Mann, -(e)s, ⸗er; ein außerordentliches Talent, -(e)s, -e.
불세출(不世出) Außergewöhnlichkeit *f.*; Unübertrefflichkeit *f.* ¶ ～의 außergewöhnlich; ausgezeichnet; unvergleichlich; unübertrefflich / ～의 인물 (영웅) 이다 ein Mensch von seltenen Gaben (ein Held ohnegleichen) sein.
불소(弗素) 〖화학〗 Fluor *n.* -s.
불소하다(不少一) nicht wenig; nicht belanglos (sein). ¶ 그에게 힘입은 바가 ～ Ich verdanke s-r Hilfe sehr viel.
불손(不遜) Anmaßung *f.* -en; Arroganz *f.* -en; Dünkel *m.* -s; Hochmut *m.* -(e)s; Stolz *m.* -es. ～하다 anmaßend; arrogant; eingebildet; hoch|näsig (-mütig); stolz; dünkelhaft (sein). ¶ ～하게 굴다 ⁴sich anmaßend benehmen* / ～하면 언젠가는 굴욕을 당한다 Hochmut kommt vor dem Fall (격언).
불수(不隨) Lähmung *f.* -en; Paralyse *f.* -n. ¶ ～의 gelähmt; paralysiert / ～가 되다 lahm (paralysiert) werden; (er)lahmen.
‖ ～자 der Gelähmte*, -n, -n. 반신～ Gliederlähmung *f.*; Gichtbrüchigkeit *f.* (중풍); die einseitige Lähmung (한 쪽); Paraplegie (Querlähmung) *f.* (하반신): 반신 ～의 auf e-r Seite gelähmt; gliederlahm; gichtbrüchig. 전신～ die allgemeine Paralyse, -n.
불수의(不隨意) Unfreiwilligkeit *f.*; Unabsichtlichkeit *f.* ¶ ～의 unwillkürlich; unfreiwillig.
‖ ～근 der unwillkürliche Muskel, -s, -n. ～운동 die unwillkürliche Bewegung, -en.
불순(不純) Unreinheit *f.* -en; Unechtheit *f.* (가짜); Unlauterkeit *f.* (마음의). ～하다 unrein; unecht; falsch; unlauter (sein). ¶ ～한 마음 ein unreines Herz, -ens, -en / ～한 사상 ein unsauberer Gedanke, -ns, -n / ～한 동기 das unsaubere Motiv, -s, -e.
‖ ～물 die unreinen (fremden) Teile 《*pl.*》. ～분자 die unliebsamen (schlechten; aufsässigen; üblen) Elemente 《*pl.*》 (einer Partei) (당의).
불순(不順) Unzeitigkeit *f.*; Unregelmäßigkeit *f.* (불규칙). ～하다 unzeitig; unzeitgemäß; unregelmäßig (sein). ¶ ～한 날씨 das launenhafte (unsichere; veränderliche; ungünstige; wechselnde) Wetter, -s / 일기 ～으로 infolge der ²Ungunst der Witterung.
‖ 월경～ die unregelmäßige Menstruation (Monatsblutung) -en.
불순종(不順從) Ungehorsam *m.* -(e)s; Unlenksamkeit *f.* ～하다 ungehorsam; unfolgsam; unlenksam (sein).
불승인(不承認) Mißbilligung *f.* -en; Unstimmigkeit *f.* -en; 《이의》 Einspruch *m.* -(e)s, ⸗e; Einwand *m.* -(e)s, ⸗e; 《거부》 Absage *f.* -n; Ablehnung *f.* -en. ～하다 nicht einverstanden sein 《*mit*³》; nicht ein|willigen 《*in*⁴》; mißbilligen⁴; nicht zu|stimmen³; Einspruch erheben* 《*gegen*⁴》; ein|wenden⁽*⁾ 《*gegen*⁴》; ab|sagen⁴; ab|lehnen⁴. ¶ 그는 ～하고 있다 Er ist dagegen. | Er willigt nicht ein.
불시(不時) 《때 아님》 Unzeit *f.* -en; 《뜻밖》 Plötzlichkeit *f.* -en; Überraschung *f.* -en. ¶ ～의 unzeitig; unerwartet; (ur)plötzlich; ungewarnt; unvermutet; unvermittelt; unvorhergesehen; dringend / ～의 공격 plötzlicher (unerwarteter) Angriff, -(e)s, -e / ～의 죽음 ein plötzlicher Tod, -(e)s, -esfälle / ～의 경우에 im Notfall / ～에 대비하다 für den Notfall zurück|legen*; ³sich e-n Notpfennig auf|sparen (～에 대비하여 저축하다) / ～에 오다 unverhofft kommen* ⓢ; 〖속어〗 (mitten) hereingeschneit kommen* ⓢ / 검열관이 ～에 들이닥쳤다 Der Inspektor kam mitten hereingeschneit.
불시착(不時着) Notlandung *f.* -en. ～하다 notlanden ⓗ,ⓢ; e-e Notlandung machen; 《해상에》 notwassern ⓗ,ⓢ.
불식(佛式) buddhistischer Ritus, -, ..ten;

buddhistische Zeremonie, -n. ¶ ~에 의한 buddhistisch; nach dem buddhistischen Ritus.

불식(拂拭) das (Ab)wischen*, -s; das Reinigen*, -s. ~하다 aus|wischen⁴; ab|schaffen*⁴; beseitigen⁴; aus|löschen⁴; aus|tilgen⁴; aus|merzen⁴; vertilgen⁴.

불신(不信) Abtrünnigkeit *f.* -en; Falschheit *f.* -en; Treulosigkeit *f.* -en; Untreu *f.*; Unaufrichtigkeit *f.* -en (불성실); Wortbruch *m.* -(e)s, ⸚e (위약); das Mißtrauen*, -s (의혹). ~하다 mißtrauen⁴; argwöhnen⁴; zweifeln⁴; an|zweifeln⁴; diskreditieren⁴. ¶ ~의 abtrünnig; falsch; treulos; untreu; unaufrichtig; wortbrüchig; mißtrauisch / 그의 ~행위는 입증되었다 S-e Untreue ist erwiesen. / 그래서 나에 대한 ~은 해소되었다 So ist das Mißtrauen gegen mich geschwunden.

‖ ~자 der Ungläubige*, -n, -n; Zweifler *m.* -s, -; 《기독교의 입장에서》 Nichtchrist *m.* -en, -en; Heide *m.* -n, -n.

불신앙(不信仰) Unglaube *m.* -ns; Irreligiosität *f.*; Gott¦losigkeit (Pietät-) *f.* -en.

불신용(不信用) das Miß¦trauen*, -s (-kredit *m.* -(e)s, -e); Argwohn *m.* -s 《이상 모두 *gegen*⁴》.

불신임(不信任) das Mißtrauen*, -s; Mangel 《*m.* -s》 an ³Vertrauen (Zuversicht). ~하다 mißtrauen⁴; zu *jm.* kein Vertrauen haben. ¶ ~의 의사를 표명하다 sein Mißtrauen kund|geben* / 독일 연방 회의는 연방 수상에 대해 ~을 표명할 수 있다 Der Bundestag kann dem Bundeskanzler das Mißtrauen aussprechen.

‖ ~안 Mißtrauensantrag *m.* -(e)s, ⸚e. ~투표(결의) Mißtrauensvotum *n.* -s, ..ten: ~ 결의안을 제의하다 ein Mißtrauensvotum gegen die Regierung beantragen*.

불실하다(不實—) ☞ 불성실하다.

불심(不審) Zweifel *m.* -s, -; Bedenken *n.* -s, -; Frage *f.* -n; Ungewißheit *f.* -en; Mißvertrauen *n.* -s, -; Verdacht *m.* -(e)s. ~하다 fraglich; bedenklich; zweifelhaft; verdächtig; verdachterregend (sein).

‖ ~검문 Befragung *f.* -en: ~ 검문을 받다 befragt werden 《von e-m Polizisten》.

불심(佛心) ① 《자비심》 Buddhas Gnade 《*f.* -n》. ② 《번뇌하지 않는》 ein von bösen Leidenschaften freier Geist, -es.

불심상관(不甚相關) geringe Zuneigung, -en; geringe Einwirkung, -en; geringer Unterschied, -(e)s, -e. ~하다 auf ⁴*et.* nur wenig ein|wirken; kaum e-e Rolle spielen; kaum e-n Unterschied machen. ¶ 누가 당선되든 내게는 ~이다 Es ist mir gleich (völlig gleichgültig), wer gewählt wird.

불쌍하다 arm; erbärmlich; bemitleidenswert; jammerlich; kläglich; elend; armselig; traurig (sein). ¶ 불쌍한 고아 die arme Waise, -n / 불쌍한 놈 das arme Ding, -(e)s, -e (Geschöpf, -(e)s, -e); armer Kerl, -s, -e / 불쌍하게 생각하다 Mitleid (Erbarmen) haben 《*mit*³》; bemitleiden; bedauern / 불쌍히 여겨 aus Mitleid; aus Erbarmen / 불쌍한 짐승을 제발 애먹이지 말라 Quäl das arme Tier doch nicht so! / 불쌍도 해라 Ach, der Arme!¦Gott erbarme! / 동생은 불쌍하게도 전쟁통에 죽었다 Mein armer Bruder kam im Krieg ums Leben.

불쏘다 《과녁을》 die Schießscheibe 《-n》 nicht treffen*; 《목적을》 das Ziel 《-(e)s, -e》 nicht treffen* (verfehlen).

불쏘시개 Anbrennholz *n.* -es, ⸚er. ¶ 마른 나뭇조각이 ~로 사용됐다 Trockene Holzstücken wurden zum Anzünden benutzt.

‖ ~감 gutes Material 《-s, -ien》 zum Anzünden.

불쑥 jäh(lings); auf einmal; unvermittelt; unvermutet; unversehens; (ur)plötzlich; steil emporragend (치솟아오름); 《무례하게》 grob; unhöflich. ¶ ~ 방문하다 *jm.* e-n plötzlichen Besuch machen / 머리를 ~ 내밀면서 plötzlich den Kopf vorstreckend / 그 사람은 ~ 나에게 물었다 Unvermittelt fragte er mich. / 어느 날 그가 난데없이 ~ 나타났다 An e-m Tag tauchte er auf.

불쑥거리다 ① 《말 따위를》 unbesonnen heraus|sagen⁴; heraus|platzen 《*mit*³》. ¶ 주먹을 ~ dauernd die Faust aus|strecken. ② 《노하다》 leicht in Wut geraten* Ⓢ.

불쑥불쑥 ~하다 immer wieder plötzlich auf|tauchen Ⓢ; hier u. dort heraus|ragen; überall vor|springen* Ⓢ.

불쑥하다 hervorragend; hervorstehend (sein); heraus|ragen.

불씨 《불덩이》 etwas Glühendes* als Feuer zündendes Material; 《원인》 Ursache *f.* -n; Veranlassung *f.* -en; Grund *m.* -(e)s, ⸚e; Anlaß *m.* ..lasses, ..lässe. ¶ 분쟁의 ~ Zankapfel *m.* -s, ⸚ / ~가 없다 k-e glühende Kohle haben, um damit Feuer anzuzünden.

불안(不安) Unruhe *f.* -n; Angst *f.* ⸚e; Besorgnis *f.* ..nisse; Besorgtheit *f.*; Sorge *f.* -n; Beklommenheit *f.*; Bangigkeit *f.*; Ungewißheit *f.* -en; Unsicherheit *f.* -en. ~하다 unruhig; beängstigend; besorgt; sorgenvoll; ungewiß; unsicher (sein). ¶ ~하게 생각하다 ⁴sich unruhig fühlen; Angst bekommen*; ein banges Vorgefühl haben; es ist *jm.* angst 《*um*⁴》 / ~한 마음 das beunruhigte Herz, -ens, -en / ~한 표정 das ängstliche Gesicht, -(e)s, -er / ~한 생활 das unsichere Leben, -s, - / 재계(財界)의 ~ die finanzielle Unsicherheit, -en / ~한 밤을 보내다 die Nacht in Angst zu|bringen*; eine unruhige Nacht verbringen* / ~하여 어찌할 바를 모르다 in großer Angst schweben; von Unruhe übermannt sein / 양심의 ~을 느끼다 ein böses Gewissen haben; Gewissensbisse haben (양심의 가책) / ~의 그늘을 던지다 e-n Schatten der Unruhe werfen*; e-n düsteren Schleier verbreiten / 그의 일이 ~하다 Mir wird angst um ihn. / 결과가 어떨까 하고 계속 ~했다 Ich war fortwährend in Sorge über das Ergebnis. / 실패하지 않을까 하고 나는 ~했다 Ich war in Angst, daß ich e-n Mißerfolg haben könnte.

‖ ~감 das Gefühl der Unruhe (der Unsicherheit).

불안정(不安定) das Schwanken*, -s; Mangel 《*m.* -s, ⸚》 an Stabilität; Labilität *f.*; Unbeständigkeit *f.* -en. ~하다 schwankend; labil; ungewiß; unbeständig (sein). ¶ ~한 성격 ein unbeständiger Charakter, -s, -/ 그는 ~하다 Er ist wie ein schwankendes Rohr im Winde. / ~한 일기 ein wechselhaftes Wetter, -s, - / 생활의 ~ Lebensunsicherheit *f.* / 정국은 ~하다 Die politische Lage ist unsicher.

‖ ~감 Unsicherheitsgefühl *n.* -(e)s, -e;

Ruhelosigkeit *f.*; Ungewißheit *f.* -en.
불알 Hode *f.* -n. ¶ ~을 까다 kastrieren^4 / ~을 긁어주다 ^{4}sich bei *jm.* ein|schmeicheln; *js.* Gunst zu gewinnen suchen / ~ 두쪽만 대그락대그락하다 Er ist ein ganz armer Kerl bis aufs Hemd ausgezogen.
불야성(不夜城) der nachtlose Betrieb, -(e)s, -e; ein Meer 《-(e)s, -e》 von Licht (빛의 바다); die festlich beleuchtete Hauptgeschäftsstraße, -n (가로). ¶ 이 나이트클럽은 그야말로 ~이다 Es herrscht ein reger nachtloser Betrieb in diesem Nachtlokal.
불어(佛語) das Französische*, -n; die französische Sprache.
불어나다 ^{4}sich vermehren; (an|)wachsen*[s]; größer 〔stärker〕 werden; zu|nehmen*; (an|)schwellen*[s]. ¶ 자꾸 ~ nur weiter zu|nehmen*; nicht auf|hören, ^{4}sich zu vermehren / 강물이 ~ der Fluß ist angeschwollen / 무게가 ~ an ^{3}Gewicht zu|nehmen* / 가족이 ~ die Familie wird größer.
불어넣다 《입김을》 hauchen 《*in*^{4}》; 《사상을》 ein|flößen^{34}; ein|geben*^{34}.
불어리 Ofenschirm *m.* -(e)s, -e.
불어세우다 *jn.* aus|lassen*; von *jm.* ^{4}sich fern|halten*; boykottieren.
불언가지하다(不言可知—) selbstverständlich sein; an sich klar sein.
불여귀(不如歸) 〖조류〗 Kuckuck *m.* -(e)s, -e.
불여의하다(不如意—) es steht schlimm mit *jm.* 〔geht *jm.* nicht gut〕; in beengten 〔schwierigen〕 Verhältnissen sein; in (Geld-)not 〔(Geld)verlegenheit〕 sein; nicht auf Rosen gebettet sein; schlimm dran sein. ¶ 그는 만사 ~ Es geht ihm alles schief.
불역(不易) Unveränderlichkeit *f.* -en; Unwandelbarkeit *f.* -en; Beständigkeit *f.* -en. ¶ ~의 unveränderlich; konstant; unwandelbar; beständig / 만세 ~의 진리 unveränderliche 〔unwandelbare〕 Wahrheit; ewige Gesetze.
불연(不然) ~하다 nicht so sein. ¶ ~이면 sonst; oder; ander(e)nfalls; wenn nicht.
불연도시(不燃都市) die unverbrennbar gebaute Stadt, ⸚e; die feuerfeste Stadt.
불연성(不燃性) Unverbrennbarkeit *f.*; Feuerfestigkeit *f.* (내화성). ¶ ~의 unverbrennbar; feuerfest 〔feuerbeständig〕 (내화성의).
‖ ~물질 das unverbrennbare Material, -s, -ien; die unverbrennliche Substanz, -en. ~필름 Sicherheitsfilm *m.* -s, -e.
불연속(不連續) Diskontinuität *f.*; Unstetigkeit *f.* ¶ ~의 diskontinuierlich; unstetig.
‖ ~면 Diskontinuitäts¦fläche 〔Unstetigkeits-〕 *f.* -n. ~선 Diskontinuitätslinie *f.* -n (기상). ~운동 die unstetige Bewegung, -en.
불염포(不塩脯) ungesalzene getrocknete Fleisch- od. Fischscheiben 《*pl.*》.
불온(不穩) Unruhe *f.* -n; Beunruhigung *f.* -en. ~하다 unruhig; beunruhigend; bedrohlich (위협적); drohend (위협적); aufrührerisch (선동적); aufständisch (반항적); 《온당치 못한》 ungebührlich (sein). ¶ ~한 언사를 쓰다 in drohendem Tone sprechen*; e-e aufrührerische Rede halten* / ~한 행동 ungebührliches Verhalten, -s, - / 정세 〔형세〕가 ~하다 Es herrscht e-e gespannte Lage.
‖ ~문서 die aufrührerischen 〔gefährlichen〕 Dokumente 〔Schriften〕 《*pl.*》. ~분자 die gefährlichen Elemente 《*pl.*》. ~사상 der gefährliche Gedanke, -ns, -n.
불온당(不穩當) Unangebrachtheit *f.* -en; Ungehörigkeit *f.* -en; Unangemessenheit *f.* -en. ~하다 《부적당함》 unangemessen; unangebracht; untauglich (sein); 《부당함》 ungerecht; unfair; unbillig; unvernünftig (sein); 《지나침》 unmäßig; übermäßig (sein). ¶ ~한 처사 ungerechtes Verhalten, -s.
불완전(不完全) Unvollkommenheit *f.* -en; Unvollständigkeit *f.* -en; Mangelhaftigkeit *f.* -en. ~하다 unvollkommen; unvollständig; 《불충분한》 mangelhaft; 《결함 있는》 fehlerhaft; 《미숙한》 unfertig (sein). ¶ ~한 지식 unzureichende 〔mangelhafte〕 Kenntnisse 《*pl.*》 / ~한 독어 gebrochenes Deutsch, -(s) / ~한 점 Mangel *m.* -s, ⸚; Fehler *m.* -s, - / ~한 결론 der fehlerhafte Schluß, ..lusses, ..lüsse / 구조가 ~하다 e-e mangelhafte Konstrucktion haben / 그의 설명은 아주 ~하다 S-e Erklärung ist sehr unvollständig.
‖ ~고용 〖경제〗 Unterbeschäftigung *f.* -en. ~동사 〖문법〗 das unvollständige Verbum, -s, ..ba. ~변태류 〖동물〗 Hemimetabole *f.* ~협화음 〖음악〗 die unvollkommene Konsonanz, -en.
불요불굴(不撓不屈) Zähigkeit *f.* -en; Hartnäckigkeit *f.* -en; Unbiegsamkeit *f.* -en; Unbeugsamkeit *f.* -en. ¶ ~의 unbiegsam; unbeugsam; unerbittlich; unerschütterlich; unbeweglich / ~의 정신 ein unbeugsamer 〔starrer〕 Wille, -ns, -n / 그는 ~의 정신으로 마침내 그의 꿈을 실현했다 Mit unerschütterlicher Energie verwirklichte er s-n Traum.
불요불급(不要不急) ~하다 nicht dringend sein. ¶ ~의 사업 kein dringendes Unternehmen, -s, -.
불용(不用) Nutzlosigkeit *f.* -en; Überflüssigkeit *f.* -en. ~하다 unnötig; nutzlos; überflüssig; unbrauchbar; unnütz; zwecklos (sein). ¶ ~이라면 wenn außer Gebrauch gesetzt; wenn unnötig / ~물이 되다 außer Gebrauch kommen*[s]; unnötig 〔unbrauchbar〕 werden.
‖ ~물, ~품 das veraltete, unbrauchbare Ding, -(e)s, -e (-er); der nutzlose Gegenstand, -(e)s, ⸚e.
불우(不遇) Mißgeschick *n.* -(e)s, -e; das Vom-Glück-nicht-begünstigt-sein*, -s; Namenlosigkeit 〔Ruhm-〕 *f.*; das widrige Schicksal, -(e)s, -e 〔Geschick, -(e)s, -e〕. ~하다 vom Glück nicht begünstigt 〔bevorzugt〕; namen¦los (ruhm-); vom widrigen Schicksal(e) 〔Geschick〕 verfolgt (sein). ¶ ~한 시대 die vom Glück nicht bevorzugte Zeit; Unglückstage 《*pl.*》 / ~한 처지에 있다 nicht zu s-m Recht kommen können*; nicht auf ^{3}Rosen gebettet sein.
불운(不運) Unglück *n.* -(e)s, ..glückställe; Mißglück *n.* -(e)s; Mißgeschick *n.* -(e)s; Pech *n.* -(e)s, -e. ~하다 unglücklich; unheilvoll; unselig; unter e-m Unstern geboren (sein). ¶ ~하게도 unglücklicherweise / ~을 겪다 von e-m Unglück verfolgt werden / ~을 당하다 von e-m Unglück betroffen werden / 그는 ~한 남자라 언제나 ~이 그를 따라다닌다 Er ist ein Pechvogel, u. die Pechsträhne reißt ihm nie ab. / 그는 몹시 ~한 일로 목숨을 잃었다 Er ist durch

e-n tragischen Unglücksfall ums Leben gekommen.

불원(不遠) ¶ ~간에 nächstens; bald; binnen kurzem; demnächst; dieser Tage; in absehbarer Zeit; in nicht ferner Zeit; in [3]Bälde (Kürze); in nächster Zeit; über ein kurzes; über kurz od. lang / ~간에 그를 만날 것이다 Ich werde ihn in einigen Tagen sehen. / ~간에 전집(全集)이 나올 것입니다 Nächstens werden die sämtlichen Werke erscheinen.

불유쾌(不愉快) ☞ 불쾌.

불은(佛恩) Buddhas Gnade 《*f.* -n》; Buddhas Wohltaten 《*pl.*》; Buddhas Segnungen 《*pl.*》.

불의(不意) Plötzlichkeit *f.*; Überraschung *f.* -en. ¶ ~의 unerwartet; ungeahnt; unvermutet; plötzlich; zufällig / ~의 사건 das unerwartete Ereignis, ..nisses, ..nisse; das Unvorhergesehene*, -n; Zufall *m.* -(e)s, ⸚e; Unfall (사고) / ~의 죽음을 당하다 e-s unnatürlichen Todes sterben*ⓢ (살인, 사고로); e-s gewaltsamen Todes sterben*ⓢ (횡사하다) plötzlich sterben* / 그는 ~의 재난을 당했다 Ihm ist ein schwerer Unfall zugestoßen. / ~의 일이 있을 수도 있다고 생각해야 한다 Man muß mit Unvorgesehenem rechnen. / 어제 ~에 동생이 가족과 함께 찾아왔다 Gestern ist mein Bruder mit s-r ganzen Familie unangemeldet zu Besuch gekommen. ¦ 〖속어〗 Gestern hat mein Bruder mit s-r ganzen Familie mich überrascht.

불의(不義) ① 《부도덕》 Unsittlichkeit *f.*; Sünde *f.* -n; Ungerechtigkeit *f.* ¶ ~의 unsittlich; sündhaft; ungerecht / ~의 부귀 der unrechtmäßig (unehrenhaft) erworbene Reichtum, -(e)s, ⸚er; der böse Gewinn, -(e)s, -e. ② 《간통》 Ehebruch *m.* -(e)s, ⸚e; die Verletzung 《-en》 der ehelichen Treue. ¶ ~를 저지르다 ehebrechen* 〖부정형만 있음; ich breche die Ehe, ich habe die Ehe gebrochen〗; Ehebruch begehen* (treiben*); die eheliche Treue verletzen / ~의 씨 das uneheliche (natürliche) Kind, -(e)s, -er; Bankert *m.* -(e)s, -e; Bastard *m.* -(e)s, -e; das Kind der Liebe (사생아).

불이익(不利益) ☞ 불리.

불이행(不履行) Nichterfüllung *f.* -en; Nichtbefolgung *f.* -en (-beobachtung *f.* -en; -beachtung *f.* -en) (규칙 따위의). **~하다** nicht erfüllen; nicht halten* (약속 따위를); verletzen (법을). ¶ 계약의 ~ die Nichterfüllung e-s Vertrags.

‖ **~자** der Wortbrüchige*, -n, -n; der Säumige, -n, -n. **계약~** die Nichterfüllung e-s Kontaktes. **선서~** der Bruch 《-(e)s, ⸚e》 e-s Eides. **약속~** die Nichterfüllung e-r Pflicht. **의무~** Pflichtverletzung *f.* -en.

불인가(不認可) Mißbilligung *f.* -en; Nichtanerkennung *f.* -en; Verweigerung *f.* -en; Verwerfung *f.* -en. ¶ ~되다 nicht genehmigt werden; zurückgewiesen werden.

불일(不一) 《불일치》 Disharmonie *f.* -n; Mißklang *m.* -(e)s, ⸚e; Mißhelligkeit *f.* -en; 《고르지 않음》 Unregelmäßigkeit *f.* -en; Ungleichmäßigkeit *f.* -en; Unordentlichkeit *f.* -en. **~하다** disharmonisch; unregelmäßig; unordentlich (sein).

불일간(不日間) ＝불일내(不日內).

불일내(不日內) 〖부사적〗 in wenigen (einigen) Tagen; bald; schnell; unverzüglich; in kurzer Zeit.

불일듯이 tätig; rührig; geschäftig; lebhaft; aktiv. ¶ 장사가 ~ 잘 되다 Das Geschäft blüht.

불일듯하다 gedeihlich; blühend (sein). ¶ 장사가 ~ Das Geschäft blüht sehr schnell.

불일치(不一致) Zwietracht *f.* -en; Uneinigkeit *f.* -en; Mißhelligkeit *f.* -en; Verschiedenheit *f.* -en. **~하다** nicht überein|stimmen 《*mit*[3]》; in Widerspruch stehen* 《*zu*[3]》; in Mißklang sein 《*mit*[3]》; nicht harmonisch sein. ¶ 이 문제에 관하여 그들은 의견이 ~하다 Ihre Meinungen über diese Frage stimmen nicht überein.

‖ **언행~** Widerspruch 《*m.* -(e)s, ⸚e》 zwischen Worten u. Taten.

불임증(不姙症) Unfruchtbarkeit *f.*; Sterilität *f.* ¶ ~의 unfruchtbar; steril / ~에 걸리다 unfruchtbar (steril) werden.

불입(拂入) Einzahlung *f.* -en; Anzahlung *f.* -en (예약금의); Teilzahlung *f.* -en (월부 따위의). **~하다** ein|zahlen[4]; an|zahlen[4].

‖ **~액** Einzahlungssumme *f.* -n. **~자본** das eingezahlte Kapital, -s, -e (..lien). **~청구** Zahlungsaufforderung *f.* -en; Forderung *f.* -en. **~주**(株) die vollständig eingezahlte Aktie, -n. **~최고**(催告) Einlösungsaufforderung *f.* -en. **일시~** einmalige Einzahlung, -en. **최후~** die letzte Einzahlung, -en.

불잉걸 brennende Holzkohle, -n.

불자동차(一自動車) Feuerwehrwagen *m.* -s, -.

불잡다 ① 《진화》 Feuer löschen; Feuer ein|dämmen. ② 《켜들다》 ein Licht in der Hand halten*.

불장(佛葬) 《불교식 장례》 die buddhistische Beerdigung, -en; das buddhistische Begräbnis, ..nisses, ..nisse. ¶ ~으로 하다 *jn.* nach buddhistischem Ritus begraben* (bei|setzen).

불장난 das Spiel 《-s, -e》 mit dem Feuer; 《남녀간의》 das Spiel mit der Liebe. **~하다** mit dem Feuer spielen; mit der Liebe spielen. ¶ 사랑의 ~ Liebesabenteuer *n.* -s, -.

불전(佛典) die klassischen Werke 《*pl.*》 des Buddhismus; die Schriften 《*pl.*》 des Buddhismus; Sutra *n.* -s, -s.

불전(佛前) vor dem Altar Buddhas. ¶ ~에 공양하다 vor den Hausaltar (vor den Altar Buddhas) dar|bieten*[4].

불전(佛殿) Heiligtum 《*n.* -(e)s, ⸚er》 des Buddhismus.

불제(祓除) Geisterbeschwörung *f.* -en; Teufelsaustreibung *f.* -en; Besprechung *f.* -en; Exorzismus *m.* -, ..men. **~하다** besprechen*[4]; exorzisieren[4].

불제자(佛弟子) Buddhist *m.* -en, -en.

불조심(一操心) Sicherheitsvorkehrungen 《*pl.*》 gegen Feuer. **~하다** auf Brandgefahr (Feuergefahr) achten; Vorsichtsmaßnahmen 《*pl.*》 gegen [4]Feuer treffen*.

불종(一鐘) Feueralarm *m.* -(e)s, -e; Feuerglocke *f.* -n. ¶ ~을 치다 Feueralarm geben*.

불종(佛鐘) die Tempelglocke 《-n》 der Buddhisten.

불좌(佛座) der Sitz 《-es, -e》 e-r Buddhastatue.

불지르다 Feuer an|legen; an|zünden[4]; entzünden[4]. ¶ 집에 ~ ein Haus in Brand stecken.

불지피다 (mit Holz) Feuer machen. ¶ 아궁이에 ~ im Kamin (am Feuerplatz) Feuer machen.

불질하다 ① 《불을 땜》 Feuer machen 《zum Kochen》. ② 《발포》 los|schießen*[4].

불집 etwas Gefährliches*. ¶ ~을 건드리다 etwas Gefährliches berühren; ins Wespennest stechen*.

불집게 Feuerzange *f.* -n; 《심지 자르는》 Lichtschere *f.* -n.

불쩍거리다 (ab|)schrubben[4]; (die Wäsche) bürsten.

불쩍불쩍 das Bürsten* 《-s》 der Wäsche.

불쬐다 ① 《…이》 [4]sich am Feuer (er)wärmen; die Feuerwärme genießen*. ¶ 불쬐십시오 Genießen Sie bitte die Feuerwärme. ② 《…을》 ([3]sich) [4]*et.* am Feuer (er-)wärmen. ¶ 손을 ~ [3]sich die Hände am Feuer (er)wärmen.

불착(不着) ~하다 nicht an|kommen* (s); nicht abgeliefert werden; 《연착》 Verspätung haben.
‖ ~우편 vermißte Post, -en.

불찬성(不贊成) Mißbilligung *f.* -en; die Stimmen dagegen (반대 투표). ~하다 dagegen sein; nicht ein|willigen 《*in*[4]》; nicht zu|stimmen. ¶ ~을 표명하다 [4]sich *gegen*[4] erklären; mißbilligen 《*p.p.* mißbilligt, gemißbilligt》; widersprechen*[3] (이의를 제기하다) / 찬성 ~의 양론 das Für u. Wider; die Argumente 《*pl.*》 für u. wider / 나는 ~이다 Ich bin dawider (dagegen). | Ich bin damit nicht einverstanden. / 그의 의견에 ~이다 Ich stimme mit s-r Ansicht nicht überein.

불찰(不察) Nachlässigkeit *f.* -en; Unachtsamkeit *f.* -en; Sorglosigkeit *f.* -en; Pflichtvergessenheit *f.* -en; Fahrlässigkeit *f.* -en. ¶ 그것은 저의 ~이었읍니다 Es war unaufmerksam von mir.

불찰(佛刹) Buddhistentempel *m.* -s, -.

불참(不參) das Ausbleiben*, -s; Abwesenheit *f.* ~하다 aus|bleiben*; abwesend sein; nicht erscheinen*; an [3]*et.* nicht teil|nehmen*; [4]sich an [3]*et.* nicht beteiligen. ¶ 부득이한 일로 모임에 ~했다 Wegen e-r dringenden (unvermeidbaren) Angelegenheit konnte ich an der Versammlung nicht teilnehmen. / 병으로 나는 회의에 ~했다 Wegen Krankheit konnte ich der Versammlung nicht beiwohnen.
‖ ~신고 Entschuldigungszettel *m.* -s, -. ~자 der Abwesende, -n, -n.

불철저(不徹底) Mangel 《*m.* -s, ⸗》 an Beweiskraft (Überzeugung); Inkonsequenz *f.* -en. ~하다 nicht gründlich; halb; lau; nicht überzeugend; folgewidrig; inkonsequent; ohne Beweiskraft (sein). ¶ ~한 답 die unentschiedene Antwort, -en / ~한 논증 die unlogische Beweisführung, -en / ~한 성격 der zweideutige Charakter, -s, - / ~한 조치를 취하다 halbe Maßregeln treffen* / 그런 ~한 태도는 참을 수 없다 Solche Halbheiten kann ich nicht leiden.

불철주야(不撤晝夜) (bei) Tag u. Nacht. ~하다 ohne Unterlaß [4]*et.* tun*; ohne Pause [4]*et.* tun*. ¶ ~ 일하다 (bei) Tag u. Nacht arbeiten; ununterbrochen arbeiten.

불청객(不請客) ein ungebetener Gast, -es, ⸗e.

불청하다(不聽一) ① 《듣지 않다》 nicht zu|hören[3]; k-e Aufmerksamkeit schenken[3]; nicht acht|geben* 《*auf*[4]》. ② 《불승낙》 nicht ein|willigen 《*in*[4]》; nicht statt|geben*[3].

불초(不肖) ① 《가치없는 것》 Unwürdigkeit *f.*; 《무능》 Unfähigkeit *f.* -en; 《우둔함》 Dummheit *f.* -en; Torheit *f.* -en. ~하다 unwürdig[2]; unfähig; untüchtig; dumm; töricht; unwissend (sein). ¶ ~ 소인 unbedeutend, wie ich bin / 그는 ~ 자식이다 Er ist s-s Vaters unwürdig. ② 《자칭》 m-e Wenigkeit.

불출(不出) ① 《못난이》 ein dummer Kerl, -(e)s, -e; ein nichtsnutziger Mensch, -en, -en. ② 《안 나감》 ~하다 ans Haus gefesselt sein. ¶ 그는 일 년 동안 두문~하였다 Er war ein Jahr lang ans Haus gefesselt.

불충(不忠) Treu|losigkeit *f.* -en (-bruch *m.* -(e)s, ⸗e); Untreue *f.*; Abtrünnigkeit *f.*(배신); Felonie *f.* -n (영주에 대한). ~하다 untreu; treu|los (-brüchig); abtrünnig (sein).

불충분(不充分) Unzulänglichkeit *f.* (부족); Mangelhaftigkeit *f.* (불완전). ~하다 unbefriedigend (ungenügend) (만족스럽지 못한); unzulänglich; unzureichend; mangelhaft; unvollständig (sein). ¶ 보수가 ~하다고 생각하다 mit dem Lohn nicht befriedigt sein / 그는 증거 ~으로 무죄가 되었다 Er wurde mangels genügender Beweise freigesprochen. / 자금이 ~하다 das Kapital ist unzureichend; knapp bei Kasse sein / 아직 그 연구는 ~하다 Es ist noch zu erforschen. / 공급이 ~하다 Das Angebot ist beschränkt. /나의 독어 지식은 ~합니다 M-e Deutschkenntnisse sind unzulänglich.

불충실(不忠實) Falschheit *f.* -en; Falsch *m.* (n.) 《시어: ohne Falsch 등의 구에서만》; Treulosigkeit *f.* -en; Untreue *f.* ~하다 falsch; treulos; untreu (sein).

불취동성(不娶同姓) Exogamie *f.*; Ausschluß 《*m.* ..schlusses, ..schlüsse》 von Ehen zwischen namensgleichen Familien aus demselben Familienstamm.

불측지변(不測之變) ein unvorhergesehener Unfall, -(e)s, ⸗e; ein plötzliches Unglück, -(e)s.

불측하다(不測一) ① 《헤아릴 수 없다》 unvorhergesehen; unerwartet (sein). ¶ 불측할 사태 unvorhergesehene Umstände 《*pl.*》. ② 《음흉하다》 böse; boshaft; arglistig (sein). ¶ 불측한 놈 Bösewicht *m.* -(e)s, -e(r); Schurke *m.* -n, -n.

불치 (Jagd)beute *f.*; Fang *m.* -s, ⸗e.

불치(不治) Unheilbarkeit *f.* -en; Tödlichkeit *f.* -en. ¶ ~의 unheilbar; tödlich / ~의 증세 der hoffnungslose Fall, -(e)s, ⸗e.
‖ ~병 die unheilbare Krankheit, -en. ~환자 der unheilbar Erkrankte*, -n, -n.

불친소 Ochse *m.* -n, -n; junger Ochse.

불친절(不親切) Unfreundlichkeit *f.* -en. ~하다 unfreundlich; lieb|los (rücksicht-); ungefällig; unzuvorkommend 《이상 모두 *gegen*[4]》 (sein). ¶ ~한 점원 ein unfreundlicher Verkäufer, -s, -/~한 서비스 unfreundliche Bedienung, -en / ~하게 대답하다 unfreundlich antworten / 그 여자는 그에게 ~하다 Sie ist unfreundlich gegen ihn.

불침번(不寢番) Nachtwache *f.* -n; Nachtwächter *m.* -s, - (사람). ¶ ~을 서다 die Nachtwache halten*.

불컥거리다 etwas Nasses aus|drücken (aus|wringen*).

불컥불컥 etwas Nasses wiederholt ausdrückend.

불켜다 an|zünden⁴; Licht an|machen. ¶ 초에 불을 켜다 e-e Kerze an|zünden / 밤새도록 불을 켜 놓고 있다 die ganze Nacht das Licht brennen lassen*.

불쾌(不快) 《마음이》 das Mißfallen*, -s; Unbehagen *n.* -s; Verdruß *m.* ..sses, ..sse; Verstimmung *f.* -en; Ärger *m.* -s (분노); Ekel *m.* -s (혐오); das Unangenehme*, -n; Unbehaglichkeit *f.*; Widrigkeit *f.* -en; 《몸이》 das Übelbefinden*, -s; Unpäßlichkeit *f.* -en; das Unwohlsein*, -s. **~하다** mißfällig; unangenehm; unbehaglich; abstoßend; verdrießlich; verstimmt; ärgerlich; unannehmlich; widrig; übel; unpäßlich; unwohl (sein). ¶ ~감을 가지다 ⁴sich gekränkt (verletzt; verdrießlich; unangenehm) fühlen / ~한 날씨 ein unangenehmes Wetter, -s, -; 〖속어〗 Sauwetter *n.* -s, - / ~한 놈 ein widriger Kerl, -s, -e / 그의 말은 나를 ~하게 했다 S-e Worte machten mich verdrießlich. / 그를 만나면 ~하다 Vor ihm empfinde ich Ekel.

불타(佛陀) Buddha *m.* -s.

불타다 Feuer brennt; flammen h,s; nieder|brennen* s; in Flammen auf|gehen* s (타오르다); 《저녁놀로 하늘이》 erglühen s. ¶ 불타는 야심 der brennende Ehrgeiz, -es, -e / 불탄 자리 Brandstätte *f.* -n / 증오에 ~ in Haß entbrennen* s 《gegen *jm.*》 / 그녀의 눈은 애정에 불타고 있었다 Ihr Auge flammte Liebe. / 그는 분노로 불타고 있다 Er ist von Zorn entbrannt.

불탑(佛塔) Pagode *f.* -n.

불통(不通) Verkehrsunterbrechung *f.* -en (교통, 통신 따위); Verkehrssperre *f.* -n (차단); Verkehrsstockung *f.* -en (정체); Verkehrsstörung *f.* -en (장애에 의한). ¶ ~이 되다 unterbrochen werden 《*durch*⁴》; abgebrochen (abgeschnitten; eingestellt) werden / 산사태로 선로가 ~이다 Die Bahnstrecke ist durch den Bergrutsch unterbrochen. / 나의 엉터리 독일어는 전혀 ~이었다 Mit m-m gebrochenen Deutsch hatte ich k-e Verständigungsmöglichkeit. / 전화가 ~이다 Die Telefonleitung ist unterbrochen. / 이 노선은 임시 ~이다 Der Verkehr dieser Linie ist zeitweise eingestellt.

‖ 교통~ Störung 《*f.* -en》 im Verkehr; Stockung 《*f.* -en》 (Verstopfung *f.* -en) im Straßenverkehr. 기차~ die Unterbrechung 《-en》 des Eisenbahnverkehrs. 언어~ die Unmöglichkeit der sprachlichen Verständigung. 전화~ die Unterbrechung 《-en》 am Fernsprecher. 통신망~ die Störung des Fernmeldewesens.

불통일(不統一) das Fehlen* 《-s》 der Einheitlichkeit; das Fehlen* der Einigkeit; 《분열》 Spaltung *f.* -en; Entzweiung *f.*; 《부조화》 Disharmonie *f.* -n.

불퇴전(不退轉) fester Glaube 《-ns, -n》 an Buddha. **~하다** feste Entscheidung treffen*; fest entschlossen sein. ¶ ~의 결의 ein unveränderlicher Beschluß, ..schlusses, ..schlüsse.

불투명(不透明) Undurchsichtigkeit *f.* **~하다** undurchsichtig; trübe (sein). ¶ ~한 태도 zweideutiges (undurchsichtiges) Verhalten, -s, -.

‖ ~액(液) die undurchsichtige Flüssigkeit. ~체 ein undurchsichtiger Körper, -s, -.

불퉁그러지다 vor|springen* s; ⁴sich aus|bauchen; hervor|ragen. ¶ 불퉁그러진 가지 ein knorriger Baumast, -(e)s, ⸗e.

불퉁불퉁하다 ① 《내민 꼴》 knotig; knorrig (sein). ¶ 불퉁불퉁한 나무 ein knorriger Baum, -(e)s, ⸗e. ② 《말》 grob; barsch; plump (sein).

불퉁스럽다 《태도가》 grob; barsch; ungestüm (sein). ¶ 불퉁스럽고 때때로 반항적인 태도 ein schroffes u. abweisendes, feindseliges Verhalten, -s / 말버릇이 ~ Er spricht barsch. / 그의 태도가 ~ Er benimmt sich grob.

불퉁하다 bauchig; angeschwollen (sein).

불티 Funke *m.* -n(s), -n. ¶ ~가 일어나다 funkeln / ~가 튀다 funken; Funken sprühen.

불패(不敗) Unüberwindlichkeit *f.* ¶ ~의 unüberwindlich.

불편(不便) Unbequemlichkeit *f.* -en; Unannehmlichkeit *f.* -en; Ungelegenheit *f.* -en. **~하다** unbequem; unannehmbar; ungelegen; unhandlich (다루기 힘든); 《실용에 맞지 않는》 unpraktisch (sein). ¶ 몸이 ~하다 ⁴sich unwohl fühlen; unwohl sein; *jm.* unwohl sein / 나는 몸이 ~하다 Mir ist unwohl. / 여러 가지 ~을 참다 ³sich e-e Menge Schwierigkeiten gefallen lassen müssen*; ⁴sich mit e-r Anzahl von Unbequemlichkeiten zufrieden geben* / 어디 ~하십니까 Fühlen Sie sich unwohl? / 이 의자는 ~하다 Dieser Stuhl ist unbequem. / 교통이 ~하다 Die Verkehrsverbindung ist ungünstig.

불편(不偏) ☞ 불편부당(不偏不黨).

불편부당(不偏不黨) Unparteilichkeit *f.*; Parteilosigkeit *f.*; Unbefangenheit *f.*; Unvoreingenommenheit *f.*; Neutralität *f.* (중립). ¶ ~의 unparteiisch; parteilos; überparteilich; unbeeinflußt; unbefangen; unvoreingenommen; unabhängig; neutral (중립의) / ~의 신문 e-e unabhängige (unparteiische) Zeitung, -en / 그는 시종 ~의 태도를 취했다 Er benahm sich von Anfang zu Ende unparteiisch.

불평(不平) Unzufriedenheit *f.*; Mißmut *m.* -(e)s; Mißstimmung *f.* -en; Mißvergnügen *n.* -s, -; Beschwerde *f.* -n; Klage *f.* -n; Nörgelei *f.* -en; Groll *m.* -(e)s; das Murren*, -s; Quengelei *f.* -en. **~하다** unzufrieden; unbefriedigt; mißvergnügt; mißmutig; mürrisch; nörgelnd (sein); 〖동사〗 ⁴sich beklagen 《*über*⁴》; ⁴sich beschweren 《*über*⁴ bei *jm.*》; Klage führen 《*über*⁴》; s-e Unzufriedenheit laut werden lassen*. ¶ ~의 씨 der Gegenstand 《-(e)s, ⸗e》 der Beschwerde / ~잘 하는 gleich grollend 《*mit*³; *um*⁴; *wegen*²》 / ~을 늘어놓다 grollen; murren; nörgeln; Unzufriedenheit äußern 《*über*⁴》 / ~을 품다 ⁴sich unzufrieden (unbefriedigt) fühlen / 이제 와서 ~한들 무엇하랴 Wozu soll man jetzt noch grollen? / 나는 아무 ~도 없다 Ich habe nichts zu klagen.

‖ ~가 (객, 꾼) der mürrische Mensch, -en, -en; Brummbär *m.* -en, -en; Nörgler *m.* -s, -; Schmoller *m.* -s, -. **~분자** ein unzufriedenes (unbefriedigtes) Element, -(e)s, -e.

불평등(不平等) Ungleichheit *f.* -en; Unebenheit *f.* -en. **~하다** ungleich; ungerecht; unfair (sein). ¶ ~한 취급 e-e unfaire, ungerechte Behandlung, -en.

‖ **~조약** ein ungleiches (unangemessenes) Abkommen, -s, -.

불평판(不評判) 《악평》 Verruf *m.* -(e)s; der

üble (schlechte) Ruf (〖속어〗 Geruch) -(e)s; 《인기 없음》 Unbeliebtheit *f.*; das abfällige (ungünstige) Urteil, -(e)s, -e.

불포화(不飽和) Unsättigung *f.*
‖ ~화합물 ungesättigte Verbindung, -en.

불품행(不品行) schlechtes Benehmen* (Betragen*) -s; unmoralisches Verhalten*, -s; 《방탕》 Verworfenheit *f.* -en.

불풍나게 beschäftigt; emsig; eifrig. ¶ ~ 돌아다니다 geschäftig umher|laufen* ⓢ; emsig umher|hantieren.

불피우다 Feuer machen; an|zünden[4]; entzünden. ¶ 난로에 ~ im Ofen Feuer machen.

불필요(不必要) Unnötigkeit *f.* -en; Überflüssigkeit *f.* -en. ~하다 unnötig; entbehrlich; überflüssig (sein). ¶ 그것은 ~한 지출이다 Das sind ganz unnötige Ausgaben. / 나는 여기에서 ~한 존재처럼 생각된다 Ich komme mir hier überflüssig vor.

불하(拂下) Verkauf 《*m.* -(e)s, ⸚e》 des Staatseigentums. ~하다 (das Staatseigentum) verkaufen.
‖ ~품 das zum Verkauf stehende Staatseigentum, -s, ⸚er.

불학(佛學) Buddhismus *m.*; die buddhistische Lehre, -n (Wissenschaft, -en).

불학무식(不學無識) Ungelehrtheit *f.*; Unwissenheit *f.*; Analphabetentum *n.* -s. ~하다 ungelehrt; ungebildet; unwissend (sein).

불한당(不汗黨) 《강도》 Räuber *m.* -s, -; Dieb *m.* -(e)s, -e; 《반도(叛徒)》 der Aufständische*, -n, -n; Aufrührer *m.* -s, -; 《깡패》 Raufbold *m.* -(e)s, -e.

불합(不合) Verschiedenheit *f.* -en; Widerspruch *m.* -(e)s, ⸚e. ~하다 nicht überein|stimmen; in Widerspruch stehen*.

불합격(不合格) Untauglichkeit *f.*; das Ausmustern*, -s; Unbrauchbarkeit *f.*; Verwendungsunfähigkeit *f.* -en; Zurückweisung *f.* -en; Durchfall *m.* -(e)s, ⸚e (낙제). ~하다 untauglich; unbrauchbar; ausgemustert; verwendungsunfähig; zurückgewiesen; 《낙제하다》 durchgefallen (sein). ¶ 그렇게 노력했는데도 그는 시험에 ~했다 Trotz all s-r Bemühungen ist er in der Prüfung durchgefallen.
‖ ~자 der für unfähig (ungeeignet) Erklärte*, -n, -n; der Durchgefallene*, -n, -n (낙제자). ~품 die als wertlos ausgeschiedene Ware, -n.

불합리(不合理) Unvernünftigkeit *f.*; Irrationalität *f.*; Sinn|widrigkeit (Vernunft-) *f.* -en; Widersinnigkeit *f.* -en. ~하다 unvernünftig; irrational; sinn|widrig (vernunft-); widersinnig (sein). ¶ ~한 항의 ein unberechtigter Protest, -es, -e / ~한 가격 ein unvernünftiger (unverschämter) Preis, -es, -e / 네 말은 ~하다 Was du sagst, ist nicht stichhaltig.|D-e Worte sind widersinnig (unlogisch).

불행(不幸) ① 《불운》 Unglück *n.* -(e)s; Unglücksfall *m.* -(e)s, ⸚e; Mißgeschick *n.* -(e)s, -e; 《재난》 Unfall *m.*; Not *f.* ⸚e; Elend *n.* -(e)s (궁핍); 〖속어〗 Pech *n.* -(e)s. ~하다 unglücklich; elend; jämmerlich unglückselig; unheilvoll; 〖속어〗《매우 불행한》 kreuzunglücklich (tod-) (sein). ¶ ~한 사람 〖속어〗 Unglückswurm *m.* (*n.*) -(e)s, ⸚er (불운아); 〖속어〗 Pechvogel *m.* -(e)s, ⸚ / ~하게도 zum Unglück; unglücklicherweise; leider (유감스럽게도) / ~에 빠져 있다 Unglück (Pech) haben; in schwieriger Lage sein; e-e Pechsträhne haben (in e-r Pechsträhne sein) (운이 기울어졌다) / ~의 연속이다 Die Pechsträhne reißt nicht ab.|Ein Unglück kommt zum anderen.|Unglück u. Unglück! (설상가상).
② 《사망》 das Hinscheiden*, -s; Tod *m.* -(e)s; der (schmerzliche) Verlust, -es, -e. ¶ ~을 당하셨다니 뭐라 위로의 말씀을 드려야 할지 모르겠읍니다 Gestatten Sie mir, Ihnen m-e aufrichtige Teilnahme an dem schmerzlichen Verlust auszusprechen, den Sie erlitten haben.

불허(不許) ~하다 nicht erlauben[34]; nicht gestatten[34]. ¶ 변명을 ~하다 k-e Entschuldigung erlauben; k-e Rechtfertigung erlauben / 형세는 낙관을 ~한다 Es gibt k-n Grund zum Optimismus. / 사태는 일각의 유예를 ~한다 Die Lage gestattet k-n Aufschub. / 그의 작품은 타의 추종을 ~한다 S-e Werke entziehen sich allen Versuchen der Nachahmung.
‖ ~복제(複製) 《경고》 Abdruck verboten.

불허가(不許可) Mißbilligung *f.* -en; das Mißfallen*, -s. ~하다 mißbilligen[4]; nicht erlauben[34].

불현듯(이) 《갑자기》 plötzlich; auf einmal; 《우연하게》 zufällig; unerwartet. ¶ 돌아가려는 생각이 ~ 들다 plötzlich fällt mir ein, zurückzukehren / ~ 그는 집생각이 났다 Plötzlich überkam ihn das Heimweh. / 그녀는 ~ 그가 보고 싶었다 Auf einmal ergriff sie brennende Begierde, ihn zu sehen.

불협화(不協和) Disharmonie *f.* -n; Dissonanz *f.* -en. ¶ ~의 nicht übereinstimmend; widersprechend; mißtönend; nicht zusammenstimmend. ‖ ~음 Dissonanz *f.*; Disharmonie *f.*; Mißklang *m.* -(e)s, ⸚e.

불호(佛號) der Name, den man als buddhistischer Mönch bekommt; (buddhistischer) Mönchsname, -ns, -n.

불호령(一號令) das Knurren*, -s; das Brummen*, -s. ~하다 hochmütig brummen; e-n strengen Befehl geben*.

불호박(一琥珀) roter Bernstein, -(e)s.

불혹(不惑) Alter 《*n.* -s》 frei von Zweifeln; Alter von vierzig; Schwabenalter *n.* -s. ¶ ~을 지나다 das Alter überschreiten, in dem man Zweifel hat; über die Vierzig hinaus sein.

불화(不和) Mißhelligkeit *f.* -en; Mißklang *m.* -(e)s, ⸚e; Mißverhältnis *n.* -ses, -se; Uneinigkeit *f.* -en; Zwie|spalt *m.* -(e)s, -e (-tracht *f.*); 《싸움》 Hader *m.* -s; Streit *m.* -(e)s, -e; Zwist *m.* -es, -e. ~하다 mit *jm.* auf schlechtem (gespanntem) Fuß stehen* (leben); mit *jm.* uneinig sein; mit *jm.* in Feindschaft (wie Hund u. Katze) leben. ¶ ~하게 되다 mit *jm.* in den Zwiespalt (in Zwist) geraten* ⓢ; mit *jm.* entzweien; mit *jm.* zum Streit kommen* ⓢ; *jm.* abwendig werden / ~의 씨를 뿌리다 Zwietracht säen 《*zwischen*[3]》; e-n Zankapfel (hin)werfen*.
‖ 가정~ Familienkrach *m.* -(e)s, -e

불화(弗化) 〖화학〗 Fluorverbindung *f.* -en.
‖ ~물 Fluorid *n.* -(e)s, -e. ~수소 Fluorwasserstoff *m.* -(e)s, -e. ~칼슘 Kalziumfluorid *n.*

불화(弗貨) Dollar *m.* -s, -s; amerikanischer Dollar.

불화(佛畫) buddhistische Malerei, -en; buddhistisches Gemälde, -s, -.

불확대(不擴大) Lokalisation *f*. -en.
‖ ~방침 Prinzip 《*n*. -s, -ien》 zur Verhinderung der Ausbreitung (Verbreitung) e-r Angelegenheit.

불확실(不確實) Unsicherheit *f*. -en; Ungewißheit *f*. -en; Unberechenbarkeit *f*.(믿을 수 없는); Unklarheit *f*.(미상); Unzuverlässigkeit *f*.(불신). ~하다 unbestimmt; unsicher; schwankend; zweifelhaft; unberechenbar; unzuverlässig (sein). ¶ ~한 사업 zweifelhafte Geschäfte 《*pl*.》/ 이것은 ~한 보도다 Das ist ein unzuverlässiger Bericht.

불확정(不確定) Unbestimmtheit *f*.; Ungewißheit *f*.; Veränderlichkeit *f*.; Unentschiedenheit (Unentschlossenheit) *f*.; Unbeständigkeit *f*. ~하다 unbestimmt (ungewiß; veränderlich; unbeständig; unentschieden; unentschlossen) sein. ¶ 그 문제는 아직 ~적이다 Die Sache bleibt noch unentschieden.
‖ ~기간 ein unbestimmter Termin, -s, -e. ~신용장 ein widerruflicher Kreditbrief, -(e)s, -e.

불환지폐(不換紙幣) das inkonvertible (uneinlösbare; unkonvertierbare) Papiergeld, -(e)s, -er; das Papiergeld ohne [4]Deckung.

불활발(不活潑) Unbelebtheit *f*.; Untätigkeit *f*.; Trägheit *f*.; Stockung *f*. -en (침체); Flauheit *f*. (경기가). ~하다 nicht lebhaft; energielos; träge; untätig; unbelebt; flau; still; stockend (sein).

불황(不況) Flaue *f*.; Flauheit *f*.; Flaute *f*.; (Geschäfts)stille *f*. -n; Geschäftsstockung *f*. -en; der schlechte Geschäftsgang, -(e)s, ⸗e; Tiefstand *m*. -(e)s 《der [2]Wirtschaft》. ¶ ~의 flau; lustlos (매기가 없는); still; unbelebt / 상업계의 ~ Geschäftsstille *f*. / 세계적인 ~ weltweite Flaute / ~을 타개하다 schlechte Zeiten durch|machen / 상거래가 ~이다 Das Geschäft geht (ist) flau (geht schlecht).¦Die Geschäfte stocken.
‖ ~기 Sauregurkenzeit *f*. -en; die flaue Zeit, -en. ~시대 schlechte Zeiten 《*pl*.》; Zeiten wirtschaftlichen Tiefstandes. 무역~ die Flauheit des Handels.

불효(不孝) der Ungehorsam 《-(e)s》 gegen die Eltern; Unehrerbietigkeit (Undankbarkeit) 《*f*. -en》 gegenüber den Eltern. ~하다 ungehorsam; unehrerbietig; unkindlich; pietätlos; undankbar (sein).
‖ ~자 ein unkindlicher (undankbarer) Sohn, -(e)s, ⸗e; e-e unkindliche (undankbare) Tochter, ⸗: 너 같은 ~자는 가문의 수치다 Ein unkindlicher Sohn wie du ist e-e Schande unsrer Familie.

불효(拂曉) Tagesanbruch *m*. -(e)s; Morgendämmerung *f*. -en.

불후(不朽) Unsterblichkeit *f*.; Unvergänglichkeit *f*.; Ewigkeit *f*. ~하다 unsterblich; unvergänglich; unzerstörbar; ewig (sein). ¶ ~의 명성 der unsterbliche (unvergängliche) Ruhm, -(e)s / 그는 ~의 이름을 남겼다 Er hat sich unsterblich gemacht.¦Sein Name ist verewigt (unsterblich gemacht) worden.

붉다 《색》 rot; hochrot (심홍); scharlachrot (진홍); 《사상》 kommunistisch (sein). ¶ 붉은 사상 kommunistische Ideologie / 붉은 뺨 rote Wangen 《*pl*.》/ 붉어지다 《얼굴 따위가》 erröten; glühen / 창피해서 얼굴이 붉어지다 vor Scham rot werden / 화가 나서 얼굴이 붉어지다 aus Ärger (Wut) rot werden / 흥분해서 얼굴이 붉어지다 vor Erregung rot werden.

붉덩물 Schlammfluß *m*. ..flusses, ..flüsse. ¶ ~지다 der Fluß wird schlammig.

붉디붉다 sehr rot; leuchtend (flammend; glühend) rot (sein).

붉어지다 [4]sich röten; rötlich werden; ins Rötliche stechen*. ☞ 붉다. ¶ 얼굴이 ~ erröten 《*vor*[3]》¦Die Rote steigt *jm*. in das Gesicht.¦ *js*. Gesicht ist von glühender Röte übergossen.

붉은거북 〖동물〗 e-e Sorte von Meeresschildkröte; *Caretta caretta* (학명).

붉은발 infektionsgeschwollene Ader, -n; Krampfader *f*. -n. ~서다 Krampfadern treten vor.

붉은배지빠귀 〖조류〗 braune Drossel, -n; *Turdus chrysolaus* (학명).

붉은토끼풀 〖식물〗 roter Klee, -s.

붉히다 erröten; rot werden. ¶ 그는 성이 나서 얼굴을 붉혔다 Er war rot vor Ärger (Wut). / 그녀는 부끄러워서 얼굴을 붉혔다 Die Scham rötete ihre Wangen.

붐 Boom [bu:m] *m*. -s, -s; Aufschwung *m*. -(e)s, ⸗e; Konjunktur *f*. -en; Hausse *f*. -n. ¶ 언어학의 붐 ein Aufschwung (e-e Blütezeit) der Linguistik / 붐이 일다 rasch in die Höhe kommen; [4]sich schnell entwickeln; e-n Aufschwung nehmen* / 지금 비데오 붐이 일고 있다 Video-Recorder werden jetzt viel verlangt.

붐비다 〖장소가 주어〗 gedrängt voll sein; wimmeln 《*von*[3]》; überfüllt (vollgestopft) sein 《*von*[3]》; 〖사람이 주어〗 [4]sich drängen; schwärmen. ¶ 한창 붐빌 때 Hauptgeschäftszeit *f*. -en; Haupt¦verkehrszeit (Stoß-) *f*. -en; Stoßzeiten 《*pl*.》 / 붐비는 거리 die Straße 《-n》 im Gewühl der Menschen / 자동차가 너무 붐벼서 교통이 완전히 두절되었다 Es war ein schreckliches Gedränge der Wagen, u. der Straßen war völlig verstopft. / 거리는 사람들로 붐빈다 Die Straßen wimmeln von Menschen. / 아침에는 전차가 붐비지 않느냐 Ist nicht die Bahn morgens überfüllt? / 지금 붐비고 있느냐 《영화관 따위가》 Ist es jetzt voll?

붐하다 die Morgendämmerung ist grau.

붓 (Schreib)pinsel *m*. -s, -; 《펜》 (Schreib-)feder *f*. -n. ¶ 붓 놀림새 Pinselführung *f*. -en; 《필치》 Pinselstrich *m*. -(e)s, -e / 붓을 놓다 die Feder (den Schreibpinsel) nieder|legen; (e-n Brief) schließen* / 붓을 들다 die Federn ergreifen*; schreiben* / 붓으로 생활하다 vom Schreiben leben.
‖ 붓대 Pinsel¦stiel (-stock) *m*. -(e)s, -e.

붓꽃 〖식물〗 Iris *f*. -; Schwertlilie *f*. -n.

붓끝 ① 《필단》 die Spitze 《-n》 des (Schreib-)pinsels. ¶ 이 붓은 ~이 닳았다 Die Spitze dieses Pinsels ist abgenutzt. ② 《필봉》 spitze Feder; das Handhaben* 《-s》 des Pinsels.

붓날다 [4]sich leichtsinnig benehmen*. ¶ 언행이 ~ oberflächlich handeln.

붓날리다 oberflächlich sprechen*. ¶ 언행을 ~ [4]sich flatterhaft verhalten*; [4]sich leichtsinnig benehmen*.

붓다[1] ① 《살이》 (an|)schwellen*; dick werden. ¶ 부은 geschwollen / 붓게 하다 schwellen*; zum Schwellen bringen*; entzünden / 울어서 부은 눈 geschwollene Augen 《*pl*.》 vom Weinen / 부은 얼굴 das aufgedunsene

〔aufgequollene〕 Gesicht, -(e)s, -er / 부어 오른 것 《채찍 자국 따위》 Strieme. *f.* -n; Striemen *m.* -s, - / 손가락이 ~ Der Finger schwillt. / 그의 다리는 부어 있다 Er hat geschwollene Beine.

② 《성나다》 schmollen 《mit *jm.*》; murren 《*über*⁴》; maulen; ärgerlich 〔böse; zornig; wütend〕 werden. ¶ 부은 얼굴로 mürrisch; e-e Schnute 〔e-e Flappe; e-n Flunsch〕 ziehend / 무엇 때문에 부었지 Was hat dich ärgerlich gemacht ?

붓다² ① 《쏟다》 gießen* 《*in*⁴》; hinein|gießen* 《*in*⁴》; 《부어서 채우다·덧붓다》 nach|gießen*; zu|gießen*. ¶ 등에 기름을 ~ Öl in die Lampe gießen* / 컵에 술을 ~Wein ins Glas gießen*. ② 《뿌리다》 säen. ¶ 모판에 씨앗을 ~ Samen ins Saatbeet säen. ③ 《치르다》 in Raten zahlen. ¶ 텔레비전 값을 한 달에 5,000원씩 ~ für den Fernsehapparat monatlich 5000 *Won* in Raten zahlen. ④ 《주조(鑄造)》 gießen*; prägen (화폐를); schlagen*; münzen (화폐로). ¶ 청동상을 부어 만들다 die Statue aus Erz gießen*.

붓다³ ☞ 부수다.

붓대 Pinselstiel *m.* -s, -e; der Griff 《-(e)s, -e》 des Pinsels; Federstiel *m* (펜대).

붓두껍 Pinseldeckel *m.* -s, -; (Metal)deckel für die Pinselspitze.

붓방아(질) mit dem Pinsel spielen, während man nach neuen Ideen sucht. ¶ 붓방아 찧다 mit dem Pinsel spielen; am Bleistift kauen.

붓순 〖식물〗 Japanischer Anis, -es, -e; Japanischer Sternanis; *Illicium anisatum* (학명).

붓장난하다 mit dem Pinsel Schreiben üben; mit dem Pinsel schreiben*.

붓질하다 mit dem Pinsel e-n Strich machen.

붓집 Pinselbehälter *m.* -s, -.

붓통(一筒) Pinselständer *m.* -s, -.

붕 bardauz 〔pardauz〕!; bums! ¶ 붕소리를 내다 summen; brummen / 자동차가 붕하고 떠난다 Mit e-m plötzlichen Stoß 〔Ruck〕 startet der Wagen.

붕괴(崩壞) Zusammenbruch *m.* -(e)s, ⸚e; Einsturz *m.* -es, ⸚e; Zerfall *m.* -(e)s; Krach *m.* -(e)s, -e (폭락, 파산). ~하다 zusammen|brechen* 〔-|sinken*〕ⓢ; ein|stürzenⓢ; zerbröckelnⓢ; zerfallen*ⓢ. ¶ 제방의 ~ der Einsturz 《-es, ⸚e》 der Ufermauer / 갱도가 ~했다 Der Stollen 《-s, -》 ist eingestürzt./ 건물이 ~하다 Das Gebäude bricht zusammen. / 집이 ~하다 Das Haus fällt ein.

‖ ~상태 Zerfallenheit *f.*; der zerfallene Zustand, -(e)s, ⸚e.

붕당(朋黨) Faktion *f.* -en; Partei *f.* -en; Clique *f.* -n.

‖ ~심 Cliquengeist *m.* -(e)s.

붕대(繃帶) Binde *f.* -n; Verband *m.* -(e)s, ⸚e; Bandage *f.* -n. ¶ 눈에 ~를 한 사람 der Mann mit der Augenbinde / ~를 풀다 〔떼다〕 den Verband ab|nehmen*; die Binde auf|binden*; ab|binden*⁴ / ~를 갈아내다 den Verband erneuern; dem Verband wechseln / 상처에 ~를 대다 den Verband an die Wunde an|legen; e-e Wunde verbinden* / 벤 손가락을 ~로 감다 den Verband um den geschnittenen Finger wickeln / 그는 발에 ~를 했다 Er hat den Verband an den Fuß angelegt.

‖ 멜빵~ Tragverband *m.* -(e)s, ⸚e; Armschlinge *f.* -n: 팔에 멜빵 ~를 하고 있다 den Arm in der Binde tragen*.

붕붕¹ pup(s)end; bang bang; peng peng 《blatzen》.

붕붕² bum, bum !; 《날다》 summend. ~하다, ~거리다 summen; brummen; schnarren; 《경적이》 hupen. ¶ 벌이 ~ 날아 다닌다 Die Biene summt herum.

붕사(硼砂) 〖화학〗 Borax *m.* -(es).

‖ ~땜 der mit Borax versehene Damm. 천연~ Naturborax *m.* -(es).

붕산(硼酸) 〖화학〗 Borsäure *f.*

‖ ~연고 Borsalbe *f.* -n.

붕소(硼素) 〖화학〗 Bor *n.* -s 《기호: B》.

붕어 〖어류〗 Karausche *f.* -n.

‖ ~사탕 ein karauschenförmiger Keks, -s, -s; 《사람》 ein haltungsloser Mensch, -en, -en. ~찜 e-e gedünste Karausche. ~톱 e-e karauschenförmige Säge, -n.

붕어(崩御) die Heimfahrt 《-en》 des Königs; das Hinscheiden* 《-s》 des Königs. ~하다 ⁴sich zu s-n Vätern versammeln; das Zeitliche segnen.

붕어마름 〖식물〗 Wasser¦hornhaut *f.* ⸚e 〔-zinken *m.* -s, -〕; Hornblatt *n.* -(e)s, ⸚er.

붕우(朋友) Freund *m.* -(e)s, -e; Gesellschafter *m.* -s, -; Begleiter *m.* -s, -.

‖ ~유신(有信) das Vertrauen 《-s》 unter den Freunden.

붕장어(一長魚) 〖어류〗 Seeaal *m.* -(e)s, -e; Meeraal *m.* -(e)s, -e.

붕정(鵬程) langer Weg, -(e)s, -e; weite Entfernung, -en. ‖ ~만리 e-e lange Reise, -n; 《항해》 e-e lange Seereise.

붙다 ① 《부착》 an 〔auf; in〕 ³*et.* haften; an|haften³; stecken. ¶ 아무에게 별명이 ~ e-n Spitznamen bekommen* / 일이 손에 안~ k-e Lust zu arbeiten; arbeitsunlustig / 집안에 붙어 있다 zu Hause kleben bleiben*ⓢ; wie ein Einsiedler leben / 옷이 몸에 착 ~ Kleider kleben ihm am Köper / 포스터가 붙어 있다 ein Plakat ist an ³*et.* angeklebt / 풀이 잘 ~ Der Kleister klebt sich gut. / 두 집이 서로 붙어 있다 Die beiden Häuser stehen dicht nebeneinander. / 굴이 바위에 붙어 있다 Die Auster wächst an die Felswand an. / 그 병에는 「독약」이란 딱지가 붙어 있다 An der Flasche ist mit „Gift" bezeichnet. / 이 편지에는 우표가 붙어 있지 않다 Dieser Brief ist nicht flankiert.

② 《추종》 *jm.* an|hängen*; ⁴sich an|schließen* 《*an*⁴》; auf *js.* Seite sein; auf *js.* Seite treten* ⓢ; ⁴sich auf *js.* Seite stellen 〔schlagen*〕. ¶ 공산당에 ~ ⁴sich an die kommunistische Partei an|schließen* / 부자에게 ~ vor e-m Reichen kriechen*; ⁴sich bei e-m Reichen ein|schmeicheln.

③ 《불이》 an|brennen*ⓢ; an|zünden⁴. ¶ 집에 불이 ~ Das Haus gerät in Brand. / 나무가 불이 잘 붙지 않는다 Das Holz will nicht anbrennen. / 그 라이터는 불이 잘 붙지 않는다 Das Feuerzeug brennt nicht gut.

④ 《시험》 die Prüfung bestehen*. ¶ 입학 시험에 ~ die Aufnahmeprüfung bestehen* / 학교에 ~ in die Schule zugelassen werden.

⑤ 《교미·결합》 ⁴sich begatten; ⁴sich paaren. ¶ 개가 붙었다 Die Hunde paaren sich.

⑥ 《수종》 ¶ 붙어 다니다 dicht nebeneinander gehen*ⓢ / 병자에게(는) 간호원이 붙어 있다 Der Patient wird von e-r Kranken-

schwester gepflegt.
⑦《간통》in ein intimes Verhältnis treten*ⓢ. ¶붙어 먹다 die Ehe brechen* / 남의 여자를 붙어 먹다 mit e-r fremden Frau schlafen*.

붙당기다 nach *jm.* ([3]*et.*) grapschen u. ziehen*[4]; mit e-m Ruck heftig heraus|ziehen*[4]; ruckweise ziehen*[4].

붙동이다 nach [3]*et.* (*jm.*) grapschen u. binden*[4] (an [4]*et.* befestigen[4]; an [4]*et.* fesseln[4]; verschnüren[4]; fest zusammen|binden*[4]).

붙들다 ①《잡다》fangen*[4]; fassen[4]; ergreifen*[4]; fest|nehmen*[4]. ¶도둑을 ~ e-n Dieb ergreifen*; e-n Dieb fest|nehmen* / 아무의 팔을 ~ *jn.* am Arm fest|halten* / 붙들고 놓지 않다 *jn.* zurück|halten* / 붙들고 늘어지다 [4]sich an [4]*et.* (an|)klammern; [4]sich an [3]*et.* fest|halten*; an *jm.* hängen* / 어머니의 옷자락을 꽉 ~ [4]sich dicht an den Rock von Mutter schmiegen.
②《만류》zurück|halten*; bei|behalten*. ¶손님을 오래 붙들어 두다 e-n Gast lange auf|halten* / 자네를 붙들지 않겠네 Ich will dich nicht länger aufhalten. / 가고 싶었으나 그가 붙들었다 Ich wollte weg (gehen), aber er ließ mich nicht los.
③《돕다》helfen*[3]; bei|stehen[3]. ¶이것을 좀 드는 데 붙들어 주십시오 Helfen Sie mir, bitte, dies zu heben! / 나는 그 어린이를 붙들어 일으켰다 Ich half dem Kind auf die Beine.

붙들리다 ①《잡히다》festgenommen werden; gefangengenommen werden; verhaftet werden. ¶도둑 (범인)이 현장에서 붙들렸다 Der Dieb (Täter) wird auf der Tat (Stelle) ertappt. / 그는 백차(교통 순경)에게 붙들렸다 Er wurde von e-m Verkehrspolizist geschnappt. / 그 도둑은 아직 붙들리지 않았다 Der Dieb ist immer noch auf den Füßen. |Der Dieb ist noch nicht verhaftet.
②《만류》zurückgehalten werden; aufgehalten werden. ¶나는 두 시간 동안이나 그에게 붙들렸다 Ich bin zwei Stunden lang von ihm zurückgehalten worden.

붙따르다 *jm.* treu|bleiben*ⓢ; [4]sich von *jm.* nicht trennen; [4]sich an *jn.* an|schließen*; *jm.* treu folgen.

붙매이다 abgehalten werden; gefesselt werden; gefangen werden. ¶그는 일에 붙매여 있다 Er ist an s-e Arbeit gefesselt.

붙박아놓다 befestigen[4]; fest verschließen*[4]; ([4]Blick) fest richten; fixieren[4]; fest|legen[4]; fest|setzen[4]; 《처박아 놓다》weg|stellen[4]; weg|legen[4].

붙박이 fest angebrachter Zubehörteil, -(e)s, -e; feste Anlage, -n; eingebautes Inventar, -s, -e. ¶~로 eingebaut; unbeweglich; feststehend / 이것은 ~로 되어 있어서 떼어낼 수가 없다 Da es fest eingebaut worden ist, kann man es nicht auseinanderlegen. ‖~창 das blinde Fenster, -s, -; das eingenagelte Fenster.

붙박이다 befestigt werden; verbunden bleiben*ⓢ. ¶그는 늘 집안에 붙박여 있다 Er klebt immer zu Hause.

붙안다 in den Armen halten*[4]. ¶어린아이를 ~ ein Kind in den Armen halten*.

붙어다니다 *jm.* nach|laufen*ⓢ; *jm.* hinterher laufen*ⓢ; *jm.* folgenⓢ; *jn.* verfolgen; *jm.* nicht von der Seite (nicht von *js.* [3]Seite) weichen* (곁을 떠나지 않다); mit *jm.* zu Gesellschaft (als Schutz) gehen*ⓢ. ¶그림자처럼 ~ *jm.* wie ein Schatten folgenⓢ.

붙어먹다 =간통하다.

붙여지내다 auf *jn.* angewiesen sein; nicht selbständig sein; von *jm.* abhängig sein; kein selbständiges Leben führen.

-붙이 die zur gleichen Gruppe (Klasse) gehörigen Dinge. ¶살붙이 Verwandte*《*m.* (*f.*) -n, -n》u. Anverwandte*《*m.* (*f.*) -n, -n》/ 쇠붙이 Eisenwaren《*pl.*》/ 제붙이 die eigenen Leute《*pl.*》/ 털붙이 Pelzwaren《*pl.*》.

붙이다 ①《부착》an|heften[4]《*an*[4]》; 《풀 따위로》an|kleben[4]《*an*[4]》; leimen[4]; stärken[4]; 《고약을》auf|legen[4]. ¶소포에 꼬리표를 ~ an das Päckchen e-n Anhänger kleben / 광고를 ~ die Reklame an [4]*et.* an|schlagen* / 포스터를 ~ ein Plakat an|kleben / 우표를 ~ Briefmarken (auf e-n Brief) kleben / 고약을 ~ ein Pflaster auf|legen / 풀로 ~ mit Kleister kleben[4] / 타일이 붙어 있다 mit Fliesen versehen sein / 책상을 벽에 붙여 놓다 den Schreibtisch an die Wand stellen / 별명을 붙이다 e-n Spitznamen geben*《*jm.*》/ 이 곳에 광고를 붙이지 말 것《게시》Plakate anschlagen verboten!
②《조건 따위를》stellen[4]; 《부가》hinzu|fügen[4]; bei|fügen[4]; hinzu|setzen[4]. ¶조건을 ~ [4]*et.* zur Bedingung machen (stellen).
③《가입》in [4]*et.* ein|treten*ⓢ; [4]sich an [3]*et.* beteiligen; an [3]*et.* teil|nehmen*. ¶붙여 주지 않다 nicht hinein|lassen*[4]; aus|schließen*[4] / 저 아이는 붙이지 말라 Wollen wir ihn nicht mit einschließen!
④《의지》[4]sich an *jn.* wenden; [4]sich auf [4]*et.* stützen; [4]sich auf [4]*et.* verlassen*. ¶밥을 ~ [4]sich in (die) Kost geben* / 몸 붙일 곳이 없다 niemand haben, auf den man sich anwenden könnte; nirgends zu leben/ 아저씨 집에 몸을 붙이고 있다 Ich wohne bei m-n Onkel.
⑤《노름·흥정·싸움을》organisieren[4]; vermitteln[4]; Zank stiften. ¶노름을 ~ *jn.* zum Spiel verführen (veranlassen) / 싸움을 ~ *jn.* zum Streiten reizen; Zwietracht säen《*zwischen*[3]》/ 흥정을 ~ An- u. Verkauf vermitteln; makeln[4] / 개 (닭) 싸움을 ~ Hunde《*pl.*》(Hähne) miteinander kämpfen lassen*.
⑥《돈을》setzen[4]; wetten[4]; aufs Spiel setzen[4]; spielen[4]. ¶백 원을 ~ hundert *Won* (ein|)setzen.
⑦《의견을》s-e Meinung äußern; e-e hinzugefügte Bemerkung machen. ¶토의에 의견을 ~ in die Debatte s-e Meinung ein|schalten.
⑧《때리다》hauen*[4]. ¶따귀를 ~ *jn.* (*jm.*) hinter die Ohren hauen*; *jm.* e-e Ohrfeige geben*.
⑨《교접》decken lassen*[4]; paaren[4]. ¶개를 ~ den Hund decken lassen* / 두 사람을 붙여 주다 zwei Menschen miteinander verkuppeln / 여자를 붙여 주다 ein Mädchen verkuppeln《an *jn.*》.

붙임성(一性) Artigkeit *f.* -en; Leutseligkeit (Geselligkeit) *f.* -en; Liebenswürdigkeit *f.* -en; Umgänglichkeit *f.* -en; Freundlichkeit *f.* -en. ¶~있는 entgegenkommend; leutselig; gesellig; gefällig; liebenswürdig; umgänglich; freundlich / ~ 있는

(없는) 사람 der freundliche (unzugängliche) Mensch, -en, -en / ~있는 태도 e-e liebenswürdige (angenehme) Haltung / ~이 있다 sympatisch sein; gesellig sein.
붙임질 das Verkleben*, -s; Verleimung *f.*; Verbindung *f.* -en. **~하다** aneinander|leimen[4]; zusammen|kleben[4]; verleimen; an|-heften; befestigen; fest|kleben.
붙임틀 Gerät 《*n.* -(e)s, -e》 zum Verleimen von Furnier (Sperrholz).
붙임풀 der Klebstoff 《-(e)s, -e》, den man für die Näharbeit gebraucht.
붙임혀 〖건축〗 Stützpfahl 《*m.* -(e)s, ⸗e》 für die Dachrinne; Pfeiler 《*m.* -s, -》 für die Dachtraufe.
붙잡다 ① 《손으로》 fest|nehmen*[4]; verhaften[4]; gefangen nehmen*[4]. ¶ 도둑을 ~ e-n Dieb ergreifen* / 아무의 손을 ~ *jn.* an der Hand halten* / 버스의 손잡이를 ~ den Riemen fest|halten* / 꽉 붙잡고 있어라 Halte es fest! / 범인은 현장에서 붙잡혔다 Der Täter wurde auf der Stelle festgenommen. ② 《일자리를》 e-e Stelle bekommen* (erwerben*). ③ 《돕다》 helfen*[3]; unterstützen[4]. ¶ 붙잡아 주다 bei|stehen*[3]; *jm.* Hilfe leisten.
붙장(一欌) Wandschrank *m.* -(e)s, ⸗e (in der Küche).
붙좇다 *jm.* folgen; [4]sich an *jn.* an|schließen*; *jm.* dienen; *jm.* gehorchen; *jn.* (ver)ehren. ¶ 스승을 ~ s-m Lehrer mit großer Achtung dienen.
뷺달다 hastig u. eilig sein; jähzornig (rücksichtslos; unbesonnen; leichtsinnig) sein.
뷺대다 grob u. unverschämt handeln; ungebildet u. unhöflich sein; *jn.* von oben herab behandeln. ¶ 우리를 뷺대지 마라 Behandle uns nicht so von oben herab.
브라스밴드 Blaskapelle *f.* -n.
브라우닝 《총》 Browning [bráuniŋ] *m.* -s, -s; Browning-Pistole *f.* -n.
브라운관(一管) braunsche Röhre, -n.
브라자빌 《콩고 공화국의 수도》 Brazzaville.
브라자빌콩고 ☞ 콩고 ②.
브라질 Brasilien *n.* ¶ ~의 brasil(ian)isch.
‖ **~사람** Brasilianer *m.* -s, -; Brasilier *m.* -s, -.
브라질리아 《브라질의 수도》 Brasilia.
브람스 《독일의 작곡가》 Johannes Brahms (1833-97).
브래저 Büstenhalter *m.* -s, -.
브랜디 《술》 Brandy [bréndi:] *m.* -s, -s; Kognak [kɔ́njak] *m.* -s, -s (-e); Branntwein *m.* -(e)s, -e.
브러시 Bürste *f.* -n. ¶ ~질을 하다 (aus|)bürsten[4].
브레이크[1] Bremse *f.* -n; Radschuh *m.* -(e)s, -e. ¶ ~가 듣지 않는다 Die Bremse funktioniert nicht. |Die Bremse versagt. / ~를 걸다 bremsen; die Bremse ziehen* (betätigen) / ~를 늦추다 die Bremse lockern (lösen) / 그 친구는 좀 ~를 걸어야만 한다 Man muß bei ihm ein bißchen bremsen.
브레이크[2] 〖권투〗 entzwei gehen lassen*; ins Freie gehen lassen*.
브레인스토밍 Brainstorming [bréinsto:miŋ] *n.* -s, -s.
브레인트러스트 Brain-Trust *m.* -, -s 《미어》; Gruppe von Fachleuten zur Beratung der Regierung; Gehirntrust *m.* -(e)s, -e (-s).
브레즈네프 《소련의 정치가》 Leonid Ilyich Brezhnev (Breschnew) (1906-).
브로마이드 《감광지》 Bromit *n.* -(e)s, -e; Bromsilberpapier *n.* -s, -e. ¶ ~사진 《영화 배우 따위의》 Filmstar|karte (Schauspieler-) *f.* -n; Ansichtskarte 《*f.* -n》 von e-m Schauspieler (e-r Schauspielerin) ※ Standfoto *n.* -s, -s는 스틸을 이름.
브로치 Brosche *f.* -n; Spange *f.* -n; Vorstecknadel *f.* -n.
브로커 Makler *m.* -s, -; Zwischenhändler *m.* -s, -; Sensal *m.* -s, -e. ¶ ~ 구전(口錢) Maklergebühr *f.* -en; Provision *f.* -en; Sensarie *f.* -n; Courtage [kurtá:ʒə] *f.* -n / ~를 하다 als Makler tätig sein.
‖ **부동산 ~** Grundstücksmakler *m.* -s, -.
브롬화(一化) 〖화학〗 Bromierung *f.* -en.
‖ **~물(物)** Bromid *n.* -(e)s, -e. **~암모늄** Bromammonium *n.* -s. **~은(銀)** Bromsilber *n.* -s: ~은지(銀紙) 〖사진〗 Bromsilberpapier *n.* -(e)s, -e.
브루네이 《보르네오 섬의 영국 보호령·그 수도의 전 이름》 Brunei.
브뤼셀 《벨기에 수도》 Brüssel; Brussel; Bruxelles.
브리지 《선교》 (Kommando)brücke *f.* -n; 《육교》 Überführung *f.* -en; 《열차 연결부》 Übergangsbrücke *f.* -n; 《열차의 승강부》 Plattform *f.* -en; 《의치의》 (Zahn-)brücke *f.* -n; 《카드놀이의》 Bridge [bridʒ] *n.* -; 《안경의》 Steg *m.* -(e)s, -e; 《레슬링의》 Brücke *f.* -n. ¶ ~를 하다 《카드놀이의》 Bridge spielen.
브리핑 *briefing* 《영어》; (Lage)besprechung *f.* -en.
브양트얀 《라오스의 수도》 Vientiane.
블라우스 Bluse *f.* -n.
블라인드 《덧문》 Jalousie [ʒalu:zí:] *f.* -n [..zí:ən].
블랙리스트 die schwarze Liste, -n. ¶ ~에 오르다 auf die schwarze Liste kommen* Ⓢ (gesetzt werden) / (…를) ~에 올리다 in die schwarze Liste ein|tragen*[4].
블랭크 ein leerer Raum, -(e)s, ⸗e. ¶ ~의 blanc 〖무변화〗; unausgefüllt / ~인 채로 in blanc.
블레이저코트 Blazer [blé:zər] *m.* -s, - 《leichtes, buntes Flanelljackett》.
블록 Block *m.* -(e)s, ⸗e (거리의 구획); Klotz *m.* -es, ⸗e (덩어리).
‖ **~건축** Blockbauart *f.* -en. **~경제** Großraumwirtschaft *f.* -en; Blockwirtschaft *f.* **달러~** Dollar-Raum *m.* -(e)s, ⸗e (-Block *m.* -(e)s, ⸗e; -Länder 《*pl.*》).
블론드 blond; hellfarbig. ¶ ~의 여자 die Blonde*, -n; Blondine *f.* -n / ~의 남자 der Blonde*, -n, -n.
블루머 Hosenrock *m.* -(e)s, ⸗e; Damenbeinkleid *n.* -(e)s, -er; Schlüpfer *m.* -s, -.
블루스 〖음악〗 Blues [blu:s] *m.* -, -.
블루진 Blue jeans [blú:dʒi:nz] 《*pl.*》; Jeans [dʒi:nz] 《*pl.*》.
블리키 (Weiß)blech *n.* -(e)s, -e. ¶ ~ 입힌 것 Blechbeschlag *m.* -(e)s, ⸗e / ~통 Blechbüchse *f.* -n (깡통) / ~공 Klempner *m.* -s, - / ~ 세공 Blecharbeit *f.* -en.
비[1] 《내리는》 Regen *m.* -s, -. ¶ 비가 오든 안 오든 ob es regnet oder nicht / 억수같이 퍼붓는 비 Regenguß *m.* -es, ⸗e; Platzregen *m.* -s, - / 오락가락하는 비 wechselhafter Regen / 큰 비 starker Regen / 비 갠 뒤의 청명한 날씨 klares Wetter nach dem Regen / 비가 오는 동안 im Regen; beim Regen / 비가 멈춘 사이에 während es nicht

mehr regnet; während e-r Regenpause/ 비오는 날(에) an e-m Regentag / 비를 맞으며 걷다 beim Regen schreiten*Ⓢ / 부슬비 Sprühregen / 비를 맞다 ⁴sich dem Regen aus|setzen (im Regen stehen*) / 비를 피하다(긋다) ⁴sich unter|stellen vor Regen 《*in*³; *unter*³》; vor (gegen) Regen Schutz suchen 《unter e-m Baum》 / 비를 만나다 der Regen überrascht *jn.*; Regen bekommen* / 비에 젖다 vom Regen naß werden / 비가 오다 (내리다) es regnet; es fällt Regen / 비가 새다 es leckt durch das Dach / 비를 맞히다 dem Regen ausgesetzt sein / 가랑비가 오다 es sprüht / 눈물이 비오듯 했다 Tränen strömten *jm.* aus den Augen. / 비가 올 것 같다 Es sieht nach Regen aus. ¦Es droht zu regnen. / 비가 억수같이 쏟아진다 Es regnet in Strömen / 비가 그칠 것 같다 Es sieht aus, als ob der Regen aufhören wolle. / 비가 오락가락한다 Es regnet hin u. wieder. / 3시부터 비가 온다 Von drei Uhr an regnet es. / 올 여름은 비가 많았다(적었다) Wir hatten in diesem Sommer viel (wenig) Regen. / 비가 계속 왔다 Es regnete ohne Unterbrechung. / 비가 몹시 온다 Es regnet stark. / 비가 멈췄다 (그쳤다) Es hat aufgehört zu regnen. / 비가 오기 시작했다 Es beginnt (fängt an), zu regnen. / 비가 뜸해진다 Der Regen läßt nach. / 비 맞지 않게 빨래를 거둬 들여라 Räume die Wäschen weg, bevor es (von Regen) naß wird!

비² 《쓰는》 Besen *m.* -s, -; Handfeger *m.* -s, -(작은). ¶ 빗자루 Besenstiel *m.* -s, -e / 싸리비 Reisigbesen *m.* / 비로 방을 쓸다 《mit dem Besen》 das Zimmer kehren (fegen).

비(比) ① Vergleich *m.* -(e)s, -e (비교); Gegensatz *m.* -es, ⸚e (대조); Kontrast *m.* -es, -e (대조); Verhältnis *n.* -ses, -se. ¶ 갑과 을과의 비 das Verhältnis von A zu B; die Proportion A : B. ② 《필적》 das Gleichkommen*, -s; Ebenbürtigkeit *f.* -en; das auf-gleicher-Höhe (*od.* Stufe)-stehen*, -s.

비(妃) ① 《왕비》 Gemahlin 《*f.* -nen》 des Königs; Königin *f.* -nen. ② 《황태자비》 Kronprinzessin *f.* -nen.

비(妣) Benennung der verstorbenen Mutter; verstorbene Mutter.

비(碑) Grabstein *m.* -(e)s, -e; (Ehren)grabmal *n.* -(e)s, -e (⸚er); Monument *n.* -(e)s, -e; 《기념비》 Denkmal *n.* -(e)s, ⸚er (-e). ¶ 비를 세우다 ein Denkmal errichten.

비-(非) Nicht-; nicht-; anti-; gegen-; Un-; un-; wider-. ¶ 비연방주의 Anti-Föderalismus *m.* - / 비과학적 unwissenschaftlich / 비애국적 unpatriotisch / 비한국적 unkoreanisch / 비우호적 unfreundlich.

비가(悲歌) Klagelied *n.* -(e)s, -er; Elegie *f.* -n; Klage¦gesang (Trauer-) *m.* -(e)s, ⸚e; Klage¦gedicht (Trauer-) *n.* -(e)s, -e.

비각 unvereinbar; unverträglich; nicht zusammenpassend. ¶ 물과 불은 ～이다 Wasser ist mit Feuer unvereinbar. / 그 두 사람은 서로 ～이다 Die beiden kommen nicht miteinander aus.

비각(碑閣) Inschriftenhalle *f.* -n; Gebäude, das zum Schutz e-r Inschrift errichtet wurde (z.B. bei Grabanlagen).

비감(悲感) Trübsal *f.* -e (*n.* -(e)s, -e); Leid *n.* -(e)s; Gram *m.* -(e)s; Kummer *m.* -s.

비강(鼻腔) 〖해부〗 Nasenhöhle *f.* -n.

‖ ～점막 Nasenschleimhaut *f.* ⸚e.

비거스렁이 die Kühle nach dem Regen; die Frische nach dem Regen. ～하다 es wird kühl (frisch) nach dem Regen.

비걱- ☞ 삐걱-.

비겁(卑怯) Feigheit *f.* -en; Memmenhaftigkeit *f.* -en. ～하다 feig; memmig; kleinmütig; niederträchtig (sein); 《남자답지 못하다》 unmännlich (sein); 《비열하다》 gemein (sein); 《정직하지 않다》 unehrlich (sein). ¶ ～한 짓 das niederträchtige Verfahren / ～하게도 …하다 niederträchtigerweise ⁴*et.* machen (tun*) / ～한 짓을 하다 ⁴sich unanständig benehmen*; ⁴sich als Hasenfuß zeigen; e-n unredlichen Trick spielen; 《경기 따위에서》 foul spielen / 이제 와서 그런 소릴 하다니 ～하다 Das ist gemein von dir, wenn du jetzt sowas sagst.

‖ ～자 Feigling *m.* -s, -e; Memme *f.* -n; Hasenfuß *m.* -es, ⸚e; Waschlappen *m.* -s, -.

비게질 Reiben des Leibes (Tier, gegen Juckreiz). ～하다 ⁴sich den Leib an|reiben*.

비견(鄙見) m-e Meinung (Ansicht) -en. ¶ ～으로는 nach m-r Meinung; m-s Erachtens.

비견하다(比肩—) ⁴es auf|nehmen* 《mit *jm.*》; gewachsen sein³; auf gleicher Höhe stehen*; nicht zurück|stehen*; nicht hinter *jm.* sein 《*in*³》. ☞ 견주다. ¶ 그와 비견할 자 아무도 없다 Keiner ist ihm ebenbürtig.

비결(秘訣) Geheimnis *n.* ..nisses, ..nisse; Arkanum *n.* -s, ..na; Geheimschlüssel *m.* -s, -. ¶ 건강의 ～ das Geheimnis von Gesundheit / 장사의 ～ Handelskniffe 《*pl.*》 / 얼룩 빼는 ～ ein Kniff, Fleck zu entfernen/ 성공의 ～은 근면과 정직이다 Das Geheimnis des Erfolgs besteht aus Fleiß u. Ehrlichkeit. / 장수의 ～은 절제다 Das Geheimnis von Langlebigkeit ist Maß zu halten.

비결정론(非決定論) Indeterminismus *m.* -.

비경(秘境) unerforschte Gegend, -en; geheimnisvolles Land, -es, ⸚er.

비경(悲境) traurige (unglückliche) Lage, -n; Unglück *n.* -(e)s; Not *f.* ⸚e; Kalamität *f.* -en. ¶ ～에 빠지다 in ⁴Not geraten*Ⓢ / ～에 빠져 있다 in großer Not (Bedrängnis) sein.

비경이 《베틀의》 Haspel *f.* -n.

비계¹ 《돼지의》 Fett *n.* -(e)s, -e; Schmalz *n.* -es, -e; Speck *m.* -(e)s, -e.

비계² 〖토목〗 Baugerüst *n.* -(e)s, -e. ¶ ～를 설치하다 ein Gerüst auf|richten.

비계(秘計) geheimer Plan, -es, ⸚e; geheime Machenschaften 《*pl.*》; Intrige *f.* -n.

비고(備考) Anmerkung *f.* -en; Bemerkung *f.* -en; Notiz *f.* -en; die Rubrik für die Bemerkung.

비곡(秘曲) esoterisches (Musik)stück, -(e)s, -e; kostbares Musikstück.

비곡(悲曲) traurige Melodie, -n; trauriges Lied, -es, -er.

비골(腓骨) 〖해부〗 Wadenbein *n.* -(e)s, -e.

비골(鼻骨) Nasenbein *n.* -(e)s, -e.

비공(鼻孔) Nasenloch *n.* -(e)s, ⸚er; Nüster *f.* -n (*n.* -s, -n) 〖보통 *pl.* 특히 말의〗.

비공개(非公開) Nichtöffentlichkeit *f.* -en. ¶ ～의 nichtöffentlich; privat; unter Ausschluß der Öffentlichkeit. ‖ ～회의 nichtöffentliche (geschlossene) Sitzung, -en.

비공식(非公式) das Inoffizielle*, -n; das Nichtamtliche*, -n. ¶ ～적인 (으로) inoffiziell; unförmlich; nicht formell (amtlich).

u. das sind in der Größe gleich.

비등(沸騰) ①〖물리〗 das Sieden*, -s; das Kochen*, -s; das Aufbrausen*, -s; das Aufwallen*, -s; das Aufschäumen*, -s. ~하다 sieden$^{(*)}$; brausen [s]; sprudeln[s]. ¶ ~성의 siedend; aufwallend; aufbrausend / 섭시 100°에 ~하다 bei 100° Celsius kochen. ② 《소란·격동》 Gärung *f.* -en; Er|regung 〔Auf-〕 *f.* -en; Aufruhr *m.* -(e)s, -e; Tumult *m.* -(e)s, -e. ~하다 erregt sein; in Gärung sein; ^{4}sich auf|regen. ¶ 여론이 ~하다 Die öffentliche Meinung ist erregt./ 논쟁이 ~하다 Die Polemik wird hitzig.

비딱거리다 schwanken; wackeln.

비딱비딱 schwankend; wack(e)lig.

비딱하다 schief; schräg; geneigt (sein).

비뚜로 krumm; verkehrt; schief; auf dem Kopf stehend; auf der falschen Seite stehend 〔liegend〕. ¶ 그는 모자를 ~ 썼다 Er hat seinen Hut schief anfgesetzt. / 그림이 ~ 걸리었다 Das Bild hängt verkehrt.

비뚜름하다 ein wenig krumm 〔schief; schräg〕 (sein). ¶ 그림이 비뚜름하게 걸려있다 Das Bild hängt ein wenig schief.

비뚜름히 ein wenig krumm 〔schief; schräg〕. ¶ 그는 모자를 ~ 썼다 Sein Hut sitzt schräg 〔schief〕.

비뚝거리다 ① 《흔들림》 schwanken; wackeln. ¶ 비뚝거리는 의자 wackliger Stuhl, -(e)s, ⸗e / 책상이 ~ der Tisch wackelt. ② 《절다》 hinken [h,s]. ¶ 그는 비뚝거리며 걷는다 Er hinkt.

비뚝비뚝 《흔들거림》 schwankend; 《절다》 hinkend.

비뚤다 krumm; falsch; schief; schräg (sein). ¶ 그림이 ~ Das Bild ist schräg gezeichnet. / 길이 ~ Der Weg ist krumm 〔gebogen〕. / 코가 ~ eine schiefe Nase haben.

비뚤비뚤 hin und her taumelnd; krumm. ¶ ~한 길 Schlangenpfad *m.* -(e)s, -e / ~ 집에 돌아오다 taumelnd nach Haus zurück|-kommen* [s].

비뚤어지다 ① 《기울다》 ^{4}sich krümmen; schräg liegen*; schief stehen*; ^{4}sich neigen. ¶ 비뚤어진 코 krumme Nase, -n. ② 《마음 따위가》 verschroben 〔querköpfig; bösartig; schlecht〕 sein. ¶ 비뚤어진 행동 das boshafte Benehmen, -s / 그는 마음이 비뚤어졌다 Er hat etwas Verschrobenes in s-m Wesen.

비뚤이 ① 《사람》 Krüppel *m.* -s, -; der Verkrüppelte*, -n, -n. ② 《땅》 Abhang *m.* -(e)s, ⸗e.

비래하다(飛來—) geflogen kommen*[s]; mit dem Flugzeug kommen*[s].

비량(鼻梁) Nasenrücken *m.* -s.

비럭질 Bettelei *f.* -en. ~하다 betteln; betteln gehen*.

비렁뱅이 Bettler *m.* -s, -.

비련(悲戀) unglückliche Liebe, -n. ¶ ~에 울다 von einem Geliebten verlassen worden sein und weinen.

비례(比例) 《비교》 Vergleichung *f.* -en; 〖수학〗 Proportion *f.* -en; Verhältnis *n.* -ses, -se. ~하다 in richtigen Verhältnis stehen*; in Proportion stehen* 《*zu*^{3}》; proportioniert sein. ¶ 연령에 ~하여 im Vergleich mit dem Alter / ~가 안되다 im k-n Verhältnis stehen*; jeden Vergleich aus|-halten* / 비용을 ~적으로 분담하다 den Aufwand proportional tragen*.

‖ ~대표제 Proporzwahlsystem *n.* -s, -e. ~배분 der verhältnismäßige Anteil; die verhaltnismäßige Dividende. ~세 Proportionalsteuer *f.* ~식(式) Verhältnis|gleichung 〔Proportions-〕 *f.* -en. ~중수(中數), ~중항(中項) die mittlere 〔geometrische〕 Proportionale. 단(복)~ die einfache 〔zusammengesetzte〕 Proportion, -en.

비례(非禮) Unhöflichkeit *f.* -en; schlechte Manieren 《*pl.*》.

비로소 erst; nicht früher als; endlich; zuletzt. ¶ 그가 말해서야 ~ 나는 깨달았다 Ich erkannte es erst, nachdem er es mir erzählt hat. / 화재가 얼마나 무서운지 그 때 ~ 알았다 Erst dann wußte ich, wie fürchterlich ein Feuer war (ist). / 사람은 건강을 잃고서야 ~ 그것이 얼마나 고마운가를 알게 된다 Man kennt den Segen der Gesundheit nicht, bis man sie verliert. / 며칠 지나서야 ~ 그 사실을 알았다 Erst nach einigen Tagen wußte ich die Wahrheit. / 충분한 준비가 있고서야 ~ 성공을 기대할 수 있다 Erst nach sorgsamer Vorbereitung können Sie Erfolg erwarten.

비록 obwohl; obgleich; wenn auch immer; sei es, daß ...; selbst wenn; wenn auch; wenn 〔auch〕 gleich; wie auch 〔immer〕. ¶ ~ 그렇다 할지라도(그럴지라도) selbst zugegeben, es sei so / ~ 그가 부자라 할지라도 so 〔wie〕 reich er auch immer sein mag; sei er auch noch so reich; er mag noch so reich sein / ~ 할 수 있다 하더라도 selbst wenn ich es könnte.

비록(秘錄) Geheimdokument *n.* -(e)s, -e; das vertrauliche Schreiben, -s, -.

비롯하다 beginnen* [h,s]; an|fangen*; 《기원》 entstehen* [h,s]. ¶ (…을) 비롯해서, 비롯하여 mit ^{3}*et.* beginnend; einschließlich / 시장을 비롯해서 20 여 명이 출석했다 Es waren etwa 20 Personen einschließlich des Bürgermeisters anwesend. / 이 풍습은 고구려 시대에서 비롯되었다고 한다 Dieser Brauch soll aus der *Goguryeo*-Zeit stammen.

비료(肥料) Düngemittel *n.* -s, -; Dung *m.* -(e)s; Mischdünger *m.* -s, - (혼합비료). ¶ ~를 주다 düngen^4.

‖ ~공업 Düngerindustrie *f.* -n. ~공장 Düngerfabrik *f.* -en. 인조~ Kunstdünger *m.* -s, -. 질소~ Stickstoffdünger *m.* -s, -. 화학~ das chemische Düngemittel, -s, -.

비루 〖수의학〗 Räude *f.* -n (가축의). ¶ ~먹은 räudig / ~먹다 die Räude haben; an der Räude leiden*.

비루(鄙陋) Gemeinheit *f.* -en; Anstößigkeit *f.* -en; Niederträchtigkeit *f.* -en. ~하다 gemein; niederträchtig; anstößig; niedrig; würdelos (sein). ¶ ~한 근성 die gemeine Gesinnung, -en.

비루스 Virus *n.* -, ..ren.

‖ ~병 Viruskrankheit *f.* -en.

비류(比類) Vergleichung *f.* -en; Parallele *f.* -n; Gleiche *f.* ¶ ~ 없다 unvergleichlich 〔ohnegleichen; einzig; unübertroffen; unerreicht〕 sein / 그것은 ~가 없는 일이다 Das geht über allen Vergleich.

비름 〖식물〗 Amarant *m.* -(e)s, -e.

비릇다 die ersten Wehen haben 〔bekommen*〕. ¶ 그녀는 찻속에서 아이를 비릇었다 Sie bekam die ersten Wehen während sie im Wagen war.

비리(非理) Unvernünftigkeit *f.* -en; Absurdität *f.* -en.

비리다 ① 《냄새·맛이》 nach Fisch riechen*;

nach Fisch schmecken. ¶ 비린내 Geruch 《m. -(e)s》 nach Fisch u. demgleichen / 비린내 나다 nach Fisch riechen*; nach Fisch u. demgleichen stinken* / 비린 것을 먹지 않다 [4]sich des Fisches u. desgleichen enthalten* / 이 음식은 ~ Die Speise riecht nach Fisch. ② 《피가》 blutig; blutrünstig; grausam (sein). ③ 《비유적》 geizig; karg; knauserig (sein). ¶ 비린 사람 Knicker m. -s, -; Geizhals m. -es, ⸚e / 비린 선물 ein geiziges (filziges) Geschenk, -(e)s, -e.

비리비리 dünn u. mager; knochig. ~하다 dünn u. mager; knochig (sein). ¶ ~ 여위다 nur Haut u. Knochen sein.

비리척지근하다, 비리치근하다 =비릿하다.

비릿비릿 ekelhaft; beschwerlich; unangenehm; abstoßend; widerlich. ¶ 그에게 청대기가 ~하다 Es ist mir widerlich, ihn (um etwas) zu bitten.

비릿하다 stinkig (sein); stinken; unangenehm riechen.

비마자(萆麻子) Rizinus m. -. ‖ ~유 Rizinusöl 「n. -(e)s.

비만(肥滿) Beleibtheit f.; Dicke f.; Stärke f.; Korpulenz f.; Feiste f.; Feistheit f.; Feistigkeit f.; 〖의학〗 Hypertrophie f. ~하다 beleibt; dick; fett; feist (sein). ¶ ~해지다 dick werden; beleibt werden.

비말(飛沫) Wasserstaub m. -(e)s; 〖항해〗 Spritzwasser n. -s, -; 〖항해〗 Sprühregen m. -s, -.

비망(非望) das Hochhinauswollen*, -s; des Ruhmes Geiz; große Rosinen 《pl.》; Streberei f.; der unbündige (zügellose) Ehrgeiz -es, -e; die maßlose Ruhmsucht, ⸚e.

비망(備忘) Notiz f. -en.
‖ ~록 Memorandum n. -s, ..den (..da); Merkbuch n. -(e)s, ⸚er; Notiz(buch): ~록에 기록하다 [3]sich e-e Notiz machen; in s-m Notizbuch bemerken[4].

비매동맹(非買同盟) Boykott [..kɔ́t] m. -(e)s, -e; das Boykottieren*, -s; Boykottierung f. -en. ¶ 일화(日貨) ~ der Boykott aller japanischen Waren / ~을 하다 boykottieren[4]; den Boykott verhängen 《über[4]》.

비매품(非賣品) der unverkäufliche (nicht feile) Gegenstand, -(e)s, ⸚e; „Unverkäuflich"; „Nicht feil" (게시). ¶ 이 물건은 ~입니다 Dieser Artikel ist nicht verkäuflich.

비명(非命) der unnatürliche (gewaltsame; plötzliche) Tod, -(e)s, -e. ¶ ~에 죽다 durch Unfall sterben* (um|kommen*) ⓢ; e-s unnatürlichen (gewaltsamen) Todes sterben* ⓢ.

비명(秘命) Geheimbefehl m. -(e)s, -e; Geheimverordnung f. -en.

비명(悲鳴) Schmerzens¦ruf (Not-) m. -(e)s, -e; Notschrei m. -(e)s. ¶ ~을 지르다 ein (klägliches) Geschrei erheben (aus|stoßen)*; kläglich schreien* / 무서워 ~을 지르다 vor Angst den Notschrei aus|stoßen* / 그는 ~을 지르며 도움을 구했다 Er rief um Hilfe. / 구원을 요청하는 ~을 들었다 Ich habe um Hilfe rufen gehört. / 갑자기 날카로운 ~이 적막을 깨뜨렸다 Plötzlich brach ein schrilles Notgeschrei die Stille.

비명(碑銘) Grab(in)schrift f. -en.

비목(費目) Ausgabeposten m. -s, -.

비몽사몽(非夢似夢) Halbschlaf m. -(e)s, -. ¶ ~간에 zwischen Halbschlaf und -traum.

비무장(非武裝) Entmilitarisierung f. -en; Entwaffnung f. -en; 〖형용사적〗 entmilitarisiert. ¶ ~화하다 entmilitarisieren.
‖ ~도시 eine entmilitarisierte Stadt. ~지대 entmilitarisierte Zone, -n.

비문(碑文) Grab¦schrift f. -en (-mal n. -(e)s, -e (⸚er)); Epitaph n. -s, -e; die Inschrift 《-en》 auf e-m Grab.

비문명(非文明) ¶ ~의 unzivilisiert; unkultiviert; barbarisch.
‖ ~국 unzivilisiertes Land, -(e)s, ⸚er.

비문화적(非文化的) unzivilisiert; unkultiviert; unaufgeklärt.

비밀(秘密) Geheimnis n. ..nisses, ..nisse; Heimlichkeit f. -en ※ 비밀 구분: 1급 비밀 streng geheim, 2급 비밀 geheim, 3급 비밀 vertraulich. ¶ ~의 geheim; vertraulich; vertraut; privat / ~히 im geheimen; hinter verschlossenen Türen; unter vier Augen; unter dem Siegel der Verschwiegenheit / 공개된 ~ das offene Geheimnis / …을 ~로 하다 vor jm. [4]et. geheim|halten*; jm. [4]et. verschweigen*; in Dunkel hüllen[4] / ~을 지키다 ein Geheimnis bewahren; reinen Mund halten*; verschwiegen sein/ ~을 밝히다 ein Geheimnis enthüllen; in ein Geheimnis ein|dringen / ~을 누설하다 ein Geheimnis verraten* (aus|plaudern)/ ~이다 geheim sein / ~을 캐다 e-m Geheimnis nach|prüfen / ~을 알다 ins Geheimnis gezogen werden / ~을 눈치채다 ein Geheimnis ein|blicken (bemerken) / ~이 누설되다 ein Geheimnis bekannt werden; ein Geheimnis verrät sich / ~이 드러나다 ein Geheimnis aufgedeckt werden / 이 일은 ~이다 Das ist geheim. / 이 일은 ~을 지켜줘야 되겠어 Das muß geheim gehalten werden. / 형님도 이 ~을 알고 계십니까 Hat man auch Ihrem Bruder das Geheimnis anvertraut?
‖ ~결사 Geheimbund m. -(e)s, ⸚e; die geheime Verbindung, -en. ~결혼 die heimliche Heirat, -en. ~경찰 Geheimpolizei f. -en. ~누설 Vertrauensbruch m. -(e)s, ⸚e; Indiskretion f. -en. ~단체 die geheime Vereinigung, -en. ~마이크 das geheime Mikrophon, -s, -e. ~문 Geheimtür f. -en. ~문서 Geheimdokument n. -(e)s, -e; das geheimgehaltene Schriftstück, -(e)s, -e; die Geheimakten 《pl.》. ~선거 Geheimwahl f. -en. ~외교 Geheimdiplomatie f. ~조사 die heimliche Untersuchung, -en; die vertrauliche Nachforschung, -en. ~조약 Geheimvertrag m. -(e)s, ⸚e. ~출판 geheime Herausgabe, -n (Publikation, -en). ~탐정 Geheimagent m. -en, -en. ~투표 geheime Abstimmung, -en. ~회의 e-e geheime Sitzung; e-e Sitzung hinter geschlossenen Türen.

비바람 Sturmwind m. -(e)s, -e; Regensturm m. -(e)s, ⸚e; Gewitterregen m. -s, -; Unwetter n. -s, -; Sturm m. -(e)s, ⸚e. ¶ ~치는 날 ein stürmischer Tag, -(e)s, -e / ~을 무릅쓰고 bei (in) Wind u. Wetter; in Sturm u. Regen / ~치다 e-n Sturm entfesseln; stürmisch werden / ~을 맞다 dem Wetter ausgesetzt werden (sein) / ~ 맞은 dem Wind u. Wetter ausgesetzt; verwittert; in e-n Sturm geraten* ⓢ; dem Wetter ausgesetzt / 그는 세찬 ~을 무릅쓰고 출발했다 Er ist trotz des heftigen Regenwetters abgefahren. 「n. -s, -.

비바리, 비발[1] Fischer¦mädchen (Taucher-)

비발² =비용(費用).
비방(秘方) ① 《방법》 Geheimmethode *f.* -n; Geheimverfahren *n.* -s, -. ② 《처방(處方)》 Geheimmittel *n.* -s, -; Geheimrezept *n.* -(e)s, -e.
비방(誹謗) Verleumdung *f.* -en; Bemäkelung *f.* -en; Diffamierung *f.* -en; Hechelei *f.* -en; Schmähung *f.* -en; Verunglimpfung *f.* -en. **~하다** verleumden⁴; bemäkeln⁴; diffamieren⁴; hecheln⁴; schlecht sprechen* 《von *jm.*》; schmähen⁴; verunglimpfen⁴. ¶ ~을 듣다〔받다〕 verleumdet 〔bemäkelt; diffamiert〕 werden; Vorwurf auf ⁴sich laden*; allgemein verschrie(e)n werden; in ⁴Verruf kommen* 〔geraten*〕 ⓢ.
‖ **~자** Verleumder *m.* -s, -.
비버 〖동물〗 Biber *m.* -s, -.
비번(非番) das Dienstfreisein*, -s. ¶ ~의 dienstfrei; außer³ 〔ohne⁴〕 Dienst / ~이다 außerhalb des Dienstes sein; nicht im Dienste sein / 나는 오늘 ~이다 Ich bin heute dienstfrei.
‖ **~경찰** der dienstfreie 〔nicht diensttuende〕 Polizist, -en, -en. **~날** der freie Tag, -(e)s, -e; der Tag, an dem man frei hat.
비범(非凡) Ungewöhnlichkeit *f.* -en; Außerordentlichkeit *f.* -en; Unikum *n.* -s, -s 〔..ka〕. **~하다** außerordentlich; ungewöhnlich; einzigartig; außergewöhnlich; ungeheuer (sein). ¶ ~한 사람 e-e außerordentliche Person, -en; ein ungewöhnlicher Mensch, -en, -en / ~한 재주 die außergewöhnliche Begabung, -en / ~한 솜씨 die ausgezeichnete Fähigkeit, -en / 그는 ~한 사람이다 Er ist ein hervorragender 〔ungewöhnlicher〕 Mensch.¦Er ist einzig in s-r Art.¦Er ist einfach ein Wunder.
비법(非法) =불법(不法).
비법(秘法) Geheimrezept *n.* -(e)s, -e; Geheimlehre *f.* -n; Arkanum *n.* -s, ..na; Geheimmethode *f.* -n; Geheimmittel *n.* -s, -. ¶ ~을 전수받다 in Geheimrezept eingeweiht werden / ~을 터득하다 ⁴sich der Geheimlehre bemeistern.
비보(秘寶) Schatz *m.* -es, ⸚e.
비보(悲報) die traurige 〔schmerzliche〕 Nachricht, -en 〔Mitteilung, -en〕. ¶ ~에 접하다 e-e traurige Nachricht erhalten*.
비복(婢僕) Dienerschaft *f.*; Gesinde *n.* -s, -.
비분(悲憤) Ingrimm *m.* -(e)s; Ärger *m.* -s; der verbissene Grimm; Empörung *f.* -en; Entrüstung *f.* -en; Erbitterung *f.* -en; Verdruß *m.* ..drusses, ..drusse. **~하다** ⁴sich über ⁴*et.* entrüsten; in ⁴Grimm geraten* ⓢ; ⁴sich über ⁴*et.* furchtbar ärgern. ¶ ~의 눈물을 흘리다 Tränen der Entrüstung vergießen*. ‖ **~강개** die zähneknirschende Entrüstung, -en: ~강개하다 =~하다.
비불이라(非不―) wirklich; tatsächlich; in der Tat.
비비(狒狒) 〖동물〗 Pavian *m.* -s, -e; Mandrill *m.* -s, -e.
비비꼬다 schlingen*; winden*; verdrehen; verwickeln. ¶ 실을 ~ Fäden ineinander schlingen / 종이를 ~ Papier winden / 비비꼬이다 geschlungen 〔verdreht〕 werden; verknotet werden / 넥타이가 비비꼬이다 Die Krawatte ist verdreht.
비비다 ① 《문지르다》 reiben*⁴. ¶ 눈을 ~ ³sich die Augen reiben* 〔wischen〕 / 눈을 비비고 잠을 깨다 ³sich den Schlaf aus den Augen reiben* / 서로 ~ ⁴sich einander reiben* / 손을 ~ ³sich Hände reiben*; 《아첨·난처》 ⁴sich bei *jm.* ein|schmeicheln; vor ³Peinlichkeit die Hände ringen* / 옷의 진흙을 비비어 떨다 den Schlamm von den Kleidern ab|reiben* 〔ab|wischen〕. ② 《송곳을》 ¶ 송곳을 비벼 구멍을 뚫다 mit e-m Bohrer ein Loch in ein Blatt bohren. ③ 《둥글게》 ⁴sich drehen; ab|runden⁴. ④ 《버무리다》 mischen⁴. ¶ 밥을 ~ Reis mit ³Zukost (ver)mischen. ⑤ 《비유적》 ³sich e-n Weg durchs Gedränge bahnen. ¶ 비비고 들어가다 ⁴sich durch|drängen.
비비대기치다 ⁴sich 〔aneinander〕 drängen; ⁴sich zusammen|drängen; drängeln; schwärmen ⓗⓢ.
비비대다 wiederholt reiben*. ¶ 볼을 ~ sein Gesicht an *js.* Wange wiederholt drücken.
비비송곳 Ahle *f.* -n; Bohrer mit langer Handhabe.
비비적거리다 reiben u. reiben*.
비비적비비적 mehrmals 〔wiederholt〕 reibend.
비비틀다 hart drehen. ¶ 비비틀리다 hart gedreht werden.
비빈(妃嬪) Königin und Nebenfrauen 〔Konkubinen〕 des Königs.
비빔국수 Nudeln mit gehacktem Fleisch.
비빔밥 mit gehacktem Fleisch, verschiedenen Gemüsen und Gewürzen gemischter Reis.
비사(秘史) unbekannte 〔unveröffentlichte〕 Geschichte.
비사(秘事) Geheimnis *n.* ..nisses, ..nisse; die private Affäre, -n; die heimliche Angelegenheit, -en.
비사교적(非社交的) ungesellig; unumgänglich; nicht gänglich. ¶ ~인 인물 ein ungesellige Person, -en.
비사문(毘沙門) 〖불교〗 *Vaisravanna* 《범어》; der Beherrscher der Teufel in der buddhistischen Mythologie; der buddhistische Kriegsgott, -es.
비사문천왕(毘沙門天王) ☞ 비사문.
비사치다 indirekt 〔höflich〕 benachrichtigen 〔mit|teilen〕; Durch die Blume reden.
비산(飛散) **~하다** ⁴sich nach allen Richtungen hin zerstreuen; zersplittern ⓢ; ⁴sich zerteilen. ¶ 사방으로 ~ nach allen Seite 〔in alle Winde〕 fliehen* ⓢ.
비산(砒酸) 〖화학〗 Arseniksäure *f.*
‖ **~염** Arsenat *n.* -(e)s.
비상(非常) ① 《이상》 Außerordentlichkeit *f.* -en; Außergewöhnlichkeit *f.* -en; Übermäßigkeit *f.* -en; Ungewöhnlichkeit *f.* -en. **~하다** außergewöhnlich; ungemein; außerordentlich; ungewöhnlich; übermäßig; über alle Maße (sein). ¶ ~하게 im hohen Grade; ungemein; unglaublich; ungeheuer; enorm; fürchterlich; entsetzlich; erheblich; bemerklich; kolossal; phänomenal.
② 《사변》 Zufälligkeit *f.* -en; Not *f.* ⸚e; Unfall *m.* -(e)s, ⸚e; das unerwartete 〔zufällige〕 Ereignis, ..nisses, ..nisse 〔Vorfall, (e-)s, ⸚e〕.
‖ **~개선책** die drastische Reformmaßnahme, -n. **~경계** e-e Ausnahmezustandsmaßregel gegen Notfälle. **~경보** Notsignal *n.* -s, -e; Notruf *m.* -es, -e: ~ 경보기 Alarmaparat *m.* -(e)s, -e; Alarmgerät *n.* -(e)s, -e. **~경찰** die außerordentliche Polizei. **~계단** Nottreppe *f.* -n; Nottür *f.* -en. **~구** Notausgang *m.* -(e)s, ⸚e; Nottür *f.* -en. **~브레이크** Notbremse *f.* -n. **~사건** unge-

wöhnliche Affäre, -n; unerwartete Ereignis, -ses, -se. ~소집 Noteinberufung *f.* -en; Notappell *m.* -s, -e: 경찰관을 ~소집하다 die Polizeireserve 《-n》 zum Notstanddienst ein|berufen*. ~수단 Notmittel *n.* -s, -; Not¦maßregel (-nahme) *f.* -n: ~수단을 취하다 Notmaßregel treffen*; Notmittel an|wenden*; Notmaßnahme ergreifen*. ~시국 Not¦lage *f.* -n (-stand *m.* -(e)s, ⸚e). ~조치법 Notstandsgesetz *n.* -es, -e.

비상(飛翔) Flug *m.* -(e)s, ⸚e; das Schweben* 《-s》 in der Höhe. ~하다 fliegen* (s); e-n Flug machen; in der Höhe schweben.

비상(砒霜) Arsenik *n.* -s.

비상사태(非常事態) Notstand *m.* -(e)s, ⸚e. ¶ ~를 선언하다 Notstand enklären (ausrufen; proklamieren) / ~에 있다 in einem Notstand sein / ~에 대비하다 für den Notfall vor|sorgen.
‖ 국가 ~선언 Erklärung des Notstandes.

비상선(非常線) Sperr¦linie (-kette) *f.* -n; Kordon *m.* -s, -s; Postenkette *f.* -n. ¶ ~을 돌파하다 e-e Sperrkette durch|brechen* / ~을 펴다 e-n Kordon ziehen* 《*um*⁴》; Posten aus|stellen.

비상시(非常時) Notzeit *f.* -en; Ernstfall *m.* -(e)s, ⸚e; die ernste Zeit, -en. ¶ 국가의 ~ die Notlage des Staates; die nationale Krise / ~에 대처할 준비가 돼 있다 immer für die Zeit der Not bereit sein / ~에 대비하다 ⁴sich auf das Schlimmste auf|gefaßt machen; ⁴sich auf den Notfall vor|bereiten; ⁴sich auf den übelsten Fall ein|stellen.

비상장주(非上場株) nichteingetragene Aktie, -n.

비색증(鼻塞症) 〖한의학〗 Verstopfung des Nasenlochs.

비생산(非生產) Unproduktivität *f.* -en; Unfruchtbarkeit *f.* -en; Fruchtlosigkeit *f.* -en. ¶ ~적 unproduktiv / ~적 노동 die unproduktive Arbeit, -en / ~적 사업 das unproduktive Unternehmen, -s, - / ~적 자본 das tote Kapital, -s, -e (..lien).

비서(秘書) ① 《사람》 Sekretär *m.* -s, -e (남자); Sekretärin *f.* ..rinnen(여자). ¶ ~의 일 die Aufgabe des Sekretärs. ② 《책》 Geheimbuch *n.* -(e)s, ⸚er; Geheimschrift *f.* -en.
‖ ~실 Sekretariat *n.* -(e)s, -e. ~정치 e-e Regierung unter ³Einfluß von dem Sekretär. 장관(대통령)~ der Sekretär des Ministers (Staatspräsidenten).

비석(沸石) Zeolith *m.* -(e)s (-en), -e(n).

비석(砒石) 〖화학〗 Arsenik *n.* -s.
‖ ~중독 〖의학〗 Arsenikvergiftung *f.* -en

비석(碑石) Grab¦stein *m.* -(e)s, -e (-mal *n.* -(e)s, -e (⸚er)); Ehrenstein *m.* -(e)s, -e(기념비); Steindenkmal; Monument *n.* -(e)s, -e. ¶ ~을 세우다 e-n Grabstein (ein Grabmal) setzen 《*jm.*》; ein Denkmal (Monument) errichten 《*jm.*》.

비설겆이 Hausreparatur für die Regenzeit. ~하다 das Haus für die Regenzeit reparieren.

비성(鼻聲) =콧소리.

비소(砒素) 〖화학〗 Arsen *n.* -s 《기호: As》.
‖ ~제(劑) Arsenpräparat *n.* -(e)s, -e. ~중독 Arsenvergiftung *f.* -en. 염화(塩化)~ Arsenchlorid *n.* -(e)s.

비소수(非素數) 〖수학〗 komplexe Zahl, -en.

비속(卑俗) Gemeinheit *f.* -en; Unanständigkeit *f.* -en; Unflätigkeit *f.* -en. ~하다 gemein; niedrig; roh; unanständig; unzüchtig; wenig gesittet (sein). ¶ ~한 사람 die gemeine Person, -en / ~한 취미 der niedrige (gemeine) Geschmack, -(e)s, ⸚e / 그는 말씨가 ~하다 Er spricht geschmacklos.

비손 〖민속〗 Händereiben, um (Gottes)gnade zu erbitten. ~하다 die Hände reiben* um (Gottes)gnade zu erbitten.

비송(非訟) 〖법〗 freiwillige Gerichtsbarkeit; außergerichtlicher Fall, -s, ⸚e.

비수(匕首) Dolch *m.* -(e)s, -e; Dolchmesser *n.* -s, -; Stilett *n.* -(e)s, -e. ☞ 단도(短刀).

비수(悲愁) Kummer *m.* -s, -; Sorge *f.* -n; Gram *m.* -s, -; Trauer *f.* -n.

비수리 〖식물〗 *Lespedeza caneata* (학명).

비술(秘術) Geheimkunst *f.* ⸚e; raffinierte Technik, -en. ¶ ~을 전수하다 *jn.* in die Geheimkunst ein|weihen; *jm.* ein Geheimnis überliefern; in das letzte Geheimnis ein|führen⁴ / ~을 다하여 싸우다 alle Künste zum besten geben*.

비스듬하다 schräg; diagonal; querlaufend; schief (sein). ¶ 비스듬히 schief; schräg; geneigt; diagonal / 비습듬히 기울다 schräg liegen*; ⁴sich neigen / 모자를 비스듬히 쓰다 den Hut schräg auf|setzen / 비스듬하게 하다 neigen⁴; geneigt machen⁴ / 탑이 한쪽으로 ~ Der Turm neigt ⁴sich nach e-r Seite.

비스러지다 aus der Form kommen* (s).

비스름하다 etwas ähnlich (sein). ¶ 그들은 성격이 ~ Sie sind sich etwas ähnlich im Charakter.

비스마르크 《독일의 정치가》 Otto von Bismarck (1815-98).

비스코스 〖화학〗 Viskose *f.* -n.

비스킷 Biskuit [..kví:t] *m.* (*n.*) -(e)s, -e (-s); Keks *m.* (*n.*) - (-e); (feiner) Zwieback, -(e)s, -e (⸚e). ¶ 코끼리 ~ so klein wie Keks gegenüber dem Elefanten; ein bloßes Bißchen, -s; ein Krümel, -s, -.

비스터비전 〖영화〗 《상표》 vista Vision.

비슥거리다 trödeln.

비슬거리다 wanken (h,s); wackeln; taumeln (h,s). ¶ 그는 비슬거리며 방으로 들어갔다 Er ist in das Zimmer getaumelt.

비슬비슬 wankend; taumelnd. ¶ ~ 걸어가다 wankend (taumelnd) gehen* / ~ 일어서다 sich taumelnd erheben*.

비슷비슷하다 ähnlich; annähernd gleich (sein). ¶ 두 아이는 ~ Die beiden Kinder ähneln sich. / 그들의 나이는 ~ Sie sind in beinah gleichem Alter./생김새가 ~ ähnlich aus|sehen*.

비슷이¹ 《같게》 ähnlich; gleich. ¶ ~ 닮다 *jm.* ähnlich sein.

비슷이² 《비스듬히》 schräg; geneigt.

비슷하다¹ 《같다》 gleich; ähnlich (sein). ¶ 그와 비슷한 이야기 e-e Geschichte wie jene; e-e ähnliche Geschichte / 길이가 ~ gleich lang sein / 비슷하지 않다 keine Ähnlichkeit haben; anders aus|sehen* / 좀 비슷한 데가 있다 einige Ähnlichkeit haben; etwas ähnlich sein / 두 사람의 얼굴이 ~ Die beiden sind ³sich (sehr) ähnlich.¦Die beiden sehen ähnlich aus. / 그 두 사람의 성격이 ~ Die beiden haben e-e Ähnlichkeit in den Charakter. / 비슷한 것은 본 적이 있다 Ich habe so Ähnliches gesehen. / 그들의 생애는 비슷한 데가 있다 Die Laufbahn der beiden ist ähnlich.

비슷하다² 《비스듬하다》 schräg; geneigt (sein).

비시지 BCG [◀Bazillus Calmette-Guérin].
비신 Regenschuh *m.* -s, -e.
비신사적(非紳士的) nicht gentleman-gleich; unhöflich. ¶ ~인 행위 unhöfliches Benehmen, -s.
비실제적(非實際的) unpraktisch; unrealistisch.
비싸다 teuer; kostspielig; hoch im Preis (sein). ¶ 기껏 비싸야 höchstens / 비싼 옷 kostspieliges (aufwendiges) Kleid, -(e)s, -er / 터무니없이 비싼 가격 der wahnsinnige (schreckliche; enorm hohe) Preis, -es, -e / 비싸게 먹히다 teuer kosten; teuer bezahlen / 비싸게 팔다 teuer verkaufen⁴; zu hohen Preisen verkaufen⁴ / 값이 (너무) ~ Der Preis ist (zu) teuer. ¦ Der Preis ist (zu) kostspielig. / 생각했던 것보다 값이 ~ Es kostet mehr als ich dachte. / 비싸게 먹혔다 Das war ein teuer Spaß. / 여기는 생활비가 ~ Hier lebt man teuer.
비쌔다 ① 《짐짓》 scheinbar widerstreben; ⁴sich scheinbar zurück|halten*. ② 《어울리기 싫어》 abseits stehen*; als Außenseiter bleiben*[s]; Gesellschaft vermeiden*.
비쑥 〖식물〗 *Artemisia scoparia* (학명).
비아냥거리다 spitzige Bemerkungen machen; e-e spitze Bemerkung fallen|lassen*; 《빗대다》 Anzüglichkeiten 《*pl.*》 machen《*auf*⁴》; (hämisch) an|deuten《*an*⁴; *auf*⁴》.
비아냥스럽다 sarkastisch; beißend-spöttisch; bissig-höhnisch (sein).
비애(悲哀) Traurigkeit *f.*; Betrübnis *f.* ..nisse; Leid *n.* -(e)s; Schmerz *m.* -es, -en; Weh *n.* -(e)s; Wehmut *f.* ¶ 환멸의 ~ die grausame Enttäuschung, -en / 인생의~ Lebenskummer *m.* -s, - / ~를 느끼다 ⁴sich traurig (wehmütig) fühlen; von ³Traurigkeit (³Wehmut) befallen werden.
비애국적(非愛國的) unpatriotisch; nicht vaterländisch (gesinnt).
비약(飛躍) 《뛰어오름》 Sprung *m.* -(e)s, ⸚e; Schwung *m.* -(e)s, ⸚e; Satz *m.* -(e)s, ⸚e; Aufschwung *m.* -(e)s, ⸚e; 《활동》 Betriebsamkeit *f.*; Tätigkeit *f.* -en; 《급진》 der große Schritt, -(e)s, -e; der rasche (rapide) Fortschritt, -(e)s, -e. **~하다** springen* [s]; auf|springen* [s]; e-n Satz machen; e-e aktive Rolle spielen; in Schwung kommen* [s]; e-n großen Fortschritt machen. ¶ 논리의 ~ e-e sprunghafte Logik; ein sprunghaftes (lückenhaftes) Argument, -(e)s, -e / ~적 발전을 하다 große Schritte 《*pl.*》 machen; rasche (rapide) Fortschritte 《*pl.*》 machen / 암중 ~을 시도하다 hinter der Kulisse tätig sein; die Fäden in s-r Hand (die geheime Oberleitung) haben.
‖ **~경기** Schisprungwettkampf *m.* -(e)s, ⸚e. **~대(臺)** 《스키의》 Schanze *f.* -n.
비약(秘藥) Geheimmittel *n.* -s, -; Arkanum *n.* -s, ..kana; Geheimmedizin *f.* -en.
비양(飛揚) 《떠오름》 Auffliegen *n.* -s; Aufsteigen *n.* -s; 《뽐냄》 Prahlerei *f.* -en. **~하다** auf|fliegen*[s]; auf|steigen*[s]; prahlen.
비어(飛魚) =날치¹.
비어(卑語·鄙語) ① 〖속어〗 Slang *m.* (*n.*) -s, -s. ② 《낮춤말》 die niedere Umgangssprache, -n; Vulgärsprache *f.* -n; burschikose (gemeine; läßige) Sprache, -n.
비어(蜚語·飛語) die falsche Meldung, -en; die lügenhafte Nachricht, -en; Fabelei *f.* -en; (Zeitungs)ente *f.* -n.
‖ 유언~ das Gerücht *n.* -(e)s, -e: 유언~를 퍼뜨리다 ein Gerücht in Umlauf setzen; ein Gerücht verbreiten.
비어지다 ① 《속이》 hervor|stehen*. ② 《비밀이》 ⁴sich enthüllen; ans Licht treten*[s].
비어홀 Bier¦halle *f.* -n (-haus *n.* -es, ⸚er; (-)schenke *f.* -n); Kneipe *f.* -n(간소한); Wirtshaus.
비엔나 《오스트리아의 수도》 Wien. ¶ ~(사람)의 wienerisch. ‖ **~사람** Wiener *m.* -s, -. **~소시지** Wiener Wurst *f.* ⸚e. **~왈츠** Wiener Walzer *m.* -s, -.
비역 Sodomie *f.* -n; Päderastie *f.* -n; Knabenliebe *f.* **~하다** homosexuell verkehren; 《동물과의》 mit Tieren Geschlechtsverkehr haben.
비열(比熱) 〖물리〗 spezifische Wärme.
비열(卑劣) Gemeinheit *f.* -en; Niederträchtigkeit *f.* -en; Verächtlichkeit *f.* -en; Niedrigkeit *f.* **~하다** gemein; niedrig; niederträchtig; unflätig; verächtlich (sein). ¶ ~한 놈 Schleicher *m.* -s, -; Duckmäuser *m.* -s, -; Leisetreter *m.* -s, -; Schurke *m.* -n, -n / ~한 수단 gemeines Mittel *n.* -s, -/ ~한 짓 das gemeine (niedrige) Betragen* (Verhalten*) -s / 뒤에서 욕하는 것은 ~한 짓이다 Es ist gemein, hinter *js.* Rücken schlecht zu sprechen.
비영리(非營利) ¶ ~적 nicht gewinnbringend; nicht nutzenbringend; nicht gewinnsuchend.
‖ **~단체** die nicht gewinnsuchende Organisation. **~사업** die nicht gewerbsmäßige Unternehmung, -en.
비영비영하다 schwächlich; kränklich; hager (sein).
비예술적(非藝術的) unkünstlerisch; unästhetisch.
비오리 〖조류〗 Wildente *f.* -n; *Mergusrmerganser* (학명). ‖ **~사탕** wie eine Wildente geformter Kandiszucker.
비옥(肥沃) Fruchtbarkeit *f.*; Ergiebigkeit *f.* **~하다** fruchtbar; ergiebig; üppig (sein). ¶ ~한 땅 fruchtbarer Boden, -s, ⸚ / 이곳은 땅이 ~하다 Der Boden ist hier fruchtbar.
비옥(翡玉) Jade *m.* -.
비올라 Viola [vió:la] *f.* ..len; Bratsche *f.* -n; Armgeige *f.* -n.
비옷 Regen¦mantel *m.* -s, ⸚ (-haut *f.* ⸚e). ☞ 레인코트. ¶ ~을 입다 ⁴sich Regenmantel an|ziehen*
비용(費用) Ausgabe *f.* -n; Kosten《*pl.*》; Aufwand *m.* -(e)s; Unkosten 《*pl.*》. ¶ ~이 드는 kostspielig; kostbar / ~이 들지 않는 nicht teuer; billig; wohlfeil; vorteilhaft; preiswert / 회사의 ~으로 auf Kosten der Firma / 작은 ~으로 mit wenig Aufwand/ ~을 아끼지 않고 ohne Rücksicht auf die Kosten / 아무리 ~이 들어도 Kostet es, was es wolle... / 막대한 ~을 들여서 mit großem Aufwand / ~을 분담하다 e-n Teil der Kosten tragen* (auf sich nehmen*); die Kosten mit übernehmen / ~만 허비하다 die Kosten verschwenden / ~이 들다 es kostet/ ~을 부담하다 die Kosten bestreiten*; die Kosten tragen* / ~을 부담시키다 *jm.* die Kosten auf|erlegen / ~을 절약하다(줄이다) ⁴sich in s-n Ausgaben ein|schränken; die Kosten sparen / ~을 지출하다 die Kosten begleichen* / ~이 너무 많이 (적게) 났다 Es kostet zu viel (wenig). / 결혼은 막대한 ~이 든다 E-e Eheschließung nimmt ungeheure Ausgabe in Anspruch. / ~은 개인 부담으로

여행했다 Ich habe auf m-e Kosten Reise gemacht. / ～은 얼마든지 내마 Es kommt mir nicht auf die Kosten an. / 삼촌은 내가 대학을 마칠 때까지의 ～을 대주었다 Mein Onkel hat für mich bis zum Studiumabschluß bezahlt / ～이 절약되었다 Es wurden die Kosten gespart.
‖ 여행～ die Reisekosten 《*pl.*》.

비우다 aus|leeren⁴; entleeren⁴. ¶ 병을 ～ Flasche aus|leeren / 광주리를 ～ den Korb entleeren / 물을 그릇에 따라 ～ Wasser ins Gefäß aus|gießen* / 잔을 ～ das Glas aus|-trinken* 〔aus|leeren〕 / 집을 ～ aus e-m Hause aus|ziehen*; e-e Wohnung räumen/ 방을 비워두다 ein Zimmer für *jn.* reservieren / 행간에 여백을 ～ zwischen Zeilen ein Spatium aus|lassen*/내가 없는 동안 집을 비우지 말거라 Verlaß das Haus bitte nicht während m-r Abwesenheit!

비우호적(非友好的) unfreundlich.

비운(悲運) Unglück *n.* -(e)s; Mißgeschick *n.* -(e)s; Schicksalsschlag *m.* -(e)s. ¶ ～에 빠지다 von einem Unglück betroffen werden.

비웃 《청어》 Hering *m.* -s, -e.

비웃다 spotten⁽²⁾ 《*über*⁴》; (ver)höhnen⁴; verspotten⁴; 《놀리다》 foppen⁴; necken⁴; spötteln 《*über*⁴》; 《모욕》 beleidigen⁴; beschimpfen⁴; 《조소》 hohnlachen 〔hohnlächeln〕⁽³⁾ 《*über*⁴》; verlachen⁴; lächerlich machen⁴; ins Lächerliche ziehen*⁴. ¶ 남을 ～ *jn.* aus|lachen / 남의 성공을 ～ *js.* Erfolg belächeln; über *js.* Erfolg e-e ironische Bemerkung machen. 「다.

비웃적거리다 ironisch lächeln. ☞ 빈정거리

비원(秘苑) Palast¦garten〔Hof-〕 *m.* -s, ¨; der „Geheime Garten" (in Seoul).

비원(悲願) sehnlichster 〔innigster〕 Wunsch, -es, ¨e. ¶ ～을 이루다 den sehnlichsten Wunsch erfüllen.

비위(脾胃) ① 《비장과 위》 Milz 《*f.* -en》 u. Magen 《*m.* -s, -》. ② 《기호》 Geschmack *m.* -(e)s, ¨e; Zuneigung *f.* -en; Gefallen *n.* -s. ¶ ～에 맞다 dem Geschmack zu|sagen / 그 음식은 내 ～에 맞지 않는다 Diese Speise ist mir nicht zuträglich. ③ 《기분》 Laune *f.* -n; Stimmung *f.* -en. ¶ ～를 거스리다(건드리다) *jm.* die Laune verderben*; *js.* Mißfallen erregen; *jm.* in schlechte Laune versetzen / ～를 맞추다 *jm.* zu gefallen suchen; *jm.* den Hof machen; *jm.* Komplimente machen / ～(가) 상하다, ～(가) 사납다 schlecht gelaünt 〔gestimmt〕 sein; übler Laune sein; nicht in Stimmung sein; verdrießlich sein / ～(가) 좋다 unverschämt sein; frech sein; schamlos sein; schnoddrig sein / ～(가) 틀리다 *jm.* mißfällig sein; übelgelaunt sein.

비위생(非衛生) Ungesundheit *f.*; die Vernachlässigung 《-en》 der Hygiene. ¶ ～적인 ungesund; gesundheits¦schädlich 〔-widrig〕; unhygienisch.

비유(比喩) 《직유》 Gleichnis *n.* -ses, -se; Vergleich *m.* -(e)s, -e; 《은유》 Metapher *f.* -en; 《풍자·우화》 Allegorie *f.* -n; Fabel *f.* -n; 《종교적》 Parabel *f.* -n. **～하다** allegorisieren⁴; in Gleichnissen 〔Allegorien〕 reden; in Gleichnissen 〔Allegorien〕 sprechen*; in Gleichnissen dar|stellen⁴; bildlich 〔sinnbildlich; figürlich〕 dar|stellen⁴. ¶ ～하여 in Bildern 〔Gleichnissen; Allegorien〕 / ～하여 말하면 bildlich gesagt; um ein Beispiel dafür anzuführen.

비육지탄(髀肉之嘆) Klagen über eigene Unfähigkeit.

비율(比率) Verhältnis *n.* -ses, -se; Prozentsatz *m.* -(e)s, ¨e. ¶ 남녀의 ～ das Verhältnis von Männern zu Frauen / …의 ～로 im Verhältnis von…; zum Satz von… / 100명에 대하여 2명의 ～로 im Verhältnis von 100 Personen zu 2 Personen / 3대 1의 ～로 im Verhältnis von 3 zu 1.
‖ 구성～ Verteilungssatz; Verteilung des Prozentsatzes.

비음 ① 《옷을 갈아입음》 Umkleidung für ein Fest. **～하다** ⁴sich um|kleiden; ⁴sich um|ziehen*. ② 《옷》 Festkleid *n.* -es, -er.

비음(鼻音) Nasal *m.* -s, -e; Nasal¦laut 〔Nasen-〕 *m.* -(e)s, -e. ¶ ～의 nasal / ～화하다 nasalieren⁴.

비익조(比翼鳥) der legendenhafte Vogel, der ein Symbol für die unzertrennliche glückliche Ehe ist.

비익하다(裨益—) nützen; Vorteil bringen*.

비인간(非人間) Unmensch *m.* -en, -en; Teufel *m.* -s, -; Schurke *m.* -n, -n. ¶ 정말이지 ～적인 놈이군 Was für ein Unmensch!

비인도적(非人道的) unmenschlich.

비인칭(非人稱) ¶ ～의 〖문법〗 unpersönlich.

비일비재(非一非再) nicht einmalig; wiederholt; mehrmals; oft. ¶ 그런 일은 ～하다 Solche Fälle sind nicht einmalig.

비입헌(非立憲) 〖정치〗 Verfassungswidrigkeit *f.* ¶ ～적 verfassungswidrig.

비자(榧子) 〖한의학〗 Torreyanuß *f.* ..nüsse.
‖ **～나무** 〖식물〗 *Torreya nucifera* (학명).

비자 《여권의》 Visum *n.* -s, Visa 〔Visen〕. ¶ ～를 얻다 Visum bekommen*.

비잔티움 《이스탐불의 구명》 Byzanz; Konstantinopel.

비잔틴 ¶ ～식의 byzantinisch.
‖ **～예술** Byzantinische Kunst. **～제국** Byzantinisches Reich, -(e)s.

비장(秘藏) das sorgfältige Aufbewahren*, -s; das Hochgeschätzte*, -n, -n. **～하다** ⁴*et.* sorgfältig auf|bewahren; unter Schloß u. Riegel verwahren; hoch|schätzen⁴.
‖ **～품** Schatz *m.* -es, ¨e; das Wertvolle*, ⌊-n, -n.

비장(腓腸) 〖해부〗 Wade *f.* -n.
‖ **～근 경련** Wadenkrampf *m.* -(e)s, ¨e: ～근 경련이 일어나다 den Wadenkrampf bekommen*; von Wadenkrämpfen befallen werden.

비장(脾臟) 〖해부〗 Milz *f.* -en.
‖ **～병** Milzsucht *f.*

비장하다(悲壯—) pathetisch; tragisch; rührend; ergreifend; heroisch (sein). ¶ 비장한 각오 die tragische Entscheidung; der heroische Beschluß / 비장한 최후를 마치다 den Heldentod sterben*[s].

비재(非才·菲才) Fähigkeitsmangel *m.* -s, -; Inkompetenz *f.*; Unfähigkeit *f.* -en. ¶ 비록 ～이지만 obwohl ich unbegabt bin.

비적(匪賊) Bandit *m.* -en, -en; (Straßen)räuber *m.* -s, -; Aufrührer *m.* -s, -.

비적비적 hier und dort hervor|tretend.

비전(秘傳) Geheimnis *n.* -ses, -se; Geheimrezept *n.* -(e)s, -e; Mysterium *n.* -s, ..rien. ¶ ～의 묘약 unbekannte und heilkräftige Medizin / ～을 전수하다 *jn.* in das Geheimnis ein|weihen.

비전 Voraussicht *f.* -en; Aussicht *f.* -en; Konzeption *f.* -en; 《공상력》 Phantasie *f.*

-n [..zí:ən]. ¶ ~이 있는 사람 aussichtsreicher Mensch, -en, -en / 위대한 ~을 지닌 정치가 Staatsmann mit großen Aussichten.

비전략물자(非戰略物資) unstrategische Güter《*pl.*》; Güter ohne strategische Bedeutung 〔strategischen Wert〕.

비전투원(非戰鬪員) Nicht¦kombattant *m.* -en, -en 〔-kämpfer *m.* -s, -〕; der Zivilist 《-en, -en》 in der Kriegszeit (넓은 뜻의).

비전하(妃殿下) Ihre Königliche Hoheit.

비접 Ortsveränderung *f.* -en; Luftveränderung. ¶ ~나가다 zur Kur gehen*[s]; zwecks Heilung seinen Aufenthaltsort ändern.

비정(非情) ¶ ~한(의) gefühl¦los 〔geist-〕; blasiert; gefühlskalt; unbeseelt / ~한 아버지 der herzlose Vater, -s, ⸗.

비정(秕政·粃政) schlechte Verwaltung, -en; Mißregierung *f.*; Mißwirtschaft.

비조(飛鳥) der fliegende Vogel, -s, ⸗; der Vogel im Flug(e). ¶ ~처럼 wie ein schnell fliegender Vogel; flugs; mit ^{3}Blitzesschnelle; wie geflügelt.

비조(悲調) der traurige 〔klagende; wehmütige〕 Ton, -(e)s, ⸗e; ein trauriger Gefühlston, -(e)s (비유적). ☞ 비곡. ¶ ~를 띤 wehklagend; herzergreifend.

비조(鼻祖) ＝시조(始祖).

비좁다 eng; beschränkt (sein). ¶ 비좁은 곳 enger Platz, -(e)s, ⸗e / 방이 ~ Das Zimmer ist eng 〔klein〕.

비종교적(非宗敎的) unreligiös; religionslos.

비주룩하다 ein bißchen hervor|treten*[s]. ¶ 비주룩이 ein bißchen hervorgetretend.

비죽 ① 《입술을》 Verzerrung *f.* -en; Verziehung *f.* -en. ¶ ~거리다 den Mund verziehen* 〔verzerren〕. ② 《내밀다》 das Hervorstecken*, -s. ¶ 송곳이 주머니 속에서 ~ 나와 있다 Ein Nagelbohrer steckt aus der Tasche hervor. / 혀를 ~ 내밀다 *jm.* die Zunge heraus|stecken.

비죽하다 ☞ 비주룩하다.

비준(比準) ＝대조(對照).

비준(批准) Ratifikation *f.* -en; Genehmigung *f.* -en; Gutheißung *f.* -en, -. **~하다** ratifizieren^4; an|erkennen*^{4}; genehmigen^4; gut|heißen*^{4}. ‖ **~교환** der Austausch 《-es》 der Ratifikationsurkunden. **~서** Ratifikationsurkunde *f.* -n.

비중(比重) das spezifische Gewicht, -(e)s, -e; Dichte *f.*; Densität *f.* -en. ¶ 이 문제에 더 ~을 두어야 한다 Man muß auf dieses Problem großen Wert legen. ‖ **~계** Senkwaage *f.* -n; Aräometer *n.* -s, -.

비지 der Rückstand der Bohnenquarkbereitung. ¶ ~ 먹은 배는 연약과도 싫어한다 《속담》 Wenn ein Magen satt ist, hat er auch für Leckerbissen kein Interesse.
‖ **~껍질** Oberhaut *f.* ⸗e; Epidermis *f.* -. **~떡** Kuchen aus Rückstand der Bohnenquarkbereitung u. Reismehl: 값싼 것이 ~떡 billig u. schlecht. **~찌개** Kasserolle aus dem Rückstand der Bohnenquarkbereitung, Krabben, Rindfleisch oder Schweinefleisch, und *Kimchi*.

비지(鄙地) m-e bescheidene Hütte (bescheidene Bezeichnung für das eigene Haus, die eigene Wohnung).

비지니스 Geschäft *n.* -(e)s, -e. ‖ **~맨** Geschäftsmann *m.* -(e)s, ⸗er 〔..leute〕.

비지땀 der saure Schweiß, -es, -e. ¶ ~을 흘리며 mit saurem Schweiß (신고의) / ~을 흘리다 in starken Schweiß kommen*; in Schweiß gebadet sein / ~ 뺐네 Ich triefte von Schweiß.

비질 das Fegen; Reinigung mit dem Besen. **~하다** fegen; mit dem Besen reinigen; kehren. ¶ 마당을 ~하다 den Hof kehren.

비집다 ① 《틈내다》 ritzen^4; ein|ritzen^4. ¶ 비집어 열다 auf|reißen*^{4}; auf|brechen*^{4}. ② 《벌리다》 auf|decken^4; erbrechen*^{4}. ¶ 비집고 들어가다 ^{4}sich hinein|drängen 《*in*^{4}; *zwischen*^{4}》; ^{4}sich hinein|zwängen 《*in*^{4}》 / 사람을 비집고 찻속으로 들어가다 ^{4}sich durch die Menschenmenge hinein in den Wagen durch|drängen. ③ 《눈을》 ^{3}sich die Augen reiben* 〔wischen〕.

비쭉 ☞ 비죽.

비참(悲慘) Elend *n.* -(e)s; Not *f.* ⸗e; Misere *f.* -n; Trübsal *f.* -e; Jämmerlichkeit *f.*; Erbarmlichkeit *f.* **~하다** elend; miserabel; trüb; jämmerlich; traurig (sein). ¶ ~한 광경 das schreckliche Bild; die traurige Szene / ~한 생활 ein elendes Leben / ~한 일 die traurige Sache; Unglück *n.* -(e)s / ~한 죽음을 하다 e-s tragischen Todes sterben*[s] / ~한 지경에 빠지다 in Elend geraten* 〔versinken*〕[s] / ~한 운명이었다 Das war ein schreckliches Schicksal.

비창(悲愴) Traurigkeit *f.* -en; Trauer *f.* -n; Pathos *n.* -. **~하다** traurig; jämmerlich; betrüblich; pathetisch (sein).

비창(鼻瘡) Nasenpolyp *m.* -en, -en.

비척- ☞ 비틀-.

비척걸음 Schwanken *n.*; schwankender Gang, -(e)s, ⸗e.

비척지근하다 ＝비릿하다.

비천(卑賤) Niedrigkeit *f.* -en; Gemeinheit *f.* -en; die Niedrigkeit der Geburt. **~하다** niedrig; gemein; unedel; pöbelhaft (sein). ¶ ~한 태생 die niedrige Herkunft 〔Geburt〕 / ~한 신분에서 출세하다 von unten auf dienen; von der Pike auf dienen.

비철(非一) außer Saison.

비철금속(非鐵金屬) Nichteisenmetall *n.* -s, -e.

비첩(婢妾) Konkubine, die früher Sklavin war.

비추(悲秋) einsamer 〔trauriger〕 Herbst, -es; 《슬퍼함》 Trauer über den Herbst.

비추다 ① 《빛으로》 beleuchten^4; bestrahlen^4; auf ^{4}*et.* Licht 〔Schein〕 werfen*. ¶ 불(빛)을 ~ auf ^{4}*et.* scheinen*; ^{4}*et.* bescheinen* / 탐조등으로 비행기를 ~ mit e-m Scheinwerfer auf das Flugzeug richten.
② 《반사》 ab|spiegeln^4; wider|spiegeln^4. ¶ 얼굴을 거울에 ~ ^{4}sich im Spiegel spiegeln / 얼굴을 물에 ~ ^{4}sich im Wasserspiegel besehen / 그는 거울로 햇빛을 비추었다 Er hat den Sonnenschein mit dem Spiegel zurückgeworfen.
③ 《나타냄》 erscheinen*[s]; in die Erscheinung treten*; ^{4}sich zeigen. ¶ 그림자를 ~ e-n Schatten auf ^{4}*et.* werfen* / 그는 요새 그림자도 비추지 않는다 Er läßt sich neulich gar nicht mehr blicken.
④ 《빛에》 gegen das Licht halten*^{4}; projizieren^4 (영사). ¶ 나는 그림을 햇빛에 비추어 보았다 Ich habe das Bild gegen das Licht haltend gesehen. ¦ Ich habe das Bild durch das Licht gesehen.
⑤ 《암시》 ^{4}*et.* nur leicht an|deuten; auf ^{4}*et.* an|spielen^4; *jm.* zu verstehen geben*^{4}. ¶ 값을 ~ den möglichen Preis an|deuten / 말을 ~ auf ^{4}*et.* versteckt hin|wei-

sen* / 그는 사의를 비쳤다 Er hat auf s-n Rücktritt versteckt angedeutet.
⑥ 《견주다》 vergleichen*^{4} 《*mit*^{3}》; e-n Vergleich an|stellen 《*mit*^{3}》. ¶ …에 비추어 im gemäß^{3}; in Vergleich mit^{3}; nach^{3}; laut^{3} Anbetracht^{3}; in Erwägung^{2}; in Rücksicht auf ^{4}*et.*; im Lichte^{2} / 법에 비추어서 사건을 처리하다 e-e Angelegenheit dem Gesetze gemäß verfahren / 과거에 비추어 현재를 연구하다 die Gegenwart im Lichte der Vergangenheit erforschen.

비추이다, 비취다 beschienen werden; widergespiegelt werden; reflektiert werden.

비축(備蓄) Vorrat *m.* -es, ⸚e. **~하다** für späteren Bedarf aufspeichern. ¶ 석유(식료품)의 ~ ein Vorrat an Öl (Lebensmitteln). ‖ **~미(米)** Vorrat an Reis.

비취(翡翠) 〖광물〗 Jade *m.* -.
‖ **~가락지** Jadering *m.* -(e)s, -e. **~색, ~빛** jadegrün. **~옥** 〖광물〗 Jade *m.* **~잠** Jadehaarnadel *f.* -n.

비치(備置) Möblierung *f.* -en; Ausstattung *f.* -en; Einrichtung *f.* -en. **~하다** möblieren; ein|richten; aus|statten; mit ^{3}*et.* versehen*; 《기계 등을》 ein|setzen; montieren.

비치근하다 =비릿하다

비치다 ① 《밝게》 scheinen*; leuchten. ¶ 해가 방에 ~ Die Sonne scheint ins Zimmer hinein. / 달이 창에 ~ Der Mond scheint durch das Fenster. / 구름 사이로 햇빛이 쨍쨍 비치기 시작했다 Es fing die Sonne, zwischen den Wolken zu brennen, an.
② 《모습이》 ^{4}sich (ab|)spiegeln; ^{4}sich wider|spiegeln; fallen* [s] 《*auf*^{4}》; Schatten werfen* 《*auf*^{4}》. ¶ 장지문에 비친 사람의 그림자 der auf die Papier|tür (Schieb-) fallende Menschenschatten / 거울(수면)에 ~ ^{4}sich im Spiegel (im Wasserspiegel) ab|spiegeln / 나무 그림자가 벽에 ~ Der Schatten e-s Baumes fällt auf die Wand. / 구름이 잔잔한 호수에 비쳤다 Die Wolken spiegelten sich im stillen See.
③ 《통해 보이다》 durchsichtig sein; transparent sein. ¶ 글씨가 봉투에 ~ Die Buchstaben sind durch den Umschlag durchsichtig. / 인쇄가 뒷면에 ~ Die Druckrückseite ist durchsichtig.
④ 《눈에》 ¶ 오늘의 한국은 외국 사람의 눈에 어떻게 비칠까 Wie wird das heutige Korea Ausländern erscheinen? | Welchen Eindruck macht das jetzige Korea auf Ausländer?

비치패러솔 Garten|schirm (Sonnen-) *m.* -(e)s, -e.

비칠비칠하다 《늙어서》 altersschwach (sein).
¶ 비칠비칠 걷다 wackelnd gehen*[s].

비칭(卑稱) bescheidene Anredeform, -en.

비카타르(鼻—) 〖의학〗 Nasenkatarrh *m.* -s, -e; Schnupfen *m.* -s, -.

비커 〖화학〗 Becherglas *n.* -es, ⸚er; Probierglas *n.*

비컨 Feuerzeichen *n.* -s, -; Leuchtfeuer *n.* -s, -; Leuchtturm *m.* -(e)s; Bake *f.* -n.
‖ **라디오~** Funkbake *f.* -n.

비켜나다 beiseite|treten*[s]; beiseite|gehen* [s]. ¶ 비켜 나서 마차를 보내다 beiseite|treten und den Wagen vorbei|lassen*.

비켜서다 beiseite|stehen*; zurück|treten*[s]; aus dem Wege gehen*[s]. ¶ 비켜 서라 Geh mir aus dem Wege!

비키니 ① 《비키니 환초》 das Atoll 《-s》 Bikini. ② 《수영복》 Bikini *m.* -s, -s.

비키다 ① 《…이》 aus dem Weg gehen*[s]; beiseite|treten*[s]; Platz machen. ¶ 비켜라 Mach den Platz frei! ② 《…을》 (ver)meiden*^{4}; aus|weichen*[s]; ^{4}sich entfernt halten*; ^{4}sich von ^{3}*et.* fern|halten*; ^{4}sich enthalten*^{2}; um|gehen*[s]. ¶ 길을 ~ aus dem Weg machen; *jm.* aus|weichen*[s] / 물구덩이를 ~ der Pfütze aus|biegen* / 소를 비켜가다 der Kuh aus|weichen*[s] / 자동차를 ~ dem Auto aus|weichen*[s] / 의자를 좀 비켜 주세요 Möchten Sie freundlicherweise Ihren Stuhl ein bißchen beiseite stellen? / 그 부인에게 길을 비켜 주어라 Tritt bitte der Dame den Weg ab! / 우리는 그녀에게 길을 비켜주었다 Wir sind ihr aus dem Weg gegangen.

비타민 Vitamin *n.* -s, -e. ¶ ~ C Vitamin C / ~ B 모양의 Vitamin-B-ähnlich / ~이 많은(적은) vitaminreich (vitaminarm).
‖ **~결핍증** (**B** 결핍증) Vitaminmangel *m.* -s (Vitamin-B-Mangel).

비탄(飛彈) fliegende Kugel, -n.

비탄(悲嘆) Jammer *m.* -s; Wehklage *f.*; Betrübnis *f*; Lamentation *f.* -en. **~하다** lamentieren; wehklagen; ^{4}sich über ^{4}*et.* grämen; ^{4}sich über (um) ^{4}*et.* härmen; über ^{4}*et.* trauern; ^{4}sich über ^{4}*et.* kummern.
¶ ~의 나머지 vor Gramm (Kummer) / ~에 빠지다 ^{4}sich zu Tode grämen; im Strudel des Jammers versinken*[s] / 그녀는 아이를 잃고 ~에 잠겨 있다 Sie ist tief betrübt über den Tod ihres Sohnes.

비탈 Abhang *m.* -(e)s, ⸚e; Halde *f.* -n; Steile *f.* -n; 《오르막》 der steigende Weg, -(e)s, -e; Steigung *f.* -en; 《내리막》 der fallende Weg; das absteigende Gefälle, -n, -. ¶ 완만(급)한 ~ flacher (steiler; abschüssiger) Abhang / ~지다 ^{4}sich neigen; ^{4}sich ab|dachen / ~을 오르다(내리다) auf|steigen*[s] (ab|steigen*[s]).
‖ **~길** der steile Weg; Abhang *m.*

비통(悲痛) Kummer *m.* -s, -; die tiefe Betrübnis, -se; Schmerz *m.* -es, -en. **~하다** schmerzlich; traurig; kläglich; jämmerlich (sein). ¶ ~한 생각에 잠기다 in kummervollen Gedanken versinken*[s].

비트적- ☞ 비틀-.

비트적거리다 (über die eigenen Beine) stolpern [h,s]; ins Schwanken kommen*[s]; straucheln [h,s] (무엇에 걸려).

비트족(—族) 《총칭》 Beatgeneration *f.* -en; Beatniks 《*pl.*》; 《개인》 Beatnik *m.* -s, -s.

비틀거리다 wanken [h,s]; wackeln; schwanken; taumeln[h,s]. ¶ 비틀거리며 schwankend; wankend; wackelnd / 비틀거리며 걷다 wankend gehen* [s] / 비틀거리며 일어서다 taumelnd auf|stehen*[h,s] / 비틀거리며 쓰러지다 taumelnd fallen* [s]; das Gleichgewicht verlieren* u. fallen* [s].

비틀걸음 der schwankende Schritt, -es, -e.
¶ ~으로 걷다 mit schwankenden (taumelnden) Schritten gehen* (laufen*) [s]; wankend gehen* [s].

비틀다 verdrehen^{4}; verzerren^{4}. ¶ 사지를 ~ Glieder verdrehen / 비틀어 눕히다 zu Boden zwingen* / 비틀어 열다 auf|drehen*^{4} / 비틀어 넣다 hinein|drehen^{4} (-|schrauben^{4}) / 비틀어 끊다 ab|drehen*^{4}; drehend ab|reißen*^{4} / 비틀어 자르다 ab|drehen^{4}; drehend ab|brechen*^{4} / 닭의 목아지를 ~ dem Huhn den Hals um|drehen*.

비틀리다 =비틀어지다.

비틀비틀 schwankend; wankend; wackelnd; taumelnd; torkelnd. ☞비틀거리다.
비틀어지다 verdreht werden; [4]sich verbiegen*. ¶비틀어진 verdreht; verbogen; gekrümmt; krumm; gewunden.
비틀하다 =비릿하다.
비틈하다 schief; schräg; krumm (sein).
비틈히 umschweifig; unklar; andeutend.
비파(枇杷) 〖식물〗 Mispel *f*. -n.
비파(琵琶) *Bipa f*.; die chinesische (koreanische) Laute, -n. ¶~를 타다 auf der [3]*Bipa* spielen; die Laute schlagen*.
비판(批判) Kritik *f*. -en; Beurteilung *f*. -en; die kritische Bemerkung, -en. ~하다 kritisieren[4]; beurteilen[4]; kritische Bemerkung machen. ¶~적(으로) kritisch / 칸트의 순수이성~ Kants Kritik der reinen Vernunft/ ~적 태도를 취하다 e-e kritische Haltung ein|nehmen* / ~ 받다 kritiziert werden; e-r Kritik unterzogen werden.
‖~력 Urteilskraft *f*. ⸗e; die kritische Fähigkeit *f*. ~자 Kritiker *m*. -s, -; Beurteiler *m*. -s, -. ~철학 die kritische Philosophie, -n; Kritizismus *m*. -.
비평(批評) Kritik *f*. -en; die kritische Besprechung (Beurteilung) -en; Rezension *f*. -en. ~하다 kritizieren[4]; kritisch besprechen*[4] (beurteilen[4]); rezensieren[4]. ¶~ 받다 kritiziert (rezensiert; besprochen) werden/ ~의 여지가 없다 kein Platz zu kritizieren sein; über jeden Tadel (jede Kritik) erhaben sein.
‖~가 Kritiker *m*. -s, -. ~론집 Sammlung (《*f*. -en》) kritischer Aufsätze. 문예(문명)~가 Literatur|kritiker (Zivilisations-) *m*. -s, -. 미술~가 Kunstrichter *m*. -s,-. 비교(해석)~ die vergleichende (interpretierende) Kritik.
비품(備品) Ausstattungs|gegenstände (Ausrüstungs-) 《*pl*.》; Einrichtung *f*. -en (시설); Möbel *n*. -s, -(시설). ‖~목록 die Liste 《-n》 der Ausstattungsgegenstände.
비프 Rindfleisch *n*. -(e)s.
‖~스테이크 Beefsteak [bí:fste:k] *n*. -s, -s; Rindstück *n*. -(e)s, -e. ~스튜 das Schmorgericht 《-(e)s, -e》 mit [3]Rindfleisch.
비하다(比一) mit [3]*et*. vergleichen*[4]. ¶…에 비해 im Vergleich mit [3]*et*.; 《대조》 im Kontrast mit[3]; im Gegensatz zu[3] / 비할 수 없을 만큼 unvergleichlich; über allen Vergleich/ 전에 비해 그는 점잖아졌다 Im Vergleich zu früher ist er vornehmer geworden. / 그의 독일말은 도저히 자네에게 비할 바가 못되네 In der deutschen Sprache läßt er sich gar nicht mit dir vergleichen. / 서울의 건물은 뉴욕의 고층건물에 비하면 작다 Die Gebäude in Seoul sind kleiner im Vergleich mit den Hochhäusern in New York.
비학술적(非學術的) unwissenschaftlich; unakademisch.
비합리(非合理) 〖철학〗 Irrationalität *f*. -en.
‖~주의 Irrationalismus *m*. -.
비합법(非合法) ¶~적(으로) ungesetzmäßig; ungesetzlich; illegal; unrechtmäßig.
비행(非行) Misse|tat (Übel-) *f*. -en.
‖~소년 Straßenjunge *m*. -n, -n; der Halbstarke*, -n, -n.
비행(飛行) Flug *m*. -(e)s, -e; Luftfahrt *f*. -en; Aviation *f*. -en. ~하다 fliegen* [s,h]; mit dem Flugzeug fahren* [s]; e-n Flug machen.
‖~갑판 《항공모함의》 Flugdeck *n*. -(e)s, -e (-s). ~거리 Flugstrecke *f*. -n. ~기지 Flugbasis *f*. ..sen; Flugstützpunkt *m*. -(e)s, -e; Fliegerstation *f*. -en. ~대 Fliegertruppe *f*. -n; Fliegerabteilung *f*. -en. ~모 Fliegerkappe *f*. -n. ~복 Fliegeranzug *m*. -(e)s, ⸗e; Fliegeruniform *f*. -en. ~사 Flieger *m*. -s, -; Pilot *m*. -en, -en. ~수당 Fliegerzuschuß *m*. ..sses, ..schüsse. ~술 Flugkunst *f*. ⸗e; Flugtechnik *f*. -en; Aviatik *f*. ~시간 Flugstunde *f*. -n; Flugzeit *f*. -en. ~운(雲) Kondensstreifen *m*. -s, -. ~장 Flugplatz *m*. -es, ⸗e; Flughafen *m*. -s, -; Flugfeld *n*. -es, -er; 《활주로》 Rollfeld *n*. -es, -er; Startbahn *f*. -en. ~접시(물체) e-e fliegende Untertasse, -n; der fliegende Teller: 정체불명의 ~접시 unbekanntes Flugobjekt, -(e)s, -e; UFO (Ufo) [ú:fo] *n*. -(s), -s. ~정(艇) Flugboot *n*. -(e)s, -e; Wasserflugzeug *n*. -(e)s, -e. 무사고~ der Flug ohne Unfall; unfallfreier Flug, -(e)s, ⸗e. 무착륙 (선회,저공,고공,야간,장거리)~ Ohnehalt|flug (Kunst-, Tiefen-, Höhne-, Nacht-, Fern-) *m*. -(e)s, ⸗e. 세계일주~ der Rundflug um die Welt. 시험 (연습, 단독)~ Probe|flug (Übungs-, Solo-) *m*. -(e)s, ⸗e. 정찰~ Erkundungsflug *m*. -(e)s, ⸗e. 편대~ Formationsflug; geschlossener Flug.
비행가(飛行家) Flieger *m*. -s, -; Luftfahrer *m*. -s, -; Aviatiker *m*. -s, -; Aeronaut *m*. -en, -en; Pilot *m*. -en, -en. ¶~가 되다 ein Pilot werden.
‖민간~ Zivilflieger *m*. -s, -. 여류~ Fliegerin *f*. -nen; Aviatikerin *f*. -nen.
비행기(飛行機) Flugzeug *n*. -(e)s, -e; Flugmaschine *f*. -n. ¶~로 가다 mit e-m Flugzeug fahren* [s]; fliegen* [s] / ~를 조종하다 ein Flugzeug führen (steuern) / ~를 타다 in e-m Flugzeug fliegen*[s]; an Bord gehen*[s] / ~멀미를 하다 luftkrank werden / ~가 바다에 떨어졌다 Ein Flugzeug ist in das Meer gestürzt. / 나는 ~로 미국에 간다 Ich fahre mit dem Flugzeug nach Amerika.
‖~사고 Flugzeugunfall *m*. -(e)s, ⸗e: ~사고로 죽다 wegen des Flugzeugunfalls tödlich verunglücken. ~여행 Flugreise *f*. -n. 군용 (민간)~ Militär|flugzeug (Zivil-) *n*. -(e)s, -e. 단엽~ Eindecker *m*. -s, -; Monoplan *m*. -(e)s, -e. 무인~ ein unbemanntes Flugzeug. 수상~ Wasserflugzeug. 쌍엽~ Doppeldecker *m*. -s, -. 여객(수송)~ Passagier|flugzeug (Fracht-). 연습~ Übungsflugzeug.
비행선(飛行船) Luftschiff *n*. -(e)s, -e. ‖경(연)식~ das starre (unstarre) Luftschiff.
비현실(非現實) ¶~적 unwirklich; unpraktisch; 《가공의》 fantastisch / ~성 Unwirklichkeit *f*.
비현업원(非現業員) die Nicht-Handarbeiter 《*pl*.》; der Büro|angestellte* (Firma-) -n, -n.
비호(庇護) Schutz *m*. -es; Obhut *f*.; Beschirmung *f*. -en; Beschützung *f*. -en. ~하다 schützen[4]; beschützen[4]; schirmen[4]; beschirmen[4]; in Schutz nehmen*[4]; *jm*. helfen*; *jm*. bei|stehen*; *jm*. Beistand leisten. ¶…의 ~하에 unter den Schutz; mit Hilfe von [3]*et*.; unter *js*. Obhut.
‖~자 Schützer *m*. -s, -; Beschützer *m*. -s, -; Gönner *m*. -s, -; Helfer *m*. -s, -.

비호(飛虎) ein flinker Tiger, -s, -. ¶ ~ 같다 flink wie ein Tiger.
비화(飛火) 《불똥》 Feuerfunke *m.* -ns, -n. **~하다** auf ^{4}*et.* über|springen*; auf ^{4}*et.* über|greifen*; 《사건이》 ^{4}sich erstrecken; ^{4}sich aus|dehnen; ^{4}sich aus|breiten.
비화(秘話) geheime Geschichte, -n; unbekannte 〔unveröffentlichte〕 Geschichte.
비화(悲話) eine traurige 〔tragische〕 Geschichte, -n.
비화수소(砒化水素) 〖화학〗 Arsenwasserstoff *m.* -(e)s.
빅수(一手) ☞ 비김수.
빈 《오스트리아의 수도》 Wien. ☞ 비엔나.
빈개념(賓概念) 〖논리〗 objektiver Begriff, -(e)s.
빈객(賓客) (Ehren)gast *m.* -(e)s, ⸗e; Besucher *m.* -s, -.
빈고(貧苦) Bedrängnis *f.* -se; Not *f.* ⸗e. ☞ 빈곤(貧困). ¶ ~에 시달리다 in Not sein; bedrängt sein / ~ 속에 자라다 notleidend aufwachsen* ⓢ.
빈곤(貧困) Armut *f.*; Bedürftigkeit *f.*; Dürftigkeit *f.*; Not *f.* ⸗e. **~하다** arm; armselig; dürftig; bedürftig (sein). ¶ 사상의 ~ Gedankenarmut *f.* / ~에 빠지다 in Not geraten*ⓢ; in Armut geraten*ⓢ; verarmenⓢ/~에서 벗어나다 ^{4}sich aus der Armut erheben*; ^{4}sich aus der Armut heraus|ziehen*.
빈광(貧鑛) die Erzader, die an Erz arm ist.
빈궁(貧窮) (äußerste) Armut; Not *f.* ⸗e; Elend *n.* -(e)s; Bedürftigkeit *f.* **~하다** arm; notleidend; elend; bedürftig (sein).
빈궁(嬪宮) Kronprinzessin *f.* -nen.
빈농(貧農) der arme Bauer, -s 〔-n〕, -n; Häusler *m.* -s, -; 〖별칭〗 Bauernlümmel *m.* -s, -.
빈대 〖곤충〗 Wanze *f.* -n. ¶ ~가 미워서 집을 태우다 Man brennt das ganze Haus wegen der Wanze.
빈대떡 aus Bohnenmehl gemachter Pfannkuchen, -s.
빈도(頻度) Häufigkeit *f.*
‖ **~수** Hochfrequenz *f.*: ~수가 높은 말 die sehr häufig gebrauchten Worte 《*pl.*》 / 사용하는 ~수에 따라 nach der Reihe der Gebrauchhäufigkeit. **~순** die Reihenfolge der Häufigkeit.
빈둥거리다 faulenzen; müßig gehen* ⓢ; die Zeit vertrödeln; die Zeit vertändeln; herum|lungern. ¶ 빈둥거리고 faulenzend / 빈둥거리는 자 Müßiggänger *m.* -s, -; Faulenzer *m.* -s, -; Tagedieb *m.* -(e)s, -e; der Säumige*, -en, -en / 집안에서 ~ zu Hause die Zeit vertändeln / 빈둥거리지 말고 독일말 공부 좀 해봐라 Lege nicht die Hände in den Schoß, versuch aber die deutsche Sprache zu lernen!
빈둥빈둥 bummelig; müßig; faul; untätig. ¶ 하루 종일 ~ 지내다 müßig in den Tag hinein|leben; auf der Bärenhaut 〔auf dem Faulbett; auf dem Lotterbett〕 liegen*.
빈들- ☞ 빈둥-.
빈랑(檳榔) Betelnuß *f.* ..nüsse (열매).
‖ **~나무** Betelpalme *f.* -n.
빈말 das leere Geschwätz, -es, -e; das leeres Wort, -(e)s, -e; das hohles Versprechen, -s, -. **~하다** Kohl reden; Blech reden; Unsinn reden 〔schwatzen〕; dummes Zeug sagen. ¶ ~이라도 그렇게 말해서는 안 된다 Sei es auch ein Unsinn, darf man nicht so sagen.
빈모(鬢毛) =살쩍.
빈미주룩하다 sichtbar (sein); leicht zu sehen sein; leicht hervor|treten* ⓢ.
빈민(貧民) die Armen 《*pl.*》; arme Leute 《*pl.*》. ¶ ~을 구제하다 die Armen unterstützen; den Armen helfen* / 그는 ~의 신분으로 자랐다 Er ist in e-r armen Familie aufgewachsen.
‖ **~구호법** Armengesetz *n.* -es, -e.
빈민굴(貧民窟) Armenviertel [..firtəl] *n.* -s -.
빈발(頻發) das häufige Vorkommen, -s; das häufige Ereignis, -ses, -se. **~하다** häufig vor|fallen* ⓢ; ^{4}sich häufig ereignen. ¶ 철도사고의 ~ das häufige Eisenbahnunglück/ 교통사고가 ~하고 있다 Der Verkehrsunfall kommt häufig vor.
빈방(一房) leeres Zimmer, -s, -; 《가구가 없는》 unmöbliertes Zimmer; 《사람이 쓰지 않는》 unbewohntes Zimmer. ¶ ~ 하나 있읍니까 Haben Sie ein Zimmer frei? / ~이 둘 있읍니다 Wir haben zwei Zimmer frei.
빈번(頻繁·頻煩) Häufigkeit *f.* -en; Mehrmaligkeit *f.* -en. **~하다** häufig; mehrmalig; unaufhörlich; beständig (sein). ¶ ~히 häufig; mehrmals; sehr oft; beständig / 왕래가 ~한 거리 die verkehrsreiche Straße, -n / ~히 일어나는 일 die oft vorkommene Sache, -n / 이때면 불이 ~히 일어난다 Es gibt oft Feuer in dieser Zeit. ¦ Der Brand bricht oft in dieser Zeit aus.
빈부(貧富) Reichtum 《*m.* -(e)s, ⸗er》 u. Armut 《*f.*》; 《사람》 reich u. arm; Reiche u. Arme. ¶ ~의 차별없이 ohne Unterschied zwischen Reichen u. Armen / ~의 격차가 심하다 Die Differenz 〔Der Unterschied〕 zwischen Reichen u. Armen ist merklich groß.
빈사(賓辭) 〖논리〗 Prädikat *n.* -(e)s, -e; 〖언어〗 Objekt *n.* -(e)s, -e.
빈사(瀕死) ¶ ~의 sterbend; sterbenskrank / ~의 병자 der 〔die〕 im Sterben liegende Kranke*, -n, -n; ein Kranker auf dem Totenbett / ~ 상태에 있다 am Rande des Grabes stehen*; auf dem Totenbett liegen* / ~의 중상을 입다 tödliche Verletzungen 《*pl.*》 erleiden*; tödlich verwundet werden.
빈사과(一果) Sechseckiger gefärbter Honig-und-ölkuchen, -s, -.
빈삭(頻數) Häufigkeit *f.* **~하다** häufig (sein); oft vor|kommen* ⓢ.
빈소(殯所) ein Zimmer 《*n.* -s, -》, wo ein Leichnam bis zur Begräbnisfeier liegt.
빈소리 vergebliche 〔unnütze〕 Worte 《*pl.*》. ☞ 빈말.
빈속 leerer Magen, -s, -. ¶ ~에 (술을) 마시다 mit leerem Magen trinken* / 나는 ~이다 Ich habe nichts im Magen. / ~에 맛없는 음식 없다 Hunger ist der beste Koch.
빈손 leere Hand, ⸗e. ¶ ~으로 mit leeren Händen / ~으로 오다 mit leeren Händen kommen* ⓢ; ohne Geschenk 〔ohne Geld〕 kommen* ⓢ.
빈약(貧弱) Knappheit *f.*; Magerkeit *f.* -en. Armseligkeit *f.* -en; Schäbigkeit *f.* -en. **~하다** arm; armselig; knapp; dürftig; mager; kläglich (sein). ¶ 내용이 ~한 책 ein inhaltsarmes Buch, -(e)s, ⸗er / ~한 지식 die mangelhafte Kenntnis, -se / 풍채가 ~한 사람 ein Mann von armseligem Aussehen; die schäbige Erscheinung, -en / ~한 식사 bescheidenes Essen, -s, - / ~한 건물 ein ärmliches Gebäude, -s, - / 이 책의 내용은 ~하다 Das Buch ist inhalt(s)arm.

빈자(貧者) der Arme*, -n, -n. ¶ ~의 적선 das Scherflein des Armen.

빈자리 ① 《공석》 ein leerer Platz, -(e)s, ⸚e; ein unbesetzter Platz. ¶ ~가 없었다 Es gab k-n leeren Platz.
② 《결원》 e-e vakante Stelle; e-e unbesetzte Stelle. ¶ ~를 메우지 않고 그대로 두다 e-e leere Stelle unbesetzt lassen*.

빈정거리다 spitzige Bemerkung machen; Spitzen austeilen; [4]sich über *jn.* lustig machen; bespötteln[4]; lächerlich machen[4]. ¶ 내 모자를 갖고 ~ über m-n Hut e-e spitzige Bemerkung machen.

빈정빈정 anspielend; stichelnd.

빈주먹 leere Hand (Faust) ⸚e; bloße Hand. ¶ ~으로 mit leeren Händen; mit bloßen Händen; ohne Geldmittel / ~으로 장사를 시작하다 mit nichts ein Geschäft an|fangen*.

빈지 〖건축〗 (Fenster)laden *m.* -s, -(⸚); (Schließ)klappe *f.* -n. ¶ ~를 닫다 (열다) die Fensterläden schließen* (auf|machen).

빈집 ein leeres Haus, -(e)s, ⸚er; ein unbesetztes Haus, -(e)s, ⸚er; e-e unbesetzte Wohnung, -en. ¶ 그 집은 ~이다 Die Wohnung ist unbesetzt. ¦ Die Wohnung ist frei.

빈차(一車) der leere (entladene; unbesetzte) Wagen, -s, -.

빈천(貧賤) Armut u. Niedrigkeit. **~하다** arm u. niedrig (sein). ¶ ~한 태생의 von niedriger Geburt.

빈촌(貧村) das gottverlassene (arme) Dorf, -(e)s, ⸚er.

빈총(一銃) nicht geladenes Gewehr, -(e)s, -e. ¶ ~을 놓다 ein Gewehr ohne Kugel ab|feuern; blinden Schuß ab|geben*.

빈축(嚬蹙) das Stirnrunzeln*, -s; finster Blick, -(e)s, -e. **~하다** durch finsteren Blick aus|drücken (ein|schüchtern). ¶ ~을 사다 *jn.* veranlassen*, Grimassen zu schneiden/ ~할 abscheuerregend.

빈탕 ① 《과실의》 die leere Schale, -n; die inhaltlose Hülse, -n.
② 《복권뽑기의》 Niete *f.* -n; Fehllos *n.* -es, -e. ¶ ~을 뽑다 e-e Niete ziehen*.

빈터 der freie (leere; offene; unbesetzte) Raum, -(e)s, ⸚e; unbebaute Grundstück, -(e)s, -e; das unbewohntes Gelände, -s, -.

빈털터리 Habenichts *m.* -(-es), -e.; ein armer Teufel, -s, -; ein armer Schlucker, -s, -. ¶ ~가 되다 äußerst arm werden; bettelarm werden; arm wie e-e Kirchenmaus werden; blutarm werden; ganz mittellos werden / 그는 화재로 인하여 ~가 되었다 Er ist infolge des Feuers ein armer Teufel geworden.

빈트후크 《나미비아의 수도》 Windhock; Windhuk.

빈틈 ① 《사이》 Lücke *f.* -n; Kluft *f.* ⸚e; Spalt *m.* -(e)s, -e. ¶ ~을 메우다 die Lücke aus|füllen / ~없이 벌여 놓다 lückenlos die Vorkehrungen treffen / ~없이 사람이 들어 있다 schwarz von Menschen sein; gedrängt voll (von Menschen) sein; voll besetzt sein; gepreßt voll sein. ② 《불비》 das Unvorbereitetsein*, -s; das unbewachte Moment, -(e)s, -e; die schwache Seite, -n; Bloße *f.* -n. ¶ ~없는 schlau; fehlerfrei; tadellos; vollständig; wachsam; scharfsinnig; 《주의깊은》 umsichtig; 《재치있는》 taktvoll/ ~없는 이론 die lückenlose (folgerechte; logische) Theorie, -n / ~없는 사람 ein schlauer Mensch; ein schlauer Fuchs, -es, ⸚e / ~없는 논의 ein folgerechtes (lückenloses) Argument, -(e)s, -e.

빈한(貧寒) =빈궁(貧窮).

빈혈(증)(貧血(症)) Anämie *f.* -n; Blutarmut *f.* ¶ ~증이 있는 사람 ein anämischer Mensch/ ~이 있다 an der Anämie leiden* / ~증에 걸리다 die Anämie haben; die Anämie bekommen*.

빌다[1] ① 《금품을》 von *jm.* [4]*et.* borgen; von *jm.* [4]*et.* leihen*; *jm.* [4]*et.* entleihen*. ¶ 책을 친구에게서 ~ von e-m Freund ein Buch borgen. ② 《도움을》 [4]sich von *jm.* helfen lassen*; [4]sich *js.* Hilfe bedienen. ¶ 남의 말을 ~ [4]*et.* durch *jn.* sagen lassen* / 그의 말을 빌어 말하면 um mit s-m Wort reden. ③ 《임차하다》 mieten[4]; (ver)pachten[4]; dingen[4]; charten[4]. ¶ 방(집)을 ~ ein Haus (Zimmer) mieten.

빌다[2] ① 《구걸하다》 *jn.* um [4]*et.* bitten*; bei *jm.* um [4]*et.* an|halten*; um [4]*et.* betteln. ¶ 밥을 ~ um Brot betteln / 도움을 ~ *jn.* um Hilfe bitten*.
② 《기원》 beten; ein Gebet sagen; flehen; hoffen; wünschen; demütig bitten*. ¶ 산신에게 비를 ~ [4]Berggott um Regen beten / 하느님의 자비를 ~ [4]Gott um Gnade bitten*; mit gefalteten Händen beten / 당신의 성공을 빕니다 Ich wünsche Ihnen besten Erfolg. ¦ Mögen Sie Glück haben! ¦ Viel Glück!
③ 《용서를》 *jn.* um [4]*et.* bitten*; *jn.* um [4]*et.* an|flehen. ¶ 살려 달라고 ~ um das Leben bitten* / 잘못했다고 ~ um Verzeihung bitten*.

빌딩 Hochhaus *n.* -es, ⸚er.
‖ 초(超)고층~ Wolkenkratzer *m.* -s, -.

빌려주다 =빌리다.

빌로도 Sam(me)t *m.* -(e)s, -e. ¶ ~(제)의 samten / ~와 같은 samtig; samtartig.
‖ 면사~ Baumwollsamt *m.* -(e)s, -e.

빌리다 ① 《대여하다》 leihen*[4]; aus|leihen*[4]; verborgen[4]. ¶ 빌려 주는 사람 (Ver)leiher *m.* -s, - / 지혜를 ~ *jm.* e-n Rat geben* (erteilen) / 이름을 ~ zu [3]*et.* s-n Namen geben* / 전화 좀 빌려 주세요 Darf ich bei Ihnen telephonieren? ¦ Darf ich Ihr Telephon benutzen? / (담뱃)불 좀 빕시다 Darf ich mal Feuer haben? ¦ Können Sie mir Feuer geben? / 잠깐 손 좀 빌려 주지 않겠나 Kannst du mir e-n Augenblick helfen?
② 《임대하다》 vermieten[4]; verpachten[4]. ¶ 이 집은 한 달에 1,000 마르크로 빌려준다 Die Miete des Hauses ist monatlich 1000 Mark. ¦ Das Haus wird für Monatmiete 1000 Mark vermietet.

빌미 ein Fluch 《*m.* -(e)s, ⸚e》 als Ursache e-s Unglücks. ¶ ~가 내린 verflucht.

빌미잡다 [4]*et.* für die Ursache e-s Unglücks halten*.

빌붙다 [4]sich ein|schmeicheln 《bei *jm.*》; [4]sich in *js.* Gunst ein|schmeicheln; [4]sich in [4]Gunst setzen 《bei *jm.*》.

빌어먹다 《…이》 betteln; betteln gehen* ⓢ; 《아무에게 …을》 *jn.* um [4]*et.* betteln. ¶ 빌어 먹고 살다 vom Betteln (von Bettelei) leben.

빌어먹을 zum Teufel!; zum Henker!

빔[1] 《끼움》 kleines Stück Stoff (Papier) einfügen, um [4]*et.* dichter zu machen.

빔[2] ☞ 비음.

빕더서다 ein Versprechen nicht halten*;

sein Wort brechen*.

빗 Kamm *m.* -(e)s, ⁻e. ¶ 얼레(참)빗 der weite (feine; feinzinkige) Kamm / 빗으로 머리를 빗다 Haare kämmen / 빗을 꽂다 in das Haar e-n Kamm stecken.

빗각(一角) 〖수학〗 schiefer Winkel, -s, -. ‖ ~기둥(뿔) schiefes Prisma, -s, ..men (schiefe Pyramide, -n).

빗금 schräge Linie, -n.

빗기다 《머리를》 *jm.* das Haar kämmen.

빗나가다 verfehlen[4]; fehl|gehen* ⓢ; verpassen[4]; ab|irren ⓢ. ¶ 이야기가 ~ vom Thema ab|schweifen ⓢ; das Thema verlassen* / 계획이 ~ *et. jm.* fehl|schlagen*; *et. jm.* miß|glücken / 예상이 ~ in s-n Erwartungen getäuscht sein / 도리에 ~ der Vernunft wider|sprechen* / 규칙이 ~ gegen die Regel verstoßen*; von der Regel ab|weichen* ⓢ / 화살이 ~ Der Pfeil trifft nicht die Scheibe. ¦ Der Pfeil schießt vorbei. ¦ Der Pfeil geht fehl.

빗다 [3]sich das Haar kämmen (머리를); Wolle 《*f.*》 krempeln (kämmen) (양털을). ¶ 딸에게 머리를 빗으라고 하다 s-e Tochter bitten*, die Haare zu kämmen.

빗대다 《빗대어 말하다》 auf *jn.* ([4]*et.*) an|spielen; e-n Wink geben*; auf [4]*et.* versteckt hin|deuten. ¶ 은근히 빗대어 악평하다 *jn.* leicht andeutend in Verruf bringen* / 나를 두고 빗댄 말이었다 Das war e-e Anspielung auf mich. / 빗대지 말고 바로 대어라 K-e Anspielung, aber rede nur die Wahrheit.

빗더서다 schief stehen*.

빗돌(碑一) 《기념비》 Gedenkstein *m.* -(e)s, -e; Steindenkmal *n.* -(e)s, ⁻er (-e); 《묘비》 Grabstein *m.* -(e)s, -e.

빗듣다 [4]sich verhören; falsch hören[4]; mißverstehen*[4]; falsch verstehen*[4].

빗디디다 aus|gleiten* ⓢ; fehl|treten* ⓢ; entgleisen ⓢ. ¶ 계단을 ~ auf der Treppe fehl|treten* ⓢ.

빗뜨다 《눈을》 schief an|sehen*[4]; e-n Seitenblick werfen* 《*auf*[4]》.

빗맞다 ① 《표적에》 von der Richtung ab|weichen* ⓢ; fehl|gehen* ⓢ; ab|irren ⓢ. ¶ 그는 연방 쏘았으나 모두 빗맞았다 Obwohl er fortdauernd abgefeuert hat, traf alles vorbei. / 화살이 빗맞았다 Der Pfeil ging fehl. ② 《뜻한 일이》 fehl|schlagen* ⓗ,ⓢ; miß|raten* ⓢ; miß|lingen* ⓢ; nicht treffen* (erreichen). ¶ 모든 계획이 빗맞았다 All mein Vorsatz ist mir mißglückt. / 여러 가지 해 보았으나 모두 빗맞았다 All mein Versuch ist mir schief gegangen.

빗먹다 《Säge》 krumm (falsch) gehen* ⓢ.

빗면(一面) Abhang *m.* -(e)s, ⁻e; Böschung *f.* -en.

빗물 Regenwasser *n.* -s. ‖ ~통 Regenfaß *n.* ..fasses, ..fässer.

빗반자 schräge (Zimmer)decke, -n.

빗발 Regenström *m.* -(e)s, -e. ¶ ~이 치기 시작한다 Es fängt an zu regnen.

빗발치듯 dicht u. schnell (wie ein Regenschauer). ¶ ~하는 탄알(화살) ein Regen 《*m.* -s》 von Geschossen (Pfeilen) / 폭탄이 인가에 ~ 떨어졌다 Bomben regneten auf die Häuser. / 질문이 ~ 하였다 Es regnete Anfragen. / 비난이 ~ 하였다 Es regnete Vorwürfe. / 돌이 ~ 떨어진다 Es regnet (hagelt) Steine. / 불평이 ~ 하다 Es regnet Beschwerden. / 나무에서 꽃잎이 ~ 떨어진다 Der Baum regnet Blüten.

빗방울 Regentropfen *m.* -s, -; Traufe *f.* -n. ¶ ~이 듣다 Regentropfen fallen* ⓢ. ‖ ~소리 das Platschen* 《-s》 des Regentropfens.

빗변(一邊) 〖수학〗 Hypotenuse *f.* -n. ¶ 직각 삼각형의 ~ die Hypotenuse des rechtwinkligen Dreiecks.

빗보다 falsch beurteilen[4]; falsch ein|schätzen[4]. ¶ 사람을 ~ *jn.* falsch ein|schätzen.

빗살 die Zähne 《*pl.*》 e-s Kamms.

빗서다 ☞ 빗더서다.

빗소리 Geräusch 《*n.* -es, -e》 des Regens; Regen *m.* -s.

빗속 ¶ ~을 beim Regen; im Regen / ~을 걷다 im Regen gehen* ⓢ.

빗솔 Kammbürste *f.* -n; Bürste 《*f.* -n》 zum Reinigen von Kämmen.

빗원기둥(一圓一) 〖수학〗 schiefer Zylinder, -s, ⌐-.

빗장 Riegel *m.* -s, -; Querholz *n.* -es, ⁻er. ¶ ~을 벗기다 auf|riegeln[4]; den Riegel auf|machen (zurück|schieben*) / ~을 지르다 verriegeln[4]; den Riegel zu|machen (vor|schieben*).

빗장고름 zur Schleife gebundenes Band 《-(e)s, ⁻er》 an der Jacke; fast schleifeförmiges Band, -(e)s, ⁻e.

빗장뼈 Schlüsselbein *n.* -(e)s, -e.

빗접 Kammgehäuse *n.* -s, -; Kammkästchen *n.* -s, -.

빗접고비 Kammkasten *m.* -s, - (⁻).

빗줄기 Regenguß *m.* ..gusses, ..güsse. ¶ ~가 세다 Es regnet Bindfäden. ¦ Es regnet junge Hunde.

빗질 das Kämmen*, -s. ~하다 kämmen[4]; das Haar (den Kopf) kämmen.

빗치개 Nadel 《*f.* -n》 zum Scheitelziehen u. Reinigen von Kämmen.

빙 rundherum 《spinnen*; wirbeln》; im Kreise herum 《drehen》. ¶ 서울을 한 바퀴 빙 돌다 einmal um Seoul herum|fahren* / 그녀를 ~ 둘러서다 um sie herum|stehen*; im Kreise um sie herum|stehen* / 책상 둘레에 ~ 둘러서다 im Kreise um den Tisch herum|stehen* / 나는 머리가 빙 돈다 Mir wirbelt der Kopf. ¦ Mir dreht sich alles im Kopfe. / 너 정신이 빙 도는 모양이구나 Du spinnst wohl!

빙결(氷結) das Frieren*, -s; das Zufrieren*, -s. ~하다 frieren* ⓢ; zu|frieren* ⓢ; ein|frieren* ⓢ. ¶ ~을 제거하다 das Einfrieren vorbeugen; enteisen[4].

빙고(氷庫) Eis¦keller *m.* -s, -(-haus *n.* -es, ⁻er); Gefrierfach *n.* -(e)s, ⁻er.

빙고(憑考) genaue Untersuchung, -en; genaue Prüfung, -en; Nachforschung *f.* -en. ~하다 genau untersuchen[4]; genau prüfen[4]; nach|forschen[3].

빙고 《놀이》 Bingo *n.* -(s) 《e-e Art Lotto》.

빙과(氷菓) Eis *n.* -es; Eiscreme *f.* -s; Speiseeis *n.* -es; das Gefrorene*, -n.

빙괴(氷塊) ein Stück 《*n.* -(e)s》 Eis; Eisblock *m.* -(e)s, ⁻e; Eisscholle *f.* -n; Treibeis *n.* -es (떠도는).

빙그레 ☞ 방그레. ¶ ~ 웃다 an|lächeln[4]; an|schmunzeln[4].

빙그르르 im Kreise sanft herum; sanft rundherum; ringsherum. ¶ ~ 돌다 [4]sich im Kreise sanft drehen; [4]sich sanft herum|drehen; [4]sich im Kreise sanft bewegen /

~ 돌리다 sanft herum|drehen^4 / 얼음판을 한 바퀴 ~ 돌다 auf dem Eisfeld sanft e-e Kreisbewegung machen.

빙글거리다 lächeln; schmunzeln.

빙글빙글[1] im Kreise herum; rund herum; ringsherum. ¶ ~ 돌다 ^{4}sich im Kreise drehen / 댄스 파트너를 ~ 돌리다 sein Mädchen im Tanze schwenken.

빙글빙글[2] lächelnd; strahlend. ¶ ~ 웃는 얼굴 lächelndes Gesicht, -(e)s, -er; strahlendes Gesicht.

빙긋 ¶ ~ 웃다 lächeln; schmunzeln; feixen; belächeln; ^{3}sich in den Bart hinein lachen; zustimmend lächeln (찬성의 뜻으로).

빙낭(氷囊) Eisbeutel *m.* -s, -.
‖ **~걸이** Eisbeutelhalter *m.* -s, -.

빙모(聘母) ＝장모(丈母).

빙벽(氷壁) 《빙산의》 Fläche 《*f.* -n》 des Eisbergs; 《산의》 vereister Steilhang, -(e)s, ¨e.

빙빙 im Kreise herum; rundherum; ringsherum. ¶ ~ 돌리다 ^{4}*et.* herum drehen / ~ 돌다 ^{4}sich herum drehen; ^{4}sich im Kreise bewegen; herum wirbeln [h,s]; kreisen [s,h] 《*um*^{4}》 / ~ 감다 winden^4.

빙사탕(氷砂糖) Kandis *m.* -; Kandis|zucker (Kandel-) *m.* -s.

빙산(氷山) Eisberg *m.* -(e)s, -e; das schwimmende Eisfeld, -(e)s, -er. ¶ ~의 일각 Eisbergspitze *f.* -n; 《비유적》 Der sichtbare Teil ist so winzig wie e-e Eisbergspitze im Gegensatz zu dem unsichtbaren Teil des Eisbergs. / 이 사건은 ~의 일각에 지나지 않는다 Diese Affäre ist nichts anders als e-e Eisbergspitze.

빙상(氷上) ¶ ~에서 auf dem Eis.
‖ **~경기** Eislauf *m.* -(e)s, ¨e ; Eissport *m.* -(e)s, -e.

빙설(氷雪) Eis 《*n.* -es》 u. Schnee 《*m.* -s》.

빙수(氷水) 《얼음 냉수》 Eiswasser *n.* -s.

빙실(氷室) Eiskammer *f.* -n; Eiskeller *m.* -s, -.

빙어 〖어류〗 Stint *m.* -(e)s, -e.

빙원(氷原) Eisfeld *n.* -(e)s, -er.

빙자(憑藉) ① 《의지》 Anlehnung *f.* en; Zutrauen *n.* -s, -; Vertrauen *n.* -s, -; Zuversicht *f.* **~하다** ^{4}sich an ^{4}*et.* (*jn.*) an|lehnen; *jm.* (^{3}*et.*) vertrauen; ^{4}sich auf ^{4}*et.* (*jn.*) verlassen*. ② 《핑계》 Vorwand *m.* -(e)s, ¨e; das Vorgeben, -s, -; Entschuldigung *f.* -en; Deckmantel *m.* -s, ¨. **~하다** ^{4}*et.* zum Vorwand nehmen*; ^{4}*et.* als Entschuldigung vor|bringen*; ^{4}sich mit ^{3}*et.* (auf ^{4}*et.*) aus|reden; vor|schützen^4. ¶ …을 ~하여 unter dem Vorwand; unter dem Deckmantel / 취직 알선을 ~하여 사기하다 *jn.* unter dem Vorwand der Stellenvermittelung betrügen* / 그들은 자선을 ~하고 사복(私腹)을 채웠다 Sie haben sich unter dem Deckmantel der Wohltat bereichert. / 그는 병을 ~하여 결석하였다 Er fehlte unter dem Vorwand, daß er krank sei (unter dem Vorwand, krank zu sein).

빙장(聘丈) Schwiegervater *m.* -s, ¨.

빙점(氷點) Gefrierpunkt *m.* -(e)s. ¶ ~하(下) unter dem Gefrierpunkt / ~ 하(下) 5도 5° (fünf Grad) unter dem Gefrierpunkt(e) (unter ^{3}Null); minus 5° / 온도는 ~하 5도까지 내려갔다 Die Temparatur 《-en》 ist bis 5° (fünf Grad) unter Null gesunken.

빙주(氷柱) Eiszapfen *m.* -s, -; Eisblock *m.* -(e)s, ¨e.

빙충맞다 plump; ungeschickt; dumm; albern; unbeholfen; schwerfällig (sein).

빙충(맞)이 dummer Kerl, -(e)s, -e; Dummkopf *m.* -(e)s, ¨e; unbeholfener Mensch, -en, -en; Tolpatsch *m.* -es, -e; Tölpel *m.* -s, -.

빙침(氷枕) Eisbeutel *m.* -s, -; Eisblase *f.* -n.

빙탄(氷炭) 《얼음과 숯》 Eis u. Kohl; 《비유적》 Unvereinbarkeit *f.* -en; Unverträglichkeit *f.* -en; Widerspruch *m.* -(e)s, ¨e. ¶ ~불상용이다 himmelweit (wie Tag u. Nacht) verschieden sein; ^{4}sich wie Hund u. Katze vertragen*; wie Hund u. Katze leben.

빙퉁그러지다 《하는 짓이》 ^{4}sich schlecht betragen*; ^{4}sich unrecht benehmen*; 《성질이》 böse Natur haben; schlechte Ader haben.

빙판(氷板) vereister Platz, -es, ¨e; vereiste Straße, -n.

빙하(氷河) Gletscher *m.* -s, -. ¶ ~ 전기 Voreiszeit *f.* / ~ 후기 Nacheiszeit *f.*
‖ **~시대** Eiszeit *f.*

빙해(氷海) die eisbedeckte See, -n [zé:ən]; die gefrorene See, -n.

빙해(氷解) 《풀림》 das Klarwerden*, -s; das Schwinden*, -s. **~하다** 《의문》 klar werden; schwinden* [s]; aufgelöst werden.

빙활(氷滑) das Eislaufen*, -s; das Schlittschuhlaufen*, -s. ‖ **~장** Eisbahn *f.* -en; Schlittschuhbahn *f.* -en.

빚 Schuld *f.* -en; die Passiva 《*pl.*》; Haftpflicht *f.* -en. ¶ 빚을 갚다 (물다) Schulden begleichen* (ab|zahlen; tilgen) / 빚을 못 갚다 Schulden nicht bestreiten können* / 빚을 떼어 먹다 *jn.* um Schulden beschwindeln/ 빚이 있다 bei *jm.* Schulden haben; in *js.* Schuld stehen*; in der Kreide stehen* / 빚을 지다 in Schulden geraten* [s]; ^{4}sich in Schulden stürzen / 빚을 안지다 k-e Anleihe machen / 빚을 내다 e-e Anleihe machen (auf|nehmen*) / 빚이 없다 schuldenfrei; frei von Schulden/빚에 얽매이다 in Schulden verwickeln^4; bis über die Ohren in Schulden stecken* / 빚을 독촉하다 *jn.* zur Zurückzahlung auf|forden; *jn.* Schulden abzuzahlen mahnen / 준 빚을 회수하다 Schulden ein|treiben* / 그는 나한테 10만원 빚이 있다 Er ist mir 100000 (hunderttausend) *Won* schuldig.

빚거간(一居間) ① 《영업》 Maklergeschäft 《*n.* -(e)s, -e》 für Geldverleih. **~하다** für Geldverleih vermitteln. ② ＝빚지시.

빚꾸러기 jemand, der stark verschuldet ist; ein tief in Schulden Geratener*; jemand, der bis über die Ohren verschuldet ist.

빚내다 Geld leihen*. ¶ A 에게서 5만원을 ~ 50000 *Won* von A leihen* / 부동산을 저당으로 은행에서 ~ für Immobilien als Sicherheit von der Bank e-n Kredit bekommen*.

빚놀이 Geldgeschäft *n.* -(e)s, -e.

빚놓다 Geld aus|leihen*; Darlehen geben*. ¶ 고리로 ~ Geld auf hohe Zinsen geben* (verleihen*).

빚다 ① 《가루·반죽을》 kneten^4; Mehl kneten; Ton kneten. ¶ 떡을 ~ den Reiskuchen kneten; den Kloß kneten (machen). ② 《술을》 brauen^4. ③ 《어떤 사태를》 verursachen*; stiften*; hervor|rufen*^{4}; erregen^4; bewirken^4. ¶ 가난이 빚은 비극 die von der Armut verursachte Tragödie.

빚돈 Schuld *f.* -en; Anleihe *f.* -n. ¶ ~을 내다 Schulden machen / ~이 있다 Schulden haben.
빚두루마기 =빚꾸러기.
빚물이 das Bezahlen* 《-s》 der Schuld e-s anderen. ~하다 die Schuld e-s anderen für ihn bezahlen 〔ab|tragen*; tilgen〕.
빚받이 das Eintreiben* 《-s》 von Schulden 〔Ausständen〕. ~하다 Schulden 〔Ausstände〕 ein|treiben*.
빚장이 《채귀(債鬼)》 drängender Gläubiger, -s, -; 《채권자》 Gläubiger *m.* -s, -; 《고리 대금업자》 Wucherer *m.* -s, -.
빚주다 Geld aus|leihen*; Darlehen geben*.
빚지다 in Schulden geraten*[s]; ⁴sich in Schulden stürzen. ¶ 나는 그에게 빚을 크게 지고 있다 Ich bin 〔stehe〕 tief in s-r Schuld. / 내가 너한테 얼마나 빚을 졌나 Was bin ich dir schuldig? / 나는 그에게 10,000 원 빚졌다 Ich bin ihm 10000 *Won* schuldig.
빚지시 das Vermitteln 《-s》 e-s Kredits. ~하다 e-n Kredit vermitteln.
빛 ① 《광선》 Lichtstrahl *m.* -(e)s, -en; Licht *n.* -(e)s, -er; Strahl *m.* -(e)s, -en. ¶ 달빛 Mondlicht *n.* -(e)s, -er; Mondschein *m.* -(e)s, -e / 빛이 잘 드는 방 ein sonniges Zimmer / 빛을 발하는 물체 der leuchtende Gegenstand 〔Körper〕 / 빛의 굴절 Strahlenbrechung *f.* / 빛의 속도 Lichtgeschwindigkeit *f.* / 빛의 전자설 Lichtelektronentheorie *f.* / 햇빛 Sonnenschein *m.*; Sonnenlicht *n.*; Sonnenstrahl *m.* / 희망의 빛 Hoffnungs|schimmer 〔-strahl〕 *m.* / 개똥벌레의 빛 das Glänzen e-s Leuchtkäfers; das Leuchten der Leuchtkäfer. / 빛을 발하다 aus|strahlen; aus|strömen; funkeln; scheinen*; leuchten / 빛은 동방으로부터 Licht vom Osten / 빛의 속도는 매초 약 18만 6천 마일이다 Die Lichtgeschwindigkeit ist pro Sekunde ungefähr 186000 Meilen.
② 《빛깔》 Farbe *f.* -n; Couleur [kulǿːr] *f.* -en; Teint *m.* -s, -s; Färbung *f.* -en. ¶ 가을 빛 Herbstfärbung *f.* / 얼굴 빛 das Aussehen*, -s; Teint *m.*; Gesichtsfarbe *f.* / 밝은〔어두운〕 빛 die helle 〔dunkle〕 Farbe, -n / 부드러운 빛 die milde Farbe / 파란 빛 die blaue Farbe / 빛의 배합 Farbenkombination *f.* -en / 빛의 조화 Farbenharmonie *f.* -n / 빛이 짙다〔연하다〕 von dunkler 〔lichter〕 Farbe sein / 빛이 변하다 die Farbe ändert / …의 빛을 띠다 … farbig sein; … gefärbt sein / 빛 좋은 개살구 glänzendes Elend, -(e)s / 빛이 바래다 an Farbe verlieren* / 그것은 무슨 빛으로 물들였니 Mit welcher Farbe hast du es so gefärbt?
③ 《부류》 Klasse *f.* -n; Gattung *f.* -en; Sorte *f.* -n.
④ 《안색》 Gesichtsfarbe *f.* -n; Teint *m.* -s, -s; Miene *f.* -n. ¶ 싫어하는 빛도 없이 ohne die Miene der Unangenehmlichkeit merken zu lassen / 성난 빛을 보이다 ⁴sich e-n Schatten von Ärger in s-m Gesicht aus|drücken / 그의 얼굴은 피로한 빛이 있었다 Über s-m Gesicht lagen Spuren von Ermüdung. / 그의 얼굴에는 수심의 빛이 있었다 Über s-m Gesicht lag ein Schatten von Traurigkeit.
빛깔 Farbeton *m.* -(e)s, ⸗e; Farbe *f.* -n; Färbung *f.* -en. ¶ ~이 없는 farblos / ~을 넣은〔넣어〕 gefärbt; koloriend / 밝은 ~로 그리다 hell kolorieren⁴ 〔malen⁴〕 / ~이며 무늬며 다 좋다 Farbe u. Muster sind beide schön.
빛나다 ① 《비치다》 scheinen*; glänzen; strahlen; leuchten; schimmern. ¶ 빛나는 눈 die strahlenden Augen 《*pl.*》 / 아침해에 빛나는 장미 Die in Morgensonne glänzend blühende Rose, -n / 하늘에 빛나는 별 die 〔am Himmel〕 funkelnden 〔schimmernden; flimmerden; glitzernden〕 Sterne / 기뻐서 눈이 ~ vor Freude das Gesicht strahlen 〔glänzen〕 / 해가 ~ die Sonne scheint / 보석이 햇빛에 ~ das Juwel schimmert im Sonnenschein / 그녀의 손가락에서 금반지가 빛나고 있다 Ein Goldring schimmert an ihrem Finger.
② 《영광스럽다》 glorreich; ruhmreich; ehrenvoll (sein). ¶ 빛나는 장래 e-e viel versprechende Zukunft; e-e glänzende Zukunft / 빛나는 최후를 마치다 e-s ehrenvollen 〔heldenhaften〕 Todes sterben* [s] / 청사에 ~ lange in der Geschichte 〔ehrenvoll〕 verbleiben*.
③ 《두드러짐·이채를 발함》 ⁴sich aus|zeichnen; ⁴sich hervor|tun*; e-e glänzende Rolle spielen; e-e glänzende Figur machen. ¶ 교사로서 ~ ⁴sich als Lehrer hervor|tun* / 그의 작품은 어떤 것보다도 빛나고 있다 Sein Werk ragt vor allen andern hervor. / 그녀의 얼굴이 기쁨으로 빛나고 있다 Ihr Gesicht klärt sich auf vor Freude.
빛내다 《비치게 하다·광내다》 beleuchten⁴; glänzend machen⁴; polieren⁴; erleuchten⁴; erhellen⁴; 《영광스럽게 하다》 verherrlichen⁴; verklären⁴; glorifizieren⁴. ¶ 모국을 ~ dem Vaterland Ehre bringen*; die Vaterlandsprestige erhöhen / 이름을 ~ ⁴sich berühmt machen; ⁴sich in Ruf bringen* / 명성을 세계에 ~ Weltrufe bekommen*.
빛살 Lichtstrahl *m.* -(e)s, -en.
빛없다 ⁴sich schämen; in Schande geraten* [s]; gedemütigt (sein).
빛접다 stolz sein können 《*auf*⁴》; e-e gute 〔glänzende〕 Figur machen; alle Augen auf sich ziehen*. ¶ 그 사람이 한 일이 ~ Er macht e-e gute Figur dabei.
빠개다 ① 《단단한 것을》 knacken⁴; spalten⁽*⁾⁴. ¶ 장작을 ~ (Brenn)holz spalten⁽*⁾. ② 《일을》 vereiteln⁴; verderben*⁴; vernichten⁴. ¶ 거진 다 된 일을 ~ e-n Plan, der fast gelingt, vereiteln.
빠개지다 ① 《조각나다》 spalten⁽*⁾[s]; ⁴sich spalten⁽*⁾; knacken. ¶ 이 나무는 잘 빠개진다 Dieses Holz spaltet sich leicht. / 머리가 빠개질 듯이 아프다 Ich habe rasende Kopfschmerzen. ② 《일이》 scheitern [s,h]; fehl|schlagen* [h,s]; vereitelt werden. ¶ 우리 계획이 빠개졌다 Unsere Pläne sind gescheitert.
빠그라지다 zerbrechen* [s]; unbrauchbar werden; kaputt gehen [s].
빠끔- ☞ 빠끔-. ¶ ~히 eng; schmal; ein klein wenig / 문을 ~히 열다 die Tür ein klein wenig öffnen.
빠드득- ☞ 바드득-.
빠득빠득하다 ① 《언행이》 starrköpfig; halsstarrig; ungehorsam; störrisch; eigenwillig (sein). ¶ 아이가 ~ das ist ein eigensinniges Kind. ② 《떫다》 adstringierend; zusammenziehend; sauer; herb (sein). ③ 《눈이》 ermüdet (sein). ¶ 눈이 ~ Die Augen brennen (vor Müdigkeit).
-빠듯 ein ganz kleines bißchen weniger als. ¶ 두 자빠듯 knapp zwei Fuß / 한 시

간빠듯 e-e knappe Stunde, -n.

빠듯이 knapp; kaum; nur eben; mit Mühe. ¶ 구두가 ~ 맞다 die Schuhe 《*pl.*》 passen *jm.* knapp / 그는 월급으로 ~ 지낸다 Er lebt knapp von s-m Gehalt.

빠듯하다 ① 《꼭 끼다》 knapp passen; knapp leben *usw.* ¶ 빠듯한 구두 die eng passenden Schuhe / 그 모자는 너무 ~ Der Hut paßt mir zu eng. ② 《겨우 미치다》 [4]*et.* mit knapper Not fertig|bringen* (erledigen). ¶ 빠듯한 이익 der kümmerliche Gewinn/ 백 원은 차표사기에 ~ 100 *Won* reicht gerade für e-e Fahrkarte. / 그는 얼마 안 되는 수입으로 빠듯하게 살고 있다 Mit s-m mageren Einkommen fristet er kümmerlich sein Leben (fristet er kaum das nackte Leben).

빠뜨리다 ① 《잃다》 fallen lassen*[4]; aus|lassen*[4]. ¶ 동전을 진흙에 ~ e-e Münze in den Schlamm fallen lassen* / 모자를 강에 ~ den Hut ins Wasser fallen lassen*.
② 《누락》 aus|lassen*[4]; weg|lassen*[4]; stehen (liegen) lassen*[4]; aus|gleiten(*) [s]. ¶ 못 보고 ~ über|sehen*[4]; hinweg|sehen*[4]; verpassen[4] / 한 줄을 빠뜨리고 읽다 e-e Zeile über|sehen* (über|springen*) / 한 놈도 빠뜨리지 않고 다 잡다 ohne eine einzige Ausnahme alle verhaften / 한마디도 빠뜨리지 않으려고 열심히 들었다 Ich habe aufmerksam zugehört, damit ich kein einziges Wort ausgelassen habe. / 빠뜨리고 말 못한 것이 있읍니다 Es gibt etwas, das ich versehentlich weggelassen habe, davon zu reden. / 그는 호명을 할 때 내 이름을 빠뜨렸다 Er hat beim Aufruf m-n Namen übersprungen (ausgelassen).
③ 《함정에》 verleiten[4]; verlocken[4]; verführen[4]; *jm.* e-e Falle (e-n Fallstrick) legen. ¶ 아무를 유혹에 ~ *jn.* zu [3]*et.* verführen/ 남을 함정에 빠뜨리려는 사람은 스스로 함정에 빠진다 Wer andern e-e Grube gräbt, fällt selbst hinein. / 그는 나를 불리한 입장에 빠뜨렸다 Er hat mich in die Klemme gebracht. / 이 문장을 일부러 빠뜨렸다 Ich habe diesen Satz absichtlich ausgelassen.

빠르다 ① 《속도가》 schnell; geschwind; eilig; rasch (sein). ¶ 빠른 기차 der schnelle Zug / 빠른 냇물 der reißende Strom / 일이 ~ e-e flinke Hand haben; schnellfingerig sein / 발이 ~ schnellfüßig sein; schnell zu Fuße sein / 이해하는 것이 ~ schnell fassen[4]; schnell verstehen[4] / 눈치가 ~ scharfsichtig sein; die Situation (Lage) schnell urteilen / 입이 ~ schnell (hastig) im Rede sein; geschwätzig sein; 《수다스럽다》 redselig (schwatzhaft; sprachgewandt; zungenfertig) sein; 《말이 새어나가다》 aus|plaudern; [4]sich vergaloppieren; aus|bringen* / 진보가 ~ schnelle Fortschritte machen / 그는 계산이 ~ Er kann schnell rechnen. / 빛은 소리보다 ~ Licht ist schneller als Schall in der Geschwindigkeit. / 호흡이 빨라졌다 Sein Atem wurde kürzer./ 세종로에서 갈아타는 것이 ~ Wenn man in *Sejongro* umsteigt, ist es ein kurzer Weg. / 내 시계는 5분 ~ M-e Uhr geht 5 Minuten vor. / 세월은 얼마나 빠르냐 Wie schnell doch die Zeit vergeht!
② 《시간이》 früh; vorzeitig; 《시기상조》 verfrüht (sein). ¶ 아직 ~ Es ist noch früh. / 올해는 추수가 ~ Die Erntezeit ist dieses Jahr früh gekommen. / 빠르면 빠를수록 좋다 Je schneller, desto besser.

빠져나가다 hindurch|gehen* [s]. ¶ 숲을 ~ durch e-n Wald gehen* [s] / 이 길은 빠져나갈 수 없다 Hier ist kein Durchgang. | Dies ist e-e Sackgasse.

빠지다[1] ① 《허방 따위에》 fallen* [s]; 《물에》 hinab|fallen* [s]; stürzen [s]; triefen [h,s]. ¶ 물에 ~ ins Wasser fallen* [s]; über Bord fallen* [s]; aus e-m Boote fallen* [s] / 시궁창에 ~ in den Schmutz fallen* [s] / 그는 무릎까지 진흙 속에 빠졌다 Er wurde bis zum Knie mit Schmutz bedeckt. | Er ist bis zum Knie in den Schlamm gefallen. / 물에 빠지면 지푸라기라도 잡는다 Der Ertrinkende greift nach e-m Strohhalm.
② 《탐닉》 in *jn.* ([4]*et.*) vernarrt sein; [3]sich ergeben*; *jm.* ([3]*et.*) frönen; in [3]*et.* schwelgen; 《어떤 상태에》 in [4]*et.* fallen* [s]; in [4]*et.* geraten* [s]; in [4]*et.* kommen* [s]. ¶ 나쁜 습관에 ~ e-e schlechte Gewohnheit an|nehmen* / 위험에 ~ in Gefahr geraten* [s]; in Gefahr sein (schweben [s]) / 유혹에 ~ e-r Verführung erliegen*; der Verführung ausgesetzt sein / 혼수 상태에 ~ in e-n lethargischen Zustand verfallen* [s] / 곤경에 ~ in die Klemme geraten* [s] / 주색(酒色)에 ~ dem Haus des Lasters frönen / 그는 계집에 빠져 있다 Er ist in ein Mädchen ganz vernarrt.
③ 《탈락》 aus|fallen* [s]; aus|gehen* [s]; ab|fallen* [s]; ab|gehen [s]. ¶ 머리털이 ~ die Haare fallen (gehen) *jm.* aus/턱이 ~ [3]sich den Unterkiefer aus|renken / 병마개가 ~ die Flasche auf|korken; entkorken / 잉크 얼룩이 빠졌다 Der Tintenfleck ist ausgegangen. / 타이어가 빠졌다 Der Reifen ist herausgerutscht. / 이가 다 빠졌다 Ich habe alle Zähne verloren. | M-e Zähne sind alle ausgefallen.
④ 《물·조수·공기 따위》 ab|fließen* [s]; abebben [s]; sinken* [s]; fallen* [s]; aus|strömen [s]; aus|laufen* [s]. ¶ 물이 잘 ~ gut ab|fließen* [s] / 강물이 ~ Der Fluß sinkt (fällt)./ 조수가 ~ Die Flut geht (fällt; nimmt ab). / 타이어의 바람이 빠졌다 Aus dem Reifen ist die Luft heraus.
⑤ 《살이》 ab|nehmen* [s]; dünn werden; ab|magern [s]. ¶ 빠져 보이다 mager aus|sehen* / 살이 ~ ab|nehmen* [s]; schlank (dünn) werden; an Gewicht verlieren*.
⑥ 《빛깔·물감 따위가》 [4]sich entfärben; die Farbe verlieren*. ¶ 빠지지 않는 빛깔 die haftende (dauernde; beständige) Farbe / 빠지기 쉬운 물감 die unbeständige Farbe/ 이 색은 빨아도 빠지지 않는다 Die Farbe bleibt beim Waschen beständig. | Die Farbe geht beim Waschen nicht aus.
⑦ 《힘·김·냄새 따위가》 entmutigt werden; den Mut verlieren*; abgestanden (schale; fade; matt) werden; den Geruch (den Geschmack; den Duft) verlieren*. ¶ 김 빠진 맥주 das abgestandene (schale) Bier / 힘 빠진 목소리 die kraftlose (entmutigte) Stimme / 정신이 ~ geistesabwesend sein; außer (aus der) Fassung sein.
⑧ 《누락》 ausgelassen werden; weggelassen werden; weg|fallen* [s]; fehlen. ¶ 명부에서 그의 이름이 빠졌다 Sein Name wurde in der Liste ausgefallen. / 신문에 그 얘기가 빠졌다 In der Zeitung war davon k-e

Rede. / 초대에서 빠졌다 Er ist bei der Einladung ausgelassen 〔übergangen〕 werden. ⑨《탈퇴》aus|treten* [s]; ^{4}sich zurück|treten*; verlassen*^{4}; ^{4}sich trennen;《모면》entkommen* [s]; entweichen* [s]; entrinnen* [s];《피하다》^{4}sich entziehen*; aus|weichen* [s]; vermeiden*^{4}. ¶ 위기에서 빠져나가다 der Gefahr entkommen* 〔entrinnen*〕 [s] / 집에서 빠져나갈 틈이 없다 Ich habe keine Gelegenheit, aus dem Haus zu entschlüpfen. / 오늘 밤 송별회는 빠질 수 없다 Ich kann mich der heute abend stattfindenden Abschiedfeier nicht entziehen. / 이번에 나는 빠지겠다 Ich möchte mich diesmal davon enthalten. / 나는 그 회의에서 빠져 나올 수 없었다 Ich konnte aus der Versammlung nicht entschlüpfen.

⑩《뒤지다》zurück|bleiben* [s]; übertroffen werden. ¶ 그는 학식에 있어서 누구에게도 빠지지 않는다 Er bleibt in der Gelehrsamkeit hinter niemanden zurück. ¦ Er steht in der Gelehrsamkeit k-m nach. / 그녀의 옷이 그 중 빠졌다 Ihre Kleidung steht weit hinter den andern zurück.

⑪《통과》durch|gehen* [s]; passieren* [s]; durch|ziehen* [s]. ¶ 빠져나갈 수 없는 골목 Sackgasse *f.* / 그는 이 골목 길로 빠져 나갔다 Er ging durch diese Gasse. / 이 길은 어디로 빠지나 Wohin geht 〔führt〕 der Weg?

⑫《속다》in ^{4}*et.* fallen* [s] 〔geraten* [s]; kommen* [s]; verwickeln〕. ¶ 함정에 ～ in die Falle gehen* [s] / 속임수에 ～ ^{4}sich betrügen lassen*; *jm.* auf den Leim gehen* [s].

⑬《제비에》ziehen*; gewinnen*《Los》; ausgelost werden.

빠지다^{2} 〔조동사〕 ganz 〔gänzlich; recht; äußerst; durchaus; kolossal; sehr; riesig; erheblich; vollauf; total〕 ...werden. ¶ 늙어 빠진 여자 e-e sehr alte Frau, -en; e-e völlig verbrauchte Alte, -n, -n / 썩어 빠진 정치 die total korrupte Politik, -en / 낡아 빠진 옷 die erheblich verbrauchte Kleidung, -en / 요 약아 빠진 놈 ein schlauer Fuchs! / 게을러 빠진 놈 ein stinkfauler Kerl! / 그 포도주는 시어 빠졌다 Der Wein ist völlig versauert.

빠지지, 빠지직 ☞ 바지지, 바지직.

빠짐없이 ohne Ausnahme; ohne Auslassung; ohne Unterlassung; ausnahmslos; samt u. sonders; ohne Weglassung. ¶ ～ 통지하다 ohne Ausnahme bekanntgeben*^{4} / ～ 투표하다 ohne Ausnahme 〔100-prozentig〕 Stimme ab|geben* / ～ 조사하다 restlos 〔vollständig〕 untersuchen^{4}.

빡빡^{1} ☞ 박박.

빡빡^{2} laut; emsig; stark《an der Pfeife saugen$^{(*)}$》. ¶ 그는 담뱃대를 ～ 빨았다 Er sog stark an s-r Tabakspfeife.

빡빡하다 ①《음식이》trocken u. hart (sein). ¶ 삶은 달걀이 너무 ～ Das gekochtes Ei ist zu hart zu essen. / 반찬이 없어 먹기 ～ Ohne Zukost schluckt man die Speise hart. ②《꽉 끼다》fest; beengt; straff (sein). ¶ 빡빡한 일정 ein dichtes Tagesprogramm / 바퀴가 빡빡하게 돈다 Das Rad dreht sich knarrend 〔schwer〕. ③《편협》engherzig; halsstarrig (sein). ¶ 빡빡한 영감 ein eigensinniger alter Mann.

빡작지근하다 ^{4}sich erschöpft 〔ermattet〕 fühlen. ¶ 몸이 ～ ^{4}sich ermüdet fühlen.

빤짝 ☞ 반짝.

빤하다 ①《분명하다》klar; sonnenklar; einleuchtend; augenscheinlich; selbstverständlich (sein). ¶ 빤한 사실 die nackte Wahrheit; e-e sonnenklare Tatsache / 빤한 거짓말 faustdicke 〔glatte; handgreifliche〕 Lüge / 빤한 일야 Das ist selbstverständlich. / 그가 나를 싫어하는 것이 ～ Es ist zweifellos, daß er mich nicht leiden kannst. / 아버지 유산이래야 ～ Die Hinterlassenschaft von meinem Vater ist selbstverständlich nichts nennenswert. / 어차피 실패할 것은 ～ Sein Mißerfolg ist auf jeden Fall schon vorauszusehen. ②《환하다》^{4}sich erhellen; hell werden. ¶ 해가 창문에 빤하게 비친다 Die Sonne scheint durchs Fenster hell. ③《한가하다》Muße 〔freie Zeit; nichts zu tun〕 haben; unbeschäftigt (sein). ¶ 빤한 틈 freie Zeit, -en; Freistunde *f.* -n / 빤한 틈을 타서 꽃을 가꾸다 Die freie Stunde benutzt, pflegt 〔zieht〕 man die Blumen. ④《병이》^{4}sich leicht bessern; ^{4}sich ein bißchen zur Besserung wenden*; ^{4}sich leicht ein Anzeichen der Genesung zeigen. ¶ 병이 ～ Es geht dem Kranken 〔immer〕 besser. ⑤《틈·구멍이》sichtbar (sein); in ^{4}*et.* hinein|scheinen*. ¶ 문틈이 ～ durch die Türritze sichtbar sein.

빤히 ①《환히》hell. ¶ 날이 ～ 트다 Es tagt hell. ②《명백히》klar; deutlich; unzweideutig; offensichtlich; einleuchtend. ¶ ～ 알다 deutlich verstehen*^{4}; über ^{4}*et.* im klaren sein / ～ 알면서 um ^{4}*et.* 〔von ^{3}*et.*〕 klar wissend; ^{4}*et.* wohl wissend; von ^{4}*et.* überzeugt / 비가 올 줄 ～ 알면서 우산 없이 학교에 갔다 Wohl wissend, daß es regnen wird, ging er ohne Regenschirm zur Schule. ③《보다》starr; fest; beharrlich; gespannt. ¶ ～ 쳐다보다 mit unverwandten Augen an|sehen*^{4}.

빨가벗다 ☞ 발가벗다.

빨간《온통》durch u. durch; völlig; bloß; frech; unverschämt; schamlos. ¶ ～ 거짓말 schamlose Lüge, -n / ～ 상놈 unverschämter Kerl, -s, -e.

빨강 Rot *n.* -(e)s; Röte *f.*; Rosa *n.* -s (담홍); Purpur *m.* -s (심홍); Scharlachrot *n.* -(e)s (진홍).

빨강이 ①《물건》Rotes*; das rot Gefärbtes*. ②《공산주의자》die Roten*《*pl.*》; Kommunist *m.* -en, -en; der Linksgerichtete*, -n, -n.

빨갛다 rot; feuerrot; puterrot; karmesinrot (sein). ¶ 빨간 구두 die braune 〔rote〕 Schuhe《*pl.*》/ 빨갛게 단 난로 der rot glühende Ofen / 성이 나서 ～ vor Zorn glühen; vor Wut rot werden.

빨개지다 ^{4}sich rot färben; ^{4}sich röten.

빨다^{1}《뾰족하다》spitz; spitzig (sein). ¶ 끝이 ～ spitz 〔zulaufend〕 sein / 끝이 빤 손가락 der spitzige Finger; der Finger mit scharfer Spitze / 턱이 ～ ein spitzes Kinn haben.

빨다^{2}《입으로》saugen$^{(*)(4)}$; ein|saugen$^{(*)4}$; schlürfen^{4}; nippen^{4}; lutschen^{4}. ¶ 젖을 ～ Milch der aus Brust saugen$^{(*)}$ / 엄지손가락을 ～ an Daumen saugen$^{(*)}$ 〔lutschen〕 / 한가히 담뱃대를 ～ e-e Pfeife gemütlich rauchen.

빨다^{3}《빨래를》waschen*^{4}; reinigen^{4}; aus|waschen*^{4} 〔rein|-〕; scheuern^{4}; aus|spülen⁴. ¶ 옷을 ~ das Kleid (aus|)waschen* / 빨래를 ~ Wäsche halten* (haben) / 빨아도 줄지 않는다 beim Waschen nicht schrumpfen / 이것은 빨면 줄어든다 Das schrumpft beim Waschen ein. / 잉크 얼룩은 빨아도 지지 않는다 Der Tintenfleck läßt sich nicht wegwaschen.

빨대 Stroh¦halm (Trink-) *m.* -s, -e; Pipette *f.* -n; Saug¦heber (Stech-) *m.* -s, -. ¶ ~로 우유를 빨다 durch e-n Strohhalm Milch saugen(*) / 아무에게 ~를 대다 (놓다) *jn.* aus|saugen(*) (-|nehmen*); *jm.* alles nehmen*, was er hat.

빨딱- ☞ 발딱-.

빨래 ① 《세탁》 Wäsche *f.* -n; Wascherei *f.*; das Waschen*, -s. ~하다 waschen*⁴; Wäsche halten*. ¶ ~(하기)를 싫어하다 Wäsche ungern waschen* / ~가 잘 되다 ⁴sich gut waschen lassen*. ② 《세탁물》 Wäsche *f.* -n; Wäschestück *n.* -(e)s, -e. ¶ ~를 줄에 널어 말리다 Wäsche an die Wäscheleine zum Trocknen auf|hängen/~를 빨다 Wäsche waschen*; Wäsche halten*.

‖ ~꾼 Wäscher *m.* -s, -; Wäschfrau *f.* -en; Wäschmädchen *n.* -s, -. ~질 Wäsche *f.* -n; Wascherei *f.*; das Waschen*, -s: ~질하다 waschen*⁴; Wäsche waschen*; weg|waschen*⁴. ~집게 Wäscheklammer *f.* -n. ~터 Wasch¦raum *m.* -(e)s, ¨e (-platz *m.* -es, ¨e). ~통 Waschbutte *f.* -n; Waschzuber *m.* -s, -; Waschfaß *n.* -es, ¨er. ~판 Waschbrett *n.* -es, -er. ~품(삯) Waschgeld *n.* -es, -er; Wäscherlohn *m.* -es, ¨e. 빨랫돌 der Waschbrett aus Stein. 빨랫말미 ein kurzes Weilchen für das Wäschetrocknen in der Regenzeit. 빨랫방망이 Walkenblock *m.* -(e)s, ¨e. 빨랫비누 Waschseife *f.* -n. 빨랫줄 Wäscheleine *f.* -n; Waschleine *f.* -n: 빨랫줄에 ~를 널다 an die Wäscheleine Wäsche auf|hängen.

빨리 《일찍》 früh; 《바로》 bald; gleich; sobald als; sofort; sogleich; 《신속》 schnell; rasch; rapid(e); in Eile; 《급히》 eilig; hastig; hurtig. ¶ 될 수 있는 대로 ~ so schnell wie möglich; möglichst schnell / ~ 대답하라 Antworte schnell! Gib mir e-e schnelle Antwort!/~가라 Schnell! Geh schnell!/~하라 Mach schnell! Beeile dich! / 너무 ~ 왔다 Wir sind zu früh angekommen. / 한시라도 ~ 그에게 알려야 한다 Wir müssen ihn möglichst schnell davon benachrichtigen.¦Wir haben k-e Zeit zu verlieren, ihm es mitzuteilen. / ~ 해 급하단 말이야 Mach doch schnell! Es eilt sich!

빨리다¹ 《빨음을 당하다》 gesogen werden; 《착취당하다》 ausgebeutet (erpreßt) werden. ¶ 현금을 ~ der ²Barschaft beraubt werden.

빨리다² 《빨게 하다》 säugen⁴; saugen lassen*⁴. ¶ 어머니가 아기한테 젖을 빨리었다 Die Mutter gab die Brust dem Säugling.¦Die Mutter stillte ihr Kind.¦Die Mutter läßt ihren Säugling an der Brust saugen.

빨병(一甁) Wasser¦flasche (Feld-; Thermos-; Saug-) *f.* -n (젖먹이의).

빨아내다 aus|saugen*⁴; auf|saugen*⁴; 《해면으로》 mit e-m Schwamm ab|wischen⁴; 〖의학〗 ab|saugen*⁴ (고름 따위를). ¶ 압지로 ~ mit Löschpapier aus|löschen⁴/해면으로 ~ mit e-m Schwamm ein|saugen*⁴.

빨아들이다 《기체를》 ein|atmen⁴; inhalieren⁴; ein|hauchen⁴; 《액체를》 ein|saugen*⁴; auf|saugen*⁴. ¶ 연기를 ~ den Rauch ein|ziehen* / 탈지면은 물을 빨아들인다 Die Watte saugt Wasser ein.

빨아먹다 ① 《음식물 등을》 lecken⁴; naschen⁴; lutschen⁴. ¶ 사탕을 ~ das (den) Bonbon lutschen / 젖을 ~ Milch aus der Brust saugen(*) / 손을 ~ am Finger lutschen. ② 《우려내다》 aus|beuteln⁴; aus|pressen⁴. ¶ 아무의 돈을 ~ *jm.* Geld aus|pressen; *jn.* aus|beuteln.

빨아올리다 auf|saugen*⁴. ¶ 나무는 땅에서 수분을 빨아 올린다 Der Baum saugt Wasser (-gehalt) aus der Erde auf.

빨쪽이 ☞ 발쪽이.

빨치산 Partisan *m.* -s (-en), -en; Guerilla *f.* -s (..llen).

빨판 〖동물〗 Saugnapf *m.* -(e)s, ¨e; Saugscheibe *f.* -n.

빨펌프 Saugpumpe *f.* -n.

빳빳이 ① 《단단하고 곧게》 gerade; aufrecht; steif; starr. ¶ ~ 앉아 있다 gerade|sitzen*; aufrecht sitzen*/~ 풀먹인 칼라 steifer Kragen, -s, -. ② 《완강히》 steif; starr; starrköpfig; eigenwillig; förmlich. ¶ ~ 행동하다 ⁴sich aufrecht halten*; e-n steifen Hals haben / 무엇을 ~ 주장하다 ⁴sich auf ⁴*et.* versteifen.

빳빳하다 ① 《단단하고 곧다》 steif; starr; straff (sein). ¶ 빳빳한 머리 das steife (borstige; struppige) Haare 《*pl.*》 / 빳빳한 수염 Spitzbart *m.* -es, ¨e / 빳빳한 지폐 der druckfrische Geldschein, -(e)s, -e / 빳빳한 칼라 ein steifer Kragen, -s, - / 죽어 ~ in der Totenstarre sein. ② 《비유적》 fest; standhaft; halsstarrig; unnachgiebig; eigensinnig; hartnäckig (sein).

빵¹ Brot *n.* -(e)s, -e; Brötchen *n.* -s, -. ¶ 빵 문제 Verpflegungsproblem *n.* -s, -e; Brotproblem *n.* / 빵부스러기 Krumme *f.* -n; Krümmchen *n.* -s, - / 롤빵 Semmel *f.* -n; Rolle *f.* -n / 버터 바른 빵 Butterbrot *n.* -(e)s, -e / 잼 바른 빵 das mit Marmelade geschmiertes Brot, -(e)s, -e / 크림 빵 Cremekuchen *m.* -s, -; Cremebrötchen *n.* -(e)s, - / 포도빵 Rosinenbrot *n.* -(e)s, -e / 프랑스빵 Franzbrötchen *n.* -s, - / 흑빵 Schwarzbrot *n.* -(e)s, -e / 빵 한 조각 ein Stück Brot / 구운 빵 Toast *m.* -es, -e (-s) / 아무것도 바르지 않은 빵 das trockenes Brot / 빵을 굽다 Brot backen* / 빵에 잼을 바르다 Marmelade aufs Brot schmieren / 빵을 위해 일하다 um Brot arbeiten / 사람은 빵으로만 살 수 없다 Der Mensch lebt nicht vom Brote allein.

빵² ① 《소리》 mit e-m Knall; 《의성음》 peng!; paff! ¶ 고무풍선이 빵 터졌다 Der Luftballon ist mit e-m Knall geborsten. / 자동차 타이어가 빵 터졌다 Der Autoreifen platzte mit e-m Knall.¦Paff! platzte der Autoreifen. ② 《구멍》 《ein Loch》 kreisrund 《durch das Papier, Brett bohren》. ¶ 내 옷에 구멍이 빵 뚫렸다 Ich habe mir ein Loch ins Kleid gerissen. / 양말에 구멍이 빵 뚫려 있다 Ein kreisrundes Loch ist im Strumpf.

빵가루 Brot¦mehl (Semmel-) *n.* -(e)s, -e.

빵간(一間) 《감방》 Polizeihaftraum *m.* -(e)s, ¨e; Kittchen *n.* -s, - 《속어》.

빵꾸 ① 《타이어의》 Reifenpanne *f.* -n. ¶ ~난 타이어 der geplatzte Reifen, -s, - / 타이어가 ~ 나다 ein Loch in den Reifen bekommen*; e-e Panne haben; der Autoreifen platzt / ~를 수리하다 den geplatzten Reifen reparieren; den kaputten Reifen wieder|her|stellen.

빵빵 ① 《소리》 wiederholter Knall, -(e)s, ⸗e; peng, peng! paff, paff!; 《구멍》 《viele Löcher》 kreisrund 《durch das Papier bohren》. ¶ 권총을 ~ 쏘다 mit der Pistole knallen.

빵집 Bäckerei *f.* -en.

빻다 zerreiben*⁴; mahlen*⁴; pulverisieren⁴; zermahlen*⁴. ¶ 곱게 ~ fein mahlen*⁴ / 곡식을 ~ das Getreide mahlen* / 커피를 ~ Kaffee mahlen*.

빼 ① 《어린애가》 schreiend; plärrend. ¶ 어린애가 빼 운다 Das Kind schreit (plärrt). ② 《피리 따위가》 schrill; kreischend. ¶ 피리를 빼 불다 schrill auf der Flöte blasen*.

빼기 〖수학〗 Subtraktion *f.* ~하다 ab|ziehen*⁴; subtrahieren⁴.

빼내다 ① 《박힌 것을》 heraus|ziehen*⁴; aus|ziehen*⁴; heraus|nehmen*⁴. ¶ 이를 ~ e-n Zahn aus|ziehen* / 상처에서 총알을 ~ e-e Kugel aus der Wunde entfernen (heraus|nehmen*) / 나는 손가락에서 가시를 빼냈다 Ich habe e-n Dorn aus dem Finger ausgezogen.
② 《고르다》 aus|wählen⁴; erkiesen*⁴; wählen⁴; erlesen*⁴. ¶ 많은 중에서 몇을 ~ unter vielen einige aus|wählen.
③ 《훔치다》 *jm.* ⁴*et.* weg|nehmen*; *jm.* ⁴*et.* entziehen*; stibitzen⁴; stehlen*⁴. ¶ 짐을 ~ ein Gepäck stibitzen (heimlich weg|nehmen*).
④ 《갇힌 몸을》 los|kaufen⁴; frei|kaufen⁴. ¶ 유치장에서 ~ *jn.* aus der Haftzelle frei|kaufen; *jn.* aus|lösen / 몸값을 치르고 창녀를 ~ e-e Prostituierte gegen Lösegeld befreien.
⑤ 《꾀어내다》 verlocken⁴; an|locken⁴; ködern⁴. ¶ 고용인을 ~ den Angestellten heraus|locken.

빼놓다 aus|lassen*⁴; weg|lassen*⁴; fort|lassen*⁴. ¶ …(을) 빼놓고 außer³; mit Ausnahme von³; ⁴*et.* ausgenommen; bis auf⁴ / 토요일은 빼놓고 mit Ausnahme des Sonnabends (von Sonnabend); Sonnabend ausgenommen / 그 사람을 빼놓고는 모두 의무를 다했다 Außer ihm haben alle ihre Pflicht getan. / 너를 빼놓고는 적임자가 없다 Außer dir ist k-r dazu geeignet. / 안개가 낄 때를 빼놓고는 매일 미역감으러 간다 Wir gehen täglich baden, außer wenn es neblig ist.

빼다 ① 《뽑다》 (her)aus|ziehen*⁴; (her)aus|nehmen*; entkorken⁴; extrahieren⁴. ¶ 칼을 ~ das Schwert ziehen* / 병마개를 ~ e-e Flasche entkorken / 벽에서 못을 ~ Nägel aus der Wand ziehen* / 이를 ~ e-n Zahn ziehen*; 《빼달래다》 ³sich e-n Zahn (aus|-) ziehen lassen* / 타이어의 공기를 ~ Luft aus e-m Radreifen lassen*.
② 《물을》 entwässern⁴; dränieren⁴. ¶ 밭의 물을 ~ aus dem Feld entwässern⁴.
③ 《제거》 beseitigen⁴; entfernen⁴; heraus|machen⁴. ¶ 옷의 때를 ~ den Schmutz aus dem Kleide entfernen; das Kleid aus|waschen* / 잉크의 얼룩을 ~ e-n Tintenfleck entfernen.
④ 《제외》 aus|schließen*⁴; aus|nehmen*⁴; eliminieren⁴; weg|schaffen*⁴; 《예외로서》 aus|nehmen*⁴. ¶ 명부에서 이름을 ~ den Namen von der Liste streichen* (weg|lassen*) / 그 낱말 앞에 관사는 빼는 것이 좋다 Es wäre besser, den Artikel vor dem Wort auszulassen. / 일요일만 빼고 매일 학교에 간다 Er geht jeden Tag in die Schule mit Ausnahme von Sonntag.
⑤ 《수를》 subtrahieren⁴; ab|ziehen⁴; reduzieren⁴. ¶ 10 에서 5를 ~ fünf von zehn subtrahieren / 10에서 5를 빼면 5가 남는다 Zehn weniger fünf ist fünf.
⑥ 《공제》 ab|ziehen⁴; ab|rechnen⁴. ¶ 봉급에서 세금을 ~ die Steuer vom Lohn ab|ziehen.
⑦ 《꾸미다》 ⁴sich stellen, als ab …; ³sich e-n Anschein geben*; ⁴*et.* erkünsteln; spielen. ¶ 점잔을 ~ ⁴sich stellen, als ob er der Mann von Stand u. Bildung wäre; den Herrn spielen.
⑧ 《회피하다》 aus|weichen* ⓢ; ⁴sich entziehen*; umgehen*; vermeiden*⁴. ¶ 꽁무니를 ~ ⁴sich e-r Pflicht entziehen* / 발을 ~ s-e Hände in Unschuld waschen*; s-n Verbindlichkeiten aus|weichen*ⓢ; e-r Pflicht aus|weichen* ⓢ.
⑨ 《차려 입다》 ⁴sich schick kleiden. ¶ 한벌 쭉 빼 입었다 Er hat sich schick gekleidet. ¦Er hat sich staatlich angezogen.

빼도리 das Manövrieren*, -s. ~하다 zurecht|machen⁴; aus|gleichen*⁴; etwas drehen, sodaß es gut wird (geht).

빼도박도못하다 in e-e verteufelte Lage geraten*ⓢ; in die Klemme (Patsche; Tinte) kommen*ⓢ; nicht ein, noch aus wissen*; ³sich nicht mehr zu raten u. zu helfen wissen*; ⁴sich in e-e Sackgasse verrennen*.

빼돌리다 geheim|halten*⁴; verbergen*⁴; hamstern⁴; verstecken⁴; 《운동선수 등을》 verlocken⁴; verführen⁴; 《다른 회사의 인재 등을》 (e-r ³Firma) ab|werben*《*jn.*》. ¶ 빼돌려 둔 돈 heimlich gespartes Geld. -(e)s, -er; verstecktes Geld / 아무를 ~ *jn.* verstecken.

빼뜰다 ☞ 빼앗다.

빼먹다 ① 《빠뜨리다》 aus|lassen*⁴; weg|lassen*⁴; über|sehen*⁴; über|lesen*⁴. ¶ 말을 ~ vergessen* zu sagen / 시험 문제 하나를 ~ e-e Frage in der Klausur (in dem Examen) über|sehen*.
② 《훔치다》 weg|nehmen*⁴; stehlen*⁴; stibitzen⁴; bestehlen*⁴. ¶ 짐을 ~ ein Gepäck stibitzen (heimlich weg|nehmen*).
③ 《수업을》 schwänzen⁴; fehlen 《*in*³》. ¶ 학교를 ~ die Schule schwänzen / 나는 역사 시간을 빼먹었다 Ich habe die Geschichtsstunde geschwänzt.

빼물다 die Lippen spitzen; schmollen. ¶ 입을 ~ maulen; e-e Grimasse schneiden* / 혀를 ~ die Zunge heraushängen lassen*.

빼빼[1] dünn; mager; hager; klapperdünn knochendürr. ¶ ~ 마른 사람 das wandelnde Skelett, -(e)s, -e; die abgemagerte Person, -en / ~ 여위다 zum Skelett ab|magern.

빼빼[2] ☞ 빼.

빼쏘다 ⁴sich ähnlich wie ein Ei dem andern sehen*; täuschend ähnlich sein; wie aus den Augen geschnitten sein; sprechend ähnlich sein. ¶ 이 아이는 아버지를 꼭 빼쏘았다 Das Kind ist s-m Vater wie aus den Augen geschnitten. ¦Das Kind ist das leibhafte Ebenbild s-s Vaters. ¦Der Vater lebt noch in s-n Zügen.

빼앗기다 ① 《탈취》 beraubt (weggenommen; geschnappt) werden; 《약탈》 geplündert

〔geraubt〕 werden; 《박탈》 aberkannt 〔entzogen; für verlustig erklärt〕 werden; 《유린》 verletzt 〔unter die Füße getreten〕 werden; 《정조를》 entehrt 〔geschändet〕 werden. ¶ 권리를 ~ Rechte entzogen 〔aberkannt〕 werden / 돈을 ~ um Geld betrogen werden; ^{3}sich das Geld stehlen lassen* / 시계를 ~ *jm.* die Uhr stibitzt werden / 왕위를 ~ der Thron usurpiert werden / 그 사고로 많은 사람이 목숨을 빼앗겼다 Bei dem Unfall wurden viele Menschen getötet.
② 《정신을》 gefesselt 〔bezaubert; ganz in Anspruch genommen〕 werden; 《매혹되다》 fasziniert 〔entzückt〕 werden. ¶ 여자에게 정신을 ~ von e-r Frau bezaubert sein; für ein Mädchen eingenommen sein / 음악에 정신을 ~ von der Musik gefesselt sein 〔werden〕 / 그는 일에 대부분의 시간을 빼앗겼다 Seine Zeit wurde bei der Arbeit stark in Anspruch genommen.

빼앗다 ① 《탈취》 weg|nehmen*^{4}; berauben^4; schnappen^4; 《약탈》 plündern^4; erbeuten^4; rauben^4; kapern^4; 《찬탈》 usurpieren^4; ^{3}sich ^{4}*et.* an|maßen; 《박탈》 ab|erkennen^4; entziehen*^{4}; 《유린》 unter die Füße treten*^{4}; schänden^4; entehren^4 (정조를); verletzen^4 (인권을). ¶ 아무의 권리를 ~ *jm.* s-e Rechte entziehen* / 남의 물건을 ~ *jm.* ^{4}*et.* entreißen* / 손에 쥔 핸드백을 ~ *jm.* aus der Hand die Handtasche mausen / 스페인의 영토를 ~ spanisches Hochheitgebiet 〔Territorium〕 besetzen 〔in Besitz nehmen*〕 / 왕위를 ~ den Thron an ^{3}sich reißen* / 정조를 ~ ein Mädchen schänden 〔entehren〕 / 면허장을 ~ die Erlaubnis wider|rufen*; die Genehmigung entziehen* / 나는 그의 칼을 빼앗았다 Ich habe ihm das Schwert entrissen 〔entwunden〕.
② 《정신을》 *jn.* bezaubern; *jn.* entzücken; *jn.* gefangen nehmen*; *jn.* fesseln; 《매혹》 faszinieren^4. ¶ 관객의 얼을 ~ die Zuschauer fesseln / 넋을 ~ *jn.* bezaubern; *jn.* berücken; *jn.* behexen.

빼어나다 hervor|ragen; ^{4}sich aus|zeichnen; *jn.* in 〔an〕 ^{3}*et.* über|treffen*; vortrefflich sein; auffallend sein; hervorstehend sein; hervorragend sein; auserlesen sein. ¶ 빼어난 정치가 ein hervorragender Staatsmann, -(e)s, ⸗er 〔Politiker, -s, -〕 / 다른 사람보다 ~ vor allen andern hervor|ragen / 그는 재능이 ~ Er zeichnet sich vor 〔unter〕 andern in Talent aus.

빼주룩하다 ☞ 비주룩하다.

빼치다 ① 《빠지게》 weg|kommen lassen*^{4}; davon|kommen lassen*^{4}. ② 《끝이 빨게》 schärfen^4; an|spitzen^4.

빽^1 《소리》 mit e-m scharfen Knall; schrill; pfeifend. ¶ 기적이 빽 울다 die Lokomotive pfeift / 빽 소리 지르다 schrill schreien*.

빽^2 =빽빽이.

빽^3 《연줄·배경》 Patron *m.* -s, -e; Schutzherr *m.* -n, -en; Gönner *m.* -s, -; e-e gute Beziehung, -en; 《후원자》 Unterstützer *m.* -s, -; Beförder *m.* -s, -. ¶ …을 빽으로 하여 unter den Auspizien von^3...; mit der Unterstützung von^3... / 아무의 빽으로 회사에 들어가다 durch die Unterstützung von *jm.* e-e Stelle in der Firma bekommen* / 좋은 빽이 있다 auf ^{4}*et.* e-e gute Beziehung haben.

빽빽 《소리》 scharf knallend; mit wiederholtem schrillem Geschrei.

빽빽이 dicht; gedrängt; vollgestopft; voll gepackt; in Hülle u. Fülle; eng. ¶ 소나무가 ~ 자라다 Die Kiefer wachsen voll gedrängt. / 집들이 ~ 들어서다 Die Häuser stehen voll gepackt miteinander. / 그 방에 사람들이 ~ 찼다 Das Zimmer ist überfüllt.

빽빽하다 ① 《촘촘하다》 dicht; gedrängt voll; überfüllt; vollgepfropft; vollgestopft (sein). ¶ 강당이 사람들로 ~ Der Saal ist von Menschen überfüllt. ② 《갑갑》 ^{4}sich beklommen fühlen; verstopft (sein). ¶ 콧구멍이 ~ Die Nase ist verstopft. ③ 《소견이》 engherzig; unduldsam; intolerant; knauserig (sein). ¶ 그는 빽빽한 사람이다 Er ist engherzig.

빽지르다 schreien*; aus|rufen*; kreischen.

뺀둥- ☞ 빈둥-.

뺄셈 〖수학〗 Subtraktion *f.* -en. ~하다 subtrahieren^4.

뺏기다 ☞ 빼앗기다.

뺏다 ☞ 빼앗다.

뺑 ☞ 빙.

뺑뺑 ☞ 빙빙.

뺑소니 das Davonlaufen*, -s; Fahrerflucht *f.* -en; das Entwischen*, -s; das Entrinnen*, -s; das Fortlaufen*, -s; das Davonmachen*, -s. ~치다 ^{4}sich davon|laufen*; ^{4}sich aus dem Staub machen; entwischen (s); ^{4}sich davon|machen; flüchten (s). ¶ 남의 돈을 갖고 ~치다 ^{4}sich mit dem Geld von andern davon|laufen* / 자동차로 ~치다 ^{4}sich mit Auto aus dem Staub machen / 그 도둑은 은수저를 훔쳐가지고 ~쳤다 Der Dieb hat sich mit Silberlöffeln davongelaufen.
‖ ~운전사(차) der flüchtige Fahrer 〔Wagen〕 -s, -.

뺑줄 《연》 jemand anderem den Drachen Abfangen*; 《일》 jemand anderem s-e Arbeit Entreißen*. ~맞다 abgefangen werden. ~치다 jemand anderem den Drachen ab|fangen*; jemand anderem s-e Arbeit weg|nehmen*.

뺨 Backe *f.* -n; Wange *f.* -n. ¶ 뺨이 붉은 rosabackig / 우묵한 뺨 die hohlen 〔eingefallenen〕 Wangen 《*pl.*》 / 뺨을 때리다 ohrfeigen^4; *jm.* e-e Ohrfeige geben* / 뺨을 비비다 *jn.* an die Wange drücken / 뺨을 맞다 e-e Ohrfeige bekommen* 〔kriegen〕 / 뺨을 붉히다 feuerrot werden; vor Scham erröten (s) / 뺨이 토실토실하다 volle Wangen haben; dickbackig 〔pausbäckig〕 sein.

뺨따귀 Backe *f.* -n. ☞ 뺨. ¶ ~를 갈기다 *jm.* auf die Backen schlagen*; *jm.* e-e 'runter|hauen*.

빼개다 spalten$^{(*)4}$; zerspalten$^{(*)4}$; hacken^4. ¶ 장작을 ~ Brennholz spalten 〔hacken〕.

빼개지다 ^{4}sich spalten$^{(*)}$(장작 따위가). ¶ 머리가 빼개질 것 같은 두통 rasende Kopfschmerzen 《*pl.*》 / 이 장작은 잘 빼개진다 Das Brennholz spaltet sich gut.

빼그러지다 ☞ 빠그라지다.

빼근하다 ① 《거북하다》 matt; erschöpft; ermüdet; entkräftet (sein); ^{4}sich schlecht 〔gedrückt〕 fühlen. ¶ 가슴이 ~ schweren Herzens sein; schwermütig 〔gedrückt〕 sein / 어깨가 ~ in der Schulter steif sein; e-e steife Schulter haben | Die Schulter ist steif. / 등이 ~ ^{4}sich in dem Rücken versteift fühlen. ② 《벅차다》 hart; mühsam; anstrengend; schwierig (sein). ¶ 빼근한 일

mühsame (harte) Arbeit, -en.

빠기다 [4]sich (wegen) e-s Dinges überheben*; auf [4]*et.* stolz sein; [3]sich viel ein|bilden; die Nase hoch tragen*; [3]sich ein Ansehen geben*. ¶ 빠기는 stolz; hochmütig; anmaßend; arrogant / 빠기며 herrisch; gebieterisch; dünkelhaft / 빠기고 다니다 stolzieren Ⓢ; einherstolzieren Ⓢ / 빠기고 이야기하다 großsprechen*; hochfliegende Worte führen; großprahlen; auf|schneiden* / 제가 제일인 체 ~ Er gibt sich ein großes Ansehen.¦Er trägt die Nase sehr hoch. / 빠기지 말라 Bilde dir nur nichts ein!¦ Sei nicht so anmaßend!

빠꾸기 〖조류〗 Kuckuck *m.* -(e)s, -e. ¶ ~ 소리 Kuckucksruf *m.* -es, -e; der Gesang des Kuckucks.

빠꾹 der Ruf 《-(e)s, -e》 des Kuckucks; kuckuck! ¶ 빠꾸기가 ~하고 운다 Der Kuckuck ruft.
‖ ~종(鐘) Kuckucksuhr *f.* -en.

빠꾹새 =빠꾸기.

빠끔빠끔 ① 《구멍》 hier u. da gelocht; viel durchlocht. ~하다 hier u. da gelocht sein; viele Löcher haben. ¶ 점선 구멍이 ~난 우표 e-e perforierte Briefmarke, -n / 총탄 구멍이 ~ 나 있다 mit den Kugeln durchgelöchert sein. ② 《빨다》 paffen[(4)]. ¶ 담배를 ~ 빨다 e-e Zigarette (e-e Pfeife) paffen; aus e-e Pfeife schmauchen.

빠끔하다 tief aufgerissen; durchgelocht (sein). ¶ 빠끔히 구멍이 나다 ein tiefes Loch bekommen* (haben); ein Loch auf|reißen*.

빠덕빠덕하다 steif ausgetrocknet (sein). ¶ 가죽이 ~ das Leder ist steif.

빠드러지다 ① 《이 따위가》 vor|stehen*. ② 《가지가》 [4]sich strecken; in die Breite wachsen* Ⓢ.

빠드렁니 vorstehende Zähne 《*pl.*》.

빠드렁이 jemand, dessen Zähne vorstehen.

빠세다 steif u. zäh (sein).

빠젓하다 ☞ 버젓하다.

빠쭈하다 ausgestreckt (sein).

빠치다 [4]sich aus|dehnen; [4]sich erstrecken; [4]sich aus|weiten. ¶ 그 섬은 남북으로 빠쳐 있다 Die Insel erstreckt sich nach Norden u. Süden. / 옥수수 밭이 멀리 빠쳐 있다 Das Maisfeld dehnt sich weithinaus.

빡빡 laut; emsig; stark 《an der Pfeife saugen[(*)]》. ¶ 그는 담뱃대를 ~ 빨았다 Er sog stark an s-r Tabakspfeife.

빡빡하다 ☞ 빡빡하다.

뻔둥- ☞ 빈둥-.

뻔드르르 ☞ 반드르르.

뻔뻔하다, 뻔뻔스럽다 unverschämt; frech; schamlos; dreist; zudringlich (sein). ¶ 뻔뻔하게 frecherweise; unverschämt; verwegen; dreist / 뻔뻔한 거짓말 e-e unverschämte Lüge, -n / 뻔뻔한 놈 ein frecher (unverschämter) Kerl, -(e)s, -e / 뻔뻔하게도(스럽게도) …하다 die Stirn haben, zu...; frech (unverschämt) genug sein, [4]*et.* zu tun / 뻔뻔스러운 요청입니다만 …해 주실 수 없을까요 Ich fürchte, ich könnte Ihnen zu viel zumuten, aber würden Sie vielleicht so freundlich sein, [4]*et.* zu tun. / 뻔뻔하게도 그런 말을 하다 Er ist unverschämt genug, so was zu sagen. / 뻔뻔스럽기 짝이 없군 So eine Unverschämtheit!

뻔적- ☞ 반짝-.

뻔죽거리다 ☞ 번죽거리다.

뻔지르르 ☞ 반지르르.

뻔질나게 sehr häufig; öfter; frequent. ¶ 아무를 ~ 찾다 *jn.* sehr häufig besuchen.

뻔하다[1] ☞ 빤하다.

뻔하다[2] 《까딱하면…》 nahe daran sein; ✻ beinahe (fast)+접속법의 완료형, um ein Haar +접속법의 완료형. ¶ 자동차에 치일 뻔했다 Beinahe wäre ich vom Auto überfahren. / 그는 죽을 뻔했다 Um ein Haar hätte er den Hals gebrochen. / 물에 빠질 뻔했다 Ich wäre fast ertrunken. / 그는 갈 뻔했다 Es fehlte nicht viel, so wäre er gegangen. / 그는 못 갈 뻔했다 Er wäre fast nicht gegangen. / 그가 실없이 한 말이 그를 망칠 뻔했다 Sein Quatsch hätte ihn beinahe zugrunde gerichtet. / 그와 사이가 좋았기 때문에 결혼할 뻔했다 Da ich mit ihm in freundlicher Beziehung stand, hätte ich ihn beinahe geheiratet.

뻔히 ☞ 빤히.

뻗다[1] ① 《가지·덩굴 따위가》 [4]sich strecken; in die Höhe (Breite) wachsen* Ⓢ. ¶ 나뭇가지가 잘 뻗는다 Die Zweige wachsen üppig in die Höhe (Breite).
② 《힘 따위가》 [4]sich aus|dehnen; [4]sich aus|breiten. ¶ 세력이 ~ der Einfluß dehnt sich aus / 숲이 도시까지 ~ der Wald erstreckt sich bis zur Stadt / 철도가 그 나라 남단까지 뻗어 있다 Die Eisenbahn läuft nach dem südlichen Ende des Landes. / 강이 북에서 남으로 뻗어 있다 Der Fluß verläuft von Norden nach Süden.

뻗다[2] 《팔·다리를》 aus|strecken[4]; strecken[4]; 《죽다》 zusammen|brechen*Ⓢ; fertig sein. ¶ 팔을 ~ die Arme aus|strecken / 그 한 방에 그는 뻗어버렸다 Mit e-m Schuß ist er fertig geworden.

뻗대다 =버티다.

뻗디디다 ☞ 번디디다.

뻗장다리 ☞ 번장다리.

뻗치다[1] ① 《가지·힘 따위가》 [4]sich aus|dehnen; [4]sich aus|breiten; [4]sich aus|strecken; [4]sich aus|recken. ¶ 가지가 남쪽으로 뻗쳤다 Die Äste haben sich nach Süden ausgebreitet. / 민주주의 세력이 전 동아시아에 뻗쳤다 Der Einfluß der Demokratie dehnte sich über ganz Ostasien aus.
② 《…을》 aus|strecken[4]; aus|dehnen[4]; erweitern[4]. ¶ 손을 ~ die Hand aus|strecken / 구조의 손을 ~ *jm.* hilfreiche Hand leisten; *jm.* an die (zur) Hand gehen* Ⓢ / 세력을 ~ den Einfluß aus|breiten / 문학에 손을 ~ [4]sich mit der Literatur beschäftigen; [4]sich an der literarischen Welt beteiligen.

뻗치다[2] 《팔다리를》 strecken[4]; aus|strecken[4].

뻘건 ☞ 빨간.

뻘끈- ☞ 발끈-.

뻘때추니 das Mädchen 《-s, -》, das nach Belieben ausgeht; Partygirl *n.* -s, -s.

뻘떡뻘떡 ☞ 벌떡벌떡. ¶ ~ 들이켜다 e-n großen (kräftigen; tüchtigen) Schluck nehmen* (tun*).

뻘뻘 sehr, in Tropfen 《schwitzen》. ¶ 땀을 ~ 흘리며 sehr, wie ein Tanzbär schwitzend / 땀을 ~ 흘리다 sehr, wie ein Schwein schwitzen / 이마에서 땀이 ~ 흐르다 Schweiß tropft von der Stirn.

뻣뻣하다 ☞ 빳빳하다.

뻣세다 steif u. zäh; starrköpfig; halsstarrig (sein).

뻥 ① 《거짓말》 Prahlerei *f.* -en; Windbeutelei *f.* -en; Falschheit *f.* -en; Lüge *f.* -n.

¶ 뻥까는 사람 Prahlhans *m.* -es, ⸗e; Windbeutel *m.* -s, -; Aufschneider *m.* -s, - / 뻥을 까다 prahlen; windbeuteln; auf|schneiden*; flunkern / 그것은 뻥이다 Es ist alles Wind.¦Es ist alles bloßes Gerede.
② ☞ 뻥짜.
③ 《소리》 Knall *m.* -(e)s, -e (⸗e); Krach *m.* -(e)s, -e (-s). ¶ 뻥하고 mit e-m Knall / 병마개를 뻥하고 뽑다 mit e-m Knall e-e Flasche entkorken.
④ 《구멍이》 ¶ 구멍이 뻥 뚫어지다 Ein Loch ist tief aufgerissen.
뻥그레 ☞ 방그레.
뻥놓다 《Geheimnis》 auf|decken⁴; enthüllen⁴; verraten*⁴. ¶ 이 일은 아무한테도 뻥놓지 말라 Verrat es niemandem!
뻥뻥 ① 《터지다》 mit wiederholtem Knall; peng peng; paff paff 《bersten*》. ¶ 샴페인을 ~ 터뜨리다 e-e Flasche Champagnerwein nach der andern entkorken. ② 《뚫리다》 《viele Löcher》 kreisrund 《ins Brett gebohrt werden》.
뻥뻥하다 in Verlegenheit sein; in Verwirrung sein; verlegen; verwirrt (sein). ¶ 나는 뻥뻥하여 대답을 할 수 없었다 Da ich im Kopf verwirrt war, konnte ich k-e Antwort geben. / 문제가 어려워서 뻥뻥했다 Ich war verlegen um die schwere Frage.
뻥뻥히 verlegen; verwirrt.
뻥실- ☞ 방글-.
뻥짜 lückenhafte, unnütze Sache, -n.
뻰찌 Zange *f.* -n (도구).
뼁끼 Farbe *f.* -n. ¶ ~칠하다 ⁴*et.* mit Farbe an|streichen* / ~(칠)장이 Anstreicher *m.* -s, - / ~칠하는 솔 Anstreichpinsel *m.* -s, -/ ~조심 《게시》 (Vorsicht,) frisch gestrichen!
뼈 ① Knochen *m.* -s, -; Bein *n.* -(e)s, -e (동물의); Rippe *f.* -n(갈비); Asche *f.* -n(유골). ¶ 뼈를 잇다 ein|renken⁴; ein|richten⁴ / 뼈를 바르다 aus|gräten⁴; ent|gräten⁴(닭고기의) / 뼈가 부러지다 ³sich die Knochen brechen* / 말라빠져 뼈만 남다 zum Skelett abgemagert sein; nur (noch) Haut u. Bein sein; fast nur noch in den Gräten hängen; nichts als Haut u. Bein sein / 뼈에 사무치게 느끼다 *jm.* durch die Seele schneiden* (gehen*[s]); *jm.* durchs Herz gehen*[s] / 뼈빠지게 일하다 angestrengst arbeiten; wie der Teufel arbeiten / 온 몸의 뼈가 쑤시다 Mich schmerzt der ganze Körper bis in die Knochen stechend. / 추위가 뼛속까지 스민다 Die Kälte geht mir durch Mark u. Bein. / 그는 닭을 뼈째 다 먹었다 Er hat ein Hähnchen mit Knochen zusammen alle aufgegessen. / 그에 대한 원한이 뼈에 사무치고 있다 Der Groll auf ihn dringt mir durch Mark und Bein. / 뼈와 가죽만 남았다 Er ist knochendürr.¦Er ist zum Skelett abgemagert. / 뼈빠지게 일한 보람이 있다 Es lohnt (sich) der Mühe. / 뼈빠지게 일한 보람이 없었다 All m-e Mühe werden zu Wasser.¦Ich habe mich vergeblich bemüht.
② 《저의》 Hintergedanke *m.* -ns, -n; der geheime Rückhaltsgedanke, -ns, -n; die wirkliche Absicht, -en. ¶ 뼈 있는 말 die andeutungsreiche Rede, -n; die suggestiven Worte 《*pl.*》.
③ 《기골》 Geistesstärke *f.* -n; Geisteskraft *f.* ⸗e; Seelensstärke *f.*; Charakterstärke *f.* ¶ 뼈 있는 사람 die charakterstarke Person, -en; die willensstarke Person, -en / 뼈 없는 사람 die knochenweiche (charakterschwache) Person, -en; die rückgratlose Person, -en.
뼈고도리 《화살촉》 aus Knochen gemachte Pfeilspitze, -n.
뼈끝 ① 《끝》 Knochenende *n.* -s, -n; die Spitze 《-n》 des Knochens. ② 《고기》 das Fleisch 《-es》 auf dem Knochen.
뼈다귀 Knochen *m.* -s, -; ein Stück Knochen. ¶ ~째 먹다 Fleisch mit Knochen essen*.
뼈대 《구조》 Bau *m.* -(e)s, -e; Struktur *f.* -en; Konstruktion *f.* -en; 《건물의》 Gerippe *n.* -s, -; Fachwerk *n.* -(e)s, -e; 《선박의》 Rumpf *m.* -(e)s, ⸗e; 《대요》 Umriß *m.* ..sses, ..sse; Überblick *m.* -(e)s, -e; 《체격》 Knochengerüst *n.* -(e)s, -e; Körperbau *m.* -(e)s. ¶ ~가 굵은 kräftig gebaut; stark gebaut / ~가 단단한 사람 die solide gebaute Person, -en; die stark gebaute Person / ~가 굵어지다 der Körperbau an Größe zu|nehmen*; 《자라다》 der Körperbau heran|wachsen* (groß werden) / ~가 크다 e-n starken (großen) Körperbau haben.
뼈들다 ① 《일이》 anstrengend u. langwierig sein; schwierig u. endlos sein. ② 《손장난》 mit dem Handwerkzeug spielen.
뼈들어지다 《칼날이》 stumpf werden.
뼈뜯이 von dem Knochen gekratztes zähes Fleisch, -es.
뼈마디 Gelenk *n.* -(e)s, -e. ¶ ~가 굵은 starkknochig / ~가 아프다 Mir schmerzen die Gelenke.
뼈물다 ① =벼르다¹. ② 《성내다》 ⁴sich häufig ärgern 《über ⁴*et.*》. ③ 《옷치장》 ⁴sich prächtig an|kleiden; prächtig angezogen sein.
뼈붙이 aus Knochen gemachte Sache, -n.
뼈아프다 ☞ 뼈저리다.
뼈저리다 aus tiefster Seele fühlen; tief ins Herz gehen* [s]; das Herz durchdringen. ¶ 뼈저린 schmerzlich; bitterernst; aus tiefstem Herzen / 뼈저리게 느끼다 e-n Denkzettel erhalten* (bekommen)* 《für ⁴*et.*》; sein Fett weg|haben / 상호 협력의 필요성을 뼈저리게 느끼다 die Notwendigkeit der gegenseitigen Zusammenarbeit schmerzlich empfinden* / 그의 비난은 뼈저린 것이었다 Sein Vorwurf griff mir ans Herz.
뼈지다 ① 《속이》 hart gepackt sein, wie ein Knochen darin ist; solid (sein). ¶ 그 떡이 ~ Der Reiskuchen ist steinhart. ② 《말이》 scharf; spitz; kernig; prickelnd; markig (sein). ¶ 그의 말은 ~ S-e Rede ist scharf.
뼘 Spanne *f.* -n; e-e Hand breit. ¶ 뼘으로 재니 3피트였다 Spannenweise war es 3 Fuße lang.
뼘다 nach der Spanne messen*⁴. ¶ 길이를 뼘어라 Miß die Länge nach der Spanne!
뼘들이로 nacheinander; fortlaufend; in e-m fort; ununterbrochen.
뻿성내나 in Zorn aus|brechen* [s]; plötzlich die Geduld verlieren*.
뽀도독뽀도독 ☞ 뽀드득뽀드득.
뽀드득뽀드득 knirschend (눈, 모래, 등이). ☞ 바드득바드득. ¶ 눈위를 ~ 소리를 내며 걷다 knirschend auf dem Schnee gehen* [s].
뽀로통하다 ☞ 부루퉁하다.
뽀뽀 《아기에게》 Kuß *m.* ..usses, ..üsse. ¶ 엄마가 아기볼에 ~하다 Die Mutter küßt ihr Kind auf die Backe.
뽀유스름하다 ☞ 보유스름하다.

뽐내다 《자랑하다》 auf ^{4}*et.* stolz sein; ^{3}sich viel ein|bilden; ^{3}sich ^{4}*et.* (auf ^{4}*et.* viel) ein|bilden; ^{4}sich e-s Dinges rühmen; ^{3}sich wichtig machen (nehmen*); 《태도가》 hochmütig sein; ^{4}sich in Positur setzen; e-e große Miene an|nehmen*; 《큰소리하다》 prahlen; windbeuteln. ¶ 뽐내는 hochmutig; anmaßend; arrogant / 뽐내는 사람 Angeber *m.* -s / 뽐내며 걷다 stolzieren (h,s); einher|stolzen (s) / 그것은 뽐낼 것이 못 된다 Das ist nichts, um darauf stolz zu sein. / 그는 저만 잘난 것처럼 뽐낸다 Er ist in Selbstdünkel befangen.¦Er trägt die Nase sehr hoch. / 내로라 하고 뽐낸다 „Ich bin es, ich bin es" so gibt er sich an. / 성공했다고 뽐내지 말라 Bilde dir nicht viel auf d-n Erfolg ein! / 요리 솜씨를 뽐낸다 Sie ist stolz auf ihre Kochkunst.

뽑다 ① 《빼다》 heraus|ziehen*^{4}; aus|ziehen*^{4}; heraus|nehmen*^{4}; entkorken. ¶ 닭의 털을 ~ Hähnchen rupfen / 못을 벽에서 ~ e-n Nagel aus der Wand heraus|ziehen* / 병마개를 ~ e-e Flasche entkorken; den Kork aus e-r Flasche ziehen* / 권총을 ~ den Revolver (die Pistole) ziehen* / 제비를 ~ ein Los ziehen*; losen / 탄알을 뽑아내다 ein Gewehr entladen*; e-e Kugel heraus|ziehen* / 이를 ~ e-n Zahn aus|ziehen*; e-n Zahn ziehen 《*jm.*》 / 실을 ~ 〖의학〗 die Fäden ziehen 《*jm.*》 / 뜰의 풀을 뽑아내다 Gras *jm.* Garten rupfen.
② 《선발》 aus|wählen^4; aus|lesen*^{4}; aus|erlesen*^{4}; aus|suchen^4; wählen^4. ¶ 반장으로 ~ *jn.* als Klassenführer wählen / 군인을 ~ rekrutieren^4; aus|heben*^{4} / 학생을 ~ die Studenten auf|nehmen* (zulassen*; ^{4}sich einschreiben lassen*) / 회사는 그를 간부 사원으로 뽑았다 Die Firma hat ihn in die Vorstandschaft gesetzt.

-뽑이 Zieher *m.* -s, -; Zugmittel *n.* -s, -.
‖ 마개~ Pfropfenzieher *m.* -s, -; Korkzieher *m.* -s, -. 못~ Nagelzieher *m.*

뽑히다 ① 《빠지다》 aus|fallen* (s); aus|gehen* (s); weg|fallen* (s). ¶ 못이 쉽게 뽑힌다 Der Nagel läßt sich leicht ausziehen.
② 《선발》 gewählt werden; ausgewählt werden; aufgenommen werden. ¶ 축구 선수로 ~ als Fußballspieler ausgewählt werden / 국회의원으로 ~ als Parlamentmitglied (Abgeordnete) gewählt werden.

뽕 ☞ 뽕잎.

뽕나무 〖식물〗 Maulbeerbaum *m.* -(e)s, ⸚e.
‖ ~밭 Maulbeer¦pflanzung *f.* -en (-feld *n.* -(e)s, -er). ~열매 Maulbeere *f.* -n.

뽕빠지다 ① 《결딴나다》 in Konkurs gehen*; ^{4}Pleite machen. ¶ 나는 결혼 잔치를 치르느라 뽕빠졌다 Wegen der Hochzeitsfeier bin ich in Konkurs gegangen. ② 《지치다》 erschöpft sein; ein zähes Leben haben; schlecht ergehen*; schwer an|kommen*.

뽕뽕 ☞ 붕붕[1].

뽕잎 das Blatt 《-(e)s, ⸚er》 des Maulbeerbaums; Maulbeerblatt *n.* -(e)s, ⸚er. ¶ ~을 따다 Maulbeerblätter pflücken / ~은 누에를 치는 데 귀중하다 Die Blätter des Maulbeerbaums sind für die Zucht der Seidenraupe wertvoll.

뾰로통하다 schmollen; die Lippen spitzen; mürrisch; verdrießlich; übelgelaunt (sein). ¶ 뾰로통한 얼굴 ein schmollendes Gesicht / 무엇 때문에 뾰로통하지 Was macht dich so mürrisch? / 조금만 야단쳐도 그 아이는 뾰로통해진다 Das Kind wird mit der leichten Schelte übelgelaunt.

뾰루지 Tumor *m.* -s, -en; Geschwulst *f.* ⸚e; Geschwur *n.* -(e)s, -e; Eiterbeule *f.* -n; Ausschlag *m.* -(e)s, ⸚e; Anschwellung *f.* -en. ¶ 얼굴에 ~가 나다 am Gesicht ein Geschwur bekommen* / 다리에 ~가 생기다 e-e Beule am Bein bekommen*.

뾰조록이 spitzig.

뾰조록하다 spitz (sein).

뾰족구두 Schuhe 《*pl.*》 mit gespitzten Kappen.

뾰족뾰족 all gespitzt. **~하다** all gespitzt (sein).

뾰족이 ☞ 뾰조록이.

뾰족집 ein Haus 《-es, ⸚er》 mit Spitzturm; ein Gebäude, das eine Windung hat; Katholische Kirche.

뾰족탑(一塔) Kirchturm *m.* -(e)s, ⸚e; Spitzturm *m.*

뾰족하다 spitz; spitzig (sein); spitz zu|laufen* (s). ¶ 뾰족한 연필 ein spitzer Bleistift / 끝이 뾰족한 손가락 der spitzige Finger, -s, - / 입을 뾰족하게 내밀다 die Lippen auf|werfen*; schmollen / 끝이 ~ spitz endigen; spitz zu|laufen* (s) / 손끝이 ~ die spitzigen Hände haben / 연필을 뾰족하게 깎았다 Ich habe e-n Bleistift gespitzt.

뿌다구니, 뿌다귀 ein gespitzter Teil (Ecke *f.* -n).

뿌드득- ☞ 바드득-.

뿌듯하다 ☞ 부듯하다.

뿌루퉁하다 ☞ 부루퉁하다.

뿌리 ① 《식물의》 Wurzel *f.* -n. ¶ ~를 박다 Wurzel fassen (schlagen*); ^{4}sich ein|wurzeln / ~를 빼다(뽑다) mit der Wurzel aus|reißen*; entwurzeln^4; aus|rotten^4 〖비유적으로도 씀〗 / 그 개나리 가지는 벌써 ~가 내렸다 Der Ast der Forsythie (Goldflieder) hat sich schon eingewurzelt.
② 《비유적》 Grund *m.* -(e)s, ⸚e; Ursache *f.* -n; Ursprung *m.* -(e)s, ⸚e. ¶ ~ 깊은 습관 eingefleischte Gewohnheit / ~ 깊은 적개심 eine tief eingefressene Feindschaft / ~를 박다 ^{4}sich etablieren; stabil werden; stabiliert werden / 악의 ~를 뽑다 die Wulzel des Übels aus|rotten / 그는 장사꾼으로 ~를 박았다 Er hat sich als Kaufmann etabliert. / 민주주의가 한국땅에 깊이 ~를 박았다 Demokratie hat ihre Wurzel tief in den koreanischen Boden geschlagen. / 그의 불신은 ~가 깊었다 Sein Mißtrauen wurzelte tief.
‖ ~등걸 Wurzelstock *m.* -(e)s, ⸚e. ~털 Wurzelhaar *n.* -(e)s, -e.

뿌리다 ① 《비가》 es sprüht; es regnet fein. ¶ 비가 뿌린다 Es tröpfelt (drippelt). / 비가 몇 방울 뿌린다 Es tropft. / 눈이 세차게 오두막 안으로 뿌렸다 Es wehte der Schnee heftig in die Hütte hinein.
② 《끼얹다》 sprengen^4; besprengen^4; bespritzen^4. ¶ 길에 물을 ~ die Straße mit Wasser besprengen / 잔디에 물을 ~ Rasen begießen* / 식물에 살충제를 ~ Insektzid auf die Pflanzen spritzen; mit Insektzid die Pflanze bespritzen / 눈에 고춧가루를 ~ Paprikapulver in die Augen werfen* / 불에 물을 ~ Wasser aufs Feuer gießen* / 옷에 향수를 ~ Ein Kleid mit Parfüm bespritzen (besprengen).
③ 《씨를》 säen^4; aus|säen^4. ¶ 씨를 ~ Samen (in die Erde) säen / 밭에 보리씨를 ~ auf dem Feld Gerste säen.
④ 《낭비》 vergeuden^4; verschwenden^4; ver-

trödeln^4. ¶ 돈을 ~ Geld verschwenden; mit Geld um ^{4}sich werfen*.

뿌리치다 ^{4}sich los|machen 《von ^{3}*et.*》; ^{4}sich los|reißen* 《von ^{3}*et.*》; zurück|weisen*^{4}; ab|schlagen*^{4}. ¶ 손목을 ~(*js.* versöhnende) Hand ab|weisen* (ab|lehnen) / 유혹을 ~ der Verführung widerstehen* / 소매를 뿌리치고 가다 den festgehaltenen Ärmel zurückweisend weg|gehen* ⓢ.

뿌옇다 ☞ 보얗다.

뿌장귀 ein scharfes (geschnittes; verschärftes) Ecke; ein hinausragender Teil.

뿐 ① 《용언 뒤에서》 nichts als; nur; bloß; allein. ¶ …할 뿐(만) 아니라, …뿐더러 nicht nur (allein; bloß), ...sondern auch; sowohl ... wie (als) auch; überdies; weiter; ferner; außerdem; obenauf / 한국으로부터 뿐만 아니라 일본으로부터도 nicht nur aus Korea, sondern auch aus Japan / 하루 종일 울 뿐이다 den ganzen Tag nur schreien* / 신문을 통해서 알 뿐이다 Ich weiß es nur noch durch die Zeitung. / 나는 내 의무를 다했을 뿐이다 Ich habe bloß nur m-e Pflicht getan. / 그는 학자일 뿐더러 시인이기도 하다 Er ist sowohl ein Gelehrter als auch ein Dichter. / 나는 피곤했을 뿐더러 배가 고팠다 Ich war nicht bloß müde, dazu noch hatte ich Hunger. / 그는 중국말을 할 뿐 아니라 일본말도 한다 Er spricht nicht nur Chinesisch, sondern auch Japanisch. / 그저 약간 틀렸을 뿐입니다 Sie haben bloß nur ein bißchen Fehler gemacht.
② 《체언 뒤에서》 einig; nur; bloß; eben; eben erst; allein. ¶ 믿은 사람은 나뿐입니다 Ich allein glaube dir. / 이 의견은 나뿐이 아니다 Ich bin eben nicht allein der Meinung. / 내 소지금은 이것뿐이다 Das ist all mein Geld, was ich habe. / 그는 아들이 단 하나뿐이다 Er hat nur e-n Sohn. / 그것을 할 수 있는 사람은 그뿐이다 Er allein kann es tun. ¦ Er ist der einzige, der es tun (erledigen) kann. / 늦은 것은 그 사람뿐이었다 Er allein kam spät (verspätet). / 그것뿐인가 Ist das alles? / 회의에 출석하는 것뿐만 아니라 토론에 참가하는 것도 중요하다 Es ist wichtig, nicht nur e-r Versammlung beizuwohnen, sondern auch an der Diskussion zu beteiligen. / 남긴 것은 이것뿐이다 Das war alles, was er hinterlassen hatte. / 이곳에 한국인은 나뿐이다 Ich bin hier der einzige Koreaner.

뿔 ① 《동물의》 Horn *n.* -(e)s, ⸗er. ¶ 뿔 세공 Hornwerk *n.* -(e)s, -e; Hornarbeit *f.* -en / 사슴의 뿔 Geweih *n.* -(e)s, -e / 뿔이 돋다 die Hörner wachsen* ⓢ / 뿔로 받다 mit den Hörner stoßen*^{4}; auf|spießen^4 / 뿔 뺀 쇠 상이다 《비유적》 e-e Stellung ohne Macht (Einfluß) haben.
② 《물건의》 Vorstecker *m.* -s, -.
③ 《비유적》 ¶ 뿔이 나다 auf *jn.* böse (eifersüchtig (샘이 나서)) werden (sein).

뿔관자(—貫子) das aus dem Horn geschnittene Knöpfchen, das den Hutriemen bindet.

뿔끈 ☞ 발끈.

뿔매 〖조류〗 eine Art von Falken 《*m.* -en, -en》; *Spizaetus japonensis* (학명).

뿔뿔이 zerstreut; voneinander getrennt; vereinzelt. ¶ ~ 흩어진 zerstreut; in alle Winde zerstreut / ~ 헤어지다 (흩어지다) ^{4}sich zerstreuen; in alle Winde zerstreut werden / 그들은 ~ 흩어져 도망쳤다 Sie flohen in alle Richtungen. / 순경을 보자 그들은 ~ 흩어졌다 Sie zerstreuten sich in alle Richtungen, als sie den Polizisten gesehen haben. / 공부가 끝난 후 학생들은 ~ 제 집으로 돌아갔다 Nach der Schule gingen die Studenten voneinander getrennt nach Hause. / 모두가 ~ 흩어졌다 Alle kamen auseinander. / 온 가족이 ~ 흩어졌다 Die ganze Familie hat sich aufgelöst. ¦ Die Familienglieder leben nicht mehr zusammen. / 붐비는 통에 ~ 헤어지고 말았다 Im Gedränge sind wir auseinandergekommen.

뿔잔(—盞) ein aus Horn geschnittener Kelch (Becher *m.* -s, -).

뿜다 《분출하다》 aus|speien^4; aus|werfen*^{4}; aus|stoßen*^{4}; 《뿌리다》 spritzen^4; sprengen^4. ¶ 피를 ~ Blut speien; Blut aus|husten / 연기를 ~ Rauch aus|speien (aus|stoßen) / 피를 뿜고 쓰러지다 Blut speiend (blutend) zu Boden fallen* ⓢ / 분수가 물을 뿜고 있다 Aus dem Springbrunnen spritzt das Wasser. / 공장 굴뚝이 무럭무럭 연기를 내뿜는다 Aus dem Schornstein der Fabrik steigt der Rauchschwaden auf. / 저 봐, 고래가 물을 뿜는다 Sieh mal da, der Walfisch spritzt! / 분화산이 불을 ~ der Vulkan speit Feuer (Lava) aus.

뿡 ☞ 붕.

삐걱거리다 knarren; knirschen; knitschen; quieken. ¶ 삐걱거리는 소리 das knarrende Geräusch, -es, -e / 마루가 ~ der Fußboden knirscht (knarrt; quiekt) / 녹 쓴 돌쩌귀가 ~ Das gerostete Scharnier knarrt. / 이 마루 바닥은 걸으면 삐걱거린다 Der Fußboden knackt bei dem Fußtritt.

삐걱삐걱 knackend; knirschend.

삐다^1 《괸 물이》 weg|fließen*; hin|fließen*; ab|fließen^4; ^{4}sich entwässern; aus|fließen*; abgezogen (abgeflossen) sein; sinken* ⓢ. ¶ 괸 물이 삐었다 Das stagnierendes Wasser fließt aus.

삐다^2 《손·손가락·발을》 ^{3}sich (die Hand; e-n Finger; den Fuß) verrenken; ^{3}sich (den Fuß) aus|renken; ^{3}sich (den Hand; den Fuß) verstauchen. ¶ 팔목을 ~ ^{3}sich den Arm verrenken / 발목을 ~ ^{3}sich den Fuß verstauchen / 목을 ~ ^{3}sich den Hals verrenken / 그는 무릎을 삐었다 Er hat sich das Knie verstaucht.

삐대다 *jm.* lästig sein; *jn.* dauernd belästigen.

삐딱- ☞ 비딱-.

삐뚤- ☞ 비뚤-.

삐악 Piep *m.* -s, -e. ¶ ~ 울다 piepsen; piepen / ~삐악 piep, piep!

삐죽- ☞ 비죽-.

삐치다^1 《글자의 획을》 wegstreichen*; beiseite schieben*.

삐치다^2 《느른해지다》 ^{4}sich müde bekommen*; ^{4}sich überdrüßig fühlen; schlaff (matt; lappig) werden.

삔둥- ☞ 빈둥-.

삘기살 Rindfleisch 《*n.* -es, -》 des Unterschenkels.

삥 ☞ 빙.

삥등그리다 widerwillige (abgeneigte) Gebärde 《*f.* -n》 zeigen*, indem einer seinen Kopf schnell wendet.

삥땅 (Gewinn)anteil *m.* -(e)s, -e; Provision *f.* -en; Schwindelprofit *m.* -(e)s, -e. **~하다** s-n Profit (vorweg|)ziehen* 《*aus*^{3}》; s-n Anteil (in die Tasche) ein|stecken; Profite ein|heimsen (경멸적).

삥삥 ☞ 빙빙.

삥삥매다 ^{4}sich verwirren; ^{4}sich aufregen; in der Klemme sein.

사[1] 《단춧구멍의》 Knopflochstich *m.* -(e)s, -e; Langettenstich *m.* ☞ 사뜨다.

사[2] 〖음악〗 g *n.* -, -. ¶ 사 장조 G-Dur *n.* 《기호: G》/ 사 단조 g-Moll *n.* - 《기호: g》.

사(士) ① 《선비》 der Gelehrte*, -n, -n; der Mann von Stand u. Bildung; feiner Mann; Ehrenmann; Figur *f.* -en (인물).
② 《장기의》 e-e Figur in dem koreanischen Schach.

사(巳) 〖민속〗 ① 《십이지의》 das Zeichen 《-s, -》 der Schlange (das 6. Zeichen in dem asiatischen Tierkreis); die sechsten der zwölf Stunden und Jahreszeichen des Mondkalenders.

사(四) vier. ¶ 제 4 viert / 4 분의 1 ein Viertel; Viertel / 4 배 viermal; vierfach / 4 배하다 vervierfachen[4]; vierfältigen[4] / 4 차원 die vierte Dimension / 제 4 계급 《신문기자》 vierte Gewalt, -en; der vierte Stand, -(e)s, ⸗e; 《노동자》 Proletariat *n.* -(e)s, -e; vierte Klasse, -en.

사(死) =죽음. ¶ 자연사 ein natürlicher Tod, ⌈-(e)s.

사(私) ① 《공에 대한》 Privatangelegenheit *f.* -en; Heimlichkeit *f.* -en; Selbst *n.* -(e)s (자기); 《사리》 Privatinteresse *n.* -s, -n; 《비밀》 Heimlichkeit *f.* ¶ 사가 있는 selbstsüchtig; selbstisch; egoistisch / 사가 없는 selbstlos; uneigennützig; unparteiisch.
② 《정실》 Favorit *m.* -en, -en; Parteilichkeit *f.* -en; Parteinahme *f.* ¶ 사를 두다 favorisieren[4]; begünstigen 《*jn.*; [4]*et.*》.

사(邪) 《악》 Übel *n.* -s, -; Böse *n.* -s, -; Unrecht *n.* -s, -; Unrichtigkeit *f.* -en; 《이단》 Irrglaube *m.* -(en)s; abweichende Meinung; -en. ¶ 사불범정(邪不犯正) Das Unrecht kann das Recht nicht besiegen.

사(社) 《회사》 Handelsgesellschaft *f.* -en, Firma *f.* ..men; 《사무실》 Geschäftsbüro *n.* -s, -s. ⌈-s, -e.

사(紗) Seidengaze [..ga:zə] *f.* -n; Flor *m.*

사(辭) ① 《낱말》 Wort *n.* -(e)s, ⸗er; 《문구》 Ausdruck *m.* -(e)s, ⸗e.
② 《인사말》 Anrede *f.* -n; Ansprache *f.* -n; Botschaft *f.* -en. ¶ 송별사 Abschiedsrede *f.* / 환영사 Begrüßungsansprache *f.* / 취임사 Antrittsrede *f.*

-사(史) Geschichte *f.* -n; Historie *f.* -n; 《연대사》 die Annalen 《*pl.*》; Chronik *f.* -en; Jahrbuch *n.* -(e)s, ⸗er. ¶ 한국 문학사 die Geschichte der koreanischen Literatur / 현대〔근세, 중세, 고대〕사 die Geschichte der Gegenwart 〔der Neuzeit, des Mittelalters, des Altertums〕.

사가(史家) Historiker *m.* -s, -; Geschichtsforscher *m.* -s, -.

사각(四角) Viereck *n.* -(e)s, -e; Rechteck *n.* -(e)s, -e; Quadrat *n.* -(e)s, -e; Geviert(e) *n.* -s, -e; 《사각형》 Quadrangel *n.* -s, -; Quadrat *n.* -(e)s, -e. ¶ ∼의 viereckig; quadratisch; quadrangulär.
‖ ∼모자 die viereckige Mütze; die Studentenmütze. ∼주(柱) e-e viereckige Säule. ∼형 Viereck; Quadrangel: ∼형의 viereckig; quadratisch; quadratförmig / 정∼형 Quadrat *n.* -(e)s, -e.

사각(死角) 〖군사〗 ein toter Winkel, -s, -. ¶ ∼에 들다 in den toten Winkel kommen* 〔treten*〕 ⓢ.

사각(射角) Schußwinkel *m.* -s, -.

사각(斜角) 〖수학〗 der Winkel 《-s, -》 außer 90° u. 180°; spitzer Winkel; stumpfer Winkel.

사각거리다 knirschen; zerknirschen.

사각사각 knusperig; bröck(e)lig.

사갈 genagelte hölzerne Schuhe 《*pl.*》.

사갈(蛇蝎) 《뱀과 전갈》 Schlange u. Skorpion; 《사람》 boshafter 〔feindseliger; bösartiger〕 Mann, -(e)s, -er. ¶ ∼시(視)하다 hassen[4]; verabscheuen[4]; wie eine Viper hassen[4].

사감(私憾) Boshaftigkeit *f.* -en; Bosheit *f.* -en; Groll *m.* -(e)s; Ärger *m.* -s; Verstimmung *f.* -en; Mißgunst *f.* -en. ¶ 그에게 아무 ∼도 없다 Ich habe k-n Ärger mit ihm. | Ich ärgere mich nicht über ihn.

사감(舍監) 《남자》 Heimleiter *m.* -s, -; Heimmentor *m.* -s, -en; 《여자》 Heimleiterin 〔Heimoberin〕 *f.* -nen; Hausmutter *f.* -n.

사개 Schwalbenschwanz *m.* -es, -e. ¶ ∼를 물리다 e-n Schwalbenschwanz machen.

사거(死去) Tod *m.* -(e)s; Ableben *n.* -s; das Verscheiden*, -s. ∼하다 sterben* ⓢ; ab|leben ⓢ; verscheiden* ⓢ; um|kommen* ⓢ; ums Leben kommen* ⓢ.

사거하다(辭去—) Abschied nehmen* 《*von*[3]》; [4]sich empfehlen*.

사건(事件) Ereignis *n.* ..nisses, ..nisse; Vorfall *m.* -(e)s, ⸗e; Begebenheit *f.* -en; 《작은》 Vorkommen *n.* -s, -; Geschehnis *n.* ..nisses, ..nisse; 《소송》 Fall *m.* -(e)s, ⸗e; Prozeß *m.* ..zesses, ..zesse; 《음모》 Komplott *n.* -(e)s, -e; 《일》 Affäre *f.* -n; Angelegenheit *f.* -en; 《사고》 Unfall *m.* -(e)s, ⸗e; Unglück *n.* -(e)s, -e; 《분규》 Verwirrung *f.* -en; Zwist *m.* -es, -e; 《추문》 Skandal *m.* -s, -e. ¶ 역사의 획기적 ∼ ein epochemachendes Ereignis der Geschichte / ∼을 흐지부지해 버리다 die Sache vertuschen 〔verdunkeln〕 / 이상한 ∼이 일어나다 [4]sich etwas Seltsames 〔Ungewöhnliches〕 ereignen / ∼을 떠맡다 die Angelegenheit 〔die Affäre〕 übernehmen* / ∼에 관계하다 in die Sache 〔Affäre〕 verwickeln; an der Angelegenheit 〔dem Fall〕 beteiligen / ∼의 귀추가 흥미롭다 Wie wird die Angelegenheit ausgehen? | Der Ausgang der Affäre ist interessant zu beobachten.
‖ 간통∼ Ehebruchskandal *m.* -s, -e. 괴∼ ein mysteriöses Ereignis; e-e ungewöhnliche Affäre. 살인∼ Mordaffäre *f.*; Mordtat *f.*; Mordfall *m.*: 어제 이 읍에 살인 ∼이 있었다 Gestern ereignete sich ein Mord in dieser Stadt. 소송∼ Prozeß *m.*; Rechtfall *m.*; Rechtstreit *m.* 수회(收賄)∼ Bestechungsaffäre *f.* 연애∼ Liebesaffäre *f.*

사격(射擊) das Schießen*, -s; Schuß *m.* -es, ⸚e; Feuer *n.* -s, -; das Feuern*, -s; Feuerung *f.* -en; 《사격술》 Schützenkunst *f.* ⸚e. ～하다 schießen*[(4)]; feuern. ¶ ～의 명수 ein Meister der Schützenkunst; Schützenkönig *m.* / ～을 잘 하다 gut schießen*[(4)]; in der Schützenkunst geschickt sein.
‖ ～술 Schützenkunst *f.*: ～술 예비 훈련 das präliminare Training der Schützenkunst. ～신호 das Signal zum Feuer. ～연습 Schießübung *f.* ～지휘 Feuerleitung *f.* ～효과 Feuerwirkung *f.* 간접～ das indirekte Schießen* (Feuer). 공격 준비～ 〖군사〗 die Vorbereitungsfeuer zum Angriff. 실탄～ der scharfe Schuß; Scharfschuß *m.* 일제～ Salve *f.*; Salvenfeuer *n.*

사견(私見) e-e persönliche Meinung, -en; Privatmeinung *f.* -en. ¶ ～으로는 nach meiner Meinung (Ansicht); meines Erachtens / 변변치 못하나마 ～을 말씀드리겠읍니다 Ich hätte gerne m-e bescheidene Meinung geäußert (zum Ausdruck gebracht).

사견(邪見) hinterlistige (falsche; unaufrichtige; hinterhältige) Meinung, -en.

사경(四更) 2-4 Uhr morgens; frühe Morgenstunden 《*pl.*》.

사경(死境) äußerster Fall, -(e)s, ⸚e; tödliche Situation, -en; Elend *n.* -(e)s. ¶ ～에 처하다 vor dem Tode stehen* / ～을 헤매다 auf der Todessituation liegen* / ～을 벗어나다 die Todessituation überwinden*.

사경제(私經濟) Privatwirtschaft *f.* -en.

사경회(査經會) 〖기독교〗 Bibelklasse *f.* -n.

사계(四季) 《사시》 (vier) Jahreszeiten 《*pl.*》; 《사계삭(朔)》 der letzte Monat jeder Jahreszeit. ¶ ～를 통하여 zu jeder Jahreszeit; das ganze Jahr hindurch.

사계(斯界) diese Fachwelt, -en; dies Spezialgebiet *n.* -(e)s, -e; Gegenstand *m.* -(e)s, ⸚e; Fach *n.* -(e)s, ⸚er; Beruf *m.* -(e)s, -e; Kunst *f.* ⸚e. ¶ ～의 권위자 e-e Autorität auf diesem Spezialgebiet (in diesem Gebiet).

사고(社告) Bekanntmachung 《*f.* -en》 einer Firma; Firmenbekanntmachung *f.* -en (신문 등에 내는 것); innerbetriebliche Bekanntmachung, -en (사내의).

사고(事故) ① 《사건》 Zufall *m.* -(e)s, ⸚e; Unglück *n.* -(e)s, -e; Unfall *m.* -(e)s, ⸚e (예측 못한); 《고장》 Hindernis *n.* ..nisses, ..nisse; Hemmung *f.* -en; Mangel *m.* -s, -; Fehler *m.* -s, -. ¶ 어떤 ～로 말미암아 wegen e-s gewissen Zufalls / ～를 일으키다 e-n Unfall (Zwischenfall) verursachen / ～ 없이 끝나다 ohne Zwischenfall ab|laufen* ⓢ / ～가 났다 Es ist ein Unglück geschehen. / ～란 나기 쉬운 것이다 Unfall kann leicht passieren. / ～는 운전 부주의가 원인이었다 Der Unfall kam von der Unvorsichtigkeit des Fahrers.¦Die nachgelassene Aufmerksamkeit des Fahrers veranließ den Unfall.
② 《사정·이유》 die Umstände 《*pl.*》; Grund *m.* -(e)s, ⸚e; Ursache *f.* -n. ¶ 부득이한 ～로 unvermeidlicher Umstände halber; wegen unvermeidlicher Umstände; durch Umstände gezwungen / 부득이한 ～로 결석했다 Ich fehlte unter zwingenden Umständen in der Schule. / 무슨 ～로 오지 못하였느냐 Aus welchem Grunde kamst du nicht? / ～가 많은 여행이었다 Das war e-e Reise mit Hindernissen. / 하찮은 ～로 늦었다 Ich bin von e-r dummen Angelegenheit abgehalten worden.
‖ ～방지 Unfallverhütung *f.* -en: ～ 방지 운동 die Kundgebung für „die Sicherheit vor allem". ～현장 Unfallort *m.* -(e)s, -e. 교통 (철도, 자동차)～ Verkehrsunfall *m.* (Eisenbahnunglück *n.*, Autounfall *m.*)

사고(思考) Denken (Nachdenken) *n.* -s; Gedanke *m.* -ns, -n; 《고려》 Besinnung *f.* -en; 《숙고》 das Überlegen*, -s; Beschaulichkeit *f.* -en. ～하다 denken*; spekulieren; überlegen[4]; an|sehen*[4]; [4]sich vor|stellen.
‖ ～과정 Gedankenfolge *f.* -n; Gedankengang *m.* -(e)s, ⸚e. ～력 Denkvermögen *n.* -s, -; Denkfähigkeit *f.* -en.

사고무친하다(四顧無親一) allein u. hilflos stehen*; verwaist u. freundlos sein.

사곡(邪曲) Krummheit (Krümmung; Verderbheit) *f.* -en. ～하다 übelgesinnt (sein).

사곡(私穀) geerntetes Getreide 《-n, -s》 im Privatbesitz.

사공(沙工) Boots¦führer (Kahn-) *m.* -s, -; 《나룻배의》 Fahrmann *m.* -s, ⸚er. ¶ ～이 많으면 배가 산으로 올라간다 Sind viele Schiffer da, so fährt das Schiff den Berg hinauf.¦Viele Köche verderben den Brei.

사과(沙果) Apfel *m.* -s, ⸚. ¶ 이 ～는 속이 썩었다 Der Apfel verfault in dem Inneren./ ～ 하나 깎아 주시오 Schälen Sie bitte für mich e-n Apfel!
‖ ～나무 Apfelbaum *m.* -(e)s, ⸚e. ～산(酸) 〖화학〗 Apfelsäure *f.* -n. ～주 Apfelwein *m.* -(e)s, -e; Apfelmost *m.* -es, -e. ～참외 e-e Art von Zuckermelone. ～화채 Apfelpunsch *m.* -es, -e.

사과(謝過) Entschuldigung *f.* -en; Verzeihung *f.* -en; Pardon *m.* -s; Abbitte *f.* -n. ～하다 [4]sich entschuldigen; *jn.* um Verzeihung bitten*; (bei) *jm.* Abbitte tun*; *jm.* [4]*et.* ab|bitten*; *jn.* um Entschuldigung bitten*. ¶ ～문 das Entschuldigungsschreiben*, -s / ～를 받다 *js.* Entschuldigung an|nehmen* / 부주의를 ～하다 *jn.* um Verzeihung wegen s-r Unaufmerksamkeit bitten* / 오랫동안 격조했음을 ～하다 [4]sich bei *jm.* wegen s-s langen Stillschweigens entschuldigen / ～할 것 없다 Es ist nicht notwendig (Es liegt kein Grund vor), *jn.* um Entschuldigung zu bitten. / ～할 사람은 자네가 아니고 날세 Ich muß meinerseits dich um Verzeihung bitten, aber du nicht. / 내가 한 말에 대해서 ～합니다 Ich bitte Sie um Verzeihung, was ich gesagt habe.

사과탕(四一湯) Ochsensuppe 《*f.* -n》 mit Lunge, Schwanz u. Schienbein.

사관(士官) 〖육군〗 Offizier *m.* -s, -e; Militäroffizier *m.* -s, -e; 〖해군〗 Marineoffizier *m.* -s, -e; 〖공군〗 Luftwaffeoffizier *m.* -s, -e.
‖ ～학교 Militärakademie *f.* -n; Kriegsschule *f.* -n; Offizierschule *f.* -n; Kadettenanstalt *f.* -en; 《간부 후보생의》 Offiziers-trainig-Schule *f.* ～후보생 Offiziersaspirant *m.* -en, -en; Fahnenjunker *m.* -s, -.

사관(史觀) Geschichtsauffassung *f.* -en.
‖ 유물～ die materialistische Geschichtsauffassung.

사광(砂鑛) (Gold)mine 《*f.* -n》 am Flußufer.

사교(司敎) Bischof *m.* s-, ⸚e.

사교(社交) der gesellschaftliche Verkehr, -s;

der gesellschaftliche Umgang, -es, ⸗e. ¶ ~적인 gesellig; gesellschaftlich; umgänglich / ~상의 예의 die gesellschaftliche Höflichkeit; Etiquette *f.* -n / 비~적인 사람 ein unzugänglicher Mensch; e-n verschlossene Natur / ~ 생활을 좋아하다 das gesellschaftliche Leben gern mögen / ~ 범위가 넓다 Er hat e-n großen Bekanntenkreis. / ~상 부득이하다 Das ist unvermeidlich in dem gesellschaftlichen Leben.

‖ **~가** ein geselliger Mensch, -en, -en; die gesellschaftliche Person, -en. **~계** Gesellschaftskreis *m.*: ~계의 명사들 die Spitzen der Gesellschaft / ~계의 여왕 die Königin der Gesellschaft / ~계에 나가다 in die Gesellschaft gehen* Ⓢ; [4]sich in der Gesellschaft zeigen. **~난** die Kolume (die Spalte) der Gesellschaft. **~단체** gesellschaftliche Organisation; der gesellschaftliche Verein. **~성** Geselligkeit *f.*; Soziabilität *f.* **~술** die gesellschaftliche Gewandtheit. **~춤** gesellschaftliche Tänze 《*pl.*》. **~클럽** geschlossene Gesellschaft.

사교(邪敎) Ketzerei *f.* -en; Häresie *f.* -n; Heidentum *n.*; Irrglaube *m.* -ns, -n. ¶ ~의 heidnisch; ketzerisch; häretisch.

‖ **~도** der Abtrünnige*, -n, -n; Apostat *m.* -en, -en; Häretiker *m.* -s, -; der Irrgläubige*, -n, -n; Gottesleugner *m.* -s, -.

사구(死球) =데드볼.

사구(砂丘) 〖지질〗 (Sand)düne *f.* -n; Sandhügel *m.* -s, -.

사군자(士君子) Ehrenmann *m.* -(e)s, ⸗er; vornehmer Mann, -(e)s, ⸗er; Gelehrte *m.* -n, -n.

사군자(四君子) 〖미술〗 vier anmutige Pflanzen (=Pflaume, Orchidee, Wucherblume und Bambus).

사권(私權) 〖법〗 ein privates Recht, -(e)s, -e; Privatrecht *n.*

사귀(邪鬼) Teufel *m.* -s, -.

사귀다 《알게 되다》 kennenlernen[4]; bekannt werden; 《교제하다》 im Verkehr stehen*; mit *jm.* Bekanntschaft pflegen; mit *jm.* bekannt sein. ¶동무를 ~ mit *jm.* Freundschaft schließen* / 나쁜 이들과 ~ schlechten Umgang haben; mit schlechten Menschen verkehren / 친하게 ~ mit *jm.* befreundet sein; freundliche Beziehung unterhalten*; mit *jm.* auf gutem Fuße stehen* / 사귀기 어렵다 schwer umzugehen sein 《mit *jm.*》 / 아무와도 사귀지 않다 mit niemandem verkehren; gar k-n Umgang haben.

사귐성(一性) Geselligkeit *f.* -en; Leutseligkeit *f.* -en; Liebenswürdigkeit *f.* -en; Umgänglichkeit *f.* -en. ¶ ~ 있는 gesellig; leutselig; liebenswürdig / ~ 없는 ungesellig; verschlossen.

사그라뜨리다 zusammen|fallen*; zusammen|brechen*; vereitelt werden.

사그라지다 hinunter|gehen*; herab|gehen*; nach|lassen*; sinken*; verschwinden*.

사그랑이 abgenutztes (unbrauchbares; verbrauchtes) Ding, -(e)s, -e.

사극(史劇) ein historisches Drama, -s, ..men.

사근사근하다 ① 《성품》 entgegenkommend; sanftmutig; liebenswürdig; willfährig; mild; gefällig; gefügig; lieblich; freundlich (sein). ¶사근사근한 사람 die angenehme (höfliche) Person / 사근사근한 여자 die liebenswürdige (liebliche) Frau / 사근사근하게 fröhlich; angenehm; bereitwillig / 사근사근하게 대하다 *jn.* freundlich (lieblich; fröhlich) behandeln / 그의 아내는 매우 사근사근한 사람이었다 S-e Frau war e-e sehr gastfreie Person.

② 《입에》 erfrischend; erquickend (sein). ¶이 사과는 ~ Der Apfel ist sanft knusperig zu beißen.

사금(砂金) Goldsand *m.* -(e)s, -e; Goldseife *f.* -en. ¶ ~을 채집하다 Gold aus Sand aus|waschen*; Gold waschen*.

‖ **~채집** Goldwäsche *f.*; Goldwäscherei *f.*: ~채집권 das Recht auf die Goldseifengewinnung / ~ 채집선(船) ein Boot (ein Schiff) für die Goldseifengewinnung.

사금(賜金) Stipendium *n.* -s, ..dien (일정 기간 주는 것); Staatsgelder 《*pl.*》 (공금); Regierungszuschuß *m.* ..schusses, ..schüsse.

사금융(私金融) private Anleihe, -n; privates Darlehen, -s, -. ¶ ~을 얻다 private Anleihe nehmen*.

사금파리 Porzellanscherbe *f.* -n. ¶ ~에 손을 베다 [4]sich in den Finger durch die Porzellanscherbe schneiden*.

사기(士氣) Moral *f.* -en; Kampfgeist *m.* -es, -er; Kampflust *f.* ⸗e; Mut *m.* -es.

¶군인의 ~가 왕성하다 Die Moral der Soldaten steht sehr hoch. | Die Moral der Soldaten ist muterfüllt (guten Mutes). / ~가 떨어지다 die Moral der Soldaten sinkt (entmutigt) / ~를 북돋우다 *jm.* Mut machen (geben*); *js.* Mut starken (erwecken); *jn.* auf|muntern; *jm.* Mut ein|flößen / ~에 영향을 주다 die Kampflust (den Mut) beeinflussen.

사기(史記) Historie *f.* -n; Geschichte *f.* -n; Chronik *f.* -en.

사기(死期) Todesstunde *f.* -n; Lebensende *n.* -s, -n; *js.* letzte Stunde, -n. ☞ 죽음.

사기(邪氣) ① 《악의》 Arg *n.* -s; Arglist *f.*; die böse Absicht, -en; das böse Vorhaben, -s, -; Bosheit *f.* -en. ② 《독기》 Miasma *n.* -s, ..men; die verpestete Luft; der giftige Hauch, -(e)s, -e. ¶ ~를 물리치다 die giftige Luft (Dampfe) reinigen; die schädliche Dünste vertreiben*.

사기(沙器) Porzellan *n.* -s, -e; Steingut *n.* -s, ⸗er; irdenes Geschirr, -s, -e; Töpferware *f.* -n. ‖ **~가게** Porzellanladen *m.* -, ⸗s. **~그릇** =사기. **~인형** Porzellanfigur *f.* -en. **~접시** Porzellanteller *m.* -s, -.

사기(詐欺) Betrug *m.* -(e)s, ⸗e; Schwindel *m.* -s, -; Betrugerei *f.* -en; Schwindelei *f.* -en. **~하다** e-n Betrug begehen*; mit Betrug um|gehen* Ⓢ; 《돈을》 *jn.* um Geld beschwindeln (prellen; betrügen*). ¶교묘한 ~ der schlaue Betrug / 법률상의 ~ der gesetzliche Betrug / ~를 당하다 [4]sich betrügen lassen*; abgeschwindelt werden / 그는 나한테서 만 원을 ~했다 Er hat mir 10000 *Won* abgeschwindelt.

‖ **~꾼** Betrüger *m.* -s, -; Schwindler *m.* -s, -; Gauner *m.* -s, -. **~도박** das betrügerische Hasardspiel. **~수단** das betrügerische Mittel, -s, -; Betrügerei *f.* **~죄** 〖법〗 das betrügerische Verbrechen, -s, -: ~죄로 걸리다 wegen e-s Betrugs angeklagt werden. **~취재**(取財) 〖법〗 die betrügerische Aneignung von Sachen; Erpressung *f.* **~투표**(投票) Wahlschwindel *m.* -s, -. **~행**

위 Schwindelei *f.* -en. 결혼～ Heiratsschwindel *m.* -s, -.
사기업(私企業) Privatunternehmen *n.* -s, -.
사나 《예멘의 수도》 San'a.
사나나달 drei oder vier Monaten 《*pl.*》.
사나이 ☞ 사내. ¶사나이 중의 ～ ein Mann 《*m.* -(e)s》 unter Männern.
사나토리움 Sanatorium *n.* -s, ..rien.
사날[1] 《삼사일》 drei oder vier Tage 《*pl.*》.
사날[2] 《제멋대로》 je nach Laune; willkürlich; absichtlich. ¶～ 좋게 그는 남의 물건을 쓴다 Nach seiner Laune gebraucht er hemmungslos die Sache des anderen.
사납다 wild; grob; roh; heftig; jähzornig; gewaltsam; empörend; grausam; 《운수가》 unglücklich; elend (sein). ¶사납게 grob; rauh; gewaltsam; wild; heftig; barsch; empörend; fürchterlich aussehend / 사나운 개 ein bissiger Hund, -es, -e / 사나운 짐승 das wilde Tier, -(e)s, -e; Raubtier *n.* -(e)s, -e / 사나운 말 das unbändige Pferd, -es, -e; das ungezähmte Pferd, -es, -e / 사나운 바다 das tobende (stürmische) Meer, -es, -e / 인심이 사나운 세상 die grausame (schreckliche) Welt/사나와지다 wild (grob; heftig) werden / 성질이 ～ von roher Natur sein / 운수가 ～ unglücklich sein; Pech haben / 인심이 ～ Die Bevölkerung ist von roher Gesinnung.¦Die Leute werden rauh (barsch; unfreundlich).
사낭(砂囊) ① 〖군사〗 Sandsack *m.* -(e)s, ⸗e. ② 〖조류〗 Vogelmagen *m.* -s, -.
사내 ① 《남자》 Mann *m.* -(e)s, ⸗er; das starke (männliche) Geschlecht, -es, -er. ¶사내다운 ～ ein ganzer Mann, -(e)s, ⸗er; ein Mann unter Männern. ② 《남편》 Mann *m.* -(e)s, ⸗er; Ehemann *m.* -(e)s, ⸗er; Gatte *m.* -n, -n; Gemahl *m.* -s, -e. ③ 《정부》 Nebenbuhler *m.* -s, -; Liebhaber *m.* -s, -; der Geliebte*, -n, -n.
‖～아이 Junge *m.* -n, -n; Knabe *m.* -n, -n.
사내(寺內) ¶～에서 innerhalb des Tempels.
사내(社內) ¶～에서 in der [3]Firma; im [3]Betrieb; innerhalb einer Firma.
‖～보(報) Betriebszeitung *f.* -en. ～부채 interner Geldkredit 《-s, -》 e-r Firma. ～유보(留保) Kassensaldo *m.* -s, -s; Saldoübertrag *m.* -(e)s, ⸗e. ～일동 ganze Belegschaft der Firma.
사내(舍內) ¶～에서 innerhalb des Heims (des Gebäudes).
사냥 Jagd *f.* -en; Jägerei *f.* -en; Birsch *f.* -en. ～하다 auf die Jagd gehen* ⓢ; Jagd machen; birschen[(4)]. ¶토끼 ～ 가다 auf die Hasenjagd gehen* (aus|ziehen*) ⓢ.
‖～개 Jagdhund *m.* -(e)s, -e; Hetzhund *m.* -(e)s, -e; Spürhund *m.* -(e)s, -e: ～개를 풀어주다 e-n Jagdhund los|lassen*. ～꾼 Jäger *m.* -s, -; Jägers¦mann *m.* -(e)s, ..leute; Weidemann *m.* -(e)s, ⸗er. ～철 Jagdzeit *f.* -en. ～총 Jagdflinte *f.* -n; Jagdgewehr *n.* -s, -e. ～터 Jagdbezirk *m.* -(e)s, -e; Jagdrevier *n.* -s, -. 여우～ Fuchsjagd *f.* -en: 여우 ～을 가다 auf die Fuchsjagd gehen* ⓢ.
사냥질 Jagd *f.* -en; das Jagen* (Suchen*) -s; Verfolgung *f.* -en; 《새·짐승의》 Jägerei *f.*; 《새의》 das Schießen*, -s.
사념(邪念) die böse (boshafte; schlechte; arge; arglistige) Meinung, -en; der boshafte (böse; schlechte; arge; arglistige) Gedanke, -ns, -n; Bosheit *f.* -en; Boshaftigkeit *f.* -en; Arg *n.* -(e)s; 《간계》 Hinterlist; *f.* Hinterhältigkeit *f.* -en. ¶～ 없는 마음 die arglose Seele / ～이 없다 kein Arg haben; arglos sein; unschuldig sein / ～을 버리다 [4]sich von bösen Gedanken befreien.
사념(思念) ＝사려(思慮).
사농공상(士農工商) Gelehrten, Bauern, Handwerker u. Käufleute 《*pl.*》.
사느랗다 kühl (sein).
사니 Triebsand (Treibsand) *m.* -s, -e; Flugsand *m.* -s, -e; Schwimmsand *m.* -s, -e.
사다 ① 《물품을》 kaufen[4]; erhandeln[4]; ein|kaufen[4]; erstehen*[4]. ¶싸게 (비싸게) ～ billig (teuer) kaufen[4] / 너무 많이 ～ zu viel kaufen[4]; übermäßig kaufen[4] / 소매(도매)로 ～ im Detail (od. *en détail*) (im großen (od. *en gros*)) kaufen[4]/물건 사러 가다 ein|kaufen gehen* ⓢ / 외상 (현금) 으로 ～ auf Kredit (gegen bar; gegen Kasse) kaufen[4] / 천 원에 ～ für 1000 *Won* kaufen[4] / 한 다스(개)에 1000원 주고 ～ dutzendweise (stückweise) für 1000 *Won* kaufen[4] / 덮어놓고 물건을 ～ die Katze im Sack kaufen / 돈으로 사랑을 살 수 없다 Mit Geld kann man die Liebe nicht kaufen.
② 《사람을》 engagieren[4]; an|stellen[4]; in Dienst nehmen*[4]. ¶사람을 ～ *jn.* an|stellen.
③ 《곡식을》 Reis verkaufen.
④ 《초래》 [3]sich [4]*et.* zu|ziehen*; [4]*et.* auf [4]sich laden*; hervor|bringen*[4]; veranlassen*[4]. ¶의심을 ～ den Verdacht auf [4]sich lenken (laden*) / 환심을 ～ [4]sich *js.* Gunst erwerben*; [4]sich bei *jm.* in Gunst setzen.
사다리 Leiter *f.* -n. ¶～를 놓다 e-e Leiter an|legen / ～를 올라가다 e-e Leiter hinauf|steigen (ersteigen* ⓢ).
‖～꼴 〖수학〗 Trapezoid *n.* -(e)s, -e; 《군대편성》 Staffelaufstellung *f.* -en. ～차 Wagenleiter *f.* -n. 비상～ Notleiter *f.* -n. 줄～ Strickleiter *f.* -n.
사다새 〖조류〗 Pelikan *m.* -s, -e.
사닥다리 ☞ 사다리.
사단(社團) Korporation *f.* -en; Körperschaft *f.* -en. ‖～법인 〖법〗 Korporation *f.* -en; die korporative juridische Person, -en.
사단(事端) die Ursache 《-en》 der Sachlage (des Vorfalls; der Unruhe). ¶～을 일으키다 Umstände machen.
사단(師團) 〖군사〗 Division *f.* -en. ¶～을 편성하다 e-e Division organisieren (bilden).
‖～사령부 Divisionskommando *n.* -s, -s; ～장 Divisionär *m.* -s, -e; Divisionskommandeur *m.* -s, -e: ～장으로 임명하다 *jm.* das Kommando über e-e Division geben*; *jn.* zum Divisionskommandeur ernennen*. 수도～ die Hauptstadt Division, -en.
사담(史談) die Erzählung 《-en》 der Geschichte.
사담(私談) Privatunterhaltung *f.* -en; Privatunterredung *f.* -en; die geheime (persönliche; vertraute; inoffizielle) Unterredung, -en. ～하다 [4]sich unter vier Augen (im Vertrauen; im geheimen) unterreden; e-e Privatunterredung halten*. ¶～을 엿듣다 *jm.* e-e Privatunterredung ab|hören; auf e-e Privatunterredung lauschen.
사답(私畓) privates Reisfeld, -s, -er.
사당(寺黨) ein Mitglied 《*n.* -(e)s, -er》 der Wandertruppe von Mädchen, die singen u. tanzen (in alten Zeiten).
사당(私黨) Clique *f.* -n; 《음모의》 Kabale *f.*

-n; 《비밀결사의》 eine geheime Verbindung, -en; eine private Partei, -en.

사당(祠堂) Ahnentafelhof *m.* -s, ⸗e; Ahnentempel *m.* -s, -; Schrein *m.* -(e)s, -e. ¶ ~에 제사드리다 [4]sich vor der Ahnentafel höflich verneigen.

‖ ~차례 Ahnenandachtszeremonie *f.*; Ahnengedenktagsgebet *n.* -(e)s, -e.

사대 das Sammeln* 《-s》 der gleichförmigen Karten beim Kartenspielen.

사대(私大) eine private Universität, -en; eine private Hochschule, -n; eine Privatuniversität; Privathochschule *f.*

사대(事大) der Anschluß 《..lusses, ..lüsse》 an e-e größere 〔stärkere〕 Macht; Lakaienhaftigkeit *f.* -en; Unterwürfigkeit *f.* -en; Speichelleckerei *f.* -en. ~하다 vor *jm.* kriechen*; *jm.* lobhudeln.

‖ ~당 Lakaienpartei *f.* -en; Speichelleckerclique *f.* -n. ~사상, ~주의 Lakaientum *n.* -s; Lakaienwesen *n.* -s; Achselträgerei *f.*: ~주의자 Fuchsschwänzer *m.*; Achselträger *m.*; Speichellecker *m.*; Bedientenseele *f.* -n.

사대부(士大夫) intellektueller Beamte*, -n, -n (in den alten Zeiten).

사대삭신(四大一) Fleisch 《*n.* -es》 und Knochen 《*m.* -s, -》 des Menschen; vier größere Glieder 《*pl.*》 des Körpers.

사대육신(四大六身) =사대삭신.

사도(私道) eine private Straße, -n; ein privater Weg, -(e)s, -e.

사도(邪道) ① Irrweg *m.* -(e)s, -e; die böse Tat, -en; Untat *f.* ¶ ~에 빠지다 ab|fallen* ⓢ; in die Sünde fallen* ⓢ; in die Irre gehen* ⓢ; auf e-n falschen Weg geraten* ⓢ / ~로 이끌다 *jn.* verführen 〔verleiten〕; *jn.* in die Irre führen; *jn.* vom rechten Weg ab|bringen* / 그것은 ~다 Das ist abwegig. ② 《사교·이단》 Häresie *f.* -n; Ketzerei *f.* -en; Irrlehre *f.* -n.

사도(使徒) Apostel *m.* -s, -. ¶ 평화의 ~ der Apostel des Friedens / ~의 지위 Apostelamt *n.* -(e)s, ⸗er; Apostolat *n.* 〔*m.*〕 -(e)s, -e.

‖ ~신경(信經) das apostolische Glaubensbekenntnis, -ses, -se; Apostolikum *n.* -s. ~행전 Apostelgeschichte *f.* -en. 십이~ die zwölf Apostel 《*pl.*》.

사도(斯道) ① 《유교의》 konfuzianische Morallehre, -en. ② 《각 사람의》 Subjekt *n.* -(e)s, -e; Gegenstand *m.* -(e)s, ⸗e; Fach *n.* -(e)s, ⸗er; Kunst *f.* ⸗e; Beruf *m.* -(e)s, -e.

사돈(査頓) der Verwandte* 《-n, -n》 durch Heiraten; ein Glied der Familie von dem Schwager oder der Schwägerin.

¶ ~의 팔촌 weitläufiger Verwandter* / ~집과 뒷간은 멀어야 한다 《속담》 Das Haus der Familie von dem Schwager oder der Schwägerin soll weit entfernt gelegen sein wie die Toilette.

‖ ~댁 《사람》 die Frau 《-en》 in der Familie von dem Schwager oder der Schwägerin; 《집》 das Haus der Familie von dem Schwager oder der Schwägerin.

사동(使童) Laufbursche *m.* -n, -n; Page *m.* -n, -n; Botenjunge *m.* -n, -n.

사동사(使動詞) 〖문법〗 ein kausatives Verb, -(e)s, -en; Kausativum *n.* -s, ..ve 〔..va〕. Faktitivum *n.*

사동치마(四一) ein mit den vier Farben vertikal gemalter Papierdrache, -n, -n.

사두마차(四頭馬車) vierspännige Kutsche, -n.

사들이다 ein|kaufen[4]; an|schaffen*[4]; 《상점이》 auf|kaufen[4]. ¶ 겨울 준비로 식료와 연료를 ~ für Winter Proviante 〔Lebensmittel〕 u. Brennmaterialien auf|kaufen / 책을 ~ Bücher kaufen.

사디스트 Sadist *m.* -en, -en.

사디즘 Sadismus *m.* -.

사뙤다 bösartig zu sein scheinen*.

사뜨다 《가장자리를》 (ein|)säumen[4]; mit e-m Hohlsaum nähen[4] 〔ein|fassen[4]〕; 《단춧구멍을》 umstechen*[4]. ¶ 단춧구멍을 ~ Knopflöcher 《*pl.*》 umstechen* 〔machen〕 / 터진 데를 ~ e-e aufgegangene Naht schließen*.

사뜻하다 ☞ 산뜻하다.

사라사 der gedruckte 〔bedruckte〕 Kattun, -s, -e; Zitz *m.* -es -e.

‖ ~지 Phantasiepapier *n.* -(e)s, -e.

사라수(沙羅樹) Sal(harz)baum *m.* -(e)s, ⸗e.

사라쌍수(沙羅雙樹) 〖불교〗 Die vier Paar Salz-Bäume 《*pl.*》, die um den Buddha herumstanden, als er ins Nirvana eintrat.

사라지 das Ölpapier 《-s》 im Tabaksbeutel (gegen die Feuchtigkeit).

사라지다 verschwinden* ⓢ; entschwinden* ⓢ; abhanden kommen* ⓢ; verloren gehen* ⓢ; 《소멸》 aus|sterben* ⓢ; erlöschen* ⓢ; hin|scheiden* ⓢ. ¶ 사라지지 않는 인상 ein unauslöschbarer 〔untilgbarer〕 Eindruck, -es, ⸗e / 연기〔거품〕처럼 ~ [4]sich in nichts auf|lösen / 이슬처럼 ~ spurlos verschwinden* ⓢ; wie ein Regentropfen auf dem Gras erlöschen* ⓢ / 희망이 ~ die Hoffnung zunichte werden / 소리가 ~ verklingen* / 세월이 가면 슬픔도 사라진다 Mit der Zeit vergeht mir auch der Schmerz./ 그 이야기는 나의 염두에서 사라지지 않는다 Die Geschichte kommt mir nicht aus dem Sinn. / 그는 어둠 속으로 사라졌다 Er verschwand im Dunkeln. / 그의 이름은 세인의 기억에서 사라졌다 Sein Name 〔Ruf〕 ist von der Öffentlichkeit verschwunden.

사람 ① 《인류》 Mensch *m.* -en, -en; Menschheit *f.* -en; Menschengeschlecht *n.* -(e)s, -er; 《개인》 Privatmann *m.* -(e)s, ⸗er; Privatperson *f.* -en; Individuum *n.* -s, ..duen. ¶ 어떤 ~ irgend ein Mann; ein gewisser Mann / 두서너 ~ einige Leute / 그 ~ der; die; er; sie / 서울 ~ Seouler *m.*; die Leute von Seoul / 시골 ~ Landmann *m.* -(e)s, ..leute / 미국 ~ Amerikaner *m.* -s, - / 슈미트라는 ~ der Mann namens Schmidt 〔mit Namen Schmidt〕 / 민씨댁 ~ 〖단수〗 der Mann aus Familie *Min;* 〖복수〗 *Mins;* Familie *Min* / ~의 일생 das ganze Menschenleben / ~에게 기회를 주다 *jm.* e-e Gelegenheit 〔Chance〕 geben* / ~은 죽게 마련이다 Alle Menschen sind sterblich.¦Man muß einmal sterben. / ~은 만물의 영장이다 Der Mensch ist die Krone der Schöpfung.¦Der Mensch ist das höchste aller Wesen. / 그는 정신이 돈 ~처럼 행동하고 있다 Er benimmt sich wie verrückt. / 많은 ~이 죽었다 Viele Menschen sind umgekommen. / 공원에는 ~이라고는 그림자도 없었다 In dem Park war k-e Spur von e-m Menschen zu sehen.¦Ich habe k-e Seele in dem Park gesehen. / 테니슨은 어느 때 ~입니까 Wann hat Tennison gelebt? / 그는 상당히 중요한 ~인 것 같다 Er scheint e-e ziemlich prominente Persönlichkeit zu sein. / 자네

와 이야기하고 싶어하는 ~이 있네 Es meldet sich jemand, mit dir zu sprechen. / ~도 많건만 왜 하필 그를 뽑았느냐 Warum hast du ausgerechnet ihn gewählt? / 그는 부산~이다 Er ist aus Pusan. / 자네가 없다고 하던 ~을 만났네 Ich habe ihn getroffen, von dessen Abwesenheit du geredet hast. / ~은 죽어도 이름은 남는다 Der Mensch ist sterblich, der Name unsterblich. / ~은 누구나 결점이 있다 Niemand ist ohne Tadel.¦Jeder hat s-e Fehler.

② 《세인》 man; die Leute; alle Welt; 《타인》 der (die) andere; andere Leute; die anderen. ¶ ~을 깔보는 태도 die unverschämte (freche; herabsetzende) Haltung / ~들 앞에서 울다 heulen vor den andern / ~을 피하다 Gesellschaft meiden*.

③ 《인재》 Person *f.* -en; Talent *n.* -(e)s; der richtige Mann (적임); 《성격·인물》 Charakter *m.* -s, -e; Persönlichkeit *f.* -en; Natur *f.* -en. ¶ ~ 좋은(나쁜) gutmütig; gut veranlagt (bösartig; boshaft; von schlechtem Charakter) / 아인슈타인 같은 ~ ein Einstein / 자타가 공인하는 ~ die öffentlich anerkannte Persönlichkeit / 그를 ~으로 만들다 Ich mache e-n Menschen aus ihm. / ~을 보는 눈이 있다 Er ist ein Menschenkenner. / ~이 덜 되다 Bei ihm ist es im Kopfe nicht ganz richtig.¦Er hat e-n verdorbenen Charakter. / 윤군은 어떤 ~입니까 Was für ein Mensch ist Herr *Yun*? / 그는 ~이 변했다 Er hat e-n neuen Menschen angezogen. / 공업계에 ~이 없다 Der Industriellen Welt fehlen die Persönlichkeiten. / 김 교수는 철학계에 이름난 ~이다 Professor *Kim* ist dem philosophischen Kreis e-e wohlbekannte Autorität. / 사귀는 친구로서 ~을 알 수 있다 Man kann den Menschen an s-m Freund erkennen.

④ 《성인》 der Erwachsene*, -n, -n; der erwachsene Mensch, -en, -en. ¶ ~이 되다 zum Manne (zum Weibe) erwachsen* (heran¦wachsen*) [s]; mündig (volljährig) werden.

⑤ 《방문자》 Besucher *m.* -s, -; Besuch *m.* -(e)s, -e; Gast *m.* -(e)s, ⸚e. ¶ 지금 ~이 와 있다 Wir haben augenblicklich den Besuch. / 우리 집에는 좀처럼 ~이 안 온다 Wir haben nur selten Besuch. / 오늘 저녁 ~이 찾아오기로 돼 있다 Wir erwarten heute abend e-n Gast.

⑥ 《막연히》 ¶ 의사를 부르러 ~을 보내다 den Arzt holen lassen*; nach e-m Arzt schicken / 7시에 ~을 만날 약속이 있다 Ich habe um 7 Uhr e-e Verabredung.

⑦ 《아내》 m-e Frau. ¶ 우리 집 ~ m-e Frau.

⑧ 《나》 ich, mich. ¶ ~을 깔보지 말라 Verachte mich nicht!

사람구실 die menschenwürdige Haltung, -en; Menschenpflicht *f.* -en; das menschenwürdige Benehmen, -s; das menschenwürdige Betragen, -s. **~하다** [4]sich menschenwürdig betragen*; [4]sich menschenwürdig benehmen*; menschenwürdig leben; e-e menschenwürdige Rolle spielen; alles Menschenmögliche tun*; menschenwürdig arbeiten. ¶ ~ 해라 Sie doch menschenwürdig!¦Benimm dich menschenwürdig.

사람답다 menschenwürdig; anständig; bescheiden; menschenfreundlich (sein).
¶ 사람다운 사람 ein Mensch 《*m.* -en, -en》 von den menschenwürdigen Gesinnungen / 사람다운 생활을 하다 menschenwürdig leben; anständig leben / 그는 사람답지 않다 Er ist ein verdorbener Charakter.

사람멀미 das Unwohlsein* 《-s》 bei den Menschenmassen. **~하다** [4]sich bei den Menschenmassen unwohl fühlen; bei dem Gedränge von Menschen überdrüssig werden; bei den Leuten Ekel empfinden*.

사랑[1] Liebe *f.*; 《애정》 Neigung *f.* -en; 《애착》 Anhänglichkeit *f.* -en; Zuneigung *f.* -en. **~하다** lieben[4]; gern haben[4]; lieb haben[4]; *jm.* zugetan sein; Liebe (Zuneigung) zu *jm.* fühlen; *jm.* (an *jn.*) anhänglich sein. ¶ ~하는 《…을》 lieb; 《…이》 geliebt / ~스러운 lieblich; 《귀여운》 niedlich; 《상냥한》 liebenswürdig / ~이 없는 lieblos; kaltherzig / ~을 가장하여 unter dem Vorwand der Liebe; unter dem Schein der Liebe / 부모의 ~ Elternliebe *f.* / 형제(부부)의 ~ Bruderliebe *f.* (Gattenliebe *f.*) / 변치 않는 ~ die treue Liebe / 이루지 못한 ~ die unerwiderte Liebe; die verzweifelte Liebe / 친구의 ~ Freundschaft *f.* / 정신적 ~ die platonische Liebe / 하느님의 ~ Gottes Liebe / ~ 없는 결혼 die Heirat ohne Liebe / ~의 신(여신) der Gott der Liebe; Liebesgott *m.*; Kupido *m.* -s / ~의 표시 《선물》 Liebeszeichen *n.* -s, -; Liebesandenken *n.* -s; Liebespfand *n.* -(e)s, ⸚er / ~의 대상 der Gegenstand der Liebe / ~의 속삭임 Liebesgeflüster *n.* -s, - / ~하는 아내 m-e liebe Frau, -en; mein Schatz *m.* -es, ⸚e / ~하는 처녀 geliebtes Mädchen, -s, - (Fräulein, -s, -); 《마음속으로》 Herzensmädchen *n.* / ~을 고백하다 s-e Liebe gestehen* (erklären) / ~에 빠지다 [4]sich in *jn.* verlieben / ~을 받다 geliebt werden / ~에 얽매이다 an die Liebe gefesselt sein / ~을 쟁취하다 die Liebe erobern; *js.* Herz gewinnen* / ~을 잃다 *js.* Liebe verwirken / ~을 받아들이다 *js.* Liebe erwidern / ~을 독점하다 *js.* Liebe für [4]sich allein beanspruchen / ~을 바치다 hingebungsvoll lieben[4] / ~의 보금자리를 꾸미다 ein Liebesnest bauen / 나라를 ~하다 sein Vaterland lieben / ~하는 친구들 m-e liebe Freunde 《*pl.*》 / 그들은 서로 ~하고 있다 Sie haben einander gern.¦Sie lieben einander. / 많이 ~해 주십시오 Ich bitte Sie, mir gütigst zu helfen.
‖ **~노래** Liebeslied *n.* -(e)s, -er. **~매듭** Liebesknoten *m.* -s, -. **~싸움** Ehestreit *m.* -es, -e; Liebeszwist *m.* -es, -e.

사랑[2] 《임》 Liebchen *n.* -s, -; Schatz *m.* -es, ⸚e; Liebling *m.* -s, -e. ¶ 내 ~아 mein Schatz!; mein Liebchen!

사랑(舍廊) Herrenflügel *m.* -s, -; Gastzimmer *n.* -s, -.
‖ **~놀이** Gastbewirtung *f.* -en; Gastmahl *n.* -s, ⸚er (-e). **~양반** Ihr (dein) Mann *m.* -(e)s, ⸚er; Ihr (dein) Gatte *m.* -en, -en; Hausherr *m.* -n, -en. **~채** Herrenflügel *m.* -s, -; Gastzimmer *n.* -s, -.

사랑니 〖해부〗 Weisheitszahn *m.* -(e)s, ⸚e. ¶ ~가 나다 die Weisheitszähne 《*pl.*》 bekommen*.

사랑새 〖조류〗 Wellen¦sittich (Halsband-; Sing-) *m.* -(e)s, -e.

사랑스럽다 liebenswürdig; 《매력 있는》 lieblich; reizend (sein). ¶ 사랑스러운 소녀 ein liebliches Mädchen, -s, -.

사랑옵다, 사랑홉다 lieblich; anziehend; fesselnd (sein).

사래[1] 《묘지기의》 das Grundstück 《-(e)s, -e》, das als Lohn für die Grabverwaltung dem Grabpfleger gegeben wird.

사래[2] 《서까래》 Sparre *f.* -n.

사래질 das Wannen*, -s; das Worfeln*, -s.

사략(史略) der Grundriß 《..risses, ..risse》 der Geschichte; die historische Skizze, -n; der geschichtliche Abriß, ..risses, ..risse.

사레 das Verschlucken*, -s, -. ¶ ~들리다 ^{4}sich verschlückern; verschlucken; ein Krümchen (e-n Tropfen) in die falschen Kehle bekommen*.

사려(思慮) das Nachdenken*, -s; Besonnenheit *f.*; Bedachtsamkeit *f.*; das Nachsinnen*, -s; Vorsicht *f.* -en. ¶ ~ 깊은 vorsichtig; besonnen; bedächtig; bedachtsam; taktvoll; einsichtvoll / ~ 깊은 사람 der vernünftige Mann, -(e)s, ⸗er; der Mann von (mit) Verstand / ~ 없는 unvernünftig; unbesonnen; taktlos; unbedächtig / ~가 부족하다 der Bedachtsamkeit ermangeln.

사력(死力) die verzweifelte Anstrengung, -en; alle Kräfte 《*pl.*》; Verzweiflungsmut *m.* -es. ¶ ~을 다하다 alle Kräfte an|strengen; alle Kräfte an|bieten* / ~을 다하여 싸우다 e-n verzweifelten Kampf kämpfen; mit Aufbietung aller Kräfte kämpfen; auf Leben u. Tod ringen*.

사력(砂礫) Kies *m.* -es, -e; Grieß *m.* -es, -e.

사련(邪戀) die verbotene Liebe, -n.

사령(司令) 〖군사〗 ① 《통솔》 Kommando *n.* -s, -s; Führung *f.* -en; 《사람》 Kommandant *m.* -en, -en; Kommandeur *m.* -s, -e.
② 《일직·주번의》 der Wochendienst habende Kommandeur.
‖ **~관** Kommandant *m.* -en, -en; Kommandeur *m.* -s, -e; Befehlshaber *m.* -s, -: 최고 ~관 Oberbefehlshaber *m.* -s, -; der Höchstkommandierende*, -n, -n. **~부** Hauptquartier *n.* -s, -e; Kommandantur *f.* -e. **~선** 《우주선의》 Kommandoschiff *n.* -(e)s, -e. **~탑** 《군함의》 Kommandoturm *m.* -es, ⸗er.

사령(寺領) Pfarr¦gut (Tempels-) *n.* -(e)s, ⸗er.

사령(死靈) Geist *m.* -es, -er; Gespenst *n.* -es, -er; Manen 《*pl.*》.

사령(辭令) ① 《응대말》 Redensart *f.* -en; Diktion *f.* -en; Ausdrucksweise *f.* -en; Phraseologie *f.* -n.
② 《관직의》 Ernennung *f.* -en; das amtliche Schreiben*, -s; Patent *n.* -(e)s, -e (장교임관의). ¶ ~을 내리다 e-e Ernennung erlassen*; *jn.* zu ^{3}*et.* ernennen* / ~을 받다 ein amtliches Schreiben empfangen*.
‖ **~장** Ernennungsbrief *m.* -es, -e; Ernennungsurkunde *f.* -n. **외교~** diplomatische Redensarten 《*pl.*》; Höflichkeitsfloskel *f.* -n. **임명 (면직)~** Anstellungsurkunde *f.* -n (das Entlassungsschreiben*, -s, -).

사례(事例) Beispiel *n.* -(e)s, -e; Fall *m.* -(e)s, ⸗e; 《선례》 Präzedenzfall *m.* -(e)s, ⸗e; der frühere Fall, -(e)s, ⸗e.
‖ **~연구** das Studium der Präzedenzfälle; die Untersuchung der Präzedenzfälle.

사례(謝禮) 《감사》 Dank *m.* -es; Danksagung *f.* -en; 《보수》 Belohnung *f.* -en; Vergeltung *f.* -en; Vergütung *f.* -en; Honorar *n.* -s, -e; die Gebühren 《*pl.*》. ¶ …의 ~로서 zur Belohnung für ^{4}*et.*; zum Dank / 수고에 대하여 ~하다 für die Bemühung *jn.* belohnen; für die Bemühung danken.

사로자다 unruhig schlafen*; schlecht schlafen*.

사로잠그다 halbwegs verschließen*^{4}; nicht ganz verschloßen verlassen*^{4}.

사로잡다 《생포》 《das ^{4}Tier》 lebendig fangen*; 《einen Menschen》 gefangen|nehmen*; 《매혹》 fesseln^{4}; ein|nehmen*^{4}; bezaubern^{4}. ¶ 새를 ~ e-n Vogel lebendig fangen* / 그녀는 나를 사로잡았다 Sie bezaubert mich.

사로잡히다 gefangengenommen werden; in Gefangenschaft geraten*[s]; ^{4}sich gefangen geben*; ^{4}sich fangen*; 《사상·습관》 bezaubert werden; besessen sein; behext (von ^{3}*et.* gefesselt) werden. ¶ 공포에 ~ von Schrecken ergriffen werden / 적군에게 ~ von dem Feind gefangengenommen werden / 감정에 ~ vom Gefühl hingerissen werden / 인습에 ~ von Konvention gebunden sein / 돈에 ~ Sklave von Geld sein / 인습에 사로잡히지 않다 frei von Konvention sein / 미모에 ~ von der Schönheit e-r Frau gefesselt werden / …한 생각에 ~ ^{4}sich s-n Gedanken hin|geben*; von e-r Idee besessen sein.

사록(史錄) geschichtliche Aufzeichnung, -en.

사론(史論) ein geschichtlicher Aufsatz, -es, ⸗e.

사론(私論) private Meinung, -en; private Ansicht, -en.

사뢰다 *jn.* unterrichten 《*über*^{4}; *von*^{3}》; *jm.* kund|geben*; *jn.* benachrichten 《zu dem Mann der Ehrenstelle》. ¶ 그는 그 사고를 임금께 사뢰었다 Er hat den König von dem Unfall benachrichtet.

사료(史料) Geschichtsmaterial *n.* -s, ..lien; das geschichtliche Material, -s, ..lien. ¶ 2차 대전에 관한 ~를 수집하다 die geschichtlichen Materialien für den zweiten Weltkrieg sammeln.
‖ **~편찬** die Zusammentragung der geschichtlichen Materialien: ~ 편찬국 ein Institut für die Zusammentragung der geschichtlichen Materialien; das historiographische Institut, -(e)s, -e / ~ 편찬인 Historiograph *m.* -en, -en; Geschichtsschreiber *m.* -s, -.

사료(思料) Beurteilung *f.* -en; überlegtes Urteil *n.* -(e)s, -e. **~하다** überlegen; beurteilen; erachten. ¶ …할 것으로 ~됩니다 Meines Erachtens....

사료(飼料) Futter *n.* -s, -; Mundvorrat *m.* -(e)s, ⸗e; Futtermittel *n.* -s, -; Proviantfutter *n.* -s, -; 《특히 군마의》 Furage *f.* -n. ¶ ~로서 마른 풀을 주다 《e-m Pferd》 Futter (Furage) geben*.
‖ **~가게** Furagehandlung *f.* -en; Futterladen *m.* -s, - (⸗). **양계~** das Futter für Federvieh.

사륙배판(四六倍判) 〖인쇄〗 《책의 판형》 das Buch 《-(e)s, ⸗er》 im langen Oktavformat; Oktavband *m.* -(e)s, ⸗e.

사륙판(四六判) 〖인쇄〗 《책의 판형》 das Buch 《-(e)s, ⸗er》 im Duodezformat; Duodezband *m.* -(e)s, ⸗e.

사르다[1] ① 《태워없애다》 ins Feuer werfen*^{4}; in Flammen setzen^{4}; verbrennen*^{4}. ¶ 편지를 불~ den Brief ins Feuer werfen* / 집을 불~ das ^{4}Haus in Brand stecken (setzen).
② 《불붙이다》 Feuer an|machen; Feuer

an|zünden. ¶ 아궁이에 불을 ~ den Feuerherd an|zünden.

사르다[2] 《키질》 worfeln; schwingen(*); wannen. ¶ 곡식을 ~ aus dem Getreide das Kaff worfeln.

사르르 ☞ 스르르.

사름 die gelungene Reisumpflanzung, -en. ¶ ~이 잘 되었다 Die Reisumpflanzung ist gelungen.

사릅 dreijähriges Vieh, -(e)s 《Pferd, Kuh, Hund》.

사리[1] 《감은》 eine Rolle, -n 《von Nudeln, Strohseil *usw.*》.

사리[2] 《만조 때》 Gezeit 《*f.* -en》 der Flut.

사리(私利) der persönliche Vorteil, -(e)s, -e; der persönliche Nutzen, -s, -; das eigene Interesse, -s, -n; Privatinteresse *n.* -s, -n; Eigennutz *m.* -es. ¶ ~를 꾀하는 사람 der eigennützige (eigensüchtige; selbstsüchtige) Mensch, -en, -en / ~를 꾀하다 auf den eigenen Vorteil sehr bedacht sein; auf s-n Vorteil sehen* / ~만 생각하다 nur s-n Vorteil verstehen*.

사리(舍利) ① 《불사리》 Knochen 《*pl.*》 des Buddhas; Reliquie 《*f.* -n》 des Heiligen; Heiliges Andenken, -s, -. ② buddhistische Schriften 《*pl.*》.
‖ ~탑 der Turm 《-(e)s, ⸗e》, in dem die Reliquien des Heiligen aufbewahrt werden. ~함 Reliquienkästchen *n.* -s, -.

사리(事理) Vernunft *f.*; 《사실》 Tatsache *f.* -n; 《적부》 Richtigkeit *f.* -en; Grund *m.* -(e)s, ⸗e; Sachlage *f.* -n. ¶ ~에 닿다 mit der Vernunft überein|stimmen; vernunftgemäß sein / ~에 밝다 vernünftig (verständig) sein / ~에 어둡다 unvernünftig sein; vernunftwidrig sein / 그는 ~에 밝다 Er ist ein verständiger (vernünftiger) Mensch. / 그런 사람에게 ~를 따져야 헛일이다 So e-n Menschen zur Vernunft zu bringen, heißt tauben Ohren predigen. / ~가 명백하여 의심할 나위가 없다 Die Tatsache sind ganz unbestreitbar.

사리(射利) Gewinnsucht *f.* ⸗e. ~하다 nur Gewinn an|streben; nur nach Gewinn begehren. ‖ ~심(心) der gewinnsüchtige Geist, -es, -er; Geldgier *f.*

사리다 ① 《포개어 감다》 auf|wickeln^4; ^{4}sich zusammen|rollen; auf|winden*^{4}. ¶ 국수를 ~ Nudeln zusammen|rollen / 새끼줄을 ~ das Strohseil auf|rollen / 뱀이 사리고 있다 E-e Schlange ringelt sich zusammen. ② 《몸을》 ^{4}sich zusammen|ziehen*; zurück|schrecken; ^{4}sich vor ^{3}*et.* verschonen. ③ 《못을》 (e-e vorstehende Nagelspitze) zusammengebogen hämmern.

사리사리 rollenweise; spulenweise.

사리풀 〖식물〗 Bilsenkraut *n.* -(e)s, ⸗er. *Hyoscyamus niger* (학명).

사린(四隣) alle benachbarten Staaten 《*pl.*》; umgebende Länder 《*pl.*》.

사린교 ☞ 사인교.

사립(私立) Privat-. ¶ 이 학교는 ~이다 Das ist e-e Privatschule. ¦ Die Schule ist privat.
‖ ~탐정 Privatdetektiv *m.* -s, -s. ~학교 Privatschule *f.* -n; Privatuniversität *f.* -en: ~학교법 Privatschulgesetz *n.* -(e)s, -e.

사립문(~門) Reisig¦pforte (Bambus-) *f.* -n.

사마귀[1] ① 《무사마귀》 Warze *f.* -n; Wärzchen *n.* -s, -. ¶ ~가 많은 warzig; voller Warzen / ~가 나다 e-e Warze haben / 손가락에 ~가 돋았다 Es bildet sich auf e-n Finger e-e Warze. ② 《검은》 Mal *n.* -(e)s, -e; Muttermal *n.* -(e)s, -e. ¶ ~를 떼다 ^{3}sich ein Mal (ein Muttermal) entfernen lassen*.

사마귀[2] 〖곤충〗 Gottesanbeterin *f.* ..rinnen; Fang(heu)schrecke *f.* -n.

사막(沙漠) Wüste *f.* -n; Sandwüste *f.* -n. ¶ 황량한 ~ die einsame (verlassene; öde; unbewohnte) Wüste / 끝없는 ~ die unendliche (unbegrenzte; grenzenlose; unermäßliche) Wüste.
‖ ~식물 Wüstenpflanze *f.* -n. 사하라~ Saharawüste *f.*

사막스럽다, 사막하다 ☞ 심악하다.

사망(死亡) Tod *m.* -es; das Verscheiden*, -s; das Ableben*, -s. ~하다 sterben*[s]; ab|leben[s]; verscheiden*[s]; 《사고 따위로》 um|kommen*[s]; ums Leben kommen*[s]. ¶ 교통 사고로 ~하다 bei e-m Verkehrsunglück um|kommen* [s].
‖ ~기사(난) 《신문의》 Nachruf *m.* -(e)s, -e; Nachrufspalte *f.* -n. ~보험 die Lebensversicherung 《-en》 für den Tod: ~ 보험금 die Versicherungsgelder 《*pl.*》 für den Tod; die Assekuranzgelder 《*pl.*》 für den Tod. ~신고서 Todesmeldung *f.* -en: ~ 신고서를 내다 e-e Todesmeldung machen. ~율(率) Mortalität *f.*; Mortalitätsziffer *f.* -n; Sterblichkeitsziffer *f.*: 영아 ~율 Kindersterblichkeit *f.* -en / ~율이 높다 Der Prozentsatz der Sterblichkeitsziffer ist hoch. ~진단서 Totenschein *m.* -s, -e. ~통지 Todesanzeige *f.* -n; Nachruf *m.* ~표 〖생명 보험〗 Totentabelle *f.* -n.

사망자(死亡者) der Verstorbene*, -n, -n; der Tote*, -n, -n (총칭); 《재난에 의한》 der Getötete*, -n, -n; der Umgekommene*, -n, -n. ¶ ~를 많이 내다 viele Menschenleben zu beklagen sein; viele ums Leben kommen* [s].
‖ ~명부 Totenliste *f.* -n. ~수 die Zahl 《-en》 der Toten (Verunglückten): 1982 년 보행자 ~수 die Todeszahl der Fußgänger im Jahre 1982 / 차량 사고 ~수 die Todeszahl bei dem Autounfall. ~통계 Sterblichkeitsstatistik *f.* -en.

사매(私~) private Bestrafung, -en; unrechtmäßige Bestrafung; Volksjustiz *f.*; Lynchjustiz. ☞ 린치.

사맥(事脈) Sachverhalt *m.* -(e)s, -e; Tatbestand *m.* -(e)s, ⸗e; Tatumstände 《*pl.*》.

사면(四面) alle Seiten 《*pl.*》; vier Flächen 《*pl.*》; alle Richtungen 《*pl.*》; die vier Himmelsrichtungen (Himmelsgegenden) 《*pl.*》. ¶ ~ 팔방에 auf allen Seiten; ringsherum / ~이 바다로 둘러싸인 나라 das meerumgürtete Land, -(e)s, ⸗er; das von der See (den Meeren) umschlungene Land / ~이 바다다 von der See (den Meeren) umschlungen sein / ~에서 공격을 받다 auf allen Seiten vom Feind angegriffen werden.
‖ ~체 Tetraeder *n.* -s, -; Vierflächner *m.* -s, -.

사면(赦免) 〖법〗 Begnadigung *f.* -en; Amnestie *f.* -n; Straferlaß *m.* ..sses, ..sse; 《종교상의》 Absolution *f.* -en; Sündenvergebung *f.* -en. ~하다 *jm.* e-e Strafe erlassen*; *jn.* begnadigen; entlassen*^{4}; frei|sprechen*^{4}; *jm.* ^{4}*et.* entschuldigen. ¶ 범인의 ~ die Begnadigung für den Schul-

digen (den Verbrecher).
‖ ~장 Begnadigungsbrief *m.* -(e)s, -e; Erlaß *m.* ..sses, ..sse. 일반~ die allgemeine Begnadigung. 특별~ Sondererlaß *m.* ..sses ..sse.

사면(斜面) Abdachung (Böschung) *f.* -en; Abhang *m.* -(e)s, ⸗e; Schrägfläche *f.* -n.
‖ ~도 Schiefschnitt *m.* -(e)s, -e. ~묘사 〖문학〗 e-e Beschreibung (Darstellung) von der schrägen Seite. 급(완)~ die steile (sanfte) Abdachung, -en; der steile (sanfte) Abhang, -(e)s, ⸗e.

사면(辭免) ＝사직(辭職).

사면발이 ① 〖곤충〗 Filzlaus *f.* ⸗e. ② 《사람》 Schmeichler *m.* -s, -.

사면초가(四面楚歌) ¶ ~이다 von allen Seiten beschimpft werden; völlig in der Klemme sein; an jeden Tor die Kriegsgesänge des Feindes hören.

사멸(死滅) das Aussterben*, -s; Tod *m.* -es; Vernichtung *f.* -en; Untergang *m.* -(e)s, ⸗e. ~하다 aus|sterben* ⓢ; ab|sterben* ⓢ; unter|gehen* ⓢ; vernichtet werden.

사명(社名) der Name 《-ns, -n》 der Firma (des Handelsgeschäfts).

사명(社命) der Befehl 《-(e)s, -e》 der Firma. ¶~에 의해 gemäß dem Befehl der Firma / ~으로 해외에 주재하다 ⁴sich auf dem Befehl der Firma im Ausland auf|halten*.

사명(使命) Aufgabe *f.* -n; Mission *f.* -en; Sendung *f.* -en; Beruf *m.* -es, -e. ¶ ~을 띠다 mit e-r Aufgabe beauftragt sein / 중대한 ~을 띠고 mit e-r schweren Aufgabe beauftragt; im Auftrag (von *jm.*), e-e wichtige Angelegenheit zu erledigen / ~을 다하다 s-e Aufgabe (Pflicht) erfüllen; e-n Auftrag voll|ziehen* / ~을 다하지 못하다 s-e Mission nicht erfüllen (erledigen) / ~을 받다 (맡다) e-n Auftrag erhalten* / 외교상의 ~을 띠고 가다 mit e-r diplomatischen Auftrag hin|gehen* ⓢ.
‖ ~감 Pflichtgefühl *n.* -(e)s, -e.

사모(思慕) ① 《그리워함》 Sehnsucht *f.* ⸗e; die tiefe Neigung (Zuneigung) -en. ~하다 ⁴sich nach ³*et.* sehnen; ⁴sich hingezogen fühlen; nach *jm.* verlangen. ¶ ~하는 마음이 불같다 nach *jm.* glühende Sehnsucht haben; vor Sehnsucht vergehen*. ② 《경모》 Verehrung *f.* -en; Bewunderung *f.* -en; Anbetung *f.* -en. ~하다 verehren⁴; bewundern⁴; an|beten⁴. ¶ 스승의 덕을 ~하다 den liebenswürdigen Charakter des Lehrers bewundern; den Lehrer wegen s-r tugendhaften Eigenschaft verehren.

사모(師母) die Frau 《-en》 des Lehrers. ¶ ~님 gnädige Frau.

사모아 《남태평양의 섬》 Samoa.
‖ ~사람 Samoaner *m.* -s, -.

사무(社務) Geschäft 《*n.* -(e)s, -e》 der Firma.

사무(事務) Geschäft *n.* -es, -e; Büroarbeit *f.* -en; Amtsgeschäft *n.* -es, -e; Schreibarbeit *f.* -en. ¶ ~적인(으로) geschäftlich; geschäftmäßig; praktisch / ~가 바빠서 wegen des Geschäftsdranges / ~적인 재능이 있는 geschäftfähig / ~의 신속한 처리 e-e schnelle Erledigung der Geschäftssache/ ~에 종사하다 ⁴sich mit ³*et.* beschäftigen/ ~를 보다 die Geschäfte führen; die Geschäfte treiben*; im Büro (in Amt) arbeiten; die Geschäfte leiten / ~에 밝다 geschäftserfahren (geschäftskundig) sein / ~를 처리하다 ein Geschäft verrichten; e-e Sache erledigen / ~를 서둘다 ⁴sich mit s-m Geschäft beeilen; s-e Arbeit beschleunigen / ~를 인계받다 (인계하다) die Geschäfte übergeben* (übernehmen*) / 일요일에는 ~를 보지 않음《게시》 Sonntags k-e Arbeit! ¦ Sonntags kein Geschäft!
‖ ~가 Geschäftsmann *m.* -(e)s, ..leute. ~(계)직원 der Büroangestellte*, -n, -n; Sekretär *m.* -s, -e. ~관 Verwaltungsbeamte *m.* -n, -n; Staatsbeamte. ~관리 Amtsführung *f.* -en; Geschäftsführung *f.* -en. ~국 Sekretariat *n.* -es, -e; Kanzlei *f.* -en. ~규정 Geschäftsordnung *f.* -en; Geschäftsregel *f.* -n. ~당국 die zuständige Behörde, -n. ~복 Kittel *m.* -s, -; Dienstanzug *m.* -(e)s, ⸗e. ~비 Geschäftskosten 《*pl.*》. ~소 Büro *n.* -s, -s. ~실 Büro *n.* -s, -s; Geschäftszimmer *n.* -s, -; Amtszimmer *n.* -s, -. ~용품 Bürobedarfartikel 《보통 *pl.*》. ~원 der (die) Büroangestellte*, -n, -n. ~장 Geschäftsführer *m.* -s, -; 《배의》 Zahlmeister *m.* -s, -. ~차관 Vizeminister *m.* -s, -. ~총장 Generalsektretär *m.* -s, -e. 법률~ Rechtsgeschäft *n.* -es, -e: 법률 ~소 Rechtsbüro *n.* -s, -s; Rechtanwaltsbüro *n.* -s, -s.

사무치다 tief durchs Herz gehen* ⓢ; das Herz durch|dringen* ⓢ; e-n tiefen Eindruck machen. ¶ 가슴에 ~ *jm.* ins Herz schneiden* / 그에 대한 원한이 뼈에 사무친다 Mein Groll gegen ihn dringt mir durch Mark u. Bein.

사문(死文) der tote Buchstabe(n), ..bens, ..ben; die nicht mehr geltende Bestimmung, -en; Wortgeklingel *n.* -s, -. ¶ ~화되다 zum toten Buchstaben werden.

사문(沙門) ein buddhistischer Priester, -s, -; Mönch *m.* -(e)s, -e.

사문(査問) Untersuchung *f.* -en; Prüfung (Nachforschung) *f.* -en; Verhör *n.* -es, -e. ~하다 untersuchen⁴; prüfen⁴; verhören⁴.
‖ ~위원회 Untersuchungs¦ausschuß *m.* ..schusses, ..schüsse (-kommission *f.* -en). ~회의 Untersuchungsgericht *n.* -es, -e.

사문서(私文書) privates Papier, -(e)s, -e; privates Dokument, -(e)s, -e.
‖ ~위조 die Fälschung 《-en》 des privaten Papiers (Dokuments).

사문석(蛇紋石) 〖광물〗 Serpentin *m.* -s, -e.

사물(死物) das leblose Wesen, -s, -; das tote Ding, -(e)s, -e.
‖ ~계 die unbeseelte (leblose) Natur, -en. ~기생(寄生) Saprobie *f.* -n: ~ 기생 식물 Saprophyt *m.* -en, -en.

사물(私物) ein privates Eigentum, -(e)s, ⸗er; die privaten Effekten 《*pl.*》; die privaten Habseligkeiten 《*pl.*》.

사물(事物) Gegenstand *m.* -(e)s, ⸗e; Ding *n.* -(e)s, -e; Sache *f.* -n. ¶ 한국의 ~ koreanische Sachen 《*pl.*》.
‖ ~관할 die sachliche Zuständigkeit, -en.

사뭇 ① 《거리낌없이》 ohne Bedenken (Zögern); ohne Zurückhaltung; 《내키는 대로》 wie es *jm.* beliebt (gefällt); nach ³Belieben (Gefallen); mit ³Muße. ¶ ~ 제 것인양 (제 세상인양) 굴다 den (großen) Herrn spielen; *jm.* den Herrn zeigen.
② 《딴판으로》 bei weitem; viel; weit(gehend); erheblich; 《전연》 durch u. durch; durchaus; vollständig. ¶ ~ 분별이 없다 kein Fünkchen von ³Verstand haben;

k-e Spur von ³Intellekt haben / 그 편이 ~ ~ 낫다 Das ist viel (bei weitem) besser. ③ =줄곧.
사미(沙彌) 〖불교〗 buddhistischer Altardiener *m.* -s, -; Meßgehilfe *f.* -n, -n.
사민(士民) die Gelehrten* 《*pl.*》 u. das Volk.
사민(四民) alle vier Klassen 《*pl.*》 (=die Edelleute, die Bauleute, die Handwerker u. die Kaufleute); das ganze Volk, -(e)s.
‖ ~평등 die Gleichheit 《-n》 aller vier Klassen der Nation; die Gleichheit des Menschen.
사바세계(娑婆世界) 〖불교〗 *Sabha* 《범어》; die (diese) Welt, -en; die irdische Welt, -en. ¶ ~의 irdisch; weltlich; zeitlich / ~가 싫어졌다 Ich habe diese Welt satt.
사박거리다 rascheln; sanft (weich; zart; leise) knirschen.
사박사박 mit dem sanften (leisen) Knirschen (Rascheln).
사박스럽다 grob; unhöflich; ungebildet; ungesittet; roh (sein). ¶ 그의 동작은 너무나 ~ Sein Benehmen ist zu unhöflich.
사반(四半) Viertel *n.* -s, -; Vierteil *n.* -s, -. ‖ ~분 Viertel; Vierteil: ~분하다 vierteilen⁴; vierteln⁴. ~세기 Vierteljahrhundert *n.* -(e)s, -e.
사반(死斑) die Totenflecke 《*pl.*》; die Leichenflecke 《*pl.*》.
사반기(四半期) Vierteljahr [fír..] *n.* -(e)s, -e. ¶ ~의 vierteljährig / ~마다 alle Vierteljahre; vierteljährlich.
사발(四發) 《발동기의》 ¶ ~의 viermotorig. ‖ ~폭격기 viermotoriger Bomber, -s, -.
사발(沙鉢) 《그릇》 Schüssel *f.* -n; Napf *m.* -(e)s, ⸗e; 《분량》 e-e Schüssel voll; ein Napf voll.
‖ ~고의 koreanische Sommerhose 《-n》, die bis zum Knie reicht. ~농사 Bettelei *f.* -en; Schnorrerei *f.* -en: ~ 농사하다 betteln⁴; schnorren⁽⁴⁾. ~무더기 e-e Schüssel voll Essen. ~밥 Reisessen 《*n.* -s, -》 in der Schüssel; e-e Schüssel voll Reis. ~시계(時計) e-e schüsselförmige Stutzuhr (Standuhr) -en. ~잠방이 ungefütterte koreanische Hose. 밥~ Reisschüssel *f.* -n.
사방(巳方) 〖민속〗 die Richtung der Schlange (=Südsüdosten).
사방(四方) =사면(四面). ¶ ~에 auf allen Seiten; ringsherum; nach allen Seiten (Richtungen) / ~ 팔방에 in alle Richtungen; weit u. breit / ~ 팔방에서 von allen Seiten (Ecken u. Enden) / ~ 2마일 zwei Meilen im Quadrat / ~을 둘러보다 umher|sehen* / ~ 팔방을 찾다 ⁴*et.* wie e-e Nadel suchen / ~ 3피트다 Es ist 3 Fuß im Quadrat. / 이 역에서 ~으로 선로가 통해 있다 Die Eisenbahnlinien verbreiten sich von diesem Bahnhof aus nach allen Richtungen hin. / ~이 고요하다 Ringsherum ist totenstill |Ringsherum herrscht e-e Totenstille. / ~에서 사람들이 모여들었다 Aus allen Himmelsrichtungen kamen die Leute zusammen.
‖ ~등 die viereckige Laterne, -n.
사방(砂防) Schutz 《*m.* -es》 gegen Sand; Errichtung 《*f.*》 der Sandbank; Erosionkontrolle *f.* -n.
‖ ~공사 Dammbau *m.* -(e)s, -e; Erosionkontrollwerk *n.* -(e)s, -e. ~림 Forst 《*f.* -en》 für den Schutz gegen die Zernagung. ~조림 Aufforstung 《*f.* -en》 für den Schutz gegen die Zernagung.
사방형(斜方形) 〖수학〗 Rhombus *m.* -, ..ben; Raute *f.* -n. ¶ ~의 rhombisch; rautenförmig.
사배(四倍) Vierfache 《*pl.*》. ~하다 vervierfachen⁴. ¶ ~의 vierfach.
‖ ~체(體) 〖식물〗 Tetraeder *n.* -s, -.
사백(舍伯) mein ältester Bruder, -s.
사백(詞伯) Schriftsteller *m.* -s, -; Literat *m.* -en, -en; der große Dichter, -s, -.
사번(事煩) der Druck 《-(e)s》 der Geschäfte; Verwicklung *f.* -en; Geschäftigkeit *f.* -en. ~하다, ~스럽다 (viel) beschäftigt; verwickelt; mit Geschäften überhäuft (sein).
사범(事犯) Verbrechen *n.* -s, -; Vergehen *n.* -s, -; Ungesetzlichkeit *f.* -en.
‖ 선거~ Wahlvergehen *n.* -s, -.
사범(師範) 《모범》 Vorbild *n.* -(e)s, -er; Muster *n.* -s, -; Beispiel *n.* -(e)s, -e; 《교사》 Lehrer *m.* -s, -; Meister *m.* -s, -; Pädagoge *m.* -n, -n; Erzieher *m.* -s, -; Trainer *m.* -s, -.
‖ ~교육 Lehrerbildung *f.* -en; allgemeine Erziehung (Bildung) -en. ~대학 pädagogische Hochschule, -n. ~학교 Lehrerbildungsanstalt *f.* -en. 권투~ Boxlehrer *m.*
사법(司法) 〖법〗 Justiz *f.*; Rechtspflege *f.* -n. ¶ ~의 gerichtlich; rechtlich / ~적 해결 gerichtliche (rechtliche) Regelung, -en.
‖ ~경찰 Justizpolizei *f.*: ~ 경찰관 Justizpolizist *m.* -en, -en. ~관 Justizbeamte *m.*; Justitiär *m.* -s, -e: ~관 시보 Referendar *m.* -s, -s; Assesor *m.* -s, -en. ~관청 Justizbehörde *f.* -n. ~권 rechtliche (gesetzliche) Gewalt, -en; Rechtgewalt *f.* -en; Justizgewalt *f.* -en: ~권을 발동하다 die Justizgewalt aus|üben. ~기관 Maschinerie 《*f.* -n》 (Organ *n.* -s, -e) der Justiz. ~당국 die Obrigkeit der Justiz; Justizbehörde *f.* -n. ~보호사업 Gefangenefürsorge *f*; Entlassenefürsorge *f.* ~서사 Notar *m.* -s, -e: ~ 서사업 Notariat *n.* -(e)s, -e. ~시험 Staatsexamen 《*n.* -s, -》 für den Justitär. ~연수생 juristischer Kandidat, -en, -en. ~연수원 Institut 《*n.* -es, -e》 für die juridische Schulung. ~재판 juristisches Gericht, -es, -e. ~제도 Justizwesen *n.* -s, -. ~행정 Justizverwaltung *f.* -en. 국제~재판소 internationaler Gerichtshof, -(e)s, ⸗e.
사법(死法) ein totes Gesetz, -es, -e.
사법(私法) Privatrecht *n.* -(e)s, -e; Privatsatzung *f.* -en.
‖ ~인 private Körperschaft, -en; private Korporation, -en. ~학 Privatrecht *n.* ⌊-(e)s, -e.
사벨 《군도》 Säbel *m.* -s, -.
사변(四邊) vier Seiten 《*pl.*》; alle Seiten 《*pl.*》. ¶ ~에 auf allen Seiten; rings herum.
‖ ~형 〖수학〗 Viereck *n.* -(e)s, -e.
사변(事變) 《사고》 Ereignis *n.* ..sses, ..sse; Vorfall *m.* -(e)s, ⸗e; 《재난》 Heimsuchung *f.* -en, Unglück *n.* -(e)s; 《변란》 Zwischenfall *m.* -(e)s, ⸗e; Unglücksfall *m.* -(e)s, ⸗e; 《분쟁》 Zwist *m.* -es, -e; 《동란》 Aufstand *m.* -(e)s, ⸗e; Aufruhr *m.* -(e)s, -e; 《폭동》 Rebellion *f.* -en; Tumult *m.* -es, -e; 《급변》 Notstand *m.* -(e)s, ⸗e; Krise *f.* -n. ¶ 나라에 ~이 났을 때 bei (in) dem nationalen Notstande / 불의의 ~ ein unerwarteter Vorfall / ~을 만나다 Unglück haben; *jm.* ein Unfall begegnen.
‖ 만주~ das Mandschurische Ereignis.

6·25～ das Ereignis vom 25ten Juni in Korea; der Korea-Krieg.

사변(思辨) ① 《분별》 Diskriminierung *f.* -en. ② 〖철학〗 Spekulation *f.* -en. ¶ ～적 spekulativ / ～적 방법 spekulative Methode, -n.
‖ **～철학** spekulative Philosophie, -n.

사변(斜邊) ＝빗변.

사별(死別) Trennung 《*f.* -en》 durch den Tod; schmerzlicher Verlust, -es, -e. **～하다** *jn.* durch den Tod verlieren*; *js.* beraubt werden. ¶ 남편과 ～하다 ihren Mann durch Tod verlieren*.

사병(士兵) 〖군사〗 (einfacher) Soldat, -en, -en; Landser *m.* -s, -; Mannschaft *f.* -en (총칭).
‖ **～생활** Soldatenleben *n.* -s, -. **～주보** Soldaten¦schenke (-kneipe) *f.* -n.

사보(私報) 〖전신〗 Privattelegramm *n.* -(e)s, -e.

사보타지 Sabotage [zabotá:ʒə] *f.* -n. **～하다** Sabotage betreiben*; sabotieren.

사보텐 〖식물〗 Kaktus *m.* - (-ses), ..teen (-se); Kaktee *f.* -n.

사복(私服) Zivilkleidung *f.* -en; Zivil *n.* -s; Hauskleid *n.* -(e)s, -er. ¶ ～으로 in Zivil; in Zivilkleidung.
‖ **～경찰관** ein Polizist 《*m.* -en, -en》 in Zivil. **～형사** ein Kriminal¦polizist (-beamte) in Zivil; ein Kriminalschutzmann 《*m.* -(e)s, ¨er》 in Zivil.

사복(私腹) Eigennutz *m.* -es; das eigene Interesse, -s, -n; der persönliche Vorteil, -(e)s, -e. ¶ ～을 채우다 [4]sich bereichern; veruntreuen[4]; unterschlagen*; sein Schäfchen ins trockene bringen*.

사복음(四福音) 〖성서〗 Vier Evangelien 《*pl.*》.

사본(寫本) Handschrift *f.* -en; Abschrift *f.* -en; Kopie *f.* -en; Duplikat *n.* -(e)s, -e. ¶ ～을 만들다 kopieren[4]; ab|schreiben*[4]; Kopie machen.

사부(四部) 《네 부류》 vier Teile 《*pl.*》.
‖ **～작** Tetralogie *f.* -n. **～합주** Quartett *n.* -(e)s, -e. **～합창곡** ein vierstimmiger Chor, -(e)s, ¨e.

사부(師父) ① 《스승과 부》 Vater u. Lehrer. ② 《스승》 Lehrer *m.* -s, -; Meister *m.* -s, -; hochgeachteter (geschätzter) Lehrer.

사부(師傅) ① 《스승》 Lehrer *m.* -s, -; Privatlehrer; Hauslehrer; Meister *m.* -s, -. ② 《태사·태부》 Hofmeister *m.* -s, -.

사부랑거리다 ☞ 시부렁거리다.

사부랑사부랑하다 zu lose; zu locker; nicht straff befestigt; beweglich; nicht fest verbunden (sein).

사부랑삽작 mit e-m leichten Sprunge hinüber.

사부랑하다 lose; locker; nicht straff befestigt; beweglich; nicht fest verbunden (sein).

사부자기 mühelos; ohne Mühe; leicht; ohne e-n Finger zu rühren.

사부작사부작 jedesmal mühelos.

사부주 notwendige Vorbereitungen 《*pl.*》. ¶ ～가 잘 맞는다 gut vorbereitet sein / ～가 짜였다 Die notwendigen Vorbereitungen sind getroffen.

사북 ① 《가위의》 Scharnier *n.* -s, -e (der Schere); 《접부채의》 Fächerzapfen *m.* -s, -. ② 《비유적》 Kern¦punkt (Angel-) *m.* -(e)s, -e; Schlüssel *m.* -s, - 《*zu*[3]》; Geheimnis *n.* -es, -e.

사분(四分) Teilung 《*f.* -en》 in vier (gleiche) Teil. **～하다** in vier Stücke teilen[4]; in vier Teile teilen[4]; vierteilen[4]. ¶ ～의 일 ein Viertel *n.* -s, -e.
‖ **～기** Quartal *n.* -s, -e; Vierteljahr *n.* -(e)s, -e: 제1～기 das erste Vierteljahr; das erste Quartal. **～원** Quadrant *m.* -en, -en (사분의); Viertelkreis *m.* -es, -e. **～음** Viertelton *m.* -(e)s, ¨e: ～음표 Viertelnote *f.* -n.

사분(私憤) persönlicher (heimlicher) Groll, -(e)s; persönliche Feindschaft, -en. ¶ ～을 풀다 den persönlichen Groll befriedigen.

사분거리다 mit leichtem Gang (Schritt) gehen* ⓢ.

사분사분 mit leichtem Gang (Schritt).

사분오열(四分五裂) das Zerreißen*, -s; das Auseinanderreißen*, -s; Zersplitterung *f.* -en; Spaltung *f.* -en; Auflösung *f.* -en. **～하다** zerreißen*[4]; auseinander|reißen*[4]; zersplittern[4]; spalten[4]; auf|lösen[4].

사분하다 ein wenig lose; ein wenig unsicher; nicht fest verbunden (sein).

사붓(사붓) mit leichtem Gang (Schritt).

사붙이(紗—) Sachen 《*pl.*》 aus Flor (Seidengaze).

사비(私費) Privatgeld *n.* -(e)s, -er; eigene Kosten 《*pl.*》. ¶ ～로 auf eigene Kosten; mit s-m eigenen Geld.

사비(社費) Geschäftskosten 《*pl.*》. ¶ ～로 여행하다 auf Geschäftskosten reisen ⓢ,ⓗ (e-e Reise machen).

사뿐 sanft; leicht; zart; weich; sacht. ¶ 담에서 땅으로 ～ 내려서다 von der Mauer sanft herunter|springen* ⓢ.

사뿐사뿐 ☞ 사분사분.

사뿟(사뿟) ☞ 사붓(사붓).

사사(私事) Privatsache *f.* -n; e-e private Angelegenheit, -en.

사사(事事) jede Angelegenheit, -en. ¶ ～건건 in allem; jedesmal; bei jeder Gelegenheit; immer wieder.

사사(師事) das Lehren als ein Lehrer. **～하다** bei *jm.* lernen[4]; bei *jm.* arbeiten; bei *jm.* studieren[(4)]; unter *js.* Leitung sein (stehen*); *jn.* als s-n Lehrer behandeln; *js.* Schüler werden; bei *jm.* in die Schule gehen* ⓢ. ¶ 다년간 그(분)에게 ～했다 Ich habe lange Jahre bei ihm gelernt (gearbeitet).

사사(謝辭) 《사례》 Dankesworte 《*pl.*》; Danksagung *f.* -en; Dankesrede 《*pl.*》; 《사죄》 Abbitte *f.* -n; Entschuldigung *f.* -en; 《사양》 höfliche Ablehnung *f.* -en. **～하다** für [4]*et.* *jm.* s-n Dank sagen; [4]sich für [4]*et.* bei *jm.* bedanken; [4]sich entschuldigen; *js.* Dankbarkeit zum Ausdruck bringen*.

사사기(士師記) 〖성서〗 das Buch der Richter (in der Bibel).

사사로이(私私—) persönlich; privat; nicht öffentlich; außeramtlich.

사사롭다(私私—) persönlich; amtlos; privat; außeramtlich (sein). ¶ 사사로운 감정 persönliche Empfindung *f.* -en / 남에게 사사로운 일을 말하다 schmutzige Wäsche vor allen Leuten waschen* / 남에게 내 사사로운 이야기를 하지 말게 Rede doch nicht m-e private Angelegenheit vor den andern herum! / 사사로운 청이 있어 왔네 Ich komme zu dir mit m-r persönlichen Bitte.

사사오입(四捨五入) Auf- od. Abrundung der Dezimalstelle. **～하다** e-e Dezimalstelle auf- od. ab|runden; ein Rechnungsbruch unter fünf wird gestrichen u. über fünf als ganze (volle) Zahl berechnet; nach unten u. oben runden. ¶ ～하여 10위까지 내

다 auf- u. abgerundet bis Zehner 〔10〕 (be-)rechnen / 8.5634를 소수 세 자리에서 ~하여 8.56으로 한다 8,5634 an der zweiten Dezimalstelle auf- u. abgerundet stellen wir 8,56 auf.

사사일(私私一) Privatsache *f.* -n; Privatangelegenheit *f.* -en. ¶ 남의 ~에 참견하다 ⁴sich in fremde Angelegenheiten ein|mischen.

사사집(私私一) Privathaus *n.* -es, ⸗er.

사산(四散) Zerstreuung *f.* -en. ~하다 ⁴sich zerstreuen; ⁴sich in alle Winde 〔überallhin〕 zerstreuen; auseinander|gehen*Ⓢ.

사산(死產) Totgeburt *f.* -en. ~하다 ein Kind tot gebären*; ein totgeborenes Kind haben. ¶ ~의 totgeboren.

‖ ~아 das totgeborene Kind, -(e)s, -er; Totgeburt *f.* -en.

사살 Nörgelei *f.* -en; das Murren*, -s; Klage *f.* -n. ~하다 nörgeln; murren; klagen.

사살(射殺) das Erschießen*, -s. ~하다 *jn.* erschießen*; durch den Schuß töten⁴; tot|schießen. ¶ 호랑이를 그 자리에서 ~했다 Er erschoß den Tiger tot auf der Stelle.

사상(史上) in der ³Geschichte. ¶ ~ 유례 없는 beispiellos in der Geschichte / ~ 초유의 거사 ein epochemachendes Ereignis.

사상(死相) das vom Tode gezeichnete Gesicht, -es, ⸗er; das am Rande des Grabes stehende Gesicht; das den Tod vorhersehende Gesicht. ¶ 얼굴에 ~이 나타나다 Auf s-m Gesicht ist der Tod geschrieben.¦Er ist bereits mit dem Tod gezeichnet.

사상(死傷) Tod u. Verletzung; Unfall *m.* -s, ⸗e; Verlust *m.* -es, -e; 〖형용사적〗 tot u. verwundet.

‖ ~자 die Toten u. Verwundeten 《*pl.*》; die Verluste 《*pl.*》; die Gefallenen u. Verwundeten 《*pl.*》 (사상병).

사상(事象) Phänomen *n.* -s, -e; Erscheinung *f.* -en; Vorgang *m.* -s, ⸗e; Ereignis *n.* -ses, -se; Aspekt *m.* -s, -e.

사상(思想) Gedanke *m.* -ns, -n; Idee *f.* -n; Anschauung *f.* -en; 《개념》 Begriff *m.* -(e)s, -e; 《이데올로기》 Ideologie *f.* -n. ¶ 건전한 ~ der gesunde Gedanke, -ns, -n; die vernünftige Auffassung, -en / 한국 ~의 주류 die Hauptströmung des koreanischen Gedankens / 신구 ~의 충돌 Konflikt 《*m.* -(e)s, -e》 der neuen u. alten Idee / ~을 표명하다 s-e Gedanken aus|sprechen* / ~을 통제하다 Gedankenkontrolle aus|üben; die öffentliche Meinung unter Kontrolle halten* / ~이 풍부하다 gedankenreich 〔gedankenvoll; ideereich〕 sein / 그의 ~은 마르크스의 영향을 받고 있다 Er steht unter dem Einfluß von marxistischer Idee.¦Sein Gedankengut ist von Marx eingewirkt.

‖ ~가 Denker *m.* -s, -; Philosoph *m.* -en, -en; der denkende Kopf, -es, ⸗e. ~경향 die Richtung der Gedanken. ~계 Gedankenwelt *f.* ~극 problematisches Drama, -s, ..men. ~내용 der Inhalt der Idee. ~력 Denkfähigkeit *f.*; Denkkraft *f.* ~문제 Gedankenproblem *n.* -s, -e. ~범(죄) das politische Verbrechen; 《사람》 die politische Opposition; der politische Verbrecher, -s, -. ~선도 die richtige Leitung der Gesinnung. ~운동 Gedankenbewegung *f.* -en. ~전 der Krieg der Ideologie; der ideologische Krieg. ~투쟁 der ideologische Kampf, -(e)s, ⸗e. 공산주의~ der kommunistische Gedanke; die kommunistische Ideologie. 과격~ die radikale Idee; Radikalismus *m.* 근대~ die moderne Idee; der moderne Gedanke. 자유~ die liberale Idee; Liberalismus *m.*; das liberale Gedankengut. 정치〔중심〕~ die politische 〔zentrale〕 Idee.

사상(捨象) 〖논리〗 Abstraktion *f.* -en. ~하다 abstrahieren 《*von*³》.

사상(絲狀) ¶ ~의 fadenartig; fadenförmig.

‖ ~균 〖식물〗 Schimmelpilz *m.* -es, -e. ~체 Trichom *n.* -(e)s, -e. ~충 Filarien《*pl.*》.

사상(寫像) Bild *n.* -es, -er; Vorstellung *f.* -en; Einbildung *f.* -en.

‖ ~주의 Imagismus *m.* -: ~주의자 〔파〕 Imagist *m.* -en, -en.

사상자(死傷者) die Toten u. Verletzten 〔Verwundeten〕 《*pl.*》; die Verluste 《*pl.*》; die Gefallenen u. Verwundeten《*pl.*》. ¶ 많은 ~ schwere Verluste / 다행히 ~는 한 사람도 없었다 Es waren glücklicherweise k-e Verluste zu beklagen. / 그 전쟁으로 ~가 많이 났다 Der Krieg hatte viele Verluste an Menschenleben zur Folge. / 승객 중 20명의 ~가 있었다 Von den Passagieren gab es 20 Verluste.

‖ ~명단 die Verlustliste, -n. ~(총)수 die (Gesamt)zahl der Verluste.

사색(四色) ① 《색》 vier Farben 《*pl.*》. ② 〖역사〗 Vier Fraktionen 〔Parteien〕 《*pl.*》 (in der Mitte der *Yi*-Dynastie).

‖ ~당쟁 Streit der Vier Fraktionen 〔Parteien〕. ~판 Vierfarbendruck *m.* -(e)s, -e.

사색(死色) ¶ ~이 된 얼굴 ein kränklichgelbliches 〔ein leichenbleiches〕 Gesicht, -(e)s, -er / 그의 얼굴이 ~이다 Sein Gesicht sieht totenblaß 〔leichenblaß〕 aus.

사색(思索) Nachdenken *n.* -s, -; Nachsinnen *n.* -s, -; Spekulation *f.* -en; Meditation *f.* -en; Grubelei *f.* -en. ~하다 nach|denken*; nach|sinnen*; grübeln; spekulieren; Gedanken machen. ¶ ~적 spekulativ; nachdenklich; meditativ / ~적 생활 e-e meditative Lebensführung; ein Leben von Meditation / ~에 잠기다 ⁴sich in s-e Gedanken vertiefen; in Gedanken versunken sein; ganz in Gedanken sein.

‖ ~가 Denker *m.* -s, -; Philosoph *m.* -en, -en; Grübler *m.* -s, -.

사생(死生) Leben u. Tod.

‖ ~결단 der Entscheidungskampf 《-(e)s, ⸗e》 um Leben u. Tod; der verzweifelte Kampf, -(e)s, ⸗e: ~ 결단하고 sein Leben aufs Spiel setzend; verzweifelt; mit Lebensgefahr / ~결단의 싸움 der Kampf ums Leben / ~결단하다 sein Leben aufs Spiel setzen; sein Leben in die Schanze schlagen.* ~관두(關頭) der Rand des Todes: ~의 관두에 서다 am Rande des Grabes stehen*; an der Schwelle des Todes stehen*. ~동고(同苦) das Zusammen¦sein* 〔-gehen*〕 《-s》 im Leben u. Tod.

사생(寫生) Zeichnung *f.* -en; das Zeichnen*, -s; Skizze *f.* -n; das Skizzieren*, -s; Skizzierung *f.* -en; Entwurf *m.* -(e)s, ⸗e. ~하다 (nach der ³Natur) zeichnen⁴ 〔malen⁴〕; skizzieren⁴; entwerfen*⁴; nach|zeichnen⁴ (모사). ¶ 충실히 ~하다 naturgetreu nach|zeichnen⁴ / 연필〔크레용, 목탄, 빨간 초크, 먹〕(으)로 ~하다 mit Bleistift 〔Farbstiften; Kohle; Rötel; Tusche〕 zeichnen⁴.

‖ ～붓 Zeichenstift *m.* -(e)s, -e. ～첩 Skizzenbuch (Zeichen-) *n.* -(e)s, ⸗er; Skizzenblock (Zeichen-) *m.* -(e)s, ⸗e (떼어서 쓰는 것). ～판 Zeichenbrett *n.* -(e)s, -er (받치는 판). 정물 ～화 Stilleben *n.* -s, -.

사생아(私生兒) das uneheliche (natürliche) Kind, -(e)s, -er; Bankert *m.* -s, -e; Bastard [bás..] *m.* -(e)s, -e; Liebeskind; das Kind der Liebe. ¶ ～로 태어나다 unehelich geboren werden / ～를 인지하다 ein uneheliches Kind als sein eigenes an|erkennen* (ánerkennen* ※ 악센트 위치에 주의).

‖ ～인지(認知) die gesetzliche Anerkennung e-s unehelichen Kind(e)s.

사생활(私生活) Privatleben *n.* -s, -; das häusliche (außerberufliche) Leben, -s, -. ¶ 아무의 ～에 간섭하다 in *js.* Privatleben ein|dringen*.

사서(司書) Bibliothekar *m.* -s, -e.

‖ ～관 Oberbibliothekar *m.* -s, -e.

사서(史書) Geschichtsbuch *n.* -(e)s, ⸗er; Geschichtswerk *n.* -(e)s, -e.

사서(四書) Vier Große Bücher《*pl.*》(des alten China): Gespräche des Konfuzius(논어), Mencius(맹자), Buch der Mitte(중용) u. die Große Lehre (대학).

‖ ～삼경 Die Vier Große Bücher u. die Drei Klassiker.

사서(私書) Privat|urkunde *f.* -n (-dokument *n.* -(e)s, -e; -papiere《*pl.*》; -schriftstück *n.* -(e)s, -e); Privatbrief *m.* -(e)s, -e(사신).

‖ ～위조 die Fälschung《-en》(das Fälschen*, -s; Falsifikation, -en) von Privaturkunden *usw.*; die Fälschung (das Fälschen*; die Falsifikation) e-s Privatbriefs: ～를 위조하다 Privaturkunden *usw.* fälschen (falsifizieren); e-n Privatbrief fälschen (falsifizieren).

사서(辭書) =사전(辭典).

사서함(私書函) Postschließfach *n.* -(e)s, ⸗er; Postfach *n.* -(e)s, ⸗er. ¶ ～ 18호에 회답을 해 주십시오 Adressieren Sie die Antwort an (das) Postschließfach 18.

사석(沙石) Sand u. Steine.

사석(私席) unoffizielle (private) Gelegenheit, -en.

사석(捨石) Steinschutt *m.* -(e)s; Steinsand *m.* -(e)s; 《바둑의》 Opfer *n.* -s, -.

사선(死線) Todeslinie *f.* -n; Todesgefahr *f.* -en; e-e Markierlinie《-n》 für die Gefangenen, die mit dem Totschießen bedroht sind, falls sie diese Linie hinausschreiten. ¶ ～을 넘어서 über die Todeslinie / 그는 지난 전쟁 중 여러번 ～을 넘었다 Er hat im letzten Krieg mehrmals die Todesgefahr überwunden.

사선(私線) e-e private Bahnlinie, -n (철도); e-e private Omnibuslinie, -n (버스). ☞ 사설(私設).

사선(射線) Geschoßbahn *f.* -en.

사선(斜線) e-e schräge Linie, -n; Schräglinie *f.* -n(대각선); Diagonale *f.* -n (대각선); Schrägstrich *m.* -(e)s, -e (구두점의 일종으로서의 빗금); Querlinie *f.* -n. ¶ ～을 그리다 schraffieren[4] (지도 따위에).

사설(私設) ¶ ～의 privat; Privat-.

‖ ～강습소 Privatunterrichtsstelle *f.* -n. ～도로 Privatweg *m.* -(e)s, -e; Privatstraße *f.* -n. ～병원 Privatklinik *f.* -en. ～요양소 Privatsanatorium *n.* -s, ..rien. ～철도 Privateisenbahn *f.* -en. ～학교 Privatschule *f.* -n. ～학원 die (kleine) Privatschule, -n; Nachhilfeschule: ～ 학원장 der Leiter《-s, -》 e-r (kleinen) Privatschule (e-r Nachhilfeschule).

사설(邪說) 《교리》 Irrlehre *f.* -n; Ketzerglaube *m.* -ns, -n; Heterodoxie *f.* -n [..ksí:ən].

사설(社說) Leitartikel *m.* -s, -. ¶ ～에서 논하다 im Leitartikel kommentieren[4].

‖ ～난(欄) Leitartikelkolumne *f.* -n; Leitartikelspalte *f.* -n. ～필자 Leitartikler *m.* -s, -; Kolumnist *m.* -en, -en.

사설(辭說) ① 《글》 Bericht *m.* -(e)s, -e; das Erzählen*, -s; Geschichte *f.* -n. ② 《재재거림》 Geplapper *n.* -s; Geschwätz *n.* -es.

‖ ～시조(時調) 〖문학〗 e-e Form des *Sijo*-Gedichts mit Erweiterung der ersten beiden Zeilen. ～장이 Schwätzer *m.* -s, -; Plappertasche *f.* -n.

사성(四聖) die vier Weisen der Welt; die vier Großen Weisen (=Konfuzius, Buddha, Jesus u. Sokrates).

사성(四聲) vier chinesische Töne (Betonungsarten)《*pl.*》.

사성(賜姓) Namengebung *f.* -en (durch den König). ～하다 *jm.* e-n Zunamen geben*.

사세(事勢) Lage *f.* -n; Situation *f.* -en; Umstände《*pl.*》; Verhältnisse《*pl.*》. ☞ 사태(事態). ¶ ～ 부득이 unvermeidlich; aus Not; umständehalber / ～가 불리하여 durch ungünstige Lage.

사소(私訴) Privatklage *f.* -n; Zivilklage *f.*

‖ ～자(者) Privatkläger *m.* -s, -.

사소설(私小說) Ich-Roman *m.* -s, -e; Ich-Erzählung *f.* -en. ¶ 그것은 ～ 형식의 소설이다 Es ist ein Roman in Ichform.

사소하다(些少—) gering; geringfügig; klein; kleinlich; unbedeutend; unwichtig; winzig (sein). ¶ 사소한 것 Kleinlichkeit *f.* -en; Kleinigkeit *f.* -en; Kleinkram *m.* -(e)s; Lappalie *f.* -n; die leichte, unbedeutende Sache, -n / 사소한 일로 걱정하다 [4]sich um Kleinigkeiten kümmern; kleinkrämerisch (haarspalterisch; pedantisch) sein / 사소한 일에 구애하는 사람 Kleinigkeitskrämer *m.* -s, -; Pedant *m.* -en, -en / 사소한 돈 e-e winzig kleine Summe, -n; ein paar Groschen《*pl.*》/ 그런 사소한 일로 화내지 마시오 Bitte werden Sie nicht böse über solch e-e Kleinigkeit (Geringfügigkeit; Unbedeutendheit).

사수(死水) stockendes Wasser, -s, -.

사수(死守) hartnäckige, standhafte Verteidigung, -en. ～하다 bis aufs äußerste (aufs Blut) verteidigen[4]; verzweifelt (mit Verzweiflungsmut; mit dem Mut der Verzweiflung)verteidigen[4]. ¶ 도시 (진지)를 끝까지 ～하다 e-e [4]Stadt (e-e militärische [4]Sellung) bis zum letzten verteidigen.

사수(査收) Empfang *m.* -(e)s, ⸗e; das Erhalten*, -s; Annahme *f.* -n. ～하다 empfangen*[4]; erhalten*[4]; an|nehmen*[4].

사수(射手) Schütze (Bogenschütze) *m.* -n, -n (활사수); Kanonier *m.* -s, -e (포병).

‖ 명～ Meister|schütze (Scharfschütze) *m.*

사수리살 e-e Art von Pfeilen.

사숙(私塾) Privatschule *f.* -n.

사숙하다(私淑—) (bewundernd) an|schauen (empor|-)《zu *jm.*》; ehrfürchtig lieben《vor *jm.*》; Ehrfurcht haben (hegen); in [3]Ehren halten*《*jn.*》; respektieren《*jn.*》; verehren《*jn.*》. ¶ 그는 김박사를 사숙하고 있다 Er ist ein Verehrer von Dr. *Kim.*

사순절(四旬節) 〖종교〗 Fasten《*pl.*》; Fastzeit *f.*

사술(邪術) Hexerei *f.* -en; Magie *f.*; Zauberei *f.* -en; schwarze Kunst, ⸗e.

사슬 Kette *f.* -n; Fessel *f.* -n (죄인용); Band *n.* -(e)s, -e; Spannkette *f.* (가축용). ¶ ~에 매인 죄인 der Gefangene* 《-n, -n》 in [3]Ketten / ~로 묶다 an|ketten[4]; an e-e Kette legen[4] / ~을 풀다 entketten; entfesseln; befreien[4]; von der Kette los|machen[4] / 개를 ~에 매어 끌고 다니다 e-n Hund an e-r Kette führen.
‖ **~무늬** Kettenmuster *n.* -s, -. **~문고리** Kettenschloß *n.* ..losses, ..lösser.

사슴 Hirsch *m.* -es, -e; Reh *n.* -(e)s, -e (노루); Rotwild *n.* -(e)s (총칭).
‖ **~뿔** Hirsch|horn *n.* -(e)s, ⸗er (-geweih *n.* -(e)s, -e) (녹용재 또는 장식용). **~사육장** Hirschpark *m.* -(e)s, -e. **아기~** Hirschkalb *n.* -(e)s, ⸗er; Rehkalb *n.*; Rehkitz *n.* -es, -e. **암~** Hirschkuh *f.* ⸗e.

사시(巳時) 〖민속〗 die Stunde der Schlange: ① die sechste der 12 Doppelstunden (=die Zeit zwischen 9 u. 11 Uhr vormittags). ② die elfte der 24 Stunden (=9 : 30-10 : 30 vormittags).

사시(四時) 《계절》 vier Jahreszeiten 《*pl.*》.

사시(史詩) Epos *n.* -, ..pen; episches Gedicht, -(e)s, -e.

사시(斜視) das Schielen*, -s; Strabismus *m.* -. ¶ ~의 schieläugig; schielend / 그는 오른쪽 눈이 ~다 Er schielt mit dem rechten Auge.
‖ **~안**(眼) Schielauge *n.* -s, -n: **~안 수술** Schieloperation *f.* -en. **~환자** Strabo *m.* -s, -s; Schieler *m.* -s, -; der Schielende*, -n, -n.

사시나무 〖식물〗 Espe *f.* -n; Zitterpappel *f.* -n; *Populus davidiana* (학명). ¶ 그는 불안한 나머지 ~ 떨 듯하였다 Er zitterte vor Angst wie Espenblätter.

사시랑이 Schwächling *m.* -s, -e; zerbrechliche Sache, -n.

사시장청(四時長青) das Immergrünsein*, -s. **~하다** immergrün (sein); während vier [2]Jahreszeiten ständig grün bleiben* Ⓢ.

사시장춘(四時長春) 《늘봄》 ewig dauernder Frühling, -s, -e; 《안락한 생활》 bequemes Leben, -s, -.

사식(私食) privat bezahltes Essen, das e-m Gefangenen geliefert wird.

사신(私信) die private Mitteilung, -en; Privatbrief *m.* -(e)s, -e.

사신(使臣) der (Ab)gesandte*, -n, -n; Bote *m.* -n, -n; Botschafter *m.* -s, -.
‖ **각국~** die ausländischen Gesandten (Botschafter) 《*pl.*》.

사신(死神) Tod *m.* -(e)s; Sensenmann *m.* -(e)s. ¶ ~에게 잡히다 vom Tod gepackt werden; e-e Beute des Todes werden.

사신(邪神) der böse Gott, -es, ⸗er (Feind, -(e)s, -e; Geist, -(e)s, -er); Höllenfürst *m.* -en, -en; Beelzebub *n.* -; Luzifer *m.* -s; Satan *m.* -s, -e; Urian *m.* -s, -e.

사실(史實) e-e geschichtliche (historische) Tatsache, -n.

사실(私室) Privatzimmer *n.* -s, -; 〖고어〗 Boudoir [budoá:r] *n.* -s, -s (부인의); Privat
※ 원래는 형용사로서 변화가 없음. 주점·여관 따위에서 비영업용 방의 문 앞에 써 붙이는 말로서의 「사실」.

사실(事實) Tatsache *f.* -n; Faktum *n.* -s, ..ten (..ta); Gegebenheit *f.* -en; Realität *f.* -en; Tatbestand *m.* -(e)s, ⸗e; Wahrheit *f.* -en; Wirklichkeit *f.* -en. ¶ ~상(의) tatsächlich; effektiv; faktisch; praktisch; wirklich; in der Tat (Wirklichkeit); in Wahrheit; so gut wie; nahezu / ~은 (…하다) um die Wahrheit zu sagen, (...)/ ~에 상반되다 nicht den Tatsachen entsprechen*; von der Wirklichkeit (weit) entfernt sein / ~을 말하다 die Wahrheit sagen (reden) / ~에 근거를 두고 있다 [4]sich auf den Boden der Tatsachen stellen; auf Wahrheit beruhen 〖주어는 사물〗 / ~을 조사하다 (확인하다) die Tatsache untersuchen (fest|nageln; fest|stellen) / ~을 왜곡하다 die Tatsache(n) (die Wahrheit; e-n Tatbestand) verdrehen / ~이 되다 (zur) Tatsache werden / ~무근의 nicht den Tatsachen entsprechend; erfunden; grundlos; ohne Grund; unbegründet; aus der Luft gegriffen / 그 주장은 ~ 무근이다 Die Behauptung entspricht nicht den Tatsachen. / ~은 부정할 수 없다 Die Tatsache ist nicht zu leugnen. / 그것은 부정할 수 없는 ~이다 Das ist e-e unbestrittene (nackte) Tatsache (ein unleugbares Faktum). / 거짓없는 ~만을 말씀드립니다 Ich spreche die reine (nackte; ungeschminkte) Wahrheit.
‖ **~보고문** Tatsachenbericht *m.* -(e)s, -e. **기정~** vollendete Tatsache *f.* -n.

사실(査實) Untersuchung 《*f.* -en》 e-s Tatbestandes; prüfende Besichtigung, -en; Inspektion *f.* -en; Musterung *f.* -en. **~하다** untersuchen[4]; besichtigen[4]; mustern[4]; erforschen[4].

사실(寫實) die wirklichkeitsnahe Darstellung, -en; das treue Kopieren der Wirklichkeit. ¶ ~적인 realistisch / ~적인 묘사 realistische Darstellung, -en.
‖ **~성** Realität *f.* -en. **~주의** Realismus *m.* -: ~주의자 Realist *m.* -en, -en.

사심(私心) Selbst|sucht (Eigen-; Ich-) *f.*; Egoismus *m.* -; Eigennutz *m.* -es; Eigenliebe (Selbst-) *f.*; Selbstsüchtigkeit *f.* ¶ ~없는 selbstlos; unparteiisch / ~ 없이 행동하다 selbstlos handeln / ~ 없이 아무를 위해 나서다 [4]sich selbstlos für *jn.* ein|setzen / ~을 품다 egoistisch handeln wollen*; egoistisch zu handeln versuchen; nur an [4]sich selbst denken*.

사심(邪心) Bosheit *f.* -en; Heimtücke *f.* -n; Hinterhältigkeit *f.* -en; das Übelwollen*, -s; der böse Wille, -ns, -n. ¶ ~ 있는 boshaft; hinterhaltig.

사십(四十) vierzig. ¶ 제 ~의 der (die; das) vierzigste* / ~대의 남자 ein Vierziger, -s, - / 1940 년대에 in den vierziger [3]Jahren dieses Jahrhunderts.

사악(邪惡) Bosheit *f.* -en; Laster *n.* -s; Lasterhaftigkeit *f.* -en; Schlechtigkeit *f.* -en; Sünde *f.* -n; Übel *n.* -s. **~하다** böse; boshaft; frevelhaft; heimtückisch; lasterhaft; schändlich; verdorben (sein). ¶ ~한 사람 Bösewicht *m.* -(e)s, -e(r).

사안(史眼) ein geschichtlicher Standpunkt, -es, -e.

사안(死顔) das Gesicht 《-(e)s, -er》 des Toten; *js.* Gesicht bei s-m Tod(e).

사안(私案) ein privater Vorschlag, -(e)s, ⸗e.

사암(砂岩) Sandstein *m.* -(e)s, -e.
‖ **~층**(層) Sandsteinformation *f.* -en.

사약(賜藥) Verurteilung 《*f.* -en》 zum Tode durch Gift. **~하다** *jm.* als Todesstrafe

Gift geben*.

사양(斜陽) die sinkende (untergehende) Sonne. ‖ ~산업 untergehende (absterbende) Industrie, -n. ~족 der Adel ((-s)) im Untergang (귀족); das untergehende Bürgertum, -(e)s (시민).

사양(飼養) Zucht f.; Aufzucht f.; das Aufziehen*, -s. ~하다 züchten[4]; auf|ziehen*[4].

사양(辭讓) ((사절)) das Ablehnen* ((-s)) mit Dank; hofliches Abschlagen*, -s; ((겸양)) Zurückhaltung f. -en; Bescheidenheit f.; Beherrschung f. ~하다 zurückhaltend; beherrscht; bescheiden; reserviert; verhalten; Distanz haltend (sein); [4]sich enthalten*[(2)]; [4]sich zurück|halten* ((von[3])). ¶ ~ 말고 ohne Umstände; ohne [4]Zurückhaltung; freimütig; ohne [4]sich zu genieren; ohne [3]sich Zwang anzutun; ohne Anstand zu nehmen / ~말고 드십시오 Bitte, greifen Sie zu! ¦Bitte, langen Sie zu!¦Bitte, bedienen Sie sich! / ~ 말고 편히 하십시오 Machen Sie bitte k-e Umstände und tun Sie wie zu Hause! / ~말고 같이 하자 Sei kein Frosch! ¦K-e Umstände! / 그는 죽음도 ~치 않는다 Er ist bereit auch zu sterben. / 그는 자신의 의견 발표를 ~하였다 Er hat sich enthalten, s-e Meinung zu äußern. / 그녀는 ~하는 좋은 성품의 소유자다 Sie hat ein angenehm zurückhaltendes Wesen. / 그는 관직을 ~하고 개인 생활로 돌아갔다 Er trat vom Amte ab und zog sich ins Privatleben zurück. / 그는 나의 초대를 ~했다 Er hat m-e Einladung abgeschlagen.

사양머리 von Hofdamen getragener Kopfputz, -es.

사어(死語) e-e tote Sprache, -n (언어); ein veraltetes Wort, -(e)s, ⸗er (단어). ¶ 라틴어는 오늘날 ~만은 아니다 Lateinisch ist heute nicht nur e-e tote Sprache.

사어(沙魚·鯊魚) =모래무지.

사업(事業) ① ((기업)) Unternehmen n. -s, -; Unternehmung f. -en; Betrieb m. -(e)s, -e; Industrie f. (산업); Geschäft n. -(e)s, -e. ¶ 큰 (대) ~ ein großes Unternehmen* / 수지맞는 ~ ein erfolgreiches (rentables) Unternehmen; ein ertragreiches Geschäft / 무모(위험)한 ~ ein wagehalsiges (kühnes) Unternehmen; ein gefährliches Geschäft / ~상의 비밀 Geschäftsgeheimnis n. -ses, -se / ~상의 여행 Geschäftsreise f. -n / ~을 시작하다 ein Geschäft eröffnen / ~을 인수하다 ein Geschäft übernehmen* / 새 ~을 일으키다 ein neues Unternehmen (geschäft) gründen / ~에 투자하다 sein [4]Kapital in e-m Unternehmen investieren (an|legen) / ~을 청산 (해체)하다 ein [4]Unternehmen liquidieren/전망이 밝은 ~ ein aussichtsreiches Unternehmen / 튼튼한 ~(체) ein stabiles (gut fundiertes) Unternehmen/ 그것은 영리로 하는 ~이 아니다 Es ist kein kaufmännisches Unternehmen. / ~이 잘 된다 Das Geschäft blüht.

② ((일)) Arbeit f. -en; Geschäft n. -(e)s, -e; Aufgabe f. -n. ¶ 힘드는 ~ e-e mühsame Arbeit (Geschäft) / 그는 전후의 구제 ~에 종사하였다 Er hat sich mit den Notstandsarbeiten der Nachkriegszeit beschäftigt.

③ ((업적)) Leistung f. -en. ¶ 큰 ~을 이룩하다 e-e große Leistung hervor|bringen*.

‖ ~가 Unternehmer m. -s, -; der Industrielle*, -n, -n; Geschäftsmann m. -(e)s, ⸗er (..leute). ~계 Unternehmerkreise ((pl.)); Industrie¦welt (Geschäfts-) f. -en. ~공채 Industrieanleihe f. -n. ~규정 Geschäfts¦ordnung (Betriebs-) f. -en. ~보고서 Geschäftsbericht m. -(e)s, -e. ~비 Geschäftskosten ((pl.)). ~연도 Geschäfts¦jahr (Rechnungs-; Wirtschafts-) n. -(e)s, -e. ~욕 Unternehmungs¦geist m. -(e)s (-lust f. ⸗e; -fieber n. -s, - (지나친)): ~욕에 가득차서 von Unternehmungsgeist beseelt / ~욕이 있는 unternehmungslustig. ~인수 Geschäftsübernahme f. -n. ~자금 Betriebsmittel ((pl.)); Betriebskapital n. -s, -e (-ien); Betriebsfonds [..fɔ̃:] m. - [..fɔ̃:(s)], - [..fɔ̃:s]; Unternehmungskapital n. -s, -e (-ien). ~(장) 분위기 Betriebsklima n. -s, -s. ~주 Betriebsleiter m. -s, -; Geschäfts¦führung (-leitung) f. -en; Betriebs¦führung (-leitung) f. -en. ~친구 Geschäfts¦freund m. -(e)s, -e (-partner m. -s, -). ~해체 Geschäfts¦aufgabe f. -n (-auflösung f. -en). 공공~ das gemeinnützige Unternehmen, -s. 구제~ Notstandsarbeiten ((pl.)). 청춘~ Liebes¦geschäft n. -(e)s, -e (-leben n. -s, -).

사역(使役) Beschäftigung f. -en; Dienst m. -(e)s, -e. ~하다 jn. beschäftigen.

‖ ~동사 Kausativ n. -(e)s, -e; Kausativum n. -s, ..va.

사연(事緣) die originale Ursache, -n; Geschichte f. -en. ¶ ~이 있는 여인 e-e Frau ((-en)) mit [3]Vergangenheit / ~이 있어서 aus e-m gewissen Grund; nicht ohne [4]Grund/ 그 배후에는 무슨 ~이 있다 Es steckt etwas dahinter. / 어찌된 ~이냐 Was ist los damit?

사연(辭緣) der Inhalt ((-(e)s, -e)) e-s Briefes; Hauptpunkt m. -(e)s, -e; Kern m. -(e)s, -e; Wichtigkeit f. -en.

사열(四列) vier Reihen ((pl.)). ¶ 제~ die vierte Reihe, -n / ~의 vierreihig / ~로 in vier [3]Reihen.

사열(査閱) 〖군사〗 Parade f. -n; Truppenschau (Heer-) f. -en; Vorbeimarsch u. Besichtigung von Soldaten. ~하다 Truppen mustern; Heerschau halten*; die Parade ab|nehmen*; vorbei|marschieren u. besichtigen. ¶ ~을 받다 [4]sich [3]Parade (Besichtigung) unterziehen*.

‖ ~관 Inspekteur m. -s, -e. ~대 die Tribüne ((-n)) für die Parade. ~식 Paradezeremonie f. -n.

사염화(四塩化) 〖화학〗 Tetrachlorid n. -(e)s.

‖ ~탄소 Tetrachlorkohlenstoff m. -(e)s; tetrachlorider Kohlenstoff.

사영(私營) ein privater Betrieb, -(e)s, -e; ein privates Unternehmen, -s, - (기업). ¶ ~의 privat.

‖ ~사업 ein privates Unternehmen.

사영(射影) 〖수학〗 Projektion f. -en.

‖ ~기하학 die projektive Geometrie. 정(등각) ~ e-e orthogonale Projektion.

사영(斜影) sich neigender Schatten, -s, -.

사옥 〖식물〗 e-e Art von Kirschbaum; *Prunus quelpaertensis* (학명).

사옥(社屋) Gebäude n. -s, - (e-r Firma).

사욕(私慾) Eigennutz m. -es; Eigen¦sucht (Ich-) f. ⸗e. ¶ ~에 사로잡히다 nur auf (den) eigenen Vorteil aus sein; nur dem eigenen Vorteil zu dienen streben; nur den eigenen Vorteil im Auge haben / ~을 떠난 uneigennützig; selbstlos / 그는 ~에 눈이 어

둡다 Er ist der Sklave s-r Eigensucht. / ~에 눈이 뒤집혀졌다 Er hat sich zum Sklaven s-s eigenen Vorteils gemacht.

사욕(邪慾) die böse (schlimme; üble) Begierde, -n; Fleischeslust *f.* ⸚e; Gelüst(e) *n.* ..t(e)s, ..te; Lüsternheit *f.* -en.

사용(私用) 《사사일》 Privat¦angelegenheit *f.* -en (-sache *f.* -n); die private (persönliche) Angelegenheit; 《개인용》 Privatgebrauch *m.* -(e)s, ⸚e; persönlicher Gebrauch. ~하다 zum Privatgebrauch verwenden(*)4; privat (persönlich) gebrauchen4; Privatgebrauch machen 《*von*3》. ¶ ~으로 wegen (der) Privatangelegenheiten 《*pl.*》; in persönlichen Geschäften 《*pl.*》 / ~에 zum Privatgebrauch / 이것은 내가 ~으로 쓰는 책들이다 Das sind Bücher für m-n Privatgebrauch.

‖ ~통화(通話) Privatgespräch *n.* -(e)s, -e.

사용(使用) Gebrauch *m.* -(e)s, ⸚e; Anwendung *f.* -en (응용); Benutzung *f.* -en (이용); Verwendung *f.* (드물게) -en; Verwertung *f.* -en. ~하다 gebrauchen4; in Gebrauch nehmen(*)4; verwerten4. ¶ ~할 수 있는 gebrauchsfähig; benutzbar / 잘 ~할 수 있다 (없다) Das kann ich gut (nicht) gebrauchen. / 그것은 ~할 수 없다 Das ist nicht zu gebrauchen. / 그 자동차는 다시 ~할 수 있다 Der Wagen ist wieder gebrauchsfähig. / 그 자동차는 당신 마음대로 ~하실 수 있읍니다 Der Wagen steht Ihnen zur Verfügung. / 이 자동차를 당신 마음대로 ~하실 수 있도록 제공하겠읍니다 Ich stelle Ihnen diesen Wagen gerne zur Verfügung. / 기계가 ~불능이다 Die Maschine ist außer Gebrauch. / 휴지는 ~후 버려진다 Papiertaschentücher werden nach Gebrauch weggeworfen. / ~후 병마개를 잘 막으십시요 Bitte, verschließen Sie die Flasche nach Gebrauch gut! / ~전에 흔들 것 《약병 따위에 표기》 Vor Gebrauch schütteln!

‖ ~가치 Gebrauchswert *m.* -(e)s, -e. ~권 Verwendungsrecht *n.* -(e)s, -e. ~료 die Gebühren 《*pl.*》. ~법(지침) Gebrauchsanweisung *f.* -en: 자네는 이 기계의 ~법을 아는가 Weißt du, wie man diese Maschine bedienen soll? ~이익 Gebrauchsinteresse *n.* -s, -n. ~인 《용인》 Arbeitnehmer *m.* -s, -; der Angestellte*, -n, -n. ~자 《고용주》 Arbeitgeber *m.* -s, -; Auftraggeber *m.* -s, -; Benutzer *m.* -s, - (이용자); Verbraucher *m.* -s, - (소비자).

사용(社用) Geschäftssache *f.* -n; Geschäft *n.* -(e)s, -e. ¶ ~으로 geschäftlich; der Geschäfte wegen; dienstlich; beruflich.

사우(社友) Kollege *m.* -n, -n; Firmenfreund *m.* -(e)s, -e (=e-e Person, die mit e-r Firma verbunden ist).

사우(祠宇) Schrein *m.* -(e)s, -e; Tempelchen *n.* -s, -.

사우나 Sauna *f.* -s. ¶ ~탕에 들다 in die Sauna gehen* [s].

사우드포 《야구·권투의》 Linkshänder *m.* -s, -.

사우디아라비아 Saudi-Arabien *n.* -s; Königreich 《*n.* -(e)s》 S.-A. ¶ ~의 saudiarabisch.

‖ ~사람 Saudiaraber *m.* -s, -.

사운드트랙 《영화의》 Tonwiedergabegerät *n.* -s, -e; Bandspieler *m.* -s, -.

사원(寺院) der (buddhistische) Tempel, -s, -. ¶ ~ 경내에(서) in der Tempelanlage.

사원(私怨) (ein persönlicher) Groll, -(e)s; Ressentiment [rəsãtimá:] *n.* -s, -s. ¶ ~을 갚다 4sich rächen 《an *jm.*》 / ~을 품다 e-n Groll hegen 《auf (gegen) *jn.*》.

사원(社員) der Angestellte*, -n, -n. ¶ 그는 어느 무역상사의 ~이다 Er ist angestellt bei e-r Handelsfirma.

‖ ~명부 die Liste 《*f.* -n》 der Angestellten. ~연금(보험) Angestelltenversicherung *f.* -en: ~ 연금법 Angestelltenversicherungsgesetz *n.* -es 《생략: AVG》. 신입~ der Neuangestellte*, -n, -n.

사월(四月) April *m.* -(s), -e. ¶ ~에 im April / ~ 초(중)순에 Anfang (Mitte) April.

‖ ~바보 Aprilnarr *m.* -en, -en.

사위[1] 《미신의》 Tabu *n.* -s, -; Angst 《*f.* ⸚e》 vor etwas Verbotenem; Abscheu *m.* -s. ~하다 Abscheu haben 《*vor*3》. ~스럽다 abscheulich; unheilvoll; ekelhaft; verhaßt (sein).

사위[2] 《윷의》 Versuch, beim *Yuch*-Spiel e-n Punkt zu gewinnen.

사위[3] 《딸남편》 Schwiegersohn *m.* -(e)s, ⸚e; Eidam *m.* -(e)s, -e. ¶ 큰 ~ der älteste Schwiegersohn / 작은 ~ der jüngere Schwiegersohn / ~를 맞다 e-n Schwiegersohn kriegen / ~가 되다 *js.* Schwiegersohn werden / ~ 사랑은 장모 Es ist die Schwiegermutter, die den Schwiegersohn am meisten liebt.

‖ 사윗감 e-e für e-n Schwiegersohn gut geeignete Person, -en.

사위(四圍) Umgebung *f.* -en. ☞ 주위(周圍).

사위(詐僞) Täuschung *f.* -en; Falschheit *f.*; Betrug *m.* -(e)s. ~하다 täuschen4; betrügen*(4); sein eigenes Gewissen verraten*.

사위다 zu Asche verbrennen* [s]; ganz verbrennen* [s]; erlöschen* [s].

사위질빵 〚식물〛 Waldrebe *f.* -n.

사유(私有) Privatbesitz *m.* -es, -e. ¶ ~의 Privat-; privat.

‖ ~권 Privatbesitzrecht *n.* -(e)s, -e. ~림 Privatwald *m.* -(e)s, ⸚er. ~물 Privateigentum *n.* -(e)s, ⸚er; Privatbesitz *m.* -es, -e. ~재산 Privateigentum *n.* -(e)s, ⸚er: ~재산제 die Institution des Privateigentums. ~지 Privatgrundstück *n.* -(e)s, -e. ~철도 Privateisenbahn *f.* -en.

사유(事由) Grund *m.* -(e)s, ⸚e; Anlaß *m.* ..lasses, ..lässe; Ursache *f.* -n. ¶ 다음과 같은 ~에서 aus folgenden Gründen / 그것에 대한 ~를 말하다 den Grund dafür an|geben* / 그는 아무런 ~없이 갑자기 거절해 왔다 Ohne jeden Grund sagte er plötzlich ab. / 어떤 ~에서 그가 그것을 하느냐 Aus welchem Grund tut er das? / 이와 같은 조처에 대한 ~는 밝혀지지 않았다 Der Grund für diese Maßnahme wurde nicht angegeben.

사유(思惟) Denken *n.* -s; Betrachtung *f.* -en; Spekulation *f.* -en. ~하다 denken*; spekulieren. ☞ 생각하다.

사육(飼育) (Auf)zucht *f.* ~하다 (auf|)züchten4; auf|ziehen*4; halten*4 (기르다).

‖ ~인 Züchter *m.* -s, -. 가축~ Viehzucht *f.* -. 말 ~장 Pferdezüchterei *f.* -en.

사육제(謝肉祭) Karneval *m.* -s, -e; Fasching *m.* -s, -e (남독에서); Fastnacht *f.*

‖ ~기간 Fastnachtszeit *f.*

사은(師恩) die Gunst des Lehrers; Verpflichtung 《*f.* -en》 gegenüber dem Lehrer.

사은회(謝恩會) Dankesparty [..pá:(r)ti] *f.* -s

ㅅ

〔..ties〕.

사음(邪淫) Lüsternheit *f.* -en; Geilheit *f.*; Ehebruch *m.* -(e)s, ⸚e; Fleischeslust *f.* ⸚e. ¶ ~의 geil; animalisch; lüstern; sittenlos.

사음문자(寫音文字) phonetische Schrift, -en.

사음자리표(一音一標) 〖음악〗 G-Schlüssel *m.* -s, -; Violinschlüssel.

사의(私意) Eigen|sinn *m.* -(e)s 〔-wille *m.* -ns〕. ¶ 아무런 ~도 없이 ohne jeden eigennützigen Beweggrund.

사의(謝意) Dank *m.* -(e)s; Dankbarkeit *f.* ¶ ~를 표하다 Dank aus|sprechen* 《*für*[4]》; s-e Dankbarkeit bezeigen; [4]sich erkenntlich zeigen; Dankesworte 《*pl.*》 sprechen*; Dank sagen.

사의(辭意) 《사퇴의 뜻》 die Absicht, zurückzutreten; Rücktrittsabsicht *f.* -en. ¶ ~가 굳다 fest entschlossen sein, zurückzutreten / ~를 비추다 den Rücktritt an|deuten; den Rücktritt andeutungsweise erwähnen; die Kündigung s-r Stellung beiläufig erwähnen 〖seiner 는 주어와 일치〗 / ~를 표명하다 s-n Rücktritt erklären.

사이 ① 《공간》 Abstand *m.* -(e)s, ⸚e (간격); Distanz *f.* -en (거리); Zwischenraum *m.* -(e)s, ⸚e (공간); Lücke *f.* -n (틈); Riß *m.* ..sses, ..sse (틈). ¶ ~의(에) zwischen[3] (…과 …의 사이에서); zwischen[4] (…과 …의 사이로); unter[3·4] (많은 것 사이에) / 구름 ~로 durch die Lücken 〔Risse〕 der Wolken; zwischen die Wolken / 두 방 ~에 zwischen zwei [3]Zimmern / …의 ~에 놓다 (꽂다, 밀어넣다) legen[4] 〔stecken[4], schieben*[4]〕 《*zwischen*[4]》 / ~를 두다 Distanz 〔Abstand〕 halten* 《*von*[3]》 / 2미터의 ~를 두고 in 2 Meter Abstand; in e-r Entfernung von 2 Metern / 사람들 ~에서 unter den [3]Leuten / 우리 ~에 하는 말이지만 unter uns gesagt / 두 집 ~에는 좁은 통로가 하나 있다 Zwischen beiden Häusern ist ein schmaler Durchgang. / 그는 어린애들 ~에 앉아 있었다 Er saß zwischen den Kindern. / 나는 그 꽃들을 두 그림들 ~에 갖다 놓았다 Ich habe die Blumen zwischen die beiden Bilder gestellt. / 나는 그 두 어린이 ~에 섰다 Ich setzte mich zwischen die beiden Kinder. / 그는 싸우는 두 사람 ~에 들어섰다 Er trat zwischen zwei Streitenden. / 거기서부터 수마일 ~는 황야가 펼쳐진다 Da erstreckt sich meilenweit e-e Heide. / 네가 우리 ~에 끼이는 것을 환영한다 Wir heißen dich in unserer Mitte willkommen.

② 《시간》 Zwischenzeit *f.* -en (중간); Pause *f.* -n; Zwischenpause (쉴 참); Unterbrechung *f.* -en (중단); Zeitdauer *f.*; Frist *f.* -en; Zeitabschnitt *m.* -es, -e (기간); zwischen[3]; innerhalb; binnen (…이내에); während (…동안에). ¶ 크리스마스와 설날 ~에 zwischen Weihnachten u. Neujahr / (누구가) 없는 ~에 in[3] 〔während[2]〕 *js.* Abwesenheit; während jemand ausbleibt / 이 이삼일 ~에 diese zwei, drei [4]Tage / 밥먹는 ~에 während des Essens / 우리가 그것에 관해서 이야기하고 있는 ~에 Während wir davon sprechen, ... / 눈깜짝할 ~에 in e-m Augenblick / 잠깐 ~에 in kurzer Zeit / 그 ~에 나는 정보를 입수해 두었었다 In der Zwischenzeit hatte ich Erkundigungen eingezogen. / 그녀는 쉴~ 없이 이야기한다 Sie redet ununterbrochen. / 나는 2시와 3시 ~에 온다 Ich komme zwischen zwei u. drei Uhr. / 그 ~에 다음과 같은 일이 일어났었다 Inzwischen 〔Mittlerweile; Unterdessen; Währenddessen〕 war folgendes geschehen. / 두 시간 동안 시내에 있었는데 그 ~에 그가 여러 번 전화를 했다 Ich war zwei Stunden in der Stadt gewesen, währenddessen hatte er mehrmals angerufen. / 난 아직도 좀 할 일이 있으니 그 ~에 넌 뭔가 좀 읽고 있겠어 Ich habe noch zu arbeiten, du kannst währenddessen etwas lesen? / 어느 ~에 비가 왔구나 Es hat geregnet, ohne daß man es gemerkt hat!

③ 《관계》 die (persönliche) Beziehung, -en; das persönliche Verhältnis, ..nisses, ..nisse. ¶ ~ 좋은 gut 〔wohl〕 befreundet; auf vertrautem Fuße stehend; intim; nahestehend 《näherstehend, nächststehend》; vertraut / ~가 나쁜 feindlich; feindselig; verfeindet; auf Kriegsfuß stehend; entzweit; unfreundlich; verfehdet / ~가 나쁘다 feindliche Beziehungen haben 《zu *jm.*》; auf Kriegsfuß stehen* 《mit *jm.*》; [4]sich miteinander nicht gut vertragen können*; nicht zueinander passen / 그들 ~는 다시 좋아졌다 Sie vertragen sich (miteinander) wieder. / 끊을래도 끊을 수 없는 ~이다 auf Gedeih u. Verderb miteinander verbunden sein / ~를 갈라놓다 entfremden 《*jn. jm.*》; abtrünnig 〔abwendig〕 machen 《*jn.* von *jm.*》; trennen 《*jn.* von *jm.*》; e-n Keil zwischen die beiden* treiben* (두 사람의) / ~가 틀어지다 mit *jm.* brechen*; zu *jm.* in feindliche Beziehung geraten* Ⓢ / ~가 가까와지다 [4]sich befreunden 《mit *jm.*》; gute [1]Freunde 〔Kameraden〕 werden / ~좋게 in [3]Friede u. [3]Eintracht; auf gutem 〔freundlichem〕 Fuße; harmonisch; in [3]Harmonie / ~좋게 지내다 in Friede u. Eintracht leben; ein [1]Herz u. e-e [1]Seele sein; harmonieren 《mit *jm.*》 / 불란서와 독일 ~의 협상 Verhandlungen zwischen Frankreich u. Deutschland / 아버지와 아들 (부부) ~라도 sogar zwischen Vater u. Sohn 〔Mann u. Frau〕 / ~에 들다 vermitteln[4]; unterhandeln 《für *jn.* über [4]*et.*》; ein|schreiten* 《*zwischen*[4]》 / 그는 그녀와 ~가 가깝다 Er hat ein Verhältnis mit ihr. / 그들은 사랑하는 ~다 Sie haben ein Verhältnis 〔haben es〕 miteinander. / 두 개념 ~에는 차이가 있다 Zwischen beiden Begriffen ist ein Unterschied.

사이다[1] 《음료》 Limonade *f.* -n; Sprudelwasser *n.* -s, -; Mineralwasser *n.* -s, - (광천수); Sodawasser *n.* -s, - (소다수).

사이다[2] 《사게 함》 kaufen lassen*[4]; verkaufen[4].

사이드 Seite *f.* -n; Seiten-; Neben-.

‖ ~라인 Seitenlinie *f.* -n. ~카 Motorrad *n.* -(e)s, ⸚er; Seitenwagen *m.* -s, -. ~타이틀 Nebentitel *m.* -s, -. ~테이블 Nebentisch *m.* -es, -e; Abstelltisch (식탁의).

사이렌 Sirene *f.* -n. ¶ ~이 울리다 Die Sirenen heulen.

‖ ~소리 Sirenengesang *n.* -(e)s, ⸚e. 방공~ Luftschutzsirene *f.* -n.

사이버네틱스 《인공 두뇌학》 Kybernetik *f.* ¶ ~의 kybernetisch.

사이비(似而非) Pseudo-; Quasi-. ~하다 falsch (sein); vor|täuschen; vor|geben*.

‖ ~군자 Hypokrit *m.* -en, -en. ~기자

Pseudoreporter *m.* -s, -. ～언론인 Pseudojournalist *m.* -en, -en. ～철학 Pseudophilosophie *f.* -n. ～학자 Pseudowissenschaftler *m.* -s, -.

사이사이 ①《공간》Zwischenraum *m.* -(e)s, ⸚e; zwischen[3·4]. ¶그들은 어린이들 ～에 앉아 있었다 Die saßen zwischen den Kindern. / 식탁에 남녀가 ～에 끼어서 앉아 있었다 Sie machten bunte Reihe bei Tisch.
②《시간》Zwischenzeit *f.* -en. ¶～에 zwischendurch / 우리는 하루 세끼를 먹고 ～에 약간의 과일을 먹는다 Wir nehmen am Tag drei Mahlzeiten ein u. essen zwischendurch etwas Obst.

사이즈 Größe *f.* -n; Nummer *f.* -n (사이즈 번호). ¶선생님의 구두 ～는 얼마죠 Welche (Schuh)nummer haben Sie?

사이참(一站)《휴식》(Erholungs)pause *f.* -n; Ruhepause; Zwischenpause; das Innehalten*, -s; Intervall *n.* -s, -e. ¶～을 갖다 e-e (Erholungs)pause machen; inne|halten* / ～없이 행진하다 ohne Pause marschieren / 그는 계속하기 전에 잠시 ～을 가졌다 Er machte e-e kurze Erholungspause, ehe er fortfuhr.

사이클 (Wechselstrom)periode *f.* -n(전기의); Zyklus *m.* ..len (주기); Hertz *n.* -, - (주파수);《자전거》Fahrrad *n.* -(e)s, ⸚er.

사이클로이드 〖수학〗Zykloide *f.* -n; Radkurve *f.* -n.

사이클로트론 〖물리〗Zyklotron *n.* -s, -e.

사이클링 das Radfahren*, -s.

사이키델릭 ¶～한 psychedelisch.

사이판 《태평양의 섬》Saipan Insel.

사이펀 〖물리〗(Saug)heber *m.* -s, -; Siphon *m.* -s, -s.

사익(私益) ＝사리(私利).

사인(死因) Todesursache *f.* -n. ¶그의 ～ die Ursache《-n》s-s Todes / ～을 조사하다 Ermittelungen nach s-r Todesursache an|stellen.

사인(私人) Privat|person *f.* -en (-mann *m.* -(e)s, ⸚er (..leute)). ¶～으로선 나는 그것에 반대하지 않는다 Privat bin ich nicht dagegen. / 공무원〔군인〕으로서 그는 공손히 처신하지 않으면 안되지만, ～으로서는 그럴 필요 없다 Als Beamter〔als Soldat〕muß er sich höflich verhalten, als Privatperson braucht er das nicht.

사인(私印) Privatstempel *m.* -s, -; Unterschriftstempel.
‖～도용(盜用) Diebstahl u. Mißbrauch e-s Privatstempels. ～위조 die Fälschung e-s Privatstempels.

사인 ①〖수학〗Sinus *m.* -, - (..se)《생략: sin》.
②《신호》Signal *n.* -s, -e; Zeichen *n.* -s, -; Wink *m.* -(e)s, -e. ¶～을 보내다 *jm.* ein Zeichen (e-n Wink) geben*.
③《서명》Unterschrift *f.* -en; Autogramm *n.* -(e)s, -e (자필의). ～하다 unterschreiben*[4]; mit [3]Unterschrift versehen*[4]. ¶그 (서류) 아래에 ～했다 Er hat s-e Unterschrift daruntergesetzt. / 그 ～은 (누구의 것인지) 해독할 수 없었다 Die Unterschrift war nicht zu entziffern (lesen). / 그는 ～하기를 거부했다 Er hat die Unterschrift verweigert. / 그 편지는 장관이 직접 ～한 것이다 Der Brief ist unterschrieben von dem Minister selbst.
‖～수집가(광)Autogramm|sammler(-jäger) *m.* -s, -. ～커브 Sinus|kurve (-linie) *f.* -n.

사인교(四人轎) Sänfte《*f.* -n》, die von je zwei Personen vorn u. hinten getragen wird.

사인조(四人組) Quartett *n.* -(e)s, -e; Räuberbande《*f.* -n》aus vier Leuten (강도).

사일(巳日) 〖민속〗der Tag《-(e)s, -e》der Schlange.

사일런트 ①《무음자》stummer Laut, -(e)s, -e. ②《무성영화》Stummfilm *m.* -(e)s, -e.

사일로 〖농업〗Silo *m.* -s, -s.

사임(辭任) Abschied *m.* -(e)s, -e; Amtsabtretung (-niederlegung) *f.* -en; Rücktritt *m.* -(e)s, -e. ～하다 ab|danken; ab|treten* Ⓢ; ein Amt auf|geben* (nieder|legen); zurück|treten*Ⓢ《*von*[3]》; auf e-e Stellung verzichten. ¶연방 수상은 어제 ～하였다 Der Bundeskanzler hat gestern sein Amt niedergelegt. ☞ 사직(辭職).

사잇길 ☞ 샛길.

사자(四者) ¶～(간)의 unter vier Leuten.

사자(死者) der Tote* (Umgekommene*) -n, -n; der tödlich Verunglückte*, -n, -n (사고 따위로 인하여 죽은 자); der Gestorbene*, -n, -n; der Verstorbene*, -n, -n(고인); der Getötete*, -n, -n(피살자). ¶～는 말이 없다 Die Toten schweigen.¦Der tote Hund beißt nicht.

사자(使者) Bote *m.* -n, -n; der Abgesandte*, -n, -n; Boten|gänger *m.* -s, - (-läufer *m.* -s, -); Laufbursch(e) *m.* -en, -en (심부름꾼). ¶～를 파견하다 e-n Boten (aus|)schicken ((ent)senden(*)) / 봄의 ～로서의 벚꽃 Kirschblüte《*f.* -n》als erster Bote des Frühlings / 죽음의 ～ ein Bote des Todes / ～로서 자원하다 [4]sich freiwillig als Boten melden.

사자(嗣子) Erbe *m.* -n, -n; Erbin *f.* ..binnen (여자); Kronerbe (왕위 계승자); Kronerbin; Kronprinz *m.* -en, -en (황태자); Kronprinzessin *f.* -nen.

사자(獅子) Löwe *m.* -n, -n; Löwin *f.* -nen (암컷). ¶～같은 löwenartig; löwenhaft / ～같은 힘 Löwenstärke *f.* -n; Bärenstärke / 성난 ～처럼 (so) grimmig wie ein Löwe; mit wahrem Löwenmut / 성난 ～처럼 아무에게 덤벼들다 wie ein gereizter Löwe auf *jn.* los|fahren*.
‖～사냥 Löwenjagd *f.* -en. ～우리 Löwenzwinger *m.* -s, -. ～코 ☞사지코. ～후(吼) Löwengebrüll *n.* -s, -: ～후하다 wie ein Löwe brüllen; mit Löwenstimme brüllen.

사자(寫字) das Abschreiben* (Kopieren*) -s.
‖～생(生) Abschreiber *m.* -s, -; Kopist *m.* -en, -en.

사장(死藏) das zwecklose Speichern*《-s》kostbarer Schätze; (Schätze, Bücher *usw.*) als unbenutzten Vorrat an|häufen[4]. ～하다 unbenutzt auf|bewahren[4]; hamstern[4]. ¶그는 그 보물을 ～해 왔다 Er hat den Schatz unbenutzt im Schrank liegen lassen. / 그는 그의 많은 책들을 ～해 왔다 Er hat s-e vielen Bücher unbenutzt aufbewahrt.

사장(沙場) Sandbank *f.* ⸚e; Sandebene *f.* -n.

사장(社長) Chef [ʃɛf] *m.* -s, -s; Firmenchef [..ʃɛf] *m.* -s, -s; Direktor *m.* -s, -en; Generaldirektor *m.* -s, -en(대회사의); Leiter *m.* -s, -; Arbeitgeber *m.* -s, - (고용자). ¶～이 되다 Generaldirektor werden.

사장(社葬) ¶～을 집행하다 ein Firmenbegräbnis《*n.* -ses, -se》begehen* (halten*); ein Begräbnis auf Firmenkosten ab|halten* (veranstalten).

사장(射場) Schießplatz *m.* -es, ⸚e; Schieß-

stand *m.* -(e)s, ⸚e; Schießstätte *f.* -n.
사장(寫場) Photostudio *n.* -s, -s.
사재(私財) Privatvermögen *n.* -s, -; Privatgeld *n.* -(e)s, -er; Privatbesitz *m.* -es, -e; Privateigentum *n.* -(e)s, ⸚er. ¶ ~를 털어서 indem jemand [4]*et.* aus s-r eigenen Tasche (Geldbörse) bezahlt; auf (s-e) eigene(n) Kosten (hin) / ~를 모두 털어서 그 사업에 투자하다 sein ganzes Vermögen in das Unternehmen stecken / 이 그림은 그의 ~다 Dieses Bild ist sein Privateigentum.
사재(社財) Gesellschaftsvermögen *n.* -s, -; Vermögen e-r Firma.
사재발쑥 〖식물〗 e-e Art Beifuß; *Artemisia gigantea* (학명).
사저(私邸) Privathaus *n.* -es, ⸚er; Privatresidenz *f.* -en.
사적(史的) geschichtlich; historisch. ¶ ~ 고찰 (사실) geschichtliche Betrachtung, -en (Tatsache, -n) / ~ 유물론 historischer Materialismus, -.
사적(史蹟) der geschichtliche (historische) Ort, -(e)s, -e; die geschichtliche (historische) Stätte, -n; das geschichtliche (historische) Denkmal, -s, -e (⸚er); Geschichtsdenkmal *n.* ¶ ~을 찾다 e-n geschichtlichen (historischen) Ort besuchen / 경주는 ~이 많은 도시다 Die Stadt *Gyeongju* ist reich an historischen Denkmälern.
‖ ~보존회 die Vereinigung ⟪-en⟫ zur Pflege (Erhaltung) geschichtlicher (historischer) Orte.
사적(史籍) Geschichts¦werk *n.* -(e)s, -e; Urkunde *f.* -n (기록).

사적(私的) privat; persönlich; individuell; vertraulich. ¶ ~으로 privatim / ~으로 만나서 이야기를 나누다 ein vertrautes Zwiegespräch führen ⟪mit *jm.*⟫; e-e private Unterredung halten*⟪mit *jm.*⟫ / ~인 대화를 하다 ein persönliches Gespräch führen ⟪mit *jm.*⟫ / ~인 이유로 aus persönlichen Gründen / 그것은 ~인 문제입니다 Das ist e-e Privatsache. / ~인 언급(질문)을 한 가지 해도 좋겠읍니까 Darf ich mir e-e persönliche Bemerkung erlauben?
‖ ~감정 persönliches Gefühl, -(e)s, -e. ~교제 persönlicher Kontakt, -(e)s, -e: 아무와 ~ 교제중이다 mit *jm.* in persönlichem Kontakt stehen*.
사적(事績) Leistung *f.* -en; Tat *f.* -en: Vollendung *f.* -en; Verdienst *n.* -es, -e (공적); Werk *n.* -(e)s, -e. ¶ 기술면에서 훌륭한 ~ die technische Glanzleistung, -en / 슈바이처의 생애와 ~ Leben u. Taten Schweitzers / 학교 관계의 발전을 위한 그의 ~은 위대하다 S-e Verdienste um die Entwicklung des Schulwesens sind groß.
사적(事蹟) die historische Tatsache, -n; Beweismaterial *n.* -(e)s, ..lien; Spur *f.* -en.
사적(射的) das Scheibenschießen*, -s; Zielscheibe *f.* -n; Schießscheibe *f.* -n.
사전(私田) 〖역사〗 Feld ⟪*n.* -es, -er⟫ in Privatbesitz.
사전(私錢) ① ⟪위조한 돈⟫ Falschgeld *n.* -(e)s, -er. ② ⟪사사로이 마련한 돈⟫ die heimlichen Ersparnisse ⟪*pl.*⟫ ⟪e-r [2]Ehefrau⟫; die Mutterpfennige ⟪*pl.*⟫; Nadelgeld *n.* -(e)s, -er.
사전(事前) ¶ ~에 im (zum) voraus; schon vorher; noch ehe (bevor) [1]*et.* geschehen ist / ~에 알리다 im (zum) voraus benachrichtigen ⟪*jn.* *von*[3]⟫; schon vorher mit|teilen[34] / 저는 귀하가 애써 주실 것에 대하여 ~에 감사드립니다 Ich danke für Ihre Bemühungen im voraus. / 나는 6개월분 방세를 ~에 지불했다 Ich habe die Miete für sechs Monate im voraus gezahlt.
‖ ~공작 Vorbereitungshandlung *f.* -en (범죄 따위에 있어서). ~결정 Vorausbestimmung *f.* -en. ~선거 운동 Wahlkampf ⟪*m.* -(e)s, ⸚e⟫ im voraus. ~작업 Vorarbeit *f.* -en: 그는 ~ 작업을 잘 해두었다 Er hat gute Vorarbeit geleistet. / 박사 논문 (저서, 새 영화)를 위한 ~ 작업 die Vorarbeiten ⟪*pl.*⟫ zur Doktorarbeit (zu e-m Buch; zu e-m neuen Film). ~지식 Vorkenntnisse ⟪*pl.*⟫: 그는 한국에 오기 전에는 한국에 대한 아무런 ~ 지식도 없었다 Er hatte k-e Vorkenntnisse über Korea, bevor er nach Korea kam. ~치료 Vorbehandlung *f.* -en.
사전(死戰) Todeskampf *m.* -(e)s, ⸚e; der verzweifelte Kampf; der Kampf auf Leben u. Tod.
사전(辭典) Wörterbuch *n.* -(e)s, ⸚er; Lexikon *n.* -s, ..ka; Glossar *n.* -s, -e; Thesaurus *m.* -, ..ri (..ren); Wörterverzeichnis *n.* ..nisses, ..nisse. ¶ ~의 lexikalisch / ~적 의미 lexikalische Bedeutung / ~을 찾다 ein Wörterbuch nach|schlagen*; ein Wort im Wörterbuch suchen (nach|schlagen*) / ~에 나오나 보십시오 Sehen Sie nach, ob es im Wörterbuch steht. / ~과 씨름하다 ⟪단어마다 사전을 찾다⟫ bei jedem Wort im Wörterbuch nach|schlagen* (müssen*); [4]sich k-n Augenblick vom Wörterbuch trennen können* / ~과 씨름하면서 ⟪끊임없이 사전에 의존하면서⟫ indem man [4]sich fortwährend auf Wörterbücher beruft / 그는 산 ~이다 Er ist das wandelnde Lexikon (Wörterbuch).
‖ ~편집자 Lexikograph *m.* -en, -en. ~학 Lexikographie *f.* -en. 구어~ Wörterbuch der Umgangssprache. 독한~ deutsch-koreanisches Wörterbuch. 상업용어~ Wörterbuch der Kaufmannssprache. 신학~ theologisches Wörterbuch. 어원~ etymologisches Wörterbuch. 의학~ medizinisches Wörterbuch. 한독~ koreanisch-deutsches Wörterbuch.
사절(四折) ¶ ~의 zweimal gefalzt.
‖ ~판 Quart *n.* -(e)s, -e; Quartformat *n.* -(e)s, -e: ~판의 서적 Quartband *m.* -(e)s, ⸚e.
사절(使節) der (Ab)gesandte*, -n, -n; Sendbote *m.* -n, -n; Mission *f.* -en(사절단). ¶ ~로 가다(오다) in e-r Mission gehen* (kommen*) ⓢ / 아무에게 (특별) ~의 임무를 부여하다 *jn.* mit e-r (besonderen) Mission betrauen / 나는 ~로서의 임무를 다했다 M-e Mission ist beendet (erfüllt).
‖ ~단 Mission *f.* -en; Delegation *f.* -en; Abordnung *f.* -en: ~단원 der Delegierte*, -n, -n / ~단장 Delegationsleiter *m.* -s, -. 비밀~단 geheime Mission. 외교~단 diplomatische Mission: 외교~단장 Missionschef *m.* -s, -s. 친선~단 Freundschaftsdelegation *f.* -en.
사절(謝絶) Ablehnung *f.* -en; Absage *f.* -n; Verweigerung *f.* -en. ~하다 ab|lehnen[4]; absagen[4]; [3]sich verbitten*[4]. ¶ 면회 ~ Bitte von Besuchen abzusehen! (병실 등의 게시) / 면회를 ~하다 e-n Besuch zurück|weisen*; k-n Besuch zu|lassen* / 수표 ~, 현금으로 지불해 주십시오 K-n Scheck! Bitte bar zah-

len! / 어린이 입장 ~, 성인만 입장가 K-e Kinder! Nur für Erwachsene!

사정(私情) ein persönliches Gefühl, -(e)s, -e; Vorurteil *n.* -(e)s, -e (편견). ¶ ~을 개입시켜서는 안됩니다 Sie sollen nicht persönlich werden. / 우리는 당신의 ~을 고려할 수 없읍니다 Auf Ihre Privatinteressen können wir k-e Rücksicht nehmen. / 나는 관리로서 나의 ~을 멀리해야 한다 Ich muß als Beamter mein Privatinteresse zurückstellen.

사정(事情) ① 《형편·처지》 Umstand *m.* -(e)s, ⸗e; Bewandtnis *f.* ..nisse; Lage *f.* -n; Verhältnisse 《*pl.*》; Sachlage *f.* -n; Sachverhalt *m.* -(e)s 《*pl.* 없음》; Situation *f.* -en; Tatbestand *m.* -(e)s, ⸗e; Zusammenhang *m.* -(e)s, ⸗e; die Lage (der Stand) der Dinge; Grund *m.* -(e)s, ⸗e (이유). ¶ ~이 어떻든 간에 unter allen Umständen (긍정); unter k-n Umständen (부정) / ~이 어떻든 간에 그건 문제가 되지 않을 것이다 Das kommt unter gar k-n Umständen in Frage. / ~에 따라서 unter Umständen / ~이 허락되면 wenn (insofern) es die Umstände erlauben (gestatten) / 부득이한 ~으로 durch unvermeidliche Umstände gezwungen (genötigt); notgedrungen; gezwungenermaßen / 현재의 ~으로는 bei der gegenwärtigen Lage der Dinge; unter den obwaltenden Verhältnissen / 그곳 ~에 밝은 사람 ein Mensch, der [4]sich an dem Ort auskennt / ~이 곤란하다 [4]sich in e-r schwierigen Lage befinden* / 이와 같은 ~하에서라면 유감스럽지만 그 일을 거절해야겠읍니다 Unter diesen Umständen muß ich es leider ablehnen, das zu tun. / 나는 외부 ~상 그것을 하지 않을 수 없다 Ich bin durch die äußeren Umstände gezwungen, es zu tun. / 나는 이 방면 ~에는 어둡다 Ich weiß in dem Fach k-n Bescheid. / ~이 좋아졌다 (달라졌다, 악화되었다) Die Lage hat sich gebessert (gewandelt, verschlechtert). / 그는 그 도시의 ~에 밝다 Er weiß in der Stadt Bescheid.

② 《배려·관대》 dringende Bitte *f.* -n; inständige Ersuchung *f.* -en. ~하다 flehen 《um Hilfe》; eindringlich um Verzeihung, Nachsicht bitten*. ¶ 하룻밤 재워달라고 ~하다 um e-e Übernachtung bitten* / ~을 두지 않다 k-e Rücksicht nehmen* 《auf [4]*et.* (*jn.*)》 / 그는 남의 ~을 잘 봐 준다 Er nimmt große Rücksicht auf andere. / 아무리 ~해도 그는 막무가내였다 Er blieb gegen alle Bitten taub.

‖ 경제~ die wirtschaftliche Lage. 독일 경제 ~ die Wirtschaftslage Deutschlands. 일반~ die allgemeine Lage. 정치~ die politische Lage.

사정(査定) (Ab)schätzung *f.* -en; Einschätzung *f.* -en; Veranlagung *f.* -en (세금 따위); Festlegung *f.* -en (금액의); Beurteilung *f.* -en. ~하다 schätzen[4] 《*auf*[4]》; ab|schätzen[4] 《*auf*[4]》; ein|schätzen[4] 《*auf*[4]》; veranlagen[4]; veranschlagen[4] 《*auf*[4]》. ¶ 세금의 ~ Veranlagung *f.* -en; die Abschätzung für Steuerzweck / 예산의 ~ die Revision des Budgets [bydʒéː] / 부동산 가격의 ~ die Abschätzung e-r Realität / 10만원으로 ~하다 [4]*et.* auf hunderttausend *Won* ab|schätzen (ein|-) / 세액을 ~하다 Steuern veranschlagen 《*auf*[3]》; 〖사람을 목적어로〗 *jn.* zu e-r (für e-e) Steuer veranlagen.

‖ ~액(額) die abgeschätzte (festgelegte) Summe, -n.

사정(射程) Schußweite *f.* -n; Reich¦weite (Trag-) *f.* -n (사정거리). ¶ ~내(외)의 in (außer) [3]Schußweite / 그 대상은 ~ 밖에 있었다 Der Gegenstand war außer Schußweite.

사정(射精) Samenerguß *m.* ..gusses, ..güsse; Ejakulation *f.* -en. ~하다 Samen ergießen*; ejakulieren.

‖ ~액 Ejakulat *n.* -(e)s, -e.

사정사정(事情事情) das Bitten*; das Ersuchen*; das Erflehen*. ~하다 bitten* (ersuchen) 《*jn. um*[4]》; erflehen[4]. ¶ ~하여 durch vieles Bitten / 그가 ~ 부탁한다 Er fleht um Gnade.¦Er bittet herzlich. / 나는 그가 ~해서 왔읍니다 Auf s-e dringende Bitte hin bin ich gekommen.

사정없다(事情—) rücksichtslos; unbarmherzig; hart; schonungslos (sein). ¶ 사정없이 rücksichtslos; unbarmherzig; hart; schonungslos; ohne Schonung (Rücksicht); unnachsichtig / 사정없이 때리다 unbarmherzig schlagen* / 이런 유의 범법자는 ~없이 처벌되어야 한다 Gegen diese Verbrecher sollte man rücksichtslos vorgehen.

사제(司祭) Priester (Pfarrer) *m.* -s, -; der (Katholische) Geistliche*, -n, -n (성직자).

사제(私製) Privat¦erzeugnis *n.* -ses, -se; (-fabrikat *n.* -(e)s, -e). ¶ ~의 privat; Privat-.

‖ ~엽서 Privat(post)karte *f.* -n. ~품 Privaterzeugnis; privat (selbst) hergestellte Waren 《*pl.*》.

사제(舍弟) ① 《자기 아우》 mein jüngerer Bruder, -s. ② 《형에게》 ich (, der ich dein jüngerer Bruder bin).

사제(師弟) Lehrer u. Schüler, des - u. -s, - u. -; (der) Meister 《-s, -》 u. (s-e) Jünger 《*pl.*》. ¶ ~관계를 맺다 in das Verhältnis von Lehrer u. Schüler treten* Ⓢ.

사제(瀉劑) 〖의학〗 Laxativ *n.* -s, -e; Abführmittel *n.* -s, -.

사조(一調) 〖음악〗 G-Dur *n.* - 《장조, 기호: G》; g-Moll *n.* - 《단조, 기호: g》.

사조(査照) Untersuchung *f.* -en; Besichtigung *f.* -en; Aufsicht *f.* -en. ~하다 untersuchen[4]; besichtigen[4]; nach|prüfen[4].

사조(思潮) Strömung *f.* -en; Geistesströmung *f.* -en; geistige Bewegung, -en (e-r Epoche). ¶ 18세기 독일 문학에 있어서의 한 새로운 ~ e-e neue Strömung in der deutschen Literatur des 18. Jahrhunderts.

‖ 근대~ Modernismus *m.* -. 문예~ Literaturbewegung *f.* -en. 시대~ die Geistesströmung der Zeit. 현대~ gegenwärtige Geistesströmung *f.* -en.

사족(四足) ① 《네 발》 vier Füße 《*pl.*》. ② 《사지》 Glieder 《*pl.*》. ¶ ~의 vierfüßig; vierbeinig / ~이 성한 병신 ein Behinderter* mit gesunden Gliedern; 《비유적》 Faulenzer *m.* -s, -; Faulpelz *m.* -es, -e / 그는 처녀라면 ~을 못쓴다 Er hat e-e unverständliche Schwäche für das Mädchen. / 나는 독일어로 된 책이라면 ~을 못쓴다 Ich habe e-e Schwäche für deutsche Bücher. / …라면 ~을 못쓰다 [1]*et.* geht über alles 《*jm.*》.

‖ ~수(獸) ☞ 네발짐승.

사족(蛇足) Überfluß *m.* ..flusses; Zuviel *n.* -s; entbehrliche Dinge 《*pl.*》. ¶ ~의 überflüssig; unnötig / ~을 붙이다 ein Übriges tun*; zum Überfluß (obendrein; unnötigerweise) [4]*et.* tun*; zuviel des Guten tun*; Wasser

ㅅ

ins Meer tragen*; Eulen nach Athen tragen*.

사졸(士卒) =군사(軍士).

사종(四從) der Vetter《-s, -n》vierten Grades; die Base〔Kusine〕《-n》vierten Grades.

사죄(死罪) das todeswürdige, schwere Verbrechen, -s, -; Kapital¦verbrechen〔Haupt-〕. ☞ 사형(死刑).

사죄(赦罪)《용서》Verzeihung *f.*; Entschuldigung *f.* -en;《사면》Begnadigung *f.* -en; Straferlaß *m.* ..lasses, ..lässe;〖종교〗Absolution *f.* -en. **~하다** *jm.* ⁴*et.* verzeihen; *jn.* begnadigen; *jm.* die Strafe erlassen*.

사죄(謝罪) Abbitte *f.* -n. **~하다** ⁴sich entschuldigen; *jm.* Abbitte tun*〔leisten〕; *jn.* um ⁴Verzeihung〔Entschuldigung〕bitten*. ¶당신에게 충심으로 ~합니다 Ich bitte Sie tausendmal um Verzeihung.

사주(四柱)〖민속〗vier Pfeiler, die das Jahr, den Monat, den Tag u. die Stunde der Geburt symbolisieren u. auf das Schicksal des Menschen e-n großen Einfluß ausüben sollen. **~보다** sein Schicksal prophezeien lassen*; wahrsagen lassen*.
‖**~단자** Brief, in dem vier Pfeiler des Bräutigams dargestellt sind, u. der vor der Hochzeit in das Haus der Braut geschickt wird. **~장이** Wahrsager *m.* -s, -. **~점** Wahrsagerei *f.* -en. **~팔자** Schicksal *n.* -s, -e; Verhängnis *n.* -ses, -se; Los *n.* -es, -e: ~팔자가 좋다(나쁘다) glücklich〔unglücklich〕geboren sein / ~팔자로 알고 단념하다 ⁴sich in sein Schicksal ergeben*.

사주(私鑄) falsches Geld, -(e)s. **~하다** falschmünzen.

사주(社主) der Besitzer〔Inhaber〕《-s, -》e-r Firma; der Chef《-s, -s》e-r Firma; Arbeitgeber *m.* -s, -.

사주(使嗾) Aufhetzung *f.* -en; das Aufhetzen*, -s; Anstiftung *f.* -en; das Anspornen*, -s. **~하다** *jn.* zu ³*et.* an|stiften; *jn.* zu ³*et.* auf|reizen; *jn.* zu ³*et.* an|spornen. ¶…의 ~를 받아서 durch *jn.* angestiftet / …를 ~하여 범죄를 저지르게 하다 *jn.* zum Verbrechen auf|reizen / 누가 너희들을 그렇게 하도록 ~했지 Wer hat euch dazu angestiftet?
‖**~자** Anstifter *m.* -s, -; Aufreizer *m.* -s, -.

사주(砂洲)〖지질〗Sandbank *f.* ⸚e. ¶배가 ~에 얹히다 auf e-e Sandbank geraten*〔auf|laufen*〕Ⓢ (배가 해변에 닿다).

사중(四重) ①《네겹》¶~의 vierfach. ②〖불교〗die Vier Hauptverbote《*pl.*》des Buddhismus (=Töten, Stehlen, Ehebruch u. Gedankenlosigkeit).
‖**~주** Quartett *n.* -(e)s, -e: ~주단 Quartett. **~창** Vokalquartett *n.* -(e)s, -e. 현악**~주** Streichquartett *n.* -(e)s, -e.

사중구생(死中求生) **~하다** ³sich e-n Weg bahnen, indem man das Leben einsetzt; e-n Weg aus der verzweifelten Lage heraus|finden*; ⁴sich aus der Todesgefahr retten.

사증(査證) Visum *n.* -s, ..sa; Sichtvermerk *m.* -(e)s, -e. **~하다** mit Visum versehen⁴; visieren⁴. ¶~이 있는 mit Visum versehen / 여권에 ~을 받다 ein Visum für den Paß bekommen* / 입국을 위해 ~을 얻다 ³sich für die Einreise ein ⁴Visum besorgen.
‖입국**~** Einreisevisum *n.* -s, ..sa. 출국**~** Ausreisevisum.

사지¹《나무》ein kurzes Holzstück《-(e)s, -e》am Ende des Joches.

사지²《종잇조각》Papierstreifen《*m.* -s, -》an den Holzspießen, mit denen die Fleischstücke auf dem Opfertisch zusammengehalten werden (weiß bei Ahnenfeiern, in den fünf Farben blau, gelb, rot, weiß, schwarz bei sonstigen Festen).

사지(四肢) die (vier) Glieder《*pl.*》; die Gliedmaßen《*pl.*》; Hände u. Füße《*pl.*》; Arme u. Beine; die Extremitäten《*pl.*》. ¶~오체 der ganze Körper / ~를 쭈욱 뻗다 alle viere von ³sich strecken / 그녀는 ~를 떨었다 Sie zitterte an allen Gliedern.
‖**~마비** Gliederlähmung *f.* -en.

사지(死地) gefährlicher Ort, -(e)s, -e. ¶~에 들어가다 ⁴sich in ⁴Todesgefahr begeben* / ~에 빠지다 in ⁴Todesgefahr geraten*Ⓢ / ~를 벗어나다 dem Tode entgehen*〔entkommen*〕Ⓢ / 아무를 ~에서 구하다 *jn.* aus Todesgefahr retten / ~에서 구원을 외치다 in höchster Todesnot um Hilfe rufen*.

사지(砂紙) Schleif¦papier〔Sand-; Schmirgel-〕*n.* -s, -e. ☞ 사포(砂布).

사지〖직물〗Serge [sɛrʒ] *f.* -n. ¶감색의 ~ blaue Serge.

사지어금니 jemand〔etwas〕, der〔was〕unentbehrlich ist (wie der Backenzahn e-s Löwen).

사지춤〖민속〗der Löwenmaskentanz, -es, ⸚e.

사지코 Stumpfnase *f.* -n; Stupsnase.

사직(司直) Richter *m.* -s, - (법관); Gericht *n.* -(e)s, -e (법원); Gerichtsbehörde *f.* -n.
‖**~당국** =사직(司直): 아무에게 손해 배상을 청구코자 ~ 당국에 고발하다 *jn.* auf Schadenersatz gerichtlich verklagen.

사직(社稷)《신》der Schutzgott《-es, ⸚er》des Staates;《국권·국가》höchste Staatsgewalt; Landeshoheit *f.*; Souveränität *f.*; Staat *m.* -(e)s, -en. ¶~지신 Staatsträger *m.* -s, -.
‖**~단(壇)** Schutzgottaltar *m.* -s, ..täre.

사직(辭職) Abschied *m.* -(e)s, -e; Amts¦abtretung〔-niederlegung〕*f.* -en; Entlassung *f.* -en; Rücktritt *m.* -(e)s, -e. **~하다** ab|danken; ab|treten*Ⓢ; ein Amt auf|geben*〔nieder|legen〕; zurück|treten* Ⓢ《*von*³》; auf e-e Stellung verzichten. ¶~을 권고하다 *jm.* raten*, zurückzutreten〔das Amt niederzulegen〕/ 아무를 ~시키다 *jn.* s-s Amt entheben*; *jn.* ab|setzen / 내각은 어제 총 ~하였다 Die Regierung ist gestern insgesamt zurückgetreten. / 그는 내각수반의 직을 ~하였다 Er legte die Regierung nieder.
‖**~원** Abschiedsgesuch *n.* -(e)s, -e: ~원을 내다 s-n Abschied ein|reichen; um s-n Abschied〔s-e Entlassung〕ein|kommen*Ⓢ; um den Abschied bitten* / ~원을 수리하다 den Abschied〔den Rücktritt〕an|nehmen*〔genehmigen〕. 의원**~** die freiwillige Niederlegung s-s Amtes.

사진(仕進) **~하다** an den Hof gehen*Ⓢ; e-e Amtsstelle übernehmen*.

사진(沙塵) Staub *m.* -(e)s, -e; Staubfahne *f.* -n (뭉게뭉게 피어 오른 것); Staubwolke *f.* -n (먼지의 구름). ¶~이 일다 Staubwolken《*pl.*》auf|wirbeln〔자동사〕/ ~을 일으키다 den Staub auf|wirbeln / 그 자동차는 ~을 남겨놓고 달려갔다 Das Auto ließ e-e dichte Staubwolke hinter sich.

사진(寫眞) Lichtbild *n.* -(e)s, -er; Photographie *f.* -n [..fi:ən]; Photo *n.* -s, -s;〔ph는

최근에는 f로 표기할 때가 많음】 Fotografie; Foto; Photogramm *n.* -s, -e (사진(도)(圖)); Momentaufnahme *f.* -n (스냅); Schnappschuß *m.* ..sses, ..schüsse (스냅을 가리키는 속어). ¶ ~(술)의 photographisch; photomechanisch / ~을 찍다 photographieren⁴; auf|nehmen*; knipsen⁴; Aufnahme machen / (자신의) ~을 찍다(촬영하다) ⁴sich photographieren lassen / ~을 확대하다 ein Lichtbild vergrößern / 이 ~을 두 장 더 인화해 주십시오 Von diesem Photo möchte ich noch zwei Abzüge haben. / ~을 뽑다 (인화하다) Bilder ab|ziehen* / ~을 현상하다 Bilder entwickeln / 스냅 ~을 찍다 e-n Schnappschuß machen 《von *jm.*》; e-e Momentaufnahme machen 《von *jm.*》 / 그녀의 사진을 두 장 찍었다 Ich habe von ihr zwei Aufnahmen gemacht. / (윤곽이) 희미하게 나온 ~ ein unscharfes Photo / (노출이 지나쳐) 희미한 ~ e-e überbelichtete Aufnahme / (감도가 낮아서) 컴컴한 ~ e-e unterbelichtete Aufnahme / 벌써 ~ 찍었니 Hast du schon geknipst? / 그 애는 ~ 찍기를 싫어한다 Das Kind ist kamerascheu. / 나는 ~이 통 안 받는다 Ich sehe im Foto immer schlecht (furchtbar) aus.¦Ich bin gar nicht photogen (주로 얼굴이). / 그녀는 실물보다 ~이 더 좋다 Sie sieht im Photo besser aus. / ~을 한 장 찍게 해 주십시오 Darf ich e-e Aufnahme von Ihnen machen?

‖ ~건판 photographische Platte, -n. ~관 Studio *n.* -s, -s. ~기 Fotoapparat *m.* -(e)s, -e; Kamera *f.* -s. ~모델 Photomodell *n.* -s, -e. ~사 Photograph *m.* -en, -en. ~석판(술) Photolithographie *f.* -n. ~술 Photographie *f.* -n; Lichtbildkunst *f.* ⸚e. ~식자 【인쇄】 Foto¦satz (Licht-) *m.* -es, ⸚e; Foto¦typie (Auto-) *f.* -n. ~첩 Photographiealbum(Photoalbum) *n.* -s, -s (..ben). ~촬영 photographische Aufnahme, -n. ~측량 Photogrammetrie *f.* -n; Meßbildverfahren *n.* -s, -. ~틀 Photographierahmen *m.* -s, -. ~판 Photogravüre [..vý:rə] *f.* -n; Heliogravüre; Phototypie *f.* ..pien (사진철판술(凸版術)). ~판정(判定) Entscheidung 《*f.*-en》 durch Zielfotografie (경마, 육상경기의). ~현상 Entwicklung *f.* -en. ~현상액 Entwicklungsflüßigkeit *f.* -en. 누드~ Aktfoto. 몽타즈~ Photomontage [..tá:ʒə] *f.* -n. 전송~ Telefoto. 착색~ Photographie in Farben. 천연색 ~술 Photochromie [..kromí:] *f.* -n. 칼라~ Farbfoto. 활동~ 《영화》 lebende Photographien 《*pl.*》. 흑백 ~ Schwarzweiß-Photo.

사차(四次) das Vierte*, -n. ¶ ~의 viert; 【수학】 biquadratisch.

‖ ~방정식 biquadratische Gleichung, -en; Gleichung vierten ²Grades. ~원 die vierte Dimension; vier Dimensionen 《*pl.*》.

사찰(寺刹) Tempel *m.* -s, -. ☞ 절.

사찰(査察) Inspektion *f.* -en; Inspizierung *f.* -en (점검); Aufsicht *f.* -en (감독); Kontrolle *f.* -n; das Überwachen*, -s. ~하다 die Aufsicht führen 《*über*⁴》; überwachen⁴. ¶ 누구를 비밀리에 ~하다 *jn.* heimlich überwachen / 누구를 비밀 경찰을 통해 ~하게 하다 *jn.* durch den Geheimdienst überwachen lassen*.

‖ ~계 Überwachungsabteilung 《*f.* -en》 der Polizeiwache; Geheimpolizei *f.* ~관 Inspektor *m.* -s, -en; Inspekteur [..tø:r] *m.* -s, -e; der Aufsichtsbeamte*, -n, -n. ~기관 Überwachungsorgan *n.* -s, -e. ~비행 Inspektionsflug *m.* -(e)s, ⸚e. ~여행 Inspektionsreise *f.* -n. ~제도 Überwachungssystem *n.* -(e)s, -e. 학원~ polizeiliche Überwachung der Universitäten.

사창(私娼) die (freie) Dirne, -n; Freudenmädchen *n.* -s, -; Straßenmädchen *n.* -s, -; Nutte *f.* -n; (Straßen)hure *f.* -n; Schneppe *f.* -n; die Prostituierte*, -n, -n; Hetäre *f.* -n; Callgirl *n.* -s, -s; Strichmädchen *n.* -s, -; Rufmädchen *n.* -s, -. ¶ ~ 생활을 영위하다 horizontales Gewerbe betreiben*; der ³Prostitution nach|gehen* ⓢ; ⁴sich prostituieren.

‖ ~가 Stadtviertel 《*n.* -s, -》 mit schlechtem Ruf. ~굴 Absteigequartier *n.* -(e)s, -e; Bordell *n.* -s, -e; 【학생 속어】 Puff *m.* -s, -s; Eros-Center *m.* -s, -s; Freudenhaus *n.* -es, ⸚er; Dirnenhaus *n.* -es, ⸚er: ~굴에 드나들다 in Bordellen viel verkehren.

사창(紗窓) Gazefenster *n.* -s, -.

사채(私債) Privatschulden 《*pl.*》; Privatdarlehen *n.* -s, -. ¶ ~를 쓰다 Privatschulden benutzen / ~를 주다 *jm.* ein Privatdarlehen geben* / ~놀이를 하다 《고리로》 Wucher treiben*; ⁴sich mit Wucherei beschäftigen; wuchern.

‖ ~동결 Privatdarlehensperre *f.* -n.

사채(社債) (Gesellschafts)obligation *f.* -en; Gesellschaftsschuldschein *m.* -(e)s, -e; Schuldverschreibung *f.* -en.

‖ ~권(券) Schuldschein *m.* -(e)s, -e; Obligation *f.* -en. ~권자(權者) Obligationär *m.* -(e)s, -e; Inhaber 《*m.* -s, -》 e-r Obligation.

사천(왕)(四天(王)) 【불교】 die vier Himmelskönige 《*pl.*》; die großen Vier 《*pl.*》; die vier Tüchtigsten 《*pl.*》.

사철(四一) ① 《네 철》 die vier Jahreszeiten 《*pl.*》. ② 《항상》 das ganze Jahr hindurch; immer.

사철(私鐵) Privateisenbahn *f.* -en. ☞ 사설(私設) 철도.

사철(砂鐵) Eisensand *m.* -(e)s.

사철나무(四一) Pfaffenhütchen *n.* -s, -; Spindelbaum *m.* -(e)s, ⸚e; *Euonymus japonica* (학명).

사철쑥(四一) 【식물】 e-e Art Beifuß 《*m.* -(e)s》; *Artemisia capillaris* (학명).

사체(四體) Glieder 《*pl.*》; Extremitäten 《*pl.*》; 《온몸》 der ganze Körper, -s, -. ¶ ~가 멀쩡하다 gesunde Glieder haben.

사체(死體) =시체.

사초(莎草) 《잔디》 Rasen *m.* -s, -. ~하다 ein Grab mit Rasen belegen. ¶ ~를 입히다(베다) e-n Rasen an|legen (mähen).

사촌(四寸) Cousin [kuzɛ̃:] *m.* -s, -s 《불어》; Vetter *m.* -s (-n), -n; 《사촌누이》 Cousine (Kusine) [kuzí:nə] *f.* -n; Base *f.* -n.

사추(邪推) Argwohn *m.* -(e)s; Mutmaßung *f.* -en (억측); Mißtrauen *n.* -s (불신); Verdacht *m.* -(e)s, -e (의혹). ~하다 argwöhnen 《*gegen*⁴》; Argwohn hegen (schöpfen) 《*gegen*⁴》; verdächtigen 《*jn.* ²*et.*》; mißtrauen³.

사춘기(思春期) Pubertät *f.*; Pubertätszeit *f.*; Geschlechtsreife *f.*; Mannbarkeit *f.*; das mannbare Alter, -s, -. ¶ ~의 pubertär; geschlechtsreif; mannbar / ~에 달하다 (이르다) die Pubertät erreichen.

‖ ~장애 Pubertätsstörungen 《*pl.*》.

사출(射出) Herausschießung *f.* -en; das Ausgießen*, -s. ∼하다 ergießen*⁴ (액체를); heraus|schießen*⁴; aus|strahlen⁴.

‖ ∼기 Wurfmaschine *f.* -n; Katapult *m.* -(e)s, -e (Katapulte *f.* -n).

사춤 《갈라진 틈》 Spalt *m.* -(e)s, -e; Riß *m.* ..sses, ..sse; Ritze *f.* -n. ∼치다 e-n Riß (Spalt) in der Mauer (Wand) verschmieren. ⌈-s (-e).

사취(砂嘴) Sandzunge *f.* -n; Sandkap *n.* -s,

사취(詐取) das Erschwindeln*, -s; Betrug *m.* -(e)s, ⸚e; Schwindel *m.* -s, -. ∼하다 *jm.* ⁴*et.* ab|betrügen (-|listen; -|schwindeln); *jn.* betrügen* (beschwindeln; prellen) 《*um*⁴》; erschwinden⁴. ¶ 그는 내게서 상당한 금액을 ∼했다 Er hat mir e-e beträchtliche Summe abgeschwindelt. / 그녀는 그의 재산을 ∼했다 Sie hat ihn um sein Vermögen betrogen. / 나는 돈을 모두 ∼당하였다 Man hat mich um mein ganzes Geld betrogen.

사치(奢侈) Luxus *m.* -; Schwelgerei *f.* -en; Üppigkeit *f.*; Ausschweifung *f.* -en; der große Aufwand, -(e)s; Herrenleben *n.* -s, -; Wohlleben *n.* -s, -(사치스런 생활); Verschwendung *f.* -en (낭비). ∼하다 luxuriös; prasserisch; schwelgerisch; extravagant (sein). ¶ ∼를 좋아하는 사람 ein Luxus treibender Mensch, -en, -en / ∼한 생활을 하다 ein luxuriöses Leben führen; üppig leben; auf großem Fuß leben; wie (der liebe) Gott in Frankreich leben; schwelgen u. prassern / ∼를 하다 Luxus treiben*; ³sich nichts abgehen lassen* / ∼에 흐르다 ³sich dem Luxus ergeben* / ∼에 대해 경고하다 vor ³Luxus warnen 《*jn.*》; e-n mahnenden Finger gegen Luxus erheben* / 지나친 ∼를 하다 e-n überspitzten (übertriebenen) Luxus treiben* / ∼를 삼가다 Luxus auf|geben*; ⁴sich vom Luxus fern|-halten* / 내 형편에 그런 ∼는 감당할 수 없오 Das ist ein Luxus, den ich mir nicht leisten kann.|So e-n Luxus kann ich mir nicht gönnen. / 그의 ∼는 한이 없었다 Sein Luxus kannte k-e Grenzen. / 그것은 순전한 ∼다 Das ist reiner Luxus.

‖ ∼관세 Einfuhrzoll 《*m.* -(e)s, ⸚e》 für Luxuswaren 《*pl.*》. ∼세 Luxussteuer *f.* -n. ∼품 Luxusartikel *m.* -s, - (-ware *f.* -n). ∼풍조 luxuriöse Stimmung, -en.

사치스럽다(奢侈—) 《사물이》 luxuriös; kostspielig; prunkvoll; prasserisch (sein); 《사람이》 schwelgerisch; verschwenderisch; extravagant (sein). ¶ 사치스러운 생활 ein luxuriöses Leben / 사치스러운 여행 e-e kostspielige Reise / 음식에 ∼ im Essen wählerisch sein; ein Feinschmecker sein / 사치스럽게 자라나다 im Schoß des Glücks auf|wachsen* Ⓢ / 그 식사는 내게는 너무 ∼ Das Essen ist mir zu kostspielig (teuer). ☞ 사치 (奢侈).

사칙(四則) die vier Grundrechnungsarten 《*pl.*》; die vier Spezies [..tsĭɛs] 《*pl.*》.

사칙(社則) Betriebvorschrift *f.* -en.

사친회(師親會) Eltern- u. Lehrervereinigung *f.* -en; die Elternvereinigung 《-en》 mit der Lehrerschaft 《영어약자: P.T.A.》; Elternabend *m.* -(e)s, -e (학부모의 모임); Elternbeirat *m.* -(e)s, ⸚e (학부모 대표의 모임).

사칭(詐稱) die falsche Angabe, -n 《²*et.*》. ∼하다 ⁴sich aus|geben* 《*als*⁴; *für*⁴》; (fälschlich) vor|geben* 《¹*et.* zu sein》; e-n falschen Namen an|geben*; ⁴sich an|geben* 《*als*⁴; *für*⁴》; ⁴sich fälschlich vor|stellen 《*als*⁴》; e-n falschen Namen an|nehmen* (an|geben*); ³sich ⁴*et.* an|maßen (건방지게 감히). ¶ …로 ∼하여 unter dem Namen 《*von*³》 / 이름을 ∼하고 unter e-m falschen (angenommenen) Namen.

‖ 신분∼ die falsche Angabe s-r ²Personalien 《*pl.*》. 학력∼ die falsche Angabe der akademischen Laufbahn.

사카린 〖화학〗 Sacharin *n.* -s.

사커 Fußballspiel *n.* -(e)s, -e; Fußball *m.* -(e)s, ⸚e. ¶ ∼를 하다 Fußball spielen.

‖ ∼선수 Fußballer *m.* -s, -; Fußballspieler *m.* -s, -.

사타구니 Leiste *f.* -n; Leistengegend *f.* -en (서혜부(鼠蹊部)); Weiche *f.* -n; Weichengegend *f.* -en. ☞ 샅①.

사탄 Satan *m.* -s, -e; Satanas *m.* -, -se. ¶ 그는 ∼의 화신(化身)이다 Er ist ein leibhaftiger Satan.

사탕(砂糖) ① ＝설탕. ② 《과자》 Bonbon [bɔ̃bɔ̃] *m.* -s, -s; Zuckersteinchen *n.* -s, -; Zuckerzeug *n.* -(e)s, -e; Zuckerware *f.* -n; Süßigkeit *f.* -en. ¶ ∼처럼 단 zuckersüß / ∼을 함유한 《당분이 있는》 zuckerhaltig; zuckerig.

‖ ∼맛 Zuckergeschmack *m.* -(e)s, -e. ∼무우 〖식물〗 Zuckerrübe *f.* -n. ∼밀(蜜) Sirup *m.* -s, -e. ∼수수 Zuckerrohr *n.* -(e)s, ⸚e. ∼야자 Zuckerpalme *f.* -n. ∼장사 Zuckerhandel *m.* -s, -. ∼제조업자 Bonbonkocher *m.* -s, -; Bonbonmacher *m.* -s, -(사탕 만드는 사람). 막대∼ Zuckerhut *m.* -(e)s, ⸚e. 얼음∼ Zuckerkandis *m.* -.

사탕발림(砂糖—) bloße (leere) Komplimente 《*pl.*》; Schmeichelei *f.* -en; Süßholz *n.* -es, -er (감언). ¶ ∼의 말 zuckersüße Worte 《*pl.*》 / ∼의 말을 하다 ⁴Süßholz raspeln; in schmeichlerischem Ton (mit schmeichlerischen Worten) reden; *jm.* schmeicheln; Butter aufs Brot schmieren / ∼의 말을 하는 사람 Süßholzraspler *m.* -s, -; Schmeichler *m.* -s, - / 그것은 단지 ∼에 불과하다 Das ist nichts mehr als bloße Schmeicheleien.

사태 Unterschenkelstück 《*n.* -(e)s, -e》 vom Rind (zum Kochen von Suppe).

사태(死胎) der leblose (tote) Fötus, ..tusses, ..tusse. ‖ ∼분만 Totgeburt *f.*

사태(沙汰) ① 《무너짐》 Erdrutsch *m.* -es, -e; Bergrutsch *m.* -es, -e; Bergsturz *m.* -es, ⸚e. ¶ 어제 우리 마을에 ∼가 났다 Gestern war ein Erdrutsch in unserem Dorf. / ∼ 때문에 교통이 두절되었다 Der Verkehr war wegen des Erdrutsches unterbrochen.

② 《많음》 Unmenge *f.* -n (양); Unzahl *f.* -n (수). ¶ 편지 ∼ e-e Lawine von Zuschriften (편지가 산더미처럼 많이 들이닥침) / 사람 ∼ e-e Unmenge (Unzahl) von Menschen / 선물 ∼ e-e Unmenge (Unzahl) von Geschenken / 책 ∼ e-e Unzahl von Büchern / 경기침체로 인하여 실업자 ∼가 났다 Die sinkende Konjunktur hat e-e Unzahl von den Arbeitslosen hervorgebracht.

‖ 눈∼ Lawine *f.* -n. 진흙∼ Schlamlawine *f.* -n.

사태(事態) (Sach)lage *f.* -n; Sachverhalt *m.* -(e)s, -e; Stand 《*m.* -(e)s, ⸚e》 der Dinge; Tatbestand *m.* -(e)s, ⸚e; Umstand *m.* -(e)s, ⸚e; Verhältnisse 《*pl.*》; Situation *f.* -en. ¶ ∼가 이러하기 때문에 bei (nach) dieser Lage der Dinge / 심상치 않는 ∼ die kritische (bedrohliche; gefährliche) Lage / 어떤 지역에 대하여 비상 ~를 선포하다 ein [4]Gebiet zum Notstand erklären / ~가 악화되었다 Die Lage hat sich verschlechtert. / ~가 호전되었다 (달라졌다) Die Lage hat sich gebessert (gewandelt). / ~가 심각하다 (절망적이다) Die Lage ist ernst (hoffnungslos). / 그는 곤란한 ~에 직면해 있다 Er befindet sich in e-r schwierigen Lage.

‖비상 ~법 《비상 조치법》 Notstandsgesetz *n.* -es, -e.

사택(私宅) Privatwohnung *f.* -en.

사택(社宅) Dienstwohnung *f.* -en.

사토(沙土·砂土) Sandboden *m.* -s, - (¨).

사토장이(莎土—) Totengräber *m.* -s, -.

사통(私通) das unerlaubte (Liebes)verhältnis, ..nisses, ..nisse; Liaison [liɛzɔ̃:] *f.* -s; Liebschaft *f.* -en; Techtelmechtel *n.* -s, -; Ehebruch *m.* -(e)s, ¨e. **~하다** ein unerlaubtes (Liebes)verhältnis haben 《mit *jm.*》; [4]sich in ein intimes Verhältnis ein|lassen* 《mit *jm.*》; Ehebruch begehen* (간통하다).

사통오달(四通五達) =사통팔달.

사통팔달(四通八達) gute Verkehrsverbindung *f.* -en; gute Beschlagenheit 《*f.* -en》 in verschiedenen Fachrichtungen. ¶ ~의 nach allen Seiten hin gehend; von allen Seiten erreichbar; in verschiedenen Fachgebieten gut beschlagen sein / 탄탄대로가 ~하고 있다 Ebene u. breite Straßen erstrecken sich nach allen Richtungen.

사퇴(辭退) 《사직》 Abschied *m.* -(e)s, -e; Amtsabtretung *f.* -en; Rücktritt *m.* -(e)s, -e; 《거절·사양》 die (freundliche) Absage, -n; die (höfliche) Zurückweisung, -en. **~하다** ab|treten* ⓢ; ein Amt auf|geben* (nieder|legen); zurück|treten* ⓢ 《*von*[3]》; auf e-e Stellung verzichten; ab|sagen[4]; [4]*et.* höflich zurück|weisen* (거절); ab|lehnen[4]; aus|schlagen*[4] (선물, 신청 등을); nicht an|nehmen*[4] (받아들이지 않음). ¶ 누구를 ~시키다 *jn.* s-s Amt entheben*; *jn.* ab|setzen / 내각이 어제 총~ 하였다 Die Regierung ist gestern insgesamt zurückgetreten. / 그는 내각수반의 직에서 ~하였다 Er legte die Regierung nieder. / 그가 그렇게 제의하니 난 ~할 수 없다 Ich kann sein Angebot nicht zurückweisen.

사투(死鬪) der Kampf 《-(e)s, ¨e》 auf [4]Leben u. Tod; der verzweifelte Kampf. **~하다** um sein Leben kämpfen. ¶ ~를 벌이다 auf Leben u. Tod kämpfen.

사투(私鬪) Privatstreit *m.* -(e)s, -e; Privatzank *m.* -(e)s, ¨e.

사투리 e-e dialektische (mundartliche) Aussprache, -n (방언적 발음); ein dialektischer (mundartlicher) Akzent, -(e)s, -e (방언적 악센트); Dialekt *m.* -(e)s, -e (방언); Mundart *f.* -en (방언). ¶ 서울 ~ der Seouler Dialekt/ ~를 쓰다 mit e-m dialektischen (mundartlichen) Akzent sprechen* (말투가), Dialekt (Platt) sprechen* (방언을 쓰다) / 경상도 ~로 말하다 mit e-m *Gyeongsang*-Akzent sprechen* / 이 단어는 ~로만 쓰인다 Dieses Wort wird nur mundartlich gebraucht. / 그의 말에는 전연 ~가 없다 Er spricht ohne jeden (fremden) Akzent.¦Er spricht akzentfrei.

사특(邪慝) Lasterhaftigkeit *f.* -en; Verderbtheit *f.* -en; Bösartigkeit *f.* -en. **~하다** lasterhaft; verderbt; bösartig; boshaft (sein).

사파(娑婆) =사바세계.

사파리 Safari [zafá:ri] *f.* -s; (Jagd)expedition *f.* -en. ‖ **~랄리** Safari-Rallye [..rali] *f.* -s; Safari-Sternfahrt *f.* -en. **~루크** Safari-Stil *m.* -(e)s, -e.

사파이어 〖광물〗 Saphir *m.* -s, -e. ¶ ~ 빛깔의 saphirfarben; blau wie Saphir.

‖ **~바늘** 《축음기의》 Saphirnadel *f.* -n.

사팔눈 Schiel¦auge (Scheel-) *n.* -s, -n; Strabismus *m.* -. ¶ ~의 schiel¦äugig (scheel-); schielend / 그는 오른쪽이 ~이다 Er schielt mit dem rechten Auge.

사팔뜨기 Schieler *m.* -s, -; die Schielende*, -n, -n; der Schiel¦äugige* (Scheel-) -n, -n; Strabo *m.* -s, -s. ¶ 그는 오른쪽 눈이 ~다 Er schielt mit dem rechten Auge.

사포(砂布) Schleif¦papier (Sand-; Glas-; Schmirgel-) *n.* -s, -e.

사폭장(射爆場) Schieß- u. Bombenabwurfplatz *m.* -es, ¨e.

사표(師表) Vorbild *n.* -(e)s, -er; Muster *n.* -s, -. ¶ 누구를 자기의 ~로 삼다 [3]sich *jn.* zum Vorbild nehmen* / ~가 될 만한 사람 ein vorbildlicher Mensch, -en, -en / 그는 근면 (준법 정신)에 있어서 남의 ~가 될 만한 사람이다 Er ist ein Muster an Fleiß (Ordnungsliebe). / 그는 나의 ~다 Er ist mein Vorbild. / 그의 처신은 ~가 될 만하다 Sein Verhalten ist vorbildlich.

사표(辭表) Rücktrittsgesuch *n.* -(e)s, -e; Entlassungsgesuch *n.* -(e)s, -e. ¶ ~를 제출하다 s-n Rücktritt (sein Rücktrittsgesuch) ein|reichen / ~를 수리하다 ein [4]Rücktrittsgesuch genehmigen.

사푼- ☞ 사뿐-.

사품 Zwischenzeit *f.* -en. ¶ 이 ~에 unterdessen; indessen; inzwischen; einstweilen.

사풋 leichtfüßig.

사풍(邪風) leichtsinnige Worte u. empörende Gesten 《*pl.*》.

사프란 〖식물〗 Safran *m.* -s, -e; Krokus *m.* -, - (-se). ¶ ~색의 safrangelb.

사필귀정(事必歸正) Lügen haben kurze Beine.

사하다(赦—) vergeben*[34]; verzeihen*[34]; erlassen*[34]; begnadigen[4].

사하라사막(—砂漠) die Wüste Sahara.

사학(史學) Geschichtswissenschaft *f.*; Geschichte *f.*; Historie *f.*

‖ **~과** 《대학의》 geschichtliches Seminar, -s, -e; Abteilung 《*f.* -en》 für Geschichte. **~교수** Geschichtsprofessor *m.* -s, -en. **~연구** Geschichtsforschung *f.* -en. **~자** Historiker (Geschichtsforscher) *m.* -s, -.

사학(私學) Privatschule *f.* -n; Privatuniversität *f.* -en (대학). ¶ ~의 명문(名門) hoch anerkannte Privatuniversität, -en; berühmte Privatuniversität / ~출신자 ein an e-r berühmten Privatuniversität Studierter*.

사학(斯學) Studium *n.* -s; Forschung *f.* -en; Subjekt *n.* -(e)s. ¶ ~의 권위 Autorität 《*f.* -en》 auf dem Fachgebiet (auf dem Gebiet der Wissenschaft).

사할린 《소련의 섬》 Sachalin *n.* -s.

사항(事項) Gegenstand *m.* -(e)s, ¨e; Artikel *m.* -s, -. ¶ ~별로 정리하다 nach Sachgebieten (Sachgruppen) ordnen[4]; nach Gegenständen sortieren[4]; rubrizieren (표제를 붙여); gruppieren[4].

‖ 주요~ Haupt¦sache *f.* -n (-punkt *m.* -(e)s, -e); die wichtigen Einzelheiten 《*pl.*》. 협의

(조사)∼ Gegenstände e-r Verhandlung *od.* Unterredung (e-r Untersuchung).

사해(四海) die ganze Welt. ¶ ∼를 평정하다 die Welt erobern (정복하다); Frieden in die Welt bringen* (평화롭게 하다).
‖ **∼동포주의** Weltbürgertum *m.* -s; Kosmopolitismus *m.* -. ⌈-(e)s.

사해(死海) 《중동의 염호》 das Tote Meer,

사행(私行) ① 《행위》 Heimlichkeit *f.* -en 〔보통 *sing.* 프라이버시〕; Privatangelegenheit *f.* -en; Privatleben *n.* -s, - (사생활). ¶ 아무의 ∼을 폭로하다 *js.* Heimlichkeit auf|decken. ② 《여행》 Privatreise *f.* -n.

사행(射倖) Spekulation *f.* -en; gewagtes Geschäft, -(e)s, -e. **∼하다** spekulieren; ^{4}sich auf Spekulationen ein|lassen*.
‖ **∼심** Gewinnsucht 《*f.* ⸗e》 durch Glücksspiel: ∼심을 조장하다 *jn.* zum Glückspiel verleiten; *jn.* zu e-r gewagten Spekulation verleiten.

사행(蛇行) **∼하다** ^{4}sich schlängeln; ^{4}sich winden*; mäandern.

사향(思鄕) Heimweh *n.* -s; Sehnsucht 《*f.*》 nach der Heimat. **∼하다** Heimweh haben; ^{4}sich nach der Heimat sehnen.
‖ **∼병** Heimweh *n.* -s.

사향(麝香) Bisam *m.* -s, -e; Moschus *m.* -; Zibet *m.* -s.
‖ **∼고양이** Bisamkatze *f.* -n. **∼노루** Moschustier *n.* -(e)s, -e; Bisamtier; Bisamhirsch *m.* -es, -e; Moschushirsch. **∼소** Bisamochse *m.* -n, -n. **∼수**(水) Moschusparfüm *n.* -s, -e〔-s〕. **∼쥐** Bisamratte *f.* -n: ∼쥐의 털 빛깔같은 bisamartig. **∼초**(草) Bisamgarbe *f.* -n; Moschuskraut *n.* -(e)s. **∼히야신드** Bisamhyazinthe *f.* -n; Moschushyazinthe.

사혈(死血) unreines 〔virulentes〕 Blut, -(e)s.

사혈(瀉血) Blutentziehung *f.* -en; Aderlaß *m.* ..lasses, ..lässe. **∼하다** *jm.* Blut ab|zapfen 〔entziehen*〕; *jn.* zur Ader lassen*.
‖ **∼법** Aderlaßkunst *f.* ⸗e.

사혐(私嫌) Haß *m.* ..sses. ¶ 아무에게 ∼을 품다 Haß gegen *jn.* hegen 〔haben〕.

사형(死刑) Todesstrafe *f.* -n; Hinrichtung *f.* -en. **∼하다** *jn.* hin|richten; die ^{4}Todesstrafe vollstrecken 《an *jm.*》; das Todesurteil vollstrecken. ¶ 죄인을 ∼에 처하다 e-n Verbrecher hin|richten / 아무를 전기의자에 앉혀 ∼에〔교수형에〕 처하다 *jn.* durch den elektrischen Stuhl 〔durch den Strang〕 hin|richten / 이런 범죄에는 ∼이다 Auf dieses Verbrechen steht die Todesstrafe. / ∼을 선고하다 das ^{4}Todesurteil verurteilen / ∼을 폐지하다 die Todesstrafe ab|schaffen / ∼을 집행하다 das Todesurteil vollstrecken 《an *jm.*》. ‖ **∼선고** Todesurteil *n.* -(e)s, -e: ∼선고를 하다〔내리다〕 das ^{4}Todesurteil aus|sprechen* 〔fällen〕 / ∼선고에 서명하다 das ^{4}Todesurteil unterschreiben*. **∼수**(囚) der zum Tode Verurteilte*, -n, -n. **∼집행** die Vollstreckung des Todesurteils; Hinrichtung *f.* -en: ∼집행인 Henker *m.* -s, -. **∼찬성론자** Anhänger 《*m.* -s, -》 der Todesstrafe. **∼폐지** die Abschaffung 《-en》 der Todesstrafe: ∼ 폐지론자 Gegner 《*m.* -s, -》 der Todesstrafe.

사형(私刑) Lynchjustiz [lýnç..] *f.*; das Lynchen*, -s. **∼하다** lynchen^4. ¶ ∼을 가하다 *jn.* ungesetzlich richten.

사형(舍兄) mein großer Bruder, -s; 《자칭》 ich, der ich dein älterer Bruder bin.

사형(詞兄) Herr 《*m.* -n, -en》... .

사화(士禍) ein Blutbad 《*n.* -(e)s》 〔ein Gemetzel *n.* -s, -〕 unter den Gelehrten.

사화(史話) Geschichtserzählung *f.* -en; historische Erzählung.

사화(私和) 《송사의》 ein (außergerichtlicher) Vergleich, -(e)s, -e; Privatschlichtung *f.* -en; 《화해》 Aussöhnung *f.*; Versöhnung *f.* **∼하다** e-n (außergerichtlichen) Vergleich schließen*; ^{4}sich versöhnen 《*mit*^{3}》; ^{4}sich aus|söhnen 《*mit*^{3}》; ^{4}sich ab|finden* 《*mit*^{3}》.

사화산(死火山) ein erloschener Vulkan, -s, -e.

사환(使喚) (Amts)diener *m.* -s, -; (Lauf)bursche *m.* -n, -n; Bürojunge *m.* -n, -n; Bürodiener *m.* -s, -; Pförtner *m.* -s, - (수위). ¶ 학교의 ∼ Schuldiener.

사활(死活) Leben u. Tod. ¶ ∼에 관한 lebenswichtig / 이것은 ∼에 관한 문제다 Es geht 〔handelt sich〕 bei dieser Sache um Leben u. Tod. / ∼에 관한 투쟁 Kampf 《*m.* -(e)s, ⸗e》 auf Leben u. Tod.

사회(司會) Vorsitz *m.* -es; Leitung *f.* -en. **∼하다** den Vorsitz führen (주재하다); leiten^4. ¶ …의 ∼하에 《국무회의 등》 unter dem Vorsitz 《*von*^{3}》; 《일반적인》 unter der Leitung 《*von*^{3}》 / 어떤 토론회〔모임〕서 ∼를 맡다 e-e ^{4}Diskussion 〔Versammlung〕 leiten.
‖ **∼봉**(棒) der Hammer 《-s, ⸗》 des Sitzungsleiters; Sprechershammer *m.* -s, ⸗. **∼자** 《공식 회의의》 Vorsitzer *m.* -s, -; der Vorsitzende*, -n, -n; 《회의·토론회의》 (Gesprächs)leiter *m.* -s, -.

사회(死灰) ausgeglühte Kohlen 《*pl.*》; Asche *f.* -n.

사회(社會) Gesellschaft *f.* -en; Welt *f.* (세계); Umwelt (주위 세계). ¶ ∼적 sozial; gesellschaftlich / ∼적으로 보아 von dem sozialen Gesichtspunkt aus betrachtet / ∼적 감정 soziales Gefüll, -(e)s, - / ∼적 긴장 gesellschaftliche Spannung, -en / ∼적 의무 gesellschaftliche Verpflichtung, -en / ∼적 지위 gesellschaftliche Stellung, -en/∼적 제재 gesellschaftliche Sanktionen 《*pl.*》/인류 ∼의 진화 die Evolution der menschlichen Gesellschaft / ∼의 풍조 der gesellschaftliche Trend, -s, -s / ∼의 적 ein Feind 《*m.* -(e)s, -e》 der Gesellschaft / ∼를 위해 für den Wohlstand der Gesellschaft; für die Öffentlichkeit / ∼를 위하여 일하다 für den Wohlstand der Gesellschaft arbeiten; der ^{3}Gesellschaft gute Dienste 《*pl.*》 leisten / ∼에 공헌하다 zum Wohlstand 〔zur Entwicklung〕 der Gesellschaft bei|tragen* / ∼에 해를 끼치다 die ^{4}Gesellschaft schlecht 〔schädlich〕 beeinflußen (악영향); der ^{3}Gesellschaft Schaden an|tun* (손해를 입힘) / ∼를 알다 die ^{4}Welt kennen* / ∼ 규범에 따르다 ^{4}sich der gesellschaftlichen Norm entsprechend verhalten* / 민주주의 원칙에 따라 ∼를 개혁하다 die Gesellschaft nach demokratischen Prinzipien reformieren / ∼에 나가다 ^{4}sich an die berufliche Welt begeben* / ∼에서 매장되었다 Er hat ^{4}sich gesellschaftlich ruiniert.| Er hat s-e gesellschaftliche Position und Ansehen verloren. / 그 사람들은 ∼의 찌꺼기 같은 존재들이다 Diese Leute sind der Abschaum der Gesellschaft.
‖ **∼개혁** gesellschaftliche Reform, -en; Sozialreform. **∼경제** Sozialwirtschaft *f.*;

Sozialökonomie *f.* -n (사회 경제학). ～계약설 die Lehre vom Gesellschaftsvertrag. ～계층 Gesellschaftsschicht *f.* -en: 상류 ～계층 Oberschicht / 노동자 ～ 계층 Arbeiterschicht / ～ 계층의 상이한 여러 계층들 die verschiedenen Schichten der Gesellschaft. ～과(科) Bürgerkunde *f.* -n; Gesellschaftskunde *f.* -n. ～과학 Sozialwissenschaft *f.* -en; Gesellschaftswissenschaft; 《사회과학 총칭》 Sozialwissenschaften 《*pl.*》: ～ 과학 연구소 Institut 《*n.* -(e)s》 für Sozialwissenschaften / ～과학 연구소장 Direktor 《*m.* -s, -en》 des Instituts für Sozialwissenschaften. ～관(觀) Gesellschaftsanschauung *f.* -en. ～교육 gesellschaftliche Erziehung, -en. ～교화 사업 soziale Aufklärungsarbeit, -en. ～구조, ～조직 Sozialstruktur *f.* -en; gesellschaftliche Organisation, -en; gesellschaftliches System, -(e)s, -e. ～극 Gesellschaftsdrama *n.* -s, ..men. ～당 die sozialistische Partei: ～당원 Mitglied 《*n.* -(e)s, -er》 der sozialistischen Partei. ～도덕 gesellschaftliche Moral 〖*pl.* 없음〗: ～도덕에 어긋난 짓을 하다 gegen die gesellschaftliche Moral verstoßen*. ～도태 gesellschaftliche Zuchtwahl (Selektion). ～면 《신문의》 die Seite (der Zeitung) für den Lokalbericht. ～문제 gesellschaftliches Problem, -(e)s, -e; Sozialproblem; e-e soziale Frage, -n: ～문제로 되다 ein soziales Problem werden. ～민주당 die sozialdemokratische Partei: 독일～민주당 SPD [◀Sozialdemokratische Partei Deutschlands] / 독일 ～민주당원 Mitglied 《*n.* -(e)s, -er》 der SPD; der Sozialdemokrat, -en, -en. ～민주주의 Sozialdemokratie *f.*: ～민주주의자 Sozialdemokrat *m.* -en, -en. ～발전 gesellschaftliche Entwicklung, -en. ～보장 Sozialversicherung *f.* ～보장 제도 Sozialversicherungssystem *n.* -(e)s, -e. ～복귀 Resozialisierung *f.* -en; Rehabilitation *f.* -en: ～ 복귀시키다 resozialisieren (rehabilitieren) 《*jn.*》. ～복지 sozialer Wohlstand, -(e)s: ～복지를 증진시키다 den Wohlstand steigern. ～봉사 Sozialdienst *m.* -(e)s, -e (-fürsorge *f.* -n; -arbeit *f.* -en). ～부 《신문의》 Abteilung 《*f.* -en》 für Lokalberichte 《e-r Zeitung》. ～불안 soziale (gesellschaftliche) Unruhe: ～ 불안을 일으키다 soziale [4]Unruhen 《*pl.*》 verursachen (bereiten; stiften) / ～불안을 제거하다 soziale Unruhen 《*pl.*》 bei|legen (nieder|schlagen*). ～사상 sozialer Gedanke, -ns, -n. ～사업 Sozialarbeit *f.* -en: ～ 사업에 종사하다 [4]sich mit sozialen Fürsorgen beschäftigen/～사업가 Sozialarbeiter *m.* -s, -. ～상 gesellschaftliche Bedingungen 《*pl.*》; gesellschaftliche Phänomene 《*pl.*》; soziale Erscheinungen 《*pl.*》; Gesellschaftsbild *n.* -(e)s, -er: ～상을 잘 반영하다 das [4]Bild der Gesellschaft gut wider|spiegeln. ～생활 soziales (gesellschaftliches) Leben, -s, -: ～ 생활을 하다 ein gesellschaftliches [4]Leben führen. ～성 Gesellschaftlichkeit *f.* -en; gesellschaftliche Natur. ～소설 Gesellschaftsroman *m.* -(e)s, -e. ～심리학 Sozialpsychologie *f.*: ～ 심리학자 Sozialpsychologe *m.* -n, -n. ～악 soziales Übel, -s, -. ～연대 soziale Solidarität: ～ 연대감 soziales Solidaritätsgefühl, -(e)s, -e. ～운동 soziale Bewegung, -en. ～윤리(학) Sozialethik *f.* ～의식 soziales Bewußtsein*, -s. ～의지 Kollektivwille *m.* -ns, -n. ～의학 Sozialmedizin *f.* ～인 Gesellschaftsmitglied *n.* -(e)s, -er. ～인류학 Sozialanthropologie *f.* ～장(葬) öffentliche Trauer 〖*pl.* 없음〗《um *jn.*》: ～장하다 um *jn.* öffentlich trauern. ～정의 soziale Gerechtigkeit. ～정책 Sozialpolitik *f.* ～제도 Gesellschaftssystem *n.* -(e)s, -e. ～조사 gesellschaftliche Untersuchung, -en. ～주의 Sozialismus *m.* -, ..men: ～주의자 Sozialist *m.* -en, -en / ～주의 경제학 sozialistische Wirtschaftslehre / ～주의 국가 sozialistischer Staat, -(e)s, -en / ～주의 단체 sozialistische Organisation, -en / ～주의 문학 sozialistische Literatur; sozialistisch orientierte Dichtung, -en / ～주의 정책 sozialistische Politik; sozialistisch orientierte Politik, -en / 국가 ～주의 Nationalsozialismus *m.* / 기독교 ～주의 christlicher Sozialismus / 수정 ～주의 Revisionismus *m.* ～질서 Gesellschaftsordnung *f.* -en. ～통계학 Sozialstatistik *f.* ～통제 gesellschaftliche Kontrolle, -n. ～평론가 Sozialkritiker *m.* -s, -. ～풍조 gesellschaftliche Strömung, -en. ～학 Soziologie *f.*; Gesellschaftslehre *f.*; 《사회과학 전반》 Sozialwissenschaften (Gesellschaftswissenschaften) 《*pl.*》: ～학자 Soziologe *m.* -n, -n; Gesellschaftswissenschaftler *m.* -s, - / 문화～학 Kultursoziologie *f.* / 문화 ～학자 Kultursoziologe *m.* -n, -n. ～혁명 soziale Revolution, -en; gesellschaftliche Revolution; Gesellschaftsrevolution. ～현상 soziale (gesellschaftliche) Phänomen, -s, -e; Gesellschaftsphänomen; Sozialphänomen. ～형태 Gesellschaftsform *f.* -en. ～화 Sozialisierung *f.* -en; das Vergesellschaften*, -s; 《국유화》 Verstaatlichung *f.*: ～화하다 [4]*et.* vergesellschaften; [4]*et.* sozialisieren / 사유재산을 ～화하다 Privateigentum vergesellschaften. 문명～ kultivierte Gesellschaft. 복지～ Wohlstandsgesellschaft *f.* -en. 봉건～ Feudalgesellschaft *f.* -en. 상(중, 하)류～ die höhere (mittelere, niedrige) Klasse, -en. 시민～ bürgerliche Gesellschaft. 폐쇄～ geschlossene Gesellschaft.

사후(死後) ¶ ～의 nach *js.* Tod(e); postmortal; posthum; postum / ～의 생활 das Leben 《-s》 nach dem Tode; 《천국》 das Leben im himmlischen Reich/～ 약방문 Rat nach Tat kommt zu spät; nach *js.* Tode läßt man den Arzt holen; der spätere Einfall, -(e)s, ⸗e / 그 책은 ～ 출간되었다 Das Buch ist postum erschienen.

‖ ～강직(強直) *rigor mortis* 《라틴》; Leichenstarre (Toten-) *f.* ～공명(功名) postumer Ruhm, -(e)s; nachgelassener Ruhm.

사후(事後) ¶ ～의 nachträglich / ～에 *post factum* 《라틴》 / ～에 무엇을 보충(첨가)하다 nachträglich [4]*et.* ergänzen (ein|fügen) / ～에 생일을 축하하다 nachträglich zum Geburtstag gratulieren.

‖ ～검열 Zensur *f.* -en. ～보고 Bericht *m.* -(e)s, -e. ～승낙 das nachträgliche Einverständnis, -ses, -se; die nachträgliche Zustimmung, -en; Indemnität *f.* -en. ～축하 ein nachträglicher Glückwunsch, -es, ⸗e.

사후하다(伺候—) bei|wohnen[3]; zugegen sein 《*bei*[3]》; *jm.* auf|warten; *jm.* s-e Aufwartung machen.

사흗날 der dritte (Tag). ¶ 5월 ～ der dritte ⌈Mai.

사흘 drei Tage (사흘간); der dritte Tag (사흗날). ¶ ~마다 alle drei Tage / 동짓달 초~ der dritte November (der 3. November) / ~ 굶어 도둑질 아니할 놈 없다 Armut macht gemein.
‖ ~들이(로) alle drei Tage.
삭(朔) ① 《합삭》 Konjunktion *f.* -en. ② 《개월》 Monat *m.* -(e)s, -e. ¶ 수삼삭 einige (ein paar) Monate.
삭감(削減) Kürzung *f.* -en. ~하다 kürzen[4]; beschneiden*[4]; herab|setzen; reduzieren[4]. ¶ 예산을 최소한으로 ~하다 den Haushalt auf ein Mindestmaß kürzen / 대~ e-e drastische Kürzung / 지출 경비를 ~하다 [4]Ausgaben 《*pl.*》 beschneiden*.
삭과(蒴果) 〖식물〗 Kapsel *f.* -n.
삭구(索具) Tau¦werk (Takel-) *n.* -(e)s, -e; Takelage [..ʒə] *f.* -n.
삭다 ① 《못이》 rosten (s,h); oxydieren (s). ② 《옷이》 mürbe werden. ③ 《술이》 gären*. ④ 《소화》 verdaut werden. ⑤ 《마음이》 ruhig werden. ¶ 그의 성이 삭았다 Sein Zorn war verraucht. ⑥ 《김치 따위가 익다》 schon eßfertig sein.
삭도(索道) Seilbahn *f.* -en.
‖ 공중~ Seilschwebebahn *f.* -en.
삭막(索莫) ① 《기억의》 Gedächtnisschwäche *f.* ~하다 ein schwaches Gedächtnis haben. ② 《쓸쓸함》 Öde *f.* -n. ~하다 öde (sein). ¶ ~한 느낌 ein ödes Gefühl, -(e)s / ~한 생활 ein ödes Leben, -s.
삭망(朔望) 《초하루와 보름》 der erste u. fünfzehnte Tage des Mondmonates.
삭모(槊毛) dekorative Troddel, -n.
삭발(削髮) Haarschnitt *m.* -(e)s, -. ~하다 [3]sich das Haar (den Kopf) scheren (schneiden) lassen*.
삭신 Sehnen 《*pl.*》 u. Gelenke 《*pl.*》.
삭월세(朔月貰) Monatsmiete *f.* -n.
‖ ~방 Mietwohnung *f.* -en. ~집 ein gemietetes Haus, -es, ⸗er.
삭은코 leicht blutende Nase, -n.
삭이다 ① 《음식을》 verdauen[4] (소화). ¶ 삭이기 쉽다 (어렵다) leicht (schwer) verdaulich sein / 삭이기 쉬운 음식물 leicht verdauliche Speisen 《*pl.*》 / 이 음식은 삭이기 좋다 (나쁘다) Diese Speise ist gut (schlecht) zu verdauen. ② 《분노를》 besänftigen[4]; beherrschen[4]. ¶ 분을 (모욕을) ~ s-n Ärger (e-e Beleidigung) hinunter|schlucken.
삭일(朔日) der erste Tag des Mondmonates.
삭정이 dürrer Zweig 《-(e)s, -e》 e-s Baumes.
삭제(削除) Streichung *f.* -en. ~하다 streichen*[4]; aus|streichen[4](weg|-). ¶ 명단에서 ~하다 von der Liste streichen* / 원안의 일부를 ~하다 e-n Teil des Entwurfs streichen* / 제3조 제2항은 ~되었다 Art Ⅲ §2 ist gestrichen. / 원문 중 이 절은 ~하는 것이 좋겠다 Diesen Abschnitt im Text können wir streichen.
삭직(削職) ☞ 삭탈관직.
삭치다 《뭉개 없앰》 streichen*[4]; tilgen[4]; entwerten[4]; 《상쇄》 (durch [4]Gegenrechnung) aus|gleichen*[4]. ¶ 주고받을 것을 ~ Einnahmen u. Ausgaben aus|gleichen*.
삭탈관직(削奪官職) Amtsenthebung *f.* -en; Entlassung *f.* -en. ~하다 *jn.* s-s Amtes entheben*; *jn.* entlassen*.
삭풍(朔風) der Winterwind 《-(e)s, -e》 vom Norden.
삭히다 ① 《소화》 verdauen[4]. ② 《발효》 gären lassen*[4]. ③ 《종기 따위를 수술하지 않고》 auf|lösen[4]. ¶ 종기를 ~ e-e Geschwulst auflösen.
삯 ① 《품삯》 Lohn *m.* -(e)s, ⸗e; Gehalt *n.* -(e)s, ⸗er. ¶ 삯을 받다 den Lohn empfangen*; das Gehalt beziehen*. ② 《요금》 Gebühr *f.* -en; Preis *m.* -es, -e. ¶ 차삯 Fahrgeld *n.* -(e)s, -er; Fahrpreis *m.* -es, -e; 《운반비》 Frachtgeld *n.*; Fuhrlohn *m.* / 차삯이 얼마냐 Was kostet die Fahrt?
삯꾼 Lohnarbeiter *m.* -s, -.
삯말 Mietpferd *n.* -(e)s, -e.
삯메기 Lohnarbeit 《*f.* -en》 auf dem Land.
삯바느질 Näherei 《*f.*》 für den Lohn.
삯빨래 Wäscherei 《*f.*》 für den Lohn.
삯짐 Gepäck 《*n.* -(e)s》, das jemand gegen Entgeld trägt.
삯팔이 Lohnarbeit *f.* -en. ¶ ~하러 가다 auf Lohnarbeit gehen* (s).
‖ ~꾼 Lohnarbeiter *m.* -s, -.
삯품 Lohnarbeit *f.* -en. ¶ ~(을) 팔다 für Lohn arbeiten.
산(山) ① 《산악》 Berg *m.* -(e)s, -e; Gebirge *n.* -s, - (연산, 산맥); Höhe *f.* -n; Hügel *m.* -s, - (구릉); Wald *m.* -(e)s, ⸗er (산림). ¶ 산이 많은 bergig; gebirgig / 산에 오르다 e-n Berg besteigen*; auf e-n Berg steigen* (s). ☞ 등산 / 산에 가다 ins Gebirge (in die Berge) gehen* (fahren*) (s) / 산을 내리다 den Berg hinab|steigen* (s); vom Berg (ins Tal) hinab|gehen* (s) / 산을 넘다 über den Berg gehen* (s) / 산너머 산 Berge über Berge / 산속의 외딴 집 e-e abgelegene Hütte im Gebirge / 이번 여름은 산에서 지냈다 Diesen Sommer habe ich im Gebirge (in den Bergen) verbracht. / 일이 산처럼 쌓였다 Berge von Arbeit haben sich aufgetürmt. / 나는 (태) 산같은 걱정(빚)을 지녔다 Ich habe e-e Unmenge Sorgen (Schulden). ② 《야생의》 wild; wildwüchsig. ¶ 산딸기 Wilderdbeere *f.* -n. ③ 《산소》 Grab *n.* -(e)s, ⸗er. ④ 《광산》 Mine *f.* -n.
‖ 산돼지 Wildschwein *n.* -(e)s, -er.
산(酸) 〖화학〗 Säure *f.* -n. ¶ 산류 die Säuren 《*pl.*》 / 산에 강한 säurefest; säurebeständig / 산을 함유하지 않은 säurefrei.
‖ 산중독 Säurenvergiftung *f.* -en.
-산(産) Erzeugnis *n.* -ses, -se; Produktion *f.* -en. ¶ 국 (외국)산 제품 ein einheimisches (ausländisches) Erzeugnis / 독일산 제품 deutsches Erzeugnis / 한국산 꽃병 e-e koreanische Vase, -n / 이 꽃병은 한국산이다 Diese Vase stammt aus Korea.
산가(山家) Bauernhaus 《*n.* -es, ⸗er》 im Gebirge; Berghütte *f.* -n.
산가지(算一) primitive Zählmethode mit dem Holzstück.
산각(山脚) Bergesfuß *m.* -es, ⸗e.
산간(山間) ¶ ~의 (에) im Gebirge; in den Bergen.
‖ ~벽지 e-e abgelegene Gebirgsgegend, -en; ein abgelegenes Gebirgsort, -(e)s, -e. ~벽촌 ein abgelegenes Bergdorf, -(e)s, ⸗er. ~지방 Bergland *n.* -(e)s, ⸗er; ein bergiges Land, -(e)s, ⸗er.
산감독(山監督) 《산림계원》 Forstaufseher *m.* -s, -; 《광산의》 der Bergbeamte*, -n, -n.
산개(散開) 〖군사〗 das Ausschwärmen*, -s. ~하다 aus|schwärmen (s). ¶ 분대는 ~ 대형을 취했다 Die Gruppe schwärmte aus.
산견되다(散見一) 〔사물이 주어로 됨〕 hie u.

da zu sehen (finden) sein; ab u. zu vor|kommen* ⓢ (때때로 일어남).

산경(山景) Berglandschaft *f.* -en.

산계(山系) 〖지리〗 Gebirgssystem *n.* -s, -e.

산고(産苦) Geburtswehen 《*pl.*》.

산고(産故) Entbindung *f.* -en; Niederkunft *f.* ¨e.

산곡(山谷) Bergschlucht *f.* -en.

산골(山―) Bergland *n.* -(e)s, ¨er; Gebirgsgegend *f.* -en; Bergdorf *n.* -(e)s, ¨er. ¶ ~에서는 im Gebirge; in den Bergen / ~ 사람 Berg¦bewohner (Wald-) *m.* -s, - / ~에서 자라나다 im Bergdorf auf|wachsen* ⓢ / 그녀는 ~에서 자랐다 Sie ist im Gebirge aufgewachsen.

산골짜기, 산골짝(山―) (Gebirgs)tal *n.* -(e)s, ¨er. ¶ 산골짜기를 내려다보다 ins Tal hinab|schauen / 산골짜기로 내려가다 ins Tal hinab|steigen* ⓢ / 그 마을은 깊은 산골짜기에 자리잡고 있다 Das Dorf liegt tief im Tal.

산과(産科) 〖의학〗 Geburtshilfe *f.*; Obsterik *f.* ‖ **~병원** Entbindungsanstalt *f.* -en; Frauenklinik *f.* -en (산부인과). **~의** Geburtshelfer *m.* -s, -; Frauenarzt *m.* -(e)s, ¨e; Gynäkologe *m.* -n, -n.

산광(散光) 〖물리〗 Lichtzerstreuung *f.*; die Diffusion des Lichts; 《그 빛》 diffuses Licht, -(e)s, -er.

산괴(山塊) Bergmassiv *n.* -(e)s, -e; Gebirgsstock *m.* -(e)s, ¨e.

산국화(山菊花) Wildchrysanthemum *n.* -s, ..men.

산굴(山窟) Berghöhle *f.* -n.

산굽이(山―) Bergkurve *f.* -n.

산금(産金) Goldgewinnung *f.*
‖ **~국** Goldland *n.* -(e)s, ¨er. **~량** Goldgewinn *m.* -(e)s, -e.

산기(産氣) das Zeichen 《-s, -》 der Wehen 《*pl.*》. ¶ 그 여자는 ~가 있다 Ihre Geburtswehen haben begonnen. / 그 여자는 차 안에서 ~가 있었다 Sie bekam das Zeichen der Geburtswehen, während sie im Zug saß.

산기(産期) (voraussichtlicher) Entbindungstermin, -s, -e.

산기둥 〖건축〗 e-e ungestützte Säule, -n.

산기슭(山―) Fuß *m.* -es, ¨e 《e-s Hügels》. ¶ ~에(서) am Fuße des Berges; unten am Berge.

산길(山―) 《좁은 길》 Bergpfad *m.* -(e)s, -e; Waldweg *m.* -(e)s, -e; Waldsteg *m.* -(e)s, -e; 《도로》 Berg¦straße (Wald-) *f.* -n; 《고갯길》 Paß *m.* ..asses, ..ässe. ¶ ~에 접어들다 an e-n Berg kommen* ⓢ / ~을 넘어가다 über e-n Paß fahren* ⓢ (자동차로).

산꼬대(山―) die Nachtkälte vom Bergwind.

산꼭대기(山―) Berg¦spitze *f.* -n (-gipfel *m.* -s, -). ¶ ~에 auf dem Gipfel (e-s Berges).

산나리(山―) e-e wilde Lilie, -n.

산나물(山―) eßbares Bergkraut, -(e)s, ¨er.

산놀이(山―) das Bergsteigen*, -s; Bergwanderung *f.* -en.

산놓다(算―) mit Holzstücken (dem Rechenbrett; dem Abakus) zählen.

산다(山茶) 〖식물〗 Kamelie *f.* -n.

산다리 〖식물〗 e-e Sorte von kleinen weißen Bohnen.

산단(山丹) 〖식물〗 Morgenstern-Lilie *f.* -n; *Lilium Concolor* (학명).

산달(山―) Hügelland *n.* -(e)s, ¨er; hügeliges Gebiet, -(e)s, -e; Gebirgsgegend *f.* -en.

산달(産―) der Monat 《-(e)s, -e》 der Niederkunft.

산대 Streichnetz *n.* -es, -e.

산대(山臺) (mittelalterliches) Maskenspiel, -(e)s, -e. ☞ 산디. ‖ **~극** ☞ 산대(山臺).

산더미(山―) Unmenge *f.* -n; großer Haufen, -s, -. ¶ ~같이 (높이) haufenweise; in Haufen / ~처럼 쌓다 haufenweise schichten[4]; auf|türmen[4]; e-n Haufen Bücher auf|schichten (책을); auf e-n großen Haufen legen[4] / ~같이 쌓인 서류 große Stöße Akten / ~ 같은 돈 ein großer Haufen (e-e große Menge; e-e Stange) Geld / 돈을 ~같이 준다 해도 난 그건 못 하겠다 Für Berge Geld(es) würde ich es nicht tun. / 나는 걱정이 (빚이) ~ 같다 Ich habe e-e Unmenge Sorgen (Schulden). / 일이 ~같이 밀려 있다 Berge von Arbeit haben sich aufgetürmt.¦Die Arbeit hat sich berg(en)hoch getürmt.

산도(酸度) 〖화학〗 Azidität *f.*; Säuregrad *m.* -(e)s, -e.

산돌림(山―) (vereinzelter) Schauer, -s, -.

산돌배(山―) Wildbirne *f.* -n.

산돼지(山―) Wildschwein *n.* -(e)s, -e.

산드러지다 lebhaft; fröhlich; heiter (sein). ¶ 산드러지게 걷다 lebhaft schreiten* ⓢ / 산드러지게 웃다 fröhlich auf|lachen.

산들거리다 《바람이》 kühl u. sanft blasen* 《der Wind》.

산들다 mißlingen* ⓢ; falsch laufen* ⓢ; schief|gehen* ⓢ.

산들바람 (Luft)hauch *m.* -(e)s, -e; Lüftchen *n.* -s, -; der sanfte (leichte; leise) Wind, -(e)s, -e; der kühle (erfrischende) Wind; 〖시어〗 die linden Lüfte 《*pl.*》.

산들산들 《blasen》 sanft; zart. ¶ 아침 바람이 ~ 분다 Die Morgenbrise bläst sanft u. frisch.

산등성(山―) ☞ 산등성이.

산등성마루(山―) ☞ 산마루.

산등성이(山―) Bergrücken *m.* -s, -; Grat *m.* -(e)s, -e; (Gebirgs)kamm *m.* -(e)s, ¨e.

산디 e-e provisorische Bühne 《-n》 für das Maskenspiel.
‖ **~놀음** Maskenspiel *n.* -(e)s, -e. **~도감** *Sandi*-Truppe *f.* -n. **~탈** *Sandi*-spielmaske *f.* -n. **~판** e-e Szene 《-n》 des *Sandi*-spiels.

산딸기(山―) Wild¦erdbeere (Wald-) *f.* -n.

산똥 noch nicht ganz verdauter Stuhl, -(e)s, ¨e.

산뜩 ☞ 선뜩.

산뜻하다 《음식물 따위가》 erfrischend; erquickend (sein); 《옷차림 따위가》 sauber; adrett; gepflegt (sein); 《색 따위가》 licht; hell; glänzend; strahlend (sein); 《맛·인상 따위가》 frisch; lebendig; lebhaft; klar; deutlich (sein); 《행동 따위가》 schön; tadellos (sein). ¶ 산뜻한 날씨 ein leuchtendes Wetter / 산뜻한 음식 einfaches (bekömmliches; leichtverdauliches) Essen, -s, - / 그 여자는 산뜻하게 차려입었다 Sie ist adrett angezogen. / 오늘 아침에는 기분이 ~ Heute morgen fühle ich mich erfrischt (erquickt). / 그 일을 해 치우고 나니 기분이 ~ Nachdem ich das erledigt habe, fühle ich mich erleichtert.

산란(産卵) das Eierlegen*, -s; das Laichen*, -s (어패류의). **~하다** Eier legen; laichen.
‖ **~기** Laichzeit *f.* -en.

산란(散亂) Zerstreuung *f.* -en; das Durcheinander*, -s. **~하다** [4]sich zerstreuen; durcheinander|gehen* ⓢ; umher|fliegen* ⓢ (종이 따위가); 〖장소가 주어〗 unordentlich herum|liegen*; in (wildem) Durcheinander liegen*.

산록(山麓) Bergfuß *m.* -es, ⸚e. ¶ ~(에) (am) Fuß ⟪*m.* -es, ⸚e⟫ des Berges.

‖ ~지대 Vorland ⟪*n.* -(e)s, ⸚er⟫ (des Berges); die Gegend ⟪-en⟫ am Fuß e-s Berges.

산류(酸類) 〖화학〗 die Säuren ⟪*pl.*⟫.

산림(山林) Wald *m.* -(e)s, ⸚er; Waldung *f.* -en; Forst *m.* -es, -e.

‖ ~간수(看守), ~관 Förster *m.* -s, -; der Forstbeamte*, -n, -n. ~과(科) Forstfach *n.* -(e)s, ⸚er. ~관 조수 Forstgehilfe *m.* -n, -n. ~법 Forstrecht *n.* -(e)s, -e. ~보호 Forstschutz *m.* -es. ~정책 Forstpolitik *f.* ~학 Forstwissenschaft *f.* -en; Baumkunde *f.* -n(수목학). ~학자 Forstwissenschaftler *m.* -s, -. ~행정 Forstverwaltung *f.*

산마루(山—) Bergspitze *f.* -n; Bergrücken *m.* -s, -. ‖ ~터기 Berggipfel *m.* -s, -.

산마리노 ⟪나라 이름⟫ San Marino *n.* -, -s; Republik ⟪*f.*⟫ S.M. ¶ ~의 sanmarinesisch.

‖ ~사람 Sanmarinese *m.* -n, -n.

산막(山幕) Berghütte *f.* -n.

산만(散漫) Planlosigkeit *f.*; Ungenauigkeit *f.*; Zerfahrenheit *f.*; Zerstreutheit *f.*; Oberflächlichkeit *f.* ~하다 fahrig; flach; flüchtig; nachlässig; nicht konzentriert; oberflächlich; planlos; ungenau; unsystematisch; zerfahren; zerstreut (sein). ¶ ~한 문체 der verworrene Stil, -(e)s, -e / 머리가 ~하다 ein flacher Kopf (ein flachhafter Mensch) sein / ~한 독서 das oberflächliche (planlose) Lesen*, -s; die planlose Lektüre/ 주의를 ~하게 하다 die [4]Aufmerksamkeit ab|lenken.

산말 e-e lebende Sprache, -n.

산망스럽다 unregelmäßig; sprunghaft; wandelbar; launenhaft; unberechenbar (sein). ¶ 산망스러운 언행 kecke Gebärde, -n.

산매(散賣) Kleinhandel *m.* -s; Einzelverkauf *m.* -(e)s, ⸚e; Detailgeschäft *n.* -(e)s, -e. ~하다 einzeln (im kleinen; im Detail) verkaufen[4]. ☞ 소매(小賣).

‖ ~상 Kleinhändler *m.* -s, -.

산맥(山脈) Gebirge *n.* -s, -; Gebirgszug *m.* -(e)s, ⸚e; Gebirgs|kette *f.* -n. ¶ 알프스 ~ Alpenkette *f.* -n; die Alpen ⟪*pl.*⟫.

산머리(山—) =산꼭대기.

산멱 die Kehle ⟪-n⟫ e-s lebendigen Tiers.

‖ ~통 ☞ 산멱.

산명수려(山明水麗) =산자수명.

산모(產母) Wöchnerin *f.* ..rinnen; die werdende Mutter, ⸚ (임부).

‖ ~보호 Mutterschutz *m.* -es: ~ 보호법 Mutterschutzgesetz *n.* -es, -e.

산모롱이(山—) =산모퉁이.

산모퉁이(山—) Bergbiegung *f.* -en.

산목숨 Leben *n.* -s. ¶ ~을 겨우 이어가다 kümmerlich sein Leben fristen; von der Hand in den Mund leben.

산문(山門) ① ⟪절의 문⟫ das Haupttor ⟪-(e)s, -e⟫ e-s (buddhistischen) Tempels; Tempeltor *n.* -(e)s, -e. ② ⟪산의 어귀⟫ der Eingang ⟪-s, ⸚e⟫ zum Berg.

산문(產門) (Mutter)scheide *f.* -n.

산문(散文) Prosa *f.* ..sen. ¶ ~적인 prosaisch/ 약간 (완전히) ~적으로 표현하다 etwas (ganz) prosaisch aus|drücken.

‖ ~극 Prosadrama *n.* -s, ..men. ~시 Prosagedicht *n.* -(e)s, -e. ~작가 Prosadichter *m.* -s, -. ~체 Prosastil *m.* -(e)s, -e.

산물(產物) Produkt *n.* -(e)s, -e; ⟪제품⟫ Erzeugnis *n.* -ses, -se; Fabrikat *n.* -(e)s, -e; Ergebnis *n.* -ses, -se (결과); Frucht *f.* ⸚e (성과). ¶ 내 노력의 ~ das Produkt m-r harten Arbeit / 그 조약은 오랜 협상의 ~로서 성립되었다 Der Vertrag kam als Frucht langer Verhandlungen zustande.

‖ 농~ landwirtschaftliche Produkte ⟪*pl.*⟫. 부~ Nebenprodukt *n.* -(e)s, -e.

산미(產米) ⟪산출한⟫ Reisprodukt *n.* -(e)s, -e; ⟪해산쌀⟫ Reis ⟪*m.* -es⟫ für e-e Frau im Kindbett.

산미(酸味) Säure *f.* -n. ¶ ~가 있는 sauer / ~를 띠다 sauer schmecken.

산밑(山—) Bergfuß *m.* -es, ⸚e.

산바람(山—) Bergwind *m.* -(e)s, -e.

산발(散發) ¶ ~적인 vereinzelt (vorkommend); sporadisch/~적 스트라이크 der sporadische Streik, -(e)s, -s / 다만 ~적인 사보타지가 있었을 뿐이었다 Nur vereinzelte Fälle von Sabotage sind festgestellt worden (sind aufgetreten).

산발(散髮) das lose Haar, -(e)s, -e; die zerzausten Haare ⟪*pl.*⟫. ¶ ~한 여자 e-e Frau mit verstrubeltem (wirrem) Haar / ~을 매만지다 das wirre Haar in Ordnung bringen*.

산법(算法) Rechnen *n.* -s; Rechnenkunst *f.* ⸚e; Arithmetik *f.*

산벚나무(山—) ein wilder Kirschbaum, -(e)s, ⸚e; e-e wilde Kirsche, -n.

산벼락 ein furchtbares Erlebnis, -ses, -se. ¶ ~맞다 Schreckliches* erleben.

산벼랑(山—) Bergklippe *f.* -n; steiler Bergabhang, -(e)s, ⸚e.

산병(散兵) das Ausschwärmen*, -s (흩어짐); Plänkler *m.* -s, - (흩어진 군사).

‖ ~선(線) die ausgeschwärmte (Schützen-) linie, -n. ~호 Schützengraben *m.* -s, -.

산보(散步) =산책.

산복(山腹) Bergabhang *m.* -(e)s, ⸚e. ¶ ~에 있는 집 ein Haus ⟪*n.* -es, ⸚er⟫ am Abhang des Berges.

산봉우리(山—) Bergspitze *f.* -n.

산부(產婦) =산모(產母).

산부인과(產婦人科) Frauenheilkunde *f.*; Gynäkologie *f.*

‖ ~의사 Geburtshelfer *m.* -s, - (산과); ⟪부인과⟫ Frauenarzt *m.* -(e)s, ⸚e; Gynäkologe *m.* -n, -n.

산부처 ein lebendiger Buddha, -s, -s; ein tugendhafter Mensch, -en, -en.

산불(山—) Waldbrand *m.* -(e)s, ⸚e.

산붕(山崩) =산사태.

산비둘기(山—) Wildtaube *f.* -n.

산비탈(山—) steiler Bergabhang, -(e)s, ⸚e.

산뽕나무(山—) 〖식물〗 wilder Maulbeerbaum, -(e)s, ⸚e.

산사(山寺) Bergtempel *m.* -s, -; ein Tempel im Gebirge (Wald).

산사나무(山査—) 〖식물〗 Hage|dorn (Weiß-) *m.* -(e)s, -e.

산사람(山—) Bergsteiger *m.* -s, - (등산가); Berg|bewohner (Wald-) *m.* -s, - (산골 사람); Waldmensch *m.* -en, -en (숲속의 괴물).

산사태(山沙汰) Bergsturz *m.* -es, ⸚e; Bergrutsch (Erd-) *m.* -es, -e.

산삭(產朔) Gebärmonat *m.* -(e)s, -e.

산산이(散散—) ¶ ~ 부수다 in [4]Stücke zerbrechen*Ⓢ; zerbröckeln[4]; zerkleinern[4] / 그 돌은 유리창 하나를 ~ 부수어 놓았다 Der Stein hat e-e Fensterscheibe zerschmettert. / 그

는 그릇을 마루 위에 내동댕이쳐서 ~ 부수었다 Er hat das Geschirr auf den Boden zerschmettert.

산산조각(散散一) tausend Stücke 《*pl.*》. ¶ ~이 나다 in tausend Stücke zerbrechen* (springen*) [s] / ~ 내다 in tausend Stücke hauen*[4] (schlagen*[4]).

산산하다 ☞ 선선하다.

산살바도르 《엘살바도르의 수도》 San Salvador.

산삼(山蔘) Wildginseng *m.* -s, -s.

산상(山上) (Berg)gipfel *m.* -s, -. ¶ ~에서 auf dem Berg; auf dem (Berg)gipfel; oben. ‖ ~수훈(보훈, 설교) 〖성경〗 Bergpredigt *f.*

산새(山一) Waldvogel *m.* -s, ⸚.

산색(山色) Berglandschaft *f.* -en.

산성(山城) Bergfestung *f.* -en.

산성(酸性) Säure *f.* -n; Azidität *f.* ¶ ~의 sauer; säurehaltig; säuerlich / ~에 잘 견디는 säurebeständig; säurefest / ~ 반응을 나타내다 sauer regieren / ~화하다 säuern[4]; säuerlich machen[4]; in Säure verwandeln[4]. ‖ ~도 Säure *f.* -n; Schärfe *f.* ~반응 Oxydation *f.* -en; Säurereaktion *f.* ~염 das saure Salz, -es. ~염료 Säurefarbstoff *m.* -(e)s, -e.

산세(山勢) geographische Besonderheiten 《*pl.*》 e-s Berges.

산소(山所) 《묘》 Grab *n.* -(e)s, ⸚er; 《묘소》 Grabstätte *f.* -n.

산소(酸素) Sauerstoff *m.* -(e)s; Oxygen(ium) *n.* -s 《기호: O》. ‖ ~결핍 공기 sauerstoffarme Luft, ⸚e. ~용접 Autogen-Schweißung *f.* -en. ~화합물 Sauerstoffverbindung *f.* -en; Oxyd *n.* -(e)s, -e (산화물). ~흡입 Sauerstoffinhalation *f.* -en: ~흡입기 Sauerstoff¦apparat *m.* (-gerät *n.*) -(e)s, -e / ~흡입을 하다 (시키다) Sauerstoff inhalieren (inhalieren lassen*).

산소리 Prahlerei *f.* -en; prahlerische Rede, -n. ~하다 prahlen; an|geben*; ein großes Maul haben.

산속(山一) ¶ ~에서 tief (mitten) im Berg (Wald) / ~까지 bis tief in den Berg (Wald) (hinein).

산송장 e-e lebende (wandelnde) Leiche, -n. ¶ 그는 ~이나 다름없다 Er gleicht e-r wandelnden Leiche.

산수(山水) Berge u. Flüsse; Landschaft *f.* -en. ¶ ~ 명미한 고장 Ort 《*m.* -(e)s, -e》 der landschaftlichen Schönheiten / 그 고장은 ~가 아름답기로 유명하다 Der Ort ist wegen s-r schönen Landschaft berühmt. ‖ ~미 Naturschönheit *f.* -en. ~화 Landschaftsbild *n.* -(e)s, -er; Landschaftsmalerei *f.* -en (화법): ~화가 Landschaftsmaler *m.* -s, -; Landschafter *m.* -s, -.

산수(算數) das Rechnen*, -s; Arithmetik *f.* (산술); Mathematik *f.* (수학). ¶ ~에 능하다 der [2]Arithmetik mächtig sein / ~에 약하다 schwach im Rechnen sein. ‖ ~문제 e-e mathematische Aufgabe, -n: ~문제를 풀다 e-e mathematische Aufgabe lösen.

산수소(酸水素) 〖화학〗 Hydrooxygen *n.* -s. ‖ ~용접 Hydrooxygen-Schweißarbeit *f.* -en. ~취관(吹管) Hydrooxygen-Gebläse *n.* -s, -. ~폭발 가스 Knallgas *n.* -es, -e; Hydrooxygengas *n.*

산술(算術) Arithmetik *f.*; Zahlenlehre *f.*; Rechnen *n.* -s. ¶ ~의 arithmetisch / 나는 ~이 약합니다 Rechnen ist m-e Schwäche.

산스크리트 Sanskrit *n.* -(e)s. ¶ ~어의 sanskritisch / ~어로 auf sanskritisch; im Sanskrit. ‖ ~학자 Sanskritist *m.* -en, -en.

산승(山僧) der in den Bergen lebende buddhistische Mönch, -(e)s, -e.

산식(算式) 〖수학〗 Formel *f.* -n.

산신(山神) Berggott *m.* -(e)s, ⸚er; Berggeist *m.* -es, -er. ‖ ~령 =산신. ~제 Berggottesdienst *m.* -(e)s, -e; abergläubischer Dienst für den Berggeist.

산실(産室) Wochenstube *f.* -n; Entbindungszimmer *n.* -s, -(분만실).

산아(産兒) 《신생아》 ein neugeborenes Kind, -(e)s, -er; 《해산》 Neugeburt *f.* -en. ~하다 ein Kind zur Welt bringen*.

산아제한(産兒制限) Geburten¦regelung *f.* -en (-kontrolle *f.* -n; -beschränkung *f.* -en); Familienplanung *f.* -en (가족 계획); Empfängnisverhütung *f.* -en (피임). ¶ ~을 하다 die Geburt kontrollieren (regeln).

산악(山嶽·山岳) Gebirge *n.* -s, -. ¶ ~이 중첩한 gebirgig. ‖ ~고도계 (기압계) Orometer *m.* -s, -. ~병 Bergkrankheit *f.* -en. ~부대 Gebirgstruppe *f.* -n. ~전 Gebirgskrieg *m.* -(e)s, -e. ~지방 Gebirgsgegend *f.* -en. ~학 Gebirgskunde *f.* -n. 비교~학 Orologie *f.*

산안개구름 Schicht¦wolke (Stratus-) *f.* -n.

산액(産額) Produktion *f.* -en; Produktionsmenge *f.* -n; Ertrag *m.* -(e)s, ⸚e (수확고); Förderung *f.* -en (광석 따위).

산야(山野) Berg u. Feld, des -(es) u. -(e)s, -e u. -er. ¶ ~를 두루 돌아다니다 über Berg u. Tal wandern [s,h]; durch das Land wandern (streifen)

산약(散藥) Pulver *n.* -s, -; Arznei 《*f.* -en》 in Pulverform.

산양(山羊) ① =염소. ② 《영양》 Antilope *f.* -n.

산언덕(山一) Hügel *m.* -s, -. ¶ ~을 내려가서 hügelab.

산언저리(山一) Vorland 《*n.* -(e)s, ⸚er》 e-s Berges; Hügelrand *m.* -es, ⸚er.

산업(産業) Industrie *f.* -n [..rí:ən]; Gewerbe *n.* -s, -. ¶ ~의 industriell / ~의 발달 die Entwicklung 《-en》 der Industrie; industrielle Entwicklung / ~을 장려하다 [4]Industrie fördern / 자본을 ~에 투자하다 ein Kapital in die Industrie an|legen. ‖ ~가 der Industrielle*, -n, -n. ~개발 industrielle Förderung, -en. ~계 Industriewelt *f.* -en. ~교육 industrielle Erziehung, -en. ~구조 Industriestruktur *f.* -en. ~국 Industriestaat *m.* -(e)s, -en. ~국유화 die Verstaatlichung der Industrien. ~노동조합 Industriegewerkschaft *f.* -en 《생략: IG》. ~도시 Industriestadt *f.* ⸚e. ~동원 industrielle Mobilisation, -en. ~박람회 Industrieausstellung *f.* -en. ~스파이 industrieller Spitzel, -s, - (Spion, -s, -e). ~심리 industrielle Psychologie, -n. ~예비군 die industrielle Reservearmee, -n. ~은행 Hypothekenbank *f.* -en; Industriebank. ~자금 industrieller Fonds, - [fõ:], - [fõ:s]. ~자본 industrielles Kapital, -s, ..lien (-e). ~정책 industrielle Politik, -en. ~조직 industrielle Organisation, -en. ~주의 Industrialismus *m.* -. ~통제 die Kontrolle der Industrien: ~통제를 강화하다 die Kontrolle der Industrien verstärken. ~합리화 die Rationalisierung der Industrie. ~혁

명 die Industrielle Revolution, -en. ~화 Industrialisierung *f.* -en: (한 나라를) ~화하다 (ein ⁴Land) industrialisieren. 기간~ Grundstoff¦industrie (Schlüssel-). 수출~ Exportindustrie.

산역(山役) Bau ((*m.* -(e)s)) (Reparatur *f.* -en) e-s Grabes; das Ausheben*((-s)) e-s Grabes. ~하다 ein Grab aus|heben* (reparieren). ‖ ~꾼 Friedhofsarbeiter *m.* -s, -.

산욕(産褥) Kind¦bett (Wochen-) *n.* -(e)s, -en. ‖ ~기 die Zeit nach der Entbindung; die Zeit des Wochenbetts: 그녀는 ~기이다 Sie liegt im Wochenbett.¦Sie ist in den Wochen. ~부 Wöchnerin *f.* -nen. ~열 Kindbett¦fieber (Wochenbett-) *n.* -s, -.

산용(山容) Ansicht ((*f.* -en)) e-s Berges.

산용숫자(算用數字) (die arabische) Ziffer, -n.

산울 ☞ 산울타리.

산울림(山—) das Dröhnen* ((-s)) des Berges; Echo *n.* -s, -s; Widerhall *m.* -(e)s, -e.

산울타리 Hecke *f.* -n; Hag *m.* -(e)s, -e; der lebende (lebendige) Zaun, -(e)s, ⸚e. ¶ ~로 격리되(어 있)다 durch e-e lebende Hecke getrennt werden (sein) / ~를 만들다 e-e Hecke (e-n Hag; e-n Zaun) pflanzen.

산원(産院) Entbindungsanstalt *f.* -en; Frauenklinik *f.* -en (산부인과).

산월(産月) der Monat ((-(e)s, -e)) der Niederkunft. ¶ ~이 가깝다 der ³Niederkunft entgegen|sehen*; dem Gebären nahe sein.

산유국(産油國) Erdölerzeugerland *n.* -(e)s, ⸚er; ein Land mit großen Erdölreserven (mit großer Erdölförderung).

산육하다(産育—) ((ein Kind)) zur Welt bringen* u. auf|ziehen*.

산음(山陰) Schattenseite ((*f.* -n)) des Berges.

산읍(山邑) Gebirgsdorf *n.* -(e)s, ⸚er; Bergdorf *n.* -(e)s, ⸚er.

산인(散人) Pensionär *m.* -s, -e; Einsiedler *m.* -s, -.

산일하다(散佚—) 〖사물이 주어〗 verloren gehen* ⓢ; zerstreut werden.

산입(算入) Einrechnung *f.* -en; Anrechnung *f.* -en. ~하다 ein|rechnen⁴ ((*in*⁴)); an|rechnen⁴ ((*auf*⁴)). ¶ 잡비를 ~하면 Unkosten eingerechnet (mitgerechnet) / 견습기간을 근무연수에 ~하다 die Ausbildungszeit auf die Dienstjahre an|rechnen.

산자(橵子) Gitter ((*n.* -s, -)) (Lattenwerk *n.* -(e)s, -e) über den Dachsparren.

산자수명(山紫水明) die malerische Landschaft, -en; Naturschönheit *f.* -en. ¶ ~하기로 유명하다 durch s-e Naturschönheit berühmt sein.

산장(山莊) Bergvilla *f.* ..villen.

산장이(山—) Bergbewohner *m.* -s, -; Weidmann *m.* -(e)s, ⸚er.

산재(散在) ~하다 vereinzelt (zerstreut) liegen* (stehen*). ¶ ~해 있는 마을들 zerstreut liegende Dörfer ((*pl.*)) / 이 바다에는 작은 섬들이 여기 저기에 ~해 있다 Auf dem Meer sind hie u. da mehrere Inseln vereinzelt zu finden.

산재(散財) Verschwendung *f.* -en (낭비); Ausschweifung *f.* -en (방탕). ~하다 großzügig Geld aus|geben*; ((낭비)) vergeuden⁴; verschleudern⁴; verschwenden⁴; ((속된 어조)) verbuttern; verplempern; verpulvern ((이상 *mit*³)); ((방탕)) aus|schweifen ⓢ ((*in*³)).

산재보험(産災保險) Unfallversicherung ((*f.* -en)) für ⁴Arbeitnehmer.

산적(山賊) Bandit *m.* -en, -en; Räuber *m.* -s, -. ¶ ~의 무리 Räuberbande *f.* -n / ~ 소굴 Räuberhöhle *f.* -n / ~을 만나다 von Räubern überfallen werden; unter die Räuber fallen* ⓢ.

산적(山積) ~하다 ⁴sich an|häufen; ⁴sich (auf|)häufen. ¶ 일이 ~해 있다 mit Arbeit überhäuft sein; e-n Haufen Arbeit haben ((*mit*³)) / 책상 위에 서류가 ~하다 Papiere häufen sich auf dem Tisch auf.

산적(散炙) Spießbraten *m.* -s, -. ‖ ~꼬챙이 Spieß *m.* -es, -e: ~ 꼬챙이에 꿰다 spießen⁴.

산적도둑(散炙—) ((미식가)) Feinschmecker *m.* -s, -; Gourmet [gurmɛ́:] *m.* -s, -s; ((딸)) *js.* verheiratete Tochter, ⸚.

산전(山田) Feld ((*n.* -(e)s, -er)) in den Bergen.

산전(産前) ¶ ~의(에) vor der Niederkunft (der Geburt) / ~ 산후의 휴가 Urlaub ((*m.* -(e)s, -e)) vor u. nach der Niederkunft.

산전수전(山戰水戰) Feld- u. Seeschlacht *f.* -en; allerlei Erfahrungen ((*pl.*)). ¶ ~ 다 겪다 ⁴Erfahrungen sammeln; viel Erfahrungen machen / 그는 ~ 다 겪은 사람이다 Er ist ein erfahrener Mann.¦Er ist durch alle Wasser geschwommen.¦Er ist mit allen Wassern gewaschen.¦Er ist in allen Sätteln gerecht.¦Er ist mit allen Hunden gehetzt.

산정(山亭) e-e Laube ((-n)) am Berg; Berghütte *f.* -n.

산정(山頂) Berg¦gipfel *m.* -s, - (-höhe *f.* -n). ¶ 눈에 덮인 ~ der schneebedeckte Gipfel des Berges / ~에 오르다 den Gipfel e-s Berges ersteigen*.

산정(算定) Berechnung *f.* -en; Veranschlagung *f.* -en. ~하다 berechnen⁴; aus|rechnen⁴; ein|schätzen⁴; veranschlagen⁴ ((*auf*⁴)) 〔약변화〕. ¶ ~을 잘못하다 falsch berechnen⁴; falsch veranschlagen⁴.
‖ ~가격 der berechnete Preis, -es, -e.

산줄기(山—) Bergkette *f.* -n; Bergzug *m.* -(e)s, ⸚e.

산중(山中) ¶ ~의, ~에, ~에서 im Gebirge; in den Bergen / ~에 있는 초가 e-e Hütte ((-n)) mitten im Gebirge.
‖ 심심~ das innerste Gebirge, -s, -: 심심~에 tief im Gebirge / 심심~으로 들어가다 tief in das Gebirge hinein|gehen* ⓢ.

산중턱(山—) =산복(山腹). ¶ ~에 있는 집 ein Haus ((*n.* -es, ⸚er)) am Abhang des Berges.

산증(疝症) 〖한의학〗 Kolik *f.* -en; Lumbago *f.*; Lendenschmerz *m.* -es; Hexenschuß *m.* ..schusses, ..schüsse (요통).

산지(山地) 〖지리〗 Gebirge *n.* -s, -; Gebirgsgegend *f.* -en.

산지(産地) Produktionsgebiet *n.* -(e)s, -e (생산지); Heimat *f.* (동, 식물의). ¶ 석탄의 ~ Kohlengebiet.
‖ ~직매(直賣) Direktverkauf *m.* -(e)s, ⸚e. ~직송(直送) Direktlieferung ((*f.* -en)) von der ³Heimat.

산지기(山—) Förster *m.* -s, -; Grabhüter *m.* -s, - (묘지기). ¶ ~집 Forsthaus *n.* -es, ⸚er.

산지니, 산진(山—) Berghabicht *m.* -(e)s, -e.

산질(散帙) Unvollständigkeit *f.*; Unvollkommenheit *f.*

산짐승(山—) Bergtier *n.* -(e)s, -e.

산채(山菜) eßbare Bergkräuter ((*pl.*)); eßbares Berggewächs, -es, -e.

산채(山寨) Bergfestung *f.* -en; ((산적의)) e-e Festung der Banditen; Räuberhöhle *f.* -n.

산책(散策) Spaziergang *m.* -(e)s, ¨e; Bummel *m.* -s, -. ∼하다 spazieren|gehen* [s]; e-n Spaziergang machen; bummeln (gehen*[s]); schlendern [h,s] (어슬렁거림).
‖ ∼길 Promenade *f.* -n; Spazierweg *m.* -(e)s, -e.

산천(山川) Gebirge 《*n.* -s, -》 u. Fluß 《*m.* ..usses, ..üsse》. ‖ ∼초목 Gebirge u. Fluß, Pflanzen 《*pl.*》 u. Bäume 《*pl.*》; Natur *f.* -en; Landschaft *f.* -en.

산천어(山川魚) 〖어류〗 Forelle *f.* -n.

산초(山椒) 〖식물〗 der chinesische Pfeffer, -s, -; *Zanthoxylum piperitum* (학명).

산촌(山村) Bergdorf *n.* -(e)s, ¨er; Gebirgsdorf. ¶ ∼에 살다 im Gebirgsdorf leben.

산출(產出) 《생산》 Produktion *f.* -en; 《수확》 Ernte *f.* -n; Ertrag *m.* -(e)s, ¨e; 《광물》 Förderung *f.* -en; Gewinnung *f.* -en; Ausbeute *f.* -n. ∼하다 produzieren[4]; erzeugen[4]; hervor|bringen*[4] (농작물 따위); fördern[4]; gewinnen*[4]. ¶ 원유 ∼국 [4]Erdöl produzierendes Land, -(e)s, ¨er.
‖ ∼력 Produktivität *f.* ∼액 Produktionssumme *f.* -n (생산액); Erntebetrag *m.* -(e)s, ¨e (수확량).

산출(算出) das Rechnen*, -s; Rechnung *f.* -en; Berechnung *f.* -en. ∼하다 aus|rechnen[4]; kalkulieren[4]; errechnen[4]; berechnen[4]; (rechnerisch) ermitteln[4]. ¶ ∼해 내다 《추측해서》 folgern[4] 《*von*[3]; *aus*[3]》; schließen*[4] 《*aus*[3]; *von*[3]》/거리를 ∼하다 die Entfernung rechnerisch ermitteln / 이 가격은 현재의 물가상태를 근거로 ∼해 낸 것이다 Diese Preise sind auf Grund der derzeitigen Kostenlage errechnet (ermittelt).

산칠(山漆) wilder Lackbaum, -(e)s, ¨e.

산코골다 tun*, als ob man schnarche.

산타마리아 Santa Maria; die Heilige Jungfrau Maria.

산타클로스 Weihnachtsmann *m.* -(e)s, ¨er; Sankt Nikolaus *m.*

산탄(散彈) Kartätsche *f.* -n (대포의); Schrot *m.* (*n.*) -(e)s, -e (엽총의).
‖ ∼주머니 〖사냥〗 Schrotbeutel *m.* -s, -. ∼총 Schrotbüchse *f.* -n; Schrotflinte *f.* -n. ∼통 der Kanister 《-s, -》 für Schrote.

산턱(山一) Bergkamm *m.* -(e)s, ¨e.

산토끼(山一) ein (wilder) Hase, -n, -n.
‖ ∼사냥 Hasenjagd *f.* -en.

산토닌 〖약〗 Santonin *n.* -s.

산토도밍고 《도미니카의 수도》 Santo Domingo.

산통(算筒) ein Kasten 《*m.* -s, ¨》 für die Wahrsagestäbchen aus Bambus. ¶ ∼ 깨뜨리다 vernichten[4]; zerstören[4]; zugrunde richten[4]; ruinieren[4]; vereiteln[4].

산티아고 《칠레의 수도》 Santiago (de Chile).

산파(產婆) Hebamme *f.* -n〖분철: Heb-amme〗; Geburtshelferin *f.* ..rinnen.
‖ ∼술(術) Hebammenkunst *f.* ¨e. ∼학교 Hebammenlehranstalt *f.* -en.

산판(山坂) Waldschutzgebiet *n.* -(e)s, -e.

산패(酸敗) 〖화학〗 Säuerung *f.* -en. ∼하다 sauer werden; in Säure verwandeln.
‖ ∼액(液) säuriges Wasser, -s. ∼유(乳) Sauermilch *f.*

산포(山砲) 《대포》 Gebirgsgeschütz *n.* -es, -e; Gebirgsartillerie *f.* -n; 《산포수》 Gebirgsjäger *m.* -s, -.
‖ ∼대(隊) Gebirgsartillerie *f.* -n; Gebirgsartilleriebataillon *n.* -s, -e.

산포(散布) Verbreitung *f.* -en; Zerstreuung *f.* -en; Dispersion *f.* -en. ∼하다 ([4]sich) zerstreuen[(4)]; ([4]sich) verbreiten[(4)].
‖ ∼도(度) Dispersionsmaß *n.* -es, -e.

산포(撒布) ☞ 살포(撒布).

산포도(山葡萄) 〖식물〗 wilde Weintraube, -n.

산하(山河) Berge 《*pl.*》 u. Flüsse 《*pl.*》.

산하(傘下) ¶ ∼의 unter[3]; unter der Schirmherrschaft (dem Schutz) von[3]. ¶ 아무의 ∼에 있다 unter *js.* Kontrolle stehen* / 아무의 ∼에 들어오다 unter *js.* Kontrolle geraten* / …의 ∼에 모이다 [4]sich unter *js.* Fahne sammeln / 작은 단체를 비교적 큰 단체의 ∼에 통합하다 e-e kleine Gemeinschaft e-r größeren Organisation an|gliedern.
‖ ∼기관 e-e 《*jm.*; [3]*et.*》 untergeordnete Organisation, -en. ∼노동 조합 untergeordnete Gewerkschaften 《*pl.*》. ∼회사 Tochtergesellschaft *f.* -en; Tochterfirma *f.* ..men; Zweigfirma.

산학(算學) Arithmetik *f.* -en.

산학협동(產學協同) die akademisch-industrielle Zusammenarbeit, -en.
‖ ∼체(體) das System 《-s, -e》 der akademisch-industriellen Zusammenarbeit.

산해(山海) Berge 《*pl.*》 u. Seen 《*pl.*》; Land u. Meer.

산해진미(山海珍味) Delikatessen 《*pl.*》 aus den Bergen u. dem Meer. ¶ 오늘 점심 때의 음식은 ∼였다 Das Gericht heute mittag war voll von Delikatessen!

산행(山行) das Bergsteigen*, -s; Bergsport *m.* -(e)s (스포츠로서). ∼하다 e-n Berg besteigen* (erklettern).

산허리(山一) Bergabhang *m.* -(e)s, ¨e. ¶ ∼에 있는 집 ein Haus 《*n.* -es, ¨er》 am Abhang des Berges.

산협(山峽) (Berg)schlucht *f.* -en. ☞ 두메.

산호(珊瑚) Koralle *f.* -n. ¶ ∼빛의 korallenfarbig / ∼로 된 korallen.
‖ ∼도(島) Koralleninsel *f.* -n. ∼목걸이 Korallenkette *f.* -n; korallenes Halsband, -(e)s, ¨er; korallene Halskette, -n. ∼석(石) Korallenstein *m.* -(e)s, -e. ∼수(樹) baumartige Korallen 《*pl.*》; 〖식물〗 Nachtschatten *m.* -s, -; Korallenbaum *m.* -(e)s, ¨e; *Bladhia villosa* (학명). ∼채취 Korallenfischerei *f.* -en. ∼초(礁) Korallen¦bau *m.* -(e)s, -ten (-bank *f.* ¨e; -riff *m.* -(e)s, -e). ∼충(蟲) 〖동물〗 Koralle *f.* -n; Korallentier *n.* -(e)s, -e; Korallenpolyp *m.* -en, -en. ∼해(海) 〖지리〗 Korallenmeer *n.* -(e)s.

산호랑나비(山一) 〖곤충〗 Schwalbenschwanz *m.* -es, ¨e; *Papilio machaon* (학명).

산화(山火) =산불.

산화(酸化) 〖화학〗 Oxydation *f.* -en; Oxydierung *f.* -en. ∼하다 oxydieren; [4]sich mit Sauerstoff verbinden*. ¶ ∼하기 쉬운 금속 ein leicht oxydierbares Metall, -s, -e.
‖ ∼물(物) Oxyd *n.* -(e)s, -e: 수∼물 Hydroxyd. ∼제(劑) Oxydationsmittel *n.* -s, -. ∼철 Eisenoxyd *n.* -(e)s, -e. ∼칼슘 Kalziumoxyd *n.* -(e)s, -e. 일(이)∼ 탄소 Kohlenmonoxyd (Kohlendioxyd).

산회(散會) die Aufhebung (Beendigung) e-r Sitzung (Versammlung). ∼하다 e-e Versammlung (Sitzung) auf|heben*. ¶ 모임은 다섯 시경에 ∼될 것이다 Die Versammlung wird gegen 5 Uhr auseinandergehen.

산후(產後) die Zeit nach der Entbindung (Niederkunft). ¶ 산전 ∼ vor u. nach der Entbindung / ∼ 회복이 좋다 [4]sich von der

[3]Entbindung (Niederkunft) gut erholen.

산휴(產休) Schwangerschaftsurlaub *m.* -s, -e.

살[1] ① 《동물의》 Fleisch *n.* -es. ☞ 고기[1]. ¶질긴 살코기 das harte (zähe) Fleisch / 생살 rohes Fleisch / 살의 fleischig / 살이 찐 dick; fett / 살이 찌다(오르다) dick werden; zu|nehmen* / 살이 빠진 mager / 살이 빠지다(내리다) mager werden(병약하게 보이게); ab|nehmen* (체중); schlank werden (날씬하게); [4]sich ab|magern (병약하게 보일 정도로) / 연한 살코기 das zarte (mürbe) Fleisch / 살을 발라내다 《고기 따위의》 Fleisch vom Knochen ab|lösen. ② 《과육》 Fruchtfleisch *n.* -es. ¶살이 많은 복숭아 fleischiger Pfirsich, -(e)s, -e. ③ 《살갗》 Haut *f.* ⸗e. ¶살색 Fleischfarbe *f.* -n / 살색의 fleischfarbig; fleischfarben / 살이 검은 남자 ein schwarzer Mann, -(e)s, ⸗er; ein Schwarzer* / 살을 에는 듯한 추위 e-e schneidende Kälte.

살[2] 《뼈대》 Rippe *f.* -n (부채, 우산, 제등 따위의); Schirmrippe (우산살의 낱낱을 칭할 때); Schirmgestell *n.* -(e)s, -e (우산살의 전체); Gitter *n.* -s, - (장지문살); Rahmen *m.* -s (미닫이의); Speiche *f.* -n (바퀴의); 《빗의》 Zahn *m.* -(e)s, ⸗e. ☞ 창살. ¶살이 가는 빗 der feine Kamm, -(e)s, ⸗e.

‖부챗살 Fächerrippen 《*pl.*》. 우산살 e-e Schirmrippe, -n (우산 살 한 개).

살[3] 《화살》 Pfeil *m.* -(e)s, -e. ¶살같이 pfeilschnell (-geschwind); schnell wie der Wind / 세월은 살과 같다 „Die Zeit fliegt wie ein Pfeil."

살[4] 《벌레의》 Stachel *m.* -s, -n. ¶벌의 살 Bienenstachel *m.* -s, -n / 벌의 살에 쏘이다 von e-r Biene gestochen werden.

살[5] 《떡의》 Kuchen-Dekorationsmuster *n.* -s, -. ¶떡에 살을 박다 auf den Reiskuchen ein Dekorationsmuster prägen.

살[6] 《노름의》 die steigende Wette, -n.

살[7] 《나이》 Alter *n.* -s, -. ¶세 살 난 아이 ein dreijähriges Kind, -(e)s, -er; ein Kind von drei Jahren / 20살 때에 im Alter von 20 (Jahren) / 그는 16살이다 Er ist sechzehn (Jahre alt). / 그 여자는 몇 살이냐 Wie alt ist sie? / 그는 85살에 죽었다 Er starb im Alter von 85 Jahren.

살(煞) ① 《악령》 der böse Geist, -es, -er; der unheilvolle Einfluß, ..flusses, ..flüsse; Geißel *f.* -n; Quälgeist *m.* -es, -er; Verdammung *f.* -en; Teufel *m.* -s, -; Teufelswerk *n.* -(e)s, -e; Todeskuß *m.* ..kusses, ..küsse. ¶살 있는 날 der verhängnisvolle Tag, -(e)s, -e / 그는 살이 있다 Ihn plagt der Teufel.¦Er ist unglücklich. ② 《나쁜 띠앗》 böses Blut, -es; schlechte Beziehung 《-en》 zu der Familie. ¶그 형제들은 살이 세다 Die Brüder haben kein Vertrauen zueinander.

살가다(煞—) verdammt (geplagt; verhängnisvoll; unter dem Einfluß böser Geister) sein. ¶살이 갔다 Verdammt! / 살간 놈 ein verdammter Kerl, -s, -e.

살가죽 Haut *f.* ⸗e.

살갈퀴 〖식물〗 (Futter)wicke *f.* -n.

살갑다 《다정함》 freundlich; warmherzig; 《속이》 weitherzig; offen (sein).

살강 Küchenschrank *m.* -(e)s, ⸗e; Büfett *n.* -(e)s, -e; Anrichte *f.* -n (조리대).

살강- ☞ 설경-.

살갗 Haut *f.* ⸗e. ¶~색 Hautfarbe *f.* -n / ~이 거칠다(텄다) e-e rissige Haut haben.

살거름 die Mischung 《-en》 von Düngelmittel u. Samen. ⌈-en.

살거리 Fleischigkeit *f.* -en; Fettigkeit *f.*

살결 der Bau 《-(e)s》 der Haut; Haut *f.* ⸗e; Hautfarbe *f.* -n. ¶고운 ~ die glatte Haut, ⸗e; die reizende Hautfarbe, -n / ~이 검은 사람 ein Mensch 《-en, -en》 mit dunkler Hautfarbe / ~이 곱다 e-e glatte Haut haben; e-e reizende Hautfarbe haben / 내 ~은 거칠다 Ich habe rauhe Haut.

살결박하다(—結縛—) *jn.* aus|ziehen* u. an|binden*.

살구 〖식물〗 Aprikose *f.* -n. ¶설탕에 절인 ~ die eingezuckerte Aprikose.

‖~꽃 Aprikosenblüte *f.* ~나무 Aprikosenbaum *m.* -(e)s, ⸗e. ~씨 Mandel *f.*

살군두 〖농업〗 Schnur 《*f.* ⸗e》, mit der die Pflugschar befestigt wird.

살균(殺菌) Sterilisation *f.* -en; Sterilisierung *f.* -en; Keimtötung *f.* -en; Desinfektion *f.* -en; Entkeimung *f.* -en; 《저온 살균》 Pasteurisierung [pastøri..] *f.* -en. ~하다 sterilisieren[4]; desinfizieren[4]; entkeimen[4]; pasteurisieren[4] [pastøri..] (우유, 과즙 따위를). ¶~성의 desinfizierend.

‖~기 Desinfektor *m.* -s, -en; Sterilisator *m.* -s, -en; Sterilisierapparat *m.* -(e)s, -e. ~력 sterilisierende Kraft, ⸗e; Desinfektionskraft *f.* ⸗e. ~우유 sterilisierte Milch. ~제(劑) Desinfektionsmittel *n.* -s, -; Sterilisationsmittel.

살그머니, 살그미 verstohlen; auf Schleichwegen; heimlich; hinten(her)um; schleichend; unbeobachtet. ¶~ 달아나다 [4]sich davon|schleichen*; [4]sich drücken; [4]sich französisch empfehlen*; [4]sich unbemerkt entfernen; heimlich hinaus|schlüpfen / ~ 들어오다 [4]sich hinein|schleichen*; heimlich hinein|schlüpfen.

살근거리다 rascheln; knistern; [4]sich (aneinander) reiben*.

살근살근 raschelnd; knisternd; [4]sich (aneinander) reibend.

살금살금 heimlich; verstohlen; verborgen; schleichend; mit verstohlenen Schritten. ¶~ 걷다 auf leisen Sohlen gehen* ⓢ; auf den Zehen (schleichenden Schrittes) gehen*ⓢ / ~ 다가서다 [4]sich heran|stehlen*; ([4]sich) heran|schleichen* 〖sich가 없을 때는 ⓢ〗; ([4]sich) schleichenden Schrittes heran|nahen 〖sich가 없을 때는 ⓢ〗 / 사냥꾼은 야수에게 ~ 다가섰다 Der Jäger pirschte sich verstohlen an das Wild heran.

살긋하다 geneigt; schief; schräg (sein); kippen; lehnen.

살기 Fleischigkeit *f.* -en; Fettigkeit *f.* -en.

살기(殺氣) Blutdurst *m.* -(e)s; Mordlust *f.* ¶~ 등등한 blutgierig; drohend; gefährlich; wild / ~를 띠다 wild werden; rot sehen*; [4]sich auf|regen; auf|brausen / 분위기는 ~를 띠고 있었다 Die Atmosphäre war voll von Mordlust.

살길 Einkommensquelle *f.* -n; Lebensunterhalt *m.* -(e)s; Auskommen *n.* -s. ¶~을 찾다 selbst für s-n Lebensunterhalt sorgen; [3]sich selbst s-n Unterhalt verdienen; sein eigenes Brot verdienen / ~을 잃다 s-e Einkommensquelle verlieren*.

살깃 die Fieder 《-n》 e-s Pfeils; Befiederung *f.* -en. ¶화살에 ~을 붙이다 [4]Pfeile 《*pl.*》

befiedern.
살깊다 fleischig; fett; fettig (sein).
살날 noch übrige Lebenszeit; Lebensabend *m.* -(e)s, -e. ¶ ~이 멀다 〔~도 얼마 없다〕 noch lange 〔nur kurze〕 (Zeit) zu leben haben; lange 〔kurze; wenige〕 Lebenstage vor ^{3}sich haben.
살내리다 ab|nehmen*; mager werden; sein Gewicht vermindern. ¶ 살 내리는 약 e-e Arznei zum Abnehmen / 살 내리기 위한 운동을 하다 Körperübungen treiben*, um mager zu werden 〔um abzunehmen〕.
살다¹ ① 《생존》 leben; bestehen*; existieren; ein Unglück überleben^4(사고에서 살아남다). ¶ 살아 있다 am Leben sein / 산 물고기 ein roher 〔frischer〕 Fisch, -es, -e / 산 본보기 ein lebendes 〔lebendiges〕 Vorbild, -(e)s, -er 〔Muster, -s, -〕 / 산 사전 ein wandelndes Wörterbuch, -(e)s, ⸚er / 산 송장 der lebende Leichnam, -(e)s, -e; der innerlich tote Mensch, -en, -en / 실제로 살아있는 듯한 lebens(ge)treu 〔naturtreu〕; als ob es wirklich lebte / 살아 있는 모든 것 alles*, was Leben hat 〔was lebt und webt〕; alles Fleisch, -es/ 사는 기쁨 Lebensfreude *f.* / 살아있는 한 solange man lebt / 오래 ~ 《장수》 ^{4}sich e-s langen Lebens erfreuen / 오래 살면 별꼴을 다 본다 Hohe Jahre bedeuten eben so viele Schanden. / 우선 살고 볼 일이다 Am Leben muß man doch bleiben!¦Das Leben ist der Güter höchstes. / 내가 그때까지 살겠나 Das überlebe ich doch nicht! / 그는 전쟁에서 살아 남았다 Er hat den Krieg überlebt. / 그는 그의 가족들보다 더 오래 살았다 Er überlebte s-e ganze Familie.
② 《생활》 leben; das ^{4}Leben führen; *jm.* den Haushalt führen; s-n Unterhalt bestreiten*. ¶ 행복하게(평화로이) ~ glücklich (in ^{3}Frieden) leben / 근근히 ~ e-n kärglichen Unterhalt führen; e-n notdürftigen Haushalt führen / 혼자 ~ allein leben / 붓으로 ~ von s-r Feder leben / 농가에서 머슴을 ~ bei e-m Bauern als Knecht dienen / 노인은 과거만 되새기며 산다 Der Alte lebt nur in der Vergangenheit. / 시골이 살기에 훨씬 편하다 Auf dem Lande kann man viel billiger leben.
③ 《거주》 wohnen 《*in*^{3}》; bewohnen^4; leben 《*in*^{3}》(생활하다). ¶ 살기 좋은 wohnlich; behaglich; gemütlich / 도시에〔시골에〕 ~ in der Stadt 〔auf dem Lande〕 wohnen / 여기는 살기가 좋다 Hier läßt sich angenehm wohnen.¦Hier lebt sich's angenehm. / 그는 어디에 사느냐 Wo wohnt er? / 그녀는 어머니와 함께 산다 Sie lebt mit ihrer Mutter./ 나는 아주머니 집에 살고 있다 Ich wohne bei m-r Tante.
④ 《생동》 lebendig sein. ¶ 이 그림의 초상은 꼭 살아있는 듯하다 Die Figur auf dem Bild sieht so lebendig aus, als ob sie wirklich lebte.
⑤ 《바둑·야구 등에서》 frei sein.
살다² 《크기가》 mehr als ausreichend 〔genügend〕; besonders groß (sein). ¶ 자수가 ~ besonders lang sein.
살다듬이 (beim Tuchwalken) der Schlag mit dem Walkblock, bis das Tuch glänzt.
살담배 der geschnittene Tabak, -(e)s, -e; Pfeifentabak *m.* -(e)s, -e.
살닿다 von dem Anlagenkapital e-n Verlust erleiden*. ¶ 백만 원이나 살닿았다 Der Schaden betrug 1000000 ₩ des Kapitals.
살대 ① 《화살대》 Schaft *m.* -(e)s, ⸚e. ② 〖건축〗 Pfahl *m.* -(e)s, ⸚e (als Stütze).
살덩어리, 살덩이 Fleischklumpen *m.* -s, -; ein Stück Fleisch 《*n.* -es》.
살돈 Ausgabe *f.* -n; Auslage *f.* -n; Anlage *f.* -n; (Anlagen)kapital *n.* -s, -e 〔-ien〕.
살똥스럽다 tobend; stürmisch; drohend; trotzig; herausfordernd; dreist; frech (sein).
살뜰하다 《애정깊다》 liebevoll; herzlich; zärtlich; ergeben; närrisch (sein); 《알뜰하다》 genügsam; sparsam; mäßig (sein). ¶ 살뜰히 《애정깊게》 innigst; herzlichst; liebevoll; zärtlichst; 《알뜰히》 sparsam; haushälterisch / 살뜰한 주부 e-e sparsame Hausfrau, -en / 살뜰한 어머니 e-e liebevolle Mutter, ⸚; e-e zärtliche Mutter / 어머니는 외아들에게 ~ Die Mutter liebt ihren einzigen Sohn herzlichst.
살뜸 〖한의학〗 das Moxaausbrennen 《-s》 direkt auf der Haut.
살라미 《소시지》 Salami *f.* -(s).
살랑거리다 ① 《바람이》 mild 〔leise; sanft〕 rauschen. ¶ 가을 바람이 살랑거린다 Der Herbstwind rauscht sanft. ② 《걸음걸이가》 (gehen) graziös. ¶ 살랑거리며 걷다 graziös gehen* Ⓢ.
살랑살랑 sanft; leise.
살랑하다 ☞ 설렁하다.
살래살래 schüttelnd; wedelnd; hin u. her bewegend. ~하다 schütteln^4; wedeln 《*mit*^{3}》; hin u. her bewegen^4. ¶ 고개를 ~ 흔들다 den Kopf schütteln / 개가 꼬리를 ~ 흔든다 Der Hund wedelt mit dem Schwanz.
살려내다 retten^4; befreien^4; erlösen^4. ¶ 죽음에서 ~ vor dem Tode retten^4 / 곤란에서 ~ aus der Not helfen^3; aus Schwierigkeiten retten^4 / 그는 불속에서 어린애를 살려 냈다 Er rettete das Kind aus dem Feuer.
살려주다 retten^4; erretten^4; helfen*^{3}; *jm.* das Leben retten. ¶ 물에 빠진 사람을 ~ e-n ertrinkenden Mann retten / 살려주십시오 Hilf mir!
살롱 Salon *m.* -s, -s.
‖ ~음악 Salonmusik *f.*
살륙(殺戮) ☞ 살육(殺戮).
살리다¹ ① 《목숨을》 retten 《*jm.* das ^{4}Leben》; ins Leben (zurück|)bringen*^{4} 〔zurück|rufen*^{4}〕; neu 〔wieder〕 beleben^4; wieder|aufleben lassen*^{4}. ¶ 구조대가 해상 조난자들을 살렸다 E-e Rettungsmannschaft hat die Schiffbrüchigen gerettet. / 한 대학생이 물에 빠진 어떤 어린이를 살렸다 Ein Student hat ein Kind vor dem Ertrinken gerettet. / 왕은 그의 목숨을 살려 주었다 Der König hat ihn leben 〔am Leben〕 gelassen.¦Der König hat ihm das Leben geschenkt. / 사람 살려 Hilfe!¦Mord!
② 《활용》 (be)nutzen^4 (zu ^{3}*et.*). ¶ 나는 그 기회를(중간참을) 살려서 그녀를 방문했다 Ich benutzte die Gelegenheit 〔die Zwischenzeit〕 dazu, sie zu besuchen.
살리다² 《크기·넓이·길이를》 aus|dehnen^4; verlängern^4; vermehren^4; vergrößern^4; erhöhen^4. ¶ 옷의 접었던 것을 ~ die Kleidersaum aus|lassen* / 소매 끝을 ~ die Ärmel verlängern / 품을 ~ (Rock) verbreitern.
살리실산(一酸) 〖화학〗 Salizylsäure *f.*
‖ ~염 Salizylat *n.* -s.
살림 《생계》 Unterhalt *m.* -(e)s; Lebensunterhalt *m.* -(e)s; Leben *n.* -s; Auskommen *n.* -s; Haushalt *m.* -(e)s, -e (가계); Haus-

haltung *f.* -en (가계); 《형편》 Lebens¦umstände (-verhältnisse) 《*pl.*》. ¶ ~살이 Lebensweise *f.* -n / ~을 꾸려나가다 ⁴sich ernähren 《*durch*⁴》; aus|kommen* 《*mit*³》; den Lebensunterhalt verdienen 《*durch*⁴》; das Brot verdienen 《*durch*⁴》; ⁴sich durchs Leben schlagen* / ~에 쪼들리지 않다 (쪼들리다) ein gutes (elendes) Leben führen; in guten (schlechten) Verhältnissen leben / ~이 넉넉하다 (하지 못하다) genug (nichts) zu leben haben; gut (schlecht) daran sein; in guten (beschränkten) Verhältnissen leben; (nicht) auf Rosen gebettet sein / 넉넉한 ~ das bequeme Auskommen / ~살이를 하다 den Haushalt führen (verrichten); haus|halten* / ~을 걷어치우다(들어엎다) e-n Haushalt auf|lösen / ~을 나다 e-n eigenen Haushalt (e-e Familie) gründen; heiraten (결혼하다); ⁴sich verheiraten 《mit *jm.*》; e-n eigenen Herd gründen (살림을 차리다) / 한 ~ 《혼수》 e-e vollständige Ausstattung / 그녀는 ~살이를 잘 한다(못한다) Sie ist e-e gute (schlechte) Hausfrau (Haushälterin; Wirtschafterin). ¦Sie hält gut (geschickt) Haus.¦ Sie ist haushälterisch (sparsam). ‖ ~꾼 《맡은 이》 Hausfrau *f.* -en; Haushälterin; 《잘하는 이》 e-e gute (geschickte) Hausfrau (Haushälterin); wirtschaftlicher Mensch, -en, -en. **~도구** Hausgerät *n.* -(e)s, -e. **~방** Wohnung *f.* -en; Wohnungszimmer *n.* -s, -. **~살이** =살림. **~집** Privathaus *n.* -es, ⸗er; Wohnhaus; Privat (여관 등에서 써 붙이는 말).

살맛 die Berührung der Haut.

살망살망 mit e-r langsamen Gangart; mit e-r großen Schritten.

살망하다 langbeinig (sein).

살맞다(煞—) 〖민속〗 nach der Teilnahme an e-r Trauerfeier für e-n nicht Blutsverwandten plötzlich krank werden (vom Unglück verfolgt werden).

살며시 ruhig; leise; verstohlen; leicht; mild; sanft; ohne ⁴Schärfe; mit seidenen Handschuhen; heimlich.

살몃살몃 =살금살금.

살목(—木) 〖건축〗 Hebebaum *m.* -(e)s, ⸗e; Hebel *m.* -s, -; Gerüst *n.* -(e)s, -e.

살몽혼(—朦昏) die lokale Anästhesierung, -en; die örtliche Betäubung, -en.

살무사 〖동물〗 Natter *f.* -n; (Kreuz)otter *f.* -n; Viper *f.* -n; *Agkistrodon halys halys* (학명).

살문(—門) 〖건축〗 Gitterfenster *n.* -s, -; Gittertür *f.* -en.

살미 Ausschmückung 《*f.* -en》 auf dem Pfeiler zur Verzierung.

살밀치 Schwanzriemen *m.* -s, - (des Pferdgeschirrs).

살밑 Pfeilspitze *f.* -n.

살바람 ① 《틈의》 Luftzug *m.* -(e)s, ⸗e. ¶ ~을 막기 위해 틈을 솜으로 메우다 Baumwolle in e-n Ritz stopfen, um Luftzug zu verhüten / ~이 들어온다 Es zieht hier. ② 《봄철의》 der kalte Wind, -es, -e. ¶ 초봄의 ~ der kalte Wind am Frühlingsanfang.

살바르산 〖약〗 Salvarsan *n.* -s.

살박다 Muster in den Kuchen prägen.

살받이 Zielscheibenboden *m.* -s, ⸗; der Boden um die Zielscheibe.

살방석(—方席) die Devise 《-n》 für das Polieren der Pfeile 《*pl.*》.

살벌하다(殺伐—) grausam; grausig; blutig; blut¦dürstig (-rünstig); bestialisch; kannibalisch (sein). ¶ 살벌한 사람 ein grausamer (brutaler) Mensch, -en, -en / 그 두 사람 사이에는 살벌한 분위기가 감돌았다 Zwischen den beiden herrschte e-e gespannte Atmosphäre.

살별 〖천문〗 Komet *m.* -en, -en.

살보시(—布施) der Geschlechtsverkehr mit e-m Buddhistischen Priester. **~하다** verbotenen Geschlechtsverkehr mit e-m Priester haben.

살붙다(煞—) =살오르다(煞—).

살붙이 ① 《일가》 der (die) Verwandte*, -n, -n. ② 《고기》 Fleisch *n.* -es.

살빛 《살결·피부의》 Teint [tɛ̃:] *m.* -s, -s; (Haut)farbe *f.* -n. ¶ ~이 검은 사람 ein schwarzer Mann, -(e)s, ⸗er; ein Schwarzer* / ~이 좋은 blühend; frisch; gesund glanzvoll; glänzend.

살사리 Schmeichler *m.* -s, -; Schleicher *m.* -s, -. ¶ ~ 웃음 schmeichelhaftes Lächeln, -s; das Lächeln e-s Schleichers.

살살[1] leise; sanft; leicht; verstohlen; heimlich; unsichtbar. ¶ ~ 걷다 leise (auf leisen Sohlen) gehen*ⓢ; schleichen*ⓢ / 고양이의 털을 ~ 쓰다듬어 주다 das ⁴Fell e-r Katze sanft streicheln / 바람이 ~ 분다 Es weht leise. / 눈이 ~ 녹는다 Der Schnee schmilzt unsichtbar.

살살[2] 《기다》 leicht; ruhig; still; sacht; lautlos; 《흔들다》 mit dem frommen (milden; linden) Schütteln. ☞ 설설². ¶ 머리를 ~ 흔들다 lind den Kopf schütteln.

살살하다 ① 《교활·간사》 schlau; listig; verschlagen; ränkevoll; unzuverlässig (sein). ② 《가냘프다》 zart; sanft; leicht; fein; dünn; feinfühlig; zierlich; niedlich (sein). ③ 《아슬아슬》 gefahrvoll; gewagt; riskant; delikat; gefährlich (sein).

살상(殺傷) das Töten* u. Verletzen*; Bluttat *f.* -en; das Blutvergießen*, -s. **~하다** *jn.* (er)morden (verwunden); Blut vergießen*.

살생(殺生) das Töten*, -s; das Schlachten*, -s; Mord *m.* -(e)s, -e; Tierschlacht *f.* -en. **~하다** ein Tier (e-n Menschen) töten; *jm.* das Leben nehmen*; schlachten⁴; (er)morden⁽⁴⁾. ¶ ~을 즐기는 grausam; unbarmherzig; erbarmungslos / ~을 금하다 Tierschlachten verbieten*; zu schlachten verbieten*.

살성 Gewebe *n.* -s, -; Korn *n.* -(e)s, ⸗er; Hautfarbe *f.* -n; Gesichtsfarbe *f.* -n; Teint [tɛ̃] *m.* -s, -s.

살세다(煞—) ☞ 살(煞) ②.

살소매 Raum 《*m.* -(e)s, ⸗e》 zwischen dem Ärmelsaum u. dem Arm.

살손 ① 《맨손》 *js.* nackte Hand, ⸗e. ¶ ~으로 나뭇가지를 꺾다 mit der nackten Hand den Ast ab|brechen*. ② 《비유적》 Ernst *m.* -es; Aufrichtigkeit *f.*; Offenheit *f.*; Echtheit *f.*; Widmung *f.* -en; Aufopferung *f.* -en; Hingebung *f.* -en. ¶ ~으로 일하다 eifrig arbeiten / 일에 ~을 붙이다 toternst an die Arbeit gehen*ⓢ.

살수(撒水) das Begießen* (Besprengen*) -s; Begießung *f.* -en. **~하다** (mit Wasser) begießen⁴ (besprengen⁴); Wasser sprengen; berieseln⁴ 《mit Wasser》. ¶ 도로에 ~하다 die Straßen besprengen / 잔디에 ~하다 Wasser auf den Rasen sprengen.

‖ ～기 Wassersprenger *m.* -s, -. ～차 Sprengwagen *m.* -s, -.

살수건(一手巾) Tuch 《*n.* -(e)s, ⸚er》 zum Polieren des Pfeils.

살신성인(殺身成仁) Selbstaufopferung 《*f.* -en》 bis zum Tod (unter Einsatz des Lebens); Selbstaufopferung zur Bewahrung der Ehre. ～하다 ⁴sich bis zum Tod auf|-opfern; unter Einsatz des Lebens retten⁴; zur Bewahrung der Ehre ⁴sich selbst auf|-opfern.

살쐐기 〖한의학〗 Sommer-Hautjucken *n.* -s.

살쑤세미 die schrubbende Bürste 《-n》 zur Reinigung von Pfeilspitzen.

살아나다 ① 《소생》 wieder lebendig werden; wieder ins Leben zurück|kommen* ⓢ; wieder auf|leben ⓢ; wieder zur Besinnung kommen* ⓢ; 《종교적으로 부활하다》 (von den Toten) auf|erstehen* ⓢ. ¶ 살아나게 하다 wieder|beleben⁴; wieder zum Leben bringen*⁴; zur Besinnung bringen*⁴ / 인공 호흡으로 ～ durch künstliche Atmung wieder auf|leben ⓢ / 기절했다 ～ wieder zu ³sich kommen* ⓢ / 다시 살아난 기분이 들었다 Es war mir zumute, als ob ich zu neuem Leben erwacht wäre. / 한 차례 비가 와서 초목이 살아났다 Die Gräser u. Pflanzen wurden von e-m Regenfall erfrischt.
② 《구명》 gerettet werden; gewaltsam befreit werden; ⁴sich retten. ¶ 도망쳐 목숨이 ～ mit dem Leben davon|kommen* ⓢ / 겨우 ～ mit knapper Not davon|kommen* / 의사는 그 환자가 이젠 살아나지 못할 것이라고 단념했다 Der Arzt hat den Kranken aufgegeben. / 그가 없었다면 나는 살아나지 못했을 것이다 Ohne ihn wäre ich verloren gewesen.
③ 《위기모면》 entkommen*³ ⓢ; entgehen*³ (entwischen³) ⓢ; 《곤경에서》 los|werden*⁴. ¶ 위험에서 ～ e-r Gefahr entkommen* ⓢ / 곤경에서 ～ von Schwierigkeiten befreit werden / 간신히 ～ mit Mühe u. Not entrinnen* / 위기일발에서 살아났다 Um ein Haar wäre er ums Leben gekommen.
④ 《불 따위가》 wieder brennen*. ¶ 숯불이 ～ das Holzkohlenfeuer brennt wieder.

살아남다 überleben⁴; überdauern⁴; am Leben bleiben* ⓢ; dem Tode entgehen* ⓢ. ¶ 살아남은 사람 der Überlebende*, -n, -n; der dem Tode Entgangene*, -n, -n / 단지 다섯 사람만이 그 불상사에서 살아남았다 Nur fünf Leute haben das Unglück überlebt.

살아생전(一生前) Lebenszeit *f.* -en. ¶ ～에 bei (zu) s-n Lebzeiten; vor s-m Tode; während s-r Lebenszeit.

살언치 Sattelkissen *n.* -s, -.

살얼음 das dünne Eis, -es; die dünne Eisdecke (Eisschicht). ¶ ～이 얼다 dünn zu|-frieren* ⓢ 〖강 따위가 주어〗 / ～을 디디듯 하다 wie auf Eiern gehen* ⓢ / 나는 ～을 디디는 기분이다 Mir ist, wie wenn ich auf Eiern gehe (aufs Glatteis gehe). ¦ Ich fühle mich (unsicher), als ob ich nur (noch) an e-m (dünnen) Faden hinge.
‖ ～판 e-e heikle Situation, -en.

살오르다 dick werden; fett werden; zu|nehmen*.

살오르다(煞一) ein böser Geist steigt in *jm.* auf.

살육(殺戮) Blutbad *n.* -(e)s, ⸚er; Gemetzel *n.* -s, -; Metzelei *f.* -en. ～하다 nieder|metzeln⁴; ermorden⁴; massenweise dahin|morden⁴ (대량으로). ¶ 마구 ～하다 rücksichtslos nieder|metzeln⁴; brutal töten⁴; ein grausames ⁴Massaker aus|üben.

살의(殺意) der Vorsatz 《-es, ⸚e》 zum Mord; Mord¦gier *f.* (-lust *f.* ⸚e; -anschlag *m.* -(e)s, ⸚e); die böse Absicht, -en(범의). ¶ ～를 품다 e-n Vorsatz fassen, *jn.* zu (er-)morden; ⁴sich zur Mordtat entschließen*; Mord brüten (꾀하다의 뜻으로) / 처음부터 ～가 있었던 것은 아니다 Es gab eigentlich k-e böse Absicht, ihn zu töten. ¦ Es war k-e vorsätzliche Tötung.

-살이 ① 《생활》 Leben *n.* -s. ¶ 감옥살이 das Leben im Gefängnis / 머슴살이 das Leben als Landarbeiter / 고생살이 das harte Leben. ② 《옷》 Tracht *f.* -en; Kleid *n.* -(e)s, -er. ¶ 여름살이 Sommerkleid *n.* -(e)s, -er.

살인(殺人) Mord *m.* -(e)s, -e; Ermordung *f.* -en; (die vorsätzliche) Tötung, -en; Mordtat *f.* -en; Totschlag *m.* -(e)s, ⸚e (고의적 살인); Meuchelmord *m.* -(e)s, -e (암살). ～하다 morden 《*jn.*》; e-n Mord begehen*. ¶ ～적인 더위 die mörderische Hitze / ～적인 혼잡 das höllische Gedränge, -s / 그는 ～혐의를 받고 있다 Er ist des Mordes verdächtig. / 정말 ～적 더위구나 Ich komme sicher vor Hitze um.
‖ ～광선 Todesstrahlen 《*pl.*》. ～귀, ～마 Meuchelmörder *m.* -s, -. ～미수 Mordversuch *m.* -(e)s, -e. ～범 Mörder *m.* -s, -; Totschläger *m.* -s, -; Täter *m.* -s, - (범인); Attentäter *m.* -s, -. ～사건 Mord *m.* -(e)s, -e; der Fall 《-(e)s, ⸚e》 der Mordtat. ～죄 Mord *m.* -(e)s, -e: ～죄를 범하다 e-n Mord begehen* (verüben) / ～죄로 고소를 당하다 wegen des Mordes angeklagt werden. ～청부업자 ein professioneller Mörder, -s, -; Attentäter *m.* -s, -. **제 1 급**～ der vorsätzliche Mord. **제 2 급**～ Totschlag *m.* -(e)s, ⸚e.

살잡다 unter|stützen⁴; durch e-n Strebepfeiler stützen⁴; heben*⁴. ¶ 벽을 ～ die Mauer mit Pfählen stützen.

살잡이 Unterstützung *f.* -en; Stützung *f.* -en; Hebung *f.* -en. ～하다 ＝살잡다.

살잡히다 ① 《구김살이》 ⁴sich runzeln; ⁴sich falten; faltig werden. ¶ 옷이 ～ das Kleid faltet sich. ② 《살얼음이》 ⁴sich mit dünnem Eis bedecken; zu dünnem Eis werden.

살점(一點) Fleisch¦stück *n.* -(e)s, -e (-schnittchen *n.* -s, -).

살조개 Archelmuschel *f.* -n; *Arca inflata* (학명).

살줄치다 die Drachenschnur verlängern; Leine lassen* (für den Drachen).

살지다 ☞ 살찌다.

살집 Fleischigkeit *f.* ¶ ～이 좋은 fleischig; wohlbeleibt; dick(leibig); stark; muskulös (기골이 늠름한) / ～이 나쁜 mager; knochig; hager; (klapper)dürr; abgemagert.

살짝(살짝) heimlich; im geheimen (verborgenen); verstohlen; leise, unbemerkt; leicht; sanft. ¶ 그녀는 살짝 내 어깨를 때렸다 Sie tippte mir auf die Schulter. ¦ Sie klopfte mir sanft auf die Schulter. / 그녀는 눈을 살짝 떴다 Sie öffnete die Augen ein klein bißchen.

살쩍 die losen (wehenden; wirren) Haare 《*pl.*》; die Haare über dem Backenbart.

살쭈 ＝쇠살쭈.

살찌 das schöne Fliegen 《-s》 e-s Pfeils. ¶ ～가 곱다 Der Pfeil fliegt schön.

살찌다 《살지다》 dick 〔fett; beleibt〕 werden; [4]Fett an|setzen; [4]Fleisch 《*n.*》 an|setzen; an Gewicht zu|nehmen* (체중이 무거워지다); korpulent 〔plump〕 werden; feist 〔füllig; voll; drall; wohlgenährt; stattlich; massig〕 werden; [4]sich mästen. ¶ 살찐 dick; voll; massig; wohlgenährt; füllig; feist; beleibt; stark; fett; korpulent; drall; fleischig; rund; umfangreich; gemästet; wohlbeleibt.

살찌우다 fett 〔dick; feist〕 machen[4]; mästen[4]; nudeln[4]; verfetten[4]. ¶ 돼지를 ~ [4]Schweine 《*pl.*》 mästen.

살차다 ① 《혜성의 꼬리가》 langen Schwanz 〔Schweif〕 haben. ② 《성질이》 kaltherzig u. ungesellig (sein).

살창(一窓) Gitter¦fenster 〔Rauten-〕 *n.* -s, -.

살촉(一鏃) Pfeilspitze *f.* -n.

살충제(殺蟲劑) Insekten¦vertilgungsmittel 〔-vertreibungsmittel〕 *n.* -s, -; Insektenpulver 〔Motten-〕 *n.* -s (분말의).

살치 Fleisch 《*n.* -es》 auf der kurzen Rippe.

살치다 aus|streichen*[4]; durch|streichen*[4]; durch|kreuzen[4]; 〔durch Kreuz〕 ungültig machen[4].

살코기 mageres Fleisch, -es (고기).

살통 〖건축〗 die Vorrichtung 《-en》 zur Unterstützung der Stütze.

살팍지다 sehnig; nervig; stark; stark u. mager; muskelig; muskelstark; muskulös; stämmig (sein). ¶ 그는 ~ Er ist stark u. mager.

살판(一板) ① 《판자》 die schwere Planke 《-n》, die den Pfeiler des Hauses heben soll. ② ☞살판뜀. ③ ☞살얼음판.

살판나다 reich werden; ein Vermögen erwerben*; Glück haben; Schwein haben; unter e-m glücklichen Sterne geboren sein. ¶ 너는 살판났다 Du bist ein Glückspilz!¦Du hast Glück.¦Du hast Schwein./ 너도 언젠가는 살판나게 된다 Auch dir wird das Glück einmal lächeln.

살판뜀(一板一) Purzelbaum *m.* -(e)s, ⸚e.

살펴보다 《외면을》 [4]sich um|sehen*; sehen* 《*in*[4]》; hinein|sehen* 《*in*[4]》; untersuchen[4]; prüfen[4]; beobachten[4]; auf|passen; acht|geben*; lauern 《*auf*[4]》; ein wachsames Auge haben 《*auf*[4]》; 《탐지·탐색》 suchen[4] 《*nach*[3]》; auf|suchen[4]; ausfindig machen[4]; forschen 《*nach*[3]》; erforschen[4]; nach|forschen. ¶ 적정을 ~ die feindliche Lage aus|kundschaften / 상황을 ~ die Umstände aus|kundschaften / 회사 내용을 ~ die inneren Verhältnisse e-r Gesellschaft erforschen / 아무의 의중을 ~ *jm.* auf den Zahn fühlen; *jn.* aus|horchen / 남의 비밀을 ~ *js.* Geheimnisse erforschen / 여론을 ~ die öffentliche Meinung sondieren / 서로 ~ einander aus|forschen.

살평상(一平床) e-e Art Bettstelle 《*f.* -n》 mit der Gitterdielung.

살포 der Spaten 《-s, -》, der bei Bewässerungsarbeiten gebraucht wird.

살포(撒布) Ausspritzung *f.*; Bespritzung *f.*; Besprengung *f.*; Bestreuung *f.*; Ausstreuung *f.*; Austeilung *f.*; Verteilung *f.* ~하다 《물·가루를》 aus|spritzen[4]; bespritzen[4] 《*mit*[3]》; besprengen[4] 《*mit*[3]》; bestreuen[4] 《*mit*[3]》 (뿌리다); 《종자 따위를》 aus|streuen[4]; umher|streuen; 《삐라 따위를》 aus|teilen[4]; verteilen[4].

‖ ~기 Gießkanne *f.* -n. ~약 Streupulver *n.* -s, -.

살풀이(煞一) 〖민속〗 Beschwörung 〔Austreibung〕 e-s bösen Geistes. ~하다 e-n bösen Geist beschwören* 〔austreiben*〕.

살품 die Lücke zwischen dem Kleid u. der Brust.

살풍경(殺風景) abgeschmackte Beschaffenheit *f.* -en; Abgeschmacktheit *f.* -en; Geschmacklosigkeit *f.* -en. ~하다 《황량한》 öde; wüst; verödet; verwildert (거칠어진); 《꾸밈없는》 kahl; 《무미건조한》 prosaisch; fade; langweilig; trocken (sein). ¶ ~한 방 das schmucklose 〔kahle〕 Zimmer, -s, - / ~한 광경 der öde Anblick, -(e)s, -e / ~한 생활 das prosaische Leben, -s.

살피 《땅의》 Grenzmarkierung *f.* -en; 《물건의》 die Teilungslinie 《-n》 zwischen zwei Dingen. ¶ ~를 꽂다 [4]*et.* stellen, um die Grenze zu ziehen; [4]*et.* auf|stellen, um die Grenze zu ziehen.

살피다[1] 《잘 관찰하다》 beobachten[4]; im Auge behalten*[4]; 《동정을 살피다》 belauern[4]; *jm.* auf|lauern; auf *jn.* lauern; 《조사하다》 forschen[4]; untersuchen[4]; 《헤아리다》 beurteilen[4]; 《동정하다》 [4]sich *js.* erbarmen; mit|fühlen. ¶ 아무를 뚫어져라 살펴보다 *jn.* forschend an|sehen* / 당신의 편지를 살펴보건대 soviel ich aus Ihrem Brief ersehe,... / 이 사실에서 살피건대 um aus dieser Tatsache zu schließen / 나는 그를 멀리서부터 〔가까이에서부터〕 살펴보았다 Ich habe ihn von weitem 〔aus der Nähe〕 beobachtet. / 적은 우리를 덮치려고 몇 시간 전부터 우리를 살피고 있었다 Der Feind hat uns seit Stunden aufgelauert, um uns zu überfallen. / 살펴 가십시오 Gehen Sie wohl nach Hause!¦Auf Wiedersehen! / 하느님, 저를 굽어 살피소서 Gott, erbarme dich meiner!

살피다[2] 《성기다》 gazeartig; locker gewebt (sein).

살핏살핏하다 sehr gazeartig; sehr locker gewebt (sein).

살핏하다 ein bißchen gazeartig; ein bißchen locker gewebt (sein).

살해(殺害) Mord *m.* -(e)s, -e; Ermordung *f.* -en; Tötung *f.* -en; das Umbringen, -s. ~하다 ermorden[4]; morden[4]; töten[4]; um|bringen*[4]; kalt|machen[4]; meucheln[4](암살). ¶ 그는 취침중에 ~되었다 Er wurde beim Schlafen ermordet.

‖ ~사건 Mordfall *m.* -(e)s, ⸚e. ~자 Mörder *m.* -s, -; Töter *m.* -s, -; Attentäter *m.* -s, - (암살자); Meuchelmörder *m.* -s, - (암살자). 부친~ Vatermord *m.* -(e)s, -e. 유아~ Kindermord *m.* -(e)s, -e.

삵괭이 〖동물〗 Wildkatze *f.* -n; *Felis bengalensis* (학명).

삵피(一皮) die Haut 《⸚e》 der Wildkatze.

삶 Leben *n.* -s; Dasein* *n.* -s; Existenz *f.* -en. ¶ 삶의 나무 Lebensbaum *m.* -(e)s, ⸚e/ 삶의 목적 Lebensziel *n.* -(e)s, -e; Lebenszweck *m.* -(e)s, -e / 삶의 지혜 Lebensklugheit *f.* -en / 삶의 충동 Lebenstrieb *m.* -(e)s, -e / 삶의 투쟁 Lebenskampf *m.* -(e)s, ⸚e / 삶의 환희 Lebensfreude *f.* -n / 삶을 얻다 《태어나다》 geboren werden; das Licht der Welt erblicken; zur Welt kommen*[s]; 《살아 있다》 leben; auf der Welt sein / 삶을 즐기다 das 〔sein〕 Leben genießen*.

삶다 ① 《끓이다》 kochen[4]; zu|bereiten[4](조리하다); sieden*[4](찌다); schmoren[4](약한 불로).

¶ 삶은 gekocht; gesotten; geschmort / 삶은 콩 die gekochten Bohnen 《*pl.*》/ 삶은 달걀 ein gekochtes Ei, -s, -er / 푹 (연하게) ～ gar (weich) kochen[4] / 감자는 아직 삶아지지 않았다 Die Kartoffeln sind noch nicht gar. / 감자는 벌써 삶아졌다 Die Kartoffeln sind schon gut gekocht.
② 《구워삶다 · 뇌물을 먹이다》 bestechen*[4]; *jm.* Schweigegeld geben*; korrumpieren[4]. ¶ 관리들을 구워 ～ Beamte bestechen*.

삶아지다 gar sein; gekocht werden. ¶ 너무 ～ übergar werden (sein) / 연하게 ～ sehr zart (weich) gekocht sein / 감자는 아직 삶아지지 않았다 Die Kartoffeln sind noch nicht gar.

삶이 ① 《논의》 das Eggen* der gepflügten Erde (mit od. ohne Wasser). ～하다 (gepflügte Erde) eggen. ② 《볍씨를》 das direkte Pflanzen der Reissamen auf die geeggte Erde. ～하다 Reissamen direkt auf die geeggte Erde pflanzen.

삼[1] 〖식물〗 Hanf *m.* -(e)s; *Cannabis sativa* (학명). ¶ 삼으로 만든 hanfen.
‖ 삼대 der entschälte Hanfstengel, -s, -. 삼잎 Hanfblatt *n.* -(e)s, ⸗er. 삼줄 (삼실) Hanffaser *f.* -n.

삼[2] 《태아의》 das Amnion 《-s》 u. die Plazenta 《-s》; Mutterleib *m.* -es, -er.

삼[3] 《뱃바닥의》 die Bodenplanke 《-n》 des Schiffes.

삼[4] ＝삼눈.

삼(蔘) ＝인삼(人蔘).

삼(三) drei. ☞ 제삼(第三). ¶ 제3의 사나이 der dritte Mann / 3분의 1 ein Drittel *n.* -(e)s, -.

삼가 herzlich; Ihr ganz Ergebener; ergebenst; hochachtungsvoll; ehrerbietig; ehrfurchtsvoll. ¶ ～ 축하를 드립니다 Herzlich gratuliere ich Ihnen. / ～ 용서를 빕니다 Herzlich bitte ich um Entschuldigung. | Ich bitte sehr um Verzeihung. / ～ 감사의 말씀을 드립니다 Herzlich danke ich Ihnen. / ～ 조의를 표합니다 Empfangen Sie bitte m-e tiefste Beileidsbezeigung. / ～ 초청에 대해 감사드립니다 Herzlich danke ich Ihnen für Ihre freundliche Einladung.

삼가다 《절제》 mäßig sein 《*in*[3]》; [4]sich mäßigen 《*in*[3]》; [4]sich enthalten*[2]; zurück|halten*[4]; vorsichtig sein 《*in*[3]》; 《근신》 [4]sich ehrfurchtsvoll verhalten*. ¶ 삼가는 bescheiden / 매우 삼가는 사람 ein sehr bescheidener (zurückhaltender) Mensch, -en, -en / 술을(담배를) ～ [4]sich im Trinken (Rauchen) mäßigen; den Alkohol (Tabak) meiden*; nur wenig trinken (rauchen); mäßig trinken (rauchen) / 짠 음식을 ～ [4]sich des Salzes (salzhaltiger Nahrung) enthalten* / 나는 짠 음식을 삼간다 Von salzigen Speisen esse ich nur wenig. | Salziger Sachen enthalte ich mich. / 말을 ～ s-e Zunge zügeln (beherrschen); im Reden vorsichtig sein; vorsichtig sprechen* / 행동을 ～ vorsichtig handeln; ein sittsames (anständiges) Leben führen / 대답을 ～ ehrfurchtsvoll (ehrerbietig) antworten[3] 《*auf*[4]》.

삼가르다 die Nabelschnur ab|schneiden* (durch|schneiden*; ab|trennen).

삼각(三角) Dreieck *n.* -(e)s, -e. ¶ ～(형)의 dreieckig; triangulär; dreiwinklig; trigonal.
‖ ～관계 Dreieckverhältnis *n.* -ses, -se. ～기 e-e dreieckige Fahne, -n. ～돛 ein dreieckiges Segel, -s, -; Klüver *m.* -s, - (뱃머리의). ～법 Trigonometrie *f.*: 기술적 ～법 darstellende Trigonometrie/평면(구면) ～법 ebene (sphärische) Trigonometrie. ～자 Reißdreieck *n.* -(e)s, -e; Winkel *m.* -s, -. ～주 Delta *n.* -s, -s. ～측량 Triangulation *f.* -en; Triangulierung *f.* -en. ～함수 Winkelfunktion *f.* -en; die trigonometrische Funktion, -en. 직각(이등변) ～형 ein rechtwinkliges (gleichschenkliges) Dreieck.

삼각(三脚) Stativ *n.* -s, -e (사진의); Dreibein *n.* -(e)s, -e (-fuß *m.* -es, ⸗e) (삼각의 의자, 도구 따위). ¶ ～의 drei|beinig (-füßig) / ～가(架) Dreibein.
‖ ～의자 der dreifüßige Stuhl, -(e)s, ⸗e. 이인～ der Wettlauf auf drei Beinen.

삼강(三綱) drei grundlegende menschliche Beziehungen 《*pl.*》 zwischen Herrscher u. Volk, Vater u. Sohn, u. Mann u. Frau; die drei Verbindungen 《*pl.*》.

삼거리(三—) Weggabelung *f.* -en.

삼거웃 Hanfwerg *n.* -(e)s; die Abfallstücke 《*pl.*》 des Flachses (Hanfs).

삼겹실(三—) dreifach gedrehter Faden, -s ⸗.

삼경(三更) Mitternacht *f.* ⸗e; die tiefe Nacht, ⸗e.

삼경(三經) die Drei Klassiker des alten Chinas (＝Buch der Lieder, Buch der Urkunden, Buch der Wandlungen).
‖ 사서～ die Vier Bücher u. die Drei Klassiker des alten Chinas (＝Sieben Bücher (칠서)).

삼관왕(三冠王) 〖경기〗 der Gewinner 《-s, -》 von drei Medaillen. ¶ ～이 되다 drei Medaillen gewinnen*; drei Medaillen erringen*.

삼광조(三光鳥) 〖조류〗 Paradies-fliegenfänger *m.* -s, -; Paradies-fliegenschnäpper *m.* -s, -; *Terpsiphone atrocaudata* (학명).

삼교(三校) 〖인쇄〗 die dritte Korrektur (e-s Drucks).

삼국(三國) die drei Staaten 《*pl.*》. ‖ ～간섭 die dreifache Intervention, -en. ～동맹 Dreierallianz *f.* -en. ～협상 Dreierentente *f.* -n. 제～ der unbeteiligte Staat, -(e)s, -en: 제～인 der Angehörige* 《-n, -n》 der dritten Nationalität; Ausländer *m.* -s, -.

삼군(三軍) 《전군》 das ganze Heer, -(e)s, -e; die mächtige Armee, -n. ¶ ～을 통솔하다 ein großes Heer kommandieren.

삼굿 die Grube 《-n》, in der man Hanf (Flachs) dämpft; die dampfende Flachsgrube, -n.

삼권(三權) die drei Gewalten der staatlichen Obrigkeit; Gesetzgebung, Rechtsprechung u. Verwaltung.
‖ ～분립 Gewalten|teilung (-trennung) *f.*

삼꽃 ① 〖식물〗 Hanfblüte *f.* -n; Flachsblüte *f.* -n. ② 〖한의학〗 e-e Art fieberhafte Hautausschlag auf der Kindeshaut.

삼나무(杉—) ＝삼목(杉木).

삼남(三南) die drei südlichen Provinzen 《*pl.*》; Süden *m.* -s.

삼년(三年) drei Jahre. ¶ ～생 der Schüler 《-s, -》 des dritten Jahrgangs (국민학교, 중학교); Quartaner *m.* -s, - (고교); der Student 《-en, -en》 im dritten Studienjahr (대학) / ～생의 〖식물〗 dreijährig / ～마다 dreijährlich; alle drei Jahre; jedes dritte Jahr / ～ 연달아 풍작이다 Wir haben e-e reiche Ernte drei Jahre hintereinander.

삼노 Hanf|seil *n.* -(e)s, -e (-strick *m.* -(e)s, -e).

삼노끈 Bindfaden 《*m.* -s, ⸗》 aus Hanf.

삼눈 〖의학〗 Hornhautgeschwür *n.* -(e)s, -e.
삼다 ① 《…을 —으로》 machen⁴ 《*jn.* zu ³*et.*》. ¶ 고아를 양자로 ~ e-n Waisen adoptieren/ 그를 내 사위로 ~ ihn zu m-m Schwiegersohn machen / 사람들은 그를 노예로 삼았다 Man hat ihn zum Sklaven gemacht./ 우리들은 그를 새 지도자로 삼았다 Wir haben ihn zum neuen Führer gemacht. / 나는 그건 문제로 삼지 않는다 Danach frage ich nicht.
② 《짚신을》 machen⁴; her|stellen⁴. ¶ 짚신을 ~ Strohschuhe flechten* (her|stellen).
삼단 Hanfbündel *n.* -s, -. ¶ ~같은 머리 das lange u. reiche Haar, -(e)s, -e; das dichte Haar; das buschige Haar.
삼단(三段) drei Stufen 《*pl.*》.
‖ ~논법 Syllogismus *m.* -, ..men; Vernunftschluß *m.* ..schlusses, ..schlüsse. ~도(跳) 〖운동〗 Dreisprung *m.* -(e)s, ⸚e.
삼대 Hanfstengel *m.* -s, -.
삼대(三代) die drei Generationen 《*pl.*》.
삼덕(三德) die drei Tugenden 《*pl.*》: ① 《서경의》 Weisheit, Wohltat u. Tapferkeit. ② 《유교의》 Ehrlichkeit, Tapferkeit u. Demut. ③ 《기독교의》 Glauben, Hoffnung u. Liebe.
삼도내(三途—) 〖불교〗 Styx *m.* -. ¶ ~를 건너다 den Styx überqueren.
삼독(蔘毒) Ginsengvergiftung *f.* -en.
삼독회(三讀會) die dritte Lesung, -en (e-s Gesetzantrages).
삼동(三冬) ① 《석달》 die drei Wintermonate 《*pl.*》; der dreimonatige Winter, -s, -. ② 《세 겨울》 drei Winter (drei Jahre) 《*pl.*》.
삼동(三同) drei zusammengebundenen Teile 《*pl.*》; drei Sektion *f.* -en.
‖ ~물림 e-e Pfeife mit silbernen u. goldenen Bänden, die beide Enden des Halters verbinden. ~치마 dreifarbiger (Unter) rock, -(e)s, ⸚e.
삼동네(三洞—) die (drei) benachbarten Dörfer 《*pl.*》; die Nachbardörfer 《*pl.*》.
삼두정치(三頭政治) 〖역사〗 Dreiherrschaft *f.* -en; Triumvirat *n.* -(e)s, -e.
삼등(三等) der dritte Platz, -es; die dritte Klasse, -n; der dritte Rang, -(e)s, ⸚e(극장 3등석); Parkett *n.* -(e)s, -e(영화관의 계단 아래 앞쪽). ¶ ~ 차표 Fahrkarte 《*f.* -n》 dritter Klasse / ~ 식당 Lokal dritter Klasse / ~으로 여행하다 dritter ²Klasse reisen / 그는 경주에서 ~을 했다 Er wurde im Wettlauf Dritter. / ~은 2등으로 2등은 1등으로 바뀌었읍니다 Dritte Klasse ist in zweite u. zweite in erste umgenannt.
‖ ~국 der drittklassige Staat, -(e)s, -en; Kleinstaat *m.* (소국); Entwicklungsland *n.* -(e)s, ⸚er (후진국). ~여객 Fahrgast 《*m.* -(e)s, ⸚e》 dritter Klasse. ~표 Fahrkarte 《*f.* -n》 dritter Klasse. ~품 Artikel 《*m.* -s, -》 dritter Klasse.
삼등분(三等分) Dreiteilung *f.* -en. ~하다 in drei gleiche Teile teilen⁴.
삼라만상(森羅萬象) alle Wesen (Dinge) 《*pl.*》; die ganze Natur; Weltall *n.* -s; Universum *n.* -s; die (ganze) Schöpfung.
삼루(三壘) 〖야구〗 das dritte Laufmal, -(e)s, -e. ‖ ~수 der dritte Basemann [bé:s..] -(e)s, ⸚er. ~타 3-Mal-Lauf *m.* -(e)s, ⸚e.
삼류(三流) 〖형용사적〗 dritter ²Klasse; dritten ²Ranges. ¶ ~의 drittklassig / ~ 예술가 ein Künstler dritter Klasse.
‖ ~극장 das Kino 《-s, -s》 dritten Ranges. ~여관 ein Gasthof 《*m.* -(e)s, ⸚e》 dritten Ranges.
삼륜(三輪) ‖ ~용달차 Dreiradlieferwagen *m.* -s, -. ~차 Dreirad *n.* -(e)s, ⸚er; Dreiradwagen *m.* ~를 타다 Dreirad fahren*.
삼릉(三稜) ① 《세 모서리》 Dreieck *n.* -(e)s, -e. ② 《약초 뿌리》 die Wurzel 《-n》 der Simse. ‖ ~경(鏡) Prisma *n.* -s, ..men.
삼림(森林) Wald *m.* -es, ⸚er; Forst *m.* -es, -e. ‖ ~공원 Waldpark *m.* -(e)s, -s. ~관 Förster *m.* -s, -; der Forstbeamte*, -n, -n. ~관리 Förstverwaltung *f.* -en: ~ 관리인 Forstverwalter *m.* -s, -; Förster *m.* -s, -. ~법 Forstgesetz *n.* -es, -e. ~지대 Waldzone *f.* -n. ~학 Forstwissenschaft *f.* -en.
삼마누라 〖민속〗 der dritte von zwölf Teilen der Geisterbeschwörung.
삼막물(三幕物) Dreiakter *m.* -s, -; Schauspiel 《*n.* -(e)s, -e》 in drei Akten.
삼매(三昧) 〖불교〗 Versunkensein *n.* -s; Vertieftsein *n.* -s; *Samādhi*(범어). ¶ ~경에 들어가다 ⁴sich in e-n Zustand der Selbstvergessenheit versenken* / 독서 ~경에 잠기다 ⁴sich ins Lesen vertiefen; über den Büchern sitzen*.
삼면(三面) ① 《세 방면》 drei Seiten 《*pl.*》. ¶ ~이 산으로 둘러 싸여 있다 auf drei ³Seiten von ³Bergen umgeben sein.
② 《신문의》 die dritte Seite e-r Zeitung; die Seite zum Lokalbericht.
③ 〖수학〗 drei Fläche.
‖ ~경 Faltspiegel 《*m.* -s, -》 mit drei Scheiben. ~기사 die vermischten Nachrichten 《*pl.*》; Lokalbericht *m.* -(e)s, -e.
삼모작(三毛作) 〖농업〗 drei Ernten 《*pl.*》 in e-m Jahr.
삼목(杉木) die japanische Zeder, -n (Zederfichte, -n); der japanische Zederbaum, -(e)s, ⸚e; *Cryptomeria japonica* (학명).
삼문(三文) 《서푼》 (drei) Heller *m.* -s, -; drei Groschen *m.* -s, -; 《신발》 Größe 3.
‖ ~문사 Skribler *m.* -s, -; Zeilenschinder *m.* -s, -; Tageslohnschriftsteller *m.* -s, -; Federfuscher *m.* -s, -. ~문학 Kitsch *m.* -es; Schundliteratur *f.*; Drei-Groschen-Literatur *f.* ~소설 Schund¦roman (Hintertreppen-) *m.* -(e)s, -e; Zehncentstück *n.* -(e)s, -e.
삼민주의(三民主義) San Min Chu I (중국어); die drei Prinzipien des Volkes 《von *Sun Jat-sen*, 1866-1925》.
삼바 〖음악〗 Samba *m.* -s, -s (댄스).
삼박삼박 (mit den Augen) leicht blinkend.
삼박자(三拍子) 〖음악〗 drei¦zeitiger (-zähliger) Takt, -(e)s, -e; Dreitakt *m.* -(e)s, -e. ¶ 감미롭고도 속된 ~ der süße, triviale Dreitakt.
삼반규관(三半規管) 〖해부〗 Bogengang *m.* ⌈-(e)s, ⸚e.
삼발 《삼눈의》 die blutunterlaufene Ader 《-n》 des hornhäutigen Geschwürs.
삼발이 Dreifuß *m.* -es, ⸚e.
삼배(三倍) das Verdreifachen*, -s; Verdreifachung *f.* -en. ~하다 verdreifachen⁴; mit drei multiplizieren⁴. ¶ ~의 dreimal; dreifach / ~의 양 (크기) dreimal soviel (so groß) wie / 4를 ~하면 (4의 ~는) 12이다 Dreimal vier ist zwölf.
삼배(三拜) die dreimalige Verbeugung, -en. ¶ ~ 구배하여 부탁하다 äußerst dringend bitten*⁴.

삼백(三百) dreihundert. ¶ ~년제(年祭) das dreihundertjährige Jubiläum, -s, ..läen.

삼베 Gewebe《*n.* -s, -》aus Hanf; Hanfleinen *n.* -s, -; Leinentuch *n.* -(e)s, ⸚er.

삼복(三伏) die Hundstage《*pl.*》; die heißesten Tage《*pl.*》des Jahres; die heißeste Jahreszeit, -en; Hochsommer *m.* -s.
‖ ~더위 Hitze《*f.* -n》des Hochsommers; Hitze der Hundstage.

삼봉낚시(三鋒—) der dreizinkige Angelhaken, -s, -.

삼부(三部) drei Teile《*pl.*》; drei Kopien《*pl.*》; drei Abteilungen《*pl.*》.
‖ ~작 Trilogie *f.* -n: ~작 소설 Romantrilogie / ~작 희곡 Dramentrilogie. ~합주 Trio *n.* -s, -s. ~합창 Terzett *n.* -(e)s, -e. 제~ der dritte Teil, -(e)s, -e.

삼분(三分) Dreiteilung *f.* -en; Trisektion *f.* -en. ~하다 dreiteilen[4]; in drei Teile dividieren[4]. ¶ ~의 dreiteilig / ~의 1 (ein) Drittel *n.* -s, -; Dritteil *n.* -(e)s, -e〖분철: Dritt-teil〗/ ~의 2 zwei Drittel / ~의 2의 다수 zweidrittel Mehrheit *f.* / 천하를 ~하다 e-e Nation in drei selbständigen Staaten dividieren (teilen) / 27을 ~하면 9다 27 dividiert durch 3 gibt 9.

삼분오열(三分五裂) das Zerreißen*, -s; das Auseinandergehen*, -s; Zerrissenheit *f.* ~하다 auseinandergehen*; zerrissen werden; [4]sich (in mehrere Lager) spalten*.

삼불《태를 사르는》das Feuer《-s, -》zum Verbrennen der Nachgeburt.

삼빛(三—) drei Grade der Farbensättigung; 〖형용사적〗gesättigt; tief.

삼사(三思) Spekulation *f.* -en; die reifliche Überlegung, -en. ~하다 reiflich erwägen*[4]; gehörig überlegen; überdenken*[4].

삼사미 ①《세갈래의》die Spitze《-n》der Dreiteilung; die doppelte Kerbe, -n.
②《활의》die Zinke《-n》auf dem Pfeil.

삼사월(三四月) März u. (od.) April. ¶ ~ 긴긴 해 die langen Tage《*pl.*》von März od. April.

삼삭(三朔) die drei Monate《*pl.*》e-r Jahreszeit.

삼살방(三煞方)〖민속〗die schlechte Richtung, die schlechte Zeiten bringt, zu Mord u. Unglück führt.

삼삼오오(三三五五) zu zweien u. zu dreien; gruppenweise; in Grüppchen; in kleinen Gruppen.

삼삼하다 ①《기억이》unvergeßlich lebhaft (sein). ②《음식이》mundgerecht; einfach u. schmackhaft (sein).

삼삿반(蔘—) die Rohrmatte《-n》zum Trocknen von Ginseng.

삼상교류(三相交流)〖전기〗Dreiphasenwechselstrom *m.* -(e)s, ⸚e.

삼색(三色) drei Farben《*pl.*》. ¶ ~의 dreifarbig; trikolor.
‖ ~기 die dreifarbige Fahne, -n; Trikolore *f.* -n (특히 프랑스 국기). ~판 Dreifarbendruck *m.* -(e)s, -e; Trichromie *f.* -n.

삼서다 Hornhautgeschwür wachsen* ⓢ.

삼선(三選) *js.* dritte Wahl《-en》zum Präsidenten od. Kanzler. ¶ 대통령에 ~되다 dreimal hintereinander zum Präsidenten gewählt werden / 그는 ~을 노리고 있다 Er geht darauf aus, dreimal hintereinander gewählt zu werden.

삼성(三省) Selbstbetrachtung *f.* -en. ~하다 täglich dreimal über [4]sich selbst nach|denken*; [4]sich selbst beschauen; Selbstbetrachtung üben; [4]sich selbst immer wieder prüfen.

삼성(三聖) die drei Heiligen《*pl.*》(=Buddha, Konfuzius u. Christus).

삼성들리다 gierig (wie ein Wolf) fressen*[4]; s-n Appetit befriedigen; genügend essen*[4].

삼세(三世) ①《삼제(三際)》die drei Zustände《*pl.*》(Welten《*pl.*》).
②《삼대》die drei Generationen《*pl.*》; die dritte Generation, -en; der Dritte.
‖ 루이~ Ludwig Ⅲ. (der Dritte).

삼세번(三—番) genau dreimal; dreifach.

삼쇠 dritter Gong, -s, -s (in der Bauernmusik).

삼승(三乘) ①〖수학〗die dritte Potenz; Kubus *m.* -, -(..ben); Kubikzahl *f.* -en. ☞ 세제곱. ~하다 kubieren; in die dritte Potenz erheben*[4].
②〖불교〗die drei buddhistischen Lehren beim Geleiten der Herde zum Paradies.
‖ ~근(根) Kubikwurzel *f.* -n; die dritte Wurzel: 27의 ~근 die dritte Zahl aus 27. ~멱(冪) =삼승, 세제곱, 입방.

삼시(三時) die drei Mahlzeiten《*pl.*》an e-m Tag.

삼시울(三—) das dreifältige Seil, -(e)s, -e.

삼신 Hanfsandale *f.* -n.

삼신할머니(三神—)〖민속〗die Göttin der Kinder.

삼실 Hanfgarn *n.* -(e)s, -e.

삼십(三十) dreißig. ¶ ~년 동안의(~세의) dreißigjährig / ~년 전쟁〖역사〗der Dreißigjährige Krieg, -(e)s / ~세의 젊은 남자 ein dreißigjähiger junger Mann / 전 세기의 ~년대에 in den dreißiger Jahren des vergangenen (letzten) Jahrhunderts / 오늘은 1982년 4월 ~일이다 Heute ist der 30. (dreißigste) April 1982. / 그는 ~대이다 Er ist in den Dreißigern.

삼십육계(三十六計) ①《노름에서》e-e Art Glücksspiel um Geld. ②《병법》36 Taktiken in der Kriegskunst. ¶ ~를 놓다 retirieren; [4]sich aus dem Staub machen; heimlich davon|gehen* ⓢ; aus|reißen* ⓢ; ab|hauen* ⓢ; fliehen* ⓢ / ~에 줄행랑이 제일 Retirieren ist die beste Strategie.

삼십팔도선(三十八度線) der 38. Breitengrad, -(e)s, -e; 《북위》der 38. Grad nördlicher Breite. ¶ 여기가 ~입니다 Hier ist der 38. Breitengrad.

삼씨 Hanfsamen *m.* -s, -.
‖ ~기름 Hanföl *n.* -(e)s, -e.

-삼아(서) als; für[4]; zu[3]; halber[2]. ¶ 놀기삼아(서) zum Zeitvertreib; belustigungshalber / 놀기삼아(서) 하는 여행 Vergnügungsreise *f.* -n / 그 여자는 고양이를 벗삼아(서) 그 큰 집에서 홀로 산다 Mit der Katze als e-m Freund wohnt sie allein in dem großen Haus.

삼엄(森嚴) Ernsthaftigkeit *f.* -en; Feierlichkeit *f.* -en; Solennität *f.* -en. ~하다 feierlich; erhaben; solenn; achtungsgebietend; ehrfurchtgebietend; hochernst (sein).

삼역(三役) drei Rollen《*pl.*》. ¶ 일인 ~을 하다 alleine drei Rollen spielen; drei Rollen auf einmal spielen. ‖ 당(黨)~ drei Hauptpersonen e-r Partei.

삼오야(三五夜) die fünfzehnte Nacht《⸚e》nach dem Mondkalender; Vollmondnacht *f.* ⸚e. ¶ ~ 밝은 달 der helle Vollmond, -(e)s, -e.

삼용(蔘茸) Ginseng《*m.* -s, -s》u. (Hirsch-)geweih《*n.* -(e)s, -e》.

삼우(三友) „die drei Freunde" =die Kiefer,

der Bambus u. die Pflaume; der Berg u. der Fluß, die Kiefer u. der Bambus, die Laute u. der Wein.

삼원색(三原色) die drei Grund¦farben (Primär-) 《pl.》.

삼월(三月) März m. -(es) 〖시어〗(-en), -e. ¶ ~의 눈 Märzschnee m. -s.
‖ ~혁명 〖역사〗 Märzrevolution f.

삼위일체(三位一體) 〖성서〗 Drei¦einigkeit f. (-faltigkeit f.); Trinität f. ¶ ~의 trinitarisch. ‖ ~론자 Trinitarier m. -s, -. ~설 Trinitarismus m. -.

삼이웃(三一) die (rund) umliegenden Nachbarn 《pl.》.

삼인(三人) drei Personen 《pl.》 ※ 실제로는 Personen 대신에 구체적으로 여자 삼인이면 drei Frauen, 학생 삼인이면 drei Schüler, 남자 삼인이면 drei Mann (Mann은 일괄하여 헤아릴 때는 pl. 변화 없음)으로 됨. ¶ ~의 dreiköpfig. ☞ 셋.
‖ ~가족 Familie 《f. -en》 von dreien; e-e dreiköpfige Familie. ~위원회 der (ein-) dreiköpfige(r) Ausschuß, ..usses, ..üsse. ~조(組) Dreiergruppe f. -n; Trio n. -s, -s.

삼인칭(三人稱) 〖문법〗 die dritte Person.
‖ ~단수 die dritte Person Singular. ~복수 die dritte Person Plural.

삼일(三日) drei Tage (삼일간); der dritte Tag (삼일째). ¶ ~마다 alle drei Tage / ~내에 in drei Tagen / 1978년 11월 ~은 내 아들놈의 생일이다 Der 3. (dritte) November 1978 ist der Geburtstag m-s Sohnes. / 나는 ~ 예정으로 여행한다 Ich reise auf drei Tage.
‖ ~예배 Gottesdienst 《m. -(e)s, -e》 am Mittwochabend. ~장 Begräbnis 《n. -ses, -se》 am dritten Tag nach dem Tode. ~천하 sehr kurze Regierungszeit (=„dreitägige Regierung").

삼일운동(三一運動) die Unabhängigkeitsbewegung Koreas vom 1. März 1919.

삼일절(三一節) die Jahresfeier der Unabhängigkeitsbewegung vom 1. März 1919. ¶ 오늘은 제 60회 ~이다 Heute ist die 60. Jahresfeier der Unabhängigkeitsbewegung von 1919.

삼자(三者) ① ☞ 제삼자(第三者).
② 《삼인》 drei Personen (Leute; Menschen) 《pl.》. ¶ ~간의 zu dreien/~의 위치에 서다 neutral bleiben* ⓢ / ~의 위치에 서보면 아주 우습다 Es würde e-r dritten Person ganz komisch erscheinen.

삼잡이 Die Beschwörung 《-en》 gegen das Hornhautgeschwür.

삼장(蔘場) Ginsengfeld n. -es, -er; Ginsengackerboden m. -s, ⸚.

삼족(三族) drei Stufen der Verwandten; 《집 밖의》 die Verwandten der Vatersseite, die Verwandten der Muttersseite u. die Verwandten der Seite der Ehefrau; 《집안의》 js. Eltern, js. Geschwister, js. Frau u. Kinder.

삼종(三從) der dritte Vetter, -s, -n; der Vetter 《-s, -n》 dritten Grades.

삼종우편(물)(三種郵便(物)) Post 《f. -en》 dritter Kategorie. ¶ ~으로 발송하다 als (mit) Post dritter Kategorie befördern[4].

삼중(三重) ¶ ~의 drei¦fach (-fältig); dreimal (-ig); dreifältig / 종이를 ~으로 접다 ein Stück Papier dreifach falten / ~으로 만든 (타자를 친) 서류 ein Schriftstück in dreifacher Ausfertigung.

‖ ~주(奏) Trio n. -s, -s; Dreispiel n. -(e)s, -e: 피아노 ~주곡 Klaviertrio n. ~창 Terzett (Dreispiel) n. -(e)s, -e. ~충돌 ein dreifacher Zusammenstoß, -es, ⸚e.

삼지니(三一) der dreijährige Habicht, -(e)s, -e (Falke, -n, -n).

삼지창(三枝槍) ① 《창》 Dreizack m. -(e)s, -e (바다의 신 Neptun의 끝이 셋으로 갈라진 창 Neptun의 상징); ein dreizackiger Speer, -(e)s, -e. ② 《포크》 Gabel f. -n.

삼진(三振) 〖야구〗 Strikeout m. -s. ‖ ~탈취왕 ein Strikeout-Champion m. -s, -s.

삼짇날 《삼짇》 der dritte März.

삼차(三次) ① 《세번째》 das dritte Mal, -(e)s. ② 〖수학〗 die dritte Potenz; Kubus m. -, -. ¶ ~의 kubik-; Kubik-; kubisch.
‖ ~내각 die dritte Regierung. ~방정식 die kubische Gleichung, -en. ~원 세계 die dreidimensionale Welt; die Welt der Dreidimensionalität. ~함수 Kubikfunktion f. -en. ~회 das dritte Beisammensein, -s; die dritte Party, ..ties. 제~ 5개년 계획 der dritte 5-jährige Wirtschaftsplan, -(e)s ⸚e. 제~원(元) die dritte Dimension (drei Dimensionen).

삼차(三叉) ¶ ~의 dreigablig.
‖ ~로(路) Gabel f. -n; die dreigablige, Abzweigung -en. ~신경 〖해부〗 Trigeminus m. -, ..ni.

삼창(三唱) der dreimalige Ruf, -(e)s, -e; dreimaliger Hochruf.

삼척동자(三尺童子) ein kleines Kind, -(e)s, -er. ¶ ~도 그것은 안다 Auch ein kleines Kind weiß es. ¦ Das ist e-e überall bekannte Sache. ¦ Das weiß alle Welt.

삼천리(三千里) dreitausend Meilen 《pl.》.
‖ ~강산, ~강토 ganz Korea.

삼천세계(三千世界) 〖불교〗 Universum n.; Weltall n. -s; die ganze Welt. ¶ ~에 자녀를 가진 부모의 마음은 한결같다 Die Liebe der Eltern zu ihnen Kindern ist überall in der Welt gleich.

삼촌(三寸) ① 《3인치》 drei Zoll, -(e)s, -. ② 〖법〗 die Verwandtschaft dritten Grades. ③ 《숙부》 Onkel 《m. -s, -》 väterlicherseits; Onkel von väterlicher Linie (Seite).
‖ ~댁 die Frau des Onkels; das Haus des Onkels: 나는 ~댁에서 산다 Ich wohne bei m-m Onkel. 외~ Onkel mütterlicherseits; Onkel von mütterlicher Linie (Seite).

삼촌설(三寸舌) Zunge f. -n; die beredte Zunge. ¶ ~을 놀리다 die Zunge aus¦strecken; fließend sprechen*; mit der beredte Zunge sprechen*. ⌈-(e)s, -e.

삼총사(三銃士) Trio n. -s, -s; Triumvirat n.

삼추(三秋) ① 《석달》 die 3 Monaten 《pl.》 des Herbstes; der dreimonatige Herbst, -es, -e. ② 《세 가을》 die drei Herbste 《pl.》; die drei Jahre 《pl.》. ¶일각이 ~같다 e-n Moment fühlen, als ob es drei Jahre lange wäre; ungeduldig warten.

삼춘(三春) ① 《석달》 die drei Frühlingsmonate 《pl.》; der dreimonatige Frühling, -s, -e. ② 《세 봄》 die drei Frühlinge 《pl.》; die drei Jahre 《pl.》.

삼출(滲出) Exsudation f.; Ausschwitzung f. ~하다 aus¦schwitzen ⓢ.

삼층(三層) der zweite Stock, -(e)s; die zweite Etage [etá:ʒ(ə)]. ¶ ~에서 살고 있다 im zweiten Stock (in der zweiten Etage) wohnen. ‖ ~집 ein dreistöckiges Haus,

-es, ⸗er. ※「…층집」이라고 말할 때는「2층에서」,「3층의」따위의 경우와 달리 한국과 마찬가지로 zweistöckig, dreistöckig 따위로 됨.

삼치 〖어류〗 e-e Art Makrele《f. -n》; *Sawara niphonia* (학명).

삼칠(三七) ein und zwanzig.
‖ ~일 der 21. Lebenstag des neugeborenen Kindes: ~일 잔치 Feier《f. -n》 des 21. Lebenstages des neugeborenen Kindes.

삼칼 Holzmesser *n.* -s, -: Es dient dazu, um die Blätter des Hanfs od. die Haut des Ginsengs zu schneiden; das Holzmesser zum Schneiden der Hanfblätter od. des Ginsenghaut.

삼키다 ①《입으로》 schlucken⁴; herunter|schlucken⁴; hinunter|schlucken; verschlingen*⁴; verschlucken⁴. ¶ 약(음식)을 ~ e-e Pille (e-n Bissen) hinunterschlucken / 그는 빵을 순식간에 삼켰다 Er verschlang das Brot im Handumdrehen. / 큰 기업은 여러 중소기업을 삼켰다 Der große Betrieb hat mehrere kleine geschluckt.
②《참다》 schlucken⁴; hinunter|schlucken⁴. ¶ 모욕을 ~ e-e Beleidigung hinunter|schlucken / 눈물을 ~ die Träne herunter|schlucken (verschlucken) / 패배의 고통을 ~ e-e Niederlage erleiden* / 그는 분노를 삼키지 않으면 안 되었다 Er hat s-n Ärger hinunterschlucken müssen.
③《횡령》 unterschlagen*. ¶ 그는 공금을 ~ Er hat sich das öffentliche Geld unterschlagen.

삼태(三胎) Drilling *m.* -s, -e.
‖ ~아 Drillinge《*pl.*》.

삼태기 Trägerskorb *m.* -(e)s, ⸗e.

삼태불 die Pflanze《-n》 mit vielen dünnen Wurzeln.

삼투(滲透) Durchdringung *f.* -en; Osmose *f.*; das Durchdringen*, -s. ~하다 durchdringen*⁴.
‖ ~성 Osmose *f.* -n; Durchsaugung *f.* -en : ~성의 osmotisch; penetrant; durchdringend. ~작용 osmotische Wirkung, -en.

삼파전(三巴戰) Dreikampf *m.* -(e)s, ⸗e; Dreistädtekampf; Dreiländerkampf.

삼판(선)(三板(船)) Leichter (Lichter) *m.* -s, -; Leichterboot *n.* -(e)s, -e. ¶ ~선으로 실어나르다 leichtern⁴.

삼판양승(三一兩勝) die besten zwei unter den drei Wetten.

삼팔선(三八線) ☞ 삼십팔도선.

삼팔주(三八紬) e-e Art chinesische Seide.

삼포(蔘圃) Ginsengfeld *n.* -es, -er; Ginsengacker *m.* -s, ⸗.

삼하(三夏) ①《석달》 die 3 Monate《*pl.*》 des Sommers; der dreimonatige Sommer, -s, -. ②《세 해》 drei Sommer (Jahre)《*pl.*》.

삼하다 ärgerlich; verdrießlich; mürrisch; übellaunig; empfindlich; grämlich (sein).

삼한사온(三寒四溫) drei Tage kalt u. vier Tage warm; die Abwechselung der drei kalten Tage u. vier warmen Tage (des koreanischen Winters).

삼할(三割) dreißig Prozent, -(e)s, -. ¶ 연 ~의 이자 die Zinsen《*pl.*》 von dreißig Prozent jährlich / 그 이후 물가는 ~ 올랐다 Seitdem sind die Preise um 30% gestiegen.

삼할미 Hebamme *f.* -n.

삼합사(三合絲) der dreifältige Faden, -s, ⸗.

삼항식(三項式) die dreigliedrige Formel, -n.

삽(鍤) Schaufel *f.* -n; Spaten *m.* -s, -. ¶ 삽질을 하다 (삽으로 땅을 파다) schaufeln⁴ / 코크스를 석탄 창고에 삽으로 퍼 넣어야 한다 Der Koks muß in den Kohlenkeller geschaufelt werden.

삽가래(鍤—) die Schaufel《-n》, die zwei Männer mit dem Seil ziehen.

삽사리, 삽살개 Pudel *m.* -s, -.

삽시간(霎時間) Augenblick *m.* -(e)s, -e. ¶ ~에 im Nu; augenblicklich; zusehends / 그는 ~에 되돌아왔다 Er ist im Nu zurückgekommen. / 환자는 이제 ~에 좋아질 겁니다 Dem Kranken wird es zusehends besser gehen.

삽입(挿入) Einschub *m.* -(e)s, ⸗e; Einschaltung *f.* -en; Einfügung *f.* -en. ~하다 ein|schieben*⁴《*in*⁴》; ein|schalten⁴《*in*⁴》; ein|fügen⁴《*in*⁴》; hinein|stecken⁴《*in*⁴》. ¶ 문장 하나를 추가로 ~하다 e-n Satz nachträglich ein|schieben / 몇 개의 문장을 원고에다 더 ~하다 noch einige Sätze in ein Manuskript ein|fügen.
‖ ~구 Einschaltung *f.* -en; Parenthese *f.* -n. ~물 eingeschobenes Ding, -(e)s, -e; das Eingeschobene*. ~어 das eingeschobene Wort, -(e)s, -e. ~음 Epenthese *f.* -n; Epenthesis *f.* ..thesen.

삽지(挿紙) 〖인쇄〗 Papiervorschub *m.* -(es), ⸗e. ~하다 Papier vor|schieben*.

삽질(鍤—) das Schaufeln*, -s. ~하다 schaufeln⁴. ¶ 코크스를 석탄 창고 속으로 ~해 넣어야겠다 Wir haben den Koks in den Kohlenkeller zu schaufeln.

삽화(挿畫) Abbildung *f.* -en; Illustration *f.* -en; Bild *n.* -(e)s, -er. ¶ ~를 넣다 mit Abbildungen versehen*⁴ (aus|statten⁴); bebildern⁴ / ~가 든 잡지 die Illustrierte*, -n; Zeitschrift《*f.* -en》 mit Bildern.
‖ ~가 (Buch)bebilderer *m.* -s, -; Zeichner *m.* -s, -; Illustrator *m.* -s, -en.

삽화(挿話) Episode *f.* -n; Nebenhandlung *f.* -en; Zwischenfall *m.* -(e)s, ⸗e. ¶ ~적인 episodisch; episoden|artig (-haft).

삿갓 Binsenkorbhut *m.* -(e)s, ⸗e (골풀로 된); Bambushut *m.* -(e)s, ⸗e (대나무로 된).
‖ ~장이《만드는》 ein Handwerker《*m.* -s, -》, der Binsenkorbhüte herstellt;《쓴》 jemand, der e-n Binsenkorbhut trägt.

삿갓들이 〖농업〗 der dünn gepflanzte Reis, -es.

삿대 ☞ 상앗대.

삿자리 Riedmatte *f.* -n. ¶ ~를 깔다 die Riedmatte aus|breiten.

상(上) 《상품》 der (die; das) beste* (erste*; feinste*; höchste*; vollkommenste*) -n, -n. ¶ 상권 der erste Band, -(e)s, ⸗e; Band I. / 상, 중, 하의 삼등급 die drei Grade: ausgezeichnet, gut, genügend / 상, 중, 하의 삼단계 die erste, zweite, dritte Stufe (Klasse) / 상반신 Oberkörper *m.* -s, -; Oberleib *m.* -(e)s, -er / 경제적으로 그는 이 사회에서 상에 속한다 Wirtschaftlich gehört er zu den oberen Klassen dieser Gesellschaft.

상(床) Eßtisch *m.* -es, -e; Tafel *f.* -n; 《소형》 Eßtischchen (Täfelchen) *n.* -s, -. ¶ 상을 받다 ⁴sich zu Tisch setzen / 상을 물리다 vom Tisch auf|stehen* / 상에 올려 놓다 bei Tisch auf|warten《*mit*³》; (Speisen) auf|tragen*; an|bieten*⁴; auf den Tisch bringen*⁴; servieren / 상을 차리다 (보다) den Tisch (die Tafel) decken. ☞ 밥상.

상(相) 〖천문〗 Phase *f.* -n; Erscheinungsform *f.* -en; 《인상》 das Aussehen*, -s; Physiognomie *f.* -n [..mí:ən]; Gesichtsausdruck *m.* -(e)s, ⸚e (표정); 《용모》 Gesichtszüge 《*pl.*》; Miene *f.* -n. ¶ 기분 잡친 상을 하다 ein saueres (schiefes) Gesicht ziehen / 상을 보다 *js.* charakterliche Eigenschaften oder Schicksal aus s-m Gesichtsausdruck erschließen*; aus dem Gesichtsausdruck wahrsagen / 월상(月相) Mondphasen 《*pl.*》/ 그녀는 오늘 상이 좋지 않다 Sie sieht heute schlecht aus. / 그녀는 상을 찌푸렸다 Sie hat Grimasse geschnitten (gezogen).¦Sie hat das Gesicht zu e-r Grimasse verzogen.¦Sie hat Gesichter geschnitten.¦Sie hat das Gesicht verzerrt. / 그렇게 화난 상을 하지 말라 Mach nicht so ein böses Gesicht!

상(商) ① 〖음악〗 die zweitniedrigste Note in der koreanischen pentatonischen Musik. ② 〖수학〗 Quotient *m.* -en, -en; Teilzahl *f.* -en.

상(喪) Trauer *f.*; Trauerzeit *f.* -en. ¶ 상 중이다 Trauer haben (tragen*) / 상을 입다 (벗다) Trauer um *jn.* an|legen (ab|legen) / 상을 알리지 않다 vor|enthalten*, Trauer anzusagen.

상(想) Idee *f.* -n; Konzeption *f.* -en. ¶ 상을 가다듬다 nach|denken* 《*über*[4]》; meditieren 《*über*[4]》/ 좋은 상이 떠오르다 E-e gute Idee fällt *jm.* ein.

상(賞) Preis *m.* -es, -e; Belohnung *f.* -en; Lohn *m.* -(e)s, ⸚e (포상). ¶ 상을 주다 e-n Preis (ver)geben* (zu|erkennen*) 《*jm.*》; mit e-m Preis aus|zeichnen 《*jn.*》/ 상을 받다 e-n Preis davon|tragen* (erhalten*; bekommen*; gewinnen*) / 상을 만들다 《기금을 내어》 e-n Preis stiften / 우리 회사가 일등상을 탔다 Unserer Firma wurde der erste Preis zuerkannt.¦Unsere Firma erhielt den ersten Preis. ☞ 상금(賞金).

상(像) Bild *n.* -(e)s, -er; Figur *f.* -en. ¶ 흉상 Brustbild *n.* -(e)s, -er; Büste *f.* -n (조각) / 목(석·동)상 e-e Figur aus [3]Holz (Stein, Bronze) / 입상 Standbild *n.* -(e)s, -er; Statue *f.* -n / 상을 그리다 (조각하다) ein Bild malen (e-e Figur schnitzen 《*aus*[3]》) / 그는 그릇된 (올바른) 한국상을 갖고 있다 Er hat ein falsches (richtiges) Bild von Korea.

-상(上) vom Gesichtspunkt ... aus; von dem Standpunkt aus; in Beziehung (Hinsicht). ¶ 교육상 in pädagogischer Beziehung/ 도덕상 moralisch; sittlich; von dem Standpunkt der Moral aus / 상업상 geschäftlich; kommerziell; kaufmännisch; geschäftlich betrachtet / 건강상 대단히 해롭다 der Gesundheit sehr schädlich sein / 그것은 사회정책상 신통한 것이 못 된다 Das ist sozialpolitisch nicht empfehlenswert.

-상(相) Minister *m.* -s, -. ¶ 교육상 A. 박사 Dr. A., der Erziehungsminister.

-상(商) 《상업》 Handel *m.* -s; Gewerbe *n.* -s, -; 《상인》 Kaufmann *m.* -(e)s, ..leute; Handelsmann *m.* -(e)s, ..leute (드물게 ..männer); Händler *m.* -s, -; der Gewerbtreibende*, -n, -n. ¶ 곡물상 《상업》 Getreidehandel; 《상인》 Getreidehändler / 도매상 《상점》 Großhandlung *f.* -en; 《상인》 Großhändler *m.* -s, - / 소매상 Kleinhändler *m.* -s, -; Krämer *m.* -s, - (잡화상).

상가(商家) 《상점》 Handelshaus *n.* -es, ⸚er; Geschäftshaus; Laden *m.* -s, - (⸚); 《상인》 Kauf¦mann (Geschäfts-) *m.* -s, ..leute.

상가(商街) Geschäftsviertel *n.* -s, -; Geschäftsstraße *f.* -n. ¶ ~에 가다 (살다) ins (im) Geschäftsviertel gehen*Ⓢ (leben) / ~서 주택가로 이사하다 vom Geschäftsviertel zum Wohnungsviertel um|ziehen*Ⓢ.

상가(喪家) Trauerhaus *n.* -es, ⸚er; Trauerfamilie *f.* -n. ¶ ~집 개 같다 Er sieht so abgemagert u. mutlos aus wie der Hund e-s Trauerhauses.

상각(償却) Amortisation *f.* -en; Schuldentilgung *f.* -en; Rückzahlung *f.* -en. **~하다** amortisieren[4]; tilgen[4]; zurück|zahlen[4]. ¶ 부채를 ~하다 e-e Schuld ab|tragen* (begleichen*; ab|schreiben*; löschen; tilgen). ‖ 감가~ Herabsetzung *f.* -en; Entwertung *f.* -en; Abschreibung (Abtragung) *f.* -en.

상감(上監) König *m.* -(e)s, -e; S-e Majestät.

상감(象嵌) Einlegung *f.* -en. **~하다** ein|legen[4] 《*in*[4]》. ¶ 나무에 상아를 ~하다 [4]Elfenbein in [4]Holz ein|legen.
‖ **~세공** Einlegearbeit *f.* -en; Intarsia *f.* ..sien: ~ 세공사 Intarseur [-zǿ:r] *m.* -s, -e / ~ 세공품 eingelegte Arbeit, -en.

상갑판(上甲板) Oberdeck *n.* -(e)s, -e; das obere Deck, -(e)s, -e.

상강(霜降) „Fallen des Frostes" (= die 18. von der 24 Jahreszeitteilungen).

상객(上客) ① 《주빈》 der Gast 《-es, ⸚e》 (der Kunde, -n, -n) ersten Ranges (bester Sorte); Haupt¦gast *m.* -es, ⸚e (-kunde *m.* -n, -n). ② 《결혼 잔치때》 der Hauptgast bei der koreanischen Hochzeit, der die Braut bzw. den Bräutigam begleitet hat (meist Vater oder ein männlicher Verwandter der Braut bzw. des Bräutigams).

상객(常客) der (be)ständige (regelmäßige) (Wirtshaus)gast, -es, ⸚e; der häufige Besucher, -s, -; Habitue [(h)abityé:] *m.* -s, -s; Stammkunde *m.* -n, -n. ⌈*f.* -en.

상거(相距) Abstand *m.* -(e)s, ⸚e; Entfernung

상거래(商去來) Handel *m.* -s, ⸚; (Handels-) geschäft *n.* -(e)s, -e. ¶ 활발한 ~ blühender (lebhafter) Handel / 여기는 ~가 활발하다 Hier wird der Handel lebhaft betrieben.

상거지(上—) der elendeste Bettler, -s, -; der unglücklichste Bettler.

상격(相格) Physiognomie *f.* -n; Gesichtsausdruck *m.* -(e)s, ⸚e.

상견(相見) Zusammenkunft *f.* ⸚e; Interview *n.* -s, -s. **~하다** zusammen|kommen* 《*mit*[3]》; *jn.* interviewen; einander sehen*.

상경(上京) Reise 《*f.* -n》 nach Seoul. **~하다** nach der Hauptstadt (nach [3]Seoul) gehen* (fahren*; kommen*)Ⓢ. ¶ 그는 ~ 중이다 Er befindet sich jetzt in Seoul (in der Hauptstadt).¦Er hält sich augenblicklich in Seoul auf. / 언젠가 ~하시거든 저의 집에 들러 주세요 Wenn Sie e-s Tages nach Seoul kommen, dann kommen Sie bitte einmal bei mir vorbei.
‖ **~객** der Besucher 《-s, -》 der Hauptstadt.

상계(相計) Gegenrechnung *f.* -en; Kompensation *f.* -en. **~하다** durch Gegenrechnung aus|gleichen*[4]; kompensieren[4]; miteinander auf|heben*.

상계(商界) Geschäftswelt *f.* -en; die Welt des Geschäftes; Geschäftskreis *m.* -es, -e.

상고(上古) Altertum *n.* -(e)s, ⸚er; die (ur-) alte Zeit, -en; die (graue) Vorzeit (Urzeit) -en. ¶ ~의 uralt; altertümlich / ~때부터 seit un(vor)denklichen Zeiten.
‖ **~사**(史) die Geschichte des Altertums.

상고(上告) ① 《고함》 ~하다 e-m Höherstehenden über ⁴et. berichten. ② 〖법〗 Revision f. -en; Appellation f. -en; Berufung f. -en. ~하다 Revision (Appellation; Berufung) ein|legen; ein höheres Gericht an|rufen*; ⁴sich an ein höheres Gericht wenden⁽*⁾. ¶ ~를 기각하다 den Antrag (⸗e) auf ⁴Revision (Appellation; Berufung) ab|weisen* (zurück|weisen*).
‖ ~심 Revisions¦gericht (Appellations-; Berufungs-) n. -(e)s, -e (od. -instanz f. -en); der höchste (oberste) Gerichtshof, -(e)s, ⸗e (최고 재판소). ~인(人) Revisonskläger (Berufungs-) m. -s, -; Appellant m. -en, -en.

상고(詳考) die sorgsame Überlegung, -en; die achtsame Überlegung; die vorsichtige Überlegung. ~하다 vorsichtig überlegen.

상고대 (Rauh)reif m. -(e)s; Rauhfrost m. -es, ⸗e; schwerer Frost auf dem Wipfel; der silberige Tau, -(e)s. ¶ ~끼다 mit Reif bedeckt sein; bereift sein.

상고머리 der kurze Haarschnitt, -es, -e. ¶ ~로 깎다 ³sich das Haar kurz schneiden lassen*.

상고주의(尙古主義) Klassizismus m. -.

상공(上空) Luftraum (m. -(e)s, ⸗e) über⁴.... ¶ ~에 hoch in der Luft (den Lüften) / …의 ~에 (hoch) über³... / 높은 ~에서 hoch über (in) der Luft / 서울 ~을 날다 über Seoul fliegen* [s].

상공(商工) 《상공업》 Industrie u. Handel. ¶ ~의 industriell u. kommerziell.
‖ ~부 das Ministerium (-s) für ⁴Industrie u. Handel; das Bundesministerium für Industrie u. Handel (연방 상공부). ~부 장관 Minister (m. -s, -) für Industrie u. Handel. ~위원회 der Ausschuß (..sses, ..üsse) für Industrie u. Handel. ~회의소 Industrie- u. Handelskammer f. -n.

상과대학(商科大學) Handelshochschule f. -n; 《종합대학의》 Fakultät (f. -en) für Wirtschaftswissenschaften.

상관(上官) der Vorgesetzte*, -n, -n; Chef [ʃɛf] m. -s, -s; der Obere*, -n, -n; Prinzipal m. -s, -e; Vorsteher m. -s, -. ¶ ~의 명령에 따르다 dem Befehl des Vorgesetzten nach|kommen* [s] / ~의 명령을 거역하다 ⁴sich dem Vorgesetzten widersetzen; ⁴sich e-r ³Anordnung des Vorstehers widersetzen / 누구를 ~ 모욕죄로 고발하다 jn. wegen Beleidigung s-s Vorgesetzten verklagen.

상관(相關) ① 《상호 관계》 Wechselbeziehung f. -en; die gegenseitige Beziehung, -en; Korrelation f. -en; 《관심》 Interesse n. -s, -n; 《고려》 Rücksicht f. -en; 《간섭》 Einmischung f. -en. ~하다 betreffen*⁴; an|gehen*⁴; ⁴sich beziehen* (auf⁴); berücksichtigen⁴; ⁴sich ein|mischen (in⁴). ¶ ~적 wechselseitig; korrelativ; gegenseitig / 여하한 손해도 ~하지 않고 ohne Rücksicht auf Verluste / ~ 없읍니다 《괜찮습니다》 Das macht nichts. / 그것은 ~하고 싶지 않다 Ich mache mir nichts daraus.¦ Ich will nichts davon hören. / 그건 나하고 아무 ~도 없다 Ich habe damit nichts zu tun. / 네가 ~할 일이 아니다 《내 일이다》 Das ist m-e Sache.¦ Das geht dich nichts an, sondern mich. / 내 일에 ~하지 말아라 Mische dich nicht in m-e Sache ein! / 그런 사람은 ~하지 말아라 Du darfst nichts mit ihm zu tun haben. / 남이 뭐라 하건 나는 전혀 ~하지 않는다 Das kümmert mich überhaupt nicht, was man auch sagt. ② 《성교》 Geschlechtsverkehr m. -(e)s; Liebesverhältnis n. ..sses, ..sse; Liaison f. -s (사통). ~하다 den Beischlaf aus|üben (mit³).
‖ ~계수(係數) Korrelationskoeffizient m. -en, -en. ~관계 Wechselbeziehung f. -en; Korrelation f. -en. ~성 Korrelativität f. -en.

상관(商館) Handels¦haus (Geschäfts-) n. -es, ⸗er.

상관습(商慣習) Handels¦gebrauch m. -(e)s, ⸗e (-gewohnheit f. -en). ¶ ~상의 handelsüblich.
‖ ~법 Handelsgewohnheitsrecht n. -(e)s.

상괭이 〖동물〗 Schweinswal m. -(e)s, -e; Tümmler m. -s, -; *Neophocaena phocaenoides* (학명).

상궁(尙宮) Kammer¦frau f. -en (-jungfer f. -n; -mädchen n. -s, -; -zofe f. -n).

상권(上卷) der erste Band, -(e)s, ⸗e; Band I.; das erste Buch, -(e)s, ⸗er; Buch I.

상권(商權) ① 〖법〗 Handelsrecht n. -(e)s, -e. ② 《상업 주도권》 Handelsherrschaft f. ¶ ~을 장악하다 die ⁴Handelsherrschaft an ⁴sich reißen*.

상궤(常軌) der normale Kurs, -es, -e; der rechte Weg, -(e)s, -e. ¶ ~를 벗어난 exzentrisch; extravagant; ungewöhnlich; abnorm(al) / ~를 벗어나지 않다 Maß halten*; ³sich Beschränkungen (pl.) auf|erlegen; nicht zu weit gehen* [s] / ~를 벗어나다 weder Maß noch Ziel kennen*; alle Grenzen (pl.) (alles Maß) überschreiten*; ⁴sich gehen lassen*; zu weit gehen* [s] / ~를 벗어난 사람 der Maßlose*, -n, -n.

상규(常規) Norm f. -en; das eigentlich Richtige*, -n; das Maßgebende*, -n; übliche Regel, -n.

상그레 ☞ 싱그레.

상극(相剋) ① 〖민속〗 gegeneinander zerstörend; gegenseitig vernichtend. ¶ 물과 불은 서로 ~이다 Wasser u. Feuer vernichten sich. / 둘이 서로 ~이다 Sie beide vertragen sich überhaupt nicht. ② 《충돌》 Konflikt m. -(e)s, -e; Streit m. -(e)s, -e; Zwietracht f. ¶ ~이다 in Konflikt stehen* (mit jm.); ⁴sich nicht mit jm. vertragen* / …와 ~으로 되다 mit jm. in Konflikt geraten* [s].

상근(常勤) der planmäßige Dienst, -es, -e.
‖ ~자 der ständige Angestellte*, -n, -n.

상글거리다 mild (vornehm; sanft; freundlich; anständig) lächeln; strahlen.

상글방글, 상글상글 strahlend; lächelnd.

상금(尙今) 《아직껏》 noch; bis jetzt; bisher; noch jetzt; immer noch.

상금(賞金) Geldpreis m. -es, -e; Belohnung f. -en. ¶ ~을 걸다 Geldpreise aus|schreiben* / 살인범 수배에 ~을 걸다 《현상금》 e-n Preis auf den Kopf des Mörders setzen; e-e Belohnung für den Kopf des Mörders aus|setzen / ~을 타다 e-n Geldpreis erhalten* (davon|tragen*; erringen*; bekommen*; gewinnen*).

상급(上級) der höhere Rang, -(e)s, ⸗e (Stand, -es, ⸗e); die höhere Klasse, -n (Gruppe, -en; Kategorie, -n); 《초급에 대해》 Oberstufe f. -n. ¶ ~의 ober; höher(stehend); besser / 그들은 ~반에 속하는 학생들이다 Die Schüler gehören zu den oberen Klassen.

‖～과정 Kursus 《*m.* -, ..se》 für Fortgeschrittene*. ～관리 der höhere 〔obere〕 Beamte*, -n, -n; der höher gestellte Beamte*. ～관청 die vorgesetzte Behörde, -n; die höhere Behörde: 우리의 ～ 관청 m-e vorgesetzte Behörde. ～법원 Berufungsgericht 〔Ober-〕 *n.* -(e)s, -e; die höhere Instanz, -en. ～생 der Student 《-en, -en》 〔der Schüler, -s, -〕 der höheren 〔oberen〕 Klasse.

상긋 mit e-m Lächeln; mit e-m sanften 〔milden; freundlichen〕 Lächeln.

상긋거리다 lächeln; mild 〔sanft; freundlich〕 lächeln.

상긋방긋, 상긋상긋 lächelnd.

상긋하다 *jn.* an|lächeln; *jm.* zu|lächeln.

상기(上記) obige Erwähnung 〔Nennung〕 -en. ☞상술(上述). ¶～의 obig; oben 〔vorher; zuvor〕 gesagt 〔erwähnt〕; obenerwähnt.

상기(上氣) das Steigen* 《-s》 des Bluts in den Kopf; der Blutandrang 《-(e)s》 zum Kopf; 《흥분》 Aufregung *f.* -en; Erregtheit *f.* -en. ～하다 erröten; e-n Blutandrang zum Kopf haben; Blut steigt *jm.* in den Kopf; Rampenfieber bekommen*; 《흥분》 [4]sich auf|regen. ¶기뻐서 〔부끄러워서, 당황해서〕 ～하다 aus Freude 〔Scham, Verlegenheit〕 erröten / ～되어 …을 고백하다 errötend gestehen*, daß... / 그 여자는 ～했다 Das Blut ist ihr in die Wangen gestiegen.

상기(詳記) die genaue 〔ausführliche; detaillierte〕 Beschreibung 〔Erklärung; Erzählung〕 -en. ～하다 genau 〔ausführlich〕 beschreiben*[4].

상기(想起) Erinnerung *f.* -en; Gedächtnis *n.* ..sses, ..sse. ～하다 [4]sich erinnern 《*an*[4]》; gedenken*[2]; 《회상》 zurück|denken* 《*an*[4]》; ins Gedächtnis zurück|rufen*[4]; [3]sich vor|stellen[4](상상). ¶누구에게 어떤 의무〔죄, 약속〕를 ～시키다 *jn.* an[4] e-e Pflicht 〔an e-e Schuld, an ein Versprechen〕 mahnen; *jn.* auf[4] e-e Pflicht 〔auf e-e Schuld, auf ein Versprechen〕 aufmerksam machen / 무엇을 아직도 ～하고 있다 [4]*et.* noch im Gedächtnis behalten* / 6·25 를 ～하자 Rufen wir [3]uns den Koreakrieg vom 25. 6. 1950 ins Gedächtnis zurück!

상길(上—) die beste Qualität, -en; die beste Ware, -n; die Ware von bester Qualität. ¶～ 담배 Zigarette 《*f.* -n》 von bester Qualität.

상납(上納) 《세금의》 Zahlung 《*f.* -en》 an die Obrigkeit; 《물품의》 Lieferung 《*f.* -en》 an die Obrigkeit. ～하다 Steuer zahlen; liefern[4]. ¶물품으로 ～하다 in Waren bezahlen / 금품으로 ～하다 in Geld bezahlen.

‖～금 das an der Obrigkeit bezahlte Geld, -es. ～미 der Reis 《-es》, der als Steuer bezahlt wird.

상냥하다 freundlich; liebenswürdig; lieblich; nett; entgegenkommend; sympathisch; zärtlich; liebevoll; anziehend; reizend; charmant (sein). ¶상냥한 목소리 e-e sanfte 〔zärtliche〕 Stimme, -n / 상냥한 웃음 ein versöhnliches Lachen*, -s / 상냥하게 굴다 *jm.* entgegenkommend sein; [4]sich *jm.* warm halten*; [4]sich gefällig zeigen; *jm.* nach dem Mund 〔zu Gefallen〕 reden/그녀는 ～ Sie ist nett 〔freundlich; liebenswürdig〕.

상년(常—) 《비천한》 das gemeine Weib, -es, -er; das niedrige Weib; das schändliche Weib; das Weib von niedriger Geburt; 《본데없는》 das ungebildete Weib; 《음란한》 die liederliche Dirne, -n; das lockere Weib.

상념(想念) Gedanke *m.* -ns, -n. ¶깊은 ～ Grübelei *f.* -en; das Nachdenken*, -s / 깊은 ～에 잠기다 grübeln 《*über*[4]》; in (tiefes) Nachdenken versinken* ⓢ; ganz in Gedanken 〔in Gedanken versenkt〕 sein.

상놈(常—) 《본데없는》 der ungebildete 〔unhöfliche〕 Mensch, -en, -en; 《비천한》 der gemeine 〔vulgäre; niedrige〕 Bursche, -n, -n 〔Kerl, -s, -e; Mann, -(e)s ⸚er〕; 《천민》 Plebejer *m.* -s, -; 《속물》 Philister *m.* -s, -; Spießbürger *m.* -s, -; Spießer *m.* -s, -.

상늙은이(上—) der älteste e-r Gruppe von Alten; der Senior 《-s, -en》 unter den Alten.

상다리(床—) der Fuß 《-es, ⸚e》 des Tisches; Tischbein *n.* -s, -e.

상단(上段) die obere (Sitz)reihe, -n; Hochsitz *m.* -es, -e; Bühne *f.* -n; Estrade *f.* -n; Podium *n.* -s, ..dien; Oberteil *m.* 〔*n.*〕 -(e)s, -e.

상달(上—) Oktober *m.* -s, -; Erntemonat *m.* -(e)s, -e.

상달(上達) Bericht *m.* -(e)s, -e; Nachricht *f.* -en. ～하다 berichten.

상닭(常—) das magere Huhn, -(e)s, ⸚er.

상담(相談) Berat(schlag)ung *f.* -en; Rat *m.* -(e)s, -schläge; Konferenz *f.* -en; Besprechung *f.* -en; Unterredung *f.* -en; Rücksprache 〔Konsultation〕 *f.* -en; Gespräch *n.* -(e)s, -e. ～하다 [4]sich beraten* 〔beratschlagen*; besprechen*〕 《mit *jm.* *über*[4]》; zu [3]Rate ziehen* 《*jn.*》; um Rat fragen 《*jn.*》. ¶～이 이루어지다 zu e-r [3]Verständigung 〔Übereinkunft〕 kommen* ⓢ; [4]sich einigen 《*über*[4]》 / ～에 응하다 Rat geben* 《*jm.*》 / ～을 청하다 um [4]Rat fragen 《*jn.*》; [3]sich [4]Rat holen 《bei *jm.*》 / ～을 받다 um [4]Rat gefragt werden 《von *jm.*》 / 변호사(의사)에게 ～하다 e-n Rechtsanwalt 〔Arzt〕 zu [3]Rate ziehen* / 그들은 그 문제의 처리 여부와 방법에 대하여 여러 시간 ～했다 Sie haben stundenlang beraten, ob und wie es geschehen soll.

‖～난 《신문의》 Beratungsspalte *f.* -n 《der Zeitung》. ～소 Auskunftsbüro 〔Informationsbüro〕 *n.* -s, -s(안내소); Beratungsstelle *f.* -n(상담소): 개인 문제 ～소 Beratungsstelle für Privatangelegenheiten/건강 ～소 Beratungsstelle für gesundheitliche Probleme/무료 ～소 unentgeltliche Beratungsstelle / 직업 ～소 Beratungsstelle für Berufe. ～역 Ratgeber *m.* -s, -; Ratgeberin *f.* -nen(여자); Berater *m.* -s, -; Beraterin *f.* -nen(여자).

상담(商談) geschäftliches Gespräch, -(e)s, -e; Unterhandlung *f.* -en. ～하다 geschäftlich 〔in Geschäftssachen〕 verhandeln 《mit *jm.*》; unterhandeln 《mit *jm.* über [4]*et.*》; ein geschäftliches Gespräch führen 《mit *jm.*》. ¶～을 매듭짓다 e-n Handel ab|schließen*/ ～에 응하다 [4]sich in Unterhandlung(en) ein|lassen* / 아무와 ～ 중이다 mit *jm.* in Unterhandlung stehen*.

상답 Aussteuersvorbereitung *f.* -en.

상답(上畓) ertragreiches Reisfeld, -(e)s, -er.

상답(上答) die Antwort 《-en》 zum Vorgesetzten (Ranghöheren). ～하다 dem Vorgesetzten antworten.

상당(相當) Entsprechung *f.* -en; Gleichwertigkeit *f.*; Äquivalent *n.* -(e)s, -e. ¶ ～의 passend; entsprechend; korrespondierend; geeignet / ～수의 사람 e-e ziemlich große Menge (von) Menschen / 손님을 그의 지위 ～의 예우로써 영접하다 e-n Gast mit der s-m Rang entsprechenden Achtung empfangen* / 3개월 봉급 ～의 상여금 ein Bonus 《*m.* -, - (-ses, -se)》, der den Gehältern von drei Monaten entspricht; ein den Gehältern von drei Monaten entsprechender Bonus / 육군 소장 ～관(官) ein dem Generalmajor entsprechend behandelter Beamter*.

상당하다(相當—) entsprechen*[3]; angemessen[3] sein; geeignet sein《*für*[4]; *zu*[3]》; passen《*zu*[3]》. ¶ 상당한 《적당》 entsprechend[3]; angemessen[3]; geeignet 《*für*[4]; *zu*[3]》; passend 《*zu*[3]》; 《어지간함》 ansehnlich; beachtlich; befriedigend; 《지당》 gediegen; ordentlich; tüchtig; 《어울림》 geziemend; schicklich; 《적지 않은》 nicht wenig; ansehnlich; hübsch / 상당한 가정 e-e bessere Familie, -n / 상당한 보수 e-e würdige Belohnung, -en / 상당한 이유 ein hinreichender (stichhaltiger) Grund, -(e)s, ⸚e / 상당한 이유가 있다 nicht ohne [4]Grund sein / 상당한 재산 ein ziemliches (hübsches) Vermögen, -s, -/행위에 상당하는 보수(벌) e-e der [3]Tat entsprechende Belohnung (Strafe) / 아무에게 그의 업적에 상당한 보수를 주다 *jn.* s-n [3]Leistungen entsprechend bezahlen / 1 마르크는 250 원에 ～한다 E-e Mark entspricht 250 *Won.* / 상당히 《매우》 recht; beträchtlich; ziemlich / 상당히 멀다 ziemlich weit entfernt liegen* / 상당히 곤란하다 in großer (Geld)not sein; in arger Verlegenheit sein / 그의 상태는 상당히 나아졌다 Sein Zustand hat sich bedeutend gebessert. / 그의 나이는 이미 상당히 많을 게다 Er hätte schon ein schönes Alter erreicht.

상당히(相當—) ☞ 상당하다.

상대(上代) Altertum *n.* -(e)s; die (graue) Vorzeit, -en.

상대(相對) ① 《대면》 das Gegenüberstehen*, -s 《*jm.*》; Zusammenkunft *f.* ⸚e; Interview *n.* -s, -s. ～하다 gegenüber|stehen* 《*jm.*》; gegenüber|treten* 《*jm.*》; [4]sich konfrontieren 《mit *jm.*》; [4]sich gegenüber|stellen 《*jm.*》.

② 《짝패》 Gesellschafter *m.* -s, -; Gesellschafterin *f.* -nen (여자); Gefährte *m.* -n, -n; Gefährtin *f.* -nen (여자); Partner *m.* -s, - (테니스, 댄스 따위의); Partnerin *f.* -nen (여자); 《대상》 Objekt *n.* -(e)s, -e (감정, 행동의). ～하다 unterhalten* 《*jn.*》(누구를 접대하다); *jm.* Gesellschaft leisten(말벗). ¶ 술～ Kumpan *m.* -(e)s, -e; Saufkumpan; Zechkumpan; Mittrinker *m.* -s, - / 이야기 ～ Gesprächspartner *m.* -s, - / 의논 ～ Berater *m.* -s, -; Ratgeber *m.* -s, - / 연애 ～ Liebespartner *m.* -s, - / 놀이 ～ Spielkamerad *m.* -en, -en (어린이들의 놀이에서); Partner *m.* -s, - / 학생 ～의 다방 Café 《*n.* -s, -s》 für studentische Kunden; studentisches Kaffeehaus, -es, ⸚er / ～하지 않다 ignorieren[4](무시); von *jm.* [4]Notiz nehmen* (주의를 기울이지 않음); es mit *jm.* ([3]*et.*) nichts zu tun haben wollen (전혀 상관 없다는 태도) / 그는 그녀의 훌륭한 결혼 ～다 Er wäre ein guter Bräutigam für sie. / 그는 ～를 가리지 않고 바른 말을 한다 Er sagt jedem ganz offen, wer er auch sei.

③ 《대항자》 Gegner *m.* -s, -; Feind *m.* -(e)s, -e; Rivale *m.* -n, -n (연애 관계의 적수); Widersacher *m.* -s, -; Antagonist *m.* -en, -en; 《상대방》 Gegenspieler *m.* -s, -; die andere Seite, -n; Opposition *f.*; Konkurrent *m.* -en, -en. ～하다 《도전하다》 *jm.* den Handschuh hin|werfen*; 《도전받다》 den Handschuh auf|nehmen*. ¶ ～를 않다 《무시》 gar nicht ernst nehmen*[4]; [4]sich mit *jm.* nicht ab|geben wollen / ～가 되다 *jm.* gewachsen sein; *jm.* gleich|kommen* (können*) / ～가 되지 않는다 *jm.* nicht gewachsen sein; (welt) hinter *jm.* zurück|stehen*; nicht ebenbürtig sein / 아무를 ～로 소송을 제기하다 gegen *jm.* e-n Prozeß an|strengen; *jn.* bei Gericht klagen; gegen *jn.* gerichtlich ein|schreiten* / A와 B는 ～가 되지 않는다 A ist mit B nicht zu vergleichen.

④ 〖철학〗 Relativität *f.*; Reziprozität *f.* ¶ ～적 relativistisch.

‖ ～ 가치 der relative Wert, -(e)s, -e. ～개념 der relative Begriff, -(e)s, -e. ～ 분산도(分散度) 〖물리〗 relative Dispersion, -en. ～성 Relativität *f.*; Bedingtheit *f.*; Bezüglichkeit *f.*(상관성): ～성 원리 Relativitätsprinzip *n.* -s/～성 이론 Relativitätstheorie *f.* ～적 relativ; bedingt; bezüglich: ～적 상행위(商行爲) das relative Handelsgeschäft, -(e)s, -e.

상대(商大) ☞ 상과 대학.

상대(商隊) Karawane *f.* -n; Kaufmannszug *m.* -(e)s, ⸚e.

상도(常道) der gewöhnliche (normale) Weg, -(e)s, -e (Kurs, -es, -e); die normale (Handlungs)weise, -n.

상도(想到) Gedanke *m.* -ns, -n; Einfall *m.* -(e)s, ⸚e. ～하다 auf den Gedanken (die Idee) kommen* ⓢ; Einfälle 《*pl.*》 haben.

상도덕(商道德) Handelsmoral *f.*

‖ ～앙양 die Erhöhung der Handelsmoral.

상도의(商道義) =상도덕.

상동(相同) Übereinstimmung *f.* -en; Homologie *f.* -n. ¶ ～의 homolog; übereinstimmend. ‖ ～기관 homologe Organe 《*pl.*》. ～염색체 homologe Chromosomen 《*pl.*》.

상되다(常—) vulgär; gemein; niedrig; unedel; gering (sein). ¶ 상된 말 die gemeine (vulgäre; unedele) Worte 《*pl.*》 / 상된 사람 der gemeine Kerl, -s, -e.

상두(喪—) =상여(喪輿).

상두받잇집 (喪—) 〖민속〗 das Haus, das am Straßenende liegt.

상등(上等) Erstklassigkeit *f.*; Erstrangigkeit *f.*; Auserlesenheit *f.*; Vorzüglichkeit *f.* ¶ ～의 erstklassig; erstrangig; auserlesen; ausgewählt; ausgezeichnet; hochfein; prima; vorzüglich / 최～의 von bester (ausgezeichneter) Qualität / 이 코피는 ～품이다 Der Kaffee ist von guter (bester) Qualität. ‖ ～석 der Sitzplatz (-es, ⸚e) erster Klasse. ～품 Qualitäts|ware *f.* -n (-arbeit *f.* -en); die erstklassige (hochfeine) Ware, -n (Arbeit, -en); e-e Ware von [3]Marke; 〖속어〗 e-e feine Nummer, -n.

상등(相等) Gleichheit *f.*; Gleichmäßigkeit *f.* ～하다 gleichmäßig; gleich (sein).

상등병(上等兵) Hauptgefreiter*; Korporal *m.* -s, -e.

-(e)s, -e; Gipfel *m.* -s, -. ② 《직위·관청》 übergeordnete Amtsstelle, -n (상부관청); Regierung *f.* -en (정부); Behörde *f.* -n. ¶ 나의 ~ 관청 m-e vorgesetzte Behörde / 그 지시는 ~에서 내려왔다 Die Anordnung ist von oben gekommen.

‖ ~구조 Aufbau *m.* -s, -ten; Oberschicht *f.* -en. ~명령 Befehl 《*m.* -(e)s, -e》 〔Anordnung *f.* -en〕 von oben : ~의 명령에 의해서 auf Befehl von oben.

상부(喪夫) der Tod 《-(e)s》 des eigenen Mannes; die Frau, deren Mann gestorben ist; die Frau, die ihren Mann verloren hat. ~하다 Witwe werden; ihren Mann durch Tod verlieren*.

상부(孀婦) die junge Witwe, -n.

상부상조(相扶相助) die gegenseitige Hilfe, -n. ¶ ~는 인생에 있어서 절대로 중요하다 Die gegenseitige Hilfe ist e-e wichtige Sache im Leben.

상비(常備) das ständige Bereithalten*, -s; Vorbereitung *f.* -en; Reservierung *f.* -en. ~하다 ⁴*et.* jederzeit bereit|halten*; ⁴*et.* auf jeden Fall vor|bereiten 〔bereit|stellen〕. ¶ ~의 stehend.

‖ ~군(軍) das stehende 〔aktive; reguläre〕 Heer, -(e)s, -e; die aktiven 〔regulären〕 Truppen 《*pl.*》. ~약 《가정상비약》 Hausapotheke *f.* -n; der Heilmittelvorrat 《-(e)s, ⸚e》 für den Hausgebrauch. ~함대 die aktive 〔reguläre〕 Flotte, -n; das aktive 〔reguläre〕 Geschwader, -s, -.

상사 ① 《파낸 줄》 Rinne *f.* -n; Furche *f.* -n; Nute *f.* -n; Rille *f.* -n; Hohlkehle *f.* -n; Gravur *f.* -en; Falz *m.* -es, -e. ¶ ~(를) 치다 ein|gravieren⁴; falzen⁴; aus|kehlen⁴; furchen⁴; nuten⁴; riefeln⁴. ② 《상사밀이》 Hohleisen *n.* 〔Auskehlfräser *m.*〕 -s, -. ③ 《화살의》 Befiederung 《*f.* -en》 des Pfeils.

상사(上士) Feldwebel *m.* -s, -; Oberfeldwebel (특무 상사); Wachtmeister *m.* -s, - (기병 및 포병의).

상사(上司) der Vorgesetzte*, -n, -n; Chef [ʃɛf] *m.* -s, -s(직속의); die höhere Behörde, -n (상급관청). ¶ 나의 ~를 수행하여 im Gefolge m-s Vorgesetzten / ~를 수행하다 dem Vorgesetzten Gefolgschaft leisten / ~의 명령에 복종하다 e-m Befehl des Vorgesetzten Folge leisten; e-m Befehl des Chefs gehorchen 〔nach|kommen*〕 / ~의 명령에 따라 auf höheren Befehl.

상사(相似) Ähnlichkeit *f.* -en; Analogie *f.* -n; Gemeinsamkeit *f.* -en (공통); Gleichartigkeit *f.* -en; Analogon *n.* -s, ..ga (유사체). ~하다 ähnlich 《*jm.*; ³*et.*》; analog (sein); ähnlich aus|sehen*; ähneln. ¶ 그것은 내가 아는 어떤 다른 그림과 ~하다 Das Bild ähnelt e-m anderen, das ich kenne.

‖ ~기관(器官) homologe Organe 《*pl.*》. ~물 Analogon *n.* -s, ..ga. ~삼각형 homologes Dreieck, -(e)s, -e. ~형 die ähnlichen Figuren 《*pl.*》.

상사(相思) die gegenseitige Liebe; e-e Liebe, die erwidert wird. ~하다 ⁴sich (⁴einander) lieben; ³einander in Liebe zugetan sein.

‖ ~마 Pferd 《*n.* -(e)s, -e》 in geschlechtlicher Aufregung. ~병 Liebeskummer *m.* -s; unglückliche Liebe: ~병이 나다, ~병에 걸리다 ⁴sich in ³Liebe 《zu *jm.*》 verzehren; vor ³Liebe 《zu *jm.*》 vergehen* ⓢ; in unglückliche Liebe geraten* ⓢ; nach *js.* Liebe schmachten / 아무를 ~병에 걸린 듯 바라보다 *jn.* schmachtend an|sehen*.

상사(商社) Handels¦firma *f.* ..men 〔-gesellschaft *f.* -en〕; Firma *f.* ..men.

‖ 외국~ e-e ausländische Firma, ..men. 종합~ Generalhandelsfirma *f.* ..men.

상사(商事) Handels¦angelegenheit 〔-sache〕 *f.* -en; geschäftliche 〔kommerzielle〕 Sache, -en.

‖ ~계약 Handelsvertrag *m.* -(e)s, ⸚e; kommerzieller Vertrag, -(e)s, ⸚e. ~회사 Handels¦firma *f.* ..men 〔-gesellschaft *f.* -en〕.

상사(常事) etwas Gewöhnliches* 〔Alltägliches*〕 -en; Alltäglichkeit *f.* -en; 《진부한 상투어》 Gemeinplatz *m.* -es, ⸚e. ¶ ~의 gewöhnlich; alltäglich; üblich / ~가 아닌 ungewöhnlich; nicht alltäglich; nicht üblich / 나의 아버지는 그를 ~가 아닌 친절한 태도로 맞이하셨다 Mein Vater empfing ihn mit ungewöhnlicher Freundlichkeit.

상사(喪事) Trauerfall *m.* -s, ⸚e; Trauer *f.* -n; das Trauern*, -s. ¶ ~가 나다 Trauer haben.

상사람(常一) (einfaches, gemeines) Volk, -(e)s; Pöbel *m.* -s; Pack *n.* -s.

상사치다 furchen⁴; riefeln⁴; nuten⁴; aus|kehlen⁴.

상상(想像) Einbildung *f.* -en; Vorstellung *f.* -en; 《공상》 Phantasie *f.* -n; 《가정》 Annahme *f.* -n; Mutmaßung *f.* -en. ~하다 ³sich ein|bilden⁴; ³sich vor|stellen⁴; ³sich denken⁴; mutmaßen 〖*p.p.* gemutmaßt〗; vermuten⁴. ¶ ~적(인) eingebildet; imaginär; mutmaßlich; vermutlich / ~할 수 있는 vorstellbar; denkbar; erdenklich / ~할 수 없는 unvorstellbar; undenkbar / 우리가 ~조차 할 수 없는 괴로움 das Leiden, das wir uns nicht vorstellen/(…을) 쉽게 ~할 수 있다 Man kann sich leicht vorstellen. / 도저히 ~할 수 없다 Wir können uns nicht vorstellen.¦ gar keine richtige Vorstellung haben können* 《*von*³》; über *js.* Vorstellungskraft gehen*ⓢ / 즐거운 미래를 ~하다 sich ein schönes Bild für die Zukunft machen / ~을 자유롭게 하다 der Einbildungskraft 〔der Phantasie〕 freies Spiel 〔freien Lauf〕 lassen*; der Einbildungskraft 〔der Phantasie〕 die Zügel schießen lassen* / 나로서는 ~도 할 수 없다 Ich kann mir kaum vorstellen. / 나머지는 너의 ~에 맡긴다 Den Rest können Sie sich vorstellen, wie Sie wollen.

‖ ~력 Einbildungs¦kraft 〔Phantasie-; Vorstellungs-〕 *f.* ⸚e : ~력이 풍부한 einfallsreich 〔phantasie-〕; erfinderisch; schöpferisch. ~병 die eingebildete Krankheit, -en. ~세계 Phantasiewelt *f.* -en. ~임신 die eingebildete Schwangerschaft, -en. ~화 das nach der Phantasie gemalte Bild, -(e)s, -er.

상상봉(上上峰) (höchster) Gipfel, -s, -; Bergspitze *f.* -n.

상서(上書) ein Brief an e-e höher gestellte 〔ältere〕 ⁴Person. ~하다 e-n Brief an e-e höher gestellte 〔ältere〕 ⁴Person schreiben*.

상서(相書) ein Buch 《-(e)s, ⸚er》 der Physiognomie; ein Handbuch der Kunst, aus den Gesichtszügen e-s Menschen wahrzusagen.

상서(祥瑞) ein gutes Vorzeichen, -s -; ein gutes Omen, -s, ..mina. ~롭다 glücklich (gewählt); treffend; günstig (sein).

상석(上席) 《상좌》 Vorrang *m.* -(e)s, ⸚e; die hohere Stellung, -en; 《주빈석》 Ehren¦platz (Vorzugs-) *m.* -es, ⸚e; 《고위》 das höhere (Dienst)alter; Vortritt *m.* -(e)s. ¶ 아무의 ~에 있다 den Vorrang vor *jm.* haben (gewinnen*) / 식탁의 ~에 앉다 obenan an der Tafel sitzen*.

‖ ~자 der Höherstehende*, -n, -n; der Vorgesetzte*, -n, -n; der Obere*, -n, -n.

상석(床石) der Steinaltar 《-s, ..täre》 vor e-m Grab für Speiseopfer im Rahmen des Totenkultes.

상선(商船) Handelsschiff *n.* -(e)s, -e.

‖ ~기(旗) Handelsschiffsflagge *f.* -n. ~대(隊) Handelsflotte *f.* -n.

상설(常設) Dauereinrichtung *f.* -en. ~하다 dauernd (für beständigen Gebrauch) begründen[4] (an|legen[4]; ein|richten[4]). ¶ ~의 stehend; bleibend; dauernd; permanent; (be)ständig.

‖ ~(영화)관 Kino *n.* -s, -s; Kino¦theater (Lichtspiel-) *n.* -s, -s; 〖속어〗 Kientopp *m.* -s, -s. ~위원회 der ständige Ausschuß, ..schusses, ..schüsse; das ständige Komitee, -s, -s (총칭).

상설(詳說) Ausführung *f.* -en; die weitläufige Erörterung, -en; e-e ausführliche Darlegung, -en; Amplifikation *f.* -en. ~하다 ausführlich (näher) dar|legen[4]; amplifizieren[4]; [4]sich 《*über*[4]》 weitläufig aus|lassen*.

상세(詳細) Ausführlichkeit *f.* -en; Detail [detái] *n.* -s, -s; Einzelheiten 《*pl.*》; Genaueres*; das Nähere*, -n. ~하다 aus|führlich; detailiert; genau (sein). ¶ ~한 보고 der genaue Bericht, -(e)s, -e / ~히 묘사하다 genau beschreiben* / ~히 보고(설명)하다 *jm.* [4]*et.* genau berichten (erklären) / ~한 데까지 미치다 auf [4]Details (in die Einzelheiten) ein|gehen[4]/~히 밝히다 näher (weiter) aus|führen[4] (an|geben*[4]; auseinander|-setzen[4]; bezeichnen[4]) schildern[4]; ins Einzelne (Kleinste; Detail) gehen*(s); auf[4] Einzelheiten ein|gehen* (s) / 그의 연구는 극히 ~한 데까지 미쳤다 Seine Untersuchungen sind bis auf die Einzelheiten gegangen.

상소(上疏) Denkschrift 《*f.* -en》 für den König. ~하다 dem König e-e Denkschrift überreichen.

상소(上訴) 〖법〗 Revision *f.* -en; Appellation *f.* -en; Berufung *f.* -en. ~하다 Revision *usw.* ein|legen; ein höheres Gericht an|-rufen*; [4]sich an ein höheres Gericht wenden(*); appellieren; [4]sich auf *jn.* berufen*. ¶ ~를 취하하다 die Appellation Zurück|-ziehen*.

‖ ~관할권 die Rechtsprechung der Appellation. ~권 Appellationsrecht *n.* -(e)s, -e. ~인 Appellant *m.* -en, -en.

상소리(常—) =상말.

상속(相續) Nach¦folge (Erb-; Reihen-) *f.* -n; 《재산의》 Erbschaft *f.* -en; Ererben *n.* -s; Erbe *n.* -s, Erbschaften; Vererbung *f.* -en. ~하다 [4]*et.* erben; das Erbe an|treten*; 《아무의 뒤를》 *jm.* ([3]*et.*) nach|folgen; 《지위를》 *jm.* im Amt nach|folgen. ¶ ~의 승인 die Annahme des Erben / ~의 포기 der Verzicht auf das Erbe / 아버지의 재산을 ~하다 das Vermögen des Vaters erben / 가산을 ~하다 das Vermögen der Familie erben / 부친의 뒤를 ~하다 dem Vater nach|folgen.

‖ ~계약 Erbvertrag *m.* -(e)s, ⸚e. ~권 Erb(folge)recht *n.* -(e)s, -e: 장자 ~권 Erstgeburt(srecht) *f.* -en. ~동산 Erbstück *n.* -(e)s, -e. ~법 Erbrecht *n.* -(e)s, -e. ~세 Erbschafts(s)steuer *f.* -en. ~인, ~자 Erbe *m.* -n, -n; Erbin *f.* -nen(여자); Nachfolger *m.* -s, - (남자); Nachfolgerin *f.* -rinnen(여자). ~재산 Erbe *n.* -s; Erb¦besitz *m.* -es, -e (-gut *n.* -(e)s, ⸚er). ~쟁의 Erbstreit *m.* -(e)s, -e; Erbschaftsstreitigkeit *f.* -en. 공동 ~인 der gemeinsame Erbe. 법정~인 der rechtmäßige Erbe; das Ererben*. 재산~ die Erbschaft des Vermögens. 추정~인 der mutmaßliche Erbe. 호주~ die Nachkommenschaft des Hauses: 호주~인 der Nachfolger des Hauses; Erbe *m.* -n, -n (남자); Erbin *f.* -nen (여자).

상쇄(相殺) Ausgleich *m.* -(e)s, -e 〖*pl.*은 드물다〗; Kompensation *f.* -en. ~하다 aus|-gleichen*[4]; kompensieren[4]; wiedergut|machen[4]; ersetzen[4]; entschädigen[4]; auf|wiegen*[4]. ¶ 수입과 지출이 ~된다 Einnahmen u. Ausgaben gleichen sich aus. / 득실이 ~된다 Der Gewinn gleicht den Verlust aus. / 인플레는 증산으로 ~시킬 수 있다 Inflation kann durch höhere Produktion ausgeglichen werden.

‖ ~계정 wechselseitige Verrechnung, -en. ~관세 Ausgleichszoll *m.* -(e)s, ⸚e. ~액 Ausgleichsbetrag *m.* -(e)s, ⸚e.

상쇠(上—) der erste Gongspieler 《-s, -》 der koreanischen Bauernmusik.

상수(上手) 《사람》 der bessere Geübte*, -n, -n; der Geschickte* -n, -n; Fachmann *m.* -(e)s, ⸚er; Kenner *m.* -s, -; Meister *m.* -s, -; 《솜씨》 Geschicklichkeit *f.* -en; Fertigkeit *f.* -en; Gewandtheit *f.* -en; Tüchtigkeit *f.* -en.

상수(上壽) 《나이》 hohes Alter, -s; 《노인》 ein Mann 《-(e)s, ⸚er》 hohen Alters.

상수(常數) ① 《운명》 der schicksalhafte Verlauf der Dinge; Geschick *n.* -(e)s, -e; Los *n.* -es, -e; Schicksal *n.* -s, -e; Vorsehung *f.* -en. ② 〖수학〗 Konstante *f.* -n; die unveränderliche Größe, -n.

‖ 마찰~ Reibungskonstante *f.* -n. 절대~ die absolut unveränderliche Größe, -n.

상수도(上水道) Wasser¦leitung *f.* -en (-versorgung *f.* -en); Wasserwerk *n.* -(e)s, -e.

‖ ~물 das von der Wasserleitung gelieferte Wasser. ~시설 Wasserwerk *n.* -(e)s, -e; Wasserversorgungsanlage *f.* -n.

상수리 〖식물〗 Eichel *f.* -n.

‖ ~나무 Eiche *f.* -n; e-e Art Eiche 《-n》; Eichbaum *m.* -(e)s, ⸚e. ~밥 mit Bohnen gedämpftes Gericht aus gemahlenen Eicheln, das mit Honig serviert wird. ~쌀 gemahlene Eicheln 《*pl.*》.

상순(上旬) das erste Drittel 《-s, -》 des Monat(e)s; Monatsdrittel *n.* -s, -; Dekade *f.* -n; die ersten zehn Tage 《*pl.*》; Zehntagezeit *f.* -en. ¶ 5월 ~(에) (am) Anfang Mai / 그는 내달 ~에 온다 Er kommt am Anfang nächsten Monats.

상술(床—) alkoholisches Getränk, das auf einem niedrigen Tisch mit Beilagen serviert wird. ‖ ~집 Kneipe (Schenke) *f.* -n.

상술(上述) das Obenerwähnte*, -n; der obenangeführte Satz, -es, ⸚e. ~하다 vorher erwähnen[4]. ¶ ~의(한) oben erwähnt (gesagt)/~한 바와 같이 wie oben erwähnt (gesagt); wie oben (vorher) schon erwähnt.

상술(商術) Geschäftsmethode *f.* -n; Handelsmethode *f.* -n.

상술(詳述) Ausführung *f.* -en; e-e genaue Darlegung (Darstellung) -en. ~하다 (näher) aus|führen[4]; ausführlich (genau) dar|legen[4] (-stellen). ¶ ~하면 genau (ausführlich) gesagt.

상스럽다(常一) ordinär; gemein; gewöhnlich; niedrig; niederträchtig; pöbelhaft; schäbig; unedel; ungebildet; ungeschliffen; ungesittet (sein). ¶ 상스러운 사람(인물) der gemeine Mensch, -en, -en; Grobian *m.* -(e)s, -e; Plumpser *m.* -s, -; Lummel *m.* -s, - / 상스러운 이야기 das ordinäre (schmutzige) Gespräch, -(e)s, -e / 상스러운 짓 Derb¦heit (Grob-; Plump-; Rau-; Ro-) *f.* -en / 그의 행위가 ~ Sein Benehmen ist gemein (schäbig). / 하는 것이 ~ im Benehmen ungeschliffen sein / 그녀의 거동은 숙녀로서는 너무나 ~ Ihr Benehmen ist zu ungebildet für eine Dame.

상습(常習) Konvention *f.* -en; die herkömmliche gesellschaftliche Form, -en; die gesellschaftliche Konvention, -en; Brauch *m.* -(e)s, ⸚e; Gewohnheit *f.* -en; Herkommen *n.* -s; Sitten 《*pl.*》 u. Gebräuche 《*pl.*》. ¶ ~적(인) gewohnheitsmäßig; dem Brauch gemäß; gebräuchlich; auf Gewohnheiten beruhend; Gewohnheits-; üblich; gewöhnlich / ~적으로 …하다 pflegen zu ... / 그는 도둑질을 ~으로 한다 Er ist immer stehlsüchtig. / 그는 ~적인 거짓말장이다 Er ist ein gewöhnlicher Lügner.

‖ ~범(犯) Gewohnheitsverbrechen *n.* -s, - (범행); Gewohnheitsverbrecher *m.* -s, - (사람): ~범 가중죄 die anhäufende Strafe, -n. 도박~자 der ständige Kartenspieler. 소매치기~범 der bekräftigte Taschendieb. 아편~자 der gewöhnliche Morphiumrancher; Morphiumsüchtige *m.* -n, -n. 음주~자 Alkoholsüchtige *m.* -n, -n.

상승(上昇) das Auf¦steigen* (Empor-) -s; Aufstieg *m.* -(e)s, -e (비행기); Aufflug *m.* (e)s, ⸚e (기구). ~하다 auf|steigen*[s]; in die Höhe gehen*[s]; auf|gehen*[s]; hinauf|steigen*[s]. ¶ 기구의 ~ das Aufsteigen* des Ballons / ~ 일로에 있다 im Aufsteigen begriffen sein / 급히 ~하다 schnell in die Höhe gehen*[s] / 점차로 ~하다 allmählich auf|steigen*[s] / ~세를 예상하고 투기하다 auf Hausse spekulieren.

‖ ~기류 der aufsteigende Luftstrom, -(e)s, ⸚e. ~력 Steigflugleistung *f.* -en (엔진). ~선 die aufsteigende Kurve. ~세 《증권의》 Haussebewegung *f.* -en; die steigende Tendenz, -en. ~속도 die Geschwindigkeit des Aufsteigens*. ~식물 Kletterpflanze *f.* -n. ~한도 〖항공〗 die Höchstgrenze des Aufsteigens*: 절대 ~ 한도 die absolute Höchstgrenze des Aufsteigens*.

상승(相乘) Vervielfachung *f.* -en; Multiplikation *f.* -en. ~하다 multiplizieren; vervielfachen; mal|nehmen*.

‖ ~법 Multiplikationsmethode *f.* -n. ~비(比) geometrisches Verhältnis, -ses. ~적(積) Produkt bei e-r Multiplikation, -(e)s, -e. ~평균 geometrischer Durchschnitt, -es, -e; das geometrische Mittel, -s.

상승(常勝) ¶ ~의 ständig; siegreich.

‖ ~군 das unüberwindliche Heer, -(e)s, -e; die stets siegreiche Armee, -n [..méːən].

상시(常時) die gewöhnliche (übliche) Zeit; die ganze [4]Zeit. ☞ 언제나. ¶ ~의 gewöhnlich; alltäglich; üblich.

상식(上食) die Speise 《-n》, die im Rahmen des Ahnenkultes den Ahnen* (Toten*) dargebracht wird.

상식(常食) Hauptnahrung *f.* -en; die gewöhnliche Kost. ~하다 gewöhnlich essen*; [4]sich von [3]*et.* ernähren. ¶ 쌀을 ~으로 하다 von [3]Reis als Hauptkost leben; Reis als tägliche Speise zu [3]sich nehmen*.

상식(常識) der gesunde (Menschen)verstand, -(e)s; das praktische Wissen, -s. ¶ ~적 verständig; vernünftig; klug; alltäglich; gewöhnlich; normal; ordinär / ~적으로 생각하여 gewöhnlich (verständig) gesehen (gedacht) / ~있는 사람 der vernünftige Mensch, -en, -en; ein Mann von Verstand / ~ 없는 사람 der unverständige Mensch / ~적 견해 die verständige (An)sicht / ~적 문제 die praktische Frage, -en / ~에 벗어나다 es fehlt (gebricht) *jm.* an gesundem Menschenverstand / ~이 있다 mit Verstand begabt sein / ~이 없다 unverständig (albern; föricht) sein / ~으로 판단하다 verständig urteilen (beurteilen) / ~이 풍부하다 reich an gesundem Menschenverstand sein / 그는 ~이 없다 Es fehlt ihm an gesundem Menschenverstand. / 그만한 일은 ~적으로 알 수 있을 텐데 So was gehört mit zu den praktischen Kenntnissen. / 오늘날 그것은 ~에 속한 일이다 Heutzutage gehört so etwas mit zu den praktischen Kenntnissen.

상신(上申) (schriftliche) Meldung 《-en》 an e-e höhere Behörde. ~하다 [4]sich schriftlich an e-e höhere Behörde wenden(*).

‖ ~서 die schriftliche Erklärung, -en.

상실(喪失) Verlust *m.* -es, -e; Einbuße *f.* -n; Verwirkung *f.* -en. ~하다 verlieren*[4]; einbüßen[4]; verwirken[4]; [3]sich verscherzen[4]. ¶ 권리의 ~ der Verlust des Rechtes / 자격을 ~하다 disqualifiziert werden; unfähig (untauglich) gemacht werden. ‖ ~권 das verlorengegangene Recht, -(e)s, -e.

상심(喪心) 《망연》 Ohnmacht *f.* -en; Besinnungslosigkeit *f.* -en; Betäubung *f.* -en; Bewußtlosigkeit *f.* -en; 《낙담》 Verzagtheit *f.* -en. ~하다 ohnmächtig werden; in [4]Ohnmacht fallen*[s]; besinnungslos (bewußtlos; betäubt) werden; die Besinnung (das Bewußtsein) verlieren*; verzagen (낙담하다); verzagt werden (낙담하다). ¶ ~한 사람처럼 wie ein verzagter Mensch, -en, -en.

상심(傷心) Trauer *f.*; Betrübnis *f.*; Gram *m.* -(e)s; Kummer *m.* -s; Leid *n.* -(e)s. ~하다 [4]sich kränken 《*über*[4]》; *jm.* weh tun*; [4]sich härmen; [4]sich um [4]*et.* (über [4]*et.*) grämen. ¶ 얼마나 ~이 됩니까 Ich spreche Ihnen mein aufrichtiges Beileid aus? / 그는 상처하고 ~하고 있다 Er grämt sich um seine verstorbene Frau.

상씨름(上一) die entscheidende Runde im Ringkampf.

상아(象牙) Elfenbein *n.* -(e)s, -e; Elefantenzahn *m.* -(e)s, ⸚e. ¶ ~빛의 elfenbeine(r)n.

‖ ~세공 Elfenbein¦schnitzerei (-arbeit) *f.* -en: ~세공사 Elfenbein¦drechsler (-dreher) *m.* -s, -. ～제품 Elfenbeinzeugnis *n.* -ses, -se. ～조각 Elfenbeinschnitzerei *f.* -en. ～탑 Elfenbeinturm *m.* -(e)s, ⸗e: / ～탑에 파묻히다 ⁴sich im Elfenbeinturm ein|schließen* / 그는 10년 동안의 ～탑 생활을 버렸다 Er verließ den Elfenbeinturm, in dem er die letzten 10 Jahre verbrachte. ～해안 Elfenbeinküste *f.* -n. 모조～ Kunstelfenbein *n.* -(e)s, -e.

상악(上顎) Oberkiefer *m.* -s, -.
‖～골 Oberkieferknochen *m.* -s, -.

상앗대 die Stange 《-n》 des Bootsmannes. ¶～질을 하다 staken⁴ / ～로 배를 밀다 mit e-r Stange (weiter) stoßen*.

상야등(常夜燈) die ewige Lampe, -n; das ewige Licht, -(e)s, -e.

상약(相約) Abkommen *n.* -s, -; Vereinbarung *f.* -en; Vertrag *m.* -(e)s, ⸗e; Kontrakt *m.* -es, -e. ～하다 e-n Vertrag (ab-) schließen*⁴; ⁴sich vertraglich verpflichten; ein Abkommen treffen*⁴.

상약(常藥) e-e volkstümliche Arznei *f.* -en; Heilmittel *n.* -s, -; Hausmittel *n.* -s, -.

상어 〖동물〗 Hai *m.* -(e)s, -e; Haifisch *m.* -es, -e. ¶그는 수영하다가 ～밥이 되었다 Beim Schwimmen wurde er vom Haifisch gefressen.
‖～가죽 Haifischhaut *f.* ⸗e. ～기름 Haifischöl *n.* -(e)s, -e.

상업(商業) Handel *m.* -s; Handelsbetrieb *m.* -(e)s, -e. ～하다 handeln; das Geschäft machen. ¶～의(적) Handels-; handelsmäßig; handelsüblich / ～화하다 zu sehr kommerziell (kommerzialisiert) werden; zu sehr ¹Gegenstand des Handels werden / ～이 침체하다 der Handel stagniert / ～을 촉진하다 den Handel fördern / 이 도시는 전보다도 ～이 번창하다 In dieser Stadt herrscht jetzt mehr Handel als früher.
‖～가(街) Handelsstraße *f.* -n. ～거래 Handelstransaktion *f.* ～경영 Handelsbetrieb *m.* -(e)s. ～계 Geschäfts¦welt (Handels-) *f.* (*od.* -kreise 《*pl.*》). ～고용인 Handelsdiener *m.* -s, -. ～공황 Handelskreise *f.* -n. ～관습 Handelsgewohnheit *f.* -en. ～교육 Handelserziehung *f.* -en. ～구역 Handels¦viertel (Geschäft-) *n.* -s, -. ～국 Handelsstaat *m.* -(e)s, -en. ～국민 Handels¦volk *n.* -(e)s, ⸗er (-nation *f.* -en). ～금융 Handelsfinanz *f.* -en. ～대리인 der Handelsbevollmächtigte*, -n, -n. ～도덕 Handels¦moral (Geschäfts-) *f.* -en. ～도시 Handelsstadt *f.* ⸗e. ～등록 Handelsregister *n.* -s, -. ～(통신)란 Handels¦teil *m.* -(e)s, -e (Wirtschafts-)(신문의). ～면허 Handels¦befugnis *f.* ..nisse (-berechtigung *f.* -en; -erlaubnis *f.* ..nisse). ～명부 Handelsadreßbuch (Firmen-) *n.* -(e)s, ⸗er. ～문(체) Geschäftsstil *m.* -(e)s, -e (문체). ～미술 die kaufmännische Kunst. ～방송 die kaufmännliche Sendung (Rundfunksendung). ～보증인 Handelsbürge *m.* -n, -n. ～부기 Handels¦buchführung (Geschäfts-) *f.* -en. ～부문 Handels¦fach *n.* -(e)s, ⸗er (-zweig *m.* -(e)s, -e). ～사 Handelsgeschichte *f.* -n. ～산술 das kaufmännische Rechnen*, -s (수공업자 용어). ～수학 Handelsarithmetik *f.* ～신문 Handelszeitung *f.* -en (전문지). ～어음 Handelswechsel *m.* -s, -. ～영어 kaufmännisches Englisch, -(s). ～용어 Handels¦ausdruck (Geschäft-) *m.* -(e)s, ⸗e. ～은행 Handelsbank *f.* -en. ～인 der Handel(sbe)treibende*, -n, -n. ～일 Handelstag *m.* -(e)s, -e. ～자본 Handelskapital *n.* -s, -e (..lien). ～장부 Handelsbuch *n.* -(e)s, ⸗er. ～전쟁 Handelskrieg *m.* -(e)s, -e. ～정신 Handelsgeist *m.* -(e)s. ～정책 Handelspolitik *f.* -en. ～조직 Handelssystem *n.* -s, -e. ～조합 Handels¦innung *f.* -en (-verein *m.* -(e)s, -e; -syndikat *n.* -(e)s, -e). ～주의 Handelsgeist *m.* -es, -er. ～중심지 Handelszentrum *n.* -s, ..tren. ～증권 Handels¦papier *n.* -(e)s, -e (-urkunde *f.* -en). ～지리 Handelsgeographie *f.* ～지(구)역 Handels¦bezirk *m.* -(e)s, -e (-ort *m.* -(e)s, -e; -platz *m.* -es, ⸗e); Geschäftsgegend *f.* -en. ～통계 Handelsstatistik *f.* -en. ～통론 (die) Einführung 《-en》 in die Handelswissenschaft. ～통신 Handelskorrespondenz *f.* -en. ～평의회 Handelsrat *m.* -(e)s, ⸗e. ～학교 Handelsschule *f.* -n. ～회의소 Handelskammer *f.* -n. ～흥신소 Handelsagentur *f.* -en.

상없다(常―) absurd; unvernünftig; vernunftwidrig (sein).

상여(喪輿) Totenbahre *f.* -n. ¶～를 메다 eine Totenbahre tragen*⁴.
‖～꾼 Sargträger *m.* -s, -. ～소리 Grabgesang *m.* -(e)s, ⸗e; Totenlied *n.* -es, -er; Totenklage *f.* -n. ～집 Hütte zur Aufbewahrung der Totenbahre *f.* -n.

상여금(賞與金) Belohnung *f.* -en; Preis *m.* -es, -e; Prämie *f.* -n; Sonderzulage *f.* -n (특별수당); Bonus *m.* -(ses), -(se).
‖연말～ der Bonus des Jahresendes.

상연(上演) Vorstellung *f.* -en; Aufführung *f.* -en; Darstellung *f.* -en; Inszenierung *f.* -en. ～하다 auf|führen⁴; dar|stellen⁴; inszenieren⁴; vor|stellen⁴; auf die Bühne (die Bretter) bringen*⁴. ¶～을 금하다 die Aufführung (die Vorstellung) verbieten* / 「파우스트」를 ～하다 „Faust" auf|führen / 신극을 ～하다 das neue Theaterstück vor|stellen (präsentieren) / ～중이다 Das Stück wird eben gegeben. / 그의 신작극은 국립극장에서 ～되었다 Sein neues Theaterstück wurde im Nationaltheater vor|gestellt. / 무단 ～ 금지 die Vorstellung ohne Genehmigung verboten.
‖～권 Aufführungs¦recht (Darstellungs-; Inszenierungs-) *n.* -(e)s, -e.

상연물(上演物) Programm *n.* -s, -e; Repertoire [repɛrtoá:r] *n.* -s, -s (극장배우 등의); Theaterstück *n.* -(e)s, -e. ¶이 달의 ～은 무엇입니까 Was gibt es (Was läuft) diesen Monat im Theater? / 이번 ～은 대성공이다 Das neue Stück ist ein großer Erfolg.

상영(上映) Vorführung *f.* -en. ～하다 vor|führen⁴; auf die Leinwand bringen*⁴. ¶이 영화는 지금 단성사에서 ～중이다 Der Film läuft jetzt im *Danseongsa.* / 두 편 동시 ～제 Zweizwecksystem *n.* -(e)s, -e; Doppelprogramm *n.* -(e)s, -e / 이 영화관에서는 두 편이 동시에 ～됩니다 In diesem Kino laufen zwei Hauptfilme.

상오(上午) ＝오전(午前).

상오리(常―) 〖조류〗 Krickente *f.* -n; *Anas crecca* (학명).

상온(常溫) die normale Temperatur, -en.

상완(上腕) Oberarm *m.* -(e)s, -e.

상완(賞玩) ＝완상(玩賞).

상용(常用) der gewöhnliche (normale; übliche) Gebrauch, -(e)s, ⸚e. ∼하다 regelmäßig (gewöhnliche) gebrauchen. ¶ ∼의 gewöhnliche; normal; üblich / 약을 ∼하다 e-e Arznei regelmäßig nehmen*.

‖ ∼대수 〖수학〗 der gemeine Logarithmus, -, ..men. ∼어 die gesprochene Sprache; Sprechsprache *f.*: ∼독일어 gesprochenes Deutsch. ∼자 Gewohnheits|benutzer *m.* -s, - (-genießer *m.* -s, -; -nutznießer *m.* -s, -; -verbraucher *m.* -s, -). ∼한자 die chinesischen (Schrift)zeichen 《*pl.*》 im gewöhnlichen (normalen; üblichen) Gebrauch. 아편 ∼자 der gewöhnheitsmäßige Opiumesser, -s, - (Opiumraucher, -s, -); der Opiumsüchtige*, -n, -n. 현대∼어 der (all)tägliche Wortschatz, -es; die heute allgemein gebrauchten Vokabeln 《*pl.*》; die lebenden Sprachen 《*pl.*》 (각국어).

상용(商用) Geschäftsangelegenheit *f.* -en. ¶ ∼으로 geschäftlich; in geschäftlichen ³Angelegenheiten / ∼으로 방문하다 geschäftlich besuchen.

‖ ∼독일어 Kaufmannsdeutsch *n.* -(s); Geschäftsdeutsch *n.* -(s). ∼서긴 Geschäftsbrief *m.* -(e)s, -e. ∼어 Geschäftssprache *f.* -n. ∼여행 Geschäftsreise *f.* -n.

상우다(傷—) schaden³; schädigen; verletzen; verwunden. ¶ 아무의 감정을 ∼ *jm.* weh tun*; kränken.

상운(祥運) Glück *n.* -(e)s; günstige Verhältnisse 《*pl.*》; glückliche Umstände 《*pl.*》.

상원(上元) 〖민속〗 fünfzehnter Januar nach dem Mondkalender.

상원(上院) Oberhaus *n.* -es; die erste Kammer; Senat *n.* -(e)s (미국, 프랑스의); Bundesrat *m.* -(e)s (독일의).

‖ ∼의원 das Mitglied 《-(e)s, -er》 des Oberhauses (der ersten Kammer); Senator *m.* -s, -en (미국, 프랑스의).

상위(上位) e-e höhere Stellung, -en; ein höherer Rang, -(e)s, ⸚e; Vorrang *m.* -(e)s, ⸚e. ¶ 누구보다 ∼에 있다 den Vorrang vor *jm.* haben (gewinnen*) / 대사는 공사의 ∼에 있다 Der Botschafter gewinnt den Vorrang vor dem Minister.

상위(相違) Unterschied *m.* -(e)s, -e; Verschiedenheit *f.* -en; 《부동》 Ungleichheit *f.* -en; 《특히 의견의》 das Auseinandergehen*, -s; Divergenz *f.* -en. ∼하다 verschieden* sein 《*von*³》; ab|weichen 《*von*³; *in*³》; nicht übereinstimmen 《*mit*³》; auseinander|gehen* Ⓢ. ¶ 위와 같이 ∼ 없음 Ich behaupte, daß die obenbesagte Darstellung wahr ist.

‖ ∼점 Unterschied *m.* -(e)s, -e.

상응(相應) ① 《대응》 Übereinstimmung *f.* -en《*mit*³; *zwischen*³》; Korrespondenz *f.* -en 《*mit*³》. ∼하다 überein|stimmen; entsprechen*³; in Einklang stehen*; korrespondieren 《*mit*³》.

② 《적합》 Angemessenheit *f.* -en; Eignung *f.* -en; Schicklichkeit *f.* -en. ∼하다 passen³; ⁴sich eignen 《*für*⁴》; entsprechen*³; angemessen³ sein.

상의(上衣) Jacke *f.* -n; Mantel *m.* -s, ⸚; Bluse *f.* -n; Rock *m.* -(e)s, ⸚e. ¶ ∼를 입혀 (벗겨) 주다 *jm.* in den (aus dem) Mantel helfen*³.

상의(上意) Wille 《*m.* -ns, -n》 (Wunsch *m.* -es, ⸚e) des Königs (Vorgesetzten*). ¶ ∼ 하달하다 dem Volk den Willen (Wunsch) des Königs mit|teilen; den Untergeordneten* den Wunsch des Vorgesetzten* mit|teilen.

상의(相議) Beratung *f.* -en; Befragung *f.* -en; Rücksprache *f.* -n; Unterredung *f.* -en; Besprechung *f.* -en; Konferenz *f.* -en; 《담판》 Verhandlung *f.* -en; Unterhandlung *f.* -en. ∼하다 verhandeln 《mit *jm. über*⁴》; in Verhandlung stehen* 《mit *jm. wegen*²》; ⁴sich unterreden 《mit *jm. über*⁴ (*von*³)》; ⁴sich beraten* 《mit *jm. über*⁴》; konferieren 《mit *jm. über*⁴》; eine Konferenz (ab|)halten*. ¶ ∼한 뒤 nach der Verhandlung / ∼중이다 unter Verhandlung sein; darüber wird gerade verhandelt / ∼에 응하다 an der ³Verhandlung (Besprechung) teil|nehmen*; konferieren / ∼하러 가다 in Verhandlung (ein|)treten*Ⓢ 《mit *jm.*》; ⁴sich auf Verhandlung ein|lassen* 《mit *jm.*》 / 변호사에게 ∼하다 den Rechtsanwalt konsultieren / ∼는 전부 중단되었다 Alle Verhandlungen sind abgebrochen. / 그들은 간밤에 오래도록 ∼하였다 Heute nacht besprachen sie sich ganze Zeit. / 과장과 ∼해 보겠읍니다 Ich werde mich darüber mit dem Chef (Abteilungsleiter) besprechen.

상이군인(傷痍軍人) der Kriegsbeschädigte*, -n, -n; der Invalide*, -n, -n.

‖ ∼회 der Bund 《-(e)s, ⸚e》 des Kriegsbeschädigten.

상인(上人) 〖불교〗 der Heilige*, -n, -n; ein heiliger Priester, -s, -.

상인(常人) =상사람.

상인(商人) Kauf|mann (Handels-; Geschäfts-) *m.* -(e)s, ..leute. ¶ ∼의 kaufmännisch / ∼이라는 것은 대체로 돈벌이에 약빠르다 Allgemein gesagt, verdienen die Kaufleute das Geld ganz geschickt (klug).

‖ ∼근성 e-e kaufmännische Denkweise, -n. ∼도덕 die kaufmännische Moral, -en. 대∼ der große Kaufmann. 베니스의 ∼ „der Kaufmann von Venedig". 소∼ der kleine Händler, -s, - (Geschäftsmann). 악덕∼ der böse (schlimme) Händler.

상인방(上引枋) 〖건축〗 Wandleiste *f.* -n; Stutzbalken *m.* -s, -.

상일(常—) körperliche Arbeit, -en. ¶ ∼을 하다 körperlich arbeiten; körperliche Arbeit verrichten (leisten).

‖ ∼꾼 Arbeiter *m.* -s, -.

상임(常任) ¶ ∼의 ständig (angestellt); stehend; regulär / 나는 ∼ 위원입니다 Ich bin Mitglied des ständigen (ständig bestellten) Ausschusses.

‖ ∼위원 der Mitglied des ständigen Ausschusses: ∼위원회 der ständige (ständig bestellte) Ausschuß, ..schusses, ..schüsse. ∼이사 der vollziehende Vorstand, -(e)s, ⸚e (Direktor *m.* -s, -en): ∼ 이사국 《유엔 안전 보장 이사회의》 das ständige Mitglied der UNO-Sicherheitsversammlung. ∼지휘자 der ständige Dirigent, -en, -en.

상자(箱子) Kasten *m.* -s, -; Schachtel *f.* -n; 《목제의》 Kiste *f.* -n; 《원통형의 작은》 Dose *f.* -n; Büchse *f.* -n; 《금·보석용의》 Schatulle *f.* -n. ¶ ∼에 든 eingepackt; eingeschachtelt / ∼에 넣다 in e-n Kasten ein|schießen*⁴ (ein|packen⁴); ein|schachteln / 배 한 ∼ e-e Kiste Birnen / 이중 ∼ die aufeinander gepackten Schachteln 《*pl.*》 / 한 ∼ 가득 ein Kasten voll...; e-e Schachtel

voll....
상작(上作) 《농작물》 die gute 〔reiche〕 Ernte, -n; der gute 〔reiche〕 Ertrag, -(e)s, ⸚e.
상잔(相殘) (gegeneinander) Kampf, -(e)s, ⸚e; gegenseitige Vernichtung 〔Zerstörung〕 -en. ～하다 gegeneinander kämpfen; ⁴sich (gegenseitig) bekämpfen; ⁴sich (gegenseitig) vernichten.
‖ 동족 〔골육〕 ～ Bruderkrieg *m.* -(e)s, -e; Bürgerkrieg *m.* -(e)s, -e: 동족 ～하다 e-n Bruderkrieg führen.
상장(上場) 〖증권〗 ～하다 in eine Liste ein|tragen*.
‖ ～주 die notierte Aktie, -n.
상장(喪章) Trauer¦binde *f.* -n 〔-flor *m.* -s, -e〕. ¶ ～을 달다 e-n Flor tragen* / 팔에 ～을 달다 die Trauerbinde am Ärmel tragen*.
상장(賞狀) Belobungsschreiben *n.* -s, -; Lobbrief *m.* -(e)s, -e; das Zeugnis 《-ses, -se》 der Anerkennung; Verdienstbrief *m.*
상장(막대)(喪杖(—)) Stock 《*m.* -(e)s, ⸚e》 e-s Trauernden.
상재 〖불교〗 Der zum (als) Nachfolger s-s Lehrers bestimmte Mönch, -(e)s, -e.
상재(上梓) Publikation *f.* -en; Druck *m.* -(e)s, -e; Veröffentlichung *f.* -en. ～하다 publizieren; heraus|bringen*; drucken; veröffentlichen.
상재(商才) ein kaufmännisches Talent, -(e)s, -e; Geschäftsfähigkeit *f.* -en / ～가 있는 사람 der kaufmännisch talentierte Mann, -(e)s, ⸚er.
상재(霜災) Frostschaden *m.* -s, ⸚. ¶ ～를 입다 Frostschaden erleiden*; durch Frost beschädigt werden; erfrieren*.
상쟁(相爭) (gegeneinander) Kampf, -(e)s, ⸚e; Streit *m.* -(e)s, -e; Hader *m.* -s, -. ～하다 einander bekämpfen; gegeneinander kämpfen; ⁴sich streiten*; miteinander ringen* (hadern). ¶ 골육이 ～하다 e-n Bruderkrieg führen 〔aus|tragen*〕.
상적(相敵) ① 《적대》 Antagonismus *m.* -, ..men; Streit *m.* -(e)s, -e; Konkurrenz *f.* -en. ～하다 kämpfen 《mit *jm.* um ⁴*et.*》; streiten. ② 《필적자》 Gegner *m.* -s, -; Antagonist *m.* -en, -en; Gegenspieler *m.* -s, -; Konkurrent *m.* -en, -en; Rivale *m.* -n, -n. ～하다 rivalisieren; konkurrieren; wett|eifern; ⁴sich gegenseitig bekämpfen; es mit *jm.* auf|nehmen*.
상적(商敵) ein (geschäftlicher) Konkurrent, -en, -en; Mitbewerber *m.* -s, -.
상전(上典) (Dienst)herr *m.* -n, -en; Herr u. Meister. ¶ 종을 보면 ～을 알 수 있다 Wie der Herr, so sein Knecht.
상전(相傳) Vererbung *f.* -en; Überlieferung *f.* -en. ¶ ～된 erblich; vererbt; überliefert; angestammt. ～하다 vererben⁴; überliefern⁴.
상전(相戰) Kampf *m.* -es, ⸚e; Streit *m.* -(e)s, -e; Wettbewerb *m.* -s; Wettkampf *m.* -(e)s, ⸚e. ～하다 kämpfen; wett|eifern; streiten.
상전(桑田) Maulbeerbaumhain *m.* -(e)s, -e.
‖ ～벽해 grundlegende 〔große〕 Veränderungen in der Natur; bedeutende Umwälzung, -en.
상점(商店) (Kauf)laden *m.* -s, ⸚; Geschäft *n.* -(e)s, -e. ¶ ～을 벌이다 den Laden eröffnen 〔auf|tun*〕 / ～을 닫다 den Laden schließen*.
‖ ～가 Geschäfts¦viertel *n.* -s, - 〔-straße *f.* -n〕; 《쇼핑센터》 Einkaufszentrum *n.* -s, ..tren. ～간판 Ladenschild *n.* -(e)s, -er. ～장식 das Ladenanrichten*, -s, -. ～주 Ladeninhaber *m.* -s, -; Krämer *m.* -s, -.
상접(相接) Kontakt *m.* -(e)s, -e. ～하다 mit *jm.* in Kontakt 〔Verbindung〕 treten* [s]; in Kontakt stehen*; mit *jm.* Kontakt auf|nehmen*; kontaktieren. ¶ 피골이 ～하다 nur aus Haut u. Knochen bestehen*.
상정(上程) ～하다 auf die Tagesordnung setzen⁴; auf den Tisch des Parlaments bringen*⁴; e-n zu behandelnden Gegenstand 《⸚e》 besprechen*; 《의회에》 auf die Tagesordnung des Bundestages setzen⁴; 《토의에》 für die Diskussion vor|legen⁴.
상정(常情) das (normale) menschliche Fühlen*, -s; menschliche Natur. ¶ 쾌락을 추구하는 것은 인지 ～이다 Der Wunsch, dem Vergnügen nachzugehen, ist menschlich.
상정(想定) Hypothese *f.* -n; Annahme *f.* -n. ～하다 an|nehmen*; vermuten; voraus|setzen; 《어림하다》 (ab|)schätzen; veranschlagen*. ¶ ～적인 angenommen; fiktiv; hypothetisch; imaginär; 《어림한》 abgeschätzt; schätzungsweise.
‖ ～량 die abgeschätzte Menge, -n. ～적국 der angenommene 〔hypothetische〕 Feind, -(e)s, -e.
상제(上帝) ＝하느님.
상제(上製) Qualitäts¦arbeit *f.* -en 〔-ware *f.* -n〕; Wertarbeit.
상제(喪制) ① 《사람》 das um einen verstorbenen (Groß)elternteil trauernde Kind, -(e)s, -er. ¶ 맏～ der um einen verstorbenen (Groß)elternteil trauernde älteste Sohn, -(e)s, ⸚e; der Haupttrauernde*, -n, -n. ② 《제도》 Trauerzeremonie *f.* -n; Trauerfeier *f.* -n; Totenfeier *f.* -n.
상조(尙早) ¶ ～의 frühzeitig; noch zu früh; verfrüht / 시기 ～이다 Die Zeit ist dafür noch nicht reif.
상조(相助) die gegen-, wechselseitige Hilfe, -n; die gegenseitige Abhängigkeit, -en. ～하다 ³sich gegenseitig helfen*; zusammen|arbeiten.
상종(相從) Umgang *m.* -(e)s, ⸚e; Verbindung *f.* -en; Freundschaft *f.* -en; Kameradschaft *f.* -en. ～하다 um|gehen*[s] 《*mit*³》; Umgang haben 《*mit*³》; verkehren 《*mit*³》. ¶ ～하지 않다 keinen Umgang haben / 아무도 그와 ～하려 하지 않는다 Man möchte mit ihm keinen Umgang haben.
상종가(上終價) ¶ ～가 되다 hoch eröffnen (주식).
상좌(上座) Ehren¦platz *m.* -(e)s, ⸚e 〔-seite *f.* -n〕; Ehrensitz 〔Vorzugs-〕 *m.* -(e)s, ⸚e. ¶ ～에 안내하다 den Ehrenplatz an|weisen* 《*jm.*》 / ～에 앉다 den Platz auf den Ehrensitz nehmen*; 《남보다》 den Vorrang vor *jm.* haben 〔gewinnen*〕.
상주(上奏) ～하다 an den Thron 〔den Herrscher〕 Bericht erstatten 〔ab|statten〕 《*über*⁴》; ⁴sich berichtend an den Thron 〔den Herrscher〕 wenden⁽*⁾.
‖ ～문 die Denkschrift 《-en》 〔die Eingabe, -n〕 an den Thron 〔den Herrscher〕.
상주(常住) Wohnsitz *m.* -es, -e; Aufenthalt *m.* -(e)s, -e; 〖불교〗 die ewige Existenz, -en; Unsterblichkeit *f.* -en; Unvergänglichkeit *f.* -en. ～하다 wohnen 《*in*³》; e-n festen Wohnsitz haben 《*in*³》. ¶ 한국에 ～하는 외국인 Ausländer mit festem Wohnsitz in Korea.

‖~불멸 〖불교〗 Unvergänglichkeit und Unzerstörbarkeit: ~ 불멸하다 ewig existieren; unvergänglich und unzerstörbar sein; ewig sein. ~인구 Einwohnerschaft *f.* -en; Bevölkerung *f.* -en.

상주(喪主) der (Haupt)leidtragende*, -n, -n. ¶저 아이가 ~입니다 Das Kind da ist der Leidtragende. ※ 정관사를 쓰면 Haupt-는 필요없음.

상주(詳註) die ausführliche (weitläufige) Anmerkung, -en (Erläuterung, -en). ¶~를 달다 mit ausführlichen (weitläufigen) Anmerkungen (Erläuterungen) versehen*[4].

상중(喪中) Trauerzeit *f.* -en. ¶~에 während der Trauerzeit / ~이다 in Trauer sein.

상중하(上中下) drei Qualitätsstufen; das erste, das zweite und das dritte; 《책의》 alle drei Bände (e-r dreibändigen Buchreihe). ¶~ 3권 (한 질) dreibändige Buchreihe (Ausgabe); 《소설》 Trilogie *f.* -n.

상지(上肢) die Arme 《*pl.*》; die oberen Glieder 《*pl.*》.

상지상(上之上) das Beste vom Besten; Spitze, *f.* -n.

상질(上秩·上質) =상길(上一).

상징(象徵) Symbol *n.* -(e)s, -e; Sinnbild *n.* -(e)s, -er; Wahrzeichen *n.* -s, -. ~하다 symbolisieren[4]; versinnbildlichen[4]. ¶~적인 symbolisch; sinnbildlich / ~주의적인 symbolistisch / 백합은 순결의 ~이다 Die Lilie ist das Symbol der Reinheit. / 비둘기는 평화의 ~이다 Die Taube ist das Sinnbild des Friedens.

‖~극 Symboldrama *n.* -s, -men. ~시 Symbolgedicht *n.* -(e)s, -e. ~적 의의 Symbolik *f.* ~주의 Symbolismus *m.* -: ~주의자 Symbolist *m.* -en, -en. ~파 die Schule der Symbolisten. 국가의 ~ das Symbol des Staates.

상찬(賞讚) =칭찬.

상찰(詳察) (eingehende) Erwägung, -en; Überlegung *f.* -en; Betrachtung *f.* -en. ~하다 genau (eingehend) erwägen*; überlegen; betrachten.

상책(上策) die guten (vorzüglichen) Mittel u. Wege 《*pl.*》; die beste Politik. ¶최~ der beste Plan / ~을 세우다 die besten Pläne[4] fassen (schmieden; entwerfen*).

상처(喪妻) der Tod der (Ehe)frau. ~하다 seine Frau durch Tod verlieren*; *jm.* stirbt seine Frau weg.

상처(傷處) 《부상》 Wunde *f.* -n; Verletzung *f.* -en; Blessur *f.* -en; 〖의학〗 Trauma *n.* -s, ..men (..mata) (외상(外傷)); wunde Stelle, -n (상처받은 곳). ¶~받은 마음 das verwundete (verletzte) Herz, -ens, -en / 마음의 ~ Herzenskummer *m.* -s, - / 벤~ Schnittwunde *f.* -n; Hieb *m.* -(e)s, -e; Schmarre *f.* -n (특히 얼굴 등의) / 심한 ~ die schwere Wunde, -n / ~를 꿰매다 die Wunde zu|nähen/~를 입다 verwundet (beschädigt; verletzt) werden; Schaden erleiden* / ~를 치료하다 die Wunde (ärztlich) behandeln / ~가 아물다 die Wunde schließt sich.

‖옛~ die alte Wunde (Narbe): 옛~를 건드리다 in e-r alten Wunde wühlen / 옛~를 들추다 《비유적》 die alte Untat (den Schaden) durch|stöbern (durchstöbern); die alte Wunde wieder auf|reißen*.

상천(上天) ① 《하늘》 Himmel *m.* -s, -; Firmament *m.* -(e)s, -e. ② 《하느님》 Gott *m.* -es, ⸚er. ③ 《겨울하늘》 Winterhimmel *m.*

상체(上體) Ober¦körper *m.* -s, - (-leib *m.* -(e)s, -er).

상초(上焦) 〖한의학〗 der obere Teil der Brust.

상춘객(賞春客) Spaziergänger (Ausflügler) 《*m.* -s, -》 im Frühling (Frühjahr).

상춘등(常春藤) 〖식물〗 Efeu *m.* -s. ¶~의 덩굴 Efeuranke *f.* -n / ~의 잎 Efeublatt *n.* -(e)s, ⸚er. ‖~과 Efeugewächse 《*pl.*》.

상층(上層) 《지층 따위》 die obere Schicht, -en; das obere Lager, -s, -; 《건물의》 das obere Stockwerk, -(e)s. ¶~은 공기가 희박하다 Die Luft ist in der oberen Strömung undicht.

‖~계급 die obere Gesellschaftsschicht, -en. ~기류 (공기) die obere Luftströmung, -en. ~운(雲) die obere Schichtwolke, -n.

상치 〖식물〗 Lattich *m.* -(e)s, -e; Kopfsalat *m.* -(e)s, -e.

‖~쌈 der im Kopfsalat eingehüllte Reis.

상치(上一) etwas von bester Qualität; das Beste von einer Sorte.

상치(相値) Konflikt *m.* -(e)s, -e; Zusammenstoß *m.* -es, ⸚e; Kollision *f.* -en. ~하다 《날짜 등이》 auf demselben Tag (zusammen|)fallen* ⓢ; 《이해가》 gegen *js.* Interesse verstoßen*; *js.* Interesse zuwider|laufen* ⓢ; entgegen|laufen* ⓢ; kollidieren 《*mit*[3]》. ¶독어 시간과 역사 시간이 ~한다 Der Deutschunterrichtsstunde stimmt mit der Geschichtsstunde nicht überein. / 학교 시간과 ~되어서 그 모임에 나가지 못하겠다 Da ich an der Schule Unterricht habe, kann ich an der Versammlung nicht teilnehmen.

상치(常置) ~하다 ständig (dauernd) an|stellen[4]; ständig da lassen*. ☞ 상임(常任).

상침(上針) 《바늘》 Nadel 《*f.* -n》 von guter Qualität; Qualitätsnadel; 《바느질》 Sattelstickerei. ¶~ 놓다 sticken.

상쾌(爽快) Erfrischung (Erquickung) *f.* -en. ~하다 frisch; erfrischend; erquickend (sein). ¶기분이 ~하다 [4]sich erfrischend fühlen; [4]sich erfrischen / ~한 바람 der erfrischende leichte Wind, -es, -e / ~한 아침 der frische Morgen, -s, - / 목욕하고 나니 기분이 ~해졌다 Das Bad hat mich sehr erfrischt (erquickt). / 우리는 처음에 시원한 음료수를 마신 다음 목욕하여 기분이 ~해졌다 Wir haben uns zuerst an kühlen Getränken, dann durch ein Bad erfrischt.

상타다(賞一) e-n Preis gewinnen* (bekommen*; erhalten*); mit e-m Preis ausgezeichnet werden. ¶국제 관계에 관한 논문으로 ~ für e-n Aufsatz über internationale Beziehungen e-n Preis bekommen* (erhalten*).

상탄(賞嘆) Bewunderung *f.* -en; das Staunen*, -s (경탄). ~하다 bewundern[4]; staunen 《*über*[4]》. ¶~할 만한 bewunderns¦wert (-würdig); staunens¦wert (-würdig).

상태(狀態) (Zu)stand *m.* -(e)s, ⸚e; Lage *f.* -n; Situation *f.* -en; Status *m.* -, -; Umstände 《*pl.*》; Verhältnisse 《*pl.*》. ¶전시~에서는 unter dem Kriegszustand / 어떤 기후 ~에서도 unter jeder Wetterlage / 현~로서는 unter den gegenwärtigen (jetzigen) Verhältnissen; bei der gegenwärtigen Lage; wie die Dinge 《*pl.*》 jetzt liegen / 한국인의 영양 ~ der Ernährungszustand der Koreaner / 무방비 ~의 도시 die Stadt in der unverteidigten Lage / 말도 못 할 지독한 ~ eine sehr schreckliche (schlechte) Kondition / 빈사 ~에 있다 im (zum) Sterben liegen* / 양국간의 전쟁 ~를 종결하다 den Kriegszustand der beiden Länder (Nationen) beenden / 그 나라는 당시 미개한 ~에 있었다 Das Land befand sich damals in der primitiven Lage. / 당시 산업은 부진 ~였다 Damals war die Industrie in der Niedergeschlagenheit.

‖건강~ Befinden *n.* -s; Ergehen *n.* -s; Gesundheitszustand *m.* -(e)s, ⸚e: 건강 ~가 좋다 (나쁘다) ⁴sich wohl (schlecht) fühlen; in guter (schlechter) Verfassung sein. 경제~ die wirtschaftlichen Verhältnisse《*pl.*》. 생활~ Lebenszustand *m.* -(e)s, ⸚e. 실의 ~ die Lage des Trübsinnes. 위험~ der kritische (bedenkliche; gefährliche; mißliche) Zustand; Krise *f.* -n; Krisis (Krise) *f.* ..sen. 재정~ die finanziellen Verhältnisse《*pl.*》; Haushalt *m.* -(e)s, -e. 정신~ Geisteszustand *m.*; Gemütsart *f.* -en. 혼수~ Bewußtlosigkeit *f.* -en: 혼수 ~에 빠지다 bewußtlos sein.

상태(常態) Normalzustand *m.* -(e)s, ⸚e; der normale (gewöhnliche; regelrechte; übliche) Zustand, -(e)s, ⸚e. ¶ ~로 복귀하다 der Normalzustand wird wiederhergestellt; ¹*et.* wird wieder auf den Normalzustand zurückgeführt / ~하에서는 unter normalem Zustand.

상통(相—) Gesicht *n.* -(e)s, -er; Fratze *f.* -n; Visage [..ʒ(ə)] *f.* -n. ¶ 이 ~아 Du Idiot! ¦ Du Blödsinnige! ¦ Du Dumme!

상통(相通) 《의사의》 gegenseitiges Verständnis, -ses, -se; gegenseitige Verständigung, -en; 《전달》 Kommunikation *f.* -en.

~하다 ⁴sich verständigen; ⁴sich verstehen*; 《사정이》 miteinander in Verbindung stehen*; miteinander kommunizieren; miteinander überein|stimmen. ¶ 의사가 ~하다 ⁴sich verständigen (verstehen*); zu e-r allseitigen Verständigung kommen*; 《의견이 같다》 gleicher ²Ansicht (²Meinung) sein; die Ansicht (Meinung) teilen / 기맥이 ~하다 in stillschweigendem Einvernehmen stehen*

상투 e-e Art der altkoreanischen Frisur; Haarknoten *m.* -s, -.

‖~기둥 die in Haarknotenform verbundene Säule, -n. ~끈 Haarband *n.* -(e)s, ⸚er. ~잡이 〖씨름〗 eine Griffart beim Ringkampf: ~잡이하다 *jn.* in Haarknotenform fest|halten*. ~장이 der Mann 《-(e)s, ⸚er》 mit dem Haarknoten.

상투(相鬪) Kampf *m.* -es, ⸚e; Streit *m.* -(e)s, -e; Wettkampf *m.* -(e)s, ⸚e. ~하다 ⁴sich gegenseitig bekämpfen; wett|eifern; miteinander streiten*; ⁴sich gegenseitig schlagen*.

상투(常套) Gemeinplatz *m.* -es, ⸚e; Stereotype *f.* -n; Abgedroschenheit *f.* -en; Alltäglichkeit *f.* -en; das ewige Einerlei, -s. ¶ ~적 gewöhnlich; alltäglich / ~적 문구 die favorisierten Worte 《*pl.*》 / ~적인 말을 쓰다 die abgenutzten Redewendungen gebrauchen / 그것은 그의 ~적 수단이다 Es sind seine veralteten Kniffe 《*pl.*》. / ~ 수단을 쓰다 ⁴sich auf die gewohnten Kniffe verlassen*.

‖~수단 die abgenutzten (verbrauchten) (Gegen)maßnahmen 《*pl.*》; die veralteten Kniffe 《*pl.*》. ~어 die abgedroschene Redewendung, -en; Phrase *f.* -en; Alltagswort *n.* -(e)s, -e; das hohle (leere) Gerede, -s (Geschwätz, -es, -e); Redensart *f.* -en; der schöne Satz 《-es, ⸚》 ohne Inhalt; Wortkrämerei *f.* -en.

상판대기(相—) Gesichtszüge 《*pl.*》; Aussehen *n.* -s; Gesicht *n.* -(e)s, ⸚er; 《경멸적》 Fratze *f.* -n; Visage *f.* -n. ¶ ~를 한 대 갈기다 *jm.* eins (eine) in die Visage (Fresse) hauen* / 뻔뻔스러운 ~를 하고 있다 ein furchtloses Gesicht (ein tollkühnes Aussehen) haben; e-e verwegene Gestalt sein / 그런 얼빠진 ~를 하지 말라 Mach doch nicht so ein dummes Gesicht!

상팔자(上八字) das glückliche Schicksal, -s, -e (Leben, -s, -). ¶ ~를 타고 나다 mit glücklichem Schicksal auf die Welt kommen* / ~로 지내다 in Wohlstand leben / 그는 ~다 Er ist beneidenswert. ¦ Er hat es gut.

상패(賞牌) Medaille [medáljə] *f.* -n; Medaillon *n.* -s, -s. ¶ ~로써 표창하다 medaillieren / ~를 받다 die Medaille gewinnen* / ~가 수여되다 die Medaille wird verliehen.

‖~수령자 der Inhaber der Medaille; Medaillen¦gewinner (-träger) *m.* -s, -. ~수여식 die Verleihungszeremonie der Medaille. ~수집가 Medaillensammler *m.* -s, -.

상편(上篇) der erste Band, -(e)s, ⸚er (eines mehrbändigen Werkes).

상포(喪布) Stoff für Trauerkleidung.

‖~계(契) eine Gemeinschaft, die die Unkosten der Trauerfeiern im Haus der Mitglieder gemeinsam trägt.

상표(商標) 〖상업〗 Warenzeichen *n.* -s, -; (Schutz)marke *f.* -n; 《레테르》 Etikett *n.* -(e)s, -e. ¶ ~가 붙은 mit Warenzeichen (geklebt) / ~가 붙어 있다 ein Warenzeichen tragen* / ~를 등록하다 das Warenzeichen an|melden (registrieren) / 상품에 ~를 붙이다 mit einem Brand¦mal (-zeichen; mit einer Schutzmarke) versehen / …을 ~로서 등록하다 ⁴*et.* als Warenzeichen an|-melden (registrieren).

‖~권 das Recht des Warenzeichens (der Schutzmarke). ~등록필 《표시》 ein|getragen 《Warenzeichen》. ~법 Warenzeichengesetz *n.* -es. ~침해 der Raubdruck (der unbefugte Nachdruck) des Warenzeichens. 등록~ das eingetragene Warenzeichen; die eingetragene Schutzmarke.

상품(上品) ① 《일등품》 Ware von bester Qualität, -n; Qualitätsware *f.* -n. ② 〖불교〗 das Land höchster Glückseligkeit.

상품(商品) (Handels)ware *f.* -n; (Handels-)artikel *m.* -s, -; Handelsgut *n.* -(e)s, ⸚er. ¶ ~이 많다 (적다) 《종류》 Es gibt viele (wenig) Handelsartikel. ¦ 《수량》 Es sind viele (wenige) Handelswaren. / ~을 사들이다 die Handelswaren einkaufen / ~을 분류하다 die Waren sortieren / ~화하다 gewerblich (e-e Ware) produzieren / 각종 ~을 취급하다 verschiedene Waren behandeln (treiben*) / 이 물건은 ~이 될 수 없다 Die Handelsware ist nicht marktgängig (unverkäuflich).

‖~거래소 Handelsstützpunkt *m.* -(e)s, -e. ~견본 Warenprobe *f.* (우편물 표기). ~권 Warenschein *m.* -(e)s, -e. ~매입대장 Wareneingangsbuch *n.* -(e)s, ⸚er. ~목록 Warenverzeichnis *n.* -ses, -se. ~시장 Handelsmarkt *m.* -(e)s, ⸚e. ~재고 대장 Bestand¦buch (Lager-) *n.* ~재고량 Warenbestand *m.* -(e)s, ⸚e; Lagerbestand *m.* (재고품). ~진열창(장) Schau¦fenster *n.* -s, - (-kasten *m.* -s, ⸚). ~학 Handelskunde *f.* -n. 중요~ Hauptartikel *m.*

상품(賞品) Preis *m.* -es, -e; Auszeichnung *f.* -en (표창). ¶ ~을 타다 den Preis gewinnen* (erhalten*) / ~을 나눠 주다 den Preis aushändigen (überreichen) / ~을 수여하다 den Preis verleihen*.

‖ ~수여식 die Verleihungszeremonie des Preises.

상풍증(傷風症) 〖의학〗 Verstopfung der Nase (bei Schnupfen).

상피(上皮) Oberhaut *f.* ⸚e; Epidermis *f.* ¶ ~의 epidermal.

‖ ~세포 Epithelium *n.* -s, ..lien.

상피(相避) Blutschande *f.* -n; Inzest *m.* -es, -e. ¶ ~붙다 Blutschande begehen*.

상피병(象皮病) 〖의학〗 Elefantiasis *f.* ..sien.

상하(上下) ① der obere u. untere Teil, -(e)s, -e; das Auf u. Ab; das Oben u. Unten; der Anfangs- u. Endteil 《-(e)s》 (e-s Buches) (서적). ¶ ~로 auf u. ab (nieder); nach oben u. unten; hin u. her (왕래); senkrecht (수직). ② 《신분》 hoch u. niedrig; die Hohen* 《*pl.*》 u. Niedrigen* 《*pl.*》; die Über- u. Unterlegenen* 《*pl.*》. ¶ ~ 구별없이 ohne [4]Rücksicht auf hoch u. niedrig; oben vom König unten bis zum Bettler.

‖ ~동 die senkrechte Erschütterung, -en. ~수도 Wasserversorgung u. Ableitung.

상하다(傷—) ① 《사물이》 verderben* ⓢ; beeinträchtigt (beschädigt; geschädigt; verletzt) werden; schadhaft (unbrauchbar; untauglich) gemacht werden; abgetragen werden (상처나다); beschädigt (verletzt) werden (나빠지다); 《음식이》 verderben*ⓢ; schlecht (sauer) werden. ¶ 상하기 쉬운 zerbrechlich; brüchig / 상한 (상하지 않은) 사과 beschädigte (frische) Äpfel / 음식이 ~ Das Essen ist verdorben. / 심한 서리로 곡식이 상했다 Das Getreide ist vom schweren Frost beschädigt.

② 《마음·기분이》 verletzen; schmerzen; weh tun; ärgern 《*jn.*》; kränken 《*jn.*》; Anstoß erregen (geben*). ¶ 그는 자기의 어머니를 (속)상하게 한다 Er quält s-e Mutter. ③ 《몸이》 schlecht aus|sehen*; mager werden. ¶ 그는 건강을 상했다 Seine Gesundheit wird verschlechtert (geschädigt). / 그는 건강이 상했다 Er ist abgemagert.

상학(上學) Schulbeginn *m.* -(e)s; Schulanfang *m.* -s, ⸚e. ~하다 beginnen*; an|fangen*.

‖ ~시간 die Zeit, zu der die Schule beginnt: ~ 시간은 8시다 Die Schule beginnt um 8 Uhr. ~종 Schulglocke *f.* -n.

상학(相學) die Lehre von der Physiognomie; Physiognomik *f.* -en; Phrenologie *f.* -n.

‖ ~자 Physiognom *m.* -en, -en; Physiognomiker *m.* -s, -; Phrenologe *m.* -n, -n.

상학(商學) Handels¦wissenschaft *f.* -en (-lehre *f.*).

상한(上限) Maximum *n.* -s, ..ma; Obergrenze *f.* -n.

상한(象限) 〖수학〗 Quadrant *m.* -en, -en.

상합(相合) das Zusammentreffen*, -s; Übereinstimmung *f.* -en; Übereinkunft *f.* ⸚e; Entsprechung *f.* -en; Angemessenheit *f.* -en. ~하다 überein|kommen*ⓢ (-|stimmen); zusammen|treffen*; entsprechen*[3]; angemessen[3] sein.

상항(上項) der vorausgehende Artikel, -s, -; das Obige*, -n.

상항(商港) Handelshafen *m.* -s, ⸚.

상해(上海) 《중국의 항구 도시》 Schanghai.

상해(傷害) Verletzung *f.* -en; Beschädigung *f.* -en; 《불의의》 Unfall *m.* -(e)s, ⸚e; 《춘사(椿事)》 Unglücksfall *m.* -(e)s, ⸚e. ~하다 verletzen; beschädigen; verwunden.

‖ ~보험 Unfallversicherung *f.* -en. ~죄 das Verbrechen der Körperverletzung. ~치사 die Verletzung 《-en》 mit tödlichem Ausgang: ~ 치사죄 das Verbrechen der tödlichen Verletzung.

상해(詳解) e-e ausführliche Erklärung, -en (Erläuterung, -en). ~하다 ausführlich (genau) erklären[4] (erläutern[4]).

상해(霜害) Frostschaden *m.* -s, ⸚e. ¶ ~를 입다 unter dem Frost leiden*.

상행(上行) (in) Richtung Seoul. ~하다 (in) Richtung Seoul fahren*ⓢ.

‖ ~열차 ein in Richtung Seoul fahrender Zug, -(e)s, -e.

상행위(商行爲) Handelsgeschäft *n.* -(e)s, -e.

상향(上向) 《등귀》 die steigende Tendenz, -en; Haussebewegung [hó:sə..] *f.* -en (특히 주식에서). ~하다 《시세 등이》 an|fangen*, auf|zu|schlagen* 《Preis》.

상현(上弦) das erste Viertel [fírtəl], -s, -.

‖ ~달 der zunehmende Mond, -(e)s; die (zunehmende) Mondsichel.

상형(常衡) das gewöhnliche, gesetzliche englische Handelsgewicht, -(e)s.

상형문자(象形文字) Bilderschrift *f.* -en; Hieroglyphe *f.* -n.

상호(相互) Gegenseitigkeit *f.* -en; Reziprozität *f.* -en. ¶ ~의 gegen¦seitig (wechsel-; beider-); mutual; mutuell / ~간에 gegenseitig; beiderseits; (gegen)einander / ~간에 돕다 [3]sich einander helfen*.

‖ ~감응 die gegenseitige Induktion, -en (des Stroms). ~계약 die gegenseitige Vertrag, -(e)s, ⸚e. ~관계 Wechselbeziehung *f.* -en. ~교수법 das gegenseitige Unterichtssystem. ~무역 Doppelhandel *m.* -s, ⸚. ~방위 원조계획 das gegenseitige Hilfsprogramm der Verteidigung. ~보험 die gegenseitige Versicherung, -en. ~부조 die gegenseitige Hilfe, -n. ~안전보장 조약 der gegenseitige Sicherheitspakt. ~의존 die gegenseitige Abhängigkeit. ~작용 Wechselwirkung *f.* -en. ~조약 der bilaterale Vertrag (Pakt). ~조직 das zusammenarbeitende System, -s, -e. ~조합 die zusammenarbeitende Gemeinschaft; die gegenseitige Hilfsgenossenschaft. ~협조 die bilaterale Einigung, -en. ~회사 Gegenseitigkeitsgesellschaft *f.* -en.

상호(商號) Firma *f.* ..men 《생략: Fa.》; Geschäfts¦name (Handels-) *m.* -ns, -n; Firmenname *m.*

상혼(商魂) Geschäftssinn *m.* -(e)s. ¶ ~이 무서운 geschäftstüchtig.

상환(相換) Tausch *m.* -es, -e; Umtausch *m.*; Austausch *m.*; Wechsel *m.* -s, -. ~하다 tauschen; um|tauschen (aus|-); wechseln; um|wechseln. ¶ ~으로 als Entgelt (Ersatz) für[4] / 현금 ~으로 물품을 건네주다 Waren gegen bar (Bargeld) liefern (aus|händigen).

‖ 대금~ (per, gegen) Nachnahme *f.* -n.

상환(償還) Rückzahlung *f.* -en; Tilgung *f.* -en. ～하다 zurück|zahlen[4]; tilgen[4].
‖～계산서 die Rechnung der Zurückzahlung. ～금 Rückzahlung *f.* ～기한 Rückzahlungstermin *m.* -s, -e. ～기호 Tilgungszeichen *n.* -s, -. ～액 Tilgungssumme *f.* -n. ～의무자 Tilgungsschuldner *m.* -s, -. ～자금 Tilgungs¦fonds [..fɔ̃:] *m.* (-kasse *f.* -n). ～증서 Tilgungsschein *m.* -(e)s, -e.

상황(上皇) der abgedankte Kaiser (König).

상황(狀況) Lage *f.* -n; Situation *f.* -en; Zustand *m.* -(e)s, ⸗e; Umstand *m.* -(e)s, ⸗e; Sachlage *f.* -n; Verhältnis *n.* -ses, -se. ¶ 이런 ～에서는 unter diesen Umständen; in dieser Lage (Situation) / 이 곳 ～에는 아무 변화도 없다 Die Umstände (Lage; Situation) haben (hat) sich nicht geändert. / 그 곳의 ～을 알려 주시오 Bitte lassen Sie mich wissen, wie die Lage dort ist.
‖～증거 Indizienbeweis *m.* -es, -e. 부대～ Begleitumstände 《*pl.*》.

상황(商況) Geschäftslage *f.* -n.
‖～보고 Marktbericht *m.* -(e)s, -e. ～부진 Geschäftsstille *f.* -n; Flaute *f.* -n: ～이 부진하다 Der Handel ist stumpfsinnig. ～시찰 die Besichtigung des Markts. 해외～ die Geschäftslage im Ausland.

상회(上廻) ～하다 《금액이》 betragen* mehr als...; belaufen* auf mehr als...; 《일반적》 größer sein 《*als*》; über [3]*et.* sein (gehen*[s]); mehr als... sein (stehen*; liegen*). ¶ 평년작을 훨씬 ～한다 Die Ernte (Der Ertrag) ist beträchtlich über dem Durchschnitt.

상회(商會) (Handels)firma *f.* ..men; Kompanie *f.* -n. ¶ 뮐러 ～ Müller & Co.

상훈(賞勳) Preis u. Orden; Preisverleihung *f.* -en; Ordensverleihung *f.* -en.

상흔(傷痕) Wund(en)mal *n.* -s, -e; Narbe *f.* -n. ¶ ～이 남다 die Narbe bleibt / 상처는 아물어도 ～이 남아 있다 Die Narbe bleibt, wenn auch die Wunde heilt.

샅 ① 《사타구니》 die Innenseite der Oberschenkel. ② 《틈》 Gabelung *f.* -en; Abzweigung *f.* -en; Spalt *m.* -(e)s, -e; Spalte *f.* -n; Ritz *m.* -es, -e; Ritze *f.* -n.

샅바 〖씨름〗 das Lendentuch 《-(e)s, ⸗er》 e-s Ringkämpfers. ¶ ～ 채우다 das Lendentuch binden*.

샅샅이 in allen Ecken u. Enden; überall; allenthalben. ¶ ～ 뒤지다 durch|kämmen[4] (durchkämmen[4]); genau(estens) durch|suchen[4] (durchsuchen[4]) / 집안을 ～ 뒤지다 das ganze Haus durch|suchen / 방안을 ～ 뒤졌으나 시계를 찾지 못했다 Ich suchte die ganzen Zimmer durch, aber ich konnte die Uhr nicht finden.

샅폭(一幅) Zwickel *m.* -s, -; das Stück Stoff für die Innenseite der Oberschenkel (bei einer Hose).

새[1] 〖광물〗 ein goldhaltiges Erz, -es, -e.

새[2] ① 〖식물〗 Grasnarbe *f.* -n; Rasen *m.* -s, -. ② ☞ 억새. ③ ＝이엉.

새[3] ☞ 샛바람.

새[4] ☞ 사이.

새[5] 〖조류〗 Vogel *m.* -s, ⸗. ¶ 새의 보금자리 Vogelnest *n.* -es, -er / 새 잡는 사람 Vogelfänger *m.* -s, - / 새 파는 가게 Vogelgeschäft *n.* -(e)s, - / 장 속의 새 ein Vogel in Käfig.
‖새그물 Vogel¦garn (-netz) *n.* -es, -e. 새모이 Vogelfutter *n.* -s. 새소리 Vogelruf *m.* -(e)s, -e.

새[6] 《피륙의》 Meßeinheit der Gewebedichte (Einheit: 80 Fäden).

새[7] 《새로운》 neu; 《신기한》 ungewöhnlich; neuartig; 《신선한》 frisch; 《최근의》 modern; jung. ¶ 새 생활 ein neues Leben, -s / 새 책 (집) das neue Buch (Haus) / 새 사상 modernes Denken, -s; moderne Idee, -n / 새 책상 der (nagel)neue Tisch, -es, -e.

새- 《짙은》 stark; intensiv. ¶ 새까맣다 tiefschwarz sein / 새하얗다 schneeweiß sein.

새가슴 Hühnerbrust *f.* ⸗e. ¶ ～의 hühnerbrüstig / ～이다 Ich habe e-e Hühnerbrust.

새겨듣다 genau zu|hören[3]; an|hören[4]; hören 《*auf*[4]》. ¶ 선생님 말씀을 새겨 들어라 Hör genau auf d-n Lehrer!

새경 Jahreslohn 《*m.* -(e)s, ⸗e》 e-s Bauernknechts.

새고막 ＝피안다미조개.

새골(鰓骨) Kiemenbogen *m.* -s, ⸗.

새공(鰓孔) Kiemenspalte *f.* -n.

새근거리다[1] 《숨을》 schwer atmen; keuchen; schnaufen (vor Ärger, Wut). ¶ 성나서 ～ vor Wut schnauben / 무거운 짐 때문에 숨이 차서 ～ unter e-r schweren Last keuchen.

새근거리다[2] 《뼈마디가》 leichte (Gelenk-)schmerzen fühlen (spüren). ¶ 뼈나니가 ～ stechende Gelenkschmerzen fühlen(spüren).

새근새근 ruhig (sanft; friedlich) schlafen.

새근하다 ein leichtes Ziehen (in den Gelenken) fühlen (spüren). ¶ 뼈마디가 ～ ein leichtes Ziehen in den Gelenken fühlen (spüren).

새금새금하다 säuerlich; angesäuert (sein).

새금하다 säuerlich; angesäuert(sein). ¶ 이 사과는 ～ Der Apfel schmeckt (ist) säuerlich.

새기다[1] ① 《파다》 aus|schnitzen[4]; gravieren[4]; hauen* (stechen*; ein|meißeln; schneiden*; ritzen)[4]. ¶ 나무에 이름을 ～ den Namen in [4]Holz gravieren / 도장을 ～ ein Siegel gravieren (schneiden*) / 책상에 이름의 머릿자를 ～ die Anfangsbuchstaben des Namens auf den Tisch hauen*(graben*) / 돌로 부처를 ～ einen Buddha aus dem Stein meißeln / 기념비에 상형 문자가 새겨져 있다 Das Denkmal war mit Hieroglyphen beschrieben./ 대리석상(像)을 ～ eine Figur in Marmor (aus|)hauen* / 그림을 동판에 ～ Bilder in Kupfer stechen*.
② 《마음에》 ein|prägen. ¶ 마음에 ～ [4]sich *jm.* (ins Gedächtnis) ein|prägen[4] / 광경이 마음속에 새겨졌다 Eine Szene ist in seinem Gedächtnis geprägt. / 그의 말이 마음 깊이 새겨졌다 Seine Bemerkung blieb tief in meinem Gedächtnis. / 그 사실은 나의 기억에 깊이 새겨져 있다 Die Tatsache ist tief in meiner Erinnerung geprägt.

새기다[2] 《해석》 erklären[4]; interpretieren[4]; übersetzen[4]; dar|stellen[4]; wieder|geben*[4]; umschreiben*[4]. ¶ 시를 ～ ein Gedicht interpretieren / 한문을 ～ das klassische Chinesisch ins Koreanische übersetzen/바로 ～ richtig interpretieren[4] / 살못 ～ falsch erklären[4] (interpretieren[4]) / 여러 가지로 ～ verschieden(artig) interpretieren[4].

새기다[3] 《반추》 wieder|käuen[4]; nach|sinnen*. ¶ 소들이 풀밭에 누워서 새기고 있다 Die Kühe liegen im Gras und käuen wieder./ 먹이를 ～ das Futter (das Gras) wiederkäuen / 배운 학과를 ～ eine Lektion wiederkäuen.

새김 ① 《해석》 Interpretation *f.* -en; Deutung *f.* -en; Übersetzung *f.* -en. ¶ 이 구절

은 사람에 따라 ～이 다르다 Diese Textstelle wird unterschiedlich interpretiert.

② 《조각》 das Eingraben* (Eingravieren*; Meißeln*; (Ein)schnitzen*) -s.

③ 《윷놀이》 beim *Yuch*-Spiel gewonnener zusätzlicher Wurf.

‖ **～질**¹ =새김 ②. **～칼** Meißel *m.* -s, -; Beitel *m.* -s, -; Schnitzmesser *n.* -s, -; Stemmeisen *n.* -s, -; Schnitzwerkzeug *n.* -(e)s, -e.

새김질² 《반추》 das Wiederkäuen*, -s. **～하다** ☞ 새기다³.

새까맣다 pech¦schwarz(kohl-; raben-; tief-); völlig schwarz; sehr dunkel (sein). ¶ 흑인처럼 새까만 schwarz wie Ebenholz / 새까만 머리 pechschwarzes Haar, -(e)s, -e / 새까맣게 타다 schwarz brennen*; 《볕에》 fast schwarz bräunen (durch die Sonne).

새꽤기 ein Halm, bei dem Blattscheide und Spreite entfernt sind.

새끼¹ 《줄》 Seil *n.* -(e)s, -e; Strang *m.* -(e)s, ⸗e; das grobe Strohseil (굵은); Strick *m.* -(e)s, -e (가는); Leine *f.* -n (가는); Tau *n.* -(e)s, -e (특히 굵은). ¶ 굵은 ～ das grobe Strohseil / ～를 꼬다 ein Seil (Strick) drehen / ～로 묶다 mit e-m Strick an|binden*⁴; verschnüren⁴ (zu|schnüren⁴).

새끼² ① 《동물의》 Tierjunge *m.* (*f.*, *n.*) -n, -n; 《한배의》 Wurf *m.* -(e)s, ⸗e; 《소의》 Kalb *n.* -(e)s, ⸗er; 《말·사슴의》 Fohlen *n.* -s, -; 《강아지》 Welpe *m.* -n, -n; 《양의》 Lamm *n.* -(e)s, ⸗er; 《염소》 Kitz *n.* -es, -e; Kitze *f.* -n; 《물고기의》 Fischbrut *f.* -en; 《새의》 Kücken *n.* -s, -. ¶ ～를 배다 trächtig sein / ～를 낳다(치다) Junge werfen* (setzen); jüngen / 고양이가 ～ 다섯 마리를 낳았다 Eine Katze warf fünf Jungen.

② 《자식》 Kind *n.* -(e)s, -er; Sohn *m.* -(e)s, ⸗e (아들); Tochter *f.* ⸗ (딸).

③ 《욕》 Kerl *m.* -(e)s, -e; Bursche *m.* -n, -n; Range *m.* -n, -n; Mannsbild *n.* -(e)s, -er. ¶ 이 개～ (같은 놈) Du Hund!¦ Du Schwein! / 저～ Der Kerl! / 이 바보 ～야 Der Dummkopf!¦ Der Narr!

새나다 aus|laufen*Ⓢ; durch|sickern; allmählich bekannt werden. ¶ 비밀이 ～ das Geheimnis wird bekannt / 그 계획의 전모가 세상에 새났다 Von dem Plan ist sehr viel durchgesickert (bekannt geworden).

새나무 Unter¦holz (Nieder-) *n.* (als Brennholz benutzt); Gebüsch *n.* -es, -e; Buschwerk *n.* -(e)s.

새날 ein neuer Tag, -(e)s, -e; die neue Zeit, -en.

새남 Schamanenkult für einen Verstorbenen. **～하다** den Schamanenkult für den Verstorbenen ab|halten*.

새노랗다 stark (intensiv) gelb (sein).

새다 ① 《날이》 es tagt. ¶ 날이 ～ es dämmert / 날이 새니 맑고 고요한 아침이었다 Der Morgen bricht hell und ruhig an.

② 《기체·액체 따위가》 (aus|)sickern Ⓢ; aus|rinnern* Ⓢ; durch|sickern Ⓢ; durch|gehen; ein|sickern; entweichen* Ⓢ. ¶ 가스가 샜다 Gas ist entwichen. / 통이 샌다 Das Faß leckt (ist leck; ist undicht).¦Das Faß läuft. / 비가 새지 않는 regendicht / 지붕이 새지 않는다 Das Dach dichten. / 비가 샌다 Es leckt durch das Dach.

③ 《비밀이》 bekannt werden; heraus|kommen*Ⓢ; durch|sickernⓈ. ¶ 그 계획에 대해선 이미 온갖 말들이 새어 나왔다 Von dem Plan ist schon allerhand durchgesickert. / 비밀이 새면 어떻게 하겠니 Was wirst du tun, wenn das Geheimnis herauskommt? / 소문이 우리들에게까지 새어 나왔다 Das Gerücht ist bis zu uns durchgedrungen.

④ 《빛 따위가》 durchdringen*. ¶ 문틈으로 불빛이 새어 나왔다 Das Licht durchdrang durch die Klinke.

⑤ 《소리가》 zu hören sein. ¶ 그들의 이야기 소리가 창 밖으로 새어 나왔다 Ihre Plauderei ist bis außerhalb des Fensters zu hören.

⑥ 《말·감정 따위》 aus|drücken; zum Ausdruck bringen*; kommen*. ¶ 그의 입에서 신음소리가 새어 나왔다 Das Stöhnen ist aus seinem Mund gekommen.

새달 der nächste Monat; der kommende Monat. ¶ ～에 여섯 살이 되어요 Im nächsten Monat werde ich sechs Jahre alt.

새댁(―宅) Braut *f.* ⸗e; die Junge Frau, -en.

새되다 schrill; grell; kreischend; schneidend; grelltönend; scharf; durchdringend; markerschütternd (sein). ¶ 새된 소리로 mit schriller (grellender; greller) Stimme / 새된 소리를 지르다 grell (durchdringend; markerschütternd; schrill) schreien.

새둥주리 (Vogel)nest *m.* -es, -er.

새득새득 etwas (ein wenig) trocken (dürr; welk). **～하다** etwas trocken (dürr; welk) (sein). ¶ ～한 나무 ein leicht vertrockneter Baum.

새때 Zeit zwischen zwei Mahlzeiten.

새뜨다 in einiger Entfernung sein; ein wenig distanziert sein; einen kleinen Abstand haben; vereinzelt (isoliert; langsam) (sein). ¶ 두 집이 ～ Die beiden Häuser stehen in einigem Abstand voneinander.

새뜻하다 frisch und hell (sein). ¶ 새뜻한 빛깔 frische (lebendige) Farbe / 새뜻한 옷을 입고 있다 nett angezogen sein.

새로 neulich; kürzlich; jüngst; aufs neue; von neuem; von vorn; von neuer Art; wieder; auf andere Art; noch einmal. ¶ ～ 네 시 vier Uhr in der Frühe / ～ 생긴 가게 der neu eröffnete Laden / ～ 지은 집 das neu gebaute Haus/～ 온 사람 Neuankömmling *m.* -s, -e / ～ 오신 선생님 der neue Lehrer / ～ 시작하다 frisch (aufs neue) beginnen*; neu an|fangen* / 문에 ～ 칠을 했다 Das Tor wurde von neuem an|gestrichen. / 기분을 ～이 하다 ⁴sich wieder auf|raffen (fassen) / 옛 정을 ～이 하다 e-e alte Freundschaft erneuern.

새로에 (an)statt²; an Stelle von; im Gegenteil: im Gegensatz; geschweige denn. ¶ 폭풍우가 자기는 ～ 더 심해 간다 Der Sturm wird, statt abzunehmen, noch stärker. / 소주는 ～ 맥주도 안 마신다 Er trinkt kein Bier, geschweige denn Schnaps.

새로이 ☞ 새로.

새록새록 am laufenden Band; dauernd; hinter¦einander (nach-); immer wieder; fortgesetzt.

새롭다 neu; erneuert; frisch (신선); glänzend (색); neuartig (신식); funkel¦neu (nagel-) (아주 새롭다); zeitgemäß (첨단적) (sein). ¶ 아주 새로운 nagel¦neu (funkel-) / 새롭게 neu; erneuert; neuartig; frisch / 새로운 사상 die neue Idee; der neue Gedanke, -ns, -n / 새롭게 하다 erneuern⁴; renovieren / 새로운 시도 der neue Versuch / 새로운 뉴스 die neuen Nachrichten 《*pl.*》/ 새로와지다 ⁴sich erneuern (verjüngen); erneuert (renoviert) werden; ein neues Aussehen an|nehmen* (erhalten*) / 기억에 아직도 ~ *jm.* lebhaft im Gedächtnis (in Erinnerung) zurück|bleiben*/새로운 맛을 주다 von neuer Bedeutung sein / 새로운 맛이 없다 es fehlt an Neuigkeit / 그 정보는 내 귀에 ~ Die Information ist mir neu. / 고향으로부터 새로운 소식이라도 들었습니까 Haben Sie etwas Neues aus Ihrer Heimat gehört?

새롱거리다 flirten ⟪mit *jm.*⟫; scherzen; [4]sich belustigen; tändeln; necken.

새롱새롱 flirtend; tändelnd; sich (einander) neckend.

새마을운동(一運動) die Bewegung ⟪-en⟫ Neues Dorf.

새막(一幕) eine Hütte, auf dem Feld von der aus man Vögel verscheucht (verjagt).

새맛 etwas Neues; Neuheit *f.* ¶ ~을 내다 e-n neuen Ton an|schlagen*.

새매 〖조류〗 Sperber *m.* -s, -.

새머리 Rippenfleisch *n.* -es (vom Rind); Spannrippe *f.*

새무룩하다 ☞ 시무룩하다.

새물 ① ⟪과일의⟫ das erste Obst, das saisonbedingt auf den Markt kommt. ② ⟪생선의⟫ Fische, die ganz frisch auf den Markt kommen; der erste Fisch auf dem Markt. ③ neues (frisch gewaschenes) Kleidungsstück, -es, ⸗e (Kleider ⟪*pl.*⟫). ¶ ~ 샤쓰를 입다 ein frisches Hemd an|ziehen*.
‖ ~내 Geruch frisch Gewaschener Kleider *m.* -(e)s, ⸗e. ~청어 ⟪청어⟫ die ersten Heringe auf dem Markt; ⟪사람⟫ eine unerfahrene (weltfremde) Person, -en; Grünschnabel *m.* -s, -.

새박 〖한의학〗 Same ⟪*m.* -ns⟫ der Schwalbenwurz.

새발심지 Docht ⟪-(e)s, -e⟫ aus drei Teilen.

새발장식(一裝飾) eine Vogelfußförmige metallene Dekoration (häufig an Türen).

새밭 ein Stück Land, das mit einer Art Schief (*Miscanthus purpurascens*) bewachsen ist.

새벽[1] ⟪아침⟫ Morgendämmerung *f.*; Tagesanbruch *m.* -(e)s; Tagesbeginn *m.* -(e)s. ¶ ~에 in aller Frühe; bei Anbruch des Tages / 오늘~에 heute in der Frühe; heute früh am Morgen; heute bei Tagesanbruch (bei Sonnenaufgang) / 어제 ~에 gestern früh; gestern in der Morgendämmerung.
‖ ~달 der Mond beim Morgengrauen; der verblasene (blasse; erlöschende) Mond beim Morgengrauen. ~바람 die Brise in der Frühe. ~밥 das Frühstück in der Frühe. ~일 die Arbeit in aller Frühe. ~잠 der Schlaf in der Frühe.

새벽[2] 〖건축〗 ¶ 애벌 ~질 das Berappen*, -s / 애벌 ~질하다 e-e Wand mit Berapp bewerfen*.

새벽같이 frühmorgens; am frühen Morgen; kurz vor Sonnenaufgang; bei Tagesanbruch. ¶ ~ 일어나다 mit der Sonne auf|stehen*[s].

새보다 Vögel aus dem Getreide(feld) verjagen (verscheuchen; vertreiben*).

새봄 Anfang (Beginn) des Frühlings (Frühjahrs); erste Frühlingstage ⟪*pl.*⟫.

새빨갛다 hoch|rot (feuer-; knall-; puter-); brennend rot; karm(es)inrot; stark gerötet; brandrot; rot wie Feuer. ¶ 새빨개지다 über u. über rot werden; bis über die Ohren erröten; e-n roten Kopf bekommen* / 새빨간 거짓말 e-e grobe (faustdicke; handgreifliche; plumpe; unverschämte) Lüge, -n / 그녀의 얼굴은 새빨개졌다 Ihr Gesicht war von glühender Röte übergossen.¦Ihr stieg die Röte in das Gesicht.

새사냥 Vogeljagd *f.* -en. ¶ ~ 가다 auf die Vogeljagd gehen*[s].

새사람 ein neuer Mensch, -en, -en. ¶ ~이 되다 ein neues Leben an|fangen* / 그는 ~이 되었다 Er hat den alten Menschen abgelegt (e-n neuen Menschen angezogen).

새살 neue Haut, die [4]sich bei Wundheilung bildet. ¶ 상처에 ~이 나온다 Bei der Wundheilung entsteht eine neue Haut.¦Die Wunde verheilt (verwächst).

새살거리다 lustig (amüsant; spaßig; spaßhaft; gut gelaunt) ununterbrochen (pausenlos) erzählen (sprechen*; plaudern).

새살궂다 keck; dreist; leichtsinnig; leichtfertig (sein).

새살떨다 [3]sich leichtfertig (taktlos; unbedacht) benehmen* (verhalten*); leichtfertig sein; leichtsinnig handeln.

새살림 ¶ ~을 차리다 ([3]sich) e-n eigenen Herd gründen; e-n eigenen Haushalt führen.

새살새살 keck; leichtsinnig; leichtfertig; dreist; oberflächlich; gedankenlos; unbesonnen.

새살스럽다 leichtsinnig; leichtfertig; oberflächlich; frivol; keck (sein). ¶ 새살스런 여자 e-e oberflächliche (leichtsinnige) Frau.

새삼 〖식물〗 Teufelszwirn *m.*; Bochsdorn *m.*; *Uscuta japonica* (학명).

새삼스럽다 förmlich; formell; abgerissen; abgebrochen; feierlich; steif; umständlich; zeremoniell; bewußt; absichtlich; vorsätzlich (sein). ¶ 새삼스럽게 von neuem; ⟪다시⟫ wieder; ⟪특히⟫ besonders; im besonderen; ⟪형식적으로⟫ ausdrücklich; nun; jetzt; ⟪이제 와서⟫ plötzlich; bedächtig / 새삼스럽게 말할 필요도 없이 selbstredend; selbstverständlich / 새삼스런 태도 die plötzlich geänderte Haltung / 새삼스런 말 eine neue Bemerkung / 새삼스럽게 잊은 일을 꺼내다 die längst vergessene Geschichte wieder erzählen / …은 새삼스럽게 말할 필요도 없지만 Selbstverständlich braucht man es nicht zu sagen, daß... / 새삼스럽게 상식의 필요성을 느꼈다 Ich fühlte plötzlich die Wichtigkeit des gesunden Menschenverstandes. / 새삼스럽게 말(을) 할 필요도 없다 Es ist schon eine lange Geschichte.¦Sie brauchen nicht, es wieder zu erzählen.

새새 ① ☞ 새실새실. ② ☞ 사이사이.

새새틈틈 ① ⟪장소·공간⟫ jede Ritze und Spalte; alle Ecken und Winkel; überall. ¶ ~ 찾다 in allen Ecken und Winkeln suchen (nach|sehen*).
② ⟪시간⟫ in der Zwischenzeit; zwischendurch. ¶ ~ 공부하다 zwischendurch lernen.

새색시 Braut *f.* ⸗e; die junge Frau, -en.

새서방(一書房) Bräutigam *m.* -s, -e.

새시 (schiebbarer) Fensterrahmen, -s, -.

새실새실 grinsend; boshaft (spöttisch) lächelnd. ~하다 grinsen; an|grinsen. ¶ ~ 웃다 boshaft (höhnisch; ironisch) lächeln.

새싹 Sproß *m.* ..osses, ..osse; Sprößling *m.* -s, -e; die junge Knospe, -n; Schoß *m.* -es, ⸗e; Schößling *m.* -s, -e / ~이 돋을 무렵 die Saison [sɛzɔ̃] (Zeit; Jahreszeit) des frischen Grüns (Grünen). ¶ ～이 돋아나다 knospen; [4]Knospen treiben* (an|setzen); sprießen*.

새아기 Schwiegertochter *f.* ⸗ (in den ersten Jahren der Ehe).

새아주머니 frisch eingeheiratete Frau eines Bruders; Schwägerin *f.* -nen.

새알 Vogelei *n.* -(e)s, -er.
‖ ～심(心) Reismehlkloß *m.* -es, -e.

새암 Eifersucht *f.*; Neid *m.* -(e)s. ～하다 eifersüchtig (neidisch) sein 《*auf*[4]》; beneiden[4]. ¶ ～많은 eifersüchtig; neidisch / ～이 나서 aus [3]Eifersucht (Neid) / ～을 느끼다 Eifersucht empfinden* / ～바리 ein eifersüchtiger Mensch / ～을 자극하다 Eifersucht (den Neid) erregen (erwecken) / ～에서 행동하다 aus Eifersucht handeln / 그는 나의 성공을 ～한다 Er ist eifersüchtig auf m-e Erfolge.

새앙 〖식물〗 Ingwer *m.* -s.
‖ ～유 Ingweröl *n.* -(e)s, -e. ～정과 der (mit Zucker) eingemachte Ingwer. ～즙 Ingwersaft *m.* -(e)s, ⸗e. ～차(茶) Ingwertee *m.* -s, -s. ～초(醋) der mit Ingwersaft gekochte Essig. ～편 der Reiskuchen aus Honig, Ingwersaft und Kleber des Schwarzweizens.

새앙머리 Zopffrisur *f.*; Zöpfe (der Hofdamen).

새앙쥐 Maus *f.* ⸗e. ¶ 물에 빠진 ～꼴 wie e-e gebadete Maus; klatschnaß.

새얼굴 ein neues Gesicht, -(e)s, -er; Neuling *m.* -s, -e (신참); der Fremde*, -n, -n (낯선 사람). ¶ 거기에는 ～들이 많았다 Da waren viele neue Gesichter (mir noch nicht bekannte Menschen).

새옹 ein kleiner Messingkessel, -s, -; Messingkesselchen *n.* -s, -.

새옹지마(塞翁之馬) ¶ 인간 만사(人間萬事) ～ „Wen das Glück erhebt, den stürzt es wieder." ¦ „Glück u. Unglück wechseln miteinander."

새완두(一豌豆) 〖식물〗 Wicke *f.* -n; *Vicia hirsuta* (학명).

새우[1] 〖동물〗 Hummer *m.* -s, -(n)(대하); Garnele *f.* -n. ¶ ～로 잉어를 낚다 mit der Wurst nach der Speckseite (dem Schinken) werfen* ¦ „Schenken heißt angeln" / 고래 싸움에 ～등이 터진다 Wenn die Wale kämpfen, zittern die Garnelen. ¦ Die unschuldigen Zuschauer werden durch e-n Kampf der anderen verletzt.
‖ ～등 die gebeugte (krumme) Haltung; die runde Schulter: ～등지다 [4]sich bücken; [4]sich krumm halten*; gebeugt gehen* / 나이가 들어 ～등이 되다 Der Rücken bückt sich mit dem hohen Alter. ～잠 der Schlaf in zusammengerollter Form: ～잠을 자다 unordentlich im Bett liegen*. ～젓 die gesalzene Garnele; die gepöckelte Salzgarnele.

새우[2] Lehmschicht, auf der die Dachziegel aufliegen.

새우다[1] die ganz [4]Nacht auf|bleiben* ⓢ (auf|sitzen*). ¶ 밤을 (지)새워 die ganze [4]Nacht (hindurch) / 술로 밤을 ～ die ganze Nacht durchschwelgen (hindurch schwelgen; trinken*); e-e Nacht durchschwärmen (durchzechen) / 밤을 새워 가며 회의하다 die ganze Nacht konferieren / 이야기하느라고 밤을 ～ [4]sich die ganze Nacht unterhalten* / 우리들은 하룻밤을 이야기로 새웠다 Wir haben uns die ganze Nacht hindurch unterhalten.

새우다[2] ☞ 새암.

새장(一欌) Käfig *m.* -s, -e; (Vogel)bauer *n.* -s, -; Vogelkäfig *m.* -(e)s, -e. ¶ ～에 기르다 im Käfig (Vogelbauer) halten*[4].

새장수 Vogelhändler *m.* -s, -; Geflügelhändler (가금(家禽)장수).

새전(賽錢) Opfergeld *n.* -(e)s, -er.
‖ ～함 Opferkasten *m.* -s, -; Armenkasse *f.* -n.

새조개 〖조개〗 Herzmuschel *f.* -n.

새중간(一中間) Mitte *f.* -n. ¶ ～에 genau in der Mitte; inmitten[2]; im Zentrum; zentral.

새집[1] ① 《신축한》 das neue Haus, -es, ⸗er; die neue Wohnung, -en; der neue Wohnsitz, -es, -e. ¶ ～을 짓다 ein neues Haus bauen / ～으로 이사하다 in die neue Wohnung (ins neue Haus) ein|ziehen*. ② 《사돈집》 die neue Verwandtschaft durch die Heirat. ③ ＝새색시.

새집[2] 《새의》 Vogelhaus *n.* -es, ⸗er; Voliere [vɔljɛ́:rə] *f.* -n.

새짬 ① 《공간의》 Schlitz *m.* -es, -e; Spalt *m.* -(e)s, -e; Spalte (Ritze) *f.* -n; schmale Öffnung *f.* -n; Fuge *f.* -n. ② 《시간의》 Unterbrechung *f.* -en; Pause *f.* -n; Interval *n.* -s, -e; Zwischenzeit *f.* -en.

새창 letzter Abschnitt des Ochsendarmes.

새척지근하다 säuerlich (sein).

새초(미역) getrockneter Seetang, -(e)s.

새총(一銃) ① 《공기총》 Luftgewehr *n.* -(e)s, -e; Gewehr für die Vogeljagd. ¶ ～ 쏘러 가다 auf die Vogeljagd gehen*ⓢ.
② 《고무총》 Schleuder *f.* -n.

새출발(一出發) ～하다 ein neues Leben an|fangen*; neue, gute Vorsätze fürs Leben fassen; sein Leben ändern; wieder von vorne (von Anfang an) beginnen*; von neuem an|fangen*.

새치 ¶ ～가 생기다 verfrüht grau werden; vorzeitig graue Haare bekommen* / ～가 있다 jung u. schon graumeliert sein.

새치근하다 ☞ 새척지근하다.

새치기 ①《차례 따위의》 (Vor)drängen *n.* -s. ～하다 [4]sich vor|drängen; [4]sich ein|drängen.
② 《업무의》 Nebenbeschäftigung *f.* -en; Nebentätigkeit *f.* -en; Nebenarbeit *f.* -en. ～하다 e-r Nebenbeschäftigung nach|gehen*[3] ⓢ; e-e Nebentätigkeit aus|üben[4].
③ 《간통》 Seitensprung *m.* -(e)s, ⸗e. ～하다 e-n Seitensprung machen*; *jn.* zum Hahnrei machen.

새치름하다 《냉랭함·시치미》 ein gleichgültiges Gesicht machen; gleichgültig darein|schauen; unschuldig aus|sehen*; 《여자가》 spröde tun*; zimperlich tun*. ¶ 새치름한 얼굴 (태도) e-e steife Miene (Haltung); e-e unfreundliche Miene (Haltung).

새치부리다 überhöflich sein; ständig ab|lehnen (ab|schlagen*; nicht an|nehmen*); [4]sich genieren; [4]sich reserviert verhalten*. ¶ 새치부리지 말고 술 좀 마셔라 Sag nicht immer nein und trink doch was!

새침데기 ¶ ～아가씨 ein zimperliches Mädchen; Zimperliese *f.*; Pimpelliese *f.* / 그녀는 ～다 Sie tut spröde.

새침하다 ☞ 새치름하다.

새카맣다 ☞ 시커멓다.

새콤- ☞ 새금-.

새털 《새의》 Feder *f.* -n; 《솜털》 Daune *f.* -n;

Flaumfeder *f.* -n.
‖ ~구름 Federwolke *f.* -n.
새퉁스럽다 leichtsinnig; leichtfertig; gedankenlos; oberflächlich; unbesonnen; unklug (sein).
새퉁이 e-e leichtfertige (unvernünftige; oberflächliche) Person, -en; ein leichtfertiges Verhalten*, -s; Oberflächlichkeit *f.* -en; Leichtfertigkeit *f.* -en. ¶ ~부리다 ⁴sich leichtfertig verhalten* (benehmen*).
새파랗다 ① tief¦blau (dunkel-); grünend; blaugrün (sein). ¶ 새파란 바다 das tiefblaue Meer, -(e)s, -e; die ultramarinblaue See, -n. ② 《안색》 tod¦blaß (toten-) (*od.* -bleich); kreide¦weiß (-blaß; -bleich) (sein). ¶ 새파랗게 질린 얼굴 das leichenbleiche Gesicht, -(e)s, -er / 얼굴이 새파래지다 todblaß *usw.* werden; leichenblaß aus|sehen*. ③ 《어리다》 noch jung; im Backfisch-Alter; 《미숙하다》 grün; unreif (sein).
새하얗다 ganz (unbefleckt; vollkommen) weiß; schnee¦weiß (schloh-) (sein).
새해 =신년.
새호리기 〖조류〗 Falke *m.* -n, -n.
색 《소리》 mit pfeifendem (zischendem) Geräusch.
색(色) ① 《빛깔》 Farbe *f.* -n.; Färbung *f.* -en (색조, 채색, 착색 따위); Farb(en)ton *m.* -(e)s, ⸗e (색조); Tinte *f.* -n (색조, 농담); Farbenstufe *f.* -n (색조, 농담); Schattierung *f.* -en (색조, 농담); Farbenauftrag *m.* -(e)s, ⸗e (칠해진 색). ¶ 반투명 색 durchscheinende Farbe / 선명한 색 frische (lebhafte) Farbe / 색이 바래지않는 farb(en)echt; farbenhaltend (-haltig) / 색이 있는 farbig / 색이 진하다 von tiefer (dunkler) Farbe sein / 색이 없는 farblos / 야한 색 grelle (schreiende) Farbe / 어두운색 dunkle (satte) Farbe / 연한 색 helle (lichte) Farbe / 차분한 색 die ruhige Farbe / 화려한 색 bunte Farbe / 화려한 색의 farbenprächtig / 흐린 색 stumpfe (matte; weiche) Farbe / 색이 바래다 an Farbe verlieren*; ⁴sich verfärben / 색이 바래지 않다 Farbe halten* / 색이 변하다 die Farbe ändern / 여러 가지 색으로 변하다 in allen Farben spielen / …색의 -farben; -farbig (예: 금색의 goldfarbig) / 그건 무슨 색입니까 Welche Farbe ist es? / 이 색은 거기에 맞지 않는다 Diese Farbe paßt nicht dazu.
② 《피부 따위의》 Farbe *f.* -n; Teint [tɛ̃:] *m.* -s, -s; Hautfarbe (피부색). ¶ 피부색이 희다 (검다) e-e weiße (dunkle) Haut haben. ③ 《정사》 Liebelei *f.* -en; Liebesabenteuer *n.* -s, -; Wollust *f.* ⸗e; 《여색》 Frauenreiz *m.* -es, -e. ¶ 색을 좋아하는 liederlich; sinnlich.
색 Sack *m.* -(e)s, ⸗e (푸대); Behälter *m.* -s, - (용기); Etui [etví:] *n.* -s, -s (케이스). ¶ 위생 (피임용) 색 Präservativ *n.* -s, -e; Kondom *m.* (*n.*) -s, -e / 손가락색 Fingerling *m.* -(e)s, -e.
색각(色覺) 〖심리〗 Farbensinn 《*m.* -(e)s》, das Unterscheidungsvermögen für Farben.
색갈다 ändern; verändern; variieren; um|bilden; um|formen. ¶ 이번은 색갈아 붉은 타이를 사겠다 Zur Abwechslung werde ich mir diesmal e-n roten Schlips kaufen.
색골(色骨) der Liebestolle*, -n, -n (남); Weiberfreund *m.* -(e)s, - (남); Nymphomanin *f.* -nen (여); die Mannstolle*, -n, -n (여); Wollüstling *m.* -s, -e (남); der geile Bock, -(e)s, ⸗e; die gemeine Kreatur, -en; Schürzenjäger *m.* -s, - (색한, 난봉꾼); Lüstling *m.* -s, -e (호색한).
색광(色狂) der Liebestolle*, -n, -n (남자). Nymphomanin *f.* ..ninnen (여자); die Mannstolle*, -n, -n (여자). ☞ 색골.
‖ ~증 Sexualwahnsinn *m.* -(e)s, -e.
색깔(色—) =빛깔.
색다르다(色—) anders (verschieden) sein (in Erscheinung, Charakter, Form); eigenartig; auffallend; auffällig; sonderbar; merkwürdig; außergewöhnlich; originell (sein). ¶ 색다른 맛이 없는 gewöhnlich; allgemein; alltäglich; üblich / 색다른 사람 Sonderling *m.* -s, -e; ein eigenartiger Mensch / 색다른 것 etwas Eigenartiges (Auffallendes; Originelles; Außergewöhnliches; Sonderbares) / 이것은 좀 색다른 무늬다 Dieses Muster ist ein wenig auffällig.
색대 ein angespitztes Bambusrohr, mit dem man Reiskörnern aus dem geschlossenen Reissack entnimmt.
색덕(色德) Schönheit u. Tugend (e-r Frau). ¶ ~을 겸비하다 schön u. tugendhaft sein.
색동(色—) bunte Streifen 《*pl.*》.
‖ ~옷 Kleid in den Regenbogenfarben (für Kinder). ~저고리 e-e Jacke mit bunt gestreiften Ärmeln. ~천 bunt gestreifter Stoff.
색떡(色—) Reiskuchen mit bunten Blumenmustern.
색마(色魔) Schürzenjäger *m.* -s, -; Schwerenöter *m.* -s, -; Weiberheld *m.* -en, -en; 〖부정관사를 붙여서〗 Don Juan, - -s, - -s; Casanova *m.* -s, -s.
색맹(色盲) Farbenblindheit *f.* -en; Daltonismus *m.* - (빨강과 녹색의). ¶ ~의 farbenblind. ‖ 녹~ Grünblindheit *f.* -en.
색미투리(色—) bunte Hanfsandalen für Kinder.
색사진(色寫眞) Farbfoto *n.* -s, -s; Farbaufnahme *f.* -n.
색상(色傷) auf übermäßigen Geschlechtsgenuß zurückzuführende Krankheit.
색상자(色箱子) ein bunter Kasten, -s, -; eine farbige (bunte) Pappschachtel, -n.
색색 ¶ 잠을 ~ 자다 ruhig (sanft; friedlich) schlafen*.
색색거리다 ruhig (sanft) atmen.
색색이(色色—) bunt; farbenfroh; vielfarbig.
색소(色素) Farbstoff *m.* -(e)s, -e; Pigment *n.* -(e)s, -e. ‖ ~결핍증 〖의학〗 Albinismus *m.* -; Weißsucht *f.* ~세포 Pigmentzelle *f.* -n. ~액 Farblösung *f.* -en.
색소폰 〖악기〗 Saxophon *n.* -s, -e.
색쇄(色刷) ¶ 붉은 ~ Druck 《*m.* -(e)s, -e》 in Rot / 붉은 ~로 하다 in Rot drucken⁴.
색수차(色收差) 〖물리〗 chromatische Aberration, -en.
색스혼 〖악기〗 Saxhorn *n.* -(e)s, ⸗er.
색시 ① 《처녀》 e-e unverheiratete Frau; Mädchen *n.* -s, -. ② 《새색시》 Braut *f.* ⸗e. ¶ ~를 얻다 ³sich e-e Frau nehmen* / ~(감)을 구하다 ³sich 《*jm.*》 e-e Frau für das Leben suchen; e-e Frau heiraten.
색신검사(色神檢査) Farbentest *m.* -(e)s, -e.
색실(色—) farbiger Faden, -s, ⸗.
색심(色心) ① 《성욕의》 sexuelle Begier; sexuelle Begierde, -n; Geschlechtstrieb *m.* -(e)s; Geschlechtslust *f.* ⸗e; Wollust *f.* ② 〖불교〗 Körper u. Geist; Leib u. Seele.
색쓰다(色—) ① sexuell verkehren 《mit

jm.》; Geschlechtsverkehr haben; ficken; vögeln. ② 《비유적》 auf|reizen⁴; erregen⁴.
색안경(色眼鏡) die gefärbte Brille, -n. ¶ ~을 쓰고 보다 durch e-e gefärbte Brille sehen*⁴; mit ³Vorurteil blicken⁴.
색약(色弱) Farbenblindheit *f.* ¶ ~의 farbenblind.
색연필(色鉛筆) Farb(en)stift *m.* -(e)s, -e; Buntstift *m.* -(e)s, -e.
색욕(色慾) Fleischeslust *f.* ⸚e; Sinnenlust *f.* ⸚e; Fleischessinn *m.* -es, -e. ¶ ~을 갖다 die Sinnenlust haben / ~을 만족시키다 die Sinnenlust befriedigen / ~을 삼가다 ⁴sich der Fleischeslust enthalten*; geschlechtlich enthaltsam sein.
색유리(色琉璃) das bunte (farbige) Glas, -(e)s, ⸚er; Farbenglas *n.* -(e)s, ⸚er.
색의(色衣) ein farbiges Kleidungsstück, -es, -e; farbige Kleider 《*pl.*》.
색인(索引) Index *m.* -(e)s, -e (..dizes); Sachindex *m.* -(e)s, -e; Verzeichnis *n.* ..nisses, ..nisse. ¶ ~을 붙이다 mit e-m Verzeichnis (Index) versehen*⁴ / 책에 ~을 달다 ein Buch auf den Index setzen.
‖ ~사항 Sachverzeichnis *n.* -ses, -se.
색정(色情) Geschlechtstrieb *m.* -(e)s, -e. ¶ ~적인 여자 die wohllüstige Frau, -en.
색조(色調) Farbe *f.* -n; Färbung *f.* -en; Farb(en)ton *m.* -(e)s, ⸚e; Tinte *f.* -n; (Farben)schattierung *f.* -en; Nuance [nyáːsə] *f.* -n; Tönung *f.* -en.
색종이(色—) Buntpapier *n.* -s, -e.
색주가(色酒家) ① 《창녀》 Animiermädchen *n.* -s, -; Prostituierte *f.* -n; Freudenmädchen *n.* -s, -; Dirne *f.* -n; Nutte *f.* -n. ② 《술집》 Animierlokal *n.* -s, -e.
색채(色彩) Farbe *f.* -n; Färbung *f.* -en; Farbton *m.* -(e)s, ⸚ (색조); Farbgebung *f.* -en. ¶ 지방적 ~ Lokalfarbe *f.* -n / 공산주의 ~를 띤 kommunistisch tendierend; kommunistisch tendenziös / ~가 풍부하다 farbenreich sein / ~가 빈약하다 farbenarm (ärmlich gefärbt) sein / ~가 찬란하다 farben|freudig (-prächtig) sein; bunt sein / ~가 없다 farb(en)los sein / ~를 가하다 färben; die Farbe auf|tragen* / ~감각이 있다 den Sinn für Farben (für den Farbenglanz) haben; den Farbensinn haben / 종교적 ~를 띠다 e-e religiöse Schattierung haben; etwas Religiöses an sich haben / 정당적인 ~가 농후하다 e-e starke Parteifarbe haben.
‖ ~감각 Farbensinn *m.* -(e)s, -e.
색채움(色—) 《구색의》 vollständige (komplette) Ausstattung (Einrichtung) -en. ~하다 vollständig (komplett) aus|statten (ein|richten); vollständig ein|decken 《*mit*³》.
색출하다(索出—) auskundschaften; ausfindig machen*; auf|spüren; heraus|finden*; auf|suchen; aus|forschen; auf|stöbern; entdecken; (auf)|finden*. ¶ 세관은 금수품을 색출하였다 Die Zollbeamten haben Schmuggelwaren entdeckt (gefunden). / 경찰은 범임을 색출했다 Die Polizei hat den Täter aufgespürt (gestellt).
색칠(色漆) 《칠》 Firnis *m.* -ses, -se; Lackarbeit *f.* -en; 《칠함》 Anstrich *m.* -(e)s, -e; Anstreichen* *n.* -s; Bemalen* *n.* -s. ~하다 lackieren; firnissen; an|streichen*; bemalen; Farbe auf|tragen*.
색탐(色貪) Fleischeslust *f.*; (sinnliche) Begierde, -n; Geilheit *f.* -en; Unzüchtigkeit *f.* -en; Lüsternheit *f.* -en; Wollust *f.* ~하다 ⁴sich der Sinneslust hin|geben*; wollüstig sein; der Begierde nach|geben*; scharf sein 《*auf*⁴》.
색향(色香) Farbe 《*f.* -n》 u. Duft 《*m.* -(e)s, ⸚e》 (꽃의); 《아름다움》 Schönheit *f.*; 《매력》 Zauber *m.* -s, -; Reiz *m.* -es, -e.
색황(色荒) Wollust *f.*; geschlechtliche Ausschweifung, -en; Geilheit *f.* -en.
샌님 ① 《생원》 der vornehme Gelehrte*, -n, -n. ② 《얌전한》 Biedermann *m.* -es, ⸚er; ein weltfremder (unschlüssiger; schwächlicher; ungeschickter) Mann, -es, ⸚er.
샌드 ‖ ~백 Sandsack *m.* -(e)s, ⸚e; Ballast *m.* -es, -e: ~백으로 막다 (den Fluß; die Flut) mit Sandsäcken ein|dämmen (-|deichen). ~페이퍼 Sandpapier *n.* -s, -e.
샌드위치 Sandwich [sέndwitʃ] *n.* -es, -es; belegte Weißbrotschnitte 《*pl.*》.
‖ ~맨 Werbeläufer 《*m.* -s, -》 (mit Brust- u. ³Rückenplakat); (Stadt)ausrufer *m.* -s, -; Reklamemann *m.* -(e)s, ⸚er. 햄~ Schinken-Sandwich *n.* -es, -es.
샌들 Sandale *f.* -n.
샌포라이즈 ¶ ~의 《상표명》 sanforisiert.
샐그러지다 ☞ 셀그러지다.
샐긋- ☞ 실긋-.
샐닢 der rote Heller, -s, -. ¶ 쇠천 ~도 없다 k-n (roten (lumpigen; blutigen)) Heller bei ³sich haben.
샐러드 Salat *m.* -(e)s, -e. ¶ ~를 만들다 den Salat an|machen.
‖ ~유, ~기름 Salatöl *n.* -(e)s, -e. 야채~ Gemischter Salat. 햄~ Schinken 《*m.* -s, -》 mit Salat.
샐러리 Gehalt *n.* -(e)s, ⸚er; Bezüge 《*pl.*》; Besoldung *f.* -en. ¶ ~가 많다 (적다) gut (schlecht) bezahlt sein.
‖ ~맨 der Büroangestellte* (Besoldete*) -n, -n: ~맨 계급 Angestelltenklasse *f.* -n.
샐룩 ☞ 실룩.
샐비어 〖식물〗 Salbei *m.* -s (*f.*).
샐비지 Bergung *f.* -en; das Bergen*.
‖ ~선 Bergungs|schiff (Hebe-) *n.* -(e)s, -e. ~작업 Bergungsarbeiten 《*pl.*》.
샐쭉경(—鏡) ovale Brille, -n.
샘[1] Quelle *f.* -n; Brunnen *m.* -s, -. ¶ 콸콸 내솟는 ~ der quellende Brunnen; Springbrunnen *m.* -s, - / ~을 파다 e-n Brunnen graben* (erbohren; anlegen) / ~이 말랐다 Der Brunnen ist ausgetrocknet.
샘[2] ☞ 새암.
샘구멍 Quelle *f.* -n; Ursprung *m.* -(e)s, ⸚e.
샘물 Quellwasser *n.* -s, - (⸚).
샘바르다 eifersüchtig 《*auf*⁴》; neidisch 《*auf*⁴》; mißgünstig 《*gegen*⁴; *über*⁴》 (sein).
샘받이 das Reisfeld 《-(e)s, -e》, das e-e Quelle darin hat.
샘솟다 quellen* Ⓢ 《*aus*³》; (hervor|)sprudeln (her|sprudeln) Ⓢ 《*aus*³》; heraus|strömen Ⓗ,Ⓢ 《*aus*³》; hervor|quellen* Ⓢ. ¶ 샘솟듯 흘러 나오다 wie e-e Quelle sprudeln / 그녀의 눈에서는 눈물이 샘솟았다 Die Tränen stürzten ihr aus den Augen.
샘터 Quelle *f.* -n. ¶ ~에서 빨래하다 ⁴*et.* an der Quelle waschen*.
샘터지다 ① 《새로》 Das Wasser beginnt aus der Quelle zu sprudeln. ② 《다시》 Die Quelle frischt auf.
샘플 Muster 《*n.* -s, -》 (ohne ⁴Wert); Wa-

renprobe f. -n; Probestück n. -(e)s, -e.

샛- 《빛깔이》 klar; tief unbefleckt. ¶ 샛맑다, 샛말갛다 klar sein.

샛강(一江) Flußarm m. -(e)s, -e.

샛거리 Imbiß m. ..sses, ..sse; Zwischenmahlzeit f. -en. ¶ ~먹다 Imbiß nehmen*; zwischen den Mahlzeiten essen[4].

샛검불 Brennkraut n. -(e)s, ⸗er.

샛길 der heimliche Durchgang, -(e)s, ⸗e; Durchgangsgasse f. -n; Schleichweg m. -(e)s, -e; Schleich¦pfad (Jäger-) m. -(e)s, -e; Seitenweg m. -(e)s, -e. ¶ ~로 빠져가다 den Seitenweg (die Durchgangsgasse) gehen* / ~말고는 도망할 길이 없다 Es gibt keinen anderen Fluchtweg außer der Durchgangsgasse.

샛문(一門) Seiten¦tür (Neben-) f. -en.

샛바람 Ostwind m. -(e)s, -e.

샛밥 ① 《곁두리》 die Zwischenmahlzeiten 《pl.》 der Arbeiter. ② 《끼니 외의》 Imbiß m. ..sses, ..sse; das Essen 《-s, -》 zwischen den Mahlzeiten 《pl.》.

샛별 Morgenstern m. -(e)s, -e; Venus f.; Luzifer m. -s.

샛서방(一書房) der den Ehemann betrügende Liebhaber, -s, -; „Freund" m. -(e)s, -e. ¶ ~을 보다 e-n betrügenden Liebhaber haben.

생 ☞ 새앙.

생[1](生) =삶. ¶ 생을 영위하다 leben (u. weben); das Leben führen.

생[2](生) ich; mir; mich. ¶ 생이 전에 말씀드린 바와 같이 wie ich Ihnen früher gesagt habe.

생-(生) ① 《안 익은》 grün; unreif; 《조리하지 않은》 roh; ungekocht; 《가공하지 않은》 unfertig; unbearbeitet; natürlich; wild; rauh; ungeschult. ¶ 생과실 das unreife (grüne) Obst / 생고기 das rohe Fleisch / 생우유 die rohe Milch / 생필름 Rohfilm m. -(e)s, -e / 생고무 Rohgummi n. -s, -s / 생것 die rohen Lebensmittel 《pl.》 / 생굴 die ungekochte Auster / 생계란 das rohe Ei.
② 《살아 있는》 lebend; lebendig; gesund. ¶ 생나무 das lebende (nasse; grüne) Holz/ 생지옥 die Hölle auf Erden / 생매장 《jn.》 lebend begraben*.
③ 《무리·애매·공연한》 unvernünftig; unlogisch; willkürlich; erzwungen. ¶ 생벼락 das unlogische Schelten; das unverdiente Unglück / 생트집 der unvernünftige Wortstreit / 생돈 die zwecklose Geldausgabe / 생사람 잡다 der unschuldigen [3]Person leiden*.

-생(生) ① 《청년》 der Titel 《-s, -》 des jungen Mannes. ¶ 김생 junger Herr Kim. ② 《학생》 Student 《m. -en, -en》 auf .... ¶ 의학생 Mediziner m. -s, -. ③ 《생년의》 geboren in. ④ 〖식물〗 Ausdauer f.; Frist f. -en. ¶ 다년생 식물 perennierende Pflanze, -n.

생가(生家) Eltern¦haus (Geburts-) n. -es, ⸗er; Vaterhaus n. -es, ⸗er.

생가슴 unnötige Sorgen 《pl.》 vor [3]Zukunft. ¶ ~을 앓다, ~뜯다 unnötige Sorgen 《pl.》 vor Zukunft haben.

생가죽(生一) rohe Haut, ⸗e (피부); ein rohes Fell, -(e)s, -e (모피).

생가지(生一) der lebendige Ast, -es, ⸗e (Zweig -(e)s, -e).

생각 ① 《사고》 Denken n. -s (생각하기); Gedanke m. -ns, -n; Idee f. -n; 《관념·개념》 Idee f.; Begriff m. -(e)s. -e; Vorstellung f. -en; Auffassung f. -en; 《숙고》 Überlegung f. -en; Nachwirkung f. -en (반성); 《심사》 das tiefe Nachdenken. ¶ ~에 잠겨 있다 in Gedanken (Nachdenken) vertieft (versunken; versponnen; verloren) sein; ganz in Gedanken sein / 깊은 ~에 잠기다 [4]sich in Gedanken vertiefen; in (tiefes) Nachdenken versinken* / ~끝에 nach einigem Nachdenken; nach (reiflicher) Überlegung / 진보적인 ~ die fortschrittliche Idee / ~이 깊은 사람 der nachdenkliche Mann / 묘한 ~ der seltsame (sonderbare) Gedanke; die kuriose Idee / 좋은 ~ eine gute Idee; Tip m. -s, -s / 교육에 대한 잘못된 ~ e-e falsche Vorstellung von der Erziehung / ~을 정리하다 die Gedanken ordnen / ~을 적어 두다 den Gedanken zu Papier bringen* / …한 것은 좋은 ~이다 Es ist e-e gute Idee, daß.... / ~만 해도 지겹다 Es ist zum Kotzen, daran zu denken*. / ~만 해도 몸이 오싹해진다 Es grault mir davor.¦ Es graut mir davor. / 좋은 ~이 떠올랐다 Es ist e-e gute Idee.¦ Ich habe eine gute Idee davon.¦Ich habe e-e tolle Idee gefunden.
② 《의도》 Absicht f. -en; Plan m. -(e)s, ⸗e (계획); Idee f. -n; Ansicht f. -en; Zweck m. -(e)s, -e (목적); Motiv n. -s, -e (동기). ¶ 아무 ~ 없이 ohne große Überlegung / …할 ~으로 in der Erwägung, daß...; mit der Absicht, etwas zu tun* / 군인이 될 ~ die Absicht, Soldat zu werden / ~을 품다 der [3]Absicht (Meinung) sein; die Absicht haben / 그렇게 할 ~은 없다 keine Absicht haben, so zu tun / …할 ~을 일으키다 e-e Absicht hegen, etwas zu tun / ~을 실행에 옮기다 den Plan (die Absicht) durch|bringen* (durch|setzen) / 나는 아들을 학자로 만들 ~이다 Ich beabsichtige, m-n Sohn Gelehrte werden zu lassen. / 나는 교사가 될 ~이었다 Ich beabsichtigte, ein Lehrer zu werden.¦Ich wollte Lehrer sein. / 사직할 ~은 없다 Ich beabsichtige nicht, von dem Amt zurückzutreten.
③ 《의견》 Meinung f. -en; Absicht f. -en; Auffassung f. -en; Vorschlag m. -(e)s, ⸗e (제안). ¶ 내 ~으로는 nach m-r [3]Meinung (Ansicht); m-r [3]Meinung (Ansicht) nach; Ich denke (glaube)....; m-s Erachtens (Ermessens); m-m Erachten nach / 그 일에 대한 나의 ~ m-e Meinung dazu / ~을 말하다 jm. die Meinung sagen (äußern) / 내 ~으로는 자네가 옳다 Nach m-r Meinung haben Sie recht. / 당신 ~은 어떤가 Was ist Ihre Meinung dazu?¦Was halten Sie davon?¦Wie denken Sie darüber? / 나는 당신 ~과 다르다 (같다) Ich bin nicht Ihrer (od. anderer) Meinung (Ich bin ganz Ihrer Meinung). / 내 ~은 그렇지 않다 Ich denke anders.¦Ich habe e-e andere Meinung. / 그 문제에 대한 ~들이 다 달랐다 Es gab darüber verschiedene Meinungen. / 그에게는 자기 나름의 ~이 있다 Er hat darüber seine eigene Meinung. / 내 ~은 변하지 않는다 Ich bleibe bei der Ansicht.
④ 《사려·분별》 Rücksicht f. -en; Ermessen n. -s; Nachsicht f. -en; 《판단》 Urteil n. -(e)s, -e. ¶ ~있는 gedankenvoll; nachdenklich; besinnlich; vernünftig; zurückhaltend / ~없는 gedankenlos; rücksichtslos; unbesonnen; unaufmerksam / ~없이 일을

하다 etwas gedankenlos (rücksichtslos) tun* / 자기 ~에 따라 행동하다 nach eigenem Gutdünken (Ermessen) handeln / 당신 ~에 맡기겠읍니다 Ich überlasse es Ihrem Urteil (Ermessen).¦Ich stelle es in Ihr (freies) Ermessen. / 그는 나이는 젊지만 ~은 어른스럽다 Trotz des jungen Alters denkt er wie ein Erwachsener. / 넌 아직 ~이 모자라 Du sollst noch vernünftiger sein.

⑤ 《예상》 Erwartung *f.* -en; Erwarten *n.* -s, -; Hoffnung *f.* -en; 《소원》 Wunsch *m.* -(e)s, ⸗e; Verlangen *n.* -s, -; 《그리움》 Sehnsucht *f.* ⸗e. ¶ ~밖의 unerwartet; unvermutet; zufällig; unbeabsichtigt / ~지 않은 사람 e-e unerwartete Person / ~지 않은 일 ein unerwartetes Ereignis; ein zufälliger Vorfall / 사과 ~이 나다 den Apfel mögen/일이 ~대로 되다 die Sachen haben den Erwartungen entsprochen; alles geht in s-n Erwartungen / 결과가 ~대로 됐다 Wie erwartet kamen wir zum Ergebnis.

⑥ 《상상》 Vorstellung *f.* -en; Phantasie *f.* -n (공상); Annahme *f.* -n; Voraussetzung *f.* -en; Vermutung *f.* -en (추측). ¶ ~도 할 수 없는 unvorstellbar; undenkbar / ~이 맞다(틀리다) richtig (falsch) vermuten / 그 나머지는 독자의 ~에 맡긴다 Die weiteren überlasse ich dem Ermessen des Lesers.¦Den Rest überlassen wir dem Ermessen des Lesers.

⑦ 《기억·회상》 Erinnerung *f.* -en; Gedächtnis *n.* -ses, -se. ¶ 어렸을 때의 ~ die Erinnerung an die Kindheit / ~이 나다 ^{4}sich erinnern an ^{4}*et.*; ^{4}sich ins Gedächtnis zurück|rufen* / 그 말을 한 ~이 나지 않는다 Ich erinnere mich nicht, es gesagt zu haben. / 그 노래를 들으니 옛 ~이 난다 Das Lied erinnert mich an die alte Zeit.

⑧ 《배려》 Erwägung *f.* -en; Überlegung *f.* -en; Gedanke *m.* -ns, -n; 《참작》 Rücksicht *f.* -en; Bewilligung *f.* -en. ¶ ~이 미치다 soweit (soviel) denken* / ~을 조금도 않다 an ^{4}*et.* gar nicht denken*.

⑨ 《각오·결의》 Entschlossenheit *f.* -en; Entschließung *f.* -en. ¶ ~을 굳히다 ^{4}sich entschließen* ((^{4}*et.* zu tun*)) / 나는 오늘까지 ~이 바뀌지 않았다 Bis heute habe ich meine Meinung (Entschlossenheit) nicht geändert.

생각나다 〔사물이 주어〕 ein|fallen*Ⓢ 《*jm.*》; in den Sinn kommen* Ⓢ 《*jm.*》; an|wandeln 《*jn.*》; 〔사람이 주어〕 auf den Gedanken (die Idee) kommen*; Einfälle 《*pl.*》 haben; ^{3}sich einfallen lassen*^{4}; verfallen* Ⓢ 《*auf*^{4}》. ¶ 생각나게 하다 *jn.* erinnern (mahnen) 《*an*^{4}》 / 그의 눈은 그의 어머니를 생각나게 한다 S-e Augen erinnern mich an s-e verstorbene Mutter.

생각다못해 letzten Endes; zu guter Letzt^{4}; schließlich.

생각되다 scheinen*; vor|kommenⓈ 《*jm.*》; aus|sehen*. ¶ 비가 올 것같이 생각된다 Es sieht nach Regen aus. / 그것은 이상하게 생각된다 Das kommt mir verdächtig vor.

생각컨대 ich denke (glaube), ...; m-s Erachtens; nach m-r Meinung (Ansicht). ¶ ~ 10년 전 일이다 Wenn ich mich recht erinnere, ist das ja schon 10 Jahre her. / ~ 사정이 다른 것 같다 Bei näherer Überlegung (Betrachtung) sieht die Sache anders aus.

생각하다 ① 《사고》 denken* 《*an*^{4}; *von*^{3}; *über*^{4}》; 《숙고》 ^{3}sich überlegen^{4}; nach|denken* 《*über*^{4}》; bedenken*^{4}; erwägen^{4}; sinnen* (grübeln) 《*über*^{4}》; 《심사》 nachsinnen; nachdenken; meditieren 《*über*^{4}》. ¶ 생각할 수 있는 denkbar; begreifbar; möglich / 생각할 수 없는 undenkbar / 이렇게 생각해 보면 auf diese Weise gesehen (betrachtet); von diesem Standpunkt aus gesehen / 다시 ~ ^{3}sich ^{4}*et.* überlegen; ^{3}sich ^{4}*et.* aus|denken / 곰곰히 ~ ^{4}*et.* genau (reiflich; gründlich; gut; hin und her) überlegen / 마음 속으로 ~ ^{3}sich denken*; ^{4}*et.* innerlich überlegen / 뭔가 생각하고 있다 ^{4}*et.* auf dem Herzen haben / 잘 생각해 보면 Wenn man darüber (über ^{4}*et.*) nachdenke, ... / 뭘 할까 하고 생각하는 중이다 Ich überlege mir, was ich tun soll. / 생각하면 할수록 더 모르겠다 Je mehr ich überlege, desto weniger weiß ich es. / 그가 정직하다고 생각한다 Ich halte ihn für ehrlich (redlich; aufrichtig). / 대답하기 전에 좀 생각하게 해 주시오 Lassen sie mich überlegen, bevor ich Ihnen Antwort gebe! / 토마스 만의 소설을 어떻게 생각하십니까 Wie denken Sie über den Thomas Manns Roman?¦Was sagen sie zu Thomas Manns Roman?

② 《의도》 beabsichtigen^{4}; meinen; in den Kopf setzen^{4}; ins Auge fassen^{4}; in ^{4}Aussicht nehmen*^{4}; e-n Plan fassen; ^{4}*et.* zu tun gedenken*. ¶ 그것이 내가 말하려고 생각하던 것이다 Es ist das, was ich sagen wollte. / 나는 내년에 독일에 가려고 생각한다 Ich beabsichtige, nächstes Jahr nach Deutschland zu fliegen (fahren).¦Nächstes Jahr will ich nach Deutschland fliegen (fahren). / 아버지는 아들을 화가로 만들려고 생각한다 Der Vater beabsichtigt, s-n Sohn Maler werden zu lassen.

③ 《의견》 ^{4}*et.* (*jn.*) halten* 《*für*^{4}》; (an|)sehen* 《*als*^{4}》; meinen; nehmen* 《*für*^{4}; *als*^{4}》; sehen* 《*in*^{3}》; der Meinung (Ansicht) sein, daß .... ¶ 당신은 그에게 복종해야 한다고 생각한다 Ich bin der Meinung, daß Sie ihm gehorchen sollen. / 나는 이렇게 생각합니다 Das ist mein Standpunkt. / 그것을 나쁘게 생각하지 마십시오 Nehmen Sie es nicht für ungut!¦Nehmen Sie es nicht übel! / 나는 그를 좋은 경쟁자라고 생각한다 Ich sehe in ihm m-n guten Wetteiferer.¦Ich halte ihn für meinen guten Wettbewerber. / 당신은 어떻게 생각하십니까 Wie ist Ihre werte Meinung (Ansicht) darüber?

④ 《판단》 urteilen; beurteilen^{4}; Stellung nehmen*; beschließen*^{4} (단정); 《신념》 glauben; *jm.* vertrauen. ¶ 옳다고 ~ gerecht urteilen / 나는 그가 정직하다고 생각한다 Ich halte ihn für ehrlich (redlich). / 나는 어릴 땐 유령이 있다고 생각했다 Als Kind glaubte ich, daß es Gespenst gab.¦Als Kind glaubte ich an das Gespenst.

⑤ 《예기》 erwarten^{4}; vermuten^{4}; an|nehmen*; hoffen (희망); 《원》 wünschen^{4}; wollen; verlangen 《nach ^{3}*et.*》; 《걱정》 (^{4}sich) fürchten; befürchten^{4}; ^{4}Angst haben. ¶ 생각지 않은 unerwartet; unvermutet / 생각지 않은 실수를 하다 e-n unerwarteten Fehler begehen* / 그를 다시 보리라고는 생각하지 않았다 Ich habe nie erwartet, ihn wiederzusehen. / 생각했던 것보다 일이 쉬웠다 Das war leichter, als ich gedacht (erwartet) hatte. / 결과는 생각한 대로였다 Das Resul-

tat war wie erwartet geworden.
⑥ 《상상》 ^{3}sich vor|stellen^4; ^{3}sich denken^4; an|nehmen*; vermuten (가정); ^{3}sich ein|-bilden (공상); meinen; raten (추측). ¶ 생각할 수 없는 undenkbar; unvorstellbar / 네가 생각하는 바와 같이 wie sie sich vorstellen (denken*; vermuten) / 그런 것은 생각하기도 싫다 Ich möchte daran nicht denken. / 좀 생각해 봐라 Stelle dir mal vor! / 있을 수 있는 일이라 생각된다 Ich nehme an (denke; glaube; vermute), daß es doch möglich ist. / 날씨는 곧 좋아지리라고 생각한다 Ich glaube, daß das Wetter bald besser wird. / 당신은 송 선생님이라고 생각합니다만, 그렇지 않습니까 Ich nehme an, daß Sie Herr *Song* sind, nicht wahr? / 나는 그를 부정직하다고 생각했다 Ich hielt ihn für unehrlich.
⑦ 《추억》 zurück|blicken (-|schauen) 《*auf*^{4}》; ^{4}sich erinnern 《*an*^{4}》; 《상기》 denken* 《*an*^{4}》; zurück|rufen*^{4} 《*jm.* ins Gedächtnis》; 《반성》 nach|denken* 《*über*^{4}》; wieder erwägen*^{4}. ¶ 옛 일을 생각하면 감개가 무량하다 Wenn man an die alte Tage denkt, ist es rührend. / 그 사고를 생각하면 소름이 끼친다 Es ist greulich, an den Unfall zu denken.
⑧ 《배려》 ^{4}sich kümmern 《um ^{4}*et.*》; ^{4}sich sorgen; berücksichtigen^4; betrachten^4; 《조심》 sorgen 《*für*^{4}》; 《주의》 achtgeben* 《*auf*^{4}》. ¶ 남을 ～ e-e andere ^{4}Person (die anderen) berücksichtigen / 비용을 ～ die ^{4}Kosten (die ^{4}Unkosten) 《*pl.*》 berücksichtigen / 내일을 ～ ^{3}sich über den folgenden Tag Gedanken machen; an den folgenden Tag denken* / 그것은 생각할 문제다 Diese Sache ist zu erwägen. / 그들은 그가 나이 많은 것을 생각해서 그의 죄를 용서했다 Unter Berücksichtigung s-s hohen Alters haben sie ihm die Sünde vergeben. / 그는 아내를 조금도 생각하지 않는다 Er bedenkt gar nicht s-e Frau.
⑨ 《각오·준비》 vor|bereiten 《*auf*^{4}》; bereit sein; vorsorgen 《*gegen*^{4}》. ¶ 만일의 경우를 ～ den schlimmsten Fall bedenken*; wenn es ganz schlimm kommt.
⑩ 《간주》 für ^{4}*et.* halten*; ^{4}*et.* als (für) ^{4}*et.* an|sehen*; berücksichtigen^4; betrachten^4. ¶ 아무를 좋게(나쁘게) ～ *jn.* (eine Person) für gut (schlecht) halten* / 그것을 명예로 ～ es als e-e Ehre ansehen* / 나는 그를 은인으로 생각한다 Ich sehe ihn als m-n Gönner an (betrachten). / 나는 그 일이 중요하다고 생각한다 Ich halte es (die Angelegenheit) für wichtig. / 사람들은 그를 고을에서 제일 부자라고 생각한다 Er wird für den reichesten Mann in der Stadt gehalten.
⑪ 《관심》 denken* 《*an*^{4}》; ^{4}sich besinnen*; beteiligt sein 《*an*^{3}》; Interesse haben 《*an*^{3}》; ^{4}sich interessieren 《*für*^{4}》; 《사랑》 lieben^4; gern haben^4; 《사모》 ^{4}sich sehnen 《*nach*^{3}》; verlangen 《*nach*^{3}》. ¶ 고향을 ～ ^{4}sich nach der Heimat sehnen / 자식을 생각하지 않는 부모는 없다 Alle Eltern haben ihre Kinder gern.
⑫ 《느낌》 fühlen. ¶ 잘못 대답하고 나는 바보가 아닌가 생각했다 Ich fühlte wie ein Idiot, nachdem ich falsch antwortete.

생각해내다 《안출》 ^{3}sich aus|denken*^{4} 《einen Plan》; erdenken*; erfinden*^{4}; ersinnen*^{4}; 《상기》 ^{4}sich erinnern$^{(2)}$ 《*an*^{4}》; zurück|rufen*^{4}; ^{3}sich ins Gedächtnis zurückrufen*^{4}. ¶ 좋은 생각을 해 내다 ^{3}sich ^{4}*et.* Feines aus|denken* / 그 일을 할 방법을 생각해 내겠읍니다 Ich werde mir eine Idee ausdenken, wie man es tun soll.

생강(生薑) ＝새앙.

생거름(生—) roher Dünger, -s, -; das ungemischte Düngmittel, -s, -.

생것(生—) Rohkost *f.*; unreife Frucht, ¨e.

생게망게하다 unerwartet; wider Erwarten (Erwartung); unbegreiflich; unerklärbar; unverständlich (sein).

생견(生絹) Rohseide *f.* -n.

생경(生硬) **～하다** steif; roh; unreif; ungewandt (sein). ¶ ～한 문장을 쓰다 in ungewandtem (ungelenkem) Stil schreiben*.

생계(生計) Lebensunterhalt *m.* -(e)s; Broterwerb *m.* -(e)s, -e; Erwerbsmittel *n.* -s, -; das Auskommen*, -s; Unterhalt *m.* -(e)s. ¶ ～를 세우다 ^{4}sich s-n Lebensunterhalt verdienen 《*als; durch*^{4}》; ^{3}sich sein Brot erwerben* / ～가 넉넉하다 gut daran sein; in guten Verhältnissen leben.
‖ **～비** Lebenshaltungskosten 《*pl.*》: ～비 지수 Index-Meßziffer 《*f.* -n》 (Indexzahl 《*f.* -en》; Indexziffer 《*f.* -n》) der Lebenshaltungskosten.

생고무(生—) Rohkautschuk *n.* -s, -e.

생과부(生寡婦) Strohwitwe *f.* -n; verlassene Frau, -en.

생과실(生果實) unreife (rohe) Frucht, ¨e.

생과자(生菓子) e-e Kuchenart aus süßem Bohnenmus.

생굴(生—) rohe Auster, -n.

생글생글 *jn.* anlächelnd; *jn.* anstrahlend; 《사근사근하게》 ansprechend; zuvorkommend.

생금(生金) unraffiniertes (gediegenes) Gold, -(e)s.

생급스럽다 ① 《일이》 plötzlich; unerwartet (sein). ② 《말이》 zudringlich; unverschämt; schamlos; sinnlos (sein).

생기(生氣) Leben *n.* -s -; Lebensfülle *f.*; Lebensgeister 《*pl.*》; Lebenskraft *f.* ¨e; Lebhaftigkeit *f.*; Lebendigkeit *f.*; Munterkeit *f.*; Regsamkeit *f.* ¶ ～에 차다 belebt (beseelt; lebhaft; lebensvoll) sein; voll(er) Leben sein; viel Leben haben / ～가 없다 leblos (unbeseelt) sein; mehr tot als lebendig sein; kreidebleich (totenblaß) sein; niedergeschlagen (niedergeschmettert) aus|sehen* / ～ 발랄하다 lebhaft wie ein Fisch im Wasser sein; lebensvoll u. aufstrebend sein / ～가 돌다 Leben zeigen / ～ 없는 얼굴색 e-e matte Gesichtsfarbe.

생기다 ① 《없던 것이》 entstehen* ⓢ; gewinnen*; bekommen*; bringen*. ¶ 토지에서 생기는 이익 der Gewinn aus den Gütern / 철도가 ～ Die Eisenbahn wird gebaut. / 유엔은 2차 대전의 결과로 생겼다 Die UN ist aus dem II. Weltkrieg resultiert.
② 《발생》 entstehen* ⓢ; geschehen ⓢ; ^{4}sich begeben*; ein|treten* ⓢ; ^{4}sich ereignen; erfolgen ⓢ; passieren ⓢ; vor|fallen* ⓢ; vor|kommen* ⓢ; ^{4}sich zu|tragen*; aus|brechen* ⓢ; 《전쟁·화재 따위가》 aus|brechen* ⓢ. ¶ 무슨 일이 생기더라도 was auch immer geschieht; geschehe nun; was da wolle / 영양 부족으로 병이 ～ Die Krankheit ist durch die mangelhafte Ernährung aufgetreten. / 무슨 일이 생겼느냐 Was ist passiert? | Was hat's gegeben? / 결원이 생기었다 Eine Stelle ist offen (unbesetzt). / 이 병은 여러 가지 원인으로 생긴다 Diese

Krankheit ist aus verschiedenen Gründen aufgetreten. / 그들간에 알력이 생겼다 Unter ihnen ist ein Streit ausgebrochen. / 발동기에 고장이 생겼다 Der Motor ist defekt. / 무에서 유는 생기지 않는다 Aus Nichts stammt Nichts. / 그 일이 생긴 데는 원인이 있다 Das läßt sich von weit her ableiten (herleiten). / 그녀에게는 새로운 곤란이 생겼다 Sie ist auf e-e neue Schwierigkeit gestoßen. / 나는 의심이 생겼다 Es stiegen mir Zweifel auf.¦Es kamen mir Zweifel. / 교통 사고로 사망자가 둘, 중상자가 아홉 명이 생겼다 Zwei Tote u. neun Schwerverletzte hat ein Verkehrsunfall gefordert.
③ 《얻다》 erlangen; erhalten*; bekommen*. ¶ 벌이가 ~ Arbeit bekommen* / 우연히 이 책이 생겼다 Zufällig habe ich das Buch erhalten.
④ 《친구》 machen; gewinnen*; (be)halten*. ¶ 돈이 있으면 벗도 생긴다 Wer Geld hat, hat auch Freunde.
⑤ 《출생》 gebären*. ¶ 아기가 ~ 《임신하다》 schwanger sein (gehen*); 《낳다》 in die Welt setzen; zur Welt bringen* / 건강한 아이가 생겼다 Ein gesundes Baby ist geboren.
⑥ 《얼굴이》 aus|sehen*; erscheinen* ⓢ. ¶ 잘 (못) ~ gutes (häßliches) Aussehen haben / 정직 (이상)하게 ~ ehrlich (komisch) aus|sehen* / 촌뜨기같이 ~ wie ein Landmann aus|sehen*.
⑦ 《유래》 entstehen* ⓢ,ⓗ; entspringen* 《aus³》 ⓢ; ⁴sich ergeben*; resultieren.
생김새 (Gesichts)züge 《pl.》; Gesichts¦ausdruck m. -(e)s, ⸚e (-bildung f. -en); Miene f. -n; Aussehen n. -s; Physiognomie f. -n. ¶ ~가 훌륭한 wohlgeformt; feingeschnitten; gutgebildet; von feiner Bildung.
생나무(生—) ein lebender Baum, -(e)s, ⸚e (살아 있는); grünes (noch nicht abgetrocknetes) Holz, -es, ⸚er (아직 마르지 않은 재목이나 장작). ¶ ~를 찍다 grünes Holz fällen (hauen*).
생남(生男) die Geburt 《-en》 e-s Sohnes; die Niederkunft e-s Jungen. ~하다 e-n Sohn gebären* (zeugen); e-n Jungen (Buben) bekommen*.
‖ ~턱 =생남례.
생남례(生男禮) das Geburtsfest 《-es, -e》 js. Sohnes; die Bewirtung für die Leute, die e-m Buben zur Geburt gratulieren. ~하다 die Geburt js. Sohnes feiern; die Leute bewirten, die e-m Buben zur Geburt gratulieren.
생녀(生女) die Geburt 《-en》 js. Tochter. ~하다 e-e Tochter gebären*; ein Mädchen bekommen*.
생년(生年) ‖ ~월일 Geburtsdatum n. -s, ..ten; Geburtstag u. -jahr; Geboren... (생년월일난의 「…생」).
생니(生—) gesunder Zahn, -(e)s, ⸚e.
생담배(生—) angezündete (brennende Zigarette) -n.
생당목(生唐木) ungebleichtes Baumwollentuch, -(e)s, ⸚er (-e).
생도(生徒) =학생. ‖ ~대(隊) Kadettenkorps [..ko:r] n. -, - [..ko:rs]. 사관~ Kadett m. -en, -en; 《해군의》 Seekadett m.
생돈(生—) verschwenderisches (vergeudetes) Geld, -(e)s, -er.
생동 〖광산〗 der noch nicht gegrabene Teil 《-(e)s, -e》 der Ader.
생동(生動) Lebendigkeit f.; Lebhaftigkeit f.; Munterkeit f. ~하다 lebendig; lebhaft; munter. ¶ 이 초상은 ~하고 있다 Das Porträt [..trɛ́:]《-(e)s, -e》 ist lebhaft gezeichnet.
생동(生銅) unraffiniertes Kupfer, -s, -.
생동생동하다 lebendig; animiert; belebt; lebhaft; frisch (sein). ¶ 눈알이 ~ helläugig sein / 그 늙은이는 아직도 ~ Der Alte* 《-n, -n》 ist noch voller Leben.
생동찰 e-e Art von klebriger Hirse, die feines u. grünes Korn trägt.
생되다(生—) unerfahren; ungewohnt; unkundig; unbekannt 《mit³》 (sein). ¶ 일에 ~ Er ist noch neu in der Sache (Arbeit).
생득(生得) ¶ ~의 natürlich; angeboren; von Natur; von Geburt.
‖ ~관념 die angeborene Idee, -n. ~권 Geburtsrecht n. -(e)s, -e. ~설 die Theorie der angeborenen Ideen.
생디칼리슴 Syndikalismus [zyn..] m. -.
생딱지(生—) Grind m. -(e)s, -e; Schorf m. -(e)s, -e; Kruste f. -n.
생딴전(生—) Scheinheiligkeit f. ¶ ~을 부리다 die Maske 《-n》 e-s Biedermanns tragen*; scheinheilig sein; ⁴sich unschuldig stellen; den Unschuldigen spielen.
생땅(生—) unbebaute Erde, -n; unkultiviertes Land, -(e)s, ⸚er; wildes Land.
생때같다(生—) gesund; frisch; kräftig; robust; rüstig (sein).
생떼(生—) Verstocktheit f.; Halsstarrigkeit f.; Eigensinn m. ¶ ~를 쓰다 mit Dreistigkeit durch|setzen; ³sich durch Unverschämtheit verhelfen*; s-e Sache frech verfechten*; aus schwarz weiß machen wollen; etwas offensichtlich Schlimmes als harmlos hinstellen.
생떼거리 ☞ 생떼.
생래(生來) =타고나다.
생략(省略) Auslassung f. -en; Abkürzung f. -en (단축). ~하다 aus|lassen*⁴ (weg|-); ab|kürzen⁴; aus|schließen*⁴; fort|lassen*⁴.
‖ ~문 der abgekürzte Satz, -es, ⸚e. ~법 〖문법〗 Ellipse f. -n. ~부호 Auslassungszeichen n. -s, - (어포스트러피).
생량머리(生凉—) der frühe Herbst, -es, -e; der Beginn 《-(e)s》 der kühlen Jahreszeit.
생력꾼(生力—) 《원기 왕성한》 e-e starke (kräftige; rüstige) Person, -en; ein energischer Bursch, -en, -en.
생력(화)(省力(化)) geringerer Arbeitsaufwand, -(e)s; das Sparen* 《-s》 der Kraft. ~하다 Arbeitsaufwand gering machen.
생령(生靈) Volk n. -(e)s, ⸚er; die Leute 《pl.》.
생로(生路) Leben n. -s, -; Lebensunterhalt m. -(e)s; das Auskommen*, -s.
생리(生理) 《생리학》 Physiologie f. ¶ ~적인 (학상의) physiologisch.
‖ ~위생 Physiologie u. Hygiene. ~작용 die physiologische Funktion. ~학자 Physiolog m. -en, -en. ~휴가 der monatliche Urlaub 《-(e)s, -e》 für Frauen. ⌈-e.
생마(生馬) ungezähmtes (wildes) Pferd, -(e)s,
생매장(生埋葬) ~하다 lebend begraben* (mit ³Erde verschütten) 《jn.》. ¶ ~되다 lebend begraben* (mit ³Erde verschüttet) werden.
생맥주(生麥酒) Faßbier n. -(e)s, -e; das Bier frisch von Faß.
생먹다 《말을 안듣다》 nicht gehorchen³ (befolgen⁴; folgen³); ⁴sich nicht fügen³; 《모른

체하다》 nicht kennen (sehen) wollen*[4]; nicht beachten[4]; unbeachtet lassen*[4]; ignorieren[4]; vorbei|sehen* 《an[3]》. ¶ 어버이의 말을 ~ s-n Eltern nicht gehorchen; auf s-e Eltern nicht hören.

생멧소(生—) Geldleihen mit Zurückzahlen in Raten (in Teilzahlung).

생면(生面) 《첫대면》 die erste Begegnung (Interview; Vorstellung); 《사람》 der (völlige) Fremde*, -n, -n. **~하다** *jm.* zum ersten Mal begegnen; [4]sich *jm.* vor|stellen
‖ **~부지**(不知) ein ganz Unbekannter; der Fremde*, -n, -n.

생멸(生滅) Geburt (Leben) u. Tod; das Werden* u. Vergehen*.

생명(生命) ① Leben *n.* -s, -. ☞ 목숨. ¶ ~과 재산 Leben u. Eigentum / ~의 원천 Lebensquelle *f.* -n / ~의 위험 Lebensgefahr *f.* -en / ~의 은인 Lebensretter *m.* -s, - / ~이 있는 lebend / ~이 없는 leblos / ~을 걸고 auf die Gefahr s-s Lebens (hin); Leib u. Leben einsetzend; bei s-m Leben / ~에 관계되는 lebensgefährlich; todbringend; tödlich / ~에는 이상없다 nicht lebensgefährlich (tödlich) sein (병, 상처가); außer Lebensgefahr sein (환자 등이) / 그는 나의 ~의 은인이다 Ihm verdanke ich mein Leben. / 많은 ~을 빼앗다 〖사물이 주어〗 viele Leben kosten; viele Tode fordern / …의 ~을 노리다 ein Attentat (e-n Mordschlag) auf *jn.* verüben (begehen*) / ~이 있는 한 solange man lebt / ~이 위험하다 Es geht ums Leben. / 그 신문의 ~은 대단히 짧았다 Die Zeitung war nur kurzlebig.
② 《중요한 사물》 Leben *n.* -s; Seele *f.* -n; Herz *n.* -ens, -en. ¶ 독자의 지지야말로 잡지의 ~이다 Die Unterstützung vom Leser ist das Leben der Zeitschrift. / 정조는 여자의 ~이다 Die Keuschheit ist die Seele einer Frau.
‖ **~감** Lebhaftigkeit *f.* -en. **~선** Lebenslinie *f.* -n; 《손금》 die Lebenslinie auf der Handfläche. **~보험** Lebensversicherung *f.* -en: ~보험에 들다 e-e Lebensversicherung ab|schließen*; sein Leben versichern (lassen*) 《bei[3]》. **~수** das Leben schenkende Wasser. **~체** (Lebe)wesen *n.* -s, -; die Lebenden 《*pl.*》; Geschöpf *n.* -(e)s, -e; Kreatur *f.* -en. **~표** =사망표.

생모(生母) die leibliche (echte) Mutter, ¨.

생모시(生—) ungebleichter Kambrik, -s.

생목(生—) 《안 삭은 음식》 unverdautes (zurückgeströmtes) Essen, -s, -. ¶ ~이 오르다 das Essen strömt zurück; Brechreiz verspüren.

생목[1](生木) ungebleichter Baumwollstoff, -(e)s, -e.

생목[2](生木) =생나무.

생목숨(生—) ① 《살아 있는》 Leben *n.* -s, -; Lebenskraft *f.* ¨e. ¶ ~을 겨우 이어가다 kaum das nackte Leben (Dasein) fristen; kaum noch lebensfähig sein. ② 《죄없는》 fehlerloses (tadelloses) Leben, -s, -.

생무지(生—) Laie *m.* -n, -n; der Uneingeweihte*, -n, -n; Amateur [..tø:r] *m.* -s, -e; Dilettant *m.* -en, -en; Liebhaber *m.* -s, -. ¶ ~의 눈에는 dem ungeübten Betrachter / ~ 같은 laienhaft; dilettantisch / 나는 연극에는 ~다 In der Schauspielkunst (Im Theaterspielen) bin ich unerfahren. / 나는 이 분야에는 ~이다 Auf diesem Gebiet bin ich (ein) blutiger Laie (Anfänger).

생물(生物) Lebewesen *n.* -s, -; Geschöpf *n.* -(e)s, -e.
‖ **~계** Tier- u. Pflanzenwelt *f.* -en. **~공학** biologische Technik; Biotechnik *f.* **~물리학** Biophysik *f.* **~학** Biologie *f.*: ~학적 biologisch / ~학자 Biolog(e) *m.* ..gen, ..gen. **~화학** Biochemie *f.*

생민(生民) die Leute 《*pl.*》; Volk *n.* -(e)s, ¨er; Publikum *n.* -s.

생밤(生—) rohe Kastanie, -n.

생방송(生放送) Original|sendung (-übertragung) *f.* -en; Live-Sendung [láiv..] *f.* -en. ¶ 라디오로 ~하다 im Rundfunk lebendig vor|tragen* (senden(*)).

생베(生—) ungebleichte Leinwand.

생벼락(生—) 《꾸지람》 unvernünftige Schelte, -n; 《재앙》 Unfall *m.* -(e)s, ¨e; Katastrophe *f.* -n; das schwere Mißgeschick, -(e)s, -e; Notfall *m.* -(e)s, ¨e. ¶ ~을 맞다 unvernünftige Schelte 《-n》 bekommen; e-n Unfall erleiden* / 그 일은 ~ 같다 Das ist ja überraschend.

생병(生病) die Krankheit 《-en》 infolge der übermäßigen Arbeit. ¶ ~이 날 지경이다 der Niederlage nahe sein / 그는 과로해서 ~이 났다 Er leidet an der Krankheit infolge der übermäßigen Arbeit.

생부(生父) der leibliche Vater, -s, ¨.

생부모(生父母) ¶ ~보다 기른 부모가 낫다 Erziehung ist mehr wert als Geburt.

생불(生佛) der leibhaftige Buddha, -s.

생사(生死) Leben u. Tod, des -s u. -(e)s; Verhängnis *n.* -ses, -se. ¶ ~의 문제 Lebensfrage *f.* -n; die schicksalschwere Angelegenheit, -en / ~불명이다 vermißt (verschollen) sein / ~를 걸고 auf [4]Leben u. [4]Tod / ~지경을 헤매다 zwischen Leben u. Tod (in [3]Lebensgefahr) schweben; an der Schwelle des Todes stehen*; das Leben hängt an e-m Faden / ~가 달려 있다 an die Wand gedrückt werden; völlig in *js.* Gewalt sein; [4]sich *jm.* auf Gnade u. Ungnade ergeben* (무조건 항복) / ~를 좌우하다 *jn.* in s-e Gewalt bekommen*; Gewalt über Leben u. Tod haben; 《비유적으로》 in die Tasche stecken[4]; völlig in den Schatten stellen[4]; entschieden an die Wand drücken[4] / 그의 ~를 알 수 없다 Ich weiß nicht, ob er noch lebt.

생사(生絲) Rohseide *f.* -n; die rohe Seide. ¶ ~를 뽑다 von dem Kokon Seide ab|haspeln (ab|wickeln).
‖ **~검사소** Rohseidenprüfungsanstalt *f.* -en. **~상인** Rohseidenhändler *m.* -s, -. **~시세** Rohseidenkurs *m.* -es, -e.

생사람(生—) ① 《죄없는》 der Unschuldige*, -n, -n; der Schuldlose*, -n, -n; der arme Arglose*, -n, -n. ¶ ~을 잡아가다 e-n Unschuldigen verhaften / ~을 잡다 《살해》 e-e unschuldige Person töten; 《모해》 *jm.* e-e Falle stellen; *jm.* e-e Grube graben*[3]. ② 《관계없는》 e-e Person 《-en》 ohne Verbindung. ③ 《생때 같은》 e-e starke (kräftige; rüstige) Person, -en.

생산(生産) ① 〖경제〗 Produktion *f.* -en; Gütererzeugung *f.* -en. **~하다** produzieren[4]; erzeugen[4]; her|stellen[4]. ¶ ~적 produktiv; erzeugend; hervorbringend / ~력이 있는 produktionskräftig / ~적 노동 〔사업〕 die produktive Arbeit (Industrie) / 1인당 ~량 die Produktion pro Kopf / …의 기록적 ~

die Höchstproduktion von³... / ~을 높이다 〔줄이다〕 die Produktion erhöhen 〔herab|-setzen〕 / 석탄 ~이 일층 감퇴됐다 Die Kohlenproduktion ist erheblich zurückgeblieben. ② =출산(出産).

‖ ~가격 Produktionspreis *m.* -es, -e. ~가치 Produktionswert *m.* -(e)s, -e. ~감소 Produktionsverminderung *f.* -en. ~경제 Produktionswirtschaft *f.* -en. ~계수 Produktionskoeffizient *m.* -en, -en. ~고 Produktionsmenge *f.* -en; Ausbeute *f.* -n; Ertrag *m.* -(e)s, ⸚e. ~공업 Produktionsindustrie *f.* -n. ~과잉 Überproduktion *f.* -en; Produktionsüberschuß *m.* ..schusses, ..schüsse. ~과정 Produktionsprozeß *m.* ..zesses, ..zesse. ~관리 die Produktionskontrolle durch die Arbeiterschaft. ~기간 der Zeitraum der Produktion. ~기관 Produktionsgebiet *n.* -es, -e. ~기술 Produktionstechnik *f.* -en. ~능력 Produktionsfähigkeit *f.* -en. ~도시 Produktionsstadt *f.* ⸚e. ~독점 Produktionsmonopol *n.* -s, -. ~력 Produktionskraft *f.* ⸚e; Produktivität *f.* -en: ~력 확충 die Erweiterung 〔Vergrößerung〕 der Produktionskraft 〔Produktivität〕. ~목표 Produktionsziel *n.* -(e)s, -e. ~물 Produkt *n.* -(e)s, -e; Erzeugnis *n.* ..nisses, ..nisse. ~방법 Produktionsmethode *f.* -n. ~부족 Produktionsmangel *m.* -s, ⸚. ~비 Produktions|kosten 〔Erzeugungs-; Gestehungs-; Herstellungs-〕 《*pl.*》. ~설비 Produktionseinrichtungen 《*pl.*》. ~성 Produktivität *f.*: 한국 ~성 본부 Das Korea Produktivität-Zentrum / 아시아 ~성 기구 Die Organisation der Asien Produktivität. ~수단 Produktionsmittel *n.* -s, -. ~시설 Produktionsanlage *f.* -n. ~실적 Produktionsleistung *f.* -en. ~액 = ~고. ~업 Herstellungsgeschäft *n.* -(e)s, -e. ~요인 Produktionsfaktor *m.* -s, -en. ~율 Produktionsquote *f.* -n. ~의욕 Produktionswille *m.* -ns, -n. ~자 Produzent *m.* -en, -en; Erzeuger *m.* -s, -; Hersteller *m.* -s, -: ~자 가격 der Preis des Herstellers. ~자본 Produktionskapital *n.* -s, -e. ~재 Produktionsgut *n.* -(e)s, ⸚er. ~제한 Produktionsbeschränkung *f.* -en. ~조합 Produktions|genossenschaft *f.* -en 〔-assoziation *f.* -en〕. ~지(地) Produktions|ort *m.* -(e)s, -e 〔-gegend *f.* -en; -zentrum *n.* -s, ..ren〕; Herstellungs|land 〔Ursprungs-; Produktions-〕 *n.* -(e)s, ⸚er. ~지수 Produktionsindex *m.* -es, -e 〔..dizes〕. ~카르텔 Produktionskartell *n.* -s, -e. ~통계 Produktionsstatistik *f.* -en. 대량~ Massenproduktion *f.* -en. 텔레비전~ die Produktion von Fernsehempfängern.

생살(生—) 《새살》 neuentstehendes Fleischwärzchen, -s, -; 《성한 살》 lebendes (Menschen)fleisch, -es; gesunde Haut, ⸚e.

생살(生殺) Leben und Tod.

‖ ~권 das Recht über Leben und Tod. ~여탈권 das Recht 《-(e)s》 〔die Gewalt; die Macht〕 über Leben und Tod; das unbeschränkte Herrschaft.

생색(生色) der gefällige Eindruck; der gute Ruf. ¶ ~나는 선물 das eindrucksvolle Geschenk / ~을 내다 für Kleinigkeiten e-n Dank erwarten; e-n gefälligen Eindruck geben* 〔machen〕; für ⁴sich einen guten Ruf machen 〔erlangen〕; *jn.* zu Dank verpflichten / 그렇게 했으면 너도 ~이 났을 것이다 Wenn du es so getan hättest, könntest du e-n guten Ruf erlangen. / 당신은 그 하찮은 선물로 ~내려 드십니까 Sie wollen mit diesem kleinen Geschenk hochmütig sein, nicht wahr?

생생이 Schwindel *m.* -s, -; Schwindelei *f.* -en; Gaukelei *f.* -en. ‖ ~판 betrügerisches 〔schwindlerisches〕 Spiel, -(e)s, -e.

생생하다(生生—) lebendig; animiert; lebensvoll; belebt; frisch; lebhaft; munter; rege (sein). ¶ 생생히 voller Lebensfrische / 생생한 핏자국 die frische Blutspur; der frische Blutfleck / 기억에 생생하게 남아 있다 frisch im Gedächtnis haben⁴ / 그의 면목이 생생하게 드러나 있다 Das sieht ihm ähnlich.| Das ist typischer. / 그 추억은 아직 기억에 생생하게 남아 있다 Die Erinnerung ist noch frisch.

생석회(生石灰) der gebrannte 〔ungelöschte〕 Kalk, -(e)s, -e; Kalkstein *m.* -s, -e.

생선(生鮮) Fisch *m.* -es, -e; ein roher 〔frischer〕 Fisch, -(e)s, -e; Frischfisch *m.* -(e)s, -e (선어).

‖ ~가게 Fischhandel *m.* -s, ⸚. ~구이 ein gebratener Fisch, -es, -e. ~묵 Fischwurst *f.* ⸚e. ~요리 Fischgericht *n.* -(e)s, -e; Fischspeise *f.* -n. ~장수 Fischhändler *m.* -s, -. ~조림 der gekochte Fisch, -es, -e. ~중독 Fischvergiftung *f.* -en; Ichthysmus *m.* -. ~회 roher Fisch 《-(e)s, -e》 in Scheiben; aufgeschlitzte rohe Fische 《*pl.*》; Schnitte 《*pl.*》 roher Fische 《*pl.*》.

생성(生成) Erzeugung *f.* -en; das Werden*, -s. ~하다 〖타동사〗 erzeugen⁴; generieren⁴; 〖자동사〗 geschöpft 〔geformt; gebildet〕 werden.

‖ ~문법 〖언어〗 die generative Grammatik. ~변형 문법 〖언어〗 die generative Transformationsgrammatik.

생소(生疎) ① 《낯설음》 Ungewohnheit *f.* -en; Erfahrungslosigkeit *f.* -en; Unbekanntheit *f.* -en 《*mit*³》; Unerfahrenheit *f.* -en 《*in*³》; Unvertrautheit *f.* -en 《*mit*³》. ~하다 wenig erfahren* 《*in*³》; ungewohnt²; erfahrungslos 《*in*³》; unbekannt 《*mit*³》; unerfahren 《*in*³》; unkundig²; ununterrichtet 《*über*⁴; *von*³》; unvertraut 《*mit*³》; völlig 〔total〕 fremd; niegesehen (sein). ¶ ~한 사람 der 〔die〕 Fremde*, -n, -n; der 〔die〕 Unbekannte*, -n, -n; Fremdling *m.* -s, -e / ~한 땅 das unbekannte 〔fremde〕 Land / ~한 곳 der ungewohnte Platz / 이 지방 사정에 아주 ~하다 Hier in der Gegend weiß ich gar keinen Bescheid. / 그것은 듣기에 ~하다 Es ist mir den Ohren unbekannt 〔nicht vertraut; fremd〕.

② 《서투름》 Mangel an Geschicklichkeit 〔Gewandtheit; Erfahrung; Vertrautheit〕; Ungewandtheit *f.* -en. ~하다 ungeschickt; unerfahren; unvertraut (sein). ¶ ~한 일 die unbekannte 〔unvertraute; unerfahrene〕 Arbeit / 그들은 이러한 일에 ~하다 Sie sind an diese Arbeit nicht gewöhnt.

생소리(生—) unbegründete Nachricht, -en; unglaubliche Geschichte, -n; Lüge *f.* -n; Fälschung *f.* -en; Absurdität *f.* -en; Unsinn *m.* -(e)s, -e; unvernünftiger Anspruch, -(e)s, ⸚e. ~하다 Unsinniges sagen; verkehrt sagen; e-n unvernünftigen Anspruch machen.

생수(生水) Quellwasser *n.* -s, -.
‖ ~받이 das mit Quellwasser bewässerte Reisfeld, -(e)s, -er.
생시(生時) 《현실》 Wirklichkeit *f.* -en; 《살아 있을 때》 Lebzeiten 《*pl.*》. ¶ 꿈에도 ~에도 im Wachen u. Träumen.
생식(生食) Rohkost *f.* -. ~하다 roh essen*.
‖ ~가 Rohköstler *m.* -s, -.
생식(生殖) Zeugung *f.* -en; Fortpflanzung *f.* -en. ~하다 zeugen⁴; fort|pflanzen⁴. ¶ ~불능의 zeugungs|unfähig (fortpflanzungs-); impotent.
‖ ~기(器) Genitalien 《*pl.*》; Zeugungs|organe (Geschlechts-) (*od.* -teile) 《*pl.*》; Zeugungs|glied (Geschlechts-) *n.* -(e)s, -er: ~기 숭배 Phallus|kult (Phallos-) *m.* -(e)s, -e. ~기능 Zeugungs|funktion (Fortpflanzungs-) *f.* -en. ~력 Zeugungs|kraft (Fortpflanzungs-) *f.* ⸗e; Fruchtbarkeit *f.* ~세포 Geschlechtszelle *f.* -n. ~욕 Zeugungs|trieb (Fortpflanzungs-; Geschlechts-) *m.* -(e)s, -e. ~작용 Zeugungs|vorgang (Fortpflanzungs-) *m.* -(e)s, ⸗e. 유성~ die geschlechtliche Fortpflanzung. 처녀(단성·무성)~ die jungfräuliche (ungeschlechtliche) Fortpflanzung.
생신(生辰) =생일(生日).
생신(生神) der Gott (-es, ⸗er) in ³Person; der leibhaftige (inkarnierte; verkörperte) Gott.
생심(生心) e-e plötzliche Anwandlung; Impuls *m.* -es, -e; Augenblicksentschluß *m.* ..lusses, ..lüsse. ¶ ~으로 der Augenblicksanwandlung folgend; vom Teufel geritten; unter dem Impuls des Augenblicks.
‖ 견물~ Gelegenheit macht Diebe.
생쌀(生—) roher (ungekochter) Reis, -es.
생아버지(生—) =생부(生父).
생안손(발) 〖의학〗 Nagelgeschwür *n.* -(e)s, ⌈-e.
생애(生涯) 《일생》 Leben *n.* -s, -; Lebensdauer *f.* (-zeit *f.* -en); Lebens|bahn *f.* -en (-lauf *m.* -(e)s, ⸗e); Lebenstage 《*pl.*》; Leb(e)tag *m.* -(e)s, -e; Lebzeiten 《*pl.*》; 《생활》 Leben *n.* -s, -. ☞ 일생(一生). ¶ ~의 친구 der lebenslange Freund / 행복한 (비참한) ~ ein glückliches (elendes) Leben / 전~를 통해서 während seines ganzen Lebens; das ganze Leben lang (hindurch); lebenslänglich; auf lebenslang; auf Lebenszeit; zeitlebens; sein ganzes Leben; sein Leben lang / 정치가로서의 ~ e-e Laufbahn als Politiker / ~를 마치다 das Leben beenden.
생약(生藥) Heilkraut *n.* -(e)s, ⸗er; Heilpflanze *f.* -n; Arzneipflanze *f.* -n.
생어(生魚) Frischfisch *m.* -(e)s, -e (선어); der rohe (frische) Fisch, -es, -e; der lebende Fisch, -es, -e (살아 있는).
생어머니(生—) =생모(生母).
생억지(生—) Halsstarrigkeit *f.*; Eigen|sinn (Starr-) *m.* -(e)s; Starrköpfigkeit *f.*; Hartnäckigkeit *f.* ¶ ~를 쓰나 s-e Meinung (Ansicht) durch|setzen; auf s-m Willen (Kopfe) beharren (bestehen*; recht haben wollen; rechthaberisch sein).
생업(生業) Beruf *m.* -(e)s, -e; Beschäftigung *f.* -en; Broterwerb *m.* -(e)s, -e. ¶ 그의 ~은 어업이다 Er lebt vom Fischfang. / 그의 ~은 목수다 Er ist s-s Zeichens Zimmermann. ‖ ~자금 Wiederaufbaufonds [..fɔ̃:] - [..fɔ̃:(s)], - [..fɔ̃:s].

생옥양목(生玉洋木) ungebleichter Kattun, -(e)s, -e. ⌈stoff *m.* -(e)s, -e).
생왁친(生—) Lebend|vakzine *f.* -n (-impf-
생울타리 =산울타리.
생원(生員) 〖옛 제도〗 e-e Person, die allgemeine Staatsexamen bestanden hat; 《성 밑에》 Herr....
생유(生乳) rohe Milch.
생육(生肉) das frische (rohe) Fleisch, -es.
생육(生育) Erziehung *f.* -en; Wohlerzogenheit *f.* -en; Zucht *f.* ⸗e (-en) (짐승의). ~하다 erziehen*⁴; züchten⁴.
생으로(生—) ① 《날로》 roh; frisch; ungekocht. ¶ 달걀을 ~ 먹다 ein Ei roh essen*. ② 《부당히》 ungerecht; unbillig; unfair [..fɛ:r]; ungebührlich; ungehörig. ③ 《억지로》 zwangsmäßig; mit ³Gewalt; gegen *js.* ⁴Willen; ohne ⁴Grund. ¶ ~ 아무를 때리다 *jn.* ohne Grund schlagen*.
생이 〖동물〗 e-e Art von Garnele.
생이별(生離別) der lebenslängliche Abschied, -(e)s, -e. ~하다 auf lebenslang Abschied nehmen* 《von *jm.*》; ⁴sich trennen, um ⁴sich nie wiederzusehn. ¶ 그 부부는 전쟁으로 ~했다 Das Ehepaar wurde sich durch den Krieg getrennt. / 우리들은 30 년 전에 ~했다 Vor dreißig Jahren sind wir auf Nimmersehen auseinandergegangen.
생이지지하다(生而知之—) von Geburt wissen*⁴ (kennen*⁴); unmittelbar wissen*.
생일(生日) Geburtstag *m.* -(e)s, -e. ¶ ~을 축하하다 *js.* ⁴Geburtstag feiern / ~을 축하합니다 Herzlichen Glückwunsch zum Geburtstag! / 어제는 나의 ~이었다 Gestern hatte ich Geburtstag.
‖ ~선물 Geburtstagsgeschenk *n.* -(e)s, -e. ~잔치 Geburtstagsparty *f.* -s: ~잔치를 차리다 eine Geburtstagsparty geben*. ~축하 Geburtstags|feier (-fest).
생자(生子) die Geburt (-en) e-s Buben (Jungen). ~하다 e-n Buben gebären*.
생자(生者) ein lebendes Wesen, -s, -; Lebewesen *n.* -s, -. ‖ ~필멸 Was das Leben hat, muß einmal sterben.
생장(生長) das Wachsen*, -s; Wachstum *n.* -(e)s; Wuchs *m.* -(e)s, ⸗e. ☞ 성장(成長).
생장작(生長斫) das nicht ausgetrocknete Brennholz, -es, ⸗er.
생재기(生—) 《종이·피륙의》 ungeschädigtes Tuch, -(e)s, ⸗er (-e) (Papier, -s, -e).
생전(生前) Lebenszeit *f.* -en. ¶ ~에 bei (zu) Lebzeiten *js.*; sein ¹Lebenstag 《보통 *pl.*로 s-e Lebenstage》; vor s-m Tode; während s-s Lebens; zu s-n Lebzeiten; ehe jemand gestorben ist / ~에 가까이 지내던 분들 die Bekannten 《*pl.*》 des Verstorbenen*; die mit dem Verstorbenen bekannten Herrschaften 《*pl.*》 / ~의 공로로 auf Grund der Verdienste bei (zu) Lebzeiten.
생존(生存) Dasein *n.* -s; Existenz *f.* -en; Überleben *n.* -s (살아남음). ~하다 da|sein* ⓢ; existieren; leben; am Leben sein. ¶ ~중에 zu *js.* Lebzeiten / 아직 ~하고 있다 immer noch leben.
‖ ~경쟁 der Kampf (-(e)s, ⸗e) ums Dasein (um die Existenz); Daseins|kampf (Existenz-) *m.* -es, ⸗e; der Kampf auf Leben u. Tod (생명을 건): ~경쟁에 지다 im Daseinskampf verlieren*. ~권 Daseins|recht (Existenz-) *n.* -(e)s, -e (*od.* -berechtigung *f.* -en). ~욕 der Wille(n)

《..ens, ..en》 zum Leben; Lebenswille *m.* **~자** der Überlebende*, -n, -n: 그 난파선의 유일한 ~자 der einzige Überlebende aus dem Schiffbruch.

생죽음(生一) gewaltsamer 〔unnatürlicher〕 Tod, -(e)s. **~하다** e-s gewaltsamen Todes sterben*[s]; um|kommen*[s].

생쥐 ☞ 새앙쥐.

생지옥(生地獄) die Hölle 《-n》 auf Erden.

생질(甥姪) der Sohn 《-(e)s, ⸚e》 der Schwester. ‖ **~녀** die Tochter 《⸚》 der Schwester.

생짜(生一) unreife Frucht, ⸚e; Rohkost *f.*

생채(生彩) Pracht *f.* -en; Glanz *m.* -es, -e; Vitalität *f.* -en; Lebenskraft *f.* ⸚e. ¶ ~없는 그림 lebloses 〔unbeseeltes〕 Bild, -(e)s, -er.

생채(生菜) rohes 〔ungekochtes〕 Gemüse, -s, -; das frische Gemüse, -s, -; Salat *m.* -(e)s, -e. ‖ **무우~** Rettichsalat *m.* -(e)s, -e. **오이~** Gurkensalat *m.* -(e)s, -e.

생채기 Schramme *f.* -n; Kratzwunde *f.* -n; Kratzer *m.* -s, -; Ritze *f.* -n.

생철(一鐵) (Zink)blech *n.* -(e)s, -e. ‖ **~지붕** Blechdach *n.* -(e)s, ⸚er. **~통** Blechdose *f.* -n.

생청(生淸) unraffinierter 〔roher〕 Honig, -s.

생청붙이다 ☞ 생소리.

생청스럽다 absurd; unsinnig; verkehrt; unvernünftig (sein).

생체(生體) der lebende Körper, -s. ‖ **~해부** Vivisektion *f.* -en; Tierversuch *m.* -(e)s, -e: ~해부를 하다 vivisezieren[4]; e-n Tierversuch machen 〔an|stellen〕.

생치(生雉) ungekochter Fasan, -(e)s, -e(n).

생탈(生頉) das absichtlich herbeigeführte Unglück, -(e)s.

생태(生態) Lebensumstände 《*pl.*》; Ökologie *f.* -n. ¶ 곤충의 ~ die Ökologie e-s Insekts / 현대 학생의 ~ die Lebens¦weise 〔-art〕 der modernen Studenten. ‖ **~변화** die ökologische Anpassung. **~학** Ökologie: 식물 ~학 Pflanzenökologie *f.* -n.

생트집(生一) die falsche Beschuldigung; Spitzfindigkeit *f.* -en. ¶ ~을 잡다 e-e falsche Anklage 〔Beschuldigung; Beschwerde〕 erheben* 《gegen *jn.*》; e-e Gelegenheit 〔e-e Ursache〕 vom Zaun brechen*; mit *jm.* Zank suchen / ~을 잡지 말라 Erheb keine Beschuldigung gegen mich!

생파리 e-e steife 〔unfreundliche〕 Person, -en. ¶ ~ 잡아 떼듯하다 *jm.* die kalte Schulter zeigen.

생판(生板) 《턱없이》 grundlos; unbegründet; unmotiviert; unberechtigt; 《전연》 ganz; gänzlich; ganz u. gar; ausschließlich; völlig; vollkommen. ¶ ~ 모르는 사람 der Wildfremde*, -n, -n / ~ 사람을 속이다 *jn.* ohne weiteres betrügen* / ~ 모르는 사람이다 Ich kenne ihn gar nicht.

생포(生捕) das Gefangennehmen*, -s; Gefangennahme *f.* **~하다** lebendig ein|fangen* 《*jn.*》; lebendig fangen*[4] (동물을). ¶ ~되다 (lebendig) gefangen genommen werden; in [4]Gefangenschaft geraten*[s].

생풀(生一) 《풀》 (Wäsche)stärke *f.* -n (aus Weizenmehl); 《피륙의》 das Stärken von e-m ganzen Stück Tuch. **~하다** ein ganzes Stück Tuch stärken.

생피(生一) frisches 〔warmes〕 Blut, -(e)s.

생피(生皮) rohe Haut, ⸚e (가죽); ein rohes Fell, -(e)s, -e (모피).

생핀잔(生一) unverdiente Schande, -n. ¶ ~을 주다 *jm.* unverdienterweise eins darauf geben*; *jm.* die kalte Schulter zeigen.

생필름(生一) Rohfilm *m.* -(e)s, -e.

생혈(生血) das dem lebenden Körper entnommene Blut, -(e)s; Lebensblut *n.* -(e)s. ¶ ~을 빨다 an dem Lebensblut saugen*.

생호령(生號令) ungerechte 〔unvernünftige〕 Schelte, -n; ungehöriger Tadel, -s, -. **~하다** ungerecht 〔unvernünftig〕 schelten*[4].

생화 Broterwerb *m.* -(e)s, -e; Beschäftigung *f.* -en; Beruf *m.* -(e)s, -e. ¶ 의술을 ~로 삼다 den Beruf e-s Arztes aus|üben; s-m Berufe nach (ein) Arzt sein.

생화(生花) frische Blume, -n. ¶ 꽃병의 ~ frische Blumen in der Vase.

생화학(生化學) Biochemie *f.* ¶ ~상의(적) biochemisch. ‖ **~자** Biochemiker *m.* -s, -.

생환(生還) Heilzurückkommen *n.* -s, -. **~하다** heil (u. wohlbehalten) zurück|kommen*[s]; lebend 〔lebendig〕 zurück|kehren[s]; 〖야구〗 e-n Lauf erzielen / ~을 기대하지 않다 nicht erwarten, lebend wieder zurückzukommen. ‖ **~자** der Überlebende*, -n, -n (살아남은 사람).

생활(生活) Leben *n.* -s, -; Lebenshaltung *f.* -en; Dasein *n.* -s, -; Existenz *f.* -en; 《생계》 Lebensunterhalt *m.* -(e)s, -; Lebhaftigkeit *f.* -en. **~하다** leben; ein Leben führen; existieren; unterhalten*. ¶ 의의있는 ~ ein wertvolles 〔bedeutendes〕 Leben / 불안한 ~을 하는 빈민 arme Leute mit unsicherem Leben / ~을 위해 für den Lebensunterhalt / ~을 보장하다 das Leben sichern 〔garantieren〕 / 월급으로 ~하다 von dem Gehalt leben / ~이 어렵다 ein schweres Leben führen / 비참한 ~을 하다 ein elendes Dasein 〔Leben〕 führen; in Armut leben; schlecht daran sein / 겨우 ~해 나가다 [4]sich mühsam durch|bringen*; [4]sich so durch|schlagen*; von der Hand in den Mund leben / 빚으로 ~하다 vom Kredit leben / ~을 간소화하다 die Lebenshaltung vereinfachen / ~을 해 나가다 [3]sich s-n Lebensunterhalt 〔sein Brot; sein Salz〕 verdienen 《*als; durch*[4]》; [4]sich ernähren 《*von*[3]》; sein Auskommen 〔s-e Existenz〕 haben 《*von*[3]》 / ~을 안정시키다 das Leben stabilisieren / ~이 넉넉하다 wohlhabend sein; gut daran sein; ein gutes Leben haben / ~ 수준이 높다(낮다) Der Lebensstandard ist hoch 〔niedrig〕. ‖ **~간소화** die Vereinfachung des Lebens. **~개선(운동)** die Verbesserung(sbewegung) des Lebens. **~고** Daseinskampf *m.* -(e)s, ⸚e; die rauhe 〔harte〕 Wirklichkeit, -en. **~교육** die praktische Ausbildung, -en; die Erziehung für das Leben. **~권** das Recht des Lebens: ~권의 보장 die Garantie des Lebensrecht(e)s. **~급** die Lebenslöhne 《*pl.*》. **~기능** Lebensfunktion *f.* -en. **~기록** Lebens¦dokument *n.* -(e)s, -e 〔-geschichte *f.* -n〕. **~난** Lebens¦not *f.* ⸚e; Armut *f.* **~력** Lebenskraft *f.* ⸚e; Lebensfähigkeit *f.* -en. **~물자** lebenswichtige Artikel 〔Güter〕 《*pl.*》. **~보호법** Fürsorgegesetz *n.* -es, -e. **~불안** Lebensunsicherheit *f.* -en. **~비** Lebenshaltungskosten 《*pl.*》; Lebensunterhalt(ung)skosten 《*pl.*》; Ausgaben 《*pl.*》 zur Bestreitung des Lebens: ~비를 벌다 [3]sich sein Brot verdienen. **~상태** Lebenslage *f.* -n. ~

설계 Lebensgestaltung *f.* -en: 장래의 ~설계를 하다 das zukünftige Leben gestalten. ~수준 (정도) Lebens¦standard *m.* -(s), -s (-niveau *n.* -s, -s). ~안정 die Stabilisation 《-en》 des Lebens. ~양식 Lebens¦stil *m.* -(e)s, -e. ~조건 Lebensbedingungen 《*pl.*》. ~필수품 Lebensbedürfnisse 《*pl.*》; Lebensbedarf *m.* -(e)s, -; Lebensartikel 《*pl.*》. ~환경 Lebensumgebung *f.* -en. 도시~ Stadtleben *n.* -s, -. 문화~ Kulturleben *n.* -s, -. 사치~ Luxusleben *n.* -s, -: 사치~을 하다 das Luxusleben führen. 사회(일상, 정신)~ das soziale Leben (Alltagsleben, das geistige Leben). 원시~ das primitive Leben. 전원~ Landleben *n.* -s, -. 절약~ das sparsame Leben. 최저~ die minimale (niedrigste) Lebenshaltung, -en.

생황(笙簧) 〖악기〗 Rohrinstrument *n.* -(e)s, -e (das aus vielen Pfeifen von verschiedenen Längen besteht).

생회(生灰) Kalkstein *m.* -(e)s, -e; Äzkalk *m.* -(e)s, -e.

생획(省劃) die Auslassung e-s Striches der chinesischen Schrift. ~하다 e-n Strich der chinesischen Schrift aus|lassen*.

생후(生後) nach (der) Geburt. ¶ ~ 3개월의 아이 das dreimonatige Kind, -(e)s, -er / 그 애는 ~ 7개월에 설 수가 있었다 Das Kind konnte sieben Monate nach Geburt auf den Beinen stehen. / ~ 일주일에 죽다 e-e Woche nach der Geburt sterben*.

생흙 unfruchtbare Erde, -n. 「-(e)s, -e.

샤시 Chassis [ʃasí:] *n.* - [..(s)]; Fahrgestell *n.*

샤쓰 《속옷》 Hemd *n.* -(e)s, -en. ¶ 노타이~ ein Hemd mit Schillerkragen / 운동~ Sporthemd / 와이~ Oberhemd / ~를 입다 (벗다, 갈아입다) das Hemd an|ziehen* (aus|ziehen*, wechseln).

샤워 Dusche *f.* -n; Brause *f.* -n. ¶ ~를 하다 duschen; Dusche nehmen*.
‖ ~실 Duschraum *m.* -(e)s, ⸗e.

샤프롱 Anstandsdame *f.* -n; Begleiterin *f.* -nen.

샤프트 Schaft *m.* -(e)s, ⸗e (손잡이); Welle *f.* -n (축); Achse *f.* -n (축).

샤프(펜슬) Füllbleistift *m.* -(e)s, -e.

샴 《태국의 옛이름》 Siam *n.* -s; Thailand *n.* -(e)s (현재의 호칭). ¶ 샴인 Siamese *m.* -n, -n; Siamesin *f.* -nen (여자) / 샴의 siamesisch. 「ge 《*pl.*》.

샴쌍동이(—雙童—) die siamesische Zwillin-

샴페인 Champagner [ʃampánjər] *m.* -s, -; Sekt *m.* -(e)s, -e; Schaumwein *m.* -(e)s, -e.
‖ ~글라스 Sektglas *n.* -es, ⸗er; Sektkelch *m.* -(e)s, -e.

샴푸 Schampun *n.* -s, -s; Haarwaschpulver *n.* -s, -. ¶ ~로 머리를 감다 *jm.* den Kopf mit Schampun waschen*.

샹델리어 Kronleuchter *m.* -s, -; Kandelaber *m.* -s, -; Armleuchter *m.*; Lüster *m.* -s, -.

샹송 Chanson [ʃãsɔ̃:] *n.* -s, -s.
‖ ~가수 Chansonier [..sɔnie:] *m.* -s, -s.

서 《셋》 drei. ¶ 서 돈 drei Unzen 《*pl.*》 / 서 되 drei Quarte 《*pl.*》.

서(西) Westen *m.* -s; West *m.* -(e)s. ☞ 서쪽. ¶ 서쪽으로 가다 nach Westen ziehen* (fahren*) [s].

서(序) 《서문》 Vorwort *n.* -(e)s, -e; Einleitung *f.* -en.

서(書) ① 《쓰여진 것》 Schrift *f.* -en; Schriftstück *n.* -(e)s, -e. ② 《서도》 (Schön)schreibkunst *f.*; 〖고어〗 Kalligraphie *f.*; 《필적》 Handschrift *f.* -en. ③ 《편지》 Brief *m.* -(e)s, -e; Schreiben *n.* -s, -. ④ 《책》 Buch *n.* -(e)s, ⸗er; (Schrift)werk *n.* -(e)s, -e.

서(署) Amt *n.* -(e)s, ⸗er; Behörde *f.* -n.

서-(庶) halbbürtig. ¶ 서형제 halbbürtiger Bruder, -s, ⸗.

서가(書架) Bücher¦brett *n.* -(e)s, -er (-gestell *n.* -(e)s, -e; -regal *n.* -s, -e).

서가(書家) Schönschreiber *m.* -s, -; Kalligraph *m.* -en, -en. 「⸗er.

서각(犀角) Rhinozeros¦horn (Nas-) *n.* -(e)s,

서간(書簡) Brief *m.* -(e)s, -e; Schreiben *n.* -s, -; Epistel *f.* -n; Korrespondenz *f.* -en (총칭).
‖ ~문 Briefschreiben *n.* -s, -. ~문범 Briefmuster *n.* -s, - (편지틀). ~문학 Epistelliteratur *f.* -en. ~전 Brief¦papier *n.* -s, -e (-bogen *m.* -s, -). ~체 Briefstil *m.* -(e)s, -e.

서걱- ☞ 사각-.

서경(西經) 〖지리〗 die westliche Länge, -n. ¶ ~ 30도에 있다 unter dreißig Grad westlicher Länge liegen*.

서경(書經) Geschichtsschreibung *f.* -en (von Konfuzius).

서경(叙景) Landschafts¦schilderung *f.* -en (-beschreibung *f.* -en).
‖ ~문 der landschafts|schildernde (-beschreibende) Aufsatz, -es, ⸗e. ~시 das Gedicht der Landschaftsschilderung.

서고(書庫) Bibliothek *f.* -en; Bücherraum *m.* -(e)s, ⸗e; Bücherei *f.* -en; Büchersammlung *f.*; Bücherschatz *m.* -es, ⸗e.

서곡(序曲) 〖음악〗 Vorspiel *n.* -(e)s, -e; Ouvertüre [uvɛr..] *f.* -n; Präludium *n.* -s, ..dien; musikalische Einleitung, -en. ¶ 대전(大戰)의 ~ das Vorspiel eines großen Krieges / ~을 연주하다 ein Präludium spielen; vor|spielen.

서관(書館) 《책사》 Buchhandlung *f.* -en; 《출판사》 Verlag *m.* -(e)s, -e. ¶ 민중~ *Minjung* Verlag.

서광(曙光) Morgen¦rot *n.* -(e)s (-röte *f.* -n); Dämmerlicht *n.* -(e)s; Aurora *f.* 《라틴》; Hoffnung *f.* -en; 《희망·기대》 Aussicht *f.* -en. ¶ 문명(평화)의 ~ die Aussicht der Zivilisation (des Friedens) / 성공의 ~ der Schimmer / 희망의 ~ der Strahl der [2]Hoffnung; Hoffnungsschimmer *m.* -s, -.

서구(西歐) Westeuropa *n.* -s; 《서양》 der Westen, -s; Abendland *n.* -(e)s.
‖ ~문명 die westeuropäische Zivilisation, -en. ~블록 der westeuropäische Block, -(e)s, ⸗e. ~연합 die Westeuropäische Union, -en. ~제국 die westeuropäischen Staaten 《*pl.*》; Westmächte 《*pl.*》 (열강). ~화 Europäisierung *f.* -en; das Europäisieren*, -s: ~화하다 europäisieren[4].

서그러지다 mild; tolerant; großmütig (sein).

서근서근하다 ☞ 사근사근하다.

서글서글하다 freundlich; leutselig; gefällig; menschlich (sein). ¶ 서글서글한 사람 ein freier, unbezwungener (unbefangener) Mensch, -en, -en; ein erfahrener, verständnisvoller Mensch (이해성이 있는); ein leutseliger, freundlicher Mensch / 서글서글한 태도 unbefangene, versöhnliche Haltung, -en.

서글프다 schwermütig; melancholisch; betrübt; traurig (sein). ¶ 서글픈 노래 ein schwermütiges Lied / 서글프게 이야기하다

^{4}*et.* traurig erzählen / 서글프게 여기다 sich traurig (schwermütig) fühlen; 《섭섭하게》 bedauern / 어쩐지 ～ Ich bin so melancholisch.

서기(西紀) der Gregorianische Kalender, -s, -. ☞ 기원(紀元). ¶ ～ 1982년 das Jahr 1982 nach Christi Geburt.

서기(書記) (Büro)schreiber *m.* -s, -; Sekretär *m.* -s, -e; Protokollführer *m.* -s, -; Büroangestellte *m.* -n, -n; Leiter *m.* -s, -. ¶ 당의 ～ Parteisekretär *m.* -s, -e.
‖ ～관 Chefsekretär *m.* -s, -e: ～관보 Assistentsekretär *m.* -s, -e. ～국 Sekretariat *n.* -(e)s, -e. ～장 Hauptsekretär *m.* -s, -e. 대사관 1등 (2등, 3등) ～관 der erste (zweite, dritte) Botschaftssekretär *m.* -s, -e: 주한(駐韓) 독일 대사관 삼등 ～관 der dritte Botschaftssekretär der deutschen Botschaft in Korea. 법원～ Gerichtssekretär *m.* -s, ⌊-e.

서기(暑氣) ＝더위.

서기(瑞氣) das günstige Vorzeichen, -s; das gute Omen, ..mens, ..mina.

서까래 (Dach)sparren *m.* -s, -.

서껀 《함께 다》 u.s.w. (＝und so weiter); bald..., bald...; teils..., teils.... ¶ 북～ 퉁소 ～ 치고 불며 떠들었다 mit Trommeln u. Flöten haben sie großen Lärm gemacht.

서남(西南) Südwest *m.* -(e)s; Südwesten *m.* -s. ¶ ～의(에) südwestlich / 이 집은 ～향이다 Das Haus liegt nach Südwest.
‖ ～서 Westsüdwest(en) *m.* 《생략: WSW》. ～풍 Südwestwind *m.* -(e)s, -e.

서낭 〖민속〗《서낭신》 Schutzgott *m.* -(e)s, ¨er; 《나무》 der Baum, in dem der Schutzgott wohnt.
‖ ～단 der Altar 《-s, ¨e》 für den Schutzgott. ～당 die Nische 《-n》 des Schutzgottes. ～신(神) Schutzgott *m.* -(e)s, ¨er. ～제 das Fest 《-es, -e》 für den Schutzgott: ～제를 올리다 das Fest für den Schutzgott feiern.

서너 ungefähr drei; drei od. vier; einig. ¶ ～ 친구를 만났다 Ich habe einige Freunde getroffen. ⌈vier; einig.

서너너덧 ungefähr drei od. vier; drei od.

서넛 ungefähr drei; drei od. vier; einig. ¶ 거기서 친구 ～을 만났다 Da habe ich einige von meinen Freunden gesehen.

서녀(庶女) halbbürtige Tochter, ¨.

서녘(西—) West *m.* -(e)s; Westseite *f.* -n.

서느렇다 ＝서늘하다.

서늘하다 ① 《날씨》 kühl; frisch; erfrischend (sein). ¶ 서늘한 날 der kühle Tag, -(e)s, -e/ 서늘한 곳에 두다 ^{4}*et.* in e-m kühlen Platz behalten* / 서늘해지다 kühl werden / 이젠 아침 저녁으로 ～ Es ist jetzt morgens u. abends kühl. ② 《마음이》 große Angst haben; schaudern. ¶ 갑자기 맹수 소리를 들으니 온 몸이 서늘해졌다 Entsetzen durchschauerte m-n ganzen Leib, als ich plötzlich ein Raubtier heulen hörte.

서다 ① 《기립·입각》 stehen*[h,s]; stehen|bleiben*[s]; ^{4}sich erheben*; ^{4}sich befinden*. ¶ 서 있다 stehen|bleiben* / 자리에서 ～ vom Boden auf|stehen* / 창 옆에 ～ neben dem Fenster stehen* / 보초 ～ (auf) Wache stehen* / 서서 보다 stehend sehen*; 《연극을》 ein Theaterstück stehend sehen* / 산 위에 서 있다 《집 등이》 auf dem Berg stehen* / 인간 평등의 입장에 ～ ^{4}sich in der Lage der Gleichberechtigung befinden.*
② 《정지》 an|halten*; stehen|bleiben*[s]; still|halten*; ab|laufen*[s] (시계가). ¶ 시계가 ～ Die Uhr läuft ab. / 시계가 서버렸다 Die Uhr ist abgelaufen. / 딱 (갑자기) ～ plötzlich an|halten* / 이 기차는 역마다 선다 Dieser Zug hält auf jeder Station. / 이 급행열차는 역마다 서지 않습니다 Dieser Schnellzug hält nicht überall (nicht auf allen Stationen). / 그 자동차는 우리 집 앞에 서 섰다 Das Auto hielt vor m-m Haus an.
③ 《건립》 gebaut (errichtet) werden; 《설립》 gegründet (festgesetzt; gesetzt; gebildet) werden. ¶ 새 정부가 ～ Eine neue Regierung wird gebildet. / 그를 위한 기념비가 섰다 Für ihn ist ein Denkmal gesetzt worden. / 우리집 주위에 주택들이 자꾸 선다 Um unser Haus werden Häuser ständig gebaut.
④ 《장이》 abgehalten (stattgefunden) werden. ¶ 장이 서는 마을 das Markt-Dorf, -es, ¨er / 수요일 마다 여기에서 장이 선다 Jeden Mittwoch wird hier Markt abgehalten. / 오늘은 장이 선다 Heute findet der Markt statt.
⑤ 《날·핏줄이》 ^{4}sich schärfen; scharf sein; stehen*; geschärft (bestanden) werden. ¶ 날이 ～ ^{4}sich schärfen / 그 칼은 날이 섰다 Das Messer ist scharf. / 그의 이마에 핏줄이 섰다 Das Blutader steht ihm an der Stirn.
⑥ 《명령이》 gehorcht (befolgt; ausgeführt) werden. ¶ 명령이 ～ Befehle haben Autorität / 명령이 잘 서지 않는다 Die Befehle werden verweigert.
⑦ 《이론이》 stichhaltig sein; Wort halten*; wahr machen; 《이유가》 passen; gehen*; angenommen werden; zulässig sein. ¶ 이유가 ～ einen Beweis führen; einen Grund an|nehmen* / 이유가 서지 않다 grundlos unmäßig (sein) / 자네의 이론은 서지 않는다 Deine Theorie wird nicht angenommen (paßt nicht). / 그런 핑계는 서지 않는다 Solche Entschuldigung darfst du nicht vorbringen.
⑧ 《계획이》 auf|gestellt (entwickelt; entworfen; aus|geführt; betrieben) werden. ¶ 계획이 ～ ein Plan wird aufgestellt (entworfen) / 외교 정책이 새로 섰다 E-e neue Außenpolitik ist betrieben worden. / 우리들의 정책은 아직 서 있지 않다 Unsere Politik ist noch nicht aufgestellt worden.
⑨ 《면목이》 die Ehre retten. ¶ 그렇게 하면 면목이 선다 Dadurch wird die Ehre gerettet. / 그러면 내 면목이 안 선다 So wird meine Ehre nicht gerettet.
⑩ 《아이가》 schwanger werden; ein Kind erwarten.
⑪ 《보증·중매·들러리를》 für ^{4}*et.* (*jn.*) bürgen; vermitteln; für *jn.* ein|treten*; neben *jm.* auf|stehen*[s]. ¶ 보증 ～ für ^{4}*et.* (*jn.*) bürgen / 중매 ～ *jm.* e-n Partner vermitteln / 들러리 ～ neben *jm.* (dem Bräutigam; der Braut) auf|stehen*.
⑫ 《결심이》 ^{4}sich entschließen*; 《^{4}*et.* zu *tun*》 ^{4}*et.* bei ^{3}sich beschließen*. ¶ 결심이 안 ～ ^{4}sich nicht entschließen können*; zögern; unschlüssig sein.

서당(書堂) e-e private Schreibschule 《-n》 für ^{4}Kinder. ¶ ～ 개 3년이면 풍월한다 《속담》 Wenn man in der richtigen Umgebung lebt, lernt man die Dinge ganz von selbst.

서덜 ① 《물가의》 die Uferseite voll Stein. ② 《생선의》 Fischknochen *m.* -s, -.

서도(西道) die nord-westliche Provinz 《-en》 in Korea.

서도(書道) (Schön)schreibkunst *f.*; Kalligraphie *f.* ¶ ~의 대가 der große (berühmte) Kalligraph, -en, -en.

서독(西獨) ☞ 독일.

서두(書頭) ① 《첫머리》 Vor|wort *n.* -(e)s, -e (-bemerkung *f.* -en; -rede *f.* -n); Einleitung *f.* -en; Präambel *f.* -n (조약 등의). ¶ ~가 너무 길다 ein zu umständliches Vorwort haben; mit ³Umschweifen sagen (tun*). ② 《윗 여백》 der obere Rand einer Seite. ③ 《책 변두리》 der Seitenrand e-s Buches.

서두르다 ⁴sich eilen; ⁴sich beeilen; ⁴sich mit ³*et.* beeilen; ⁴sich fördern; 《조급해 하다》 über ⁴*et.* ungeduldig sein. ¶ 서둘러서 eilig; schnell; in ³Eile / 서두르는 기색도 없이 still; ruhig; ohne Hast / 일을 ~ seine ⁴Arbeit 《-en》 beschleunigen (befördern) / 서두르는 바람에 이것 저것 다 잊다 alles in größter Hast vergessen* / 서두를 필요는 없다 Man braucht nicht sich zu beeilen.¦ Nur keine jüdische Hast! / 우리는 늦지 않도록 서둘렀다 Wir haben uns beeilt, damit wir uns nicht verspäten. / 서두르면 서두를수록 더디다 Je mehr hastig sein, desto langsamer wird es sein. / 늦지 않으려면 빨리 서두르는 것이 좋다 Wenn sie nicht verspätet sein wollen, müssen Sie sich beeilen / 급히 서두르지 않으면 기차를 놓친다 Beeilen Sie sich, sonst werden Sie den Zug versäumen! / 왜 그리 서두르십니까 Warum eilen Sie so?¦Warum haben Sie solche Eile? / 그렇게 서두르지 말라 Nur nicht so eilig!

서두어(鼠頭魚) 〖어류〗 *Sillago sihama* (학명).

서둘다 ☞ 서두르다.

서라말 Apfelschimmel *m.* -s, -; weißes Pferd mit schwarzen Flecken.

서랍 Schub|lade *f.* -n (-fach *n.* -(e)s, ⸗er; -kasten *m.* -s, ⸗); Schieb|lade (-fach); Zug *m.* -(e)s, ⸗e. ¶ ~을 열다 e-e Schublade heraus|ziehen* / ~을 자물쇠로 채우다 eine Schublade schließen*.

서랑(壻郞) *js.* Schwiegersohn, -(e)s, ⸗e; Ihr Schiegersohn.

서러워하다 trauern 《*über*⁴; *um*⁴》; betrauern⁴; ⁴sich betrüben 《*über*⁴》; jammern 《*über*⁴; *um*⁴》; bejammern⁴; klagen 《*über*⁴》; beklagen⁴; beweinen⁴. ¶ 서러워하며 traurig; betrübt; kläglich; kummervoll / 어머니의 사망을 ~ über den Tod s-r Mutter traurig (voll Trauer) sein; den Tod s-r Mutter betrauen; um die Mutter trauern / 그렇게 서러워하지 마시오 Nehmen Sie es nicht so zu Herzen!

서럽다 traurig; betrübt; kummervoll; schmerzerfüllt (sein). ¶ 서러운 목소리로 mit trauriger Stimme / 서러운 이야기 e-e traurige Erzählung, -en (Geschichte, -n).

서력(西曆) ☞ 서기(西紀).

서로 einander; gegenseitig; gegeneinander; zusammen. ¶ ~의 gegen|seitig (wechsel-); reziprok / ~ 사랑하다 ⁴sich lieben; ⁴sich gern|haben / ~ 나란히 가다 Seite an Seite gehen* / ~ 바라보다 (miteinander) Blicke tauschen / ~ 헐뜯다 gegenseitig verleumden / ~ 싸우다 gegenseitig bekämpfen / ~ 욕하다 gegenseitig schimpfen/~의 이익을 도모하다 gegenseitige Interessen beachten / 그들은 ~ 도왔다 Sie haben sich (einander) geholfen. / 그들은 ~ 아는 사이이다 Sie kennen einander (sich). / 그것은 ~ 마찬가지다 Das beruht auf Gegenseitigkeit. / 우리는 지금까지 ~ 편견을 가지고 있었다 Wir hatten bisher gegeneinander Vorurteil.

서로치기 die Vergeltung mit Gleichem. ~하다 Gleiches mit Gleichem vergelten*.

서론(序論·緖論) Einführung *f.* -en; Einleitung *f.* -en; Vorwort *n.* -(e)s, -e; Vorrede *f.* -n; Introduktion *f.* -en.

서류(書類) Schriftstück *n.* -(e)s, -e; Akte *f.* -n; Papier *n.* -(e)s, -e; Dokument *n.* -(e)s, -e. ¶ ~를 작성하다 das Schriftstück aufsetzen (abfassen; entwerfen*) / ~를 제출하다 *jm.* das Papier (Schriftstück) vorlegen / ~를 정리하다 die Papiere ordnen; die Papiere in Ordnung bringen* (stellen; setzen) / ~를 전형하다 das Personalpapier prüfen.
‖ ~가방 Aktenmappe *f.* -n. ~꽂이 Briefordner *m.* -s, -; Ordnermappe *f.* -n. ~양식 Papierform *f.* -en. ~장 Aktenschrank *m.* -(e)s, ⸗e. ~함 Papierschränkchen *n.* -s, -. 관계~ betreffende Papiere. 비밀~ Geheimakte *f.* -n. 소송~ Prozeßakte *f.* -n.

서른 dreißig.
‖ ~살 das dreißigste Jahr, -(e)s, -e. ~째 der (die; das) Dreißigste, -n, -n.

서름서름하다 ① 《사람들에게》 zurückhaltend; reserviert; verschlossen; fremd; distanziert (sein). ② 《태도가》 ungewohnt; unbekannt (sein).

서름하다 zurückhaltend; frostig; kühl; reserviert; zugeknöpft; unfreundlich (sein).

서릊다 ① 《쓸어 치움》 fegen⁴; kehren⁴; reinigen⁴; säubern⁴. ② =설겆다.

서리¹ ① 《가루얼음》 Reif *m.* -(e)s, -e; Frost *m.* -es, ⸗e; Rauhreif *m.* -(e)s, -e; Reifeis *n.* -es. ¶ ~내린 아침 der Morgen mit starkem Reif / ~찬 하늘 der frostige Himmel; das frostige Wetter / ~가 내리다 es reift; Reif liegt / ~맞은 durch Frost beschädigt; erfroren; Frostschaden erlitten / ~를 막다 vor dem Reif schützen / ~ 피해를 입다 durch Reif (Frost) vorderben*; Frostschaden erleiden*; erfrieren* ⓢ.
② 《타격·피해》 Schaden *m.* -s, ⸗; 《손실》 Verlust *m.* -es, -e. ☞ 서리맞다.
‖ ~병아리 die Kükengeburt im Spätherbst; 《비유적》 Schwächling *m.* -s, -e; Zwerg *m.* -(e)s, -e. 서릿바람 der frostige (kalte) Wind. 서릿발 Eiszapfen *m.* -s, -: 서릿발 같은 명령 der strenge Befehl / 서릿발이 친다 Es bilden sich Eiszapfen auf dem Boden; Starker Reif bildet Eiszapfen auf dem Boden. 된~ heftiger (strenger) Frost: 된~가 내린 아침 der Morgen mit starkem Reif. 첫~ der erste Frost (Reif).

서리² 《훔치기》 das Stehlen*, -s; Diebstahl *m.* -(e)s, ⸗e; Dieberei *f.* -en; das Mausen*, -s. ~하다 stehlen*⁴ 《*jm.*》; e-n Diebstahl begehen*; ⁴sich e-s Diebstahls schuldig machen; entwenden*⁴ 《*jm.*》.
‖ 닭~ der Beutezug 《-(e)s》 des Huhnes. 참외~ der Raubzug 《-(e)s》 der Melone.

서리(署理) 《사람》 Stellvertreter *m.* -s, -; 《일》 (Stell)vertretung *f.* -en. ~하다 *jn.* (eine Stelle) ver|treten*. ¶ ~를 보다 für *jn.* handeln; *jn.* vertreten*; als Stellvertreter fungieren für *jn.*

getrennten Freunden / …와 ~왕래가 있다 mit *jm.* in (im) Briefwechsel stehen*; mit *jm.* e-n Briefwechsel führen / …와 종종 ~왕래를 하다 mit *jm.* häufig e-n Briefwechsel haben / ~을 내다 e-n Brief schreiben* 《*an*[4]》.

서악(序樂) Vorspiel *n.* -(e)s, -e; Ouvertüre [uvɛr..] *f.* -n; Präludium *n.* -s, ..dien.

서안(西岸) Westküste *f.* -n.

서안(書案) Lesepult *n.* -(e)s, -e; Schreibtisch *m.* -es, -e; Schreibpult *n.* -(e)s, -e.

서약(誓約) Schwur *m.* -(e)s, ⁼e; Beteu(e)rung *f.* -en (서언); Ehrenwort *n.* -(e)s, -e; Eid *m.* -(e)s, -e (하느님께); Gelöbnis *n.* -ses, -se (신에게의). **~하다** schwören*; e-n Schwur leisten (ab|legen); hoch u. heilig beteuern; sein Ehrenwort geben*《*jm.*》; e-n Eid (auf die Bibel) schwören*; ein Gelöbnis ab|legen; ein Gelübde ab|legen (schwören*). ¶ ~을 지키다 zu s-m Schwur stehen*; e-n Schwur halten* / ~을 지키지 아니하다 e-n Schwur (Eid) brechen* (verletzen).
‖ **~서** der schriftliche (geschriebene) Eid (Schwur); das schriftliche (geschriebene) Gelübde, -s, - (Gelöbnis): ~서를 쓰다 e-n schriftlichen Eid leisten; ein geschriebenes Gelübde tun*.

서양(西洋) Abendland *n.* -(e)s; Okzident *m.* -(e)s; Europa *n.* -s; Westen *m.* -s; die westliche Welt. ¶ ~의 abendländisch; okzidentalisch; europäisch.
‖ **~가구** das abendländische (europäische) Möbel, -s, -; das Möbel im abendländischen (europäischen) Stil(e). **~문명** die okzidentalische (europäische) Zivilisation. **~숭배** die blinde Anbetung des Abendlandes (Europas). **~식(풍)** der okzidentalische (europäische) Stil, -(e)s, -e; die okzidentalische (europäische) Art u. Weise; das okzidentalische (europäische) Wesen, -s. **~요리** das europäische Essen, -s (Gericht, -(e)s, -e); die europäische Speise, -n (Küche): ~요리집 das Restaurant [rɛstorɑ́:] 《-s, -s》 (das Wirtshaus, -es, ⁼er) nach europäischer Art. **~인** Abendländer *m.* -s, -; Okzidentale *m.* -n, -n; Europäer *m.* -s, -. **~장기** Schach *n.* -(e)s. **~제국** die abendländischen (europäischen; westlichen) Länder 《*pl.*》. **~통(通)** Europakenner *m.* -s, -. **~화** die europäische Malerei; ein europäisches Gemälde, -s, - (개개의). **맹목적 ~모방** die blinde Nachahmung des Abendland(e)s; die Nachahmerei des Europäertums.

서언(序言·緖言) Vorwort *n.* -(e)s, -e; Vorrede *f.* -n; Einführung *f.* -en; Einleitung *f.* -en; Geleitwort *n.* -(e)s, -e.

서언(誓言) Eid *m.* -(e)s, -e; Gelübde *n.* -s, -; Schwur *m.* -(e)s, ⁼e. ☞ 서약.

서역(西域) die Staaten 《*pl.*》, die in Westchina liegen.

서열(序列) Reihenfolge *f.* -n. ¶ 궁중의 ~ die Rangordnung (Rangstufe) bei Hofe.

서염(暑炎) brennende Hitze, -n; das heiße Wetter, -s, -.

서예(書藝) das Schreiben*, -s; Schreibübung *f.* -en. ¶ ~를 배우다 [4]sich im (Schön-) schreiben üben; Stunden (Unterricht) bei e-m Schreiblehrer nehmen* (haben) (선생에게). ‖ **~가** Kalligraph *m.* -en, -en; Schreibkünstler *m.* -s, -; Schönschreiber *m.* -s, -. **~책** Schreibheft 《*n.* -(e)s, -e》 (mit Vorlagen).

서운(瑞雲) die Wolken 《*pl.*》, die Glück verheißen. ¶ 그에게는 ~이 서려 있다 Das Glück ist ihm geneigt.

서운하다 ① 《사람이》 betrübt; reuevoll; traurig; unbefriedigt (sein). ¶ 그를 보지 못해 난 ~ Ihn vermissend bin ich traurig. / 난 그가 이미 떠났기 때문에 서운했다 Ich war betrübt, weil er schon weg war. / 무언가 서운한 모양이군 Du siehst doch nicht ganz befriedigt aus. ② 《일이》 unangenehm; leidig; ungerecht (sein).

서운해하다 ① 《사람이》 unzufrieden (betrübt) sein; traurig werden. ¶ 그는 아들이 없어 서운해 한다 Es betrübt ihn, da er keinen Sohn hat. ② 《…을》 unzufrieden sein《*mit*[3]》; gekränkt sein; [4]*et.* unfreundlich (unrecht; ungerecht) beachten. ¶ 서운해 하는 얼굴을 하다 ein unzufriedenes Gesicht machen / 그는 그 처사를 서운해 한다 Er betrachtet die Behandlung als ungerecht.

서울 《한국의》 Seoul (Söul) *n.* -s; 《수도》 Hauptstadt (Koreas) *f.* ⁼e; Residenzstadt *f.* ⁼e; Metropole (Metropolis) *f.* ..polen.
‖ **~사람** Söuler *m.* -s, -.

서원(書院) ① 《글방》 Privathörsaal *m.* -(e)s, ⁼e; Privatauditorium *n.* -s, ..rien. ② 《제사하는 데》 die Gedenkhalle 《-n》 für die großen Gelehrten u. die Lokalangelegenheit in der Vergangenheit.

서원(署員) ① 《경찰》 Polizist *m.* -en, -en; Polizeibeamte *m.* -n, -n. ② 《세무·소방서의》 ein Mitglied 《*n.* -(e)s, -er》 des Steueramts od. der Feuerwehrstation.

서원(誓願) Gelübde *n.* -s, -. **~하다** ein Gelübde ab|legen (erfüllen).

서인도(西印度) Westindien.

서임(敍任) Ernennung *f.* -en; Bestallung *f.* -en; Einsetzung *f.* -en (in e-n Hofrang); Investitur *f.* -en. ‖ **~식** Ernennungs¦feier (Bestallungs-) *f.* -n.

서자(庶子) ① 《첩의》 ein Kind der Konkubine. ② 《사생아》 das uneheliche Kind; Bastard *m.* -(e)s, -e.

서작(敍爵) **~하다** adeln 《*jn.*》; in den Adel(s)stand erheben* 《*jn.*》; e-n Adel(s)titel verleihen* 《*jm.*》.

서장(西藏) ＝티벳.

서장(書狀) Brief *m.* -(e)s, -e; Schreiben *n.* -s, -.

서장(署長) Vorsteher *m.* -s, - (e-r Polizeibehörde, e-r Steuerbehörde *usw.*).
‖ **경찰~** Polizei¦vorsteher *m.* -s, - (-inspektor *m.* -s, -en). **소방~** der Vorsteher e-r Feuerwehrstation.

서재(書齋) ① 《공부방》 Studier¦zimmer (Arbeits-) *n.* -s, -; Bibliothek *f.* -en (도서실). ¶ 아버지는 매일 ~에만 들어 계신다 Mein Vater bleibt jeden Tag in s-m Arbeitszimmer. ② 《글방》 Dorfschule *f.* -n.

서적(書籍) Buch *n.* -(e)s, ⁼er; 《출판물》 Verlagswerk *n.* -(e)s, -e.
‖ **~견본시장** Buchmesse *f.* -n. **~광** Bibliomane *m.* -n, -n; 《사람》 Bücherfreund *m.* -(e)s, -e; Bibliophile *m.* -n, -n. **~목록** Bücherverzeichnis *n.* -ses, -se. **~상** 《사람》 Buchhändler *m.* -s, -; 《가게》 Buchhandlung *f.* -en. **~출판업** Buchhändlergeschäft *n.* -(e)s, -e. **~판매** Buchhandel *m.* -s.

서전(瑞典) ＝스웨덴.

서점(西漸) das Vor¦dringen* (-rücken*) 《-s》

nach Westen (hin). ¶ 그 당시에는 동양문화의 ~이 성행하였다 In dieser Zeit drang die orientalische Kultur tief in den Westen ein. 「f. -en).
서점(書店) Buch¦laden m. -s, ⸚ (-handlung
서정(敍情·抒情) Gefühls¦äußerung (Empfindungs-) f. -en; Gefühlsdarstellung f. -en. ~하다 beschreiben*; schildern. ¶ ~적 lyrisch; gefühlvoll.
‖ ~문 das lyrische Werk; der lyrische Satz. ~시 das lyrische Gedicht, -(e)s, -e; Lyrik f. -en. ~시인 der lyrische Dichter, -s, -; Lyriker m. -s, -.
서정(庶政) Bürgerverwaltung f. -en; Volksverwaltung f. -en.
서조(瑞兆) Omen n. -s, ..mina; Vorzeichen n. -s, -; Vorbedeutung f. -en.
서조(瑞鳥) Glücksvogel m. -s, ⸚.
서족(庶族) der Nachkomme* 《-n, -n》 der Konkubine.
서지(書誌) Bibliographie f. -n [..fí:ən].
‖ ~학 die Wissenschaft der Bibliographie.
서진(書鎭) Beschwerer m. -s, -; Briefbeschwerer m. -s, -; Gegenstand 《m. -(e)s, ⸚e》 zum Beschweren von Schriftsstücken.
서쪽(西—) Westen m. -s; West m. -(e)s. ¶ ~의 westlich / ~에 westlich; im Westen / ~으로 westlich; nach Westen; westwärts / 섬의 ~ 약 5 킬로 미터의 곳에 etwa e-e 5 km westlich von der Insel / 서울 ~에 비행장이 있다 Der Flughafen liegt westlich von Seoul.
서차(序次) Reihenfolge f. -en; Ordnung f. -en; Anordnung f.; Rangordnung f.
서창(西窓) das Fenster 《-s, -》 nach Westen.
서책(書册) Buch n. -es ⸚er; Publikation f. -en; 《저서》 Werk n. 「Tischler.
서천 der Lohn für Schreiner; der Lohn für
서천(西天) der westliche Himmel, -s, -; der Himmel im Westen.
서철(西哲) 《사람》 der europäische (okzidentale) Denker, -s, - (Philosoph, -en, -en; Weise*, -n, -n; Weisheitslehrer, -s, -); 《학문》 die europäische (okzidentale) Philosophie, -n.
서첩(書帖) Sammelalbum n. -s, ..ben; das Sammelalbum für Photo und Poesie.
서체(書體) (Hand)schrift f. -en; Schreib¦art f. -en (-weise f. -n); kalligraphischer Stil, -(e)s, -e. ¶ 고딕 (이탤릭) ~로 in gotischer (schräger) ³Schrift.
서체(暑滯) die Verdauungsstörung 《-, -en》 in der Hitze; die durch Hitze eingetretene Verdauungsstörung.
서출(庶出) das uneheliche Kind, -(e)s, -er (e-s Adligen*). ¶ ~의 unehelich.
서치라이트 (Such)scheinwerfer m. -s, -. ☞ 탐조등. ¶ ~로 비추다 mit dem Scheinwerfer suchen.
서캐 Nisse f. -n. ¶ ~투성이의 nissig / ~ 훑듯 하다 präzis untersuchen.
‖ ~조롱 〖민속〗 das hölzerne Schildchen für Mädchen. ~훑이 der fein gezahnte Kamm.
서커스 Zirkus m. -, -se. ¶ ~를 흥행하다 den Zirkus betreiben.*
‖ ~단 Zirkustruppe f. -n.
서큘레이터 Umwälzer m. -s, -; Umwälzungsanlage f.; 《대류식 가스 스토브》 Gasofen 《m. -s, ⸚》 mit Luftumwälzung.
서클 Kreis m. -es, -e; Zirkel m. -s, -; Klub [klup] m. -s, -s (클럽). ¶ 친구들의 ~에서 im Kreis der Freunde.
‖ 경제 문제 연구~ der Forschungsklub der wirtschaftlichen Probleme. 독서~ Leseklub m. -es, -e.
서털구털 Unbeholfenheit f. -en; Ungewandtheit f. -en; Schwerfälligkeit f. -en. ~하다 unbeholfen; ungeschickt; schwerfällig (sein). ¶ ~한 품행 das flegelhafte Benehmen; das ungeschickte Verhalten.
서퇴(暑退) Kühle f. -en; die Verminderung der Hitze. ~하다 es wird kühler.
서투르다 ungeschickt; linkisch; pfuscherhaft (stümper-); plump; steif; schwerfällig; täppisch; unbeholfen; unerfahren; ungelenkig; ungewandt; ungeübt (sein). ¶ 서투른 그림 das schwache Bild (Gemälde) / 서투른 사람 der Ungeschickte*, -n, -n; Pfuscher m. -s, -; Stümper m. -s, -; Plumpsack m. -(e)s, ⸚e; Tölpel m. -s, - / 서투른 필치 e-e unbeholfene Handschrift, -en / 서툴러지다 an ³Geschicklichkeit verlieren*; aus der Übung kommen* ⓢ / 서투른 짓을 하다 e-e schöne Geschichte an|richten; e-e dumme Geschichte machen / 솜씨가 ~ k-e Fingerfertigkeit haben / 장사가 ~ im Geschäftsleben unerfahren sein / 바느질이 ~ in Näharbeit ungeschickt sein / 글씨가 ~ schlechte Handschrift haben / 독일어가 ~ schlechtes Deutsch sprechen*; in Deutsch schwach sein / 그는 계산이 ~ Er ist ungeschickt im Rechnen.¦Rechnen ist s-e schwache Seite. / 이건 서투른 그림이다 Dieses Bild ist schlecht geraten.¦Gemälde ist nicht gut gemacht.
서평(書評) Buch¦besprechung f. -en (-rezension f. -en); kritische Würdigung eines Buches. ¶ ~을 하다 ein Buch besprechen* (rezensieren).
‖ ~난 die Spalte der Buchbesprechung.
서표(書標) Lese¦zeichen(Blatt-; Buch-) n. -s,-.
서푼(一分) drei Pun; Farthing m. -s, -e; 〖형용사적〗 nicht viel wert. ¶ 그것은 ~짜리도 안된다 Das ist keinen roten Heller (keinen Schuß Pulver) wert. 「leicht.
서푼서푼 mit langsamem (leisem) Schritt;
서풋(서풋) mit leisem Schritt. ¶ ~ 걷다 auf den Zehen gehen.
서풍(西風) Westwind m. -(e)s, -e; der westliche Wind; der Wind aus Westen; Zephir m. -s, -.
서풍(書風) Schreib¦art f. -en (-stil m. -(e)s, -e; -weise f. -n).
서핑 Surfing [sø:rfiŋ] n. -s, -s; Wellenreiten n. -s, -.
서하(西下) ~하다 nach Westen gehen* (fahren*) ⓢ; nach dem Westen-Distrikt gehen* (fahren*) ⓢ.
서한(書翰) =서간(書簡).
서해(西海) 《황해》 Gelbes Meer, -(e)s.
서행(徐行) ~하다 langsam (im Schneckentempo; mit gedrosselter Geschwindigkeit) gehen* (fahren*) ⓢ; ⁴sich verlangsamen. ¶ 서행 《게시》 Schritt fahren! (가장 느리게).
‖ ~속도 verlangsamte Geschwindigkeit.
서향(西向) Westen m. -s, -; Westseite f. -n; die westliche Seite. ¶ 창은 ~이다 Das Fenster geht auf ⁴Westen.
‖ ~집 das nach Westen blickende Haus; ein Haus mit westlicher Lage.

서향나무(瑞香—) 〖식물〗 Seidelbast *m.* -s, -.
서혜(鼠蹊) 〖해부〗 Leiste *f.* -en. ¶ ～의 Leisten-. ‖～부(部) Leistengegend *f.* -en. ～선(腺) Leistendrüse *f.* -n.
서화(書畫) Gemälde 《*n.* -s, -》 u. (Hand-) schrift *f.* -en.
‖～상 Gemäldehändler *m.* -s. -. ～전람회 die Ausstellung von Gemälden u. (Hand-) schriften (u. Schriftrollen); Gemäldeausstellung *f.* -en. ～첩 das Sammelalbum für Gemälde und Kalligraphie.
서훈(敍勳) Ordensverleihung *f.* -en; Auszeichnung *f.* -en; Dekoration *f.* -en; Ehrenzeichen *n.* -s, -. ～하다 *jm.* e-n Orden verleihen*; *jn.* dekorieren. ¶ ～을 신청하다 *jm.* die Dekoration empfehlen*.
석(石) ＝섬[1].
-석(席) Sitz *m.* -es, -e; Platz *m.* -es, ⁼e. ¶ 부인석 Frauensitz *m.* -es, -e / 마부석 der Sitz für Kutscher auf dem Wagen 〔auf der Kutsche〕.
석가(釋迦) Schakjamuni; Buddha. ¶ 그것은 마치 ～에게 설교하는 셈이다 Das trägt Eulen nach Athen. ‖～모니(牟尼) ＝석가.
석가산(石假山) e-e künstliche Erhebung, -en; ein künstlicher Hügel, -s, -.
석각(石刻) Steinschnitt *m.* -(e)s, -; Steinschneidekunst *f.* ～하다 steinschneiden.
석간(夕刊) Abend¦blatt *n.* -(e)s, -er 〔-ausgabe *f.* -n; -zeitung *f.* -en〕. ¶ 동아의 ～ die Abendausgabe der *Tonga.*
‖～신문 Abendzeitung *f.* -en.
석간수(石間水) Felsenquelle *f.* -n.
석경(夕景) die Landschaft 《-en》 des Abends.
석경(石鏡) Spiegel *m.* -s, -.
석고(石膏) Gips *m.* -es, -e. ¶ ～ 같은 gipsartig / ～로 뜨다 Gips gießen / ～로 (벽에 뚫린) 구멍을 틀어 막다 Löcher (in der Wand) mit Gips aus|füllen 〔verschmieren〕 / ～로 입상을 만들다 e-e Statue in Gips ab|gießen* / ～흉상은 ～로 만든 것이다 Die Büste ist aus Gips.
‖～대(帶) Gipsbinde *f.* -n. ～모형 Gipsabdruck *m.* -(e)s, ⁼e. ～붕대 Gipsverband *m.* -(e)s, ⁼e. ～상(像) Gipsbild *n.* -(e)s, -er. ～세공 Gipsguß *m.* ..gusses, ..güsse: ～세공인 Gipsgießer *m.* -s, -. ～조각 Gipsschnitzerei *f.* -en. ～형(型) Gipsform *f.* -en. ～흉상 Gipsbüste *f.* -n.
석공(石工) 《석수》 Stein¦metz *m.* -en, -en 〔-hauer *m.* -s, -〕; 《석공업》 Steinwerk *n.* -(e)s, -e.
석관(石棺) Sarkophag *m.* -s, -e; Steinsarg *m.* -(e)s, ⁼e; der steinerne Prachtsarg.
석괴(石塊) Stein¦masse *f.* -n 〔-block *m.* -(e)s, ⁼e〕; ein Stück 《*n.* -(e)s》 Stein; Felsblock (큰); Geröll(e) *n.* ..röll(e)s, ..rölle (작은).
석굴(石窟) Höhle *f.* -n; Grotte *f.* -n.
‖～암(庵) *Soggul-am* Grotte.
석권(席卷) Errungenschaft *f.* -en; Eroberung *f.* -en; der glänzende Sieg; Sieg *m.* -(e)s, -e. ～하다 (be)siegen; erobern; erringen; ein Land 〔ein Gebiet〕 nach dem andern (wie der Blitz; wie der Wind; wie's Gewitter) erobern 〔besetzen〕. ¶ 전 유럽을 ～하다 siegen über das ganze Europa.
석기(石器) Stein¦gerät *n.* -(e)s, -e 〔-(werk-) zeug *n.* -(e)s, -e〕.
‖～시대 Stein¦zeit *f.* 〔-zeitalter *n.* -s, -〕: 신～시대 das neolithische Zeitalter; Neolithikum *n.* -s / 구～시대 das paläolithische Zeitalter; Paläolithikum *n.* -s.
석남(石南) 〖식물〗 Rhododendron *n.* -s, ..dren.
석녀(石女) e-e unfruchtbare Frau, -en.
석뇌유(石腦油) Naphtha *n.* -s, -s 〔*f.* -s〕.
석다 《눈이》 schmelzen[(*)] [s]; auf|tauen [s]; 《양조물이》 mürbe werden; ^{4}sich gären[(*)] [s]. ¶ 술이 ～ der Reiswein wird mürbe; der Reiswein gärt sich [s].
석다치다 den Pferd mit dem Gebiß in s-m Maul an|peitschen.
석돌 der weiche Stein, -(e)s, -e; der bröckelige Stein.
석동 〖민속〗 ① 《말》 der 3. von vier Markören im *Yuch*-spiel. ② 《판》 die 3. Runde im *Yuch*-spiel.
‖～무늬 3 zusammenlaufende Markören auf dem Brett des *Yuch*-spiels.
석등(石燈) die steinerne Laterne, -n.
석랍(石蠟) Kohlenöl *n.* -(e)s, -e; Paraffin *n.* -s, -e.
석류(石榴) 〖식물〗 Granatapfel *m.* -s, ⁼.
‖～나무 Granatapfelbaum *m.* -(e)s, ⁼e.
석류석(石榴石) 〖광물〗 Granat *m.* -(e)s, -e.
석면(石綿) 〖광물〗 Asbest *m.* -es, -e; Asbestfaster *m.* -s, -; Amiant *m.* -s; Steinflachs *m.* -es.
석명(釋明) Erklärung *f.* -en; Erläuterung *f.* -en (설명); Rechtfertigung *f.* -en; Sichrechtfertigen *n.* (변명); Entschuldigung *f.* (사과). ～하다 erklären[34]; ^{4}sich rechtfertigen; ^{4}sich entschuldigen.
석묵(石墨) ＝흑연(黑鉛).
석문(石門) Steintor *n.* -(e)s, -e.
석물(石物) die vor dem Grab stehenden Steinfiguren (der Menschen und Tiere).
석박(錫箔) Stanniol *n.* -s, -e; Blattzinn *n.* -(e)s, -.
석반(石盤) ＝석판(石板).
석방(釋放) Entlassung 〔Freilassung〕 *f.* -en; Freigabe *f.* -n. ～하다 entlassen*[4]; freilassen*[4]; auf freien Fuß setzen[4]. ¶ ～을 교섭하다 für die Entlassung in ^{3}Unterhandlung stehen* / 그의 ～을 요구하다 um s-e Entlassung bitten / 설유한 뒤에 ～하다 *jn.* nach der Überredung entlassen*.
석벌의집(石—) 《벌집》 der zwischen den Felsen gebaute Bienenkorb, -(e)s, ⁼e 〔Bienenstock, -s, ⁼e〕; 《사물》 etwas 〔ein Ding〕, das wie ein Bienenkorb aussieht.
석벽(石壁) 《벽》 Steinwall *m.* -(e)s, ⁼e; 《절벽》 Klippe *f.* -n.
석별(惜別) der schwere 〔traurige〕 Abschied, -(e)s, -e. ～하다 den schwere Abschied nehmen*. ¶ ～의 정 der Schmerz der Trennung / 어제 그는 우리와 ～했다 Gestern hat er sich von uns traurig verabschiedet.
‖～연 Abschiedsparty *f.*
석부(石斧) Steinaxt *f.* ⁼e.
석불(石佛) steinernes Buddhabild, -(e)s, -er.
석비(石碑) steinernes Denkmal, -s, ⁼er; Gedenkstein *m.* -s, -e.
석비레(石—) die von weichen 〔böckeligen〕 Steinen gemischte Erde.
‖～담 die von Sogbire gebaute Mauer.
석사(碩士) ① 《선비》 der Gelehrte*, -n, -n. ② 《칭호》 Herr *m.* -n, -en; 《학위》 Magister *m.* -s, -.
‖～과정 Magisterkursus *m.* -, ..se. ～논문 Magisterarbeit *f.* -en. ～학위 Magisterwürde *f.* -n: ～학위 증서 Magisterdiplom *n.* -(e)s, -e. 문학～ Magister der freien

Künste. 이학～ Magister der Naturwissenschaften. ⌈m. -(e)s, -e.
석산(石山) Steinberg *m.* -(e)s, -e; Felsenberg
석산(石蒜) 〖식물〗 *Manjusaka* 《범어》; *Lycoris radiata* (학명).
석삼년(一三年) drei mal drei Jahre (=neun Jahre).
석상(石像) Steinbild *n.* -(e)s, -er; die steinerne Bildsäule, -n (Statue, -n).
석상(席上) 〖부사적〗 in (auf; bei) der Sitzung (Versammlung; Zusammenkunft). ¶ 공개 ～에서 öffentlich; im Öffentlichen; vor aller Welt (allen (Menschen)); *coram publico* 《라틴》 / 어떤 모임 ～에서 발언하다 auf einer Versammlung sprechen* / 공개 ～에서 발언하다 öffentlich reden.
석새 die Weberei 《-, -en》 mit 60-Duchten. ‖ ～삼베 der hanfene Stoff mit 60-Duchten. ～짚신 der grobe Strohschuh.
석쇠 Bratrost *m.* -(e)s, -e; Grill *m.* -s, -s.
석수(石手) Stein¦metz *m.* -en, -en (-hauer *m.* -s, -). ‖ ～질 Maurer¦arbeit (Steinmetz-) *f.* -en. ⌈Abend.
석수(汐水) Ebbe und Flut 《-, -en》 am
석순(石筍) 〖광물〗 Stalagmit *m.* -(e)s, -e (-en, -en); der stehende Tropfstein, -(e)s, -e.
석순(席順) =석차(席次).
석양(夕陽) Abendsonne *f.* -n; Nachmittagssonne *f.* -n; Sonne 《*f.* -n》 nahe am Untergang. ‖ ～녘 beim Untergang der Sonne; bei sinkender Sonne. ～별 Abendsonnenschein *m.* -(e)s, -e.
석얼음 《수정 속의》 der Riß 《-es, -e》 im Kristall; 《물위의》 das schwimmende (treibende) Eis; 《유리창의》 das am Fenster gefrorene Eis. ¶ 창에 ～이 끼었다 das Fenster ist gefroren.
석연하다(釋然一) 〖사람이 주어〗 ein|sehen*[4]; einverstanden (zufrieden) sein 《*mit*[3]》; 〖사물이 주어〗 befriedigend; zufriedenstellend (sein). ¶ 석연히 befriedigend; zufriedenstellend / 석연치 않은 인물 ein zweifelhafter (verdächtiger) Mensch / 나는 아무래도 석연치가 않다 Das sehe ich nicht (ganz) sein. / 이 회답에는 석연치 않는 데가 많다 Diese Antwort läßt an Deutlichkeit noch viel zu wünschen übrig. / 아직도 이 일이 석연치 않다 Ich habe noch k-e klare Vorstellung von dieser Sache.
석염(石塩) 〖광물〗 Steinsalz *n.* -es, -e.
석영(石英) 〖광물〗 Quarz *m.* -es, -e. ¶ ～모양의 quarzig / ～질의 quarz¦ähnlich (-artig) / ～을 함유한 quarzhaltig.
‖ ～결정 Quarzkristall *m.* -s, -e. ～광맥 Quarzgang *m.* -(e)s, ⸚e. ～등 Quarzlampe *f.* -n. ～반암 Quarzporphyr *m.* -s, -e. ～사 Quarzsand *m.* -(e)s, -e. ～암 Quarzfels *m.* -en, -en. ～유리 Quarzglas *n.* -es, ⸚er. ～조면암(粗面岩) Quarzit *m.* -(e)s, -e. 녹(綠)～ Prasem *m.* -s, -(e).
석유(石油) Stein¦öl (Erd-) *n.* -(e)s; Bergöl *n.* -(e)s; Petroleum [petró:leum] *n.* -s; Petrol *n.* -s 《스위스에서》; Kerosin *n.* -s. ¶ ～의 노다지를 캐다 Erdöl finden / ～를 캐다 auf Erdöl stoßen* / 이곳은 ～의 산출이 많다 Petroleum kommt hier reichlich vor.
‖ ～갱(坑) Petroleumschacht *m.* -(e)s, ⸚e. ～공업 Petroleumindustrie *f.* ..strien. ～난방 Ölheizung *f.* -en. ～등 Petroleumlampe *f.* -n. ～발동기 Petroleummotor *m.* -s, -en. ～벤진 Petroleumbenzin *n.* -s, -e. ～스토브 Petroleum¦ofen (Öl-) *m.* -s, ⸚. ～업자 Ölmann *m.* -(e)s, ⸚er. ～에테르 Petroleumäther *m.* -s. ～위기 Ölkrise *f.* -n. ～유제 Petroleumemulsion *f.* -en. ～자원 Petroleumquelle *f.* -n. ～코크스 Petroleumkoks *m.* -es, -e. ～탱크 (Petroleum)tank *m.* -(e)s, -e (-s); Petroleumreservoir [..voa:r] *n.* -s, - (저유조). ～풍로 Petroleum¦apparat *m.* -(e)s, -e (-kocher *m.* -s, -). ～화학 Petrolchemie: ～화학 공업(공장) Petrolchemie-Industrie (-Anlage) *f.* -n / ～화학 약품 Petrolchemikalien 《*pl.*》. ～회사 Petroleumgesellschaft *f.* -en. 대한 ～공사 Korea Öl Korporation. ⌈유황
석유황(石硫黃) der Schwefel *m.* -s, -. ☞
석이다 《녹게 함》 auf|tauen lassen 《Schnee》; schmelzen lassen; 《양조물이》 [4]sich gären lassen; gären lassen; in Gärung bringen[(*)].
석인(石人) Steinbild *n.* -(e)s, -er; Steinstatue
석일(昔日) =옛날. ⌊*f.* -n.
석임 Gärung *f.* -en; Fermentierung *f.* -en; Säuerung *f.* -en. ～하다 fermentieren; gären[(*)] h,s. ⌈netz.
석자 der große Spatel 《-s, -》 mit Draht-
석장(錫杖) 〖불교〗 Priesterstab *m.* -(e)s, ⸚e.
석재(石材) Baustein *m.* -(e)s, -e; ein Stein 《*m.* -(e)s, -e》 zum Bauen.
‖ ～상 《사람》 Steinhändler *m.* -s, -; 《가게》 Steinladen *m.* -s, - (⸚).
석전(石戰) Steinkampf *m.* -(e)s, ⸚e; der Kampf mit Steinen; das Gefecht 《-(e)s, -e》 mit Steinen.
석전(釋典) 〖불교〗 die Heilige Schrift des Buddhismus.
석전제(釋奠祭) das konfuzianische Fest, das zweimal im Jahr gefeiert wird.
석조(夕照) Abendröte *f.*
석조(石造) ¶ ～의 steine(r)n; aus Stein (gebaut; gemacht); Stein-.
‖ ～가옥, ～집 Steinhaus *n.* -es, ⸚er. ～건축 Stein¦bau *m.* -(e)s, -ten (-haus *n.* -es, ⸚er). ～물 Steinwerk *n.* -(e)s, -e.
석존(釋尊) 〖불교〗 Schakjamuni; Buddha.
석종유(石鐘乳) 〖광물〗 Stalaktit *m.* -(e)s, -e (-en, -en); der hängende Tropfstein, -(e)s, -e. ⌈*f.* -n [..té:ən].
석죽(石竹) 《패랭이꽃》 Nelke *f.* -n; Dianthee
석차(席次) 《좌석의 순서》 Sitzordnung *f.* -en; die Reihenfolge beim Sitzen; Rang¦stufe *f.* -n (-ordnung *f.* -en); 《학교의》 die Leistung 《-en》 in der Schule. ¶ ～가 떨어지다 die Leistung schlecht gehen* / 그의 ～는 늘 일 등이다 Er ist immer der Klassen erste (Primus).
‖ ～다툼 die Konkurrenz 《-en》 um den Vorrang; der Streit 《-(e)s, -e》, der Bessere sein zu wollen. 졸업～ die Schlußleistung 《-en》 der Schule. ⌈명).
석창포(石菖蒲) 〖식물〗 *Acorus gramineus* (학
석청(石淸) der wilde Honig, -s; der in Spalte der Felsen gefundene Honig.
석축(石築) die Steinmaner, -n.
석탄(石炭) (Stein)kohle *f.* -n. ¶ ～질의 kohlig; kohlenhaltig / ～을 때다 Kohlen 《*pl.*》 brennen / ～으로 난방하다 mit Kohlen heizen[4]/～을 채굴하다 Kohlen 《*pl.*》 fördern (ab|bauen) / 화덕에 ～을 때다 im Brennofen Kohle verbrennen* / 월동용으로 ～을 사들이다 Kohle für den Winter ein|lagern / 동력원이 ～에서 수력으로 바뀌고 있는 것이 일반적인 경향이다 Es ist die allgemeine

Tendenz, die schwarze Kohle als Kraftquelle durch die weiße zu ersetzen.
‖ ～가루 Kohlenstaub *m.* -(e)s, -e. ～가스 Kohlengas *n.* -es, -e. ～갱(광) Kohlenbergwerk *n.* -(e)s, -e. ～갱부 Kohlenarbeiter *m.* -s, -. ～건류 Kohlendestillation *f.* -en. ～계(系) Kohlenmaß *n.* -es, -e. ～고《저장소》 Kohlen¦lager *n.* -s, ⸚ (-raum *m.* -s, ⸚e); 《배의》 Kohlenbunker *m.* -s, -; 《지하의》 Kohlengrube *f.* -n. ～광구 Kohlenbegrevier *n.* -s, -e. ～광업권 Kohlengrabungsrecht *n.* -(e)s, -e. ～그릇 Kohlenkasten (-eimer *m.* -s, -). ～기(紀) Steinkohlenzeit *f.*; Karbon *n.* -s. ～도매상 Kohlenvertreter *m.* -s, -. ～매연 Kohlendunst *m.* -es, -e. ～매장량 Gesamtvorräte an gewinnbarer Kohle. ～보급지 Kohlenstützpunkt *m.* -(e)s, -e. ～산 Karbolsäure *f.*; Phenol *n.* -s. ～산지 Kohlenfeld *n.* -(e)s, -er. ～선 《운반용》 Kohlenschiff *n.* -(e)s, -e. ～스토브 Steinkohlenofen *m.* -s, ⸚. ～액화 Kohlenflüssigung *f.* -en. ～운반 인부 Kohlenträger *m.* -s, -. ～운반차 Kohlenwagen *m.* -(e)s, -. ～장시 Kohlenhändler *m.* -s, - (사람). ～저장소 Kohlenplatz *m.* -es, ⸚e. ～찌끼 Zinder *m.* -s, - 《보통 *pl.*로 쓰임》; die ausgeglühte Kohle; Kohlenasche *f.* -n. ～채굴 Kohlen(ab)bau *m.* -(e)s. ～체 Kohlensieb *n.* -(e)s, -e. ～층 Kohlen¦flöz *n.* -es, -e (-lager *n.* -s, ⸚). ～포대 Kohlensack *m.* -(e)s, ⸚e. ～하적장 Kohlenstation *f.* -en. 대한 ～공사 Die Taehan Kohle Korporation. 액화～ die verflüssige Kohle.

석탑(石塔) Pagode *f.* -n; Stupa *m.* -s, -s.

석태(石苔) 〖식물〗 =돌김.

석판(石板) Schiefertafel *f.* -n. ¶ ～질의 schief(e)rig. ‖ ～공 Schieferarbeiter *m.* -s, -. ～석 Schiefer *m.* -s, -.

석판(石版) 〖인쇄〗 Lithographie *f.* -n [..fiːən] (석판술); Lithographierstein *m.* -(e)s, -e (석판화); Stein¦druck *m.* -(e)s, -e (-zeichnung *f.* -en). ¶ ～용 펜 Lithographierschreiber *m.* -s, - / ～의 lithographisch.
‖ ～기사 Lithograph *m.* -en, -en; Steindrucker *m.* -s, - (-zeichner *m.* -s, -). ～용지 Lithographierpapier *n.* -s, -e. ～인쇄 Lithographie *f.* -n: ～인쇄로 하다 lithographieren⁴. ～인쇄기 Steindruckpresse *f.* -n. ～인쇄소 die lithographische Anstalt, -en; Steindruckerei *f.* -en. 사진 ～술 Photolithographie *f.* -n. 착색～(술) Steinbuntdruck.

석패(惜敗) ～하다 den beinahe gewonnenen Sieg entschlüpfen lassen*; am Rande des Sieges von der Siegesgöttin schmählich verlassen werden. ¶ 우리 팀은 ～하였다 Unsere Mannschaft hätte um ein Haar den Sieg davongetragen.

석필(石筆) Schieferstift *m.* -(e)s, -e; (Schiefer)griffel *m.* -s, -; Schreibgriffel *m.*

석학(碩學) der große Gelehrte*; Wissenschaftler *m.* -s, -.

석화(石火) 《불꽃》 Kieselfeuer *n.* -s, -; Funke *m.* -ns, -n. ¶ 전광 ～같이 im Nu wie Funke; im Nu wie Blitz; blitzschnell.
‖ ～광음(光陰) die vergehende Zeit.

석화(石花) =이끼.

석화(席畵) das aus freier Hand (aus dem Stegreif; aus dem Handgelenk; unvorbereitet) verfertigte Gemälde, -s, -; das improvisierte (aus dem Ärmel geschüttelte) Gemälde. ～하다 (를 그리다) aus freier Hand (aus dem Handgelenk; aus dem Stegreif; unvorbereitet) ein Gemälde verfertigen; ein Gemälde improvisieren (aus dem Ärmel schütteln).

석화채(石花菜) 〖식물〗 Agar-Agar *m.* -s, -. ☞ 우뭇가사리.

석회(石灰) Kalk *m.* -(e)s, -e. ¶ ～분이 많은 음식 die verkalkten Lebensmittel 《*pl.*》; das verkalkte Essen / ～를 뿌리다 den Kalk bestreuen.
‖ ～가마 Kalkofen *m.* -s, ⸚. ～동(洞) Kalkgrotte *f.* -n. ～석, ～암 Kalkstein *m.* -(e)s, -e. ～수 Kalkwasser *n.* -s, -. ～유 Kalkmilch *f.* ～질 Kalzium *n.* -s: ～질의 kalkartig; kalkhaltig; kalkig; kalkicht. ～질소 Kalkstickstoff *m.* -(e)s, -e. ～토 Kalkerde *f.* -n. ～화(化) Kalkbildung *f.* -en. 생～ gebrannter (ungelöschter) Kalk. 소～ gelöschter Kalk.

섞갈리다 vermischt werden; verwechselt werden; verworren werden; kompliziert werden. ¶ 이야기가 섞갈린다 die Geschichte wird kompliziert / 문제가 너무 섞갈려서 이해할 수 없다 Da das Problem zu kompliziert ist, kann man es schlecht verstehen.

섞다 mischen⁴ 《*mit*³》; mengen⁴ 《*mit*³》; vermischen⁴; verwechseln⁴ 《*mit*³》 (혼동); vermengen⁴ (혼동, 혼합); 《타다》 bei¦mischen⁴; manschen⁴; panschen⁴ (술, 밀크 따위에); mischend verfälschen⁴ (질이 나쁘게); Wein verschneiden* (포도주에). ¶ 쌀에 돌을 ～ den Sand in den Reis mischen / 물을 기름에 섞기는 어렵다 Man kann das Wasser in Öl schlecht mischen. / 이 우유에는 물이 섞였다 Diese Milch ist mit Wasser verfälscht.

섞바꾸다 ⁴sich mischen; verkennen⁽*⁾; falsch auf¦fassen; verwechseln mit; fälschlich halten⁽*⁾ für.

섞바뀌다 gemischt werden; verwechselt werden; mißverstanden werden; 《뒤섞이다》 vermischt werden.

섞사귀다 mit anderem Sozialstand verkehren.

섞음질 (Bei)mischung *f.* -en; Gemisch *n.* -es, -e; (Ge)mengsel *n.* -s, -; Melange [melãːʒə] *f.* -n (코피의); Zu¦satz *m.* -es, ⸚e (-tat *f.* -en). ～하다 mischen; vermischen. ¶ ～하지 않은 unvermischt; echt; pur; rein; unversetzt / ～한 물건 Mischung *f.* -en.

섞이다 ⁴sich (ver)mischen 《*unter*⁴》; ⁴sich (ver)mengen 《*mit*³》; vermischt (vermengt) werden; ineinander über¦gehen* ⓢ; untermischt (untermengt) werden 《*mit*³》. ¶ 기름과 물은 섞이지 않는다 Öl und Wasser mischen sich nicht.

섟¹ 《감정》 Zornanfall *m.* -(e)s, ⸚e; Zornausbruch *m.* -(e)s, ⸚e.

섟² 《물가의》 die geeignete Stelle 《-n》, das Boot festzumachen; das Festmachen*, -s.

섟삭다 《의심이》 behoben werden 《Zweifel》; gelöst werden; vertrieben werden; 《노여움이》 ⁴sich erweichen lassen*; (ver)welken (lassen*).

선 Brautschau *f.* -en; Suche 《*f.*》 nach e-r passenden Braut. ¶ 선보러 가다 auf die Brautschau gehen* ⓢ.

선(先) ① 《먼저》 früher; vor(her)ig; ehemalig; vorangehend (선행하는); vorhergehend (선행하는). ② 《고인》 selig. ¶ 선대인 Vorfahr *m.* -en, -en. ③ 《장기·바둑의》 ¶ 선으로 두다 den ersten Zug tun*.

선(善) Gut *n.* -(e)s, ⸗er; das Gute*, -n. ¶ 최고선 das Beste*, -n; das höchste Gut / 선과 악 Gut und Böse / 선을 행하다 Gutes tun*; etwas Gutes tun* / 악을 선으로 갚는 것은 훌륭한 일이다 Es ist vornehm, Böses mit Gutem zu vergelten.

선(腺) 〖해부〗 Drüse *f.* -n. ¶ 선의 drüsig; skrofulös / 림프선 Lymphdrüse *f.* -n; die lymphatische Drüse.

‖ 선염 Drüsenentzündung *f.* -en. ☞ 선병.

선(線) Linie *f.*; Streifen *m.* -s, -; Dracht *m.* -(e)s, ⸗e (전화 따위의); Geleise *n.* -s, -e ※ Gleis *n.* -es, -e는 용법상 좋지 않으나 종종 쓰임; Route [rú:tə] *f.* -n (노선); Strich *m.* -(e)s, -e. ¶ 선을 긋다 e-e Linie ziehen*; lin(i)ieren^{4}; mit e-r Linie versehen*^{4}; unterstreichen*^{4} (밑줄을); durchkreuzen^{4} (횡선을) / 2번선 die Linie 2; das Geleise 2 (역 따위의) / 북위 38도선 38° nördliche Breite / 전화선 Telefonleitung *f.* -en / 호남선 die *Honam*-Linie / 부드러운 선 e-e fließende Linie / 선이 굵은(가는) 사람 der weitherzige (kleinliche) Mensch, -en, -en; der Mann 《-(e)s, ⸗er》 von großem (kleinem) Kaliber / 선을 따라서 an der Linie entlang.

선(縇) Rand *m.* -(e)s, ⸗er; Borte *f.* -n; Krause *f.* -n; Grenze *f.* -n. ¶ 선이 좁다 der Rand (die Borte) ist eng / 선을 두르다 (치다) die Krause (den Rand; die Borte) nähen.

선(選) (Aus)wahl *f.* -en; Auslese *f.* -n. ¶ 모(某)씨 선 시집 die von N.N. ausgewählte Anthologie, -n.

선(禪) ① die sinnende Betrachtung, -en; die religiöse Meditation, -en. ② Zensekt *f.* -n (교파); Zen-Lehre *f.* (교리). ¶ 선을 수행(修行)하다 ^{4}sich in der Zen-Lehre üben.

선- 《덜됨》 undressiert; unerzogen; untrainiert; ungelernt; unreif; unentwickelt; grün; neu; ungeschickt; unbeholfen. ¶ 선무당 der unreife Schamane, -n, -n / 선머슴 der untrainierte Knecht, -(e)s, -e.

-선(船) Schiff *n.* -(e)s, -e. ¶ 외국선 das ausländische Schiff / 군용 함선 Kriegsschiff *n.* -(e)s, -e; das militärische Schiff.

선가(船價) das Fahrgeld 《-(e)s, -er》 des Bootes (Schiffes); die Fahrgebühr 《-en》 des Schiffes; Schiffszoll *m.* -(e)s, ⸗e; Frachtgebühr *f.* -en; Frachtgeld *n.* -(e)s, -er.

선가(禪家) 〖불교〗 der Zen-Mönch 《-(e)s, -e》 des Buddhismus; die Zen-Sekte 《-n》 des Buddhismus.

선가(選歌) das ausgewählte (ausgelesene) Lied, -(e)s, -er.

‖ ~집(集) Blütenlese *f.* -n; Anthologie *f.* -n [..gí:ən].

선각(先覺) Voraussicht *f.* -. ~하다 voraus|-sehen*; voraus|empfinden*.

선각자(先覺者) Bahnbrecher *m.* -s, -; Pfadfinder *m.* -s, - (개척자); Pionier *m.* -s, -; Schöpfer *m.* -s, - (창시자); Vorkämpfer *m.* -s, -; Vorläufer *m.* -s, - (선구자); Wegbahner (-bereiter) *m.* -s, -. ¶ 새로운 발전의 ~ Pionier e-r neuen Entwicklung / 그는 시대의 ~이다 Er ist Pionier s-r Zeit.

선감(善感) 〖의학〗 die wirksame Vakzination, -en (Schutzimpfung, -en). ~하다 Die Impfung schlägt gut an.

‖ 종두~ die wirksame Pockenimpfung.

선객(先客) der vorher angekommene Gast, -(e)s, ⸗e (Besuch, -(e)s, -e; Besucher, -s, -).

선객(船客) (Schiffs)passagier [..ʒi:r] *m.* -s, -e; Fahrgast *m.* -(e)s, ⸗e. ¶ 1등 ~ Kajütenpassagier / 3등 ~ Zwischendeckspassagier / 등외 ~ Deckpassagier / ~수는 120명이었다 An Bord waren 120 Passagiere.

‖ ~명부 Passagierliste *f.* -n. ~실 Passagierstube *f.* -n. 관광~ der Passagier der Touristenklasse [tu..].

선거(船渠) Dock *n.* -(e)s, -e (-s). ¶ 건~ Trockendock *n.*

선거(選擧) Wahl *f.* -en. ~하다 wählen 《*jn.* *zu*^{3}》. ¶ ~의 종반전 die letzte Phase des Wahlkampfes / ~를 (실시)하다 die Wahl beginnen*; wählen / ~에 간섭하다 ^{4}sich in die Wahl ein|mischen / ~에 이기다 (지다) e-n Wahlfeldzug od. e-n Wahlkampf gewinnen* (verlieren*).

‖ ~간섭 Wahlbeeinflussung *f.* -en. ~결과 Wahl¦ergebnis *n.* -ses, -se (-resultat *n.* -(e)s, -e; -erfolg *m.* -(e)s, -e (성과)). ~계(係) Wahl¦kommissar (-kommissär) *m.* -s, -e. ~공보 Wahlkampfsblatt *n.* -es, ⸗er. ~공영 die öffentliche Verwaltung für die Wahl. ~관리위원회 Wahlkommission *f.* -en. ~구 Wahl¦bezirk *m.* -(e)s, -e (-kreis *m.* -es, -e). ~권 Wahl¦recht (Stimm-) *n.* -es, -e: ~권자 Wähler *m.* -s, -; der Wahlberechtigte*, -n, -n / ~권을 주다 *jm.* das Wahlrecht verleihen* / ~권을 행사하다 das Wahlrecht an|wenden* / 금년에는 나도 ~권이 있다 In diesem Jahr habe ich das Wahlrecht. ~기록 Wahlprotokoll *n.* -s, -e. ~대책위원회 das Komitee für die Wahlangelegenheiten. ~무효 die Ungültigkeit e-r Wahl. ~방송 die Radio¦sendung (Fernseh-) für den Wahlkampf. ~방해 Wahlverhinderung *f.* -en. ~법 《조례》 Wahl¦gesetz *n.* -es, -e (-ordnung *f.* -en): ~법 개정 Wahlreform *f.* -en / ~법 위반 die Verletzung des Wahlgesetzes. ~비용 Wahlkosten 《*pl.*》. ~사무소 Wahlamt *n.* -(e)s, ⸗er. ~사무장 Wahl¦leiter *m.* -s, - (-vorsteher *m.* -s, -; -vorstand *m.* -(e)s, ⸗e). ~사범 Wahlverbrecher *m.* -s, -. ~선언 Wahlaufruf *m.* -(e)s, -e. ~소송 Wahlprozeß *m.* ..zesses, ..zesse. ~속보 die prompte Nachricht der Wahlergebnisse. ~심사 Wahlprüfung *f.* -en. ~연설 Wahlrede *f.* -n: ~ 연설자 Wahlredner *m.* -s, -. ~운동 Wahl¦bewegung (-agitation) *f.* -en; Wahlerei *f.* -en; Wahlumtriebe 《*pl.*》: ~운동비 Kosten 《*pl.*》 für den Wahlkampf / ~운동원 Wahlagitator *m.* -s, -en / ~운동자금 Kosten 《*pl.*》 e-s Wahlfeldzug(e)s (e-r Wahlschlacht). ~위반 Wahlvergehen *n.* -s, -. ~위원장 der Vorsitzende* des Wahlausschusses. ~유세 die Rundreise 《-n》 zwecks e-s Wahlfeldzug(e)s (Wahlkampfs): ~ 유세하다 e-e Wahlpropagandareise machen. ~이의 신청 Wahlprotest *m.* -es, -e. ~인 Wähler *m.* -s, -: ~인 명부 Wähler¦liste (Wahl-) *f.* -n / ~인 자격 Wahlberechtigung *f.* -en. ~일 Wahltag *m* -(e)s, -e. ~전 Wahl¦feldzug *m.* -(e)s, ⸗e (-kampf *m.* -(e)s, ⸗e; -schlacht *f.* -en). ~절차(節次) Wahlmodus *m.* -s, ..di. ~제도 Wahlsystem *n.* -s, -e. ~진행상황 Wahlvorgänger 《*pl.*》. ~참관인 Wahlaufseher *m.* -s, -. ~플래카드 Wahlschild *n.* -(e)s, -er. ~후보자 Wahl¦kandidat *m.* -en, -en (-bewerber *m.* -s, -). 공명~ e-e gerechte Wahl; die behördliche Verwaltung e-r Wahl. 대통령～ Präsidentenwahl. 무효～ die ungültige Wahl. 보궐～ Ersatzwahl (Nach-) *f.* -en. 중앙 ～관리위원회 Zentralwahlkommission *f.* -en. 보통～ die allgemeine Wahl. 본～ Stichwahl *f.* -en. 비밀～ die geheime Wahl. 시(市)의원 ～ die städtische Wahl. 예비～ Vorwahl *f.* -en. 총～ Gesamtwahl *f.* -en.

선걸음 ¶ ～에 sogleich; auf der Stelle; stehenden Fußes.

선겁다 《놀랍다》 erstaunlich; überraschend; bestürzend; aufsehenerregend; 《재미 없다》 uninteressant (sein).

선견(先見) Voraus¦sicht *f.* (-blick *m.* -(e)s, -e); das Voraus¦sehen* (Vorher-) -s; Vorbedacht *m.* -(e)s. ¶ ～이 있는 weitblickend; voraus¦sehend (-sichtlich)/～이 없는 kurzsichtig; einsichtslos / ～지명이 있는 사람 der Voraus¦sehende* (-blickende*) -n, -n; der Vorher¦sehende*, -n, -n; Vorbedächtige*, -n, -n / ～지명이 있다 voraus|sehen* (-schauen; -blicken); vorher|sehen*; vorbedächtig (vorsichtig; vorsorglich) sein / 이런 것이 ～지명이라는 것이다 Das nenne ich vorbedächtig gehandelt.

선견부대(先遣部隊) Voraustruppen 《*pl.*》; Vortruppe *f.* -en 《고어》.

선결(先決) ～하다 vorher (im voraus; als erstes) erledigen[4] (entscheiden*[4]).
‖ ～문제 Vorfrage *f.* -n; die im voraus zu entscheidende Frage; vorherige Frage; vorausgeschickte Frage: ～문제는 돈이다 Geld ist die erste Sache. / 비용이 ～문제이다 Die Unkosten sind die im voraus zu entscheidende Frage.

선경(仙境) 《신선이 사는》 Feen¦land (Traum-; Wonne-; Zauber-) *n.* -(e)s, -e; das Gefilde 《-s, -》 (die Insel, -n) der Seligen; 《속세를 떠난》 das himmlische (elysische) Gefilde; Elysium *m.* -s.

선고(先考) der verstorbene Vater, -s, ⸗.

선고(宣告) 《공표》 Spruch *m.* -(e)s, ⸗e; 《재판의》 Urteil *n.* -(e)s, -e; Richter¦spruch (Recht-; Urteils-) *m.* -(e)s, ⸗e; Erkenntnis *n.* -ses, -se; Verurteilung *f.* -en (유죄의). ～하다 erkennen* 《über[4]》; e-n Spruch *usw.* tun* 《über[4]》; verurteilen 《*jn.* zu[3]》. ¶ ～문 das schriftliche Urteil; Urteilsurkunde *f.* -n / 무죄를 ～하다 für unschuldig erklären 《*jn.*》; von e-m Verbrechen frei|sprechen* 《e-n Angeklagten》 / 가혹한(관대한) ～ ein hartes (mildes) Urteil / 공정한 (엄한) ～ ein unparteiisches (strenges) Urteil / 교수형을 ～받다 [4]sich zum Todesurteil durch Erhängen unterwerfen* / 사형을 ～하다 zum Tode verurteilen / 유죄를 ～하다 *jn.* (für) schuldig erklären / 벌금형을 ～하다 zu e-r Geldstrafe verurteilen 《*jn.*》 / 그는 재판에서 파산 ～를 받았다 Er wurde gerichtlich (für) bank(e)rott erklärt. / 5년 징역의 ～를 받다 *jn.* 5 Jahre zu Gefängnis verurteilen / 피고는 살인죄로 사형을 ～받았다 Der Angeklagte wurde wegen der Mordtat zum Tode verurteilt.

선고(選考) ＝전형(銓衡).

선골(仙骨) 〖해부〗 Kreuzbein *n.* -(e)s, -e.
‖ ～청반(靑斑) der blaue Kreuzfleck, -(e)s, -e (Flecken, -s, -).

선공(先攻) 〖야구〗 ～하다 zuerst schlagen*; als Schlagpartei zuerst an|greifen*. ¶ 그 야구 경기는 고려대학의 ～으로 개시되었다 In diesem Baseballspiel griff die *Korea* Universität zuerst als Schlagpartei an.

선과(選科) Wahl¦fach *n.* -(e)s, ⸗er (-kursus *m.* -, ..se). ¶ 우리는 상급과정에서 라틴어를 ～로 한다 Wir haben in der Oberstufe Latein als Wahlfach.
‖ ～생(生) der an e-m Wahlkurs(us) Teilnehmende*, -n, -n.

선광(選鑛) die Trennung 《-en》 (Sortierung) des Erzes; das Anrichten*, -s. ～하다 das Erz trennen (sortieren; konzentrieren); an|richten.

선교(宣教) Mission *f.* -en. ～하다 Mission treiben*.
‖ ～사 Missionar (Missionär) *m.* -s, -e: ～사단 Mission *f.* -en. ～사 신학교 Missionshaus *n.* -es, ⸗er.

선교(船橋) 《배다리》 Schiff(s)brücke *f.* -n; Pontonbrücke [pɔ̃tɔ̃:..] (철선의); 《배의 갑판의》 Kommandobrücke.

선교(禪敎) 〖불교〗 der Zen-Buddhismus und verschiedene Nicht-Zen-Sekte des Buddhismus.

선구(先驅) ① ☞ 선구자. ② 《차·마의》 Vorreiter *m.* -s, -; Vorhut *f.* -en.

선구(船具) Schiffs¦zubehör *n.* (*m.*) -(e)s, -e (-bedarf *m.* -(e)s; -bedürfnisse 《*pl.*》; -gerät *n.* -(e)s, -e); Schiffsausrüstung *f.* -en (의장); Takelage [..ʒə] *f.* -n; Tak(e)lung *f.* -en; Takelwerk *n.* -(e)s.
‖ ～상(商) Schiffs¦händler *m.* -s, - (-gerät-handler *m.* -s, -; -lieferant *m.* -en, -en).

선구안(選球眼) 〖야구〗 das wählende Auge 《-s, -n》 zum Schlagen. ¶ ～이 좋다 das gut (genau) wählende Auge haben.

선구자(先驅者) Vorläufer *m.* -s, -; Vorkämpfer *m.* -s, -; Bahnbrecher *m.* -s, -; Pionier *m.* -s, -e; Vorbote *m.* -n, -n; Wegbahner (-bereiter) *m.* -s, -. ¶ ～가 되다 voran|gehen*[3]Ⓢ; an der Spitze gehen*Ⓢ; Bahn brechen*; den Weg bahnen; Neuland finden*/그는 시대의 ～이다 Er ist der Kolumbus s-r Zeit. / 그는 한국에서 독문학 연구의 ～였다 Er war der Vorläufer der Germanistikstudien in Korea.

선굿 der feierliche Brauch 《-(e)s, ⸗e》 für die Geisterbeschwörung, die von einem Schamanen in stehender Form hüpfend ausgeführt wird.

선근(善根) 〖불교〗 die gute (wohltätige) Tat, -en; die Tat der buddhistischen Bedeutung (des buddhistischen Verdienstes).

선글라스 Sonnenbrille *f.* -n.

선금(先金) Voraus(be)zahlung *f.* -en; Vorschuß *m.* ..schusses, ..schüsse (임금 등의 선불). ¶ 하숙비를 ～으로 치르다 das Kostgeld voraus|zahlen (im voraus zahlen); vorausbezahlen[4] / 계약은 ～으로 부탁합니다 Beim Vertragsschluß wird um Vorauszahlung gebeten.

선남선녀(善男善女) fromme Leute 《*pl.*》; die Andächtigen* 《*pl.*》.

선납(先納) Vorausbezahlung *f.* -en; Vorauszahlung *f.* -en. ～하다 voraus|bezahlen; voraus|zahlen.

선내(船內) der Innenraum des Schiffes; im Schiff. ¶ ～를 수색하다 das Schiff durchsuchen.

선녀(仙女) Fee *f.* -n; Nymphe *f.* -n; Waldnymphe *f.* -n.

선다형(選多型) Multiple Choice *f.* (Test

(《m. -es, -e》 der mehrfachen Auswahl).

선단 Kleidersaum *m.* -(e)s, ⸗e.

선단(船團) Flotte *f.* -n. ☞ 선대(船隊).
‖삼치잡이~ Flotte der Art-Makrelefänger 《*pl.*》.

선달 〖건축〗 das auf der Hebevorrichtung gebrauchte Holzstück, -(e)s, -e.

선대(先代) 《앞세대》 die frühere Generation, -en; 《선조》 Vorgänger *m.* -s, -; Vorfahr *m.* -en, -en; der selige Vater, -s, ⸗ (der Vater selig) (선친). ¶ ~의 früher; ehe¦malig (vor-); gewesen; weiland (인명과 함께).

선대(船隊) Flotte *f.* -n.
‖상~ Handelsflotte *f.* -n. 수송~ Transportflotte. 포경(捕鯨)~ die Flotte für den Walfang.

선대(船臺) Stapel *m.* -s, -; Helge *f.* -n (조선대); Helgen *m.* -s, - (조선대); Helling *f.* -en; Helligen *m.* -s, -e; Schlitten *m.* -s, - (진수대).

선도(先渡) ~하다 im voraus geben*[34] (liefern[34]).

선도(先導) Führung *f.* -en; Leiterung *f.* -en. ~하다 führen[4]; leiten[4]. ¶ 역장의 ~로 대사는 특별 열차에 올랐다 Vom Bahnhofsvorsteher geführt, stieg der Botschafter in den Sonderzug ein. / 2명의 기마 경찰의 ~로 행렬은 움직이기 시작했다 Zwei berittene Polizisten voran, setzte sich die Prozession in Bewegung.
‖~자 Führer *m.* -s, -; Leiter *m.* -s, -. ~차 《경찰 등의》 der führende Wagen, -s, -.

선도(善導) die anständige Führung, -en; die verständige Orientierung; die richtige Leitung. ~하다 anständig führen; verständig orientieren ⓢ; richtig leiten. ¶ 사상의 ~ die richtige Führung des Gedankens / ~책 die Maßnahme für die verständige Führung / 청소년의 ~책이 시급히 요청된다 Die Festsetzung der Maßnahme für die Jugendlichen ist dringend notwendig.

선도(鮮度) Frische *f.* ¶ ~가 높은 sehr frisch / ~가 낮은 nicht frisch / ~가 떨어지다 wenig frisch werden.

선도(禪道) 〖불교〗 Zen-Buddhismus *m.* -.

선돌 〖역사〗 Druidenstein *m.* -(e)s, -e.

선동(煽動) Provokation *f.* -en; (Auf)hetzerei *f.* -en; Aufhetzung *f.* -en; Aufwiegelei *f.* -en; Aufwieg(e)lung *f.* -en; Agitation *f.* -en; Anreiz *m.* -es, -e; Anreizung *f.* -en; Anstiftung *f.* -en. ~하다 (auf|)hetzen 《*jn.* *zu*[3]》; auf|wiegeln 《*jn.*》; agitieren[(4)]; an|-reizen (-stiften) 《*jn.* *zu*[3]》. ¶ ~적인 (auf)hetzerisch; aufhetzend; aufwieglerisch; agitatorisch; aufreizend; anstiftend; verhetzend / ~의 목적으로 für die Provokation/ 민중을 ~하여 반란을 일으키다 mit der Massenprovokation Gewalt an|tun*.
‖~연설 Provokationsrede *f.* -n: ~연설가 Provokationsredner *m.* -s, - / ~연설을 하다 e-e Agitationsrede halten*. ~자 (Auf-)hetzer *m.* -s, -; Aufwiegler *m.* -s, -; Agitator *m.* -s, -en; Anreizer *m.* -s, -; Anstifter *m.* -s, -. ~정치가 Demagog(e) *m.* ..gen, ..gen; Volks¦aufwiegler (-verführer) *m.* -s, -. ~죄 Aufwiegelung *f.* -en; Volksverhetzung *f.* -en; Anstiftung *f.* -en.

선동이(先童一) 《쌍태의》 der Erstgeborene der Zwillinge.

선두(先頭) Vorhut *f.* -en; Führung *f.* -en; Führer *m.* -s, -; Spitze *f.* -n; der Erste*, -n, -n; die Erste*, -n, -n. ¶ 아무를 ~에 세우고 *jn.* an die Spitze schicken / ~에 서다 an der Spitze stehen* ⓗ,ⓢ; vorne stehen* ⓗ,ⓢ / ~에 서서 …하다 [4]*et.* an der Spitze tun* / ~를 지키기에는 노력을 필요로 했다 Um die Führung zu halten*, habe ich schwer (viel) zu arbeiten.
‖~부대 Vorhut *f.* -en; die führende Truppe; die leitende Truppe. ~타자 《팀의》 der beste Schläger der Mannschaft; 《그 회의》 der erste Schläger der Runde.

선두(船頭) Bug *m.* -(e)s, ⸗e; Schiffsschnabel *m.* -s, ⸗.

선두르다 säumen; rändeln; rändern; kräuseln. ¶ 상보에 ~ das Tischtuch mit der Krause schmücken.

선두리 〖곤충〗 Wasserkäfer *m.* -s, -.

선드러지다 heiter; hebend; glänzend; lebhaft; fröhlich (sein). ¶ 선드러지게 걷다 mit munterem Schritt laufen* ⓗ,ⓢ; mit lebhaftem Schritt (schwebend) gehen* ⓢ / 선드러지게 웃다 fröhlich (munter) lachen.

선드리다(禪一) 〖불교〗 [4]sich mit der buddhistischen Meditation beschäftigen; buddhistisch meditieren.

선득거리다 ① 《추워서》 kalt fühlen; frostig fühlen; [3]sich vor Kälte schaudern. ② 《놀라서》 [4]sich schaudern 《*bei*[3]》. ☞ 섬뜩하다.

선들- ☞ 산들-.

선들다(禪一) 〖불교〗 in die Buddhist-Freistätte zu meditieren gehen.

선들바람 der leichte Wind; Brise *f.* -n; die kühle Brise.

선떡 der nicht richtig gebackene Reiskuchen. ¶ ~ 받듯이 k-e Freude empfindend; nicht begeisternd.

선똥 halb verdautes Exkrement; halb verdauter Kot.

선뜩 ¶ ~ 선뜩 schauder¦haft (-erregend); grauenerregend / ~해지다 schaudern; erschaudern ⓢ; von [3]Grauen ergriffen werden / 방안이 ~하다 Das Zimmer ist kalt (fröstelnd). / 전쟁의 ~함이 나를 사로 잡았다 Das Grauen des Krieges erfaßt mich. / 그 소식에 가슴이 ~했다 Die Nachricht machte mich schauderhaft.

선뜻 willig; leicht; ohne weiteres.

선량(善良) ~하다 gut; 《사람좋은》 gutmütig; 《성실한》 rechtschaffen; 《품행바른》 tugendhaft (sein).

선량(選良) Parlamentarier *m.* -s, -; der Vertreter der Leute; das Mitglied der Versammlung; das Mitglied der Volksvertretung.

선령(船齡) das Alter des Schiffes. ¶ ~ 25년 이상의 배 das über 25 Jahre alte Schiff.

선례(先例) Beispiel *n.* -(e)s, -e; Exempel *n.* -s, -; Präzedenzfall *m.* -(e)s, ⸗e; der vorgängige Fall. ¶ ~ 없는 beispiellos; einzig (dastehend); noch nicht dagewesen; unerhört / ~가 되다 ein Beispiel auf|stellen (geben*)/ ~를 깨뜨리나 gegen die Gewohnheit verstoßen*; die Bande des Herkommlichen durchbrechen* / ~가 없다 Das ist beispiellos. / 좋은 ~를 보여 주었다 Er ist uns mit gutem Beispiel vorangegangen.

선로(船路) =뱃길.

선로(線路) Bahn *f.* -en; Geleise *n.* -s, -; Fahrbahn *f.* -en; Bahnkörper *m.* -s, -; Bahnlinie *f.* -n. ¶ ~를 놓다 die Fahrbahn bauen / ~안에 들어가지 마십시오 Eintreten in das Fahrbahngebiet verboten!

‖ ～표지 der Schild 《-(e)s, -e》 der Fahrbahn.
선룸 Glasveranda *f.* ..den.
선린(善隣) die gute Nachbarschaft. ¶ ～관계를 맺다 eine gute Nachbarschaft pflegen 《*mit*³》/ ～의 정의를 유지하다 die Beziehung der guten Nachbarschaft behalten*. ‖ ～정책 die Politik der guten Nachbarschaft.
선망(羨望) Neid *m.* -(e)s; Mißgunst *f.* ～하다 beneiden⁴ 《*jm.*; *jn. um*⁴》; neidisch sein 《*auf*⁴》; mißgönnen³⁴; mißgünstig sein. ¶ ～의 적(的)이 되다 die Zielscheibe 〔der Gegenstand〕 des Neides werden; beneidet werden; voll(er) Neid angesehen werden; den Neid erregen 〔erwecken〕.
선매(先買) Vorkauf *m.* -(e)s, ⸚e. ～하다 vor|kaufen. ‖ ～권 Vorkaufsrecht *n.* -(e)s, -e. 입도(立稻)～ Reisvorkauf *m.* -(e)s, ⸚e.
선매(先賣) Vorverkauf *m.* -(e)s, ⸚e. ～하다 vor|verkaufen 《⁴*et.*》. ‖ 입도(立稻)～ der Vorverkauf der Reisernte auf dem Feld.
선머리(先―) Spitze *f.* -n; Führung *f.* -en; Vorhut *f.* -en. ¶ 행렬의 ～ die Vorhut der Prozession; die Vorhut des Umzugs / ～에 서다 die Leitung übernehmen*; voran|gehen* ⓢ; an der Spitze von ³*et.* stehen* ⓗ.ⓢ; voraus|gehen*⁽³⁾ ⓢ.
선머슴 der wilde Bursche, -n, -n; der abenteuerliche Junge.
선명(宣明) Proklamation *f.* -en; Ankündigung *f.* -en; Erklärung *f.* -en; Bekanntmachung *f.* -en; Verbreitung *f.* -en. ～하다 proklamieren; an|kündigen; erklären; promulgieren; verkünden.
선명(鮮明) Klarheit 〔Deutlichkeit〕 *f.*; Helle *f.* (밝음); Schärfe *f.* (명확). ～하다 klar; deutlich; hell; scharf hervortretend 〔geschliffen〕 (sein). ¶ ～한 영상《텔레비의》 der klare 〔scharfe〕 Bildschirm / ～하게 klar; scharf; hell; deutlich / ～하지 못하다 an ³Klarheit 〔Deutlichkeit; Helle; Schärfe〕 mangeln; nicht klar 〔deutlich; hell〕 genug sein / 인쇄가 ～하다 Der (Buch)druck ist deutlich. / 기치를 ～히 하다 Farbe bekennen*; s-e Meinung offen aus|sprechen*; s-e Meinung kund|tun*; (sehr) bestimmt auf|treten* ⓢ.
‖ ～도 〖사진〗 Bestimmtheit *f.*; Schärfe *f.* ～야당 die eindeutige Oppositionspartei.
선모(旋毛) Wirbel *m.* -s, -; der Haarwirbel auf dem Kopf.
선모(腺毛) Fühler *m.* -s, -; Fangarm *m.* -(e)s, -; Drüsenhaar *n.* -(e)s, -e.
선무(宣撫) Besänftigung *f.* -en; Versöhnung *f.* -en; Befriedigung *f.* -en.
‖ ～공작 Versöhnungsarbeit *f.* -en. ～반 Besänftigungsgruppe *f.* -n.
선무당(―巫―) der unerfahrene Schamane, -n, -n. ¶ ～이 사람 죽인다 Nichtwissen ist besser als Halbwissen.
선물(膳物) Geschenk *n.* -(e)s, -e; Gabe *f.* -n; Aufmerksamkeit *f.* -en; Spender *f.* -n; 《기념품》 Reiseandenken *n.* -s, -. ～하다 zum Geschenk machen; ein Geschenk machen 〔geben*〕 《*jm.*》; schenken⁴ 《*jm.*》; beschenken《*jn. mit*³》. ¶ 하느님의 ～ Segnung *f.* -en; Gottesgabe *f.* -n / 좋은 ～ das gute Geschenk / 이별의 ～ Abschiedsgeschenk *n.* -(e)s, -e / ～을 보내다 ein Geschenk senden* 〔schicken〕 / 그것은 ～로 적합합니까 Ist das als Geschenk geeignet? / 훌륭한 ～을 주셔서 대단히 고맙습니다 Vielen Dank für das wunderschöne Geschenk.
‖ ～용품 Geschenksware *f.* -n. 새해～ Neujahrsgeschenk *n.* -(e)s, -e. 생일～ Geburtstagsgeschenk *n.* -(e)s, -e; Angebinde *n.* -s, -. 연말(年末) 〔크리스마스〕～ Weihnachts|geschenk *n.* -(e)s, -e 〔-gabe *f.* -n〕. 축하～ das Geschenk zur Gratulation: 그에게 줄 결혼 축하 ～에는 무엇이 좋겠읍니까 Was wäre am besten für das Hochzeitsgeschenk?
선물거래(先物去來) 〖경제〗 Termin|geschäft *n.* -(e)s, -e 〔-handel *m.* -s, ⸚〕.
선미(船尾) Heck *n.* -(e)s, -e; Hinter|schiff 〔Achter-〕 *n.* -(e)s, -e; Spiegel *m.* -s, -(고물). ¶ ～에 im 〔am〕 Heck od. Hinter|schiff 〔Achter-〕; achtern; hinten im 〔am〕 Schiff.
‖ ～등 Hecklaterne *f.* -n.
선민(選民) Ausgewählten 《*pl.*》.
선바람 ¶ ～으로 stehenden Fußes; sofort.
선박(船舶) Schiff *n.* -(e)s, -e; Fahrzeug *m.* -(e)s, -e; Marine *f.* -n (총칭). ¶ 항내 ～ das Schiff im Hafen / ～의 출입 die Ein- und Ausfahrt der Schiffe 《*pl.*》/ 세계대전 전의 일본 ～은 총 640만 톤에 달했다 Vor dem Weltkriege betrug die Gesammttonnage [..ʒ(ə)] der japanischen Handelsflotte 6.4 Millionen Tonnen.
‖ ～건조 Schiffbau *m.* -(e)s. ～검사 Schiffsbesichtigung *f.* -en. ～공유자 Schiffs|partner *m.* -s, - 〔-freund *m.* -(e)s, -e〕. ～과 die Abteilung der Schiffsangelegenheiten. ～관리인 Schiffs|verwalter *m.* -s, - 〔-agent *m.* -en, -en〕. ～국적증서 der Nationalitätsschein des Schiffes. ～기중기 Schiffsbinde *f.* -n. ～등기 Schiffsregister *n.* -s, -. ～등록 증명서 Schiffszertifikat *n.* -(e)s, -e. ～명부 Schiffsverzeichnis *n.* ..nisses, ..nisse. ～무선 전화국 Schiffsfunkstation *f.* -en. ～법 Schiffsrecht *n.* -(e)s, -e. ～보증 Schiffsberechtigung *f.* -en. ～보험 Schiffsversicherung *f.* -en. ～사용료 Schiffsmiete *f.* -n. ～사항 Schiffsangelegenheiten 《*pl.*》. ～소유자 Schiffs|besitzer *m.* -s, - 〔-eigentümer *m.* -s, -; -eigner *m.* -s, -〕. ～승무원 Schiffsmannschaft *f.* -en. ～식량 Schiffsproviant *m.* -(e)s, -e. ～신호 Schiffssignal *n.* -s, -e. ～업 Schiffbauindustrie *f.* -n: ～업자 Schiffsagent *m.* -en, -en. ～용품 Schiffsvorrat *m.* -(e)s, ⸚e. ～중개인 Schiffsmäkler *m.* -s, -. ～증서류 Schiffspapier 《*pl.*》. ～채권자 Schiffskreditor *m.* -s, -en. ～톤세 Schiffszoll *m.* -(e)s, ⸚e. ～화물 Schiffsfracht *f.* -en. ～화재 Schiffsbrand *m.* -(e)s, ⸚e. ～회사 Schiffahrtsgesellschaft *f.* -en; Reederei *f.* -en; Schiffbaugesellschaft (조선회사).
선반 Wandbrett *n.* -(e)s, -er.
‖ ～턱 Bretterspitze *f.* -n.
선반(旋盤) Dreh|bank 〔Drechsel-〕 *f.* ⸚e. ¶ ～으로 깎다 drechseln.
‖ ～공 Dreher *m.* -s, -; Drechsler *m.* -s, -. ～공장 Drechslerei *f.* -n. ～대(臺) Drehbankfuß *m.* -es, ⸚e. ～용 바이트 Drehling *m.* -s, -e.
선발(先發) ～하다 voraus|gehen* ⓢ; vorausgeschickt werden.
‖ ～대 Voraustruppen 《*pl.*》; Vortruppe *f.* -en (군사). ～투수 〖야구〗 der erste Werfer.
선발(選拔) Auswahl *f.* -en; Auslese *f.* -n; Elite *f.* -n; Sortierung *f.* -en; das Auswählen* 〔-lesen*〕 -s. ～하다 aus|wählen⁴;

aus|lesen*⁴; sortieren⁴. ¶ ~된 ausgewählt; ausgelesen; auserwählt; auserlesen; auserkoren; exquisit; sortiert / ~팀으로 경기하다 in der Auswahl spielen / 100명중에서 3명이 ~되었다 Drei sind aus hundert Menschen ausgewählt (ausgelesen) worden.

‖ ~경기 Auswahlspiel *n.* -(e)s, -e. ~경쟁(시험) die Prüfung zur Aus|wahl (-lese); Mitbewerbung *f.* -en (취직 따위에서 경쟁). ~위원 Auswahlkomitee *n.* -s, -n. ~징병의무 Auslesedienstpflicht *f.* ~팀 Auswahlmannschaft *f.* -en; Auswahl.

선배(先輩) Senior *m.* -s, -en [..ó:rən]; der Ältere*, -n, -n; Vorgänger *m.* -s, -; der Vorgesetzer*, -n, -n (상관); der alte Herr, -n, -en《생략: A.H.》(모교의). ¶ 대~ der große Senior / ~연하다 ⁴sich als Senior benehmen* / 그는 나보다 ~다 Er hat sein Amt (um) viele Jahre früher angetreten als ich (직장에서). | Er hat (um) viele Jahre früher die Schule absolviert als ich (학교에서).

선변(一邊) der monatliche Zins《-es, -en》für die Rückzahlung. ⌈ses.

선변(先邊) die Vorzahlung《-, -en》des Zin-

선별(選別) Sortierung *f.* -en. ~하다 sortieren⁴; klassifizieren (분류하다).

선병(腺病)〖의학〗Skrofel *f.* -n; Skrofulose (Skrofulosis) *f.* ..losen; Drüsenkrankheit *f.* -en. ‖ ~질(質) die skrofulöse (drüsenkranke) Konstitution: ~질의 skrofulös; drüsenkrank.

선보다 vorläufig treffen*《vorausblickender Bräutigam und vorausblickende Braut》.

¶ 선보고 하는 결혼 die Heirat nach dem vorläufigen Treffen / 내가 선봤더니 색시가 얌전하더라 Ich traf das Mädchen vorläufig und fand es wohlerzogen (anständig).

선보름(先一) die erste Hälfte des Monats.

선복(船腹)《적재량》(Gesamt)tonnage [..tɔna:ʒə] *f.* -n;《선박》Schiffsrauminhalt *m.* -(e)s, -e; Schiffs|gehalt (Tonnen-). ¶ ~을 확보하다 ⁴sich die nötigen Schiffe《*pl.*》sichern.

‖ ~부족(과잉) der Mangel (der Überschuß, ..schusses, ..schüsse) an ³Schiffen (적재량).

선봉(先鋒) Vorhut *f.* -en; Vortrab *m.* -(e)s, -e. ¶ 새로운 운동의 ~이 되다 Als Vorläufer e-e neue Bewegung führen. / …운동의 급~이다 eifrig die Vorhut e-r Bewegung bilden; als Anfeuerer an der Spitze e-r Bewegung stehen*.

선부(先父) der verstorbene Vater, -s, ⸚.

선부(先夫) der verstorbene Mann (Ehemann) -(e)s, ⸚er.

선불《잘못 맞은 총알》die schlecht getroffene Kugel, -n. ¶ ~맞은 호랑이 뛰듯 wie verrückt; wie in Wahnsinn verfallen; wütend; ganz wild / ~걸다, ~놓다 ⁴*et.* ungeschickt an|fangen*; nach ³*et.* ungeschickt streben.

선불(先拂) Voraus(be)zahlung *f.* -en; die Bezahlung im voraus; Vorschuß *m.* ..schusses, ..schüsse. ~하다 voraus(be)zahlen⁴; im voraus bezahlen⁴; vor|schießen*⁴; e-n Vorschuß leisten (zahlen); im (zum) voraus zahlen⁴; das Vorschuß|nehmen* (Handgeld-) -s. ~받다 e-n Vorschuß (Handgeld) nehmen* (erhalten*); ³sich e-n Vorschuß (Handgeld) geben lassen*; sein Gehalt *usw.* im voraus bezahlt bekommen*.

‖ 운임~ frachtfrei; franko: 베를린까지의 운임~ franko Berlin.

선비¹《학자》der Gelehrte*, -n, -n; der klassische Gelehrte; der klassische Gelehrte Chinas.

선비²《청소도구》der Besen《-s, -》mit langem Griff.

선비(先妣) die verstorbene Mutter, ⸚.

선비(鮮卑)〖역사〗die *Hsien-pei*-Rasse.

선사(先史) Ur|geschichte (Vor-) *f.* -n.

‖ ~시대 das vorgeschichtliche Zeitalter; das Zeitalter der Vorgeschichte. ~학 Vorgeschichte *f.* -n.

선사(善事) ①《선물》Geschenk *n.* -(e)s, -e. ~하다 *jm.* ein Geschenk geben* (machen); schenken. ¶ 친구에게 ~하다 dem Freund ein Geschenk geben* (machen) / ~를 받다 ein Geschenk bekommen* (erhalten*) / 내가 그것을 자네에게 ~하지 Ich werde es dir schenken. ②《공양》Offerte *f.* -n; Anerbietung *f.* -en. ~하다 anbieten*; bieten*. ¶ 절에 ~하다 ein Geschenk in den Tempel stiften.

선사(禪師)〖불교〗Zen-Priester *m.* -s, -.

선산(先山) das Gebiet des Ahnenbegräbnisses; der Berg für das Ahnenbegräbnis.

선상지(扇狀地)〖지리〗(flächenförmige) Anschwemmung, -en (Schwemmland *n.* -(e)s, ⸚er); der angeschwemmte Zapfen; der alluviale Zapfen.

선생(先生) ①《교사》Lehrer *m.* -s, -; Erzieher *m.* -s, -;《스승》Meister (Schulmeister) *m.* -s, -. ¶ ~이 되다 Lehrer werden / 서울의 대학에서 독일어 ~을 하고 있다 Er lehrt Deutsch an e-r Universität in Seoul. ②《신사》Herr *m.* -n, -en; Mann *m.* -(e)s, ⸚er. ③《…씨》Herr *m.* -n, -en. ¶ 김~ 안녕하십니까 Herr *Kim*, wie geht es Ihnen? ④《당신》Sie. ¶ ~도 그렇게 생각합니까 Denken Sie auch so?

‖ ~님 Herr ...! (고등학교 이하에서는 성을 부름). 국민학교~ Volksschullehrer *m.* -s, -. 독일어~ Deutschlehrer *m.* -s, -. 수학~ Lehrer für ⁴Mathematik. 영어~ Englischlehrer *m.* -s, -. 음악~ Musiklehrer *m.* -s, -. 체육~ Lehrer für Turnen; Turnlehrer.

선서(宣誓) Eid *m.* -(e)s, -e; Schwur *m.* -(e)s, ⸚e. ~하다 schwören*; einen Eid schwören*. ¶ 어떤 일을 ~하다 einen Eid auf ⁴*et.* ab|legen (leisten; schwören*) / ~를 어기다 (거짓 ~를 하다) einen Meineid (falsch) schwören* / 아무에게 ~를 하게 하다 *jm.* einen Eid ab|nehmen* / 취임 ~를 하게 되다 in Eid und Pflicht genommen werden / 엄숙히 ~하다 Stein und Bein schwören*; hoch und teuer (heilig) schwören*.

‖ ~문 Affidavit *n.* -s, -s; die eidesstattliche Erklärung; Eidesformel *f.* -n. ~식 Eideszeremonie *f.* -n. ~증언 die eidliche Zeugenaussage. ~증인 der vereidigte Zeug.

선선하다 ①《날씨가》kühl; frisch (sein). ¶ 날이 ~ es ist kühl / 저녁에는 선선해진다 Am Abend wird es kühl. / 조석으로 선선해졌다 Am Morgen u. Abend wird es jetzt kühl. ②《사람이》aufrichtig; offen; frei(mütig); offenherzig (sein).

선선히 aufrichtig; offen; frei; bereitwillig; heiter; fröhlich; lebhaft; munter. ¶ ~ 대답하다 offen antworten / ~ 승락하다 bereitwillig hin|nehmen*⁴ (dulden) / ~ 자기 잘못을 인정하다 eigenen ⁴Fehler bereitwillig an|erkennen* / ~ 자백하다 mannhaft ge-

stehen*.
선세(先貰) Vorausbezahlung *f.* -en; die Vorausbezahlung der Miete (Pacht). ∼하다 die [4]Miete voraus|bezahlen; im voraus bezahlen.
선셈(先一) Vorausbezahlung *f.* -en. ∼하다 voraus|bezahlen; im voraus bezahlen.
선소리[1] 《덜된 말》 das törichte (dumme) Gespräch; Unsinn *m.* -(e)s, -e; die unsinnige Bemerkung. ¶ ∼를 하다 unsinnig äußern; töricht sprechen*; dumm reden.
선소리[2] 《앞에 서서 침》 der laute Schrei von der Front (Vorderseite). ∼치다 in der Vorderseite laut schreien*.
선손(先一) ① 《먼저 착수》 die erste Unternehmung; [4]Initiative *f.* -n; der einleitende Schritt; Führung *f.* -en. ¶ ∼을 쓰다 die [4]Initiative ergreifen*; die [4]Leitung übernehmen*. ② 《손찌검》 der erste Schlag; der erste Stoß. ¶ ∼을 걸다 den ersten Schlag führen / 그가 ∼을 걸었다 Er fing die Schlägerei an.
선손질(先一) der erste Schlag, -(e)s, ⸚e; der Anfang der Schlägerei. ∼하다 den ersten Schlag führen; die Schlägerei an|fangen*. ¶ ∼ 후방망이 《속담》 Wer anderem schadet, schadet sich noch mehr.
선수(先手) ① =선손. ② 《장기의》 die erste Bewegung; Eröffner *m.* -s, -. ¶ ∼를 놓다 die [4]Initiative ergreifen*; [4]sich zuerst (von der Stelle) rühren.
선수(船首) =이물.
선수(選手) 《경기자》 (Sport)meister *m.* -s, -; Champion [tʃǽmpiən] *m.* -s, -s (선수권자); Sportgröße *f.* -n; Wettkämpfer *m.* -s, -; Kämpe *m.* -n, -n(전사). ¶ ∼이다 e-r [3]Mannschaft an|gehören / ∼권을 다투다 [4]sich um die Meisterschaft bewerben*; die Meisterschaft ersterben 《*in*[3]》 / ∼권을 방어하다 die Meisterschaft verteidigen 《*in*[3]》 / ∼권을 잃다 (얻다) die Meisterschaft verlieren* (belangen; gewinnen*; erwerben*).
‖ (세계)∼권 (Welt)meisterschaft *f.* -en. ∼권 대회 Meisterschafts¦kampf *m.* -(e)s, ⸚e (-spiel *n.* -(e)s, -e; -treffen *n.* -s, -). ∼권 보유자 Meister *m.* -s, - 《*in*[3]》. ∼단 Sportmannschaft *f.* -en; Team *n.* -s, -s; 《야구의》 Baseballmannschaft *f.* -en. ∼후보 Ersatzspieler *m.* -s, -. 권투 ∼권자 Meisterboxer *m.* -s, -; Boxermeister *m.* -s, -. 레슬링 ∼권자 Championringer *m.* -s, -. 축구 ∼권자 Fußballmeister *m.* -s, -.
선술(仙術) Zauberkunst *f.* ⸚e; die Kunst der Feen; die magische Kunst der ewigen Jugend (불로 장생의 술법).
선술집 (Wein)kneipe *f.* -n; Schenke *f.* -n; Ausschank *m.* -(e)s, ⸚e; Budike *f.* -n.
선승(禪僧) 〖불교〗 Zen-Priester *m.* -s, -.
선승하다(先勝一) das erste Spiel gewinnen*; den ersten Punkt machen (gewinnen*).
선시선종하다(善始善終一) das [4]Ende wie den Anfang gut machen; guter Anfang u. gutes Ende; durchweg gut machen.
선실(船室) Kabine *f.* -n; 《특별실》 Sonderkabine *f.*; Passagierkammer *f.* -n. ¶ 2등∼ die zweitklassige Kabine / 3등∼ die drittklassige Kabine; Zwischendeck *n.* -(e)s, -e / ∼을 예약하다 die Kabine reservieren.
‖ ∼배당표 die Anteilliste der Kabine.
선심(善心) 《착한 마음》 Freundlichkeit *f.* -en. Wohltat *f.* -en; 《자비심》 Freigebigkeit *f.* -en; Wohlwollen *n.* -s; Güte *f.* -n. ¶ ∼을 쓰다 eine Wohltat erweisen*[3] / ∼에서 aus Mitleid (동정심에서); durch *js.* Wohlwollen (호의로). ‖ ∼공세 die politisch berechnete Geldzuwendung der Regierung; Günstlingswirtschaft *f.* -en.
선심(線審) 〖경기〗 Linienrichter *m.* -s, -.
선악(善惡) Gut und Böse; Gutes und Böses. ¶ ∼을 분별하다 Gutes und Böses unterscheiden*.
‖ ∼과(果) 〖성서〗 die verbotene Frucht.
선약(仙藥) Allheilmittel *n.* -s, -; Wunderheilmittel *n.* -s, -; Elixier *n.* -s, -e.
선약(先約) die bereits ausgemachte Verabredung; Versprechung *f.* -en. ¶ ∼순으로 nach der Reihenfolge der Verabredungen / ∼이 있다 die Ver¦abredung (-sprechung) haben / 안 됐읍니다 ∼이 있어서 Es tut mir leid, daß ich bereits Verabredung habe.
선양(宣揚) Proklamation *f.* -en; Verkündung *f.* -en; Bekanntmachung *f.* -en; Erklärung *f.* -en; Steigerung *f.* -en. ∼하다 proklamieren; öffentlich verkünden; erklären; erhöhen; erheben; verherrlichen.
‖ 국위∼ die Erhöhung des Nationalprestige (der Nationalehre): 국위를 ∼하다 den Nationalruhm fördern (verherrlichen).
선어(鮮魚) der frische Fisch, -(e)s, -e. ¶ ∼의 살 das rohe Fischfleisch, -es.
선언(宣言) die (feierliche) Erklärung, -en; Bekanntmachung *f.* -en (공고); Deklaration *f.* -en; Kundgebung *f.* -en; Manifestation *f.* -en; Proklamation *f.* -en; Verkündigung *f.* -en (포고). ∼하다 öffentlich erklären[4]; bekannt|machen[4]; bekunden[4]; deklarieren[4]; kund|geben*[4] (-|machen[4]); manifestieren[4]; offenbaren[4] 〖*p.p.* offenbart〗; proklamieren[4]; verkündigen[4].
¶ 기본 인권은 존중되어야 한다고 협회는 대외에 ∼했다 Die Vereinigung hat öffentlich erklärt, daß die Grundrechte des Menschen geachtet werden müssen.
‖ ∼서 Manifest *n.* -es, -e; die öffentliche Erklärung. 공산당∼ die Erklärung der kommunistischen Partei. 독립∼ Unabhängigkeitserklärung *f.* 포츠담∼ Potsdamer Beschluß 《보통 *pl.* ..schlüsse 로 씀》. 폭탄∼ Donnerstimmenerklärung *f.*
선언명제(選言命題) 〖논리〗 der disjunktive Lehrsatz, -(e)s, ⸚e.
선업(善業) 〖불교〗 die gute Tat; die wohltätige Arbeit.
선열(先烈) der verstorbene Patriot, -en, -en.
‖ 순국∼ der zu Tode gemarterte Patriot.
선염(渲染) Schattierung *f.* -en; Abstufung *f.* -en. ∼하다 abschatten; (ab)schattieren; abstufen; nuancieren[3]; 〖미술〗 vermischen[4] (vertreiben*[4]) 《[4]Farben》.
선왕(先王) der selige Herr, -n, -en. ¶ ∼의 원수를 갚다 den seligen Lehnsherrn rächen(*) 《*für*[4]; *wegen*[2]》.
선외(選外) ¶ ∼의 nicht mit e-m Preis gekrönt/∼가 되다 den Preis nicht gewinnen*.
‖ ∼가작 die zwar nicht mit e-m Preis gekrönte, doch gut gelungene Arbeit, -en.
선용(善用) der gute Gebrauch. ∼하다 e-n guten Gebrauch machen 《*von*[3]》; richtig benutzen[4] (gebrauchen[4]). ¶ 지식을 ∼하다 von der Kenntnis einen guten Gebrauch machen.
선운산 〖광산〗 die linke Seite 《-n》 der Gru-

be (des Bergwerkes).

선웃음 gezwungenes Lachen (Lächeln) -s. ¶ ~을 치다 gezwungen lachen (lächeln) / 그 여자는 겉으로 유쾌한 체 ~을 쳤다 Sie lachte gewollt lustig.

선원(船員) 《총칭》 (Schiffs)mann¦schaft *f.* -en (-besatzung *f.* -en); Schiffs¦leute 《*pl.*》 (-volk *n.* -(e)s); Seemannschaft *f.*; 《개인》 Seemann *m.* -(e)s, ..leute; Matrose *m.* -n, -n. ¶ ~이 되다 zur See gehen* / 노련한 ~ See¦bär *m.* -en, -en (-hund *m.* -(e)s, -e). ‖ ~법 Seemannsgesetz *n.* -es, -e. ~생활 Seemannsleben *n.* -s, -. ~수첩 Seemannstaschenbuch *n.* -(e)s, ⸗er. ~실 Kabine *f.* -n. ~위생 Seemannshygiene *f.* -n. 고급~ (Schiffs)offizier *m.* -s, -e. 하급~ Seemann *m.* -(e)s, ..leute; Matrose *m.* -n, -n.

선위(禪位) Abdankung *f.* -en. ~하다 ab|danken; das Amt nieder|legen.

선유(船遊) Bootfahrt *f.* -en; Ruderfahrt *f.* -en. ☞ 뱃놀이.

선율(旋律) 〖음악〗 Melodie *f.* -n; 《운율》 Rhythmus *m.* -, ..men; die rhythmische Bewegung. ¶ ~적 melodiös; melodisch; harmonisch. ‖ ~학 Melodik *f.* 중복~법 der doppelte Kontrapunkt.

선의(船醫) Schiffsarzt *m.* -es, ⸗e.

선의(善意) 〖법〗 der gute Wille, -ns, -n (Willen, -n, -); die gute Absicht, -en; der gute Glaube, -ns, -n (Glauben, -s, -). ¶ ~의 (로) in guter Absicht; aus gutem Willen; in gutem (im guten) Glauben; 〖법〗 bona fide (guten Glaubens; auf Treu und Glauben); wohl¦gemeint (-gesinnt)/~로 한 일 der gutgemeinte Versuch / ~의 제삼자 die dritte Person 《-en》 im guten Glauben / ~로 받아 들이다 gut auf|nehmen*⁴; im guten Sinne aus|legen⁴ (auf|fassen⁴) / ~로 해석하다 ⁴*et.* gut aus|legen / ~로 한 짓이다 Das war gut gemeint.¦Ich habe es im guten Glauben gehandelt.

선의권(先議權) Prioritäts¦recht (Vorzugs-) *n.* -(e)s, -e.

선이자(先利子) ¶ ~를 떼다 Zinsen im voraus (vorher) ab|ziehen* (ab|rechnen).

선인(先人) ① =선친(先親). ② 《선구자》 Vorgänger *m.* -s, -; Vorläufer *m.* -s, -; Vorbote *m.* -n, -n. ¶ ~ 미답(의) unerforscht / ~ 미발(未發)의 beispiellos; unerhört; noch nie dagewesen; ganz ursprünglich / ~의 전철을 밟다 denselben Fehler wie der Vorgänger begehen*.

선인(仙人) das übermenschliche Wesen, -s, -. ☞ 신선(神仙).

선인(善人) ein guter Mensch, -en, -en; ein gutmütiger Mensch (호인). ¶ ~과 악인 Ein Guter und ein Schlechter.

선인선과(善人善果) 〖불교〗 die Belohnung nach der guten Tat; Lob und Preis nach der guten Arbeit.

선인장(仙人掌) 〖식물〗 Kaktus *m.* - (..tusses), ..teen (..tusse); Kaktee *f.* -n.

선일 Steharbeit *f.* -en; die Arbeit, die man stehend tut.

선일(先日) =전일(前日).

선임(先任) ① 《전임》 das höhere Dienst¦alter (Amts-) -s, -; die höhere Anciennität [āsiɛni..] -en. ② Vorgänger *m.* -s, -. ☞ 선임자. ¶ ~의 (dienst)älter; senior / ~순 nach dem Dienstalter (dem Amtsalter; der Anciennität).

‖ ~자 der Ältere*, -n, -n; Senior *m.* -s, -en [..ó:rən]; Vorgänger *m.* -s, - (전임자). ~장교 der (dienst)älteste Offizier, -s, -e.

선임(船賃) =뱃삯.

선임(選任) Ernennung *f.* -en; Einsetzung *f.* -en; Berufung *f.* -en. ~하다 ernennen* 《*jn.* *zu*³》; an|stellen 《*jn.* *zu*³》; berufen* 《*jn.* *in*⁴(*auf*⁴)》; ein|setzen《*jn.* *in*⁴》; wählen 《*jn.* *zu*³》. ¶ 변호인의 ~ die Ernennung (Berufung) des Rechtsanwaltes.

선입감(先入感) die vorgefaßte Meinung, -en; Vorurteil *n.* -(e)s, -e.

선입견(先入見) Voreingenommenheit *f.*; Vorurteil *n.* -(e)s, -e; die vorgefaßte Meinung, -en. ¶ ~을 가지다 ein Vorurteil haben 《*gegen*⁴》; in Vorurteilen befangen sein; voreingenommen sein 《*von*³》; vorurteilsvoll sein / ~에 사로잡히다 vom ersten Eindruck benommen sein; ⁴sich nicht vom ersten Eindruck befreien können* / ~을 버리다 ein Vorurteil ab|legen (über Bord werfen*) / 그에게는 ~은 없다 Er ist frei von jeder Voreingenommenheit.¦Er ist vorurteilsfrei.

선입관(先入觀) =선입견.

선자(選者) Aus¦wähler *m.* -s, - (-leser *m.* -s, -); Jury [ʒýri:] *f.* -s (콩쿠르 따위의).

선자귀¹ 《나무 깎는》 das große Beil, -(e)s, -e.

선자귀² 《분합문》 die zweiteilige Tür an der Veranda-Seite.

선잠 Schlummer *m.* -s; Nickerchen (Schläfchen) *n.* -s, -; das Dösen*, -s. ¶ ~ 자다 schlummern; dösen; nicken; ein Nickerchen machen / 책을 읽다가 ~이 들다 über dem Buch ein|schlummern (-|nicken) ⓢ.

선장(船長) ① (Schiffs)kapitän *m.* -s, -e; Schiffsführer *m.* -s, -. ② 《배의 길이》 die Länge e-s Schiff(e)s.

‖ ~면허 (Schiffs)kapitänschein *m.* -(e)s, -e. ~실 Kapitänskajüte *f.* -n. ~직 Kapitäns¦posten *m.* -s, - (-rang *m.* -(e)s, ⸗e).

선재(船材) (Schiffs)planke *f.* -n; Schiffbauholz *n.* -es, ⸗er.

선저(船底) Schiffsboden *m.* -s, ⸗; Bilge *f.* -n.

선적(船積) Schiffsladung *f.* -en; (Ver)ladung *f.* -en; Verschiffung *f.* -en. ~하다 verschiffen. ¶ 부산에서 ~된 독일행 화물 Die in Busan gegebene Fracht, die nach Deutschland geht.

‖ ~비용 die Verladungskosten 《*pl.*》. ~서류 die Verschiffungs¦papiere (Verlade-) 《*pl.*》; die Versanddokumente 《*pl.*》. ~송장 Schiffsfrachtbrief *m.* -(e)s, -e. ~지시서 Schiffszettel *m.* -s, -; Ladeorder *f.* -n. ~통지서 (안내서) das Verzeichnis 《-ses, -se》 der verschifften Waren; (Ladungs)manifest *n.* -es, -e (목록); Versandanzeige *f.* -n (발송 통지). ~항(港) Verschiffungshafen *m.* -s, ⸗.

선적(船籍) Nationalität 《*f.* -en》 e-s Schiffes; Schiffsregister *n.* -s, -. ¶ 독일의 ~을 가진 배 ein Schiff der deutschen Nationalität / ~ 불명의 배 ein Schiff der unbekannten Nationalität / ~을 등록하다 das Schiff registrieren (ein|tragen).

‖ ~증명 die Bescheinigung der Staatsangehörigkeit (des Schiffes). ~항 der Hafen der Eintragung (des Registers).

선전(宣傳) 《사상적인》 Propaganda *f.*; Anpreisung *f.* -en (상품 따위의); 《광고적인》 Reklame *f.* -n; Werbe¦betrieb *m.* -(e)s, -e

(-kunst *f.* ⸗e); Werbung *f.* -en (권유). ~하다 propag(and)ieren⁴; Propaganda machen (treiben*; entfalten; entwickeln) 《*für*⁴》; an|preisen*⁴; Anhänger suchen (gewinnen*; werben*) 《*für*⁴》; Reklame machen 《*für*⁴》; werben* 《*für*⁴》. ¶ ~적인 propagandistisch; reklamenhaft; werbend / 야단스럽게 ~하다 ganz aktiv propagieren / 자기 ~하다 für sich selbst e-e marktschreierische Empfehlung machen / ~하여 사람을 모으다 Arbeiter durch Ankündigung suchen / ~을 잘하다 gut (ausgezeichnet) propagieren / 곡마단은 시내에 ~ 광고를 붙였다 Der Zirkus machte Reklame in der Stadt. / 그들은 자파를 위하여 크게 ~했다 Sie waren tatkräftig für ihre Partei. / 교묘한 (위험한) ~ geschickte (gefährliche) Propaganda.

‖ ~공작 Propagandamanöver *n.* -s, -. ~국 Propagandaamt *n.* -(e)s, ⸗er. ~극 Propaganda¦drama (Reklame-; Werbe-) *n.* -s, ..men. ~문 Flugblatt *n.* -(e)s, ⸗er. ~문구 Propaganda¦schlagwort (Reklame-; Werbe-) *n.* -(e)s, ⸗er. ~부 Propagandaabteilung (Reklame-; Werbe-) *f.* -en: ~부원 Propagandist *m.* -en, -en; Werbefachmann *m.* -(e)s, ⸗er / ~부장 Propagandaleiter (Reklame-; Werbe-) *m.* -s, -. ~비 Propaganda¦kosten (Werbungs-; Reklame-) 《*pl.*》. ~삐라 Reklame¦zettel (Werbe-; Flug-) *m.* -s, -. ~사업 Propaganda¦wesen (Reklame-) *n.* -s. ~수단 Propagandamittel (Reklame-; Werbe-) *n.* -s. ~여행 Propaganda¦reise (Reklame-; Werbungs-) *f.* -n. ~영화 Propaganda¦film (Reklame-; Werbe-) *m.* -(e)s, -e. ~자 (원) Propagandist *m.* -en, -en; Propagandamacher *m.* -s, -; Anpreiser *m.* -s, - (상품 따위의); Reklame¦held *m.* -en, -en (-macher *m.* -s, -); (Kunden)werber *m.* -s, -; Werberedner *m.* -s, - (권유자). ~전 (운동) Propogandafeldzug (Reklame-; Werbe-) *m.* -(e)s, ⸗e. ~차 Werbewagen *m.* -s, -. ~포스터 Reklame¦blatt (Werbe-) *n.* -(e)s, ⸗er (*od.* -plakat *n.* -(e)s, -e); die werbende Anzeige, -n. ~활동 die propagandistische Tätigkeit, -en. 가두 ~원 Ausrufer *m.* -s, -; Marktschreier *m.* -s, -. 공산주의의 ~ die kommunistische Propaganda. 악~ Verleumdung *f.* -en: 악~하다 verleumden⁴; schlecht sprechen* 《von *jm.*》. 약~ Anpreisung der Arznei.

선전(善戰) der tapfere Kampf. ~하다 gut 《besser, am besten》 (wacker; tüchtig; tapfer) kämpfen.

선전포고(宣戰布告) Kriegserklärung *f.* -en. ~하다 einem Land (an ein Land) (den) Krieg erklären.

선점취득(先占取得) 《먼저 차지》 Vorbesitz *m.* -es, -e; 〖법〗 die Erwerbung um den Besitz. ~하다 ein|nehmen*; in Besitz nehmen*; besetzen; besitzen*.

선정(善政) e-e gute Regierung. ¶ ~을 베풀다 gut regieren.

선정(選定) Auswahl *f.* -en; Wahl *f.* -en. ~하다 aus|wählen.

선정적(煽情的) sensationell; aufsehenerregend; schlüpf(e)rig (욕정을 불러 일으키는).

‖ ~소설 Wohllustsroman *m.* -(e)s, -e; der wohllustige Roman. ~작가 der sensationelle Dichter, -s, -; Sinnesdichter *m.*

선제(先帝) der verstorbene Kaiser, -s, -; der ehemalige Kaiser; Ex-Kaiser *m.*

선제(先制) ~하다 zuvor|kommen* ⓢ 《*jm.*》; e-n Schritt eher tun* als ein anderer; verhindern⁴; vor|beugen³.

‖ ~공격 der erste Angriff 《-(e)s, -e》, um die ⁴Oberhand (über den ⁴Gegner) zu gewinnen: ~ 공격하다 zuerst an|greifen*.

선조(先祖) Stammvater *m.* -s, ⸗; Vorfahr *m.* -en, -en; Ahne *m.* -n, -n; Vorgänger *m.* -s, -.

선종(禪宗) 〖불교〗 Zen-Sekte *f.* -n.

선주(船主) Schiffs¦eigner (-eigentümer) *m.* -s, - (-herr *m.* -n, -en); Reeder *m.* -s, -.

‖ ~협회 Schiffseigentümerverein *m.* -(e)s, ∟-e.

선주(船株) die Schiffahrtsaktien 《*pl.*》.

선주민(先住民) Ureinwohner *m.* -s, -; Autochthone *m.* -n, -n (토착인).

선줄 〖광산〗 die horizontale Anlage 《-n》 der Mine (des Bergwerkes).

선중(船中) ¶ ~에서 an ³Bord; auf dem (im) Schiff(e) / ~에 벌어진 일 der Vorfall 《-(e)s, ⸗e》 auf dem (im) Schiff(e).

선지 《동물의》 das Blut 《-(e)s, -》 vom geschlachteten Tier.

‖ ~피 《다쳐서 나오는》 das Blut durch die Verletzung: 코에서 ~피가 흐르다 aus der Nase stark bluten. 선짓국 Ochsenblut-Suppe *f.* -n. 선짓덩이 ein Klumpen Ochsenblut.

선지자(先知者) Prophet *m.* -en, -en; Seher *m.* -s, -; Voraussager *m.* -s, -.

선진(先陣) Stoßtrupp *m.* -(e)s, -e (돌격대); Vorhut *f.* -en (전위); Vortrab *m.* -(e)s; Vortruppe *f.* -n. ¶ ~이 되다 e-n Stoßtrupp führen; als erster ins Feindlager vor|stoßen* ⓢ; als erster in die feindliche Stellung ein|dringen* ⓢ

선진(先進) Seniorität *f.* -en; Senior *m.* -s, -en. ¶ ~의 vorwärts¦geschritten (fort-).

‖ ~국 das vorwärts¦geschrittene (fort-) Land, -(e)s, ⸗er; der vorwärtsgeschrittene Staat, -(e)s, -en.

선집(選集) ausgewählte Werke 《*pl.*》; gesammelte Werke 《*pl.*》.

선착(先着) ① 《먼저 도착》 das Zuerstkommen*, -s; Priorität *f.* ¶ ~순으로 nach der Reihenfolge der Ankunft; nach dem Grundsatz: „Wer zuerst kommt, mahlt zuerst."/~자 10명에 한해서 기념품을 드립니다 Nur die zehn als Erste Gekommenen bekommen ein Andenken. ② 《선착수》 das erste Unternehmen; die erste Übernahme. ~하다 zuerst unter|nehmen*.

‖ ~자 der als Erster Gekommene*, -n, -n.

선창(先唱) Tonangeben *n.* -s, -. ~하다 den Ton an|geben*; die Führung übernehmen*. ¶ A씨의 ~으로 B씨를 위해서 만세 삼창을 불렀다 Auf Veranlassung von Herrn A wurde ein dreifaches Hoch auf Herren B ausgebracht. ‖ ~자 der Tonangebende*, -n, -n; Führer *m.* -s, -; Urheber *m.* -s, -.

선창(船窓) Luke *f.* -n.

선창(船艙) Kai *m.* (*n.*) -s, -e (-s); Uferstraße *f.* -n; Landungsbrücke *f.* -n; Hafendamm *m.* -(e)s, ⸗e. ¶ 배를 ~에 대다 das ⁴Schiff zur Landungsbrücke steuern / ~까지 전송하다 *jn.* zur Landungsbrücke begleiten*.

‖ ~사용료 Kaigeld *n.* -(e)s.

선채(先綵) Verlobungsgeschenk *n.* -(e)s, -e (vom Bräutigam an die Braut).

선책(善策) der gute Plan, -(e)s, ⸗e; das gute Schema, -s, -s (-ta); die gute Politik.

선처(善處) ~하다 e-e geeignete (entsprechende; passende) Maßnahme ergreifen* (treffen*); klug (geschickt) handeln (재치 있게 행동하다). ¶ 시국에 ~하다 den Schwierigkeiten mit Geschick begegnen.

선천(先天) Apriori *n.* -, -. ¶ ~적 angeboren; geboren; 《유전적》 erblich / ~적으로 angeboren; von Geburt an / ~적 불구 der angeborene Auswuchs, -es, ⸗e; die angeborene Mißgestalt, -en / ~적 지식 a priori Erkenntnis *f.* -se / 그는 ~적으로 음악의 재주가 있다 Er ist ein geborener Musiker. ‖ ~론 Nativismus *m.* -. ~병 die angeborene (erbliche) Krankheit. ~설 Apriorismus *m.* -.

선철(先哲) der antike Weise*, -n, -n; der Weise* des antiken Zeitalters; der verstorbene Weise*.

선철(銑鐵) Roheisen *n.* -s, -.

선체(船體) Schiffsrumpf *m.* -(e)s, ⸗e.

선출(選出) Wahl *f.* -en; Auswahl *f.* -en. ~하다 wählen; aus|wählen; erwählen. ¶ 서울에서 ~된 국회의원 das in Seoul gewählte Mitglied des Parlaments / 전국 ~ 의원 das wahllos gewählte Mitglied des Parlaments.

선충(線蟲) Nematode *f.* -n (*m.* -n, -n). ‖ ~류 Fadenwurm *m.* -(e)s, ⸗er.

선취(先取) Voraus¦nahme (Vorweg-) *f.*; die vorherige Besitznahme. ~하다 voraus|nehmen*[4] (vorweg-); vorher (im voraus) in [4]Besitz nehmen*[4]. ¶ 한 점을 ~하다 zuerst mit e-m Punkt in Führung gehen*. ‖ ~(득)점 Führungspunkt *m.* -(e)s, -e. ~특권 Priorität *f.* -en; Vorzugsrecht *n.* -(e)s, -e: …에 대한 ~특권이 있다 das Vorzugsrecht über (auf) [4]*et.* haben.

선측(船側) Schiffsseite *f.* -n. ¶ ~에 배를 대다 ein Boot dicht an die Schiffsseite bringen*; [4]Bord an [4]Bord bringen*[4]. ‖ ~인도 die lange Seite des Schiffes.

선치(善治) =선정(善政).

선친(先親) mein seliger (verstorbener) Vater; mein Vater selig.

선키 die stehende Größe, -n; die Größe im Stehen.

선탁(宣託) Inspiration *f.* -en; Offenbarung *f.* -en; Orakel *n.* -s, -; Götterspruch *m.* -(e)s, ⸗e. ¶ 신의 ~ das göttliche Orakel.

선태(蘚苔) 〖식물〗 Moos *n.* -es, -e. ‖ ~류 Moosart *f.* -en; Bryophyten 《*pl.*》. ~학 Bryologie *f.* -n.

선택(選擇) Auswahl *f.* -en; Wahl *f.* -en. ~하다 aus|wählen; wählen; aus|suchen; heraus|finden*. ¶ ~의 자유 die Freiheit der Auswahl / 직업을 ~하다 einen Beruf aus|suchen / 잘 (잘못) ~하다 gut (schlecht) aus|wählen / ~을 망설이다 die [4]Auswahl zögern / 누구의 ~에 맡기다 *jm.* die Auswahl überlassen* / 그 ~은 네 자유다 Du hast freie Wahl. / 임의로 ~하시오 Wählen Sie nach Belieben!¦Freie Wahl! ‖ ~과목 Wahlfach *n.* -(e)s, ⸗er; ein fakultatives Lehrfach. ~권 Wahlfreiheit *f.* -en. ~법 Wahlmethode *f.* -n. ~투표 Vorzugs¦abstimmen *n.* -s, - (-wahl *f.* - en).

선팽창(線膨脹) 〖물리〗 Linearausdehnung *f.* -en; Linearexpansion *f.* -en. ‖ ~계수 der Koeffizient 《-en, -en》 der Linearexpansion.

선편(先鞭) Initiative *f.* -n. ¶ ~을 대다 zuvor|kommen*[s] 《*jm.*》; den Rang ab|laufen*[s] 《*jm.*》; Initiative ergreifen*; früher handeln als der andere.

선편(船便) Fahr¦gelegenheit (Schiffs-) *f.* -en. ¶ ~으로 mit dem (per) Schiff (Dampf) / ~으로 보내다 durch Schiffe befördern[4]; verschiffen[4]; zu Schiff(e) versenden*[4] / 첫 ~으로 durch erste Schiffsgelegenheit.

선포(宣布) Proklamation *f.* -en; Verkündung *f.* -en; Bekanntmachung *f.* -en; Erklärung *f.* -en. ~하다 proklamieren; verkünden; verkündigen.

선표(船票) (Schiffs)fahrkarte *f.* -n.

선풍(仙風) das Einsiedlerische* (Eremitenhafte*) -n. ¶ ~의 기상이 있다 weltfremd sein; einsiedlerisch (eremitenhaft) leben.

선풍(旋風) Wirbel¦wind *m.* -(e)s, -e (-sturm *m.* -(e)s, ⸗e); Wirbel *m.* -s, -; Tornado *m.* -s, -s (대선풍); Windsbraut *f.* ⸗e; Zyklon *m.* -s, -e; wirbelnder Windstoß, -es, ⸗e (돌풍). ¶ ~이 일어나다 der Wirbelwind wehen (auf|kommen*) / ~에 휩쓸리다 von einem Wirbelwind erfaßt und mitgerissen werden / ~을 일으키다 Sensation erregen. ‖ 검거~ Massen¦verhaftung *f.* -en.

선풍기(扇風機) der elektrische Fächer, -s, - (Lüfter *m.* -s, -; Ventilator *m.* -s, -en [..tó:rən]. ¶ ~를 틀다 e-n elektrischen Fächer (Lüfter; Ventilator) betätigen (in Tätigkeit setzen; bedienen; laufen lassen*) / ~를 끄다 einen elektrischen Fächer (Lüfter; Ventilator) aus|schalten* / 그는 앉아서 ~를 쐬고 있었다 Er ließ beim Sitzen den Ventilator zu sich laufen. ‖ 탁상~ Tischventilator *m.* -s, -en.

선하(船荷) (Schiffs)fracht *f.* -en; Schiffsladung *f.* -en. ‖ ~주 Verfrachter *m.* -s, -; Verschiffer *m.* -s, -. ~증권 (Schiffs)frachtbrief *m.* -(e)s, -e; Schiffsladeschein *m.* -(e)s, -e; Konnossement *n.* -(e)s, -e.

선하다 deutlich; klar; lebendig; lebhaft; greifbar; handgreiflich (sein). ¶ 그 광경이 아직도 눈에 ~ Die Szene ist mir immer noch lebendig. / 그의 임종의 말이 아직도 귀에 ~ Sein Testament ist mir in den Ohren immer noch lebendig zu klingen. / 그의 모습이 아직도 눈에 ~ Sein Antlitz ist mir in den Augen immer noch deutlich.

선하다(善一) =착하다.

선하품 《억지의》 das gezwungene Gähnen*; das vorgebliche Gähnen*; 《소화불량의》 das Gähnen* durch die Verdauungsstörung. ~하다 das Gähnen* zwingen*; das Gähnen* vor|täuschen. ¶ ~을 눌러 참다 [3]sich das Gähnen 《-s》 verkneifen*.

선학(禪學) Zen-Lehre *f.*; die Lehre des Zens.

선행(先行) das Vorgehen*, -s; Vorgang *m.* -(e)s, ⸗e. ~하다 vor|gehen*[s]; voran|fahren*[s]; vorher|gehen*[3]. ¶ 시내에 ~하다 der [3]Zeit voraus|gehen*[s]. ‖ ~권 《도로 교통의》 Vorfahrt *f.*; Vorfahrtsrecht *n.* -(e)s. ~조건 die vorausgehende Bedingung.

선행(善行) die gute Tat, -en; Wohltat *f.* -en. ¶ ~의 wohltätig / ~을 쌓다 wieder u. wieder (wiederholt) wohl|tun*[3] / ~을 표창하다 wegen e-r guten [2]Tat aus|zeichnen[4] / ~에도 반드시 보답이 있다 Wohltun bringt Zinsen. / ~의 보답은 ~ 자체에 있다

Die Tugend findet ihren Lohn in ⁴sich selbst./～을 행하는 자에게는 선과(善果)가 있다 Wer wohltätig ist, der wird belohnt.
‖～자 Wohltäter *m.* -s, -. ～장(章) Wohltatabzeichen *n.* -s, -.

선향(仙鄕) =선경(仙境).

선향(線香) Räucherstäbchen *n.* -s, -; Weihrauchstöckchen *n.* -s, -. ¶～을 피우다 Räucherstäbchen (Weihrauchstöckchen) dar|bringen* 《*jm.*》.

선험(先驗) 〖철학〗 Transzendenz *f.* -en. ¶～적 apriorisch; transzendental.
‖～론 Transzendentalismus *m.* -. ～적 인식 die transzendentale Erkenntnis. ～적 확률 die transzendentale Wahrscheinlichkeit. ～철학 die transzendentale Philosophie; Transzendentalismus *m.* -.

선헤엄 Wassertreten *n.* -s. ¶～을 치다 das Wasser treten*.

선현(先賢) =선철(先哲).

선혈(鮮血) das frische (fließende; strömende) Blut, -(e)s. ¶～이 낭자하다 blutüberströmt sein; in s-m Blut liegen*; von Blut triefen*.

선형(扇形) Fächerform *f.* -en. ¶～의 fächerförmig; 〖수학〗 Abschnitt *m.* -(e)s, -e.

선형(船型) Schiffstypus *m.* -, ..pen.

선화(仙化) der natürliche u. friedliche Tod, -(e)s.

선화(線畫) Strichzeichnung *f.* -en; Schraffe *f.* -n. ¶～를 그리다 mit Strichen zeichnen (stricheln; schraffen; schraffieren)⁽⁴⁾.

선화지(仙花紙) das gezähmte Papier, -s, -e.

선회(旋回) (Um)drehung *f.* -en; Rotation *f.* -en; Schwenkung *f.* -en (방향 전환); Kreisbewegung *f.* -en (-lauf *m.* -(e)s, ⸗e) (원 운동). ～하다 ⁴sich (um|)drehen; rotieren; schwenken; ⁴sich im Kreise (im Wirbel) drehen; wirbeln. ¶～식의 schwenk¦bar (dreh-) / 이 정당은 우(右)～했다 Diese Partei machte e-e „Rechtsschwenkung".
‖～교(橋) Drehbrücke *f.* -n. ～기관총 das drehbare (schwenkbare) Maschinengewehr, -(e)s, -e. ～무도 Pirouette *f.* -n. ～비행 Kreisflug *m.* -(e)s, ⸗e. ～운동 《배의》 die drehende Bewegung. ～전자(電子) Kreiselektron *n.* -s, -en. ～축 Drehpunkt *m.* -(e)s, -e. ～포탑 Drehturm *m.* -(e)s, ⸗e.

선후(先後) 《앞뒤》 vorn und hinten; der Anfang und das Ende; 《순서》 Ordnung *f.* -en; Reihenfolge *f.* -n. ¶～가 뒤죽박죽이 되다 auf dem Kopf stehen* [h,s]; durcheinander sein; verwirrt (verworren) sein.
‖～도착(倒錯) die verkehrte Reihenfolge; das Pferd beim Schwanze auf|zäumen (hinter den Wagen spannen). ～획(劃) die Strich-Reihenfolge der chinesischen Schreibkunst.

선후책(善後策) Hilfsmaßnahme *f.* -n; Abhilfe *f.* -n(타개책); Gegenmaßnahme *f.* -n (대책); Abhilfsmaßnahme *f.* -n. ¶～을 강구하다 erwägen*, wie man die Lage retten soll (kann); Hilfsmaßnahmen treffen* (ergreifen*) 《*gegen*⁴》; Abhilfe schaffen* 《*für*⁴》.

섣달 Dezember *m.* -s, -.
‖～ 그믐 Neujahrsabend *m.* -s, -e; Silvester *n.* -s, -; der letzte Tag, 《-(e)s》 im Jahre: ～그믐날에 zu Silvester; am Neujahrsabend; am letzten Tag im Jahre.

섣부르다 ungeschickt; unbeholfen; taktlos (sein). ¶섣부른 일꾼 der ungeschickte Arbeiter / 섣부른 일 die gewagte Unternehmung / 섣부른 짓을 하다 etwas Unbesonnenes tun* / 만약 네가 섣부른 짓하다간 큰코 다친다 Wenn du etwas Unbesonnenes tust, passiert dir etwas Schlimmes.

섣불리 ungeschickt; unbeholfen; taktlos; unbesonnen.

설 Neujahr *n.* -(e)s, -e; Neujahrstag *m.* -(e)s, -e. ‖설선물 Neujahrsgeschenk *n.* -(e)s, -e. 설축제 Neujahrsfest *n.* -es, -e.

설(說) ① 《의견》 Meinung *f.* -en; Ansicht *f.* -en. ¶설을 같이 (달리) 하다 der gleichen (anderen) Meinung sein / 설을 굽히다(굽히지 않다) die Meinung ändern (nicht ändern) / 그것에 관해서는 구구한 설이 있다 Es gibt darüber verschiedene Meinungen. / …라는 설을 주장하는 사람도 있다 Einige behaupten, daß....
② 《학설》 Theorie *f.* -n; Lehre *f.* -n. ¶칸트의 설 die Kants Theorie / 새로운 설을 확립하다 eine neue Theorie auf|stellen.
③ 《풍설》 Gerücht *n.* -(e)s, -e. ¶…라는 설이 있다 Es gibt ein Gerücht, daß.... / 일설에는 …라고 한다 Eine Fassung sagt, das.... / 그런 설이 세상에 나돌고 있다 So ein Gerücht läuft um. / 그의 자살설이 퍼지고 있다 Ein Gerücht verbreitet sich, daß er Selbstmord begangen hat.

설- unzugänglich; ungenügend; halb; kahl; knapp; arm; kaum; mit Mühe. ¶설익은 사과 der unreife Apfel, -s, ⸗ / 설삶다 halb kochen.

설겅거리다 kräftig kauen; heftig kauen; unvollständig gekocht sein. ¶콩이 너무 설어서 설겅거린다 Die Bohnen sind so unvollständig gekocht, daß man sie heftig kauen muß.

설겅설겅 kräftig zu kauen; heftig zu kauen.

설겆다 waschen*; spülen. ¶그릇을 ～ das ⁴Geschirr spülen.

설겆이 Küchenarbeit *f.* -en. ～하다 ab|spülen; den Aufwasch machen; auf|waschen*.
‖～물 Spülwasser *n.* -s, -.

설경(雪景) Schneelandschaft *f.* -en.

설계(設計) Entwurf *m.* -(e)s, ⸗e; Anlage *f.* -n; Plan *m.* -(e)s, ⸗e; Projekt *n.* -(e)s, -e. ～하다 entwerfen⁴; planen⁴; projektieren⁴. an|legen⁴(정원 등을). ¶～중(인) im Entwerfen / 아무의 ～로 집을 짓다 *js.* Haus mit dem Entwurf bauen / ～가 잘 (잘못) 되다 gut (schlecht) entwerfen (*od.* geplant; angelegt; projektiert) sein / 정원은 ～가 잘되어 있다 Der Garten ist geschickt angelegt.
‖～도 Plan; Grundriß *m.* ..risses, ..risse; Blau¦pause *f.* -n (-kopie *f.* -n) (청사진). ～서 Spezifikation *f.* -en. ～자 Entwerfer *m.* -s, -; Planer *m.* -s, -. 도시～ Stadtentwurf *m.* -(e)s, ⸗e. 생활～ Lebensplan *m.* -(e)s, ⸗e.

설계(雪溪) Schnee¦schlucht *f.* -en (-tal *n.* -(e)s, ⸗er).

설골(舌骨) 〖해부〗 Zungenbein *n.* -(e)s, -e.

설교(說敎) ① Predigt *f.* -en; Kanzel¦rede (Erbauungs-) *f.* -n. ～하다 predigen; kanzeln; e-e Predigt halten*; von der Kanzel herab reden (단상에서). ¶～조로 kanzelmäßig; im Kanzelton(e) / ～를 들으러 가다 in die Predigt gehen* [s] / ～를 톡톡히 하다 Mores lehren 《*jn.*》; e-e Moralpredigt halten* 《*jm.*》; gründlich s-e Meinung sagen 《*jm.*》/ 가두에서 ～하다 auf der Straße predigen.

② 《잔소리》 (Straf)predigt *f.* -en. ～하다 e-e (Straf)predigt halten* 《*jm.*》; die Leviten lesen* 《*jm.*》. ¶ ～를 듣다 die Predigt zu|hören / 나는 그 사람한테서 톡톡히 ～를 들었다 Er hat mir tüchtig den Kopf gewaschen. / 아버지의 ～는 이젠 딱 질색이다 Ich bin die Predigt des Vater satt.

‖ ～단 Kanzel *f.* -n; Predigt¦stuhl (Prediger-) *m.* -(e)s, ⸗e. ～솜씨 Kanzelberedsamkeit *f.* ～자(사) Prediger *m.* -s, -; Kanzelredner *m.* -s, -. ～소(所) Predigthaus *n.* -es, ⸗er. ～집 Predigtbuch *n.* -(e)s, ⸗er. ～체(體) Kanzelstil *m.* -(e)s, -e. 순회～ Predigttour *f.* -en (-wanderung *f.* -en).

설기¹ 《떡》 der gedämpfte Reiskuchen, -s, -.

설기² 《상자》 Weidenkorb *m.* -(e)s, ⸗e.

설깃 Rindslende *f.* -en.

설날 Neujahr *n.* -(e)s, -e.

설늙은이 der vorschnell gealterte Mensch, -en, -en.

설다 kernig (gekocht); halb gekocht; halbgar (sein). ¶ 선 고기 halbgares Fleisch, -es / 밥이 설었다 Der Reis ist nur halb gekocht.¦Der Reis ist kernig (gekocht).

설다듬이 die grobe Bearbeitung (Verarbeitung).

설다루다 grob bearbeiten; ungeschickt behandeln. ¶ 개를 설다루면 물린다 Wenn du den Hund ungeschickt behandelst, wirst du von ihm gebissen.

설단(舌端) Zungenspitze *f.* -n.

설대 《담배설대》 das Bambusrohr 《-(e)s, -e》 der Pfeife; 〖식물〗 Pfeilbambus *m.* - (-ses), - (-se).

설도(說道) ～하다 die Wahrheit predigen.

설득(說得) Überredung *f.* -en; Überzeugung *f.* -en(납득시키는 것). ～하다 *jn.* überreden 《*zu*³》; *jn.* überzeugen 《*von*³》. ¶ ～하여 (해서) überredend; überzeugend / ～하여 …시키다 überreden (bereden) 《*zu*³》; bestimmen 《*jn.* ⁴*et.* zu *tun*》; ja sagen lassen*; s-n Wünschen (gegenüber) gefügig machen; ⁴sich durchsetzen 《gegen *jn.*》(자기의 의사를 관철하다) / 여러가지로 ～했음에도 불구하고 trotz allem Zureden / ～하여 그만 두게 하다 *jn.* von ³*et.* überredend ab|bringen*.

‖ ～대표 Überredungsvertreter *m.* -s, -. ～력 Überredungsgabe *f.* -n; Überzeugungskraft *f.* ⸗e.

설듣다 flüchtig (ungenau) hören.

설렁 Türklingel *f.* -n.

‖ ～줄 Klingelschnur *f.* ⸗e (-en).

설렁거리다 《바람이》 sanft wehen; 《걷는 꼴》 lebhaft (munter; frisch) gehen ⓢ*.

설렁설렁 《바람이》 (wehen) sanft; mild; 《걸음을》 (gehen* ⓢ) mit lebhaftem Schritt. ¶ ～ 부는 바람 der leichte (sanfte; milde) Wind / 바람이 ～ 분다 Der Wind weht sanft.¦Es weht ein leichter Wind.

설렁탕(—湯) die Rindfleisch-Suppe 《-en》 mit Reis.

설렁하다 kühl; mäßig kalt; gefühlsarm; steif (sein).

설레다 ungeduldig (heftig; stürmisch; ungestüm; klopfend; pochend) sein; aus s-r Fassung kommen*ⓢ. ¶ 가슴이 ～ unruhig sein 《*über*⁴; *um*⁴》; e-e bange Ahnung (ein banges Vorgefühl) haben / 설레는 마음을 억제하다 ⁴sich beherrschen; ⁴sich selbst im Zaume halten* / 가슴이 설렌다 Das Herz pocht 《vor Angst; vor Erregung; vor e-r bangen Ahnung》.

설레설레 ☞ 살래살래.

설령(設令) obwohl; obgleich; wenn auch immer; sei es, daß...; selbst wenn; wenn auch; auch wenn; wenn (auch) gleich; wie (sehr) auch (immer) (인용적); was immer (인용적). ¶ ～ 그렇다 하더라도 selbst zugegeben, es sei so / ～ …이라도 angenommen, daß....

설립(設立) Gründung *f.* -en; Errichtung *f.* -en. ～하다 auf|stellen⁴ 《⁴e-n Ausschuß》 (위원회를); ein|richten⁴ 《⁴ein Institut》 (연구소를); errichten⁴ 《⁴e-e Stiftung》 (재단을); auf die Beine bringen*⁴ (stellen⁴) 《⁴Einrichtungen》 (시설들을); stiften⁴. ¶ 학교를 ～하다 e-e ⁴Schule gründen / 회사를 ～하다 e-e ⁴Firma gründen / 도서관을 ～하다 e-e Bibliothek errichten.

‖ ～등기 Errichtungseintragung *f.* -en. ～위원 Gründungskomitee *n.* -s, -s. ～자 Gründer *m.* -s, -; Stifter *m.* -s, -. ～취지서 die Subskriptionsanzeige 《-n》 der Gründung. 회사 ～자금 das Kapital 《-s, -e (-ien)》 der Firmenerrichtung.

설마 kaum; schwerlich; wohl nicht; auf k-n Fall; sicher (wirklich) nicht. ¶ ～한들 Wirklich?¦Doch wohl nicht!¦Was sagen sie? / ～ 그럴라구 Das ist doch kaum möglich.¦Das wäre nicht möglich. / ～ 그런 일은 없을 테지 Ausgeschlossen!¦Rein unmöglich!¦Es ist gar nicht daran zu denken! / ～ 그가 나를 잊었으랴 Er hat mich gewiß nicht vergessen! / ～ 당신이 그분 것을 도둑질했으랴 Sie haben ihm wohl nichts gestohlen! / ～ 그러리라고는 생각 못 했다 Das hätte ich nicht gedacht (gar nicht erwartet). / ～ 오늘 비는 안 오겠지 Es rechnet heute kaum! / ～ 이 궂은 날씨가 계속되지는 않겠지 Sicherlich dauert das nasse Wetter nicht mehr! / ～자네 병은 아니겠지 Du bist doch nicht etwa krank?

설맞다 ungenau getroffen werden 《von der Kugel, vom Geschoß》. ¶ 너 매를 아직 설맞았다 — 좀더 맞아야겠다 Du bist noch nicht genug gehauen worden; darum sollst du noch mehr bekommen.

설맞이 Neujahrsfest *n.* -es, -e; der (das) Willkommen 《-s, -》 des Neujahres.

설맹(雪盲) Schneeblindheit *f.*

설멍설멍 mit großem Schritt; mit schwacher Haltung beim Gehen.

설멍하다 ＝성큼하다.

설면하다 ① 《소원(疎遠)》 *jm.* ⁴*et.* entfremden; ⁴*et.* von *jm.* entfremden; ⁴sich entfremden; *jn.* e-m Dinge entfremden; ⁴sich entfernen. ¶ 멀리 떨어지면 친구와도 설면해지기 쉽다 Wenn die Freunde entfernt leben, entfremden sie sich. ② 《정답지 않다》 ⁴sich entfremden; kaltherzig sein.

설명(說明) Erklärung *f.* -en; Erläuterung *f.* -en; Darlegung *f.* -en. ～하다 erklären³·⁴; dar|legen³·⁴; eine Erklärung ab|geben*. ¶ ～할 수 있는(없는) erklärbar (unerklärbar) / ～키 어려운 unerklärlich / …의 ～으로서 als eine Erklärung von³ / ～을 필요로 하지 않다 keine ⁴Erklärung benötigen / 외교 정책을 ～하다 die Außenpolitik erläutern (erklären) / 이론을 ～하다 die Theorie entwickeln / 내가 그 사건에 관해 ～하겠다 Ich werde über den Vorfall eine Erklärung abgeben. / 불행이 어떻게 일어날 수 있었는지 ～키 어렵다 Es ist nicht erklärlich, wie das Unglück geschehen konnte.

‖ ~도 Diagramm *n.* -s, -e. ~서 《사용법의》 Gebrauchsanweisung *f.* -en. ~어 Prädikat *n.* -(e)s, -e 《eines Satzes》. ~자 Ausleger *m.* -s, -; Erklärer *m.* -s, -.

설문(設問) Frage *f.* -n; Fragestellung *f.* -en; Fragebogen *m.* -s, - (¨). ~하다 fragen; an *jn.* eine [4]Frage stellen (richten; tun*).

설밥 der Schneefall 《-(e)s, ¨e》 im Neujahr.

설백(雪白) schneeweiß; echt weiß.

설법(說法) ① 《풀이함》 Predigt *f.* -en; Kanzelrede *f.* -n. ~하다 predigen. ② 《방법》 Erklärungsart *f.* -en; Redensart *f.* -en; Ausdrucksweise *f.* -n.

설보다 [4]sich irren 《in [3]*et.*》; verkennen*; falsch auf|fassen; mißverstehen*; verwechseln; fälschlich *jn.* für *jn.* halten*. ¶ 나는 그를 홍 선생으로 설보았다 Ich habe ihn fälschlich für Herrn *Hong* gehalten.

설복(說服) Überredung *f.* -en. ~하다 *jn.* zu [3]*et.* überreden; 《조르다》 dringend bitten* 《*um*[4]》; *jm.* an|liegen* 《*um*[4]》. ~시키다 *jm.* zu|reden (친하다); *jn.* überreden (설득하다); *jn.* überzeugen 《*von*[3]》 (납득시키다); 《환심을 사려고》 *jn.* zu gewinnen suchen; *jn.* zu verführen versuchen. ¶ 여자를 ~하다 e-e Frau verführen; ein Mädchen herum|kriegen / ~해서 응낙시키다 zur Einwilligung überreden; *jn.* zu [3]*et.* beschwatzen.

설복(說伏) Überredung *f.* -en. ~시키다 *jn.* überreden 《*zu*[3]》; *jn.* überzeugen 《*von*[3]》 (납득시키다); *jm.* zu|reden (권하다).

설봉(舌鋒) die scharfe Zunge. ¶ 날카로운 ~으로 scharf; mit scharfer Zunge; sarkastisch (신랄하게).

설분(雪憤) das Ausblasen* 《-s》 des Zorns.

설비(設備) Einrichtung *f.* -en; Ausstattung *f.* -en (장비); Ausrüstung *f.* -en (장비); Anlage *f.* -n (시설). ~하다 ein|richten[4]; aus|statten[4] 《*mit*[3]》; aus|rüsten 《*mit*[3]》; an|legen[4]. ¶ 근대적인 ~ moderne Einrichtung/ 기술적인 ~ technische Einrichtung / …의 ~가 있는 mit [3]*et.* ausgestattet / ~가 잘된 gut eingerichtet (ausgerüstet).

설빔 die Kleidung 《-en》 für das Neujahr; die Tracht des Neujahrs. ~하다 zum Neujahr hübsch an|ziehen*. ¶ ~을 짓다 [3]sich für das Neujahr ein Kleid machen (lassen*).

설사(泄瀉) Diarrhöe [diarǿ:] *f.* -n; Durchfall *m.* -(e)s, ¨e. ~하다 an [3]Diarrhöe leiden*; Durchfall haben; an [3]Durchfall leiden*. ¶ ~를 막다 die Diarrhöe bekämpfen; Stopmittel ein|nehmen*; den Durchfall aufhören lassen* / 오늘 나는 ~가 난다 Heute leide ich an Durchfall.

‖ ~약 Stopfmittel *n.* -s, -; das stopfende Mittel, -s, -.

설사(設使) =설령(設令).

설상(舌狀) ¶ ~의 zungenförmig.

‖ ~기관 Zungenorgan *n.* -s, -. ~화 〖식물〗 Zungenblüte *f.* -n.

설상(雪上) die Oberfläche des Schnees. ¶ ~가상 „Ein Unglück kommt selten allein."/ ~ 가상으로 그는 상처까지 했다 Dazu noch ist seine Frau gestorben. / ~ 가상으로 비까지 오기 시작했다 Uns miserabel zu machen begann es sogar zu regnen.

‖ ~차 Kufengleiter *m.* -s, -; Schneewagen *m.* -s, -.

설상(楔狀) ‖ ~골 〖해부〗 Keilbein *n.* -(e)s, -e (호접골). ⌈-n.

설선(雪線) 〖지리〗 Schnee|grenze (-linie) *f.*

설설[1] 《끓는 모양》 weich; mild; sanft; leicht. ¶ 물이 ~ 끓는다 Das Wasser kocht (siedet) weich. / 방이 ~ 끓다 Das Zimmer ist schön angenehm warm.

설설[2] ¶ ~기다 ängstlich kriechen* [h,s]; 《무서워》 [4]sich ducken; (nieder) kauern / 고개를 ~ 내젓다 den Kopf (das Haupt) schütteln / 아버지 앞에서 ~ 기다 [4]sich vor dem Vater ducken / 그의 무서운 눈초리에 여비서가 ~ 긴다 Die Sekretärin duckt sich vor s-m strengen Blick. / 그의 아내는 그 앞에서 ~긴다 Seine Frau wird vor ihm unter den Daumen gebracht.

설암(舌癌) 〖의학〗 Zungenkrebs *m.* -es, -e.

설연(設宴) Bankett *n.* -(e)s, -e; Festessen *n.* -s, -.

설영하다(設營—) 《세우다》 konstruieren; bauen; errichten; 《준비》 vor|bereiten; (an|-)ordnen; ein|richten.

설왕설래(說往說來) Wortgefecht *n.* -(e)s, -e; das Hin- u. Herreden*, -s; Streit 《*m.* -(e)s, -e》 mit Worten. ~하다 [4]*et.* hin u. her besprechen*, ohne zu e-r Entscheidung zu kommen.

설욕(雪辱) die Tilgung des Schandflecks. ~하다 s-e Ehre wieder retten (명예를 만회하다); [4]sich revanchieren (경기에서). ¶ 지난번 패배를 ~하다 [4]sich den letzten Schandfleck revanchieren.

‖ ~전 Revanchespiel *n.* -(e)s, -e.

설움 Traurigkeit *f.* -en; Sorge *f.* -n; Kummer *m.* -s, -; Leid *n.* -(e)s, -; Gram *m.* -(e)s, -; Qual *f.* -en; Weh *n.* -(e)s, -e; Wehklage *f.* -n. ¶ 큰 ~ großer Kummer; schmerzliche Traurigkeit / ~을 못 이기다 《오뇌의 나날을 보내다》 in Kummer und Sorgen leben / ~에 복받쳐 울다 über die Traurigkeit weinen; vor Leid weinen / 그녀는 ~ 속에 살고 있다 Sie lebt in Kummer und Sorgen.

설원(雪原) Schneefeld *n.* -(e)s, -er.

설원(雪冤) die Befreiung 《-en》 von Kummer und Sorgen. ~하다 *jn.* von [3]*et.* (eines Dinges) entlasten; [4]sich eines Dinges entlasten; *jn.* von [3]*et.* (eines Dinges) entbinden; von [3]*et.* befreien.

설유(說諭) Ermahnung *f.* -en; Verweis *m.* -es, -e; Zurechtweisung *f.* -es. ~하다 ermahnen[4]; verweisen*[4]; zurecht|weisen*[4].

설음(舌音) 〖문법〗 Zungenlaut *n.* -(e)s, -e.

설익다 ¶ 설익은 halb|gekocht (-gar; -roh (반숙의)); noch nicht gar (아직 익지 않은).

설인(雪人) 《히말라야의》 Schneemann *m.* -(e)s, ¨er.

설자다 schlecht schlafen*.

설잡다 schlecht halten*; schlecht greifen*; vergreifen*.

설전(舌戰) Wort|streit *m.* -(e)s, -e (-wechsel *m.* -s, -). ~하다 mit *jm.* im Wortstreit liegen*. ¶ 그 일로 양자간에 격심한 ~이 전개되었다 Darüber entstand zwischen beiden ein heftiger Wortwechsel.

설정(設定) Errichtung *f.* -en. ~하다 errichten[4] (설립하다); fest|setzen[4] (정하다); bestimmen[4] (정하다). ¶ 기금을 ~하다 ein Kapital fundieren.

설죽다 halb sterben*.

설중(雪中) Schneemitte *f.* -n.

‖ ~행군 der Marsch ⟪-es, ⸚e⟫ im Schnee.
설차림 die Vorbereitung ⟪-en⟫ für das Neujahrsfest.
설측음(舌側音) 〖언어〗 Laterallaut *m.* -(e)s, -e; die Seitenstimme der Zunge.
설치(設置) Festsetzung *f.* -en; Gründung *f.* -en; Errichtung *f.* -en; Einrichtung *f.* -en; Anstalt *f.* -en; Institution *f.* -en; ⟪설비⟫ Einsetzung *f.* -en; Bestallung *f.* -en; Installation *f.* -en; ⟪조직⟫ Organisation *f.* -en. ~하다 fest|setzen; errichten; ein|-richten; gründen; etablieren; installieren; organisieren. ¶ 영사관을 ~하다 das Konsulat auf|richten / 위원회을 ~하다 das Komitee organisieren (auf|richten).
설치다 ① ⟪그만둠⟫ ⁴sich in einer Tätigkeit unterbrechen*. ¶ 잠을 ~ keinen ruhigen Schlaf genießen* können; nur schlecht schlafen*; unruhig schlafen*; schlaflos bleiben*[s] / 간 밤에는 잠을 설쳤다 Heute nacht habe ich schlecht geschlafen. ② ⟪날뜀⟫ ¶ 폭도들이 거리를 설치며 다녔다 Die Mob stürmten durch die Stadt. / 그는 어디서나 설치고 다닌다 Er drängt sich überall. / 어린애들이란 설치지 않고는 배기지 못한다 Kinder müssen sich austoben.
설치류(齧齒類) 〖동물〗 Nagetiere ⟪*pl.*⟫; Nagetier *n.* -(e)s, -e (한 마리).
설탕(雪糖) Staubzucker *m.* -s. ¶ ~의 zuckerig; zuckerhaltig.
설태(舌苔) 〖의학〗 Zungenbelag *m.* -(e)s, ⸚e. ¶ ~가 끼다 ⁴sich belegen.
설통(발) Fischreuse *f.* -n.
설파(說破) klare Aussage, -en; ⟪설득⟫ Überredung *f.* -en; Überzeugung *f.* -en; Widerlegung *f.* -en. ~하다 deutlich machen; klar darlegen; überreden; ⟪설득하다⟫ widerlegen.
설퍼제(—劑) Sulfonamid *n.* -(e)s, -e.
설편(雪片) Schneeflocke *f.* -n.
설폰 ‖ ~아미드 〖약〗 Sulfon¦amid *n.* -(e)s, -e (-amide *f.* -n). ~제 Sulfonamidpräparat *n.* -(e)s, -e.
설피다 leicht gewebt; gazeähnlich; grob; rauh (sein).
설피창이 die rauhen Webwaren ⟪*pl.*⟫; die groben Wirkwaren ⟪*pl.*⟫.
설핏설핏하다 rauh; grob (sein).
설핏하다 ☞ 설핏설핏하다.
설하선(舌下腺) Unterzungendrüse *f.* -n.
설해(雪害) Schneeschaden *m.* -s, ⸚.
설형(楔形) ¶ ~의 keilförmig.
‖ ~문자 Keilschrift *f.* -en.
설혹(設或) =설령.
설화(舌禍) Zungenfehler *m.* -s, -. ¶ ~를 일으키다 ³sich den Mund (die Zunge) verbrennen*; ein Versehen beim Sprechen teuer (schwer) bezahlen.
‖ ~사건 die Beschuldigung wegen einer öffentlich widrigen Aussage.
설화(雪花) ⟪눈송이⟫ Schneeflocke *f.* -n.
‖ ~석고(石膏) Alabaster *m.* -s.
설화(說話) ① ⟪이야기⟫ Geschichte *f.* -en; Erzählung *f.* -en; Sage *f.* -n; Volksmärchen *n.* -s, -. ¶ ~적 geschichtenartig; sagenhaft. ② ⟪훈계⟫ Predigt *f.* -en; Ermahnung *f.* -en.
‖ ~문학 Sagendichtung *f.* -en.
섧다 ☞ 서럽다.
섬¹ ① ⟪멱서리⟫ Strohüberzug *m.* -(e)s, ⸚e. ② ⟪용량⟫ Inhaltseinheit *f.* -en; Scheffel *m.* -s, -; ein *Som* (=5.12 Scheffel; 186 Liter).
섬² ⟪층층대⟫ Treppe *f.* -n; Stiege *f.* -n; Treppenstufe *f.* -n.
섬³ ⟪도서⟫ Insel *f.* -n; ⟪작은섬⟫ Eiland *n.* -(e)s, -e; Inselchen *n.* -s, -; Atoll *n.* -s, - (산호초, 환상 산호섬). ¶ 외딴 섬 e-e einsame (isolierte) Insel / 섬사람 Inselbewohner *m.* -s, -; Insulaner *m.* -s, - / 섬이 많은 inselreich / 섬을 돌아보다 e-e Rundfahrt durch die Inselgruppe machen; e-e Rundfahrt auf der Insel machen (섬안을).
섬거적 Strohdecke *f.* -n; Strohmatte *f.* -n.
섬게 〖동물〗 Seeigel *m.* -s, -.
‖ ~알젓 gesalzene Seeigeleier ⟪*pl.*⟫.
섬광(閃光) Blitz *m.* -es, -e; das Aufblitzen, -s; Blitzlicht *n.* -(e)s, -er; Blinklicht (회광신호의).
‖ ~계수기 〖물리〗 Blitzmesser *m.* -s, -. ~등 〖사진〗 Blitzleuchte *f.* -n. ~사진 Blitzlichtaufnahme *f.* -n. ~신호 Blitzsignal *n.* -s, -e. ~전구 Blitzlichtlampe *f.* -n.
섬교(纖巧) Feinheit *f.* -en; Delikatesse *f.* -n. ~하다 auserlesen; delikat; lecker (sein).
섬기다 *jm.* dienen; ⟪시중들다⟫ *jm.* aufwarten; *jn.* bedienen. ¶ 남편을 ~ dem Ehemann aufmerksam sein / 부모를 ~ auf die Eltern achten; den Eltern hingebend sein / 어른을 ~ die älteren Leute respektieren; den Älteren dienen / 두 임금을 ~ zwei ³Herren dienen / 그녀는 남편을 정성껏 섬긴다 Sie wartet ihrem Mann ergeben auf.
섬나라 Insel¦reich *n.* -(e)s, -e (-staat *m.* -(e)s, -en). ¶ ~의 Insel-; insular.
‖ ~국민 Inselvolk *n.* -(e)s, ⸚er. ~근성 die insulare Beschränktheit, -en.
섬누룩 das grobe Malz, -es, (드물게) -e.
섬돌 Steintreppe *f.* -n.
섬뜩하다 unheimlich; haarsträubend; geheimnisvoll; nicht geheuer; gruselig; seltsam; übernatürlich (sein). ¶ 섬뜩하게 하다 *jm.* e-n Schrecken ein|flößen / 섬뜩한 기분이 든다 Es wird *jm.* unheimlich zumute. / 어쩐지 ~ irgendwie unheimlich sein / 어쩐지 섬뜩한 느낌이다 Das kommt mir nicht ganz geheuer vor.
섬멸(殲滅) ~하다 aus|rotten⁴ (-|merzen⁴; -|tilgen⁴); auf|reiben*⁴; annihilieren⁴; vertilgen⁴; vernichten⁴.
‖ ~전 Ausrottungs¦krieg (Vernichtungs-) *m.* -(e)s, -e (*od.* -kampf *m.* -(e)s, ⸚e).
섬모(纖毛) ① 〖생물〗 Wimper *f.* -n; Flimmer¦härchen (Wimper-) *n.* -s, -. ② =섬유(纖維). ‖ ~충류(類) Ziliaten ⟪*pl.*⟫.
섬벅 ☞ 썸벅.
섬서하다 unfreundlich; kalt; abweisend (sein).
섬섬옥수(纖纖玉手) die zarte (feine; weiche) Hand. ¶ ~로 권하는 술잔 der von zarter Hand kredenzte Trunk, -(e)s, ⸚e.
섬세(纖細) Zartheit *f.* -en; Feinheit *f.* -en. ~하다 zart; fein; zierlich; scharf; köstlich (sein). ¶ ~한 fein; zart; spinnwebfein; zierlich / ~한 감정 feines Gefühl / ~한 섬유제품 feine Textilwaren ⟪*pl.*⟫ / ~한 관심 feine Aufmerksamkeiten ⟪*pl.*⟫ / ~하게 만들어진 leicht gestaltet (errichtet) / 감정이 ~한 사람 der Feinfühlige*, -n, -n / 그는 음악에 대한 감각이 ~하다 Er hat feine Ohren für die Musik.
섬약(纖弱) Schwäche *f.* -n; Zartheit *f.*; Delikatesse *f.* -n. ~하다 zart; schwach; delikat; zerbrechlich; schwächlich (sein).

섬어(譫語) 《헛소리》 Fieberwahnsinn *m.* -(e)s, -e; Fieberphantasien 《*pl.*》; Delirium *n.* -s, ..rien; 《잠꼬대》 das Reden* 《-s》 im Schlaf; das Schlafreden*, -s.

섬유(纖維) Faser *f.* -n; Fiber *f.* -n; Faden *m.* -s, ⸗ (식물 따위의). ¶ ~질의 faser¦artig (-ähnlich); fas(e)rig; gefasert; fibräs / ~가 많은 faserreich / ~가 없는 faserlos / ~로 풀어지다 (^{4}sich) fasern / ~로 풀다 fasern / ~공업은 한국의 가장 중요한 산업분야의 하나이다 Der Textilindustrie ist e-r der bedeutendsten Industriezweige Koreas.
‖ ~공업 Textilindustrie *f.* -n. ~기계 Textilmaschine *f.* -n. ~막(膜) Faserhaut *f.* ⸗e. ~상(狀) 세포 Faden *m.* -s, ⸗e. ~석고 Fasergips *m.* -es, -e. ~소 〖화학〗 Zellulose *f.* -n; 〖생화학〗 Fibrin *n.* -s. ~속(束) Faserbündel *n.* -s, -. ~식물 Faserpflanze *f.* -n. ~유리 Faserglas *n.* -es, ⸗er. ~작물 Fasergetreide *n.* -s, -. ~제품 Textilware *f.* -n; Textilien 《*pl.*》: ~제품 검사소 die Untersuchungsstelle der Textilien. ~조직 Fasergewerbe *n.* -s, -. ~질 Fasermaterial *n.* -s, ..ien. ~층(종) Faserschicht *f.* -en. ~화 Faserung *f.* -en. 경질 (인피)~ Hartfaser *f.* -n. 단~ Faser *f.* -n. 동물 (식물)성 ~ Tier¦faser (Pflanzen-) *f.* -n. 인조 (화학) ~ Kunst¦faser (Chemie-) *f.* -n. 원(原)~ Fabrille *f.* -n. 천연~ Naturfaser *f.* -n. 합성~ die Synthetischefaser.

섬지기 〖농업〗 das Reisfeld 《-es, -er》 von vierzigtausend Klaftern.

섬질하다 die Kanten e-s Brettes glatt machen.

섬찍지근하다 ^{4}sich dauernd furchtbar (fürchterlich; schrecklich; entsetzlich; schauderhaft) fühlen.

섬참새 〖조류〗 der rotgelbe Sperling, -s, -e; *Passer rutilans rutilans* (학명).

섬화(閃火) Blitz *m.* -es, -e; Funken *m.* -s, -; Funke *m.* -ns, -n.
‖ ~방전(放電) Funkenentladung *f.* -en.

섭금류(涉禽類) 〖조류〗 Watvogel *m.* -s, ⸗.

섭력(涉歷) die vielseitige Erfahrung, -en. ~하다 erfahrungsreich sein; vielseitige Erfahrung haben; ^{3}sich vielseitige Erfahrungen erwerben*.

섭렵(涉獵) Belesenheit *f.* -en. ~하다 viel lesen*. ¶ 널리 문학을 ~하다 viel über Literatur lesen* / 그는 많은 저자의 저술을 ~했다 Er hat die Werke vieler Autoren gelesen.

섭리(攝理) 〖종교〗 Fügung *f.* -en. ~하다 《병조섭》 für ^{4}*et.* (*jn.*) sorgen; ^{4}*et.* besorgen. ¶ 신 (하늘)의 ~ Vorsehung *f.* -en; e-e Fügung Gottes (des Himmels); das Walten* 《-s》 der Vorsehung / 운명의 ~ e-e Fügung des Schicksals / 자연의 ~ die Fügung der Natur / 신의 ~에 따라 durch göttliche Fügung / 신의 ~에 맡기다 ^{3}*et.* der göttlichen Fügung überlassen*.

섭새기다 bossieren; bosselieren.

섭새김(질) Relief *n.* -s, -s; Reliefsschnitzerei *f.* -en. ~하다 =섭새기다.

섭생(攝生) Hygiene *f.*; Gesundheitspflege *f.* ~하다 s-e Gesundheit (seinen Körper) pflegen; ^{4}sich pflegen; für s-e Gesundheit sorgen. ¶ ~을 게을리 하다 die Gesundheit vernachlässigen.
‖ ~법 Gesundheitsregel *f.*; Hygiene *f.*

섭섭하다 es ist zu bedauern (ich bedauere), daß...; ungern sehen*^{4}; ^{4}sich von ^{3}*et.* ungern trennen. ¶ 섭섭한 듯이 mit innerem Widerstreben; nur ungern; nicht geneigt; zögernd / 그는 섭섭해하며 떠나갔다 Er entfernte sich mit zögerndem Schritt (zögernden Schrittes).

섭섭해하다 bedauern; *jm.* leid tun*. ¶ 아무가 없음을 ~ *jn.* vermissen.

섭섭히 bedauerlich; bedauernswert. ¶ ~ 여기다 bedauern; *jm.* leid tun* / 그의 죽음을 ~ 여긴다 Es tut mir leid um ihn.

섭씨(攝氏) Celsius *m.* -, -. 《생략: C》. ¶ ~ 5도 fünf Grad Celsius / ~ 15 도에서 bei fünfzehn Grad Celsius; bei 15°C.
‖ ~온도계 das (der) Celsius-Thermometer, -s, -.

섭양(攝養) Gesundheitspflege *f.* ☞ 양생(養生). ~하다 auf die Gesundheit acht¦geben*; die Gesundheit schonen; ^{4}sich schonen.

섭외(涉外) Unterhandlung *f.* -en. ¶ ~의 auswärtig.
‖ ~계 der für auswärtige ^{4}Beziehungen zuständige Beamte, -n, -n. ~관계 die auswärtige Beziehung, -en. ~국 die Abteilung für auswärtige Angelegenheiten. ~사무 auswärtige Angelegenheiten 《*pl.*》.

섭정(攝政) 《일》 Regentschaft *f.* -en; 《사람》 Regent *m.* -en, -en; Landesverweser *m.* -s, -; Reichsverweser *m.* -s, -. ~하다 das Land (Reich) verwesen; die Regentschaft führen. ¶ ~에 임하다 *jn.* zum Regenten (als Regent) ein¦setzen (ernennen*).

섭조개 〖조개〗 Miesmuschel *f.* -n.

섭취(攝取) 《음식물의》 das Einnehmen*, -s; Ingestion *f.*; Nahrungsaufnahme *f.* -n; 《문화의》 das Aufnehmen*, -s; Assimilation *f.* -en. ~하다 einnehmen*; zu ^{3}sich nehmen*; assimilieren.

섭치 ein wertloses (unnützliches) Ding 《-(e)s, -e》 von vielen Dingen.

섭호선(攝護腺) 〖해부〗 Vorsteherdrüse *f.* -n; Prostata *f.* ‖ ~염(炎) Prostatis *f.*

섯등 《염전의》 Gerät 《*n.* -(e)s, -e》 zum Filtern von Meerwasser bei der Salzgewinnung.

섯밑 das Fleisch 《-(e)s, -》 unter der Rindzunge.

섰다 ein koreanisches Kartenspiel.

성 《노염》 Ärger *m.* -s; Zorn *m.* -(e)s; Unwille *m.* -es. ¶ 성(이) 나다, 성(을) 내다 zürnen; zornig werden; böse werden / 성이 나게 하다 *jn.* ärgerlich machen; *jn.* ärgern / 성을 잘 내다 ^{3}sich leicht ärgern lassen*; leicht zu verärgern sein / 그런 하찮은 일로 성내지 말라 Ärgere dich nicht über solche Kleinigkeiten! / 그는 어떤 일에도 성을 내지 않는다 Er ist durch nichts in Wut zu bringen. / 그렇게 말하자 그는 더욱 성을 냈다 Als ich das sagte, wurde er erst recht zornig.

성(姓) Familien¦name(n) (Nach-; Zu-) *m.* -ns, -n. ¶ 성과 이름 Nach- und Vorname *m.* -ns, -n.

성(性) ① 《본성》 Natur *f.* -en; (Natur)anlage *f.* -n. ¶ 타고난 성이 우둔하다 dumm geboren sein / 인간의 성은 선이다 Der Mensch ist von Natur aus gut. ② 〖문법〗 Genus *n.* -, ..nera; Geschlecht *n.* -(e)s, -e. ¶ 남(여, 중)성 das männliche (weibliche, sächliche) Geschlecht. ③ 〖철학〗 Attribut *n.* -(e)s, -e; Natur *f.* -en. ④ 《암·수》 Geschlecht *n.* -(e)s, -er. ¶ 성의 geschlechtlich; sexual; sexuell / 성교육 die sexuelle (geschlechtliche) Aufklärung, -en (Erklärungen, -en) / 성도덕 die sexuelle Moral, -en; Sittlichkeit *f.* / 성본능 Geschlechtsinstinkt *m.* -(e)s, -e / 성생활 Geschlechtsleben *n.* -s / 성억제 Geschlechtskontrolle *f.* -n / 성연구 Sexualwissenschaft *f.* -en / 성자각 das geschlechtliche Erwachen*, -s / 성전환 Sexualumwandlung *f.* -en / 성호르몬 Geschlechtshormon *n.* -s, -e / 성의 구별없이 ohne [4]Geschlechtsunterschied / 성에 눈뜨다 geschlechtlich erwachen Ⓢ.

성(省) ① 《관청》 Ministerium *n.* -s, ..rien. ¶ 외무(노동)성 Außenministerium (Arbeitsministerium). ② 《중국의 행정 구획》 Provinz *f.* -en. ¶ 하남성 die Provinz Honan.

성(城) Burg *f.* -en(성곽); Schloß *n.* ..losses, ..lösser(대 저택); Festung *f.* -en(성채); Fort [fo:r] *n.* -s, -s (보루); Zitadelle *f.* -n (내성). ¶ 성의 망루 Burg¦wache (Schloß-) *f.* -n (*od.* -fried *m.* -(e)s, -e) / 성의 안뜰 Burghof (Schloß-) *m.* -(e)s, ⸗e / 성의 외호 Burggraben (Schloß-) *m.* -(e)s, ⸗ / 성을 넘겨주다 die Festung (dem Feinde) übergeben*[3] / 성을 쌓다 e-e Burg (ein Schloß) bauen / 성을 포위하다 e-e Festung belagern (ein|-schließen*) / 성을 함락하다 e-e Festung ein|nehmen* (schleifen) / 성이 함락되었다 Die Festung ist gefallen(erobert worden).

성(聖) 《성인》 der Heilige*, -n, -n; der vorzüglich Fromme*, -n, -n; der Weise*, -n, -n; 〖형용사적〗 heilig; Weih-; geweiht; Sankt 《생략: St.》; 《그 방면에 도통한 사람》 der große Meister. ¶ 성 바울 St. Paul / 성 아우구스티누스 der heilige Augustinus / 성 미가엘 제일(祭日) Sankt-Michaelis-Tag *m.* -(e)s, -e / 성수 Weihwasser *n.* -s / 성역 die geweihte Stätte, -n.

성가(聖歌) Kirchenlied *n.* -(e)s, -er; Hymne *f.* -en. ‖ ~대 Kirchenchor *m.* (*n.*) -(e)s, -e (⸗e). ~집 Gesangbuch *n.* -(e)s, ⸗er.

성가(聲價) Ruf *m.* -(e)s, -e; Ruhm *m.* -(e)s; 《인기의》 Popularität *f.* ¶ ~를 높이다 [3]sich e-n guten (vorzüglichen) Ruf erwerben* / ~가 높아지다 *jn.* in den Ruf bringen* / ~를 유지하다 dauerd in gutem Ruf stehen* / ~가 떨어지다 s-n guten Ruf verlieren* / ~를 얻다 e-n großen Ruf erlangen* / 이 작품은 그의 ~를 높여 줄 것이다 Dieses Werk wird ihm Ruhm einbringen.

성가시다 《귀찮다》 beschwerlich; lästig; belästigend; mühsam (sein). ¶ 성가셔 하다 [4]sich ärgern / 성가시게 하다 *jm.* [4]Sorge (Mühe) machen / 성가신 아이 ein lästiges (unangenehmes) Kind / 성가신 사람 der lästige Kerl / 성가신 일 die ärgerliche Arbeit / 성가신 듯 als ob es ihm belästigend sei / 성가시게 beschwerlich; belästigend; beharrlich; lästig / 성가시게 보채다 *jn.* belästigen; dauernd 《mit Bitten belästigen》 / 그가 자주 찾아와서 ~ Ich bin durch seinen häufigen Besuch belästigt. / 성가시게 묻지 마시오 Belästigen Sie mich nicht mit den Fragen! / 일이 성가시게 될 걸세 Es wird beschwerlich sein.

성가퀴(城一) Zinne *f.* -n.

성가하다(成家一) [4]sich als Meister erweisen*; s-n eigenen Stil entwickeln; e-n eigenen Herd (Hausstand) gründen; sein Glück machen.

성간물질(星間物質) interstellarer Materie, -n.

성감(性感) Sexualgefühl *n.* -(e)s, -e.

‖ ~대(帶) erogene Zone, -n.

성격(性格) Charakter *m.* -s, -e; Wesen *n.* -s, -. ¶ ~이 강한(약한) charakterfest (charakterlos) / ~상의 결점 Charakterfehler *m.* -s, -; ein Fehler in seinem Charakter / ~에 (꼭) 맞다 (genau) s-m Charakter passen / ~의 차이 Charakterunterschied *m.* -(e)s, -e / ~을 형성하다 den Charakter bilden / 좋은 ~을 가지다 e-n guten Charakter haben / 그것은 그의 (과묵한) ~을 잘 나타내고 있다 Das sieht s-m (verschlossenen) Wesen ähnlich. / 서로 ~이 잘 맞다 von gleichem Schlage sein; [4]sich charakterlich gut vertragen* 《*mit*[3]》; gut zueinander passen.

‖ ~극 Charakterdrama *n.* -s, ..men. ~나약 Charakterschwäche *f.* -n. ~묘사 Charakter¦schilderung *f.* -en (-bild *n.* -(e)s, -er). ~배(여)우 Charakter¦darsteller *m.* -s, - (-darstellerin *f.* ..rinnen). ~파탄자 ein Mann von mißgestaltetem Charakter; Spinner *m.* -s, -. ~형성 Charakterbildung *f.* -en. 강한(약한) ~ Charakterstärke (Charakterschwäche) *f.* -n.

성결(性一) Charakter *m.* -s, -e [..té:rə]; Sinnesart *f.* -en; Natur *f.* -en. ¶ ~이 있는 (굳센) charakterfest; willenskräftig; standhaft / ~이 더러운 gemein; niederträchtig; gewissenlos / ~이 곱다(사납다) e-n milden (wilden) Charakter haben / ~이 고운(사나운) 사람 e-e Person von mildem (wildem) Charakter.

성결(聖潔) Heiligkeit 《*f.* -en》 u. Reinheit 《*f.* -en》. ~하다 heilig u. rein (sein).

성경(聖經) Bibel *f.* -n; die heilige Schrift, -en. ¶ ~의 biblisch; bibelmäßig / ~의 인용 ein biblisches Zitat.

‖ ~강의 Bibelstunde *f.* -en. ~구절 Bibelstelle *f.* -n. ~낭독 Bibel¦lesen *n.* -s, -. ~문학 Bibel¦literatur *f.* -en. ~어법 Bibelausdruck *m.* -(e)s, ⸗e. ~연구회 Bibelkreis *m.* -es, -e. ~용어 Bibelsprache *f.* -n. ~이야기 Bibel¦geschichte *f.* -n. ~인용구 das biblische Zitat. ~학자 Bibelkenner *m.* -s, -. ~해석 Bibel¦auslegung *f.* -en (-erklärung *f.* -en). ~협회 Bibelgesellschaft *f.* -en. 구(신)약~ das Alte (Neue) Testament, -(e)s 《생략: A.T. (N.T.)》. 흠정역(欽定譯)~ die englische Bibel¦übersetzung von 1611.

성공(成功) Erfolg *m.* -(e)s, -e; das Gelingen*, -s; Glück *n.* -(e)s. ~하다 Erfolg haben 《*mit*[3]》; es gelingt *jm.* 《zu 부정구》; 〖사물이 주어〗 von Erfolg gekrönt (begleitet) sein; *jm.* gelingen*Ⓢ; *jm.* glücken; 〖속어〗 *jm.* klappen (잘 되어감). ¶ ~한 erfolgsreich 《*in*[3]》 / ~할 가망이 있는 erfolgversprechend; erfolgssicher (확실) / ~의 비결 das Geheimnis 《-ses, -se》 des Erfolges / ~할 가망 die Aussicht 《-en》 auf Erfolg; Erfolgsaussicht *f.* -en / ~ 못하다 k-n Erfolg haben 《*mit*[3]》; es gelingt *jm.* nicht 《zu 부정구》; 〖사물이 주어〗 ohne [4]Erfolg sein (bleiben*Ⓢ); *jm.* mißlingen*Ⓢ; fehl|-schlagen* Ⓢ / 사업의 ~을 축하하여 축배를 들다 auf den Erfolg des Unternehmens trinken* / ~을 빕니다 Ich wünsche Ihnen viel Erfolg!¦Guten Erfolg!¦〖속어〗 Hals- u. Beinbruch! / ~할 가망은 적다 Die Erfolgsaussichten sind gering. / 그는 그 일에 ~할 것이다 Mit der Arbeit wird er guten (viel) Erfolg haben. / 그는 애쓴 보람이 있어 ~했다 Seine Mühe wurde von

Erfolg gekrönt. / 그는 무엇이든 시작했다 하면 ~한다 Ihm gelingt alles, was er anfängt. / 그 영화는 대~을 거두었다 Der Film war ein gewaltiger Reißer. / 나는 그를 설득하는 데 ~했다 Es gelang mir, ihn zu überreden.

‖ ~자 der erfolgsreicher Mann, -(e)s, ⸗er ※ Mann 대신에 「작가」 Autor; 「사업가」 Unternehmer 따위와 같이 구체적으로 말하는 것이 좋음.

성공회(聖公會) Episkopalkirche *f.* -n.
‖ ~신자 Episkopalist *m.* -en, -en.

성과(成果) Ergebnis *n.* -ses, -se; Resultat *n.* -(e)s, -e; Erfolg *m.* -(e)s, -e; Früchte 《*pl.*》; der gute (glückliche) Ausgang, -(e)s, ⸗e. ¶ 노력의 ~ der Erfolg der Bemühung / ~가 있다 erfolgreich sein; [4]Erfolg haben 《*in*[3]》 / ~가 없다 erfolglos sein; ohne Erfolg sein / ~를 거두다 〖사람이 주어〗 mit [3]*et.* Erfolg haben; zu gutem Ergebnis kommen*Ⓢ; 〖사물이 주어〗 gute Resultate ergeben*; Erfolg haben / 소기의 ~를 못 거두다 das geplante Ziel ohne Erfolg erreichen / 훌륭한 ~를 거두다 [4]*et.* mit ausgezeichnetem Erfolg tun* / ~는 기대 이상이었다 Der Erfolg war über Erwarten. / 그렇게 하면 큰 ~를 거두지 못할 것이다 Damit werden Sie nicht viel Erfolg haben.

성곽(城郭) Schloß *n.* ..losses, ..lösser; Burg *f.* -en; 《요새·성채》 Festung *f.* -en.

성관(盛觀) der herrliche Anblick, -(e)s, -e.

성교(性交) Geschlechts¦akt *m.* -(e)s, -e (-verkehr *m.* -s); Koitus *m.* -, - (..tusse).
‖ ~불능 Impotenz *f.* -en. ~연령 Paarungsalter *n.* -s, -.

성구(成句) Redensart *f.* -en; Redewendung *f.* -en. ‖ ~어 Idiom *n.* -s, -e; Spracheigentümlichkeit *f.* -en.

성군(星群) 〖천문〗 Sternhaufen *m.* -s, -.

성군작당(成群作黨) Verschwörung *f.* -en. ~하다 [3]sich (miteinander) verschwören. ¶ 어떤짓을 하려고 ~하다 [4]sich zu [3]*et.* verschwören.

성규(成規) Vorschrift *f.* -en; Verordnung *f.* -en. ¶ ~의 regulär; vorschriftsmäßig; vorgeschrieben / ~에 따르다 die Vorschriften befolgen / ~에 따라 행하다 nach der Vorschrift handeln.

성극(聖劇) das heilige Drama, -s, ..men; Oratorium *n.* -s, ..rien.

성글벙글 lächelnd; grinsend. ~하다 grinsen; lächeln. ¶ ~ 웃는 얼굴 strahlendes Gesicht.

성금 Ergebnis *n.* -ses, -se; Resultat *n.* -s, -e; Wirkung *f.* -en; Geltung *f.* -en; Erfolg *m.* -(e)s, -e. ¶ 말했지만 ~이 서지 않았다 Ich habe umsonst gesprochen (in den Wind gesprochen).

성금(誠金) Geldbeitrag *m.* -(e)s, ⸗e; Spende *f.* -n; Schenkung *f.* -en. ¶ ~을 내다 spenden; bei¦steuern 《*zu*[3]》; bei¦tragen* 《*zu*[3]》.

성급하다(性急—) vor¦eilig (-schnell); hastig; übereilt; ungestüm; ungeduldig; eilfertig; rasch; gehetzt; hitzig; hitzköpfig; leicht aufflammend (sein). ¶ 성급하게 hastig; ungeduldig; rasch; übereilt / 성급한 사람 Heißsporn *m.* -(e)s, -en; Hitzkopf *m.* -(e)s, ⸗e / 성급한 기질 das ungestüme (hitzige) Temperament.

성기(性器) Geschlechtsorgan *n.* -s, -e; Sexualorgan *n.* -s, -e; Genitalorgan *n.* -s, -e; Genitalien 《*pl.*》; (männliches) Glied, -(e)s, -er (남자의); (weibliche) Scham (여자의).

성기다 ① 《사물이》 grob; rauh; einzeln; ungenau; locker; undicht; spärlich (sein). ¶ 성기게 난 수염 der spärlich gewachsene Bart / 성긴 옷감 der undichte Stoff / 성긴 체 das grobe (löcherige) Sieb / 나무를 성기게 심다 den Baum undicht (an)pflanzen / 성긴 이 die undichten Zähne / 그물코가 ~ weitmaschig sein / 그의 머리털이 성기게 된다 Sein Haar lichtet sich. ② 《마음이》 entfremdet; abspenstig; gesondert (sein).

성깃하다 ziemlich (etwas) dünn; spärlich (sein). ¶ 그는 흰 머리가 ~ Er hat einzelne graue Haare.

성깔(머리) das hitzige Temperament, -(e)s, -e; das scharfe Naturell, -s, -e; die reizbare Gemütsart, -en; der Mumm 《-(e)s》 in den Knochen 《*pl.*》; ein zähes Rückgrat 《-(e)s, -e》; Unbezwingbarkeit *f.*

성나다 [4]sich auf¦regen; erbittert ((an)gereizt; erregt) werden. ¶ 성나게 하다 erzürnen 《*jn.*》; erbittern[4]; (an¦)reizen[4]; auf¦bringen*[4]; auf¦regen[4]; erhitzen[4]; ärgern 《*jn.*》; ärgerlich machen 《*jn.*》 aus dem Häuschen bringen*《*jn.*》; in [4]Harnisch bringen* 《*jn.*》; verletzen 《*jn.*》; zornig machen 《*jn.*》 / 성나서 aus (in; vor) Zorn / 성난 눈으로 mit zornigem (grimmigem; wildem; wütendem) Blick / 성나서 얼굴이 파래지다 vor Zorn blaß (bleich) werden / 성나 바위차기 [4]sich vor Wut nicht mehr kennen*; aus Wut die Selbstbeherrschung verlieren*.

성내(城內) der Innenraum 《-(e)s, ⸗e》 eines Schlosses; der Innenraum einer Burg; 《요새·성채의》 der Innenraum 《-(e)s, ⸗e》 einer Festung. ¶ ~에 im Schloß; in der Burg; 《성벽 내부》 innerhalb der Schloßmauer (Burgmauer; Festungsmauer).

성내다 =성나다.

성냥 Streichholz (Zündholz) *n.* -es, ⸗er; Streich¦hölzchen (Zünd-) *n.* -s, -. ¶ ~ 한 갑 eine Schachtel Streichholz / ~을 켜다 ein Streichholz *usw.* an¦zünden / ~이 있읍니까 Haben Sie ein Streichholz?
‖ ~갑(匣) Streichholzschachtel *f.* -n : ~갑 같은 집 ein Haus wie eine Schachtel Streichholz / ~개비 Streich¦holzstäbchen (Zünd-) *n.* -s, -. ~불 Streichholzfeuer *n.* -s, -. 안전~ Sicherheitszündholz *n.* -es, ⸗er.

성냥노리 Ein Schmied Kassiert am Jahresende die offenen Rechnung von den Bauern.

성냥일 Schmiedearbeit *f.* -en. 「Ⓢ.

성냥하다 《불에 불리다》 schmieden; anglühen

성녀(聖女) 〖가톨릭〗 die Heilige*, -n, -n.

성년(成年) Mündigkeit *f.*; Volljährigkeit; Majorennität *f.* 《고어》; Mannbarkeit *f.* (주로 여자에). ¶ ~의 mündig; volljährig; mannbar; majorenn / ~에 달하다 mündig (volljährig; mannbar) werden / 미~이다 minderjährig sein; nicht volljährig sein.
‖ ~식 Mündigkeitsfeier *f.* -n. ~의 날 der Tag der Mündigkeitserklärung. ~자 der Mündige* (Volljährliche*; Erwachsene*) -n, -n.

성년(盛年) das beste Mannesalter, -s; die besten Jahre.

성능(性能) Leistung *f.* -en; Wirkungsgrad *m.* -(e)s, -e; Nutzeffekt *m.* -(e)s, -e; Leistungsfähigkeit *f.* -en. ¶ ~이 좋은 von

hoher Leistung; sehr wirksam.
‖~계수 Qualitätsfaktor *m.* -s, -. ~곡선 Leistungskurve *f.* -n. ~시험 〔검사〕 Leistungsprüfung *f.* -en; Wirkungsgradbestimmung *f.* -en; 《능력의》 Fähigkeitsprüfung *f.* -en; 《저능의》 Intelligenzprüfung *f.* -en. ~시험 비행 Leistungsprüf(ungs)flug *m.* -(e)s, ⸗e. 배의 ~ Leistungsfähigkeit e-s Schiffes.

성단(星團) Sternhaufen *m.* -s, -.
‖플레이아데스~ Pleiades Nebula *f.* ..lae; Pleiades Nebelfleck *m.* -(e)s, -e.

성단(聖壇) Altar *m.* -(e)s, ⸗e; Opferstätte *f.* -n. ¶그의 생명을 조국의 ~에 바치다 sein Leben auf dem Altar des Vaterlandes opfern.

성당(聖堂) (katholische) Kirche, -n; Gotteshaus *n.* -es, ⸗er; Kapelle *f.* -n.

성대 〖어류〗 Knurrhahn *m.* -(e)s, ⸗e.

성대(盛大) Großartigkeit *f.* -en; Pracht *f.* -en; Herrlichkeit *f.* -en. ¶~한(하게) mit e-m großen Aufwand an Pracht 〔an Geld〕; mit e-m Prachtaufwand; in großer Aufmachung; 《번영》 gedeihlich; blühend; 《훌륭한》 fürstlich; pracht¦voll 〔prunk-〕; pompös; imposant / ~한 의식 grandiose Zeremonie / ~한 장례식 e-e imposante Trauerfeier mit vielen Anwesenden / ~해지다 gedeihend werden / ~하게 축하하다 in großer Aufmachung feiern[4] / ~하게 환영하다 e-n großen Bahnhof machen / 결혼식을 ~히 거행하다 [4]Hochzeit prächtig feiern / 식이 끝난 뒤에 ~한 연회가 있었다 Nach der Zeremonie gab es ein großartiges 〔festliches〕 Bankett.

성대(聖代) =성세(聖世).

성대(聲帶) Stimmband *n.* -(e)s, ⸗er.
‖~묘사 Stimmen¦nachahmung 〔Sprechweisen-〕 *f.* -en; die Nachahmung der Stimmen 〔Sprechweisen〕 anderer.

성덕(盛德) die glänzenden Tugenden 《*pl.*》.

성덕(聖德) die heiligen 〔vollkommenen; hehren〕 Tugenden 《*pl.*》.

성도(成道) 《완전에 이름》 die Erreichung der Vollkommenheit; das Erlangen* 《-s》 der höchsten Erleuchtung; 〖불교〗 das Erreichen* 《-s》 des Buddhatums. ~하다 das Buddhatum erreichen 〔erlangen〕; die Erleuchtung erreichen 〔erlangen〕; ein Buddha werden.

성도(星圖) 〖천문〗 Sternkarte *f.* -n; Himmelskarte *f.* -n.

성도(聖徒) der Heilige*, -n, -n; 《사도》 Apostel *m.* -s, -; die Jünger 《*pl.*》 Christi 〔Jesu〕; Glaubens¦bote 〔Send-〕 *m.* -n, -n.
‖~전 Heiligenlegende *f.* -n.

성도(聖都) die Heilige Stadt 《⸗e》; Jerusalem, -s.

성량(聲量) der Umfang 〔die Fülle〕 der Stimme; Stimmittel *n.* -s, - 〔분철: Stimmmittel〕. ¶~이 풍부하다 e-e umfangreiche 〔kräftige; volle〕 Stimme haben; die Fülle der Stimme haben.

성려(聖慮) der kaiserliche Wunsch 《-es, ⸗e》; der kaiserliche Gedanke 《-ns, -n》 der kaiserliche Wille, -ns, -n.

성력(誠力) Treuherzigkeit 《*f.* -en》 u. Tatkraft 《*f.* ⸗e》; treue Ergebenheit *f.* ¶~을 다하다 [4]sich [3]*et.* mit ganzem Herzen widmen; [3]*et.* 〔*jm.*〕 von ganzem Herzen ergeben sein.

성령(聖靈) der Heilige Geist, -(e)s, -er.
‖~강림절 Pfingsten *n.* -s, - 〔*f.*〕 ※보통 무관사로 동사는 단수, 관사를 붙이면 복수, 따라서 동사도 복수로 함.

성례(成禮) Abschluß 《*m.* ..lusses》 der Hochzeits¦feier 〔-zeremonie〕. ~하다 Hochzeitsfeier 〔-zeremonie〕 ab|schließen*.

성례(聖禮) 《예식》 die heilige 〔geistliche; kirchliche〕 Zeremonie, -n.

성루(城壘) Wall *m.* -(e)s, ⸗e; Festungswall *m.* -(e)s, ⸗e; Festung *f.* -en. ¶~를 쌓다 einen Festungswall auf|werfen* / ~에 밀어닥치다 eine Festung erstürmen / ~로 닥아오다 gegen eine Festung vor|rücken.

성리(性理) die Menschennatur 《-en》 u. das Naturgesetz 《-es, -e》; die Regel 《-n》 des Himmels. ‖~학 《송학》 Neu-Konfuzianismus 《*m.* -》 der *Sung*-Zeit.

성립(成立) das Zustandekommen*, -s; Entstehung *f.* -en; Vollendung *f.* -en; Hergang *m.* -(e)s (이제까지의 경과); Organisation *f.* -en (조직); Bestandteil *m.* -(e)s, -e (요소). ~하다 zustande kommen*[s]; entstehen*[h,s]; vollendet sein; abgeschlossen werden (체결됨); verwirklicht werden; ins Dasein treten*[s]. ~시키다 zustande bringen*[4]; vollbringen*[4]; vollenden*[4]; vollführen*[4]; ins Leben rufen[4]. ¶~된 feststehend(확립된); bestehend; vorhanden(현존) / 양자간에 타협이 ~하다 Zwischen den beiden ist ein Kompromiß geschlossen. / 약혼이 ~되었다 Die Verlobung wurde arrangiert. / 새로운 내각이 ~되었다 Es wurde ein neues Kabinett gebildet. / 조약이 ~되었다 Der Vertrag ist abgeschlossen worden. / 예산이 의회에서 ~되었다 Der Etat 〔Das Budget〕 ist im Parlament verabschiedet worden. / 동의는 10표 대 20표로 ~되었다 Der Antrag wurde mit 20 zu 10 angenommen.

성마르다(性—) reizbar; ärgerlich; cholerisch; erregbar (sein). ¶성마른 사람 Hitzkopf *m.* -(e)s, ⸗e.

성망(聲望) Ansehen *n.* -s, -. ¶~이 있는 im Ruf stehen* / ~이 있는 사람 ein Mann von Ruf 〔Namen〕 / ~이 높다 ein hohes Ansehen genießen*; in hohem Ansehen stehen* / ~을 얻다 〔잃다〕 [3]sich ein Ansehen verschaffen* 〔verlieren*〕.

성명(姓名) Vor- u. Nach¦name 〔Zu-; Familien-〕 *m.* -ns, -n; (voller) Name, -ns, -n. ¶~미상의 nicht identifiziert; nicht identifizierbar; unbekannt / ~을 대다 s-n Namen nennen* / ~이 무엇입니까 Wie heißen Sie?
‖~판단 die Namendeutung; das Wahrsagen aus den Namensbuchstabe.

성명(盛名) der (gute) Ruf, -(e)s; Ruhm *m.* -(e)s; Popularität *f.*

성명(聖名) 〖가톨릭〗 der heilige Name, -ns, -n.

성명(聲明) Erklärung *f.* -en; Kundgebung *f.* -en; Proklamation *f.* -en; Bekanntmachung *f.* -en. ~하다 erklären[4]; kund|geben*[4]; kund|tun*[4]; proklamieren[4]; bekannt|machen[4]. ¶~을 발표하다 e-e Erklärung ab|geben* / 탈당 ~을 발표하다 s-n Austritt aus der Partei erklären / 반대를 〔찬성을〕 ~하다 [4]sich erklären 《*gegen*[4]; *für*[4]》 / 정부의 방침을 ~하다 Regierungspolitik erklären.
‖~서 die schriftliche Erklärung, -en; Manifest *n.* -es, -e. ~자 Erklärer *m.*;

Manifestant *m.*; Kundgeber *m.*; Ankundiger *m.* 공동~ die gemeinsame Erklärung, -en. 공식~ die amtliche Erklärung, -en.

성명없다(姓名—) namenlos; ohne Namen; unbekannt; ruhmlos (sein).

성모(聖母) die (heilige) Mutter Gottes; Madonna *f.* ..donnen 《*pl.*》 (성모상); Gottesmutter *f.* ⸚.
‖ ~마리아 die heilige Jungfrau Maria. ~잉태 die unbefleckte Empfängnis, -se.

성묘(省墓) das Besuchen* e-s Grabes. ~하다 ein Grab besuchen; Blumen aufs Grab legen. ¶ 그는 ~를 하기 위해 귀향했다 Er kehrte heim, um s-e Familiengrabstätte zu besuchen.

성문(成文) das schriftliche Abfassen*, -s; das Kodifizieren*, -s.
‖ ~계약 der geschriebene Vertrag, -(e)s, ⸚e. ~율(律), ~법 das positive 〔geschriebene〕 Recht, -(e)s, -e. ~화 Kodifikation *f.* -en: ~화하다 kodifizieren⁴; schriftlich ab|fassen⁴.

성문(城門) Schloßtor *n.* -(e)s, -e; Burgtor *n.*; Toreingang *m.* -(e)s, ⸚e.

성문(聲門) 〖해부〗 Glottis *f.* ..ttes; Stimmritze *f.* -n.

성문(聲紋) sonores Zeitfrequenzspektrogramm, -(e)s, -e.

성미(性味) Natur *f.* -en; Naturell *n.* -s, -e; Charakter *m.* -s, -e; Eigenschaft *f.* -en; Gemütsart *f.* -en; Wesensart *f.* -en; Temperament *n.* -(e)s, -e; Gemütsanlage *f.* -n. ¶ ~가 좋은 gutartig; gutherzig; gutmütig / ~가 나쁜 〔궂은〕 bösartig; boshaft; hämisch / ~가 맞다 gleichartig sein 《mit *jm.*》 / ~가 맞지 않다 ⁴*et.* nicht leiden können* / …의 ~에 맞다 zu|sagen 《*jm.*》; gefallen 《*jm.*》 / ~가 급한 jähzornig / ~가 급한 것은 그 집안의 내림이다 Jähzorn liegt ihm im Blut. / 그것은 나의 ~에 맞지 않다 Das geht 〔ist〕 mir gegen den Strich. / 그는 ~가 느긋하다 Er ist ein umständlicher Mensch.

성벽(性癖) Hang *m.* -(e)s 《*zu*³》; Neigung *f.* -en 《*zu*³》; Empfänglichkeit *f.* -en《*für*⁴》. ¶ 타고난 ~ der angeborene Hang / 그는 과격한 ~을 갖고 있다 Er ist ein Mensch mit e-m starken Hang zum Radikalismus. / 그는 이상한 ~이 있다 Er hat e-e absonderliche Gewohnheit.

성벽(城壁) Burgmauer *f.* -n; Schloßmauer *f.* -n; Festungswall *m.* -(e)s, ⸚e. ¶ ~밖의 außerhalb der Burgmauer / ~을 쌓다 ein Schloß 〔e-e Burg; e-e Festung〕 mit Mauern um|ziehen*⁴ 〔um|geben*⁴〕; ein|mauern⁴; um|mauern⁴; umwallen⁴.

성별(性別) Geschlechtsunterschied *m.* -(e)s, -e. ¶ ~에 관계없이 ohne Rücksicht auf den Geschlechtsunterschied; einerlei ob Mann od. Frau.

성병(性病) Geschlechtskrankheit *f.* -en; die venerische Krankheit, -en.
‖ ~감염 die venerische Infektion, -en. ~예방 die Verhütung der Geschlechtskrankheit. ~환자 der Venus¦kranke* 〔Geschlechts-〕 -n, -n.

성보(城堡) Festung *f.* -en; (Festungs)wall *m.* -(e)s, ⸚e; Schutzwehr *f.* -en. ¶ ~로 방어하다 durch e-n Wall schützen.

성복(成服) das Trauern*, -s 《um *jn.*》. ~하다 die Trauer(kleidung) tragen* 〔an|haben*〕; um *jn.* trauern; in Trauer gehen* Ⓢ; Trauer an|legen.

성부(成否) =성불성(成不成).

성부(聖父) 〖성경〗 Gott 《*m.* -es》 der Vater 《*m.* -s, ⸚》 〔Herr *m.* -n〕.

성분(成分) Bestandteil *m.* -(e)s, -e; Ingredienz *f.* -en; Ingrediens *n.* -, ..dienzien; Element *n.* -(e)s, -e. ¶ 화학적 ~ der chemische Bestandteil; das chemische Element / 탄소, 나트륨, 산소는 화학 ~이다 Kohlenstoff, Natrium, Sauerstoff sind chemische Elemente. / 놋쇠의 ~은 구리와 주석이다 Messing besteht aus Kupfer u. Zinn.
‖ ~시험 die Prüfung der Bestandteile. 부(副)~ Nebenbestandteil *m.* 주~ Hauptbestandteil *m.*

성불(成佛) das Buddhawerden*, -s; das Kommen* in den Himmel; das Eingehen* ins Nirwana. ~하다 ¹Buddha werden; in den Himmel kommen*Ⓢ; ins Nirwana ein|gehen*Ⓢ. ¶ 죽어도 ~을 못하다 ⁴sich im Grabe um|drehen.

성불성(成不成) der (gute) Erfolg 《-(e)s, -e》 und 〔oder〕 der Mißerfolg; Ergebnis *n.* -ses, -se; Resultat *n.* -(e)s, -e. ¶ ~간(間)에 ob glücken 〔gelingen〕 od. mißlingen; ob es gelingt od. mißlingt.

성사(成事) das Abschließen*, -s; das Vollenden*, -s; das Zustandebringen*, -s. ~시키다 ab|schließen*⁴; vollenden⁴; zum Abschluß bringen*⁴; 《완성》 zustande bringen*⁴. ¶ 혼담을 ~시키다 e-e Heirat 《-en》 zustande bringen*.

성사(盛事) das großartige Ereignis, ..nisses, ..nisse; das ausgezeichnete Unternehmen, -s, -; die großartige Sache 〔Angelegenheit〕; die großzügige Handlungsweise.

성산(成算) die Aussicht 《-en》 auf ⁴Erfolg; das Versprechen* auf Erfolg. ¶ 충분한 ~이 있다 e-e gute Aussicht auf Erfolg haben; erfolgversprechend sein; aussichtsreich sein; verheißungsvoll sein; des Erfolges sein / ~이 전혀 없다 k-e Aussicht auf Erfolg haben.

성상(星霜) die Jahre 《*pl.*》; Zeit *f.* -en. ¶ 여러 ~이 흐르고 nach Verlauf von vielen Jahren / 백여년(百餘年)의 ~이 흘렀다 Es sind seitdem über 100 Jahre vergangen.

성상(聖上) S-e Majestät 《*f.* -en》 der Kaiser 《*m.* -s, -》.

성상(聖像) Heiligenbild *n.* -(e)s, -er; Heiligenstatue *f.* -n; Christusbild *n.* -(e)s, -er; Ikon *f.* -en 〔-es〕. ¶ ~예배 Bilderverehrung *f.* -; Ikonolatrie *f.*/~연구 Ikonographie *f.*

성상학(性相學) Physiognomik *f.*; Physiognomie *f.* ..mien. ¶ ~적(으로) physiognomisch; vom physiognomischen Standpunk.
‖ ~자 Physiognom *m.* -en, -en; Physiognomist *m.* -en, -en.

성색(聲色) Stimme u. Miene; Musik u. Frauen.

성서(聖書) =성경(聖經).

성선설(性善說) 〖윤리〗 die Ansicht 《-en》, daß alle Menschen von Natur gut sind; die Lehre der angeborenen Tugend.

성성이(猩猩—) 〖동물〗 Orang-Utan *m.* -s, -s; 《유인원》 Menschenaffe *m.* -n, -n; 《침팬지》 Schimpanse *m.* -n, -n.

성성하다(星星—) grau; grauhaarig; graumeliert; angegraut (sein). ¶ 백발이 성성한 머리 das graue Haar, -(e)s, -e / 백발이 성성한 mit bereiften Locken; mit graumelierten

Schläfen.

성세(盛世) gute Tage《*pl.*》; das goldene Zeitalter, -s, -; Blütezeit *f.* -en; die Zeit der höchsten Blüte.

성세(聖世) die (Regierungs)zeit weiser Herrscher; glückliche (friedliche) Regierungszeit, -en.

성쇠(盛衰) Aufstieg u. Niedergang; die Wechselfälle《*pl.*》; das Auf u. Ab. ¶ 인생의 ~ die Wechselfälle des Lebens / 로마의 ~ Aufstieg u. Niedergang des Roms / 국가의 ~에 관계되다 das Schicksal e-s Staates gefährden; e-n Einfluß auf das Staatswohl aus|üben; [4]sich auf Gedeih u. Verderb e-s Volkes aus|wirken.

성수(星宿) Sternbild *n.* -(e)s, -er; Konstellation *f.* -en.

성수(星數) Stern *m.* -(e)s, -e; Glück *n.* -(e)s; Geschick *n.* -(e)s, -e; Schicksal *n.* -(e)s, -e. ¶ ~를 보다 das Horoskop stellen; in den Sternen lesen*; aus den Sternen wahrsagen / ~를 잘 타고 나다 unter e-m glücklichen Stern geboren sein.

성수(聖水) Weihwasser *n.* -s, -. ¶ ~를 뿌리다 mit Weihwasser besprengen[4].

성수(聖壽) das Alter《-s, -》des Kaisers (Herrschers). ¶ ~ 만세를 빌다 dem Kaiser (Herrscher) Gesundheit (u. langes Leben) wünschen / ~만만세 Lang lebe der Kaiser!

성수기(盛需期) der Höhepunkt《-(e)s, -e》der Nachfrage. ¶ ~를 맞은 상품 die sehr gesuchte Waren《*pl*》; die sehr begehrte Waren.

성숙(成熟) Reife *f.*; das (Aus)reifen*, -s. ~하다 reifen; heran|reifen[s]《*zu*[3]》; aus|reifen[h,s]《*zu*[3]》; reif sein《*zu*[3]; *für*[4]》. ¶ ~한 reif; ausgereift / ~한 남자 ein gereifter Mann / 소녀가 ~한 처녀가 되다 Das Mädchen reift zur Jungfrau.

‖ ~기(期) Reifezeit *f.* -en;《성적》Pubertät *f.*: ~기에 달하다 zur Reife kommen*[s]; das Jugendalter erreichen.

성스럽다(聖—) heilig; göttlich (sein). ¶ 성스러운 생활 das heilige Leben, -s, -.

성시(成市) die Eröffnung《-en》des Marktes. ~하다 den Markt eröffnen (stattfinden lassen*). ¶ 문전 ~를 이루다 viel Besucher haben; von Besuchern überlaufen werden.

성시(城市) Burgflecken *m.* -s, -; die befestigte (verschanzte) Stadt, ⸗e; die mit e-r Mauer umgebene Stadt, ⸗e.

성시(盛時) Blütezeit *f.* -en; goldene Zeiten《*pl.*》; die beste Zeit《*für*[4]》.

성신(聖神) der Heilige Geist, -es.

‖ ~강림 die Herabkunft des Heiligen Geistes: ~강림축일 Pfingsten *n.* -s, - (*f.*). ※ 보통 무관사로 동사는 단수, 관사를 붙이면 복수, 따라서 동사도 복수로 함.

성실(誠實) Aufrichtigkeit *f.*; Ehrlichkeit *f.*; Redlichkeit *f.* -en; Treue *f.* ~하다 aufrichtig; ehrlich; treu; redlich (sein). ¶ ~하지 못한 untreu; unehrlich; unaufrichtig; unredlich / ~한 사람 ein aufrichtiger Mensch / ~하게 번 돈 ehrlich verdientes Geld / 그는 어딘지 ~성이 부족한 데가 있다 Er läßt es an dem rechten Ernst fehlen.

성심(誠心) Redlichkeit *f.*; Aufrichtigkeit *f.*; Gewissenhaftigheit *f.*; Pflichtgefühl *n.* -(e)s, -e; Verantwortungsgefühl *n.* -(e)s, -e; Pflichtbewußtsein *n.* -s. ¶ ~성의 redlich; aufrichtig; mit ganzer (vollkommener; vollständiger) Redlichkeit (Aufrichtigkeit); mit (aus) vollkommenem (vollständigem) Pflichtgefühl (Verantwortungsgefühl); in vollem Ernst; mit gutem Gewissen; mit Leib u. Seele / 그는 ~껏 일을 돌본다 Er ist mit Leib u. Seele bei der Sache.

성싶다 scheinen*; den Anschein haben; so aus|sehen*. ¶ 비가 올 ~ Es scheint zu regnen. ¦ Es sieht nach Regen aus. / 그는 돈이 있을 ~ Er scheint reich zu sein. / 그를 한번 본 ~ Es scheint mir, ich habe ihn schon (mal) gesehen.

성씨(姓氏) Ihr werter Familienname, -ns, -n; Zuname *m.* -ns, -n. ¶ ~가 어떻게 되십니까 Darf ich nach Ihrem (werten) Familienname fragen?

성악(聲樂) Vokalmusik *f.*; Gesang *m.* -(e)s, ⸗e. ¶ ~을 배우다 Gesang studieren; Unterricht in Gesang nehmen.

‖ ~가 Sänger *m.* -s, -; Sängerin *f.* -nen. ~과 Abteilung《*f.* -en》für Vokalmusik.

성악설(性惡說)〖윤리〗die moralische Ansicht《-en》, daß alle Menschen von Natur böse sind; die Lehre der Ursünde.

성안(成案) der feste Plan, -(e)s, ⸗e; der endgültige Plan; das feste Programm, -(e)s, -e. ~하다 feste Pläne machen (schmieden). ¶ ~이 있다 e-n festen Plan haben / ~을 얻다 [3]sich ein Urteil bilden《*über*[4]》.

성안(城—) ＝성내(城內).

성애《대접함》Einladung《*f.* -en》für die Freunde, nachdem man ein gutes Geschäft gemacht hat.

성애(性愛) geschlechtliche (sexuelle) Liebe.

성야(星夜) Sternennacht *f.* ⸗e; die sternenhelle (sternhelle; sternklare) Nacht, ⸗e; die gestirnte (bestirnte) Nacht.

성어(成語) Redensart *f.* -en; die idiomatische Wendung, -en; Idiom *n.* -s, -e; Redewendung *f.* -en.

성업(成業) die Vollendung《-en》des Studiums; die Beendigung《-en》der Arbeit. ~하다 das Studium vollenden; die Arbeit beenden. ¶ ~을 기다리다 auf die Vollendung des Studiums warten / ~의 가망이 있다 vielversprechend (hoffnungsvoll) sein.

성업(盛業) ein blühendes Geschäft, -(e)s, -e. ¶ ~ 중이다 Das Geschäft geht gut.

성에[1] ①《얼어 붙은》Frost *m.* -(e)s, ⸗e. ②《성엣장》Treibeis *n.* -es; das schwimmende (treibende) Eis; Eisberg *m.* -(e)s, -e.

‖ ~제거 Entfrostung *f.* -en: ~ 제거 장치 Entfroster *m.* -s, -.

성에[2]〖농업〗der Griff《-(e)s, -e》des koreanischen Pfluges.

성역(聖域) heiliger Bezirk, -(e)s, -e; die heilige Anlage, -n;《경내 따위》der geheiligte Platz, -(e)s, ⸗e.

성역(聲域) Stimmumfang *m.* -(e)s, -e; Stimmlage *f.* -n.

성연(盛宴) die prächtige Festlichkeit, -en; die prächtige Feier, -n;《축연》das herrliche Festmahl, -(e)s, -e;《향연》die große Veranstaltung, -en. ¶ ~을 베풀다 e-e prunkvolle Feier geben*.

성염(盛炎) die große (starke; stechende) Hitze. ¶ ~의 계절 die heiße Jahreszeit, -en; das heißeste Wetter, -s, -.

성영(聖嬰)〖가톨릭〗Jesuskind *n.* -(e)s.

성왕(聖王) der weise König, -(e)s, -e.

성외(城外) die Außenseite《-n》des Schlosses; die Außenseite der Burg. ¶ ~에(의) außerhalb e-s Schlosses; außerhalb e-r Burg.

성욕(性慾) Geschlechtstrieb *m.* -(e)s, -e; Geschlechtslust *f.* ⸗e; Sexualtrieb *m.*; 《육욕》 fleischliche Begierden 《*pl.*》. ¶ ~의 노예 der Sklave 《-n, -n》 des Geschlechtstriebes (der Geschlechtslust) / ~의 만족 die Befriedigung des Geschlechtstriebes (der Geschlechtslust) / ~이 강한 사람 der erotische Mensch, -en, -en / ~을 억제하다 Geschlechtstrieb zügeln (bezähmen).

‖ ~결핍 die sexuelle Abneigung, -en. ~과도 Aphrodisie *f.* -n. ~도착(倒錯) die sexuelle Perversion, -en. 변태~ abnormale Sexualität, -en.

성우(聲優) Rundfunksprecher *m.* -s, -; Rundfunkdarsteller *m.* -s, -; Berufssprecher *m.* -s, -(배우, 아나운서의 대사 녹음을 포함).

성운(星雲) 〖천문〗 Nebelfleck *m.* -(e)s, -e; Nebel *m.* -s, -. ¶ ~의 Nebular-.

‖ ~설 Nebelfleckhypothese *f.* -n; Nebulartheorie *f.* -n. 안드로메다~ Andromedanebel *m.* 오리온~ der Nebel des Orion.

성운(盛運) Gedeihen *n.* -s; der gute Stand, -(e)s; glückliche Zustände 《*pl.*》; Prosperität *f.*; (Wirtschafts)blüte *f.*; Wohlergehen *n.* -s; Wohlstand *m.* -(e)s. ¶ ~의 gedeihend; gedeihlich; im guten Stand (glücklichen Zuständen) befindlich; prosperierend; in (Wirtschafts)blüte stehend; florierend; gute Geschäfte 《*pl.*》 machend.

성원(成員) Mitglied *n.* -(e)s, -er; Mitgliedschaft *f.* -en; die beschlußfähige Anzahl (Mitgliederzahl). ¶ ~을 이루다 beschlußfähig sein / ~수는 만명을 넘는다 Die Mitgliederzahl übersteigt zehntausend.

‖ ~미달 der Mangel 《-s, ⸗》 an der beschußfähigen Anzahl.

성원(聲援) Ermutigung *f.* -en; Ermunterung *f.* -en; Unterstützung *f.* -en; 《경기에서의》 Anfeuerung *f.* -en. ~하다 unterstützen[4]; an|treiben*[4] 《*zu*[3]》; an|feuern[4]; ermuntern[4]; ermutigen[4]. ¶ 그들은 선수단에게 큰 소리로 ~을 보냈다 Sie feuerten die Mannschaft lautstark an.

‖ ~대 die Gruppe von Anhängern. ~자 Unterstützer *m.* -s, -.

성월(星月) Sterne u. Mond; der Mond u. die Sterne.

성위(星位) die Stellung 《-en》 e-s Fixsternes.

성유(聖油) 〖가톨릭〗 Chrisam *n.* -s; Chrisma *n.* -s; das geweihte (Salb)öl, -(e)s, -e.

성육(成育) das Wachsen*, -s; Wachstum *m.* -(e)s; Wuchs *m.* -(e)s, ⸗e. ~하다 wachsen* [s]; heran|wachsen*[s] 《*zu*[3]》.

성은(聖恩) 《신의》 die göttliche Gnade, -n; 《왕의》 die kaiserliche Gnade, -n.

성음(聲音) Ton *m.* -(e)s, ⸗e; Stimme *f.* -n; 《음색》 Klangfarbe *f.* -n; Timbre [tɛ̃:br] *m.* -s, -s; 《억양》 Tonfall *m.* -(e)s, ⸗e.

‖ ~문자 phonetische Schrift, -en. ~학 Phonetik *f.* -en; Lautlehre *f.* -n.

성읍(城邑) Burgflecken *m.* -s, -.

성의(誠意) Aufrichtigkeit *f.*; Ehrlichkeit *f.*; Redlichkeit *f.*; Treue *f.* ¶ ~가 없는 unaufrichtig; unehrlich; unredlich; untreu; / ~가 있는 aufrichtig ehrlich; redlich; treu; zuverlässig / ~를 가지고 auf Treu u. Glauben / ~를 보이다 [4]sich aufrichtig zeigen / ~를 의심하다 an *js.* Aufrichtigkeit zweifeln / ~를 표하다 *jm.* s-e Treue beweisen*; [4]sich *jm.* als hilfreich erweisen*; es nicht an Aufrichtigkeit fehlen lassen*.

성인(成人) der Erwachsene*, -n, -n. ¶ ~이 되다 auf|wachsen*[s]; erwachsen*[s]; mündig werden; 《주로 여성에게》 mannbar werden / ~이 된 mündig; erwachsen / 그는 곧 ~이 된다 Er wird in Bälde mündig. / 그 아이는 의젓한 ~이 되었다 Der Junge ist zu e-m Manne herangewachsen.

‖ ~교육 Erwachsenenerziehung *f.* -en. ~학교 Erwachsenenschule *f.* -n.

성인(聖人) der Heilige*, -n, -n; der Weise*, -n, -n; der Fromme*, -n, -n. ¶ ~같은 heilig; fromm / ~인 체하다 scheinheilig (scheinfromm) sein; frömmeln; Frömmigkeit zur Schau stellen / 아우구스티누스는 ~이다 Augustinus ist ein Heiliger.

성일(聖日) der heilige Tag, -(e)s, -e; der Tag des Herrn.

성자(姓字) das (chinesische) Schriftzeichen 《-s, -》 des Familiennamens.

성자(盛者) der Mächtige*, -n, -n; der Glückliche*, -n, -n.

성자(聖者) der Weise*, -n, -n; der Heilige*, -n, -n. ¶ ~같은 생활을 하다 ein frommes Leben führen.

성작(聖爵) 〖가톨릭〗 Abendmahlskelch *m.* -(e)s, -e.

성장(成長) das Wachsen*, -s; Wuchs *m.* -es, ⸗e; Wachstum *n.* -(e)s. ~하다 wachsen (auf|wachsen)*[s]; groß werden; heran|wachsen*[s] 《*zu*[3]》; heraus|wachsen*[s] 《*aus*[3]》. ¶ 성인으로 ~하다 zu e-m Mann (zu e-r Frau) heran|wachsen*[s]; den Kinderschuhen entwachsen*[s] / ~해서 옷이 맞지 않다 den Kleidern entwachsen*[s]; (aus) den Kleidern heraus|wachsen*[s] / ~함에 따라 (in dem Maße,) wie man heranwächst / 그는 ~이 빠르다 Er wächst sehr schnell. | Er wird schnell größer.

‖ ~기 Wachstumsphase *f.* -n. ~호르몬 Wachstumshormon *n.* -s, -e.

성장(盛裝) die beste (prächtige; prunkhafte; prunkvolle) Kleidung; Prachtkleid *n.* -(e)s, -er; Prunkgewand *n.* -(e)s, ⸗er; Sonntags|anzug *m.* -(e)s, ⸗e (-kleid; -staat *m.* -(e)s); der volle Staat; Festkleidung *f.* ~하다 die beste Kleidung an|haben*; s-n Staat an|haben* (an|ziehen*); s-n Sonntagsstaat an|legen; das schönste Kleid an|legen; [4]sich sonntäglich an|ziehen*. ¶ ~을 하고 나타나다 in Gala erscheinen* [s].

성적(成績) 《성과》 Leistung *f.* -en; Erfolg *m.* -(e)s, -e; 《결과》 Ergebnis *n.* ..nisses, ..nisse; 《학교의 점수》 Resultat *n.* -(e)s, -e; Zensur *f.* -en; Note *f.* -n. ¶ ~이 좋다 e-e gute Leistung bekommen* (erzielen; haben); e-e gute Zensur bekommen* (haben); gute Noten 《*pl.*》 bekommen* / ~이 나쁘다 zu k-m guten Ergebnis kommen*[s]; ein mageres Ergebnis (Resultat) haben; schlechte Noten 《*pl.*》 bekommen* / 좋은 ~을 올리다 in der Leistung glänzend sein; [4]sich erfolgreich zeigen (beweisen*) / ~이 더 향상되어야 한다 Die Leistung muß noch verbessert werden.

‖ ~부 Zensur(en)buch *n.* -(e)s, ⸗er; Notenbuch *n.* ~증명서 Schulzeugnis *n.* -ses, -se. ~통지 Zensur(en)verteilung *f.* -en. ~표 Zensurliste *f.* -n. 영업~ Geschäftsleistung *f.* -en; Geschäftserfolg *m.* -(e)s,

-e; Geschäftsergebnis *n.* -ses, -se; Geschäftsresultat *n.* -(e)s, -e.

성적(性的) geschlechtlich; sexual; sexuell; Geschlechts-; Sexual-. ¶어린이들은 일찍 ~ 교육을 받았다 Die Kinder wurden schon sexuell aufgeklärt.
‖~감정 Geschlechtsempfinden *n.* -s. ~교섭 Geschlechtsverhältnis *n.* ..nisses, ..nisse. ~도착 Perversion *f.* -en: ~ 도착의 pervers. ~매력 Sex-Appeal *m.* -s; die geschlechtliche Anziehungskraft, ⸚e: ~매력이 있는 사람 Sexualprotz *m.* -en, -en; Sexkombe *f.* -n. ~범죄 das Sexualverbrechen*, -s. ~성숙 Geschlechtsreife *f.* ~욕망 Geschlechtslust *f.* ⸚e. ~충동 Geschlechtstrieb *m.* -(e)s, -e.

성전(盛典) die große Feierlichkeit, -en; die feierliche Zeremonie, -n.

성전(聖典) die Heilige Schrift, -en; das heilige Buch, -(e)s, ⸚er; 《교회규례》 Kirchengesetz *n.* -es, -e.

성전(聖殿) Sanktuarium *n.* -s, ..rien; Tempel *m.* -s, -.

성전(聖戰) der heilige Krieg, -(e)s, -e; der Heilige Krieg (십자군의); der „heilige" Krieg.

성정(性情) Sinnesart *f.*; Beschaffenheit *f.* -en; Natur *f.* -en; Charakter *m.* -s, -e.

성조(性燥) Hitzkopf *m.* -(e)s, ⸚e; Ungeduld *f.* ~하다 ungestüm; ungeduldig; hitzig (sein).

성조기(星條旗) Sternenbanner *n.* -s, -; die Nationenflagge 《-n》 der Vereinigten Staaten.

성좌(星座) Konstellation *f.* -en; Sternbild *n.* -(e)s, -er. ☞ 별자리.

성주 〖민속〗 Schutzgott 《*m.* -(e)s》 des Heims (des Herdes). ¶~받이 schamanistischer Ritus, in dem der Schutzgott in ein neues Haus geleitet wird.

성주(城主) Schloß|herr (Burg-) *m.* -n, -en (*od.* -verwalter *m.* -s, -; -vogt *m.* -(e)s, ⸚e).

성주(聖主) der weise König, -(e)s, -e.

성중(城中) =성내(城內).

성지(城址) die Überreste 《*pl.*》 e-r Burg; die Überreste 《*pl.*》 e-r Festung (e-s Kastells); Burgruine *f.* -n. ☞ 성터.

성지(聖地) der heilige Ort, -(e)s, -e; 《순례의》 Wallfahrtsort *m.*; Gnadenort *m.*; 《팔레스티나》 das Heilige Land, -(e)s, ⸚er.
‖~순례 Wallfahrt *f.* -en; das Pilgern*, -s: ~를 순례하다 zu Gnadenorten gehen* Ⓢ; wallfahren Ⓢ 〖*p.p.* gewallfahrt〗/ ~순례자 Wallfahrer *m.* -s, -; Pilger *m.* -s, -.

성지(聖旨) der kaiserliche Wille, -ns, -n; der kaiserliche Befehl, -(e)s, -e; der kaiserliche Erlaß, ..lasses, ..lässe. ¶ ~를 받들어 zufolge des kaiserlichen Befehls; dem Willen des Kaisers gemäß; S-r Majestät Befehle zufolge.

성직(聖職) der geistliche Stand, -(e)s; Geistlichkeit *f.*; Priestertum *n.* -(e)s.
‖~자 der Geistliche*, -n, -n; Priester *m.* -s, -; Pfarrer *m.* -s, -: ~자가 되다 in den geistlichen Stand (Orden) treten* Ⓢ; [1]Geistlicher (Priester) werden; die Kutte an|legen; e-n grauen Rock an|ziehen*.

성질(性質) 《성격》 Charakter *m.* -s, -e; Natur *f.* -en; 《특성》 Eigenheit (Eigenschaft) *f.* -en; 《기질》 Gemütsart *f.* -en; Sinnesart *f.* -en; Temperament *n.* -(e)s, -e; 《자질》 Naturell *n.* -s, -e; 《사물의 성정》 Beschaffenheit *f.* -en. ¶~에 따라 dem Charakter entsprechend; der [3]Natur nach (gemäß) / ~이 좋은 사람 der gemütige (gutherzige; herzensgute) Mensch, -en, -en / ~이 나쁜 사람 der bösartige (boshafte) Mensch; der Mensch von bösem (schlechtem; schlimmem) Charakter / 일의 ~ die Natur (Art) der Arbeit; der Charakter des Werkes / ~이 비슷하다 im Charakter ähnlich[3] sein; e-n ähnlichen Charakter haben 《*mit*[3]》; ähnlich geartet sein / ~이 좋다 gutmütig (gutherzig; herzensgut; von gutem Charakter) sein.

성찬(盛饌) die gute (kostbare; herrliche) Bewirtung; Schmaus *m.* -es, ⸚e. ¶~을 베풀다 *jm.* e-n Schmaus geben*; *jn.* mit Speise u. Trank reichlich bewirten.

성찬(聖餐) Sakrament *n.* -(e)s, -e; das heilige Abendmahl, -(e)s, -.
‖~배 Abendmahlskelch *m.* -(e)s, -e. ~식 Kommunion *f.* -en (가톨릭); Abendmahlsfeier *f.* -n (신교).

성찰(省察) Selbstbetrachtung *f.* -en; Selbstbeobachtung *f.* -en; Selbstbeschauung *f.* -en; Innenschau *f.* -en. ~하다 [4]sich innerlich prüfen; Innenschau halten*.

성채(城砦) Festung *f.* -en; Befestigung *f.* -en; die Festungswerke 《*pl.*》; Fort [fo:r] *n.* -s, -s; Burg *f.* -en; Feste (Schanze) *f.* -n.

성책(城柵) der Schanzpfahl 《-(e)s, ⸚e》 e-s Schlosses; der Zaun 《-(e)s, ⸚e》 e-s Schlosses.

성철(聖哲) der Weise*, -n, -n.

성체(成體) 〖생물〗 das ausgewachsene Tier, -(e)s, -e.

성체(聖體) 《왕의》 die Person 《-en》 (der Körper, -s, -; das Wesen, -s) des Königs; 〖가톨릭〗 der heilige Körper, -s, -.

성총(聖寵) 《왕의》 die kaiserliche Gnade, -n; 〖가톨릭〗 Gottes Gnade.

성충(成蟲) Imago *f.* ..gines.

성충(誠忠) Loyalität *f.*; (unerschütterliche) Treue *f.* ~하다 (ge)treu; ergeben (sein).

성취(成娶) ~하다 e-e Frau heiraten; [4]sich verheiraten; *jn.* zur Frau nehmen*.

성취(成就) Vollziehung *f.* -en; Ausführung *f.* -en; Erfüllung *f.* -en; Erlangung *f.* -en; das Gelingen*, -s; Realisierung *f.* -en; Vollendung *f.* -en; das Zustandebringen*, -s; das Fertigbringen*, -s. ~하다 vollziehen*[4]; aus|führen[4]; durch|führen[4]; erfüllen[4]; in [4]Erfüllung bringen*[4]; erlangen[4]; gelingen* Ⓢ 《*jm.*》; realisieren[4]; vollenden[4]; zustande bringen*[4]; fertig bringen*[4]. ¶그의 소원이 ~되었다 Sein Wunsch ist in Erfüllung gegangen.¦Sein Verlangen ist verwirklicht worden. / 나의 소원은 ~될 기미가 보이지 않는다 Die Erfüllung m-s Wunsches läßt auf sich warten.

성층(成層) Schichtung *f.* -en.
‖~권 Stratosphäre *f.*: ~권 비행 Stratosphärenflug *m.* -(e)s, -e / ~권 비행기 Stratosphärenflugzeug *n.* -(e)s, -e / ~권을 비행하다 durch die Stratosphäre fliegen* Ⓢ,Ⓗ / ~권 연구가 Stratosphärenforscher *m.* -s, - / ~권의 stratosphärisch. ~암 Sedimentgestein *n.* -s.

성큼 mit Riesenschritten; rasch; flink; behende; flott; leichtfüßig; schnellfüßig. ¶ ~ 걷다 mit Riesenschritten gehen* Ⓢ; flink gehen* Ⓢ; rasch gehen* Ⓢ; mit weiten (langen; weitausgreifenden) Schritten ge-

hen* ⓢ.
성큼하다 langbeinig; schlank (sein). ¶ 그 여자는 몸이 ~ Sie hat e-e schlanke Figur.
성탄(聖誕) die Geburt 《-en》 e-s Heiligen.
‖ ~일, ~절 〖기독교〗 Weihnachten *n.* -s; Weihnacht *f.* 〔대개는 무관사〕: ~절이 다가왔다 Weihnachten ist da. / ~절에 zu Weihnachten / ~을 축하하다 Weihnachten feiern.
성터(城—) Burg¦ruine 〔Schloß-〕 *f.* -n; die zerfallene Burg, -en; das zerfallene Schloß, ..losses, ..lösser; Burgstall *m.* -(e)s, ⸚e.
성토(聲討) Tadel *m.* -s; Kritik *f.* -en; Protest *m.* -(e)s; Bemäkelung *f.* -en; Einwand *m.* -(e)s, ⸚e; Einwendung *f.* -en. ~하다 tadeln; kritisieren; bemäkeln. ¶ 굴욕 외교를 ~하다 die erniedrigenden Beziehungen zum Ausland kritisieren.
‖ ~대회 Protestversammlung *f.* -en.
성패(成敗) Erfolg u. Mißerfolg, des - u. -(e)s, -e u. -e; Gelingen od. Mißlingen; Ergebnis *n.* ..nisses, ..nisse (결과). ¶ ~는 어떻든 간에 (Ob) Erfolg od. Mißerfolg; Ob Erfolg, ob Mißerfolg; Einerlei 〔Ganz gleich; Gleichwohl〕 ob Erfolg od. Mißerfolg; Es sei Erfolg, es sei Mißerfolg; ohne [4]Rücksicht auf die Folge.
성풀이 =화풀이(火—).
성품(性品) Natur *f.* -en; Naturanlage *f.* -n; Charakteranlage *f.* -n; Gemütsanlage *f.* -n; Veranlagung *f.* -en; Temperament *n.* -(e)s, -e; Gemütsart *f.* -en; Naturell *n.* -s, -e. ¶ ~이 온화하다 sanft von Charakter sein; ein sanftes Wesen 〔Herz〕 haben / 그의 ~으로서는 당연하다 Das liegt nun einmal in s-r Natur. / 나는 그런 짓을 할 수 없는 ~이다 Es ist gegen 〔wider〕 m-e Natur.¦ Es geht mir gegen 〔wider〕 die Natur, so *et.* zu tun.
성하(城下) Burgstadt *f.* ⸚e.
‖ ~지맹(之盟) Kapitulation *f.* -en; Übergabe *f.* -n; Waffenstreckung *f.* -en: ~지맹을 강요하다 zur Kapitulation 〔Übergabe; Waffenstreckung〕 zwingen* 《*jn.*》.
성하(盛夏) Hochsommer *m.* -s, -. ‖ ~염열(炎熱) die Hitze des Hochsommers.
성하다[1] ① 《온전하다》 unversehrt; unverletzt; gut (sein). ¶ 냉장고에 식료품이 성하게 보관된다 Im Kühlschrank halten sich die Lebensmittel frisch. ② 《탈없다》 gesund; kräftig (sein). ¶ 성한 몸 ein gesunder Körper / 우리 아이들은 몸성히 있다 Unsere Kinder sind gesund u. munter.
성하다[2] =성싶다.
성하다(盛—) ① 《초목이》 üppig werden; dicht werden. ② 《사회·국가 따위가》 gedeihen* ⓢ; auf|kommen* ⓢ; Glück haben; blühen. ¶ 트라홈이 지금 온 마을에 성하고 있다 Trachom ist jetzt im ganzen Dorf in der Ausbreitung begriffen. / 시내에 콜레라가 성할 것 같다 Den Anzeichen nach wird die Cholera in der Stadt um sich greifen. / 상점이 성한다 Der Laden macht gute Geschäfte.
성학(星學) Astronomie *f.* -n. ☞ 천문학.
성함(姓銜) Ihr werter Name, -ns, -n. ¶ ~이 어떻게 되십니까 Darf ich Ihren (werten) Namen bitten?
성행(性行) Wesensart u. Lebenswandel, der - u. des -s.
성행(盛行) das Vorherrschen*, -s; (herrschende) Mode *f.* -n. ~하다 im Schwung sein; (die) Mode sein; weit verbreitet sein; überwiegend sein; beliebt sein. ¶ 독일에는 축구가 매우 ~하고 있다 In Deutschland ist der Fußball sehr beliebt. / 당시는 사이클링이 ~하던 시대였다 Damals war das Radfahren gerade Mode.
성행위(性行爲) Geschlechtsakt *m.* -(e)s, -e.
성향(性向) Gemütsart *f.* -en; Wesens¦anlage *f.* -n 〔-art *f.* -en〕; Neigung *f.* -en 《*zu*[3]》.
‖ 소비〔저축〕~ Verbrauchs¦anlage 〔Erspa-rungs-〕 *f.* -n.
성현(聖賢) die Weisen 《*pl.*》. ¶ ~의 가르침 die Lehre 《*f.* -en》 der Weisen.
성혈(聖血) das heilige Blut 《-(e)s》 Christi.
성형(成形) 〖형용사적〗 plastisch; orthopädisch.
‖ ~외과 die plastische Chirurgie; Orthopädie *f.* -n: ~외과 의사 Orthopäd(e) *m.* ..den, ..den. 미용~수술 kosmetische Operation, -en.
성호르몬(性—) Sexualhormon *n.* -s, -e.
성혼(成婚) Verehelichung *f.* -en; Verheiratung *f.* -en.
성홍열(猩紅熱) 〖의학〗 Scharlachfieber *n.* -s; Scharlach *m.* -(e)s.
성화(成火) Reizung *f.* -en; Entzündung *f.* -en; Belästigung *f.* -en; Ärgernis *n.* -ses, -se; Ärger *m.* -s. ¶ ~가 나다 [4]sich ärgern; aufgeregt sein; gereizt sein.
성화(星火) ① Sternschnuppe *f.* -n; Meteor *m.* -s, -e. ☞ 운성. ② 《별똥빛》 Glanz 《*m.* -es》 e-s Meteors. ③ 《숯불》 Holzkohlenfeuer *m.* -s. ¶ ~같은 dringend; hastig; übereilt; ungeduldig; voreilig; vorschnell / ~같은 성질 die hastige Natur.
성화(聖火) das heilige Feuer, -s, -; 《올림픽의》 das olympische Feuer; die olympische Flamme, -n; die olympische Fackel, -n (성화 릴레이의). ¶ 올림픽의 ~는 경기 개최중 주야장천 탄다 Das olympische Feuer brennt für die Dauer der Spiele Tag u. Nacht.
성화(聖化) Heiligung *f.* -en; Weihe *f.* -n. ~하다 heiligen; weihen.
성화(聖畵) religiöse Malerei, -en; Heiligenbild *n.* -(e)s, -er (성인상). 「-(e)s.
성화(聲華) der (gute) Ruf, -(e)s; Ruhm *m.*
성화같다(星火—) drängend; dringend; eilig (sein). ¶ 성화같이 재촉하다 drängend mahnen[4] 《*um*[4]; *wegen*[2]》; *jn.* dringend bitten* 《*um*[4]》.
성황(盛況) Lebhaftigkeit *f.* -en; Schwung *m.* -(e)s, ⸚e; Betrieb *m.* -(e)s, -e. ¶ 대단한 ~이었다 Es war sehr lebhaft.¦〖속어〗 Da war es viel los.¦Es war e-e Wucht. / 만원 사례의 대~을 이루었다 Alles war ausverkauft, u. es war e-e enorme Publikumserfolg. / 그의 연주회는 대~이었다 Sein Konzert war gut besucht.
성황당(城隍堂) =서낭당.
성회(盛會) die gut besuchte Versammlung, -en. ¶ ~였다 Die Versammlung war gut besucht.¦ Das war e-e Gesellschaft mit vielen Besuchern.
성훈(聖訓) die Lehre 《-n》 e-s Weisen; die heilige Lehre, -n; Anweisung 《*f.* -en》 des Königs 〔Herrschers〕.
성히 unversehrt; unverletzt. ☞ 성하다[1].
섶[1] Gestrüpp *n.* -(e)s, -e; Dickicht *n.* -(e)s, -e; Reisig *n.* -s. ¶ 섶을 지고 불로 들어가다 „Von Regen in die Traufe kommen."

섶[2] 《받침대》 Stütze *f.* -n; Pfeiler *m.* -s, -; Pfahl *m.* -(e)s, ⸚e. ¶ 섶으로 나무를 받치다 e-n Baum mit e-m Pfahl (ab)stützen.

섶[3] Zwickel *m.* -s, -; Lasche *f.* -n.

섶나무 Gestrüpp *n.* -(e)s, -e; Dickicht *n.* -(e)s, -e; Reisig *n.* -s.

세(貰) Miete *f.* -n; Miet¦geld *n.* -(e)s, -er 〔-preis *m.* -es, -e; -zins *m.* -es, -e〕; Pacht *f.* -en. ¶ 집〔방〕을 세얻다 ein Haus 〔Zimmer〕 mieten / 세든 사람 Mieter *m.* -s, - / 보트를 시간당 5 마르크에 세놓다 ein Boot pro Stunde für 5 Mark vermieten / 세를 주고 자동차를 빌다 ein Auto mieten / 그는 세를 주고 바닷가에 3 개월간 작은 집을 빌었다 Er mietete sich für drei Monate ein kleines Haus an der See. / 셋방 놓습니다 《게시》 Ein Zimmer zu vermieten. / 세가 비싸다〔싸다〕 Die Miete ist teuer 〔billig〕.

세(稅) 《조세》 Steuer *f.* -n; 《관세》 Zoll *m.* -(e)s, ⸚e; 《유료도로의》 Weg(e)geld *n.* -(e)s, -er; 《지방세》 Kommunalsteuer *f.* -n; 《과세》 Besteuerung *f.* -en. ¶ 직접〔간접〕세 die direkte 〔indirekte〕 Steuer / 입항세 Hafenzoll *m.* -(e)s, ⸚e / 교통세 Verkehrssteuer *f.* -n / 누진세 die progressive Steuer / (근로) 소득세 (Arbeits)einkommensteuer / 종합 소득세 die konsuldierte Einkommensteuer / 유흥 음식세 Vergnügungs- u. Verzehrsteuer / 상속세 Erbanfall¦steuer 〔Erbschafts-〕 / 재산세 Vermögenssteuer / 증여세 Schenkungssteuer / 세를 과하다 mit e-r Steuer belegen[4]; Steuern 《*pl.*》 auf|erlegen / 세를 바치다 Steuern 《*pl.*》 bezahlen / 세를 감하다 die Steuern 《*pl.*》 ermäßigen / 세를 포탈하다 Steuern 《*pl.*》 hinterziehen*.

세(勢) ☞ 세력(勢力).

세 drei. ¶ 세째 der 〔die; das〕 dritte / 세 사람 drei Männer.

-세(世) ① 《대·시대》 Generation *f.* -en. ¶ 빌헬름 2세 Wilhelm der Zweite, -s des -en (단, des Kaisers Wilhelm des Zweiten, Kaisers Wilhelm des Zweiten) / 레클람씨 2세 Herr Reklam, der Jüngere, -n -s des -n; der junge Reklam, des -n -s. ② 〖지질〗 Epoche *f.* -n; Zeitalter *n.* -s.
‖ 홍적세(洪積世) Eiszeitalter *n.* -s.

-세 laß(t) uns; wollen wir. ¶ 가세 Wir wollen gehen! / 산책하세 Laß(t) uns spazieren gehen!

세가(世家) die vornehme Familie, -n; die berühmte Familie, -n.

세가(勢家) 《사람》 der einflußreiche Mann, -(e)s, ⸚; ein Mann vor Einfluß; ein Mann von Gewicht; der Mächtige*, -n, -n; 《집안》 die einflußreiche Familie, -n.

세가락 drei Finger 《*pl.*》; drei Zehen 《*pl.*》.
‖ ~도요 〖조류〗 Schnepfe *f.* -n. ~딱다구리 der Specht 《-(e)s, -e》 mit drei Zehen. ~메추라기 Wachtel *f.* -n.

세간 《살림도구》 Hausrat *m.* -(e)s; Gerät *n.* -(e)s, -e; Möbel *n.* -s, -; Utensilien 《*pl.*》.

세간(世間) ① ＝세상. ② 〖불교〗 die irdische Welt; Diesseits *n.* -.

세간나다 [3]sich e-n eigenen Herd 〔Haushalt〕 gründen.

세간내다 [4]sich von s-r Familie trennen, um e-n selbständigen Hausstand zu gründen.

세간차지 Hausverwalter *m.* -s, -.

세간치장(—治粧) 《실내설비》 die innere Einrichtung, -en 〔Ausstattung, -en〕; 《가구》 Mobiliar *n.* -s, -e; Möbel *n.* -s, -. ~하다 e-e Wohnung ein|richten 〔mit [3]Möbeln aus|statten〕. ¶ ~이 되어 있는 방 ein möbliertes Zimmer, -s, -.

세거(世居) das Wohnen* an e-m angestammten Ort. ~하다 an s-m angestammten Ort wohnen.

세거리 ＝삼거리.

세경(細徑) der schmale 〔kleine〕 Weg, -(e)s, -e; Pfad *m.* -(e)s, -e; Steg *m.* -(e)s, -e.

세계(世界) Welt *f.*; 《지구》 Erdball *m.* -(e)s; Erdkugel *f.* -n; Erde *f.* -n; Globus *m.* -ses, -se; 《우주》 Kosmos *m.* -; Universum *n.* -s; Weltall *n.* -s; 《집단》 Welt *f.*; Gesellschaft *f.* -en; Kreis *m.* -es, -e; 《영역》 Sphäre *f.* -n; Reich *n.* -(e)s, -e. ¶ (전)~에서 in 〔auf〕 der ganzen Welt / ~의 끝 Weltende *n.* -s, -n / ~적인 Welt-; international; global; kosmopolitisch; weltumspannend / ~적 (대)인물 ein Mann 《-(e)s, ⸚er》 von Weltruf 〔von internationalem Format〕 / ~적 국가〔강국〕 Weltreich *n.* -(e)s, -e; Weltmacht *f.* ⸚e / ~적 명성 Weltruf *m.* -(e)s; Weltruhm *m.* -(e)s / 아이〔성인〕의 ~ die Welt des Kindes 〔des Erwachsenen〕 / 이상의 ~ Idealwelt *f.* / 밤의 ~ Nachtleben *n.* -s / 낮의 ~ das Leben 《-s》 am (hellen) Tage; Tageszeit *f.* / 별의 ~ Sternenwelt *f.*; die Welt der Gestirne; Himmelskörper / 꿈의 ~ Traumwelt *f.*; Traumland *n.* -es / ~의 멸망 Weltuntergang *m.* -(e)s / ~의 지배자 Weltherrscher *m.* -s, - / ~적 지위 Weltstellung *f.* / ~적 대사건 Weltbegebenheit *f.* -en; Weltereignis *n.* -ses, -se / ~적 대신문 Weltblatt *n.* -(e)s, ⸚er; Weltpresse *f.* / ~적 대도시 Weltstadt *f.* ⸚e / ~적 불경기 Weltflaue *f.* -n; Weltflaute *f.* -n / ~적 상사 Weltfirma *f.* ..men; Weltgeschäft *n.* -(e)s, -e / ~적으로 유명하다 weltberühmt sein; von Weltruf sein; e-n Weltruf genießen* / 학문의 ~ das Reich der Wissenschaft / ~ 각지로부터 von der ganzen Welt / 그는 이름을 일약 전 ~에 떨쳤다 Über Nacht wurde er in der ganzen Welt berühmt.
‖ ~경제 Weltwirtschaft *f.* ~관 Weltanschauung *f.* -en; Weltansicht *f.* -en: ~관학 Weltanschauungslehre *f.* ~관광여행자 Weltwanderer *m.* -s, -; der Tourist -en, -en. ~교통 Weltverkehr *m.* -(e)s, -e. ~기구 Weltgefüge *n.* -s, -. ~기록 Weltrekord *m.* -(e)s, -e; Weltbestleistung *f.* -en. ~노조 Weltgewerkschaftsbund *m.* -(e)s. ~대전 Weltkrieg *m.* -(e)s, -e; Weltbrand *m.* -(e)s, ⸚e; der Große Krieg: 제 1 〔2〕 차 ~대전 der Erste 〔Zweite〕 Weltkrieg. ~무역 Welthandel *m.* -s. ~문학 Weltliteratur *f.* ~박람회 Weltausstellung *f.* -en. ~발생〔생성〕 Welt(en)bildung *f.* ~사 Weltgeschichte *f.* ~사조 der Zeitgeist 《-es》 der Welt; die geistigen Strömungen 《*pl.*》 der Welt. ~상 Weltbild *n.* -(e)s, -er. ~선수권 Weltmeisterschaft *f.* -en. ~시장 Weltmarkt *m.* -(e)s, ⸚e. ~어 《영어 같은》 Weltsprache *f.* -n; 《에스페란토어 같은》 Welthilfssprache *f.* -n. ~은행 Weltbank *f.* -en. ~인 Kosmopolit *m.* -en, -en; Weltbürger *m.* -s, -. ~일주 Weltreise *f.* -n; die Reise um die Welt: ~일주하다 e-e Reise um die Welt machen; die Welt um|reisen ⓢ; um die Welt reisen ⓢ,ⓗ / ~일주 비행 der Rundflug

《-(e)s, ≃e》 um die Welt / ~일주자 der Weltreisende*, -n, -n; Weltenbummler *m.* -s, -. **~정부** Weltregierung *f.* -en. **~정책** Weltpolitik *f.* -en. **~지도** Weltkarte *f.* -n; Weltatlas *m.* -(ses), -se [..lanten]. **~창조** Weltschöpfung *f.*; die Erschaffung der Welt. **~평화** Weltfriede *m.* -ns, -n: ~평화회의 Weltfriedenskonferenz *f.* -en. **~혁명** Weltrevolution *f.* -en.

세계(歲計) Jahresrechnung *f.* -en; Budget [bydʒé] *n.* -s, -s.

세고(世故) =세사(世事).

세곡(稅穀) Naturaliensteuer *f.* -n; Steuerzahlung 《*f.* -en》 in Form von Getreide.

세공(細工) Arbeit *f.* -en; Werk *n.* -(e)s, -e; Handwerk *n.* -(e)s, -e; Kunstfertigkeit *f.* -en. **~하다** arbeiten 《*an*³》.

‖**~인** Handwerker *m.* -s, -; Kunsthandwerker *m.* -s, -; gelernter Handwerker, -s, -. **금속~** Metallarbeit *f.* -en.

세관(稅關) Zollamt *n.* -(e)s, ≃er; Zoll *m.* -(e)s, ≃e. ¶ ~의 검사를 받다 durch den Zoll [zum Zollschrank] gehen*Ⓢ.

‖**~검사** Zollkontrolle *f.* -n. **~수속** Formalitäten 《*pl.*》 der Zollabfertigung; Klarierungsformalitäten 《*pl.*》. **~수수료** Zollgebühren《*pl.*》. **~신고서** Zoll|angabe *f.* -n [-anmeldung *f.* -en; -erklärung *f.* -en]. **~원** Zollaufseher *m.* -s, -; der Zollbeamte*, -n, -n; Zollinspektor *m.* -s, -en. **~장** der Vorsteher 《-s, -》 des Zollamtes; Oberaufseher *m.* -s, -.

세광(洗鑛) Erzwaschung *f.* -en. **~하다** Erz 《*n.* -es, -e》 waschen.

세교(世交) die lang dauernde [die alte] Freundschaft 《-en》 zwischen zwei Familien.

세궁민(細窮民) die Armen 《*pl.*》; arme Leute 《*pl.*》. ☞ 영세민(零細民).

세궁역진하다(勢窮力盡一) totmüde; hundemüde; erschöpft; abgemattet; ganz matt (sein).

세균(細菌) Bazillus *m.* -, ..zillen; Bakterie *f.* -n. ¶ ~의 bazillär; bakteriell.

‖**~배양** Bakterienzüchtung *f.* -en. **~성 질환** Bakteriose *f.* -n. **~전** Bakterienkrieg *m.* -(e)s, -e. **~학** Bakteriologie *f.*; Bakterienkunde *f.*: ~학자 Bakteriolog(e) *m.* ..gen, ..gen.

세금(稅金) Steuer *f.* -n (조세); Zoll *m.* -(e)s, ≃e (관세); Weg(e)geld *n.* -(e)s, -er (유료도로의); Brückengeld *n.* -(e)s, -er (교량의). ¶ ~을 뺀 abzüglich der Steuer(n); nach Abzug der Steuer(n) / ~이 붙는 steuer|pflichtig [zoll-; gebühren- (도로나 교량에)] / ~이 안 붙는 steuer|frei [zoll-; gebühren-] / ~을 부과하다 *jm.* e-e Steuer auf|erlegen; besteuern⁴ / ~이 붙다 〖물건을 주어로 해서〗 e-m Zoll [e-r Steuer] unterliegen* / ~이 면제되다 von Steuern befreit werden / ~을 내다 Steuern [Zoll] zahlen [entrichten]; versteuern⁴; verzollen⁴ / ~을 징수하다 Steuern [Zoll] erheben* [ein|treiben*; ein|ziehen*; bei|treiben*] / ~을 속이다 Steuern 《*pl.*》 hinterziehen*.

‖**~공제** Steuerabzug *m.* -(e)s, ≃e. **~면제** Steuerbefreiung *f.* **~체납** der Verzug 《-(e)s, ≃e》 der Steuerzahlung: ~을 체납하다 mit den Steuern in Verzug [Rückstand] geraten*Ⓢ; mit den Steuern im Verzug sein. **~포탈** Steuerhinterziehung *f.* -en.

세기(世紀) Jahrhundert *n.* -(e)s, -e. ¶ 18~초 [중, 후]기에 am Anfang [in der Mitte, am Ende] des achtzehnten Jahrhunderts / 과거 수~에 걸쳐서 jahrhundertelang; von (e-m) Jahrhundert zu [zum anderen] Jahrhundert; Jahrhundert auf Jahrhundert ※「과거」는 동사로 나타냄: während der letzten Jahrhunderte.

‖**~말** Jahrhundertende *n.* -s, -n; das Fin de siecle [fɛ̃d sjɛkl], des - - -: ~말적 감각 Dekadenzgefühl *n.* -(e)s, -e / ~말 문예 Kunst u. Literatur der Jahrhundertwende.

세기(貰器) das geliehene Geschirr, -(e)s, -e.

세나다 ① 《덧나다》《Wunde, Hautausschlag》 sich verschlechtern; sich vergrößern. ② 《잘 팔림》 guten Absatz finden* [haben]; ⁴sich gut verkaufen [lassen*]. ¶ 라디오가 세난다 Die Radios finden reißenden Absatz. / 이 물건이 세나서 모두 팔렸다 Diese Waren haben reißenden Absatz gefunden, u. wir haben sie nicht mehr auf Lager.

세나절 zu lange dauernd.

세납(稅納) Steuerzahlung *f.* -en; die Bezahlung 《-en》 der Steuern. ☞ 납세(納稅).

세내다(貰一) mieten⁴; chartern⁴ [(t)ʃártərn] (특히 선박, 비행기를). ¶ 택시를 ~ Taxi mieten / 선박을 ~ ein Schiff chartern.

세네갈 《나라 이름》 Senegal *n.* -s; Republik 《*f.*》 S. ¶ ~의 senegalisch. ‖**~말** Senegalesisch. **~사람** Senegaler *m.* -s, -.

세농(細農) 《소규모 농사》 der kleinbäuerliche Betrieb, -(e)s, -e; der Kleinbetrieb 《-(e)s, -e》 in der Landwirtschaft; 《사람》 Kleinbauer *m.* -n, -n; der kleine Farmer, -s, -.

세놓다(貰一) verleihen*; (aus|)leihen*; vermieten. ¶ 여기서 배를 세놓는가 Werden hier Boote vermietet?

세뇌(洗腦) Gehirnwäsche *f.* -n; Belehrung *f.* -en. **~하다** Gehirnwäschen machen; *jn.* belehren.

세다¹ 《머리털》 ergrauen; grau werden; graue Haare bekommen*. ¶ 그는 벌써 머리가 세기 시작한다 Er hat schon einzelne graue Haare. / 걱정으로 머리가 하얗게 세었다 Der Sorgen wegen [Vor Sorgen] ist sein Haar grau geworden.

세다² zählen; rechnen (계산하다). ¶ 셀 수 없는 unzählbar; unzählig; zahllos/세어나가다 auf|zählen⁴; her|zählen⁴ [ab|-] / 잘못 ~ ⁴sich verzählen; falsch [irrig] zählen; ⁴sich verrechnen (오산하다) / 다시 ~ nach|zählen⁴ [-|rechnen⁴] / 세어넣다 (mit) ein|rechnen⁴; ein|zählen⁴ [mit|-] / 손가락을 꼽아 ~ an den ³Fingern zählen [ab|zählen; her|-zählen].

세다³ 《근력이》 stark; kräftig; kraftvoll; mächtig; gewaltig; 《물결이》 stürmisch; ungestüm; wild; grob (sein). ¶ 센 바람 der heftige [starke] Wind / 수가 세다 e-e gute Hand haben / 팔자가 세다 unter e-m unglücklichen [ungünstigen] Stern geboren sein / 오늘은 물결이 세다 Heute gehen die Wellen hoch. / 그는 대단히 세다 Er hat ungeheure Kraft [Herkuleskraft]. / 집터가 세다 Das Haus bringt dem Besitzer Unglück.

세다⁴ ☞ 세우다.

세단 《자동차》 Limousine *f.* -n.

세대(世代) Generation *f.* -en. ¶ 젊은 ~ die junge Generation. ‖**~교번(交番)** 〖생물〗 Generationswechsel *m.* -s, -.

세대(世帶) Familie *f.* -n (가족).

‖ ～주 Haushaltungsvorstand *m.* -(e)s, -e; Familienhaupt *n.* -(e)s, ¨er; Familienvater (Haus-) *m.*

세도(世道) Sittlichkeit *f.* -en; die guten Sitten 《*pl.*》. ¶ ～인심이 땅에 떨어졌다 Gute Sitten sind verdorben.

세도(勢道) Macht *f.* ¨e; Gewalt *f.* -en; Einfluß *m.* ..flusses, ..flüsse. ¶ ～있는 mächtig; gewaltig; einflußreich / ～를 부리다 die Macht (die Einfluß) geltend machen / 그의 ～는 대단하다 Er hat großen Einfluß.
‖ ～가 der Mann 《-(e)s, ¨er》 von Einfluß; der einflußreiche Mann.

세뚜리 ① 《식사》 drei Personen 《*pl.*》, die an e-m Tisch zusammen essen*. ② 《나눔》 die Teilung 《-en》 in drei gleiche Teile; ein Teil von drei gleichen Teilen.

세레나데 Ständchen *n.* -s, -; Serenade *f.* -n.

세력(勢力) Einfluß *m.* ..flusses, ..flüsse; Ansehen *n.* -s; Geltung *f.*; Machtstellung *f.* -en; Machtposition *f.* -en; Prestige [..ʒə] *n.* -s. ¶ ～을 떨치다 s-n Einfluß geltend machen (zur Geltung bringen*); die erste Rolle (Geige) spielen; maßgebend sein; vor|herrschen; Einfluß aus|üben 《*auf*[4]》 / ～이 미치다 einflußreich sein; Einfluß haben 《*auf*[4]》 / ～을 만회하다 s-e Macht(stellung) wieder|erlangen (zurück|-) (*od.* -|gewinnen*); die alte (frühere) Machtposition zurück|gewinnen* / ～을 부식하다 [3]sich Einfluß zu verschaffen wissen*; s-e Macht aus|dehnen (erweitern) / ～이 있는 einflußreich; von großem Einfluß; (ge)wichtig; e-e Machtstellung innehabend; mächtig; mit großem Einflußbereich / ～이 없는 einflußlos; machtlos; unwichtig; ohne [4]Einfluß / 그 당시 서부에서는 밀수자가 ～을 떨치고 있었다 Damals herrschten im Westen die Schmuggler. / 이 정치가는 완전히 ～을 잃었다 Der Staatsmann hat s-n Einfluß vollständig verloren.¦Der Staatsmann kann k-n Einfluß mehr ausüben.
‖ ～가 die einflußreiche (mächtige) Person, -en; der Einflußreiche* (Mächtige*) -n, -n. ～균형 das Gleichgewicht der Kräfte (Mächte): ～균형을 유지하다 das Gleichgewicht der Kräfte (Mächte) aufrecht|erhalten*; die Kräfte (Mächte) im Gleichgewicht erhalten*. ～다툼 der Kampf 《-(e)s, ¨e》 um e-e Machtstellung. ～범위, ～권 Einfluß¦bereich (Interessen-; Macht-) *m.* (*n.*) -(e)s, -e; Einflußkreis *m.* -es, -e; Einflußsphäre *f.* -n. ～보존 die Erhaltung der Energie (Macht).

세련(洗鍊) Feinheit *f.* -en; Anmut *f.*; Eleganz *f.*; Kultiviertheit *f.* -en; Raffiniertheit *f.* -en; Vornehmheit *f.* ¶ ～된 fein; anmutig; elegant; kultiviert; raffiniert; vornehm; schick; sauber; poliert; gesittet; 《취미·기호 따위가》 geschmackvoll; feinschmeckerisch; kennerhaft / 그녀의 옷 맵시는 ～되었다 Sie ist vornehm gekleidet.¦Ihre Kleidung ist raffiniert. / 그녀 말씨는 ～되었다 Sie spricht elegant.¦Die Art, wie sie spricht, ist fein (anmutig).

세례(洗禮) Taufe *f.* -n; 《어린애의》 Kindertaufe *f.* -n. ¶ ～를 받다 getauft werden; die Taufe empfangen*; [4]sich taufen lassen* / ～를 받은 (받을) 아이 Täufling *m.* -s, -e; Taufkind *n.* -(e)s, -er / ～를 받게 하다 ein Kind taufen (lassen*); ein Kind zur Taufe bringen* (tragen*) / ～를 베풀다 taufen 《*jn.*》 / 이 아이는 ～를 받았다 Das Kind ist schon getauft. / 오늘 ～가 있다 Heute ist (bei Ihnen) Taufe.¦Sie haben heute Taufe. / 그는 주먹 ～를 받았다 Es hagelte Schläge auf ihn.
‖ ～당(堂) Taufkapelle *f.* -n. ～대야 Taufbecken *n.* -s, -. ～명 Taufname *m.* ..mens, ..men. ～명부 Taufbuch *n.* -(e)s, ¨er. ～반(盤) Taufbrunnen *m.* -s, -; Taufstein *m.* -(e)s, -e. ～법식 Tauffomel *f.* -n. ～선서 Taufgelübde *n.* -s, -. ～수 Taufwasser *n.* -s, -. ～식 Taufakt *m.* -(e)s, -e; Taufritus *m.* -, -en; Taufzeremonie *f.* -n. ～일 Tauftag *m.* -(e)s, -e. ～자 Täufer *m.* -s, -; Baptist *m.* -en, -en. ～증서 Taufschein *m.* -(e)s, -e. ～지망자 Katechumen(e) *m.* ..nen, ..nen; Taufbewerber *m.* -s, -. 폭탄～ Bombenhagel *m.* -s.

세로 《길이》 Länge *f.* -n; 《높이》 Höhe *f.* -n; 《수직》 Senkrechte *f.* -n; Vertikale *f.* -n. ¶ ～의 Längen-; aufrecht; senkrecht; vertikal / ～로 der Länge nach; längelang; in der Länge / ～가 3미터이다 3 m lang sein; 3 m Länge haben.

세로지 ① 《종이결》 senkrechte (lotrechte; vertikale) Streifen 《*pl.*》. ② 《긴 조각》 Papier¦streifen (Tuch-) *m.* -s, -; Papierschnitzel *m.* -s, -; Tuchlappen *m.* -s, -; Fetzen *m.* -s, -.

세론(世論) ＝여론.

세론(細論) die ausführliche Erörterung (Behandlung) -en. ～하다 ausführlich (eingehend) erörtern (diskutieren) 《*über*[4]》; [4]*et.* ausführlich behandeln; ins Detail gehen*.

세루(世累) weltliche Sorgen (Ängste) 《*pl.*》.

세루 Serge *f.* -n. ¶ 감색 ～ die blaue Serge.
‖ ～옷 Sergeanzug *m.* -(e)s, ..züge.

세류(細流) Bächlein *n.* -s, -; Bach *m.* -(e)s, ¨e.

세류(細柳) Trauerweide *f.* -n; Hängeweide *f.* -n. ☞세버들.

세륨 〖화학〗 Zerium *n.* -s; Cer (Zer) *n.* -s 《기호: Ce》.

세리(稅吏) der Steuerbeamte*, -n, -n; der Zollbeamte*, -n, -n (세관의).

세립(細粒) ein winziges (feines) Körnchen, -s, -.

세마(貰馬) Mietpferd *n.* -(e)s, -e.

세마치 Schmiedehammer *m.* -s, ¨.

세마포(細麻布) das feine Leinen, -s, -; die feine Leinwand.

세말(細末) Pulver *n.* -s, -; Staub *m.* -(e)s, -e; Mehl *n.* -(e)s, -e; Puder *m.* -s. ～하다 pulverisieren; pulvern; zu Pulver reiben*; mahlen.

세말(歲末) ＝세모(歲暮).

세면(洗面) das Waschen*, -s.
‖ ～기 Waschbecken *n.* -s, -. ～대 Waschtisch *m.* -es, -e; Waschständer *m.* -s, -. ～대야 Waschschüssel *f.* -n. ～소 Waschraum *m.* -(e)s, ¨e; Waschplatz *m.* -es, ¨e; Toilette *f.* -n.

세모 Dreieck *n.* -(e)s, -e. ¶ ～로 자르다 in Dreieckform (Zwickelform) schneiden*[4] / ～로 만들다 dreieckig machen[4].
‖ ～꼴 Dreieck *n.*: ～꼴의 drei¦eckig (-wink(e)lig). ～끌 die dreieckige Feile, -n. ～뿔 die dreieckige Pyramide, -n. ～송곳 der dreieckige Drillbohrer, -s, -.

세모(歲暮) Jahres¦ende *n.* -s, -n (-schluß *m.* ..lusses, ..lüsse). ¶ ～에 am Jahresende.
‖ ～대매출 Großverkauf 《*m.* -(e)s, ¨e》 am

Ende des Jahres. ~판매 Jahresendeverkauf.

세모래(細—) der feinkörnige Sand, -(e)s, -e.

세모시(細—) das feine Gewebe 《-s, -》 von Chinanesseln 〔Ramien〕.

세목(細目) Detail [detái, ..tá(:)j, ..táil] *n.* -s, -s; Einzel¦heit *f.* -en 〔-teil *m.* -(e)s, -e〕. ¶ ~에 걸쳐서 bis ins kleinste Detail; bis ins einzelne.

세목(稅目) Steuerposten *m.* -s, -.

세무(世務) die öffentlichen 〔weltlichen〕 Angelegenheiten 《*pl.*》; das allgemeine Geschäft, -(e)s, -e. ¶ ~에 밝다 in den Weltangelegenheiten bewandert sein.

세무(細務) Kleinigkeit *f.* -en; die unwichtige Sache, -n; Nebensächlichkeit *f.* -en.

세무(稅務) Steuerverwaltung *f.* -en (관청의); Steuerangelegenheit *f.* -en (일반적인). ‖ ~관 der Steuerbeamte*, -n, -n. ~사 Steuerberater *m.* -s, -. ~서 Steuer¦amt *n.* -(e)s, ¨er 〔-behörde *f.* -n〕.

세무십년(勢無十年) Hochmut kommt vor dem Fall.

세물(貰物) der Gegenstand 《-(e)s, ¨e》 zum Mieten. ‖ ~전 Verleih *m.* -(e)s, -e: ~전 영감이다 Er ist die vielseitig gebildete Person.¦Er ist ein belesener Mann.

세미하다(細微—) =미세하다(微細—).

세미나 Seminar *n.* -s, -e 〔..rien〕.

세미도큐멘터리 〖영화〗 Dokumentar-Spielfilm *m.* -(e)s, -e; der halbdokumentarische Film, -(e)s, -e.

세미콜론 Strichpunkt *m.* -(e)s, -e; Semikolon *n.* -s, -s 〔..la〕. ¶ ~을 치다 e-n Strichpunkt 〔ein Semikolon〕 setzen.

세미프로 《사람》 Halbfachmann *m.* -(e)s, ¨er 〔..leute〕. ¶ ~의 halbfachlich.

세밀(細密) 《면밀》 Genauigkeit *f.* -en; 《상세》 Ausführlichkeit *f.* -en. ¶ ~한 〔히〕 genau; ausführlich / ~히 관찰하다 genau beobachten⁴ / ~히 묘사하다 ausführlich dar¦stellen⁴ / ~한 보고 ein ausführlicher Bericht, -(e)s, -e.

세밑(歲—) Jahresende *n.* -s, -n.

세발(洗髮) das Haarwaschen*, -s. ~하다 das Haar waschen*; schampunieren⁴. ‖ ~제 Schampoo *n.* -s; Schampun *n.* -s.

세발뛰기 Dreisprung *m.* -(e)s, ¨e.

세방(貰房) ☞ 셋방.

세배(歲拜) Neujahrsbegrüßung *f.* -en. ¶ ~가다 e-n Neujahrsbesuch machen 《bei *jm.*》. ‖ ~꾼 Neujahrsgratulanten 《*pl.*》. ~돈 Neujahrsgeschenk *n.* -(e)s, -e.

세버들(細—) Trauer¦weide 〔Hänge-〕 *f.* -n.

세번 dreimal. ¶ ~째 das dritte Mal, -(e)s / ~째에 zum dritten Mal / ~에 한번은 wenigstens jedes dritte Mal / 삼~째는 성공한다 Beim dritten Mal hat man Glück.

세법(稅法) Steuergesetz *n.* -es, -e; Steuergesetzgebung *f.* -.

세별(細別) Unterteilung *f.* -en. ~하다 unter¦teilen⁴; klein verteilen⁴.

세보(世譜) Stammbaum *m.* -(e)s, ¨e; Genealogie *f.* ..gien.

세부(細部) Detail *n.* -s, -s; Einzelheit *f.* -en.

세부득이(勢不得已) von den Umständen gezwungen; wegen unvermeidlicher Umstände. ~하다 unvermeidlich (sein).

세분(細分) Unterteilung *f.* -en. ~하다 unterteilen⁴; ⁴Unterteilungen machen; noch weiter teilen⁴. ¶ 10등분으로 ~하다 in 10 Teile unterteilen⁴.

세비(歲費) ① jährliche Ausgaben 《*pl.*》. ② 《의원의》 Jahresdiäten 《*pl.*》.

세사(世事) die irdischen 〔weltlichen〕 Dinge 〔Angelegenheiten〕 《*pl.*》; Welt *f.* ¶ ~에 능한 사람 Weltmann *m.* -(e)s, ¨er; der welterfahrene 〔lebens-〕 (*od.* -kluge) Mensch, -en, -en; der Welt¦erfahrene* 〔Lebens-〕 (*od.* -kluge*) -n, -n / ~에 밝다 welt¦klug 〔lebens-〕 (*od.* -erfahren) sein; die Menschen 〔die Welt〕 kennen*; in allen Sätteln gerecht sein; Menschenkenntnis haben/ ~에 어둡다 welt¦fremd 〔lebens-〕 (*od.* -fern) sein; k-e Menschenkenntnis haben; nur sehr wenig von der Welt wissen*.

세사(世嗣) Erbe *m.* -n, -n; Nachfolger *m.* -s, - (후계자).

세사(細沙) =세모래.

세살(細—) die schmalen 〔dünnen〕 Rippen 《*pl.*》. ‖ ~문 das rohe 〔grobe〕 Fenster 《-s, -》 mit kleinen Rahmen. ~부채 der Fächer 《-s, -》 mit dünnen Rippen.

세살(歲煞) 〖민속〗 schlechte 〔ungünstige〕 Zeitwahl für e-n Umzug 〔e-e Reise〕 in e-e bestimmte Richtung.

세상(世上) ① 《세계》 Welt *f.*; 《인생》 Leben *n.* -s; 《사회》 Gesellschaft *f.* -en; 《시세》 die Zeiten 《*pl.*》; 《공중》 Öffentlichkeit *f.* -en. ¶ 이 ~ diese Welt; dieses Leben, -s; die irdische Welt; das irdische Leben, -s / 이 ~의 weltlich; irdisch; diesseitig / ~에서 in der 〔dieser〕 Welt; im Leben/~에 나오다 in die Welt kommen*[s] / ~에 내놓다 《작품 따위를》 veröffentlichen⁴; vor die Öffentlichkeit treten*[s] 《*mit*³》 / ~을 떠나다 diese Welt verlassen*; aus der ³Welt gehen* 〔scheiden*〕[s]; sterben*[s] / ~을 버리다 der Welt entsagen 〔den Rücken kehren〕 / ~에 공개되다 an den Tag 〔ans Licht〕 kommen*[s]; zu Tage 〔an die Öffentlichkeit〕 treten*[s]/~에 밝다 mit dem Volksleben sehr vertraut sein; mit den Verhältnissen 《*pl.*》 bekannt sein; weit in der Welt herumgekommen sein / ~ 구경을 많이 했다 viel vom Leben gesehen haben / ~이 다 아는 사람 der bekannte Mensch, -en, -en / ~을 잘 아는 사람 Weltmann *m.* -(e)s, ¨er / ~을 놀라게 하다 Aufsehen 〔Sensation〕 erregen; die Welt in Erstaunen setzen / 내 ~도 다 되어 간다 M-e Zeit ist allmählich um. / ~이 많이 변했다 Die Zeiten haben sich sehr gewandelt. / 그는 ~사는 법을 안다 Er weiß zu leben.¦Er weiß sich in die Welt zu schicken. / ~이란 그런 것이다 So ist das Leben.¦Die Welt ist so.¦So geht es halt in der Welt. / 그녀는 ~이 싫어졌다 Sie hat die Lust am Leben verloren.¦Sie hat k-e Lust mehr, zu leben.
② 《사람들》 Welt *f.*; Leute 《*pl.*》; Mensch *m.* -en, -en. ¶ ~이 다 안다 Die Welt weiß es. / ~이 뭐라고 말할까 Was sollen die Leute sagen?
③ 《평생》 Leben *n.* -s; Lebensgang *m.* -(e)s, ¨e. ¶ 한~ 살다 durch Leben gehen* [s]; durch die Welt gehen*[s] / 갖은 고생을 하며 ~을 살아가다 ⁴sich durchs Leben schlagen* / ~을 편안히 보내다 ein glückliches Leben führen.
④ 《물정》 Welt *f.*; die irdischen 〔weltlichen〕 Dinge 〔Angelegenheiten〕. ¶ ~을 모르다 nichts von der Welt kennen* / ~을 잘 알다 viel von der Welt kennen*; ein

Mann von Welt sein.

⑤ 《시세》 Zeitströmung *f.* -en; Zeittendenz *f.* -en; die Richtung 《-en》 der Zeit; Zeitstände 《*pl.*》; Zeitlage *f.* -n; Zeitläufe 《*pl.*》. ¶ ～을 따라가다 ⁴sich nach den Zeitständen richten; mit der Zeitströmung schwimmen*; ⁴sich in die Zeiten schicken; dem Zeitgeist folgen / ～에 뒤지다 hinter der Zeit zurück sein / 그는 ～에 뒤지지 않으려고 노력한다 Er bemüht sich, mit der Zeit gleichen Schritt zu halten.

⑥ 《제 세상》 Konkurrenzlosigkeit *f.*; der Chef 〔Herr〕 vom Ganzen. ¶ 김씨가 죽은 후 정치계는 제 ～이 되었다 Nach dem Tode des Herrn *Kim* beherrschte er die politische Welt.

세상(世相) der soziale Zustand, -(e)s, ⸚e; die soziale Verhältnisse 《*pl.*》; der Zustand 《-(e)s, ⸚e》 der Welt. ☞ 세태(世態).

세상맛(世上―) die Süßigkeiten 《*pl.*》 u. Bitternisse 《*pl.*》 des Lebens. ¶ ～을 알다 die Welt kennen*; wissen*, wie es in der Welt 〔im Leben〕 zugeht / 그는 ～을 모른다 Er weiß nichts vom Leben.

세상살이(世上―) Leben *n.* -s. **～하다** das Leben führen; ³sich s-n Unterhalt verdienen; sein Leben fristen (고생해서).

세상없어도(世上―) unter allen Umständen; um alles in der Welt; auf alle Fälle; um jeden Preis; es koste, was es wolle. ¶ ～ 그 일을 하고 말겠다 Ich würde alles versuchen, es um jeden Preis durchzuführen. / ～ 그런 일은 안하겠다 Ich würde es nicht um alles in der Welt tun. / ～ 약속은 지켜야 한다 Man muß unter allen Umständen sein Wort halten.

세상없이(世上―) auch noch so; äußerst; überaus; absolut; völlig; ganz; unerhört. ¶ 그를 만나서 ～ 기뻤다 Ich war überaus glücklich, ihn zu sehen. / 그녀는 ～ 아름답다 Sie ist überaus schön.

세상에(世上―) wer 〔was; wie; wo〕 in aller Welt ?; wer 〔was; wie; wo〕 zum Teufel ? ¶ ～ 이게 무슨 일이냐 Was zum Teufel gibt es ? / 참 ～ 별일도 다 봤다 Ach, so etwas habe ich nie gesehen.

세석(細石) Kies *m.* -es, -e; Kiesel *m.* -s, -; Kieselstein *m.* -(e)s, -e.

세설(細雪) =가랑눈.

세설(細說) e-e ausführliche 〔genaue〕 Beschreibung 〔Darstellung; Erklärung〕 -en; Ausführung *f.* -en. **～하다** ausführlich 〔genau〕 beschreiben*⁴ 〔dar|stellen⁴; erklären⁴〕; auf ⁴Details [detáis] ein|gehen* Ⓢ.

세세(世世) von Geschlecht zu Geschlecht; viele Menschenalter hindurch. ☞ 대대(代代).

세세(歲歲) = 연년(年年).

세세히(細細―) bis in die kleinsten Einzelheiten 〔Details [detáis]〕; bis ins kleinste 〔genau〕. ¶ 일들을 ～ 기억하다 ⁴sich an Einzelheiten erinnern / ～ 알고 있다 ⁴*et.* bis in alle Einzelheiten kennen* / ～ 다루다 in die Einzelheiten ein|gehen* Ⓢ.

세속(世俗) die Welt; das irdische Leben, -s. ¶ ～적 weltlich; irdisch; profan / ～적인 생각을 갖고 있다 irdisch gesinnt sein / 그건 ～ 풍습이다 Das ist der Lauf der Welt. / 그는 ～을 등지고 살고 있다 Er lebt nicht in der Welt.

세수(洗手) das Handwaschen*, -s; das Waschen*, -s. **～하다** ³sich die Hände 《*pl.*》 waschen*; ³sich das Gesicht waschen*.

‖ 세숫간 Waschraum *m.* -(e)s, ⸚e; Toilette *f.* -n. 세숫대야 Wasch¦becken *n.* -s, - 〔-schüssel *f.* -n〕. 세숫물 Handwasser *n.* -s; Waschwasser *n.* -s.

세수(稅收) Steueraufkommen *n.* -s; Steuereinnahmen 〔Zoll-〕 《*pl.*》.

세슘 〖화학〗 Zäsium *n.* -s; Cäsium *n.* -s 《기호: Cs》.

세습(世襲) Erbschaft *f.* -en; Erblichkeit *f.* **～하다** erben. ¶ ～적인 erblich; Erb-.

‖ **～재산** Erbe *n.* -s; Erbschaft *f.* -en; Erbbesitz *m.* -es, -e; Erbeigentum *n.*: ～재산 상속 Fideikommißerbfolge *f.*

세시(歲時) ① 《새해》 Jahresanfang *m.* -(e)s, ⸚e; der Anfang 《-(e)s, ⸚e》 des Jahres. ② 《때때》 die Zeiten 《*pl.*》 u. Jahreszeiten 《*pl.*》. ‖ **～기**(記) Almanach *m.* -s, -e.

세심(細心) Sorgfältigkeit *f.*; Sorgsamkeit *f.*; Genauigkeit *f.* -en; Sorgfalt *f.*; Gewissenhaftigkeit *f.* **～하다** sorgfältig; sorgsam; genau; gewissenhaft (sein). ¶ ～하게 mit aller 〔größter〕 Sorgfalt / ～한 배려를 하다 viel Sorgfalt verwenden⁽*⁾ 《*auf*⁴》; alle nur mögliche Sorgfalt an|wenden* / ～한 조사가 필요하다 Es fordert e-e sorgfältige Untersuchung. / 그는 그 일에 전연 ～한 주의를 기울이지 않았다 Er hat darauf nicht die mindeste Acht gegeben.

세쌍동이(―雙童―) die Drillinge 《*pl.*》.

세안(洗眼) **～하다** die Augen spülen.

‖ **～약** Augenspülmittel *n.* -s, - 《또는 구체적으로, 예컨대 1% iges Kochsalzlösung》.

세안(歲―) ¶ ～에 innerhalb dieses Jahres; binnen diesem Jahre; vor dem Ende dieses Jahres.

세액(稅額) Steuerbetrag *m.* -(e)s, ⸚e. ¶ ～을 정하다 besteuern⁴; zur Steuer ein|schätzen⁴; die Steuer(n) an|schlagen* 〔ein|schätzen; veranschlagen〕.

‖ **～사정** Steueranschlag *m.* -(e)s, ⸚e. 결정 ～ der festgesetzte Steuerbetrag.

세업(世業) der ererbte Beruf, -(e)s, -e; das vererbte Gewerbe, -s, -.

세우(細雨) feiner Regen, -s; Sprühregen *m.* -s.

세우다 ① 《서게 함》 stellen⁴; auf|stellen⁴; auf|richten⁴; empor|richten⁴; heben*⁴; auf|heben*⁴; stehen lassen*⁴. ¶ 귀를 ～ die Ohren 《*pl.*》 spitzen; gut auf|passen⁴ / 초를 ～ Kerze auf|stecken / 학생을 구석에 ～ 《벌주다》 den Schüler in der Ecke stehen lassen*; den Schüler in die Ecke stellen / 보초를 ～ *jn.* postieren / 깃발을 앞세우고 행진하다 mit wehenden Fahnen marschieren Ⓢ,ⓗ / 자전거를 정원에 ～ das Fahrrad auf den Garten stellen / 기둥을 ～ e-n Pfahl auf|richten / 푯말을 ～ ein Zeichen auf|stellen 〔auf|richten〕 / 칼라를 ～ den Kragen hoch|schlagen* / 넘어진 사람을 일으켜 ～ e-m Gestürzten* wieder auf die Beine 《*pl.*》 helfen*.

② 《시립을》 in e-r Reihe auf|stellen⁴. ¶ 부대를 횡대로 늘어 ～ die Truppen 《*pl.*》 in ³Linie auf|stellen.

③ 《집을》 (er)bauen⁴; auf|bauen⁴; 《동상·기념비를》 errichten⁴. ¶ 새로 집을 ～ ein neues Haus bauen / 동상을〔기념비를〕 ～ e-e Statue 〔ein Denkmal〕 errichten.

④ 《설립·창립》 gründen⁴; errichten⁴; auf|richten⁴; stiften⁴. ¶ 재단법인을 ～ e-e Stiftung gründen 〔errichten〕 / 식민지를 ～ e-e

Kolonie gründen / 정부를 ~ Regierung bilden (ein|setzen) / 신학설을 ~ e-e neue Theorie auf|stellen.

⑤《정하다》auf|stellen⁴. ¶ 규칙을 ~ Regeln 《pl.》 auf|stellen / 원칙을 ~ e-n Grundsatz auf|stellen.

⑥《차·말을》an|halten*⁴; zum Stehen bringen*⁴; stoppen⁴; auf|halten*⁴; stillstehen lassen*⁴. ¶ 말을 ~ ein Pferd an|halten*; Zügel 《pl.》 an|ziehen*.

⑦《칼날을》schärfen⁴; schleifen*⁴. ¶ 칼날을 ~ ein Messer schärfen / 톱니를 ~ e-e Säge aus|feilen.

⑧《어떤 위치에》auf|stellen⁴; ernennen*⁴ 《zu³》. ¶ …를 총독으로(지사로) ~ jn. zum Gouverneur[gu:vernø:r] ernennen* / 보증인을 ~ e-n Bürgen stellen; e-e Bürgschaft stellen; jn. als ⁴Referenz an|geben* (nennen*) / 후보자를 ~ jn. als ⁴Kandidat ernennen*.

⑨《뜻을》trachten 《nach³》; ⁴sich sehnen 《nach³》; streben 《nach³》. ¶ 그는 음악가가 되고자 뜻을 세웠다 Er strebt danach, Musiker zu werden.

⑩《계획을》entwerfen*⁴; konzipieren⁴; e-n Plan fassen (schmieden; entwerfen*).

⑪《예산을》e-n Staatshaushaltsplan (das Budget [bydʒé:]) entwerfen*.

⑫《공을》große Dienste 《pl.》 leisten; ³sich Verdienste 《pl.》 erwerben* 《um⁴》; ⁴sich verdient machen 《um⁴》.

⑬《체면을》sein Ansehen* zur Geltung bringen*.

세운(世運) das Schicksal 《-s, -e》 in der Zeit; der natürliche Verlauf, -(e)s, ⸚e.

세원(稅源) Steuerquelle f. -n.

세월(歲月) ①《시일》Zeit f.; Jahre 《pl.》. ¶ ~이 지난 후 nach ³Jahren; nach langer ³Zeit / ~이 감에 따라 im Verlauf der Jahre; mit der Zeit / ~을 헛되이 보내다 die Zeit vergeuden; die Zeit vertrödeln / ~ 가는 것이 빠르기도 하다 Die Zeit vergeht so rasch (schnell). / ~은 살과 같다 Die Zeit hat Flügel. / ~은 사람을 기다리지 않는다 Zeit u. Stunde warten nicht.

②《시세·경기》Geschäft n. -(e)s, -e; Zeiten 《pl.》; (Zeit)verhältnisse 《pl.》; Lage f. -n; Umstände 《pl.》. ¶ 요새 ~이 어떻습니까 Wie gehen heutzutage Ihre Geschäfte? / ~이 별로 없습니다 Das Geschäft geht schlecht.

세위(勢威) Macht f.; Kraft f.; Einfluß m. ..flusses, ..flüsse; Autorität f.

세율(稅率) Steuersatz m. -(e)s, ⸚e; Zollsatz m. -(e)s, ⸚e; (Zoll)tarif m. -(e)s, -e. ¶ ~을 정하다 den Tarif fest|setzen / ~을 인상하다 den Tarif erhöhen / ~을 인하하다 den Tarif senken. ‖ 국정~ der gesetzlich festgesetzte (statuarische) Tarif.

세의(世誼) die alte Freundschaft 《-en》 der Familien.

세의(歲儀) das Geschenk 《-(e)s, -e》 am Jahresende.

세이레 der 21. Tag 《-(e)s, -e》 nach Geburt.

세인(世人) Publikum n. -s; Allgemeinheit f.; jedermann*; man* 《eines, einem, einen》; Menschen 《pl.》; Leute 《pl.》; alle Welt. ¶ 그것은 ~이 다 알고 있다 Das ist allgemein bekannt.¦Das weiß alle Welt.

세인트루시어 《나라 이름》 Saint Lucia.

세일 Verkauf m. -(e)s, ⸚e; Ausverkauf m.; Schlußverkauf m.

세일러복(一服) Matrosenanzug m. -(e)s, ⸚e.

세일즈맨 Verkäufer m. -s, -.

세입(稅入) Steueraufkommen n. -s; die öffentlichen Einnahmen 《pl.》; die Staatseinkünfte 《pl.》; das Aufkommen* 《-s》 an Steuern u. Zöllen.

세입(歲入) jährliche Einnahmen 《pl.》; Jahreseinkommen n. -s, - (연수입).

‖ ~세출 Einnahmen 《pl.》 u. Ausgaben 《pl.》. ~원(源) Einkommensquelle f. -n.

세자(世子) Kronprinz m. -en, -en.

‖ ~비(妃) Kronprinzessin f. -nen.

세자(洗者) Täufer m. -s, -.

세자(細字) Kleinbuchstabe m. -n, -n; die kleinen Buchstaben 《pl.》; 《활자의》 die kleine Type, -n.

세장 Querholz 《n. -es, ⸚er》 der Kraxe.

세전(世傳) Überlieferung f. -en 《durch Generationen》. ~하다 überliefern 《durch Generationen》. ¶ ~지물(之物) Erbstück n. -(e)s, -e.

세전(歲前) vor dem Neujahr; Jahresschluß m. ..lusses, ..lüsse.

세정(世情) die Verhältnisse 《pl.》 (das Geschehen*, -s; der Lauf, -(e)s) der Welt; die sozialen Zustände 《pl.》; die menschliche Natur (세태 인정). ☞ 세사(世事).

세정(洗淨) Ausspülung f. -en; Wäsche f. -n; Waschung f. -en. ~하다 ausspülen; waschen*.

세정(稅政) Steuerpolitik f. -en; Steuerwesen n. -s, -.

세제(洗劑) Reinigungsmittel n. -s, -; Waschmittel n. -s, -.

세제(稅制) Steuerwesen n. -s, -. ‖ ~개혁 Steuerreform f. -en.

세제곱 〖수학〗 die dritte Potenz, -en; Kubus m. -, - (..ben); Kubikzahl f. -en. ~하다 kubieren⁴; zur dritten Potenz erheben*⁴.

‖ ~근 Kubikwurzel f. -n.

세족(勢族) die einflußreiche Familie, -n.

세존(世尊) Buddha m.

세주다(貰—) verleihen*; leihen*; vermieten; verdingen⁽*⁾. ¶ 방을 ~ ein Zimmer vermieten* / 그 집은 월세 오만 원에 세주었다 Das Haus bringt monatlich fünfzigtausend *Won* Miete.

세째 der (die; das) dritte.

세차(洗車) das Waschen* 《-s》 des Wagens; Wagen¦wäsche (Auto-) f. ~하다 s-n Wagen (sein Auto) waschen*.

‖ ~장 Wagenwäscherei f. -en.

세차(歲差) 〖천문〗 Präzission f. -en.

세차다 stark; kräftig; gewaltig; mächtig (sein). ¶ 세찬 비 der heftige Regen / 세찬 눈 der starke Schnee / 세찬 바람 der heftige Wind.

세찬(歲饌) ①《음식》die Speise 《-n》 für die Gäste zum neuen Jahr. ②《선물》Geschenke 《pl.》 zum Jahresende.

세책(貰册) das auszuleihende Buch, -(e)s, ⸚er; Leihbibliotheksbuch n. -(e)s, ⸚er.

‖ ~집 Leihbibliothek (Leihbücherei) f. -en.

세척(洗滌) das (Ab)waschen* (Auswaschen*) -s; (Ab)waschung (Auswaschung) f. -en; (Ab)spülung (Ausspülung) f. -en; das Reinwaschen*, -s; Irrigation f. -en; Ausspritzen n. -s (눈의). ~하다 ab|waschen*⁴ (aus|-); spülen⁴; ab|spülen⁴ (aus|-); (rein) waschen*⁴; aus|spritzen⁴ (눈을). ¶ 위를 ~하다 den Magen aus|pumpen.

‖ ~기 《공업용》 Spülmaschine f. -n; 《의료

용》 Irrigator *m.* -s, -en; 《눈의》 Spritze *f.* -n. ∼수 Wasch¦wasser (Spül-) *n.* -s. ∼약 Waschmittel *n.* -s, -.; 《눈의》 Spritzmittel. ∼장치 Wasch¦vorrichtung (Spül-) *f.* -en.
세초(歲初) Jahresanfang *m.* -(e)s, ⸗e; der Anfang 《-(e)s, ⸗e》 des Jahres.
세출(歲出) Jahresausgaben 《*pl.*》; jährliche Ausgaben 《*pl.*》.
세치 drei Zoll *m.* -(e)s, -. ¶ ∼ 두께의 널 drei Zoll starkes Brett.
세칙(細則) nähere Bestimmungen 《*pl.*》.
‖ 시행∼ Ausführungs¦bestimmungen (-gesetze; -verordnungen) 《*pl.*》.
세칭(世稱) sogenannt; wie man zu sagen pflegt. ¶ ∼ 광주 사건 der sogenannte „*Gwangju* Vorfall", -(e)s / ∼ 일류 고교 das sogenannte Gymnasium 《-s, ..sien》 ersten Ranges (erster Klasse).
세컨드¹ 〖야구〗 =이루(二壘). 「Kebse *f.* -n.
세컨드² 《첩》 Neben¦frau (Kebs-) *f.* -en;
세탁(洗濯) das Waschen*, -s. ¶ ∼을 맡기다 in die (zur) Wäsche geben*⁴ (schicken⁴).
‖ ∼기 Waschmaschine *f.* -n: 전기∼기 die elektrische Waschmaschine. ∼물 Waschwasser *n.* -s, -. ∼비누 Waschseife *f.* -n. ∼소 Wäscherei *f.* -en; Waschhaus *n.* -es, ⸗er.
세태(世態) der soziale Zustand, -(e)s, ⸗e; die sozialen Verhältnisse 《*pl.*》; der Zustand 《-(e)s, ⸗e》 (die Lage) der Welt.
‖ ∼인정 Leben u. Menschen: ∼인정에 밝다 Weltkenntnis haben. 현∼ der gegenwärtige Zustand der Welt; die jetzige Weltordnung (현시의 세계 질서).
세터 《사냥개의 일종》 Setter [zɛ́tər, sɛ́tər] *m.* -s, -.
세톨박이 Kastanienschale 《*f.* -n》 mit drei Kastanien. 「Säge, -n.
세톱(細一) die klein gezahnte (gezähnte)
세트 ① 《한 벌·한 조》 Satz *m.* -es, ⸗e; Garnitur *f.* -en. ② 〖정구·탁구〗 Satz *m.* -es, ⸗e. ¶ 2∼를 이기다 in zwei Sätzen gewinnen*. ③ 《라디오의》 Gerät *n.* -(e)s, -e; Apparat *m.* -(e)s, -e. ④ 《무대의》 Bühnen¦ausstattung *f.* -en (-bild *n.* -(e)s, -er). ∼하다 《머리를》 in feste Wellenform bringen*; die Haare legen.
‖ 가구∼ e-e Garnitur Möbel. 식기∼ Service [zɛrví:s, sɛr..] *n.* -s.
세파(世波) das Auf u. Ab; die Wechselfälle 《*pl.*》 des Lebens. ¶ 갖은 ∼를 겪다 in allen Stürmen des Lebens vieles erleben (viel erfahren*) / ∼에 시달리다 von den wilden Wogen des Lebens umhergetrieben werden. 「-er.
세퍼레이츠 《여성복》 zweiteiliges Kleid, -(e)s,
세평(世評) Leumund *m.* -(e)s; Ruf *m.* -(e)s, -e; die öffentliche Meinung, -en (여론). ¶ ∼에 의하면 wie man sagt; wie ich höre / ∼에 오르다 ins Gerede kommen*Ⓢ; Stadtgespräch werden / ∼이 …하다 im Ruf stehen* 〖zu 부정구, 또는 im Ruf e-s Gelehrten 처럼 2격을 씀〗; e-n (guten *od.* bösen) Leumund haben; beleumundet sein; gelten* 《*als*》¦Es geht der Ruf, daß.... / ∼을 두려워하다 ⁴sich vor e-n Leumund fürchten; ⁴sich ängstigen, öffentlich kritisiert zu werden / ∼에 무관심하다 ⁴sich nicht um s-n Ruf (e-n Leumund) kümmern; nicht viel Wert auf s-n Ruf legen.
세폐(歲幣) 〖옛 제도〗 der jährliche Tribut, -(e)s, -e. ‖ ∼격냥 die normale Größe 《-n》 von Kleidung; genau (gerade) richtig.
세포(細布) die feine Hanfleinwand.
세포(細胞) ① 〖생물〗 Zelle *f.* -n. ¶ 단(다)∼의 einzellig (mehrzellig). ② 《정치 단체의》 Zelle *f.* -n.
‖ ∼막 Zellmembran *f.* -en. ∼분열 Zellteilung *f.* -en. ∼조직 Zellgewebe *n.* -s. ∼학 Zellenlehre *f.* 「Flöte.
세피리(細一) 〖악기〗 e-e Art von schmaler
세후(歲後) nach dem Neujahr. 「주의.
섹셔널리즘 Partikularismus *m.* -. ☞ 종파
섹션 Teil *m.* -(e)s, -e; Abschnitt *m.* -(e)s, -e; Stück *n.* -(e)s, -e; Gruppe *f.* -n; das Teilen*; Sektion *f.* -en.
섹스 Geschlecht *n.* -(e)s, -er. ¶ ∼의 sexuell; Sexual-; Geschlechts-.
‖ ∼어필 Sex-Appeal [seks əpí:l] *m.* -s; die erotische Anziehungskraft.
섹트 =분파(分派).
센둥이 weißhaariges Tier, -(e)s, -e; weißhaariger Hund, -(e)s, -e.
센말 〖언어〗 Emphase *f.* -n; das nachdrückliche Wort, -(e)s, ⸗er. ¶ ∼로 mit Nachdruck.
센머리 Graukopf *m.* -(e)s, ⸗e; Weißkopf *m.* -(e)s, ⸗e; das weiße Haar, -(e)s, -e; das graue Haar, -(e)s, -e. ¶ ∼가 나다 ergrauen; grau werden; graue Haar bekommen*.
센물 《경수(硬水)》 das harte Wasser, -s.
센세이션 Aufsehen *n.* -s; Sensation *f.* -en. ¶ 센세이셔널한 aufsehenerregend; ein großes Aufsehen erregend; aufregend; sensationell / 일대 ∼을 일으키다 großes (ungeheu(e)res) Aufsehen erregen (verursachen); die Welt in ⁴Erstaunen setzen; in aller Munde sein; von ³sich reden machen.
센스 Gefühl *n.* -(e)s, -e; Sinn *m.* -(e)s, -e; Verstand *m.* -(e)s; Vernunft *f.*; Verständnis *n.* -ses, -se. ¶ ∼가 빠르다 e-n raschen Kopf haben / ∼가 둔하다 langsam von Begriff sein.
센터 《중심지》 Zentrum *n.* -s, ..tren; Handelszentrum; Zentrale *f.* -n (본부).
‖ 교육∼ Ausbildungs¦stelle *f.* -n (-lager *n.* -s, -). 쇼핑∼ Einkaufszentrum. 오락∼ Vergnügungszentrum.
센털 das weiße (graue) Haar, -(e)s, -e.
센트 Cent *m.* -(s), -(s). ¶ 1 달러 14 ∼ ein Dollar vierzehn (Cent). 「략: cm》.
센티 《센티미터》 Zentimeter *n.* (*m.*) -s, - 《생
센티멘탈 sentimental; empfindsam; schwärmerisch.
‖ 센티멘탈리즘 Sentimentalität *f.* -en.
셀러리 〖식물〗 Sellerie.
‖ ∼샐러드 Selleriesalat *m.* -(e)s, -e.
셀로판 Zellophan *n.* -s.
‖ ∼지 Zellophanpapier *n.* -s, -e. ∼테이프 Zellophanstreifen *m.* -s, -.
셀룰로스 〖화학〗 Zellulose *f.*
셀룰로이드 〖화학〗 Zelluloid *n.* -(e)s.
셀프서비스 Selbstbedienung *f.* -en.
‖ ∼상점 Selbstbedienungsladen *m.* -s, - (⸗).
셀프타이머 Selbstauslöser *m.* -s, -. ¶ ∼가 장치된 카메라 Kamera 《*f.* -s》 mit eingebautem Selbstauslöser.
셈¹ ① 《계산》 Rechnung *f.* -en; Berechnung *f.* -en; Kalkulation *f.* -en. ¶ 셈하다 berechnen⁴; zählen⁴ / 셈에 넣다 ⁴*et.* in Rechnung ziehen*; ⁴*et.* in Betracht ziehen* / 셈이 빠르다 schnell rechnen; im Rechnen

heben* (aus|nehmen*) / 범죄의 ~ die Brutstätte der Kriminalität / 도둑의 ~ die Brutstätte der Dieberei.

소권(訴權) Klageberechtigung *f.* -en.

소규모(小規模) der kleine Maßstab, -(e)s. ¶ ~로 im kleinen Maßstabe; im kleinen / 이 도시는 서울을 ~화한 것 같은 곳이다 Diese Stadt ist ein Seoul im kleinen.
‖ ~영업 der kleine Betrieb. ⌜⁼e.

소극(笑劇) Posse *f.* -n; Schwank *m.* -(e)s,

소극(消極) Passivität *f.* -en. ¶ ~적 passiv; negativ; konservativ (보수적) / ~적 개념 ein negativer Begriff, -(e)s, -e / ~적 정책 eine negative Politik / ~적 전법 die passive Taktik / ~적 저항 der passive Widerstand; die passive Resistenz / ~적 태도 das passive Verhalten; Passivität *f.* -en / ~적 태도를 취하다 [4]sich passiv verhalten* / 그가 하는 것은 모두가 ~적이다 Alles, was er sich verhält, ist passiv.
‖ ~성 Passivität *f.* -en; Teilnahmslosigkeit *f.* -en. ~주의 Negativismus *m.* -.

소극장(小劇場) das kleine Theater, -s, -; das kleine Schauspielhaus, -es, ⁼er.

소금 Salz *n.* -es, -e. ¶ ~에 절이다 in(s) Salz legen[4] (ein|machen[4]; ein|pökeln[4]); ein|salzen[4]; durch [4]Salz haltbar machen[4] / ~에 절인 gesalzen; eingesalzen / ~에 절인 생선 Salzfisch *m.* -es, -e / ~에 절인 청어 der gesalzene (gepökelte) Hering, -s, -e / ~기를 빼다 entsalzen[4]; ein|wässern[4]; vom Salzgehalt befreien[4] / ~을 굽다 Salz gewinnen* (sieden(*)) / 음식에 ~을 치다 Salz an die Speisen tun* / ~을 찍어 먹다 mit Salz essen* / ~을 뿌리다 das [4]Salz streuen.
‖ ~가마 Salzpfanne *f.* -n. ~기(氣) Salzigkeit *f.* -en; der salzige Geschmack, -(e)s, ⁼e: ~기가 있는 salzig; salzhaltig. ~물 Salzwasser *n.* -s; Sole *f.* -n: ~물에 담그다 ins Salzwasser ein|tauchen. ~버캐 das abgehärtete Salz. ~엣밥 dürftige Mahlzeit. ~장수 Salzhändler *m.* -s, -; Salzmann *m.* -(e)s, ⁼er. ~쩍 Salzüberstürzung *f.* -en. ~통 Salzfaß *n.* ..fasses, ..fässer.

소금쟁이 〖곤충〗 Wasserläufer *m.* -s, -.

소금정(小金井) mit Papier übergezogener Deckel 《-s, -》 aus Holz od. Bambus für den Sarg.

소급(遡及) Zurückwirkung *f.* -en. ~하다 zurück|gehen*Ⓢ (-|wirken) 《*auf*[4]》. ¶ ~해서 zurückwirkend / 본 법은 5월 1일자로 ~하여 효력을 갖는다 Dieses Gesetz tritt zurückwirkend ab 1. Mai in Kraft.
‖ ~력 Zurück¦wirkung (Rück-) *f.* -en: 법률의 ~력 die zurückwirkende Kraft des Gesetzes / ~력을 갖다 《법 따위가》 das zurückwirkende Gesetz haben.

소기(沼氣) Sumpfgas *n.* -es, -e; Grubengas *n.*; 《메탄》 Methan *n.* -s.

소기(所期) Erwartung *f.* -en; das Erwarten*, -s; Hoffnung *f.* -en. ¶ ~의 erwartet / ~와 같이 wie erwartet; erwartungsgemäß / ~에 반하다 *js.* [4]Erwartungen 《*pl.*》 täuschen; *js.* [3]Erwartungen nicht entsprechen* / ~에 반하여 wider Erwarten.

소꿉 Spielzeug 《*n.* -es, -e》 für das Haushaltspiel (Kinder-).
‖ ~놀이, ~장난 =소꿉질. ~동무 der Freund (die Freundin (여자)) aus der Kindheit; der ehemalige Spielgefährte (die ehemalige Spielgefährtin (여자)).

소꿉질 Haushaltspiel *n.* -(e)s, -e. ~하다 das Haushalten* spielen. ¶ ~ 같은 wie ein Kinderspiel; in verkleinertem Maßstabe (소규모의).

소나기 Regenschauer *m.* -s, -; Platzregen *m.* -s, -; (Regen)guß *m.* ..gusses, ..güsse; der kurze, vorübergehende Regen, -s, -. ¶ ~를 만나다 von e-m Platzregen (Regenschauer) überrascht werden.
‖ ~구름 Gewitterwolke *f.* -n; 〖기상〗 Kumulonimbus *m.* -, -se 《생략: Cb.》: ~ 구름이 하늘을 뒤덮는다 Gewitterwolken ziehen über den Himmel.

소나무 〖식물〗 Kiefer *f.* -n; Fichte *f.* -n; Föhre *f.* -n; Lärche *f.* -n.
‖ ~과(科) Nadelholz *n.* -es, ⁼er; Zapfenträger *m.* -s, -. ~동산 Kiefernhügel *m.* -s, -. ~재목 Kiefernholz *n.* -es, ⁼er.

소나타 〖음악〗 Sonate *f.* -n.
‖ ~형식 Sonatenform *f.* -en. 피아노~ Klaviersonate *f.*

소납 Bedarfsartikel *m.* -s, -; Notwendigkeit *f.*; Vorbedingung *f.* -en.

소넷 Sonett *n.* -(e)s, -e.

소녀(少女) Mädchen *n.* -s, -; Mädel *n.* -s, -(-s) (주로 남독에서). ¶ ~다운 mädchenhaft.
‖ ~교육 Mädchenerziehung *f.* -en. ~기질 Mädchenschaft *f.* ~매매 Mädchenhandel *m.* -s, -. ~시절 Mädchenzeit *f.*

소년(少年) ① 《남아》 Junge *m.* -n, -n; Bube *m.* -n, -n; Knabe *m.* -n, -n. ② 《미성년》 der Jugendliche*, -n, -n; Jugend *f.* ¶ ~다운 knabenhaft; jungenhaft.
‖ ~단원 《보이스카우트》 Pfadfinder *m.* -s, -. ~범죄 die jugendliche Kriminalität. ~법 Jugendrecht *n.* -(e)s, -e; Jugendgesetz *n.* -es, -e. ~보호 Jugend¦fürsorge *f.* (-pflege *f.*; -schutz *m.* -es). ~시대 Knaben¦alter *n.* -s (-zeit *f.*); Jugend *f.* ~원 Jugendgefängnis *n.* -ses, -se; Jugendstrafanstalt *f.* -en. ~재판소 Jugendgericht *n.* -(e)s, -e. ~합창단 Sängerknaben 《*pl.*》: 빈 ~합창단 Wiener Sängerknaben.

소노시트 《플라스틱 음반》 Plastikschallplatte *f.* -n; Schallbogen *m.* -s, ⁼.

소농(小農) Kleinbauer *m.* -n (-s), -n.
‖ ~계급 Bauernschaft *f.* -en; Landvolk *n.* -(e)s, ⁼er.

소뇌(小腦) 〖해부〗 Kleinhirn *n.* -(e)s, -e.

소다 Soda *f.* -s.
‖ ~수 Sodawasser *n.* -s; 〖속어〗 Mineralwasser *n.* ~회 Sodaasche *f.* -n.

소달구지 Ochsenkarren *m.* -s, -.

소담(小膽) Feigheit *f.*; Kleinmütigkeit *f.* -en; Schüchternheit *f.* -en; Ängstlichkeit *f.* -en. ~하다 feig (feige); kleinmütig; zaghaft; schüchtern; ängstlich (sein). ¶ ~한 사람 kleinmütiger Mensch, -en, -en.

소담(笑談) lustige Geschichte, -n. ~하다 e-e lustige Geschichte erzählen.

소담스럽다 saftig (wohl schmeckend) aus|sehen*; köstlich (sein); frisch und knusprig aus|sehen*.

소담하다 erfreulich; gesundheitstrotzend; groß und schön; voll; saftig; zum Anbeißen; wohlschmeckend (sein). ¶ 소담한 복숭아 dicker saftiger Pfirsich *m.* -(e)s, -e / 소담한 꽃송이 volle runde Blume 《-n》 mit vielen Blütenblättern / 소담한 색씨 niedliches molliges junges Mädchen, -s, -.

소당(小黨) kleine (politische) Partei, -en;

Splitterpartei *f.* -en.
소대(小隊) 〖군사〗 Zug *m.* -(e)s, ⸚e.
‖ ∼장 Zugführer *m.* -s, -.
소대상(小大祥) der erste und zweite Jahrestag 《-(e)s》 des Todes.
소댕 (e-e Art) dicker Kochtopfdeckel -s, -. ‖ ∼꼭지 Griff 《*m.* -(e)s, -e》 eines solchen Kochtopfdeckels. ⌈-s, -.
소도(小島) die kleine Insel, -n; Inselchen *n.*
소도구(小道具) 〖연극〗 die Requisiten 《*pl.*》. ☞ 소품(小品).
소도둑놈 ① 《도둑》 Viehdieb *m.* -(e)s, -e. ② 《욕심 많은》 (hab)gierige u. schlechte Person,
소도록하다 = 수북하다. ⌊-en.
소도리 kleiner Hammer, -s, ⸚; Hämmerchen *n.* -s, -.
소도시(小都市) Kleinstadt *f.* ⸚e.
소독(消毒) Desinfektion *f.* -en; Desinfizierung *f.* -en; Entkeimung *f.* -en; Entseuchung *f.* -en; Sterilisation *f.* -en. ∼하다 desinfizieren[4]; entkeimen[4]; keimfrei machen[4]; sterilisieren[4]. ¶ ∼을 한 desinfiziert. ‖ ∼거즈관(罐) Sterilisationsbüchse *f.* -n. ∼기 Sterilisierapparat *m.* -(e)s, -e. ∼면 die sterilisierte Watte, -n. ∼붕대 der sterilisierte 〔sterile〕 Verband, -(e)s, ⸚e. ∼실(室) Desinfektionsraum *m.* -(e)s, ⸚e. ∼액 die antiseptische Lösung, -en. ∼약 Desinfektionsmittel *n.* -s, -; Desinfiziens *n.* -, ..zientien. ∼옷 die desinfizierte Kleidung, -en. ∼자(者) Desinfektor *m.* -s, -en. ∼저(箸) das spaltbare Eßstäbchen, -s, -. ∼포(布) das sterilisierte Tuch, -(e)s, ⸚er. 유황∼ Schwefeldesinfektion *f.* 일광∼ die Desinfektion durch Sonnenlicht. 증기∼ Dampfdesinfektion *f.*
소동(小童) ① 《어린아이》 kleiner Knabe, -n, -n. ② 《심부름하는》 Dienstbote 《*m.* -n, -n》 im Kindesalter.
소동(騷動) Unruhen 《*pl.*》; 《폭동》 Aufruhr *m.* -(e)s, -e; Aufstand *m.* -(e)s, ⸚e; Empörung *f.* -en; Rebellion *f.* -en; 《혼란》 Verwirrung *f.* -en; Unordnung *f.* -en; 《파업》 Streik *m.* -(e)s, -s. ¶ ∼을 일으키다 Unruhen 〔Aufruhr; den Aufstand〕 erregen / ∼을 진압하다 den Aufruhr unterdrücken / 간밤 거리에는 큰 ∼이 있었다 Gestern abend war ein großer Aufruhr auf der Straße.
소두 《선물》 Geschenk 《*n.* -(e)s, -e》, das die Familien eines jungverheirateten Ehepaars bei besonderen Anlässen aus|tauschen (z.B. Geburtstag).
소두(小斗) halbes *Mal* (Maßeinheit=10 Liter). ⌈-s, -.
소두엄 (natürlicher; organischer) Dünger,
소듐 〖화학〗 Natrium *n.* -s 《기호: Na》.
소드락질 Raub *m.* -(e)s; Diebstahl *m.* -(e)s, ⸚e; Plünderung *f.* -en. ∼하다 rauben 《*jm.* [4]*et.*》; berauben 《*jm.* [2]*et.*》; plündern.
소득(所得) Einkommen *n.* -s, -; Einkünfte 《*pl.*》; Einnahme *f.* -n; 《봉급》 Gehalt *n.* -(e)s, ⸚er; 《수확》 Ertrag *m.* -(e)s, -e; 《몫》 Anteil *m.* -(e)s, -e. ¶ 그의 연소득은 100만원이다 Sein jährliches Einkommen beträgt e-e Million *Won*.
‖ ∼세 Einkommensteuer *f.* -n. ∼액 *js.* Einkommen *n.* -s: ∼액 사정 die Einschätzung *js.* Einkommens / ∼액을 신고하다 die Einkommensteuererklärung machen. ∼층 Einkommensschicht *f.* -en. 국민∼ Volkseinkommen *n.* -s, -. 근로∼ Arbeits|einkommen *n.* -s, - 〔-ertrag *m.* -(e)s, ⸚e〕. 불로∼ das mühelose Einkommen. 순∼ Nettoeinnahme *f.* -n. 평균∼ Durchschnittseinkommen *n.* -s, -.
소득밤 Eßkastanie 《*f.* -n》, die in der Schale vertrocknet ist.
소들- ☞ 수들-.
소등(小騰) 〖경제〗 kleiner Fortschritt, -(e)s, -e; kleiner 〔geringer〕 Gewinn, -s, -e.
소등(消燈) das Auslöschen*, -s; das Ausmachen*, -s (des Lichtes). ∼하다 Licht aus|löschen 〔aus|machen〕.
‖ ∼나팔 Licht-aus-Signal *n.* -s, -e. ∼시간 die Stunde zum Auslöschen der Lichter.
소띠 Ochsenjahr *n.* -(e)s, -e (eine der 12 Jahresbezeichnungen); im Ochsenjahr geborener Mensch, -en, -en (사람); charakteristische Eigenschaften 《*pl.*》 des Ochsenjahrs od. des im Ochsenjahr geborenen Menschen.
소라 〖조개〗 Kreiselschnecke 〔Schneckenmuschel〕 *f.* -n.
‖ ∼게 〖동물〗 Einsiedlerkrebs *m.* -es, -e; Eremit *m.* -en, -en. ∼고둥 〖조개〗 Tritonshorn *n.* -(e)s, ⸚er.
소락(小落) 〖경제〗 kleiner Rückschritt, -(e)s, -e; kleiner 〔geringer〕 Verlust, -(e)s, -e.
소락소락하다 leichtfertig; leichtsinnig (sein).
소란(小欄) Randleiste *f.* -n; vorstehender Streifen 《-s, -》 am Rand e-s Holzpaneels. ¶ ∼을 치다 die Randleiste an|bringen*.
‖ ∼반자 〖건축〗 getäfelte Decke, -n.
소란(騷亂) 《소동》 Unruhe *f.* -n; Störung *f.* -en; Tumult *m.* -(e)s, -e; Aufruhr *m.* -(e)s, -e; Gewühl *n.* -(e)s, -e; Aufregung *f.* -en; 《시끄러움》 Lärm *m.* -(e)s; Geschrei *n.* -(e)s. ∼하다, ∼스럽다 beunruhigend; lärmend; laut (sein). ¶ ∼한 교실 lautes Klassenzimmer -s, - / ∼을 피우다 viel Lärm machen; viel Aufhebens machen; 《사건으로》 Aufsehen erregen; Aufruhr erregen / 민심을 ∼케 하다 die öffentliche Meinung erregen / 이런 일로 동네를 ∼케 해서 미안합니다 Es tut mir leid, daß ich den Frieden der Nachbarn gestört habe.
소래기 (unglasiertes) Tongefäß, -es, -e.
소략하다(疎略—) sorglos; nachlässig; unachtsam; oberflächlich (sein).
소량(少量) e-e kleine Menge, -n; ein kleines Quantum, -s, ..ten; e-e kleine Dosis ..sen (약 따위). ¶ ∼의 ein bißchen; (ein) wenig / 극히 ∼의 ein klein bißchen 〔wenig〕 / ∼의 물 ein bißchen Wasser / 저는 극히 ∼의 술밖에는 마시지 않습니다 Ich trinke nur wenig.
소러 〖항공〗 Segelflugzeug *n.* -(e)s, -e; Segelflieger *m.* -s, -.
소련(蘇聯) Sowjetunion *f.*; Sowjetrußland *n.*; UdSSR [◀Union der Sozialistischen Sowjetrepubliken]; Rußland.
‖ ∼공산당 대회 Parteitag 《*m.* -(e)s, -e》 der Kommunistischen Partei der Sowjetunion 《생략: KPdSU》. ∼국기 Nationalflagge 《*f.*》 der UdSSR; Hammer und Sichel. ∼사람 Russe *m.* -n, -n; Sowjetbürger *m.* -s, -. ∼정부 Sowjetregierung *f.*; Kreml *m.* -s. ∼최고 회의 Oberster Sowjet, -s, -s.
소렴하다(小殮—) Leiche 《*f.* -n》 in ein Leinentuch ein|wickeln.
소령(少領) Major *m.* -s, -e (육, 공군); Korvettenkapitän *m.* -s, -e (해군).

소로(小路) Pfad *m.* -(e)s, -e; Steg *m.* -(e)s, -e; Steig *m.* -(e)s, -e; Gasse *f.* -n.

소론(所論) (eigene) Ansicht, -en; (persönliche) Meinung, -en.

소루하다(疎漏—) nachlässig; gedankenlos; unachtsam; gleichgültig (sein).

소르르 ① 《풀리다》《entwirren》 leicht; mühelos; schnell; sanft. ¶ 얽힌 실이 토리에서 ~ 풀린다 Der verhaspelte Faden löst sich leicht aus dem Knäuel. ② 《바람·잠이》 leicht; sanft. ¶ 바람이 ~ 분다 Der Wind weht leicht. ¦ Es geht eine sanfte Brise. / 잠이 ~ 오다 sanft ein|schlafen* Ⓢ.

소름 Gänsehaut *f.* ⸗e. ¶ ~이 끼치다 e-e Gänsehaut kriegen; schaudern 《*vor*³》; es schaudert (gruselt) *jm.* (*jn.*) 《*vor*³》; es überläuft *jn.* kalt / ~이 끼치는 schauderhaft; schaudererregend; gruselig; greulich; gräßlich; grausig; haarsträubend; furchtbar; schrecklich; grauenhaft / ~끼치는 이야기 e-e schauderhafte Geschichte, -n; Schaudergeschichte (Grusel-) *f.* -n / 그를 보면 ~이 끼친다 Mich schaudert's vor ihm. / 생각하면 ~이 끼친다 Mich schaudert, wenn ich daran denke. ¦ Ich denke mit Schaudern daran.

소리 ① 《일반적》 Schall *m.* -(e)s, ⸗e; Laut *m.* -(e)s, -e; Ton *m.* -(e)s, ⸗e; Klang *m.* -(e)s, ⸗e; 《시끄러운》 Geräusch *n.* -es, -e; Lärm *m.* -(e)s; 《총 따위의》 Knall *m.* -(e)s, -e (⸗e); 《으르렁대는》 das Brüllen*, -s; Gebrüll *n.* -(e)s; 《바다·바람》 das Tosen*, -s; das Brausen*, -s; 《천둥》 das Rollen*, -s; das Krachen*, -s. ¶ ~ 없이 lautlos; geräuschlos / ~가 곱다 e-n schönen Klang haben / 시끄러운 ~를 내다 e-n großen Krach (Lärm) machen / 이 피리는 ~가 곱다 Diese Flöte hat e-n guten (schönen) Ton. / 장갑차가 달려오는 ~가 들린다 Ich höre e-n Panzer kommen.
② 《목소리》 Stimme *f.* -n; 《외침》 Schrei *m.* -(e)s, -e; 《새의》 das Singen*, -s; das Zwitschern*, -s; 《벌레의》 Gezirp *n.* -(e)s. ¶ 큰 ~ die laute Stimme / 굵은 ~ die tiefe Stimme / 낭랑한 ~ die sonore (wohlklingende) Stimme / 목쉰 ~ die heisere Stimme / 맑은 ~ die klare Stimme / ~를 높이다 die Stimme erheben* / ~를 낮추다 die Stimme senken / 박자에 맞추어 ~를 지르다 nach dem Takt rufen* (schreien*) / ~높이 laut; mit lauter Stimme / ~ 높이 읽다 laut vor|lesen* 《*jm.* ⁴*et.*》.
③ 《노래》 Lied *n.* -(e)s, -er; das Singen*, -s. ¶ 그는 ~를 잘한다 Er singt sehr gut.
④ 《말》 das Reden*, -s; das Sprechen*, -s; das Sagen*, -s. ¶ 한 ~를 또 하다 immer wieder dasselbe sagen / 그게 무슨 ~냐 Was meinst du damit? / 그의 말에 나는 꺽~도 하지 못했다 Auf s-e Worte wußte ich gar nichts zu antworten.
⑤ 《소문》 Gerücht *n.* -(e)s, -e; Bericht *m.* -(e)s, -e; Meldung *f.* -en. ¶ 그 소문은 전혀 터무니없는 ~다 Das Gerücht ist ganz grundlos.
‖ ~꾼 Sänger *m.* -s, -; Sängerin *f.* -nen (여자).

소리(小利) ein kleiner Gewinn, -(e)s, -e (Vorteil, -(e)s, -e). ¶ 눈 앞의 ~에 눈이 어두워지다 durch e-n kleinen unmittelbaren Gewinn verblendet (verführt) werden.

소리개 〖조류〗 Gabelweihe *f.* -n.

소리소리 Aufschrei *m.* -(e)s, -e; Geschrei *n.* -s; gellender Schrei. ¶ ~지르다 auf|schreien*.

소리지르다 ＝소리치다.

소리치다 schreien*; laut rufen*; brüllen. ¶ 귀머거리가 아니니 소리칠 것 없다 Ich bin nicht taub, du brauchst nicht zu schreien. / 그는 나더러 오라고 소리쳤다 Er schrie, ich solle kommen.

소림(疎林) lichter Wald, -(e)s, -e, ⸗er; Hain *m.* -(e)s, -e.

소립(小粒) Körnchen *n.* -s, -; das kleine Korn, -(e)s, ⸗er. ¶ ~으로 된 kleinkörnig; aus kleinen Körnern bestehend.

소마 Urin *m.* -(e)s, -e; Harn *m.* -(e)s. ¶ ~보다 urinieren; Harn (Wasser) lassen*.

소마거지 〖건축〗 eine Art runde Einlassung 《-en》 des Holzblocks an der Spitze e-r viereckigen Säule.

소마소마 ängstlich; furchtsam; vor Furcht zitternd; nervös; vorsichtig.

소말리아 《나라이름》 Somalia *n.* -s; Demokratische Republik S. ¶ ~의 somalisch.
‖ ~사람 Somalier *m.* -s, -.

소망(所望) Wunsch *m.* -es, ⸗e; das Verlangen*, -s. ~하다 (³sich) wünschen⁴; verlangen⁴. ¶ 그의 ~에 의해 auf s-n Wunsch / 무엇을 ~하십니까 Was wünschen Sie? ¦ Womit kann ich Ihnen dienen? / 만사가 그의 ~대로 된다 Ihm geht alles nach Wunsch.

소망(素望) lange gehegter Wunsch, -(e)s, ⸗e; Herzenswunsch *m.*; Wunschtraum *m.* -(e)s, ⸗e; stiller Ehrgeiz, -es; größte Sehnsucht, ⸗e.

소매 Ärmel *m.* -s, -. ¶ 반~의 ärmellos / ~에 매달리다 ⁴sich an *js.* ⁴Ärmel halten* / ~를 잡아당기다 beim Ärmel zupfen 《*jn.*》 / ~를 걷다 ³sich die Ärmel hoch|krempeln / 소맷자락만 스쳐도 전생의 인연이다 Selbst e-e flüchtige Bekanntschaft ist Vorherbestimmung.
‖ ~통 Ärmelloch *n.* -(e)s, ⸗er. 소맷부리 (Ärmel)aufschlag *m.* -(e)s, ⸗e; Manschette *f.* -n.

소매(小賣) Kleinhandel *m.* -s; Detailhandel; Einzelhandel; Einzelverkauf *m.* -(e)s, ⸗e; Ladenverkauf *m.* ~하다 im kleinen (einzeln; im Detail; im Einzelverkauf; stückweise) verkaufen⁴; Kleinhandel treiben*.
‖ ~가격 Einzelpreis *m.* -es, -e; Detailpreis *m.*; Ladenpreis *m.* ~부 die Abteilung 《-en》 des Kleinhandels. ~상 Kleingeschäft *n.* -(e)s, -e; das offene Geschäft: ~상인 Kleinhändler *m.* -s, -; Kleinkaufmann *m.* -s, ⸗er (..leute); Krämer *m.* -s, - / ~상점 Kramladen *m.* -s, ⸗; Kleinladen *m.*

소매치기 《사람》 Taschendieb *m.* -(e)s, -e; 《행위》 Taschendiebstahl *m.* -(e)s, ⸗e. ~하다 *jm.* aus der ³Tasche stehlen*⁴.

소맥(小麥) Weizen *m.* -s.
‖ ~분(粉) Weizenmehl *n.* -(e)s, -e.

소면(素麵) die feinen Nudeln 《*pl.*》.

소멸(消滅) das Erlöschen* (Verschwinden*; Aussterben*) -s; Verfall *m.* -(e)s (권리의). ~하다 erlöschen* Ⓢ; verschwinden* Ⓢ; verfallen* Ⓢ; aus|sterben* Ⓢ; ¶ 죄과가 ~되다 von der ³Sünde erlöst werden / 권리의 ~ der Verfall e-s Rechts / 본 조약은 3월 31일에 ~한다 Dieser Vertrag erlischt am 31. März. ‖ 자연~ das natürliche Aussterben*, -s: 자연 ~하다 von selbst (automatisch) aus|sterben* Ⓢ.

소멸(燒滅) Zerstörung《f. -en》durch Feuer. ～하다 verbrennen*; ein|äschern; in Schutt und Asche legen.

소명(召命) königliche Vorladung, -en; königliche Befehl, -(e)s, -e. ¶ ～을 내리다 jn. vor|laden* (rufen*).

소모(消耗) Verbrauch m. -(e)s; Konsum m. -(e)s, -e; Abzehrung f. -en; Verzehrung f. -en; Abnutzung f. -en. ～하다 verbrauchen⁴; konsumieren⁴; ab|zehren⁴; aus|zehren⁴; verzehren⁴; ab|nutzen⁴. ¶ 아이에 대한 걱정이 그녀의 힘을 다 ～시켰다 Die Sorge um das Kind verzehrte ihre Kräfte.
‖ ～품 Verbrauchsgegenstand m. -(e)s, ⸗e; Verbrauchsgut n. -(e)s, ⸗er. ～성 질환 e-e auszehrende Krankheit, -en; Abnutzungskrankheit f. -en.

소모(梳毛) das Krempeln*, -s. ～하다 Wolle《f.》krempeln.

소목(小木) Tischler m. -s, -; Schreiner m. -s, -. ‖ ～업 Tischlerei f. -en; Tischlerarbeit f. -en.

소몰이 《일》 das Viehtreiben*, -s; 《사람》 Viehtreiber m. -s, -.

소묘(素描) 〖미술〗 Zeichnung f. -en; Skizze f. -n; Dessin [dɛsɛ̃:] n. -s, -s.

소문(小門) ① 《문》 kleines Tor, -(e)s, -e. ② ＝보지.

소문(所聞) Gerücht n. -(e)s, -e; Nachrede f. -n; das Hörensagen*, -s; Klatsch m. -es, -e; Leumund m. -(e)s; Stadtgespräch n. -(e)s, -e. ¶ ～에 의하면 wie das Gerücht behauptet; wie man hört; wie ich höre; Ein Gerücht sagt, daß...; Gerüchtweise verlautet, daß... / 사실 무근한 ～ ein bloßes Gerücht (Gerede) / 괴상한 ～ das seltsame Gerücht / ～으로 듣다 vom Hörensagen wissen*⁴ (kennen*⁴); hören 《von³》 / ～나다 ins Gerede kommen*[s]; (zum) Stadtgespräch werden; in aller Leute Munde kommen*[s]/～을 내다 (퍼뜨리다) jn. ins Gerede (der Leute) bringen*; ein Gerücht verbreiten / …라는 ～이다 man sagt, daß...; es heißt, daß... / 시내에 ～이 자자하다 Die ganze Stadt spricht davon.¦Die Spatzen pfeifen es von den Dächern. / ～은 그렇다 Man sagt so. / ～이 돌다 Es geht das Gerücht, daß....¦Gerüchte sind im Umlauf, daß....¦Es spricht sich herum, daß..../～은 오래가는 것이 아니다 Gerüchte haben e-e kurze Lebensdauer.¦In acht Tagen spricht kein Mensch mehr davon. / 그 사람에 대해서는 여러 가지 ～이 자자하다 Ihm wird allerlei nachgeredet. / ～에 의하면 그는 전사했다고 한다 Er soll gefallen sein. / 다음 국무 총리는 그가 된다는 ～이 파다하다 Man spricht oft viel von ihm als dem nächsten Ministerpräsidenten / ～난 잔치에 먹을 것이 없다 Alle Speisewaren von lokalem Ruf schmecken nicht gut.

소문만복래(笑門萬福來) Dem Vergnügten lacht das Glück.

소박(素朴) Einfachheit f.; Schlichtheit f.; Naivität f. ～하다 einfach; schlicht, naiv (sein). ¶ 그의 ～한 말이 모든 사람에게 공감을 주었다 S-e einfachen Worte gingen allen zu Herzen.

소박(疎薄) Mißhandlung《f. -en》einer Frau (bes. Ehefrau od. Konkubine); Mißachtung f. -en; das Verlassen*, -s. ～하다《Ehefrau》mißhandeln; verlassen*; in Stich lassen*. ¶ 아내를 ～하다 s-e Ehefrau mißhandeln (verlassen*).
‖ ～데기 mißhandelte Frau f. -en; verlassene Frau.

소박맞다(疎薄—) vom Ehemann mißhandelt werden; von der Familie des Ehmanns verstoßen werden. ¶ 소박맞은 여자 verlassene (verstoßene) Frau, -en.

소박이 ① 《오이의》 (mit Rettichstreifen, Knoblauch und Paprikapulver) gefüllte Salzgurke, -n. ② 《음식》 gefülltes Gericht, -(e)s, -e.

소반(小盤) 《상》 Eß¦tisch (Speise-) m. -es, -e; 《쟁반》 Servierbrett n. -(e)s, ⸗er; Teebrett n. -(e)s, ⸗er.

소반(素飯) ＝소밥.

소밥(素—) einfache Speise, -n; bescheidenes Essen*, -s.

소방(消防) Feuerwehr f. -en; Feuerlöschwesen n. -s (제도). ～하다 das Feuer bändigen (bekämpfen; unterdrücken; ein|dämmen).
‖ ～경찰 Feuerpolizei f. ～대 Feuerwehr f. ～모 Helm m. -(e)s, -e. ～복 Feuerschutzanzug m. -(e)s, ⸗e. ～사닥다리 Feuerleiter f. -n. ～서 Feuerwehrstation f. -en: ～서장 der Vorsteher《-s, -》e-r Feuerwehrstation. ～선(船) (Feuer)löschboot n. -(e)s, -e. ～수, ～관 Feuer¦wehrmann m. -(e)s, ⸗er (..leute) (-löscher m. -s, -). ～시설 (Feuer-) lösch¦einrichtung f. -en (-vorkehrungen 《pl.》). ～연습 Feueralarm¦übung (Feuerwehr-) f. -en. ～용구 (Feuer)lösch¦gerät n. -(e)s, -e (-apparat m. -(e)s, -e). ～자동차 Kraftfahrspritze f. -n. ～조(組) (Feuer-) löschmannschaft f. -en; Löschzug m. -(e)s, ⸗e. ～펌프 Feuer¦spritze (-pumpe) f. -n. ～호스 Feuerschlauch m. -(e)s, ⸗e.

소변(小便) Harn m. -(e)s; Wasser n. -s, -; 《오줌》 Urin m. -s, -e; 〖속어〗 Pisse f.; 〖속어〗 Piß m. ..isses, ..isse. ¶ ～을 보다 harnen; Wasser lassen* (machen; ab|schlagen*); urinieren; 〖속어〗 pinkeln; pissen; schiffen / ～을 참다 das Wasser halten* / ～이 잦다 (뜨다) häufig (selten) Wasser lassen* / ～이 마렵다 Es pissert mich.¦Mich pissert.¦ Ich muß mal austreten (schiffen). / ～이 흐리다 Der Harn ist trüb.
‖ ～검사 〖의학〗 Uroskopie f. -n; Harnuntersuchung f. -en. ～기 Urinal n. -s -e. ～소 Pissoir n. -s, -e; Pißort m. -(e)s, -e; die Bedürfnisanstalt《-en》für Männer.

소복(素服) das weiße Gewand, -(e)s, ⸗er (Kleid, -(e)s, -er). ～하다 ein weißes Gewand tragen*. ¶ ～의 여인 e-e Dame《-n》in Weiß (gekleidet).

소복- ☞ 수북-.

소북 《작은북》 Handtrommel f. -n.

소분(小分) Unterteilung f. -en. ～하다 unterteilen 《in⁴》; 《세분》 detaillieren. ¶ 다섯 종류로 ～하다 in fünf Einheiten unterteilen / 둘로 ～되다 in zwei Hälften geteilt werden.

소비(消費) Verbrauch m. -(e)s; Konsum m. -(e)s, -e; Verzehrung f. -en. ～하다 verbrauchen⁴; konsumieren⁴; verzehren⁴; 《시간·노력을》 verwenden⁴.
‖ ～경제 Konsumwirtschaft f. ～세 Verbrauchsteuer f. -n. ～자 Verbraucher m. -s, -: ～자 가격 (End)verbraucherpreis m. -es, -e; Ladenpreis / ～자 단체 Verbraucherverband m. -(e)s, ⸗e. ～재 Verbrauchs¦güter (Konsum-) 《pl.》. ～절약 sparsamer Ver-

brauch. ～조합 Verbrauchs¦genossenschaft (Konsum-) *f.* -en; Konsumverein *m.* -s, -e.
소비에트 Sowjetrußland.
‖ ～공화국 Sowjetrepublik *f.* ～연방 Sowjetunion *f.*; die Union der Sozialistischen Sowjetrepubliken《생략: UdSSR》.
소사(小史) e-e kurze (kleine) Geschichte.
‖ 독일～ kleine deutsche Geschichte; ein kurzer Abriß der deutschen Geschichte.
소사(小使) Diener *m.* -s, -; Laufbursche *m.* -n, -n.
소사(小辭) 〖논리〗 Unterbegriff *m.* -(e)s, -e.
소사(掃射) Bestreichung *f.* -en. ～하다 bestreichen*. ¶ 적에게 기관총 ～를 퍼붓다 den Feind mit Maschinengewehrgarben beschießen*.
소사(燒死) Verbrennungs¦tod (Flammen-) *m.* -(e)s, -e. ～하다 verbrennen*[s]; im Feuer um|kommen*[s].
소사나무 〖식물〗 koreanische Weißbuche《*f.* -n》; *Carpinus coreana* (학명).
소사스럽다 schlan; listig; durchtrieben; verschlagen (sein).
소산(所産) Produkt *n.* -(e)s, -e; Erzeugnis *n.* ..nisses, ..nisse; Ergebnis *n.* ..nisses, ..nisse (결과); Frucht *f.* ¨e (결실).
소산(消散) das Verschwinden*, -s; Zerstreuung *f.* -en; das Vergehen*, -s. ～하다 [4]sich in nichts auf|lösen; [4]sich zerstreuen; verschwinden*[s]; vergehen*[s].
소살(燒殺) das Töten*《-s》 durch [4]Verbrennung. ～하다 *jn.* (zu [3]Tode) verbrennen*. ¶ 그는 산 채로 ～됐다 Er ist lebendig verbrannt worden.
소삼(蕭森) 《울창》 Dichte *f.*; Dichtheit *f.* -en; Dichtigkeit *f.* -en; Üppigkeit *f.* -en; 《쓸쓸함》 Einsamkeit *f.* -en; Verlassenheit *f.* -en. ～하다 dicht; uppig; wuchernd; einsam; verlassen; betrübt (sein).
소삽하다(蕭颯一) kalt und trüb (sein); pfeifend; heulend《Wind》.
소상(小祥) der erste Todestag, -(e)s, -e.
소상(小像) ein kleines Bild, -(e)s, -er; Statuette *f.* -n.
소상(塑像) die plastische Figur, -en; die tönerne Bildsäule, -n.
소상(昭詳) Einzelheit *f.* -en; Detail [detái] *n.* -s, -s. ¶ ～히 einzeln; detailliert [detají:rt]; ausführlich; genau / ～히 말하다 ins einzelne gehen*[s]; bis in die kleinsten Einzelheiten schildern[4].
소색(消色) 〖물리〗 Achromatismus *m.* -; Achromasie *f.* ‖ ～렌즈 die achromatische Linse, -n; Achromat *m.* -(e)s, -e.
소생(小生) ich; m-e Wenigkeit(자신을 낮춰).
소생(所生) eigenes Kind, -(e)s, -er; Nachkomme *m.* -n, -n; Abkömmling *m.* -s, -e; Nachkommenschaft *f.* -en.
소생(蘇生) das Wiederaufleben*, -s; Wiederbelebung *f.* -en; 《부활》 Auferstehung *f.*; 《재생》 Wiedergeburt *f.* -en. ～하다 wieder auf|leben [s]; wieder ins Leben kommen* [s]; auf|erstehen*[s]. ¶ ～시키다 wieder beleben[4]; wieder lebendig machen[4]; wieder ins Leben rufen*[4]; vom Tode erwecken[4] / ～한 기분이다 es ist *jm.* (zumute), als ob man wieder ins Leben gekommen wäre; [4]sich gerettet fühlen.
‖ ～술 Wiederbelebungsversuch *m.* -(e)s, -e. ～약 Wiederbelebungsmittel *n.* -s, -.
소서(小暑) die elfte der 24 Jahreszeiteneinteilungen (=ca. 7. Juli; „Kleine Hitze").
-소서 Ich bitte Sie, ...zu tun. ¶ 백세 천세 누리소서 Mögen Sie lange leben! / 용서하소서 Ich bitte Sie, mir zu verzeihen.
소석고(燒石膏) 〖화학〗 gebrannter (dehydratisierter) Gips *m.* -es, -e.
소석회(消石灰) 〖화학〗 Kalziumhydroxyd *n.* -(e)s, -e; gelöschter Kalk, -(e)s, -e.
소선거구(小選擧區) kleiner Wahlbezirk, -(e)s, -e. ‖ ～제 Wahlsystem《*m.* -(e)s, -e》 nach dem nur ein Kandidat aus jedem Wahlbezirk gewählt wird.
소설(小雪) die zwanzigste der 24 Jahreszeiteneinteilungen (=ca. 22. Nov.; „Kleiner Schnee").
소설(小說) Roman *m.* -s, -e(장편); Novelle *f.* -n(단편); Erzählung *f.* -en; Geschichte *f.* -n. ¶ ～을 쓰다 e-n Roman (e-e Novelle) schreiben* / ～화(化)하다 romanisieren[4].
‖ ～가 Romanschriftsteller *m.* -s, -; Romancier [romãsié:] *m.* -s, -s; Novellendichter *m.* -s, -; Novellist *m.* -en, -en; Erzähler *m.* -s, -. 단편～ Kurzgeschichte. 연애 (전쟁, 사(私), 신문)～ Liebesroman (Kriegsroman, Ich-Roman, Zeitungsroman). 추리(탐정)～ Kriminal¦roman (Detektiv-). 통속～ Trivialroman *m.*
소설(所說) (persönliche) Meinung, -en; (eigene) Ansicht *f.* -en; Behauptung *f.* -en.
소성(小成) ein kleiner Erfolg, -(e)s, -e. ¶ ～에 만족하다 [4]sich mit e-m kleinen Erfolg begnügen (zufrieden geben*).
소성(素性) Natur *f.* -en; Charakter *m.* -s, -e; Temperament *n.* -(e)s, -e; Persönlichkeit *f.* -en; Anlage *f.* -n.
소성(笑聲) Lachen *n.* -s; Gelächter *n.* -s, -.
소세하다(梳洗一) [3]sich das Gesicht《*n.* -(e)s, -er》 waschen* u. die Haare《*pl.*》 kämmen.
소소리바람 kalter Frühlingswind, -(e)s, -e; 「rauher Wind.
소소리패 leichtfertige, frivole Jugendliche《*pl.*》.
소소하다(小小一) gering; geringfügig; unbedeutend (sein).
소소하다(昭昭一) klar; deutlich; eindeutig; unverkennbar; evident (sein).
소소하다(蕭蕭一) kahl; öde; traurig (sein); wimmernd; winselnd; pfeifend; heulend《Wind *od.* Regen》.
소속(所屬) Angehörigkeit *f.*; Zugehörigkeit *f.* ～하다 gehören[3]; an|gehören[3] (zu|-). ¶ ～의 angehörig; zugehörig / 당(黨)에 ～하다 e-r [3]Partei an|gehören.
소송(訴訟) Prozeß *m.* ..sses, ..sse; Rechtshandel *m.* -s, ¨; Rechtsstreit *m.* -(e)s, -e; Klage *f.* -n; Streitsache *f.* -n. ～하다 e-n Prozeß führen《gegen *jn.*》; ein Verfahren* (e-n Prozeß) ein|leiten (eröffnen)《gegen *jn*》. ¶ ～을 제기하다 gerichtlich vor|gehen* [s]《gegen *jn.*》; zu gerichtlichen Maßnahmen schreiten* [s]; *jn.* beim Gericht verklagen (…을 상대로); gerichtliche Schritte《*pl.*》 unternehmen*/～을 취하하다 e-e Klage zurück|nehmen* / ～중의 rechtsgängig / ～을 좋아하는 prozeßsüchtig.
‖ ～관계인 Litigant *m.* -en, -en; Prozeßführer (Rechtsstreitführer) *m.* -s, -. ～능력 Prozeßfähigkeit *f.* -en: ～능력이 있는 prozeßfähig. ～당사자 Prozeßpartei *f.* -en. ～대리인 der Prozeßbevollmächtigte*, -n, -n. ～법 Prozeßrecht *n.* -(e)s, -e. ～비용 Prozeßkosten《*pl.*》; Gerichtskosten《*pl.*》;

Rechtskosten《*pl.*》. ～사건 Prozeßsache *f.* -n; Streitsache *f.* -n; Rechtsfall *m.* -(e)s, ⸚e. ～사항 Prozeßwesen *n.* -s. ～성립 조건 Prozeßvoraussetzung *f.* -en. ～의뢰인 Klient *m.* -en, -en. 민사(형사)～ Zivil¦prozeß (Kriminal-) *m.*

소수(小數) 〖수학〗 Dezimalbruch *m.* -(e)s, ⸚e; Dezimalzahl *f.* -en. ¶～ 세째 자리까지 bis zur dritten [3]Dezimalstelle.
‖～위 Dezimalstelle *f.* -n. ～점 Dezimalpunkt *m.* -(e)s, -e. 순환～ Dezimalbruch *m.*; periodische Dezimalzahl.

소수(少數) e-e kleine (An)zahl; 《반수 이하》 Minderzahl *f.*; Minderheit *f.* -en; 《병력의》 die kleine (Streit)kraft. ¶～의 wenig / 그것을 알고 있는 것은 ～의 사람뿐이다 Das wissen nur wenige Leute. / 당신네들은 다수이지만 우리는 ～에 지나지 않는다 Ihr sind viele, doch unser sind nur wenige.
‖～내각 Minderheitsregierung *f.* -en. ～당 Minderheitspartei *f.* -en. ～민족 Minderheit *f.*; Minorität *f.*: ～ 민족 문제 Minderheitsfrage *f.* -n.

소수(素數) 〖수학〗 Primzahl *f.* -en.

소수(疏水) Ableitung *f.* -en.
‖～공사 Kanalisation *f.* -en. ～로(路) Ableitungs¦graben *m.* -s, ⸚ (-kanal *m.* -s, ⸚e).

소수 und ein wenig mehr; etwas über; ein bißchen mehr; und einige. ¶두 말 ～ zwei *Mal* und ein bißchen mehr; etwas mehr als 36 Liter / 다섯 달 ～ fünf Monate und einige Tage.

소수나다 größeren Ertrag haben; [4]Ernteertrag 《*m.* -(e)s, ⸚e》 vermehren (steigern; erhöhen) 《Land, Feld》. ¶금년엔 예년보다 소수났다 Das Feld hat in diesem Jahr größern Ertrag als sonst.

소수성(疏水性) 〖화학〗 Hydrophobie *f.* (Eigenschaft von Tieren u. Pflanzen trockener Lebensräume).

소스 Soße *f.* -n; Brühe *f.* -n; Tunke *f.* -n.
‖～병 Sauciere [zosi̯ɛ́:rə] *f.* -n; Tunkenschüssel *f.* -n (-napf *m.* -(e)s, ⸚e).

소스라뜨리다 ＝소스라치다.

소스라치다 überrascht (verblüfft) werden; [4]sich erschrecken*; zusammen¦fahren* ⓢ. ¶비명 소리에 ～ durch e-n Schmerzensschrei erschreckt (aufgeschreckt) werden.

소슬하다(蕭瑟—) kalt; rauch; kühl (sein); einsam u. verlassen. ¶소슬한 가을바람 rauher Herbstwind, -(e)s, -e.

소승불교(小乘佛敎) Hinajana-Buddhismus *m.* -; der südliche Buddhismus (남방 불교).

소시(少時) ☞ 소시적.

소시민(小市民) Kleinbürger *m.* -s, -. ¶～적인 kleinbürgerlich.
‖～계급 Kleinbürgertum *n.* -s.

소시적(少時—) Kindheit *f.*; Kindesalter *n.* -s. ¶～부터 von [3]Kindheit (Kindesbeinen) an; von klein auf / ～에 in der [3]Kindheit / 그는 ～부터 이미 근시였다 Schon als Kind war er kurzsichtig.

소시지 Wurst *f.* ⸚e.

소식(小食) das mäßige Essen*, -s.
‖～가 ein mäßiger Esser, -s, -: 그는 ～가다 Er ißt mäßig (nur wenig).

소식(素食) ＝조식(粗食).

소식(消息) Nachricht *f.* -en; Kunde *f.* -n; Mitteilung *f.* -en; 《편지》 Brief *m.* -(e)s, -e; 《우편물》 Post *f.*; 《서한》 das Schreiben*, -s. ¶～이 없다 nichts von [3]sich hören lassen*; k-n Brief (k-e Post) bekommen* 《von *jm.*》; k-n Brief erhalten* (empfangen*); nichts hören 《von *jm.*》 / ～이 있다 hören 《von *jm.*》; e-n Brief bekommen* 《von *jm.*》; ein Schreiben erhalten* (empfangen*) 《von *jm.*》 / 최근의 ～에 따르면 nach der letzten Nachrichten / ～을 전하다 (e-n Brief) schreiben* 《*jm.*; an *jn.*》; von [3]sich hören lassen*; schriftlich (brieflich) mit¦teilen[4] 《*jm.*》; Nachricht geben* (sagen) 《*über*[4]》 / 그 후 그는 ～을 끊었다 Seitdem hat man nichts von ihm gehört. / 오랫동안 그의 ～을 못 들었다 Ich habe schon lange k-e Nachricht von ihm. / 나는 그로부터 자세한 ～을 들었다 Ich habe von ihm e-e genaue Nachricht bekommen. / 가끔 ～을 전해 주시오 Lassen Sie gelegentlich (zuweilen) von sich hören. ¦ Schreiben Sie mir doch von Zeit zu Zeit ein paar Zeilen! / 무～이 희～ K-e Nachricht ist auch e-e Nachricht. ¦ Wenn Sie (du) nichts von mir hören (hörst) bedeutet das, daß ich gesund bin (es mir gut geht).
‖～통 Quelle *f.* -n; Kenner *m.* -s, -: ～통이다 gut (wohl) unterrichtet sein 《*in*[3]》 / 믿을 만한 ～통에서 듣다 aus e-r zuverlässigen (sicheren) Quelle erfahren*[4].

소식자(消息子) 〖의학〗 Bougie [buʒí:] *f.* -s; Sonde *f.* -n; Katheter *m.* -s, -.

소신(所信) *js.* Glaube *m.* -s, -n; *js.* Überzeugung *f.* -en; *js.* Meinung (Ansicht) *f.* -e. ¶～을 말하다 (피력하다) s-e Meinung sagen (äußern; vor¦bringen*) / ～을 굽히지 않다 mit s-r [3]Meinung nicht zurück¦halten*; auf e-r Meinung bestehen* (beharren).

소실(小室) Konkubine *f.* -n; Nebenfrau *f.* -en. ‖～자식 Kind 《*n.* -(e)s, -er》 e-r Konkubine.

소실(消失) das Verschwinden*, -s. ～하다 verschwinden* ⓢ; verloren gehen* ⓢ (분실하다).

소실(燒失) das Abbrennen*, -s; das Niederbrennen*, -s. ～하다 ab¦brennen*ⓢ; nieder¦brennen* ⓢ; in [3]Flammen auf¦gehen*ⓢ. ¶～된 가옥 ein niedergebranntes Haus, -es, ⸚er / 가재 전부를 ～했다 Wir haben durch Brand Hab u. Gut verloren.

소심(小心) Kleinmut *m.* -(e)s; Kleinmütigkeit *f.*; 《겁》 Furchtsamkeit (Verzagtheit) *f.* ～하다 kleinmütig; furchtsam; verzagt; feige; ängstlich; scheu; schüchtern; befangen; verschämt; kleinlaut (sein). ¶그렇게 ～해서 어떻게 하나 So viel Schüchternheit ist im Leben nicht angebracht!
‖～가(자) Angsthase *m.* -n, -n; Angstmeier *m.* -s, -; Feigling *m.* -s, -e.

소아(小兒) Säugling *m.* -s, -e (젖먹이); Kleinkind *n.* -(e)s, -er(유아); Kind *n.* -(e)s, -er.
‖～과 병원 Kinderklinik *f.* -en. ～과 의사 Kinderarzt *m.* -(e)s, ⸚e. ～마비 Kinderlähmung *f.*; Poliomylitis *f.* ～병 Kinderkrankheit *f.* -en.

소아(小我) 〖철학〗 das kleine Ich, -(s), -(s).

소아시아(小—) Kleinasien *n.* -s.

소액(少額) e-e kleine Summe. ¶～의 돈 e-e kleine Summe Geld(es).
‖～화폐 Kleingeld *n.* -(e)s, -er.

소야곡(小夜曲) 〖음악〗 Serenade *f.* -n; Ständchen *n.* -s, -.
⌈*f.* -en.

소양(小恙) leichte Krankheit, -en; Übelkeit

소양(素養) Kenntnis *f.* ..nisse 《흔히 *pl.*》

《in³》; Verständnis n. ..nisses 《für⁴》; Bildung f. -en. ¶ ～이 있는 wissen* 《von³; um⁴》; verstehen* 《von³》; Kenntnisse haben 《in³》; (das rechte) Verständnis haben 《für⁴》; Bescheid wissen* 《in³; an³》; gebildet; kundig²; studiert; wohlunterrichtet 《in³》 / 독일어의 ～이 없다 k-e Kenntnisse im Deutschen haben / 한문에 ～이 있다 in der klassischchinesischen Literatur wohlunterrichtet sein; gute Kenntnisse in der altchinesischen Literatur haben.

소양배양하다 kindisch; gedankenlos; unbesonnen; unreif (sein).

소양증(搔痒症) 〖한의학〗 das Jucken*, -s.

소업(所業) Beschäftigung 〔Arbeit〕 f. -en; Beruf m. -(e)s, -e; Geschäft n. -(e)s, -e.

소여(所與) gegebene Tatsache, -n; was gegeben ist; das Gegebene ....

소연(小宴) das kleine 〔bescheidene〕 Festessen, -s, -. ¶ ～을 베풀다 e-e kleine Gesellschaft geben* 〔haben〕.

소연(蕭然) Einsamkeit f. -en; Verlassenheit f. -en; Öde f. -n. ～하다 einsam; verlassen; allein; öde (sein).

소연하다(昭然—) klar; deutlich; unverkennbar (sein).

소연하다(騷然—) tobend; aufgeregt; aufrührerisch; lärmend; tumultuarisch; unruhig; wild; außer Rand u. Band (sein). ¶ 장내가 소연해졌다 Die Versammlung geriet 〔kam〕 in Aufruhr.

소염제(消炎劑) 〖약〗 Antiphlogistikum n. -s, ..ka; entzündungshemmendes Mittel, -s, -.

소엽(小葉) ① 〖식물〗 Blättchen n. -s, -; kleines Blatt, -(e)s, ⸚er. ¶ ～의 kleinblätt(e)rig. ② 〖해부〗 Lobus m. -, ..bi (=Lappen 《m. -s, -》 eines Organs).

소영사(所營事) (geschäftliche) Unternehmung, -en; die Obliegenheiten 《pl.》; Zuständigkeitsbereich m. -s, -e.

소옥(小屋) der einfache Anbau, -(e)s, -e; Hütte f. -n; kleines Haus, -es, ⸚er.

소옥엔진(燒玉—) eine Art Kolbenmotor 《n. -s, -en》.

소외(疎外) Entfremdung f. -en; Vernachlässigung f. -en. ～하다 vernachlässigen⁴; ⁴sich nicht mehr (ordentlich) kümmern 《um⁴》; links liegen lassen*⁴; die kalte Schulter zeigen³; hint|an|setzen⁴; entfremden⁴; entfernen⁴; von ³sich fern|halten* 《jn.》. ¶ 나는 행운으로부터 ～당하고 있는 것 같다 Das Glück scheint mich zu meiden. / 그녀는 그에게 ～당하고 있는 것처럼 느꼈다 Sie fühlt sich von ihm vernachlässigt.

소요(所要) Notwendigkeit f. -en; das Erforderliche*, -n, -n. ¶ ～되는 notwendig; nötig; erforderlich.

‖ ～시간 die nötige 〔erforderliche〕 Zeit.

소요(逍遙) =산책.

‖ ～학파 〖철학〗 Peripatetiker m. -s, -.

소요(騷擾) Unruhe f. -n; Aufruhr m. -(e)s, -e; Aufstand m. -(e)s, ⸚e; Lärm m. -(e)s.

‖ ～죄 Aufruhrverbrechen n. -s, -.

소용 《병》 kleine schlanke Flasche, -n.

소용(所用) 《유용성》 Nützlichkeit f. -en; Brauchbarkeit f. -en; Nutzen m. -s, -; 《쓰임》 Bedürfnis n. -ses, -se; Gebrauch m. -(e)s, ⸚e; Benutzung f. -en; Benützung f. -en; Anwendung f. -en; Verwendung f. -en. ¶ ～되다 nützen 〔nutzen〕; nützlich 〔von ³Nutzen; brauchbar〕 sein / ～(이) 없는 unbrauchbar; unnützlich; nicht empfehlenswert; taktlos; unpraktisch / ～에 닿다 helfen*³; dienen 《zu³》 / 그것은 아무 ～도 없다 Das hilft 〔dient zu〕 nichts. / 지금 와서 후회한들 ～ 없다 Vorgetan u. nachbedacht hat manchem (schon) viel (großes) Leid gebracht. / 오늘은 가 보았자 ～ 없다 Es hätte wenig Zweck, daß wir heute dorthin gehen. / 이제 가 봤댔자 ～ 없을걸 Sie können zwar hingehen, doch ich fürchte, es ist schon zu spät.

소용돌이 Wirbel m. -s, -; Strudel m. -s, -; Neer f. -en; 《나사꼴》 Schneckenlinie f. -n; Spirale f. -n; 《건축》 Schnecke f. -n; Volute f. -n. ～치다 wirbeln [h,s]; strudeln [h,s]. ¶ ～모양의 wirbelig; spiral; schneckenförmig / ～속에 휩쓸리다 in den Wirbel des Stroms hineingezogen werden / 물은 ～를 치고 있다 《전기 세탁기 따위에서》 Das Wasser ist in wirbeliger Bewegung.¦《강물 따위》 Der Strom wirbelt.

소우(小雨) leichter Regen, -s, -; Sprühregen; Nieselregen.

소우주(小宇宙) Mikrokosmos m. -; die kleine Welt; Kleinwelt f.

소웅좌(小熊座) =작은곰자리.

소원(所願) Wunsch m. -es, ⸚e; Gebet n. -(e)s, -e; das Anflegen*, -s; 《욕구》 das Verlangen*, -s; 《간청》 das Ersuchen*, -s. ¶ ～을 품다 e-n Wunsch hegen 〔haben〕; ein Verlangen nach ³et. haben 〔hegen; tragen*〕 / ～을 들어주다 js. ⁴Wunsch 〔jm. den Wunsch〕 erfüllen 〔erhören; gewähren〕; js. ³Wunsch 〔Wünschen〕 entgegen|kommen* [s] / ～대로 되다 das Ziel 〔den Zweck〕 erreichen¦Der Wunsch erfüllt sich.¦Das Verlangen wird befriedigt.¦Gott hat js. Gebet 〔js. Wunsch〕 erhört. / ～대로 wie man (es ³sich) wünscht; wie ich (es mir) gewünscht hatte; je (ganz) nach Wunsch; wie es Ihnen gefällt / …의 ～에 따라 js. ³Wunsch entsprechend; auf js. ⁴Verlangen (Ersuchen) hin / ～이시라면 wenn Sie wollen (es wünschen) / 어머님을 기쁘게 해 드리는 것만이 ～이다 Ich kenne k-n anderen Wunsch als m-r Mutter e-e Freude zu machen.

‖ ～성취 Verwirklichung 《f.》 e-s Herzenswunsches: ～ 성취하다 e-n Herzenswunsch erfüllen; js. Herzenswunsch erfüllt sich.

소원(疎遠) Entfremdung f. -en. ～하다 entfremdet; fremd (sein). ¶ ～해지다 ⁴sich entfremden 《mit³》.

소원(訴願) Beschwerde f. -n; Anrufung f. -en. ～하다 Beschwerde führen 《bei jm. über⁴》; an|rufen*.

‖ ～수속 Beschwerdeverfahren n. -s, -. ～이유 Beschwerdegrund m. -(e)s, ⸚e. ～(제기)인 Beschwerdeführer m. -s, -.

소원(素願) lange gehegter Wunsch, -(e)s, ⸚e; Herzenswunsch.

소원(溯源) das Forschen* 〔Suchen*〕 《-s》 nach dem Ursprung (e-r Sache). ～하다 zurück|verfolgen.

소위(少尉) Leutnant m. -s, -e 〔-s〕; 《해군》 Leutnant zur See.

소위(所爲) das Betragen*, -s; das Benehmen*, -s; Tat f. -en; Handlung f. -en; Arbeit f. -en; Leistung f. -en; was man tut.

소위(所謂) sogenannt; an¦geblich (vor-); wie man zu sagen pflegt.
소위원회(小委員會) Unterausschuß *m.* ..schusses, ..schüsse.
소유(所有) Besitz *m.* -es, -e. ~하다 besitzen*[4]; (im Besitz) haben. ¶ …의 ~가 되다 in *js.* [4]Besitz übergehen* ⓢ / 이 집은 내 ~이다 Das Haus gehört mir.
‖ ~격 〖문법〗 Genitiv *m.* -s, -e. ~권 Besitz¦recht (Eigentums-) *n.* -(e)s, -e. ~대명사 Possessivpronomen *n.* -s, ..mina. ~물 Besitz *m.*; Eigentum *n.* -(e)s, ⸗er; Habe *f.*; Hab u. Gut *n.*; Habseligkeiten 《*pl.*》. ~자 Besitzer *m.* -s, -; Eigentümer *m.* -s, -; Inhaber *m.* -s, -. ~지 *js.* eigenes Grundstück, -(e)s, -e. 토지~ Grundeigentum *n.* -(e)s, ⸗er.
소음(騷音) Lärm *m.* -(e)s; Mißklang *m.* -(e)s, ⸗e; Katzenmusik *f.*
‖ ~방지 Verhütung 《*f.* -en》 des Lärms; Maßnahme 《*f.* -n》 gegen Lärm.
소음기(消音器) 《자동차·총 등의》 Schalldämpfer *m.* -s, -; 《피아노·악기의》 Dämpfer *m.* -s, -.
소읍(小邑) Kleinstadt *f.* ⸗e.
소이(小異) geringer, kleiner Unterschied, -(e)s, -e. ~하다 geringfügig unterschieden (sein). ¶ 대동 ~하다 ungefähr gleich sein.
소이(所以) Grund *m.* -(e)s, ⸗e. ¶ 이것이 …한 ~이다 Das ist der Grund, warum … .
소이연(所以然) der Grund 《*m.* -(e)s, ⸗e》 dafür.
소이탄(燒夷彈) Brandbombe *f.* -n.
‖ 황린(黃燐)~ Phosphorbrandbombe.
소인(小人) ① =난장이. ② 《소인물》 e-e gemeine Person, -en; ein gewöhnlicher Mensch, -en, -en. ③ 《겸칭》 ich; m-e Wenigkeit. ¶ ~ 한가하면 불선(不善)을 행한다 Müßiggang ist aller Laster Anfang.
‖ ~국 Zwergenland *n.* -(e)s; 《걸리버 여행기의》 Liliput *n.* -s.
소인(消印) Poststempel *m.* -s, -. ~하다 (die Marke) ab¦stempeln[(4)]. ¶ ~ 당일 유효 Es gilt das Datum des Poststempel.
소인(素人) Laie *m.* -n, -n; der Uneingeweihte*, -n, -n; Amateur [..tø:r] *m.* -s, -e; Dilettant *m.* -en, -en; Liebhaber *m.* -s, -.
‖ ~공연 Laien¦vorstellung (Dilettanten-) *f.* ~극 Diletanten¦theater (Liebhaber-) *n.* -s, -; Laienspiel *n.* -(e)s, -e.
소인(素因) Faktor *m.* -s, -en [..tó:rən]; 《이유》 Grund *m.* -(e)s, ⸗e; 《병의》 Anlage *f.* -n.
‖ ~수 〖수학〗 der einfache Faktor.
소인(訴因) Klagegrund *m.* -(e)s, ⸗e.
소인(燒印) 《인장》 Brandeisen *n.* -s, -; 《찍은 것》 Brandzeichen *n.* -s, -. ¶ ~을 찍다 *jm.* ein¦brennen*[4]. ☞ 낙인.
소일(消日) das Zeitvertreiben*, -s; Zeitverschwendung *f.* ~하다 Zeit verbringen*; [3]sich die Zeit vertreiben*; die Zeit tot¦-schlagen*.
‖ ~거리 Zeitvertreib *m.* -s: ~거리로 um [3]sich damit die Zeit zu vertreiben; zum Zeitvertreib.
소임(所任) Amt *n.* -(e)s, ⸗er; Dienst *m.* -es, -e; Obliegenheit *f.* -en; Pflicht *f.* -en; Aufgabe *f.* -n; Posten *m.* -s, -. ¶ ~을 맡다 [4]*et.* auf [4]sich nehmen*; (ein [4]Amt; die Verantwortung 《*für*[4]》) übernehmen*.
소입자(素粒子) 〖물리〗 Elementarteilchen *n.* -s, -; Partikel *f.* -n.
‖ ~론 Atomistik *f.*
소자(小子) 《부모에게》 ich*.
소자(小字) kleiner Buchstabe, -n(s), -n; kleines (chinesisches) Schriftzeichen, -s, -.
소작(小作) Pacht *f.* -en; Pachtung *f.* -en; Pachtverhältnis *n.* ..nisses, ..nisse. ~하다 ein Gut pachten (in Pacht haben).
‖ ~권 Pachtrecht *n.* -(e)s, -e. ~농 Pachtbauern¦tum *n.* -(e)s (-wesen *n.* -s). ~농장 Pachthof *m.* -(e)s, ⸗e. ~료 Pacht; Pachtgeld *n.* -(e)s, -er (-rente *f.* -n; -schilling *m.* -s, -e; -summe *f.* -n; -zins *m.* -es, -e). ~인 Pachter (Pächter) *m.* -s, -; Pachtbauer *m.* -s (-n), -n. ~쟁의 Pachtstreitigkeiten 《*pl.*》. ~제도 Pachtsystem *n.* -s, -e. ~지 Pacht¦gut *n.* -(e)s, ⸗er (-besitz *m.* -es; -e); Pachtung.
소작(燒灼) 〖의학〗 das Ausbrennen*, -s; Ätzung *f.* -en. ~하다 aus¦brennen*; weg¦ätzen; kauterisieren.
‖ ~기 Brenneisen *n.* -s, -. ~제 Ätzmittel *n.* -s, -.
소장(小腸) 〖해부〗 Dünndarm *m.* -(e)s, ⸗e.
소장(少壯) der Junge, -n, -n; der Jugendliche*, -n, -n. ¶ ~의 jung; jugendlich / ~기예(氣銳)의 jung u. frisch (geistreich) / ~유위(有爲)의 jung u. tüchtig.
소장(少將) Generalmajor *m.* -s, -e (육·공군); Konteradmiral *m.* -s, -e (해군).
소장(所長) Direktor *m.* -s, -en; Chef *m.* -s, -s (eines Büros od. einer Fabrik).
소장(所掌) Aufgabenbereich *m.* -(e)s, -e; 《임무》 Aufgabe *f.* -n; Pflicht *f.* -en; Amt *n.* -es, ⸗er.
소장(所藏) Besitz *m.* -es, -e. ¶ A씨 ~의 마돈나 die Madonna im Besitz des Herrn A (von Herrn A).
소장(消長) das Auf u. Ab; das Steigen* u. Fallen*; Ebbe 《*f.*》 u. Flut 《*f.*》; die Wechselfälle 《*pl.*》 (des Lebens). ¶ 국가 경제의 ~ (der) Aufschwung u. Verfall der Wirtschaft e-r Nation.
소장(訴狀) Klageschrift *f.* -en.
소재(所在) Aufenthalt *m.* -(e)s, -e (사람의); Verbleib *m.* -(e)s (사람의); Sitz *m.* -es, -e (관청 따위의); Standort *m.* -(e)s, -e. ¶ ~를 감추다 [4]sich versteckt halten* / 그의 ~에 대해서는 아무 말도 할 수가 없읍니다 über s-n Verbleib kann ich nichts sagen.
‖ ~지 der zeitweilige Aufenthalt, -(e)s, -e; *js.* Nest *n.* -es, -er: ~지를 찾아내다 e-n Ort ausfindig machen; nach¦spüren[3] / U. N. 본부의 ~지는 뉴욕이다 Die Vereinigten Nationen haben ihren Sitz (befinden sich) in New York.
소재(素材) Stoff *m.* -(e)s, -e; Material *n.* -s, ..lien. ¶ 이 소설의 ~는 중세의 전설에서 나온 것이다 Das Hauptthema dieser Novelle ist auf e-e mittelalterliche Geschichte zurückzuführen.
소저(小姐) junge Dame, -n.
소적(小敵) ein schwacher Gegner, -s, -. ¶ ~이라고 깔보지 마라 Verachte auch e-n schwachen Gegner nicht!
소전(小傳) die kurze Biographie, -n [..fí:ən] (Lebensbeschreibung, -en).
소전제(小前提) 〖논리〗 Untersatz *m.* -es, ⸗e.
소절(小節) 〖음악〗 Takt *m.* -(e)s, -e.
‖ ~선 Takt¦strich *m.* -(e)s, -e (-linie *f.* -n).
소정(所定) ¶ ~의 bestimmt; vorschriftsmäßig (규정대로의) / ~의 장비 e-e vorschrifts-

mäßige Ausrüstung, -en.

소제(掃除) ＝청소.

소조(小潮) Nipp|flut *f.* -en (-tide *f.* -n; -zeit *f.* -en).

소조하다(蕭條—) traurig; öde; düster; einsam (sein).

소주(小註) ausfürhliche Anmerkung, -en.

소주(燒酒) Schnaps *m.* -es, ⸗e (aus Getreide, Kartoffeln gebrannt); starkes (hochprozentiges) alkoholisches Getränk, -(e)s, -e. ‖막～ *Soju* von minderer Qualität.

소중(所重) Wichtigkeit *f.* -en; Bedeutung *f.* -en. ～하다 wichtig; wertvoll; kostbar (sein). ¶～히 여기다 (hoch)schätzen[4]; sorgsam behandeln[4]; schonen[4]; 《몸을》 [4]sich schonen / 명예를 ～히 여기다 auf s-e Ehre halten* / ～한 물건 wertvolle Sache, -n.

소증(素症) ① 《고기를 먹고 싶어함》 heftiges Verlangen* (-s) nach Fleisch. ¶～이 나다 nach Fleisch verlangen. ② 〖의학〗 Proteinmangel *m.* -s, ⸗.

소증사납다 aus schlechten Beweggründen 《*pl.*》 handelnd (sein).

소지(小指) der kleine Finger, -s, -; 《발의》 die kleine Zehe, -n.

소지(所持) Besitz *m.* -es. ～하다 besitzen*[4]; bei [3]sich haben. ‖～자 Besitzer *m.* -s, -. ～품 Habseligkeiten 《*pl.*》; Personaleffekten 《*pl.*》; Sachen 《*pl.*》.

소지(素地) Anlage *f.* -n; Neigung *f.* -en; Disposition *f.* -ne.

소지(素志) ＝초지(初志).

소지(燒紙) Opferpapier 《*n.* -s, -e》 zum Verbrennen* für die Verstorbenen, Geister *usw.* ¶무당이 ～를 올리다 Der Schamane verbrennt das Opferpapier.

소진(消盡) völliges Verschwinden*, -s. ～하다 völlig verschwinden*ⓢ.

소진(燒盡) Einäscherung *f.* -en. ～하다 eingeäschert werden; völlig niederbrennen.

소질(素質) ① 《재능 따위》 Anlage *f.* -n; Begabung *f.* -en; Talent *n.* -(e)s, -e; Veranlagung *f.* -en; 《기질》 Natur *f.* -en; Naturell *n.* -s, -e; 《성질》 Charakter *m.* -s, -e; Temperament *n.* -(e)s, -e. ¶그림에 ～이 있다 gute Anlagen zum Zeichnen haben. ② 《신체의》 Anlage *f.* -n; Konstitution *f.* -en; Körperbeschaffenheit *f.* -en; Verfassung *f.* -en.

소집(召集) Einberufung *f.* -en; Zusammenberufung *f.* -en; 《군대의》 Aushebung *f.* -en. ～하다 ein|berufen*[4]; 《의회 따위를》 zusammen|rufen*[4]; 《군대에》 ein|ziehen*[4]. ¶의회(병사)를 ～하다 das Parlament (Soldaten) ein|berufen*. ‖～령 Einberufungsbefehl *m.* -(e)s, -e.

소쩍새 〖조류〗 Kuckuck *m.* -(e)s, -e; *Cuculus poliocephalus* (학명).

소차(小差) geringer, kleiner Unterschied, -(e)s, -e. ¶～로 이기다 knapp gewinnen.

소찬(素饌) einfache Speise, -n; einfaches Gemüsegericht, -(e)s, -e (ohne Fleisch od. Fisch).

소창옷(小氅—) leichter Übermantel, -s, -.

소채(蔬菜) das (frische) Gemüse, -s, -. ‖～밭 Gemüsegarten *m.* -s, ⸗. ～재배 Gemüse(an)bau *m.* -(e)s.

소책자(小冊子) Büchlein *n.* -s, -; Broschüre *f.* -n; Heft *n.* -(e)s, -e.

소천지(小天地) die kleine Welt; Mikrokosmos *m.* -.

소철(蘇鐵) 〖식물〗 Palmenfarne 《*pl.*》.

소청(所請) Bitte *f.* -n. ¶～이 있다 eine Bitte an *jn.* haben / ～을 들어주다 eine Bitte erhören, gewähren, erfüllen / ～을 물리치다 eine Bitte ab|schlagen*, ab|weisen*; ab|lehnen.

소총(小銃) Gewehr *n.* -(e)s, -e; Flinte *f.* -n. ‖～사격 Gewehrschuß *m.* ..schusses, ..schüsse. 자동～ Maschinen|gewehr *n.* (-pistole *f.* -n). ～탄알 Gewehrkugel *f.* -n.

소추(訴追) 〖법〗 Anklage *f.* -n. ～하다 an|klagen 《*jn.*》.

소춘(小春) Oktober 《*m.* -s》 des Mondkalenders; Spätsommer *m.* -s; Nachsommer; Altweibersommer.

소출(所出) Einkommen *n.* -s, - (Einkünfte); Einnahme *f.* -n; 《수확고》 Erntebetrag *m.* -(e)s, ⸗e.

소치(所致) Folge *f.* -n; Resultat *n.* -(e)s, -e. ¶그것은 나의 부덕의 ～다 Ich bin daran schuld. | Das ist m-e Schuld.

소침(消沈) Niedergeschlagenheit *f.* -en; Schwermut *f.*; Trübsinn *m.* -(e)s; Melancholie *f.* ～하다 in Trübsinn (ver)fallen*; niedergeschlagen; schwermütig; melancholisch (sein).

소켓 《콘센트》 Steckdose *f.* -n; 《전구의》 Fassung *f.* -en; 《진공관의》 Sockel *m.* -s, -. ¶～에 끼우다 in e-e Steckdose tun*[4].

소쿠라지다 auf|steigen*ⓢ u. ab|fallen*ⓢ (Welle).

소쿠리 Korb *m.* -(e)s, ⸗e (aus Bambus).

소크라테스 《그리스 철학자》 Sokrates (470?-399 v. Chr.).

소크왁친 〖의학〗 die Serumimpfung 《(-en)》 nach Salk.

소탈(疏脫) Freimütigkeit *f.* -en; Aufrichtigkeit *f.* -en; Offenherzigkeit *f.* -en. ～하다 freimütig; aufrichtig; frank; natürlich; offen(herzig); frei(herzig); ungekünstelt; nicht kleinlich (sein). ¶～한 고백 offenherziges Bekenntnis, -ses, -se.

소탐대실(小貪大失) beim Streben nach einem kleinen Gewinn entstehender großer Verlust, -(e)s, -e. ～하다 beim Streben nach einem kleinen Gewinn einen großen Verlust erleiden*.

소탕(掃蕩) das Vernichten*, -s; das Säubern*, -s; das Vertilgen*, -s. ～하다 vernichten[4]; aus|merzen[4]; aus|rotten[4]; säubern[4]; vertilgen[4]. ¶잔적을 ～하다 das Land vom überbleibenden Feind säubern. ‖～작전 Säuberungsoperation *f.*

소태 ① 《나무》 eine Art Bitterbaum 《-(e)s, ⸗e》; *picrasma ailanthoides* (학명). ② 《껍질》 die Rinde 《*f.* -n》 eines Bitterbaums. ¶～같다 sehr bitter sein.

소택(지)(沼澤(地)) Sumpf *m.* -(e)s, ⸗e; Morast *m.* -(e)s, -e; Schlammboden *m.* -s, ⸗; Moor *n.* -(e)s, -e.

소톱(小—) kleine Säge, -n.

소통(疏通) Verständigung *f.* -en; Verständnis *n.* -ses, -se. ～하다 [4]sich verständigen. ¶서로 의사가 ～하다 einander (gut) verstehen* (können*).

소파(小波) kleine Welle, -n.

소파(搔爬) 〖의학〗 Kürettage *f.* -n; Auskratzung *f.* -en (-schabung *f.* -en; -räumung *f.* -en); 《낙태》 Abort *m.* -s, -e. ¶～수술하다 aus|kratzen[4] (-schaben[4]; -räumen[4]); 《낙태하다》 abortieren[4].

소파 Sofa *n.* -s, -s.

소편(小片) Stückchen *n.* -s, -; ein kleines Stück, -(e)s, -e.
소포(小包) (Post)paket *n.* -(e)s, -e; 《역에 유치한》 das bahnlagernde Paket, -(e)s, -e. ¶ ~를 받다 ein Paket bekommen*.
‖ ~물 Paketsendung *f.* -en. ~우편 Paketpost *f.*: ~ 우편으로 durch [4]Paketpost / ~ 우편료 Paketporto *n.* -s, -s.
소폭(小幅) einfache 〔schmale〕 Breite, -n. ¶ ~의 변동 kleine Schwankung, -en.
소품(小品) ein kleines Stück, -(e)s, -e; 〖연극〗 Requisiten 《*pl.*》.
‖ ~담당 Requisiteur [..tø:r] *m.* -s, -e.
소풍(消風·逍風) Ausflug *m.* -(e)s, ⸗e; Ausfahrt *f.* -en (차편의); Landpartie *f.* -n; Spazierfahrt *f.* (드라이브); Picknick *n.* -s, -e 〔-s〕; Tour [tu:r] *f.* -en; Vergnügungsreise *f.* -n (여행). ¶ ~ 가다 e-n Ausflug 〔e-e Landpartie〕 machen; aus|fahren*[s] 《*nach*[3]》; picknicken; e-e Tour machen.
‖ ~객 Ausflügler *m.* -s, -; Urlauber *m.* -s, -; Sonntagsfahrer *m.* -s, -; der Ferienreisende*, -n, -n; Tourist [turíst] *m.* -en, -en. ~장소 Ausflugsort *m.* -(e)s, -e.
소프라노 〖음악〗 Sopran *m.* -s, -e. ¶ ~로 노래하다 Sopran singen.
‖ ~가수 Sopranistin *f.* -nen; Sopransängerin *f.* -nen. 메조~ Mezzosopran.
소프트 ① weich. ② 《모자》 der weiche Hut, -(e)s, ⸗e. ‖ ~아이스크림 Eiscreme *f.* -s. ~볼 Softball *m.* -(e)s, ⸗e.
소프트드링크 ein alkoholfreies Getränk, -(e)s, -e; Softdrink *m.* -(s), -s.
소프트웨어 Software [sɔ́ftwɛ:r] *f.* -s.
소피(所避) das Urinieren*, -s; Wasserlassen *n.* -s; das Besuchen* 《-s》 der Toilette. ~보다 urinieren; Wasser lassen; zur Toilette gehen* [s].
소피아 《불가리아의 수도》 Sofia, Hauptstadt von Bulgarien.
소하다(素—) [4]sich des Fleisches u. Fisches enthalten*; vegetarisch essen* 〔leben*〕.
소하물(小荷物) ＝소화물.
소학교(小學校) ＝국민학교.
소한(小寒) die dreiundzwanzigste der 24 Jahreszeiteneinteilungen (＝ca. 6. Januar; „Kleine Kälte").
소할(所轄) ＝소관(所管).
소해(掃海) Minenräumung *f.* -en. ~하다 das Meer von [3]Minen säubern.
‖ ~작업 Minenräumungsarbeiten 《*pl.*》. ~정 Minen|sucher 〔-räumer〕 *m.* -s, -.
소행(所行) Tat *f.* -en; das Tun*, -s; Handlung *f.* -en. ¶ 그는 자신의 ~을 후회했다 Er bereut seine Taten.
소행(素行) Führung *f.* -en; das Betragen* 〔Benehmen*; Verhalten*〕 -s. ¶ ~이 나쁘다 [4]sich schlecht betragen* 〔benehmen*〕; ein lockeres Leben führen / ~을 고치다 [4]sich bessern.
소향(所向) Bestimmungsort *m.* -(e)s, -e; Reiseziel *n.* -(e)s, -e.
소향(燒香) das Verbrennen* 《-s》 des Weihrauches. ~하다 Weihrauch verbrennen*.
소형(小型) Miniatur *f.* -en; Knirps *m.* -es, -e; Klein-; Taschen-. ¶ ~의 von kleinem Format 《*n.*》; von kleiner Form 《*f.*》; in kleiner [3]Gestalt 《*f.*》; in kleinem Maßstab 《*m.*》 / ~으로 만들다 in Miniatur machen[4].
‖ ~비행기 Kleinflugzeug *n.* -(e)s, -e. ~자동차 Kleinauto *n.* -s, -s. ~카메라 Kleinbildkamera *f.* -s.
소형(素馨) 〖식물〗 Jasmin *m.* -s, -e; *Jasminum grandiflorum* (학명).
소호(小毫) ＝추호(秋毫).
소혹성(小惑星) Planetoid *m.* -en, -en; ein kleinerer Planet, -en, -en.
소홀(疏忽) Unvorsichtigkeit *f.*; Unbedachtsamkeit *f.*; 《경솔》 Voreiligkeit *f.*; Unbesonnenheit *f.* ~하다 nachlässig; unaufmerksam; unvorsichtig; voreilig; übereilt; rasch (sein). ¶ ~히 하다 vernachlässigen[4]; versäumen[4]; unter|lassen*[4]; nicht beachten[4]; hintan|setzen[4]; s-e Pflicht vergessen*; [4]sich nicht kümmern 《*um*[4]》 / ~히 하지 않다 vorsichtig sein 《*in*[3]; *mit*[3]》; viel aus [3]*et.* machen / 우리는 이 문제를 ~히 해서는 안 된다 Diese Frage darf man nicht unbeachtet lassen.
소화(小火) ein kleines Feuer, -s, -. ☞ 화재.
소화(小話) kurze Erzählung, -en; Kurzgeschichte *f.* -n; Anekdote *f.* -n; Episode *f.* -n; Vinetteg *f.* -n.
소화(笑話) e-e humoristische 〔witzige〕 Geschichte, -n; Witz *m.* -es, -e; Humoreske *f.* -n.
소화(消火) das Feuerlöschen*, -s. ~하다 Feuer löschen.
‖ ~기 Feuerlösch|gerät *n.* -(e)s, -e 〔-apparat *m.* -(e)s, -e〕; Feuerlöscher *m.* -s, -. ~용수 Löschwasser *n.* -s. ~용수조 Löschwasserbehälter *m.* -s, -. ~전 Feuerhahn *m.* -(e)s, ⸗e. ~정(艇) Feuerlöschboot *n.* -(e)s, -e.
소화(消化) ① 《음식의》 Verdauung *f.* -en. ~하다 verdauen[4]. ¶ ~하기 쉬운 〔어려운〕 leicht 〔schwer〕 verdaulich / ~가 잘 안 되는 음식 die schwer verdauliche Speise, -n / ~를 돕기 위해서 um die Verdauung zu befördern 〔anzuregen〕 / 이 음식은 ~가 잘 〔안〕 된다 Diese Speise ist leicht 〔schwer〕 zu verdauen. ② 《문화·학문의》 Verdauung *f.*; Aufnahme *f.* -n.
‖ ~기 Verdauungsorgan *n.* -s, -e. ~력 Verdauungskraft *f.* ~불량 schlechte Verdauung; Verdauungsbeschwerde *f.* -n; Verdauungsstörung *f.* -en; Verdauungsschwäche *f.* ~액 Verdauungssaft *m.* -(e)s, ⸗e; Verdauungsflüssigkeit *f.* -en. ~제 Verdauungsmittel *n.* -s, -.
소화물(小貨物) Gepäck *n.* -(e)s, -e; Paket *n.* -(e)s, -e.
‖ ~인도처 Gepäckausgabe *f.* -n. ~취급소 Gepäckannahme *f.* -n.
소환(召喚) (Vor)ladung *f.* -en. ~하다 (vor|-)laden*[4]; zitieren[4].
‖ ~장 das Vorladungsschreiben*, -s, -.
소환(召還) Ab|berufung 〔Zurück-〕 *f.* -en. ~하다 ab|berufen*[4] 〔zurück-〕. ¶ 대사는 본국으로 ~되었다 Der Botschafter wurde von s-m Posten abberufen.
‖ ~장 das Abberufungsschreiben*, -s, -.
소활하다(疏闊—) sorglos; nachlässig; unachtsam (sein).
소회(所懷) Herzenswunsch *m.* -es, ⸗e. ¶ ~를 풀었다 Nun ist mein Herzenswunsch befriedigt.
소회하다(遡洄—) gegen den Strom rudern[s]; stromaufwärts fahren*[s].
속 ① 《안》 das Innere*, -n; Innenseite *f.* -n; die innere Seite, -n. ¶ 폭풍우 속에서 작업을 계속하다 inmitten des Sturms 〔mitten

im Sturm) weiter|arbeiten / 어둠 속(에) in der Dunkelheit / 호우 속을 im (bei) strömenden Regen / 숲 속을 지나가다 durch den Wald gehen*ⓢ / …의 속에서부터 von³; aus³; aus der Mitte / …속에 in³; unter³ / 가난 속에서 자라다 in ³Armut u. Not auf|-wachsen*ⓢ / 적진 속으로 뛰어들다 mitten unter die Feinde hinein|stürmen / 속을 버리다 Magenbeschwerden haben; ³sich den Magen verderben*; an schlechter Verdauung leiden*; 〖속어〗 Der Magen streikt. / 밀려 오는 군중 속에서 헤치고 나온 자가 있었다 Einer drängte sich aus dem Gedränge heraus. / 우리나라는 경제위기 속에 놓여 있다 Unser Land ist mitten in e-r wirtschaftlichen Krise. / 우리는 그 속에 휩쓸려 있다 Wir sind mitten drin.

② 《마음·이면》 das Innere*, -n; Herz *n.* -ens, -en; Absicht *f.* -en; der geheimste (verborgenste) Gedanke, -ns, -n. ¶ 속이 검은 boshaft; hinterhältig / (마음) 속으로는 im Grunde des Herzens; im Inner(st)en; im Herzen; im Stillen; im tiefsten Grunde der Seele / 마음 속으로부터 aus Herzensgrund; aus tiefstem Herzen / 속을 털어 놓다 ⁴sich (offen) äußern; offen gestehen* / 속을 알 수 없는 bodenlos; grundlos; unergründlich; unendlich / 속에 딴 마음이 없는 offen(herzig); aufrichtig; ehrlich; frank; frei; unverstellt / 속을 털어 놓지 않다 s-e Gedanken für sich behalten*; s-e Gefühle vor der Welt verheimlichen / 속을 들여다보다 *js.* Absicht erkennen*; *jn.* durchschauen / 속 넓다 großmütig; großzügig; weitherzig / 속을 떠보다 bei *jm.* an|klopfen (-|trippen); bei *jm.* auf den Busch klopfen / 속으로는 떨면서 innerlich zitternd; im Innern erschüttert/속으로 걱정하다 innerlich (im Innern) besorgt (beunruhigt) sein; e-e geheime Sorge hegen《*für*⁴》 / 속을 썩이다 ⁴sich beleidigt (gekränkt; verletzt) fühlen; *jm.* ⁴*et.* übel|nehmen* / 남의 속을 상하게 하다 *jn.* kränken (verletzen) / 그는 걸핏하면 속상해 한다 Er geht einher wie die gekränkte Leberwurst. | Er ist leicht gekränkt. / 그것도 장사 속이다 Geschäft ist Geschäft.

③ 《속에 든 것》 Inhalt *m.* -(e)s, -e; Gehalt *m.* -(e)s, -e; 《실질》 Substanz *f.* -en; 《채워 넣은 것》 Füllung *f.* -en. ¶ 상자 속의 것은 무엇이요 Was ist das im Kasten?

④ 《중심·핵》 Kern *m.* -(e)s, -e; 《과일의》 Kerngehäuse *n.* -s, -; 《뼛속》 Mark *n.* -s. ¶ 속까지 썩은 faul (morsch) bis ins Mark / 추위가 뼛속에 스며든다 Die Kälte dringt *jm.* bis ins Mark.

속(屬) 〖동물·식물〗 Gattung *f.* -en.

속(贖) 《속죄》 Sühne *f.* -n; Buße *f.* -n; 《속전》 Lösegeld *n.* -(e)s. ¶ 속 바치다 (als) Lösegeld zahlen.

속(續) Fortsetzung *f.* -en.

속가(俗歌) volkstümliches Lied, -(e)s, -er; Volkslied; Schlager *m.* -s, -; Gassenhauer *m.* -s, -; Ballade *f.* -n.

속가량(一假量) ungefähre Schätzung, -en; private Schätzung.

속가루 feinstes Pulver, -s, -.

속가죽 Innenseite 《*f.* -n》 eines Fells 《*m.* -(e)s, -e》 od. einer Tierhaut 《*f.* ⸗e》.

속간(俗間) Welt *f.* -en; Leute 《*pl.*》; Allgemeinheit *f.*

속간(續刊) das fortsetzende Herausgeben*, -s. ～하다 fortgesetzt (weiter) heraus|geben*⁴.

속개(續開) Fortsetzung *f.* -en; Wiederaufnahme *f.*; Wiederbeginn *m.* -(e)s. ～하다 fort|setzen; wieder|beginnen*ⓗⓢ. ¶ 회의는 내일 ～한다 Die Konferenz wird morgen fortgesetzt.

속객(俗客) 〖불교〗 Laie *m.* -n, -n; Laienstand *m.* -(e)s, ⸗e; 《풍치 없는》 grober Mensch, -en, -en.

속겉장 《책의》 Titelblatt *n.* -(e)s, ⸗er.

속겨 《곡식의》 innere Spreu *f.*

속결(速決) ＝즉결(即決).

속계(俗界) die irdische Welt; das irdische Leben, -s. ¶ ～의 irdisch; weltlich / ～에 집착하다 das Weltliche lieben; am Weltlichen hängen* / ～를 초월하다 über alles Irdische erhaben sein.

속고(續稿) fortzusetzendes (weiterzuführendes) Manuskript, -(e)s, -e; fortgesetztes (weitergeführtes) Manuskript; Fortsetzung 《*f.* -en》 od. Folgen 《*pl.*》 eines Manuskripts.

속고갱이 Herz *n.* -ens, -en; innerster Kern, -(e)s, -e. ¶ 양배추의 ～ Herz eines Kohls; innerste Kohlblätter 《*pl.*》.

속고의(一袴衣) e-e längere Unterhose, -n.

속곡(俗曲) ein populäres (Musik)stück, -(e)s, -e; Unterhaltungsmusik *f.* (오락음악).

속곳 die lange Unterhose, -n 《보통 *pl.*》.

속공하다(速攻一) rasch an|greifen*.

속관(屬官) niederer Beamte, -n, -n.

속구(速球) 〖야구〗 der schnelle Ball, -(e)s, ⸗e.

속국(屬國) ein abhängiger Staat, -(e)s, -en; Vasallenstaat *m.* -(e)s, -en; Satellitenstaat *m.* -(e)s, -en (위성국). ¶ …의 ～이다 in e-m Abhängigkeitsverhältnis stehen* 《*zu*³》.

속궁리(一窮理) Erwägung *f.* -en; Überlegung *f.* -en. ～하다 erwägen; ³sich ⁴*et.* überlegen; grübeln.

속긋 Pauszeichnung *f.* -en. ¶ ～넣다 durch|-pausen (Schriftzeichen od. Bilder).

속기(俗氣) Weltlichkeit *f.* -en; weltliche Gesinnung, -en; irdische Lust; irdischer Ehrgeiz, -es. ¶ ～가 있는 weltlich; weltlich gesinnt; ehrgeizig; eitel (허영심 있는) / ～를 버리지 못하다 weltlicher (irdischer) ³Lust nicht entsagen können*.

속기(速記) Stenographie *f.* -n; Kurzschrift *f.* -en. ～하다 stenographieren⁴; stenographisch auf|nehmen*⁴ (nieder|schreiben*⁴). ‖ ～록 Stenogramm *n.* -s, -e. ～문자 das stenographische Schriftzeichen, -s, -. ～자 Stenograph *m.* -en, -en; Kurzschriftler *m.* -s, -; Kurz(schrift)schreiber *m.* -s, -.

속꺼풀 innere Schicht 《-en》 der äußeren Bedeckung; innere Hülse, -n.

속껍데기, 속껍질 Haut *f.* ⸗e; innere Schicht 《-e》 der Haut (des Fells, der Schale); 〖동·식물〗 Endodermis *f.* ..men; 〖해부〗 Endothel *n.* -s, -e.

속끓이다 tief besorgt sein; tief seelisch leiden*.

속나깨 feine Kleie 《*f.* -n》 des Buchweizens.

속내 ＝속내평.

속내다 schärfen; schleifen* 《Klinge》.

속내평 wahre Sachlage, -n; innerer Zustand, -(e)s, ⸗e; das Innere*, -n; innere Geschichte, -n. ¶ ～을 떠보다 die wahre Sachlage untersuchen / ～을 알리다 *jm.* eine geheime Auskunft geben*; *jm.* einen

Wink geben*.

속념(俗念) weltliche (irdische) Gedanken《*pl.*》. ¶ ～을 버리다 weltliche Gedanken vertreiben*; [4]sich von irdischen Gedanken frei|halten*.

속눈 《곱자의》 innere Maßeinteilung《-en》 eines Winkelmaßes. ⌈blicken.

속눈뜨다 aus halbgeschlossenen Augen

속눈썹 (Augen)wimper *f.* -n.
‖ 인조～ e-e falsche Wimper, -n.

속눈치 wahre innere Haltung《-en》 od. deren Anzeichen《-s, -》.

속다 betrogen werden; hinein|fallen*[s]; auf den Leim (in die Falle; ins Garn) gehen* [s] (계략에 빠지다). ¶ 속기 쉬운 leicht zu täuschen; leichtgläubig / 속았다 Ich bin hineingefallen. | Ich habe mich anführen lassen. / 아차 속았구나 Angeführt! / 그녀석한테 속았다 Der hat mich hineingelegt.

속닥- ☞ 숙덕-.

속단(速斷) das leichtfertige Dafürhalten*, -s; der voreilige Schluß, ..lusses, ..lüsse (성급한). ～하다 voreilig entscheiden*[4].

속달(速達) Eil|sendung *f.* -en (-bestellung *f.* -en). ¶ ～로 durch Eilboten; 〖속어〗 expreß; mit der [3]Eilpost / 편지를 ～로 보내다 e-n Brief《-s, -e》durch Eilboten senden* (schicken).
‖ ～우편 Eilpost *f.* -en; Schnellpost *f.* ～우편물 Eilsendung *f.* ～편지 Eilbrief *m.* -(e)s, -e. ～화물 Eilgut *n.*

속달- ☞ 숙덜-.

속달다 [4]sich nach [3]*et.* verzehren; (nach [3]*et.*) begierig; ungeduldig (sein). ¶ 그 결과를 알지 못해 속이 달다 begierig sein, das Ergebnis zu erfahren / 그는 그것을 하지 못해 속이 달았다 Er grämte sich, weil er das nicht konnte. / 그렇게 속달아 할 것 없네 Grämen Sie sich nicht so!

속달뱅이 kleinerer Maßstab, -s, ..e; kleiner Umfang, -(e)s, -e; geringes Ausmaß, -es. ¶ ～로 in geringerem Umfang; in kleinerem Maßstab.

속담(俗談) Sprichwort *n.* -(e)s, ..er; (Sinn-) spruch (Kernspruch; Wahrspruch) *m.* -(e)s, ..e; Maxime *f.* -n. ¶ ～의 sprichwörtlich.

속대[1] 《채소의》 Herz《*n.* -ens, -en》, innere Blätter《*pl.*》(von Gemüsen).
‖ ～쌈 in ein Innenblatt des Kohls eingewickelte Reisspeise, -n. 속댓국 Suppe《*f.* -n》aus den inneren Kohlblättern.

속대[2] 《댓개비의》 Bambusrohr《*n.* -(e)s, -e》 ohne Rinde (Werkstoff).

속대중 private Schätzung, -en; ungefähre Berechnung《-en》nach dem Gefühl.

속더께 Schmutz《*m.* -es》unter der Oberfläche.

속도(速度) Schnelligkeit *f.* -en; Geschwindigkeit *f.* -en; 《기차 등의》 Fahrgeschwindigkeit *f.* -en; 〖음악〗 Tempo *n.* -s, -s. ¶ ～를 내다(줄이다)《배의》 mit beschleunigtem (verlangsamtem) Schlage redern[4] / ～를 올리다 die Geschwindigkeit erhöhen (beschleunigen) / ～를 낮추다 die Geschwindigkeit vermindern / 매시 5마일의 ～로 mit e-r Stundengeschwindigkeit von 5 Meilen.
‖ ～계 Geschwindigkeitsmesser *m.* -s, -; Geschwindigkeitsanzeiger *m.* -s, -. ～제한 das Verbot《-(e)s, -e》der Überschreitung bestimmter Fahrgeschwindigkeiten; Geschwindigkeitsbegrenzung *f.* -en: ～제한 40킬로미터 die Geschwindigkeitsbegrenzung auf 40 km. ～조절기 Geschwindigkeitsregulator *m.* -s, ..toren.

속독(速讀) das Schnellesen*, -s. ～하다 schnell lesen*. ⌈-es, -e.

속돌 〖광물〗 Bimsstein *m.* -(e)s, -e; Bims *m.*

속되다(俗—) 《비속》 vulgär; niedrig (sein); 《통속》 üblich; gewöhnlich (sein); 《세속적》 weltlich; irdisch (sein). ¶ 속된 사람들 gewöhnliche Leute《*pl.*》/ 속된 취미 primitiver Geschmack, -s, ..e / 속된 말 grobe Sprache, -n / 속된 마음을 버리다 [4]sich von den irdischen Begierden befreien.

속등(續騰) kontinuierliches Steigen*, -s; ständiger Fortschritt, -(e)s, -e. ～하다 ständig steigen*[s]; fort|schreiten*[s]; weiterentwickeln.

속뜻 innere Bedeutung, -en; Sinn *m.* -(e)s, -e. ¶ ～이 있는 bedeutungsvoll; vielsagend.

속락(續落) kontinuierliches Fallen* (Sinken*) -s. ～하다 ständig fallen* (sinken*) [s]. ¶ 달러의 ～ der Verfall des Dollarkurses.

속량(贖良) ① 《신분의》 Freilassung《*f.* -en》 der Sklaven《*pl.*》. ～하다 Sklaven frei|lassen*. ② 〖기독교〗 ～하다 die Schuld der Welt auf [4]sich laden《Christus》; erlösen.

속력(速力) Geschwindigkeit *f.* -en; Schnelligkeit *f.* -en. ¶ ～이 빠른(늦은) schnell (langsam) / ～을 내다 die Geschwindigkeit erhöhen; schneller (geschwinder) werden / 전～으로 mit voller (größter) [3]Geschwindigkeit / 이 차는 매시 100 킬로의 ～으로 달렸다 Dieser Wagen fuhr mit e-r Stundengeschwindigkeit von 100 km.
‖ ～시험 Geschwindigkeitsprüfung *f.* 최대～ Höchst|geschwindigkeit (Maximal-) *f.*

속령(屬領) ein *jm.* zugehöriges Land, -(e)s, -e; Landbesitz *m.* -es, -e; Besitzung *f.* -en.

속례(俗例) Brauch *m.* -(e)s, ..e; allgemeine Sitte, -n; Volkssitte; Gebrauch *m.* -(e)s, ..e.

속례(俗禮) herkömliche Umgangsformen《*pl.*》; zeremonieller Brauch, -(e)s, ..e.

속론(俗論) konventionelle (übliche; verbreitete) Ansicht, -en; das Haften*《-s》am Hergebrachten; allgemeine Meinung, -en.

속류(俗流) Masse《*f.* -n》der Leute《*pl.*》; Spießbürger *m.* -s, -.

속리(俗吏) der wichtigtuende (wichtigtuerische) (kleine) Beamte*, -n, -n.
‖ ～근성 nach oben buckeln u. nach unten treten* (위로는 아부하고, 아래로는 허세를 부림); Wichtigtuerei *f.* -en (난 체함).

속립결핵(粟粒結核) 〖의학〗 Miliartuberkulose *f.*; besonders schwere Tuberkulose.

속마음 das innere Herz, -ens, -en; der geheimste (verborgenste) Gedanke, -ns, -n; die innere Absicht, -en. ¶ ～을 털어 놓다 sein Herz aus|schütten《*jm.*》; [4]sich an|-vertrauen (entdecken; eröffnen)《*jm.*》.

속말 vertrauliches Gespräch, -(e)s, -e; private Unterhaltung, -en; leichte Plauderei, -en; Geplauder *n.* -s. ¶ 친구에게 ～을 하다 e-n Freund ins Vertrauen ziehen*; e-m Freund ein Geheimnis an|vertrauen; mit e-m Freund plaudern.

속명(俗名) Laienname *m.* -ns, -n; ein weltlicher Name, -ns, -n.

속명(屬名) 〖생물〗 Gattungsname *m.* -ns, -n.

속무(俗務) weltliche, irdische Angelegenheiten 《*pl.*》; alltägliche Beschäftigung, -en.

속문학(俗文學) Trivialliteratur *f.* -en; Unterhaltungsliteratur *f.*

속물(俗物) Philister *m.* -s, -; Spießbürger *m.* -s, -; Spießer *m.* -s, -; Snob *m.* -s, -s; Vornehmtuer *m.* -s, -. ¶ ~적인 philisterhaft; philiströs; spießbürgerlich.
‖ ~근성 Philistertum *n.* -s; Spießbürgertum *n.* -s; Spießertum *n.* -s.

속바람 unregelmäßiges Atmen* 《-s》 e-s zitternden Körpers.

속바지 e-e längere Unterhose, -n.

속바치다(贖―) Lösegeld bezahlen.

속박(束縛) Fesselung *f.* -en; Bindung *f.* -en; Gebundenheit *f.*; Be¦schränkung (Ein-) *f.* -en. ~하다 fesseln^4; binden*^{4}; beschränken^4; ein|schränken^4; in ^{3}Schranken halten*^{4}. ¶ ~을 받다 gefesselt (in ^{4}Fesseln gelegt) werden 《von *jm.*》/ ~을 벗어나다 die Fesseln 《*pl.*》 sprengen (zerreißen*) / 행동을 ~받다 in s-m Handeln beschränkt sein.

속발(束髮) das Binden* 《-s》 des Haarknotens (auf dem Scheitel).

속발(續發) das häufige Ereignis, -ses, -se; das häufige (weitere) Geschehen*, -s. ~하다 ^{4}sich hintereinander ereignen; wiederholt vor|kommen* [s]; häufig geschehen* (passieren) [s](빈발). ¶ 사고(도난)의 ~을 방지코자 um ein weiteres Unglück (e-n weiteren Diebstahl) zu verhüten / 최근에 이 종류의 사고가 ~한다 Neuerdings geschehen Unfälle dieser Art einer nach dem andern.

속발톱 Möndchen 《*n.* -s, -》 in e-m Zehennagel.

속밤 Eßkastanie *f.* -n; Edelkastanie; Kastaniensamen *m.* -s, -.

속방(屬邦) abhängiger Staat, -(e)s, -en; Vasallenstaat; Schutzgebiet *n.* -(e)s, -e; Kolonie *f.* -n.

속배포(―排布) das Vorhaben*, -s; Plan *m.* -(e)s, ⸚e; Absicht *f.* -en; Hintergedanke *m.* -ns, -n. ¶ ~가 있는 사람 Intrigant *m.* -en, -en; Ränkeschmied *m.* -es, -e / ~가 다르다 eigennützige Zwecke verfolgen; Hintergedanken haben / 그는 무슨 ~가 있는 모양이다 Er scheint etwas ganz anderes im Schilde zu führen.

속버선 Unterziehsocke 《*f.* -n》 der traditionellen koreanischen Bekleidung.

속벌 Garnitur *f.* -en; Unterwäsche *f.*

속병(―病) innere Krankheit, -en (besonders Magen u. Darm).
‖ ~장이 der Magenkranke*, -n, -n.

속보(速步) der eilige (schnelle) Schritt, -(e)s, -e (Marsch, -es, ⸚e); Trab *m.* -(e)s (말의). ¶ ~로 mit eiligen (schnellen) Schritten; in vollem Trabe; mit Riesenschritten / ~로 행진하다 eiligen (schnellen) Schrittes marschieren [s,h] / ~로 뛰게하다 in ^{4}Trab setzen 《ein ^{4}Pferd》.

속보(速報) die eilige (schnelle) Nachricht, -en. ~하다 schnell berichten 《*jm.* *über*^{4}》.
‖ ~판 Nachrichtentafel *f.* -n.

속보(續報) e-e weitere Nachricht, -en; ein weiterer Bericht, -(e)s, -e.

속보이다 ^{4}sich verraten*; Absicht 《*f.* -en》, Gefühle 《*pl.*》 enthüllen; das Herz 《-ens, -en》 auf der Zunge tragen*.

속부피 innere Ausmessungen 《*pl.*》 (Raumeinheit).

속빼다 〖농업〗 zum zweiten Mal pflügen (Reisfeld).

속뽑다 *jn.* durchschauen; *js.* Gesinnung 《*f.* -en》 heraus|finden*; *js.* Gefühle 《*pl.*》 erforschen. ¶ 슬쩍 상대의 속을 뽑아보다 heimlich in *js.* Gesicht lesen*.

속뽑히다 ^{4}sich sein Herz enthüllen lassen*. ¶ 속뽑히는 말 selbstverräterische Worte 《*pl.*》.

속사(俗事) alltägliche Arbeit, -en; häusliche Geschäfte 《*pl.*》; weltliche Sache, -n; irdisches Ding, -(e)s, -e. ¶ ~에 무관하다 über weltliche Dinge erhaben sein.

속사(速射) das schnelle Abfeuern*, -s; das schnelle Abschießen*, -s. ~하다 schnell ab|feuern^4; schnell ab|schießen*^{4}.
‖ ~포 Schnellfeuergeschütz *n.* -es, -e.

속사(速寫) Augenblicks¦aufnahme (Moment-) *f.* -n; Schnappschuß-Aufnahme *f.* -n. ~하다 e-e Momentaufnahme machen.
‖ ~사진기 e-e Kamera 《-s》 für ^{4}Momentaufnahmen.

속사랑 heimliche Liebe, -n.

속사정(―事情) innere Verhältnisse 《*pl.*》; unenthüllte Sachlage, -n.

속삭거리다 =속삭이다.

속삭속삭 im Flüsterton; leise flüsternd. ~하다 leise flüstern.

속삭이다 〖자동사일 경우 시냇물·나뭇잎의 속삭임에도 쓰임〗 flüstern^{34}; lispeln^{34}; murmeln^{34}; raunen^{34}; wispern^{34}; zischeln^{34}; 《밀담을》 tuscheln^4 《*mit*^{3}》. ¶ 아무의 귀에다 ~ *jm.* ins Ohr flüstern (raunen) / 서로 ~ ^{3}sich zu|raunen / 사랑의 속삭임 Liebesgespräch *n.* -(e)s, -e; Liebesgeplauder *n.* -s, -; Kosewort *n.* -(e)s, -e 《보통 *pl.*》; süße Liebesworte 《*pl.*》.

속산(速算) das schnelle Rechnen*, -s.

속살 ① 《옷속의》 normalerweise bekleidete Körperteile 《*pl.*》; Nacktheit *f.* -en. ¶ 네 얼굴은 검으나 ~이 희다 Dein Gesicht ist dunkel, aber dein Körper ist hell. ② 《고기의》 inneres gutes Stück 《-(e)s, -e》 von Fleisch 《*m.* -(e)s》; 《소의》 Fleisch vom Maul einer Kuh.

속살다 innerlich stark; unverzagt; stolz (sein). ¶ 그는 가난하지만 속은 살아있다 Er ist zwar arm, aber ungebrochen.

속살찌다 ① 《살찌다》 dick (sein). ② 《실속있다》 reich an Substanz (sein).

속상하다(―傷―) gequält (geplagt; ärgerlich; betrübt; aufgereizt; böse; gepeinigt) sein; quälen; plagen; betrüben; peinigen; *jm.* auf die Nerven gehen* [s]. ¶ 속상하게도 시험에 낙제하다 zu *js.* großem Ärger im Examen durch|fallen* [s] / 속상하게 굴다 *jn.* ärgern, belästigen; *jm.* auf die Nerven gehen* [s] / 비가 늘 와서 속상해 죽겠다 Dieser Dauerregen regt mich auf.¦Dieser Dauerregen macht mich Verrücht. / 기차를 놓쳐서 ~ Ich bin ärgerlich, daß ich den Zug verpaßt habe.

속상해하다(―傷―) ^{4}sich ab|quälen 《*mit*^{3}》; ^{4}sich bekümmern (걱정하다); ängstlich sein 《*über*^{4}; *wegen*^{3}》. ¶ 그렇게 속상해하지 마시오 Quälen Sie sich nicht so!¦Machen Sie sich nicht so viele Sorgen!

속새 〖식물〗 Schachtelhalm *m.* -(e)s, -e; Katzenschwanz *m.* -es, ⸚e.

속생각 innerer Gedanke, -ns, -n. ~하다 für ^{4}sich denken*.

속샤쓰 Unterhemd *n.* -(e)s, -en. ¶ ~ 바람으로 일하다 nur im Unterhemd arbeiten.

속설(俗說) Volksmeinung *f.* -en; e-e gängige Ansicht, -en; e-e populäre Theorie, -n [..rí:ən]. ¶ ~에 의하면 … Im Volksmund heißt es, daß ....

속성(俗姓) weltlicher Familienname《-ns, -n》(e-s Mönchs).

속성(速成) die schnelle Beherrschung (Bemeisterung) -en. ‖ ~과 der kurze Kursus, -, -e《*in*³》; Intensivkursus *m.* -, -e. ~법 die Methode《-n》zur schnellen Beherrschung.

속성(屬性) Attribut *n.* -(e)s, -e; Eigenschaft *f.* -en (성질); Merkmal *n.* -s, -e (특징).

속세(俗世) die irdische Welt; das weltliche Leben, -s. ¶ ~를 떠난 weltfremd / ~가 싫어지다 des ²Lebens müde sein; das Leben satt haben / ~를 버리다 der ³Welt entsagen; ein zurückgezogenes Leben führen; ⁴sich von der Welt zurück|ziehen* / ~로부터의 도피 Flucht《*f.* -en》aus der Welt.

속세간(俗世間) irdische Welt, -en. Alltagswelt; Diesseits *n.*

속셈 ①《심산》die geheime Absicht, -en; der innere Gedanke, -ns, -n; die private Meinung, -en. ¶ ~을 가지고 있다 geheime Absichten《*pl.*》haben; eigennützige Zwecke《*pl.*》verfolgen / ~을 간파하다 *jn.* durchschauen / ~은 따로 있다 Unser Hauptaugenmerk richtet sich auf etwas anderes.
②《암산》das Kopfrechnen*, -s; die Ausrechnung《-en》im Kopf. ~하다 im Kopf rechnen⁴; aus|rechnen⁴.

속소위(俗所謂) was allgemein genannt wird; um es allgemein, volkstümlich zu sagen (auszudrücken).

속속(續續) einer* nach dem andern; hintereinander; nacheinander; ununterbrochen (끊임없이); in rascher ³Folge; in großer ³Menge (많이). ¶ 서울에는 새 빌딩이 ~ 세워지고 있다 In Seoul baut man immer neue Hochhäuser.

속속곳 Damenunterwäsche *f.* -n.

속속들이 bis zum Kern e-r Sache. ¶ … (아무)를 ~ 알고 있다 ⁴*et.* (*jn.*) in- u. auswendig kennen* / ~ 썩어 빠진 gemein bis in die Knochen.

속속이풀 〖식물〗 Stumpfkresse *f.* -n; *Rorippa palustris* (학명).

속손톱 Möndchen《*n.* -s, -》des Fingernagels.

속수무책(束手無策) Hilflosigkeit *f.* -en; Ratlosigkeit *f.* -en; Schutzlosigkeit *f.* -en. ¶ ~이다 ³sich k-n Rat wissen*. 《*pl.*》.

속습(俗習) allgemeine Sitten u. Gebräuche

속심(俗心) weltliche Gesinnung, -en; irdische Gedanke, -ns, -n; Weltlichkeit *f.* -en.

속쌀뜨물 letztes, vor allem zum Suppekochen zu verwendendes Wasser《-s, -》vom Reiswaschen*.

속썩다 tief leiden*; niedergedrückt (betrübt; niedergeschlagen; deprimiert) sein. ¶ 실직으로 속이 썩다 wegen des Arbeitsplatzverlustes niedergeschlagen sein.

속썩이다 ⁴sich ab|quälen《*mit*³》; ⁴sich bekümmern (걱정하다); ängstlich sein《*über*⁴; *wegen*²》;《어떤 생각으로》grübeln《*über*⁴》; brüten《*über*⁴》. ¶ 그렇게 속썩이지 마시오 Quälen Sie sich nicht so!¦Machen Sie sich nicht so viele Sorgen!

속씨식물(一植物) Angiospermen《*pl.*》; Blütenpflanzen《*pl.*》mit Fruchtknoten.

속아넘어가다 betrogen (überredet; beredet) sein. ¶ 감쪽같이 ~ ⁴sich beschwatzen (bereden) lassen*; ⁴sich zu ³*et.* überreden lassen*.

속악(俗樂) volkstümliche Musik, -en; Unterhaltungsmusik *f.*

속안(俗眼) Meinung《*f.* -en》(Ansicht *f.* -en) eines Laien; weltlicher Gesichtspunkt, -es; allgemeine Betrachtungsweise, -n.

속어(俗語) Umgangssprache *f.* (구어); Slang [slɛŋ] *m.* -s; ein vulgärer Ausdruck, -(e)s, ⸗e (비속한 표현); Jargon *m.* -s, -s.

속어림 ungefähre Berechnung, -en; private Schätzung, -en. ¶ 내 ~으로는 nach meiner persönlichen Schätzung.

속언(俗言) vulgäres Gerede, -s; Alltagsgespräch *n.* -(e)s, -e; Jargon *m.* -s, -s.

속언(俗諺) Sprichwort *n.* -(e)s, ⸗er; Alltagsredewendung *f.* -en; alter Spruch, -(e)s, ⸗e; Redensart *f.* -en.

속없다 substanzlos; leer (sein); ohne Tiefe (Gehalt). ¶ 속없는 말 leeres Geschwätz, -es, -e / 속 없는 사람 oberflächlicher Mensch.

속여넘기다, 속여먹다 *jm.* ein Schnippchen schlagen*; *jn.* ins Garn locken; übertölpeln⁴.

속연(續演) andauernde Aufführung, -en; die Fortdauer der ²Aufführung. ~하다 die Aufführung《-en》(e-s Theaterstücks) verlängern; ein Stück nicht vom Programm ab|setzen. ¶ 이 연극은 3개월간 ~되었다 Das Stück stand drei Monate lang auf dem Programm.

속열매껍질 〖식물〗 Endokarp *n.* -(e)s, -e; Endokarpium *n.* -s, ..pien.

속영(續映) die Fortdauer der Filmaufführung. ~하다 e-n Film《-(e)s, -e》verlängern; e-n Film nicht vom Programm ab|setzen. ¶ 이 영화는 앞으로 1주동안 ~된다 Dieser Film wird noch um eine Woche verlängert.¦Dieser Film läuft noch eine Woche lang.

속옷 Unter¦wäsche (Leib-) *f.*; Unterzeug *n.* -(e)s; Damenunterwäsche (여성의); Unterkleid *n.* -(e)s, -er.

속요(俗謠) ein populäres Lied, -(e)s, -er;《유행가》Modelied *n.* -(e)s, -er; Gassenhauer *m.* -s, -; Schlager *m.* -s, -;《민요》Volkslied *n.* -(e)s, -er; Ballade *f.* -n.

속요량(一料量) Vermutung *f.* -en; Schätzung *f.* -en. ~하다 vermuten; schätzen.

속음(俗音) volkstümliche (nicht korrekte) Aussprache《-n》e-s chinesischen Schriftzeichens.

속이다 betrügen*⁴; an|führen⁴; irre|führen⁴; täuschen⁴; überlisten⁴; hinters Licht (aufs Glatteis; auf den Leim) führen⁴; leimen⁴; *jm.* das Fell über die Ohren ziehen*; *jn.* übers Ohr hauen*; beschwindeln⁴; e-n blauen Dunst vor|machen《*jm.*》; ein X für ein U vor|machen; prellen⁴; übertölpeln⁴;《양심을》beschwichtigen⁴;《장부 따위를》verschleiern⁴; frisieren⁴; schminken⁴. ¶ 나이를 ~ sein Alter falsch an|geben* (dar|stellen) / 저울을 ~ falsches Gewicht führen / 눈을 ~ Sand in die Augen《*pl.*》streuen《*jm.*》/ 자신을 ~ ⁴sich (selbst) betrügen.

속인(俗人) Laie *m.* -n, -n.

속인주의(屬人主義) 〖법〗《속지주의에 대하여》 Personalitätsprinzip *n.* -s. ⌈..gien.
속인특권(屬人特權) persönliches Privileg, -s,
속임수 Täuschung *f.* -en; Betrug *m.* -(e)s, ⸚e; Betrügerei *f.* -en; Schwindel *m.* -s, -; Gaukelei *f.* -en; Tarnung *f.* -en; Vorspiegelung *f.* -en; Irreführung *f.* -en; Humburg *m.* -s; Pfusch *m.* -es (트럼프의); Betörung *f.* -en. ¶ 아무에게 ~를 쓰다 betrügen*[4]; beschwindeln[4]; e-n Streich spielen[3]; *jn.* an|führen; täuschen[4]; auf den Leim führen[4]; ins Garn locken[4]; *jm.* das Feil über die Ohren ziehen*; 〖속어〗 beschummeln[4]; prellen[4]; meiern[4]; [4]*et.* ergaunern; weis|machen[4]; mogeln[4]; pfuschen[4] / ~에 걸리다 (넘어가다) [4]sich anführen (täuschen) lassen*; in die Falle gehen*Ⓢ; ins Garn gehen* Ⓢ; betrogen werden; e-m Schwindler zum Opfer fallen* Ⓢ; auf den Leim gehen* (kriechen*) Ⓢ / 그는 ~에 빠지지 않는다 Er läßt sich nichts vormachen.
속잎 inneres Blatt, -(e)s, ⸚er; die Innenblätter 《*pl.*》.
속자(俗字) vereinfachte (abgekürzte) Form 《-en》 (Schreibweise, -n) e-s chinesischen Schriftzeichens.
속잠방이 kurze Unterhose, -n.
속장 《책의》 Innenseiten 《*pl.*》 (e-r Zeitung).
속장(束裝) Reisevorbereitungen 《*pl.*》. ~하다 [4]sich auf (für) e-e Reise vor|bereiten.
속장(屬長) 《감리교의》 Leiter 《*m.* -s, -》 e-r örtlichen Gebetsversammlung (der Methodisten).
속적삼 Unterjacke *f.* -n.
속전(贖錢) Lösegeld *n.* -(e)s, -er.
속절(俗節) Ahnen-Gedenktage 《*pl.*》.
속절없다 hoffnungslos; unnütz; nichtig (sein). ¶ 속절없는 세상 vergängliche Welt, -en / 속절없이 hilflos; unvermeidlich; unumgänglich / 속절없이 굶다 hilflos verhungern / 속절없이 붙잡히다 gnadenlos gefangen werden / 모든 일이 ~ Alles ist nichtig.
속정(俗情) ① 《생각》 laienhafte Meinung, -en. ② 《인정》 allgemeine Empfindung, -en.
속죄(贖罪) Buße (Sühne) *f.* -n; Versöhnung *f.* -en. ~하다 büßen[4]; versöhnen[4]; sühnen[4]; Buße tun*; Sühne leisten. ¶ 죽음으로 ~하다 die Schuld mit dem Tod sühnen. ‖ ~자 der Büßfertige* (Büßende*) -n, -n; Büßer *m.* -s, -; zerknirschter Sünder, -s, -.
속주다 [4]sich *jm.* an|vertrauen; *jn.* ins Vertrauen ziehen*; *jm.* sein Herz aus|schütten; [4]sich *jm.* hin|geben*.
속지(屬地) 〖법〗《속인에 대한》 Territorialität *f.* ¶ ~의 territorial; zu e-m Gebiet (Territorium) gehörig.
‖ ~주의 Territorialitätsprinzip *n.* -s.
속진(俗塵) Welt *f.* -en; Weltliche Dinge 《*pl.*》. ¶ ~을 피하다 [4]sich von der Welt (von weltlichen Dingen) fern|halten*; die Welt meiden*.
속짐작 Vermutung *f.* -en; Schätzung *f.* -en.
속창 Brand¦sohle (Einlege-) *f.* -n (구두의).
속출(續出) kontinuierliches Geschehen*, -s. ~하다 [4]sich nacheinander ereignen; nacheinander auftauchen. ¶ 부상자가 ~하였다 Einer nach dem andern wurde verletzt.
속취(俗臭) Pöbelhaftigkeit *f.* -en; Weltlichkeit *f.* -en. ¶ ~ 분분하다 äußerst weltlich (pöbelhaft) sein.
속취(俗趣) ordinärer (spießbürgerlicher) Geschmack, -(e)s, ⸚e; Spießbürgertum *n.* -s.
속치레 Innendekoration *f.* -en. ¶ ~를 하다 das Innere aus|schmücken.
속치마 (Frauen)unterrock *m.* -(e)s, ⸚e.
속치부하다(一置簿一) [4]*et.* dem Gedächtnis ein|prägen.
속치장(一治裝) Innendekoration *f.* -en.
속칭(俗稱) allgemein gebräuchliche Bezeichnung, -en; wohlbekannter Name, -ns, -n; geläufiger, vertrauter Name. ~하다 allgemein, leichtfaßlich nennen*; allgemein als … bekannt sein. ¶ ~ …라 하다 gewöhnlich unter dem Namen … bekannt sein; sogenannt ….
속타다 gequält (bedrängt; gemartert) sein; [4]sich tot|ärgern. ¶ 속타는 일 Quelle 《*f.* -n》 der Sorge (Besorgnis; Qual) / 근심 걱정으로 ~ von Sorgen gemartert werden / 속타서 병이 나다 vor lauter Sorgen krank werden / 어머니가 보고 싶어 ~ vor Sehnsucht nach der Mutter krank werden.
속타점(一打點) Entscheidung 《*f.* -en》 im Stillen. ~하다 [4]sich im Stillen entscheiden*.
속탈(一頉) Magenverstimmung *f.* -en.
속태우다 ① 《속타다》 [3]sich viel Sorgen machen; [4]sich beunruhigen; gequält sein. ¶ 쓸데없는 일에 ~ [3]sich wegen Kleinigkeiten viel Sorgen machen / 아이 때문에 어머니가 속태운다 Die Mutter ist wegen des Kindes sehr besorgt. ② 《속타게 하다》 *jm.* viel Sorgen machen; bekümmern; quälen. ¶ 아이가 어머니를 속태운다 Das Kind macht der Mutter große Sorgen.
속투하다(續投一) unaufhörlich werfen*.
속티(俗一) gewöhnliche (ordinäre) Erscheinung, -en.
속판 《속마음》 innerstes Gefühl, -(e)s, -e; 《목차》 Inhalt *m.* -(e)s, -e.
속편(續編) Fortsetzung *f.* -en.
속필(速筆) das Schnellschreiben*, -s.
속하다(速一) schnell; rasch; prompt (sein).
속하다(贖一) ☞ 속죄(贖罪).
속하다(屬一) 《소속·소유》 *jm.* (zu *jm.*) gehören; zu *jm.* an|gehören. ¶ …에 속하는 *jm.* (zu *jm*) gehörig; *jm.* zugehörig / 뱀은 파충류에 속한다 Die Schlange gehört zu den Reptilien. / 이것은 이미 과거지사에 속한다 Das gehört bereits der Vergangenheit an. / 나도 위원회의 멤버에 속한다 Ich sitze auch mit in dem Ausschuß.
속학(俗學) Populärwissenschaft *f.* -en.
속한(俗漢) gewöhnlicher (diesseitsgerichteter) Mensch, -en, -en; Laie *m.* -n, -n.
속항하다(續航一) Seereise 《*f.* -n》 fort|setzen; 〖배가 주어〗 weiter|laufen* Ⓢ (Schiff).
속행(速行) 《걸음》 das Schnellaufen*, -s; 《행동》 schnelles Handeln*, -s. ~하다 schnell laufen* Ⓢ (gehen* Ⓢ); schnell erledigen (handeln).
속행(續行) Fortsetzung *f.* -en; Weiterführung *f.* -en. ~하다 fort|setzen[4]; fort|führen[4] (weiter|-). ¶ 회담을 ~하다 das Gespräch weiter|führen / 경기를 ~하다 das Spiel fort|setzen; weiter spielen.
속화(俗化) Verweltlichung *f.* -en; Vulgarisierung *f.* -en (저속화). ~하다 verweltlichen Ⓢ; vulgarisieren Ⓢ.
속화(俗畫) gewöhnliches Gemälde, -s, -; Gemälde ohne Inspiration.
속환이(俗還一) jemand, der aus dem Prie-

‖ ~시계 Armbanduhr *f.* -en.

손문(孫文) 《중국의 혁명가》 Sun Wên (Sun Jat-sen) (1866-1925), chinesischer Staatsmann, Gründer der Kuo-min-tang.

‖ ~주의 Sunwenismus *m.* -; die Drei Volksprinzipien (삼민주의).

손바구니 Hand¦korb *m.* -(e)s, ⸚e (-körbchen *n.* -s, -).

손바느질 Näherei *f.* -en; Handarbeit *f.* ¶ ~한 handgenäht.

손바닥 die flache Hand, ⸚e; Hand¦teller *m.* -s, - (-fläche *f.* -n). ¶ ~을 뒤집듯 im Handumdrehen; plötzlich; leicht; ohne Mühe; 《예사로》 ohne Bedenken / ~으로 때리다 mit der flachen Hand schlagen*[4] / ~을 뒤집다 die Hand um|drehen.

손바람 Schwingung 《*f.* -en》 der Hand. ¶ 일에 ~이 난다 Die Arbeit gerät voll in Schwung.

손발 Hand u. Fuß; Glieder 《*pl.*》. ¶ ~이 잘 생겼다 Er hat wohlgeformte Glieder. / 일하는 데 ~이 맞다 Hand in Hand arbeiten; gut zusammen|arbeiten / 서로 ~이 척척들어맞다 vollkommen aufeinander eingespielt sein / 아무의 ~을 묶다 *jn.* an Händen und Füßen fesseln.

손방 Unerfahrenheit *f.* -en.

손방(巽方) 〖민속〗 Südost *m.* -(e)s; südöstliches Viertel, -s, -.

손버릇 diebische Gewohnheit, -en. ¶ ~이 나쁜 langfing(e)rig; diebisch; stehlsüchtig; zum Stehlen geneigt / ~이 나쁜 사람 Langfinger *m.* -s, -; Kleptomane *m.* -n, -n (도벽이 있는); der Stehlsüchtige*, -n, -n/ ~이 나쁘다 langfing(e)rig (diebisch; stehlsüchtig; zum Stehlen geneigt) sein / 가끔 못된 ~을 드러내곤 한다 Er läßt (heißt) oft etwas mitgehen.

손보기 ① 《마음》 Hurerei *f.*; Prostitution *f.* ② 《보살핌》 Aufmerksamkeit *f.* -en; Pflege *f.* -n; Behandlung *f.* -en; Unterhalt *m.* -(e)s.

손보다 [4]sich um [4]*et.* kümmern; sorgen (daß [1]*et.* geschieht); retuschieren[4].

손봐주다 *jm.* zur Hand gehen*Ⓢ; Handreichungen machen; Hilfe leisten; Beistand leisten; behilflich sein; mit an|fassen. ¶ 이사할 때 좀 손봐주시겠읍니까 Würden Sie mir beim Umzug behilflich sein? / 모두가 손봐주면 음식상이 빨리 차려진다 Wenn alle mit anfassen, ist der Tisch schnell gedeckt.

손부(孫婦) die Ehefrau 《-en》 des Enkels; Enkelfrau *f.* -en.

손부끄럽다 beschämt; verwirrt (sein); in Verlegenheit sein (wegen e-r nicht erfüllten Bitte).

손붙이다 an|fassen[4]; an|fangen*[4]; in Angriff nehmen*[4]. ¶ 그가 손붙이는 것이면 뭣이건 성공한다 Ihm glückt alles, was er anfaßt.

손빌다 Hilfe bekommen*; bei *jm.* Hilfe suchen; *jn.* um Hilfe bitten*. ¶ 친구의 손을 빌어 mit Hilfe e-s Freundes.

손뼉 das Händeklatschen*, -s. ¶ ~을 치다 in die Hände klatschen / 두 ~이 맞아야 소리가 난다 „E-e Hand wäscht die andere."

손사래 《손짓》 (abweisende) Handbewegung, -en. ~치다 ab|winken; abweisend die Hand schwenken.

손상(損傷) Schaden *m.* -s, ⸚; Verlust *m.* -es, -e; Beschädigung *f.* -en. ~하다 beschädigen[4]; verderben*[4]. ¶ ~되다 beschädigt werden; verderben* Ⓢ / 명예를 ~하다 *js.* Ehre verletzen (kränken).

손살 Gabel *f.* -n (der Hand); Raume 《*m.* -(e)s, ⸚e》 zwischen den Fingern.

손색(遜色) Minderwertigkeit *f.*; Unterlegenheit *f.*; geringerer Wert, -(e)s (Stand, -(e)s). ¶ ~이 없다 in nichts nach|stehen* / 이 그림의 가치는 저 그림에 비하여 ~이 있다 Der Wert dieses Bildes ist geringer als der des anderen. / 그녀는 그에 비하여 조금도 ~이 없다 Sie steht ihm in nichts nach.

손서(孫壻) der Ehemann 《-(e)s, ⸚er》 der Enkelin.

손서투르다, 손서툴다 ungeübt; ungewandt; ungeschickt; pfuscherhaft; stümperhaft (sein). ¶ 손서투른 사람 Pfuscher *m.* -s, -; Stümper *m.* -s, - / 손서투르게 만든 작품 verpfuschte Arbeit, -en / 그녀는 피아노 연주에 아직 ~ Sie ist im Klavierspielen noch ungeübt. / 그의 작은 손가락은 아직도 너무 ~ S-e kleinen Finger sind noch zu ungeschickt.

손설다 ☞ 손서투르다.

손속 Glück 《*n.* -(e)s》 des Spielers; die goldene (des König Midas) Berührung, -en. ¶ ~이 좋다 er hat Glück im Spiel / ~이 나쁘다 er hat Pech im Spiel.

손수 mit eigener [3]Hand; eigenhändig; persönlich. ¶ ~ 만든 selbstgemacht / ~ 꽃꽂이한 selbstarrangiert; selbstgesteckt / ~ 키운 selbst(auf)gezogen / ~ 키운 개 der selbst(auf)gezogene Hund, -(e)s, -e; Lieblingshund *m.* -(e)s, -e / ~ 만든 빵 selbstgebackenes Brot, -(e)s, -e / ~ 만든 요리 Hausmacherkost *f.*; ein selbstgekochtes Essen, -s / ~ 요리를 만들다 selbst (eigenhändig) kochen.

손수건(一手巾) Handtuch *n.* -(e)s, ⸚er; Taschentuch.

손수레 Handkarren (Handwagen) *m.* -s, -.

손쉽다 leicht; einfach (sein). ¶ 이 일은 그렇게 손쉽지 않다 Diese Arbeit (Aufgabe) ist gar nicht so einfach (leicht). / 그 편이 훨씬 ~ So geht es viel schneller. / 그런 놈은 때려죽이는 것이 제일 손쉬운 해결 방법이다 Am besten schlägt man ihn einfach tot.

손시(巽時) 〖민속〗 die zehnte der alten vierundzwanzig Stundenbezeichnungen (= 8:30—9:30 Uhr morgens).

손시늉 Geste *f.* -n; (pantomimische) Bewegung 《-en》 mit den Händen. ~하다 durch Handbewegungen Zeichen geben*; [4]sich durch (Hand)gesten verständlich machen; mit den Händen gestikulieren. ¶ 그들은 ~으로 서로 의사를 통했다 Sie verständigten sich durch Zeichen miteinander.

손실(損失) Verlust *m.* -(e)s, -e; Einbuße *f.* -n. ¶ 대~ der große (schwere) Verlust / 적은 ~ der kleine Verlust / ~을 입다 e-n Verlust haben (erleiden*) / ~을 초래하다 [3]sich e-n Verlust zu|ziehen*.

‖ ~액 der Betrag des Verlustes; Verlustsumme *f.*

손심부름 Botengang *m.* -(e)s, ⸚e; Hilfe *f.* -n; Aufwartung *f.* -en. ~하다 e-n Botengang tun*; auf|warten.

손싸다 flink; gewandt; schnellfertig (sein). ¶ 그 여자는 손이 싸다 Sie hat flinke Hände.

손쓰다 《사람을 보내다》 e-n Boten schicken; e-n Agenten beschäftigen; aus|kundschaften[4]; 《대책을 세우다》 vor|bereiten[4]; Vorsorge 〔Vorkehrungen 《*pl.*》〕 treffen*. ¶ 미리 ~ früher tun*; zeitig Vorbereitungen treffen*.

손씻이 die kleine Belohnung 《-en》 für *js.* Dienst; Trinkgeld *n.* -(e)s, -er. **~하다** *jm.* ein Trinkgeld geben*.

손아귀 der Raum zwischen dem Daumen u. den Fingern; Griff *m.* -(e)s, -e. ¶ …를 〔아무를〕 ~에 넣다 [4]*et.* 〔*jn.*〕 in der Hand haben / 아무를 ~에 넣고 주무르다 *jn.* um den Finger wickeln; *jn.* an der Nase herum|führen / 아무의 ~에서 놀다 [4]sich um *js.* Finger wickeln lassen*; in 〔unter〕 *js.* Gewalt sein 〔stehen*〕; nach *js.* Pfeife tanzen / 저 사람을 ~에 넣을 수 없다 Ich werde nicht fertig mit ihm.

손아래 geringeres Alter 〔Dienstalter〕. ¶ ~의 jünger; untergeben 《*jm.*》; untergeordnet 《*jm.*》; subaltern / 손아랫 사람 der Jüngere*, -n, -n; der Untergebene* 〔Untergeordnete*; Subalterne*〕 -n, -n / 그는 나보다 5살 ~다 Er ist fünf Jahre jünger als ich.

손어림 Schätzung *f.* -en (mit der Hand). **~하다** mit der Hand schätzen[4]; (e-e [4]Entfernung) über den Daumen peilen. ¶ ~하면 schätzungsweise; über den Daumen gepeilt.

손위 höheres Alter 〔Dienstalter〕. ¶ ~의 älter; 《직위의》 vorgesetzt / 손윗 사람 der Ältere*, -n, -n; 《상관》 der Vorgesetzte*, -n, -n / 나는 그 여자보다 세 살 ~다 Ich bin drei Jahre älter als sie.

손익(損益) Gewinn u. Verlust; Vorteil u. Nachteil.

‖ **~계산(서)** die Gewinn-u.-Verlust-Rechnung, -en. **~계정** das Gewinn- u. -Verlust Konto, -s, ..ten 〔..ti〕. **~보고** der Gewinn- u. -Verlustbericht, -(e)s, -e. **~처분** die Maßregeln aufgrund von Gewinn u. Verlust; Schritte 《*pl.*》 zum Ausgleich von Gewinn u. Verlust.

손익다 [4]sich an [4]*et.* gewöhnen; mit [3]*et.* vertraut werden. ¶ 손익은 일 e-e gewohnte Arbeit, -en / 나는 이 일에 손이 익었다 Ich bin an diese Arbeit gewöhnt.

손일 Hand¦arbeit *f.* -en 〔-werk *n.* -(e)s, -e〕.

손자(孫子) Enkel *m.* -s, -. 「〔*f.* -n〕.

손자귀 Dachsbeil *n.* -s, -e; Dechsel *m.* -s, -

손잡기다 sehr beschäftigt sein; alle Hände voll zu tun haben; in [3]*et.* eingespannt sein. ¶ 일에 손이 잠겨 지금 나갈 수 없다 Ich habe die Hände so voll, daß ich nicht ausgehen kann. / 그는 아침 일찍부터 밤늦게까지 자기 일에 손잡겨 있다 Er ist von früh bis spät in s-m Beruf eingespannt.

손잡이 (Tür)klinke *f.* -n; (Tür)griff *m.* -(e)s, -e; 《기물의》 Henkel *m.* -s, -; 《서랍 따위의》 Knopf *m.* -(e)s, ⸚e.

‖ **~끈** Griff 《*m.* -(e)s, -e》 (zum Festhalten): ~끈에 매달리다 [4]sich am Griff fest|-halten*.

손장난 das Spiel 《-(e)s, -e》 mit der Hand od. mit den Fingern; Fummelei *f.* **~하다** ein Spiel mit der Hand treiben*; ein Ding spielerisch mit der Hand bewegen; tändeln. ¶ 그는 펜대를 가지고 몇 시간이고 ~했다 Er hat stundenlang mit dem Federhalter gespielt.

손장단(一長短) das Taktschlagen* 《-s》 mit der Hand. **~치다** den Takt mit der Hand schlagen*.

손재간(一才幹) Handfertigkeit *f.* -en; manuelle Fertigkeit, -en; Geschicklichkeit 《*f.* -en》 der Hände. ☞ 손재주.

손재수(損財數) das Schicksal 《-(e)s, -e》, s-n Besitz zu verlieren.

손재주(一才一) Handfertigkeit *f.* -en; Geschicklichkeit 《*f.*》 der Hände. ¶ ~가 있는 anstellig; finger¦fertig 〔hand-〕; geschickt; gewandt.

손전등(一電燈) Taschenlampe *f.* -n.

손주다 mit Pfählen stützen[4]; an Pfählen fest|binden*[4]; pfählen[4] 《Bäume, Weinstöcke》.

손질 ① 《매만짐》 Pflege *f.* -n; Besorgung *f.* -en; Betreuung *f.* -en; Wartung *f.* -en; das Stutzen* 〔Bescheiden*〕 -s (나무 따위의). **~하다** pflegen[4]; besorgen[4]; betreuen[4]; warten[4]. ¶ ~이 잘 된 정원 der wohlerhaltene 〔sehr gut gepflegte〕 Garten, -s, ⸚ / ~이 안 된 뜰 der verwahrloste 〔verwilderte〕 Garten / 잘 ~된 머리 das (wohl)gepflegte Haar, -(e)s, -e. ② 《수리》 Reparatur *f.* -en; Ausbesserung *f.* -en; Instandsetzung *f.* -en; Renovierung *f.* -en. **~하다** reparieren[4]; aus|bessern[4]; instand setzen[4]; renovieren[4]. ¶ ~이 잘 되어 있다 〔되어 있지 않다〕 gut 〔schlecht〕 erhalten sein; in gutem 〔schlechtem〕 Zustand sein.

손짓 ① Gebärde *f.* -n; Gebärdenspiel *n.* -(e)s, -e; Gestikulation *f.* -en. **~하다** gestikulieren; Gebärden 〔Gesten; Handbewegungen〕 machen; mit den Händen (in der Luft herum) fuchteln. ¶ ~으로 알리다 [4]sich durch Gebärden 〔Zeichen〕 verständlich machen; mit der Hand ein Zeichen geben*[3]; winken / ~으로 말하다 mit den Händen reden; 《수화법》 in Zeichensprache reden. ② 《신호로서의》 Wink *m.* -(e)s, -e; das Heranwinken*, -s. **~하다** mit der Hand (heran|)winken; mit der Hand ein Zeichen geben*.

손찌검 Prügel *m.* -s, -; Schlag *m.* -(e)s, ⸚e. **~하다** prügeln[4]; schlagen*[4]. ¶ 아무에게 ~을 하다 *jm.* e-n Schlag versetzen / 아무를 심하게 ~하다 *jm.* e-e Tracht Prügel verabreichen.

손치다[1] 《여관에서》 Gäste gegen Entgelt auf|nehmen*.

손치다[2] ① 《바로잡다》 richtig stellen[4]. ② 《어질러지다》 in Unordnung geraten*.

손치르다 e-n Empfang geben* 〔veranstalten〕; Gäste haben; Gäste unterhalten*. ¶ 내일 저녁에 우리는 손치러야 한다 Morgen abend haben wir Gäste zu unterhalten.

손크다 ① 《활수(滑手)》 großzügig; freigebig; schenkfreudig (sein); e-e offene Hand haben. ¶ 그는 손크게 돈을 쓴다 Er ist freigebig mit Geld. ② 《수단이 많다》 sehr fähig; tüchtig (sein).

손타다 schwer zu behandeln sein; durch Behandlung Schaden erleiden*. ¶ 쌀은 될수록 손탄다 Je häufiger man Reis nachmißt, desto weniger hat man.

손톱 (Finger)nagel *m.* -s, ⸚. ¶ ~을 씹다 an den Nägeln kauen / 자기의 〔남의〕 ~을 깎다 [3]sich (*jm.*) die Nägel schneiden* 〔stutzen〕 / ~을 갈다 [3]sich die Knallen schärfen / ~을 칠하다 die Nägel lackieren / ~을 너무 바짝 깎다 den Nagel 《-s, ⸚》 zu kurz 〔tief〕 schneiden* / ~을 빨갛게 물들이

다 die Nägel rot farben.
‖ ~깎이 Nagelschere *f.* -n. ~솔 Nagelbürste *f.* -n. ~자국 Nagelmal *n.*

손틀 《재봉틀》 Handnähmaschine *f.* -n; mit der Hand betriebene Nähmaschine, -n.

손티 leicht 〔kleine〕 Pockennarbe, -n; leichte Narbe von Blattern. ¶ 그의 얼굴에는 아직도 ~가 있다 Sein Gesicht hat heute noch leichte Pockennarbe.

손풀무 Handblasebalg *m.* -(e)s, ⸗e; mit der Hand betriebenes Gebläse, -s, -.

손풍금(一風琴) Hand¦harmonika 〔Zieh-〕 *f.* ..ken〔-s〕; Akkordeon *n.* -s, -s; Drehorgel *f.* -n (손으로 돌리는).

손해(損害) Schaden *m.* -s, ⸗; Verlust *m.* -(e)s, -e; Nachteil *m.* -(e)s, -e; die Verluste 《*pl.*》. ¶ ~를 주다 Schaden zu|fügen[3]〔bringen*〕《*jm.*》; schaden 《*jm.*》; Schadhaft machen[4] / ~를 가져오다 Schaden an|richten 〔stiften; verursachen〕; Verlust verursachen / ~ 보다〔입다〕 Schaden erleiden* 〔davon|-tragen*; nehmen*〕; beschädigt werden / ~는 …에 달했다 Der Schaden betrug… 〔belief sich auf[4]…; bezifferte sich auf[4]…〕. / ~는 전혀 없었다 Es ist kein Schaden entstanden. / 말하자면 우리는 ~를 보고 있는 거야 Da sind wir benachteiligt.¦ Das heißt, daß wir den kürzeren Halm ziehen.
‖ ~배상 Schadenersatz *m.* -(e)s; Entschädigung *f.* -en; Schadloshaltung *f.* -en: ~배상을 하다 Schadenersatz leisten; für den Schaden Ersatz leisten; den Schaden ersetzen; entschädigen 《*jn. für*[4]》; vergüten; wieder|gut|machen / ~ 배상을 받다 Schadenersatz erhalten*; entschädigt werden / ~ 배상 소송을 제기하다 auf Schadenersatz (ver)klagen 《*jn.*》. ~배상금 Schadengeld *n.* -(e)s, -er. ~배상액 Schadenbetrag *m.* -(e)s, ⸗e. ~배상청구권 Schadenersatzanspruch *m.* -(e)s, ⸗e. 해상 ~보험 die Versicherung 《-en》 gegen [4]Seeschaden.

손회목 der schlankste Teil 《-(e)s, -e》 des Handgelenks.

손훅치기 《씨름》 ein (Kunst)griff beim (koreanischen) Ringen, wobei man s-m Gegenspieler das Kniegelenk nach außen reißt, während man ihn mit s-m ganzen Oberkörper umzustoßen versucht.

솔[1] 〖식물〗 ☞ 소나무.

솔[2] ☞ 솔기.

솔[3] Bürste *f.* -n (구두 따위의). ¶ 솔질하다 bürsten[4]; ab|bürsten.
‖ 옷솔 Kleiderbürste *f.* -n.

솔[4] 《표적》 Zielscheibe 《*f.* -n》 zum Bogenschießen; Schießscheibe *f.* -n.

솔[5] 〖의학〗 e-e Art Hautentzündung; Bläschen *n.* -s, -.

솔[6] 〖음악〗 g *n.* -, -; Sol *n.* -, -.

솔가리 abgefallene trockene Kiefernadeln 《*pl.*》. ¶ ~를 긁다 Kiefernadeln zusammen|rechen 〔-|harken〕.

솔가지 Kiefernzweig *m.* -(e)s, -e; der Zweig der Kiefer.

솔개 ☞ 소리개.

솔권(率眷) die Begleitung 《-en》 s-r ganzen Familie; das Geleit 《-(e)s, -e》 s-r Frau u. Kinder. ~하다 s-e Familie geleiten; s-e Frau u. Kinder fort|führen 〔weg|führen〕.

솔기 Naht *f.* ⸗e. ¶ ~를 풀다 die Naht-auf|trennen / ~ 없는 nahtlos / ~가 풀어지다 die Naht platzt 〔geht auf〕.

솔깃하다 [4]sich interessiert zeigen; [4]sich ein bißchen näher heran|zücken. ¶ 솔깃해서 그는 내 얘기를 들었다 Interessiert hörte er m-r Erzählung zu.

솔나무 =소나무.

솔다[1] ① 《자극함》 e-e prickelnde, gereizte Empfindung (auf der Haut *usw.*) haben; es juckt *jn.* ¶ 수포진(水疱疹)이 ~ ich habe e-e juckende Flechte. ② 《좁다》 schmal; eng; beschränkt; knapp (sein). ¶ 저고리 품이 너무 ~ die Jacke ist mir zu eng.

솔다[2] ① 《귀가》 weh tun*; Schmerzen 《*pl.*》 haben; qualvoll sein. ¶ 그걸 또 들어야 하다니 난 귀가 솔아 못 듣겠다 Es ist mir e-e Qual, das wieder anhören zu müssen. / 그걸 듣자니 귀가 솔았다 Es war qualvoll, das anzuhören. ② 《단단히 굳다》 hart aus|-trocknen. ③ 《무솔다》 mürbe werden u. in Fäulnis über|gehen* ⓢ 《Gemüse》.

솔대 ① 〖건축〗 dünne Holzlatte, -n; kleines dünnes Holzstäbchen 《-s, -》 zum Zusammenbauen e-s Fensterrahmens. ② 《활 쏠 때의》 Stütze 《*f.* -n》 der Zielscheibe beim Bogenschießen.

솔따비 Pflug *m.* -(e)s, ⸗e; ein Gerät mit e-r Pflugschar zum Ausgraben von Kiefer-wurzeln.

솔딱새 〖조류〗 die Sibirische Amsel, -n; *Hemichelidon sibirica* (학명).

솔래솔래 allmählich leise u. unauffällig; heimlich verschwindend; heimlich, still u. leise verschwindend.

솔로 〖음악〗 Solo *n.* -s, -s 〔..li〕. ¶ ~로 노래하다 solo 〔ein [4]Solo〕 singen* / ~를 하다 《악기로》 solo 〔ein [4]Solo〕 spielen.
‖ ~가수 Solist *m.* -en, -en; Solosänger *m.* -s, -; Einzelsänger *m.*; 《여자》 Solistin *f.* -nen; Solosängerin *f.* -nen; Einzelsängerin *f.* -nen. 피아노~ Pianosolo *n.*

솔바탕 die Entfernung von der Schießlinie bis zur Zielscheibe (beim Bogenschießen).

솔발(鏱鈸) Glocke *f.* -n; die Klingel 《-n》 aus Messing; Handglocke *f.* -n (zum Befehlen oder zum Warnen). ¶ ~을 놓다 die Glocke ziehen*; 《비유적》 e-e Sache an die Glocke kommen lassen*.

솔방울 Kiefer(n)zapfen *m.* -s, -; Kienapfel *m.* -s, ⸗.

솔밭 Kiefern¦wald *m.* -(e)s, ⸗er 〔-gehölz *n.* -es, -e; -holz *n.* -es, ⸗er〕.

솔보굿 Kiefer¦borke 〔-rinde〕 *f.* -n.

솔봉이 ungehobelter junger Mann, -(e)s, ⸗er; Bauernbursche *m.* -n, -n; Bauernjunge *m.* -n, -n; junger Grobian, -(e)s, -e.

솔부엉이 〖조류〗 braune Eule, -n; *Ninox scutulata scutulata* (학명).

솔불 Kieferknotenfeuer *n.* -s, - (meistens als Leuchtfeuer).

솔뿌리 Kiefernwurzel *f.* -n.

솔새 〖조류〗 Singvogelgattung, sehr kleines Vögelchen, Zugvogel; *Phylloscopus borealis xanthodryas* (학명).

솔선(率先) Initiative *f.* -n; der erste Schritt zu e-r Handlung. ~하다 die Initiative ergreifen*; den ersten Schritt tun*; die Anregung 〔den Anstoß〕 geben* 《*zu*[3]》; den Stier bei den Hörnern packen 〔fassen〕. ¶ ~해서 해냈다 Als erster hat er es gemacht.¦Bei dieser Arbeit hat er die Führung 〔die Leitung〕 übernommen.

솔솔 sanft; leicht. ¶ 바람이 ~ 불다 Es weht sanft. ‖ ~바람 ein sanfter Wind, -(e)s,

-e; e-e leichte Brise, -n.
솔송나무 〖식물〗 Hemlocktanne *f.* -n.
솔수펑이, 솔숲 Kiefernwald *m.* -(e)s, ⸚er; Kiefergebüsch *n.* -es, -e.
솔이끼 Haarmoos *n.* -es, -e.
솔잎 Kiefernadel *f.* -n.
솔잣새 〖조류〗 koreanischer Fichtenkreuzschnabel, -s, ⸚; Kreuzschnabel *m.* -s, ⸚; *Loxia curvirostra* (학명).
솔즈버리 《로디지아 수도》 Salisbury, Hauptstadt von Rhodesien.
솔직(率直) Aufrichtigkeit *f.*; Freimut *m.* -(e)s; Geradheit *f.*; Offenheit *f.*; Offenherzigkeit *f.*; Schlichtheit *f.* ～하다 aufrichtig; freimütig; gerade; offen(herzig); schlicht (sein). ¶ ～히 말하면 um offen u. frei herauszusagen; wenn ich ganz ehrlich sein soll; indem ich kein Blatt vor den Mund nehme / ～한 사람 ein gerader (aufrichtiger) Mensch, -en, -en / ～히 말하다 offen sprechen*; [4]*et.* frei heraus|sagen / ～히 말하라 Hand aufs Herz!
솔질 das (Aus)bürsten*, -s. ～하다 (aus|-) bürsten[4].
솔포기, 솔폭 kleine Kiefer 《-n》 mit wuchtigen Zweigen.
솜 Watte *f.* -n. ¶ 솜을 두다 wattieren[4]; aus|polstern[4] / 솜 같은 구름 Schäfchenwolke *f.* -n. ‖ 솜가게 Wattenhandlung *f.* -en. 솜장수 Wattenhändler *m.* -s, -.
솜대 ① 〖식물〗 e-e Art Bambus *m.* -(ses), -(se); schwarzer Bambus; *Phyllostachys nigra* var. *Henonis* (학명). ② 〖식물〗 e-e Art Glockenblume *f.* -n; *Smilacina japonica* (학명).
솜덩이 ein Stück Watte 《*f.* -n》.
솜돗 Watte 《*f.* -n》 zum Flachdrücken von Watte.
솜두루마기 mit Watte gefütterter, koreanischer Herrenmantel, -s, -.
솜먼지 Wattestaub *m.* -(e)s.
솜몽둥이 Wattestift *m.* -(e)s, -e (benutzt beim Malen).
솜뭉치 Wattebausch *m.* -es, -e (⸚e); kugelförmiger Bausch aus Watte.
솜바지 mit Watte gefütterte Hosen 《*pl.*》.
솜반 ein Stück Watte, das man auf e-e Matte aufgelegt u. geschmeidig dünn gemacht hat.
솜버선 mit Watte gefütterte, koreanische Socke, -n.
솜붙이 mit Watte gefüttertes Kleid (Winterkleid) -(e)s, -er.
솜사탕 Zuckerwatte *f.*
솜솜하다 etwas blatternarbig (sein); Blatter¦narben (Pocken-) haben.
솜씨 Fähigkeit *f.* -en; Geschick *n.* -(e)s; Geschicklichkeit *f.* -en; Gewandtheit *f.* -en; (Kunst)fertigkeit *f.* -en; Kniff *m.* -(e)s, -e; Kunstgriff *m.* -(e)s, -e; Talent *n.* -(e)s, -e; Gabe *f.* -n; Fingerfertigkeit *f.* -en; Handhabung *f.* -en; Handfertigkeit *f.* -en; Routine *f.*; Ausführung *f.* -en. ¶ ～가 좋다 Geschick haben 《*zu*[3]; *für*[4]》; geschickt (gewandt; kunstfertig) sein 《*in*[3]》; routiniert sein; gut ausgeführt sein; e-e geschickte Handbewebung haben; manuell geschickt sein; e-e hervorragende Fertigkeit besitzen* 《*in*[3]》; bewandert sein 《*in*[3]》; um alle Geheimnisse wissen*; geschickt mit den Händen 《*pl.*》 sein / ～ 있게 mit Geschicklichkeit (Gewandtheit; Kunstfertigkeit; Routine); rutiniert / ～가 없는 unfähig; unzüchtig; beschränkt / ～를 보이다 mit vollendeter Meisterschaft tun*[4]; [4]sich als Meister erweisen*; meisterhaft aus|führen[4]; s-e Geübtheit (Geschicklichkeit; Gewandtheit; Handfertigkeit) zeigen (entfalten; an den Tag legen) / ～를 시험해 보다 *js.* Fähigkeiten prüfen / ～를 연마하다 [4]sich e-r Kunst befleißigen; [4]sich eifrig in e-r Kunst Fertigkeit anzueignen suchen / 그림 ～가 좋다 ein guter Maler sein; gut malen können* / ～에 따라서 je nach der Fähigkeit / 그녀는 있는 ～를 다 발휘하여 요리를 했다 Sie tat ihr Bestes, um zu kochen. / 이제야말로 자네 ～를 보여 줄 맵세 Jetzt gilt es, zu zeigen, was du kannst.
솜옷 das wattierte Kleid, -(e)s, -er.
솜저고리 mit Watte gefütterte Jacke, -n.
솜채 Bambusstock 《*m.* -(e)s, ⸚e》 zum (weich) Schlagen von Watte.
솜털 Daune *f.* -n; Flaum *m.* -(e)s; Flaumfeder *f.* -n (-haar *n.* -(e)s, -e). ¶ ～ 같은 daunenhaft; daunicht; flaumig; flaumhaarig; flaumweich (부드러운) / ～로 만든 침대 Daunen¦bett (Flaum-) *n.*
솜틀 Baumwollschläger *m.* -s, -; Wattenmaschine (Aufbereit-) *f.* -n.
솜화약(—火藥) Schießbaumwolle *f.*
솟고라지다 《끓어오름》 sieden[(*)]; auf|wallen [s,h]; 《솟구쳐 오름》 auf|quellen* [s]; über|-sprudeln [h,s].
솟구다 auf|springen* [s]. ¶ 기쁜 나머지 몸을 ～ vor Freude auf|springen*.
솟구치다 [4]sich plötzlich erheben*; plötzlich auf|springen* [s].
솟나다 ☞ 소수나다.
솟다 steigen*[s]; auf|steigen*[s]; hervor|brechen* [s]; entspringen* [s]; empor|steigen* [s]; hoch|steigen* [s]; 《샘물이》 quellen* [s] 《*aus*[3]》; heraus|sprudeln [s] 《*aus*[3]》; heraus|strömen [h,s] 《*aus*[3]》. ¶ 샘물이 솟는다 Die Quelle fließt. / 해가 솟는다 Die Sonne geht auf. / 산봉우리가 구름 위에 우뚝 솟아 있다 Der Gipfel steigt über die Wolken. / 희망이 그의 가슴에 솟았다 Ihm stieg e-e (neue) Hoffnung auf.
솟대장이 Akrobat *m.* -en, -en.
솟보다 überschätzen[4]; über|bewerten[4]; zu viel bezahlen[4]; ein schlechtes Geschäft machen. ¶ 나는 그것을 솟보았다 Das habe ich zu viel bezahlt.
솟아나다 hervor|strömen [h,s] 《*aus*[3]》; (her-aus|)quellen*[s] 《*aus*[3]》; hervor|sprudeln[s] 《*aus*[3]》; (aus)spritzen [s]; [4]sich ergießen*. ¶ 바위 틈에서 샘이 솟아난다 Die Quelle sprudelt aus dem Felsen. / 상처에서 피가 솟아난다 Das Blut strömt aus der Wunde. / 그녀의 눈에서 눈물이 솟아났다 Tränen quollen ihr aus den Augen.
솟을대문(—大門) Torhaus *n.* -es, ⸚er (e-s koreanischen Adelssitzes, höher als die anschließenden Gebäudeteile).
솟을무늬, 솟을문(—紋) ein erhabenes Muster, -s, -; ausgeprägtes Stoffmuster, -s, -.
솟치다 hoch|heben*; empor|heben*. ¶ 몸을 ～ auf|springen* [s].
송(頌) Lobrede *f.* -n; Loblied *n.* -(e)s, -er; Lobpreisung *f.* -en; Eulogie *f.* -n.
송가(頌歌) Lobgesang *m.* -(e)s, ⸚e; Preislied *n.* -(e)s, -er; Hymne (Ode) *f.* -n.
송골매(松鶻—) 《매》 sibirischer Wanderfalke, -n, -n.
송골송골 im perlenden Schweiß; Schweiß

perlend. ¶ 그의 이마에는 땀이 ~ 맺혔다 Der Schweiß perlte ihm auf der Stirn.¦Der Schweiß stand ihm in Perlen auf der Stirn.

송곳 (Hand)bohrer *m.* -s, -; 《피혁용》 Ahle *f.* -n; Pfriem *m.* -(e)s, -e; 《금속용》 Drillbohrer *m.*; 《도래송곳》 Krauskopf *m.* -(e)s, ⸗e; 《목공용》 Nagelbohrer *m.*; 《나사송곳》 Schneckenbohrer *m.*; 《나선송곳》 Spiralbohrer *m.*; 《중심 뚫는》 Zentrumbohrer *m.* ¶ ~으로 구멍을 뚫다 mit e-m Bohrer ein Loch bohren 《*in*⁴; *durch*⁴》. ‖ ~니 Eckzahn 〔Augen-; Spitz-〕 *m.* -(e), ⸗e.

송구(送球) ① 《핸드볼》 Handball *m.* -(e)s, ⸗e. ~하다 den Handball spielen.
② 《패스볼》 das Zuspielen*, -s. ~하다 *jm.* den Ball zu|spielen.

송구스럽다(悚懼—) ① 《감사하다》 *jm.* sehr dankbar sein; *jm.* sehr zu Dank verpflichtet sein; *jm.* großen Dank schuldig sein. ¶ 이것 참 대단히 송구스럽습니다 Ich bin Ihnen sehr zu Dank verpflichtet.
② 《황송하다》 *jn.* beschämen; beschämt sein. ¶ 이렇게 호의를 베풀어 주시니 송구스럽습니다 Ihre Güte beschämt mich.¦ Ich bin von Ihrer Güte tief beschämt. / 송구스럽게도 당신은 저를 또 다시 도와주셨읍니다 Zu m-r Beschämung haben Sie mir schon wieder geholfen.
③ 《미안하다》 es tut *jm.* leid. ¶ 대단히 송구스럽습니다만… es tut mir sehr leid, aber ...; ich bitte Sie tausendmal um Verzeihung, aber... / 방해해서 송구스럽습니다 Es tut mir furchtbar leid, daß ich Sie störe. ¦Verzeihen Sie bitte die Störung!¦ Entschuligen Sie bitte die Störung!

송구영신하다(送舊迎新—) über das alte Jahr reflektierend das Neujahr begrüßen 《am Silvesterabend》.

송금(送金) Geldsendung *f.* -en; Rimesse *f.* -n; Wechselsendung *f.* -en (어음으로); Übersendung *f.* -en. ~하다 Geld übermitteln 〔schicken; senden*; übersenden*; remittieren〕. ¶ 매월의 ~ die monatliche Geldsendung.
‖ ~수수료 Rimessengebühren 《*pl.*》. ~수취인 Empfänger 《*m.* -s, -》 e-r Geldsendung. ~액 die übermachte 〔überwiesene〕 Summe. ~인 Remittent *m.* -en, -en; Geldsender *m.* -s, -; Übersender *m.* -s, -. ~환 〔수표〕 Rimessenwechsel *m.* -s, -.

송기(松肌) Schutzscheide 《*f.* -n》 〔Endodermis *f.* ..men〕 der Kiefer.
‖ ~떡 Reiskuchen 《*m.* -s, -》 mit Kieferendodermis als Geschmacksstoff.

송낙 aus *Usnea longissima* gearbeitete Nonnenhaube, -n.

송낙뿔 nach außen gekrümmte Rinderhörner 《*pl.*》.

송년(送年) Verabschiedung 《*f.* -en》 des alten Jahres. ~하다 ⁴sich vom alten Jahr verabschieden (u. das neue Jahr begrüßen).

송달(送達) Über¦sendung *f.* -en 〔-bringung *f.* -en; -lieferung *f.* -en〕; Zustellung *f.* -en. ~하다 übersenden*³⁴; überbringen*³⁴; überliefern⁴; zu|stellen³⁴.
‖ ~부(薄) Liefer¦buch 〔Ablieferungs-〕 *n.* -(e)s, ⸗er. ~품 Lieferungsware *f.* -n.

송당송당 《Gurken *usw.* mit dem Messer》 schnell u. ein wenig grob 《in Scheiben, Würfel schneiden*》; 《Bettdecke *usw.* mit der Nadel》 hastig u. ein wenig grob 《nähen》. ¶ 칼로 오이를 ~ 썰다 e-e Gurke mit dem Küchenmesser schnell in Würfel schneiden* / ~ 바느질하다 ⁴*et.* hastig u. ein wenig grob nähen.

송덕(頌德) Lobpreisung *f.* -en; das Lobsingen*, -s; Eulogie *f.* -n. ~하다 *jn.* lob|preisen*; *jn.* lob|singen*; *js.* Tugend rühmen; *js.* Verdienste ehren.
‖ ~문(文) Loblied *n.* -(e)s, -er; Lobrede *f.* -n; Nachruf *m.* -(e)s, -e; Gedenkrede *f.* -n. ~비(碑) Denkmal *n.* -(e)s, ⸗er 〔-e〕; Ehrenmal *n.* -(e)s, ⸗er 〔-e〕; Monument *n.* -(e)s, -e; Denkstein *m.* -(e)s, -e; Gedenkstein *m.* -(e)s, -e: 아무의 ~비를 세우다 *jm.* ein Denkmal setzen.

송독(誦讀) Rezitation *f.* -en; das Hersagen* 〔Aufsagen*〕 《-s》 aus dem Gedächtnis. ~하다 rezitieren⁴; aus dem Gedächtnis auf|sagen⁴; auswendig vor|tragen*⁴.

송두리째 alle; alles; alle(s) zusammen; insgesamt; völlig.

송로(松露) 〖식물〗 Trüffel *f.* -n; Trüffelpilz *m.* -es, -e.

송료(送料) Porto *n.* -s, -s 〔..ti〕; Postgebühr *f.* -en; Fracht *f.* -en. ¶ 책의 ~ Porto des Buches / ~ 없음 portofrei; gebührenfrei; frachtfrei / ~ 자담(自擔) portopflichtig; gebührenpflichtig; frachtpflichtig.
‖ 소포~ Paketporto *n.* -s, -s 〔..ti〕. 편지~ Briefporto *n.*

송림(松林) Kiefern¦wald *m.* -(e)s, ⸗er 〔-gehölz *n.* -es, -e; -holz *n.* -es, ⸗er; -schonung *f.* -en〕.

송백과(松柏科) 〖식물〗 Nadelholz *n.* -es, ⸗er; Zapfenträger *m.* -s, -.

송별(送別) Abschied *m.* -(e)s, -e; 《전송》 Abschiedsgeleit *n.* -(e)s, -e.
‖ ~사 Abschiedsrede *f.* -n; Abschiedsgruß *m.* -es, ⸗e; Abschiedsworte 《*pl.*》. ~회 Abschiedsfeier *f.* -n; 《연회》 Abschieds¦essen *n.* -s, - 〔-schmaus *m.* -es, ⸗e; -mahl *n.*〕: ~회를 열다 e-e Abschiedsfeier veranstalten 《für *jn.*》; e-n Abschiedsschmaus geben*.

송부(送付) Sendung *f.* -en; das Schicken*, -s; Übersendung *f.* -en; Überweisung *f.* -en; das Überweisen*, -s. ~하다 senden*⁴; schicken⁴; übersenden*⁴; überweisen*⁴.
‖ ~자 Adressant *m.* -en, -en; (Ab)sender *m.* -s, - 《생략: Abs.》; Übersender *m.* -s, -. ~처 Adressat *m.* -en, -en.

송사(訟事) Prozeß *m.* ..zesses, ..zesse; Rechtsstreit *m.* -(e)s, -e. ¶ ~를 일으키다 e-n Prozeß an|strengen 〔anhängig machen〕 《*gegen*⁴》; e-n Prozeß führen 《*mit*³; *um*⁴》; den Rechtsweg beschreiten* / 손해배상의 ~를 일으키다 *jn.* auf Schadenersatz verklagen / ~가 되다 vor ⁴Gericht kommen* ⓢ.

송사(頌辭) Lobrede *f.* -n; Lobspruch *m.* -(e)s, ⸗e; Panegyrikus *m.* -, ..ken.

송사리 ① 〖어류〗 sehr kleiner Süßwasserfisch, -es, -e; *Orizias latipes* (학명). ② 《보잘것없는 사람》 kleine Leute 《*pl.*》; unbedeutender Mensch, -en, -en. ¶ ~들만 아직 징역을 살고 있을 뿐 주범(主犯)들은 모두 풀려나왔다 Man hat die verbrecherischen Täter wieder auf freien Fuß gesetzt, während nur die unbedeutenden Helfershelfer immer noch im Gefängnis sitzen.

송송 ① 《썰다》 《⁴Gemüse, Fleisch》 in sehr kleine Stücke fein 《schneiden*》; 《⁴*et.*》 in kleine Stücke schnell 《zerschneiden*》. ¶ 양

파를 ~ 썰다 Zwiebel in kleine Stücke zerschneiden*. ② 《구멍이》 voller ²Löcher 《*pl.*》 《sein》. ¶ 그 남비엔 구멍이 ~ 뚫려 있다 Die Pfanne ist voller Löcher. ¦ Die Pfanne ist voll von Löchern.

송수(送水) Wasserlieferung *f.* -en; Wasserversorgung *f.* -en; Wasserleitung *f.* -en. ~하다 Wasser liefern; mit Wasser versorgen⁴. ‖ ~관 Wasserleitungsrohr *n.* -(e)s, -e. ~본관 Wasserleitungshauptrohr *n.* -(e)s, -e; Hauptsiel *n.* -(e)s, -e.

송수(送受) ‖ ~신기 《라디오의》 Sender 《*m.* -s, -》 u. Empfänger 《*m.* -s, -》 (des Radios). ~화기 《전화의》 Apparat 《*m.* -(e)s, -e》 zum Senden u. Empfangen mündlicher Nachrichten; Fernsprecher *m.* -s, -; Telephon *n.* -s, -e.

송신(送信) Übertragung *f.* -en; Sendung *f.* -en. ~하다 übertragen*⁴; senden 〖*p.*, *p.p.* sendete, gesendet〗. ¶ 서울에서 유럽에 ~하다 aus Seoul nach Europa übertragen*⁴. ‖ ~국 Sendestation *f.* -en. ~기 Sender *m.* -s, -. ~장치 Sendeanlage (-vorrichtung) *f.* -n. ~용 안테나 Sendeantenne *f.* -n; Senderöhre *f.* -n.

송아리 Blütenstand *m.* -(e)s, -e; Fruchtstand *m.* -(e)s, -e; Traube *f.* -n.

송아지 Kalb *n.* -(e)s, ⸚er. ‖ ~가죽 Kalbleder *n.* -s, -. ~고기 Kalbfleisch *n.* -es.

송악 〖식물〗 Efeu *m.* (*n.*) -s; *Hedera Tobleri* (학명). ‖ ~덩굴 Efeuranke *f.* -n.

송알송알 ① 《땀이》 in ³Schweißperlen 《*pl.*》; ⁴Schweiß tropfend. ¶ 그의 이마에는 땀이 ~ 맺혔다 Der Schweiß perlte ihm auf der Stirn. ¦ Der Schweiß stand in Perlen (Tropfen) auf der Stirn. ② 《술·간장이 괴어》 《Wein》 ⁴Blasen 《*pl.*》 schlagend 《gären⁽*⁾》.

송액(松液) Kiefernharz *n.* -es, -e; Terpentin *n.* -s.

송어(松魚) 〖어류〗 (Lachs)forelle *f.* -n.

송연하다(悚然—) furchtbar; grauenvoll; grausig; schrecklich; entsetzlich (sein). ¶ 모골(毛骨)이 송연했다 Da packte mich das kalte Grausen. ¦ Mich ergriff ein Grauen. ¦ Es war entsetzlich anzusehen.

송영(送迎) Bewillkommnung 《*f.* -en》 u. Verabschiedung 《*f.* -en》; Begrüßung 《*f.* -en》 u. Verabschiedung 《*f.* -en》. ~하다 bewillkommnen⁴ (empfangen*⁴) u. verabschieden⁴. ¶ 공항은 ~객으로 붐볐다 Der Flughafen war voll von Menschen, die ihre Freunde empfingen od. verabschiedeten.

송영(誦詠) Rezitation *f.* -en. ~하다 rezitieren⁴; 《ein ⁴Gedicht》 künstlerisch vor|tragen*.

송유(松油) Terpentin *n.* -s; Terpentinöl *n.* -(e)s, -e.

송유(送油) Öltransport *m.* -(e)s, -e. ‖ ~관(管) Röhrenleitung 《*f.* -en》 zum Öltransport; Ölleitung *f.* -en; Pipeline [páiplain] *f.* -s.

송이 ① 《포도·밤 따위의》 Traube *f.* -n. ② 《눈·꽃의》 Büschel *m.* (*n.*) -s, -; Flocke *f.* -n. ¶ ~로 büschelweise / 한 ~ 꽃 e-e (einzige) Blume, -n / 한 ~의 einblütig / 한 ~ 꽂힌 꽃병 die kleine Vase für e-e einzige Blume / 눈이 큰 ~로 떨어진다 Der Schnee fällt in dichten Flocken.

송이(松栮) Kieferpilz *m.* -es, -e. ¶ ~를 캐다 (따다) Kieferpilze 《*pl.*》 suchen (sammeln) / ~를 따러 가다 in die Schwämme (Kieferpilze) 《*pl.*》 gehen* ⓢ. ‖ ~따기 das Suchen* (Sammeln*) 《-s》 von Kieferpilzen.

송이밤 Kastanienfrüchte 《*pl.*》, deren dornige Außenschalen noch nicht aufgesprungen sind; Kastanien 《*pl.*》 in der Außenschale.

송이송이 in dichten Trauben 《*pl.*》; Traube für Traube; traubenweise; büschelweise; bündelweise; in Hülle u. Fülle.

송이술 nicht verdünnter Wein, -(e)s, -e; nicht verwässerter Wein; Wein frisch vom Faß.

송이재강 Hefe 《*f.* -n》 des nicht verdünnten Weins; Bodensatz 《*m.* -es, ⸚e》 des Weins vom Faß.

송장 Leiche *f.* -n; Leichnam *m.* -(e)s, -e. ¶ 그는 산 ~ 같다 Er sieht aus wie e-e Leiche. ¦ Er ist e-e lebende Leiche. ¦ Er sieht aus wie der leibhaftige Tod. / ~을 파내다 die Leiche aus|graben* / ~을 관에 넣다 die Leiche auf|bahren. ‖ ~개구리 der braune Frosch, -es, ⸚e.

송장(送狀) Faktur(a) *f.* ..ren; Frachtbrief *m.* -(e)s, -e. ¶ ~을 작성하다 fakturieren⁴; mit e-m Frachtbrief versehen*⁴.

송전(送電) Elektrizitäts|leitung (-übertragung) *f.* -en. ~하다 die Elektrizität leiten (übertragen*). ¶ ~을 끊다 den Strom aus|schalten. ‖ ~선 Elektrizitätsleitung *f.* -en; Übertragungsleitung *f.* -en.

송죽(松竹) Kiefer 《*f.* -n》 u. Bambus 《*m.* -(ses), -(se)》. ¶ ~ 같은 절개 die Treue wie die Kiefer u. Bambus.

송진(松津) Kiefernharz *n.* -es, -e. ¶ ~이 많은 harzig.

송채(送綵) 〖민속〗 althergebrachter Brauch, roten u. blauen Seidenstoff von der Familie des Bräutigams zur Familie der Braut zu schicken, nachdem man den Hochzeitstag festgesetzt hat.

송청(送廳) das Senden* 《-s》 (Überweisung *f.* -en) zur gerichtlichen Untersuchung. ~하다 *jn.* zur Aburteilung dem Gericht überweisen* (사람을); ⁴*et.* ins Prokuratorbüro schicken (서류를).

송축(頌祝) Segen *m.* -s; Segensspruch *m.* -(e)s, ⸚e; Segenswunsch *m.* -es, ⸚e; Glückwunsch *m.* -es, ⸚e. ~하다 den Segen über *jn.* (⁴*et.*) sprechen*; s-n Glückwunsch ab|statten; *jn.* lob|preisen*.

송충(松蟲) =송충이. ‖ ~나방 Motte 《*f.* -n》 der Kieferraupe. ~목(木) raupenzerfressenes Holz, -es, ⸚er.

송충이(松蟲—) ⁴Kiefer zerfressende Raupe, -n. ¶ ~를 근절하다 ⁴Raupen 《*pl.*》 aus|rotten / ~를 대하듯이 미워하다 tödlich hassen / 사회의 ~ ein Schädling 《*m.* -(e)s, -e》 der Gesellschaft.

송치 Kalb 《*n.* -(e)s, ⸚er》 noch im Mutterschoß; ungeborenes Kalb.

송치(送致) das Senden*, -s; das Überweisen*, -s. ~하다 e-n Angeschuldigten* od. e-n Verdächtigten* an e-e, zu e-r anderen Staatsanwaltschaft überweisen*; e-n Verdächtigten* in Untersuchungshaft nehmen* u. an die Staatsanwaltschaft übergeben*.

송판(松板) Kiefernbrett *n.* -(e)s, -er.

송편(松—) auf Kiefernadeln gedämpfter Reiskuchen, -s, -.

송풍(松風) das Rauschen* (Rascheln*; Säuseln*) 《-s》 von Kiefern (소리); der durch Kiefer(n)wipfel gehende Wind, -(e)s, -e.

송풍(送風) Ventilation *f.* -en. ~하다 lüften⁴; ventilieren⁴.

‖ ~관 Dampfrohr *n.* -(e)s, -e. ~기 Lüfter *m.* -s, -; Ventilator *m.* -s, -en [..tó:rən]; Entlüfter *m.* -s, -; Lüftungsvorrichtung *f.* -en; Lüftungsanlage *f.* -n.

송화(松花) Blütenstaub 《*m.* -(e)s》 der Kiefer.

송화(送貨) Versand *m.* -(e)s; das Versenden* 《-s》 von Waren. ~하다 versenden*⁴; verschicken⁴; verfrachten⁴. ‖ ~비용 Versendungs¦kosten (-gebühren) 《*pl.*》.

송화(送話) die Übersendung 《-en》 e-s Telefongesprächs. ~하다 übersenden*⁴.

‖ ~구 Sprechtrichter *m.* -s, -. ~기 Sender *m.* -s, -. ~료 Telephongebühr *f.* -en. ~장치 Sende(r)anlage *f.* -n.

송화강(松花江) 《중국 북동부의》 der Sungari, -(s) (Milchfluß, rechter Nebenfluß des Amur in der Mandschurei, 1280 km lang).

송환(送還) das Zurückschicken*, -s; 《추방》 Verbannung *f.* -en; Landesverweisung *f.* -en; 《포로 따위》 die Zurücksendung in die Heimat; die Heimkehr ins Vaterland. ¶ 본국에 ~하다 repatriieren⁴ / 북한으로 ~되다 nach Nordkorea repatriiert werden.

‖ ~자 der Deportierte, -n, -n; der Zurückkehrende, -n, -n.

솥 (Koch)kessel *m.* -s, -; Kochtopf *m.* -(e)s, ⸚e (요리용); Dampfkessel (보일러). ¶ 솥을 걸다 e-n Kessel ans Feuer setzen / 솥밑에 불을 지피다 das Feuer unter dem Kessel schüren / 우리는 한솥 밥을 먹었던 친구다 Wir haben doch miteinander e-m Dach gewohnt.

솥귀 Kesselhenkel *m.* -s, -; Kesselöhr *n.* -(e)s, -e; Kesselgriff *m.* -(e)s, -e.

솥땜장이 Kesselflicker *m.* -s, -.

솥뚜껑 Kesseldeckel *m.* -s, -. ¶ ~을 솥 위에 올려놓다 e-n Deckel auf den Kessel setzen.

솥물 rost- bzw. eisenhaltiges Spülwasser 《-s, -》 aus e-m ganz neuen Kessel; verschmutztes Abwasser 《-s, -》 aus e-m neugekauften Kessel.

솥발 Dreifuß 《*m.* -es, ⸚e》 des Kessels; Dreibein 《*n.* -(e)s, -e》 des Kessels.

‖ ~이 ein Wurf 《*m.* -(e)s, ⸚e》 von drei jungen Hunden; ein Wurf dreier Welpen.

솥솔 Topf¦bürste *f.* -n (-reiniger *m.* -s, -); Scheuerbürste.

솥전 Kesselrand *m.* -(e)s, ⸚er.

솥전(一廛) Keßlerwarenhandlung *f.* -en; Kesselwarenhandlung *f.* -en.

솥점(一店) Kesselladen *m.* -s, -(⸚); Kesselwarenhandlung *f.* -en.

솥젖 drei seitwärts gesprungene, eiserne Aufsätze 《*pl.*》 e-s Kessels, die anstatt des Kesselrandes den Kessel auf dem Herd halten.

솨 zischend. ¶ 비가 솨 온다 Es regnet in Strömen.¦Es regnet Bindfäden. / 호스에서 물이 솨 하고 나온다 Wasser spritzt zischend aus dem Schlauch. / 바람이 솨 분다 Der Wind weht frisch.

솰솰 rauschend 《fließen* ⓢ》; geschwind 《kämmen⁴》; allmählich 《herunter|fallen* ⓢ》. ¶ 강물이 ~ 흐른다 Der Fluß rauscht. / 머리를 ~ 빗는다 Er kämmt sich das Haar mit flinken Händen. / 모래가 구멍으로 ~ 흘러내린다 Der Sand rieselt nach und nach durch die Löcher herunter.

쇄골(鎖骨) 〖해부〗 Schlüsselbein *n.* -(e)s, -e.

‖ ~골절 Schlüsselbeinbruch *m.* -(e)s, ⸚e.

쇄광(碎鑛) 〖광물〗 das Zermahlen* 《-s》 von Erz; Erzzermalmung *f.* -en.

‖ ~기(機) Erzmühle *f.* -n; die Maschine 《-n》 zur Zerkleinerung des Erzes.

쇄국(鎖國) die Abschließung des Landes gegen die Außenwelt. ~하다 das Land gegen die Außenwelt (die Fremden) ab|schließen*; die Fremden von e-m Land ab|schließen*.

‖ ~정책 Abschließungspolitik *f.*; die fremdfeindliche Politik. ~주의 Isolationismus *m.*; Neutralitätspolitik *f.*

쇄도(殺到) das Stürzen*, -s; Ansturm *m.* -(e)s, ⸚e; Anfall ((An)drang) *m.* -(e)s, ⸚e; Gedränge *n.* -s, -; lebhafte Nachfrage, -n; Hochbetrieb *m.* -(e)s, -e; Vorstoß *m.* -es, ⸚e. ~하다 ⁴sich (zu|)drängen 《*an*⁴; *um*⁴》; an|drängen 《*gegen*⁴》; an|stürmen 《*auf*⁴; *gegen*⁴》 ⓢ; ⁴sich stürzen 《*auf*⁴》. ¶ 문으로 ~하다 gegen die Tür an|stürmen / 좌석을 향해 ~하다 ⁴sich auf die Plätze stürzen / 사인을 받으려고 ~하다 *jn.* mit der Bitte um Autogramm bestürmen / 신청이 ~하다 Anmeldungen häufen sich an. / 날마다 주문이 ~하다 Täglich laufen Bestellungen massenweise (immer mehr) ein. / 거리에는 군중이 물밀듯이 ~해 온다 E-e große Menschenmenge flutet durch die Straße heran. / 사람들이 건물안으로 ~해 들어갔다 Die Leute drängten sich in das Gebäude.

쇄빙(碎氷) das Eisbrechen*, -s. ~하다 das Eis brechen*. ‖ ~선 Eisbrecher *m.* -s, -; Segelschlitten *m.* -s, -.

쇄석(碎石) Schotter *m.* -s, -; Makadam *m.* (*n.*) -s, -e.

‖ ~포도(鋪道) Makadam; Makadampflaster *n.* -s, -; Schotterstraße *f.* -n.

쇄신(刷新) Reform *f.* -en; (Er)neuerung *f.* -en; Neugestaltung *f.* -en; Umbildung *f.* -en. ~하다 reformieren⁴; erneuern⁴; neu|gestalten⁴; um|bilden⁴. ¶ 정계의 ~ die politische Reform (Säuberung, -en) / 행정의 일대 ~을 단행하다 die Verwaltung gründlich neu|gestalten.

쇄신분골하다(碎身粉骨一) =분골쇄신하다.

쇄편(碎片) Splitter *m.* -s, -; Scherbe *f.* -n (Scherben *m.* -s, -); Span *m.* -(e)s, ⸚e.

쇄항(鎖港) Hafensperre 《*f.* -n》 gegen ausländische Schiffe; Hafenschließung 《*f.* -en》 gegen ausländische Handelsschiffe.

쇠 ① 《철》 Eisen *n.* -s, -; Metall *n.* -s, -e. ¶ 쇠를 함유하다 des Eisens enthalten* / 그는 쇠같이 굳은 의지를 가진 사람이다 Er ist ein Mensch wie von Eisen. ② 《지남철》 Kompaß *m.* ..sses ..sse. ③ 《열쇠》 Schlüssel *m.* -s, -. ④ 《자물쇠》 Schloß *n.* ..sses, ..lösser. ⑤ 《경첩》 Angel *f.* -n; Scharnier *n.* -s, -e; Gelenk *n.* -(e)s, -e.

쇠-[1] 《작은 종류》 klein- (e-e kleine Art von Tieren od. Pflanzen). ¶ 쇠고래 Grauwal *m.* -(e)s, -e (klein im Vergleich zu dem großen Blauwal); *Rhachionectes glaucus* (학명).

쇠-[2] 《소의》 Rind-; vom Rind. ¶ 쇠고기 Rindfleisch *n.* -es.

쇠가죽 Rindsleder *n.* -s, -. ¶ ~으로 만든

rindsledern.
쇠갈고리 der eiserne Haken, -s, -.
쇠고기 Rindfleisch *n.* -es.
쇠고랑 Handschelle *f.* -n; Handfessel *f.* -n. ¶ ~을 채우다 Handfesseln (Handschellen) an|legen 《*jm.*》.
쇠고래 〖동물〗 Grauwal *m.* -(e)s, -e; *Rhachionectes glaucus* (학명).
쇠고리 Metall¦öse *f.* -n (-ring *m.* -(e)s, -e).
쇠골 Rinderhirn *n.* -s, -e.
쇠공이 der eiserne Stößel, -s, -.
쇠구들 nicht mehr gut funktionierende Bodenheizung, -en.
쇠귀 das Ohr 《-(e)s, -en》 des Rindes; Rindsohr *n.* -(e)s, -en. ¶ ~에 경 읽기 tauben [3]Ohren predigen / 나의 충고도 그에게는 ~에 경 읽기였다 Er hat m-m Rat sein Ohr verschlossen.
쇠귀나물 〖식물〗 Pfeilkraut *n.* -(e)s, ⸗er.
쇠귀신(一鬼神) ① 《소 죽은 귀신》 das Gespenst 《-es, -er》 e-s Rindes; Erscheinung 《*f.* -en》 e-s toten Rindes. ② 《사람》 der Hartnäckige* (Widerspenstige*) -n, -n.
쇠기름 Rindstalg *m.* -(e)s, (종류를 표시할 때) -e; Rindsfett *n.* -(e)s, -e.
쇠기침 chronischer Husten, -s, -.
쇠꼬리[1] 《베틀신의》 Trittschnur 《*f.* ⸗e》 des Webstuhls.
쇠꼬리[2] 《소의》 Schwanz 《*m.* -es, ⸗e》 des Rindes; Ochsenschwanz *m.* -es, ⸗e. ‖ ~곰탕 Ochsenschwanzsuppe *f.* -n.
쇠끄트러기 Eisenabfälle 《*pl.*》; Schrott *m.* -(e)s, -e (파쇠).
쇠뇌 der Bogen 《-s, - (⸗)》, mit dem man mehrere Pfeile auf einmal ab|schießen* kann.
쇠다[1] ① 《야채가》 zäh werden; nicht mehr frisch sein; nicht mehr zum Verzehr geeignet sein 《Gemüse》. ¶ 제철이 아니어서 미나리가 벌써 쇠었다 Außer Saison ist die Petersilie schon nicht mehr zart u. frisch genug zum Essen.
② 《병 따위가》 chronisch werden 《Krankheit》; schlechter werden; schlimmer werden. ¶ 기침이 ~ sein Husten wird chronisch; sein Husten verschlechtert sich.
쇠다[2] 《명절을》 《ein [4]Fest》 begehen*; 《e-n [4]geburtstag》 feiern. ¶ 명절을 ~ e-n Festtag feiern / 크리스마스를 ~ Weihnachten feiern / 설을 ~ das Neujahr feiern.
쇠다리 Rinderbein *n.* -(e)s, -e; Ochsenbein *n.* -(e)s, -e.
쇠달구 die eiserne Ramme, -n; die eiserne Handramme, -n.
쇠닻 der eiserne Anker, -s, -. ¶ ~을 내리다 den Eisenanker werfen*
쇠도리깨 der eiserne Dreschflegel, -s, -; Eisenflegel *m.* -s, -; der eiserne Flegel, -s, -.
쇠두겁 der eiserne Deckel, -s, -; die eiserne Kappe, -n.
쇠딱지 der Schmutz 《-es》 auf dem Kopf der Kinder; Kopfschorf *m.* -(e)s, -e.
쇠똥[1] Schlacke *f.* -n; Abstrich *m.* -(e)s, -e.
쇠똥[2] der Dung 《-(e)s》 des Rindes; Rinderkot *m.* -(e)s.
쇠똥찜 das Kauterisieren* 《-s》 e-s Geschwulstes durch glimmenden Rinderdung.
쇠뜨기 〖식물〗 Ackerschachtelhalm *m.* -(e)s, -e; Pferdeschwanz *m.* -es, ⸗e.
쇠막대기 der eiserne Stock, -(e)s, ⸗e; die eiserne Stange, -n.
쇠망(衰亡) das allmähliche Zusammenfallen*, -s; Niedergang *m.* -(e)s. ¶ 로마제국의 ~ der Niedergang des römischen Reichs.
쇠망치 der eiserne Hammer, -s, ⸗; Eisenhammer *m.* -s, ⸗.
쇠머리 Rinderkopf *m.* -(e)s, ⸗e; Ochsenkopf *m.* -(e)s, ⸗e; 《쇠머릿살》 Ochsenkopffleisch *n.* -es.
쇠먹이 das Futter 《-s》 der Rinder.
쇠목(一木) das mittlere Querbrett 《-(e)s, -er》 e-s Kleiderschrankes.
쇠못 Eisennagel *m.* -s, ⸗.
쇠몽둥이 der eiserne Knebel, -s, - (Stock -(e)s, ⸗e); die eiserne Stange, -n.
쇠몽치 der kurze Eisenstab, -(e)s, ⸗e; das eiserne Knebelchen, -s, -; das eiserne Stäbchen, -s, - (früher als Waffe).
쇠문(一門) die eiserne Tür, -en; das eiserne Tor, -(e)s, -e.
쇠물푸레나무 〖식물〗 Asch *m.* -es, ⸗e; Esche *f.* -n; *Fraxinus Sieboldiana* (학명).
쇠뭉치 Eisenkugel *f.* -n; ein Klumpen 《*m.* -s, -》 Eisen; Eisenklumpen *m.* -s, -; Luppe *f.* -n.
쇠미(衰微) Verfall *m.* -(e)s; Dekadenz *f.* (퇴폐); Rückgang *m.* -(e)s, ⸗e (쇠퇴); das Verblühen*, -s (조락(凋落)). ~하다 verfallen* [s]; in Verfall kommen* (geraten*)[s]; verblühen [s]; zurück|gehen* [s].
쇠발고무래 〖농업〗 harkenartiges, eisernes Bauerngerät 《-(e)s, -e》 zum Ebnen der Erde.
쇠백장 Schlächter *m.* -s, - (der Rinder); Fleischer *m.* -s, -; Metzger *m.* -s, -.
쇠버짐 e-e Art Krätze (Skabies) 《*f.*》.
쇠붙이 ① 《금속》 Metall *n.* -s, -e. ② 《철물》 Eisen¦waren (Metall-) 《*pl.*》.
쇠비름 〖식물〗 Portulak *m.* -s, -e (-s); *Portulaca oleracea* (학명).
‖ ~나물 Portulaksalat *m.* -(e)s, -e: ~나물을 만들다 den Portulaksalat an|machen.
쇠뼈 Rinderknochen *m.* -s, -; Ochsenknochen *m.* -s, -.
쇠뿔 Ochsenhorn *n.* -(e)s, ⸗er; Rindshorn *n.* -(e)s, ⸗er. ¶ ~로 만든 빗 Kämme 《*pl.*》 aus Ochsenhorn / 그 남자는 ~에 떠받혔다 Der Stier nahm ihn auf die Hörner. / ~도 단김에 빼랬다 Man muß das Eisen schmieden, solange es heiß ist. ‖ ~참외 hornförmige Melone, -n; Zuckermelone *f.* -n (wie ein Rindshorn).
쇠사다리 die Leiter 《-n》 aus Eisen.
쇠사슬 die eiserne Kette, -n; Eisenkette *f.* -n. ¶ ~에 매인 죄수들 die Gefangenen* 《*pl.*》 in Ketten / 아무를 ~에 매다 *jn.* in Ketten legen (schlagen*).
쇠살쭈 Vermittler 《*m.* -s, -》 für Kauf u. Verkauf von Rindern; Rindermakler *m.* -s, -.
쇠새 =물총새(一銃一).
쇠서 ① 《고기》 Rinderzunge *f.* -n (als Speise); Rindszunge *f.* -n; Ochsenzunge *f.* -n. ② =쇠서받침.
쇠서받침 〖건축〗 (rinderzungenartiges) Ornament 《-(e)s, -e》 auf Pfeilern.
쇠숟가락, 쇠술 Messinglöffel *m.* -s, -; der Löffel 《-s, -》 aus Messing.
쇠스랑 Gabel *f.* -n; Rechen *m.* -s, -; Harke *f.* -n.
쇠시리 〖건축〗 das parallelstreifenweise Einkerben* 《-s》 der Türgitter od. der Pfeilerkanten (zur Verzierung).
쇠심 die Sehne 《-n》 des Rindes; Rinder-

sehne *f.* -n.
‖ ~떠깨 sehniges, zähes Rindfleisch, -es.
쇠약(衰弱) 《몸의》 (Körper)schwäche *f.* -n; Schwächlichkeit *f.*; Kränklichkeit *f.*; Gebrechlichkeit *f.*; Entkräftung *f.*; Asthenie *f.*; Kollaps *m.* -es, -e; Auszehrung *f.* ~하다 kraftlos; schwach (sein); asthenisch werden; Schwäche haben; abgenutzt werden; abgetragen werden; abgehärmt werden; verhärmt werden. ¶ ~하게 하다 schwächen⁴; schwächer machen⁴; entkräften⁴. ¶ 더욱 ~해지다 schwächer werden.
‖ ~증 Abzehrung *f.* -en; Schwindsucht *f.* ⁻e. 전신~ die generelle Entkräftung.
쇠양배양하다 unbesonnen u. tölpelhaft; unvorsichtig u. wenig klug; leichtsinnig u. unklug (sein).
쇠옹두리 die Kniescheibe (-n) des Rindes; Rinderknöchel *m.* -s, -.
쇠운(衰運) niedergehendes Schicksal, -(e)s, -e; Nieder|gang (Rück-) *m.* -(e)s, ⁻e; Abstieg *m.* -(e)s, -e; Neige *f.* -n; Verfall *m.* -(e)s. ¶ ~으로 기울다 auf die (zur) Neige gehen* ⓢ; auf die abschüssige Bahn gelangen (kommen*) ⓢ; tiefer sinken* ⓢ; dem Untergang nahe sein; es geht abwärts (mit *jm.*) / ~을 만회하다 dem drohenden Schicksal entgegen|arbeiten; s-n früheren Wohlstand wieder erlangen.
쇠자루 der metallene Griff, -(e)s, -e (Schaft, -(e)s, ⁻e; Stiel, -(e)s, -e).
‖ ~칼 das Schwert (-(e)s, -er) (das Messer, -s, -) mit metallenem Griff.
쇠잔(衰殘) Gebrechlichkeit *f.* -en; Altersschwäche *f.* -n; Kraftlosigkeit *f.*; Hinfälligkeit *f.* -en; Senilität *f.* -en; Verfall *m.* -(e)s. ~하다 alt u. gebrechlich; hinfällig; krank u. schwach; senil (sein); e-e schwache Gesundheit(Konstruktion)haben. ¶ ~한 노인 ein hinfälliger alter Mann, -(e)s, ⁻er / 그는 ~하여 잘 걷지도 못한다 Er ist alt u. schon sehr schwach auf den Beinen. / 그 병자는 요 며칠새 눈에 띄게 ~해졌다 Der Kranke verfiel in den Tagen darauf zusehends. / ~해서 넘어지다 vor Schwäche um|fallen* ⓢ.
쇠잡이 der Gongschläger (-s, -) des Bauernorchesters; die Rolle (-n) des Gongschlägers.
쇠족(一足) Rinderklaue *f.* -n; Rinderbein *n.* -(e)s, -e; Ochsenbein *n.* -(e)s, -e.
쇠죽 gekochtes Futter (-s) für Rinder; gekochtes Futterstroh (-(e)s) für Rinder. ¶ 소에게 ~을 주다 dem Rind das gekochte Futterstroh geben*.
‖ ~가마 großer Kessel (-s, -) zum Kochen des Futterstrohs (der Futterkräuter; der Futterpflanzen) für Rinder. ~바가지 große Kelle (-n) zum Ausschöpfen des Futterbreis aus dem Kessel. ~통 Futterkrippe *f.* -n; Krippe *f.* -n; Futtertrog *m.* -(e)s, ⁻e.
쇠줄 Eisendraht *m.* -(e)s, ⁻e; Metallschnur *f.* ⁻e; eisernes (metallenes) Kabel, -s, -; eiserne (metallene) Kette, -n; eisernes (metallenes) Ankertau, -(e)s, -e. ¶ 무엇을 ~로 묶다 ⁴*et.* mit e-m eisernen Tau befestigen.
쇠지랑물 hinter dem Stall gestauter Rinderurin, -(e)s, -e.
쇠지랑탕 Wassergrube (*f.* -n), in der sich der Rinderurin aus dem Stall sammelt.
쇠지레 Brech|eisen (Hebe-) *n.* -s, -; Brechstange *f.* -n.
쇠진(衰盡) Erschöpfung *f.* -en; Erschlaffung *f.* -en; Ermüdung *f.* -en; Ermattung *f.* -en; Abgeschlagenheit *f.* -en. ~하다 erschöpft sein. ¶ 더위로 ~하다 von der Hitze erschöpft sein / 그 여자는 기력이 완전히 ~하였다 Sie ist völlig erschöpft.
쇠짚신 die Hufhülle (-n) aus Stroh für Rinder.
쇠차돌 eisenoxydhaltiger Kalzit, -(e)s, -e (gelb od. rot).
쇠천 kleine Messingmünze (-n) der Ch'ing-Dynastie.
쇠코뚜레 Nasenring (*m.* -(e)s, -e) für der Rinder.
쇠코잠방이 kniefreie kurze Bauernhose, -n.
쇠테 eiserne (metallene) Felge, -n; eiserner (metallener) Rahmen, -s, -. ¶ ~를 두르다 ⁴*et.* mit e-m eisernen Rahmen versehen*.
쇠톱 Metallsäge *f.* -n; Eisensäge *f.* -n; Säge (*f.* -n) zum Sägen von Eisen.
쇠통 ① 《철통》 eisernes Faß, ..sses, ..ässer. ② 〖방언〗《자물쇠》 Schloß *n.* ..sses, ..lösser; Türschloß; Truhenschloß. ③ 〖광산〗 die Breite (-n) e-r Erzader.
쇠퇴(衰退) Rückgang *m.* -(e)s, ⁻e; Degeneration *f.* -en (퇴화). ~하다 zurück|gehen* ⓢ; Rückschritte (*pl.*) machen; aus der Art schlagen*; degenerieren ⓢ. ¶ ~한 도시 e-e verlassene Stadt, ⁻e.
쇠파리 〖곤충〗 Rinderbremse *f.* -n; große Fliege (-n), die bei Rindern od. Pferden Blut saugt; *Hypoderma bovis* (학명).
쇠팥 〖식물〗 harte Bohne, -n (dunkelrot; ungenießbar).
쇠폐(衰弊) Verfall *m.* -(e)s; Zusammenbruch *m.* -(e)s, ⁻e; Ruin *m.* -s. ~하다 in Verfall geraten* ⓢ; ⁴sich ruinieren.
쇠푼 e-e kleine Summe Geld; ein wenig Geld.
쇠하다(衰—) in Verfall geraten* ⓢ; schwach werden; hinfällig werden; verfallen* ⓢ; sinken* ⓢ; dahin|siechen* ⓢ. ¶ 옛 문화는 쇠하고 새 문화가 흥한다 Die alte Kultur gerät in Verfall u. die neue ersteht. / 그는 병으로 쇠하여 죽어간다 Er siecht dahin. / 그의 명성은 점점 쇠하였다 Sein Ansehen sank allmählich.
쇠혀 《소의 혀》 die Zunge (-n) des Rindes; 《쇠서》 Rinderzunge *f.* -n; Rindszunge *f.* -n; Ochsenzunge *f.* -n (als Speise).
쇠호두 e-e Art Walnuß *f.* ..nüsse (mit sehr hartem Kern).
쇤네 ich* (als Höriger*, Leibeigener*, Untertan). ¶ ~가 그 짓을 했읍니다, 주인 아씨 Hochverehrtes Fräulein, ich bin es, der die Dummheit begangen hat.
쇳내 der metallische Beigeschmack, -(e)s, ⁻e. ¶ ~가 난다 Es schmeckt nach Eisen. Es hat e-n Anflug vom metallischen Geschmack.
쇳냥 =돈냥.
쇳덩이 Eisenklumpen *m.* -s, -; Klumpen (*m.* -s, -) aus Metall; Eisengans *f.* ⁻e.
쇳독(—毒) Vergiftungserscheinung (*f.* -en) durch Metall; Metallinfektion *f.* -en.
쇳돌 metallhaltiger Stein, -(e)s, -e: Erz *n.* -es, -e.
쇳물 Eisenfleck *m.* -(e)s, -e; Eisenrostfleck *m.* -(e)s, -e; Rostfleck *m.* -(e)s, -e. ¶ (옷에서) ~을 없애다 (aus e-m Kleidungsstück)

Rostflecke entfernen / 네 옷에 벌써 또 ~이 많이 묻었구나 D-e Kleider haben schon wieder viele Rostflecke bekommen.

쇳밥 Eisenfeilspäne 《*pl.*》; Eisenspäne 《*pl.*》.

쇳소리 die schneidende (gellende; grelle; kreischende; schrille) Stimme, -n; Gekreisch *n.* -es. ¶ ~를 내다 die kreischende Stimme erschallen lassen*; e-n gellenden Schrei stoßen*; kreischen.

쇳조각 Eisenstück *n.* -(e)s, -e.

쇳줄 《광맥》 Eisenader *f.* -n; Erzader *f.* -n.

쇼 Schau *f.* -en; Show [ʃɔ:] *f.* -s; Schaustellung *f.* -en (진열). ¶ 쇼 부리다 [4]Theater spielen / 그것은 그의 쇼이다 Er tut nur so. ‖ 쇼걸 Tänzerin *f.* -nen. 쇼맨 Showman [..mən] *m.* -s, ..men. 쇼윈도 Schaufenster *n.* -s, -: 쇼윈도를 장식하다 das Schaufenster schmücken. 쇼케이스 Schaukasten *m.* -s, -. 쇼흥행업 Show|business [..biznis] *n.* - (geschäft *n.* -(e)s, -e). 패션쇼 Mode(n)-schau *f.* -en.

쇼츠 (kurze) Kniehose, -n; Shorts [ʃo:rts] 「《*pl.*》.

쇼크 ① 《정신상의》 Schock *m.* -(e)s, -e; (seelische) Erschütterung, -en; Schreck *m.* -(e)s, -e; Schrecken *m.* -s, -. ¶ ~를 받다 e-n Schock erleiden*; e-n Schreck(en) bekommen*; erschüttert werden. ② 《물리적인》 Stoß *m.* -es, ⸗e.
‖ ~사(死) der Tod von e-m Schock: 페니실린에 의한 ~사 der Tod von dem Schock der Penicillin-Injektion. ~요법 =충격요법.

쇼트 ① 〖야구〗 Shortstopp *m.* -s, -s. ¶ ~를 보다 den Shortstopp spielen. ② 〖영화〗 Kurzfilm *m.* -s, -e. ③ 《소설 따위의 단편》 Kurzerzählung *f.* -en. 「-s, -.

쇼트케이크 Torte *f.* -n; Mürbekuchen *m.*

쇼펜하우어 《독일의 철학가》 Arthur Schopenhauer (1788-1860).

쇼핑 Einkauf *m.* -(e)s, ⸗e; Besorgung *f.* -en; das Einkaufen*, -s. ~하다 Einkäufe (Besorgungen) machen; ein|kaufen; einkaufen gehen* ⓢ (쇼핑하러 가다).
‖ ~백 Einkaufstasche *f.* -n. ~센터 Einkaufszentrum *n.* -s, ..tren; Shopping-Center [ʃɔ́piŋ-sɛntər] *n.* -s, -. ~카 Einkaufsroller *m.* -s, -.

숄 Schal *m.* -(e)s, -e; Umhängetuch *n.* -(e)s, ⸗er. ¶ 털실 ~ Wollschal *m.* -(e)s, -e / ~을 걸치다 [3]sich den Schal um|hängen.

숄더백 Umhänge|tasche *f.* -n (Schulter-).

수[1] ① 《수컷》 männlich. ¶ 수캐 (männlicher) Hund, -(e)s, -e / 수염소 Ziegenbock *m.* -(e)s, ⸗e / 수나귀 (männlicher) Esel, -s, -. ② 《철면(凸面)》 hervorstreckend. ¶ 수나사 Bolzen *m.* -s, -; Bolzenschraube *f.* -n.

수[2] ① 《도리·방법》 Weg *m.* -(e)s, -e; Methode *f.* -n; Mittel *n.* -s, -; die Art u. Weise; Maßregel *f.* -n; Hilfsmittel *n.* ¶ 무슨 수로든지 auf ehrliche Weise; auf gutem Wege; anständig; auf irgendwelche Weise / 여러가지 수를 써서 auf e-e od. andere Art / 하는 수 없이 hilflos; ungern; wider Willen / 딴 수가 없다 mit s-m Verstande am Ende; [3]sich nicht mehr zu helfen wissen*; weder aus noch ein wissen* / 수가 꼭 막히다 k-e Mittel u. Wege finden* / 수에 넘어가다 in die Falle gehen*ⓢ; zu Falle kommen*ⓢ / …하는 수 밖에 없다 es gibt k-n anderen Weg, als … zu; nicht anders können* als tun* / 위험을 피하려고 온갖 수를 다 써보다 alle Mittel (u. Wege) versuchen, e-r Gefahr auszuweichen / 그는 수를 알고 있다 Er hat es im Griff.|Er hat den Kunstgriff heraus. / 그는 새로운 수를 쓴다 Er wendet neue Mittel an.
② 《경우》 Veranlaßung *f.*; Anlaß *m.*; Gelegenheit *f.*; Fall *m.*; der mögliche Anlaß; Möglichkeit *f.*; Wahrscheinlichkeit *f.* ¶ …수 있다 können*; mögen*; möglich sein / 그럴 수(도) 있다 es kann (mag) wohl sein, daß…; es ist wohl möglich, daß…; man kann nicht wissen, ob … nicht…; es ist nicht ausgeschlossen, daß… / 그럴 수가 있나 Das ist ja aber unmöglich! / 이른 봄에 서리가 내릴 수도 있다 Es ist wohl möglich, daß es im frühen Frühling reift.
③ 《능력》 Fähigkeit *f.*; Tauglichkeit *f.*; Vermögen *n.* ☞ -ㄹ수 있다.

수(手) ① 《손》 Hand *f.* ⸗e.
② 《바둑·장기의》 Zug *m.* -(e)s, ⸗e; 《꾀》 Anschlag *m.* -s, ⸗e; der geheimer Plan, -s, ⸗e. ¶ 수 깊은 사람 der erfinderischer Mensch; der Findige*, -n, -n; der Sinnreiche*, -n, -n / 나쁜 수 der falsche Zug / 묘수 der gescheite Zug / 묘한 수를 놓다 《장기에서》 e-e kluge Zug machen / 한 수에 지다 mit e-m Zug verloren (geschlagen) werden / 수가 높다 《장기》 *jm.* überlegen sein; *jn.* übertreffen* / 그 점에선 자네가 나보다 수가 높다 Darin kann (muß) ich von dir lernen. / 난 세 수에 너를 이길 수 있다 Mit drei Zügen kann ich dich schlagen. / 또 그 수로군 Das alte gleiche Spiel!
③ 《계략》 Trick *m.* -s, -e (-s). ¶ 그 수에는 넘어가지 않겠네 Ich bin noch gerissener. / 두 번 다시 그런 수에는 안 넘어가겠네 Ich will nie d-m Trick hereinfallen.

수(水) 〖민속〗 Wasser 《*n.* -s》 als e-s der Fünf Elemente (entspricht dem Nord unter den Himmelsrichtungen, dem Winter unter den Jahreszeiten, dem Schwarz unter den Farben).

수(首) ein Gedicht, -(e)s; Poesie *f.* ..sien; Dichtkunst *f.* ¶ 시 한 수를 짓다 ein Gedicht schreiben* / 시 한 수를 읊다 e-e Poesie rezitieren.

수(數) ① 《운수》 Schicksal *n.* -s, -e; Stern *m.* -s, -e. ¶ 수가 좋은 glücklich; günstig; glückverheißend / 수가 좋아서 glücklicherweise; zum Glück; glückbringend / 승패의 수 der Ausweg der Schlacht / 수가 좋으면 wenn man Glück hat / 수가 좋다 (나쁘다) unter e-m glücklichen (unglücklichen) Stern geboren sein; e-n Glück (Unglück) haben / 수를 시험하다 sein Glück (Schicksal) versuchen / 그에게 수가 났다 Das Glück ist ihm günstig.
② 《수효》 Zahl *f.* -en; Nummer *f.* -n; Anzahl *f.* ¶ 수많은 사람들 sehr viele Leute / 수가 적다 der [3]Zahl nach wenig sein; wenig sein / 수가 증가하다 an Zahl übertreffen*[4] / 요새 실업자 수가 대단히 줄었다 Kürzlich ist die Zahl der Arbeitlosen sehr zusammengeschmolzen.
③ 《몇》 einige; wenige; ein paar. ¶ 수일 einige (mehrere) Tage / 수일전에 (부터) vor (seit) einigen Tagen / 십 수일 über zehn Tagen.
④ 《…의 수》 mehrere; eine Anzahl[2]. ¶ 부수 die Zahl der Exemplare; Auflage *f.* -n (신문 따위의).

수(壽) ① 《연령》 Alter *n.* -s, -. ¶ 수가 몇이

나 되시는지요 Wie alt sind Sie, wenn ich fragen darf?¦In welchem Alter sind Sie, wenn ich fragen darf?

② 《장수》 die Erreichung 《-en》 des hohen Alters. ☞수하다. ¶수를 누리다 hohes Alter erreichen; biblisches Alter erreichen. ③ 《수명》 Lebenszeit *f.* -en. ¶그는 수가 짧았다 Er hat nur e-e kurze Lebenszeit genossen.

수간(樹幹) Baumstamm *m.* -(e)s, ⸚e; Stamm 「*m.*

수간(數間) ein paar *gan* (1 *gan*=ca. 182cm); ein enger Raum, -(e)s, ⸚e. ¶~ 두옥 ein kleines Haus 《-es, ⸚er》 mit nur ein paar Wohnräumen.

수감(收監) Inhaftnahme *f.* -n; Verhaftung *f.* -en. ~하다 inhaftieren⁴; verhaften⁴; ins Gefängnis werfen*⁴. ¶~ 중이다 ⁴sich in Haft befinden*.

수감(隨感) natürliches, spontanes Gefühl, -(e)s, -e; ungezwungener Gedanke, -ns, -n; gelegentliche Gedanken 《*pl.*》.

수갑(手匣) Hand¦fesseln 〔-schellen〕 《*pl.*》. ¶~을 채우다 Handfesseln 〔Handschellen〕 an|legen 《*jm.*》.

수갑(水閘) Schleuse *f.* -n; Wassertor *n.* -(e)s, -e. ‖~고저도(高低度) Schleusenhöhe *f.* -n. ~시설 Schleusenwerk *n.* -(e)s, -e. ~세 Schleusengeld *n.* -(e)s, -er.

수강(受講) das Belegen* 《-s》 der Vorlesung; das Hören* 《-s》 der Vorlesung; das Teilnehmen* 《-s》 am Seminar 〔am Lektürekurs; an der Übung〕. ~하다 e-e Vorlesung belegen; Vorlesungen hören; an e-m Seminar 〔an e-m Lektürekurs; an e-r Übung; an Veranstaltungen〕 teil|nehmen*.
‖~신청 das Belegen* 《-s》 der Vorlesungen: ~ 신청하다 Vorlesungen belegen.

수개(數箇) ein paar (Stück). ¶~월간 ein paar Monate lang.

수갱(竪坑) Schacht *m.* -(e)s, ⸚e. ¶~을 파다 e-n Schacht ab|teufen.

수거(收去) das Herausschöpfen*, -s; das Räumen 《-s》 der Klosettgruben (분뇨).
‖~구(口) Loch 《*n.* -(e)s, ⸚er》 zum Herausschöpfen der Klosettgruben. ~인 Abtritts¦reiniger *m.* -s, - 〔-räumer *m.* -s, -; -leerer *m.* -s, -〕.

수건(手巾) Handtuch *n.* -(e)s, ⸚er. ¶~으로 손을 씻다 mit dem Handtuch die Hände ab|wischen / ~을 짜다 ein Handtuch aus|-wringen / ~을 축이다 ein Handtuch anfeuchten 〔befeuchten〕 / ~을 머리에 동이다 ein Handtuch um den Kopf winden*.
‖~걸이 Handtuch¦halter 〔-ständer〕 *m.* -s, -. ~돌리기 ein Spiel des Handtuchfallens.

수검(搜檢) Inspektion *f.* -en; Aufsicht *f.* -en; Durchsicht *f.* -en; Überwachung *f.* -en. ~하다 die Aufsicht führen 〔haben〕 《*über*⁴》; durchsehen*⁴; überwachen⁴.

수결(手決) (Hand)signatur *f.* -en; Unterzeichnung *f.* -en; Unterschrift *f.* -en. ¶무엇에 ~을 두다 ⁴*et.* signieren; ⁴*et.* mit s-m Signum versehen*; ⁴*et.* unterschreiben*.

수경(水耕) Hydroponik *f.*; Wasserkultur *f.* -en. ‖~농장 Landgut 《*n.* -(e)s, ⸚er》 zur Hydroponik. ~법 Wasserkultur *f.* -en; Pflanzenaufzucht 《*f.*》 in Nährlösungen ohne Erde.

수경성(水硬性) Erhärtung 《*f.*》 durch Wasserzusatz (wie bei Zement). ‖~시멘트 wasserhärtender Zement, -(e)s, -e.

수계(水系) Gewässer *n.* -s, -.
‖유(流)~ fließendes Gewässer: Bach, Fluß, Strom. 정(靜)~ stehendes Gewässer: Teich, See, *usw.*

수계(水界) Hydrosphäre *f.*; Wasserhülle 《*f.*》 der Erde.

수계(受戒) 〖불교〗 das Empfangen* 《-s》 der buddhistischen Konsekration; das Empfangen* der buddhistischen Weihe.

수계(授戒) 〖불교〗 das buddhistische Konsekrieren*, -s; die buddhistische Konsekrationszeremonie, -n.

수고 Mühe *f.* -n (고생); Bemühung *f.* -en (애씀); Umstände 《*pl.*》 (번잡); Anstrengung *f.* -en; Plackerei *f.* -en. ~하다 große Mühe verwenden* 《*auf*⁴》; ³sich viel Mühe geben* 〔machen〕 《*mit*³; *um*⁴》; ⁴sich bemühen; ⁴sich belästigen; ⁴sich plagen. ¶~가 들다 *jn.* 〔*jm.*〕 ⁴Mühe kosten / ~를 덜다 ³sich Mühe (er)sparen 〔machen〕 / ~를 끼치다 *jm.* ⁴Mühe verursachen 〔machen〕 / ~를 아끼지 않다 k-e Mühe scheuen; ⁴sich vor e-r ermüdenden Arbeit nicht scheuen / 일에 ~를 들이다 große Mühe verwenden* 《*auf*⁴》; ³sich viel Mühe geben* 〔machen〕 《*mit*³; *um*⁴》 / 아이 기르느라 ~를 많이 하다 ³sich um die Kindpflege viel Mühe machen / ~를 끼쳐서 미안합니다 Es tut mir leid, Sie bemühen zu müssen.¦Es tut mir leid, Sie bemüht zu haben. / ~하셨습니다 Vielen Dank für die Bemühung!¦Ich danke Ihnen für Ihre Bemühungen. / 이만저만한 ~가 아니었다 Der Mühe war groß.¦Das war e-e Heidenarbeit. / 그는 ~한 보람이 있었다 S-e Bemühung wurde ihm vergolten. / 그는 집 짓는데 ~하고 있다 Er ist bemüht, sein Haus zu bauen.

수고롭다, 수고스럽다 mühevoll; umständlich; mühsam; anstrengend; lästig (sein). ¶수고스런 일 die anstrengende 〔angestrengte〕 Arbeit, -en / 수고스럽지만 …해 주십시오 Würden Sie ...?; Könnten Sie ...?; Darf ich Sie bitten? 《*um*⁴; ...zu *tun*》 / 수고스럽지만 저의 집까지 와 주십시오 Bemühen Sie sich gefälligst zu mir!

수곡선(垂曲線) =현수선(懸垂線).

수공(手工) Handarbeit *f.* -en. ¶~이 들다 arbeitsam sein; ³sich die Mühe nehmen 〔machen〕.
‖~교육 Handarbeitsunterricht *m.* ~업 Hand¦werk *n.* -(e)s, -e 〔-arbeit *f.* -en〕: ~업자 Hand¦werker *m.* -s, - 〔-arbeiter *m.* -s, -〕. ~품 Handarbeit *f.*

수공(水攻) Der Angriff auf den Stutzpunkt des Feindes durch dessen Überschwemmung 〔durch das Abschneiden von dessen Wasserversorgung〕. ~하다 überschwemmen⁴; unter Wasser setzen⁴; *jm.* die Wasserversorgung ab|schneiden*.

수공(殊功) =수훈(殊勳).

수관(水管) Wasser¦rohr *n.* -(e)s, -e 〔-röhre *f.* -n〕; Wasserschlauch *m.* -(e)s, ⸚e (호스).

수관(樹冠) 〖식물〗 Wipfel *m.* -s, -; Krone *f.* -n; Baumkrone *f.* -n.

수괴(首魁) Rädelsführer *m.* -s, -.

수괴(羞愧) Scham *f.*; Schamgefühl *n.* -(e)s, -e; Schande *f.* -n; Schmach *f.* ~하다 ⁴sich schämen 《*über*⁴》; beschämt sein 《*von*³》.

수교(手交) das Überreichen*, -s. ~하다 überreichen⁴; ein|händigen⁴; aus|händigen⁴; einhändig übergeben*⁴. ¶각서를 ~하다

das Memorandum übergeben* / 양 정부는 각서를 ~했다 Die beiden Regierungen tauschten Noten aus.

수교(修交) die Freundschaft 《f. -en》 der Staaten; freundschaftliche Beziehungen 《pl.》. ~하다 e-n Freundschaftsbund ein|gehen* (schließen*); e-n Freundschaftsvertrag ab|schließen* 《mit³》; freundschaftliche Beziehungen haben (unterhalten*).

‖ ~조약 Freundschaftsvertrag m. -(e)s, ⸗e; Freundschaftsabkommen n. -s, -: ~조약을 체결하다 e-n Freundschaftsvertrag ab|schließen* 《mit³》; ein freundschaftliches Abkommen treffen* 《mit³》. ~훈장 der Verdienstorden 《-s, -》 für freundschaftliche Beziehungen: 아무에게 ~ 훈장을 수여하다 jm. e-n Verdienstorden für freundschaftliche Beziehungen verleihen*.

수교위 Maultasche 《f. -n》 mit Füllung aus Hackfleisch u. Gurke. ⌈-e.

수구(水球) 〖체육〗 Wasserballspiel n. -(e)s,

수구(守舊) Konservatismus m. -, ..men (besonders: der während der Jahrhundertwende gegen die westliche, japanische Kultur gerichtete koreanische Konservatismus). ~하다 an den traditionellen Sitten hängen; das Bestehende* bejahen; konservativ sein.

수구(瘦軀) die magere Gestalt, -en.

수구(壽具) Leichentuch 《n. -(e)s, ⸗er》 u. andere Kleidungsstücke 《pl.》 als Grabbeigaben.

수구레 sehr zähes Fleisch 《-es》 gleich unter der Lederhaut.

수구막이 volkstümliche Bezeichnung für einen Ort im Gebirge, von dem aus man zwar den Fluß im Tal sehen, aber dessen weiteren Lauf nicht verfolgen kann.

수국(水菊) 〖식물〗 Hortensie f. -n.

수군(水軍) Marine f. (altkoreanische Marine); Kriegsmarine f.

수군거리다, 수군대다 leise reden; flüstern; miteinander flüstern; zuflüstern 《jm. ⁴et.》. ¶ 그들은 무엇인가 수군거리며 이야기하고 있었다 Sie unterhielten sich flüsternd über etwas. / 그녀는 그의 귀에다 대고 무엇인가 수군거렸다 Sie flüsterte ihm irgendetwas ins Ohr.

수군수군 in Geflüster; flüsternd; leise 《reden》; unter sich 《sagen》.

수굿이 e-e Verbeugung machend; niederhängend. ¶ 이삭이 익어 ~ 고개를 숙였다 Die reifen Ähren hingen schwer am Stengel.

수굿하다 den Kopf gebeugt halten*; schwer nieder|hangen* 《an³》.

수궁(守宮) ① ~하다 das Königsschloß verteidigen 《gegen⁴》. ② 〖동물〗 Gecko m. -s, -s; Eidechse f. -n.

수권(水圈) Hydrosphäre f.; Wasserhülle 《f.》 der Erde.

수그러지다 ① 《머리 따위가》 tief sinken* ⓢ 《Kopf》. ¶ 저 사람 앞에 나가면 자연히 머리가 수그러진다 S-e würdevolle Anwesenheit läßt m-n Kopf vor Respekt sinken. ② 《바람 따위가》 ab|nehmen*; ruhiger werden; auf|hören; schwächer werden; nach|lassen*. ¶ 바람이 (폭풍우가) 차차 ~ der Wind (Sturm) läßt allmählich nach / 비가 좀 수그러졌다 Der Regen ließ nach. ③ 《병세가》 ab|nehmen*; nach|lassen*. ¶ 열이 좀 ~ das Fieber nimmt ab; das Fieber läßt nach. ④ 《더위·추위가》 nach|lassen*. ¶ 더위 (추위)가 차차 ~ die Hitze (die Kälte) läßt allmählich nach.

수그리다 ① 《몸을》 ⁴sich verbeugen; ⁴sich verneigen. ¶ 그는 사방을 향해 정중하게 몸을 수그렸다 Er verbeugte sich höflich nach allen Seiten. / 그는 그녀에게 약간 (깊이) 몸을 수그렸다 Er machte eine kleine (tiefe) Verbeugung vor ihr. ② 《고개를》 ⁴sich verbeugen; den Kopf neigen; den Kopf senken; den Kopf sinken lassen*. ¶ 그는 깊이 고개를 수그렸다 Er senkte s-n Kopf tief. ☞ 숙이다.

수금(水禽) Wasser¦vogel (Schwimm-) m. -s, ⸗. ‖ ~류(類) Wasser¦vögel (Schwimm-) 《pl.》.

수금(囚禁) Haft f.; Gefängnishaft f. ~하다 ein|sperren (in Haft nehmen*) 《jn.》; ins Gefängnis werfen* (setzen) 《jn.》.

수금(收金) Einkassierung f. -en. ~하다 (ein-)kassieren⁴; ein|ziehen*⁴. ¶ 미수금을 ~하다 die Außenstände ein|ziehen* (ein|treiben*; ein|kassieren) / ~하러 다니다 herum|gehen* ⓢ, um das Geld einzukassieren.

‖ ~원(員) Einsammler (Kassierer) m. -s, -.

수급(首級) abgeschlagener Kopf, -(e)s, ⸗e. ¶ 그 부대는 적군의 ~ 100개를 갖고 전장으로부터 개선했다 Die Truppe kehrte mit hundert abgeschlagenen Köpfen der Feinde zurück.

수급(需給) Angebot u. Nachfrage. ¶ ~의 균형을 유지하다 das Gleichgewicht zwischen Angebot u. Nachfrage bewahren.

‖ ~계획 Angebot- u. Nachfrageprogramm. ~관계 das Verhältnis 《..nisses, ..nisse》 zwischen Angebot u. Nachfrage. ~조절 die Anordnung zwischen Angebot u. Nachfrage. ⌈sion usw.).

수급자(受給者) Empfänger m. -s, - (e-r Pen-

수긍(首肯) das Begreifen* (Erfassen*) -s; Verständnis n. -ses, -se; Zustimmung f. -en. ~하다 zu|stimmen³; ein|willigen 《in⁴》; einverstanden sein 《mit³》. ¶ ~할 만한 (할 수 없는) begreiflich (unbegreiflich); verständlich (unverständlich) / ~가게 하다 jm. ⁴et. plausibel machen / 듣는 사람을 ~케 하는 설명 e-e überzeugende Darlegung, -en / 그의 말을 들으니 ~이 간다 Ich bin mit s-n Worten einverstanden.

수기(手技) Handwerk n. -(e)s, -e; die Kunst 《⸗e》 der Hand; die Kunstfertigkeit für Handarbeit.

수기(手記) Notiz f. -en; Memoire [memoá:r] n. -s, -s; Aufzeichnung f. -en. ~하다 auf|schreiben*⁴; buchen⁴; nieder|schreiben*⁴. ¶ ~를 쓰다 notieren⁴.

수기(手旗) (Winker)flagge f. -n. ¶ ~로 신호하다 mit e-r Flagge signalisieren.

‖ ~신호 Winkerdienst m. -(e)s, -e: ~신호용 부호 Winkerzeichen n. -s, -.

수기응변(隨機應變) =임기응변(臨機應變).

수꽃 〖식물〗 die männliche Blüte, -n.

수(꽃)술 Staubblatt n. -(e)s, ⸗er; Samen n. -s, ..mina; Staubfaden m. -s, ⸗.

수꿀하다 ① 《몸이》 jm. ist (wird) angst u. bange; es graut jm.; e-e Gänsehaut bekommen*. ② 《거품》 Blasen schlagend auf|kochen.

수나다(數一) ein unverhofftes Glück haben; das Glück lächelt jm. zu; Fortuna ist

jm. hold. 〔-s, -.
수나사 Bolzen *m.* -s, -; Schraubenbolzen *m.*
수나이 Entlohnung für Webarbeit: der Besteller liefert Material für zwei Ballen Stoff, erhält aber nur einen.
수난(水難) See¦not *f.* 〔-unfall *m.* -(e)s, ⸚e); Schiffbruch *m.* -(e)s, ⸚e (난파).
수난(受難) Leiden *n.* -s, -; das Erleiden* 《-s》 des Schmerzens; das Dulden*, -s. ~하다 leiden*. ¶예수의 ~ die Passion 〔das Leiden〕 Christi.
‖~극 Passionsspiel *n.* -(e)s, -e. ~일 Karfreitag *m.* -(e)s, -e. ~주 Karwoche *f.* -n.
수납(收納) 《금전의》 das Empfangen*, -s; das Einkassieren*, -s; 《농산물의》 Ankauf *m.* -(e)s, ⸚e; das Ansammeln*, -s. ~하다 ein|kassieren⁴; ein|ziehen*⁴; ein|treiben*⁴.
‖~계 Empfangskasse *f.* -n; Einzahlungskasse *f.* -n; Einzahlungsschalter *m.* -s, -. ~장 Empfangsbuch *n.* -(e)s, ⸚er. ~전표 Empfangszettel *m.* -s, -. 양곡~ Ankauf des Getreides; Ansammlung 《*f.* -en》 des Getreides. 국고 ~금 das in die Staatskasse eingetriebene Geld, -(e)s, -er; eingezahltes Steuergeld 《-(e)s, -er》 der Staatskasse; das in die Staatskasse einzuzahlende Geld.
수납(受納) Annahme *f.* -n; Empfang *m.* -(e)s, ⸚e. ~하다 an|nehmen*⁴; empfangen*⁴.
‖~자 Empfänger *m.* -s, -.
수낭(水囊) Wasserbeutel *m.* -s, -.
수냇소 ein Kalb 《*n.* -(e)s, ⸚er》, das zur Aufzucht verliehen wurde u. dann, wenn es zum Rind herangewachsen ist, mit Getreide zu bezahlen ist, wobei die Aufzuchtskosten abgezogen werden.
수냉식(水冷式) Wasserkühlung *f.* -en. ¶~의 wassergekühlt. ‖~엔진 Wasserkühlungsmotor *m.* -s, -en.
수녀(修女) Nonne *f.* -n; Schwester *f.* -n. ¶~가 되다 ins Kloster gehen* Ⓢ.
‖~원 Nonnenkloster *n.* -s, ⸚; Konvent *m.* -(e)s, -e: ~원장 Äbtissin *f.* -nen.
수년(數年) einige 〔mehrere〕 Jahre 《*pl.*》. ¶~간 einige Jahre lang / ~전 vor einigen Jahren / ~래 seit einigen Jahren / ~동안 그를 만나보지 못했다 Ich habe ihn seit Jahren nicht gesehen. / 그한테서 ~동안 소식이 없다 Er läßt sich seit Jahren von sich nichts hören.
수놈 =수컷.
수뇌(首腦) Haupt *n.* -(e)s, ⸚er; Führer *m.* -s, -; Leiter *m.* -s, -; Spitze *f.* -n; leitende Persönlichkeit, -en; Vorstand *m.* -(e)s, ⸚e. ¶정당의 ~ Parteiführer *m.* -s, - / 군의 ~ die Spitzen der Armee / ~가 되다 die Führung übernehmen*; an die Spitze kommen*Ⓢ; zuvor|kommen*Ⓢ / 당의 ~들이 여러 파로 분열되어 있다 die Parteiführer haben sich in einige Faktionen zerteilt.
‖~부 《회사의》 geschäftsführender Ausschuß, ..sses, ..schüsse; Administration *f.* ~자 Führer *m.* -s, -; Leiter *m.* -s, -; Spitze *f.* -n: 한국 정부의 ~자 die Spitze der koreanischen Regierung / ~자 회담 《국제간의》 Gipfelkonferenz *f.* -en.
수뇌(髓腦) 〖해부〗 Gehirn *n.* -(e)s, -e; Hirn *n.* -(e)s, -e. ☞ 뇌수(腦髓).
수뇨관(輸尿管) 〖해부〗 Harnleiter *m.* -s, -; Ureter *m.* -s, -en.
수눅 Naht *f.* ⸚e; geflickter Saum, -(e)s, ⸚e (e-r Socke *usw.*). ¶~ 버선| e-e Art Babysocken 《*pl.*》.
수다 Redseligkeit *f.*; Geschwätz *n.* -es, -e; Geplauder *n.* -s; Geplapper *n.* -s; Klatsch *m.* -es, -e. ~스럽다 redselig; gesprächig; geschwätzig; plauderhaft; plapperhaft; klatschhaft (sein). ¶~스런 계집아이 das geschwätzige Mädchen, -s, - / ~를 떨다 plaudern; schwatzen; plappern; klönen; klatschen (소문을 퍼뜨리다).
‖~장이 Schwätzer 〔Plauderer〕 *m.* -s, -; Plapperhans *m.* -es, ⸚e; 《여자》 Schwätzerin *f.* -nen; Plauderin *f.* -nen; Klatschbase *f.* -n.
수다하다(數多—) 《다수》 viel; zahlreich; tausend u. aber tausend; hundert u. aber hundert (sein). ¶수다한 식구 e-e zahlreiche Familie / 수다한 손님들이 왔다 Die Gäste waren zahlreich erschienen.
수단(手段) Mittel *n.* -s, -; Weg *m.* -(e)s, -e; Maßregel 〔Maßnahme〕 *f.* -n; die zweckbestimmte Handlung, -en; Vorkehrung *f.* -en; Regelung *f.* -en. ¶합법(비합법)적 ~ ein erlaubtes 〔unerlaubtes〕 Mittel / 비상 ~ das äußerste 〔drastische〕 Mittel / 목적을 위한 ~ ein Mittel zum Zweck / ~을 안 가리고 auf ehrliche Weise od. unehrlich; auf Biegen od. Brechen / 최후 ~을 쓰다 zum letzten Mittel greifen* / 비상 ~을 쓰다 zum äußersten Mittel greifen* / 온갖 ~을 다하다 alle Mittel an|wenden* / 비상(최후) ~에 호소하다 zu den äußersten 〔letzten〕 ³Mitteln greifen* / 국제 분쟁을 평화 ~으로 해결하다 durch ein friedliches Mittel den internationalen Streit auf|lösen / 그는 ~이 좋다 Er ist findig 〔wendig〕. / 그는 목적을 위해서는 ~과 방법을 가리지 않는다 Er wendet alle Mittel zum Zweck an. / 목적은 ~을 정당화한다 Der Zweck heiligt die Mittel.
수단(繡緞) Brokat *m.* -(e)s, -e.
수단 《아프리카의》 Sudan *m.* -s. ¶~의 sudanesisch; sudanisch / ~ 공화국 die Sudanesische Republik / ~사람 Sudaner *m.* -s, -; Sudanese *m.* -n, -n.
수단추 der erhabene Teil 《-(e)s, -e》 e-s Druckknopfs.
수달(水獺) 〖동물〗 (Fisch)otter *m.* -s, -.
‖~피 der Pelz 《-es, -e》 des Fischotters.
수답(水畓) anbaufähiges Reisfeld, -(e)s, -er; reisanbaufähiges Land 《-(e)s, ⸚er》, das ständig bewässerbar ist.
수당(手當) Gehalt *n.* -(e)s, ⸚er; Besoldung *f.* -en(급여); Fixum *n.* -s, ..xa (고정 수입); Honorar *n.* -s, -e (사례금); Lohn *m.* -(e)s, ⸚e (임금); Bonus *m.* -; Zuschuß *m.* ..usses, ..schüsse. ¶~을 주다 belohnen 《*jn. für*⁴》; besolden《*jn.*》; honorieren⁴; e-e Vergütung 〔e-n Bonus〕 geben* / 그는 퇴직 ~으로 50만원을 받는다 Er bekommt 500000 *Won* als sein Abschiedszuschuß.
‖가족(지역, 부양, 통근)~ Familien¦zuschuß 〔Regional-, Abhängig-, Transportations-〕 *m.* 연말~ der Bonus am Jahresende. 전시(피복) ~ Krieg¦zuschuß 〔Anzug-〕 *m.* 초과근무~ Überstundenzuschlag *m.*; Überstundenzulage *f.* 특별(임시)~ Sonderzulage 〔Gelegenheits-〕 *f.*
수더분하다 anspruchslos; einfach; schlicht (sein). ¶그는 수더분한 사람이다 Er hat ein schlichtes 〔bescheidenes〕 Wesen.
수도(水道) ① 《설비》 Wasser¦werk *n.* -(e)s,

-e (-versorgung *f.* -en; -leitung *f.* -en). ¶ ~를 놓다 e-e Wasserleitung im Hause (an|)legen / ~를 틀다 (잠그다) den Hahn auf|drehen (zu|-) / 이 일대는 ~사정이 좋다 In dieser Umgebung ist die Wasserversorgung normal. ② 《수로》 Kanal *m.* -s; Wasserstraße *f.* -n; Schiffahrtsweg *m.* -es, -e; Wasserleitung *f.* -en; Wassergang *m.* -(e)s, ⸚e.

‖ ~공사 Wasserleitungsbau *m.* -(e)s, -e. ~관 Wasserzuleitungsrohr *n.* -(e)s, -e. ~국(局) Wasserleitungsamt *n.* -(e)s, ⸚er. ~꼭지 Wasserhahn *m.* -(e)s, ⸚e. ~료 Wassergebühr *f.* -en. ~물 Leitungswasser *n.* -s, -. ~철관 die eiserne Wasserleitungsröhre, -n. 「표시〕.

수도(水稻) Feldreis *m.* -es, -e 〔*pl.*은 종류를

수도(受渡) (Ab)lieferung *f.* -en; Aus¦händigung (Ein-) *f.* -en; Übergabe *f.* -n. ~하다 (ab|)liefern[34]; aus|händigen[34] (ein|-); übergeben*[34]. ‖ ~기한 Liefer(ungs)¦zeit *f.* -en (-frist *f.* -en).

수도(首都) Hauptstadt *f.* ⸚e.

‖ ~권 der Umkreis 《-es, -e》 der Hauptstadt.

수도(修道) geistige Disziplin, -en; Askese *f.* ~하다 streng enthaltsam leben, um Begierden abzutöten; nach der Wahrheit suchen.

‖ ~사 Mönch *m.* -(e)s, -e; Klosterbruder *m.* -s, ⸚. ~생활 Klosterleben *n.* -s. ~원 Kloster *n.* -s, ⸚: ~원에 들어가다 ins Kloster gehen* (ein|treten*) Ⓢ.

수도(隧道) Tunnel *m.* -s, - (-s). ¶ 산을 뚫고 ~를 파다 e-n Tunnel durch den Berg bauen.

수동(手動) Handantrieb *m.* -(e)s, -e. ¶ ~의 mit der Hand arbeitend.

‖ ~브레이크 Handbremse *f.* -n. ~펌프 Handpumpe *f.* -n.

수동(受動) Passivität *f.*; die passive Haltung, -en; das passive Verhalten, -s. ¶ ~적 passiv; leidend / ~적 태도를 취하다 [4]sich passiv verhalten*; 《공격에》 gegen [4]*et.*; verteidigen. ‖ ~태 〖문법〗 Passiv *n.* -s; Leideform *f.* -en.

수두(水痘) Varizelle *f.* -n 《보통 *pl.*》; Wasser¦pocken (Wind-) 《*pl.*》.

수두룩하다 zahlreich; reichlich vorhanden (sein). ¶ 수두룩하게 reichlich / 할 일이~ e-e Menge Arbeit haben / 아들딸이 ~ zahlreiche Kinder haben / 그 상점엔 외국 물건이 ~ Der Laden ist voll von ausländischen Waren. / 그런 사람이 ~ Es gibt Tausende von solchen Leuten.

수득수득 verwelkt u. ausgetrocknet; sehr verdorrt. ¶ ~ 마르다 sehr trocken werden 《Wurzel *usw.*》

수들수들 ein wenig getrocknet; teilweise abgetrocknet. ~하다 teilweise (ein wenig) abgetrocknet sein. ¶ ~ 마르다 ein wenig vertrocknen; ein wenig trocken werden.

수때우다(數—) anstatt des kommenden, schweren Schicksalsschlags e-e leichtere Not (freiwillig) vorher auf sich nehmen*.

수땜(數—) Vermeidung 《*f.* -en》 des kommenden, schweren Schicksalsschlags durch das vorherige Aufsichnehmen e-r leichteren Not. ¶ ~을 한 셈치고 잊읍시다 Wollen wir es vergessen u. es lieber als Preis der Vermeidung e-s schwereren Schicksalsschlages halten! ☞ 수때우다.

수떨다 laut schwätzen (schwatzen); schwatzend lärmen. ¶ 수만 떨었지 해놓은 결과는 없다 Viel Lärm um nichts.

수라(水剌) königliche Mahlzeit, -en; Festmahl 《*n.* -(e)s, -e》 des Königs. ¶ 임금님께서 ~를 드시다 der König nimmt die Mahlzeit ein.

‖ ~간 die Küche 《-n》 für das Essen des Königs. ~상 gedeckter Tisch 《-es, -e》 für den König.

수라장(修羅場) Kampfszene *f.* -n.; Verwirrung *f.* -en; Chaos *n.* -; Lasterstätte *f.* -n; Pandämonium *n.* -s, ..nien; Höllenlärm *m.* -(e)s. ¶ ~이 되다 die Kampfszene werden; chaotisch (wüst; verworren; wirr) werden.

수락(受諾) Auf¦nahme (An-) *f.* -n; Beistimmung *f.* -en (하급자가); Einwilligung *f.* -en; Zustimmung *f.* -en (상급자가). ~하다 auf|nehmen[4] (an|-); ein|willigen 《*in*[4]》; zu|stimmen[3]. ¶ 정식 ~ die Aufnahme in vorgeschriebener Form / 신청을 ~하다 e-n Antrag genehmigen / 누가 무어라 하든 그 사람은 ~ 안할 것이다 Er will es nicht aufnehmen, was man sagt. / 그것은 이의 없이 ~되었다 Es wurde einwandfrei angenommen.

수란(水卵) verlorene Eier 《*pl.*》. ¶ ~을 뜨다 verlorene Eier machen.

‖ ~짜 das eiserne Küchengerät 《-(e)s, -e》 zum Schlagen der verlorenen Eier.

수란관(輸卵管) 〖해부〗 Eileiter *m.* -s, -; Muttertrompete *f.* -n; Tube *f.* -n. ☞ 나팔관.

수람(收攬) das Gewinnen*, -s; das Ergreifen*, -s. ~하다 gewinnen*[4]; ein|nehmen*[4]; ergreifen*[4]. ¶ 인심을 ~하다 die Herzen der [2]Menschen gewinnen*.

수량(水量) Wassermenge *f.* -n. ¶ ~이 불었다 Der Fluß hat an Wassermengen zugenommen. ‖ ~계 Pegel *m.* -s, -; Wasserstands¦messer *m.* -s, - (-anzeiger *m.* -s, -).

수량(數量) Quantität *f.* -en; Menge *f.* -en. ¶ ~이 늘다(줄다) an der Quantität zu|nehmen* (ab|nehmen*).

수럭수럭 《[4]sich》 lebhaft 《verhalten*》; ungeschickt u. munter 《reden》. ~하다 lebhaft u. temperamentvoll sein.

수렁 Sumpf *m.* -(e)s, ⸚e; Sumpflache *f.* -n; Moor *n.* -(e)s, -e; Schlamm *m.* -(e)s; Morast *m.* -es, -e ¶ ~에 빠지다 im Schlamm versinken*Ⓢ; im Sumpf stecken|bleiben* Ⓢ; 《비유적》 weder ein noch aus wissen*.

‖ ~논 sumpfiges Reisfeld, -(e)s, -er. ~배미 ein Stück (e-e Ecke) sumpfiges Reisfeld.

수레 Rad *n.* -(e)s, ⸚er; 《총칭》 Wagen *m.* -s, -; Fuhrwerk *n.* -(e)s, -e; Gefährt *n.* -(e)s, -e; 《2·3륜차》 Karren *m.* -s, -; 《손수레》 Handwagen *m.* -s, -.

‖ ~바퀴 Rad *n.* -(e)s, ⸚er.

수레국화(—菊花) 〖식물〗 Kornblume *f.* -n.

수려(秀麗) die anmutige Schönheit, -en; Anmut *f*; Grazie *f.* -n. ~하다 herrlich 《Landschaft *usw.*》; schön; graziös; anmutig (sein). ¶ 미목이 ~한 귀공자 ein sehr schöner, anmutiger Junker, -s, -.

수력(水力) Wasserkraft *f.* ⸚e. ¶ ~으로 hydraulisch; durch [4]Wasserkraft / ~을 이용하다 die Wasserkraft verwenden[(*)].

‖ ~발전소 Wasserkraft¦werk *n.* -(e)s, -e (-anlage *f.* -n). ~전기 Hydroelektrizität *f.*

~터빈 Wasserturbine *f.* -n. ~학 Hydraulik *f.*

수련(手練) Geschicklichkeit *f.* -en; Fertigkeit *f.* -en; Gewandtheit *f.*; 《경험》 Erfahrenheit *f.* ¶ ~을 쌓은 geschickt; gewandt; erfahren; fähig.
‖ ~가 der erfahrene Mann, -(e)s, ⸚er; der Sachverständige*, -n, -n.

수련(修練) Praxis *f.* ..xen; Übung *f.* -en; praktische Tätigkeit, -en. ~하다 aus|-üben⁴; praktizieren. ‖ ~의(醫) der ärztliche Praktikant, -en, -en.

수련(睡蓮) 〖식물〗 Wasserlilie *f.* -n.

수련하다 nett; unschuldig u. mild; zahm u. sanft (sein).

수렴(收斂) ① 《세금징수》 Eintreibung *f.* -en. ~하다 ein|treiben*⁴; erpressen⁴. ② 《오므라들임》 Kontraktion *f.* -en; Zusammenziehung *f.* -en; 〖물리·수학〗 Konvergenz *f.* -en. ~하다 zusammen|ziehen*⁴.
‖ ~렌즈 Sammellinse *f.* -n. ~제 Astringens *n.* -, ..gentien.

수렵(狩獵) Jagd *f.* -en. ¶ ~하러 가다 auf die Jagd gehen* ⓢ.
‖ ~가 Jäger *m.* -s, -; Jagdfreund *m.* -(e)s, -e. ~구 Jagd¦bezirk *m.* (-gebiet *n.*) -(e)s, -e. ~금지기 Schonzeit *f.* -en. ~기 Jagdzeit *f.* -en. ~면허증 Jagdrecht *n.* -(e)s, -e. ~법 Jagdgesetz *n.* -es, -e. ~복 Jagdkleid *n.* -(e)s, -er. ~장 Jagdplatz *m.* -es, ⸚e: 황실 ~장 das Kaiserliche Jagdgehege, -s, -; der Kaiserliche Wildpark, -(e)s, -e.

수령(守令) 〖옛 제도〗 Landvogt *m.* -(e)s, ⸚e; Verwalter 《*m.* -s, -》 der Provinz.

수령(受領) Empfang *m.* -(e)s, ⸚e; Annahme *f.* -n. ~하다 empfangen*⁴; an|nehmen*⁴; in ⁴Empfang nehmen*⁴.
‖ ~자 Empfänger *m.* -s, -; der Annehmende*, -n, -n. ~증 Empfangs¦schein *m.* -(e)s, -e (-bescheinigung *f.* -en); Quittung *f.* -en. ~통지 Empfangsanzeige *f.* -n.

수령(首領) Haupt *n.* -(e)s, ⸚er; Führer *m.* -s, -; Leiter *m.* -s, -; Chef *m.* -s, -s. ¶ 비적(匪賊)의 ~ das Haupt der Räuberbande.

수령(樹齡) Alter 《*n.* -s》 e-s Baumes. ¶ ~ 200년 der Baum ist 200 Jahre alt.

수로(水路) Wasser¦weg *m.* -(e)s, -e (-gang *m.* -(e)s, ⸚e; -lauf *m.* -(e)s, ⸚e; -straße *f.* -n); Fahrwasser *n.* -s. ¶ ~로 《선편으로》 zu ³Wasser; zu(r) See; mit dem Schiff.
‖ ~도 Seekarte *f.* -n. ~안내인 Lotse *m.* -n, -n. ~안내료 Lotsengeld *n.* -(e)s, -er. ~안내선 Lotsenboot *n.* -(e)s, -e (⸚e). ~표지 Bake *f.* -n; Seezeichen *n.* -s, - (항로의): ~표지를 세우다 mit Baken versehen*⁴. ~학 Hydrographie *f.*

수록(收錄) Kompilation *f.* -en; das Zusammen¦tragen* (-stellen*) -s; 《수집》 Sammlung *f.* -en. ~하다 kompilieren⁴; zusammen|stellen⁴; sammeln⁴. ¶ 이 사전에는 많은 신어가 ~되어 있다 Dieses Wörterbuch enthält sehr viele neue Wörter.

수뢰(水雷) Torpedo *m.* -s, -s (어뢰); (See)mine *f.* -n (기뢰). ¶ ~로 공격하다 torpedieren⁴ / ~에 걸리다 (맞다) auf e-e Mine laufen (geraten)* ⓢ (기뢰에); torpediert werden (어뢰에) / ~를 발사하다 e-n Torpedo ab|-schießen* (schleudern) / ~를 부설하다 (찾아내다) Minen legen (heraus|fischen).
‖ ~발사관 Torpedoschleuderrohr *n.* -(e)s, -e. ~방어망 Torpedonetz *n.* -es, -e. ~정 Torpedoflottille [..til(j)ə] *f.* -n.

수뢰(受賂) die passive Bestechung, -en. ~하다 ⁴sich bestechen lassen*.
‖ ~사건 Bestechungsaffäre *f.* -n. ~자 der Bestochene*, -n, -n.

수료(修了) das Durchmachen*, -s; Abschluß *m.* ..schlusses, ..schlüsse; Vollendung *f.* -en. ~하다 durch|machen⁴; ab|schließen*⁴; fertig werden 《*mit*³》; vollenden⁴. ¶ 3 학년을 ~하다 den 3 jährigen Kursus durch|-machen / 위의 사람은 …의 전과정을 ~하였음을 증명함 Es wird hiermit bescheinigt, daß der obengenannte den ganzen Kursus ... durchgemacht hat.

수류(水流) Wasser¦strom *m.* -(e)s, ⸚e (-strömung *f.* -en; -lauf *m.* -(e)s, ⸚e).

수류(獸類) die Tiere 《*pl.*》; Getier *n.* -(e)s; Tier¦reich *n.* -(e)s (-welt *f.*).

수류탄(手榴彈) Handgranate *f.* -n. ¶ ~을 던지다 die Handgranate werfen*.

수륙(水陸) Land u. Wasser, des - u. -s. ¶ ~양용의 amphibisch; amphibienartig / ~에서 im Wasser wie auf dem Lande; zu Wasser u. zu Lande.
‖ ~양면 작전 die amphibische Operation, -en. ~양서류 die Amphibien 《*pl.*》. ~양용(비행)기 Amphibie *f.* -n; Amphibienflugzeug *n.* -(e)s, -e. ~양용(자동)차 Amphibie *f.* -n; Amphibienfahrzeug *n.* -(e)s, -e.

수리 Adler *m.* -s, -; 〖시어〗 Aar *m.* -(e)s, -e.
‖ ~둥지 (Adler)horst *m.*; das Nest e-s Raubvogels.

수리(水利) Wasser¦nutzung *f.* -en (-versorgung *f.* -en); Wassertransport *m.* -(e)s, -e (수운); Bewässerung *f.* -en (관개). ¶ ~ 시설을 개선하다 die Wassernutzung erleichtern; die Bewässerung verbessern.
‖ ~공사 Bewässerungsarbeit *f.* ~권 Wassernutzungsrecht *n.* -(e)s, -e. ~조합 Wassernutzungsgenossenschaft *f.* -en; Bewässerungsgenossenschaft *f.* -en (관개의).

수리(受理) Annahme *f.* -n. ~하다 an|nehmen*⁴ (auf|-; entgegen|-); in Empfang nehmen*⁴. ¶ 그의 사직서를 ~하다 sein Abschiedsgesuch an|nehmen* (akzeptieren) / 고소를 ~하다 die Klage akzeptieren / 청원(서)를 ~하다 ein Gesuch (e-e Bittschrift) an|nehmen*.

수리(修理) Ausbesserung *f.* -en; Reparatur *f.* ☞ 수선(修繕). ~하다 aus|bessern⁴; reparieren⁴; renovieren⁴. ¶ ~ 중인 가옥 das Haus in Renovierung / 자동차 ~ Autoreparatur *f.* / 도로를 ~하다 die Straße aus|bessern.

수리(數理) mathematisches Prinzip, -s, -e (..pien); die Prinzipien der Mathematik. ¶ ~적 mathematisch / ~에 밝다 in der Mathematik bewandert sein.
‖ ~경제학(물리학, 통계학) mathematische Ökonomie (Physik, Statistik).

수리검(手裏劍) Dolchmesser *n.* -s, -. ¶ ~을 던지다 ein Dolchmesser werfen* 《*nach*³》.

수리딸기 〖식물〗 e-e Art Himbeere 《*f.* -n》; *Rubus corchorifolius* (학명).

수리먹다 teilweise faul u. ungenießbar werden 《Kastanien, Nüsse *usw.*》.

수리부엉이 Ohreule *f.* -n; Uhu *m.* -s, -s.

수리수리하다 verschwommen (sehen*); trübe (Augen 《*pl.*》 haben); unklar (sein) 《Augen》. ¶ 내 나이가 되면 눈이 수리수리해서 글씨도 잘못 알아본다 In m-m Alter kann ich die Buchstaben nur verschwommen sehen.

수리치 〖식물〗 e-e Art Wald- u. Feldblume 《*f.* -n》 von Korea u. Japan; *Synurus palmatopinnatifolia* var. *indivisus* (학명).

수림(樹林) Wald *m.* -es, ⸚er; 〖시어〗 Hain *m.* -(e)s, -e; Forst *m.* -es, -e; Dickicht *n.* -(e)s, -e. ¶ ～으로 덮여 있는 waldig.

‖ ～길 Waldweg *m.* -(e)s, -e.

수립(樹立) Errichtung *f.* -en; (Be)gründung *f.* -en. ～하다 auf|richten⁴〔-|stellen⁴〕; errichten⁴; (be)gründen⁴; bilden⁴; ein|setzen⁴; entstehen lassen*⁴; eröffnen⁴; etablieren⁴; fundieren⁴; ins Leben rufen*⁴; stiften⁴. ¶ 신정부를 ～하다 e-e neue Regierung bilden 〔errichten; ins Leben rufen*〕/ 계획을 ～하다 die Pläne schmieden.

수마(水魔) böser Flutgeist, -es, -er; Flut *f.* -en; Überschwemmung *f.* -en. ¶ ～에 휩쓸리다 vom Hochwasser mitgerissen werden.

수마(睡魔) Schläfrigkeit *f.*; Müdigkeit *f.*; Sandmann *m.* -(e)s (동화의); Sandmännchen *n.* -s (동화의). ¶ ～가 덮치다 von (der) Schläfrigkeit 〔Müdigkeit〕 überwältigt 〔übermannt〕 werden; der Schlaf überfällt 〔überkommt; übermannt; überwältigt〕 *jn.*

수마트라 《인도네시아 서부의 섬》 Sumatra.

수만(數萬) Zehntausende 《*pl.*》. ¶ ～의 인파 Zehntausende von ³Menschen.

수말 〖동물〗 《총칭》 Hengst *m.* -es, -e 《암말: Stute *f.* -n》; 《종마》 Zuchthengst *m.* -es, -e; 《거세한》 Wallach *m.* -(e)s, -e.

수매(收買) An¦kauf 〔Ein-〕 *m.* -(e)s, ⸚e; Beschaffung 〔An-〕 *f.* -en. ～하다 ein|kaufen⁴; (an|)kaufen⁴.

‖ ～가격 Anschaffungs¦preis 〔Einkaufs-; Kauf-〕 *m.* -es, -e.

수맥(水脈) Wasserschicht *f.* -en; Wasserader *f.* -n.

수면(水面) Wasserspiegel *m.* -s, -. ¶ ～에 비치다 ⁴sich im Wasser spiegeln / ～에 비추다 ⁴*et.* im Wasser spiegeln / ～에 떠오르다 an der Oberfläche des Wassers auf|tauchen ⓢ / ～에서 1 미터 위(아래) ein(en) Meter über 〔unter〕 der Oberfläche des Wassers.

수면(水棉) 〖식물〗 Spirogyra [spi.., ʃpi..] *f.* 〔..ren.

수면(睡眠) Schlaf *m.* -(e)s. ¶ 8 시간의 ～ acht Stunden Shlaf / ～ 부족으로 인하여 wegen des ungenügenden Schlafes / ～을 취하다 schlafen* / ～을 충분히 취하다 ⁴sich aus|schlafen* / ～을 방해하다 *jn.* im Schlaf stören.

‖ ～병 Schlafkrankheit *f.* -en. ～부족 der ungenügende Schlaf: ～ 부족처럼 보인다 übernächtig aus|sehen*. ～시간 Schlafzeit *f.* -en. ～제 Schlaf¦mittel 〔-pulver〕 *n.* -s, -.

수명(壽命) die (vom Schicksal bestimmte) Lebensdauer; die natürliche Lebensspanne. ¶ 현 정부의 ～ die Lebensdauer der jetzigen Regierung / ～이 짧다 kurzlebig 〔von kurzer Lebensdauer〕 sein; kein langes Leben genießen* / ～이 길다 langlebig 〔von langer Lebensdauer〕 sein; ein langes Leben genießen*; ein hohes Alter erreichen / ～이 길어지다 die Lebensdauer wird *jm.* verlängert; sein Leben noch (um) ein paar Jahre verlängern / ～이 짧아지다 die Lebensdauer wird *jm.* verkürzt / ～을 다하고 죽다 den natürlichen Tod (des natürlichen Todes) sterben* ⓢ.

‖ 평균～ die Durchschnittsspanne des Menschenlebens.

수모(手母) Brautjungfer *f.* -n.

수모(受侮) das Erniedrigtwerden*, -s; das Einstecken* 《-s》 e-r Demütigung; das Erleiden* 《-s》 e-r Beleidigung; das Verachtetwerden*, -s; das Erleiden* 《-s》 e-r Verspottung. ～하다 erniedrigt werden; e-e Demütigung ein|stecken; e-e Beleidigung erleiden*; verachtet werden; e-e Verspottung erleiden*. ¶ ～를 참다 e-e Demütigung ein|stecken 〔hin|nehmen*〕/ 당신에게서 ～를 더 이상 듣고 있지 않겠다 Ich höre mir Ihre Beleidigungen nicht länger an.

수모(首謀) ＝주모(主謀).

수모(誰某) (der) Herr Soundso; ein gewisser Jemand, -(e)s. ☞ 아무개.

수목 aus alter Watte gewobener Baumwollstoff, -(e)s, -e.

수목(樹木) Baum *m.* -(e)s, ⸚e. ¶ ～이 없는 holzarm; unbedeckt; kahl / ～이 울창한 waldig; bewaldet.

‖ ～숭배 Baumverehrung *f.* -en. ～원 Arboretum *n.* -s, ..ta 〔..ten〕. ～학 Dendrologie *f.*; Baumkunde *f.*: ～학자 Dendrolog(e) *m.* ..gen, ..gen; Baum¦forscher 〔-kenner〕 *m.* -s, -; der Baumkundige*, -n, -n.

수무지개 der klarere Regenbogen 《-s, -》 von zwei gleichzeitig sichtbaren Regenbogen.

수묵(水墨) (schwärzliche) Tusche, -n.

‖ ～화 Tuschzeichnung *f.* -en: ～화를 그리다 mit Tusche zeichnen⁴ 〔malen⁴〕.

수묵지다(水墨—) mit Tusche befleckt werden; mit Tusche leicht beschmutzt werden.

수묵치다(水墨—) e-n Fehler mit Tusche verheimlichen; vertuschen⁴.

수문(水門) Schleuse *f.* -n. ¶ 운하의 ～ die Schleusen an e-m Kanal / ～을 열다(닫다) die Schleusen öffnen 〔schließen*〕/ ～을 내다 schleusen⁴ 《e-n Kanal》.

수문(水紋) ① 《수면의》 kreisförmige Wellen 《*pl.*》 auf der Wasseroberfläche. ② 《비단의》 Moiré [mwaré:] *m.* 〔*n.*〕 -s, -s; Moirémuster *n.* -s, -.

수문(守門) Torwache *f.* -n; das Hüten* 《-s》 der Tür.

‖ ～군 Torwächter *m.* -s, -; Torhüter *m.* -s, -. ～장(將) der Hauptmann 《-(e)s, ⸚er》 der Torwächter; 《신장(神將)의 하나》 einer* von den göttlichen Generalen, der für das Tor (e-s buddhistischen Tempels) verantwortlich ist.

수문(繡紋) das gestickte Muster, -s, -.

수문수답(隨問隨答) das fließende Antworten* 《-s》 auf mehrere aufeinander folgende Fragen. ～하다 auf Fragen sogleich u. fließend antworten; den Fragen mit rechtzeitigen Antworten folgen.

수미(首尾) Anfang u. Ende, des -(e)s u. -s. ¶ ～ 일관의 folgerichtig; konsequent / ～ 일관하여 durchweg; folgerichtig; konsequenterweise / ～ 상접하다 ununterbrochen 〔kontinuierlich〕 sein.

수미(愁眉) die kummervolle 〔betrübte〕 Miene. ¶ ～를 펴다 (erleichtert) auf|atmen; ⁴sich erleichtert fühlen.

수밀(水密) ¶ ～의 wasserdicht.

‖ ～시험 Wasserdichtigkeitsprüfung *f.* -en.

수밀도(水蜜桃) Pfirsich *m.* -(e)s, -e.

수박 Wassermelone *f.* -n. ¶ ~ 겉핥기 die seichte (oberflächliche) Kenntnis, -se; Halbwissen *n.* -s; Halbwisserei *f.* -en / ~ 겉핥기식의 halb¦wissend (-gelehrt).

수반(水盤) Wasserbecken *n.* -s, -.

수반(首班) Haupt *n.* -(e)s, ⸚er; Chef *m.* -s, -s. ‖ 내각~ Kabinetts¦chef (Regierungs-) [..ʃɛf] *m.* -s, -s; Regierungsoberhaupt *m.* -(e)s, ⸚er.

수반(隨伴) Begleitung *f.* -en. ~하다 begleiten⁴. ¶ 이 일에는 어려움이 ~된다 Diese Arbeit ist mit Schwierigkeiten verknüpft.¦Es ergeben sich die Schwierigkeiten mit dieser Arbeit.

‖ ~현상 Begleiterscheinung *f.* -en.

수방(水防) der Schutz 《-es》 gegen Überschwemmung.

‖ ~대책 (Vorbeugungs)maßnahmen 《*pl.*》 gegen Überschwemmung.

수배(手配) (An)ordnung *f.* -en; Arrangement [arãʒəmã:] *n.* -s, -s; 《배치》 Aufstellung *f.* -en; Verteilung *f.* -en; Vorkehrung *f.* -en (준비). ~하다 an|ordnen⁴; arrangieren⁴; Arrangements treffen*; auf|-stellen⁴ (인원 따위를 배치하다); verteilen⁴; Vorkehrungen treffen* (준비); 《경찰이》 Maßnahmen 《*pl.*》 zum Arrest des Verbrechers ergreifen*. ¶ 요소요소에 ~해 놓다 an den wichtigen Stellen die Dispositionen machen / 범인을 ~하다 Maßregeln zum Arrest des Verbrechers ergreifen* / 그는 지명 ~를 받고 있다 Er ist von der Polizei gesucht.

‖ ~사진 das Photo des gesuchten Verbrechers. ~자 der strafrechtlich Verfolgte*, -n, -n.

수배(數倍) ¶ ~의 viel¦fach (mehr-).

수백(數百) viel Hunderte 《*pl.*》 (기백); Hunderte 《*pl.*》 (u. aber(mals) Hunderte); einige (ein paar) Hunderte. ¶ ~ 명 Hunderte von Menschen/~ 마일 einige Hunderte Meilen.

수범(垂範) das vorbildliche Benehmen*, -s. ~하다 ⁴sich vorbildlich benehmen*; vorbildlich arbeiten. ¶ 솔선 ~하다 mit gutem Beispiel voran|gehen* / 그의 태도는 솔선 ~적이다 S-e Haltung (Sein Verhalten) ist vorbildlich.

수법(手法) Technik *f.* -en; Kniff *m.* -(e)s, -e; Trick *m.* -s, -e; Weise *f.* -n; Methode *f.* -n; Verfahren *n.* -s, -; Stil *m.* -(e)s, -e; Schreibweise *f.* -n; Ausdrucksweise *f.* -n. ¶ 그가 늘 하는 ~이다 Es ist immer das alte (dasselbe) Lied mit ihm.

수변(水邊) =물가.

수병(水兵) Matrose *m.* -n, -n; Blaujacke *f.* -n; Seesoldat *m.* -en, -en.

‖ ~모 Matrosen¦mütze *f.* -n (-hut *m.* -(e)s, ⸚e). ~복 Matrosen¦anzug *m.* -(e)s, ⸚e (-kleider 《*pl.*》).

수보다(數—) Glück haben; fein heraus sein; Erfolg haben; *js.* Weizen blüht. ¶ 그는 토지 투기를 해서 수봤다 Er hat großen Erfolg in der Bodenspekulation gehabt. / 그는 지금 수를 보고 있다 Sein Weizen blüht jetzt.

수복(收復) Wiedererlangung *f.* -en; Zurückerlangung *f.* -en; Wiedereroberung *f.* -en; Zurückeroberung *f.* -en. ~하다 wieder|erlangen⁴; zurück|erlangen⁴; wieder|-erobern⁴; zurück|erobern⁴; befreien⁴.

‖ ~민 die Bewohner 《*pl.*》 des zurückerlangten Gebietes. ~지구 das zurückerlangte Gebiet, -(e)s, -e; das befreite Gebiet; das zurückgewonnene Gebiet.

수복(修復) ① 《복원》 Wiederherstellung *f.* -en; Renovierung *f.* -en; Restauration *f.* -en. ~하다 wieder|her|stellen⁴; renovieren⁴; restaurieren⁴. ② 《답장》 das Beantworten* 《-s》 e-s Briefes. ~하다 e-n Brief beantworten; auf e-n Brief antworten.

수복(壽福) das Genießen* 《-s》 des langen, gesunden Lebens; das Glück 《-(e)s》, langes Leben zu führen.

‖ ~강녕 das Genießen* der Gesundheit noch im hohen Alter.

수부(水夫) Matrose *m.* -n, -n; Seemann *m.* -(e)s, ..leute.

‖ ~장 Bootsmann *m.* -(e)s, ..leute; Maat *m.* -(e)s, -e (-en) (선장대리).

수부(首府) Haupt¦stadt (Residenz-) *f.* ⸚e; Metropole *f.* -n.

수부종 〖농사〗 direkte Aussaat von Reis (ohne ihn zu pikieren). ~하다 Reis direkt aus|säen.

수북수북 so daß alles überhäuft wird; in Hülle und Fülle; in gerütteltem Maße; in vollem Maße; haufenweise; üppig. ~하다 überhäuft; reichlich; überfüllt; voll (sein); 〖서술적〗 mehr als genug sein; in Fülle vorhanden sein.

수북이 in Hülle u. Fülle; in vollem Maße; überfüllt; haufenweise. ¶ 그는 금화를 ~ 갖고 있다 Er hat Goldmünzen in Hülle u. Fülle. / 나는 코피에 설탕을 한 숟갈 ~ 친다 Ich nehme e-n Löffel voll von Zucker zum Kaffee. / 나는 그녀에게 쌀을 한 되 ~ 주었다 Ich gab ihr ein volles Maß Reis.¦Ich gab ihr ein gerütteltes Maß Reis.

수북하다 in Fülle vorhanden sein; überhäuft; überfüllt (sein); mehr als genug sein. ¶ 접시에 포도가 ~ Der Teller ist voller Trauben. / 일이 수북하게 밀려 당신에게 편지 쓸 틈을 내지 못했읍니다 Wegen Überhäufung mit Arbeit bin ich nicht dazu gekommen, Ihnen zu schreiben.

수분(水分) Wassergehalt *m.* -(e)s; Feuchtigkeit *f.*; Nässe *f.*; Saft *m.* -(e)s, ⸚e (즙액). ¶ ~이 많은 wässerig; wäßrig; feucht; naß 《nasser (nässer), nassest (nässest)》; saftig; voll Saft / ~이 많은 실과 saftige Früchte 《*pl.*》 / …의 ~을 빼다 entwässern⁴ / ~을 흡수하다 das Wasser auf|saugen.

수분(水粉) ① =물분. ② 《무리》 der Bodensatz 《-es, ⸚e》 vom Reiswasser.

수분(受粉) 〖식물〗 Bestäubung *f.* -en.

수분하다(守分—) bescheiden leben; standesgemäß leben; mit s-r unbedeutenden Rolle zufrieden sein; s-e Lage als Schicksal ruhig hin|nehmen*.

수불(受拂) das Einnehmen* 《-s》 u. das Auszahlen* 《-s》. ~하다 empfangen* u. zahlen; ein|nehmen* u. aus|zahlen.

수비(守備) 《방어》 Verteidigung *f.* -en (방위); Besatzung *f.* -en (주둔). ~하다 verteidigen⁴; garnisonieren⁴; besetzt halten*⁴; bewachen⁴; gegen Angriffe schützen; in Schutz nehmen*. ¶ ~를 강화하다 die Verteidigungen verstärken.

‖ ~군 Besatzungsarmee *f.* -n. ~대 Garnison *f.* -en; Besatzung *f.* ~전 Defensiv¦krieg (Verteidigungs-) *m.* -(e)s, -e.

수빙(樹氷) Rauhfrost *m.* -(e)s, ⸚e; Rauhreif *m.* -(e)s.

수사(手寫) das Abschreiben* 《-s》 mit der Hand; das Kopieren* 《-s》 mit der Hand. ~하다 mit der Hand ab|schreiben*[4]; mit der Hand kopieren[4].

‖ ~본 als Manuskript gedrucktes Buch, -(e)s, ⸗er; Handschrift *f.* -en: 이 도서관은 중세의 ~본도 몇 권 소장하고 있다 Die Bibliothek besitzt auch einige mittelalterliche Handschriften.

수사(修士) Mönch *m.* -(e)s, -e; Klosterbruder *m.* -s, ⸗.

수사(修辭) 《수사학·법》 Rhetorik *f.*; Redekunst *f.*; Kunst der Beredsamkeit; Lehre von der Redekunst. ¶ ~적 의문 〖문법〗 e-e rhetorische Frage, -n.

‖ ~학자 Redekünstler *m.* -s, -; Schönredner *m.*

수사(搜査) Untersuchung *f.* -en; Ermittlung *f.* -en; Nachforschung *f.* -en; Durchsuchung *f.* -en; Erforschung *f.* -en. ~하다 untersuchen[4]; nach|forschen[3]; ermitteln 《*gegen*[4]》. ¶ 누구의 소재 ~를 하다 Ermittlungen nach *js.* Verbleib an|stellen / ~는 아직 종결되지 않았다 Die Ermittlungen sind noch nicht abgeschlossen. / 경찰은 반년간 ~해 왔다 Die Polizei hat ein halbes Jahr lang ermittelt. / 피고에 관해서는 이미 지난 여름부터 ~가 진행되어 왔다 Gegen den Angeklagten ist bereits seit vorigem Sommer ermittelt worden. / 경찰은 용의자에 관해 ~하고 있다 Die Polizei ermittelt gegen den Verdächtigten.

‖ ~계 Unterabteilung 《*f.* -en》 Detektive: ~계장 Detektivsektionsleiter *m.* -s, -. ~과(課) Kriminalabteilung *f.* -en: ~과장 Kriminalabteilungsleiter *m.* -s, -; Kriminalkommissar (Kriminalkommissär) *m.* -s, -e; Polizeikommissar (Polizeikommissär) *m.* -s, -e. ~망 Polizeinetz *n.* -es, -e; Polizeispitzel *m.* -s, -. ~본부 Ermittlungszentrale *f.* -n. ~절차 Ermittlungsverfahren *n.* -s, -. ~주임 Chef 《*m.* -s, -s》 der Detektivsektion. ~카드 Untersuchungskartei *f.* -en. 국립과학 ~ 연구소 Nationalinstitut 《*n.* -(e)s》 für wissenschaftliche Kriminaluntersuchungen. (군경) 합동~반 gemeinsame Untersuchungskommission 《-en》(von Militär u. Polizei). 범죄~ Kriminaluntersuchung *f.* -en.

수사(數詞) 〖문법〗 Zahlwort *n.* -(e)s, ⸗er; Numerale *n.* -s, ..lien (..lia).

‖ 정 (부정)~ ein bestimmtes (unbestimmtes) Zahlwort (Numerale).

수사납다(數—) Unglück haben; e-n unglücklichen Zufall erleben. ¶ 수사납게도 기차를 놓쳤다 Zu allem Übel (Unglück) habe ich den Zug verpaßt.

수사돈(一査頓) Vater 《*m.* -s, ⸗》 des Schwiegersohns od. Vater der Schwiegertochter.

수사슴 Hirschbock *m.* -(e)s, ⸗e.

수산(水産) 《수산업》 Fischerei *f.* -en.

‖ ~국(國) ein Volk 《-(e)s, ⸗er》, das mit Fischereiwesen zu tun hat. ~물 die Wasserprodukte 《*pl.*》; die Seeprodukte 《*pl.*》 (해산물). ~연구소 das Forschungsinstitut 《-(e)s, -e》 für Fischerei. ~청 Fischereiamt *n.* -(e)s, ⸗er. ~조합 Fischereigenossenschaft *f.* -en. ~학교 (대학) die Schule (Hochschule) für Fischerei.

수산(蓚酸) 〖화학〗 Oxalsäure *f.*; Kleesäure *f.*

‖ ~염 Oxalsäuresalz *n.* -es, -e.

수산화(水酸化) 〖화학〗 Hydrierung *f.* -en.

‖ ~물 Hydroxyd *n.* -(e)s, -e. ~나트륨 Ätznatron *n.*; Natriumhydroxyd *n.* ~바륨 Bariumhydroxyd *n.* ~아연 Zinkhydroxyd *n.* ~암모늄 Ammoniumhydroxyd *n.* ~금 Goldhydroxyd *n.* ~철 Eisenhydroxyd *n.* -s, -. ~칼륨 Kaliumhydroxyd *n.* -(e)s, -e. ~칼슘 Kalziumhydroxyd *n.*

수삼(水蔘) eben ausgegrabener, frischer, ungetrockneter Ginseng, -s, -s.

수상(水上) auf dem Wasser; Wasser-.

‖ ~경기 Wassersport *m.* -(e)s, -e: ~ 경기 대회 die Wassermeisterschaftskämpfe 《*pl.*》. ~경찰 Wasserpolizei *f.* -en. ~교통 Wasserverkehr *m.* -(e)s, -. ~권(權) Wasserhoheit *f.* ~(비행)기 Wasser¦flugzeug (See-) *n.* -(e)s, -e; Flugboot *n.* -(e)s, -e (비행정). ~비행장 Wasserflug(zeug)hafen *m.* -s, ⸗. ~생활 das Leben 《-s》 auf dem Wasser. ~선수 Wassersportler *m.* -s, -. ~스키 Wasser¦schi (-ski [..ʃi:]) *m.* -s, -er. ~운송 Wasserfracht *f.* -en.

수상(手相) Handlinien 《*pl.*》. ☞ 손금.

‖ ~술(術) Hand¦lesekunst *f.* (-deutung *f.* -en); Chiro¦logie (-gnomie; -mantie) *f.*

수상(受像) Bilderempfang *m.* -(e)s, ⸗e. ~하다 Bilder empfangen*.

‖ ~기 Empfänger *m.* -s, -; Fernsehapparat *m.* -(e)s, -e; Fernseher *m.* -s, -; Fernsehen *n.* -s, -; Television *f.* -en. ~력 Empfangskraft *f.* ⸗e. ~면 Bildschirm *m.* -(e)s, -e; Bildfläche *f.* -n; Fernsehschirm *m.*

수상(受賞) Preisempfang *m.* -(e)s, ⸗e; das Gekröntwerden*, -s. ~하다 e-n Preis 《-e》 empfangen* (verliehen bekommen*); mit e-m Preise gekrönt werden.

‖ ~자 Preisempfänger *m.* -s, -; der Preisgekrönte*, -n, -n: 노벨상 ~자 Nobelpreisträger *m.* -s.

수상(首相) Ministerpräsident *m.* -en, -en; Premierminister *m.* -s, -; 《서독》 Kanzler *m.* -s, -. ¶ ~이 되다 an der Spitze des Kabinetts stehen*; das Kabinett führen; das Amt des Premierministers auf|nehmen; Ministerpräsident werden.

‖ ~대리, ~서리 der stellvertretende Ministerpräsident. ~직 das Amt des Premierministers. 제 1부~ 《소련》 der erste stellvertretende Vorsitzender. 영연방 ~회의 die Konferenz der Premierminister.

수상(殊常) Mißtrauen *m.* -s; Verdächtigkeit *f.* -en. ~하다, ~스럽다, ~쩍다 verdächtig; zweifelhaft; fraglich; unsicher; Argwohn erweckend; mißtrauisch (sein). ¶ ~한 인물 der verdächtige Kerl, -(e)s, -e; der Verdächtige*, -n, -n / 어딘지 ~쩍은 데가 있었다 Es liegt etwas Verdächtiges vor.¦Es kommt mir verdächtig vor. / ~쩍게 여기다 *jn.* in Verdacht haben; Verdacht (Argwohn; Mißtrauen) hegen 《*gegen*[4]》; mißtrauisch (argwöhnisch) sein / 잠자코 있는 것이 아무래도 ~하다 Sein Schweigen kommt mir verdächtig vor. / 아무래도 ~한 데가 있다 Ein Verdacht besteht doch. / 그이가 어쩐지 ~해 보인다 Er hat ein verdächtiges Aussehen.

수상(授賞) Auszeichnung *f.* -en; Ehrengabe *f.* -n; das Prämiieren*, -s. ~하다 e-n Preis geben* (zu|erkennen*; verleihen*) 《*jm.*》; mit e-m Preis aus|zeichnen 《*jn.*》.

수상(隨想) gelegentliche Gedanken 《*pl.*》.
‖ ~록 Essay *m.* -s, -s.
수색(羞色) Schamröte *f.*; Errötung *f.* ¶ 그녀는 부끄러운 나머지 ~을 띠었다 Sie errötete vor Scham.
수색(搜索) Durch¦suchung (Unter-) *f.* -en; Nachsuchung *f.* -en; das Suchen*, -s; Suche *f.*; Suchaktion *f.* -en; das Draggen* (Dreggen*) -s (강을); Visitation *f.* -en (몸을). ~하다 durch|suchen[4] (durchsuchen[4]); nach|suchen[(4)]; suchen[4]. ¶ 경찰에서 ~ 중인 남자 der von der Polizei Vorfolgte*, -n, -n / 가택을 ~하다 e-e Haussuchung halten* / 범인을 ~하기 위해서 경찰을 보내다 die Polizeibeamten senden*, um den Verbrecher zu fahnden.
‖ ~권 Durch¦suchungsrecht (Unter-) *n.* -(e)s, -e. ~대 Streife *f.* -n (경찰의); Aufklärungsabteilung *f.* -en (군대의); Rettungsmannschaft *f.* -en (조난자의). ~원(願) das Gesuch 《-(e)s, -e》 an die Polizei, *js.* Spur zu entdecken.
수색(愁色) die besorgte (betrübte; kummervolle) Miene, -n. ¶ ~을 띠다 sorgenvoll aus|sehen*.
수서(手書) =수찰(手札).
수서(水棲) ¶ ~의 Wasser-.
‖ ~동물 (식물) Wassertier *n.* -(e)s, -e (Wasserpflanze *f.* -n).
수석(首席) der oberste Platz, -es, ⸚e; der Oberste* (Erste*) -n, -n (사람). ¶ 클라스의 ~ der Erste* der [2]Klasse / ~으로 졸업하다 von der [3]Schule als der [1]Erste ab|gehen* ⓢ.
‖ ~교사 Hauptlehrer *m.* -s, -. ~전권 대사 der Hauptbevollmächtigte*, -n, -n. ~판사 der oberste Richter, -s, -.
수선 das Lärmen*, -s; lästiges Geschwätz, -es, -e. ¶ ~부리다 =수선떨다. ‖ ~장이 Schwätzer *m.* -s, -; Schwätzerin *f.* -nen.
수선(垂線) die Senkrechte*, -n, -n; senkrechte Linie, -n. ¶ 기선(基線)에 ~을 내려 긋다 e-e Senkrechte auf die Grundlinie ziehen*.
수선(修繕) Reparatur *f.* -en; Ausbesserung *f.* -en; Wiederherstellung *f.* -en. ~하다 reparieren[4]; aus|bessern[4]; wieder|her|stellen[4]; wieder|her|richten[4]. ¶ ~ 가능한 reparabel / ~에 필요한 reparaturbedürftig / ~ 중이다 in [3]Reparatur sein / 구두를 ~하다 Schuhe flicken (aus|bessern; reparieren) / 시계를 ~시키다 [3]sich e-e Uhr reparieren lassen*.
‖ ~공장 Reparatur¦werkstatt *f.* (-anstalt *f.* -en). ~비 Reparaturkosten 《*pl.*》. ~업자 der Reparierende*, -n, -n; Ausbesserer *m.* -s, -.
수선거리다 lärmen; Lärm machen; lärmig (laut) sein. ¶ 학동들이 교실에서 수선거리고 있다 Die Schulkinder lärmen im Klassenzimmer. / 수선거리지들 말아 Seid nicht so laut!¦Macht nicht solchen Lärm!
수선떨다, 수선피우다 mit übertriebenen Gesten reden; viel Aufhebens machen. ¶ 하찮은 일에 수선을 떨다 viel Aufhebens über die Kleinigkeiten machen.
수선하다, 수선스럽다 laut; unruhig; unordentlich; durcheinander; wirr (sein). ☞ 어수선하다.
수선화(水仙花) 〖식물〗 Narzisse *f.* -n; Jonquille [ʒɔ̃:kí:j; ..kíljə]; Tazette *f.* -n; *Narcissus tazetta* var. *chinensis* (학명).
수성(水成) ¶ 바위가 ~인 wasserstoffhaltig.
‖ ~암 Sedimentgestein *n.* -(e)s, -e.
수성(水性) Wässerigkeit *f.*; wässerige Beschaffenheit.
‖ ~가스 Wassergas *n.* -es, -e. ~도료 wasserlösliche Farbe, -n; Wasserfarbe *f.*
수성(水星) Merkur *m.* -s.
수성(獸性) Tierheit *f.*; Bestialität *f.*; Vertiertheit *f.*; das Viehische*, -n.
수세(水洗) (Wasser)spülung *f.* -en; Ausspülung *f.* -en.
‖ ~(식) 변기 Spülapparat *m.* -(e)s, -e. ~(식)변소 Wasser(spül)klosett *n.* -s, -s; ~(식) 변소로 개조하다 den Abort in das Wasserabort renovieren.
수세(水勢) Strömung *f.* -en. ¶ 급한 ~ die starke (heftige; reißende) Strömung.
수세(收稅) Steuer¦erhebung *f.* -en (-einnahme *f.* -n). ~하다 Steuern 《*pl.*》 erheben* (ein|nehmen*; ein|ziehen*).
‖ ~리 Steuerbeamte*, -n, -n; Steuer¦erheber *m.* -s, - (-einnehmer *m.* -s, -).
수세(守勢) Defensive *f.* -n; Verteidigung *f.* -en. ¶ ~의(에 몰린) defensiv; verteidigend / ~를 취하다 die Defensive ergreifen* / ~에 몰리다 in die Defensive geraten* ⓢ (gedrängt werden).
수세(受洗) 〖기독교〗 Taufe *f.* -n. ~하다 getauft werden. ‖ ~자 Täufling *m.* -s, -e.
수세다(手—) ① 《세차다》 sehr stark (sein). ② 《바둑·장기에》 ein guter Spieler sein (z.B. beim Go-spiel).
수세미 Schrubber *m.* -s, -; Küchenbürste *f.* -n. ‖ ~외 Schwammkürbis *m.* -ses, -se.
수소 Bulle *m.* -n, -n; Stier *m.* -(e)s, -e; Ochse *m.* -n, -n.
수소(水素) Wasserstoff *m.* -(e)s; Hydrogen (-ium) *n.* -s 《기호: H》. ¶ ~가 포함된 wasserstoffhaltig / ~와 화합하다 hydrieren[4] / ~를 분리시키다 entwässern[4].
‖ ~가스 Wasserstoffgas *n.* -ss, -e. ~권 Wasserstoffsphäre *f.* -n. ~산 Wassersäurestoff *f.* -n. ~폭탄 Wasserstoffbombe *f.* -n; H-Bombe. ~화물 Hydrid *n.* -s, -e; Wasserstoffverbindung *f.* -en. 과산화~ Wasserstoffsuperoxyd *n.* -(e)s, -e.
수소문(搜所聞) [3]Nachrichten 《*pl.*》 od. [3]Gerüchten 《*pl.*》 von *jm.* od. über [4]*et.* nach|gehen* ⓢ. ~하다 nach|spüren[3]; nach|forschen[3]; suchend folgen[3] ⓢ; *js.* [3]Spur nach|gehen* ⓢ. ¶ ~해서 잃은 아이를 찾다 der Spur e-s verlorenen Kindes durch Sammeln von Gerüchte nach|gehen* ⓢ.
수속(手續) Verfahren *n.* -s, -; Formalität *f.* -en. ☞ 절차. ~하다 die notwendigen Formalitäten erledigen. ¶ ~을 마치고 나서 nach Erledigung der Formalitäten.
수송(輸送) Beförderung *f.* -en; Transport *m.* -(e)s, -e; Transportation *f.* -en; Überführung *f.* -en. ~하다 befördern[4]; transportieren[4]. ¶ 승객들을 버스 (배, 비행기)로 ~하다 die Fahrgäste mit Bus (Schiff, Flugzeug) befördern / 이 나루터는 매일 약 100명의 승객을 ~하고 있다 Die Fähre befördert täglich etwa 100 Fahrgäste.
‖ ~기 Transporter *m.* -s, -; Transportflugzeug *n.* -(e)s, -e; 《화물의》 Frachtflugzeug *n.* ~난 Transportschwierigkeiten 《*pl.*》. ~대 〖군사〗 Transporttruppe *f.* -n: ~대장 Transportführer *m.* -s, -. ~량 der

Umfang 《-(e)s, ⸚e》 des Transportes; die Quantität 《-en》 des Transportes. ~력(力) Transportkapazität *f.* -en. ~로 Transportweg *m.* -(e)s, -e. ~선(線) Transportlinie *f.* -n. ~선(船) Transportschiff *n.* -(e)s, -e. ~시설 Transportanlage *f.* -n. 장거리~ Ferntransport *m.* 단거리~ Nahtransport *m.* 육상~ Landtransport *m.* 철도~ Bahntransport *m.* 항공~ Lufttransport *m.* 해상~ Seetransport *m.*

수쇄(手刷) Handdruck *m.* -(e)s, -e. ¶ ~의 handgedruckt.

수쇠 ① 《돌쩌귀의》 Dorn *m.* -s, -e (des Fischbands). ② 《자물쇠의》 der Teil e-s Schlosses, der in 〔zur〕 Öffnung e-s Hohlschlüssels paßt. ③ 《맷돌의》 eiserner Zapfen 《-s, -》 e-r Handdrehmühle.

수수 〖식물〗 Mohrenhirse *f.* -n; Kauliang *m.* -s, -.

‖ ~개떡 das aus dem klebrigen Kauliang gemachte Schrotbrot. ~경단 der aus dem klebrigen Kauliang gemachte Honigkuchen. ~깡 Kauliangstange *f.* -n. ~쌀 Kauliangskorn *n.* -(e)s, ⸚er.

수수(授受) das Übergeben* u. Übernehmen*, des -, u. -s; das Geben* u. Nehmen*, des -, u. -s. ~하다 (über)geben* u. (über)nehmen* 《*jm.* ⁴*el.*》.

수수께끼 Rätsel *n.* -s, -; Chimära *f.*; Raterei *f.* -en; Sphinx *f.* ¶ ~ 같은 rätselhaft; mysteriös; verwirrend; irremachend / ~ 같은 이야기 e-e rätzelhafte Geschichte; mysteriöse Geschichte / ~ 같은 사람 der rätselhafte 〔mysteriöse〕 Mensch, -en, -en / 우주의 ~ das Rätsel des Kosmos / ~를 내놓다 ein Rätsel auf|geben*; e-e Andeutung machen (암시하다) / ~를 풀다 ein Rätsel lösen / ~ 놀이를 하다 ein Rätsel spielen / 그가 왜 사직했는지 아직도 ~다 Es ist mir ein Geheimnis, warum er s-e Entlassung genommen hat. / 그는 정계에서 ~ 같은 존재다 Er ist weder Fisch noch Fleisch in der politischen Welt.

수수꾸다 necken⁴; hänseln⁴; quälen⁴.

수수돌 〖광물〗 goldhaltiger Kalzit, -(e)s, -e.

수수료(手數料) Gebühren 《*pl.*》. ¶ ~를 물다 Gebühren entrichten 〔bezahlen〕.

‖ 수험(수수)료 Prüfungsgebühren 《*pl.*》.

수수방관(袖手傍觀) das untätige Zusehen, -s. ~하다 untätig zu|sehen*; mit verschränkten Armen zu|sehen*³. ¶ ~하고 mit den Händen in den Taschen / 이 이상 ~하고 있을 수 없다 Ich kann es nicht mehr mit ansehen. / 그는 ~할 뿐이었다 Er hat es nur mit angesehen.

수수하다¹ 《정신이》 abgelenkt; zerstreut; beunruhigt; verwirrt (sein).

수수하다² 《모양·차림새》 einfach; schlicht; anspruchslos; minderwertig; schmucklos; bescheiden; unauffällig (sein). ¶ 수수한 빛깔 die ruhige Farbe / 그는 수수한 옷차림을 하고 있었다 Er war anständig gekleidet. / 그는 사람됨이 ~ Er hat ein schlichtes 〔bescheidenes〕 Wesen. | Er ist ein verschlossener Mensch. / 그는 수수하게 살고 있다 Er führt ein einfaches 〔sittsames〕 Leben.

수술 〖식물〗 Staubblatt *n.* -(e)s, ⸚er.

수술(手術) 〖의학〗 Operation *f.* -en; (ein chirurgischer) Eingriff, -(e)s, -e. ~하다 operieren⁴; e-n operativen Eingriff vor|nehmen* 《*an*³》. ¶ ~을 받다 ⁴sich e-r ³Operation unterziehen* / ~ 가능한〔불능한〕 operierbar 〔unoperierbar〕; operabel 〔inoperabel〕 / 부상자를 ~하다 die Verwundeten operieren.

‖ ~대 Operationstisch *m.* -es, -e. ~복 Operationsmantel *m.* -s, ⸚. ~실 Operationssaal *m.* -es, ..säle. ~자 Operateur [..tøːr] *m.* -s, -e. 맹장~ Blinddarmoperation *f.* -en: 맹장을 ~하다 den Blinddarm operieren. 외과~ e-e chirurgische Operation; ein chirurgischer Eingriff. 정형~ e-e plastische Operation.

수슬수슬하다 《bei Blattern *usw.*》 ein wenig getrocknet sein.

수습(修習) Lehrling *m.* -es, -e; Lehrjunge *m.* -n, -n (소년); Lehrmädchen *n.* -s, - (소녀). ~하다 bei *jm.* in der Lehre sein 〔als Lehrling dienen〕. ¶ ~을 마치다 die Lehre durch|machen.

‖ ~간호원 Lehrkrankenschwester *f.* ~기간 Lehrzeit 〔Probezeit〕 *f.*: 그의 ~기간이 끝났다 S-e Lehrzeit ist um 〔abgelaufen〕. ~기자 der Lehrjournalist *m.* -en, -en. ~생, ~공 Lehrling *m.*

수습하다(收拾—) regulieren⁴; kontrollieren⁴; im Zaum halten*⁴; handhaben⁴; retten⁴. ¶ 사태를 ~ die Situation in Ordnung bringen* / 인심을 ~ die Herzen der Menschen 〔des Volkes〕 gewinnen* / 분쟁을 원만히 ~ den Streit auf friedlichem Wege 〔auf friedliche Weise〕 bei|legen / 수습하기 어렵게 되다 nichts mehr zu helfen sein.

수시(收屍) Vorbereitung e-r Leiche zur Bestattung. ~하다 e-e Leiche zur Bestattung vor|bereiten.

수시(隨時) ¶ ~로 zu beliebiger 〔jeder〕 ³Zeit; jederzeit; gelegentlich (때에 따라서) / ~ 필요에 따라서 je nach ³Bedarf.

수식(水蝕) 〖지질〗 Erosion *f.* -en; Auswaschung *f.* -en; Abtragung *f.* -en (von Land durch Wasser). ~하다 erodieren⁴; aus|waschen*⁴.

수식(修飾) Ausschmückung *f.* -en; Verschönerung *f.* -en; Verzierung *f.* -en; Dekoration *f.* -en; Ornament *n.* -(e)s, -e. ~하다 verschönern⁴; aus|schmücken⁴; verzieren⁴; 〖문법〗 bestimmen⁴.

‖ ~어 Bestimmungswort *n.* -(e)s, ⸚er.

수신(水神) ① Wasser|gott 〔Fluß-〕 *m.* -(e)s, ⸚er. ② 《그리스 신화의》 Najade *f.* -n; Nix *m.* -es, -e; Nixe *f.* -n (여신).

수신(受信) Empfang 《*m.* -(e)s, ⸚e》 〔Aufnahme *f.* -n〕 e-r Mitteilung 〔Sendung〕. ~하다 empfangen*⁴; erhalten*⁴.

‖ ~국 Empfangsstation *f.* -en. ~기 Empfänger *m.* -s, -; Empfangsapparat *m.* -(e)s, -e. ~료 Empfangsgebühr *f.* ~안테나 Empfangsantenne *f.* -n. ~인 Empfänger *m.* -s, -: ~인 주소 성명 인쇄기 Adressiermaschine *f.* -n / ~인 주소 성명을 쓰다 e-n Brief adressieren 《*an*⁴》; e-n Brief mit Anschrift versehen* / 이 편지의 ~인의 주소 성명이 잘못 돼 있다 Der Brief ist falsch adressiert. ~처 Adresse *f.* -n.

수신(修身) Moral *f.* -en; Tugend *f.*; Sittlichkeit *f.*; Ethik *f.* ~하다 ⁴sich moralisch erziehen*. ¶ ~의 moralisch; ethisch; sittlich. ‖ ~제가(齊家) erst moralische Selbsterziehung, dann Familienführung.

수심(水深) Wassertiefe *f.* -n. ¶ ~을 재다

die Wassertiefe loten / ～이 20 미터다 Das Wasser ist 20 Metertief.

‖～계 Tiefenmesser *m.* -s, -.

수심(垂心) Orthozentrum *n.* -s, ..ren; Höhenschnittpunkt *m.* -(e)s, -e (삼각형의).

수심(愁心) Kummer *m.* -s; Gram *m.* -(e)s; Betrübnis *f.* -se; Qual *f.* -en. ¶～된 얼굴 die betrübte Miene, -n; das traurige Gesicht, -(e)s, -er/～에 잠기다 voller Trauer (in tiefer Trauer) sein; *jn.* in tiefe Trauer versetzen〖사물이 주어〗; ³sich trübe (finstere) Sorgen machen 《*über*⁴; *um*⁴》; ⁴sich sehr betrüben 《*über*⁴》/ ～을 풀다 die Trauer zerstreuen.

수심(獸心) das Tierische*, -n; tierischer Trieb, -(e)s, -e; Brutalität *f.*; Tierseele *f.* -n; das unmenschliche Wesen, -s.

‖인면(人面)～ humanes Gesicht, aber brutaler Geist; ein Tier mit e-m menschlichen Gesicht.

수십(數十) mehrere Zehn 《*pl.*》; einige Zehn 《*pl.*》; zig 《속어》; Dutzende 《*pl.*》. ¶～년 mehrere Jahrzehnte 《*pl.*》/～년 동안 Jahrzehnte lang; jahrzehntelang / ～만명 Hunderttausende 《*pl.*》 von Menschen / ～명 Dutzende von Menschen / ～회 dutzend(e)-mal.

수아주(一紬) e-e Sorte sehr feiner, kostba-「rer Seide.

수알치새 〖조류〗 Adlereule *f.* -n; *Bubo bubo tenuipes* (학명).

수압(水壓) Wasserdruck *m.* -(e)s. ¶이 근처는 ～이 낮다 (높다) In diesem Gebiet ist der Wasserdruck niedrig (hoch).

‖～계 Wasserdruckmesser *m.* -s, -. ～기 die hydraulische Presse, -n. ～브레이크 die hydraulische Bremse, -n. ～시험 Wasserdruckprobe *f.* -n. ～펌프 der hydraulische Widder, -s, -.

수액(水厄) Wassersnot *f.* ⸗e; Wasserkatastrophe *f.* -n; Überschwemmung *f.* -en; Hochwasser *n.* -s, -. ¶～을 당하다 unter e-r ³Überschwemmung leiden*.

수액(樹液) (Baum)saft *m.* -(e)s, ⸗e; 《야자·고무 나무 따위의》 Milch *f.* ¶～이 많은 saftig; saftreich.

수양(收養) Adoption *f.* -en; Annahme 《*f.* -n》 an Kindes Statt. ～하다 ein Kind adoptieren; ein Kind an|nehmen*; *jn.* an Kindes Statt an|nehmen*.

‖～딸 Adoptivtochter *f.* ⸗; Pflegetochter *f.* ⸗. ～아(兒) Adoptivkind *n.* -(e)s, -er; Pflegekind *n.* -(e)s, -er. ～아들 Adoptivsohn *m.* -(e)s, ⸗e; Pflegesohn *m.* -(e)s, ⸗e. ～아버지 Adoptivvater *m.* -s, ⸗; Pflegevater *m.* -s, ⸗. ～어머니 Adoptivmutter *f.* ⸗; Pflegemutter *f.* ⸗. ～어버이 Adoptiveltern 《*pl.*》; Pflegeeltern 《*pl.*》.

수양(修養) (Aus)bildung *f.* -en. ～하다 ⁴sich (aus|)bilden; aus|bilden⁴; kultivieren⁴. ¶～을 쌓은 (aus)gebildet / ～이 안된 ungebildet / ～을 쌓다 ⁴sich beständig bemühen, sich zu bilden / 자네는 ～이 안 돼 있다 Es fehlt dir die Ausbildung.

‖～법 die Methode für die Bildung; die Geistesübung. ～회 ein Konferenz für die Beförderung des moralischen Lebens. 정신～ Geistesbildung.

수양골 Rinderhirn *n.* -(e)s, -e; das Mark 《-(e)s》 im Rindskopf; Rindermark *n.* -(e)s.

수양버들(垂楊一) Trauerweide *f.* -n.

수업(修業) das Lernen*, -s; Erlernung *f.* -en (습득); Studium *n.* -s, ..dien (대학의); Ausbildung *f.* -en. ～하다 (er)lernen⁴; studieren⁴; ⁴sich aus|bilden 《*in*³》.

‖～기간 Ausbildungszeit *f.*; Lehrzeit *f.*; Lehrjahre 《*pl.*》. ～증서 Lehrzeugnis *n.* ..nisses, ..nisse.

수업(授業) Unterricht *m.* -(e)s, -e; Instruktion *f.* -en; Stunde *f.* -n; Unterweisung *f.* -en. ～하다 unterrichten 《*jn. in*³》; Unterricht geben* (erteilen) 《*jm. in*³》; instruieren 《*jn. in*³》; Stunden 《*pl.*》 geben* 《*jm. in*³》. ¶～을 받다 unterrichtet werden; Stunden nehmen* 《bei *jm.*》/ ～중이다 bei *jm.* Unterricht sein / 독일어의 ～을 하다 *jm.* Unterricht im Deutschen geben* / 내일은 ～이 없다 Morgen fällt die Vorlesung aus. / ～에 나가다 die Schule besuchen / ～을 끝내다 mit dem Unterricht fertig sein / ～은 몇시에 시작됩니까 Wann fängt die Stunde an? / 오늘은 ～이 없다 Heute haben wir k-n Unterricht (k-e Schule). / ～중에는 말하지 말라 Kein Geplauder in der Unterrichtsstunde (während des Unterrichts).

‖～료 Schulgeld *n.* -(e)s, -er; Unterrichtshonorar *n.* -s, -e: ～료를 받다 Schulgelder werden erhoben.

수없다 ☞ -ㄹ 수 없다. ¶하는 수 없이 gezwungenermaßen; wider Willen / 그는 하는 수 없이 그것을 단념했다 Ihm blieb nichts anderes übrig, als darauf zu verzichten.

수없다¹(數一) 《운수가》 kein Glück haben; das Glück lächelt *jm.* nicht zu; Pech haben. ¶그는 시험에 수가 없었다 Er hat bei der Prüfung Pech gehabt.

수없다²(數一) zahllos; unendlich viel (sein). ¶수없는 별들 zahllose Sterne 《*pl.*》.

수에즈운하(一運河) Suezkanal [zúːɛs..] *m.* -(e)s. ¶～는 1869 년에 개통되었다 Der Suezkanal wurde im Jahre 1869 eröffnet.

수여(授與) Verleihung *f.* -en; Austeilung *f.* -en; Erteilung *f.* -en; Zuerkennung *f.* -en. ～하다 verleihen*³⁴; aus|teilen⁴ 《*unter*³·⁴》; erteilen³⁴; zu|erkennen*³⁴.

‖졸업 증서 ～식(式) die Verleihungszeremonie 《-n [..níːən]》 der Abgangszeugnisse; Abgangsfeier *f.* -n.

수여리 〖곤충〗 Bienenkönigin *f.* -nen.

수역(水域) Gewässer 《*pl.*》; Wassergebiet *n.* -(e)s, -e.

‖공동규제～ das gemeinsam zu kontrollierende Wassergebiet. 전관～ Gewässer, für die ein Staat alleinige Kontrolle (Nutzung) beansprucht. 중립～ neutrale Gewässer 《*pl.*》.

수역(獸疫) Viehseuche *f.* -n.

수연(水鉛) 〖화학〗 Molybdän *n.* -s 《기호: Mo》.

수연(水煙) Wasserwolke *f.* -n; Wasserstaub *m.* -(e)s, (드물게) -e (⸗e).

수연(晬宴) Geburtstags¦fest *n.* -es, -e (-feier *f.* -n).

수연(壽宴) das Geburtstagsfest 《-es, -e》 für e-n Alten; das Festmahl 《-(e)s, -e》 für e-n Alten.

수연이나(雖然一) gleichwohl; jedoch; dennoch. ¶그는 이미 여러 번 퇴짜맞은 바 있다, ～ 그는 그것을 다시 한번 시도해 보고자 한다 Er ist schon mehrmals abgewiesen worden, dennoch will er es noch einmal versuchen.

수열(數列) 〖수학〗 Progression *f.* -en; Reihe *f.* -n. ‖등비 (기하)～ geometrische Reihe

(Progression). 등차～ arithmetische Reihe (Progression).

수염(鬚髥) Bart *m.* -(e)s, ⸚e; Backenbart *m.* -es, ⸚e (구레나룻); Schnurrhaare 《*pl.*》 (고양이 따위의); Bartel *f.* -n (메기 따위의); Kaiserbart (카이저 수염); Faum(bart) *m.* -(e)s. ¶ ～있는(난) bärtig; buschig; buschicht (숱 많은); zott(e)lig (텁수룩한) / ～없는 bartlos; ohne Bart; glatt (gut) rasiert (깎아) / ～을 기르다(기르고 있다) [3]sich den Bart wachsen lassen*; e-n Bart tragen* (haben) / ～을 깎다 [4]sich rasieren (barbieren); [3]sich den Bart scheren* / 그의 턱언저리에는 솜털 같은 ～이 나 있다 Ihm sprießt der erste Flaum ums Kinn. / ～이 댓자라도 먹어야 양반이다 Was nützen schöne Kleider, wenn nichts zu beißen ist? / 그는 가짜 ～을 달고 있다 Er trägt e-n falschen (künstlichen) Schnurrbart. / ～을 깎아 주십시오 Bitte, rasieren Sie mich! / 두 주일 동안이나 ～을 안 깎았다 Zwei Wochen lang habe ich mir nicht rasiert.
‖ 코밑～ Bärtchen *n.* 콧～ Schnurrbart *m.* 턱～ Spitzbart.

수염수리(鬚髥—) 〖조류〗 altaischer Bartgeier, -s, -; Geieradler *m.* -s, -; *Gypaetus barbatus altaicus* (학명).

수영 〖식물〗 Sauerampfer *m.* -s, -; Ampfer *m.* -s, -; *Rumex acetosa* (학명).

수영(水泳) das Schwimmen* (Baden*) -s. ～하다 schwimmen*. ¶ ～금지 Schwimmverbot *m.* -(e)s, -e / ～하러 가다 schwimmen (baden) gehen* Ⓢ; zum Schwimmen gehen* / ～을 가르치다 schwimmen lehren / 그는 ～을 잘 한다 Er schwimmt gut. ¦ Er ist ein guter Schwimmer.
‖ ～경기 das Wettschwimmen*, -s. ～교사 Schwimm¦lehrer (-meister) *m.* -s, -. ～모 Bade¦haube (-kappe) *f.* -n. ～복 Badeanzug *m.* -(e)s, ⸚e. ～선수 Wettschwimmer *m.* -s, -. ～(기)술 Schwimmkunst *f.* ⸚e. ～장 Bade¦anstalt (Schwimm-) *f.* -en: 옥외 ～장 Freibad *n.* -(e)s, ⸚er ～팬츠 Bade¦hose (Schwimm-) *f.* -n. ～학교 Schwimmschule *f.* -n. 한국 ～연맹 der Koreanische Verband 《-(e)s》 des Wettschwimmens.

수예(품)(手藝(品)) Handarbeit *f.* -en.

수온(水溫) Wassertemperatur *f.* -en.

수완(手腕) Fähigkeit *f.* -en; Talent *n.* -(e)s, -e; Geschicklichkeit *f.* -en; Tüchtigkeit *f.* -en. ¶ ～이 있는 fähig; tüchtig; talentvoll; geschicklich / 그는 ～가다 Er ist ein fähiger (tüchtiger) Mensch. / ～을 보이다 s-e Fähigkeit zeigen / 놀라운(굉장한) ～을 발휘하다 e-e erstaunliche Fähigkeit zeigen; [4]sich ungemein fähig zeigen / 그의 정치적 ～은 높이 평가되고 있다 S-e politische Fähigkeit wird hoch gewertet.
‖ ～가 ein fähiger (tüchtiger) Mensch, -en, -en; Könner *m.* -s, -. 외교～ diplomatischer Takt, -(e)s, -e; diplomatische Fähigkeiten 《*pl.*》.

수요(需要) Bedarf *m.* -(e)s; Nachfrage *f.* -n; Kaufwunsch *m.* -es, ⸚e. ¶ ～를 충족시키다 den Bedarf (die Nachfrage) decken; e-n Kaufwunsch befriedigen; der [3]Nachfrage entsprechen* / ～가 있다 bedürfen*[2·4]; begehren[4]; (er)fordern[4]; verlangen[4]; wünschen[4].
‖ ～공급 Angebot 《*n.* -(e)s, -e》 u. Nachfrage. ～과다 der übermäßige Bedarf. ～자 Konsument *m.* -en, -en; Abnehmer *m.* -s, -; Käufer *m.* -s, -; Verbraucher *m.* -s, -. ～충족 Bedarfsdeckung *f.* -en.

수요(壽夭) das lange u. kurze Leben, -s, -.

수요일(水曜日) Mittwoch *m.* -(e)s, -e 《생략: Mi.; Mi》. ¶ (내주) ～에 am Mittwoch (über acht Tage); mittwochs.

수욕(水浴) Wasserbad *n.* -(e)s, ⸚er; das kalte Bad, -(e)s, ⸚e. ～하다 kalt baden; ein kaltes Bad nehmen*.

수욕(受辱) Beleidigung *f.* -en; Erniedrigung *f.* -en. ～하다 geschändet (erniedrigt; entehrt) werden; die Schande 《-n》 erleiden* 《*von*[3]》 (무슨 일로).

수욕(羞辱) Erniedrigung *f.* -en; Demütigung *f.* -en; Scham *f.*; Schande *f.* -n.

수욕(獸慾) die viehische Lust, ⸚e; die sinnliche Begierde, -n; der sinnliche Trieb, -(e)s, -e. ¶ ～을 채우다 die sinnliche Leidenschaft 《-en》 befriedigen.

수용(收用) Enteignung *f.* -en; Expropriierung *f.* -en; 〖법〗 Expropriation *f.* -en (강제수용). ～하다 enteignen[4]; expropriieren[4].
‖ ～수속 Enteignungsverfahren *n.* -s, -. 토지 ～권 das Recht der Grundstücks-Enteignung. 토지 ～법 Grundstücks-Enteignungsgesetz *n.* -es, -e.

수용(收容) Aufnahme *f.* -n; Annahme *f.* -n; Empfang *m.* -(e)s, ⸚e. ～하다 《여관 손님을》 einquartieren[4]; 《환자를》 an|nehmen*[4]; 《학생을》 auf|nehmen*; 《포로 등을》 internieren; 《난민을》 beherbergen; unterbringen; 《좌석이 있다》 den Sitzplatz haben. ¶ 형무소에 ～하다 ins Gefängnis werfen* (setzen) 《*jn.*》 / 이 호텔은 약 1,500 명을 ～할 수 있다 Dieses Hotel quartiert 1500 Gäste. / 이 강당은 천 명을 ～한다 Der Saal hat die Sitzplätze für ein tausend Personen.
‖ ～능력 Kapazität *f.* -en; Aufnahmefähigkeit *f.* ～소 Zufluchts¦stätte *f.* -n (-ort *m.* -(e)s, -e); Asyl *n.* -s, -e; Freistätte *f.* -n. ～인원 die Zahl der Personen, die aufgenommen werden können. 강제～소 Konzentrationslager *n.* -s, -.

수용(受容) Aufnahme *f.* -n. ‖ ～성 Aufnahmefähigkeit *f.* -en; Reseptivität.

수용(需用) Konsum *m.* -s, -e; Konsumption *f.* -en. ～하다 konsumieren[4].
‖ ～자 Konsument *m.* -en, -en.

수용(瘦容) das magere Gesicht, -(e)s, -er; das abgemagerte (abgezehrte) Gesicht.

수용성(水溶性) die Löslichkeit 《-en》 im Wasser. ¶ ～의 wasserlöslich. ‖ ～비료 der wasserlösliche (Kunst)dünger, -s, -.

수용액(水溶液) die wässerige Lösung, -en.

수우(殊遇) e-e besondere Behandlung, -en; Gunst *f.* ¶ ～를 받다 besonders gut (freundlich) behandelt werden; *js.* [4]Gunst genießen*; in [3]Gunst stehen* 《bei *jm.*》.

수운(水運) Wassertransport *m.* -(e)s, -e; Wasserverkehr *m.* -(e)s. ¶ ～의 편의가 좋다 über e-e gute Wassertransportmöglichkeit verfügen; viele schiffbare Wasserwege haben.

수원(水源) 《수원지》 Quelle *f.* -n; Ursprung *m.* -(e)s, ⸚e. ¶ 강의 ～까지 더듬어 올라가다 den Lauf e-s Flusses bis zur Quelle (zum Ursprung) verfolgen.
‖ ～지 Wasserbehälter *m.* -s, -; Reservoir [..voa:r] *n.* -s, -e; Bassin *n.* -s, -s.

수원(隨員) =수행원(隨行員).
수월(數月) einige Monate《*pl.*》.
수월래놀이 〖민속〗 *Gang-Gang-Suweollae* (koreanisches Sing- u. Tanzspiel).
수월하다 leicht; mühelos (sein). ¶ 수월하게 mit Leichtigkeit; ohne Mühe 〔weiteres; jede Schwierigkeit〕/ 하기가 ~《수월하게 하다》 mühelos tun*⁴ 〔schaffen⁴〕/ 그 같으면 수월하게 해치울 수 있다 Das ist für ihn gar kein Kunststück 〔nur ein Kinderspiel〕.
수위(水位) Wasserhöhe *f.* -n; Wasserstand *m.* -(e)s. ¶ ~가 2 미터 내려가다 〔올라가다〕 Der Wasserstand ist um 2 Meter gefallen 〔gestiegen〕.
‖ ~계(計) Pegel *m.* -s, -; Wasserstandsmesser 〔-(an)zeiger〕 *m.* -s, -. 위험~ die gefährliche Wasserhöhe.
수위(守衛) Wache *f.* -n; Wächter *m.* -s, - (파수꾼); Portier [pɔrtié:] *m.* -s, -s (문지기). ~하다 wachen《*auf*⁴; *über*⁴》. ¶ ~를 보다 Wache halten* / 문에는 ~가 없다 Die Tür war nicht gewachtet.
‖ ~실 Pförtnerhäuschen *n.* -s, -: ~실에서 beim Pförtner. ~장 Chefpförtner *m.*
수위(首位) der erste Platz, -es, ⸚e; die führende Position; die bevorzugte Stellung. ¶ ~를 차지하다 den ersten Platz ein|nehmen* / ~의 자리를 지키다 den ersten Platz behalten*.
‖ ~타자 〖야구〗 Leadinghitter *m.* -s, -.
수위하다(秀偉—) hervorragend; vorzüglich; ausgezeichnet (sein).
수유(須臾) ein Augenblick; ein Moment; ein Weilchen;《얼마간》 e-e Weile; einige Zeit. ¶ ~의 momentan; augenblicklich.
수유(授乳) das Säugen*, -s; das Stillen*, -s; das mit ³Milch Ernähren*, -s. ~하다 säugen⁴; stillen*; e-m Säugling(e) die Brust geben*; mit ³Milch ernähren⁴.
‖ ~기 Säuge¦zeit *f.* -en 〔-periode *f.* -n〕.
수육 das gekochte Rindfleisch, -es.
수육(獸肉) Tier¦fleisch 〔Schlacht-〕 *n.* -es.
수은(水銀) Quecksilber *n.* -s. ¶ 의 quecksilbern / ~과 화합시키다 mit Quecksilber verbinden*⁴.
‖ ~광 Quecksilbererz *n.* -es, -e. ~등(燈) Quecksilberlampe *f.* -n. ~연고 Quecksilberpflaster *n.* -s, -. ~온도계 〔기압계〕 Quecksilberthermometer 〔Quecksilberbarometer〕 *n.* 〔*m.*〕 -s, -. ~정류기(整流器) Quecksilbergleichrichter *m.* -s, -. ~제(劑) Quecksilbermittel *n.* -s, -. ~주(柱) Quecksilbersäule *f.* -n: ~주가 오르다 〔얼었다〕 Das Quecksilber im Thermometer steigt 〔ist gefroren〕. ~중독 Quecksilbervergiftung *f.* -en. ~증기 Quecksilberdampf *m.* -(e)s, ⸚e. ~합금 Quecksilberlegierung *f.* -en.
수은(受恩) die Aufnahme《-n》der Gunst. ~하다 in *js.* Gunst 〔bei *jm.* in Gunst〕 stehen* [s,h].
수음(手淫) Onanie *f.* -n; Masturbation *f.* -en; (geschlechtliche) Selbstbefriedigung, -en. ~하다 onanieren; ⁴sich (geschlechtlich) befriedigen; 〖속어〗 wichsen.
수음(樹陰) der Schatten《-s, -》 e-s Baumes.
수응(酬應) die Annahme《-n》der Forderung. ~하다 die Forderung an|nehmen*.
수의(遂意) die Erfüllung《-en》des Wunsches; die Realisierung《-en》〔Verwirklichung; Ausführung; Durchführung〕 der Hoffnung. ~하다 den Wunsch 〔die Hoffnung〕 erfüllen.
수의(壽衣) Totenhemd *n.* -(e)s, -en; Sterbekleid 〔Toten-〕 *n.* -(e)s, -er.
수의(隨意) ein freier Wille, -ns, -n; Belieben *n.* -s; Willkür *f.* ¶ ~로 freiwillig; aus freiem Willen; beliebig; nach ³Belieben; nach (eigener) Willkür / 복장은 ~《안내장·게시》 Anzug freistehend. / ~로 결정할 수 있네 Das kannst du selber bestimmen.
‖ ~계약 ein Privat¦kontrakt 〔Vertrag-〕 *m.* -(e)s, -e. ~과목 ein fakultatives Fach, -(e)s, ⸚er; Wahlfach *n.* -(e)s, ⸚er. ~근(筋) ein willkürlicher Muskel, -s, -n. ~선택 freie 〔eigene〕 Wahl. ~판단 Diskretion *f.*
수의(獸醫) Tier¦arzt 〔Roß-; Vieh-〕 *m.* -es, ⸚e; Veterinär *m.* -s, -e.
‖ ~과 die veterinäre Fakultät: ~과 대학 die veterinäre Hochschule 〔Fakultät〕. ~학 Veterinär¦kunde *f.* -n 〔-wissenschaft *f.* -en〕; Tier¦arzneikunde 〔-heilkunde〕 *f.* -n: ~학상의 veterinär(isch); tierarzneilich.
수이 =쉬이.
수이하다(殊異—) ganz verschieden (sein)《*von*³; *durch*⁴》.
수익(收益) Ertrag *m.* -(e)s, ⸚e; Gewinn *m.* -(e)s, -e. ~하다 nutzen; (Vorteil) ziehen*《*aus*³》. ¶ ~을 올리다 e-n Ertrag liefern 〔bringen*〕.
‖ ~금 Ertrag *m.* ; Gewinn *m.* ~자 Nutznießer *m.* -s, -; der Begünstigte*, -n, -n. 총~ Bruttoertrag *m.* -(e)s, ⸚e; Erlös *m.* -es, -e. 판매~ Gewinnspanne *f.* -n; Marge [..ʒə] *f.* -n (마진); Differenz (주식의); Maklergebühr *f.* -en (중개료): 판매 ~을 취하다 die Provision ab|ziehen*; Differenzen in die Tasche stecken (나쁜 의미로). ⌈sein.
수익다 e-s Dinges《⁴*et.*; an ⁴*et.*》 gewohnt
수인(囚人) der Gefangene*, -n, -n (포로); Sträfling *m.* -s, -e (수형자); Häftling *m.* -s, -e (피구류자). ‖ ~복 Sträflings¦anzug *m.* -(e)s, ⸚e 〔-kittel *m.* -s, -〕.
수인(數人) mehrere 〔einige〕 Leute《*pl.*》.
수일(秀逸) Vortrefflichkeit *f.*; Vorzüglichkeit *f.* ~하다 ausgezeichnet; hervorragend; meisterhaft; vortrefflich; vorzüglich (sein).
수일(數日) einige Tage《*pl.*》.
수일(隨一) der 〔die; das〕 Erste*, -n, -n; erste Klasse, -n. ¶ ~의 erstklassig.
수임(受任) die Annahme《-n》der Ernennung 〔Anstellung; Stellung〕.
수입(收入) Einkommen *n.* -s 〖복수는 Einkünfte〗; Einnahme *f.* -n; Ertrag *m.* -s, ⸚e; Erlös *m.* -es, -e; Gewinn *m.* -(e)s, -e; Kasseneingänge《*pl.*》. ¶ ~좋은 직업 der einträgliche Beruf / ~과 지출 Einkommen u. Ausgabe / ~ 이상의 생활을 하다 über sein Einkommen hinaus leben / 새로운 ~원을 찾다 e-e neue Quelle des Einkommens suchen / ~의 길이 막히다 die Quelle *js.* Einkommens verlieren / ~을 올릴 방법을 강구하다 die Mittel, das Einkommen zu vermehren, überlegen / 그는 ~이 많다 〔적다〕 Er nimmt viel 〔wenig〕 ein. / 오늘은 ~이 많았다 Es ist heute viel eingekommen. / 그녀는 월 5만원의 ~이 있다 Sie hat ein monatliches Einkommen von 50000 *Won*. / 그것은 대단한 ~이 되지 않을 것이다 Das wird nicht viel einbringen.
‖ ~인지 Stempelmarke *f.* -n. 고정~ ein festgelegtes Einkommen. 국고~ Staats-

einkünfte 《*pl.*》. 실제～ Nettoeinkommen. 임시～ die einmaligen Einkünfte 《*pl.*》. 잡～ Nebeneinkünfte 《*pl.*》; Nebeneinnahmen 《*pl.*》. 총～ Gesamteinkommen; Bruttoeinkommen. 토지～ Grundeinkommen.

수입(輸入) Einfuhr *f.* -en; Import *m.* -(e)s, -e. ～하다 ein|führen[4]; importieren[4]. ¶～한 eingeführt; importiert / ～할 수 있는 einführbar.

‖～과징금 Einfuhrsteuer *f.* -n; Sonderzoll *m.* -(e)s, ⸚e. ～국(國) Einfuhrstaat *m.* -en, -en; Einfuhrland *n.* -es, ⸚er. ～금지 Einfuhrverbot *n.* -(e)s, -e. ～상(商) Einführer *m.* -s, -; Importeur *m.* -s, -e; 《업무》 Einfuhrhandel *m.* -s, ⸚; Importhandel. ～세(稅) Einfuhrzoll *m.*: ～세율 Einfuhrtarif *m.* -s, -e. ～장려(보조)금 Einfuhrprämie *f.* -n. ～초과(超過) der Überschuß der Einfuhr über die Ausfuhr. ～품(品) Einfuhrwaren 《*pl.*》; Importe *f.* -n. ～항(港) Einfuhrhafen *m.* -s, ⸚. ～허가 Einfuhrerlaubnis *f.* -se. 상품(商品)～ Wareneinfuhr *f.*

수있다 《수단·방법》 können*; vermögen*; imstande sein 《[4]*et.* zu tun》; fähig sein 《[2]*et.*》; möglich (sein)

수있다(數—) 《재수가》 glücklich (sein); das Glück haben.

수자(數字) ☞ 숫자.

수자리 《국경 수비》 Grenzschutz *m.* -es, -e; Grenzwehr *f.* -en; 《경비원》 Grenz¦posten (-wächter) *m.* -s, -.

수자원(水資源) Wasserquelle *f.* -n.

‖～개발 die Erforschung 《-n》 der Wasserquelle: 한국 ～ 개발공사 Korea Wasserquellenerforschungsinstitut *n.* -(e)s.

수작(授爵) Adelung *f.*; das Adeln*, -s; die Verleihung des Adelbrief(e)s. ～하다 adeln 《*jn.*》; den Adelbrief verleihen* 《*jm.*》; in den Adel(s)stand erheben* 《*jn.*》.

수작하다(酬酌—) 《술잔을》 die Trinkschälchen 《*pl.*》 aus|tauschen; 《말을》 mit *jm.* einige Worte 《*pl.*》 aus|tauschen. ¶헛된 수작을 하다 den Narren spielen; [4]sich närrisch stellen; falsch spielen.

수잠 Schläfchen *n.* -s, -; Nickerchen *n.* -s, -; der kurze Schlummer, -s. ¶～들다 ein Schläfchen halten*; schlummern.

수장(水葬) die Bestattung 《-en》 auf hoher See. ～하다 auf hoher See bestatten 《*jn.*》.

수장(收藏) das Aufspeichern*, -s; Vorrat *m.* -(e)s, ⸚e; Sammlung *f.* -en. ～하다 auf|-speichern; (an)sammeln; ein|lagern.

수장(修粧) Umgestaltung *f.* -en; Umbau *m.* -(e)s, -e (-ten); das Umformen*, -s; Reparatur *f.* -en; Ausbesserung *f.* -en. ～하다 um|bilden[4] (-|bauen[4]; -|formen[4]; -|gestalten[4]); reparieren[4]; aus|bessern[4].

‖～기둥 der Pfeiler (der Träger; der Pfosten) 《-s, -》 zum Umbau (Umformen). ～도리 Wandsäule *f.* -n.

수재(手才) Handfertigkeit *f.* -en.

수재(水災) Wasserschaden *m.* -s, ⸚; Wasser(s)not *f.* ⸚e; Überschwemmungskatastrophe *f.* -n.

‖～민 die von der Wassernot Betroffenen 《*pl.*》; die Opfer 《*pl.*》 der Überschwemmung. ～예방 der Schutz 《-es》 gegen Überschwemmung.

수재(秀才) der hervorragende Kopf, -(e)s, ⸚e; der hochbegabte Mann, -(e)s, ⸚er; der begabte Student, -en, -en (학생); Genie [ʒení:] *n.* -s, -s. ¶전교 제일의 ～ der begabteste Schüler in der ganzen Schule / 그는 천하의 ～이다 Er ist der hochbegabteste Mann im ganzen Land.

‖～교육 Eliteausbildung *f.* -en.

수저 der Löffel 《-s, -》 u. die Eßstäbchen 《*pl.*》. ‖수젓집 das Kästchen 《-s, -》 für Eßstäbchen.

수저(水底) der Grund 《-(e)s》 des Wassers (des Flusses; des Meeres); Fluß¦grund (See-; Meeres-) (냇바닥, 해저).

‖～선(線) Unterwasserlinie *f.* -n.

수적(手迹) Handschrift *f.* -en. ☞ 필적.

수적(水賊) Pirat *m.* -en, -en; Seeräuber *m.* -s, -. ‖～질 Seeräuberei *f.* -en.

수적(讐敵) Feind *m.* -(e)s, -e; Gegner *m.*

수전(水田) Reisfeld *n.* -(e)s, -er.

수전(水電) Hydroelektrizität *f.* -en.

수전(水戰) ＝해전(海戰).

수전노(守錢奴) Geiz¦hals *m.* -es, ⸚e (-hammel *m.* -s, -; -hund *m.* -(e)s, -e); Knauser *m.* -s, -; Knicker *m.* -s, -.

수전증(手顫症) 〖한의학〗 (Schüttel)lähmung 《*f.* -en》 der Hand.

수절(守節) die (weibliche) Treue. ～하다 *jm.* die Treue halten* (bewahren); treu bleiben* ⓢ 《ihrem Manne》.

수정(水晶) (Berg)kristall *m.* -s, -e. ¶～같은 kristall¦ähnlich (-artig); kristallklar (수정같이 맑은) / ～의 kristallen.

‖～발진기 Quarzoszillator *m.* -s, -en. ～샹델리어 Kristallüster *m.* -s, - 〖분철: Kristall-lüster〗. ～세공 Kristall¦arbeit *f.* -en (-ware *f.* -n). ～시계 Quarzuhr *f.* -en. ～～체 《안구의》 Kristallinse *f.* -n 〖분철: Kristall-linse〗. 연(煙)～ Rauch¦kristall (-topas *m.* -es, -e). 자(紫)～ Amethyst *m.* -es, -e. 황(黃)～ Zitrin *m.* -s, -e.

수정(受精) Befruchtung *f.* -en; 〖동물〗 Schwängerung *f.* -en; 〖식물〗 Bestäubung *f.* -en. ～하다 befruchtet (geschwängert; bestäubt) werden.

‖인공～ die künstliche Befruchtung. 체외～ die Befruchtung durch dem äußerlichen Verkehr.

수정(修正) (Ver)besserung *f.* -en; Abänderung *f.* -en; Nachbesserung *f.*; Retusche *f.* -n (사진, 그림의). ～하다 (ver)bessern[4]; nach|bessern[4]; ab|ändern[4]; retuschieren[4]. ¶다소 ～하여 in e-r modifizierten Form / 법안을 ～하다 e-n Gesetzvorschlag ab|ändern / 자귀를 ～하다 die Buchstaben u. Schriften modifizieren.

‖～동의 Amendement [..demã́:] *n.* -s, -s. ～안(案) Verbesserungsantrag *m.* -(e)s, ⸚e: ～안을 제출하다 ein Amendement ein|reichen. ～예산 das verbesserte Budget [bʏdʒé:] -s, -s. ～자 Verbesserer *m.* -s, -; Nachbesserer *m.* -s, -; Retuscheur [..ʃǿ:r] *m.* -s, - (사진, 그림의). ～(사회)주의 Revisionismus *m.* ～자본주의 der modifizierte Kapitalismus: ～자본주의 노선을 걷다 den modifizierten Kapitalismuslinie nehmen*.

수정(修整) Ausbesserung *f.* -en; 《사진의》 Retusche *f.* -e; Nachbesserung *f.* -en. ～하다 《사진의》 retuschieren[4]; nach|bessern[4]; aus|bessern[4].

수정과(水正果) der Fruchtpunsch 《-es, ⸚e》 von Honig, getrockneten Persimonen, Kiefersamen, Zimt und Ingwer.

수정관(輸精管) Samenleiter *m.* -s, -.

수정하다(授精—) befruchten[4]; schwängern[4].

수제(手製) ～하다 mit der Hand machen. ¶ ～의 mit der Hand gemacht; handwerklich gearbeitet.

‖ ～품 Handarbeit *f.* -en. 「Spätzlen.

수제비 die dünne Suppe mit (koreanischen)

수제자(首弟子) der beste Schüler, -s, -; der beste Lehrling, -s, -e.

수조(水槽) Wasser¦behälter *m.* -s, - (-becken *n.* -s, -; -reservoir [..voa:r] *n.* -s, -e).

수조(水藻) Alge *f.* -n; Wasserpflanze *f.* -n; Seegras *n.* -es, ⸗er.

수족(水族) Wassertier *n.* -(e)s, -e; Wasserpflanze *f.* -n.

‖ ～관 Aquarium *n.* -s, ..rien: 해양 ～관 Ozeanarium *n.* -s, ..rien.

수족(手足) Hand u. Fuß; Hände u. Füße ⟪*pl.*⟫; Arm u. Bein; Arme u. Beine ⟪*pl.*⟫; die Gliedmaßen ⟪*pl.*⟫; die Extremitäten ⟪*pl.*⟫. ¶ ～같이 일하다 [4]sich als (willfähriges) Werkzeug gebrauchen lassen*; auf *js.* Wink u. Ruf bereit sein; jedem Wink bereit folgen* ⓢ / ～ 노릇을 하다 zum *js.* Werkzeug werden; Handlangerdienst leisten ⟪für *jn.*⟫ / ～이 튼튼하다 die starken Glieder haben / ～같은 사람 *js.* rechte Hand; treuer Anhänger. 「-n.

수족곡선(垂足曲線) 〖수학〗 Fußpunktkurve *f.*

수종(水腫) 〖의학〗 Hydropsie *f.*; Wassersucht *f.* ¶ ～이 생기다 auf|schwellen*ⓢ; wassersüchtig werden.

‖ 뇌～ Hydrozephale *m.* -n, -n. 척수～ Hydrorrhachis *f.*

수종(隨從) Gefolge *n.* -s, - (집합 명사); Gefolgschaft *f.* -en (총칭); Begleiter *m.* -s, - (동행). ¶ ～을 거느리다 Gefolge (e-n Begleiter) mit|nehmen*. 「-e).

수좌(首座) der oberste Platz, -es, -e (Sitz, -es,

수죄(首罪) Kapitalverbrechen *n.* -s, -; das schwerste Verbrechen, -s, -.

수죄(數罪) ⟪여러죄⟫ zahlreiche Verbrechen ⟪*pl.*⟫; ⟪고발⟫ die Anklage ⟪-n⟫ des Verbrechens. ～하다 *jn.* (wegen) e-s Dinges an|klagen.

수주(水柱) ＝물기둥. 「men*.

수주(受注) ～하다 e-e Bestellung an|neh-

수준(水準) Niveau [nivó:] *n.* -s, -s; Wasserhöhe *f.* -n. ¶ ～의 차 Niveaudifferenz *f.* -en / ～의 저하 Niveausenkung *f.* -en / 세계 ～의 물건 die Ware des Weltniveaus / …와 같은 ～의 in gleicher Höhe ⟪*mit*[3]⟫; ⟪비유적⟫ auf gleicher Höhe (Stufe) ⟪*mit*[3]⟫ / ～을 높이다 das Niveau heben / ～이상(이하)이다 Niveau (kein Niveau) haben; über (unter) dem Durchschnitt stehen* / ～에 도달하다 das Niveau erreichen.

‖ ～기(器) Libelle *f.* -n; Wasser¦waage (Nivellier-) *f.* -n. ～면 Niveaufläche *f.* -n. ～선 Niveaulinie *f.* -n. ～측량 Nivellierung *f.* -en. 문화～ Kulturniveau *n.* -s, -s. 생활～ Lebensstandard *m.* -(s), -s: 높은(낮은) 생활 ～ ein hoher (niedriger) Lebensstandard. 최고～ das höchste Niveau.

수줍다 schüchtern; scheu; verschämt; zurückhaltend (sein). ¶ 수줍은 소녀 ein scheues Mädchen / 수줍은 눈길 ein scheuer Blick.

수줍어하다 in [4]Verlegenheit geraten* (kommen)*ⓢ; [4]sich genieren [ʒə..]; [4]sich schämen (부끄러워하다); [4]sich scheuen ⟪*vor*[3]⟫; verschämt (schüchtern) sein.

수줍음 Schüchternheit *f.* -en; Scheu *f.* -en.

수중(水中) ¶ ～의 unter (dem) Wasser; im Wasser; Unterwasser-; Untersee-; unterseeisch.

‖ ～공사 Unterwasserbau *m.* -(e)s, -e. ～발레 Wasserballet [..balɛt] *n.* -(e)s, -e. ～방어 Unterseebootverteidigung *f.* -en (대잠수함방어). ～안경 Taucherbrille *f.* -n. ～음향신호 Unterwassersignal *n.* -s, -e. ～익선(翼船) Tragflächenboot *n.* -(e)s, -e. ～전(戰) Unterseebootkrieg *m.* -s, -e. ～청음기 Hydrophon *n.* -s, -e; Unterwassermikrophon *n.* -s, -e. ～폐(肺) ＝아쾌렁.

수중(手中) ¶ ～에 bei (zur) Hand; bei [3]sich / ～에 있는 것 was man gerade bei der (zur) Hand hat; was zufällig da ist / 적의 ～에 들어가다 dem Feinde in die Hände fallen* ⓢ / 모든 것은 그의 ～에 있다 Alles liegt in s-r Hand.

수증(受贈) die Annahme ⟪-n⟫ e-r Sendung (der Bestechung). ～하다 [4]sich bestechen lassen*; ein Bestechungsgeschenk an|nehmen*.

수증기(水蒸氣) Wasserdampf *m.* -(e)s, ⸗e; Dampf *m.* -(e)s, ⸗e.

수지 ⟪휴지⟫ Papier¦abfälle (-abgänge) ⟪*pl.*⟫; Papierfetzen *m.* -s, -; Klosettpapier *n.* -s, -e. ¶ 그 협정은 ～나 다름없다 die Abmachung ist nur ein Fetzen Papier.

‖ ～통 Papierkorb *m.* -(e)s, ⸗e.

수지(手指) Finger *m.* -s, -.

수지(收支) Einnahmen u. Ausgaben ⟪*pl.*⟫. ¶ ～가 맞는 장사 ein Geschäft, das sich lohnt (das viel Geld einbringt); e-e ersprießliche Beschäftigung / ～ 안맞는 ungünstig; nachteilig; benachteiligt / ～가 맞다 [4]sich lohnen; einträglich (ersprießlich; ertragreich; gewinnbringend; nutzbringend; lukrativ; rentabel) sein / ～를 맞추다 Ausgaben u. Einnahmen ins Gleichgewicht bringen* / 그것은 ～가 맞지 않는다 Das bezahlt sich nicht.¦Das macht sich nicht bezahlt.¦Das lohnt sich nicht.

‖ ～결산 die Rechnung ⟪-en⟫ der [2]Einnahmen u. Ausgaben: ～ 결산을 하다 die Bilanz ziehen*; e-e Rechnung begleichen*. ～균형 das Gleichgewicht zwischen der Einnahmen u. Ausgaben. ～일람표 Rechnungsauszug *m.* -(e)s, ⸗e; Bilanzbogen *m.* -s, - (⸗).

수지(樹脂) Harz *n.* -es, -e. ¶ ～가 많은 harzig; harzicht, reich an [3]Harz; voller Harz / ～를 바르다 mit Harz behandeln (ein|reiben*).

‖ ～가공(加工) Bearbeitung ⟪*f.* -en⟫ des Harzes. ～고약 Harzpflaster *m.* -s, -. ～비누 Harzseife *f.* -n. 합성～ Kunstharz *n.* -es, -e (인공수지); Kunststoff *m.* -(e)s, -e.

수지(獸脂) das tierische Fett, -(e)s, -e; Talg *m.* -(e)s, -e; Schmiere *f.* -n (바르는 기름).

수직(手織) ¶ ～의 handgewebt.

‖ ～물 Handwebware *f.* -n.

수직(垂直) die senkrechte Richtung. ¶ ～의 senkrecht; vertikal / ～이 아니다 nicht im Lot sein; nicht senkrecht sein.

‖ ～강하 senkrechtes Fallen*, -s; senkrechtes Herabschießen*, -s (비행기, 조류 따위의). ～면(面) Vertikalebene *f.* -n. ～상승(上昇) ⟪비행기의⟫ der senkrechte Abschuß, ..schusses, ..schüsse. ～선(線) die Senkrechte*, -n, -n; Vertikale *f.* -n 〖형용사 변화도 함〗. ～운동 Vertikalbewegung *f.* -n

～ 이착륙기(離着陸機) Vertikalabfahrens- u. Landungsflugzeug *n.* -(e)s, -e.

수질(水疾) Seekrankheit *f.* -en.

수질(水蛭) 〖동물〗 Blutegel *m.* -s, -.

수질(水質) Wasserqualität *f.* -en.

‖ ～검사 die Prüfung 《-en》 der Wasserqualität. ～기준 Bestimmungen 《*pl.*》 zur ³Wasserqualität; Qualitätsbestimmungen 《*pl.*》 für ⁴Wasser. ～오염 Wasserverschmutzung *f.*

수집(收集) Sammlung *f.* -en. ～하다 sammeln⁴; an|sammeln⁴.

수집(蒐集) Sammlung *f.* -en; Ansammlung *f.* -en. ～하다 sammeln⁴. ¶ 우표를 〔그림, 동전을〕 ～하다 Briefmarken 〔Gemälde, Münze〕 sammeln.

‖ ～가 Sammler *m.* -s, -. ～벽 Sammeleifer *m.* -s; Sammeltrieb *m.* -(e)s, -e; Sammlerfleiß *m.* -es. 우표～ Briefmarkensammlung.

수짠지 eine besonders delikate koreanische Suppe aus verschiedener Gemüse und Fleisch, die im Neujahr oder für besondere Gäste zubereitet wird.

수쪽 die rechte Hälfte 《-n》 des Wechsels, die der Gläubiger beibehält.

수차(水車) Wasserrad *n.* -(e)s, ⸚er; 《물레방아》 (Wasser)mühle *f.* -n.

수차(收差) 〖물리〗 Abweichung *f.* -en; Aberration *f.* -en.

‖ 구면(球面)～ die sphärische Aberration.

수차(數次) einige 〔etliche〕 Male 《*pl.*》; öfters; manchmal.

수찬(修撰) Kompilation *f.* -en; Redaktion *f.* -en. ～하다 heraus|geben*⁴; druckfertig machen⁴ 《e-n Text》; redigieren⁴; zusammen|tragen*⁴.

수찰(手札) die eigenhändige Schrift, -en; Autograph *n.* -s, -e(n).

수창(首唱) Anregung *f.* -en; Veranlassung *f.* -en. ～하다 an|regen⁴; veranlassen*⁴ 《*zu*³》; Veranlassung geben* 《*zu*³》.

‖ ～자 Anreger *m.* -s, -; Veranlasser *m.* -s, -; Urheber *m.* -s, -.

수채 Abfluß *m.* ..flusses, ..flüsse; Drän *m.* -s, -s 〔-e〕; Gosse *f.* -n; Kloake *f.* -n; Rinne *f.* -n; (Abwasser)scheuse *f.* -n. ¶ ～를 놓다 die Entwässerungsanlage stellen / ～를 쳐내다 e-n Abzug(skanal) aus|räumen / ～가 막혔다 der Drän wurde verschloßen.

‖ ～치기 Rinnenreinigung *f.* -en; 《사람》 Rinnenreiniger *m.* -s, -. ～통 Dränrohr *n.* -(e)s, -e. 수챗구멍 Senkloch *n.* -(e)s, ⸚er.

수채(水蠆) 《잠자리유충》 Libellenjungfer *f.* -n.

수채움하다(數—) die Zahl 《-en》 voll machen; ergänzen⁴; vervollständigen⁴.

수채화(水彩畫) Aquarell *n.* -s, -e; Aquarellbild *n.* -(e)s, -er; Wasserfarbenmalerei *f.* -en (화법). ¶ ～를 그리다 aquarellieren; in Wasserfarben malen.

‖ ～가(家) Aquarellist *m.* -en, -en; Aquarell¦maler 〔Wasserfarben-〕 *m.* -s, -. ～물감 Aquarellfarbe *f.* -n.

수척(瘦瘠) Abmagerung *f.*; Abzehrung *f.*; Auszehrung *f.* ¶ ～한 얼굴 das eingefallene 〔hohle〕 Gesicht / ～해지다 stark 〔tüchtig〕 ab|nehmen*; ab|magern[s]; ab|fallen* [s] / 그 병자는 굉장히 ～해졌다 Der Kranke hat tüchtig abgenommen 〔ist ganz abgemagert; ist sehr abgefallen〕.

수천(數千) Tausende 《*pl.*》. ¶ ～ 명의 사람 Tausende von Menschen; unzählige Menschen 《*pl.*》

수철(水鐵) 〖광물〗 Massel¦eisen 〔Roh-〕 *n.* -s, -.

수첩(手帖) Notiz¦buch 〔Merk-〕 *n.* -(e)s, ⸚er. ¶ ～에 적다 ³sich im Notizbuch notieren⁴; ins Merkbuch schreiben*⁴ 〔ein|tragen*⁴〕; im Notizbuch auf|schreiben*⁴ 〔fest|halten*⁴; vermerken⁴〕.

‖ 교무～ das Zensurbuch 《-(e)s, ⸚er》 des Lehrers.

수청들다(守廳—) als Kurtisane den örtlichen Präfekten bedienen.

수초(水草) Wasserpflanze *f.* -n.

수축(收縮) Zusammenziehung *f.* -en; Kontraktion *f.* -en. ～하다 ⁴sich zusammen|ziehen*.

‖ ～계수 der Koeffizient der Zusammenziehung. ～근(筋) die Zusammenziehbare Muskel. ～력 Zusammenziehungskraft *f.* ⸚e. ～성 Zusammenziehbarkeit *f.*

수축(修築) Umbau *m.* -(e)s, -e; Renovierung *f.* -en. ～하다 um|bauen⁴; renovieren⁴.

수출(輸出) Ausfuhr *f.* -en; Export *m.* -(e)s, -e. ～하다 aus|führen*⁴; exportieren⁴. ¶ ～을 금지하다 die Ausfuhr verbieten*.

‖ ～가격 Exportpreis *m.* -es, -e. ～금지 Ausfuhrverbot *n.* -(e)s, -e: 금(金) ～ 금지 Goldausfuhrverbot *n.* / ～ 금지를 해제하다 das Ausfuhrverbot aufheben*. ～면장 Genehmigungsschein 《*m.* -(e)s, -e》 zur Ausfuhr. ～무역 Ausfuhrhandel *m.* -s, ⸚; Exporthandel. ～상 Exporteur *m.* -s, -e(사람); Exporthaus *n.* -es, ⸚er (상점). ～세 Ausfuhrzoll *m.* -(e)s, ⸚e. ～업 Exportgeschäft *f.* -e. ～장려금 Exportprämie *f.* -n; Ausfuhrvergütung *f.* -en. ～절차 Exportverfahren *n.* -s, -. ～초과 Exportüberschuß *m.* ..sses, ..schüsse. ～품 Ausfuhrware *f.* -n; Exportware; Exportartikel *m.* -s, -; Exporten 《*pl.*》. ～항 Exporthafen *m.* -s, ⸚. 상품～ Warenausfuhr *f.*

수출입(輸出入) Ein- u. Ausfuhr; Import u. Export. ‖ ～은행 Export-Import Bank *f.* -en, ～품 Ein- u. Ausfuhrwaren 《*pl.*》. 밀(密)～ Schmuggelei *f.* -en.

수충(水蟲) die Wasserinsekten 《*pl.*》.

수취(受取) Empfang *m.* -(e)s, ⸚e; Annahme *f.* -n. ～하다 empfangen*⁴; an|nehmen*⁴. ¶ 대금 ～후 nach ³Eingang des Betrages.

‖ ～인 Empfänger *m.* -s, -; Remittent *m.* -en, -en (어음의): ～인불로 unter 〔als〕 Nachnahme.

수치(羞恥) Scham *f.*; Schande *f.* -n; Unehre *f.*; Schmach *f.*; Schimpf *m.* -(e)s. ～스럽다 schändlich; unanständig; schimpflich; schmählich; schmachvoll; entehrend (sein). ¶ 나라의 ～ der Schandfleck der Nation / ～를 당하다 Schande auf ⁴sich laden*; in ⁴Schande geraten*[s]; ⁴sich lächerlich machen / ～심을 버리다 alle Scham ab|werfen* 〔ab|tun*〕 / ～를 드러내다 ⁴sich blamieren / ～를 알다 Ehrgefühl 《*n.* -(e)s》 haben / ～를 씻다 Schamgefühls bar sein / 그는 ～를 모른다 Er kennt k-e Scham. / 그는 가문의 ～다 Er ist der Schandfleck s-s Geschlechts 〔seiner Familie〕. / 가난은 ～가 아니다 Armut ist k-e Schande. / ～를 알라 Schäme dich! / 묻는 것은 한 때의 ～고 모르는 것은 일생의 ～다 E-e Frage zu stellen ist peinlich für den Augenblick, Unwissenheit dagegen ist e-e

bleibende Schande. Es gibt k-e dumme Frage.
‖ ~심(心) Schamgefühl *n.*: 아무의 ~심을 건드리다 *js.* Schamgefühl beleidigen / 그는 ~심이 없다 Er hat 〔kennt〕 kein Schamgefühl. Er ist (ganz)ohne Schamgefühl.
수치(數値) Zahlenwert *m.* -(e)s, -e. ¶ ~를 구하다 den Wert berechnen 〔ab|schätzen〕.
수치요법(水治療法) Hydro pathie *f.* 〔-therapie *f.*〕; Wasser heilkunde *f.* 〔-verfahren *n.* -s, -〕.
수치질(一痔疾) 〖의학〗 Hämorrhoidenblinde *f.*
수침(水枕) Wasserkissen *n.* -s, -.
수캉아지 der junge Hund, -es, -e; Welp(e) *m.* -(e)n, -(e)n.
수캐 Hund *m.* -es, -e.
수커미 die männliche Spinne, -n.
수컷 Männchen *n.* -s, -. ¶ ~의 männlich / 그것은 ~이냐 암컷이냐 Ist das männlich oder weiblich ?
수케 der männliche Krebs, -es, -e.
수코양이, 수괭이 Kater *m.* -s, -.
수콤 der (männliche) Bär, -en, -en.
수쿠렁이 die männliche Schlange, -n.
수퀑 der (männliche) Fasan, -(e)s, -(e)n.
수클 ① 《써먹는 글》 das nützliche 〔brauchbare〕 Wissen, -s. ② 《한문》 chinesische Schrift, -en.
수키와 der konvexe Dachziegel, -s, -. ¶ ~와 암키와 die konvexen u. konkaven Dachziegel 《*pl.*》.
수탁(受託) Verwahrung *f.* -en; das auf Treu u. Glauben Hinnehmen*, -s. ~하다 in ⁴Verwahrung nehmen*⁴; betraut werden 《*mit*³》.
‖ ~금(金) das anvertraute Geld. ~료(料) Aufbewahrungsgebühr *f.* -en; Niederlage *f.* -n; 《비유적》 Fundgrube *f.* -n. ~물 Depositum *n.* -s, ..ten [..zí:tən]; Verwahrgut *n.* -(e)s, ⁼er; das anvertraute Gut, -(e)s, ⁼er; das Hinterlegte*, -n; das in ⁴Verwahr 〔Verwahrung〕 Gegebene*, -n. ~법원 Requisitionsgericht *n.* -(e)s, -e. ~인 Verwahrer *m.* -s, -; Bewahrer *m.* -s, -; Depositar 〔Depositär〕 *m.* -s, -e; Treuhänder *m.* -s, -. ~판사 der requirierte Richter, -s, -.
수탄(愁嘆) Klage *f.* -n; Wehklage *f.* -n; Jammer *m.* -s; Trauer *f.*
수탄(獸炭) Tierkohle *f.* -n.
수탈(收奪) Ausnutzung *f.* -en; Ausbeutung *f.* -en. ~하다 aus|nutzen⁴; aus|beuten⁴.
수탉 Hahn *m.* -(e)s, ⁼e.
수탐(搜探) Untersuchung *f.* -en; Forschung *f.* -en. ~하다 untersuchen⁴; forschen⁴.
수태(水苔) Torfmoos *n.* -es, -e.
수태(受胎) Empfängnis *f.* ..nisse; Befruchtung *f.* -en; Schwängerung *f.* -en. ~하다 empfangen*⁴; befruchtet 〔geschwängert〕 werden.
‖ ~고지(告知) Mariä Verkündigung (기독교의). ~능력 Fruchtbarkeit *f.* -en; Vermehrungsfähigkeit *f.* -en (번식력). ~력 Empfängnisfähigkeit *f.* ~조절 Empfängniskontrolle *f.* ~현상 Schwängerung *f.*; Befruchtung *f.*; Sättigung *f.*; Imprägnierung *f.* 무구(無垢)~ 《성모마리아의》 die unbefleckte Empfängnis. 인공~ die künstliche Schwängerung.
수토(水土) das Wasser 《-s》 u. die Erde 《-n》; Land *n.* -es, ⁼er. ¶ ~ 불복하다 ⁴sich nicht an ein (fremdes) Klima gewöhnen können*.

수톨쩌귀 Scharnier *n.* -s, -e; Türangel *f.* -n 〔*m.* -s, -〕.
수통(水桶) =물통.
수통(水筒) Feld flasche 〔Reise-; Wander-〕 *f.* -n.
수통(水筩) ① 《관》 Wasser rohr *n.* -(e)s, -e 〔-röhre *f.* -n〕. ② 《수도전》 Wasserhahn *m.* -(e)s, ⁼e; Hydrant *m.* -en, -en.
‖ ~박이 Straßenhydrant.
수퇘지 das (männliche) Schwein, -(e)s, -e.
수틀(繡一) Strickrahmen *m.* -s, -.
수판(數板) =주판(籌板).
수펄 Drohn *m.* -en, -en; Bienenmännchen *n.* -s, -.
수평(水平) Wassergleiche *f.*; Horizont *m.* -(e)s, -e. ¶ ~의 wassergleich; horizontal; waagerecht; Horizontal- / …과 ~을 이루다 in gleicher Höhe sein 《*mit*³》 / ~으로 만들다 horizontal 〔waagerecht; wasserrecht〕 machen⁴.
‖ ~각(角) Horizontalwinkel *m.* -s, -. ~거리 Horizontaldistanz *f.* -en. ~동(動) die horizontale 〔waagerechte〕 Bewegung, -en. Horizontalbewegung *f.* -en. ~면 Horizontalebene *f.* -n; Niveaufläche [nivó:..] *f.* -n; die horizontale Lage, -n. ~선 Horizontallinie *f.* -n; Horizontale *f.* -n 〖형용사 변화도 함〗; Horizont *m.* -(e)s, -e: ~선상에 나타나다 am Horizont auf|tauchen Ⓢ. ~타(舵) Hohen steuer 〔Horizontal-〕 *n.* -s, -. ~투사(投射) Horizontalprojektion *f.* -en.
수평(아리) Küken *n.* -s, -; Kücken *n.* -s, -; Küchlein *n.* -s, -.
수포(水泡) Wasserblase *f.* -n; Schaum *m.* -s, ⁼e. ¶ ~로 돌아가다 zu Wasser 〔zu Essig; zu nichts〕 werden; ins Wasser fallen* Ⓢ; zu Schaum werden / 그의 다년간의 노력도 ~로 돌아갔다 Auch seine vieljährige Bemühung ist ins Wasser gefallen.
수포(진)(水疱(疹)) 〖의학〗 Wasserbläschen *n.* -s, - 〔-blase *f.* -n〕.
수폭(水爆) Wasserstoffbombe *f.* -n; H-Bombe *f.* -n. ¶ 세계 ~금지 회의 die Weltkonferenz für das Verbot der Wasserstoffbombe / 한국으로의 ~ 반입은 금지되어 있다 Es ist verboten, Korea die Wasserstoffbomben zu bringen.
‖ ~실험 H-Bombenprobe *f.* ~탄두(彈頭) Sprengkopf 《*m.* -(e)s, ⁼e》 der H-Bombe; H-Bombwarhead *n.* -s, -s.
수표(手票) Scheck *m.* -s, -s. ¶ 5만원 짜리 ~ ein Scheck für 50000 *Won* / ~를 떼다 (발행하다) e-n Scheck aus|stellen 〔aus|schreiben*〕 / ~로 지불하다 mit Scheck bezahlen⁴ / ~를 현금으로 바꾸다 e-n Scheck ein|lösen 〔ein|wechseln〕; ein|kassieren⁴ / ~의 배서를 하다 e-n Scheck indossieren.
‖ ~거래 Scheckverkehr *m.* -s. ~발행인 Scheckaussteller *m.* -s, -. ~수취인 Scheckempfänger *m.* -s, -. ~지참인 Scheckinhaber *m.* -s, -. ~책 Scheckbuch *n.* -(e)s, ⁼er. 보증~ Bankscheck *m.* -s, -s. 부도~ der notleidende 〔unbezahlte〕 Wechsel, -s, -. 횡선~ der gekreuzte Scheck, -s, -s.
수표(水標) Boje *f.* -n; Seezeichen *n.* -s, -.
수표(數表) Zahlentafel *f.* -n.
수풀 Wald *m.* -es, ⁼er; Forst *m.* -es, -e 〔*f.* -en〕; 《작은 숲》 Gebüsch *n.* -es, -e; 《덤불》 Gestrüpp *n.* -(e)s, -e.
수프 Suppe *f.* -n. ¶ ~를 마시다 Suppe essen*. ‖ ~접시 Suppenteller *m.* -s, -. 야채(토마토)~ Gemüse suppe 〔Tomaten-〕.
수피(樹皮) (Baum)rinde *f.* -n; Borke *f.* -n.

¶ ~를 벗기다 entrinden⁴ (ab|rinden⁴) 《e-n Baum》.

수피(獸皮) (Tier)haut *f.* ⸗e; Balg *m.* -(e)s, ⸗e; Fell *n.* -(e)s, -e; Pelz *m.* -es, -e (모피).

수필(隨筆) Essay [ɛ́se:] *m.* -s, -s; vermischte Schriften 《*pl.*》; Miszellen 《*pl.*》 (잡문). ¶ ~체의 essayistisch.

‖ ~가 Essayist [ɛse: íst] *m.* -en, -en. ~난 die essayistische Kolumne, -n. ~문학 Miszellenliteratur *f.* ~집 die Sammlung 《-en》 der Essays.

수하(水下) Unterlauf *m.* -(e)s, ⸗e.

수하(手下) 《손아래》 der Jüngere*, -n, -n; 《부하》 Anhänger *m.* -s, -; Handlanger *m.* -s, -; der Folgende*, -n, -n; Verfolger *m.* -s, -; der Untergebene*, -n, -n. ¶ 그와 그의 ~ 친병들 er u. s-e Leute (die Seinigen) / ~를 데리고 mit s-n Leuten.

수하(誰何) Werda *n.* -(s), -s; Werdaruf *m.* -(e)s, -e; Werdarufen *n.* -s. ~하다 „Werda" rufen*; an|rufen*. ¶ 위병에게 ~를 당하다 von der Wache angerufen werden.

수하다(壽—) lange leben; es zu hohen Jahren bringen*; alt werden.

수하물(手荷物) Hand|gepäck (Reise-) *n.* -(e)s, -e. ¶ ~ 한 개 ein Stück Handgepäck / ~의 꼬리표 Gepäckschein *m.* -(e)s, -e / ~을 맡기다 das Gepäck auf|geben* (aufbewahren lassen*) / ~은 50킬로까지 무료다 Es gibt k-e Gebühr unter 50 kg.

‖ ~계 der Gepäckabfertigungsbeamte*, -n, -n. ~발송 Gepäckabfertigung *f.* -en. ~운반차 Gepäckwagen *m.* -s, -. ~인도 Gepäckausgabe *f.* -n. ~일시보관소 Gepäckaufbewahrung *f.* -en. ~접수(처) Gepäckannahme *f.* -n.

수학(修學) das Lernen, -s; Studium *n.* -s, ..dien (대학에서의). ~하다 s-n Studien ob|liegen; studieren⁴; lernen⁴.

‖ ~여행 Schul|reise (Klassen-) *f.* -en; Schul|ausflug (Klassen-) *m.* -(e)s, ⸗e: ~여행 가다 ⁴Schulreise machen.

수학(數學) Mathematik *f.* ¶ ~의(적) mathematisch / ~적 정확성 die mathematische Genauigkeit (Pünktlichkeit) / ~에 뛰어나다 in der Mathematik Meister sein.

‖ ~문제 die mathematischen Fragen 《*pl.*》. ~자 Mathematiker *m.* -s, -. 고등~ höhere Mathematik. 순수(응용)~ die reine (angewandte) Mathematik.

수학하다(受學—) den Unterricht nehmen*; lernen⁴.

수할치 《매사냥꾼》 Falkenier *m.* -s, -e; Falkner *m.* -s, -.

수해(水害) Hochwasser *n.* -s; Wassernot *f.* ⸗e; Wasserschaden *m.* -s, ⸗; Überschwemmung *f.* -en. ¶ ~를 입다 Wasserschaden erleiden*; unter ³Wasserschaden leiden*.

‖ ~대책 die Maßnahmen gegen die Überschwemmung; Antiüberschwemmungsmaßnahmen 《*pl.*》: ~ 대책을 세우다 die Maßnahmen gegen die Überschwemmung treffen* (ergreifen*). ~방지 Überschwemmungskontrolle *f.* -n. ~이재민 der Überschwemmte*, -n, -n: ~이재민 구호 Hilfe 《*f.*》 für die Überschwemmten. ~지(구) Überschwemmungs|gebiet *n.* -(e)s, -e (-gegend *f.* -en).

수해(樹海) der wogende Wald, -es, ⸗.

수행(修行) Ausbildung *f.* -en; Übung *f.* -en. ~하다 ⁴sich aus|bilden (lassen*) 《*in*³》; ⁴sich üben 《*in*³》. ¶ 그녀는 궁도를 ~하고 있다 Sie läßt sich im Bogenschießen ausbilden. / 그는 어떤 화가 밑에서 ~중이다 Er ist (steht) bei e-m Maler in der Lehre.

수행(遂行) Aus|führung (Durch-) *f.* -en; Erfüllung *f.* -en; Vollendung *f.* -en. ~하다 aus|führen⁴ (durch|-); erfüllen⁴; vollenden⁴; fertig machen⁴. ¶ …의 효과적인 ~을 위해 für die wirkungsvolle Ausführung / 임무를 ~하다 Pflichten (den Auftrag) erfüllen / 직무 ~ 중 순직하다 in Ausübung s-s Berufes sterben* ⓢ.

수행(隨行) Begleitung *f.* -en; Gefolge *n.* -s, -. ~하다 begleiten⁴; folgen³.

‖ ~원 Begleiter *m.* -s, -; Gefolge *n.* -s, - (총칭): 많은 ~원을 거느리고 mit (in) großer Begleitung / 장관 및 ~원 der Minister u. sein Gefolge.

수행(獸行) die bestialische (tierische; viehische) Tat, -en.

수험(受驗) das Examenmachen*, -s. ~하다 ein Examen 《..mina》 (e-e Prüfung, -en) machen; 〖속어〗 in ein Examen (e-e Prüfung) steigen* (gehen*) ⓢ; ⁴sich e-m Examen (e-r Prüfung) unterziehen*. ¶ ~준비를 하다 die Prüfung vor|bereiten.

‖ ~고(苦) die harte Probe, -n; das Ach u. Weh beim Examen. ~과목 Examens|fächer (Prüfungs-) 《*pl.*》. ~료 Examen(s)gebühren (Prüfungs-) 《*pl.*》. ~자 Prüfling *m.* -s, -e; Examinand *m.* -en, -en. ~자격 die Qualifikation 《-en》 zu e-m Examen; die Berechtigung 《-en》 (Vorbedingung 《-en》), sich e-r Prüfung zu unterziehen. ~표 der e-m Examinanden erteilte Ausweis, -es, -e.

수혈(輸血) Blutübertragung *f.* -en; Transfusion *f.* -en. ~하다 Blut übertragen*³; transfundieren⁴. ¶ ~받는 사람 Blutempfänger *m.* -s, - / ~로 살아 났다 die Blutübertragung hat ihn gerettet.

수형(受刑) ~하다 e-e Strafe (er)leiden*; bestraft werden.

‖ ~자 Sträfling *m.* -s, -e; der Bestrafte*, -n, -n; Zuchthäusler *m.* -s, -.

수호(守護) Schutz *m.* -es; Beschützung *f.* -en. ~하다 beschützen⁴; in ⁴Schutz nehmen*⁴. ¶ …의 ~하에 unter dem Schutz 《*von*³》 / 신의 ~ die göttliche Protektion.

‖ ~신 Schutz|gott *m.* -(e)s, ⸗er (-geist *m.* -(e)s, -er).

수호(修好) Freundschaft *f.* -en; die freundschaftliche Beziehung, -en. ~하다 die Freundschaft beziehen*.

‖ ~조약 Freundschaftsvertrag *m.* -(e)s, ⸗e: ~ 조약을 맺다 den Freundschaftsvertrag schließen*.

수화(水化) 〖화학〗 Hydrierung *f.* -en. ~하다 hydrieren⁴. ‖ ~물 Hydrat *n.* -(e)s, -e. ~석회 Kalziumhydrat *n.* -(e)s, -e.

수화(水火) das Feuer 《-s, -》 u. Wasser 《-s, -》 (불과 물).

‖ ~불통 Feindschaft *f.* -en: ~ 불통하다 ⁴sich mit *jm.* überwerfen* (veruneinigen; entzweien); wie Hund 《*m.* -es, -e》 u. Katze 《*f.* -n》 leben. ~상극 unvereinbar; unverträglich, wie Wasser u. Öl.

수화(手話) 《농아자의》 Fingersprache *f.*

‖ ~법 Daktylologie *f.*; Chirologie *f.*

수화(受貨) die Annahme 《-n》 der Güter (der Waren). ‖ ~인 (Waren)empfänger *m.* -s, -; Adressat *m.* -en, -en.

수화(繡畫) das gestickte Bild, -es, ⸚er.
수화기(受話機) (Telephon)hörer *m.* -s, -; Empfänger *m.* -s, -; Kopfhörer (헤드폰). ¶ ~를 들다 den Hörer aus|hängen (ab|heben*; auf|nehmen*) / ~를 놓다 den Hörer auf|legen (ein|hängen) / ~를 귀에 대다 den Hörer ans Ohr legen / ~를 잡다 den Hörer ergreifen*.
수확(收穫) Ernte *f.* -n; Ertrag *m.* -(e)s, ⸚e; Frucht *f.* ⸚e (성과). **~하다** ernten[4]; die Ernte ein|bringen*. ¶ 쌀(소맥)의 ~ Reisernte (Weizenernte) *f.* -n / 예기한 바와는 달리 ~은 좋지 못했다 Wider Erwarten ist die Ernte nicht gut ausgefallen. / 이 땅은 ~이 풍부하다 Dieses Land hält e-e gute Ernte. / 금년도의 ~은 평년작 이하로 예상된다 Man schätzt die Ernte dieses Jahres auf den Unterdurchschnitt. / 지난해의 문단에는 이렇다 할 ~이 없었다 Die schriftstellerische Tätigkeit des vergangenen Jahres ist wider Erwarten nicht gut ausgefallen.
‖ **~고** Ertrag *m.* -(e)s, ⸚e. **~기(期)** Erntezeit *f.* **~예상** Ernteaussichten 《*pl.*》. **~제(祭)** Ernte(dank)fest *n.* -(e)s, -e.
수황증(手荒症) Kleptomanie *f.*
수회(收賄) die passive Bestechung, -en. **~하다** [4]sich bestechen lassen*; ein Bestechungsgeschenk an|nehmen*. ¶ 그는 ~혐의를 받고 있다 Es besteht der Verdacht, daß er sich hat bestechen lassen*. / 그는 ~ 같은 것을 할 사람이 아니다 Er ist nicht bestechlich.
‖ **~사건** Bestechungsaffäre *f.* -n; Bestechungsskandal *m.* -s, -e. **~자** der Bestochene*, -n, -n.
수회(數回) einigemal; mehreremal; einpaarmal; oft; häufig; öfter. ¶ ~ 시도하다 [4]*et.* einigemal versuchen / ~에 걸쳐 게재하다 in einigen fortlaufenden Nummern veröffentlichen[4].
수효(數爻) Zahl *f.* -en; Summe *f.* -n; Anzahl *f.* ¶ 사람 ~ die Zahl der Menschen 《*pl.*》 (der Leute 《*pl.*》) / ~를 세다 zählen[4] / ~를 늘리다(줄이다) die Zahl vergrößern (verkleinern) / ~가 많은 viel; zahlreich; eine große Anzahl...; eine große Menge... / ~가 적은 wenig; an Zahl gering / ~를 채우다 die Zahl voll machen / 그들의 ~는 100이었다 Sie waren hundert an Zahl.¦Sie zählten hundert.
수훈(垂訓) Belehrung *f.* -en; (göttliches) Gebot *n.* -(e)s, -e; Lehre *f.* -n. **~하다** belehren. ‖ **산상~** Bergpredigt *f.* -en.
수훈(殊勳) der (ausgezeichnete) Verdienst, -es, -e ¶ ~을 세우다 [3]sich hervorragende [4]Verdienste erwerben*. ‖ **~상** der Preis für den ausgezeichneten Verdienst.
숙가(宿痾) =숙아(宿痾).
숙감(宿憾) =숙원(宿怨).
숙고(熟考) die reifliche Erwägung (Überlegung) -en; das tiefe Nachsinnen*, -s; die sorgfältige Reflexion, -en. **~하다** reiflich erwägen*[4] (überlegen[4]); [4]sich besinnen* 《*über*[4]》; grübeln 《*über*[4]》; (nach|)sinnen* 《*über*[4]》; reflektieren 《*über*[4]》; spekulieren 《*über*[4]》. ¶ ~한 끝에 nach reiflicher Erwägung (Überlegung); nachdem sorgfältig erwogen (überlegt) worden ist / ~하는 낯으로 mit nachdenklichem Gesicht / 충분히 ~하여 mit voller Überlegung / ~에 잠기다 in tiefes Nachdenken versinken*.
숙군(肅軍) die Reinigung (Säuberung) 《-en》 in der Armee.
숙근(宿根) 〖식물〗 die überwinternden unterirdischen Teil der ausdauernden Pflanze, deren oberirdische krautige Teile im Winter absterben. ‖ **~초** die perennierende Pflanze, -n; Perennen.
숙녀(淑女) Dame *f.* -n. ¶ ~다운 damenhaft / ~행세를 하다 die Dame spielen / 신사 ~ 여러분 M-e Damen u. Herren!
숙다 hängen lassen*; herab|hängen (-|sinken*). ¶ 벼 이삭이 ~ die Ähren neigen sich.
숙달(熟達) Erfahrenheit *f.*; Bewandertheit *f.*; Geschicklichkeit *f.*; Meisterschaft *f.* **~하다** die Meisterschaft erlangen; vollkommen beherrschen[4]. ¶ ~한 bewandert; meisterhaft; vollkommen; eingeweiht / ~한 문체 gewandter Stil / ~되어 있다 Eingeweihter (Experte) sein 《*in*[3]》; zu Hause sein 《*in*[3]》 / 그는 라틴어에 ~되어 있다 Er ist in Latein gut bewandert.
숙당(肅黨) die Reinigung 《-en》 (Säuberung, -en) in der Partei.
숙덕(淑德) (Frauen)tugend *f.* -en. ¶ ~ 높은 von hoher [3]Tugend.
숙덕거리다 mit *jm.* wispern; mit *jm.* flüstern; leise (heimlich) sprechen*. ¶ 그들은 그 계획에 대해서 숙덕거렸다 Sie sprachen heimlich über den Plan.
숙덕숙덕 verstohlen; heimlich; leise; unvermerkt; insgeheim; im geheimen.
숙덕이다 =숙덕거리다.
숙덜- ☞ 숙덕-.
숙독(熟讀) das sorgfältige Durchlesen*, -s; das eifrige Lesen*, -s. **~하다** sorgfältig durch|lesen*[4]; eifrig lesen*[4].
숙려(熟慮) =숙고. ¶ ~ 단행하다 wohlbedacht, entschieden tun*; nach reiflicher Überlegung e-n beherzten Entschluß fassen.
숙련(熟練) (Wohl)bewandertheit *f.*; (Kunst-)fertigkeit *f.* -en; Geschicklichkeit *f.* -en. ¶ ~된 wohlbewandert; wohlbeschlagen; kunstfertig; geschickt; geübt / 미~의 unerfahren; unkundig; ungeschickt / ~을 요하는 bedenklich; kitzlich / ~을 요하다 e-e große Geschicklichkeit verlangen / ~ 부족이다 *jm.* an Geschicklichkeit fehlen / 그는 교수법에 ~되어 있다 Er versteht sich auf die Unterrichtsmethode. / 그는 교정에 ~되어 있다 Er versteht sich auf die Korrektur. / 그러자면 ~된 기술이 필요하다 Dazu gehört e-e große Fertigkeit.
‖ **~가** der (Wohl)bewanderte*, -n, -n; Experte *m.* -n, -n. **~공** der gelernte Arbeiter, -s, -; Facharbeiter *m.*; geschickte Hände 《*pl.*》.
숙망(宿望) =숙원(宿願).
숙맥(菽麥) Dummkopf *m.* -(e)s, ⸚e; törichter Mensch, -en, -en. ¶ 그런 말 하면 ~이지 Es hat k-n Zweck (Es lohnt sich nicht), das zu sagen.
숙면(熟眠) 《잠》 der feste (tiefe; ungestörte) Schlaf, -(e)s. **~하다** e-n festen (tiefen; ungestörten) Schlaf schlafen*; fest (tief; ungestört) schlafen*; den Schlaf des Gerechten schlafen*. ¶ 그는 ~ 중이다 Er schläft wie ein Dachs (Murmeltier).¦Er liegt in Morpheus Armen.

숙명(宿命) Schicksal *n.* -(e)s, -e; Los *n.* -es, -e; Geschick *n.* -(e)s; Fatalität *f.* -en; Verhängnis *n.* -ses, -se. ¶ ~적인 schicksalhaft; verhängnisvoll; fatal / ~적으로 정해져 있다 vom Schicksal bestimmt sein / ~에 맡기는 도리 밖에 없다 Das müssen wir dem Schicksal überlassen.

‖ **~론** Fatalismus *m.* -; Verhängnislehre *f.* -n: ~론자 Fatalist *m.* -en, -en; der Verhängnisgläubige*, -n, -n.

숙모(叔母) die Frau 《-en》 des Onkels; Tante *f.* -n.

숙박(宿泊) Unterkunft *f.* ⸗e; Übernachtung *f.* -en; Einquartierung *f.* -en; das Logieren* [loʒi:rən] -s; Unterkommen *n.* -s. **~하다** [4]sich ein|quartieren; unter|kommen* ⓢ; logieren; übernachten 《이상 bei *jm.*》. ¶ 하룻밤을 ~하다 über Nacht bleiben*ⓢ / 호숫가의 호텔에 ~하다 in e-m Hotel am See ab|steigen* / 어느 여관에 ~하고 계십니까 In welchem Gasthaus wohnen Sie? / 하룻밤의 ~을 청하다 e-e Unterkunft für die Nacht suchen 《bei *jm.*》 / ~을 허락하다 *jm.* Obdach 〔ein Unterkommen〕 gewähren.

‖ **~권** Quartierzettel *m.* -s, -. **~료** Unterkunftskosten 《*pl.*》; Hotelrechnung *f.* -en; Übernachtungskosten 《*pl.*》. **~부** Fremden¦buch (Gäste-) *n.* -(e)s, ⸗er: ~부에 올리다 [4]sich in das Fremdenbuch ein|tragen*. **~소** Quartier *n.* -s, -e; Unterkommen *n.* -s, -. **~인** Gast *m.* -s, ⸗e (손님); Mieter *m.* -s, - (세든 사람).

숙부(叔父) Onkel *m.* -s, - (백부의 뜻으로도 씀); Oheim *m.* -(e)s, -e.

숙부드럽다 sanft; mild; zart; ruhig (sein). ¶ 숙부드러운 처녀 anmutiges 〔zartes〕 Mädchen, -s, -.

숙사(宿舍) Quartier *n.* -s, -e; Unterkunft *f.* ⸗e; Unterkommen *n.* -s, -; Lager *n.* -s, ⸗; (Wohn)heim *n.* -(e)s, -e. ¶ ~를 준비하다 Quartier machen / ~를 할당 〔배당〕 하다 *jm.* das Quartier zu|weisen*.

숙사(熟絲) der gekochte Seidenfaden, -s, ⸗; das gekochte Seidengarn, -(e)s, -e.

숙성하다(夙成—) frühreif; frühzeitig; frühklug (sein). ¶ 숙성한 아이 das frühreife Kind, -es, -er.

숙세(宿世) =전생(前生).

숙소(宿所) Wohnung *f.* -en; Wohnsitz *m.* -es, -e; Adresse *f.* -n; Gasthaus *n.* -es, ⸗er; Hotel *n.* -s, -s. ¶ ~를 구하다 ein Unterkommen(e-e Unterkunft) suchen; ein Hotel suchen / ~를 옮기다 s-e Wohnung wechseln; um|ziehen* ⓢ / 딴 호텔로 ~를 옮기다 in ein anderes Hotel ziehen* 〔um|ziehen*〕 ⓢ / ~가 어디십니까 Wo wohnen Sie?¦Wo sind Sie unterkommen?

숙수(熟手) 《요리인·국》 Koch *m.* -(e)s, ⸗e; Köchin *f.* -nen (여자).

숙수(熟睡) =숙면.

숙시(熟視) das Starren*, -s; starrer Blick. **~하다** starren 《*auf*[4]; *nach*[3]》; an|starren[4]; starr 〔unverwandten Blickes〕 an|sehen[4]; den Blick heften 《*auf*[4]》.

숙시주의(熟柿主義) die Politik 《-en》 des Abwartens.

숙식(宿食) Kost 《*f.*》 u. Logis 《*n.*》 〔Wohnung〕. **~하다** bei *jm.* in Kost sein.

숙씨(叔氏) Ihr 〔sein〕 dritter Bruder, -s, ⸗. ¶ 둘째 ~ Ihr 〔sein〕 vierter Bruder.

숙아(宿痾) die chronische 〔eingewurzelte〕 Krankheit, -en. ¶ ~ 재발 der Wiederausbruch der chronischen Krankheit.

숙야(夙夜) tiefe Nacht, ⸗e; Morgenfrühe *f.*

숙어(熟語) Redensart *f.* -en; die geläufige Redewendung, -en; Idiom *n.* -s, -e.

‖ **~집** das Lexikon der Idiome.

숙어지다 herab|hängen 〔-|sinken* ⓢ〕; herab|hängen lassen*. ¶ 그의 인내심에는 머리가 숙어진다 Vor seiner Geduld muß ich meinen Hut abnehmen.

숙연(宿緣) 〖불교〗 Karma(n) *n.* -s; Schicksal *n.* -(e)s, -e; Verhängnis *n.* ..nisses, ..nisse.

숙연하다(肅然—) feierlich; ernst; würdevoll (sein). ¶ 숙연히 infeierlicher [3]Stille; feierlich; würdevoll; ehrfurchtsvoll / 숙연해지다 von Ehrfurcht ergriffen werden.

숙영(宿營) Quartier *n.* -s, -e; Einquartierung *f.* -en. **~하다** [4]sich ein|quartieren 〔ein|lagern〕 《bei *jm.*》. ¶ ~시키다 ein|quartieren[4] 〔ein|lagern[4]〕 《bei *jm.*》

‖ **~지** Einquartierungsort *m.* -(e)s, -e 〔⸗er〕.

숙우(宿雨) der anhaltende Regen, -s, -.

숙원(宿怨) 《묵은 원한》 der langgehegte Groll, -(e)s. ¶ ~을 풀다 s-n langgehegten Groll befriedigen.

숙원(宿願) der lang gehegte Wunsch, -es, ⸗e; Lieblingswunsch *m.* -es, ⸗e. ¶ ~을 풀다 〔이루다〕 s-n (lang gehegten) Wunsch erfüllen; am Ziel s-r Wünsche gelangen 〔an|langen〕 ⓢ.

숙의(熟議) die reif(lich)e 〔allseitige; genaue; volle〕 gemeinsame Überlegung, -en; die sorgfältige Erwägung, -en. **~하다** reiflich 〔allseitig; genau〕 gemeinsam überlegen[4]; gründlich beraten* 《mit *jm.* *über*[4]》; sorgfältig erwägen*[4]. ¶ 그는 친구와 그 문제를 ~하였다 Er stellte reife Überlegungen mit seinen Freunden darüber an.

숙이다 nach vorne 〔nach unten〕 neigen[4]. ¶ 얼굴을 〔머리를〕 ~ den Kopf hängen lassen*; den Kopf senken; den Kopf beugen (굴복); den Kopf neigen (인사) / 고개를 숙이고 mit hängendem Kopf; niedergeschlagen.

숙적(宿敵) der alte Feind, -(e)s, -e; Erbfeind 〔Erz-〕 *m.*

숙정(肅正) Regulierung *f.* -en; Anordnung *f.* -en; Reinigung *f.* -en. **~하다** regulieren; reinigen. ¶ 관기를 ~하다 die Disziplinarvorschriften streng durchführen.

숙제(宿題) 《학교의》 Haus¦aufgabe *f.* -n 〔-arbeit *f.* -en〕; 《현안》 die unentschiedene 〔offene〕 Frage, -n. ¶ 휴가중의 ~ Ferienaufgabe *f.* -n / 오랜 ~ die lang offene Frage / ~를 내다〔하다〕 e-e Hausaufgabe geben* 〔machen〕 / ~로 남겨두다 unentschieden 〔offen〕 lassen*[4] / ~를 돌봐 주다 *jn.* s-e Aufgaben machen helfen / 그 법안이 국회를 통과할는지는 ~거리다 Ob die Gesetzesvorlage im Bundestag angenommen werde, ist noch unentschieden 〔offen〕.

‖ **~장** Aufgabenheft *n.* 방학**~** Ferienaufgabe *f.*

숙죄(宿罪) 〖종교〗 Erbsünde *f.*

숙주(宿主) 〖생물〗 Wirt *m.* -(e)s, -e; Wohntier *n.* -s, -e (동물).

‖ 중간**~** Zwischenwirt *m.*

숙주(나물) das Malz 《-es》 der grünen Bohne.

숙지(熟知) das gründliche Wissen; genaue Kenntnisse 《*pl.*》. **~하다** das gründliche

〔beste; genaue〕 Wissen haben 《von³》; gründliche 〔beste; genaue〕 Kenntnisse 《pl.》 haben 《von³》; ⁴sich aus|kennen* 《in³》; beschlagen* 〔bewandert; gewiegt〕 sein 《in³》; wie zu Hause sein 《in³》.

숙지근하다 mäßig; erschlafft (sein).

숙직(宿直) Nacht¦dienst m. -es, -e 〔-wache f. -n〕. ～하다 Nachtwache halten*; Nachtdienst haben. ¶ 오늘 ～은 누구냐 Wer ist der heutige Nachtwächter? / 나는 어젯밤 ～이었다 Ich war gestern abend beim Nachtdienst. / 내일 아침 7시까지 ～이다 Ich halte Nachtwache bis morgen 7 Uhr. ‖ ～실 Nachtdienstzimmer n. -s, -. ～원 Nachtwächter m. -s, -.

숙질(叔姪) der Onkel 《-s, -》 u. sein Neffe 《m. -n, -n》 〔seine Nichte, -n〕.

숙철(熟鐵) Roheisen n. -s, -.

숙청(肅淸) Säuberung f. -en; Reinigung f. -en; Anordnung f. -en; Regulierung f. -en. ～하다 säubern⁴; reinigen⁴; an|ordnen⁴; regulieren⁴. ¶ ～ 공작을 시작하다 Säuberungs¦aktion 《f. -en》 〔-unternehmen n. -s, -〕 beginnen* / 반동 분자를 ～하다 die reaktionären Elementen säubern / 당을 ～하다 die Partei säubern.

숙체(宿滯) die dauernde 〔langwierige; ständige〕 Verdauungsstörung, -en 〔Magenverstimmung, -en〕.

숙취(宿醉) Kater m. -s; Katzenjammer m. -s; Brummschädel m. -s. ～하다 e-n Kater 〔e-n Katzenjammer〕 haben ✠ 반드시 부정관사를 붙인다; verkatert sein.

숙친(熟親) Innigkeit f. -en; das innige Verhältnis, -nisses, -nisse. ～하다 innig; intim; vertraut; eng bekannt (sein).

숙폐(宿弊) das alte 〔eingewurzelte〕 Übel, -s, -. ¶ ～를 제거〔일소〕하다 den alten Übel vertreiben*.

숙혐(宿嫌) der langgehegte Haß, -sses 〔Abscheu, -(e)s〕; die tief eingewurzelte Feindschaft, -en.

숙환(宿患) die langwierige 〔chronische; langsam verlaufende; schleichende〕 Krankheit, -en. ¶ 그는 ～으로 쓰러졌다 Er ist der chronischen Krankheit zum Opfer gefallen. / 그는 ～으로 자리 보존을 하고 있다 Infolge der langwierigen Krankheit ist er ans Bett gefesselt.

숙흥야매(夙興夜寐) vom frühen Morgen bis zum späten Abend fleißig arbeiten.

순(旬) 《열흘》 zehn Tage 《pl.》; Dekade f. -n; 《10 년》 Jahrzehnt n. -(e)s, -e; Dekade f. -n. ¶ 상〔중, 하〕순 die ersten 〔mittleren, letzten〕 zehn Tage 《pl.》 des Monats; das erste 〔zweite, letzte〕 Drittel 《-s, -》 des Monats / 칠순 노인 Siebziger m. -s, -.

순(巡) ① 《활쏘기의》 Reihe f. -n. ② =순행(巡行). ③ 《차례》 Reihe; Reihenfolge f. -n.

순(純) rein; keusch; makel¦los (flecken-); naturhaft; echt; unschuldig; unvermischt. ¶ 순 거짓말 e-e reine Lüge / 순 이익 e-e reine Profit/순 이론적 문제 e-e echte theoretische Frage / 순 곡주 der echte Getreidewein / 순 한국식이다 Es ist ein echt koreanischer Stil.

순(筍·笋) Keim m. -(e)s, -e; Knospe f. -n; Sproß m. ..rosses, ..rosse. ¶ 순이 돋아나다 keimen [h,s]; knospen; sprießen* [h,s].

-순(順) Reihe(nfolge) f. -n; (Aufeinander-)folge f. -n; Ordnung f. -en. ☞ 순번, 순서. ¶ ABC 순으로 alphabetisch; in alphabetischer Reihe(nfolge) 〔³Ordnung〕 / 성적순에 따라 in Reihe der Note / 연령순에 따라 in Reihenfolge des Alters.

순간(旬刊) alle zehn Tage erscheinend.

순간(瞬間) Augenblick m. -(e)s, -e; Moment m. -(e)s, -e; Nu m. -. ¶ ～적 augenblicklich; momentan / ～적 기지 ein schneller Witz / ～적 기분으로 ohne Überlegung; unter dem ersten Eindruck; e-r plötzlichen Eingebung folgend / ～적 쾌락 der augenblickliche Genuß / 그걸 들은 ～ im Augenblick, als ich es hörte / 마지막 ～에 im letzten Augenblick / 일～에 in e-m Augenblick; augenblicklich; in e-m Nu; im Nu / 일～에 장면이 바뀌었다 In e-m Moment wurde die Szene geändert.

순강(巡講) Vortragsreise f. -n.

순검(巡檢) Inspektionstour f. -en; Inspektionsreise f. -n; Runde f. -n. ～하다 auf die Inspektionsreise gehen* [s].

순견(純絹) die reine 〔unvermischte〕 Seide, -n. ¶ ～의 reinseiden.
‖ ～양말 die Strümpfe 《pl.》 aus reiner 〔unvermischter〕 Seide.

순결(純潔) Keuschheit f.; Reinheit f.; Jungfernschaft f. ～하다 keusch; rein; jungfräulich (sein); e-n keuschen Lebenswandel führen. ¶ ～한 사랑 platonische 〔reine〕 Liebe / ～한 처녀 Jungfrau f. / ～을 잃다 der ²Keuschheit usw. verlustig gehen* [s]; k-n keuschen Lebenswandel mehr führen; die Unschuld verlieren*.
‖ ～교육 die Ausbildung für die sexuale Moralität.

순경(巡警) Schutzmann m. -(e)s, ⸚er (..leute); der Polizeibeamte*, -n, -n; Polizeidiener m. -s, -; Polizist m. -en, -en; (Polizei-)wachtmeister m. -s, -; „das Auge des Gesetzes“; Konstabler m. -s, - (영국의).
‖ 교통～ Verkehrsschutzmann m.

순경(順境) günstige Lage 〔Situation〕; gute Verhältnisse 《pl.》. ¶ ～에 처해 있다 gut d(a)ran sein; ⁴sich in glücklicher 〔günstiger; vorteilhafter〕 Lage 《-n》 〔Situation, -n〕 befinden*; wohl situiert 〔gestellt〕 sein / ～에 있든 역경에 있든 ob in guten, ob in schlechten Verhältnissen; ob das Schicksal es gut od. schlecht meint 《mit jm.》.

순계(純系) 〖생물〗 die reine Linie, -n.

순교(殉教) Märtyrertum n. -(e)s; Martyrium n. -s, ..rien; Opfertod m. -(e)s, (드물게) -e. ～하다 ⁴sich opfern; den Märtyrertod sterben* [s].
‖ ～사 die Geschichte der Märtyrer 〔Dulder; Glaubenshelden〕; Martyrologium n. -s, ..gien (열전(列傳)). ～자 Märtyrer m. -s, -; Dulder m. -s, -; Glaubensheld m. -en, -en.

순국(殉國) das Sichopfern* 《-s》 〔das Sterben*, -s〕 fürs Vaterland. ～하다 ⁴sich für das bedrängte Vaterland opfern; Leib u. Blut für das Vaterland in e-r Notlage opfern; für des Vaterlandes Errettung sterben* [s]. ¶ ～적 heroisch; patriotisch; ⁴sich fürs Vaterland opfernd.
‖ ～선열 die patriotischen Märtyrer, -s, -. ～정신 Geist 《m. -es》 des Märtyrertums.

순국산(純國產) ¶ ～의 rein 〔ganz; völlig〕 koreanisch 〔heimisch〕. ‖ ～품(品) das rein koreanische 〔heimische〕 Produkt, -(e)s, -e.

순금(純金) das lautere (echte; gediegene; pure; reine; unvermischte) Gold, -(e)s. ¶ ~의 aus (von) lauterem (echtem) Gold.

순난(殉難) ~하다 den Märtyrertod sterben* ⓢ; bei e-m Unglück um|kommen* ⓢ; ⁴sich für die (gute) Sache opfern.
‖ ~자 der den Märtyrertod Gestorbene*, -n, -n; der Verunglückte*, -n, -n (재화로).

순당하다(順當—) angebracht; angemessen; füglich; geeignet; naturgemäß; passend; schicklich; zugehörig (sein). ¶ 후임은 자네가 되는 것이 ~ Es ist naturgemäß, daß du sein Nachfolger wirst.

순대 Wurst *f.* ¨e. ¶ ~를 만들다 wursten; Wurst machen; die Wurst füllen (stopfen) (속을 넣다).
‖ 순댓국 Wurstsuppe *f.* -n.

순도(純度) Reinheit *f.*; Reinheitsgrad *m.* -(e)s, -e (금, 은의).

순되다(純—) rein; unschuldig (sein).

순두부(—豆腐) ungeronnener Bohnenquark, -(e)s.

순라(巡邏) das Patrouillieren* [..tru(l)..] -s; Patrouille (Ronde; Streifwache) *f.* -n; Schutzmann *m.* -(e)s, ¨er (..leute) (사람).

순람(巡覽) Besichtigung *f.* -en. ~하다 besichtigen⁴; inspizieren⁴; e-n Rundgang machen u. nach dem Rechten sehen*.

순량(純良) Reinheit *f.*; Purität *f.*; Unvermischtheit *f.* ~하다 rein; pur; unvermischt (sein).
‖ ~우유 die pure Milch; Vollmilch *f.* ~포도주 der pure Wein, -(e)s, -e.

순량(純量) Netto-; Rein-; Eigen-; Trockengewicht *n.* -(e)s, -e.

순량하다(順良—) gehorsam; folgsam; friedfertig (-liebend); ordnungsliebend; unterwürfig (sein).

순량하다(馴良—) zahm; gehorsam (sein).

순력(巡歷) das Umherreisen*, -s; das Umherwandern*, -s; Rundreise *f.* -n. ~하다 e-e Rundreise machen; umher|reisen ⓢ,ⓗ.

순례(巡禮) Wallfahrt *f.* -en; Pilgerschaft *f.* ~하다 wallfahr(t)en ⓢ,ⓗ; pilgern ⓢ,ⓗ; nach e-m Wallfahrtsort gehen* ⓢ.
‖ ~자 Wallfahrer *m.* -s, -; Pilger *m.* -s, -.

순로(順路) der normale (gewöhnliche; ordentliche) Weg, -(e)s, -e. ¶ ~로(를 거쳐) auf dem normalen *usw.* Wege; den normalen *usw.* Weg verfolgend.

순록(馴鹿) 〖동물〗 Renntier *n.* -(e)s, -e.

순리(純利) Reingewinn *m* -(e)s, -e; Nettogewinn. ☞ 순익.

순리(純理) die reine Vernunft (Theorie); Logik *f.* ¶ ~적 rein vernünftig (theoretisch); logisch. ‖ ~론(論) Rationalismus *m.* -, -: ~론적 rationalistisch / ~론자 Rationalist *m.* -en, -en.

순리(順理) Vernünftigkeit *f.* -en; Verständigkeit *f.* -en.

순막(瞬膜) 〖생물〗 Membrane *f.* -n.

순만(順娩) =순산(順產).

순망간(旬望間) zwischen 10. bis 15. des Monats.

순면(純綿) Reinbaumwolle *f.*
‖ ~제품 Waren 《*pl.*》 aus Reinbaumwolle.

순모(純毛) Reinwolle *f.* -n.
‖ ~제품 Waren 《*pl.*》 aus Reinwolle.

순무 〖식물〗 die (weiße) Rübe, -n.

순문학(純文學) die schöne Literatur; Belletristik *f.* ¶ ~파 Belletrist *m.* -en, -en.

순물 das Wasser, das beidem Gerinnungsprozeß des Bohnenquarks entsteht.

순미(純味) der reine Geschmack, -(e)s, ¨e.

순미(純美) die reine Schönheit, -n.

순박(淳朴) Unschuldigkeit *f.* -en; Harmlosigkeit *f.* -en; Unbefangenheit *f.* -en; Naivität *f.* -en. ~하다 unschuldig; arglos; harmlos; naiv; unbefangen; unbefleckt; einfach; natürlich; prunklos; 《촌스런》 idyllisch (sein). ¶ ~한 시골 노인 ein alter Landsmann / 그녀의 ~한 성격이 사랑스럽다 Ihr unschuldiger Charakter ist liebenswürdig.

순배(巡杯) ~하다 das Trinkschälchen 《-s, -》 die Runde 《-n》 machen lassen*.

순백(純白) Rein|weiß (Schnee-) *n.* -es. ~하다 schneeweiß; unbefleckt weiß (sein). ¶ ~색의 대리석 der schneeweiße Marmor.

순번(順番) Reihe *f.* -n. ¶ ~대로 der ³Reihe nach / ~이 되다 an die Reihe kommen* ⓢ; an der Reihe sein / ~을 기다리다 warten, bis man an die Reihe kommt / 자네 ~일세 Die Reihe ist an dir.|Du bist an der Reihe.|Die Reihe kommt an dich.|Du kommst an die Reihe.

순보(旬報) der alle zehn Tage erscheinende Bericht, -(e)s, -e.

순분(純分) Feingehalt *m.* -(e)s; Reinheit *f.* (금, 은의); Karat *n.* -(e)s, -e.

순뽕(筍—) das neu gesprossene Maulbeerblatt, -es, ¨er.

순사(巡査) =순경.

순사(殉死) Opfer|tod (Frei-) *m.* -(e)s, (드물게) -e; die Selbsttötung beim Tode s-s (Feudal)herrn. ~하다 e-n Opfertod sterben* ⓢ; ⁴sich beim Tode s-s (Feudal)herrn töten; s-m (Feudal)herrn ins Jenseits folgen ⓢ.

순산(順產) die glückliche (leichte) Entbindung, -en (Niederkunft, ¨e). ~하다 glücklich entbunden werden 《*von*³》; glücklich nieder|kommen* ⓢ 《*mit*³》. ¶ 집사람은 어제 남아를 ~했읍니다. M-e Frau hat gestern ihre Niederkunft mit e-m Knaben glücklich überstanden.

순색(純色) die reine (unvermischte) Farbe, -n.

순서(順序) Ordnung *f.* -en; Aufeinanderfolge (Reihen-; Stufen-) *f.* -n; Verfahren *n.* -s. ¶ ~대로 (바르게) in regelmäßiger Reihenfolge (in guter Ordnung); ordnungsgemäß / ~없음 Ohne besondere Ordnung! / ~를 한바퀴 돌아서 um die Reihe / ~를 따라서 nach der Reihe; der Reihe nach / ~부동 ordnungswidrig; nicht der Reihe nach / ~가 바로잡힌 in guter (schöner) Ordnung; methodisch; planmäßig / ~가 뒤바뀐 außer ³Ordnung (der Reihenfolge) sein; in ³Unordnung sein / 이야기의 ~가 뒤바뀌었읍니다마는 … Ich hätte es Ihnen vorher sagen sollen .... / 우선 그의 의향을 물어 보는 것이 ~일게다 Vor allem müssen wir s-e Meinung fragen.

순석(巡錫) Predigtreise 《*f.* -n》 des buddhistischen Mönchs.

순성(馴性) Sanftmut *f.*; Demut *f.*; Zahmheit *f.* -en; Unterwürfigkeit *f.* -en; Lenksamkeit *f.* -n; Sanftheit *f.* -en.

순소득(純所得) Nettoertrag *m.* -(e)s, ¨e; Nettoeinkommen *n.* -s, -.

순수(巡狩) die Reise 《-n》 des Königs. ~하다 die (königliche) Reise machen.

순수(純粹) Reinheit *f.*; Echtheit *f.* ~하다 rein; echt; pur; unverfälscht; unvermischt; 〖방언〗 währschaft (sein). ¶ ~한 광물질 die reine Mineralsubstanz / ～한 동기 das pure Motiv / ～한 게르만 민족 die echten Germanen / ～한 비엔나 사람 echter (richtiger) Wiener / 한국어의 ～성을 보존하다 die Echtheit der koreanischen Sprache auf|-bewahren / 그는 ～한 서울나기다 Er ist ein in der Wolle gefärbter Seouler.

‖ ～과학 die reine Wissenschaft, -en. ～논리학 die reine Logik. ～수학 die reine Mathematik. ～시 die reine Poesie. ～이성 die reine Vernunft: ～이성 비판 die Kritik der reinen Vernunft. ～주의 Purismus *m.* ～철학 Metaphysik *f.* 국제 ～ 응용 물리학(화학) 연합 Internationaler Verein der reinen u. angewandten Physik (Chemie).

순수입(純收入) Nettoertrag *m.* -(e)s, ⸚e; Nettoeinkommen *n.* -s, -.

순순하다(順順—) gehorsam; folgsam; willig (sein). ¶ 순순히 자백하다 willig gestehen*; anstandslos gestehen* (bekennen*) / 순순히 따르다 willig gehorchen[3]; [4]sich einem Befehl anstandslos folgen lassen* / 순순히 잡히다 [4]sich ohne Widerstand festnehmen lassen* / 범인은 순순히 고랑을 찼다 Der Verbrecher gab sich widerstandslos gefangen.

순순하다(諄諄—) ernstlich; überzeugend; zugleich geduldig u. nachdrucksvoll (sein). ¶ 순순히 타이르다 ein|prägen (-|schärfen)[34]; eindringlich zum Herzen sprechen* 《*jm.*》; (von der Wahrheit e-r Sache) zu überzeugen suchen 《*jn.*》.

순시(巡視) Besichtigungsrundgang *m.* -(e)s, ⸚e. ～하다 e-n Besichtigungsrundgang (Inspektionsrundgang) machen; besichtigen[4]; inspizieren[4]. ¶ 공장 안을 ～하다 e-e Fabrik besichtigen / 피난민 수용소를 ～하다 das Flüchtlingslager besichtigen / 지사는 도내를 ～했다 Der Gouverneur inspizierte die ganze Provinz.

‖ ～선(船) Patrouillenboot [patrú(l)jənbo:t] *n.* -(e)s, -e. ～자 Aufseher *m.*; Inspektor *m.* -(e)s, -en.

순시(瞬時) ＝순간.

순식간(瞬息間) Augenblick *m.* -s, -e; Moment *m.* -(e)s, -e. ¶ ～에 augenblicklich; im Augenblick; im Handumdrehen; im Nu; ehe man sich's versieht; von kurzer Dauer; nur kurz / ～의 성과 Eintagserfolg *m.* / 그의 모습이 ～에 사라지고 말았다 Er war in e-m Augenblick verschwunden. / 기쁨도 ～에 지나지 않았다 S-e Freude war von kurzer Dauer. / 이웃집에도 ～에 불이 옮겨 붙었다 Im Handumdrehen hat auch das Nachbarhaus Feuer angefangen.

순실(純實) Ehrlichkeit *f.* -en; Arglosigkeit *f.* -en; Aufrichtigkeit *f.* -en. ～하다 ehrlich; arglos; aufrichtig (sein).

순양(巡洋) Aufklärungsfahrt *f.* -en; das Kreuzen*, -s. ～하다 kreuzen; e-e Aufklärungsfahrt machen.

‖ ～전함 Schlachtkreuzer *m.* -s, -. ～함 Kreuzer *m.* -s, -: 보조～함 Hilfskreuzer.

순업(巡業) Rund¦reise (Gastspiel-; Kunst-) *f.* -n; Tournee [tur..] *f.* -s (-n [..né:ən]).

순여(旬餘) etwas (ungefähr) zehn Tage 《*pl.*》; mehr als zehn Tage.

순역(順逆) das Richtige* 《-n》 u. das Unrichtige* 《-n》 (das Falsche*, -n); was recht u. was unrecht ist; Treue 《*f.*》 u. Verrat 《*m.* -(e)s》.

순연(順延) Aufschub *m.* -(e)s, ⸚e; Verschiebung *f.* -en; Zurückstellung *f.* -en. ～하다 auf die nächste Gelegenheit verschieben*[4]. ¶ 우천～ Falls es regnet, wird die Sache auf den nächsten schönen Tag verschoben.

순연하다(純然—) rein; absolut; direkt; gänzlich; restlos; total; völlig; vollständig; bis in die Knochen (sein).

순열(巡閱) Besichtigungsrundgang *m.* -(e)s, ⸚e. ～하다 e-e Besichtigungs¦reise (Inspektions-) 《-n》 (*od.* -runde 《-n》) machen; e-n Besichtigungs¦rundgang (Inspektions-) 《-(e)r, ⸚e》 machen.

순열(順列) 〖수학〗 Permutation *f.* -en; Vertauschung *f.* -en.

순위(順位) Rangordnung *f.* -en; die Reihenfolge 《-n》 nach dem Rang; Wertabstufung *f.* -en; Rangliste *f.* -n. ¶ ～를 다투다 [4]sich um (über) die Rangordnung streiten*.

순유(巡遊) Rundreise *f.* -n; das Umherreisen*, -s; Reise *f.* -n; Tour *f.* -en; Vergnügungsreise. ～하다 eine Rundreise machen; auf eine Rundreise gehen*Ⓢ; umherreisen Ⓢ; eine Reise machen. ¶ 외국～의 길 Auslandreise *f.* -n / 유럽을 ～하다 eine Reise durch Europa 《*n.* -s》 machen; durch Europa reisen Ⓢ.

순은(純銀) echtes (reines; pures) Silber, -s; Echtsilber *n.* -s. ¶ ～의 echtsilbern; aus Echtsilber.

‖ ～숟가락 der echte Silberlöffel, -s, -.

순음(脣音) 〖음성학〗 Lippenlaut *m.* -(e)s, -e; Labial *m.* -s, -e; Labiallaut *m.*

순응(順應) Assimilierung *f.* -en; Anpassung *f.* -en. ～하다 [4]sich an|passen (an|gleichen*; assimilieren) 《*an*[4]》. ¶ 환경에 ～하다 [4]sich den Verhältnissen an|passen; [4]sich nach den Umständen richten; [4]sich in sein Milieu [milǿ:] ein|leben; mit jedem Winde zu segeln wissen* / …에 ～하여 in Sympathie mit / 시대에 ～하다 [4]sich den Zeiten an|passen / 대세에 ～하다 [4]sich nach den allgemeinen Lagen richten.

‖ ～성(력) Anpassungs¦fähigkeit (Angleichungs-; Assimilierungs-) *f.* -en.

순이익(純利益) ☞ 순익(純益).

순익(純益) Rein¦gewinn (Netto-) *m.* -(e)s, -e; Rein¦ertrag (Netto-) *m.* -(e)s, ⸚e. ¶ 1 년에 백만 원의 ～을 올리다 e-n Nettogewinn von 1000000 *Won* pro ein Jahr erzielen; 1000000 *Won* netto verdienen / 그 거래에서 7 만 원의 ～이 있었다 Durch den Handel gewann ich den reinen Profit von 70000 *Won.* ‖ ～금 Reingewinn *m.*

순일(旬日) zehn Tage 《*pl.*》; Dekade *f.* -n; Monatsdrittel *n.* -s, -. ¶ ～ 이내로 binnen (innerhalb) zehn Tagen; noch ehe zehn Tage verstrichen sind.

순일(純一) Reinheit *f.* -en; Echtheit *f.* -n; Lauterkeit *f.* -en; 《동질》 Homogenität *f.* -en; Gleichartigkeit *f.* -en. ～하다 rein (und einfach); lauter; unvermischt; unverfälscht; arglos (sein).

순잎(筍—) die neu gesprossenen Blätter 《*pl.*》; die jungen Blätter 《*pl.*》.

순장(旬葬) Begräbnis 《*n.* -ses, -se》 (Beerdigung *f.* -en) am zehnten Tage nach dem Tod.

순장(殉葬) die Beerdigung 《-en》 der Frau u. der Diener mit s-m toten Herrn. ～하다 mit dem toten Herrn zusammen (lebendig) begraben*[4] (beerdigen[4]).

순적백성(舜一百姓) der Mensch 《-en, -en》 von reinen, einfachen Herzen.

순전하다(純全一) rein (u. einfach); lauter 〖무변화〗; bloß; 《완전한》 vollkommen; vollständig; 《절대적》 absolut; unbedingt; 《단연》 bestimmt; entschieden; 《철두철미》 gänzlich; völlig; durchaus; durch u. durch (sein). ¶ 순전한 악당 Erzschurke *m.* -en, -en / 순전한 개인문제 die rein persönliche Sache, -n / 순전한 날조 e-e reine (bloße) Erfindung, -en / 그것은 순전한 사기다 Das ist ein unglaublicher Schwindel. ¦ Es ist einfach ein Betrug. / 그는 순전한 시인이다 Er ist durch u. durch ein Dichter.

순절(殉節) Selbstaufopferung *f.* -en (beim Tod s-s Herrn; für die Keuschheit). ~하다 [4]sich beim Tod (bei der Beerdigung) s-s Herrn opfern; s-m Herrn im Tode folgen [s,h]; [4]sich um der Keuschheit willen opfern.

순정(純正) Reinheit *f.*; Anmut *f.*; Keuschheit *f.* -en.

순정(純情) das reine Herz, -ens, -en; Treuherzigkeit *f.* ¶ ~어린 rein von Herzen; in aller Unschuld; treuherzig / ~을 바치다 *jn.* mit ganzen Herzen lieben.
‖ ~소설 Liebesroman *m.*

순조(順調) der günstige Verlauf, -(e)s; das glatte Fortkommen*, -s; das Gedeihen*, -s. ~롭다 glatt; gut; günstig (sein). ¶ ~롭게, ~로이 ungehindert; glatt; nach [3]Wunsch; angebrachtermaßen; auf angemessene (in angemessener) Weise; in gehöriger Ordnung / ~로운 날씨 das günstige Wetter, -s, -; das normale Klima, -s, -s / 무역 ~ die günstige (Außen)handelsbilanz, -en / 일이 ~롭게 되어 가면 wenn die Dinge e-n guten Verlauf (Fortgang) nehmen*; wenn alles glatt vonstatten geht; falls nichts dazwischen kommt / ~롭게 나가다 e-n guten Verlauf (Fortgang) nehmen*; glatt gehen*[s]; vonstatten gehen*[s]; glatt ab|gehen*[s]; gut (günstig) gehen*[s]; ohne [4]Stockung gehen*[s] / ~롭지 않다 schief gehen*[s] / 만사가 ~롭다 Alles nimmt e-e Wendung zum Guten. ¦ Alles läßt sich gut an. ¦ Alles geht glatt (gut; günstig). ¦ Es geht alles glatt (ohne Stockung). / 그는 ~롭게 출세하여 장관까지 되었다 Nach Wunsch brachte er es (bis) zum Minister.

순종(純種) Vollblut *n.* -(e)s; die reine Abstammung. ¶ ~의 voll¦blütig (echt-); rasserein; von reiner Abstammung / ~의 말 Vollblutpferd *n.* -(e)s, -e; das rassige Pferd.

순종(順從) Demut *f.*; Gehorsamkeit *f.* ~하다 gehorsam (demütig; ergeben; folgsam; fügsam; gefügig; lenksam; nachgiebig; willfährig; willig) sein; gehorchen[3]; folgen[3]. ¶ 판결에 ~하다 [4]sich e-m Richtspruch unterwerfen* / 명령에 ~하다 [4]sich e-r Anordnung (e-m Befehl) fügen; e-m Befehl gehorchen / 운명에 ~하다 [4]sich in Schicksal fügen / 어른에게 ~하다 den Eltern gehorchen.

순주(醇酒) der erlesene (ausgewählte; vorzügliche) Wein, -(e)s, -e.

순지르다(筍一) die jungen Spross ab|schneiden*; die Pflanze zurecht|stutzen.

순직(純直) Einfachheit 《*f.* -en》 u. Geradheit 《*f.* -en》 (Rechtschaffenheit *f.* -en). ~하다 aufrecht; rechtschaffen; einfach; schlicht; ehrlich; redlich (sein).

순직(殉職) das Sterben* 《-s》 in Ausübung des Berufes. ~하다 mitten in s-r Pflichterfüllung ums Leben kommen*[s]; in den Sielen sterben*[s]; s-r Berufstätigkeit zum Opfer fallen*[s]. ¶ ~ 경찰관 die Polizei, der mitten in der Pflichterfüllung ums Leben gekommen ist.
‖ ~자 das Opfer s-r Pflicht.

순진(純眞) Unerfahrenheit *f.* (미경험); Unreife *f.* (미숙); Keuschheit *f.* (순결); Unschuld *f.* (순결); Reinheit *f.* (청정); Einfachheit *f.* (소박). ~하다 einfältig; arglos; harmlos; unschuldig; naiv (sein). ¶ ~한 마음 das naturhafte Herz / ~한 어린이 das unschuldige Kind, -(e)s, -er / ~한 처녀 das reine (keusche) Mädchen, -s, - / ~한 사랑 die platonische Liebe; die naive Liebe.

순차(順次) Reihe *f.* -n. ¶ ~적으로 der [3]Reihe nach (nach der Reihe); abwechselnd; eines* nach dem andern, wie sich's gehört; nacheinander; e-r nach dem andern.

순찰(巡察) Patrouille [..trú(l)jə] *f.* -n; Streife *f.* -n. ~하다 die Runde machen; e-n Inspektionsrundgang machen; patrouillieren [h,s]. ¶ 거리를 ~하다 die Straßen ab|patrouillieren. ‖ ~대 Spähtrupp *m.* ~선 Inspektions¦schiff (-boot) *n.* -(e)s, -e. ~장교 Spähoffizier *m.*

순채(蓴菜) 〖식물〗 e-e Art Wasserpflanze 《*f.* -n》; *Brasenia schreberi* (학명).

순치(脣齒) die beiden Räder 《*pl.*》 (an e-m Wagen). ¶ ~지간이다 wie die beiden Räder an e-m Wagen sein; ein Herz u. e-e Seele sein; gegenseitig (wechselseitig; voneinander) abhängig sein; wie die Kletten zusammenhängen.

순치(馴致) ① 《길들임》 Domestikation *f.* -en; Eingewöhnung *f.* -en; Zähmung *f.* -en. ~하다 (be)zähmen[4]; domestizieren[4]; bändigen[4]. ② 《순응》 ~하다 *jn.* gewöhnen 《*an*[4]》.

순치다(筍一) die jungen Sprosse ab|schneiden*; die Pflanze zurecht|stutzen.

순탄하다(順坦一) ungehindert; glatt; ohne Hindernisse 《*pl.*》; nach [3]Wunsch; mühelos; reibungslos (sein). ¶ 그 일은 순탄하게 진행되었다 Die Arbeit ging glatt vonstatten.

순풍(淳風) der gute Brauch, -s, ⸚e; die gute Sitte, -n.
‖ ~미속(美俗) die guten Sitten 《*pl.*》 u. Gebräuche 《*pl.*》.

순풍(順風) der günstige (vorwärts treibende; glückliche) Wind, -(e)s, -e; Segelwind *m.* -(e)s, -e; Fahrtwind *m.* ¶ ~에 돛을 달다 im günstigen Winde das Segel hoch|ziehen* (setzen); mit (vor) dem Winde segeln [s,h] / ~에 돛을 단 셈이었다 Das war Wind in s-e Segel.

순하다(殉一) [4]sich (für die gute Sache) (auf|)opfern; [1]Märtyrer der guten Sache werden; e-n Märtyrertod sterben*[s] 《*für*[4]》. ¶ 국난에 ~ in der nationalen Krise e-n Märtyrertod sterben* [s].

순하다(順一) ① 《성질이》 sanft; zahm; gehorsam (sein). ¶ 순한 아이 ein gehorsames Kind, -(e)s, -er / 순한 짐승 ein zahmes Tier, -(e)s, -e. ② 《맛이》 mild; leicht (sein). ¶ 순

한 담배 milde Zigarette. ③《일이》 günstig; glatt (sein). ¶ 만사가 순하게 되었다 Alles ging gut 〔glatt〕 vonstatten.

순항(巡航) das Kreuzen*, -s; das Hin- u. Herfahren*, -s. ～하다 kreuzen; hin|- u. her|fahren*[s]; e-e Umfahrt machen. ¶ 연안을 ～하다 die Küste kreuzen / ～길에 오르다 auf der Kreuzfahrt gehen*[s] / ～중이다 auf der Kreuzfahrt sein.

‖ ～선 das kreuzende Schiff, -(e)s, -e. ～속도 ökonomisch günstige Geschwindigkeit.

순행(巡行) Besichtigungs¦(rund)gang *m.* -(e)s, ⸗e 〔-reise *f.* -n〕. ～하다 e-n Besichtigungs-(rund)gang *usw.* machen; patrouillieren [patru(l)j..] [s,h].

순행(巡幸) der (Besichtigungs)rundgang 《-(e)s, ⸗e》 des Königs. ～하다 e-e königliche Rundreise machen.

순행(順行) 〖천문〗 direkte Bewegung, -en.

순혈(純血) das reine Blut, -(e)s. ¶ ～의 rein von Blut; reinrassig; vollblütig (개, 말의).

‖ ～종 《말》 Vollblut *n.* -(e)s.

순화(純化) Läuterung *f.* -en; Reinigung *f.* -en. ～하다 reinigen⁴; läutern⁴.

순화(醇化) Läuterung *f.* -en; Veredelung *f.* -en; Verklärung *f.* -en; Idealisierung *f.* -en. ～하다 läutern⁴; veredeln⁴; verklären⁴; idealisieren⁴. ¶ ～된 geläutert; veredelt; verklärt; idealisiert.

순환(循環) Umlauf *m.* -(e)s; Kreislauf *m.* -(e)s; Zirkulation *f.* -en; Rotation *f.* -en. ～하다 um|laufen*[s]; kreisen[h,s]; rotieren; zirkulieren. ¶ ～적 umlaufend; periodisch; zyklisch; wiederkehrend; kreisförmig / 빈곤의 악～ die verderbte Zirkulation der Armut / 혈액은 전신을 ～한다 Das Blut läuft im ganzen Körper um. / 운동을 하면 혈액의 ～이 좋아진다 Körperliche Bewegung beschleunigt den Blutumlauf.

‖ ～계통 Blutkreislauf¦system 〔Zirkulations-〕 *n.* -s, -e. ～기 Zyklus *m.* -, -len. ～급수 〖수학〗 die periodische Progression, -en 〔Reihe, -n〕. ～논법 der Zirkelschluß *m.* ～도로 Kreisstraße *f.* ～반응 die zyklische Reaktion. ～선 Ringbahn *f.* -en; Bahnschlinge *f.* -n (루프선). ～소수 〖수학〗 der periodische Dezimalbruch, -(e)s, ⸗. ～수 〖수학〗 Periode *f.* -n. 경기～ der Konjunkturzyklus. 혈액～ Blutzirkulation *f.*

순회(巡廻) Rundgang *m.* -(e)s, ⸗e; Ronde *f.* -n; Runde *f.* -n. ～하다 den Rundgang 〔die Ronde; die Runde〕 machen; auf Patrouille [patrú(l)jə] gehen*[s]; patrouillieren [patru(l)j..] [s,h]. ¶ 담당 구역을 ～하다 den Bezirk patrouillieren / 순경이 ～ 중이다 Die Polizei macht die Runde.

‖ ～강연 Wandervortrag *m.* -(e)s, ⸗e; Vortragsreise *f.* -n. ～공연 Gastreise *f.* -n; Tournee [turné:] *f.* -s, 〔-n〕. ～교사 〔포교사〕 Wander¦lehrer *m.* -s, - 〔-prediger *m.* -s, -〕. ～극 Wander¦bühne *f.* -n 〔-theater *n.* -s, -〕: ～극단 Wandertruppe *f.* -n; 〖속어〗 Schmiere *f.* -n. ～문고 〔도서관〕 Wander¦bibliothek 〔Zirkular-〕 *f.* -en. ～연예인 wandernder Schauspieler, -s, -. ～음악가 fahrender Musikant, -n, -n. ～재판소 das umherziehende Gericht, -(e)s, -e. ～진료반 Wanderklinik *f.* -en. ～판사 der umherziehende Richter, -s, -.

순후하다(醇厚一) warmherzig; höflich (sein).

숟가락 Löffel *m.* s, -. ¶ 작은 ～ ein kleiner Löffel; Teelöffel (차숟가락) / 큰 ～ ein großer Löffel; Eßlöffel *m.* -s, - (테이블 수푼) / ～으로 뜨다 löffeln⁴ / 큰 ～으로 수북이 둘 zwei gut gehäufte Eßlöffel.

‖ ～총 Löffelstiel *m.* -s, -e.

술¹ 《주류》 Wein *m.* -(e)s, -e (포도주 따위); Reiswein *m.* -(e)s, -e (한국 술); Süßkartoffelschnaps *m.* -es, ⸗e (소주); alkoholisches Getränk *n.* -(e)s, -e (주류일반). ¶ 술망태기 Säufer *m.* / 독한 〔약한〕 술 schwerer 〔leichter〕 Wein / 술을 좋아하는 사람 Trinker *m.* / 집을 옮겨가며 술마시기 Bierreise *f.* / 술기운으로 unter dem Einfluß des Alkohols / 술을 마시다 trinken*⁽⁴⁾ / 술냄새가 나다 nach Alkohol riechen* / 근심을 술로 잊다 s-n Kummer vertrinken* / 술취한 뒤끝이 나쁘다 *jm.* schlecht bekommen*[s]; nicht gut an|schlagen* 《bei *jm.*》[h,s] 〖술이 주어〗; e-n Kater haben (숙취(宿醉)) 〖사람이 주어〗 / 술에 빠지다 dauernd trinken*; versoffen sein / 술을 끊다 das Trinken* auf|geben*; ⁴sich des Alkohols enthalten* / 술을 따르다 *jm.* Wein ein|schenken / 술을 빚다 Wein brauen / 술을 데우지 않고 그냥 마시다 den Wein kalt trinken* / 술을 데워 마시다 den Wein heiß trinken* / 술을 데우다 Wein warm stellen; Wein wärmen / 술이 세다 viel (e-n Stiefel) vertragen können* / 술을 지나치게 마시다 zuviel 〔über den Durst〕 trinken*⁽⁴⁾ / 밑빠진 독처럼 술마시다 wie ein Loch saufen* / 술에 취하다 ⁴sich betrinken* / 술에 취해 입을 놀리다 im Rausch plappern / 재산을 술로 없애다 sein Vermögen vertrinken* / 술에서 깨어나다 wieder nüchtern werden / 술을 병째로 마시다 aus Flasche trinken*⁽⁴⁾ / 잔을 돌려가며 술을 마시다 in die Runde trinken*⁽⁴⁾ / 술을 꿀꺽꿀꺽 마시다 den Wein in großen 〔Langen〕 Zügen trinken* / 술 (소주) 을 마시고 죽다 ³sich den Tod an dem Schnaps trinken* / 술 마시면서 시간을 보내다 die Zeit mit Trinken zubringen* 〔verbringen*〕 / 손님에게 술을 대접하다 *jn.* mit dem Wein bewirten / 그는 술을 입에 대지 않는다 Er trinkt gar nicht. / 이 술은 마실 만하다 Der Wein läßt sich (gut) trinken.

술² Quaste *f.* -n (장식술); Troddel *f.* -n; Franse *f.* -n. ¶ 술이 달린 quastig; fransig / 술을 달다 mit Quasten schmücken⁴; mit Fransen besetzen⁴ / 술 달린 목도리 der quastige Schal / 술 달린 기 die fransige Fahne.

술³ 《분량》 ein Löffel voll; 《술대》 Plektron *n.* -s, ..tren 〔..tra〕.

술⁴ 《쟁기의》 Pflugbaum *m.* -(e)s, ⸗e.

술⁵ 《꽃술》 Staubblatt *n.* -(e)s, ⸗er (수술); Fruchtblatt *n.* -(e)s, ⸗er (암술).

술⁶ 《책의 부피》 Dicke *f.* -n. ¶ 술이 두터운 책 das dicke Buch, -es, ⸗er.

술(戌) 〖민속〗 ① das Zeichen 《-s,-》 des Hundes 《das elfte Zeichen in dem asiatischen Tierkreis》. ② ☞ 술방.

술(術) ① 《계략》 (Kriegs)list *f.* -en. ② 《요술》 Schwarz¦kunst 〔Zauber-〕 *f.* ⸗e; Magie *f.* ③ 《기술》 Technik *f.* -en; (Kunst)fertigkeit *f.* -en; Kunst¦griffe 〔Hand-〕 《*pl.*》.

술가(術家) Zauberer *m.* -s, -; Zauberkünstler *m.* -s, -; Taschenspieler *m.* -s, -; Geomant *m.* -en, -en.

술값 Trinkgeld *n.* -(e)s, -er; Zeche *f.* -n. ¶ 매달 ～ monatliche Ausgabe für Alkohol / ～을 (듬뿍) 주다 *jm.* ein Trinkgeld 〔ein gu-

tes Trinkgeld) geben* / ~을 요구하다 *jn.* um das Trinkgeld bitten* / 그의 월급은 ~으로 날라간다 Er vertrinkt s-n Lohn.
술계(術計) =술책(術策).
술구더기 obenauf schwimmende Reiskörnchen in dem gärenden Reiswein.
술국 die besonders zubereitete Suppe 《-n》, die man beim Weintrinken ißt.
술기운 Alkoholeinfluß *m.* ..flusses, ..flüsse.
술김 Alkoholeinfluß *m.* ..flusses, ..flüsse. ¶ ~에 unter Alkoholeinfluß / ~에 하는 싸움 der Streit 《-(e)s, -e》 im Rausche / ~에 부리는 객기 der angetrunkener Mut, -(e)s.
술꾼 Trinker *m.* -s, -; Alkoholiker *m.* -s, -; Zecher *m.* -s, -; Trunkenbold *m.* -(e)s, -e; Säufer *m.* -s, -; 〖속어〗 Saufigel *m.* -s, -; Schnapsbruder *m.* -s, -; Süffel *m.* -s, -; der durstige Bruder, -s, ⸗.
술대 〖음악〗 Plektron *n.* -s, ..tren (..tra); Schlagring *m.* -(e)s, -e (거문고의); Spielblättchen *n.* -s, - (만돌린의).
술도가(一都家) Brauerei *f.* -en(양조장); Weinladen *m.* -s, ⸗ (판매소).
술독 《항아리》 Weinfaß *m.* -es, ⸗er; 《주정뱅이》 Trunkenbold *m.* -(e)s, -e; Säufer *m.* ⌊-s, -.
술독(一毒) =주독(酒毒).
술래 derjenige Spieler 《-s, -》 in dem Versteckspiel, der die anderen Spieler fangen od. suchen muß.
술래잡기 das Haschen* (Greifspielen*) -s; Blindekuh *f.* ~하다 Fangen spielen; [4]sich haschen.
술렁거리다 [4]sich auf|regen 《*über*[4]》; in [4]Aufregung geraten*Ⓢ; aufgeregt werden. ¶ 그 소식에 온 서울 장안이 술렁거렸다 Durch die Nachricht ist das ganze Seoul in Aufregung geraten. / 이 문제로 온 세상이 술렁거린다 Die Welt ist wegen dieser Frage in Aufregung. ⌈ruhig.
술렁술렁 aufgeregt; erregt; rauschend; un-
술레 〖식물〗 e-e Sorte von Birnen 《*pl.*》.
술망나니 Säufer *m.* -s, -; Trunkenbold *m.* -(e)s, -e.
술먹은개 Trunkenbold *m.* -(e)s, -e; Säufer *m.* -s, -; der Betrunkene*, -n, -n.
술명하다 unauffällig; unscheinbar; bescheiden; anständig; sittsam (sein).
술밑 Hefe *f.* -n. ⌈baums.
술바닥 der (das) Unterteil 《-s, -e》 des Pflug-
술밥 《지에밥》 der gekochte Reis 《-es, -e》 für das Reisweinbrennen; 《주반》 mit Wein, Sojasauce und Zucker zusammen gekochter Reis, -es.
술방(戌方) 〖민속〗 die Richtung 《-en》 des Hundes (=Westnordwest).
술법(術法) Magie *f.* -n; Zauberei *f.* -en; Hexerei *f.* -en; die schwarze Kunst, ⸗e; List *f.* -en; Schliche 《*pl.*》; Kniff *m.* -(e)s, -e. ¶ ~을 쓰다 die Magie aus|üben.
술병(一病) die Krankheit 《-en》, die vom Trinken verursacht wird.
술병(一甁) Weinflasche *f.* -n. ⌈술꾼.
술부대(一負袋) Trunkenbold *m.* -(e)s, -e. ☞
술살 die Fleischigkeit, die durch das viel Trinken verursacht wird. ¶ ~이 오르다 durch das häufige Trinken dick werden.
술상(一床) der Tisch 《-es, -e》, auf den Wein und verschiedene Beilagen aufgetragen werden; Trinktischchen *n.* -s, -. ¶ ~을 차리다 das Trinktischchen bereiten.
술서(術書) Zauberbuch *n.* -es, ⸗er.
술수(術數) (Heim)tücke *f.* -n; Hinterlist *f.* -e; 《음모》 Machenschaft *f.* -en 《보통 *pl.*》; Ränke 《*pl.*》; Intrige *f.* -n; 《음모·술책》 Kniffe u. Ränke 《*pl.*》; Kniffe u. Pfiffe 《*pl.*》; 《모의》 (der heimliche) Anschlag, -(e)s, ⸗e; Komplott *n.* -(e)s, -e. ☞ 술책. ¶ ~에 능한 놈이다 Er ist voller List u. Ränke (voll List u. Tücke).
술술 glatt (부드럽게); mit [3]Leichtigkeit (용이하게); fließend(유창하게). ¶ 어려운 문제를 ~ 풀다 e-e schwierige Frage leicht (ohne Mühe) lösen / ~ 말하다 fließend sprechen* / 일이 ~ 잘 되어 가다 gut voran|gehen*Ⓢ / 실이 ~ 풀린다 Die verwickelten Faden werden leicht in Ordnung gebracht. / 그는 독일어를 ~ 말한다 Er spricht fließend Deutsch.
술안주(一按酒) Zuspeise *f.* -n; Weintrost *m.* -es; Zukost *f.* ¶ 술과 ~ Wein u. Zukost / 포도주의 ~로 치즈를 먹다 zum Wein [4]Käse essen* / ~가 아무 것도 없다 Es gibt nichts zum Wein.
술어(述語) Prädikat *n.* -(e)s, -e. ¶ ~적 prädikativ. ‖ ~동사 Prädikatsverbum *n.* -s, ..ba. ~문 Prädikatssatz *m.* -es, ⸗e.
술어(術語) Terminologie *f.* -n; Kunst¦sprache (Fach-) *f.*; Kunst¦ausdrücke (Fach-) 《*pl.*》. ¶ 의학상의 ~ die medizinische Terminologie, -n.
술일(戌日) der Tag 《-es, -e》 des Hundes (nach dem asiatischen Tierkreis).
술자리 Trinkgesellschaft *f.* -en; Trinkgelage *n.* -s, -; Bankett *n.* -(e)s, -e.
술잔(一盞) Becher *m.* -s, -; Trinkschälchen *n.* -s; Glas *n.* -es, ⸗er. ¶ 이별의 ~ Abschiedstrunk *m.* -(e)s / ~ 비우다 das Trinkschälchen aus|trinken* (leeren) / ~을 권하다 das Trinkschälchen geben* (reichen) 《*jm.*》 / ~을 돌리다 das Trinkschälchen die Runde machen lassen* / ~을 받다 das Trinkschälchen entgegen|nehmen*.
술잔치 =주연(酒宴).
술장사 Alkoholiengeschäft *n.* -(e)s, -e.
술장수 Weinhändler *m.* -s, -.
술주자(一酒榨) Weinfaß *n.* ..fasses, ..fässer.
술집 Bar *f.* -s (바); Schenke *f.* -n; Schankwirtschaft *f.* -n; Trinkstube *f.* -n; Lokal *n.* -(e)s, -e; Spelunke *f.* -n; 《하급의》 Taberne *f.* -n; Kneipe *f.* -n. ¶ ~ 순례를 하다 die Bierreise machen.
‖ ~여급 Kellnerin *f.* -nen; Schenkmamsell *f.* -en. ~주인 Schenkwirt *m.*
술책(術策) List *f.* -en; die (heimlichen) Anschläge 《*pl.*》; Intrige *f.* -n; Kniff *m.* -(e)s, -e; Kunstgriff *m.* -(e)s, -e; Ränke 《*pl.*》; Schliche 《*pl.*》; Listigkeit *f.* -en; (Spitz-) findigkeit *f.* -en; (Heim)tücke *f.* -n; Überlistung *f.* -en; Taktik *f.* -en. ¶ ~에 능한 ränkevoll; abgefeint; durchtrieben; hinterlistig; pfiffig; (heim)tückisch; verschlagen / ~에 넘어가다 überlistet werden 《von *jm.*》; in e-e Falle geraten* (fallen*) Ⓢ / ~을 부리다 (쓰다) allerlei Listen (Kunstgriffe) an|wenden(*); zu allerlei Listen (Kunstgriffen) greifen* / ~에 빠지다 *jm.* in die Hände fallen*Ⓢ / ~을 간파했다 die List durchschauen.
술청 der Ladentisch 《-es, -e》 der Schenke.
술추렴 das Geldsammeln für die Zeche. ~하다 für die Zeche das Geld sammeln.
술친구(一親舊) Zech¦bruder *m.* -s, ⸗ (-kum-

pan *m.* -s, -e; -genosse *m.* -n, -n). ¶ ~가 되어 주다 mit *jm.* zusammen trinken*(4).
술타령(—打令) Zecherei *f.* -en; Sauferei *f.* -en. **~하다** dauernd an das Saufen (Trinken) denken*; der Zecherei verfallen sein. ¶ 그는 ~만 한다 Er denkt dauernd nur an das Trinken.
술탈 die (Magen)verstimmung 《-en》 wegen des Trinkens.
술통(—桶) Faß *n.* ..asses, ..ässer; Bierfaß *n.* (맥주의); Weinfaß *n.* (포도주의).
술파리 e-e Art Fliege, die im Sommer im Reisweinfaß entsteht.
술판 《주연》 Orgie *f.* -n; das lärmende Gelage, -s; Zecherei *f.* -en. ¶ ~이 벌어지다 ein Saufgelage haben.
술회(述懷) Herzens|ergießung *f.* -en (-erguß *m.* ..gusses, ..güsse); Expektoration *f.* -en; die Erzählung 《-en》 aus dem Gedächtnis. **~하다** sein Herz aus|schütten; 4sich expektorieren; aus dem Herzen k-e Mördergrube machen; in 3Erinnerungen schwelgen; aus dem Gedächtnis erzählen. ¶ 지난 날을 ~하다 die vergangenen Tage aus dem Gedächtnis erzählen.
‖ **~담**(談) Reminiszenzen 《*pl.*》; Erinnerung *f.*
숨 ① 《호흡》 Atem *m.* -s; 《내뱉는》 Hauch *m.* -s, -e. ¶ 단숨에 in e-m (Atem)zug / 숨차서 außer Atem; atemlos / 숨이 막힐 듯한 atem(be)raubend / 숨을 죽이고 mit verhaltenem Atem / 숨을 죽이다 still werden (sein); den Atem an|halten* / 한숨 돌리다 e-e (kleine) Pause machen; Atem holen (schöpfen) / 숨을 쉬다 atmen / 숨을 들이마시다 ein|atmen / 숨을 내쉬다 aus|atmen / 숨이 차다 den Atem verlieren / 숨을 헐떡이다 keuchen / 숨을 끊다 *jm.* den Atem rauben / 숨을 거두다 den Geist (den letzten Hauch) aus|hauchen / 숨을 돌리다 wieder zu Atem kommen* Ⓢ / 숨이 막히다 ersticken Ⓢ / 숨도 쉬지 않고 ohne Atem zu schöpfen / 사람들은 숨을 죽이고 경청했다 Man lauschte mit verhaltenem Atem. / 숨 좀 돌립시다 Lassen Sie mich erst zu Atem kommen! / 숨이 끊어졌다 Es ging ihm der Atem aus. / 이것만 있으면 한숨 돌릴 수 있다 Mit der Summe kann ich über die Schwierigkeiten hinwegkommen. ② 《채소의》 die Frische der Gemüse. ¶ 배추가 숨이 죽었다 Der weiße Kohl hat s-e Frische verloren.
숨가쁘다 keuchend; schwer atmend; außer Atem; atemlos (sein).
숨결 das Atmen*, -s; Atmung *f.* -en; das Hauchen*, -s. ¶ ~이 거칠다 heftig atmen; schnaufen.
숨고다 schnaufen; ersticken* Ⓢ; keuchen; außer Atem kommen*; kaum atmen können*.
숨골 =연수(延髓).
숨구멍 ① =숨통. ② 〖동·식물〗 Pore *f.* -n; Mündung *f.* -en; Öffnung *f.* -en (식물의); Stigma *n.* -s, ..men (동물의). ③ =숫구멍.
숨기(—氣) Atemzug *m.* -(e)s, -e; Hauch *m.* -(e)s, -e. ¶ ~가 없다 atemlos sein.
숨기다 verstecken4; verbergen*4; verheimlichen 《*jm.* 4*et.*》; verhehlen4 《vor *jm.*》; geheim|halten*4 《vor *jm.*》; geheim|tun*4; verschweigen*34; verdecken4; verhüllen4; vertuschen4. ¶ 숨기지 않다 kein(en) Hehl machen 《*aus*3》 / 숨기지 않고 말하다 alles offen heraus|sagen / 모습을 ~ 4sich verbergen / 숨기지 않고 unverhohlen; freimütig; offen; frank; frei / 숨기지 않고 자백하다 offen gestehen*4 / 화투를 ~ e-e Karte verdecken / 몸을 ~ 4sich verstecken / 가슴에 칼을 ~ heimlich e-n Dolch am Busen tragen* / 아무 것도 숨길 것이 없다 Da gibt's doch nichts zu verheimlichen! / 자네에게는 아무 것도 숨기지 않겠네 Vor dir verhehle ich nichts. / 그들은 숲 속에 몸을 숨겼다 Sie haben sich im Wald verborgen.
숨기척 =숨기.
숨김 Verheimlichung *f.* -en; Verhehlung *f.* -en; Verschweigerung *f.* -en; Geheimtuerei *f.* -en. ¶ ~없는 unverhohlen; ausgeschlossen; freimütig; offenherzig / ~ 없는 이야기 e-e wahre Geschichte, -n; nackte (ungeschminkte) Wahrheit; e-e nackte Tatsache / ~ 없이 말하다 offen u. frei heraus|sagen / 하나도 ~이 없읍니다 Vor Ihnen habe ich nichts verhohlen.
숨넘어가다 verscheiden* Ⓢ; den letzten Hauch von 3sich geben*.
숨다 ① 《안 보이게》 4sich verstecken; 4sich verbergen* 《*in*3》; 4sich versteckt halten*; verschwinden* Ⓢ; Zuflucht nehmen*. ¶ 숨어서 verborgen; versteckt; im geheimen; heimlich; hintenherum; unter der Hand; unterm Ladentisch; verstohlen / 숨은 verborgen; versteckt; latent; unbekannt; namenlos; ohne Namen / 나무 뒤에 ~ 4sich hinter e-m Baum verbergen* / 사람 틈에 ~ 4sich im Gedränge verlieren* / 숨은 천재 das unbekannte Genie, -s, -s / 숨은 재주 das geheime Talent; die verborgene Begabung / 범인은 이 근방에 숨어 있다 Der Verbrecher verbirgt sich hier in der Nähe. / 그는 서울에 숨어 있다 Er hält sich in Seoul im verborgenen. / 여우가 바위 뒤에 숨어 있다 Ein Fuchs lauert hinter dem Felsen. / 달이 구름 뒤에 숨었다 Der Mond hat sich in der Wolke verloren.
② 《은퇴》 4sich zurück|ziehen* 《*von*3》; zurück|treten* Ⓢ; in den Ruhestand treten* Ⓢ. ¶ 그는 시골로 숨어 버렸다 Er hat sich aufs Land zurückgezogen.
숨대 =숨구멍①.
숨막히다 ersticken; erstickt werden; den Atem verschlagen* 《*jm.*》. ¶ 숨막힐 듯한 erstickend; stickig; atem(be)raubend; schlecht (schwer) atembar; 《흥분하여》 aufregend; spanned / 숨막히는 더위 erstickende Hitze / 숨막히게 더운 erstickend heiß; zum Ersticken heiß / 숨막히는 열전 hochgespannter Wettkampf / 연기로 ~ im Rauch ersticken Ⓢ / 숨막히는 아슬아슬한 순간 packender Moment / 백화점은 숨막힐 정도로 사람이 붐빈다 Im Warenhaus herrscht ein erstickendes Gedränge.
숨바꼭질 Versteckspiel *n.* -s. **~하다** Versteck 《*n.* -(e)s, -e》 spielen. ¶ ~하자는 것이 아닙니다 Ich spiele kein Verstecken mit Ihnen.
숨뿌리 〖식물〗 Luftwurzel *f.* -n.
숨소리 Atemgeräusch *n.* -es, -e. ¶ ~를 죽이다 den Atem an|halten*.
숨숨하다 pockennarbig (sein).
숨쉬다 atmen. ¶ 숨쉴 사이도 없이 바쁘다 vor Arbeit nicht zu Atem kommen* Ⓢ.
숨어들다 4sich heran|schleichen* 《*an*4》; heimlich (leise) einher|schleichen* Ⓢ; 《뒤에서》

jm. hinterher|schleichen*.

숨은장 〖건축〗 der verborgene Pflock, -(e)s, ⸚e (Nagel, -s, ⸚).

숨지다 verscheiden* ⓢ; den letzten Hauch von [3]sich geben*; den Letzten Atem aus|hauchen. ¶ 고이 ~ e-n sanften Tod sterben* ⓢ / 숨지려 하다 in den letzten Zügen liegen*.

숨차다 keuchen; schwer atmen; schnaufen; schwer¦atmig (kurz-) sein.

숨탄것 das vom Leben Eingehauchte*, -n; Tier *n.* -s, -e; Kreatur *f.* -en.

숨통(一筒) Luftröhre *f.* -en; Trachee *f.* -n. ¶ ~을 치다 *jm.* an die Gurgel fahren* (springen*) ⓢ.

숨틀 Atmungsorgane《*pl.*》.

숫- jungfräulich; keusch; unberührt; unschuldig; weltfern (물정 모르는). ¶ 숫처녀 Jungfer *f.* -n; Jungfrau *f.* -en.

숫간(一間) das hinter dem Hause angebaute, kleine Gastzimmer, -s, - (Warenlager, -s, - *od.* ⸚).

숫구멍 Fontanelle *f.* -n.

숫국 der einfache (schlichte) Mensch, -en, -en; das unbeschädigte (unverdorbene) Ding, -es, -e.

숫기(一氣) ¶ ~가 없다 schüchtern (scheu; befangen; zaghaft; verlegen) sein.

숫돌 Wetzstein *m.* -(e)s, -e; Schleifstein *m.* -(e)s, -e (연마반). ¶ ~에 칼을 갈다 ein Messer auf dem Schleifstein wetzen.

‖ ~가루 Polierpulver *n.* -s, -.

숫되다 unschuldig; keusch; frisch; 《소박》 naiv (sein).

숫보기 der treuherzige (einfache; arglose) Mensch, -en, -en.

숫사람 der einfache (reine; arglose) Mensch, -en, -en.

숫색시 Jungfrau *f.* -en; Jungfer *f.* -n; das junge Mädchen, -s, -.

숫실(繡一) Stickgarn *n.* -(e)s, -e.

숫자(數字) Ziffer *f.* -n; Zahlzeichen *n.* -s, -; Zahl *f.* -en (수); Nummer *f.* -n (번호). ¶ ~적으로 ziffern¦mäßig (zahlen-; nummern-); in Ziffern (Zahlen) / ~로 쓰다 in (mit) Zahlen aus|drücken[4] / 편지를 ~로 쓰다 《난수표》 e-n Brief in Ziffern schreiben*.

‖ ~건반 Zifferntaste *f.* -n. ~계산 Rechnen*, -s: 그는 ~계산이 서툴다 Rechnen ist s-e schwache Seite. ¦ Er rechnet schlecht. / 그는 ~계산을 잘한다 Er rechnet gut. ~판 Zifferblatt *n.* -(e)s, ⸚er; Wähler *m.* -s, - (전화의); Wählerscheibe *f.* -n (전화의). 아라비아 (로마)~ die arabischen (römischen) Zahlen《*pl.*》. 천문학적(的)~ astronomische Zahlen《*pl.*》.

숫접다 unerfahren; unreif; unschuldig; keusch; rein; einfach (sein). ¶ 숫저운 색시 ein keusches Mädchen, -s, -; ein jungfräuliches Mädchen.

숫제 ①《진실하게》 aufrichtig; von ganzem Herzen. ②《차라리》 vielmehr; lieber; eher. ¶ 그런 짓을 할 바에야 ~ 죽어 버리겠다 Ich würde eher (lieber) sterben als das zu tun.

숫지다 einfach; naiv; schlicht; einfältig; anspruchslos; arglos; unschuldig (sein). ¶ 숫진 농부 argloser Bauer, -n, -n.

숫처녀(一處女) Jungfrau *f.* -en; das keusche (unbefleckte; unberührte; unschuldige) Mädchen, -s, -; das unverdorbene Mädchen (더럽혀지지 않은).

숫총각(一總角) unschuldiger (unerfahrener) Junggesell(e), -en, -en.

숫하다 unschuldig; harmlos; arglos; einfach; ungekünstelt; naiv; unerfahren (sein).

숭고(崇高) Erhabenheit *f.*; Sublimität *f.* ~하다 erhaben; edel; sublim (sein). ¶ ~한 이상 e-e erhabene Idee / ~한 얼굴 ein erhabenes Gesicht, -(e)s, -er.

숭굴숭굴하다 ①《모양이》 pausbackig; pausbäckig; dickbäckig; rundlich; glücklich-aussehend (sein). ¶ 숭굴숭굴한 얼굴 pausbackiges Gesicht, -(e)s, -er. ②《성질이》 leutselig; liebenswürdig; freundlich; offen; freimütig; angenehm; umgänglich (sein); [4]sich mit *jm.* leicht befreundigen. ¶ 숭굴숭굴한 태도 angenehme Umgangsformen 《*pl.*》/ 숭굴 숭굴한 사람 liebenswürdiger Mann, -(e)s, ⸚er.

숭늉 das Trinkwasser (-s, -), das im angebrannten Reistopf gekocht wird.

숭덩숭덩 ☞ 송당송당.

숭배(崇拜) Anbetung *f.*; Verehrung *f.* -en; Vergötterung *f.* -en (신으로). ~하다 an|beten[4]; verehren[4]; vergöttern[4]. ¶ 나는 진심으로 이순신 장군을 ~하고 있다 Ich habe e-e große Ehrfurcht vor dem Admiral *Yi Sun Shin*.

‖ ~자 Anbeter *m.* -s, -; Verehrer *m.* -s, -; Vergötterer *m.* -s, -: 그는 나폴레옹 ~자다 Er ist der Napoleon Bewunderer. 아폴로~ Apollohuldigung *f.* 영웅~ Heldenverehrung *f.* 우상~ Götzendienst *m.* 조상~ Ahnenkult *m.* -(e)s, -e.

숭상(崇尙) Hochachtung *f.*; Verehrung *f.* -en; Ehrerbietung *f.* ~하다 *jn.* hochachten; vor *jm.* Hochachtung haben; *jn.* verehren.

숭숭 ☞ 송송.

숭어 〖어류〗 Meeräsche *f.* -n.

숭어뜀 e-e Art von akrobatischen Purzelbäumen.

숭엄(崇嚴) Feierlichkeit *f.*; feierlicher Ernst, -es; würdevolles Aussehen, -s; Erhabenheit *f.*; Vornehmheit *f.* -en; Majestät *f.* -en. ~하다 feierlich; erhaben; majestätisch (sein).

숯 Holzkohle *f.* -n. ¶ 숯섬 Holzkohlensack *m.* -(e)s, ⸚e / 숯을 굽다 Kohlen (aus [3]Holz) brennen*; Holz zu [3]Kohlen brennen* / 숯불을 피우다 mit der Holzkohle Feuer machen / 숯이 되다 Holzkohle werden.

‖ ~장수 Holzkohlenhändler *m.* -s, -.

숯가마 Kohlenmeiler *m.* -s, -. ¶ ~에 숯을 굽다 Holz in dem Kohlenmeiler zu Kohlen brennen*.

숯검정 Holzkohlenruß *m.* -es.

숯내 Geruch《*m.* -(e)s, ⸚e》 der brennenden Holzkohlen; der aus brennender Holzkohlen herauskommende Dunst, -es, ⸚e; Holzkohlenrauch *m.* -(e)s. ¶ ~나다 nach brennenden Holzkohlen riechen* / ~맡다 [4]sich durch Holzkohlenrauch vergiften.

숯등걸 Holzkohlenschlacke *f.* -n; halbgebrannte Holzkohle, -n.

숯머리 Kopfschmerz《-es, -en》 durch Einatmen des Holzkohlenrauchs. ¶ ~를 앓다 durch Holzkohlenrauch vergiftet sein.

숯먹 《소나무의》 die mit Kieferruß gemachte Tusche, -n.

숯장수 ①《숯 파는》 Holzkohlenkrämer *m.* -s, -. ②《얼굴 검은》 ein Mann《*m.* -(e)s, ⸚er》 mit dunkler Gesichtsfarbe.

숯장이 《사람》 Kohlenbrenner (Köhler) *m.*

-s, -; 《직업》 das Kohlenbrennen*, -s.

숱 Menge *f.* -n; Dicke *f.* -n; Dichtheit *f.* -en; Dichte *f.* -n. ¶ 숱이 많은 머리 dichtes Haar, -(e)s, -e / 머리 숱이 적어지다 ^{4}sich lichten / 그는 머리 숱이 적다 Sein Haar ist dünn.

숱하다 《풍부》 reich; reichlich; im Überfluß vorhanden; dicht (sein); 《양》 sehr viel; e-e Menge 《*von*^{3}》 (sein); 《수》 viele; zahlreich (sein). ¶ 숱하게 많다 im Überfluß vorhanden sein; reich an^{3} sein; 〖사람이 주어〗 an^{3} Überfluß haben; ^{4}*et.* im Überfluß haben / 이 호수에는 물고기가 숱하게 많다 Der See wimmelt von Fischen.

숲 Wald *m.* -(e)s, ⸗er; Forst *m.* -(e)s, -e(조림, 국유림); Hain *m.* -(e)s, -e (사찰 따위의); Dickicht *n.* -(e)s, -e; Busch *m.* -es, ⸗e; Gebüsch *n.* -es, -e; Gesträuch *n.* -(e)s, -e. ¶ 대숲 Bambus¦geholz *n.* -es, -e (-dickicht *n.* -(e)s, -e).

숲길 Waldweg *m.* -(e)s, -e.

숲정이 die Nahe dem Dorfe liegende Waldgegend, -en; bewaldeter Stadtrand, -(e)s, ⸗er.

쉬, 쉬이 husch! ¶ 쉬하고 밭의 참새를 쫓았다 Er scheuchte Sperlinge vom Feld.

쉬^{1} 《파리알》 Eier 《*pl.*》 der Fliege. ¶ 파리가 고기에 쉬를 슬다 E-e Fliege legt Eier in das Fleisch.

쉬^{2} ① 《미구에》 ohne weiteres; direkt; auf der Stelle; im Handumdrehen; ^{4}Knall u. Fall; mit einemmal; prompt; rasch; sofort; sogleich. ¶ 쉬 겨울이 온다 Bald kommt der Winter. / 쉬 또 뵙겠읍니다 Bald besuche ich wieder. ② 《쉽게》 leicht; schnell. ¶ 이 일은 쉬 처리될 수 없다 Diese Arbeit läßt sich nicht von heute auf morgen erledigen. / 이 논문은 쉬 쓰여 있다 die Abhandlung ist leicht verständlich geschrieben.

쉬^{3} pst!; still! (조용히).

쉬다^{1} 《상하다》 verderben* ⓢ; schlecht (sauer) werden. ¶ 음식이 쉬었다 Das Essen ist sauer geworden. / 음식에서 쉰 내가 난다 Das Essen riecht sauer.

쉬다^{2} 《목이》 heiser werden; heiser sein; rauh werden. ¶ 쉰 목소리 e-e rauhe (heisere) Stimme, -n; e-e belegte Stimme / 목이 쉬도록 소리지르다 ^{4}sich heiser schreien* / 나는 목이 쉬었다 Die Kehle ist mir rauh geworden.

쉬다^{3} ① 《휴식》 den Körper ruhen lassen*; ^{4}sich aus|ruhen 《*von*^{3}》; ^{4}sich erholen^{4} 《*von*^{3}》; (^{4}sich) aus|spannen (긴장을 풂); ruhen; rasten; e-e Rast machen. ¶ 쉬는 시간 die (Ruhe)pause / 잠시 ~ e-e Pause machen / 집에서 하루 ~ e-n Ruhetag zu Hause machen / 일손을 멈추고 ~ (^{4}sich) von der Arbeit aus|ruhen/쉬지 않고 일하다 pausenlos (ununterbrochen; dauernd) arbeiten / 다방에서 ~ im Teehaus e-e Pause machen / 쉴 사이가 없다 (gar) k-e Ruhe finden*; (gar) nicht zur ^{3}Ruhe kommen*ⓢ / 푹 ~ ^{4}sich erholen; e-e schöpferische Pause ein|legen / 눈을 ~ Augen schonen / 일손을 ~ e-e (Ruhe)pause machen / 편히 쉬엇 《구령》 Rührt euch! / 쉴새없이 손님이 온다 Er hat unaufhörlich Besuch. / 잠깐 쉽시다 Wir wollen e-e Pause machen. / 편히 쉬시오 Gute Nacht! ¦ Schlafen Sie gut (wohl)! ¦ Angenehme Ruhe!

② 《중단》 ein|stellen^{4}; schließen*^{4}; außer Betrieb setzen^{4}; ruhen; auf|hören; aus|fallen* ⓢ; an|halten*; halt|machen^{4}. ¶ 강의를 ~ die Vorlesung aus|fallen lassen*/ 파업으로 요즘 공장이 쉰다 Wegen des Streiks ist die Fabrik derzeit nicht in Betrieb (liegt derzeit still). / 이 점포는 오늘 쉬고 있다 Dieses Geschäft ist heute geschlossen.

③ 《자다》 schlafen*; rasten. ¶ 하룻밤 푹 ~ e-e Nacht aus|schlafen*.

④ 《일을》 ^{4}sich von der Arbeit aus|ruhen; 《결석》 fehlen; abwesend sein; 《휴가를 얻어》 Urlaub nehmen*. ¶ 학교를 ~ 《결석》 nicht zur Schule gehen* ⓢ; 《중퇴》 die Schule (das Studium) unterbrechen* (auf|geben*) / 그 공장은 쉰다 Der Betrieb ruht. / 오늘은 쉽니다 Wir haben heute frei. / 그는 병으로 학교를 쉬었다 Wegen der Krankheit fehlt er in der Schule.

쉬다^{4} 《숨을》 Atem holen (schöpfen). ¶ 길게 숨을 ~ auf|atmen / 한숨을 ~ e-n Seufzer aus|stoßen*; seufzen / 안도의 한숨을 내~ *jm.* fällt ein Stein vom Herzen.

쉬다^{5} 《피륙을》 das Tuch in *Ddeumul* (das Wasser, mit dem Reis gewaschen worden ist) einweichen, um Glanz zu geben.

쉬르레알리스트 Surrealist *m.* -en, -en.

쉬르레알리즘 Surrealismus *m.* -. ¶ ~의 surrealistisch.

쉬쉬하다 geheim|halten*^{4} (geheim halten*^{4}); für ^{4}sich behalten*^{4}; mit ^{3}Schweigen übergehen*^{4}; reinen Mund halten* 《*über*^{4}》. ¶ 추문을 ~ e-n Skandal vertuschen / 쉬쉬하며 말하다 geheimtuerisch sagen.

쉬엄쉬엄 mit häufigen Ruhepausen 《*pl.*》 (Rasten 《*pl.*》); aussetzend; absatzweise; in Absätzen 《*pl.*》; dann u. wann; ab u. zu. ¶ ~ 일하다 mit häufigen Zwischenzeiten 《*pl.*》 arbeiten; in kurzen Absätzen 《*pl.*》 arbeiten / ~ 가다 mit häufigen Pausen gehen.

쉬이 leicht; mühelos; bald; binnen kurzem. ☞ 쉬^{2}.

쉬지근하다 etwas muffig (moderig; säuerlich) riechen.

쉬척지근하다 ganz muffig (moderig; säuerlich) riechen.

쉬파리 Schmeißfliege *f.* -n.

쉬하다 urinieren; harnen; schiffen; pinkeln; 〖아기말〗 Pipi 《*n.* -s》 machen.

쉰 fünfzig. ¶ 쉰살 fünfzig Jahre alt / 쉰 고개를 넘은 노인 ein über fünfzig Jahre alter Mann, -(e)s, ⸗er.

쉰둥이 ein von e-r fünfzigjährigen Person geborenes Kind, -(e)s, -er.

쉼표(一標) 〖음악〗 Pause *f.* -n. ¶ 온 (2분; 4분) ~ ein Takt Pause (Halbpause; Viertelpause).

쉽다 ① 《용이》 leicht; einfach; nicht zusammengesetzt (verwickelt); klar; unkompliziert; schlicht (sein). ¶ 쉽게 bequem; ohne Mühe; leicht; mit Leichtigkeit / 쉽게 말해서 um einfach zu sprechen*; mit einfachen Worten / 쉬운 일 e-e leichte Arbeit / 타기 ~ brennbar sein / 쉬운 문제 e-e leichte Frage / 쉽게 하다 erleichtern^{4}; vereinfachen^{4} / 쉬운 글로 쓰다 in einfacher Sprache schreiben*$^{(4)}$ / 알아듣기 쉽게 설명하다 leichtverständlicherweise erklären* / 그 책은 이해하기 ~ Das Buch ist leicht zu verstehen. / 외국어를 마스터하기란 쉬운 일이 아니다 Es ist nicht leicht, e-e Fremd-

sprache zu beherrschen. / 이 기계는 다루기 ~ Diese Maschine ist leicht zu handhaben. / 이 문제에 답하기는 ~ Diese Frage ist leicht zu beantworten. / 그는 근자에 쉽사리 화를 낸다 Er wird neuerdings leicht (gleich) böse.
② 《경향》 geneigt sein 《*zu*³》; disponiert sein 《*zu*³》; in Gefahr sein. ¶ 감기에 걸리기 ~ ⁴sich leicht erkälten / 망가지기 ~ leicht zerbrechlich sein / 잘못은 저지르기 ~ Die Fehler erheben sich leicht. / 남을 나쁘게 생각하기 ~ Es ist leicht, daß wir von *jm.* schlecht denken. / 그녀는 낭비를 쉽게 한다 Sie neigt zur Verschwendung.

쉽사리 ganz leicht; ohne jede ⁴Schwierigkeit (Mühe); mühelos; (sehr) einfach. ¶ ~ 이기다 e-n Kampf ohne Mühe gewinnen* / ~ 허락을 얻다 e-e Erlaubnis ganz leicht kriegen / ~ 돈을 벌다 Geld ohne jede ⁴Schwierigkeit verdienen / ~ 대답할 수 없다 nicht leicht beantworten können* / 이런 문제는 ~ 풀 수 있지 Es ist ja kinderleicht, e-e solche Frage zu lösen.

쉿 《의성어》 zisch! ¶ 쉿쉿거리다 zischen.

슈만 《독일의 작곡가》 Robert Alexander Schumann (1810-56).

슈미즈 (Frauen)hemd *n.* -(e)s, -en.

슈베르트 《오스트리아의 작곡가》 Franz Peter Schubert (1797-1828).

슈샤인 Schuhputzen *n.* -s. ‖ ~보이 Schuhputzer *m.* -s, -.

슈크림 Windbeutel 《*m.* -s, -》 mit Sahne.

슈타이크아이젠 〖등산〗 Steigeisen *n.* -s, -.

슈투트가르트 《서독 남부의 도시》 Stuttgart.

슈트 〖재봉〗 Kostüm *n.* -s, -e.
‖ ~케이스 Handkoffer *m.* -s, -.

슈트라우스 ① 《오스트리아의 작곡가》 Johann Strauss (1825-99). ② 《독일의 작곡가》 Richard Strauss (1864-1949).

슈퍼 super(-).
‖ ~마켓 Supermarkt [ʃúː..] *m.* -s, ⸚e. ~맨 Übermensch *m.* -en, -en. ~수신기 Superhet *m.* -s, -s; Super *m.* -s, -; Überlagerungsempfänger *m.* -s, -.

슈퍼소닉 überschallschnell; 《초음속 여객기》 Überschall¦maschine *f.* -n (-flugzeug *n.* -(e)s, -e).

슈펭글러 《독일의 철학자》 Oswald Spengler (1880-1936).

슈프레히코르 〖연극〗 Sprechchor *m.* -(e)s, ⸚e (대화적 합창).

슐레지아 《유럽 중부의 지명》 Schlesien.

슐리만 《독일의 고고학자》 Heinrich Schliemann (1822-90).

슛 Schuß *m.* ..sses, ..üsse. ~하다 schießen (den Ball ins Netz, ins Tor).

스낵바 Lokal *n.* -(e)s, -e; Imbiß¦stube *f.* -n (-halle *f.* -n; -raum *m.* -(e)s, ⸚e).

스냅 Schnappschuß *m.* ..schusses, ..schüsse; Augenblicks¦aufnahme (Moment-) *f.* -n. ¶ ~ 사진을 찍다 e-n Schnappschuß (e-e Augenblicksaufnahme) machen; e-e Momentaufnahme machen 《*von*³》.
‖ ~사진기 Schnappschußkamera *f.* -s.

스님 ① 《사승(師僧)》 Lehrer (Meister) 《*m.* -s, -》 eines buddhistischen Priesters. ② 《중》 Priester *m.* -s, -; 《호칭》 Hochwürden.

스라소니 ① 〖동물〗 Luchs *m.* -es, -e. ② 《비유적》 magere Person, -en; Schwächling *m.* -s, -e; Muttersöhnchen *n.* -s, -; Weichling *m.* -s, -e; Taugenichts *m.* -(es), -e; Nichtsnutz *m.* -es, -e.

스란치마 langer (Frauen)rock 《-(e)s, ⸚e》 (, der die Füße verbirgt).

스러지다 ☞ 사라지다.

-스럽다 sein; ähnlich³ sein; den Eindruck hinterlassen* zu sein; den Anschein von ³*et.* haben; zu sein scheinen; andeuten; deuten 《*auf*⁴》. ¶ 보배스럽다 wertvoll (unschätzbar) sein / 극성스럽다 kräftig (energisch) sein / 변덕스럽다 launisch sein / 신비스럽다 geheimnisvoll sein.

스루다 《쇠붙이를》 ab|härten 《Metall》; tempern 《Stahl》; 《천을》 durch mehrmaliges Ziehen steife Wäsche 《*pl.*》 erweichen.

스르르 sanft; zart; mild; ruhig; weich. ¶ 눈을 ~ 감다 die Augen sanft zu|machen / 긴장이 ~ 풀리다 *js.* Herz schmilzt / 손가락 사이로 ~ 빠져버리다 durch die Finger entschlüpfen.

-스름하다 ① 《빛깔》 „-lich" sein; leicht gefärbt sein. ¶ 푸르스름하다 bläulich sein. ② 《형상》 „-lich" sein; durch ⁴*et.* leicht gekennzeichnet sein. ¶ 가느스름하다 dünnlich (mägerlich) sein.

스리 kleine Blutpustel 《-n》 im Mund; Wunde 《*f.* -n》 an der Innenseite der Wange vom Kauen (während des Essens).

스리랑카 Sri Lanka. ¶ ~의 srilankisch.
‖ ~사람 Srilanker *m.* -s, -. ⌈(sein).

스마트하다 elegant; schmuck; schick; fesch

스매시 〖정구〗 Schmetterschlag *m.* -(e)s, ⸚e. ~하다 (den Ball) schmettern.

스멀거리다 jucken; kriechend (juckend) fühlen. ¶ 등이 ~ es juckt mich am Rucken / 온 몸이 ~ es juckt mich am ganzen Körper (Leib).

스멀스멀 juckend; krätzig; kriechend.

스모그 Smog [smɔk] *m.* -(s), -s.
‖ ~주의보 Smogvorwarnung *f.* -en: ~ 주의보가 나와 있다 Die Smogvorwarnung ist ausgegeben worden. 광화학~ photochemischer Smog.

스모킹 ① 《끽연》 das Rauchen*, -s. ② 《복장》 Smoking [smóːkiŋ] *m.* -s, -s; Smokinganzug *m.* -(e)s, ⸚e. ‖ ~룸 Rauchzimmer *n.* -s, -. 노~ Rauchen verboten!

스무 zwanzig. ¶ ~째 zwanzigst / ~날 zwanzig Tage; der zwanzigste (Tag) / 사과 ~개 zwanzig Äpfel; zwanzig Stück Apfel / 올해 그는 ~살이 된다 Dieses Jahr ist er zwanzig Jahre alt. ‖ ~고개 (ein Rätselspiel) „zwanzig Fragen."

스무드하다 glatt; reibungslos (sein). ¶ 스무드하게 진행되다 glatt gehen* Ⓢ.

스물 zwanzig; 《스무살》 das zwanzigste Lebensjahr, -(e)s, -e. ¶ 나이가 ~이다 zwanzig Jahre alt (in den Zwanzigern) sein / ~안짝이다 unter zwanzig Jahre alt sein; noch nicht zwanzig sein.

스미다 dringen*Ⓢ 《*in*⁴; *durch*⁴》; durch|dringen* (-|sickern). ¶ 스며들다 ein|sickern Ⓢ 《*in*⁴》; ein|dringen* Ⓢ 《*in*⁴》 / 몸에 ~ 《가르침이》 *jm.* zu Herzen gehen* Ⓢ / 연기가 눈에 ~ Der Rauch beißt in die Augen. / 빗물이 살에까지 스몄다 Der Regen drang bis auf die Haut durch. / 신에 물이 스며든다 Das Wasser dringt in den Schuh. / 이 종이 (잉크)는 스민다 Dieses Papier (Diese Tinte) läuft aus. / 추위가 뼛속까지 ~ Es friert Stein u. Bein. / 이 외투는 물이 스며들지 않는다 Diese Mantel ist was-

serdicht.
스스럼 Zurückhaltung *f.*; Schüchternheit *f.*; Verschlossenheit *f.*; Scheu *f.* ¶ ~없이 ohne Zurückhaltung; nicht reserviert; offen; frei; ohne Zwang / ~없는 태도 ungezwungenes (freies) Verhalten, -s / ~없이 이야기하다 ⁴sich offen unterhalten; ohne Zurückhaltung sprechen / ~없이 네 의견을 말해 보렴 Sag d-e Meinung ohne Zögern.
스스럽다 kühl; distanziert; schüchtern; reserviert; zurückhaltend (sein). ¶ 스스럽잖은 친구 ein angenehmer Freund / 아무가 스스러워서 aus Rücksicht gegen (auf) *jn.* / 스스러워하다 ⁴sich kühl (reserviert) halten*; Distanz halten*; den Abstand wahren; *jm.* die kalte Schulter zeigen / 그는 여선생이 스스러워서 말을 잘 하지 않는다 Er spricht selten aus, wegen Rücksicht gegen s-e Lehrerin. / 그는 누구에게나 스스럽지 않게 군다 Er zeigt k-m die kalte Schulter. / 선생님 앞이라 스스러워서 잠자코 있었다 Er schwieg aus Rücksicht gegen (über) s-m Lehrer.
스스로 ① 《자연히》 von Natur; natürlich; 《저절로》 aus eigenem Antrieb; freiwillig; 《자발적》 von selbst. ¶ ~ 하다 ⁴*et.* aus eigenem Antrieb machen / ~ 문이 열리다 die Tür öffnet für ⁴sich allein / 그는 ~ 담배를 끊었다 Er hat das Rauchen aus eigenem Antrieb aufgegeben. ② 《자기자신》 selbst. ¶ 나 ~ 결정하다 selbst entscheiden*⁴ / ~ 부끄럽다 Ich schäme mich vor mir selbst. / ~를 알라 Erkenne dich selbst! / 무엇이나 당신은 ~ 해야 한다 Sie müssen alles selbst machen. / 그것은 그가 ~ 부른 재앙이었다 Es war das Unheil, das er selbst gebracht hatte.
스승 Lehrer *m.* -s, - (교사); Meister *m.* -s, -. ¶ ~의 은혜 die Dankbarkeit des Lehrers / ~과 제자 der Lehrer u. der Schüler / ~으로 모시다 *jn.* als s-n Lehrer verehren / ~으로 섬기고 배우다 bei *jm.* lernen⁴ (studieren⁴); bei *jm.* in der Lehre sein.
스와질랜드 Swasiland *n.* -s; Königreich 《*n.* -(e)s》 S. ¶ ~의 swasiländisch.
‖ ~사람 Swasi *m.* -, -.
스웨덴 Schweden *n.* -s. ¶ ~의 schwedisch.
‖ ~말 Schwedisch *n.* -(s); das Schwedische*, -n; die schwedische Sprache. ~사람 Schwede *m.* -n, -n. ~체조 die schwedische Gymnastik; das schwedische Turnen, -s.
스웨터 Pullover [pul-ó:vər] *m.* -s, -; 〖속어〗 Pulli *m.* -s, -s; Sweater [svέtər] *m.* -s, - (조금 낡은 말); Schwitzer *m.* -s, - (Sweater 《영어》의 직역).
스위스 die Schweiz. ¶ ~의 schweizerisch; Schweizer-.
‖ ~사람 Schweizer *m.* -s, -.
스위치 (Licht)schalter *m.* -s, -; Dreh¦schalter (Um-; Zug-) (회전식, 전환식, 줄 달린). ¶ ~를 넣다 ein|schalten / ~를 끄다 aus|schalten / ~를 돌리다 um|schalten.
‖ ~복스 Schalt¦dose *f.* -n (-kasten *m.* -s, ¨). ~퓨즈 Schaltsicherung *f.* -en.
스위치백 Spitzkehre *f.* -n.
‖ ~정류장 Kehrstation *f.* -en. ⌈*f.* -n.
스위트퍼테이토 Batate *f.* -n; Süßkartoffel
스위트피 〖식물〗 Gartenwicke *f.* -n; die spanische Wicke, -n.
스위트홈 glückliche Familie, -n; glückliches Eheleben, -s.

스윙 〖음악〗 Swing *m.* -(s).
스쳐보다 flüchtig blicken auf⁴; flüchtig betrachten; e-n raschen Blick auf ⁴*et.* werfen; s-e Blicke kurz auf ⁴*et.* richten; ⁴*et.* von der Seite ansehen; ⁴*et.* schief ansehen.
스치다 streifen⁴ [h,s]; huschen [s]; leicht berühren⁴; dicht vorbei huschen (fliegen*) [s]; hin|gleiten* [s,h] 《*über*⁴》. ¶ 탄알이 귀를 스쳤다 Kugeln pfiffen mir um die Ohren. / 어떤 생각이 내 머리를 번개처럼 스쳤다 Blitzschnell fuhr mir ein Gedanke durch den Kopf. / 총알이 나의 오른쪽 어깨를 스쳤다 E-e Kugel streifte s-e rechte Schulter. / 화살이 그의 뺨을 스칠 듯이 지나갔다 Der Pfeil flitzte haarscharf an s-r Wange vorbei.
스카우트 das Spähen*, -s; Suche *f.* ~하다 nach *jm.* spähen (, um ihn für ⁴sich zu erwerben).
스카이 Himmel *m.* -s, -.
‖ ~다이버 Fallschirmspringer *m.* -s, -. ~다이빙 Fallschirmspringen *n.* -s. ~라인 Horizontallinie *f.* -n. ~랩 Raumlabor *n.* -s, -s. ~웨이 Bergautobahn *f.* -n.
스카치 schottisch; 《직물》 Tweed [twi:d] *m.* -s, -s (-e). ‖ ~위스키 schottischer Whisky [víski] -s, -s. ⌈-e (-s).
스카프 Halstuch *n.* -(e)s, ¨er; Schal *m.* -s,
스칸디나비아 Skandinavien. ¶ ~의 skandinavisch.
‖ ~반도 die Skandinavische Halbinsel, -n. ~사람 Skandinavier *m.* -s, -.
스캔들 Skandal *m.* -s, -e. ¶ 그 ~은 세상에 쫙 퍼졌다 Der Skandal wurde ruchbar.
스커트 (Frauen)rock *m.* -(e)s. ¶ ~를 입다(벗다) den Rock an|ziehen (aus|ziehen).
‖ 롱(쇼트, 타이트)~ der lange (kurze, enge) Rock. 주름~ Faltenrock.
스컬 Skull [skul, skʌl] *n.* -s, -s; Skullboot *n.* -(e)s, -e.
스컹크 ① 〖동물〗 Skunk *m.* -s, -; Stinktier *n.* -(e)s, -e. ② 《경기에서》 ¶ 우리는 ~당했다 Wir haben das Spiel verloren, ohne auch nur e-n einzigen Punkt zu gewinnen.
스케이트 《활주》 Eislaufen *n.* -s; Schlittschuhlaufen *n.* -s. ¶ ~ 지치다 Schlittschuh laufen* (fahren*) [s]; eis|laufen* [s] / ~타러 가다 Schlittschuh laufen* (gehen*) [s].
‖ ~구두 Schlittschuh *m.* -(e)s, -e. ~장 Eis¦stadion *n.* -s, ..dien (-s) (-bahn *f.* -en). 롤러~ 《스케이트 자체》 Roller *m.* -s, -: 롤러~를 타다 rollern [s,h]. 스피드~ das Eisschnellaufen*, -s. 피겨~ Kunsteislauf *n.*
스케일 Skala *f.* ..len (-s) (척도); Format *n.* -(e)s, -e (인물의 크기); 〖속어〗 Kaliber *n.* -s, -; Maßstab *m.* -(e)s, ¨e (도량). ¶ ~이 큰(작은) von großem (kleinem) Format (Kaliber) sein / ~이 큰 인물 ein Mann 《*m.* -(e)s, ¨er》 von Format.
스케줄 Plan *m.* -(e)s, ¨e; Stunden¦plan (Zeit-); Programm *n.* -s, -e. ¶ ~대로 진행되다 dem Plan (Programm) gemäß vonstatten|gehen* (verlaufen*) [s] / 여름 방학의 ~을 짜다 Pläne für die Sommerferien machen (haben).
스케치 Skizze *f.* -n; Studie *f.* -n; Entwurf *m.* -(e)s, ¨e; Skizzierung *f.* -en (스케치하는 일). ~하다 skizzieren⁴; (schnell) hin|zeichnen⁴; entwerfen*. ¶ ~풍의 skizzen¦haft (-weise) / ~하러 가다 skizzieren gehen*.
‖ ~북 Skizzenbuch *n.* -(e)s, ¨er.

스코어 〖운동〗 Punkte 《*pl.*》; Punktzahl *f.* -en; Spielergebnis *n.* ..nisses, ..nisse. ¶ ~를 올리다 Punkte zählen; ein Tor machen (schießen*) (축구) / 우리는 3대 1의 ~로 이겼다 Wir gewannen das Spiel mit drei zu eins. / 경기는 2 대 2의 타이~였다 Das Spiel stand zwei zu zwei unentschieden. / ~가 어떤가 Wie steht das Spiel?
‖ ~보드 Anschreibetafel *m.* -s, -. ~북 Anschreibebuch *n.* -es, ⸚er.

스코치 =스카치.

스코틀랜드 Schottland *n.* -(e)s. ¶ ~의 schottisch.
‖ ~말 Schottisch *n.* -en. ~사람 Schotte *m.* -n, -n (남자); Schottin *f.* ..tinnen (여자).

스콜 Stoßwind *m.* -(e)s, -e; Windstoß *m.* -es; Bö *f.* -en; Schauer *m.* -s, -; Platzregen *m.* -s, -.

스콜라철학(一哲學) Scholastik *f.* ¶ ~의 scholastisch. ‖ ~자 Scholastiker *m.* -s, -.

스콥 Schaufel *f.* -n; Spaten *m.* -s, -.

스쿠너 Schoner *m.* -s, -.

스쿠터 Motorroller *m.* -s, -. ¶ ~를 타다 mit einem Motorroller fahren*.

스쿠프 journalistischer Treffer, -s, -; Erstmeldung *f.* -en; Alleinmeldung *f.* -en. ~하다 durch e-e Erstmeldung aus|stechen*; zuerst berichten (melden).

스쿨 Schule *f.* -n.
‖ ~버스 Schulbus *m.* -ses, -se.

스퀘어댄스 Kontertanz *m.* -es, ⸚e. ¶ ~를 추다 Kontertanz tanzen.

스크랩 《오려낸 것》 Ausschnitt *m.* -(e)s, -e.
‖ ~북 Sammelalbum *n.* -s, -s (..ben); Einklebebuch *n.* -(e)s, ⸚er.

스크럼 Gedränge *n.* -s, -. ¶ ~을 짜다 ein Gedränge bilden; [4]sich zum Gedränge auf|stellen / ~을 풀다 Gedränge auf|lösen.

스크루 (Schiffs)schraube *f.* -n.

스크린 《영사막》 (Film)leinwand *f.*; Leinwandschirm *m.* -(e)s, -e. ¶ ~의 여왕 die Königin 《..ginnen》 der Leinwand / ~에 나오다 auf der [3]Leinwand erscheinen* ⓢ / ~에 서다 im Film spielen; zum Film gehen* ⓢ (영화계에 들어가다).

스크립트 Theater|stück (Bühnen-) *n.* -(e)s, -e (영화의); Drehbuch *n.* -(e)s, ⸚er (영화의).

스키 Schi (Ski) *m.* -s, -er; Schneeschuh *m.* -(e)s, -e; Schilauf *m.* -(e)s, ⸚e; Schi|laufen (-fahren) *n.* -s. ¶ ~를 타다 Schi laufen* (fahren*) ⓢ.
‖ ~경기 Schiwettlaufen *n.* -s. ~복 Schianzug *m.* -(e)s, ⸚e. ~장 Schigelände *n.* -s, -. ~화 Schistiefel *m.* -s, -.

스키어 Schiläufer *m.* -s, -.

스타 〖영화·연극〗 Star [sta:r] *m.* -s, -s; Stern *m.* -(e)s, -e. ¶ ~ 총 출연의 영화 ein Film mit vielen Stars / 그녀는 ~가 되었다 Sie ist ein Star geworden.
‖ ~시스템 Sternensystem *n.* -s, -e. ~플레이어 Hauptdarsteller *m.* -s, -. 영화~ Film|star *m.* -s, -s (-stern *m.* -(e)s, -e).

스타덤 die Welt der Filmgrößen (Stars).

스타디움 Stadion *n.* -s, ..dien; Sportplatz *m.* -(e)s, ⸚e; Wettkampfplatz *m.*
‖ 올림픽~ Olympia-Stadion.

스타우트 《흑맥주》 starkes dunkles Bier, -s.

스타일 Stil *m.* -(e)s, -e (양식, 문체); Machart *f.* -en (복장의); Manier *f.* -en; Mode *f.* -n; Art *f.* -en. ¶ 같은~로 in derselben Art / 독특한 ~ ein eigenartiger Stil / 최신 ~ neueste Mode / 그녀는 ~이 좋다 (나쁘다) Sie hat eine gute (schlechte) Figur.
‖ ~북 Modeheft *n.* -(e)s, -e. 스타일리스트 Stilist *m.* -en, -en (문체의); Modenarr *m.* -en, -en (복장의).

스타카토 〖음악〗 Stakkato *n.* -s, -s.

스타킹 Strumpf *m.* -(e)s, ⸚e. ‖ 명주(나일론)~ Seiden|strumpf (Nylon- [náilɔn..]) *m.* -(e)s, ⸚e. 심리스~ nahtloser Strumpf.

스타터 ① 〖경기〗 Starter [ʃtá(:)rtər] *m.* -s, -; Rennwart *m.* -(e)s, -e. ② 《시동 장치》 Anlasser *m.* -s, -; Starter *m.* -s, -.

스타트 〖경기〗 Start *m.* -(e)s, -e (-s); Ablauf *m.* -(e)s, ⸚e; Startsprung *m.* -(e)s, ⸚e (수영의). ~하다 starten; ab|laufen*. ¶ ~가 좋다 (나쁘다) e-n guten (schlechten) Start haben.
‖ ~계원 Starter *m.* -s, -. ~대 《수영의》 Startblock *m.* -(e)s, ⸚e. ~라인 Startlinie *f.* -n: ~라인에 서다 an den Start gehen. ~신호 Startzeichen *n.* -s, -.

스탈린 Joseph Stalin (1879-1953).
‖ ~주의 Stalinismus *m.* -: ~주의자 Stalinist *m.* -en, -en. 비~화 Disstalinisierung *f.* -en; Entstalinisierung *f.* -en.

스태그플레이션 〖경제〗 Stagflation *f.* -en.

스태미나 Kraft *f.* ⸚e; Ausdauer *f.*; Stärke *f.*; Widerstandskräfte 《*pl.*》. ¶ ~를 강화하다 Widerstandskräfte entwickeln (stärken).
‖ ~음식 Stärkungsnahrung *f.* -en.

스태프 Stab *m.* -(e)s, ⸚e (간부); Personal *n.* -s, -e (종업원, 일동). ¶ ~의 일원이다 zum Stabe gehören. ‖ 편집~ Schriftleitung *f.* -en; Redaktion *f.* -en; Redaktionsausschluß *m.* ..lusses, ..lüsse.

스탠드 ① 《관람석》 (Zuschauer)tribüne *f.* -n. ¶ ~를 꽉 메운 관중 Zuschauer, die die Tribüne voll besetzt haben. ② 《전기》 Stehlampe (Tisch-) *f.* -n (탁상용); Leselampe *f.* ③ 《대》 Ständer *m.* -s, -. ¶ 잉크~ Tintenfaß *n.* ④ 《간이식당》 Imbißstube *f.* -n. ⑤ 《매점》 (Markt)bude *f.* -n; (Messe)stand *m.* -(e)s, ⸚e; (Verkaufs)stand *m.* -(e)s, ⸚e.
‖ ~칼라 Stehkragen *m.* -s, -. ~플레이 《경기》 ein auf [4]Effekt berechnetes Spiel, -(e)s, -e.

스탬프 Stempel *m.* -s, -. ¶ ~를 찍다 stempeln; den Stempel drücken 《*auf*[4]》 / 그 편지에는 ~가 찍혀 있지 않다 Der Brief ist nicht gestempelt (frankiert).
‖ ~잉크 Stempelfarbe *f.* -n. 기념~ Sonderstempel *m.*; Gedächtnisstempel *m.*; Jubiläumsstempel *m.*

스테레오(-) stereo(-).
‖ ~레코드 e-e stereophonische Schallplatte, -n; Stereoplatte *f.* -n. ~방송 Stereosendung *f.* -en. ~시설 Stereoanlage *f.* -n. ~영화 Stereofilm *m.* ~음향 Stereoakustik *f.* ~전축 Stereophonograph *m.* -en, -en. ~타이프 Stereotypplatte *f.* -n(판); Stereotypdruck *m.* -(e)s, -e (인쇄): ~타이프로 찍다 stereotypieren[4].

스테이션 Bahnhof *m.* -(e)s, ⸚e; Station *f.* -en; Haltestelle *f.* -n. ¶ 다음 ~에서 내려야 한다 Bei der nächsten Station müssen wir zu|steigen*.
‖ ~왜건 Kombiwagen *m.* -s, -. 서비스~ Kundendienstwerkstatt *f.* ⸚en. 키~ 《방송》 Hauptsender *m.* -s, -.

스테이지 Bühne *f.* -n. ☞ 무대. ¶ ~에 서다 auf der Bühne stehen*; zur Bühne gehen*

ⓢ (배우가 되다).
‖ ~댄스 Bühnentanz *m.* -es, ⸗e. ~매니저 Regisseur *m.* -s, -e; Bühnenleiter *m.* -s, -.
스테이크 Steak *n.* -s, -s; Fleischschnitte *f.* -n. ‖ 비프~ Beefsteak *n.* -s, -s. 햄버그~ Deutsches Beefsteak, -s, -s.
스테이터스심볼 Statussymbol *n.* -s, -e; Symbol der sozialen Stellung, -s, -e.
스테이트먼트 Erklärung *f.* -en. ¶ ~를 발표하다 e-e Erklärung ab|geben*.
스테이플파이버 Stapelfaser *f.* -n. ¶ ~가 섞인 mit Stapelfasern vermischt.
스테인드글라스 buntes Glas, -es; Buntglas *n.*
스테인레스 ¶ ~의 rostfrei; nichtrostend. ‖ ~스틸 rostfreier Stahl, -(e)s, ⸗e (-e).
스텐슬페이퍼 Matrizenpapier *n.* -s, -e.
스텝 Schritt *m.* -(e)s, -e (댄스의); Trittbrett *n.* -(e)s, -er (디딤판); Schrittsprung *m.* -(e)s, ⸗e (삼단도의). ¶ ~을 크게(작게) 밟다 große (kleine) Schritte machen.
스토브 Ofen *m.* -s, ⸗. ¶ ~를 피우다 e-n Ofen heizen.
‖ 가스~ Gas(glüh)ofen. 석유~ Ölofen. 전기~ ein elektrischer Ofen.
스토아학파(一學派) die stoische Schule (Philosophie) -n; Stoismus *m.* -s (스토아주의).
스토어 Warenhaus *n.* -es, ⸗er; Kaufhaus; Laden *m.* -s, - (⸗).
스토킹 =스타킹.
스토퍼 〖항해〗 Stopper *m.* -s, -.
스톡 ① 《재고》 Vorrat 《*m.* -(e)s, ⸗e》 auf [3]Lager. ¶ 이 물건은 ~이 많다 Diese Waren hat man reichlich in Vorrat (auf Lager). ② 《지팡이》 Stock *m.* -(e)s, ⸗e; Schistock *m.* -(e)s, ⸗e (스키의).
스톡홀름 《스웨덴의 수도》 Stockholm.
스톱 Halt!¦ Stopp! ¶ 엔진을 ~하다 e-e Maschine ab|stellen.
‖ ~워치 Stoppuhr *f.* -en: ~를 누르다 e-n Stoppuhrknopf drücken.
스튜 〖요리〗 Schmorgericht *n.* -(e)s, -e. ‖ ~남비 Schmor¦topf *m.* -(e)s, ⸗e (-pfanne *f.* -n). ~고기 Schmor¦braten (-fleisch) *m.*; Gulasch *n.*
스튜던트파워 Studentenmacht *f.* ⸗e; Studenteneinfluß *m.* ..lusses, ..lüsse.
스튜디오 Studio *n.* -s, -s; Atelier [atəlié:] *n.* -s, -s; Aufnahmeraum (Senderaum) *m.* -(e)s, ⸗e.
스튜어디스 Stewardeß [stjú:ərdɛs] *f.* ..dessen; Flugzeugkellnerin *f.* -nen.
스트라이크 《파업》 Streik *m.* -(e)s, -e (-s); Ausstand *m.* -(e)s, ⸗e; Arbeitsniederlegung *f.* -en. ~하다 streiken; die Arbeit niederlegen (einstellen). ¶ ~로 들어가다 in den Streik (Ausstand) treten* / ~를 중지하다 e-n Streik ab|brechen* / 노동자들은 보다 많은 임금이 지불될 때까지 ~한다 Die Arbeiter streiken so lange, bis ihnen höhere Löhne gezahlt werden.
‖ ~자금 Streikkasse *f.* -n. 동정(연좌)~ Sympathie¦streik (Sitz-).
스트레스 Streß *m.* ..resses, ..resse. ¶ 극도의 ~ ein außergewöhnlicher Streß.
‖ ~병 nervöse Erschöpfung, -en; Managerkrankheit *f.* -en. ~학설 Streßtheorie *f.* ..rien.
스트레이트 ¶ ~로 이기다 《경기》 e-n glatten Sieg davon|tragen*; in glatten Sätzen gewinnen* / ~로 마시다 《술》 unverdünnt (unvermischt; rein) trinken*.
스트렙토마이신 〖약〗 Streptomyzin (Streptomycin) [..mytsí:n] *n.* -s.
스트로 Trinkröhrchen *n.* -s, -; Strohhalm *m.* -(e)s, -e. ¶ ~로 마시다 mit dem Strohhalm (durch den Strohhalm) trinken*[4].
스트로보 《상표명》 Strobo; elektrischer Blitz, -es, -e; 《촬영용 플래시 장치》 Elektronenblitzgerät *n.* -(e)s, -e.
스트로크 Schlag *m.* -(e)s, ⸗e (정구의); Stoß *m.* -es, ⸗e (수영의).
스트로풀루스 〖의학〗 Strophulus *m.* -; Schälknötchen *n.* -s, -.
스트론튬 〖화학〗 Strontium *n.* -s 《기호: Sr》.
스트리키닌 〖약〗 Strychnin *n.* -s.
스트리트 Straße *f.* -n.
‖ ~걸 Strichmädchen *n.* -s, -; Straßendirne *f.* -n. 메인~ Hauptstraße *f.*
스트리퍼 Strip-Tease-Tänzerin [strípti:z..] *f.* ..rinnen; Enthüllungstänzerin *f.* ..rinnen; Nackttänzerin *f.*
스트립쇼 Strip-Tease-Schau *f.* -en; Enthüllung(schau) *f.* -en.
스티롤 《합성수지》 Styrol [styró:l] *n.* -(e)s.
‖ 발포성~ Schaumkunststoff 《*m.* -(e)s》 (aus Styrol).
스티커 Aufkleber *m.* -s, -.
스틱 (Spazier)stock *m.* -(e)s, ⸗e. ¶ ~을 짚고 걷다 am Stock gehen* ⓢ.
스틸 《강철》 Stahl *m.* -(e)s, ⸗e (드물게 -e).
스팀 Dampf *m.* -(e)s, ⸗e; Zentralheizung *f.* -en (난방 장치). ¶ ~이 들어오다 geheizt sein / 방을 ~으로 덥게 하다 ein Zimmer mit Zentralheizung heizen.
스파게티 Spaghetti [ʃpagéti] 《*pl.*》. ¶ 포크와 수저로 ~를 먹다 mit Gabel und Löffel Spaghetti essen*.
스파르타 Sparta *n.* -s. ¶ ~식의 spartanisch.
‖ ~사람 Spartaner *m.* -s, -. ~식 교육 e-e spartanische Erziehung, -en.
스파르타쿠스단(一團) 〖역사〗 Spartakusbund *m.* -(e)s. ‖ ~원 Spartakist *m.* -en, -en.
스파링 Sparring *n.* -s; Boxtraining *n.* -s.
‖ ~파트너 Sparringpartner *m.* -s, -: 아무의 ~ 파트너로서 링에 오르다 als *jm.* Sparringpartner spielen.
스파이 Spion *m.* -s, -e; Spitzel *m.* -s, -; Späher *m.* -s, -. ¶ ~ 노릇을 하다 spionieren; Spionage treiben* / 그는 ~임이 드러났다 Er wurde als Spion entlarvt. / 경찰은 그를 ~혐의로 체포했다 Die Polizei hat ihn unter dem Verdacht der Spionage verhaftet. ‖ ~단 Spionenring *m.* -(e)s, -e. ~행위 Spionage *f.* -n.
스파이크 〖운동〗 (Lauf)dorn *m.* -(e)s, -en.
‖ ~구두 Dorn¦schuh (Renn-; Laufs-) *m.* -(e)s, -e.
스파크 Funke *m.* -ns, -n. ~하다 Funken sprühen.
스패너 〖공학〗 Schrauben¦schlüssel (Gabel-; Haken-; Mutter-) *m.* -s, -.
스퍼트 〖경기〗 Spurt *m.* -s, -e. ~하다 spurten ⓢ; e-n Spurt ein¦legen.
‖ 라스트~ Endspurt *m.*: 골인 지점 100 m 앞에서 그는 라스트 ~를 내기 시작했다 100 m vor dem Ziel begann er e-n Endspurt einzulegen.
스페어 Ersatzteil *m.* -(e)s, -e; Ersatz *m.* -es.
‖ ~타이어 Reservereif *m.* -(e)s, -e.
스페이드 Pik *n.* -s, -s; Schippe *f.* -n; Spaten *m.* -s, -. ¶ ~의 퀸 Pik-Dame *f.* / ~의 에이스 Pikas *n.*
스페이스 Raum *m.* -(e)s, ⸗e; Zwischenraum

m. ¶ ~를 남겨놓다 freien Raum lassen*; Platz lassen* / ~를 아끼다 Raum sparen.

스페인 Spanien. ¶ ~의 spanisch.
‖ ~말 das Spanische*, -n; Spanisch *n.* -; die spanische Sprache. ~사람 Spanier [..nĭər] *m.* -s, - (남자); Spanierin [..nĭərin] *f.* ..rinnen (여자).

스펙타클 Spektakel *n.* -s, -.
‖ ~영화 Ausstattungsfilm *m.* -(e)s, -e.

스펙트럼 Spektrum *n.* -s, ..tren (..tra); Vielfalt (Buntheit) *f.* -en. ‖ ~분석 Spektralanalyse *f.* -n. ~사진 Spektrogramm *n.*

스펠(링) das Buchstabieren*, -s; Rechtschreibung *f.* (정서법). ¶ ~을 말하시오 Buchstabieren Sie es!|Wie buchstabiert man es?

스포이트 Spritze *f.* -n; Füller *m.* -s, -.

스포일 das Verwüsten*, -s. ~하다 verwüsten; beeinträchtigen; zerstören.

스포츠 Sport *m.* -(e)s, -e. ¶ ~를 하다 Sport treiben*; e-n Sport aus|üben.
‖ ~기사 Sportartikel *m.* -s, -; Sportmeldung *f.* -en. ~기자 Sportberichter *m.* -s, -. ~난 Sportteil *m.* -(e)s, -e (신문의). ~뉴스 Sportnachrichten 《*pl.*》; Sportneuigkeiten 《*pl.*》. ~맨 Sportler *m.* -s, -; Sportsmann *m.* ~복 Sportanzug *m.* -(e)s, ⸗e. ~신문 Sportzeitung *f.* -en. ~애호가 Sportfreund *m.* -(e)s, -e; Sportliebhaber *m.* -s, -. ~연맹 Sportverband *m.* -(e)s, ⸗e (-verein *m.* -(e)s, -e). ~용구 Sportgerät *n.* -(e)s, -e. ~용품 Sportartikel *m.* -s, -. ~잡지 Sportmagazin *n.* -s, -e. ~카 Sportwagen *m.* -s, -. ~클럽 Sportklub *m.* -s, -s; Sportverein *m.* -(e)s, -e.

스포크 《바퀴살》 Speiche *f.* -n.

스포크스맨 Sprecher *m.* -s, -; Wortführer *m.* -s, -; Fürsprecher *m.* -s, -. ¶ 외무부의 ~ der Sprecher des Außenministeriums.

스포트 Fleck *m.* -(e)s, -e; Bißchen (Stückchen) *n.* -s, -.
‖ ~뉴스 Nachrichten 《*pl.*》 in Schlagzeilen 《*pl.*》. ~라이트(를 비추다) Spotlight *n.* -s, -s (Scheinwerferlicht *n.* -(e)s, -er) (ein|stellen). ~아나운스 kurze Nachricht, -en; Werbespot *m.* -s, -s (코머셜); Zwischenansage (Kurz-) *f.* -en.

스폰서 Auftraggeber 《*m.* -s, -》 (für Werksendung); Förderer *m.* -s, -; Unterstützer *m.* -s, -. ¶ 라디오 (TV) 프로의 ~ der Auftraggeber für das Radioprogramm (das Fernsehen); der Sponsor der Rundfunksendung / ~가 되다 ⁴*et.* als Sponsor finanzieren (veranstalten).

스폰지 Schwamm *m.* -(e)s, ⸗e.
‖ ~고무 Schwammgummi *m.* -s, -s; Kunstschwamm *m.* ~볼 Gummiball *m.* -(e)s, ⸗e. ~케이크 Sandtorte *f.* -n.

스푸트니크 Sputnik [ʃpútnik] *m.* -s, -s.

스푼 Löffel *m.* -s, -. ¶ ~으로 뜨다 löffeln / 수프는 ~으로 먹는다 Die Suppe ißt man mit einem Löffel. ‖ 은~ ein silberner Löffel. 티~ Teelöffel.

스프 Stapelfaser *f.* -n. ¶ ~가 섞인 mit Stapelfasern vermischt.

스프레이 Spray [ʃpre:] *m.* (*n.*) -s, -s.

스프린터 〖경기〗 Sprinter *m.* -s, -; Kurzstreckler (Kurzstreckenläufer) *m.* -s, -.

스프링 (Spring)feder *f.* -n. ¶ ~ 침대 Sprungfedermatratze *f.* -n. ‖ ~보드 Sprungbrett *n.* -(e)s, -er. ~코트 Übergangsmantel *m.* -s, ⸗; Überzieher *m.* -s, -.

스피드 Geschwindigkeit *f.* -en. ☞ 속도(速度). ¶ ~를 내다 die Geschwindigkeit erhöhen; ⁴sich beschleunigen / ~를 줄이다 die Geschwindigkeit verringern / 시속 60 마일 ~로 mit e-r ³Geschwindigkeit von 60 Meilen die ⁴Stunde; mit e-r ³Stundengeschwindigkeit von 60 ³Meilen.
‖ ~광 der Geschwindigkeitsfimmel, -s, -. ~레이스 der Wettlauf der Geschwindigkeit. ~시대 die Zeit der Geschwindigkeit.

스피디 ~하다 schnell; geschwind (sein).

스피로헤타 〖의학〗 Spirochäte [spiroçɛ́:tə] *f.* -n.

스피츠 〖동물〗 Spitz *m.* -(e)s, -e.

스피치 Rede *f.* -n; Ansprache *f.* -n. ~하다 eine Rede (Ansprache) halten*.
‖ 테이블~ Tischrede *f.* -n.

스피커 《확성기》 Lautsprecher *m.* -s -. ¶ 그 강연은 ~로 중계되었다 Der Vortrag wurde mit Lautsprechern übertragen.

스핑크스 《그리스 전설의》 Sphinx *f.*; 《이집트의》 Sphinx *f.* -e (고고학 술어에선 대개 *m.* -, -e); 《사람》 e-e rätselhafte Person, -en.

슬개건반사(膝蓋腱反射) 〖의학〗 Kniezuckung *f.* -en.

슬개골(膝蓋骨) 〖해부〗 Kniescheibe *f.* -n; Patella *f.* ..llen.

슬겁다 ① 《친절》 freundlich; warmherzig (sein). ② 《관대》 tolerant; großzügig; duldsam (sein).

슬그머니 ☞ 살그머니.

슬금슬금 ☞ 살금살금. ¶ ~ 사람을 보다 heimlich (unmerklich) auf *jn.* Blicke werfen* / ~ 달아나다 unbemerkt davon|laufen* ⓢ; (⁴sich) weg|schleichen* ⓢ.

슬금하다 weise und großzügig; klug und großmütig (sein).

슬기 Weisheit *f.*; Verstand *m.* -(e)s; Denkfähigkeit *f.* -en; Intelligenz *f.* -en; Klugheit *f.*; Gescheitheit *f.* ¶ ~는 나이와 더불어 Je älter, desto weiser.

슬기롭다 vernünftig; intelligent; klug; umsichtig; scharfsinnig; weise; einsichtig (sein). ¶ 슬기로운 사람 ein weiser Mann, -es, ⸗er; ein Mann der Weisheit (Erfindungskraft) / 슬기롭게 처신하다 ⁴sich geschickt verhalten* (benehmen*) / 슬기롭지 못하다 dumm; nicht intelligent (sein).

슬다¹ ① 《없어지다》 verschwinden* ⓢ; weg (fort) sein; dahin|schwinden* ⓢ; aus|gehen* ⓢ; verdorren ⓢ; aus|trocknen ⓢ. ¶ 땀띠 (뾰루지) 가 ~ Hitzbläschen (Geschwülste) verschwinden* ⓢ / 미소가 그녀의 얼굴에서 슬어졌다 Das Lächeln verschwand von ihrem Gesicht.
② 《채소가》 ein|gehen* ⓢ; verwelken ⓢ.
③ 《풀기를 죽이다》 erweichen⁴ 《gestärkte Wäsche》.

슬다² ① 《알을》 Eier legen;laichen(물고기 등이). ② 《녹이》 verrosten ⓢ; Rost an|setzen.

슬라브 ‖ ~민족 slawisches Volk *n.* -(e)s, ⸗er: ~ 민족의 slawisch. ~사람 Slawe *m.* -n, -n (남자); Slawin *f.* ..winnen (여자).

슬라이드 ① 〖사진〗 Diapositiv *n.* -(e)s, -e; Dia *n.* -s, -s; Lichtbild *n.* -(e)s, -er.
② 《현미경의》 Objektträger *m.* -s, -.
‖ ~임금제 gleitende Lohnskala, -s.

슬랄롬 〖스키〗 Slalom *m.* (*n.*) -s, -s; Schneehindernislauf *m.* -(e)s, ⸗e.

슬랙스 Slacks 《*pl.*》; lange, weite Hose, -*n*; Arbeitshosen für Frauen.

슬랭 Slang *m.* (*n.*) -s, -s; niedere Umgangsprache *f.* -n; Jargon *m.* -s, -s; Sonder-

sprache *f.*
슬럼가(一街) Armenviertel (Elends-) *n.* -s, -; Slums 《*pl.*》; schmutziges Hintergäßchen *n.* -s, -. ¶ ~를 방문하다 Sozialarbeit in Elendsvierteln tun* / 대도시의 ~ das Armenviertel einer großen Stadt.
슬럼프 ① 〖경제〗 Baisse [bɛ́:sə] *f.* -n; Tiefstand *m.* -(e)s; Kurssturz *m.* -(e)s. ② 《부조》 ¶ ~에 빠지다 nicht in ³Form sein; außer Form sein / ~에서 벗어나다 wieder in ⁴Form sein; in ⁴Form kommen* Ⓢ.
슬레이트 Schiefer *m.* -s, -; Schieferstein *m.* -(e)s, -e. ¶ ~ 지붕 Schieferdach *n.* -(e)s, ⸚er / ~로 이다 mit Schiefer decken.
슬로 langsam. ‖ ~모션 e-e langsame Bewegung, -en: ~모션픽처 〖영화〗 Zeitlupenaufnahme *f.* -n.
슬로건 Schlagwort *n.* -(e)s, ⸚er; Slogan *m.* -s, -s; Wahlspruch *m.* -(e)s, ⸚e; Motto *n.* -s, -s; Parole *f.* -n. ¶ ~에 따라 행동하다 nach einem Slogan (Motto) handeln / 「자연으로 돌아가라」는 ~ Das Schlagwort „Zurück zur Natur".
슬로바키아 《체코슬로바키아의 동부》 die Slowakei. ¶ ~의 slowakisch.
슬로트머신 《오락장의》 Spielautomat *m.* -en, -en.
슬리퍼 Pantoffel *m.* -s, -n (-); Hausschuh *m.* -(e)s, -e. ¶ 저녁마다 그는 ~를 신는다 Abends zieht er Pantoffeln an.
슬립 ① 《부인의 속옷》 Unter|kleid *n.* -(e)s, -er (-rock *m.* -(e)s, ⸚e); Schlüpfer *m.* -s, -. ② 《미끄러짐》 Rutsch *m.* -es, -e; das (Aus)gleiten*, -s. ~하다 gleiten* Ⓢ; rutschen; schleudern (자동차 따위가).
슬며시 verstohlen; auf Schleichwegen; heimlich; hinten(her)um; schleichend; unbeobachtet. ¶ ~ 달아나다 ⁴sich davon|schleichen*; ⁴sich drücken; ⁴sich französisch empfehlen*; ⁴sich unbemerkt entfernen; heimlich hinaus|schlüpfen / ~ 들어오다 ⁴sich hinein|schleichen*; heimlich hinein|schlüpfen. (sein).
슬미지근하다 lauwarm; lau; gleichgültig
슬슬 allmählich; nach und nach; schrittweise; Schritt für Schritt; stufenweise; bei Etappen; einer nach dem andern; gemächlich; langsam; mit Muße; gelinde; mild; sanft; lind; weich. ¶ ~ 모여들다 allmählich zu zweit, zu dritt (einer nach dem andern) kommen* Ⓢ / ~ 가 볼까요 Wollen wir allmählich gehen? / 바람이 ~ 분다 Der Wind weht gelinde.
슬쩍 ☞ 살짝(살짝). ¶ ~ 빠져나가다 ⁴sich französisch (englisch) drücken; ⁴sich heimlich (auf französisch) empfehlen*; entschlüpfen³ Ⓢ / ~ 자취를 감추다 ⁴sich aus dem Staube machen.
슬쩍하다 《훔치다》 mausen⁴; stibitzen⁴; entwenden*⁴; ⁴*et.* in die Tasche stecken⁽*⁾; lange Finger machen; *jm.* stehlen*⁴.
슬치 Weißfisch 《*m.* -es, -e》 der gelaicht hat.
슬퍼하다 trauern 《*über*⁴; *um*⁴》; betrauern⁴; ⁴sich betrüben 《*über*⁴》; ⁴sich grämen 《*um*⁴; *über*⁴》; ⁴sich härmen 《*über*⁴》; jammern 《*über*⁴; *um*⁴》; bejammern⁴; klagen 《*über*⁴》; beklagen⁴; beweinen⁴; ³sich ⁴*et.* zu Herzen nehmen*. ¶ 어머니의 죽음을 ~ über den Tod s-r Mutter traurig (voller Trauer) sein; den Tod s-r Mutter betrauern; um die Mutter trauern / 그렇게 슬퍼하지 마십시오 Nehmen Sie es nicht so zu Herzen. / 그는 그의 친구의 죽음을 슬퍼하고 있다 Er vernahm mit Schmerzen den Tod seines Freundes. / 그렇게 많은 사람들이 이 스캔들에 말려들었다는 것은 슬퍼할 일이다 Es ist zu bedauern, daß so viele in diesen Skandal verwickelt sind.
슬프다 traurig; betrübt; schmerzerfüllt; kummervoll (sein). ¶ 슬픈 목소리로 mit trauriger (klagender) Stimme / 슬픈 이야기 e-e traurige Erzählung, -en (Geschichte, -n) / 슬픈 나머지 vor Betrübnis; von Betrübnis überwältigt; außer ³sich vor Gram; vor Kummer (Jammer); 《울적한》 elend; trostlos; 《암담한》 düster; schwermütig / 슬픈 듯이 kläglich; jammernd; klagend / 슬프게 생각하다 (슬퍼지다) traurig sein; es ist *jm.* traurig zumute; *jm.* wird so weh ums Herz; *jm.* tut das Weh 《wenn...》 / 슬프게도 es ist traurig, daß...; zu m-m Bedauern; zu m-m großen Leidwesen; leider / 기쁠 때나 슬플 때나 in Freud' u. Leid / 슬픈 경험을 하다 Trauriges erleben / 슬프도다 ach!; o weh! / 그것을 생각하면 ~ Es tut mir herzlich (in der Seele; im Herzen; im Innersten) weh, daran zu denken. / …을 들으니 ~ Es tut mir leid, daß....; ich höre mit Bedauern, daß.... / 나는 울고 싶도록 ~ Es war mir so traurig zu Mute, daß ich hätte weinen mögen. / 슬프게 하다 betrüben⁴; traurig machen⁴; in Trauer versetzen.
슬픔 Trauer *f.*; Traurigkeit *f.*; Betrübnis *f.* ..nisse; Gram *m.* -(e)s; Jammer *m.* -s; Kummer *m.* -s; Leid *n.* -(e)s, -en; Trübsal *f.* -e; Weh *n.* -(e)s, -e; Weh|mut (-klage) *f.* ¶ ~에 잠기다 voller Trauer über ⁴*et.* sein; in tiefer Trauer sein / 어머니가 죽어서 그녀는 ~에 잠겼다 Der Tod ihrer Mutter hat sie in tiefe Trauer versetzt. / 내게도 남이 알지 못하는 ~이 있다 Ich auch habe e-n stillen Gram (e-n geheimen Kummer). / 아이를 잃은 ~으로 어머니는 죽었다 Die Mutter starb aus Gram (Kummer) über den Verlust ihres Kindes.
슬피 betrübt; traurig; düster; trauervoll; klagend; kläglich; jämmerlich. ¶ ~ 울다 bitterlich (jämmerlich) weinen.
슬하(膝下) der Schutz der Eltern. ¶ 부모의 ~를 떠나다 das Elternhaus verlassen*; s-n eigenen Weg ein|schlagen*; selbständig werden / 부모의 ~에서 자라다 im Elternhaus auf|wachsen*Ⓢ; im Elternhaus auf|gezogen werden / 부모의 ~로 보내다 zu *js.* Eltern schicken⁴ / 그는 어려서 부모의 ~를 떠났다 Als Kind nahm er vom Elternhaus Abschied.
슴베 Angel *m.* -s, -; Griff|zapfen (Heft-) *m.* -s, -.
습격(襲擊) Angriff *m.* -(e)s, -e; Attacke *f.* -n; Überfall *m.* -(e)s, ⸚e (불시의); Sturm *m.* -(e)s, ⸚e (돌격). ~하다 an|greifen*⁴; überfallen*⁴; stürmen⁴; ungebeten gehen*Ⓢ 《zu *jm.*》 (불청객으로); e-n Angriff machen 《*auf*⁴》; her|fallen* 《*über*⁴》. ¶ 불시에 적을 ~하다 den Feind überraschen (überfallen*). ‖ ~대 Sturmtruppe *f.* -n.
습관(習慣) Gewohnheit *f.* -en; Gebrauch *m.* -(e)s, ⸚e; Sitte *f.* -n (풍습); Gepflogenheit *f.* -en (관습). ¶ ~적(으로) gewohnheitsmäßig / ~으로 aus Gewohnheit / ~이 되다 gewohnt sein; die Gewohnheit haben / ~을

붙이다 ⁴sich angewöhnen; e-e Gewohnheit an|nehmen* / ~을 버리다 ⁴sich ab|gewöhnen; e-e Gewohnheit ab|legen (ab|streifen; überwinden) / 좋은 (나쁜, 오랜) ~ e-e gute (schlechte; langjährige) Gewohnheit / 그는 잠에서 깨자마자 담배를 피우는 ~이 있었다 Er war gewohnt, beim Aufstehen zu rauchen. / ~이란 무서운 것이다 Was die Gewohnheit nicht (alles) tut! / 나는 일찍 일어나는 ~이 있다 Ich bin gewohnt, früh aufzustehen. / 산책은 그가 좋아하는 ~이 되었다 Der Spaziergang ist ihm zur lieben Gewohnheit geworden. / ~의 힘 die Macht der Gewohnheit / ~은 제 2의 천성이다 Gewohnheit ist eine andere (zweite) Natur. / 흡연 (음주)의 ~을 버리다 ³sich das Rauchen (das Trinken) abgewöhnen.

‖ ~성 Hang *m.* -(e)s; Gewohnheitsmäßigkeit *f.* -en: ~ 범죄자 Gewohnheitsverbrecher *m.* -s, -.

습기(濕氣) Feuchtigkeit *f.* -en; Nässe *f.* ¶ ~ 있는 feucht; naß《nässer (nasser), nässest (nassest)》; nässig; näßlich (축축한) / ~가 끼다 feucht (naß) werden / ~찬 공기 feuchte Luft / ~찬 날씨 feuchtes Wetter / 이렇게 ~찬 날씨에는 감기에 걸리기 쉽다 Bei diesem feuchten Wetter erkältet man sich leicht.

-습니까 ¶ 춥습니까 Ist es draußen kalt? | Ist es Ihnen kalt? / 먹습니까 Ißt er?

-습니다 ¶ 춥습니다 Es ist kalt.

습도(濕度) Feuchtigkeit *f.*; Humidität *f.* ¶ ~가 높다 e-n hohen Prozentsatz von Feuchtigkeit zeigen; 〖속어〗 Das Wetter ist sehr feucht. / ~를 재다 Feuchtigkeit messen / 오늘은 ~가 80 %다 Der Feuchtigkeitsgehalt der Luft beträgt heute 80 %.

‖ ~계 Feuchtigkeitsmesser *m.* -s, -; Hygrometer *n.* (*m.*) -s, -; Feuchtigkeitsgehalt *m.* -(e)s.

습득(拾得) das Finden*, -s; Fund *m.* -(e)s, -e. ~하다 finden*; den Fund tun* (줍다).

‖ ~물 Fund *m.* -(e)s, -e; etwas Gefundenes*, -n; Glücksfall *m.* -(e)s, ⸗e (의외의 이득). ~자 Finder *m.* -s, -.

습득(習得) das Lernen*, -s; Erlernung *f.* -en. ~하다 meistern⁴; beherrschen⁴; erlernen⁴; ³sich an|eignen⁴. ¶ ~시키다 *jm.* ⁴*et.* ein|pauken; trainieren (drillen)⁴ / 3개 국어를 ~하다 drei Sprachen beherrschen (erlernen).

습래(襲來) =내습.

습랭(濕冷) 〖한의학〗 Rheumatismus《*m.* -, ..men》 im niedrigen Teil des Körpers.

습벽(習癖) =버릇.

습성(習性) erworbene Gewohnheit, -en; zweite Natur, -en. ¶ ~이 되다 zur Gewohnheit werden; 〖사람이 주어〗 eine Gewohnheit an|nehmen*; ³sich ⁴*et.* an|gewöhnen.

습성(濕性) naß《nasser (nässer), nassest (nässest)》 ※ 부가어로서 nass-; feucht.

‖ ~늑막염 die nasse Rippenfellentzündung, -en.

습속(習俗) Brauch *m.* -(e)s, ⸗e; Sitte *f.* -n; Gewohnheit *f.* -en. ¶ ~적인 gebräuchlich; üblich.

습습하다 lebhaft; lebendig; männlich; mannhaft (sein).

습용(襲用) erblicher (vererbter) Gebrauch *m.* -(e)s, ⸗e. ~하다 ⁴*et.* erben und weiter benutzen.

습유(拾遺) Nach|lese *f.* -n (-trag *m.* -(e)s, ⸗e); Zusatz *m.* -es, ⸗e; Ergänzung *f.* -en. ~하다 e-n Zusatz zu ³*et.* an|fügen (hinzu|fügen).

습윤(濕潤) Feuchtigkeit *f.*; Feuchte *f.*; Nässe *f.*; Wässerigkeit *f.* ~하다 feucht; naß (sein).

습의(襲衣) Leichentuch *n.* -(e)s, ⸗er; Grabtuch *n.*

습자(習字) Schreibübung *f.* -en; das Schönschreiben*, -s; Schönschreibkunst *f.*; Kalligraphie *f.* ~하다 ⁴sich im Schönschreiben üben; Schreibübung machen.

‖ ~수업 Schreibunterricht *m.* -(e)s, -e. ~장 Schreib(e)buch *n.* -(e)s, ⸗er; Schönschreibheft *n.* -(e)s, -e.

습자배기(襲—) ein kleines Tongefäß mit Weihrauch (zum Gebrauch zur Vorbereitung der Leiche für Beerdigung).

습작(習作) Studie *f.* -n; Studienzeichnung *f.* -en; Etüde *f.* -n; Entwurf *m.* -(e)s, ⸗e (그림). ¶ 이 초상화는 ~이다 Dieses Porträt ist eine Studie.

습작(襲爵) das Erben《-s》 der Adelswürde; die Nachfolge《-n》 im Adelstitel. ~하다 die Adelswürde《-n》 erben.

습전지(濕電池) galvanische Batterie, ..rien.

습종(濕腫) 〖한의학〗 Geschwür《*n.* -(e)s, -e》 am Bein.

습증(濕症) Krankheiten《*pl.*》 wegen Feuchtigkeit, z.B. Rheumatismus.

습지(濕地) Sumpf *m.* -(e)s, ⸗e; Marsch *f.* -en; Moor *n.* -(e)s, -e; Morast *m.* -(e)s, -e (⸗e); Sumpfgegend *f.* -en; Sumpfland *n.* -(e)s, ⸗er; der sumpfige (feuchte; nasse) Boden, -s, ⸗ (옛형).

습지(濕紙) befeuchtes Papier, -s, -e《das beim Tapezieren benutzt wird》.

습진(濕疹) 〖의학〗 Ekzem *n.* -s, -e.

습하다(濕—) dumpfig; näßlich; feucht;《곰팡내 나는》 modrig (sein). ¶ 습한 공기 feuchte Luft / 습한 날씨 das feuchte (nasse) Wetter, -s, - / 지하실은 습하고 썩은 냄새가 난다 Der Keller ist feucht und modrig.

습하다(襲—) Leiche aus|waschen*; Leiche für Beerdigung vor|bereiten.

승(乘) ① = 곱, 제곱. ②《…인승》 ¶ 1 (2, 3) 인승의 einsitzig (zweisitzig, dreisitzig); einmann- (zweimann-, dreimann-) / 1 (2) 인승《차·배·비행기》 Einsitzer (Zweisitzer) *m.* -s, - / 2 인승 자동차 Zweimannwagen *m.* -s, - / 150 인승 비행기 Flugzeug《*n.* -(e)s, -e》 mit 150 Insassen.

승(勝) Sieg *m.* -(e)s, -e. ¶ 7 승 3 패의 성적으로 mit sieben Siegen und drei Niederlagen / 3 승하다 drei Spiele gewinnen.

승(僧) Priester *m.* -s, -; der Geistliche*, -n, -n;《수도승》 Mönch *m.* -(e)s, -e;《중》 Bonze *m.* -n, -n. ¶ 승속(僧俗) die Geistlichen u. die Laien. ☞ 중.

승(升) = 되¹.

승가(僧家) ①《승려계급》 buddhistische Priesterschaft *f.*; Geistliche《*pl.*》; Klerus *m.* -; Buddhismus *m.* -. ②《승려》 Priester *m.* -s, -; Mönch *m.* -(e)s, -e; Bonze *m.* -n, -n (중).

승강(昇降)《오르내림》 das Auf- u. Absteigen*, -s; das Hinauf- u. Hinuntersteigen*, -s;《승·하차》 das Ein- u. Aussteigen*;《변동》 Schwanken *n.* -s, -. ~하다 auf- u. ab|steigen*; hinauf- u. hinunter|steigen*; ein- u. aus|steigen*; schwanken.

‖ ~구 Eingang *m.* -(e)s, ⸚e. ~기 Fahrstuhl *m.* -(e)s, ⸚e; Lift *m.* -(e)s, -e (-s). ~타(舵) Höhenruder *n.* -s, -(항공기의); Tiefenruder (잠수함의).

승강이(昇降—) Wortwechsel *m.* -s, -; Für u. Wider *n.* -s; Krach *m.* -(e)s 《*zwischen*³》; Streit *m.* -(e)s, -e; Zank *m.* -(e)s, ⸚e; Wortgefecht *n.* -(e)s, -e; das Hin- u. Herreden*, -s. ~하다 e-n Wortwechsel haben; für u. wider sprechen*; Krach haben 《mit *jm.*》. ¶ 서로 ~를 벌이다 ⁴sich zanken 《*über*⁴》.

승객(乘客) Fahrgast *m.* -es, ⸚e; Passagier *m.* -s, -e; der Mitfahrende* (Reisende*) -n, -n. ‖ ~명부 Passagierliste *f.* -n. ~안내소 Auskunft *f.* ⸚e; Auskunftsbüro *n.* -s, -s.

승검초(—草) 〖식물〗 eine Art Angelika 《*f.* ..ken》; *Angelica Uchiyamana* (학명).

승격(昇格) Rang¦erhöhung *f.* -en (-steigerung *f.* -en). ~하다 (im Rang) erhöht werden. ¶ ~시키다 im Rang erhöhen / 대학으로 ~하다 zur Hochschule erhöht werden.

승경(勝景) herrliche Sicht; schöne Landschaft, -en; großartiger Ort, -(e)s, -e; hübsche Gegend, -en.

승계(承繼) Erbschaft *f.* -en; Übernahme *f.* -n; Fortsetzung *f.* -en. ~하다 *jn.* beerben; (auf den Thron) folgen; (den) Titel erben; fort|setzen; weiter|führen.

승교(乘轎) Sänfte *f.* -n; Tragsessel *m.* -s, -; Palankin *m.* -s, -e (-s).

승급(昇級) Beförderung *f.* -en; Rangerhöhung *f.* -en; Aufrückung *f.* -en. ~하다 befördert werden 《*zu*³》; im Rang erhöht werden; auf|rücken 《*im*⁴》. ¶ ~시키다 befördern; im Rang erhöhen; in e-e höhere Stellung (Stelle) aufrücken lassen / 그는 사장으로 ~했다 Er ist zum Direktor befördert worden.

승급(昇給) Gehalterhöhung *f.* -en. ~하다 im Gehalt erhöht (aufgebessert) werden; im Gehalt auf|steigen*. ¶ ~시키다 *js.* ⁴Gehalt erhöhen (auf|bessern) / 그는 ~했다 Sein Gehalt wurde erhöht.

승기(勝機) Gelegenheit 《*f.* -en》 zum Sieg. ¶ ~를 놓치다 die Gelegenheit zum Sieg verpassen.

승낙(承諾) Einwilligung *f.* -en; Annahme *f.* -n; Bejahung *f.* -en; Bewilligung *f.* -en; Einvernehmen *n.* -s; Einverständnis *n.* ..nisses, ..nisse; Jawort *n.* -(e)s, -e; Zusage *f.* -n; Zustimmung *f.* -en; Anerkennung *f.* -en (승인); Erlaubnis *f.* ..nisse. ~하다 ein|willigen 《*in*⁴》; s-e Einwilligung geben* 《*jm.*》; an|nehmen*⁴; bewilligen⁴; einverstanden sein 《mit *jm. über*⁴》; das (sein) Jawort geben*; zu|sagen; zu|stimmen³; an|erkennen⁴ (승인하다); erlauben 《*jm.*》. ¶ ~을 얻어 (얻지 않고) mit (ohne) Zustimmung; mit (ohne) Erlaubnis / 무언의 ~ die stillschweigende Zustimmung / 그는 그 제안을 ~했다 Er willigte in den Vorschlag ein. / 그는 그 계획을 ~했다 Er stimmte dem Plan zu. / 당신의 침묵을 ~으로 받아들여도 될까요 Darf ich Ihr Schweigen als Zustimmung nehmen? / 나의 친구는 필요한 액수를 빌려줄 것을 그 자리에서 ~했다 Mein Freund willigte sofort ein, (mir) die nötige Summe zu leihen. / ~을 청하다 um Erlaubnis (Zustimmung) bitten*.

‖ ~여부 Ja oder Nein; Zusage oder Absage: ~여부를 묻다 *jn.* um Zusage oder Absage bitten.

승냥이 〖동물〗 Schakal *m.* -s, -e.

승니(僧尼) buddhistische Priester 《*pl.*》 u. Nonnen 《*pl.*》.

승당(僧堂) buddhistische Kloster *n.* -s, ⸚.

승도(僧徒) Geistlichkeit *f.*; Priesterschaft *f.*; Priesterstand *m.* -(e)s.

승도복숭아(僧桃—) 〖식물〗 Nektarine *f.* -n.

승려(僧侶) buddhistischer Mönch, -(e)s, -e; buddhistischer Priester, -s, -; Bonze *m.* -n, -n. ‖ ~계급 buddhistische Priesterschaft; Klerus *m.* -.

승률(勝率) Prozentsatz 《*m.* -es》 des Sieges (für gesamte Zahl der Wettspiele).

승리(勝利) Sieg *m.* -(e)s, -e 《über *jn.* (⁴*et.*)》; Triumph *m.* -(e)s, -e; Erfolg *m.* -(e)s, -e (성공); Bewältigung *f.* -en; Überwältigung *f.* -en. ~하다 den Sieg gewinnen* (davon|tragen*); siegen; gewinnen*; die Oberhand erlangen (bekommen*; gewinnen*; ein Spiel gewinnen* 《über *jn.*》. ¶ ~의 영관 Siegeskranz *m.* -(e)s, ⸚e / 궁극의 ~ Endsieg *m.* -(e)s, -e / 기술의 ~ der Sieg der Technik / 선의 ~ der Sieg des Guten / 진리의 ~ der Sieg der Wahrheit / 전쟁에 ~하다 den Krieg gewinnen / ~의 환성을 올리다 ein Triumphgeschrei 《*n.* -s》 erheben*; über einen Sieg jubeln (jauchzen; triumphieren); in ein Triumphgeschrei aus|brechen* [s].

승마(升麻) 〖식물〗 eine Art Wanzenkraut 《*n.* -(e)s, ⸚er》.

승마(乘馬) das Reiten*, -s; Ritt *m.* -(e)s, -e; 《말》 Reitpferd *n.* -(e)s, -e; Roß *m.* ..ses, ..sse. ~하다 ein Pferd besteigen*; aufs Pferd steigen* [s]; ⁴sich aufs Pferd setzen; auf|sitzen*; reiten* [h.s].

‖ ~대 Reiter¦schaft *f.* -en (-schar *f.* -en). ~바지 Reithose *f.* -n. ~복 Reitanzug *m.* -(e)s, ⸚e; Damenreitkleid *n.* -(e)s, -er. ~상의 Reitrock *m.* -(e)s, ⸚e. ~술 Reitkunst *f.* ⸚e. ~용 채찍 Reitpeitsche *f.* -n. ~학교 Reitschule *f.* -n.

승멱(乘冪) 〖수학〗 Potenz *f.* -en; Stufenwert *m.* -(e)s, -e. ☞ 멱, 자승.

승무(僧舞) buddhistischer Tanz, -es, ⸚e; Tanz in buddhistischer Tracht.

승무원(乘務員) 《선박의》 (Schiffs)besatzung *f.* -en; Mannschaft *f.* -en (총칭); Mitglied 《*n.* -(e)s, -er》 der Mannschaft (개인); Eisenbahn¦personal (Straßenbahn-; Zug-) *n.* -s, -e (철도, 전차의). ¶ ~은 몇인가 Wie groß ist die Besatzung? / ~은 150명이다 Die Mannschaft ist 150 Mann groß (stark). 〖Mann은 *pl.*로 안 함〗 / 그는 이 배의 ~이다 Er ist ein Offizier dieses Schiffes. / 그 배는 전~을 태운 채 침몰했다 Das Schiff ist mit s-r ganzen Besatzung untergegangen.

승문(僧門) 《불가》 buddhistische Priesterschaft; Buddhismus *m.* -.

승방(僧房) Wohnzimmer 《*n.* -s, -》 e-s buddhistischen Tempels; Priesternachtlager *n.* -s, - (⸚); Tempelklause *f.* -n.

승법(乘法) 〖수학〗 Multiplikation *f.* -en; Vervielfältigung *f.* -en; das Malnehmen*, -s; das Vervielfachen* von Zahlen.

승벽(勝癖) Siegessucht *f.* ⸚e; Sucht nach Sieg; wetteifernder Geist, -es, -er; unnachgiebiger Geist.

승병(僧兵) Mönchsoldat *m.* -en, -en; Krieger-

mönch *m.* -(e)s, -e. 「(捷報).
승보(勝報) Siegesnachricht *f.* -en. ☞첩보
승복(承服) ① 《고백》 Schuldgeständnis *n.* -ses, -se; Schuldbekenntnis *n.* -ses, -se. ~하다 (⁴sich schuldig) bekennen*. ② 《굴복》 Unterwerfung *f.* -en. ~하다 ⁴sich unterwerfen*³; bei|pflichten 《*js.* ³Meinung》; ein|willigen 《in ⁴*et.*》; an|nehmen*.
승복(僧服) Robe 《*f.* -n》 des Priesters; geistliche Tracht, -en; Mönchskutte *f.* -n.
승부(勝負) Sieg 《*m.* -(e)s, -e》 u. Niederlage 《*f.* -n》; 《시합》 Wettkampf *m.* -(e)s, ⸗e; (Wett)spiel *n.* -(e)s, -e; 《도박》 Glücksspiel; (Hasard)spiel. ¶ 무~ Unentschieden *n.* -s, -; das unentschiedene Spiel; Gleichstand *m.* -(e)s / ~를 짓다 〔결하다〕 ⁴*et.* aus|fechten*; bis zum Ende 〔bis zur Entscheidung〕 kämpfen / ~가 났다 Das Spiel ist aus 〔entschieden〕. / ~를 다투다 e-n Kampf aus|kämpfen; e-n Streit aus|tragen*; um die Wette streiten*; wetteifern 《*in*³》; ⁴sich im Ringen messen* (씨름 따위에서) / ~는 운에 달렸다 Es kommt beim Spiel auf das Glück an.
승산(勝算) gute Aussichten 《*pl.*》; Chance [ʃáːsə] *f.* -en; Überlegenheit *f.*; günstige Lage, -n; Übermacht *f.* ¶ 이 승부에는 ~이 있다〔없다〕 Wir haben gute 〔k-e guten〕 Aussichten in diesem Kampf 〔Wettstreit〕. / 그에게는 ~이 없다 Er hat k-e Chance (zum Sieg).¦Die Aussichten sind gegen ihn. / 그에게는 1등할 ~이 없다 Er hat k-e Aussicht auf den ersten Preis. / ~이 없는 aussichtslos; hoffnungslos.
승상(丞相) =정승(政丞).
승서(陞敍) Beförderung *f.* -en. ~하다 *jn.* befördern.
승선(乘船) das Sicheinschiffen*, -s; das Anbordgehen*, -s; Einschiffung *f.* ~하다 ⁴sich ein|schiffen; an ⁴Bord (e-s Schiff(e)s) gehen*Ⓢ; ein Schiff 《-(e)s, -e》 besteigen*; mit dem Schiff ab|reisenⓈ. ¶ ~ 예약을 하다 e-n Platz in 〔auf〕 e-m Schiffe belegen / 승선 Alle an Bord! / 승객 여러분은 9시까지 모두 ~해 주시오 Die Passagiere werden ersucht, bis 9 Uhr am Bord zu sein.
‖ ~권 Schiffsbillet *n.* -(e)s, -e 〔-s〕; Fahrkarte *f.* -n. ~요금 Schiffsfahr¦preis *m.* -es, -e 〔-geld *n.* -(e)s, -er〕.
승세(乘勢) Ausnutzung 〔Ausnützung〕 der Umstände *f.* -en; das Ergreifen richtigen Moments. ~하다 Umstände aus|nutzen; aus der Umstände Vorteil ziehen*; ³sich die Umstände zunutze machen; richtigen Moment ergreifen*.
승소(勝訴) das Gewinnen* 《-s》 e-s Prozesses. ~하다 e-n Prozeß gewinnen*.
승수(乘數) 〖수학〗 Multiplikator *m.* -s, -en [..tóːren]; Malnehmer *m.* -s, -; Vervielfältiger *m.* -s, -. ‖ 피~ Multiplikand, -en, -en; Vervielfältigungszahl *f.* -en.
승승장구(乘勝長驅) ~하다 aus dem Sieg Vorteil ziehen* und mit Hilfe dessen Triebkraft ⁴sich durch|setzen; dem fliehenden Feinde auf den Fersen folgenⓈ.
승아 〖식물〗 =수영.
승야(乘夜) Ausnutzung der Finsternis der Nacht. ¶ ~ 월장하다 in der Nacht e-e Mauer erklettern.
‖ ~도주 das Entfliehen in der Nacht.
승용마(乘用馬) Reitpferd *n.* -(e)s, -e; Pferd zum Reiten. ¶ 그의 ~는 흰 말이었다 Er ritt auf dem weißen Reitpferd.¦Sein Chargenpferd war ein weißes Pferd.
승용차(乘用車) Personenkraftwagen *m.* -s, - 《생략: Pkw, PKW》; Auto *n.* -s, -s. ¶ 고급 ~ Prachtwagen; Luxusauto / ~ 운전수 Chauffeur *m.* -s, -e.
승인(承認) Anerkennung *f.* -en; Billigung *f.* -en; Zustimmung *f.* -en (승낙); Einverständnis *n.* -ses, -se; Einvernehmen* *n.* -s, -; das Übereinkommen*, -s, -; Vereinbarung *f.* -en. ~하다 an|erkennen*⁴; billigen⁴; zustimmen³; ⁴sich mit ³*et.* einverstanden erklären; ein|willigen. ¶ 이 학교는 정부의 ~을 얻었다 Diese Schule hat die staatliche Anerkennung erhalten. / 서독 정부는 동독을 국가로 ~했다 Die Bundesregierung hat Ostdeutschland als einen Staat anerkannt. / 그 세계 기록은 ~되지 않았다 Der Weltrekord wurde nicht anerkannt. / 각국이 신정부를 ~했다 Jeder Staat hat die neue Regierung anerkannt.
승인(勝因) Grund 《*m.* -(e)s, ⸗e》 des Sieges.
승임(陞任) =승직(陞職). 「-s, -.
승자(勝者) Sieger *m.* -s, -; Gewinner *m.*
승적(僧籍) Priesterschaft *f.*; der geistliche Stand, -(e)s. ¶ ~에 들다 ¹Priester werden; in den geistlichen Stand treten* Ⓢ; die Kutte an|legen.
승전(承前) Fortsetzung *f.* -en. ~하다 Fortsetzung folgen.
승전(勝戰) Sieg *m.* -(e)s, -e 《*über*⁴》; gewonnene Schlacht, -en; siegreicher Kampf, -(e)s, ⸗e. ~하다 siegen; e-n Kampf gewinnen*; e-n Sieg erringen*; e-e Schlacht gewinnen. ‖ ~고(鼓) Siegestrommel *f.* -n.
승정(僧正) Bischof *m.* -s, ⸗e.
‖ 대~ Erzbischof *m.* -s, ⸗e.
승제(乘除) Multiplikation und Division.
‖ 가감~ Vier Operationen der Arithmetik.
승지(勝地) schöner Platz, -es, ⸗e; berühmter Ort 《-(e)s, -e》 durch schöne Landschaft; herrlicher Ort.
승직(昇職·陞職) Beförderung *f.* -en; das Emporsteigen im Beruf. ~하다 befördert werden; in e-e höhere Stelle auf|rücken Ⓢ; im Beruf empor|steigen Ⓢ.
승직(僧職) Priesteramt *n.* -(e)s, ⸗er.
승진(昇進) Beförderung *f.* -en; Aufrückung *f.* -en; Avancement [avɑ̃səmɑ́ː] *n.* -s, -s; das Emporkommen, -s, -. ~하다 befördert werden 《*zu*³》; auf|rücken 《*zu*³》Ⓢ; avancieren [avɑ̃síːrən] 《*zu*³》Ⓢ; im Rang erhöht werden. ¶ ~이 빠르다 schnell befördert werden / ~시키다 *jn.* befördern; *jn.* in eine höhere Stellung bringen* / ~의 길을 막다 e-r Beförderung im Wege stehen* / ~의 길을 트다 den Aufstieg frei lassen* / 그이는 소령으로 ~했다 Er wurde zum Major befördert. / ~이 늦다 langsam befördert werden / 그는 선임인 나를 앞질러 ~했다 Er wurde über mich weg befördert. / 육군보다 해군이 ~이 빠르다 Beförderung geht bei der Marine schneller als beim Militär.
승차(乘車) das Einsteigen*, -s; das Besteigen* 《-s》 e-s Wagens. ~하다 ein|steigen* Ⓢ 《*in*⁴》; besteigen*⁴. ¶ ~해 주십시오 Einsteigen!¦Steigen Sie bitte ein!
‖ ~구 Eingang *m.* -(e)s, ⸗e; Eingangs-

halle *f.* -n. ~권 Fahr¦karte *f.* -n (-schein *m.* -(e)s, -e); Billet(t) *n.* -(e)s, -e: 왕복 ~권 Farkarte für Hin- u. Rückfahrt / 무임 ~권 Frei¦karte *f.* -n (-paß *m.* ..sses, ..pässe; -schein *m.* -(e)s, -e). ~역 Einsteigplatz *m.* -(e)s, ⸗e(플랫폼). ~요금 Fahr¦preis *m.* -es, -e (-geld *n.* -(e)s, -er).

승차(陞差) Aufrückung in eine höhere Stelle *f.* -en. ~하다 in eine höhere Stelle auf|rücken Ⓢ; im Rang erhöht werden.

승창 Hocker *m.* -s, -.

승척(繩尺) Meßschnur *f.* ⸗e; Schnur zum Messen; Meßband *n.* -(e)s, ⸗er.

승천(昇天) 〖종교〗 Himmelfahrt *f.* ~하다 zum Himmel fahren* Ⓢ; in den Himmel kommen* Ⓢ (죽다). ¶ 그리스도(마리아)의 ~ Himmelfahrt ²Christi (Mariä).

‖ ~축일 Himmelfahrts¦tag *m.* -(e)s (-fest *n.* -(e)s).

승패(勝敗) Sieg u. Niederlage; Gewinn u. Verlust. ¶ ~를 겨루다 um den Sieg kämpfen/~가 결정되는 순간 der entscheidende Augenblick, -(e)s / ~는 운수 소관 Sieg od. Niederlage, das ist Glückssache. / ~를 아직 가릴 수 없다 Der Ausgang des Kampfes ist noch unentschieden.

승하(昇遐) die Heimfahrt《-en》 des Königs; das Hinscheiden*《-s》 des Königs. ~하다 ⁴sich zu s-n Vätern versammeln; das Zeitliche segnen.

승하다(乘—) =곱하다.

승함하다(乘艦—) ein Kriegsschiff《-(e)s, -e》 besteigen*; an ⁴Bord《e-s Kriegsschiff(e)s》 gehen* Ⓢ. ☞ 승선하다.

승합(乘合) =합승.

승홍(昇汞) 〖화학〗 Sublimat *n.* -(e)s, -e; Quecksilberchlorid *n.* -(e)s.

‖ ~수 Sublimatlösung *f.* -en.

승화(昇華) 〖화학〗 Sublimation *f.* -en. ~하다 sublimieren⁴.

‖ ~물 Sublimat *n.* -(e)s, -e.

시(市) ①《행정 단위》 Stadt *f.* ⸗e. ¶ 서울시 die Stadt Seoul / 시 금고 Stadtkasse *f.* -n / 시 의회 Stadtrat *m.* -(e)s/시 직원 der Stadtbeamte*, -n, -n; der städtische Beamte; städtischer Angestellter / 시 당국 die städtische Behörden. ②《시장》 Markt *m.* -(e)s, ⸗e; Messe *f.* -n; Ausstellung *f.* -en. ¶ 견본(見本)시 Musterprobenausstellung *f.* -en.

시(時) Zeit *f.* -en; Stunde *f.* -n; Uhr *f.* 〖시계의 시에는 *pl.* 없음〗. ¶ 오전(오후) 9시에 um 9 Uhr vormittags (nachmittags) / 몇 시냐 Wieviel Uhr ist es?/한 시간마다 jede Stunde (1시, 2시, 3시 등에서부터); alle Stunden (1시 12분부터 한 시간마다처럼 정시가 아닌 경우); jede volle Stunde (위 양쪽 경우 모두) / 시속 45마일 e-e Geschwindigkeit von 45 Meilen in der Stunde (die Stunde; pro Stunde); e-e Stundengeschwindigkeit von 45 Meilen / 3시 정각에 Punkt drei (Uhr) / 6시쯤 gegen sechs / 7시 조금전에(후에) kurz vor (nach) sieben / 대략 8시 전후에 so ungefähr um acht herum / 9시와 10시 사이 zwischen neun u. zehn / 7시 반 조금 전에 halb acht noch nicht / 9시 반 조금 지나 halb zehn durch.

시(詩) Gedicht *n.* -(e)s, -e; Vers *m.* -es, -e (시구(詩句)); Poesie *f.* -n [..zí:ən] (일반적인 시); Dichtung *f.* -en (문학). ¶「시와 진실」„Dichtung u. Wahrheit" / 서사시 Epik *f.*; Epos *n.* -, ..pen / 서정시 Lyrik *f.*; lyrisches Gedicht / 시를 쓰다 (낭독하다) ⁴Gedichte schreiben* (vor|tragen*).

시¹ 〖음악〗 H (h) *n.* -, -.

시² 〖감탄사〗 pfui!; hui!

시- dunkel; stark; heftig; intensiv. ¶ 시꺼멓다 pechschwarz (kohlschwarz; rabenschwarz; stockdunkel) sein.

시-(媤) des Ehemanns; auf der Seite des Ehemanns.

시가(市街) Straße *f.* -n. ¶ 활기 있는 (조용한, 교통이 번잡한) ~ belebte (ruhige, verkehrsreiche) Straße / 넓은 (좁은) ~ breite (enge) Straße.

‖ ~전 Straßenkampf *m.* -(e)s, ⸗e. ~전차 Straßenbahn *f.* -en. ~철도 Stadtbahn *f.* -en. ~행진 Straßenmarsch *m.* -es, ⸗e. 구(신)~ Alt¦stadt (Neu-) *f.* ⸗e.

시가(時價) ☞ 싯가(時價).

시가(媤家) Familie《*f.* -n》 des Ehemanns.

시가(詩歌) Dichtwerk *n.* -(e)s, -e; Gedicht *n.* -(e)s, -e; Poesie *f.* -n; Dichtung *f.* -en. ¶ ~를 짓다 dichten; Gedichte verfassen (schreiben*); ein Gedicht machen.

‖ ~선집 Anthologie *f.*; Gedichtsammlung *f.* -en; Blumenlese *f.* -n.

시가 Zigarre *f.* -n. ¶ ~를 피우다 e-e Zigarre rauchen.

‖ ~케이스 Zigarrenetui [..etvi:] *n.* -s, -s.

시각(時刻) Zeit *f.* -en; Stunde *f.* -n. ¶ 제 ~에 맞추어 왔다 Er kam auf die Minute (pünktlich). / 약속 ~에 나타나다 zur verabredeten Zeit erscheinen*.

시각(視角) Gesichts¦winkel (Seh-; Blick-) *m.* ⌈-s, -.

시각(視覺) Gesicht *n.* -(e)s; Gesichtssinn *m.* -(e)s; Sehvermögen *n.* -s. ¶ ~을 잃다 das Gesicht verlieren*; erblinden Ⓢ.

‖ ~교육 die visuelle Erziehung: ~교육 교재 Anschauungsmaterial *n.* -s, -ien. ~기관 Sehorgan *n.* -s, -e.

시간(時間) Zeit *f.* -en; Stunde *f.* -n. ¶ 독일어 ~ Deutschstunde / 음악 ~ Gesangsstunde / 수업 ~ Unterrichtsstunde *f.* / 내일 첫 ~은 휴강이다 Die erste Stunde fällt morgen aus. / 내게는 그것을 할 ~이 없다 Dazu fehlt mir die Zeit. / 네 편지에 회답할 ~이 없다 Ich habe keine Zeit, dir auf deinen Brief zu antworten. / ~은 돈이다 Zeit ist Geld. / ~이 지나간다 Die Zeit vergeht* (verfliegt*). / 독서로 ~을 보내다 ³sich die Zeit mit Lesen vertreiben* / 자유 ~ Freizeit; freie Stunden / 미래의 ~ kommende (künftige) Zeit / ~이 많다 Wir haben reichlich (viel) Zeit. / ~ 문제에 불과하다 Es ist nur e-e Frage der Zeit. / ~ 경과에 따라 mit der Zeit; im Laufe der Zeit; nach und nach; allmählich / 그는 두 ~ 동안 계속 이야기했다 Er hat zwei Stunden lang ohne Unterbrechung gesprochen. / 여기서 정거장까지 ~이 얼마나 걸리나 Wie lange dauert es von hier aus zum Bahnhof? / 여섯 시에 출발하면 ~이 충분하다 Es ist genug Zeit, wenn wir um 6 Uhr abfahren. / ~을 헛되이 보내다 die Zeit vertrödeln (totschlagen*) / ~을 잘 이용하다 die Zeit gut benützen (ausnützen) / ~을 지키다 auf die Zeit achten; die Zeit ein|halten* / ~을 확정하다 eine Zeit festsetzen (bestimmen) / 행동할 ~이다 Es ist an der Zeit zu handeln. / 기차가 떠날 때까지 아직 한 ~이 남았다 Wir haben noch eine Stunde Zeit, ehe der Zug abfährt. / 모일 장소와 ~

을 정하다 Ort und Zeit der Zusammenkunft bestimmen / 나는 ~에 얽매어 있지 않다 Ich bin an keine (bestimmte) Zeit gebunden./~이 만사를 해결한다 Kommt Zeit, kommt Rat.¦ Zeit bringt Rosen. / 제 ~에 오지 않는 자는 남은 것을 먹어야 한다 Wer nicht kommt zur rechten Zeit, der muß essen, was übrigbleibt. / ~을 기다리는 자에게는 ~이 없다 Wer auf die Zeit wartet, dem fehlt die Zeit. / 잃어버린 ~은 결코 다시 오지 않는다 Verlorene Zeit kommt niemals wieder. / 반~ eine halbe Stunde/ 내일 첫 ~은 독일어시간이다 Morgen haben wir in der ersten Stunde Deutsch. / ~당 3 마르크를 요구하다 (지불하다) drei Mark (für) die Stunde verlangen (bezahlen) / ~이 걸리는 zeitraubend / ~이 걸리다 viel Zeit in Anspruch nehmen*; aufgehalten werden; am Weiterkommen gehindert sein/~이 촉박하다 (급하다) die Zeit drängt /~을 벌다 die Zeit gewinnen* (sparen).

‖ ~급(給) Zeitlohn *m.*; Stundenlohn. ~단위 Zeiteinheit *f.* ~엄수 Pünktlichkeit *f.*; das Pünktlichsein. ~외 근무 Überstundenarbeit *f.*: ~외 근무 수당 Überstundenzuschlag *m.* / ~외 근무를 하다 Überstunden machen. ~표 Stundenplan *m.* -(e)s, ⸚e; Fahrplan *m.* (철도). 수요~ erforderliche Zeit; in Anspruch genommene Zeit. 식사~ Essenzeit *f.*; Mahlzeit *f.* 집무~ Geschäftsstunden 《*pl.*》; Dienststunden 《*pl.*》. 통행 금지~ Sperrstunde; Ausgehverbotstunde. 휴식~ Pause *f.* -n; Raststunde *f.*

시객(詩客) Dichter *m.* -s, -.

시거렛 Zigarette *f.* -n.

‖ ~케이스 Zigarettenetui [..etvi:] *n.* -s, -s. ~페이퍼 Zigarettenpapier *n.* -(e)s, -e.

시거에 《우선》 vorläufig; vor allen Dingen; erstens; gerade; jetzt; 《곧》 sofort; sogleich; unverzüglich.

시건드러지다 frech und schamlos (sein).

시건방지다 naseweis; altklug; frühklug; dreist; frech; schnippisch; vorlaut; vorwitzig (sein). ¶ 그렇게 시건방지게 굴지 말라 Sei nicht so vorlaut!

시게 Getreide 《*n.* -s, - 》 zum Verkauf auf dem Marktplatz.

‖ ~전 Marktbude 《*f.* -n》, wo es mit Getreide gehandelt wird. 시겟금 Marktpreis 《*m.* -es, -e》 des Getreides. 시겟바리 Wagenladung des Getreides, die zum Markt gebracht wird.

시겟박 hölzernes Tablett mit Tischgeschirr oder Geschenken.

시경(詩經) Shiking *n.* -s; das Buch 《-(e)s》 der Lieder.

시경찰국(市警察局) 《서울의》 Polizeipräsidium *n.* -s, ..dien

‖ ~장 Polizeipräsident *m.* -en, -en: 서울~장 der Polizeipräsident von Seoul.

시계(時計) Uhr *f.* -en; 《벽시계》 Wanduhr; 《회중 시계》 Taschenuhr; 《팔뚝 시계》 Armbanduhr; 《자명종》 Weckuhr; Wecker *m.* -s, -. ¶ ~가 간다 (가지 않는다) Die Uhr geht (geht nicht). / ~가 친다 (똑딱똑딱 간다) Die Uhr schlägt (tickt). / ~가 5시를 친다 Die Uhr schlägt fünf. / ~가 빠르다 (느리다) Die Uhr geht vor (nach). / ~를 보다 auf die Uhr (nach der Uhr) sehen* / ~의 태엽을 감다 die Uhr auf|ziehen* / ~를 맞추다 (빠르게 하다, 늦추다) die Uhr stellen (vor|stellen, nach|stellen) / 지금 막 이 ~를 고쳤다 Diese Uhr habe ich mir gerade reparieren lassen. / 내 ~에 의하면 벌써 열두 시다 Nach meiner Uhr ist es bereits zwölf. / ~가 서 있다 Die Uhr steht (ist abgelaufen). / ~를 분해 소제하다 die Uhr reinigen lassen* / 내 ~는 정확하다 Meine Uhr geht genau (richtig).

‖ ~공업 Uhrenindustrie *f.* ~공장 Uhrenfabrik *f.* -en. ~장치 Uhrwerk *n.* -(e)s, -e. ~추 Pendel *n.* -s, -. ~탑 Uhrturm *m.* -(e)s, ⸚e. ~태엽 Uhrfeder *f.* -n. 시곗바늘 Zeiger *m.* -s, -. 시곗방 Uhrgeschäft *n.* -(e)s, -e. 시곗줄 Uhrkette *f.* -n. 금(은)~ goldene (silberne) Uhr. 모래~ Sanduhr. 전기~ elektrische Uhr. 전자~ Elektronenuhr. 탁상~ Tischuhr. 해~ Sonnenuhr. 뻐꾹~ Kuckucksuhr. 추~ Regulator *m.* -s, -n.

「야(視野).

시계(視界) Gesichtskreis *m.* -es, -e. ☞ 시

시고(詩稿) Entwurf 《*m.* -(e)s, ⸚e》 des Gedichtes.

시고모(媤姑母) Tante *f.* -n (des Ehemanns); Schwester 《*f.* -n》 des Schwiegervaters.

‖ ~부 Onkel *m.* -s, -; Ehemann 《*m.* -(e)s, ⸚e》 der Schwester des Schwiegervaters.

시골 ① 《지방》 Land *n.* -(e)s; Landstrich *m.* -(e)s, -e; Provinz *f.* -en; ländliche Gegend, -en; abgelegenes Gebiet, -(e)s, -e. ¶ ~의 ländlich; vom Lande; provinziell / ~에서 자란 auf dem Lande aufgewachsen / ~ 태생의 auf dem Lande geboren / ~서 갓 올라온 erst eben vom Lande angekommen (weggezogen) / ~티가 나는 ländlich; bäuerisch; grob; ungeschliffen / ~에 가다 aufs Land gehen / ~에서 살다 auf dem Lande leben / 가친께서는 서울을 떠나 아주 ~로 내려 가셨다 Mein Vater verließ Seoul und zog sich aufs Land zurück.

② 《고향》 Heimat *f.* -en; Geburtsort *m.* -(e)s, -e; Heimatsort; Wohnort. ¶ ~에 계신 부모 Eltern in der Heimat 《*pl.*》 / ~에 편지를 내다 heim schreiben / ~에 내려가다 heim|fahren*ⓢ; in die Heimat fahren*ⓢ / ~을 다녀 오다 die Heimat besuchen / 휴가를 얻어 ~에 내려가 있다 die Ferien in der Heimat verbringen*.

‖ ~고라리 dummer Lümmel, -s, -; Bauernlümmel; Einfaltspinsel *m.* -s, -; Tölpel *m.* -s, -. ~구석 abgelegenes Dorf, -(e)s, ⸚er; abgelegener Ort, -(e)s, -e: ~구석에서 자라나다 im abgelegenen Dorf aufwachsen*ⓢ. ~길 Landweg *m.* -(e)s, -e; ländlicher Pfad, -(e)s, -e. ~나기 Bauer *m.* -n, -n; Landmann *m.* -(e)s, ..leute. ~뜨기 Bauernlümmel *m.* -s, -. ~말 Mundart *f.* -en; Dialekt *m.* -(e)s, -e. ~사람 Bauer; Landmann; Landvolk *n.* -(e)s; ländliche Leute 《*pl.*》. ~살림, ~생활 Landleben *n.* -s. ~색시 Landpomeranze *f.* -n; Mädchen 《*n.* -s, -》 vom Lande. ~집 Landhaus *n.* -(e)s, ⸚er; Bauernhaus. ~풍경 ländliche Landschaft, -en. ~풍습 ländliche Bräuche 《*pl.*》; ländliche Sitte, -n.

시공(施工) 《공사》 Ausführung *f.* -en; Bauarbeit *f.* -en. ~하다 aus|führen⁴; bauen⁴; errichten⁴; erstellen⁴. ¶ ~ 중(이다) im Bau (Gange) (sein).

시공(時空) 〖물리〗 Raum u. Zeit.

시공품(試供品) Probe *f.* -n; Probestück *n.* -(e)s, -e.

시구(市區) Stadt¦bezirk *m.* -(e)s, -e (-teil *m.* -(e)s, -e; -viertel [..firtəl] *n.* -s, -).
‖ ~개정 der neue Straßenbau, -(e)s, -ten 《주로 *pl.*》: ~ 개정 위원(회) Ausschuß 《*m.* ..schusses, ..schüsse》 der Straßenbauten / ~ 개정을 하다 neue Straßenbauten unternehmen*; Straßen (die Stadt) um|bauen.

시구(始球) ¶ 국무 총리의 ~로 경기가 시작되었다 Das Spiel begann mit dem Probewurf durch den Premierminister.
‖ ~식 Eröffnungsfeierlichkeit 《*f.* -en》 des Ballspiels.

시구(詩句) Vers [fεrs] *m.* -es, -e; Strophe *f.* -n (절).

시국(時局) Zeitläuf(t)e 《*pl.*》; der aktuelle Stand, -(e)s; die politische Lage, -n (정국); Situation *f.* -en (der Gegenwart); Zeitumstände 《*pl.*》. ¶ ~을 감안하여 mit Rücksicht auf allgemeine Lage der Gegenwart / ~에 대처하다 den Zeitumständen Rechnung tragen*; den Zeitumständen entsprechend handeln; [4]sich der Situation an|passen / ~의 추이 Entwicklung 《*f.* -en》 der politischen Lage / ~을 수습하다 die Situation retten / 정국의 중대 ~ die politische Krise, -n / 그는 ~을 인식하지 못하고 있다 Er hat k-n Zeitsinn. / 그는 ~에 편승하는 사람이다 Er ist Opportunist. ¦ Er schwimmt immer mit dem Strom der Zeit. ¦ Er dreht den Mantel immer nach dem Winde.

시굴(試掘) Schürfung *f.* -en; Versuchs¦bohrung (Probe-; Sondierungs-; Vor-; Untersuchungs-) *f.* -en. ~하다 schürfen 《*nach*[3]》; Versuchsbohrungen machen.
‖ ~권(權) Schürfrecht *n.* -(e)s, -e. ~자 Schürfer *m.* -s, -.

시굼하다 säuerlich schmecken; säuerlich ⌈(sein).

시궁 Senkgrube *f.* -n; Pfuhl *m.* -(e)s, -e.
‖ ~구멍 Loch 《*n.* -(e)s, ⸚er》 der Senkgrube. ~쥐 Wasserratte *f.* -n. ~창 Senkgrube; Pfuhl; Graben *m.* -s, ⸚; Abzugsgraben; Gosse *f.* -n; Siel *n.* -(e)s, -e; Kloake *f.* -n: ~창에 빠지다 in den Graben stürzen Ⓢ / ~창을 치다 Graben aus|räumen.

시그널 Signal *n.* -s, -e.
‖ 교통~ 《교차점의》 Verkehrsampel *f.* -n.

시그러지다 verwelken Ⓢ; vergehen* Ⓢ.

시극(詩劇) poetisches Drama, -s, ..men; Drama in Versen; 《극시》 dramatisches Gedicht, -(e)s, -e.

시근거리다[1] 《숨을》 keuchen; schnauben; schnaufen; schwer atmen. ¶ 그는 시근거리며 달려왔다 Er ist außer Atem (schwer atmend) hergelaufen.

시근거리다[2] 《관절이》 es puckert (im Gelenk); puckernde Schmerzen (am Gelenke) empfinden*; leichtes Stechen wegen der Gelenkentzündung empfinden*; e-n stechenden Schmerz (in der Seite, im Rücken, im Gelenk *usw.*) haben (fühlen). ¶ 내 등이 시근거린다 Es sticht mich im Rücken.

시근시근[1] 《숨을》 kurzatmig; schweratmend; keuchend; schnaufend.

시근시근[2] 《관절이》 mit puckernden Schmerzen (am Gelenke). ~하다 《das Gelenk》 weh tun*; schmerzhaft (sein).

시글시글 《물이》 siedend; 《무리가》 schwarmweise; wimmelnd. ~하다 siedend (sein); wimmeln 《*von*[3]》.

시금떨떨하다 sauer u. herb (sein); sauer u. herb schmecken.

시금석(試金石) Probier¦stein (Prüf-) *m.* -(e)s, -e; Kriterium *n.* -s, ..rien; Erprobung *f.* -en. ¶ 가난은 그에게 ~이 될 것이다 Die Armut ist ein guter Prüfstein s-r Willenskraft. ¦ Die Armut wird s-e Willensstärke erproben. / 이 과제는 그의 능력을 시험하는 ~이다 Diese Aufgabe ist ein Prüfstein für s-e Leistungsfähigkeit.

시금시금하다 ziemlich sauer schmecken.

시금씁쓸하다 ziemlich sauer u. bitter schmecken.

시금치 〖식물〗 Spinat *m.* -(e)s, -e. ⌈(sein).

시금하다 sauer schmecken; etwas sauer

시급하다(時急—) dringlich; dringend; drängend; eilig; bevorstehend; drohend (sein). ¶ 시급한 문제 dringende Sache / 시급히 eilig; sogleich; sofort / 문제를 시급히 해결하다 die Angelegenheit ohne Verzögerung erledigen (regeln); Probleme ohne Verzögerung lösen.

시기(時期) Zeit *f.* -en; Periode *f.* -n; Saison *f.* -s; Epoche *f.* -n; Jahreszeit *f.* -en (계절); Gelegenheit *f.* -en (기회); passende (richtige) Zeit (적기). ¶ 한 ~를 획(劃)하는 epochemachend; epochal; bahnbrechend / 수영 ~ Badesaison / 여행하기에 적당한 ~ passende Jahreszeit für die Reise / 투자하기에는 ~상조다 Die Zeit ist noch nicht reif für die Investierung. / 공부하는 데는 지금이 가장 좋은 ~다 Jetzt ist die passendeste Zeit für das Studium (für die Arbeit). / ~가 지난 außerhalb der Saison; in stiller (toter) Saison / 한 ~를 획하다 e-e Epoche machen; e-n neuen Zeitabschnitt ein|leiten.

시기(時機) (die günstige) Gelegenheit, -en; Anlaß *m.* ..lasses, ..lässe; der richtige Augenblick, -(e)s, -e; Chance [ʃɑ́:sə] *f.* -n; Okkasion *f.* -en; die rechte Zeit. ¶ ~에 맞는 gelegen; gut angebracht; zupaß / ~를 놓치지 않고 die Gelegenheit beim Schopfe fassend; bei erster Gelegenheit / ~를 보아 wenn sich die Gelegenheit bietet; wenn die Zeit dazu reif ist / ~를 기다리다 die Gelegenheit abwarten / ~를 잃다 e-e Gelegenheit versäumen (verpassen; vorübergehen lassen*); [3]sich e-e Gelegenheit entgehen lassen*; [3]*et.* übel ab|passen / ~를 포착하다 e-e Gelegenheit ergreifen* (wahr|nehmen*); [4]*et.* gut ab|passen / ~를 엿보다 die Gelegenheit (den geeigneten Augenblick; die richtige Zeit) ab|passen.

시기(猜忌) Eifersucht *f.* 《*auf*[4]》; Neid *m.* -(e)s 《*auf*[4]; *über*[4]》; Argwohn *m.* -(e)s. ~하다 beneiden 《*jn. um*[4]; *wegen*[2]》; eifersüchtig sein 《auf *jn. wegen*[2]》; mißgönnen[4] 《*jm.*》; neidisch sein 《auf *jn. wegen*[2]》; scheele Blicke werfen* 《auf *jn.*》; scheel sehen* 《zu *jm.*》; mit scheelen Augen an|sehen* 《*jn.*》.
‖ ~심 Eifersucht *f.*; Neid *m*: ~심을 일으키다 Eifersucht erregen / ~심에서 행동하다 aus Eifersucht handeln / ~심 때문에 창백해지다 vor Neid blaß werden.

시꺼멓다 《색이》 tiefschwarz; pechschwarz; kohlschwarz; rabenschwarz; stockdunkel (sein); 《뱃속이》 bösartig; boshaft; übelgesinnt; schlau; listig; verschlagen; gerieben (sein); 《햇볕에 타》 bräunen; schwarz sonnenverbrannt (sein).

시끄럽다 ① 《소란하다》 lärmend; laut; geräuschvoll; (ohren) betäubend; stürmisch; tobend; lästig (sein). ¶ 시끄러운 청중 die laute (lärmende) Zuhörerschaft, -en / 시끄러워 Bitte nicht lärmen!¦Mach doch keinen Lärm!¦Was für ein Lärm ist das!¦Sei (Seid; Seien Sie) still!¦Nicht so laut! / 거리가 시끄러워 아무것도 안들린다 Wegen des Straßengeräusches kann ich nichts hören. / 시끄럽게 geräuschvoll; mit viel Lärm / 시끄럽게 굴다 einen Lärm schlagen* / 귀가 멍할 정도로 시끄러운 나팔소리 der schneidende Trompetenschall, -(e)s, -e (⸗e) / 전화벨 소리가 시끄럽게 울린다 Das Telefon klingelt lärmend. / 아이들이 거리에서 시끄럽게 떠든다 Die Kinder lärmen auf der Straße.
② 《세상·여론이》 unruhig; aufrührerisch (sein). ¶ 시끄러운 세상 die unruhige Zeit / 세상이 ~ Es liegt etwas in der Luft.¦Eine Unruhe herrscht im Volk. / 시끄러운 사회 die unruhige Gesellschaft, -en / 시끄럽게 하다 《세상을》 Aufsehen (Sensation) erregen; Unruhe stiften (entfachen; erregen) / 여론이 ~ Man streitet viel darüber.

시끈가오리 〖어류〗 elektrischer Roche, -s, -.

시나리오 〖영화〗 Drehbuch *n.* -(e)s, ⸗er.
‖ ~라이터 Drehbuchschreiber *m.* -s, -; Drehbuchautor *m.* -s, -en.

시나브로 ① 《조금씩》 unmerklich nach und nach. ② 《사이사이에》 mitten in andern Arbeiten.

시난고난하다 《Krankheit》 allmählich schlimmer werden.

시내 Bach *m.* -(e)s, ⸗e; Bächlein *n.* -s, -; Flüßchen *n.* -s, -; Wässerchen *n.* -s, -. ¶ 맑은 ~ heller (klarer) Bach / 졸졸 흐르는 ~ murmelnder (rauschender) Bach.
‖ 시냇가 Bachrand *m.* -(e)s, ⸗er.

시내(市內) das Stadtinnere*, -n; die innere Stadt; Stadtmitte *f.* (도심); Innenstadt *f.*; Altstadt *f.* (구시내). ¶ ~에(서) in der [3]Stadt; innerhalb der [3]Stadt; im Stadtinneren / ~로 in die Stadt; in das Stadtinnere / ~구경 Stadtbummel *m.* -s, -.
‖ ~거주자 Stadtbewohner *m.* -s, -. ~배달 die Zustellung (das Austragen) innerhalb der Stadt. ~우편 Stadtpost *f.* -en. ~전차 Stadtbahn (Straßenbahn) *f.* -en.

시냇물 Wasser 《*n.* -s, -》 des Baches. ¶ 급히 흐르는 ~ der rasch fließende Bach, -(e)s, ⸗e / ~의 속삭임 das Rauschen* (Murmeln*; Säuseln*) 《-s》 e-s Bach(e)s / ~이 바위틈으로 흘러 내리고 있었다 Ein Bächlein floß zwischen den Felsen herunter.

시너님 Synonym *n.* -s, -e; sinnverwandtes Wort; Wort von gleicher od. ähnlicher Bedeutung.

시네라마 〖영화〗 Cinerama [sinerá:ma] *n.* -s.

시네마 〖영화〗 Film *m.* -(e)s, -e; Kino *n.* -s, -s. ‖ ~스코프 Cinemascope *n.* -.

시녀(侍女) Kammer¦frau *f.* -en (-fräulein *n.* -s, -; -jungfer *f.* -n; -mädchen *n.* -s, -; -zofe *f.* -n); Kammerkätzchen *n.* -s, - (특히 아름다울 경우); Dienstmädchen *n.*

시누렇다 dunkelgelb; tiefgelb; goldgelb (sein).

시누이(媤—) Schwägerin *f.* ..rinnen; die ältere (jüngere) Schwester des Ehegatten. ¶ ~ 하나에 바늘이 네 쌈 Eine Schwägerin kommt tausend Teufeln gleich.

시늉 Nachahmung *f.* -en; Nachäfferei *f.* -en; Mimik *f.* -en; Vortäuschung; Verstellung *f.* -en. ~하다 tun*, als ob ...; den Fall setzen; es mit der Wahrheit nicht genau nehmen*; heucheln[4]; [4]sich verstellen; vor¦täuschen. ¶ 우는 ~하다 Weinen vor¦täuschen / 치는 ~하다 e-e Flinte (e-n Scheinangriff) machen (격검에서) / 앓는 ~을 하다 [4]sich krank stellen.
‖ ~말 Wortmalerei *f.*; Lautnachahmung.

시니컬 ¶ ~한 zynisch; spöttisch (조소적인); ironisch (비꼬아서); bissig-pietätlos / ~한 인간 ein zynischer (spöttischer) Mensch, -en, -en / ~한 미소 ein zynisches Lächeln, -s / ~한 말 zynische (boshafte, beißend spöttische) Bemerkungen 《*pl.*》.

시다 ① 《맛이》 sauer; säuerlich; herb (sein). ¶ 신 사과 der saure Apfel, -s, ⸗ / 맛이 ~ sauer (säuerlich) schmecken / 시게 하다 sauer machen; säuern; zur Gärung bringen*. ② 《행동이》 ärgerlich; verdrießlich (sein). ¶ 신 표정 e-e saure Miene. ③ 《눈이》 blendend; grell (sein). ¶ 지하실에서 나왔을 때 눈이 시었다 Als ich aus dem Keller trat, war ich wie geblendet.

시닥나무 〖식물〗 e-e Art Feldahorn 《*m.* -(e)s, -e》.

시단(詩壇) Dichterkreis *m.* -es, -e.

시달(示達) Befehl *m.* -(e)s, -e; Anordnung *f.* -en; Anweisung *f.* -n; Direktive *f.* -n. ~하다 an¦weisen*; instruieren; an¦ordnen; befehlen*.

시달리다 belästigt werden. ¶ 굶주림에 ~ Hunger leiden*; am Hungertuch nagen / 빚에 ~ unter Schulden leiden*; von Schulden gedrückt sein / 더위에 ~ unter der Hitze leiden* / 중세(重稅)에 ~ unter der hohen Steuer stöhnen / 가난에 ~ Not leiden*; in Not sein; mit Not (Armut) zu kämpfen haben / 물 부족으로 ~ unter Wassernot leiden* / 폭군의 압제에 ~ unter dem Druck eines Despoten.

시대(時代) 《시기》 Zeit *f.* -en; Zeit¦raum *m.* -(e)s, ⸗e (-spanne *f.* -n; -abschnitt *m.* -(e)s, -e); 《연대》 Ära *f.* ..ren; Epoche *f.* -n; Periode *f.* -n; Zeitalter *n.* -s, -; 《세대》 Generation *f.* -en. ¶ 괴테 ~ das Zeitalter Goethes / 기계 ~ das Zeitalter der Technik / 황금 ~ das goldene Zeitalter / ~에 뒤떨어진 (뒤진) alt¦modisch (-fränkisch); rückständig; vorgestrig; überholt / ~에 뒤지다 (뒤떨어지다) hinter der Zeit zurück¦bleiben* Ⓢ; im Nachtrab sein; aus der Mode kommen*Ⓢ / ~에 뒤진 사람 Überholte(r) *m.*; Ausgespielter *m.* -s, - / ~의 변천에 따라 mit der Zeit / ~에 앞서다 der Zeit voraus¦eilenⓈ / ~에 역행하다 gegen die Strömung an¦kämpfen / ~에 순응하다 [3]sich der Zeit an¦passen; mit der Zeit gehen* Ⓢ / ~의 요구에 응하다 der Forderung der Zeit entsprechend handeln / ~의 첨단을 가다 mit der Zeit Schritt halten* / 그는 반세기 이상을 ~에 앞서 갔다 Er eilte der Zeit um mehr als ein halbes Jahrhundert voraus. / 독일은 당시 인플레 ~였다 Deutschland stand damals im Zeichen der Inflation. / 그는 ~정신을 알지 못한다 Er kann den Geist der Zeit nicht erfassen. / 우리들은 어려운 ~를 지내왔다 Wir machten trübe Zeiten durch.

‖ ~극 das historische Stück, -(e)s, -e (연극영화). ~사조 Zeitströmung *f.* -en. ~상 Zeichen der Zeit; Zeitbild *n.* -(e)s, -er; Zeitlauf *m.* -(e)s, ⸗e; Zeitumstände 《*pl.*》. ~정신 der Geist der Zeit; Zeit¦geist *m.* -(e)s, -e (-strom *m.* -(e)s, ⸗e). ~착오 Anachronismus *m.* -, ..men: ~착오의 anachronistisch. 석기~ Steinzeit *f.* 원자~ das Zeitalter der Kern¦energie (Atom-).

시댁(媤宅) (höfliche Bezeichnung von) Familie 《*f.* -n》 des Ehemanns; Haus 《*n.* -es, ⸗er》 der Schwiegereltern (e-r Frau).

시도(示度) Stand *m.* -(e)s, ⸗e; registrierter Grad, -(e)s, -e. ¶ 기압의 중심 ~는 1,350 밀리바였다 Luftdruck im Zentrum zeigte den Grad von 1350 Millibar. / 온도계의 ~는 섭씨 영하 12 도이다 Das Thermometer zeigt −12°C (zwölf Grad Celsius unter Null).

시도(試圖) Versuch *m.* -(e)s, -e; Experiment *n.* -(e)s, -e. ~하다 versuchen[4]; probieren[4]; einen Versuch machen. ¶ 첫번째 ~는 실패했다 Der erste Versuch schlug fehl (mißlang). / 그것이 내 마지막 ~가 되어야 한다 Das soll mein letzter Versuch sein.
‖ 도주~ Fluchtversuch. 설득~ Überredungsversuch.

시도(始渡) der erste Gang 《-(e)s, ⸗e》 über die neuen Brücke 《bei der Einweihung》.

시동(始動) ¶ ~을 걸다 《e-e Maschine od. e-n Motor》 in Gang bringen* (setzen); an|lassen*. ‖ ~기(機) Anlasser *m.* -s, -; Anlaßmotor *m.* -s, -en. ~장치 Vorrichtung zum Anlassen des Motors.

시동(侍童) Page [..ʒə] *m.* -n, -n; Edelknabe *m.* -n, -n.

시동생(媤同生) Schwager *m.* -s, ⸗; jüngerer Bruder 《-s, ⸗》 des Ehemanns.

시드 ¶ ~하다 Spieler setzen*; die Spitzenkönner (auf verschiedenen Turniergruppen) verteilen.
‖ ~선수 der gesetzte Spieler, -(e)s, -; die gesetzte Mannschaft, -en (팀).

시들다 ① 《초목이》 verwelken Ⓢ; verdorren Ⓢ; welk (dürr) werden; verblühen Ⓢ; vertrocknen Ⓢ. ¶ 시든 장미 verwelkte Rosen / 정원의 꽃들이 이내 시들어 버렸다 Die Blumen im Garten sind schon verwelkt.
② 《얼굴이 쭈그러지다》 verschrumpfen Ⓢ; zusammen|schrumpfen.
③ 《기운이》 niedergeschlagen (betrübt; bedrückt) sein (werden); entkräftet werden. ¶ 그녀는 이미 시들었다 Sie ist schon verblüht. / 그의 인기는 시들었다 Er hat s-e Popularität verloren. / 그의 젊음이 시들어 버렸다 Er hat s-e jugendliche Kraft verloren. / 시들게 하다 welken machen (lassen*); aus|dorren; dürr (vertrocken) machen.

시들방귀 dummes Zeug, -(e)s, -; langweilige Sache, -n.

시들병(一病) chronische Krankheit 《-en》, die zum körperlichen Zerfall führt.

시들부들, 시들시들 verwelkt; verdorrt. ~하다 leicht verwelkt (sein). ¶ 꽃이 ~ 시들었다 Die Blume ist leicht verwelkt.

시들이 mit Mißfallen (Unzufriedenheit; Abneigung; Mißgunst). ¶ ~ 여기다 (보다) auf die leichte Achsel(Schulter) nehmen*[4]; [3]sich nichts machen 《*aus*[3]》; wenig 《*von*[3]》 halten*; mißachten; geringschätzig behandeln[4]; nicht beachten[4]; ignorieren[4]; vernachlässigen[4]; außer Acht lassen*[4]; verachten[4] / 어른 말을 ~ 여기다 Bemerkungen älterer Person auf die leichte Schulter nehmen* / 이번 일은 ~ 여겨서는 안 된다 Es ist nicht ratsam, die Angelegenheit auf die leichte Schulter zu nehmen.

시들하다 ① 《보잘 것 없다》 unbefriedigend; ungenügend; unzulänglich; geschmacklos; fade; langweilig (sein); fehlen 《*an*[3]》; es fehlen lassen* 《*an*[3]》. ¶ 시들한 이야기 e-e langweilige Erzählung / 이제는 명예도 돈도 ~ Nun haben für mich Ruhm u. Geld k-e Bedeutung mehr.
② 《…하기가》 abgeneigt (sein); ungern tun; es widerstrebt 《*jm.*》 zu tun; nicht wollen; k-e Lust haben. ¶ 영화 보러 가기가 ~ Ich habe k-e Lust mehr, ins Kino zu gehen.
③ 《불만족》 unzufrieden 《*mit*[3]》; unvergnügt 《*über*[4]》; unbefriedigt 《*mit*[3]》 (sein); [4]sich nicht freuen 《*über*[4]》. ¶ 아무의 이야기를 시들하게 듣다 auf *jn.* teilnahmslos hören / 그 자리를 나한테 주었으나 나는 시들했다 Er bot mir die Stelle an, aber ich freute mich nicht so sehr darüber.

시디시다 sehr sauer (sein).

시래기 getrocknete Rettichblätter 《*pl.*》.

시량(柴糧) Heizmittel u. Nahrungsmittel 《*n.* -s, -》.

시러베아들 =실없장이.

시럽 Sirup *m.* -s, -e.

시렁 Wandregal *n.* -s, -e.
‖ ~가래 die für das Wandregal verwendete Querstange *f.* -n.

시력(視力) Seh¦kraft *f.* ⸗e (-schärfe *f.* -n; -vermögen *n.* -s, -); Augenlicht *n.* -(e)s; Gesicht *n.* -(e)s. ¶ ~이 나쁘다 schlechte Augen haben / ~이 나빠지다 [3]sich die Augen verderben* / ~이 좋다 gute Augen haben / ~을 회복하다 wieder sehend werden; die Sehkraft wieder|her|stellen (wieder erhalten*) / ~을 잃다 das Gesicht (Augenlicht) verlieren*; erblinden Ⓢ.
‖ ~감퇴 Augen¦schwäche (Seh-) *f.* -n. ~측정기 Augenmesser *m.* -s, -.

시련(試鍊) die harte Probe, -n; schwere Prüfung, -en; Versuch *m.* -(e)s, -e; Gottesurteil *n.* ¶ ~을 겪은 erprobt; geprüft; bewährt / ~을 겪다 geprüft werden; [4]sich prüfen lassen*; auf e-e harte Probe gestellt werden / 그는 ~을 많이 겪었다 Er ist durch e-e harte Schule gegangen.

시론(時論) ① 《시사의》 die aktuellen Fragen (Themen) 《*pl.*》; Tagesfragen 《*pl.*》. ② 《세론》 die offentliche Meinung, -en.

시론(詩論) Poetik *f.* -en; die Abhandlung (Kritik) 《-en》 über die Poesie; Lehre 《*f.* -n》 von der Poesie.

시론(試論) Essay [ɛ́se:] *m.* (*n.*) -s, -s; der literarische Versuch, -(e)s, -e.

시료(施療) kostenlose ärztliche Behandlung *f.* -en. ~하다 unentgeltlich behandeln[4]. ¶ ~를 받다 unentgeltlich behandelt werden.
‖ ~원 Armenapotheke *f.* -n; Armenheilanstalt *f.* -en. ~환자 unentgeltlicher Patient *m.* -en, -en.

시료(試料) 《광석의》 Probeerz *n.* -es, -e; Erz zur Probe.

시루 Dampftopf *m.* -(e)s, ⸗e. ¶ ~에 물붓기 Das heißt in die Luft greifen (ins Leere greifen; Luftstreiche machen; leeres Stroh dreschen; Wasser in ein Sieb schöpfen).
‖ ~떡 der gedünstete (gedämpfte) Reisku-

chen, -s, -.

시룽거리다 herum|tändeln; necken; hänseln; scherzen; spaßen.

시룽시룽 herumtändelnd; neckend; scherzend.

시류(時流) 《풍조》 der Strom 《-(e)s, ⸚e》 der Zeit; Zeit¦strömung *f.* -en 〔-stil *m.* -(e)s, -e; -umstände 《*pl.*》〕; Tagesgeschmack *m.* -(e)s, ⸚e; Mode *f.* -n (유행); Zeitgenosse *m.* -n, -n (시대인). ¶ ~에 따르다 〔역행하다〕 mit dem Strom 〔gegen *od.* wider den Strom〕 schwimmen* ⓢ; [4]sich der herrschenden Meinung der Zeit an|schließen* 〔wider|-setzen〕 / ~를 초월하다 weltlichen Einflüssen unzugänglich sein; über Zeitumstände erhaben sein / ~에 앞서다 der Zeit voraus|eilen 《*mit*[3]》 / ~를 좇다 der Mode gehorchen 〔folgen〕; den Zeitumständen Rechnung tragen*; den Zeitumständen entsprechend behandeln[4]; [4]sich der Zeit an|passen.

시르죽다 entmutigt 〔niedergeschlagen; verzagt; mutlos; betrübt; schwermütig〕 sein.

시름 Schwermut *f.*; Düsterheit *f.* -en; Düsterkeit *f.* -en; Trübsinn *m.* -(e)s; Langweile *f.* (권태); Melancholie *f.* -n [..lí:ən]; Traurigkeit *f.* -en(비통); Schmerz *m.* -es, -en (심통); Kummer *m.* -s (근심). ¶ ~을 풀다 den Kummer 〔die Sorgen〕 vertreiben*; trübe Gedanken aus dem Herzen verbannen; 《일반적》 [4]sich 〔*jn.*〕 zerstreuen; [4]sich 〔*jn.*〕 ab|lenken / ~을 달래고자 zur Erholung 〔Abwechslung〕; abwechselungshalber / 술로 ~을 달래다 den Schmerz durch Trinken betäuben / ~이 많은 kummervoll/~이 없는 kummer¦los 〔-frei〕 / ~에 잠긴 nachdenklich; betrübt; schwermütig; tiefsinnig; schmerzerfüllt; kummervoll.

시름겹다 voll von Sorge 〔Kummer; Angst; Bange; Besorgnis〕 (sein).

시름시름 mit lang dauernder Krankheit. ¶ ~ 앓다 an e-r chronischen Krankheit leiden*.

시름없다 ① 《걱정되다》 besorgt; ängstlich; bekümmert (sein). ② 《멍하다》 zerstreut; geistesabwesend; bestürzt; gedankenlos (sein).

시름없이 versehentlich; zufällig; unüberlegt; unvorsichtig; geistesabwesend; zerstreut. ¶ ~한 말 beiläufige Bemerkung/ 창 밖을 ~ 내다보다 geistesabwesend aus dem Fenster blicken.

시리다 《몸이 어떤 부분이》 [4]sich frieren*《*an*[3]》. ¶ 손이〔발이〕 ~ mich friert an den Händen 〔Füßen〕; ich friere an den Händen 〔Füßen〕; mir friert die Hände 〔Füße〕.

시리아 《나라 이름》 Syrien *n.* -s; Syrische Arabische Republik.

‖ ~사람 Syrer 〔Syrier〕 *m.* -s, -.

시리즈 Serie *f.* -n; Folge *f.* -n; Reihe *f.* -n.

시립(市立) 〖형용사적〗 städtisch; Stadt-. ¶ ~ 고등학교 die städtische höhere Schule / 이 병원은 ~이다 Dieses Krankenhaus ist städtisch.

‖ ~공원 Stadtpark *m.* -(e)s, -e. ~극장 Stadttheater *n.* -s, -. ~도서관 Stadtbibliothek *f.* -en.

시립(侍立) das Beisein*, -s; Aufwartung *f.*; Bedienung *f.*

시말(始末) der Anfang und das Ende; Tatumstände eines Falls 《*pl.*》; Einzelheiten 《*pl.*》; nähere Umstände 《*pl.*》.

‖ ~서 Rechenschaft *f.*; Rechenschaftsbericht *m.* -(e)s, -e; geschriebene Erklärung, -en (eines Falls); geschriebene Entschuldigung, -en: ~서를 쓰게 되다 (schriftlich) zur Rechenschaft gezogen werden.

시망스럽다 unartig; ungezogen; schrecklich; entsetzlich (sein).

시매기다(時—) e-n Termin fest|setzen; e-n Termin vereinbaren.

시맥(翅脈) 〖곤충〗 Nervenbündel *n.* -s, -.

시먹 〖미술〗 schwarze Umrißlinie, -en.

시먹다 widerspenstig (sein).

시멘트 Zement *m.* -(e)s, -e; Beton *m.* -s, -. ¶ ~를 굳히다 Zement ab|finden* / ~를 바르다 zementieren[4].

‖ ~공장 Zementfabrik *f.* -en. ~관(管) Zementrohr *n.* -(e)s, -e. ~믹서 Zementmischer *m.* -s, -. ~접합 Zementierung *f.* -en.

시모(媤母) =시어머니.

시묘(侍墓) das Trauern vor dem Grab der Eltern. ~하다 vor dem Grab der Eltern trauern (drei Jahre lang in einer Hütte neben dem Grab wohnend).

시무(始務) der Geschäftsbeginn 《-(e)s》 bei den Behörden am Jahresanfang 〔für das ganze Jahr〕.

시무(時務) laufende Geschäfte 《*pl.*》. ¶ ~에 환하다 vertraut mit laufenden Geschäften sein / 선비는 ~에 어둡다 Gelehrte sind meistens weltfremd.

시무(視務) ~하다 tätig sein. ¶ ~중이다 im Dienste sein; Dienst haben; bei der Arbeit sitzen.

‖ ~시간 Geschäftszeit *f.* -en; Geschäftsstunden 《*pl.*》; Dienststunden 《*pl.*》.

시무룩하다 mürrisch; ungesprächig; trotzig; übelgelaunt; verdrießlich (sein). ¶ 시무룩한 얼굴 ein mürrisches Gesicht, -(e)s, -er / 늘 시무룩해 있다 Er ist immer mürrisch. / 시무룩해지다 mürrisch 〔verdrießlich〕 werden; schmollen; böse sein / 그렇게 시무룩하지 마 Sei nicht so böse!

시문(時文) zeitgenössische Schrift, -en; gegenwärtige Literatur, -en.

‖ ~체 gegenwärtiger Stil 《-(e)s, -e》 der Literatur.

시문(詩文) Poesie u. Prosa.

‖ ~선 Auswahl von Prosa u. Poesien.

시문(試問) Prüfung *f.* -en; Ausfragung *f.* -en; Interview [..vjú:] *n.* -s, -s. ~하다 prüfen[4]; aus|fragen 《*nach*[3]; *um*[4]》; interviewen[4] [..vjú:ən].

시물(施物) Almosen *n.* -s, -; (Liebes)gabe *f.* -n; die milde Gabe, -n; Spende *f.* -n.

시뮬레이션 Simulation *f.* -en.

시뮬레이터 Simulator *m.* -s, -en.

시민(市民) Bürger *m.* -s, -; Bürgerschaft *f.* -en; Bürgertum *n.* -(e)s; Stadtbewohner *m.* -s, -; Städter *m.* -s, -; Stadtleute 《*pl.*》; Volk *n.* -(e)s, ⸚er. ¶ 서울 ~ Einwohner 《*m.* -s, -》 der Stadt Seoul / ~의 소리 Volksstimme *f.* -n.

‖ ~계급 Bürgerstand *m.* -es, ⸚e; Bürgertum *m.*: 그는 ~계급이다 Er gehört zum Bürgertum. ~권 Bürgerrecht *n.* -(e)s, -e: ~권을 포기하다 auf sein Bürgerrecht verzichten / ~권을 주다 *jm.* das Bürgerrecht erteilen / ~권을 획득하다 das Bürgerrecht erwerben*. ~대회 Bürgerversammlung *f.* -en. ~세 Bürgersteuer *f.* -n.

시반(屍斑) 〖의학〗 Toten¦fleck (Leichen-) *m.* -(e)s, -e.

시발(始發) 《열차의》 die erste Abfahrt, -en. ¶ ~열차 der erste Zug, -(e)s, ⸚e / 이 열차는 ~역이 서울이다 Der Zug fährt von Seoul ab.

‖ **~역** Abfahrtsbahnhof *m.* -(e)s, ⸚e.

시방(時方) =지금.

시방서(示方書) genaues Verzeichnis, -ses, -se; technische Beschreibung, -en.

시범(示範) Vorbild *n.* -(e)s, -er (für die andern); Muster *n.* -s, -. **~하다** ein Beispiel geben*.

‖ **~경기** Musterwettkampf *m.* -(e)s, ⸚e. **~농장** Musterhof *m.* -(e)s, ⸚e. **~학교** Musteranstalt *f.* -en.

시베리아 Sibirien. ¶ ~의 sibirisch.

‖ **~사람** Sibirier *m.* -s, -. **~철도** die Sibirische Eisenbahn.

시변(市邊) ① 《변두리》 Vorort *m.* -(e)s, -e (einer Stadt). ② =장변(場邊).

시보(時報) ① Zeitansage *f.* -n(라디오의); Zeitsignal *n.* -(e)s, -e. ② 《보도》 Zeitungsnachricht *f.* -en; Zeitfunk *m.* -(e)s; Zeitung *f.* -en; Amtsblatt *n.* -(e)s, ⸚er; Bulletin *n.* -s, -s; Kritik *f.* (평론).

시보(試補) Assessor *m.* -s, -en [..sóːrən]; Probekandidat *m.* -en, -en.

‖ 사법관~ Referendar (Referendär) *m.* -s, -e; Referendarius *m.* -, ..rien.

시복(諡福) Seligsprechung *f.* -en. **~하다** selig|sprechen* 《*jn.*》.

‖ **~식** Seligsprechung.

시봉(侍奉) Pflege 《*f.* -》 der Eltern 《*pl.*》; Sorgen für die Eltern. **~하다** für s-e Eltern sorgen; s-e Eltern pflegen.

시부(媤父) =시아버지.

시부(詩賦) „shih“ (= Gedichte) und „fu“ (= poetische Essays); (Chinesische) Poesie *f.* -n; Dichtung *f.* -en (im weitesten Sinne).

시부렁거리다 schwatzen; plappern; plaudern.

시부모(媤父母) Schwiegereltern 《*pl.*》.

시부저기 ohne Anstrengung; mühelos; leicht; ohne Schwierigkeit; „ohne e-n Finger zu rühren“.

시부적시부적 =시부저기.

시분(一粉) e-e mit Pulver gezeichnete Linie, -n.

시비(市費) städtische Ausgaben 《*pl.*》; 《경비》 städtische Kosten 《*pl.*》. ¶ ~로 경영되는 치료소 auf städtische Kosten unterhaltener Gesundheitsdienst.

시비(侍婢) Kammerzofe *f.* -n.

시비(是非) ① 《잘잘못》 Recht u. Unrecht *n.* des - u. -(e)s. ¶ ~의 판단 die Unterscheidung zwischen Recht und Unrecht / ~를 가리다 das Recht und Unrecht klar|stellen; die wahren Tatsachen klären; die Sache beim rechten Namen nennen* / ~를 가릴 줄 알다 Recht von Unrecht unterscheiden können*; zurechnungsfähig sein / ~를 논하다 Recht u. Unrecht unterscheiden; das Für u. Wider e-r Sache bereden.

② 《논쟁》 Disput *m.* -(e)s, -e; Wort¦wechsel *m.* -s, - (-streit *m.* -(e)s, -e); Krach *m.* -(e)s; Zank *m.* -(e)s. ¶ ~하다 e-n Wortwechsel (-streit) haben 《mit *jm. über*[4]》; disputieren 《mit *jm. über*[4]》; Krach haben 《mit *jm. über*[4]》; zanken 《mit *jm. über*[4] (*um*[4])》 / ~를 걸다 e-n Wortstreit an|fangen* (an|zetteln; beginnen*; entfachen) / 그들 사이에는 격렬한 ~가 벌어졌다 Zwischen ihnen entbrannte ein heftiger Streit.¦Zwischen ihnen kam es zum heftigen Krach.

시비(施肥) Düngung *f.* -en; das Düngen*, -s. **~하다** düngen[4]; mit Dünger versetzen (vermischen).

시비주비(是非一) Händelsucher *m.* -s, -; Rädelsführer *m.*; Streithammel *m.* -s, ⸚; 《흠잡이》 Tadler *m.* -s, -; Krittler *m.* -s, -; Nörgler *m.* -s, -.

시빌미니멈 das minimale Lebensniveau [..nivoː] 《-s》 des Bürgers (des Stadtbewohners); die mindeste Lebensbedingung 《-en》 für den Stadtbewohner.

시뻘겋다 hochrot; brennend rot (sein). ¶ 시뻘겋게 단 난로 der rotglühende Ofen, -s, ⸚ / 시뻘겋게 단 쇠 das rotglühende Eisen.

시쁘다 =시들하다.

시사(示唆) Andeutung *f.* -en; Beeinflussung *f.* -en; Suggestion *f.* -en; Wink *m.* -s, -e; Hinweis *m.* -es, -e. **~하다** an|deuten[4]; beeinflussen[4]; suggerieren[4]; e-n Wink geben* 《*jm.*》; hin|weisen* 《*auf*[4]》; zu verstehen geben*. ¶ ~적 anregend; einflußgebend; suggestiv; andeutend; vielsagend.

시사(侍史) 《편지 겉봉에》 Hochwohlgeboren.

시사(時祀) =시향.

시사(時事) Aktualitäten 《*pl.*》; Tagesneuigkeit *f.* -en; das aktuelle Thema, -s, ..men (-ta). ¶ ~를 논하다 die laufenden Ereignisse (die Tagesbegebenheiten) besprechen* (behandeln; verhandeln); über die Zeitfragen sprechen* / ~에 밝다 in den Tagesbegebenheiten bewandert sein; auf dem Laufenden sein (bleiben*[s]); [4]sich auf dem Laufenden halten* / ~에 어둡다 in den Tagesbegebenheiten wenig bewandert sein; hinter der Zeit zurück sein.

‖ **~문제** Tagesfrage (Zeit-) *f.* -n: ~문제를 해설하다 e-n Kommentar über aktuelle Fragen geben*. **~평론** die Kritik über Tagesbegebenheiten. **~해설** Kommentar über Tagesfragen: ~해설가 Kommentator über Tagesfragen.

시사(試射) das Probeschießen*, -s; Probeschuß *m.* ..schusses, ..schüsse; das Einschießen*, -s. **~하다** ein Gewehr (e-e Kanone) probieren (ein|schießen*); e-n Probeschuß tun*. ‖ **~탄** Probeschuß.

시사(試寫) 《영화의》 Vorschau *f.* (드물게) -en; die private Vorführung, -en. **~하다** e-n Film vor geladenen Gästen vor|führen; privat vor|führen. ¶ 어제 ~회가 있었다 Gestern fand eine Probevorführung des Films statt.

‖ **~실** Vorführungsraum *m.* -(e)s, ⸚e; Vorführraum *m.* **~회** Probevorführung des Films.

시산(試算) Probe *f.* -n.; Rechenprobe *f.* -n.

‖ **~표** Probebilanz *f.* -en.

시살(弑殺) Mord *m.* -(e)s, -e (an e-m Höhergestellten, Vorgesetzten); Meuchelmord *m.* -(e)s, -e; Ermordung *f.* -en. **~하다** töten[4]; (er)morden[4]; meuchlerisch umbringen; meucheln.

시삼촌(媤三寸) der Onkel 《-s, -》 des (Ehe-) mannes.

시상(施賞) Zuerkennung *f.* -en (e-s Preises). **~하다** *jm.* e-n Preis zu|erkennen* (geben*). ‖ ～식 Preisverleihung *f.* -en.

시상(時相) 〖문법〗 Zeitform *f.* -en; Tempus *n.* -, ..pora.

시상(視床) 〖해부〗 Sehhügel *m.* -s, -.

시상(詩想) die dichterische Idee, -n [idé:ən]; die dichterische Phantasie, -n [..zí:ən] (공상); die dichterische Eingebung, -en. ¶ 좀처럼 좋은 ～이 떠오르지 않는다 Es kommt mir selten ein glänzender dichterischer Einfall.

시새 feiner Sand, -(e)s, -e.

시새우다, 시새다 sehr eifersüchtig (neidisch 《*auf*[4]》; argwöhnisch; mißtrauisch 《*gegen*[4]》) sein. ¶ 네 친구의 성공을 시새지 마 Sei nicht so neidisch auf den Erfolg deines Freundes!

시생(侍生) Ich; mir; mich; Ihr ergebener; Ihr ergebenster...; Ergebenst Ihr...; Ich verbleibe hochachtungsvoll ergebenst.

시생대(始生代) 〖지질〗 Archaikum *n.* -s; Erdurzeit. *f.* ¶ ～의 archaisch; zur Erdurzeit gehörig.

시서느렇다 kalt (geworden) sein 《Essen》.

시석(矢石) Pfeile 《*pl.*》 u. Schrotkugeln 《*pl.*》; das Bogenschießen* u. Schleudern*, -s.

시선(視線) Blick *m.* -(e)s, -e; Gesichtkreis *m.* -es, -e. ¶ 날카로운 ～으로 mit spähenden Augen / ～을 피하다 den Blick ab|wenden (aus|weichen*) / 그는 그녀의 ～과 마주쳤다 Er begegnete ihrem Blick. / 그들의 ～이 마주쳤을 때 als ihre Blicke sich (einander) kreuzten (trafen) / 모든 사람의 ～이 그에게로 쏠렸다 Alle sahen ihn an.¦Er zog aller Augen auf sich. / 그 비행기는 우리 ～에서 사라졌다 Das Flugzeug entschwand unseren Blicken. / …에게 ～을 주다(주지 않다) *jm.* einen (keinen) Blick schenken / ～을 주고 받다 einen Blick wechseln / …에게 ～을 던지다 *jm.* einen Blick zu|werfen*.

시선(詩仙) Dichterfürst *m.* -en, -en; Dichterkönig *m.* -s, -e; der große Dichter, -s, -. ¶ ～ 괴테 Goethe, der Dichterfürst.

시선(詩選) Anthologie *f.* -n; Blüten¦lese (Blumen-) *f.* -n; Gedichtsammlung *f.* -en. ‖ 현대～ Anthologie moderner Gedichte.

시설(施設) Einrichtung *f.* -en; Institution *f.* -en; Anstalt *f.* -en (시설물); Institut *n.* -(e)s, -e; Installation *f.* -en (설비); Ausstattung *f.* -en. ～하다 ein|richten[4]; an|legen[4]; installieren[4]; aus|statten[4]; mit [3]*et.* versehen*. ¶ ～이 좋은 reichlich (gut) versehen / 냉방～이 되어 있다 mit e-r Klimaanlage versehen sein / 이 공장은 합목적적으로 ～되어 있다 Diese Fabrik ist zweckmäßig eingerichtet.

‖ ～비 Einrichtungskosten 《*pl.*》. ～투자 Kapitalanlage (Investition) für Einrichtungen. 공공～ öffentliche Einrichtungen. 교육～ die pädagogische Einrichtung, -en. 산업～ Industrieanlage. 하수～ Entwässerungsanlage *f.* -n.

시성(詩聖) Dichter¦fürst *m.* -en, -en (-könig *m.* -(e)s, -e); der große (geniale) Dichter, -s, -.

시성(諡聖) Heiligsprechung *f.* -en. ～하다 heilig|sprechen* 《*jn.*》.

시성식(示性式) 〖화학〗 rationelle Formel, -n.

시세(市稅) Stadtsteuer *f.* -n; Bürger¦steuer (Gemeinde-) (지방의).

시세(市勢) 〖경제〗 Marktlage *f.* -n.

‖ ～조사 die Volkszählung 《-en》 für das Stadtgebiet: ～조사를 하다 e-e städtische Volkszählung halten*.

시세(時世) Zeiten 《*pl.*》; Zeitverhältnisse 《*pl.*》; Zeitumstände 《*pl.*》; Epoche *f.* -n; Ära *f.* ..ren; Zeitalter *n.* -. ¶ ～의 진보 der Fortschritt der Zeiten; der gegenwärtige Fortschritt.

시세(時勢) ① 《세상 형편》 Zeit *f.* -en; Zeitströmung *f.* -en (-läufte 《*pl.*》; -umstände 《*pl.*》); Zeittendenz *f.* -en; die Richtung der Zeit; Zeitlage *f.*; Zeiten 《*pl.*》. ¶ ～가 이런걸 《체념》 Das sind Zeiten! / ～가 험하군 Es sind schlechte Zeiten. / ～에 쫓다 [4]sich nach den Zeitumständen richten; mit der Zeitströmung schwimmen*; dem Zeitgeist folgen / 그는 ～에 뒤지지 않으려고 노력한다 Er bemüht sich, mit der Zeit gleichen Schritt zu halten.

② 《싯가(時價)》 Marktpreis *m.* -es, -e; Marktkurse 《*pl.*》. ¶ 쌀(미곡) ～ Marktpreis von Reis / 달러 ～ Wechselkurs von Dollar / 주식 ～ Börsenkurse 《*pl.*》 / ～의 변동 die Schwankung der Marktkursen / ～가 내렸다(올랐다) Die Kurse sind gefallen (gestiegen).

시세닿다(時勢—) e-n hohen Preis erreichen (erzielen) hoch im Preis stehen*. ¶ 시세가 닿기를 기다리다 abwarten, bis man e-n hohen Preis erzielt / 시세가 닿아서 땅을 팔았다 Als das Grundstück hoch im Preis stand, verkaufte ich es.

시소 Wippe *f.* -n; Schaukelbank *f.*

‖ ～게임 das hin u. her schwebende Spiel, -(e)s, -e; das wechselvolle Spiel: 시종 ～ 게임이 계속되고 있다 Das Spiel schwebt von Anfang bis Ende hin u. her.

시속(時俗) die Gebräuche 《*pl.*》 des Zeitalters (der Zeiten); die derzeitigen Gebräuche.

시속(時速) Stundengeschwindigkeit *f.* -en. ¶ 비행기는 ～750 킬로로 날고 있다 Das Flugzeug fliegt mit der Stundengeschwindigkeit von 750 km. / ～ 60 km 로 mit einer Geschwindigkeit von 60 km in der Stunde; mit 60 km Stundengeschwindigkeit.

시솔(侍率) Besorgung (Pflege) der Alten und Jungen 《*pl.*》.

시숙(媤叔) Schwager *m.* -s, ⸗; der ältere (jüngere) Bruder 《-s, ⸗》 des Ehegatten.

시술(施術) Operation *f.* -en. ～하다 operieren 《*jn.*》.

시스템 System *n.* -s, -e.

‖ ～공학 Systemforschung *f.* -en.

시습(時習) wiederholte Übung, -en. ～하다 wiederholt üben (was man gelernt hat).

시승(試乘) Probefahrt *f.* -en; Proberitt *m.* -(e)s, -e (승마). ～하다 probefahren*Ⓢ; probeweise fahren* Ⓢ; e-n Proberitt (Probefahrt) machen; zur Probe reiten* Ⓢ.

시시각각(時時刻刻) Stunde um Stunde; Minute auf Minute; von Stunde zu Stunde; augenblicklich; momentan. ¶ ～으로 변하다 beständig wechseln / ～으로 변하는 광경 ein beständig wechselndes Bild / ～의 변화 der kaleidoskopische Wechsel / 위험이 ～으로 다가오고 있다 Es wird immer gefährlicher. / 형세가 ～으로 변한다 Die Lage verändert sich von Stunde zu Stunde.

시시덕거리다 《남녀가》 tändeln (liebeln; schäkern) 《mit *jm.*》; neckend liebkosen 《*jn.*》; auf nette Art schwerenötern.

시시덕이 dummer (einfältiger; lächerlicher)

Mensch, -en, -en; dummer Narr, -en, -en.

시시때때로(時時—) dann und wann; hin und wieder; ab und zu; gelegentlich; zuweilen; von Zeit zu Zeit; manchmal.

시시부지하다 in Vergessenheit geraten* [s]; der ³Vergessenheit an|heimfallen* [s]; vergessen* werden; verschwinden* [s]; dahin|-schwinden* [s]; zergehen* [s]; vergehen* [s]; ⁴sich in Rauch (Luft) auf|lösen; im Sand(e) verlaufen*; verdunsten [s]; verfliegen* [s]; verflüchtigen [s]. ¶ 그 사건은 시시부지하게 끝났다 Endlich geriet die Angelegenheit in Vergessenheit. / 한 달이 지나자 그 살인 사건도 시시부지해졌다 Nach einem Monat wurde der Mordfall vergessen. / 돈이 시시부지하게 없어졌다 Mein Geld hat sich in Luft aufgelöst. / 그는 돈을 시시부지하게 쓴다 Er gibt das Geld aus, als ob es nicht wäre.

시시비비(是是非非) e-e unparteiische Haltung, -en; Unparteilichkeit *f.* -en. ¶ ~로 나가다 e-e unparteiische Haltung ein|-nehmen*; es mit k-r bestimmten Partei halten*.
‖ ~주의 freie und unparteiische Politik.

시시하다 ① 《어리석다》 albern; töricht; unsinnig; dumm; blöde; 《이치에 맞지 않다》 verkehrt (sein). ② 《무익하다》 nutzlos; unnütz; eitel; fruchtlos; nichtig; nichtnutzig (sein). ③ 《미미하다》 gering; geringfügig; unbedeutend; unwichtig; belanglos (sein). ④ 《무가치한》 wertlos; nichtswürdig (sein). ⑤ 《흥미없다》 langweilig; uninteressant (sein). ¶ 시시한 것 wertloses Zeug, -(e)s, -e; Plunder *m.* -s, -; Trödel *m.* -s / 시시한 사람 ein unbedeutender (langweiliger; nichtsnutziger) Mensch, -en, -en / 시시한 소리를 하다 Unsinn (Quatsch) reden (schwatzen)/ 그런 얘기는 내게 ~ Solche Geschichten sind mir langweilig.¦Das interessiert mich gar nicht. / 시시한 일 Kleinigkeit (Geringfügigkeit) *f.* -en; geringfügige Sache, -n / 시시한 이야기 leeres Geschwätz, -es (쓸데없는 이야기) / 시시한 일로 다투다 um nichts streiten* / 시시한 짓을 하다 e-e Torheit begehen*; dummes Zeug machen.

시식(時食) Spezialität 《-en》 e-r Jahres- zeit; Speise(n), die man nur während e-r bestimmten Jahreszeit essen kann.

시식(試食) Kostprobe *f.* -n; das Kosten*; das Prüfen* des Geschmacks. ~하다 kosten⁴; probieren⁴; versuchen; versuchsweise essen*⁴. ¶ 한번 ~해 보시겠어요 Wollen Sie es einmal probieren? / 이 수프를 ~해 보세요 Probieren Sie bitte diese Suppe!
‖ ~회 e-e Versammlung zum Probeessen 《*von*³》.

시식(試植) Versuchsanbau *m.* -(e)s, -e; der versuchsweise (probeweise) Anbau. ~하다 versuchsweise an|bauen⁴ (pflanzen⁴).

시식돌(施食—) 〖불교〗 ein Stein, auf dem Opfer speisen für die Geister aufgestellt sind, während man nach e-r Totenfeier buddhistische heilige Schriften liest.

시신(侍臣) Beamte 《*pl.*》 in der Umgebung des Kaisers (Königs); diensthabende Beamte 《*pl.*》. ⌈-n.

시신(屍身) Leichnam *m.* -(e)s, -e; Leiche *f.*

시신경(視神經) Seh¦nerv (Augen-) *m.* -es (-en), -en.
‖ ~염 die Entzündung der Augenpapillen.

시심(詩心) die dichterische Veranlagung, -en. ¶ ~이 있다 dichterisch veranlagt (begabt) sein; e-e dichterische Ader haben.

시아버님(媤—) (Dein, Ihr, ihr) verehrter Schwiegervater, -s, ⸚. ⌈Frau).

시아버지(媤—) Schwiegervater *m.* -s, ⸚ (e-r

시아이시 CIC [si ai si] [◀*C*ounter *I*ntelligence *C*orps.

시아주버니(媤—) ☞ 아주버니.

시안(試案) Entwurf *m.* -(e)s, ⸚e. ¶ ~을 수락(거절)하다 e-n Entwurf an|nehmen* (ab|lehnen) / ~을 만들다 e-n Entwurf an|fertigen (herstellen; machen) / ~을 제시하다 e-n Entwurf vor|legen.

시안 〖화학〗 Zyan *n.* -s.
‖ ~화물(化物) Zyanid *n.* -(e)s, -e; Zyanverbindung *f.* -en. ~화칼리 Zyankalium *n.* -s; Zyankali *n.* -s.

시앗 Kebse *f.* -n; Kebsweib *n.* -(e)s, -er; Beischläferin *f.* -nen; Konkubine *f.* -n; Nebenfrau *f.* -en (des eigenen Mannes). ¶ ~을 보다 sehen, daß der eigene Mann e-e Nebenfrau nimmt.

시야(視野) Gesichts¦feld (Blick-; Seh-) *n.* -(e)s, -er; Gesichts¦kreis (Seh-) *m.* -es, -e; Horizont *m.* -(e)s, -e; Sehweite *f.* -n. ¶ ~에 들어오다 in ⁴Sicht kommen* [s]; in den Gesichtskreis treten* [s]; sichtbar werden/ ~를 가리다 k-n freien Blick haben / ~에서 사라지다 aus dem Gesichtskreis verschwinden* (entschwinden*) / ~가 넓다 (좁다) e-n weiten (beschränkten) Horizont haben; ein weites (enges) Gesichtsfeld haben / ~를 넓히다 s-n Horizont (Gesichtskreis) erweitern / ~에 있다 (없다) in (außer) Sehweite sein.

시야비야(是也非也) Recht und (oder) Unrecht; richtig und (oder) falsch.

시약(施藥) Arzneispende *f.* -n. ~하다 *jm.* unentgeltlich ⁴Medizin (Arznei; Heilmittel) geben*.

시약(試藥) 〖화학〗 Reagens *n.* -, ..genzien; Reagenz *n.* -es, ..zien.
‖ ~병 Reagenzflasche *f.* -n.

시약불견(視若不見) e-e Verstellung 《-en》, als ob man etwas nicht gesehen hätte. ~하다 so tun, als ob man etwas nicht gesehen hätte.

시어(詩語) e-e poetische (dichterische) Ausdrucksweise, -n.

시어머니, 시어미(媤—) Schwiegermutter *f.* ⸚.

시어머님(媤—) (Deine, Ihre, ihre) verehrte Schwiegermutter, ⸚.

시업(始業) Arbeitsbeginn *m.* -(e)s; Schulanfang *m.* -(e)s (학교의). ~하다 an|fangen* zu arbeiten; (wieder) an die Arbeit gehen* [s]; eröffnen; 《학교가》 den Unterricht beginnen*.
‖ ~식 die Feierlichkeit beim Schul¦beginn (Arbeits-); Eröffnungsfeier *f.* -n.

시에라리온 《아프리카의 공화국》 Sierra Leone. ¶ ~의 sierraleonisch.
‖ ~사람 Sierraleoner *m.* -s, -.

시여(施與) Gabe *f.* -n; Almosen *n.* -s, -. ~하다 geben* 《*jm.* ⁴*et.*》; spenden 《*jm.* ⁴*et.*》; gewähren 《*jm.* ⁴*et.*》. ⌈-n.

시역 e-e schwierige (mühevolle) Aufgabe,

시역(市域) Stadtgebiet *n.* -(e)s, -e.

시역(始役) Beginn 《*m.* -s》 der Bauarbeiten. ~하다 mit den Bauarbeiten an|fangen* (beginnen*).

시역(弑逆) =시살.
시역(視域) ① 〖물리〗 Feld *n.* -(e)s, -er. ② 《영역》 Gesichtsfeld; Blickfeld. ③ 《비유적》 Gesichtskreis *m.* -(e)s, -e. ¶ 망원경의 ~ das Gesichtsfeld des Teleskops.
‖ ~렌즈 Feldstecher *m.* -s, -e; Krimstecher; Fernglas *n.* -es, ⸗er.
시연(試演) Probe *f.* -n; Übungsaufführung *f.* -n; Übung vor einer Aufführung. ~하다 proben[4]; zur Übung auf|führen[4]; Probe ab|halten* (감독이); Probe spielen (출연자).
‖ 공개~ die öffentliche Probe, -n.
시영(市營) die städtische Verwaltung, -en (관리); ein städtischer Betrieb, -(e)s, -e (경영). ¶ ~의 von der Stadt besessen und betrieben; städtisch; Stadt-.
‖ ~버스 ein städtischer Omnibus, -ses, -se. ~풀 e-e städtische Badeanstalt, -en. ~주택 e-e städtische Wohnung, -en; ein städtisches Miethaus (임대 주택). ~화 Verstadtlichung *f.* -en: ~화하다 verstadtlichen; die Obrigkeitsgewalt verleihen*.
시오니즘 Zionismus *m.* -.
시온 〖지리〗 Zion *m.* -(s).
시왕가르다(十王一) 《무당이》 e-e Totenfeier 《-n》 begehen*[4] 《Schamane》.
시왕가름(十王一) e-e schamanische Totenfeier.
시외(市外) Umgegend 《*f.* -en》 e-r Stadt; Vorstadt *f.* ⸗e; Vorort *m.* -(e)s, -e. ¶ ~에서 살다 außerhalb der Stadt (in der Vorstadt) wohnen.
‖ ~거주자 Vorstädter *m.* -s, -. ~전화 Ferngespräch *n.* -(e)s, -e (장거리 전화): ~전화국 Fernamt *n.* -(e)s, ⸗er.
시외가(媤外家) das Haus (die Familie) der Schwiegermutter.
시외삼촌(媤外三寸) der Onkel 《-s, -》 des (Ehe)mannes.
시용(試用) Versuch *m.* -(e)s, -e; Probe *f.* -n; Untersuchung *f.* -en; Prüfung *f.* -en. ~하다 probieren[4]; versuchen[4]; e-e Probe (e-n Versuch) machen; probeweise (versuchsweise) gebrauchen[4]. ¶ ~으로 zur (auf) Probe.
시우(時雨) zeitgemäßer Regen, -s, -.
시우(詩友) Dichterfreund *m.* -es, -e; Freund in der Dichtung (Poesie).
시우쇠 Roheisen *n.* -s, -.
시운(時運) der günstige (richtige) Zeitpunkt, -es, -e; Glück *n.* -es; Glücksfall *m.* -(e)s, ⸗e. ¶ ~성쇠 Glückswechsel *m.* -(e)s, -; das Schwanken* des Glückes / ~이 바뀌어 bei der Wendung der Dinge / ~이 나쁘다 Die Lage (Situation; Sachlage) ist für uns ungünstig. / ~이 형통(亨通)하다 Das Glück lächelt uns.
시운전(試運轉) Probefahrt *f.* -en (열차 등의); Probe *f.* -n; Test *m.* -(e)s, -e (-s). ~하다 probefahren*; eine Probefahrt machen; 《기계를》 zur Probe laufen lassen*.
시울 =가장자리.
시원섭섭하다 gemischte Gefühle der Freude und Trauer hegen (fühlen). ¶ 시원섭섭한 감정 gemischtes Gefühl der Freude und Trauer / 학교를 졸업하게 되니 ~ mit gemischten Gefühlen die Schule verlassen.
시원스럽다 《성격이》 offen; freimütig; heiter; schneidig; aufgeschlossen; offenherzig; 《동작이》 lebhaft; frisch; munter; flink; mutig; hemmungslos; feurig (sein). ¶ 시원스런 눈 große Augen / 시원스런 성격 offenes Wesen / 시원스런 인간 hemmungsloser Mensch / 시원스런 조망 offener Ausblick, -(e)s, -e / 시원스럽게 행동하다 hemmungslos (freimütig) handeln / 시원스럽게 말하다 offenherzig (schneidig) sprechen*.
시원시원하다 klar u. fließend; beredt; geläufig; redegewandt (sein). ¶ 시원시원히 말을 했다 Er hat redegewandt darüber ausgesagt. / 시원시원하게 대답했다 Er hat klare Antwort gegeben.
시원찮다 unbefriedigend; ungenügend; unklar; unbestimmt; fehlend; nicht anregend; geistlos; unempfindlich; stumpfsinnig; enttäuschend (sein). ¶ 시원찮은 대답 unbestimmte (unwillige) Antwort, -en / 결과가 별로 ~ Das Ergebnis ist nicht genügend. / 내 건강이 ~ Meine Gesundheit ist nicht ganz, wie sie sein sollte. / 시원찮은 일 e-e unbefriedigende Arbeit / 그의 능력은 ~ Seine Leistungen sind unbefriedigend. / 시원찮은 해명 e-e ungenügende Erklärung, -en / 그의 발음은 ~ S-e Aussprache ist mangelhaft.
시원하다 《상쾌하다》 frisch; erquickt; erfrischend; erquickend; auffrischend; labend; kühl; lebhaft; angenehm (sein). ¶ 시원한 바람 ein kühler Wind, -(e)s, -e / 시원한 공기 kühle Luft / 시원한 음료 erfrischende Getranke 《*pl.*》 / 눈매가 ~ klare (schöne) Augen haben / 시원한 목욕을 하다 ein erfrischendes Bad nehmen / 시원한 아침 ein frischer Morgen / 시원한 외모 ein frisches Aussehen / 냉수샤워를 하니 시원했다 Die kalte Dusche hat mich frisch gemacht.
시월(十月) Oktober *m.* -s, - 《생략: Okt.》.
‖ ~막사리 gegen Ende des Oktobers. ~상달 der Erntemonat Oktober.
시위[1] 《활의》 Sehne *f.* -n. ¶ ~를 메우다 e-n Bogen bespannen / ~를 당기다 e-n Bogen (e-e Sehne) spannen.
시위[2] ① 《홍수》 Flut *f.* -en; Überschwemmung *f.* -en; Hochwasser *n.* -s. ② 《비유적》 Erguß *m.* ..gusses, ..güsse; Fülle *f.*; Menge *f.* -n. ③ 〖성서〗 Sintflut *f.* -en. ④ 〖시〗 Strom *m.* -(e)s, ⸗e. ¶ ~가 나다 überflutet (überschwemmt) sein.
시위(示威) Demonstration *f.* -en; (Massen-)kundgebung *f.* -en; Scheinmanöver *n.* -s, -. ~하다 demonstrieren; e-e Kundgebung 《*für*[4]; *gegen*[4]》 machen. ¶ ~적 demonstrativ / ~에 참가하다 an e-r Demonstration (Kundgebung) teil|nehmen* / 도처에서 대대적인 반정부 ~가 있었다 Es fanden überall große Kundgebungen gegen die Regierung statt.
‖ ~운동 Demonstration *f.* -en: ~운동자 Demonstrant *m.* -en, -en; Kundgeber *m.* -s, -. ~행진 Parade *f.* 가두~ Straßendemonstration *f.*
시위(侍衛) Leibwache *f.* -n; Leibgarde *f.* -n; Leibgardist *m.* -en, -en. ~하다 bewachen 《*jn.*》; als Begleiter dienen.
시위소찬(尸位素餐) 《직위》 Sinekure *f.*; Ehrenposten *m.* -s, -; einträgliches Ruheamt, -es, -er; fette Pfründe, -n. ¶ ~의 몸 der Inhaber 《-s, -》 einer Sinekure 《-n》; e-r, der Pfründe ohne Amtspflichten hat; jemand, der ein müheloses, aber einträgliches Leben führt.
시위적- =시적-.
시유(市有) der städtische Besitz, -es, -e.

¶ ~의 städtisch; Stadt-; Gemeinde-; der ³Stadt (Gemeinde) gehörend / ~로 하다 städtisch machen⁴; in städtische Verwaltung übernehmen*⁴; unter städtische Verwaltung bringen*⁴. ‖ **~재산** Stadteigentum *n.* -(e)s, ⸚er. **~지** e-r Stadt gehörendes Grundstück, -(e)s, -e.

시율(詩律) metrische Regel, -n; Metrik *f.* -n; Verslehre *f.* -n.

시은(施恩) Dankbarkeit *f.* **~하다** s-e Dankbarkeit bezeigen.

시음(試飮) das Trinken zur Probe. **~하다** zur Probe trinken*⁴; probieren⁴; kosten⁴.

시읍면(市邑面) 《행정 구역》 Gemeinde *f.* -n; Städte und Dörfer.

‖ **~세** Gemeindesteuer *f.* -n.

시의(侍醫) Leib¦arzt (Hof-; Haus-) 《*m.* -es, -e》 eines Königs, hohen Politikers *usw.*

시의(時宜) die richtige (passende) Zeit (Gelegenheit) -en. ¶ ~에 맞는 den Zeitumständen entsprechend; rechtzeitig; angebracht / ~에 맞지 않는 unzeitig; unpassend / ~를 얻은 말 angebrachte (passende) Bemerkung, -en; Bemerkung zur rechten Zeit / ~에 맞는 말을 하다 den Nagel auf den Kopf treffen*; mit ³*et.* ins Schwarz treffen*.

시의(猜疑) Argwohn *m.* -(e)s; Mißtrauen *n.* -s; Verdacht *m.* -(e)s. ¶ ~하는 argwöhnisch; mißtrauisch / ~심을 품다 Argwohn fassen (schöpfen); Verdacht hegen (schöpfen); argwöhnen⁴.

시의회(市議會) Stadt¦rat *m.* -(e)s, ⸚e (-verordnetenversammlung *f.* -en); Gemeindevertretung e-r Stadt.

‖ **~의사당** Stadthalle *f.* -n. **~의원** Stadtrat *m.* -(e)s, ⸚e; der Stadtverordnete*, -n, -n; Mitglied des Gemeindevorstandes e-r Stadt: ~의원 선거 die städtische Wahl, -n. **~의장** der Vorsitzende* 《-n, -n》 einer Stadtverordnetenversammlung.

시인(是認) Billigung *f.* -en; Bewilligung *f.* -en; Genehmigung *f.* -n (인가); das Gutheißen*, -s; Rechtfertigung *f.* -en. **~하다** billigen⁴; *jm.* bewilligen⁴; genehmigen⁴; gut¦heißen*⁴; rechtfertigen⁴; zu¦geben*; zu¦stimmen. ¶ ~해야 할 zulässig; gerechtfertigt; zu billigen / 그는 자신이 잘못 행동하였음을 ~하려고 하지 않았다 Er wollte nicht zugeben, daß er falsch gehandelt habe.

시인(詩人) Dichter *m.* -s, -; Poet *m.* -en, -en. ¶ 엉터리 ~ Dichterling *m.* -s, - / 여류 ~ Dichterin *f.* ..rinnen / 「~의 사랑」 „Dichterliebe" *f.*

시일(侍日) 〖천도교〗 der Gottesdiensttag 《-s, -e》 der *Cheondo* Religion; Sonntag.

시일(時日) Datum *n.* -s, ..ten (..ta) (연, 월, 일); Termin *m.* -s, -e (기한); Zeit *f.* -en; Zeit¦angabe *f.* -n (-punkt *m.* -(e)s, -e). ¶ ~이 지나면 알게 된다 Die Zeit wird es lehren.¦Das wird sich mit der Zeit zeigen. ¦Die Zeit offenbart alle Lüge. (거짓이 드러나다) / ~이 해결해 준다 Kommt Zeit, kommt Rat. / ~이 지나면 잊혀진다 Die Zeit heilt alle Wunden.¦Die Zeit ist der beste Arzt. / ~이 절박하다 Die Zeit drängt. / ~을 늦출 수 없다 Die Sache duldet (leidet) k-n Aufschub. / ~을 정하다 e-n Termin aus¦machen (fest¦setzen; an¦setzen) / ~을 요한다 Das braucht (erfordert; kostet) Zeit. / 회합장소와 ~을 정하다 Ort u. Zeit der Zusammenkunft bestimmen / 적당한 ~을 말씀해 주세요 Nennen Sie bitte den Termin, der Ihnen paßt. / 짧은 ~에 in kurzer Zeit / ~을 놓치다 e-n Termin versäumen (verpassen) / ~을 지키다 e-n Termin ein¦halten* / ~을 연기하다 e-n Termin verschieben* / 나는 ~에 얽매이고 싶지 않았다 Ich wollte mich nicht an einen Termin binden. / 그는 약속 ~에 정확히 지급했다 Er zahlte pünktlich zu dem vereinbarten Termin.

시자(侍者) Gefolge *n.* -s, -; Begleiter *m.* -s, -; 《그 일행》 Gefolgschaft *f.* -en; Begleitung *f.* -en; Diener *m.* -s, -; Wärter *m.* -s, -.

시작(始作) Anfang *m.* -(e)s, ⸚e; Beginn *m.* -(e)s; Ursprung *m.* -(e)s, ⸚e(기원); Einleitung *f.* -en. **~하다** beginnen*⁴; an¦fangen*⁴; eröffnen⁴ (열다); errichten⁴ (설립하다); gründen; vor¦nehmen*⁴ (착수하다). ¶ ~되다 an¦fangen*; beginnen* [h,s]; 《계절 따위가》 ein¦setzen [s]; ein¦treten*; 《전쟁·화재》 aus¦brechen* [s]; entstehen*; 《기인하다》 entspringen* [s]; seinen Ursprung nehmen* 《von ³*et.*》; seinen Ursprung haben 《in ³*et.*》 / 첫 시간은 8시 반(半)에 ~된다 Die erste Stunde beginnt um halb neun. / 멀지 않아 전쟁이 ~될 것이다 Bald wird ein Krieg ausbrechen. / 장마가 ~되었다 Die Regenszeit ist eingesetzt. / 새해가 ~된다 Das neue Jahr beginnt. / 비가 내리기 ~한다 Es fängt an zu regnen. / 무엇부터 ~해야 하나 Womit soll ich anfangen? / ~해 볼까요 Wollen wir anfangen? / ~이 좋다 guten Anfang haben; glatt starten (스키) / ~이 좋아서 일이 순조롭게 진행되었다 Gut angefangen, ging die Arbeit glatt vonstatten. / 새 생활을 ~하다 ein neues Leben anfangen / 대화를 ~하다 ein Gespräch beginnen / 처음부터 ~하다 von vorn an¦fangen / ~이 반이다 《속담》 Gut begonnen ist halb gewonnen.¦Anfang gut, Ende gut.¦Aller Anfang ist schwer.

시작(詩作) das Versemachen*, -s; das Gedichtemachen*, -s; das Dichten*, -s. **~하다** Gedichte (Verse) 《*pl.*》 machen; dichten; reimen. ¶ ~에 골몰하다 ⁴sich dem Dichten widmen (ergeben*).

시작(試作) Probe¦arbeit *f.* -en (-stück *n.* -(e)s, -e); Studie *f.* -n (예술가의); Probe *f.* -n (견본); Versuch *m.* -(e)s, -e (시험); Experiment *n.* -(e)s, -e (실험). **~하다** probeweise (versuchsweise; zur Probe) her¦stellen⁴ (produzieren⁴).

시장 Hunger *m.* -s. **~하다** Hunger haben (bekommen*); hungrig sein. ¶ 몹시 ~하다 großen Hunger haben; sehr hungrig sein / ~해서 죽겠다 Ich habe Hunger wie ein Bär (Wolf). / ~이 반찬 《속담》 Hunger ist der beste Koch.

시장(市長) (Ober)bürgermeister *m.* ¶ 서울 ~ der Oberbürgermeister von Seoul.

‖ **~부인** Bürgermeisterfrau *f.* -en. **~임기** die Amtsdauer des Bürgermeisters. **~직** Bürgermeisteramt *n.* -es. **부~** der stellvertretende Bürgermeister

시장(市場) Markt *m.* -(e)s, ⸚e; Marktplatz *m.* -es, ⸚e. ¶ 가축 ~ Viehmarkt *m.* / 곡물 ~ Getreidemarkt *m.* / 말(馬)~ Pferdemarkt *m.* / 암(暗)~ Schwarzmarkt / 금융

~ Geldmarkt *m.* / 어(魚)~ Fischmarkt *m.* / 청과물 (야채) ~ Gemüsemarkt *m.* / ~에 내놓다 zu Markt (auf den Markt) bringen* / ~에 가다 zum Markt (auf den Markt) gehen* ⓢ (fahren* ⓢ) / ~이 열리다(서다) Markt abgehalten werden / 수요일과 토요일마다 이 곳에 ~이 선다 Mittwochs und sonnabends wird hier Markt abgehalten. / 소를 ~으로 몰고 가다 das Vieh zum Markte (auf den Markt) treiben* / ~을 개척하다 ³sich neue Märkte erobern / 한국은 중동에 ~을 개척했다 Korea hat sich in Nahosten neue Märkte erobert.

‖ **~가격** Marktpreis *m.* -es, -e. **~가치** Marktwert *m.* **~거래** Markt¦geschäft *n.* -(e)s, -e (-verkehr *m.* -(e)s). **~경제** Marktwirtschaft *f.* **~세** Marktzoll *m.* **~분석** Marktanalyse *f.* -n. **~어음** Marktwechsel *m.* **~점유율** Marktanteil *m.* -(e)s, -e. **~통제** Marktregulierung *f.*

시장기(一氣) Hunger. ¶ ~를 느끼다 ⁴sich hungrig fühlen; Hunger bekommen* / ~가 심하다 schrecklich hungrig sein / 차 한 잔으로 ~를 덜다 den Hunger mit einer Tasse Tee stillen.

시재(時在) ① 《갖고 있는 것》 Privat¦kasse *f.* -n (-schatulle *f.* -n); Geld¦vorrat (Waren-) *m.* -es, ⸚e. ② ☞ 현재(現在) ①.

시재(試才) die Auswahl 《-en》 der begabten (befähigte) Personen (Menschen) durch e-e Prüfung (ein Examen). **~하다** prüfen u. als begabte (befähigte) Personen aus|wählen.

시재(詩才) Dichtergabe *f.* -n; die musische (dichterische) Begabung. ¶ ~가 있는 dichterisch begabt / 그는 ~가 있다 Er hat e-e dichterische Ader (Talent zum Dichten).

시재(詩材) das Thema 《-s, ..men》 zu e-m Gedicht; der Stoff 《-(e)s, -e》 (das Material, -s, -ien) zu e-m Gedicht; der Stoff (das Material) zur Dichtung (Poesie).

시저 《로마의 정치가》 Gajus Julius Caesar (Cäsar) (100-44 v. Chr. G.).

시적(詩的) poetisch; dichterisch. ¶ ~ 상상력 poetische Einbildungskraft, -en / ~ 정서 die poetische (dichterische) Gesinnung (Einstellung); der poetische (dichterische) Sinn, -(e)s / ~ 표현 e-e poetische (dichterische) Ausdrucksweise / ~으로 표현하기를 좋아한다 Er drückt sich gern poetisch aus.

시적거리다 etwas widerwillig (widerstrebend; abgeneigt; ungern; gleichgültig; teilnahmslos; träge) tun*.

시적시적 gleichgültig; teilnahmslos; träge; ohne Enthusiasmus; ohne Begeisterung.

시전지(詩箋紙) Papier 《*n.* -s, -e》 zum Schreiben von Gedichten u. Briefen; Schreibpapier *n.* -s, -.

시절(時節) ① 《계절》 Jahreszeit *f.* -en; Saison *f.* -s. ¶ ~에 맞는 der Jahreszeit angemessen / ~에 맞지 않는 außerhalb der Saison; 〖속어〗 außer Saison.

② 《시기》 Zeit *f.* -en; Gelegenheit *f.* -en; Zeitalter *n.* -s, -. ¶ 황금~ goldene (beste) Zeiten / 그것은 내 황금 ~이었다 Das war in m-n besten Zeiten. / 학생 ~에 in m-r Schulzeit / 루터 ~에 zu Luthers Zeiten / 그 장은 조부 ~의 것이다 Der Schrank ist aus der Zeit m-r Großeltern. / ~이 변하면 우리도 함께 변한다 Die Zeiten ändern sich, u. wir ändern uns mit ihnen. / 보다 나은 ~을 기다리다 auf bessere Zeiten warten.

시점(視點) Gesichts¦punkt (Blick-; Stand-) *m.* -(e)s, -e. ⌈*m.* -(e)s.

시접 《옷의》 Einschlag *m.* -(e)s, ⸚e; Saum

시정(市井) Straße *f.* -n; Welt *f.* (세상). ¶ ~의 일 das alltägliche Ereignis, ..nisses, ..nisse / ~배, ~아치 Straßen¦lümmel *m.* -s, -(-gesindel *n.* -s, -).

시정(市政) Stadt¦verwaltung *f.* -en (-wesen *n.* -s, -); die städtische Verwaltung, -en.

‖ **~개선** die Reform der Stadtverwaltung. **~조사회** der Ausschuß 《..schusses, ..schüsse》 (das Komitee, -s, -s) zur Untersuchung der Stadtverwaltung.

시정(是正) Verbesserung *f.* -en; Berichtigung *f.* -en; Richtigstellung *f.* -en. **~하다** verbessern⁴; korrigieren⁴; berichtigen⁴; richtig|stellen⁴. ¶ 잘못을 ~하다 e-n Fehler verbessern / 그것은 쉽사리 ~될 수 있다 Das läßt sich leicht korrigieren.

시정(施政) Verwaltung *f.* -en; Regierung *f.* -en; Administration *f.* -en. **~하다** verwalten; regieren.

‖ **~기간** die Regierungsjahre 《*pl.*》. **~방침** Verwaltungs¦politik *f.* -en (-programm *n.* -(e)s, -e); Regierungsmaxime *f.* -n: ~ 방침을 정하다 die Regierungsmaxime fest|-setzen / ~ 방침을 발표하다 die Regierungsmaxime erklären.

시정(詩情) e-e poetische Stimmung, -en. ¶ 이 그림엔 ~이 있다 Das Gemälde hat Poesie. / 그는 ~이 있는 사람이다 Er hat ein poetisches Gefühl (poetische Anlagen).

시제(市制) die städtische Organisation, -en; Stadtwesen *n.* -s, -. ¶ ~를 실시하다 eine städtische Organisation ein|führen; als Stadt mit Selbstverwaltung organisiert werden; Stadtrechte 《*pl.*》 erhalten*.

시제(時制) 〖문법〗 Tempus *n.* -, ..pora; Zeitform *f.* -en; Zeit *f.* -en.

시제(詩題) das Thema 《-s, ..men》 e-s Gedichtes; der Stoff 《-(e)s, -e》 (der Gegenstand, -(e)s, ⸚e) e-s Gedichtes.

시조(始祖) (Ur)vorfahr *m.* -en, -en; die Altvordern 《*pl.*》; (Ur)ahne *m.* -n, -n; Bahnbrecher *m.* -s, - (창시자); Beginner *m.* -s, - (개조); Gründer *m.* -s, - (개조); Urheber *m.* -s, - (창시자); Schöpfer *m.* -s, -; Vater *m.* -s, ⸚. ¶ 인류의 ~ der Urahne des Menschengeschlechts / 노동 운동의 ~ der Vater der Arbeiterbewegung.

‖ **~새** 〖조류〗 Archäopteryx *m.* (*f.*) -(es), -e (..pteryges).

시조(時調) *Sijo* (= dreizeiliges koreanisches Kurzgedicht). ¶ ~를 읊다 ein Gedicht her|sagen (vor|tragen*; rezitieren) / ~를 짓다 ein *Sijo*-Gedicht (e-n Vers) machen; dichten.

시조하다(時調一) etwas gleichgültig (ohne Begeisterung) tun* (erledigen); langsam arbeiten.

시종(始終) von Anfang bis Ende (처음부터 끝까지); die ganze ⁴Zeit (그 동안); immer (항상); ununterbrochen (간단없이); durch und durch. ¶ ~ 일관하다 konsequent (folgerichtig) sein (handeln) / 그는 ~ 여행을 하고 있다 Er ist immer (dauernd) unterwegs (auf der Reise). / 나는 ~ 서 있어야 했다 《전차에서》 Ich mußte die ganze Zeit stehen. / 그는 서울을 떠난 이래로 ~ 아프다 Er ist seit seiner Abreise von Seoul immer krank. / 그는 ～ 그렇게 생각했다 Er dachte immer so (so seit jeher).

시종(侍從) Kammerherr *m.* -n, -en; 《귀부인의》 Kammerdiener *m.* -s, -; Kammermädchen *n.* -s.
‖ ～무관(장) Flügeladjutant (Generaladjutant) [..atjutant] *m.* -en, -en. ～장 Oberhofmarschall *m.* -s, ⸗e.

시주(施主) 〖불교〗 Wohltäter *m.* -s, -; Geldbeiträge 《*pl.*》 für einen Tempel; Spende *f.* -n. ～하다 Geld bei|tragen* (spenden).

시주(詩酒) Dichtung 《*f.* -en》 u. Wein 《*m.* -(e)s》. ⌈-s, -s).

시주차(試走車) Test¦wagen *m.* -s, - (-auto *n.*

시준(視準) ① 〖물리〗 Kollimation *f.* ② 《조준》 das Zielen*, -s; das Richten*, -s; das (An)visieren*, -s.
‖ ～기 Kollimator *m.* -s, -en; Richtglas *n.* -es, ⸗er; Visiervorrichtung *f.* -en. ～선 Absehlinie *f.* -n. ～축 〖물리〗 Kollimationsachse *f.* -n.

시중 Pflege *f.* -n; Fürsorge *f.* -n; sorgende Behandlung, -en; Wartung *f.*; das Betreuen*. ～하다 pflegen; betreuen. ～들다 auf|-warten³; bedienen⁴ (식탁에서); dienen; servieren⁴; *jm.* zur Hand sein; helfen*. ¶ 환자를 ～하다 e-n Kranken pflegen / 부모를 ～하다 für Eltern sorgen / ～ 좀 들어 다오 Ich brauche deine Hilfe. ¦ Hilf mir bei meiner Arbeit!

시중(市中) ① 《거리》 Stadt *f.* ⸗e; Straße *f.* -n. ¶ ～에(을) in der Stadt (durch die Stadt) / ～으로 in die Stadt / ～ 경기는 어떻소 Wie gehen die Geschäfte in der Stadt? ② 《시장》 Markt *m.* -(e)s, ⸗e.
‖ ～금리 der Zinssatz des offenen Markts. ～시세 der offene Marktpreis, -es, -e; der offene Marktkurs, -es, -e.

시즌 (Hoch)saison [..sɛzɔ̃:] *f.* -s; Hauptgeschäfts¦zeit (Hauptbetriebs-) *f.* -en; Fremdenzeit *f.* -en; Jahreszeit *f.* (계절). ¶ 크리스마스 ～ Weihnachts¦zeit (-saison) / 여행 ～ Hauptreisezeit / 연극 ～ Theaterspielzeit (-saison) / 정치 ～ die politische Hochsaison.

시즙(屍汁) 《추깃물》 die aus der Leiche fließende Flüssigkeit, -en; Leichensaft *m.* -es.

시지근하다 säuerlich; etwas sauer (sein).

시지르다 =졸다¹.

시지에스단위(―單位) 〖물리〗 CGS-Maßsystem *n.* -s, -e [◀*c*entimeter, *g*ram, *s*econd]; metrisches (Maß)system, -s, -e.

시집(媤―) das Haus 《-(e)s, ⸗er》 (die Familie, -n) des Ehemanns.

시집(詩集) Gedichtsammlung *f.* -en; Anthologie *f.* -n [..gí:ən]; Blumen¦lese (Blüten-) *f.* -n; Gedichte 《*pl.*》; Liederbuch *n.* -(e)s, ⸗er (가요집). ¶ 근대 ～ Auswahl 《*f.* -en》 moderner Gedichte / 서정 ～ die Sammlung der lyrischen Gedichte; der Diwan (Divan) / 괴테 ～ Goethes poetische Werke.

시집가다(媤―) heiraten 《*jn.*》; ⁴sich verheiraten (vermählen) 《mit *jm.*》; zum Manne nehmen* 《*jn.*》; eine Ehe ein|gehen*Ⓢ (schließen*) 《mit *jm.*》; *js.* Frau werden. ¶ 그녀는 그에게 시집갔다 Sie ist seine Frau geworden. / 그녀는 부자집에 시집갔다 Sie machte eine reiche Heirat. / 너는 그에게 시집갈 의사가 있니 Willst du dich mit ihm verheiraten? / 어릴 때 (일찍, 늦게) ～ jung (früh, spät) heiraten / 시골로 ～ aufs Land heiraten / 도시로 ～ in die Stadt heiraten / 독일로 ～ nach Deutschland heiraten.

시집보내다(媤―) (e-e Tochter) verheiraten (vermählen) 《*an*⁴; *mit*³》; e-e Tochter zur Frau geben* 《*jm.*》; ein Mädchen unter die Haube bringen*. ¶ 그는 딸을 은행가에게 시집보냈다 Er hat s-e Tochter an e-n Bankier verheiratet.

시집살이(媤―) das Eheleben (die Haushaltung) im Elternhaus des (Ehe)mannes. ¶ ～를 잘하다 gut (geschickt) haus|halten* / ～에 고생하다 ein elendes Eheleben führen.

시차(時差) Zeit¦differenz *f.* -en (-unterschied *m.* -(e)s, -e); Zeitgleichung *f.* -en (천문). ¶ 서울과 런던은 8시간의 ～가 있다 Es besteht eine Zeitdifferenz von acht Stunden zwischen Seoul und London.
‖ ～계 Zeitgleichungsmesser *m.* -s, -.

시차(視差) 〖천문〗 Parallaxe *f.* -en. ¶ 태양(달)의 ～ die Parallaxe der Sonne (des Mondes); Sonnen¦parallaxe (Mond-).

시찰(視察) Besichtigung *f.* -en; Inspektion *f.* -en. ～하다 besichtigen⁴; inspizieren⁴; e-e Besichtigung (ab|)halten*. ¶ ～ 여행을 떠나다 e-e Besichtigungsreise an|treten* / 현장 (살인 현장, 침입 현장)을 ～하다 den Schauplatz (die Mordstelle, den Tatort) besichtigen.
‖ ～여행 Besichtigungs¦reise (Inspektions-) *f.* -n. ～자 der Besichtigende*, -n, -n; Besichtiger *m.* -s, -; Inspektor *m.* -s, -en.

시창 《배의》 Achterdeck *n.* -(e)s, -e; Hinterdeck; Heck *n.* -(e)s, -e.

시챗다(時―) an der Schwelle des Todes sein; in den letzten Zügen liegen*.

시채(市債) Stadtanleihe *f.* -n; die städtische Anleihe, -n.

시책(施策) Maß¦nahme *f.* -n (-regel *f.* -n); Politik *f.* -en. ～하다 wirksam machen; durchführen; durch|setzen. ¶ ～을 강구하다 Maßnahmen (Maßregeln) treffen* (ergreifen*); Politik (be)treiben*.

시척지근하다 säuerlich (sein).

시청(市廳) Rat¦haus (Stadt-) *n.* -es, ⸗er; Stadtamt *n.* -(e)s, ⸗er; Bürgermeisterei *f.* -en; Bürgermeisteramt.
‖ ～직원 Stadtbeamte *m.* -n, -n.

시청(視聽) das Sehen* u. Hören*, -s; Interesse *n.* -s, -n; 《주의》 Aufmerksamkeit *f.* -en. ¶ ～각의 audiovisuell. ¶ 일반의 ～을 모으다 allgemeine Aufmerksamkeit erregen (fesseln).
‖ ～각 교육 ein audiovisueller Unterricht, -(e)s, -e: ～각 교육 방법 audiovisuelle Lehrmethoden 《*pl.*》. ～료 《텔레비전의》 Fernsehgebühren 《*pl.*》. ～율 Zuschauerquote *f.* -n: ～율 10 프로다 e-e Zuschauerquote von 10% haben. ～자 Zuschauer *m.* -s, -: ～자 여러분 Liebe Fernseher! (텔레비전에서).

시청(試聽) Hörprobe *f.* -n; Probehören *n.* ～하다 e-e Hörprobe machen. ¶ 레코드를 ～하다 ³sich e-e Schallplatte vorspielen lassen*. ‖ ～실 Hörproberaum *m.* -(e)s, ⸗e; Hörstudio *n.* -s, -s.

시체(屍體) Leiche *f.* -n; Leichnam *m.* -(e)s, -e; der leblose Körper, -s, -; Kadaver *m.* -s, - (동물의). ¶ ～와 같은 leichenhaft; leichenblaß; Leichen- / ～로 발견되다 tot aufgefunden werden; als Leichnam gefunden werden / 화재 현장에서 ～로 발견되

었다 Er wurde unter den Trümmern der Feuerstätte als Leiche gefunden. / 그는 ~와 같은 존재다 Er ist e-e lebende Leiche.¦Er ist einer wandelnden Leiche gleich.
‖ ~발굴 Leichenausgrabung *f.* ~안치소 Leichenhalle *f.*; Leichenhaus *n.*; Leichenkammer *f.* ~유기 Leichenverlassung *f.* ~해부 Leichenöffnung; Obduktion *f.*

시체(時體) Zeitgeschmack *m.* -(e)s, ⸚e; neueste Mode, -n.

시체(詩體) das Stil《-es, -e》e-s Gedichts.

시초(始初) Anfang *m.* -(e)s, ⸚e; (An)beginn *m.* -(e)s, -; Auftakt *m.* -(e)s, -e (서막); Ursprung *m.* -(e)s, ⸚e (기원); Ausgangspunkt *m.* -(e)s, -e; Entstehung *f.* -en (발생); Quelle *f.* -n (기원). ¶ ~의 erst; einleitend; Anfangs- / ~에 am (im; zu) Anfang; im Anbeginn; bei (zu) Beginn; anfangs; eingangs; als Erstes; in erster Linie; zu¦erst (-nächst). ☞ 처음.

시초(柴草) trockene Gräser《*pl.*》als Brennstoff.

시초(詩抄) Gedichtauswahl *f.*; e-e Auswahl von Gedichten; ausgewählte Gedichte《*pl.*》. ~하다 Gedichte《*pl.*》aus|wählen; e-e Gedichtauswahl zusammen|stellen.

시추(試錐) Versuchs¦bohrung (Probe-; Vor-) *f.* -en;《석유의》Erdölbohrung *f.* -en. ~하다 Versuchsbohrungen machen.
‖ ~공(孔) Bohrloch *n.* -(e)s, ⸚er. ~선 (기지) Bohrinsel *f.* -n. ~탑 Bohrturm *m.* -(e)s, ⸚e. 해저~ Unterwasserbohrung (in Küstennähe).

시축(詩軸) e-e Rolle《-n》mit Versen.

시취(屍臭) Leichen¦geruch (Toten-) *m.* -(e)s, ⸚e; Leichengestank *m.* -(e)s.

시취(詩趣) das Poetische*, -n; Poesie *f.*; das Dichterische*, -n; der poetische (dichterische) Reiz, -es, -e (Geschmack, -(e)s); die poetische (dichterische) Stimmung, -en. ¶ ~가 풍부하다 voll von Poesie (poesievoll) sein / ~가 없다 poesielos (prosaisch; schwunglos; unpoetisch) sein; arm an poetischer Stimmung sein.

시치근하다 ☞ 시척지근하다.

시치다 《옷을》heften[4]; an|heften[4]; lose nähen[4].

시치름하다 ☞ 새치름하다, 새침하다.

시치미[1] 《말·짓》Verstellung *f.* -en; Heuchelei *f.* -en; das Vorgeben*. ¶ ~를 떼고 mit unschuldiger Miene; mit harmlosem Anschein; wie gleichgültig (uninteressiert; unwissend; zufällig) / ~떼다 e-e unschuldige Miene machen; [4]sich verstellen; heucheln; [4]sich unwissend stellen; Unwissenheit vorschützen; tun*, als ob er nichts (es gar nicht) merkte (wüßte).

시치미[2] e-e am Falkenschwanz befestigte Identifizierungsmarke, -n.

시칠리아 《이탈리아 남부의 섬》Sizilien.

시침 ① ☞ 시침질. ② ☞ 시치미[1].

시침(時針) 《시계의》Stundenzeiger *m.* -s, -.

시침질 das Heften*, -s. ~하다 heften[4].

시커멓다 sehr schwarz; in Tiefschwarz;《속셈이》schlecht; böse; boshaft (sein). ¶ 시커멓게 탄 schwarz gebrannt; verkohlt / 시커멓게 타다 schwarz gebrannt werden / 시커멓게 타죽다 verkohlt werden.

시큰둥하다 naseweis; keck; vorlaut; schnippisch; unverschämt; frech; schamlos; anmaßend; dreist (sein). ¶ 시큰둥한 소리를 하다 freche Dinge sagen (reden); vorlaut sein / 그 시큰둥한 소리 집어쳐 Sei (Seid; Seien Sie) nicht so anmaßend (dreist)!

시큰하다 ☞ 새큰하다.

시클라멘 〖식물〗Zyklamen *n.* -, -; Alpenveilchen *n.* -s, -.

시큼- ☞ 시금-.

시키다 lassen*[4]; bewirken[4]; veranlassen[4]《*zu*[3]》;《강제로》nötigen[4]《*zu*[3]; zu *tun*[4]》; zwingen*[4]《*zu*[3]; zu *tun*[4]》; pressen[4]《*zu*》. ¶ 걱정~ *jm.* Sorge machen / 구두를 수선~ die Schuhe reparieren lassen* / 낙하~ fallen lassen* / 그녀는 학생들에게 너무 많이 암기시킨다 Sie läßt die Schüler zuviel auswendig lernen. / 누가 그 일을 시켰나 Wer hat das veranlassen? / 일을 ~ beschäftigen[4]; arbeiten lassen*; [4]*et.* zu tun geben*/ 자백(고백)~ zu einem Geständnis zwingen*; gestehen lassen* / 말을 ~ zum Sprechen zwingen* / 시키는 대로 하다 auf *js.* [4]Wink folgen[3].

시킴 《인도의 보호국》Sikkim. *n.*

시탄(柴炭) Brennholz《*n.* -es, ⸚er》und (Holz)kohle《*f.* -n》; Heizmaterial *n.* -s, -ien; Brennstoff *m.* -(e)s, -e.
‖ ~상(商) Brennstoffhändler *m.* -s, -.

시탕하다(侍湯—) kranke Eltern《*pl.*》pflegen[(*)].

시태 ein Pack《-(e)s, -e》auf dem Ochsen; die Last《-en》, die ein Ochse trägt.

시태(時態) die gegenwärtige Sachlage, -n; die gegenwärtige Situation, -en; jetzige Zustände《*pl.*》.

시퉁머리터지다 [4]sich frech benehmen* (betragen*); dreist; unverschämt; keck (sein).

시퉁스럽다 frech; unverschämt schamlos (sein).

시퉁하다 =시퉁스럽다.

시트 《침대》Sitz *m.* -es, -e; Platz *m.* -es, ⸚e; Bettuch *n.* -(e)s, ⸚er 〖분철: Betttuch〗. ¶ ~용(의) 천 die Leinen《*pl.*》für Bettücher; Bettuchleinen *n.* -s, -.

시트론 Zitrone *f.* -n; Zitronenlimonade *f.* -n.

시틋하다 widerwillig; widerstrebend; abgeneigt; ungern; mißvergnügt; unzufrieden (sein); zögern《[4]*et.* zu *tun*》.

시파(柴杷) 〖농업〗e-e kleine Harke, mit der man Samen mit Erde bedeckt.

시판(市販) Verkauf *m.* -(e)s, ⸚e. ~하다 auf den Markt bringen*[4]; verkaufen.

시퍼렇다 tiefblau; sehr dunkelblau; purpurfarbig; unangenehm blau (sein);《안색이》blaß; bleich (sein). ¶ 시퍼렇게 멍이 들도록 때리다 *jn.* grün und blau schlagen.

시편(詩篇) 〖성서〗Psatler *m.* -s, -; Psalm(en)buch *n.* -(e)s, ⸚er. ‖ ~작자 Psalmist *m.* -en, -en; Psalmendichter *m.* -s, -.

시평(時評) Kommentar《*m.* -(e)s, -e》der Zeitfragen; Kritik《*f.* -en》über aktuelle Fragen; Rezension *f.* -en; Revue [..vý] *f.* -n. ‖ ~가 Kommentator *m.* -s, -en; Zeitkritiker *m.* -s, -. ~난 Kolumne *f.* -n. 문예~ die literalische Rundschau, -en.

시폐(時弊) Zeitübel *n.* -s; Mißstände《*pl.*》der Zeit. ¶ ~를 시정하다 (바로잡다) Mißstände der Zeit (das Zeitübel) ab|stellen.

시필(試筆) das probeweise Schreiben*, -s. ~하다 probeweise schreiben.

시하(侍下) 〔부사적〕bei beiden Großeltern (beiden lebenden Eltern).
‖ ~인 (an[4]) Hochwohlgeboren.

시하(時下) 〔부사적〕gegenwärtig; jetzt; im Augenblick. ¶ ~ 엄동에 in diesem kalten

Winter; in dieser kalten Winterszeit.

-시하다(視—) betrachten⁴ 《*als*⁴》; halten*⁴ 《*für*⁴》; an|sehen*⁴ 《*für*⁴》. ¶ 그를 위험시하고 있다 Er gilt für e-e gefährliche Person. 「Poetologie *f*.

시학(詩學) Poetik *f*. -en; Dichtkunst *f*.;

시한(時限) Zeit *f*. -en; Frist *f*. -en; Termin *m*. -(e)s, -e; Stunde *f*. -n. ¶ ~을 연장하다 e-e Frist verlängern / 10월 1일이 마감 ~이다 Die Frist läuft am 1. Oktober ab. / ~을 지키다(확정하다) e-n Termin ein|halten* (fest|setzen).

‖ **~폭탄** Zeitbombe *f*. -n; Höllenmaschine *f*. -n.

시할머니(媤—) die Großmutter 《≕》 des (Ehe-) mannes. 「(Ehe)mannes.

시할아버지(媤—) der Großvater 《-s, ≕》 des

시합(試合) (Wett)kampf *m*. -(e)s, ≕e; (Wett-) spiel *n*. -(e)s, -e. ☞ 경기. **~하다** kämpfen (spielen) 《*mit*》. ¶ ~에 이기다 (지다) e-n Wettkampf (ein Spiel) gewinnen* (verlieren*) / ~을 포기하다 das Spiel auf|geben*. ‖ **~규칙** Kampf¦regel (Spiel-) *f*. -n. **최종~** End¦kampf (-spiel). **축구~** Fußballspiel.

시행(施行) Aus¦führung (Durch-) *f*. -en; Vollstreckung *f*. -en; Inkraftsetzung *f*. -en; das Inkrafttreten*, -s; Inbetriebnahme *f*. -n. **~하다** aus|führen⁴ (durch|-); voll-strecken⁴; in Kraft setzen⁴ (법률 등); in Betrieb setzen (기계 따위의 운전개시). ¶ ~되다 ausgeführt (durchgeführt) werden; in Kraft treten* Ⓢ / ~되고 있다 in Kraft sein (bleiben*).

‖ **~규칙** Durchführungsbestimmung *f*. -en; Betriebsanweisung *f*. -en. **~기간** Durchführungszeit *f*. -en. **~기일** Durchführungstag *m*.

시행착오(試行錯誤) Versuch 《*m*. -(e)s, -e》 u. Irrtum 《*m*. -(e)s, ≕er》; Trial-and-error [tráiəl ənd ɛ́rə] *n*.; der Trial-and-error-Prozeß (시행착오 과정). ‖ **~법** Method 《-n》 von Versuch und Irrtum.

시향(時享) ① 《가묘에》 Jahreszeitliches Ahnenopfer *n*. -s (im Februar, Mai, August und November nach dem Mondkalender). ② 《산소에》 Ahnenopfer für Vorfahren von der 5. Generation an (im Oktober vor dem Grab oder auf dem Familienfriedhof dargebracht).

시허옇다 schneeweiß (sein).

시험(試驗) Prüfung *f*. -en; Examen *n*. -s, -; Test *m*. -(e)s, -e; Probe *f*. -n (검사); Versuch *m*. -(e)s, -e (실험); Experiment *n*. -(e)s, -e (실험); Wagnis *n*. -ses, -se (모험). **~하다** prüfen⁴; testen⁴; erproben⁴; versuchen⁴; probieren⁴. ¶ ~보다(치르다) e-e Prüfung (ein Examen) ab|halten* (ab|legen); ⁴sich e-r Prüfung (e-m Examen) unterziehen*; ⁴sich prüfen lassen* / 자세히 ~한 뒤에 bei näherer Prüfung / 무~으로 examensfrei / 영어 (수학) ~ Prüfung in Englisch (Mathematik); englische (mathematische) Prüfung / 어려운 (쉬운, 엄격한) ~ schwere (leichte, strenge) Prüfung / 학생에게 영어(독어)를 ~하다 Studenten (Schüler) in Englisch (Deutsch) prüfen / ~에 떨어지다 durch die Prüfung fallen*Ⓢ; in der Prüfung durch|fallen*Ⓢ / ~에 합격하다 e-e Prüfung bestehen* / ~ 준비를 하다 ⁴sich auf eine Prüfung vorbereiten / 내일 ~이 있다 Ich habe morgen eine Prüfung. / ~삼아 zum Versuch; zur (auf) Probe; versuchs¦weise (probe-) / ~삼아 채용하다 *jn*. zur Probe (auf Probe; versuchsweise) nehmen* / ~삼아 그 비누를 써봅시다 Versuchen wir's probeweise mit Seife. / 사람의 능력(힘)을 ~하다 s-e Fähigkeit (Kraft) erproben.

‖ **~감독** Aufsicht *f*.; Kontrolle *f*. **~공부** Vorbereitung für die Prüfung. **~과목** Prüfungsfach *n*. -(e)s, ≕er. **~관**(官) Prüfer *m*. **~관**(管) Reagenz¦glas (Probier-) *n*. **~규정** Prüfungsordnung *f*. -en. **~기간** Probezeit *f*.; Bewährungsfrist *f*. **~답안지** Prüfungsarbeit *f*. **~문제** Prüfungsaufgabe *f*. -n. **~발사** Probeschuß *m*. ..usses, ..üsse. **~비행** Probeflug *m*. -(e)s, ≕e. **~위원회** Prüfungsausschuß *m*. (-kommission *f*.). **~장** Prüfungsraum *m*. -(e)s, ≕e; Versuchsanstalt *f*. (실험소). **~제도** Prüfungswesen *n*. **~지** Reagenz¦papier (Probe-) *n*. -s, -s (실험용). **경쟁~** Konkurrenzprüfung *f*. **구두**(口頭)**~** mündliche Prüfung. **국가~** Staatsexamen *n*. **입학~** Eintrittsexamen *n*.; Aufnahmeprüfung *f*. **자격~** Qualifikationstest *n*.; Eignungsprüfung *f*. **졸업~** Schlußexamen *n*.; Abschlußprüfung *f*. **중간~** Zwischenprüfung *f*. **학기~** Semesterprüfung *f*.

시현(示顯·示現) Offenbarung *f*. -en. **~하다** ⁴sich offenbaren.

시형(詩形) Versmaß *n*. -es, -e; die poetische Form, -en.

시호(時好) Zeitgeschmack *m*. -(e)s; Mode *f*. -n; Zeitstil *m*. -(e)s, -e; der letzte Schrei, -s. ¶ ~에 맞는 dem Zeitgeschmack entsprechend; der Zeit angepaßt; zeitgemäß; modern; neuzeitlich / ~에 꼭 맞다 Das ist ganz nach dem Geschmack der Zeit.

시호(試毫) =시필.

시호(詩號) Dichtername *m*. -ns, -n; Schriftstellername *m*. -ns, -n; Künstlername (Pseudonym *n*. -s, -e) e-s Dichters.

시호(諡號) der post(h)ume Name(n), ..mens, ..men (Titel, -s, -). ¶ ~를 내리다 *jm*. nach dem Tode e-n Titel verleihen*.

시홍(視紅) Sehpurpur *m*. -s. 「-s.

시화(視話) 《벙어리의》 das Lippen(ab)lesen*,

시황(市況) Marktlage *f*. -n. ¶ ~이 활발 (한산)하다 Der Markt ist belebt (*od*. lebhaft (lustlos)). ‖ **~보고** Marktbericht *m*. -(e)s, -e. **~조사** Marktbericht *m*. -(e)s, -e **주식~** Börsen¦lage *f*. -n (-tendenz *f*. -en).

시회(詩會) Versammlung 《*f*. -en》 zum Wettdichten.

시효(時効) Verjährung *f*. -en (소멸시효); Ersitzung *f*. -en (취득시효); Präskription *f*. -en. ¶ ~에 걸리다, ~에 의하여 소멸하다 verjähren; verjährt werden (sein) / ~에 의하여 취득하다 ersitzen; durch Verjährung erwerben* / 이 채권은 3년이 지나면 ~에 걸린다 Diese Forderung verjährt in drei Jahren.

‖ **~기간** Verjährungsfrist *f*. -en. **~규정** Verjährungsbestimmung *f*. -en. **~정지** der Aufschub der Verjährung. **취득(소멸)~** die erwerbende (erlöschende) Verjährung.

시후(時候) ① 《계절》 Jahreszeit *f*. -en; Saison [sɛzɔ̃:] *f*. -s. ② 《날씨》 Wetter *n*. -s, -; Witterung *f*. -en; Klima *n*. -s, -s (..mata).

시흥(詩興) poetische Inspiration (Eingebung; Anregung) -en. ¶ ~이 솟다 poetisch angeregt (inspiriert) werden, ein Gedicht zu machen; eine poetische Inspiration (Eingebung) haben.

식(式) ① 《의식》 Feier *f.* -n (축전); Feierlichkeit *f.* -en; Zeremonie *f.* -n; Ritus *m.* -, ..ten (종교상의). ¶ 결혼식 Hochzeits|feier (-fest) *f.* / 장례식 Beerdigungsfeier *f.* / 기념식 Jubiläumsfeier *f.* (10년, 25년, 50년, 100년 따위의) / 식을 거행하다 e-e Feier begehen*; feiern; festlich begehen*/결혼식을 올리다 die Hochzeit feiern.
② 《양식》 Stil *m.* -(e)s, -e; Typ *m.* -(e)s, -e; Art *f.* -en. ¶ 르네상스 (바로크, 로코코) 식 der Stil der Renaissance (des Barock, des Rokoko) / 이 집은 현대식으로 지어졌다 Dieses Haus ist im modernen Stil erbaut worden. / 순한국식으로 auf echt koreanische Art.
③ 《형》 Mode *f.* -n; 《방식》 die Art und Weise; Manier *f.* -en; Weise *f.* -n; Weg *m.* -(e)s, -e; Methode *f.* -n. ¶ 신식 독어 교수법 neue Methode des Deutschunterrichts / 이런 식으로 auf diese Weise; in dieser Weise; auf diesem Wege / 한국식 배(船) ein Schiff koreanischer Bauart / 구식 사람들 Leute von altem Schlag (alten Schlages) / 딴 식으로 시도해 볼 수 없니 Kannst du es nicht auf eine andere Weise versuchen? / 이런 식으로는 되지 않는다 Auf diese Art geht es nicht.
④ 《수학·화학》 Formel *f.* -n. ¶ 대수식 e-e algebraische Formel / 화학식 e-e chemische Formel / 식을 세우다 e-e Formel auf|stellen / 식으로 계산하다 mit Formeln rechnen.

식(食) das Essen*, -s; Speise *f.* -n; Nahrung *f.* -en.
‖ ~중독 Nahrungsmittelvergiftung *f.* -en.

식(蝕) 〖천문〗 (Sonnen-, Mond-)Finsternis *f.* -se; Eklipse *f.* -n.

식간(食間) 〔부사적〕 zwischen den Mahlzeiten 《*pl.*》. ¶ ~에 약을 먹다 zwischen den Mahlzeiten s-e Medizin ein|nehmen*.

식객(食客) Schmarotzer *m.* -s, -; Parasit *m.* -en, -en; 〖속어〗 Nassauer *m.* -s, -. ¶ ~노릇을 하다 schmarotzen 《bei *jm.*》; ein Schmarotzer werden; 〖속어〗 nassauern 《bei *jm.*》.

식견(識見) 《지성》 Intellekt *m.* -(e)s, -e; Intelligenz *f.*; Scharfsinn *m.* -(e)s; 《판단력》 Urteils|kraft (Erkenntnis-) *f.* ⸚e; 《오성》 Vernunft *f.*; Einsicht *f.* -en; Verstand *m.* -(e)s. ¶ ~이 높은 betont intellektuell; ausnehmend einsichtsvoll / ~이 있는 einsichtig; klug; verständig; vernünftig / ~이 없는 einsichtslos; unverständig; unvernünftig; stur.

식경(食頃) 〔부사적〕 e-e ganze (gute, lange) Weile; e-e Weile; e-n Moment.

식곤증(食困症) Abspannung *f.* -en (nach dem Essen); Mattheit *f.*; Schlaffheit *f.* -en; Trägheit *f.*; Lauheit *f.*; Faulheit *f.* (als Folge e-s vollen Magens).

식구(食口) Hausgenossen 《*pl.*》; Familienmitglieder 《*pl.*》; Familie *f.* -n. ¶ 큰 (작은, 다섯) ~ große (kleine, fünfköpfige) Familie / ~가 많다 (적다) eine große (kleine) Familie haben / 그것으로 ~를 부양할 수 없다 Damit kannst du keine Familie ernähren.

식권(食券) Speisecoupon [..kupɔ̃:] *m.* -s, -s; Lebensmittel|karte (-marke) *f.* -n; Essenkarte (-marke) *f.* -n. ⌈-en.

식균작용(食菌作用) 〖생리〗 Phagozytose *f.*

식기(食器) 《그릇》 Eß|geschirr *n.* -(e)s, -e (-gerät *n.* -(e)s, -e); Tisch|geschirr(-gerät).
‖ ~세척기 Geschirrspülmaschine *f.* -n. ~장 Geschirrschrank *m.* -(e)s, ⸚e.

식나무 〖식물〗 *Aucuba japonica* (학명).

식다 ① 《냉각》 kalt werden; [4]sich abkühlen; erkalten Ⓢ. ¶ 식사(수프)가 ~ Das Essen (Die Suppe) wird kalt. / 식기 전에 드십시오 Essen Sie, ehe es kalt wird. / 얼른 드세요, 식습니다 Essen Sie gleich, sonst wird das Essen kalt. / 쉬 덥는 방이 쉬 식는다 Schnell erhitzt, schnell erkaltet; sich schnell für etwas begeistern und ebenso schnell die Lust (daran) verlieren*.
② 《흥미·열 따위가》 abkühlen Ⓢ; [4]sich abkühlen; [4]sich legen; nach|lassen*; schwächer (geringer) werden; vergehen. ¶ 둘 사이의 애정이 많이 식었다 Die Zuneigung zwischen beiden ist stark abgekühlt. / 그의 독서열이 많이 식어 버렸다 S-e Schwärmerei fürs Lesen ist stark abgekühlt.

식단(食單) Speisenfolge *f.* -n; 《표》 Speise(n)-karte *f.* -n ※ Menü *n.* -s, -s는 「정식」의 뜻으로 많이 쓰임. ¶ ~표를 짜다 die Speisekarte (Speisenfolge) zusammen|stellen.

식당(食堂) Speise|zimmer (Eß-) *n.* -s, -; Speise|saal (Eß-) *m.* -(e)s, ..säle; Restaurant [rɛstorɑ̃:] *n.* -s, -s (레스토랑); Gaststätte *f.* -n; Speiselokal *n.* -(e)s, -e.
‖ ~차(車) Speisewagen *m.* -s, -. 사원~ Kantine *f.* -n. 셀프서비스식(式)~ Selbstbedienungsrestaurant *n.* 학생~ Mensa *f.* ⌊..sen.

식도(食刀) =식칼.

식도(食道) 〖해부〗 Speiseröhre *f.* -n; Ösophagus *m.* -, ..gi.
‖ ~암 Speiseröhrenkrebs *m.* -es, -e. ~염 Speiseröhrenentzündung *f.* -en. ~협착증 Speiseröhrenverengung *f.* -en.

식도락(食道樂) Feinschmeckerei *f.*; Gastronomie *f.*
‖ ~가 Feinschmecker *m.* -s, -; Gastronom *m.* -en, -en; Gourmand [gurmɑ̃:] *m.* -s, -s; Leckermaul *n.* -s, ⸚er.

식되(食—) Meßgefäß *n.* -es, -e; Küchenmaß *n.* -es, -e.

식량(食量) die Fassungskraft 《⸚e》 für Essen; Eßvermögen *n.* -s.

식량(食糧) Proviant *m.* -(e)s, -e; Provision *f.* -en; Lebens|mittel (Nahrungs-) *n.* -s, -; Mundvorrat *m.* -(e)s, ⸚e; Ration *f.* -en (배급되는). ¶ ~의 부족 Lebensmittel|knappheit *f.* (-mangel *m.* -s) / 3일분 ~ Proviant für drei Tage / 여행용 ~ Reiseproviant / ~을 공급하다 (ver)proviantieren; mit Proviant (Lebensmitteln) versehen* 《*jn.*》 / 풍부한 ~을 가져가다 genügend Proviant mit|nehmen*.
‖ ~관리, ~통제 Lebensmittelkontrolle *f.* ~문제 Nahrungsproblem *n.* -(e)s, -e. ~봉쇄 Hungerblockade *f.* -n. ~위원회 Proviantausschuß *m.* ..schusses, ..schüsse. ~정책 Ernährungspolitik *f.* ~차(선) Proviant|fuhre *f.* -n (-schiff *n.* -(e)s, -e). ~창고 Proviant|haus *n.* -es, ⸚er (-magazin *n.* -s, -e). 휴대~ Feldration *f.*; eiserne Portion, -en.

식료품(食料品) Eßwaren 《*pl.*》; Lebensmittel *n.* -s, -.
‖ ~(통제) 배급 Lebensmittelrationierung *f.*

-en. ~배급표 Lebensmittel¦karte *f.* -n 〔-marke *f.* -n〕. ~상 Lebensmittelgeschäft *n.* -(e)s, -e; Kolonialwarenhandel *m.* -s, ¨.

식리(殖利) das Einbringen* 《-s》 von Zinsen 《*pl.*》. ~하다 Zinsen tragen* 〔bringen*〕; Nutzen bringen*; verdienen; erwerben*.

식림(植林) Aufforstung *f.* -en; Anpflanzung *f.* -en; das Pflanzen*; Pflanzung *f.* -en; Bepflanzung *f.* -en. ~하다 auf|forsten; Bäume pflanzen.

‖ ~계획 Aufforstungsplan *m.* -(e)s, ¨e. ~사업 Aufforstungsprojekt *n.* -(e)s, -e. ~지 Plantage *f.* -n.

식모(食母) Küchenmagd *f.* ¨e; (Dienst)mädchen 〔Hausmädchen〕 *n.* -s, -; Dienerin *f.* ..rinnen; (Dienst)magd *f.* ¨e; die Hausangestellte*, -n, -n; Hausgehilfin *f.* -nen; Stubenmädchen (여관의). ¶ ~를 두다 ein Dienstmädchen haben 〔halten*〕 / ~ 구함 Dienstmädchen gesucht! (광고).

‖ ~방 Mädchen¦stube *f.* -n 〔-kammer *f.* -n〕. ~살이 der Dienst 《-(e)s, -e》 〔die Tätigkeit, -en〕 als Dienstmädchen (Hausangestellte).

식목(植木) Baumpflanzung *f.* -en; Aufforstung *f.* -en; An¦pflanzung 〔Be-〕 *f.* -en; das Pflanzen*. ~하다 e-n Baum pflanzen; aufforsten. ‖ ~일 Baumpflanzungstag *m.* -(e)s, -e; der Tag des Baumes.

식물(食物) Speise *f.* -n; Nahrung *f.* -en; Nahrungsmittel *n.* -; Lebensmittel 《*pl.*》.

식물(植物) Pflanze *f.* -n; Gewächs *n.* -es, -e; Vegetation *f.* -en (총칭); Flora *f.* ..ren (한 지방의). ¶ 1년생 〔상록〕 ~ einjährige 〔immergrüne〕 Pflanze / ~을 채집하다 Pflanzen sammeln.

‖ ~계(界) Pflanzenwelt *f.*; Vegetation *f.* ~구계(區界) Flora *f.* ~대(帶) Florengebiet *n.* -(e)s, -e. ~병리학 Pflanzenpathologie *f.* ~보호 Pflanzenschutz *m.* -es, -e. ~분류학 Pflanzensystematik *f.* ~생리학 Pflanzenphysiologie *f.* ~성 pflanzlich; pflanzenartig; vegetativ: ~성 버터 Pflanzenbutter *f.* / ~성 기름 pflanzliches Öl *n.* -(e)s, -e; Pflanzöl. ~원 botanischer Garten *m.*; Pflanzengarten *m.* -s, ¨. ~인간 ein paralysierter Mensch, -en, -en. ~지(誌) Pflanzenbeschreibung *f.* ~지리학 Pflanzengeographie *f.*; Geobotanik *f.* ~질 Pflanzstoff *m.* -(e)s, -e. ~채집 Pflanzensammlung *f.* -en ~표본 Pflanzenexemplar *n.* ~해부학 Pflanzenanatomie *f.* ~형태학 Pflanzenmorphologie *f.* 고산(열대)~ Alpenpflanze 〔tropische Pflanze〕.

식민(植民) Kolonisation *f.* -en; Besied(e)lung *f.* -en. ~하다 besiedeln[4]; kolonisieren. ¶ ~적인 kolonial.

‖ ~사업 Kolonisation *f.* ~시대 Kolonialzeit 〔-periode〕 *f.* ~주의 Kolonialismus *m.* ~지 Kolonie *f.* -n; Siedlung *f.* -en: ~지 정책 Kolonialpolitik *f.* / ~지 전쟁 Kolonialkrieg *m.* -(e)s, -e / ~지 총독 Prokonsul *m.* -s, -n / 반~지주의 Antikolonialismus *m.* ~지화하다 kolonisieren.

식별(識別) Unterscheidung *f.* -en; das Unterscheiden*, -s; Erkennung 〔Identifizierung〕 *f.* -en. ~하다 unterscheiden*[4] 《*von*[3]》; auseinander|halten*[4]; erkennen*[4] 《*an*[3]》; identifizieren[4]. ¶ ~할 수 있는 unterscheidbar; erkennbar; identifizierbar / ~하기 어려운 schwer erkennbar; schlecht anzusehen; undeutlich (불명료); unleserlich (읽기 고약한).

‖ ~력 Unterscheidungs¦vermögen 〔Erkennungs-〕 *n.* -s, -: 그는 섬세한 ~력을 갖고 있다 Er hat ein fein unterscheidendes Urteilsvermögen.

식보(食補) Stärkung des Körpers durch Diät. ~하다 s-n Körper durch Diät stärken.

식복(食福) das Glück 〔der Segen〕, etwas zu essen zu haben.

식부(植付) (Ein)pflanzung *f.* -en; Verpflanzung *f.* -en (모내기). ~하다 ein|pflanzen[4] 《*in*[4]》; verpflanzen[4] 《*in*[4]》 (모내기).

식분(蝕分·食分) 〖천문〗 e-e Phase 《-n》 der Finsternis.

식비(食費) Lebensmittel¦kosten 〔Nahrungs-〕 《*pl.*》; Verpflegungskosten 《*pl.*》. ¶ 호텔 ~ Hotelverpflegungspreis *m.* -es, -e / ~를 지불하다 die Kosten für die Verpflegung bezahlen / ~로 얼마씩 내고 있느냐 Wieviel zahlen Sie für Ihre Verpflegung? / ~가 한달에 9천원이다 Das Essen kostet mich monatlich 9000 *Won.* / 나는 매월 만원의 ~ 지급을 받는다 Ich bekomme monatlich zehntausend *Won* Verpflegungszuschuß. / ~가 포함되었읍니까 Ist die Verpflegung inbegriffen 〔eingeschlossen〕?

식빵(食—) Brot *n.* -(e)s, -e; Weißbrot (흰빵); Brötchen *n.* -s, -. ¶ ~ 한 조각〔덩어리〕 ein Stück 〔Laib〕 Brot / ~에 버터〔잼〕을 바르다 Brot mit Butter 〔Marmelade〕 schmieren.

식사(式辭) Festrede *f.* -n; Ansprache *f.* -n. ~하다 e-e Festrede 〔Ansprache〕 halten*.

식사(食事) das Essen*, -s; Mahlzeit *f.* -en. ~하다 essen*; e-e Mahlzeit halten* 〔ein|nehmen*〕. ¶ 좋은 〔간단한, 영양있는, 맛있는〕 ~ ein gutes 〔leichtes, nahrhaftes, schmeckhafes〕 Essen / ~를 준비하다 das Essen kochen 〔machen; vor|bereiten; zu|bereiten〕/ ~를 차리다 das Essen auf den Tisch bringen* 〔stellen〕 / ~를 절제없이 〔배불리, 많이, 적게〕 하다 unmäßig 〔satt, viel, wenig〕 essen / ~중에 beim Essen / ~하러 가다 essen gehen*; zum Essen gehen / 아침 ~하다 frühstücken / 점심 ~하다 zu Mittag essen/ 저녁 ~하다 zu Abend essen / ~제공의 mit Verpflegung; mit voller Pension / ~에 초대하다 zum Essen ein|laden* / 저는 지금 막 ~중입니다 Ich bin gerade beim Essen./ 계란 한 개를 아침 ~로 먹다 ein Ei zum Frühstück essen / ~가 식습니다 Das Essen wird kalt. / ~후에 nach dem Essen / ~는 끝나셨읍니까 Haben Sie schon gegessen?/ ~를 주문하다 das Essen bestellen.

‖ ~당번 Küchendienst *m.* -es, -e; Tafeldienst (식탁당번). ~시간 Essenszeit *f.* -en; Tischzeit *f.*

식산(殖産) Produktionszunahme *f.* -n; Beförderung der Industrie; Erzeugung *f.* -en; Herstellung *f.* -en. ~하다 Produktion vermehren.

‖ ~공업 Erzeugungsindustrie *f.*

식상(食傷) Übersättigung *f.* -en; Magenvergiftung *f.* -en (체증). ~하다 übersatt 〔übersättigt〕 sein 《*von*[3]》; überdrüssig[2] sein; 〖속어〗 die Nase voll haben 《*von*[3]》; [3]sich den Magen verderben* (체증).

식생활(食生活) Eßgewohnheiten 《*pl.*》. ¶ ~을 개선하다 s-e Eßgewohnheiten verbessern; besser essen*.

식성(食性) Neigungen und Abneigungen

《*pl.*》 beim Essen; Geschmack *m.* -es, -e; Vorliebe *f.* ¶ ～에 맞다 s-m Geschmack 〔Gaumen〕 zu|sagen / ～이 까다롭다 im Essen wählerisch sein; e-n feinen Geschmack haben.

식솔(食率) ＝식구.

식수(食水) Trinkwasser *n.* -s; 《우스개로》 Gänse¦wein 〔Kinder-〕 *m.* -(e)s; Brunnewitzer *m.* -s; Pumpenheimer *m.* -s (이상 두말은 샘의); Kranenbergen *m.* -s (수도의).

식수(植樹) ＝식목.

식순(式順) Ablauf *m.* -s (e-r Zeremonie); Ordnung *f.* -en; Programm *n.* -(e)s, -e; Programmfolge *f.* -n.

식식 keuchend; schwer atmend.

식식거리다 röcheln; keuchen; schnauben; schnaufen; schwer atmen. ¶ 식식거리며 mit keuchender Brust; außer Atem.

식언(食言) Wortbruch *m.* ～하다 sein Wort brechen*; e-e falsche Aussage machen; sein Versprechen nicht halten*.

식염(食鹽) Koch¦salz 〔Speise-〕 *n.* -es; Tafelsalz (식탁염).
‖ (생리적) ～수 (physiologische) Kochsalzlösung, -en. ～주사 die Einspritzung 〔Injektion〕 《-en》 von ³Kochsalzlösung.

식욕(食慾) Appetit *m.* -(e)s, -e; Eßlust *f.* ¶ ～을 자아내다 Appetit an|regen 〔reizen〕; appetitlich aus|sehen* (맛있게 보임) / ～을 채우다 s-n Appetit befriedigen; satt 〔genug〕 essen* und trinken* / ～이 동하다 〔있다〕 Appetit haben 《*nach*³; *auf*⁴》; begierig sein 《*nach*³》; 〖속어〗 scharf sein 《*auf*⁴》 / ～이 없다 k-n Appetit haben / ～을 잃다 den Appetit verlieren* / ～이 나다 Appetit bekommen* / ～이 왕성하다 e-n großen Appetit haben / 전연 ～이 없다 gar k-n Appetit haben.
‖ ～감퇴(부진) Appetitlosigkeit *f.*; Eßunlust *f.* ～증진 Appetitanregung *f.*: ～증진제 appetitanregende Arzneimittel 《*pl.*》.

식용(食用) Eß¦barkeit 〔Genieß-〕 *f.* ¶ ～의 eßbar; genießbar / ～으로 사용하다 als Nahrungsmittel gebrauchen / ～에 적합하다 eßbar 〔genießbar〕 sein; als Nahrungsmittel dienen; gut zu essen sein.
‖ ～개구리 Ochsenfrosch *m.* -es, ⸚e. ～기름, ～유 Speiseöl *n.* -(e)s, -e; Speisefett *n.* -(e)s, -e (지방). ～버섯 Speisepilz *m.* -(e)s, -e. ～식물 die eßbaren Pflanzen. ～품 Nahrungsmittel *n.* -s, -.

식육(食肉) das Fleisch¦essen(-fressen)*. ～하다 Fleisch essen* 〔fressen*〕. ¶ ～의 fleischfressend.
‖ ～가 Fleischesser *m.* -s, -. ～류 Fleischfresser *m.* -s, -; Raubtier *n.* -(e)s, -e (동물).

식은땀 kalter Schweiß, -es; Angstschweiß *m.* -es. ¶ ～을 흘리다 kalten Schweiß schwitzen; Angstschweiß schwitzen; vor ³Angst schwitzen (불안해서) / 이마에 ～이 배다 Der kalte Schweiß steht ihm auf der Stirn. / ～이 이마에서 솟아난다 Der Angstschweiß strömt ihm von der Stirn.

식음(食飮) Essen u. Trinken, des - u. -s. ¶ ～을 전폐하다 fasten; ⁴sich aller Speisen enthalten*.

식이(食餌) Nahrung 〔Diät〕 *f.* -en; Kost *f.*
‖ ～요법 Diätkur *f.* -en; Diätik *f.*: ～요법을 실시하다 Diät halten* / ～요법을 지시하다 *jm.* e-e Diät verordnen 〔vor|schreiben*〕.

식인(食人) Menschenfresserei *f.* -en; Kannibalismus *m.* -. ‖ ～종 Menschenfresser *m.* -s, -; Kannibale *m.* -n, -s; roher, brutaler Mensch, -en, -en (비유).

식일(式日) Feiertag *m.* -(e)s, -e; Festtag.

식자(植字) 〖인쇄〗 das Setzen*, -s. ～하다 Lettern 〔Schrift〕 setzen. ¶ ～의 오식 Setzfehler 〔Satz-〕 *m.* -s, -.
‖ ～공 (Schrift)setzer *m.* -s, -: ～견습공 Setzerlehring *m.* -s, -e. ～기 Setzmaschine *f.* -n. ～대 Setzregal *n.* -s, -s. ～실 Setzerei *f.*; Setzersaal *m.* -(e)s, ..säle.

식자(識者) die Gebildeten 《*pl.*》; die gebildete Oberschicht, -en; 《학자》 der Gelehrte*, -n, -n; Kenner *m.* -s, -. ¶ ～연하다 den Kenner spielen. ‖ ～우환 Viel Wissen macht Kopf¦weh 〔-schmerzen〕.

식장(式場) Fest¦halle *f.* -n 〔-saal *m.* -(e)s, ..säle〕; Festplatz *m.* -es, ⸚e (야외의). ¶ ～이 어디지요 Wo findet die Veranstaltung statt?

식적(食積) 〖한의학〗 Verdauungsstörung *f.* -en; Verdauungsschwäche *f.* -n; Magenverstimmung *f.* -en.

식전(式典) Gottesdienstordnung *f.* -en; gottesdienstlicher Brauch, -es, ⸚e; Zeremonie *f.* -n; Feierlichkeit *f.* -en.

식전(食前) 〖부사적〗 ① 《식사전》 vor dem Essen; vor Tisch. ¶ 매일 세 번 ～ 복용 täglich dreimal vor dem Essen ein|nehmen*. ② 《이른 아침》 vor dem Frühstück; morgens früh; am frühen Morgen.

식중독(食中毒) Lebensmittelvergiftung *f.* -en. ¶ ～에 걸리다 ³sich e-e Lebensmittelvergiftung zu|ziehen*; e-e Lebensmittelvergiftung bekommen*; 〖음식물이 주어〗 schlecht bekommen* ⓢ 《*jm.*》 / 무엇엔가 ～이 된 것 같다 Ich muß etwas gegessen haben, was mir schlecht bekommen ist.

식지(食指) ＝집게손가락.

식지(食紙) Ölpapier 《*n.* -s, -e》 zum Bedecken des Essens 〔Eßtisches〕.

식체(食滯) Verdauungsstörung *f.* -en; Dyspepsie *f.* -n.

식초(食醋) Essig *m.* -s, -e. ¶ ～를 치다 Essig an ³*et.* tun*; ⁴*et.* mit³ Essig an|machen / ～가 되다 zu Essig werden.

식충(食蟲) das Insektenfressen*, -s. ¶ ～의 insektenfressend.
‖ ～류 〖동물〗 Insektenfresser *m.* -s, -; Insektivor *n.* -en, -en. ～식물 e-e insektenfressende Pflanze, -n; Insektivor *n.* ～이 Schwelger *m.* -s, -; der Unersättliche*, -n, -n; der Gierige*, -n, -n.

식칼(食—) Küchenmesser *n.* -s, -; Hackmesser *n.* -s, - (고기 써는 칼). ¶ ～로 썰다 mit dem Küchenmesser 〔Hackmesser〕 schneiden* 〔hacken〕

식탁(食卓) Tisch *m.* -es, -e; Speisetisch *m.*; Tafel *f.* -n. ¶ ～에 앉다 ⁴sich zu Tisch setzen / ～에서 일어서다 vom Tisch aufstehen* / ～을 준비하다(치우다) den Tisch decken 〔ab|decken〕 / ～으로 안내하다 *jn.* zu Tisch führen. ‖ ～당번 Tischdienst *m.* -es, -e. ～보 Tisch¦decke *f.* -n 〔-tuch *n.* -(e)s, ⸚er〕. ～연설 Tischrede *f.* -n.

식탈(食頉) Magenbeschwerden 《*pl.*》.

식품(食品) Lebens¦mittel 〔Nahrungs-〕 *n.* -s, -.
‖ ～공업 Nahrungsindustrie *f.* ～법 Lebensmittelgesetz *n.* -es, -e. ～점 Lebensmittelgeschäft *n.* ～중독 Nahrungsvergiftung *f.* ～첨가물 chemischer Zusatz 《-es, ⸚e》

für Lebensmittel. ~화학 Nahrungschemie *f.* 인스턴트~ Instantnahrungsmittel *n.*
식피(植皮) 〖의학〗 Hautverpflanzung *f.* -en; Gewebsverpflanzung *f.* -en (조직의 이식); Transplantation *f.* -en. ~하다 Haut verpflanzen (überpflanzen; übertragen*).
‖ ~법 Transplantation *f.*
식혜(食醯) kaltes Getränk 《-es, -e》 aus gegorenen Reis.
‖ ~가루 trockenes Malz 《-es》, das Reis zum Gären (Fermentieren) bringt.
식후(食後) 〔부사적〕 nach dem Essen; nach [3]Tisch. ¶ ~의 디저트 Nachtisch *m.* -es, -e; Dessert [dɛsɛ́:r, dɛsέrt] *n.* -s, -s / ~ 30분에 복용함 30 Minuten nach dem Essen zu nehmen!
식히다 (ab|)kühlen[4]; kalt werden lassen*[4]; kalt machen[4]. ¶ 식힌 (ab)gekühlt / 열정을 ~ s-e Leidenschaften 《*pl.*》 ab|kühlen / 분노를 ~ s-n Zorn ab|kühlen / 밀크를(물을) ~ Milch (Wasser) ab|kühlen.
신[1] 《신발》 Fußbekleidung *f.* -en; Fußwerk *n.* -(e)s, -e; Schuh *m.* -(e)s, -e. ¶ 갖신 koreanischer Lederschuh / 고무신 Gummischuh / 덧신 Überschuh / 신 한 켤레 ein Paar Schuhe / 신을 신다 (벗다) die Schuhe an|ziehen* (aus|ziehen*) / 신을 닦다 die Schuhe putzen / 신을 수선하다 Schuhe aus|-bessern / 이 신은 꼭 낀다 Diese Schuhe drücken mich. / 이 신은 꼭 맞는다 Diese Schuhe passen mir genau.
신[2] 《신명》 Begeisterung *f.* -en; Enthusiasmus *m.* -; Schwärmerei *f.* -en; Erregung *f.* -en; Aufregung *f.* -en; Herz *n.* -ens, -en; Wärme *f.*; Hitze *f.*; Glut *f.* -en; Eifer *m.* -s. ¶ 신이 나다 begeistert (erregt) werden; in Schwung kommen* ⓢ; für [4]*et.* schwärmen / 신이 나서 이야기하다 mit Leidenschaft sprechen* / 정치 이야기가 나오기만 하면 그는 신이 난다 Wenn die Politik zur Sprache kommt, wird er sehr erregt.
신(申) 〖민속〗 ① 《십이지의》 Das Zeichen 《-s, -》 des Affen (=der 9. der 12 Erdzweige). ② ☞ 신방(申方). ③ ☞ 신시(申時).
신(辛) 〖민속〗 ① 《십간의》 der 8. der 10 Himmelsstämme. ② ☞ 신방(辛方). ③ ☞ 신시(辛時).
신(臣) ① 《신하》 Untertan *m.* -s (-en), -en; Vasall *m.* -en, -en; Gefolgsmann *m.* -(e)s, ⸗er (..leute). ② 《임금에게》 ich; Ihrer Majestät untertänigster Diener.
신(信) ① 《성실》 Treue *f.*; Redlichkeit; Vertrauen *n.* -s, -; Aufrichtigkeit *f.* ② 《소식》 Neuigkeit *f.* -en; Nachricht *f.* -en; Kunde *f.* -n; das Neue*, -n.
신(神) Gott *m.* -(e)s, ⸗er ※ 기독교에서의 신일 때는 관사가 없다; Göttin *f.* -nen (여신); der Allmächtige*, -n (전능의 신); Vorsehung *f.* -en; Schöpfer *m.* -s, - (조물주); Allah *m.* -s (회교의); 《주님의 뜻으로》 der Herr, des -n; der himmlische Vater, -s, -; (der) Herr Jesus; Dämon *m.* (귀신); Geist *m.* (신령); Genie *n.* -s, -s (천재). ¶ 신의 Gottes-; Götter-; göttlich; geistlich (종교, 교회의) / 신의 도움으로 mit Gottes Beistand (Hilfe; Unterstützung) / 신에 맹세코 bei Gott; im Namen Gottes; Gott ist mein Zeuge! / 신과 같은 gott¦ähnlich (-gleich) / 신의 은총 Gottes Gnade / 신을 숭배하다 e-n Gott verehren (an|beten) / 신을 두려워하다 (사랑하다, 찬양하다) Gott fürchten (lieben, loben od. preisen) / 그리스의(이교도의, 로마의) 신들 die griechischen (heidnischen, römischen) Götter / 신을 믿다 an Gott glauben / 신의 축복 Gottes Segen / 신에게 감사하다 Gott danken / 신을 부인하다 Gott leugnen / 신의 계시 Gottesoffenbarung *f.* / 신의 뜻 Gotteswillen *m.* / 신의 뜻대로 wie Gott will / 신의 심판 Gottes¦gericht (-urteil) *n.* / 신의 저주를 받은 gottversucht; gottverlassen; gottverhaßt / 신을 믿지 않는 gottlos / 신으로 삼다 vergotten[4]; zum Gott erheben*[4].
신(腎) ① ☞ 신장(腎臟). ② 《음경》 Penis *m.* -, ..nisse (..nes); das männliche Glied, -(e)s, -er.
신 Szene *f.* -n. ¶ 극적 신을 전개하다 e-e dramatische Szene entwickeln.
‖ 러브신 Liebesszene *f.*
신-(新) neu; Neu-; 《현대적》 modern; 《신식》 modisch; neuzeitlich; neo-. ¶ 콜룸부스는 신대륙을 발견했다 Kolumbus entdeckte die Neue Welt. / 신유행 die letzte (neueste) Mode / 신발명 e-e neue Erfindung / 신시가(市街) ein neuer Stadtteil / 신년 das neue Jahr; Neujahr / 신간 서적 neu erschienene Werke (Bücher) / 신참 Neuankömmling *m.* / 신판 Neuauflage *f.* / 신생아 neugeborenes Kind, -es, -er; Neugeborenes *n.* / 신생 Neugeburt *f.* / 신칸트 학파 Neukantianismus *m.*; Neukantianer *m.* / 신형(차) der neue Autotyp, -s, -e(n).
신가정(新家庭) das neue Haus (Heim) -es, ⸗er; das Haus der Neuvermählten 《*pl.*》.
신간(新刊) die neue Veröffentlichung, -en; Neudruck *m.* -(e)s, -e (신판). ¶ ~의 neu veröffentlicht (erschienen).
‖ ~목록 der Katalog neuer Bücher. ~서비평 Bücherschau *f.* -en. ~서적 ein neues Buch, -(e)s, ⸗er; e-e neue Veröffentlichung, -en; Neuerscheinung *f.* -en. ~소개 Bücher-Rundschau *f.* -en; Bücher-Revue *f.* -n. ~예고 die Vorankündigung der erschienenden Bücher.
신간(新墾) 〔형용사적〕 neugewonnen; urbar gemacht. ~하다 (Land) neu gewinnen*; urbar machen. ‖ ~지 =신개척지.
신갈나무 〖식물〗 mongolische Eiche, -n; *Ouercus mongolica* (학명).
신강(新疆) 《중국 서쪽 지방》 Sinkiang.
신개발지(新開發地) ein neuerschlossenes Land, -(e)s; ein neuer Stadtteil, -(e)s, -e (신시가); Neusiedlung *f.* -en (새 단지).
신개척지(新開拓地) neu gewonnenes (urbar gemachtes) Land, -es.
신건이 leichtsinniger Mensch, -en, -en; ein guter Narr, -en, -en; Dummkopf *m.* -(e)s, ⸗e; Tor *m.* -en, -en.
신격(神格) Gottheit *f.*; Göttlichkeit *f.*
‖ ~화 Vergottung (Vergötterung) *f.* -en; Apotheose *f.* -n: ~화하다 vergöttlichen; vergöttern; vergotten.
신경(神經) Nerv *m.* -s, -en; Empfindlichkeit *f.* ¶ ~이 예민한 nervös; ängstlich; erregbar; empfindlich / ~이 둔한 dickfellig; unempfindlich / ~이 굵다 (질기다) starke (eiserne) Nerven haben; wie Drahtseile (Nerven) haben / ~을 건드리다 *jm.* auf die Nerven gehen* (fallen*) ⓢ; *jn.* stören / 소음이 내 ~을 건드린다 Der Lärm fällt mir auf die Nerven. / ~을 쓰다 [4]sich um [4]*et.* kümmern; aufpassen; acht|geben; auf-

merksam sein / 몸차림에 ~을 안 쓰다 ⁴sich nicht um s-e Kleidung kümmern / 그런 일에 신경쓰지 않는다 Das ist mir gleichgültig. / ~을 죽이다 den Nerv (e-s Zahnes) töten (이빨의) / ~을 안정시키다 den Nerv beruhigen / ~을 피로케 하다 *js.* Nerven auf|reiben* / ~이 곤두서다 ängstlich (nervös) werden / 저 사람은 도무지 무~이다 Er hat überhaupt keine Nerven. / 저 여자는 ~과민이다 Sie leidet an den Nerven (Ihre Nerven sind überreizt). / 저 자의 ~은 대단해 Der hat Nerven! (비꼬아서).

‖ **~계**(통) Nervensystem *n.* -s, -e: 자율 ~계 das autonome Nervensystem / 말초 ~계 das periphere Nervensystem. **~과 전문의** Nervenarzt *m.* -(e)s, ⸚e; Neurologe *m.* -n, -n. **~말단**《치아의》(Zahn)pulpa *f.* **~병** Nerven¦krankheit *f.* -en (-leiden *n.* -s, -): ~병을 앓는 nervenkrank; nervenleidend. **~섬유** Nervenfaser *f.* **~세포** Nervenzelle *f.* -n. **~쇠약** Nervenschwäche *f.*; Neurasthenie *f.*: ~쇠약의 nervenschwach. **~안정제** Nervenberuhigungsmittel *n.*; Beruhigungsmittel. **~염** Nervenentzündung *f.* -en; Neuritis *f.* ..tiden. **~외과학** Neurochirurgie *f.* **~전** Nervenkrieg *m.* -(e)s, -e. **~절제** Nervenschnitt *m.*; Neurotomie *f.* **~중추** Nervenzentrum *n.* **~증** Neurose *f.* -n: ~증의 neurotisch / ~증 환자 Neurotiker *m.* -s, -. **~통** Nervenschmerz *m.* -es, -en; Neuralgie *f.* **~진탕**(振盪) Nervenzerrüttung *f.* **~학** Nervenkunde (-lehre) *f.* **~해부** Nervenzergliederung *f.* **~핵** Nervenkern *m.* **~흥분** Nervenaufregung *f.*

신경과민(神經過敏) Nervosität *f.*; Überempfindlichkeit *f.* ¶ ~의, ~질의 nervös; empfindlich / 시험 때 ~이 되다 vor (bei) der Prüfung nervös werden / 건강에 ~이 되다 ⁴sich um seine Gesundheit kümmern / 그는 지나치게 ~이다 Er ist sehr nervös.¦Er ist zu empfindlich.

신경쇠약(神經衰弱) Nervenschwäche *f.* -n; Neurasthenie *f.* -n. ¶ ~의 neurasthenisch; nervenschwach. ¶ 그는 ~이다 Er ist mit den Nerven herunter.¦S-e Nerven sind ermüdet (erschöpft).

‖ **~자** Neurastheniker *m.* -s, -.

신경지(新境地) das neue erschlossene Land; die neue Welt, -en. ¶ ~를 개척하다 ein Brachfeld (um|)pflügen (um|brechen*); 《비유적》 ein neues Gebiet erschließen*.

신경질(神經質) Nervosität *f.*; Überempfindlichkeit *f.*; Erregbarkeit *f.* ¶ ~의(적인) nervös; leicht reizbar; überempfindlich / 그는 ~적인 사람이다 Er ist ein nervöser Mensch. / ~적인 반응 ein nervöser Reflex / ~이 나게 하다 nervös machen / 너는 많은 질문으로 나를 ~이 나게 하고 있다 Du machst mich nervös mit deinen vielen Fragen. / 그녀는 오늘도 다시 ~을 부린다 Sie ist heute wieder sehr nervös.

신경향(新傾向) die neue Tendenz (Neigung; Richtung) -en; der neue Gang (Lauf). ¶ ~을 보이다 e-e neue Tendenz zeigen.

‖ **~파** die Antitraditionelle Schule (der koreanischen Literatur ca. 1920).

신고(申告) Anmeldung *f.* -en; Angabe *f.* -n; 《특히 납세 신고》 Erklärung *f.* -en; Deklaration *f.* -en; Anzeige *f.* -n. **~하다** an|melden⁴; an|geben*⁴; erklären⁴; deklarieren⁴; 《고발하다》 an|zeigen; e-e Anzeige erstatten. ¶ ~ 없이 ohne Meldung; ungemeldet / 전입(전출)을 ~하다 ⁴sich an|melden (ab|-) / 경찰에 ~하다 ⁴sich bei (auf) der Polizei an|melden; ⁴sich polizeilich an|melden / 연간 소득세를 ~하다 die Einkommenssteuererklärung machen / 관세(납세) ~를 하다 e-e Zolldeklaration (Steuererklärung) ab|geben*.

‖ **~기한** Anmelde¦frist *f.* -en (-termin *m.* -s, -e). **~액** die angegebene Summe, -n; deklarierter Wert, -(e)s, -e (가치). **~용지** Anmeldeformular *n.* -s, -e; Anmeldeschein *m.* -(e)s, -e. **~의무** Anmeldepflicht *f.* (전출, 전입); Anzeigepflicht *f.* (범죄나 전염병). **관세~** Zolldeklaration *f.* **납세~** Steuererklärung *f.* -en. **사전~** vorherige Anmeldung. **확정~** die abgeschlossene (endgültige) Steuererklärung.

신고(辛苦) 《간난》 Mühsal *f.* -e; Mühseligkeit *f.* -en; 《노고》 Mühe *f.* -n; Bemühung *f.* -en; Plage *f.* **~하다** ⁴sich (redlich) ab|mühen 《*mit*³》; (er)leiden*; Not leiden*; bittere Erfahrungen machen. ¶ ~스럽다 anstrengend; mühsam; mühselig; peinlich; schmerzhaft (sein).

신곡(神曲) 《단테의》 Dantes „Göttliche Komödie".

신곡(新曲) e-e neue Komposition, -n (작곡); ein neues Musikstück (Tonstück) -(e)s, -e (악곡); e-e neue Melodie, -n (곡조).

신곡(新穀) die neue Reisernte; neues Korn (Getreide). ‖ **~머리** Erntezeit *f.* -en.

신골 Leisten *m.* -s, -; Schuhleisten *m.*

‖ **~방망이** der Hammer des Schuhmachers.

신공(神功) Gottes Hilfe, -n; göttliche Gnade, -n.

신관 《Ihr*, sein*》 Gesicht *n.* -es, -er (Antlitz *n.* -es, -e); Miene *f.* -n. ¶ ~이 좋으십니다 Sie sehen gut aus.

신관(信管) Zünder *m.* -s, -; Sicherung *f.* -en. ¶ ~을 끊다 (장치하다) einen Zünder schneiden* (stellen) / ~이 타 버렸다 Die Sicherung ist durchgebrannt.

‖ **시한~** Zeitzünder *m.* -s, -.

신관(新官) der neue Beamte*, -n; der neue Ernannte*, -n; der neue Angestellte*, -n.

신관(新館) das neue Gebäude, -s, -; Neubau *m.* -s, -ten.

신교(信教) religiöser Glaube, -ns, -n; Glaubenbekenntnis *n.* -ses, -se. ¶ ~의 자유 Religionsfreiheit *f.*; religiöse Freiheit / ~의 자유를 보장하다 Religionsfreiheit gewährleisten.

신교(新教) Protestantismus *m.* -. ¶ ~의 protestantisch / ~의 선교자 der protestantische Missionär, -s, -e.

‖ **~도** Protestant *m.* -en, -en.

신구(新舊) alt u. neu. ¶ ~ 서적 alte und neue Bücher 《*pl.*》/ ~약 〖성서〗 Das Alte und Neue Testament / ~ 장관 neu eintretende u. abgehende Minister 《*pl.*》/ ~ 사상의 충돌 der Widerspruch alter und neuer Ansichten.

신국면(新局面) e-e neue Phase, -n; e-e neue Lage, -n. ¶ ~을 전개하다 in e-e neue Phase ein|treten* Ⓢ; e-e neue Lage schaffen*.

신권(神權) göttliches Recht, -(e)s, -e; Gottes Gnaden 《*pl.*》.

‖ **~정치** Theokratie *f.* -n; Gottesherrschaft *f.* -en. **제왕~설** die Lehre des göttlichen Rechts (des Herrschers); die Lehre vom Gottesgnadentum.

신규(新規) neue Vorschrift (Reglung; Verordnung) -en; neue Satzungen (Bestimmungen) ⟪*pl.*⟫. ¶ ~의 neu; frisch/~로 neu; von neuem; aufs neue / ~로 시작하다 wieder von vorne (von Anfang an) beginnen*; von neuem anfangen* / ~로 채용하다 *jn.* neu anstellen.
‖ ~계좌 ein neu eröffnetes Konto. ~사업 neues Unternehmen. ~예금 die neuen Depositen ⟪*pl.*⟫.

신극(新劇) das moderne Theater, -s; das neue Drama, -s, -en; ⟪파⟫ die neue Schule ⟪*pl.*⟫ des Dramas (Schauspieles).
‖ ~운동 die Bewegung des „modernen Theaters"; die Reformbewegung in der Theaterwelt; neue dramatische Tendenzen in der Welt des Theaters.

신근(伸筋) Streckmuskel *m.* -s, -n.

신금(宸襟) die Gesinnung des Königs; das Gemüt des Königs (Herrschers).

신기(神技) e-e übermenschliche Fertigkeit (Leistung) -en; e-e unglaubliche Geschicklichkeit. ¶ 그 사람의 피아노 연주는 거의 ~에 가까왔다 Sein Klavierspiel grenzte fast ans Unwahrscheinliche.

신기(神奇) ~하다 geheimnisvoll; mysteriös; rätselhaft; ⟪기이한⟫ seltsam; sonderbar; merkwürdig; kurios; wunderlich (sein). ¶ ~한 듯이 mit Neugierde; neugierig verwundert / ~하게 생각하다 [4]sich wundern; staunen ⟪*über*[4]⟫ / ~한 일 Geheimnis *n.* -ses, -se; Mysterium *n.* -s, ..rien; Seltsamkeit *f.* -en.

신기(神祇) die Götter des Himmels und der Erde.

신기(神氣) Lebhaftigkeit *f.* -en; Lebenskraft *f.* ⸚e; Vitalität *f.* -en; Geist *m.* -es, -er; Seele *f.* -n; Gemüt *n.* -(e)s, -er. ¶ ~가 상쾌하다 erfrischt sein; [4]sich erfrischt und heiter fühlen / ~가 혼탁하다 Das Gemüt ist verwirrt und betrübt.

신기(神機) ① ⟪계기⟫ der erstaunliche Augenblick, -(e)s, -e; der richtige Moment, -(e)s, -e; die günstige Gelegenheit, -en. ② ⟪기략⟫ göttliche Hilfe, -n (Unterstützung, -en); göttliches Eingreifen*, -s; göttliche Vorsehung (Fügung).

신기(新奇) Neuheit *f.* -en; Seltenheit *f.* -en (진기). ¶ ~한 것을 좋아하다 die Abwechselung lieben; auf der [3]Suche nach [3]Neuheiten sein / ~한 neu(artig); selten; ungewöhnlich / ~하게 여기다 [4]sich interessieren ⟪*für*[4]⟫; interessiert sein ⟪*für*[4]⟫; neugierig sein ⟪*auf*[4]⟫; bewundern.

신기(腎氣) Männlichkeit *f.*; Manneskraft *f.*; (geschlechtliche; sexuelle) Potenz; Virilität *f.*

신기다 ⟪신 따위를⟫ ⟪*jm.* Schuhe, Strümpfe⟫ an|ziehen*. ¶ 아이에게 양말 〔신〕을 ~ dem Kind Strümpfe (Schuhe) an|ziehen.

신기록(新記錄) ein neuer Rekord, -(e)s, -e; die neue Höchstleistung, -en; die neue Bestleistung, -en. ¶ ~을 세우다 e-n neuen Rekord auf|stellen.
‖ 세계~ ein neuer Weltrekord: 세계 ~ 보지자 Weltrekordler *m.* -s, -.

신기료장수 ⟪구두수선장이⟫ Schuhflicker *m.* -s, -; Flickschuster.

신기루(蜃氣樓) Luftspiegelung *f.* -en; Fata Morgana *f.* - -s (..nen); ⟪공중 누각⟫ Luftschloß *n.* ..losses, ..lösse. ¶ ~가 나타나다 Eine Luftspiegelung erscheint.

신기원(新紀元) e-e neue Ära, ..ren (Epoche, -n). ¶ ~을 이루는 epochemachend; epochal / ~을 이룩하다 (짓다, 획하다) e-e neue Ära eröffnen; Epoche machen / 그의 작품은 ~을 이룩하였다 Sein Werk machte Epoche.

신기축(新機軸) ein neuer Entwurf, -(e)s, ⸚e; e-e neue Erfindung, -en. ¶ ~을 이루다 e-n neuen Entwurf aus|arbeiten; e-e neue Erfindung machen; e-e neue Methode (ein neues Verfahren) ein|führen.

신나 ⟪칠 따위의 희석제⟫ Verdünnungs¦mittel (Lösungs-) *n.* -s; Farbverdünner *m.* -s.

신나다 heiter (gut aufgelegt; übermütig; in gehobener Stimmung; freudig) sein.

신나무 〖식물〗 Amur-Ahorn *n.* -s; *Acer ginnala* (학명).

신날 Die vier Hauptriemen ⟪*pl.*⟫ auf die Sohle der Strohsandale gewebt ist.

신남(信男) 〖불교〗 der Gläubige*, -n, -n; gläubiger Buddhist, -en, -en.

신낭(腎囊) Hodensack *m.* -(e)s, ⸚e; Skrotum *n.* -s, ..ta.

신내기(新—) Ankömmling *m.* -s, -e; Neuling *m.* -s, -e.

신내리다(神—) ⟪der Schamane⟫ in Verzückung (Ekstase; Trance) geraten* ⓢ; in Entrückungszustand kommen* ⓢ; vom Geist besessen sein.

신녀(信女) 〖불교〗 die Gläubige*, -n, -n; gläubige Buddhistin, -nen.

신년(申年) das Jahr ⟪-es, -e⟫ des Affen.

신년(新年) ein neues Jahr, -(e)s, -e.; Neujahr *n.* ¶ ~ 인사를 가다 e-n Neujahrsbesuch machen ⟪bei *jm.*⟫ / ~을 맞이하다 das neue Jahr begrüßen / ~ 축배 Prosit Neujahr! / ~ 축제 Neujahrsfest *n.* -es, -e / ~ 축하연 Neujahrsbankett *n.* -(e)s, -e.
‖ 근하~ Glückwunsch zum neuen Jahr!; Ein glückliches neues Jahr!

신념(信念) Glaube *m.* -ns; ⟪확신⟫ Überzeugung *f.* -en. ¶ ~의 사나이 ein Mann mit fester Überzeugung; ein festüberzeugter Mann / ~이 강한 (약한) 사람 ein Mann mit starkem (schwachem) Willen / 굳은 ~을 갖다 feste Überzeugung haben / 그의 ~은 굳다 Er hält an s-r Überzeugung fest.

신다 an|ziehen*[4]; ⟪신고 있다⟫ an|haben*; tragen*. ¶ 신을 안 신고 ohne Schuhe; mit bloßen Füßen; barfuß / 구두를 (양말을) ~ Schuhe (Strümpfe) anziehen / 샌들을 ~ in die Sandale schlüpfen ⓢ / 장화를 ~ [4]sich stiefeln / 신어 보시지요 Probieren Sie es mal an! / 그는 항상 고무창 구두를 신고 있다 Er trägt immer Schuhe mit Gummisohlen. / 이 구두는 이제 못 신는다 Diese Schuhe sind nicht mehr zu tragen.¦Diese Schuhe sind schon abgetragen. / 그는 덧신을 신고 있다 Er hat Überschuhe an.

신당(神堂) Schrein ⟪*m.* -s, -e⟫ für die lokalen Götter (die Ortsgeister, den Berggeist, e-n Baumgeist *usw.*).

신당(新黨) e-e neue Partei, -en. ¶ ~을 결성하다 e-e neue Partei bilden (gründen).

신대 gebogener Bestandteil des koreanischen Webstuhls, e-e Holzleiste, die die oberen Querstange (*Yongdumeori*) mit der Pedalschnur (*Soekkori*) verbindet.

신대륙(新大陸) der Neue Kontinent, -s, -e;

die Neue Welt; Amerika.
신덕(神德) Gottesgnade *f.* -n; die Güte Gottes; Gottes Hilfe *f.* -n.
신도(信徒) 《남자》 der Gläubige*, -n, -n; 《여자》 die Gläubige*, -n, -n; Verehrer *m.* -s, -; Verfechter *m.* -s, -; Betbruder *m.* -s, ⸗; Frömmler *m.* -s, -.
신돌이 Zierrand 《*m.* -es, ⸗er》 der koreanischen Sandale.
신동(神童) Wunderkind *n.* -(e)s, -er; das geniale Kind. ¶ 그 애는 ~이다 Das Kind ist ein Wunder.
신둥부러지다 naseweis; vorlaut; anmaßend; vermessen; frech; unverschämt (sein).
신뒤축 Schuhabsatz *m.* -es, ⸗e; Absatz *m.* -es, ⸗e. ¶ ~이 없는 ohne Absätze / ~이 높다 hohe Absätze haben / ~이 낮다 niedrige Absätze haben / ~이 닳았다 Die Absätze sind abgenutzt (abgetragen).
신디케이트 〖경제〗 Syndikat *n.* -(e)s, -e. ¶ ~를 조직하다 syndizieren.
신딸(神—) „Geister-, Göttertochter"; Das junge Lehrmädchen 《-s, -》 e-r älteren Schamanin (=*Mudang*).
신랄하다(辛辣—) bitter; scharf; beißend; schneidend; bissig; stechend; hart; streng (sein). ¶ 신랄한 비평 e-e scharfe Kritik / 신랄한 풍자 e-e beißende Satire; e-e bittere Ironie / 신랄한 말(비난) bittere Worte (Vorwürfe) / 신랄하게 비평하다 hart kritisieren; scharfe Kritik üben 《*an*³》 / 신랄한 필치 die scharfe Feder.
신랑(新郞) Bräutigam *m.* -s, -e; der Neuvermählte*, -n, -n. ‖ ~신부 Braut 《*f.* ⸗e》 u. Bräutigam; das neuvermählte Paar.
신래(新來) ¶ ~의 neu(au)gekommen.
‖ ~객 der neue Gast, -es, ⸗e. ~자 Neuling *m.* -s, -e; der Neuangekommene*, -n, -n. ~환자 ein neuer Patient, -en, -en.
신력(神力) göttliche (heilige) Kraft, -e; übermenschliche Stärke, -n.
신력(新曆) der neue Kalender, -s, -; 《양력》 Sonnenkalender *m.* -s, -.
신령(神靈) ① 《신성한》 der Heilige Geist, -es, -er; Geister 《*pl.*》; Götter 《*pl.*》. ¶ ~의 가호 der Schutz Gottes. ② 《죽은 사람의》 Seele *f.* -n. ‖ 산~ Berggeist; der Schutzgeist des Berges.
신례(新例) das neue Beispiel, -(e)s, -e. ¶ ~를 만들다 ein neues Beispiel geben*.
신록(新綠) das frische Grün, -s. ¶ ~의 계절 die Jahreszeit mit dem frischen Grün; Frühling *m.* -s, - / ~을 찾다 in frischem Grün besuchen / 숲은 ~으로 빛나고 있다 Die Wälder leuchten in frischem Grün.
신뢰(信賴) das Vertrauen* (Zutrauen*) -s; Zuversicht *f.*; Verlaß *m.* ..lasses. ~하다 vertrauen 《*jm.*》; die Zuversicht setzen 《*auf*⁴》; Vertrauen haben 《zu *jm.*》; Vertrauen setzen 《in *jn.*》; 《의지함》 ⁴sich verlassen* 《*auf*⁴》. ¶ ~할 수 있는 vertrauenswürdig; zuverlässig / ~할 수 없는 unzuverlässig / 무한한 ~ unbegrenztes (grenzenloses) Vertrauen / ~를 배반하다 *js.* Vertrauen enttäuschen / 우린 그의 ~를 배반할 생각이 없다 Wir wollen sein Vertrauen nicht enttäuschen / ~를 받다 Vertrauen verdient / ~심을 일으키다 Vertrauen erwecken / 난 그를 매우 ~한다 Ich vertraue ihm tief. / ~가 ~를 낳는다 Vertrauen erweckt Vertrauen. / ~할만한 소식통으로부터 그 소식을 들었다 Aus verläßlicher Quelle haben wir die Nachrichten erfahren.
신망(信望) Vertrauen *n.* -s (신뢰); Hoffnung *f.* -en (기대). ¶ ~을 누리다 ⁴sich großer Beliebtheit erfreuen; sehr beliebt sein / ~이 있다 (을 얻다) *js.* ⁴Vertrauen genießen* (gewinnen*) / 그에 대한 ~은 대단하다 Man setzt sein ganzes Vertrauen (große Hoffnungen) auf ihn.
신면목(新面目) ein neuer Anblick (Aspekt) -(e)s, -e. ¶ ~을 나타내다 e-n neuen Anblick (Aspekt) bieten*.
신명(身命) sein eigenes Leben, -s. ¶ ~을 바쳐 mit ³Gefahr des Lebens / ~을 바치다 sein Leben ein|setzen; ⁴sich in Lebensgefahr begeben*.
신명(神明) Gottheit *f.*; Gott *m.* -es, ⸗er. ¶ 천지~에 맹세하다 bei Gott schwören* / ~의 가호아래 in (unter) ²Gottes ³Schutz.
신명기(申命記) 〖성서〗 das fünfte Buch Mose.
신명나다 in Begeisterung (Enthusiasmus; Schwärmerei) geraten* ⓢ 《*wegen*²》; entzückt sein 《*über*⁴; *von*³》; ⁴sich ausgezeichnet amüsieren; Spaß haben 《*an*³》; ⁴sich ergötzen 《*an*³》; ⁴sich belustigen 《*an*³; *mit*³; *über*⁴》; in gehobene Stimmung geraten*.
신명지다 lustig; vergnügt; fröhlich; scherzhaft; ergötzlich; spaßhaft; froh; freudig; erfreulich; entzückt; packend (sein).
신묘(辛卯) 〖민속〗 die 28. binäre Kombination des Sechzigerzyklus.
신묘(神妙) ~하다 mysteriös; geheimnisvoll; orakelhaft; okkult; übernatürlich (sein).
신문(訊問) Verhör *n.* -(e)s, -e; Vernehmung *f.* -en; Befragung *f.* -en; die gerichtliche Untersuchung, -en. ~하다 verhören 《*jn.*》; vernehmen*⁴; aus|fragen⁴; ein Verhör an|stellen 《mit *jm.*》; ins Verhör nehmen*⁴. ¶ 그는 여러 시간 동안 ~을 받았다 Er wurde stundenlang verhört.
‖ ~자 Vernehmer *m.* -s, -; Prüfer *m.* -s, -; der Prüfende*, -n, -n; der Untersuchende*, -n, -n; Examinator *m.* -s, -en. ~조서 Vernehmungsprotokoll *n.* -s, -e; Untersuchungsakten 《*pl.*》. 반대~ Kreuzverhör: 반대 ~을 하다 ins Kreuzverhör nehmen*; e-m Kreuzverhör unterziehen*.
신문(新聞) Zeitung *f.* -en; (Zeitungs)blatt *n.* -(e)s, ⸗er; Presse *f.* -n (총칭). ¶ ~을 읽다 die Zeitung (in der Zeitung) lesen* / ~에 나다 in der Zeitung stehen* / ~을 인쇄하다 e-e Zeitung drucken / ~을 발간하다 e-e Zeitung heraus|geben* / ~을 구독하다 (³sich) e-e Zeitung halten*; e-e Zeitung abonnieren / ~에 발표하다 in der Zeitung bekannt|geben* (veröffentlichen) / ~을 편집하다 e-e Zeitung redigieren / ~에 광고를 내다 e-e Anzeige in die Zeitung geben* (setzen) / ~의 좋은 기사감이 되다 den Zeitungen 《*pl.*》 guten Stoff liefern / ~사에서 일하다 an e-r Zeitung mit|arbeiten / ~들이 그것을 대서특필했다 Die Zeitungen brachten es in großen Überschriften. / 거리에서 ~을 팔다 Zeitungen auf der Straße verkaufen (aus|rufen*; aus|schreien*)/어떤 ~을 봅니까 Welche Zeitung lesen Sie? / ~을 보고서야 그것을 알았다 Das habe ich erst aus der Zeitung erfahren. / ~을 배달하다 Zeitungen (aus|)tragen* / ~을 펴다 (접다) die Zeitung entfalten (zusammen|-falten) / ~을 주머니에 집어넣다 die Zeitung

in die Tasche stecken / ~의 자유 Pressefreiheit / 저속한 ~ Dreck¦blatt (Mist-) *n.* -(e)s, ⸗er; Boulevard¦presse [bul(ə)vá:r..] (Sensations-) *f.* -n.

‖ ~검열 Pressezensur *f.* -en. ~계 Zeitungswelt (Presse) *f.* ~관계자 Zeitungsmann (Presse-) *m.* -(e)s, ..leute. ~광고 Zeitungs¦anzeige (-annonce) *f.* -n; Inserat *n.* -(e)s, -e. ~구독료 Abonnementspreis für Zeitung *f.* ~기사 Zeitungs¦artikel *m.* -s, - (-notiz *f.* -n). ~기자 Zeitungsschreiber *m.* -s, -; Journalist *m.* -en, -en; Zeitungsberichterstatter *m.* -s, -; Zeitungsreporter *m.* -s, -: ~ 기자석 Pressetribüne *f.* -n / ~ 기자 회견 Pressekonferenz *f.* -en. ~논설 Zeitungsartikel *m.* -s, -. ~발행인 Zeitungsherausgeber *m.* -s, -. ~배달원 Zeitungsträger *m.* -s, -. ~보도 Zeitungsbericht *m.* -(e)s, -e (-meldung *f.* -en). ~사 Zeitungsverlag *m.* -(e)s, -e. ~소설 Zeitungsroman *m.* -s, -e. ~스크랩 Zeitungsausschnitt *m.* -(e)s, -e. ~업 Zeitungs¦wesen (Presse-) *n.* -s, -; Journalismus *m.* -. ~연구소 Zeitungsinstitut *n.* -(e)s, -e. ~지 Zeitungspapier *n.* -(e)s, -e. ~철 Zeitungshalter *m.* -s, -. ~판매점(가게) Zeitungs¦kiosk *m.* -(e)s, -e (-stand *m.* -(e)s, ⸗e). ~팔이 Zeitungsverkäufer *m.* -s, -; Zeitungsjunge *m.* -n, -n. ~편집인 Zeitungsredakteur *m.* -s, -e. ~학 Zeitungswissenschaft *f.* ; Publizistik *f.* ~회관 Pressezentrum *n.* 석간~ Abend¦zeitung (-blatt). 스포츠~ Sportzeitung. 일간~ Tages¦zeitung (-blatt). 조간~ Morgenzeitung (-blatt). 주간~ Wochenzeitung. 지방~ Lokalzeitung; Provinzialblatt.

신물 Galle *f.*; Ärger *m.*; Bitterkeit *f.* ¶ ~이 나다 Sodbrennen 《*n.* -s》 haben (bekommen*); [4]sich angeekelt (abgestoßen; angewidert) fühlen; von [3]*et.* die Nase voll haben; *jm.* auf die Nerven gehen* (fallen*) ⓢ; *jm.* zum Halse heraushängen. / 그의 얼굴만 보아도 ~이 난다 Sein bloßer Anblick ist mir gegen den Strich. / 이 음식은 이제 ~이 난다 Diese Speise ekelt mich an.

신미(辛未) 〖민속〗 der achte binäre Schritt des Sechziger-Zyklus des ostasiatischen Kalenders.

신미(辛味) der scharfe Geschmack, -(e)s, ⸗e.

신미(新米) =햅쌀.

신미(新味) etwas Neues; Neuheit *f.* 《in der Mode》; die neue Mode.

신민(臣民) Untertan *m.* -s, -en. ¶ 충성스러운 ~ treue Untertanen 《*pl.*》.

신바닥 Schuhsohle *f.* -en. ¶ ~을 갈다 die Schuhe neu besohlen.

신바람 Aufregung *f.* -en.

신발 Fußbekleidung *f.* -en. ☞ 신[1].

‖ ~가게 Schuhge¦schäft *n.* (-laden *m.*); Schuhwarenhandlung *f.* ~닦개 Schuhwischer *m.* -s, -; Schuhmatte *f.* -n (현관문 앞에 놓인). ~장수 Schuhwarenhändler *m.* -s, -. Schuhmacher *m.* -s, -; Schuster *m.* -s. -. ~표 die Marke für abgelegte Fußbekleidung.

신발명(新發明) e-e neue Erfindung, -en. ~하다 e-e neue Erfindung machen. ¶ ~의 neuerfunden.

신발족(新發足) Neubeginn *m.* -(e)s. ~하다 neu (von neuem) beginnen*[4].

신방(申方) 〖민속〗 die Richtung Westsüdwest.

신방(辛方) 〖민속〗 die Richtung Westnordwest.

신방(新房) Brautgemach *n.* -(e)s; Brautkammer *f.* ¶ ~에 들다 [4]sich ins Brautbett legen.

신벌(神罰) die Strafe 《-n》 Gottes; die Strafe des Himmels. ¶ ~을 받다 von Gott bestraft werden.

신법(新法) ① 《새법》 die neue Verordnung, -en; das neue Gesetz, -es -e. ② 《방법》 die neue Methode, -n; die neu entdeckte Methode; die neue Technik, -en.

신벼나 die Naht, die Oberleder u. Sohle zusammenhält.

신변(身邊) die persönliche Umgebung, -en. ¶ ~의 위험 *js.* persönliche Gefahr / ~이 위험하다 in persönlicher [3]Gefahr sein / ~을 경계하다 vor [3]Gefahr schützen (hüten) 《*jn.*》 / 아무의 ~을 돌보다 um *js.* persönliche Sicherheit bekümmert sein / 그의 ~에는 경찰의 호위가 따른다 Er ist immer unter polizeilichen Schutzgeleit.

‖ ~물 tägliche Gebrauchsgegenstände 《*pl.*》; persönliche Effekten 《*pl.*》.

신병(身柄) Person *f.* -en; Körper *m.* -s, - (몸). ¶ ~을 인수하다 die Sorge für *jn.* übernehmen* / ~을 확보하다 *jn.* ein|sperren; *jn.* verhaften.

신병(身病) beeinträchtigte (erschütterte) Gesundheit *f.*; Krankhaftigkeit *f.*; e-e schwache körperliche Verfassung, -en. ¶ 그는 오랫동안 ~에 시달리고 있다 Die Krankheit steckt schon lange in ihm.

신병(新兵) 〖군사〗 Rekrut *m.* -en, -en; der Konskribierte*, -n, -n; der neu auszubildende Soldat, -en. ‖ ~교육(훈련) Rekrutenausbildung *f.* -en. ~모집 Rekrutenaushebung *f.* -en: ~을 모집하다 Rekruten aus|heben*; rekrutieren.

신복(信服) Ergebenheit *f.*; Treue *f.*; Unterwerfung *f.* ~하다 *jm.* vom Herzen gehorchen; *jm.* gehorsam sein. ¶ ~시키다 *jn.* zum willigen Gehorsam bringen*; *jn.* von [3]*et.* (e-s Dinges) überzeugen.

신볼 Schuhbreite *f.* -n. ¶ ~이 좁다 die Schuhe sind mir (zu) schmal.

신봉(信奉) Glaube *m.* -ns; Vertrauen *n.* -s. ~하다 vertrauen 《*auf*[4]》; Glauben bei|messen*[3] (schenken[3]); [4]sich bekennen* 《*zu*[3]》. ‖ ~자 Anhänger (Verehrer) *m.* -s, -; der Gläubige*, -n, -n; Bekenner *m.* -s, -.

신부(神父) Vater *m.* -s, ⸗e; Pater *m.* -s, - (..tres); Priester *m.* -s, -; katholischer Geistlicher, -n, -n. ¶ 홍 ~ Pater *Hong* / ~가 되다 Priester werden / ~로 임명되다 die Priesterweihe empfangen*; zum Priester geweiht werden.

‖ ~서품(식) Priesterweihe *f.* -n.

신부(新婦) Braut *f.* ⸗e; die junge Frau, -en; neuvermählte Frau.

‖ ~들러리 Brautjungfer *f.* -n. ~의상 Brautkleid *n.* -(e)s, -er. ~학교 Haushaltungsschule *f.*

신분(身分) die soziale Stellung, -en; Stand *m.* -(e)s, ⸗e (계급); Rang *m.* -(e)s, ⸗e (위계). ¶ 노동자 (농부, 학자)의 ~ der Stand der Arbeiter (der Bauern, der Gelehrten) / 높은(낮은) ~ die höheren (niederen) Stände / ~이 높은 사람 ein Mann von hohem (vornehmen) Stande; hohe Persönlichkeit,

-en / ～이 낮은 사람 ein Mann von niederem Stande / 노예의 ～ der Stand der Knechtschaft / ～에 맞게 살다 s-m sozialen Stand gemäß leben.

‖ ～증명서 Personalausweis *m.* -es, -e : ～증명서 좀 봅시다 Ihren (Personal)ausweis bitte!

신불(神佛) die Götter und Buddhas. ☞ 신, 부처. ¶ ～의 가호하에 unter dem Schutz der Götter.

신비(神秘) Mysterium *n.* -s, ..rien; Geheimnis *n.* -ses, -se. ～하다, ～롭다 mystisch; geheimnisvoll; mysteriös (sein). ¶ ～에 싸인 사건 ein mysteriöser (rätselhafter) Fall (Vorgang) / ～적인 사람 eine mystische Person, -en.

‖ ～가(주의자) Mystiker *m.* -s, -. ～극 das mystische Drama; Mysterium *n.* -s, ..rien; Mysterienspiel *n.* ～요법 Wunderkur *f.* -en. ～주의 Mystizismus *m.* -. ～철학 die mystische Philosophie.

신빙(信憑) Zutrauen *n.* -s; Verlaß *m.* ..lasses; Zuversicht *f.* ～하다 ⁴sich verlassen* 《*auf*⁴》. ‖ ～성 Zuverlässigkeit *f.*; Zuversichtlichkeit *f.*; Verläßlichkeit *f.*; Glaubenswürdigkeit *f.*; Zuverlässigkeit *f.*: ～성이 있다 (없다) (nicht) zuverlässig sein; (nicht) glaubwürdig sein; glaubenswert.

신사(辛巳) 〖민속〗 der achtzehnte binäre Schritt des Sechziger-Zyklus des ostasiatischen Kalenders.

신사(紳士) ein vornehmer Mann, -(e)s, ⸗er; Gentleman *m.* -s, ..men; Herr *m.* -n, -en; Ehrenmann *m.* -(e)s, ⸗er. ¶ 시골～ Landedelmann *m.* -(e)s, ..leute / ～연하다 den Herrn spielen / ～ 숙녀 여러분 Meine Damen und Herren! / ～적인 《품위있는》 vornehm; anständig; 《교양있는》 gebildet; von Bildung; 《존경할 만한》 ehrenhaft.

‖ ～록 Adreßkalender *m.* -s, -; Adreßbuch *n.* -(e)s, ⸗er; das Verzeichnis prominenter Zeitgenossen. ～복(服) (Herren)anzug *m.* -(e)s, ⸗e; Jacketanzug *m.*; Straßenanzug *m.* (평복): 싱글 (더블) ～복 der einreihige (zweireihige) Anzug. ～용 (für) ⁴Herren (화장실 등의). ～협정 Gentleman's Agreement *n.* -s, -s; stillschweigendes Übereinkommen; Freundesvertrag *m.* -(e)s, ⸗e.

신사업(新事業) das neue Unternehmen, -s, -; die neue Unternehmung, -en; das neue Projekt, -(e)s, -e.

신산(辛酸) Not *f.* ⸗e; Mühsal *f.* -e; Bitterkeit *f.* -en; Beschwerde *f.* -n. ¶ 갖은 ～을 맛보다(겪다) e-e harte Schule durch|machen; den (bitteren) Kelch (des Leidens) bis auf den Grund (bis auf die Neige) leeren (trinken*).

신상(身上) 《몸》 eigener Körper, -s, -. ☞ 처지. ¶ 아무의 ～을 걱정하다 ⁴sich um *jn.* kümmern / ～ 이야기를 하다 die Geschichte s-r Vergangenheit erzählen.

‖ ～문제 persönliche Angelegenheiten 《*pl*》: ～문제를 의논(상담)하다 *jn.* über s-e persönlichen Angelegenheiten konsultieren. ～상담난 〖속어〗 Seufzerspalte *f.* -n; Beratungsstelle *f.* -n.

신상(紳商) der reiche Kaufmann, -(e)s, -, ..leute; Handelsfürst *m.* -en, -en.

신상필벌(信賞必罰) die gerechte Belohnung 《-en》 u. Bestrafung 《-en》. ～하다 das Gute wird gerecht belohnt, aber k-e Mißtat entzieht sich der Strafe; Gerechtigkeit 《*f.*》 walten lassen*; Gerechtigkeit als Losung führen.

신색(神色) Gesichts|farbe (Haut-) *f.* -n; Teint [tɛ̃:n] *m.* -s, -s. ¶ ～이 좋다 wohl (blühend; frisch) aus|sehen* / ～이 좋지 않다 unwohl (blaß; bleich) aus|sehen*.

신생(新生) das neue Leben, -s; die neue Geburt, -en; Wiedergeburt *f.*; 〖형용사적〗 neugeboren; wiedergeboren; wieder auflebend; ⁴sich erneuend.

‖ ～국 neu gegründete (unabhängig gewordene) Staaten 《*pl.*》. ～대 〖지질〗 Tertiärperiode *f.* ～아 neugeborenes Kind, -es, -er; Säugling *m.* -s, -e; der Neugeborene*, -n, -n.

신생명(新生命) das neue Leben, -s. ¶ ～을 불어 넣다 wieder beleben⁴ / ～을 얻다 ein neues Leben gewinnen*.

신생물(新生物) 〖병리〗 Neoplasma *n.* -s, ..mata (..men); Neubildung *f.* -en.

신생애(新生涯) das neue Leben, -s; der neue Lebensabschnitt, -s, -e; die neue Lebensstufe, -n. ¶ ～로 들어가다 ein neues Leben an|fangen*; in e-n neuen Lebensabschnitt ein|treten* Ⓢ; e-e neue Lebensweise an|fangen*.

신생활(新生活) das neue Leben, -s. ¶ ～을 시작하다 ein neus Leben an|fangen*; (³sich) e-n eigenen Herd gründen (새살림 차림).

신서(信書) Brief *m.* -(e)s, -e; Schreiben *n.* -s, -. ¶ ～의 비밀을 범하다 das Briefgeheimnis verletzen.

신서(新書) Neuerscheinung *f.* -en; ein neu erschienenes Buch, -(e)s, ⸗er; ein neu veröffentlichtes Buch.

신석(腎石) Nierenstein *m.* -(e)s, -e; Harnstein *m.* -(e)s, -e. ‖ ～병(病) Nierensteinkrankheit *f.* -en; *Nephrolithiasis* (학명).

신석기(新石器) das Steinwerkzeug 《-(e)s, -e》 der jüngeren Steinzeit.

‖ ～시대 Jungsteinzeit *f.*; Neolithikum *n.* -s; die jüngere Steinzeit, -en.

신선(神仙) das göttliche Wesen, -s, -; Halbgott *m.* -es, ⸗er; Einsiedler *m.* -s, -; Eremit *m.* -en, -en (은자).

‖ ～경 Feen|land (Zauber-) *n.* -(e)s, ⸗er.

신선(新鮮) Frische *f.* ～하다 frisch; neu (sein). ¶ ～한 공기 frische Luft / ～한 생선 frischer Fisch, -es, -e / ～한 채소 frisches Gemüse, -s, -; Frischgemüse / ～하게 하다 erfrischen⁴; frisch machen / ～한 공기를 마시다 frische Luft schöpfen.

신선(新選) ¶ ～의 neu ausgewählt (서적 등의); neu gewählt (새로 선출된).

‖ ～대통령 neu gewählter Präsident, -en, -en. ～의원 der neu gewählte Abgeordnete, -n, -n.

신선로(神仙爐) „Götter-Topf": Kochtopf aus Messing mit e-m rohrförmigen Einsatz für Holzkohle; in diesem Topf zubereitetes Gericht (aus vorgebratenen Fisch- und Fleischstücken, verschiedenen Gemüsen, Ginkjo-Früchten u. Gewürzen).

신설(伸雪) Ehrenrettung *f.* -en; Vergeltung *f.* -en; Revanche *f.* -n. ～하다 s-e Ehre wieder|her|stellen; ⁴sich rein|waschen*.

신설(新設) die neue Errichtung (Gründung) -en. ～하다 neu errichten⁴ (gründen⁴). ¶ ～의 neu errichtet (gegründet) / 공장을 ～하다 die Fabrik neu errichten / 회사를 ～하다

e-e Firma neu gründen.
‖ ~학교 (공장) die neu errichtete Schule (Fabrik).

신설(新雪) der frische Schnee, -s; der frisch gefallene Schnee.

신설(新說) 《학설》 die neue Theorie, -n [..ríːən]; die neue Lehre, -n; 《견해》 die neue Ansicht, -en (Anschauung, -en); 《해석》 die neue Interpretation, -en. ¶ ~을 내세우다 e-e neue Theorie auf|stellen.

신성(神性) Gottheit *f.*; die göttliche Natur.

신성(神聖) Heiligkeit *f.*; 《불가침》 Unverletzlichkeit *f.* ~하다 heilig; unverletzlich; unverletzbar; unantastbar; verehrungswürdig. ¶ ~한 의무 e-e heilige Pflicht / ~화하다 heiligen; heilig machen; weihen / ~시하다 heilig|halten* / ~ 불가침이다 heilig und unverletzlich sein / ~을 모독하다 (더럽히다) entheiligen; entweihen; schänden.
‖ ~동맹 〖역사〗 die heilige Allianz. ~로마제국 das Heilige Römische Reich Deutscher Nation.

신성(晨省) Morgengruß 《*m.* -es, ⸗e》 an Eltern in dem Elternzimmer. ~하다 den Eltern e-n Morgengruß entbieten*.

신성(新星) 〖천문〗 Nova *f.* -e; der neue Stern, -(e)s, -e; der neue Star (영화 따위). ¶ 축구계의 ~ der neue Fußballstar.

신세 moralische Verschuldung (Verpflichtung) -en; Verbindlichkeit *f.*; Dankesschuld *f.* ¶ ~를 지다 Dank schuldig sein 《*jm.*》; zu Dank verpflichtet sein 《*jm.*》; dankbar (verbunden) sein 《*jm.*》 / 부친(양친)의 ~를 지다 s-m Vater (s-n Eltern) auf der Tasche liegen*.

신세(身世) Geschick *n.* -(e)s, -e; Los *n.* -es, -e; Schicksal *n.* -(e)s, -e; Lebenslage *f.* -n. ¶ 딱한 ~ die mißliche Lage, -n; die bedrängte Lage; die schlechten Verhältnisse 《*pl.*》/ ~ 타령하다 s-e Lage beklagen / 남자 (여자) 좋아하다가 ~를 망치다 durch vielerlei Liebeshändel stranden ⓢ (herunter|kommen* ⓢ).

신세계(新世界) die neue Welt, -en; die Neue Welt (미대륙).

신세대(新世代) die neue Generation, -en. ¶ ~의 젊은이 die junge Generation von heute; die junge Generation der Gegenwart; die kommende Generation.

신소리[1] 《말》 Wortspiel *n.* -(e)s, -e; Kalauer *m.* -s, -(서툰); Wortwitz *m.* -es, -e. ¶ ~를 하다 mit Worten spielen; ein Wortspiel machen; kalauern; witzeln 《*über*[4]》.

신소리[2] 《신발소리》 Schrittgeräusch *n.* -es, -e; das Echo 《-s, -s》 (Hallen, -s) der Schritte.

신속(迅速) Schnelligkeit *f.*; Geschwindigkeit *f.*; Unverzüglichkeit *f.*; Promptheit *f.* ~하다 schnell; rasch; geschwindig (sein). ¶ ~히 prompt; unverzüglich; behend; hurtig; schleunig.

신수(身手) Erscheinung *f.* -en; das Auftreten*, -s. ¶ ~가 훤하다 strahlend aus|sehen*; e-e gute Figur machen; stattlich auf|treten*.

신수(身數) Glück *n.* -(e)s; Los *n.* -es, -e. ¶ ~가 피다 Das Glück beginnt *jm.* zu lachen. ¦ Das Glück ist *jm.* günstig. ¦ Sein Geschick wendet sich zum Bessern. / ~를 보아주다 *js.* Schicksal wahr|sagen (weis|-sagen) / ~를 보다 die Zukunft von e-m Wahrsager sehen lassen* / 금년에는 ~가 나쁘다 Dieses Jahr hat mir das Glück den Rücken gekehrt.

신승하다(辛勝—) mit (knapper) Mühe u. Not gewinnen*[4].

신시(申時) die Stunde des Affen. ① die neunte der zwölf Doppelstunden (=die Zeit zwischen 15 u. 17 Uhr). ② die siebzehnte Stunde des Tages (= 3:30 - 4:30 nachmittags).

신시(辛時) 〖민속〗 die zwanzigste Stunde des Tages (=6:30 - 7:30 Uhr nachmittags).

신시(新詩) ein modernes Gedicht, -(e)s, -e.

신시대(新時代) ein neues Zeitalter, -s, -; e-e neue Ära, ..ren; e-e neue Epoche, -n. ¶ 프랑스 혁명과 더불어 ~가 열렸다 Mit der Französischen Revolution brach e-e neue Ära an.

신식(新式) der neue Stil, -(e)s, -e (양식); der neue Typus, -, ..pen (형); das neue System, -s, -e (방식); die neue Methode, -n (방법). ¶ ~의 neuen [2]Stils; von neuem Typus; neuen [2]Systems; neu; modisch; modern / ~화하다 modernisieren[4] / ~ 방법에 의하여 nach neuer Methode.
‖ ~생활 die neue Methode des Lebens; die neue Lebensmethode. ~총 das Gewehr 《-(e)s, -e》 neuen Systems.

신신부탁(申申付託) dringende Bitte, -n; herzliche Bitte; das wiederholte Ansuchen (Ersuchen) -s, -. ~하다 dringend (herzlich) bitten* 《*jn.* um [4]*et.*》.

신실(信實) 《충실》 Treue *f.*; 《성실》 Aufrichtigkeit *f.*; Redlichkeit *f.*; Biederkeit *f.* ~하다 treu; aufrichtig; redlich; bieder (sein). ¶ ~한 사람 ein wahrhafter (aufrichtiger; redlicher) Mensch, -en, -en / 끝까지 ~하다 *jm.* treu bleiben* ⓢ / 그에게는 ~이 없다 Es mangelt bei ihm an Ehrlichkeit. ¦ Er ist nicht aufrichtig.

신심(信心) 《신앙》 Glaube *m.* -ns, -n; 《신심이 깊은 것·경건한 마음》 Andacht *f.*; Frömmigkeit *f.*; Gottesfurcht *f.*; Pietät *f.* ¶ ~이 깊은 glaubig; andächtig; fromm; gottesfürchtig; pietätvoll / ~을 가장하다, ~이 깊은 체하다 fromm tun*; Frömmigkeit (Andacht) heucheln; frömmeln; andächteln / ~이 없는 ungläubig; irreligiös; gottlos; pietätlos; ruchlos; skeptisch (회의적).

신안(新案) e-e neue Idee, -n [idéːən]; e-e neue Erfindung, -en (신고안); ein neuer Plan, -(e)s, ⸗e; e-e neue Vorrichtung, -en. ¶ ~의 neu geplant (entworfen).
‖ ~특허 Patent *n.* -(e)s, -s: ~특허를 신청하다 e-e Erfindung zum Patent an|melden.

신앙(信仰) Glaube *m.* -ns, -n; Anbetung *f.* -en (숭배). ~하다 glauben 《*an*[4]》; an|beten[4]. ¶ 기독교 (신교, 가톨릭교, 유태교, 루터교) 의 ~ der christliche (evangelische, katholische, jüdische, lutherische) Glaube / 맹목적인 ~ blinder Glaube / ~의 자유 Glaubensfreiheit *f.* / ~이 두터운 gläubig; fromm / ~ 없는 ungläubig / ~이 흔들리다 in s-m Glauben schwankend (wankend) werden / ~을 돈독히 하다 [4]sich im Glauben befestigen / ~을 버리다 s-n Glauben auf|-geben* / 확고한 ~ fester (starker; tiefer; unerschütterlicher) Glaube / ~을 고백하다 s-n Glauben bekennen / 하나님에 대한 ~ der Glaube an Gott.
‖ ~개조 Glaubensartikel 《*pl.*》. ~고백

Glaubensbekenntnis *n.* -ses, -se. ∼생활 gläubiges (frommes) Leben, -s, -. ∼요법 das Gesundbeten*, -s. ∼철학 Glaubensphilosophie *f.*

신약(信約) Gelübde *n.* -s, -; Gelöbnis *n.* -ses, -se; feierliches Versprechen, -s.

신약(神藥) Wunder¦mittel (Allheil-) *n.* -s, -; Panazee *f.* -n [..tsé:ən].

신약(新約) ‖ ∼성서 das Neue Testament, -(e)s 《생략: N.T.》.

신어(新語) ein neues (neugeprägtes) Wort, -(e)s, ⸗er; e-e sprachlich Neubildung, -en; Neologismus *m.* -, ..men. ¶ ∼를 창조하다 (만들다) ein neues Wort prägen; neue Wörter bilden; neologieren.

신어미(神—) 〖민속〗 „Götter-,Geistermutter"; die bejahrte Schamanin (Geisterbeschwörerin), die ihre Kenntnisse an e-n (weiblichen) Lehrling weitergibt.

신여성(新女性) die moderne Frau, -en; das moderne Mädchen, -s, -.

신역(新譯) die neue Übersetzung, -en; die neue Fassung 《-en》 der Übersetzung; 〖형용사적〗 neu übersetzt. ∼하다 erneut übersetzen[4]; neu übertragen*[4].

신열(身熱) Körpertemperatur *f.* -en; Fieber *n.* -s, -. ¶ ∼이 있다 Fieber haben; Temperatur haben / ∼이 높다 e-e hohe Temperatur haben; hohes Fieber haben / ∼이 나다 Fieber bekommen* / ∼이 좀 내리다 das Fieber fällt (sinkt) ein wenig.

신염(腎炎) 〖의학〗 Nephritis *f.* ..tiden; Nierenentzündung *f.* -en.

신예(新銳) ¶ ∼의 frisch u. neu.
‖ ∼무기 e-e neue Waffe, -n. ∼부대 neue (frische) Truppen 《*pl.*》: ∼ 부대를 일선에 투입하다 frische Truppen an die Front werfen*.

신용(信用) Vertrauen *n.* -s; Zutrauen *n.* -s; Glaube(n) *m.* ..bens; Kredit *m.* -(e)s, -e (경제상의 채권 따위). ∼하다 trauen 《*jm.*》; vertrauen 《*jm*; auf *jn*》; zu¦trauen 《*jm.*》; Vertrauen haben (schenken) 《*zu*[3]》; Vertrauen (Zu-) setzen 《in *jn.*》; Vertrauen (Zutrauen; Glauben) schenken 《*jn*》. ¶ ∼할 수 있는, ∼할 만한 vertrauenswürdig; zuverlässig; glaub¦würdig (kredit-) / ∼ 없는, ∼ 못 할 nicht vertrauenswürdig; unzuverlässig; unglaubwürdig; kreditlos / ∼이 있다 *js.* Vertrauen (Kredit) genießen* / ∼이 없다 kein Vertrauen (k-n Kredit) genießen 《bei *jm.*》 / ∼을 얻다 *js.* Vertrauen gewinnen* (erwerben*) / ∼을 잃다 *js.* Vertrauen verlieren*; in Mißkredit geraten (kommen)*[s] / ∼을 회복하다 Vertrauen wieder gewinnen / ∼을 훼손 (손상)하다 *js.* Vertrauen verletzen; *js.* Mißtrauen erregen (wecken) / 나는 그를 별로 ∼하지 않는다 Ich traue ihm nicht viel zu.¦Ich glaube nicht, daß er so viel kann. / ∼을 악용하다 Vertrauen mißbrauchen / ∼ 거래를 트다 e-n Kredit eröffnen / ∼으로 auf Kredit (Borg).
‖ ∼개시 Krediteröffnung *f.* ∼거래 Kreditkauf *m.* -(e)s, ⸗e; Kredittransaktion *f.*: ∼거래를 하다 auf Kredit (Borg) kaufen (verkaufen). ∼경제 Kreditwirtschaft *f.* ∼공여 Kreditgewährung *f.* ∼기관 Kreditanstalt *f.* ∼대부 Kreditdarlehen *n.* ∼보험 Kreditversicherung *f.* ∼상태 Kreditstand *m.* ∼업무 Kreditgeschäft *n.* -(e)s, ⸗e. ∼장 Kreditbrief *m.* -(e)s, -e. ∼제도 Kreditwesen *n.* -s. ∼조사 Kreditprüfung *f.* ∼조합 Kredit¦genossenschafte *f.* -en (-verein *m.* -(e)s, -e). ∼조회 Krediterkundigung *f.* ∼증권 Krediteffekten 《*pl.*》. ∼창고 Kreditlager *m.* -s, ⸗. ∼출자 Kreditwirkung *f.* -en. ∼훼손 Kreditgefährdung *f.* -en. 장기(단기) ∼대출 langfristige (kurzfristige) Kredite. 무담보∼ Blankokredit; offener Kredit.

신우(腎盂) 〖해부〗 Nierenbecken *n.* -s, -.
‖ ∼염 Nierenbeckenentzündung *f.* -en.

신울 Seitenteil *m.* -(e)s, -e (des Schuhs); Schuhobermaterial *n.* -s, -ien; Schuhoberleder *n.* -s, -.

신원(身元) 《혈통》 Abstammung *f.* -en; Herkunft *f.* ⸗e; 《지위》 persönliche Verhältnisse 《*pl.*》; Personalien 《*pl.*》; 《성명》 Identität *f.* ¶ ∼불명의 nicht identifiziert / ∼을 증명하다 *js.* Identität beweisen / ∼이 판명되다 identifiziert werden / ∼을 조사하다 [4]sich nach persönlichen Verhältnissen erkundigen.
‖ ∼보증금 Bürgschaftssumme *f.* -n; Kaution *f.* -en. ∼보증인 Bürge *m.* -n, -n; Referenz *f.* -en (취직할 때 따위). ∼증명서 Identitätsnachweis *m.* -es, -e.

신원(伸冤) Wiedergutmachung *f.* -en (von Unrecht). ∼하다 seinen Groll stillen; s-n Ärger aus¦lassen*; Unrecht wieder¦gut¦machen; Schaden ersetzt bekommen*.

신원(新元) Neujahrstag *m.* -(e)s, -e; Neujahr *n.* -(e)s.

신월(新月) Neumond *m.* -(e)s, -e; Mondsichel *f.* -n (초승달); der zunehmende Mond, -(e)s, -e (상현달).

신위(神位) Ahnentafel *f.* -n.

신유(辛酉) 〖민속〗 achtundfünfzigstes Jahr des Sechzigerzyklus (des Mondkalenders).

신음(呻吟) das Stöhnen* (Ächzen*) -s. ∼하다 stöhnen; ächzen. ¶ 고통으로 ∼하다 vor [3]Schmerzen stöhnen (ächzen) / 옥중에서 ∼하다 hinter den Gefängnisgittern freudlose Tage verbringen* / ∼과 비탄이 아무 소용 없었다 Alles Stöhnen und Klagen nützte nichts. / 그 환자는 큰 소리로 ∼했다 Der Kranke stöhnte laut. / 국민은 독재치하에서 ∼했다 Das Volk stöhnte unter der Herrschaft des Diktators.

신의(信義) Treue *f.*; Redlichkeit *f.*; Zuverlässigkeit *f.* (신뢰성). ¶ ∼가 있는 (두터운) treu; redlich; zuverlässig / ∼가 없는 treulos; unredlich; verräterisch; untreu / ∼를 지키다 (저버리다) *jm.* die Treue halten* (brechen*); ein Versprechen halten* (brechen*) (약속을); *jm.* treu (untreu) bleiben* / 그는 어려운 시절에도 내게 ∼를 지켰다 Er hat mir auch in Zeiten der Not die Treue gehalten. / ∼와 신앙을 잃은 자는 더 이상 잃을 게 없다 (끝장이다) Wer Treue und Glauben verloren hat, hat nichts mehr zu verlieren. / 신뢰는 용기고 ∼는 힘이다 Vertrauen ist Mut, und Treue ist Kraft.

신의(信疑) Glaube u. Zweifel. ¶ ∼가 상반(相半)하다 zwischen Glauben u. Zweifel schweben.

신의(神意) Gottes Wille *m.* -ns, -n; Vorsehung *f.*

신의(神醫) der ein Wunder wirkende Arzt, -es, ⸗e; der berühmte Arzt (Doktor); Wunderdoktor *m.* -s, -en.

신인(神人) 《신과 사람》 Gott u. Mensch; 《성

인》 der Heilige*, -n, -n; die gottähnliche (göttliche) Person, -en; Gottmensch *m.* -en (그리스도); Halbgott *m.* -(e)s, ⸚er (그리스 신화의 영웅); die Vermenschlichung von Göttern (인간화된). ‖ ～동형론 Anthropomorphismus *m.* ..men.

신인(新人) der neue Mensch, -en, -en; das neue Mitglied, -(e)s, -er; Nachwuchs *m.* -es (총칭); Neuling *m.* -s, -e (초심자). ¶ ～배우 (선수) Nachwuchsschauspieler (Nachwuchsspieler) *m.* -s, - / 창작계의 ～ der neue Schriftsteller.

신일(申日) 〖민속〗 der Tag des Affen.

신임(信任) Vertrauen *n.* -s; Zutrauen *n.* -s; Glaube *m.* -ns. ～하다 vertrauen³ 《*auf*⁴》; Vertrauen haben 《*zu*³》; Vertrauen schenken. ¶ ～이 두터운 vertrauensvoll / ～을 얻다 Vertrauen gewinnen* (genießen*) / ～을 잃다 *js.* Vertrauen verlieren*; zu *jm.* das Vertrauen verlieren* / 의회는 정부에 대해서 ～을 표명했다 Das Parlament sprach der Regierung sein Vertrauen aus.

‖ ～문제 Vertrauensfrage *f.* (의회의 정부에 대한). ～장 Beglaubigungsschreiben *n.* -s. ～투표 Vertrauensvotum *n.* -s, ..ten: ～투표에서 승리하다 (패배하다) das Vertrauensvotum gewinnen* (verlieren*). 불～ Mißtrauen *n.* -s: 불～ 투표 Mißtrauensvotum *n.* 불～안 Mißtrauensantrag *m.* -(e)s.

신임(新任) Neuernennung *f.* -en. ～하다 neu ernennen* (ein|setzen). ¶ ～의 neuernannt; neu/～인사를 하다 e-e Antrittsrede halten*.

‖ ～교수 der neuberufene Professor, -s, -. ～교장 der neue Direktor, -s, -en. ～대사 neuernannter Botschafter, -s, -. ～식 die Zeremonie bei der Neuernennung. ～장관 neuernannter Minister, -s, -. ～자 Neuernannter *m.* -en, -e.

신입(新入) ¶ ～의 neu; neu¦eingetreten (-gekommen). ‖ ～생 ein neuer Schüler, -s, -; Neuling *m.* -s, -e; der neue Student, -en, -en (대학생); der neueingetretene Schüler, -s, -; 〖학생어〗 Fuchs *m.* -es, ⸚e. ～자 Neuling; der Neuangekommene*, -n, -n.

신자(信者) der Gläubige*, -n, -n; Anhänger *m.* -s, - (신봉자). ¶ 불교 (기독교) ～ Buddhist *m.* -en, -en (Christ *m.* -en, -en) / 그는 이 신학설의 ～다 Er hängt dieser neuen Lehre an. / 교회에 ～들이 모였다 Die Gläubigen versammelten sich in der Kirche. / 그는 기독교 ～가 되었다 Er ist Christ geworden.¦Er hat sich zum Christentum konvertiert (개종).

신자(新字) ein neu erfundenes (geschaffenes) chinesisches Schriftzeichen, -s, -.

신작(新作) ein neues Stück, -(e)s, -e; ein neues Werk, -es, -e; e-e neue Veröffentlichung, -en. ¶ ～을 발표하다 ein neues Buch (Werk) veröffentlichen; ein neues Stück vorführen.

신작로(新作路) der neue Weg, -(e)s, -e; die neue Bahn, -en; die neu(gebaut)e Straße, -n; die breite (große) Straße, -n. ¶ ～를 내다 e-e neue Bahn brechen*; e-n neuen Weg eröffnen.

신장(一欌) Schuhschrank *m.* -(e)s, ⸚e.

신장(身長) Körpergröße *f.* ¶ ～을 재다 *js.* Größe messen* / 그는 ～이 크다 (작다) Er ist groß (klein). / 나의 ～은 1미터 75센티입니다 Ich bin 1.75 Meter groß.

신장(伸張·伸長) Ausdehnung *f.* -en; Verlängerung *f.* -en; Expansion *f.* -en. ～하다 aus|dehnen⁴; expandieren⁴; verlängern⁴; aus|breiten⁴; vergrößern⁴. ¶ 수출을 ～하다 Export (Ausfuhr) erhöhen (aus|dehnen); dem Export Aufschwung geben* / 국위를 해외에 ～하다 das nationale Prestige (Ansehen) im Ausland steigern (erhöhen) / 무역이 점점 ～되었다 Der Außenhandel dehnte sich immer weiter aus.

‖ ～근 Streckmuskel *m.* -s, -n; Strecker *m.* -s, -. ～성 Ausdehnungsfähigkeit *f.*; Ausdehnungsvermögen *n.* -s.

신장(神將) ① 《장수》 ein General 《*m.* -s, -e (⸚e)》 mit göttlichen (außergewöhnlichen) Fähigkeiten. ② 《귀신》 ein mächtiger Geist, -es, -er (von Generalsrang).

‖ ～대 ein den Geist heraufschwörender Stab, -(e)s, ⸚e (bei der schamanistischen Zeremonie); ein Stock 《*m.* -(e)s, ⸚e》 mit okkulter Kraft (im Schamanismus).

신장(新裝) 《장비·장식》 Neu¦ausrüstung (-ausstattung; -dekoration) *f.* -en; 《복장》 die neue Tracht, -en; die neue Kleidung, -en; das neue Kostum, -s, -e; 《외관》 das neue Aussehen*, -s. ～하다 neu ausrüsten (ausstatten; dekorieren). ‖ ～개업 점포 das neu umgebaute Laden, -s, ⸚.

신장(腎臟) 〖해부〗 Niere *f.* -n. ¶ ～이 나쁘다 an den Nieren leiden*; nierenkrank sein; e-e Nierenkrankheit haben.

‖ ～결석 Nierensteine 《*pl.*》; Nierensteinkrankheit *f.* -en. ～결핵 Nierentuberkulose *f.* -n. ～경화 Nierenverhärtung *f.* ～병 Nierenkrankheit *f.* -en. ～염 Nierenentzündung *f.* -en. ～위축 Nierenschrumpfung *f.* -en. ～이식 Nierentransplantation *f.* -en.

신저(新著) *js.* neues Buch, -(e)s, ⸚er; das neue Werk, -(e)s, -e; die neue Ausgabe, -n; das neuerschienene Buch, -(e)s, ⸚er. ¶ ～ 1부를 증정합니다 Bitte, nehmen Sie eine Kopie (ein Exemplar) meines neuen Werkes (als Geschenk) an!

신전(一廛) Schuhhaus *n.* -es, ⸚er; Schuhgeschäft *n.* -s, -e.

신전(伸展) Extension *f.* -en; Expansion *f.* -en; Ausdehnung *f.* -en. ～하다 expandieren⁴; aus|dehnen⁴.

신전(神前) ¶ ～에서 vor Gott; vor den Göttern.

신전(神殿) Tempel *m.* -s, -; Heiligtum *n.* ⌈-s, ⸚er.

신절(臣節) Loyalität (Treue) *f.* (dem Herrn gegenüber).

신접(新接) 《새살림》 Neugründung 《*f.* -en》 e-r Familie.

‖ ～살이 Leben 《*n.* -s》 in der neuen Wohnung; der neue Haushalt: ～살이를 차리다 einen neuen Hausstand ein|richten; e-n neuen Haushalt gründen.

신정(神政) Theokratie *f.* -n [..tí:ən]; Gottesherrschaft *f.* -en.

‖ ～국가 der theokratische Staat, -(e)s, -en.

신정(新正) der erste* Januar, -(e)s, -e; Neujahrstag *m.* -(e)s, -e; Neujahr *n.* -(e)s, -e (nach dem Sonnkalender).

신정(新政) die neue Regierung, -en; das neue Regime, -s, -s.

신정(新訂) die neue Revision, -en; die neue Bearbeitung, -en. ～하다 neu revidieren⁴ (bearbeiten⁴). ‖ ～판 neu bearbeitete Auflage, -n; überarbeitete Neuauflage, -n.

신정(新情) e-e neu erwachte Liebe, -n 〔Zuneigung, -en〕; e-e neue 〔junge〕 Liebe.
신정권(新政權) ein neues Regime, -s, -s.
신정책(新政策) die neue Politik, -en.
신제(新制) ein neues System, -s, -e.
‖ ~중학교 die Mittelschule 《-n》 des neuen Schulsystems.
신제(新製) ein neues Produkt, -(e)s, -e. ¶ ~의 neu hergestellt; neu (gemacht).
신제품(新製品) neues Produkt, -(e)s, -e; neues Modell, -s, -e (신형).
신조(信條) Glaubensartikel *m.* -s, -; Glaubensbekenntnis *n.* -ses, -se (신앙 고백); Grundsatz *m.* -es, ⸚e (원칙); Maxime *f.* -en (행동기준); Motto *n.* -s, -s (모토). ¶ ~를 지키다 den Glaubensartikeln treu sein / 정직한 생활을 ~로 삼다 nur ein ehrliches 〔rechtschaffenes〕 Leben führen.
‖ 생활~ der Grundsatz 《-es, ⸚e》 des Lebens.
신조(神助) Gottesgnade *f.* -n; die Hilfe 《-n》 Gottes.
신조(新造) der neue Bau, -(e)s, -e. ~하다 《건물·선박 따위를》 neu bilden⁴ 〔konstruieren⁴〕; 《어휘 따위를》 ein neues Wort bilden 〔prägen; schaffen*〕 ¶ ~의 《건물·선박 따위》 neugebaut; 《어휘 따위》 neu; neu|gebildet 〔-geschaffen; -geprägt〕 / 배를 ~하다 ein Schiff 《-(e)s, -e》 neu bauen / 그것은 ~ 중이다 Das ist im Bau begriffen.
‖ ~선(船) das neugebaute Schiff, -(e)s, -e. ~어(語) das neugebildete 〔neue〕 Wort, -(e)s, -e 〔⸚er〕; Neubildung *f.* -en; Neuwort *n.* -(e)s, ⸚er; Neologismus *m.* -, ..men: ~어 사용 Neologie *f.*; die Bildung 〔Prägung〕 neuer Wörter.
신종(信從) die vertrauensvolle Nachfolge, -n; der vertrauliche Gehorsam, -(e)s. ~하다 *jm.* vertraulichen Gehorsam leisten; *jm.* treu gehorchen.
신좌익(新左翼) die neue Linke, -n.
신주(神主) Ahnentafel 〔Totentafel〕 *f.* -n. ¶ ~를 모시다 Ahnentafel ein|schreinen.
신주(新酒) der frische Wein, -(e)s, -e; der Heurige*, -n; der neue Schnaps, -es, ⸚e.
신주(新株) neue 〔junge〕 Aktie, -n; neu herausgegebene Aktien 《*pl.*》. ¶ ~를 발행하다 neue Aktien heraus|geben*
‖ ~인수권 das Vorkaufsrecht 《-(e)s, -e》 der neu herausgegebenen Aktien.
신중(愼重) Bedachtsamkeit *f.*; Umsicht *f.*; Bedächtigkeit *f.*; Vorsicht; Behutsamkeit *f.*; Sorgfalt *f.* ; Sorgfältigkeit *f.* ~하다 bedachtsam; umsichtig; bedächtig; vorsichtig; behutsam; sorgfältig (sein). ¶ 매우 ~히 mit großer Umsicht 〔Vorsicht; Sorgfalt〕; sehr behutsam; nach reiflicher Überlegung (숙고후) / ~을 기하다 vorsichtig sein 《*in*³》; Vorsicht üben; Sorgfalt verwenden 《*auf*⁴》 / 만사를 ~히 생각하다 von allen ³Seiten genau überlegen / ~한 태도를 취하다 ⁴sich vorsichtig benehmen* / ~하지 않다 unvorsichtig 〔unbedacht〕 sein / ~히 심의하다 sorgfältig erwägen 〔beraten*〕; aufmerksam diskutieren 〔erörtern〕 / ~히 하시오 Seien Sie vorsichtig!
신중절 〖불교〗 ein Tempel 《*m.* -s, -》, in dem buddhistische Nonnen wohnen.
신지식(新知識) neue Kenntnisse 《*pl.*》. ¶ ~의 소유자 der Mann mit neuen Kenntnissen; der neue Intelektuelle, -n, -n; der Neugebildete, -n, -n / 그는 유럽에서 많은 ~을 배워왔다 Er hat in Europa viele neue Dinge 〔Sachen〕 kennengelernt.
신지피다(神—) 〖민속〗 viel wissen* (als Ergebnis okkultistischer Vereinigung mit Gott *od.* e-m Geist).
신직(神職) Priester *m.* -s, -.
신진(新進) ¶ ~의 angehend; emporkommend / ~ 기예(氣銳)의 jung u. energisch 〔frisch〕. ‖ ~작가 der angehende 〔bergauf gehende〕 Schriftsteller, -s, -.
신진대사(新陳代謝) 〖생물〗 Stoffwechsel *m.* -s; Metabolismus *m.* -; 《갱신》 Erneuerung *f.* -en; Änderung *f.* -en; Um|wandlung 〔Ver-〕 *f.* -en. ¶ ~가 되다 Stoffwechsel bekommen*; erneuert werden*; ⁴sich verwandeln / ~를 촉진하다 den Stoffwechsel heben 〔an|regen〕 / ~가 느리다 e-n langsamen Stoffwechsel haben / 저 회사에서는 ~가 활발하다 Das Personal jener (Handels)gesellschaft wechselt ständig.
신짝 ein Schuh *m.* -(e)s, -e (von e-m Paar). ¶ 헌~처럼 버리다 ⁴*et.* als wertlos (wie ein einzelner Schuh) aus|scheiden*; ⁴*et.* als unnütz beiseite werfen*.
신착(新着) das jüngst 〔neu〕 Angekommensein*, -s; das neue Eintreffen*, -s. ¶ ~의 neu|angekommen 〔-eingetroffen〕.
‖ ~양서(洋書) die neu eingeführten europäischen 〔ausländischen〕 Bücher 《*pl.*》. ~품 neuangekommen Waren 《*pl.*》; frische 〔frisch angekommene〕 Waren 《*pl.*》.
신찬(新撰) die neue Verfassung 〔Zusammenstellung〕 -en. ~하다 neu verfassen 〔zusammen|stellen〕. ¶ ~의 neu verfaßt 〔zusammengestellt〕.
신참(新參) der Neuangekommene, -n, -n; der Neue* 〔Grüne*〕 -n, -n; Grünhorn *n.* -(e)s, ⸚er (풋나기); Neuling *m.* -s, -e; Novize *m.* -n, -n; Anfänger *m.* -s, - (초심자). ~하다 neu an|kommen* ¶ ~자라 멸시받다 als Neuling über die Achsel 〔Schulter〕 angesehen werden / 그는 나보다 ~이다 Er steht im Dienstalter unter mir.
신창 Schuhsohle *f.* -n. ¶ ~을 갈다 Schuhe (neu) besohlen.
신천옹(信天翁) 〖조류〗 Albatros *m.* -, -se.
신천지(新天地) die neue Welt, -en. ¶ ~를 개척하다 《비유적》 e-e neue Bahn ein|schlagen*; in e-e neue Phase treten*.
신청(申請) (An)meldung *f.* -en; Angebot *n.* -(e)s, -e; Antrag *m.* -(e)s, ⸚e; Bestellung *f.* -en (주문); Bewerbung *f.* -en (취직 따위); Gesuch *n.* -(e)s, -e (신청); Bitte *f.* -n; Ansuchen *n.* -s, -; das Buchen*, -s (비행기 좌석 따위); Abonnement [abɔnəmã:] *n.* -s, -s (예약); Vorausstellung *f.* -en (예약); Herausforderung *f.* -en (격투의); Nennung *f.* -en (경기의); Vorschlag *m.* -(e)s, ⸚e (제안); Zeichnung *f.* -en (기부, 공채 따위의). ~하다 ⁴sich (⁴*et.*) an|melden; an|bieten*⁴; e-n Antrag stellen; ⁴sich melden 《*bei*³》; ⁴sich bewerben* 《*um*⁴》; ein Gesuch richten 《*an*⁴》; abonnieren; subskribieren (이상 *auf*⁴; 예약, 구독을); vor|schlagen*⁴; beantragen*⁴; an|suchen 〔nach|-〕 《bei *jm.* um ⁴*et.*》; bitten⁴ 《um ⁴*et.*》. ¶ ~에 따라 auf (An)meldung; gegen Bestellung/~은 …에 Anmeldung bei³... / 결혼을 ~하다 *jm.* e-n Heiratsantrag machen; e-r Dame s-e Hand an|bieten* / 서면으로 〔구두로, 편지로〕 ~하다 ⁴sich schriftlich 〔mündlich, brieflich〕

bewerben* 《*um*⁴》 / 결투를 ～하다 *jn.* (zum Kampfe) heraus|fordern (auf|fordern) / 경기참가를 ～하다 ⁴sich zur Teilnahme an (für) e-n Wettkampf melden / 회견을 ～하다 ⁴sich zu e-m Interview an|melden / 원조를 ～하다 *jm.* Hilfe an|bieten* / ～을 거절(접수)하다 *jm.* e-n Antrag (e-e Anmeldung; e-e Bewerbung) ab|schlagen* (erhalten*; empfangen*) / ～이 쇄도했다 Unzählige Anmeldungen sind eingelaufen. / 대구에 장거리 전화를 ～했다 Er hat ein Ferngespräch für *Daegu* angemeldet. / ～은 조속히 하시기 바랍니다 Bewerber müssen sich frühzeitig melden. / ～은 동봉 용지를 사용할 것 Die Anmeldung hat auf dem beigelegten Formular zu geschehen. / 신문광고를 보고 20명가량 ～해 왔다 Etwa 20 Personen haben sich auf das Zeitungsinserat gemeldet.

‖ **～기한, ～마감** Melde|schluß (Meldungs-) *m.* ..lusses, ..lüsse. **～서** die (schriftliche) Anmeldung (Bewerbung) -en: ～서를 제출하다 e-e Anmeldung ein|reichen. **～순**(順) die Reihe (Ordnung) der Anmeldung. **～인, ～자** Anmelder (Antragsteller; Bewerber) *m.* -s, -; Subskribent *m.* -en, -en. **～접수처** Meldestelle *f.* -n. **결혼～** Heiratsantrag *m.* -(e)s, ⁼e. **여권～** e-e Anmeldung für Paß *m.* ..sses, ..ässe.

신청부같다 《틈이 없다》 k-e Zeit haben wegen des sorgenvollen Lebens; in bedrängter Lage sein; 《불만족》 unzufrieden sein 《*mit*³》; mißvergnügt sein 《*über*⁴》; (viel) zu wünschen übrig lassen*.

신체(身體) Körper *m.* -s, -; 《육체》 Leib *m.* -(e)s, -er. ¶ ～의 körperlich; leiblich / ～허약 Körperschwäche *f.* / ～구조 Körperbau *m.* -s / ～상해 Körperverletzung *f.* / ～단련 die körperliche Ausbildung / ～의 결함 Körperfehler *m.* -s, - / ～의 자유 die persönliche Freiheit, -en / ～가 튼튼하다 Er hat e-n gesunden Körper. ¦ Er ist bei guter Gesundheit. / ～가 허약하다 Er ist von schwacher Konstitution. / ～를 단련하다 den Körper ab|härten / 건전한 ～에 건전한 정신 „Ein gesunder Geist in e-m gesunden Körper."

‖ **～검사** die körperliche Prüfung (Untersuchung) -en: ～검사를 받다 körperlich untersucht (geprüft) werden / ～검사를 하다 körperlich prüfen (untersuchen). **～장애자** der Beschädigte, -n, -n: 국제 ～장애자 경기대회 Versehrtenolympiade *f.* -n.

신체(神體) Gottesbild *n.* -(e)s, -er (신의 초상); der Gegenstand 《-(e)s, ⁼e》 der Andacht.

신체(新體) der neue Stil, -(e)s, -e; die neue Form, -en. ‖ **～시** das Gedicht 《-(e)s, -e》 von neuer Form (in neuem Stil).

신체제(新體制) ein neues System, -s, -e; e-e reformierte Struktur, -en.

신축(辛丑) 〖민속〗 der achtunddreißigste binäre Schritt des sechzigjährigen Zyklus.

신축(伸縮) Ausdehnung 《*f.* -en》 u. Zusammenziehung 《*f.* -en》; Expansion 《*f.* -e》 u. Kontraktion 《*f.* -en》. **～하다** aus|dehnen⁴ u. zusammen|ziehen*⁴ (물건을); ⁴sich aus|dehnen u. ⁴sich zusammen|ziehen* (물건이). ¶ ～ 자재의 elastisch; dehnbar.

‖ **～성** Elastizität *f.* -en: ～성이 없는 ohne Elastizität / ～성을 주다 e-r Sache Elastizität geben*.

신축(新築) Neubau *m.* -(e)s, -e (-ten). **～하다** neu bauen⁴. ¶ ～의 neugebaut / 가옥을 ～하다 e-n Neubau errichten / 그의 집은 ～중이다 Sein Haus ist im Bau begriffen.

‖ **～건물** Neubau *m.* -s, -ten; das neugebaute Haus (Gebäude). **～낙성식** die Einweihung e-s Gebäudes.

신춘(新春) 《새봄》 Frühlingsanfang *m.* -(e)s, ⁼e; 《새해》 ein neues Jahr, -(e)s, -e; Neujahr *n.* -(e)s, -e.

신출(新出) das erste Erzeugnis 《-ses, -se》 in der Saison; die ersten Früchte (Produkte) 《*pl.*》 e-r Jahreszeit; 《사람》 Neuankömmling *m.* -s, -e; Neuling *m.* -s, -e. ¶ ～의 포도 frisch geerntete Trauben 《*pl.*》.

신출귀몰(神出鬼沒) das plötzliche Erscheinen* u. Verschwinden*; die täuschende Bewegung, -en. **～하다** plötzlich erscheinen* u. verschwinden*. ¶ ～하는 proteisch; täuschend; sehr schlau; trügerisch / ～하는 강도 der proteische Räuber, -s, - (Einbrecher, -s, -).

신출나기(新出―) Ankömmling *m.* -s, -e; Neuling *m.* -s, -e; Grünschnabel *m.* -s, ⁼; Novize *m.* -n, -n (*f.* -n).

신코 Schuhspitze *f.* -n.

신탁(信託) 〖법〗 Treuhand *f.* ⁼; das (An-) vertrauen*, -s. **～하다** an|vertrauen³; betrauen⁴ 《*mit*³》. ¶ ～의 anvertraut / 재산을 ～하다 *jm.* sein Vermögen an|vertrauen/ ～을 받다 mit ³*et.* betraut werden.

‖ **～계약** Vertrauensvertrag *m.* -(e)s, ⁼e: ～계약서 das Instrument 《-(e)s, -e》 des Vertrauensvertrages. **～기금** Anvertrauensfonds [fɔ̃:] *m.* - [fɔ̃:(s)], - [fɔ̃:(s)]: ～기금을 설정하다 Anvertrauensfonds begründen. **～료** Anvertrauensgebühr *f.* -en. **～물** Treugut *n.* -(e)s, ⁼er. **～부** die Abteilung des Anvertrauens. **～업** Treuhandgeschäft *n.* -(e)s, -e: ～업법 das Gesetz der Treuhandgeschäft. **～예금** Treuhanddepositum *n.* -s, ..men: 백만 원을 ～예금하다 1000000 *Won* in Treuhand ein|zahlen (deponieren). **～은행** Anvertrauensbank *f.* -en. **～자** der Anvertrauende*, -n, -n: Treuhänder *m.* -s, -. **～재산** Treugut *n.* -(e)s, ⁼er. **～통치** Treuhänderschaft *f.* -en: ～통치이사회 Treuhand(schafts)rat *m.* -(e)s (유엔의): 유엔의 ～통치하에 있다(두다) unter der (die) UN Treuhandschaft stehen* (setzen). **～투자** Treuinvestition *f.* -en. **～해제** die Aufhebung des Anvertrauens. **～회사** Treuhandgesellschaft *f.* -en. **투자～** Investitionstreuhand *f.*

신탁(神託) Orakel *n.* -s, -; (Orakel)spruch *m.* -(e)s, ⁼e. ¶ 꿈에 ～을 얻다 im Traum e-n Orakelspruch erhalten.

신탄(薪炭) Holz 《*n.* -es, ⁼er》 u. Kohle 《*f.* -n》; Brennstoff *m.* -(e)s, -e.

‖ **～상** Brennstoffhandlung *f.* -en (장사); Brennstoffhändler *m.* -s, - (장수).

신통(神通) Seltsamkeit *f.* -en; Wunderlichkeit *f.* -en; Geschicklichkeit *f.* -en; Gewandtheit *f.* -en; Tüchtigkeit *f.* -en. **～하다** wundervoll; geschickt; gewandt; tüchtig (sein). ¶ ～한 아이 ein ungewöhnliche (geschickte) Kind / 별로 ～치 못하다 nicht besonders schön.

‖ **～력** Zauberkraft *f.* ⁼e; übernatürliche Kräfte 《*pl.*》: ～력을 얻다 *jm.* übernatürliche Kräfte verliehen werden.

신트림 sauerer Rülpser, -s, -; saures Aufstoßen*, -s.
신틀 das hölzerne Gestell 《-s, -e》 zum Flechten koreanischer Stroh|sandalen (-schuhe).
신파(新派) ① 《유파》 die neue Schule, -n. ¶ ~를 창립하다 e-e neue Schule gründen. ② =신파극.
‖ ~극 das Schauspiel der neuen ²Schule. ~배우 der Schauspieler 《-s, -》 der neuen ²Schule.
신판(新版) die neue Auflage, -n (Ausgabe, -n); Neudruck *m.* -(e)s, -e; Neuauflage *f.* -n. ¶ ~의 neuerschienen; neu gedruckt (herausgegeben).
‖ ~물 Neuerscheinungen 《*pl.*》.
신편(新篇) neue Ausgabe, -n.
신품(新品) neue Sache (Ware) -n. ¶ ~ 같다 ganz neu (noch wie neu) aus|sehen*.
신필(宸筆) kaiserliche (königliche) Handschrift, -en; kaiserliches (königliches) Autograph, -s, -e(n).
신하(臣下) Untertan *m.* -s, -en; Vasall *m.* -en, -en. ¶ ~를 살피는 데는 군주에 비할 자 없다 Ein Herrscher kann über s-e Untertanen am besten urteilen.
신학(神學) Theologie *f.* -en [..gí:ən]. ¶ ~상의(적인) theologisch.
‖ ~교 Priesterseminar *n.* -s, -e (구교의); Predigerseminar *n.* -s, -e (신교의). ~박사 Doktor der Theologie. ~부 theologische Fakultät, -en. ~자 Theologe *m.* -n, -n.
신학기(新學期) das neue Semester, -s, -.
신학문(新學問) moderne Wissenschaft, -en; moderne Lehre, -n.
신한(宸翰) kaiserlicher (königlicher) Brief, ⌈-(e)s, -e.
신해(辛亥) 〖민속〗 der achtundvierzigste binäre Schritt des sechzigjährigen Zyklus.
신허(腎虛) 〖한의학〗 Verlust 《*m.* -es, -e》 der Männlichkeit; Impotenz *f.* -en.
신형(新型) ein neues Modell, -s, -e; ein neues Muster, -s, -; ein neuer Stil, -(e)s, -e (양식); e-e neue Mode, -n (유행). ¶ ~ 아파트 e-e Mietwohnung 《-en》 neuen ²Stils / 벤츠 ~차 ein neues Modell von ³Mercedes / 최~의 모자 ein Hut 《*m.* -(e)s, ⸚e》 nach der neuesten Mode.
신호(信號) Signal *n.* -s, -e; Zeichen *n.* -s, - (표시); Wink *m.* -(e)s, -e; Alarm *m.* -s, -e. ~하다 ein Signal (Zeichen) geben*³; signalisieren; winken; alarmieren. ¶ 붉은 (푸른) ~ das rote (grüne) Licht, -(e)s, -e (-er) / ~를 기다리다 an der ³Ampel auf grünes Licht (aufs Grün) warten / ~를 올리다 ein Signal auf|hissen / ~를 지키다 (무시하다) ein Signal beachten (ignorieren) / ~로 알리다 durch Signal an|zeigen / ~에 답하다 ein Signal erwidern / ~를 해서 도움을 구하다 ein Signal um Hilfe geben* / ~를 내리다 ein Signal ein|ziehen* / 잘못 ~를 하다 ein falsches Signal geben* / ~를 잘못 보다 ein Signal übersehen* / 발차 ~를 하다 e-e Kelle heben* / 총(종)소리를 ~로 auf den Signalschuß (die Signalglocke) / ~의 나팔을 불다 ein Signal blasen* / 눈(손가락, 손)으로 ~하다 mit den Augen (dem Finger, der Hand) e-n Wink geben* / 붉은 ~면 정지해야 한다 Bei Rot muß man halten. / 그 때에는 위험 ~가 내려 있었다 Da stand das Signal auf Gefahr. / 참사는 기관사가 ~를 무시했기 때문이다 Der Unfall ereignete sich, weil der Lokomotivführer das Signal übersehen hatte.
‖ ~기(旗) Signalflagge *f.* -n. ~기(機) Signalapparat *m.* -(e)s, -e. ~등 Signal|lampe *f.* -n (-licht *n.* -(e)s, -e (-er)). ~불 Signalfeuer *n.* -s, -. ~소 Signal|stelle *f.* -n (-station *f.* -en). ~수 Signalgeber *m.* -s, -; Signalist *m.* -en, -en (철도); Signalwärter *m.* -s, -. ~탄 Signalrakete *f.* -n. ~탑 Signalturm *m.* -(e)s, ⸚e. 경계~ Warnungssignal *n.* -s, -e. 교통~ Verkehrsampel *f.* -n. 무선~ das drahtlose Signal, -s, -e; Funksignal *n.* -s, -e. 만국 ~법 das internationale Signalwesen, -s, -. 발차~ Abfahrtssignal *n.* -s, -e. 비상~ Notsignal *n.* -s, -e. 수기(手旗) ~ Winkersignal *n.* -s, -e. 위험~ Notsignal *n.* -s, -e. 음향~ Tonsignal *n.* -s, -e. 자동 ~ das automatische Signal, -s, -e. 정지~ Haltezeichen *n.* -s, -. 조난~ Seenotzeichen *n.* -s, - (바다의). 출발~ Abfahrtssignal *n.* -s, -e: 출발 ~를 올리다 ein Abfahrtssignal geben*; die Kelle hoch heben*.
신혼(新婚) Neuvermählung *f.* -en. ¶ ~의 neuvermählt; jüngst verheiratet / 그들은 아직 ~초다 Sie sind noch in den Flitterwochen.
‖ ~부부 ein neuvermähltes Ehepaar, -(e)s, -e: 그들은 ~ 부부 같은 인상을 주었다 Sie machten den Eindruck, als seien sie jung verheiratet. ~생활 das Leben im Honigmonat. ~여행 Hochzeitsreise *f.* -n: ~여행을 떠나다 ⁴sich auf den Weg der Hochzeitsreise machen / ~여행을 하다 e-e Hochzeitsreise machen.
신화(神化) Vergottung (Vergötterung) *f.* -en; Apotheose *f.* -n. ~하다 zum Gott machen⁴; vergotten⁴; vergöttern⁴; unter die Götter versetzen⁴.
신화(神話) Mythe *f.* -n; Mythos *m.* -, ..then; Mythus *m.* -, ..then; Götter|sage (Helden-) *f.* -n. ¶ ~의 mythenhaft; mythisch / ~의 발생 Mythenbildung *f.* -en.
‖ ~극 das mythische Drama, -s, ..men; Götterdrama *n.* -s, ..men. ~시대 mythische Vorzeit. ~작가 Mythenbeschreiber *m.* -s, -. ~학 Mythologie *f.* -n; Götterlehre *f.* -n: ~학자 Mytholog *m.* -en, -en. 그리스~ Griechische Mythologie.
신환자(新患者) der neue Patient, -en, -en.
신효(神效) Wunderwirkung *f.* -en. ~하다 wunderbar wirken 《*auf*⁴》.
신흥(新興) neuer Aufgang, -(e)s, ⸚e. ~하다 neu auf|gehen*ⓢ. ¶ ~의 aufgehend; neu.
‖ ~계급 die neu aufgehende (aufsteigende) Klasse, -n. ~국가 ein neu an die Macht gekommener Staat, -(e)s, -en. ~도시 die neu aufsteigende Stadt, ⸚e. ~산업 die neu aufblühende Industrie, -n. ~아프리카 제국 die neu auftauchende Länder in Afrika. ~재벌 der Neureiche*, -n, -n; Emporkömmling *m.* -s, -e. ~종교 e-e neuentstandene Religion, -en.
신희(新禧) Neujahrsglückwunsch *m.* -es, ⸚e.
싣다 ① 《적재》 laden*⁴ 《*auf*⁴; *in*⁴; *mit*³》; beladen*⁴ 《*mit*³》; befrachten⁴ 《*mit*³》; verladen*⁴ 《*mit*³》. ¶ 짐을 트럭에 ~ Fracht auf den Lastwagen laden*; den Lastwagen mit Fracht beladen* / 석탄을 배에 ~ das Schiff mit Kohlen beladen (befrachten); Kohlen

auf (in) das Schiff verladen* / 옮겨 ～ um|laden*[4] / 상품을 다른 배에 옮겨 ～ Waren von e-m Schiff in ein anderes um|laden* / 그 배는 건축자재를 싣고 있었다 Das Schiff war mit Bauholz beladen.

② 《기록·게재》 schreiben*[4]《für[4]; in[3]》; bringen*[4] 《in[4]》; ein|rücken[4] 《in[4]》; veröffentlichen[4] 《in[3]》; verzeichnen[4] 《in》[3] (특히 표시); ein|tragen*[4] 《in[4]》 (명부 등에); an|zeigen[4]; inserieren[4](결혼,사망 광고 등을); auf|nehmen*[4] 《in[4]》; setzen[4] 《in[4]》. ¶ 역사에 ～ in die Geschichte auf|nehmen* / 신문에 광고를 ～ e-e Anzeige in die Zeitung setzen (ein|rücken) / 신문들은 그 기사는 싣지 않았다 Die Zeitungen haben darüber nichts gebracht. / 이 소설은 그 잡지 다음 호에 실릴 것이다 Dieser Roman wird im nächsten Monat in der Zeitschrift veröffentlicht werden.

③ 《논에 물을》 an|sammeln; in ein(em) Reservoir sammeln.

실[1] 《바느질용》 Faden *m.* -s, ⸗; 《방사》 Garn *n.* -(e)s, -e; 《생사》 Zwirn *m.* -(e)s, -e; 《꼰실》 Schnur *f.* ⸗e (-en); 《낚싯줄》 Leine *f.* -n; 《줄》 Saite *f.* -n. ¶ 실 뭉치 Knäuel *m.* (*n.*) -s, - / 베실 Leinengarn *n.* -(e)s, -e / 명주실 Seidenfaden *m.* -s, ⸗ / 무명실 Baumwollgarn *n.* -(e)s, -e / 바느질 실 Näh¦garn *n.* -(e)s, -e (-seide *f.* -n) / 가는 실 der feine (dünne) Faden, -s, ⸗ / 실 같은 faden¦ähnlich (-förmig) / 실을 뽑다 (ein) Garn spinnen* / 실을 잣다 das Garn zwirnen (drehen) / 바늘에 실을 꿰다 e-e Nadel 《-n》 ein|fädeln / 실을 뽑다 《수술 후에》 den Faden aus|nehmen* (-|ziehen*) / 실오라기 하나 걸치지 않고 ganz nackt; splitternackt.

실[2] 《봉인》 Siegel *n.* -s, -; Siegelmarke *f.* -n (편지의); Siegelabdruck *m.* -(e)s, ⸗e. ¶ 실을 누르다 das Siegel drücken 《auf[4]》; ein [4]Siegel an|bringen*; siegeln; mit e-m Siegelabdruck versehen*.

실(失) Verlust *m.* -es, -e; Einbuße *f.* -n.

실(室) Zimmer *n.* -s, -; Stube *f.* -n; Wohnraum *m.* -(e)s, ⸗e (거실); Kammer *f.* -n (작은 방); Kajüte *f.* -n (선실). ¶ 1등실 《기차의》 der Abteil erster Klasse.

실(實) 《진실》 Wahrheit *f.* -en; Wirklichkeit *f.* -en; Tatsache *f.* -en; 《허의 반대어》 Substanz *f.* -en; Wesen *n.* -s, -. ¶ 허와 실 Schein u. Sein (Wesen; Wirklichkeit) / 실은 in Wahrheit; in Wirklichkeit; offen gesagt (gestanden); um ehrlich zu sein / 실은 이렇습니다 Es verhält sich in Wahrheit so. ¦ In Wirklichkeit liegt die Sache so.

실가(實家) Eltern¦haus (Geburts-) *n.* -es ⸗er.

실가(實價) ① 《진가》 der innere (wirkliche) Wert, -(e)s; Realwert *m.* -(e)s; Selbstkosten 《*pl.*》. ② 《원가》 Nettopreis *m.* -es, -e (포장료, 송료 따위를 포함 않음); Pari *n.* -s (액면). ¶ ～로 팔다 zum Einkaufspreis(e) verkaufen / ～이하로 팔다 unter dem Einkaufspreise verkaufen.

실각(失脚) ① =실족(失足). ② 《몰락》 Verfall *m.* -(e)s, ⸗e; der Verlust e-r Stellung; das Ausstoßen*, -s. **～하다** verfallen* Ⓢ; [4]sich ruinieren; zu Fall kommen*; stürzen Ⓢ 《von s-m Posten》; sein Amt (s-n Posten; s-e Stellung) verlieren*; aus|gleiten* Ⓢ. ¶ ～시키다 stürzen[4]; zu Fall bringen*[4] / ～한 정치가 ein ruinierter Staatsmann / 외무 장관의 돌연한 ～ der jähe Sturz des Außenministers (von s-m Posten).

실감(實感) der lebhafte Eindruck, -(e)s, ⸗e; Lebhaftigkeit *f.*; Lebendigkeit *f.*; Leibhaftigkeit *f.* **～하다** erleben; mitfühlen[(4)]; nach|erleben. ¶ ～나다 lebens¦getreu (natur-; wirklichkeits-) sein; spannend sein / ～나는 realistisch; wirklichkeits¦getreu (natur-); lebhaft; lebendig; sprechend / ～을 말하다 s-n Eindruck (sein Erlebnis) erzählen / 너의 이 초상화는 ～이 난다 Das Bild sieht dir sprechend ähnlich. / 그 소설은 ～이 난다 Der Roman ist packend lebenstreu. / 그 묘사는 아주 ～이 난다 Die Schilderung ist auch gefühlsmäßig sehr gegenwartsnah. ‖ **～온도** 〖의학〗 die effektive Temperatur, -en.

실감개 Spule *f.* -n; Bobine *f.* -n; Haspel *f.* -n (*m.* -s, -). ¶ ～에 감다 auf e-e Spule wickeln[4]; spulen[4]; haspeln[4].

실개천 Bächlein *n.* -s, -; Rinnsal *n.* -(e)s, ⌈-e.

실검(實檢) Untersuchung *f.* -en; Prüfung *f.* -en; Durchsicht *f.* -en; 《확인》 Identifizierung *f.* -en. **～하다** besichtigen[4]; inspizieren[4]; nach|prüfen[4]; überprüfen[4]; identifizieren[4]; fest|stellen[4].

실격(失格) Disqualifikation *f.* -en. **～하다** die Berechtigung 《zu[3]; als...》 verlieren*; unfähig (untauglich) gemacht werden; ausgeschieden werden (sein); [4]sich disqualifizieren / 반칙 5회로 ～되다 wegen 5 Fehler ausgeschlossen werden / 예선에서 탈락되어 ～했다 Er konnte sich im Vorlauf nicht placieren u. ist ausgeschieden.

‖ **～경기자** der ausgeschlossene Spieler, -s, -. **～자** der Ausgeschiedene*, -n, -n.

실견(實見) das wirkliche Sehen*, -s. **～하다** mit eigenen Augen sehen*[4]; als Augenzeuge beobachten[4]; Augenzeuge sein 《von[3]》. ‖ **～자** Augenzeuge *m.* -n, -n.

실경(實景) Naturbild *n.* -(e)s, -er; Anblick *m.* -(e)s, -e; Panorama *n.* -s, ..men. ¶ 그 그림은 섬의 ～을 그린 것이다 Das Bild ist nach der Natur der Insel gezeichnet.

실고추 der fadenartig geschnittene Paprika, -s, -s; fein geschnittener Paprika.

실골목 Gäßchen *n.* -s, -; schmales Sträßchen, -s, -.

실과(實果) =과실(果實). ⌈《*pl.*》.

실과(實科) Praktikum *n.* -s, ..ka; Realien

실국수 Fadennudel *f.* -n; dünne Nudel, -n.

실굽 Fuß *m.* -es, ⸗e (des Gefäßes).

‖ **～달이** Porzellanschüssel mit Fuß.

실권(失權) die Entziehung des Rechts; die Einbuße 《-n》 der Macht; die Entziehung des Bürgerrechts. **～하다** der [2]Macht verlustig gehen* Ⓢ; die Macht ein|büßen.

실권(實權) Macht *f.* ⸗e; Herrsch(er)gewalt *f.* ¶ ～을 잡다(장악하다) die Macht ergreifen* (übernehmen*); an die Macht gelangen Ⓢ; das Steuer (des Staates) ergreifen* (führen); die Zügel in die Hand nehmen* / ～을 쥐고 있다 die Macht in (den) Händen haben; am Steuer sitzen* (stehen*); die Zügel in der Hand haben / 이 회사의 ～은 그가 쥐고 있다 In dieser Gesellschaft hat er die Zügel in der Hand.

실그러- ☞ 씰그러-.

실금 Fadenriß *m.* ...risses, ...risse.; fadenartiger Spalt, -(e)s, -e. ¶ 찻잔에 ～이 갔다 Die Teetasse hat fadenartige Sprünge bekommen.

실금(失禁) Harnfluß *m.* ..flusses, ..flüsse; 〖의학〗 Inkontinenz *f.* ~하다 sein [4]Kleid (durch [4]Urin) schmutzig machen; unwillkürlich Urin (Harn) lassen*.

실긋거리다 [4]sich andauernd nach e-r Seite neigen; wackeln; unbeständig sein; nicht im Gleichgewicht (befindlich) sein.

실긋실긋 mit andauerndem einseitigem Neigen; wackelnd; unausgeglichen schwankend.

실긋하다 [4]sich einseitig neigen; aus dem Gleichgewicht kommen* ⓢ; schief; ein bißchen schräg; schwankend; wackelnd; labil (sein).

실기(實技) praktische Begabung *f.* -en. ‖ ~시험 Prüfung《*f.* -en》der praktischen Begabung: 미술 ~ 시험 Test《*m.* -(e)s, -e》 der praktischen Begabung für die schönen Künste / 성악 ~ 시험 Prüfung der praktischen Begabung für die Vokalmusik (den Gesang).

실기(實記) Geschichte *f.* -n; Chronik *f.* -en. ¶ 한국 전쟁의 ~ die Geschichte des koreanischen Krieges.

실기죽거리다 anhaltend wackeln; [4]sich kaum im Gleichgewicht halten*.

실기죽실기죽 mit wiederholtem Wackeln.

실기하다(失期—) die Zeit verpassen (versäumen; verfehlen); e-n Termin versäumen.

실기하다(失機—) e-e günstige Gelegenheit versäumen; e-e Gelegenheit entgehen lassen*; e-e Gelegenheit verpassen.

실꾸리 der Ball aus [3]Faden.

실꾼(實—) ein tüchtiger Arbeiter, -s, -; ein fähiger Arbeiter.

실낱 der dünne Faden, -s, ⸚. ¶ ~ 같은 목소리 die fadendünne Stimme, -n / ~ 같은 목숨 das dünne Leben, -s.

실내(室內) das Innere《-n》des Zimmers (Hauses); Innenraum *m.* -(e)s, ⸚e. ¶ ~의 Haus-; Zimmer-; Hallen- / ~에서 놀다 im Zimmer (Haus) spielen / ~에 들어박히다 im Zimmer sitzen bleiben* / ~를 장식하다 ein Zimmer ausstatten (dekorieren; möblieren; tapezieren).
‖ ~난방 Zimmerofen *m.* -s, ⸚. ~노동 die häusliche Arbeit. ~모 Hausmütze *f.* -n. ~복 Neglige [..gliʒé:] *n.* -s, -s; Hauskleid *n.* -(e)s, -er: ~복 차림으로 im Neglige (Hauskleid). ~선(線) Zuleitungsdraht *n.* -(e)s, ⸚e. ~식물 Zimmerpflanze *f.* -n. ~악 Kammermusik *f.* ~안테나 Zimmerantenne *f.* -n. ~온도 Zimmertemperatur *f.* -en: ~온도계 Zimmerthermometer *n.* (*m.*) -s, -. ~운동 Zimmersport (Hallensport) *m.* -(e)s, -e. ~유희 Gesellschaftsspiel *n.* -(e)s, -e. ~장식 Zimmer¦ausstattung *f.* -en (-dekoration *f.* -en): ~장식가 Zimmerausstatter *m.* -s, -s (-dekorateur *m.* -s, -e) / ~장식술 Innenarchitektur *f.* -en / ~장식화 (Zimmer)dekorationsmalerei *f.* -en. ~체육관 Turnhalle *f.* -n. ~체조 Hallenturnen *n.* -s (-gymnastik *f.* -en). ~풀 Schwimmhalle *f.* -n. ~화(畫) Zimmerstück *n.* -(e)s, -e. ~화(靴) Pantoffel *m.* -s, -n; Hausschuh *m.* -(e)s, -e.

실념(失念) das Vergessen*, -s. ~하다 *js.* [3]Gedächtnis entschlüpfen ⓢ; aus dem Gedächtnis verlieren*[4]. ☞ 잊다.

실농(失農) Versäumnis《*f.* -se》der Jahreszeit für Ackerbau. ~하다 die Jahreszeit für Ackerbau versäumen. ⌈-s, -.

실농군(實農軍) ein gediegener Landarbeiter,

실눈 halbgeöffnete Augen《*pl.*》. ¶ ~을 뜨고 보다 die Augen halbgeöffnet sehen*[4].

실담(實談) die wahre Geschichte, -n; ein glaubwürdiger Bericht, -(e)s, -e; ein authentischer Bericht.

실답다(實—) aufrichtig; zuverlässig; ehrlich (sein). ¶ 실다운 청년 ein zuverlässiger junger Mann, -(e)s, ⸚er (Leute).

실답지않다(實—) unzuverlässig; nicht vertrauenswürdig; unaufrichtig (sein).

실덕(失德) Einbuße《*f.* -n》der Liebe u. Achtung. ~하다 Einbuße der Liebe u. Achtung erleiden*; [4]sich entehren; Liebe u. Achtung ein|büßen; an Ansehen ein|büßen. ⌈Hauses.

실뒤 〖건축〗 hinterer Raum《-(e)s, ⸚e》 e-s

실떡거리다 plaudern; schwatzen; lauter dummes Zeug schwatzen.

실떡실떡 geschwätzig; quatschend; quasselnd. ~하다 schwätzen; dumm daher|reden; dummes Zeug reden.

실뚱머룩하다 abgeneigt[3]; unlustig; uninteressiert《*an*[3]》; widerwillig (sein).

실뜨기 Schnurspiel (Faden(abnehmen)spiel) *n.* -(e)s, -e.

실랑이(질) Belästigung *f.* -en; Quälerei *f.* -en. ~하다 *jn.* belästigen; *jn.* quälen.

실량(實量) Nettoquantität *f.* -en; Netto *n.* -s.

실러《독일의 극작가·시인》 Johann Christoph Friedrich von Schiller (1759-1805).

실력(實力) ①《능력》Fähigkeit *f.* -en; Befähigung *f.* -en; das Können*, -s; Vermögen *n.* -s, -; Gelehrigkeit *f.* (학문의); Gewandtheit *f.* (기술 등의). ¶ ~이 있는 fähig; befähigt; vermögend; gelehrig; gewandt; bewandert / ~을 쌓다 Kenntnisse sammeln (an|häufen); ertüchtigen[4] / ~있는 사람 der fähige Mensch, -en, -en / ~을 발휘하다 die wahre Kraft zeigen / ~을 기르다 [4]sich mit reellen Kenntnissen bereichern / 영어 ~이 붙다 es in der englischen Sprache weit bringen*; [3]sich gediegene (tüchtige) Kenntnisse《*pl.*》in der englischen Sprache erwerben* / 그는 독일어 ~이 대단하다 Er ist des Deutschen sehr mächtig. / ~이 있는 사람은 어디서나 두각을 나타낸다 Ein Mann von wahrer Fähigkeit tut sich vor andern hervor, was er auch werden mag. ②《무력》Gewalt *f.* -en. ¶ ~에 호소하다 zur Gewalt greifen*; Gewalt benutzen.
‖ ~자 der starke Mann《in der Regierung》; ein Mensch von großem Einfluß. ~행사 die Benutzung der Gewalt: ~행사를 하다 Gewalt benutzen / ~행사를 중지하다 die Benutzung der Gewalt auf|hören.

실력(實歷) das (wahrheitsgetreue) Lebensbild, -(e)s, -er; Erlebnis *n.* -ses, -se (체험).

실례(失禮) Unhöflichkeit *f.* -en; Grobheit *f.* -en (버릇없음); Roheit *f.* -en; Unbildung *f.* (무교양); Unfreundlichkeit *f.* -en (불친절). ¶ ~의, ~되는 unhöflich; grob《gröber, gröbst》; roh; ungebildet; unfreundlich / ~되는 말을 하다 etwas Unhöfliches* sagen; in unfreundliche Worte kleiden[4] / ~합니다 Entschuldigen (Verzeihen) Sie! ¦ Entschuldigung (Verzeihung)! ¦ (Es) tut mir leid. / ~지만 mit Verlaub;

mit Erlaubnis (Respekt; Verzeihung) gesagt / ~를 무릅쓰고 …하다 ich nehme mir die Freiheit, …; ich erlaube mir… / ~지만 무엇을 해드릴까요 Was kann ich für Sie tun? ¦ Kann ich Ihnen helfen? / ~지만 그 이야기는 그만하여 주시오 Seien Sie so gut u. sprechen Sie nicht mehr davon. / 지난번 오셨을 때는 출타중이어서 ~했읍니다 Es tut mir sehr leid, daß ich da(mals) (gerade) nicht zu Hause war. / ~지만 서면으로 감사드립니다 Ich nehme mir die Freiheit, Ihnen brieflich zu danken. / 오래 기다리시게 해서 ~했읍니다 Entschuldigen Sie, daß ich Sie so lange habe warten lassen. / ~지만 당신의 직업은 무엇입니까 Was sind Sie (von Beruf), wenn ich fragen darf? / 잠깐 ~합니다 Entschuldigen Sie, bitte, e-n Augenblick! ¦ Ich komme gleich! ¦ Komme gleich zurück! (잠시 자리를 뜰 때).

실례(實例) Beispiel *n.* -(e)s, -e; Exempel *n.* -s; Vorgang *m.* -(e)s, ¨e; Präzedenzfall *m.* -(e)s, ¨e (선례) ✠ 「실」은 번역할 필요 없음. ¶ ~가 없는 beispiellos; unerhört(미증유의) / ~를 들다 (들면) ein Beispiel (od. ⁴*et.* als Beispiel) an|führen (zum Beispiel) / 구체적인 ~를 들면 um ein konkretes Beispiel zu nennen / ~를 들어 설명하다 durch Beispiele erläutern; an Beispielen illustrieren / ~를 들어 증명하다 《예증》 durch Beispiele beweisen* (belegen).

실로(實—) 《진실로》 in der Tat; tatsächlich; wirklich; fürwahr; 《대단히》 sehr; gar; so; äußerst; außerordentlich; außergewöhnlich; riesig; ungewöhnlich; unglaublich. ¶ ~기뻤다 Ich habe mich riesig (sehr) gefreut. / ~난처했다 Das war mir äußerst unangenehm. ¦ Ich war wirklich in der Klemme. / 그는 ~ 비범한 사람이다 Er ist wirklich ein hervorragender Mensch.

실로폰 〖음악〗 Xylophon *n.* -s, -e.

실록(實錄) die schriftliche Geschichtsquelle, -n; Urkunde *f.* -n.

‖ ~소설 der historische Roman, -s, -e.

실론 《스리랑카의 구칭》 Ceylon [tsáilɔn] *n.*

‖ ~말 Singalesisch *n.* -(e)s. ~사람 Singalese *m.* -n, -n. ~차 Ceylontee *m.* -s, -s.

실루에트 Silhouette [zilúɛ́tə] *f.* -n; der schattenhafte Umriß, ..risses, ..risse; Schattenriß *m.* ..risses, ..risse.

실룩 unter Zwinkern; ruckweise; krampfartig; blinzelnd. ~하다 blinzeln; zucken; zwinkern 《*mit*³》.

실룩거리다 zucken 《*mit*³》; zwinkern 《*mit*³》; wiederholt blinzeln; wiederholt winken. ¶ 입을 ~ mit den Lippen (Mundwinkeln) zucken / 눈을 ~ blinzeln.

실룩실룩 mit Zuckungen; unter wiederholenden Zwinkern (Blinzeln).

실리(失利) Einbuße *f.* -n; Verlust *m.* -es, -e. ~하다 e-n Verlust haben (erleiden*); zu Schaden kommen* ⓢ.

실리(實利) ① 《이익》 der materielle Gewinn, -(e)s, -e; Nutzen *m.* -s, -; Vorteil *m.* -(e)s, -e. ② 《유익》 Nützlichkeit *f.* -en; Nutzbarkeit (Verwend-) *f.* ③ 《공리》 Utilität *f.*; Nützlichkeit. ¶ ~적인(으로) gewinnbringend; nützlich; vorteilhaft; utilitaristisch (공리주의적) / ~가 있다 nützlich (vorteilhaft) sein.

‖ ~주의 Utilitarismus *m.* -; Nützlichkeitsprinzip *n.* -s, -e (..pien); Handelsgeist *m.* -(e)s.

실리다 ① 《기재되다》 geschrieben werden 《*in*³》; gebracht werden 《*in*⁴》; eingerückt werden 《*in*⁴》; veröffentlicht werden 《*in*³》; verzeichnet werden 《*in*³》. ¶ 논설을 신문에 ~ e-n Artikel in die Zeitung setzen (ein|rücken) / 이름을 명부에 ~ Namen in e-e Liste ein|schreiben* / 실려 있다 (geschrieben) stehen* / 이 낱말은 사전에 실려있지 않다 Dieses Wort ist im Wörterbuch nicht zu finden. / 대서 특필(特筆)로 신문에 실려 있었다 Es hat in großen Überschriften in den Zeitungen gestanden. ¦ Die Zeitungen brachten es in großer Aufmachung. ② 《싣게하다》 (auf)laden* 《*auf*⁴》; beladen* 《*mit*³》; 《배에》 an Bord bringen*. ¶ 화물을 화물자동차에 ~ die Waren 《*pl.*》 auf e-n Lastwagen laden*.

실리카 《규토》 Kieselerde *f.* -n.

실리콘 〖화학〗 Silikone 《*pl.*》.

실린더 〖기계〗 Zylinder *m.* -s, -.

실링¹ (Zimmer)decke *f.* -n; 〖항해〗 Innenbeplankung *f.* -en; 〖항공〗 Gipfelhöhe *f.* -n; Steighöhe; 〖기상〗 untere Wolkengrenze, -n.

실링² Shilling *m.* -s, -e 《영국; 생략: s; sh》; Schilling *m.* -s, -e 《오스트리아; 생략: S》. ¶ 3 ~ 6펜스 drei (Schilling) sechs (Pence).

실마력(實馬力) Nutzpferdekraft *f.* ¨e; Nutzleistung *f.* -en (출력).

실마리 ① 《실의 끝》 das Ende 《-s, -n》 e-s Fadens. ② 《발단》 Anfang *m.* -(e)s, ¨e; Beginn *m.* -(e)s. ¶ 그것이 그가 장차 출세하게 된 ~가 되었다 Das legte den Grund zu s-m künftigen Erfolg. ③ 《단서》 Anhaltspunkt *m.* -(e)s, -e; Schlüssel *m.* -s, -; Faden *m.* -s, ¨. ¶ ~를 얻다 den Schlüssel finden* 《*zu*³》 / 발견의 ~가 되다 der Schlüssel zu e-r Entdeckung werden / ~를 잃다 den Anhaltspunkt verlieren* / 담화의 ~를 잃다 den Faden des Gesprächs verlieren* / 지문이 범인 체포의 ~가 되었다 Der Fingerabdruck wurde der Schlüssel zur Verhaftung der Verbrechers.

실망(失望) Enttäuschung *f.* -en; Ernüchterung *f.* -en; die gescheiterte Hoffnung, -en; Desillusion *f.* -en. ~하다 ⁴sich enttäuschen; ⁴sich enttäuscht fühlen; enttäuscht sein; e-e Enttäuschung erfahren*. ¶ ~하여 enttäuscht; ernüchtert; mit gescheiterten Hoffnungen; desillusioniert / ~시키다 enttäuschen 《*jn.*》; ernüchtern 《*jn.*》 〔사물이 주어〕; desillusionieren 《*jn.*》; e-n Dämpfer auf|setzen (geben*) 《*jm.*》; Wasser in den Wein gießen* (흥을 깨다) / ~의 빛을 나타내다 enttäuscht aus|sehen*; ein langes Gesicht machen / 나는 크게 ~했다 Ich bin durch bittere Erfahrungen enttäuscht worden. / 그에게 ~(을) 했다 Er hat mich enttäuscht. ¦ Ich bin von ihm enttäuscht. ¦ Ich hätte Besseres von ihm erwartet. / ~하기에는 아직 이르다 Man soll nicht (nie) frühzeitig alle Hoffnung(en) aufgeben. ¦ Es ist noch zu früh, die Hoffnung(en) sinken zu lassen. / 기대가 어긋나서 ~했다 Er hat sich in s-r Erwartung getäuscht gesehen. / 그가 오지 않아서 ~했다 Ich war sehr enttäuscht, daß er nicht kam.

실머리동이 Papierdrachen mit 5 *Pun* breiten Kopfbänder. ⌈-s, -.

실머슴(實—) ein tüchtiger Landarbeiter,

실명(失名) das Vergessen (Nichtwissen) 《-s》 des Namens. ～하다 den Namen des Betreffenden nicht wissen*.
‖ ～씨 die unbekannte (anonyme; namenlose) Person, -en; der Unbekannte*, -n, -n.

실명(失明) Erblindung *f.* -en. ～하다 blind werden; erblinden ⓢ; das Gesicht verlieren*; des Augenlichts beraubt werden. ¶ ～한 blind; des Gesichtes beraubt / 두 눈 다 ～했다 Beide Augen wurden blind.¦ Beide Augen haben das Gesicht verloren.
‖ ～자 der (die) Blinde*, -n, -n.

실명(失命) Verlust 《*m.* -es, -e》 des Lebens. ～하다 sein Leben verlieren*; ums Leben kommen* ⓢ.

실모(實母) =친어머니.

실무(實務) die praktischen Angelegenheiten 《*pl.*》; Büroarbeit *f.* -en; Geschäftspraxis *f.* ..xen; Geschäftsroutine [..ruti:nə] *f.* -n; Geschäft *n.* -(e)s, -e (비즈니스). ¶ ～적 praktisch; geschäftsmäßig / ～에 재능이 있는 geschäfts¦fähig (-tüchtig) / ～에 종사하다 ein Amt (e-n Posten) an|treten* ⓢ/ ～에 어둡다 wenig von der Welt wissen* / ～를 배우다 [4]sich in den praktischen Angelegenheiten trainieren; die Praxis (er)lernen.
‖ ～연수 Praxistraining *n.* -s, -s. ～자 Geschäftsmann *m.* -(e)s, ..leute; Praktiker *m.* -s, -: ～자 회담 das Gespräch 《-(e)s, -e》 der Geschäftsleute.

실물(失物) Verlust *m.* -es, -e; (Sach)schaden *m.* -s, ⸚. ～하다 e-e Sache verlieren*.

실물(實物) Ding *n.* -(e)s, -e(r); Sache *f.* -n (구체적인); Realien 《*pl.*》 (실제물); Gegenstand *m.* -(e)s, ⸚e (물체); das Vorhandene*, -n (존재물); das Echte*, -n (진짜); Original *n.* -s, -e (원본). ¶ ～을 방불케 하는 naturgetreu; genau nach der Natur; lebenstreu; lebenswahr / ～같이 보이다 wie das Echte aus|sehen* / 이 조화는 ～ 그대로다 Diese künstliche Blume ist ganz wie e-e natürliche. / ～을 보고 나서 정하지요 Ich werde mich entschließen, nachdem ich die Sache selbst gesehen habe. / 이 여자의 ～을 보면 누구나 놀란다 Jedermann ist erstaunt, wenn er sie selbst sieht. / 이 그림은 ～을 사생한 것이다 Dieses Bild ist nach dem Leben gemalt.
‖ ～거래 Lokogeschäft *n.* -(e)s, -e. ～교수 Anschauungsunterricht *m.* -(e)s, -e. ～묘사 Naturschilderung *f.* -en. ～소득 Naturaleinkommen *n.* -s, -. ～크기 Lebens¦größe (Natur-) *f.* -n: ～크기의 in Lebensgröße; lebensgroß; in natürlicher Größe / ～크기로 확대한 사진 das in nätürlicher Größe erweiterte Bild, -(e)s, -er.

실미적지근하다 lauwarm; lau; gleichgültig (sein). ¶ 국이～ Die Suppe ist lauwarm.

실바람 Brise *f.* -n; Lüftchen *n.* -s, -.

실반대 e-e Spule Seiden¦faden (-garn).

실밥 ① 《뜯은 보무라기》 Garnabfälle 《*pl.*》. ② 《솔기》 Naht *f.* ⸚e. ¶ ～을 가늘게 하다 mit feinen (kleinen) Stichen nähen / ～이 드러나지 않도록 바느질하다 mit verdeckter Naht nähen.

실백(實柏) Pinienkern *m.* -(e)s, -e.
‖ ～장 Sojasauce 《*f.* -n》 mit eingelegten Pinienkernen.

실뱀 〖동물〗 kleine dünne Schlange, -n; *Zamensis spinalis* (학명).

실뱀장어 der kleine Aal, -(e)s, -e; Älchen *n.* -s, -.

실버들 Trauerweide *f.* -n.

실보무라지 Fadenstückchen *n.* -s, -; Fadenabfälle 《*pl.*》.

실부(實父) =친아버지.

실비(實費) Selbst¦kosten (Anschaffungs-; Gestehungs-; Herstellungs-) 《*pl.*》; Einkaufs¦preis (Kosten-) *m.* -es, -e; Vertrauensspesen 《*pl.*》 (출장여비 등). ¶ ～로 (보다 싸게) 팔다 [4]*et.* zum Kostenpreis (unter Selbstkostenpreis) verkaufen / ～로 제공하다 zum Einkaufspreis an|bieten* / ～ 500원만 받겠어요 Ich bekomme 500 *Won* zur Deckung der Unkosten.
‖ ～제공 Kostenpreisverkauf *m.* -(e)s, ⸚e. ～진료소 die Klinik, in der man nur für die Medizin zu bezahlen braucht. 생산～ Produktionskosten 《*pl.*》.

실사(實査) Lokalbesichtigung *f.* -en; Ortstermin *m.* -s, -e; Bestandsaufnahme *f.* -n. ～하다 an Ort u. Stelle untersuchen[4]; wirkliche Lage untersuchen; Bestandsaufnahme machen.

실사(實寫) Aktualitätenfilm *m.* -(e)s, -e; Echtaufnahme *f.* -n 〖Trickaufnahme 의 반대어〗. ～하다 das Echte auf|nehmen*; e-n Trick filmen.

실사회(實社會) (Alltags)welt *f.* -en; Leben *n.* -s, -. ¶ ～에 있어서 im Getriebe des Lebens; im Strom der Welt / ～에 나가다 in die Welt gehen* ⓢ.

실산(實算) 〖수학〗 welsche Praktik, -en.

실살 der unsichtbare (verborgene) Gewinn, -(e)s, -e. ～스럽다 gehaltreich; innerlich gehaltvoll (sein).

실상(實狀) der wirkliche Sachverhalt, -(e)s, -e; die wahre Sachlage, -n; Tatbestand *m.* -(e)s, ⸚e; die tatsächliche Situation, -en; 〖부사적〗 in Wirklichkeit; in Wahrheit; in der Tat; tatsächlich. ¶ ～말하면 um die Wahrheit zu sagen; die Wahrheit zu gestehen; die Sache ist, daß ....

실상(實相) der wahre Sachverhalt, -(e)s; das wahre Bild, -(e)s, -er; die wirkliche Lage, -n; das Wesen 《-s, -》 der Dinge. ¶ 사회의 ～ das echte Bild von Leben / 이 이야기는 인생의 ～을 그리고 있다 Diese Geschichte gibt das wahre Bild des Lebens. ¦ Diese Erzählung gibt das wahre Leben wieder.
‖ ～무루(無漏) Buddhistische Aufklärung.

실상(實像) 〖물리〗 reelles Bild, -(e)s, -er.

실색(失色) ～하다 bleich werden 《*vor*[3]》; erblassen 《*vor*[3]》.

실생활(實生活) das wirkliche Leben, -s, -; Wirklichkeit *f.* -en. ¶ ～에서 취재하다 e-n Stoff (ein Material) in der Wirklichkeit wählen / ～에 소용이 없다 im Leben unnötig sein.

실선(實線) e-e ununterbrochene Linie, -n.

실성(失性) der Verlust 《-es, -e》 des Verstandes; Wahnsinn *m.* -(e)s; Verrücktheit *f.* -en; Irrsinn *m.* -(e)s; Geistesstörung *f.* -en; die Tollheit *f.* ～하다 wahnsinnig werden; toll werden; verrückt werden; in Wahnsinn verfallen* ⓢ; den Kopf verlieren*. ¶ ～한 사람 der Wahnsinnige* (Verrückte*) -n, -n / ～한 사람처럼 wie ein Wahnsinniger (Geisteskranker; Geistesgestörter) / 그런 짓을 하다니 ～(을) 했나 보다 Er muß den Verstand verloren haben, wenn er so was tat.

실세(失勢) Einbuße《*f.* -n》der Macht; Entmachtung *f.* **~하다** s-e Macht 〔s-n Einfluß〕 verlieren*.

실소(失笑) das unwillkürliche Ausbrechen《-s》in ein Gelächter. **~하다** nicht umhin können* zu lachen; [4]sich nicht enthalten 〔erwehren〕 können* zu lachen; [4]sich des Lachens nicht enthalten 〔erwehren〕 können*. ¶ ~를 금할 수 없다 Ich kann nicht umhin, zu lachen.

실속(實一) Kern *m.* -(e)s, -e; Substanz *f.* -en; Wesenheit *f.*; Gehalt *m.* -(e)s, -e; Inhalt *m.* -(e)s, -e. ¶ ~ 있는 wesenhaft; inhalt¦reich 〔gehalt-〕; substantiell / ~있는 장사 ein unauffällig gewinnbringendes Geschäft, -(e)s, -e / ~없는 연설 e-e inhaltleere Rede, -n / 겉보다 ~을 택하라 Wähle lieber etwas Wesentliches als den äußeren Schein!

실속(失速) **~하다** die Geschwindigkeit verlieren*; überzogen werden.

실솔(蟋蟀) = 귀뚜라미.

실수(失手) Fehler *m.* -s, -; Versehen *n.* -s, -(잘못봄); Fahrlässigkeit *f.* -en; Bock *m.* -s, ⸚e; Fehltritt *m.* -(e)s, -e; Mißgriff *m.* -(e)s, -e; Schnitzer *m.* -s, -; Irrtum *m.* -(e)s, ⸚er. **~하다** e-n Fehler begehen*(machen); e-n Bock schießen*; e-n Fehltritt 〔ein Versehen〕 begehen*; e-n Mißgriff tun*; [4]sich versehen*; e-n Mißerfolg haben; fehl|greifen* 〔-|schlagen* h,s; -|treten* h,s〕; scheitern. ¶ 말을 ~하다 [4]sich im Reden verschnappen; [4]sich versprechen* / 아무런 〔큰〕 ~(가) 없이 ohne jeden 〔großen〕 Fehler / ~로 versehentlich; aus [3]Versehen; fälschlich; irrig; irrtümlicherweise / 그건 ~였읍니다 Das war nur ein Versehen!¦ Entschuldigen Sie mein Versehen! / 그가 하는 일에는 ~가 없다 Er macht k-e Fehler. / ~없는 사람은 없다 Niemand ist ohne Fehler.

실수(實收) Nettoeinkommen *n.* -s; das effektive Einkommen, -s; Nettoeinnahme *f.* -n; Nettoertrag *m.* -(e)s, ⸚e (수확고의 뜻으로); Gewinn *m.* -(e)s, -e (이익). ¶ 2만원의 ~를 얻다 20 000 *Won* gewinnen* / 금년 ~는 예상보다 많다 Heuer ist der Nettoertrag viel mehr, als er gedacht hat.

실수(實需) ☞ 실수요.

실수(實數) 〖수학〗 die reelle Zahl, -en; die aktuelle Nummer, -en (실제의 수) 〖die imaginäre Zahl의 반대〗; Effektivbestand *m.* -(e)s, ⸚e (병력).

실수요(實需要) der wirkliche Bedarf, -(e)s; der wirkliche Konsum, -s; der wirkliche Verbrauch, -(e)s.

실습(實習) Praktikum *n.* -s, ..tika; die praktische Übung 〔Ausbildung〕 -en; Praxis *f.* ..xen; Schulung *f.* -en. **~하다** praktizieren[4]; bei *jm.* in der Lehre sein; [4]*et.* praktisch aus|üben.

‖ **~생(生)** Praktikant *m.* -en, -en. **~시간** Übungs¦stunde 〔Auswendungs-〕 *f.* -n. **교육~** Praktikum *n.* -s, ..ka 〔..ken〕: 교육 ~생 Studentenlehrer *m.* -s, -.

실시(實施) Ausführung *f.* -en; Durch¦führung *f.* -en 〔-setzung *f.* -en〕; Verrichtung *f.* -en; Vollziehung *f.* -en; Inkraftsetzung *f.* -en (법률의). **~하다** aus|führen[4]; durch|führen[4] 〔-|setzen[4]〕; verrichten[4]; vollziehen*[4] in Kraft setzen[4]. ¶ ~되다 Wirkung haben; in Kraft treten* s; ausgeführt 〔durchgeführt; durchgesetzt〕 werden* / ~되고 있다 in Kraft sein / 신체 검사는 내일 ~된다 Die körperliche Untersuchung wird morgen ausgeführt. / 그 법률은 1월부터 ~된다 Das Gesetz tritt von Januar an in Kraft.

‖ **~안** Ausführungsplan *m.* -(e)s, ⸚e.

실신(失神) Ohnmacht *f.* -en; Bewußt¦losigkeit 〔Besinnungs-〕 *f.* **~하다** in [4]Ohnmacht fallen* s; das Bewußtsein 〔die Besinnung〕 verlieren*; bewußtlos 〔besinnungslos〕 werden. ¶ ~한 ohnmächtig; bewußtlos / ~시키다 betäuben 《*jn.*》; bewußtlos 〔besinnungslos〕 machen 《*jn.*》 / ~한 사람처럼 wie ein bewußtloser Mensch / ~ 상태에 있다 bewußtlos 〔ohnmächtig〕 sein.

실실 schmunzelnd. ¶ ~ 웃다 schmunzeln.

실심(失心) Entmutigung *f.* -en; Niedergeschlagenheit *f.*; Depression *f.* -en; Enttäuschung *f.* -en. **~하다** [4]sich enttäuschen; entmutigt werden; niedergeschlagen sein; den Mut verlieren*.

실쌈스럽다 ①《언행이》aufrichtig; gewissenhaft; zuverlässig (sein). ② =뒤스럭스럽다.

실안개 der dünne Nebel, -s, -.

실액(實額) Nettobetrag *m.* -(e)s, ⸚e.

실어증(失語症) Sprachverlust *m.* -es, -e; Aphasie [..zí:ən] *f.* -n. ‖ **~환자** der an Aphasie Leidende*, -n, -n.

실언(失言) Sprech¦fehler 〔Zungen-〕 *m.* -s, -; Versprechen *n.* -s, -; das Fehlsprechen*, -s; die unpassende 〔unangebrachte; ungehörige〕 Bemerkung, -en; der unpassende 〔unangebrachte; ungehörige〕 Ausdruck, -(e)s, ⸚e. **~하다** [4]sich versprechen*; etwas Ungehöriges sagen; [4]sich verschnappen 《im Reden》; ein Unpassendes fallen lassen*. ¶ ~을 사과하다 [4]sich wegen e-r unpassenden *usw.* [2]Bemerkung entschuldigen 《bei *jm.*》 / ~을 취소하다 e-e unpassende *usw.* Bemerkung zurück|nehmen* / 그것은 나의 ~이었다 Da habe ich etwas Ungehöriges 〔Unhöfliches〕 gesagt.

실업(失業) Arbeits¦losigkeit 〔Erwerbs-〕 *f.* **~하다** arbeits¦los 〔erwerbs-; stellen-〕 werden; k-e Arbeit mehr haben; s-e Stellung verlieren*. ¶ 그래서 수많은 노동자가 ~했다 Darum haben viele Arbeiter s-e Stellung verloren.

‖ **~구제** Arbeitslosen¦fürsorge 〔-hilfe〕 *f.* -n. **~대책** die Maßnahmen 《*pl.*》 gegen die Arbeitslosigkeit. **~문제** Arbeitslosenfrage *f.* -n. **~보조** Arbeitslosenunterstützung *f.* -en. **~보험** Arbeitslosenversicherung *f.* -en. **~수당** Arbeitslosenunterstützung *f.* -en; Stempelgeld *n.* -(e)s, -er: ~수당을 받다 stempeln gehen*. **~자** der Arbeits¦lose* 〔Erwerbs-; Stellen-〕 -n, -n: ~자를 구제하다 den Arbeitslosen helfen*; für die Arbeitslosen sorgen / ~자가 많다 viele Arbeiter haben s-e Stellung verloren / ~자가 는다 Der Arbeitslose nimmt zu. **~조사** die Untersuchung 《-en》 des Problems der Arbeitslosigkeit. **계절적~** Saisonarbeitslosigkeit *f.* -en. **잠재~** die latente Arbeitslosigkeit: 잠재 ~자 die latenten Arbeitslosen 《*pl.*》.

실업(實業) Gewerbe *n.* -s, -; Geschäft *n.* -(e)s, -e; Handel *m.* -s, -. ¶ ~의 gewerblich; Gewerbe-; Geschäfts-; Handels- / ~에 종사하다 ein Gewerbe betreiben* 〔aus|üben〕; Handel treiben*; gewerbetätig 〔gewerbetreibend; als Kaufmann tätig〕 sein. ‖ ~가 Geschäfts|mann 〔Kauf-; Handels-〕 *m.* -s, ..leute; der Gewerbetreibende*, -n, -n: ~가가 되다 Kaufmann werden. ~계 Gewerbewesen *n.* -s, -; Geschäftskreise 《*pl.*》: ~계에 발을 들여놓다 in die Geschäftskreise treten* / ~계는 경기가 대단하다 Handel u. Gewerbe stehen in Blüte. ~교육 Berufsausbildung *f.* -en. ~단체 Gewerbeverein *m.* -(e)s, -e. ~학교 Berufsschule *f.* -n; die gewerbliche Fachschule.

실없다 spielerisch; spielerhaft; burlesk; possierlich (sein). ¶ 실없은 사람 e-e unzuverläßige Person / 실없은 말 leeres Geschwätz, -es / 실없은 짓을 하다 dummes Zeug treiben*; Mutwillen treiben*; Unsinn machen.

실없이 unredlich; unsinnig; blödsinnig; unbrauchbar; charakterlos. ¶ ~ 말하다 blödsinnig reden / ~ 굴지 말라 Sei nicht so frech! / ~ 거짓말하는 것이 아니야 Man soll selbst zum Spaß nicht lügen.

실없장이 ein charakterloser Kerl, -(e)s, -e; e-e blöde〔leichtsinnige; unverläßliche; unredliche〕 Person, -en.

실연(失戀) die unglückliche 〔unerwiderte〕 Liebe; die verschmähte Liebe (채어서). ~하다 unglücklich lieben; [4]sich in unglücklicher Liebe verzehren; vom Geliebten verlassen werden. ¶ ~의 liebesverlassen; gebrochenen Herzens / ~의 괴로움 Liebeskummer *m.* -s, -; die Leiden 《*pl.*》 unglücklicher 〔unerwiderter; verschmähter〕 Liebe; Leiden 《*pl.*》 e-r vom Geliebten Verlassenen* / 그는 젊어서 ~했다 Als junger Mann hat er ein Mädchen unglücklich geliebt. / ~해서 투신자살을 했다 Vor Liebeskummer hat er sich gestürzt 〔ertränkt〕.

실연(實演) Vorführung *f.* -en; Bühnendarstellung *f.* -en; Vorstellung *f.* -en. ~하다 (auf der Bühne) dar|stellen[4] (spielen[4]); vor|führen[4]; vor|stellen[4]. ¶ 신발매의 화장품은 내일 모델을 사용하여 사용법을 ~한다 Die Gebrauchsvorführung des zum Verkauf stehenden neuen Schönheitsmittels findet morgen in Anwesenheit der Mannequins statt.

실외(室外) ¶ ~의 außen-; draußen / ~에(서) außerhalb des Zimmers; draußen; im Freien; unter freiem Himmel.

실용(實用) der praktische Gebrauch, -(e)s, ⸚e; der praktische Nutzen, -s, -. ~하다 in praktischen Gebrauch nehmen*[4]. ¶ ~적 praktisch; nützlich; brauchbar; zweckdienlich; zweckmäßig; für praktischen Gebrauch 〔Nutzen; Zweck〕 / ~적이 아니다 k-n praktischen Nutzen haben / ~과 장식을 겸하다 für beide Zwecke, dem praktischen Nutzen u. der Dekoration dienen. ‖ ~가구 das praktische Möbel, -s, -. ~단위 die praktische Einheit, -en. ~성 Nützlichkeit *f.*; Brauchbarkeit *f.* ~신안 das (patentierte) Gebrauchsmuster, -s, -: ~신안 특허를 신청하다 beim Patentamt ein Gebrauchsmuster ein|reichen. ~영어 praktisches Englisch. ~주의 〖철학〗 Pragmatismus *m.* -: ~주의자 der Anhänger 《-s, -》 des Pragmatismus; Pragmatiker *m.* -s, -. ~품 Gebrauchs|artikel *m.* -s, - 〔-gegenstand *m.* -(e)s, ⸚e〕; die praktische Ware, -n; 《필수품》 Notwendigkeiten 《*pl.*》.

실은(實一) wirklich; in Wahrheit; in der Tat; in Wirklichkeit; tatsächlich; aufrichtig gesagt; um die Wahrheit zu sagen; die Sache ist, daß.... ¶ ~ 이렇다 In Wahrheit ist es so. | Die Sache ist so. / ~ 전혀 반대다 In Wahrheit ist es ganz das Gegenteil 〔umgekehrt; anders〕. / ~ 나도 잘 몰라 Offen gesagt bin ich auch nicht besser informiert.

실의(失意) Niedergeschlagheit *f.*; Bedrücktheit *f.*; Depression *f.* -en; das Entmutigtsein*, -s; Mutlosigkeit *f.*; Verzagtheit *f.* ¶ ~의 시절 *js.* unglückliche 〔finstere〕 Tage 《*pl.*》 / ~에 잠긴 사람 der Enttäuschte*, -n, -n / ~에 잠겨 있다 niedergeschlagen 〔bedrückt; deprimiert; entmutigt; mutlos; verzagt〕 sein; in gedrückter Stimmung sein; k-n Mut mehr haben; den Kopf hängen lassen* / 그는 만년을 ~속에 보냈다 Er hat sein Leben im Dunkeln 〔in der Dunkelheit〕 geendet.

실익(實益) 《실수입》 der materielle Gewinn, -(e)s, -e; Nutzen *m.* -s, -; Vorteil *m.* -(e)s, -e; 《순이익》 der reine Gewinn; Nettogewinn *m.* -e(s), -e; Reinertrag *m.* -(e)s, ⸚e. ¶ ~이 있다 gewinnbringend 〔Nutzen bringend; einträglich; von Nutzen〕 sein / ~이 없는 기업 e-e Unternehmung ohne wesentlichen Vorteil / ~과 취미를 겸하다 das Nützliche* mit dem Geschmack verbinden* / 나는 공명(空名)보다 ~을 취하겠다 Ich ziehe den praktischen Vorteil dem (leeren) Namen vor.

실인(實印) der beglaubigte 〔registierte〕 Stempel, -s, -.

실인심(失人心) Verlust 《*m.* -es, -e》 der Popularität; Einbuße 《*f.* -n》 der Beliebtheit. ~하다 s-e Popularität verlieren*; s-e Beliebtheit ein|büßen.

실인증(失認症) 〖의학〗 Agnosie *f.*; Seelenblindheit 〔-taubheit〕 *f.*

실자(實子) *js.* leibliches 〔eigenes〕 Kind, -(e)s, ⌐-er.

실재(實在) Existenz *f.* -en; Dasein *n.* -s; Realität *f.* -en; Wirklichkeit *f.* -en. ~하다 (wirklich) existieren; leben; vorhanden sein. ¶ ~의 real; wesenhaft; wesentlich / 이 소설의 주인공의 모델은 ~의 인물이다 Die Hauptperson dieses Romans, die als Modell gedient hat, lebt wirklich. ‖ ~론 Realismus *m.* ..men. ~물 das Reale*, -n, -n; Wesenheit *f.* -en.

실적(實績) Erfolg *m.* -(e)s, -e; Ergebnis *n.* ..nisses, ..nisse; Geschäft *n.* -(e)s, -e. ¶ 영업의 ~ die Geschäftserfolge / ~을 올리다 wirklichen 〔befriedigenden〕 Erfolg ergeben*; Früchte tragen* / 아직 ~은 오르지 않았다 Die Arbeit hat noch k-n Erfolg gebracht. / 그것으로는 큰 ~을 거두지 못할 것이다 Damit werden Sie nicht viel Erfolg haben. / 이것이 5년간의 빈약한 ~이다 Dies ist das magere Ergebnis fünfjähriger Arbeit. / 이 회사는 이전의 ~을 만회했다 Die Firma hat die frühere Kundschaft 〔den alten Absatzmarkt〕 zurückgewonnen. / 이 회사는 영업 ~을 크게 올리려하고 있다 Die Firma erzielt große Geschäftserfolge.

실전(實戰) Gefecht *n.* -(e)s, -e; Kampf *m.* -(e)s, ⸗e; Schlacht *f.* -en; das Treffen*, -s. ¶ 많은 ～경험을 쌓은 노병 ein Veteran《*m.* -en, -en》 mit vielen Kriegserfahrungen / ～에 참가하다 am Krieg (an der Schlacht) teil|nehmen* / 나는 아직 ～에 임한 일이 없다 Ich habe noch k-e Schlacht mitgemacht.

실점(失點) Verlierzeichen *n.* -s, -. ¶ ～이 많다 viele Niederlagen zu verzeichnen haben / 이 번에는 내가 ～을 했다 Diesmal habe ich Mißerfolg geerntet. ¦ Diesmal habe ich verloren.

실정(失政) Miß¦regierung (-verwaltung) *f.* -en; Mißwirtschaft *f.* (재정상의 난맥 등).

실정(實情) die wahre Sachlage, -n; der wahre Sachverhalt, -(e)s, -e; der Stand《-(e)s, ⸗e》der Dinge; Tatbestand *m.* -(e)s, ⸗e; Zusammenhang *m.* -(e)s, ⸗e. ¶ ～을 알다 den wirklichen Stand der Dinge wissen*; wissen*, wie es mit e-r Sache steht / ～을 조사하다 den wirklichen Stand e-r Sache untersuchen / ～을 밝히다 die reine Wahrheit enthüllen / 이것이 ～이다 Das ist die wahre Sachlage. / ～을 말씀해 주십시오 Erklären Sie mir den Zusammenhang! ¦ Erzählen Sie mir den wahren Sachverhalt!

‖ ～조사 Untersuchung des wirklichen Standes der Dinge: ～조사 위원회 Untersuchungskomitee《*n.* -s, -s》 des wirklichen Standes der Dinge.

실정법(實定法) 〖법〗 positives Recht, -(e)s, -e.

실제(實弟) der jüngere (Voll)bruder, -s, ⸗.

실제(實際) ① 《사실》 Tatsache *f.* -n; Wahrheit *f.* -en; Wirklichkeit *f.* -en. ¶ ～의 wirklich; tatsächlich; konkret / ～로 wirklich; in der Tat; fürwahr; tatsächlich; wahrlich / ～로 있던 사건 das wirkliche Ereignis, -ses, -se / ～의 가치 der tatsächliche Wert, -es, -e / ～로 그렇습니까 Ist es wahr? / ～로 그렇다 Es ist e-e Tatsache. ¦ Sehr wahr! / ～로 나는 그렇게 생각한다 Ich denke wirklich so. / 사태는 ～로 그렇다 Die Sache verhält sich in Wahrheit (tatsächlich; wirklich) so.

② 《실상》 Realität *f.* -en; Lage *f.* -n; (der wahre) Sachverhalt, -(e)s; Stand *m.* -(e)s, ⸗e. ¶ ～의 real / ～로 사태를 알다 den wirklichen Stand der Dinge wissen*; wissen*, wie es mit e-r Sache steht.

③ 《실지》 Praxis *f.* ..xen; Faktum *n.* -s, ..ta. ¶ ～로 faktisch; im wesentlichen; praktisch; in der Praxis / ～적 praktisch; geschäftsmäßig; sachlich / ～의(적) 효과 die faktische Wirkung, -en / ～적 인물 Praktiker *m.* -s, -; praktischer Mensch, -en, -en / ～에 어두운 사람 unpraktischer Mensch, -en, -en / 그것은 ～로 아무 소용이 없다 Es hat k-n praktischen Nutzen. / ～로는 사용할 수 없다 Praktisch kann man es nicht gebrauchen (benutzen; verwenden*). / ～로는 끝난 거나 다름없다 Das ist so gut wie erledigt (beendet). / 이론과 ～는 다르다 Theorie u. Praxis ist zweierlei.

‖ ～가(家) Praktiker *m.* -s, -. **～교육** die praktische Erziehung. **～문제** die praktische Frage, -n. **～생활** das praktische Leben, -s, -. **～지식** das Erfahrungswissen*, -s.

실조(失調) ‖ 영양～ Unterernährung *f.* -en; mangelhafte (ungenügende) Ernährung.

실족(失足) das Stolpern* (Straucheln*) -s; Fehltritt *m.* -(e)s, -e. **～하다** stolpern [h,s] 《*über*^{4}》; straucheln [h,s] 《*über*^{4}》; an|stoßen* 《*an*^{4}》; e-n Fehltritt tun*.

실존(實存) Existenz *f.* -en.

‖ **～주의** Existenzialismus *m.* -. **～철학** Existenzphilosophie *f.*: ～철학자 Existentialist *m.* -en, -en.

실종(失踪) Verschollenheit *f.*; Vermißtheit *f.* (행방불명). **～하다** verschollen (vermißt) sein. ¶ K씨의 ～ 사건 die Verschollenheit von Herrn K / ～을 선언하다 *jn.* für verschollen erklären.

‖ **～선언** Verschollenheitserklärung *f.* -en. **～신고** Verschollenheitsmeldung *f.* -en. **～자** der Verschollene*, -n, -n; der Vermißte*, -n, -n (행방불명자).

실주(實株) Effekten《*pl.*》; die börsenfähigen Papiere《*pl.*》.

실증(實證) Nachweis *m.* -es, -e; Beweis *m.* -es, -e; Bestätigung *f.* -en. **～하다** nach|weisen^{4}*; beweisen^{4}; bestätigen^{4}. ¶ ～적(으로) positiv / ～을 잡고 있다 e-n positiven Beweis haben (bekommen*) / 아직 ～되어 있지 않다 Der Beweis dafür ist noch nicht geliefert. / 그의 설이 옳은 것은 경험에 의해 ～되었다 Die Erfahrung hat s-e Lehre bestätigt.

‖ **～론** (주의) Positivismus *m.* - **～주의자** Positivist *m.* -en, -en. **～철학** die positive Philosophie, -n [..fíːən].

실지(失地) das verlorene (verlorengegangene) Gebiet, -(e)s, -e; das abgetretene Gebiet (할양지). ¶ ～를 회복하다 das verlorene Gebiet《-(e)s, -e》 wieder gewinnen*.

‖ **～회복** die Wiedergewinnung《-en》(die Zurückeroberung, -en) e-s verlorenen (verlorengegangenen) Gebiet(e)s.

실지(實地) Praxis *f.* ..xen; Ausübung *f.* -en (실제의 경영); Erfahrung *f.* -en (실험); Wirklichkeit *f.* -en (실제). ¶ ～로(의) praktisch; zweckmäßig / ～ 응용하다 praktisch (auf die Praxis) an|wenden*^{4} / ～로 행하다 in die Tat (Praxis) um|setzen^{4}; aus|führen^{4}.

‖ **～검증** (persönliche) Besichtigung, -en. **～경험** die praktische Erfahrung, -en: 교사로서 그는 아직 ～ 경험이 없다 Als Lehrer hat er noch k-e praktische Erfahrung. / ～ 경험을 쌓다 praktische Erfahrungen sammeln (haben); e-e Spitalpraxis (의사) (e-e Geschäftspraxis (상업)) (mit|)machen / 이 분야에 ～ 경험이 있읍니까 Haben Sie irgendwelche Vorpraxis auf diesem Gebiet? / 나는 그것을 ～ 경험으로 알고 있다 Das weiß ich aus praktischer Erfahrung. **～답사(踏査)** Vermessung *f.* -en; Landesaufnahme *f.* -n. **～응용** die praktische Anwendung, -en. **～조사** aktuelle Untersuchung, -en.

실직(失職) Arbeitslosigkeit *f.* -en. **～하다** s-e Stellung verlieren*; entlassen werden 《von *jm.*》. ¶ ～한 arbeitslos; stellenlos.

‖ **～자** der Arbeitslose (Stellenlose) -n, -n.

실직(實直) Redlichkeit *f.*; Biederkeit *f.*; Ehrlichkeit *f.*; Rechtschaffenheit *f.* **～하다** redlich; aufrecht; aufrichtig; bieder; ehrlich; getreu; rechtschaffen; treu (sein). ¶ 시골 사람들은 ～하다 Die Leute vom Lande sind bieder (rechtschaffen).

실질(實質) Wesen *n.* -s, -; Substanz *f.* -en; das Wesentliche*, -n; Gehalt *m.* -(e)s, -e

(내용); Materie *f.* -n. ¶ ~적으로 wesenhaft; wesentlich; substantiell; materiell; gehaltreich; nahrhaft (음식의) / ~이 없는 unwesentlich; gehalt|arm (-los); leer / ~이 있는 wesentlich; substantiell; gehaltreich; inhalt(s)reich / ~적 원조 substantielle Hilfe / ~적 진보 der wesentliche Fortschritt, -(e)s, -e / ~에 있어서 다름이 없다 Es ist der Substanz nach dasselbe. / 외형보다 ~적인 점을 택해야 한다 In allem muß man Gehalt dem Aussehen vorziehen.

‖ ~소득 (임금) Nettoeinnahme *f.* -n; das effektive Einkommen, -s, -.

실쭉거리다 ^{4}sich verdrießlich benehmen*; schmollen; ein Mäulchen machen; ein schiefes Gesicht ziehen*.

실쭉실쭉 《모양이》 verziehend; verzerrend; 《얼굴이》 verdrießlich; mürrisch; mißvergnügt; unzufrieden.

실쭉하다 ① =씰그러지다. ② 《불만으로》 mißvergnügt sein 《*über*^{4}》; unzufrieden sein 《*mit*^{3}》; ein mürrisches Gesicht machen; e-e ärgerliche Miene machen. ¶ 불만스러운 승급에 실쭉해서 입술을 내밀다 mit der Beförderung unzufrieden die Lippen auf|werfen*.

실책(失策) Fehler *m.* -s, -; Fehltritt *m.* -(e)s, -e; Mißgriff *m.* -(e)s, -e; Versehen *n.* -s, -. ¶ 대~ der grobe (schwere) Fehler / ~을 저지르다 e-n Fehler machen (begehen*); e-n Fehltritt (ein Versehen) begehen*; e-n Mißgriff tun* / 현명한 부인과 헤어진 것은 그의 ~이다 Es ist sein Fehler, daß er sich von s-r klugen Frau scheiden ließ.

실천(實踐) Praxis *f.* ..xen. **~하다** ^{4}*et.* in die Tat (Praxis) um|setzen; praktisch an|wenden*^{4}; ^{3}*et.* gemäß leben. ¶ ~적(으로) praktisch / 그의 주의를 ~궁행하고 있다 Er lebt s-n Grundsätzen gemäß.|Er richtet sich u. handelt genau nach s-m Prinzip.

‖ ~도덕 (이성, 철학) die praktische Moralität, -en (Vernuft, ⸗e; Philosophie, -n). **~운동** die Bewegung zur Förderung der Verwirklichung (e-r Sache). **~윤리(학)** die praktische Ethik. **~주의(主義)** Aktivismus *m.* -.

실첩 ein aus Papier gemachtes Nähkästchen, -s, - (für Faden u. Tuch|fetzen (-stücke)).

실체(實體) Substanz *f.* -en; (des Pudels) Kern *m.* -(e)s, -e; Wesenheit *f.* -en; Wesen *n.* -s, -. ¶ ~적인 substantiell; wesenhaft; materiell; körperlich / ~가 없는 wesenlos; unkörperlich/~화하다 ^{3}*et.* Dasein (Bestand) geben* / 사물의 ~를 파악하다 das Wesen der Dinge begreifen* / ~를 잘 모르다 nicht wissen*, was für e-e Sache real ist.

‖ **~경** Stereoskop *n.* -s, -e. **~론** Ontologie *f.* **~법** das substantielle Gesetz, -(e)s, -e. **~사진** die stereoskopische Photographie, -n. **~성** Substantivität *f.* -en.

실총(失寵) Ungnade *f.* -n; Mißgunst *f.*; das Mißgönnen, -s. **~하다** Gunst verlieren*; in Ungnade fallen* ⓢ 《bei *jm.*》.

실추(失墜) Verlust *m.* -es, -e; Einbuße *f.* -n. **~하다** 《명성 따위가》 verloren|gehen*ⓢ; um ^{4}*et.* kommen*ⓢ; 《명성 따위를》 verlieren*^{4}; verlustig^{2} gehen*ⓢ; ein|büßen^{4}; (^{3}sich) verscherzen^{4}; verwirken. ¶ 권력의 ~ die Einbuße an Macht / 신용을 ~하다 *js.* Vertrauen (den Kredit) verlieren* / 권위를 ~하다 *js.* Autorität verlieren*.

실측(實測) (Ver)messung *f.* -en; Ausmessung *f.* -en. **~하다** (ver)messen*^{4}; aus|messen*^{4} ※「실」은 번역하지 않고 das Land, das Feld, der Bauplatz (건축장), der Raum 따위를 목적어로 사용하는 것이 좋다.

‖ **~도** das Maß 《-es, -e》 der Vermessung.

실컷 ① 《많이》 sehr viel; e-e große Menge. ② 《상당히》 tüchtig; gehörig; kräftig; ordentlich; weidlich. ¶ (맥주를) ~ 마시다 e-n ordentlichen (tüchtigen) Schluck (Bier) nehmen*; ordentlich (tüchtig) ins (Bier)glas schauen; ^{4}sich toll u. voll trinken*; ^{4}sich satt trinken* / ~ 때리다 tüchtig schlagen* / ~ 울다 die Augen verweinen; ^{4}sich blind weinen; in Tränen schwimmen* / ~ 먹다 tüchtig essen*; ^{4}sich voll (satt) essen* / ~ 보다 ^{4}sich satt sehen* 《*an*^{3}》; genug sehen*.

실켜다 (Seiden Kokons) ab|haspeln. ¶ 고치에서 ~ Kokons ab|haspeln.

실크로드 〖역사〗 Seidenstraße *f.*

실크해트 Zylinder|hut (Seiden-) *m.* -(e)s, ⸗e; Zylinder *m.* -s, -; Klapp|hut (-zylinder) (접는 모자).

실큼하다 etwas unangenehm; unerfreulich; mißfällig; widerlich; eklig (sein); ein wenig Abneigung verspüren 《gegen ^{4}*et.*》. ¶ 실큼한 이야기 e-e etwas unangenehme Geschichte / 그녀는 그 소릴 들었을 때 실큼해 했다 Sie war etwas unangenehm berüht als sie das hörte.

실탄(實彈) die scharfe Patrone, -n (Munition *f.* -en). ¶ ~을 쏘다 scharf schießen*.

‖ **~사격** der scharfe Schuß, ..sses, ..üsse. **~연습** Schießübung *f.* -en.

실태(失態) das grobe Versehen, -s, -; Mißgriff *m.* -(e)s, -e; Blamage [blamáːʒə] *f.* -n; Schmach *f.* (창피). ¶ ~를 부리다 ein großes Versehen begehen*; e-n Mißgriff tun*; ^{4}sich blamieren; öffentlich e-e Dummheit machen; der Spott der Welt sein; ^{4}sich lächerlich machen.

실태(實態) die wahre Sachlage. ¶ 기업가의 ~를 조사하다 den wirklichen Stand des Unternehmers untersuchen (erforschen).

‖ **~조사** die Erforschung des wirklichen Standes (der wahren Sachlage).

실터 der enge freie Raum zwischen zwei Häusern.

실테 Garn|rolle (Zwirn-) *f.* -n (auf dem Webstuhl).

실토(實吐) (Ein)geständnis *n.* ..nisses, ..nisse; Bekenntnis *n.* ..nisses, ..nisse; Enthüllung *f.* -en (밝힘); Beichte *f.* -n (참회). **~하다** ein|gestehen*^{4}; (zu|)gestehen*^{4}; bekennen*^{4}; *jm.* ^{4}*et.* enthüllen; die Wahrheit sprechen*; zu|geben*^{4}; beichten$^{(4)}$. ¶ 사실을 ~하겠다 Ich gestehe die Wahrheit. / 그럼 ~하지 《하는 수 없이 가벼운 기분으로 말하듯》 Also, ich beichte. / ~해라 Heraus damit!|Heraus mit der Sprache! / 그는 모든 사실을 ~했다 Er gestand alles frei heraus.

실톱 Laubsäge *f.* -n; e-e Art Schweifsäge.

실톳 Garnrolle *f.* -n; aufgespultes Garn, -s, -e.

실퇴 〖건축〗 enge Veranda, ..den.

실투(失投) ¶ 그 피처는 고의적으로 ~했다 Der Ballwerfer hat den Ball mit Absicht in die falsche Richtung geworfen.

실파 〖식물〗 Winterzwiebel *f.* -n.
실팍지다 gesund; kräftig; robust; stark; fest; festgebaut; stabil; stark gebaut (sein). ¶ 실팍진 사람 ein kräftiger Mensch / 이 책상은 ~ Dieser Tisch ist stabil.
실팍하다 =실팍지다.
실패 Spule *f.* -n; Haspel *f.* -n; Garnrolle *f.* -n; 《얼레》 (Garn)winde *f.* -n. ¶ ~에 감다 spulen⁴; haspeln⁴.
실패(失敗) Fehler *m.* -s, -; Mißerfolg *m.* -(e)s, -e; das Mißglücken*, -s; Mißlingen *n.* -s; Erfolglosigkeit *f.*; Fehlschlag *m.* -(e)s, ⸚e; Fiasko *n.* -s, -s; Schlappe *f.* -n; das Versagen*, -s; Versehen *n.* -s, - (과실); Zusammenbruch *m.* -(e)s, ⸚e (패배). **~하다** k-n Erfolg haben; e-n Fehler begehen* (machen); daneben|gehen* ⓢ; mißglücken ⓢ 《*jm.*》; mißlingen* ⓢ 《*jm.*》; mißraten* ⓢ 《*jm.*》; Fiasko machen; fehl|schlagen* ⓢ; vergeblich sein; versagen; vorbei|gelingen* ⓢ 《*jm.*》; k-e Wirkung tun*; zusammen|brechen*ⓢ. ¶ ~로 끝나다 mit e-m Mißerfolg endigen; unglücklich ab|laufen* /시험에 ~하다 das Examen nicht bestehen* (können*); im Examen durch|fallen* ⓢ; durchs Examen fallen*ⓢ / 계획은 ~로 돌아갔다 Der Plan ist zu Wasser geworden (ins Wasser gefallen). / 그의 모든 노력은 ~로 끝났다 Alle s-e Versuche schlugen fehl. / 그는 완전히 ~했다 Es ist ihm völlig mißlungen. / 그를 설득하려고 했으나 ~했다 Ich wollte ihn dazu überreden, aber es hat nicht geklappt. / ~는 성공의 어머니 〖속담〗 „Kein Erfolg 《*m.* -(e)s, -e》 ohne anfängliche Mißerfolge."
‖ **~자** der Erfolglose*, -n, -n; Nichtkönner *m.* -s, -; Versager *m.* -s, -: 인생의 ~자 der im Leben Gescheiterte*, -n, -n.
실하다¹(實—) ① 《건강》 gesund; stark; kräftig; fest; rüstig (sein). ¶ 몸이 실한 남자 ein starker Mann / 그는 실한 목소리의 소유자다 Er hat e-e starke Stimme. ② 《재산이》 vermögend; reich; wohlhabend; solid (sein). ¶ 실한 사업가 ein solider Geschäftsmann. ③ 《믿을 만함》 zuverlässig; vertrauenswürdig; verläßlich; glaubwürdig (sein). ¶ 실한 친구 ein zuverlässiger Freund / 그는 말은 잘하나, 학자로는 실하지 않다 Er ist ein guter Redner, aber als Wissenschaftler nicht verläßlich. ④ 《내용이》 gehaltreich; gehaltvoll (sein). ¶ 실하지 않은 이야기 leeres Gerede *n.*
실하다²(實—) Sesamsaat ein|weichen, um die Schalen zu entfernen, ehe man sie als wohlschmeckende Dekoration auf den Reiskuchen streut.
실학(實學) die praktische Wissenschaft, -en; Positivismus *m.* -.
‖ **~자** der Mann 《-(e)s, ⸚er》 der Praxis. **~파** e-e positivistische Schule (Gruppe).
실행(失行) 〖법〗 Abstellung (Beseitigung; Abschaffung; Aufhebung) *f.* -en.
실행(實行) 《실천함》 Aus¦führung (Durch-) *f.* -en; Ausübung *f.* -en; Erfüllung *f.* -en; Praktik *f.* -en; Praxis *f.* ..xen; Realisierung *f.* -en; Verrichtung *f.* -en; Verwirklichung *f.* -en; Vollführung *f.* -en; Vollziehung *f.* -en. **~하다** aus|führen⁴; aus|üben⁴; durch|führen⁴; erfüllen⁴; handeln⁴; realisieren⁴; verwirklichen⁴; verrichten⁴; vollführen⁴; vollziehen*⁴. ¶ ~상의 praktisch; in der Praxis; technisch / ~에 옮기다 in die Tat (in die Wirklichkeit) um|setzen⁴/ ~할 수 있는 ausführbar (durchführbar); zu verwirklichen / ~키 어려운 kaum ausführbar (durchführbar); schwer zu verwirklichen / ~력 있는 tatkräftig; schaffensfroh / 약속을 ~하다 ein Versprechen erfüllen / 결정대로 ~하겠다 Ich will nach m-m Entschluß handeln. / 계획의 실시에는 ~상의 여러 가지 난점이 있다 Der Ausführung des Plans stehen verschiedene technische Schwierigkeiten entgegen. / 말보다 ~ Nicht reden, (sondern) handeln!
‖ **~가** Täter *m.* -s, -. **~기관** Exekutivorgan *n.* -s, -e. **~력** Tatkraft *f.* ⸚e: ~력이 있다 Tatkraft haben / ~력이 있는 사람 e-e aktive Person, -en. **~위원** Exekutivkomitee *n.* -s, -s.
실험(實驗) Experiment *n.* -(e)s, -e; Versuch *m.* -(e)s, -e; Probe *f.* -n. **~하다** experimentieren 《*mit*³》; Versuche (Experimente) machen (an|stellen; aus|führen) 《*mit*³; *über*⁴》. ¶ ~적(으로) experimentell; experimental; Versuchs- / ~에 성공(실패)하다 Der Versuch gelingt (mißlingt). / 화학(물리) ~을 하다 ein chemisches (physisches) Experiment an|stellen (machen) / ~에 의해 가르치다 durch (mit) Hilfe von Experiment lehren / ~중이다 Es ist unter Experiment.
‖ **~과학** die experimentale Wissenschaft, -en. **~극장** das experimentale Theater (Experimentiertheater) -s, -. **~농장** das experimentale Ackerfeld, -(e)s, -e. **~단계** Experimentstufe *f.* -n. **~동물** Versuchstier *n.* -(e)s, -e. **~론** Positivismus *m.* -, ..men, **~물리** Experimentalphysik *f.* **~소설** der experimentale Roman, -(e)s, -e. **~식** die empirische Formel, -n. **~실** Laboratorium *n.* -s, ..rien. **~심리학** die experimentelle Psychologie, -n. **~자** Experimentator *m.* -s, -en; Empiriker *m.* -s, - (경험자). **~철학** die positive Philosophie, -n. **~화학** Experimentalchemie *f.* -n. 동물 ~ Tierversuch *m.* -(e)s, -e.
실현(實現) Verwirklichung *f.* -en; Realisation *f.* -en; Realisierung *f.* -en. **~하다** ① verwirklichen⁴; in die Tat um|setzen⁴; zuwege bringen*⁴ (해냄). ② 《실현되다》 ⁴sich verwirklichen; in Erfüllung gehen* ⓢ (이상); zustande kommen* ⓢ (성취); verwirklicht werden. ¶ ~될 수 있는 realisierbar / ~될 수 없는 nicht zu verwirklichend / 이상을 ~하다 sein Ideal verwirklichen / 꿈이 ~되었다 Mein Traum ist eingetroffen. / 그의 꿈이 ~되려 한다 S-n Traum ist der Erfüllung nahe. / 마침내 그 꿈은 ~되었다 Endlich ist der Traum verwirklicht worden. / 정부에서는 갖가지 정책을 발표했지만 그 ~은 의심스럽다 Die Regierung hat mancherlei politische Pläne veröffentlicht, deren Verwirklichung aber zweifelhaft ist.
실형(實兄) *js.* eigener älterer Bruder, -s, ⸚.
실형(實刑) Verhaftung (Einkerkerung; Inhaftierung; Haft; Gefangenschaft) *f.* -en; Freiheits¦strafe (Gefängnis-) *f.* -n; 《기간》 Haftdauer *f.*
실화(失火) das durch Zufall entstandene Feuer; Feuer 《*n.* -s, -》 aus Versehen. ¶ 화재 원인은 ~였다 Das Feuer ist aus

Versehen ausgebrochen. / 화재는 ~가 아니라 방화였다 Das Feuer war nicht durch Zufall entstanden, es lag Brandstiftung vor.

실화(實話) die wahre Geschichte, -n. ¶ …의 ~를 쓰다 die wahre Geschichte von… schreiben* / 그 소설은 ~다 Der Stoff 《-(e)s, -e》 der Novelle wurde von der wahren Geschichte gewählt.

‖ ~소설 Tatsachenroman *m.* -s, -e. 범죄 ~ die wahre Kriminalgeschichte, -n.

실황(實況) der aktuelle Stand, -(e)s, ⸗e; die wirkliche Lage, -n; die wirkliche Szene, -n. ¶ ~을 시찰하다 die wirkliche Lage untersuchen / 이 영화는 아프리카 생활의 ~을 취급하고 있다 Der Film zeigt Szenen aus dem wirklichen Leben in Afrika.

‖ ~방송 Direktübertragung *f.* -en 《e-r Sportveranstaltung》 (운동의): 운동 ~방송을 하다 e-e Sportveranstaltung direkt übertragen*.

실효(失效) 《실효케 히는 일》 das Ungültigmachen*, -s; Außerkraftsetzung *f.* -en; 《실효되는 것》 das Ungültigwerden* (Außerkrafttreten*) -s; Ungültigkeit *f.* (무효가 되는 것). ~하다 ungültig werden; außer Kraft treten*[s]; ab|laufen*[s] (계약 등이). ¶ 계약의 ~ die Ungültigkeit des Vertrages / ~케 하다 ungültig machen[4]; 〖법〗(für) ungültig erklären[4]; außer Kraft setzen[4].

실효(實效) Auswirkung *f.* -en; Bewährtheit *f.*; Effekt *m.* -(e)s, -e; Erfolg *m.* -(e)s, -e; Folge *f.* -n; Wirksamkeit *f.* -en; Wirkung *f.* -en. ¶ ~있는 effektiv; effektvoll; erfolgreich; wirksam; wirkungsvoll / 그것은 ~가 있다 Das macht Effekt. / 그 약은 ~가 있었다 Das Medikament wirkte (tat s-e Wirkung). / 그것은 ~가 없다 Es hat k-e Wirkung. / 그 ~가 나타나기에는 시간이 좀 걸릴 것이다 Es erfordert etwas Zeit, bevor (ehe) die Wirkung eintritt.

‖ ~가격 Effektivpreis *m.* -es, -e. ~성 Effekt *m.* -(e)s, -e. ~치 〖전기〗 Effektivwert *m.* -es, -e.

싫다 ① 《불쾌함》 unangenehm; fatal; ekelhaft; unwohl; schlecht; häßlich; unschön (sein). ¶ 싫은 기분 die unangenehme Stimmung / 싫은 냄새 der üble (schlechte) Geruch, -(e)s, ⸗e / 싫은 일 die unangenehme Arbeit, -en / 싫은 얼굴을 하다 ein verdrießliches Gesicht machen / 싫은 소리를 하다 etwas Unangenehmes sagen 《*jm.*》 / 싫어, 놓아라 Oh! Laß mich los! / 돈 좀 빌려, 싫어 Leihe mir Geld, willst du?

② 《염오》 überdrüssig; anstößig; unwillig; widerwärtig; widerlich; abscheulich; verhaßt; zuwider; unwillkommen (sein). ¶ 보기 싫은 녀석 der abscheuliche Kerl, -(e)s, -e / 싫든 좋든 gern oder ungern / 거저 주어도 ~ Ich möchte es nicht haben, nicht einmal als Geschenk. / 어쩐지 그것이 ~ Ich habe e-e gewisse Abneigung dagegen. / 너는 내가 싫어졌지 Du hast das Interesse für mich verloren, nicht wahr? / 그 남자는 보기도 ~ Sein Anblick ist mir zuwider. / 일하기가 ~ Ich habe die Lust zur Arbeit verloren. / 이 생선은 ~ Ich esse diesen Fisch nicht gern. / 이같은 음식은 ~ Solche Speise ist mir zuwider. / 그런 일은 절대로 하기 ~ Das will ich unbedingt nicht tun. / 그는 세상이 싫어졌다 Er ist des Lebens überdrüssig (müde) geworden.

싫어하다 nicht lieben[4]; nicht ausstehen können*[4]; nicht (gern) mögen*[4]; nicht gern haben; k-e Lust haben 《*zu*[3]》; nicht leiden können*[4]; nicht gewogen (grün) sein 《*jm.*》; hassen[4] (미워하다); verhaßt[3] (zuwider); abgeneigt[3] (sein); verabscheuen[4]; voller Abscheu von [3]sich weisen[4]; 《싫어지다》 zuwider werden 《*jm.*》; Abneigung[4] (Widerwillen) hegen 《*gegen*[4]》. ¶ 싫어하는 것 was man nicht will (nicht gern hat) / 선천적으로 ~ e-e natürliche Abneigung haben 《*gegen*[4]》; (vor)eingenommen sein 《*gegen*[4]》 / 담배 연기를 ~ den Tabakrauch verabscheuen / 가기 ~ nicht gern gehen / 그녀는 그를 싫어한다 Sie will ihn nicht. / 그는 일을 싫어한다 Er liebt die Arbeit nicht. / 왜 밥 먹기를 싫어하는지 모르겠다 Ich weiß nicht, warum er nicht essen will. / 그는 싫어하는 딸을 억지로 시집보냈다 Er verheiratete s-e Tochter gegen ihren Willen. / 싫어하는 술을 억지로 먹였다 Gegen s-n Willen haben sie ihn trinken lassen. / 거짓말을 싫어한다 Ich hasse zu lügen.

싫증(一症) Widerwille *m.* -ns; Abneigung *f.* -en; Abscheu *m.* -(e)s. ¶ ~이 나다 *jm.* zuwider werden; überdrüssig[2] (satt[2]) werden; müde[2·4] sein; Ekel bekommen* 《*vor*[3]》; müde werden 《*von*[3]》; Interesse verlieren* 《*an*[3]》; k-e Lust mehr haben 《*zu*[3]》 / ~나는 이야기 die eintönige Geschichte / ~나는 여행 die langweilige Reise / 책 읽기에 ~이 나다 des Lesens müde werden / 그는 무슨 일을 하든 곧 ~을 낸다 Er wird (jeder Sache) bald (leicht) überdrüssig. / 그의 아첨에 정말 ~이 난다 S-r Schmeichelei bin ich schon satt. / 아, 이제 ~이 났어 Ach, ich hab's über. / 아무리 보아도 ~나지 않는다 nicht genug sehen können*[4] / 그 그림은 아무리 보아도 ~이 나지 않는다 Das Auge kann sich an dem Gemälde nicht satt sehen.

심 ＝심줄.

심(心) ① 《나무》 Mark *n.* -(e)s; 《연한》 Kern *m.* -(e)s, -e. ¶ 나무가 심까지 썩었다 Der Baum ist bis ins Mark verdorben (faul).

② 《줄기》 Faser *f.* -n; Fiber *f.* -n. ¶ 심이 있는 faserig; zaserig / 무우에 심이 있다 Der Rettich 《-(e)s, -e》 ist faserig.

③ 《연필의》 Mine *f.* -n.

④ 《심지》 Docht *m.* -(e)s, -e. ¶ 심을 올(내)리다 den Docht heraus|schrauben (hinein-).

⑤ 《새알심》 Kloß *m.* -es, ⸗e. ¶ 심의 kloßartig.

⑥ 《의복 따위의》 Futter *n.* -s, -; Fütterung *f.* -en; Polster *n.* (*m.*) -s, -.

⑦ 《마음》 Herz *n.* -ens, -en; Gemüt *n.* -(e)s, -er (심정); Geist *m.* -es, -er (정신); Seele *f.* -n (심령). ¶ 심적으로 herzlich; innerlich; psychologisch / 충성심 der Sinn 《-(e)s, -e》 der Treue.

심(審) Untersuchung *f.* -en; Verhör *n.* -(e)s, -e; Prozeß *m.* ..zesses, ..zesse, gerichtliche Untersuchung; Gerichtsverfahren *n.* -s, -. ¶ 제 1심 die erste gerichtliche Untersuchung; das erste Verhör.

심각(深刻) ~하다 (tief)ernst; bedenklich (sein). ¶ ~한 말 die scharfe Bemerkung, -en / ~한 인생 문제 die ernste Lebensfrage, -n / ~한 불황 die ernste Flauheit, -en / ~하게 생각하다 tiefernst denken* /

~하게 되다 ernst werden; [4]sich verschlimmen (verschlechtern) (악화하다); [4]sich verschärfen (날카롭게 되다) / ~한 얼굴을 하다 ein tiefernstes Gesicht machen / 정세는 (상황은) 아주 ~하다 Die Lage ist sehr ernst (bedenklich). / 생활난이 더욱 ~해진다 Die Lebensnot (Nahrungssorge) wird noch schwerer (größer).

심간(心肝) Herz 《*n.* -ens, -en》 u. Leber 《*f.* ㄴ-n》.

심검(審檢) =심사(審査).

심경(心境) Gemüts¦zustand *m.* -(e)s, ⸚e (-verfassung *f.* -en; -stimmung *f.* -en). ¶ 현재의 ~ der jetzige Gemüts¦zustand, -(e)s, ⸚e (-stimmung *f.* -en) / 평온한 ~ Gemütsruhe *f.* / ~의 변화를 가져오다 den Gemütszustand wechseln (ändern) / ~을 토로하다 *js.* Meinung (Ansicht) sprechen*.

‖ ~소설 e-e psychologische Novelle, -n.

심경(深更) =심야.

심경(深耕) tiefes Pflügen, -s. ~하다 tief pflügen; tief ackern.

심계항진(心悸亢進) 〖의학〗 Tachykardie *f.*; Pulsbeschleunigung *f.*; Herzklopfen *n.* -s; Palpitation *f.* -en. ¶ ~의 증상이 있다 (krankhaftes) Herzklopfen haben.

심고 die Sehne, mit der die Bogensehne am Ende des Bogens gebunden (befestigt) ist (wird).

심규(深閨) der Frauenteil des koreanischen Wohnhauses; der hintere Teil des Hauses.

심근(心筋) Herzmuskel *m.* -s, -n.

‖ ~경색 〖의학〗 Herzinfarkt *m.* -(e)s, -e. ~염 Herzmuskelentzündung *f.*; Myokarditis *f.* ~운동도(圖) Myokardiogramm *n.* -(e)s, -e.

심금(心琴) die heißeste Gefühle 《*pl.*》. ¶ ~을 울리다 die Gefühlsregister berühren; die Gefühlssaiten ertönen machen; die Seele ergreifen*; zu Herzen gehen* ⓢ (sprechen*) 《*jn.*》 / 이 음악은 ~을 울린다 Diese Musik geht mir durch Mark u. Bein.

심기(心氣) Gesinnung *f.* -en; Sinn *m.* -(e)s, -e. ¶ ~ 전환을 위하여 zur Ablenkung (Zerstreuung) / ~가 상쾌하다 [4]sich frisch u. wohl fühlen.

심기다 《식물이》 gepflanzt werden 《*in*[4]》; 《정원 등이》 bepflanzt werden 《*mit*[3]》.

심기일전(心機一轉) Gesinnungswechsel *m.* -s, -. ~하다 s-n Sinn (s-e Einstellung) ändern; [4]sich völlig ändern; ein ganz anderer Mensch werden.

심난하다(甚難—) äußerst (höchst; außerordentlich) schwer (schwierig) (sein).

심낭(心囊) 〖해부〗 Herzbeutel *m.* -s, -.

심내막(心內膜) Herzhaut *f.* -e. ‖ ~염 〖의학〗 Herzklappenentzündung *f.* -en.

심뇌(心惱) Schmerz *m.* -es, -en; Pein *f.*; Qual *f.* -en; Seelenangst *f.* ⸚e; Seelenqual *f.* -en; Sorge *f.* -n; Leiden *n.* -s; Betrübnis *f.* -se; Kummer *m.* -s.

심다 ① 《나무를》 pflanzen[4]; setzen[4] 《Blumen; Gemüse 따위》; 《씨를》 säen. ¶ 뜰에 나무(국화)를 ~ den Garten mit [3]Bäumen (Chrysanthemen) bepflanzen / 모를 ~ Stecklinge ziehen* (pflegen) / 거리에 나무를 심자 Pflanzen wir die Bäume an die Straßen.

② 《사상·습관 등을》 *jm.* ein|pflanzen; ein|impfen; ein|prägen. ¶ 못된 습관을 ~ *jm.* üble Gewohnheiten ein|impfen.

심대하다(甚大—) unermeßlich; ungeheuer; sehr groß; bedeutend; mächtig; schrecklich; ernst; ernsthaft (sein). ¶ 중국 문학은 한국 문학에 심대한 영향을 미쳤다 Die chinesische Literatur hat auf die koreanische e-n sehr großen Einfluß ausgeübt.

심덕(心德) Tugend (Unbescholtenheit; Sittsamkeit; Aufrichtigkeit; Ehrlichkeit; Rechtschaffenheit) *f.* -en.

심도(深度) Tiefe *f.* -n. ¶ ~를 재다 die Tiefe messen*. ‖ ~계 Tiefenmesser *m.* -s, -.

심돋우개(心—) Eisengerät zum Aufrichten des Dochtes e-r (Öl)lampe.

심드렁하다 [4]sich langsam bewegen; schleifen*; schleppen; zögern.

심떠깨 ☞ 쇠심떠깨.

심란(心亂) Verwirrung (Unordnung; Verlegenheit; Bestürzung; Störung; Verworrenheit) *f.* -en; Unruhe *f.* -n. ~하다 verwirrt; bestürzt; verlegen; wirr; verworren (sein); in Verlegenheit sein. ¶ ~하게 하다 *jn.* in Verlegenheit bringen* (versetzen).

심레스 nahtlos.

‖ ~스타킹 nahtlose Strümpfe 《*pl.*》.

심려(心慮) Angst *f.* ⸚e; Beklemmung *f.* -en; Besorgnis *f.* -se; Not *f.* ⸚e; Unruhe *f.* -n. ~하다 [3]sich zu Herzen nehmen*[4]. ¶ ~를 끼치다 Angst verursachen 《*jm.*》; plagen 《*jn.*》; bedrücken 《*jn.*》; quälen 《*jn.*》; k-e Ruhe lassen* 《*jm.*》; Sorge machen (bereiten) 《*jm.*》; beunruhigen 《*jn.*》; unruhig machen 《*jn.*》.

심력(心力) Geisteskraft *f.* ⸚e.

심령(心靈) Seele *f.* -n; Psyche *f.* -n. ¶ ~의 seelisch; psychisch.

‖ ~술 Spiritualismus *m.* -, ..men. ~연구소 das seelische Erforschungsinstitut, -(e)s, -e. ~학 Okkultismus *m.* -, ..men: ~학자 Spiritist *m.* -en, -en. ~현상 die seelische Erscheinung, -en.

심로(心勞) Sorge *f.* -n; Besorgnis *f.* ..nisse; Kummer *m.* -s; Angst *f.* ⸚e. ¶ ~를 느끼다 [4]sich geistig angestrengt fühlen.

심록(深綠) Dunkelgrün *n.* -(e)s. ¶ ~의 dunkelgrün.

심리(心理) 《상태》 Seelen¦zustand (Geistes-) *m.* -(e)s, ⸚e; 《기분》 Gemütsverfassung *f.* -en. ¶ ~적(인) seelisch; psychisch; psychologisch / 이 불행은 그의 성격에 ~적으로 커다란 영향을 주었다 Dieses Unglück hat auf s-n Charakter psychologisch e-n großen Einfluß gehabt. / 그것은 한국 사람들의 ~를 잘 말해 주고 있다 Das ist ein guter Beweis für die Mentalität des Koreaners.

‖ ~묘사 Seelenschilderung *f.* -en. ~소설 der psychologische Roman, -s, -e. ~작용 die seelische Wirkung, -en. ~전 der psychologische Krieg, -(e)s, -e. ~주의 Psycholismus *m.* -.

심리(審理) Untersuchung *f.* -en; Verhandlung *f.* -en. ~하다 untersuchen[4]; verhandeln[4]; prüfen. ¶ ~중에 있다 noch unentschieden sein / ~를 받다 in der Verhandlung stehen* / 문제를 ~하다 e-e Frage 《-n》 untersuchen.

‖ ~절차 Untersuchungsverfahren *n.* -s, -.

심리학(心理學) Psychologie *f.* ¶ ~상(의) psychologisch / ~을 연구하다 psychologische Forschung treiben*.

‖ ~자 Psychologe *m.* -n, -n. 게슈탈트~ Gestaltpsychologie. 교육~ pädagogische Psychologie. 군중~ Massenpsychologie. 기술~ Psychographie *f.* 민족(인종)~ Völkerpsychologie (ethnische Psychologie). 범죄~ Kriminalpsychologie. 변태~ Psychopathologie. 사회~ Sozialpsychologie. 산업~ Gewerbepsychologie. 실험 (응용)~ Experimentalpsychologie (angewandte Psychologie). 아동~ Kinderpsychologie. 일반~ allgemeine Psychologie. 형태~ Gestaltpsychologie.

심마니 der Einsiedler (Eremit), der in den Bergen wilde Ginsengwurzeln sammelt; Ginsengsammler *m.* -s, -. ‖ ~말 (Geheim-) sprache der Ginsengsammler.

심메 das Sammeln* 《-s》 wilden Ginsengs. ¶ ~(를) 보다 wilden Ginseng sammeln.

심문(審問) 〖심리〗 Untersuchung *f.* -en; 《신문》 Verhör *n.* -(e)s, -e; Vernehmung *f.* -en. ~하다 untersuchen[4]; verhören[4]; vernehmen*[4]. ¶ ~을 받다 im Verhör stehen* / 유도 ~을 하여 실토하게 했다 Ich habe ihm verfängliche Fragen gestellt u. endlich ihm die Würmer aus der Nase gezogen. / 재판관은 피고를 ~했다 Der Richter nahm den Angeklagten ins Verhör.

심미(審美) die Wertschätzung 《-en》 des Schönen; Ästhetik *f.* ¶ ~적 ästhetisch. ‖ ~가 Ästhetiker *m.* -s, -. ~감 ein ästhetisches Gefühhl, -e. ~안 ästhetische Urteilskraft, ⸚e. ~주의 Ästhetizismus *m.* -. ~파 die ästhetische Schule, -n. ~학 Ästhetik *f.*

심방 〖건축〗 der oberste Holm e-s Tors.

심방(心房) 〖해부〗 Herzvorhof *m.* -(e)s, ⸚e; Vorkammer *f.* -n.

심방(尋訪) Besuch *m.* -(e)s, -e; Visite *f.* -n; Interview *n.* -s, -s. ~하다 besuchen; e-n Besuch ab|statten (machen) 《*jm.*; bei *jm.*》; *jn.* auf|suchen.

심벌 =상징(象徵).

심벌즈 Becken *n.* -s, -; Zimbel *f.* -n.

심병(心病) ① 《근심》 Angst *f.* ⸚e; Besorgnis *f.* -se; Unruhe *f.* -n; Leiden *n.* -s; Sorge *f.* -n; Kummer *m.* -s. ② 〖의학〗 Ohnmacht *f.*; Bewußtlosigkeit *f.*

심보(心—) Charakteranlage *f.* -n; Gemütsart *f.* -en. ☞ 마음보.

심복(心服) die herzliche (aufrichtige) Ergebung, -en. ~하다 (herzlich) ergeben sein 《*jm.*》; 《존경하다》 verehren 《*jn.*》; die große Achtung haben 《vor *jm.*》.

심복(心腹) 《사람》 *js.* rechte Hand; der unentbehrliche Helfer, -s, -. ¶ ~의 verläßlich; zuverläßig; vertraut; treu / 그는 나의 ~ 부하이다 Er ist m-e rechte Hand (mein rechter Arm).

심부름 Botschaft *f.* -en; Auftrag *m.* -(e)s, ⸚e (위탁); Botengang *m.* -(e)s, ⸚e (심부름가기). ~하다 e-n Botengang verrichten; e-n Auftrag erledigen; als [1]Bote geschickt werden. ¶ ~가다 Besorgungen machen; einkaufen gehen* ⓢ (물건 사러) / 의사에게 ~ 보내다 *jn.* zum Arzt schicken ✻의사를 부르러 보낼 경우는 *jn.* nach dem Arzt schicken / ~ 좀 해다오 Kannst du für mich Besorgungen machen?
‖ ~값 Botenlohn *m.* -(e)s, ⸚e; Trinkgeld *n.* -(e)s, -er (팁). ~꾼 Laufbursche *m.* -n, -n; Bote *m.* -n, -n; Botin *f.* -nen (여자); Botengänger *m.* -s, -: ~꾼을 통해서 durch [4]Boten / ~꾼을 보내다 e-n Boten senden* (schicken).

심부전(心不全) 〖의학〗 Herzinsuffizienz *f.*

심사(心事) Laune *f.* -n; Stimmung *f.* -en; Gefühl *n.* -(e)s, -e; Empfindung *f.* -en.

심사(心思) Sinnesart *f.* -en; Gemütsart *f.* -en; Charakter *m.* -s, -e; Natur *f.* -en. ¶ ~가 사납다 (고약하다) arglistig (hämisch; tückisch; boshaft) sein / ~가 더럽다 e-e niedrige Gesinnung haben / ~를 부리다 widerspenstig sein / 그가 ~를 부려서 계획이 망쳐졌다 Unser Plan wurde von s-r niedrigen Gesinnung zunichte.

심사(深謝) besten (wärmsten; schönen; vielen; tausend) Dank; Dankbarkeit *f.*; 《사죄》 ernste Entschuldigung; Abbitte *f.* ~하다 den aufrichtigsten (besten; herzlichsten; wärmsten; innigsten) Dank sagen (ab|statten; aus|sprechen*; bezeigen; erweisen*); 《사죄》 [4]sich von Herzen entschuldigen; tiefempfundene (herzliche; innige; aufrichtige) Entschuldigung sagen.

심사(審査) 《조사》 Prüfung *f.* -en; 《검사》 Untersuchung *f.* -en; 《판정》 Beurteilung *f.* -en. ~하다 prüfen[4]; untersuchen[4]; beurteilen[4]. ¶ 최종 ~ finale Sichtung, -en / ~ 중이다 unter Prüfung (Im Laufe der Prüfung) sein / ~에 합격하다 e-e Prüfung bestehen*; aufgenommen werden (채용됨) / ~ 결과를 보고하다 (über) das Resultat 《-(e)s, -e》 der Prüfung berichten.
‖ ~관 Richter *m.* -s, -. ~부 Inspektionsabteilung *f.* -en; Prüfungsdivision *f.* -en. ~(위)원 Prüfer *m.* -s, -; 《판정자》 (Schieds-) richter *m.* -s, -; 《비평가》 Beurteiler *m.* -s, -: ~ 위원장 der Vorsitzende e-s Ausschusses / ~ 위원회 Prüfungskommission *f.* -en; Prüfungsausschuß *m.* ..usses, ..üsse / ~ 위원이 되다 als Richter tätig sein.

심사숙고(深思熟考) die sinnende Betrachtung (Beschaulichkeit) -en; Grübelei *f.* -en; das tiefe Nach|denken* (-sinnen*) -s; Kontemplation *f.* -en; Meditation *f.* -en. ~하다 sinnend betrachten (beschauen); grübeln 《*über*[4]》; [4]sich Gedanken 《*pl.*》 machen 《*über*[4]》; nach|denken* 《*über*[4]》; nach|sinnen* 《*über*[4]》. ¶ ~ 끝에 nach reiflicher Erwägung / 그는 ~하고 있다 Er ist in tiefen Gedanken versunken.

심산(心算) Vorsatz *m.* -es, ⸚e; Entschluß *m.* ..schlusses, ..schlüsse; Absicht *f.* -en; das Vorhaben*, -s. ¶ …할 ~으로 mit der Absicht; mit der Zweck; in der Erwartung (Hoffnung), daß...; in der Voraussetzung, daß... / 할 ~이다 im Sinne haben[4]; gedenken 《*auf*[4]》 / 무슨 ~으로 그런 짓을 했느냐 Mit welcher Absicht hast du das getan? / 그럴 ~은 아니었다 Das lag nicht in m-r Absicht.

심산(深山) das weglose Gebirge, -s, -. ¶ ~에서 tief im Gebirge.
‖ ~유곡 die tiefe Bergschluft, -en (⸚e).

심살내리다 [3]sich immer um [4]*et.* Sorge machen.

심상(心像) geistiges Bild, -(e)s, -er; Vorstellung *f.* -en.

심상(尋常) ~하다 gewöhnlich (보통의, 흔히 있는); alltäglich (평범한); durchschnittlich (평균의); gebräuchlich (통례의); herkömmlich (인습적인); mittelmäßig (중위의); normal; üblich (sein). ¶ ~히 (하게) gewöhnlich; alltäglich; üblich; im allgemeinen; redlich; offen u. ehrlich / ~치 않다 ungewöhnlich; außergewöhnlich; außerordentlich; unruhig; beunruhigend; bedrohlich (sein) / ~치

않은 소리 Alarmlaut *m.* -(e)s, -e / ～치 않은 일 etwas Ungewöhnliches / 그것은 ～치 않은 일이다 Das ist nicht gewöhnlich.

심성(心性) moralische 〔sittliche〕 Natur; Disposition 〔Gesinnung; Gemütsart; Sinnesart; Charakteranlage〕 *f.*

심성암(深成岩) plutonisches Gestein, -(e)s, -e; Tiefengestein *n.* -s, -e.

심술(心術) Verschrobenheit *f.* ¶ ～이 궂다 querköpfig 〔widerhaarig; verschroben; boshaft; tückisch; bösartig; gehässig; übelwollend; zynisch〕 sein / ～궂게 auf e-e boshafte 〔bösartige〕 Weise; kratzbürstig; böse; aufsässig; giftig / ～을 부리다 ⁴sich boshaft benehmen* / ～부리지 말고 저녁이나 먹어라 Sei nicht so verschroben 〔querköpfig〕 u. iß mal zu Abend!

‖ ～장이, ～퉁이, ～꾸러기 Querkopf *m.* -(e)s, ⸚e; der widerhaarige 〔verschrobene〕 Mensch, -en, -en; Nörgler *m.* -s, -: 이 ～꾸러기 Wie bösartig du bist! ～패기 das querköpfige Kind, -(e)s, -er.

심신(心身) Leib u. Seele; Körper u. Geist. ¶ ～의 körperlich u. geistig / ～을 다 바치다 ⁴sich hin|geben*³ / ～을 단련하다 Körper u. Geist ab|härten / ～이 피로하다 ⁴sich körperlich u. geistlich erschöpfen / ～이 모두 건전하다 gesund an Körper u. Geist sein / ～을 상쾌하게 하다 Körper u. Geist erfrischen 〔erquicken〕 / 그는 연구에 ～을 다 바쳤다 Er hat sich dem Studium ganz gewidmet.

심신(心神) Geist *m.* -(e)s, -er; Seele *f.* -n; Sinn *m.* -(e)s, -e; Mentalität *f.* -en. ¶ ～이 산란하다 verrückt 〔(geistes)gestört〕 sein.

심실(心室) 〖해부〗 Herzkammer *f.* -n.

‖ 우 〔좌〕～ die rechte 〔linke〕 Herzkammer.

심심소일(一消日) ＝심심풀이.

심심파적(一破寂) ＝심심풀이.

심심풀이 Zeit¦vertreib *m.* -(e)s 〔-verlust *m.* -(e)s〕. ¶ ～로 zum Zeitvertreib 〔Spaß; Vergnügen〕; zur Vergnügung 〔Unterhaltung; Ablenkung; Erholung〕; um ³sich damit die Zeit zu vertreiben / ～로 해 본 것이다 Daraus habe ich mir e-n Spaß gemacht. / 그는 ～로 그것을 했다 Er hat s-e Kurzweil damit getrieben. / ～로 꽃을 가꾼다 Als Hobby pflegt er die Blumen. / 그녀는 ～로 책을 읽는다 Um die Zeit zu töten, liest sie ein Buch. / 그는 ～로 바둑을 둔다 Er spielt *Go*, um die Zeit zu vertreiben. / 낚시질은 좋은 ～다 Das Angeln ist e-e gute Erholung.

심심하다[1] 《일없어》 ⁴sich langweilen; ⁴sich überdrüssig 〔müde〕 fühlen. ¶ 심심해서 vor 〔aus〕 Langweile / 심심해 죽겠다 ⁴sich zu Tode langweilen / 그는 단지 심심해서 그 짓을 한다 Er tut es aus bloßer Langweile. / 할 일이 없어 심심해 한다 Er langweilt sich, weil er nichts zu tun hat. / 저녁마다 혼자 집에 있기가 ～ Es langweilt mich, jeden Abend allein zu Hause zu sein.

심심하다[2] schal; geschmacklos; fade (sein). ¶ 심심한 맥주 schales 〔abgestandenes〕 Bier.

심심하다(深甚一) tief; tiefempfunden (sein). ¶ 심심한 사의를 표하다 *jm.* s-n innigsten 〔aufrichtigsten〕 Dank aus|drücken 〔aus|-sprechen*〕 《*für*⁴》; *jm.* herzlich danken 《*für*⁴》.

심쌀(心一) der beim Kochen des Reisschleims gebrauchte Reis.

심악(甚惡) Grausamkeit *f.* -en; Härte *f.* -n. ～하다 grausam; entsetzlich; schrecklich; hart; unbarmherzig; unmenschlich; hartherzig; schonungslos (sein).

심안(心眼) das innere 〔geistige〕 Auge, -s, -n. ¶ ～을 뜨다 das innere Auge öffnen / ～에 어리다 vor *js.* innerem Auge stehen*.

심야(深夜) Mitternacht *f.* ⸚e; die späte 〔tiefe〕 Nacht, ⸚e. ¶ ～에 mitternachts; tief 〔spät〕 in der Nacht; in tiefer 〔später〕 Nacht; um ⁴Mitternacht / ～까지 bis tief in die Nacht (hinein).

‖ ～방송 Mitternachtssendung *f.* -en. ～작업 Nacht¦arbeit 〔-schicht〕 *f.* -en: ～ 작업을 하다 Schichtarbeit machen. ～흥행 Mitternachts¦aufführung 〔-vorstellung〕 *f.* -en.

심약(心弱) Schwachsinnigkeit *f.* -en. ～하다 schwachsinnig; schwachherzig; charakterschwach; unschlüssig; unentschlossen; zögernd (sein).

심양(瀋陽) 《만주의 도시》 Schenyang; Mukden 《구칭: 봉천》.

심연(深淵) Abgrund *m.* -(e)s, ⸚e. ¶ ～이 그의 눈 앞에 입을 벌리고 있었다 Der Abgrund gähnte vor ihm auf.

심오(深奧) Gründlichkeit 〔Tiefgründigkeit; Tiefsinnigkeit; Schwerständlichkeit; Unverständlichkeit〕 *f.* -en. ～하다 tief; tiefsinnig; inhaltschwer; esoterisch; unklar; schwerverständlich; verborgen (sein).

심원(心願) Herzenswunsch *m.* -es, ⸚e; Herzenslust *f.* ⸚e. ¶ ～의 성취 die Erfüllung *js.* Herzenswunsches / ～을 이루다 e-n Herzenswunsch erfüllen.

심원(深怨) 〔tief, bitter 가 수식함〕 Groll *m.* -(e)s; Haß *m.* ..asses; Ärger *m.* -s. ¶ ～을 품다 bitteren Groll gegen *jn.* hegen.

심원(深遠) Tiefe *f.* -n; 《뜻의》 Tiefsinn *m.* -(e)s; Tiefsinnigkeit *f.*; 《학식의》 Gründlichkeit *f.* -en. ～하다 tief; tief¦gründig 〔-sinnig〕 (sein). ¶ ～한 사상 tiefe Gedanken 《*pl.*》 / ～한 교리 tiefe Doktrin, -en.

심음(心音) Herztöne 《*pl.*》.

심의(審議) Beratung *f.* -en; Beratschlagung *f.* -en; Erörterung *f.* -en; Besprechung *f.* -en; Diskussion *f.* -en. ～하다 beraten*⁴; beratschlagen*⁴; erörtern⁴; besprechen*⁴; diskutieren. ¶ ～를 거듭한 끝에 nach wiederholten Beratungen / 축조 ～하다 artikelweise diskutieren / ～에 부치다 zur Diskussion stellen; aufs Tapet 《-(e)s, -e》 bringen* / ～에 부쳐지다 aufs Tapet kommen* ⓢ / 법안을 ～하다 e-e Gesetzvorlage beraten* / ～는 아직 끝나지 않았다 Die Beratung ist noch nicht abgeschlossen 〔beendet〕. / 이 안건은 현재 ～ 중에 있다 Diese Angelegenheit wird zur Zeit erwogen.¦ Diese Sache steht jetzt zur Diskussion.

‖ ～회 Beratungsausschuß *m.* ..schusses, ..schüsse: 교육 ～회 Beratungsausschuß für die Erziehung.

심이(心耳) die Vorkammer 《-n》 〔der Vorhof, -(e)s, ⸚e〕 des Herzens.

‖ 우 〔좌〕～ die rechte 〔linke〕 Vorkammer.

심인(尋人) der Vermißte*, -n, -n; der Verschollene*, -n, -n (실종자).

심장(心臟) ① 〖해부〗 Herz *n.* -ens, -en. ¶ ～의 Herz- / ～의 고동 der Schlag 《-(e)s, ⸚e》 des Herzens / ～의 기능 die Funktion 《-en》 des Herzens / ～이 강하다 〔약하다〕 ein gesundes 〔schwaches〕 Herz haben / ～이 뛰

다 Mein Herz schlägt.|Das Herz klopft mir. / 그 소식을 들었을 때 ~이 마구 뛰었다 Als ich die Nachricht hörte, klopfte mein Herz sehr schnell. / 그의 ~은 고동이 멎었다 Sein Herz hat mit dem Schlag aufgehört.
② 《강심장》 Nerv *m.* -s (-en), -en; Unverschämtheit *f.*; Frechheit *f.* ¶ ~이 약한 사람 der entnervte Mensch, -en, -en / ~이 강하다 kühn (mutig; tapfer) sein / ~이 약하다 feig (scheu; schüchtern) sein / ~이 강한 사나이다 Er hat gute (starke) Nerven. / 정말 강~이구나 Hast du die Stirn, es zu tun?|Das ist aber (wirklich) unverschämt von dir.
‖ **~마비** Herzlähmung *f.* -en. **~병** Herzkrankheit *f.* -en (-leiden *n.* -s, -): ~병의 약 Kardiakum *n.* -s, ..ka / ~병 환자 der Herzkranke*, -n, -n. **~부** Herzgegend *f.* -en. **~비대** Herzhypertrophie *f.* **~수축** Herzverengerung *f.* **~염** Herzentzündung *f.* **~외과** Herzchirurgie *f.* **~이식** 〖의학〗 Herztransplantation *f.* -en. **~파열** Herzbruch *m.* -(e)s, ⸚e. **~판막** Herzklappe *f.* -n: ~ 판막증 Herzklappenfehler *m.* -s, -. **~팽창** Herzerweiterung *f.* -en. **~형** Herz; Herzform *f.* -en.
심장하다(深長一) tief; tiefgründig (sein). ¶ 의미 심장한 bedeutungsvoll; tiefsinnig; inhalts|reich (-schwer) / 의미 ~ viel bedeuten sagen; von tiefsinniger [3]Bedeutung sein; e-n tiefen Sinn haben.
심재(心材) Kernholz *n.* -es, ⸚er.
심적(心的) psychisch; geistig; seelisch.
‖ **~결함** der psychische (geistige; seelische) Mangel, -s, ⸚. **~작용** die psychische (geistige; seelische) Wirkung, -en. **~태도** die psychische (geistige; seelische) Haltung (Einstellung) -en; das psychische (geistige; seelische) Verhalten, -s. **~현상** das psychische Phänomen, -s, -e; die seelische Erscheinung, -en.
심전계(心電計) Elektrokardiograph *m.* -en, -en.
심전도(心電圖) 〖의학〗 Elektrokardiogramm *n.* -s, -s 《생략: EKG》.
심정(心情) Gefühl *n.* -(e)s, -e; Gemüt *n.* -(e)s; Herz *n.* -ens, -en. ¶ ~의 토로 Herzensergießung *f.* -en / ~을 토로하다 *jm.* sein Innerstes offenbaren; *jm.* sein Herz aus|schütten; *jm.* s-e [4]Meinung offen sagen / ~을 이해하다 (헤아리다) *jm.* nach|fühlen[4]; [4]sich in *js.* [4]Lage versetzen / 그의 ~은 동정할 만하다 Ich habe Mitleid mit ihm.|Er ist bemitleidenswert.
심줄 Sehne *f.* -n; Flechse *f.* -n.
심중(心中) Herz *n.* -ens, -en; *js.* Inneres*; *js.* wahres Motiv, -s, -e. ¶ ~의(에) in *js.* Herzen; in *js.* Busen; in [3]sich; im Innern / ~에 품다 [4]*et.* in [3]sich hegen; in s-m Herzen halten* / ~을 토로하다 (밝히다) sein Herz aus|schütten[3]; sein Innerstes offenbaren / ~이 불안하다 unzufrieden sein 《*über*[4]》 / 그의 ~은 짐작하고도 남음이 있다 Ich kann ihn sehr gut verstehen.
심중(深重) Vorsicht *f.* -en; Umsicht *f.* -en; Besonnenheit *f.* -en; Diskretion *f.* -en; das Ermessen*, -s; Verschwiegenheit *f.* -en. **~하다** vorsichtig; umsichtig; besonnen; taktvoll; verschwiegen (sein).
심증(心證) (die innere) Überzeugung, -en; Eindruck *m.* -(e)s, ⸚e. ¶ ~을 해치다 e-n schlechten Eindruck machen 《*auf*[4]》 / 재판관의 ~을 나쁘게 하다 e-n schlechten Eindruck auf den Richter machen.
심지(心一) ① 《등잔·초 따위의》 (Lampen-) docht *m.* -(e)s, -e. ¶ ~를 자르다 《초의》 ein (Kerzen)licht putzen / ~를 올리다 (내리다) 《등잔의》 den Docht heraus|schrauben* (hinein|schrauben*) / ~를 너무 돋우다 den Docht zu hoch heraus|schrauben*.
② 《상처의》 ein Stückchen von Gaze. ¶ 상처에 ~를 넣다 ein Stückchen von Gaze *jn.* e-e aufgeschnittene Wunde hinein|-stecken.
심지(心地) Natur *f.* -en; Gemüt *n.* -(e)s; Temperament *n.* -(e)s, -e; Herz *n.* -ens, -en; das Innere*, -n. ¶ ~가 고운 gut|artig (-herzig; -mütig) / ~가 고약한 bösartig; boshaft; hämisch.
심지(心志) Geist *m.* -(e)s, -er; Seele *f.* -n; Gemüt *n.* -(e)s; Absicht *f.* -en; Vorhaben *n.* -s, -; Wille *m.* -ns, -n.
심지어(甚至於) sogar; selbst; obendrein; noch dazu; zu allem anderen. ¶ 그는 우리를 초대했을 뿐만 아니라 ~ 차로 마중까지 나왔다 Er hat uns eingeladen u. hat uns sogar mit dem Auto abgeholt. / 그는 ~ 그의 어머니의 청에 대해서도 아무런 반응이 없었다 Er reagierte selbst auf die Bitten s-r Mutter nicht. / 그이는 ~ 제 이름조차 쓸 줄 모른다 Er kann nicht einmal s-n Namen schreiben.
심질(心疾) Kummer *m.* -s; Gram *m.* -(e)s; Sorge *f.* -n.
심책(深責) ernster Tadel, -s, - (Verweis, -es, -e). **~하다** e-n Tadel (Verweis) geben* (erteilen).
심천(深淺) Tiefe *f.* -n. ¶ ~을 재다 die Tiefe messen*.
심청(深靑) ¶ ~의 dunkelazurn; dunkelblau.
심축(心祝) der herzliche Glückwunsch, -es, ⸚e; die herzliche Gratulation, -en. **~하다** herzlich beglückwünschen (gratulieren) 《zum Geburtstag》.
심취(心醉) Eingenommenheit *f.*; Schwärmerei *f.* -en; Sucht *f.* ⸚e. **~하다** eingenommen werden《*für*[4]》; [4]sich begeistern《*für*[4]》; [4]sich berauschen 《*an*[3]》; schwärmen《*für*[4]》; 《모방하다》 nach|eifern 《*jm.*》. ¶ 독일에 대한 ~ Germanomanie *f.* / 미술에 ~하다 für die Kunst eingenommen werden / 서양 문명에 ~하다 für die abendländische Zivilisation eingenommen sein.
‖ **~자** Schwärmer (Nacheiferer) *m.* -s, -.
심층(深層) ‖ **~구조** 〖언어〗 Tiefenstruktur *f.* -en. **~심리학** Tiefenpsychologie *f.*
심토(心土) Unterboden *m.* -s, - (⸚).
심통(心統) schlechte Neigung (Gemütsart) -en; schlechter Charakter, -s, -. ¶ ~이 사납다 böse (schlecht; verderbt; störrisch; widerspenstig; verdreht) sein.
심통(心痛) (Herzens)angst *f.* ⸚e; Gram *m.* -(e)s; 〖시어〗 Herzeleid *n.* -(e)s; Kummer *m.* -s; Seelenschmerz *m.* -es, -en. **~하다** [4]sich kümmern 《*um*[4]》; Angst (Furcht) haben 《*vor*[3]》; [3]sich Sorge machen 《*um*[4]》; [4]sich ängstigen 《*um*[4]; *über*[4]》.
심판(審判) 《신의》 Urteil *n.* -(e)s, -e; 《경기의》 Beurteilung *f.* -en; Entscheidung *f.* -en. **~하다** beurteilen[4]; schiedsrichtern; entscheiden*[4]. ¶ 최후의 ~ das letzte Urteil, -(e)s; 《최후의 심판일》 das Jüngste Gericht, -(e)s; der Jüngste Tag, -(e)s / ~의 결과 이기다 (지다) nach [3]Punkten gewinnen*

(verlieren*) / A씨의 ~으로 mit Herrn A als Schiedsrichter / ~에게 대들다 dem Schiedsrichter widersprechen*.
‖ ~관 Schieds¦richter (Kampf-) *m.* -s, -.

심퍼다이저 der Sympathisierende* (Mitfühlende*) -n, -n.

심포니 Symphonie (Sinfonie) *f.* -n [..ní:ən]. ¶ ~오케스트라 Symphonie¦orchester (Sinfonie-) *n.* -s, - / 베토벤 ~ 제 5번 die fünfte Symphonie Beethovens.

심포지움 Symposium *n.* -s, ..sien.

심피(心皮) 〖식물〗 Fruchtblatt *n.* -(e)s, ⸗e.

심하다(甚—) ① 《육체적 통증》 groß; heftig; rasend; furchtbar; schrecklich; quälend; stechend; 《병》 schwer; ernst; 《기후》 stark; heftig; streng; eisig; schneidend; stechend; hart; brennend; scharf; 《타격》 gewaltig; 《정도》 äußerst; außer¦gewöhnlich (-ordentlich); bemerkenswert; merklich; riesig; ungeheuer; ungemein; bitter (sein). ¶ 심히 sehr; viel; weitaus; in hohem Maße (Grade); über alle Maßen / 심한 더위 Affenhitze (Bären-; Bomben-) *f.* / 심한 비 der heftige (starke) Regen, -s, - / 심한 추위 Hunde¦kälte (Bären-; Mords-) *f.*; die strenge (heftige) Kälte / 심한 눈 der heftige (starke) Schneefall, -(e)s, ⸗e / 심한 폭풍우 der tobende Sturm, -(e)s, ⸗e / 심한 꾸지람 der schwere Vorwurf, -(e)s, ⸗e (Tadel, -s, -) / 심한 노동 die schwere Arbeit, -en / 심한 바람 der scharfe Wind, -(e)s, -e / 심한 감기 die starke Erkältung / 심하게 말하면 wenn ich die Dinge bis zum Äußersten treibe / 심한 상처를 입다 e-e schwere Wunde bekommen*; schwer verletzt (verwundet) werden / 기침을 심하게 하다 [4]sich halbtot husten; [3]sich die Seele aus dem Leibe husten / 병세가 심해졌다 Die Krankheit ist fortgeschritten. / 너무 심하네 《처사가》 Du treibst es zu bunt. / 농담이 너무 ~ Das geht mir über den Spaß.¦Das geht denn doch zu weit. / 군비 경쟁이 더욱 심해졌다 Das Wettrüsten ist immer heftiger geworden.
② 《엄하다》 streng; hart; heftig; stark; bitter; scharf; grausam; erbarmungslos (sein). ¶ 심한 규칙 dic strikten (festen) Regeln《*pl.*》/ 심한 법률 das strenge (harte) Gesetz, -(e)s, -e / 심한 비판 die bittere (scharfe) Kritik / 심하게 굴다 mißhandeln; arg mit¦nehmen*; schlecht behandeln; arg mit¦spielen[3] / 심하게 재촉하다 ungestüm mahnen 《*jn. wegen*[2·3]》/ 그것은 너무 ~ Das ist doch zu stark (bunt; viel).¦Es ist grausam von Ihnen, zu.... / 아이에게 너무 심하게 군다 Er ist zu streng gegen s-e Kinder.

심해(深海) Tiefsee *f.*
‖ ~동물 Tiefseetier *n.* -(e)s, -e. ~어 Tiefseefisch *m.* -es, -e. ~어업 Tiefseefischerei *f.* -en. ~연구 Tiefseeforschung *f.* -en. ~측정 die Lotung der Tiefsee. ~탐사 Tiefseeforschung *f.* -en. ~탐험선 Bathyskaph *m.* -en, -en.

심해지다(甚—) stärker werden; 《나빠지다》 schlechter (schlimmer) werden; [4]sich verschlechtern; [4]sich verschlimmern. ¶ 심해져서 …이 되다 [4]sich entwickeln 《*zu*[3]》; [4]sich aus¦wirken 《*zu*[3]》.

심혈(心血) Herzblut *n.* -(e)s. ¶ ~을 기울여서 mit Herz u. Seele; mit Leib u. Seele / 그는 저작에 ~을 기울였다 Er gab sich der Arbeit mit ganzer Seele hin.

심호흡(深呼吸) das tiefe Atmen*, -s. ~하다 tief atmen; Atem holen.

심혼(心魂) Herz *n.* -ens, -en; Geist *m.* -es; Seele *f.* -n; Mark *n.* -(e)s. ¶ ~을 기울이다 mit [3]Leib u. Seele dabei sein; s-e ganze Kraft (sein ganzes Können) ein¦setzen; [4]sich widmen[3].

심홍(深紅) Dunkelrot *n.* -s; Karmesin *n.* -s; Hochrot *n.* ¶ ~의 dunkelrot; hochrot.

심화(心火) Zorn *m.* -(e)s; Unwille *m.* -ns, -n; Wut *f.*; Ärger *m.* -s; Grimm *m.* -(e)s; Leidenschaft *f.* -en. ¶ 그는 ~를 그 이상 참기 어려웠다 Er konnte s-n Zorn nicht länger beherrschen.

심황(—黃) 〖식물〗 Kurkuma *f.* ..men. ¶ ~빛의 kurkumagelb.

심황(深黃) Dunkelgelb *n.* -(e)s. ¶ ~의 dunkelgelb.

심회(心懷) das Denken*, -s; Gedanke *m.* -ns, -n; Meinung *f.* -en; Ansicht *f.* -en; Herz *n.* -ens, -en.

심후하다(深厚—) tief; tiefsitzend; tiefgründig; tiefreichend; inhalt(s)schwer (sein).

심히 streng; heftig; stark; ernst; genau; schwer; hart; ernsthaft; äußerst; höchst; außerordentlich; übertrieben; übermäßig; sehr; in hohem Maß (Grad); beträchtlich. ¶ ~ 춥다 bitterkalt / 어린아이에게 ~ 굴다 streng mit e-m Kind (gegen ein Kind) sein / ~ 피곤하다 totmüde sein.

십(十) zehn. ¶ 제 십 der (die; das) zehnte* / 십중 팔구까지 zehn gegen eins; neun unter zehn; in den meisten Fällen / 십 주년 der zehnte Jahrestag, -(e)s, -e / 십 배 zehnmal; zehnfach.

십각(十角) die Zehnwinkeln 《*pl.*》.
‖ ~형 Zehneck *n.* -(e)s, -e.

십각(十脚) zehn Beine 《*pl.*》; 〖형용사〗 zehnbeinig.

십간(十干) die zehn Himmelsstämme.

십계명(十誡命) 〖성서〗 die (heiligen) Zehn Gebote 《*pl.*》; Dekalog *m.* -(e)s, -e.

십구(十九) neunzehn; XIX. ¶ ~ 세의 처녀 das Mädchen 《-s, -》 von neunzehn Jahren / ~세기 das neunzehnte Jahrhundert, -s, -e / 제 ~ der (die; das) neunzehnte*.

십년(十年) zehn Jahre 《*pl.*》; Jahrzehnt *n.* -(e)s, -e; Dekade *f.* -n (일, 주(週) 따위에도). ¶ ~지계 die Pläne 《*pl.*》 für zehn Jahre; Zehnjahrplan *m.* -s, ⸗e / ~마다 alle zehn Jahre / ~간의 zehnjährig / 지난 ~ 동안에 in den vergangenen zehn Jahren / 앞으로 수~간 einige nächste Jahrzehnte / ~지기 e-e zehn Jahre alte Bekanntschaft, -en; e-e Bekanntschaft seit zehn Jahren / ~을 하루같이 so, als ob zehn Jahre ein einziger Tag wären; zehn lange Jahre sehr gewissenhaft 《dienen》; mit unermüdlichem Eifer (지치지 않고) / ~이면 강산도 변한다 《속담》 Zehn Jahre sind e-e lange Zeit.¦Sind zehn Jahre verstrichen, spricht man schon von guter alter Zeit. / ~공부 나무아미타불 《속담》 Zehnjähriges Studium hat k-n Erfolg.¦ Verlorene Liebesmühe.

십대(十代) die Zehner 《*pl.*》. ¶ ~의 von dem zehnten bis zum neunzehnten Lebensjahr / ~소년 Zehner *m.* -s, - / ~에 죽다 in den Zehnern sterben*Ⓢ / 그는 아직 ~이다 Er ist noch in den Zehnern. / ~에 이미 그의 이름은 알려져 있었다 Sein Name war schon in s-n Zehnern bekannt.

십만(十萬) hunderttausend.
‖ ~억토 die unzählbaren Lande der Seligkeit auf dem Wege zum Paradies; Paradies *n.* -es, -e.

십맹일장(十盲一杖) ein Freund in der Not.

십면(十面) zehn Flächen《*pl.*》. ¶ ~의 zehnflächig. ‖ ~체 Dekaeder *n.* -s, -; Zehnflächner *m.* -s, -.

십분(十分) ① 《시간》 zehn Minuten. ¶ 두 시 ~ zehn (Minuten) nach zwei. ② 《십등분》 ein Zehntel. ~하다 durch zehn teilen. ¶ ~의 9 neun Zehntel. ③ 《충분히》 zur Genüge; in Hülle u. Fülle; im Überfluß; genug; völlig. ¶ ~ 잘 알고 있다 gut genug kennen* / 실력을 ~ 발휘하다 s-e Fähigkeit völlig beweisen* / 이 문제는 ~ 협의해야 한다 Wir müssen darüber ausführlich sprechen.

십사(十四) vierzehn. ¶ 제 ~권 der vierzehnte Band / ~행 시 der Vers mit vierzehn Zeilen; Sonett *n.* -(e)s, -e / ~도 die vierzehn Provinzen von Korea (=ganz Korea).

십삼(十三) dreizehn. ¶ 제 ~번째의 dreizehnt / 다음 주의 금요일은 5월 13일 (13번째의 날) 이다 Der nächste Freitag fällt auf den dreizehnten Mai. / 서양에서는 ~이라는 수는 불행의 수이다 Im Abendland ist die Dreizehn e-e Unglückszahl.

십상 gerade (ganz; genau) recht; ganz richtig; ganz angemessen; ganz passend; vortrefflich; vorzüglich; bewunderungswürdig; vollkommen; vollständig; gründlich; fehlerlos. ¶ 그 모자가 너에겐 ~이다 Der Hut paßt (steht) dir gut. ¦ Der Hut ist wie für dich gemacht. / 어린아이가 글씨를 ~ 잘 쓴다 Das Kind schreibt ganz richtig.

십상팔구(十常八九) =십중팔구.

십생구사하다(十生九死—) mit genauer (knapper) Not entkommen*. ¶ 그는 십생구사하여 감옥을 탈출했다 Er ist mit knapper Not aus dem Gefängnis entkommen.

십시일반(十匙一飯) [4]sich vereinigt (gemeinsam) an|strengen, um *jm.* zu helfen.

십억(十億) Milliarde *f.* -n; tausend Millionen 《*pl.*》.

십오(十五) fünfzehn; XV. ¶ 제 ~ der (die; das) fünfzehnte* / ~분 fünfzehn Minuten; ein Viertel / ~분의 1 ein fünfzehntel / ~주년 der fünfzehnte Jahrestag, -(e)s, -e.
‖ ~야 Vollmondnacht *f.* ¨e: ~야 밝은 달 《중추》 der Vollmond 《-(e)s, -e》 im Herbst.

십육(十六) sechzehn; XVI. ¶ 제 ~ der (die; das) sechzehnte*.
‖ ~밀리(영화) ein 16 mm Film *m.* -(e)s, -e. ~분쉼표 Sechzehntelpause *f.* -n. ~분음표 Sechzehntelnote *f.* -n.

십이(十二) zwölf; Dutzend *n.* -s, -e; XII. ¶ 제 ~ der (die; das) zwölfte* / ~시 정각에 (genau) um (Punkt) zwölf Uhr.
‖ ~각형 Zwölfeck *n.* -(e)s, -e. ~궁 Zwölf Hause; Zodiakus *m.* -. ~면체 Zwölfflächner *m.* -s; Dodekaeder *m.* -s, -. ~사도 die Zwölf Apostel. ~지(支) die zwölf Stunden- u. Jahreszeichen 《*pl.*》 des Mondkalenders. ~진법 〖수학〗 Duodezimal-System *n.* -(e)s, -e.

십이분(十二分) mehr als (denn) genug; in [3]Hülle u. [3]Fülle; nach [3]Herzenslust; alle [4]Erwartungen übertreffend. ¶ 일동은 ~ 만족하고 헤어졌다 Die Gesellschaft zerstreute sich äußerst befriedigt.

십이승(十二升) das feine, dünne Tuch aus Hanf(faser).

십이월(十二月) Dezember *m.* -s, - 《생략: Dez.》; Wintermonat *m.* -(e)s, -e.

십이절(十二折) Duodez *n.* -(e)s; 《책의 판형; 생략: 12 mo, 12°》 Zwölftelbogengröße *f.*

십이지장(十二指腸) 〖해부〗 Duodenum *n.* -s, ..na; Zwölffingerdarm *m.* -(e)s, ¨e.
‖ ~궤양 Duodenalgeschwür *n.* -(e)s, -e. ~충 Hakenwurm *m.* -(e)s, ¨er: ~충병 〖의학〗 Ankylostomiasis *f.* ..miasen.

십인십색(十人十色) (So) Viele Köpfe, (so-) viele Sinne! ¦ Zehn Menschen, zehn Arten (Farben). ☞ 각인각색(各人各色). 「elfte*.

십일(十一) elf; XI. ¶ 제 ~ der (die; das)

십일(十日) zehn Tage 《*pl.*》; der zehnte (Tag) (그 달의). ¶ 5월 ~에 am zehnten Mai / 꼭 ~간 계속되었다 Es dauerte gerade zehn Tage lang.

십일월(十一月) November *m.* -s, - 《생략: Nov.》; Nebelung *m.* -s, -e.

십자(十字) Kreuz *n.* -es, -e. ¶ 열 ~로 kreuzweise / ~형의 kreuzförmig; von [3]Kreuzform / ~가에 못박다 kreuzigen 《*jn.*》; ans Kreuz schlagen* 《*jn.*》 / ~가를 지다 *js.* Kreuz tragen / ~를 긋다 [4]sich bekreuz(i-g)en; ein Kreuz machen (schlagen*); das Zeichen des Kreuzes machen.
‖ ~군 Kreuz¦zug *m.* -(e)s, ¨e (-fahrerheer *m.* -(e)s, -e): ~군 전사 Kreuzfahrer *m.* -s, -; Kämpfer (Teilnehmer) 《-s, -》 beim Kreuzzug. ~로 Kreuzung *f.* -en; Scheideweg *m.* -(e)s, -e: ~로에서 an e-r Kreuzung; wo sich zwei Wege kreuzen. ~상 Kruzifix *n.* -es, -e; Kreuzigungsbild *n.* -(e)s, -er. ~포화(砲火) Kreuzfeuer 《*pl.*》. ~화과(花科) Kruziferen 《*pl.*》; Kreuzblütler *m.* -s, -.

십자매(十姉妹) 〖조류〗 Sperlingspapagei *m.* -en (-(e)s), -e(n); *Lonchura striata* var. *domestica* (학명).

십장(什長) Führer 《*m.* -s, -》 e-r Gruppe; Anführer *m.* -s, -; 《노동자의》 Vorarbeiter *m.* -s, -; Aufseher *m.* -s, -.

십전구도하다(十顚九倒—) =칠전팔도하다.

십종경기(十種競技) Zehnkampf *m.* -(e)s, ¨e.
‖ ~선수 Zehnkämpfer *m.* -s, -.

십중팔구(十中八九) zehn zu eins; neun unter zehn; aller Wahrscheinlichkeit nach; in den meisten der Fälle. ¶ ~ 시험에 떨어질 것이다 Zehn zu eins wird er im Examen durch|fallen* ⓢ.

십진(十進) ¶ ~의 dezimal. ‖ ~법 Dezimalsystem *n.* -(e)s: ~법의 수 Dezimalzahl *f.* -en. ~산 Dezimalrechnung *f.* -en.

십철(十哲) ¶ 공문(孔門)의 ~ die zehn Hauptschüler des Konfuzius (Konfutse).

십칠(十七) siebzehn. ¶ 제 ~의 siebzehnt.

십팔(十八) achtzehn; XVIII. ¶ 제 ~ der (die; das) achtzehnte*.
‖ ~금 das achtzehnkarätige Gold, -(e)s; das Gold von 18 Karat.

십팔번(十八番) ① 《차례》 der (die; das) achtzehnte*, -n, -n; Nr. 18. ② 《좋아하는 특기》 Lieblingsaufführung *f.* -en; die eigene Qualität, -en (Hausmarke, -n); Hauptstärke *f.* -n; Spezialität *f.* -en; Steckenpferd *n.* -(e)s, -e.

싯- lebhaft; lebendig; hell; glänzend; tief. ¶ 싯허옇다 ganz weiß (schneeweiß) sein.

싯가(時價) Marktpreis *m.* -es, -e; der heutige Preis; Tagespreis. ¶ ~로 쳐서 nach der heutigen Preislage abgeschätzt / 이 그림은 ~ 30,000원이다 Das Gemälde kostet heute 30000 *Won.*

싱가포르 Singapur [ziŋgapu:r, zingapú:r] *n.* -s; Republik 《*f.*》 S. ¶ ~의 singapurisch. ‖ ~사람 Singapurer *m.* -s, -. ~해협 die Straße von Singapur.

싱겁다 ① 《맛이》 leicht (schwach) gesalzt (gesalzen); schwach; dünn; leicht; hell; wässerig (sein). ¶ 싱거운 술(차) der schwache Reiswein (Tee) -(e)s, -e (-s, -s) / 싱거운 우유 die dünne Milch / 맛이 ~ fade schmecken / 이 국은 (수프는) ~ Diese Suppe braucht ein bißchen Salz.¦Diese Suppe ist wässerig.
② 《언행이》 dumm; leer; unsinnig; gering (-fügig) (sein). ¶ 싱거운 이야기 das leere Geschwätz, -es, -e / 싱거운 사람 e-e eitle Person; Taugenichts *m.* -(e)s, -e / 싱겁게 굴지 말라 Laß uns vernünftig sein!¦Sei nicht so dumm! ⌈(sein).

싱겅싱겅하다 《Zimmer》 frostig; kalt; kühl

싱그레 anmutig (hübsch) lächelnd. ¶ ~ 웃다 anmutig lächeln; an|strahlen; an|lächeln / 그녀는 아이들에게 정답게 ~ 웃었다 Sie lächelte die Kinder freundlich an.

싱글 ① 《양복》 ¶ ~의 상의 《양복의》 ein einreihiger Rock, -s, ⸗e. ② 《탁구·테니스의》 Einzel *n.* -s, -; Einzelspiel *n.* -(e)s, -e. ¶ 남자 (여자) ~ Herren¦einzel (Damen-) / 남자 ~ 결승전 der einzelne Entscheidungskampf der Männer / ~ 시합을 하다 einzeln spielen / 여자 ~에서 우승하다 in dem Einzelspiel der Frauen gewinnen*.
‖ ~벳 Einzelbett *n.* -(e)s, -en. ~코트 〖테니스〗 Einzelspielplatz *m.* -es, ⸗e.

싱글벙글 lächelnd; glücklich lächelnd; anstrahlend. ~하다 an|strahlen; an|lächeln; lächeln; glücklich aus|sehen*. ¶ ~하는 얼굴 strahlendes Gesicht.

싱글싱글 grinsend. ~하다 grinsen; lächeln; feixen; lächeln.

싱둥싱둥하다 noch immer (immer noch) stark; kräftig; energisch; lebhaft; tätig; tatkräftig; rüstig (sein). ¶ 그 노인은 아직도 ~ Der Alte ist noch immer rüstig.

싱숭생숭하다 phantasieren; zerstreut; geistesabwesend (sein). ¶ 봄에는 마음이 ~ Im Frühling bin ich immer ganz zerstreut.

싱싱하다 lebendig; lebhaft quick; jung; frisch; blühend; frisch u. gesund (sein). ¶ 싱싱한 생선 der frische Fisch, -es, -e; der lebendige Fisch (팔딱팔딱 뛰는) / 싱싱한 푸성귀 das frische Gemüse, -s, - / 꽃이 ~ Die Blumen sind frisch.

싱크로 Synchronismus *m.* -, ..men. ¶ ~의 synchronisiert. ‖ ~플래시 synchronisiertes Blitzlicht, -s, -er.

싱크로트론 〖물리〗 Synchrotron *n.* -s, -e.

싶다 ① 《욕구》 wollen; wünschen; mögen; möchten*; Lust haben, ... zu tun* 《*zu*[3]》; gern+동사; im Sinn haben; verlangen. ¶ 꼭 …하고 ~ sehr begierig sein, [4]*et.* zu tun* / 집에 가고 ~ Ich möchte heimgehen. / 같이 가고 ~ Ich möchte mitgehen. / 듣고 ~ Ich bin begierig, es zu hören. / 울고 싶은 기분이다 Mir ist zum Weinen zumute. / 그를 만나고 싶구나 Ich möchte ihn sehen.¦Wenn ich ihn doch sehen könnte. / 그를 만나고 싶니 Möchtest du ihn sehen? / 차를 마시고 ~ Ich möchte Tee trinken. / 지금 맥주 마시고 싶지 않다 Momentan habe ich k-e Lust, Bier zu trinken. / 오늘은 아무도 만나고 싶지 않다 Heute möchte ich niemand sprechen. / 독일에 한번 가고 ~ Ich möchte gern einmal nach Deutschland gehen (fahren). / 하고 싶지만 할 수가 없다 Ich will es zwar, kann (es) aber nicht. / 쉬고 싶습니까 Möchten (Wollen) Sie sich ausruhen? / 네 설명을 듣고 ~ Ich will es (möchte es gern) von dir wissen (erklärt haben). / 사시고 싶은 것이 있읍니까 Haben Sie irgend etwas, was Sie gern haben (kaufen) wollen?
② 《추측》 scheinen* ... zu; aus|sehen*; den Anschein haben; es kommt *jm.* vor. ¶ 올 성 싶지 않다 Er scheint nicht zu kommen. / 내일도 날씨가 좋을 성 ~ Es scheint auch morgen schön zu sein. / 어쩐지 비가 올성 ~ Es sieht etwas nach Regen aus. / 그 아이는 앞으로 크게 될 성 ~ Das Kind scheint zukünftlich groß zu werden.

싶어하다 haben wollen*[4]; [3]sich wünschen[4]; begehren[4]; begierig sein 《*nach*[3]》; erpicht sein 《*auf*[4]》; gelüsten 《*nach*[3]》; es gelüstet [4]sich 《*nach*[3]》; brennen* 《*auf*[4]》; 〖그외 *nach*[3] 와 같이〗 dürsten; fiebern; gieren; hungern; lechzen; schmachten; trachten. ¶ 듣고 (보고, 가고) ~ begierig (erpicht) sein, zu hören (sehen, gehen); großes Verlangen tragen*, zu hören (sehen, gehen) / 알고 ~ neugierig (fragselig; wißbegierig) sein / 그는 보는 것마다 갖고 싶어한다 Er will alles haben, was er sieht. / 그 애는 자전거를 매우 갖고 싶어 한다 Das Kind wünscht sich sehr ein Fahrrad. / 그는 무슨 일에나 참견하고 싶어한다 Er steckt gerne die Nase in alles hinein.

싸각거리다 ☞ 사각거리다.

싸개 Packpapier *n.* -s, -e; Einschlagpapier *n.* -s, -e; Umschlag *m.* -(e)s, ⸗e; Hülle *f.* -n; Verpackung *f.* -en; Schutzdeckel *m.* -s, -. ‖ ~장이 Tapezierer *m.* -s, -; Dekorateur *m.* -s, -e. ~질 Polsterung *f.* -en. ~통 Kletterei *f.* -en; Balgerei *f.* -en.

싸고돌다 ① 《위요》 e-e kleine Clique (e-n Bekanntenkreis) bilden. ¶ 그 사람들이 사장을 싸고 도는 사람들이다 Sie sind es, die dem Firmenchef nahestehen. ② 《비호》 beschirmen; (be)schützen. ¶ 모두가 그를 절도 혐의가 없다고 싸고 돈다 Alle beschützen ihn vor dem Verdacht eines Diebstahls. / 어머니가 제 아들을 싸고 돈다 Die Mutter beschützt ihren Sohn.

싸구려 e-e billige Sache, -n; ein billiges Ding, -(e)s, -e; Schleuderware *f.* -n.
‖ ~요리집 ein billiges Lokal, -(e)s, -e; ein billiges Restaurant [rɛstɔrã:] -s, -s. ~판 Ausverkauf *m.* -(e)s, ⸗e; Schleudergeschäft *n.* -(e)s, -e.

싸늘하다 ① 《날씨가》 kalt; frostig; eisig (sein). ¶ 싸늘한 바람 ein kalter (frostiger) Wind / 날씨가 싸늘하면 우리들은 산책을 할 수 없다 Bei kaltem Wetter können wir k-n Spaziergang machen. / 밖이 무척 ~ Draußen ist es sehr kalt. ② 《태도가》 gleichgültig; leidenschaftslos; teilnahmslos; kaltblütig; ruhig; bedächtig; besonnen; gelassen (sein). ¶ 싸늘한 태도 gleichgültige Haltung / 그녀는 그에게 ~ Sie ist ihm gleichgültig.

싸다¹ ① 《값이》 billig; preiswert; wohlfeil; 《헐값인》 kitschig (sein). ¶ 싸게 billig; günstig; zu niedrigem Preis / 싼 물건 ein billiger Artikel, -s, -; wohlfeile Waren 《*pl.*》; Kitsch *m.* -s (싸구려) / 싸지다 billiger werden / 싼 방세 die niedrige Miete, -n / 싼 주 die billige Aktie, -n / 아주 ~ lächerlich billig (spottbillig) sein / 싸게 먹히다 billig (preiswert) sein / 싼 값으로 사들이다 billig kaufen; preiswert erstehen* / 좀 싸게 할 수 없어요 Lassen Sie im Preise etwas nach? / 5% 싸게 mit 5% Rabatt / 저 가게는 물건이 ~ In jenem Laden verkaufen sie noch billiger. / 딴 데서는 더 싸게 살 수 있다 Irgend anderswo können wir es noch billiger kaufen. / 아무리 싸게 잡아도 여행하는 데 5만원은 들 것이다 Für die Reise wird man, auch wenn man es niedrig schätzt, fünfzigtausend *Won* brauchen. / 싼 것이 비지떡 《속담》 Billige Preise, schlechte Waren.

② 《마땅함》 ¶ 그래 ~ Das geschieht ihm (ganz) recht. | Das gönne ich ihm. / 벌 받아 (욕 먹어) ~ Es ist nur billig (gerecht), daß er bestraft (geschimpft) wird.

싸다² ① 《날래다·가볍다》 schnell; eilig; geschwind; rasch; hurtig; flink (sein). ¶ 그의 걸음이 ~ Sein Gang ist schnell. / 입이 ~ vorlaut (schnippisch; keck) sein.

② 《불이》 schnell (ver)brennen*; in schnellem Brand stecken. ¶ 불이 ~ Das Feuer verbrennt schnell.

싸다³ 《휩싸다》 ein|wickeln⁴ 《*in*⁴》; ein|schlagen*⁴ 《*in*⁴》; (ein|)hüllen⁴ 《*in*⁴》; 《포장》 (ein|)packen⁴ (verpacken⁴) 《*in*⁴》; 《덮다》 (ver)hüllen⁴. ¶ 종이에 ~ in Papier⁴ ein|wickeln⁴ (-|packen⁴) / 다시 ~ um|packen⁴ (포장을); anders packen⁴ (방식을 바꾸어); nochmals packen⁴ (다시 한번) / 보자기에 ~ ⁴*et.* in ein Tuch ein|wickeln / 몸을 모포에 ~ ⁴sich in e-e wollene Decke ein|hüllen (ein|wickeln) / 물건을 하나로 ~ mehrere Dinge zu e-m Paket zusammen|packen / 도시락을 ~ den Kastenimbiß vorbereiten; ⁴*et.* in den Imbißkasten füllen / 짐을 다 쌌느냐 Hast du alles gepackt? / 싸 드릴까요 Darf ich es ein|packen?

싸다⁴ 《대·소변》 aus|scheiden*; ab|sondern (den Kot; Dreck; Auswurf; die Exkremente; Fäkalien; den Urin; Harn); 《옷 등에》 sein Kleid (durch Urin) schmutzig machen; den Urin unwillkürlich lassen*. ¶ 똥을 ~ Stuhlgang haben; kacken / 오줌을 ~ harnen; pinkeln; urinieren; Harn (Wasser) lassen*.

싸다니다 streifen; ziehen*; wandern; umher|-streifen; umher|gehen*; umher|wandern; umher|ziehen*; umher|schweifen. ¶ 하루 종일 ~ den ganzen Tag umher|streifen.

싸다듬이 das tolle (wütende; rasende) Schlagen, -s.

싸대다 ☞ 싸다니다.

싸데려가다 Der Bräutigam stellt die Mitgift (Aussteuer; Ausstattung) (bei der Heirat mit e-m armen Mädchen).

싸돌다 ☞ 싸고돌다.

싸라기 ① 《쌀의》 Bruchreis *m.* -es. ② =싸락눈.

싸락눈 Pulverschnee *m.* -s; der feinkörnige (pulv(e)rige) Schnee.

싸리 〖식물〗 Süßklee *m.* -s.

싸리말 ein aus Kleearten gemachtes Miniaturpferd, das man am 12. Tag e-r Pockenerkrankung in e-m Exorzismus benutzt, durch den der Pockengeist vertrieben werden soll. ¶ ~ 태우다 vertreiben*.

싸리버섯 〖식물〗 *Clavaria botrytis* (학명).

싸리비 Grasbesen *m.* -s, -.

싸리철 Barren *m.* -s, -; Stab *m.* -(e)s, ⸚e; Zain *m.* -(e)s, -e; Eisenbarren *m.* -s, -; Eisenstab *m.* -(e)s, ⸚e.

싸매다 (ein|)wickeln u. fest|machen.

싸우다 ① 《말다툼》 streiten* 《*mit*³ *über*⁴》; bestreiten*⁴ 《*mit*³》; zanken 《*mit*³ *über*⁴》; ⁴sich balgen 《*mit*³》; ⁴sich raufen. ¶ 싸우게 하다 streiten (zanken) lassen* / 법정에서 ~ dem Gericht übergeben*; den Rechtsweg betreten*; sein Recht suchen / 사소한 일로 아무와 ~ mit *jm.* über Kleinigkeiten streiten* / 그것은 싸울 여지가 없다 Darüber läßt sich nicht streiten. | Das läßt sich nicht bestreiten.

② 《전쟁》 kämpfen 《*mit*³》; Krieg führen 《*gegen*⁴》; e-e Schlacht liefern. ¶ 잘 ~ gut kämpfen / 필사적으로 ~ auf Tod u. Leben kämpfen / 싸우지 않고 이기다 ohne Blutvergießen siegen / 운명과 ~ mit dem Schicksal kämpfen / 끝까지 ~ bis zum letzten kämpfen / 아군은 고지를 점령하려고 적군과 싸웠다 Unsere Truppe kämpfte den Feind um die Höhe. / 영국은 프랑스에 가담해서 독일과 싸웠다 England kämpfte für Frankreich gegen Deutschland. / 조국의 자유를 위해서 ~ für die Freiheit des Vaterlandes kämpfen.

③ 《경기》 spielen; ein Kampfspiel machen; e-n Wettkampf ab|halten* (veranstalten); fechten* 《*mit*³》. ¶ 정정당당하게 ~ ehrlich spielen (kämpfen) / 승리를 걸고 ~ um den Sieg spielen (kämpfen).

④ 《극복함》 kämpfen; bestehen*; widerstehen*. ¶ 곤란과 ~ mit Schwierigkeiten kämpfen / 더위와 ~ die Hitze bestehen* / 유혹과 ~ der Verführung widerstehen*.

싸움 《말다툼》 Wortwechsel *m.* -s, -; Wortstreit *m.* -(e)s, -e; Zank *m.* -(e)s, ⸚e; Zänkerei *f.* -en (심한); 《난투》 Balgerei *f.* -en; Rauferei *f.* -en; 《불화》 Uneinigkeit *f.* -en; Zwist *m.* -(e)s, -e; Fehde *f.* -n; 《전투》 Kampf *m.* -(e)s, ⸚e; Schlacht *f.* -en; 《교전》 Krieg *m.* -(e)s, -e; Kriegsführung *f.* -en; 《격투》 Handgemenge *n.* -s, -; das Ringen*, -s; Zusammenstoß *m.* -es, ⸚e; Gefecht *n.* -(e)s, -e; 《논쟁》 Diskussion *f.* -en; Debatte *f.* -n; 《경쟁》 Wettbewerb *m.* -(e)s, -e; Konkurrenz *f.* -en. ~하다 =싸우다. ¶ 치열한 ~ die scharfe Konkurrenz, -en; der heiße (heftige) (Wett)kampf; die blutige Schlacht, -en / ~에 이기다 die Schlacht gewinnen*; den Sieg in der Schlacht gewinnen* / ~에 지다 die Schlacht verlieren* / ~을 걸다 e-e Schlacht an|bieten*; *jn.* zum Kampfe heraus|fordern; *jn.* zum Streit reizen / ~을 말리다 e-n Streit schlichten (bei|legen) / ~을 그만두다 mit e-r Schlacht (e-m Streit) auf|hören / ~이 시작되다 Ein Streit fängt an. / ~이 벌어지(게 되)다 Es kommt zu e-m Zank (Krach). / 그것이 원인이 되어 ~이 벌어졌다 Darum kam es zum Streit.

‖ ～꾼 Streit¦bold (Rauf-) *m.* -(e)s, -e. ～터 Schlachtfeld *n.* -(e)s, -e: ～터에 나가다 in die Schlacht gehen* [s]; zu Feld ziehen* [s]. ～판 Kriegsbühne *f.* -n: ～판이 벌어지다 Es kommt zum Streit. 부부～ Zank 《*m.* -(e)s, ⸗e》 e-s Liebes¦paars (Ehe-). 집안～ Familienzwist *m.* -es, -e.

싸이다 《둘러싸임》 umgeben (eingeschlossen; umgeschlossen) werden. ¶ 비밀(신비)에 싸여 있다 von e-m Geheimnis (Mysterium) umgeben sein / 구름(불길)에 싸여 in [4]Wolken (Flammen) gehüllt / 공포에 ～ mit Furcht erfüllt werden / 불길에 싸여 있다 in Flammen stehen*; vom Feuer (von den Flammen) eingeschlossen sein / 사방이 산으로 싸여 있다 auf allen Seiten von Bergen umgeben sein / 구경꾼에 둘러 싸이다 von Zuschauern umgeben werden.

싸잡다 zusammen|treiben*; zusammen|bringen*; umstellen.

싸잡히다 zusammengetrieben (zusammengebracht; umstellt) werden.

싸전(一廛) Reishandlung *f.* -en.
‖ ～장이 Reishändler *m.* -s, -.

싸하다 wie Pfefferminz schmecken; würzig; scharf; pikant; prickelnd (sein).

싹[1] ① 《싹눈》 Knospe *f.* -n; Auge *n.* -s, -n; 《어린 싹》 Sproß *m.* ..sses, ..sse; Sprößling *m.* -s, -e; 《새싹·배아》 Keim *m.* -(e)s, -e. ¶ 싹이 트다 Knospen (Sprossen) treiben*; (auf|)keimen [s]; auf|schießen* [s]; (hervor|)sprossen [s]; [4]sich entfalten; knospen; sprießen* [h,s] / 사랑의 싹 die keimende Liebe; das erste Erwachen der Liebe 《*zwischen*[3]》 / 나무의 싹이 텄다 Die Bäume haben Augen angesetzt. / 식물은 봄이 되면 새 싹이 튼다 Die Pflanze treibt im Frühling neue Knospen. / 범죄의 싹은 일찌기 잘라버려야 한다 Das Verbrechen muß man im Keim ersticken. ② ☞ 싹수.

싹[2] ① 《완전히》 ganz; gänzlich; durchaus; völlig; vollkommen. ¶ 태도가 싹 달라지다 e-e völlig veränderte Haltung an|nehmen* 《*gegen*[4]》 / 사람이 싹 달라졌다 Er ist vollkommen anders geworden.¦Er hat sich völlig verändert.
② 《단번에》 plötzlich; auf einmal; mit eins; mit e-m Male; im Handumdrehen. ¶ 그는 싹 사라졌다 Er war plötzlich nicht mehr da. / 싹 마셔 버리다 auf e-n Zug aus|trinken*.

싹독 mit e-m Schlag. ¶ ～ 잘라내다 mit e-m Schlag ab|schneiden*[4].

싹독싹독 schnipp! schnapp! ¶ 야채를 ～ 썰다 das Gemüse schnipp! schnapp! zerschneiden*.

싹독싹독하다 《글이》 unterbrochen; unzusammenhängend; zusammenhanglos (sein).

싹수 Omen *n.* -s, ..mina; Zeichen *n.* -s, -; Hoffnung *f.* -en. ¶ ～가 노랗다 《틀렸다》 es nicht weit bringen*; nicht viel versprechen*; nicht in Erfüllung gehen* [s]; auf k-n grünen Zweig kommen* [s]; nichts erreichen / ～가 있다(없다) ein (kein) Zeichen[2] 《*von*[3]》 sein / 풍년의 ～가 보인다 ein Vorzeichen e-r guten Ernte sein.

싹싹[1] 《빌다》 flehentlich; flehend. ¶ 가지 말라고 ～ 빌다 *jn.* dringend bitten* nicht zu gehen / 그녀는 그에게 도와 달라고 (울면서) ～ 빌었다 Sie flehte ihm weinend um Hilfe an. / 그는 나에게 용서해 달라고 ～ 빌었다 Er hat mich flehentlich um Verzeihung gebeten.

싹싹[2] ① 《베다》 mit scharfem Hieb. ¶ ～ 베다 mit scharfem Hieb ab|schneiden* (ab|hauen*). ② 《쓸다》 sauber fegen (kehren). ¶ 적군을 싸움터에서 ～ 쓸어버리다 alle Feinde aus dem Feld fegen.

싹싹하다 aufmerksam; dienstwillig; 《사근사근하다》 zuvorkommend (sein).

싹트다 《싹눈이》 sprossen [s,h]; sprießen* [s,h]; neue Sprosse(n) (neue Sprößlinge) treiben*. ¶ 꽃봉오리가 ～ Knospen sprießen hervor. / 그들 사이에는 사랑이 싹트기 시작했다 Zwischen ihnen begann die Liebe zu keimen.

싼값 billiger Preis, -es, -e. ¶ ～으로 물건을 사다 die Waren zu billigem Preis kaufen / 그는 자기 집을 ～으로 팔았다 Er hat sein Haus unter (dem) Preis verkauft.

싼거리 billiger Einkauf, -(e)s, ⸗e; Gelegenheitskauf *m.* -(e)s, ⸗e. ¶ ～를 사다 billige Einkäufe machen.

싼흥정 Kauf (Verkauf) zu billigem Preis. ¶ ～으로 사다 zu billigem Preis kaufen / ～으로 팔다 mit Verlust verkaufen; zu billig verkaufen.

쌀 Reis *m.* -es, -e 〖*pl.*은 품질을 나타낼 때〗. ¶ 쌀밥 der gekochte Reis / 쌀알 Reiskorn *n.* -(e)s, ⸗er / 쌀수확 Reisernte *f.* -n / 쌀가루 Reismehl *n.* -(e)s, -e / 쌀벌레 Reiswurm *m.* -(e)s, ⸗er / 쌀소동 Reisaufstand *m.* -(e)s, ⸗e / 쌀 고장 Reisproduktionsort *m.* -(e)s, -e / 쌀 생산비 die Kosten 《*pl.*》 der Reisproduktion / 쌀시세 Reispreis *m.* -es, -e / 쌀을 쓿다 Reis putzen (reinigen) / 쌀을 씻다 Reis waschen* / 쌀을 안치다 vor|bereiten, Reis zu kochen / 쌀밥을 짓다 Reis kochen / 쌀값이 오르다 (내리다) Der Reispreis steigt (fällt).

쌀가게 Reisladen *m.* -s, ⸗.

쌀가루 Reismehl *n.* -(e)s.

쌀가마(니) Reissack *m.* -(e)s, ⸗e.

쌀강- ☞ 설겅-.

쌀강아지 ein kurzhaariger, junger Hund, -(e)s, -e.

쌀개[1] 《방아의》 der Hauptdrehpunkt der Mühle.

쌀개[2] ein kurzhaariger Hund, -(e)s, -e.

쌀겨 (Reis)kleie *f.* -n; Kleienmehl *n.* -(e)s.

쌀고치 ein feiner, weißer Kokon, -s, -s.

쌀광 Reisvorratskammer *f.* -n; Reislager *n.* -s.

쌀궤(一櫃) Reislade *f.* -n.

쌀깃 ein Bauchschutz für ein neugeborenes Kind.

쌀농사(一農事) 《재배》 die Kultivierung (der Anbau) des Reises; 《수확》 die Reisernte *f.* -n. ¶ ～가 잘(잘 안) 되다 die Reisernte wird gut (schlecht).

쌀누룩 Reismalz *n.* -es.

쌀눈 Reiskeimling *m.* -s, -e.

쌀되 das Hohlmaß für Reis (ca. 1.8 Liter).

쌀뜨물 Reiswasser *n.* -s; Wasser, mit dem Reis gewaschen wurde.

쌀랑거리다 ☞ 살랑거리다.

쌀랑쌀랑 ☞ 살랑살랑.

쌀밥 gekochter Reis, -es.

쌀벌레 Reiswurm *m.* -(e)s, ⸗er.

쌀보리 Roggen *m.* -s, -.

쌀부대(一負袋) Reissack *m.* -(e)s, ⸗e.

쌀쌀[1] ☞ 살살[2].

쌀쌀[2] 《복통》 mit leichten Magenschmerzen. ～하다[1] schmerzen; weh tun*. ¶ 배가 ～하다 leichte Magenschmerzen haben.

쌀쌀하다[2] ① 《날씨가》 kühl; 《춥다》 kalt

(sein). ¶ 쌀쌀한 날씨 kaltes Wetter, -s, - / 날로 쌀쌀해진다 Es wird Tag für Tag kälter. / 오늘 아침은 아주 ~ Es ist heute morgen sehr kalt.
② 《사람이》 kalt; gefühllos; 《냉정》 kühl; kalt; gelassen (sein). ¶ 쌀쌀한 사람 der kalte Mensch, -en, -en / 쌀쌀한 태도 die kalte Haltung, -en / 쌀쌀하게 kalt; gleichgültig; unfreundlich; schroff; barsch / 쌀쌀하게 대하다 *jm.* die kalte Schulter zeigen; *jn.* verächtlich behandeln; *jn.* abblitzen lassen* / 쌀쌀하게 대답했다 Er hat mir kalte Antwort gegeben. / 그녀는 ~ Sie ist kaltblütig. / 나의 요구를 쌀쌀하게 거절했다 Er hat mir e-e Forderung abgeschlagen.

쌀알 Reiskorn *n.* -(e)s, ⸚er.

쌀장사 Reishandel *m.* -s.

쌀장수 Reishändler *m.* -s, -.

쌀책박 aus Zweigen gemachter (geflochtener) Reisbehälter.

쌀풀 der aus Reismehl gemachte Kleister (Klebstoff) -s, -.

쌈[1] ① 《음식》 der in Blättern des Lattichs od. Seetangs gewickelte Reis. ¶ 상치쌈 der in Lattich gewickelte Reis. ② 《바늘 등의》 Büchse *f.* -n; Packung *f.* -en; Pack *n.* -(e)s, -e (⸚e); Bündel *n.* -s, -. ¶ 바늘쌈 Nadelbüchse *f.* -n.

쌈[2] ☞ 싸움.

쌈노 Seil 《*n.* -s, -e》 zum Zusammenbinden von Holzstücken.

쌈지 Tabaksbeutel *m.* -s, -.

쌈질 Gefecht *n.* -(e)s, -e; Kampf *m.* -(e)s, ⸚e; Streit *m.* -(e)s, -e; Schlägerei *f.* -en. ~하다 kämpfen; fechten*; [4]sich schlagen*; [4]sich streiten*.

쌉쌀하다 ein bißchen bitter (sein); bitter schmecken. ¶ 쌉쌀한 포도주 trockener Wein, -(e)s, -e.

쌍(雙) ein Paar, -(e)s. ¶ 한 쌍씩 paarweise / 한 쌍의 꿩 ein Paar Fasane(n) / 한 쌍의 젊은 부부 ein junges Ehepaar, -(e)s, -e / 어울리는 한 쌍 ein schönes Paar.

쌍가마(雙—) der Doppelwirbel 《-s, -》 des Haares auf dem Scheitel.

쌍가마(雙駕馬) die von zwei Pferden getragene Sänfte, -n.

쌍가지소켓(雙—) Doppelhülse *f.* -n.

쌍갈(雙—) 〖건축〗 Karniesgesims *n.* -es, -e.

쌍갈랫길(雙—) Querstraße *f.* -n; Kreuzweg *m.* -(e)s, -e; Wegkreuzung *f.* -en; Straßenkreuzung *f.* -en.

쌍갈지다(雙—) [4]sich in zwei Teile spalten (trennen; entzweien). ¶ 쌍갈진 가지 Astgabel (Zweig-) *f.* -n.

쌍견(雙肩) beide Schultern; *js.* Schultern. ¶ ~에 달려 있다 von *jm.* abhängig sein / ~에 짊어지다 auf s-e Schultern nehmen*[4] / 국가의 운명을 ~에 짊어지다 das staatliche Schicksal auf s-e Schultern nehmen* / 한국의 장래는 제군의 ~에 달려 있다 Die koreanische Zukunft ist von euch abhängig.

쌍겹눈(雙—) das Auge 《-s, -n》 mit doppeltem Lid.

쌍고치(雙—) Doppelkokon [..kokɔ̃:] *m.* -s, -s.
‖ ~실 die Seide 《-n》 von Doppelkokon.

쌍곡선(雙曲線) Hyperbel *f.* -n.
‖ ~공간 Hyperbelraum *m.* -(e)s, ⸚e.

쌍구균(雙球菌) Diplokokkus *m.* -, ..kokken.

쌍그렇다 kalt u. verlassen aus|sehen*. ¶ 그는 쌍그렇게 옷을 입었다 Er ist für das Wetter zu dünn angezogen. / 나무들이 잎이 떨어져서 쌍그렇게 보인다 Die Blätter sind abgefallen, die Bäume sehen kahl aus.

쌍극(雙極) ‖ ~안테나 Dipolantenne *f.* -n.

쌍글- ☞ 상글-.

쌍긋- ☞ 상긋-.

쌍꺼풀(雙—) das gerillte Augenlid, -(e)s, -er. ¶ ~ 지다 ein gerilltes Augenlid haben.

쌍날(雙—) Doppel¦klinge (-schneide) *f.* -n. ¶ ~의 zweischneidig / ~의 칼 das zweischneidige Messer, -s, -.

쌍동기(雙胴機) 《동체(胴體)가 둘인》 Doppelrumpfflugzeug *n.* -(e) s, -e.

쌍동이(雙童—) die Zwillinge 《*pl.*》; 〔단수일 때는 그 중의 하나〕 Zwillings¦bruder *m.* -s, ⸚er (-schwester *f.* -n). ¶ ~를 낳다 Zwillinge gebären* / 그들은 ~다 Sie sind Zwillinge.
‖ ~자리 〖천문〗 die Zwillinge 《*pl.*》. 네~ Vierling *m.* -s, -e. 세~ Drilling *m.*

쌍두(雙頭) ¶ ~의 doppelköpfig / ~의 뱀 die doppelköpfige Schlange, -n.
‖ ~마차 Zweigespann *n.* -(e)s, -e; Zweispänner *m.* -s, -.

쌍떡잎(雙—) 〖형용사적〗 zweikeimblättrig; dikotyledonisch. ‖ ~식물 die Dikotyledonen 《이하 *pl.*》; die Dikotylen; die zweikeimblättrigen Pflanzen.

쌍륙(雙六) Puffspiel *n.* -(e)s, -e. ¶ ~ 놀이하다 Puff spielen.

쌍말 ☞ 상말(常—).

쌍맹이(雙—) Vorschlaghammer *m.* -s, ⸚; Schmiedehammer *m.*

쌍무계약(雙務契約) der beider¦seitige (gegen-) Vertrag, -(e)s, ⸚e.

쌍무지개(雙—) Doppelregenbogen *m.* -s, - (⸚). ⌈-s, -.

쌍바라지(雙—) ein französisches Fenster,

쌍반점(雙半點) Semikolon *n.* -s, -s (..la).

쌍발(雙發) 《엔진의》 zwei Motoren 《*pl.*》; 《총의》 Doppellauf *m.* -(e)s, ⸚e. ¶ ~의 zweimotorig; doppelläufig.
‖ ~(비행)기 Zweimotorenflugzeug *n.* -(e)s, -e; ein zweimotoriges Flugzeug, -(e)s, -e. ~총 die doppelläufige Flinte, -n.

쌍방(雙方) die beiden Seiten (Parteien) 《*pl.*》. ¶ ~의 beide; beiderseitig / ~의 이익 der Vorteil 《-(e)s, -e》 der beiden Seiten / ~의 요구 die Forderungen 《*pl.*》 der beiden Seiten / ~을 위해서 zum Besten beider Seiten / ~의 합의에 따라 auf [3]Grund des beiderseitigen Einverständnisses / ~의 말을 다 듣다 beide Parteien hören / ~이 모두 나쁘다 Sie sind beide zu verwerfen. / ~이 모두 양보하려 하지 않는다 K-e von beiden Parteien gibt nach. / ~이 다 불행하다 Niemand (von ihnen) ist glücklich.¦Beide sind unglücklich. / ~을 다 모른다 Ich kenne k-n von beiden.

쌍벽(雙璧) die beiden Autoritäten 《*pl.*》; zwei unvergleichliche Sterne 《*pl.*》. ¶ 한국 시단의 ~ zwei große Dichter in Korea.

쌍봉낙타(雙峰駱駝) zweihöckeriges Kamel, -(e)s, -e. ⌈-(e)s, ⸚er.

쌍분(雙墳) Doppelgrab (Zwillingsgrab) *n.*

쌍생아(雙生兒) ＝ 쌍동이.
‖ 1란성~ die eineiigen Zwillinge 《*pl.*》.

쌍성화(雙星火) ① 《양난》 Ärger 《*m.* -s》 auf alle Seiten; Entrüstung *f.* -en 《über [4]*et.*》. ② 《겹침》 doppelte (verdoppelte) Bemühung, -en (Sorge, -n; Beschwerde, -n; Mühe, -n; Unannehmlichkeit, -en; Schwierigkeit, -en).

쌍수(雙手) die beiden Hände 《*pl.*》. ¶ ~로 (를 들어) 찬성하다 von Herzen gern „Ja!" sagen; ohne weiteres zu|stimmen³ (bei|stimmen³) / 이 제안에 우리는 ~로 찬성했다 Dieser Vorschlag hat unseren vollen Beifall gefunden.

쌍스럽다 ☞ 상스럽다.

쌍시류(雙翅類) 〖곤충〗 die Dipteren 《*pl.*》; die Zweiflügler 《*pl.*》.

쌍심지(雙—) Doppeldocht *m.* -(e)s, -e. ¶ 눈에 ~를 켜고 (vor Wut) mit funkelnden Augen / ~ 나다 in *js.* Augen Funken haben / 눈에 ~를 켜다 mit funkelnden Augen starren.

쌍십절(雙十節) Doppelzehn-Fest *n.* -s (am 10. 10. nach dem Mondkalender).

쌍쌍이(雙雙—) paarweise zu zweien; zu (in; bei) Paaren. ¶ 대학생들이 숲에서 ~ 산책한다 Im Wald gehen die Studenten paarweise spazieren.

쌍안(雙眼) zwei (beide) Augen 《*pl.*》. ¶ ~의 binokular.

‖ ~경 Doppelfernrohr *n.* -(e)s, -e; Feldstecher *m.* -s, - (야외용); Opern¦glas *n.* -es, ⸚er (〖속어〗 -gucker *m.* -s, -) (극장용): ~경으로 보다 durch den Feldstecher schauen. **~망원경** Doppelfernglas *n.* -(e)s, ⸚er. **~사진기** Streokamera *f.* -s. **~현미경** Doppelmikroskop *n.* -s, -e.

쌍알(雙—) das Ei 《-(e)s, -er》 mit zwei Dottern.

쌍어궁(雙魚宮) =물고기자리.

쌍열박이(雙—) Doppel(lauf)flinte *f.* -n; Doppelbüchse *f.* -n.

쌍자엽(雙子葉) =쌍떡잎(雙—).

쌍장부(雙—) Zwillingszapfen *m.* -s, -. ¶ ~끌 e-e Art Meißel mit zwei Klingen.

쌍전하다(雙全—) beides ist vollkommen; in jeder Hinsicht vollkommen (sein).

쌍정(雙晶) Zwillingskristall *m.* -s, -e.

쌍제(雙蹄) der gespaltene Huf, -(e)s, -e. ¶ ~의 zweihufig.

‖ **~수(獸)** Zweihufer *m.* -s, -; das Tier 《-(e)s, -e》 mit gespaltenem Huf.

쌍지팡이(雙—) (ein Paar) Krücken 《*pl.*》.

쌍촉(雙鏃) Die Enden des Zwillingszapfens.

쌍칼잡이(雙—) der zwei Schwerter (Degen; Säbel) führende Fechter, -s, - (검객).

쌍코(雙—) e-e mit zwei Streifen gezierte Schuhspitze, -n.

쌍태(雙胎) Zwillingsfötus *m.* -ses, -se. ¶ ~낳은 호랑이 하루살이 하나 먹은 셈 „als ob ein Tiger, der zwei Junge geworfen hat, e-e Eintagesfliege gefressen hätte" (=das Essen reicht nicht um satt zu werden).

쌍해사전(雙解辭典) zweisprachiges Wörterbuch, -(e)s, ⸚er.

쌍홍장 Küchenschrank *m.* -(e)s, ⸚e.

쌓다 ① 《포개다》 an|häufen⁴; auf|häufen⁴; auf|schichten⁴; an|häufeln⁴; aufeinander|setzen. ¶ 쌓아 올리다 auf|häufen; auf|schichten; auf|türmen / 책상에 책을 ~ Bücher auf den Tisch auf|häufen / 벽돌을 ~ Ziegel auf|schichten / 장작을 산(山)같이 ~ Brennholz bergehoch auf|schichten.

② 《구축》 bauen; bilden; errichten. ¶ 담을 ~ e-n Zaun (e-e Mauer) errichten (auf|führen) / 탑을 ~ e-n Turm errichten (bauen) / 토대를 ~ Grund legen / 견고한 성을 ~ (³sich) ein festes Schloß bauen / 제방을~ e-n Damm (e-n Deich; e-e Talsperre) auf|führen.

③ 《축적》 an|häufen; (an|)sammeln; auf|speichern; zurück|legen. ¶ 경험을 ~ Erfahrungen sammeln; genügend Erfahrungen machen 《*mit*³》 / 연습을 ~ immer wieder üben; die Übung (das Training [trɛ:niŋ]) wiederholen / 부를 ~ Millionen an|sammeln / 덕을 ~ nach der Tugend streben / 학식을~ ³sich Kenntnisse erwerben* / 그런 일은 경험을 쌓아야만 할 수 있다 Das kann man erst, wenn man genügend Erfahrungen gesammelt hat.

쌓이다 ⁴sich (an|)häufen; ⁴sich auf|häufen (-|schichten; -|stapeln; -|türmen); ⁴sich akkumulieren; ⁴sich stauen. ¶ 쌓여서 aufgehäuft (-geschichtet; -gestapelt; -getürmt) / 겹겹이 쌓여 있다 aufeinander (übereinander) liegen*; aufgestapelt (aufgeschichtet) sein / 쌓이고 쌓인 분노 der verhaltene Zorn, -(e)s / 빚이 쌓인다 Die Schulden häufen sich an. / 이 눈은 쌓이겠는걸 Dieser Schnee wird liegen bleiben. / 눈이 1 미터나 쌓여 있다 Der Schnee liegt e-n Meter hoch. / 할 일이 태산같이 쌓여 있다 Ich habe viel zu tun. / 상 위에 접시가 쌓여 있다 Auf dem Tisch sind die Teller aufgeschichtet. / 울분이 (분노가) 오랫동안 그의 마음 속에 쌓여 있었다 Der Ärger (Die Wut) hat sich lange Zeit in ihm gestaut.

쌔근- ☞ 새근-.

쌔다 ① ☞ 싸이다. ② ☞ 쌓이다.

쌔비다 《훔치다》 stehlen*.

쌕쌕- ☞ 색색-.

쌕쌕이 Düsenflugzeug *n.* -(e)s, -e; Düsenjäger *m.* -s, -.

쌜기죽- ☞ 실기죽-.

쌜룩- ☞ 실룩-.

쌨다 reichlich; im Überfluß vorhanden; reich; übergenug; genugsam; alltäglich; gewöhnlich (sein). ¶ 그런 물건은 쌔고 ~ Sie können solche Waren überall finden.

쌩 ☞ 씽.

쌩쌩날다 huschen; flitzen; hin- u. her|flattern.

쌩이질 die plötzliche (unerwartete; unvorhergesehene) Störung (Behinderung; Unterbrechung) -en; das unerwartete Hindernis, -ses, -se.

써걱거리다 ☞ 사각거리다.

써넣다 schreiben*⁴《*in*⁴》; auf|zeichnen⁴; auf|schreiben*⁴; an|merken⁴ 《*in*⁴》; notieren⁴; (e-e) Notiz machen 《*von*³》; (schriftlich) fest|halten*⁴; nieder|legen⁴ (-|schreiben*⁴); ein|tragen*⁴; verzeichnen⁴; zu Papier bringen*⁴.

써늘하다 ☞ 서늘하다.

써내다 schreiben* u. aus|geben*; vor|legen; vor|bringen*.

써다 verebben; 《감수》 ⁴sich senken; sinken*; ab|sacken.

써레 Egge *f.* -n. ¶ ~질하다 eggen⁴.

‖ 써렛날 Zinke *f.* -n.

써리다 〖농업〗 eggen⁴. ¶ 밭을 ~ das Feld eggen.

써먹다 aus|nützen⁴; ³sich zu Nutze (zunutze) machen⁴; s-n Vorteil ziehen* 《*aus*³》. ¶ 여러 가지로 써먹을 수 있다 für verschiedene Zwecke verwendbar sein / 써먹을 데가 없다 Das ist gar nicht zu gebrauchen. / 써먹을 데가 많다 Er ist sehr verwendbar. ¦ Er ist gut zu gebrauchen (verwenden*). / 다른 데는 써먹을 수 없다 Zu etwas anderem taugt er gar nicht.

썩¹ ① 《즉시》 sofort; sogleich. ¶ 썩 물러나지 못해 Gleich weg mit dir!
② 《매우》 sehr; gar; bedeutend; höchst; sehr viel; gar sehr; ungemein. ¶ 썩 좋은 기회 e-e sehr glückliche Gelegenheit, -en / 노래를 썩 잘 부른다 Er singt sehr gut.

썩² ☞ 싹².

썩다 ① 《부패》 faulen; verfaulen; faul werden; verderben*; schlecht werden (계란, 과일, 목재 따위가); verwesen (시체가); sauber werden (우유가); verrosten (쇠가); vermodern (곰팡이로). ¶ 썩은 verdorben; verfault; faul; schlecht; ranzig (버터가); geronnen (우유가); verwest (시체가); moderhaft; stockig (곰팡난) / 썩기 쉬운 leicht verderblich (verderbend) / 썩은 이빨 der verdorbene Zahn, -(e)s, ⸗e / 썩은 과일 die verfaulte Frucht, ⸗e / 썩은 달걀 die faulen Eier 《*pl.*》 / 속속들이 ~ bis aufs Mark faul (verdorben) sein / 우유가 ~ Die Milch wird sauer. / 생선이 ~ Der Fisch wird faul. / 기둥이 썩어간다 Der Pfosten geht in Fäulnis über. / 그 정부는 썩었다 Die Regierung ist korrupt. / 감자는 습기로부터 보호하지 않으면 썩어 버린다 Wenn die Kartoffeln nicht vor Feuchtigkeit geschützt werden, verfaulen sie völlig.
② 《활용 안 됨》 nicht gebraucht werden; staubig werden. ¶ 그 학교에서 그의 음악적 재주는 썩고 있다 In der Schule ist s-e musikalische Fähigkeit noch nicht bewiesen. / 도서관에서 책이 썩는다 Die Bücher in der Bibliothek 《-en》 werden staubig. / 나는 졸병으로 썩고 싶지는 않다 Ich will mein Leben nicht als ein gemeiner Soldat schließen.
③ 《마음이》 verzagt (entmutigt) werden. ¶ 못된 아들로 어머니의 속이 썩는다 Wegen ihres bösen Sohnes wird die Mutter entmutigt. / 그는 근성이 썩은 녀석이다 Er ist ein sittlich verkommenes Subjekt.

썩둑- ☞ 싹독-.

썩썩 ☞ 싹싹.

썩어빠지다 〔ganz, völlig, vollkommen 이 수식〕 (ver)faulen; verwesen; (ver)modern; verkommen*; verrotten.

썩은새 verfaultes (vermodertes) Dachstroh, -(e)s, -e.

썩이다 ① 《부패》 verderben (faulen) lassen*; beizen⁴; verrosten lassen* (쇠를). ¶ 우유를 ~ Milch faulen lassen*.
② 《안쓰다》 nicht praktisch (nützlich) an|-wenden; staubig werden lassen*. ¶ 돈을 ~ Geld nicht nützlich (vorteilhaft) an|-wenden*⁴ / 책을 ~ die Bücher staubig werden lassen* / 학식을 ~ sein Wissen nicht praktisch an|wenden*⁴.
③ 《마음을》 quälen⁴; peinigen⁴; foltern⁴; plagen⁴; betrüben⁴; belästigen⁴. ¶ 골치를 ~ ³sich den Kopf zerbrechen* 《*mit*³》 / 속을 ~ ³sich zu ³Herzen nehmen*⁴; ³sich Sorgen machen 《*um*⁴; *über*⁴》; ernstlich besorgt sein* 《*um*⁴》; angestrengt nach|denken* / 아들이 어머니의 속을 썩였다 Der Sohn hat s-e Mutter betrübt. / 그 일로 매우 속을 썩이고 있다 Das liegt mir schwer auf dem Herzen. / 그는 가정불화로 속을 썩이고 있다 Er leidet unter dem Familienzwist. / 이 문제로 골치를 썩이고 있다 Dieses Problem strengt m-n Verstand (Geist) an.

썩정이 etwas Verfaultes* (Vermodertes*).

썩초(一草) schlechter u. schwarzer Tabak, ⌊-(e)s, -e.

썰겅- ☞ 설겅-.

썰다 schneiden*⁴; hacken⁴; ab|schneiden*⁴ (vor-). ¶ 잘게 ~ zerhacken⁴; zerstückeln⁴; zerschneiden*⁴; fein (klein) schneiden*⁴ (hacken⁴); 《고기 따위를》 schaben⁴ / 얇게 ~ dünn schneiden*⁴ / 둥글게 ~ ⁴*et.* in Scheiben schneiden*⁴ / 오이를 ~ die Gurke 《-n》 schneiden*⁴ / 담배를 ~ Tabak schneiden*⁴ / 그는 고기를 큼직큼직하게 썰었다 Er hat das Fleisch dick geschnitten.

썰렁- ☞ 설렁-.

썰레놓다 e-e unlösbare Aufgabe lösen können*; e-e schwere Arbeit schaffen (vollenden).

썰매 (kleiner) Schlitten, -s, -; Rodelschlitten; Bob(sleigh) *m.* -s, -s; Rennschlitten (경기용). ¶ ~를 타다 Schlitten fahren* / ~놀이(타기) das Schlittenfahren*, -s.

썰물 Ebbe *f.* -n. ¶ ~을 타고 mit der Ebbe / 지금은 ~이다 Es ebbt ab. | Das (Meer-)wasser fällt. / 오늘의 ~ 시각은 5시다 Heute ebbt es um 5 Uhr ab.

썰썰 ☞ 설설².

썰썰하다 Hunger haben; ⁴sich hungrig fühlen. ¶ 썰썰한 표정을 짓다 ein hungriges Gesicht machen.

썸벅 《짜름》 mit e-m Schlag; mit (in) e-m Strich; leicht; mühelos; ohne Schwierigkeit. ¶ 무우를 ~ 베다 Rettiche in dünne Scheiben zerschneiden*.

쏘가리 〖어류〗 Mandarinfisch *m.* -es, -e; *Siniperca scherzeri* (학명).

쏘개질 Schwatz *m.* -es, -e; Schwätzerei *f.* -en; Plauderei *f.* -en. ~하다 schwatzen; plaudern; klatschen.

쏘곤- ☞ 수군-.

쏘다 ① 《벌레 따위가》 stechen*⁴; beißen*⁴; 《맛이》 ätzend (beißend; stechend) sein. ¶ 혀를 ~ auf der Zunge beißen* (brennen*) / 쏘는 맛이 있다 Es schmeckt pikant.
② 《총포·화살 따위를》 feuern 《*auf*⁴》; schießen*⁴ 《*auf*⁴》; ab|schießen*⁴. ¶ 공포를 (실탄을) ~ blind (scharf) feuern (schießen*) / 활을 ~ e-n Pfeil ab|schießen* (vom Bogen) / 한방 ~ e-n Schuß ab|geben* (ab|-feuern; tun*) / 총을 (대포를) ~ ein Gewehr 《*n.* -(e)s, -e》 (e-e Kanone) (ab|)feuern / 활로 새를 ~ e-n Vogel mit dem Bogen schießen* / 과녁을 ~ nach e-r Scheibe schießen* / 쏘아 맞히다 das Ziel treffen* / 쏘기 시작하다 Feuer eröffnen / 마구 쏘아대다 d(a)rauflos schießen* / 새를 쏘아 떨어뜨리다 e-n Vogel ab|schießen* / 쏘아 죽이다 erschießen* 《*jn.*》; tot|schießen* 《*jn.*》; durch e-n Schuß töten 《*jn.*》 / 심장을 ~ *jm.* die Kugel ins Herz schießen*.
③ 《말로》 abfällig kritisieren; bitterlich attackieren; kritisch kommentieren.
④ 《쑤시다》 schmerzen; stechen*; puckern. ¶ 이가 쏜다 Es puckert in dem Zahn.

쏘다니다 ⁴sich umher|treiben*; umher|streifen (-|wandern) Ⓢ; herum|lungern [h,s]; strolchen Ⓢ; stromern; vagabundieren; zigeunern. ¶ 일 자리를 구하러 ~ umher|treiben*, um e-e Arbeit (Stelle) zu suchen / 쏘다니지 말라 Treib' nicht so herum!

쏘대다 ☞ 쏘다니다.

쏘삭거리다 an|reizen; an|stacheln; an|treiben*; an|spornen; auf|hetzen; auf|reizen;

verursachen; herbei|führen; überreden; tüchtig um|rühren; an|regen; erregen; auf|regen; auf|rütteln; auf|muntern. ¶ 아무에게 무엇을 하라고 ~ *jn.* an|stacheln, etwas zu tun / 아무를 쏘삭거려서 싸우게 하다 e-n Streit anregen, *jn.* zum Kämpfen auf|hetzen.

쏘삭쏘삭 an|regend (auf-); aufrührerisch.

쏘시개 ☞ 불쏘시개.

쏘아보다 an|starren⁴; hin|starren 《*auf*⁴》; (mit unverwandten Augen) scharf an|-sehen*⁴; 《노려보다》 e-n drohenden Blick zu|werfen*³; durchbohrend an|blicken⁴. ¶ 무섭게 ~ e-n bösen (heimtückischen; grausamen) Blick zu|werfen*³; drohend an|starren⁴ / 똑바로 ~ starr an|sehen*; fixieren⁴ / 그 사람은 홧김에 쏘아보았다 Er blickte zornig.

쏘아올리다 《하늘에》 auf|schießen*; hoch|-schießen*; in die Höhe schießen*; hin-auf|schicken; sich auf|machen; schleu-dern. ¶ 불꽃을 ~ ein Feuerwerk veran-stalten / 인공 위성을 우주로 ~ e-n künst-lichen Satelliten (Trabanten) in den Welt-raum schießen*.

쏘이다 gestochen werden. ¶ 팔을 ~ in den Arm gestochen werden 《*von*³》 / 나는 벌에 쏘였다 Ich bin von e-r Biene gestochen worden.

쏙 ☞ 쑥³.

쏙닥- ☞ 숙덕-.

쏙독새 〖조류〗 koreanischer Ziegenmelker, -s, -; *Caprimulgus indicus jotaka* (학명).

쏙소그레하다 alle von ausreichender (ziem-licher) Größe sein. ¶ 달걀들이 ~ Die Eier sind alle ziemlich groß.

쏙쏙 ☞ 쑥쑥.

쏜살 der geschossene Pfeil. ¶ ~같다 pfeil-geschwind sein; geschwind wie ein Pfeil sein / ~같이 달리다 wie eine geschossene Kugel laufen* / 그는 방 밖으로 ~같이 뛰어나갔다 Er ist wie der Blitz aus dem Zim-mer gelaufen.

쏟다 ① 《붓다》 gießen*⁴; ein|gießen*⁴ 《*in*⁴》; ein|flößen 《*in*⁴》; aus|gießen*⁴ (-|schütten⁴); ab|lassen*⁴; 《돈을》 an|legen⁴; stecken⁴ 《*in*⁴》. ¶ 항아리에 물을 ~ Wasser in e-n Krug gießen* / 설겆이 물을 쏟아 버리다 Waschwasser aus|schütten / 쌀을 자루에 쏟아 넣다 Reis in e-n Sack ein|gießen* / 그는 이 사업에 많은 돈을 쏟아 넣었다 Er hat viel Geld in dieses Unternehmen ge-steckt.

② 《집중》 ¶ 마음을 ~ ⁴sich widmen³ (⁴hin|-geben³) / 눈길을 ~ s-e Aufmerksamkeit richten 《*auf*⁴》; s-e Augen wenden* 《*auf*⁴》 / 어떤 일에 심혈(전력)을 ~ ⁴sich e-r Sache ganz (mit voller Seele) widmen.

쏟뜨리다 verschütten; vergießen*; über|flie-ßen*. ¶ 우유를 온통 상위에 ~ vergießen* (verschütten) die ganze Milch auf den Tisch. / 그녀는 술잔을 한 방울도 쏟뜨리지 않고 따랐다 Sie schenkte den Wein aus, ohne einen Tropfen zu verschütten.

쏟아지다 《피·물 따위가》 über|fließen*Ⓢ; her-unter|fallen*Ⓢ; heraus|laufen*Ⓢ. ¶ 쏟아지는 비를 무릅쓰고 trotz des heftigen (star-ken) Regens / 비가 쏟아진다 Es regnet heftig (stark).¦Es gießt.¦Der Regen strömt unablässig. / 눈이 (펑펑) 쏟아진다 Es schneit tüchtig (in dicken Flocken). / 선물이 쏟아져 들어왔다 Viele Geschenke ergossen sich von allen Seiten. / 그녀의 눈에서 눈물이 쏟아져 흘렀다 Die Augen lie-fen (gingen) ihr über. / 상처에서 피가 쏟아져 나왔다 Das Blut vergoß (strömte) von der Wunde. / 창문으로 달빛이 쏟아져 들어왔다 Das Mondlicht fiel durch ein Fen-ster ins Zimmer.

쏠 ein kleiner Wasserfall, -(e)s, ⸗e.

쏠다 nagen⁽⁴⁾ 《*an*³》; benagen⁴; knabbern 《*an*³》. ¶ 빗줄을 쏠아 끊다 ein Seil durch|-nagen / 벽을 쏠아 구멍을 내다 ein Loch durch die Wand nagen / 쥐가 문을 ~ die Maus nagt an der Tür / 쥐가 상보를 쏠아 구멍을 냈다 Die Ratte hat ein Loch durch die Tischdecke genagt.

쏠리다 (⁴sich) lehnen 《*an*⁴; *gegen*⁴》; ⁴sich stützen 《*auf*⁴》; ⁴sich neigen; ⁴sich richten 《*auf*⁴》; hin|neigen (geneigt sein) 《*zu*³》. ¶ 저울이 이쪽으로 ~ Die Waage neigt sich nach dieser Seite. / 그의 마음은 항상 화해쪽으로 쏠려 있다 Er ist immer zur Versöh-nung geneigt. / 모든 눈길이 내게로 쏠렸다 Alle Augen waren auf mich gerichtet.

쏠쏠하다 ☞ 쏠쏠하다.

쏭당쏭당 ☞ 송당송당.

쏴 ☞ 솨.

쐐기¹ 《틈새에 박는》 Keil *m.* -s, -e; Lünse *f.* -n (차륜의). ¶ ~꼴 (모양)의 keilförmig / ~꼴의 홍옛돌 〖건축〗 Keilstein *m.* -(e)s, -e / ~를 박다 keilen; e-n Keil ein|setzen (hinein|treiben*) 《*in*⁴》.

‖ ~문자 Keilschrift *f.* -en.

쐐기² 〖곤충〗 Raupe *f.* -n.

쐐기풀 〖식물〗 Brennessel *f.* -n 〖분철: Brenn-nessel〗.

쐬다¹ ① 《햇빛 따위에》 aus|setzen³⁴. ¶ 햇빛을 ~ ⁴*et.* der Sonne aus|setzen / 폭양을 ~ der glühenden Sonne ausgesetzt werden / 그 석상은 오랫 동안 풍우를 쐬었다 Das Steinbild war lange dem Wetter ausgesetzt.

② 《바람 따위를》 genießen*⁴; ⁴sich erfri-schen 《*in*³》. ¶ 바람을 ~ ⁴sich in der küh-len ³Luft erfrischen; ⁴sich ab|kühlen; die Kühle genießen*⁴ / 저녁 바람을 ~ die Abendkühle genießen*⁴.

쐬다² ☞ 쏘이다.

쑤군- ☞ 수군-.

쑤다 kochen; kneten; mischen. ¶ 죽을 ~ (den) Haferschleim kochen / 풀을 ~ (den) Teig kneten.

쑤석- ☞ 쏘삭-.

쑤셔넣다 stopfen⁴ (hinein|stopfen⁴)《*in*⁴》; 《꽉 차게》 voll|stopfen⁴ 《*mit*³》; überfüllen⁴ 《*mit*³》; hinein|zwängen. ¶ 구멍에 종이를 ~ ein Loch mit Papier stopfen / 손을 호주머니에 ~ die Hand in die Tasche stecken⁴.

쑤셔박다 《물속에》 tauchen 《*in*⁴》; (hinein|-) stecken; hinein|schieben*⁴. ¶ 물속에 머리를 ~ den Kopf ins Wasser stecken.

쑤시개 Picke *f.* -n; Hacke *f.* -n.

‖ 불~ Feuerhacken *m.* -s, -. 이~ Zahn-stocher *m.* -s, -.

쑤시다¹ ① 《틈을》 stochern (이를); popeln (코를); reinigen (귀를). ¶ 이를 ~ ⁴sich e-s Zahnstochers bedienen; (mit e-m Zahn-stocher) in den Zähnen stocheln; ³sich die Zähne stochern / 코를 ~ ³sich in der Nase popeln / 귀를 ~ s-e Ohren reinigen.

② 《벌집을》 stechen* 《*in*⁴》; greifen* 《*in*⁴》; 《선동》 auf|hetzen⁴; auf|reizen⁴; an|reizen⁴; reizen⁴. ¶ 벌집을 ~ in ein Wespennest greifen*⁴ (stechen*) / 아무를 쑤셔서 어떤 일을 하게 하다 *jn.* zu ³*et.* auf|reizen / 누군가 배후에서 쑤시는 자가 있다 Jemand muß hinter der Sache stecken.

쑤시다² schmerzen; stechen*; es tut weh 〖또는 아픈 데가 주어〗; es sticht (beißt). ¶ 욱신욱신 (뜨끔뜨끔) 쑤신다 Es sind ziehende (bohrende) Schmerzen. / 귀가 ~ Ohrenschmerzen haben / 이가 ~ Zahn|schmerz (-weh) haben / 머리가 ~ Kopf|schmerz (-weh) haben / 온몸이 ~ im ganzen Körper Schmerzen haben / 옆구리가 쑤신다 Es sticht mich (mir) in der Seite. / 충치가 몹시 쑤신다 Es puckert sehr im hohlen Zahn.

쑥¹ 〖식물〗 Beifuß *m.* -es; Edelraute *f.* -n; Artemisie [..ziə] *f.* -n; Wermut *m.* -(e)s; Absinth *m.* -(e)s, -e.

쑥² 《못난이》 Narr *m.* -en, -en; Tor *m.* -en, -en; Gimpel *m.* -s, -; Hanswurst *m.* -es, -e; Dummkopf *m.* -(e)s, ⸗e. ¶ 그는 나를 쑥으로 여긴다 Er hält mich für Narren. / 내가 쑥이라니 (천만에) Daß ich ein Narr wäre!

쑥³ ① 《들어감·내밈》 ¶ 쑥 내밀다 vor|stoßen*; vor|schieben*; hervor|strecken / 쑥 들어가다 sinken*; nieder|sinken*; unter|gehen*; fallen* / 쑥 들어간 눈 tiefliegende Augen / 쑥 나온 눈을 한 glotzäugig / 혀를 쑥 내밀다 die Zunge heraus|strecken / 그녀는 아랫입술을 쑥 내민다 Sie schiebt die Unterlippe vor.

② 《뽑는 모양》 (heraus|ziehen) plötzlich, mit einem Ruck. ¶ 말뚝을 땅에서 쑥 뽑다 einen Pfahl aus der Erde herausziehen / 큰 회오리바람이 많은 나무를 쑥 뽑아 버렸다 Der Wirbelsturm hat viele Bäume entwurzelt.

③ 《불쑥》 plötzlich; unerwartet; barsch; schroff; roh; grob; unsanft.

쑥갓 〖식물〗 Gänseblümchen *n.* -s, -; Maßliebchen *n.* -s, -.

쑥대 Wermut|stengel (-stiel) *m.* -s, -.

쑥대강이 aufgelöstes (zerzaustes; unordentliches; wirres) Haar, -(e)s, -e.

쑥대밭 《폐허》 Ruine *f.* -n; Trümmer 《*pl.*》.

쑥덕- ☞ 숙덕-.

쑥덕공론(一公論) geheime Verhandlung (Beratung; Besprechung; Konferenz) -en; Parteiclique *f.*; politische Intriguen 《*pl.*》. **~하다** e-e geheime Konferenz ab|halten*. ¶ ~으로 계획을 세우다 Pläne durch geheime Beratungen fassen.

쑥떡 ein Kuchen aus Reis u. Beifuß; Reiskuchen mit Beifuß als Geschmacksstoff. ¶ ~무늬의 Pfeffer- u. Salz-; graumeliert. ‖ ~베 Pfeffer- u. Salz-Stoff *m.* -(e)s, -e.

쑥밭 ☞ 쑥대밭. ¶ ~이 되다 vollständig verwüstet (verheert) werden / ~을 만들다 zugrunde richten; ins Verderben stürzen; vernichten; ruinieren; völlig zerstören.

쑥버무리 der mit Wermut gemischte, gedünste Reiskuchen.

쑥새 〖조류〗 Ammer *f.* -n.

쑥수그레하다 ☞ 쑥소그레하다.

쑥스럽다 unziemlich; unschicklich; unschön; ungeeignet; untauglich; ungehörig; unanständig (sein). ¶ 쑥스럽게 굴다 ⁴sich unanständig benehmen* (verhalten*).

쑥쑥 ① 《갑작스러운 동작》 stoßweise; ruckweise 《ziehen*; stoßen*; schleudern; auf|fahren*; zusammen|zucken》.

② 《쑤심》 ¶ ~ 쑤시다 durch|stechen; durch|lochen; prickeln 《*in*³; *an*³; *auf*³》 / 손가락이 ~ 쑤시다 ³sich in den Finger stechen* / 가슴이 ~ 쑤신다 Es sticht mich in der Brust. / 그것이 그의 폐부를 ~ 찔렀다 Es ging ihm durchs Herz.

쓸쓸하다 handlich; handgerecht; angemessen; brauchbar; praktisch; sachdienlich; zweckentsprechend (sein). ¶ 쓸쓸하고 간편한 handlich u. tragbar.

쑹덩쑹덩 ☞ 숭당숭당.

쓰개 Kopfbedeckung *f.* -en; Kopfputz *m.* -es.

쓰다¹ 《글씨를》 schreiben*⁴ 《*über*⁴; *von*³》 (…에 대해서) ※ 아래와 같이 구체적으로: an *jn.* …에게, an die Tafel 칠판에, an e-m Drama 각본을 (집필중), auf ein Blatt Papier 종이에, in Druckschrift 인쇄체로, ins Notizbuch 노트에, für e-e Zeitung 신문에, mit Tinte, Feder u. Kugelschreiber 잉크와 펜과 볼펜으로; nieder|schreiben*; zu Papier bringen*⁴; auf Papier werfen*⁴. ¶ 책을 (이름을, 편지를) ~ ein Buch (*js.* Namen, e-n Brief) schreiben* / 글을 ~ schreiben*⁴; e-n Artikel schreiben* / 글씨를 잘 (서투르게) ~ gut (schlecht) schreiben* / 문장 (논문, 소설)을 ~ e-n Aufsatz (e-e Abhandlung, e-n Roman) schreiben* / 훌륭한 문체를 ~ e-n guten Stil schreiben* / 잘못 ~ ⁴sich verschreiben*; falsch schreiben*⁴; e-n Schreibfehler machen / 고쳐 ~ um|schreiben*⁴; noch einmal schreiben*⁴; ins reine schreiben*⁴ (정서) / 다 ~ fertig|schreiben*⁴ / 술술 써 내려가다 mit flüchtiger Feder (nieder|)schreiben*⁴; flott hinunter|schreiben*⁴ / 편지를 갈겨 ~ e-n Brief flüchtig hin|schreiben*⁴ / 반쯤 쓴 halb|geschrieben (-angefangen) / 새로 쓴 작품 das neugeschriebene Stück, -(e)s, -e / 새 작품을 ~ ein neues Stück verfassen; e-n neuen Roman schreiben*⁴ / 그는 지금 새 소설을 쓰고 있다 Er schreibt jetzt an e-m neuen Roman. / 편지는 아직 반밖에 쓰지 못했다 Der Brief liegt nur noch halb angefangen. | Der Brief ist noch nicht fertiggeschrieben. / 편지에는 이렇게 쓰여 있다 Der Brief lautet folgendermaßen. / 신문에는 이렇게 쓰여 있다 Die Zeitung schreibt darüber folgendes. / 거짓말 말라, 얼굴에 다 쓰여 있다 Lüge nicht! Die Wahrheit steht dir auf der Stirn geschrieben. / 그 책에는 무엇이라 쓰여 있느냐 Wovon handelt das Buch? / 이 펜은 잘 안 써진다 Die Feder läßt sich nicht gut schreiben. / 이 낱말은 어떻게 쓰느냐 Wie kann man das Wort schreiben?

쓰다² ① 《고용》 *jn.* in ⁴Dienst (Stellung) nehmen*⁴; *jn.* an|stellen⁴; *jn.* engagieren⁴ [ãgaʒi:rən] (특히 예술가, 예능인 따위를); *jn.* auf|nehmen*⁴ (ein|stellen⁴); an|heuern⁴ (선원을). ¶ (시험삼아) 써 보다 *jn.* probeweise beschäftigen⁴; es mit *jm.* versuchen⁴ / 식모를 ~ ein Mädchen in Dienst nehmen*⁴; ein Dienstmädchen haben / 사람을 많이 ~ e-e zahlreiche Dienstschaft halten*⁴ / 역사 선생으로 ~ *jn.* als Lehrer der Geschichte auf|nehmen*⁴ / 중히 ~ *jm.* e-e wichtige Stelle geben*⁴ *jn.* für ein wichtiges Amt verpflichten⁴ / 그 일에 저를 써 주실 수 없겠읍니까 Könnten Sie mich nicht für die Arbeit beschäftigen? / 그는 정말 쓸

만하다 Er ist ganz brauchbar (nützlich). | Der Mann ist gut (zu allem) zu (ge)brauchen. / 그는 아무 짝에도 쓸 데가 없다 Er ist ein Nichtsnutz. | Er ist zu nichts nütze. / 그는 200명의 노무자를 쓰고 있다 Er beschäftigt 200 Arbeiter.
② 《소비》 verbrauchen[4]; konsumieren[4]; aus|geben*[4] (돈을); unterschlagen*[4]; veruntreuen[4] (공금을); verschwenden[4]; vergeuden[4] (낭비); verbringen*[4](시간을). ¶ 돈을 물 쓰듯하다 zuviel Geld aus|geben*[4]; Geld wie Heu aus|geben*[4] / 책(옷)에 많은 돈을 ~ für Bücher (Kleider) viel aus|geben*[4] / ~ 남기다 (unverbraucht) übrig|lassen*[4] / 돈을 다 써버리다 sein ganzes Geld aus|geben*[4] / 그녀는 돈을 헤프게 쓴다 Sie geht leichtsinnig mit ihrem Geld um. / 돈을 어떻게 써야 할지 몰랐다 Er wußte nicht, was er mit dem Geld anfangen sollte. / 한 재산을 짧은 기간 동안에 다 써버렸다 Er hat ein Vermögen in kurzer Zeit durchgebracht. / 한 달에 설탕을 얼마나 쓰십니까 Wieviel Zucker brauchen Sie monatlich?
③ 《사용·이용》 gebrauchen[4]; Gebrauch machen[4] 《von[3]》; brauchen[4]; benutzen[4] (물건을); 《응용하다》 an|wenden*[4]; verwenden*[4]; [4]sich bedienen[2]; 《취급》 handhaben*[4] 〖p.p. gehandhabt〗; behandeln[4]; bedienen[4]. ¶ 한번 쓰고 버리는 접시 Wegwerfteller *m.* -s, -/ 도구를 ~ ein Instrument handhaben*[4] / 기계를 ~ e-e Maschine bedienen[4] / 못쓰게 되다 außer Gebrauch kommen*Ⓢ; nicht mehr gebräuchlich sein / …을 써서 mit[3]; durch[4]; mittels[2]; mit Hilfe 《von[3]》; durch Vermittelung 《von[3]》 / 쓰다 남은 것 (Über-)rest *m.* -(e)s, -e; Überbleibsel *n.* -s, - / 쓰다 남은 übrig | geblieben (-gelassen; -behalten) / 쓸 수 있는 (없는) brauchbar (unbrauchlich) / 사전을 써서 mit Hilfe von e-m Wörterbuch / 다 ~ nicht im Gebrauch haben; fertig sein 《mit[3]》 / 일반적으로 쓰(이)고 있다 in allgemeinen Gebrauch sein / 시간을 활용해서 ~ s-e Zeit zweckmäßig ein|richten[4] (gebrauchen[4]); s-e Zeit gut (nützlich) verwenden*[4] / 칫솔을 ~ e-e Zahnbürste gebrauchen[4] (benutzen[4]); [3]sich die Zähne putzen (이를 닦다) / 이것은 무엇에 쓰지요 Wozu gebraucht (benutzt) man dies? | Wozu wird dies gebraucht? / 쓰다 남은 것이 없나 Hast du nichts mehr übrig? / 이 책은 다 쓰셨읍니까 Sind Sie fertig mit dem Buch? / 이 만년필은 너무 오래 써서 못쓰게 되었다 Dieser Füller hat sich durch langen Gebrauch abgenutzt. / 이 방은 내 서재로 쓰고 있다 Dieses Zimmer benutze ich als Studienstube. / 너는 내일 이 책을 학교에서 쓰느냐 Brauchst du morgen dieses Buch in der Schule?
④ 《힘을》 [4]sich an|strengen (bemühen); gebrauchen[4]; benutzen[4]; hervor|setzen[4] (-legen[4]); aus|strecken[4]. ¶ 신경을 ~ [4]sich beunruhigen[4] 《über[4]》/머리를 ~ mit [3]sich zu Rate gehen*Ⓢ / 머리를 너무 ~ sein Gehirn (s-n Kopf) überanstrengen[4] / 애를 너무 ~ [4]sich überarbeiten[4]; [4]sich überanstrengen[4] / 신경을 너무 쓰는군 Du denkst an zu vieles (zu viele Dinge). / 그 일로 어지간히 신경을 썼다 Darüber habe ich mir den Kopf zerbrochen. / 우리는 이 싸움에서 온 정력을 다 써 버렸다 Wir haben uns in diesem Kampf völlig verbraucht. / 그 학교는 운동경기에 크게 힘을 쓰고 있다 Die Schule fördert (unterstützt) den athletischen Sport nachdrücklich. / 그는 그 문제에 매우 힘을 썼다 Er hat sich an dieser Sache eifrig beteiligt.
⑤ 《착복·사소(私消)》 unterschlagen*; veruntreuen[4]; stehlen*[4]; [4]*et.* widerrechtlich in eigenen Besitz nehmen*[4] (an [4]sich bringen*[4]). ¶ 주인의 돈을 ~ das Geld des Meisters unterschlagen*[4] / 공금을 ~ öffentlichen Fonds [fɔ̃:(s)] unterschlagen*[4].
⑥ 《말을》 sprechen*[4]. ¶ 라틴어를 ~ Lateinisch benutzen[4] (sprechen*[4]) / 완벽한 독일어를 ~ tadellos Deutsch sprechen*[4] / 거만한 말을 ~ e-e hochmütige Sprache führen[4] / 스위스에선 무슨 말을 쓰느냐 Welche Sprache spricht man in der Schweiz?
⑦ 《술법을》 treiben*[4]; führen[4]; aus|üben[4]; an|wenden*[4]. ¶ 트릭을 ~ e-n Trick an|wenden*[4] / 창을 능하게 ~ die Lanze geschickt führen[4] / 요술을 ~ Gaukelei treiben*[4]; gaukeln / 마술을 ~ Zauberei treiben*[4] / 수단을 ~ Mittel an|wenden*[4] / 책략을 ~ Ranke《pl.》 schmieden[4]; mit Ränken um|gehen*Ⓢ.
⑧ 《행사》 gebrauchen[4]; aus|üben[4]; 《통용시킴》 in Umlauf setzen[4]; geltend machen[4]. ¶ 가짜 돈을 ~ Falschgeld gebrauchen.
⑨ 《색을》 haben. ¶ 색을 ~ [4]sich begatten[4]; geschlechten[4] Verkehr haben 《mit[3]》.
⑩ 《약을》 ein|nehmen*[4]; gebrauchen[4]. ¶ 약을 ~ Arznei ein|nehmen*[4] (gebrauchen[4]) / 그 약을 쓰면 병이 낫는다 Die Arznei wird Sie von Ihren Krankheiten heilen.

쓰다[3] ① 《착용》 tragen*[4]; auf|setzen[4]; auf|haben[4] 《mit[3]》. ¶ 관을 ~ die Krone tragen*[4]; gekrönt sein / 모자를 쓴 채 mit dem Hut (auf dem Kopf); mit dem aufgesetzten Hut; ohne den Hut (die Mütze) abzuziehen / 모자를 쓰지 않고 서 있다 barhaupt (barhäuptig; mit entblößtem Kopf) stehen* / 안경을 쓰고 있다 e-e Brille auf|haben*[4] (tragen*[4]) / 모자를 쓰고 있다 den Hut auf|haben*[4].
② 《우산을》 tragen*[4]; halten*[4]; auf|spannen[4]. ¶ 우산을 ~ e-n Regenschirm auf|spannen[4] / 우산을 쓰고 unter dem Regenschirm.
③ 《뒤집어 쓰다》 über|werfen*[4]; ziehen*[4]; gießen*[4]. ¶ 이불을 뒤집어 ~ die Decke über den Kopf ziehen* / 외투를 ~ e-n Mantel über|werfen*[4] / 물을 둘러~ [3]sich kaltes Wasser über den Kopf gießen*[4] / 먼지를 쓰고 있다 mit Staub bedeckt sein.
④ 《죄를》 auf [4]sich nehmen*[4]; tragen*[4]. ¶ 남의 죄를 ~ *js.* Schuld auf [4]sich nehmen[4] / 남의 빚을 뒤집어 ~ anderer Schulden tragen*[4] / 누명을 ~ gebrandmarkt werden; in üblen (schlechten) Ruf kommen*Ⓢ; e-e Schande zu|ziehen*[4].

쓰다[4] 《뫼를》 eine Grabstätte (letzte Ruhestätte) auswählen. ¶ 뫼를 ~ ein Grab graben (schaufeln).

쓰다[5] 《맛이》 (gallen)bitter (sein); bitter schmecken. ¶ 쓴 약 e-e bittere Medizin, -en/ 쓴 맛 der bittere Geschmack, -(e)s, ⸗e / 쓴 경험 die bittere (schlechte) Erfahrung, -en 《보통 pl.》 / 쓴 표정을 짓다 e-e saure Miene (ein saures Gesicht) machen 《zu[3]》 / 쓴 경험

을 하다 in den sauren Apfel beißen müssen*; böse (bittere) Erfahrung machen / 쓴 맛 단맛 다 보다 das Bitteres u. das Süßes des Lebens erfahren* (schmecken) / ~ 달다 말이 없다 still|schweigen*; kein Laut von ^{3}sich geben*; ^{4}sich ganz still|halten*.

쓰다듬다 ① 《애무》 streichen*^{4}; streicheln^{4}; zärtlich hin|fahren* 《über^{4}》. ¶ 애의 턱을 ~ e-m Kind unter das Kinn streichen* [h,s]; das Kinn e-s Kindes streicheln / 머리를 ~ *jm.* den Kopf streicheln^{4} / 등을 ~ *jm.* den Rücken streichen*^{4} (reiben*^{4}).
② 《달래다》 trösten^{4}; mildern^{4}; besänftigen^{4}; beruhigen^{4}. ¶ 우는 아기를 ~ schreiendes (weinendes) Kind 《-(e)s, -er》 besänftigen^{4} (beruhigen^{4}).

쓰디쓰다 äußerst bitter (herb) (sein).

쓰라리다 schlimm; schmerzlich; traurig; peinlich (sein). ¶ 쓰라린 경험 e-e bittere Erfahrung, -en; Not *f.* ⁼e / 쓰라린 경험을 하다 e-e bittere Erfahrung machen; Not leiden* (haben; erfahren*) / 가슴이 ~ Brustschmerzen haben; Sodbrennen haben / 상처가 아직 ~ Die Wunde brennt (sticht) noch.

쓰러뜨리다 *jn.* nieder|halten*; *jn.* zu ^{3}Boden drücken; *jn.* nieder|ringen*; um|werfen*^{4} (던져서); um|stoßen*^{4} (밀어서); um|-legen^{4} (넘어지게 하다); fällen^{4} (나무를); 《죽이다》 töten^{4}; ums Leben bringen*^{4} 《*jn.*》; erlegen^{4}; 《이기다》 besiegen^{4}; überwältigen^{4}; 《망하게 함》 zugrunde richten^{4}; (um-)stürzen^{4} (전복시키다). ¶ 적을 ~ e-n Feind töten^{4} (erlegen^{4}) / 정부를 ~ e-e Regierung stürzen^{4} / 집을 ~ ein Haus zerstören^{4} (ein|reißen*^{4}; nieder|reißen*^{4}) / 나무를 뿌리 채 ~ e-n Baum entwurzeln^{4} / 내각을 ~ das Ministerium 《-s, ..rien》 stürzen^{4}.

쓰러지다 ① 《물건이》 (um)fallen*[s]; hin|fallen*[s]; ein|stürzen (um|-) [s]; nieder|stürzen [s]. ¶ 쓰러져 가는 hinfällig; baufällig (집 등이) / 쓰러져 가는 집 ein Haus, das einzustürzen droht; das baufällige Haus / 푹 ~ über den Haufen fallen*[s] / 땅에 ~ zu ^{3}Boden fallen*[s] / 앞으로 ~ auf die Nase fallen*[s] / 뒤로 ~ auf den Rücken fallen*[s] / 옆으로 ~ seitwärts fallen*[s] / 돌에 걸려 ~ über e-n Stein fallen*[s] / 제 발에 걸려 ~ über s-e eigenen Beine fallen*[s] / 집이 막 쓰러질 것 같다 Das Haus droht einzustürzen. / 지진으로 많은 집이 쓰러졌다 Viele Häuser wurden vom Erdbeben zerstört. / 바람으로 많은 나무가 쓰러졌다 Der Wind warf viele Bäume um. / 그 건물은 쓰러져 가고 있다 Das Gebäude ist schon baufällig.
② 《병·피로 따위로》 sterben*[s]; um|kommen*[s]; ums Leben kommen*[s]; fallen* [s] (전쟁으로); krepieren (가축 등이). ¶ 전쟁터에서 ~ auf dem Schlachtfeld fallen*[s]; in der Schlacht um|kommen*[s] / 병으로 ~ e-r Krankheit erliegen*[s] / 괴한의 손에 ~ durch Mörderhand fallen*[s] / 쓰러질 때까지 싸우다 bis zum Tode kämpfen / 더위로 ~ vor ^{3}Hitze zusammen|fallen*[s] / 배가 고파 ~ verhungern [s].
③ 《도산·몰락》 zugrunde gehen*[s]; unter|-gehen* [s]; verfallen* [s]; zusammen|brechen*[s]; bankrott werden. ¶ 쓰러져 가는 은행 die schwindende Bank, -en / 그 상점은 쓰러졌다 Jenes Geschäft ist zusammengebrochen. / 그 회사는 쓰러져 가고 있다 Jene Gesellschaft ist am Rande des Bankerottes. / 내각이 쓰러졌다 Das Ministerium ist gestürzt.

쓰렁쓰렁하다 einsam u. entfremdet (sein).

쓰레기 Staub *m.* -(e)s; Abfall *m.* -(e)s, ⁼e; Ausschuß *m.* ..sses; Auswurf *m.* -(e)s, ⁼e; Kehricht *m.* -(e)s; Müll *m.* -(e)s; Schutt *m.* -(e)s. ¶ ~ 버리는 곳 Schuttablade¦platz *m.* -es, ⁼e (-stelle *f.* -n); Kehricht¦winkel (Schutt-) *m.* -s, - / ~더미 Kehricht¦haufe(n) (Schutt-) *m.* ..fens, ..fen / ~를 치우다 Abfälle aus|tragen* / 이 곳에 ~를 버리지 마시오 Hier darf kein Schutt abgeladen werden!
‖ ~꾼 Kehricht¦fuhrmann (Schutt-; Müll-) *m.* -(e)s, ⁼er (..leute); Kehrichtfahrer *m.* -s, -; Müllkutscher *m.* -s, -; Lumpensammler *m.* -s, -. ~차 Müllwagen *m.* -s, -. ~통 Kehrichtkasten *m.* -s, ⁼ (-); Müll¦eimer *m.* -s, - (-kasten *m.*).

쓰레받기 Kehricht¦schaufel *f.* -n (-schippe *f.* -n); Kehricht¦schäufelchen *n.* -s, - (-schippchen *n.* -s, -).

쓰레질 Kehren *n.* -s; (Aus)fegen *n.* -s. ~하다 kehren; (aus)fegen.

쓰레하다 wanken; schwanken; wackeln.

쓰르라미 〖곤충〗 die in der Dämmerung zirpende Zikade. ¶ ~가 울다 Die Zikade zirpt.

쓰르람쓰르람 zirpend. ~하다 zirpen.

쓰리 Eisenpflug *m.* -(e)s, ⁼e.

쓰리다 prickeln; stechen. ¶ 손가락 끝이 ~ Es prickelt mir in den Fingersptzen.

쓰이다^{1} ① 《써지다》 schreiben*; geschrieben werden. ¶ 이 펜은 잘 쓰인다 Diese Feder schreibt gut. / 이 종이는 글씨가 잘 (안) 쓰인다 Es schreibt sich gut (schlecht) auf diesem Papier. ② 《쓰게 하다》 schreiben lassen*. ¶ 아들에게 편지를 ~ *js.* ^{4}Sohn e-n Brief schreiben lassen*.

쓰이다^{2} ① 《사용》 gebraucht (verwandt) werden; angestellt werden. ¶ 쓰이고 있다 im Gebrauch sein / 쓰이지 않게 되다 außer ^{3}Gebrauch kommen*[s] / 항상 쓰이는 말 das Wort in allgemeinem Gebrauch / 널리 ~ in allgemeinem Gebrauch sein / 맥주 만드는데 홉이 쓰이고 있다 Der Hopfen ist in der Bierbräuerei gebraucht. / 그것은 안 쓰인지 오래다 Das ist noch nicht (lange) abgenutzt. / 그 교과서는 널리 쓰이고 있다 Das Lehrbuch ist in allgemeinem Gebrauch. / 이 말이 쓰이기 시작한 건 비교적 최근의 일이다 Der Gebrauch des Wortes ist verhältnismäßig neu.
② 《소용》 ausgegeben (verbraucht) werden; brauchen^{4}; kosten^{4}. ¶ 집에 돈이 많이 쓰인다 Das Haus kostet viel Geld. / 책에 돈이 많이 쓰인다 Für Bücher wird es viel Geld ausgegeben. / 겨울에는 석탄이 많이 쓰인다 Im Winter braucht man e-e große Menge Kohle.

쓰적거리다 $^{3\cdot4}$sich reiben* 《an^{3}》; streifen; schleifen*; ab|wischen; putzen. ¶ 말이 마구에 쓰적거려 상처를 입었다 Das Pferd rieb sich im Geschirr wund.

쓰적쓰적 ¶ 그는 몸을 벽에 ~ 비빈다 Er reibt sich an der Wand. / 그는 ~ 내 등을 쓸어 주었다 Schlaff kehrte er mir den Rücken.

쓱 hurtig u. still; heimlich; plötzlich. ¶ 쓱 던지다 hin|werfen*^{4} (zu|-).

쓱싹거리다 kratzend 〔krächzend〕 ertönen 〔erklingen; erschallen*〕 (lassen*).
쓱싹쓱싹 in kratzendem Ton 〔Geräusch; Schall; Klang〕.
쓱싹하다 ① 《해먹다》 ³sich widerrechtlich an|eignen; unterschlagen*; veruntreuen. ¶ 공금을 ~ Staatsgelder unterschlagen* / 그는 쓱싹한 돈을 노름에 날렸다 Die unterschlagenen Gelder hat er verspielt. ② 《셈을》 aus|gleichen*; begleichen*. ③ 《잘못을》 verdecken; verhüllen; verstecken; verbergen*. ¶ 그는 자기의 죄를 쓱싹하려고 애썼다 Er versuchte, sein Verbrechen 〔seine Sünde〕 zu verdecken 〔verbergen〕.
쓱쓱 reibend; streichend. ¶ 손을 ~ 비비다 ³sich die Hände reiben* / 머리를 ~ 쓰다듬다 ³sich die Haare streichen*.
쓴맛단맛 Bitter u. Süße; Geschick u. Ungeschick; Glück u. Unglück. ¶ ~을 다 본 남자 Weltmann *m.* -(e)s, ..leute 〔드물게 ⸚er〕; jemand, der alle Lebenslagen durchgemacht hat / 그는 인생의 ~을 다 보았다 Er hat allerei Erfahrungen gehabt.¦Nichts Menschliches ist ihm fremd.
쓴술 herber Wein, -(e)s.
쓴웃음 das gezwungene Lachen*, -s; das bittersüße 〔schmerzliche〕 Lächeln*, -s. ¶ ~을 짓다 gezwungen lachen; verlegen lächeln / 그는 ~을 지었다 Er lächelte bittersüß.¦Er zwang sich zu e-m Lächeln.
쓸개 Galle *f.* -n. ¶ ~ 빠진 사람 der Feige*, -n, -n; der kleinmütige Mensch, -en, -en / ~는 특히 기름기를 소화시키는 데 요긴하다 Die Galle ist besonders für die Verdauung der Fette wichtig. ‖ **~주머니** Gallenblase *f.* -n. **~즙** Galle *f.* -n.
쓸까스르다 Anzüglichkeiten 《*pl.*》 machen 《*auf*⁴》; (hämisch) an|deuten 《*an*⁴; *auf*⁴》; (versteckt) an|spielen 《*auf*⁴》; nahe|legen³⁴; versteckt 〔indirekt〕 rügen⁴; sticheln 《auf *jn.*》; e-n leisen Wink geben*³.
쓸다¹ ① 《쓰레질》 fegen⁴; kehren⁴; aus|kehren⁴; aus|fegen⁴; weg|fegen⁴; weg|kehren⁴. ¶ 쓸어 모으다 zusammen|kehren⁴ / 쓸어 내다 (den Schmutz) aus|kehren⁴ 〔weg|-fegen⁴〕 / 바닥을 ~ den Boden kehren⁴ / 판돈을 ~ alles Geld gewinnen* / 방에서 먼지를 쓸어내다 ein Zimmer aus|fegen⁴; den Schmutz aus e-r Stube fegen⁴ / 전염병이 지금 마을 전체를 쓸고 있다 E-e Epidemie ist jetzt im ganzen Dorf in der Ausbreitung begriffen.
② 《제 앞일만》 auf sein eigenes Interesse achten. ¶ 그는 자기 앞만 쓴다 Er achtet nur auf sein eigenes Interesse.
쓸다² 《마찰하다》 reiben*⁴; streichen*⁴ (문지르다); (ab|)feilen⁴ (줄로).
쓸데 Brauchbarkeit *f.* -en; Nützlichkeit *f.* -en; Zweck *m.* -(e)s, -e. **~없다** unnötig; unwichtig; unwesentlich; 《여분의》 überflüssig; 《무용의》 unnütz; nutzlos; 《없어도 무방한》 entbehrlich (sein). ¶ ~없는 이야기 das nutzlose Gerede; die zwecklose Rederei, -en / ~없는 지출 zusätzliche Ausgabe, -n; Extraausgabe *f.* -n / ~없는 말을 하다 in den Wind reden; lauter dummes Zeug schwatzen/~없는 걱정을 하다 ³sich unnötigerweise Sorgen machen⁴; ³sich unnötige 〔unnütze〕 Gedanken 〔Sorge〕 machen⁴ / 그것은 ~없는 것이다 Das ist überflüssig 〔nichtig〕. / ~없는 참견 마시오 Das ist m-e Sache.¦Mischen Sie sich nicht ein, wo es nicht erwünscht ist! / ~없는 돈이 든다 Das kostet extra 〔zusätzlich〕. / 그렇다고 ~없는 걱정 하지 말게 Mach' dir doch 〔deshalb; deswegen〕 k-e unnötigen Sorgen!
쓸리다¹ 《쓰레질 당함》 ausgefegt 〔gekehrt〕 werden. ¶ 눈이 바람에 ~ Der Schnee wird durch den Wind ausgefegt.
쓸리다² ① 《줄칼 등에》 abgeraspelt 〔gefeilt〕 werden; ⁴sich ab|schaben. ¶ 열쇠가 줄칼에 ~ Es wird an dem Schlüssel gefeilt. ② 《기울어지다》 ⁴sich neigen.
쓸모 《장점》 Stärke *f.* -n; die starke Seite, -n; Vorzug *m.* -(e)s, ⸚e; 《가치》 Wert *m.* -(e)s, -e; 《좋은 점》 der gute Punkt, -(e)s, -e; 《좋은 성질》 die gute Eigenschaft, -en. ¶ ~있는 fähig; tauglich; tüchtig; brauchbar; verwendbar; wertvoll / ~없는 unfähig; untüchtig; unbrauchbar; wertlos / 그는 스스로 ~있다고 생각하고 있다 Er will etwas sein. / 그것은 ~가 많다 Das taugt recht gut. / 아무 ~가 없다 Das ist (zu) nichts nütze. / 그게 무슨 ~가 있나 Wozu nützt das? / 이 집은 ~있게 지었다 Dieses Haus ist praktisch 〔zweckdienlich〕 gebaut.
쓸쓸 ☞ 쌀쌀².
쓸쓸하다 ① 《적적함》 einsam; (gott)verlassen; menschenleer; öde (sein). ¶ 쓸쓸히 einsam; verlassen/쓸쓸한 거리 die einsame Straße, -n / 쓸쓸한 웃음 das melancholische Lächeln, -s / 쓸쓸하게 느끼다 ⁴sich einsam 〔verlassen〕 fühlen / 나는 너무 ~ Ich fühle mich so allein 〔einsam〕. / 네가 없어서 ~ Ich werde dich sehr vermissen./ 말 상대가 없어 ~ Ich fühle mich einsam, da ich k-n Gesellschafter habe. / 거리는 인적이 드물고 쓸쓸했다 Die Straße war leer u. still.
② 《날씨가》 düster; niederdrückend; trüb (sein). ¶ 날씨가 ~ Das Wetter ist düster 〔trüb〕.
쓸어들이다 herein|fegen. ¶ 원예사가 낙엽을 정원 안으로 ~ Der Gärtner fegt das Laub in den Garten herein.
쓸어버리다 weg|fegen; fort|raffen; weg|-reißen*; mit ³sich fort|reißen*; beseitigen; zerstören. ¶ 물이 작은 다리를 모두 쓸어 버렸다 Das Wasser hat alle Stege (mit sich) fortgerissen 〔weggerissen〕.
쓸음질 das Feilen*, -s. **~하다** feilen. ¶ 치과의사가 환자의 이를 ~한다 Der Zahnarzt feilt an dem Zahn des Patienten.
쓿다 reinigen; polieren; wichsen; putzen; ab|schleifen*; verfeinern. ¶ 쌀을 ~ Reis reinigen.
쓿은쌀 verfeinerter Reis, -s.
씀바귀 〖식물〗 Gänsedistel *f.* -n. ‖ **~나물** Gänsedistelsalat *m.* -(e)s, -e.
씀씀이 Ausgabe *f.* -n; Verschwendung *f.* -en. ¶ ~가 헤프다 großzügig 〔generös〕 kaufen⁽⁴⁾; großzügig 〔generös〕 Geld aus|-geben* / ~가 많다 große Ausgabe haben; viel verschwenden / ~가 적다 wenig aus|-geben* / 그 여자는 돈 ~가 헤프다 Sie geht leichtsinnig mit ihrem Geld um.
씁쓰레하다 etwas bitter 〔herb〕 (sein); *jm.* etwas bitter 〔herb〕 schmecken.
씁쓸하다 *jm.* vielmehr bitter schmecken; verbittert; unfroh (sein). ¶ 이 초콜렛은 씁쓸한 맛이 난다 Diese Schokolade schmeckt mir vielmehr bitter 〔verbittert〕.

씌다 《귀신 등이》 reiten*⁴; von ³*et.* besessen sein 〔사람이 주어〕. ¶ 마치 무엇이 씐 것 같이 (wie) besessen 《*von*³》; wie gebannt / 귀신이 그에게 씌어 있다 Der Teufel reitet ihn. ¦ Er ist vom Teufel besessen. ② ☞ 쓰이다¹·². ③ ☞ 씌우다.

씌우다 ① 《머리에》 auf|setzen⁴; bedecken⁴; legen⁴ 《*auf*⁴》. ¶ 아무에게 모자를 ~ *jm.* den Hut auf|setzen⁴; *jn.* mit e-r Mütze 〔e-m Hut〕 bedecken⁴ / 아무에게 두건을 ~ *jm.* ein Kopftuch um|binden*⁴ / 이불을 ~ *jn.* mit e-r Decke zu|decken⁴ / 침대에 보를 ~ ein Bett überziehen*⁴.

② 《죄·책임 따위를》 die Schuld auf|bürden⁴ 〔bei|messen*⁴; zu|schreiben*⁴〕 《*jm.*》; verantwortlich machen⁴ 《*jn. für*⁴》; zeihen*⁴ 《*jn.* e-s Verbrechens *usw.*》; zur Last legen⁴ 《*jm.*》; die Schuld zu|schieben*⁴ 〔an|rechnen⁴〕 《*jm.*》; die Schuld schieben*⁴ 《auf *jn.*》; beschuldigen⁴ 《*jn.* ²*et.*》. ¶ 아무에게 죄를 ~ die Schuld auf *jn.* schieben*⁴; *jm.* die Schuld zu|schieben*⁴ / 아무에게 책임을 ~ *jm.* die Verantwortlichkeit zu|-schieben*⁴ 〔zu|rechnen⁴; an|rechnen⁴〕/ 그는 책임을 나에게 씌웠다 Er schob es mir in die Schuhe. / 남에게 책임을 씌우려 들지 말라 Schiebe 〔Walze〕 d-e Verantwortlichkeit auf andere nicht ab!

씨¹ ① 《종자》 Same(n) *m.* ..mens, ..men; Saat *f.* -en (뿌린 씨); 《핵》 Stein *m.* -(e)s, -e; Kern *m.* -(e)s, -e. ¶ 사과 씨 Apfelkern *m.* -(e)s, -e / 씨가 없는 samenlos; ohne Samenkern; kernlos / 씨가 많은 voller Samen / 씨를 뿌리다 säen; aus|säen; Samen streuen⁴ / 밭에 씨를 뿌리다 e-n Acker besäen⁴ 〔mit Samen bestreuen〕/ 씨를 받다 (die) Samen sammeln⁴ / 씨를 빼다 〔발라내다〕 Kern (aus|)nehmen*⁴; Früchte aus|-kernen; Samen aus|fallen lassen* / 씨가 생기다 Samen tragen*⁴ / 열매를 얻으려면 씨를 뿌려야 한다 Ohne Saat k-e Ernte. ¦ Aus nichts wird nichts. ¦ Ohne Fleiß kein Preis.

② 《마소의》 Zucht *f.*; Rasse *f.* -n. ¶ 씨가 좋다 von guter Rasse sein / 씨가 좋은 말 die Pferde von guter Rasse / 씨를 받다 züchten / 씨를 받기 위해 키우다 zu Zuchtzwecken halten*; zur Zucht halten*.

③ 《사람의》 das vaterliche Blut. ¶ 불의의 씨 das uneheliche Kind / 씨 다른 형제 Halbbruder *m.* -s, ⸚ / 씨 다른 자매 Halbschwester *f.* -n / 씨를 배다 schwanger sein 〔gehen* ⓢ〕; ein Kind bekommen* 《von *jm.*》/ 그들은 씨는 같지만 배가 다르다 Sie sind Halbgeschwister 〔Halbbruder; Halbschwester〕.

④ 《근원》 Quelle *f.* -n; Ursache *f.* -n; Grund *m.* -(e)s, ⸚e; Gegenstand *m.* -(e)s, ⸚e. ¶ 눈물의 씨 der Grund 〔die Ursache〕 zu Tränen / 불평의 씨 Ursache der Unzufriedenheit / 불화의 씨를 뿌리다 Zwietracht säen 《*zwischen*³》/ 도둑의 씨가 근절되지 않는다 Diebe werden in der Welt nie auszurotten sein.

씨² 《피륙의》 Einschlag *m.* -(e)s, ⸚e; Gewebe *n.* -s, -; Querfaden *m.* -s, ⸚. ¶ 씨와 날 Ketten- und Schußfaden.

씨³ ＝품사(品詞).

씨(氏) ① 《남자 경칭》 Herr *m.* -n, -en. ¶ S 씨 Herr S. / 양 씨 die beiden Herren / 독주자는 슈미트와 뮐러 양씨였다 Die Solisten waren die Herren Schmidt u. Müller.

② 《여자 경칭》 Fräulein *n.* -s, - 《생략: Frl.》 (양); Frau *f.* -en (부인). ¶ P씨 부인 Frau P.

③ 《씨족》 Familie *f.* -n [..liːən]; Clan *m.* -s, -e〔-s〕; Abstammung *f.* -en. ¶ 안동 김씨 die *Kims* von *Andong*.

④ 《대명사》 Herr *m.* -n, -en; er. ¶ 씨에 의하면 nach s-r Ansicht; s-r Meinung nach/ 씨의 요절은 참으로 애석한 일이다 Sein frühzeitiges Hinscheiden ist sehr beklagenswert.

씨감자 Saatkartoffeln 《*pl.*》.

씨그둥하다 unangenehm; unerfreulich; mißfällig; widerlich; eckig (sein).

씨근거리다 vor Wut 〔Zorn〕 schnauben*. ☞ 시근거리다¹.

씨근벌떡거리다 schwer atmen; keuchen; schnaufen; einen kurzen Atem haben.

씨근벌떡씨근벌떡 schnaufend; keuchend; schweratmig.

씨금 ＝위선(緯線).

씨눈 《식물》 Fruchtkeim *m.* -(e)s, -e; Embryo *m.* -s, -nen 〔-s〕; 《동물》 Leibesfrucht *f.* ⸚e; Fötus *m.* -ses, -se.

씨다리 Alluvialgoldklumpen *m.* -s, -s.

씨닭 Zuchthuhn *n.* -(e)s, ⸚er.

씨도(一度) Breitengrad *m.* -(e)s, -e.

씨도리(배추) Zuchtkohl *m.* -s, -; der zur Zucht verwendete Kopfsalat.

씨돼지 Zuchtsau *f.* ⸚e.

씨름 (koreanischer) Ringkampf, -(e)s, ⸚e. ~하다 ringen* 《mit *jm.*》. ¶ ~에 이기다 〔지다〕 den koreanischen Ringkampf gewinnen* 〔verlieren*〕/ ~ 대회를 열다 den öffentlichen Ringkampf ab|halten* / 사전과 ~을 하며 책을 읽다 ein Buch durch die Beschmutzung des Wörterbuchs lesen*; ein Buch lesen*, indem man ⁴sich fortwährend auf Wörterbuch beruft.

‖ ~꾼 koreanischer Ringer, -s, -; koreanischer Ringkampfer, -s, -: 장사급 ~꾼 Ringkämpfer 《*m.* -s, -》 von Rang. ~판 ein koreanischer Ringkampf, -(e)s, ⸚e; Ringplatz *m.* -(e)s, ⸚e. 팔~ Armkraftprobe *f.* -n.

씨름잠방이 die Hose zum Wettkämpfen im Ringen; die Ringkampfhose.

씨말 Zuchtpferd *n.* -(e)s, -e; 《수놈》 Zuchthengst *m.* -es, -e; 《암놈》 Zuchtstute *f.* -n.

씨명(氏名) ＝성명.

씨무룩하다 ☞ 시무룩하다.

씨부렁거리다 ☞ 시부렁거리다.

씨뿌리기 das Säen*, -s; Aussaat *f.* -en; Saatbestellung *f.* -en; Übergabe des Saatgutes an das Fruchtland.

씨소 Zuchtbulle *m.* -n, -n; Zuchtstier *m.* -(e)s, -e.

씨식잖다 niedriger; geringer; schwächer; minderwertig; unbedeutend; untergeordnet (sein). ¶ 씨식잖은 역할 eine untergeordnete 〔geringere〕 Rolle, -n.

씨아 Baumwollgöpel *m.* -s, -; Egreniermaschine *f.* -n. ¶ ~로 목화의 씨를 빼다 (die Baumwolle) entkörnen; (mit der Egreniermaschine) egrenieren. ‖ ~질 Egrenierung *f.*: ~질하다 entkörnen; egrenieren (mit der Egreniermaschine).

씨알 ① 《종란》 Brutei *n.* -(e)s, -er. ② 《광물》 der winzige Goldklumpen, -s, -. ③ Kern *m.* -(e)s, -e; innerer, mittlerer Teil.

씨알머리 Schurke *m.* -n, -n; Schuft *m.*-(e)s,

-e; Schelm *m.* -(e)s, -e (*m.* -en, -en); Schalk *m.* -(e)s, -e (⸗e). ¶ ~ 없다 unangenehm; widerlich; ekelig; eckelhaft; garstig; schmutzig; schlüpfrig; unzüchtig; mürrisch; gehässig (sein).

씨암탉 Bruthenne *f.* -n. ‖ ~걸음 das Watscheln*, -s (wie eine fette Henne).

씨앗 Saat *f.* -en; Same *m.* -ns, -n; Samen *m.* -s, -. ¶ ~을 뿌리다 Samen säen / 증오의 ~으로부터는 아무런 선(善)도 생기지 않는다 Aus der Saat des Hasses kann nichts Gutes hervorgehen. / 밭에 무엇의 ~을 뿌리다 den Acker mit ³*et.* besäen / ~이 좋으면 좋을수록 수확도 좋다 Je besser die Saat, je besser ist die Ernte.
‖ 배추~ Kohlsaat.

씨양이질 Ärger *m.* -s; Verdruß *m.* -es, -e; Störung *f.* -en; Beunruhigung *f.* -en; Plage *f.* -n; Belästigung *f.* -en. ~하다 eine emsige Person stören.

씨억씨억 tatkräftig; energisch. ~하다 tatkräftig; voller Tatkraft (sein).

씨우적거리다 murren; brummen; nörgeln; klagen; ⁴sich beklagen; ⁴sich beschweren; Klage führen 《*über*⁴》.

씨우적씨우적 mürrisch; klagesüchtig.

씨젖 〖식물〗 inneres Nährgewebe, -s, -; 《배유》 Eiweißstoff *m.* -(e)s, -e.

씨족(氏族) Familie *f.* -n; Clan *m.* -s, -e (-s). ‖ ~사회 Clangesellschaft *f.* -en. ~신(神) Schutzgott 《*m.* -(e)s, ⸗er》 e-s Geschlechtes. ~제도 Familien¦system (Clan-) *n.* -s, -e.

씨종 Familiensklave *m.* -n, -n; Familiensklavin *f.* -en.

씨주머니 Saatbeutel *m.* -s, -.

씨줄 ① 《직물》 Einschlag *m.* -(e)s, ⸗e; Querfaden *m.* -s, ⸗; Einschuß *m.* ..schusses, ..schüsse. ② 〖지리〗 Breite *f.* -n.

씩 ¶ 씩 웃다 grinsen; grienen (경멸하듯); feixen (잘됐다는 듯이); die Zähne blecken (fletschen) (이빨을 드러내고).

-씩 jeder*; je; das Stück. ¶ 조금씩 ⁴Stück für ⁴Stück; 《점차》 nach u. nach; allmählich / 10원씩 je zehn *Won* / 매일 두 번씩 zweimal täglich / 한 사람에게 한 개(10 마르크)씩 je ein Stück (je zehn Mark) pro Person / 한번에 3사람씩 je drei Personen auf einmal/2분간에 한번씩 alle zwei Minuten / 우리는 둘씩 나란히 걸어갔다 Wir gingen je zwei u. zwei. / 그것은 한 개에 5원씩 이다 Sie kosten 5 *Won* das Stück. / 어린이들에게 사과를 두 개씩 주었다 Ich gab den Kindern je zwei Äpfel. / 조금씩 마셔라 Trink auf einmal ein wenig!

씩둑거리다 plaudern; schwatzen; plappern.

씩둑씩둑 geschwätzig; schwatzhaft; plaudernd.

씩씩- ☞ 식식-.

씩씩하다 tapfer; mutig; 《대담하다》 kühn; herzhaft; beherzt; 《용감함》 brav; wacker; tüchtig; 《사내답다》 mannhaft; männlich (sein). ¶ 씩씩한 병정 der tapfere Soldat, -en, -en / 씩씩하게 tapfer; 《대담하게》 kühn; 《용감하게》 brav; 《사내답게》 mannhaft; 《활발하게》 lebhaft / 씩씩하게 싸우다 tapfer kämpfen / 씩씩하게 대답하다 klar u. deutlich antworten 《*auf*⁴》 / 그는 씩씩하지 못하다 Er ist träge.

씩잖다 ☞ 씨식잖다.

씰그러뜨리다 verzerren; verziehen; verdrehen. ¶ 오목거울은 물체를 씰그러뜨린다 Der Hohlspiegel verzerrt die Gestalt.

씰그러지다 ⁴sich verziehen; verzerrt (verunstaltet) werden. ¶ 그의 입이 이를 드러내며 ~ Sein Mund verzieht sich zu e-m Grinsen.

씰기죽씰기죽 ☞ 실기죽실기죽.

씰룩씰룩 ☞ 실룩실룩.

씹 ① 《보지》 Vulva *f.* ..ven. ② 《성교》 Paarung (Verbindung; Begattung) *f.* -en.

씹거웃 Schamhaar 《*n.* -(e)s, -e》 der Frauen.

씹다 kauen. ¶ 껌을 ~ Kaugummi 《*m.* -s, -s》 kauen / 음식을 잘 ~ Speisen gut kauen / 씹어 뱉듯이 말하다 barsch (ärgerlich) aus|stoßen*.

씹하다 ⁴sich begatten; ⁴sich paaren; ⁴sich geschlechtlich vereinigen 《*mit*³》.

씹히다 gekaut (gepriemt) werden. ¶ 잘 씹히지 않다 schwer sein zu kauen / 잘 씹히면 (씹으면) 소화도 잘 된다 Gut gekaut ist halb verdaut.

씻가시다 waschen u. ausspülen; abspülen; ausschwenken; abschwemmen.

씻개 Wischer *m.* -s, -; Wischtuch *n.* -(e)s, ⸗er. ‖ 밑~ Toilettenpapier *n.* -(e)s, -e.

씻기다 ① 《…을》 waschen lassen*. ¶ 딸에게 접시를 ~ *js.* ⁴Tochter Teller waschen lassen*.
② 《…이》 gewaschen werden. ¶ 파도에 ~ von Wellen geschlagen (gepeitscht) werden / 씻기어 나가다 abgeschwemmt werden; weg¦geschwemmt (-gespült; -gewaschen) werden / 그릇이 잘 씻기지 않는다 Die Teller lassen sich nicht gut waschen.
③ 《마멸》 verwaschen (verwittert) sein; verschwimmen* ⓢ. ¶ 비명(碑銘)이 비바람에 씻기어서 판독을 할 수 없다 Die Inschrift ist verwaschen (verwittert) u. unleserlich.

씻다 ① 《물로》 waschen*⁴; baden⁴ (상처 따위를). ¶ 씻어내리다 aus|waschen⁴ / 손을 ~ ³sich die Hände waschen* / 몸을 ~ ⁴sich waschen* / 그릇을 ~ die Teller 《*pl.*》 waschen*⁴ / 잘 ~ gut waschen*⁴ / 더운 물로 눈을 ~ die Augen mit warmem Wasser waschen*⁴.
② 《누명을》 ⁴sich reinigen⁴ 《*von*³》; aus|wischen⁴. ¶ 씻을 수 없는 치욕 die unauslöschliche Schande, -n / 범죄의 혐의를 ~ ⁴sich von dem Verdachte e-s Verbrechens reinigen⁴ / 누명을 ~ s-n schlechten Ruf verbessern⁴; s-e Ehre wiederher|stellen⁴; den Fleck auf s-m Ruf aus|wischen⁴ / 그것으로 그는 전의 불명예를 씻었다 Dadurch hat er s-e frühe Schande ausgewischt.
③ 《닦아내다》 ab|wischen⁴. ¶ 입을 ~ s-n Mund ab|wischen⁴ / 이마의 땀을 ~ den Schweiß von der Stirn ab|wischen⁴ (ab|trocknen⁴)/ 눈물을 씻어 버리다 ³sich Tränen ab|wischen⁴.

씻부시다 waschen*; reinigen; säubern; reinmachen; abschwemmen.

씻은듯이 reinlich; sauber; gänzlich; völlig; ganz und gar; absolut. ¶ 상처가 ~ 나았다 Die Wunde ist ganz gut geheilt. / 하늘이 ~ 맑다 Der Himmel ist klar wie Kristall.

씽 husch!; pfiff! ¶ 바람이 씽 분다 Der Wind pfeift.¦Es pfeift der Wind nur so.

씽그레 ☞ 싱그레.

씽씽 ¶ ~ 불다 pfeifen*; sausen; schwirren; zischen / 공중을 ~ 날아가다 durch die Luft pfeifen* (zischen) / 바람이 ~ 분다 Der Wind heult (pfeift). / 총알이 ~ 귓전을 스치며 날아갔다 Kugeln zischten mir an den Ohren vorbei.

아[1] ①《놀람·의외·실망》ach!; o!; Mein Gott! ¶아 저기 있구나 Ach, da ist er! / 아 저것 봤지 Ach, da! gesehen? / 아 그래… Ach, ja... / 아 깜박 잊고 있었구나 Mein Gott, ich hab's völlig vergessen (verschwitzt)! / 아 이거 큰일났군 O, Himmel! / 아 지갑이 없어졌다 Mein Gott, m-e Börse ist verschwunden. / 아 자넨가 Ach, du bist es? / 아 그 녀석이 왔다 Ei, da kommt der Kerl!
②《감동》ach!; ah!; o!; aber (강의를 나타냄). ¶아 너는 참 좋겠다 O, ich beneide dich! / 아 가엾어라 O, ein armes Ding! / 아 어떻게 하지 O, was tun, was tun!¦Ach, was soll ich anfangen? / 아 기분 좋다 Bin aber froh! / 아 재미있다 Oh, wie interessant! / 아 참 다행이다 Gott sei Dank!¦Gott Lob!¦Dem Himmel sei Dank! / 아 참 재수 없구나 Ach, ich Unglücklicher! / 아 드디어 끝났다 Ah, endlich wären wir fertig! / 아 이제 다 왔구나 Na, endlich sind (wären) wir da! / 아 그가 와 줬으면 Oh, käme er doch! / 아 제발 그렇게 됐으면 O wollte doch Gott! / 아 빨리 나아야 할텐데 Ach, daß er doch bald gesund wäre!
③《응답》¶아 그렇고 말고요 Aber gewiß / 아 그래요 Ach so!¦Aha! / 아 알겠읍니다 Ah! Ich habe es verstanden. (설명 따위를 듣고)¦Ich bin im Bilde. (여러가지 사정 따위를 듣고)¦Ich hab's. (모르는 일, 잊어버렸던 일 등이 생각났을 때).
④《말을 걸 때》o!; höre mal!; hallo!;《대답할 때》ja (긍정); nein (부정). ¶아 여보게 Du, höre mal! / 아 여보세요 Hallo! / 아 그렇군요 Ja, es ist so.

아[2] 《받침 있는 명사 뒤에》he!; hei!; o(h)! ¶복순아 이리 오너라 Komm hier, *Bogsun!* / 밝은 달아 O scheinende Mond!

아(亞) Asien *n.* -s; Asiat *m.* -en, -en. ¶구아 대륙 der euroasische Kontinent, -(e)s, -e.

아(阿) Afrika *n.* -s; Afrikaner *m.* -s, -. ¶아아(阿亞) 블록 der afro-asiatische Block, -(e)s, ⸗e.

아-(亞) 《다음 가는》zweit; sub-; nah-. ¶아류 Epigone *m.* -n, -n; (unschöpferischer) Nachahmer, -s, - / 아열대 Subtrope *f.* -n / 아열대의 subtropisch.

아가 =아기.

아가(雅歌) 〖성서〗das Hohelied《Hohenlied(e)s》Salomo(ni)s (구약).

아가리 Schnabel *n.* -s, ⸗; Maul *n.* -(e)s, ⸗er; Schnauze *f.* -n. ¶~를 벌리다 ⁴sich unberufen mischen⁴ (mengen⁴)《*in*⁴》; s-e Nase stecken⁴《*in*⁴》; dazwischen|kommen* Ⓢ (-treten* Ⓢ) / ~ 벌리기 좋아하는 사람 der ⁴sich unberufen einmischende Mensch; einer, der sich unberufen in die Angelegenheiten anderer mengt / ~ 닥쳐 Halt Maul!
‖~질 unüberlegte Worte; unbesonnene Worte. 「(구멍).

아가미 Kieme *f.* -n; Kiemenspalte *f.* -n

아가사창하다(我歌査唱一) *jm.* die Schuld (den Fehlschlag) zu|schreiben* (bei|legen). ¶우리는 이 사건에 대한 책임을 어느 누구에게도 아가사창할 수 없다 Die Schuld an diesem Zwischenfall kann man keinem von uns zuschreiben.

아가씨 《처녀》Mädchen *n.* -s, -; Mädel *n.* -s, - (주로 남독에서); 〖시어〗Maid *f.* -en; Jungfrau *f.* -en (처녀); die junge Dame, -n; Miß *f.* Misses. ¶버릇없는 ~ die verhätschelte (verwöhnte; verzärtelte) junge Dame / 어여쁜 ~ ein schönes, junges Mädchen / 그 ~는 누구지요 Wer ist die junge Dame? / ~ 맥주 주세요 Fräulein, bringen Sie mir bitte ein Glas Bier! / ~는 어디서 오셨지요 Woher bist du, Fräulein?

아가위 die Frucht des Hagedorns.
‖~나무 Hagedorn *m.* -(e)s, -e(n).

아감 《아가미》Kieme *f.* -n. ¶~이 있는 kiementragend / ~ 없는 kiemenlos.
‖~구멍 Kiemenhöhle *f.* -n. ~딱지 Kiemendeckel *m.* -s, -. ~뼈 Kiemenbein *n.* -(e)s, -e. ~젓 die gesalzenen Fisch-Kiemen.

아강(亞綱) 〖동물〗Unterklasse *f.* -n; 〖식물〗Subordnung *f.* -en.

아교(阿嬌) das schöne Mädchen, -s, -; die schöne Frau, -en.

아교(阿膠) Leim *m.* -(e)s, -e. ¶~질의 leimicht; leimig / ~로 붙이다 leimen⁴.

아구맞추다 《수를》die Zahl voll machen; 《계산》ab|runden⁴; voll rechnen⁴.

아구창(牙口瘡) Aphthen《*pl.*》; Schwämmchen《*pl.*》; Mundfäule *f.* -n.

아국(我國) unser (mein) Vaterland *n.* -es.

아군(我軍) unsere Armee, -n; unsere Truppe, -n;《우군》die allierten Truppen《*pl.*》; 《우리 편》die verbündeten Truppen《*pl.*》.

아궁이 Herd *m.* -(e)s, -e.

아귀[1] ①《갈라진 곳》Gabel *f.* -n; Gabelung *f.* -en. ②《옷의》Spalt *m.* -(e)s, -e. ¶~가 트인 망토 der Mantel mit Seitenspalten. ③《씨의》Auge *n.* -s, -n;《가지·잎의》Gelenk *n.* -(e)s, -e. ¶~가 트다 sprießen* Ⓢⓗ; Augen bekommen*. ④《활의》der eingekrümmte Teil des zusammengesetzten Bogens. 「鱇).

아귀[2] 〖어류〗Seeteufel *m.* -s, -. ☞ 안강(鮟

아귀(餓鬼) ①〖불교〗Hungerleider《*m.* -s, -》in der Unterwelt; die hungrige Seele, -n (시편 107·9); Tantalus. ¶~도(道)의 고통 Tantalusqualen《*pl.*》.
②《사람》der gefräßige Kerl, -(e)s, -e. ¶~ 같은 gierig; begierig; gefräßig.
‖~다툼 Streit *m.* -(e)s, -e; Zank *m.* -(e)s, ⸗e; Argument *n.* -(e)s, -e.

아귀세다 ①《굳세다》zäh; stark; fest; von starkem Geiste (sein). ¶아귀센 아이 zähes Kind, -es, -er. ②《쥐는 힘이》starken Griff haben.

아귀아귀 gierig; gefräßig; heißhungrig. ¶~ 먹다 wie ein Scheunendrescher fressen*⁴.

아그레망 Agrément [agremá:] *n.* -s, -s. ¶~을 요청하다 um das Agrément nach|suchen / 김 박사를 대사로 일본 정부의 ~을

요청하다 bei japanischer Regierung ums Agrément nach|suchen, um Dr. *Kim* zum Botschafter zu ernennen.

아그배 〖식물〗 Holzapfel *m.* -s, ⸚.
‖ ~나무 Holzapfelbaum *m.* -(e)s, ⸚e.

아긋아긋 locker; ein wenig offen (getrennt). ~하다 ein wenig offen (getrennt); locker (sein); nicht ganz zusammen|passen.

아긋하다 ein wenig offen (getrennt); locker (sein); nicht ganz zusammen|passen.

아기 Kindlein *n.* -s, -; Säugling *m.* -s, -e; der Kleine*, -n, -n. ¶ ~야 mein Kleiner*; mein Teuerer* / ~가 사내입니까 계집애입니까 Ist Ihr Säugling ein Bube 《*m.* -n, -n》 od. ein Mädchen?
‖ ~예수(그리스도) Christkind *n.* -(e)s.

아기똥거리다 watscheln; affektiert (geziert) sein; vornehm tun*.

아기똥아기똥 watschelig; mit watschelndem Gange; (sch)wankend. ¶ ~ 걸어가다 watschelnd gehen* Ⓢ.

아기똥하다 frech handeln; [4]sich unverschämt benehmen*.

아기서다 schwanger (in guter Hoffnung) sein; ein Kind erwarten[4].

아기자기하다 ① 《정·애정》 zart; zärtlich; liebevoll; zugetan; innig; 《친밀한》 vertraut; intim; freundlich (sein). ¶ 아기자기하게 einträchtig; friedlich; glücklich / 아기자기한 사랑 die zärtliche Liebe / 아기자기한 친구 der intime Freund, -(e)s, -e; Busenfreund *m.* -(e)s, -e / 아기자기한 사이 das innige Verhältnis, ..sses, ..sse / …와 아기자기한 사이다 mit *jm.* sehr vertraut sein / 그 부부는 아기자기하게 살고 있다 Das Ehepaar verträgt sich sehr gut.
② 《예쁘다》 schön; hübsch; nett (sein). ¶ 아기자기한 처녀 das schöne (nette; hübsche) Mädchen.

아기작- ☞ 아기똥-.

아기집 〖해부〗 Gebärmutter *f.* ⸚er; Mutter *f.* ⸚er; Schoß *m.* -es, ⸚e.

아까 eben (gerade) jetzt; vorhin; vorher; früher; noch nicht lange her; vor nicht langer Zeit. ¶ ~부터 einige Zeit lang; seit ein paar Stunden / ~ 말씀드린 대로 wie ich Ihnen vorher gesagt habe / 바로 ~ 돌아왔소 Ich kam gerade vorher zurück. / ~부터 기다렸소 Ich habe schon lange auf dich gewartet.

아깝다 ① 《유감스럼》 bedauerlich (sein). ¶ 아까운 일이지만 zu *js.* [3]Bedauern; leider / 아깝게도 im letzten Augenblick (Moment); um ein Haar (종이 한 장 차로) / 아깝구나 Wie schade! / 그건 정말 ~ Es ist ewig schade. | Es ist jammerschade.
② 《귀중함》 teuer; kostbar (sein). ¶ 아까운 사람을 잃었다 Sein Tod ist ein großer Verlust. / 그의 요절은 실로 아까운 일이다 Sein früher Tod ist sehr zu bedauern.
③ 《소중함》 zu gut; zu schade (sein). ¶ 이 구두는 이런 날씨에 신기는 ~ Die Schuhe sind zu schade für solches Wetter. / 누구나 목숨은 아까운 법이다 Das Leben ist allen teuer. / 목숨을 아까와하지 않는다 Er scheut nicht, das Leben zu opfern. / 너를 위해서는 목숨을 던져도 아깝지 않다 Ich stehe dir mit Leib u. Seele zur Verfügung.

아끼다 ① 《절약》 sparen[4]; kargen 《*mit*[3]》; ungern geben*[4]; sparsam wirtschaften 《*mit*[3]》. ¶ 수고를 ~ die Mühe scheuen / 수고를 아끼지 않다 k-e Mühe scheuen (sparen); fleißig arbeiten / 비용을 아끼지 않고 ohne Rücksicht auf die Kosten / 비용을 아끼지 않다 keine Kosten sparen (scheuen) / 촌음을 ~ mit der Zeit geizen (sparen) / 그는 칭찬을 아끼지 않았다 Er sparte nicht mit Lob. / ~가 똥 된다 Was man spart vom Mund, fressen Katz u. Hund. / 일분 일초라도 아껴라 Benutze jeden Augenblick!
② 《소중히 여기다》 ¶ 몸을 ~ [4]sich schonen / 생명을 ~ am Leben hängen / 목숨보다 명예를 ~ die Ehre höher als das Leben schätzen.

아낌없이 freigebig; großzügig; 《충분하게》 reichlich; mit vollen Händen; 《기꺼이》 willig; gern; freudig. ¶ ~ 주다 freigebig spenden[4].

아나 《아이에게》 ei; he. ¶ ~ 이리온 Ei, komm mal! / ~ 좀 기다려 Ei, warte mal!

아나나스 〖식물〗 Ananas *f.* - (-se).

아나운서 Sprecher *m.* -s, -; Ansager *m.* -s, -. ‖ 여자~ Ansagerin *f.* -nen.

아나크로니즘 Anachronismus [anakronísmus] *m.* -, ..men.

아나키 Anarchie *f.* ..chien.
‖ 아나키스트 Anarchist *m.* -en, -en. 아나키즘 Anarchismus *m.* -.

아낙 ① 《내간》 Damenzimmer *n.* -s, -; Boudoir [budoá:r] *n.* -s, -s. ② ☞ 아낙네.
‖ ~군수 Stubenhocker *m.* -s, -. ~네 Dame *f.* -n; Frau *f.* -en. ~들 Frauen 《*pl.*》.

아날로그계산기(一計算機) Analogrechengerät *n.* -(e)s, -e.

아내 Frau *f.* -en; Gattin *f.* -nen (정중한 표현); Gemahlin *f.* -nen (아주 정중한 표현); Weib *n.* -(e)s, -er (남독일의 방언); Ehefrau *f.* -en (유부녀의 뜻). ¶ ~로 맞다 *jn.* zur Frau nehmen* / ~를 얻다 [3]sich die Frau nehmen*; [4]sich verheiraten (혼인하다) / 제 ~올시다 Das ist m-e Frau. / ~를 버리다 s-e Frau verlassen*[4] (im Stiche lassen*[4]) / ~를 내쫓다 s-e Frau verstoßen*[4] / ~와 헤어지다 [4]sich von s-r Frau trennen (scheiden*[4]) / ~가 진심으로 안부 전합디다 M-e Frau läßt Sie bestens grüßen.

아네모네 〖식물〗 Anemone *f.* -n.

아녀자(兒女子) die Frauen u. Kinder 《*pl.*》.

아노락 《방한용 외투》 Anorak *m.* -s, -s.

아뇨 nein; doch. ¶ 실례했읍니다—~ 천만에요 Verzeihen Sie!—Keine Ursache! / ~ 많이 먹었읍니다 Nein, danke! Ich habe genug. / 이것은 네 것이냐—~ 그건 한군 것입니다 Ist das dein?—Nein, das ist Herrn *Hans.* / 저를 모르시지요—~ 알고 있읍니다 Kennen Sie mich nicht?—Doch, ich kenne Sie.

아늑하다 behaglich; angenehm; bequem; gemütlich; traulich; wohnlich heimlich; traut (sein). ¶ 아늑한 집이다 Es ist ein gemütliches (wohnliches) Haus. / 이 사무실은 ~ Ich fühle mich in dem Büro, als ob ich zu Hause wäre.

아는체하다 klug|reden; besser wissen wollen; tun*, als ob man Bescheid wüßte; [4]sich wissend stellen. ¶ 아는 체하는 자 Besserwisser *m.* -s, -; Klugredner *m.* -s, -; Gescheittuer *m.* -s, - / 아는 체하는 자식이지 Er ist ein Neunmalkluger, nicht wahr?

아니 ① 〔부사적〕 nicht. ¶ ~ 가다 nicht gehen* Ⓢ / ~ 땐 굴뚝에 연기 날까 《속담》 „Wo es Rauch gibt, gibt's Feuer.“ | „Es gibt k-n

Rauch ohne Feuer."
② 《대답》 nein; doch; 〖속어〗 ne. ¶ ~ 천만에요 Bitte sehr! ¦ Gern geschehen*! ¦ K-e Ursache(n)! / ~라고 대답하다 mit nein (e-m Nein) antworten / 저 분을 모르시죠—~ 압니다 Kennen Sie ihn nicht?—Doch, ich kenne ihn. / 피곤한가—~ Bist du müde? —K-e (Nicht die) Spur! / 올래—~ 안 갈래 Willst du kommen?—Nein, ich will nicht. / 편지를 썼니—~ 나중에 쓸 테다 Hast du den Brief geschrieben?—Nein, ich schreibe ihn später.
③ 《놀람·의심》 ah!; oh!; ach!; mein Gott! ¶ ~ 이게 웬일이냐 Ach, was ist los? / ~ 뭐라구 Ach was! / ~ 지갑이 없어졌네 Mein Gott! M-e Börse ist verschwunden. / ~ 벌써 가실려구요 Wie? Sie wollen schon gehen?

아니꼬와하다 ^{4}sich vor ^{3}*et.* ekeln; sehr ärgerlich über *jn.* sein.

아니꼽다 《사람·행위 따위》 abscheulich; ekelhaft; gemein; unausstehlich; unerhört; widerlich; unangenehm; widerwärtig; abstoßend; arrogant; dünkelhaft (sein); Ekel erregen; es ekelt 《*jn.*》; es wird ekelhaft zumute 《*jm.*》. ¶ 아니꼬운 녀석이다 Er ist ein Ekel (ein unausstehlicher Fant). / 그는 여자에게 아니꼽게 굴었다 Er hat sich unanständig gegen ein Mädchen betragen (benehmen).

아니나다를까 wie zu erwarten war; wie erwartet; der Erwartung entsprechend; wirklich. ¶ ~ 거기 있었다 Wirklich fand ich ihn dort. / ~ 나타나지 않았다 Wie erwartet, kam er nicht. / ~ 그는 시험에 떨어졌다 Er ist bei der Prüfung (im Examen) durchgefallen, wie ich mich fürchtete.

아니다 nicht (sein). ¶ 그는 학생이 ~ Er ist nicht Student. / 그것은 그런 것이 ~ Es ist nicht so. / 웃을 일이 ~ Da gibt's nichts zu lachen. / 그것은 상상이 아니고 진실이다 Das ist nicht Einbildung, sondern Wahrheit. / 나는 그런 바보는 ~ So dumm bin ich nicht. / 이것이 시청인가요—~ 시민회관이다 Ist das Rathaus?—Nein, das ist das bürgerliche Vereinshaus. / 그는 거짓말장이가 ~ Er ist nicht Lügner.

아니라고 《sagt》, daß es nicht ist. ¶ 그것은 내 것이 ~ 주지 않았다 Er sagte, daß es nicht mein ist, u. gab es mir nicht.

아니라도 wenn es auch nicht ist.

아니라면 andernfalls; sont; oder; wo nicht.

아니면 oder (aber). ¶ ~ 죽었는지도 모른다 Oder er ist vielleicht gestorben. / 네가 ~ 내가 잘못이다 Entweder du oder ich bin verkehrt. / 바보한테는 귀를 기울이지 말거나 ~ 반항하지 않는 것이 좋다 Einen Narren muß man entweder gar nicht hören, oder (aber) ihm nicht widersprechen.

아니스 〖식물〗 Anis *m.* -es, -e.

아니참 Ach!; Oh!; es erinnert mich; ich dachte gerade darüber, daß....

아니하다 ☞ 않다.

아닌게아니라 in der Tat; wirklich; tatsächlich; gewiß. ¶ ~ 그렇다 Tatsächlich ist es. / ~ 네가 옳다 Gewiß hast du recht. / ~ 그녀는 미인이다 Wirklich ist sie schön.

아닌밤중 〖부사적〗 unerwartet; überraschend; auf einmal; plötzlich. ¶ ~에 홍두깨 내밀듯 ganz unerwartet / ~에 총소리가 났다 Ein Schuß 《*m.* schusses, schüsse》 klang durch die Nacht. / ~에 차시루떡 das unerwartete (unvermutete) Glück, -(e)s; Sauglück *n.* -(e)s.

아닐린 〖화학〗 Anilin *n.* -s.
‖ ~염료 Anilinfarbe *f.*

아다지오 〖음악〗 Adagio *n.* -s, -s; adagio 「〖부사〗.

아닥치듯 mit Gewalt; heftig; stark.

아담 〖성서〗 Adam *m.*

아담(雅淡) Eleganz *f.*; Verfeinerung *f.* -en. ~하다 elegant; nett; angenehm; 《집 따위가》 niedlich (sein). ¶ ~한 가구 die elegante Möbel 《*pl.*》 / ~한 방 das angenehme Zimmer / ~한 집 das niedliche Haus.

아데나워 《서독 정치가》 Konrad Adenauer (1876-1967).

아데노이드 〖의학〗 adenoide Vegetation.

아동(兒童) Kind *n.* -(e)s, -er; Jungen u. Mädel 《*pl.*》; Knaben u. Mädchen 《*pl.*》. ¶ ~(용)의 jugendlich; Jugend-; Kinder-.
‖ ~교육 die Erziehung der Kinder. ~극 das Drama 《-s, ..men》 für die Kinder. ~문고 Jugendbücherei *f.* -en; Kinderbibliothek *f.* -en. ~문학 Jugendliteratur *f.* -en; Kinderschriften 《*pl.*》. ~복 Kinderkleid *n.* -(e)s, -er. ~복지 Kinder¦fürsorge (Jugend-) *f.*: ~ 복지법 Gesetz 《*n.* -es, -e》 für Jugendwohlfahrtspflege. ~상담소 Kinder¦informationsbüro (-auskunftsbüro) *n.* -s, -s. ~실 Kinderstube *f.* -n. ~심리학 Kinderpsychologie *f.* ~연구(硏究) das Studium 《-s, ..dien》 der Kinder: ~연구소 Kinderforschungsinstitut *n.* -(e)s, -e. ~학대 Kindermißhandlung *f.* -en. ~화 Kinderschuhe 《*pl.*》. 국민학교 ~ Schulkind *n.* -(e)s, -er; Schüler(in) *m.* -s, - (*f.* -nen).

아둔패기 Dumm(e)rian *m.* -s, -e; Dummerjan *m.* -s, -e; Trottel *m.* -s, -; 《정신 박약자》 der Schwachsinnige*, -n, -n.

아둔하다 stupid; dumm; stumpfsinnig; geistlos (sein). ¶ 아둔한 사람 Dummkopf *m.* -(e)s, ⸚e / 아둔하기도 해라 Wie dumm bist du! / 그는 아둔해서 남에게 늘 속는다 Er ist so dumm, daß er leicht betrogen wird.

아드님 Ihr (Herr) Sohn *m.* -(e)s, ⸚e.

아드레날린 〖의학·화학〗 Adrenalin *n.* -s.

아드리아해(一海) das Adriatische Meer, -(e)s, -e.

아득하다 《멀다·희미하다》 ¶ 아득히 먼 weit in der Ferne / 아득히 먼 곳을 보다 weit in die Ferne sehen* / 아득히 먼 곳에서 오다 aus weiter Ferne kommen* ⓢ.

아든 《남 예멘의 수도》 Aden.

아들 Sohn *m.* -(e)s, ⸚e; Knabe *m.* -n, -n. ¶ 훌륭한(나쁜) ~을 갖다 e-n guten (schlechten) Sohn haben.
‖ ~놈, ~아이, ~자식 mein Sohn *m.* -(e)s, ⸚e; mein Bube *m.* -n, -n. ~딸 Sohn u. Tochter.

아들이삭 Seitenähre 《*f.* -n》 der Getreide.

아등그러지다 ☞ 으등그러지다.

아디스아바바 《이디오피아 수도》 Addis Abeba.

아딧줄 Seil *n.* -(e)s, -e; Strick *m.* -(e)s, -e; Tau *n.* -(e)s, -e.

아따 jüh!; du m-e Güte!; du Kind; verdammt!; mein Gott; nanu. ¶ ~ 그 사람 키도 크다 Mein Gott, was für ein riesiger Mann ist er! / ~ 걱정도 많네 Du braucht dir k-e Sorge zu machen. / ~ 말도 많네 Du Kind, wirklich plauderst du viel!

아뜩(아뜩)하다 plötzlich schwindeln 《*jm.*》; (^{4}sich) wirbeln^{4}; ^{4}sich verwirren^{4}. ¶ 눈 앞이

~ es schwindelt 《*jm.*》; *jm.* schwindelt; es wird *jm.* schwarz vor den Augen / 그 소식에 정신이 아뜩했다 Es schwindelte mir, als ich die Nachricht bekommen hatte. / 머리를 얻어맞고 눈 앞이 아뜩했다 Es wurde mir schwarz vor den Augen, als ich auf den Kopf geschlagen wurde.

아라베스크 Arabeske *f.* -n; Rankenlinien 《*pl.*》; Ringelranken 《*pl.*》.
‖ ~무늬 Arabeskenmuster *n.* -s, -.

아라비아 Arabien *n.* -s. ¶ ~(풍)의 arabisch.
‖ ~고무 Gummiarabikum *n.* -s; das Arabische Gummi, -s. ~낙타 das Arabische Kamel, -(e)s, -e. ~말 Araber *m.* -s, -. ~반도 Arabische Halbinsel, -n. ~사람 Araber *m.* -s. ~사막 Arabische Wüste, -n. ~숫자 die arabische Ziffer, -n. ~어 das Arabische; Arabisch *n.* -(s). ~풀 der arabische Leim (Schleim) -(e)s, -e. ~해 das arabische Meer, -(e)s, -e.

아라비안나이트 ＝천일야화(千一夜話).

아랄해(一海) 〖지리〗 der Aralsee, -s, -n.

아람 das Gereifte (die gereifte Frucht) auf dem Baum.
‖ ~밤 die gereiften Kastanien 《*pl.*》.

아랍 Araber *m.* -s, -.
‖ ~연맹 das Arabische Bündnis, ..sses, ..sse. ~연합 die vereinigten Arabischen Staaten. ~제국 die Arabischen Staaten. 통일~ 공화국 die Vereinigte Arabische Republik.

아랑 das Sediment 《-(e)s, -e》 des Getränks im Braugefäß; das Spiritussediment; das Sediment des Spiritus.

아랑곳하다 an|gehen*[4]; teil|nehmen* 《*an*[3]》; [4]sich beteiligen 《*an*[3]》; Anteil nehmen*[4]. ¶ 내가 아랑곳할 바 아니다 Das betrifft mich nicht.¦Das geht mich nichts an.¦Ich habe nichts damit zu tun. / 남들이 뭐라든 아랑곳하지 않는다 Ich mache mir nichts daraus, was die Leute sagen. / 당신이 아랑곳할 바 아니다 Was geht Sie das an?¦Was bekümmert es Sie? / 익사해도 내가 아랑곳할 바 아니다 Meinetwegen kann er ertrinken! / 네가 한 일에 나는 아랑곳 없다 Ich bin nicht verantwortlich für das, was du getan hast.

아래 ① 《아랫부분·아랫쪽》 Unterteil *m.* -(e)s, -e; der untere Teil, -(e)s, -e; Fuß *m.* -es, ⸗e (발밑); Boden *m.* -s, - (⸗); Grund *m.* -(e)s, ⸗e; 《일층》 Parterre *n.* -s, -s; Erdgeschoß *n.* ..sses, ..sse. ¶ ~의 unter; nieder; folgend / ~에(서) unter[3]; unterhalb[3]; 〖부사〗 unten; am Boden; in der Tiefe; von unten her / ~로 nach unten; abwärts; hinab; hinunter / 다리 ~에(서) unter e-r Brücke / 계단 ~에(서) am Fuß(e) der Treppe / 산 ~에서 am Fuß(e) e-s Berges (Hügels) / 테이블 ~에서 unter dem Tische hervor / 위에서 ~까지 von oben bis unten / ~층에 살다 unten wohnen / ~를 굽어보다 hinab|sehen* 《*auf*[4]》 / 눈을 ~로 내리깔다 die Augen nieder|schlagen* / 나무 ~에서 unter dem Baum / ~에 놓다 nieder|-legen[4] (-|setzen[4]) / ~로 내려가다 nach unten gehen* ⓢ / ~에 닫치다 von unten stützen / ~층에 방이 셋 있다 Ich habe drei Zimmer unten.
② 《지위·연령이》 Tiefstand *m.* -(e)s, ⸗e (하위, 열등); unter. ¶ ~의 untergeordnet; tiefstehend; untergeben; unterlegen; unter; nieder / 아무의 ~에 있다 *jm.* unterstehen; untergeben (untergeordnet) sein 《*jm.*》; unter e-m anderen stehen*; e-n anderen über [3]sich haben; unterlegen sein 《*jm.*》 (뒤떨어지다) / 아랫지위 e-e unbedeutende Stellung, -en / 위로는 왕으로부터 ~로는 백성에 이르기까지 von s-r Majestät bis herab zum niederen (gemeinen) Volke / 그의 지위는 나보다 ~다 Er ist mir unterlegen. / 너는 나보다 두 살 ~다 Du bist zwei Jahre jünger als ich.¦Ich bin zwei Jahre älter als du.
③ 《기준보다》 ¶ 평균보다 ~로 unter den Durchschnitt / 스무 살 ~ 사람들 Personen unter zwanzig Jahren / 천원 ~로 팔 수 없다 Unter tausend *Won* können wir nicht verkaufen.
④ 《다음》 ¶ ~의 nachstehend; folgend / ~와 같이 wie folgt; wie folgend / 그는 학급에서 성적이 나보다 ~다 In der Schule (Klasse) bin ich besser als er.
⑤ 《압박》 unter 《e-r Last》; tragend. ¶ 무거운 짐 ~ 쓰러지다 unter e-r schweren Last sinken* ⓢ.
⑥ 《영향》 unter 《dem Einfluß; der Führung; der Direktion》. ¶ 그러한 정세 ~서 unter solch e-r Situation.
⑦ 《하체》 Geschlechtsteile (Genitalien) 《*pl.*》.

아래옷 Hose *f.* -n; Rock *m.* -(e)s, ⸗e.

아래위 ¶ ~에(로) oben u. unten; auf u. ab (nieder) (아래로 위로) / ~를 뒤바꾸다 oben u. unten verwechseln / ~가 뒤집히다 verkehrt (herum) sein / ~로 움직이다 (가다, 오르내리다) auf u. ab bewegen[4] (gehen* ⓢ, steigen* ⓢ) / 아무의 ~를 훑어보다 *jn.* mit forschendem (prüfendem) Blick von Kopf bis zu Fuß betrachten.
‖ ~턱 die Einteilung in die Hohen u. Niedrigen. ⌈-(e)s, -e.

아래윗막이 das obere und untere Endstück,

아래윗벌 Anzug *m.* -(e)s, ⸗e (남자의); Kostüm *n.* -(e)s, -e (여자의).

아래짝 Unterteil *m.* -(e)s, -e; das niedere Mitglied, -(e)s, -er.

아래쪽 ① unten; unterhalb. ¶ ~을 보다 unten schauen (blicken; sehen*) / 그는 몇 가구 (집) ~에 살고 있다 Er wohnt einige Häuser weiter unten. / 다리에서 50미터 ~에 마을이 있다 Es ist ein Dorf etwa fünfzig Meter unterhalb der Brücke. ② 《앞대》 Süden *m.* -s.

아래채 Neben¦gebäude (Seiten-) *n.* -s, -.

아래층(一層) Erdgeschoß *n.* ..sses, ..sse; das untere Stockwerk, -(e)s, -e. ¶ ~에(서) unten (im Hause); im Parterre; parterre; im unteren Stockwerk / ~으로 내려가다 nach unten gehen* ⓢ; hinunter|gehen* (herunter|-) ⓢ / ~으로 떨어지다 die Stiege (die Treppe) hinab|fallen* (hinab|stürzen) (*od.* herab|-) ⓢ / ~ 응접실 das untere Empfangszimmer, -s, - / 그는 이 ~에 살고 있다 Er wohnt hier unten. / 교실 ~에 교무실이 있다 Unter dem Klassenzimmer ist das Lehrerzimmer. ⌈-e.

아래턱 Unterkiefer *m.* -s, -; Kinn *n.* -(e)s,

아래통 der untere Körper, -s, -. ¶ ~이 가늘다 schmale Hüfte haben.

아랫길 ① 《길》 der untere Weg, -(e)s, -e; der Weg unten. ② 《품질》 geringe Qualität, -en; schlechte Güte.

아랫녘 《아래쪽》 unten; Unterteil *m.* -(e)s,

-e; 《전라·경상도》 Süden *m.* -s.
‖ ~장수 Prostituierte *f.* -n; Straßendirne *f.* -n.
아랫눈썹 die untere Augenwimper, -n.
아랫니 die Zähne 《*pl.*》 im Unterkiefer; das untere Gebiß, ..bisses, ..bisse.
아랫대(一代) Nachwelt *f.* -en; die späteren Zeiten 《*pl.*》; die künftigen Geschlechter 《*pl.*》; die kommenden Generationen 《*pl.*》.
아랫도리 ① 《하체》 der Unterteil des Körpers. ¶ ~를 못 쓰는 lahm; krüppelhaft; verkrüppelt / ~를 못 쓰는 사람 der (die) Gelähmte, -n, -n. ② 《옷》 Hose *f.* -n; Rock *m.* -(e)s, ⸗e.
아랫동아리 ① Unterteil *m.* -(e)s, -e 《e-s Dinges》. ¶ 나무의 ~ der Fuß e-s Baumes. ② =아랫도리.
아랫막이 das untere Endstück, -(e)s, -e.
아랫머리 der untere Hauptteil 《-(e)s, -e》 eines Dinges.
아랫목 der dem Ofen (dem Küchenherd) naheliegende Fußboden.
아랫물 Unterlauf *m.* -(e)s, ⸗e. ¶ 웃물이 맑아야 ~도 맑다 《속담》 „Wie der Herr, so der Knecht."
아랫반(一班) Unterklasse *f.* -n; die untere Klasse, -n.
아랫방(一房) Nebenzimmer *n.* -s, -.
아랫배 Unterleib *m.* -(e)s, -er. ¶ ~에 힘을 주다 die Unterleibsmuskeln an|spannen / ~가 아프다 Schmerzen im Unterleib haben.
아랫벌 《바지·즈봉》 Unterkleid *n.* -(e)s, ⸗er.
아랫사람 ① 《손아래》 der (die) Jüngere, -n, -n. ② 《지위의》 der Untergeordnete* (Untergebene*; Niedrigstehende*) -n, -n.
아랫사랑(一舍廊) das Wartezimmer 《-s, -》 des Nebengebäudes.
아랫수염(一鬚髯) Kinnbart *m.* -(e)s, ⸗e; Ziegenbart *m.* -(e)s, ⸗e. ¶ ~을 기르다 ³sich e-n Kinnbart wachsen (stehen) lassen*.
아랫입술 Unterlippe *f.* -n. ¶ ~을 깨물다 an den Unterlippen nagen.
아랫잇몸 das untere Zahnfleisch, -(e)s, -e.
아랫자리 die Stellung 《-en》 e-r Untergeordneten; 〖수학〗 e-e Stelle niedriger (한 자리 아래); die niedrigere Stelle 《-n》 des Dezimalsystems.
아랫집 das nächste Haus unten.
아량(雅量) Großmut *f.*; Edelmut *m.* -(e)s; Hoch|herzigkeit (Weit-) *f.*; Nachsicht *f.* ¶ ~이 있는 groß|mütig (edel-); hoch|herzig (weit-); nachsichtig / ~이 없는 nicht großmütig; unedel; unedelmütig / ~을 보이다 ⁴sich hochherzig benehmen*⁴ / ~이 없다 es fehlt *jm.* an Hochherzigkeit.
아련하다 verschwommen; nebelhaft (sein). ¶ 기억이 ~ das unsichere Gedächtnis haben / 아련히 보이다 verschwommen (nebelhaft) sichtbar sein (werden) / 산이 아지랭이 속에 아련히 보인다 Die Berge verschwimmen in Duft.
아령(啞鈴) Hantel *m.* -s, - (*f.* -n).
‖ ~체조 Hantelübung *f.* -en.
아로새기다 ein|prägen 《*jm.* ⁴*et*》. ¶ 마음에 ~ ⁴*et.* dem Gedächtnis ein|prägen / 나무에 불상을 ~ e-e Buddhastatue 《-n》 in Holz schneiden* (schnitzen).
아롱다롱하다 gesprenkelt; sprenklig; gemischt; vielfarbig; scheckig; getüpfelt; wechselvoll; wechselnd; bunt (sein). ¶ 무늬가 아롱다롱한 천 das Tuch mit bunten Mustern.
아롱아롱하다 bunt; vielfarbig; wechselvoll (sein).
아롱이 ① 《물건》 e-e Sache mit Flecken. ② 《짐승》 das gescheckte Tier, -(e)s, -e.
아롱지다 bunt; vielfarbig (sein).
아뢰다 sagen⁴; mit|teilen⁴; erzählen⁴. ¶ 아뢰오, 손님이 오셨읍니다 Verzeihen Sie, jemand will Sie besuchen.|Es möchte Sie jemand sprechen.
아류(亞流) ① 《주의·학설의》 Epigone *m.* -n, -n; (unschöpferischer) Nachahmer, -s, -; Nachfolger *m.* -s, -. ② 《유파의》 e-e Person zweiter Klasse (zweiten Ranges).
아류산(亞硫酸) =아황산(亞黃酸).
아르 Ar *n.* -s, -e (= 100 Quadratmeter).
아르롱이 Flecken *m.* -s, -; Makel *m.* -s, -.
아르바이트 Nebenarbeit *f.* -en. ¶ 여름 방학 내내 ~를 해야 하다 ³sich durch die Sommerferien (hindurch) den Lebensunterhalt erarbeiten (Geld verdienen) müssen*.
‖ ~학생 Werkstudent *m.* -en, -en.
아르에이치 Rh. 《Rhesusfaktor 의 약어》.
‖ ~식 혈액형 eine Rh-Blutgruppe.
아르키메데스 《그리스의 수학자·물리학자》 Archimedes [arçimé:dɛs] *m.* (B.C. 287-212). ¶ ~의 원리 das Archimedische Prinzip, -s, -e (-ien).
아르헨티나 Argentinien *n.* -s.
‖ ~공화국 die argentinische Republik. ~사람 der Argentinier, -s, - (남자); die Argentinerin, -nen (여자).
아른거리다 ☞ 어른거리다.
아름 《두께·양》 Armvoll *m.* -, -. ¶ 종이 한 ~ ein Armvoll Papier *n.* -s, - / 한 ~이 넘다 so dick, daß man es kaum mit beiden Armen umschließen kann / 다섯 ~이 넘는 나무 ein Baum, der mehr als fünf Armspannen mißt.
아름답다 《곱다》 schön; zierlich; hübsch; 《그림처럼》 bildschön; malerisch; 《사랑스럽다》 entzückend; reizend (sein). ¶ 아름다운 경치 die schöne (herrliche) Landschaft (Aussicht) -en; der schöne Anblick, -(e)s, -e / 아름다운 목소리 die schöne (süße; wohlklingende) Stimme, -n / 아름답게 하다 verschönern⁴; verschönen⁴ / 그녀의 얼굴은 눈 때문에 ~ Die Augen verschönen ihr Gesicht. / 아름다운 여자 die schöne (hübsche; reizende) Frau, -en / 자태가 아름다운 wohlgestaltet; von schöner Gestalt / 아름답게 차려입다 ⁴sich schön an|kleiden⁴; ⁴sich fein an|ziehen*⁴; ⁴sich putzen⁴ / 꽃병의 꽃으로 방이 아름답게 보인다 Blumen in e-r Vase geben dem Zimmer Reiz.
아름드리 Armvoll *m.* -, -; 〖형용사적〗 armvoll.
‖ ~나무 ein armvoller Baum, -(e)s, ⸗e.
아름차다 nicht in *js.* Macht (Gewalt) sein; über die Kräfte gehen* ⓢ; zu viel sein. ¶ 이 일은 내게 ~ Diese Arbeit geht über m-e Kraft.
아리다 《상처·맛이》 〖형용사〗 stechend; brennend; beißend (sein); 〖동사〗 stechen*; brennen*; beißen*. ¶ 연기 때문에 눈이 ~ Der Rauch beißt in die Augen. / 상처가 아직 ~ Die Wunde brennt (sticht) noch. / 후추를 먹으면 혀가 ~ Pfeffer beißt (brennt) auf der Zunge.
아리땁다 《여자가》 lieblich; entzückend; bezaubernd; reizend (sein). ¶ 아리따운 처녀 ein liebliches (reizendes; bezauberndes)

Mädchen, -s, -.
아리송하다 ☞ 어리숭하다.
아리스토텔레스 《그리스의 철학자》 Aristoteles (B.C. 384-322).
아리아 〖음악〗 Arie *f.* -n.
아리안 《인종》 Arier *m.* -s, -.
‖ ~말 Arisch; das Arische: ~말의 arisch. ~족, ~인종 Arische Rasse, -n.
아리잠직하다 《작고 얌전하다》 klein; sanft; mild; zart; weich; 《솔직하다》 aufrichtig; ehrlich; redlich; 《천진하다》 unschuldig; schuldlos; arglos; harmlos (sein).
아릿하다 scharf; beißend; ätzend (sein). ¶ 아릿한 맛이 나다 ätzend schmecken; auf der Zunge beißend sein.
아마 wahrscheinlich (모르긴 하지만); vermutlich; möglicherweise; allenfalls; vielleicht [filáiçt] (어쩌면); voraussichtlich (예상); ich fürchte (염려해서); hoffentlich (바라건대); wohl; dem Anschein nach (보기에); zehn gegen eins (십중 팔구). ¶ ~ …일 것이다 Es ist wahrscheinlich, daß.... / ~ 누구도 이 제안에 반대하지 않을 것이다 Voraussichtlich wird niemand dem Vorschlag widersprechen./~ 벌써 떠났을 지도 모른다 Ich fürchte, er ist schon fort. / ~ 가지 못할 걸 Ich werde wahrscheinlich nicht kommen. / ~ 잊었을 게다 Er muß es vergessen haben. / ~ 그가 옳을지 모른다 Er hat vielleicht recht. / ~ 합격하겠지요 Ich glaube, er wird doch wohl das Examen bestehen. / ~ 그럴 게다 Es mag (kann) wohl so sein. / ~ 오지 않을 걸 Ich fürchte, er kommt nicht mehr. / ~ 내일은 비가 올 걸 Vermutlich wird es morgen regnen.
아마(亞麻) 〖식물〗 Flachs *m.* -es. ¶ ~로 만든 flachse(r)n.
‖ ~실, ~사 Flachsgarn *n.* -(e)s, -e. ~인, ~씨 Leinsamen *m.* -s, -: ~인 가루 Leinsamenmehl *n.* -(e)s / ~인유(油) Leinöl *n.* -(e)s, -e. ~포 Leinen *n.* -s, -.
아마도 irgendwie; auf irgendeine (in irgendeiner) Weise; dem Scheine nach; wie es scheint¦Es läßt sich an, als ob.... ☞ 아마.
아마릴리스 〖식물〗 Amaryllis *f.* ..ryllen.
아마존 Amazonas *m.* -; Amazonen¦fluß (-strom) *m.* -(e)s, ⸗e.
아마추어 Amateur [amatǿ:r] *m.* -s, -e; Liebhaber *m.* -s, -e; Dilettant *m.* -en, -en.
‖ ~무선가 Radioamateur [..tø:r] *m.* -s, -e.
아말감 Amalgam *n.* -s, -e (물금); Quecksilberlegierung *f.* -n (혼합물).
‖ ~은(銀) das amalgamierte Silber, -s. ~화 〖화학〗 Amalgamation *f.* -en; Amalgamierung *f.* -en; Verquickung *f.* -en: ~화하다 amalgamieren; verquicken.
아망 der Eigensinn (der Stolz; die Willkür) e-s Kindes. ¶ ~부리다 s-m eigenen Kopf folgen; nach eigenen Belieben handeln; tun*, was e-m beliebt.
아먼드 〖식물〗 Mandel *f.* -n.
아메리카 Amerika *n.* -s; die Vereinigten Staaten von Amerika 《생략: U.S.A.》. ☞ 미국. ¶ ~의 amerikanisch.
‖ ~사람 Amerikaner *m.* -s, -. ~영어 das amerikanische Englisch. ~인디언 Indianer *m.* -s, -. 남북~ Nord- u. Südamerika. 중앙~ Zentralamerika.
아메바 〖동물〗 Amöbe *f.* -n.
‖ ~성 이질 Amöbenruhr *f.* -en.
아멘 〖기독교〗 Amen *n.* -s; Amen!
아명(兒名) Kindername *m.* -ns, -n; der Name, den man in der Kindheit trägt. ¶ 그의 ~은 복돌이였다 Er hieß in s-r Kindheit *Boktori*.
아목(亞目) 〖동물·식물〗 Unterordnung *f.* -en; 〖식물〗 Reihe *f.* -n.
아무 ① 《누구》 jeder*; ein jeder*; jedermann*; all u. jeder; alle u. jede 《*pl.*》; 《부정》 keiner*; niemand*. ¶ ~라도 좋다 Jeder genügt. / ~나 알고 있다 Jeder weiß es. / ~라도 법을 어기면 벌 받는다 Wer auch immer das Gesetz übertritt, wird bestraft. / ~나 금년에는 기근이 들 것으로 예상한다 Jeder hat die diesjährige Hungersnot vorausgesehen. / 그건 ~나 할 수 있는 일이 아니다 Es ist nicht jedermanns Sache. / ~도 할 수 없다 Niemand kann es. / ~에게도 말하지 말라 Sag es k-m!¦Du darfst es niemand sagen! / ~도 사실이라고 생각지 않는다 Niemand wird es für wahr halten. / ~라도 결점없는 사람은 없다 Es gibt k-n fehlerlosen Menschen. / ~가 뭐라든 그것은 거짓말이다 Wer auch immer es gesagt hat, es ist doch Lüge.
② 《누구나 모두》 alle*; jedermann*; jeder*. ¶ 사람은 ~한테나 공손해야 한다 Man soll zu allen Menschen höflich sein. / 한국 사람은 ~나 한학을 배웁니까 Studieren alle Koreaner die chinesische Literatur?
③ 《명사 앞에서》 ¶ ~것도 아니다 unbedeutend; belanglos; gering; unwichtig; nichts / ~것이나 alles / 그의 말은 ~것도 아니다 Was er sagt, ist ja nichts. / ~것도 없지만 실컷 들게 Zwar gibt es nichts Besonderes, du mußt aber tüchtig essen.
④ 《성 다음에》 Herr Der u. Der; Herr Soundso; e-e gewisse Person (어떤 사람). ¶ 그는 ~개라고 뽐낼만한 사람이 못된다 Er ist ohne Bedeutung.¦Er zählt nicht.
아무개 ① 《누가》 jemand; irgend jemand; irgend einer. ¶ 정치가로서는 그가 ~보다도 낫다 Als Politiker ist er besser als irgend einer.
② 《어떤 사람》 e-e gewisse Person, -en; Soundso *m.* -s, -s; Dings *m.* (*f.*); ein gewisser Jemand, -(e)s. ¶ 김 ~ ein gewisser Herr *Kim* / 어제 김~라는 사람이 우리집에 찾아왔다 Gestern kam ein gewisser *Kim* zu uns. / ~가 그렇게 말했다 Herr Soundso sagte so.
아무데 《아무 곳》 irgendwo; überall; 《부정》 nirgends, nirgend(wo). ¶ ~나 가도 좋다 Du kannst gehen, wohin du willst. / 이 책은 ~서나 팔리고 있다 Dieses Buch ist überall verkäuflich (zu haben)./개는 주인을 ~나 따라간다 Der Hund folgt s-m Herrn überallhin. / 어디 앉을까요—~나 앉으시오 Zeigen Sie mir bitte, wo ich sitzen soll! —Wo Sie wollen.
아무때 《어느 때》 um welche Zeit; 《항상》 immer; stets; 《…할 때는 언제나》 zu jeder (beliebigen) Zeit; allemal; wann auch immer; 《부정》 nie; niemals. ¶ ~나 좋다 Es paßt mir immer (stets) gut. / ~나 좋을 때 오시오 Kommen Sie, wann (auch immer) Sie wollen! / ~나 떠날 수 있읍니다 Ich bin jederzeit zur Reise bereit. / ~나 오십시오 Sie sind mir immer (stets) willkommen./ 토마토는 ~ 먹어도 맛이 좋다 Tomaten schmecken mir immer. / ~나 (좋을 때) 돌려 주십시오 Sie können es zu jeder (belie-

bigen) Zeit zurückgeben.

아무래도 ① 《어떻든》 irgendwie; jedenfalls; ohnehin. ¶ ~ 회복할 가망이 없다 Jedenfalls besteht es k-e Hoffnung auf s-e Genesung. / ~ 소용이 없다 Es hat k-n Zweck, so etwas zu tun.
② 《불가피하게》 auf k-e Weise; unter k-n Umständen. ¶ ~ 이러한 조치를 취하지 않을 수 없다 Zwingender Umstände halber sehen wir uns genötigt, diesen Schritt zu tun.
③ 《결코》 auf k-n Fall; gar (durchaus) nicht; absolut; kaum. ¶ 그것은 ~ 불가능하다 Es ist absolut unmöglich. / ~ 급제할 가망이 없다 Es ist gar k-e Aussicht, daß er die Prüfung besteht.
④ 《결국》 schließlich; am Ende; nach alledem; alles in allem; sowieso. ¶ ~ 그에게는 당할 수 없다 Schließlich kann man gegen ihn nicht aufkommen. / ~ 소용이 없다 Dafür (Dagegen) ist kein Kraut gewachsen. / ~ 안 되겠다 Das ist sowieso nichts.
⑤ 《모든 점에서》 allem Anschein nach. ¶ ~ 부부라고 밖에 볼 수 없다 Allem Anschein nach sind sie Mann u. Frau. / 그는 ~ 30 이상이다 Er muß über dreißig Jahre alt sein.
⑥ 《무관심》 gleich; gleichgültig; einerlei; egal. ¶ 나는 ~ 좋다 Es ist mir gleich (egal). / 그런 사소한 일은 ~ 좋다 Es soll mir auf e-e solche Kleinigkeit nicht ankommen.

아무러면 ① 《결코·설마》 nicht können*; unmöglich; undankbar; kaum; wahrscheinlich nicht; keineswegs; auf k-n Fall; sicher nicht. ¶ ~ 그런 일이 있을까 Das kann nicht sein. ¦ Unmöglich! / ~ 그가 그런 일을 할까 Er wäre der letzte Mann, der so etwas tun würde. ¦ Er kann doch nicht so was tun! / ~ 그가 그렇게 노할 줄 몰랐다 Ich habe nicht gedacht, daß er so böse werden könnte. / ~ 이렇게 되리라고는 꿈에도 생각지 못했다 Das hätte ich mir nie träumen lassen.
② 《아무런들》 das macht nichts. ¶ 남들이 ~ 어떠냐 Ich mache mir nichts daraus, was die Leute sagen. / 옷이야 ~ 어떠냐 Das macht nichts, welche Kleider du trägst.

아무런 《부정》 nicht; kein. ¶ ~ 생각도 없이 unabsichtlich; unvorsätzlich; ahnungslos; arglos / ~ 지장도 없이 ohne Hemmung; ohne Schwierigkeit / ~ 일도 없이 glatt; ereignislos / 양자 사이에는 ~ 차이도 없다 Es gibt k-n Unterschied zwischen beiden. / 그것은 ~ 가치도 없다 Das ist durch und durch wertlos. ¦ Es hat nicht den geringsten Wert.

아무런들 =아무러면.

아무렇게 wie auch immer; auf irgendeine Weise.

아무렇게나 grob; roh; unhöflich (거치른); sorglos; unsorgfältig; unaufmerksam (부주의); nachlässig; liederlich (단정치 못함). ¶ ~ 말하다 e-e freche Zunge haben / ~ 글을 쓰다 nachlässig schreiben*^{4} / ~ 쓰는 말씨 die groben Worte / ~ 다루다 《마구》 grob behandeln^4; liederlich (leichtsinnig) um|gehen* (s) 《*mit*^{3}》 / 일을 ~ 하다 e-e Arbeit auf nachlässige ^{4}Art verrichten.

아무렇게도 auf k-n Fall; auf k-e Weise; 《무관심》 nichts; überhaupt (durchaus) nicht. ¶ ~ 생각 안 하다 *jm.* nichts aus|machen; ^{3}sich nichts machen 《*aus*^{3}》; ^{3}sich ^{4}*et.* nicht an|fechten lassen*; ^{1}*et.* berührt *jn.* nicht; gleichgültig sein 《*gegen*^{4}》.

아무렇든지 irgendwie; jedenfalls; was auch immer; auf alle Fälle. ¶ ~ 해 보는 것이 좋다 Jedenfalls ist es besser, daß du es versuchen sollst.

아무렇지도 ☞ 아무렇게도. ¶ 그 따위 것은 내게 ~ 않다 Das berührt mich gar nicht! ¦ Das trifft mich nicht!

아무려면 ☞ 아무렴. ¶ ~ 그렇지 Gewiß! ¦ Sicher!

아무렴 natürlich; freilich; sicher; gewiß; selbstverständlich; ohne Zweifel; jawohl. ¶ 그게 사실입니까—~ Ist das wahr? —Jawohl! / 나하고 가겠오—~ 가고 말고 Wollen Sie mit mir gehen? —Freilich gehe ich mit.

아무리 wie ... auch; wenn auch ... noch so; wenn auch. ¶ ~ …해도 um jeden Preis; wie (sehr) auch immer / ~ 열심히 해도 wie angestrengt Sie auch immer sein mögen; wenn Sie auch noch so angestrengt sind / ~ 비싸도 höchstens / ~ 늦어도 spätestens / ~ 좋아도 im besten Falle / ~ 부자라도 wie reich man auch sein mag; wenn man auch noch so reich wäre / ~ 열심히 공부해도 wie fleißig man auch arbeitet / ~ 보아도 nach dem Anschein zu urteilen; allem Anschein nach; aller Wahrscheinlichkeit nach / ~ 보아도 그는 전직 군인이다 Allem Anschein nach ist er ein ehemaliger Offizier. / ~ 보아도 비가 오겠다 Es hat ganz den Anschein, als ob es regnet. / ~ 보아도 그는 상인이 아니다 Es ist alles andere (nichts weniger) als ein Kaufmann.

아무말 kein Wort, -(e)s, ⸚er; (k)ein einziges Wort, -(e)s, ⸚er. ¶ ~도 없이 ohne ein Wort zu sagen / ~도 없다 k-n Laut von ^{3}sich geben; 《허가 없이》 ohne Erlaubnis / ~도 못하게 하다 *jn.* zum Schweigen bringen* / ~도 할 것이 없다 Ich habe nichts zu sagen. / ~도 듣기 싫다 Ich will nichts (davon) hören.

아무아무 e-e gewisse Person, -en; Herr Soundso. ¶ ~가 그녀를 죽였다 Herr Soundso hat sie getötet. / 그는 ~개라고 불리던 정치가였다 Er war s-r Zeit ein gewisser (berühmter) Politiker.

아무일 was; etwas; alles (매사); 《부정》 nichts. ¶ ~도 없이 ohne Zwischenfall; wohlbehalten / ~없이 순조롭게 진척되다 gut (ohne Zwischenfall) vonstatten gehen* (s); glatt ab|gehen* (s) / ~ 없다 Es gibt nichts Neues. / ~ 없이 돌아와 매우 반갑다 Es freut mich sehr, daß du glücklich zurückgekommen bist.

아무짝 《아무데》 zu nichts. ¶ ~에도 쓸모없다 (gar) nichts nützen; (zu) nichts taugen / 그는 ~에도 쓸모없는 인간이다 Er taugt zu nichts. ¦ Er ist zu nichts zu gebrauchen.

아무쪼록 bitte (부디); in jeder Weise (꼭); in jeder Beziehung; jedenfalls; auf jeden Fall. ¶ ~ 저희를 도와 주십시오 Bitte, helfen Sie uns! / ~ 왕림해 주십시오 Hoffentlich kommen Sie zu mir! / 금후에도 ~ 도와 주십시오 Erhalten Sie mir Ihre Freundschaft!

아물거리다 《가물거리다》 flackern; flimmern; glitzern; funkeln; blinken; blinkern. ¶ 눈

이 아물거린다 Es flirrt (flimmert) mir vor den Augen. / 멀리 불빛이 아물거렸다 Ich sah e-n Feuerschein (Feuerschimmer) in der Ferne.

아물다 heilen [h,s]. ¶ 상처가 ~ Die Wunde schließt sich. ¦ Die Wunde geht zu.

아물리다 ① 《아물게 하다》 heilen[4]; kurieren[4]; behandeln[4]. ¶ 고약으로 상처를 ~ mit der Salbe Wunde heilen [h,s].
② 《일을》 fertig werden 《*mit*[3]》; beendigen[4]; fertig machen[4]. ¶ 일을 ~ mit e-r Arbeit fertig werden (sein).

아물아물 flatternd; flimmernd; blinkend; glitzernd. ¶ 눈 앞이 ~한다 Es flirrt (flimmert) mir vor den Augen. / 멀리 ~ 불빛이 보였다 Man sah e-n Feuerschein (Feuerschimmer) in der Ferne.

아미(蛾眉) die fein geschwungenen Augenbrauen 《*pl.*》; 《미녀》 die schöne Frau, -en.

아미노 〖화학〗 Amino *n.* -s.
‖ ~산 Aminosäure *f.* -n.

아미타불(阿彌陀佛) Amita Buddha *m.* -s.

아바나 《쿠바의 수도》 Habana.

아방가르드 Avantgarde [avɑ̃́:gardə] *f.* -n.

아방게르 vor dem Krieg.

아방튀르 Aventüre [avɛntý:rə, avɑ̃tý:rə] *f.* -n; Liebesabenteuer *n.* -s, -.

아버님 《경칭》 Vater *m.* -s, ⸚.

아버지 Vater *m.* -s, ⸚; der Alte*, -n, -n; mein Alter (우리집 노친네); 〖아기말〗 Papa *m.* -s, -s; Vati *m.* -s, -s; Papachen *n.* -s, -; Väterchen *n.* -s, -; 《하느님의 친칭》 Vater im Himmel; Vater Gott; Vater unser. ¶ ~ 신분 Vaterschaft *f.* / ~의 사랑 Vaterliebe *f.* -n / ~ 은혜 die Güte des Vaters / ~의 은혜는 산보다 높다 Die Güte des Vaters ist höher als die Berge. / ~의 의무 Vaterrecht *n.* -(e)s, -e / ~의 위엄 Vaterwürde *f.* -n / ~다운 väterlich / ~답지 않은 unväterlich / ~ 없는 vaterlos.
‖ ~날 der Tag des Vaters.

아범 ① 《비칭》 Vater *m.* -s, ⸚. ② 《하인》 der älteste Diener, -s, -.

아베크 Liebespaar *n.* -(e)s, -e (애인 사이); Ehepaar *n.* -(e)s, -e (부부). ~하다 mit avec [avɛ́k] gehen* [s] 《*nach*[3]; *in*[4]; *auf*[4]》.

아부(阿附) Schmeichelei *f.* -en; Lobhudelei *f.* -en; 《비굴하게 아부함》 Speichelleckerei *f.* -en; Fuchsschwänzerei *f.* -en. ~하다 schmeicheln[3]; lobhudeln[3·4]. ¶ ~하는 사람 Schmeichler *m.* -s, -; Lobhudeler *m.* -s, -; Fuchsschwänzer *m.* -s, - / 사람들에게 ~하다 den Menschen schmeicheln (zu gefallen suchen) / 시세에 ~하다 [4]sich den Zeiten fügen; [4]sich der Zeit an|passen / 권문에 ~하다 e-r einflußreichen Familie zu gefallen suchen.

아비 《비칭》 Vater *m.* -s, ⸚. ¶ ~ 없는 자식 ein vaterloses (uneheliches) Kind, -(e)s, -er. ⌈-s, -.

아비(阿比) 〖조류〗 der rothalsige Taucher,

아비규환(阿鼻叫喚) 〖불교〗 Avici u. Raurava 《범어》; 《참상》 der zetermordio schreiende Wirrwarr, -s; der marternde Hexenkessel, -s, -; der Schmerzensschrei, -(e)s, -e; das gellende Geschrei der Qual; Schmerzensruf *m.* -(e)s, -e; Schmerzenston *m.* -(e)s, ⸚e. ¶ ~의 수라장 der herzzerreißende Schauplatz der Schmerzensschreie; die Szene der äußersten (chaotischen) Verwirrung; die Szene des Höllenlärms / ~의 수라장으로 화하다 Es wurde ein richtiger Hetenkessel. ¦ Es verwandelte sich in e-e Szene der höchsten Verwirrung.

아비산(亞砒酸) arsenige Säure, -n.
‖ ~염 das arsenigsaure Salz; Arsenit *n.*

아비시니아 《이디오피아의 옛 이름》 Abessinien *n.* -s.

아비잔 《코트디브와르의 수도》 Abidjan.

아비지옥(阿鼻地獄) die tiefste Hölle des Buddhismus.

아빠 Papa *m.* -s, -s; Vati *m.* -s, -s.

아뿔싸 Donnerwetter!; mein Gott! ¶ ~ 우산을 잊었구나 Wie schade, daß ich vergessen habe, e-n Regenschirm mitzunehmen! / ~ 또 한집 졌구나 《바둑에서》 Donnerwetter! Ich habe schon wieder e-e Seite verloren.

아사(餓死) Hungertod *m.* -(e)s, -e; der Tod von Hunger. ~하다 verhungern [s]; von Hunger sterben* [s]; den Hungertod sterben*; [4]sich tot (zu Tode) hungern. ¶ ~시키다 verhungern lassen / 우리는 ~선상(직전)에 있다 Unsere Lage grenzt an Verhungern. ¦ Wir stehen an der Schwelle (an den Pforten; am Rande) des Hungertodes.

아삭 《깨무는 소리》 knuspernd. ~하다 knuspern. ¶ ~ 베어 물다 knuspernd beißen*[4] / ~ 깨물다 an [3]*et.* ([4]*et.*) knuspern.

아삭거리다 《…을》 knirschend (zer)kauen[4]; zerkauen[4]. ¶ 과자를 ~ Biskuit knuspern.

아삭아삭 knuspernd. ¶ 사과를 ~ 먹다 e-n Apfel knuspern.

아성(牙城) Bollwerk *n.* -(e)s, -e; Verteidigungswall *m.* -(e)s, ⸚e; Festung *f.* -en; Bastion *f.* -en; (Haupt)burg *f.* -en; Zitadelle *f.* -n. ¶ 민주주의의 ~ Bollwerk der Demokratie / ~으로 돌격하다 das Bollwerk stürmen / 이 요새가 이 나라 최후의 ~이다 Diese Festung ist die letzte Burg des Landes.

아성(亞聖) der dem Konfuzius am nächsten kommende Weise, -n, -n.

아성층권(亞成層圈) Substratosphäre *f.*

아세아(亞細亞) =아시아.

아세테이트 Acetat (Azetat) *n.* -s, -e; 《천》 Acetatseide *f.* -n.

아세톤 〖화학〗 Azeton *n.* -s.

아세틸렌 〖화학〗 Azetylen *n.* -s.
‖ ~가스 Azetylengas *n.* -es, -e. ⌈-s, -.

아소모열(亞消耗熱) das subhektische Fieber,

아속(雅俗) 《사람에 대한》 die Vornehmen u. die Gemeinen 《*pl.*》; hoch u. niedrig; 《말에 대한》 die gehobene u. familiäre Sprache, -n; Schrift- u. Umgangssprache, -n (문어체와 회화체). ¶ ~ 혼효(混淆)체 ein gemischter Stil aus der klassischen u. der Umgangssprache; Mischmasch 《*m.* -es, -e》 von Klassischem u. Vulgärem.

아수라(阿修羅) *Asura* 《범어》. ¶ ~처럼 wie ein Wüterich; wie ein Teufel; wütend.

아순시온 《파라과이의 수도》 Asuncion.

아쉬워하다 vermissen[4]. ¶ 위대한 정치가를 ~ Man vermißt e-n großen Politiker. / 그 사람이 없음을 아쉬워한다 Er wird sehr vermißt.

아쉰대로 für jetzt; vorderhand; vorläufig; einstweilen. ¶ ~ 이것으로 족하다 Das wird für jetzt hinreichen. ¦ Das geht (genügt) vorderhand (für den Augenblick). / ~ 필요한 것만 사도록 해라 Kaufe nur das, was du im Augenblick (gerade jetzt) braucht (benötigt).

아쉽다 vermissen*[4]; teuer sein; [4]*et.* wert halten*; mit [3]*et.* kargen. ¶ 그가 없어 매우 ~ Er wird sehr vermißt. / 생명은 누구에게나 아쉬운 것이다 Das Leben ist allen teuer. | Jeder hält das Leben wert. / 그는 아쉬운 사람이었다 Er war ein Mann, den man sehr vermissen wird. / 그런 인물을 잃은 것은 나라를 위해서 매우 아쉬운 일이다 Der Tod e-s solchen Mannes ist ein großer Verlust für das Land. / 시험이 끝날 때까지는 한 시가 ~ Ich muß mit jeder Stunde kargen, bis das Examen vorüber ist. / 너를 위해서는 목숨을 버려도 아쉬울 것 없다 Ich stehe dir mit Leib u. Seele zur Verfügung.

아스라하다 weit weg (sein). ¶ 아스라이 in der Ferne; in der Weite; weit fern (entfernt)/ 바다 위에 아스라이 흰 돛이 보인다 Auf dem Meere ist in der Ferne ein weißes Segel zu sehen.

아스러뜨리다 =바스러뜨리다.

아스러지다 ① 《덩어리가》 zerbrochen werden; zerschmettert werden; zerbrechen*; zerbröckeln; zerkrümeln. ② 《살점이》 abgerieben werden; abgeschliffen werden; geschädigt werden.

아스트린젠트 《화장수》 zusammenziehendes Mittel, -s, -.

아스파라거스 Spargel *m.* -s, -.

아스팍 =아시아 태평양 각료 이사회.

아스팔트 Asphalt *m.* -(e)s, -e. ¶ ~를 깔다 asphaltieren[4]; eine Straße 《-n》 mit [3]Asphalt pflastern.

‖ ~포장도로 Asphaltpflaster *n.* -s, -. ~층 Asphaltschicht *f.* -en.

아스피린 Aspirin *n.* -s (상표명).

아슬아슬하다 《위태》 gefährlich; verwegen; kritisch; heikel; krisenhaft (sein). ¶ 아슬아슬한 승부 ein harter, scharfer Kampf, -(e)s, ⸚e; beinahe gleicher Kampf; der lange unentschiedene Kampf / 아슬아슬한 순간에 im kritischen Augenblick; im letzten Augenblick / 아슬아슬하게 이기다 im letzten Augenblick gewinnen*; mit knapper Not gewinnen* / 그는 아슬아슬하게 빠져 나왔다 Er entging mit knapper Not. | Er entkam mit genauer Not. / 아슬아슬하게 기차시간에 댔다 Ich habe gerade noch den Zug erreicht.

아슴푸레하다 ☞ 어슴푸레하다.

아습 das Alter von neunjährigen Ochsen (Pferden).

아시아 Asien. ¶ ~의 asiatisch / ~는 세계에서 제일 큰 대륙이다 Asien ist der größte Kontinent in der Welt.

‖ ~개발은행 Asian Development Bank 《생략: ADB》. ~경제협력기구 Organization for Asian Economic Cooperation 《생략: OAEC》. ~극동경제위원회 Economic Commission for Asia and the Far East 《생략: ECAFE》. ~대륙(주) der asiatische Kontinent. ~민족 asiatische Leute; asiatische Rasse; asiatische Nationen. ~반공연맹 Asian People's Anti-Communist League 《생략: APACL》. ~생산성기구 Asian Productivity Organization 《생략: APO》. ~아프리카회의 Asian-African (Afro-Asian) Conference. ~영화제 Asian Film Festival. ~유행성독감 die asiatische Influenza. ~인 Asiat *m.* -en, -en. ~콜레라 《진성 콜레라》 die asiatische Cholera. ~태평양각료이사회 Asian and Pacific Council 《생략: ASPAC》. 동남~국가연맹 Association of Southeast Asian States 《생략: ASAS》. 소~ Kleinasien. 중앙~ Mittelasien.

아시아아프리카 ☞ 아아(亞阿).

아식축구(一式蹴球) Fußball-Spiel *n.* -(e)s, -e; Fußball *m.* -(e)s, ⸚e.

아씨 《경칭》 die junge Dame, -n; Ihr Fräulein Tochter (남의 딸에 대해서); 《신부》 Braut *f.* ⸚e; 《하인의》 Fräulein *n.* -s, -; 《호칭》 Fräulein!

아아 《일이 잘못 된 때》 o!; oh!; ach!

아아(阿亞) Afro-Asien *n.* -s; Afrika u. Asien. ¶ ~의 afroasiatisch.

‖ ~블록 der afro-asiatische Block, -(e)s. ~회의 die afro-asiatische Konferenz, -en.

아아(亞阿) Asien u. Afrika.

아악(雅樂) Hofmusik *f.*; die zeremonielle Musik; die alte koreanische Hofmusik.

아야 Au! ¶ ~ 아프다 Au! Au weh!

아얌 Haube *f.* -n; Schutzhaube *f.* -n.

아양 Schmeichelei *f.* -en; Flatterie *f.* -n [..rí:ən]; Gefallsucht *f.*; Lobhudelei *f.* -en; Koketterie, -n [..rí:ən] (특히 여자들의); Flirt *m.* -s, -s (교태). ¶ ~떨다 (부리다) kokettieren 《mit *jm.*》; [4]sich ein|schmeicheln 《bei *jm.*》 (알랑거리다); *jm.* schmeicheln; fuchsschwänzeln 《bei *jm.*》; liebeln 《*mit*[3]》; *jn.* streicheln; knutschen (시시덕거리다); [4]sich gefallsüchtig benehmen* / ~스럽다 kokett (anlässig; fesselnd; gefallsüchtig; lockend) sein / ~을 떨며 몸을 기대다 [4]sich zärtlich (kokettierend) an|schmiegen《*an*[4]》.

아어(雅語) das poetische (künstlerische) Wort, -(e)s, ⸚er (-e); der gewählte (gehobene; ausgesuchte) Ausdruck, -s, ⸚e; die elegante (schöne) Sprache, -n.

아역(兒役) Kinderrolle *f.* -n; die jugendliche Rolle, -n; Jugendschauspieler *m.* -s, - (배우); ein Schauspieler, der die Rolle e-s Kindes spielt.

아연(亞鉛) Zink *n.* -(e)s. ¶ ~의 zinken / ~모양의 zinkartig / ~함유의 zinkhaltig / ~을 입힌 mit Zink überzogen; galvanisiert.

‖ ~공장 Zinkhütte *f.* -n. ~도금 Verzinkung *f.*: ~도금한 verzinkt. ~염 Zinksalz *n.* -es, -e. ~제품 die Zinkwaren 《*pl.*》. ~철판(凸版) der anastatische Druck, -(e)s; Photozinkographie *f.* -n; Zinkotypie *f.* -n [..pí:ən] (인쇄물). ~판 Zinkblech *n.* -(e)s, -e; Zinkographie *f.* -n [..fí:ən]. 산화~ Zinkoxyd *n.* -(e)s, -e. 수산화~ Zinkhydroxyd *n.* -(e)s, -e. 염화~ Zinkchlorid *n.* -(e)s, -e. 탄산~ das kohlensaure Zink. 황산~ Zinkvitriol *n.* -(e)s, -e; Zinksulfat.

아연(俄然) 〔부사적〕 plötzlich; auf einmal; mit einem Male; flugs; jählings; unerwartet(erweise); überraschend(erweise). ¶ ~ 그는 태도를 바꿨다 Er änderte auf einmal die Haltung.

아연(啞然) 〔부사적〕 bestürzt; erschrocken; entsetzt; mit Entsetzen; versteinert; (wie) aus den Wolken gefallen; (wie) vom Blitz getroffen; gaffend; Maulaffen freihaltend; mit offenem Munde vor Verwunderung; verblüfft; (baß) erstaunt 《*über*[4]》; mit weit aufgerissenen Augen. ¶ ~ 실색하다 bestürzt die [4]Farbe verlieren* / ~해 하다 vor Erstaunen sprachlos werden (verstummen; stumm werden); (wie) vom Donner gerührt (getroffen) werden; Mund u. Nase auf|reißen* (auf|sperren) / ~케 하다 verblüffen; *jm.* den Mund stopfen; *jn.* zum Schweigen bringen*; *jn.* vor Erstaunen verstummen machen.

아열대(亞熱帶) die subtropische Zone, -n; Subtrope *f.* -n. ¶ ~의 subtropisch.

아열성열(亞熱性熱) die subfieberhafte Temperatur, -en.

아예 im voraus; zum voraus; vorher; zuvor; jedenfalls; nie. ¶ ~ 주문해 두어라 Bestellt es voraus! / ~ 그런 짓은 하지 마시오 Sie dürfen es nie (wieder) machen. / 거짓말은 ~ 하지 마라 Lüg' nie!

아옹 miau! ¶ ~하고 울다 miauen / 그렇게 눈가리고 ~ 하는 식으로는 세상을 살아 나갈 수 없다 Mit d-r heuchlerischen (gleisnerischen) „inneren Stimme" kannst du im Leben nicht vorwärtskommen.

아옹거리다 zanken; streiten*; hadern.

아옹하다 ① 《어웅하다》 versunken; eingesunken; tief eingelassen; versenkt (sein). ② 《속이 좁다》 verstimmt; mürrisch; unzufrieden (sein).

아욕(我慾) Eigennützigkeit *f.*; Selbstsucht *f.*; Egoismus *m.* -. ¶ ~이 센 selbstsüchtig; eigennützig / ~을 버리다 Selbstsucht ab|legen.

아우 ① 《동생》 der jüngere Bruder, -s, ⸚. ② 《나이 적은 이》 der Jüngere, -n, -n; der Junior, -s, -en.

아우거리 die Arbeit, Unkraut zu entfernen, indem man den Boden mit Hacke und Spaten bearbeitet; Erde zu hacken, um Unkraut zu entfernen.

아우러지다 ☞ 어우러지다.

아우르다 ☞ 어우르다.

아우성 Schrei *m.* -(e)s, -e; Geschrei *n.* -(e)s; Gebrüll *n.* -(e)s. ¶ ~치다 schreien*; brüllen; kreischen (째지는 목소리로); lärmen (절규); laut rufen*; e-n Schrei aus|stoßen*; ein Geschrei erheben*; krakeelen; toben / 이제와서 ~쳐 본들 소용없는 일이다 Es hat k-n Zweck, über Dinge zu klagen, die sich nicht mehr ändern lassen.

아우타다 《젖먹이가》 (ein Kind) [4]sich von der Brust zu früh entwöhnen und mager werden, weil seine Mutter schwanger ist.

아우타르키 〖경제〗 Autarkie *f.* -n.

아우트 《구기에서》 aus; out [aut]. ¶ ~가 되다 aus dem Spiel sein; nicht mehr im Spiel sein.

아우트라인 =개요.

아우트사이더 Außenseiter *m.* -s, -; Kiebitzer *m.* -s, - (구경꾼).

아우트풋 Ausgabe *f.* -n; Output [áutput] *n.* -s, -s.

아욱 〖식물〗 gemeiner Eibisch, -es, -e; Althee *f.*

아울러 zusammen; noch dazu; außerdem; überdies; zudem; zugleich. ¶ ~ 가지다 zusammen|haben* / 평소에 격조했음을 ~ 사죄드립니다 Zugleich (Außerdem) bitte ich (Sie) um Verzeihung wegen m-s langen Schweigens.

아울리다 ☞ 어울리다.

아위(阿魏) 〖식물〗 Stinkasant *m.* -es; Teufelsdreck *m.* -(e)s.

아유구용(阿諛苟容) Schmeichelei *f.* -en; Lobhudelei *f.* -en. ~하다 schmeicheln; schwänzen; schweifwedeln.

아음(牙音) 〖언어〗 Gaumenlaut *m.* -(e)s, -e; Velarlaut *m.* -(e)s, -e.

아이 Kind *n.* -(e)s, -er; Abkömmling *m.* -(e)s, -e; Sprößling *m.* -es, -e; Nachkomme *m.* -n, -n; Leibesfrucht *f.* ⸚e; Ehesegen *m.* -s, -; Kindersegen *m.* -s, -; 《후계자》 Erbe *m.* -n, -n; 《유아》 Säugling *m.* -(e)s, -e; Baby [bé:bi:] *n.* -s, ..bies; der Neugeborene*, -n, -n; Wickelkind *n.* -(e)s, -er; 《사내아이》 Junge *m.* -n, -n; Bube *m.* -n, -n; Knabe *m.* -n, -n; 《아들》 Sohn *m.* -(e)s, ⸚e; 《계집아이》 Mädchen *n.* -s, -; 《딸》 Tochter *f.* ⸚. ¶ ~가 없는 kinderlos / ~가 있는 mit e-m Kind (Kindern)/ ~를 낳지 못하는 unfruchtbar; zeugungsunfähig/~ 낳지 못하는 여자《석녀》 unfruchtbare Frau, -en / ~ 보는 애 Kindermädchen *n.* -s, - / ~ 보는 이 《보모》 Kinderwärterin *f.* -nen; Bonne *f.* -n / ~를 좋아하는 kinderliebend / 아잇적부터 von [3]Kindheit (Jugend) an (auf) / 아잇적에 in der [3]Kindheit (Jugend) / ~를 낳다 ein Kind gebären*; e-s Kindes genesen*; ein Kind zur Welt bringen*; ein Kind bekommen* (kriegen) / ~를 보다 ein Kind warten; [4]sich um ein Kind kümmern; nach e-m Kind sehen*/어린 ~ 취급하지 말라 Behandle mich nicht, als ob ich ein Kind wäre! ¦Gehe nicht mit mir um, als ob ich ein Kind wäre. / ~가 벌써 셋이다 Ich habe schon drei Kinder. / 그 여자는 그와의 사이에 네 ~를 두었다 Sie hat ihrem Manne vier Kinder geboren. / ~는 집안의 보배 Kinder sind das Band der Eheleute.

‖ ~방 Kinderstube *f.* -n. ~아버지 der Vater e-s Kindes. ~어머니 die Mutter e-s Kindes. ~종 der junge Diener, -s, -.

아이고 Mein Gott!; O Himmel! ¶ ~ 아파라 Au!; Au weh! / ~ 가엾어라 O, ein armes Ding!¦Ach, der arme Mann! / ~ 큰일났구나 O, Himmel!¦Ach Gott! / ~ 좋아라 Oh, wie schön! / ~ 깜짝이야 Mein Gott, bin aber bestürzt (überrascht)! / ~ 위험해 Wie gefährlich!

아이누 Aino (Ainu) *m.* -s, -s.

‖ ~어 Aino-Sprache *f.* ~족 Aino-Volk *n.* -(e)s, ⸚er.

아이디어 Einfall *m.* -(e)s, ⸚e; Gedanke(n) *m.* ..kens, ..ken; Idee *f.* -n [idé:ən]; Eingebung *f.* -en; Plan *m.* -(e)s, ⸚e. ¶ ~가 풍부한 ideenreich / 매우 훌륭한 ~이다 Das ist e-e Prachtidee! / 내게 좋은 ~가 있다 Ich habe e-n guten Vorschlag (Gedanken).

아이러니 Ironie *f.* -n. ¶ 아이러니칼한 ironisch.

아이론 =다리미.

아이모 《소형 촬영기》 Eyemo (상표명).

아이보리코스트 die Elfenbeinküste.

아이비엠 I.B.M. [◀International Business Machines; IBM Computer (기계)]; 《대륙간 탄도탄》 I.B.M. [◀Intercontinental Ballistic Missile].

아이섀도 Lidschatten *m.* -s, -; die Schattierung des Augenlides. ¶ ~를 하다 die Augenlider 《*pl.*》 schattieren; [3]sich die Augendeckel schminken.

아이소토프 〖화학·물리〗 Isotop *n.* -s, -e.

아이스 Eis *n.* -es.

‖ ~링크 (Kunst)eisbahn *f.* -en. ~복스 Eisschrank *m.* -(e)s, ⸚e. ~캔디 Eiszuckerwerk *n.* -(e)s, -e. ~크림 Speiseeis *n.* -es; das Gefrorene*, -n. ~코피 (e-e Tasse) Kaffee 《*m.* -s》 mit Roheis. ~하키 Eishockey [..hɔki] *n.* -s: ~하키 링크 Eishockeysspielfeld *n.* -(e)s, -er.

아이슬란드 Island *n.* ¶ ~의 isländisch.
‖ ~사람 Isländer *m.* -s, -.

아이엔에스 I.N.S. [◀International News Service].

아이엘오 I.L.O. [◀International Labo(u)r-Organization].

아이엠에프 IMF [◀International Monetary Fund (Internationaler Währungsfonds)].

아이오시 IOC [◀International Olympic Committee]; IOK [◀Internationales Olympisches Komitee].

아이오유 〖경제〗 I.O.U. [◀I owe you].

아이젠 《등산용》 Steigeisen *n.* -s, -; Flügelnagel *m.* -s, ⸚ (개개의).

아이지다 《태아가》 ein totgeborenes Kind haben; (das Kind) im Schoß sterben* ⓢ.

아이쿠 ah!; oh! ¶ ~ 위험해 Wie gefährlich!

아이큐 I.Q. [◀Intelligenzquotient].

아이티 《나라이름》 Haiti *n.* -s; Republik 《*f.*》 H. ¶ ~의 haitianisch; haitisch.
‖ ~사람 Haitianer *m.* -s, -.

아인산(亞燐酸) die phosphorige Säure, -n.

아인슈타인 《미국의 이론 물리학자》 Albert Einstein (1879-1955).

아일랜드 《영국 서부의 섬》 Irland *n.* ¶ ~의 irisch; irländisch.
‖ ~공화국 die Republik Irland. ~어 das Irische*; die irische Sprache. ~인 Irländer *m.* -s, -; Ire *m.* -n, -n.

아잇적 Kindheit *f.*; Kinderzeit *f.* -en.

아장거리다 ① 《어린아이가》 mit kleinen Schritten gehen* ⓢ; trippelns; watscheln ⓢ. ¶ 어린아이가 아장거린다 Das Kindlein watschelt. ② ☞ 어정거리다.

아장바장 ☞ 어정버정.

아장아장 stück|weise (schritt-); in Abschnitten. ¶ ~ 걷다 trippeln ⓢ; mit winzigen Schritten gehen* ⓢ; trotteln; trappeln; mit kleinen (trippelnden) Schritten gehen* ⓢ; kleine Schritte machen.

아재 《아저씨》 Onkel *m.* -s, -; 《아주버니》 Schwager *m.* -s, ⸚.

아저씨 ① 《삼촌》 Onkel *m.* -s, -. ② 《부모 또래》 ein Mann (im Alter des Vaters).

아전(衙前) der unbedeutende Ortsbeamte 《-n》 in alten Tagen, dessen Arbeit erblich war u. gewöhnlich unbezahlt war.

아전인수(我田引水) Leitung das Wasser aufs eigene Feld. ~하다 das Wasser aufs eigene Feld leiten; s-n eigenen Vorteil suchen; sein Schäfchen ins Trockene bringen*. ¶ ~격의 eigennützig; selbstsüchtig; selbstisch / ~도 정도껏 해라 Sei nicht so eigennützig! / ~격인 견해 die selbstische Ansicht, -en.

아제 ① =아저씨①. ② 《자매의 남편》 Schwager *m.* -s, ⸚.

아종(亞種) 〖생물〗 Subspezies *f.*; Unterart *f.* -en.

아주 ① 《썩·영영》 sehr; äußerst; höchst; furchtbar; beträchtlich; außerordentlich; ungemein; besonders; wirklich; tatsächlich; kolossal. ¶ ~ 싼 spottbillig / ~ 예쁜 부인 die äußerst schöne Frau, -en / ~ 재미없는 소문 das äußerst unangenehme Gerücht, -(e)s, -e / ~ 편해 보이는 의자 der in Wirklichkeit bequem aussehende Stuhl, -(e)s, ⸚e / 그것은 ~ 쉽다 Das ist ja kinderleicht. / 그는 ~ 재미있는 사람이다 Er ist ein hochinteressanter Mensch. / 우리는 그의 태도에 ~ 분개하고 있다 Wir sind über sein Verhalten tief empört. / ~ 좋은 prima 〔무변화〕 / 그녀는 ~ 예쁘다 Sie ist sehr schön. / 그것은 ~ 맛이 좋다 Das schmeckt wunderbar. / 나는 학생시절을 ~ 편하게 보냈다 M-e Studentzeit war sehr sorglos. / 그는 독일어를 ~ 잘한다 Er spricht sehr gut Deutsch. / 이 약은 그 병에 ~ 잘 듣는다 Diese Arznei ist sehr wirksam dagegen. ② 《비웃는 말》 wirklich!; wahrhaftig!

아주(阿洲) der afrikanische Kontinent, -(e)s.

아주(亞洲) der asiatische Kontinent, -(e)s; das asiatische Festland, -(e)s.

아주까리 〖식물〗 Rizinus *m.* -, - (..nusse); Wunderbaum *m.* -(e)s, ⸚e.
‖ ~기름 Rizinusöl *n.* -(e)s; Kastoröl.

아주머니 Tante *f.* -n; Tantchen *n.* -s, -. ¶ 이봐요 ~ 《중년 부인에게》 Hallo, Täntchen! / 이웃 ~ e-e fremde Dame, -n; e-e Tante 《속어》.

아주먹이 ① 《쌀》 polierter (reinigter) Reis, -es, -e. ② 《옷》 wattierte Kleider 《*pl.*》.

아주버니 der ältere Schwager, -s, ⸚.

아지랭이 Dunst *m.* -es, ⸚e; leichter Nebel, -s; Altweibersommer *m.* -s; Marienfäden 《*pl.*》; Sommerfäden 《*pl.*》; flimmernde Luft (bei der Hitze); Luftgarn *n.* -(e)s. ¶ ~가 끼여 있다 Die Sommerfäden schweben in der Luft.

아지작 knirschend; zerkauend; zermalmend. ¶ ~ 깨물다 knirschen[4]; zerkauen[4]; zermalmen[4].

아지작거리다 knirschen[4]; zerkauen[4]; zermalmen[4]; knirschend (zer)kauen[4].

아지작아지작 zerkauend; zermalmend. ¶ ~ 사탕을 씹다 Bonbons zerkauen.

아지직- ☞ 아지작-.

아지트 《공산당의》 Agitationspunkt *m.* -(e)s, -e.

아직 ① 《여태까지》 noch. ¶ 그는 ~ 오지 않는다 Er kommt noch nicht. / ~ 자고 있다 Er schläft noch. / 그는 ~ 지각한 적이 없다 Er ist noch nie zu spät gekommen. / ~ 18세기에는 noch im 18. Jahrhundert.
② 《지금부터》 noch. ¶ ~ 할 일이 많다 Ich habe noch viel Arbeit zu erledigen. / ~ 오래 걸리느냐 Wird es noch lange dauern? / ~ 멀었읍니다 (많이 남아 있읍니다) Sie haben es noch ziemlich weit. (거리)| Davon haben wir noch ziemlich viel. (양) / ~ 시간이 있다 Noch ist es Zeit.
③ 《여전히·현재》 noch immer; immer noch; noch. ¶ ~ 해가 높다 Die Sonne steht noch hoch. / ~ 돈이 있다 Ich habe noch Geld. / 그는 ~ 살아 있는가 Lebt er noch (immer noch)? / ~ 불이 꺼지지 않고 있다 Das Feuer schwelt immer noch. / 그는 ~ 어린애인걸 Er ist doch ein Kind.
④ 《도저히》 noch lange nicht. ¶ ~ 반도 되지 않았다 Das ist noch lange nicht die Hälfte. / ~ 끝나지 않았다 Wir sind noch lange nicht damit fertig.

아직까지 bis jetzt; bisher; sonst; bis heute; bis auf den heutigen Tag; bis zum heutigen Tage; bis zu diesem Augenblick; noch (nie). ¶ 나는 ~ 그런 어리석은 일은 들어 본 적이 없다 Habe ich doch nie solchen Unsinn gehört! / ~ 없었던 훌륭한 박람회다 Es ist e-e ausgezeichnete Ausstellung, wie sie bisher noch nie gewesen ist. / 그한테서는 ~ 아무 소식도 없다 Ich habe noch nichts von ihm gehört. / 모든 일이 ~ 그대

로입니다 Alles ist genau wie sonst.

아직도 noch; immer noch; noch immer. ¶ 그는 ~ 담배를 끊지 않았다 Er läßt noch nicht das Rauchen. / 봄은 ~ 멀다 Es ist noch lange nicht Frühling. / 그들 두 사람은 ~ 문학계의 큰 별로 나란히 일컬어진다 Sie werden beide noch jetzt als die zwei größten Sterne der literarischen Welt zusammen genannt. / 그의 말이 ~ 귀에 쟁쟁하다 S-e Worte klingen mir noch jetzt in den Ohren.

아질산(亞窒酸) die salpet(e)rige Säure, -n. ‖ ~소다 Natriumnitrit *n.* -(e)s, -e.

아집(我執) Eigen¦sinn *m.* -(e)s (-wille(n) *m.* ..lens); Starrköpfigkeit *f.*; Widerspenstigkeit *f.* ¶ ~이 센 eigen¦sinnig (-willig); hartnäckig; starrköpfig; widerspenstig.

아찔하다 es schwindelt *jm.* ¶ 눈 앞이 ~ es wird *jm.* schwarz vor den Augen / 정신이 아찔해지다 ohnmächtig werden; in [4]Ohnmacht fallen* ⓢ.

아차 Ach!; O, Gott!; Scheibe!; Du lieber Himmel! O, verflixt! ¦ Ach, mein Gott! ¦ Ach, du m-e liebe Zeit! ¶ ~ 하는 순간에 urplötzlich; im Nu; im Handumdrehen; wie mit e-m Schlag; im Augenblick; im Moment / 그는 ~ 하는 순간에 자취를 감추었다 Im Nu war er verschwunden.

아첨(阿諂) Schmeichelei *f.* -en; Kriecherei *f.* -en; Liebedienerei *f.* -en; Lobhudelei *f.* -en; Speichelleckerei *f.* ~하다 schmeicheln 《*jm.*》; kriechen* 《vor *jm.*》; liebedienern; lobhudeln; *jm.* Süßholz raspeln; Komplimente 《*pl.*》 machen 《*jm.*》; schöne Dinge 《*pl.*》 sagen 《*jm.*》; um den Bart gehen*ⓢ 《*jm.*》; *jm.* Weihrauch streuen. ¶ 권문에 ~하다 vor e-m Einflußreichen kriechen*; vor der Macht kriechen*; der [3]Macht (dem Mächtigen) schmeicheln / 그는 ~을 잘 한다 Beim Schmeicheln ist er in s-m Fahrwasser (Element).
‖ ~장이 Schmeichler (Kriecher; Liebediener; Speichellecker) *m.* -s, -.

아청(鴉青) Ultramarin *n.* -s. ¶ ~색의 dunkelblau; ultramarin.

아취(雅趣) feiner (eleganter; sublimer) Geschmack, -(e)s, ⸗e; Eleganz *f.*; Vornehmheit *f.*; Gepflegtheit *f.*; Anmut *f.*; Gewähltheit *f.*; Schönheit *f.* ¶ ~ 있는 kunstvoll (geschmackvoll) durchgearbeitet; elegant; fein; vornehm; anmutig; gewählt; gepflegt / ~ 있는 뜰 ein sehr geschmackvoll angelegter Garten, -s, ⸗.

아치(雅致) Feinheit *f.* -en; Anmut *f.*; Eleganz *f.*; Grazie *f.*; der gute Geschmack, -(e)s, ⸗e. ¶ ~ 있는 fein; zierlich; künstlerisch; ästhetisch; anmutig; elegant; geschmackvoll; graziös / ~ 없는 geschmacklos; extravagant; übertrieben.

아치 Bogen *m.* -s, ⸗; Gewölbe *n.* -s, -; Wölbung *f.* -en; Bogen aus grünen Zweigen. ¶ ~형의 bogenförmig; gewölbt / ~를 세우다 e-n Bogen wölben.

-아치 ¶ 벼슬아치 der Beamte*, -n, -n; Offiziant *m.* -en, -en / 장사아치 Hausierer *m.* -s, -; Hausiererin *f.* -nen; Händler *m.* -s, -; Kaufmann *m.* -s, ..leute.

아침 ① 《때》 Morgen *m.* -s, -; Morgendämmerung *f.*(새벽). ¶ 오늘 ~ heute morgen / 오늘 ~ 6시에 heute morgen um 6 Uhr / ~ 저녁(으로) morgen u. abends / ~ 곁에 gegen [4]Morgen / ~ 일찌기 frühmorgens; am frühen Morgen; bei [3]Anbruch des Tages; beim Morgengrauen; des Morgens früh / ~부터 저녁까지 vom Morgen bis zum Abend (bis in die Nacht); von (morgens) früh bis (abends) spät / ~ 아홉 시에 um 9 (Uhr) morgens / ~의 früh(e); morgendlich / ~ 내(내) den ganzen Morgen / ~ 나절에(는) am Morgen; des Morgens / 어느 갠날 ~(에) an e-m schönen Morgen / …한 (의) ~ am Morgen des... / 월요일(날) ~에 Montag morgen / 내일 ~(에) morgen früh; am folgenden Morgen / 그는 ~ 일찍 일어난다 Er ist ein Frühaufsteher. / ~ 한 때는 천금의 값 Morgenstunde hat Gold im Munde.
② 《끼니》 Frühstück *n.* -(e)s, -e. ¶ ~ 먹다 frühstücken; das Frühstück ein¦nehmen* / ~ 먹었니 Bist du mit dem Frühstück fertig? ¦ Hast du schon gefrühstückt?
‖ ~기도 Morgengebet *n.* -(e)s, -e; Frühgottesdienst *m.* -es, -e. ~놀 Morgen¦rot *n.* -(e)s (-röte *f.* -n). ~안개 Morgen¦dunst *m.* -es, ⸗e (-duft *m.* -(e)s, ⸗e); Morgennebel *m.* -s, -. ~이슬 Morgentau *m.* -(e)s, (드물게) -e. ~해 (die Strahlen 《*pl.*》 der) Morgensonne *f.*; die aufgehende Sonne.

아카데미 Akademie *f.* -n.

아카시아 〖식물〗 Akazie *f.* -n.

아케이드 Arkade *f.* -n.

아코디언 Ziehharmonika *f.* ..ken (-s).

아콸렁 《수중폐》 Taucher¦gerät (Druckluft-; Spül-) *n.* -(e)s, -e.

아퀴 《끝매듭》 Entscheidung *f.* -en; Erledigung *f.* -en; Abmachung *f.* -en. ¶ ~ 짓다 entscheiden* 《*über*[4]; *in*[3]》 / ~가 지어지다 abgeschossen sein; zu [3]Ende sein / 그는 일의 ~를 지었다 Er ist mit s-r Arbeit fertig.

아크등(—燈) Bogen¦lampe *f.* -n (-licht *n.* -(e)s, -e(r)).

아크라 《가나의 수도》 Accra. ⌈-s.

아크로마이신 Achromycin [akromytsí:n] *n.*

아크로바트 《사람》 Akrobat *m.* -en, -en; 《재주》 Akrobatik *f.*
‖ 아크로바틱 댄스 der akrobatische Tanz, -es, ⸗e.

아크릴 ‖ ~산(酸) Acrylsäure *f.* ~수지(樹脂) Acryharze 《*pl.*》.

아킬레스 Achilles. ¶ ~의 뒤꿈치 Achillesferse *f.* ‖ ~건 Achilles¦sehne (-flechse) *f.*

아탄(亞炭) 〖광물〗 Braunkohle *f.* -n. ⌊-n.

아테네 《그리스의 수도》 Athen.

아토니 〖의학〗 Schlaffheit *f.* -en; Schwäche *f.* -n; Kraftlosigkeit *f.* -en.

아톰 Atom *n.* -s, -e.

아트지(—紙) Kunstdruckpapier *n.* -s, -e; glattes (glänzendes) Papier.

아틀리에 Atelier [atəlié:] *n.* -s, -s; Studio *n.* -s, -s; 《일터》 Werkstatt *f.* ⸗e.

아파치 Apache [*od.* ..tʃə] *m.* -n, -n.

아파트 ① 《방》 Gemach *n.* -(e)s, ⸗er; (das möblierte) Zimmer, -s, -. ② 《건물》 (Miet-) wohnung *f.* -en.

아파하다 über [4]Schmerz klagen; über [4]*et.* Schmerz empfinden*.

아페리티프 Aperitif *m.* -s, -s (-e).

아펜니노산맥(—山脈) das Gebirge Apennin.

아편(阿片) Opium *n.* -s. ¶ ~을 피우다 Opium 《*n.* -s》 rauchen[4] / ~ 성분이 있는 opiumhaltig.
‖ ~굴 Opium¦kneipe *f.* -n (-spelunke *f.*

-n). ~매매 Opiumhandel *m.* ~장이 Opiumraucher *m.* -s, -. ~전쟁 Opiumkrieg *m.* -(e)s. ~중독 Opiumvergiftung *f.* ~팅크 〔에키스〕 Opium¦tinktur *f.* -en 〔-extrakt *m.* -(e)s, -e〕.

아포(芽胞) Spore *f.* -n.

아포스테리오리 〖철학〗 a posteriori; auf Grund der Erfahrung.

아폴로 Apollo *m.* -s.
‖ ~계획 Apollo-Programm *n.* -s, -e.

아폴론 〖신화〗 Apollon *m.*
‖ ~형 apollonischer Typ, -s, ..pen.

아프가니스탄 《서남 아시아의 공화국》 Afghanistan; Republik 《*f.*》 A. ¶ ~의 afghanisch. ‖ ~사람 Afghane *m.* -n, -n.

아프다 ① 《신체·상처 따위가》 schmerzhaft; weh; 《따끔따끔하다》 stechend (sein). ¶ 아픈 데 die schmerzhafte Stelle, -n / 아픈 데를 건드리다 an e-r empfindlichen [3]Stelle treffen*; schmerzen 《*jn.*》 / 아픔 〔마음〕을 달래다 Schmerzen stillen 〔lindern〕 / 아무 때문에 마음 아파하다 über *jn.* Schmerz empfinden* / 아파서 울다 vor [3]Schmerz weinen / 머리가 ~ Kopfschmerz 〔Kopfweh〕 haben / 아이고 아파(라) Au (weh)!¦Au ah! / 이가 ~ Der Zahn tut mir weh.¦Ich habe Zahnschmerz. / 목이 ~ Mir tut der Hals weh. / 배가 아프십니까 Haben Sie Magenschmerzen 〔Leibschmerzen〕? / 어디가 아프십니까 Wo haben Sie Schmerzen? / 발이 ~ Die Füße schmerzen mich.¦Mir schmerzen die Füße. / 눈이 ~ Die Augen brennen mir. / 그녀는 아파서 입을 다물었다 Sie war stumm vor Schmerz.
② 《비유적》 ¶ 아무의 아픈 데를 건드리다 *js.* empfindliche Stelle berühren / 배 아파하다 beneiden 《*jn. um*[4]》; neidisch sein; eifersüchtig sein / 배가 아파서 aus Neid; aus Eifersucht.

아프레 *après* 《불어》.
‖ ~게르 *après-guerre*; nachkriegs.

아프레코 Synchronisierung *f.* -en; Synchronisation *f.* -en. ¶ 미국 영화에 한국말의 ~를 하다 e-n amerikanischen Film in koreanischer Sprache synchronisieren.

아프리오리 *a priori* 《라틴》.

아프리카 Afrika *n.* -s. ¶ ~의 afrikanisch.
‖ ~사람 Afrikaner *m.* -s, -. ~주 der afrikanische Kontinent, -(e)s, -e.

아프터서비스 Kundendienst *m.* -(e)s, -e.

아프터케어 ① 《병후 보호》 Nachbehandlung *f.* -en. ② 《보호 관찰》 Fürsorge *f.* ③ 《아프터서비스》 Kundendienst *m.* -(e)s, -e.

아프트식(一式) Abt-System *n.* -s, -e.
‖ ~철도 (Aft-System) Zahnradbahn *f.* -en.

아플리케 〖자수〗 Applikationsstickerei *f.* -en.

아픔 《고통》 Schmerz *m.* -es, -en; Weh *n.* -(e)s, -e; Pein *f.*; Qual *f.* -en; 《마음의 아픔》 Leid *n.* -(e)s; Kummer *m.* -s; Betrübnis *f.* ..nisse. ¶ ~을 참다 Schmerzen (er-)leiden* 〔(er)dulden; ertragen*〕 / ~을 덜다 Schmerzen lindern / 찌르는 듯한 ~ der stechende Schmerz; Stich *m.* -(e)s, -e / ~을 느끼다 Schmerz empfinden* / 이 고약을 바르면 곧 ~이 가라앉을 것이다 Dieses Pflaster wird den Schmerz bald lindern.

아피아 《서사모아의 수도》 Apia.

아하 aha; hoho; so. ¶ ~ 그렇구나 Ach, so.

아하하 《조소》 aha!; oh!; ho-ho!

아한대(亞寒帶) Subpolarzone *f.* -n.

아해 Kind *n.* -(e)s, -er. ☞ 아이.

아형(雅兄) 《경칭》 Herr *m.* -n, -en; mein Herr; sehr geehrter Herr (편지).

아호(雅號) Künstlername *m.* -ns, -n; Schriftstellername *m.* (펜 네임); Pseudonym *n.* -(e)s, -e.

아혹(訝惑) Zweifel *m.* -s, -.

아홉 neun. ¶ ~번째(의) der 〔die; das〕 neunte*.

아황산(亞黃酸) die schwef(e)lige Säure.
‖ ~가스 Schwefligsäure¦gas *n.* -es, -e 〔-anhydrid *n.* -(e)s, -e〕. ~나트륨, ~소다 das schwefeligsaure Natrium; Natriumsulfit *n.* -(e)s, -e. ~에틸 Äthylsulfit *n.* ~염 das schwef(e)ligsaure Salz, -es, -e.

아흐레 《아홉날》 neun Tage 《*pl.*》; 《구일》 der neunte Tag, -(e)s, -e.

아흐렛날 《제 9 일》 der neunte Tag, -(e)s, -e; 《그 달의》 der neunte Tag des Monats.

아흔 neunzig.

아희(兒戲) Kinderspiel *n.* -(e)s, -e. ¶ ~ 같은 kindisch; knabenhaft.

악[1] 《몹시 놀랄 때》 ach!; ach Gott!; weh mir ¶ 악 뱀이 있다 Ach, dort ist e-e Schlange.

악[2] 《모질게 쓰는 기운》 Kraftauspannung *f.*; die schwere Anstrengung 《*pl.*》; 《노한 감정》 Verzweiflung *f.* -en; Zorn *m.* -(e)s; verhaltenes Gefühl. ¶ 악에 바쳐 rasend; aufgeregt; wahnsinnig; außer sich vor Wut; 《미친 듯이》 wie toll / 악이 바치다 toll werden; aufgeregt werden / 악쓰다 laut schreien*; laut rufen*; kreischen / 악이 오르다 toll 〔wahnsinnig; tollwütig〕 werden / 남편에게 악쓰(며 대들)다 dem Mann ärgerlich zu¦schreien*.

악(惡) das Böse*, -n; das Schlechte*, -n; Übel *n.* -s, -; Schlechtigkeit *f.* -en; Bosheit *f.* -n; Lasterhaftigkeit *f.* -en; Laster *n.* -s, -; Unrechte *n.* -(e)s; Ungerechtigkeit *f.* ¶ 악을 이기다 die Untugend besiegen / 악에 물들다 in Laster versinken*Ⓢ; dem Laster verfallen*Ⓢ / 악에 물든 사람 ein Gottloser*; ein unverbesserlicher 〔abgefeimter〕 Schurke / 악은 선을 이기지 못한다 Das Böse triumphiert nicht über das Gute. / 악으로 얻은 재물은 악으로 잃게 마련이다 Wie gewonnen, so zerronnen.¦Unrecht Gut gedeiht nicht. / 악에 물들기 쉽다 Das Böse lernt sich schnell.

악감(惡感) die ungünstige Meinung, -en; das unangenehme Gefühl, -(e)s, -e; Bosheit, *f.* -en; Groll *m.* -(e)s; Widerwille *m.* -ns, -n; Mißgunst *f.*; das Übelwollen*, -s; die feindliche Gesinnung, -en; Feindschaft *f.* -en. ¶ ~을 갖다 〔품다〕 〖gegen[4]와 함께〗 e-n Groll hegen; e-n Widerwillen haben; Abneigung empfinden*; *jm.* feindlich gesinnt sein / ~을 주다 《*auf*[4] *jn.*》 e-n ungünstigen Eindruck machen; *jn.* unangenehm berühren; 《*js.* Gefühl》 verletzen.

악감정(惡感情) ☞ 악감(惡感). ¶ 국제간의 ~ internationaler Unwille 〔Haß〕.

악곡(樂曲) Musikstück *n.* -(e)s, -e; Melodie *f.* -n.

악골(顎骨) Kinn¦backen *m.* -s, - 〔-lade *f.* -n〕.

악공(樂工) Hofmusikant *m.* -en, -en.

악구(惡球) 〖야구〗 der wildgeworfene Ball, -(e)s, ⸚e.

악귀(惡鬼) der böse Geist, -(e)s, -er; Teufel *m.* -s, -; Dämon *m.* -s, -en; Satan *m.* -s, -e. ¶ ~ 같은 teuflisch; satanisch / ~ 같은 형상을 하다 ein teuflisches Gesicht machen; wie ein Teufel aus¦sehen*.

악극(樂劇) Musikdrama *n.* -s, ..men; Oper *f.* -n; Operette *f.* -n; Singspiel *n.* -s, -e; Oratorium *n.* -s, ..rien (오라토리오).

악기(樂器) Musikinstrument *n.* -(e)s, -e. ‖ ~반주 Instrumentalbegleitung *f.* ~상 Instrumentenhändler *m.* -s, -. ~점 Instrumentenhandlung *f.* 건반~ Tasteninstrument. 취주〔관〕~ Blas|instrument 〔Wind-〕. 타~ Schlaginstrument. 현~ Streichinstrument; Saiteninstrument.

악기류(惡氣流) stürmische 〔ungestüme〕 Luft, ⸗e; unsichere Luftströmung, -en.

악녀(惡女) die boshafte Frau, -en; Mannweib *n.* -(e)s, -er; Hexe *f.* -n; 《용모의》 die häßliche Frau.

악념(惡念) die böse 〔schlechte; üble; boshafte〕 Absicht, -en 〔Intention, -en〕; der böse Gedanke, -ns, -n 〔Anstoß, -es, ⸗e〕; das schlechte Motiv, -s, -e.

악다구니 ① der lärmende Streit, -(e)s, -e 〔Streitigkeiten 《*pl.*》; Zank -(e)s, ⸗e; Hader, -s〕; Wortwechsel *m.* -s, -. ② Feindschaft *f.* -en. ~하다 laut zanken; keifen*; streiten*.

악단(樂團) Kapelle *f.* -n; Orchester *n.* -s, -; Philharmonie *f.* -n.
‖ ~원 Mitglied 《*n.* -(e)s, -er》 e-r Musikkapelle 〔e-s Orchesters〕. ~장 Dirigent *m.* -en, -en. 교향~ Symphonie-Orchester *n.*

악단(樂壇) die musikalische Welt, -en; Musikerskreis *m.* -es, -e.

악담(惡談) Schmähung *f.* -en; Schimpf *m.* -(e)s, -e; Beschimpfung *f.* -en; Schimpfrede *f.* -en; Vorwurf *m.* -(e)s, ⸗e; Verunglimpfung *f.* -en (비방); Invektive *f.* -n; Fluch *m.* -(e)s, ⸗e. ~하다 schmähen⁴; beschimpfen⁴; schimpfen 《(auf) *jn.*》; verunglimpfen⁴; mit Schimpf überschütten.
¶ ~을 퍼붓다 fluchen 《*jm.*; *auf*⁴》; k-n guten Fetzen an *jn.* lassen*; schlecht reden 《*über*⁴》/ 그는 심하게 ~했다 Er hat ihm wie ein Landesknecht geflucht.

악당(惡黨) Schuft 〔Raufbold〕 *m.* -(e)s, -e; Halunke *m.* -n, -n; Rowdy [ráudi] *m.* -s, -s; Bösewicht *m.* -(e)s, -e(r); Schurke *m.* -n, -n. ¶ ~의 일파 Verbrecherbande *f.* -n; die schlechte Gesellschaft, -en.

악대(樂隊) Kapelle *f.* -n; Blas|kapelle 〔Militär-; Tanz-〕 *f.* -n; Jazzband [dʒǽzbǽnd] *f.* -s. ¶ ~가 왈츠를 연주한다 Die Kapelle spielt e-n Walzer.
‖ ~원 Musiker *m.* -s, -; Musikant *m.* -en, -en. ~장 Kapellmeister *m.* -s, -. 군~ Militärmusik *f.* 육군 〔해군〕~ Militär 〔Marine〕 kapelle *f.*

악덕(惡德) Untugend *f.* -en; Laster *n.* -s, -; Fäulnis *f.*; Verwesung *f.* -en; Verderbnis *f.* -se. ~하다 schurkisch; boshaft; erbärmlich; schimpflich; schmählich; schuftig; verdammenswert (sein).
‖ ~기자 der gewissenlose 〔lasterhafte〕 Journalist [ʒur..] -en, -en. ~신문 Schundblatt 〔Skandal-〕 *n.* -(e)s, ⸗er. ~한(漢) Schurke *m.* -n, -n; Racker *m.* -s, -; Schuft *m.* -(e)s, -e; der erbärmliche 〔verdammenswerte〕 Kerl, -(e)s, -e.

악도리 böser Kerl, -(e)s, -e; Raufbold *m.* -(e)s, -e; Strolch *m.* -(e)s, -e; Lärmer *m.* -s, -.

악독(惡毒) Lasterhaftigkeit *f.* -en; Bosheit *f.* -en; Gift *n.* -(e)s, -e; Verkehrtheit *f.* -en. ~하다 lasterhaft; böse; giftig (sein).
¶ ~한 행위 höllische 〔giftige; böse〕 Tat, -en 〔Handlung, -en〕.

악동(惡童) Laus|bube 〔Spitz-〕 *m.* -n, -n; Gassenjunge *m.* -n, -n.

악랄(惡辣) Bosheit *f.* -en; Verschlagenheit *f.* -en; Schlauheit *f.* -en. ~하다 《악의를 품은》 boshaft; arglistig; 《후안무치한》 gewissenlos; unverschämt; 《비열한》 niederträchtig; bubenhaft; schurkenhaft; 《음흉한》 schlau; verschlagen (sein). ¶ ~한 수단 das schurkische Mittel, -s, -; die niederträchtige Maßregel, -n / ~한 사람 Schurke *m.* -n, -n; der böse Mensch, -en, -en / ~하게 굴다 ⁴sich boshaft benehmen*.

악력(握力) Griff *m.* -(e)s, -e; die Kraft des Griffs. ‖ ~계 Handdynamometer *n.* -s, -; Handkraftmesser *m.* -s, -.

악령(惡靈) der böse Geist, -(e)s, -er; Teufel *m.* -s, -. ¶ ~에 씌다 vom bösen Geist besessen sein; in Gewalt böser Geister sein; von dem bösen Geist 《e-s Verstorbenen》 verfolgt 〔gequält〕 werden.

악리(樂理) Theorie 《*f.* -n》 der Musik; musikalische Theorie.

악마(惡魔) Teufel *m.* -s, -; der böse Geist, -(e)s, -er; Lügenfürst *m.* -en, -en; Dämon *m.* -s, -en. ¶ ~를 내몰다 〔물리치다〕 die bösen Geister aus|treiben* 〔bannen〕 / ~ 같은 teuflisch; diabolisch; verflixt; dämonisch; satanisch / ~ 같은 짓〔행위〕 Teufelei *f.* -en; e-e teuf(e)lische Tat, -en / ~에 씌었다 Er ist von einem bösen Geist besessen.
‖ ~주의 Satanismus *m.* -. ~파 die satanische Schule, -n; die Satanisten 《*pl.*》.

악머구리 Quaker *m.* -s, -; Quäker *m.* -s, -; Frosch *m.* -es, ⸗e. ¶ ~ 끓듯하다 ein großes Aufheben 〔viel Aufhebens〕 machen.

악명(惡名) der schlechte Ruf, -(e)s, -e; der schlechte Name, -ns, -n; das schlechte 〔böse〕 Gerücht, -(e)s, -e; Verruf *m.* -(e)s.
¶ ~을 씌우다 *jn.* in üblen Ruf bringen*; *jn.* als ⁴*et.* brandmarken; *js.* Namen beflecken 〔besudeln〕 / 그는 반역자란 ~을 썼다 Er ist als Hochverräter gebrandmarkt.

악모(岳母) =장모(丈母).

악몽(惡夢) der böse 〔schlechte〕 Traum, -(e)s, ⸗e; der beängstigende 〔schwere〕 Traum; 《가위눌림》 Alp *m.* -(e)s, -e; Alpdrücken *n.* -s; Nachtmahr *m.* -(e)s, -e; 〖의학〗 Inkubus *m.* -, ..ben; der quälende 〔peinigende〕 Traum. ¶ ~에 시달리다 vom Nachtmahr 〔Alp〕 gequält werden; Alpdrücken haben / ~에서 깨어나다 aus e-m bösen Traum erwachen; aus e-m Alpdrücken erwachen.

악물다 《이를》 die Zähne fest aufeinander|beißen*; mit den Zähnen knirschen (화가 나서). ¶ 그는 이를 악물고 죽어 있었다 Er ist mit fest zusammengebissenen Zähnen gestorben.

악바리 eine harsche zähe Person, -en; eine harte scharfsinnige Person.

악벽(惡癖) die schlechte 〔böse; üble〕 (An-)gewohnheit, -en; Laster *n.* -s, -; Mangel *m.* -s, ⸗ (결점, 버릇); Fehler *m.* -s, -.

악보(樂譜) Noten 《*pl.*》; Noten|blatt *n.* -(e)s, ⸗er 〔-heft *n.* -(e)s, -e〕; Partitur *f.* -en.
¶ ~를 보면서 연주 〔노래〕 하다 nach Noten 〔vom Blatt〕 spielen⁴ 〔singen*⁴〕 / ~를 보지 않고 연주하다 ohne ⁴Noten spielen.

‖ ~대(臺) Notenpult *n.* -(e)s, -e; Notengestell *n.* -s, -e. ~집(集) Notenbuch *n.* -(e)s, ⸗er; Musikheft *n.* -(e)s, -e. 관현~ Orchesternoten 《*pl.*》.

악부(岳父) =장인(丈人).

악사(惡事) Übel¦tat (Un-; Misse-) *f.* -en; Verbrechen *n.* -s, -; Vergehen *n.* -s, -(사소한). ⌈-en, -en.

악사(樂士) Musiker *m.* -s, -; Musikant *m.*

악서(惡書) schädliches (nachteiliges) Buch, -(e)s, ⸗er; unerwünschte Schriften 《*pl.*》. ¶ ~를 추방하다 schädliche Bücher außer Umlauf setzen (bringen*).

악설(惡說) Schimpfworte 《*pl.*》; Fluch *m.* -(e)s, ⸗e; Verleumdung *f.* -en; Verwünschung *f.* -en; eine üble Nachrede, -n. ~하다 *jm.* (auf *jn.*) fluchen; *jm.* Böses nach|sagen; schimpfen.

악성(惡性) ① 《타고난 성품》 der böse Charakter, -s, -e; die böse Naturanlage, -n. ② 《질병》 Bösartigkeit *f.* -n; Malignität *f.* -n. ¶ ~의 bösartig; maligne; perniziös. ‖ ~매독 die maligne Syphilis. ~빈혈 die perniziöse Anämie, -n. ~인플레이션 die böse Inflation, -en. ~종양(腫瘍) bösartige Geschwulst, ⸗e.

악성(惡聲) 《소리》 die schlechte (rauhe; heisere; mißtönige) Stimme, -n; 《악평》 Schmähung *f.* -en; Verleumdung *f.* -en. ☞ 악평(惡評).

악성(樂聖) der angesehene (berühmte) Musiker, -s, -; der allbekannte (weltbekannte) Komponist, -en, -en.

악센트 Akzent *m.* -(e)s, -e; Betonung *f.* -en; Emphase *f.* -n; Gewicht *n.* -(e)s, -e; Hochton *m.* -(e)s, ⸗e; Nachdruck *m.* -(e)s; Schwung *m.* -(e)s, ⸗e. ¶ ~가 있는 (없는) (un)betont; (un)akzentuiert / ~를 붙이다 besonders betonen[4]; emphatisch dar|stellen[4]; Gewicht (Nachdruck) legen 《*auf*[4]》; die Stimme (den Ton) (er)heben*.

악속(惡俗) =악풍(惡風).

악수(一水) ☞ 억수.

악수(握手) Händedruck *m.* -es; das Händeschütteln*, -s; 《화해》 Aussöhnung *f.* -en; Versöhnung *f.* -en. ~하다 *jm.* die Hand drücken (geben*; schütteln); [3]sich die Hände geben* (상호간에); 《비유적》 [4]sich aus|söhnen (versöhnen); [4]sich über [4]*et.* vergleichen*(화해); [4]sich verbinden* (협정). ¶ ~를 청하다 *jm.* die Hand bieten* (reichen); *jm.* die Versöhnung an|bieten* (화해하다).

악수(惡手) 《바둑·장기 따위의》 ein falscher Zug, -(e)s, ⸗e. ¶ ~를 두다 e-n falschen Zug tun* (machen).

악수(惡獸) wütiges (wütendes) Tier, -(e)s, -e.

악수(樂手) 〖음악〗 =악사(樂士).

악순환(惡循環) Spirale *f.* -n. ¶ 물가 (임금)의 ~ Preisspirale (Lohnspirale) *f.* -n.

악습(惡習) die schlechte Gewohnheit, -en (Sitte, -n); der schlechte (Ge)brauch, -(e)s, ⸗e. ¶ 음주의 ~ das Laster des Trinkens; die Trinksucht / ~에 젖다 e-e schlechte Gewohnheit an|nehmen*; [3]sich an|gewöhnen / ~을 버리다 e-e schlechte Gewohnheit ab|legen (auf|geben*).

악식(惡食) 《나쁜 음식》 schlechte Speise, -n; grobe Nahrung, -en; ekelhafte Speise. ~하다 [3]sich kümmerlich nähren; von schlechter Nahrung leben; ekelhafte Speise essen*.

악심(惡心) der böse Gedanke, -ns, -n; die böse Absicht, -en; das böse (üble) Vorhaben*, -s; Tücke *f.* -n. ¶ ~을 품은 übelgesinnt; boshaft; arglistig; heimtückisch / ~을 일으키다 zum Bösen (hin|)neigen; es fällt *jm.* ein böser Gedanke ein.

악쓰다 ① 《소리치다》 laut (auf|)schreien*; ärgerlich kreischen*; laut aus|rufen*. ¶ 남편에게 ~ dem Mann ärgerlich zu|schreien*. ② 《기쓰다》 mit dem Fuß auf die Erde stampfen; [3]sich zwecklos (nützlos) an|strengen (ab|mühen).

악아 《아기》 Kind!; Kindchen!; 《딸》 Tochter!; 《며느리》 Schwiegertochter!

악어(鰐魚) Krokodil *n.* -s, -e; Alligator *m.* -s, -n [..tóːr:ən]; Kaiman *m.* -s, -e (-s). ‖ ~가죽 Krokodilleder *n.* -s, -: ~가죽 (핸드)백 Krokodiltasche *f.* -n.

악언(惡言) schlechte Worte; Schimpfworte 《*pl.*》; Fluch *m.* -(e)s, ⸗e. ~하다 fluchen; schimpfen; *jm.* Böses nach|sagen.

악업(惡業) 〖불교〗 Karma(n) *n.* -s; schlechte Taten in dem vergangenen Leben; 《악행》 Vergehen *n.* -s, -; Missetat *f.* -en; böse Tat, -en. ¶ 전세의 ~은 피할 수 없다 Man kann das Karma(n) nicht umgehen.

악역(惡役) Bösewichtsrolle *f.* -n. ¶ ~을 맡다 Bösewichtsrolle spielen.

악역(惡疫) Seuche *f.* -n; Pestilenz *f.* -en; Epidemie *f.* -n; die ansteckende (bösartige; virulente; perniziöse) Krankheit, -en. ¶ ~이 창궐하다 Die Seuche wütet. ‖ ~감염 지역 e-e verseuchte Gegend, -en.

악연(惡緣) verhängnisvolles (verfluchtes; verwünschtes) Band, -es, -e; die verhängnisvolle Fügung 《-en》 (des Schicksals); die unlösbare Beziehung (Verbindung) -en; 《부부·남녀간의》 die unglückliche Liebe; die unpassende Heirat, -en; die unglückliche aber untrennbare Ehe, -n. ¶ ~의 (으로 맺어진) fatal; verhängnisvoll.

악연(愕然) =아연(啞然).

악엽(萼葉) Kelchblatt *n.* -(e)s, ⸗er.

악영향(惡影響) böser Einfluß, ..flusses, ..flüsse; die schlechte Wirkung, -en; Schaden *m.* -s, ⸗. ¶ ~을 미치기 쉬운 ansteckend / ~을 미치다 auf *jn.* ([4]*et.*) bösen Einfluß haben (aus|üben); schädlich beeinflussen / ~을 받다 unter dem bösen Einfluß stehen*; schädlich beeinflußt werden.

악용(惡用) Mißbrauch *m.* -(e)s, ⸗e; der falsche Gebrauch, -(e)s, ⸗e. ~하다 mißbrauchen[4]; von [3]*et.* falschen (schlechten) Gebrauch machen; schlecht (mit böser Absicht) gebrauchen; zu e-m bösen (schlechten) Zweck gebrauchen. ¶ 금전을 ~하다 das Geld mißbrauchen / 권력을 ~하다 die Macht mißbrauchen; [4]sich der Macht zu e-m bösen Zweck bedienen.

악우(惡友) der schlechte (falsche) Freund, -(e)s, -e. ¶ ~와 사귀다 mit e-m falschen Freunde verkehren / ~로 인해 몸을 망치다 von e-m schlechten Freunde verleitet werden / ~를 멀리하다 [4]sich e-n schlechten Freund vom Leibe halten*; [4]sich von schlechter Gesellschaft fern|halten*.

악운(惡運) das widrige Geschick, -(e)s; das schwere Schicksal, -s, -e; Verhängnis *n.* ..nisses, ..nisse; Unglück *n.* -(e)s. ¶ ~이 세다 Der Teufel ist auf s-r Seite. | Dem kann nichts passieren. / ～이 다하다 Das Glück hat ihm den Rücken gekehrt.

악음(樂音) der musikalische Ton, -(e)s, ⸗e.

악의(惡意) das Übelwollen*, -s; Böswilligkeit *f*. -en; Bosheit *f*. -en; Groll *m*. -(e)s; die böse Absicht, -en; Arglist *f*. -en; das böse Vorhaben*, -s; Haß *m*. ..sses. ¶ ～ 있는 bös|artig (-gesinnt; -willig); boshaft / ～없는 harmlos; arglos; ohne [4]Falsch; unschädlich; 《마음씨 착한》 gutherzig; gutmütig / ～로 mit böser Absicht; aus Groll/ ～로 해석하다 übel|nehmen*[4] / ～를 품다 es böse mit *jm*. meinen / 그것은 모두 ～에서 비롯되었다 Es war alles in böser Absicht gemacht. / 그건 ～에서 비롯된 것은 아니었어 Das war nicht m-e Absicht. | Das geschah ohne Absicht.

악의악식(惡衣惡食) schäbige Kleider 《*pl.*》 und schlechte Speisen 《*pl.*》. **～하다** [3]sich schäbig bekleiden und von schlechter Nahrung leben; armselig leben. ¶ ～에 만족하다 mit schäbiger Kleidung und Nahrung zufrieden sein; mit dem einfachen Leben zufrieden sein.

악인(惡人) der üble Mensch, -en, -en; Bösewicht *m*. -(e)s, -e(r); Schurke *m*. -n, -n; der schlechte (böse) Mensch, -en, -en; der verruchte (gottlose) Mensch, -en, -en.

악일(惡日) der schwarze Tag, -(e)s, -e; Unglückstag *m*. -(e)s, -e.

악장(岳丈) Schwiegervater *m*. -s, ⸗.

악장(樂長) Kapellmeister *m*. -s, -; Dirigent *m*. -en, -en; Musikdirektor *m*. -s, -en.

악장(樂章) Satz *m*. -es, ⸗e; Tonsatz *m*. -es, ⸗e; die Abteilung e-s Musikstückes. ¶ 교향악은 보통 4～으로 되어 있다 E-e Sinfonie pflegt vier Sätze zu haben.

악장치다 mit *jm*. laut zanken; keifen*; streiten*; hadern.

악전고투(惡戰苦鬪) der verzweifelte (harte) Kampf, -(e)s, ⸗e. **～하다** e-n verzweifelten (erbitterten; blutigen) Kampf kämpfen; auf Leben u. Tod kämpfen; [4]es [3]sich sauer werden lassen* (고심참담하다). ¶ 나는 여러가지 곤란과 ～해야 했다 Ich hatte mit tausend Schwierigkeiten zu kämpfen.

악정(惡政) Miß|verwaltung *f*. -en (-regierung *f*. -en; -wirtschaft *f*. -en). ¶ ～에 시달리다 unter der Mißverwaltung leiden*/ ～을 하다 schlecht regieren (verwalten).

악조건(惡條件) ungünstige (unwidrige; unvorteilhafte) Bedingung, -en (Kondition *f*. -en); ungünstiger Faktor, -s, -en.

악조증(惡阻症) die Brechneigung 《-en》 während der Schwangerschaft; die morgendliche Übelkeit, -en.

악종(惡種) schlechte Saat, -en; schlechter Same, -ns, -n; die boshafte Person, -en; Schurke *m*. -n, -n; Bösewicht *m*. -(e)s, -e(r); Schuft *m*. -(e)s, -e; Schelm *m*. -(e)s, -e; Halunke *m*. -n, -n.

악증(惡症) 《병》 bösartige Krankheit, -en; ungestüme Unpäßlichkeit, -en; 《못된 짓》 eine üble Gewohnheit, -en.

악지 ☞ 억지.

악질(惡疾) ＝악역(惡疫).

악질(惡質) ① 《품질》 die schlechte Qualität, -en; die untergeordnete Qualität, -en. ¶ ～의 schlecht (in der Qualität); roh; grob. ② 《질병》 die Bösartigkeit; die Malignität, -en. ¶ ～의 maligen; perniziös. ③ 《성질》 der böse Charakter, -s, -e-; die böse Natur, -en. ¶ ～의 lasterhaft; unmoralisch. ‖ **～범죄** böses Verbrechen*, -s; böse Missetat, -en. **～분자** schlechte (üble) Elemente 《*pl.*》.

악착스럽다 ☞ 억척스럽다.

악처(惡妻) Haus|drache *m*. -n, -n (-kreuz *n*. -es, -e); die böse Sieben; Xanthippe *f*. -n. ¶ ～는 평생의 원수 E-e schlechte Ehefrau ist wie e-e fünfzigjährige Mißernte. | E-e böse Frau fällt ihrem Manne fürs ganze Leben zur Last.

악천후(惡天候) Unwetter *n*. -s; rauhe Witterung, -en; schlechtes Wetter, -s, -. ¶ ～를 무릅쓰고 trotz des schlechten Wetters/～로 떠날 수 없었다 Wegen schlechten Wetters konnte ich nicht abreisen.

악취(惡臭) der schlechte Geruch, -es; Gestank *m*. -(e)s. ¶ ～를 풍기는 stinkend / ～를 풍기다 es stinkt 《*nach*[3]; *wie*[1]》 / ～가 코를 찌른다 Ein schlechter Geruch steigt mir in die Nase.

악취미(惡趣味) der schlechte Geschmack, -(e)s, ⸗e(r); Geschmacklosigkeit *f*. -en.

악티늄 〖화학〗 Aktinum *n*. -s 《기호: Ac.》.

악패듯 rauh; hart; unnachgiebig; erbarmungslos.

악평(惡評) 《악의적》 die scharfe (übelwollende; gehässige) Kritik, -en; 《못된 평판》 der schlechte Ruf, -(e)s, -e; Verruf *m*. -(e)s, -e; e-e schlechte Presse. **～하다** schlecht machen[4]; kritisieren[4]; durch den Kakao ziehen*[4]; bekritteln[4]. ¶ ～ 있는 사람 ein Mensch von schlechtem Rufe; ein in üblem Rufe stehender Mensch / ～이 자자한 berüchtigt 《*wegen*[2]》; verrufen; notorisch / ～을 받다 in Verruf (üblen Ruf; schlechten Geruch) kommen* (s); abfällig kritisiert (beurteilt; besprochen) werden (혹평당하다) / 그에게는 ～이 끊이지 않는다 Er steht in üblem Rufe. | Es wird immer schlecht über ihn gesprochen.

악폐(惡弊) Übel *n*. -s; die schlechte Gewohnheit, -en; Mißbrauch *m*. -(e)s, ⸗e (악용). ¶ 버려둘 수 없는 ～ das offenkundige (himmelschreiende) Übel, -s, - / ～를 일소하다 Mißbräuche ab|schaffen* (beseitigen; aus|rotten).

악풍(惡風) die üble (schlechte) Gewohnheit, -en; die entartete Sitte, -n. ¶ ～에 물들다 schlechte Gewohnheiten an|nehmen*; in schlechter Gesellschaft verderben(*).

악필(惡筆) die schlechte Handschrift, -en; Kritzelei *f*. -en; die arme (schlechte; dürftige) Schreibkunst, ⸗e; das schlechte Schreiben*, -s; die schlechte Hand, ⸗e. ¶ ～이다 e-e schlecht Handschrift haben; e-e schlechte Hand schreiben* / 나와 같은 ～도 드물 것이다 E-e so schlechte Handschrift wie m-e ist selten. | Es gibt wenige so schlechte Handschriften wie m-e. ‖ **～가** ein schlechter Schreiber, -s, -; Kritz(l)er *m*. -s, -; Kakograph *n*. -en, -en.

악하다(惡—) schlecht; schlimm; böse; übel; schädlich (sein). ¶ 악한 사람 böser Mann, -(e)s, ⸗er / 성질이 ～ boshaft (bösartig) sein / 악한 일을 하다 *jm*. Böses tun*; Unrecht tun*; e-e Sünde 《-n》 (ein Verbrechen, *n*. -) begehen*.

악한(惡漢) Schuft *m*. -(e)s, -e; Schurke *m*. -n, -n; Schelm *m*. -(e)s, -e; Gauner *m*. -s, -; Bösewicht *m*. -es, -e (-er). ¶ 그러한 ～을

세상에 내보낸다는 것은 위험한 일이다 Es ist sehr gefährlich, e-n solchen Schurken auf die Welt loszulassen.

악행(惡行) ein böses Benehmen, -s (Betragen, -s); e-e böse Tat, -en; Übeltat *f.* -en; Unrechttun *n.* -s; Missetat *f.* -en.

악형(惡刑) Marter *f.* -n; die grausame (unbarmherzige) Strafe, -en; die unbarmherzige Bestrafung, -en. ～하다 *jn.* grausam strafen (bestrafen); *jn.* martern; *jn.* auf die Folter (-n) spannen.

악화(惡化) Verschlechterung *f.* -en; Verschlimmerung *f.* -en; Entartung *f.* -en; Entsittlichung *f.* -en (풍속 등의). ～하다 schlechter (schlimmer) werden; [4]sich verschlechtern; [4]sich verschlimmern; ernst werden; 《질적으로》 entarten. ¶ ～시키다 schlechter (schlimmer; gefährlicher) machen[4]; verschlechtern[4]; verschlimmern[4]; erschweren[4]; zur Entartung führen / 정세가 가일층 ～되었다 Es kamen erschwerende Umstände hinzu. / 날씨(경제, 정세)가 ～되었다 Das Wetter (Die wirtschaftliche Lage, Die politische Lage) hat sich verschlechtert. / 양자의 감정이 ～일로로 치닫고 있다 Die Beziehung zwischen den beiden wird immer gespannter. / 그의 병세가 ～하였다 S-e Krankheit verschlimmerte sich. ¦ Es ging ihm immer schlechter.

악화(惡貨) schlechtes Geld, -(e)s; wertloser Umlauf, -(e)s, ⸚e; rechtsungültiges Geld. ¶ ～는 양화를 구축한다 Schlechtes Geld treibt das gute hinaus.

악희(惡戱) Possen *m.* -s, -; Schabernack *m.* -(e)s, -e; übermütiger Streich, -(e)s, -e; unartiger Akt, -(e)s, -e.

안[1] ① 《내부》 das Innere*, -n; das Inwendige*, -n; 《내면·안쪽》 die Innenseite, -n; die innere Seite, -n. ¶ 안의 inner / 안에 darin; d(a)rinnen; 《내부에·내부에서》 innen; im Innern / …의 안(내부)에 in[3]; innerhalb[2] / 안으로 nach innen; inwendig; hinein / …의 안으로 in[4]; hinein / 안에서부터 von innen heraus / 집 안에는 innerhalb des Hauses; (drinnen) im Hause / 집안에서 나오다 aus dem Hause heraus|kommen*Ⓢ / 급히 집안으로 들어가다 ins Haus hinein|eilen / 집안에만 들어박혀 있다 immer zu Hause hocken; das Haus hüten / 문이 안에서 열렸다 Die Tür öffnete sich von innen. / 집안이 엉망으로 어지럽혀져 있었다 Im Innern des Hauses war alles in Unordnung. / 상자안이 텅 비어 있었다 Ich fand den Kasten ausgeleert. / 안에 무엇이 들어 있읍니까 Was ist darin?
② 《시간》 in[3]; innerhalb[2]; während. ¶ 이삼일 안에 in einigen Tagen / 일주일 안에 innerhalb e-r [2]Woche.
③ 《옷의》 Futter *n.* -s; Auskleidung *f.* -en. ¶ 안을 대다 füttern[4] (*mit*[3]); aus|kleben[4] (*mit*[3]) (상자의 안쪽 따위를); aus|kleiden[4] (*mit*[3]) (난로의 안쪽 따위를).

안[2] ① 《내실》 Boudoir *n.* -s, -s; Damenzimmer *n.* -s, -. ¶ 어머니는 안에 계시다 Meine Mutter ist in ihrem Boudoir. ② 《여자》 Frauensleute (*pl.*); Weibsleute (*pl.*); 《아내》 Frau *f.* -en. ¶ 안주인 Herrin *f.* -nen; Hausfrau / 안손님 Besucherin *f.* -nen.

안(案) ① 《제안》 Vorschlag *m.* -(e)s, ⸚e; Antrag *m.* -(e)s, ⸚e (제의); Gesetzesvorlage *f.* -n (법안). ¶ 안을 내놓다 vor|schlagen*[4]; e-n Vorschlag machen; auf [4]*et.* e-n Antrag stellen; in Vorschlag bringen*[4] / 정부의 증세안 Regierungsantrag (*m.* -(e)s, ⸚e) auf Steuererhöhung / 안을 채택하다 e-n Vorschlag auf|nehmen* / 그는 안을 냈다가 보기좋게 거절당했다 Er fiel mit s-m Antrag glatt durch.
② 《초안》 Entwurf *m.* -(e)s, ⸚e; Kladde *f.* -n (초고). ¶ 안을 세우다 entwerfen*[4]; e-n Entwurf aus|arbeiten (vor|legen) / 법률안을 만들다 ein Gesetz entwerfen*.
③ 《계획》 Plan *m.* -(e)s, ⸚e; das Vorhaben*, -s; Vorsatz *m.* -es, ⸚e. ¶ 안을 짜다 e-n Plan entwerfen* (auf|stellen; fassen; schmieden (꾸미다); aus|denken* (생각해내다) / 안을 철회하다 den Plan fallen lassen* (auf|geben*).
④ 《의견·착상》 Einfall *m.* -(e)s, ⸚e; Idee *f.* -n; Meinung *f.* -en; Gedanke *m.* -ns, -n. ¶ 그건 좋은 안이다 Das ist e-e Idee. / 그것은 어느분의 묘안인가요 Wer ist auf diesen glücklichen Einfall (Gedanken) gekommen?

안간힘 alles; ganze Kraft, ⸚e; alle Energie, -n. ☞ 진력(盡力). ¶ ～을 쓰다 s-e ganze Kraft (alles) ein|setzen (*für*[4]); alle (s-e) Kräfte (alle (s-e) Energie) auf|bieten*; [3]sich widmen; [3]sich hin|geben*; mit Fleiß nach|kommen*.

안감 《옷의》 Futterstoff *m.* -(e)s, -e; Futter *n.* -s, -.

안강(安康) Behaglichkeit (*f.*) und Gesundheit *f.* ～하다 [3]sich behaglich fühlen; in angenehmen Verhältnissen (*pl.*) leben.

안강(鮟鱇) 〖어류〗 Seeteufel *m.* -s, -.

안갚음 Gegenliebe (*f.* -n) der Kinder für die Eltern; kindliche Hingabe, -n (Pietät, -en). ～하다 [4]sich für die Eltern auf|-opfern; den Eltern Gutes vergelten*.

안개 Nebel *m.* -s, -; Dunst *m.* -es, ⸚e; Mist *m.* -es, -e. ¶ 짙은 ～ der dicke Nebel / 아침 ～ der Morgennebel / 저녁 ～ Abenddunst *m.* -es, ⸚e / ～가 짙은 날씨 das Nebelwetter, -s, - / (산허리에) 드리워진 ～ Nebelbank *f.* ⸚e (-schicht *f.* -en) / ～에 싸인 neb(e)lig; nebelhaft; nebel|umhüllt (-verhüllt) / ～가 없는 nebelfrei; frei von Nebel / ～가 걷다 Der Nebel klärt sich auf. / ～가 끼어 있다 Der Nebel hängt (lagert; schwebt). / ～가 짙어진다 Der Nebel verdichtet sich. / ～가 낀다 Es nebelt. ¦ Der Nebel steigt auf. ¦ Der Nebel erhebt sich. / 산이 ～에 싸여 있다 Der Berg steht im Nebel.
‖ ～상자 〖물리〗 (die Wilsonsche) Nebelkammer.

안개비 ＝가랑비.

안거(安居) ein sanftes (ruhiges; stilles) Leben, -s. ～하다 ein ruhiges Leben führen; ruhig leben.

안건(案件) Item *n.* -s; Fragepunkt *m.* -(e)s, -e; Sache *f.* -n. ¶ 중요 ～ ein wichtiger Fragepunkt, -(e)s, -e.

안걸이 《씨름에서》 ～하다 *jm.* ein Bein stellen (unter|schlagen*).

안경(眼鏡) Brille *f.* -n; (Augen)glas *n.* -es, ⸚er; Schutzbrille (보안용); 《코안경》 (Nasen-)klemmer *m.* -s, -; Zwicker *m.* -s, -; Kneifer *m.* -s, -. ¶ ～ 너머로 über den Brillenrand (hin); über den Rand der Brille / ～ 너머로 보다 über den Brillenrand (die Brille) (hin) äugeln (blicken; schauen;

sehen*) / ～을 쓴 〔쓰고〕 brillentragend; mit e-r (aufgesetzten) Brille / ～을 벗다 〔쓰다〕 e-e Brille ab|setzen 〔auf|setzen〕 / ～을 쓰고 있다 e-e Brille tragen* / ～을 벗고 신문을 읽다 ohne Brille e-e Zeitung lesen* / ～을 벗은 눈 die entblößten Augen《*pl.*》/ 사물을 색～을 쓰고 보다 ⁴*et.* durch e-e gefärbte Brille an|sehen*; 《비유적으로》 ⁴*et.* nicht vorurteilsfrei betrachten / 제 눈에 ～ Liebe macht blind. / 당신의 ～은 몇 도요—7도 Wie stark ist Ihre Brille?—7 Grad.

‖ ～가게 Optiker *m.* -s, -; Optikus *m.* -, -se; Brillen¦macher 〔-hersteller〕 *m.* -s, - (만드는 사람); Brillenhändler *m.* -s, - (판매자). ～다리 Bügel *m.* -s, -. ～알 Brillenglas *n.* ～장이 Brillenträger *m.* -s, -. ～집 Brillenfutteral *n.* -s, -e; Etui [etvíː; etyíː]. ～테 Brillen¦(ein)fassung *f.* -en 〔-gestell *n.* -s, -〕. 단(외짝, 홑)～ Monokel *n.* -s, -. 오페라 〔관람용〕 ～ Lorgnette [lɔrnjέt] *f.* -n; Lorgnon [..njɔ̃ː] *n.* -s, -s; Stiel¦brille 〔-(ein-)glas〕. 은테 ～ die silberne 〔silberumrandete〕 Brille, -n; e-e Brille mit e-r silbernen Fassung.

안계(眼界) 《시야》 Gesichtskreis *n.* -es, -e; Gesichtsfeld *n.* -(e)s, -er; 《마음의》 das geistige 〔innere〕 Auge, -s, -n; 《시야》 das Augenfeld, -(e)s, -er; das Gesichtsfeld, -(e)s, -er. ¶ ～가 넓은 weitsichtig / ～안(밖)에 있다 im 〔außer dem〕 Gesichtsfeld sein/ ～에 들어오다 in Sicht kommen*ⓢ; sichtbar werden / ～에서 사라지다 aus dem Gesicht kommen* ⓢ / ～를 넓히다 s-n Gesichtskreis erweitern / 거기는 ～가 탁 틔어 있다 Die Stelle gewährt e-e weite Aussicht.

안고나다 auf ⁴sich nehmen*; ⁴sich für etwas verantworten. ¶ 내각에 대한 비난을 그가 전부 안고났다 Er nahm die Kritik am Kabinett auf sich.

안고름 die innere Bindschnur, ⸗e (von koreanischen Kleidern).

안고수비(眼高手卑) tiefes Wissen ohne entsprechende Kunstfertigkeit; Kennerauge ohne entsprechende Geschicklichkeit. ¶ 그는 ～한 분이다 Er ist ein guter Sachkenner, aber er hat keine Kunstfertigkeit.

안고지고 mit vollen Armen 《*pl.*》 und geladenem Rücken 《*pl.*》.

안고지다 ⁴sich in s-m eigenen Netz fangen; in s-m eigenen Netz gefangen werden; ⁴sich in s-n eigenen Trick 〔Kniff〕 verstricken. ¶ 남을 해 하려다 도리어 안고졌다 Er wollte anderen Leuten Schaden bringen, aber er wurde in s-m eigenen Netz gefangen.

안공 〖공업〗 eine Art Schraubstock 《-(e)s, ⸗e》 (zum Festhalten von Brettern).

안공(眼孔) Augenhöhle *f.* -n.

안과(眼科) Ophthalmologie *f.*; Augenheilkunde *f.*

‖ ～의사 Augenarzt *m.* -es, ⸗e; Ophthalmog(e) *m.* ..gen, ..gen. ～의원 Augenklinik *f.* -en; 《종합병원의》 die Abteilung 《-en》 für Augenkrankheiten. ～학 Ophthalmologie *f.* -n.

안과하다(安過—) 《지냄》 sorglos leben; sorglos ein ruhiges Leben führen; 《보냄》 (Zeit) friedlich verbringen*.

안광(眼光) 《안채》 Blick *m.* -(e)s, -e. ¶ 날카로운 ～ Adler¦blick 〔Scharf-〕 *m.* -(e)s, -e; der durchbohrende Blick / ～이 날카로운 adleräugig; scharfsichtig.

안구(眼球) Augapfel *m.* -s, ⸗.

‖ ～돌출 Augapfelvorfall *m.* ～동통 Augapfelschmerz *m.* ～염 Augapfelentzündung *f.* ～은행 Augenbank *f.* -en. ～적출 Augapfelausrottung *f.* -en.

안구(鞍具) Sattelzeug *n.* -(e)s, -e; Sattelwaren 《*pl.*》; Sattlerwaren 《*pl.*》.

안기다¹ 《품속에 들다》 ⁴sich an *jn.* an|schmiegen; ⁴sich *jm.* in die Arme werfen*. ¶ 아기가 엄마 품에 ～ Ein Kind schmiegt sich an seine Mutter an. / 자연의 품에 ～ ⁴sich im Schoße 《-es, ⸗e》 der Natur ein|nisten.

안기다² ① 《안도록 하다》 in die Arme 《*pl.*》 nehmen* 〔schließen*〕 lassen*. ¶ 어머니한테 아기를 ～ ein Kind in der Mutter Arme setzen.

② 《빚·책임 등을》 eine Schuld 《-en》 〔Verantwortung, -en; einen Verdacht〕 auf *jn.* bringen* 〔werfen*〕; *jn.* für etwas verantwortlich machen. ¶ 친구에게 책임을 ～ eine Verantwortung auf den Freund bringen* / 빚을 ～ die Schuld auf andere ab|wälzen 〔bringen*〕 / 비용을 ～ die Kosten für ⁴*et.* tragen lassen*.

③ 《물건을》 *jm.* ⁴*et.* in die Arme werfen*; 《강매》 *jn.* zwingen*, etwas zu kaufen. ¶ 가짜를 ～ *jn.* mit falschen Artikeln betrügen* / 나쁜 물건을 ～ *jm.* einen schlechten Artikel an|drehen / 선물을 ～ *jm.* ein Geschenk in die Hand drücken; *jm.* ⁴*et.* zum Geschenk machen.

④ 《알을》 eine Henne setzen.

⑤ 《치다》 einen Stoß 〔Schlag〕 geben*. ¶ 아무를 한대 ～ *jm.* einen Stoß 〔Schlag〕 geben*.

안남(安南) Annam. ¶ ～(사람)의 annamitisch.

‖ ～미(米) annamitischer Reis, -es. ～사람 Annamit *m.* -en, -en.

안내(案內) (Ein)führung *f.* -en; Begleitung *f.* -en; Leitung *f.* -en. ～하다 führen⁴; begleiten⁴; ein|führen⁴; leiten; 《길안내》 *jm.* den Weg zeigen 〔weisen*〕. ¶ …의 ～로 unter *js.* Führung; von *jm.* begleitet/ (관광지의) ～인을 고용하다 *jn.* zum Führer nehmen* / 손님을 응접실로 ～하다 e-n Gast ins Empfangszimmer führen / 명승지를 구경하려는데 ～를 부탁해도 좋을까요 Ich möchte die Sehenswürdigkeiten besichtigen.¦ Wollen Sie die Güte haben, mich zu führen? / 그에게 박물관을 ～했다 Ich habe ihn durch das Museum geführt. / 그는 훌륭한 호텔로 ～해 주었다 Er brachte mich zu e-m herrlichen Hotel.

‖ ～계 Empfang *m.* -(e)s, ⸗e; Empfänger *m.* -s, -; Portier *m.* -s, -s. ～도 《도시의》 Stadtplan *m.* -(e)s, ⸗e; Straßenkarte *f.* -n. ～소 Auskunft *f.* -en; Auskunftsbüro *n.* -s, -s. ～인(서) Führer *m.* -s, -; Cicerone *m.* -(s), -s 〔..ni〕; Fremden¦führer 〔Bären-〕 *m.* -s, -. 여행～(서) Kursbuch *n.* -(e)s, ⸗er; Reiseführer *m.* ～장 Einladungs¦brief *m.* -(e)s, -e 〔-karte *f.* -n〕.

안녕(安寧) ① der (öffentliche) Friede, -ns; die (öffentliche) Ruhe; Ruhe u. Friede(n); Glück *n.* -(e)s; das Wohlergehen*, -s; Wohlfahrt *f.* ¶ 국가의 ～ das Wohlergehen des Landes; der Friede des Staates; der Landesfriede / 공공의 ～ 질서를 유지하다 die öffentliche Ruhe u. Ordnung aufrechterhalten* / 공공의 ～질서를 해치다 die öffentliche Ruhe stören; den Frieden stören.

② 《건강》 ~하다 die Gesundheit erhalten*; gesund bleiben*; ⁴sich gut halten*. ¶ ~하십니까 (건강이 어떠하신지요) Wie geht es Ihnen?¦ Wie befinden Sie sich?

③ 《인사》 ¶ ~하십니까 Guten Morgen!¦ Guten Tag!¦Guten Abend! / ~히 계십시오 《작별인사》 Auf Wiedersehen!; Ade!; Adda! / ~하고 작별 인사하다 *jm.* Auf Wiedersehen sagen; Abschied nehmen* 《*von*³》 / ~! Gute Nacht!; Leben Sie wohl!¦ Lebewohl!¦ Adieu!¦ Mach's gut!

‖ ~질서 Ruhe u. Ordnung: ~질서를 유지하다 Ruhe u. Ordnung erhalten*.

안노인(―老人) e-e alte Frau (in der Familie).

안다 ① 《팔·품에》 umarmen⁴; herzen⁴; in den Armen halten*⁴ 〔schließen*⁴; tragen*⁴; nehmen*⁴〕; (mit den Armen) umfangen*⁴; an die Brust 〔ans Herz〕 drücken⁴. ¶ 껴안다 *jn.* an s-e Brust ziehen* / 안아 일으키다 auf|heben*⁴ 〔hoch|-〕.

② 《불행·손해를》 bekommen*⁴; kriegen⁴; erhalten*⁴; empfangen*⁴; erleiden*⁴. ¶ 손해를 안고 넘어가다 Schaden (er)leiden*; zu Schaden kommen* ⓢ; Schaden nehmen*.

③ 《바람을》 ¶ 바람을 안고 가다 gegen Wind gehen*ⓢ / 돛이 바람을 잔뜩 안고 있다 Die Segel werden vom Wind geschwellt.

④ 《남의 책임 따위를》 Aufgabe 〔Verantwortung〕 auf ⁴sich nehmen*; übernehmen*; ⁴*et.* schultern; *js.* Schuld 〔Verpflichtung〕 übernehmen*.

⑤ 《알을》 (Ei) aus|brüten; brüten.

안다니똥파리 Besserwisser *m.* -s, -.

안단테 〖음악〗 *andante* 《이탈리아어》; Andante *n.* -s, -s. ¶ ~로 andante.

안달 Beunruhigung *f.*; Aufregung *f.*; Ungeduld *f.* ~(복달)하다 《안절부절 못 하다》 nicht zur Ruhe kommen*ⓢ; nicht still sitzen können*; 《애를 태우며》 vor ³Ungeduld brennen*; 《걱정하다》 ³sich viel Sorge machen 《*über*⁴; *um*⁴》; ärgerlich 〔ungeduldig〕 sein. ¶ ~나게 하다 *jm.* k-e Ruhe lassen*; *jn.* vor Ungeduld brennen lassen* / 조마조마하여 ~하다 vor Ungeduld zappeln 〔platzen ⓢ〕; von Ungeduld gepeinigt werden; wie auf glühenden Kohlen sitzen* / 그렇게 ~하지 마라 Beruhige dich doch! / 그는 ~뱅이다 Er hat nimmer Ruhe.¦ Er ist e-e auf die Nerven fallende Person.¦ Er ist ein Zappler.¦ Er ist ein Zappelphilipp.¦ 〖속어〗 Er hat kein Sitzfleisch.

안담(按擔) die Verantwortung anderer Leute zu schultern. ~하다 die Verantwortung auf seine Schultern nehmen*.

안대(眼帶) Augenbinde *f.* -n. ¶ ~를 하다 ³sich das Auge schirmen.

안댁(―宅) 《Ihre, Seine》 geehrte Frau; Madam(e) *f.* -n.

안데스산맥(―山脈) Anden 《*pl.*》.

안도(安堵) Erleichterung *f.* -en; Trost *m.* -(e)s, -e; Entlastung *f.* -en. ~하다 ⁴sich erleichtern; ⁴sich erleichtert fühlen. ¶ ~의 한숨을 쉬다 erleichtert auf|atmen; *jm.* ein Stein vom Herzen fallen*; ⁴sich befreit fühlen. ‖ ~감 das Gefühl 《-(e)s, -e》 der Befreiung.

안도라 《유럽의 소공화국·그 수도》 Andorra.

안돌이 der Gebirgsengpaß 《..passes, ..pässe》, auf dem man sich an Felsen festhalten muß.

안되다 ① 《유감이다》 bedauernd; bedauerlich (sein). ¶ 안됐습니다만 es tut mir leid, daß ...; zu m-m Leidwesen; zu m-m Bedauern; leider / 안 됐습니다 Es tut mir leid.¦ Das ist bedauerlich.¦ Ich bedauere sehr.¦ Bedauere. / 그녀가 슬퍼하는 것은 보기에 안됐다 Ihre Trauer war schmerzlich anzusehen. / 안 됐습니다만 같이 갈 수 없군요 Es tut mir leid, daß ich Sie nicht begleiten kann. / 안됐지만 초대를 거절했어요 Zu m-m größten Bedauern, mußte ich die Einladung absagen. / 그건 정말 안 됐군요 Das läßt viel zu wünschen übrig.

② 《금지》 nicht dürfen*; nicht sollen. ¶ 그건 안돼 Das geht nicht. / 이 방에서 담배를 피워서는 안 된다 In diesem Zimmer darf man nicht rauchen. / 거짓말을 해서는 안 된다 Du sollst nicht lügen. / 변명을 해서는 안 돼 Ausreden sind zwecklos.¦ Hier gilt k-e Ausrede.

③ 《필요》 müssen*; sollen. ¶ 우리는 곧 가지 않으면 안 된다 Wir müssen sofort gehen. / 그 책은 내일까지 돌려 주지 않으면 안 된다 Das Buch mußt du bis morgen zurückgeben. / 무슨 일이 있어도 그에게 알려서는 안 된다 Wir müssen es ihm auf alle Fälle mitteilen. / 가난한 사람을 돕지 않으면 안 된다 Dem Armen soll man helfen.

④ 《쓸모없다》 k-n Zweck haben; erfolg¦-los 〔frucht-〕 sein; nichts können*; (zu) nichts nützen; ⁴sich nichts bewähren; untauglich sein; versagen. ¶ 그건 안됩니다 Das nützt (zu) nichts. / 일이 안 되려고 열차를 놓쳤다 Zu m-m Bedauern habe ich m-n Zug versäumt.

⑤ 《조심》 ¶ …하면 안 되니까 aus ³Frucht, daß...; um nicht zu...; damit 〔daß〕 nicht ... / 비밀이 누설되면 안되니까 모두 다 말씀드릴 수는 없습니다 Ich kann Ihnen nicht alles sagen, damit das Geheimnis nicht verraten wird. / 비가 오면 안 되니까 우산을 가지고 가시오 Nehmen Sie den Regenschirm mit, um nicht vom Regen naß zu werden.

⑥ 《기타》 ¶ 일이 잘 〔원만히〕 ~ schief|gehen* / 그는 소위밖에 안 된다 Er ist nicht mehr als Leutnant. / (모두) 이것밖에 안 된다 Das ist alle. / 그는 평범한 재능밖에 안된다 Er ist nur mäßig begabt. / 이 나무는 열매가 안 된다 《열리지 않다》 Der Baum trägt k-e Früchte.

안뜰 Hof *m.* -(e)s, ¨e.

안락(安樂) Behaglichkeit 〔Annehmlichkeit; Bequemlichkeit〕 *f.* -en; Gemütlichkeit *f.*; Komfort *m.* -(e)s. ~하다 behaglich; angenehm; bequem; gemütlich (sein). ¶ ~한 처지에 in guten Verhältnissen / ~하게 느끼다 ⁴sich behaglich fühlen / ~한 생활을 하다 ein behagliches Leben führen. ‖ ~사 sanfter, leichter Tod, -(e)s, -e; Euthanasie *f.* ~의자 Sessel *m.* -s, -; Lehnstuhl *m.* -(e)s, ¨e; Sorgenstuhl *m.* -(e)s, ¨e; Sofa *n.* -s, -s (긴의자).

안력(眼力) 《통찰력》 Ein¦blick *m.* -(e)s, -e 〔-sicht *f.* -en〕; Scharf¦blick *m.* -(e)s, -e 〔-sinn *m.* -(e)s〕; Sehkraft *f.* (시력). ¶ 그의 ~은 아무것도 놓치지 않는다 S-m Scharfblick entgeht nichts.

안료(顔料) ① 《화장품》 Schminke *f.* -n;

Schönheitsmittel *n.* -s, -. ② 《그림물감》 Farbe *f.* -n; Pigment *n.* -(e)s, -e.

안마(按摩) Massage [..ʒə] *f.* -n. ~하다 massieren[4]; kneten[4] (주무르다).
‖ ~사 Masseur [masǿ:r] *m.* -s, -e; Masseuse [masǿ:zə] *f.* -n. ~치료 Massagebehandlung *f.* -en; Knet¦kur (Massage-) *f.* -en.

안마(鞍馬) 《체조용구》 Pferd *n.* -(e)s, -e; 《체조》 Pferdsport *m.* -(e)s.

안면(安眠) der ruhige (gesunde; gute) Schlaf, -(e)s. ~하다 ruhig (gesund; gut) schlafen*; e-n festen Schlaf haben. ¶ ~을 방해하다 *js.* Schlaf stören; im Schlaf(e) stören[4] / ~ 중이다 fest schlafen*; in tiefem Schlaf(e)liegen* / ~할 수가 없다 e-n gestörten (unruhigen) Schlaf haben / 열이 나서 ~을 취할 수 없었다 Das Fieber hinderte mich am Schlafen. / 그 약을 먹고 ~을 취할 수 있었네 Die Arznei gab mir e-n guten Schlaf.
‖ ~방해 Ruhestörung zur Nachtzeit.

안면(顔面) ① 《얼굴》 Gesicht *n.* -(e)s, -er. ¶ ~의 Gesichts-.
② 《친분》 Bekanntschaft *f.* -en. ¶ ~이 있다 bekannt sein 《mit *jm.*》; *jn.* kennen* / ~이 있는 사람 der Bekannte*, -n, -n / ~이 생기다 Bekanntschaft machen (schließen*) 《*mit*[3]》; bekannt werden 《*mit*[3]》; kennen|lernen[4] / 나는 그와 ~이 있는 정도다 Ich kenne ihn nur flüchtig (von Ansehen). / 그와 ~은 있으나 아직 이야기는 못해 봤다 Ich bin mit ihm oberflächlch bekannt, aber ich habe noch nicht mit ihm gesprochen. / 그 당시 처음으로 그와 ~이 생기게 되었다 Damals lernte ich ihn zum erstenmal kennen.
‖ ~각 Gesichtswinkel *m.* -s, -. ~경련 Gesichtskrampf *m.* -(e)s, ⸚e. ~신경 Gesichtsnerv *m.* -s (-en), -en: ~ 신경통 Gesichtsnervenschmerz *m.* -es, -en.

안목 innere (innerliche) Dimension; innerliches Maß (des Zimmers, der Schale). ¶ ~으로 (재어) im Lichten / ~이 두 자이다 Es mißt 2 *Za* im Lichten.

안목(眼目) ① 《견식》 Auge *n.* -s, -n; Einsicht *f.* -en; Scharfsinn *m.* -(e)s; Unterscheidungsvermögen *n.* -s, -; Urteilskraft *f.* ⸚e; Verständnis *n.* -ses, -se. ¶ …을 보는 ~이 있다 ein Auge (Verständnis) für [4]*et.* haben; den richtigen Blick für [4]*et.* haben / 저 사람은 ~이 있는 남자다 Er ist ein Mann von scharfem Urteil (Urteilsvermögen). / 당신 ~에 틀림이 없읍니다 Sie haben richtig gesehen.
② 《주안(主眼)》 Haupt¦punkt *m.* -(e)s, -e (-sache *f.* -n); Kern *m.* -(e)s, -e; Sinn *m.* -(e)s, -e; das Wesentliche*, -n.

안무(按撫) Friedensstiftung *f.* -en; Besänftigung *f.* -en; Beruhigung *f.* -en. ~하다 *jn.* beruhigen (besänftigen); *jn.* zum Frieden bringen*; (ein Land) befrieden.

안무(按舞) Tanzgliederung *f.* -en; Choreographie [ko..] *f.* -n (안무법); die Gestaltung e-r [2]Rolle (연극의). ~하다 die richtige Gestaltung geben* 《e-r [3]Rolle》; e-n neuen Tanz erfinden*.
‖ ~가 Tanzerfinder *m.* -s, -; Choreograph *m.* -en, -en.

안문(一門) die innere Tür, -en; die Tür zum inneren Teil eines Hauses.

안반(짝) Teigmulde *f.* -n.

안받다 ① 《부모가》 (die Eltern) im hohen Alter von ihren Kindern betreut werden; liebevoll gepflegt werden. ② 《어미 까마귀가》 von Jungen Nahrung bekommen*.

안받음 Vergeltung *f.* -en; Wiederbezahlung *f.* -en.

안받침 die innere Unterstützung, -en.

안방(一房) der innere Raum, -(e)s, ⸚e; die gute Hinterstube, -n. ‖ ~샌님 Stubenhocker *m.* -s, -; Stubensitzer *m.* -s, -.

안배(按排) Arrangement *n.* -s, -s; Anordnung *f.* -en. ~하다 an|ordnen[4]; in Ordnung bringen*[4]; auf|räumen[4].

안번지기 〚씨름〛 eine verteidigende Haltung, in der ein Ringer seinen rechten Fuß vor den Gegner setzt.

안벽(岸壁) Kai *m.* -s, -e; 《부두》 Staden *m.* -s, -; 《방파제》 Wellenbrecher *m.* -s, -. ¶ ~에 배를 대다 ein Schiff am Kai vertäuen (vor Anker legen).

안보(安保) Sicherheit *f.* ¶ 국가의 ~ 문제 Probleme für nationale Sicherheit; nationale Sicherheitsaufgabe.
‖ ~외교 die Diplomatie für nationale Sicherheit. ~조약 Sicherheitspakt *m.* -(e)s, -e; Sicherheitsvertrag *m.* -(e)s, ⸚e.

안부(安否) ① 《건강 상태》 das Befinden*, -s; der körperliche Zustand, -(e)s, ⸚e; Gesundheitszustand *m.* -(e)s, ⸚e; das Ergehen*, -s (조난당했을 때). ¶ ~를 묻다 nach *js.* Befinden fragen; [4]sich nach *js.* Befinden erkundigen / …의 ~를 염려하다 um *js.* [4]Ergehen [4]Sorge haben (hegen); wegen *js.* Schicksals besorgt sein / ~를 알리다 mit|teilen[3], wie es *jm.* geht.
② 《인사》 Gruß *m.* -es, ⸚e. ¶ 어머님께 ~ 전해 주시오 Grüßen Sie Ihre Mutter recht schön von mir! ¦ Viele Grüße an Ihre Mutter! ¦ Richten Sie Ihre Mutter m-e Grüße aus! / 아버지께서도 ~를 물으셨읍니다 Mein Vater läßt Sie herzlich grüßen.

안부모(一父母) die weibliche Seite der Eltern; Mutter *f.* ⸚.

안부인(一夫人) 《Ihre, seine》 geehrte Frau; Madam(e) *f.* -n.

안분(按分) Proportion *f.* -en. ~하다 in ein Verhältnis setzen[4]; proportional ab|messen[4] (bemessen[4]); proportionieren[4]. ¶ ~해서 proportional; verhältnismäßig.
‖ ~비례 verhältnismäßige Teilung, -en: ~ 비례로 나누다 verhältnismäßig aus|teilen[4] 《*an*[4]》.

안빈낙도(安貧樂道) mit der Armut zufrieden sein und taoistisches Leben genießen*.

안사돈(一査頓) die Schwiegermutter 《⸗》 der Tochter; die Mutter der Schwiegertochter.

안사람 (m-e) Frau, -en.

안산(安產) =순산(順產).

안산(案山) der Berg 《-(e)s, -e》 (Hügel) gegenüber einem Bauplatz (Grab).

안산암(安山岩) 〚광물〛 Andesit *m.* -(e)s.

안살림 die Haushaltung von der Hausfrau.

안색(顔色) ① 《혈색》 Gesichtsfarbe *f.* -n; Teint [tɛ̃:] *m.* -s, -s; Hautfarbe *f.* -n; Farbe *f.* -n. ¶ ~이 좋다 gut aus|sehen*; e-e gute Gesichtsfarbe haben; wohl (blühend; frisch) aus|sehen*; viel Farbe haben/~이 나쁘다 blaß (schlecht) aus|sehen*.
② 《표정》 Miene *f.* -n; Gesicht *n.* -(e)s, -er; Gesichtsausdruck *m.* -(e)s, ⸚e. ¶ ~이 변하다 die Gesichtsfarbe wechseln / ~

이 불안하다 unruhig aus|sehen* / 남의 ~을 살피다 in *js.* Gesicht lesen*; spähen, wie *jm.* aussieht; ³sich Gedanken machen, wie *js.* Miene zu deuten ist.

안성마춤(安城一) Geeignetheit *f.* ¶ ~의 geeignet 《*für*⁴; *zu*³》; (gerade) angemessen³; (wie) geschaffen 《*für*⁴; *zu*³》; (gerade) richtig; wie angegossen; wie von Gott berufen* 《*zu*³》 / 이 일에는 그 사람이 ~이다 Dazu ist er gemacht (geboren; geschaffen). ¦ Er hat das Zeug dazu. ¦ Er ist für diese Arbeit gerade geeignet (wie geschaffen). / 그 역은 그에게 ~이다 Die Rolle ist wie für ihn geschaffen. / 그는 교사로서 ~이다 Er ist zum Lehrer wie geschaffen.

안섶 innere Kragenseite 《-n》 der koreanischen Bluse.

안손님 Besucherin *f.* -nen.

안수(按手) das Besprechen*, -s; Besprechung *f.* -en; Beschwörung *f.* -en.
‖ ~기도 Beschwörung u. Gebet: ~ 기도자 Geistesbeschwörer *m.* -s, -; Besprecher *m.* -s, -. / ~ 기도를 하다 gesund beten*; besprechen*⁴; durch ⁴Zaubersprüche heilen⁴ (beseitigen⁴); beschwören*⁴ 《e-n Geist》.

안슬프다 bedauern (=es tut einem leid, daß man die Hilfe eines schwächeren in Anspruch nimmt oder ihn belästigt); *jm.* peinlich (unangenehm) (sein).

안식(安息) Rast *f.* -en; Ruhe *f.*; das Ausruhen*, -s. ~하다 ruhen; rasten. ¶ 양심 (마음)의 ~ Ruhe des Gewissens / ~을 찾다 (구하다) ⁴Ruhe finden* (suchen)
‖ ~교 Adventisten vom siebenten Tag. ~년 Sabbatjahr *n.* ~일 Sabbat *m.* -(e)s, -e; Ruhetag *m.* -(e)s, -e. ~처 Ruhe¦statt *f.* (-stätte *f.* -n); Freistatt(e); Zufluchtsort *m.* -(e)s, -e.

안식(眼識) ☞ 안목(眼目) ①.

안식구(一食口) die weiblichen Angehörigen* 《*pl.*》 einer Familie.

안식향(安息香) 〖식물〗 Benzoebaum *m.* -(e)s, ⸚e.

안신(雁信) Brief *m.* -(e)s, -e; Nachricht *f.* -en.

안심 《쇠고기의》 Lendenstück *n.* -(e)s; Filet *n.* -s, -s (vom Rind).

안심(安心) ① 《평안》 Seelen¦ruhe (Geistes-) *f.*; Beruhigung *f.* -en; Erleichterung *f.* -en(안도감); Gemütsruhe *f.*; Kummer¦losigkeit (Sorgen-) *f.* ~하다 ⁴sich beruhigen 《*über*⁴》; ⁴sich beruhigt fühlen; ⁴sich sicher fühlen. ¶ ~시키다 beruhigen⁴; von ³Kummer u. ³Sorgen befreien⁴ / ~하고 beruhigt; unbesorgt; sorgenfrei; sorglos; mit ruhigem Herzen; ohne ⁴Sorge(n) / ~하십시오 Bekümmern Sie sich nicht darum. ¦ Machen Sie sich k-e Sorgen darüber (darum). ¦ Seien Sie (deswegen) unbesorgt. / 그것을 보고 ~을 했다 Bei diesem Anblick fühlte ich mich beruhigt (erleichtert). ¦ Als ich das sah, ist mir ein (Mühl)stein vom Herzen gefallen.
② 《안전》 Sicherheit *f.* -en. ¶ ~할 수 없는 용태 ein bedenklicher (gefährlicher; kritischer) Zustand, -(e)s, ⸚e / 그 환자는 이제 ~이다 Nun hat der Kranke die Krise überstanden. / 이곳이면 습격당할 염려가 없으니 ~이다 Hier sind wir sicher vor e-m Überfall. / 이렇게 사고가 빈번하니 ~하고 버스조차도 탈 수 없군 Wegen der wiederholten Unglücksfälle können wir uns selbst auf dem Autobus nicht sicher fühlen.
③ 《신뢰》 Vertrauen (Zutrauen) *n.* -s. ~하다 ⁴sich verlassen*; rechnen 《*auf*⁴》; *jm.* vertrauen. ¶ ~할 수 있는 사람 ein Mensch, dem man (ver)trauen kann; ein Mensch, auf den man Vertrauen setzen kann; ein zuverlässiger Mensch, -en, -en / 이 차는 ~이 됩니까 Kann man sich auf den Wagen verlassen? / 틀림없이 합격할 것이니 ~해도 좋을거야 Sie können sich darauf verlassen, daß Sie das Examen bestehen werden. / 저 사람이면 ~하고 돈을 맡길 수 있다 Man kann ihm ruhig Geld anvertrauen. / 저 사람은 ~할 수 없는 남자다 Man kann auf ihn kein Vertrauen setzen. ¦ Man kann ihm nicht vertrauen.
‖ ~입명 größter Seelenfriede(n), ..dens, ..den; das seelenruhige Sichfügen* in sein Schicksal.

안심부름 Botengänge 《*pl.*》 um die Ecke (um das Haus); Hausarbeit (Alltagsarbeit) 《*f.* -en》 im Haushalt.

안심찮다(安心一) ① 《안심 안 되다》 unruhig; ängstlich; besorgt; unsicher; ungewiß; bedenklich; unbehaglich (sein). ¶ 안심찮게 여기다 besorgt sein 《*um*⁴》; Bedenken haben (hegen; tragen*); in der Schwebe sein / 안심찮은 기색이다 ängstlich aus|sehen*. ② 《꺼림하다》 bekümmert; betrübt; traurig (sein). ¶ 폐를 끼쳐서 안심찮습니다 Es tut mir leid, daß ich Sie belästige.

안아맡다 tragen* (an|nehmen*; übernehmen*; auf ⁴sich nehmen*; schultern; ⁴sich verpflichten) 《Verantwortung einer anderen Person》; 《eine Sache》 (selbst) in die Hand nehmen*; für ⁴*et.* sorgen; für ⁴*et.* haften (bürgen); für ⁴*et.* Verantwortung tragen*. ¶ 남이 빚을 ~ Schulden eines anderen übernehmen*.

안아일으키다 (*jn.* in die Arme nehmen* und) auf|richten. ¶ 환자(아기)를~ einen Kranken (ein Baby) auf|richten.

안약(眼藥) Augenmittel *n.* -s, -; Augenwasser *n.* -s, -; Augen¦arz(e)nei *f.* -en (-salbe *f.* -n (연고); -tropfen *m.* -s, -). ¶ ~을 넣다 Augenmittel gebrauchen (geben*; an|-wenden*); Augenwasser ins Auge tröpfeln (träufeln).

안양반(一兩班) Herrin *f.* -nen; Gebieterin *f.* -nen; Hausfrau *f.* -en; gnädige Frau, -en.

안어버이 Mutter *f.* ⸚.

안염(眼炎) 〖의학〗 Augenentzündung *f.* -en; Ophthalmie *f.* -n.

안온(安穩) Friede *m.* ..dens, ..den; Ruhe *f.*; Sicherheit *f.* -en. ~하다 friedlich; geruhsam; ruhig; wohlig; ungestört; sicher (sein). ¶ ~한 생활 ruhiges Leben, -s / ~한 세상 friedliche Zeiten 《*pl.*》 / 나라 안은 극히 ~하다 Vollkommene Ruhe herrscht im Lande.

안올리다 die Innenseite eines Gefäßes an|streichen*.

안옷 Kleidungsstück 《*n.* -(e)s, -e》 für Frauen.

안위(安危) Sicherheit *f.*; Schicksal *n.* -s, -e; Fatum *n.* -s, ..ta; Wohlfahrt; *f.* das Gedeihen*, -s. ¶ 국가의 ~가 좌우되는 시기 die nationale Krisenzeit / 국가의 ~에 관한 중대 문제 die für den Staat höchst bedeutungsvolle Angelegenheit; e-e Sache, von der das Bestehen des Staates abhängt.

안이하다(安易—) leicht; einfach (sein); 《편안하게》 bequem; träge; ungezwungen; ungeniert (sein). ¶ 안이한 생각 e-e bequeme (unbekummerte; sorglose) Denkart / 안이한 생활을 하다 ein bequemes (sorgloses) Leben führen / 안이하게 생각하다 ⁴et. nicht ernst (genug) nehmen*; ³sich keine Mühe geben*; ⁴sich nicht an|strengen.

안일 Hausarbeit f. -en; Hausfrauenarbeit. ∼하다 häusliche Arbeiten verrichten.

안일(安逸) Gemächlichkeit f.; Behaglichkeit u. Lässigkeit f.; Müßiggang m. -(e)s. ∼하다 müßig; behaglich; träg; gemächlich (sein). ¶ ∼한 생활 das Leben in Muße; das untätige Leben / ∼을 탐하다 in behaglichen Verhältnissen leben; s-e Tage mit süßem Nichtstun verbringen*; müßig umher|sitzen*.

안잠자기 《식모》 (im Hause wohnend) Hausmädchen n. -s, -. ¶ ∼를 두다 ein Hausmädchen haben.

안잠자다 schlafen* (wohnen) (weibliche Hausangestellte*) beim Dienstherrn.

안장(安葬) Begräbnis n. -ses, -se; Beerdigung f. -en; Bestattung f. -en; Beisetzung f. -en. ∼하다 begraben*; beerdigen; bestatten; jn. zur letzten Ruhe betten; zu Grabe tragen*. ¶ 그는 이 곳에 ∼되었다 Er liegt hier begraben.

‖ ∼지 Begräbnisplatz m. -es, ⸚e; Friedhof m. -(e)s, ⸚e.

안장(鞍裝) Sattel m. -s, ⸚. ¶ 부인용 ∼ Damen|sattel (Frauen-) m. -s, ⸚ / ∼을 지우다 satteln⁽⁴⁾; (ein ⁴Pferd) auf|satteln; den Sattel auf|legen / ∼을 풀다 ⁴Pferd ab|satteln / ∼ 없는 말 ein nacktes Pferd / ∼ 없이 말을 타고 auf nacktem Pferd. ‖ ∼코 die in der Mitte vertiefte Nase; e-e Person mit der in der Mitte vertieften Nase.

안저지 Kindermädchen n. -s, -.

안저출혈(眼底出血) Blutung 《f. -en》 des Augenhintergrundes; Augengrundblutung f.

안전 Innenrand m. -(e)s, ⸚er 《e-s Gefäßes》.

안전(—殿) der innere Palast, -(e)s, ⸚e; Wohngebäude n. -s.

안전(安全) Sicherheit f. -en; Gefahrlosigkeit f. ∼하다 sicher; gefahrlos; frei von ³Gefahr; 《믿을 수 있는》 zulässig (sein). ¶ ∼하게 in ³Sicherheit; außer ³Gefahr / ∼하게 하다 sichern⁴; sicher|stellen⁴; in Sicherheit bringen*⁴/일신의 ∼을 도모하다 s-e (eigene) Sicherheit erwägen*; an s-e Sicherheit denken* / 가족의 ∼을 빌다 für Frieden u. Gedeihen der Familie beten / 이제 그의 목숨은 ∼하다 Nun ist er s-s Lebens sicher.

‖ ∼감 Sicherheitsgefühl n. -(e)s, -e. ∼계수 Sicherheitskoeffizient m. ∼기 〖전기〗 Sicherheitsausschalter m. -s, -. ∼벨트 Sicherungsgürtel m. -s, -; Sicherheitsgurt m. -(e)s, -e; Anschnallgurt m. ∼보장 조약 Sicherheits|pakt m. -(e)s, -e (-vertrag m. -(e)s, ⸚e). ∼보장 이사회 Sicherheitsrat m. -(e)s, ⸚e. ∼율, ∼도 Sicherheitsgrad m. -(e)s, -e. ∼장치 Sicherung f. -en (총기 등의): (총의) ∼ 장치를 하다 (풀다) ein Gewehr sichern (entsichern). ∼전류 die Sicherheitsbelastungsfähigkeit e-s Leiters. ∼제동기 Sicherheitsbremse f. ∼제일 Sicherheit vor allem: ∼ 제일주의 das „Sicherheit-vor-allem"-Prinzip. ∼중량 Sicherheitsbelastung f. ∼지대 Schutz|insel (Sicherheits-) f. -n; Sicherheitssteig m. -(e)s, -e. ∼판 《면도·성냥·핀 따위의》 Sicherheits|ventil n. -s, -e (-rasiermesser n. -s, -; -streichhölzer 《pl.》; -nadel f. -n; -lampe f. -n). ∼하중(荷重) die zulässige Belastung.

안전(眼前) =눈앞.

안절부절못하다 rastlos (hastig; gehetzt; gejagt; ruhelos; unruhig; aufgeregt; nervös; quecksilbrig) sein; in nervöser Aufregung sein; ungeduldig werden; (wie) auf (glühenden) Kohlen (auf Nadeln) sitzen* (stehen*); in höchster Ungeduld sein; vor Ungeduld brennen*; kein Sitzfleisch haben; Hummeln im Hintern haben (참을성 없이); es kribbelt jm. in den Fingerspitzen (in den Fingern) (덤벼들고 싶어서). ¶ 그렇게 안절부절 못 하면 쓰니 Bleibe gelassen! Sei nicht so ungeduldig! / 안절부절 못 하는 사람 ein unruhiger Mensch, -en, -en / 그는 안절부절 못 하고 내 말은 듣지도 못했다 Er war zu aufgeregt, um mir zuhören zu können.

안정(安定) stabiles Gleichgewicht; Stabilität f. ∼하다 stabil werden (sein); stabilisiert werden; fest bleiben* ⓢ; beständig werden. ¶ 생활의 ∼ fester Lebensunterhalt; gesicherte Existenz, -en / 통화의 ∼ Stabilisierung f. -en; Festigung 《f. -en》 der Wahrung / ∼을 유지하다 (을 잃다) das Gleichgewicht halten* (verlieren*); ⁴sich im Gleichgewicht befinden* (aus dem Gleichgewicht kommen* ⓢ) / 인심을 ∼시키다 das Volk beruhigen.

‖ ∼감 das Gefühl 《-(e)s, -e》 der Stabilität. ∼공황 Stabilisierungskrise f. -n. ∼기금, ∼자금 Sicherheitsfonds m. - [fɔ̃:(s)], - [fɔ̃:s]. ∼도(度), ∼성 Standfähigkeit f. -en. ∼세력 stabilisierende Macht, ⸚e. ∼장치 Stabilisierungsvorrichtung f. -en. ∼정책 《경제의》 Stabilisierungspolitik f. -en. ∼제 〖화학〗 Stabilisator m. -s, -en. ∼통화 stabilisierte Währung.

안정(安靜) Ruhe f.; Stille f. ∼하다 ruhig; still; in ³Ruhe (sein). ¶ ∼을 유지하다 Ruhe halten*; ruhig liegen*; ⁴sich still (ruhig) verhalten* / 절대 ∼을 유지하시오 Halten Sie absolute Ruhe.

안정(眼睛) Augapfel m. -s, ⸚.

‖ ∼피로 Ermüdung 《f.》 der ²Sehnerven (Augennerven) 《pl.》.

안존하다(安存—) 《성질》 ruhig u. sanft (sein); ⁴sich behaglich (wie zu Haus) fühlen.

안주(安住) ein geruhsames Leben, -s, -. ∼하다 den Wohnsitz auf|schlagen*; ⁴sich nieder|lassen*. ¶ 종교에서 ∼할 땅을 발견하다 in Religion Trost u. Frieden finden*; aus Religion Trost schöpfen.

안주(按酒) Beilage f. -n (맥주 등의); Würze f. -n; die würzende Zutat, -en; Garnierung f. -en. ¶ ∼를 내다 Speisen garnieren 《mit³》 / ∼는 무엇으로 할까요 Was ißt man dazu? / ∼로 땅콩이 나왔다 Zum Knabbern gab es Erdnüsse.

안주머니 Innentasche f. -n. ¶ ∼에 넣어 두다 ⁴et. in der Innentasche auf|bewahren.

안주인(—主人) Hausherrin f. -nen; Hausfrau f. -en; Wirtin f. -nen; Gastwirtin (여관의); Hotelwirtin (호텔의); Kneipwirtin (술집의).

안중(眼中) ¶ ∼에 im Auge / ∼에 없다 außer

acht lassen*^{4}; nicht in Betracht ziehen*^{4}; k-e Aufmerksamkeit schenken (erweisen*) 《*auf*^{4}》; links liegen lassen*^{4}; über die Achsel an|sehen*^{4} / 그 사람 따윈 그녀의 ~에 없었다 Sie hat ihn ganz links liegen lassen. / 가족의 빈궁 따위는 그 사람 ~에 없다 Die Not der Familie geht ihn nichts (e-n Dreck) an. / 그런 녀석은 내 ~에도 없다 Ich lasse ihn außer Betracht. / 돈이라면 그는 처자도 ~에 없었다 Um das Geldes willen vernachlässigte er s-e Frau u. Kinder.

안중문(一中門) Mitteltor 《*n*. -(e)s, -e》 zum In- ⌈nenhof.

안질(眼疾) 〖의학〗 Ophtalmie *f*. -n [..mí:ən]; Augenkrankheit *f*. -en. ¶ ~에 고춧가루 e-e sehr lästige (quellende) Sache, -n / ~에 노랑 수건 ^{4}*et*. in der Hand halten*, es zeitig zu benutzen / ~을 앓다 an der Augenkrankheit leiden*.

안집 《안채》 der innere Trakt, -(e)s, -e (Flügel, -s, -); Hauptgebäude *n*. -s, - (eines Wohnhauses).

안짝 ① 《이내》 innerhalb^{2}; binnen$^{2\cdot3}$; nicht mehr (weiter) als; weniger als. ¶ 천 원 ~의 금액 e-e Summe weniger als eintausend *Won* / 만 원 ~의 수입 ein Einkommen 《*n*. -s, -》 unter zehntausend *Won* / 1 킬로미터 ~ nicht weiter als höchstens ein Kilometer / 10 분 ~ knappe zehn Minuten / 1 주일 ~에 innerhalb (binnen) e-r Woche / 나이가 기껏해야 20 세 ~이다 Er ist höchstens zwanzig. / 그 마을은 정거장에서 5 리 ~에 있다 Das Dorf liegt nicht weiter als 5 *Ri* vom Bahnhof entfernt. ② 〖문학〗 der erste Vers, -es, -e (e-s Reimpaares).

안짱다리 die einwärtsgesetzten Füße 《*pl*.》. ¶ ~의 O-beinig; säbelbeinig; grätschbeinig / ~로 걷다 beim Gehen die Füße einwärts|setzen (-|stellen); beim Gehen die Füße nach innen setzen.

안쪽 Innenseite *f*. -n; die innere Seite, -n. ¶ ~의 inner; Innen- / ~에 innen / ~에서 von innen; von der ^{3}Innenseite / 웃도리 ~ 호주머니 die innere Tasche e-s Rockes / ~에서 열다 von innen öffnen / ~에서 자물쇠로 잠그다 von innen zu|schließen.

안쫑잡다 ① 《마음 속에》 im Gedächtnis behalten*. ② 《대중잡다》 ungefähr begreifen* (erfassen; verstehen*); ^{3}sich e-e (ungefähre) Vorstellung von ^{3}*et*. machen.

안찝 ① 《옷의》 Futter *n*. -s (von Kleidungsstücken); Futterstoff *m*. -(e)s, -e. ② 《내장》 Eingeweide (Därme) der Tiere 《*pl*.》. ③ 《관》 Sarg *m*. -(e)s, ⸚e.

안차다 kühn; mutig; furchtlos; tapfer (sein). ¶ 안찬 사람 ein mutiger Mann.

안착(安着) gute (glückliche) Ankunft, ⸚e. ~하다 wohlbehalten (glücklich) an|kommen*[s] 《*in*^{3}; *an*^{3}》; 《물품이》 pünktlich (in gehöriger Weise) an|kommen*[s]; in gutem Zustande (unversehrt) ein|treffen*[s]. ¶ ~을 알리다 *js*. gute Ankunft mit|teilen.

안창 Brandsohle *f*. -n; Innensohle 《*f*. -n》 des Schuhs; Einlegesohle *f*. -n.

안채 Hauptgebäude *n*. -s (e-s Wohnhauses); Frauengemächer 《*pl*.》.

안채(眼彩) der Glanz 《-es》 der Augen.

안총(眼聰) =안력(眼力).

안출(案出) Erfindung *f*. -en; Ersinnung *f*. -en. ~하다 erfinden*^{4}; ersinnen*^{4}; erdenken*^{4}; ^{3}sich aus|denken*^{4}; aus|brüten^{4}; aus|hecken^{4}.

‖ ~자 Erfinder *m*. -s, -; 《파벌 따위의》 Urheber *m*. -s, -; Entwerfer *m*. -s, -.

안치(安置) Aufstellung *f*.; Aufbahrung *f*. ~하다 auf|stellen; auf|bahren (유해를); als Heiligtum verwahren. ¶ 절에 불상을 ~하다 Buddhastatue in e-m Tempel auf|stellen / 선친의 유물이 탁상에 ~되어 있다 Die Relikte s-s verstorbenen Vaters steht auf dem Tische.

안치다 《솥에》 《Reis》 zum Kochen fertig machen.

안타(安打) sicherer Schlag, -(e)s, ⸚e. ¶ ~를 치다 sicher schlagen*; e-n sichern Schlag machen.

‖ 우익(좌익)~ ein Schlag nach rechts (links). 중견~ ein Schlag in die Mitte (ins Mittelfeld).

안타까와하다 ① 《애태우다》 aufgeregt u. beunruhigt sein; besorgt sein 《um *jn*. (^{4}*et*.); *wegen*^{2}》; von *jm*. (^{3}*et*.) enttäuscht sein; Tantalusqualen leiden* (aus|stehen*); ^{4}sich über *jn*. (^{4}*et*.) ärgern; über ^{4}*et*. bestürzt sein; ungeduldig sein. ¶ 연착하는 기차를 안타까와하며 기다렸다 Ungeduldig wartete er auf den verspäteten Zug. / 그렇게 안타까와하지 마시오 Regen Sie sich doch nicht so auf! / 자네가 늦게 와서 그는 안타까와했다 Er ärgerte sich über d-e Verspätung. ② 《애처로와하다》 bekümmert sein 《*über*^{4}》; ^{4}*et*. bricht *jm*. das Herz.

안타깝다 《애타다》 aufreizend; quälend; enttäuschend; bedrückend; ungeduldig (sein); ungeduldig warten 《*auf*^{4}》; e-n langen Hals machen; mit Ungeduld erwarten^{4}. ¶ 안타까운 reizbar; verdrießlich; mürrisch; ärgerlich / 안타깝게 mit Ungeduld; ungeduldig / 정말 안타깝구나 Wie langweilig! |Du erschöpfst m-e Geduld! / 어물거리고 있으니 안타깝구나 Ich werde ungeduldig, wenn ich d-e Langsamkeit sehe! / 안타깝구나 빨리 해 Laß mich nicht so lange in Unruhe!

안타깝이 ungeduldiger Mensch, -en, -en; nervöser (unruhiger) Mensch; ängstlicher (eifriger) Mensch; Angsthase *m*. -n, -n 《속어》; bekümmerter Mensch.

안타깨비 grobe, aus Reststücken gewebte Seide, -n.

안타다 reiten* [h,s] vor (e-r Person) 《auf e-m Pferd od. auf e-r Sänfte》.

안태(安泰) Friede(n) *m*. ..dens; Wohlergehen *n*. -s. ¶ 국가 ~를 기원하다 zu ^{3}Gott um ^{4}Landesfrieden beten.

안택(安宅) 〖민속〗 Besänftigung 《*f*.》 der Hausgötter für den Frieden des Hauses. ~하다 durch Opfergabe an die Hausgötter häuslichen Frieden sichern.

‖ ~경 Schriften, die im schamanistischen Ritual gelesen werden. ~굿 Ritus 《*m*. -, ..ten》 der Schamanen für die Hausgötter.

안테나 Antenne *f*. -n. ¶ ~를 세우다 Antenne (in der Luft) auf|stellen.

‖ ~회로 Antennenkreis *m*. -es, -e.

안틀다 weniger als ... kosten; innerhalb^{2} (unterhalb^{2}) e-r gewissen Preislage (Quantität) sein. ¶ 만 원에 안튼 값 Preis 《*m*. -es, -e》 unter 10000 *Won*.

안티몬, 안티모니 〖화학〗 Antimon *n*. -s.

‖ 안티몬산 Antimonsäure *f*.

안티피린 Antipyrin *n*. -s (아스피린).

안팎 ① 《안과 밖》 das Innere* u. das Äußere*; 〚부사적〛 innen u. außen; drinnen u. draußen. ¶ ~의 inner u. auswärtig; inländisch u. ausländisch / ~의 정세 die inneren u. auswärtigen Verhältnisse / ~으로 von innen u. außen / 나라 ~에서 im-In- u. Auslande / ~으로 다난하다 von inneren u. äußeren Angelegenheiten sehr in Anspruch gekommen sein / 옷의 ~을 뒤집다 ein Kleid wenden*.
② 《표리》 Vorder- u. Rückseite *f*. -n; zwei Seiten 《*pl*.》. ¶ ~이 있는 doppelzüngig; hinterhaltig / ~이 있는 사람 Augendiener *m*. -s, -; der doppelzüngige Mensch, -en, -en / ~을 두루 알다 ⁴sich aus|kennen* 《*in*³》; nicht nur die äußere, sondern auch innere Seite kennen* / 정계의 ~을 잘 알고 있다 in der politischen Lage sehr bewandert sein / 사물에는 ~이 있다 Jedes Ding hat zwei Seiten.
③ 《대략》 etwa; ungefähr; ... oder so ungefähr; so um⁴ herum. ¶ 50원 ~ etwa 50 *Won*; 50 *Won* oder so ungefähr; so um 50 *Won* herum / 1주일 ~ etwa e-e Woche; e-e Woche oder so ungefähr / 비용은 천 원 ~이다 Die Kosten betragen 1000 *Won* oder so ungefähr. / 그의 나이는 40 ~이다 Er ist ungefähr vierzig (Jahre alt).
안팎곱사등이 Mensch 《*m*. -en, -en》 mit Buckel u. Brustverkrümmung.
안팎노자(一路資) Fahrgeld 《*n*. -(e)s, -er》 für e-e Rückfahrt. ¶ 인천까지 ~가 얼마입니까 Was kostet die Rückfahrkarte nach Incheon?
안팎벽(一壁) Innen- u. Außenwand *f*. ⸗e.
안팎심부름 Botengänge 《*pl*.》 (innerhalb u. außerhalb des Hauses).
안팎일 Hausarbeit 〔Alltagsarbeit〕 《*f*. -en》 innerhalb u. außerhalb des Hauses.
안팎채 innerer u. äußerer Trakt 《*m*. -(e)s, -e》 e-s Wohnhauses.
안편지(一便紙) 《내간》 Brief 《*m*. -(e)s, -e》 (von e-r Frau an e-e Frau).
안표(眼標) 《기호·표지》 das Zeichen*, -s, -; das Anzeichen*, -s, -; das Merkmal, -(e)s, -e. **~하다** kennzeichnen⁴.
안피지(雁皮紙) Seidenpapier *n*. -s.
안하(眼下) unter *js*. Augen; unterhalb der Augen. ¶ ~무인의 거동 unverschämtes Verhalten, -s / ~에 내려다 보다 《경멸함》 《auf *jn*.》 herab|sehen*; herab|blicken / ~무인이다 zu stolz, um ein Auge für *jn*. zu haben; herrisch 〔anmaßend; arrogant; gebieterisch; kühn; verwegen; wütend; unverschämt; frech; 《고자세》 hochmütig; hochnäsig〕 sein / 그는 하는 짓이 ~무인이다 Er verhält sich unverschämt.
안한(安閑) Muße 〔Untätigkeit〕 *f*. -. **~하다** k-e ⁴Arbeit haben; Freizeit haben; ⁴nichts tun*; faul (sein). ¶ ~히 müßig; faul; träge; mit gekreuzten od. verschränkten Armen / ~히 지내다 Zeit vergeuden; die Hände in den Schoß legen / ~히 있을 수 없다 Ich kann nicht untätig dasitzen.
안항(雁行) (Ihre, s-e) geschätzte(n) Brüder.
안해 《전년》 das unmittelbar vorhergehende Jahr, -(e)s, -e; Vorjahr *n*. -(e)s, -e.
안형제(一兄弟) Schwestern e-s Mädchens.
앉다 ① 《자리에》 ⁴sich setzen; ⁴sich hin|setzen; ⁴sich nieder|setzen; ⁴Platz nehmen*. ¶ 앉아 있다 sitzen* 《*auf*³》 / 의자에 ~ ⁴sich auf e-n Stuhl setzen / 식탁에 ~ ⁴sich zu Tisch setzen / 편안히 ~ ⁴sich bequem hin|setzen / 얌전히 ~ ⁴sich gesittet setzen / 털썩 ~ ⁴sich sinken lassen* / 타고 ~ ⁴sich rittlings setzen/어서 앉으십시오 Bitte, nehmen Sie Platz! ¦ Bitte, setzen Sie sich hin! / 새가 나무에 앉아 있다 Ein Vogel sitzt auf e-m Baum. / 머리에 파리가 앉아 있네 Es sitzt 〔ist〕 e-e Fliege auf d-m Kopfe.
② 《지위에》 e-e Stelle 〔e-e Stellung; ein Amt〕 an|treten*. ¶ 높은 자리에 앉아 있다 ⁴sich in e-r hohen Stellung befinden*.
③ 《먼지 따위가》 ⁴sich sammeln; ⁴sich an|sammeln; ⁴sich an|häufen. ¶ 책상에 먼지가 앉아 있다 Auf dem Tisch liegt dick der Staub.
앉은검정 Ruß 《*m*. -es》 am Kesselboden.
앉은뱅이 der Lahme*, -n, -n. ¶ ~걸음을 하다 ⁴sich sitzend vorwärts bewegen; kriechen* [h.s].
‖ **~거지** der gelähmte Bettler, -s, -. **~저울** Brückenwa(a)ge *f*. -n.
앉은일 sitzende Beschäftigung, -en. ¶ ~을 하다 e-e Arbeit im Sitzen verrichten.
앉은자리 Platz 《*m*. -es, ⸗e》, auf den man sich gesetzt hat; *js*. Sitz *m*. -es, -e. ¶ ~에서 auf der Stelle; sofort; sogleich; unverzüglich; aus dem Stegreif; improvisiert; aus dem Ärmel 〔den Ärmeln〕 (schütteln); in e-m Zug / ~에서 만들다 ⁴*et*. auf der Stelle machen / ~에서 시를 짓다 ein Gedicht 《*n*. -(e)s, -e》 improvisieren; aus dem Stegreif ein Gedicht verfassen / ~에서 의견을 말하다 ungezwungen e-e Meinung 《-en》 äußern 《über *jn*.》 / ~에서 맥주 여섯 병을 마시다 auf⁴ einen Sitz ein halbes Dutzend Flaschen Bier (hintereinander) trinken*⁴ 〔leeren〕.
앉은장사 das Führen* 《-s》 e-s Ladens (im Gegensatz zu e-m Wandergewerbe). ¶ ~를 하다 e-n Laden 《*m*. -s, ⸗》 führen.
앉은차례(一次例) Sitzordnung *f*. -en; Reihenfolge 《*f*. -en》 der Sitze.
앉은키 Sitzhöhe *f*. -n.
앉을깨 ① 《베틀의》 Webstuhlsitz *m*. -es, -e. ② 《걸터 앉는》 Sitzplatz *m*. -es, ⸗e.
앉을자리 Platz 《*m*. -es, ⸗e》 zum Sitzen. ¶ ~를 가리키다 *jm*. e-n Sitzplatz an|bieten*.
앉음 ¶ ~새 die Haltung beim Sitzen / ~새를 바로하다 ⁴sich gerade 〔aufrecht〕 setzen / ~새를 고치다 die Sitzhaltung bessern / ~새를 흐트러뜨리다 die Glieder strecken; es ³sich bequem machen.
앉히다 ① 《앉게 하다》 *jn*. setzen. ¶ 자리에 ~ *jm*. e-n Sitz an|weisen*; Raum bestuhlen; mit Sitzplätzen versehen*. ② 《지위에》 ernennen*⁴ 《*zu*³》; ein|setzen⁴ 《in das Amt; *als*⁴》; erheben* 《*jn. zu*³》; verleihen 《*jm*.》. ¶ 시장자리에 ~ zum Bürgermeister ernennen* / 높은 자리에 ~ *jm*. s-e hohe Stellung belassen*. ③ 《배치》 auf|stellen⁴; arrangieren⁴ [arãʒi:..]; postieren. ④ 《버릇을》 erziehen*⁴; trainieren⁴.
않다 ① 〚동사·형용사 아래서〛 nicht sein; nicht haben. ¶ 집이 크지 ~ Das Haus ist nicht groß. / 덥지도 춥지도 ~ Es ist weder heiß noch kalt. / 나는 돈을 갖고 있지 ~ Ich habe kein Geld bei mir. / 그 여자는 예쁘지 ~ Sie ist nicht hübsch.
② 〚조동사〛 nicht. ¶ 그 사람은 모자를 쓰지 않는다 Er trägt* k-n Hut. / 그런 것은 하

지 않겠다 Ich will so etwas nicht tun. / 인천에 같이 가지 않겠어요 Wollen Sie nicht mit mir nach Incheon fahren?

않을수없다 sollen*; müssen*; 〖zu 부정구와 더불어〗 nicht umhin können*; nicht anders können* 《als...》; nichts anders übrig 〔mehr〕 bleiben* ⓢ 《als...》; ^{4}sich genötigt sehen*. ¶ 난 웃지 않을 수 없었다 Da mußte ich lachen.¦Ich konnte nicht umhin, zu lachen. / 우리는 초대에 응하지 않을 수 없었다 Wir konnten nicht umhin, die Einladung anzunehmen. / 나는 그러지 않을 수 없었다 Das mußte ich tun.¦Mir blieb nichts anders übrig, als das zu tun.

알^1 ① 《새·물고기의》 Ei *n.* -(e)s, -er; Laich *m.* -(e)s, -e; Rogen *m.* -s, -. ¶ 알껍데기 Eierschale *f.* -n / 알의 노란자위 Eigelb *n.* -(e)s, -e / 알의 흰자위 Eiweiß *n.* -es, -e / 갓 나은 알 frisches Ei / 삶은 알 gekochtes Ei; hartgesottenes Ei/푼 알 〔계란〕 〖요리〗 Rührei *n.* / 반숙알 weichgesottenes Ei; halbweich gekochtes Ei / 튀긴 알 〔에그 푸라이〕 Spiegelei *n.* / 알을 낳다 Eier legen; laichen 〔물고기, 개구리 따위가〕 / 알을 까다 Eier (aus|)brüten / 알배기 Rogener *m.* -s, -; Rogenfisch *m.* -es, -e.
② 《낟알·알맹이》 Korn *n.* -(e)s, ⸗er; Körnchen 〔-lein〕 *n.* -s, - 〔작은 알맹이〕; Tropfen *m.* -s, - 〔물방울〕.
③ 《작고 둥근 것》 ¶ 눈알 Augapfel *m.* -s, ⸗ / 안경알 Brillenglas *n.* -es, ⸗er / 탄알 Kugel *f.* -n; Geschoß *n.* ..schosses, ..schosse.

알^2 ☞ 아래. ¶ 알로 내려가거라 Geh nach unten!

알- bloß; nackt; entkleidet; unbedeckt; unbekleidet; vollkommen; ausgesprochen; kahl; unbehaart; wesentlich; wichtig; netto; lebenswahr; tatsächlich; gründlich; ganz. ¶ 알몸 nackter 〔bloßer〕 Körper.

알갱이 Kern *m.* -(e)s, -e; Korn *n.* -(e)s, ⸗er; Getreide *n.* -s, -; 《작은》 Körnchen *n.* -s, -.

알거지 der arme Teufel, -s, -; der Bettler, -s, -. ¶ ~의 blutarm; ganz mittellos / 그는 ~다 Er ist wie e-e Kirchenmaus.

알게되다 Bekanntschaft machen 〔schließen*〕 《*mit*^{3}》; bekannt werden 《*mit*^{3}》; kennen|lernen^4.

알게하다 dafür sorgen, daß *jn.* ^{4}*et.* versteht 〔begreift〕; unterrichten 《*jn.* über ^{4}*et.*》; *jn.* wissen lassen*; sagen; 《*jn.* über ^{4}*et.*》 informieren; 《*jn.*》 verständigen; bekannt machen; bekannt|geben*.

알겨먹다 e-e schwächere ^{4}Person um ^{4}Kleinigkeiten prellen 〔bringen*〕. ¶ 불쌍한 소녀의 돈을 ~ ein armes Mädchen um sein Geld betrügen*.

알겯다 《암탉이》 glucken 《Henne》.

알곡(一穀) ① 《알곡식》 reines Getreide, -s, -. ② 《깍지 벗긴》 enthülste Bohnen oder Erbsen 《*pl.*》.

알과녁 Schießscheibenzentrum *n.* -s, ..tren; das Schwarze*, -s.

알궁둥이 nackte Hinterbacken 《*pl.*》; 〖속어〗 nackter Hintern, -s.

알깍정이 ① 《모진 아이》 grausamer 〔brutaler; roher; gefühlloser; herzloser; rücksichtsloser; aggressiver〕 Gunge, -n, -n; grausames Kind, -(e)s, -er. ② 《어려서부터의》 Mann 《*m.* -(e)s, ⸗er》, der von Kind auf grausam war.

알껍질 Eierschale *f.* -n.

알끈 《달걀의》 Chalaza *f.*; Chalazium *m.* -s; Schalenhaut *f.* ⸗e.

알다 ① 《일반적으로》 wissen*^{4}; (er)lernen^4 〔배우다〕; fühlen〔느끼다〕; verstehen*〔이해하다〕; heraus|bekommen*^{4}; 《사람을》 kennen*^{4}; bekannt werden 《mit *jm.*》; *js.* Bekanntschaft machen; Bekanntschaft machen 《mit *jm.*》; erfahren* 《*von*^{3}》; kennen|lernen 《*jn.*》; gehört haben 《*von*^{3}》. ¶ 속속들이 ~ gründlich Bescheid wissen* 《*in*^{3}; *an*^{3}》; ^{4}sich aus|kennen* 《*in*^{3}; *an*^{3}》; kundig^2 sein; gut beschlagen sein 《*in*^{3}》 / 알지 못하는 사이에 niemand 〔k-r〕 weiß, wann...; hinter *js.* Rücken 〔ohne daß er davon wüßte〕; ohne *js.* Wissen*; unbeobachtet; unbemerkt / 알지 못하고 《무의식중에》 unbewußt; absicht(s)los; unabsichtlich; unvorsätzlich; unwissentlich; ohne ^{3}sich dessen bewußt zu sein / 내가 알기에는 soviel ich weiß; m-s Wissens / 알고 있는 bekannt; vertraut / 아는 사람을 만나다 e-m Bekannten begegnen ⓢ; e-n Bekannten treffen*; ein bekanntes Gesicht sehen* / 아는 사람이라곤 아무도 없었다 Alle waren mir wildfremd. / 알아뵙지 못했읍니다 《못깨달음》 Ach, entschuldigen Sie!¦Ich habe Sie nicht gleich erkannt.¦《예상 밖의 능력에 대해》 Ich hätte es Ihnen nicht zugetraut.
② 《이해하다·양해하다》 verstehen*^{4}; auf|fassen^4; begreifen*^{4}; ein|sehen*^{4}; erfassen^4; 〖속어〗 kapieren^4; ein|leuchten^3 〖사물이 주어〗; 《개념·내용 등을》 dahinter|kommen*ⓢ; im Bilde sein 《*über*^{4}》; klug 〔schlau〕 werden 《*aus*^{3}》. ¶ 자신의 의사를 알(아 듣)게 하다 ^{4}sich verständlich 〔deutlich; begreiflich〕 machen / …의 비밀을 ~ hinter *js.* Geheimnis kommen* ⓢ / 알았느냐 Hast du es verstanden?¦Ist der Groschen gefallen? / 이제야 알았다 Jetzt habe ich es. 〔수수께끼 따위를〕¦Jetzt weiß ich. 〔문득 생각이 나서〕 / …라는 것을 안다 Ich sehe ein 〔verstehe; begreife〕, daß .... / 그의 말을 알 수 없다 Ich kann ihn nicht verstehen.¦Er spricht nur in Rätseln. / 그 사람은 알 수 없는 인물이다 Ich bin noch nicht über ihn im Bilde. / 이제 알게 될 것입니다 Ich komme schon dahinter. / 그래가지고는 그게 무엇인지 전혀 알 수 없다 Ich kann daraus nicht schlau 〔klug〕 werden.¦Das sind mir böhmische Dörfer. / 자네의 자세한 설명을 들으니 알 것 같아 Nach Ihren genauen Ausführungen sehe ich die Sache klar. / 그런 변명하지 않아도 알고 있어 Sie brauchen es nicht so zu erklären, ich kenne den Schwindel.
③ 《미루어 알다》 ^{3}sich vor|stellen^4; ^{4}sich ein|fühlen 《*in*^{4}》; nach|empfinden*^{4}; *jm.* nach|fühlen^4; mit|fühlen^4; ^{3}sich ein Bild 〔e-n Begriff〕 machen 《*von*^{3}》. ¶ 그의 고통은 알 만하다 Ich kann ihm den Schmerz sehr gut nachfühlen.¦S-n Schmerz kann ich mir sehr gut vorstellen. / 자넨 알지 못할 거야 Du machst dir kein Bild.¦Hast du es kapiert? 〔비꼬아서〕.
④ 《…임을 알다》 finden*^{4}; fest|stellen^4; ^{4}sich heraus|stellen; ^{4}sich ergeben* 《*aus*^{3}》; ^{4}sich erweisen* 《*als*》; ersehen* 《*aus*^{3}》; entnehmen*^{3}; identifiziert werden 〔신원을〕. ¶ 서면을 보면 아시겠지만 wie Sie aus dem Schreiben ersehen*; wie Sie dem Schreiben entnehmen können* / 내 잘못을 알았다 Ich finde, daß ich unrecht habe. / 그 사람

의 무고함을 알았다 S-e Unschuld wurde festgestellt. / 그것이 잘못이었음을 알았다 Es stellt sich heraus, daß es ein Irrtum war. / 그로써 …임을 알다 Daraus ergibt sich, daß.... / 소문이 거짓임을 알았다 Das Gerücht erwies sich als falsch.
⑤ 《인지하다》 erkennen*[4]. ¶ 금세 당신인 줄 알았습니다 Ich habe Sie gleich erkannt. / 목소리 (걸음걸이) 로 당신인 줄 알았습니다 Ich erkannte Sie an der Stimme (dem Gang).
⑥ 《평가할 줄 알다》 ein Auge (ein Ohr) haben 《*für*[4]》; Sinn haben 《*für*[4]》. ¶ 음악을 ~ musikalisch sein; ein Ohr für Musik (ein musikalisches Gehör) haben / 그는 음악의 아름다움을 알고 있다 Er weiß die Schönheit der Musik zu würdigen. / 그는 유머를 전혀 알지 못한다 Für Humor hat er k-n Sinn.¦Der Sinn für Humor fehlt ihm völlig. / 그는 사람을 볼 줄 안다 Er hat ein gutes Auge für die Menschen.
⑦ 《옳고 그름을》 verständig sein; verständnisvoll sein; vernünftig sein. ¶ 사리를 분별할 줄 아는 남자 ein Mann vom gesunden Verstand.
⑧ 《인식하다》 Kenntnis nehmen* 《*von*[3]》; zur Kenntnis nehmen*[4]; erfahren*[4]; kennen*[4]; wissen* 《*um*[4]》. ¶ 아시다시피 wie Sie wohl wissen; wie Ihnen bekannt ist / 조금 ~ e-e oberflächliche Kenntnis haben 《*von*[3]》; ein bißchen wissen* 《*von*[3]》; nur gerade hineingerochen haben 《*in*[4]》 / 전혀 알지 못합니다 Ich habe k-e Ahnung davon.
⑨ 《관계》 an|gehen*[4]; [4]sich kümmern 《*um*[4]》. ¶ 알 바 아니다 nichts zu tun haben 《*mit*[3]》; *jn.* nichts an|gehen* 〖사물이 주어〗 / 그것은 내 알바 아니다 Das ist nicht m-e Sache.¦Das geht mich nichts an.¦Damit habe ich nichts zu tun.
⑩ 《납득하다》 ¶ …을 …으로 ~ [4]*et.* (*jn.*) als [4]*et.* (*jn.*) betrachten; [4]*et* (*jn.*) für [4]*et.* (*jn.*) halten*; [4]*et.* (*jn.*) als (für) [4]*et.* (*jn.*) an|sehen* / 알 수 없는 unverständlich; unbegreiflich; unglaublich; nicht zu begreifen (glauben) / 알기 쉬운 leicht zu verstehen; leichtfaßlich; einleuchtend; gemeinverständlich (누구나 알 수 있는) / 알기 쉽게 말하면 um mich klar u. deutlich auszudrücken; einfach gesagt / 알기 어려운 unklar; schwierig; schwer zu verstehen; schwer verständlich (begreiflich); 《읽기 힘든》 schwer zu entziffern / 알고 있다는 듯이 als ob er davon (darum) wisse; als ob er davon verstände; mit wissendem Blick; klugtuend; mit überlegender Miene; mit Kenner¦blick (-miene) / 그런 거 알게 뭐야 Wer weiß?¦Gott weiß! / 매우 바쁘신 줄로 압니다 Ich glaube, Sie haben wohl sehr viel zu tun. / 잘 알았읍니다 Es wird gemacht.¦Ja, das geht in Ordnung.

알땅 Brachland *n.*; nacktes (unbewachsenes) Land, -(e)s.

알뚝배기 e-e kleine unglasierte Ton¦schale (-schüssel) -n.

알뜰살뜰하다 sparsam; haushälterisch; wirtschaftlich; vorsorglich; fürsorglich (sein). ¶ 그녀는 너무 알뜰살뜰하여 그런 비싼 옷은 안 산다 Sie ist viel zu sparsam, um ein so teures Kleid zu kaufen.

알뜰하다 ① 《규모가》 sparsam; genugsam; bescheiden (sein); in Ordnung halten*[4]. ¶ 살림을 알뜰하게 살다 wirtschaftlich Haushalt führen. ② 《정성껏》 eifrig; treu; ernstlich (sein). ¶ 알뜰한 아내 e-e häusliche Frau, -en; e-e gute Hausfrau, -en.

알뜰히 《규모 있게》 sparsam; bescheiden; einfach; 《정성껏》 treu(herzig); aufrichtig u. ehrlich; mit ganzer (vollkommener; vollständiger) Redlichkeit; in vollem Ernst; 《헌신적》 aufopfernd; hingebend. ¶ ~ 모으다 ersparen; beiseite legen[4]; auf die hohe Kante legen[4] / ~ 살다 sparsam (einfach) leben; ein bescheidenes (genügsames) Leben führen / ~ 돌보다 mit großer Liebe pflegen[4]; mit großer Sorgfalt hegen[4].

알라 〖신화〗 Allah.

알라모드 *à la mode* [a la mó:d] 《불어》; nach der neuesten Mode. ¶ ~의 코트 ein modischer Mantel, -s, ⸚.

알라카르트 *à la carte* [a la kárt] 《불어》.

알랑거리다 *jm.* schmeicheln; *jm.* Honig um den Bart (um den Mund; ums Maul) schmieren; *jm.* um den Bart gehen* ⓢ; [4]sich Liebkind machen. ¶ 권문에 ~ vor e-m Einflußreichen kriechen* ⓢ,ⓗ / 상사에게 알랑거리는 사람은 부하에게는 거만한 법이다 Wer s-n Vorgesetzten um den Bart geht, verachtet s-e Untergebenen.

알랑쇠 Schmeichler *m.* -s, -; Speichellecker *m.* -s, -.

알랑수 Schmeichelei *f.* -en; List *f.* -en.

알랑알랑 listig 《an|ziehen*; an|locken》; schlau; geschickt; mit Schmeicheleien 《*pl.*》. ¶ 여인에게 ~하다 e-r Frau Schmeicheleien sagen (zu|flüstern).

알량하다 《비꼬는 투》 nicht beachtenswert; k-e Beachtung verdienend; geringwertig; mittelmäßig; unwichtig (sein). ¶ 알량한 사람 e-n unbedeutender Mensch, -en, -en; Taugenichts *m.* -(es), -e; Nichtsnutz *m.* -es, -e / 알량한 소리를 하다 quatschen 《속어》 / 넌 참 알량한 친구로구나 Du bist mir ein schöner Freund!

알레그로 〖음악〗 allegro.

알레르기 〖의학〗 Allergie *f.* -n [..gí:ən]. ¶ ~성 체질이다 (e-e) Anlage zu allergischen Krankheiten haben.

알력(軋轢) Reibung *f.* -en; Hader *m.* -s; Mißhelligkeit *f.* -en 《보통 *pl.*》; Streit *m.* -(e)s, -e; Auseinandersetzung (Reiberei; Uneinigkeit) *f.* -en; Zwietracht *f.*; Zwist *m.* -es, -e; Szene *f.* -n; Gezänk *n.* -(e)s; Krach *m.* -(e)s, -e; Unstimmigkeit *f.* -en 《보통 *pl.*》. ¶ ~이 있다 in [3]Zwist u. Hader sein 《miteinander》; im Widerspruch stehen* 《*mit*[3]》 / ~을 일으키다 in Zwiespalt (Streit) geraten* ⓢ 《mit *jm.*》 / 그들 사이에는 언제나 ~이 있었다 Es gab stets e-e (scharfe) Auseinandersetzung (e-e Szene) zwischen ihnen beiden.

알로까다 《몹시 약다》 gerissen 《속어》; durchtrieben; übermäßig geschäftstüchtig; nur auf eigenen Vorteil bedacht (sein). ¶ 알로까진 상인 ein gerissener Geschäftsmann, -(e)s, ..leute (⸚er) / 알로까진 녀석이다 Er ist ein gerissener Kerl (Hund 《속어》).

알로하샤쓰 Aloha-Hemd *n.* -(e)s, -en.

알록달록 buntgefärbt; grell koloriert.

알록점(一點) viele kleine Pünktchen 《*pl.*》 in verschiedenen Farben.

알롱이 Tüpfel (Pünktchen; Flechen) in verschiedenen Farben.

알루마이트 Alumit *n.* -(e)s, -e.

‖ ～제품 Alumitware *f.* -n. ～주전자 〔남비〕 Alumit¦kanne *f.* -n 〔-topf *m.* -(e)s, ⸚e〕.

알루미늄 Aluminium *n.* -s. ‖ ～도시락 die Lunchbüchse [lán(t)ʃ..] 〔Frühstücksbüchse〕 《-n》 aus ³Aluminium. ～제품 Aluminiumware *f.* -n.

알류선 Aleuten. ‖ ～열도 die Aleuten 《*pl.*》.

알른알른 glänzend; glitzernd; funkelnd; leuchtend.

알리다 ① 《전함》 mit|teilen⁴ 《*jm.*》; benachrichtigen 《*jn. von*³》; in Kenntnis setzen 《*jn. von*³》; zu *js.* Kenntnis bringen*⁴; an|kündigen⁴; an|zeigen⁴; bekannt|machen⁴; Reklame machen 《*für*⁴》; veröffentlichen⁴; empfehlen*³⁴; 〖시어〗 Kunde geben* 《*jm. von*³》; melden⁴ 《*jm.*》; Nachricht geben*⁴ 《*jn.*》; berichten 《*jm. über*⁴》; 《말을 퍼뜨리다》 an|kündigen⁴; aus|geben* 《*jn. für*⁴》; ⁴sich aus|geben 《*für*⁴》. ¶ 널리 알려진 weitbekannt; weitberühmt / 죽음을 알리는 것은 괴로운 일이다 Es ist traurig, *js.* Tod bekanntgeben zu müssen. / 그 사람이 오거든 알려 주십시오 Wenn er kommt, sagen Sie es mir bitte. / 그것은 알릴 만한 것이 못된다 Das ist nicht erwähnenswert 〔der Erwähnung wert〕. / 이 소식을 당분간 아무에게도 알리지 마십시오 Halten sie diese Mitteilung vorläufig noch geheim.
② 《공표》 bekannt|geben*⁴ 〔-|machen⁴〕; kund|geben*⁴ 〔-|tun*⁴〕; veröffentlichen.
③ 《서면으로》 schreiben* 《*jm.*; an *jn.*》; e-e Botschaft senden* 《*jm.*; an *jn.*》; benachrichtigen 《*jn. von*³; *über*⁴》; ein paar Zeilen schreiben* 《*jm.*》; Bescheid geben* 《*jm. von*³》.
④ 《통지·경고》 warnen 《*jn.*》; auf|kündigen⁴ 《*jm.*》 (해고 따위를). ¶ 화재를 ～ Feuerlärm läuten 〔geben*〕 / 시계가 12 시를 알렸다 Es hat zwölf geschlagen.

알리바이 Alibi *n.* -s, -s. ¶ ～를 세우다 sein Alibi erbringen*(beweisen*; nach|weisen*); ein Alibi haben / ～를 조작하다 sein Alibi aus|sinnen* / ～를 깨치다 sein Alibi brechen* / 그녀의 ～를 세워 주었다 Ich habe ihr Alibi bewiesen 〔erbracht〕.

알리어지다 ① 《알게 되다》 bekannt werden; entdeckt werden; an den Tag kommen* ⓢ; zu *js.* Kenntnis kommen* 〔gelangen〕 ⓢ; zu Ohren kommen* ⓢ 《*jm.*》; identifiziert werden (신원이); *jm.* in die Augen springen* ⓢ; in die Öffentlichkeit gelangen (세상에). ¶ 알리어지지 않다 unbekannt bleiben* ⓢ; noch ungeklärt sein; noch nicht an den Tag gekommen sein / 알려지지 않은 unbekannt; dunkel; obskur / 그것이 알려지면 wenn man es erfährt / 세상에 ～ an die Öffentlichkeit kommen* ⓢ; allgemein bekannt werden / 널리 알려진 allgemein 〔weit u. breit〕 bekannt.
② 《유명해지다》 wohl¦bekannt 〔all-; stadt-; welt-〕 werden; verrufen werden; 《소문이》 weit verbreitet werden. ¶ 세상에 알려진 음악가 ein bekannter 〔berühmter〕 Musiker, -s, - / 세상에 알려지지 않은 천재 ein unbekanntes Genie, -s, -s / 세계적으로 알려진 학자이다 Er ist ein weltberühmter Gelehrte, -n, -n / 그는 시인으로 알려져 있다 Er ist als Dichter bekannt. / 그의 이름은 온 세계에 알려져 있다 Sein Name ist in der ganzen Welt wohlbekannt.

알맞다 ① 《부합하다》 passen 《*zu*³; *für*⁴》; passend (sein) 《*zu*³; *für*⁴》; ⁴sich eignen 《*zu*³; *für*⁴》; geeignet (sein) 《*zu*³; *für*⁴》; taugen 《*zu*³; *für*⁴》; tauglich (sein) 《*zu*³; *für*⁴》; 《유익하다》 gut (sein) 《*zu*³》; zu|sagen³. ¶ 이 책은 선물로서 딱 ～ Diese Bücher eignen sich vortrefflich als Geschenk(e).
② 《상응하다》 entsprechen*³; gleichwertig (sein) 《*mit*³》; das Äquivalent sein 《*für*⁴》; angemessen; zweckentsprechend (sein); 《값이》 preiswert; mäßig; vernünftig; mittlerer Preis; mittlere Preislage (sein). ¶ 그 말에 알맞은 독일어가 생각나지 않는다 Mir fällt die deutsche Entsprechung dieses Wortes 〔das deutsche Äquivalent für dieses Wort〕 nicht ein. / 그 일에 알맞은 보수다 Das Honorar ist angemessen 〔entspricht der Leistung〕. / 이 일은 당신에게 〔당신의 능력에〕 ～ Diese Arbeit kommt 〔steht〕 Ihnen zu.
③ 《적당하다》 gehörig; geziemend; angemessen; geeignet; passend; richtig (sein). ¶ 알맞은 보수 e-e angemessene Belohnung, -en / 알맞게 wie es sich gehört 〔ziemt〕; mäßig / 알맞게 먹다 mäßig essen* / 알맞게 하다 das richtige Maß ein|halten*; nicht zuweit gehen* ⓢ / 생선이 알맞게 익었다 Der Fisch ist, wie er sein sollte, gebacken. / 나는 꼭 알맞은 것을 발견했다 Ich habe gerade Passendes gefunden.

알맹이 ① 《핵심》 Kern *m.* -(e)s, -e (der Sache); Hauptsache *f.* -n; Angelpunkt *m.* -(e)s, -e; das Wichtigste*, -n. ¶ ～는 모두 놓쳐 버렸다 Er hat alles Wesentliche verpäßt.
② 《내용》 Inhalt *m.* -(e)s, -e; Gehalt *m.* -(e)s, -e; Substanz *f.* -en. ¶ ～있는 inhaltreich 〔gehalt-〕; gehalt¦voll 〔inhalt-〕 / ～없는 inhalts¦los (-leer); gehalt¦los 〔-arm〕.
③ 《곡식의 알맹이·과실의 속》 (Nuß)kern *m.* -(e)s, -e; Samenkorn *n.* -(e)s, ⸚er.
④ 《내부》 das Innere*, -n; Inhalt *m.* -(e)s, -e; Gehalt *m.* -(e)s, -e; Füllung *f.* -en.

알몸 ☞ 알몸뚱이.

알몸뚱이 ① 《나체》 die völlige 〔paradiesische〕 Nacktheit 〔Nudität〕; der völlig nackte Körper, -s, -. ¶ ～의 (ganz) ungekleidet; ganz nackt; splitternackt; fasernackt; mutternackt; ganz bloß; wie Gott ihn erschaffen hat / ～가 되다 ⁴sich völlig nackt aus|ziehen* 〔frei|machen〕; ⁴sich entkleiden; sämtliche Kleider 《*pl.*》 ab|streifen / ～로 만들다 entkleiden⁴; nackt aus|ziehen*⁴; *jn.* ganz nackt aus|ziehen*.
② 《빈털털이》 ¶ ～의 mittellos; ohne ⁴Geld / ～가 되게 하다 aus|plündern⁴ (강탈하여)/ ～가 되다 all s-r Habe verlustig gehen*ⓢ; völlig mittellos werden; ausgeplündert werden / ～로 mit leeren Taschen / 그는 ～다 Er hat k-n roten Heller bei ihm. / 그는 돈을 다 써 버리고 ～가 되었다 Er hat sein Geld bis auf den letzten Heller ausgegeben. / 그는 ～로 독일에 갔다 Er ist mit leeren Taschen nach Deutschland gefahren. / 지난번 화재로 ～가 되었다 Wegen des letzten Feuers habe ich alles verloren.

알바늘 (Näh)nadel *f.* -n.

알바니아 Albanien *n.* -s; Volksrepublik 《*f.*》 A. ¶ ～의 albanisch. ‖ ～사람 Alban(i)er *m.* -s, -. ～어 Albanisch *n.* -(s).

알밤 ① 《밤톨》 Eßkastanie *f.* -n; Marone *f.* -n. ② ☞ 아람.

알배기 《알든 생선》 Rogener *m.* -s, -; Rogenfisch *m.* -es, -e.
알부랑자(—浮浪者) frecher Schurke, -n, -n; dreister Schuft, -(e)s, -e.
알부민 〖화학〗 Albumin *n.* -s, -e.
알부피 Nettovolumen *n.* -s.
알사스로렌 《프랑스 북동부》 Elsaß-Lothringen.
알선(—線) 〖전기〗 elektrischer Leitungsdraht, -(e)s, ⸗e.
알선(斡旋) ① 《주선·조력》 Hilfe *f.* -n; Beistand *m.* -(e)s, ⸗e; Unterstützung *f.* -en; Verwendung *f.* -en; Empfehlung *f.* -en (추천); Befürwortung *f.* -en; Besorgung *f.* -en; Verschaffung *f.* -en. ～하다 *jn.* befürworten; *jn.* empfehlen*; *jn.* unterstützen; *jm.* bei|stehen*; ⁴sich verwenden* 《*für*⁴》; ⁴sich bemühen zu *js.* ³Gunsten; ein gutes Wort für *jn.* ein|legen; Dienste 《*pl.*》 leisten 《*jm.*》. ¶ 모씨의 ～으로 von ³Herrn N.N. gütigst unterstützt; durch gefälligen (geneigten) Beistand von Herrn N.N. / 회원으로 ～하다 *jn.* als Mitglied vor|schlagen* / 그를 ～할 수 없다 Ich kann ihn nicht empfehlen.
② 《중개》 Vermittelung (Verschaffung) *f.* -en. ～하다 vermitteln 《*zwischen*³》; für|bitten 《bei *jm. für*⁴》 〖부정법만을 사용한다〗; schlichten⁴. ¶ 일 (직업) 을 ～하다 *jm.* ⁴Arbeit (Stellung) verschaffen / 아저씨의 ～으로 취직을 했다 Durch die Empfehlung meines Onkels habe ich einen Beruf bekommen.
‖ ～인 (자) (Ver)mittler *m.* -s, -(남자); (Ver)mittlerin *f.* -nen (여자); Agent *m.* -en, -en (남자); Agentin *f.* -nen (여자).
알섬 kleine unbewohnte Insel, -n.
알속 das Wesentliche*, -n; wesentlicher Inhalt, -(e)s, -; Bestandteil *m.* -(e)s, -e; Kern *m.* -(e)s, -e; das Feinste*, -n. ¶ ～을 차지하다 den Rahm ab|schöpfen / ～은 그 녀석이 다 차지해 버렸다 Er hat den Rahm schon abgeschöpft.
알송편 ungefülltes Omelett, -s, -e (-s); ungefüllter Eierkuchen, -s, -.
알슬다 《물고기가》 Laich 《*m.* -(e)s, -e》 ablegen (absetzen); laichen; 《벌레·새가》 Eier 《*pl.*》 legen.
알심 《동정》 heimliche Sympathie, -n; 《힘》 heimliche Kraft, ⸗e; 《고갱이》 Mark *n.* -s; Kern *m.* -(e)s, -e.
알싸하다 ① 《혀·콧속이》 prickelnd (sein). ¶ 샴페인은 (셀터스소다수는) 혀가 ～ Sekt (Selterswasser) prickelt auf der Zunge. ② 《톡 쏘다》 e-n würzigen Geschmack haben; würzigen Geruch haben; scharf; gewürzt (sein). ¶ 음식을 너무 양념을 해서 ～ Du hast das Essen zu scharf gewürzt.
알쏭달쏭하다 ① 《줄·무늬가》 bunt 《Stoffmuster》; buntscheckig; mehrfarbig (sein). ¶ 알쏭달쏭한 무늬 verwirrendes (vielfältiges) Muster, -s, - / 무늬가 알쏭달쏭한 천 Stoff 《*m.* -(e)s, -e》 mit verwirrendem Muster.
② 《뜻이》 vage; zweideutig; doppelsinnig; unzuverlässig; unbestimmt; unklar; undeutlich; verschwommen; dunkel; zweifelhaft; ungewiß; ausweichend (sein). ¶ 알쏭달쏭한 문제 e-n verworrenes Problem, -s, -e / 알쏭달쏭한 말을 하다 dem Kern der Sache aus|weichen* ⓢ; (über ⁴e-e Sache) ganz allgemein sprechen* / 알쏭달쏭한 태도를 취하다 e-e zweideutige (undurchsichtige) Haltung ein|nehmen (zeigen); e-e unverbindliche (zweideutige) Haltung bewahren / 말의 진의가 ～ Die wahre Bedeutung des Wortes ist unklar. / 그의 연설의 진의는 ～ Der Sinn s-r Rede bleibt mir unklar. / 뭐가 뭔지 ～ Daraus kann man nicht klug werden.
알쏭하다 ＝어리숭하다.
알씬거리다 《um *jn.*; im Kreis um *jn.*》 herum|stehen* 《속어》 (um ⁴sich bei e-m einzuschmeicheln; um *js.* Gunst zu gewinnen); schmeicheln 《*jm.*》; ⁴sich (bei) *jm.* an|schmeicheln.
알아내다 erfragen⁴; durch ⁴Fragen erfahren*; entlocken; heraus|bekommen*⁴. ¶ 주소를 ～ e-e Adresse heraus|finden* / 숨은 뜻을 ～ ⁴*et.* zwischen den ³Zeilen lesen* / 사실을 ～ die Wahrheit e-r Sache untersuchen / 아무의 소재를 ～ *js.* Anwesenheit (Gegenwart) fest|stellen.
알아듣다 ① 《이해》 auf|fassen⁴; begreifen*⁴; *jm.* ein|leuchten 〖사물이 주어〗; dahinter|-kommen* ⓢ; verstehen*⁴; 〖속어〗 kapieren⁴. ¶ 잘 ～ rasch (schnell) auf|fassen⁴; 〖속어〗 e-e kurze Leitung haben / 잘 알아듣지 못하다 schwer von Begriff sein; 〖속어〗 e-e lange Leitung haben; schwer von Kapee sein / 이제 알아들었느냐 Hast du es nun gefressen? ¦ Ist nun der Groschen gefallen? / 잘 알아듣지 못하겠읍니다 Das will mir nicht einleuchten. / 겨우 알아들었다 Jetzt geht mir ein Seifensieder (ein Licht) auf. / 그 아이는 매우 잘 알아듣는다 Das Kind besitzt ein ungewöhnliches Auffassungsvermögen. / 그는 좀처럼 알아듣지 못하는 녀석이다 Bei ihm fällt der Groschen pfennigweise.
② 《납득하다》 ein|willigen 《*in*³》; zu|stimmen³; 《만족하다》 zufrieden sein 《*mit*³》. ¶ 알아듣도록 설명하다 bis zu *js.* Zufriedenheit erklären⁴ / 알아듣게 말하다 einwilligen machen 《*jn. in*³》; 《설득하다》 überreden 《*jn. zu*³》; 《확신시키다》 überzeugen 《*jn. von*³》.
③ 《감지하다》 vernehmen*⁴; mit dem Gehör erfassen⁴; wahr|nehmen*⁴. ¶ 알아들을 수 없는 unhörbar; unvernehmbar; unvernehmlich.
알아맞히다 raten*; treffen*; erraten*; (ein Rätsel) lösen; das Richtige* heraus|bringen*; ins Schwarze treffen*; 《추측하다》 vermuten; mutmaßen. ¶ 남의 의향을 ～ *js.* Vorhaben (Gedanken) erraten.
알아방이다 (im voraus erkennen u.) vor|-beugen³.
알아보다 ① 《조사·문의·탐지》 ⁴sich erkundigen 《*nach*³》; Erkundigungen (Auskunfte; Informationen) 《*pl.*》 ein|ziehen* (-|holen) 《*über*⁴》; ⁴sich um|hören (-|tun*) 《*nach*³》; Umfrage halten*; ⁴sich wenden* 《an *jn.*》; nach|fragen 《*nach*³》; Nachfrage halten* 《*nach*³; *über*⁴》. ¶ 이웃에 ～ ⁴sich in der Nachbarschaft erkundigen 《*nach*³; *über*⁴》 / 몇몇 사람에게 알아보았으나 대답은 한 가지였다 Ich erkundigte mich bei einigen danach, worauf sie mir dasselbe zur Antwort gaben.
② 《확인》 fest|stellen⁴; ermitteln⁴. ¶ 아무개의 신원을 ～ *js.* Personalien fest|stellen.
③ 《기억》 wieder|erkennen*⁴. ¶ 저를 알아보시겠읍니까 Können Sie mich wiedererkennen? / 당장 알아보지 못해 미안합니다

Entschuldigen Sie, daß ich Sie nicht gleich erkannt habe! ④《식별·판독》lesen können*; lesbar sein; entzifferbar sein; verstehen*^{4}; unterscheiden*^{4}. ¶ 나는 그의 글씨를 알아 볼 수 없다 Ich kann s-e Handschrift gar nicht lesen.¦S-e Handschrift ist nicht zu entziffern.¦S-e Handschrift ist kaum lesbar.

알아주다 《이해하다》verstehen*; (mit|)fühlen 《mit *jm.*》; sympathisieren 《mit *jm.* (^{3}*et.*)》; 《인정하다》(hoch|)schätzen; würdigen; an|erkennen*; zu|geben*. ¶ 그의 호의를 ~ s-e Güte würdigen / 공로를 마땅히 ~ *js.* Verdienste gebührend würdigen / 누구나 남의 잘못과 약점을 알아 주려고 해야 할 것이다 Jeder Mensch sollte sich bemühen, Fehler u. Schwächen der anderen zu verstehen. / 그녀의 요리 솜씨를 ~ Ich weiß ihre Küche (Kochkunst) zu schätzen.

알아차리다 ein|sehen*^{4}; erkennen*^{4} 《*an*^{3}》; *jm.* ^{4}*et.* an|merken.

알아채다 ①《간파하다》durch|schauen^{4}; erraten*^{4}(비밀 따위를); *jm.* ins Herz sehen*; lesen*^{4}; *jm.* ab|lesen*^{4}; am Gesicht (an den Augen) ab|lesen*^{4}; erkennen*^{4} 《*an*^{3}》; ein|dringen* ⓢ 《*in*^{4}》; *jm.* ^{4}*et.* an|sehen* (an|merken); merken^{4}. ¶ 아무의 본심을 ~ *js.* Motiv erkennen* / 표정으로 모든 것을 ~ *jm.* alles (die ganze Geschichte) an s-m Gesicht ab|lesen* / 눈치를 ~ in *js.* ^{3}Miene lesen* / 나는 그가 다른 사람이라는 것을 즉각 알아챘다 Ich sah sofort an, daß er ein anderer Mensch war. / 나는 그의 의도를 한눈에 알아챘다 Ich habe s-e Absicht auf den ersten Blick gemerkt. / 그녀는 그의 표정으로 미루어 그의 생각을 알아챘다 Sie las ihm s-e Gedanken am Gesicht ab. ②《감지하다》(be)merken^{4}; spüren^{4}; wittern^{4}; von ^{3}*et.* Witterung bekommen* (냄새맡다); wahr|nehmen*^{4}; gewahr^{2} werden; die Flöhe husten hören(세세한 것 까지도); zu ^{3}Bewußtsein (zu ^{3}sich) kommen*^{4} ⓢ.

알아하다 nach eigenem Ermessen (Gutdünken) handeln; ^{4}*et.* nach Belieben tun* (wie es *jm.* angemessen (geeignet) erscheint); ^{4}*et.* mit Vorsicht tun*. ¶ 알아서 할 일입니다 Ich überlasse es Ihnen.¦Ich stelle es in Ihr (freies) Ermessen (Ihre Entscheidung).¦Tun Sie es, wie es Ihnen beliebt!¦Es steht ganz in Ihrem Belieben./…은 아무가 알아 할 일이다 Es steht in *js.* Ermessen. / 그것은 알아서 하십시오 Ich stelle es Ihrem Ermessen anheim. / 알아서 스스로 결정할 일입니다 Das können Sie selbst nach (Ihrem eigenen) Gutdünken entscheiden.

알알이 Korn für Korn; Eier für Eier; ein Ei dem anderen.

알알하다 ①《맵다》brennen*; brennend (beißend; scharf) schmecken. ¶ 겨자가 혀끝에 ~ Der Meerrettich brennt auf der Zunge. / 눈이 ~ Mir brennen die Augen. ②《상처 등이》brennen*; stechende Schmerzen haben (수십). ¶ 상처가 ~ Die Wunde brennt.

알약(一藥) Tablette *f.* -n.

알은체 ①《남의 일에》Teilnahme *f.* -n; Interesse *n.* -s, -n. ~하다 s-e Anteilnahme aus|drücken (aus|sprechen*); Interesse zeigen. ¶ ~ 안 하다 gleichgültig sein 《^{3}*et.*; *jm.*》/ 그는 그 일에 ~ 안 한다 Er zeigt kein Interesse daran. ②《사람을 보고》(Wieder-)erkennung *f.* ~하다 erkennen; merken, wer od. was es ist. ¶ 그는 나를 보고 ~했다 Er nickte mir zu. (als Gruß od. Zeichen der Wiedererkennung) / 그는 오늘 길에서 나를 ~도 하지 않았다 〖속어〗Er hat mich heute auf der Straße geschnitten.

알음 ①《안면》Bekanntschaft *f.* ¶ 우연한 ~ e-e zufällige Bekanntschaft / 사업상의 ~ geschäftliche Bekanntschaft (Verbindung) / ~이 있다(없다) (k-e) Kenntnis von ^{3}*et.* haben/그와는 아무 ~이 없다 Ich kenne ihn nicht persönlich. ②《이해》das Verstehen*, -s; das Wissen*, -s; Kenntnis *f.* -se. ③《능력 범위》*js.* Wirkungskreis *m.* -es, -e; Wirkungsbereich *m.* -(e)s, -e; Spielraum *m.* -(e)s, ⸗e. ④《신의 보호》der Einfluß, ..flusses, ..flüsse (der Schutz, -es) des Gottes.

알음알음 《아는 관계》gegenseitige Bekanntschaft, -en; 《친분》gegenseitige Vertraulichkeit (Vertrautheit) -en.

알음알이 ①《아는 사람》Bekanntschaft *f.* -en; Person 《*f.* -en》, die man kennt; der Bekannte*, -n, -n. ¶ 그는 ~가 많다 Er hat viele Bekannte (e-n großen Bekanntenkreis, -es, -e). ②《꾀바른 수단》Klugheit *f.*; Wissen *n.* -s; Kenntnisse 《*pl.*》; Kenntnis *f.*; Erfahrung *f.* -en. ③《자라나는 재주》die sich allmählich entwickelnde (wachsende) Begabung 《-en》 e-s Kindes.

알음장 《*jm.* ^{4}*et.*》durch e-n Wink (Blick) zu verstehen geben*. ~하다 e-n bedeutsamen Wink geben*.

알자리 Brutstätte *f.* -n 《von e-m Vogel *od.* e-r Henne》.

알장(一欌) Truhe *f.* -n; sehr kleine Kommode, -n.

알전구(一電球) nackte elektrische Birne, -n.

알젓 mit Salz konservierter Rogen, -s, -; eingelegter Rogen.

알제리 Algerien *n.* -s; Demokratische Volksrepublik A. ¶ ~의 algerisch. ‖ ~사람 Algerier *m.* -s, -.

알제이 《알제리의 수도》Algier.

알짜 Elite *f.* -n; Auswahl *f.* -en; das Beste*, -n; das Wesentliche*, -n; Kern *m.* -(e)s, -e. ¶ ~를 가려내다 e-e Auswahl treffen* / ~만 고른 ausgesucht; auserwählt / 도둑이 ~를 집어갔다 Der Dieb hat das Beste* weggenommen.

알짝지근하다 etwas scharf schmecken; ein bißchen scharf (würzig; pfefferig) (sein).

알짬 der wichtigste (beste) Inhalt, -es, -e; das Wesentliche*; Hauptsache *f.* -n; das Unentbehrliche*; das Lebenswichtige*; Kern *m.* -s, -e; Substanz *f.* -en; das Beste*.

알짱거리다 《알랑대다》schmeichelnd um *jn.* herum|laufen* ⓢ; 《돌아다니다》müßig herum|laufen* ⓢ; müßig herum|gehen* ⓢ; herum|bummeln.

알천 ①《재물의》das Wertvollste* (Teuerste) des Besitzes (Eigentums). ②《음식의》die am besten schmeckende Speise 《-n》 unter vielen Speisen.

알칼리 〖화학〗Alkali *n.* -s, -en [..ká:liən]. ¶ ~반응 die alkalische Reaktion, -en; das alkalische Verhalten, -s / ~성 die alkalische Eigenschaft, -en / ~성의 alkalisch / ~성 금속 Alkalimetall *n.* -s, -e / ~화 시키다 alkalisieren^{4}.

알콜 Alkohol *m.* -s, -e; Spiritus *m.* -, -〔..tusse〕. ¶ ~(성)의 alkoholisch / ~에 담그다 in [3]Alkohol auf|bewahren[4] (konservieren[4]) / ~을 함유한 alkoholhaltig / ~ 성분이 없는 alkoholfrei.
‖ ~램프 Alkohol|lampe (Spiritus-) *f.* -n. ~음료 alkoholische 〔geistige〕 Getränke 《*pl.*》; Spirituosen 《*pl.*》. ~중독 Alkoholismus *m.* -; Trunksucht *f.*

알타이 Altai *m.* -(s). ¶ ~의 altaisch.
‖ ~말 altaische Sprachen. ~산맥 Altaigebirge *n.* -s, -. ~어족 die altaische Sprachfamilie.

알탄(一炭) Eierbrikett *n.* -s, -s.

알토 Alt *m.* -(e)s, -e. ‖ ~가수 Altist *m.* -en, -en (남자); Altistin *f.* ..tinnen (여자).

알통 der angespannte Bizeps, -es, -e; die wulstig hervortretende Sehne, -n; die Muskelentwicklung am Bizeps; der Wulst 《-es, ⸗e》 am Oberarm. ¶ ~을 내다 die Muskeln am Bizeps hervorspringen lassen*; s-n Bizeps spielen lassen* / 그의 팔에 큰 ~이 생겼다 Die großen Muskeln traten ihm wie Knoten am Bizeps hervor.

알파 Alpha *n.* -(s), -s. ¶ ~와 오메가 das Alpha u. das Omega; der Anfang u. das Ende. ‖ ~선 Alphastrahlen 《*pl.*》.

알파벳 Alphabet *n.* -(e)s, -e. ¶ ~순으로 alphabetisch; in alphabetischer (Reihen-) folge / ~순으로 늘어놓다 alphabetisch ordnen[4].

알파카 〖동물〗 Alpaka *n.* -s, -s.

알프스 die Alpen 《*pl.*》. ¶ ~(산)의 alpin; alpisch. ‖ ~산맥 die Alpen 《*pl.*》.

알피니스트 Alpinist *m.* -en, -en.

알합(一盒) kleiner Napf, -(e)s, ⸗e.

알항아리 kleiner Krug, -(e)s, ⸗e.

알현(謁見) Audienz *f.* -en; Gehör *n.* -(e)s; Vorlassung *f.* -en. ~하다 e-e Audienz haben 《*bei*[3]》. ¶ ~을 허용하다 *jm.* e-e Audienz erteilen 〔geben*〕/ ~이 허용되다 in [3]Audienz empfangen werden 《*von*[3]》; (geneigtes) Gehör finden* 《*bei*[3]》; vorgelassen werden 《*jm.*》.
‖ ~소 Audienzsaal *m.* -(e)s, ..säle.

앎 Wissen *n.* -s; Kenntnis *f.* -se; Weisheit *f.*; Information *f.* -en. ¶ 앎이 많다 wohlunterrichtet sein; gut informiert sein; viel wissen*.

앓는소리 Stöhnen *n.*; Achzen *n.*; Klage *f.* -n. ~하다 stöhnen; ächzen; klagen 《über [4]Schmerzen》. ¶ 그는 언제나 ~를 한다 Sie klagt immer. | Sie ist ein Mensch, der immer klagt.

앓다 ① 《병을》 erkranken ⓢ; krank werden; in e-e Krankheit fallen* 〔geraten*〕 ⓢ; e-e Krankheit bekommen*; von e-r Krankheit befallen werden; leiden* 《*an*[3]》. ¶ 그는 위를 〔간장을〕 앓고 있다 Er ist magenkrank 〔leberkrank〕. / 눈병을 ~ an der Augenkrankheit leiden* / 그는 병을 앓으며 누워 있다 Er liegt an e-r Krankheit darnieder. / 그는 신경통을 앓고 있다 Er leidet an Nervenschmerzen.
② 《비유적》 Sorge haben 《*wegen*[2]》; [3]sich Sorge machen 《*um*[4]》. ¶ 골치를 ~ [3]sich den Kopf zerbrechen* / 생활문제로 골치를 ~ unter Lebensproblemen leiden*; von Existenfragen geplagt sein / 다가오는 시험 때문에 골치를 앓고 있다 Sie sehen der Prüfung mit Besorgnis entgegen. / 그는 언제나 쓸데없이 골치를 앓고 있다 Er ist immer in übermäßiger Sorge.

-앓이 Schmerz *m.* -es, -en; Krankheit *f.* -en. ¶ 귀앓이 Ohrenschmerzen 《*pl.*》/ 배앓이 Magenschmerzen 《*pl.*》/ 이앓이 Zahnschmerzen 《*pl.*》.

암[1] ① 《자성(雌性)》 weiblich. ¶ 암캐 Hündin *f.* ..dinnen / 암여우 Füchsin *f.* ..sinnen. ② 《기와 따위의》 (Aus)höhlung *f.* -en; Wölbung *f.* -en.

암[2] 《아무려면》 sicher; gewiß; natürlich; selbstverständlich; freilich; zweifellos; allerdings; warum nicht? ¶ 암 그렇지 Ja, freilich! | Aber sicher!

암(庵) ☞ 암자(庵子).

암(癌) ① 〖의학〗 Krebs *m.* -es, -e; Karzinom *n.* -s, -e; Sarkom *n.* -s, -e. ¶ 위암 Magenkrebs / 장암 Darmkrebs / 후두암 Kehlkopfkrebs / 자궁암 Mutterkrebs / 암환자 der Krebskranke*, -n, -n. ② 《폐단·화근》 die Wurzel 《-n》 des Übels; Krebsschaden *m.* -s, ⸗. ¶ 가스 문제는 서울 시정의 암이다 Die Gasfrage ist der Krebsschaden der Stadtverwaltung von Seoul.

암갈색(暗褐色) das Dunkelbraun, -s. ¶ ~의 dunkelbraun.

암거(暗渠) Abzugskanal *m.* -s, ⸗e; Abflußrohr *n.* -(e)s, -e; Kanalisation *f.* -en; der unterirdische Wasserabzug, -(e)s, ⸗e.
‖ ~배수 die Entwässerung 《-en》 durch den Abzugskanal.

암거래(暗去來) Schwarzhandel *m.* -s; das Schieben*, -s. ~하다 Schwarzhandel (be-) treiben*; mit *jm.* heimlich verhandeln (뒷거래). ¶ ~로 heimlich; schwarz; ungesetzlich / 상품을 ~하다 Waren schieben*.
‖ ~상인 Schwarz(markt)händler *m.* -s, -. ~품 Schwarzhandelsware *f.* -n. ~행위 ungesetzliche Handlung, -en; Schwarzhandel *m.* -s.

암구다 Tiere[4] paaren.

암굴(岩窟) (Felsen)höhle *f.* -n; Grotte *f.* -n (보통 인공의).

암기(暗記) das Auswendiglernen*, -s. ~하다 auswendig lernen[4]; auswendig auf|sagen (her|sagen[4]; wissen*[4]) (외어서 말하다). ¶ 덮어 놓고 ~하다 pauken; ochsen; büffeln / 그는 그것을 ~하고 있다 Er sagt es aus dem Kopf auf. | Er kann es an den Fingern hersagen.
‖ ~력 Gedächtnis *n.* ..nisses, ..nisse: ~력이 있다 ein gutes 〔treues〕 Gedächtnis haben / ~력이 없다 ein schlechtes 〔schwaches〕 Gedächtnis haben.

암꽃 Pistillblume *f.* -n; die weibliche Blüte, -n.

암꽃술 〖식물〗 Pistill *n.* -s, -e; Stempel *m.* -s, -.

암나사(一螺絲) (Schrauben)mutter *f.* ⸗.

암내 ① 《발정 냄새》 Brunst *f.* ⸗e; Brunft *f.* ⸗e; Läufigkeit *f.* -en. ¶ ~를 낸 brünstig; brünftig; läufig / ~내다 brünstig 〔läufig〕 werden; in die Brunst treten* / ~를 내고 있다 in der Brunft 〔Brunst〕 sein; läufig sein. ② 《겨드랑이의》 Achselgeruch *m.* -(e)s, ⸗e. ¶ 그한테서 몹시 ~가 난다 Er hat e-n starken 〔heftigen〕 Achselgeruch.

암녹색(暗綠色) dunkelgrüne Farbe, -n. ¶ ~의 dunkelgrün.

암단추 Öse *f.* -n. ¶ 수단추와 ~ Haken und Öse.

암담(暗澹) Trübsinn *m.*; Schwermut *f.*; trübe 〔düstere〕 Stimmung. ~하다 dunkel;

düster; finster; trostlos; trüb(e) (sein). ¶ ~한 전도 die dunkle 〔düstere〕 Aussicht; die düstere 〔hoffnungslose〕 Zukunft, ⸗e / 장래가 ~하다 Für die Zukunft sehe ich (ganz) schwarz.

암띠다 schüchtern; gehemmt; scheu; still; verschlossen; zurückhaltend (sein).

암루(暗淚) stille Tränen 《*pl.*》. ¶ ~를 흘리다 im stillen 〔heimlich〕 weinen; stille 〔heimliche〕 Tränen 《*pl.*》 weinen 〔vergießen〕 / ~를 자아내다 *jn.* zu bitteren Tränen rühren.

암류(暗流) Unterströmung *f.* -en; die Strömung unter [3]Wasser; die nicht bemerkbare Richtung, -en (추상적으로); die verborgene Bewegung, -en; die heimliche Agitation, -en. ¶ ~가 흐르고 있다 Da ist e-e Unterströmung.

암막(暗幕) Verdunkelungsvorhang *m.* -(e)s, ⸗e; Verdunkelung *f.* -en.

암만 《값·수량》 eine gewisse Summe, -n; eine gewisse Menge, -n.

암만 《요르단의 수도》 Amman.

암만해도 =아무래도.

암말 Stute *f.* -n; weibliches Pferd, -(e)s, -e.

암매매(暗賣買) Schwarzhandel *m.* -s. **~하다** schwarz ein- und verkaufen 〔handeln〕.

암매상(暗賣商) Schwarz¦händler 〔Schleich-〕 *m.* -s; geheimer 〔illegaler〕 Händler; 《주류 등의》 Schmuggler *m.*; Alkoholschmuggler *m.* -s.

암매장(暗埋葬) ☞ 암장(暗葬).

암모늄 Ammon(ium) *n.* -s.

암모니아 Ammoniak *n.* -s.

‖ **~수** Ammoniakwasser *n.* -s. **염화~** Chlorammoniak *n.*

암무지개 Nebenregenbogen *m.* -s, -.

암묵(暗默) das Stillschweigen*, -s ¶ ~의 stillschweigend / ~리에 stillschweigend; nach stillschweigender Übereinkunft; unerwähnt.

암물 《샘물》 milchiges Brunnenwasser 〔Quellwasser〕 -s.

암반(岩盤) Felsengrund *m.* -es, ⸗e; Felsboden *m.* -s, ⸗; felsiger Untergrund, -es, ⸗e.

암산(暗算) das Kopfrechnen*, -s. **~하다** im Kopf (aus|)rechnen 〔im stillen kalkulieren〕. ¶ 그는 ~이 능하다 Er ist geschickt 〔stark〕 im Kopfrechnen.

암살(暗殺) Meuchelmord *m.* -(e)s, -e; Ermordung *f.* -en. **~하다** *jn.* meuchelmördisch um|bringen*[4]; *jn.* meuchlings ermorden; verräterisch ermorden[4]. ¶ ~을 기도하다 e-n (bösen) Anschlag 〔e-n Mordanschlag〕 auf *js.* [4]Leben machen; auf *jn.* ein Attentat machen / ~당하다 meuchelmörderisch ermordet 〔umgebracht〕 werden; e-m Mörder zum Opfer fallen* Ⓢ.

‖ **~계획** Attentat *n.* -(e)s, -e 《*auf*[4]》; Mordversuch *m.* -(e)s, -e 《*auf*[4]》. **~미수** das versuchte Attentat, -(e)s, -e. **~자** (Meuchel)mörder *m.* -s, -; Attentäter *m.* -s, -.

암상 Eifersucht *f.*; Neid *m.* -(e)s; der gelbe Neid. **~궂다, ~스럽다** eifersüchtig; neidisch 《auf [4]*et.* 〔*jn.*〕》 (sein). ¶ ~떨다, ~내다 =~부리다 / ~하다 =~궂다 / ~이 많다 eifersüchtig sein.

‖ **~꾸러기** e-e eifersüchtige Person, -en.

암상부리다, 암상피우다 eifersüchtig sein; neidisch 《auf *jn.* 〔[4]*et.*〕》 sein.

암새 weiblicher Vogel, -s, ⸗.

암석(岩石) Fels *m.* -en, -en; Felsen *m.* -s, -; Gestein *n.* -(e)s, -e; Stein *m.* -(e)s, -e. ¶ ~이 많은 felsig; steinreich.

‖ **~학** Fels¦kunde 〔Gestein-〕 *f.* -n.

암소 Kuh *f.* ⸗e.

암송(暗誦) das Her¦sagen* 〔Auf-〕 -s; Rezitation *f.* -en. **~하다** auswendig 〔aus dem Kopf〕 her|sagen[4]; auf|sagen[4]; rezitieren[4]. ¶ 나는 그것을 ~할 수 있다 Ich kann es auswendig.

암쇠 ① 《열쇠·자물쇠의》 Metallplatte 《*f.* -n》 im Schlüsselloch. ② 《맷돌의》 Metallbeschlag 《*m.* -(e)s, ⸗e》 am Loch des Mühlsteinläufers.

암수 Weibchen 《*n.* -s》 und Männchen 《*n.* -s》.

암수(暗數) 《속임수》 Trick *m.* -s, -s; List *f.* -en. ¶ ~를 쓰다 einen Trick 〔e-e List〕 an|wenden*[4] / ~에 걸리다 auf einen Trick herein|fallen* Ⓢ.

‖ **~거리** Betrug *m.* -(e)s; Täuschung *f.* -en; Gaunerei *f.* -en; Doppelzüngigkeit *f.*

암순응(暗順應) Adaptation 《*f.*》 des Auges an Dunkelheit.

암술 【식물】 Stempel *m.* -s, -; Pistill *n.* -s, -e.

암술대 【식물】 Griffel *m.* -s, -.

암스테르담 《네덜란드의 수도》 Amsterdam.

암시(暗示) Andeutung *f.* -en; Eingebung *f.* -en; Einflüsterung *f.* -en. **~하다** an|deuten[34]; ein|geben*[34]; ein|flüstern[34]; an|spielen 《*auf*[4]》; *jm.* [4]*et* zu verstehen geben*; durchblicken lassen*[4]; durch die Blume sprechen*. ¶ ~적인 andeutend; suggestiv; andeutungsvoll. / 그녀는 그를 사랑하지 않는다는 ~를 줬다 Sie deutete ihm, daß sie ihn nicht liebe. / 그는 손을 쓸 수 있다는 것을 ~했다 Er ließ durchblicken, daß er Abhilfe wüßte. / 누가 그에게 그런 ~를 주었나 Wer hat ihm gegenüber darauf angespielt?

‖ **자기~** Autosuggestion *f.* -en; Selbstbeeinflussung *f.* -en. **피~성** Suggestibilität *f.*; die Empfänglichkeit für Eingebungen.

암시세(暗時勢) Schwarzmarktpreis *m.* -es, -e. ¶ ~로 사다 zu [3]Schwarzmarktpreise kaufen[4].

암시장(暗市場) 【경제】 Schwarzmarkt *m.* -(e)s, ⸗e. ¶ ~에서 사다 〔팔다〕 schwarz kaufen[4] 〔verkaufen[4]〕.

암실(暗室) 【사진】 Dunkelkammer *f.* -n.

‖ **~램프** Dunkelkammerlampe *f.* -n. **~촬영소** das dunkle Atelier, -s, -s.

암암리(暗暗裡) ¶ ~에 stillschweigend; durch stillschweigende Folgerung; aus den Umständen erhellend; indirekt; auf e-m Umwege; nicht gerade; heimlich; geheim; verborgen. ¶ 그들 사이에는 ~에 양해가 성립되어 있다 Es besteht ein stillschweigendes Einvernehmen zwischen ihnen.¦Sie haben sich im geheimen verständigt.

암야(暗夜) e-e dunkle 〔mondlose; gestirnlose〕 Nacht, ⸗e.

암약(暗躍) Umtriebe 《*pl.*》; geheimes 〔heimliches〕 Manöver, -s, -. **~하다** Umtriebe machen; im geheimen 〔heimlich〕 manövrieren; hinter den Kulissen tätig sein.

암염(岩塩) 【광물】 Steinsalz *n.* -es, -e.

암영(暗影) Schatten *m.* -s, -; Düsterheit *f.*; Trübsinn *m.* -(e)s; Schwermut *m.* -(e)s. ¶ ~을 던지다 e-n Schatten fallen lassen* 〔werfen*〕 《*auf*[4]》 / 그의 얼굴에는 ~이 스쳤다 Ein Schatten überzog 〔flog〕 über sein Gesicht.¦Er zog die Stirn in düstere Falten. / 우리의 장래는 ~으로 덮여 있다 Die Zukunft liegt dunkel vor uns.

암운(暗雲) dunkle (finstre) Wolken 《*pl.*》. ¶ 정계의 ~ (trübe) Wolken am politischen Himmel / 내 말을 듣자 그의 얼굴에는 ~이 끼었다 Als er hörte, was ich sagte, flog ein Schatten über sein Gesicht.

암유(暗喩) Metapher *f.* -n. ¶ ~적(으로) metaphorisch.

암자(庵子) der kleine buddhistische Tempel, -s, -; Zelle *f.* -n; Klause *f.* -n; Eremitage [..ʒə] *f.* -n; Hütte *f.* -n; Baracke *f.* -n. ¶ ~를 짓다 e-e Eremitage bauen.

암자색(暗紫色) dunkel-purpurrote Farbe, -n. ¶ ~의 dunkelpurpurn.

암장(岩漿) 〖지질〗 Magma *n.* -s, ..men.

암장(暗葬) heimliche Beerdigung, -en. **~하다** heimlich beerdigen.

암전(暗轉) 〖연극〗 Szenenwechsel 《*m.* -s, -》 im Dunkeln.

암종(癌腫) 〖의학〗 Krebs *m.* -es; Krebsgeschwulst *f.* ⸚e.

암죽(一粥) Reisbrei *m.* -(e)s, -e (als Babynahrung).

암중(暗中) im Dunkeln (어둠 속); im dunkeln (불명료); im Finstern.
‖ **~모색** das Umhertappen im Finstern: ~모색하다 im Finstern (im dunkeln) nach ³*et.* tappen. **~비약** das heimliche Umgehen* mit Ränken: ~비약하다 heimlich mit Ränken um|gehen* ⓢ; hinter der Kulisse intrigieren.

암쪽 der linke Abschnitt 《-(e)s, -e》 eines Wechsels (der beim Ausstellenden bleibt).

암초(暗礁) e-e blinde Klippe, -n; ein verborgenes (Felsen)riff, -(e)s, -e; ein unerwartetes Hindernis (장애). ¶ ~에 걸리다 (부딪치다) auf e-r Klippe scheitern ⓢ; auf ein verborgenes (Felsen)riff gestoßen (getrieben; geworfen) werden (geraten* ⓢ); auf den toten Punkt kommen* ⓢ (진척이 없음) / 인생의 ~에 걸리다 Schiffbruch im Leben (er)leiden* ⓢ; nur noch ein Wrack sein.

암치질(一痔疾) innere Hämorrhoide, -n 《보통 *pl.*》; innere Hämorrhoidalleiden 《*pl.*》.

암캉아지 weiblicher junger Hund, -es, -e; weibliches Hündchen, -s, -.

암캐 Hündin *f.* -nen.

암컷 Weibchen *n.* -s, -. ¶ ~의 weiblich.

암코양이, 암쾽이 (weibliche) Katze, -n.

암꿩 《까투리》 weiblicher Fasan, -(e)s, -e(n).

암클 ① 《활용 못 하는 지식》 Kenntnisse 《*pl.*》, die man praktisch nicht verwenden* kann; totes, kein praktisches Wissen *n.* -s; „Buchgelehrsamkeit" *f.*; unproduktive (unpraktische) Bücherweisheit. ② 《낮춤말》 *Hangeul*-Schrift.

암키와 〖건축〗 konkav gekrümmter Dachziegel, -s, -; Nonne *f.* -n.

암탉 Henne *f.* -n; ein weibliches Huhn, -(e)s, ⸚er; Hühnchen *n.* -s, -.

암톨쩌귀 Fischband *n.* -(e)s, ⸚er.

암퇘지 Sau *f.* ⸚e.

암투(暗鬪) geheime (heimliche; verborgene) Feindseligkeit, -en (Zwietracht; Streitigkeit, -en); der geheimliche Hader, -s; die verschleierte Feindschaft. ¶ 각료간의 ~ die geheime Fehde unter den Kabinettsministern / 그들 사이에는 ~가 그치지 않는다 Es ist stets e-e verschleierte Feindschaft unter ihnen.

암팡스럽다 aggressiv; keck; mutig; unbefangen; energisch (sein); für seinen kleinen Körperbau (Wuchs) kräftig (mutig; aktiv) sein. ¶ 암팡스럽게 싸우다 wild (grausam) kämpfen / 암팡스럽게 밥을 먹다 tüchtig essen*; für eine so kleine Person eine große Portion essen*; viel verdrücken können 《속어》.

암팡지다 =암팡스럽다.

암펄 《수여리》 Bienenkönigin *f.* ..ginnen; Weisel *m.* -s, -; Arbeiterin *f.* ..rinnen.

암펌 Tigerin *f.* ..rinnen.

암페어 〖전기〗 Ampere [ãpɛ́:r] *n.* -(s), -.

암평(아리) weibliches Küken, -s, -.

암표상(暗票商) Schwarzhändler 《*m.* -s, -》 für Fahr-, Flug- u. Eintrittskarten.

암피둘기 Täubin *f.* -nen; weibliche Taube, -n.

암하다 《암상하다》 etwas eifersüchtig (sein).

암행(暗行) heimliches Reisen*, -s; Reisen* in Verkleidung. **~하다** heimlich (verkleidet; maskiert; inkognito) reisen.
‖ **~어사** geheimer Generalinspektor (Revisor) -s, -en; der Beauftragte* 《-n, -n》 des Königs.

암호(暗號) Geheimschrift *f.* -en; Chiffre *f.* -n; Kode *m.* -s, -s; Kodex *m.* ..dex(es), ..dex (..dices) (부호); Losung *f.* -en; Losungs¦wort (Paß-) *n.* -(e)s, -e; Parole *f.* -n; Kennwort *n.* -(e)s, ⸚er; Erkennungszeichen *n.* -s, - (군호); 《신호》 Signal *n.* -s, -e; Wink *m.* -(e)s, -e; Zeichen *n.* -s, -. ¶ ~를 해독하다 entziffern; entschlüsseln[4]; verziffern[4]; dechiffrieren / ~로 in Geheimschrift; in (mit) Chiffren (Ziffern) / ~로 쓰다 in Geheimschrift schreiben*.
‖ **~기** Chiffriermaschine *f.* -n. **~문** Chiffre¦schrift *f.* -en (-text *m.* -es, -e). **~전보** ein Chiffre-Telegramm *n.* -(e)s, -e; ein verschlüssertes (chiffriertes) Telegramm.

암흑(暗黑) Dunkel *n.* -s; Dunkelheit *f.*; Finsternis *f.* ..nisse; Nacht *f.* ⸚e. ¶ ~의 dunkel; (stock)finster; (pech)schwarz.
‖ **~가** Verbrecherviertel *n.* -s, -. **~계**(界) Unterwelt *f.*; Verbrecherwelt *f.* **~면** die Schattenseite 《-n》 der Dinge (사물의) (des Stadtlebens (도시생활의); des Lebens (인생의)). **~시대** die finsteren Zeiten 《*pl.*》; das (finstere) Mittelalter, -s (유럽 중세의).

압각(壓覺) 〖심리〗 Druckempfindung *f.*

압권(壓卷) Meisterstück *n.* -(e)s, -e; das Beste*, -n. ¶ ~의 연기 die einmalig gute Darstellung, -en / 그것은 그 날의 ~이었다 Das war das Beste von dem Tag. / 파우스트는 괴테 작품 중에서 ~이다 Faust ist das Beste, was Goethe geschrieben hat.

압도(壓度) Grad 《*m.* -(e)s, -e》 des Drucks.

압도(壓倒) Überwältigung *f.* -en; Übermachung *f.* -en; Überwindung *f.*; Besiegung *f.* -en. **~하다** überwältigen[4]; nieder|werfen*[4]; überwinden*[4]; unterdrücken[4]; besiegen[4]; bezwingen*[4]; übertreffen*[4]; zu Boden drücken[4]. ¶ ~적 überwältigend / 반대당을 ~하다 die Gegenpartei besiegen / ~적 다수로 당선되다 mit überwältigender Mehrheit (ins Parlament) gewählt werden / ~적인 세력 die überwältigende (niederschmetternde; unwiderstehliche) Macht, ⸚e (Gewalt, -en) / ~적 승리 der überwältigende Sieg, -(e)s, -e / 다수에 ~당하다 an Zahl übertroffen werden.

압력(壓力) 《사람에 대한》 Druck *m.* -(e)s, ⸚e; Last *f.* -en; Zwang *m.* -(e)s; die gewaltsame Nötigung, -en; körperliche Gewalt, -en; Drang *m.* -(e)s. ¶ ~ 때문에 unter Druck / ~을 가하다 Druck aus|üben 《*auf*[4]》; bedrücken[4].

‖ ~계 Druckmesser *m.* -s, -; Manometer *m.* -s, -. ~솥 Druckkessel *m.* -s, -; Autoklav *m.* -s, -en. ~시험 Druckprobe *f.* -n. 대기~ Atmosphärendruck *m.* -(e)s, ⸚e.

압록강(鴨綠江) Yalu (Jalu) *m.* -s.

압류(押留) Beschlagnahme *f.* -n; Konfiskation *f.* -en; Sequestration *f.* -en; Pfändung *f.* -en. ~하다 beschlagnahmen; 《*js.* Vermögen, Besitz》 ein|ziehen*; konfiszieren; sequestrieren; 《*jn.*; *js.* Eigentum》 pfänden; 《gestohlene u. wieder gefundene Gegenstände》 sicher|stellen; das Verfügungsrecht über [4]*et.* entziehen*. ¶ 재산을 ~하다 *js.* Vermögen (Besitz; Eigentum) beschlagnahmen / 물품을 ~하다 Gegenstände (Sachen) 《*pl.*》 beschlagnahmen (gerichtlich ein|ziehen*) / 경찰이 장물을 ~하였다 Die Polizei beschlagnahmte das Diebesgut. / ~를 신청하다 die Beschlagnahme beantragen / ~를 명하다 die Beschlagnahme an|ordnen (verfügen) / 법원에서 서류의 ~를 명하였다 Das Gericht ordnete die Beschlagnahme der Papiere an. / ~를 해제하다 die Beschlagnahme auf|heben*.

‖ ~인 Pfänder *m.* -s, - 《남독》; Gerichtsvollzieher *m.* -s, -; der Gerichtsbeamte*, -n, -n; Sequester *m.* -s, -. ~재산 beschlagnahmtes Vermögen. ~품 beschlagnahmte Gegenstände. 가(假)~ vorübergehende Beschlagnahme, -n.

압박(壓迫) Druck *m.* -(e)s, ⸚e; Bedrängnis *f.* -se; das Drängen*, -s; Überwältigung *f.* -en; Unterdrückung *f.* -en; Zwang *m.* -(e)s, ⸚e; Niederdrückung *f.* -en; Pression *f.* -en; Beklemmung *f.* -en; Pressung *f.* -en. ~하다 drücken[4]; bedrängen[4]; unterdrücken[4]; überwältigen[4]; zwingen*[4]. ¶ 당국의 ~ die Unterdrückung von oben her (seitens der Behörden) / 생활의 ~ die Not des Lebens / ~을 가하다 auf *jn.* (e-n) Druck aus|üben / ~에 굴복하다 [4]sich e-m Druck unterwerfen* / ~받다 bedrückt (bedrängt) werden.

‖ ~감 Druckgefühl *n.* -(e)s, -e. ~민족 die überwältigende Rasse, -n: 피~ 민족 die überwältigte Leute 《*pl.*》. ~자 Bedrücker *m.* -s, -; Tyrann *m.* -en, -en.

압복(壓伏) gewaltsame Unterwerfung *f.*; Bezwingung *f.*; Eroberung *f.* -en. ~하다 unterwerfen*; besiegen; bezwingen; erobern.

압사(壓死) der Tod durch Erdrücken; der durch [4]Druck verursachte Tod 《-(e)s, (드물게) -e》. ~하다 zu [3]Tode gedrückt werden; erdrosselt (erwürgt; erdrückt) werden.

압살(壓殺) 《눌러 죽임》 das Erdrücken*, -s. ~하다 erdrosseln[4]; erwürgen[4]; zu [3]Tode drücken[4]; tot|drücken[4]; erdrücken[4].

압상트주(一酒) Absinth *m.* -(e)s, -e.

압송(押送) 〖법〗 Transport 《*m.* -(e)s, -e》 e-s verhafteten Verbrechers. ~하다 e-n Verbrecher in Haft nehmen* und (unter Bewachung) hin|begleiten (hin|bringen*).

압수(押收) Beschlagnahme *f.*; Wegnahme *f.* ~하다 beschlagnahmen[4] 《*p.p.* ..nahmt》; Beschlag legen 《*auf*[4]》; mit [3]Beschlag belegen[4]; ein|ziehen*[4]; weg|nehmen*[4]; konfiszieren[4]. ¶ ~당한 eingezogen; mit Beschlag belegt / 재산을 ~하다 *js.* Eigentum mit Beschlag belegen / 소송 사건으로 그의 은행 예금은 ~되었다 E-s Prozesses wegen ist sein Bankkonto beschlagnahmt worden.

‖ ~물 der beschlagnahmte Artikel, -s, -. ~수색 영장 Beschlagnahme u. Durchsuchungsbefehl *m.* -(e)s, -e. ~영장 Pfändungsbefehl *m.* -(e)s, -e.

압승(壓勝) ein überwältigender Sieg *m.* -(e)s, -e. ~하다 e-n überwältigenden Sieg erringen* 《*über*[4]》; *jn.* überwältigen.

압연(壓延) das Walzen*, -s. ~하다 walzen.

‖ ~강(鋼) Walzstahl *m.* -(e)s, ⸚e. ~공장 Walzwerk *n.* -(e)s, -e. ~관(管) gewalztes Rohr, -(e)s, -e. ~알루미늄 합금 gewalzte Aluminiumlegierung, -en. 열간(냉간)~ warmes (kaltes) Walzen*, -s.

압운(押韻) das Reimen*, -s; Reimerei *f.* -en. ~하다 reimen[4]; in Reime bringen*[4]. ¶ ~된 gereimt.

압정(押釘) Reißnagel *m.* -s, ⸚; Reiß|zwecke (Heft-) *f.* -n.

압제(壓制) Unterdrückung (Bedrückung) *f.* -en; Despotismus *m.* -; Tyrannei *f.* ~하다 unterdrücken[4]; bedrücken[4]; tyrannisieren[4]; gewaltsame (gewalttätige) Maßnahmen 《*pl.*》 ergreifen* (treffen*). ¶ ~적(으로) unterdrückend; (be)drückend; despotisch; tyrannisch; gewalttätig; grausam / ~에 시달리다 unter [3]Bedrückung leiden* (ächzen; stöhnen) / ~가 극에 달하다 Der Despotismus erreicht den Höhepunkt.

‖ ~력 despotische Kraft, ⸚e. ~자 Unterdrücker *m.* -s, -; Bedrücker *m.* -s, -; Despot *m.* -en, -en; Tyrann *m.* -en, -en. ~정치 Gewalt|herrschaft (Willkür-) *f.*; Despotismus *m.*: ~ 정치를 하다 despotisieren.

압지(壓紙) Lösch|papier *n.* -(e)s, -e (-blatt *n.* -(e)s, ⸚er).

‖ ~틀 Löscher *m.* -s, -; Tintentrockner *m.* -s, -; Wiege *f.* -n.

압착(壓搾) das Drücken*, -s; Druck *m.* -s, ⸚e; Kompression *f.* -en; das Zusammendrücken*, -s. ~하다 drücken[4]; komprimieren[4]; zusammen|pressen[4]; zusammen|drücken[4] (압축).

‖ ~공기 (가스) Preß|luft *f.* (-gas *n.*); komprimierte Luft (komprimiertes Gas). ~기 Kompressor *m.* -s, -en; Presse *f.* -n; Preßluftmaschine *f.* -n; Verdichter *m.* -s, -. ~여과기 Filterpresse *f.* -n. ~펌프 Druckpumpe *f.* -n. ~효모 Presshefe *f.* -n.

압축(壓縮) Zusammenziehung *f.* -en; Konstriktion *f.* -en. ~하다 zusammen|ziehen*[4]; konstringieren[4].

‖ ~가스(공기) komprimiertes Gas (Pressluft *f.*). ~계 Piezometer *n.* (*m.*) -s, -. ~기 Kompressor *m.* -s, -en [..sóːrən]. ~기관 Kompressionsmotor *m.* -s, -. ~냉동기 Kompressionseisschrank *m.* -(e)s, ⸚e. ~성, ~율 Verdichtbarkeit *f.* ~시험기 Kompressionsprüfer *m.* -s, -. ~펌프 Druckpumpe (Kompressions-) *f.* -n.

앗 《위급할 때·놀랄 때》 ach!; oh!; du liebe Zeit!; du lieber Himmel!; mein Gott!; ach du lieber Gott!; großer Gott! ¶ 앗 큰일났군 (Gerechter) Himmel! / 앗 실례했읍니다 Oh, entschuldigen Sie! / 앗 지갑이 없다 Mein Gott, meine Brieftasche ist verschwunden! / 앗 돈을 잃어먹었군 Himmel,

ich habe mein Geld vergessen! / 앗 그래 Ach so!
앗기다 《빼앗기다》 beraubt werden 《²et.》.
앗다 ① 《빼앗다》 nehmen* (weg|nehmen*; entziehen*) 《jm. ⁴et.》; 《자유·권리를》 berauben 《jn. seiner ²Freiheit, seiner ²Rechte》; 《주의나 마음을》 an|ziehen*⁴; an ⁴sich ziehen*⁴; fesseln⁴. ¶ 목숨을 ~ jm. das Leben nehmen*. ② 《씨를 빼다》 entkernen⁴; aus|kernen⁴ 《Früchte》; entkörnen⁴ 《Baumwolle》. ③ 《품을》 e-e Arbeit mit gleicher Münze bezahlen. ¶ 품을 ~ Arbeit aus|tauschen.
앗시리아 〖역사〗 Assyrien n. -s. ¶ ~의 assyrisch. ‖ ~말 das Assyrische, -n. ~사람 Assyrier m. -s, -. ~학 Assyriologie f.
앗아가다 weg|raffen⁴; entreißen* 《jm. ⁴et.》. ¶ 이 소식이 그의 마지막 희망을 앗아갔다 Diese Nachricht raubte ihm die letzte Hoffnung.
앗아넣다 schräg ein|schlagen*⁴; (ein|)treiben*⁴ 《in⁴》.
앗아라 《금지》 O nein!; na!; hör auf!; laß das!; unterlaß es!; sachte, sachte!; nur ruhig! ¶ ~ 그건 너무 지나쳐 O nein, das geht zu weit. / ~ 그래야 달라질 건 없어 Hör auf! Es wird nicht anders.
앙가발이 ① 《다리의》 e-e Person 《-en》 mit kurzen, krummen Beinen. ② 《찰거머리》 e-e Person, die man nicht leicht loswird.
앙가슴 mittlerer Brustteil, -(e)s, -e.
앙각(仰角) =올려본각(角).
앙감질 das Hüpfen*, -s (auf e-m Bein). ~하다 (auf e-m Bein) hüpfen [s].
앙갚음 Rache f. -n; Revanche [rəvɑ̃ː(ə)] f. -n; Vergeltung f. -en; Wiedervergeltung f.; Talion f. -en. ~하다 jm. vergelten*⁴; an jm. ⁴Rache nehmen* 《für⁴》; ⁴sich an jm. rächen 《für⁴》; an jm. revanchieren [..ʃiːrən] 《für⁴》; Gleiches mit Gleichem vergelten*; Auge um Auge, Zahn um Zahn. ¶ ~으로 zur Vergeltung (Rache) / ~으로 아무를 죽이다 jn. zur (aus) Rache töten (morden) / 그에게 ~하겠다 Ich will mich an ihm rächen.
앙고라토끼 Angorakaninchen n. -s, -.
앙골라 《아프리카의 나라》 Angola n. -s.
앙괭이그리다 das Gesicht schwarz machen; das Gesicht mit Schwärze beschmieren.
앙구다 ① 《식지 않게》 《das Essen》 warm halten*⁴; warm auf|bewahren⁴. ② 《곁들이다》 verschiedene Speisen auf den gleichen Teller setzen. ③ 《사람을》 jn. e-e Strecke Weges begleiten.
앙그러지다 ① 《음식이》 gut vorbereitet; fein gewürzt (sein); 《먹음직스럽다》 appetitlich; appetitanreizend; appetitanregend (sein). ¶ 음식을 앙그러지게 만들다 das Essen appetitlich zurecht|machen. ② 《어울리다》 fein; wohlgestaltet; wohlgeordnet (sein). ¶ 앙그러지게 일하다 e-e ordentliche Arbeit leisten.
앙글방글 ① 《ein Kind lächelt》 süß; lieblich; strahlend. ¶ 그 애기가 ~ 웃는 것이 귀엽기도 하다 Wie süß das Kind lächelt! ② 《선웃음》 mit e-m gezierten Lächeln; mit e-m trügerischen Lächeln. ¶ 그녀는 ~ 웃으면서 빤한 거짓말을 했다 Sie sagte grobe Lügen mit e-m gezierten Lächeln.
앙금 《침전물》 Hefe f. -n (술 따위의); 《물의》 (Boden)satz m. -es, ⸗e; Niederschlag m. ¶ ~이 앉다 ⁴sich setzen; ⁴sich ab|setzen; nieder|schlagen*.
앙금앙금 《ein Kind》 kriechend; krabbelnd. ¶ ~ 기다 träge kriechen* [s]; auf allen vieren gehen* [s].
앙달머리 hochtrabendes Verhalten, -s; e-e vom übermäßigen Ehrgeiz besessene Haltung, -en. ~스럽다 vom übermäßigen Ehrgeiz besessen (sein).
앙등(昂騰) 《물가 따위》 das plötzliche Steigen*, -s; das Emporschnellen* (Hochgehen*) -s; Hausse f. -n; der plötzliche Aufschwung, -(e)s. ~하다 plötzlich steigen* [s]; (⁴sich) empor|schnellen 〖자동사 때 [s]〗; hoch|gehen* [s]. ¶ 물가가 ~했다 Die Preise sind plötzlich gestiegen (hochgegangen). / 원료비 ~으로 wegen Preissteigerung des Rohstoffes / 물가는 점차 ~하고 있다 Die Preise sind im Steigen begriffen.
앙망(仰望) hoffnungsvoller Ausblick, -(e)s, -e; 《우러러봄》 das Hinaufblicken* 《zu³》. ~하다 mit Hoffnung hinauf|blicken 《zu³》; erwarten⁴; hoffen⁴; wünschen⁴. ¶ 곧 답장해 주시기를 ~하나이다 Antworten Sie mir bitte möglichst bald. | 〖상업〗 Um baldige Antwort wird gebeten. / 참석해 주시기를 ~하나이다 Sie sind herzlich eingeladen. | Wir geben uns die Ehre, Sie einzuladen.
앙모하다(仰慕—) mit Hochachtung hinauf|blicken 《zu³》; ⁴sich sehnen 《nach³》; verehren⁴; an|beten⁴. ¶ 스승으로 ~ als s-n Lehrer verehren 《jn.》.
앙바틈하다 untersetzt; gedrungen; stämmig; kurz u. dick (sein).
앙버티다 ⁴sich bis aufs äußerste widersetzen. ¶ 앙버티고 움직이지 않다 bis zum Ende aus|halten*.
앙살 das Widersetzen* 《-s》 mit viel Aufheben (mit viel Brummen). ~하다, ~부리다, ~피우다 setzen mit viel Getue.
앙살스럽다, 앙살궂다 störrisch; brummig; mürrisch (sein).
앙상궂다 mager (hager) (sein).
앙상블 Ensemble [ɑ̃sɑ̃ːblə] n. -s, -s (음악, 복장의).
앙상하다 hager; mager; dünn (sein). ¶ 앙상한 오리나무 die entlaubte Eller, -n / 앙상하게 뼈만 남은 사람 das wandelnde Skelett, -(e)s, -e / 앙상하게 마르다 zum Skelett ab|magern; nur noch Haut u. Knochen sein; jm. alle Rippen zählen / 그녀는 뼈만 앙상하게 남았다 Sie ist ein wahres Gerippe.
앙세다 schwächlich aussehend, aber kühn sein.
앙숙(怏宿) ¶ ~이다 auf gespanntem Fuße stehen* 《mit³》; 《특히 부부가》 wie Hund u. Katze leben.
앙심(怏心) 《원한》 Groll m. -(e)s; 《적의》 Feindschaft f. -en; 《증오》 Haß m. ..sses. ¶ ~을 품다 e-n Groll hegen 《gegen jn.》; e-n Groll haben 《auf jn.》 / 그것 때문에 나에게 ~을 품고 있다 Er trägt es mir nach.
앙알- ☞ 웅얼-.
앙앙(怏怏) ~(불락)하다 verdrießlich; gereizt; grämlich (sein); bei schlechter (übler) Laune sein; mürrisch; mißvergnügt; unzufrieden; trostlos; unglücklich (sein).
앙양(昂揚) das Emporheben*, -s; das Hochheben*, -s; Erhebung f. -en; Erhöhung f. -en. ~하다 erheben*⁴; erhöhen⁴; steigern⁴; befördern⁴; erbauen⁴; an|regen⁴; an|feuern⁴. ¶ 국민 정신의 ~ die Aufwallung des Nationalgefühls / 국민 도의를 ~하다 die

Sittlichkeit des Volkes erhöhen / 국민 정신을 ~하다 den Nationalgeist heben / 국위를 ~하다 das nationale Prestige erhöhen/ 자유 민권 사상을 ~하다 die Idee der bürgerlichen Freiheit fördern.

앙얼(殃孽) =앙화(殃禍).

앙증하다, 앙증스럽다 unverhältnismäßig (ungewöhnlich) klein (winzig) (sein).

앙진(昂進) =항진(亢進).

앙짜 ① 《점잔뺌》 vornehmes Getue, -s; Förmlichkeit *f.* -en; Geziertheit *f.* -en. ¶ ~빼지 말라 Tu nicht so vornehm! ¦ Wirf dich nicht in die Brust! ② 《암상스런 사람》 der Eifersüchtige*, -n, -n; der Argwöhnische*, -n, -n.

앙천대소(仰天大笑) ein lautes Gelächter, -s, -. **~하다** vor Freude an die Decke springen*[s]; aus vollem Halse lachen; in ein lautes Gelächter aus|brechen*; ein lautes Gelächter erheben*. ¶ 우리는 모두 ~했다 Wir fielen vor Freude auf den Rücken.

앙카라 《터키의 수도》 Ankara.

앙칼지다, 앙칼스럽다 stachelig; spitz; spitzig; scharf; bissig; giftig; stechend (sein). ¶ 앙칼진 대답을 하다 e-e spitze (sharfe) Antwort geben*^{3}; giftig antworten / 앙칼진 여자 〖속어〗 Hausdrache *m.* -n, -n / 그는 정말 앙칼진 남자다 Er ist scharf wie ein Messer.

앙케트 Enquete [ãkɛ́:tə] *f.* -n; Rundfrage *f.* -n; Fragebogen *m.* -s, - (¨) (용지). ¶ ~를 내다 Rundfragen stellen.

앙코르 Dakapo *n.* -s, -s; Dakaporuf *m.* -(e)s, -e; Zugabe *f.* -n. ¶ ~를 청하다 dakapo rufen*; um e-e Zugabe bitten* 《*jn.*》 / ~가 요청되었다 Das Stück wurde dakapo verlangt. / 가수는 ~에 응하여 세 곡을 더 불렀다 Der Sänger gab drei Lieder zu.

앙큼- ☞ 엉큼-.

앙큼상큼 im kurzen Schritt. ¶ ~ 걷다 trippeln.

앙탈 Ungehorsamsabsicht *f.* -en; der Versuch, etwas Richtigem auszuweichen. **~하다, ~부리다** beabsichtigen, nicht zu gehorchen; versuchen, etwas Richtigem auszuweichen; heftig brummen; winseln; nörgeln. ¶ 공연히 ~하다 um nichts viel Aufhebens machen; wegen nichts nörgeln / 그 애는 사과를 더 안 준다고 ~한다 Das Kind winselt, weil ich ihm noch keinen Apfel mehr gebe. / 그 일을 하지 않으려고 ~했다 Er machte verzweifelte Anstrengungen, die Sache loszuwerden.

앙토(仰土) der Mörtel 《-s, -》 zwischen Ritzen.

앙혼(仰婚) die Einheirat in höheren Stand. **~하다** über s-m Stande heiraten; in e-n höheren Stand ein|heiraten.

앙화(殃禍) Unglück 《*n.* -s, -e》 (als die Vergeltung der begangenen Sünden); Unheil *n.* -(e)s; Elend *n.* -(e)s. ¶ ~입은 verflucht; unglücklich / ~입다 ^{3}sich Gotteszorn zu|ziehen*; von Gott bestraft werden; das Mißfallen Gottes erleiden*.

앞^{1} ① 《장래》 Zukunft *f.* ¨e. ¶ 앞으로 von jetzt ab; von nun an; in ^{3}Zukunft; später / 앞을 내다보지 못하는 kurzsichtig / 앞일이 불안한 unsicher; ungewiß; zweifelhaft / 앞날을 위하여 für die Zukunft / 앞(앞일)을 생각하다 an die Zukunft denken*; für die Zukunft sorgen / 앞날의 계획을 세우다 zukünftige Pläne machen; für die Zukunft Pläne machen / 앞일을 아는 사람은 아무도 없다 K-r weiß, was uns die Zukunft bringen wird. / 앞으로 알게 될 거야 Das wird die Zukunft lehren. / 앞으로가 문제야 Wir haben von jetzt an viele Schwierigkeiten vor uns. / 앞으로 자주 만납시다 Ich hoffe, daß ich Sie noch öfters sehen kann. / 앞으로는 잊지 않겠읍니다 Nächstes Mal werde ich es nicht vergessen. ¦ Ich werde es in Zukunft nie vergessen.

② 《순위·행렬》 ¶ 맨 앞에 zuvörderst; vor allen Dingen / 앞에 가다 voran|gehen*[s] 《*jm.*》 / 앞에 서다 an der Spitze stehen* / 앞을 다투다 der erste sein wollen*; um den Vorrang streiten* / 그들은 앞 다투어 달아났다 Sie alle bestrebten sich, möglichst schnell davonzukommen. / 그들은 앞을 다투어 자리를 잡았다 Sie haben sich (ihre Ellenbogen gebrauchend) um die Plätze gerissen.

③ 《이전》 früher; eher; vormals; ehemals. ¶ 앞의 früher; eher; vorig; vorherig / 앞서 말한 früher erwähnt / 앞서 오다 *jm.* zuvor|kommen*[s] / 어버이보다 앞서 가다 den Eltern im Tode voran|gehen*[s].

④ 《면전·대중 앞》 ¶ 앞에서 in der Öffentlichkeit 《*vor*^{3}》; öffentlich; vor der Welt; vor anderen Menschen / 남의 앞도 꺼리지 않고 ohne ^{4}Rücksicht auf ^{4}andere/ 눈 앞에서 vor (den) Augen; unter *js.* Augen / 보는 앞에서 vor m-n Augen; in m-r Gegenwart / 지배인 앞에 나타나다 (나서다) vor dem (den) (Geschäfts)führer erscheinen*[s] (treten*[s]) / 부인 앞에서 vor Damen; in Gegenwart von Damen / 내 앞에서도 그렇게 말했다 Er sagte auch in m-r Gegenwart so.

⑤ 《전면》 Vorderseite *f.* -n; Vordergrund *m.* -(e)s, ¨e (전경); Vorderfront *f.* -en (건물 전면). ¶ 앞의 vorn / …의 앞에(서) vor^{3}; gegenüber^{3} (맞은편에) / …의 앞으로 vor^{4}; nach vorne / 문앞에 서다 vor dem Tore stehen* / 앞으로 가다 vorwärts|gehen*[s] / 집 앞을 지나다 an e-m Hause vorbei|gehen* [s] / 거리를 향한 앞쪽 방에 살다 nach vorn(e) (hinaus) wohnen; im nach vorn(e) gelegenen Zimmer wohnen / 코앞에 vor der Nase / 1 마일 앞에 역이 하나 있다 Eine Meile weiter ist ein Bahnhof. / 앞에는 아무 것도 보이지 않았다 Ich sah nichts vor mir.

앞^{2} ① 《편지 따위의》 an^{4}; für^{4}; adressiert. ¶ A씨 앞으로 보내는(온) 편지 ein Brief 《*m.* -(e)s, -e》 an ^{4}Herrn A; ein an ^{4}Herrn A adressierter Brief / 당신 앞으로 편지가 와 있어요 Es gibt e-n Brief für Sie. ② 《수표 따위의》 auf^{4}; an^{4}. ¶ 김씨 앞으로 환을 발행하다 e-n Wechsel 《-s, -》 auf ^{4}Herrn *Kim* aus|stellen (ziehen*) / 당신 앞으로 만원 어음을 발송했읍니다 Ich habe 10,000 *Won* durch Postanweisung an Sie abgehen lassen.

앞가림 das Durchkommen* 《-s》 mit wenig Ausbildung. **~하다** mit wenig Ausbildung durch|kommen*[s].

앞가슴 Brust *f.* ¨e; der Busen 《-s, -》 (des Körpers; e-s Kleides).

앞갈이 〖농업〗 ① 《애벌갈이》 das erste Pflügen* 《-s》 e-s Reisfeldes. ② 《첫농사》 die erste bei doppelter Ernte.

앞길 ① 《갈길》 der Weg, den man vor sich hat. ¶ ~이 멀다 e-n langen Weg haben /

~을 가로막다 *jm.* auf die Spur kommen* [s]; *jm.* den Weg verlegen; *jm.* im Wege stehen*; *jm.* den Weg versperren.
② 《전정·전망》 Zukunft *f.* ⸚e; Aussicht *f.* -en; die zu durchlaufende Karriere. ¶ ~이 창창한 hoffnungsvoll; vielversprechend / ~이 창창한 젊은이 ein hoffnungsvoller junger Mann / ~이 캄캄하다(암담하다) Ich sehe ganz schwarz für die Zukunft.¦Ich habe e-n engen Horizont. / 자네의 ~에 행운이 있기를 기원하네 Ich bete für dein zukünftiges Glück.

앞날 Zukunft *f.* ⸚e; *js.* Aussicht *f.* -en. ¶ ~이 있는 젊은이 der aussichtsreiche junger Mann / ~에는 in Zukunft; künftig; auf die Dauer (Länge) (오래 기다리면)/ ~을 생각하다 an die Zukunft denken*; für die Zukunft sorgen / 그는 ~에도 제구실을 못할 것이다 Aus ihm wird schließlich nichts. / 그는 ~이 멀지 않다 Er ist s-m Ende nahe.¦S-e Tage sind gezählt./ 너는 ~에 크게 될거야 Du hast e-e große Zukunft vor dir. / 그는 자식들의 ~을 생각하지 않는다 Er denkt nicht an die Zukunft s-r Kinder. / 그는 나의 ~을 가로막았다 Er lief mir über den Weg.¦ Er trat mir in den Weg.

앞너비 〖건축〗 Frontbreite *f.* -n; Fassade *f.* -n; (Haus)front *f.* -en; Vorderfront.

앞니 Vorderzahn *m.* -(e)s, ⸚e; der vordere Zahn, -(e)s, ⸚e; Schneidezahn *m.* -(e)s, ⸚e. ¶ 그 애는 이제야 ~가 나기 시작한다 Das Kind ist jetzt am Zahnen. / 그 애는 ~가 났다 Das Kind bekam vordere Zähne.

앞다리 ① 《네발짐승의》 Vorder¦bein *n.* -(e)s, -e (-fuß *m.* -es, ⸚e); Vorderpfote *f.* -n (동물의); Unterschenkel *m.* -s, -. ② 《집》 das neue Haus, umzuziehen. ¶ ~를 사다 ein neues Haus (e-e neue Wohnung) kaufen. ③ 《중개인》 Vermittler *m.* -s, -; Makler *m.* -s, -. ¶ ~를 놓다 vermitteln⁴; den Vermittler spielen / ~를 놓아서 durch *js.* Vermittlung. ④ 《베틀의》 das Vorderbein 《-(e)s, -e》 des Webstuhls.

앞당기다 ① 《기일 따위를》 auf ein früheres Datum verlegen; (das Datum) früher legen; 《수업시간을》 verlegen⁴ 《*auf*⁴》; vor|verlegen⁴ 《*auf*⁴》. ¶ 일을 ~ e-e Arbeit früher (vorher) erledigen. ② 《차례를》 vor|rücken 《*auf*⁴》. ¶ 시험을 7월로 ~ die Prüfung (das Examen) auf Juli vor|verlegen/ 다섯 시간째 수학을 세째 시간으로 앞당겼다 Der Mathematikunterricht wurde von der fünften auf die dritte Stunde vorverlegen.

앞대 der südliche Teil 《-(e)s, -e》 (e-s Landes; e-r Provinz); Süd *m.* -(e)s; die südliche Gegend, -en.

앞대문(一大門) Vordertor *n.* -(e)s, -e; Haupttor *n.*

앞두다 《e-e Periode; e-e Strecke》 vor ³sich haben. ¶ 열흘(을) ~ zehn Tage vor sich haben / 십리(를) ~ 4 km vor sich haben.

앞뒤 ① 《위치》 vorn u. hinten; vorn u. achtern (선박의). ¶ ~를 두루 살피다 ⁴sich nach vorn u. hinten um|sehen*.
② 《시작과 끝맺음》 Anfang u. Ende; das erste* u. letzte*.
③ 《양단(兩端)》 die beiden Enden 《*pl.*》.
④ 《순서》 die Reihenfolge, -n. ¶ ~가 뒤바뀐 umgekehrt (verkehrt); auf den Kopf gestellt / ~가 뒤바뀌다 k-e richtige Reihenfolge bilden; in Unordnung (aus der Ordnung) sein.
⑤ 《전후관계》 Zusammenhang *m.* -(e)s, ⸚e; 《결과》 die Folge, -n; Konsequenz *f.* -en. ¶ ~ 생각없이 gedankenlos; leichtfertig; unbedacht; unbesonnen; ohne Rücksicht auf die Lage (Situation) / ~를 재다 über die Folgen nach|denken*; die Folgen erwägen (in Betracht ziehen*) / ~가 맞는 folgerichtig; konsequent; logisch / ~가 맞지 않는 nicht folgerichtig; folgewidrig; inkonsequent; widersprüchlich; unlogisch / ~가 닿지 않다 unzusammenhängend (zusammenhang(s)los; nicht übereinstimmend) sein; nicht logisch sein / 이 문장의 뜻은 ~ 관계를 미루어 알 수 있다 Man kann den Sinn dieses Satzes aus dem Zusammenhang verstehen./어째 ~가 맞지 않는 것 같구나 Da stimmt etwas nicht.

앞뒷집 Häuser 《*pl.*》 im Vorder- u. Hintergrund; umgebende Häuser; benachbarte Häuser; Nachbarn 《*pl.*》. ¶ ~에 살다 einander nebenan wohnen.

앞뜰, 앞마당 Vorgarten *m.* -s, ⸚; Vorhof *m.* -(e)s, ⸚e.

앞머리 ① 《전두》 Stirn *f.* -en; Vorderhaupt *n.* -(e)s, ⸚er. ② 《물건의》 Vorderende *n.* -s, -n. ③ 《선두》 Vortrab *m.* -(e)s, -e; Vorhut *f.* -en; Spitze *f.* -n.

앞메꾼 der Grobschmied, -(e)s, -e.

앞못보다 ① 《소경》 blind sein; nicht sehen können, was vor sich geht. ② 《무식》 unwissend (ungebildet) sein.

앞문(一門) Vordertor *n.* -(e)s, -e; Vordertür *f.* -en.

앞바닥 《신발의》 der Vorderteil 《-(e)s, -e》 der Schuhsohle.

앞바람 ① 《마파람》 Südwind *m.* -(e)s, -e. ② 《역풍》 Gegenwind *m.*

앞바퀴 Vorderrad *n.* -(e)s, ⸚er.

앞발 (Vorder)pfote *f.* -n; Vorderfuß *m.* -es, ⸚e. ‖ ~질 das Stoßen* 《-s》 mit dem Vorderfuß.

앞배 Bauch *m.* -(e)s, ⸚e; Unterleib *m.* -(e)s, -er.

앞볼 der Flicken 《-s, -》 für den Vorderteil der koreanischen Strumpfsohle.

앞산(一山) der Berg 《-(e)s, -e》 vor e-m Haus.

앞서다 voran|gehen* [s]; *jm.* in ³*et.* voraus sein; *jn.* in ³*et.* überbieten* (übertreffen*; führen); e-n Vorsprung *jm.* gegenüber haben. ¶ 시대에 ~ der Zeit voran|gehen*[s] / 경주에서 ~ voran|laufen*[s] / 앞서거니 뒤서거니 bald vorausgehend, bald hinterherkommend / 나는 너보다 세 판 앞서 있다 Ich bin dir drei Gewinne voraus. / 한국은 호주보다 10점 앞서 있다 Korea liegt Australien um zehn Punkte voraus.¦Korea hat e-n Vorsprung von zehn Punkten gegenüber Australien. / 무슨 일에나 돈이 앞선다 Zuerst muß man Geld haben.¦Geld ist das Wichtigste.¦Bei allem, was man tut, ist Geld die Hauptsache.

앞서(서) ① 《이전에·지난번》 vorher; früher; vor³; bevor 〖종속접속사〗; eher; vormals; ehemals. ¶ ~ 예약한 im voraus bestellt / ~ 말한 바와 같이 wie oben (vorher) schon erwähnt. ② 《먼저》 im voraus; vorher. ¶ 출발에 ~ vor der Abreise; ehe (bevor) jemand abreist / ~ 가다 *jm.* vorher|gehen*[s] / ~ 가십시오 Bitte, gehen Sie vor. / 우리가 ~ 왔다 Wir kamen früher an. / 너보다 ~ 도착하였다 Ich bin hier früher als du. / 그는 너보다 ～ 왔다 (와 있었다) Er kam (war) eher (da) als du.

앞세우다 ①《앞서게 하다》*jn.* vorbei|gehen (-|fahren) lassen*; *jn.* voran|gehen lassen*. ¶ 깃발을 앞세우고 행진하다 mit wehenden ³Fahnen《*pl.*》marschieren [h,s] / 그들은 악대를 앞세우고 갔다 Ein Musikkorps ging ihnen voran. ②《살아남다》länger leben als《jemand》. ¶ 자식을 ～ von s-m Kinde zurückgelassen werden; sein Kind überleben / 사랑하는 아들을 앞세우고 그는 비탄에 빠져 있다 Er ist in sehr großer Trauer wegen des frühzeitigen Todes s-s geliebten Sohnes.

앞앞이 vor jedem; für jeden; einzeln; respektive; getrennt. ¶ ～ 하나씩 ein Stück für jeden / 그 애들은 ～ 방이 있다 Jedes der Kinder hat sein eigenes Zimmer.

앞으로 demnächst; kommend. ¶ ～ 10 년 동안 (für) die nächsten (kommenden) zehn Jahre / ～ 1 주일 예정으로 출장 나와 있다 Ich bin auf acht Tage auf e-r Dienstreise.

앞이마 Stirn *f.* -en; Vorderhaupt *n.* -(e)s, ⸚er.

앞일 Zukunft *f.*; die zukünftige Sache, -n. ¶ ～을 생각하다 an die Zukunft denken*; für die Zukunft sorgen / ～을 아는 사람은 아무도 없다 K-r weiß, was uns die Zukunft bringen wird. / ～을 살피다 in die Zukunft sehen* / ～을 경계하다 *jm.* für die Zukunft warnen / ～을 예상하다 vermuten (voraus|sehen*), was kommen wird / 그는 아이들의 ～을 조금도 생각지 않는다 Er denkt nie an die Zukunft s-r Kinder. / ～을 조심하여라 Sei künftighin vorsichtig!

앞자락 der Vorderteil《-(e)s, -e》(das Ende, -s, -n) e-s Kleides.

앞잡이 ①《길잡이》Führer *m.* -s, -; der Führende*, -n, -n. ¶ ～가 되다 führen《*jn.*》; als Führer tätig sein. ②《끄나불》Handlanger *m.* -s, -; Werkzeug *n.* -(e)s, -e. ¶ …의 ～가 되다 für *jn.* Handlangerdienst leisten (tun*); ⁴sich als Werkzeug gebrauchen lassen*; ⁴sich zu ³*et.* brauchen lassen* / 누구를 ～로 삼다 *jn.* zu s-m Werkzeug machen / 그는 단지 그녀의 ～ 노릇을 한 데 불과하다 Er hat für sie bloß Handlangerdienste geleistet. / 그는 오로지 정계의 ～에 지나지 않는다 Er ist nur eine politische Marionette.

앞장 Führung *f.* -en; Leitung *f.* -en; das Führen*, -s; das Vorangehen*, -s; Spitze *f.* -n; Vortrab *m.* -(e)s, -e; Vorhut *f.* -en; führende Rolle, -n (Stellung, -en). **～서다** an der Spitze stehen*; die Führung haben; den Ton an|geben*; voran|gehen*³ [s]. ¶ ～서서 …하다 die ersten Schritte tun*《*zu*³》; die Initiative ergreifen*《*in*³》/ ～서서 걷다 an der Spitze gehen* [s] / 행렬의 ～을 서다 ⁴sich an die Spitze e-s Zuges stellen / 유행에 ～서다 in Mode bringen*《⁴*et.*》; e-e neue Mode auf|bringen* / 노동운동의 ～을 서다 in der Arbeiterbewegung die Initiative ergreifen* / ～세우다 voran|-gehen lassen*《*jn.*》. 「-n.

앞정강이 Schienbein *n.* -(e)s, -e; Schiene *f.*

앞지르다 überholen⁴; *jn.* hinter ³sich lassen*; vorbei|gehen* [s]《*an*³》;《선수를 치다》zuvor|kommen*³ [s]; vor|greifen*³;《능가하다》übertreffen*⁴; überbieten*⁴. ¶ 남의 이야기를 ～ *jm.* das Wort vom Munde nehmen* / 경주에서 ～ vor *jm.* e-n Vorsprung gewinnen* / 그는 늘 한 걸음 앞질러 가고 있다 Er ist immer e-n Schritt voraus. / 앞질러 가야만 아랫목을 차지한다 „Wer zuerst kommt, mahlt zuerst." / 나는 학업에서 친구를 앞질렀다 Ich habe im Studium m-n Freund übertroffen. / 제자가 스승을 앞지를 수 있으랴 Soll ein Schüler s-m Lehrer den Rang ablaufen?

앞집 das Haus《-es, ⸚er》im Vordergrund.

앞차(一車) der vorangehende Wagen, -s, -; Vorderwagen *m.*

앞차다 zuverlässig; stark u. verläßlich (sein).

앞참(一站) die nächste Haltestelle, -n; die nächste Poststation, -en. 「seite.

앞창(一窓) das Fenster《-s, -》der Vorder-

앞채 ①《집》Vorderhaus *n.* -es, ⸚er. ②《가마의》die Vorderstange《-n》der Sänfte. ③《앞마구리》das Vorderbrett《-(e)s, -er》des Sattelnetzes.

앞치마 (Träger)schürze *f.* -n; Schurz *m.* -es, ⸚e; Kinderschürze *f.* -n (유아의); Schurzfell *n.* -(e)s, -e (가죽제의). ¶ ～를 걸치고 있다 eine Schürze tragen* (haben).

애[1] ①《창자》Darm *m.* -(e)s, ⸚; Gedärme *n.* -s, -; Eingeweide *n.* -s, -. ¶ 애를 끊는 듯한 ins Herz schneidend; Mark u. Bein erschütternd / 애간장을 녹이다 ⁴sich sehr grämen; sein Herz brechen*; ⁴sich tief bekümmert fühlen.
②《수고로움》Anstrengung *f.* -en; Bemühung *f.* -en. ☞ 애쓰다. ¶ 애를 먹다〖사물을 주어로 하여〗viel Mühe kosten; *jm.* schwer|fallen*.
③《근심·걱정》Sorge *f.* -n; Ungeduld *f.* ¶ 애가 타다 unruhig (aufgeregt; ungeduldig) sein; sorglich (ängstlich) sein.

애[2] ☞ 아이.

애-《어린》sehr jung;《앳된》grün; frisch; unreif; unerfahren; unausgebildet; unentwickelt;《첫》der erste. ¶ 애송이 Grünschnabel *m.* -s, ⸚; unerfahrener Junge, -n, -n; Neuling *m.* -s, -e; Anfänger *m.* -s, - / 애순 der frische Sproß, ..sses, ..sse.

애가(哀歌) die Elegie, -n; Klagelied *n.* -(e)s, ⸚er; Klagegedicht *n.* -(e)s, -e (시어); Totengesang *m.* -(e)s, ⸚e (만가).

애개(개)《아뿔사》du meine Güte!; mein Gott!;《몹시 작을 때》wie winzig (klein; kärglich)! ¶ ～ 이렇게 조금만 주니 Mein Gott, du gibst mir so wenig. / ～ 저 자동차 작기도 하다 Sieh, wie klein ist der Wagen!

애걸(哀乞) das Flehen*, -s; Anflehung *f.* -en; das Bitten*, -s; Verehrung *f.* -en. ¶ ～복걸하다 an|flehen (flehentlich bitten*)《*jn.* *um*⁴》; (an|)beten⁴; verehren⁴; mit Bitten überhäufen《*jn.*》; mit Bitten zur Einwilligung nötigen《*jn.*》.

애견(愛犬) Lieblingshund *m.* -(e)s, -e. ‖ ～가 Hundliebhaber *m.* -s, -.

애경(愛敬) ＝경애(敬愛).

애고(愛顧) Gunst *f.* -en; die freundliche Gesinnung, -en; Gewogenheit *f.* -en. **～하다** *jm.* e-e Gunst erweisen* (gewähren). ¶ ～를 입고 있다 bei *jm.* in Gunst stehen* / ～를 얻다 ³sich *jn.* gewogen machen; *js.* Gunst erwerben* / 귀하의 분에 넘치는 ～를 입어 진심으로 고맙게 생각합니다 Ich danke bestens für Ihr außerordentliches Wohlwollen.

애고대고 weinend u. wehklagend. ～하다 weinen u. wehklagen.

애곡(哀哭) das bittere Weinen*, -s; das Trauern*, -s; Wehklage *f.* -n; Wehgeschrei *n.* -(e)s. ～하다 bitter weinen 《über ⁴*et.*; um *jn.*》; trauern 《*um*⁴》; wehklagen 《*über*⁴》; jammern 《*über*⁴; *um*⁴》.

애교(愛嬌) Anmut *f.*; Grazie [grá:tsiə] *f.* -n; Liebenswürdigkeit *f.* -en; Liebreiz *m.* -es; Scharm *m.* -(e)s. ¶ ～있는 anmutig; ansprechend; entzückend; einnehmend; graziös; holdselig; liebreizend; scharmant / ～가 없는 trocken; brüsk; reizlos; steif; zugeknöpft; schroff; sauertöpfisch / ～덩어리 Spaßvogel *m.* -s, ⸚; Dreikäsehoch *m.* -s (꼬마) / ～가 넘치는 웃음 das einnehmende (leutselige) Lachen*, -s / ～를 떨고 nur um *jm.* Freude zu machen / ～를 피우다 mit jedem sehr liebenswürdig um|gehen*; *jm.* Äugelchen machen; ⁴sich gefällig zeigen / ～가 볼에 넘친다 Anmut lächelt ihr auf den Wangen. / ～를 떨고 다닌다 Sie geht mit ihren Reizen hausieren. / ～ 만점이다 Ihr Gehaben zeigt Anmut.
‖ ～머리 Liebeslocke *f.* -n.

애교심(愛校心) die Liebe (Anhänglichkeit) für s-e Schule. ¶ ～을 불러일으키다 die Liebe zur eigenen Schule (er)wecken.

애구 ach!; oh!; ach je!; mein Gott!

애국(愛國) Vaterlandsliebe *f.*; Patriotismus *m.* -; die Liebe zum Vaterland. ¶ ～의 노래 die vaterländische Lieder / ～적인 patriotisch; vaterlandsliebend/비～적인 unpatriotisch.
‖ ～가 die Nationalhymne, -n; das Nationallied, -(e)s, -er. ～심 (정신) Vaterlandsliebe *f.*; die vaterländische Gesinnung, -en: ～심을 불러일으키다 die Vaterlandsliebe wecken (erwecken). ～자 Patriot *m.* -en, -en; Patriotin *f.* ..tinnen (여자); Vaterlandsfreund *m.* -(e)s, -e; Chauvinist [ʃovinist] *m.* -en, -en. ～주의 Patriotismus *m.* -.

애금(愛禽) Lieblingsvogel *m.* -s, ⸚.
‖ ～가 Vogelliebhaber *m.* -s, -.

애급(埃及) =이집트.

애긍(哀矜) Mitleid *n.* -(e)s; Erbarmen *n.* -s. ～하다 erbärmlich (mitleiderregend; bejammernswert; jämmerlich) sein.

애기 ☞ 아기.

애기(愛機) sein eigenes Lieblingsflugzeug, -(e)s, -e; sein treues Flugzeug.

애기씨름 der Ringkampf 《-(e)s, ⸚e》 der Anfänger.

애기잠 die erste Schlafperiode 《-n》 der Seidenraupe.

애꾸 《눈》 das eine Auge, -s, -n; 《사람》 die einäugige Person, -en. ¶ ～의 einäugig; auf einem Auge blind / 그는 ～눈이다 Er ist auf e-m Auge blind. ¦ Er ist ein Einäugiger.

애꿎다 unverdient mißhandelt; unschuldig; schuldlos (sein). ¶ 애꿎은 사람 der Unschuldige*, -n. -n.

애끊다 ⁴sich fühlen, als ob *js.* Herz zerreißt. ¶ 애끊는 마음으로 blutenden ²Herzens; mit blutendem Herzen / 애를 끊는 듯하다 Mir blutet das Herz. ¦ Es schneidet mir ins Herz (durch die Seele). ¦ Mir kehrt sich das Herz im Leibe um.

애끌 der große Meißel *m.* -s, -.

애끓다 beunruhigend (ängstlich; beängstigend; bange; nervös; ungeduldig) sein; ³sich Sorgen machen 《*um*⁴》; ⁴sich ängstigen 《*um*⁴》; vor Ungeduld zappeln.

애늙은이 ein Junge 《*m.* -n, -n》, der sich wie ein Alter benimmt. ⌈-(e)s, -e.

애니메이션영화(—映畵) Zeichentrickfilm *m.*

애달다 ängstlich (bange 《*um*⁴》; besorgt) sein; ³sich Sorgen machen 《*um*⁴》; ⁴sich ängstigen 《*um*⁴》. ¶ 그는 나의 꾸물댐에 애달고 있다 Er ist ungeduldig über meine Langsamkeit. / 장사가 잘 안 되어서 애달아 한다 Er macht sich Sorgen um sein träges Geschäft.

애달프다 herzzerbrechend; herzzerreißend; schmerzlich; qualvoll; jammervoll (sein). ¶ 애달픈 소식 herzzerreißende Nachricht, -en / 그것은 정말 애달픈 광경이었다 Es war wirklich ein jammervoller Anblick.

애닯다 =애달프다.

애당심(愛黨心) Parteigeist *m.* -(e)s, -er; Parteisucht *f.* ⸚e (당파심).

애(당)초(—(當)初) Anfang *m.* -(e)s, ⸚e; Beginn *m.* -(e)s. ¶ ～에 《최초에》 anfänglich; in erster Linie; ursprünglich; zuerst; am Anfang; anfangs / ～부터 von Anfang an.

애도(哀悼) Beileid *n.* -(e); Mittrauer *f.* -n; Kondolenz *f.* -en. ～하다 trauern 《um *js.* Tod》; *jm.* kondolieren. ¶ ～의 뜻을 표하다 *jm.* wegen des Todes e-s andern sein Beileid bezeigen; *jm.* sein Beileid aus|sprechen.*
‖ ～사(辭) die Leichenrede, -n; Nachruf, *m.* -(e)s, -e. ～자 der Trauernde*, -n, -n (유족); Beileidsbesucher (조객); der Kondolierende*, -n, -n (산역에 참석한 사람).

애독(愛讀) das eifrige Lesen*, -s. ～하다 gern lesen*⁴; mit wachsendem Interesse lesen*⁴; regelmäßig halten*⁴ (신문 등을). ¶ 이 책은 아이들의 ～서다 Dieses Buch findet e-e große Resonanz unter den Kindern. / 이 책은 많은 ～자를 가지고 있다 Das Buch fand beim Publikum gute Aufnahme. / 나는 토마스 만을 ～한다 Thomas Mann ist mein Lieblingsautor. / 이 책은 학생들에게 ～되고 있다 Diese Buch ist bei Studenten sehr beliebt.
‖ ～서 Lieblingsbuch *n.* -(e)s, ⸚er. ～자 Leser *m.* -s, -; Abonnent *m.* -en, -en; Leserkreis *m.* -es, -e. ～작가 Lieblingsautor *m.* -s, -en.

애동대동하다 sehr jung (sein); immer noch ein Junge sein.

애돝 einjähriges Schwein, -(e)s, -e.

애드 Reklame *f.* -n. ‖ ～맨 Reklamemann *m.* -(e)s, ⸚e (Leute). ～발룬 Reklame|ballon (Werbe-) *m.* -s, -s.

애락(哀樂) Kummer u. Freude; Traurigkeit u. Vergnügen.

애란(愛蘭) =아일랜드.

애련(哀憐) Mitleid *n.* -(e)s; Erbarmen *n.* -s. ～하다 erbärmlich; mitleiderregend; bejammernswert; jämmerlich; rührend (sein). ¶ ～의 정을 금치 못하다 von Mitleid überwältigt sein; großes Mitleid empfinden* 《*mit*³》; tiefes Erbarmen fühlen 《*mit*³》.

애로(隘路) ① 《좁은 길》 Engpaß *m.* ..passes, ..pässe; der schmale Weg, -(e)s, -e; Hohlweg *m.* -(e)s, -e; Gebirgspaß *m.*; Defilee *n.* -s, -n. ② 《장애·난관》 Schwierigkeit *f.* -en; Klemme *f.*; -n. ¶ ～가 많다 viele

Schwierigkeiten haben* / ～를 타개하다 die Schwierigkeiten beseitigen.

애림(愛林) Forstpflege *f.*; Forstschutz *m.* -es; Forsterhaltung *f.* -en.

‖ ～녹화 Forstschutz u. Aufforstung; „Schont die Bäume". ～사상 das Interesse 《-s, -n》 für den Forstschutz. ～주간 Baumpflanzungswoche *f.* -n.

애마(愛馬) Lieblingspferd *n.* -s, -e.

‖ ～가 Pferdeliebhaber *m.* -s, -.

애매(曖昧) Unbestimmtheit *f.* -en; Undeutlichkeit *f.* -en; Unklarheit *f.* -en; Doppelsinn *m.* -(e)s, -e. ～하다 unbestimmt; unsicher; undeutlich; unklar; dunkel; doppelsinnig; 《믿을 수 없는》 unzuverlässig (sein). ¶ ～(모호)한 변명을 하다 e-e vage Ausflucht 〔Ausreden〕 machen / ～하게 말하다 ⁴sich undeutlich aus|drücken / ～한 태도를 취하다 ⁴sich unbestimmt verhalten* / ～한 대답을 하다 e-e zweideutige Antwort geben*; ausweichend antworten 《*auf*⁴》.

애매하다 ungerecht behandelt 〔schuldlos e-s Verbrechens überführt; irrtümlicherweise e-s Verbrechens beschuldigt; ungerechterweise e-r ²Schuld verdächtigt〕 werden; unschuldig; schuldlos (sein). ¶ 애매하게 나무라다 ungerechterweise an|klagen 《*jn.* ²*et.*》 / 애매한 사람을 죽이다 e-n Unschuldigen töten / 애매하게 도둑 누명을 쓰다 ungerechterweise des Diebstahls beschuldigt werden / 애매하게 꾸중을 듣다 ungerechtfertigte Schelte bekommen*.

애먹다 k-n Rat wissen*; ratlos sein; mit s-m Latein 〔Witz(e); Verstand〕 am Ende sein; nicht mehr weiter wissen*; ³sich nicht mehr zu raten od. noch zu helfen wissen*; nicht mehr aus noch ein wissen*. ¶ 그 남자에게는 정말 애먹었어요 Ich wußte nicht, was ich mit ihm anfangen sollte. / 그 건으로 매우 애먹었다 Jene Angelegenheit hat mich in Verlegenheit gesetzt.

애먹이다 ⁴sich nicht mehr zu helfen wissen lassen*; mit s-m Verstande am Ende sein lassen*.

애먼 ① 《엉뚱한》 weit hergeholt; gesucht; unwahrscheinlich. ② 《죄없는》 unschuldig; unverschuldet; ungerecht beschuldigt. ¶ ～사람 의심하지 말라 Verdächtige ihn nicht zu Unrecht!

애면글면 mit aller Kraft. ～하다 alle Kräfte an|strengen.

애명주잠자리(一明紬一) Ameisenlöwe *m.* -n, -n.

애모(哀慕) Wehklage *f.* -n. ～하다 wehklagen 《*über*⁴》; trauern 《*um*⁴》; beklagen⁴; ⁴sich grämen 《*um*⁴; *über*⁴》.

애모(愛慕) Liebe *f.* -n; Anbetung *f.* -en (사모, 열애); Neigung *f.* -en; Anhänglichkeit *f.* -en (애착); Verehrung *f.* -en (사모, 경애). ～하다 lieben; an|beten (열애); verehren (사모); abgöttisch lieben 〔verehren〕; hangen* 《*an*³》; ⁴sich sehnen. ¶ 그들은 서로 ～하고 있다 Sie hangen sehr aneinander.

애무(愛撫) Liebkosung *f.* -en; Gekose *n.* -s; Zärtlichkeit *f.* -en. ～하다 (lieb)kosen⁴; streicheln⁴; zärtlich lieben 〔behandeln〕. ¶ 어린아이를 ～하다 ein Kind liebkosen 〔hätscheln〕.

애물 ① 《애태우는 것》 Sorge *f.* -n; Besorgnis *f.* ..nisse; Kummer *m.* -s; der Anlaß 《..lasses, ..lässe》 zur Sorge; der Ursprung 《-(e)s, ⸚e》 der Besorgnis. ② 《죽은 자식》 ein früh gestorbener Sohn, -(e)s, ⸚e.

애바르다 empfänglich sein 《*für*⁴》; ³sich e-s Interesses bewußt sein; auf sein eigenes Interesse achten; auf Geld aus sein. ¶ 돈벌이에 ～ beim Geldverdienen flink sein; ein Geschäftsmann sein / 어떻게 저렇게 애바를 수가 있나 Wie kann man so geldgierig sein?

애바리 Geizhals *m.* -es, ⸚e; Filz *m.* -es, -e; Knicker *m.* -s, -.

애벌 ① 《대충 만진 것》 die grobe 〔probende; vorläufige; oberflächliche〕 Arbeit, -en. ② 〖부사적〗 grob; versuchsweise. ③ ＝초벌 ①. ¶ ～ 찌다 《das Essen》 an|dünsten⁴; an|dämpfen⁴.

‖ ～갈이 das erste 〔grobe; vorläufige〕 Pflügen*, -s. ～김 das erste 〔grobe〕 Jäten*, -s. ～빨래 Vorwäsche *f.* ～일 die grobe Arbeit; „Katzenwäsche" *f.* -n: ～일을 하다 aus dem groben arbeiten; „Katzenwäsche machen".

애벌레 Larve *f.* -en; Raupe *f.* -n (특히 나비의); Würmchen *n.* -s, -; Made *f.* -n.

애별(哀別) der schwere 〔traurige〕 Abschied, -(e)s, -e; die schmerzliche Trennung, -en. ☞ 석별(惜別).

애브노멀 abnormal; ungewöhnlich; unnatürlich.

애사(哀史) e-e traurige 〔tragische〕 Geschichte, -n.

애살스럽다 geizig; knauserig; knickerig; filzig (sein).

애상(哀傷) Gram *m.* -(e)s; Trauer *f.* -n; Betrübnis *f.* -se. ～하다 ⁴sich grämen 《*um*⁴; *über*⁴》; ⁴sich härmen 《*über*⁴》; klagen 《*um*⁴; *über*⁴》.

애서(愛書) Lieblingsbücher 《*pl.*》 (책); die Vorliebe für Bücher.

‖ ～가 Bücherfreund *m.* -(e)s, -e; Bibliophile *m.* -n, -n. ～광 Bücherwut *f.*; Büchernarr *m.* -en, -en (사람); Bibliomanie *f.*; Bibliomane *m.* -n, -n (사람).

애서다 schwanger sein; in anderen 〔gesegneten〕 Umständen sein; ein Kind erwarten; mit e-m Kinde gehen* [s]; ein Kind unter dem Herzen tragen*.

애석(哀惜) das Bedauern*, -s; Wehklage *f.* -n. ～하다 bedauerlich; beklagenswert; unglücklich; schmerzlich; tragisch (sein). ¶ ～해 하다 bedauern⁴; voll Bedauern sein / ～하게도 zu m-m Bedauern; leider / 그의 노력이 수포로 돌아간 것은 ～한 일이다 Es ist wirklich beklagenswert, daß all sein Fleiß zu k-m Erfolg geführt hat. / 그가 요절하다니 참 ～한 일이다 Sein früher Tod ist sehr zu bedauern. / ～하게도 꽃은 피어 보지도 못하고 져버렸다 Das liebe Blümchen (von e-m Mädchen) ist ach als Knospe abgewelkt.

애성이 Zorn *m.* -(e)s; Ärger *m.* -s; Wut *f.*

애소(哀訴) Beschwerde *f.* -n; die flehentliche Bitte, -n. ～하다 *jm.* s-e Not klagen: ⁴sich beschweren 《bei *jm.* *über*⁴》; *jm.* ein Bittgesuch ein|reichen.

애솔 die junge Kiefer, -n; die junge Fichte, -n.

애송(愛誦) das Rezitieren 《-s》 e-s Lieblingsgedichtes. ～하다 (ein Gedicht) gern rezitieren.

‖ ～시 Lieblingsgedicht *n.* -(e)s, -e. ～시집 Lieblingsanthologie *f.* -n.

애송아지 das junge Kalb, -(e)s, ⸚er; das frischgeworfene Kalb; Kälbchen *n.* -s, -.

애송이 der junge Bursche, -n, -n; Bürschchen *n.* -s, -; 《풋나기》 Milchbart *m.* -(e)s, ⸚e; Gelbschnabel *m.* -s, ⸚.

애수(哀愁) Wehmut *f.*; Trauer *f.*; Betrübnis *f.* ..nisse; Trübsal *f.* -e (*n.* -(e)s, -e); Herzeleid *n.* -(e)s; Kummer *m.* -s. ¶ ~에 잠기다 Wehmut beschleicht *jn.* / ~에 싸여 있다 in tiefer Trauer sein; tief betrübt sein; dem Trübsinn verfallen* / ~를 느끼다 ⁴sich trübselig (traurig) fühlen / ~를 자아내다 *jn.* mit Wehmut erfüllen.

애순(一筍) der frische Sproß, ..rosses, ..rosse; die (junge) Knospe, -n.

애쓰다 ① 《힘쓰다》 ⁴sich an|strengen; ⁴sich ab|mühen; ³sich Mühe geben*. ¶ 애쓴 보람도 없이 trotz aller Anstrengungen / 목적을 이루려고 ~ ⁴sich anstrengen, das Ziel zu erreichen / 영어를 배우려고 애썼다 Er strengte sich sehr an, Englisch zu lernen. / 애써 공부했다 Er studierte sehr fleißig. / 애쓴 보람이 있었다 M-e Anstrengung war von Erfolg belohnt. / 그는 나를 위해 여러 모로 애써 주었다 Er hat mir viel Gutes erwiesen. | Er hat für mich vieles getan. / 10년 동안 애써서 성공을 했다 S-e zehn Jahre langen Bemühungen wurden mit gutem Erfolg gekrönt. / 그는 애쓴 보람도 없이 죽었다 Er ist gestorben, ohne die Früchte s-r Arbeit zu sehen. / 애쓰지 않고 돈을 벌려고 한다 Er will ohne Anstrengung Geld verdienen.
② 《힘을 바치다》 sein Bestes* tun*. ¶ 나라를 위해서 ~ sein Bestes für sein Vaterland tun* / 공익을 위해서 ~ zum allgemeinen Besten arbeiten / 애써 주셔서 고맙습니다 Ich danke Ihnen sehr für Ihre Bemühungen.

애애하다(靄靄一) ① 《안개가》 neb(e)lig; dunstig; trübe; dunkel; nebelhaft (sein). ② 《화기가》 harmonisch; in harmonischer Stimmung; einträchtig (sein). ¶ 화기 ~ einander harmonisch zugetan sein; ein Herz u. e-e Seele sein; miteinander in gutem Einvernehmen leben; Brüderliche Eintracht herrscht da / 화기애애한 가정 e-e friedliche u. harmonische Familie, -n / 화기애애하게 살다 in schönster Harmonie leben.

애연가(愛煙家) Raucher, -s, -; Tabakfreund *m.* -(e)s, -e. ¶ 대단한 ~ ein starker Raucher, -s, -.

애오라지 《좀》 einigermaßen; ein wenig; etwas; ziemlich; recht.

애옥살이 das arme (elende; armselige; dürftige) Leben, -s. **~하다** in Armut leben; ein dürftiges Leben führen; in dürftigen (kümmerlichen) Verhältnissen sein.

애옥하다 arm; elend; dürftig; schäbig; armselig (sein).

애완(愛玩) Liebe *f.*; Vorliebe *f.*; Huld *f.*; Geschmack *m.* -(e)s, ⸚e(r). **~하다** gern (lieb) haben⁴; Vorliebe haben 《*für*⁴》; hätscheln⁴. ¶ ~의 geliebt; beliebt.
‖ **~가** Liebhaber *m.* -s, -; Amateur [amatø:r] *m.* -s, -e; Schwärmer *m.* -s, -; Enthusiast *m.* -en, -en. **~동물** Lieblingstier *n.* -(e)s, -e. **~물(物)** 《동물》 aufgezogenes zahmes Haustier, -(e)s, -e; 《물건》 *js.* hochschätzende Sache, -n.

애욕(愛慾) Leidenschaft *f.* -en; Lüste 《*pl.*》; Sexualität *f.* -en. ¶ ~이 왕성한 lüstern/~의 세계 die Welt von Liebe u. Haß / ~에 빠지다 s-n Leidenschaften freien Lauf lassen*; s-n Lüsten frönen.

애용(愛用) **~하다** mit Vorliebe gebrauchen⁴ (benutzen⁴). ¶ ~(하는) Lieblings- / ~하는 파이프 Lieblingspfeife / 국산품을 ~하다 einheimische Produkte benutzen.
‖ **~가** der (gewohnheitsmäßige) Gebrauchende*, -n, -n. **~담배** Lieblingstabak *m.* -(e)s, -e.

애원(哀願) das Flehen*, -s; die innige Bitte, -n. **~하다** zu *jm.* flehen 《um ⁴*et.*》; *jn.* an|flehen 《um ⁴*et.*》; *jn.* bewegt bitten* 《um ⁴*et.*》; beschwören*⁴. ¶ ~하듯이 flehentlich; bittend; inständig / 원조를 ~하다 *jn.* um Hilfe flehen.
‖ **~자** der Flehende*, -n, -n.

애육하다(愛育一) hegen⁴ u. pflegen⁴; auf|ziehen*⁴; züchten⁴; dressieren⁴.

애음(愛飮) Lust 《*f.* ⸚e》 zu trinken; Hang 《*m.* -(e)s》 zum Trinken. **~하다** gern trinken*; regelmäßig (gewohnheitsmäßig) trinken*.
‖ **~가** der regelrechte Trinker, -s, -.

애인(愛人) der (die) Geliebte*, -n, -n; der (die) Verehrte*, -n, -n; Schatz *m.* -es, ⸚e (여자에도 씀); Liebchen *n.* -s, -. ¶ 그녀는 그의 ~이다 Sie ist sein Schätzchen.

애잇닦기 das erste Polieren* (Glätten*; Wichsen*; Bohnern*) -s.

애자(哀子) ich, der ich der Hauptleidtragende bin.

애자(碍子) 〖전기〗 Isolator *m.* -s, -en [..tó:rən].

애자(愛子) das geliebte Kind, -(e)s, -er; Lieblingskind *n.* -(e)s, -er (특히 귀여워하는). ¶ ~지정 Elternliebe *f.* -n.

애잔하다 sehr schwach; gebrechlich; hinfällig; kränklich (sein).

애장하다(愛藏一) sorgfältig auf|bewahren⁴. ¶ 애장하는 책 das wie ein Schatz aufbewahrte Buch, -(e)s, ⸚er.

애저(一猪) Spanferkel *n.* -s, -; Saugferkel *n.*
‖ **~구이** Spanferkelbraten *m.* -s, -.

애절하다(哀切一·哀絶一) =애처롭다.

애젊다 jünger aus|sehen* (, als er ist); noch ein bißchen jugendlich (sein).
‖ 애젊은이 Jüngling *m.* -s, -e.

애정(哀情) Traurigkeit (Betrübnis) *f.* Mitleid *n.* -(e)s; Erbarmen *n.* -s. ¶ ~을 느끼다 traurig sein; Erbarmen fühlen 《*mit*³》 / ~을 자아내다 traurig machen 《*jn.*》; traurig stimmen 《*jn.*》; Mitleid erregen (erwecken).

애정(愛情) Liebe *f.* -n; Zuneigung *f.* -en; Herzlichkeit *f.* -en. ¶ ~이 넘치는 liebevoll; warmherzlich; zärtlich / ~이 넘치게 zärtlich; liebevoll; herzlich / ~이 없는 mitleid(s)|los (gefühl-; herz-); unbarmherzig / ~의 끄나풀 Liebesband *n.* -(e)s, ⸚er/ 부부의 ~ Gattenliebe *f.* -n; die eheliche Liebe, -n / ~어린 말 die zärtliche Worte 《*pl.*》; Liebesworte 《*pl.*》 / ~ 없는 부부 die Ehe 《-n》 ohne Liebe / ~이 없는 사람 e-e unbarmherzige Person, -en / ~이 깊은 사람 e-e zärtliche Person / ~이 식다 die Begeisterung nach|lassen* 《*für*⁴》 / ~을 품다 die Begeisterung haben 《*für*⁴》 / ~을 바치다 von ganzen Herzen lieben; hingebungsvoll lieben / 그 아이는 부모의 ~에 굶주리고 있다 Das Kind verlangt nach Elternliebe.

애제자(愛弟子) Lieblingsschüler *m.* -s, -.

애조(哀調) 《가락》 die traurige (trübsinnige) Melodie, -n [..dí:ən]; herzzerreißende Töne 《pl.》. ¶ ~를 띤 노래 der elegische Gesang, -(e)s, ⸗e.

애조(愛鳥) Lieblingsvogel *m.* -s, ⸗.
‖ ~가(家) Vogelliebhaber *m.* -s, -. ~주간 Vogelschutzwoche *f.* -n.

애족(愛族) Liebe 《*f.*》 zum Volk.
‖ 애국~ Sorge 《*f.*》 für Land u. Volk.

애주(愛酒) Alkoholgenuß *m.* ..nusses, ..nüsse. ~하다 Alkohol genießen*; Alkohol gern trinken*; Alkohol regelmäßig trinken*. ‖ ~가 der gewohnheitsmäßige (regelrechte) Alkoholtrinker, -s, -.

애중(愛重) ☞ 애지중지(愛之重之).

애증(愛憎) Lieb u. Haß; Neigung u. Abneigung. ¶ ~지념이 강하다 sehr parteiisch sein / ~은 근본을 따지면 같은 것이다 Lieb u. Haß sind (am Ende) dasselbe.¦Lieb u. Haß kommen aus e-r Wurzel.

애지중지(愛之重之) ~하다 aufs eifersüchtigste hegen⁴; wie sein Augapfel hüten⁴. ¶ ~ 키우다 mit liebevoller Sorgfalt groß|ziehen*⁴ / 보석을 ~하다 Perlen (hoch)schätzen / 손자를 ~하다 die Enkeln liebkosen (närrisch lieben).

애착(愛着) Anhänglichkeit *f.* -en; Zuneigung *f.* -en; Vorliebe *f.* -n. ¶ ~을 느끼다 ⁴sich (sein ⁴Herz) an *jn.* hängen; *jn.* ins Herz schließen*; *jm.* innig von Herzen zugetan sein; große Anhänglichkeit für *jn.* zeigen; *jm.* sehr anhänglich sein / …에 ~을 가지다 Zuneigung empfinden* 《*gegen*⁴; *zu*³》; Anhänglichkeit haben 《*für*⁴》; e-e Vorliebe haben (zeigen) 《für ⁴*et.*》 / 학문에 ~을 느끼다 ⁴sich dem Studium (der Wissenschaft) widmen / 나는 이 직업에 아무런 ~도 느끼지 않는다 Ich habe k-e Anhänglichkeit für diesen Beruf.

애창(愛唱) ~하다 gern singen*⁴.
‖ ~가(歌), ~곡 Lieblingslied *n.* -(e)s, -er.

애채 der neugesprossene Zweig 《-(e)s, -e》 e-s Baumes.

애처(愛妻) *js.* liebe (geliebte; treu(e)re) Frau; *js.* bessere (schönere) Hälfte.
‖ ~가 ein der ³Gattin hofierender (treu hingegebener) Mann, -(e)s, ⸗er: 그는 대단한 ~가다 Er vergöttert s-e Frau.¦Er liebt s-e Frau abgöttisch.¦Er ist s-r Gattin sehr ergeben.¦Er ist in s-e Frau vernarrt.

애처롭다 mitleiderregend; jämmerlich; rührend; ergreifend (sein). ¶ 애처로운 이야기 e-e rührende Geschichte, -n / 애처로운 광경 ein jämmerlicher Anblick, -(e)s, -e / 애처롭게 여기다 Erbarmen fühlen 《*mit*³》; Mitleid empfinden* 《*mit*³》 / 어린아이가 추위에 떠는 것을 보니 애처로왔다 Er war ein jämmerlicher Anblick, wie das Kind vor Frost zitterte.

애첩(愛妾) Konkubine *f.* -e; die Geliebte*, -n, -n; Maitresse *f.* -n.

애초 Anfang *m.* -(e)s, ⸗e; Beginn *m.* -(e)s; Ursprung *m.* -(e)s, ⸗e. ¶ ~의 《초보의》 erst; primitiv; 《본래의》 original. ¶ ~에(는) anfangs; am Anfang; zuerst / ~부터 von Anfang an; (gleich) von vorn(e)herein / ~의 계획 sein originaler Plan, -(e)s, ⸗e / ~의 목적 sein Hauptzweck *m.* -(e)s, -e / ~에는 회원이 열밖에 없었다 Anfangs hatten wir nur zehn Mitglieder.

애칭(愛稱) Kosename(n) *m.* ..mens, ..men. ¶ 아무를 ~으로 부르다 *jn.* bei s-m Kosenamen nennen* / 그들은 그를 토비라는 ~으로 불렀다 Sie nannten ihn bei dem Kosenamen „Toby". / 코비는 쾨르너의 ~이다 „Koby" ist der Kosename für „Körner". / 벨프는 강아지의 ~이다 „Welf" ist der Kosename des Hündchens. / 헤스헨은 토끼의 ~이다 „Häschen" ist der Kosename des Hasen.

애타(愛他) 《애타심(주의)》 Altruismus *m.* -; Nächstenliebe *f.* ¶ ~적 altruistisch; uneigennützig / ~심은 교육의 중요한 일부이다 Die Nächstenliebe ist der Hauptteil der Erziehung.
‖ ~심 Nächstenliebe *f.* -n. ~주의 Altruismus *m.* -, ..men: ~주의자 der selbstlose Mensch, -en, -en; Altruist *m.* -en, -en.

애타다 Sorgen haben; ⁴sich ab|quälen 《*um*⁴》; ⁴sich ab|placken 《*um*⁴》. ¶ 언제나 ~ ⁴sich immer ab|quälen 《*um*⁴》; ⁴sich immer sorgen 《*um*⁴》 / 돌아오기를 애타게 기다리다 ungeduldig auf s-e Ankunft warten / 그것 때문에 그는 애가 타고 있다 Das belastet sein Gemüt.

애태우다 beunruhigen⁴; plagen⁴; ängstigen⁴; ungeduldig machen⁴; in Ungewißheit lassen*⁴ (halten*⁴). ¶ 부모를 ~ Eltern in Ungewißheit (Sorge) lassen* / 시골 살림은 애태울 것이 없다 Das Leben auf dem Land ist frei von Sorgen. / 그런 일로 애태우지 말라 Beunruhige dich nicht deswegen. / 애태우지 말고어서 말해라 Mach mich nicht ungeduldig—sprich sofort.

애통(哀痛) die tiefe Trauer; der große Kummer, -s; der tiefe Gram, -(e)s; das große Bedauern, -s; der große Schmerz, -es, -en. ¶ ~하게도 zu m-m großen Bedauern; bedauerlicherweise / ~한 일 e-e äußerst bedauernswürdige Sache/…은 매우 ~한 일이다 es ist sehr zu bedauern, daß… / 그의 요절은 ~한 일이다 Es ist wirklich bedauerlich, daß er so jung gestorben ist.¦Sein früher Tod ist sehr zu bedauern.

애통터지다 =애타다.

애틋하다 ① 《애타다》 ängstlich; bange; besorgt (sein). ② 《애석하다》 bedauernd; widerwillig; bedauerlich (sein).

애티 das Kindische*, -n; Kinderei *f.* -en; jugendliche Unreife, -n; jugendlicher Leichtsinn, -(e)s; jugendliches Verhalten*, -s. ¶ ~가 있다 kindisch sein / ~를 벗다 die Kindheit hinter ³sich haben; auf|wachsen*.

애플파이 Apfel¦kuchen *m.* -s, - (-torte *f.* -n).

애햄 hem!; hm! ~하다 ⁴sich räuspern.

애향(愛鄕) die Liebe zu s-r Heimat. ~하다 e-e Heimat lieben.
‖ ~심 Heimatliebe *f.* -n; Lokalpatriotismus *m.* -, ..men.

애호(愛好) Geschmack *m.* -(e)s, ⸗e (속어: ⸗er); Vorliebe *f.*; Neigung *f.* -en; Hang *m.* -(e)s, ⸗e. ~하다 lieben⁴; lieb|haben; gern haben⁴; Geschmack finden*⁴ 《*an*³》; Vorliebe haben, 《*für*⁴; *zu*³》. ¶ 담배를 ~하다 gern rauchen.
‖ ~가 Liebhaber *m.* -s, -; Freund *m.* -(e)s, -e: 그는 재즈 음악 ~가이다 Er ist Liebhaber der Jazzmusik.

애호(愛護) das Hegen* u. Pflegen*; Schutz u. Schirm *m.* 〔무관사〕. ~하다 hegen⁴; pflegen⁴; hüten⁴; schützen⁴; Sorge tragen*

《für⁴; um⁴》.
‖동물 ~협회 Tierschutzverein *m.* -(e)s, -e.
애호박 der junge (grüne) Kürbis, -ses, -se.
애화(哀話) die traurige (tragische) Geschichte, -n (Erzählung, -en).
애환(哀歡) Freud u. Leid (des Lebens).
애휼(愛恤) Nächstenliebe *f.*; Güte *f.*; Wohltat *f.* -en; Sympathie *f.* -n; Mitleid *n.* -(e)s. ~하다 Anteil nehmen* 《*an*³》; Mitleid fühlen 《*mit*³》; bemitleiden⁴ u. helfen*³.
‖~운동 Wohltätigkeitskampagne *f.* -n.
액(厄) Unglück *n.* -s; Unheil *n.* -s. ¶액을 막다 e-m Unglück (Übel) ab|wehren / 액을 쫓아내다 die bösen Geister vertreiben*.
액(液) 《액체》 Flüssigkeit *f.* -en; Lösung *f.* -en(용액); Saft *m.* -(e)s, ⸚e(즙). ¶액을 천으로 짜다 den Saft durch ein Tuch pressen.
-액(額) 《금액》 Summe *f.* -n; Betrag *m.* -(e)s, ⸚e; 《양》 Menge *f.* -n; Umfang *m.* -(e)s, ⸚e; Menge *f.* -n; Umfang *m.* -(e)s, ⸚e; 《채권의 액면》 Nennwert *m.* -(e)s, -e. ¶생산액 Produktionsvolumen *n.* -s, - / 소비액 Verbrauchsvolumen *n.* / 거액에 달하다 e-e große (hohe) Summe erreichen; e-e ungeheure Summe aus|machen.
액년(厄年) Unglücksjahr *n.* -(e)s, -e; das schwarze Jahr, -(e)s, -e; das unglückliche Alter, -s (연령). ¶농가의 ~ das schwarze Jahr für Ackerbauer / 작년이 내 ~이었다 Letztes Jahr war ein Unglücksjahr für mich. / 한국에서는 39세가 남자의 ~이다 In Korea gilt das neununddreißigste Lebensjahr bei Männern für unglücklich.
액달(厄—) Unglücksmonat *m.* -(e)s, -e; der kritische (bedenkliche) Monat. ¶이 달은 나에게 ~이다 Dieser Monat ist für mich ein unglücklicher.
액때우다(厄—) durch Erleiden e-s kleineren Übels dem bevorstehenden Unglück vor|-beugen.
액때움(厄—), 액땜(厄—) das Vorbeugen* (-s) des bevorstehenden Unglücks durch Erleiden e-s kleineren Übels. ~하다 =액때우다. ¶~으로 알고 이 모욕을 감수하겠다 Die Beleidigung nehme ich als den Preis für mein Entkommen von e-m größeren Unglück hin.
액량(液量) Flüssigkeitsmenge *f.* -n.
액막이(厄—) Verhütung 《*f.* -en》 des Unglücks. ~하다 die bösen ⁴Geister 《*pl.*》 (das ⁴Unheil) vertreiben*. ¶~부적 Amulett *n.* -s, -e / ~용으로 um das Unglück zu verhüten / ~가 되다 das Unglück verhüten; zur Verhütung des Unglücks dienen.
액면(額面) 《액면가격》 Nennwert *m.* -(e)s; Pari *n.* -s. ¶~가격으로 zum Nennwert; zu pari; pari / ~ 이상으로(이하로) über pari (unter pari) / ~ 이상을 유지하다 über pari stehen* / ~ 이하로 하락하다 unter pari sinken* [s] / 시세가 ~ 이하다 Der Kurs ist unter pari. / 철도주는 막판에 ~ 이하로 떨어졌다 Eisenbahnen sind bei Schluß unter pari gesunken. / 채권의 상환은 ~대로 행해진다 Die Einlösung der Schuldverschreibungen erfolgt zum Nennwert. / 그것은 ~대로 받아들일 수 없습니다 Ich kann es nicht für bare Münze nehmen.
‖~발행 die Ausgabe auf Pari; Emissionskurs *m.* -es, -e. ~상환 die Einlösung auf Pari.
액모(腋毛) Achselhaar *n.* -(e)s, -e.
액사(縊死) das Sich-Aufhängen* (Sich-Erhängen*) -s. ~하다 ⁴sich auf|hängen (erhängen).
액살(縊殺) Erwürgung *f.* -en; Erdrosselung *f.* -en. ~하다 *jn.* erwürgen; *jn.* erdrosseln.
액세서리 Schmuck *m.* -(e)s, -e; Accessoires [aksɛsoá:r] 《*pl.*》.
액셀러레이터 Gas¦hebel *m.* -s, - (-pedal *n.* -s, -). ¶~를 밟다 Gas geben*; das Pedal treten*.
액수(額數) 《금액》 Summe *f.* -n; Betrag *m.* -(e)s, ⸚e. ¶~가 …되다 aus|machen⁴; ⁴sich belaufen* 《*auf*⁴》; betragen*⁴ / 계산은 어느 정도의 ~가 됩니까 Wie hoch beläuft sich die Rechnung? / 총~가 5,000원이 됩니다 Die Summe beträgt 5000 *Won.*¦Der gesamte Betrag beträgt 5000 *Won* aus.
액아(腋芽) 〖식물〗 Achselknospe *f.* -n.
액운(厄運) das böse (ungünstige) Schicksal, -(e)s, -e; Mißgeschick *n.* -(e)s, -e; Unglück *n.* -(e)s; Verhängnis *n.* -ses, -se.
액월(厄月) =액달(厄—).
액일(厄日) Unglückstag *m.* -(e)s, -e; ein schwarzer Tag, -(e)s, -e.
액자(額子) Rahmen *m.* -s, -. ¶그림을 ~에 넣다 ein Bild rahmen; ein|rahmen*⁴; in e-n Rahmen fassen*⁴ / 그림을 ~에서 떼다 aus dem Rahmen nehmen*.
액자(額字) auf e-e Holztafel geschriebene Schrift, -en.
액정(液晶) ein flüssiger Kristall, -(e)s, -e.
액체(液體) Flüssigkeit *f.* -en; Fluidum *n.* -s, ..da. ¶~의 flüssig.
‖~공기 flüssige Luft. ~동역학 Wasserdrucklehre *f.* -n; Hydrodynamik *f.* ~비중계 Hydrometer *n.* -s, -; Senkwaage *f.* -n; Dichtigkeitsmesser *m.* -s, -; Aräometer *n.* -s, -. ~비중 측정법 Hydrometrie *f.* ~압력 Flüssigkeitsdruck *m.* -(e)s. ~연료 flüssiger Brennstoff, -(e)s, -e. ~열량계 Flüssigkeitswärmemesser *m.* -s, -; Flüssigkeitskalorimeter *n.* -s, -. ~온도계 Flüssigkeitsthermometer *n.* ~탄산 flüssiges Kohlendioxyd *n.* -(e)s, -e.
액취(腋臭) Achselgeruch *m.* -(e)s, ⸚e; Achselgestank *m.* -(e)s.
액화(厄禍) Unglück *n.* -(e)s; Unheil *n.* -(e)s; Mißgeschick *n.* -(e)s, -e; Katastrophe *f.* -n.
액화(液化) Verflüssigung *f.* -en; Schmelzung *f.* -en. ~하다 《액화시키다》 verflüssigen⁴; schmelzen⁽*⁾⁴; flüssig machen⁴; 《액체가 되다》 flüssig werden; ⁴sich verdichten (가스가).
‖~가스 verflüssigtes Gas, -es, -e. ~기 Verflüssiger *m.* -s, -; Kondensator *m.* -s, -en. ~석유가스 verflüssigtes Petroleumgas, -es, -e; verflüssigtes Erdgas; liquides Steinölgas. 석탄~ Kohleverflüssigung *f.*
앤생이 der Schwache*, -n, -n; Schwächling *m.* -s, -e; das zerbrechliche Ding, -(e)s, -e (물건).
앤티노크제(—劑) Antiklopfmittel *n.* -s, -.
앨범 Album *n.* -s, ..ben (-s).
앰풀 Ampulle *f.* -n.
앳되다 kindlich (jung; unbefangen) aus|sehen*.
앵¹ 《소리》 summend; brummend; schwirrend; surrend. ¶모기가 앵 소리를 내며 날아 다닌다 Moskitos schwirren durch die Luft.
앵² 《불쾌할 때》 oh!; hm!
앵글로색슨 《민족》 Angelsachsen 《*pl.*》. ¶~의 angelsächsisch.

앵돌아지다 schmollen; schlechte Laune haben; die Lippen spitzen; [4]sich ganz um|drehen; den Rücken kehren 《jm.》; übelgelaunt 〔verstimmt; gekränkt〕 werden 〔sein〕. ¶ 그는 그 일로 앵돌아졌다 Wegen des Vorfalls kehrte er mir den Rücken.
앵두 〖식물〗 *Prunus tomentosa* (학명). ¶ ～같은 입술 die kirschrote Lippe, -n / ～따다 《울다》 weinen; Tränen vergießen*.
앵무(鸚鵡) 〖조류〗 Papagei *m.* -en, -en; Kakadu *m.* -s, -s. ‖ ～병 Papageienkrankheit *f.* ～조개 Nautilus *m.* -, - 〔..lusse〕.
앵무새(鸚鵡一) ☞ 앵무. ¶ ～처럼 남의 말을 흉내내다 *jm.* mechanisch nach|sprechen*; nach|plappern.
앵미 der qualitativ schlechte Reis, -es, -e.
앵속(罌粟) 〖식물〗 Mohn *m.* -(e)s, -e.
‖ ～화 Mohnblume *f.* -n.
앵앵 summend; brummend; schwirrend; surrend. ～하다, ～거리다 summen; brummen; schwirren; surren. ¶ 벌들이 꽃속에서 ～거린다 Bienen summen mitten unter den Blumen.
앵초(櫻草) 〖식물〗 Schlüsselblume *f.* -n; Primel *f.* -n.
앵하다 ärgerlich 《über[4]》; aufgebracht 《über[4]》; grollend; übelnehmend; gekränkt 〔sein〕. ¶ 손해를 봐서 ～ über s-n Verlust ärgerlich sein.
야[1] ☞ 이야.
야[2] ① 《놀람》 ach; ah; o; oh. ¶ 야, 큰일났군 O je!¦mein Gott!¦Ach, du liebe Zeit!¦Donnerwetter! / 야, 너구나 Ach, du bist es. ② 《부름》 hallo; heda; hör' mal; warte mal. ¶ 야, 좀 기다려 Warte mal! / 야, 서둘러 Beeil' dich!¦Hau hin! / 야, 너 누구지 Hallo! Wer bist du? / 야, 너 거기서 뭘 하니 Hallo! Was machst du denn da? / 야, 할 말이 있으면 해봐 He, hast du etwa was dagegen? / 야, 한스야, 재미가 어떠냐 Guten Tag, Hans! Wie geht's?
야(野) Opposition *f.* -en. ¶ 야에 있다 in der Opposition stehen* 〔sein〕 / 야로 물러나다 《개인이》 das Amt nieder|legen; [4]sich vom Amt 〔ins Privatleben〕 zurück|ziehen*; in den Ruhestand gehen* 〔treten*〕 ⓢ; 《정당이》 die Macht verlieren*; die Zügel der Regierung über|geben* / 그는 야에 있은 지 이미 5년이 된다 Er ist nun schon fünf Jahre aus dem Staatsdienst ausgeschieden.
야간(夜間) Nacht *f.* ⸚e; Nachtzeit *f.* -en. ¶ ～에 nachts; des Nachts; in der [3]Nacht/ ～의 nächtlich; Nacht-.
‖ ～경기 das nächtliche Wettspiel, -(e)s, -e; Nachtspiel *n.* -(e)s, -e. ～근무 Nachtdienst *m.* -(e)s; Nachtschicht *f.* -en. ～노동(작업) Nachtarbeit *f.* -en. ～부 der Abendkursus e-r Schule. ～비행 Nachtflug *m.* -(e)s, ⸚e. ～순찰 Nachtrunde *f.* -n. ～연습 Nachtübung *f.* -en. ～열차 Nachtzug *m.* -(e)s, ⸚e: ～열차로 가다 mit dem Nachtzug fahren* ⓢ. ～전투기 Nachtjäger *m.* -s, -. ～조명 Flutlicht *n.* -(e)s, -er (경기장의). ～촬영 Nachtaufnahme *f.* -n. ～폭격 Nachtbombardierung *f.* -en. ～학교 Abendschule *f.* -n: ～학교에 다니다 e-e Abendschule besuchen. ～학생 die Schüler 《*pl.*》 der Abendschule. ～행군 Nachtmarsch *m.* -es.
야거리 Einmaster *m.* -s, -.
‖ 야거릿대 der einzige Mast 《-es, -e(n)》 e-s Einmasters.
야견(野犬) ein herrenloser 〔streunender〕 Hund, -(e)s, -e. ¶ ～ 사냥 Razzia 《*f.* -s 〔..zien〕》 auf streunende Hunde.
야경(夜景) die nächtliche Szene, -n; die Ansicht bei Nacht. ¶ 서울의 ～ die Nachtansicht von Seoul.
‖ ～화 Nachtstück *n.* -(e)s, -e.
야경(夜警) Nachtwache *f.* -n. ～하다 nachts [4]Wache stehen*; den Nachtwächter machen; auf Nachtwache gehen* ⓢ; Nachtwache machen. ～스럽다 bei Nacht geräuschvoll sein. ¶ ～ 돌다 Nachtrunde machen.
‖ ～꾼 Nachtwächter *m.* -s, -.
야고보 〖성서〗 Jakob.
‖ ～서 Jakobus-Brief *m.* -(e)s.
야곡(夜曲) 〖음악〗 Nachtmusik *f.*; Ständchen *n.* -s, -; Serenade *f.* -n (야상곡); Notturno *n.* -s, -s 〔..ni〕; Nokturne *f.* -n.
야광(夜光) das Ausstrahlen 《-s》 von Licht bei Nacht. ¶ ～의 im Dunkeln leuchtend.
‖ ～도료 Leuchtfarbe *f.* -n. ～시계 die Uhr 《-en》 mit Leuchtziffern. ～주 Diamant *m.* -en, -en. ～충(蟲) Meerleuchte *f.* -n.
야구(野球) Baseball [bé:sbɔ:l] *m.* -s. ¶ ～를 하다 Baseball spielen / ～시합을 하다 Baseballwettspiel haben.
‖ ～경기 Baseballspiel *n.* -(e)s, -e. ～계 Baseballwelt *f.* -en. ～공 Baseball *m.* -(e)s, ⸚e. ～광, ～팬 Baseball¦liebhaber *m.* -s, -. ～부 Baseballklub *m.* -s, -s: ～부 주장 der Führer 《-s, -》 e-r Baseballmannschaft. ～선수 Baseballspieler *m.* -s, -. ～연맹 Baseball-liga *f.* ..gen. ～열 Baseballmanie *f.* -n. ～장 Baseballspielfeld *n.* -(e)s, -er. ～팀 Baseballmannschaft *f.* -en. 직업 ～단 Berufsbaseballmannschaft *f.* -en; Baseballprofi *m.* -s, -s. ※독일에서는 야구가 보급되어 있지 않아 야구에 관한 말은 영어로 씀.
야근(夜勤) Nacht¦dienst *m.* -es, -e 〔-schicht *f.* -en〕. ～하다 bei Nacht arbeiten. ¶ ～중이다 Nachtdienst haben / 오늘 밤은 ～이다 Ich habe heute Nachtdienst.
‖ ～수당 Zulage 《*f.* -n》 für den Nachtdienst. ～시간 die Nachtdienststunden 《*pl.*》.
야금(冶金) Metallurgie *f.*; Hüttenkunde *f.* ¶ ～(학)의 metallurgisch.
‖ ～술 Metallurgie *f.* -n. ～업 die metallurgische Industrie, -n. ～학 Metallurgie *f.* -n; Hüttenkunde *f.* -n: ～학자 Metallurg *m.* -en, -en.
야금(野禽) Waldvogel *m.* -s, ⸚.
야금거리다 e-n Bissen wiederholt kauen.
야금야금 stückweise; nach u. nach. ¶ ～ 먹다 stückweise essen* / ～ 먹어 들어가다 nach u. nach an|fressen*[4] 〔[4]sich ein|fressen* 《in[4]》〕; 《침입》 allmählich ein|fallen* 〔ein|dringen*〕 ⓢ 《in[4]》.
야긋야긋 zackig; gezahnt; eingekerbt. ～하다 ausgezackt; eingekerbt; zackig 〔sein〕; Zähne haben.
야기(夜氣) Nachtluft *f.*; Abendluft *f.* (저녁의).
야기부리다 schelten*[(4)]; tüchtig aus|schelten* 《jn.》; an|schnauzen[4]; aus|schimpfen[4].
야기하다(惹起一) verursachen[4]; hervor|rufen*[4]; an|regen[4] 《e-e Frage》; hervor|bringen*[4]; veranlassen[4]; bewirken[4]; herbei|führen[4]; induzieren[4]; Anlaß geben* 《zu[3]》. ☞ 일으키다 ②. ¶ 전쟁을 ～ e-n Krieg verursachen / 이런 요구들은 항의만을 야기할 따름이다 Solche Forderungen rufen nur Widerspruch hervor. / 그 연설이 (원인이 되

어) 대소동을 야기했다 Die Rede veranlaßte große Verwirrung. / 그것이 중대한 문제를 야기할지도 모른다 Das mag wohl etwas Bedenkliches hervorrufen. / 그의 실언은 정계에 커다란 문제를 야기시켰다 S-e ungehörige Bemerkung hat die politische Welt in Unruhe versetzt.

야뇨증(夜尿症) 〖의학〗 Bettnässen *n.* -s; Enuresis *f.*

야다하면 wenn es sich nicht ändern läßt; wenn es nicht anders sein kann; wenn es sein muß.

야단(惹端) ① 《소동·격동》 Lärm *m.* -(e)s; Tumult *m.* -(e)s, -e; laute Klage, -n; Verwirrung *f.* -en. ～하다 Lärm machen 《*um*[4]》; Klage erheben* 《*gegen*[4]》; e-e Szene machen 《*jm.*》; viel Aufhebens machen 《*um*[4]》; schreien*; heulen. ～스럽다 geräuschvoll; lärmend; grell; auffallend; tosend; ungestüm (sein). ¶ ～이 나다 ein Tumult bricht aus; e-e große Verwirrung ist hervorgerufen; in Aufruhr geraten*[s] / 시시한 일을 가지고 ～하다 viel Aufhebens um nichts machen; viel Lärm um nichts machen / 임금을 올리라고 ～하다 nach höherem Lohn schreien*.
② 《꾸중》 das Schelten*, -s; das Ausschelten*, -s; Tadel *m.* -s, -; Verweis *m.* -es, -e; Strafpredigt *f.* -en. ～하다 herunter|machen[4]; herunter|möbeln[4]; tüchtig aus|schelten*[4]; verweisen* 《*jm.* [4]*et.*》; gründlich zur Rede stellen 《*jn.*》; an|schnauzen[4]; e-e Strafpredigt halten* 《*jm.* über [4]*et.*》; ab|kanzeln[4]; e-e Standpauke halten*《*jm.*》. ¶ 게으르다고 아들을 ～하다 s-n Sohn e-n Faulpelz schelten* / ～을 맞다 tüchtig ausgescholten werden; was ab|kriegen / 지각하여 선생님께 ～을 맞았다 Der Lehrer verwies mir mein spätes Kommen. / 들키면 ～맞는다 Du kriegst was ab, wenn du ertappt wirst.
③ 《큰일남·낭패》 die schlimme (mißliche) Lage, -n; Schwierigkeit *f.* -en; Verlegenheit *f.* -en; Störung *f.* -en; Panne *f.* -n; Zwangslage *f.* -n; Patsche *f.* -n; Klemme *f.* -n. ¶ ～나다 in der verzwickten (kritischen; schlimmen) Lage sein; in Verlegenheit sein; in der Klemme (Patsche) sein (sitzen*); verblüfft sein; in Not sein / 참 ～났다 Was für e-e schöne Klemme!¦Die Dinge sind in e-e kritische Lage geraten! / 베끼다 들키면 ～나지 Wenn du beim Abschreiben erwischt wirst, kommst du schön in die Patsche. / 비가 쉬 안오면 ～나겠는데 Wenn es bald nicht regnet, werden wir in Schwierigkeiten geraten.

야단법석(野壇法席) Spektakel *m.* (*n.*) -s, -; toller Lärm, -(e)s. ～하다 e-n tollen Lärm machen; auf den Bummel gehen* [s]; in e-r übermütigen Laune sein. ¶ 집안이 온통 ～이었다 Im Hause war ein wüstes Durcheinander. / 그녀는 ～을 떨었다 Sie führte ein wahres Theater auf.

야담(野談) Geschichtenerzählung *f.* -en; der inoffizielle historische Bericht, -(e)s, -e.
‖ ～가 Geschichtenerzähler *m.* -s, -. ～책 Geschichtenbuch *n.* -(e)s, ⸚er.

야당(野黨) Opposition *f.* -en; Oppositionspartei *f.* -en; die Gegenpartei zur Regierung.
‖ ～공세 die von der Opposition gegen die Regierung ergriffene Offensive, -n. ～기관지 Oppositionsblatt *n.* -(e)s, ⸚er. ～당수 Oppositionsführer *m.* -s, -. ～연합 die Koalition 《-en》 der Oppositionsparteien. ～의석 Oppositionsbänke 《*pl.*》. ～통합 die Vereinigung 《-en》 der Oppositionsparteien. 제일～ die führende Oppositionspartei.

야당스럽다 ＝매몰스럽다.

야독(夜讀) das Lesen* 《-s》 in der Nacht. ～하다 in der Nacht lesen*; bis tief in die Nacht studieren (arbeiten).

야드 Yard [ja:rd, ja:rt] *n.* -s, -s《생략: Yd.》.
‖ ～자 Yard¦stock *m* -(e)s, ⸚e (-maß *n.* -es, -e).

야드르하다, 야드름하다 ＝야들야들하다.

야들야들하다 weich u. zart; weich u. blank (sein). ¶ 야들야들한 비단 feine weiche Seide, -n / 아기 손이 ～ Das Kind hat zarte Händchen.

야료(惹鬧) Störung *f.* -en; Beunruhigung *f.* -en; Verwirrung *f.* -en; Gewaltsamkeit *f.* -en; Ungestüm *n.* -(e)s. ¶ ～를 부리다 [4]sich lärmend (tobend) verhalten*; viel Lärm machen.

야릇하다 fremdartig; seltsam; sonderbar; wunderlich; merkwürdig; mysteriös (sein). ¶ 야릇한 사람 Sonderling *m.* -s, -e; ein seltsamer Mensch, -en, -en / 야릇한 세상 das trügerische Leben, -s, - / 야릇하게 굴다 [4]sich seltsam benehmen* / 야릇한 경험을 하다 seltsame Erfahrung machen / 야릇한 기분이 들다 [4]sich merkwürdig fühlen / 운명이란 참 ～ Das Schicksal treibt sonderbare Possen.¦Man erfährt sonderbare Schicksale.

야리다 ☞ 여리다.

야만(野蠻) Barbarei *f.* -en; Roheit *f.* -en; Heidentum *n.* -s; Wildheit *f.* -en. ¶ ～스러운 barbarisch; roh; wild; unzivilisiert (미개의) / ～스러운 풍습 die rohe Sitte / ～적인 상태를 탈피하다 [4]sich der Barbarei entreißen* / 그들은 일본의 풍습을 ～시한다 Sie halten die japanischen Sitten für barbarisch.
‖ ～국 das unkultivierte Land, -(e)s, ⸚er. ～상태 die barbarischen Zustände 《*pl.*》 ～시대 die wilde Zeit, -en. ～인 Barbar *m.* -en, -en; ein wilder Mensch, -en, -en. ～행위 e-e barbarische Tat, -en; Grausamkeit *f.* -en; Brutalität *f.* -en.

야말로 gerade; eben; genau; wirklich; tatsächlich. ¶ 그～ genau das; wirklich / 그거～ 그의 약점이야 Das ist eben s-e Schwäche. / 그거～ 그가 원했던거야 Eben das wollte er. / 독어～ 세계에서 가장 어려운 말이다 Deutsch ist wirklich die schwierigste Sprache in der Welt. / 그이～ 믿을 수 있다 K-m ist mehr zu trauen als eben ihm. / 이거～ 누구나 다 읽어야 할 책이다 Wirklich, jeder sollte das Buch lesen! / 저～ 용서를 빌어야 합니다 Ich bin es gerade, der (die) hier um Verzeihung bitten muß.

야망(野望) 《대망》 Ehrgeiz *m.* -es, -e; Ehrsucht *f.* ⸚e; Streben *n.* -s, -; 《모반》 Tücke *f.* -n; Treulosigkeit *f.* -en; Hochverrat *m.* -(e)s. ¶ ～ 있는 ehrgeizig; ehrgierig; ehrsüchtig; treulos; verräterisch / ～을 품다 ehrgeizig sein; ehrbegierig sein 《*nach*[3]》; verräterisch sein / ～을 실현하다 s-n Ehrgeiz verwirklichen / 위대한 가수가 되는 것이 나의 ～이다 Mein ganzes Streben ist es, daß ich ein großer Sänger werde.

야맹증(夜盲症) 〖의 학〗 Nachtblindheit *f.*
야멸스럽다, 야멸치다 kaltblütig; kaltherzig; hartherzig; herzlos; grausam; gefühllos; unmenschlich; dickhäutig; unsympathisch; rücksichtslos (sein). ¶ 야멸스러운 짓을 하다 [4]sich unsympathisch (unmenschlich) verhalten* / 그들은 야멸친 사람들이다 Sie sind gefühllose Menschen.
야무지다 fest; straff; (an)gespannt; zusammengeschloßen; standhaft; hart; zäh; beharrlich; hartnäckig (sein). ¶ 야무진 체격 der feste (sehnige) Körper, -s, - / 야무진 목소리 klangvolle Stimme, -n / 야무진 사람 tüchtiger Mensch, -en, -en / 야무진 말씨로 in steifem Ton / 입다문 것이 ~ Der Mund ist festgeschloßen. / 정구칠 때 보면 손교수는 야무지지 못하다 Beim Tennisspiel ist Professor *Son* nicht hartnäckig.
야물거리다 mit Zahnfleisch kauen; muffeln.
야물다 《씨 따위가》 reif werden; heran|reifen [s]; auf|reifen [s,h]; 《일 따위가》 tadellos; fehlerfrei; zuverlässig; sicher; standhaft (sein). ¶ 야문 씨 der gereifte Samen, -s, -.
야바위 Gaunerei (Täuschung) *f.* -en; Betrug *m.* -(e)s, ⸚e; Schwindel *m.* -s, -. ~치다 e-n Streich spielen 《*jm.*》; beschwindeln 《*jn.*》; betrügen* 《*jn.* *um*[4]》; täuschen 《*jn.*》; vor|machen 《*jm.* [4]*et.*》; 《미끼를 쓰다》 Köder aus|legen (aus|werfen*).
야박(野薄) Gefühllosigkeit *f.* -en; Herzlosigkeit *f.* -en. ~하다 gefühllos; herzlos; unfreigebig; kaltherzig (sein). ¶ ~한 세상 die harte Welt, -en; das harte (unerbittliche) Leben, -s, - / ~하게 굴다 unbarmherzig behandeln 《*jn.*》; hart sein 《gegen *jn.*》 / ~한 세상이다 Wir haben schlimme Zeiten. ¦ Was das für eine harte Welt ist, in der wir leben!
야반(夜半) Mitternacht *f.* ⸚e. ¶ ~의 mitternächtig; mitternächtlich / ~에 nachts; (mitten) in der [3]Nacht; mitternachts; um [4]Mitternacht / ~까지 bis tief in die Nacht / ~까지 공부하다 spät studieren; bis tief in die Nacht studieren (arbeiten).
‖ ~도주 die Flucht bei Mitternacht: ~도주자 der Flüchtling 《-s, -e》 bei Mitternacht / ~도주하다 bei Mitternacht fliehen*.
야발 Frechheit *f.* -en; Unverschämtheit *f.* -en; Ungebührlichkeit *f.* -en. ¶ ~스럽다 =야살스럽다. ‖ ~장이 der Unverschämte*, -n, -n; Querkopf *m.* -(e)s, ⸚e.
야밤중(夜—) =한밤중.
야번(夜番) Nachtwache *f.* -n; Nachtdienst *m.* -es, -e; Nachtposten *m.* -s, -; 《사람》 Nachtwächter *m.* -s, -.
야비(野卑) Rohheit *f.* -en; Grobheit *f.* -en; Gemeinheit *f.* -en. ~하다 《비속하다》 gewöhnlich; vulgär; 《난폭함》 grob; roh; 《저속하다》 gemein; niedrig; 《교양없는》 ungebildet; ungesittet (sein). ¶ ~한 사람 der rohe (grobe) Mensch, -en, -en / ~한 짓 ein grobes Benehmen, -s / ~한 말투 grobe (rohe) Worte 《*pl.*》 / ~한 풍습 die rohe Sitte, -n / ~한 농담을 하다 e-n groben Scherz machen / 그런 일을 하는 것은 ~하다 Es ist gemein, so etwas zu tun.
야비다리치다 unaufrichtig kriechen*; [4]sich verdemütigen; [4]sich bescheiden verstellen.
야사(野史) die inoffizielle Geschichte, -n; die nicht autorisierte Chronik, -en.
야산(野山) der kleine Hügel, -s, -; der Hügel auf e-m Flachland.
야살 Frechheit *f.* -en; Unverschämtheit *f.* -en; Ungebührlichkeit *f.* -en; Widerspenstigkeit *f.* -en. ¶ ~떨다 =야살부리다.
‖ ~(장)이 der Unverschämte*, -n, -n; Querkopf *m.* -(e)s, ⸚e.
야살부리다 [4]sich heuchlerisch (hinterlistig) verhalten*; e-e Sache mürrisch tun*.
야살스럽다 mürrisch; widerspenstig; kratzbürstig; unverschämt; frech; ungebührlich; naseweis (sein). ⌈-s, -s (..ni).
야상곡(夜想曲) Nokturne *f.* -n; Notturno *n.*
야생(野生) das Aufwachsen* 《-s》 in der Wildnis. ~하다 《식물이》 wild auf|wachsen* [s]; im Naturzustand wachsen* [s]; 《동물이》 in Freiheit leben; ungezähmt leben. ¶ ~의 wild; wildlebend; wildwachsend; unkultiviert; ungezähmt / 이 식물은 여기서 ~한다 Diese Pflanzen wachsen hier wild.
‖ ~과일 Wildobst *n.* -es; die wilde Frucht, ⸚e. ~동물 das wilde Tier, -(e)s, -e. ~식물 die wilde Pflanze, -n.
야성(野性) die wilde (barbarische; tierische; unzivilisierte; ungebildete) Natur; Plumpheit *f.* -en; Grobheit *f.* -en; Ungeschliffenheit *f.* -en. ¶ ~적인 wild; ungeschliffen; ungebildet; rauh; unzivilisiert; robust / ~을 발휘하다 《동물이》 verwildern [s]; dem tierischen Instinkt freien Lauf lassen*; 《사람이》 [4]sich grausam verhalten*.
‖ ~미(美) die wilde Schönheit, -en. ~미(味) etwas Rauhes* u. Wildes*; Ländlichkeit *f.*
야소(耶蘇) Jesus Christus *m.* ✽옛날에는 2격: Jesu Christi, 3격: Jesu Christo, 4격: Jesum, Christum 호격: Jesu Christe와 같이 변화하였으나, 현재는 2격 이외는 무변화로 쓰는 것이 보통이다. ☞ 예수.
야속하다(野俗—) ungastfreundlich; unfreundlich; unsympathisch; rücksichtslos; unbarmherzig (sein). ¶ 야속하게 여기다 [4]sich ärgern 《*über*[4]》; für unsympathisch halten* / 야속하게도 그는 내 청을 들어 주지 않았다 Er war so unfreundlich, daß er mir m-e Bitte abschlug.
야수(野手) 〖야구〗 Feldspieler *m.* -s, -.
야수(野獸) ein wildes Tier, -(e)s, -e; Bestie *f.* -n. ¶ ~같은 tierisch; bestialisch.
‖ ~성 Bestialität *f.* -en; tierische Art, -en. ~파 〖미술〗 Fauvismus [fovís..] *m.* -.
야순하다(夜巡—) Nachtwache halten*; die Nachtrunde machen; in der Nacht auf Patrouille gehen* [s].
야스락거리다, 야슬거리다 ununterbrochen viel reden; wortreich sein; hochtrabend reden; eindringlich sprechen*.
야스락야스락, 야슬야슬 weitschweifig; wortreich. ⌈1969).
야스퍼스 《독일 철학자》 Karl Jaspers (1883–
야습(夜襲) Nachtangriff *m.* -s, -e; der nächtliche Überfall, -s, ⸚e. ~하다 nachts (in der Nacht) an|greifen*[4]; im Dunkeln überfallen*[4]; den Nachtangriff unternehmen* 《*auf*[4]》.
야시(夜市) der nächtliche Markt, -(e)s, ⸚e.
야식(夜食) Imbiß *m.* ..bisses, ..bisse. ~하다 nachts e-n kleinen Imbiß ein|nehmen*.
야심(野心) 《대망》 Ehrgeiz *m.* -es, -e; Ehrsucht *f.* ⸚e; 《음모》 Intrige *f.* -n; Tücke *f.* -n. ¶ ~있는 ehrgeizig; ehrsüchtig; ränkevoll / 엉뚱한 ~ der übermäßige Ehrgeiz /

~을 품고 aus Ehrgeiz / ~을 품다 ehrgeizig sein 《*nach*^{3}》; Ehrgeiz haben / ~을 이루다 s-n Ehrgeiz verwirklichen / ~ 만만하다 voll von Ehrgeiz sein; hochstrebend sein / 그는 그 지위에 ~이 있다 Er strebt nach dem Posten.
‖ ~가 der Ehrgeizige*, -n, -n; der Wagemutige*, -n, -n; der Hochstrebende*, -n, -n; Ränkeschmied *m.* -(e)s, -e; Intrigant *m.* -en, -en. 영토적~ der Ehrgeiz nach Gebietserweiterung.

야심하다(夜深—) spät in der Nacht sein. ¶ 야심할 때까지 일하다 bis tief in die Nacht (hinein) arbeiten.

야업(夜業) Nachtarbeit *f.* -en; 《야근》 Nachtdienst *m.* -es, -e 〔-schicht *f.* -en〕. ~하다 nachts 〔in der ^{3}Nacht〕 arbeiten; 《야근하다》 Nacht¦dienst 〔-schicht〕 haben.
‖ ~수당(手當) die Zulage 《-n》 für die Nachtarbeit.

야연(夜宴) Abendbankett *n.* -(e)s, -e; Abendgesellschaft *f.* -en.

야영(野營) (Feld)lager *n.* -s, -; Biwak *n.* -s, -s 〔-e〕; das Kampieren*, -s; Camping [kɛ́mpiŋ, kǽmpiŋ] *n.* -s. ~하다 im Freien lagern; kampieren; zelten (천막에서).
‖ ~지 Lagerplatz *m.* -es, ⸗e; Campingplatz *m.* -es, ⸗e 〔Zelt- *m.* -es, ⸗e〕(캠핑장).

야옹 miau! ¶ ~하고 울다 miauen; miau machen.

야외(野外) das Freie*, -n; die freie Luft; Feld *n.* (-e)s, -er. ¶ ~에서 im Freien; auf freiem Felde; unter freiem Himmel.
‖ ~강연 der Vortrag unter freiem Himmel. ~경기 Gesellschaftsspiele 《*pl.*》 im Freien. ~극 die Aufführung im Freien; Freilichtaufführung *f.* -en. ~극장 Freilicht¦bühne *f.* -n 〔-theater *n.* -s, -〕. ~사생 die Skizze im Freien. ~연습 Felddienst *m.* -(e)s, -e; Felddienstübung *f.* -en. ~운동 die Bewegung in freier Luft; die Vergnügungen 《*pl.*》 im Freien. ~음악회 das Konzert im Freien. ~작업 Feldarbeit *f.* -en. ~촬영 Außenaufnahme *f.* -n.

야우(夜雨) Nachtregen *m.* -s, -.

야운데 《카메룬의 수도》 Jaunde (=Yaoundé).

야위다 ☞ 여위다.

야유(夜遊) das nächtliche Vergnügen, -s, -; die nächtliche Belustigung, -en. ~하다 ^{3}sich ein nächtliches Vergnügen machen; gern nächtlichen Vergnügungen nach|gehen* [s].
‖ ~객 Nachtschwärmer *m.* -s, -.

야유(野遊) Ausflug *m.* -(e)s, ⸗e; Partie *f.* -n.
‖ ~회 Picknick *n.* -s, -s 〔-e〕; Landpartie *f.* -n: ~회에 가다 ein Picknick ein|nehmen*; e-n Ausflug machen; e-e Partie machen.

야유(揶揄) Zwischenruf *m.* -(e)s, -e. ~하다 Zwischenrufe ein|werfen*; dazwischen|-rufen*; *jn.* durch Zwischenrufe stören; *jn.* necken 〔hänseln〕 (놀리다). ¶ ~하여 입을 다물게 하다 *jn.* nieder|schreien* / ~하여 연설을 방해하다 e-e Rede durch ^{4}Zwischenrufe stören / 그 연사는 계속 ~당하며 연설에 방해를 받았다 Der Redner wurde dauernd gestört u. am Sprechen gehindert.

야음(夜陰) Nacht *f.* ⸗e; die dunkle Nacht, ⸗e. ¶ ~을 타고 unter dem Schutz der ^{2}Dunkelheit; bei ^{3}Nacht u. Nebel; unter dem Mantel der Nacht.

야인(野人) 《촌사람》 Landmann *m.* -(e)s, ..leute; Bauer *m.* -n 〔-s〕, -n (농군); 《거친 사람》 ein grober Mensch, -en, -en; Flegel *m.* -s, -; 《자연아》 Naturbursche *m.* -n, -n; 《벼슬 않는》 e-e Person ohne offizielle Stellung. ¶ ~이 되다 ^{4}sich von der politischen Welt zurückziehen* / ~처럼 행동하다 ^{4}sich wie ein Bauer 〔Naturbursche〕 benehmen*.

야자(椰子) 〖식물〗 Kokospalme *f.* -n.
‖ ~수 ☞ 야자. ~열매 Kokosnuß *f.* ..nüsse. ~유 Kokosöl *n.* -(e)s, -e; Kokosfett *n.* -(e)s, -e.

야전(夜戰) Nachtkampf *m.* -(e)s, ⸗e; Nachtgefecht *n.* -(e)s, -e; die nächtliche Operation, -en. ~하다 e-n Nachtkampf auf|-nehmen*.

야전(野戰) Feldschlacht *f.* -en; Feldkrieg *m.* -(e)s, -e. ~하다 e-n Feldkrieg führen; e-e Feldschlacht liefern 《dem Feind》.
‖ ~군 Feldheer *n.* -(e)s, -e. ~병원 Feldlazarett *n.* -(e)s, -e; Feldhospital *n.* -s, -e 〔⸗er〕. ~우편 Feldpost *f.* -en. ~잠바 Feldjacke *f.* -n. ~장비 Feldausrüstung *f.* -en. ~전화 Feldtelephon *n.* -s, -e. ~통신 Feldtelegraph *m.* -en, -en. ~포병 Feldartillerie *f.* -n: ~ 포병 중대 Feldbatterie *f.* -n.

야조(夜鳥) Nachtvogel *m.* -s, ⸗.

야죽- ☞ 이기죽-.

야지(野地) Flachland *n.* -(e)s; Flachfeld *n.* ⌈-(e)s, -er.

야지랑떨다 ^{4}sich scheinheilig verhalten*.

야지랑스럽다 unverschämt trügerisch 〔hinterlistig〕 (sein); nicht so süß sein, wie man aussieht; ^{4}sich wie der Engel verhalten*, aber listig wie der Teufel sein.

야지러지다 ☞ 이지러지다.

야짓 gänzlich; völlig; ausnahmslos; ohne ⌈Auslassung.

야차(夜叉) 〖민속〗 *Yaksa* 《범어》; Dämon *m.* -s, -en. ¶ 보살같은 외면에 ~같은 속심 Äußerlich ein Engel, innerlich ein Dämon.

야찬(夜餐) 《밤참》 Nachtimbiß *m.* ..sses, ..sse.

야채(野菜) Gemüse *n.* -s, -; Küchengewächs *n.* -es, -e; Kraut *n.* -(e)s, ⸗er; Grün *n.* -s. ¶ ~를 가꾸다 Gemüse an|bauen 〔pflanzen〕.
‖ ~가게 Gemüsehandel *m.* -s, ⸗. ~밭 Gemüsegarten *m.* -s, ⸗. ~수프 Gemüsesuppe *f.* -n. ~시장 Gemüsemarkt *m.* -(e)s, ⸗e. ~요리 Gemüsegericht *n.* -(e)s, -e. ~장수 Gemüsehändler *m.* -s, -; Grünwarenhändler. ~재배 Gemüsebau *m.* -s, -.

야청(一靑) Dunkelblau *n.* -s.

야초(野草) Wiesengras *n.* -es, ⸗er; e-e wilde Pflanze, -n.

야취(野趣) Natur *f.*; ländliche Stimmung, -en. ¶ ~가 있는 naturhaft; ländlich.

야크 〖동물〗 Jak *m.* -s, -s.

야토(野兎) Hase *m.* -n, -n.

야트막하다 ☞ 야틈하다.

야틈하다 seicht; flach (sein).

야포(野砲) Feld¦geschütz *n.* -es, -e 〔-kanone *f.* -n〕. ‖ ~부대 Feldartillerie *f.* -n. ~병 Feldartillerist *m.* -en, -en.

야하다(冶—) ① 《난하다》 grell; flitterhaft; prunkhaft; aufgedonnert; aufgeputzt; prahlend (sein). ¶ 야한 옷 die grelle Kleidung; das flitterhafte Kostüm / 야한 문체 der aufgedonnerte Stil / 상점을 야하게 꾸미다 einen Laden bunt 〔grell〕 dekorieren. ② 《속되다》 niedrig; vulgär; gemein; roh; unedel; grob; pöbelhaft (sein).

-야하다 《필연적》 müssen; haben zu 《+*inf.*》; 《의무적》 sollen. ¶ 사람이란 누구나 다 한 번

은 죽어야 한다 Jeder Mensch muß einmal sterben. / 나는 그가 옳다고 인정해야만 했다 Ich mußte ihm recht geben. / 나는 일을 해야 한다 Ich habe zu arbeiten. / 꼭 그래야만 한다 Das soll und muß sein!

야학(夜學) Abendschule *f.* -n; Abendkursus *m.* -, ..kurse (강습). ¶ ~에 다니다 e-e Abendschule besuchen; an e-m Abendkursus teil|nehmen* / ~에서 가르치다 an e-r Abendschule tätig sein / ~에서 독일어를 공부했다 Ich habe in e-m Abendkursus Deutsch gelernt.

야한(夜寒) Nachtkälte *f.* ¶ 겨울 ~에 in der kalten ³Winternacht.

야합(野合) e-e wilde Ehe, -n. **~하다** unerlaubte enge Verbindung haben 《*mit*³》; e-e wilde Ehe schließen*; in wilder ³Ehe leben.

야행(夜行) die nächtliche Reise, -n; der nächtliche Gang, -(e)s, ⸗e. **~하다** bei Nacht gehen*.
‖ **~열차** Nachtzug *m.* -(e)s, ⸗e. ┌-s, -.

야화(夜話) Anekdote *f.* -n; Geschichtchen *n.*

야화(野火) Feuer 《*n.* -s, -》 auf dem Felde; Feldbrand *m.* -(e)s, -e (⸗e).

야화(野花) Feldblume *f.* -n.

야회(夜會) Abendgesellschaft *f.* -en; Soiree [soaré:] *f.* -n [..ré:ən].
‖ **~복** Abendkleid *n.* -(e)s, -er (여자의); Abendanzug *m.* -(e)s, ⸗e (남자의).

약(約) 《대략》 ungefähr; beinahe; rund; gegen; etwa. ¶ 약 20분 ungefähr zwanzig Minuten / 약 백명 100 Personen oder so was / 약 5마일 etwa fünf Meilen / 청중은 약 3천이었다 Die Zuhörer waren beinahe drei tausend. / 그들은 약 이백명이었다 Es waren beinahe ihrer zwei hundert. / 약 2주일 후에 돌아온다 Ich komme in so etwa (ungefähr) 14 Tagen zurück. ┌-s, -.

약(葯) 〖식물〗 Anthere *f.* -n; Staubbeutel *m.*

약(略) Abkürzung (Kurzform) *f.* -en 《*für*⁴》. ☞ 생략·약하다.

약(藥) ① 《의약》 Arznei *f.* -en; Medizin *f.*; Heilmittel *n.* -s, -; Mittel *n.* -s, -; 《강장제》 Stärkungsmittel *n.* -s, -; das tonische Mittel, -s, -. ¶ 약 1회분 e-e Arzneidosis, ..sen / 이틀분의 약 die Arznei für zwei Tage / 약을 처방하다 *jm.* e-e Arznei verschreiben* (verordnen) / 약을 조제하다 e-e Arznei zu|bereiten / 약을 먹다 e-e Arznei (ein|)nehmen* / 이 약은 잘 듣는다 Diese Arznei ist sehr wirksam. / 이것은 무슨 약이냐 Wogegen hilft diese Arznei? / 이 약을 먹으면 병이 낫는다 Die Arznei wird Sie von Ihrer Krankheit heilen. / 엿은 기침약이 된다 Reisbonbons sind gut gegen (helfen gegen) Husten.
② 《화공약》 Chemikalien 《*pl.*》; 《약제》 Arznei *f.* -en; Medizin *f.* -en.
③ 《비유적》 Heilmittel *n.* -s, -; Arznei *f.* -en. ¶ 실패가 오히려 약이 되었다 Der Fehlschlag war eine gute Lehre für ihn. / 아침 일찍 일어나는 것은 심신의 약이다 Das Frühaufstehen ist gut für Geist und Körper. / 젊었을 적 고생은 약이 된다 In der Jugend erlittene Entbehrungen erweisen sich später oft als Vorteil. / 갑의 약은 을의 독 Was dem e-n gut ist, ist dem andern schädlich. / 모르는 게 약이다 Was ich nicht weiß, macht mich nicht heiß. / 동정심이란 약에 쓰려고 해도 없다 Er hat kein Fünkchen (von) Mitleid.

-약(弱) =-빠듯.

약가심(藥一) **~하다** den Nachgeschmack entfernen / ~으로 um den Nachgeschmack loszuwerden / 쓴 약이니 ~으로 과자라도 드시오 Essen Sie etwas Kuchen, um den bittern Geschmack der Arznei loszuwerden.

약간(若干) einige; etwas; etliche 《*pl.*》; etwelche 《*pl.*》; ein paar; mehr od. weniger. ¶ ~의 돈 etwas Geld / ~의 손님 einige Gäste 《*pl.*》 / 군인 ~명 e-e Anzahl Soldaten 《*pl.*》 / ~의 의혹 ein leichter Zweifel, -s, - / 그것은 ~ 어렵다 Das ist ein bißchen schwer.

약값(藥一) Arzneipreis *m.* -es, -e; Arzneitaxe *f.* -n; der Preis der Arznei (Medizin). ¶ ~을 치르다 die Arznei (Medizin) bezahlen.

약고추장(藥一醬) gebratenes Paprikamus, -es, -e; gebratener Paprikabrei, -(e)s, -e.

약골(弱骨) Schwächling *m.* -s, -e; Weichling *m.* -s, -e. ¶ 정말 ~이다 Er ist ein Hasenfuß.¦Er kann k-e Gans erschrecken.

약과(藥果) ① 《과줄》 Honigkuchen *m.* -s, -. ② 《어렵지 않음》 Kinderspiel *n.* -(e)s, -e. ¶그런 일은 ~다 Das ist ein Kinderspiel.¦Das ist mir ein Leichtes.¦Das ist mir e-e Kleinigkeit.

약관(約款) Klausel *f.* -n; Artikel *m.* -s, -; Stipulation *f.* -en.

약관(弱冠) das zwanzigste Lebensjahr, -(e)s; Jugend *f.*; Jugendalter *n.* -s; Jugendzeit *f.* -en. ¶ ~의 jung; jugendlich; grün; bartlos; noch nicht flügge / ~에 im Alter von zwanzig Jahren; in der Jugend / ~이지만 jung, wie er ist; obgleich er noch nicht trocken hinter den Ohren ist / 그는 ~에 명성을 얻었다 Er hat sich Ruhm erworben, als er jung war.

약국(藥局) Apotheke *f.* -n; Offizin *f.* -en.
‖ **~방**(方) 《약전》 Arzneibuch *n.* -(e)s, ⸗er; Pharmakopöe [..pǿ:(ə)] *f.* -n. **~생** Pharmazeut *m.* -en, -en.

약기(略記) die flüchtige (kurze) Darstellung, -en; Umriß *m.* ..sses, ..sse. **~하다** flüchtig (kurz) dar|stellen⁴; ⁴*et.* flüchtig entwerfen*; e-e kurze Darstellung geben* 《*von*³》.

약꿀(藥一) besonders guter Honig, -s.

약농(藥籠) Arz(e)neikasten *m.* -s, - (⸗).

약다 klügelnd; gerissen; naseweis; vernünftelnd (sein). ¶ 그는 약게 군다 Er tut, als ob er die Weisheit mit Löffeln gefressen hätte. / 약은 수작을 부린다 Er macht naseweise Bemerkungen. / 그는 약은 녀석이다 Er ist mit allen Hunden gehetzt.¦Er weiß in allen Ränken Bescheid.

약대 =낙타(駱駝·駱駞). ┌zie.

약대(藥大) Hochschule 《*f.* -n》 für Pharma-

약대접(藥一) Arzneischüssel *f.* -n.

약도(略圖) Skizze *f.* -n; Umrißzeichnung *f.* -en. ¶ ~를 그리다 skizzieren; e-e (Umriß-)zeichnung entwerfen* / ~를 만들다 flüchtig skizzieren.

약동(躍動) das (Sich)regen*, -s; Regung *f.* -en; Bewegung *f.* -en. **~하다** hüpfen u. springen* [h.s]; lebendig u. rege sein. ¶ 생기가 ~하다 voll von Leben sein / 가슴이 ~한다 Mir schlägt das Herz.

약동이(一童一) der kluge Junge, -n, -n; der schlaue Bursche, -n, -n

약되다(藥一) *jm.* (für *jn.*) gesund (heilsam)

sein; *js*. [3]Gesundheit zuträglich sein.
약력(略歷) die kurze Lebensgeschichte, -n; die Kurzbiographie, -n; Lebensabriß *m*. ..risses, ..risse; Lebenslauf *m*. -(e)s, ⸚e.
약령(藥令) Arzneimittelmarkt《*m*. -(e)s, ⸚e》, der früher in einigen Orten Koreas gehalten wurde.
약리학(藥理學) Arzneimittellehre *f*.; Pharmakologie *f*.
‖ ~자 Parmakolog *m*. -en, -en.
약막대기(藥—) der Haltestock《-(e)s, ⸚e》 an beiden Enden des koreanischen Medizinseihtuchs.
약물(藥—) ①《약수》 Heilquelle *f*. -n; Mineralwasser *n*. -s, -. ②《탕약 달인 물》 Dekokt *n*. -(e)s, -e; Abkochung *f*. -en; Absud *m*. -(e)s, -e.
‖ ~꾼 Kurgast *m*. -es, ⸚e. ~터 Heilquelle *f*. -n; Kurort *m*. -(e)s, -e; Badeort *m*.
약물(藥物) Arz(e)nei *f*. -en; Arzneimittel *n*. -s, -; Medikament *n*. -(e)s, -e.
‖ ~요법 e-e pharmazeutische Behandlung, -en; Pharmakotherapie *f*. -n ~중독 medizinische Vergiftung, -en; Arzneimittelvergiftung *f*. -en. ~학 Pharmakologie *f*.: ~학자 Pharmakolog(e) *m*. ..gen, ..gen.
약밥(藥—) süßer Reis《-es》 mit Honig, Datteln u. Kastanien.
약방(藥房) Arzneiladen *m*. -s, ⸚; Apotheke *f*. -n; Drogerie *f*. -n; Drogenhandlung *f*. -en. ¶ ~에 감초 ☞ 감초(甘草).
약방문(藥方文) Rezept *n*. -(e)s, -e; Verordnung *f*. -en. ¶ ~그대로 wie verschrieben; dem Rezept nach / ~에 의해서 조제하다 ein Rezept aus|führen / ~을 써 주다 *jm*. ein Rezept verschreiben* (aus|schreiben*).
약변화(弱變化)〖문법〗die schwache Deklination, -en (명사의); die schwache Konjugation, -en (동사의).
약병(藥甁) Arzneiglas *n*. -es, ⸚er; Arzneiflasche *f*. -n.
약보 der kluge Mensch, -en, -en; der Kluge*, -n, -n; ein gescheiter Kopf, -(e)s, ⸚e.
약복(略服) Alltagskleidung *f*. -en; die gewöhnliche Kleidung, -en; Hauskleid *n*. -(e)s, -er; Negligé *n*. -s, -s;《군대》Interimsrock *m*. -(e)s, ⸚e. ¶ ~을 입고 있다 im Hauskleid sein (주로 여자); im Hausanzug sein (남자의); in Hauskleidung sein (남녀 공동으로).
약복지(藥袱紙) das Papier《-s, -e》 zum Einpacken von Medizin (Arznei).
약봉지(藥封紙) Arzneitüte *f*. -n.
약분(約分)〖수학〗das Kürzen*, -s. ~하다 (e-n Bruch) kürzen; reduzieren. ¶ ~할 수 없는 unreduzierbar.
약빠르다 flink; klug; gescheit; schlau; listig (sein). ¶ 약빠른 방법 die kluge Politik / 약빠른 사람 ein gescheiter (flinker) Kopf / 약빠른 체하는 놈 Klugschmuser *m*. -s, -; Klugschnacker *m*. -s, -; Klugschwätzer *m*. -s, -; Klugredner *m*. -s, - / 약빠르게 굴다 klug handeln / 약빠른 체하다 klügeln / 그는 지나치게 약빨라서 오히려 손해본다 S-e Klugheit übertrifft sich oft selbst.
약빠리 ein flinker Bursche, -n, -n; ein gescheiter Kopf, -(e)s, ⸚e.
약사(略史) die kurze Geschichte, -n; der geschichtliche Abriß, ..risses, ..risse. ¶ 한국 ~ Abriß der koreanischen Geschichte.
약사(藥師) Drogist *m*. -en, -en; Arzneihändler *m*. -s, -; Apotheker *m*. -s, -.
약사발(藥沙鉢) Schierlings¦becher (Gift-) *m*. -s, -. ¶ ~을 받다 den Schierlingsbecher empfangen* (entgegen|nehmen*) / ~을 내리다 den Schierlingsbecher dar|reichen.
약사법(藥事法) Arz(e)neimittelgesetz *n*. -es, -e. ¶ ~을 지키다 (어기다) die Arzneimittelgesetze achten (*od*. befolgen; ein|halten*) (übertreten*; brechen; mißachten).
약삭빠르다, 약삭스럽다 =약빠르다.
약상자(藥箱子) Arz(e)neikasten *m*. -s, - (⸚).
약석(藥石) Medizin *f*. -en; Arznei *f*. -en. ¶ ~의 보람 없이 trotz aller ärztlichen Bemühungen; trotz allen Arzneien; trotz aller sorgfältigen medizinischen Behandlung / ~의 효험 없이 죽다 trotz allen Arzneien sterben* [s].
약설(略設) die einfache (schlichte) Einrichtung, -en; der einfache (schlichte) Bau, -(e)s. ~하다 einfach (schlicht) ein|richten (bauen).
약설(略說) Abriß *m*. ..risses, ..risse; die kurze Darstellung, -en. ~하다 kurz zusammen|-fassen; einen Abriß geben*《*von*[3]》.
약성(藥性) die Eigenschaft《-en》(Natur) der Medizin.
약세(弱勢) Minderheit *f*. -en; der Mangel《-s》 an Streitkräften; das Nachstehen《-s》 an Zahl. ¶ ~다 zahlenmäßig schwächer sein《als》/ 시세는 ~다《증권》Die Börse war schwach (flau).
약소(弱小) Kleinheit *f*. -en; Zartheit *f*. -en; Schwächlichkeit *f*. -en. ¶ ~의 schwach und klein. ‖ ~국 ein kleines, schwaches Land, -(e)s, ⸚er.
약소하다(略少—) wenig; gering; klein (sein). ¶ 약소하게 klein; nur; bloß / 약소한 것 die Kleinigkeit, -en / 약소한 돈 das klein bißchen Geld / 약소하나마 감사의 뜻으로 드립니다 Darf ich mir zum Dank diese kleine Aufmerksamkeit erlauben?¦ Darf ich Ihnen zum Dank e-e kleine Aufmerksamkeit erweisen? / 대접이 너무 약소해서 안됐읍니다 Leider war die Bewirtung nur bescheiden.
약속(約束) Versprechen *n*. -s, -; Verabredung *f*. -en; Vereinbarung *f*. -en. ~하다 *jm*. versprechen*[4]; [4]sich mit *jm*. verabreden; mit *jm*. vereinbaren. ¶ ~을 지키다 sein Versprechen erfüllen (halten*) / ~을 취소하다 sein Versprechen zurück|ziehen* / ~을 어기다 sein Versprechen brechen* / ~대로 wie versprochen; wie verabredet / ~시간(날)에 zu der verabredeten [3]Zeit (an dem verabredeten Tag) / 같이 점심 먹기로 ~하다 e-e Verabredung zum Mittagessen mit *jm*. treffen* / ~을 해제하다 *jn*. s-s Versprechens entbinden* / ~에 매여 있다 an ein Versprechen gebunden sein / 장래를 굳게 ~하다 [3]sich (einander) ewige Liebe u. Treue schwören*; [3]sich (einander) für ewig e-n Liebesschwur leisten (ab|legen) / 오늘 저녁에는 ~이 있다 Für heute abend habe ich e-e Verabredung.¦ Ich habe den heutigen Abend schon vergeben. / 그는 그녀와 결혼을 ~했다 Er hat ihr die Ehe versprochen. / 그는 ~을 잘 지킨다 Er hält sicher sein Versprechen.¦ Er ist ein Mann von Wort. / 그건 ~과 전연 다르다 Das ist gänzlich wider die Abrede. / 그것까지 ~할 수는 없다 Das

ist mehr als ich versprechen kann.

‖ ~어음 der eigene (trockne) Wechsel, -s, -: ~어음 발행인 der Aussteller ((-s, -)) des eigenen Wechsels. ~우편 die barfrankierte Post, -en.

약손(藥—) ① ☞ 약손가락. ② ((만지면 낫는)) die tröstliche Hand, ⸚e.

약손가락(藥—) Ringfinger *m.* -s, -; Goldfinger *m.* -s, -.

약솜(藥—) Verbandswatte *f.* -n.

약수(約數) Teiler *m.* -s, -; Divisor *m.* -s, -en. ‖ 공~ der gemeinschaftliche Teiler (Divisor): 최대 공~ der größte gemeinschaftliche Teiler (Divisor).

약수(藥水) =약물(藥—) ①.

약수(略授) =약장(略章).

약수건(藥手巾) Seihtuch ((*m.* -es, ⸚er)) zum Auspressen der Medizin. ⌈-(e)s, -e.

약수터(藥水—) Heilquelle *f.* -n; Badeort *m.*

약술(藥—) Heilkräuterwein *m.* -(e)s, -e.

약술(略述) die flüchtige (kurze) Darstellung, -en; Umriß *m.* ..sses, ..sse. ~하다 flüchtig (kurz) dar|stellen[4]; flüchtig entwerfen*[4]; e-e kurze Darstellung geben* ((*von*[3])).

약시(弱視) Sehschwäche *f.* -n; Schwachsichtigkeit *f.* -en. ¶ ~의 schwachsichtig.

약시시(藥—) =약시중(藥—).

약시중(藥—) die Betreuung ((-en)) des Kranken, indem man für ihn auch die Arznei zubereitet; die Einflößung ((-en)) von Arznei. ~하다 *jn.* pflegen und ihm die Arznei zubereiten; *jm.* die Arznei ein|flößen.

약식(略式) Ungezwungenheit *f.*; Zwanglosigkeit *f.* -en; Formlosigkeit *f.* -en; die Nichtbeachtung ((-en)) der Formen. ¶ ~으로 (의) nicht zeremoniell; nicht formell; unförmlich / ~ 재판으로 im Schnellverfahren. ‖ ~복장 die einfache (nicht formelle) Kleidung.

약식(藥食) =약밥(藥—).

약실(藥室) ① ((약국의)) Offizin *f.* -en. ② ((총의)) Patronenlager *n.* -s, -; Verbrennungsraum *m.* -(e)s, ⸚e. ⌈-s, -.

약쑥(藥—) Moxa *m.* -s, -; Brennkegel *m.*

약아빠지다 schlau; füchsisch; gewitzigt; listig verschlagen; verschmitzt; abgefeimt; durchtrieben; gerieben; gerissen (sein).

약약하다 widerwillig; widerstrebend (sein).

약어(略語) Abkürzung *f.* -en; das abgekürzte Wort, -(e)s, ⸚er.

‖ ~풀이 die Erläuterung, -en (der Schlüssel, -s, -) zu den Abkürzungen.

약언(略言) die kurze (bündige) Zusammenfassung, -en (Inhaltsübersicht, -en). ~하다 kurz (bündig) zusammen|fassen[4]; e-e kurze (bündige) Inhaltsübersicht geben* ((*über*[4])); [4]sich kurz aus|drücken (fassen). ¶ ~하면 kurz(gefaßt); in kurzen Worten; um [4]sich kurz auszudrücken (zu fassen).

약연(藥碾) die Handmühle ((-n)) des Drogisten (Apothekers).

약오르다 ① ((고추·담배 따위가)) reifen; reif werden. ② ((골남)) [4]sich ärgern; ärgerlich werden; in Zorn geraten*Ⓢ; böse werden. ¶ 약오른 듯한 ärgerlich; verdrießlich / 약오른 듯한 어조로 in verdrießlichen Tone / 약이 올라서 in heftigen Zorn / 약이 오르기 때문에 aus Ärger / 그가 하는 말마다 약 올랐다 Alles, was er mir sagte, ärgerte mich.

약올리다 auf|regen[4]; (auf|)reizen[4]; erzürnen[4]; ärgern[4] ((*mit*[3]; *durch*[4])); belästigen[4] ((*mit*[3])); *jn.* mit [3]*et.* hin|halten*; irritieren[4]; peinigen[4] ((*mit*[3])); quälen[4] ((*mit*[3])); nervös (ungeduldig; unruhig) machen[4]; *jm.* auf die Nerven fallen* (gehen*) Ⓢ.

약용(藥用) der medizinische Gebrauch, -(e)s, ⸚e. ~하다 medizinisch (zu medizinischen Zweck) gebrauchen[4]. ¶ ~의 medizinisch.

‖ ~비누 die medizinische Seife, -n. ~식물 Arzneipflanze *f.* -n. ~크림 medizinische Creme, -s.

약육강식(弱肉強食) Der Schwächere fällt dem Stärkeren zum Opfer.

약은꾀 die listige Tücke, -n; tückische List, -en. ⌈*f.* -n.

약음기(弱音器) Dämpfer *m.* -s, -; Sordine

약자(弱者) der Schwache* (Schwächere*; Benachteiligte*) -n, -n. ¶ ~ 편을 들다 für den Schwachen ein|treten*; [4]sich auf die Seite des Schwachen stellen / ~이다 ((두 사람 중)) der Schwächere sein.

약자(略字) das abgekürzte Wort, -(e)s, ⸚er; Abkürzung *f.* -en; das vereinfachte Schriftzeichen, -s, -. ¶ …의 ~이다 e-e einfachere (abgekürzte) Form von [3]*et.* sein / AG는 무슨 ~입니까 Was bedeutet AG? / AG는 Aktiengesellschaft의 ~입니다 AG ist die Abkürzung für „Aktiengesellschaft".

약장(略章) ((일반)) Miniaturabzeichen *n.* -s, -; ((훈장의)) Miniaturorden *m.* -s, -; ((메달)) Miniaturmedaille *f.* -n.

약장(藥欌) Arzneikasten *m.* -s, -; Hausapotheke *f.* -n.

약장사(藥—) Arzneiladen *m.* -s, -(⸚); Drogerie *f.* -n (약종상); Apotheke *f.* -n (약국); ((사람)) Drogist *m.* -en, -en; Drogen¦händler (Arznei-) *m.* -s, -.

약저울(藥—) Apothekerwaage *f.* -n.

약전(略傳) Kurzbiographie *f.* -n; Lebensabriß *m.* ..sses, ..sse; kurzer Lebenslauf, -(e)s, ⸚e; kurze Lebensbeschreibung, -en.

약전(藥典) Arzneibuch *n.* -(e)s, ⸚er; Pharmakopöe *f.* -n.

‖ 대한~ das Koreanische Arzneibuch.

약전기(弱電機) elektrisches Schwachstromgerät, -es, -e.

약점(弱點) Lindenblattstelle *f.* -n; wunder (schwacher; empfindlicher; neuralgischer) Punkt, -(e)s, -e; die schwache Seite, -n; Schwäche *f.* -n; Blöße *f.* -n; Achillesferse *f.* -n; die verwundbare Stelle, -n; ((아픈)) der empfindliche Punkt, -(e)s, -e; die empfindliche Stelle, -n. ¶ 적의 ~ der schwache Punkt des Feindes / 인간의 ~ die menschliche Schwäche (Blöße)/아무의 ~을 이용하다 die schwache Seite anderer aus|nutzen / 아무의 ~을 건드리다 *js.* empfindliche Stelle treffen* / ~을 보이다 [3]sich e-e Blöße geben* / ~을 드러내다 s-e Schwachseiten enthüllen (bemerken lassen*) / 아무의 ~을 찾아내다 *js.* Blöße auf|decken; bei *jm.* eine Schwäche entdecken / 적에게 ~을 잡히다 dem Feinde e-e Handhabe (e-e günstige Gelegenheit) geben*(bieten*) / ~이 있다 e-e Schwäche haben / 어떤 사람에게도 ~은 있다 Jeder hat s-e schwache Seite. / 나는 그의 ~을 잡았다 Ich habe ihn an s-r empfindlichen Stelle gepackt.

약정(約定) das Versprechen*, -s; ((협정)) das Übereinkommen*, -s; das Abkommen*, -s; ((규정)) Übereinkunft *f.* ⸚en; ((계약))

Vertrag *m.* -(e)s, ⸗e; 《매매의》 Vereinbarung *f.* -en. ∼하다 e-e Verabredung treffen*; e-n Vertrag (ab)schließen*. ¶ ∼에 의해서 verabredeterweise; laut Vereinkunft 《mit *jm.*》.
‖ ∼기간 Vertragsdauer *f.* ∼서 e-e schriftliche Vereinbarung, -en; ein schriftlicher Vertrag, -(e)s, ⸗e. ∼이율 der vereinbarte Zins¦satz (-fuß).

약제(藥劑) Arz(e)nei *f.* -en; Arzneimittel *n.* -s, -; Medizin *f.* -en.
‖ ∼사 Pharmazeut, -en, -en; Apotheker *m.* -s, -; Arzneibereiter *m.* -s, -: ∼사시험 Apothekerexamen *n.* -s, -. ∼학 Pharmazie *f.*; Arzneikunde *f.*

약조(約條) Absprache *f.*; Verabredung *f.* -en; Vereinbarung *f.* -en. ∼하다 [4]*et.* ([4]sich mit *jm.*) verabreden; vereinbaren[4]; eine Absprache (Vereinbarung; Verabredung) treffen*.

약졸(弱卒) verweichlichte Soldaten 《*pl.*》; verweichlichte Truppen 《*pl.*》; die schwache Armee, -n. ¶ 용장 밑에 ∼ 없다 Unter e-m tapfern Offizier gibt es k-e feigen Soldaten.

약종(藥種) Arzeimittel *n.* -s, -.
‖ ∼상 Arzneimittelhändler *m.* -s, -.

약주(藥酒) 《청주》 Reiswein *m.* -(e)s, -e; 《약술》 Kräuterwein *m.*

약지(藥指) =약손가락.

약진(弱震) das leichte Erdbeben, -s, -; das leichte Erdzittern, -s; leichter Erdstoß, -es, ⸗e.

약진(藥疹) Hautausschlag *m.* -(e)s, ⸗e; Arzneiexanthem *n.* -(e)s, -e.

약진(躍進) Aufschwung *m.* -(e)s, ⸗e; Ansturm *m.* -(e)s, ⸗e. ∼하다 e-n raschen Aufschwung nehmen*; große Fortschritte 《*pl.*》 machen. ¶ 급속도로 ∼하다 rasche Fortschritte machen / 5위에서 1위로 ∼하다 von der fünften Stelle zur ersten fort|schreiten*[s] / 근래 한국의 화학 공업의 ∼은 눈부신 데가 있다 Die Fortschritte, die Korea in letzter Zeit in der chemischen Industrie gemacht hat, sind erstaunlich.

약질(弱質) der Schwache*, -n, -n; Schwächling *m.* -s, -e.

약체(弱體) der Kraftlose*, -n, -n; schwacher Körper, -s, -. ¶ ∼의 schwach; schwächlich / ∼화하다 entkräften[4]; schwach werden.
‖ ∼내각 ein schwaches Kabinett, -(e)s, -e. ∼보험 Lebensversicherung 《*f.* -en》 mit hoher Prämie wegen der körperlichen Mängel z.B. chronischer Krankheit. ∼정부 schwache Regierung, -en.

약초(藥草) Arzneipflanze *f.* -n; Heilkraut *n.* -(e)s, ⸗er.
‖ ∼상 Kräuterhändler *m.* -s, -. ∼원 Arzneikräutergarten *m.* -s, ⸗. ∼학 die medizinische Botanik: ∼학자 der Arzneikräuterkundige*, -n, -n.

약칭(略稱) Abkürzung *f.* -en; Kürzung *f.* -en; Abbreviatur *f.* -en. ¶ DAAD는 독일학술교류처의 ∼이다 DAAD ist die Abkürzung für den „Deutschen Akademischen Austauschdienst".

약탈(掠奪) Plünderung *f.* -en; Raub *m.* -(e)s, -taten (Räubereien); das Erbeuten*, -s. ∼하다 plündern[4]; *jm.* rauben[4]; berauben 《*jn.* [2]*et.*》; erbeuten[4]; 《배를》 kapern[4].
‖ ∼자 Plünderer *m.* -s, -; Räuber *m.* -s, -; Marodeur *m.* -(e)s, -e; 《해상의》 Freibeuter, -s, -. ∼품 Beute *f.* -n.

약탕(藥湯) Arzneibad *n.* -es, ⸗er.
‖ ∼관 der Kochtopf von Heilkräutern; Tonkesselchen 《*n.* -s, -》, in dem der Heilkrauttrunk gebrüht wird.

약통 der rundliche Körperteil 《-s, -e》 der Karotte, der Rübe, der Ginsengwurzel, ⌊*usw.*

약포(藥包) Patronenpapier *n.* -s.

약포(藥圃) Heilkrautanbaufläche *f.* -n.

약포(藥脯) die getrocknete u. gewürzte Rindfleischscheibe, -n.

약품(藥品) Arz(e)neimittel *n.* -s, -; Medikament *n.* -(e)s, -e; Medizin *f.* -en.
‖ ∼명 Drogenname *m.* -ns, -n. 불량∼ schädliche Medikamente 《*pl.*》.

약하다(略—) 《줄이다》 ab|kürzen[4]; verkürzen[4]; 《생략하다》 aus|lassen*[4]; weg|lassen*[4]. ¶ 약하여 kurz; abgekürzt / 약하지 않고 ungekürzt / 약하지 않고 쓰다 《이름 같은 것을》 aus|schreiben*[4] 《s-n Namen》 / 약해서 쓰다 abgekürzt (vereinfacht) schreiben*[4] / Joseph를 약해서 Sepp라고 부른다 Joseph wird kurz „Sepp" genannt. / 상세한 내용은 복잡하기 때문에 지금은 약합니다 Die Einzelheiten werden, da sie zu weit führen, weggelassen.

약하다(弱—) schwach; 《허약함》 schwächlich; 《병약함》 kränklich; gebrechlich; 《섬약함》 zart; leise (희미한); matt (힘없는); 《직물 따위》 nicht haltbar; nicht dauerhaft; 《술·담배 따위》 leicht; 《서투름》 ungeschickt; schlecht; schwach; mutlos (sein). ¶ 약한 소리 die schwache (matte) Stimme, -n / 약한 빛 das schwache Licht, -(e)s, -er / 약한 술 der leichte Wein, -(e)s, -e / 약한 맥주 Dünnbier *n.* -s, -e / 약해 보이는 사람 die schwächlich aussehende Person, -en / 돗수가 약한 안경 die schwache Brille, -n / 담이 약한 kleinmütig; mutlos; verzagt / 의지가 약한 willensschwach; von schwachem Willen / 몸이 ∼ 《체질상으로》 von schwächlicher Konstitution (körperlich schwach) sein; 《불건강》 von schwacher (schlechter) Gesundheit sein / 심장이 ∼ kleinmütig sein; ein schwaches Herz haben / 시력이 ∼ schwache Augen haben / 술에 ∼ ein schwacher Trinker sein; im Trinken schwach sein; nicht viel Wein vertragen können* / 불이 무척 ∼ Das Feuer ist sehr schwach. / 아이들에게 너무 ∼ Er ist ein zu nachgiebiger Vater. ¦ Er ist seinen Kindern gegenüber zu nachgiebig. / 그는 금발 여자에 ∼ Er hat e-e Schwäche für Blondinen. / 나는 수학에 ∼ Die Mathematik ist m-e schwache Seite. / 약한 자여, 그대 이름은 여자니라 Schwachheit, dein Name ist Weib!

약학(藥學) Pharmazie (Arz(e)neikunde) *f.* -n.
‖ ∼과 die pharmazeutische Fakultät. ∼대학 die Hochschule 《-n》 für Arzneikunde; e-e pharmazeutische Hochschule, -n. ∼박사 Doktor 《*m.* -s, -en》 der Pharmazie.

약해(略解) kurze Erläuterung, -en; kurze Darstellung, -en.

약해지다(弱—) schwach (schwächer) werden; nach|lassen*. ¶ 빗줄기가 (저항이) 약해졌다 Der Regen (Der Widerstand) ließ nach. / 그의 힘이 아주 약해졌다 S-e Kräfte sind erschöpft.

약협(藥莢) Patrone *f.* -n. ¶ 빈 ∼ Patronenhülse *f.* -n.

약호(略號) 《전신의 수신인명》 Drahtanschrift *f.* -en; Telegrammadresse *f.* -n; Drahtwort *n.* -(e), -e; 《전보의 지정》 Dienstvermerk *m.* -(e)s, -e.

약혼(約婚) Verlobung *f.* -en; Heiratsversprechen *n.* -s, -; Heiratskontrakt *m.* -(e)s, -e. **~하다** ⁴sich verloben 《mit *jm.*》. ¶ A씨와 B양의 ~ die Verlobung von Fräulein B. und Herrn A / 그들은 ~한 사이입니다 Die beiden sind verlobt. / 그녀는 그와 ~했다 Sie hat sich mit ihm verlobt. / 나는 그녀와의 ~을 취소했다 Ich habe m-e Verlobung mit ihr (auf)gelöst.

‖ **~기간** die Dauer der Verlobung. **~반지** Verlobungsring *m.* -(e)s, -e. **~선물** Verlobungsgeschenk *n.* -(e)s, -e: ~ 선물을 교환하다 ³sich die Verlobungsgeschenke aus|tauschen. **~식** Verlobungsfeier *f.* -n. **~자** 《남자》 der Verlobte*, -n, -n; Bräutigam *m.* -s, -e; 《여자》 die Verlobte,* -n, -n; Braut *f.* ⁼e. **~파기** ☞ 파혼(破婚).

약화(弱化) Schwächung *f.* -en; Entkräftung *f.* -en. ¶ ~시키다 schwächen; entkräften; entnerven.

약화(略畫) Skizze *f.* -n; flüchtige Entwurf, -(e)s, ⁼e. ¶ ~를 그리다 skizzieren; flüchtig entwerfen*.

약효(藥効) Arzneiwirkung *f.* -en; die Wirkung 《-en》 der Arznei; der Effekt 《-(e)s, -e》 der Medizin. ¶ ~를 나타내다 wirken; Wirkung haben (tun*; machen).

얄궂다 heikel; sonderbar; seltsam; befremdlich; fremdartig; merkwürdig; eigentümlich; wundersam (sein). ¶ 얄궂은 일 das merkwürdige Ding, -(e)s, -e / 얄궂게 seltsamerweise; sonderbarerweise; es ist seltsam, daß... / 얄궂게 들리다 seltsam klingen*; 《우스꽝스럽게》 komisch (seltsam) klingen* / 얄궂게 보이다 komisch (sonderbar) aus|sehen* / 나는 어제 얄궂은 일을 당했다 Gestern ist mir etwas Seltsames (Komisches) widerfahren.

얄긋거리다 unsicher (beweglich) sein.

얄긋얄긋 beweglich; wankend; wackelnd.

얄긋하다 beweglich; wankend; unsicher; wackelig; schwach; gebrechlich; rissig (sein).

얄기죽거리다 ⁴sich in den Hüften (beim Gehen) wiegen*.

얄따랗다 《두께가》 dünner (sein).

얄라차 nanu!; mein Gott!; ach!

얄망궂다 unverschämt; frech; erratisch (sein).

얄망스럽다 =얄망궂다.

얄밉다 ① 《뻔뻔하다》 unverschämt; frech; schnippisch; naseweis; vorlaut; anmaßend; eingebildet; widrig; verhaßt; abscheulich; ekelhaft (sein). ¶ 얄미운 거짓말 e-e unverschämte Lüge, -n. ② 《귀엽다》 lieblich; liebreizend; reizend; hold; holdselig; nett; hübsch; süß; einnehmend; niedlich (sein). ¶ 얄미운 일이다 Das sind doch liebliche Dinge! / 참 ~ Das ist ja recht niedlich!

얄밉상스럽다 unverschämter (sein).

얄브스름하다 dünner (sein).

얄찍하다 schwächer; dünner (sein).

얄타 Jalta.

‖ **~회담** die Jalta-Konferenz.

얄팍얄팍 alle dünn.

얄팍하다 ziemlich dünn; 《천박》 seicht; oberflächlich (sein). ¶ 얄팍한 책 das dünne Buch, -es, ⁼er.

얇다 ① 《두께》 dünn (sein). ¶ 얇은 종이 das dünne Papier / 얇은 옷 die dünne Kleider 《*pl.*》 / 입술이 ~ schmale (dünne) Lippen haben.

② 《희박》 schwach; dünn; leicht; hell (sein). ¶ 인정이 얇은 사람 der kaltherzige Mensch, -en, -en / 옷을 얇게 입다 ⁴sich leicht kleiden / 빛깔이 얇다 hellfarbig sein.

얌냠하다, 얌냠거리다 mit den Lippen schmatzen.

얌심 Boshaftigkeit *f.*; Groll *m.* -(e)s; Eifersucht *f.*; Neid *m.* -(e)s. ¶ ~부리다 eifersüchtig 《auf *jn.*》 (neidisch 《*auf*⁴》) sein / ~ 깊은 eifersüchtig; scheelsüchtig; neidisch / ~을 일으키다 eifersüchtig werden.

얌전하다 《온순·온화》 mild; sanft; sanftmütig; 《선량》 gut; 《순종》 gehorsam;folgsam; 《예절바른》 artig; von guten Manieren; anständig; 《우아》 sittsam; anständig; 《침착》 ruhig; sanft; 《다루기 쉬운》 lenksam; folgsam; zahm (길이 는); 《중용의》 gemäßigt (sein). ¶ 얌전한 무늬 das ruhige (nicht auffallende) Muster / 얌전한 말씨 die sanfte (ruhige) Sprechweise / 얌전한 아가씨 das sittsame Mädchen; das Mädchen von sanften (milden) Sitten / 얌전해 보이는 사람 der anständig aussehende Mann / 얌전한 말 das fromme Pferd / 얌전한 개 der zahme Hund / 비둘기처럼 ~ sanft wie e-e Taube sein / 양처럼 얌전한 fromm (artig) wie ein Lamm / 무척 얌전한 아이로군 Was für ein artiges (gutes) Kind!

얌체 ¶ 그는 ~다 Er ist taktlos (rücksichtslos). ¦ Er ist ein unverschämter Mensch.

얌치, 얌통머리 ☞ 염치(廉恥).

양(羊) Schaf *n.* -(e)s, -e; Mutterschaft *n.* -(e)s, -e (암컷); Lamm *n.* -(e)s, ⁼er (새끼).

¶ 양고기 Hammelfleisch *n.*; Schöpsenfleish *n.* / 양가죽 Schaffell *n.* / 양털 Wolle *f.*; Schafwolle *f.* / 양치는 사람 Schäfer *m.*; Hirt *m.*; Schafhirt *m.* / 길잃은 양 das verirrte Schaf / 양떼 e-e Herde Schafe / 양의 울음 소리 das Blöken* / 양의 털을 깎다 ein Schaf scheren* / 양털로 만든 wollen / 양이 울고 있다 Ein Schaf blökt.

양(良) 《성질·등급》 fein; schön; edel; gut.

양(胖) Kaldaune *f.* -n.

양(陽) das Positive*, -n; 〔형용사적〕 positiv. ¶ 양과 음 das Positive* u. das Negative*; das Männliche* u. das Weibliche* / 음으로 양으로 öffentlich u. heimlich; sowohl heimlich als auch offen.

양(量) ① 《분량》 Menge *f.* -n; Quantität *f.* -en; Quantum *n.* -s, ..ten; die bestimmte (fixierte) Menge(정량); die mäßige Menge (적당한). ¶ 양을 초과하다 die mäßige Menge überschreiten*; übermäßig zu ³sich nehmen*⁴ / 식사의 양을 줄이다 weniger essen*⁴; e-e Entfettungskur machen / 양보다 질 Qualität geht Quantität vor. ¦ Nicht vieles, sondern viel. / 양을 늘려서 질이 떨어졌다 Die Zunahme an Quantität hatte die Abnahme an Qualität zur Folge.

② 《먹는》 Portion *f.* -en. ¶ 양을 많이 주다 reichlich vor|setzen⁴ / 양이 많다 (적다) Die Portion ist groß (klein).

③ 《무게》 Maß *n.* -es, -e; Gewicht *n.* -(e)s, -e. ¶ 양을 넉넉히 (빠듯하게) 달다 reichlich (knapp) wiegen* (messen*).

④ 《국량(局量)》 Kapazität *f.* -en; Fähigkeit *f.* -en; 《도량》 Großmut *f.*; Großherzigkeit *f.*

양(兩) ① 《옛 화폐 단위》 die alte koreanische Münzeinheit.
② 《무게 단위》 Gewichteinheit *f.*
③ 《둘》 zwei; beide; jeder* 《von zweien》. ¶ 양인 die zwei (Menschen); (sie) beide / 양발 beide Füße.

양-(洋) ausländisch; in ausländischem Stil; europäisch.

양-(養) angenommen; 《양육하다》 Pflege-. ¶ 양자 Adoptivkind *n.* -s, -er; Pflegekind *n.* / 양부 Pflegevater *m.* -s, ⸚ / 양모 Pflegemutter *f.* ⸚.

양-(孃) 《처녀》 Fräulein *n.* -s, -. ¶ 김 양 Fräulein *Kim.*

양가(良家) die achtbare 〔gute〕 Familie, -n. ¶ ~의 자녀 Söhne u. Töchter 《*pl.*》 von guten Familien / ~ 출신이다 wohlgeboren von guter Familie sein.

양가(兩家) beide Familien 《*pl.*》.

양가(養家) die adoptierende Familie, -n. ¶ ~의 부모 Adoptiveltern 《*pl.*》.

양가구(洋家具) europäisches Möbel, -s, -.

양각(陽刻) Relief *n.* -s, -s; Reliefsschnitzerei *f.* -en; die erhabene Arbeit, -en. ~하다 bossieren; bosselieren.
‖ ~세공 die erhabene Arbeit; Bossierarbeit *f.*: ~세공인 Bossierer *m.* -s, -. ~술 Bossierkunst *f.* ⸚e.

양갈보(洋―) Prostituierte 《*f.* -n, -n》 für Ausländer.

양감(量感) Massiv *n.* -s, -e; Schwere *f.*

양갱(병)(羊羹(餠)) kandierter Bohnenkuchen, -s, -.

양견(兩肩) die Schultern 《*pl.*》.

양견(洋犬) ein europäischer 〔ausländischer〕 Hund, -(e)s, -e.

양계(養鷄) Hühnerzucht *f.* ⸚e; Geflügelzucht *f.* ~하다 Hühner züchten. ¶ 이 마을에서는 ~가 한창이다 In diesem Dorf ist die Hühnerzucht in vollem Gange.
‖ ~업 Hühnerzucht *f.* ~장 Hühnerhof *m.* -(e)s, ⸚e; Hühnerzuchtanstalt *f.* -en.

양고기(羊―) Hammel¦fleisch 〔Schöpsen-〕 *n.* -es. ‖ ~찜구이 Hammel¦braten 〔Schöpsen-〕 *m.* -s, -.

양곡(糧穀) Getreide *n.* -s; Korn *n.* -(e)s, ⸚er. ‖ ~거래소 Getreidebörse *f.* -n. ~관세 Getreidezoll *m.* -(e)s, ⸚e; Kornzoll *m.* ~상 Getreidehandel *m.* -s; Getreidegeschäft *m.* -(e)s, -e: ~도매상 Getreidemakler *m.* -s, -. ~세 Kornsteuer *f.* -n. ~시장 Getreidemarkt *m.* -(e)s, -e. ~종류 die Getreidearten 《*pl.*》. ~징발 Getreiderequirierung *f.* -en. ~창고 Getreidemagazin *n.* -(e)s, -e; Getreidekammer *f.* -n. ~판로 Getreideabsatz *m.* -(e)s, ⸚e.

양공주(洋公主) =양갈보(洋―).

양과자(洋菓子) westlicher Kuchen, -s, -; westliches Plätzchen 《-s, -》 〔Gebäck, -(e)s〕.

양관(洋館) ein Haus 《*n.* -es, ⸚er》 im europäischen Stil; ein europäisches Gebäude, -s, -.

양광(佯狂) der vorgebliche 〔vermeintliche〕 Wahnsinn, -(e)s.

양광(陽光) Sonnenschein *m.* -(e)s, -e; Sonnenlicht *n.* -(e)s, -er.

양구에(良久―) bald; binnen kurzen; in Kürze.

양국(兩國) beide Länder 《*pl.*》.

양군(兩軍) beide Armeen 《*pl.*》.

양궁(洋弓) Bogen 《*m.* -s, -〔⸚〕》 abendländischen 〔europäischen〕 Stils.

양귀비(楊貴妃) 《중국의 귀비》 Yang Kuei-fei (719-756); 〖식물〗 Mohn *m.* -(e)s, -e.
‖ ~껍질 Mohnkopf *m.* -(e)s, ⸚e. ~꽃 Mohnblume *f.* -n. ~열매 Mohnsame(n). *m.* ..ens, ..en

양극(兩極) die beiden Pole 《*pl.*》.
‖ ~발전기 die zweipolige Dynamo. ~성 Polarität *f.* 음양 ~ die positiven u. negativen Pole 《*pl.*》.

양극(陽極) (elektro)positive Pol, -s, -e; Anode *f.* -n. ‖ ~선 die Anodenstrahlen 《*pl.*》. ~전류 Anodenstrom *m.* -(e)s, ⸚.

양극단(兩極端) Extrem *n.* -s, -e; das Äußerste*, -n. ¶ ~은 일치한다 Die Extreme berühren sich.

양근(陽根) 《음경》 Penis *m.* -, -se; männliches Glied, -s, -er; Phallus *m.* -, -en.

양글 《소의》 Arbeitsleistung *f.* -en (z.B. Pflügen und Lastentragen eines Ochsen); 《두 번 수확》 zweimalige Reisernte 《-n》 innerhalb e-s Jahres.

양금(洋琴) 〖악기〗 Leier *f.* -n. ¶ ~을 타다 die Leier spielen.

양금(養禽) Geflügelzucht *f.* -en.

양기(陽氣) 《볕 기운》 Sonnenschein *m.* -(e)s, -e; Sonnenlicht *n.* -(e)s, -er; 《만물 생성의》 Lebenskraft *f.* ⸚e; Lebensfähigkeit *f.* -en; Vitalität *f.* -en; Lebensdauer *f.* -n; 《남자의》 Kraft *f.* ⸚e; Stärke *f.* -n; Energie *f.* -n; Lebenskraft *f.* ⸚e.

양기(養氣) 《힘이 있는》 kräftig; kraftvoll; stark; mächtig; tüchtig; 《맹자의》 Geistesbildung *f.* -en; 《도가에서의》 die lange Lebensdauer.

양기(量器) Meßgerät *n.* -(e)s, -e; Messer *m.* -s, -.

양기와(洋―) Dachziegel 《*m.* -s, -》 europäischen Stils.

양끝(兩―) die beiden Enden 《*pl.*》. ¶ ~에 an beiden Enden / ~을 끊다 an beiden Enden schneiden* 《e-n Stock》.

양끼(兩―) zweimalige Mahlzeiten 《*pl.*》.

양난(兩難) Dilemma *n.* -s, -s; Verlegenheit *f.* -en; Klemme *f.* -n. ¶ ~에 in Verlegenheit; in der Klemme / ~에 빠져 있다 in der Klemme sein.

양날톱(兩―) doppeltes Sägeblatt, -(e)s, ⸚er.

양냥고자 Halbmond *m.* -(e)s, -e.

양녀(洋女) die europäische Frau, -en; die westliche Frau.

양녀(養女) Adoptivtochter *f.* ⸚; Pflegetochter *f.* ⸚. ¶ ~가 되다 als e-e adoptierte Tochter angenommen werden 《*von*[3]》; *js.* Pflegetochter werden.

양념 Gewürz *n.* -es, -e. ¶ ~을 치다 würzen[4] / 이 요리에는 ~이 적다 Diese Speise ist wenig 〔mild〕 gewürzt. / 이 수프는 ~이 너무 들어갔다 Die Suppe ist zu stark 〔scharf〕 gewürzt.
‖ ~병 Fläschchen *n.* -s, -.

양다리(兩―) beide Beine 《*pl.*》. ☞ 두 다리. ¶ ~를 걸치다 zwei Eisen im Feuer haben; zwei Pläne 《*pl.*》 haben.

양단(兩端) beide Enden 《*pl.*》.

양단(兩斷) ~하다 entzwei¦schneiden*; in zwei Teile schneiden* / 일도(一刀) ~으로 처리하다 drastische Maßregeln ergreifen* 《gegen *jn.*》; entscheidende Schritte tun*; den gordischen Knoten zerhauen*.

양단(洋緞) Seidengewebe *n.* -s, -; Seidensatin *m.* -s, -s.

양단간(兩端間) auf alle Fälle; jedenfalls; sowieso; irgendwie; auf irgendeine Weise immerhin. ¶ ~에 그는 내게 왔어야 했었는데 Er hätte sowieso zu mir kommen müssen./잠자코 있어라 ~에 저분은 네 아버지니까 Sei still! Er ist immerhin dein Vater.

양달(陽—) sonnige Stelle, -n; sonniger Platz, -es, ⁼e. ¶ ~로 나가다 in die (helle) Sonne gehen* ⓢ / ~에 내놓다 ⁴et. in die Sonne stellen / ~에 말리다 ⁴et. in der Sonne trocknen / ~에 빨래를 널다 die Wäschen in die Sonne aus|hängen / ~에서 햇빛을 쬐다 in der Sonne liegen*.
‖ ~쪽 die sonnige Seite.

양담배(洋—) der importierte (abendländische) Tabak, -(e)s, -e.

양당(兩堂) Eltern 《pl.》.

양당(兩黨) beide (politischen) Parteien 《pl.》.

양도(兩刀) die beiden Schwerter (Degen; Säbel) 《pl.》; ein Schwert in beiden Händen. ‖ ~논법 das logische Dilemma, -s, -s (-ta).

양도(洋刀) abendländisches Besteck, -(e)s, -e (Messer, -s, -; Schwert, -(e)s, -er).

양도(糧道) Proviantzufuhr f. -en; Lebensmittelversorgung f. -en. ¶ 적의 ~를 끊다 dem Feinde den Nachschub (die Proviantzufuhr) ab|schneiden*; die Hungerblockade verhängen über das feindliche Land.

양도(讓渡) Überlassung f. -en (왕위, 영토 따위); Abtretung f. -en; Über|gabe (Ab-) f. -n (면허 따위의); Übertragung f. -en (권리 따위의); das Begeben*, -s; Indossament n. -s, -e; Zession f. -en (채권(債權)의); 《어음·주식 따위의》 Veräußerung f. -en. ~하다 übertragen*³⁴; übereignen³⁴; ab|treten*³⁴; zedieren³⁴; begeben*³⁴. ¶ ~할 수 있는 begebbar; abtretbar; übertragbar / 권리를 ~하다 jm. das Recht übertragen*
‖ ~가격 Überlassungspreis m. -es, -e. ~소득 Überlassungseinkommen n. -s, -: ~소득세 Überlassungseinkommensteuer f. ~인 der Überlassende* (Abtretende*) -n, -n; der Übergebende* (Abgebende*) -n, -n; Überträger m. -s, -; Veräußerer m. -s, -. ~증서 Überlassungs|urkunde f. -n (-schein m. -(e)s, -e). 재산~자 der Eigentumsüberlassende* (Besitztums-) -n, -n. 피~인 Übernehmer m. -s, -; Zessionär m. -s, -e; Indossant (Indossent) m. -en, -en.

양도체(良導體) 〖물리〗 der gute (Wärme-) leiter, -s, -.

양돈(養豚) Schweinezucht f. ~하다 Schweine 《pl.》 züchten.
‖ ~가 Schweinezüchter m. -s, -. ~장 Schweine|farm f. -en (-hof m. -(e)s, ⁼e).

양동이(洋—) Eimer m. -s, -. ¶ ~에 물을 가득 가져와 Bring mir e-n Eimer voll Wasser (ein eimervoll Wasser)! / 이 ~는 구멍이 뚫렸다 Dieser Eimer hat ein Loch bekommen.

양동작전(陽動作戰) Ablenkungsmanöver n. ⌈-s, -.

양돼지(洋—) 《살찐 사람》 e-e fette (beleibte) Person, -en; 《서양의》 das abendländische Schwein, -(e)s, -e.

양두(羊頭) Schafkopf m. -(e)s, ⁼e.
‖ ~구육(狗肉) Hundefleisch für ⁴Hammelfleisch (Schaf-) verkaufen; s-e Erstgeburt für ein ⁴Linsengericht hin|geben*.

양두(兩頭) ¶ ~의 zweiköpfig; doppelköpfig.
‖ ~사(蛇) die zweiköpfige Schlange, -n.

양딸(養—) Adoptivtochter f. ⁼; Pflegetochter f. ⁼. ¶ ~이 되다 als Adoptivtochter angenommen werden 《von jm.》; js. Pflegetochter werden.

양딸기(洋—) 〖식물〗 Erdbeere f. -n; *Fragaria vesca* (학명).

양떼(羊—) Schafherde f. -n.
‖ ~구름 Kumulozirrus m. -, - (..zirren).

양람(洋藍) Indigo m. (n.) -s, -s.

양력(揚力) 〖물리〗 Auftrieb m. -(e)s, -e; Auftriebskraft f. ⁼e.
‖ ~계수 Auftriebsbeiwert m. -(e)s, -e.

양력(陽曆) Sonnenkalender m. -s, -; der Julianische Kalender. ¶ ~ 5월 3일 (3일에) der dritte (am dritten) Mai des Sonnenkalenders.

양로(養老) Altersfürsorge f. -n; Altersversorgung f. -en.
‖ ~보험 Alters|versicherung f. -en. ~연금 Alters|jahrgeld n. -(e)s, -er (-pension f. -en; -rente f. -n; -ruhegeld n.): ~연금을 받다 die Altersversorgung erhalten*/ ~ 연금 수령자 Alters|pensionär m. -s, -e (-pensionärin f. -nen) / ~ 연금제 Alterspensionssystem n. -s, -e. ~원(院) Altersheim n.

양론(兩論) die beiden Seiten des Argumentes (Streitpunktes).

양류(楊柳) 《버드나무》 Weide f. -n; Weidenbaum m. -(e)s, ⁼e. ¶ ~가 바람에 나부끼고 있다 Die Weide flattert im Winde.

양륙(揚陸) Landung f. -en; das Löschen*, -s. ~하다 landen⁴; aus|schiffen⁴; löschen⁴.
‖ ~비(費) Landungs|gebühren (Lösch-) 《pl.》. ~선(船) Landungs|schiff (Lösch-) n. -(e)s, -e. ~수속 Lösch|formalität (Landungs-) f. -en. ~인부 Löschungs|arbeiter (Lösch-) m. -s, -; der Arbeiter auf dem Löschungsplatz. ~장(場) Landungs|platz (Lösch-) m. -es, ⁼e (od. -ort m. -(e)s, -e). ~항 Landungs|hafen (Lösch-) m. -s, ⁼e.

양립(兩立) das Nebeneinander|bestehen* (Zugleich-; Mit-) -s; gleichzeitiges Bestehen*; Koexistenz f. ~하다 nebeneinander (mit; zugleich) bestehen* (vorhanden sein); koexistieren; vereinbar sein 《mit³》. ¶ ~하기 어렵다 schwerlich (kaum) nebeneinander (mit; zugleich) bestehen (vorhanden sein) können*; schwerlich (kaum) koexistieren können*; schwerlich vereinbar sein 《mit³》/ 그 사상은 우리 전통과 ~하지 않는다 Der Gedanke besteht nicht mit unserer Tradition nebeneinander. / 이 양자는 ~할 수 없다 Diese beiden Dinge lassen sich nicht miteinander vereinigen. / 자본주의와 사회주의와는 ~할 수 없다 Der Kapitalismus verträgt sich nicht mit dem Sozialismus.

양막(羊膜) 〖해부〗 Schafhaut f. ⁼e; Amnion n. -s.

양말(洋襪) Strumpf m. -(e)s, ⁼e (긴 양말); Socke f. -n (짧은 양말). ¶ ~ 한 켤레 ein Paar Socken (Strümpfe) 《pl.》/ ~을 신다 (벗다) die Strümpfe (od. Socken) an|ziehen* (aus|ziehen*) / ~을 깁다 die Socken (Strümpfe) stopfen (aus|bessern).
‖ ~대님 Strumpf|band n. -es, ⁼er (-halter m. -s, -).

양말(糧秣) Furage [..ʒə] f.; Proviant 《m. -(e)s, -e》 (Mundvorrat m. -(e)s, ⁼e) u. Futter 《n. -s, -》. ‖ ~운반 차량 Furage|wagen (Proviant-) m. -s, -.

양면(兩面) die beiden Seiten《pl.》; Doppelseite f. -n; die zwei Gesichter《pl.》; Doppelgesicht n. -(e)s, -er; Januskopf m. -(e)s, ⸚e. ¶ ～의 beider|seitig (doppel-); zweiköpfig (doppel-) / 인생의 ～ die beiden Seiten des Lebens / ～을 관찰하다 die beiden Seiten betrachten (beobachten).
‖ ～날염 Duplierung f. -en; Duplexzeugdruck m. -(e)s, -e. ～레코드 die doppelseitige Schall|platte (Grammophon-) -n. ～인쇄기 Duplexdruck|maschine (-presse) f. -n. ～작전 doppelseitige Operation, -en.
양명(揚名) Ruhm m. -(e)s, -. ～하다 ³sich e-n Namen machen; Ruf bekommen*; ³sich Ruhm erwerben*; Ruhm ernten.
양명학(陽明學) die Philosophie von *Wang Yang-ming*.
양모(羊毛) (Schaf)wolle f. -n. ¶ ～제(製)의 (schaf)wollen / ～를 깎다 die Wolle von ³Schafen scheren*.
‖ ～공업 Wollindustrie f. -n. ～상(인) Wollhändler m. -s, -. ～제품 Wollware f. -n. ～직 Woll|fabrikat n. -(e)s, -e (-textilien《pl.》) (모직물); Woll|stoff m. -(e)s, -e (-zeug n. -(e)s, -e) (천).
양모(養母) Pflege|mutter (Adoptiv-) f. ⸚.
양모제(養毛劑) Haarwuchsmittel n. -s, -; Haarwasser n. -s; Haarpflegemittel n.
양목(洋木) Schirting m. -s, -e (-s); Kattun m. -s, -e; Baumwoll(en)zeug n. -(e)s, -e.
양묘(揚錨) das Lichten des Ankers. ～하다 den Anker lichten.
‖ ～기 Ankerwinde f. -n. ～줄 Ankerkette └f. -n.
양미(糧米) Reis m. -es, -e.
양미간(兩眉間) Brauenschnittpunkt m. -(e)s. ¶ ～에 zwischen den beiden Brauen; auf der Stirn / ～을 찌푸리다 die (Augen)brauen zusammen|ziehen*; die Stirn runzeln.
양민(良民) das ordnungsliebende (den Gesetzen gehorchende) Volk, -(e)s; der gute (friedliebende) Bürger, -s, -.
‖ ～학살 das Blutbad《-(e)s, ⸚er》(Gemetzel, -s, -) der unschuldigen Leute.
양반(兩班) ①《동반·서반》die zweihöheren (adeligen; edlen; vornehmen) Klassen im alten Korea;《계급》Adel(s)stand m. -(e)s, ⸚e; die höheren (adeligen, vornehmen) Stände《pl.》; Edelbürger m. -s, -. ②《사람》Adel m. -s, -; Edelmann m. -(e)s, ⸚er; Aristokrat m. -en, -en; Herr m. -n, -en. ¶ 우리 집 ～ mein Mann m. -(e)s / 젊은 ～ der junge Herr / ～으로 태어나다 von Adel sein.
‖ 주인～ Hausherr m. -n, -en.
양방(兩方) beide; beides;《두 적수》beide Seiten《pl.》;《양파》beide Parteien《pl.》;《방향》beide Richtungen《pl.》;《부정》keiner* von beiden. ¶ ～의 beide.
양발(洋髮) e-e europäische Frisur, -en.
양배추(洋—) Kohl m. -s, -e. ¶ 붉은 ～ Rotkohl m. -(e)s, -e.
‖ ～밭 Kohlacker m. -s, ⸚. ～보쌈 Kohlwickel m. -s, -.
양버들(洋—) Pappel f. -n. ¶ ～ 재목의 pappeln.
양법(良法) die gute Methode, -n; der wirksame Schritt, -(e)s, -e; das gute Verfahren, -s, -.
양변(兩邊) die beiden Seiten《pl.》.
양병(佯病) ＝꾀병(—病).
양병(養兵) Aufstellung《f. -en》und Unterhaltung e-r Armee.
양병(養病)《병 조섭》Heilung《f. -en》der Krankheit. ～하다 die Krankheit heilen (kurieren; behandeln);《병을 기름》⁴sich verschlechtern; ⁴sich zum Schlimmeren wenden*; kritische Symptome zeigen.
양보(讓步) die gegenseitige Einräumung, -en; das beiderseitige Zugeständnis, -ses, -se;《타협》Kompromiß m. (n.) ..sses, ..sse. ～하다 ein|räumen[34]; zu|gestehen*[34]; jm. nach|geben*; zurück|weichen*[4]. ¶ 한치도 ～하지 않다 k-n Schritt weichen*《von³》; ⁴sich nicht von der Stelle rühren; nicht das geringste (k-n Schritt) zurück|-weichen*; jm. in e-r Sache nichts nach|-geben* / 자리를 ～하다 s-n Platz ab|treten* ⓢ / 후진에게 자리를 ～하다 dem Jüngeren Platz machen / 서로 ～적인 태도를 취하다 ⁴sich füreinander nachgiebig verhalten* / 공을 남에게 ～하다 jm. in der Verdienst nach|geben* / 부인에게 자리를 ～하다 e-r Dame s-n Platz überlassen* / 그 점은 ～하겠읍니다 Diesen Punkt gebe ich zu. / 쌍방의 ～로써 문제는 조정되었다 Durch beiderseitige Einräumungen ist die Frage geregelt worden.
‖ ～절(節) Konzessivsatz m. -es, ⸚e.
양복(洋服) ein europäischer Anzug, -(e)s, ⸚e (남자의); ein europäisches Kleid, -(e)s, -er (여자의). ¶ ～을 입다 e-n europäischen Anzug an|ziehen* / ～을 입고 있다 e-n europäischen Anzug tragen* / ～을 마추다 e-n europäischen Anzug machen lassen* / ～을 입고 in europäischer(en) Kleidung (Anzug) /그 새 ～은 네게 잘 맞는다 Der neue Anzug steht dir gut (sitzt gut).
‖ ～감(지) Kleiderstoff m. -(e)s, -e. ～걸이 (Kleider)bügel m. -s, -: ～걸이에 걸다 auf den Bügel hängen[4]. ～장 Kleiderschrank m. -(e)s, ⸚. ～장이《만드는 사람》Schneider m. -s, -;《입은 사람》der europäischen Anzug getragene Mann. ～점 Schneiderwerkstätte f. -n; Schneiderei f. -en.
양봉(養蜂) Bienenzucht f. ～하다 Bienen züchten.
‖ ～가 Bienenzüchter m. -s, -. ～업 Bienenzüchterei f. -en. ～장 Bienengarten m. -s, ⸚.
양부(良否) Qualität f.; Beschaffenheit f.; Güte f.; 〖부사적〗 entweder gut oder schlecht. ¶ ～를 알아(가려)내다 die Qualität (Güte) fest|stellen.
양부(養父) Pflege|vater (Adoptiv-) m. -s, ⸚.
양부모(養父母) Pflege|eltern《pl.》(-vater m. -s, ⸚; -mutter f. ⸚).
양부인(洋婦人)《서양부인》Europäerin (Amerikanerin) f. -en; die Fremde, -n;《양갈보》die Prostituierte《-n》für Ausländer.
양분(兩分) Zweiteilung f. -en; Halbierung f. -en. ～하다 in zwei Teile teilen[4] (schneiden*[4]).
양분(養分) Nahrung f. -en; Nahrungsstoff m. -(e)s, -e; Nahrungsmittel n. -s, -. ¶ ～을 취하다 Nahrung zu sich nehmen*.
양사(洋絲) ＝양실(洋—).
양산(洋傘)《우산》Regenschirm m. -(e)s, -e;《일반적으로》Schirm m. -(e)s, -e.
양산(陽傘) Sonnenschirm m. -(e)s, -e; Parasol m. (n.) -s, -s. ¶ ～을 받다 (펴다) e-n Sonnenschirm auf|spannen (auf|machen)/ ～을 접다 e-n Sonnenschirm zu|machen

〔schließen*〕/ ～이 바람에 뒤집혔다 Der Sonnenschirm ist im Wind umgeschlagen.

양산(量産) Massen¦fabrikation 〔-fertigung; -produktion〕 *f.* -en; Serien¦anfertigung 〔-fabrikation; -produktion〕 *f.* -en. **～하다** serienweise fertigen⁴ 〔her|stellen⁴〕.

양상(樣相) 《광경》 Anblick *m.* -(e)s, -e; Aspekt *m.* -(e)s, -e(n); das Aussehen*, -s; Bild *n.* -(e)s, -er; Erscheinung *f.* -en; 《국면》 Phase *f.* -n; 〖논리〗 Modalität *f.* -n. ¶ ～을 일변시키다 mit der ganzen Phase ändern / …의 ～을 나타내다 den Aspekt von *et.* zur Erscheinung bringen* 〔kommen lassen*〕/ 새로운 ～을 띠다 e-e neue Situation zur Erscheinung kommen* ⓢ.

양상군자(梁上君子) 《도둑》 Dieb *m.* -(e)s, -e; Langfinger *m.* -s, -; 《쥐》 Ratte *f.* -n; Maus *f.* ⸗e (새앙쥐).

양상치(洋—) Kopfsalat *m.* -(e)s, -e.

양생(養生) Gesundheitspflege *f.* -n; Hygiene *f.* (위생). **～하다** s-e Gesundheit in acht nehmen*; auf s-e Gesundheit bedacht sein. ¶ ～을 위해 aus gesundheitlichen ³Gründen.
‖ **～법** Gesundheitspflege¦maßnahme 〔-methode〕 *f.* -n; die Maßregel 《-n》 für Gesundheitspflege. 식(食)**～** Diät *f.* -en.

양서(良書) das gute Buch, -(e)s, ⸗er; das wertvolle Werk 〔Band〕. ¶ ～를 고르다 ein gutes Buch wählen / ～를 구하다 das werkvolle Band suchen 〔bekommen*; erlangen; kaufen〕.

양서(兩棲) 〖형용사적〗 amphibisch.
‖ **～동물** das amphibische Tier, -(e)s, -e; Landwassertiere 《*pl.*》; Lurche 《*pl.*》. **～류** Amphibien 《*pl.*》.

양서(洋書) ein ausländisches 〔europäisches〕 Buch, -(e)s, ⸗er.

양성(良性) ¶ ～의 〖의학〗 gutartig; nicht bösartig; heilsam.

양성(兩性) die beiden Geschlechter 〔Genera〕 《*pl.*》. ¶ ～의 zweigeschlechtig; bisexuell; zwitterhaft; zwitt(e)rig.
‖ **～관계** Geschlechtverhältnisse 《*pl.*》. **～구유(具有)** Hermaphrodismus *m.* -; Hermaphroditismus *m.*; Zwittrigkeit *f.*; Zwitterbildung *f.*: ～구유자 Hermaphrodit *m.* -en, -en; Zwitter *m.* -s, -. **～생식** Amphigonie *f.* -n; Digenesis *f.* **～체** 〖생물〗 das Zweigeschlechtige* 〔Bisexuelle*〕 -n. **～화** die zweigeschlechtige Blume, -n.

양성(陽性) Positivität *f.* -en. ¶ ～의 positiv / ～이다 positiv sein / ～으로 전화(轉化)하다 ⁴sich zum Positiven ändern.
‖ **～반응** positive Reaktion, -en. **～원소** positives Element, -(e)s, -e. **～화(化)** Offenbarung *f.* -en; Verwirklichung *f.* -en: 정치 자금을 ～화하다 den politischen Fonds [fɔ̃:] offenbaren.

양성(養成) Aus¦bildung 〔Heran-〕 *f.* -en; 《훈련》 Schulung *f.* -en; 《교육》 Erziehung *f.* -en. **～하다** aus|bilden⁴ 〔heran|-〕; schulen⁴; erziehen*⁴. ¶ 유능한 인재를 ～하다 den fähigen Kopf aus|bilden / 민주주의(자유, 독립) 정신을 ～하다 den Geist der Demokratie 〔Freiheit, Unabhängigkeit〕 aus|bilden / 아무를 비행사로 ～하다 *jn.* zum Flieger heranbilden / 아무를 상인으로 ～하다 *jn.* als Kaufmann schulen.
‖ **～기간** Ausbildungsperiode *f.* -n. **～소** Ausbildungs¦schule *f.* -n 〔-institut *n.* -(e)s, -e〕: 교원 ～소 Pädagogisches Institut / 간호원 ～소 Ausbildungs¦schule 〔-institut〕 für Krankenpfleger(in).

양소매책상(兩—册床) Schreibtisch 《*m.* -es, -e》 mit Schubfächern auf den beiden Seiten.

양속(良俗) die gute Sitten 《*pl.*》; der alte Brauch, -(e)s, ⸗e; die ehrwürdige Überlieferung, -en 〔Tradition, -en; Gewohnheit, -en〕. ¶ 미풍 ～에 어긋나다 gegen die gute Sitte 〔die guten Sitten〕 verstoßen*.

양손(兩—) beide 〔die beiden〕 Hände 《*pl.*》. ¶ ～을 벌리다 beide Hände aus|breiten 〔aus|strecken〕; beide Handteller öffnen(손바닥을) / ～에 꽃 auf doppelte Weise beglückt sein; zwischen zwei schönen Damen sitzen*.

양손(養孫) Adoptivenkel *m.* -s, -.

양수(羊水) 〖의학〗 Amnion¦wasser 〔Frucht-〕 *n.* -s. ¶ ～가 나오다 Das Amnionwasser bricht aus.

양수(兩手) 《양손》 beide 〔die beiden〕 Hände 《*pl.*》. ‖ **～잡이** 《사람》 Beidhänder *m.* -s, -: ～잡이의 《솜씨》 gleich geschickt mit beiden Händen; beidhändig; beide Hände gleich gut gebrauchend.

양수(揚水) das Pumpen* 〔Auspumpen*〕 des Wassers. ‖ **～기** Wasser¦pumpe 〔Druck-; Saug-〕 *f.* -n.

양수(讓受) Übernahme *f.* -n; Erwerbung *f.* -en; Erbschaft *f.* -en (계승). **～하다** übernehmen*⁴ 《*von*³》; *jm.* ab|kaufen⁴ (매입); erwerben*⁴ 《*von*³》; ererben⁴ 《*von*³》 (상속).
‖ **～인** Empfänger *m.* -s, -; Erwerber *m.* -s, -; Übernehmer *m.* -s, -; Rechtsnachfolger *m.* -s, -; 〖법〗 Zessionar *m.* -s, -e. **～증** die schriftliche Aufnahme, -n.

양수기(量水器) Wassermesser *m.* -s, -.

양순(良順) Gehorsam *m.* -(e)s, -e. **～하다** gehorsam; folgsam; fügsam (sein). ¶ ～한 백성 das gehorsame Volk, -(e)s.

양식(良識) gesunde Vernunft; der gesunde (Menschen)verstand, -(e)s. ¶ ～있는 사람 der 〔die〕 Verständige* 〔Intellektuelle*〕 -n, -n / 그의 ～이 의심스럽다 S-e Vernunft ist zweifelhaft.

양식(洋式) europäischer〔amerikanischer〕 Stil, -(e)s, -e. ¶ ～의 europäisch; europäischen Stils; im 〔vom〕 europäischen Stil / ～의 방 das Zimmer von europäischem Stil.
‖ **～건물** ein Haus 《*n.* -es, ⸗er》 in europäischer Bauart.

양식(洋食) europäisches 〔amerikanisches〕 Essen, -s, -; das europäische Gericht, -(e)s, -e. ¶ ～먹는 법 die Manier beim europäischen 〔amerikanischen〕 Essen; die europäische Tafeletikette, -n.
‖ **～집** europäisches 〔amerikanisches〕 Gasthaus, -es, ⸗er 〔Restaurant [..torã:] -s, -s〕.

양식(樣式) Stil *m.* -(e)s, -e; Stil¦art *f.* -en 〔-form *f.* -en〕; die Art u. Weise; 《서식》 Formular *n.* -s, -e. ¶ 일정한 ～ e-e bestimmte Stilform / ～화하다 stilisieren⁴.
‖ **～론** Stil¦kunde *f.* 〔-lehre *f.*〕; Stilistik *f.* 건축**～** Bau¦art *f.* 〔-stil *m.*〕. 고딕 (로마네스크) **～** der gotische 〔romanische〕 Stil. 생활**～** Lebens¦stil *m.* 〔-art *f.*; -weise *f.* -n〕: 그는 생활 ～을 바꾸었다 Er hat s-e Lebensart gewechselt.

양식(養殖) Zucht *f.*; Züchtung *f.* -n; Kultur *f.* -en. **～하다** züchten⁴.
‖ **～장** Zuchtfarm *f.* -en. **～진주** Zuchtperle *f.* -n. **～학** Zuchtlehre *f.* -n. 굴**～**

Austern¦kultur *f.* -en (-zucht *f.*): 굴 ～장 Austern¦farm *f.* (-bett *n.* -(e)s, -en). 진주 ～ Perlenzucht *f.*: 진주 ～장 Perlenzuchtfarm *f.*

양식(糧食) 《군량》 Proviant *m.* -(e)s, -e; Provision *f.* -en; 《식료품》 Lebensmittel *n.* -s, -; Nahrung *f.* -en; Mundvorrat *m.* -(e)s, ⸗e; Ration *f.* -en; Vitualien 《*pl.*》. ¶ 마음의 ～ die geistige Speise (Nahrung) / 생명의 ～ das Brot des Lebens / ～을 대다 (ver)proviantieren 《*jn.*》; mit Proviant (Lebensmittel) versehen* 《*jn.*》 / 그날 그날의 ～을 벌다 das tägliche Brot verdienen/ ～이 다 떨어졌다 Das Lebensmittel ist alle (zu Ende). / ～은 충분하다 Wir sind reichlich mit Lebensmitteln.

양신(良辰) Glückstag *m.* -es, -e.

양실(兩失) doppelter Verlust, -es, -e; doppelter Schaden, -s, ⸗.

양실(洋—) europäisches Nähgarn, -(e)s, -e.

양실(洋室) ein europäisches Zimmer, -s, -; ein Zimmer im europäischen Stil.

양심(良心) Gewissen *n.* -s. ¶ ～적인, ～적으로 gewissenhaft; mit gutem Gewissen / ～상의 문제 Gewissens¦sache *f.* -n (-fall *m.* -(e)s, ⸗e; -frage *f.* -n; -punkt *m.* -(e)s, -e) / 학자적 ～ wissenschaftlerisches Gewissen / ～에 부끄러운 행위 die schamlose (schändliche) Tat, -en; Schamlosigkeit *f.* -en; Schändlichkeit *f.* -en / ～의 불안 Gewissens¦bedenken *n.* -s, - (-zwang *m.* -(e)s; -zweifel *m.* -s, -) / ～의 자유 Gewissensfreiheit *f.* -en / ～의 가책 Gewissensangst *f.* (-biß *m.* ..bisses, ..bisse 《대개 *pl.*》; -not *f.*; -pein *f.*; -qual *f.*; -wurm *m.* -(e)s) / ～이 명하는 바 der Befehl 《-(e)s, -e》 (der Ruf, -(e)s, -e; die Stimme, -n) des Gewissens / ～이 없는 gewissenlos; ohne (alles) [4]Gewissen / ～의 안정 Gewissensruhe *f.* / ～상, ～때문에 um des Gewissens willen; gewissenshalber / ～이 없다 kein Gewissen haben; gewissenlos (ohne (alles) Gewissen) sein / ～에 떳떳하다, ～에 부끄럽지 않다 ein gutes (reines; ruhiges) Gewissen haben; nichts auf dem Gewissen haben / ～에 어긋나다 gegen (wider) gutes Gewissen sein; der [3]Stimme des Gewissens nicht folgen (s); den Anforderungen des Gewissens nicht entsprechen* / ～에 호소하다 ins Gewissen reden 《*jm.*》; [4]sich an *js.* Gewissen wenden(*); aufs Gewissen fallen*(s) 《*jm.*》; an *js.* Gewissen appellieren / ～에 따라 nach bestem Gewissen / ～의 소리 (명령)에 따르다 der Stimme (dem Befehl) des Gewissens folgen / ～의 가책을 받다 (느끼다) ein böses (schlechtes) Gewissen haben; auf dem Gewissen haben[4]; [4]sich vom Gewissen gepeinigt (gequält) fühlen; Gewissensbisse fühlen / 그는 …때문에 ～의 가책을 받고 있다 Er hat etwas auf dem Gewissen. / ～을 마비시키다 sein Gewissen lähmen (betäuben; einschläfern lassen*) / ～에 물어보다 sein eigenes Gewissen fragen; e-e Gewissensfrage machen 《*aus*[3]》 / 그의 ～에 맡기다 *et.* s-m Gewissen anvertrauen / 그렇게 하면 ～에 부끄럽지 않느냐 Wie ist es mit d-m Gewissen bestellt?¦Ist das nicht gegen dein Gewissen?¦Machst du dir kein Gewissen daraus, so zu handeln?

양쌀(洋—) Reis 《*m.* -s, -》 aus Ausland (Formosa *usw.*).

양아들(養—) Adoptivsohn *m.* -(e)s, ⸗e; der adoptierte (angenommene) Sohn.

양아버지(養—) Adoptivvater *m.* -s, ⸗; Pflegevater *m.* -s, ⸗.

양아욱(洋—) 〖식물〗 Geranie *f.* -n; Geranium *n.* -s, ..nien; Storchschnabel *m.* -s, ⸗; Pelargonie *f.* -n.

양아치 Lumpensammler *m.* -s, -.

양악(洋樂) die europäische Musik. ¶ 그는 ～팬이다 Er ist ein Liebhaber der europäischen Musik. ‖ ～가(家) Musiker der europäischen Musik.

양안(兩岸) beide (die beiden) (Fluß)ufer (Stromufer; Seeufer) 《*pl.*》. ¶ 대서양 ～에서 auf beiden Ufern des Großen Teichs (des Atlantiks) / ～에는 버드나무가 줄지어 서 있었다 Auf (den) beiden Ufern standen reihenweise die Weiden.

양안(兩眼) beide (die beiden) Augen 《*pl.*》; Augenpaar *n.* -(e)s, -e. ¶ ～의 시차(視差) die binokulare Parallaxe, -n / ～이 다 멀다 auf beiden Augen blind sein.

양약(良藥) Wundermittel *n.* -s, -; die wirksame (kräftige) Arz(e)nei, -en (Medizin, -en). ¶ ～은 입에 쓰다 „Gute Medizin schmeckt bitter."¦„Ein bitterer Rat, ein wirksamer Rat."

양약(洋藥) westliche (ausländische) Medizin.

양양하다(洋洋—) unendlich weit (sein); 《앞길이》 glänzend; hoffnungsvoll (sein). ¶ 양양한 대해(大海) das weite (unendliche) Meer, -(e)s / 양양한 앞길 große (glänzende) Zukunft / 그의 전도는 ～ Er hat e-e große (glänzende) Zukunft.

양양하다(揚揚—) frohlockend; triumphierend (sein). ¶ 의기 ～ stolz (frohlockend; triumphierend; hochmutig); hochnäsig sein / 승리로 의기가 ～ über den Sieg frohlockend sein.

양어(養魚) Fischzucht *f.* ～하다 Fisch züchten. ‖ ～가 Fischzüchter *m.* -s, -. ～장(場) Fischzuchtanstalt *f.* -n. ～지(池) Fischteich *m.* -(e)s, -e; Weiher *m.* -s, -. 잉어～ Karpfenzucht *f.* 송어～ Forellenzucht.

양어깨 ＝쌍견(雙肩).

양어머니(養—) Adoptivmutter *f.* ⸗.

양어버이(養—) Adoptiveltern (Pflegeeltern) 《*pl.*》.

양언하다(揚言—) öffentlich bekannt machen; öffentlich verkündigen; 《소문을 냄》 aus|-posaunen.

양여(讓與) Abtretung *f.* -en 《an *jn.*》; Abgabe (Über-) *f.* -n; Zession *f.* -en. ～하다 ab|treten[4] 《*an*[4]》; ab|geben*[34]; übergeben*[34]; zedieren[34]. ¶ 그는 자기의 전재산을 딸에게 ～했다 Er gab s-r Tochter sein ganzes Eigentum.

양옥(洋屋) das im abendländischen Stil(e) gebaute Haus, -es, ⸗er; ein europäisches Gebäude, -s, -.

양요(兩凹) ¶ ～의 bikonkav.
‖ ～렌즈 Bikonkavlinse *f.* -n.

양요리(洋料理) das europäische Gericht, -(e)s, -e; das europäische Essen, -s, -.
‖ ～점 das europäische Restaurant (Speisehaus).

양용(兩用) ‖ 수륙～ 비행기 Wasser -u. Landflugzeug *n.* -(e)s, -e; Amphibie *f.* -n.

양우리(羊—) Schafhürde *f.* -n.

양원(兩院) die beiden Häuser 《*pl.*》; das Ober- u. Unterhaus, -es. ¶ ～일치의 의결 überein¦kommende (-stimmende) Bestimmung der beiden Häuser / ～을 통과하다 die beiden Häuser passieren.

‖ ～제도 das System der beiden Häuser; Ober- u. Unterhaussystem *n.* -s, -e. ～협의회 das Verbindungskomitee 《-s, -s》 der beiden Häuser. 상하～ das Ober- u. Unterhaus; die Häuser der Lords u. der Gemeinen (영국); das Haus u. Senat (미국).

양위(讓位) Thronentsagung *f.* -en; Abdankung *f.* -en; Abdikation *f.* -en. ～하다 dem Thron(e) 〔der Krone〕 entsagen; ab|danken; abdizieren; auf den Thron 〔auf die Krone〕 verzichten.

양유(羊乳) Ziegenmilch *f.* -.

양육(羊肉) =양고기.

양육(養育) Ernährung *f.* -en; das Aufziehen* 〔Großziehen*〕 -s. ～하다 ernähren[4]; auf|ziehen*[4] 〔groß|-〕. ☞ 기르다. ¶ 그 아이는 그가 데려다가 ～했다 Er nahm sich des Kindes an und zog es auf.

‖ ～법 Aufziehens¦methode 〔Ernährungs-〕 *f.* -n. ～비 Aufziehens¦geldausgabe 〔Ernährungs-〕 *f.* -n (*od.* -kostaufwand *m.* -(e)s, ⸗e). ～원 《고아원》 Waisenhaus *n.* -(e)s, ⸗er: ～원에 수용하다 in das Waisenhaus aus|nehmen* 〔ein|-〕. ～자 Pflegevater *m.* -s, ⸗; Amme *f.* -n.

양은(洋銀) Neusilber *n.* -s.

양의(良醫) der gute 〔geschickte〕 Arzt, -es, ⸗e.

양의(兩義) Doppelsinn *m.* -es, -e; 《모호》 Zweideutigkeit *f.* -en; Ungewißheit *f.* -en.

양의(洋醫) westlicher Arzt, -es, ⸗e; Arzt, der westliche Medizin praktiziert.

양이(攘夷) Fremdenhaß *m.* ..hasses; Ausländerhetze *f.*; Chauvinismus [ʃovnís..] *m.* -.

‖ ～론 der Grundsatz 《-es, ⸗e》 des Fremdenhasses 〔der Ausländerhetze〕: ～론자 Fremdenhasser *m.* -s, -; der Hetzer《-s, -》 gegen Ausländer; Chauvinist *m.* -en, -en.

양이온(陽—) 〖물리〗 das positive Ion, -s, -en.

양익(兩翼) die beiden Flügel 《*pl.*》. ¶ ～사이 die Flügelweite / ～을 이루다 die beiden Flügel bilden 〔dar|stellen; gestalten〕.

양인(兩人) zwei Personen 《*pl.*》; Paar *n.* -(e)s, -e. ¶ ～ 모두 alle beide; jeder* von beiden (남자); jede* von beiden (여자).

양인(洋人) Europäer *m.* -s, -; Abendländer *m.* -s, -; der 〔die〕 Okzidentale*, -n, -n.

양일(兩日) zwei Tage 《*pl.*》.

양자(兩者) zwei Personen 《*pl.*》. ¶ ～ 모두 beide; alle beide; jeder* von beiden / ～ 택일 das Entweder Oder; die Alternative / ～ 택일을 하다 unter 〔zwischen〕 zwei Dingen wählen.

양자(陽子) 〖물리〗 Proton *n.* -s, -en.

양자(量子) 〖물리〗 Quant *n*, -s, -en.

‖ ～가설 Quantenhypothese *f.* -n. ～궤도 Quantenbahn *f.* -en. ～론 Quantentheorie *f.* ～수 Quantenzahl *f.* -en. ～수량(收量) Quantenausbeute *f.* ～역학 Quanten¦mechanik *f.*; Quantendynamik *f.* ～화학 Quantenchemie *f.*

양자(養子) Pflege¦kind 〔Adoptiv-〕 *n.* -(e)s, -er; Pflege¦sohn 〔Adoptiv-〕 *m.* -(e)s, ⸗e. ¶ ～로 보내다 e-n Sohn bei *jm.* in Pflege 〔Adoption〕 geben* / ～가다, ～들다 bei *jm.* gepflegt 〔adoptiert〕 werden; *j*-s Pflegekind 〔Adoptiv-〕 werden / ～로 삼다〔세우다; 받다〕 (e-n Sohn) adoptieren; *jn.* als *js.* Sohn adoptieren / 부자집에 ～로 갔다 Er ist in reiche Familie adoptiert worden.

양자강(揚子江) Jangtsekiang [jáŋtse..] *m.*; der Yangtse Fluß, -es, ⸗e.

양잠(養蠶) Seidenbau *m.* -(e)s; Seiden(raupen)zucht *f.* ～하다 Seidenraupen züchten.

‖ ～가 Seidenzüchter *m.* -s, -. ～농가 Seiden¦züchterhaus 〔-farmerhaus〕 *n.* -es, ⸗er. ～소 Seidenzuchtanstalt *f.* -en. ～업 Seidenzuchtindustrie *f.* -n.

양장(羊腸) Eingeweide 《*n.* -s, -》 des Schafes. ¶ ～의 sich schlängelnd; windend; kurvenreich / ～ 같은 좁은 길 der windende 〔sich schlängelnde〕 Pfad.

양장(洋裝) ① 《옷》 europäische 〔amerikanische〕 Tracht 〔Kleidung〕 -en; Tracht 〔Kleidung〕 im europäischen Stil; 《장식》 europäischer Stil der Kleidung. ～하다 [4]sich europäisch kleiden; [4]sich im europäischen Stil kleiden. ¶ ～으로 in europäischer [3]Tracht 〔Kleidung〕 / ～한 숙녀 Dame in der europäischen Tracht 〔Kleidung〕 / 그녀는 ～이 어울린다 Sie sieht in europäischer Tracht 〔Kleidung〕 besser aus.

② 《제본》 europäischer Einband, -(e)s, ⸗e. ～하다 im europäischen Stil ein|binden*[4]; ein Buch europäisch ein|binden*. ¶ ～한 책 ein europäisch eingebundenes Buch; ein Buch im europäischen Stil.

‖ ～점 Damenschneidershaus *n.* -es, ⸗er; Modegeschäft *n.* -(e)s, -e.

양재(良材) das gute Holz, -es, ⸗er (목재); das gute Material, -s, ..lien (재료); der gute (Roh)stoff 〔Werkstoff〕 -(e)s, -e (재료); der tüchtige 〔brauchbare; fähige〕 Mensch, -en, -en (인재).

양재(洋裁) Schneiderei *f.* -en; das Schneidern*, -s. ¶ ～를 배우다 schneidern lernen / 그 여자는 ～를 할 수 있다 Sie kann schneidern.

‖ ～사 Schneider *m.* -s, -; Schneiderin *f.* -nen (여자): 신사 (여성)복 전문 ～사 Herrenschneider 〔Damenschneider〕 *m.*; Herrenschneiderin 〔Damenschneiderin〕 *f.* (여자). ～학교 Schneiderschule *f.* -n.

양재기(洋—) Emailgeschirr *n.* -(e)s, -e.

양잿물(洋—) die kaustische Soda; Lauge *f.* -n.

양적(量的) quantitativ.

양전기(陽電氣) positive Elektrizität, -en.

양전자(陽電子) 〖물리〗 Positron *n.* -s, -en.

양전하다(兩全—) vorteilhaft für beide Seiten 〔Parteien〕 sein.

양전하다(陽轉—) 《투베르쿨린 반응이》 positiv werden.

양젖(羊—) Schafmilch *f.*; Ziegenmilch *f.*

양조(釀造) das Brauen*, -s (주로 맥주, 청주 등의); das Destillieren*, -s (주로 위스키, 소주 등의); das Brennen*, -s (화주). ～하다 brauen[4]; destillieren[4]; brennen[4]. ¶ 막걸리는 쌀로 ～한다 Reiswein ist aus Reis gebraut.

‖ ～권 Brau¦recht *n.* -(e)s, -e (-gerechtigkeit *f.* -en). ～량 die gebraute 〔destillierte〕 Menge, -n; Gebräu *n.* -s, -e. ～법 Brauerei *f.* -en. ～시험소 das Versuchslaboratorium 《-s, ..rien》 der Brauerei 〔Destillation; Brennerei〕. ～업 Brauerei *f.* -en. ～업자, ～인 Brauer *m.* -s, -; Destillateur [..tøːr] *m.* -s, -e; Brenner *m.* -s, -. ～장 Brauerei *f.* -en; Destillation *f.* -en; Brennerei *f.* -en. ～학 Zimologie *f.* -n.

양종(洋種) abendländische 〔europäische; amerikanische〕 Saat, -en; fremdländischer Samen, -s, -.

양주(兩主) Ehepaar *n.* -(e)s, -e; Mann u. Frau.
양주(洋酒) ausländisches 〔europäisches; amerikanisches〕 alkoholisches Getränk, -s, -e.
‖ ~상(商) der Handel 〔der Händler〕 europäisches alkoholisches Getränks.
양즙(胖汁) die Brühe 《-n》 von Kaldaunen.
양지(良知) Anschaung *f.* -en; Intuition *f.* -en; intuitives Wissen, -s.
양지(洋紙) europäisches 〔amerikanisches〕 Papier, -es, -e.
양지(陽地) die sonnige Stelle, -n; der sonnige Platz, -es, ⸚e 〔Ort, -(e)s, -e〕. ¶ ~의 sonnig; in der Sonne / ~에서 말리다 an 〔in〕 der Sonnetrocknen / ~가 음지되고 음지가 ~된다 Auf Regen folgt Sonnenschein.¦ Jeder kommt einmal an die Reihe.
양지(諒知) Anerkenntnis *n.* -ses, -se; Einverständnis *n.* -ses, -se; Zustimmung *f.* -en. ~하다 an|erkennen*[4] 〖비분리로도 쓰임〗; einverstanden sein 《*mit*[3]》; gelten lassen*[4]; ¶ ~하시는 바와 같이 wie Sie wissen* 〔einverstanden sind〕/ 이상 ~하시기 바랍니다 Bitte erkennen Sie an, daß....¦ Bitte seien Sie einverstanden, daß....
양지꽃(陽地—) 〖식물〗 Fünffingerkraut *n.* -(e)s, ⸚er.
양지머리 Brusttück 《n. -(e)s, -e》 des Rindfleisches.
양지바르다(陽地—) sonnig; voller Sonnenschein (sein).
양지쪽(陽地—) die sonnige Seite, -n; der sonnige Platz, -es, ⸚e. ¶ ~에서 in der Sonne / ~으로 가다 in die Sonne gehen*.
양진영(兩陣營) beide Lager; beide Parteien.
양질(良質) die gute Qualität 〔Beschaffenheit〕. ¶ ~의 von guter Qualität 〔Beschaffenheit〕.
‖ ~품 Qualitätsware *f.* -n.
양짝(兩—) die beiden Seiten 《*pl.*》.
양쪽(兩—) beide*; 《사물》 beides*; 《양자》 beide Parteien 〔Seiten〕 《*pl.*》; 《부정》 keiner 〔keine; keines〕 von beiden. ¶ ~ 다 alle beide 〔alles beides〕/ ~에 beider¦hand 〔-seits〕 / A, B ~ beide A u. B / ~ 다 중요하다 Beides ist wichtig. / ~ 다 나쁘지 않다 Beide sind alle gut. / ~ 다 알고 있다 Ich weiß die beiden. / ~ 다 모른다 Ich weiß k-n von beiden. / ~ 다 나쁜 길이다 Der Weg ist in beiden Richtungen schlecht. / ~ 다 양보 안한다 K-e von beiden Parteien gibt nach. / ~ 다 내것은 아니다 〖부분부정〗 Nicht alles beides ist 〔sind〕 mein. / ~ 말을 다 들어 본 뒤에야 판단할 수 있다 Nachdem ich alles, was die beiden zu sagen haben, gehört habe, kann ich sie urteilen. /길을 건널 때는 ~을 잘 보시오 Gucken Sie vorsichtig nach beiden Richtungen, ehe über die Straße queren. / ~ 다 공부를 잘 합니다 Sie sind beide fleißige 〔gute〕 Schüler.
양차(兩次) zweimal; doppelt; zweifach; beide.
양차렵(兩—) dünne Wattierung 《-en》 des Futters; dünn gefütterte Kleidung, -en (im Frühling und im Herbst getragen).
양찰(諒察) Berücksichtigung *f.* -en (고려, 참작); das Verstehen*, -s (이해); Einwilligung *f.* -en (동의). ~하다 berücksichtigen[4]; Rücksicht 〔Bedacht〕 nehmen* 《*auf*[4]》; in [4]Betracht 〔Erwägung〕 ziehen*[4]. ¶ 이러한 사정을 ~하시기 바랍니다 Wollen Sie bitte diesen Umständen Rechnung tragen! / 저의 입장을 좀 ~해 주시기 바랍니다 Bitte berücksichtigen Sie mir die Umstände!
양책(良策) der gute 〔kluge〕 Plan, -(e)s, ⸚e; die kluge Politik; das geschickte Vorgehen, -s.
양처(良妻) die gute (Haus)frau, -en; die treue Gattin, ..tinnen; e-e Penelope.
‖ 현모~ die gute (Haus)frau 〔die treue Gattin〕 u. weise Mutter: 현모~가 되다 e-e gute Hausfrau werden / 현모~주의 der Grundsatz 《-es》 〔das Prinzip, -s〕 der guten (Haus)frau 〔der treuen Gattin〕 u. weisen Mutter.
양처(兩處) zwei Plätze 《*pl.*》; beide Stellen 《*pl.*》.
양철(兩凸) bikonvex.
‖ ~렌즈 die bikonvexe Linse, -n.
양철(洋鐵) (Weiß)blech *n.* -(e)s, -e. ¶ ~을 입히다 mit Blech beschlagen*[4].
‖ ~가위 Blechschere *f.* -n. ~공 Blechschmied *m.* -(e)s, -e. ~상 《가게》 Klempnerei *f.* -en; 《사람》 Klempner *m.* -s, -. ~세공 Blecharbeit *f.* -en. ~제품 Blechware *f.* -n. ~지붕 Blechdach *n.* -(e)s, ⸚er. ~집 das mit Blech bedeckte Haus, -es, ⸚er. ~통 Blechbüchse *f.* -n. ~판 Blechplatte *f.* -n.
양청(洋青) Dunkelblau *n.* -s.
양초(洋—) Kerze *f.* -n. ¶ ~에 불을 붙이다 〔끄다〕 e-e Kerze an|zünden 〔aus|löschen〕 / ~를 불어서 끄다 e-e Kerze aus|blasen* / ~의 심지를 자르다 e-e Kerze schneuzen 〔putzen〕/ ~가 꺼지다 Die Kerze erlischt 〔verlischt〕. / ~가 타고 있다 Die Kerze leuchtet 〔brennt〕. / ~가 바람에 깜빡거린다 Die Kerze flackert im Wind.
‖ ~심지 Kerzendocht *m.* -(e)s, -e. ~장사(상) Kerzenhändler *m.* -s, -. ~제조인 Kerzen¦gießer 〔-zieher〕 *m.* -s, -. 양촛대 Kerzeständer *m.* -s, -. 양촛동강 Lichtstumpf *m.* -(e)s, ⸚e.
양초(糧草) Provision 《*f.* -en》 u. Futter 《*n.* -s, -》. ☞ 양말(糧秣).
양춘(陽春) ① 《음력정월》 Januar nach dem Mondkalender. ② 《봄》 Frühling *m.* -s, -e; 〖시〗 Lenz *m.* -es, -e; Frühlingszeit *f.* -en. ¶ ~ 삼월 Lenzing *m.* -s, -e; 〖시〗 Frühlingsmond *m.* -(e)s, -e; Frühlingsmonat *m.* -(e)s, -e.
양춤(洋—) der europäische Tanz, -es, ⸚e; der westlicher Tanz.
양취(佯醉) gespielte Betrunkenheit, -en; vorgeschützte Betrunkenheit.
양측(兩側) beide 〔die beiden〕 Seiten. ¶ 길 ~에 auf den beiden Seiten der Straße / ~의 사상자 die Verluste 《*pl.*》 der beiden Seite.
양치(養齒) Zahnpflege *f.* -n; Mundpflege *f.* -n; das Gurgeln*, -s; Reinigung der Zähne u. des Mundes. ~질하다 gurgeln; [3]sich die Zähne putzen; [3]sich den Hals gurgeln; [3]sich den Mund aus|spülen (입가심); den Mund spülen (입가심). ¶ 소금물로 ~질하다 mit Salzwasser gurgeln.
‖ ~기, ~대야 Gurgel¦becken *n.* -s, - 〔-schale *f.* -e〕. ~물 Gurgel¦wasser 〔Mund-〕 *n.* -s, -. ~소금 Salz 《*n.* -es, -e》 für Gurgeln 《Zahnpasta》.
양치기(羊—) ① 《사람》 Schafhirt *m.* -en, -en; Schäfer *m.* -s, -; Schäferin *f.* ..rinnen. ② 《일》 das Hüten* 《-s》 der Schafe.
양치류(羊齒類) 〖식물〗 Farnkraut *n.* -(e)s, ⸚er; Farn *m.* -(e)s, -e.
양치질(養齒—) ☞ 양치(養齒).

양코(洋—) die große, vorspringende Nase, -n; die Nase der Westlichen. ¶ ~배기 〖속어〗 Yankee *m.* -s, -s; Nordamerikaner *m.* -s, -.
양키 Yankee [jέŋki:] *m.* -s, -s.
‖ ~기질 Yankeetum *n.* -(e)s.
양탄자(洋—) Teppich *m.* -s, -e. ¶ ~를 깐 마루 der mit dem dicken Teppich belegte Fußboden / ~를 깔다 mit Teppich belegen.
‖ ~무늬 Teppichmuster *n.* -s, -. ~직조인(공) Teppich¦weber (-wirber) *m.* -s, -. ~청소기 Teppichkehrmaschine *f.* -n.
양태 ① 《갓의》 die Krempe 《-n》 des koreanischen Hutes. ② 〖어류〗 Spinnenfisch *m.* -es, -e. 「☞ 양모(羊毛).
양털(羊—) Schafwolle *f.* -n; Wolle *f.* -n.
양토(養兎) Kaninchenzucht *f.* ~하다 Kaninchen züchten. ‖ ~가(家) Kaninchenzüchter *m.* -s, -. ~장 Kaninchengehege *n.* -s, -.
양파(洋—) Zwiebel *f.* -n; Bolle *f.* -n.
양팔(兩—) die beiden Armen 《*pl.*》.
양편(兩便) beide; beides; beide Seiten 《*pl.*》; 《두파》 beide Parteien 《*pl.*》; 《방향》 beide Richtungen 《*pl.*》; 《부정》 keiner von beiden. ¶ 길 ~에 auf beiden Seiten der Straße / ~ 기슭에 auf beiden Ufern; beiderseits des Flusses / 길 ~에 사람들이 많이 서 있었다 Menschenmengen standen auf beiden Seiten der Straße.
양푼 Becken *n.* -s, -; Wasserbecken *n.* -s, -.
양품(洋品) die europäischen Artikel 《*pl.*》; die Modeartikel 《*pl.*》; die Kurzwaren 《*pl.*》 (잡화); die Galanteriewaren 《*pl.*》.
‖ ~점 Modeartikel¦handlung (Kurzwaren-) *f.* -en.
양풍(良風) die gute (lobenswerte) Sitte, -n.
‖ ~미속 die gute u. schöne Sitte.
양풍(洋風) der fremde (westliche; europäische; amerikanische) Stil, -(e)s, -e; die fremde Art u. Weise. ☞ 양식(洋式).
양풍(涼風) ein kühler Wind, -(e)s, -e; kühle Luft; der erfrischende Wind, -(e)s, -e.
양피(羊皮) Schafhaut *f.* ⸚e; Schaffell *n.* -(e)s, -e; Pergament *n.* -(e)s, -e (책 표지의).
¶ ~로 철한 in Pergament gebunden.
양하(蘘荷) e-e Art Ingwer 《*m.* -s》.
양학(洋學) die europäischen Wissenschaften 《*pl.*》. ‖ ~자 der Gelehrte* 《-n, -n》 der europäischen Wissenschaften.
양항(良港) der gute Hafen, -s, ⸚.
양항라(洋亢羅) 《직물》 Batist *m.* -(e)s, -e; Musselin *m.* -s, -e. 「Schafes.
양해(羊—) 〖민속〗 das Jahr 《-es, -e》 des
양해(諒解) Einverständnis *n.* ..nisses, ..nisse; Ein(will)igung *f.* -en; Einvernehmen *n.* -s; Übereinkommen *n.* -s; Übereinkunft *f.* ⸚e; Verständigung *f.* -en. ~하다 ein|verstehen*[4] (-|willigen[4]; -|vernehmen*[4]).
¶ …의 ~를 얻어 mit *js.* [3]Einwilligung (Beistimmung; Zustimmung) / 상호간의 ~하에 nach gegenseitiger Übereinkunft; im gegenseitigen Einverständnis / ~가 이루어지다 zu e-m Einverständnis kommen* (gelangen) ⓢ 《mit *jm.*》; e-r Meinung sein; einig werden 《mit *jm. über*[4]》; überein|kommen* ⓢ (-|stimmen) 《mit *jm. über*[4]》 / ~를 얻다 *js.* Einverständnis (Einwilligung; Verständigung) erlangen (erreichen; bekommen*) / ~를 구하다 *js.* Einverständnis (Einwilligung; Verständigung) zu erlangen (erreichen; bekommen) suchen; zu e-m Einverständnis (e-r Übereinkunft) zu kommen suchen; um [4]Erlaubnis (Genehmigung) bitten* 《*jn.*》 / 우리는 암묵리에 ~가 돼있었다 Es herrschte stillschweigendes Einverständnis zwischen uns.
양행(洋行) ① 《외국행》 Auslandsreise *f.* -n; die Reise 《-n》 nach Europa; die Reise 《-n》 nach Amerika. ~하다 ins Ausland gehen* ⓢ; nach Europa (Amerika) gehen* (reisen) ⓢ. ② 《상점》 Geschäftshaus 《-(e)s, ⸚er》 nach europäischem Stil; Handelhaus *n.* -es, ⸚er; Firma *f.* ..men.
양형(量刑) Strafausmessung *f.* -en; Strafzumessung *f.* -en.
양호(良好) ~하다 gut; befriedigend (sein). ¶ 병은 경과가 ~하다 Die Krankheit nimmt e-n glücklichen Verlauf.
양호(養狐) Fuchszucht *f.* -en.
‖ ~장 Fuchsfarm *f.* -en.
양호(養護) Pflege *f.* -n; Pflege u. Erziehung. ~하다 in [4]Pflege nehmen*[4].
‖ ~교사 Pflegelehrer *m.* -s, -; Pflegelehrerin *f.* -nen (여자). ~실 Pflegezimmer *n.* -s, -. ~학급 Pflegeklasse *f.* -n; Sonderklasse *f.* -n. 「nähren.
양호유환(養虎遺患) e-e Schlange am Busen
양호필(羊豪筆) der Schreibpinsel 《-s, -》 aus der Schafwolle.
양홍(洋紅) Karmin *m.* -s; Karminrot *n.* -s; Karmesin *n.* -s; Hochrot *n.* -s.
양화(良貨) das gute Geld, -(e)s, -er. ¶ 악화는 ~를 구축한다 Das schlechte (minderwertige) Geld verdrängt das gute.
양화(洋靴) 《구두》 Schuh *m.* -(e)s, -e.
‖ ~공 Schuster *m.* -s, -; Schuhmacher *m.* -s, -. ~점 Schuhladen *m.* -s, ⸚; Schuhmacherei *f.* -en.
양화(洋畫) die europäische Malerei, -en; 《유화》 Ölmalerei *f.* -en; 《영화》 der Film des westlichen Stils. ¶ ~를 배우다 europäische Malerei studieren; ein Maler im europäischen Stil werden (직업으로).
‖ ~가 der Künstler 《-s, -》 der europäischen Malerei.
양화(陽畫) 〖사진〗 Positiv *n.* -s, -e.
양회(洋灰) Zement *m.* -(e)s, -e.
얕다 seicht; oberflächlich; gedankenlos; einfältig; nicht tief; 《관계가》 nicht eng; oberflächlich (sein). ¶ 얕은 강 der seichte (flache) Fluß, ..lusses, ..lüsse / 생각이 얕은 남자 ein oberflächlicher Mann, -(e)s, ⸚er / 얕은 잠 der leichte Schlaf, -(e)s, ⸚e / 그의 상처는 ~ S-e Wunde ist leicht. / 그와의 교제는 아직 ~ M-e Bekanntschaft mit ihm ist nicht so eng. ¦Ich gehe mit ihm noch nicht so vertraut um. ¦Ich bin mit ihm nicht so gut bekannt.
얕디얕다 sehr seicht (sein).
얕보다 verachten[4]; gering|schätzen[4]; gering|achten[4]; herab|sehen* 《*auf*[4]》; unterschätzen[4]; herab|setzen; verächtlich (mit Verachtung) behandeln[4]; verschmähen (모욕적으로). ¶ 얕보듯 verächtlich; mit Verachtung; geringschätzig; herabsetzend / 관을 ~ die Behörde nicht achten / 적군이 약하다고 얕보지말라 Verachte selbst e-n schwachen Feind nicht! / 그의 업적을 얕보아서는 안된다 S-e Leistungen sind nicht zu unterschätzen.
얕잡다 gering|schätzen[4] (-|achten); unterschätzen[4]; herab|setzen[4]; verachten[4]; unter

dem Wert schätzen[4]. ¶ 사람을 얕잡아 보지 마 Unterschätze mich nicht! / 자네의 생각은 교육을 얕잡아 본 거야 Deine Ansicht legt der Erziehung geringen Wert bei. / 사람들은 그를 얕잡아 보았다 Man behandelte ihn geringschätzig. / 그렇게 얕잡아 볼 것도 아니다 So schlecht ist es (aber) auch nicht.

얕추 seicht; nicht tief.

얘 ① 《이 애》 dieses Kind, -(e)s, -er; er; sie. ② 《부를 때》 hallo!; heda!; he!; hör' mal!; warte mal! ¶ 얘, 잠깐 기다려 Warte mal! / 얘, 서둘러 Beeil' dich!¦Hau hin! / 얘, 거기서 무얼 하고 있어 Hallo! Was machst du denn da?

어 《감탄》 o!; oh!; ah!; tja! ☞ 어렵쇼. ¶ 어, 추워 Hu, wie kalt ist es!

-어(語) Wort *n*. -(e)s 〘*pl*. 2 어 이상 연관하여 정리된 사상을 나타낼 때: -e; 단어: ⁻er〙; Ausdruck *m*. -(e)s, ⁻e (표현); Sprache *f*. -n (언어, 국어). ¶ 법률어 Gesetzterminologie *f*. -n / 속어 Rotwelsch *n*. -s; Gaunersprache *f*. -n / 비어 der gemeine Ausdruck.

어가(御駕) die Sänfte 《-n》 für den König.

-어가다 《동작·상태의 진행》 ¶ 네 생각대로 되어간다면 wenn es nach dir ginge, so... / 걸어가다 zu Fuß gehen / 시험이 잘 되어갔다 Die Prüfung ging gut.

-어가지고 mit; nebst; samt; zusammen mit. ¶ 그는 돈을 벌어 가지고 왔다 Er kam mit all dem Geld, das er verdiente.

어간 《넓은 사이》 Intervall *n*. -s, -e; Abstand *m*. -es, ⁻e; Zwischenraum *m*. -(e)s, ⁻e.

어간(語幹) Wortstamm *m*. -(e)s, ⁻e; der Stamm 《-(e)s, ⁻e》 e-s Wortes.

어간유(魚肝油) 〖약〗 Lebertran *m*. -(e)s, -e; Kabeljautran; Fischtran.

어감(語感) Sprachgefühl *n*. -(e)s, -e. ¶ ～이 예민하다 ein feines Sprachgefühl haben; für sprachliche Abschattierungen sehr empfänglich sein / ～이 무디다 ein dumpfes (schwaches) Sprachgefühl haben / ～이 세다 ein starkes (kühnes) Sprachgefühl haben / ～이 나쁘다 schlecht zusammen|reimen (klingen*); an [3]Wohllaut (Euphonie) mangeln; euphonisch viel zu wünschen übrig lassen*.

어개(魚介) Fische u. Schaltiere (Muscheln) 《*pl*.》; Seeprodukte 《*pl*.》 (해산물).

어거리풍년(一豊年) das Jahr 《-(e)s, -e》 des seltenen Erntesegens.

어거하다 ① 《소나 말을》 lenken (Pferde). ② 《제어》 kontrollieren; leiten; regulieren; handhaben. ¶ 어거하기 쉽다 leicht zu handhaben (lenksam) sein / 어거하기 어렵다 (unlenksam unkontrollierbar; schwer zu bewältigen) sein.

어겹 Mischmasch *m*. -es, -e; Gemengsel *n*. -s, -; Durcheinander *n*. -s, -; Wirrwarr *m*. -s, -; buntes Allerlei, -s, -s.

어구(語句) Wort *n*. -(e)s, -e (⁻er); Worte 《*pl*.》; Ausdruck *m*. -(e)s, ⁻e; 《관용 어구》 Phrase *f*. -n; Redensart *f*. -en. ¶ ～의 용법 die sprachliche Wendung, -en; Ausdrucksweise *f*. -n / 관용 ～의 용법 Phraseologie *f*. -n [..giːən].

어구(漁具) Fisch(er)gerät *n*. -(e)s, -e; Fischzeug *n*. -(e)s, -e.

어구(漁區) Fischplatz *m*. -es, ⁻e. ☞ 어장.

어군(魚群) Fisch¦schwarm (-zug) *m*. -(e)s, ⁻e. ‖ ～탐지기 Fischausfinder *m*. -s, -.

어군(語群) Wortgruppe *f*. -n.

어굴하다(語屈一) um e-e Antwort verlegen sein.

어귀 Eingang *m*. -(e)s, ⁻e; Einfahrt *f*. -en. ¶ 강의 ～ Flußmündung *f*. -en / 굴 ～ Zugang 《-(e)s, ⁻e》 zu e-m Tunnel / 항구의 ～ die Einfahrt zu e-m Hafen / 공원 ～에 게시가 있다 Ein Anschlag ist am Parktor angebracht.

어귀어귀 gefräßig; gierig. ¶ ～ 먹다 gierig essen*.

어귀차다 fest; hart; stark; kräftig; festen [2]Willens (sein).

어그러지다 ① 《법·풍속·약속·명령·진리·도리·이치·예의·기대 따위에》 gegen [4]*et*. sein; [3]*et*. zuwider sein (werden); gegen [4]*et*. verstoßen; in [3]*et*. abweichend sein; ab|weichen* Ⓢ; [4]sich von [3]*et*. entfernen; überschreiten*[4]; verletzen[4]; nicht überein|stimmen; nicht im Übereinstimmen kommen* Ⓢ. ¶ 그것은 법(명령)에 어그러진다 Das ist dem Gesetz(e) (Befehl(e)) zuwider.¦Das überschreitet (verletzt) das Gesetz (den Befehl). / 그것은 약정에 어그러진다 Das ist (verstößt) gegen die Abmachung (Verabredung; Versprechung). / 이 결과는 이론과 어그러진다 Dieses Ergebnis ist mit der Theorie nicht in Übereinstimmung zu bringen. / 그 행동은 예의(풍속)에 어그러진다 Die Handlung verstößt gegen den Anstand (die gute Sitte). / 그것은 규칙에 어그러진다 Das verstößt gegen die Regel (die Vorschrift). / 네 의견은 도리에 어그러진다 D-e Meinung widerspricht der Vernunft. / 결과는 완전히 기대에 어그러졌다 Ich habe (sehe) mich völlig in m-r Erwartung getäuscht. / 기대에 어그러지지 않도록 노력하겠읍니다 Ich will mich anstrengen, damit ich Ihrer Erwartung nicht zuwider sei.

② 《사이가》 entfremden[3]; [4]sich mit *jm*. ab|werfen*. ¶ 친구와의 사이가 어그러졌다 Ich bin m-m Freund entfremdet.¦Ich habe mich mit m-m Freund abgeworfen (von m-m Freund abgewandt). / 그 친한 두 친구 사이가 어그러졌다 Die beiden alten Freunde haben sich entfremdet.

어근(語根) die Wurzel 《-n》 e-s Wortes; Wortstamm *m*. -(e)s, ⁻e.

어근버근 《사개가》 nicht zusammenpassend; 《사람 사이가》 disharmonisch; [4]sich nicht gut verstehend.

어금니 Back(en)zahn *m*. -(e)s, ⁻e. ¶ ～에 끼다 zwischen den Backzähnen stecken[(*)].

어금막히다 [4]sich kreuzen; gekreuzt sein; kreuz u. quer liegen*.

어금지금하다 beinahe dasselbe; so gut (schlimm) wie das andere; fast einerlei; so ziemlich von derselben Art; ziemlich gleich; fast ohne Unterschied. ¶ 어느 쪽이나 ～ Beide sind von derselben Art. (일반적인 뜻)¦Der e-e ist Stroh, der andere ist ebenso. (나쁜 뜻) / 두 사람의 기량은 ～ Es gibt k-n großen Unterschied zwischen beiden in ihren Fähigkeiten.

어긋나다 widersprechen*[3]; entgegen|handeln[3]; [4]sich entgegen|stellen[3]; nicht gehorchen[3]; ungehorsam sein 《*jm*.》; brechen*[4] (약속, 맹세, 조약 등에). ¶ 모든 규칙에 ～ allen [3]Regeln widersprechen* / 기대에 ～ *js*. Erwartungen nicht entsprechen*; *js*. Erwartung täuschen (enttäuschen) / 원칙에 ～ den Grundsätzen widersprechen*; von den Grundsätzen ab|weichen* / 법과 도리에 ～

gegen [4]Gesetz u. Moral verstoßen; gegen die gute Sitte verstoßen. / 그것은 내 기대에 어긋난다 Das entspricht m-m Wunsch nicht. / 이 책은 완전히 기대에 어긋났다 Das Buch hat mich sehr (ent)täuscht. / 그녀는 그의 기대에 어긋날 것이다 Sie wird in s-n Hoffnungen getäuscht werden. / 그의 태도는 우리 기대에 완전히 어긋났다 Sein Verhalten hat uns sehr (völlig) enttäuscht. / 결과는 완전히 기대에 어긋났다 Ich habe (sehe) mich völlig in m-r Erwartung getäuscht. / 그건 약속에 어긋난다 Das ist gegen Abmachung. / 그것은 우리의 생각에 어긋난다 Das widerspricht unserer [3]Auffassung. / 도리에 어긋나는 짓은 하지 마시오 Bitte, verstoßen Sie nicht gegen Gesetz u. Moral!

어긋놓다 [4]*et.* ins Kreuz legen.

어긋맞다 schräg gegenüber sein (sitzen*; liegen*).

어긋매끼다 《beide Elemente, Farben *usw.*》 wechselweise setzen[4] (kombinieren[4]).

어긋물리다 [4]sich kreuzen; ineinandergreifen*. ¶ 어긋물린 톱니바퀴 die ineinandergegriffenen Zahnräder 《*pl.*》.

어긋버긋하다 einander ungleich; gegeneinander unterschiedlich (sein).

어긋하다 etwas schief (sein); etwas lockerverbunden.

어기(漁期) Fischzeit *f.* -en.

어기다 verletzen[4]; übertreten*[4]; verstoßen* 《*gegen*[4]》. ¶ 법을 ~ das Gesetz verletzen (übertreten; verdrehen); gegen das Gesetz verstoßen; dem Gesetz Gewalt an|tun*; [4]es mit dem Gesetz nicht genau nehmen*[4]; das Recht beugen / 약속을 ~ ein Versprechen (e-e Versprechung) brechen*; sein Wort brechen* (nicht halten*) / 도리를 ~ gegen die Vernunft verstoßen* / 규칙(규정)을 ~ gegen die Regel (Vorschrift) verstoßen*; von der Regel (Vorschrift) ab|weichen* / 날짜를 ~ nicht ein|halten*[4] / 계약을 ~ e-n Vertrag brechen* / 1분도 어기지 않다 pünktlich sein; die bestimmte Zeit ein|halten* / 그는 시간을 어긴 적이 없다 Er ist immer pünktlich.

어기대다 *jm.* aufsässig sein; [4]sich trotzig verhalten*.

어기뚱거리다 leicht hin u. her schwankend gehen*. ¶ 어기뚱거리며 물건을 나르다 e-e Sache mit großer Anstrengung tragen* (schleppen).

어기적거리다 watschelnd gehen* ⓢ; [4]sich mit watschelndem Gange langsam bewegen. ¶ 어기적거리며 걷다 watscheln; watschelnd gehen*.

어기적어기적 watschelig; mit watschelndem Gange; (sch)wankend.

어기중(於其中) mittendrin; in der Mitte von .... ~하다 unvollständig (sein).

어기차다 starrköpfig; halsstarrig; eigenwillig; eigensinnig; unbeugsam (sein). ¶ 어기찬 정신 ein unbeugsamer Geist, -(e)s, -er.

어김 《어기는 일》 Abweichung *f.* -en; Bruch *m.* -(e)s, ¨e; das Entgegen|arbeiten* (-handeln*; -wirken*) -s; Übertretung *f.* -en; Verletzung *f.* -en; Verstoß *m.* -es, ¨e. ¶ ~없는 gewiß; pünktlich; regelmäßig; sicher / ~없이 gerade; geradewegs; schon; ohne Versäumnis (Irrtum; Fehler; Verfehlung) / ~없이 하다 nie verfehlen, [4]*et.* zu tun / 1분도 ~없이 auf die Minute pünktlich / ~없이 9시에 와주십시오 Bitte, kommen Sie mir pünktlich um 9 Uhr!

어깨 ① Schulter *f.* -n; Achsel *f.* -n. ¶ ~가 딱 벌어진 breitschulterig / ~높이까지 zur Schulterhöhe / 총을 ~에 메고 mit e-r Flinte über der Schulter / ~에 총 Das Gewehr über! / 사진기를 ~에 메고(걸치고) mit e-r Kamera über der Schulter / ~너머로 über die Schulter her (hin) / ~에 메다 auf s-e Schultern nehmen*[4]; (auf|)schultern[4]; [4]sich auf die Schulter laden* / ~가 뻐근하다 ganz steife Schultern bekommen* / ~로 숨을 쉬다 schwer atmen / ~를 움츠리다 mit den Achseln zucken / ~를 떨다 《울면서》 s-e Schultern zucken / ~를 두드리다 *jm.* auf die Schulter klopfen / 뻐근한 ~를 풀다 《마사지하다·안마하다》 die steifen Schultern massieren lassen* / ~를 나란히 하고 달리다 Kopf an Kopf laufen* ⓢ,ⓗ / ~를 으쓱하다 die Schulter hoch (gerade) tragen*; e-e stolze Haltung zeigen / ~를 내놓다 die Schulter entblößen / 투수는 좋은 ~를 가지고 있다 Der Werfer tut e-n sehr guten Wurf.

② 《비유적》 ¶ ~를 겨누(루)다 *jm.* gleich|kommen* ⓢ; es mit *jm.* auf|nehmen*; *jm.* gewachsen sein; *jm.* gleich|kommen* ⓢ / ~를 나란히 하고 《사이좋게》 Schulter an Schulter / ~가 가벼워지다 Mir fällt ein Stein vom Herzen. / 그와 ~를 겨룰 사람은 없다 Er hat nicht seinesgleichen. ¦ Niemand läßt sich mit ihm vergleichen. / 경치에 있어 오스트리아와 ~를 겨눌 수 있는 나라는 별로 없다 Es gibt wenige Länder, die in Bezug auf Landschaft mit Österreich zu vergleichen sind.

③ 《책임·사명》 ¶ ~가 가벼워짐을 느끼다 [4]sich fremd fühlen; in den Schultern leicht werden; [4]sich erleichtert fühlen / 중책을 맡아 ~가 무겁습니다 Wegen der wichtigen Verantwortlichkeit fühle ich mich nicht erleichtert.

④ 《불량배》 Raufbold *m.* -(e)s, -e; Schurke *m.* -n, -n; Schuft *m.* -(e)s, -e.

‖ ~걸이 Schal *m.* -s, -e (-s); Umschlagtuch *n.* -(e)s, ¨er (-e). ~넓이 Schulterbreite *f.* -n. ~높이 Schulterhöhe *f.* -n. ~받이 Schulterunterlage *f.* -n. ~뼈 Schulterblatt *n.* -s, ¨er.

어깨넘엇글 das Wissen 《-s, -》, das man sich nicht durch e-e ordentliche Schulbildung, sondern nur mittelbar durch Abgucken angeeignet hat.

어깨동무 ① 《놀음》 e-e Art Kinderspiel, bei dem man sich gegenseitig freundlich um die Schultern faßt. ② 《친구》 Jugendfreund *m.* -(e)s, -e; ein Freund aus der Kinderzeit; der alte Spielgefährte, -n, -n; der alte Gespiele, -n, -n; der alte Spielgenoß, -nosses, -nosse; der alte Schulkamerad, -en, -en. ~하다 [4]sich gegenseitig freundlich um die Schultern fassen. ¶ 두 사람은 ~ 친구다 Die beiden sind Jugendfreunde.

어깨뼈 〖생물〗 Schulterblatt *n.* -(e)s, ¨er.

어깨에총(一銃) 《총을 멤》 ein Gewehr schultern; 《구령》 Das Gewehr über! ¦ Schultert das Gewehr!

어깨차례(一次例) ① 《돌아가는 차례》 die Reihe 《-n》 in regelrechter Ordnung. ② 《키순》 die Reihe 《-n》 nach der Größe.

어깨춤 die Tanzbewegung 《-en》 mit den Schultern.

어깨통 Schulterumfang *m.* -(e)s, ⸗e; Schulterbreite *f.* -n.

어깻바대 Schulterunterlage *f.* -n; Schulterfutter *n.* -s, -.

어깻바람 die gute Laune; die lustige 〔heitere; fröhliche〕 Stimmung. ¶ ~ 나다 bei guter 〔froher〕 Laune 〔fröhlich u. guter Dinge; gutes 〔guten〕 Mutes〕 sein.

어깻숨 das Atmen* 《-s》 mit den Schultern. ¶ ~을 쉬다 schwer atmen; den Atem mit den Schultern schöpfen.

어깻죽지 Schultergelenk *n.* -(e)s, -e. ¶ ~에 칼을 맞다 e-n (Schwert)hieb auf die Schulter bekommen*.

어깻짓 Achselbewegung *f.* -en; Schulterbewegung *f.* -en.

어꾸수하다 ① 《맛이》 angenehm; behaglich (sein). ¶ 그 음식이 어꾸수하구나 Das Essen behagt mir. ② 《하는 말이》 angenehm; interessant (sein). ¶ 그의 말이 어꾸수했다 Er redete angenehm interessant.

어눌하다(語訥—) stotternd; stammelnd (sein); stottern; stocken; stammeln. ¶ 어눌한 것 das Stottern*, -s; das Stammeln*, -s / 어눌한 사람 Stotterer *m.* -s, -; Stammler *m.* -s, - / 어눌하게 말하다 stottern; in der Rede stammeln.

어느 ① 《의문》 welcher*; welch ein. ¶ ~ 책 welches Buch, -(e)s, ⸗er / ~ 사람 welch einer; welcher; welch ein Mann *m.* -(e)s, ⸗er / ~ 길로 갈까 Welchen Weg gehen wir? / ~ 차를 타십니까 Mit Welchem Wagen 〔Zug; Auto〕 fahren Sie? / ~ 김씨 말이야, 큰 김씨야 작은 김씨야 Welchen (von den beiden) Herren *Kim* meinen Sie, den großen od. den kleinen 〔den Älteren od. den Jüngeren〕? / 이 중에서 ~ 것을 가지고 싶은가 Welches von diesen möchtest du wählen 〔nehmen*〕? / 홍차와 커피 중 ~ 것을 더 좋아하십니까 Welches mögen 〔haben〕 Sie lieber, Tee od. Kaffee? ※ Tee ↗od. Kaffee↗로 끝을 올림조로 발음하면 「홍차와 커피 중 어느쪽도 좋아하지 않는다면 그 밖에 뭐 좋아하시는 것이 있습니까?」의 뜻이 됨 / ~ 날짜가 좋습니까 Der wievielte Tag ist Ihnen gut?
② 《한》 ein* 〔부정관사〕; 《어떤》 irgendein*; ein gewisser*. ¶ ~ 날 e-s Tages 〔과거와 미래〕 / ~ 날 아침 e-s Morgens / ~ 때 zu e-r 〔gewissen〕 Zeit, -en; bei irgend e-r Gelegenheit / ~ 부호(富豪) ein gewisser Millionär, -s, -e (Reicher*, -s, -) / ~곳에 an e-m gewissen Ort / ~ 외딴 고을에 in e-r abgelegenen Stadt; in e-m abgelegenen Ort / 이름은 비밀로 합니다마는 ~ 남자가 ein gewisser Mann, den ich nicht nennen will.
③ 《어느 것이나》 welcher*; 《어떻든》 irgendwie; auf alle Fälle; jedenfalls. ¶ ~ 것이나 jeder*; die beiden* (쌍방); weder... noch (부정(否定)) / ~ 점에 있어서나, ~ 모로 보나 〔보든지〕 in jeder Hinsicht / ~ 경우에도 in allen Fällen; unter allen Umständen / ~ 색이나 다 좋다 Jede Farbe ist schön zu sehen. / ~ 것을 먼저 할까요— ~ 쪽이라도 좋다 Mit Welchem soll ich beginnen?—Du darfst alles, was du willst. / ~ 책을 사건 값은 매한가지이다 Welches Buch du auch kaufen magst, ist der Preis einerlei 〔derselbe〕. / ~ 것도 마음에 들지 않는다 Nichts gefällt mir. / ~ 아이도 대답을 못했다 Niemand von den Kindern konnte antworten. / ~ 쪽도 모릅니다 Ich weiß k-n von beiden. (둘인 경우)¦Ich weiß k-n von ihnen. (셋 이상인 경우) / 나도 그 사람도 ~ 쪽도 틀리지 않는다 Weder ich noch er ist 〔sind〕 falsch. / 그도 그녀도 ~ 쪽도 오지 않았다 Weder er noch sie ist 〔sind〕 gekommen. / 그는 ~ 모로 보나 훌륭한 신사다 In jeder Hinsicht ist er ein guter 〔anständiger; tüchtiger〕 Herr.

어느겨를에 trotz der wenigen Zeit. ¶ 할 일이 태산 같은데 ~ 피아노를 치랴 Ich habe genug zu arbeiten. Woher soll ich noch die Zeit nehmen, Klavier zu spielen?

어느덧 unbemerkt; ohne es zu merken; unbewußt. ¶ ~ 해가 서산에 기울었다 Unbemerkt ist die Sonne untergegangen. / ~ 봄이 왔다 Da ist schon der Frühling, ohne es zu bemerken. / ~ 내 나이 40이 되었다 Indessen bin ich schon 40 Jahre alt, ohne es zu bemerken. / ~ 목적지에 닿았다 Inzwischen sind wir unbemerkt an unser Reiseziel angekommen. / ~ 내 청춘이 지나갔다 Schon ist m-e Jugend vorbei, ohne es zu bemerken. ¦ Schon ist m-e Jugend vergangen. / ~ 벚꽃이 피었구나 Schon unbemerkt ist die Kirschblüte geblüht 〔blühend〕. / ~긴 겨울방학도 다 갔다 Schon sind die langen Winterferien unbemerkt vorbei. ¦Die langen Winterferien sind unbemerkt vergangen. / ~ 성탄절이 왔다 Da ist schon Weihnachten.¦Weihnachten ist schon da unbewußt.¦Christfest ist schon da.

어느때 wann; um welche Zeit; wie bald. ¶ ~ 돌아오십니까 Wann werden Sie wieder hier sein?¦Wann kommen Sie zurück? / ~ 오시나요 Wann kommst du zu mir? / ~라도 오십시오 Sie sind mir immer 〔stets〕 willkommen. / 요전에 뵈온 것이 ~였던가요 Wann war es, daß ich Sie zum letzen Mal gesehen habe? / ~ 또 뵈올 수 있을는지 Es wird lange dauern, ehe wir uns wiedersehen. / 자네는 ~ 가도 집에 없더군 Ich habe Sie leider nie angetroffen, wenn ich Sie besuchte. / 사람은 ~ 죽을지 모른다 Der Mensch kann jeden Augenblick sterben. / 바다 경치는 ~ 봐도 좋군요 Ich werde nie müde, auf das Meer zu sehen. / 토마토는 ~ 먹어도 맛있다 Tomaten schmecken mir immer.

어느새 =어느덧.

어느정도(一程度) einigermaßen; ziemlich. ¶ ~ 까지 bis zu e-m gewissen Grade / 그 것으로 ~ 벌었다 Er hat ein ziemliches dabei verdient. / 그는 나와 ~ 나이가 같다 Er ist so ziemlich in m-m Alter.

어느쪽 ① 《의문》 welcher*. ¶ ~ 기차를 탑니까 Mit Welcher Eisenbahn reisen Sie?¦Welchen Zug benutzen Sie?
② 《무엇이든》 welcher*. ¶ ~ 길을 가더라도 Welchen Weg man auch einschlägt, ... / 이 가운데에서 ~ 방법을 취해도 좋다 Sie können e-n beliebigen von diesen Plänen annehmen. / ~ 신문도 그 사건을 보도하고 있다 Jede Zeitung berichtet das Ereignis. / ~ 방도 비어 있지 않다 Kein Zimmer ist frei 〔unbesetzt〕.
③ 《선택》 entweder ... oder; weder ... noch. ¶ 그가 잘못했던가 아니면 내가 잘못했던가 그 ~이다 Entweder er oder ich bin im Irrtum.

④ 《두 쪽 다》 beides*; keiner* (von beiden) (부정). ¶ 둘 중 ~도 거기에 없었다 Keiner von den beiden ist dagewesen.

어느틈 ¶ ~에 unbemerkt; ehe (bevor) man es bemerkt (merkt); ohne es zu (be)merken; unbewußt / 여름 방학도 ~에 지나가 버렸다 Die Sommerferien sind um, ehe man es merkt.

어댑터 Adapter *m*. -s, - (응용부품).

-어도 ① 《양보》 obgleich; wenn auch; obzwar; obschon. ¶ 나이는 먹었어도 나는 아직 일할 수 있다 Wenn ich auch alt bin, kann ich doch arbeiten. / 싫어도 좋아도 해치워야만 한다 Du mußt das erledigen, ob du das magst od. nicht. ② 《승낙》 ¶ 지금 가셔도 좋습니다 Sie können jetzt gehen.

어두워지다 ⁴sich verdunkeln; ⁴sich verfinstern; dunkel (dunkler; beschattet) werden; ⁴sich verschleiern. ¶ 날씨가 ~ Es dunkelt (wird dunkel). / 눈앞이 ~ Es wird mir dunkel vor den Augen.

어두육미(魚頭肉尾) Beim Fisch schmeckt der Kopfteil, beim Tier aber der Schwanzteil.

어두커니 in der Morgendämmerung.

어두컴컴하다 dämmerig; düster; dunkel (sein). ¶ 어두컴컴해지다 dunkel werden¦Es dunkelt.¦Es dämmert.

어둑새벽 Morgendämmerung *f*. -en.

어둑어둑하다 dämm(e)rig; schattig; trübe; düster; halbdunkel (sein). ¶ 날이 ~ Es dämmert.¦Der Abend dämmert.¦Es wird dunkel. / 그는 날이 어둑어둑해서 왔다 Er kam in der Abenddämmerung.

어둑하다 《방이》 dämmerig; düster; dunkel; 《등불이》 schwach (sein). ¶ 어둑한 방 das düstere Zimmer, -s, - / 어둑한 곳에서 im Dunkeln.

어둔하다(語鈍—) stotterig; stockend (sein).

어둠 das Dunkel*, -s; Dunkelheit *f*.; 《암흑》 Finsternis *f*. ..nisse; 《음침》 Düsterheit *f*.; Düsterkeit *f*.; Trübheit *f*.; Trübe *f*. ¶ ~ 속에서 im Dunkeln (Finstern); in der ³Dunkelheit (Finsternis) / ~이 깔리기 전에 bevor es dunkelt (dunkel wird); noch vor ³Eintritt der Dunkelheit; vor ³Einbruch der Nacht / ~ 속에서 덮치다 in der Dunkelheit überfallen*⁴ / ~을 틈타서 im (unter dem) Schutz der Dunkelheit / ~속을 가다 im Dunkeln gehen* ⓢ / 밤의 ~ die Finsternis der Nacht / ~ 속에 사라지다 im Dunkeln verschwinden* ⓢ / ~ 속에서 길을 찾아내다 ⁴sich im Dunkeln zurecht finden* / ~ 속을 헤매다 im Dunkeln wandern ⓢ / ~이 다가왔다 Die Dünkelheit näherte sich dort heran. / ~이 깔리다 Es verdämmert.¦Es wird dunkel.

어둠침침하다 dunkel; finster; düster; trüb (sein). ¶ 어둠침침한 곳에서 im Dunkeln / 어둠침침한 방 das finstere Zimmer, -s, - / 어둠침침한 기분으로 in trüber Stimmung.

어둡다 ① 《밝지 않다》 dunkel; finster; lichtlos; 《희미하다》 düster; trübe; dämm(e)rig; stockfinster (캄캄하다); 《빛이》 schwach; matt; trübe (sein). ¶ 어두워지다 dunkel (finster; düster) werden; ⁴sich verdunkeln (verfinstern); ⁴sich beschatten (그림자로); ⁴sich bewölken (하늘이 구름에 가려) / 점점 어두워지다 immer dunkler werden; dämmern / 어둡게 하다 verdunkeln⁴; verfinstern⁴; verdüstern⁴; dunkel (finster; düster) machen⁴; ab|blenden⁴ (불빛, 방을) / 등잔 (램프)을 어둡게 하다 die Lampe klein drehen (herunter|schrauben; dunkler machen) / 안색이 어두워지다 Das Gesicht verfinstert sich.¦E-e Wolke fliegt über das Gesicht. ② 《사물에》 unwissend sein 《*in*³》; e-s Dinges unkundig sein; unbewandert sein 《*in*³》; k-e Erfahrung haben 《*in*³》; nur wenig wissen* 《*von*³》; k-e Ahnung haben 《*von*³》; schlecht unterrichtet (informiert) sein 《*von*³; *über*⁴》. ¶ 세상(물정)에 ~ wenig von der Welt wissen*; nicht weltklug (weltgewandt) sein / 시세에 ~ der gegenwärtigen Umstände (der aktuellen Fragen) unkundig sein / 그는 역사엔 ~ Er ist in der Geschichte unbewandert (nicht zu Hause). / 나는 이 근처의 지리에 ~ Ich bin in dieser Gegend nicht gut orientiert.¦Diese Gegend ist mir fremd.
③ 《귀가》 schwerhörig sein; schlecht hören. ¶ 눈이 ~ schwachsichtig sein / 그는 귀가 ~ Er hört schlecht. / 늙으면 눈이 어두워진다 Die Augen werden schwachsichtig mit Alter. / 그 할머니는 고령으로 눈이 어두우시다 Die Alte ist schwachsichtig mit höhem Alter.

어드 〖전기〗 Erdschluß *m*. ..lusses, ..lüsse; Erdung *f*. -en; Erdleitung *f*. -en.

어디[1] ① 《의문》 wo. ¶ ~까지 《거리》 wie weit; 《정도》 wieweit; inwieweit; inwiefern / ~에서, ~로부터 woher; wovon / ~로 wohin; wo... hin?; an welchem Ort / 내 신발이 ~ 있느냐 Wo sind (liegen) m-e Schuhe? / ~(에)서 오셨읍니까 — 서울서 왔읍니다 Woher kommen Sie? — Ich komme von Seoul. / 그걸 ~서 들었느냐 Woher weißt du das? / 그는 ~ 태생이냐 Wo stammt er her? / 그 원인이 ~에 있는가 Woher kommt es? / 그가 ~서 왔는지 나는 모른다 Woher er kommt, weiß ich nicht. / 그는 ~로 가는 거냐 Wohin geht er?¦Wo geht er hin? / 나는 그가 ~로 가는지 모른다 Ich weiß nicht, wohin er geht (wo er hingeht). / ~까지 가십니까 Wie weit gehen Sie? / ~가 아픕니까 Welche Stelle tut Ihnen weh? / 여기가 ~입니까 Wo sind wir hier?¦Was ist dieser Ort? / 그는 도대체 ~ 갔느냐 Wohin ist er denn gegangen? / 그가 ~ 갔는지 아무도 모른다 Niemand weiß, wohin er gegangen ist. / 자네 이제까지 ~ 있었나 Wo bist du denn bis jetzt (bisher) gewesen? / 이 두 물건이 ~가 다르냐 Welchen Unterschied gibt es zwischen diesen zwei Dingen? / 그 남자의 ~가 맘에 드는가 Was gefällt dir von ihm? / 그녀의 ~가 좋으냐 Was für Gutes findest du in ihr? / 나는 그를 ~까지 믿어야 할 지 모르겠다 Ich weiß nicht, inwieweit ich ihr vertrauen muß. / 이 소설의 ~가 좋은지 모르겠다 Es ist mir nicht gelungen, etwas Gutes in dem Roman zu entdecken. / 요전에 ~까지 읽었지 《교실에서》 Bis wohin haben wir das letzte Mal gelesen?
② 《어딘가》 irgend¦wo (-woher; -wohin). ¶ ~엔가 irgendwo an e-r (gewissen) Stelle / ~에도 (없다) 《부정》 nirgendwo / 여기 ~에 irgendwo in dieser Gegend; hier in der Nähe / 분명히 ~서 본 얼굴인데 생각이 안 난다 Gewiß habe ich dich einmal irgendwo gesehen, aber ich kann mich nicht erinnern. / 그는 서울 ~엔가 살고 있다 Er lebt irgendwo in Seoul. / 브라운 씨

라는 분이 ～에 사는지 혹시 아십니까 Wissen Sie zufällig, wo Herr Braun lebt? / 여기 ～에 우체국이 있읍니까 Wo gibt es hier e-e Post? / 그는 어딘가 이 근처에 살고 있을 겁니다 Er müßte irgendwo in der Nähe wohnen. / 그에게 어딘가 천(賤)한〔고상한〕데가 있다 Er ist etwas gemein〔vornehm〕.¦Er hat gewissermaßen Gemeinheit〔Vornehmheit〕/ 그녀는 어딘지 모르게 애교가 있다 Sie ist gewissermaßen〔etwas〕anziehend〔reizend〕. / 그는 ～에 내어 놓아도 손색없는 독어 교사이다 Er ist sicher ein tüchtiger Deutschlehrer. / 장갑을 ～엔가 두고 왔다 Ich habe m-e Handschuhe irgendwo liegen lassen. / ～론가 나간 것 같군요 Er scheint irgendwo ausgegangen zu sein. / 그가 ～에선가 나타났다 Er ist irgendwoher zum Vorschein gekommen.

③《개괄적으로》überall;《부정》nirgends. ¶ ～나, ～든지 überall / ～(에)라도, ～까지나 überall; durch u. durch (철두철미) / ～라 없이 überall / ～를 가더라도 wohin du auch gehen magst / 그가 ～에 (어느 곳에) 있든지 wo er auch sei / 나는 ～까지나 너를 지지하겠다 Ich will dich bis zum Ende〔durch u. durch〕unterstützen. / 인정은 ～나 마찬가지다 Die Menschlichkeit ist überall dieselbe. / 그는 ～까지나 자기 의견을 고집하였다 Er behauptete (sich) s-e Meinung bis zum Ende. / 그는 ～까지나 신문 기자다 Jedenfalls ist er ein Journalist〔Zeitungsmensch〕. / 그는 ～까지나 욕심이 많다 Er ist überhaupt sehr gierig.

어디² 〖감탄사〗nun gut!; wohlan!; doch!; also. ¶ ～ 산책이나 할까 Also, wollen wir spazierengehen?¦Machen wir doch e-n Spaziergang! / ～ 두고 보자 Nun gut! Ich will Vergeltung üben. / ～ 독일어 한 번 해 보아라 Nun, versuche einmal, Deutsch zu sprechen!¦Wohlan, laß mich hören, wie du Deutsch sprichst! / ～ 시험삼아 이 약을 먹어보자 Suchen wir doch mal diese Arznei! / 우리 ～ 그렇게 해 보자 Nun gut, versuchen wir doch so.

어딘가, 어딘지 irgendwie. ☞ 어디¹②. ¶ ～ 모르게 irgendwie; gewissermaßen; etwas / 저 소녀는 ～ 모르게 애교가 있다 Das Mädchen hat etwas Einnehmendes (an sich). / ～ 몸의 상태가 좋지 않다 Ich weiß nicht wie, aber ich fühle mich nicht wohl.

어따 《옛다》Hier! ¶ ～ 술이나 마셔라 Hier, trinke Wein!

어떠하다 《성질·모양·상태》wie; was. ¶ 보르도주(酒) 한 잔 어떻습니까 Darf ich Ihnen ein Glas Bordeaux anbieten? / 건강이 어떠하십니까 Wie geht es Ihnen?¦Wie befinden Sie sich?¦Wie steht's? / 다음 일요일은 어떻습니까 Wie wäre es mit dem nächsten Sonntag?¦Ist Ihnen der nächste Sonntag recht? / 오늘은 몸이 어떻습니까 Wie fühlen Sie sich heute? / 그는 요새 어떻게 지냅니까 Wie geht es ihm heutzutage? / 장사 재미가 어떻습니까 Wie geht das Geschäft?¦Was macht das Geschäft? / 이건 〔저건〕어떻습니까 Wie finden Sie es?¦Wie gefällt es Ihnen?¦Was sagen Sie dazu? / 영화구경은 어떨까요 Wie wäre es mit dem Kinobesuchen? / 이 소설은 어떻습니까 Wie steht's in dem Roman? / 그 세계 일주 여행은 어떠하였읍니까 Wie war die Reise um die Welt? / 내가 이 옷을 입으면 어떨까요 Wie würde ich in diesem Kleid aussehen? / 내일 떠나는 게 어떨까요 Wie wäre es, wenn wir morgen abführen? / 오늘 쌀값이 어떤가요 Wieviel kostet Reis heute? / 그 연극은 재미가 어떨까요 Wie wird Ihnen das Schauspiel gefallen? / 그가 가난한들 그게 어떻단 말이냐 Wie ist es, wenn er auch so arm sei.¦Wie ist es, so arm wie er auch ist? / 그것은 어떻다 말하기 힘들 정도이다 Das ist unbeschreiblich. / 그것은 어떻다고 말할 수 없이 경이로운〔놀라운〕연주였다 Das war e-e unbeschreiblich wunderbare Aufführung. / 그녀는 어떻다 말할 수 없는 아름다운 용모를 가지고 있다 Sie ist unbeschreiblich schön.

어떠한 ☞ 어떤.

어떤 ①《무슨·여하한》was für ein*; was für welch*; welch*. ¶ ～ 일이 있다 할지라도 was auch geschehen mag; jedenfalls; unter allen Umständen; auf alle Fälle / 대체 ～ 남자입니까 Was für ein Mann ist er denn?¦Was ist er denn für ein Mann? / ～ 이유로 오지 않았는가 Aus welchem Grunde bist du nicht gekommen? / 책을 얻었읍니다—～책을? Ich habe ein Buch geschenkt bekommen.—Was für ein(e)s? / ～ 넥타이를 찾으십니까 Was für e-e Krawatte möchten Sie haben? / ～ 일이 있더라도 너의 계획을 바꾸지 말라 Unter allen Umständen, ändere nicht d-n Plan! / ～ 가게도 열려 있지 않았다 Kein Geschäft war offen. / 원자탄이란 것이 도대체 ～ 것이냐 Was (für eins) ist denn die Atombombe? / 당신을 위해서라면 ～ 일이라도 하겠읍니다 Für Sie würde ich alle Schwierigkeiten erleiden. / ～ 일이 있어도 그것은 못 하겠다 Was auch geschehen mag, will ich nicht so etwas tun.¦Jedenfalls kann ich das nicht (tun).¦Keineswegs will ich nicht so eines tun. / ～일이 있더라도 책임을 완수하겠읍니다 Unter allen Umständen will ich m-e Pflicht erfüllen〔leisten〕.

②《알지 못하는》(irgend)ein*; ein gewisser*; irgendetwas*; irgendwelcher*. ¶ ～ 사람 irgend e-r*; irgend jemand*; irgendwer*; e-e gewisse Person, -en / ～ 의미에선 in e-m (gewissen) Sinne / ～ 학생들은 독어를 배우고 ～ 학생들은 영어를 배운다 Die e-n Schüler lernen Deutsch, während die anderen Englisch lernen.

어떻게 ①《어떠하게》wie; was. ¶ ～ 할까 Wie soll ich es machen?¦Was tun?¦Was machen wir? / ～ 할 생각입니까 Was wollen Sie machen? / ～ 하는 것이 제일 좋습니까 Wie macht man das am besten? / ～하라는 거야 Was meint er damit?¦Was will er damit sagen? / ～ 여기에 왔읍니까 Was führt Sie hierher? / ～ 하여 이렇게 되었을까 Wie kommt〔kam〕es, daß…. / 나는 그것을 ～ 만드는지 모른다 Ich weiß nicht, wie man das machen kann. / 이 편지를 ～ 할까요 Was soll ich mit diesem Brief machen? / 신문은 그것에 관하여 ～ 말하고 있느냐 Wie steht in der Zeitung darüber?

②《몹시·감탄》¶ 그 여자는 ～ 예쁜지 모르겠다 Wie schön ist sie!¦Wie schön sie ist!¦Welche Schöne!¦Welch e-e Schönheit! / ～나 비가 오는지 앞이 보이지 않는다 Es regnet so stark, daß ich mich nicht mehr zurechtfinden kann.

③《어떻게든》irgend(wie); auf irgend e-e

Weise; auf die e-e od. (die) andere Weise; so od. so. ¶ 집은 ~든 찾을 겁니다 Das Haus findet er schon irgendwie. / ~ 잘 되겠지요 Auf irgend e-e Weise wird es schon gehen. / ~든 할 수 있으면 해 보아라 Wenn du irgend kannst, so tue es. / ~ 되겠지요 Irgendwie wird es schon gehen.
④ 《이럭저럭》 ¶ ~ 좀 나아질 것으로 생각한다 Ich denke (glaube), daß es sich irgendwie etwas verbessern würde.

어떻게되다 ① 《사람·일이》 irgendwie werden; 《형편이 잘》 aus|kommen* [s] 《mit ^{3}*et.*》; hinweg|kommen* [s] 《*über*^{4}》; fertig werden 《*mit*^{3}》. ¶ 어떻게 되겠지요 Irgendwie wird es schon gehen. ¦ Es wird schon (bald wieder) werden. ¦ Laß es gehen, wie es Gott gefällt. / 그 일이 어떻게 될지 모르겠다 Ich weiß nicht genau, wie es schon gehen wird. / 어떻게 된 거냐 안색이 나쁘구나 Was ist dir geschehen? Du siehst nicht gut aus. / 걱정할 것 없어 어떻게 되겠지 Sei ohne Sorge! Wir werden schon damit fertig.
② 《그럭저럭》 jedenfalls; inzwischen; vielleicht; irgendwie. ¶ 그 여권은 곧 어떻게 될 것 같습니다 Der Reisepaß wird vielleicht bald ausgeliefert werden. / 집 문제 해결은 곧 어떻게 되겠지요 Irgendwie wird das Hausproblem bald geloschen werden.
③ 《이상해지다》 verkommen*; faulen; vermodern; entgleisen; verrückt werden (머리가 돌다).

어떻게하다 irgendwie machen; bewerk¦stelligen^4; managen [mǽnɛdʒən]; in die Hand nehmen*^{4}. ¶ 그것은 내가 어떻게 해 보겠읍니다 Ich werde es irgendwie bewerkstelligen. (주선하다) ¦ Ich werde es irgendwie managen. (처리하다) ¦ Das werde ich irgendwie in die Hand nehmen. (인수하다) / 그 정도의 돈이라면 어떻게 (마련)할 수 있을 것 같습니다 Es ist mir hoffentlich gelingen, soviel Geld aufzubringen. / 어떻게 해서든지 그것을 해라 Tue es auf jeden Fall! / 이 편지를 어떻게 할까요 Was (Wie) soll ich mit diesem Brief machen (tun)? / 이 돈을 어떻게 할 생각인가 Was willst du mit diesem Geld tun?

어떻든지 auf alle Fälle; auf jeden Fall; jedenfalls; irgendwie; immerhin. ¶ 그것은 ~ wie es auch immer sei / ~ 그렇게 합시다 Auf alle Fälle will ich es so machen. / 그가 올 것 같지도 않으니까 ~ 시작합시다 Wir wollen jedenfalls anfangen, da er wahrscheinlich nicht kommen wird. / ~ 내 일은 드디어 이것으로 끝났다 So od. so, ich bin mit m-r Arbeit endlich fertig. / ~ 저 남자는 좋은 사람이다 Jedenfalls ist er ein guter Mann.

어뜩 flüchtig; im Vorübergehen; vorübergehend; 《겉만을》 oberflächlich. ¶ ~ 보다 flüchtig sehen*; e-n flüchtigen Blick werfen* 《*auf*^{4}》 / ~ 듣다 zufällig hören; undeutlich (von ungefähr) hören / 나는 ~ 보았다 Ich sah es mit halbem Auge.

어뜩비뜩 《행동이》 unordentlich; unruhig; zappelig; rastlos; ruhelos; 《자리가》 kreuz u. quer; durcheinander; ungeordnet. ¶ ~한 눈초리 ein verwirrter Blick, -(e)s, -e.

어뜩하다 es schwindelt *jm.* plötzlich. ¶ 어뜩하게 정신을 잃다 plötzlich in Ohnmacht fallen* [s].

-어라 《명령》 ¶ 이것을 먹어라 Iß! das / 거기 있어라 Bleibe dort!

어란(魚卵) Fischei *n.* -(e)s, -er 《보통 *pl.*》; Fischlaich *m.* -(e)s, -e; Fischrogen *m.* -s, - (이리).

어람(御覽) die Besichtigung 《-en》 durch (S-e Majestät) den Kaiser.

어런더런 geräuschvoll; lärmend. ¶ 그가 등단하자 회장이 ~ 했다 Als er auf der Tribüne erschien, entstand e-e allgemeine Erregung unter der Hörerschaft.

어럽쇼 ach; oh; Mein Gott!; Oh je!; Du!; Ach je!; O Himmel!; Um Gottes willen! (어처구니없을 때); Ach nein!; Du, m-e liebe Zeit!; Mein Gott nochmals! (놀랐을 때).

어려움 Schwierigkeit *f.* -en (곤란); Not *f.* ⸚e (곤궁). ¶ ~을 극복하다 Schwierigkeiten überwinden*.

어려워하다 《기가죽다·수줍어하다》 ^{4}sich befangen (unfrei; gehemmt) fühlen (높은 사람 앞에서); ^{4}sich beschämt fühlen (beschämt sein) (수줍어하다); Gewissensbisse haben (fühlen) (양심상); niedergedrückt 《*in*^{3}》 (gedrückter Stimmung) sein (기가 죽다). ¶ 어려워하는 기색 niedergedrückte (demütige) Stimmung / 어려워하지 않고 schamlos / 그는 나를 어려워하는 빛이 있다 Er sieht vor mir demütig aus. / 그녀는 그를 어려워해서 말을 못했다 Sie fühlte so beschämt, daß sie vor mir nichts sagen konnte. / 어려워하시지 말고 편히 앉으시오 Setzen Sie sich bequem, wie zu Hause! / 내 앞에서 어려워하지 말게 Tue (Verhalte dich) vor mir, wie zu Hause! / 그의 앞에서 어려워할 필요없네 Du brauchst nicht vor ihm beschämt zu fühlen.

어련무던하다 anspruchslos (sein).

어련하다 unfehlbar; untrüglich; zuverlässig; gewiß; zweifellos (sein). ¶ 자네 생각이 어련하겠나 Zweifellos haben Sie recht.

어련히 gewiß; sicher; zweifellos; zuverlässig. ¶ 그가 ~ 성공할까 Er wird sicher Erfolg haben.

어렴성(一性) Zurückhaltung *f.* -en; Bescheidenheit *f.* -en. ¶ ~ 있게 zurückhaltend; bescheiden; anspruchslos / ~ 없이 ohne Zurückhaltung; ohne Scheu; ohne Bedenken / ~ 있게 말하다 im Reden (beim Sprechen) vorsichtig (zurückhaltend) sein / 그는 자기 주장을 ~ 있게 하고 있다 Er ist in s-r Behauptung zurückhaltend.

어렴풋이 unklar; nebelig; unbestimmt; trübe; undeutlich; verschwommen. ¶ ~ 들리는 음악소리 die von ferne klingende Musik / 안개 속에 ~ unklar im Nebel / ~ 기억하다 ^{4}sich an ^{4}*et.* undeutlich erinnern; ^{4}sich dunkel erinnern 《*an*^{4}》; *jm.* nur blaß (schwach) in Erinnern sein; an ^{4}*et.* blaße Erinnerung haben / ~ 보이다 verschwommen aus|sehen* (erscheinen*) / 어렸을 때 일어난 일들을 ~ 기억하다 ^{4}sich an die Begebenheiten in der Kinderzeit undeutlich erinnern; e-e blasse (dunkele) Erinnerung an die Begebenheiten in der Kinderzeit haben / ~ 알고 있다 Ich habe nur e-e dunkle Ahnung (Vorstellung) davon. / 그가 말한 것이 ~ 생각난다 Ich erinnere mich verschwommen, was er gesagt hat. / 불빛이 멀리서 ~ 보인다 In der Ferne schimmert es. / 가로등이 안개 속에 ~ 비쳤다 Matt leuchteten im Nebel die Straßenlaternen.

어렴풋하다 《막연하다》 vag; 《불명료》 undeutlich; unklar; nebel|haft (-ig; -icht); 《애매》 zweideutig; 《불확실》 ungewiß; vielleicht; 《희미하다》 verschwommen; matt; blaß; dunkel; schwach (sein). ¶ 어렴풋하게 느끼다 irgendwie fühlen⁴; riechen*⁴; Wind (Witterung) bekommen* (kriegen) 《von³》; wittern⁴ / 어렴풋하게만 알다 nur e-e blasse Ahnung haben 《von³》.

어렵(漁獵) der Fischfang 《-(e)s, ⸗e》 u. die Jagd 《-en》; Fischerei *f.* -en (어업).

어렵다 ① 《힘들다·까다롭다》 schwer; unmöglich; schwierig; beschwerlich; ermüdend; heikel; mühevoll; mühsam; mühselig; peinlich; 《복잡하다》 kompliziert (sein). ¶ 어려운 문제 die schwierige (schwere) Frage, -n / 어려운 입장 die heikle (bedenkliche; kitz(e)lige) Lage, -n (Situation, -en) / 어렵지 않게 ohne Schwierigkeit (Mühe) / 어려움을 극복하다 Schwierigkeiten über|winden* / 어려워 마십시오 Bitte, machen Sie (meinetwegen) k-e Umstände! / 말하기는 쉬우나 (실)행하기는 ~ Das ist leicht gesagt, aber schwer getan. ¦ Das ist leichter gesagt als getan. / 헤어지기(가) 어려웠으나 그녀와 이별했다 Er konnte sich nur schwer von ihr trennen. / 응하기 어려운 조건을 내세웠다 Er stellte e-e unmögliche Bedingung. / 그것은 승복하기 ~ Ich kann unmöglich darauf eingehen. / 그것은 설명하기 ~ Das kann man schwer (schlecht) erklären. / 그에게 얼굴을 맞대고 그것을 말하기가 ~ Es fällt mir schwer, es ihm ins Gesicht zu sagen. / 이 책은 이해하기가 ~ Dieses Buch ist schwer zu verstehen (schwer verständlich). / 라틴어는 배우기 ~ Lateinisch ist schwer zu lernen. / 그 질문은 대답하기가 어려웠다 Die Frage war schwer zu antworten. / 우리는 축구에서 어렵지 않게 A 대학을 이겼다 Wir haben im Fußballspiel ohne Schwierigkeiten den Sieg über A Universität gewonnen.
② 《미심쩍다》 fragwürdig; zweifelhaft (sein). ¶ 믿기 어려운 unglaubhaft; unverträglich / 고치기 어려운 병 e-e ernste (schwer zu heilende) Krankheit, -en / 어렵게 생각하나 ⁴es (tot) ernst meinen 《mit³》; ernst nehmen*⁴ / 원상 회복은 매우 ~ Es fragt sich sehr, ob der frühere Zustand wieder erlangt werden kann. / 그것은 믿기 ~ Das ist kaum zu glauben. / 요새 국제정세는 점점 어려워진다 Heutzutage wird die internationale Situation immer kitzlicher (bedenklicher).
③ 《거북하다》 ¶ 어려우시겠지만…, 어렵지만 제발… Es tut mir leid, aber ...; leider...; Entschuldigen Sie bitte, ...; Erlauben Sie mir ....
④ 《부족하다》 unter Mangel an ³*et.* leiden*; ⁴*et.* dringend brauchen. ¶ 그날그날의 생활도 ~ kaum das nackte Leben fristen; sehr schlimm daran sein / 어렵게 지내다 in schlimmer Lage sein; ein dürftiges ⁴Leben führen / 백 원 구하기조차 ~ Über sogar 100 *Won* kann er nicht verfügen. / 그는 집안이 ~ Er ist ziemlich arm. / 그는 살림이 ~ Er ist sehr bedürftig.

어령칙하다 schwache Gedächtnisse haben; verschwommen sein. ¶ 어령칙이 nebelhaft; verschwommen / 내 기억이 ~ Ich habe schwache Gedächtnisse.

어로(漁撈) Fischerei *f.* -en.
‖ ~과(科) Fischereiabteilung *f.* -en. ~금지구역 Bezirk 《*m.* -(e)s, -e》 der verbotenen Fischerei; der verbotene Fischereibezirk, -(e)s, -e. ~작업 =어로. ~장 Fischerei. ~저지선 Fischerei¦verbotlinie (-restriktionslinie) *f.* -e. ~협정 Fischereivertrag *m.* -(e)s, ⸗e. ⌈-en.

어로불변(魚魯不辨) gründliche Unwissenheit,

어록(語錄) Analekten 《*pl.*》. ¶ 모택동 ~ Analekten von Mao Tse Tung; Maobibel *f.*

어롱(魚籠) Fischkorb *m.* -(e)s, ⸗e. ⌊-n.

어뢰(魚雷) (Fisch)torpedo *m.* -s, -s. ¶ ~를 발사하다 (Fisch)torpedo (ab|)schießen*.
‖ ~공격 Torpedoangriff *m.* -(e)s, -e. ~발사관 Torpedorohr *n.* -(e)s, -e. ~정 Torpedoboot *n.* -(e)s, -e. ⌈..saurier.

어룡(魚龍) 〖고생물〗 Ichthyosaurus *m.* -,

어루꾀다 verlocken; an|locken; verleiten; ködern; kirren. ¶ 어루꾀는 편지 der Lockbrief / 어루꾀어내다 heraus|locken 《*aus*³》. / 감언으로 ~ *jn.* durch Versprechungen (Hoffnungen) locken.

어루더듬다 umher|tappen (-|tasten); suchend tasten. ¶ 어루더듬기 das Umher¦tappen* (-tasten*) -s / 어루더듬으며 umhertappend; tastend / 성냥을 어루더듬어 찾다 nach den Streichhölzern tasten.

어루러기 〖의학〗 Leukoderma *n.* -s; (Haut-)fleck *m.* -(e)s, -e; Flecken *m.* -s, -; Makel *m.* -s, -. ¶ ~가 생기다 gefleckt werden / 얼굴에 하얀 ~가 생겼다 Mein Gesicht ist weiß gefleckt worden.

어루룽더루룽, 어루룽어루룽 bunt; bunt gefleckt; kreuz u. quer gemalt. ~하다 bunt; bunt gefleckt (sein).

어루만지다 ① 《마음을》 bemitleiden; trösten; stillen. ¶ 불행한 사람을 ~ Mitleid mit e-r unglücklichen Person haben/그는 하인을 잘 어루만져준다 Er behandelt s-e Diener gut.
② 《쓰다듬다》 streicheln⁴; mit der Hand hin|fahren* 《*über*⁴》; liebkosen⁴ 〔*p.p.* (ge-)liebkost〕 (애무하다). ¶ 수염을 ~ ³sich den Bart streicheln* / 손으로 얼굴을 ~ *jm.* mit der Hand über das Gesicht streicheln* (남의); ³sich mit der Hand über das Gesicht streicheln (자기의) / 아무의 뺨을 ~ *jm.* die Wangen streicheln / 아무의 등을 ~ *jn.* (*jm.*) über den Rücken streicheln / 어린아이를 ~ ein Kind liebkosen / 어린아이의 머리를 ~ e-m Kind den Kopf (zärtlich) streicheln.

어루쇠 Spiegel 《*m.* -s, -》 aus poliertem Metall; Metallspiegel *m.* -s, -.

어룽 Meliert; sprenk(e)lig.

어룽거리다 sprenkeln; tüpfeln; scheckig sein; sporadisch sein.

어룽더룽 ☞ 어루룽더루룽.

어류(魚類) Fische 《*pl.*》 (총칭).
‖ ~학 Fischkunde *f.*; Ichthyologie [iç-tyo..] *f.*: ~학자 Fischkenner *m.* -s, -; Ichthyolog(e) *m.* ..gen, ..gen.

어르다 liebkosen 《ein ⁴Kind》; hätscheln; 《무릎에서》 auf dem Schoße tanzen lassen*; 《안고서》 auf den Armen schaukeln; 《기분을 맞추다》 *js.* Laune befriedigen; schmeicheln³; 《즐겁게 하다》 unter|halten*; ergötzen; 《아이와 함께 장난치다》 mit e-m Kinde tändeln (spielen).

어르룽이 melierte (mehrfarbige) Punkte 《*pl.*》 *od.* Farbmuster.

어르신네 ① 《윗사람》 der Höherstehende*, -n, -n; der über *jm.* Stehende*, -n, -n; 《상관》 der Vorgesetzte*, -n, -n. ② 《노인》 der Ältere, -n, -n. ③ 《남의 아버지》 Ihr geehrter Vater, -s, -.

어른 ① 《윗사람·노인》 der 〔die〕 Alte; der Ältere; die Ältere; die Älteren 《*pl.*》. ¶ 집안의 ~ der Ältere in der Familie / ~을 공경하라 Sei gehorsam zum Älteren! / ~ 앞에서 그런 말을 하면 못쓴다 Du sollst nicht vor dem Älteren so frech 〔wild〕 sagen. ¦ Du sagst vor dem Erwachsenen zu frech. ¦ Sei nicht so frech vor dem Erwachsenen!
② 《성인》 der 〔die〕 Erwachsene; ein Erwachsener; ein erwachsener Mensch, -en, -en. ¶ ~의 erwachsen / ~이 되다 zum Mann 〔Weib〕 heran|wachsen*ⓢ / ~답지 못한 kindisch (어린애 같은); engherzig (마음이 좁은) / ~답지 않게 굴다 [4]sich kindisch benehmen*; [4]sich unerwachsen verhalten* / ~티가 나다 wie erwachsen aus|sehen* / ~답게 굴어라 Sei wie Erwachsene! ¦ Sei anständig! / 이제 아주 ~이 되었구나 Du bist jetzt ganz erwachsen.

어른거리다 ① 《눈·마음에》 schweben; flattern; flackern; schimmern; glimmern. ¶ 눈 앞에 ~ immer wieder vor *js.* [3]Augen 《*pl.*》 schweben 〔flattern [h,s]; flitzen ⓢ; huschen ⓢ〕 / 그녀의 모습이 눈 앞에 어른거린다 Ihr Bild schwebt mir vor den Augen. / 달이 나무 사이로 어른거린다 Der Mond glimmert durch die Bäume. / 죽은 아들의 모습이 눈 앞에 어른거린다 Das Bild des gestorbenen Sohnes schwebt mir vor den Augen. / 나뭇가지의 그림자가 창에 어른거린다 Die Schatten des Baumes schwebt vor 〔auf〕 dem Fenster.
② 《어리대다》 umher|lungern; faulenzen. ¶ 여기서 어른거리지 말고 나가거라 Lungere hier nicht mehr umher u. gehe hinaus!

어른스럽다 [4]sich wie ein Erwachsener gebärdend; artig (sein). ¶ 무척 어른스런 아이로구나 Was für ein artiges 〔gutes〕 Kind!/ 어른스럽게 굴다 [4]sich wie ein Erwachsener gebärden 〔benehmen*〕.

어른어른 flackernd; flimmernd; schimmernd; verschwommen.

어름 Grenzlinie *f.* -n; Kontaktstelle 《*f.* -n》 zweier Gegenstände.

어름거리다 inkonsequent handeln; [4]Vieles im unklarem lassen*. ¶ 어름거리는 답변 die zweideutige Erklärung, -en.

어름어름 zweideutig; doppelsinnig; ungewiß; unklar; dunkel; inkonsequent.

어리[1] 〖건축〗 Türrahmen *m.* -s, -.

어리[2] der Käfig 《-(e)s, -e》 für die Hühner.

어리광 verwöhnte Gebärde, -n; schmeichelnde Geste 《-n》 (des Kindes). ¶ ~꾸러기 verwöhntes Kind / ~을 받아 주다 *jn.* verwöhnen.

어리광떨다, 어리광부리다 [4]sich (schmeichelnd; zärtlich) schmiegen 《an *jn.*》; [4]sich schmeichelnd benehmen*; *jm.* schmeicheln. ¶ 개가 주인에게 ~ Der Hund schmiegt 〔reibt〕 sich schmeichelnd an s-n Herrn. / 또 아빠에게 어리광부리고 있군 Wie du dem Vati wieder um den Bart gehst!

어리굴젓 eingesalzene Austern 《*pl.*》 in scharfer Paprikasoße.

어리눅다 dumm tun*; [4]sich dumm stellen.

어리다[1] ① 《나이가》 klein; jung (sein). ¶ 내가 어렸을 때 in m-r Kindheit; als ich noch klein war / 어릴 때부터 von [3]Kindheit an 〔auf〕; von klein auf; von Kind an 〔auf〕 / 어린 시절 Kindheit *f.* -en; Kinderzeit *f.* -en / 어려서〔어렸을 때〕 schon früh 〔als Kind〕 / 어린 마음 ein kindliches Gemüt, -(e)s, -er; e-e kindliche Seele, -n; Kinder¦sinn *m.* -s 〔-herz *n.* -ens, -en〕 / 어린 마음에도 auch im kindlichen Gemüte / 어릴 때 친구 ein Freund 〔e-e Freundin〕 in der Kinderzeit / 나이가 ~ klein 〔jung〕 sein / 어릴 때 모습을 간직하다 sein kindliches Bild in sich haben 〔behalten*〕 / 그는 나보다 두 살 ~ Er ist zwei Jahre jünger als ich. / 우리는 어릴 때부터의 친구이다 Wir sind Freunde von Kindheit an 〔auf〕. / 나는 그가 어렸을 때부터 알고 있다 Ich habe ihn von klein auf kennengelernt. / 그는 어렸을 때 미국에 건너갔다 Er ging in der Kinderzeit nach Amerika. / 그는 어린 마음에도 어려운 집안 형편을 걱정했다 Klein, wie er war, sorgte er sich um den schwierigen Umstand des Hauses. / 그는 어려서 결혼했다 〔죽었다〕 Er heiratete 〔starb〕 schon früh 〔als Kind〕.
② 《유치하다》 kindisch; 《어린이다운》 kindlich (sein). ¶ 생각이 ~ kindisch denken*; e-n kindischen Gedanken fassen; im kindlichen Gedanken sein.

어리다[2] ① 《눈물이》 tränig 〔tränicht; tränenschwer〕 sein; tränen. ¶ 눈물 어린 눈 tränende Augen 《*pl.*》; tränige 〔tränichte〕 Augen / 눈물 어린 눈으로 mit tränenden Augen / 눈물 어린 눈으로 이야기를 듣다 mit tränenden 〔feuchten〕 Augen zu|hören / 눈에 눈물이 어린다 Die Augen tränen mir. / 그 이야기를 할 때 그의 눈에 눈물이 어렸다 Als er darüber erzählte, tränte ihm die Augen.
② 《엉기다》 gerinnen* ⓢ. ③ =눈어리다.

어리대다 [4]sich vor anderen zeigen, indem man müßig schlendert.

어리둥절하다 baff sein 《*über*[4]》; bestürzt werden 《*über*[4]》; in Verlegenheit geraten* ⓢ 《*um*[4]》; verblüfft 〔verdutzt; verwirrt; wortlos〕 sein 《*über*[4]》; durchgedreht 〔daneben〕 sein. ¶ 어리둥절해서 어찌할 바를 모르다 vor [3]Verlegenheit ratlos sein / 어리둥절해져서 verblüfft; wie vor den Kopf geschlagen / 어리둥절케 하다 *jm.* e-n blauen Dunst vor|machen; verblüffen[4] 《*mit*[3]》; aus den Text bringen*[4]; bestürzt machen 《*jn.*》; in Verlegenheit bringen*〔versetzen〕 《*jn.*》; verblüfft 〔verdutzt; verwirrt; wortlos〕 machen 《*jn.*》 / 나는 그 중대 뉴스를 듣고 어리둥절했다 Ich war über die wichtige Nachricht verwirrt.

어리마리 dösend; duselig; im Halbschlaf. ~하다 dösen; duseln; im Halbschlaf sein.

어리벙벙하다 bestürzt; verbrüfft; verdutzt; verwirrt (sein); wie aus allen Wolken gefallen sein 《*über*[4]》. ¶ 어리벙벙해서 verblüfft; wie vor den Kopf geschlagen / 시험 문제에 어리벙벙했다 Ich war über die Examenfragen wie aus allen Wolken gefallen. ¦ Ich war über die Examenprobleme wie vor den Kopf geschlagen. / 어리벙벙해서 어찌할 줄을 몰랐다 Ich war vor Verlegenheit sehr ratlos.

어리보기 Tor *m.* -(e)s, -e; der Alberne*, -n, -n.

어리뻥뻥하다 ☞ 어리벙벙하다.

어리석다 dumm; töricht; blöde; närrisch; albern; einfältig (단순한); lächerlich; geistlos (sein). ¶ 어리석게도 törichter¦weise (dummer-) / 어리석은 일 dummes Zeug; reiner (blanker; glatter; vollkommener) Nonsens [nɔ́nzɛns] -es (Unsinn, -(e)s; Quatsch, -(e)s) / 어리석은 소리를 하다 verkehrtes Zeug reden; quatschen / 어리석은 짓 말게 Mache k-e Dummheiten (Geschichten)!¦ Sei doch vernünftig (kein Kind)! / 어리석긴 (어리석은 말 말게나) Blödsinn!¦ Dummes Zeug!¦Gewäsch!¦(Lauter) Unsinn!¦ Quatsch! / 아 어리석은 노릇이군 Ach, e-e dumme Geschichte! / 세상에 그런 어리석은 짓이 어디 있나 E-e größere Torheit gab es nicht. / 그것은 어리석은 짓일지도 모릅니다 Es wäre unklug von Ihnen, so zu handeln. / 그런 사람을 믿다니 너도 참 어리석구나 Es ist närrisch von dir, auf derartigen Menschen zu vertrauen. / 그는 어리석기는 하지만 자기의 이익은 결코 놓치지 않는다 So dumm wie er auch ist, s-n Nutzen verliert er nie aus dem Auge.

어리숭하다 ①《희미하다》 unbestimmt; unsicher; undeutlich; unklar; dunkel; verschwommen (sein). ¶ 어리숭한 기억 das unzuverlässige (unsichere) Gedächtnis, -ses, -se. ②《어리석다》 dumm; töricht; albern; tölpisch (sein). ¶ 그는 꽤 ~ Er sieht sehr tölpelhaft (dumm) aus.

어리어리하다 unklar; undeutlich; verworren; verschwommen (sein).

어리전(一廛) Geflügelhandlung *f.* -en.

어리치다 vor zu großer Erregung schwach (hilflos) werden; sehr verlegen sein.

어리칙칙하다 dumm tun*; [4]sich dumm stellen.

어린것 das kleine Kind, -(e)s, -er; der Kleine*, -n, -n; Baby *n.* -s, -s. ¶ 집에 ~이 많다 Ich habe viel Kinder zu Hause.

어린녀석 Kind *n.* -(e)s, -er; Balg *m.* -(e)s, ⸚e; Knirps *m.* -es, -e; Fratz *m.* -es (-en), -en; Range *m.* -n, -n.

어린년 das kleine Mädchen, -s, -; das kleine Ding, -(e)s, -er; der kleine Backfisch, -es, -e.

어린애 Kind *n.* -(e)s, -er; der (die; das) Kleine*, -n, -n; ein kleines Kind; Kindchen *n.* -s, - (-lein *n.* -s, -); Säugling *m.* -s, -e (젖먹이). ☞ 아이. ¶ ~같은 kindlich; kindisch (유치한, 미숙한) / ~장난 Kinderei *f.* -en / ~장난같은 kinderleicht / ~같은 소리하다 kindisch sagen; wie ein Kind sagen / ~가 생기다, ~를 배다 schwanger werden; in anderen (gesegneten; interessanten) Umständen sein / ~를 낳다 gebären*[4]; ein Kind geboren haben / ~를 업다 ein Kind auf dem Rücken tragen / ~를 어르다 ein Kind liebkosen / ~를 좋아하다 ein Kind lieb|haben / ~한테 젖을 먹이다 ein Kind säugen / ~장난 같은 짓을 하지 말라 Treibe k-e Kinderei! / 그런 ~장난 같은 수에 누가 넘어갈 줄 아는가 Wie er nur denken kam, daß ich so e-n kindischen Trick hereinfalle! / 그녀는 그와의 사이에 ~ 셋을 낳았다 Sie hat drei Kinder ihm geboren. / 그녀는 아직 ~가 없다 Sie hat noch kein Kind. / ~라도 그런 짓은 안 한다 Auch ein kleinstes Kind macht keineswegs so etwas. / ~는 ~다와야 한다 Das Kind muß kindlich sein.

어린이 ① ☞ 아이. ② ☞ 어린애.
‖ ~날 Kinder(feier)tag *m.* -(e)s, -e. ~방 Kinderstube *f.* -n. ~방송 Kinderfunk *m.* ~서적 Kinder¦buch *n.* -(e)s, ⸚er (-lektüre *f.* -n; -schriften《*pl.*》). ~세계 Kinderwelt *f.* -en. ~시간《라디오·텔레비전의》 Kinderstunde *f.* -n. ~장난감 Kinderspielzeug *n.* -(e)s, -e. ~은행 Kinderbank *f.* -en. ~헌장 Freibrief《*m.* -(e)s, -e》 der Jugend.

어림 e-e (vage) Mutmaßung, -en (Vermutung, -en); e-e (unbestimmte) Annahme, -n. ¶ ~잡다 (vag) mutmaßen[4] (vermuten[4]); ins Blaue hinein raten*[4]; aufs Geratewohl an|nehmen*[4] / ~으로 mutmaßlich; vermutlich; aller Vermutung nach; auf(s) Geratewohl / 비용은 ~잡아 다음과 같다 Die Ausgabe (Kosten) ist etwa (ungefähr) wie folgendes ausgerechnet.
‖ ~셈 vermutliche Rechnung; mutmaßliche Summe: ~셈으로 ungefähr; etwa; durch vermutliche Rechnung. ~수 vermutliche Nummer, -n (Zahl, -en; Ziffer, -n). ~짐작 Vermutung *f.* -en; Mutmaßung *f.* -en.

어림없다 ①《될 가망이 없다》 durchaus unmöglich sein. ¶ 가수가 되겠다고, 어림없어 Du willst ein Sänger sein, das ist aber keineswegs möglich.
②《일정한 의견이 없다》 k-e bestimmte Meinung haben. ¶ 그는 어림없는 연설을 한다 Er hält e-e Rede, in der sich k-e bestimmte Meinung zeigt.
③《짐작할 수 없이 많은 것》 ¶ 물건이 어림없이 많다 Da gibt es e-e Unmenge von Waren. / 어림없는 값 ein schrecklicher Preis / 나더러 사죄하라는 건 어림없는 일이다 Abbitte meinerseits kommt ganz u. gar nicht in Frage.

어림장이 ein Mensch《*m.* -en, -en》 ohne Rückgrat; ein unentschlossener Charakter, -s, -e.

어릿거리다, 어릿어릿하다 wankelmütig (unentschlossen; haltlos) sein. ¶ 어릿어릿한 사람 der wankelmütige Mensch, -en, -en; der zerstreute Mensch / 말을 어릿어릿하다 wankelmütig reden / 어릿어릿하게 굴다 [4]sich haltlos (dumm) benehmen*.

어릿광대 Clown *m.* -s, -s; Hanswurst *m.* -(e)s, -e; Possenreißer *m.* -s, -.

어릿하다 stechend; brennend; ätzend; beißend (sein); beißenden Geschmack im Mund haben.

어마 ah!; oh!; lieber Himmel!; mein Gott!; du m-e Güte! ¶ ~ 이상도 해라 Wie sonderbar!¦Gottes Wunder! / ~ 예쁘기도 하다 Wie schön!¦Wie hübsch!¦Wie lieblich! / ~ 이게 뭐야 Ach, was ist das? / ~ 당신이 그런 일을 하다니 Wie sonderbar, daß du so etwas machst (wagst; unternimmst)! / ~ 이게 누구야 순희가 아냐 Es freut mich sehr, dich zu sehen, *Sunhi!*

어마어마하다 unermeßlich; enorm; immens; unzählig; zahllos; theatralisch; hochgespannt; hochtrabend; 《과장된》 bombastisch; hochtönend; ostensibel; ostentativ; prunkend; überspannt (sein). ¶ 어마어마한 고층 건물 ein riesiges (gewaltiges) Hochhaus, -es, ⸚er / 어마어마한 양(量) e-e riesige (gewaltige) Menge / 어마어마한 경계 die überspannte Bewachung / 어마어마

한 직함 der hochtrabende Titel, -s, - / 어마어마한 대성당 e-e herrliche Kathedralkirche, -n / 어마어마한 부자 riesighafter Reicher / 어마어마한 비용이 들다 unzählige (unermeßliche; zahllose) Ausgabe kosten (forderlich sein) / 빌딩의 수는 ~ Hochhäuser gibt es in Hülle u. Fülle. / 그는 어마어마하게 큰 저택에서 으리으리한 생활을 하고 있다 Er wohnt im allergrößten Haus u. im allerprachtigsten Stil (in aller Pracht u. Herrlichkeit).

어망(漁網) Fisch(er)netz *n.* -es, -e; (Fisch-)garn *n.* -(e)s, -e.

어머나 ach!; ach Gott!; Wehe mir!; du, ⌈m-e Güte!

어머니 Mutter *f.* ⸚; Mütterchen *n.* -s, - (애칭); 《엄마》 Mutti *f.* -s; Mama *f.* -s. ¶ ~의 mütterlich / ~다운 mutterhaft; mütterlich / ~ 없는 mutterlos / 낳아 준 (낳은) ~ 《생모》 die leibliche (echte) Mutter/ 길러 준 (기른) ~ Pflegemutter *f.* ⸚ / ~의 의무 Mutterpflicht *f.* -en / ~의 주머니 돈 Mutterpfennige 《*pl.*》 / ~의 사랑 Mutterliebe *f.* -n / ~의 마음, ~의 정 Mutterherz *n.* -ens, -en / ~가 같다 (다르다) von derselben Mutter (verschieden Müttern) geboren sein / ~같이 보살피다 bei (an) *jm.* Mutterstelle vertreten*; um *jn.* wie e-e Mutter besorgt sein / 그의 ~ 노릇을 해다오 Sei Mutter an ihm (über ihn)! / 그녀는 빈민의 ~이다 Sie ist den Armen e-e wahre Mutter. / 필요는 발명의 ~이다 Not macht erfinderisch. / ~보다 나은 유모는 없다 Auf der Mutter Schoß werden Kinder groß. / 그녀는 지금 세 자녀의 ~가 되었다 Sie ist jetzt Mutter dreier Kinder. / 그 형제는 ~가 다르다 Sie sind Brüder von verschiedenen Müttern.

‖ ~날 Muttertag *m.* -(e)s, -e. ~회 Muttersammlung *f.* -en.

어멈 ① 《하녀》 ältere Hausgehilfin *f.* -nen; Magd *f.* ⸚e; Dienstmädchen *n.* -s, -. ② 《어머니》 Mutter *f.* ⸚.

어명(御名) der Name 《-ns, -n》 des Königs (des Herrschers); der königliche Name.

어명(御命) königlicher (kaiserlicher) Befehl, -(e)s, -e; königliche Herrschaft. ¶ ~을 받들어 auf königlichen Befehl; dem königlichen Befehl Folge leistend / ~을 내리다 königlichen Befehl (königliche Herrschaft) erlassen* (ergehen lassen*).

어물(魚物) der getrocknete Fisch, -es, -e. ‖ ~상, ~전 das Geschäft für getrocknete Fische.

어물거리다 langsam (müßig) sein; 《주저》 zaudern; zögern; säumen; trödeln; unschlüssig (unentschlossen) sein; Bedenken tragen*. ¶ 어물거리지 않고 ohne Zögern; geradeaus / 어물거리며 시간을 보내다 die Zeit müßig verbringen*; die Zeit vertrödeln (verbummeln) / 말을 ~ nörgeln; mäkeln / 무얼 어물거리고 있나 Was zögerst du noch? / 어물거릴 때가 아니다 Wir haben k-e Zeit zu verlieren. / 어물거리는 사람은 싫어요 Ich liebe keinen unentschlossenen Menschen. / 어물거리다가는 기차를 놓친다 Mach schnell, oder du wirst den Zug verpassen.

어물다 unreif; unentwickelt (sein).

어물어물 ¶ ~ 때를 보내다 müßig (untätig) dahin|leben; die Zeit vertrödeln / ~ 대답하다 [4]sich um e-e klare Antwort herum|drücken / ~ 이야기하다 [4]sich verschwommen aus|drücken/임시적으로 ~ 넘기다 zeitweilig (provisorisch; vorläufig) beschönigen[4] (bemänteln[4]; vertuschen[4])/요점을 ~해 버리다 von der Sache ab|schweifen (s); die Sache vertusche(l)n / ~ 넘기려고 하지 마시오, 우리는 회답을 바라고 있읍니다 Beschönigen Sie doch nicht! Wir warten auf Ihre Antwort. / 자 ~하고 있을 수 없다 Jetzt muß man was unternehmen.

어물쩍거리다 zweideutig reden; Ausflüchte machen; an|führen[4]. ¶ 대답을 ~ e-e unbestimmte (zweideutige) Antwort 《-en》 geben* / 말을 ~ auf e-e irritierende Weise zu verstehen geben*[4] 《*jm.*》 / 태도를 ~ aufs ungewisse handeln / 무엇에 대하여 ~ im ungewissen über [4]*et.* sein / 어물쩍거리며 남의 애를 태우다 *jn.* im ungewissen lassen* / 어물쩍거리며 사람을 속이다 *jn.* im ungewissen an|führen / 어물쩍거리며 확실한 대답을 하지 않다 im ungewissen k-e bestimmte Antwort geben*.

어물쩍어물쩍 ① 《어물어물》 faul; 《우유 부단의》 unentschlossen. ~하다 langsam (müßig) sein. ¶ 그는 언제나 ~한다 Er ist immer langsam. / 무얼 ~하고 있나 Was zögerst du noch? / 뭘 하든지 ~해서는 안 된다 Sei doch nicht in allen so langsam! ② 《일을》 hastig (ungestüm; sorglos; fahrig) sein.

어물쩍하다 hastig (sorglos) sein; zweideutig (doppelzüngig) reden; Ausflüchte gebrauchen. ¶ 어물쩍하면서 해를 보낸다 in den Tag hinein|leben; müßig leben.

어미 ① 《동물의》 Weibchen *n.* -s, -n; das weibliche Tier, -(e)s, -e. ② 《어머니》 Mutter *f.* ⸚.

어미(語尾) ① 《단어의》 (Wort)endung *f.* -en; Endsilbe *f.* -n; die letzte Silbe, -n(끝철자). ¶ ~변화 Flexion *f.* -en; Abwandlung *f.* -en; Beugung *f.* -en; Deklination *f.* -en (명사적 품사의); Konjugation *f.* -en (동사의) / ~의 End-; Schluß-. ② 《접미어》 Suffix *n.* -es, -e; Nachsilbe *f.* -n.

어민(漁民) Fischer 《*pl.*》; Fischerfrau *f.* -en (여자). ‖ ~조합 Fischer|gilde *f.* -n (-innung *f.* -en).

어백(魚白) Milch *f.*

어버이 die Eltern 《*pl.*》; Vater u. Mutter. ¶ ~의, ~와 같은, ~다운 elterlich / ~의 사랑 Elternliebe *f.* / 친~ die wahren Eltern / ~를 잃다, ~를 여의다 die Eltern (Vater u. Mutter) verlieren*; elternlos werden; verwaist sein / ~를 따르다 die Eltern gehorchen / ~에게 효도하다 s-e Eltern ergeben (gewidmet) dienen / ~를 공경하다 den Eltern dienen.

어벌쩡하다 die Augen verbinden* 《*jm.*》; täuschen 《*jn.*》; blenden 《*jn.*》.

어법(語法) Redewendung *f.* -en; Ausdrucksweise (Aussage-; Rede-; Sprech-) *f.* -n; Ausdrucks|form (-weise) *f.* -en; Diktion *f.* -en; der idiomatische Ausdruck, -(e)s, ⸚e; Phraseologie *f.* -n; Redensart *f.* -en; Syntax *f.*; 《문법》 Grammatik *f.* -en. ¶ 한국말의 ~ koreanische Redewendung (Grammatik) / ~에 어긋나다 gegen die Redewendung verstoßen*; die Redewendung beugen (brechen*).

‖ ~위반 Redewendungsbruch *m.* -(e)s, ⸚e.

어변성룡(魚變成龍) ein Mann, der von Armut u. Unbekanntheit zu Reichtum u. Ehre emporgekommen ist.

어별(魚鼈) die Fischarten 《pl.》; der Fisch u. die Alligatorschildkröte.

어보(魚譜) Ichthyographie *f.* -n; Fischbeschreibung *f.* -en.

어복(魚腹) ① 《물고기의》 der Bauch 《-(e)s, ⸗e》 des Fisches. ¶ ~에 장사지내다 《익사》 ertrinken*; den Tod im Wasser finden*. ② 〖바둑〗 der Mittelpunkt des *Go*-Brettes.

어부(漁夫) Fischer *m.* -s, -. ¶ ~지리를 얻다 im trüben fischen; der lachende Dritte sein; bei dem Streit zweier anderer ⁴Nutzen haben.

어부바하다 ein ⁴Kind huckepack tragen*.

어부슴(魚—) die Fischfütterungszeremonie zur Geisterbeschwörung am 15. Januar nach dem Mondkalender.

어분(魚粉) Fischmehl *n.* -(e)s.

어불성설(語不成說) Unsinn *m.* -(e)s; das Unlogische*, -n. ¶ ~이다 unlogisch sein; aller ³Logik ins Gesicht schlagen*; aller Logik wider|sprechen*³.

어비(魚肥) Fischdüngemittel *n.* -s, -; Fischdüngemehl *n.* -es, -e; das Düngemittel aus Fischmehl.

어사(御史) 〖옛제도〗 der königliche Emissär, -s, -e.

어사리하다(漁—) Fische mit dem Netz fangen*.

어살(魚—) 〖어업〗 Fleckwerk 《*n.* -(e)s, -e》 aus Bambus; Bambuskorb 《*m.* -(e)s, ⸗e》 zum Fischfang; Fischreus(ch)e *f.* -n; hölzerner Zaun 《-(e)s, ⸗e》 (hölzernes Gehege, -s, -) im Wasser zum Fischfang.

어상(—商) Viehhändler *m.* -s, -.

어상(魚商) Fischhandel *m.* -s, ⸗; 《사람》 Fischhändler (Fischhausierer) *m.* -s, -.

어상반하다(於相半—) ähneln 《*in*³》; gleichen* 《*in*³》; ähnlich³ (sein); schlagen* 《nach *jm.*》. ¶ 어상반한 데가 있다 einige Ähnlichkeit haben 《*mit*³》; ³*et.* ähnlich sein / 그것과 이것은 모양이 ~ Dies gleicht jenem in der Form. / 두 사람은 ~ Die beiden sind sich sehr ähnlich. / 나는 아버지보다도 어머니와 어상반하게 닮았다 Ich bin mehr nach meiner Mutter als nach meinem Vater.

어새(御璽) Geheimsiegel *n.* -s, -.

어색(漁色) Geilheit *f.* ☞ 엽색.
‖ ~가(家) Wollüstling *m.* -s, -e.

어색하다(語塞—) ① 《말이 막힘》 erstarrt; unfertig; dumm; unfein; unfair; ⁴sich befangen; zugeknöpft (sein).
② 《열적다》 ⁴sich beschämt (verlegen) fühlen; ⁴sich genieren [ʒe..]; ⁴es nicht über ⁴sich bringen* (gewinnen*); ⁴sich nicht gehen lassen*; ⁴sich scheuen 《*vor*³》; ⁴sich schämen (창피하다); zurückhaltend (sein). ¶ 어색한 눈초리 verlegene Blicke 《*pl.*》/ 어색하게 굴지 마라 Sei doch kein Frosch! / 어색하게 mit befangener (beschämter; verlegener) Miene; wie wenn man sich schämt; ⁴sich genierend; scheu; unbeholfen / 여자와 같이 있기가 ~ Es ist unbequem, mich mit e-r Dame zu befinden. / 여자 앞에서 그런 이야기 하기가 어색했다 Es war unheimisch, vor der Dame so etwas zu sagen.¦Es schämte mich sehr, in der Gegenwart der Dame so etwas zu sagen. / 그가 있으면 ~ Ich fühle verlegen (beschämt) in s-r Gegenwart.
③ 《서투르다》 ungeschickt; ungewandt; ungeschicklich; unfertig; plump; unfein; ungebildet; grob; roh; 《부자연》 unnatürlich (sein). ¶ 어색하게 ungeschickt; unnatürlich / 어색한 글 ungebildete Sätze 《*pl.*》; unfertiger Aufsatz, -es, ⸗e / 어색한 웃음 unnatürliches Lachen (Lächeln) / 일하는 것이 ~ ungeschickt arbeiten / 동작이 ~ ⁴sich unnatürlich verhalten* / 그는 어색하게 걷는다 Er geht plump zu Fuß.¦Sein Gang ist noch ungeschickt. / 그는 어린애 다루는 것이 ~ Er ist noch daran ungeschicklich, ein Kind zu behandeln.

어서 ① 《빨리》 schnell; geschwind; rasch; flink; 《즉각》 sofort; sogleich; 《지체 없이》 ohne Verzug; unverzüglich; 《즉시》 auf der Stelle. ¶ ~ 가 Schnell! schnell!¦Geh' schnell! / ~ 해 Mach' schnell (geschwind)!¦Beeile dich! / ~ 대답해 Antworte schnell!¦Gib mir eine schnelle Antwort! / 기차가 떠납니다, ~ ~ Der Zug geht ab. Schnell, schnell (Beeilen Sie sich)!
② 《부디》 bitte; wollen (würden) Sie die Güte haben, ...; irgendwie; 《꼭》 auf alle Fälle. ¶ ~ 들어오시오 Bitte, treten Sie herein! / ~ 앉으십시오 Nehmen Sie bitte Platz!/~ 와 Nun komm!¦Na komm doch! / ~ 들어 Da nimm's! / ~ 오십시오 Bitte, kommen Sie!¦Willkommen!¦Sei (Seid) willkommen!

-어서 und dann; und so; so..., daß.... ¶ 이렇게 찾아 주셔서 감사합니다 Ich danke Ihnen für den Besuch. / 늦어서 미안합니다 Entschuldigen Sie mich für m-e Verspätung!

-어서가 ¶ 돈이 없어서가 아닙니다 Es ist nicht wegen des Geldes.

-어서도 ① 《…어도》 wenn auch .... ¶ 모든 일이 잘 되었어도 답장은 언제 올 것인가 Wann kann ich s-e Antwort erhalten, wenn alles gut geht? ② 《또한》 ¶ 실질에 있어서도 형식에 있어서도 sowohl nach der wahren Qualität (dem Inhalt) als auch nach der Form.

-어서야 wenn auch; selbst wenn; nur wenn. ¶ 모든 일이 끝나서야 그가 왔다 Er kam erst, als alles vorbei war. / 나는 발돋움하여서야 창에 닿는다 Ich kann, nur wenn ich auf den Fußspitzen stehe, gerade das Fenster erreichen.

어석소, 어석송아지 ☞ 어스럭송아지.

어선(漁船) Fischer¦boot *n.* -(e)s, -e (-kahn *m.* -(e)s, ⸗e); Schmack(e) *f.* ..ken (활어조를 갖춘); Fischerfahrzeug *n.* -(e)s, -e (일반적). ‖ ~단 Fischer(ei)flotte *f.* -n.

어설프다 《모양이》 miß¦gebildet (-gestaltet); 《탐탁찮다》 plump; taktlos; unbeholfen; unfertig; ungeschickt; ungeschicklich; ungewandt; schwerfällig; täppisch; halb (어중간한); 《경박한》oberflächlich (sein). ¶ 어설픈 지식 die oberflächliche Kenntnis, -se; Halbwissen *n.* -s; Halbwisserei *f.* -en / 어설퍼도 분수가 있지 Wie kann man nur so ungeschickt sein! / 그의 라틴어는 ~ Mit s-m Latein ist's nicht weit her.

어설피 ① 《성기게》 schlecht; unbehilflich; nebelhaft; unklar; roh; grob. ¶ ~ 만든다 ⁴*et.* schlecht (ungeschickt) an|fertigen. ② 《탐탁찮게》 unzuverlässig; undeutlich; verschwommen. ¶ ~ 기억이 있다 e-e schwache (dunkle) Erinnerung haben 《*an*⁴》.

어섯눈뜨다 e-e Ahnung 《-en》 haben 《*von*³》; etwas Wind bekommen* 《*von*³》.

어세(語勢) Sprechweise *f.* -n; Akzent *m.* -(e)s, -e; Betonung *f.* -en; Emphase *f.* -n; Ton *m.* -(e)s, ⸗e; Schwung *m.* -(e)s, ⸗e. ¶ ~를 높이다 e-n scharfen Ton an|schlagen*; nachdrücklicher sprechen*; emphatisch dar|stellen^{4}; die Stimme [den Ton] (er)heben* / ~를 낮추다 e-e Sprache herab|stimmen; milder sprechen*.

어수룩하다 unschuldig; unverdorben; rein; wahr; einfach; naiv; schlicht; arglos; grün; unerfahren (sein). ¶ 어수룩한 남자 der einfältige Mann / 그녀는 정말로 ~ Sie ist so unschuldig wie ein Lämmchen. / 자네는 정말 어수룩하군 Du bist wirklich grün (naß hinter den Ohren). / 그는 원래가 ~ Er ist von argloser Natur.

어수선산란하다(—散亂—) unordentlich [in Unordnung] umher|liegen*; in Unordnung sein; durcheinander|liegen*. ¶ 어수선산란한 방을 정돈하다 ein unordentliches Zimmer auf|räumen [in Ordnung bringen*].

어수선하다 ①《난맥·혼란》 in Unordnung [Verwirrung] geraten* [s]; unordentlich gemengt sein; durcheinander; chaotisch (sein). ¶ 어수선하게 unordentlich; durcheinander; chaotisch; in Verwirrung [Unordnung; Konfusion; Gemengsel] / 어수선한 머리 Wirrkopf *m.* -(e)s, ⸗e / 어수선한 세상 chaotische Welt, -en; unordentliche Gesellschaft / 어수선해지다 in Unordnung [Verwirrung] geraten* [kommen*] [s] / 방이 ~ Das Zimmer ist wirrig. / 책상을 어수선하게 하지 말라 Mache doch nicht den Tisch wirr! Bringe den Tisch nicht in Unordnung! Störe den Tisch nicht! / 그 당시 나라가 대단히 어수선했다 Damals war das ganze Land in Aufruhr geraten.
②《산란하다》 zerstreut; wahnsinnig; unruhig; störend; wirrköpfig (sein); in Wirrwarr geraten* [s]. ¶ 앓는 아이 때문에 그 집은 매우 ~ Wegen des kranken Kindes ist die Familie sehr beunruhigt. / 그 소식을 듣고 마음이 어수선했다 Ich war sehr unruhig über die Nachrichten.

어순(語順) Wortfolge *f.* -n; Reihenfolge《*f.* -n》der Wörter《*pl.*》.

어슷그러하다 schlicht; einfach (sein); ^{4}sich gut an|lassen; e-n guten [günstigen] Verlauf nehmen*.

어스러기 Abnutzung *f.* -en; der Verschleiß *m.* -es, -e; e-e verschließene Stelle in der Kleidung.

어스러지다 《말·풍채가》 ungewöhnlich; außergewöhnlich; außerordentlich; abnorm; übermäßig (sein). ¶ 그는 어딘가에 어스러진 데가 있다 Es ist irgend etwas. Außergewöhnliches an ihm.

어스럭송아지 ein mittelgroßes Kalb, -es, ⸗er.

어스레하다 dämmerig; dämmergrau; dunkel; düster; trüb (sein). ¶ 어스레한 빛 dämmeriges Licht / 어스레한 저녁 dämmergrauer Abend / 어스레해지다 Es fängt an, düster zu werden; dunkel werden | Es dämmert. | Die Dämmerung beginnt.

어스름 Dämmer|licht *n.* -(e)s [-schein *m.* -(e)s]; Halbdunkel *n.* -s. **~하다** halbdunkel; düster; trüb (sein). ¶ ~ 달밤 düstere Mondnacht, ⸗e / ~ 달빛 düsteres Mondlicht, -(e)s.

어슬렁거리다 (gemütlich) spazieren|gehen* [s]; bummeln; (umher|)lungern [h,s]; (umher|)schlendern [h,s]; trödeln; sehr langsam arbeiten; nichts tun*; leichtsinnig leben. ¶ 상점가를 ~ durch die Hauptgeschäftsstraßen bummeln [schlendern] / 그렇게 어슬렁거리지 마라 Bummel nicht so!

어슬렁어슬렁 《천천히》 bummelnd; langsam; träge; schlendernd. ¶ ~ 걷다 (herum|-)bummeln; lungern [h,s]; schlendern [h,s].

어슬어슬 behäbig; gemächlich; mit Muße; ziellos (목적없이). ☞ 어슬렁어슬렁. **~하다** zum Spaziergang gehen* [s] (어슬렁거리다).

어슬하다 ☞ 어스레하다.

어슴새벽 ¶ ~ 까지 일하다 bis in die frühe Morgendämmerung hinein arbeiten.

어슴푸레하다 blaß; bleich; fahl; weißlich (sein). ☞ 어렴풋하다. ¶ 어슴푸레한 기억 die blasse [schwache] Erinnerung, -en / 어슴푸레하게 기억하고 있을 뿐이다 Ich kann mich nur schwach (daran) erinnern.

어슷거리다 die Füße schleppend fort|bewegen; e-n schlottrigen Gang haben.

어슷비슷하다 ähnlich^{3}; gleich (sein)《an^{3}》; (große; gewisse; viel) Ähnlichkeit haben 《mit^{3}》; gleichen^{*3} (크기가, 모양이). ¶ 그는 나와 키가 ~ Er ist ungefähr so groß wie ich. / 그는 나와 나이가 ~ Er ist ungefähr so alt wie ich. / 너와 그는 어슷비슷한 데가 많다 Du hast viel Ähnlichkeit mit ihm. / 그는 그의 형과 매우 ~ Er gleicht s-m Bruder im Wesen sehr. / 두 사람의 처지가 ~ Die beiden Männer sind fast in gleicher Lage. / 그 둘은 형제라도 어슷비슷한 데가 없다 Sie sind gar nicht ähnlich, wenn sie auch Brüder sind.

어슷하다 geneigt; schräg; schief (sein). ¶ 어슷하게 되다 ^{4}sich neigen / 어슷하게 하다 neigen / 30도 어슷하게 되어 있다 (um) dreißig Grad geneigt sein / 한 쪽으로 ~《집이》 schief stehen*; zur Seite geneigt sein / 탑이 어슷하여 곧 넘어질 것 같다 Der Turm steht so schief, daß er aussieht, als ob er umfallen würde.

어시장(魚市場) Fischmarkt *m.* -(e)s, ⸗e.

어시호(於是乎) hierauf; erst jetzt; siehe da!; infolgedessen.

어안렌즈(魚眼—) Weitwinkelobjektiv *n.* -s, -e.

어안이벙벙하다 verdutzt [baff; konsterniert; sprachlos; verblüfft] werden. ¶ 어안이 벙벙한 표정을 짓다 ein verdutztes Gesicht machen / 그는 어안이 벙벙하여 아무 말도 못했다 Er war so verblüfft, daß er nichts zu sagen wußte. / 그것을 보았을 때 [들었을 때] 나는 어안이 벙벙하였다 Ich war völlig verblüfft, als ich das sah [hörte]. / 그녀는 어안이 벙벙하여 그를 바라보았다 Sie sah ihn in sprachlosem Erstaunen an.

-어야 ①《당연·조건·필요》 müssen*; haben ... zu ...; zu ^{3}*et.* verpflichtet sein; nötig sein; brauchen; 《도리상·의무상》 sollen*; sollten [sollen의 가능법]; könnten [können의 가능법]. ¶ 싫으나 좋으나 그렇게 하시어야 합니다 Sie müssen es tun, Sie mögen wollen oder nicht. / 곧 가셔야 합니다 Sie müssen sofort gehen. / 불쌍한 사람을 도와주어야 한다 Den Armen soll man helfen. / 그렇게 말했어야 했는데 Er hätte es sagen sollen.
②《암만 …하더라도》 wie auch immer; wenn auch noch so; was nur immer; was für ein ... auch. ¶ 아무리 돈이 있어야 wie reich man auch sein mag; so reich man

auch sein mag; mag man auch noch so reich sein.

-어야지 müssen. ¶ 악독한 무리들은 없어져야지 Die Gottlosen müssen zuschanden werden.

어어 《의외의 말》 oh!; o!; ach Gott!; ach je!; ach Himmel; o Himmel! ¶ ~ 큰일이다 Du m-e Güte!¦Um Himmelswillen!¦Mein Gott!

어언간(於焉間) unbemerkt; ehe (bevor) man es bemerkt (merkt); ohne es zu (be)merken; unbewußt. ¶ 여름 휴가도 ~에 지나갔다 Die Sommerferien sind um, ehe man es merkt.

어업(漁業) Fischerei *f.* -en; Fischfang *m.* -(e)s, ⸚e.
‖ ~권 Fischereirecht *n.* -(e)s, -e; Fischfanggerechtsame *f.* -n; Fischerei. ~법 Fischerei¦gesetz *n.* -(e)s, -e (-recht *n.* -(e)s, -e). ~자 Fischereiverwalter *m.* -s, -. ~전관 수역 Ausschließliche Fischereibezirk *m.* -(e)s, -e. ~조약, ~협정 Fischereivertrag *m.* -(e)s, ⸚e. ~조합 Fischergilde *f.* -n; Fischerinnung *f.* -n; Fischereiverein *m.* -(e)s, -e. 연안(근해)~ Küstenfischerei *f.* -en. 원양~ Hochseefischerei *f.* -en.

어여머리 ein geflochtener Haaraufsatz, der von Damen bei Zeremonien getragen wird; Perücke *f.* -n.

어여쁘다 ☞ 예쁘다.

어여차 《힘을 합하는 소리》 ho!; holla!; zieh!; hiev!

어연간하다 ☞ 엔간하다.

어연번듯하다 stattlich; imponierend; würdevoll (sein). ¶ 어연번듯한 풍채 das stattliche Aussehen*, -s.

어엿하다 ordentlich; stattlich; anständig; achtenswert; würdig gut; tadellos; vorzüglich; ehrbar (sein). ¶ 어엿한 인물 (집안) die ehrbare Person, -en (Familie, -n) / 어엿한 풍채 stattlicher (würdiger) Anschein, -(e)s, -e / 어엿한 신사 anständiger Herr, -n, -en / 그의 행동은 ~ Sein Verhalten ist ordentlich (tadellos). / 그는 이제 어엿한 가장이다 Jetzt ist er ein würdiger Hausherr (geworden).

어옹(漁翁) der alte Fischer, -s, -.

어용(御用) 《공적인》 das offizielle (amtliche; behördliche; dienstliche) Geschäft, -(e)s, -e.
‖ ~기자 der der ^{3}Regierung zur Verfügung stehende Journalist, -en, -en. ~선 das von der Regierung gecharterte [..ʃáːr] (durch e-n Frachtvertrag geheuerte) (Transport)schiff, -(e)s, -e. ~신문 die der ^{3}Regierung zur Verfügung stehende Zeitung, -en; die der ^{3}Regierung gefügige Zeitung; Regierungsblatt *n.* -(e)s, ⸚er (정부 기관지). ~조합 der der ^{3}Regierung gefügige Verein, -(e)s, -e. ~지 Kronländer 《*pl.*》; Kammergut *n.* -(e)s, ⸚er. ~학자 der der ^{3}Regierung gefügige Wissenschaftler, -s, -.

어우러지다 ^{4}sich verbinden*; ^{4}sich zusammen|fügen; ^{4}sich vereinigen; überein|stimmen (zusammen|-); in Ein|klang kommen* ⓢ; in großer Menge blühen. ¶ 뜰에 백화가 어우러져 피어있다 Im Garten blühen e-e Menge bunte Blumen.

어우렁더우렁 mit e-r Gruppe umherlungernd. ~하다 mit e-r Gruppe umher|lungern; scharenweise bummeln.

어우르다 《한 덩어리가 됨》 vereinigen; verbinden*; verknüpfen; zusammen|setzen; zusammen|binden; zusammen|bringen*; zusammen|fassen. ¶ 힘을 ~ die Kräfte vereinigen; mit|wirken; mit|arbeiten; zusammen|wirken; zusammen|arbeiten / 마음을 어울러서 일하다 vereint (einmütig) arbeiten / 각 파를 어울러서 한 당으로 하다 Faktionen zu e-r Partei vereinigen.

어울리다 ① 《한데 섞이다》 ^{4}sich verbinden* 《*mit*^{3}》; ^{4}sich vereinigen 《mit *jm.*》; ^{4}sich mischen 《*unter*^{4}》; ^{4}sich mengen 《*unter*^{4}》; ^{4}sich paaren (두 사람이); gemeinsam (gemeinschaftlich) handeln (행동을 함께 하다). ¶ 어울려서 zusammen 《mit *jm.*》; Hand in Hand; Schulter an Schulter / 한데 ~ gemeinsam handeln / 외국 사람들과 ~ ^{4}sich unter die Ausländer mischen / 어린 아이와 어울려 놀다 mit Kindern zusammen spielen / 나쁜 아이들과 어울려 돌아다니다 in Gesellschaft mit den schlechten Kindern umher|bummeln / 그는 남과 어울리지 않는다 Er mischt sich nicht unter die anderen.¦Er verbindet sich nicht mit den anderen.
② 《조화》 in ^{3}Einklang stehen* 《*mit*^{3}》; harmonieren 《*mit*^{3}》; *jm.* an|stehen* (걸맞다); ^{4}sich ziemen 《*für*^{4}》 (걸맞다); 《적합》 ^{4}sich eignen 《*für*^{4}》; geeignet sein 《*für*^{4}; *zu*^{3}》; passen 《*in*^{4}》; ^{4}sich schicken 《*in*^{4}》; zueinander|passen (zusammen|-); ^{4}sich vertragen*; (gut) passen 《*zu*^{3}》; (gut) kleiden 《*jn.*》; (gut) stehen* (sitzen*) 《*jm.*》; ^{4}sich passen 《*für*^{4}》; es gebührt sich, daß...(지당함). ¶ 잘 ~ gut zusammenpassend sein / 이 부부는 잘 어울린다 Diese Eheleute passen gut zueinander. / 이 옷은 그녀에게 잘 어울린다 Das Kleid steht ihr gut. / 그 여자에게는 흰옷이 어울린다 Ihr steht ein weißes Kleid gut. / 검은 모자가 그 코트에 잘 어울린다 Der schwarze Hut stimmt mit dem Mantel überein. / 청색과 녹색은 잘 어울리지 않는다 Die Farben Blau u. Grün vertragen sich nicht (schlecht) (*od.* passen nicht zueinander). / 어울리지 않는 결혼 《신분이》 Ehe 《*f.* -n》 zur linken Hand; die morganatische Ehe / 어울리지 않는 부부 das schlecht zusammenpassende Ehepaar, -(e)s, -e / 어울리지 않는 《부적당한》 unangemessen; unpassend; untauglich (적임이 아닌); untüchtig; 《분에 안 맞는》 unschicklich; unziemlich; 《불균형의》 ungleich; nicht zusammenpassend; unverhältnismäßig; unproportioniert / 이 색깔은 너에게 어울리지 않는다 Diese Farbe kleidet dich nicht.¦Diese Farbe steht dir nicht an. / 그에게는 이 자리가 어울리지 않는다 Er ist für dieses Amt nicht geeignet.¦Er paßt nicht in diese Stellung. / 그런 행동은 너에게는 어울리지 않는다 Dein Benehmen geziemt dir nicht. / 이 액자는 그림에 어울리지 않는다 Der Rahmen entstellt dieses Bild. / 이 모자가 나에게 잘 어울립니까 Ist dieser Hut mir gut zusammenpassend? / 그녀는 그 파티에 잘 어울리는 옷을 입고 있다 Sie ist für das Gastmahl gut zusammenpassend gekleidet.

어웅하다 hohl; gesunken; leer (sein). ¶ 어웅한 눈 die hohlen Augen / 땅에 커다란 구멍이 어웅하게 뚫리었다 Auf dem Erdboden ist e-e große Höhle ausgegraben.

어원(語源) Wort¦ableitung *f.* -en (-abstammung *f.* -en; -herkunft *f.* ⸗e); der Ursprung ⟪-(e)s, ⸗e⟫ e-s Wortes. ¶ ~의 etymologisch / ~을 연구하다 ein Wort etymologisieren; dem Ursprung e-s Wortes nach|forschen; Wortforschungen an|stellen ⟪*über*⁴⟫ / ~적으로 연구하다 auf ⁴Etymologie bezüglich studieren / 그 말의 ~은 라틴어이다 Das Wort ist (von) lateinischer Herkunft. ¦Das Wort läßt sich vom Lateinischen ableiten.

‖ ~학 Etymologie *f.* -n [..gí:ən]; Wortforschung *f.* -en: ~학자 Etymolog(e) *m.* ..gen, ..gen; Wortforscher *m.* -s, -.

어유(魚油) Fisch¦öl *n.* -(e)s (-tran *m.* -(e)s).

어육(魚肉) Fisch *m.* -es, -e; Fischfleisch *n.* -es (생선의 고기). ¶ ~을 많이 먹다 viel Fischfleisch essen*.

어음 Wechsel *m.* -s, -; Wechselbrief *m.* -(e)s, -e; Scheck *m.* -s, -s (드물게 -e) (수표). ¶ ~을 발행하다 e-n Wechsel aus|stellen (ziehen*) ⟪auf *jn.*⟫ / ~의 인수를 거절하다 e-n Wechsel protestieren (zurück|weisen*) / ~을 인수하다 e-n Wechsel akzeptieren (honorieren) / ~을 지급하다 e-n Wechsel ein|lösen / ~에 배서하다 e-n Wechsel girieren [ʒi..] (indossieren) / ~을 팔다 e-n Wechsel unter|bringen* / ~을 할인하다 e-n Wechsel diskontieren.

‖ ~거래 Wechsel¦geschäft *n.* -(e)s, -e (-handlung *f.* -en): ~거래소 Wechsel¦geschäft *n.* -(e)s, -e (-stube *f.* -n). ~계정 Wechsel¦konto *n.* -s, ..ten (-s, ..ti) (-rechnung *f.* -en). ~발행인 Wechselaussteller *m.* -s, -. ~법 Wechselgesetz *n.* -es, -e ⟪생략: WG⟫. ~소지인 Wechselinhaber *m.* -s, -. ~송부 Wechselsendung *f.* -en. ~수수료 Wechselgebühr *f.* -en. ~위조 Wechselfälschung *f.* -en. ~인수 Wechselakzept *n.* -(e)s, -e: ~인수인 Wechsel¦akzeptant *m.* -en, -en (-nehmer *m.* -s, -). ~장(帳) Wechselbuch *n.* -(e)s, ⸗er. ~중매인 Wechselagent *m.* -en, -en (-händler *m.* -s, -; -makler *m.* -s, -; -sensal *m.* -s, -e). ~지급 Wechselzahlung *f.* -en: ~지급 기간 Wechselgebrauch *m.* -(e)s, ⸗e / ~지급지 Wechsel¦domizil *n.* -s, -e (-platz *m.* -es, ⸗e). ~할인 Wechseldiskont *m.* -(e)s, -e: ~할인율 Wechselagio [..a:ʒio, ..dʒo] *n.* -s / ~할인자 Wechseldiskontierer *m.* -s, -. 단기~ der kurze Wechsel (der Wechsel auf kurze Sicht). 백지~ der offene Wechsel. 약속~ der eigene (trockene) Wechsel. 일람불~ der Wechsel auf ⁴Sicht. 환~ der gezogene (trassierte) Wechsel.

어음(語音) Aussprache *f.* -n; der Klang e-s Wortes; Wortklang *m.* -(e)s, ⸗e; der Tonlaut e-s Wortes.

어의(御醫) Leibarzt *m.* -es, ⸗e; Hofarzt *m.*

어의(語義) Wortsinn *m.* -(e)s, -e; die Bedeutung ⟪-en⟫ e-s Wortes. ¶ 보통 일반적인 ~로는 im allgemeinen Sinne; in der gewöhnlichen Bedeutung des Wortes / ~를 명백히 하다 den Wortsinn erklären; den Begriff e-s Wortes bestimmen.

어이[1] ⟪짐승 어미⟫ Weibchen *n.* -s, -s; das weibliche Tier, -(e)s, -e.

‖ ~딸 Mutter u. Tochter. ~아들 Mutter u. Sohn.

어이[2] ⟪어찌⟫ wie; was; auf welche Weise; welcherweise; in welcher Art. ¶ 나는 ~하면 좋을지 모르겠다 Ich weiß nicht, was ich tun soll. ¦Ich weiß mir nicht zu raten. ¦Ich weiß mir keinen Rat. / ~해서 그렇습니까 Wie so denn? / ~하면 가장 좋을까요 Wie konnte man das am besten machen?

어이[3] hallo!; heda!; he (halt)!; ho!; ⟪배를 부르는 소리⟫ ahoi!; Hol über! (대안에서).

어이구 o!; oh!; ach!

어이어이 ach!; o weh! ¶ ~ 울다 bitterlich (heftig) weinen.

어이없다 ⟪할말을 잃다⟫ sprachlos (sein); mit offenem Mund (verdutzt) da|stehen*; k-e Worte finden können*; ganz verblüfft (verdutzt); ⟪불합리하다⟫ ungereimt; vernunftwidrig; unvernünftig; ⟪우습다⟫ lächerlich (sein). ¶ 어이없는 거짓말 e-e grobe (ungereimte; unvernünftige; vernunftwidrige) Lüge, -n / 정말 어이가 없구나 Ich bin ganz sprachlos. / 그녀의 대답에 어이가 없어 할 말을 잃었다 Von ihrer Antwort verblüfft schwieg er.

어이쿠 ⟪감탄사⟫ ach!; o!; oh!

어일싸 ⟪비웃을 때⟫ haha!; hui!; pfui! ¶ ~ 재미도 없다 Pfui, das ist unangenehm!

-어있다 in e-m Zustand sein; ⁴sich befinden* ⟪in e-m Zustand⟫; bestehen* ⟪*aus*³⟫. ¶ 물은 산소와 수소로 되어 있다 Wasser besteht aus Wasserstoff u. Sauerstoff.

어장(漁場) Fischfangstelle *f.* -n; Fischplatz *m.* -es, ⸗e; Fischerei *f.* -en.

어저귀 〖식물〗 chinesischer Hanf, -(e)s; *Abutilon Avicennae* (학명).

어적거리다 schmatzend kauen; geräuschvoll kauen.

어적어적 schmatzend; geräuschvoll kauend.

어전(魚箭) =어살(魚—).

어전(御前) ⟪폐하의⟫ die (höchsteigene) Gegenwart S-r Majestät des Kaisers (Königs). ‖ ~회의 die Ratsversammlung ⟪-en⟫ in der (höchsteigenen) Gegenwart S-r Majestät des Kaisers (Königs) (vor dem Thron(e)).

어정 ① ⟪실속 없음⟫ Leere *f.* -n; Inhaltleere. ② ⟪건성⟫ Unaufmerksamkeit *f.* -en; Unachtsamkeit *f.* -en. ¶ ~으로 geistesabwesend; gedankenlos (vor ⁴sich hin).

어정거리다 herum|lungern [s,h]; umher|streichen* (-|streifen; -|schweifen) [s,h]; ⁴sich (müßig) herum|treiben*. ¶ 공원을 ~ im Park umher|schweifen [h,s] (-|lungern [h,s]) / 혼자서 어디를 어정거리고 있었나 Wo bist du allein herumgeschweift?

어정뱅이 ① ⟪갑자기 잘된 사람⟫ Emporkömmling *m.* -s, -e; Parvenü *m.* -s, -s. ② ⟪어정대는 사람⟫ Dilettant *m.* -en, -en; Verlegenheit *f.* -en.

어정버정 gemächlich; plump u. langsam; schwerfällig. ¶ ~ 걷다 plump u. langsam gehen* / ~ 들어오다 plump u. langsam herein|kommen*.

어정어정 =어정버정.

어정잡이 =어정뱅이②.

어정쩡하다 ⟪불확실⟫ unbestimmt; ungewiß; unwahrhaftig; zweifelhaft; ⟪애매하다⟫ zweideutig; doppelsinnig; dunkel; ⟪회피⟫ ausweichend (sein). ¶ 어정쩡하게 대답하다 unbestimmte Antwort geben*; ausweichend antworten / 어정쩡한 태도를 취하다 ⁴sich ausweichend verhalten*.

어제 gestern. ¶ ~의 gestrig; von gestern / ~ 아침 gestern morgen (früh) / ~ 신문 die gestrige Zeitung, -en / ~부터 병이 났다 Ich bin krank seit gestern. / 한국을 떠난 것이

~와 같다 Es scheint wie gestern zu sein, daß ich Korea verließ. / 그를 만난 것은 바로 ~이다 Es war nur gestern, daß ich ihm begegnete.
‖어젯밤 gestern nacht; letzte Nacht, -en; diese ⁴Nacht; heute nacht (자정이후). 어젯저녁 gestern abend.

어제(魚梯) Fischleiter *f.*

어제(御製) das Gedicht 《-(e)s, -e》 des Kaisers (Königs).

어조(語調) Ton *m.* -(e)s, ⸗e; Sprechton; Wortklang *m.* -(e)s, ⸗e; 《말투》 Sprachwendung (Rede-) *f.* -en; die Art u. Weise des mündlichen Ausdrucks; 《억양》 Akzent *m.* -(e)s, -e; Betonung *f.* -en; Nachdruck *m.* -(e)s, ⸗e; Tonfall *m.* -(e)s, -; die Klangfarbe 《-n》 der Stimme ¶ ~가 좋은 wohl¦klingend (-lautend); rhythmisch / ~가 나쁘다 miß¦lautend (-tönig) sein / 부드러운 ~로 말하다 milder (sanfter) sprechen* / ~를 바꾸다 e-n andern Ton an|-schlagen* / 진지한 ~로 말하다 ernst (ernstlich; ernsthaft; im Ernste; im ernsten Ton) reden; *js.* Ton ist ganz ernst.

어조사(語助辭) das Hilfswort 《-(e)s, ⸗er》 der chinesischen Sprache.

어족(魚族) Fisch *m.* -es, -e.

어족(語族) Sprachfamilie *f.* -n; Sprachstamm *m.* -(e)s, ⸗e. ‖인도유럽~ Indo-Europäische Sprachfamilie. ┌-es, -e.

어좌(御座) der kaiserliche (königliche) Sitz,

어줍다 《언어·동작이》 zweifelhaft; ungewiß; unsicher; unbestimmt; lau; zaghaft; nicht entscheidend; 《솜씨가》 pfuscherhaft; ungeschickt; ungewandt; plump; linkisch (sein). ¶ 어줍은 동작 die steifen Manieren 《*pl.*》 / 어줍게 일하다 schlecht arbeiten; pfuschen; stümpern / 어줍게 행동하다 aufs ungewisse handeln.

어중간하다(於中間—) 《중간》 halb (얼치기의); unvollkommen (불완전); oberflächlich (피상적); auf halbem Wege liegend; unterwegs lassend; 《엉거주춤》 nicht entscheidend; unentschieden; unentschlossen; schwankend (sein). ¶ 어중간하게 auf halbem Wege; unterwegs; unvollkommen / 어중간한 태도 schwankendes Verhalten*, -s / 그렇게 어중간하게 그만두면 아예 시작하지 않았던 것만도 못 하네 Wenn du dich so auf halbem Wege unterbrichst, wird es leider viel schlechter sein, als nie begonnen.

어중되다(於中—) 《넘고 처지다》 unvollkommen (sein). ¶ 어중되게 아는 것보다는 모르는 게 낫다 Nichtwissen ist besser als Halbwissen.

어중이떠중이 der lärmende Pöbelhaufen, -s, -; Hinz u. Kunz; Krethi u. Plethi; Hans u. Franz; Pöbel *m.* -s, -; Krämervolk *n.* -(e)s, ⸗er; alle; alles, was Beine hat. ¶ 그 모임에는 ~ 다 몰려왔다 Alles, was Beine hat, kam wimmelnd zu der Versammlung. / 거리(장터)에는 ~가 다 나와서 복작거린다 Es schwärmt von allen auf der Straße (auf dem Marktplatz).

어지간하다 ziemlich; befriedigend; ganz gut (nett); leidlich; recht gut; nicht übel (sein)¦Es geht. ¶ 어지간한 미인 die ansehnliche Schöne / 어지간한 수입 befriedigendes Einkommen, -s, - (Einkünfte 《*pl.*》) / 어지간한 재산 das schöne (hübsche) Vermögen; bedeutendes Eigentum, -s, ⸗er / 어지간한 돈 ziemliche Summe Geldes / 어지간한 사태가 아니면 außer wenn die Lage außerordentlich (außergewöhnlich) ernst ist / 오늘은 더위가 ~ Es ist heute ziemlich heiß.

어지간히 ziemlich; leidlich: verhältnismäßig; mittelmäßig; erträglich. ¶ ~ 많은 e-e ziemliche Menge / ~ 많은 사람 e-e ziemliche Anzahl Leute / ~ 아름다운 미인 die leidlich schöne Frau; das leidlich schöne Mädchen/~ 좋은 수입 das schöne (hübsche) Einkommen / ~ 먼 거리 die ziemliche Strecke / ~ 긴 ziemlich lang / 그는 ~ 나이가 들었다 Er ist ziemlich bei Jahren. / 밤은 ~ 깊었다 Die Nacht ist schon sehr weit vorgerückt. / 손 교수는 테니스를 ~ 잘 친다 Tennis spielt Professor *Son* ziemlich gut (ganz leidlich). / 그녀는 ~ 곤경에 빠져 있는 모양이다 Sie muß in äußerster Not sein.

-어지다 ① 《되다》 werden. ¶ 낮이 점점 길어지다 der Tag wird immer länger / 거리가 멀어지다 die Entfernung wird größer. ② 《수동·자동》 ¶ 찢어지다 zerrissen werden / 풀어지다 ⁴sich auflösen (용해되다) / 떨어지다 fallen* Ⓢ.

어지러뜨리다 《여기저기》 umher|streuen; 《어수선하게》 ⁴*et.* in Verwirrung (Unordnung) bringen*; verwirren. ¶ 방을 ~ ein Zimmer in Unordnung bringen*. ┌wirrt.

어지러이 schwind(e)lig; benommen; ver-

어지럼 《현기증》 Schwindel *m.* -s, -. ¶ ~을 타다 den Schwindel haben (bekommen*); schwindelig werden / ~이 난다 Es schwindelt mir.¦Mir schwindelt der Kopf.

어지럽다 ① 《눈·정신이》 schwind(e)lig (sein); 《현기증이 남》 Schwindel (Taumel) haben; es schwindelt *jm.*; schwindel¦erregend (-haft) (sein). ¶ 나는 ~ Ich bin (Mir wird) schwind(e)lig.¦Mir ist schwind(e)lig (Mir schwindelt). / 머리가 ~ Mein Kopf (Mir) schwindelt. / 어지러울 정도의 높이 (속도) schwindelerregende Höhe, -n (Geschwindigkeit, -en) / 어지럽게 변천하는 세상 schwindlig entwickelnde Welt, -en / 나는 이따금 ~ Oft schwindelt mir.
② 《어수선함》 unordentlich; in Unordnung; verwirrend; unruhig; chaotisch (sein). ¶ 어지럽게 하다, 어지럽히다 verwirren(*)⁴; durcheinander|machen⁴ (-|werfen*⁴); stören⁴; in Unordnung bringen*⁴; zerrütten⁴; aus der Fassung bringen*⁴ (마음을); in Unordnung (Verwirrung) geraten*Ⓢ; ⁴sich verwirren / 어지러운 방 unordentliches Zimmer, -s, - / 어지러운 세상 chaotische Welt, -en / 어지러워진 재정 상태 zerrüttete Vermögensverhältnisse 《*pl.*》 / 풍기가 아주 어지러워졌다 Alle Bände der Sitte sind gelockert. / 전쟁으로 경제 질서는 완전히 어지러워졌다 Die Wirtschaftsordnung ist durch den Krieg völlig zerrüttet worden. / 방안이 매우 ~ Im Zimmer herrscht e-e fürchterliche Unordnung.¦Das Zimmer ist in wüster Unordnung.

어지르다 in ⁴Unordnung (⁴Wirrwarr) bringen*⁴; zerstreuen⁴; durcheinander|werfen*⁴; umher|streuen⁴; verwirren(*)⁴ 〖*p.p.* verwirrt u. verworren〗; unordentlich machen⁴; Verwirrung an|richten. ¶ 방을 ~ das Zimmer in Unordnung bringen* / 방에 장난감을 어질러놓다 die Spielsachen im

Zimmer umherliegen lassen* / 어질러 놓다 ^{4}et. unordentlich machen / 매일 어린애가 방을 어지른다 Täglich (Jeden Tag) macht das Kind das Zimmer unordentlich. / 모든 게 어질러져 있었다 Alles war durcheinandergeworfen. / 그의 방은 어질러져 있었다 Sein Zimmer war in Unordnung. / 방을 어질러 놓지 말라 Mache das Zimmer nicht unordentlich!

어지빠르다 ungeeignet; untauglich; unangemessen; unpassend (sein). ¶ 어지빠른 처리 die halben Maßregeln 《pl.》.

-어지이다 ¶ 당신의 뜻이 이루어지이다 Dein Wille geschehe!

어지자지 Zwitter *m.* -s, -.

어진(御眞) das Porträt 《-(e)s, -e》 e-s Königs.

어진혼(一魂) die Seele e-s gestorbenen, gutherzigen Menschen.

어질다 herzlich; gütig; liebevoll; wohlwollend; gutherzig; freundlich (sein). ¶ 어진 사람 ein guter Mensch, -en, -en / 그는 조금은 ~ Er besitzt etwas Mitgefühl.

어질더분하다 unordentlich u. unsauber (sein).

어질러지다 ^{4}sich verwirren* (verwickeln).

어질어질하다 《머리가》 schwind(e)lig (sein); Schwindel bekommen*; von Schwindel befallen werden. ¶ 나는 눈앞이 (머리가) ~ Mein Kopf dreht sich.¦Mir ist schwindlig.¦Mir brummt der Schädel. / 수면 부족 때문인지 ~ Vielleicht aus Mangel an Schlaf schwindelt mir.

어째 《왜·어찌하여》 warum; wie; weshalb; aus welchem Grunde. ¶ ~서 =어째 / ~서냐 하면 denn; weil / ~ 그러냐 wie so denn? / ~ 왔느냐 Warum bist du denn da? / 그는 ~ 그 모양이야 Wie ist er denn so dumm?¦Wie ist er so denn? / ~ 그런지 모르겠다 Ich weiß nicht warum. / ~(서) 안 되는가 Warum nicht? / 그가 ~ 늦는지 모르겠다 Ich weiß nicht (Ich habe k-e Ahnung), warum er so spät ist. / ~ 나를 쳐다보느냐 Warum schaust du mich an? / ~ 그렇게 생각하느냐 Warum denkst du so? / ~ 웃으십니까 Warum lachen Sie? / 애기가 ~ 우느냐 Was weint das Kind? / ~ 그렇게 되었느냐 Woher kommt es?

어쨌든 《하여튼·어떻든》 jedenfalls; auf jeden ^{4}Fall; auf alle Fälle; immerhin; sowieso; irgendwie; auf irgendeine Weise; um jeden Preis; komme, was da wolle; koste es, was es wolle (will); 《차치하고》 abgesehen von^3... ((davon), daß...); 〖부정은〗 auf k-n Fall; um k-n Preis (der Welt). ¶ ~ 해야 한다 Es muß auf jeden Fall gemacht werden.¦Komme, was da wolle, es muß gemacht werden. / ~ 그건 안 된다 Das geht auf k-n Fall. / ~ 그러한 일은 하지 않는다 Ich werde es um k-n Preis tun. / ~ 너는 그의 아버지가 아니냐 Jedenfalls bist du da sein Vater! / ~ 우리 집에 오시오 Kommen Sie jedenfalls zu mir! / ~ 되도록 빨리 일을 하겠읍니다 Sowieso arbeite ich so schnell wie möglich. / ~ 12시까지 그를 기다려 보자 Auf alle Fälle will ich bis zum zwölf Uhr mittags auf ihn warten. / ~ 저 친구는 좋은 사람이다 Jedenfalls ist er ein guter Mensch. / 돈이야 ~ 그는 훌륭한 남편감이다 Abgesehen vom Geld ist er ein guter Mann. / ~ 그는 책임을 면할 수 없다 Um jeden Preis ist er Schuld daran.¦Auf k-n Fall kann er s-r Schuld ausweichen. / 그는 ~ 초인임에는 틀림없다 Jedenfalls ist er sicher ein Übermensch.

어쩌다 ① 《우연히》 zufällig; durch ^{4}Zufall; unbeabsichtigt; unerwartet; von ungefähr. ¶ ~가 =어쩌다 / ~ 나는 사실을 알게 되었다 Ich habe es zufällig erfahren. / 나는 ~ 그 자리에 있게 되었다 Ich war zufällig da. / ~ 그렇게 되었다 Das kam so von ungefähr. / 나는 ~ 그녀의 집 옆을 지났다 Ich ging unbeabsichtigt an ihr Haus vorbei. / ~ 그를 길에서 만났다 Ich sah ihn unerwartet auf der Straße.

② 《이따금》 manchmal; dann u. wann; gelegentlich; bis¦weilen (zu-); jeweils; jeweilen; vereinzelt. ¶ ~ 오는 손님 gelegentlicher Gast, -(e)s, ⸚e (Besucher, -s, -) / ~ 있는 일 jeweilige Begebenheit / ~ 술을 마시다 gelegentlich trinken* / ~ 곤드레만드레 취하기도 하다 ^{4}sich jeweils besaufen* / ~ 포도주를 한 잔 마시는 수도 있다 Er trinkt gelegentlich ein Glas Wein. / 손님은 ~ 있을 뿐이나 Er hat nur selten Besuch. / 그렇게 잦지는 않지만 ~ 그러한 일도 있다 Das kommt zwar nicht oft, aber vereinzelt vor. / ~ 돈이 떨어질 때도 있었다 Manchmal fehlte es mir an Geld.

어쩌면 ① 〖감탄사적〗 wie; welch (ein). ¶ ~ 이렇게 추울까 Wie kalt! / 색시가 ~ 그렇게 예쁠까 Wie schön ist sie!¦Wie schön sie ist! / ~ 그렇게 뻔뻔스러울까 Welche Frechheit! / ~ 그렇게 훌륭한 사람들이 있을까 Welch große Männer!¦Welche großen Männer! / ~ 그렇게 멋있을까 Welch ein Anblick!¦Welch Wunder!

② 《아마·혹시》 möglicherweise; eventuell; unter Umständen (어쩌다가); vielleicht (자칫하면); wohl; womöglich; wer weiß; je nach den Umständen (어쩌다가); allenfalls; etwa; vermutlich; voraussichtlich (예상); wahrscheinlich (아마). ¶ ~ 곧 비가 올 것 같다 Es scheint wohl bald zu regnen. / ~ …일 수도 있다 Es ist möglich, daß....¦Vielleicht kann es vorkommen, daß.... / ~ 그는 오늘 안올지도 모른다 Es kann sein, daß er heute nicht kommt. / ~ 길을 잘못든 것이 아닐지 Ich fürchte, er könnte sich etwa verlaufen. / 전화를 하셔도 ~ 제가 자리에 없을지도 몰라요 Ich bin möglicherweise nicht da, wenn Sie anrufen. / ~ 벌써 그가 떠났을지도 모르겠다 Ich fürchte, er wäre schon fort.

어쩐지 ① 《웬일인지》 irgendwie; etwas (다소); ein wenig (다소); ich weiß nicht warum. ¶ ~ 즐겁다 Ich weiß nicht warum, aber ich freue mich. / ~ 두렵다 Ich weiß nicht warum, aber ich fürchte mich. / ~ 이상하다 《우스꽝스럽다》 Es ist irgendwie komisch. / ~ 나는 그가 병이 난 것 같은 예감이 든다 Ich habe so e-e Ahnung, als ob er krank geworden wäre. / 나는 ~ 가고 싶지 않다 Ich weiß nicht warum, aber ich mag nicht hingehen. / ~ 저 사람은 무섭다 Er sieht mir irgendwie schrecklich aus. / ~ 중대한 일이 일어날 것만 같다 Es sieht mir so aus, als ob sich etwas Wichtiges ereignete. / ~ 그가 처음부터 의심스러웠다 Ich weiß nicht warum, aber er war von Beginn an zweifelhaft. / ~ 그 사람은 믿을 수가 없다 Irgendwie kann ich nicht ihm vertrauen.

② 《왜 그랬는지》 beweisbar; vermutlich.

¶ ~ 기쁜 얼굴을 하고 있더라 Jetzt ist es vermutlich, warum er so e-n fröhlichen Ausdruck gemacht hat. / ~ 그녀가 오전 중 무척 좋아하더라니 Es ist erst beweisbar, warum sie sich vormittags so sehr freute. / ~ 네가 그를 변호하더라 Jetzt weiß ich, warum du ihn verteidigt hast. / 창이 열려 있었구나— ~ 춥더라니 Das Fenster war offen.—Jetzt weiß ich, warum mich gefriert hat.

어쩔수없다 《불가피한》 unvermeidlich; unumgänglich; zwingend; 《필연적》 notwendig (sein). ¶ 어쩔 수 없이 notgedrungen; gezwungenermaßen; aus Notwendigkeit; wider Willen (마지못해); widerwillig / 어쩔 수 없는 사정으로 zwingender [2]Umstände halber / 나는 어쩔 수 없는 사정으로 승낙하였다 Ich sah mich gezwungen, es zu akzeptieren.¦Es blieb mir nichts anders übrig, als Ja zu sagen.

어쩔줄모르다 weder aus noch ein wissen*; ratlos sein; sehr verlegen sein; [3]sich nicht zu raten noch zu helfen wissen*.

어쭙지않다 《건방짐》 naseweis; vorlaut; vorwitzig; frech; alt¦klug (früh-); dreist; 《척하다》 affektiert; gekünstelt; geziert; 《가소롭다》 läckerlich; zum Lachen (sein). ¶ 어쭙지 않게 나서다 vorwitzigerweise e-e unnötige Bemerkung machen; vorlaut sein.

어찌 ① 《왜》 warum; wie; aus welchem Grunde. ¶ ~ 할 수 없는 경우에 wenn man ratlos ist / ~ 해야 좋을지 모르다 [3]sich k-n Rat wissen*; ratlos (hilflos) sein; den Kopf verlieren*; weder aus noch ein wissen* / ~ 그리 늦었느냐 Warum bist du denn so spät (gekommen)? / ~ 왔느냐 Warum bist du da? / ~ 그런 일을 하였느냐 Warum hast du so etwas getan? / ~ 그런 말을 내게 할 수 있단 말이냐 Wie kannst du mir so etwas sagen?¦Wie erlaubst du dir, mir so etwas zu sagen?
② 《어떻게》 wie. ¶ ~ 그 날을 잊을소냐 Wie kann man den Tag vergessen? / ~ 그럴 수가 있을까 Wie kann so eines geschehen? / 그가 ~ 되었을까 Wie wäre es ihm geschehen? / 나는 정말 ~ 해야 좋을지 모르겠다 Ich war mit m-m Latein zu Ende. / ~ 그것이 가능하리오 Wie kann es möglich sein?
③ 《어찌나》 wie; welch (ein*). ¶ 그녀는 ~ 그리 예쁠까 Wie schön ist sie! / ~ 그리 멋있을까 Wie wunderbar!¦Wie schön!

어찌나 wie; wie viel; wie sehr; zu welchem Grade. ¶ 그것을 보고 ~ 놀랐던지 Was für e-e Überraschung war ihm der Anblick!

어찔어찔하다 ☞ 어질어질하다.

어찔하다 schwind(e)lig; benommen; verwirrt; taumelnd (sein).

어차피(於此彼) so wie so; auf jeden Fall; auf alle Fälle; 《결국》 schließlich; im Grunde. ¶ ~ 해야 할 일이다 Wohl od. übel, es muß ja doch geschehen. / ~ 이길 공산은 없다 Ich kann auf k-n Fall gewinnen. / ~ 갈 바에야 내일 가겠다 Wenn ich überhaupt gehe, gehe ich morgen. / ~ 인생은 괴로운 것이다 Das Menschenleben ist doch schließlich ein Jammertal. / ~ 후임은 정해져 있다구 Der Nachfolger ist jedenfalls schon bestimmt./ ~ 죽을 몸인데 굵고 짧게 살아라 Lebe frei u. lustig, da deine Tage gezählt sind!

어채(魚菜) der gekochte Fisch u. Gemüse.

어처구니 Riese *m.* -n, -n; Mordsding *n.* -(e)s, -e; Ungeheuer *n.* -s, -. ¶ ~가 없다 baß erstaunen 《*über*[4]》; verblüfft (sprachlos) sein / ~ 없군 Unerhört!; (zum) Donnerwetter (noch einmal)! / ~가 없어서 vor Erstaunen (Verblüffenheit); von [3]*et.* verblüfft / ~없는 녀석 Freches Stück!¦Unverschämter Kerl! / ~없는 일 das Unerhörte*, -n, -n; Unverschämtheit *f.* -en / 너도 ~없는 놈이구나 Du bist des Kuckucks! / 그의 파렴치에는 ~가 없다 S-e Unverschämtheit hat mich arg verdrossen. / ~가 없어서 말이 안 나온다 Ich bin einfach sprachlos.¦Da bleibt mir die Spucke weg.

어촌(漁村) Fischerdorf *n.* -(e)s, ⸗er.

어치 〖조류〗 (Eichel)häher *m.* -s, -.

-어치 ¶ 이 사과는 1,000원어치이다 Diese Äpfel sind 1000 *Won* wert.

어치렁거리다 [4]sich mühsam weiter¦schleppen.

어칠거리다 dahin¦schlendern; dahin¦trotten; weiter¦traben.

어칠비칠 schwankend; wack(e)lig.

어탁(魚拓) Fischabdruck 《*m.* -(e)s, ⸗e》 (zum Andenken e-s Angelerfolgs). ¶ ~을 뜨다 e-n Abdruck des geangelten Fisches machen.

어투(語套) *js.* Art zu sprechen; Sprechweise *f.* -n; Sprechart *f.* -en.

어퍼커트 〖권투〗 Kinnhaken *m.* -s, -. ¶ ~를 먹이다 *jm.* e-n Kinnhaken landen.

어폐(語弊) die unglücklich gewählte Ausdrucksweise, -n; Wortmißbrauch *m.* -(e)s, ⸗e. ¶ ~가 있다 unpassend ausgedrückt sein; Wortmißbrauch sein; der Verdrehung leicht [4]Anlaß geben können*/아마 ~가 있을지 모르지만 Vielleicht ist das ein Wortmißbrauch, aber.... / 그렇게 말하면 ~가 있다 Wenn du so sagst, dann ist das ein Wortmißbrauch.¦Wenn man so sagt, dann hat er ein Wortmißbrauch.

어포(魚脯) das getrocknete u. gewürzte Fischstückchen (Fischfilet).

어피(魚皮) Fischhaut *f.* ⸗e.

어필(御筆) die Schriften 《*pl.*》 des Königs (Kaisers).

어하다 verwöhnen[4]; (ver)hätscheln[4]; verzärteln[4]; verderben*[4]. ¶ 어해서 기르다 ein Kind nachsichtig auf¦ziehen* / 그는 애를 너무 어해준다 Er hat e-e Affenliebe zu s-n Kindern.

어학(語學) Sprach¦forschung *f.* -en (-kunde *f.* -n; -studium *n.* ..dien; -erlernung *f.* -en; -wissenschaft *f.* -en); Linguistik *f.*; Philologie *f.* -n. ¶ ~상의 sprach(wissenschaft)lich; linguistisch; philologisch; Sprach(en)- / ~에 재능이 있다 sprachliche Begabung (sprachliches Talent) haben; sprachlich begabt (veranlagt) sein.
‖ **~교사** Sprachlehrer *m.* -s, -. **~교육** Sprach¦erziehung *f.* -en (-ausbildung *f.* -en; -unterricht *m.* -(e)s, -e). **~시간** Sprachstunde *f.* -n. **~자** Sprach¦forscher (-kenner; -wissenschaftler) *m.* -s, -; der Sprach¦gelehrte* (-kundige*) -n, -n. **~지식** Sprachkenntnis *f.* -ses, -se.

어항(魚缸) Goldfischbecken *n.* -s, -; Goldfischbehälter *m.* -s, -; Goldfischglas *n.* -es.

어항(漁港) Fischereihafen *m.* -s, ⸗.

어허 《문득 깨달았을 때》 nun!; aha! ah!; oh!; ho-ho! ¶ ~ 그래서 Nun Wohl! Was dann?

〔Was weiter?〕/ ~ 그것 참 Ach Gott!¦ Herrje!

어험 《거드름부릴 때》 hm!; ehem! ¶ 그는 ~ 하고 기침을 했다 „Hm!", räusperte er sich.

어혈(瘀血) 〖한의학〗 der blaue Fleck, -(e)s, -e; Strieme *f.* -n.

어형(魚形) Fischform *f.* -en. ¶ ~의 fischartig 〔-förmig〕.
‖ ~수뢰(水雷) (Fisch)torpedo *m.* -s, -s.

어형(語形) Form *f.* -en; Wortform *f.* -en.
‖ ~변화 《일반적 총칭》 Flexion *f.* -en; Deklination *f.* -en (명사와 형용사의); Konjugation *f.* -en (동사의).

어화(漁火) Fischereifeuer *n.* -s, -; das Feuer 《-s, -》 zum Fischfang; das Feuer 《-s, -》 der Fischerboote.

어회(魚膾) der (in feine Scheiben geschnittene) rohe Fisch, -es. ¶ ~를 만들다 e-n rohen Fisch in Scheibchen schneiden*.

어획(漁獲) Fischfang *m.* -(e)s, ⸚e; Fischerei *f.* -en. ~하다 fischen^{4}.
‖ ~고(高) Zug *m.* -(e)s, ⸚e; Fischfang *m.* -(e)s. ~권(權) Fischereirecht *n.* -(e)s, -e. ~금지 Fischverbot *n.* -(e)s, -e (어류 보존을 위한). ~기 Fischzeit *f.* -en. ~물 Fang *m.* -(e)s; Zug *m.* -(e)s. ~장(場) Fischerei *f.* -en.

어휘(語彙) Wortschatz *m.* -es; Glossar *n.* -s, -e 〔..rien〕; Glossarium *n.* -s, ..rien; Vokabel *f.* -n; Vokabular *n.* -s, -e; Wörter¦sammlung *f.* -en 〔-verzeichnis *n.* -ses, -se〕. ¶ 풍부한 ~ reicher Wortschatz; Wortreichtum *m.* -s, ⸚er / ~가 풍부한 wortreich / ~가 빈약한 wortarm / ~를 풍부하게 하다 den Wortschatz bereichern / 이 사전은 ~가 많다 Dieses Wörterbuch hat Wortreichtum.¦Dieses Wörterbuch ist wortreich.
‖ ~집 Vokabel¦buch *n.* -(e)s, ⸚er 〔-schatz *m.*〕. ~통계 Vokabelstatistik *f.* -en.

억(億) hundert Millionen. ¶ 10억 Milliarde *f.* -n; tausend Millionen.

억누르다 《억압·지배·진압》 unterdrücken^{4}; nieder|halten^{*4}; beherrschen^{4}; 《압박》 bedrängen^{4}; bedrücken^{4}; bewältigen^{4}; 《억제》 auf|halten* 〔zurück|-〕; ab|halten*; hemmen^{4}; ein|halten*; im Zaume halten^{*4}; kontrollieren^{4}; meistern^{4}; 《자제》 ^{4}sich kontrollieren; ^{4}sich meistern. ¶ 억누를 수 없는 unkontrollierbar; unwiderstehlich; unüberwindlich / 노여움을 ~ Wut zurück|-halten* 〔ab|-〕/ 눈물을 ~ s-e Tränen hemmen 〔unterdrücken〕/ 웃음을 ~ das Lachen unterdrücken / 감정을 ~ das Gefühl unterdrücken / 감정을 억누르고 mit unterdrückten Gefühlen; ^{4}sich verstellend / 언론의 자유를 ~ die Sprechfreiheit unterdrücken / 치미는 분노를 억눌렀다 Ich unterdrückte mir die überwältigende Wut. / 나는 자존심을 억누르고 아무 말도 하지 않았다 Ich sagte nichts mit unterdrückter Selbstachtung.¦Ich unterdrückte mein Selbstachtungsgefühl u. sagte nichts.

억눌리다 niedergedrückt 〔unterdrückt〕 werden.

억단(臆斷) Vermutung *f.* -en; Mutmaßung *f.* -en; 《미리 앞질러》 Hypothese *f.* -n; Voraussetzung *f.* -en; der übereilte Entschluß, ..schlusses, ..schlüsse. ~하다 vermuten; mutmaßen; 《미리》 voraus|setzen; im voraus urteilen 《*über*^{4}》; 《즉단하다》 e-n voreiligen Entschluß treffen*.

억류(抑留) zwanghafte Zurückhaltung, -en; Gefangenhaltung *f.* -en; Internierung *f.* -en. ~하다 zwangsweise zurück|halten^{*4}; gefangen halten^{*4}; internieren^{*4}. ¶ ~되어 있다 in Gefangenschaft sein / 그는 5년간 시베리아에 ~되어 있었다 Er war fünf Jahre in Sibirien in Gefangenschaft.
‖ ~선 das Schiff 《-(e)s, -e》 in Gefangenschaft; interniertes Schiff. ~(자 수용)소 Gefangenen¦lager 〔Internierungs-〕 *n.* -s, -. ~자 der Gefangene* 〔Internierte*〕 -n, -n.

억만(億萬) 《억》 hundert Millionen 《*pl.*》; 《무수함》 zahllos; unzählig. ¶ ~금을 준다 해도 못 하겠다 Ich würde es nicht für Berge Geld(es) tun.
‖ ~년 zahllose Jahre. ~장자 Milliardär *m.* -s, -e; Milliardärin *f.* -nen (여성); Millionär *m.* -s, -e.

억매흥정 Zwang(s)kauf *m.* -(e)s, ⸚e.

억병 e-e Unmenge Alkohol, die ein Trinker zu sich nimmt. ¶ 술이 ~이다 über den Durst trinken*; zu viel trinken* / 그는 ~으로 마시고 있다 Jeden Tag huldigt er dem Trunk.

억보 der hartnäckige 〔halsstarrige; widerspenstige; rechthaberische; eigensinnige〕 Mensch, -en, -en; Starrkopf *m.* -(e)s, ⸚e;

억새 〖식물〗 e-e Art Rohr 《*n.* -(e)s, -e》; *Miscanthus purpurascens* (학명).
‖ ~지붕 Strohdach *m.* -(e)s, ⸚er.

억설(臆說) 《억측》 Vermutung *f.* -en; 《가정》 Annahme *f.* -n; Mutmaßung *f.* -en; Hypothese 〔-thesis〕 *f.* ..thesen (가설).

억세다 ① 《세차다》 stark; fest; heftig; zäh; festhaltend; 《뜻이》 selbstsicher (자신 있다); unnachgiebig (불굴); 《고집세다》 dickkopfig; hartnäckig; hartmäulig; hartköpfig (sein). ¶ 마음이 억센 사람 ein Unnachgieber*, -en, -en; unnachgiebiger Mann, -(e)s, ⸚er 〔Mensch, -en, -en〕/ 손아귀의 힘이 ~ kräftigen Griff haben.
② 《뻣뻣하다》 hart; steif (sein). ¶ 억센 머리털 steifes Haar, -es, -e / 억센 수염 steifer Bart, -(e)s, ⸚e / 이 배추는 억세다 Dieser Kohl ist steif.

억수 der strömende Regen, -s, - 〔Regenguß, ..sses, ..güsse〕; der heftige Regen, -s, -. ¶ ~같이 비가 오다 in ^{3}Strömen regnen 〔gießen*〕¦Es regnet, was vom Himmel herunter will. / ~ 같은 비를 맞으며 우리는 걸어야만 했다 Wir mußten im strömenden Regenguß zu Fuß gehen.
‖ ~장마 beständiger 〔ununterbrochener; langweiliger; dauernder〕 Regenguß.

억압(抑壓) Unterdrückung *f.* -en; Unterjochung *f.* -en; Bewältigung *f.*; 《압제》 Bedrückung *f.* -en; Bedrängung *f.* -en; Zwang *m.* -(e)s, ⸚e. ~하다 unterdrücken^{4}; unterjochen^{4}; bewältigen^{4}; bedrücken^{4}; 《억제》 beherrschen^{4}; zurück|halten^{*4}. ¶ ~된 감정 unterdrücktes Gefühl, -(e)s, -e / ~적으로 aus Zwang / 백성을 ~하다 das Volk ins 〔unters〕 Joch zwingen*.

억양(抑揚) 〖언어〗 Senkung 《*f.* -en》 u. Hebung 《*f.* -en》; 《음의 고저》 Tonhöhe *f.* -n; 《말·문장의》 Betonung *f.* -en; Akzent *m.* -(e)s, -e; Intonation *f.* -en; Satzmelodie *f.* -n. ¶ ~이 없는 monoton / 정확하게 ~을 붙여서 mit richtigem Akzent / ~을 붙여서 이야기하다 akzentieren^{4} / 그는 ~ 없는 말씨를 쓴다 Er spricht ganz monoton.
‖ ~부호 Akzentzeichen *n.* -s, -.

억울하다(抑鬱—) bedauerlich; 《울화》 ärgerlich; zornig; 《불공평·부당》 ungerechtigt; unrecht(lich); Ungerechtigkeit ertragend; 《학대》 mißhandelt; 《거짓》 falsch; fälschlich; unwahr(haftig); betrügerisch; 《운이 없다》 ungünstig; unglücklich; ungnädig; 《근거없다》 grundlos; 《심한·터무니 없다》 unglaublich; 《무죄》 schuldlos; unschuldig (sein). ¶ 억울하게 unschuldig; schuldlos; wegen der fälschlichen 〔unrechten; unglaublichen〕 Anklage / 억울한 조치 ungerechtigte Behandlung / 억울한 죄로 unter falscher Anklage; unter falschem Verdacht / 억울한 죄를 뒤집어 쓰다 fälschlich beschuldigt werden; unschuldig angeklagt 〔beigemessen〕 sein / 억울한 죄를 뒤집어 씌우다 *jm.* (die) unglaubliche Schuld zu|schreiben* 〔geben*; bei|messen*〕 / 억울한 책망을 듣다 ungerechten Tadel erteilt werden / 아무를 억울하게 하다 *jm.* Ungerechtigkeit an|tun* / 나는 그 억울함을 참을 수가 없다 Ich kann die Ungerechtigkeit an 〔gegen〕 mich nicht ertragen.

억제(抑制) Zurückhaltung *f.* -en; Unterdrückung *f.* -en; Beherrschung *f.* -en; Zügelung *f.* -en; Hemmung *f.* -en; Aufhaltung *f.* -en. **~하다** zurück|halten*[4]; unterdrücken[4]; niederdrücken[4]; beherrschen[4]; zügeln[4]; auf|halten*[4]; ab|halten*[4]; hemmen[4]; ein|halten*; in Zaum halten*;[4] kontrollieren[4]; 《자제》 [4]sich kontrollieren; [4]sich enthalten*. ¶ ~할 수 없는 unkontrollierbar; unwiderstehlich; unüberwindlich / 감정을 ~하다 das Gefühl unterdrücken 〔zurück|halten*〕 / 정욕을 ~하다 die Leidenschaften bekämpfen / 노여움을 〔분노를〕 ~하다 den Wut 〔Zorn; Ärger〕 zurück|halten* 〔zügeln; unterdrücken〕 / 물가의 앙등을 ~하다 die Preissteigerung auf|halten* 〔hemmen〕.
‖ **~력** Zurückhaltungs¦kraft *f.* -en 〔-fähigkeit *f.* -en; -gabe *f.* -n〕.

억조(億兆) ① 《수》 hundert Millionen Billionen. ② 《무수한》 zahllos; unzählig; zahlreich; unzählbar; unendlich viel.
‖ **~창생** Volk *n.* -(e)s; Menge *f.*; der große Haufen, -s; die gemeinen Leute 《*pl.*》: ~ 창생에 군림하다 über viele Millionen herrschen.

억지 Hartnäckigkeit *f.*; Halsstarrigkeit *f.*; Eigensinn *m.* -(e)s, -e; Unmäßigkeit *f.* -en; Zwang *m.* -(e)s; Nötigung *f.* -en; Muß *n.* -. ¶ ~(를) 부리다, ~쓰다 s-n Willen mit Gewalt 〔gewaltsam〕 durchsetzen wollen*; [3]sich durch [4]Unverschämtheit helfen*; 《무리한 요구》 übermäßige Anforderung stellen 《an *jn.*》 / ~(가) 세다 hartnäckig sein; widerspenstig sein; eigenwillig 〔-sinnig〕 sein; halsstarrig sein / ~ 웃음을 짓다 [4]sich zu e-m Lächeln zwingen*; gezwungen lachen.
‖ **~웃음** das erkünstelte 〔gekünstelte〕 Lächeln*, -s. **~해석** gewaltsame Auslegung 〔Interpretation〕 -en.

억지(抑止) =억제(抑制). ‖ **~력** Hemmung *f.* -en 《e-s Totalkriegs》.

억지로 ① 《무리하게》 mit 〔roher〕 Gewalt; gewaltsam; mit [3]Zwang; gegen s-n Willen; unter Zwang; gezwungen; durch Nötigung; widerwillig. ¶ ~ 꾸며낸 gezwungen; erkünstelt 〔gekünstelt〕 / ~ …하게 하다 *jn.* zwingen* 《*zu*[3]》; *jn.* nötigen 《*zu*[3]》 / ~ 열다 gewaltsam öffnen[4]; auf|brechen*[4]/~ 부탁하다 *jn.* dringend bitten* 《um [4]*et.*》/~ 먹이다 *jn.* zwingen* 〔nötigen〕 zu essen / ~ 일을 시키다 *jn.* zwingen* 〔nötigen〕 zu arbeiten / ~ 웃다 [4]sich zu e-m Lächeln zwingen*; gezwungen lachen / ~ 올 필요는 없다 Du brauchst nicht unbedingt zu kommen.
② 《겨우》 mit [3]Mühe; mühsam; mit knapper 〔genauer〕 [3]Not; mit 〔knapper〕 Mühe u. Not. ¶ ~ 살아가다 [4]sich mühsam ernähern; [4]sich kümmerlich 〔mühselig; mühsam〕 durchschlagen* / 시험에 ~ 붙다 e-e Prüfung 〔ein Examen〕 mit Ach und Krach bestehen*; in e-r Prufüng 〔in e-m Examen〕 mit Ach und Krach bestehen* 〔durch|kommen* ⓢ〕; eben noch durch e-e Prüfung durch|kommen* ⓢ.

억지손 Willkürlichkeit *f.* -en; Anmaßung *f.* -en. ¶ ~으로 mit Gewalt; zwangsweise.

억지스럽다 anmaßend; willkürlich; gewaltsam (sein).

억지춘향이(—春香—) Zwang *m.* -(e)s; Nötigung *f.* -en. ¶ ~로 gezwungen; unter Zwang.

억척 Un¦biegsamkeit 〔-beugsamkeit〕 *f.*; Zähigkeit *f.*; Steif¦heit 〔-igkeit〕 *f.*; Hartnäckigkeit *f.* **~스럽다** hartnäckig; steif; un¦biegsam 〔-beugsam〕; zäh; unnachgiebig; halsstarrig (sein). ¶ ~ 같다 unbiegsam 〔unbeugsam; herzhaft; zäh〕 sein/~ 같은 여자 e-e unbeugsame 〔zähe〕 Frau, -en / ~ 같이 일하다 [4]sich schinden* (u. plagen); [4]sich (ab|)rackern; schuften; er arbeitet, daß es nur so e-e Art hat.
‖ **~꾸러기, ~보두** ein Mensch 《*m.* -en, -en》 von zähem Fleiß; e-e unnachgiebige 〔unermüdliche〕 Person, -en. **~배기** ein zähes hartnäckiges Kind, -(e)s, -er.

억측(臆測) das Hin- u. Her-Raten 〔Rätseln; Rätselraten〕* -s; Mutmaßung *f.* -en; Vermutung *f.* -en. **~하다** hin u. her raten*; rätseln; ein Rätsel 〔an e-m Rätsel〕 raten*; mutmaßen[4] 《mutmaßte, gemutmaßt》; vermuten[4]. ¶ ~으로 vermutungsweise 〔mutmaßungs-〕; aufs Geratewohl / ~을 해 보다 Mutmaßungen 〔Vermutungen〕 an|stellen 《*über*[4]》 / ~에 지나지 않는다 nichts als e-e bloße Mutmaßung 〔Vermutung〕 sein; e-e bloße Mutmaßung 〔Vermutung〕 bleiben* ⓢ.

억판 die äußerste Armut; die große Bedürftigkeit. ¶ 사는 것이 ~이다 in bitterer Armut leben.

억패듯 hart; rauh; heftig.

억하심정(抑何心情) Es ist schwer zu verstehen, daß 〔wie〕.... ¶ 무슨 ~으로 그런 말을 하오 Daraus kann ich nicht klug werden.¦ Daraus kann ich mir k-n Vers machen.

언감생심(焉敢生心) Wie können Sie das wagen! ¶ ~ 내 앞에서 그런 말을 하느냐 Wie können Sie sich erdreisten, mir das ins Gesicht zu sagen?

언감히(焉敢—) unverschämt; gewagt. ¶ ~ …하다 wagen; [4]sich erkühnen 《[4]*et.* zu *tun*》; [4]sich erdreisten 《[4]*et.* zu *tun*》.

언거번거하다 unnützes Gerede machen; überflüssiges Zeug reden.

언걸 unverdientes Leiden, -s, -; unverdienter Schaden, -s, - 〔Verlust, -es, -e〕; unverdiente Vorwürfe 《*pl.*》 〔Verantwortung, -en〕; Seitenhieb *m.* -(e)s, -e. ¶ ~(을) 입다 〔먹다〕 e-n Seitenhieb bekommen* 《(an-)statt *js.*》; in unverdiente Strafe verfallen* Ⓢ / 그는 이 사건의 ~을 입었다 Er ist in die Sache verwickelt worden.

언구럭 List *f.* -en; Schlauheit *f.* -en. ¶ ~스럽다 listig 〔schlau; verschlagen〕 sein.

언급(言及) Erwähnung *f.* -en; Berührung *f.* -en. **~하다** erwähnen⁴; berühren⁴; zu sprechen kommen* Ⓢ 《*auf*⁴》; zur Sprache bringen*⁴; beiläufig bemerken⁴. ¶ …에 ~하여 Bezug nehmend 《*auf*⁴》; die Rede bringend 《*auf*⁴》; das Gespräch lenkend 《*auf*⁴》 / ~할 값어치조차 없다 nicht der ²Rede 〔Erwähnung〕 wert sein / 그는 이 점에까지 ~했다 Er berührte〔erwähnte〕 auch diesen Punkt. / 그의 이름이 ~되었다 Er wurde mit Namen erwähnt.

언니 der ältere Bruder, -s, ⸗ (남자 아이의); die ältere Schwester, -n (여자 아이의).

언더라인 Unterstreichung *f.* -en; Linie *f.* -n (unter e-m Wort). ¶ ~을 긋다 unterstreichen*⁴.

언더샤쓰 Unterhemd *n.* -(e)s, -en; Unterwäsche *f.* -n.

언덕 Hügel *m.* -s, -; Abhang *m.* -(e)s, ⸗e; Hang *m.* -(e)s, ⸗e; kleiner Hügel; Anhöhe *f.* -n; Erhebung *f.* -en. ¶ 가파른 ~ Steilhang *m.* -(e)s, ⸗e; Aufstieg *m.* -(e)s, -e / ~ 위 auf dem Hügel / ~ 아래 am Fuß des Hügels / ~을 올라가다 e-n Hügel (hin)auf|gehen* Ⓢ 〔(hin)auf|steigen* Ⓢ〕 / ~을 내려가다 e-n Hügel hinab|gehen* Ⓢ; von e-m Hügel (hin)ab|steigen* Ⓢ / ~지다 hügelig sein; an¦steigend 〔auf-〕 sein.
‖ **~길** Abhang *m.* -(e)s, ⸗e; der an¦steigende 〔auf-〕 Weg, -(e)s, -e. **~밥** der teils weich, teils hart gekochte Reis. **~배기** der Gipfel 《-s, -》 e-s Hügels; Hügel *m.*

언도(言渡) 〖법〗 Urteil *n.* -(e)s, -e; Erkenntnis *n.* -ses, -se; Rechts¦spruch 〔Richter-; Urteils-〕 *m.* -(e)s, ⸗e. **~하다** ein Urteil fällen 〔aus|sprechen*〕 《*über*⁴》; verurteilen 《*jn. zu*³》; verdammen 《*jn. zu*³》. ¶ 판결을 ~하다 ein Urteil aus|sprechen* 〔fällen〕 《*über*⁴》; urteilen⁴ 《*über*⁴》; erklären 《*jn. für*⁴》; Recht sprechen* 《*über*⁴》; e-n Rechts¦spruch 〔Richter-〕 tun* 《*über*⁴》; den Stab brechen* 《über *jn.*》; verdammen 《*jn. zu*³》 / 사형을 ~하다 zum Tode verurteilen 《*jn.*》 / 무죄를 ~하다 frei|sprechen* 《*jn. von*³》; für unschuldig erklären 《*jn.*》; auf ⁴Freisprechung erkennen* 《*jn.*》 / 벌금형을 ~하다 zu e-r Geldstrafe verurteilen / 피고는 5년형을 ~받았다 Der Angeklagte wurde zu fünf Jahren Gefängnis verurteilt.

언동(言動) Sprache u. Benehmen; das Tun* u. Lassen* 〔Treiben*〕; Worte u. Taten 《*pl.*》; Worte u. Handlungen 《*pl.*》; Rede u. Benehmen; Verhalten *n.* -s. ☞ 언행. ¶ ~을 삼가다 in Rede u. Benehmen vorsichtig sein / (감정을) ~으로 나타내다 s-e Gefühle in Wort u. Tat verraten*.

언뜻 flüchtig; im Vorübergehen; vorübergehend; oberflächlich; von ungefähr; auf e-n Blick; mit e-m Blick(e). ¶ ~ 보다 flüchtig sehen*⁴; e-n flüchtigen Blick werfen* 《*auf*⁴》 / ~ 듣다 zufällig hören⁴; von ungefähr hören⁴ / 나는 ~ 보았다 Ich sah es mit halbem Auge. / 나는 김군이 결혼했다는 것을 ~ 들었다 Mein kleiner Finger hat es mir gesagt, daß Herr *Kim* sich verheiratet hat.

언론(言論) Rede *f.* -n; Meinungsäußerung *f.* -en; Diskussion *f.* -en. ¶ ~의 자유 Redefreiheit 〔Meinungs-〕 *f.*; die freie Meinungsäußerung, -en; 《신문·출판의》 Pressefreiheit *f.* / ~의 탄압 Unterdrückung 《*f.* -en》 der ²Diskussion 〔öffentlichen ²Meinung〕; Kneb(e)lung 《*f.* -en》 der ²Presse (신문, 언론, 출판의) / ~을 단속 〔탄압〕 하다 Rede und Presse überwachen 〔fesseln〕 / ~의 자유를 속박하다 freie Meinungsäußerung 〔Presse〕 knebeln; den Mund 〔das Wort〕 verbieten* 〔stopfen〕 《*jm.*》; mundtot machen⁴.
‖ **~계(界)** Presse *f.*; Journalismus *m.* -; Journalistik *f.*; Zeitungs¦wesen 〔Presse-〕 *n.* -s. **~기관** Massenmedium *n.* -s, ..dien; Organe 《*pl.*》 der öffentlichen Meinung; Presseorgan *n.* -s, -e. **~전(戰)** Redekampf *m.* -(e)s, ⸗e; Auseinandersetzung *f.* -en; Rede u. Gegenrede *f.*

언막이(堰—) Irrigationsdamm *m.* -(e)s, ⸗e; ein Damm zur Bewässerung e-s Reisfeldes.

언명(言明) Erklärung *f.* -en; Aussage *f.* -n; Manifest *n.* -(e)s, -e; Deklaration *f.* -en. **~하다** e-e Erklärung ab|geben* 《*über*⁴》; ⁴sich erklären 《*für*⁴; *gegen*⁴》; aus|sagen⁴; erklären⁴ 《*als*; *für*⁴》; e-e öffentliche Behauptung machen; deklarieren⁴. ¶ 정부의 ~ e-e Erklärung 《-en》 der Regierung / 대통령 ~에 따르면 nach der Erklärung des Präsidenten 〔der Erklärung des Präsidenten nach〕 / 정당에서 탈퇴하겠다고 ~하다 s-n Austritt aus e-r Partei erklären.

언문(諺文) ＝한글.

언문일치(言文一致) die (Ver)einigung der Schrift- u. Umgangssprache; die Einheit 《-en》 von Rede u. Schreiben. ¶ ~체의 in umgangssprachigem 〔alltagssprachigem〕 Stil(e) (geschrieben 〔verfaßt〕) / ~를 실현하다 die Schrift- u. Umgangssprache in e-e Einheit vereinigen.

언밸런스 Ungleichgewicht *n.* -(e)s, -e; Unausgeglichenheit *f.* -en. ¶ ~의 unausgeglichen.

언변(言辯) Beredtheit *f.* -en; Beredsamkeit *f.* -en; Redefluß *m.* ..flusses, ..flüsse; Redegabe *f.* -n; Redekunst *f.* ⸗e. ¶ ~이 좋다 e-e bewegliche ⁴Zunge haben; wohlberedt sein; zungenfertig 〔redefertig〕 sein; redegewandt sein / ~이 없다 unberedt sein; ungeschickt 〔unbeholfen〕 sein 《im Reden》 / ~이 없는 사람 der ungeschickte Redner; der schlechte Sprecher.
‖ **~가(家)** Redekünstler *m.* -s, -; der gute Redner, -s, -: 그는 대단한 ~가다 Sein Mundwerk geht immerfort. ¦Seine Zunge geht wie geschmiert.

언비천리(言飛千里) Das Wort hat sich mit einem Schlage verbreitet.

언사(言辭) Worte 《*pl.*》; Rede *f.* -n; Sprache *f.* -n; Ausdruck *m.* -(e)s, ⸗e; Darstellung *f.* -en. ¶ 불온한 ~를 농하다 eine drohende Rede führen / 난폭한 ~를 쓰다 heftige 〔rauhe; derbe〕 ⁴Worte gebrauchen / 고상한 ~를 쓰다 eine schöne Sprache 〔Ausdrucksweise〕 benutzen.

언설(言說) Rede *f.* -n; Äußerung *f.* -en; Ansicht *f.* -en.

언성(言聲) Stimme *f.* -n. ¶ ~을 높여 mit erhobener (lauter) [3]Stimme; laut; in rauhem (barschem) Ton / ~을 높이다 (낮추다) die Stimme erheben* (senken) / ~을 높여 말하다 laut (nachdrücklich; betont) sprechen* (reden).

언약(言約) ein mündliches Versprechen*, -s; sein Wort *n.* -(e)s, -e; Verheißung *f.* -en; Zusage *f.* -n; Gelöbnis *n.* -ses, -se; Gelübde *n.* -s, -; Schwur *m.* -(e)s, ⸗e; Verlobung *f.* -en. **~하다** (mündlich) versprechen*[34]; *jm.* sein Wort (Versprechen) geben*; verheißen*[34]; zu¦sagen[34]; geloben[34]; [4]sich gegen *jn.* zu [4]*et.* verpflichten. ☞ 약속. ¶ 굳게 ~한 사이 die Geliebten 《*pl.*》, die einander Treue geschworen haben / 부부의 ~을 맺다 einander Treue schwören* / ~을 지키다 (어기다) sein Versprechen (Wort) halten* (brechen*).

언어(言語) Sprache *f.* -n; Rede *f.* -n; Worte 《*pl.*》. ☞ 말[5]. ¶ ~의 sprachlich; wörtlich; Wort- / 불투명한 ~ Undeutlichkeit *f.* -en; Unvernehmlichkeit *f.* -en / ~가 통하다 e-e Sprache wird gesprochen (verstanden); [4]sich verständlich machen / ~로 표현할 수 없다 jeder (aller) [2]Beschreibung spotten / 독일에서 ~가 통하지 않아 고생했다 Wegen Sprachstörung habe ich in Deutschland großes Pech gehabt.

‖ **~교정** Sprach¦berichtigung (-korrektur) *f.* -en. **~권**(圈) Sprachraum *m.* -(e)s, ⸗e. **~문제** Sprachenfrage *f.* -n. **~불통** Mitteilungsschwierigkeit *f.* -en. **~상통** Mitteilungsleichtigkeit *f.* **~심리학** Sprachpsychologie *f.* **~예술** Sprachkunst *f.* ⸗e. **~이론** Sprachtheorie *f.* -n. **~장애** 〖의학〗 Aphasie *f.* -n; Sprach¦fehler *m.* -s, - (-verlust *f.* ⸗e; -störung *f.* -en). **~중추** Sprachzentrum *n.* -s, ..ren. **~지도**(地圖) Sprachkarte *f.* -n. **~지리학** Sprachgeographie *f.* **~철학** Sprachphilosophie *f.* **~학** Linguistik *f.*: ~학자 Linguist *m.* -en, -en. **~형태학** 〖문법〗 Morphologie *f.* **~활동** Redefunktion *f.* -en.

언어도단(言語道斷) Unbeschreiblichkeit *f.*; Unaussprechlichkeit *f.*; Un¦sagbarkeit (-säglichkeit) *f.* ¶ ~의 요구 übermäßige (unsinnige) Forderungen (Ansprüche) 《*pl.*》 / ~의 조치 übermäßige Maßnahmen 《*pl.*》 / ~이다 über alle Beschreibung sein; unter aller Kritik sein; un¦aussprechlich (-beschreiblich; -sagbar) sein; ungeheuer (abscheulich; unsinnig; albern) sein / 이 작문은 ~이다 Dieser Aufsatz ist unter aller Kritik. / 그 끔찍스러운 범죄 행위는 ~이다 Das scheußliche Verbrechen ist unaussprechlich (unverzeihlich).

언어행동(言語行動) Sprache u. Benehmen; das Tun u. Lassen (Treiben); Worte u. Handlungen 《*pl.*》; Worte u. Taten 《*pl.*》; Rede u. Benehmen; Verhalten *n.* -s. ☞ 언행. ¶ ~을 삼가다 vorsichtig handeln; in Rede und Benehmen vorsichtig sein / (감정을) ~으로 나타내다 seine [4]Gefühle in Wort und Tat verraten*.

언외(言外) das Mitinbegriffensein*, -s. ¶ ~의 mitgemeint; (mit) einbegriffen; implizit; (mit)verstanden; unausgesprochen / ~의 뜻을 읽다 zwischen den Zeilen lesen*[4] / ~에 …의 뜻을 포함하다 Man gibt zu verstehen, daß....¦Es wird (mit) einbegriffen, daß....¦Am Rande wird bemerkt, daß....

언월도(偃月刀) Hellebarde *f.* -n; die lanzenartige Hiebwaffe, -n; das Schwert 《-(e)s, -e》 an e-m langen Schaft.

언재(言才) Beredtheit *f.*; Beredsamkeit *f.*; Redegabe *f.* -n; Redetalent *n.* -(e)s, -e. ¶ ~가 있는 beredt; beredsam; redegewandt; ausdrucksvoll; sprechend / ~가 없다 unberedt sein; ungeschickt (unbeholfen) sein 《in Reden》.

언쟁(言爭) Wortwechsel *m.* -s, -; Wortstreit *m.* -(e)s, -e; Wortgefecht *n.* -(e)s, -e; Disput *m.* -(e)s, -e; Streit *m.* -(e)s, -e; Zank *m.* -(e)s. **~하다** ([4]sich) streiten* 《mit *jm. über*[4]》; einen Wortwechsel haben 《mit *jm. über*[4]》; heftige Worte wechseln 《mit *jm. über*[4]》; in Streit geraten* 《mit *jm.*》 (언쟁에 돌입). ¶ 두 사람은 하찮은 일로 ~을 시작했다 Eine Kleinigkeit (geringfügige Sache) gab den Anlaß zu einem Streite zwischen ihnen.

언저리 Nachbarschaft *f.* -en; Nähe *f*;. Umgebung *f.* -en; Rand *m.* -(e)s, ⸗er; (외곽); Kante *f.* -n (가장자리).

언제 ① 《의문》 wann; zu welcher [3]Zeit. ¶ ~부터 seit wann; wie lange; von wann (welcher [3]Zeit) an / 한국에는 ~ 왔소 Wann sind Sie nach Korea gekommen? / 시험은 ~ 시작됩니까 Wann beginnt die Prüfung (das Examen)? / ~ 찾아 뵐까요 Wann soll ich Sie besuchen? / ~가 좋을까요 Wann ist es Ihnen bequem? / ~쯤 오시겠습니까 Wann können Sie kommen? / ~부터 병이 났습니까 Wie lange sind Sie krank? / 그가 ~ 올지 모르겠다 Ich weiß nicht, wann er kommt.¦Ich erwarte, er kann jeden Augenblick (Moment) kommen. / 그는 ~ 오리라고 생각하십니까 Wann erwarten Sie, daß er kommt? / ~ 만나기로 할까 Wann treffen (sehen) wir uns?

② 《미래》 e-s Tages; einst; dereinst; 《언제 한번》 später einmal; irgendwann; irgendeinmal; in der nahen Zukunft; in diesen Tagen; nächstens; früher oder später (조만간). ¶ ~ 한번 다시 뵙고 싶습니다 Ich möchte Sie später einmal (irgendwann; irgendeinmal) sehen.¦Ich möchte Sie bald noch sehen. / ~고 진상은 알게 될 테죠 Sie werden früher oder später die Wahrheit erfahren. / ~ 한 번 오너라 Komm in diesen Tagen.

③ 《과거》 e-s Tages; einmal; einst; früher; vorher; vormals; ehedem. ¶ ~인지도 모를 시절부터 seit un(vor)denklichen Zeiten / ~ 한번 그를 만난 기억이 난다 Ich erinnere mich, ihn vorher (früher) einmal gesehen (getroffen) zu haben. / ~ 그런 일이 있었던지 알 수가 없다 Ich weiß nicht, wann so (et)was passiert (geschehen) ist.

④ 《언제고》 jederzeit; zu jeder [3]Zeit; alle [4]Zeit (allezeit); jedesmal; immer; stets. ¶ ~고 오고 싶을 때 오십시오 Bitte kommen Sie jedesmal, wenn Sie kommen möchten. / 계산은 ~라도 좋습니다 Jederzeit können Sie (be)zahlen. / ~고 똑같은 소리를 들으니 이제는 물렸다 Ich bin es müde (satt; überdrüssig), immer dasselbe zu hören.

언제까지 wie lange; bis wann. ¶ ~고 so lange, wie, ...wollen*; auf (für) immer; auf ewig; für alle Zeiten / 이 곳에는 ~ 머무시겠습니까 Wie lange bleiben Sie hier?

/ 전쟁은 ~ 계속될 것인지 Wie lange wird dieser Krieg (an)dauern?¦Wann wird dieser Krieg enden? / ~나 좋으실 대로 저희 집에 계십시오 Sie mögen bei uns so lange bleiben, wie Sie wollen. / ~ 또 기다릴 셈인가 Wie lange willst du noch warten? / ~나 그것은 잊지 않을 것이오 Nie und nimmer werde ich das vergessen. / ~나 그런 생활을 할 셈인가 Wie lange wirst du noch ein solches (solch ein) Leben führen? / 이 책은 ~ 돌려 드리면 되겠읍니까 Bis wann soll ich Ihnen dieses Buch zurückgeben?

언제나 《항상》 immer; stets; alle [4]Zeit (allezeit); jederzeit; zu jeder [3]Zeit; 《평소》 gewöhnlich; gewohnheitsmäßig; 《…할 때마다》 sooft; immer (jedesmal; allemal) wenn; wenn ... immer; jedesmal. ¶ 그는 ~ 학교 성적이 좋다 Er ist immer der gute Schüler. / 그는 ~ 저런 양복을 입고 다닌다 Er trägt immer solch einen (einen solchen; so einen) Anzug. / 나는 아침이면 ~ 일찍 일어나는 버릇이 있다 Ich pflege morgens früh aufzustehen. / 그는 ~ 집에 있읍니까 Ist er immer zu Hause? / 바다를 바라보면 ~ 시원한 기분이 든다 Sooft ich über die See hinaus¦blicke (-schaue), fühle ich mich erfrischend.

언제든지 《어느 때라도》 zu jeder [3]Zeit; jederzeit; jedesmal; 《항상》 immer; stets; alle [4]Zeit (allezeit); sooft; immer (jedesmal; allemal) wenn; wenn ... immer. ¶ ~ 형편이 닿으면 zu jeder [3]Zeit, wenn (wie) es Ihnen paßt; wann Sie wollen* / 날씨만 좋으면 ~ immer, wenn das Wetter es erlaubt / ~ 오십시오 Kommen Sie jederzeit (nach Belieben). / 그는 ~ 나타날 수 있다 Er kann jederzeit erscheinen. / ~ 좋습니다 Jederzeit ist es mir recht.

언젠가 《미래의》 einst; dereinst; später (einmal); e-s Tages; in diesen Tagen; nächstens; 《과거의》 e-s Tages; einmal; einst; früher; vormals; vorher; neulich; kürzlich; vor kurzem. ¶ ~는 irgendeinmal; irgendwann / ~ 또 찾아뵙겠어요 Ich werde Sie irgendeinmal wiedersehen. / ~ 또 만나게 되겠지요 Hoffentlich sehen (treffen) wir uns wieder! / ~ 너에게 이야기한 책이 이것이다 Das ist das Buch, von dem ich dir früher einmal gesagt habe. / 저분이 ~ 말씀하신 분입니까 Ist das der Herr, von dem Sie früher einmal gesagt haben? / 저 사람은 ~ 만나본 일이 있는 것 같다 Ich glaube, ihn einmal getroffen zu haben.

언죽번죽 mit eherner Stirn; unverschämt; uneingeschüchtert; ungebührlich; frech; schamlos.

언중유골(言中有骨) ¶ ~이다 [4]et. implizite sagen.

언중유언(言中有言) Implikationen 《pl.》 in e-r Aussage. ¶ ~이다 Das Wort enthält etwas anderes.¦ Was er sagt, ist sehr suggestiv.

언질(言質) Versprechen n. -s, -; Zusage f. -n; Zusicherung f. -en; (Ehren)wort, n. -es; die ausgesprochene Versicherung, -en. ¶ ~(을) 주다 [4]et. versprechen*; jm. [4]et. versichern; [4]sich anheischig machen 《zu[3]》; sein Wort (die Hand) auf [4]et. geben* 《jm.》; sein Wort geben* 《jm.》; 《무의식중에》 beim Wort genommen werden / ~(을) 받다 das Versprechen ab|nehmen* 《jm.》 / 그에게서 ~을 받아 올께 Ich hole sein Versprechen.

언짢다 ① 《불길·흉함》 schlecht; schlimm; krank; unglücklich; ungünstig; unheimlich; unheilvoll (sein). ¶ 언짢은 꿈 ein böser (quälender) Traum, -(e)s, ⁼e / 언짢은 소식 e-e schlechte (traurige) Nachricht, -en / 언짢은 징조 ein böses Vorzeichen, -s, - (Symptom, -s, -e); Unglückszeichen n. -s, - / 일진이 ~ ein Unglückstag sein / 그 일은 언짢게 끝났다 (되어 갔다) Die Sache endete (verlief) unglücklich.

② 《해로움》 schlecht; schlimm; schädlich[3]; nachteilig[3]; ungünstig 《*für*[4]》 (sein). ¶ 몸에 언짢은 습관 die der [3]Gesundheit schädlichen (nachteiligen) Gewohnheiten.

③ 《속이·안색이》 schlecht; schlimm; übel; krank (sein); unwohl (schlimm; krank; übel) fühlen. ¶ 속이 ~ sein Magen fühlt unbehaglich; übel (schlimm) sein 《*jm.*》; [4]sich übel (schlimm) fühlen / 얼굴 빛이 ~ die Farben verlieren*; bleich (blaß) aus|-sehen* / 너 어디가 언짢으냐 Was fehlt dir? ¦Fühlst du dich unwohl?

④ 《마음이》 schlecht (unglücklich; traurig; betrübt) fühlen; unangenehm; unerfreulich; mißvergnügt; kopfhängerisch; niedergeschlagen (sein). ¶ 마음을 언짢게 하다 *jn.* betrüben / 기분이 언짢은 모양이다 Er sieht mißvergnügt (unzufrieden) aus.

⑤ 《나쁘다》 schlecht; schlimm; böse; übel (sein). ¶ 아무를 언짢게 말하다 schlecht (Schlechtes; schlimm; Schlimmes; übel; Übles) sprechen* (reden) 《von *jm.*; über *jn.*》 / 내 말을 언짢게 여기지 말게 Nimm nicht übel, was ich dir gesagt habe.

언책(言責) ① 《책망》 mündlicher Verweis, -es, -e (Tadel, -s, -); mündliche Rüge, -n. ② 《책임》 die Verantwortung 《-en》 für s-e eigene Rede.

언청이 〖의학〗 Hasenscharte *f.* -n; Hasenlippe *f.* -n. ¶ ~의 hasenschartig / ~ 아니면 일색 nur e-n Mangel haben, aber Mangel ist Mangel.

언치[1] 〖조류〗 Häher *m.* -s, -; Eichelhäher *m.* -s, -; *Garrulus glandarius brandtii* (학명).

언치[2] 《마소의》 Satteldecke *f.* -n.

언탁(言託) der mündliche Antrag, -(e)s, ⁼e; das mündliche Gesuch, -(e)s, -e; die mündliche Bitte, -n.

언턱 Höcker *m.* -s, -; Grat *m.* -(e)s, -e; Wölbung *f.* -en. ¶ ~지다 holp(e)rig (uneben) sein.

‖ 문~ Türschwelle *f.* -n; Schwelle *f.* -n.

언턱거리 Vorwand *m.* -(e)s, ⁼e; Vorgeben *n.* -s, -; Ausrede *f.* -n; Ausflucht *f.* ⁼e. ¶ ~를 잡다 Ausflüchte machen; Ausflüchte suchen; zum Vorwand nehmen* / ~를 주다 vor|geben*.

언필칭(言必稱) mit der routinierten Bemerkung; mit dem Lieblingsausdruck; wie man immer wiederholt sagt. ¶ ~ 남녀 동권을 외치다 immer bei der Gleichberechtigung der Geschlechter bleiben* / ~ 자식 자랑이다 Schon wieder fängt er an, s-n eigenen Sohn zu loben.

언해(諺解) die Erläuterung 《-en》 aus der chinesischen Klassik ins Koreanische. ~하다 die chinesische Klassik ins Koreanische erläutern.

언행(言行) das Reden* u. Handeln*, des -s u. -s; Reden 《*pl.*》 u. Handlungen 《*pl.*》;

wie man redet u. handelt. ¶ ~의 불일치 die Uneinigkeit (Unstimmigkeit) 《-en》 zwischen Wort u. Tat; der Widerspruch 《-(e)s, ⸗e》 im Handeln; „Wasser predigen u. Wein trinken" / ~이 일치하다 s-n Worten getreu handeln; s-e Worte u. s-e Taten stehen im Einklang / ~을 삼가다 in Reden u. Handlung (Benehmen) vorsichtig sein; vorsichtig (umsichtig) handeln / ~을 일치시키다 s-e Worte u. Taten in ⁴Einklang bringen*; s-e Worte mit s-n Taten in Übereinstimmung bringen* / 그는 ~이 일치하지 않는다 S-e Worte u. s-e Taten stehen nicht miteinander in Einklang. ¦ Er predigt Wasser u. trinkt Wein.

‖ **~록**(錄) Denkwürdigkeiten 《*pl.*》; Memoiren [memoá:rən] 《*pl.*》. **~일치** die Übereinstimmung 《-en》 zwischen Wort u. Tat; die Widerspruch(s)losigkeit 《-en》 im Handeln.

얹다 auf e-n Oberteil setzen⁴; auf ⁴*et.* stellen⁴ (setzen⁴; legen⁴); auf|legen⁴ (-|setzen⁴). ¶ 남비를 난로 위에 ~ e-e Pfanne 《-n》 auf den Ofen stellen / 음식을 불 위에 ~ Essen (ans Feuer) an|setzen / 지붕에 기와를 ~ mit Ziegeln decken; das Dach auf|setzen.

얹히다¹ ① 《…위에》 auf e-n Oberteil gesetzt werden; auf ⁴*et.* gestellt (gesetzt; gelegt) werden. ¶ 지붕에 기와가 얹히어 있다 Das Dach ist mit Ziegeln gedeckt. ② 《얹게 하다》 auf e-n Oberteil setzen lassen* 《*jn.*》; ⁴*et.* auflegen (aufsetzen) lassen* 《*jn.*》.

얹히다² ① 《먹은 것이》 schwer (wie Blei) im Magen liegen*; *jm.* schlecht bekommen* ⓢ; Verdauungsstörung (Magenverstimmung) haben. ¶ 음식이 ~ Die Speise liegt schwer (wie Blei) im Magen. ¦ Die Speise bekommt e-m schlecht. / 상한 생선이 ~ Faule Fische bekommen e-m schlecht.

② 《붙어 삶》 auf *js.* Kosten leben; von *jm.* leben; abhängig sein 《*von*³》; schmarotzen 《bei *jm.*》; nassauern. ¶ 그는 딸에게 얹혀 산다 Er lebt von s-r Tochter.

③ 《좌초》 auf|fahren* (-|laufen*) ⓢ 《*auf*⁴》; stranden ⓗⓢ; auf (den) Strand laufen* (geraten*) ⓢ. ¶ 배가 모래톱에 ~ ein Schiff 《-(e)s, -e》 gerät (läuft; stößt; kommt) auf e-e Sandbank. / 배가 암초에 ~ ein Schiff fährt (läuft) auf e-n Felsen auf.

얻다 ① 《획득》 bekommen*⁴; erhalten*⁴; erreichen⁴; erlangen⁴; gewinnen*⁴; erringen⁴; erwerben*⁴; ernten⁴; verdienen⁴; kriegen⁴. ¶ 승리를 ~ den Sieg über *jn.* erringen (gewinnen*; davon|tragen*; erkämpfen) / 신용을 ~ *js.* Vertrauen gewinnen* (erwerben*) / 신망을 ~ ³sich Achtung erwerben* (verschaffen) / 지식을 ~ an ³Kenntnissen gewinnen* / 시간 여유를 ~ Zeit gewinnen* / 단순 과반수의 투표를 ~ einfache Stimmenmehrheit bekommen* (erhalten*) / 보조금을 ~ Geldhilfe bekommen* (erhalten*) 《von *jm.*》 / 면허를 ~ ³sich e-n Erlaubnisschein (e-e Konzession) beschaffen / 좋은 점수를 ~ gute ⁴Zeugnisse bekommen* / 일자리를 ~ e-e Stelle (Stellung) bekommen*; e-e Arbeit finden* / 크게 얻는 바가 있었다 Ich habe viel gelernt. (배울 점) ¦ Wir haben viel Nutzen aus ³*et.* (von ³*et.*) gezogen. (이익, 소용이 되다) / 그는 명의로서 명성을 얻었다 Er hat den Ruf e-s tüchtigen (guten) Arztes erworben (verdient). / 그는 공장을 시찰해도 좋다는 허가를 얻었다 Er bekam die Erlaubnis zur Besichtigung der Fabrik. / 그 제안은 만장의 찬성을 얻었다 Der Vorschlag fand (hatte; erntete) allgemeinen Beifall.

② 《줍다》 《ein Buch》 finden*; auf|heben*⁴; auf|nehmen*⁴. ¶ 길에서 지갑을 ~ auf der Straße e-e Brieftasche auf|heben*.

③ 《결혼》 heiraten⁴. ¶ 아내를 ~ e-e ⁴Frau heiraten; zur Frau nehmen* 《*jn.*》.

얻어듣다 zu hören bekommen*; zufällig hören (erfahren*) 《*von*³》; nur von Hörensagen wissen* (kennen*); Wind bekommen* 《*von*³》; informiert (unterrichtet; in Kenntnis gesetzt) werden 《*mit*³》; zu Ohren kommen* ⓢ 《*jm.*》. ¶ 얻어들은 풍월 (지식) seichte (oberflächliche) Kenntnisse 《*pl.*》 / 친구로부터 ~ von s-m Freund zu hören bekommen* / 얻어들은 지식이 풍부하다 e-e Menge seichte (oberflächliche) Kenntnisse haben (besitzen*).

얻어맞다 Schlag (Hiebe; Prügel) bekommen* (kriegen); geschlagen (gehauen; geprügelt) werden; 《공격》 angegriffen werden. ¶ 매를 ~ mit der Peitsche (Rute) geschlagen werden / 머리를 (얼굴을) ~ auf den Kopf (ins Gesicht) geschlagen werden / 뺨을 ~ Ohrfeige bekommen* (kriegen) / 신문에서 ~ in den Zeitungen angegriffen werden; die Zielscheibe der Angriffe von den Journalisten werden / 그런 짓을 하면 얻어맞는다 Wenn du so etwas tust, wirst du verprügelt. / 또 얻어맞고 싶으냐 Willst du noch einmal Schlag bekommen? / 머리를 호되게 얻어맞았다 Ich habe e-n harten Schlag auf dem Kopf bekommen.

얻어먹다 ① 《음식 등을》 (⁴sich) betteln (구걸); bewirtet werden (대접받음); 《얹혀삶》 schmarotzen; von *jm.* leben. ¶ 밥을 ~ zum Essen bitten*; um Essen betteln / 친척한테서 ~ bei dem Verwandten schmarotzen / 얻어먹는 주제에 찬 밥 더운 밥 가리랴 Der Bettler hat gewöhnlich keine Freiheit auszuwählen. / 친구의 술을 얻어먹었다 Ich wurde von meinem Freund mit Wein bewirtet.

② 《욕을》 beschimpft werden; getadelt werden; gescholten werden; verwiesen werden. ¶ 마구 욕을 ~ mit Schimpf überschüttet werden.

얼¹ 《흠》 Riß *m.* ..sses, ..sse. ¶ 얼이 가다 e-n Riß haben (bekommen*) / 유리병에 얼이 갔다 Die Glasflasche bekommt einen Riß.

얼² 《정신》 Geist *m.* -es, -er; Sinn *m.* -(e)s, -e. ☞ 얼빠지다, 얼빼다. ¶ 독립의 얼 Unabhängigkeitsgeist *f.* / 한국의 얼 der koreanische Geist.

얼간 ① 《절임간》 leicht gesalzen (eingesalzen; eingesalzt) (주로 생선).

② 《사람》 Narr *m.* -en, -en; Tölpel *m.* -s, -; Einfaltspinsel *m.* -s, -; Gimpel *m.* -s, -; Simpel *m.* -s, -. ¶ ~처럼 서 있다 wie ein Stock dastehen.

‖ **~고등어** die leicht gesalzene (eingesalzene) Makrele, -n. **~구이** der gesalzene Bratfisch, -(e)s, -e. **~쌈** der Kohlkopf 《-(e)s, ⸗e》, der in Salz erhalten ist, um im Winter gegessen zu werden.

얼갈이 ① 《논밭의》 das Winterpflügen*, -s. ② 《푸성귀의》 die Pflanzung des Gemüses

während des Winters; die Gemüse vom Frühjahr, die während des Winters gepflanzt werden.
‖ ~김치 das *Kimchi* 《-s, -s》 aus dem während des Winters angebauten China-Kohl.

얼개 Struktur *f.* -en; Gefüge *n.* -s, -; Fachwerk *n.* -(e)s, -e.

얼거리 Umriß (Aufriß) *m.* ..risses, ..risse; Entwurf *m.* -(e)s, ⸚e. ¶ ~를 말하다 [4]*et.* in groben Umrissen dar|stellen; [4]*et.* in flüchtigen Umrissen dar|legen.

얼결 ☞ 얼떨결.

얼굴 ① 《용모》 Gesicht *n.* -(e)s, -er; 〖시어〗 Angesicht; Antlitz *n.* -es, -e; Gesichtszüge 《*pl.*》; Gesichtsbildung *f.* -en. ¶ 예쁜 (못생긴, 여윈, 둥근, 피어나는) ~ ein schönes (häßliches, hageres, rundes, blühendes) Gesicht / 둥글넓적한 ~ Vollmond(s)gesicht / 혈색이 좋은 ~ das rote (rötliche) Gesicht / 밝은 ~ das vor [3]Glück (Freude) strahlende (glänzende) Gesicht / 때벗은 ~ das feine Gesicht / ~ 생김새 Gesichtszüge 《*pl.*》; Miene *f.* -n / ~이 잘 생긴 von gut geschnitten Gesichtszügen; angenehm von [3]Gesicht / ~을 돌리다 das Gesicht ab|wenden*; weg|blicken / ~을 맞대다 Auge in Auge (von Angesicht zu Angesicht) treffen* / ~을 맞대고 앉다 [3]sich ([3]einander) gegenüber sitzen* / ~을 맞대고 Auge in Auge; von Angesicht zu Angesicht; unter vier [3]Augen / ~을 마주보다 [4]sich ([4]einander) an|sehen*; 《힐끗》 Blicke tauschen / ~을 보이다 《창 따위에》 sein Gesicht zeigen / ~을 내밀다 《나타남》 erscheinen* ⓢ; [4]sich zeigen; 《방문》 [4]sich ein|finden* 《bei *jm.*》; [4]sich anmelden lassen* 《bei *jm.*》; e-n Besuch machen (ab|statten) 《*jm.*; bei *jm.*》; vor|sprechen* 《드물게 ⓢ》 《bei *jm.*》 / 그저 마지못해 (의례적으로) ~을 내밀다 e-n Ehrenbesuch machen (ab|statten) 《(bei) *jm.*》 / ~을 쳐들다 auf|sehen*; auf|blicken; die Augen auf|heben* / ~을 뚫어지게 보다 *jm.* ins Gesicht sehen* / ~을 씻다 [3]sich das Gesicht waschen* / ~을 붉히다 erröten ⓢ; rot werden 《vor [3]Zorn; vor [3]Scham》 / ~을 찡그리다 Grimassen (Gesichter) machen (schneiden*); e-e Fratze machen (schneiden*; ziehen*) / 부끄러워서 ~을 가리다 vor Scham sein Gesicht verbergen* / 두 손으로 ~을 감추다 sein Gesicht in den Händen verbergen* / 겁이 나 ~이 파랗게 질리다 vor Furcht erblassen ⓢ / ~에 똥칠을 하다 *jm.* Schande an|tun* (bringen*; bereiten; machen); die Ehre verlieren* (verletzen); 《자기 얼굴에》 Schande auf [4]sich laden*; um die Ehre kommen* ⓢ / 그녀는 ~값을 한다 Sie ist voll von ihrer eigenen Schönheit. ¦ Sie nutzt ihre Schönheit aus. / 그는 ~이 넓다 Er erfreut [4]sich e-s großen Bekanntenkreises. ¦ Er ist weit u. breit bekannt.
② 《표정·모습》 Aussehen *n.* -s; Miene *f.* -n; Gesichtsausdruck *m.* -(e)s, ⸚e; Gebärde *f.* -n; Physiognomie *f.* -n. ¶ 슬픈 (온화한, 근심스러운, 침울한) ~ e-e traurige (milde, besorgte, düstere) Miene / 심각한 (상냥한, 명랑한) ~ e-e ernste (liebenswürdige, heitere) Miene / 실망한 (싹싹한, 멍청한) ~ e-e enttäuschte (freundliche, einfältige) Miene / 험악한 (성난) ~로 mit finsterer (böser) [3]Miene / 웃는 ~로 mit e-m lächelnden Gesicht / 뚱한 (슬픈) ~을 하다 ernst (traurig) aus|sehen* / ~에 드러내다 s-e Gefühle verraten* (zeigen; aus|lassen*; äußern) / 침울한 (언짢은) ~을 하다 ein langes Gesicht machen (ziehen*) / 네 ~에 씌여 있다 Das steht in deinem Gesicht geschrieben. ¦ Dein Gesicht verrät das. / 그의 ~에는 몹시 당황하는 빛이 드러났다 S-e Miene verriet tiefe Bestürzung. / 싫은 것을 보고도 ~에 내색을 하지 않는다 Gute Miene zum bösen Spiel machen.
③ 《체면》 Würde *f.* -n; Ehre *f.* -n; Ansehen *n.* -s. ¶ 내 ~을 보아서 um meinetwillen (-wegen; -halben); mir zuliebe / 창피해서 ~을 못 들겠다 Ich muß mich ins Herz hinein (in die Seele hinein; in Grund u. Boden) schämen. ¦ Ich muß mich zu Tode schämen.

얼굴빛 Gesichtsfarbe *f.* -n; Aussehen *n.* -s; Miene *f.* -n; Farbe *f.* -n. ¶ ~이 나쁘다 blaß (bleich) aus|sehen*; farblos sein / ~이 좋다 wohl (frisch; gesund; blühend) aus|sehen*; frisches (gesundes) Gesicht haben; frische (gesunde) Gesichtsfarbe haben; Farbe haben / ~이 좋아지다 wieder Farbe bekommen* / ~이 나빠지다 die Farbe verlieren* / ~이 희다 (검다) ein sauberes (schwarzes; dunkles) Gesicht haben / ~을 변하다 die Farbe wechseln; erröten ⓢ; erblassen ⓢ / ~이 변하다 [4]sich verfärben / ~이 변해서 mit verfärbten (blassen; bleichen) Wangen / 아무의 ~을 살피다 *jm.* [4]*et.* vom (am) Gesicht (an der Miene) ab|lesen*; *js.* Gesichtsausdruck studieren.

얼근덜근 ① 《맛이》 scharf u. süß; beißend u. süß; gepfeffert u. süß. ¶ 음식에 ~ 양념하다 an der Speise scharf u. süß würzen. ② 《술이》 halb betrunken; halb berauscht. ¶ ~ 취하다 halb betrunken sein.

얼근하다 ① 《맛이》 lieber scharf; pfefferig; stark gewürzt (sein). ¶ 음식이 ~ Die Speise schmeckt lieber scharf. ② 《술이》 leicht betrunken; angeheitert; beschwipst (sein). ¶ 얼근하게 취하다 leicht betrunken sein; e-n Spitz haben; [3]sich e-n Rausch holen (an|trinken*).

얼금뱅이 =곰보.

얼기설기 in Unordnung (Verwirrung); verwickelt (verstrickt; kompliziert; verwirrt). ¶ ~ 얽히다 《실 따위가》 [4]sich verflechten* (verstricken); 《문제가》 [4]sich verwickeln (komplizieren) / ~ 얽힌 kompliziert; verwickelt (verstrickt) / 실이 ~ 얽혔다 Der Faden ist verwickelt (verstrickt; verflechten). / 그는 이 싸움에 ~ 얽혀들었다 Er hat sich in diesen Streit verwickeln lassen.

얼김에 unter dem ersten Eindrucke; der ersten Eingebung folgend; unwillkürlich. ¶ ~ 말해 버리다 unter dem ersten Eindrucke sagen; unwillkürlich sagen / 무서워 ~ 방에서 뛰어 나갔다 Vor Angst ging er verlegen aus dem Zimmer hinaus. / ~ 그렇게 말했다 Unwillkürlich sagt er es.

얼넘기다 [4]*et.* oberflächlich durch|führen.

얼넘어가다 oberflächlich behandelt werden.

얼다 《추워서》 frieren* ⓢ; gefrieren* ⓢ; zu|frieren* ⓢ; ein|frieren* ⓢ; vereisen ⓢ; erstarren ⓢ; 《비유적》 steif (seriös) werden; Lampenfieber bekommen* (haben) (무대 따위에서). ¶ 추워서 손발이 ~ vor Kälte erstarren[s] (starr werden) / 얼어 죽다 erfrieren*[s]; vor Kälte sterben*[s] / 꽁꽁 ~ 《빨래 따위가》 zusammen|frieren*[s] / 고기가 얼어서 딴딴하다 Das Fleisch ist zu e-m Eisblock erfroren. / 물은 화씨 32 도에 언다 Wasser gefriert bei 32 Grad (32°) F. / 30 센티미터나 얼었다 Es friert 30 Zentimeter dick. / 수도관이 얼었다 Die Wasserleitung ist eingefroren. / 얼음이 지독히 얼었다 Es hat Stein u. Bein gefroren. / 호수가 (강물이) 얼었다 Der See (Fluß) ist zugefroren.

얼떨결 die Bestürzung (Verlegenheit; Verwechs(e)lung; Verwirrung) 《-en》 des Augenblicks (Moments); ein Augenblick (Moment) 《*m.* -(e)s, -e》 der Bestürzung (Verwirrung). ¶ ~에 bestürzt; verlegen; in Verwechs(e)lung; 《착각해서》 aus [3]Versehen; versehentlich / ~에 그것을 깜빡 잊었다 Mit Bestürzung (Bestürzt) habe ich das vergessen. / ~에 그렇게 말해 버렸다 In Verlegenheit sagte er so.

얼떨떨하다 verdutzt; verblüfft; betäubt; bestürzt; verwirrt; verlegen (sein). ¶ 얼떨떨한 얼굴 ein verdutztes Gesicht, -(e)s, ⸚er / 얼떨떨하여 verwirrt; in Verlegenheit (Verwirrung); mit Bestürzung / 얼떨떨한 얼굴로 mit e-m verdutzten (verblüfften) Gesicht / 느닷없는 질문에 잠시 얼떨떨했다 Ich war durch e-e plötzliche Frage e-n Augenblick verblüfft. / 나는 어찌나 얼떨떨했던지 말문이 다 막혔다 Ich war so verblüfft, daß ich nichts zu sagen wußte. / 새로운 인상을 많이 받고 보니 나는 아주 얼떨떨했다 Ich bin durch die vielen neuen Eindrücke ganz verwirrt.

얼떨하다 《바빠서》 verwirrt; ganz bestürzt; verlegen; 《머리가》 schwindlig; gedankenlos (sein). ¶ 얼떨해 하다 ganz verwirrt sein; ganz bestürzt sein; verlegen sein / 머리가 ~ Mir ist schwind(e)lig. ¦ Es erfaßte mich ein Taumel. ¦ Der Taumel überkam mich. / 뜻밖의 질문을 받아 얼떨했다 Ich war über die unerwartete Frage bestürzt.

얼뜨기 Narr *m.* -en, -en; Tölpel (Gimpel) *m.* -s, -; Dummkopf *m.* -(e)s, ⸚e. ¶ 그는 ~나 Er ist ein Gimpel (Tölpel).

얼뜨다 《어리석다》 von schlafmützigem Verstande; von langsamem Verstande; dumm; 《겁이 많다》 scheu; memmenhaft; mutlos; schüchtern (sein). ¶ 얼뜬 사람 Memme *f.* -n; Dummerling *m.* -s, -e / 얼뜬 얼굴 das dumme Gesicht / 그것을 믿을 만큼 얼뜨지 않다 Ich bin nicht so dumm, wie ich es glaube.

얼락녹을락하다 ① 《사람이》 unzuverlässig handeln; leichtsinnig um|gehen*[s]; unredlich handeln. ② 《사물이》 leicht gefroren (sein).

얼락배락 in Steigen u. Fallen; in Blüte u. Verfall; in Aufschwung u. Niedergang.

얼러기 《짐승》 das getüpfelte Tier, -(e)s, -e.

얼러맞추다 [4]sich bei *jm.* angenehm machen; *jm.* lobhudeln; [4]sich bei *jm.* in Gunst setzen; [4]sich ein|schmeicheln. ¶ 얼러맞추기 힘들다 schwer sein, zufriedenzustellen / 잘 얼러맞추면 그를 마음대로 할 수 있죠 Wenn Sie sich bei ihm angenehm machen, so können Sie ihn um den (kleinen) Finger wickeln.

얼러먹다 zusammen essen*; Ein gemeinsames [4]Essen haben.

얼러방망이하다 *jm.* mit der Faust drohen; *jm.* eine Faust machen.

얼러붙다 einander packen (greifen*).

얼러치다 ① 《때리다》 《[4]zwei *od.* noch mehr》 auf einmal schlagen* (stoßen*; treffen*). ② 《셈을》 auf einem Brett bezahlen; im ganzen bezahlen.

얼럭 《오점》 Fehler *m.* -s, -; Fleck *m.* -(e)s, -e; Makel *m.* -s, -; 《반점》 Buntheit *f.* -en; Sprenkel *m.* -s, -; Tüpfel *m.* (*n.*) -s, -. ☞ 얼룩. ┌-es, ⸚e.

얼럭광대 der berufsmässige Hanswurst,

얼럭덜럭하다 ☞ 얼룩덜룩하다.

얼럭지다 ① ☞ 얼룩지다. ② 《고르지 못함》 uneben (unflach) sein. ¶ 얼럭지지 않게 색을 칠하다 makellos malen.

얼럭집 《양식이》 das Haus, das von verschiedenen Baustilen gemischt gebaut ist; 《재료가》 das Haus, das teilweise aus Dachziegel und teilweise aus Stroh besteht.

얼렁뚱땅하다 ① 《엉너리로》 auf den Busch klopfen; foppen; an|führen; düpieren. ¶ 얼렁뚱땅하여 돈을 빼앗다 *jm.* das Geld beschwindeln / 얼렁뚱땅하지 말고 어서 거스름돈을 내놔라 Höre auf zu düpieren und gib mal das Kleingeld her! ② 《일을》 e-e Sache ungenau erledigen; e-e Sache ungefähr erledigen; e-e Sache nach Belieben an|fertigen. ¶ 얼렁뚱땅하지 말고 정신차려 일하시오 Machen Sie es bitte nicht mit Leichtsinnigkeit, sondern mit vollem Ernst!

얼렁장사 der gemeinschaftliche Betrieb, -(e)s, -e (Handel, -s, -); das gemeinsame Geschäft, -(e)s, -e. **~하다** mit *jm.* ein gemeinsames Geschäft betreiben*[4].

얼레 Winde *f.* -n; Rolle *f.* -n; 〖공학〗 Spule *f.* -n. ¶ ~에 감다 auf|spulen; spulen; auf|winden*; winden* / ~에서 풀다 ab|winden* (-|rollen).

얼레살풀다 sein Vermögen wegen e-s Liebesabenteuer zu verschwenden beginnen*.

얼레지 〖식물〗 Hundszahn *m.* -es, ⸚e. ¶ 얼레짓 가루 aus Hundszahn gewonnenes (Stärke)mehl, -s.

얼룩 Fleck *m.* -(e)s, -e; Flecken *m.* -s, -; Klecks *m.* -es, -e; Schmutzfleck(en) *m.*; Fettfleck(en); Sprenkel *m.* -s, -; 《작은》 Tüpfel *m.* (*n.*) -s, -. ¶ ~이 진 fleckig; befleckt; gesprenkelt; tüpf(e)lig; scheckig / ~이 없는 fleckenlos; unbefleckt; ohne Flecken; makellos / 희고 검은 ~개 ein weißer u. schwarzer Hund, -(e)s, -e ✻ ein weißer u. ein schwarzer Hund는 흰개와 검은개의 뜻 / ~ 빼는 약 Fleckmittel *n.* -s, -; Flecken¦reiniger *m.* -s, - (-wasser *n.* -s); Fleckenspray [..spre:] *m.* -(s) (분무식) / ~ 투성이의 mit Flecken bedeckt; voll(er) Flecke (Kleckse) / ~지다 fleckig werden; Flecke machen 〔Öl; Farbe 등이 주어〕 / ~지게 하다 beflecken[4]; Flecke machen / ~이 생기다 Flecken bekommen* 〔사물이 주어〕 / ~을 빼다 Flecken entfernen (weg|kriegen); e-n Fleck(en) heraus|waschen* (빨아서) / ~이 지기 쉽다 Es wird leicht fleckig. ¦ Das macht leicht Flecke. / 옷에 ~이 지지 않도록 해라 Mach dir k-e Flecke(n) auf das Kleid.

‖ **~고양이** die getigerte Katze, -n (호랑이처럼 반점이 있는). **~말** Zebra *n.* -s, -s; Scheck(e) *m.* ..ken, ..ken; 《암말》 Schecke *f.* -n. ~소 die bunte (scheckige; getigerte) Kuh, ⸗e; der bunte Ochse, -n (수소). ~점 Flecke(n) (*pl.*); Pünktchen (*pl.*); Tüpfchen (*pl.*); Tüpfel (*pl.*).

얼룩덜룩하다 gefleckt; buntscheckig; farbenreich; mannigfarbig; mehrfarbig; vielfarbig (sein). ¶ 얼룩덜룩한 옷감 das bunte Tuch, -es, ⸗er / 얼룩덜룩한 욕의(浴衣) der bunte Badeanzug, -(e)s, ⸗e.

얼룩얼룩하다 ☞ 얼룩덜룩하다.

얼룩이 ① 〖동물〗 das gefleckte Tier, -(e)s, -e; das scheckige Hund, -(e)s, -e. ② 《점》 Fleck *m.* -(e)s, -e; Sprenkel *m.* -s, -.

얼룩지다 buntscheckig werden; gefleckt werden. ¶ 옷에 얼룩이 지지 않도록 조심해라 Sei vorsichtig, damit dein Kleid nicht gefleckt wird! / 이 옷감은 얼룩지기 쉽다 Dieser Stoff fleckt leicht.

얼룽덜룽하다 gefleckt; buntscheckig; farbenreich; mannigfarbig; mehrfarbig (sein).

얼룽이 ☞ 얼룩이②.

얼류션열도(一列島) die aleutischen Inseln (*pl.*); die aleutischen Inselgruppe.

얼른 schnell; prompt; rasch; eilig; flink; flott. ¶ ~ 가거라 Lauf schnell!¦ Gehe schnell! / ~ 대답해라 Antworte schnell! / ~ 해라 Mach (es) schnell!¦ Beeile dich doch! / ~ 대답할 수 없었다 Ich konnte nicht sofort antworten. / 그의 이름이 ~ 떠 오르지 않는다 Sein Name fällt mir nicht sofort ein.

얼른거리다 ☞ 어른거리다.

얼리다[1] 《얼게 하다》 frieren*[4]; gefrieren (gerinnen) lassen*; (ab|)kühlen[4]; in Eis verwandeln[4]. ¶ 얼린 고기 Gefrier¦fleisch (Kühl-) *n.* -es / 얼린 생선 Gefrier¦fisch (Kühl-) *m.* -es, - / 물을 ~ Wasser in Eis verwandeln / 얼음을 ~ vereisen[4]; [4]*et.* in Eis verwandeln / 생선을 ~ Fische gefrieren lassen* (kühlen; ab|kühlen).

얼리다[2] ① ☞ 어울리다. ② ☞ 어우르다.

얼마 ① 《값》 wie hoch ist der Preis; wieviel; was. ¶ 이건 ~입니까 Wieviel (Was) kostet es?¦ Was ist der Preis (die Gebühr; der Fahrpreis; das Fahrgeld; das Honorar, *usw.*)? / 달걀 값이 ~냐 Wieviel (Was) kosten die Eier?¦ Was machen die Eier? / 모두 ~입니까 Was macht das zusammen? / 집세가 ~냐 Was (Wieviel) ist die Hausmiete (Wohnungsmiete)? / 사과는 ~에 팝니까 Zu welchem Preis (Um welchen Preis; Für welchen Preis) verkaufen Sie Ihre Äpfel? / ~에 샀읍니까 Wieviel haben Sie dafür bezahlt?

② 《동안》 wie lange; e-e [4]Weile; e-e [4]Zeitlang; einige [4]Zeit; nicht zu lange. ¶ ~ 아니하여 nicht lange; bald (eher, am ehesten); im Handumdrehen; sehr bald / 그는 결혼한 지 ~ 되지 않는다 Es ist noch nicht lange her, daß er sich verheiratet hat. / 그는 ~ 있다가 말했다 Er sprach nach e-r Weile. / 귀국한 지 ~ 아니해서 그는 죽었다 Gleich nach s-r [3]Rückkehr vom Ausland starb er. / 그이한테서 ~ 동안 소식이 없었다 E-e Weile habe ich von ihm nichts gehört. / ~ 안 가서 쌀값이 떨어지겠다 Es dauert nicht lange, bis der Reis sinkt (fällt) im Preis. / 그 건물은 ~ 못 간다 Das Gebäude hält nicht lange. / 아버지가 돌아가신 지 ~ 안 된다 Es ist nicht lange her, daß mein Vater gestorben ist. / 여기 ~나 있겠나 Wie lange willst du hier bleiben? / 학교가 설립된 지 ~ 안 된다 Es ist nicht lange her, daß (seitdem; seit) unsere Schule gegründet wurde.

③ 《수·양·정도 따위》 wieviel; wie viele; ein wenig; etwas (Quantität); ein paar; einige*; ein bißchen; nicht viel (mehr, meist); manch*; mehrere*. ¶ ~든지 sehr viele* (viel) / ~ 안 되는 사람 nur einige (wenige) Leute; nur einige Mann stark (불과 몇 사람의 병력) / ~ 안 되는 돈 wenig Geld; e-e kleine (Geld)summe, -n / ~ 안 되는 급여 das knappe Geld, -(e)s, ⸗er / ~ 안 되는 수입 ein winziges Einkommen, -s, - / ~ 안 되는 기간에 in (ganz) kurzer Zeit; in e-m kurzen Zeitraum / 설탕이 ~ 소용되느냐 Wieviel Zucker brauchst du? / 물은 이제 ~ 남아 있지 않다 Es gibt jetzt nicht viel Wasser.

④ 《무게·높이·깊이》 wie schwer; wie hoch; wie tief; wieviel. ¶ 몸무게가 ~냐 Wieviel wiegst du?¦ Wie schwer bist du? / 그 빵은 무게가 ~나 나가느냐 Wieviel wiegt das Brot?¦ Wie schwer ist das Brot? / 네 키는 ~나 되느냐 Wie groß bist du?

⑤ 《거리》 wie weit; etwas entfernt; nicht weit. ¶ 서울에서 인천까지는 거리가 ~냐 Wie weit ist es von Seoul bis Incheon?¦ Wie weit ist Incheon von Seoul entfernt? / 학교까지는 걸어서 ~ 걸리느냐 Wie lange braucht man zu Fuß zur Schule? / 여기서 ~ 안 가서 정거장이 있다 Von hier ist der Bahnhof nicht weit.¦ Von hier bis zum Bahnhof ist es nicht weit.

⑥ 《나이》 wie alt; in welchem Alter. ¶ 네 나이가 ~냐 Wie alt bist du?

⑦ 《비율》 -weise. ¶ 한 개에 ~씩으로 팔다 stückweise verkaufen / 한 다스에 ~씩으로 사다 dutzendweise kaufen.

⑧ 《일부》 etwas; ein wenig; ein paar; einige*; partiell [..tsĭέl]; teilweise. ¶ 비용 가운데 ~를 부담하다 e-n Teil der Kosten tragen* (auf [4]sich nehmen*).

얼마나 ① 《값》 (etwa) wieviel; um (für) welchen Preis; zu welchem Preis. ¶ 그 양복은 ~ 주었느냐 Wieviel hast du für deinen Anzug bezahlt?

② 《동안》 (etwa) wie lange. ¶ 프랑스어를 공부한 지 ~ 됩니까 Wie lange lernen Sie Französisch? / 독일에는 ~ 계셨나요 Wie lange sind Sie in Deutschland geblieben?

③ 《수·양》 (etwa) wie viele*; wieviel. ¶ 이 도서관엔 책이 ~ 있는지 모르겠다 Ich weiß nicht, wie viele Bücher diese Bibliothek besitzt (hat). / 돈을 ~ 갖고 계십니까 Wieviel Geld haben Sie jetzt? / 강연회에는 사람이 ~ 왔더냐 Wie viele Leute haben den Vortrag besucht?

④ 《무게·깊이·높이·넓이》 wie.... ¶ ~ 크냐 Wie groß? / ~ 깊은가 Wie tief? / ~ 넓으냐 Wie groß?¦ Wie weit? / ~ 무거우냐 Wie schwer? / ~ 두꺼우냐 Wie dick? / ~ 높으냐 Wie hoch? / 몸무게가 ~ 나갑니까 Wieviel wiegen Sie?¦ Wie schwer sind Sie? / 압록강의 길이가 ~ 되는지 아십니까 Können Sie erraten, wie lang die Jalu ist?

⑤ 《거리》 (etwa) wie weit; wie entfernt. ¶ 여기서 ~ 먼가 Wie weit ist es von hier?¦ Wie weit ist es von hier entfernt?

⑥ 《나이》 (etwa) wie alt. ¶ 그의 나이가 ~

되어 보이느냐 Für wie alt hältst du ihn? ⑦ 《정도》 bis zu welchem Grad (Maß). ¶ ~ 추우냐 Wie kalt?/~ 쓴가 Wie bitter? / ~ 빠르냐 Wie schnell? / ~ 아름다우냐 Wie schön ist das! / ~ 사람이 많으냐 Welche Menge! / 그가 ~ 고생했을까 Wieviel hat er gelitten! / 그의 원조를 ~ 믿어야 할지 모르겠다 Ich weiß nicht, bis zu welchem Grad wir auf s-e Hilfe rechnen können.

얼마든지 《한없이》 unbeschränkt; uneingeschränkt; ohne Einschränkung; 《원하는 만큼》 so viel wie möglich; so viel, wie Sie wollen. ¶ ~ 원하는 대로 드립니다 Sie können so viel haben, wie Sie wollen. / ~ 부르는 값으로 드리겠읍니다 Sie können das zu jedem Preis (zu allem möglichen Preis) bekommen. / 그는 돈이 ~ 있다 Er besitzt e-e Unmenge Geld. / 아직 ~ 있다 Es gibt noch viel übrig. / 교통 사고로 죽은 사람은 ~ 있다 Eine Unmenge Leute sind wegen des Verkehrsunfalls ums Leben gekommen.

얼마르다 gefroren u. dabei allmählich trocknen ⓢ.

얼마만큼, 얼마쯤 ☞ 얼마큼.

얼마큼 ① =얼마나. ② 《어느 정도》 gewissermaßen; in gewissem Grad (Maß); bis zu e-m gewissen Grad (Maß); etwas; ein wenig; zum Teil; teilweise; mehr oder weniger (minder). ¶ ~ 덜 할 수 있읍니까 《값을 깎을 때》 Können Sie etwas (ein wenig) herabsetzen (abbauen)? / ~이라도 있는 것은 없는 것보다 낫다 Etwas ist besser als nichts. / 나도 그 일에는 ~ 책임이 있다 Zum Teil bin ich auch für das Problem verantwortlich. / 책 살 돈이 ~ 있다 Ich habe (besitze) etwas Geld, um Bücher kaufen zu können. / 기분이 ~ 나아졌다 Ich fühle mich ein wenig (bißchen) besser (wohler).

얼멍덜멍하다, 얼멍얼멍하다 klümp(e)rig; klumpig (sein). ¶ 죽이 ~ Der Brei ist klumpig.

얼밋얼밋 《어물어물》 zögernd; zaudernd; säumig. ~하다 《넘겨 씌움》 jm. die Schuld geben*; jm. die Schuld zu|schieben*; die Schuld auf jn. schieben*. ¶ ~ 말하다 zaudernd sagen; schüchtern sagen; stammeln; stottern / ~ 부탁할 말을 못 꺼내다 zögern, e-e Bitte auszusprechen.

얼바람 ¶ ~ 맞다 halb verrückt handeln; halb albern handeln. ¶ 그는 마치 ~ 맞은 것 같다 Er handelt, als ob er die Fassung verloren hätte. ‖ ~둥이 der Irrsinnige*, -n, -n; der Wahnsinnige*, -n, -n.

얼버무리다 ① 《말을》 zweideutig (doppelsinnig) sprechen*[4] (reden[4]); Ausflüchte machen (gebrauchen); beschönigen[4]; bemänteln[4]. ¶ 딴 일로 얼버무려 넘기다 etwas anderes erwähnend (andeutend), Ausflüchte machen (gebrauchen). ② 《잘 씹지 않고》 《Speise》 verschlucken[4]; hinunter|würgen. ¶ 음식을 급히 ~ eilig s-e Speise verschlucken (hinunter|würgen). ③ 《나물 따위를》 (ver)mischen[4].

얼보다 nicht richtig erkennen*[4] (sehen können*).

얼보이다 nicht richtig gesehen werden; nicht deutlich gesehn werden. ¶ 거울 그림자가 얼보인다 Der Widerschein im Spiegel ist verdreht. / 글자가 얼보여서 읽기 어렵다 Der Schriftzeichen erscheint doppelt, so daß es schwer zu lesen ist.

얼부풀다 gefroren auf|schwellen(*) ⓢ.

얼빠지다 den Verstand verlieren*; nicht bei (von) Sinnen sein; zerstreut (geistesabwesend) sein; mit den Gedanken woanders sein; nicht ganz dabei sein; dumm sein. ¶ 얼빠진 albern; närrisch; dumm; töricht / 얼빠진 사람 Dummkopf *m.* -(e)s, ⸗e; Narr *m.* -en, -en / 얼빠진 얼굴 ein dummes Gesicht, -(e)s, ⸗er / 얼빠진 수작하다 albernes (dummes; unsinniges) Zeug machen (reden; schwatzen); Unsinn machen (treiben*); Narrenpossen treiben*; Dummheiten begehen* / 얼빠진 놈이다 Er ist ein Trottel (Dummerjan; Dummkopf).

얼빼다 *jn.* aus der Fassung bringen*; betäuben[4]. ¶ 고함을 쳐 아무를 ~ *jn.* durch Schreien aus der Fassung bringen*.

얼빰붙이다 *jm.* e-e Ohrfeige geben*.

얼싸 《흥겨울 때》 Hurra!; Hoch!; Heil!; Bravissimo! ¶ ~ 좋구나 Bravo!¦Juchhe!¦ Juchhei!¦ Juchheirassa!¦ Juchheisa!

얼싸안다 (zärtlich) umarmen; umfassen; an die Brust drücken. ¶ 기뻐서 서로 ~ [4]sich vor Freude umarmen / 그녀는 그의 목을 얼싸안는다 Sie fällt ihm um den Hals. / 어머니는 아기를 얼싸안는다 Die Mutter nimmt (schließt) das Kind in die Arme.

얼쑹덜쑹하다 verwickelt; verworren; verschlungen (sein). ¶ 얼쑹덜쑹한 무늬 das verwickelte Muster, -s, -.

얼씨구 Herrlich!; Wunderbar!; Wunderschön!; Großartig!; Hurrah! ¶ ~나, ~ 절씨구 =얼씨구 / ~ 좋구나 O herrlich!

얼씬거리다 [4]sich wiederholt zeigen; [4]sich häufig sehen lassen*. ¶ 그는 요새 우리 집에 얼씬거리지 않는다 Er hat sich nie mehr bei uns sehen lassen.

얼씬얼씬 die wiederholte Erscheinung, -en.

얼씬없다 völlig verschwunden sein; [4]sich nie zeigen; [4]sich kaum noch sehen lassen*.

얼씬하다 erscheinen*ⓢ; [4]sich zeigen; auf|treten*ⓢ. ¶ 얼씬 아니하다 gerade für e-n Augenblick nicht erscheinen* / 얼씬 못 하다 nicht wagen, zu erscheinen ([4]sich zu zeigen); vor s-n Augen (ganz u.) gar nicht erscheinen*ⓢ / 개미 새끼 한마리 얼씬하지 않았다 Nicht ein einziger Mensch ging vorbei (vorüber). / 그는 요즈음 얼씬하지도 않는다 Kürzlich kommt er gar nicht mehr. / 내 집에 다시는 얼씬 못 할 게다 Er wird nie wieder wagen, in m-m Haus aufzutreten.

얼어붙다 gefrieren*ⓢ; frieren*; ein|frieren* (zu|-)ⓢ. ¶ 얼어붙은 항구 ein zugefrorener Hafen, -s, ⸗ / 얼어붙을 듯이 춥다 Es friert Stein und Bein. / 그 광경을 보고 온몸의 피가 얼어붙는 것 같았다 Bei dem Anblick fror mir das Blut in den Adern. / 강이 얼어붙었다 Der Fluß ist gefroren.

얼얼하다 ① 《아파서》 schmerzhaft; schmerzend; weh; stechend; prickelig (sein). ¶ 추위로 살이 ~ Vor Kälte prickelt es mir unter der Haut. ② 《매워서》 scharf; beißend; brennend (sein). ¶ 고추가 매워 혀가 ~ Der Paprika beißt auf der Zunge.

얼없다 korrekt; perfekt; richtig (sein).

얼요기(一療飢) der dürftige (kümmerliche) Imbiß, ..sses, ..sse. ~하다 e-n dürftigen Imbiß zu sich nehmen*.

얼음 Eis *n.* -es. ¶ ~의, ~ 같은 Eis-; eisig; eiskalt / ~으로 덮힌 gefroren; eisig; eisbedeckt; vereist / ~이 얼다 es friert Eis; es friert; zu Eis gefrieren*[s] (werden) / ~이 녹는다 Das Eis schmilzt. / ~을 녹이다 das Eis schmelzen(*) / ~을 깨뜨리다 das Eis brechen* / ~에 갇히다 《배가》 ein|frieren*[s] / ~에 발이 묶이다 ein|gefroren (-geeist) sein / ~으로 차게 하다 mit ³Eis kühlen / 생선을 ~에 채우다 Fische mit ³Eis bedecken⁴ (packen⁴); Fische auf Eis legen (in Eis kühlen; in Eis stellen)/ ~은 화씨 32°에 녹는다 Das Eis schmilzt bei 32 Grad Fahrenheit.

‖ ~가게 Eishändler *m.* -s, -. ~과자 (Eis-) baiser *m.* (*n.*) -s, -s; Eisbombe *f.* -n. ~덩이 Eis|block *m.* -(e)s, ⸚e (-klumpen *m.* -s, -; -masse *f.* -n; -scholle *f.* -n); 《얼음 조각》 ein Stück 《*n.* -(e)s》 Eis. ~물 Eiswasser *n.* -s. ~베개 (주머니) Eisbeutel *m.* -s, -. ~사탕 Kandis *m.* -; Kandiszucker *m.* -s; Zuckerkand *m.* -(e)s. ~장 Eisschicht *f.* -en (-decke *f.* -n; -block *m.* -(e)s, ⸚e); ein Stück 《*n.* -(e)s》 Eis. ~찜 Fiebererleichterung 《*f.* -en》 mit Eisbeutel. ~창고 Eiskeller *m.* -s, -. ~통 Eis|eimer *m.* -s, - (-kübel *m.* -s, -).

얼음박이다 ³sich (einzelne Glieder⁴) erfrieren*; Frost (an den Füßen, in den Fingern *usw.*) haben. ¶ 귀에 얼음이 박이다 Ich habe mir die Ohre erfroren. / 발에 얼음이 박이다 Ich habe Frost an den Füßen.

얼음지치기 das Schlittern* 《-s》 auf dem Eis; Schlittschuh|laufen (Eis-) *n.* -s (*od.* -lauf *m.* -(e)s, ⸚e; -fahrt *f.* -en). ~하다 auf dem Eis schlittern [s.h]; Schlittschuh laufen* (fahren*) [s.h]; auf (mit) Schlittschuhen laufen* (fahren*).

얼음지치다 eis|laufen*; Schlittschuh laufen*; auf dem Eise laufen*. ¶ 그는 얼음지치러 연못으로 간다 Er geht zum Teich, um auf dem Eise zu laufen.

얼음판 Eisdecke *f.* -n; Eisfläche *f.* -n. ¶ ~에서 얼음지치다 auf der Eisdecke eis|laufen*.

얼입다 an *js.* Stelle Schaden leiden*; der Dumme sein.

얼젓국지 mit Pökelfische eingepöckelte *Kimchi* (=koreanischer Salat).

얼쩍지근하다 ① 《살이 아프다》 schmerzhaft; schmerzend; stechend; brennend (sein). ¶ 따귀를 맞아서 뺨이 ~ Wegen der Ohrfeige brennt mir die Wange. ② 《술이 알맞게 취하다》 leicht betrunken (sein). ③ 《맵다》 scharf; beißend (sein). ¶ 국이 ~ Die Suppe ist recht scharf.

얼쭝거리다 schmeicheln; beschwatzen 《*jn.* zu ³*et.*》. ¶ 얼쭝거리는 바람에 넘어갔다 Er hat mich zum Mitmachen beschwatzt.

얼쭝얼쭝 durch Schmeicheln; schmeichelnd. ¶ ~ 사람을 속이다 *jn.* durch Schmeicheln betrügen*.

얼쯤얼쯤 zögernd; langsam. ~하다 zögern; trödeln.

얼찐거리다 schmeicheln; schmusen; schön|tun*.

얼찐얼찐 schmeichelnd; schöntuend.

얼추 nahezu; beinahe; fast; ungefähr; zum größten Teil. ¶ 일이 ~ 다 되다 Die Arbeit geht fast zu Ende.

얼추잡다 ① 《개산(槪算)함》 schätzen; ungefähr berechnen; überschlagen*. ¶ 비용을 ~ die Kosten schätzen. ② 《윤곽잡다》 umreißen*; skizzieren. ¶ 초안을 ~ e-n Entwurf skizzieren / 계획을 ~ e-n Plan in groben Umrissen zeichnen.

얼치기 《이도 저도 아님》 Mittel|ding (Zwischen-) *n.* -(e)s, -e. ¶ 이것은 ~다 Das ist weder Fisch noch Fleisch (nicht Fisch nicht Fleisch; weder halb noch ganz). / 볼펜은 연필도 만년필도 아닌 ~다 Ein Kugelschreiber ist ein Mittelding zwischen e-m Bleistift und e-m Füller.

얼크러지다 verwickelt (verworren; vermengt; vermischt) sein.

얼큰하다 《술이》 leicht betrunken; angeheitert; berauscht; beschwipst (sein); 《맛이》 ein bißchen pikant (gewürzt) sein; e-n würzigen (pfefferigen) Geschmack haben. ¶ 그는 얼큰히 취했다 Er ist leicht betrunken (berauscht).

얼키설키 ☞ 얼기설기.

얼토당토아니하다 ① 《무관련》 mit ³*et.* nichts zu tun haben; mit ³*et.* gar nicht in Beziehung stehen*. ¶ …과는 얼토당토않은 사람 jemand, der mit etwas nichts zu tun hat/ 신임 상공 장관은 그 직책에 얼토당토않은 사람이다 Der neue Minister für Handel u. Industrie ist für das Ressort gar nicht geeignet. ② 《합당치 않은》 unsinnig; unpassend; absurd; unangemessen; unverträglich; abwegig; unbegründet (sein). ¶ 얼토당토않은 말 die unsinnige Bemerkung, -en / 얼토당토않은 비교 der unangemessene Vergleich / 너의 태도는 얼토당토 않다 Dein Verhalten ist unverträglich. / 당신은 얼토당토않은 불평을 합니다 Sie führen eine unbegründete Klage.

얽다¹ ① 《얼굴이》 pocken|narbig (blatter-) sein; pockig sein. ¶ 얽은 자국 Pockennarbe (Blatter-) *f.* -n / 얼굴이 ~ sein Gesicht ist pocken|narbig (blatter-). ② 《거죽이》 gefleckt (gesprenkelt) mit Narben werden (sein); rauh (uneben; kieselig; narbig) sein. ¶ 이 꽃병은 얽었다 Diese (Blumen)vase hat e-e rauhe Oberfläche (Außenseite).

얽다² ① 《없는 일을》 erfinden*; erdichten. ② 《묶다》 binden*; umbinden*. ¶ 새끼로 ~ ⁴*et.* mit e-r Schnur umbinden* (umwickeln).

얽동이다 binden*; umbinden*; umwickeln; zu|schnüren. ¶ 상품을 단단히 ~ Waren fest ein|binden (ein|packen) / 상자를 끈으로 ~ e-e Schnur um den Karton binden* / 짐짝을 새끼로 ~ das Paket mit e-r Schnur zu|schnüren.

얽둑배기 ☞ 얽배기.

얽둑얽둑 mit Pockennarben. ~하다 pockig; pockennarbig (sein). ¶ ~ 얽은 사람 die Person mit Pockennarben / 그의 얼굴이 ~하다 Sein Gesicht ist pockennarbig.

얽매다 ① 《물건 등을》 binden*; ein|wickeln. ¶ 단단히 ~ fest binden*. ② 《제약을 받다》 beschränkt (eingeschränkt) (sein). ¶ 그의 생활은 숙사(宿舍) 규칙에 얽매어 있다 Sein Leben ist durch die Hausordnung eingeschränkt.

얽매이다 gebunden sein 《*an*⁴》; gefesselt sein 《*an*⁴》. ¶ 규칙에 ~ an e-e Regel gebunden sein / 수족을 ~ die Hände u. Füße gebunden sein / 시간에 ~ an die Stunde (Zeit) gebunden sein / 인습에 ~ an die Tradition gebunden sein / 일에 ~ an s-e Arbeit gefesselt sein / 사랑과 의무에 ~ in die Bande

〔Ketten〕 der Liebe u. Verpflichtung gefesselt sein / 의리에 ～ von Pflichtgefühlen 〔moralischen Bedenken 《*pl.*》〕 gefesselt sein / 나는 얽매인 느낌이 든다 Ich fühle mich gebunden. / 사람이란 자식들한테 이만저만 얽매이는 게 아니다 Man ist durch Kinder sehr gebunden.

얽배기 die pockennarbige Person, -en.

얽어매다 binden*; ein|wickeln. ¶ 한데 ～ in eins binden; zusammen|binden* / 개를 쇠사슬로 ～ den Hund in Ketten legen / 사람을 나무에 ～ *jn.* an e-n Baum binden*.

얽이 ① 《얽는 일》 das Binden, -s. ② 《일의 순서·배치》 Übersicht *f.* -en; Überblick *m.* -(e)s, -e.

얽이치다 umbinden*; umwickeln.

얽적배기 die leicht pockennarbige Person, ⌈-en.

얽적얽적 leicht pockennarbig. ～하다 leicht pockennarbig (sein).

얽죽배기 die schwer pockennarbige Person, ⌈-en.

얽죽얽죽 schwer pockennarbig. ～하다 schwer pockennarbig (sein).

얽히다 《줄에》 verschnürt werden; 《감기다》 [4]sich schlingen* 〔winden*〕 《*um*[4]》; [4]sich zusammen|rollen (뱀 따위가); 《뒤얽히다》 [4]sich verwickeln 〔verstricken〕 《*in*[4]》; 《얽혀들다》 [4]sich verwickeln 〔verstricken〕 《*in*[4]》. ¶ 복잡하게 얽힌 verwickelt 〔verstrickt; kompliziert〕 / 생각이 얽힌 von verschiedenen Gedanken gequält werden; verworrene Gedanken haben / 얽힌 것을 풀다 entwirren[4]; auseinander|wickeln[4]; aus|fasern[4]; auf|knoten[4] / 실이 얽히었다 Der Faden hat sich verwickelt 〔verstrickt〕. / 구두끈이 얽히었다 Der Schnürsenkel 〔Das Schnürband〕 hat sich verheddert. / …에 얽힌 이야기가 있다 Man erzählt sich von XY, daß.... / 그는 추문에 얽혀 있었다 Er war in den Skandal verwickelt.

엄격(嚴格) Strenge *f.*; Genauig¦keit 〔-heit〕 *f.* -en; Härte *f.*; Schärfe *f.*; Unerbittlichkeit *f.* ～하다 streng(e); genau; hart 《härter, härtest》; scharf 《schärfer, schärfst》; unerbittlich (sein). ¶ ～한 아버지 ein strenger Vater, -s, ⸚er / ～한 사람 ein strenger Mensch, -en, -en; Puritaner *m.* -s, -; Frömmler *m.* -s, -; Zuchtmeister *m.* -s, - / ～한 규율 strenge Zucht 〔Disziplin〕 / ～한 규칙 e-e strenge 〔genaue〕 Regel, -n / ～한 선생 ein strenger 〔unerbittlicher〕 Lehrer, -s, - / ～한 가정 e-e moralisch strenge Familie, -n / ～한 구별 e-e genaue 〔scharfe〕 Unterscheidung, -en / ～하게 streng; genau; scharf; unerbittlich / ～하게 기르다 《ein Kind》 streng(e) auf|ziehen* / 학생들에게 ～하다 gegen [4]Schüler 〔mit Schülern〕 streng 〔unerbittlich〕 sein / ～하기는 했지만 인자한 아버지였다 Streng(e) wie er war, unser Vater war liebevoll.

엄계(嚴戒) scharfe 〔strenge; gute〕 Wache, -n. ～하다 scharfe 〔strenge; gute〕 Wache halten*; auf scharfer 〔strenger; guter〕 Wache sein; auf der Hut sein 《*vor*[3]》.

엄금(嚴禁) das strenge 〔strikte〕 Verbot, -(e)s, -e; Untersagung *f.* -en; Bann *m.* -(e)s, -e; Interdikt *n.* -(e)s, -e. ～하다 strikt 〔streng(e)〕 verbieten*[4]; strengstens untersagen[4] 《*jm.*》; mit dem Interdikt 〔Bann〕 belegen[4]; *jn.* in den Bann tun*. ¶ 외출을 ～하다 《*jm.*》 streng(e) 〔strikt〕 verbieten*, auszugehen / 극장 안에서 흡연은 ～되어 있다 Im Theater ist Rauchen streng verboten. / 입장 ～ 《게시》 Kein Eintritt 〔Zutritt〕! ¦ Eintritt 〔Zutritt〕 verboten! / 소변 ～ 《게시》 Verunreinigung (dieses Ortes) verboten! / 출입 ～ 위반할 때는 처벌받음 Das Betreten ist bei Strafe verboten.

엄나무 die dornige Esche, -n; der dornige Eschenbaum, -(e)s, ⸚e; *Kalopanax pictum* (학명).

엄니 Fang *m.* -(e)s, ⸚e; Fang¦zahn 〔Eck-; Hau-〕 *m.* -(e)s, ⸚e; 《멧돼지의》 Hauer *m.* -s, -; 《코끼리와 해마의》 Stoßzahn *m.* -(e), ⸚e. ¶ ～를 드러내다 knurren; brummen.

엄닉(掩匿) Verheimlichung *f.* -en; Verhehlung *f.* -en. ～하다 verhehlen(*); verbergen*; verheimlichen.

엄달(嚴達) ein strenger 〔strikter〕 Befehl, -(e)s, -e; Einschärfung *f.* -en. ～하다 ein|schärfen[4] 《*jm.*》; strengstens befehlen*[4] 《*jm.*》; streng er|mahnen 《*jn. an*[4]》; aus|drückliche 〔strenge〕 Vorschriften erteilen 《*jm.*》; nachdrücklich ein|prägen[4] 《*jm.*》; e-n strikten Befehl erlassen* 《*jm.*》.

엄대 der eingekerbter Stab zur Kreditrechnung.

엄동(嚴冬) der grimmig kalte Winter, -s, -; der harte 〔strenge, rauhe; bittere; tiefste〕 Winter; Mittwinter. ¶ ～에 mitten im tiefsten Winter.

‖ ～설한 Mittwinterkälte *f.*

엄두 Kühnheit *f.* -en; Wagemut *m.* -(e)s. ¶ ～를 못 내다 es kaum wagen/일이 너무 힘들어서 ～가 안 난다 Weil es so schwierig ist, kann ich kaum mit der Arbeit anfangen. / 그들은 올 ～도 못 냈다 Sie wagten es kaum zu kommen. / 유럽은 ～도 못 내지만 하다못해 일본에라도 가고 싶다 Ich kann es mir kaum leisten, Europa zu besuchen, aber ich möchte mir mindestens Japan ansehen.

엄마 Mama *f.* -s; Mamachen *n.* -s, -; Mütterchen *n.* -s, -; Mutti *f.* -s.

엄명(嚴命) ein strenger 〔ausdrücklicher; bestimmter; entschiedener; unbedingter; harter; scharfer; strikter〕 Befehl, -(e)s, -e; ein strenges Gebot, -(e)s, -e; Einschärfung *f.* -en; e-e strenge 〔harte〕 Anweisung 〔Anordnung; Verordnung〕 -en. ～하다 e-n strengen Befehl geben* 〔erteilen; erlassen*〕; strengstens befehlen*; ein|schärfen 《*jm.*》. ¶ 지휘관의 ～에 의하여 unter dem strengen Befehl e-s Kommandeur.

엄밀(嚴密) 《자세·정확》 Genauig¦keit 〔-heit〕 *f.* -en; Exaktheit *f.* -en; Schärfe *f.* -n; Strenge *f.*; 《비밀》 strenge Verheimlichung, -en; strenges 〔striktes〕 Geheimnis, -ses, -se. ～하다 genau; exakt; scharf; streng (sein). ¶ ～한 검사 e-e genaue 〔eingehende; strenge〕 Untersuchung, -en / 사회주의에 대한 ～한 비판 e-e strenge Prüfung 《-en》 vom Sozialismus / ～히 (haar-) genau; aufs Haar; exakt; peinlich; scharf 《schärfer, schärfst》; verheimlich / ～히 말하면 (말하여) genau 〔streng; strikt〕 genommen; wenn man es genau 〔streng; strikt〕 nimmt / ～한 의미에서 im strengsten Sinn(e) des Wortes / ～히 조사하다 e-e genaue 〔strenge; strikte〕 Untersuchung 〔Prüfung〕 《-en》 vor|nehmen* 《*von*[3]》.

엄발나다 abweichend 〔irrig; falsch〕 sein.

엄벌(嚴罰) die harte 〔scharfe; strenge; strik-

te; unerbittliche) Strafe, -n. ～하다 hart (scharf; streng; strikt; unerbittlich) (be-)strafen 《jn. wegen² [für⁴]》; e-e harte Strafe verhängen 《über jn.》; e-e strenge Strafe auf|erlegen 《jm.》; in harte Strafe nehmen* 《jn.》; mit e-r scharfen ³Strafe belegen 《jn.》. ¶ ～에 처하다 ＝～하다.
‖ ～주의 e-e Regierungspolitik 《-en》, rücksichtslose Maßnahmen 《pl.》 zu treffen; strenge (strikte) Disziplin: ～주의로 임(臨)하다 e-e strenge (strikte) Disziplin (Zucht) an|nehmen* (adoptieren).

엄범부렁하다 prunken 《mit ³et.》.

엄법(罨法) 〖의학〗 Umschlag m. -(e)s, ..e; Bähung f. -en; Kataplasma n. -s, ..men. ¶ ～ 치료를 하다 e-n Umschlag machen 《um⁴》; ein nasses Tuch um|schlagen; mit ³Kataplasma behandeln.
‖ 온(냉)～ warmer (kalter) Umschlag.

엄벙덤벙 achtlos; sorglos; unbesonnen; gedankenlos. ～하다 ⁴sich achtlos benehmen*; unbesonnen handeln.

엄벙하다 ① 《일이》 unordentlich; schlampig; schlumprig (sein). ¶ 그는 일하는 것이 ～ Er arbeitet unordentlich. ② 《언행이》 zweideutig; doppelsinnig (sein). ¶ 그의 보고는 ～ Sein Bericht ist zweideutig. / 그는 엄벙한 대답을 한다 Er gibt eine doppeldeutige Antwort.

엄부(嚴父) der strenge Vater, -s, ..

엄부럭 ① 《엄살》 Sturheit f.; Starrköpfigkeit f. ② 《심술》 Boshaftigkeit f. -en; Schroffheit f. -en; Barschheit f. -en. ¶ ～ 부리다 ⁴sich boshaft benehmen*.

엄부렁하다 ☞ 엄범부렁하다.

엄비(嚴秘) das strenge (strikte) Geheimnis, ..nisses; ..nisse; die äußerste (strengste) Verschwiegenheit; Geheimhaltung f. ¶ ～에 부치다 das strengste Geheimnis (die äußerste Verschwiegenheit) bewahren (beobachten); aufs strengste geheim|halten*⁴.

엄살 die Übertreibung (der Schein) e-r Pein (Mühe); vorgebliche (vergetäuschte) Krankheit, -en.
‖ ～꾸러기 Schreihals m. -es, ..e.

엄살부리다 seine Schmerzen übertreiben*; seine Beschwerde auf|bauschen. ¶ 그는 상관에게 머리가 아프다고 엄살을 부린다 Vor seinem Vorgesetzten übertreibt er seinen Kopfschmerz. / 그는 손에 가시가 든 것을 마치 베이기라도 한 것처럼 엄살을 부렸다 Er stellte sich wegen e-s Splitters in der Hand an, als ob er sich die Hand abgeschnitten hätte. / 돈 좀 꾸어 달랬더니 엄살을 부렸다 Als ich von ihm etwas Geld leihen wollte, machte er großes Theater.

엄선(嚴選) die sorgfältige Auswahl, -en (Auslese, -n). ～하다 sorgfältig aus|wählen⁴ (-|lesen*⁴). ¶ ～된 ausgewählt; auserlesen; Auswahl- / ～된 상품 ausgewählte Ware, -n.

엄수(嚴守) Einhaltung f. -en; genaue Befolgung, -en; das Beobachten*, -s. ～하다 ein|halten*⁴; genau befolgen⁴; beobachten⁴. ¶ 명령을 ～하다 e-n Befehl genau befolgen / 비밀을 ～하다 ein Geheimnis streng bewahren / 시간을 ～하다 pünktlich sein; die Zeit ein|halten*.

엄숙(嚴肅) (der feierliche) Ernst, -es; Ernsthaftigkeit f.; Feierlichkeit f. -en; Würde f. -n; Strenge f. ～하다 ernst; würdevoll; ernsthaft; feierlich (sein). ¶ ～한 말투 ein feierlicher Ton, -(e)s, ..e / ～한 얼굴 e-e ernste Miene, -n / ～한 기분 feierliche Stimmung, -en; Feierstimmung f. / ～하게 거행하다 feierlich begehen*⁴ / ～히 맹세하다 feierlich geloben / ～히 말하다 mit feierlichen Worten sprechen* / ～히 약속하다 feierlich versprechen.*

엄습(掩襲) Überfall m. -(e)s, ..e; Überraschungsangriff m. -(e)s, -e; Überrump(e)lung f. -en. ～하다 überfallen*; überraschen; überrumpeln. ¶ ～하여 적을 투항하게 만들었다 Wir haben den Feind durch Überraschung zur Übergabe gezwungen. / 폭풍우가 우리를 ～하였다 Der Sturm überfiel uns.

엄시하(嚴侍下) im Dienst seines Vaters.

엄엄하다(奄奄—) kurzatmig (sein); nach Luft schnappen; in Atemnot sein.

엄연하다(儼然—) würdevoll; imponierend; imposant; feierlich; ernst; streng(e) (sein). ¶ 엄연한 사실 die nackte (unleugbare; unbestrittene) Tatsache, -n / 엄연한 현실 die nackte Wirklichkeit, -en / 엄연한 증거 ein sicherer (unwiderlegbarer; unwiderleglicher) Beweis, -es, -e / 엄연히 würdevoll; feierlich; mit ³Ernst (³Ernsthaftigkeit; ³Feierlichkeit; ³Gewichtigkeit; ³Strenge).

엄전하다 anständig; rechtschaffen; sittsam (sein).

엄정(嚴正) Genauigkeit f. -en; Exaktheit f. -en; Schärfe f. -n; Strenge f. ～하다 genau; exakt; peinlich; scharf 《schärfer, schärfst》; streng; unparteiisch (공평한): 《편견없는》 unvoreingenommen (sein). ¶ ～한 비판 e-e unparteiische Kritik, -en / ～히 genau; mit Genauigkeit; billig; unparteiisch / ～하게 다루다 streng handeln 《an jm.》; streng behandeln⁴.
‖ ～중립 die strenge (strikte) Neutralität; ～중립을 지키다 die strenge (strikte) Neutralität bewahren; streng (strikt) neutral (parteilos) bleiben* ⓢ; ⁴sich streng (strikt) neutral (parteilos) verhalten*.

엄중하다(嚴重—) streng(e); genau; hart 《härter, härtest》; scharf 《schärfer, schärfst》; unerbittlich (sein). ¶ 엄중한 검사 e-e strenge (scharfe) Untersuchung, -en / 엄중한 항의 scharfer Protest, -es, -e / 엄중한 문초 e-e strenge u. genaue Vernehmung, -en; ein strenges u. genaues Verhör, -(e)s, -e / 엄중히 streng u. genau; hart 《härter, am härtesten》; scharf 《schärfer, am schärfsten》; unerbittlich / 엄중히 처벌하다 hart (schwer) (be)strafen 《jn.》 / 엄중히 경고하다 ernst warnen (ermahnen) 《jn. vor³》 / 엄중히 감시하다 die scharfe Aufsicht haben (führen) 《über⁴》; scharf auf|passen 《auf⁴》.

엄지 《엄지가락》 Daumen m. -s, -; die große Zehe, -n.
‖ ～머리 총각 ein lebenslänglicher Junggeselle, -n, -n. ～발(가락) die große Zehe, -n. ～발톱 der große Zehennagel, -s, ..~. ～손(가락) Daumen m. ～손톱 Daumennagel m.

엄지(—紙) 〖옛제도〗 Entwurf m. -s, ..e; Notiz f. -en.

엄징(嚴懲) die harte (strenge) Strafe, -n. ～하다 jn. hart (streng) strafen.

엄책(嚴責) der scharfe Tadel, -s, -. ～하다 jn. scharf tadeln; jn. zur Rechenschaft ziehen*.

엄처시하(嚴妻侍下) Pantoffelheld *m.* -en, -en; Pantoffelregiment *n.* -(e)s, -e; Weiberherrschaft (Frauen-) *f.* -en. ¶ ～에 살다 unter den Pantoffel kommen* ⓢ; unter dem Pantoffel stehen*; ein Pantoffelheld sein; ⁴sich von s-r Frau befehlen lassen*.

엄청나다 übermäßig; übertrieben; 〖속어〗 unsinnig; schrecklich; gewaltig (sein). ¶ 엄청난 값 der unsinnige (schreckliche) Preis, -es, -e; 〖속어〗 der gesalzene Preis/ 엄청난 실패 der große schreckliche Fehler, -s, - / 엄청나게 큰 sehr (übermäßig) groß; riesig; ungeheuer; riesengroß; 〖속어〗 kolossal; enorm / 엄청나게 비싼 übermäßig (unverschämt 《속어》) teuer / 엄청나게 싼 spottbillig; lächerlich (fabelhaft《속어》) billig / 엄청나게 춥다 Es ist bitter (schrecklich) kalt. / 키가 엄청나게 크다 Er ist riesengroß. / 그는 엄청난 요구를 했다 Er hat unsinnige Forderungen gestellt. / 그 장교는 엄청난 죄를 저질렀다 Der Offizier hat e-e schwere Sünde (e-n Hochverrat) begangen. / 그 사업으로 엄청난 적자를 보았다 Das Unternehmen hat ungeheuere Verluste erlitten.

엄칙(嚴飭) die scharfe (strenge) Ermahnung, -en; die scharfe Warnung, -en; der scharfe Verweis, -es, -e. ～하다 *jn.* streng ermahnen; *jm.* e-n scharfen Verweis erteilen.

엄친(嚴親) ein strenger Vater; der eigene Vater.

엄탐하다(嚴探—) scharf (intensiv) nach *jm.* (³*et.*) fahnden; *jn.* (⁴*et.*) scharf suchen; streng nach *jm.* (³*et.*) suchen. ¶ 경찰이 범인을 엄탐중이다 Die Polizei fahndet intensiv nach dem Verbrecher.¦Die Polizei sucht streng nach dem Täter.

엄파이어 Schieds¦richter (Kampf-) *m.* -s, -.

엄펑소니 Trick *m.* -(e)s, -e (-s); Kniff *m.* -(e)s, -e; Kunstgriff *m.* -(e)s, -e; Pfiff *m.* -(e)s, -e; Ränke 《*pl.*》; Schlich *m.* -(e)s, -e. ¶ ～를 쓰다 e-n Trick (Kniffe u. Ränke; Kniffe u. Pfiffe) an|wenden⁽*⁾《*jm.*》; Ränke schmieden (spinnen*); mit Ränken um|gehen* ⓢ; an|führen 《*jn.*》; *jn.* übers Ohr hauen*.

엄펑스럽다 beschwindeln; täuschen; betrügerisch (sein).

엄폐(掩蔽) Verdeckung *f.* -en; Verhüllung *f.* -en; Verschleierung *f.* -en. ～하다 verdecken; verhüllen; verschleiern.
‖ ～호(壕) der verdeckte Graben, -s, ⸚; Bunker *m.* -s, -.

엄포 Drohung *f.* -en; Bedrohung *f.* -en; Einschüchterung *f.* -en. ～놓다 drohen; bedrohen; an|drohen; ein|schüchtern. ¶ ～를 놓아 …을 빼앗다 *jn.* unter Drohungen e-r ²Sache berauben / ～를 놓아 …하게 하다 *jn.* durch Drohungen zu ³*et.* zwingen* / 그는 나를 죽이겠다고 ～를 놓았다 Er drohte mir mit dem Tode.¦Er drohte, mich zu töten.

엄하다(嚴—) streng(e); hart; scharf; unerbittlich; anspruchsvoll; haarscharf (sein). ¶ 엄한 법 ein strenges Gesetz, -es, -e / 엄한 명령 ein strenger Befehl, -s, -e / 엄한 규율 strenge (eiserne) Zucht (Disziplin) / 엄한 부모 strenge Eltern 《*pl.*》 / 엄한 선생 ein strenger Lehrer, -s, - / 엄한 얼굴 ein strenges (ernstes) Gesicht, -(e)s, -er / 어린애들한테 ～ gegen Kinder streng(e) sein / 엄하게 꾸짖다 *jm.* bittere Vorwürfe (Vorhaltungen) machen / 엄하게 벌하다 *jn.* hart (streng) (be)strafen / 아이들을 엄하게 기르다 Kinder durch Strenge erziehen*; Kinder in strenge Zucht nehmen* / 학생에게 ～ gegen Schüler streng(e) sein / 그 학교는 규율이 ～ Die Schule nimmt Schüler in strenge Zucht.¦Die Schule hält Schüler in Zucht u. Ordnung.

엄한(嚴寒) die grimmige (beißende; bittere; eisige; fürchterliche; große; harte; schneidende; starke) Kälte; die Strenge (Härte) des Winters.

엄형(嚴刑) die harte (strenge) Strafe, -n. ～하다 streng bestrafen.

엄호(掩護) (Be)deckung *f.* -en; Schutz *m.* -es. ～하다 schützen⁴; unterstützen⁴; (be-)decken⁴; sichern⁴; (be)schirmen⁴. ¶ 측면을 ～하다 flankieren⁴; Flanke decken / 퇴각을 ～하다 den Rückzug decken; *jm.* den Rücken decken / 포병의 ～하에 싸우다 unter ³Deckung der Batterie (von der Batterie gedeckt) kämpfen.
‖ ～대 Deckungstruppen 《*pl.*》. ～사격 Sperrfeuer *n.* -s, -: 포병으로 하여금 보병의 ～사격을 시키다 die Artillerie die Infanterie (be)decken lassen*. ～진지 Deckungsstellung *f.* -en. ～포화 Feuerwalze *f.* -n; Sperrfeuer *n.* -s, -.

엄혹하다(嚴酷—) hart; grausam; schonungslos; erbarmungslos (sein).

업 〖민속〗 der Glücksbringer einer Familie; Maskottchen *n.* -s, -.

업(業) ① 《직업》 Beruf *m.* -(e)s, -e; Geschäft *n.* -(e)s, -e; Gewerbe *n.* -s, -; Erwerb *m.* -(e)s, -e; Beschäftigung *f.* -en; Arbeit *f.* -en. ¶ 그는 의술을 업으로 삼고 있다 Er ist Arzt von Beruf.¦Er übt den Beruf eines Arztes aus. / 그는 문필을 업으로 삼았다 Er machte das Schreiben zu seinem Beruf.
② 〖불교〗 Karma(n) *n.* -s.

업계(業界) Geschäfts¦welt *f.* -en (-kreise 《*pl.*》; -viertel 《*pl.*》); Handelswelt *f.* -en; Industrie *f.* -n. ¶ ～의 강력한 반대에 부닥치다 auf heftigen Widerstand der ²Geschäftswelt stoßen* ⓢ.
‖ ～지(紙) Handels¦zeitung (Wirtschafts-) *f.* -en; Handelsblatt *n.* -(e)s, ⸚er.

업구렁이 〖민속〗 die glücksbringende Schlange, -n.

업다 ① 《등에》 auf dem Rücken (huckepack) tragen*. ¶ 애기를 (등에) ～ ein Kindchen (Kindlein; kleines Kind) auf dem Rücken tragen*.
② 《끌고 들어감》 *jn.* in ⁴*et.* hinein|ziehen* (verflechten*; verwickeln); *jm.* mit ³*et.* hinein|ziehen* (verflechten*; verwickeln). ¶ 그는 이 싸움에 친구를 업고 들어갔다 Er zog s-n Freund in diesen Streit hinein.¦Er verflocht s-n Freund in diesen Streit.
③ 《연을》 die Papierdrache e-r ander(e)n Person ergreifen*, indem ⁴sich die Bindfäden der zwei Papierdrachen ineinander verwickeln.
④ 《교미》 ⁴sich begatten (paaren).

업동이(—童—) das glücksbringende Findelkind, -(e)s, -er.

업두꺼비 〖민속〗 die glücksbringende Kröte, -n.

업무(業務) Geschäft *n.* -(e)s, -e; (geschäftliche) Angelegenheit, -en; Sache *f.* -n; Dienst *m.* -(e)s, -e; Pflicht *f.* -en; Tätigkeit *f*. -en. ¶ ～용(의) zum geschäftlichen Gebrauch bestimmt / ～의 확장 Erweiterung 《*f*. -en》 des Geschäfts / ～에 힘쓰다 s-n Geschäften nach|gehen*Ⓢ / ～를 게을리하다 sein Geschäft (s-e Angelegenheit) unterlassen* / ～로 여행 중이다 geschäftlich verreist sein.

‖ **～관리** Geschäftsverwaltung *f*. -en; Geschäftskontrolle *f*. -n. **～보고** ein Bericht 《*m*. -(e)s, -e》 über geschäftliche [4]Angelegenheiten; Geschäftsbericht *m*. -(e)s, -e. **～부** Geschäftsabteilung *f*. -en. **～사원** ein Angestellter* 《-en, -en》 der [2]Geschäftsverwaltung. **～상 과실 치사죄** e-e der [3]Amtspflicht entspringende fahrlässige Tötung. **～시간** Geschäfts¦stunden 《*pl*.》 (-zeit *f*. -en). **～집행** Geschäftsführung *f*. -en: ～집행 대리인 Geschäftsführer *m*. -s, - / ～집행 방해 Beeinträchtigung der [2]Geschäftsführung (s-r [2]Pflichterfüllung).

업보(業報) 〖불교〗 Karma-Wirkung *f*. -en.

업숭이 Dummkopf *m*. -(e)s, ⸚e.

업신여기다 verachten[4]; mißachten[4]; verschmähen[4]; gering|schätzen[4]; herab|sehen*[4]; vernachlässigen[4]; nicht beachten[4]; *jn*. links liegen lassen* 《속어》. ¶ 업신여겨서 verachtend; höhnisch; mit Verachtung / 업신여기는 태도 (얼굴) verächtliche Haltung, -en (Miene, -n) / 업신여기는 말 verächtliche Worte 《*pl*.》 / 업신여기는 눈초리를 던지다 e-n verächtlichen Blick zu|werfen* 《*jm*.》 / 그는 너를 업신여긴다 Er verachtet dich.

업신여김 Verachtung *f*. -en; Mißachtung *f*. -en; Verschmähung *f*. -en; Geringschätzung *f*. -en. ¶ ～을 당하다 (받다) verachtet (mißachtet; verschmäht) werden / 나는 그렇게 ～을 당할 사람이 아니다 Ich kann nicht so verächtlich behandelt werden, wie du denkst.

업왕(業王) der Glücksgott e-r Familie.

업원(業冤) 〖불교〗 Karma-Wirkung *f*. -en; die Leiden in der jetzigen Welt, die auf der Schuld aus einer früheren Existenz beruhen.

업자(業者) der betreffende Geschäftsmann, -(e)s, ..leute; der betreffende Handelsmann (Fabrikant, -en, -en; Lieferant, -en, -en; Unternehmer, -s, -). ¶ ～를 모으다 die betreffenden Handelsleute zu|ziehen*.

‖ **～단체** Unternehmer¦verband (Arbeitgeber-) *m*. -(e)s, ⸚e.

업저버 Beobachter *m*. -s, -; Zuschauer *m*. -s, -. ¶ ～로 회의에 참석하다 als Beobachter der [3]Konferenz bei|wohnen; als Beobachter bei der Konferenz anwesend (zugegen) sein.

업저지 Kindermädchen *n*. -s, -.

업적(業績) 《개인의》 Werk *n*. -(e)s, -e; Verdienst *n*. -(e)s, -e; Leistung *f*. -en; Errungenschaft *f*. -en; Ergebnis *n*. -ses, -se; Beitrag *m*. -(e)s, ⸚e; 《회사 등의》 (geschäftlicher) Erfolg, -(e)s, -e. ¶ 물리학상의 ～ s-e Leistungen (Errungenschaften) 《*pl*.》 in der Physik / 학문적 ～ s-e wissenschaftliche Leistungen (Errungenschaften) 《*pl*.》 / 최근의 ～ die neuesten Errungenschaften 《*pl*.》 / ～을 올리다 (내다) viel leisten.

업종(業種) Betriebsart *f*. -en; Geschäftszweig (Industrie-) *m*. -(e)s, -e.

‖ **～별** Klassifizierung (Klassifikation; Einteilung) 《-en》 nach der Betriebsart: ～별 임금 Lohnklasse 《*f*. -n》 nach der Betriebsart / ～별로 하다 nach der Betriebsart klassifizieren (ein|teilen).

업태(業態) Betriebs¦verhältnisse (Geschäfts-) 《*pl*.》. ‖ **～조사** e-e Prüfung 《-en》 der [2]Betriebs¦verhältnisse (Geschäfts-): ～ 조사를 하다 Betriebsverhältnisse prüfen.

업화(業火) Höllenfeuer *n*. -s, -; das nie erlöschende Feuer.

업히다 ① 《등에》 auf dem Rücken getragen werden. ¶ 어린애가 엄마한테 업혀 있다 Das Kind wird auf dem Rücken seiner Mutter getragen. ② 《위에 포개어 있다》 auf e-r [3]Sache liegen* (stehen*); aufeinander|liegen*. ¶ 주전자 위에 찻잔이 업혀 있다 Auf dem Kessel steht eine Teetasse.

없는 《가난한》 arm; dürftig; bedürftig; elend; armselig. ¶ ～ 사람들 die Armen* 《*pl*.》; die armen Leute 《*pl*.》 / ～ 살림 das arme (dürftige) Leben, -s, - / 그는 ～ 집안에서 태어났다 Er ist in e-r armen Familie geboren.

없다 ① 《없음》 nicht vorhanden sein; nicht bestehen* (da|sein*; existieren; vor|liegen*); es gibt[4] nicht (k-n*); nicht zu finden sein; nicht haben[4]; entbehren[4]. ¶ 아이가 ～ k-e Kinder haben / 시간이 ～ k-e Zeit haben (finden*) / 돈이 ～ kein Geld haben (besitzen*) / 없는 것이나 다름없다 so gut (viel) wie nicht da|sein*; fast gar nicht vorhanden sein / 찾아뵐 틈이 없읍니다 Ich kann k-e Zeit finden, Sie zu besuchen. / 오후에는 수업이 ～ Heute nachmittag ist k-e Schule. / 조금이라도 있는 것은 전혀 없는 것보다는 낫다 Etwas ist doch besser als gar nichts. / 가시 없는 장미는 ～ K-e Rosen ohne Dornen. / 그는 경험이라고는 거의 ～ Er hat nur wenige Erfahrungen. / 이보다 더 아름다운 것은 ～ Es gibt nichts Schöneres als dieses.

② 《있던 것이》 weg (fort; hin 《속어》) sein; abhanden kommen* Ⓢ 《*jm*.》; verloren (verloren|gegangen) sein; nicht zu finden sein; verschollen (vermißt) sein; abwesend (fehlend) sein. ¶ 그는 바른 팔이 ～ Er hat k-n¦rechten Arm. / 내 책이 ～ Mein Buch ist nicht zu finden. / 아무리 찾아도 없읍니다 Das ist nirgends zu finden.¦Das kann ich nirgends finden.

③ 《떨어짐》 knapp werden; aus|gehen*Ⓢ; nicht mehr vorrätig haben[4] (sein). ¶ 우물에 물이 ～ Dem Brunnen ist das Wasser ausgegangen. / 가솔린이 ～ Benzin ist knapp geworden (zu Ende).

④ 《결여·골몰》 es mangelt (fehlt) *jm*. an [3]*et*. ¶ 없어서, 없기 때문에 aus Mangel an [3]*et*. / 가치가 ～ wertlos sein; ohne Wert sein / 뜻이 ～ bedeutungslos (sinnlos) sein / 재수가 ～ Unglück (Pech) haben; unglücklich sein / 나는 그 일에 흥미가 ～ Ich interessiere mich nicht für die Sache. / 그는 용기가 (교양이) ～ Es mangelt (fehlt) ihm an Mut (Bildung). / 그는 놀이에 정신이 ～ Er ist ganz vertieft in sein Spiel.

⑤ 《결점이》 frei sein 《*von*[3]》. ¶ 결점이 ～ tadellos (tadelfrei) sein; ohne Tadel sein.

⑥ 《걸리는 것·구속 따위》 frei sein 《*von*[3]》; leer sein 《*an*[3]》. ¶ 근무 없는 날 der (dienst-) freie Tag, -(e)s, -e / 속박이 ～ fesselfrei (entfesselt; fessellos) sein / 병역 의무가 ～

frei vom Militärdienst sein.
⑦《죽고 없다》verstorben sein; verschieden sein. ¶부모 없는 아이 e-e Waise, -n; ein Waisenkind, -(e)s, -er; ein elternloses Kind, -(e)s, -er / 아버지가 ~ sein Vater ist verstorben; k-n Vater haben.
⑧《기타》¶나는 웃을 수밖에 없었다 Ich konnte mich nicht enthalten zu lachen.¦Ich konnte mich des Lachens nicht enthalten. / 어찌할 도리가 ~ Ich kann leider nichts dafür.

없애다 ①《제거》beseitigen[4]; weg|räumen; entfernen[4]; weg|nehmen*[4]; fort|schaffen[4]; aus|schließen*[4] (배제); 《생략》aus|lassen*[4] (weg|-; fort|-); 《뿌리채 뽑다》vertilgen[4]; aus|rotten[4]; vernichten[4]. ¶나쁜 습관을 ~ e-e schlechte Gewohnheit ab|streifen (-|legen) / 뜰의 잡초를 ~ das Unkraut aus dem Garten jäten (vertilgen); den Garten jäten (vertilgen) / 명부에서 이름을 ~ e-n Namen von der Liste streichen* / 빈민굴을 ~ die Einwohner aus Elends¦vierteln (Armen-) um|siedeln / 장애물을 ~ Hindernisse beseitigen (weg|räumen) / 해충을 ~ Ungeziefer vertilgen.
②《폐지》ab|schaffen. ¶폐습을 (세금을) ~ Mißbräuche (Steuern) ab|schaffen.
③《잃음·낭비》verlieren*[4]; verschwenden; vergeuden; auf|wenden(*)[4]; verbringen*[4]; verleben[4]; zu|bringen*[4]. ¶시간을 ~ Zeit verbringen* / 일에 많은 돈을 ~ für die Arbeit viel Geld auf|wenden*.
④《죽이다》töten[4]; um|bringen*[4]. ¶그놈을 없애라 Nieder mit ihm!

없어지다 ①《잃다》verloren|gehen* ⓢ; abhanden kommen* ⓢ; weg; fort; hin sein 《속어》; verschollen sein (실종); vermißt sein (행방불명). ¶시계가 없어졌다 M-e Uhr ist weg (fort; verlorengegangen).¦M-e Uhr ist mir abhanden gekommen.¦Ich habe m-e Uhr verloren. / 그녀의 아들은 전선에서 없어졌다 Ihr Sohn ist an der Front vermißt.
②《떨어지다》knapp werden; zu Ende gehen* ⓢ; aus|gehen* ⓢ; alle sein 《속어》; verbraucht (aufbraucht) sein (소모). ¶돈이 다 없어졌다 Mein Geld ist alle. / 물건이 다 없어진다 Waren gehen aus (werden knapp).
③《사라지다》verschwinden* ⓢ; vergehen* ⓢ; verloren|gehen* ⓢ; schmelzen* ⓢ (눈 따위). ¶없어지지 않도록 주의해라 Paß auf, daß nichts verlorengeht! / 아이가 어제부터 없어졌다 Das Kind ist seit gestern (spurlos) verschwunden. / 입맛이 (의욕이) 없어졌다 Der Appetit (Die Lust) ist mir vergangen.

없이 ohne[4]; ausgenommen[4] (제외); -los. ¶예외 ~ ohne Ausnahme; ausnahmslos / 허가 ~ ohne Erlaubnis; unerlaubt / 그지 ~ endlos; unendlich / 맥~ gleichgültig; teilnahmslos; niedergeschlagen / 의심 ~ ohne Zweifel; zweifellos; zweifelfrei; zweifelsohne / 정신 ~ zerstreut; geistesabwesend / 틀림~ ganz bestimmt; gewiß; unbedingt; unfehlbar / 한푼 ~ ohne e-n Pfennig / 할 수 ~ unvermeid¦lich (-bar); notwendigerweise; notgedrungen / 돈 ~ 여행하다 ohne Geld reisen / 그는 술 ~는 못 산다 Er kann sich nicht vom Alkohol trennen. / 자본 ~ 장사를 시작하다 ohne Kapital ein Geschäft eröffnen.

없이살다 ein armes (dürftiges) Leben führen; in Armut leben.

엇- gekrümmt; verkehrt; schräg; abweichend; falsch; einander; gegenseitig; klein.

엇가다 fehl|gehen*; schief gehen*; [4]sich verirren; verkehrt sein. ¶엇가는 행동 die verkehrte Handlung, -en / 줄이 ~ die Linie ist verkehrt / 엇가는 말을 한다 E-e unpassende (falsche) Bemerkung machen.

엇갈리다 [4]sich kreuzen; ineinander|greifen*; 《상치되다》im Gegensatz stehen* 《zu[3]》; nicht überein|stimmen 《mit[3]》; im Widerspruch stehen* 《mit[3]; zu[3]》; auseinander|-fallen* (-|gehen*) ⓢ. ¶우리 편지는 엇갈렸다 Unsere Briefe haben sich gekreuzt. / 그들의 의견은 엇갈린다 Sie sind entgegengesetzter Meinung.¦Ihre Meinungen fallen auseinander (weichen voneinander ab). / 길이 엇갈려서 만나지 못하였다 Wir haben uns (einander) verfehlt.

엇걸다 in e-e schräge Schlinge legen[4]; auf|-stellen. ¶총을 ~ Gewehre auf|stellen / 상자를 끈으로 엇걸어 매다 e-e Schnur um den Karton in e-e schräge Schlinge legen.

엇걸리다 in e-e schräge Schlinge gelegt sein; aufgestellt sein.

엇겯다 in e-e Schlinge flechten.

엇결 die schräge Maserung, -en (im Holz).

엇구뜰하다 ziemlich schmackhaft (appetitlich) (sein).

엇구수하다 ①《음식이》ziemlich schmackhaft (appetitlich) (sein). ②《이야기가》ziemlich amüsant (lustig) (sein).

엇그루 der schräg geschnittene Stumpf, -(e)s, ⸚e.

엇깎다 [4]*et.* schräg schneiden*.

엇나가다 ☞ 엇가다.

엇대다 ①《조각을》schräg auf|setzen (ein|-setzen). ¶옷에 헝겊을 ~ e-n Flicken auf das Kleid schräg auf|setzen / 책상을 고칠 때 다리를 엇댔다 Bei der Ausbesserung des Tisches habe ich ein Bein eingesetzt. ②《잘못 대다》falsch antworten. ¶수효를 ~ die Zahl falsch an|geben*.

엇되다 arrogant; anmaßend; schnippisch; dünkelhaft (sein). ¶엇된 놈 (Herr) Naseweis *m.* -es, -e.

엇뜨기 Schieler *m.* -s, -.

엇뜨다 schielen.

엇매끼다 ☞ 어긋매끼다.

엇먹다 ①《톱이》schräg schneiden*. ②《비꼼》《*js.* Bemerkungen, Worte》verdrehen.

엇메다 von e-r Schulter über die Brust hängen*. ¶가방을 ~ [3]sich e-e Mappe[4] von e-r Schulter über die Brust hängen.

엇바꾸다 miteinander tauschen; gegenseitig aus|tauschen. ¶책을 ~ [3]sich gegenseitig Bücher aus|leihen*.

엇베다 krumm (schief; schräg) schneiden*. ¶종이를 ~ ein Blatt Papier krumm schneiden*.

엇보(一保) die gegenseitige Bürgschaft (Bürgschaftsleistung; Sicherheitsleistung) -en. ¶두 사람이 ~를 선다 Zwei Personen leisten sich gegenseitig Bürgschaft.

엇부루기 der junge Ochse, -n, -n; das männliche Kalb, -(e)s, ⸚er.

엇붙다 schräg (in e-m Winkel) stehen* zu [3]*et.*

엇비뚜름하다 auf e-r Seite gebogen (gekrümmt) sein.

엇비슷하다 beinah(e) gleich sein; e-e auffallende ^{4}Ähnlichkeit haben; ganz (sehr) ähnlich sein; fast identisch sein. ¶ 값이 ~ Die Preise sind fast (beinah) gleich. / 그와 나는 키가 ~ Er ist fast so groß wie ich.

엇서다 verkehrt (verstockt; eigensüchtig) sein. ¶ 엇선 놈 Geizhals *m.* -es, ⸚e; der eigensüchtige Mensch, -en, -en; Egoist *m.* -en, -en.

엇섞다 abwechselnd mischen.

엇셈 Saldierung *f.* -en; Ausgleichung *f.* -en. ~하다 saldieren; (e-n Konto) ausgleichen.

엇송아지 der junge Ochse, -n, -n; das männliche Kalb, -(e)s, ⸚er.

-었겠다 《추측》 wird wohl (gewesen) sein. ¶ 그는 나이 스물은 넘었겠다 Er ist wohl über zwanzig Jahre.

-었느냐 《의문》 ¶ 대체 어디 있었느냐, 지금까지 너를 찾았다 Wo warst du denn? Bis jetzt habe ich dich gesucht.

-었는지 《불확실》 ¶ 누구였는지 아십니까 Wissen Sie, wer es war? / 그이가 살았는지 죽었는지 아무도 모른다 Niemand weiß, ob er tot oder am Leben ist. / 그가 갔었는지도 모른다 Er kann wohl hingegangen sein. / 그이가 정말 그런 말을 했는지 기억하십니까 Erinnern Sie sich, ob er das wirklich gesagt hat?

-었었다 hat(te) getan (과거). ¶ 그는 학교로 갔었었다 Er war zur Schule gegangen. / 나흘 전에 나는 여기 왔었었다 Vor vier Tagen war (kam) ich hier. / 그는 저녁을 먹었었다 Er hat(te) zu Abend gegessen.

-었었으나 ¶ 처음엔 꽤 문제 되었었으나 이젠 순조로이 진행된다 Am Anfang gab es größere Schwierigkeiten, aber jetzt geht es gut. ⌈(sein).

엉거능측하다 schlau; listig; verschlagen

엉거주춤하다 ① 《자세》 halb auf|stehen*, halb sitzen*; schweben; ^{4}sich bücken; ^{4}sich ducken; ^{4}sich krümmen. ¶ 엉거주춤한 자세로 halb aufstehend; in vorgebeugter Haltung / 엉거주춤하지 말고 서든지 앉든지 해라 Stehe auf, oder setze dich! ② 《망설임》 schwanken; zögern; zaudern; unschlüssig sein. ¶ 엉거주춤하는 사람 ein Zögerer *m.* -s, -; ein Zauderer *m.* -s, -; ein unbeständiger Charakter, -s, - / 엉거주춤하지 말고 결정해라 Entschließe dich ohne Aufschub! / 그를 초대해야 좋을지 안 해야 좋을지 엉거주춤하고 있다 Ich schwanke, ob ich ihn einladen soll.

엉겁 Klebrigkeit *f.* -en; Zähigkeit *f.* -en. ¶ 손에 엿이 ~을 했다 Die Hände sind vom süßen Reiskaramel klebrig.

엉겁결에 unerwartet; unvermutet.

엉겅퀴 〖식물〗 Distel *f.* -n. ⌈ordnen.

엉구다 ordnen; in Ordnung bringen*; an|-

엉그름 der durch Trockenheit entstandene Riß 《..sses, ..sse》 des Lehmbodens.

엉글벙글 《ein Kind》 süß lächelnd. ¶ 애기가 ~ 웃다 Das Kind lächelt süß.

엉금썰썰 zuerst langsam u. dann schnell kriechen* [h,s].

엉금엉금 kriechend. ¶ ~ 기어 가다 auf allen Vieren kriechen.

엉기다 ① 《뭉치다》 gerinnen* (gefrieren*) [s]; ^{4}sich verdicken (verdichten); zusammen|frieren* [s]; erstarren [s]; gelieren [ʒe..]. ¶ 엉긴 피 das geronnene Blut, -(e)s / 우유가 ~ Milch gerinnt. ② 《일이》 ^{4}sich in ^{4}*et.* verwickeln (verwirren; verstricken). ¶ 사건들이 ~ Die Fälle verwickeln (verwirren; verstricken) sich ineinander. ③ 《기어가다》 kribbeln; kriechen* [h,s]; schleichen* [h,s]. ¶ 사지로 ~ auf allen Vieren (auf Händen u. Füßen) kriechen* [h,s].

엉기정기 durcheinander; drunter u. drüber.

엉너리 Versuch, mit allen Mitteln *js.* Gunst zu gewinnen. ~치다, ~부리다 mit allen Mitteln versuchen, *js.* Gunst zu gewinnen (sich bei *jm.* einzuschmeicheln). ‖ 엉너릿손 die Kunst, ^{4}sich einzuschmeicheln.

엉덩방아 der den Boden schlagende (stoßende) Fall, -s, ⸚e. ¶ ~ 찧다 auf den Hintern (auf das Gesäß; den Allerwertesten; den Hosenboden) fallen* [s].

엉덩이 Gesäß *n.* -es, -e; 〖속어〗 Hinterteil *m.* (*n.*) -(e)s, -e; der Hinter(st)e*, -n; Hüfte *f.* -n; Lende *f.* -n (허리); Steiß *m.* -es, -e (둔부); After *m.* -s, - (항문); Arsch *m.* -(e)s, ⸚e 《비어》. ¶ ~가 큰 여자 e-e dicklendige Frau, -n / ~가 무겁다 《자리를 뜰 줄 모르다》 (als Gast) zu lange bleiben* [s]; länger bleiben* [s]; als erwünscht ist; 《게으르다》 träge (lässig; faul; schwerfällig) sein / ~가 가볍다 leichtfertig (frivol; liederlich) sein / ~를 붙이지 못하다 rastlos (ruhelos; unruhig; unstet) sein; an e-m Ort nicht lange bleiben* [s].

엉덩잇바람 Hüftenwiegen *n.* -s. ¶ ~을 내다 ^{4}sich (beim Gehen) in den Hüften wiegen.

엉덩잇짓 Hüftenwiegen *n.* -s. ~하다 ^{4}sich in den Hüften wiegen.

엉덩춤 Hüftentanz *m.* -es, ⸚e.

엉덩판 Lende *f.* -n; Hüfte *f.* -n; Taille *f.* -n. ¶ ~이 크다 breite Hüften haben; e-n dicken Hintern haben.

엉두덜거리다 brummen; murmeln; murren.

엉두덜엉두덜 brummend; murmelnd.

엉뚱하다, 엉뚱스럽다 außergewöhnlich; ungewöhnlich; überspannt; wunderlich; sonderbar; übertrieben; unsinnig; toll; dumm; schrecklich (sein). ¶ 엉뚱한 값 der unsinnige (phantastische) Preis, -es, -e; Phantasiepreis / 엉뚱한 이야기 e-e dumme Geschichte, -n / 엉뚱한 사람 ein wunderlicher Heiliger*, -n, -n (Kauz, -es, ⸚e); ein überspannter Kopf, -(e)s, ⸚e (Mensch, -en, -en); Sonderling *m.* -s, -e / 엉뚱한 생각 ein wunderlicher (seltsamer; sonderbarer) Einfall, -s, ⸚e / 엉뚱한 계획 ein kühner Plan, -(e)s, ⸚e; ein übertriebener Ehrgeiz, -es, -e (e-e übertriebene Ehrsucht, ⸚e) / 엉뚱한 요구 unsinnige (hohe; übertriebene) Forderungen 《*pl.*》 / 엉뚱한 영화 ein phantastischer Film, -(e)s, -e / 엉뚱한 짓을 하다 unbesonnen (rücksichtslos) handeln.

엉망 Unordnung *f.* -en; Durcheinander *n.* -s; Mischmasch *m.* -s, -e; Verwirrung *f.* -en; Wirrwarr *m.* -s; Ungestalt *f.* -en; Mißgestalt; das Verderben*, -s; Wrack *n.* -(e)s, -e. ¶ ~진창 ＝엉망 / ~이 되다 mißgestaltet (ungestaltet) werden; kaputt|gehen* [s]; in ^{4}Verwirrung (Unordnung; heilloses Durcheinander) gebracht werden / ~을 만들다 verderben*^{4}; ganz kaputt|machen^{4}; alles durcheinander bringen* / 집안이 ~이 되어 있다 Bei ihm zu Hause geht alles drunter u. drüber. | In jenem Hause

steht alles auf dem Kopf. / 계획은 ~이 되었다 Der Plan ist vereitelt geworden.
엉버틈하다 ausgebreitet; breit; weit (sein); in die Breite gehen* ⓢ.
엉성하다 ① 《안 째이다》 locker; lose; dünn; spärlich; grob 《gröber, gröbst》; rauh (sein). ¶ 엉성한 논문 e-e verworrene Abhandlung, -en / 엉성한 머리카락 dünnes (spärliches) Haar, -(e)s, -e / 엉성한 식사 spärliche Mahlzeiten 《pl.》. ② 《탐탁찮다》 unbefriedigend (sein); 《일 등이》 nachlässig; fahrlässig; schlecht (sein). ¶ 일솜씨가 ~ ein schlechter Handwerker sein / 솜씨가 엉성한 ungeschickt; plump.
엉세판 Armut *f.* -en; Ärmlichkeit *f.* -en; Dürftigkeit *f.* -en.
엉엉 heulend; laut weinend; schreiend ¶ ~ 울다 heulen; laut (bitterlich; heftig; herzreißend) weinen; schreien*.
엉엉거리다 ① 《울다》 bitterlich weinen; heftig weinen; heulen. ② 《하소연》 ⁴sich über s-e Lebensnot beklagen.
엉정벙정 in Unordnung sein. ~하다 in Unordnung geraten* ⓢ.
엉클다 durcheinander|bringen*; verwirren*. ¶ 엉클어진 머리 verstrubeltes (wirres; zerzaustes) Haar / 고양이가 내 털실 뭉치를 엉클어 놓았다 Die Katze hat mein Garnknäuel durcheinandergebracht.
엉클어지다 ⁴sich verwickeln (verwirren; verstricken; verfilzen). ¶ 엉클어진 머리카락 wirre (verwirrte; wilde; verfilzte) Haare / 엉클어진 머리로 mit wirren (wilden) Haaren / 엉클어진 실을 풀다 Fäden entwirren / 엉클어진 실마리를 찾아내다 die verwickelten Fäden auf|decken.
엉큼대왕(一大王) Mann 《*m.* -es, ⸚er》 von wilder Entschlußkraft; der undurchsichtige Mensch, -en, -en.
엉큼성큼, 엉큼엉큼 mit langen Schritten. ¶ ~ 걷다 große (lange) Schritte machen.
엉큼하다, 엉큼스럽다 vom verborgenen Ehrgeiz besessen sein; ehrsüchtig; innerlich kühn (verwegen); unsinnig; phantastisch; überschwenglich (sein). ¶ 엉큼한 사람 Ehrgeizling *m.* -s, -e; der Ehrsüchtige*, -n, -n / 엉큼한 생각 ein wunderlicher (sonderbarer; verrückter) Einfall, -s, ⸚e; tolle Einfälle 《*pl.*》; Ehrsucht *f.* ⸚e; ein kühner Plan, -(e)s, ⸚e.
엉키다 verwickelt sein; verworren sein; ineinandergeschlungen sein. ¶ 실이 ~ Fäden sind verwickelt / 일이 ~ Die Sache ist verworren.
엉터리 ① 《빈약·미덥지 못함》 Schwindel *m.* -s; Schund *m.* -(e)s; Kitsch *m.* -es; Trödel *m.* -s. ¶ ~ 회사 Schwindelgesellschaft *f.* -en; Schwindelfirma *f.* ..firmen / ~ 독어 gebrochenes Deutsch / ~ 의사 Quacksalber (Kurpfuscher) *m.* -s, - / 그는 ~다 Er ist ein Stümper (Pfuscher).
② 《대강·윤곽》 Gerüst *n.* -(e)s, -e; Grundlage *f.* -n; Entwurf *m.* -(e)s, ⸚e; Anlage *f.* -n. ¶ 일의 ~가 잡히다 ein Entwurf zu e-m Stück Arbeit (von e-m Stück Arbeit) ist gemacht; für ein Stück Arbeit ist die Grundlage geschaffen.
③ 《터무니》 Grund *m.* -(e)s, ⸚e; Grundlegung *f.* ¶ ~ 없는 수작 grundlose (unbegründete) Bemerkungen 《*pl.*》; dummes (albernes) Zeug / ~ 없는 짓 e-e dumme Sache, -n; e-e dumme (törichte; unsinnige) Handlung, -en / ~ 없는 거짓말이다 Das ist ein reiner Schwindel.¦Das sind lauter Lügen.
엊그저께, 엊그제 vor zwei od. drei Tagen; vor ein paar Tagen.
엊빠르다 ☞ 어지빠르다.
엊저녁 gestern ⁴abend; letzte ⁴nacht; letzten ⁴abend.
엎다 auf den Kopf stellen⁴; um|kehren⁴ (-|drehen⁴; -|wenden⁽*⁾⁴; -|werfen*⁴; -|stoßen*⁴; -|stürzen⁴). ¶ 찻잔을 엎어 놓다 Teetassen auf den Kopf stellen / 성이 나서 밥상을 ~ vor Wut den Eßtisch um|stoßen* / 사나운 물결이 배를 ~ rasende Wellen kippen ein Boot um (kentern ein Boot) / 정부를 ~ e-e Regierung stürzen / 온 집안을 엎어 놓다 das ganze Haus um|kehren.
엎드러뜨리다 *jn.* nach vorn stürzen; *jn.* aufs Gesicht werfen.
엎드러지다 aufs Gesicht fallen*; hin|fallen* ⓢ; zu Boden fallen* ⓢ. ¶ 엎드러지면 코 닿을 데 direkt vor deiner Nase; ganz nahe / 문지방에 걸려서 ~ über eine Schwelle stolpern / 엎드러지면 코 닿을 데에 있다 in Ruf- u. Hörweite sein.
엎드려쏴 〖군사〗 das Schießen* 《-s》 in (auf dem Bauch) liegender Stellung.
‖ ~자세 die auf dem Bauch liegende Stellung, -en.
엎드려팔굽히기 〖체조〗 Liegestütz *m.* -es, -e; Knicksstütz *m.* -es, -e (팔을 굽힌 경우).
엎드리다, 엎디다 platt auf dem Boden liegen*; ⁴sich nieder|werfen* 《vor *jm.*》; nieder|fallen* ⓢ 《vor *jm.*》; auf die Knie fallen* ⓢ 《vor *jm.*》; e-n Fuß¦fall (Knie-) tun* 《vor *jm.*》; auf dem Bauch liegen*. ¶ 왕 앞에 ~ ⁴sich vor dem König (auf die Knie, zu Boden) nieder|werfen* / 엎드려 자다 auf dem Bauch (Magen) schlafen* / 땅에 납작 ~ platt auf dem Boden (auf der Erde) liegen* / 엎드려 용서를 빌다 *jn.* fußfällig um Verzeihung bitten*.
엎어놓다 das Unterste zuoberst kehren.
엎어누르다 niederdrücken; bedrücken; unterdrücken.
엎어지다 ① 《넘어지다》 auf die Füße (zu Boden) fallen* ⓢ; nieder|fallen* (hin|-) ⓢ; auf die Knie sinken* ⓢ; um|fallen* (-|stürzen; -|schlagen*; -|kippen) ⓢ; kentern ⓢ. ¶ 푹 ~ nach vorn(e) hin|fallen* (nieder|-; um|-) ⓢ / 얼음판에 ~ aufs Eis hin|fallen* (nieder|-; um|-) ⓢ / 엎어지면 코 닿을 데서 in Hörweite (Rufweite) / 배가 엎어져 많은 사람이 죽었다 Das Boot kippte (schlug) um und viele sind ertrunken.
② 《계획·체제 따위가》 um|stürzen ⓢ; scheitern ⓢ; stürzen ⓢ. ¶ 계획이 ~ sein Plan scheitert (ist vereitelt worden; ist zu Wasser geworden) / 현정부가 ~ die gegenwärtige Regierung stürzt.
엎지르다 verschütten; vergießen*. ¶ 엎지른 물 das vergossene Wasser, -s / 잔에 든 우유를 ~ Milch aus der Tasse vergießen* / 상에 물을 (우유를) 좀 ~ auf den Tisch etwas Wasser (Milch) vergießen* / 탁자 위에 잉크가 엎질러졌다 Auf dem Tisch ist Tinte verschüttet worden. / 엎지른 물이요 쏘아 논 화살이라 《속담》 Hin ist hin, verloren ist verloren.
엎쳐뵈다 ⁴sich erniedrigen; ⁴sich demütig verbeugen.

엎치다 ☞ 엎다.

엎치락뒤치락 das beständige Auf u. Ab; Rauf u. Runter. ～하다 auf u. ab bewegen; rauf u. runter bewegen. ¶ ～의 경기 der atemberaubende (spannende) Wettkampf, -(e)s, ⸚e / ～의 시소게임 ein harter (heftiger; scharfer) wechselvoller (Wett-) kampf, -es, ⸚e; ein zäher Kampf / 잠이 안 와서 자리에서 몸을 ～했다 Wegen der Schlaflosigkeit wälzte er sich ständig im Bett herum.

엎친데덮치다 weiter vom Unglück verfolgt werden. ¶ 엎친 데 덮치기로 um das Unglück voll zu machen; um allem Unglück die Krone aufzusetzen; um so schlimmer; 《속담》 vom (aus dem) Regen in die Traufe kommen* ⓢ / 불행이 ～ Unglück u. Unglück! ¦ 《속담》 Ein Unglück kommt selten allein. / 엎친 데 덮치기로 그는 지갑도 잃어버렸다 Zu allem Unglück hat er auch noch s-e Brieftasche verloren.

에^1 〖감탄사〗 nun; nun gut; u. dann.

에^2 〖조사〗 ① 《때·시간》 an^3; in^3; um^4; zu^3; gegen^4. ¶ 아침 (오전, 정오, 오후, 저녁)에 am Morgen (Vormittag, Mittag, Nachmittag, Abend) / 밤에 in der Nacht / 한밤중에 um (gegen) Mitternacht / 다섯 시 반에 um halb sechs / 일요일에 am Sonntag / 5월 3일에 am 3. (dritten) Mai / 봄 (여름, 가을, 겨울)에 im Frühling (Sommer, Herbst, Winter) / 8월에 im August / 1978년에 (im Jahre) 1978 (neunzehnhundertachtundsiebzig) / 내일 이 시간에 morgen um diese Zeit / 제 시간에 zur rechten Zeit; rechtzeitig.

② 《나이》 in^3; als; wenn mit. ¶ 나는 일곱 살에 학교에 들어갔다 Im Alter von sieben Jahren (Mit sieben Jahren) ging ich in die Schule.

③ 《장소》 an^3; auf^3; bei^3; in^3; nach^3; zu^3. ¶ 벽 (천정, 문)에 an der Wand, (Decke, Tür) / 방에 im Zimmer / 남북에 im Süden und Norden; von Süden nach Norden hin / 탁자(지붕) 위에 auf dem Tisch (Dach) / 창가(난롯가)에 am Fenster (Ofen) / 바닷가에 an der See; am Meer / 거리에 auf der Straße; in der Straße (동리에) / 시내(도심지)에 in der Stadt (Stadtmitte) / 10면에 auf Seite 10 / 양쪽에 auf beiden Seiten / 정거장에 도착하다 auf dem Bahnhof an|kommen* ⓢ / 집에 있다 (머물다) zu Hause sein (bleiben* ⓢ) / 아주머니 집에 살다 bei der Tante wohnen / 칠판에 글씨를 쓰다 an die (Wand)tafel schreiben*.

④ 《방향》 zu^3; nach^3; an^{34}; auf^{34}; in^{34}. ¶ 신문을 호주머니에 넣다 die Zeitung in die Tasche stecken / 벽에 기대다 an der Wand lehnen / 대학에 가다 zur (in die) Universität gehen* (fahren*) ⓢ (강의받으러); die Universität besuchen (beziehen*)(입학); auf die Universität gehen* ⓢ (진학) / 집에 돌아가다(돌아오다) nach Hause gehen* (kommen*) ⓢ; heim|gehen* (-|kommen*) ⓢ / 전쟁에 나가다 in den Krieg (ins Feld; zu Feld) ziehen* ⓢ / 땅에 떨어지다 zu Boden (auf die Erde) fallen* ⓢ / 할머니 댁에 가다 zur Großmutter gehen* (fahren*) ⓢ.

⑤ 《비인칭 직접목적》 zu^3; nach^3; an^4; auf^4; in^4. ¶ 독일에 짐을 보내다 Gepäcke nach Deutschland schicken (senden*) / 대학에 편지를 쓰다 an die Universität e-n Brief schreiben* / 아들을 상급 학교에 보내다 s-n Sohn auf die höhere Schule schicken (senden*) / 시에 곡을 부치다 ein Gedicht in Musik setzen / 개를 산책에 데리고 가다 e-n Hund spazieren führen.

⑥ 《비율·꼴》 je; für^4; pro^4; per^4; auf^4. ¶ 하루에 두 차례씩 zweimal täglich; zweimal am Tag; zweimal jeden Tag / 한 사람 앞에 für jede Person; pro (per) ^{4}Person (Kopf); auf den Kopf / 밀가루 1 파운드에 달걀 3개 꼴로 drei Eier auf (pro) ein Pfund Mehl / 값은 한 개에 100원씩이다 Es kostet je (pro; per) Stück 100 *Won*. ¦ Es kostet ein ^{4}Stück 100 *Won*. ¦ Es kostet 100 *Won* das ^{4}Stück.

⑦ 《…에 대해·관계》 für^4; gegen^4; zu^3; auf^{34}; mit^3; an^{34}; bei^3; in^{34}; von^3; wie. ¶ 그 아비에 그 아들 wie der Vater, so der Sohn / 그 사람에 관해서 ihn betreffend (angehend); was ihn betrifft (angeht) / 아무의 친절에 감사하다 *jm.* für s-e Freundlichkeit danken (dankbar sein) / 질문에 대답하다 auf e-e Frage antworten; e-e Frage beantworten / 어떤 일에 관계하다 ^{4}sich in e-e Sache verwickeln (verstricken) / 공부하기에 바쁘다 mit der Arbeit beschäftigt sein; fleißig an (bei) der Arbeit sein; eifrig arbeiten / 형에 비하면 그는 거인이다 Gegen s-n Bruder ist er ein Riese.

⑧ 《작인(作因)》 von^3; über^{34}; durch^4; mit^3; nach^3. ¶ 비에 젖다 vom Regen durchnäßt sein (naß werden; feucht werden) / 눈에 덮이다 mit Schnee (be)deckt werden / 총알에 맞다 von e-r Kugel getroffen werden; e-n Schuß bekommen* / 그의 박식에 놀랐다 Ich staunte über s-e tiefe (gründliche) Gelehrsamkeit. / 벽시계에 맞추시오 Stellen Sie Ihre Uhr nach der Wanduhr.

⑨ 《원인·동기》 vor^3; über^4; aus^3; durch^4; wegen^2; weil; da. ¶ 추위(분노)에 떨다 vor Kälte (Wut) zittern / 그 소식에 깜짝 놀랐다 Ich wunderte mich über den Nachricht. / 전동기에 이상이 생겨서 작업은 중단해야만 했다 Wegen e-s Motorschadens mußte die Arbeit eingestellt werden.

⑩ 《목적·의도》 zu^3; für^4. ¶ 놀기에 알맞은 장소 ein Platz 《*m.* -es, -e》 zum Spielen / 기침에 잘 듣는 약 ein Mittel 《*n.* -s, -》 für den Husten / 축연에 초대하다 *jn.* zum Festessen ein|laden*.

⑪ 《매개자》 von^3; durch^4; mit^3. ¶ 경찰에 체포되다 von der Polizei verhaftet werden / 심부름꾼 편에 편지를 보내다 e-n Brief durch e-n Boten schicken (senden*).

⑫ 《열거》 und; und dergleichen (mehr) 《생략: u. dgl. (m.)》; und andere(s) 《생략: u. a.》; und ähnliche(s) 《생략: u. ä.》. ¶ 술에 고기에 잘 먹었다 Ich hatte genug Getränk, Fleisch u. ähnliches.

⑬ 《대조》 mit^3; auf^3; und; im Gegensatz zu ^{3}*et*. ¶ 흰 바탕에 금무늬 e-e Goldfigur 《-en》 auf e-m weißen Vordergrund / 노란 저고리에 다홍 치마를 입었다 Sie trug e-e gelbe Jacke und e-n rosa Rock.

⑭ 《기타》 ¶ 외국 여행에 많은 돈을 드리다 viel Geld für die Auslandsreise auf|wenden(*) / 감기에 걸리다 ^{4}sich erkälten; ^{3}sich e-e Erkältung holen (zu|ziehen*).

에게 〖여격조사〗 zu^3; an^4; für^4; bei^3; von^3; mit^3. ¶ 아들～ 돈을 부치다 s-m Sohn Geld (Geld an s-n Sohn) schicken (senden*) / 우-

리~ 편지를 쓰다 uns (an uns) e-n Brief schreiben*; *jm.* schreiben* / 조카~ 전보를 치다 s-m Neffen telegraphieren (drahten)/ 사장~ 전화를 걸다 s-n Direktor an|rufen*; (mit) s-m Direktor telefonieren / 개~ 물리다 von e-m Hund gebissen werden / 딸~ 자동차를 한 대 사 주다 s-r Tochter e-n Wagen kaufen; für s-e Tochter e-n Wagen kaufen / 그는 나를 그녀~ 안내했다 Er führte mich zu ihr. / 나는 그~ 피아노를 배우고 있다 Ich nehme bei ihm Klavierstunden.¦Ich habe Klavierunterricht bei ihm. / 상세한 것은 모씨~ 문의할 것 Nähere Auskunft ist bei Herrn X zu erfragen.

에게도 auch 《e-r [3]Person》. ¶ 한씨~ 편지를 쓰다 auch [3]Herrn (an [4]Herrn) *Han* schreiben* / 병자~ 흡연을 허용하다 auch dem Kranken das Rauchen erlauben / 아들~ 아내~ 돈을 못 주다 weder dem Sohn noch der Frau Geld geben können* / 병난 사람~ 일을 하게 하다 selbst Kranke arbeiten lassen*.

에게로 〖조사〗 an 《e-e [4]Person》; zu 《e-r [3]Person》. ¶ 아들~ 온 편지 ein an den Sohn geschriebener Brief / 아버지~ 가다 zum Vater gehen* ⓢ / 그 허물이 누구~ 돌아갈까 Auf wen ist dieser Fehler zurückzuführen? / 사랑이 그~ 옮겨 갔다 Ihre Liebe wandte sich ihm zu.

에게서 〖탈격조사〗 von[3]. ¶ 아들~ 편지가 오다 von s-m Sohn e-n Brief bekommen* (erhalten*; empfangen*) / 아버지~도 편지가 없었다 Ich habe auch von m-m Vater k-n Brief bekommen (erhalten; empfangen). / 그 학생은 선생님~ 책을 한 권 선사받았다 Der Schüler hat von s-m Lehrer ein Buch geschenkt (zum Geschenk) bekommen.¦Der Lehrer hat s-m Schüler ein Buch geschenkt. / 그 말을 친구~ 들었다 Ich habe es von m-m Freund erfahren.

에게해(一海) Ägäisches Meer.

에고 Ego *n.* -; Ich *n.* -(s), -(s).
‖ 에고이스트 Egoist *m.* -en, -en. 에고이즘 Egoismus *m.* -. 에고티스트 Egotist *m.* -en, -en. 에고티즘 Egotismus *m.* -.

에구구 ach!; ach Gott!; o weh! ¶ ~ 이거 웬 일이야 Ach, was soll das heißen?

에구데구 《우는 꼴》 laut wehklagend; laut klagend.

에구(머니) ☞ 아이고.

에굽다 ein wenig (leicht) gekrümmt (sein).

에그그 =에끄.

에그(머니) ☞ 아이고.

에끄 ach Gott!; um Gottes willen! ¶ ~ 바위 밑에 뱀이 있네 Um Gottes willen, da ist eine Schlange unter dem Felsen.

에끼 o weh!; o nein!; Gott bewahre!; ach was!; was Sie sagen! ¶ ~ 나쁜 놈 O weh, was für ein böser Mensch du bist! / ~ 그런 말 하지 마라 O nein, sag so was doch nicht!

에끼다 aus|gleichen*; glätten; ebnen; einander an|gleichen*. ¶ 우리 빚을 서로 에낍시다 Gleichen wir unsere Schulden gegeneinander aus.

에나멜 Email [emái(l)] *n.* -s, -s; Emaille [emáljə] *f.* -n; Schmelz *m.* -es, -e; Lack *m.* -(e)s, -e. ¶ ~을 바르다 emaillieren[4]; mit Email (Schmelz) überziehen*[4].
‖ ~가죽 Lackleder *n.* -s, -. ~구두 Lackschuh *m.* -(e)s, -e. ~질(質) Email *n.*; Emaille *f.*; Schmelz *m.*; Lack *m.* ~페인트 Email¦farbe (Lack-; Schmelz-) *f.* -n; Öllack *m.* -(e)s, -e.

에너지 〖물리〗 Energie *f.* -n.
‖ ~량 die Menge der Energie. ~보존 법칙 das Prinzip der Erhaltung der Energie. ~절약 Energieeinsparung *f.* -. ~효율 die Leistung der Energie. 결합~ die bindende Energie. 열~ die Wärmeenergie. 운동~ die Bewegungsenergie. 위치~, 정지~ die potentielle (mögliche) Energie.

에넘느레하다 《어수선하게》 umhergestreut; verstreut (sein).

에누리 ① 《더 부르는 값》 Über¦forderung (-teuerung) *f.* -en. ~하다 mehr fordern als der Preis; überfordern[4]; überteuern[4]. ¶ ~하지 않습니다 Ich überfordere (überteuere) Sie nicht.¦ Ich verlange k-n zu hohen (übertrieben; unsinnigen) Preis.
② 《깎음》 Rabatt *m.* -(e)s, -e; Preisnachlaß *m.* ..lasses, ..lasse (..lässe); Preisermäßigung *f.* -en. ~하다 Rabatt bitten*[4]; 《den Preis》 ermäßigen; billig an|bieten*; 《파는 사람의 입장에서》 Rabatt (Preisermäßigungen 《*pl.*》) geben* (gewähren) 《*jm.*》; billig verkaufen[4]; rabattieren[4]. ¶ ~해서 듣다 nicht wortwörtlich glauben[4]; mit einiger Vorsicht auf|nehmen*[4] (hin|-); alles nicht für bare Münze nehmen* / ~해서 팔다 unter dem Preis (zum ermäßigten Preis) verkaufen (los|schlagen*) / ~는 없읍니다 Feste Preise! (정찰제).
③ 《더 보탬》 Übertreibung *f.* -en. ~하다 übertreiben*[4]. ¶ ~없이 말하지만 um ganz ehrlich zu sein; ich übertreibe nicht, (wenn ich sage...).

에는 〖조사〗 nach[3]; an[34]; in[34]. ¶ 내 보기~, 내 생각~ nach m-r Meinung (Ansicht); m-r Meinung (Ansicht) nach / 신문~ nach der Zeitung / 서울~ 그런 것은 없다 In Seoul gibt es so etwas (was) nicht. / 일요일~ 수업이 없다 Am Sonntag ist k-e Schule.¦ Wir gehen nicht sonntags in die (zur) Schule. / 열 살 때~ 이미 두각을 나타냈다 Als zehnjähriges Kind hat er sich schon hervorgetan.

에다[1] 《도려 내다》 aus|höhlen[4]; aus|kratzen[4]; hohl machen[4]; aus|graben*[4]; aus|schneiden*[4]. ¶ 바가지 속을 ~ e-n (Flaschen)kürbiß (e-e Kürbißflasche) aus|höhlen / 에는 듯한 beißend; schneidend; prickelnd; 《찌르는 듯한》 bohrend; stechend; ätzend; bissig / 살을 에는 듯한 추위 beißende (schneidende; bittere) Kälte / 살을 에는 듯한 아픔 ein prickelnder (stechender) Schmerz, -es, -en / 추위가 살을 에는 듯하다 Die Kälte geht mir durch Mark u. Bein.¦ Es friert Stein u. Bein.

에다[2] 〖조사〗 an[34]; in[34]; auf[34]; gegen[4]; nach[3]. ¶ ~가 =에다[2] / 개~ 돌을 던지다 e-n Stein nach dem Hund (auf den Hund) werfen*; dem Hund e-n Stein zu|werfen* / 그림을 벽~ 걸다 ein Bild an die Wand hängen.

에덴 〖성서〗 Eden *n.* -s.
‖ ~동산 Eden; Garten Eden.

에도 《또한》 nach[3]; an[34]; auf[34]; in[34]; sowohl ... als auch; sowie; auch; noch; sogar; selbst. ¶ 유럽~ 가다 auch nach Europa fahren* ⓢ / 밤~ 못 자다 auch (sogar; selbst) in der Nacht nicht schlafen* (können*) / 일요일엔 극장~ 간다 am Sonntag sowohl (an anderen Ort) als auch ins Theater gehen* ⓢ / 한국~ 미국에도 있다 Wir (Sie) haben in Korea und auch in Amerika. / 독일~ 프랑스에도 없다 Wir haben weder in Deutschland noch in Frankreich. / 농담 ~ 정도가 있는 법이다 Es wird mir zu bunt.

에돌다 zögern; unschlüssig sein; trödeln. ¶ 에돌지 말고 일 좀 해라 Geh an die Arbeit, ohne zu zögern.

에두르다 ① 《둘러막다》 umgeben*[4] 《*mit*³; *von*³》; umschließen*[4]; ein|schließen*[4] 《*von*³》; umringen 《*von*³》. ¶ 집을 울타리로 ~ ein Haus mit e-r Hecke umgeben*. ② 《말을》 Umschweife 《*pl.*》 machen. ¶ 에둘러 mit Umschweifen; auf ³Umwegen; weitschweifig; andeutungsweise; indirekt/ 말을 에둘러 하다 Umschweife machen; auf ³Umwegen sagen; andeutungsweise sprechen*[4].

에뜨거라 ach Gott!; o Gott!; ach du lieber 「Gott!

에라 ① 《체념·실망》 O weh!; O Himmel!; ach mein Gott!; ah!; na nu!; na!; na gut!; nun gut! ¶ ~, 그럼 극장에 가자 Na gut, gehen wir ins Kino. / ~, 그만두겠다 Ah, ich verzichte darauf. ② 《비키랄 때》 weg da!; Mach Platz! ¶ ~ 비켜라 Weg da, geh mir aus dem Wege! ③ 《하지 말라는 뜻으로》 halt!; weg da! ¶ ~, 그걸 그만 둬라 Hör mir damit auf!

에러 Fehler *m.* -s, -; 〖야구〗 *error* 《영어》. ¶ ~를 범하다 e-n Fehler begehen* (machen).

에로 《에로티시즘》 Erotik *f.*; 〖형용사적〗 erotisch; zotig; zotenhaft; schlüpfrig; obszön. ‖ ~문학 Pornographie *f.* -n; Schmutzliteratur *f.* -en. ~사진 ein pornographisches Bild, -(e)s, -er. ~소설 Schmutzroman *m.* -(e)s, -e. ~영화 ein pornographischer Film, -(e)s, -e. ~잡지 e-e pornographische Zeitschrift, -en; Schmutzschrift *f.* -en.

에로스 《사랑의 신》 Eros *m.* -, ..ten.

에루화 《노래에서》 o welche Freude!; o wie schön!; was für e-e Überraschung!

에르하르트 《독일의 정치가》 Ludwig Erhard (1897-1977).

에를리히 《독일의 세균학자》 Paul Ehrlich (1854-1915).

에만 nur; bloß; allein; nichts als. ¶ 그는 다방~ 드나든다 《장소》 Er geht nur zum Teehaus. / 그는 한 가지 일~ 종사하고 있다 《사물》 Er beschäftigt sich nur mit einer Sache.

에메랄드 〖광물〗 Smaragd *m.* -(e)s, -e.

에멜무지로 ① 《시험삼아》 als Probe; probeweise; als Muster. ¶ 그걸 ~ 써보시오 Bitte, benutzen Sie es als Probe! ② 《느슨하게》 lose gebunden sein.

에베레스트 《히말라야의》 Everest *m.* -s; Mount Everest *m.*

에보나이트 Ebonit *n.* -(e)s; Hartkautschuk *m.* (*n.*) -s, -e.

에부수수 ☞ 부수수.

에비 《어린애를 무섭게 할 때》 paß auf!; Gib acht!; Hände (Kopf) weg!

에서 〖조사〗 ① 《장소》 an³; auf³; bei³; in³; zu³. ¶ 한국~ in Korea / 서울~ in Seoul / 거리~ auf der Straße / 시골~ auf dem Land(e) / 시장~ auf dem Markt / 서점~ beim Buchhändler / 대학~ 공부하다 an (auf) der Universität studieren / 집~ 일하다 zu Hause arbeiten / 공원~ 산책하다 im Park spazieren|gehen* ⓢ. ② 《…로부터》 von³; aus³; in³. ※ von은 zu, nach, bis에 대응하는 말로 출발점·기점을 나타내고, aus는 in⁴에 대응하는 말로 「안에서 밖으로」라는 뜻임. ¶ 고향~ 온 편지 der Brief 《-(e)s, -e》 aus der Heimat / 10 살~ 15 살까지의 소년들 Jungen (Knaben) von 10 bis 15 Jahren / 함부르크~ 쾰른을 거쳐 뮌헨까지 von Hamburg über Köln bis (nach) München / 기차~ 내리다 aus dem Zug (aus|)steigen* ⓢ; den Zug verlassen* / 방~ 나오다 aus dem Zimmer kommen* ⓢ / 말(지붕)~ 떨어지다 vom Pferd (Dach) fallen* (herab|fallen*; herunter|fallen*) ⓢ / 10면~ 시작하다 von Seite 10 (an) beginnen* / 해외~ 돌아오다 aus dem Ausland zurück|kehren (-|kommen*) ⓢ / 해는 동쪽~ 떠오른다 Die Sonne geht im Osten auf. ③ 《시간》 von³. ¶ 3시 ~ 5시까지 (von) 3 bis 5 Uhr. ④ 〔주어가 단체〕 ¶ 우리 학교~ 이겼다 Unsere Schule gewann. / 회사~ 나한테 금시계를 하나 주었다 Die Gesellschaft (Firma) gab mir e-e goldene Uhr. ⑤ 《보다》 als; denn. ¶ 이~ 더 큰 사랑은 없느니라 Es gibt k-e größere Liebe als dies(es). ⑥ 《원인·이유·동기》 aus³. ¶ 호기심~ aus Neugier / 숭고한 동기~ 행동하다 aus edlem (hochsinnigem) (Beweg) grund handeln / 오로지 질투심~ 그는 그런 말을 했다 So etwas sagte er bloß aus Eifersucht. ⑦ 《근거·견지》 von³; aus³; unter³. ¶ 사회적 견지~ 보면 von (aus) gesellschaftlichem Gesichtspunkt aus betrachtet.

에서도 〖조사〗 auch aus 《dem Ort》; auch von 《der Sache》. ¶ 회의에는 한국~ 사람이 왔다 Auch aus Korea kamen Konferenzteilnehmer.

에서만 nur 《in, bei, an der ³Sache》. ¶ 한국의 민족혼은 문학~ 엿볼 수 있다 Der Volksgeist Koreas kann nur im Bereich der Dichtung erkannt werden.

에세이 ☞ 엣세이.

에센스 ☞ 엣센스.

에스 ① 《알파벳》 die Buchstabe „S". ② 《화학기호 유황(硫黃)》 S (=Sulfur). ③ 《동성애의》 lesbische Frau, -en; lesbisches Mädchen, -s, -; Lesbe *f.* -n.

에스오에스 《조난 신호》 *SOS* *n.*; *SOS*-Ruf *m.* -(e)s, -e. ¶ ~를 보내다 ein *SOS* (e-n *SOS*-Ruf) ab|senden(*).

에스컬레이터 Rolltreppe *f.* -n.

에스키모 Eskimo *m.* -s, -s. ¶ ~의 eskimoisch. ‖ ~어 Eskimosprache *f.* -n.

에스테르 Ester *m.* -s.

에스페란토 〖언어〗 Esperanto *n.* -(s). ‖ ~주의자, ~사용자 Esperantist *m.* -en, -en.

에스프리 *Esprit* *m.* -s, -s 《불어》; der feine Geist, -(e)s; (Mutter)witz *m.* -es, -e.

에스피레코드 Normalplatte *f.* -n.

에어 Luft *f.* ⸚e. ‖ ~메일(포스트) Luftpost *f.* ~버스 Airbus [ɛ́:əbus] *m.* -es, -se. ~브레이크 Luftbremse *f.* -n. ~쇼 Kunstflug *m.* -(e)s, ⸚e. ~콘디셔너 Klimaanlage *f.* -n. ~포켓 Luftloch *n.* -(e)s, ⸚er; Fallbö *f.* -en.

에우다 ① 《에워싸다》 umringen*; umgeben*; einschließen*. ② 《지우다》 ab|streichen*; aus|tilgen; aus|scheiden*. ¶ 계약서에서 한 조목을 ~ im schriftlichen Vertrag einen

Punkt ausstreichen. ⌈hre, -n.
에우스타키관(一管) 〖해부〗 Eustachische Rö-
에움길 Umweg *m.* -(e)s, -e. ¶ ~로 가다 e-n Umweg machen; auf e-m Umweg gehen* Ⓢ.
에워가다 ① 《둘러 가다》 e-n Umweg machen. ② 《지워 나가다》 ab|streichen*; eliminieren.
에워싸다 umgeben*[4] 《*mit*[3]; *von*[3]》; umringen[4] 《*mit*[3]; *von*[3]》; umschließen*[4]; umstellen[4] 《*von*[3]》. ¶ 집에 담을 ~ ein Haus mit der Mauer umgeben* 〔umstellen〕/ 아이들이 아버지를 ~ die Kinder umringen den Vater (zu Ring) / 강이 삼면에서 성을 ~ der Fluß umschließt 〔umstellt〕 die Burg von drei Seiten / 수많은 사람들이 영화 배우를 ~ zahlreiche Leute umgeben e-n Filmschauspieler.
에의 〖조사〗 zu; nach. ¶ 성공~ 길 der Weg zum Erfolg / 부산~ 길 der Weg nach Busan.
에이레 Eire. ☞ 아일랜드.
에이스 《카드놀이》 As *n.* -ses, -se.
에이커 ein Acker *m.* -s, -.
에이프런 ① 《앞치마》 Schürze *f.* -n. ¶ ~을 걸치다 e-e Schürze tragen. ② 《극장의 앞무대》 Vorbühne *f.* -n.
에이프릴풀 Aprilnarr *m.* -en, -en.
에인젤피시 〖어류〗 Engelfisch *m.* -es, -e.
에잇 zum Teufel (mit dir, ihm, *usw.*)!; (zum) Donnerwetter!; verdammt! ¶ ~ 빌어먹을 Hol's der Teufel!¦《참기 어려울 때》 Zum Kuckuck!
에참 was zum Henker!; zum Teufel!; verdammt!; (zum) Donnerwetter! ¶ ~ 가기 싫다 Zum Teufel, ich will lieber nicht hingehen.
에칭 《작품》 Ätzung *f.* -en; Radierung *f.* -en; 《기술》 Ätz¦kunst 〔Radier-〕 *f.* ⸚e.
에카페 ECAFE [◀the Economic Commission for Asia and the Far East].
에쿠아도르 《남미의 공화국》 Ekuador 〔Ecuador〕 *n.* -s. ¶ ~의 ekuadorianisch 〔ecuadorianisch〕. ‖ ~사람 Ekuadorianer 〔Ecuadorianer〕 *m.* -s, -.
에크 《놀람》 ach Gott!; du lieber Gott!; mein Gott!; o Himmel!; zum Henker! ¶ ~ 큰 일이다 Mein Gott, das ist unmög- ⌊lich!
에테르 Äther *m.* -s.
에토스 Ethos *n.* -.
에튀드 Etüde *f.* -n; Studie *f.* -n.
에트랑제 ① 《외국인》 der Fremde, -n, -n. ② 《국외자》 Außenseiter *m.* -s, -.
에티켓 Etikette *f.* -n; Anstand *m.* -(e)s; feine Sitte, -n; gesellschaftliche Umgangsformen 《*pl.*》. ¶ ~을 지키다 Anstand wahren / ~에 어긋나다 gegen die Etikette verstoßen*.
에틸렌 Äthylen *n.* -s.
에틸알콜 Äthylalkohol *m.* -s, -e.
에펠탑(一塔) der Eiffel-Turm, -(e)s.
에폭 Epoche *f.* -n; Zeitraum *m.* -(e)s, ⸚e. ¶ ~메이킹 epochenmachend; bahnbrechend. ‖ ~메이커 Bahnbrecher *m.* -s, -.
에프엠 FM; Frequenzmodulation *f.* ‖ ~국 FM-Sendestelle *f.* -n. ~방송 FM-Sendung *f.* -en; UKW-Sendung [u:ka:vé:..] *f.* -en. ~수신기 UKW-Empfänger *m.* -s, -.
에피소드 Episode *f.* -n; 《일화》 Anekdote *f.* -n. ¶ 그에게는 많은 ~가 있다 Man erzählt 〔Es gibt〕 viele Anekdoten von ihm.
에필로그 《끝맺는 말》 Epilog *m.* -s, -e.
에헤 《가소로움·기막힐 때》 ach!; ach mein Gott!; o Himmel!; du lieber Gott!
에헴 hm! hem!; hum! ☞ 애햄.
엑스 ① 《미지·미정의 것》 X *n.* -, -; unbekannte Größe, -n; unbestimmte Zahl, -en; das Unbekannte* 〔Unstimmte*〕 -n. ② 《엑스트랙트》 Extrakt *m.* 〔*n.*〕 -(e)s, -e; Auszug *m.* -(e)s, ⸚e; Essenz *f.* -en.
‖ ~(광)선 X-Strahlen 《*pl.*》; Röntgenstrahlen 《*pl.*》: ~(광)선 사진 X-Strahlen¦photographie 〔Röntgen-〕 *f.* -n; Röntgenogramm *n.* -s, -e; Röntgenaufnahme *f.* -n / ~선 전문의(醫) Röntgenologe *m.* -n, -n.
엑스트러 Statist *m.* -en, -en; Komparse *m.* -n, -n; Neben¦person 〔-figur〕 *f.* -en. ¶ ~ 노릇을 하다 e-e Nebenrolle spielen 《in e-m Film》 / ~를 고용하다 e-n Statisten 〔Komparsen〕 dingen(*) 《für e-n Film》.
엑스퍼트 Fachmann *m.* -(e)s, ..leute; Kenner *m.* -s, -; der Sachverständige*, -n, -n 《*in*[3]》.
엑조틱 exotisch; fremd; fremdländisch; ausländisch. ~하다 exotisch; fremdländisch (sein).
엔간하다 《보통》 gewöhnlich; ordentlich; mittelmäßig; durchschnittlich; normal (표준, 정상); 《어지간하다》 nicht wenig; ansehnlich; hübsch; ziemlich; befriedigend; leidlich (sein). ¶ 엔간한 지식 allgemeine Kenntnisse 《*pl.*》 / 그는 엔간히 살고 있다 Er hat sein gutes Auskommen. / 그것은 엔간한 일이 아니었다 Es war gar nicht einfach.¦Das war außerordentlich schwer.
엔굽이치다 [4]sich schlängeln; [4]sich winden. ¶ 내가 산골짜기를 엔굽이쳐 흐른다 Der Bach windet sich durch das Tal.
엔담 Umgebungsmauer *f.* -n.
엔들 〖반어의 뜻을 나타내는 조사〗 warum ... nicht. ¶ 그런 것들이 우리집~ 없으랴 Warum sind solche Dinge nicht bei uns zu finden?
엔조이 Genuß *m.* ..nusses, ..nüsse. ~하다 genießen*. ⌈-s, -.
엔지니어 Ingenieur *m.* -s, -e; Techniker *m.*
엔진 Maschine *f.* -n; Motor *m.* -s, -en. ¶ ~을 걸다 e-e Maschine 〔e-n Motor〕 an|stellen 〔-|lassen*〕; e-e Maschine 〔e-n Motor〕 in Gang 〔Betrieb〕 bringen* 〔setzen〕/ ~을 멈추다 e-e Maschine 〔e-n Motor〕 ab|stellen / ~이 고장나다 e-n Maschinenschaden 〔e-e Motorenpanne〕 haben / ~이 걸렸다 Die Maschine 〔Der Motor〕 ist in Betrieb 〔Gang〕.¦Die Maschine 〔Der Motor〕 läuft. / ~에 이상이 생겼다 Die Maschine 〔Der Motor〕 läuft nicht mehr richtig 〔ist nicht in Ordnung〕.
‖ 가스터빈~ Gasturbinemaschine *f.* -n. 선박용~ Schiffsmaschine *f.* -n. 항공~ Flugmotor *m.* -s, -en.
엔테베 《우간다 수도》 Entebbe.
엔트로피 〖의학·물리〗 Entropie *f.* -n.
엔트리 Buchung 〔Eintragung〕 *f.* -en. ~하다 buchen; in die Liste ein|tragen*; registrieren. ¶ 그는 선수로서 ~되어 있다 Er ist als Spieler in der Liste eingetragen.¦Er ist in der Spielerliste registriert 〔gebucht〕.
엘레지 Elegie *f.* -n; Klagelied *n.* -(e)s, -er. ¶ ~같은 elegisch.
엘렉트라콤플렉스 〖심리〗 Elektra-Komplex

m. -es, -e. ⌈nən].
엘렉트론 〖전자〗 Elektron *n.* -s, -en [..ró:-
엘리베이터 Fahrstuhl *m.* -(e)s, ⁼e; Aufzug *m.* -(e)s, ⁼e; Lift *m.* -(e)s, -e (-s); Personenaufzug *m.* -(e)s, ⁼e; 《화물용》 Lasten¦aufzug (Waren-) *m.* -(e)s, ⁼e. ¶ ~의 버튼 Druckknopf *m.* -(e)s, ⁼e / ~를 타고 올라가다 (내려가다) mit (in) e-m Fahrstuhl (Aufzug) hinauf|fahren*(hinab|-; hinunter-)ⓢ. ‖ ~운전원 《남자》 Fahrstuhl¦führer (Aufzug-) *m.* -s, -; Liftboy *m.* -s, -s; 《여자》 Fahrstuhl¦führerin (Aufzug-) *f.* -nen.
엘리트 《총칭》 Elite *f.* -n; Auslese *f.* -n; Auswahl *f.* -en; Führerschicht *f.* -en 《e-r ²Gesellschaft》; die (wenigen) Ausgewählten* (Ausgelesenen*; Erwählten*) 《*pl.*》; die (wenigen) Besten* 《*pl.*》.
‖ ~ 의식 Elitebewußtsein *n.* -s.
엘베강(一江) 《유럽의 강》 die Elbe.
엘살바도르 El Salvador *n.* -s. ¶ ~의 salvadorianisch.
‖ ~사람 Salvadorianer *m.* -s, -.
엘에스디 LSD; Lysergsäurediäthylamid *n.* -(e)s, -e; ein Halluzinationen 《*pl.*》 erzeugendes Rauschgift, -(e)s, -e.
엘피(레코드) Langspielplatte *f.* -n.
엘피지 LPG; liquides Petroleumgas, -es, -e; das verflüssigte Erdgas.
엠 ① 《알파벳》 die Buchstabe „M". ② 〖문법〗 m. [◀Maskulinum]. ③ 《미터》 m [◀Meter].
엠피 《미육군의 헌병》 M.P. [◀Military Police]; Militärpolizei *f.*
엣세이 〖문학〗 Essay *m.* -s, -s. ⌈heit *f.*
엣센스 《정수(精髓)》 Wesen *n.* -s, -; Wesen-
엥 《짜증 또는 성이 나거나 뉘우칠 때 내는 소리》 o weh!; weh mir!; um Gottes willen!; ach mein Gott!; zum Teufel!
엥겔 《독일 통계학자》 Ernst Engel (1821-96).
‖ ~계수 Engel-Koeffizient *m.* -en, -en; der Anteil 《-s, -e》 der ²Lebensmittelkosten 《*pl.*》 am gesamten Einkommen. ~법칙 das Engelsche Gesetz, -(e)s, -e.
엥겔스 《독일의 경제학자》 Friedrich Engels (1820-95).
여 《암초》 Riff *n.* -(e)s, -e.
여(女) Frau *f.* -en; Weib *n.* -(e)s, -er; Mädchen *n.* -s, -; Magd *f.* ⁼e. ☞ 여자.
-여(餘) 《이상》 mehr als; über⁴; und noch; etwas über⁴; einige; übrig (우수리의). ¶ 백여 명 einhundert und (noch) einige Personen (Menschen); mehr als einhundert Personen (Menschen); über einhundert ⁴Personen (Menschen) / 삼십여 년 über (mehr als) dreißig Jahre / 십여 미터 mehr als zehn Meter, über zehn ⁴Meter.
여가(餘暇) freie Zeit, -en; Muße *f.*; Mußestunde *f.* -n (-zeit *f.* -en); Frei¦zeit *f.* -en (-stunde *f.* -n). ¶ ~의 이용 Freizeitgestaltung *f.* -en / 충분한 ~가 있다 (없다) genügend (k-e) Muße haben, ⁴*et.* zu tun / ~에 독서하다 in s-r freien Zeit lesen* / ~를 이용하다 s-e Frei¦zeit (Zwischen-) benutzen (benützen) / ~가 있으면 찾아 주시오 Wenn Sie Zeit haben (nichts zu tun haben), besuchen Sie mich. ⌈-.
여각(餘角) 〖수학〗 Ergänzungswinkel *m.* -s,
여간(如干) etwas; ein wenig (bißchen); sehr. ¶ ~ 일이 아니다 k-e leichte Sache (Aufgabe) sein / ~ 사람과는 다른 데가 있다 An ihm ist etwas Besonderes.¦Er ist doch e-e eigentümliche Person. / 고생이 ~ 아니었을 게다 Er muß sehr viel darunter gelitten haben. / ~ 일에는 성내지 않는다 Über e-e Kleinigkeit (Wegen e-r Kleinigkeit) gerät er nie(mals) in Zorn. / ~ 주의하지 않으면 안 된다 Sie müssen sehr vorsichtig sein.
여간내기(如干一) =행내기.
여간아닌(如干一) ungemein; außergewöhnlich; ungewöhnlich; außerordentlich; besonder; selten; ausgezeichnet; äußerst; beträchtlich; heftig; schrecklich. ¶ ~ 미인 eine seltene Schönheit, -en / ~ 학자 ein ausgezeichneter Gelehrter, -en, -en / ~ 노력으로 달성하다 ⁴*et.* mit außergewöhnlicher Mühe zustande bringen* / 오늘은 ~ 추위다 Es ist heute furchtbar kalt. / 그는 ~ 재주를 갖고 있다 Er besitzt e-e besondere Gabe. ⌈engefängnisses.
여감(女監) die Aufseherin 《-nen》 e-s Frau-
여객(旅客) 《승객》 Fahrgast *m.* -es, ⁼e; Passagier [pasazí:r] *m.* -s, -e; der Reisende*, -n, -n; 《비행기의》 Fluggast *m.* -es, ⁼e.
‖ ~기 Passagierflugzeug *n.* -(e)s, -e; Verkehrsflugzeug *n.* -(e)s, -e. ~명부 Passagierliste *f.* -n. ~선 Passagier¦schiff (Fahrgast-) *n.* -(e)s, -e; Passagier¦dampfer (Fahrgast-) *m.* -s, -. ~수송 Passagierbeförderung (Fahrgast-; Personen-) *f.* -en (*od.* -transport *m.* -(e)s, -e; -verkehr *m.* -(e)s). ~수하물(手荷物) Passagier¦gepäck (Reise-) *n.* -(e)s, -e; Passagiergut *n.* -(e)s, ⁼er: ~ 수하물 보관소 Gepäck¦aufbewahrungsstelle (-annahme; -aufgabe) *f.* -n. ~안내소 Auskunfts¦stelle *f.* -n (-büro *n.* -s, -s). ~열차 Personenzug *m.* -(e)s, ⁼e; Passagierzug *m.* -(e)s, ⁼e. ~운임 Fahr¦geld *n.* -(e)s, -er (-gebühr *f.* -en; -preis *m.* -(e)s, -e). ~전무 《차장》 Schaffner *m.* -s, -. ~차 Personenwagen *m.* -s, -.
여걸(女傑) Heldin *f.* ..innen; Helden¦weib (Mann-) *n.* -(e)s, -er; Amazone *f.* -n.
여겨듣다 (gut) zu|hören. ¶ 생도가 선생님 말씀을 ~ der Schüler hört dem Lehrer zu / 내가 말하는 것을 여겨들으시오 Hören Sie bitte gut zu, was ich sage. ⌈ten.
여겨보다 genau an|sehen*; genau betrach-
여경(女警) Polizeibeamtin *f.* ..tinnen; Polizistin *f.* ..tinnen.
여경(餘慶) Vergeltung *f.* -en; Belohnung *f.* -en. ¶ 적선(積善)하면 ~이 있기 마련이다 Tugend belohnt sich selbst.
여계(女系) die weibliche Linie, -n 《e-s Geschlechts》; weibliche Geschlechtslinie, -n; Weiberstamm *m.* -(e)s, ⁼e.
여고(女高) Mädchenoberschule *f.* -n; Gymnasium 《*n.* -s, ..sien》 für Mädchen.
여공(女工) Fabrikmädchen *n.* -s, -; Fabrikarbeiterin (Hand-) *f.* ..innen; Arbeiterin *f.* ..innen. ¶ ~을 모집하다 für Arbeiterinnen Reklame machen; Arbeiterinnen durch Reklame suchen.
여공(女功) die Weberei von Frauen.
여과(濾過) 〖물리〗 Filtration *f.* -en; Filtrierung *f.*; Filterung *f.* -en. ~하다 filtrieren⁴; filtern⁴; durchseihen⁴; durchsickern lassen* 《⁴*et.*》. ¶ 불순물을 ~해 내다 die Unreinheiten (Verunreinigungen) filtrieren.
‖ ~기 Filter *m.* (*n.*) -s, -; Filtergerät *n.* -s, -e; Filtrierapparat *m.* -(e)s, -e; Durchseiher *m.* -s, -: ~기로 물을 깨끗이 하다

Wasser mit e-m Filter klären (läutern; reinigen). ~성 병원체(性病原體) Virus *n.* (*m.*) -, ..ren. ~액 Filtrat *n.* -(e)s, -e; Filtricht *n.* -(e)s, -e; filtrierte Flüssigkeit, -en. ~지(池) Filteranlage *f.* -n; Filtrierbassin [..sɛ̃:] *n.* -s, -s. ~지(紙) Filter¦papier (Filtrier-) *n.* -s, -e. ~층(層) Filterschicht *f.* -en (-lager *n.* -s, -); Filtrierschicht *f.* (-lager *n.*).

여관(女官) 『옛제도』 Hofdame *f.* -n; Hoffräulein *n.* -s, - (내전의); Kammer¦frau *f.* -en (-fräulein *n.* -s, -; -dame *f.* -n).

여관(旅館) Hotel *n.* -s, -s; Gasthaus *n.* -es, ⸚er; Gasthof *m.* -(e)s, ⸚e (여인숙). ¶ ~에 들다 in e-m Hotel (Gasthaus) ein|kehren [s] (ab|steigen* [s]; übernachten; Unterkunft finden*) / ~에 묵다 in e-m Gasthaus bleiben* [s] (wohnen) / ~에서 나가다 ^{4}sich ab|melden; ein Hotel (Gasthaus) verlassen* / ~을 경영하다 ein Hotel (Gasthaus) leiten (führen; betreiben*).

‖ ~비 Hotelkosten 《*pl.*》; Hotelrechnung *f.* -en. ~업 Hotelgewerbe *n.* -s, -.

여광(餘光) das Nachglühen*, -s; Nachglanz *m.* -es, -e. ¶ 저녁의 ~ die letzten Sonnenstrahlen 《*pl.*》.

여광(濾光) Filtrierlicht *m.* -(e)s.

‖ ~기, ~판 Lichtfilter *m.* (*n.*) -s, -.

여교사(女教師) Lehrerin *f.* -nen; Erzieherin *f.* -nen; Gouvernante [guvɛr..] *f.* -n (여가정 교사).

여교원(女教員) =여교사.

여구(如舊) wie sonst; wie früher. ~하다 (so gut) wie sonst (immer) (sein).

여국(女國) ① 《전설상의》 das legendäre Frauenland, -(e)s, ⸚er. ② 《남자 없는 땅》 Frauenland *n.*; das männerlose Land.

여국(與國) die verbündete Nation, -en; der Verbündete*, -n, -n.

여군(女軍) ① 《여자 군인》 Soldatin *f.* -nen. ② 《여군단》 das Korps [ko:r] 《- [ko:rs], - [ko:rs]》 der Frauenarmee.

여권(女權) Frauenrechte 《*pl.*》; die Rechte 《*pl.*》 der ^{2}Frauen; 《여성 참정권》 Frauenstimmrecht *n.* -(e)s, -e.

‖ ~론, ~주의 Feminismus *m.* -, ..men: ~ (신장)론자 Feminist *m.* -en, -en; Frauenrechtler *m.* -s, -; 《여자》 Frauenrechtlerin *f.* -nen. ~신장 Erweiterung 《*f.* -en》 der ^{2}Frauenrechte.

여권(旅券) (Reise)paß *m.* ..passes, ..pässe. ¶ ~을 신청하다 e-n (Reise)paß beantragen 《beantragte, beantragt》; ^{3}sich e-n (Reise-)paß ausstellen lassen* / ~을 교부하다 e-n (Reise)paß ausstellen 《*jm.*》; mit e-m (Reise)paß versehen* 《*jn.*》 / ~을 교부받다 e-n (Reise)paß ausgestellt bekommen* / ~의 기한을 연장 (갱신) 받다 ^{3}sich e-n (Reise)paß verlängern (erneuern) lassen* / ~을 검사하다 e-n (Reise)paß kontrollieren (prüfen) / ~을 제시하다 den (Reise)paß vor|zeigen 《*jm.*》 / ~의 기한이 끝나다 der (Reise)paß läuft ab / ~이 무효가 되다 der (Reise)paß wird ungültig.

‖ ~사증(査證) Visum *n.* -s, ..sa; Sichtvermerk *m.* -(e)s, -e: ~ 사증을 받다 ^{3}sich s-n (Reise)paß visieren lassen*. 관용~ ein amtlicher (Reise)paß, ..asses, ..ässe. 외교관~ Diplomaten(reise)paß *m.*

여급(女給) 《급사》 (Dienst)mädchen *n.* -s, -; 《접대부》 Kellnerin *f.* ...innen; Aufwärterin *f.* ..innen.

여기 hier; dieser Punkt, -(e)s, -e; dieser Ort, -(e)s, -e; diese Stelle, -n. ¶ ~서 hier; an diesem Ort; an dieser Stelle / ~까지 bis an diesen Ort; bis zu dieser Stelle; bis hierher / ~부터 von hier (ab; an; aus; weg); von hinnen; von diesem Punkt / ~ 있는 제 친구 mein Freund hier / ~ 어디에 hier herum; hier in der Nähe / ~서만 이야기하지만 unter ^{3}uns (gesagt) / ~가 어디입니까 Wo ist hier? ¦ Wo bin ich (sind wir) jetzt? / 돈이 필요한가, ~ 있네 Willst du Geld haben? Hier (nimm)! / 내가 돌아올 때까지 ~ 있어라 Du bleibst hier, bis ich zurückkomme. / ~서 먼가 Ist es weit von hier? / 오늘은 ~까지 합시다 《교실에서》 Schluß für heute! ¦ So weit (viel) für heute! / ~서는 못 들어 본 이름이다 Der Name ist hierorts (hier bei uns) nicht bekannt.

여기(餘技) Steckenpferd *n.* -(e)s, -e; Nebenbeschäftigung (Lieblings-) *f.* -en; Liebhaberei *f.* -en; Hobby *n.* -s, -s.

여기다 denken*^{4}; meinen^{4}; glauben; wähnen^{4}; ^{4}*et.* für ^{4}*et.* halten*; ^{4}*et* als (für) ^{4}*et.* an|sehen* (hin|nehmen*); ^{4}*et.* als ^{4}*et.* betrachten (behandeln); in ^{3}*et.* erblicken^{4}; 《의아·의심》 ^{4}sich wundern 《*über*^{4}》; zweifeln 《*an*^{3}》; bezweifeln^{4}. ¶ 나쁘게 ~ *jm.* ^{4}*et.* übel|nehmen^{4} / 좋게 ~ viel halten* 《*von*^{3}》 / 심각하게 ~ ernst nehmen* / 돈을 천하게 ~ Geld als gering behandeln / 자명한 것으로 ~ als selbstverständlich hin|nehmen*^{4}; für erwiesen halten*^{4} / 아무를 바보로 ~ *jn.* für e-n Narren (dumm) halten*; *jn.* als (für) e-n Narren (dumm) an|sehen* (betrachten); in *jm.* e-n Narren erblicken / 그를 불쌍히 여긴다 Ich bedauere ihn. ¦ Ich habe (empfinde) mit ihm Mitleid.

여기자(女記者) (Zeitungs)berichterstatterin *f.* -nen; Zeitungsschreiberin *f.* -nen; der weibliche Journalist, -en, -en.

여기저기 hier u. dort (da); hie u. da; von Ort zu Ort; an gewissen ^{3}Stellen; stellenweise; hin u. her; auf u. ab; 《모든 곳》 überall; nach allen Richtungen. ¶ ~서 von allen Seiten; von nah u. fern / ~ 여행하다 umher|reisen (herum|-) [s]; von Ort zu Ort reisen [s] / ~ 뒤지다 in allen Winkeln u. Ecken suchen / ~ 빚이 있다 viele Schulden haben / ~서 모이다 von u. fern zusammen|strömen [s].

여뀌 『식물』 Knöterich *m.* -(e)s, -e; *Persicaria Hydropiper* var. *vulgaris* (학명).

여낙낙하다 freundlich u. heiter (sein).

여난(女難) Gefahr 《*f.* -en》 durch Frauen (Weiber); Sorgen 《*pl.*》 (Kummer *m.* -s; Scherei *f.* -en; Unglück *n.* -(e)s) durch Frauen (Weiber).

여남은 etwas über zehn; etwas mehr als zehn; etwa ein Dutzend. ¶ 연필 ~ 자루 ein Dutzend von Bleistiften / ~ 사람 ein Dutzend Menschen.

여년(餘年) =여생.

여년묵다 viele Jahre alt sein. ¶ 여년묵은 고목(枯木) ein uralter Baum, -s, ⸚e.

여념(餘念) Zerstreutheit *f.* -en; Zerstreuung *f.*; andere Gedanken 《*pl.*》. ¶ ~ 없다 auf ^{4}*et.* versessen sein; versunken (vertieft) sein 《*in*^{4}》; ^{4}sich beschäftigen 《*mit*^{3}》; ^{4}sich vertiefen 《*in*^{4}》; ^{4}sich widmen^{3}; ^{4}sich hin|geben^{3}*; auf ^{4}*et.* s-e Aufmerksamkeit richten; auf|gehen*[s] 《*in*^{3}》/ ~ 없이 mit Ernst;

mit Eifer; von ganzem Herzen mit Leib und Seele / 그는 공부에 ～이 없다 Er studiert von ganzem Herzen (mit Leib und Seele). | Er widmet sich dem Studium.

여느 ① 《보통의》 normal; gewöhnlich; alltäglich; üblich; herkömmlich; allgemein. ¶그는 ～ 사람과 다르다 Er unterscheidet sich von normalen Menschen. ② 《그 밖의 다른》 anders; verschieden.

여느때 sonst. ¶～의 《평상의》 gewöhnlich; 《매일의》 alltäglich; 《보통의》 allgemein; üblich; 《습관적》 gewöhnlich / ～와 같이 wie gewöhnlich (sonst) / ～ 같으면 sonst / 그는 ～보다 일찍 왔다 Er kam früher als sonst. / 모든 것은 ～나 다름이 없다 Es ist alles wie sonst.

여단(旅團) 〖군사〗 Brigade *f.* -n. ¶～을 편성하다 e-e Brigade auf|stellen.

‖～장 Brigadegeneral *m.* -s, -e; Brigadeführer *m.* -s, - (-chef [..ʃɛf] *m.* -s, -s; Kommandeur [..dø:r] *m.* -s, -e); Brigadier [..dje:] *m.* -s, -s. 혼성～ die gemischte Brigade, -n.

여닫다 öffnen und schließen*.

여닫이 ① 《열고 닫음》 das Öffnen* u. Schließen*, des - u. -s; das Auf- u. Zuschließen*, des - u. -s. ② 《내리닫이》 Schiebetür *f.* -en; Schiebefenster *n.* -s, -.

여담(餘談) ein anderes Gesprächsthema, -s, ..men; Abschweifung *f.* -en; Exkurs *m.* -es, -e. ¶～을 하다 vom Thema (Gegenstand) ab|schweifen Ⓢ / ～이지만 nebenbei bemerkt; übrigens / ～은 그만두고 um zur Sache (zu unserem Thema) zurückzukommen.

여당(與黨) Regierungspartei *f.* -en. ¶～(측)의 ministerial / ～측 의원 Ministeralisten 《*pl.*》 / 준(準)～ Scheinregierungspartei *f.*

여당(餘黨) der Rest des Banditen; der Überrest der Räuber; der Rest e-r verbrecherischen Gruppe.

여대(女大) ① 《종합대학 규모》 Frauenuniversität *f.* -en. ② 《단과대학 규모》 Frauenhochschule *f.* -en.

‖～생 Studentin *f.* -nen; die Studentin an e-r Frauenuniversität (Frauenhochschule).

여덕(餘德) der nachhaltige Einfluß 《..usses, ..üsse》 (die Nachwirkung, -en) e-r großen Tugend. ¶선조의 ～ der Einfluß (die Nachwirkung) s-r Vorfahren.

여덟 acht. ¶～ 번(의) achtmal(ig) / ～ 시(경)에 um (gegen) acht Uhr/～째 der (die; das) achte* / ～ 살 때 어머니를 여의었다 Als ich acht Jahre war, verlor ich m-e Mutter.

여덟팔자(一八字) der „八"-förmige Buchstabe, -ns, -n. ¶이마에 ～를 그리다 die Stirn runzeln; die Stirn in Falten ziehen* (legen) / ～ 걸음 Spreizschritt *m.* -(e)s, -e.

-여도 ¶아무리 노력하여도 so sehr man sich angestrengt; mag man sich anstrengen, wie man will (wolle).

여독(旅毒) ＝노독(路毒).

여독(餘毒) Nachwehen 《*pl.*》; die üble Nachwirkung, -en. ¶～에 시달리다 an ³Nachwehen leiden*; üble Nachwirkungen über ⁴sich ergehen lassen müssen*.

여동 〖불교〗 die Beiseitelegen des ersten Löffels Reis beim Essen.

‖～밥 der erste Löffel Reis, den der buddhistische Mönch beim Essen beiseitelegt.

여동(女童) ＝계집애.

여동생(女同生) die jüngere Schwester, -n.

여드레 ① 《여덟 날》 acht Tage. ② 《초여드레》 der achte (8.). ¶5월 초여드렛날 d. 8. Mai; 8. Mai.

여드름 Pustel *f.* -n; Pickel *m.* -s, -; Finne *f.* -n; Akne *f.* -n. ¶～이 나다 es bilden sich Pusteln (Pickel) auf dem Gesicht; Akne haben / ～난 얼굴 ein pickeliges (finniges) Gesicht, -(e)s, -er / ～을 짜다 e-e Pustel aus|pressen.

여든 achtzig. ¶～째 der (das; die) achtzigste / ～이 넘다 über achtzig sein / 그는 나이 ～이다 Er ist achtzig Jahre alt.

여든대다 unvernünftig handeln; ⁴sich gedankenlos verhalten*.

여들없다 plump; tölpisch; unbeholfen; ungeschickt (sein).

여듭 das acht Jahre alte Pferd, -(e)s, -e; der acht Jahre alte Ochse, -n, -n.

여등(汝等) 《너희들》 ihr.

여등(余等) 《우리들》 wir.

여래(如來) 〖불교〗 Buddha *m.* -s.

여러 mehrere; viel; verschieden; manigfach (-faltig). ¶～ 사람 mehrere Leute (Menschen); allerlei (allerhand) Leute (Menschen) / ～ 학교 viele Schulen; verschiedene Schulen.

여러가지 allerlei 〖무변화〗; allerhand 〖무변화〗; verschieden(artig); mannigfaltig; mannigfach. ¶～ 이유로 aus verschiedenen (mehreren) ³Gründen / ～ 인간 verschiedene (allerlei; allerhand) Menschen / ～ 상품 verschiedene (verschiedenartige) Waren (Güter) / ～ 물건 allerei (allerhand) Dinge (Sachen) / 크기가 ～인 신발 Schuhe 《*pl.*》 verschiedener Größe / ～로 시도해 보다 jedes mögliche Mittel versuchen / ～ 하고 싶은 얘기가 많다 viel zu erzählen haben / 오늘은 아직 할 일이 ～ 있다 Ich habe heute noch viel zu tun. / 장미꽃에는 ～가 있다 Es gibt verschiedenartige Rosen. / 그는 세상에서 ～ 고초를 겪었다 Er hat sich in der Welt versucht. / 모자, 넥타이 기타 ～를 샀읍니다 Ich habe e-n Hut, e-e Krawatte u. dergleichen (ähnliches) gekauft.

여러날 viele Tage; mehrere (einige) Tage. ¶～째 비가 내린다 Seit einigen Tagen regnet es.

여러달 viele Monate; mehrere (einige) Monate. ¶그는 ～째 행방 불명이다 Seit mehreren Monaten ist er vermißt.

여러대(一代) viele (mehrere; einige) Generationen. ¶이 가족은 ～째 서울에서 산다 Seit vielen Generationen lebt diese Familie in Seoul.

여러모로 in mancher (mancherlei) Weise. ¶～ 시도하다 in mancher Weise versuchen, ⁴*et.* zu tun.

여러번(一番) einige (etliche) Male 《*pl.*》; manchmal; öfters; 〖부사적〗 oft; einmal über das andere; häufig; 《되풀이해서》 immer wieder; zu wiederholten Malen; wiederholt.

여러분 hohe Herrschaften; Sie alle; jedermann; m-e Damen u. Herren; m-e Herrschaften; m-e Herren (제군). ¶신사 숙녀 ～ M-e Damen u. Herren! | M-e Herrschaften! / 친애하는 ～ M-e lieben Freunde! / 동지 ～ Genossinnen u. Genossen!

여러해 viele Jahre; mehrere (einige) Jahre. ¶나도 인제 ～ 살지 못한다 Ich habe auch nicht mehr viele Jahre zu leben. / ~ 동안 우리는 만나지 못했다 Wir haben uns viele Jahre nicht gesehen.

여러해살이(풀) 〖식물〗 die ausdauernde (mehrjährige) Pflanze, -n.

여럿 sehr viel; zahlreich; viel; viele Leute (Menschen). ¶ 그렇게 생각하는 사람이 ~이다 Viele (Leute; Menschen) glauben so. / ~이 그 시험에 낙제했다 Viele sind in der Prüfung (im Examen) durchgefallen.

여력(餘力) Überkraft *f.* ⸗e; Überschuß an ³Kraft (Energie); 《돈의》 Geldvorrat *m.* -(e)s, ⸗e. ¶ ~이 충분히 있다 genügend Energie (Kraft; Geld) haben (besitzen*); e-n Überschuß an ³Energie (³Kraft; ³Geldmittel) haben (besitzen*) / ~이 다 되었다 Er ist am Ende s-r Kräfte. ¦ Er hat k-e Kraft mehr.

여로(旅路) Reise¦weg *m.* -(e)s, -e (-route [..ru:tə] *f.* -n); Reise *f.* -n. ¶ 먼 ~ e-e weite (lange) Reise / ~에서 auf der ³Reise.

여록(餘祿) der zusätzliche Gewinn, -(e)s, -e.

여록(餘錄) die Aufzeichnung 《-en》 der weiteren Tatsachen.

여론(餘論) Ergänzungsdiskussion *f.* -en; die Diskussion über Nebensächlichkeiten.

여론(輿論) die öffentliche (allgemeine) Meinung, -en; die vorherrschende Meinung, -en; die Meinung 《-en》 der ²Allgemeinheit (²Leute; ²Masse); Volksmeinung *f.* -en; 《일반 감정》 die Gesinnung 《-en》 der ²Allgemeinheit. ¶ ~의 동향 Pendel¦bewegung *f.* -en (-schlag *m.* -(e)s, ⸗e; -schwingung *f.* -en; -schwung *m.* -(e)s, ⸗e) / ~에 귀를 기울이다 auf die Richtungen (Tendenzen) der öffentlichen ²Meinung acht¦geben* / ~에 호소하다 ⁴sich an die öffentliche Meinung (Öffentlichkeit) wenden⁽*⁾; an das Volk appelieren / ~을 두려워하다 die Öffentlichkeit scheuen / ~을 무시하다 die öffentliche Meinung heraus¦fordern / ~을 존중하다 auf öffentliche Meinung (die Öffentlichkeit) Rücksicht nehmen* / ~을 살피다 die öffentliche Meinung erforschen / ~을 좇다 dem Gebot der öffentlichen Meinung gehorchen; in Übereinstimmung mit der öffentlichen Meinung handeln / ~을 불러일으키다 die öffentliche Meinung erregen (hervor¦rufen*); die Gesinnung der ²Allgemeinheit erregen / ~은 그 정책에 반대(찬성)하고 있다 Die öffentliche Meinung ist gegen (für) die Politik.

‖ ~비판 das Forum 《-s, -s (..ra)》 der ²Öffentlichkeit. ~조사 Meinungsforschung *f.* -en; Demoskopie *f.* -n; 《앙케트》 Meinungsumfrage *f.* -n; Rundfrage: ~ 조사원 der Umfragende*, -n, -n / ~ 조사에서 질문받은 사람 der Befragte*, -n, -n / ~을 조사하다 (Meinungs)umfrage halten*.

여류(女流) Frauen 《*pl.*》; das schöne (schwache; weibliche; zarte) Geschlecht, -(e)s -er; Blaustrumpf *m.* -(e)s, ⸗e; Frauenwelt *f.* -en.

‖ ~문학가 Schriftstellerin *f.* -nen; Blaustrumpf *m.* -(e)s, ⸗e. ~비행사 Fliegerin *f.* -nen; Flugzeugführerin *f.* -nen; Pilotin *f.* -nen. ~소설가 Romanschriftstellerin *f.* -nen. ~시인 Dichterin *f.* -nen. ~작가 Schriftstellerin *f.* -nen; Dichterin *f.* -nen. ~화가 Malerin *f.* -nen.

여름 Sommer *m.* -s, -; Sommerzeit *f.* -en. ¶ ~(용)의 Sommer-; sommerlich / ~에 im Sommer; sommers / ~다운 sommerlich / ~ 동안 während des Sommers / ~내 den ganzen Sommer (lang; hindurch) / 초(한) ~ Vor¦sommer (Hoch-) *m.* -s, - / 늦~ Nach¦sommer (Spät-); Altweibersommer *m.* -s, - / ~을 지내다 den Sommer verbringen* (verleben); auf der (Sommer-)weide sein (가축이) / ~에는 해가 길다 Im Sommer sind die Tage lang.

‖ ~방학 Sommerferien 《*pl.*》; die großen Ferien 《*pl.*》. ~옷, ~살이 Sommerkleid *n.* -(e)s, -er; Sommerkleidung *f.* -en. ~철 Sommer *m.* -s, -; Sommerzeit *f.* -en; Sommermonate 《*pl.*》.

여름밀감(一蜜柑) 〖식물〗 Sommermandarine *f.* -n; *Citrus aurantium* var. *sinensis* (학명).

여름타다 empfindlich gegen die Sommerhitze sein; unter der Sommerhitze leiden*. ¶ 여름을 타지 않는다 Er ist nicht empfindlich gegen die Sommerhitze.

여리꾼 《손님 끄는》 Anreißer *m.* -s, -; Marktschreier *m.* -s, -.

여리다 ① 《연하다》 sanft; weich; mild; lind; zart (sein). ¶ 여린 고기 zartes Fleisch, -es / 여린 소리 die sanfte Stimme, -n. ② 《조금 모자라다》 dürftig; knapp; mangelhaft (sein). ¶ 옷 한 벌 짓는 데는 감이 ~ Das Material ist zu knapp, um ein Kleid daraus zu machen.

여린뼈 Knorpel *m.* -s, -.

여립켜다 Kunden an¦locken.

여마리꾼 Spion *m.* -s, -e; Agent *m.* -en, -en; Spitzel *m.* -s, -.

여망(餘望) die letzte Hoffnung, -en.

여망(輿望) Beliebtheit *f.*; Volksgunst *f.* -en (⸗e); das Vertrauen (Zutrauen; Ansehen)* -s. ¶ 국민의 ~을 지다 das allgemeine Vertrauen des Volkes genießen*; ⁴sich allgemeiner ²Beliebtheit des Volkes erfreuen.

여맥(餘脈) ① 《남아 있는 맥》 der letzte Pulsschlag, -(e)s, ⸗e. ② 《힘이 없고 허울만 남아 있는 일》 letzte Kraft.

여명(餘命) der Rest 《-es, -e》 s-s Lebenszeit; übrige Tage 《*pl.*》 s-s Lebens. ¶ ~이 얼마 남지 않았다 S-e Tage sind (S-e Lebenszeit ist) gezählt. ¦ Er ist nahe am Tode. ¦ Er steht mit e-m Fuß im Grabe. ¦ Er pfeift auf dem letzten Loch.

여명(黎明) Tagesanbruch *m.* -(e)s, ⸗e; Morgen¦dämmerung *f.* -en (-grauen *n.* -s); Frühe *f.* (새벽). ¶ ~에 bei Tagesanbruch in der Morgendämmerung; in aller Frühe.

‖ ~기 Anbruch *m.* -(e)s, ⸗e; Anfang *m.* -(e)s, ⸗e: 새 시대의 ~기 der Anbruch e-r neuen Zeit (Epoche) / 문예 부흥의 ~기 der Anbruch der Renaissance / 역사의 ~기에 in grauer Vorzeit. ~문학 die Literatur 《-en》 beim Anbruch e-s neuen Zeitalters.

여모 〖건축〗 das Brett 《-(e)s, -er》, das die Kanten von Sparren bedeckt.

여모(女帽) ① 《쓰는 모자》 Damen¦hut (Frauen-) *m.* -(e)s, ⸗e. ② 《여자의 주검을 염할 때 머리 싸는 베》 das Hanftuch, in das man vor dem Begräbnis den Kopf e-s weiblichen Leichnams hüllt.

여무(女巫) Schamanin *f.* -nen.

여무지다 ① 《단단하다》 hart; kräftig (sein). ¶ 여무진 나무 hartes Holz. ② 《영악하다》 klug; tüchtig; scharfsinnig; tatkräftig; vorsichtig (sein). ¶ 여무진 사람 der kluge

Mensch, -en, -en / 그는 일을 여무지게 한다 Er arbeitet tüchtig.

여물¹ 《마소의》 (Trocken)futter *n.* -s; Viehfutter (Pferde-; Ochsen-) *n.* -s; Furage [furá:ʒə] *f*; Heu *n.* -(e)s. ¶ 말(소)에게 ~을 주다 ein Pferd (e-n Ochsen) füttern 《*mit*³》; e-m Pferd (e-m Ochsen) Futter geben* (reichen).

‖ ~죽 das gesottene Viehfutter, -s. ~통 Futtertrog *m.* -(e)s, ⸚e; Krippe *f.* -n.

여물² 《우물》 das etwas salzige Brunnenwasser, -s, -; brackiges Wasser.

여물다 reifen; reif sein; heran|wachsen; mündig sein. ¶ 여문 사람 e-e reife Persönlichkeit / 일이 잘 여물었다 Die Pläne sind gut ausgereift. / 벼(보리)가 여물었다 Reis (Graupen) hat (haben) gereift.

여미다 ordnen⁴; zurecht|machen. ¶ 옷깃을 ~ sein Kleid ordnen (zurecht|machen); den Saum (mit der Hand) zusammenhalten.*

여반장(如反掌) e-e leichte Aufgabe, -n. ¶ ~이다 sehr leicht sein; e-e leichte Aufgabe sein; ³sich nichts machen 《aus ³*et.*》 / 저런 일쯤은 ~이다 Das ist sehr leicht (e-e leichte Sache).

여배우(女俳優) Schauspielerin *f.* -nen.

‖ ~양성소 die Ausbildungsanstalt (Schulungsanstalt) 《-en》 für Schauspielerinnen. ~지원자 e-e aussichtsreiche Schauspielerin, -nen. 영화~ Film¦schauspielerin (-diva *f.* -s (..ven); -star *m.* -s, -s).

여백(餘白) ein unausgefüllter Raum, -(e)s, ⸚e; Platz *m.* -es, ⸚e; Rand *m.* -(e)s, ⸚er (난외); Zwischenraum *m.* -(e)s, ⸚e (중간 여백, 행간). ¶ ~에 am Rande / ~을 메우는 기사 Lückenbüßer *m.* -s, -; Füllsel *n.* -s, - / ~을 남기다 e-n Platz (Zwischenraum) lassen* / ~을 메우다 den leeren Raum aus|füllen.

여벌(餘一) ① 《대수롭지 않은 것》 Nebensache *f.* -n. ② 《따로 남는 것》 Überrest *m.* -es, -e. ③ 《필요할 때 쓸 대치품》 Ersatz *m.* -es. ¶ 옷의 ~이 없다 k-e Kleider zum Wechseln haben / ~로 일하다 Überstunden machen / 아이들한테 연필을 하나씩 주고서도 ~이 있다 Obwohl ich jedem der Kinder e-n Bleistift gegeben habe, sind noch ein paar übrig.

여병(餘病) =합병증(合併症).

여보 ① 《남을 부를 때》 hallo!; hör' mal!; heda!; warte mal!; sagen Sie mal!; entschuldigen Sie!; verzeihen Sie!; einen Augenblick bitte!; e-n Moment bitte!; mein Herr!; meine Dame! ② 《부부간의》 (mein) Liebling!; (mein) Schatz!; (mein) Schätzchen!

여보게 ☞ 여보 ①.

여보세요 ① =여보①. ¶ ~ 물어 볼 말씀이 있읍니다 Entschuldigen Sie, ich habe e-e Frage an Sie. / ~, 좋은 생각이 있읍니다 Wissen Sie was? Ich habe e-e schöne Idee! ② 《전화에서》 hallo!; heda! ¶ ~ 누구시죠 — 길동이요 Hallo! Mit wem spreche ich? — *Gildong* spricht. / ~ 쾰른 853 번 부탁합니다 Bitte verbinden Sie mich mit Köln 853 (acht fünf drei). / ~ 잘못 걸렸읍니다 《접속이 잘못되었을 경우》 Falsch verbunden!

여복(女服) Damen¦kleid (Frauen-) *n.* -(e)s, -er.

여부(與否) Zu- u. Absage *f.* - u. -n; das Ja u. (das) Nein, des - u. (des) -. ¶ ~(가) 없다 Es kann nicht die Rede davon sein.¦ Es ist e-e Selbstverständlichkeit. / 그 사실 ~를 모르겠다 Ich weiß nicht, ob es wahr ist oder nicht. / 한 손으로 이 돌을 들 수 있겠나 — ~ 없지 Kannst du diesen Stein mit e-r Hand heben? — Selbstverständlich!

여북 in großem (hohem) Maße; beträchtlich; außerordentlich; äußerst; sehr. ¶ 그의 설움이 ~하겠나 Er muß sehr traurig sein/ ~ 배 고프겠나 Du mußt sehr äußerst großen Hunger haben / 그이가 이것을 들으면 ~ 좋아할까 Wie froh er über diese Nachricht sein wird!

여분(餘分) Überbleibsel *n.* -s, -; Rest *m.* -es, -e; Überschuß *m.* ..schusses, ..schüsse; Übermaß *n.* -es, -e; das Übrige*, -n. ¶ ~의 Extra-; überschüssig; überzählig, Über-; Mehr-; überflüssig; überzählig / ~이 없다 k-n Rest haben / ~의 돈을 가지고 있다 Ich habe etwas Spargeld (überschüssige Gelder). / 돈이 ~으로 든다 Das kostet extra.

여비(旅費) Reisekosten 《*pl.*》; Reisegeld *n.* -(e)s; 《수당》 Reise¦spesen (-gelden) 《*pl.*》. ¶ ~를 지급하다 Reisespesen bewilligen 《*jm.*》 / ~는 자기 부담이다 jeder muß s-e eigenen Reisekosten / 독일까지의 왕복 ~는 얼마입니까 Wieviel kostet die Reise nach Deutschland u. Rück?

여사(女史) ① 《명망 있는》 e-e gelehrte Frau, -en; 《이름에 붙여》 Frau; Madame (기혼); Fräulein (미혼). ¶ 김~ Frau (Madame) *Kim.* ② 《아어(雅語)》 =부인(夫人).

여사(如斯) =여차(如此).

여사무원(女事務員) die Büroangestellte*, -n, -n; Bürofräulein *n.* -s, -.

여상(女相) der Mann mit einem weibischen Gesicht.

여상하다(如上一) wie oben.

여색(女色) ① 《미색》 weibliche Schönheit; Frauenreiz *m.* -es, -e; 《미인》 e-e schöne Frau, -en; die Schöne*, -n, -n. ¶ ~에 빠지다 von Frauen (e-r Frau) verblendet werden; ⁴sich geschlechtlichen Ausschweifungen hin|geben* / ~에 혹하다 vom Reiz e-r Frau bezaubert werden.

② 《색욕》 Wollust *f.* ⸚e; geschlechtliche (fleischliche) Lüste (Begierden) 《*pl.*》; Sinnlichkeit *f.* -en. ¶ ~을 삼가다 ³Frauen (e-r ³Frau) fern|bleiben*Ⓢ / ~을 좋아하다 wollüstig (geil) sein.

③ 《육체적 관계》 Geschlechtsverkehr (geschlechtlicher Verkehr, -s) mit e-r Frau.

여생(餘生) der Rest 《-(e)s, -e》 s-s Lebens. ¶ ~을 교육에 바치다 den Rest s-s Lebens der ³Erziehung widmen / 그는 ~을 시골에서 보냈다 Er verbrachte s-e letzten Jahre auf dem Land(e).

여서(女婿) Schwiegersohn *m.* -(e)s, ⸚e; der Ehemann 《-(e)s, ⸚er》 der Tochter; Tochtermann *m.* -(e)s, ⸚er.

여섯 sechs. ¶ 여섯째(의) der (das, die) Sechste*.

여성(女性) Frau *f.* -en; Weib *n.* -(e)s, -er; 《총칭》 Frauenschaft *f.* -en; Weiblichkeit *f.*; -en; das weibliche (schöne; schwache; zarte) Geschlecht, -(e)s, -er; Frauentum *n.* -s, ⸚er; 〖문법〗 das weibliche Geschlecht, -(e)s, -er; Femininum *n.* -s, ..na. ¶ 현대~ moderne (heutige) Frauen; Frauen 《*pl.*》 von heute / ~적 frauenhaft; weiblich; fraulich; weibisch; 《연약한》 weich; zart.

‖ ~관 Frauen¦anschauung (-ansicht) *f.*

-en. ~교육 Frauen¦erziehung (-bildung) *f.* -en; Mädchenerziehung *f.* ~난(欄) Damenkolumne *f.* -n. ~명사 《문법》 weibliches Substantiv -s, -e (Hauptwort, -(e)s, ⸗er); Femininum *n.* ~문제 Frauenfrage *f.* -n. ~미 weibliche Schönheit. ~복 Damen¦kleid (Frauen-) *n.* -(e)s, -er. ~어 Frauensprache *f.* -n. ~잡지 Frauenzeitschrift *f.* -en. ~찬미자 der Verehrer 《-s, -》 des Frauengeschlechts. ~참정권 Frauenstimmrecht (-wahlrecht) *n.* -(e)s, -e. ~팀 Damenmannschaft *f.* -en. ~합창 Frauenchor *m.* -s, ⸗e. ~해방 Frauenemanzipation *f.* -en: ~ 해방론 Feminismus *m.* -, ..men. ~(해방)운동 Frauenbewegung *f.* -en. ~혐오자 Frauen¦hasser (Weiber-) *m.* -s, -; Frauen¦feind (Weiber-) *m.* -(e)s, -e.

여성(女聲) Frauenstimme *f.* -n; die weibliche Stimme, -n.
‖ ~합창 Frauenchor *m.* (*n.*) -s, -e (⸗e).

여세(餘勢) überschüssige Energie, -n (Kraft, ⸗e); ein Überschuß 《*m.* ..usses, ..schüsse》 an ³Kraft. ¶ ~를 몰아서 getragen von überschüssiger ³Kraft; im Schwung (Überschwang) der ²Tat.

여송연(呂宋煙) Zigarre *f.* -n (von Luzon). ¶ ~을 피우다 e-e Zigarre rauchen.

여수(女囚) die Gefangene*, -n, -n; der weibliche Sträfling (Häftling) -(e)s, ⸗e; Zuchthäuslerin *f.* -nen.

여수(旅愁) Einsamkeit 《*f.*》 auf der Reise; die Melancholie (Trauer) 《-n》 e-s Reisenden*; die wehmütige Reise, -n. ¶ ~를 느끼다 Melancholie auf der Reise fühlen; während e-r Reise vom Heimweh heimgesucht werden / ~를 달래다 von den Eintönigkeiten e-r Reise ab|lenken; die eintönige Stimmung während e-r Reise unterbrechen* (auf|lockern).

여수(與受) das Geben und Nehmen. ~하다 geben* und erhalten*. ⌈-e(r).

여수(餘數) Restzahl *f.* -en; Überrest *m.* -es,

여수기(濾水機) Wasser¦filter (-seiher) *m.* -s, -.

여술(女一) Frauen¦löffel (Damen-) *m.* -s, -.

여습 das sechs Jahre alte Pferd, -(e)s, -e; der sechs Jahre alte Ochse, -n, -n.

여습(餘習) das Überbleibsel (die Spuren 《*pl.*》; die Reste 《*pl.*》) alter Gewohnheit(en) (alter Bräuche; alter Sitten). ¶ 봉건시대의 ~ der aus der Feudalzeit stammende Brauch, -(e)s, ⸗e.

여승(女僧) die buddhistische Nonne, -n. ¶ 그녀는 절에서 ~으로서 살고 있다 Im buddhistischen Tempel lebt sie als Nonne.

여식(女息) Tochter *f.* ⸗.

여신(女神) Göttin *f.* -nen. ¶ 자유의 ~ Freiheitsgöttin *f.*

여신(餘燼) Glimmer *m.* -s, -; 《화재의》 der Glimmer des Schadenfeuers (der Feuerbrunst).

여실(如實) In Übereinstimmung (Einklang) mit der Wirklichkeit (Realität) stehen*; Naturtreue *f.*; Lebendigkeit *f.* ~하다 wie wirklich; lebendig (sein). ¶ ~히 wirklichkeits¦treu(-nah); natur¦getreu (wahrheits-); wahrheitsgemäß; lebendig; so wie es wirklich (in Wirklichkeit) ist; in s-r wahren (wirklichen) Gestalt / ~히 말하다 e-n lebhaften (anschaulichen) Bericht erstatten 《über ⁴*et.*》/ 인물을 ~히 그리다 s-n Charakter nach dem Leben (der Natur) zeichnen (ab|bilden)/인생을 ~히 그리다 das Leben in s-r nackten (reinen) Wahrheit dar|stellen / 소련의 실정을 ~히 보여 주다 e-n wahren Spiegel der gegenwärtigen Sachlage in der Sowjet Union zeigen.

여심(女心) Frauen¦herz (Weiber-) *n.* -ens, -en; Frauensinn *m.* -(e)s, -e; 《처녀의》 Mädchenstimmung *f.* -en.

여아(女兒) das kleine Mädchen, -s, -; s-e Tochter, ⸗.

여암 《건축》 die an der Dachrinne befestigte Barre, -n.

여압복(與壓服) das gepreßte Kleid, -(e)s, -er; Druckanzug *m.* -(e)s, ⸗e. ⌈-n.

여앙(餘殃) Vergeltung *f.* -en; Revanche *f.*

여액(餘厄) die letzte Rest e-s Unglücks; der Restteil e-s Mißgeschicks.

여액(餘額) Restbetrag *m.* -(e)s, ⸗e.

여열(餘熱) 《남은 열》 überschüssige Hitze (Wärme); 《오래 가는》 aufgespeicherte (anhaltende) Hitze (Wärme); 《병 뒤에 남은》 langwieriges Fieber, -s, -.

여염(餘炎) ① 《불》 Glimmer *m.* -s, -. ② 《더위》 die drückende Sommerhitze, -n.

여염(閭閻) 《서민 사회》 die bürgerliche Gesellschaft, -en; die angesehenen Leute.
‖ ~집 das bürgerliche Haus, -es, ⸗er; die bürgerliche Familie, -n; 《장사 등을 하지 않는 여느 살림집》 Privatwohnung *f.* -en; Privathaus *n.* -es, ⸗er: ~집 부녀 Frauen und Töchter angesehener Leute.

여왕(女王) Königin *f.* -nen; die regierende Königin, -nen (군주). ¶ ~ 같은 wie e-e Königin / ~ 엘리자베드 2세 Königin Elisabeth II / 영국 ~ 빅토리아 Victoria, Königin von England / 오월의 ~ Maikönigin *f.* -nen / 사교계의 ~ e-e Königin 《-nen》 der ²Gesellschaft.
‖ ~개미 Ameisenkönigin *f.* -nen. ~국 Königintum *n.* -s; Königinreich *n.* -(e)s, -e. ~벌 Bienenkönigin *f.* -nen; Weisel *m.* -s, -.

여우 Fuchs *m.* -es, ⸗e; 《암컷》 Füchsin *f.* -nen; 《사람》 Schlau¦kopf *m.* -(e)s, ⸗e (-meier *m.* -s, -); ein alter (schlauer) Fuchs, -es, ⸗e; e-e (alte) Hexe, -n. ¶ ~ 같다 fuchsig (fuchsähnlich; schlau; listig) sein / ~같이 얄밉다 verhaßt sein, wie ein schlauer Fuchs / ~에 홀리다 vom Fuchs besessen (bezaubert; betrogen) werden / 마치 ~에 홀린 듯하다 Mir ist, als ob (wenn) ich den Verstand verloren hätte. ¦Ich bin sprachlos vor Verwunderung. / ~가 울다 Ein Fuchs bellt (kläfft).
‖ ~굴 Fuchsbau *m.* -(e)s, -e; Fuchs¦grube (-höhle *f.* -n; -loch *n.* -(e)s, ⸗er). ~꼬리 Fuchsschwanz *m.* -es, ⸗e. ~모피 Fuchsbalg *m.* -(e)s, ⸗e (-pelz *m.* -es, -e). ~볕 kurz (knapper) Sonnenschein an e-m wolkigen (bewölkten; wolkenbedeckten) Tag(e); unterbrochener (abwechselnder) Sonnenschein: ~볕이 나다 die Sonne kommt an e-m wolkigen Tag(e) einige Minuten heraus. ~비 ein unterbrochener Regen, -s; ein abwechselnder (Regen)schauer, -s, -. ~사냥 Fuchsjagd *f.* -en. ~털 목도리 Fuchspelz *m.* -es, -e.

여우(女優) ☞ 여배우.

여우(如右) wie rechts; wie oben. ~하다 wie rechts sein; wie oben gesagt.

여운(餘韻) 《운치》 Nachklang *m.* -(e)s, ⸗e;

Nachhall *m.* -(e)s, -e; 《영향》 gute Nachwirkung 《-en》 e-s Verstorbenen*; nachhaltige Wirkung, -en; Nachwirkung *f.* -en; 《함축》 Bedeutung *f.* -en; Wichtigkeit *f.*; 《여음》 Nachklang *m.* -(e)s, ⸚e; Nachhall *m.* -(e)s, -e. ¶ ~이 있는 nachklingend; andeutend; vieldeutig; inhalt(s)reich / ~이 많은 voll Andeutung 〔Hinweis〕.

여울 Stromschnelle *f.* -n; Untiefe *f.* -n; der reißende Strom -(e)s, ⸚e; 《얕은》 Furt *f.* -en; Sandbank *f.* ⸚e. ¶ ~을 건너다 e-e Stromschnelle durchwatten. ‖ ~목 der Hals 《-es, ⸚e》 der Stromschnelle.

여위다 mager 〔dünn; schlank〕 werden; ab|magern Ⓢ; Fett verlieren*; ab|nehmen* (몸무게가 줄다); [4]sich ab|zehren(소모); [4]sich ab|härmen (심로로); 《살림이》 verarmen Ⓢ. ¶ 여윈 mager; abgemagert; abgezehrt; 《피로하여서》 abgespannt; angegriffen; abgehärmt (심로로) / 여윈 얼굴 ein eingefallenes Gesicht, -es, ⸚er / 여윈 볼 hohle 〔eingefallene〕 Backen 《*pl.*》 / 그는 여위어서 뼈만 앙상하다 Er ist ein wahres Gerippe.¦Er ist zum Skelett abgemagert. / 오랜 병으로 5킬로그램이나 여위었다 Ich habe wegen der Krankheit fünf Kilogramm abgenommen 〔verloren〕. / 여위어서 뼈와 가죽만 남았다 Er ist nur noch 〔bloß noch; nichts als〕 Haut u. Knochen.

여윈잠 der schlechte Schlaf, -(e)s. ¶ ~을 자다 schlecht schlafen*; e-n schlechten Schlaf haben.

여유(餘裕) ① 《넉넉함》 Überfluß *m.* ..flusses, ..flüsse (과잉); Überschuß *m.* ..schusses, ..schüsse (잉여); 《여지》 (Spiel)raum *m.* -(e)s, ⸚e; Spiel *n.* -(e)s, -e; 《경비 따위의》 Überschuß *m.* ..schusses, ..schüsse; Zuschuß *m.* ..schusses, ..schüsse; 《시간의》 Zeit *f.* ¶ 돈의 ~ Geldvorrat *m.* -(e)s, ⸚e; überschüssige Gelder 《*pl.*》 / 시간의 ~ Zeit (übrig) / 시간의 ~가 없다 k-e Zeit haben; [4]es eilig haben; knapp mit der Zeit sein/ ~가 있다 Überfluß 〔Überschuß〕 haben 《*an*[3]》; im Vorrat haben 〔halten*〕; übrig haben; 《돈에》 Geldvorrat 〔übriges Geld〕 haben / 시간 ~만 충분하면 wenn ich nur genug Zeit habe 〔hätte〕 / 넉넉히(약간) ~를 두다 genügenden *od.* aus reichenden 〔reichlich〕 Spielraum lassen* / 활동할 만한 ~를 주다 *jm.* freies Spiel lassen* 〔gewähren〕/ 아직 자동차를 살 만한 ~가 없다 E-n Wagen kann ich mir noch nicht leisten. / 15분의 ~를 두자 Gönnen wir uns fünfzehn Minuten mehr!¦Lassen wir uns fünfzehn Spielraum! / 나에게 3주간의 ~를 주오 Geben Sie mir e-n Spielraum von drei Wochen! / 바빠서 휴가를 가질 ~도 없다 Ich bin zu geschäftig, um Urlaub zu nehmen. / 다섯 사람이 들어갈 만한 ~가 있다 Wir haben genug Platz für fünf Personen.
② 《마음의》 Gemütsruhe *f.*; Gelassenheit *f.*; Fassung *f.* -en. ¶ 아주 ~ 만만하게 in aller (Gemüts)ruhe / ~를 지니다 die Fassung bewahren 〔nicht verlieren*〕 / ~를 잃다 aus der Fassung geraten* 〔kommen*〕 ⌊Ⓢ.

여의(女醫) ☞ 여의사.

여의(如意) wie man wünscht 〔will〕. ~찮다 [4]sich nicht nach *js.* Willen fügen.
‖ ~주(珠) 〖불교〗 die Zauberperle, die den Besitzer allmächtig macht.

여의다 ① 《잃다·죽다》 verlieren* 《*jn.*》. ¶ 아버지를 ~ s-n Vater verlieren* / 어려서 어머니를 ~ s-e Mutter in s-r Kindheit 〔als Kind〕 verlieren* / 자식을 ~ s-n Sohn überleben; länger als sein Sohn leben. ② 《보내다》 fort|schicken[4] 〔weg|-〕; fort|senden*[4] 〔weg|-〕. ¶ 딸을 시골〔도시〕로 멀리 ~ s-e Tochter weit weg aufs Land 〔in die Stadt〕 heiraten.

여의사(女醫師) Ärztin *f.* -nen; der weibliche Arzt, -es, ⸚e.

여인(女人) die (verheiratete) Frau, -en; Weib *n.* -(e)s, -er.
‖ ~금제(禁制) Zutritt für Frauen verboten sein; 《게시》 Zutritt für Frauen verboten!; Frauen dürfen hier nicht herein!: 그 절은 ~ 금제이다 Der Tempel ist für Frauen gesperrt. ~천하 Weiber¦herrschaft 〔Frauen-〕 *f.* -en; Pantoffel *m.* -s, -n; Weiber¦regierung *f.* -en 〔-regiment *n.* -(e)s, -e; -reich *n.* -(e)s, -e〕. ⌈-n, -n.

여인(麗人) Schönheit *f.* -en; die Schöne*,

여인숙(旅人宿) Gasthof *m.* -(e)s, ⸚e; Herberge *f.* -n. ¶ 싸구려 ~ ein billiger Gasthof, -(e)s, ⸚e; Herberge 〔Penne 《속어》〕 *f.* -n.

여일(如一) Beständigkeit *f.* -en; Gleichmäßigkeit *f.* -en; Stetigkeit *f.* -en; Unveränderlichkeit *f.* -en. ~하다 beständig; gleichmäßig; stetig; unveränderlich (sein). ¶ 그는 시종 ~하게 열심히 일한다 Er arbeitet mit beständigem Fleiß. / 그의 애국심은 ~하다 Sein Patriotismus ist unveränderlich.

여자(女子) Frau *f.* -en; Weib *n.* -(e)s, -er; Mädchen *n.* -s, -; 《총칭》 das schöne 〔weibliche; schwache; zarte〕 Geschlecht, -(e)s, -er; 《애인》 Liebchen *n.* -s, -; Mädchen *n.* -s, -; 《정부》 die Geliebte*, -n, -n; Herzchen *n.* -s, -. ¶ ~ 같다 weiblich 〔frauenhaft; fraulich〕 sein; [4]sich weiblich benehmen*/ ~용의 Frauen-; Damen-; zum Damengebrauch / ~ 같은 남자 Weibling *m.* -s, -e/ ~답지 않은 unweiblich; unfraulich / 남자 못잖은 ~ e-e männliche Frau, -en; Mannweib *n.* -(e)s, -er; Unweib *n.*; Amazone *f.* -n / ~다움 Fraulichkeit *f.*; Weiblichkeit *f.* / ~만의 모임 Frauengesellschaft *f.* -en; Kaffeeklatsch *m.* -es, -e 《구어》 / ~다운 여자 e-e echte Frau, -en / 성적 매력이 있는 ~ e-e Frau 《-en》 mit Sex-Appeal / ~에 무르다 e-e Schwäche 〔Vorliebe〕 für Frauen haben / ~에 빠지다 in e-e Frau (ganz) verliebt 〔vernarrt〕 sein / 그 ~는 ~다운 데가 없다 Sie hat nichts Weibliches an [3]sich. / 그는 천성이 ~를 싫어한다 Er ist von Natur aus ein Frauenfeind 〔Weiberhasser〕. / 약한 자여 그대 이름은 ~이니라 Schwachheit, dein Name ist Weib!
‖ ~감독 Aufseherin *f.* -nen; Werkführerin 〔-leiterin〕 *f.* -nen. ~고등 학교 Mädchengymnasium *n.* -s, ..nasien; höhere Mädchenschule *f.* -n; Oberschule 《*f.* -n》 für Mädchen. ~대학 Frauenhochschule *f.* -n: ~대학생 Studentin *f.* -nen. ~손님 Damenbesuch *m.* -(e)s, -e. ~점원 Verkäuferin *f.* -nen; Laden¦mädchen *n.* -s, - 〔-mamsell *f.* -en〕. ~주인 《주부》 Hausfrau *f.* -en; Hausherrin *f.* -nen; 《요리집 따위의》 Wirtin *f.* -nen; Gastgeberin *f.* -nen. ~중학교 Mittelschule 《*f.* -n》 für Mädchen. ~친구 Freundin *f.* -nen; der weibliche Freund, -(e)s, -e. ~호주

(戶主) Haus¦herrin *f.* -nen (-frau *f.* -en).

여장(女裝) die weibliche Tracht, -en; Damen¦kleid (Frauen-) *n.* -(e)s, -er; Damenkleidung (Frauen-) *f.* -en; Damen¦tracht (Frauen-) *f.* -en. ~하다 ein Damen¦kleid (Frauen-) tragen* (an|ziehen*; an|legen) ※ anziehen, anlegen은 동작을 나타내어 「입다」의 뜻이지만, tragen은 상태를 나타내어 「입고 있다」의 뜻; ⁴sich als Frau (Dame) verkleiden; ⁴sich als Frauenperson maskieren. ¶ ~한 남자 der Mann ⟪-(e)s, ⸚er⟫ in weiblicher Tracht; der wie e-e Frau (Dame) aufgeputzte Mann.

여장(旅裝) Reise¦anzug *m.* -(e)s, ⸚e (의복) (-ausrüstung *f.* -en (장비)). ¶ ~을 꾸리다 e-e Reise vor|bereiten; ⁴sich reisefertig machen; Vorbereitungen zu e-r Reise treffen*; ⁴sich zu e-r Reise fertig machen; ⁴sich mit nötigem Reisebedarf versehen* / ~을 풀다 ³sich nach der Reise aus|ruhen; im Hotel (Gasthaus) ab|-steigen*Ⓢ (ein|kehren Ⓢ).

여장부(女丈夫) =여걸(女傑).

여재(餘財) sein überschüssiges Vermögen, -s, -; ⟪저금⟫ zurückgelegtes Geld, -(e)s, -er; Spargeld *n.* -(e)s, -er.

여전하다(如前—) wie früher; wie sonst (gewöhnlich); wie immer; nach wie vor (sein); noch immer (immer noch) sein; unverändert bleiben* Ⓢ. ¶ 여전히 noch immer (immer noch); wie gewöhnlich (sonst; immer); nach wie vor; wie früher / 여전히 게으르다 so faul wie früher / 그 노인은 아직도 기력이 ~ Der alte Mann ist nach wie vor auf der Höhe. / 그 사람은 여전히 골골거리고 있다 Er ist wie sonst immer kränklich. / 그 여자는 여전히 아름답다 Sie ist noch immer (immer noch) schön. / 그의 운명은 여전히 수수께끼로 남아 있다 Sein Schicksal bleibt noch ein Rätsel. / 그는 여전히 가난하다 Er ist so arm wie sonst (früher).

여점원(女店員) Ladenmädchen *n.* -s, -; Verkäuferin *f.* -nen.

여정(旅情) das einsame (matte; müde; erschöpfte) Herz ⟪-ens, -en⟫ e-s Reisenden*. ☞ 여수(旅愁).

여정(旅程) Reiseroute [..ru:tə] *f.* -n; Reiseweg *m.* -(e)s, -e; Reisestrecke *f.*; Reise *f.* -n. ¶ 하루의 ~ e-e Tagereise, -n.

여정하다 fast gleich; ganz ähnlich (sein).

여제(女弟) die jüngere Schwester, -n.

여제(女帝) Kaiserin (Herrscherin) *f.* -nen; Regentin *f.* -nen (여자 통치자).

여존남비(女尊男卑) Weiber¦regiment (Pantoffel-) *n.* -(e)s (*od.* -herrschaft *f.*); die Vorherrschaft des schönen Geschlechts; die Sitte, die Frauen vor den Männern zu bevorzugen. ¶ ~의 나라 Frauenparadies *n.* -es, -e.

여종(女—) Sklavin *f.* -nen.

여좌(如左) wie links; wie unten. ~하다 wie links; wie unten; wie in der Folge ausgeführt (sein).

여죄(餘罪) andere Straftaten ⟪*pl.*⟫. ¶ ~를 추궁하다 noch andere Straftaten unter|-suchen / 그는 또 ~가 있을 듯하다 Er ist noch anderer Straftaten verdächtig.

여주 〖식물〗 eine Art Kürbis ⟪*m.* -ses, -se⟫; *Momordica charantia* (학명).

여주인공(女主人公) Heldin *f.* -nen; Protagonistin *f.* -nen.

여줄가리 ① ⟪부가물⟫ Beiwerk *n.* -(e)s, -e; Anhang *m.* -(e)s, ⸚e. ② ⟪부수적으로 생긴 대단치 않는 일⟫ die unwesentliche Begleiterscheinung, -en.

여중군자(女中君子) Tugendheldin *f.* -nen; eine Frau mit vielen Tugenden; die echte Dame, -n.

여중호걸(女中豪傑) Amazone *f.* -n; die heroische (heldische; heldenhafte) Frau, -en.

여증(餘症) ① ⟪후유증⟫ das bleibende Symptom e-r Krankheit. ② ⟪병발증⟫ Komplikation *f.* -en; Sekundärinfektion *f.* -en.

여지(荔枝) 〖식물〗 =여주.

여지(餘地) (Spiel)raum *m.* -(e)s, ⸚e. ¶ 발전의 ~ Möglichkeit ⟪*f.*⟫, sich zu bessern / 말할 ~가 없다 das läßt kein Argument zu; klar (deutlich) sein / 이미 고려할 ~는 없다 Zur Überlegung bleibt kein Raum mehr. / 의심할 ~가 없다 k-e Spur von Verdacht (von Zweifel); Es liegt nichts vor, was e-n Verdacht erwecken könnte. / 그대의 선의는 의심의 ~가 없다 Es ist (besteht) kein Zweifel an d-m guten Willen. / 토의의 ~는 아직 있다 Es bleibt noch viel zu diskutieren übrig. / 변명의 ~가 없다 Es ist gar keine Entschuldigung möglich. / A대학 팀은 ~ 없이 참패했다 Die Mannschaft von der A-Universität wurde völlig geschlagen. / 활동의 ~가 충분하다 Da bleibt ein genügender (ausreichender) Spielraum vorhanden. / 조금도 비난할 ~가 없다 Es ist tadel¦frei (vorwurfs-; einwand-; -los).

여지껏 =여태(까지).

여진(餘震) Nachbeben *n.* -s, -.

여질(女姪) Nichte *f.* -n.

여짓거리다 zu sprechen zögern. ¶ 그는 여짓거리며 말한다 Er spricht zögernd.

여짓여짓 ein zögerndes Verhalten beim Sprechen. ¶ 그는 ~한다 Er zögert zu sprechen.

여쭈다 *jn.* fragen ⟪in erhabener Form⟫ ⁴sich erkundigen ⟪*nach*³⟫. ¶ 여쭈어 보다 *jn.* um ⁴Rat (s-e Meinung) fragen; *jn.* konsultieren / 안부를 여쭈어 보다 ⁴sich nach *js.* ³Befinden erkundigen / 좀 여쭤 보겠는데요 Entschuldigen Sie, darf ich Sie etwas fragen? ¦ Ich möchte (würde) Sie gerne etwas fragen.

여차 ¶ ~하면 im letzten (entscheidenden) Augenblick (Moment); in der ³Not; im Notfall / ~한 경우에 대비하다 ⁴sich auf (für) die Zeit der Not vor|bereiten.

여차(如此) so u. so; der u. der ※ 흔히 지시 대명사 der, die, das를 und로 연결해서 되풀이한다. ¶ ~(여차)하다 so u. so sein / ~한 이유로 aus dem u. dem Grunde; unter den u. den Umständen.

여차장(女車掌) Schaffnerin *f.* -nen.

여창(女唱) ① ⟪여자의 가창⟫ Frauengesang *m.* -(e)s, ⸚e. ② ⟪남자가 여자의 음조로 부르는 일⟫ ein Gesang, in dem ein Mann eine der Frau zugerechnete Partie singt; männlicher Sopran, -s.

여청(女—) ① ⟪여자 소리⟫ Frauenstimme *f.* -n. ② =여창(女唱)②.

여축(餘蓄) Ersparnis *f.* -se; erspartes Geld, -(e)s, -er; 〖속어〗 Spargroschen *m.* -s, -; Sparpfennig *m.* -(e)s, -e (영세한). ~하다 sparen⁴; zurück|behalten*⁴; auf|heben*⁴. ¶ ~이 좀 있다 etwas Ersparnisse haben /

한푼의 ~도 없다 k-n Sparpfennig haben.

여치 〖곤충〗 eine Art Grille《*f.* -n》; *Gampsocleis ussuriensis* (학명).

여타(餘他) das Andere* 〔Übrige*〕 -n; die Anderen《*pl.*》. ¶ ~의 ander; übrig.

여탈(與奪) das Geben und Nehmen. ‖ ~권 die Macht, zu geben und zu nehmen.

여탐 Beratung mit Älteren; Konsultation mit Älteren. ~하다 [4]sich mit Älteren《über [4]*et.*》beraten*; den Älteren zu Rate ziehen*; den Älteren um Rat fragen.
‖ ~굿 das schamanistische Ritual, durch das man verstorbenen Vorfahren wichtige familiäre Angelegenheiten mitteilt.

여탕(女湯) die Frauen-Abteilung e-s öffentlichen Bads.

여태(까지) bisher; bis dato 〔heute; jetzt; zu diesem Augenblick; zu dieser Zeit〕; bislang. ¶ ~ 없었던 일 noch nicht dagewesenes Ereignis, -se; einmaliges Ereignis / ~ 그런 사람은 만난 일이 없다 Ich habe noch nie in m-m Leben so e-n Menschen getroffen. / ~ 편지를 쓰고 있었다 Bis jetzt war ich beim Briefschreiben. / 그한테서 ~ 소식이 없다 Von ihm habe ich bis jetzt nichts gehört. / ~ 어디 갔었니 Wo bist du die ganze Zeit gewesen? / 이런 일은 ~ 없었던 일이다 So etwas hat's bis jetzt nicht gegeben.

여택(餘澤) bleibender Segen, -s, -; hinterlassene 〔zurückgelassene〕 Leistung, -en 〔Gnade, -n〕.

여투다 sparen; geizen; beiseite|legen. ¶ 후일을 위해 여툰다 Er spart für die Zukunft.

여트막하다, 여틈하다 ☞ 야틈하다.

여파(餘波) ①《풍파 뒤의》Nachwirkung *f.* -en; Folge *f.* -n. ¶ 태풍의 ~로 파도가 높다 Wegen des vorbeigehenden Taifuns sind die Wellen hoch.
②《영향》Einfluß *m.* ..flusses, ..flüsse. ¶ 경제적 공황의 ~ Folgen 〔Nebenwirkungen〕 der Wirtschaftskrise / …의 ~를 받다 beeinflußt werden《*von*[3]》/ ~는 현재까지 미치고 있다 Die Nachwirkungen sind bis jetzt spürbar.

여편네 e-e verheiratete Frau, -en; Weib *n.* -(e)s, -er;《아내》Ehefrau *f.*

여폐(餘弊) das alte Übel, -s, -.

여풍(餘風) die überlieferte Sitte, -n; der überlieferte Brauch, -(e)s, ⸚e.

여필(女筆) die weibliche Handschrift, -en. ¶ 이것은 ~이다 Das ist eine weibliche Handschrift.

여필종부(女必從夫) „Frauen müssen ihren Männern folgen" (=Frauen sollten sich unterordnen).

여하(如何) wie; wie (sehr) auch immer; was immer. ~하다 wie es ist. ¶ ~한 이유로 aus welchen Gründen; warum/~한 부자라도 wie reich er ist / ~한 경우라도 auf jeden Fall / …의 ~에 달려 있다 ab|hangen 〔ab|hängen〕《*von*[3]》; mitbestimmt werden《*von*[3]》/ 그것은 사정 ~에 달려 있다 Das ist von den jeweiligen Umständen abhängig. / 가느냐 안가느냐는 날씨 ~에 따른다 Ob wir gehen oder nicht, hängt vom Wetter ab. / 그것은 결과 ~에 따라서 결정할 일이다 Das muß dem Resultat gemäß entschieden werden.

여하간(如何間) immerhin; auf jeden Fall; jedenfalls. ☞ 어쨌든.

여하튼(如何—) ① auf alle Fälle; durchaus; komme, was da wolle; um jeden Preis; unter allen Umständen; was du auch getan hast. ¶ ~ 그는 위대한 인물이다 Auf alle Fälle ist er e-e große Persönlichkeit. / ~ 처분합시다 Ich will es um jeden Preis erledigen./~ 전쟁은 이겨야 한다 E-n Krieg muß man um jeden Preis gewinnen. / 비가 올지도 모르나 ~ 나가겠다 Es kann regnen, aber auf jeden Fall will ich ausgehen. / ~ 너는 와야 된다 Auf jeden Fall mußt du kommen.
②《부정의 경우》keines¦falls 〔keinen-〕; um k-n Preis; unter k-n Umständen.

여학교(女學校) Mädchen(ober)schule *f.* -n.

여학생(女學生) Schülerin *f.* ..rinnen (대학생은 제외); Studentin *f.* ..tinnen (대학생); die Studierende*, -n, -n (일반적).

여한(餘恨) unerfüllter 〔nicht mehr erfüllbarer〕 Wunsch, -es, ⸚e; Reue *f.* -n; Bedauern *n.* -s. -. ¶ ~이 없다 k-n Wunsch mehr haben, der nicht in Erfüllung gegangen ist; auf nichts mehr mit Bedauern zurückblicken müssen; in völliger Seelenruhe u. Zufriedenheit das Zeitliche segnen können (죽는 사람의 경우).

여한(餘寒) übriggebliebene Kälte im (Spät-) winter. ¶ ~이 아직도 가시지 않았다 Die Kälte dauert noch an.

여할(餘割) 〖수학〗 Kosekans *m.* -, -《생략: cosec》.

여행(旅行) Reise *f.* -n; das Reisen*, -s. ~하다 e-e Reise machen; reisen Ⓢ. ¶ ~의 계절 Reisezeit *f.* -en / ~하기 좋은 날씨 Reisewetter *n.* -s, - / 불귀의 ~ die letzte Reise/ ~ 중이다 auf der Reise sein / 각지를 ~하다 von Ort zu Ort reisen Ⓢ / 도보로 ~하다 zu Fuß reisen Ⓢ / 배로 ~하다 mit dem Schiff reisen Ⓢ / 미국에 ~하다 nach Amerika fahren 〔reisen〕 Ⓢ / 세계를 ~하다 e-e Weltreise machen / ~을 계획하다 e-e Reise planen; e-e Reise vor|haben / ~을 떠나다 e-e Reise an|treten*; auf die Reise gehen* Ⓢ; ab|reisen Ⓢ / ~에서 돌아오다 von e-r 〔der〕 Reise zurück|kommen* Ⓢ / 그는 ~을 매우 좋아한다 Er reist sehr gern.¦Er ist gern auf Reisen. / 그는 ~ 중이라 집에 없다 Er ist jetzt auf Reisen. / 즐거운 ~을 하시길《인사》Gute Reise!¦Glückliche Reise!
‖ ~가방 Reisetasche *f.* -n; Koffer *m.* -s, -. ~기 Reisebeschreibung *f.* -n. ~담 die Erzählung über e-e Reise; Reisebericht *m.* -(e)s, -e. ~복 Reiseanzug *m.* -(e)s, ⸚e. ~사 Reisebüro *n.* -s, -s. ~상해 보험 Reiseunfallversicherung *f.* -en. ~수표 Reisescheck *m.* -s, -s. ~안내서 Reiseführer *m.* -s, -. ~일기 Reisetagebuch *n.* -(e)s, ⸚er. ~일정 Reiseroute *f.* -n. ~자 der Reisende*, -n, -n. ~지(목적지) Reiseziel *n.* -(e)s, -e. 도보~ Fußreise. 세계~ Weltreise. 수학~ Studienreise; Exkursion *f.* -en. 시찰~ Besichtigungsreise. 정양~ Erholungsreise. 해외~ Auslandsreise.

여행(勵行) Einhaltung *f.* -en (엄수); Durchsetzung *f.* -en (실시). ~하다《준수》streng befolgen[4]; [4]sich halten*《*an*[4]》;《실시》durch|setzen[4]; geltend machen[4]. ¶ 규칙의 ~ Einhaltung e-r Regel. ‖ 금주~ Durchführung des Alkoholverbots.

여향(餘香) der nachwirkende Wohlgeruch, -(e)s, ..rüche; der nachwirkende Duft,

-(e)s, ⸗e. ⌈-s, -s.
여향(餘響) Nachhau *m.* -(e)s, -e; Echo *n.*
여현(餘弦) 〖수학〗 Kosinus *m.* -, -《기호: ⌊cos》.
여호와 〖성서〗 Jehova(h) *m.*
여혼(女婚) die Heirat einer Tochter.
여황(女皇) Kaiserin *f.* -nen.
여흥(餘興) 《아직 남은 흥》 unerschöpfte Fröhlichkeit, -en; 《연예》 Unterhaltung *f.* -en; Vergnügung *f.* -en. ¶ ~으로 zur [3]Unterhaltung / ~으로 춤과 노래가 있었다 Zur Unterhaltung gab es Tanzen u. Singen. / 파티는 끝났으나 아직도 ~이 진진하다 Die Partei ist zu Ende, aber wir unterhalten uns noch angeregt.
여히(如一) wie. ¶ 하기와 ~ folgendermaßen; wie folgt; wie unten / 상기(上記)와 ~ wie oben / 상술한 바와 ~ wie gesagt; wie oben erwähnt; wie bemerkt.
역(逆) das Umgekehrte*, -n; Verkehrtheit *f.* -en; Gegensatz *m.* -(e)s, ⸗e; Gegenteil *n.* -(e)s, -e (반대); 〖수학〗 Umkehrung *f.* -en. ¶ 역의(역으로) umgekehrt; verkehrt / …와 역으로 im Gegensatz 《*zu*[3]》 / 역으로 해석하다 falsch (verkehrt) verstehen[4] (aus|legen[4]) / 역을 찌르다 e-n Gegenschlag führen 《*gegen*[4]》 / 역도 또한 진이다 Die Umkehrung ist auch wahr.
역(驛) Bahnhof *m.* -(e)s, ⸗e; Station *f.* -en. ¶ 역에서 사람을 전송하다 *jn.* zur Bahn begleiten. ‖ 역 구내 식당 Bahnhofswirtschaft *f.* -en. 본역 Hauptbahnhof. 시발 (종착)역 Endstation *f.*
역(役) 《배역》 Rolle *f.* -n. ¶ 춘향의 역 die Rolle der *Chunhyang* / …의 역을 하다 (맡다) e-e Rolle spielen (übernehmen) / 역을 맡기다 die Rollen verteilen / 악한의 역을 맡다 die Rolle e-s Bösewichts spielen.
역(譯) =번역. ¶ 독(국)역 deutsche (koreanische) Übersetzung, -en (Übertragung, -en).
역(亦) auch; ebenfalls; gleichfalls.
역결(逆一) die verkehrte Maserung, -, -en.
역경(易經) das *I-ching*, „Buch der Wandlungen"—klassisches chinesisches Orakelbuch.
역경(逆境) Widerwärtigkeit *f.* -en; der widrige Umstand, -(e)s, ⸗e; Mißgeschick *n.* -(e)s, -e; Unglück *n.* -(e)s; Not *f.* ⸗e; ungünstige (schlimme) Lage, -n. ¶ ~에 처하다 in Not sein; in e-r schlimmen Lage sein / ~에 빠지다 in Not (widerwärtige Verhältnisse) geraten* / ~과 싸우다 gegen die Not an|kämpfen; die Not bekämpfen / ~이 사람을 만든다 Not macht den Mann. / ~에 빠졌을 때 친구를 알 수 있다 Den Freund erkennt man in Not. / 그는 ~에 굴하지 않았다 Er unterwarf nicht der Not. ¦Er widerstand der Not.
역광선(逆光線) 〖사진〗 Gegenlicht *n.* -(e)s, -e. ¶ ~으로 사진을 찍다 *jn.* ([4]*et.*) bei (im) Gegenlicht auf|nehmen*.
역군(役軍) ① 《삯꾼》 Arbeiter *m.* -s, -; Gelegenheitsarbeiter *m.* -s, -; Tagelöhner *m.* -s, -. ② 《공적인 일의》 Pfeiler *m.* -s, -. ¶ 사회의 ~ ein Pfeiler der Gesellschaft.
역귀(疫鬼) Plagegeist *m.* -(e)s, -er.
역기(力技) =역도(力道).
역년(歷年) ① 《여러해가 지남》 ein Jahr nach dem andern. ~하다 Jahre vergehen* (verfließen*; verstreichen*). ② 〖역사〗 《한 왕조의 햇수》 die Periode e-r Dynastie.
역년(曆年) Kalenderjahr *n.* -(e)s, -e.
역단층(逆斷層) 〖지질〗 Faltungsüberschiebung *f.* -en; Verwerfung *f.* -en.
역담보(逆擔保) Rückversicherung *f.* -en.
역대(歷代) Generationsfolge *f.*; Generation nach (auf) Generation; viele Generationen. ¶ ~의 aufeinander¦folgend (hintereinander-). ‖ ~내각 die aufeinanderfolgenden Kabinette 《*pl.*》. ~왕 Könige in vielen Generationen.
역도(力道) Gewichtheben *n.* -s.
‖ ~선수 Gewichtheber *m.* -s, -.
역도(逆徒) Aufrührer *m.* -s, -; Empörer *m.* -s, -; Meuterer *m.* -s, -; der Aufständische*, -n, -n.
역독(譯讀) Übersetzung *f.* -en. ~하다 lesen*[4] u. übersetzen[4].
역두(驛頭) die Vorderseite des Bahnhofs.
역들다 ☞ 역성들다.
역량(力量) 《체력》 Körper¦stärke *f.* -en (-kraft *f.* ⸗e); 《수완》 Fähigkeit *f.* -en; Begabung *f.* -en; Talent *n.* -(e)s, -e; das Können*, -s. ¶ ~ 있는 fähig; befähigt; begabt; talentiert / ~ 있는 인물 ein fähiger (tüchtiger) Mann; ein Mann von großen Fähigkeiten / ~ 있는 정치가 ein begabter Politiker, -s, - / ~을 보이다 *js.* [4]Fähigkeit zeigen / ~을 시험하다 *jn.* auf s-e Fähigkeit prüfen / 그 일을 할 만한 ~이 있다 der [3]Aufgabe (e-r Sache) gewachsen sein / 자기의 ~을 알다 *js.* [4]Grenze kennen*.
역력하다(歷歷一) anschaulich; greifbar; lebendig; lebhaft; eindeutig; offensichtlich (sein). ¶ 역력하게 klar; einfach; offen / 역력한 사실 e-e nackte Wahrheit / 증거가 ~ Der Beweis ist deutlich.
역로케트(逆一) Rück¦rakete (Retro-) *f.* -n.
역류(逆流) Gegenstrom *m.* -(e)s, ⸗e; Gegenströmung *f.* -en; 《조수의》 Rückfluß *m.* ..flusses, ..flüsse. ~하다 zurück|fließen* (-|strömen). ¶ ~를 헤치고 나아가다 gegen den Strom gehen* ⓢ; mit [3]Schwierigkeiten kämpfen (비유적).
역리(疫痢) 〖의학〗 Kinderruhr *f.* -en.
역리(逆理) Inkonsequenz *f.* -en; Irrationalität *f.* -en; Absurdität *f.* -en; Paradoxie *f.* -n. ¶ ~의 inkonsequent; irrational; absurd; paradox.
역마(驛馬) 〖옛제도〗 Postpferd *n.* -(e)s, -e.
역마을, 역말(驛一) Postdorf *n.* -s, ⸗er; Dorf in der Nähe e-r Poststation.
역마차(驛馬車) Post¦kutsche *f.* -n (-wagen *m.* -s, -); Miet-Pferdewagen *m.* -s, -; Droschke *f.* -n.
역모(逆謀) Verschwörung *f.* -en; Anschlag *m.* -(e)s, ..schläge. ~하다 e-e Verschwörung an|stiften (an|zetteln; organisieren); e-n Anschlag planen (vor|bereiten; aus|-führen).
역무(役務) die harte Arbeit, -en.
‖ ~배상(賠償) die Entschädigung durch eine harte Arbeit.
역문(譯文) Übersetzung *f.* -en; Übertragung *f.* -en (비교적 자유로운). ¶ 유려한 ~ e-e schöne Übersetzung.
역반응(逆反應) 〖화학〗 die umkehrbare Reaktion, -en.
역방(歷訪) Rundfahrt *f.* -en; Rundreise *f.* -n; Besuchsrunde *f.* -n. ~하다 《사람을》 e-n nach den anderen besuchen; 《장소를》 e-n Ort nach dem anderen besuchen; e-e Rundreise machen.

역법(曆法) die Lehre vom Kalender.
역병(疫病) Epidemie *f.* -n [..mí:ən]; Seuche *f.* -n; Plage *f.* -n. ¶ ～이 발생하다 e-e Epidemie bricht aus / ～이 유행하고 있다 E-e Seuche breitet sich aus.¦E-e Seuche greift um sich.
역부(驛夫) Gepäckträger *m.* -s, -.
역불급(力不及) ein Umstand, in dem eine Sache über *js.* Kräfte geht. **～하다** über *js.* Kräfte gehen*. ¶ 이 연구는 내게 ～하다 Diese Forschung geht über m-e Kräfte.
역비례(逆比例) das umgekehrte Verhältnis, ..nisses, ..nisse. **～하다** im umgekehrten Verhältnis stehen* h.s 《*zu*[3]》. ¶ ～의 umgekehrt proportional 《*zu*[3]》.
역빠르다 gewandt; flink; geschickt; umgänglich (sein).
역사(力士) Ring(kämpf)er *m.* -s, -; Kraftmensch *m.* -en, -en.
역사(役事) Arbeit *f.* -en; Bauarbeit *f.* **～하다** arbeiten[4]; bauen[4].
역사(歷史) ① Geschichte *f.* -n; Historie *f.* -n; 《연대기》 Annalen 《*pl.*》; Chronik *f.* -en. ¶ ～적인 geschichtlich; historisch / ～ 이전의 vorgeschichtlich / ～가 시작된 이래 seit Menschengedenken / ～상 저명한 geschichtlich berühmt; in der Geschichte bekannt / ～상 최대의 인물 die größte Persönlichkeit in der Geschichte / ～에 기록되다 in die Geschichte aufgezeichnet werden / ～에 이름을 남기다 in die Geschichte ein|gehen* / 세계 ～에 영향을 미치다 Einfluß 《*m.*》 auf die Weltgeschichte aus|üben / 세계 ～에 유래가 없다 einmalig im Weltgeschichtsbericht sein / ～는 돌이킬 수 없다 Man kann das Rad der Geschichte nicht zurückdrehen. / …라고 ～에 기록되어 있다 Es ist in der Geschichte verzeichnet, daß.... / ～는 되풀이된다 Die Geschichte wiederholt sich.
② 《내력》 Historie; Tradition *f.* -en (전통). ¶ ～가 오래된 대학 Universität 《*f.*》, die e-e lange Geschichte hinter sich hat / 우리 은행은 50년의 ～를 가지고 있다 Unsere Bank hat e-e Geschichte von fünfzig Jahren (e-e fünfzigjährige Geschichte).
‖ **～가** Geschichts¦forscher (-schreiber) *m.* -s, -. **～관** Geschichtsauffassung *f.* -en. **～소설** der historische Roman, -(e)s, -e. **～철학** Geschichtsphilosophie *f.* -n. **～학** Geschichtswissenschaft *f.* -en. **세계～** Weltgeschichte *f.* -n. **한국～** die Koreanische Geschichte.
역사(轢死) der Tod 《-(e)s, -e》 durch das Überfahren. **～하다** tödlich überfahren werden 《*von*[3]》.
‖ **～자** der Tödlich-Überfahrene*, -n, -n.
역산(逆産) ① 〖의학〗 Fußgeburt *f.* -en (족위(足位) 분만); Steißgeburt (둔위(臀位) 분만). ② 《재산》 Besitz 《*m.* -es, -e》 e-s Verräters.
역산하다(逆算—) zurück|zählen[4].
역살(轢殺) Mord 《*m.* -(e)s, -e》 durch das Überfahren. **～하다** tödlich überfahren*[4].
역서(曆書) Kalender *m.* -s, -; Almanach *m.* -s, -e.
역서(譯書) Übersetzung *f.* -en; Übertragung *f.* -en.
역선전(逆宣傳) Gegenpropaganda *f.*; Demagogie *f.* -n. **～하다** für [4]*et.* Gegenpropaganda machen.
역선풍(逆旋風) Antizyklone *f.* -n.
역설(力說) Behauptung *f.* -en; das Geltendmachen*, -s 《s-r Rechte》 (정당성의). **～하다** nachdrücklich (mit [3]Nachdruck) betonen[4] (bemerken[4]); hervor|heben*[4]; unterstreichen*[4]. ¶ 그는 실업 교육의 필요성을 ～했다 Er betonte nachdrücklich, daß man die berufliche Ausbildung unbedingt braucht. / 나는 이 조처의 중요성을 ～하고자 합니다 Ich möchte die Notwendigkeit dieser Maßnahme unterstreichen.
역설(逆說) Paradox *n.* -es, -e; Paradoxie *f.* -n. **～하다** paradox aus|sagen[4]; e-e paradoxe Erklärung ab|geben*. ¶ ～적인 paradox; widersinnig / ～적인 발언 Paradoxon *n.* -, ..xa.
역성 《애고》 Gunst *f.*; Begünstigung *f.* -en; Gönnerschaft *f.*; 《편애》 Vorliebe *f.*; die besondere Neigung, -en; Hang *m.* -(e)s. **～하다, ～들다** 《애고》 Gunst erweisen* 《*jm.*》; begünstigen[4]; beschützen[4]; 《편애》 Vorliebe haben (empfinden*; hegen; zeigen) 《*für*[4]》; e-e besondere Neigung fassen 《*zu*[3]》; 《편들다》 auf *js.* Seite stehen*; *js.* Partei ergreifen*; *jn.* unterstützen (지지); *jm.* bei|stehen*. ¶ ～드는 Lieblings-; begünstigt; beschützt; favorisiert / 그는 그 학생에게 ～ 들었다 Er hat den Schüler begünstigt.
역성비누(逆性—) umgekehrte Seife, -n; Desinfektionsseife 《*f.* -n》 mit positivem Ion.
역수(逆數) 〖수학〗 der reziproke Wert, -(e)s, -e; Kehrwert *m.* -(e)s, -e.
‖ **～방정식** die reziproke Gleichung, -en.
역수입(逆輸入) Rückeinfuhr *f.* -en; Wiedereinführung *f.* -en; das Wiedereinführen*, -s. **～하다** wieder|ein|führen[4].
역수출(逆輸出) Wiederausfuhr *f.* -en. **～하다** wieder|aus|führen[4].
역술(譯述) Übersetzung *f.* -en; Übertragung *f.* -en. **～하다** übersetzen[4]; übertragen*[4].
역습(逆襲) Gegen¦angriff *m.* -(e)s, -e (-stoß *m.* -es, ⸚e; -zug *m.* -(e)s, ⸚e); Wiedervergeltung *f.* -en. **～하다** e-n Gegenangriff machen; den Spieß um|drehen (um|kehren) 《*gegen*[4]》. ¶ ～을 받다 auf den Gegenangriff stoßen*.
역시(亦是) ① 《또한》 auch; ebenso; 〖부정문에서〗 auch nicht. ¶ 그 계획에는 나 ～ 반대다 Ich bin auch nicht für diesen Plan. / 그도 ～ 그렇다 So (Nicht anders) ist er auch. / 나 ～ 그것을 좋아하지 않는다 Ich mag es auch nicht.
② 《아직도》 immer noch; nach wie vor; schließlich (am Ende) doch (결국). ¶ ～ 서울에 사십니까 Wohnen Sie immer noch in Seoul? / ～ 그건 정말이었다 Es erwies sich schließlich als wahr. / ～ 그랬었구나 Also doch! / ～ 잘 안 되었다 Es hat doch nicht geklappt.
③ 《그래도》 doch; trotzdem. ¶ 결점은 많지만 ～ 그를 좋아한다 Er hat viele Fehler, trotzdem habe ich ihn gern.
④ 《예상대로》 wie erwartet (vorgesehen). ¶ ～ 그는 시험에 실패했다 Wie erwartet, ist er im Examen durchgefallen.
역신(逆臣) ＝반신(叛臣).
역암(礫岩) 〖광물〗 Konglomerat *n.* -(e)s, -e.
역어(譯語) Übersetzung *f.* -en. ¶ ～를 고르다 passende (angemessene) Wörter (Worte) für die Übersetzung aus|suchen / 이 말에는 한국어 ～가 없다 Dieses Wort kann man nicht ins Koreanische übersetzen.¦Für dieses Wort gibt es k-n entsprechen-

den Ausdruck im Koreanischen.
역연하다(亦然—) (auch) gleich (sein).
역연하다(歷然—) klar; deutlich; eindeutig; offenbar; offensichtlich; augenfällig (현저한); augenscheinlich (사실이 증명하는); ersichtlich (간주되는); 《논의의 여지가 없는》 unanfechtbar; unbestritten; unbestreitbar; unumstößlich; unverkennbar; unbezweifelbar (sein). ¶ 역연한 사실 die unbestrittene Tatsache, -n.
역영하다(力泳—) mit aller Kraft schwimmen*.
역외조달(域外調達) die außerbezirkliche Besorgung, -en.
역용(逆用) der Gebrauch 《-(e)s》 im gegenteiligen 〔umgekehrten〕 Sinne; die listige Benutzung, -en. ~하다 [4]et. im umgekehrten 〔gegenteiligen〕 Sinne gebrauchen 〔benutzen〕; listig aus|nutzen[4].
역원(役員) =임원(任員).
역원(驛員) der Angestellte* 《-n, -n》 des Bahnhofs.
역일(曆日) Kalendertag *m.* -(e)s, -e.
역임(歷任) dauernde Bekleidung verschiedener Ämter. ~하다 hintereinander mehrere Ämter bekleiden 〔inne|haben*〕. ¶ 여러 도의 도지사를 ~했다 Er war Gouverneur in mehreren Provinzen hintereinander.
역자(易者) Wahrsager *m.* -s, -; Wahrsagerin *f.* -nen (여자).
역자(譯者) Übersetzer *m.* -s, -.
역작(力作) Glanz¦stück 〔Kraft-〕 *n.* -(e)s, -e. ~하다 mit großer Sorgfalt schreiben*[4]. ¶ 그것은 김(金) 교수의 ~이다 Das ist ein Glanzstück von Prof. *Kim.*
‖ ~품 Meisterwerk *n.* -(e)s, -e.
역작용(逆作用) Gegen¦wirkung 〔Rück-〕 *f.* -en; Reaktion *f.* -en.
역장(驛長) Bahnhofs¦vorstand 〔Stations-〕 *m.* -(e)s; Bahnhofs¦vorsteher 〔Stations-〕 *m.* -s, -. ‖ ~실 das Büro 《-s, -s》 〔das Zimmer, -s, -〕 für den Bahnhofsvorstand.
역저(力著) 《애쓴 저서》 das sorgfältig ausgearbeitete Werk, -(e)s, -e.
역적(力積) 〖물리〗 Impuls *m.* -es, -e.
역적(逆賊) Verschwörer *m.* -s, -; der Verschwörene*, -n, -n; Aufrührer *m.* -s, -; die Rebellen 《*pl.*》. ¶ ~의 누명을 쓰다 als Verschwörer gebrandmarkt werden / ~모의하다 [4]sich gegen e-e Regierung verschwören*. ‖ ~질 Verschwörung *f.* -en; Rebellion *f.* -en.
역전(力戰) der unentwegte 〔harte; tapfere; unerbittliche〕 Kampf, -(e)s, ⸗e. ~하다 unentwegt 〔hart; tapfer; unerbittlich〕 kämpfen.
역전(逆轉) Umdrehung 〔Umkehrung〕 *f.* -en. ~하다 um¦drehen[4] 〔-kehren〕. ¶ 형세를 ~시키다 〖속어〗 den Spieß (her)um|drehen / ~승(勝)하다 im letzten Augenblick *jm.* den Sieg entreißen* / 형세가 ~되었다 Der Wind hat sich gedreht.¦Die Sache nahm 〔bekam〕 e-e andere Wendung.¦E-e Wendung zum Besseren 〔Schlechteren〕 trat ein.
역전(歷戰) die Bestleistung 《-en》 im langen Dienst. ¶ ~의 (kriegs)erfahren / ~의 용사 der erfahrene Veteran, -en, -en.
역전(驛前) die Vorderseite des Bahnhofs. ¶ ~의 거리 die Straße am Bahnhof.
‖ ~광장 Bahnhofsplatz *m.* -es, ⸗e.
역전경주(驛傳競走) Stafettenlauf *m.* -(e)s, ⸗e.
‖ ~주자(走者) Stafette *f.* -n.
역점(力點) ① 《강조》 Kernpunkt *m.* -(e)s, -e; Pointe *f.* -n. ¶ 그는 여기에 ~을 두고 있다 An dieser Stelle sieht er den Kernpunkt. / 그는 그 점에 ~을 두고 말한다 Er betonte diesen Punkt. ② 〖물리〗 der dynamische Punkt, -(e)s, -e.
역정(逆情) Ärger *m.* -s; Verdruß *m.* ..drusses. ¶ ~(이) 나는 ärgerlich; verdrießlich / ~(이) 나다, ~(을) 내다 [4]sich ärgern / ~나게 하다 *jn.* ärgern; *js.* [4]Galle reizen.
역조(逆潮) Gegenströmung *f.* -en; Gegenstrom *m.* -(e)s, ⸗e.
역조(逆調) die verkehrte Tendenz, -en; der ungünstige Trend, -s, -s. ¶ 무역은 ~를 보이고 있다 Der Außenhandel hat eine Unterbilanz.
역조(歷朝) 《역대의 임금》 die aufeinanderfolgenden Könige 《*pl.*》; 《역대의 조정》 die aufeinanderfolgenden Königshöfe 《*pl.*》.
역종(役種) die Tätigkeitsart im Militärdienst 〔Wehrdienst〕.
역주(譯註) Übersetzung 《*f.* -en》 u. Anmerkung 《*f.* -en》. ¶ ~를 달다 übersetzen[4] u. erläutern[4] 〔mit [3]Anmerkungen versehen*[4]〕 / B 교수 ~의 「파우스트」 „Faust“, übersetzt u. erläutert von Prof. B.
역주하다(力走—) aus Leibeskräften 〔mit allen Kräften〕 rennen* ⓢ; über Hals u. Kopf laufen* ⓢ.
역진(力盡) Erschöpfung *f.* -en. ~하다 erschöpft; völlig fertig (sein).
역진(逆進) Rückwärtsbewegung *f.* -en.
역질(疫疾) 〖의학〗 die Pocken 《*pl.*》; die Blattern 《*pl.*》.
역참(驛站) 〖역사〗 Postort *m.* -(e)s, -e (⸗er); (Post)station *f.* -en; Poststadt *f.* ⸗e.
역청(瀝青) 〖화학〗 Bitumen *n.* -s, ..mina; Erdpech *n.* -(e)s, -e; Asphalt *m.* -(e)s, -e. ¶ ~질(의) bituminös; Asphalt-.
‖ ~탄 Flamm¦kohle 〔Fett-〕 *f.* -n.
역코스(逆—) die entgegengesetzte Richtung, -en. ¶ ~의 rückschrittlich; reaktionär / ~를 밟다 die entgegengesetzte Richtung ein|schlagen*; in entgegengesetzten Richtungen vor|rücken ⓢ.
역투(力鬪) ① 《일반적》 der heftige Kampf, -(e)s, ⸗e. ② 《전투》 die heiße Schlacht, -en. ~하다 heftig kämpfen.
역투하다(力投—) mit aller Kraft werfen* 〔schleudern〕.
역파(逆波) Sturzwelle *f.* -n; brausende Wogen 《*pl.*》.
역풍(逆風) Gegenwind *m.* -(e)s, -e; der ungünstige 〔widrige〕 Wind, -(e)s, -e. ¶ ~이었다 Der Wind war uns ungünstig.
역하다(逆—) abstoßend; ekel¦haft 〔-erregend〕; widerlich (sein). ¶ 역한 냄새 der ekelerregende 〔üble〕 Geruch, -(e)s, ⸗e / 그의 말이 ~ Er hat etwas Abstoßendes in seiner Rede.
역학(力學) 〖물리〗 Dynamik *f.*; Mechanik *f.* -en; Kraftlehre *f.* -n. ¶ ~적, ~상의 dynamisch; mechanisch.
‖ 동(動)~ Kinetik *f.*; die kinetische Dynamik. 응용~ angewandte Dynamik. 정(靜)~ Statik *f.*
역학(易學) Wahrsagekunst *f.*; Wahrsagelehre *f.* -n; Orakelwissenschaft *f.* -en.
역할(役割) Rolle *f.* -n; Rollenverteilung *f.* -en (역을 할당하는 일). ¶ ~을 정하다 Rollen verteilen / ~을 하다 e-e Rolle spielen / ~을 변경시키다 Rollenbesetzung ab|ändern / 중요한 ~을 하다 e-e wichtige Rolle

spielen / 이것은 침대 ~을 한다 Das dient als ein Bett.

역해(譯解) die Übersetzung mit Anmerkungen; 《암호의》 Dekodierung *f.* ~하다 übersetzen und Anmerkungen machen; e-e Übersetzung mit Anmerkungen machen; dekodieren.

역행(力行) das angestrengte 〔intensive〕 Arbeiten*, -s; das unablässige Bestreben*, -s. ~하다 angestrengt 〔intensiv〕 arbeiten; [4]sich unablässig 〔unabläßlich〕 bemühen.

역행(逆行) Rück¦bewegung *f.* -en 〔-gang *m.* -(e)s, ⸚e〕; 〖천문〗 Rücklauf *m.* -(e)s, ⸚e; das Rückwärtsgehen*, -s; Rückschritt *m.* -(e)s, -e (후퇴). ~하다 [4]sich rückwärts|bewegen; rückwärtsgehen*ⓢ; 〖천문〗 e-e rückläufige Bewegung machen; rückwärts|fahren*ⓢ(자동차가). ¶ ~의 rückgängig; 〖천문〗 rückläufig 〔retrograd〕; rückschreitend / 시대에 ~하다 gegen 〔wider〕 den Strom schwimmen*ⓢ; [4]sich der herrschenden Meinung widersetzen / 민주주의에 ~하다 der Demokratie widersprechen*.

역혼(逆婚) die Heirat in umgekehrter Reihe; eine Heirat, die in einer Familie in umgekehrter Reihe erfolgt (der jüngere Bruder vor dem Älteren).

역효과(逆效果) Gegen¦wirkung 〔Rück-〕 *f.* -en; das entgegengesetzte Ergebnis, -ses, -se. ¶ ~를 내다 〔가져오다〕 ungünstig 〔nachteilig〕 wirken 《*auf*[4]》.

엮다 ① 《얽어 만들다》 (ver)flechten. ¶ 자리를 ~ e-e Matte flechten / 대로 발을 ~ e-e Blende aus Bambus flechten. ② 《조립하다》 zusammen|setzen[4] 〔-|fügen[4]〕; konstruieren[4]; bilden[4]. ¶ 뗏목을 ~ ein Floß 《-es, ⸚e》 bilden. ③ 《편찬하다》 zusammen|tragen*[4]; zusammen|stellen[4]; kompilieren[4]; heraus|geben*[4]. ¶ 책을 ~ ein Buch heraus|geben*.

엮음 ① 《얽어 만드는 일》 das Weben*, -s; das Flechten*, -s. ② 《편찬》 Bearbeitung *f.* -en; 〖분사적으로〗 bearbeitet von 《*jm.*》. ¶ 김 복돌 ~ bearbeitet von *Kim Poktol*.

연(年) Jahr *n.* -(e)s, -e. ☞ 년(年). ¶ 연수입 Jahreseinkommen *n.* -s, - / 연 1회 einmal im Jahre; jährlich einmal / 연 1할의 이자 jährlich 〔per anno〕 zehn Prozent Zinsen / 연 평균 Jahresdurchschnitt *m.* -(e)s, -e / 연 4회 상여금을 받다 viermal im Jahr e-n Zuschuß 〔e-e Prämie〕 erhalten*.

연(鉛) 〖광물〗 Blei *n.* -(e)s, -e. ¶ 연중독 Bleivergiftung *f.* -en.

연(鳶) (Papier)drachen *m.* -s, -. ¶ 연을 날리다 e-n Drachen steigen lassen* / 연줄을 당기다 e-e Drachenschnur ein|holen.

연(蓮) 〖식물〗 Lotos *m.* -, -; Lotosblume *f.* -n. ¶ 연못 (Lotos)teich *m.* -(e)s, -e.

연(輦) Sänfte 《*f.* -en》 des Königs.

연(連) ① 《종이의 단위》 Ries *m.* -es, -e. ② 《계속》 ununterbrochen; fortlaufend. ¶ 연사흘 drei Tage hintereinander.

연(延) 《총계》 gesamt; total; Gesamt-; Total-; im ganzen; insgesamt; kumulierend. ¶ 연일수 〔인원〕 die Gesamtzahl 《-en》 der Tage 〔der Menschen〕 / 연 18개월 18 Monate hintereinander / 연건평 die gesamte Baufläche 〔Bodenfläche〕; bedeckte Fläche / 이 공사에 연 1만 명 〔1만 일〕 이 소요된다 Dieser Bau fordert 10000 Tagewerk 〔Tagesarbeit〕.

연-(軟) blaß; matt; sanft. ¶ 연붉은 〔푸른〕 blaßrot 〔blaßblau〕 / 연붉은 〔푸른〕 빛 ein blasses Rot 〔ein mattes Blau〕 / 저녁 하늘이 연붉게 물들어 있다 E-e sanfte Röte färbt den Abendhimmel.

연가(戀歌) Liebes¦gedicht *n.* -(e)s, -e 〔lied *n.* -(e)s, -er〕; Minnesang *m.* -(e)s, ⸚e. ⌈⸚er.

연가시(軟—) 〖곤충〗 Drahtwurm *m.* -(e)s,

연간(年刊) die jähliche Veröffentlichung, -en; Jahrbuch *n.* -(e)s, ⸚er.

연간(年間) 〖부사적〗 innerhalb 〔binnen〕 e-s Jahres; im Laufe e-s Jahres; ein Jahr lang; ein Jahr. ¶ ~ 예산 5천만원 ein Jahresbudget [..bydʒe:] von 50 000 000 *Won*.
‖ ~계획 Jahresplan *m.* -(e)s, ⸚e. ~생산량 Jahresproduktion *f.* -en. ~예산 Jahreshaushalt *m.* -(e)s, -e 〔-etat [..eta:] *m.* -s, -s; -budget [..bydʒe:] *n.* -s, -s〕.

연감(年鑑) Jahrbuch *n.* -(e)s, ⸚er; Almanach *m.* -s, -e; Annalen 《*pl.*》.
‖ 경제~ Wirtschaftsjahrbuch *n.* 괴테~ Goethe-Jahrbuch *n.*

연감(軟—) die vollreife Kakipflaume, -n.

연갑(年甲) die ungefähr gleichalt(e)rige Person, -en. ¶ 그는 내 ~이다 Er ist in meinem Alter.¦Er ist so alt wie ich.

연거푸 ununterbrochen; ohne [4]Unterbrechung; fortgesetzt; pausenlos; unaufhörlich; hinter¦einander 〔nach-〕 (계속); auf e-n Zug (단숨에). ¶ ~ 다섯 번 fünfmal hinter¦einander 〔nach-〕 / ~ 마시다 in e-m fort 〔weg〕 trinken*[(4)] / 그는 ~ 질문(을) 했다 Er hat Fragen über Fragen gestellt.

연건평(延建坪) Grundfläche 《*f.*》 e-s Hauses.

연결(連結) Verbindung *f.* -en; Anschließung *f.* -en; Anschluß *m.* ..schlusses, ..schlüsse; Kupplung *f.* -en (열차의); Koppelung *f.* -en (전기의); Gelenk *n.* -s, -e (조인트). ~하다 verbinden*[4] 《*mit*[3]》; an|schließen*[4] 《*an*[4]》; (ver)kuppeln[4]; (ver)koppeln[4]; verketten[4] (사슬로); verknüpfen[4] (묶어서). ¶ 6량 ~한 열차 der Zug 《-(e)s, ⸚e》 mit 6 Wagen / 식당차를 ~하다 den Speisewagen an|hängen 《*an*[4]》 / 장치를 전선에 ~하다 e-e Vorrichtung an e-e elektrische Leitung an|schließen* / 그 도시들은 철도로 서로 ~되어 있다 Die Städte sind durch (die) Eisenbahn (miteinander) verbunden.
‖ 자동 ~기 《기차의》 die automatische Kupplung, -en.

연계(連繫) Verbindung *f.* -en. ¶ …와 ~하여 in Verbindung 《*mit*[3]》 / …와 긴밀한 ~가 있다 gute Verbindung haben 《*mit*[3]》; in guter Verbindung stehen* 《*mit*[3]》; 〖속어〗 in Tuchfühlung stehen*.

연계(軟鷄) Hühnchen *n.* -s, -.

연고(軟膏) 〖의학〗 Pasta 〔Paste〕 *f.* ..ten; Salbe *f.* -n. ‖ 글리세린 〔수은〕~ Glyzerinsalbe *f.* -n 〔Quecksilbersalbe〕.

연고(緣故) 《사유》 Grund *n.* -(e)s, ⸚e; Anlaß *m.* ..sses, ..lässe; 《관계》 Beziehung *f.* -en ; Verbindung *f.* -en; Verwandtschaft *f.* -en (친척); Bekanntschaft *f.* -en (아는 사이). ¶ 아무 ~도 없다 *jm.* wildfremd sein; gar k-e Beziehung haben 〔unterhalten*〕 《*mit*[3]》; mit *jm.* nichts zu tun haben.
‖ ~권 Vorkaufsrecht *n.* -(e)s, -e: ~권을 인정하다 *jm.* das Vorkaufsrecht geben*. ~자 der Bekannte* 〔Verwandte*〕 -n, -n. ~채용 Anstellung 《*f.* -en》 durch persönliche Beziehung: ~ 채용으로 입사하다 e-e

Stelle in e-r Firma durch persönliche Beziehung bekommen*.

연고로(然故—) deshalb; daher; aus diesem Grunde.

연골(軟骨) 〖해부〗 Knorpel *m.* -s, -; 《사람》 e-e junge Person, -en.
‖ ～막 Knorpelhaut *f.* ⸚e. ～아교 〖화학〗 Knorpelleim *m.* -(e)s, -e. ～어류 Knorpelfische 《*pl.*》. ～조직 das knorpelige Gewebe, -s, -. ～한(漢) der Charakterschwache*, -n, -n. 갑상～ Schildknorpel *m.* -s, -.

연공(年功) langjährige Verdienste (다년간의 공적); lange Erfahrungen (경험); Dienstalter *n.* -s, - (재직 연수). ¶ ～을 쌓다 Erfahrungen sammeln / ～ 서열에 따라 nach dem Dienstalter / ～을 쌓아라 „Je älter, desto weiser."
‖ ～가봉 Dienstalterzulage *f.* -n. ～제도 Anciennitätsprinzip *n.* -s, -e.

연공(年貢) Jahrestribut *m.* -(e)s, ⸚e.

연관(煙管) ① 《담뱃대》 Tabakspfeife *f.* -n; Pfeife *f.* -n. ② 《연기가 통하는 관》 Rauchrohr *n.* -(e)s, -e.

연관(鉛管) Bleirohr *n.* -(e)s, -e; Bleirohrleitung *f.* -en.

연관(聯關) Zusammenhang *m.* -(e)s, ⸚e. ☞ 관련. ¶ ～이 있다 in ³Beziehung stehen* 《*mit*³》; e-n Zusammenhang haben 《*mit*³》; in Verbindung stehen* 《*mit*³》 / ～이 생기다 in ⁴Beziehung treten* 《*zu*³》; in ⁴Verbindung treten* ⓢ 《*mit*³》 / 이 사건과 그의 죽음과는 아무런 ～도 없다 Dieser Vorfall steht in k-m Zusammenhang (hat nicht zu tun) mit s-m Tode.

연구(硏究) Studium *n.* -s, ..dien; Forschung *f.* -en; Erforschung *f.* -en (규명, 탐구); Durchforschung *f.* -en (탐색); Nachforschung *f.* -en (음미); Untersuchung *f.* -en (조사). ～하다 studieren⁴; an das Studium von ³*et.* heran|gehen* ⓢ (-|treten* ⓢ); forschen 《*nach*³》; erforschen⁴; durchforschen⁴; nach|forschen⁴; untersuchen⁴; 《학문을》 ein Studium (e-e Wissenschaft) treiben*; ⁴sich auf e-e Wissenschaft legen (werfen*); 《생각해 봄》 ³sich ⁴*et.* überlegen; erwägen*⁴. ¶ ～ 결과를 발표하다 *js.* Forschungsergebnis veröffentlichen / ～에 종사하다 wissenschaftlich tätig sein / …을 깊이 ～하다 eingehend studieren⁴ / …을 전문적으로 ～하다 ⁴sich spezialisieren 《*auf*³》; als Spezialfach studieren⁴ / 병인(病因)을 ～하다 nach den Ursachen (der Ursache) der Krankheit studieren / 이 사건을 신중히 ～해 보겠소 Ich werde diese Angelegenheit sorgfältig erwägen (in Erwägung ziehen). / 그는 A 교수의 지도로 ～하고 있다 Er studiert unter Professor A.
‖ ～가(자) (Er)forscher *m.* -s, -. ～과(科) Spezialkursus *m.* -, ..kurse; Lehrgang 《*m.* -(e)s, ⸚e》 für Fortgeschrittene. ～발표 Referat *n.* -(e)s, -e; Studienbericht *m.* -(e)s, -e. ～방법 Forschungsmethode *f.* -n; Methodik *f.*; Methodenlehre *f.* -n(방법론). ～생 Praktikant *m.* -en, -en; Laborant *m.* -en, -en; der (fortgeschrittene) Student 《-en, -en》 für Spezialfach. ～수당 Forschungszuschuß *m.* ..usses, ..üsse. ～실(소) (Forschungs)institut *n.* -(e)s, -e; Laboratorium *n.* -s, ..rien; Forschungsanstalt *f.* -en. ～심 Forsch¦begier *f.* (-begierde *f.* -n); Forscher¦geist (-sinn) *m.* -(e)s. ～재료 Forschungsmaterial *n.* -s, -ien; Forschungsgegenstand *m.* -(e)s, ⸚e (제목). ～활동 Forschungstätigkeit *f.* -en. ～회 (wissenschaftliche) Arbeitsgemeinschaft, -en (학생, 학자, 노사 관계 따위의). 철학～ das Studium der Philosophie.

연구(軟球) Weich¦ball (Schwamm-) *m.* -(e)s, ⸚e.

연구(聯句) Couplet *n.* -s, -s.

연구개(軟口蓋) der weiche Gaumen, -s, -.
‖ ～음 Velar *m.* -s, -e.

연극(演劇) Theater *n.* -s, -; (Bühnen)spiel *n.* -(e)s, -e; (Theater)vorstellung *f.* -en. ¶ ～적 theatralisch / ～을 구경가다 ins Theater gehen* ⓢ / ～계에 들어서다 zum Theater gehen* ⓢ / ～을 부리다 Theater spielen; ⁴sich verstellen / ～을 상연하다 ein Schauspiel auf|führen / 소설을 ～으로 꾸미다 e-n Roman zu e-m Drama um|arbeiten / 그것은 다만 ～에 불과하다 Es ist nur ein wahres Theater. / 그것은 그의 ～이다 Er tut nur so.
‖ ～계 Theater¦welt (Bühnen-) *f.* ～공연장 Schauspielhaus *n.* -es, ⸚er; Theater *n.* -s, -. ～구경 Theaterbesuch *m.* -(e)s, -e. ～애호가 Theater¦freund *m.* -(e)s, -e (-liebhaber *m.* -s, -); begeisterter Theaterbesucher, -s, -. ～의 밤 Theaterabend *m.* -(e)s, -e. ～통 Theaterkenner *m.* -s, -.

연근(蓮根) Lotuswurzel *f.* -n.

연금(年金) Jahresrente *f.* -n; Pension *f.* -en; Ruhegehalt *n.* -(e)s, ⸚er. ¶ ～을 받다 Pension beziehen* / ～생활에 들어가다 in Pension gehen* ⓢ / ～으로 생활하다 von s-r Pension leben / ～을 받고 퇴직하다 ⁴sich mit Pension in Ruhestand versetzen.
‖ ～법 Pensionsgesetz *n.* -es, -e. ～수령자 Pensionär *m.* -s, -e; Rentner *m.* -s, -. 양로～ Altersrente *f.* -n. 종신～ Leibrente *f.*

연금(軟禁) Hausarrest *m.* -es, -e. ～하다 inhaftieren⁴; internieren⁴. ¶ ～ 상태에 놓이다 ³sich im Hausarrest befinden*.

연금술(鍊金術) Alchimie (Alchemie; Alchymie) *f.* ‖ ～사 Alchimist *m.* -en, -en.

연급(年級) Schuljahr *n.* -(e)s, -e. ¶ 3 년급 das dritte Schuljahr.

연급(年給) ＝연봉(年俸)

연기(延期) das Verschieben*, -s; Aufschub *m.* -(e)s, ⸚e; Verschiebung *f.* -en; Verzug *m.* -(e)s; Verlegung 《*f.* -en》 auf später. ～하다 auf|schieben*⁴ 《*auf*⁴》; hinaus|schieben*⁴; verlegen⁴; verschieben*⁴. ¶ 처형(處刑)의 ～ die Verschiebung der Urteilsvollstreckung / 1 주일 ～ e-e Woche Verschiebung / 출발을 ～하다 die Abreise verschieben* / 무기 ～하다 auf unbestimmte Zeit auf|schieben* (verschieben*) / 회합을 ～하다 e-e Sitzung 《-en》 vertagen (verlegen) (auf e-n anderen Tag (auf später)) / 회담은 2개월 정도 ～되었다 Die Verhandlung ist um zwei Monate vertagt.
‖ ～원(願) Fristgesuch *n.* -(e)s, -e. ～허가 Fristgewährung *f.* -en.

연기(連記) Verzeichnung *f.* -en; Katalogisierung *f.* -en; das Hintereinanderschreiben*, -s. ～하다 verzeichnen⁴ (표, 목록 따위에); hintereinander (nebeneinander) schreiben*⁴ (잇대어 쓰다); zusammen|schreiben*⁴ (mit|-). ‖ ～제 Pluralwahlsystem *n.* -(e)s, -e. ～투표 Pluralwahl *f.* -en.

연기(煙氣) Rauch *m.* -(e)s; Dunst *m.* -es, ⸚e; Qualm *m.* -(e)s, -e. ¶ ～가 나다 Rauch geht (steigt (오르다); wirbelt auf (회오리쳐 오르다)) / ~를 뿜다 qualmen⁴; an|rauchen⁴; schmauchen⁴ / ~가 사라지다 Rauch verzieht sich. / ~처럼 사라지다 plötzlich verschwinden*; wie weggeblasen sein (감쪽같이 없어지다) / ~가 되다 in Rauch (Dunst) auf|gehen* ⓢ; in nichts zerfließen* (무위로 돌아가다) / 굴뚝에서 ~가 자욱하게 나고 있다 Der Schornstein qualmt. / 아니 땐 굴뚝에 ~ 날까 《속담》 Wo Rauch ist, da ist auch Feuer.

연기(演技) Schauspielkunst *f*.; Dar|stellung (Vor-) *f*. -en; Handlung *f*. -en; Vorführung *f*. -en. **~하다** auf|führen⁴; vor|führen⁴; spielen; dar|stellen⁴. ¶ ~는 나무랄 데 없다 Die Darstellung läßt nichts zu wünschen übrig. / 그의 ~는 신묘했다 Er spielte (s-e Rolle) himmlisch (einmalig gut).
‖ **~자** Schauspieler *m*. -s, -; Darsteller *m*. -s, -. **~장** Varietetheater *n*. -s, -; Vergnügungsstätte *f*. -n; Spielbühne *f*. -n.

연내(年內) innerhalb des Jahres; vor dem Ende des Jahres.

연년(年年) jährlich; jedes ⁴Jahr. ¶ ~세세 jahraus, jahrein; Jahr um Jahr; von Jahr zu Jahr; ein Jahr nach dem andern.

연년(連年) aufeinanderfolgende Jahre 《*pl*.》.
‖ **~생(生)** das Kind 《-(e)s, -er》, das ein Jahr nach s-m Bruder (s-r Schwester) geboren ist: 그 자매는 ~생이다 Die Schwestern sind nur ein Jahr auseinander.

연년익수(延年益壽) Langlebigkeit *f*. -en; das langlebiges Dasein*, -s. **~하다** ein langlebiges Dasein genießen*; ein langes Leben haben.

연놈 《욕》 Mann und Weib.

연단(演壇) Rednerbühne *f*. -n; (Rede)kanzel *f*. -n; (Redner)tribüne *f*. -n; Podium *n*. ..dien. ¶ ~에 오르다 die Rednerbühne *usw*. besteigen*; auf die Rednerbühne *usw*. steigen* ⓢ / ~에서 내려오다 das Podium verlassen*.

연달(鳶—) der Rahmen e-s Papierdrachen.

연달(練達·鍊達) Geschicklichkeit *f*. -en; Gewandtheit *f*. -en. **~하다** geschicklich (gewandt; erfahren) sein. ¶ ~한 사람 Fachgröße *f*. -n; Kapazität *f*. -en; Virtuose *m*. -n, -n (특히 음악에서); Veteran *m*. -en, -en.

연달다(連—) ① 《계속하다》 fort|setzen; weiter|führen. ¶ 이야기를 연달아 한다 Er setzt seine Erzählung fort. ② 《연이어 일어나다》 hintereinander|folgen. ¶ 불상사가 ~ Unfälle folgen hintereinander.

연달리다(連—) ⁴sich an ⁴*et*. reihen. ¶ 길에 자동차가 ~ Auf der Straße reihen sich die Autos aneinander. / 사람들이 ~ ein Mensch reiht sich an den anderen.

연달아(連—) ununterbrochen; nacheinander; hintereinander; einer nach dem andern; rasch nacheinander. ¶ ~ 쏘아 대다 dicht hintereinander feuern (schießen*) / 여러 가지 생각이 ~ 머리에 떠올랐다 Verschiedene Gedanken kamen mir, einer nach dem andern. / 버섯이 ~ 솟아난다 Pilze schießen (wachsen) einer nach dem andern aus der Erde empor.

연담(緣談) =혼담(婚談).

연당(蓮堂) die Laube 《-n》 am Lotosteich.

연당(蓮塘) Lotos|teich (Lotus-) *m*. -(e)s, -e.

연대(年代) Zeit *f*. -en; Zeitalter *n*. -s, -; Epoche *f*. -n (시기); Periode *f*. -n (시기).
¶ ~순으로 der ³Zeit nach; chronologisch / 1980 년대에 in den achtziger Jahren des neunzehnten Jahrhunderts.
‖ **~기(記)** Chronik *f*. -en; Annalen 《*pl*.》. **~표** Chronologische Tafel *f*. -n. **~학** Chronologie *f*. -n.

연대(連帶) Solidarität *f*. -en; Zusammengehörigkeit *f*. -en. ¶ ~의 gemeinsam; gemeinschaftlich; gesamtschuldnerisch; solidarisch / ~로 돈을 빌어오다 gemeinsam (gesamtschuldnerisch) Geld borgen 《*von*³》.
‖ **~감(感)** Solidaritätsgefühl *n*. -s, -e; Gemeinschaftsgeist *m*. -(e)s, -er; Gemeinsinn *m*. -(e)s, -e. **~보증** Gesamtbürgschaft *f*. -en; die solidarische (gesamtschuldnerische) Bürgschaft: ~보증인 Solidar|bürge (Gesamt-; Mit-) *m*. -n, -n. **~채무** Gesamtschuld *f*. -en. **~책임** Gesamtverantwortung *f*. -en; die gemeinschaftliche (gesamtschuldnerische) Haftung, -en. **사회~** die soziale Solidarität, -en.

연대(聯隊) Regiment *n*. -(e)s, -er. ¶ ~의 Regiments-.
‖ **~기** Regimentsfahne *f*. -n. **~본부** Regimentshauptquartier *n*. -s, -e. **~장** Regimentskommandeur [..dø:r] *m*. -s, -e. **~참모** Regimentsstab *m*. -(e)s, ⸗e. **보병~** Infanterieregiment *n*.

연도(年度) Jahr *n*. -(e)s, -e. ¶ ~가 바뀔 때, ~말에 beim Wechsel (am Ende) des fiskalischen Jahres / 1983 년도 예산 das Budget 《-s, -s》 für das Jahr 1983 / 1982년도 졸업생 ein Graduierter* 《-en, -e》 des Jahrgangs 1982 / 다음 ~로 이월하다 ins nächste Etatsjahr übertragen*.
‖ **사업~** Geschäftsjahr *n*. **학~** Schuljahr *n*. **회계~** Rechnungs|jahr (Etats- [etá:s..]; Fiskal-; Haushalts-).

연도(沿道) die beiden Seiten 《*pl*.》 der Straße. ¶ ~의 an der Landstraße gelegen; an beiden Seiten des Weges; am Wege entlang / ~에 늘어선 집들 Häuser an der Straße entlang.

연도(連禱) 〖기독교〗 Litanei *f*. -en.

연독(鉛毒) Blei|vergiftung (-krankheit) *f*. -en. ¶ ~에 걸려 있다 an ³Bleivergiftung (Bleikrankheit) leiden*.

연독(煙毒) Rauchvergiftung *f*. -en (연탄가스 등의).

연동(聯動) **~하다** synchronisiert (gekuppelt) sein. ¶ ~시키다 synchronisieren⁴; kuppeln⁴. ‖ **~거리계** 《카메라의》 gekuppelter Entfernungsmesser, -s, -. **~기** Synchronmaschine *f*. -n (-getriebe *n*. -s, -); Kupplung *f*. -en. **~장치** Synchronisiereinrichtung *f*. -en; Gleichlaufgerät *n*. -(e)s, -e.

연동(蠕動) die schlängelnde (wurmartige) Bewegung, -en; Peristaltik *f*. (장의). **~하다** schlängeln ⓢ; (wurmartig) kriechen* ⓗ,ⓢ; ⁴sich peristaltisch bewegen.

연두(年頭) Jahres|anfang *m*. -s (-beginn *m*. -s); Neujahrstag *m*. -(e)s, -e.
‖ **~교서** die Botschaft des Präsidenten am Jahresanfang. **~인사** Neujahrsgruß *m*. -es, ⸗e.

연두(軟豆) das frische Grün, -(e)s. ¶ ~빛(색)의 gelbgrün; hellgrün.

연락(宴樂) Schmauserei *f*. -en; Gelage *n*. -s, -; Lustbarkeit *f*. -en. ¶ ~을 일삼다 ⁴sich Lustbarkeiten ergeben*; Orgien feiern.

연락(連絡) Verbindung *f*. -en; Verknüpfung *f*. -en (연결); Briefwechsel *m*. -s, - (문서에

의한); Anschluß *m.* ..schlusses, ..schlüsse (교통 등의); Kontakt *m.* -(e)s, -e (접촉); Liaison *f.* -s. ~하다 *jn.* [⁴*et.*] mit ³*et.* in Verbindung bringen*; mit|teilen³⁴; *jn.* verständigen ⟪*von*³; *über*⁴⟫; durch|geben⁴; weiter leiten⁴ ⟪*an*⁴⟫. ¶ ~을 취하다 e-e Verbindung mit *jm.* auf|nehmen*; ⁴sich in Verbindung setzen ⟪*mit*³⟫; in Verbindung treten* ⟪*mit*³⟫; Kontakt [Berührung; Fühlung] schaffen [her|stellen] ⟪*mit*³⟫ / ~이 있다 in Kontakt sein ⟪*mit*³⟫; in Verbindung stehen* ⟪*mit*³⟫; ⟪철도 등⟫ Anschluß haben ⟪*an*⁴; *zu*³⟫; ⟪문서상의⟫ in [im] Briefwechsel stehen* ⟪*mit*³⟫ / ~을 계속하다 in Kontakt stehen* [bleiben*] ⟪*mit*³⟫; in Verbindung bleiben* ⟪*mit*³⟫ / ~을 끊다 die Verbindung mit *jm.* lösen; den Kontakt verlieren* ⟪*mit*³⟫ / 경찰에 ~하다 ⁴sich an die Polizei wenden; ⁴*et.* bei der Polizei melden / 마침 그에게서 ~이 있었다 Gerade jetzt habe ich die Nachricht von ihm erhalten. / 이 기차로는 ~이 잘 되지 않는다 Dieser Zug hat schlechten Anschluß. / 부산과 목포 사이에는 ~선이 시종 왕복하고 있다 Da ist ein Pendelverkehr zwischen Busan und Mogpo.

‖ ~사무소 Verbindungs¦büro *n.* -s, -s; [-stelle *f.* -n]. ~선(線) Verbindungs¦bahn *f.* -en [-linie *f.* -n]. ~선(船) Fähre *f.* -n. ~역 Anschlußstation *f.* -en. ~원 Verbindungsmann *m.* -(e)s, ⸗er [..leute]. ~장교 Verbindungsoffizier *m.* -s, -e.

연래(年來) ① ⟪오래 된⟫ Jahre lang; seit ³Jahren. ¶ ~의 seit langer Zeit bestehend / ~의 숙원 ein jahrelang gehegter Wunsch, -es, ⸗e / 20년래의 친교 die Freundschaft seit zwanzig ³Jahren.

② ⟪…년 이래 처음⟫ zum ersten Mal seit ... Jahren. ¶ 40년래의 풍작 die reichste Ernte ⟪-n⟫ seit vierzig Jahren / 어제 10년래의 큰 눈이 왔다 Gestern hatten wir den stärksten Schneefall seit zehn Jahren.

연령(年齡) Alter *n.* -s, -. ☞ 나이. ¶ 그는 ~에 비해 작은 편이다 Er ist für sein Alter ziemlich klein.

‖ ~제한 Altersgrenze *f.* -n (정년). ~층 Altersklasse *f.* -n. 결혼~ Heiratsalter *n.* -s, -. 평균~ Durchschnittsalter *n.* -s, -.

연례(年例) ¶ ~의 jährlich.

‖ ~기념행사 Jahres¦feier *f.* -n [-fest *n.* -(e)s, -e]. ~보고 Jahresbericht *m.* -(e)s, -e. ~회 die jährliche Zusammenkunft, ⸗e.

연로(年老) das hohe Alter, -s, -. ~하다 im hohen Alter; alt (sein). ¶ 그는 ~하다 Er ist im hohen Alter. / ~하여 허리가 굽었다 Er ist vor Alter gebeugt [gekrümmt].

연료(燃料) Brenn¦stoff [Heiz-] *m.* -(e)s, -e; Brenn¦material [Heiz-] *n.* -(e)s, ..lien; Heizmittel *n.* -s, -; Treib¦stoff [Betriebs-] *m.* -(e)s, -e (내연 기관의). ¶ ~가 떨어져 가다 mit dem Brennstoff knapp werden / ~를 보급하다 tanken⁴.

‖ ~보급기 Tankerflugzeug *n.* -(e)s, -e. ~용 가스 Heizgas *n.* -es, -e. ~유 Heizöl *n.* -(e)s, ⸗e. 가정용~ Hausbrand *m.* -(e)s, ⸗e. 액체 (기체) ~ flüssiger [gasförmiger] Brennstoff [Treibstoff]

연루(連累) Verwicklung *f.* -en; Verschuldung *f.* -en. ¶ ~되다 ⁴sich verwickeln; hineingezogen werden; verwickelt werden ⟪*in*⁴; von *jm.*⟫ / ~시키다 in ⁴Mitleidenschaften ziehen*.

‖ ~자 Helfershelfer *m.* -s, -; Komplice *m.* -n, -n; der Mitschuldige*, -n, -n.

연륜(年輪) Jahresring *m.* -(e)s, -e (나무의).

연리(年利) jährliche Zinsen ⟪*pl.*⟫. ¶ ~ 4푼 jährlich vier Prozent (Zinsen).

연립(聯立) Bündnis *n.* -ses, -se; Koalition *f.* -en; Zusammenschluß *m.* ..lusses, ..lüsse. ~하다 verbündet [alliert] sein ⟪*mit*³⟫.

‖ ~내각 Koalitions¦kabinett *n.* -(e)s, -e [-regierung *f.* -en]. ~일차 방정식 lineare Gleichungen ⟪*pl.*⟫. ~정부 Koalitionsregierung *f.* -en. ~주택 ⟪셋집⟫ Mietskaserne *f.* -n; Miet¦haus [Reihen-] *n.* -es, ⸗er

연마(研磨) ① ⟪갈고 닦음⟫ das Wetzen* [Abziehen*; Schleifen*] -s; das Polieren*, -s (광내기); das Glanzschleifen*, -s (마무리의). ~하다 schleifen*⁴; polieren⁴. ② ⟪학문의⟫ das Studieren* [Forschen*] -s. ~하다 eingehend studieren⁽⁴⁾.

‖ ~공(工) Schleifer *m.* -s, -. ~기 Schleifmaschine [Polier-] *f.* -n. ~제(劑) Schleifmittel *n.* -s, -.

연마(練磨) Ertüchtigung *f.* -en; Stählung *f.* -en; Einübung *f.* -en. ~하다 ertüchtigen⁴; stählen⁴; zu besonderer Leistung erziehen*⁴; ab|härten⁴ ⟪*gegen*⁴⟫; ⁴sich üben ⟪*in*³⟫. ¶ 심신을 ~하다 Geist u. Körper stählen / 스포츠로 몸을 ~하다 durch Sport den Körper stählen.

연막(煙幕) Nebel¦schleier *m.* -s, - [-wand *f.* ⸗e]; Rauch¦vorhang *m.* -(e)s, ⸗e [-wand *f.* ⸗e]. ¶ ~을 치다 ein|nebeln⁴; vernebeln⁴; den Nebelschleier breiten [ziehen*] ⟪*über*⁴⟫; nichts Ausdrückliches sagen (비유적).

‖ ~탄 Nebel¦bombe [Rauch-] *f.* -n.

연만(年滿) das hohe Alter. ~하다 hochbejahrt; im hohen Alter (sein).

연말(年末) Jahres¦ende *n.* -s, -n [-(ab)schluß *m.* ..lusses, ..lüsse]. ¶ ~에 am Ende des Jahres.

‖ ~대매출 Jahresendeverkauf *m.* -s, ⸗e. ~상여금 Jahresendegratifikation *f.* -en.

연맥(燕麥) Hafer *m.* -s.

연맹(聯盟) Bund *m.* -(e)s, ⸗e; Liga *f.* ..gen (스포츠리그의); Verband *m.* -(e)s, ⸗e; Verein *m.* -(e)s, -e. ¶ …와 ~하여 verbündet ⟪*mit*³⟫; im Bunde ⟪*mit*³⟫ / ~을 맺다 (해체하다) ein Bündnis schließen* [lösen].

‖ ~국 der Verbündete*, -n, -n; der Alliierte*, -n, -n. 경제~ Wirtschaftsverband *m.* -(e)s, ⸗e. 국제~ Völkerbund *m.* -(e)s, ⸗e. 육상 경기~ der Leichtathletik-Verband, -(e)s, ⸗e; der Internationale Amateur Athletik-Verband (국제). 학생~ Studentenbund *m.*

연면(連綿) Folgerichtigkeit *f.* -en; Kontinuität *f.* -en; gleichmäßige Fortdauer. ~하다 folgerichtig; kontinuierlich; ununterbrochen (aufeinanderfolgend); anhaltend (sein). ¶ ~히 ununterbrochen aufeinanderfolgend; kontinuierlich.

연명(延命) ① ⟪살아 남다⟫ das Überleben*, -s. ~하다 überleben; existieren. ¶ ~을 위해서는 대책이 있어야 한다 Das Überleben fordert eine Hilfsaktion. ② ⟪겨우 살아감⟫ das Vegetieren*, -s; das kümmerliche Leben, -s. ~하다 vegetieren; kümmerlich dahin|leben.

연명(連名) das gemeinsame Unterschreiben*, -s. ~하다 gemeinsam unterschreiben*⁴.

~상(狀) 구균 Ketten¦kokke *f.* -n (-kokks *m.* ..kokken). ~점 Kettenladen *m.* -s, ⸚. ~편지 Kettenbrief *m.* -(e)s, -e.

연수(年收) Jahreseinkommen *n.* -s, -; jährliche Einnahmen《*pl.*》. ¶ 그의 ~는 1000만 원이다 Sein Jahreseinkommen beträgt (ist) 10 000 000 *Won.*

연수(年數) die Anzahl der Jahre. ¶ ~가 지난 verjährt / ~를 거듭함에 따라 mit den Jahren / ~가 지나다 viele ⁴Jahre hinter ³sich haben.

연수(延髓) 〖해부〗 das verlängerte (Rücken-) mark, -(e)s; *Medulla oblongata* (학명).

연수(硏修) Praktikum *n.* -s, ..ken (..ka); Training [trέ:niŋ] *n.* -s, -s; Ausbildung *f.* -en. ~하다 studieren⁽⁴⁾; am Training (an der Ausbildung) teil|nehmen*.

‖ ~생 Praktikant *m.* -en, -en; Kursteilnehmer *m.* -s, - (강좌의). ~소 Trainingsanstalt (Ausbildungs-) *f.* -en. ~원(院) Ausbildungs¦institut (Schulungs-) *n.* -(e)s, -e.

연수(軟水) weiches Wasser, -s.

연숙(鍊熟) Gewandtheit *f.* -en; Geschicktheit (Geschicklichkeit) *f.* -en. ~하다 gewandt; geschickt (sein).

연습(演習) Übung *f.* -en; Feld(dienst)übung; Scheingefecht *n.* -(e)s, -e (모의 전쟁); Manöver *n.* -s, - (기동 연습); (Universitäts-) seminar *n.* -s, -e (대학의). ~하다 ⁴Übungen《*pl.*》 ab|halten*; ein Manöver ab|halten*.

‖ ~림(林) Versuchungspflanzung *f.* -en. 기동~ Manöver *n.* -s, -. 사격~ Schießübung *f.* -en. 예행~ Vorübung *f.* -en; 《연극의》 Probe *f.* -n.

연습(練習) Übung *f.* -en; Einübung *f.* -en; Schulung *f.* -en (훈련); Training *n.* -s, -s (스포츠); Probe *f.* -n (연극); Hauptprobe *f.* -n (리허설); Drill *m.* -s, -e (군대). ~하다 üben⁴ 《보기 : ein Musikstück 어떤 곡을》; üben 《auf der Geige 바이올린을; am Klavier 피아노를》; (³sich) ein|üben⁴; ⁴sich ein|-üben 《*in*⁴; *auf*⁴》; trainieren⁴; ⁴sich trainieren 《*auf*⁴; *für*⁴》; Probe spielen (연극을). ¶ ~을 시작하다 das Training anfangen / ~이 잘 되어 있다 gut trainiert (geschult; gedrillt) sein / ~ 부족이다 *jm.* fehlt die (rechte) Übung / 맹~을 하다 ⁴sich e-m strengen Training unterziehen / 연극 ~하다 Probe abhalten (spielen) / ~시키다 *jm.* ein|üben⁴; trainieren⁴; schulen⁴(단련시킴); drillen⁴ / 학교에서 구구법을 ~하였다 In der Schule wurde das Einmaleins gedrillt.

‖ ~곡 Übung *f.* -en; Übungsstück *n.* -s, -e. ~기(선) Schulflugzeug *n.* -(e)s, -e (Schulschiff *n.* -(e)s, -e). ~문제 Übung *f.* -en; Übungsaufgabe *f.* -n. ~비행 Schulflug *m.* -(e)s, ⸚e. ~생 der Lernende, -n, -n; Praktikant *m.* -en, -en; Seekadette *m.* -n, -n (해양 학교의). ~시합 Freundschaftsspiel *n.* -(e)s, -e. ~일 Übungstag *m.* -(e)s, -e. ~장 Schulheft *n.* -(e)s, -e. ~장소 Übungs¦raum *m.* -(e)s, -e (-platz *m.* -es, ⸚e; -halle *f.* -n). 무대~ Bühnenprobe *f.* -n. 사전~ der vorbereitende Schritt, -(e)s, -e; der einleitende Versuch, -(e)s, -e. 총~ Generalprobe *f.* -n.

연승(連乘) 〖수학〗 Kettenmultiplikation *f.* -en. ~하다 beständig multiplizieren.

‖ ~적(積) das Produkt der Kettenmultiplikation.

연승(連勝) e-e Reihe von Siegen; Sieg auf Sieg. ~하다 immer siegreich sein (bleiben* ⓢ); e-n Sieg nach dem andern (⁴Sieg über ⁴Sieg) erringen* (gewinnen*; erlangen; erkämfen); erfolgreich durch|-kämpfen. ¶ 3~하다 dreimal hintereinander gewinnen.

연시(年始) Jahresbeginn *m.* -(e)s, -e; Jahresanfang *m.* -(e)s, -e; Neujahr *n.* -(e)s, -e (새해 원단). ¶ ~에 아무의 복(福)을 기원하다 *jm.* zum Jahresanfang alles Gute wünschen.

연시(軟柿) =연감(軟—).

연식(軟式) weiche Sorte 《-n》 von Spielball; 〖경기〗 Soft-.

‖ ~야구 Softball *m.* -(e)s. ~정구 Gummiballtennis *n.* -. ☞ 경구(硬球).

연실(鳶—) die Schnur des Papierdrachen; Drachenschnur *f.* ⸚e. ¶ ~을 감다 die Drachenschnur auf|wickeln / ~을 풀다 abwickeln.

연실(蓮實) die Frucht des Lotos (des Lotus).

연안(沿岸) Küste *f.* -n; Küstenstrich *m.* -(e)s, -e. ¶ ~의 an der Küste hin (entlang); Küsten-.

‖ ~무역 Küstenhandel *m.* -s, -: ~무역선 Küsten¦fahrer *m.* -s, - (-schiff *n.* -(e)s, -e). ~방어 Küstenverteidigung *f.* -en. ~어업 Küstenfischerei *f.* -en. ~주민 Küstenbewohner *m.* -s, -. ~지방 Küsten¦provinz *f.* -en (-land *n.* -(e)s, ⸚er). ~포병대 Küstenartillerie *f.* -n. ~항구 Küstenhafen *m.* -s, ⸚. ~항해 Küstenschiffahrt *f.* -en.

연알(碾—) der Metallstößel, mit dem Medikamente zermalmen werden.

연애(戀愛) Liebe *f.*; Geschlechtsliebe *f.* -n (성애); Liebschaft *f.* -en (연애 관계). ~하다 lieben⁴; ⁴sich verlieben 《*in*⁴》; verliebt sein 《*in*⁴》. ¶ 정신적 ~ die platonische Liebe.

‖ ~결혼 Liebesheirat *f.* -en: ~ 결혼하다 aus Liebe heiraten⁴. ~관계 Liebesverhältnis *n.* ..nisses, ..nisse: ~ 관계에 있다 ein Liebesverhältnis mit *jm.* haben; 〖속어〗 Die haben es miteinander. ~대장 Cassanova *m.* -s, -s; Don Juan *m.* -s, -s; Liebesjäger *m.* -s. -. ~사건 Liebesangelegenheit *f.* -en (-handel *m.* -s, -). ~소설 Liebesroman *m.* -(e)s, -e (-geschichte *f.* -n). ~시 Liebesgedicht *n.* -(e)s, -e; Minnesang *m.* -s, ⸚e. ~지상주의(至上主義) Liebe um der Liebe willen. ~편지 Liebesbrief *m.* -(e)s, -e. 동성~ homosexuelle Liebe 《*f.*》; Homosexualität *f.* -en; gleichgeschlechtliche Liebe. 삼각~ dreieckiges Verhältnis, -ses, -se. 자유~ freie Liebe *f.*

연액(年額) Jahresbetrag *m.* -(e)s, ⸚e. ¶ ~ 백만 원 jährlich (pro ⁴Jahr) 1000000 *Won.*

연야(連夜) jede Nacht; alle Nächte; Nacht auf Nacht. ¶ 연일 ~ (bei) Tag u. Nacht.

연약(軟弱) Zartheit *f.* -en; Feingliederigkeit *f.* -en. ~하다 schwach; schwächlich; hilflos; zart; weichlich; weibisch; 《병약한》 kränklich; hinfällig (sein). ¶ ~한 아이들 zarte (hilflose) Kinder 《*pl.*》 / ~한 여자의 손으로 mit den feinen (weichen; zarten) Händen der Frau / ~해지다 zart (weich; kränklich) werden.

‖ ~외교 e-e nachgiebige Diplomatie, -en; Außenpolitik 《*f.* -en》 des Nachgebens.

연약(煉藥) 〖한의〗 Latwerge *f.* -n.

연어(連語) die zweigliedrige Form, -en 《Kind u. Kegel; Mann u. Maus 따위》.

연어(鰱魚) Lachs *m.* -es, -e. ¶ 소금에 절인 ~

der (ein)gesalzene (eingesalzte) Lachs.
‖ ~새끼 Junges 《*pl.*》 von Lachs. ~통조림 Lachskonserve *f.* -n; Lachsdose *f.* -n. 훈제(燻製)~ ein geräucherter Lachs.
연역(演繹) Deduktion *f.* -en; (Schluß)folgerung *f.* -en. ~하다 deduzieren^4; folgern^4 《*aus*^{3}》; schließen*^{4} 《*aus*^{3}》; ab|leiten (her|-) 《*von*^{3}》. ¶ ~적 deduktiv; folgernd.
‖ ~법 die deduktive Methode, -n.
연연(戀戀) Anhänglichkeit *f.* -en. ~하다 *jm.* in Liebe zugetan sein (남녀간); ^{4}sich (an|)klammern 《*an*^{4}》 (지위 등에); anhänglich (verliebt) sein 《*jm.*; an *jn.*》; *jm.* (an *jn.*) an|hangen*; nach *jm.* schmachten. ¶ 그는 그녀에 대해 아직도 ~하고 있다 Er hängt noch immer an dem Mädchen.
연연하다(娟娟—) hell und schön (sein).
연엽(살) Lendenbraten *m.* -s, -; Lendenstück *n.* -(e)s, -e.
연예(演藝) Aufführung *f.* -en; Darstellung *f.* -en; die schauspielerische Leistung, -en; Unterhaltung *f.* -en (오락); das Bühnenmäßige (Theatralische) -n. ~하다 auf|-führen^4; unterhalten* 《*jn.*》.
‖ ~계 Bühnenwelt *f.*; die Welt der Bühnenkünstler. ~기자 der Journalist 《-en, -en》 (der Reporter 《-s, -》) für Unterhaltungsbeilagen. ~난 Unterhaltungsteil *m.* -(e)s, -e; der bunte Teil *m.* (*n.*) -(e)s, -e; Feuilleton *n.* -s, -s. ~방송 Unterhaltungssendung *f.* -en. ~인 Künstler *m.* -s, -; Artist *m.* -en, -en. ~장 Vergnügungshalle *f.* -n; Kleinbühne *f.* -n; Tingeltangel *m.* (*n.*) -s, -; Varietéschaubühne *f.* -n. ~프로 Unterhaltungsprogramm *n.* -s, -e; Repertoire *n.* -s, -s; Spielplan *m.* -(e)s, ⸗e. ~회 Varietéaufführung *f.* -en; Liebhaberaufführung (아마추어의).
연옥(煉獄) 〖가톨릭〗 Fegefeuer *n.* -s, -; Purgatorium *n.* -s, ..rien.
연옥색(軟玉色) Hellblau *n.* -s. ¶ ~의 hellblau.
연와(煉瓦) Ziegelstein *m.* -(e)s, -e. ☞ 벽돌.
연용(連用) die ständige Benutzung, -en; der dauernde Gebrauch, -s. ~하다 dauernd (ständig) gebrauchen (benutzen); ständig in Gebrauch stehen.
연운(年運) das Glück e-s Jahres.
연원(淵源) (Ur)quelle *f.* -n; 〖시어〗 (Ur)quell *m.* -(e)s, -e; Anfang *m.* -(e)s, ⸗e; Herkunft *f.* ⸗e; Ursprung *m.* -(e)s, ⸗e. ~하다 s-n Ursprung haben 《*in*^{3}》; ^{4}sich herleiten lassen* 《*aus*^{3}》; her|stammen 《*aus*^{3}》; auf den Ursprung zurück|gehen*Ⓢ; zurück|-reichen 《*auf*^{4}》.
연월(煙月·烟月) ① 《연기에 어린 은은한 달빛》 das neb(e)lige Mondlicht, -(e)s. ② 《평화로운 때》 die friedliche Zeit, -en.
연월일(年月日) Jahr, Monat u. Tag; Datum *n.* -s, ..ten. ¶ ~이 없는 undatiert / ~을 기입하다 das Datum ein|tragen* / ~순으로 철하다 dem Datum nach ordnen^4 (zusammen|heften^4).
연유(煉乳) Kondensmilch *f.*; die kondensierte Milch.
연유(緣由) ① 《사유》 Grund *m.* -(e)s, ⸗e; Ursache *f.* -n. ② 《유래》 Herkunft *f.* ⸗e; Entstehung *f.* -en; Quelle *f.* -en; Ursprung *m.* -(e)s, ⸗e. ~하다 von ^{3}*et.* her|-kommen*; (aus) e-m Dinge entspringen*; von ^{3}*et.* her|rühren; aus ^{3}*et.* stammen.
연유(燃油) Heizöl *n.* -(e)s, -e.
연음(延音) der verlängerte Ton, -(e)s, ⸗e; der lange Vokal; die lange Silbe.
‖ ~기호 Verlängerungspunkt *m.* -(e)s; Augmentationspunkt.
연의(演義) Auslegung *f.* -en; Interpretation *f.* -en; Erläuterung *f.* -en. ~하다 aus|legen; interpretieren; erläutern.
‖ 삼국지~ volkstümliche (erweiterte) Fassung des „*Samgugji*".
연이나(然—) aber; allein; dagegen; dennoch; doch; gleichwohl; indessen; jedoch.
연이율(年利率) Jahreszinsen 《*pl.*》.
연익(年益) Jahresgewinn *m.* -(e)s, -e; Jahresertrag *m.* -(e)s, ⸗e; Jahresprofit *m.* -s, -e.
연인(連印) die gemeinschaftliche Stempelung 《-en》 u. Namensunterzeichnung 《-en》. ~하다 gemeinschaftlich stempeln u. unterzeichnen.
연인(戀人) 《남자》 der Geliebte*, -n, -n; Liebhaber *m.* -s, -; der Liebste*, -n, -n; 《여자》 die Geliebte*; Liebhaberin *f.* -nen; die Liebste*, -n, -n; Schatz *m.* -es; Schätzchen *n.* -s. ¶ 한 쌍의 행복한 ~ ein glückliches Liebespaar, -(e)s, -e / 그녀는 내 옛날 ~이다 Sie ist m-e alte Geliebte.
연인원(延人員) Gesamtzahl *f.* -en. ¶ 승객 ~ die Gesamtzahl der Passagiere.
연일(連日) jeden Tag; Tag für Tag; täglich; von e-m Tag zum andern. ¶ ~ 연야(連夜) (bei) Tag u. Nacht / ~ 비가 왔다 Es hat einige Tage lang ununterbrochen geregnet. / 극장은 ~ 만원(滿員)이다 Das Theater ist jeden Tag vollbesetzt.
연일수(延日數) die Gesamtzahl der Tage.
연잇다(連—) an|knüpfen^4; an|schließen*^{4}; an|binden*^{4}; zusammen|binden*^{4}; 《연이어져 있다》 ^{4}sich an|schließen*; an|dauern; ununterbrochen (unablässig) sein. ¶ 연이어서 《계속하여》 weiter; 《지속적으로》 (an)dauernd; fortlaufend; 《끊임없이》 unablässig; ununterbrochen; 《잇달아》 hintereinander / 사흘 밤 (세 번)을 연이어서 / drei Abende (dreimal) hintereinander / 연이어서 일을 하다 weiter arbeiten; unablässig (ununterbrochen) arbeiten.
연잎(蓮—) das Blumenblatt 《-es, ⸗er》 des Lotos.
연자매(硏子—) 《연자방아》 der Mühlstein, der von Pferd (Ochs) gedreht wird.
‖ 연자맷간 Mühlhäuschen *n.*
연자방아(硏子—) =연자매(硏子—).
연작하다(連作—) aufeinanderfolgend pflanzen.
연장 《큰 기구》 Gerät *n.* -(e)s, -; Wergzeug *n.* -(e)s, -e; Instrument *n.* -(e)s, -e; 《손 연장》 Bedarfs¦artikel (Gebrauchs-) *m.* -s, -(*od.* -gegenstand *m.* -(e)s, ⸗e); Gerätschaft *f.* -en 《보통 *pl.*》; Handwerkszeug; Utensilien 《*pl.*》. ¶ 실용적인 ~ praktisches Werkzeug / 목수의 ~ Tischlerwerkzeug *n.* -(e)s, -e. ‖ ~궤 Werkzeugkasten *m.* -s, -. ~주머니 Werkzeugtasche *f.* -n.
연장(年長) Seniorität *f.* -en. ¶ ~의 älter / 그는 나보다 일곱살 ~이다 Er ist sieben Jahre älter als ich. ‖ ~자 der Ältere*, -n, -n: 최~자 der Älteste*, -n, -n.
연장(延長) (Aus)dehnung *f.* -en; Erweiterung *f.* -en; Verlängerung *f.* -en. ~하다 verlängern^4; aus|dehnen^4; erweitern^4. ¶ 수명의 ~ Lebensverlängerung *f.* -en / 교외선의 노선을 시내까지 ~함 Streckenerweiterung 《*f.* -en》 der Vorortbahn in die Stadt / 선을 2미터 더 ~하다 die Linie um 2 Meter verlängern / 체류를 ~하다

¶재사연하다 sein ^{4}Licht leuchten lassen*; ^{4}sich gern 〔geistreich〕 produzieren / 신사연하다 ^{3}sich gern ein vornehmes Ansehen geben*; den Anschein e-s Gentlemans erwecken / 학자연하다 ^{3}sich e-n gelehrten Anstrich geben* / 신사연하는 남자 der scheinbare Gentleman, -s, ..men; der wie ein Gentleman wirkende Mann, -(e)s, ¨er.

연한(年限) Frist *f.* -en; Termin *m.* -s, -e. ¶2년간의 ～ die Frist von zwei ^{3}Jahren / ～이 다 됐다 Die Frist ist abgelaufen.
‖의무～ Pflichtzeit *f.* 재직～ Dienst¦zeit *f.* -en 〔-jahre 《*pl.*》〕.

연합(聯合) Vereinigung *f.* -en; Verbindung *f.* -en; Zusammenschluß *m.* ..schlusses, ..schlüsse; 《연맹》 Verein *m.* -(e)s, -e; Verband *m.* -(e)s, ¨e; 《동맹》 Bund *m.* -(e)s, ¨e; Bündnis *n.* ..nisses, ..nisse; Allianz *f.* -en; Amalgamation *f.* -en (비유적으로). **～하다** ^{4}sich vereinigen 《*mit*^{3}》; ^{4}sich vereinen 《*mit*^{3}》; ^{4}sich verbinden* 〔verbünden〕 《*mit*^{3}》; ^{4}sich zusammen|schließen* 《*in*^{4}; *zu*^{3}》; ^{4}sich an|schließen* 《*an*^{4}》 (…에 관련하다); zusammen|wirken (행동을 함께하다). ¶～의 vereinigt; verbunden; verbündet; vereint; zusammengesetzt; alliiert; vereinlebt (합동된) / ～하여 in gegenseitigem Einverständnis 《handeln》 (행동하다); vereint 《schlagen》 (상대를 치다); vereinigt mit *jm.* gegen *jn.* (대항하다).
‖～국 die verbündeten Mächten 《*pl.*》; der Alliierte* 〔Verbündete*〕 -n, -n. **～군** die Alliierten 《*pl.*》; die verbundenen Waffen 《*pl.*》 (각 병과의 연합군대); der kombinierte (Kampf)verband *m.* -(e)s, ¨e (각국 혼성군). **～운동회** das gemeinsame Sportfest, -(e)s, -e. **～함대** Flotte *f.* -n. **경제인～회** Arbeitgeberverband, *m.* -(e)s, ¨e. **교원～회** Gewerkschaft 《*f.* -en》 der Lehrer. **국제～** die Vereinten Nationen 《*pl.*》.

연해(沿海) (See)küste *f.* -n; (Meeres)ufer *n.* -s, -. ‖**～어업** Küstenfischerei *f.* -en. **～운항** Küstenhandel *m.* -s, -. **～항로** Küstenschiffahrt *f.* -en; Küstenschifffahrtslinie *f.*

연해(煙害) Rauchschaden *m.* -s, ¨. ⌊-n.

연해(連一) ununterbrochen; anhaltend; fortlaufend; dauernd. ¶～ 비가 온다 Er regnet anhaltend. / ～ 손님들이 온다 Nacheinander kommen die Gäste. / ～ 불행이 잇따랐다 Ein Unglücksfall folgt dem anderen.

연행(連行) Abfuhr *f.* -en; das Wegführen*, -s, -. **～하다** ab|führen 《*jn.*》; weg|führen^4 《*jn.*》. ¶경찰에 ～되다 zur Polizeiwache abgeführt werden.

연혁(沿革) Chronik *f.* -en; Entwicklungsgeschichte *f.* -n.
‖**～지**(誌) Zeitbuch *n.* -(e)s, ¨er.

연호(年號) der Name 《-ns, -n》 e-r ^{2}Ära.

연화(軟化) 《연화됨》 Erweichung *f.* -en; 《연화시킴》 Milderung *f.* -en. **～하다** 《연화됨》 weich werden; erweicht werden; ^{4}sich erweichen lassen*; 《연화시킴》 mildern^4; mäßigen^4; lindern^4.
‖뇌～ Gehirnerweichung *f.* -en.

연화(軟貨) Papiergeld *n.* -(e)s, -er; weiches Geld, -(e)s, -er. ⌈blume *f.* -n.

연화(蓮華·蓮花) 《연꽃》 Lotus *m.* -, -; Lotus-

연환(連環) Kette *f.* -n.

연회(年會) die jährliche Versammlung, -en.

연회(宴會) Tischgesellschaft *f.* -en (만(오)찬회); Abendgesellschaft (만찬회); Bankett *n.* -(e)s, -e; Festessen *n.* -s; Fest¦mahl 〔Gast-〕 *n.* -(e)s, -e 〔¨er〕; „Zweckessen"; Diner *n.* -s, -s; Party *f.* ..ties. ¶～를 베풀다 e-e Tischgesellschaft veranstalten; e-e Party geben* 《*jm.*》; ein Bankett geben*.
‖**～장** Bankettsaal *m.* -(e)s, ¨e; der Speisesaal, in dem sich e-e Tischgesellschaft stattfinden. **신년～** Neujahrbankett *n.* -(e)s, -e; Neujahrsparty *f.*

연후(然後) danach; nachdem; nachher.

연휴(連休) zwei 〔drei *usw.*〕 aufeinanderfolgende Feiertage 《*pl.*》; zwei 〔drei *usw.*〕 Feiertage hintereinander; langes 〔verlängertes〕 Wochenende, -s, -n.

연희(演戲) Schauspiel *n.* -(e)s, -e; Drama *n.* -s, ..men. **～하다** spielen; auf|führen; auf der Bühne spielen.

열^1 zehn; Zehn *f.* -en. ¶열 번째 der 〔die; das〕 zehnte*, -n / 열 살 정도의 소년 ein etwa zehn Jahre alter Knabe, -n, -n / 하나에서 열까지 ohne Ausnahme; ausnahmslos / 열 시이다 Es ist zehn (Uhr). / 그는 오늘로 열 살이 된다 Er wird heute zehn (Jahre alt). / 그는 하나를 듣고 열을 안다 Er hat e-e vorzügliche Auffassungsgabe. / 열 길 물 속은 알아도 한 길 사람의 속은 모른다 Rätselhaft 〔Seltsam〕 ist des Menschen Herz.

열^2 《챗열》 Knappe *f.* -n; Schmicke *f.* -n; 《총열》 Gewehrlauf *m.* -(e)s, ¨e; Gewehrrohr *n.* -(e)s, -e.

열(列) 《일반적으로》 Reihe *f.* -n; Rotte *f.* -n; 《대오의 종렬》 Glied *n.* -(e)s, -er; 《대열》 Zug *m.* -(e)s, ¨e; 《행렬》 Schlange *f.* -n (장사진); Queue *f.* -s; Linie *f.* -n. ¶1열 종대로 in e-r Reihe 〔in Einzelreihen〕 / 3열 종대로 in Reihen zu dreien / 4열 종대로 행진하다 in Viererreihen marschieren 〔gehen*〕 ⓢ / 2열 횡대로 in Doppelreihe / 열을 짓다 ^{4}sich in e-r Reihe auf|stellen; e-e Reihe bilden; ^{4}sich nebeneinander 〔hintereinander〕 an|reihen; 《장사진》 Schlange stehen* / 열을 이탈하다 aus der Reihe treten* 〔kommen*〕ⓢ / 열을 흩뜨리다 aus der Reihe heraus|treten*ⓢ (열을 떠나다); in Verwirrung geraten* 〖열이주어〗; aus der Reihe tanzen(멋대로) / 열을 짓고 가다 in Reih' u. Glied gehen*ⓢ / 열의 선두에 서다 〔맨 끝을 가다〕 e-e Reihe eröffnen 〔schließen*〕 / 열을 정돈하다 in e-r Reihe 〔in Reihen; in Reihen u. Gliedern〕 ordnen / 열을 헤치다 die Reihe auf|lösen 〔auf|brechen*〕 / 열을 죄다 〔열의 간격을 넓히다〕 die Reihe schließen* 〔öffnen〕 / 1열〔2열〕로 서다 ^{4}sich in e-r Reihe 〔in zwei Reihen〕 auf|stellen / 키 순서대로 3열로 서다 der Größe nach zu 3 Gliedern an|treten* ⓢ.

열(熱) ① Hitze *f.* -n; Wärme *f.* -n. ¶태양열 Sonnenhitze *f.* ② 《체온·병열》 (Körper-)temperatur *f.* (체온); Fieber *n.* -s (병열). ¶열이 있다 〔나다〕 Fieber haben / 열이 높다 hohes 〔starkes〕 Fieber haben / 열로 헛소리하다 im Fieber phantasieren / 열을 재다 die Körpertemperatur messen* / 열을 내리다 Fieber senken 〔vertreiben*〕 / 열이 오른다 〔내린다〕 Das Fieber steigt 〔fällt〕. ③ 《열심》 Eifer *m.* -s; Fieber *n.* -s; Manie *f.*; Begeisterung *f.*; Leidenschaft *f.*; Enthusiasmus *m.* -; Hingabe *f.*; Lust 《*f.*》 u. Liebe 《*f.*》; Tatenlust *f.*; Tatendrang *m.* -(e)s; Inbrunst *f.*; Sensation *f.* -en; Aufregung *f.* -en. ¶금광열 Goldrausch *m.* -es, ⸚e / 스포츠 열 Sportfieber *n.* -s / 열이 없는 대답 e-e teilnahmslose Antwort, -en / 열이 식다 ⁴sich ab|kühlen; erkalten ⓢ; ⁴sich legen; nach|lassen* / 두 사람 사이의 열이 식었다 Die Zuneigung (Das Verhältnis) zwischen beiden ist abgekühlt. ¦ Ihre Liebe ist erkaltet. / 사건에 대한 열이 식고 있다 Die Aufregung des Falls legt sich (kommt zur Ruhe).

‖열교환 Wärmeaustausch *m.* -es. 열당량 Wärmeaquivalent *n.* -(e)s, -e. 열방사 Wärmeausstrahlung *f.* -en. 열전기 Thermoelektrizität *f.* -en. 열전도력 Wärmeleitungsvermögen *n.* -s, -. 열처리 Wärmebearbeitung (-behandlung) *f.* -en.

열- jung; neu. ¶열무 Rübe *f.* -n.

열각(劣角) 〖수학〗 der kleinere Winkel, -s, -.

열강(列強) Weltmächte 《*pl.*》; Groß¦mächte (-staaten) 《*pl.*》. ‖유럽 ～회의 die Konferenz 《-en》 der europäischen Großmächte. **5** ～ 회담 das Treffen 《-s, -》 der 5 Weltmächte.

열거(列擧) Aufzählung *f.* -en; Aneinanderreihung *f.* -en. ～하다 auf|zählen⁴; einzeln auf|führen⁴; nacheinander auf|stellen⁴; her|zählen⁴; hintereinander nennen*⁴. ¶판사가 그의 전과(前科)를 ～했다 Der Richter zählte ihm s-e Vorstrafen auf. 「-en.

열검파기(熱檢波器) Thermo-Detektor *m.* -s,

열고나다 ⁴sich widmen; ⁴sich hin|geben*; ⁴sich ergeben*. ¶직무에 ～ e-m Beruf ob|liegen* (nach|gehen*) / 일에 ～ fleißig (emsig) arbeiten / 학업에 ～ anstrengend (eifrig) studieren.

열광(熱狂) Aufregung *f.* -en (흥분); Begeisterung *f.* -en (감격); Enthusiasmus *m.* - (감격); Fanatismus *m.* -. ～하다 ⁴sich begeistern 《*für*⁴》; ⁴sich auf|regen; begeistert werden 《*von*³》; schwärmen 《*für*⁴》; begeistert sein 《*für*⁴》; gefesselt (hingerissen) sein 《*von*³》; blind ergeben sein. ¶～적 aufgeregt; begeistert; enthusiastisch; fanatisch; schwärmerisch; blind; eingefleischt; glaubenswütig; ganz verbohrt (verrannt) / ～적인 박수 enthusiastischer Beifall / ～시키다 auf|regen⁴; auf|reizen⁴ / 그 경기가 관객을 ～케 했다 Das Spiel hatte die Zuschauer begeistert. / 여자 가수가 청중을 ～시켰다 Die Sängerin entzückte das Publikum.

열구름 schwebende Wolke, -n.

열국(列國) Mächte (Staaten; Länder) 《*pl.*》 der Welt. ¶～의 협조 die Konzert 《-(e)s, -e》 der Mächte / 유럽 ～ die europäischen Staaten.

열기(列記) Her¦zählung (Auf-) *f.* -en. ～하다 einzeln an|geben* (-|führen); auf|zählen.

열기(熱氣) ① 《더운 공기》 heiße Luft; Hitze *f.* -n. ¶방에 ～가 차 있다 Das Zimmer ist von der Hitze erfüllt. ② 《신열》 Temperatur *f.*; Fieber *n.* -s. ‖～소독 (소독기) Heißluftsterilisation *f.* -en (Heißluftsterilisator *m.* -s, -en).

열기관(熱機關) Wärmekraftmaschine *f.* -n.

열김(熱—) ① 《열중·흥분한 결》 Erregung *f.* -en; Aufregung *f.* -en; Fieber *n.* -s, -; Hitze *f.* -n. ¶토론 중 ～에 그렇게 말했다 In der Diskussion habe ich aufgeregt so gesagt. ② 《홧김》 Ärger *m.* -s; Zorn *m.* -(e)s; Wut *f.* ¶～에 im Ärger (Zorn); in der Wut / ～에 그는 자리에서 벌떡 일어섰다 Im Zorn hat sich er aufgerichtet.

열끼 ein unbeugsamer Geist, -(e)s.

열나다(熱—) ① 《흥분》 ⁴sich erhitzen; hitzig werden. ¶터무니없는 소문으로 사람들이 열났다 Die tollsten Gerüchte erhitzten die Gemüter. ② 《신열》 Fieber haben (bekommen*); fiebern. ¶열이 난다 Das Fieber bricht aus. / 그 환자는 심한 열이 난다 Der Kranke fiebert heftig.

열나절 e-e sehr lange Zeit, -en. 「zehnte*.

열넷 vierzehn. ¶～째 der (die; das) vier-

열녀(烈女) die heldenhafte (tapfere; mutige; brave (갸륵한)) Frau, -en. ¶～의 귀감 ein Ausbund 《*m.* -(e)s, ⸚e》 an weiblicher Treue (Tugend(en)); ein Muster 《*n.* -s, -》 weiblicher Treue (Tugend(en)).

열다[1] ① 《닫힌 것을》 öffnen⁴; er|öffnen⁴; auf|machen⁴; 《풀어서》 auf|binden*⁴; 《부수어서》 auf|brechen*⁴; 《뚜껑을》 auf|decken⁴; 《돌려서》 auf|drehen⁴; 《단추를 풀어》 auf|knopfen⁴; 《단숨에》 auf|reißen; auf|schließen*⁴ (열쇠로); auf|wickeln⁴ (펴서); auf|ziehen*⁴ (잡아당겨서). ¶열어 두다 offen lassen⁴; auf|halten⁴ / 열어 젖히다 auf|reißen⁴; weit öffnen⁴ / 열려라 참깨 Sesam, öffne dich! / 입을 ～ den Mund öffnen / 문을 ～ e-e Tür öffnen.

② 《시작·개최》 ab|halten*⁴; geben*⁴; halten*⁴; statt|finden*⁴; veranstalten⁴. ¶무도회를 ～ e-n Ball geben* (veranstalten) / 집회를 ～ e-e Versammlung halten* / 판로를 ～ neue Absatzmärkte erschließen* / 후진에게 길을 ～ für jüngere Leute Platz machen / 상점은 8시부터 17시까지 문을 연다 Das Geschäft ist von 8 bis 17 Uhr geöffnet. / 상점은 8시에 문을 연다 Der Laden wird um 8 Uhr geöffnet. / 식은 강당에서 열렸다 Die Feier fand in der Aula statt. / 전시회가 열렸다 Die Ausstellung wurde eröffnet.

열다[2] fruchten; (Frucht) tragen*⁴. ¶열리는 befruchtend; fruchtbar; tragbar; ertrágfähig / 열게 하다 fruchtbar machen / 과일이 열리는 나무 befruchtender Baum / 이 나무에는 열매가 열지 않는다 Der Baum trägt k-e Früchte. / 이 과수에는 많은 열매가 열렸다 Der Obstbaum hat gut angesetzt. ¦ Der Baum setzt Früchte an.

열다섯 fünfzehn. ¶～째 der (die; das) fünfzehnte*.

열대(熱帶) Tropenzone *f.*; die heiße (tropische) Zone; Tropen 《*pl.*》. ¶～의 tropisch. ‖～병 Tropenkrankheit *f.* -en. ～식물 e-e tropische Pflanze, -n; die tropische Flora (총칭). ～지방 Tropenländer (Tropen)《*pl*》.

열댓 ungefähr fünfzehn. ¶～ 살의 im Alter von etwa 15 (Jahren) / ～ 살 먹은 소년 ein Knabe im Alter von etwa 15 (Jahren).

열도(列島) Inselkette *f.* -n.

‖류큐～ die Ryukyu Inseln 《*pl.*》.

열도(熱度) der Grad 《-(e)s, -e》 der Hitze (Temperatur); 《온도》 Hitze *f.* -n; Fieber *n.* -s, -. ‖～계 Kalorimeter *n.*

열도체(熱導體) Wärmeleiter *m.* -s, -.

열독(閱讀) das Durchlesen*, -s; Durchlesung *f.* -en; Durchsicht *f.* -en. ～하다 (sorgfältig) durch|lesen*⁴ (durchlesen*⁴; durchsehen*⁴).

열둘 zwölf. ¶열 두째 der (die; das) zwölfte*.

열등(劣等) Minderwertigkeit *f.*; Untergeord-

sich der Forschung (mit Leib u. Seele).
열증(熱症) 〖의학〗 Fieber *n.* -s, -; Fieberkrankheit *f.* -en.
열쭝이 neu ausgebrütenes Vöglein, -s, -; 《사람》 der grüne 〔unerfahrene; unreife〕 Junge, -n, -n; Gelbschnabel *m.* -s, ¨.
열차(列車) Zug *m.* -(e)s, ¨e. ¶ 다섯 시 발 ~ den 5 Uhr-Zug; der 17 Uhr-Zug (오후의) / 부산행 ~ Zug nach Busan / ~에 타다 in den Zug ein|steigen*Ⓢ; mit der Bahn reisen 〔fahren*; gehen*〕Ⓢ (여행하다) / ~에서 내리다 aus dem Zug aus|steigen*Ⓢ / ~ 시간에 대다 den Zug erreichen 〔erwischen〕; zum Zug zurecht|kommen*Ⓢ / ~를 놓치다 den Zug verpassen 〔versäumen〕; zum Zug zu spät kommen*Ⓢ / ~를 운전하다 den Zug fahren*.
‖ **~방해** Bahnhinderung *f.* -en. **~사고** Eisenbahnunglück *n.* -(e)s, ..unglücksfälle. **~승무원** Zugpersonal *n.* -s, -e. **~장** der Zugaufsichtsbeamte*, -n, -n. **급행~** D-Zug; Schnellzug. **보통~** Personenzug; Bummelzug. **상(하)행~** Zug nach Richtung 〔entgegengesetzter Richtung〕 Seoul. **순환~** Rundreisezug. **시발(최종)~** der erste 〔letzte〕 Zug. **야간~** Nachtzug. **임시~** Sonderzug. **직행~** der durchgehende Zug. **특별 급행~** Luxus-D-Zug; D-Zug mit Platzkarten. **화물~** Güterzug.
열창(一窓) das offene Fenster, -s, -.
열채 die Peitsche mit Schnur.
열처리(熱處理) Wärmebehandlung *f.* -en; Vergütung *f.* -en; Härtung *f.* -en; (Aus-)glühen *n.* -s; Anlassen *n.* -s. **~하다** wärme|behandeln[4]; vergüten[4]; härten[4]; (aus|-)glühen[4]; an|lassen*[4].
열탕(熱湯) kochendes 〔siedendes〕 Wasser, -s. ¶ ~을 끼얹다 mit kochendem Wasser begießen*[4].
열퉁적다 rauh; grob; roh; unzüchtig; unanständig (sein). ¶ 열퉁적은 말 unanständige Sprache, -n / 그렇게 열퉁적은 말은 말아요 Sagen Sie nicht so unanständige Dinge!
열파(熱波) 〖물리〗 Hitzewelle *f.* -n.
열패(劣敗) die schwere 〔vernichtende〕 Niederlage, -n; die vollständige Niederlage, -n. **~하다** e-e vernichtende Niederlage erleiden*; vollständig besiegt werden (경기에서). ‖ **우승~** der Sieg des Stärkeren; das Überleben der Tüchtigen; die natürliche Zuchtwahl.
열팽창(熱膨脹) Wärmeausdehnung *f.* -en.
‖ **~율** der Koeffizient 《-en, -en》 der Wärmeausdehnung.
열품(劣品) die Ware 《-n》 von schlechter Qualität.
열풍(烈風) der heftige Wind, -(e)s, -e; Bö *f.* -en; der heftige Windstoß, -es, ¨e. ¶ ~에 몰려 von heftigem Wind gejagt.
열풍(熱風) ein heißer Wind, -(e)s, -e; Sirokko *m.* -s, -s (지중해의); Samum *m.* -s, -s (사막의).
열하나 elf. ¶ ~째 der 〔die; das〕 elfte*.
열하다(熱―) erhitzen; heiß machen.
열하루 《열 한 날》 elf Tage 《*pl.*》; 《열 하룻날》 der elfte (Tag). ¶ 3월 열 하룻날에 am elften März.
열학(熱學) 〖물리〗 Wärmelehre *f.*
열학(熱瘧) 〖한의학〗 Malaria *f.* ..rien.
열핵(熱核) ¶ ~의 thermonuklear.
‖ **~반응** thermonuklear Reaktion, -en. **~병기** Thermonuklearwaffe *f.* -n. **~융합** Kernverschmelzung *f.* -en.
열혈(熱血) Heißblütigkeit *f.*; der glühende Eifer, -s; Leidenschaftlichkeit *f.*; Hitzigkeit *f.* ‖ **~한(漢)** ein heißblütiger Mann, -(e)s, ¨er; Hitzkopf *m.* -(e)s, ¨e.
열호(劣弧) 〖수학〗 kleinerer Bogen, -s, ¨.
열화(烈火·熱火) das lodernde Feuer, -s, -. ¶ ~같이 노하다 ([4]sich) von Wut entflammen; vor Zorn glühen; vor Wut sieden*.
열화학(熱化學) Thermochemie *f.*
‖ **~방식** die thermochemische Gleichung.
열흘 zehn Tage 《*pl.*》; der zehnte (Tag) (그 달의). ¶ ~ 동안 zehn [4]Tage lang / 5월(초)~에 am zehnten Mai / 꼭 ~ 동안 계속되었다 Es dauerte gerade zehn Tage lang.
엷다 ① 《두께가》 dünn; verdünnt; flach; seicht (sein). ¶ 엷은 책 dünnes Buch / 엷어지다 dünner werden*.
② 《빛·색이》 leicht; dünn; verdünnt; hellfarbig; blaß; bleich; (ab)schattiert; nuanciert (sein). ¶ 엷게 하다 ab|stumpfen[4]; erhellen[4] / 엷어지다 bleichenⓗ,ⓢ; verbleichen* Ⓢ / 엷은 갈색 Hellbraun *n.* -s / 엷은 색 die helle Farbe, -n / 엷은 빛깔의 옷 das helle Kleid, -(e)s, -er / 엷은 홍조 (leichter) Anflug 《-(e)s, ¨e》 von Röte / 엷은 달빛 das bleiche Licht des Mondes / 엷게 화장한 얼굴 das leicht gepuderte Gesicht, -(e)s, -er/ 엷게 화장하다 [4]sich leicht zurecht|machen 〔schminken; pudern〕.
③ 《천박한》 flach; seicht; oberflächlich (sein). ¶ 속이 엷은 녀석 ein flacher Kopf.
엷붉다 rötlich (sein).
염 kleine steinige Insel, -n.
염(炎) ☞ 염증(炎症).
염(殮) ☞ 염습(殮襲).
염가(廉價) der billige 〔niedrige〕 Preis, -es, -e. ¶ ~의 billig; mäßig; niedrig; preiswert; wohlfeil / ~로 팔다 billig 〔zu niedrigem Preis〕 verkaufen[4]; zu Schleuderpreisen verkaufen[4] / ~로 사다 billig kaufen[4]; um ein billiges kaufen[4] / ~ 판매하다 zu besonders billigen Preisen aus|verkaufen[4].
‖ **~판** die wohlfeile Ausgabe, -n; Volksausgabe *f.* -n (책). **~판매** das Billigverkaufen*, -s; Ausverkauf *m.* -(e)s, ¨e (재고 정리); Verkauf 《*m.* -(e)s, ¨e》 zu [3]Schleuderpreisen; Schleudergeschäft *n.* -(e)s, -e; Ramschausverkauf *m.* -(e)s, ¨e; Sommer|schlußverkauf 〔Winter-〕 *m.* -(e)s, ¨e (여름〔겨울〕 물건 일소 염가판매). **~품** Ware 《*f.* -n》 zu verbilligem Preis; Ramsch *m.* -es, -e; Schleuderware *f.* -n (투매품); Sonderangebot *n.* -(e)s, -e.
염갱(塩坑) Salzgrube *f.* -n.
염결(廉潔) Lauterkeit *f.*; Redlichkeit *f.*; Rechtlichkeit *f.*; Rechtschaffenheit *f.*; Unbestechlichkeit *f.* **~하다** lauter; redlich; rechtlich; rechtschaffen; unbescholten; unbestechlich (sein). ¶ ~한 사람 〔성격〕 der lautere Mensch, -en, -en 〔der lautere Charakter, -s, -e [..té:rə]〕.
염광(塩鑛) Salz|bergwerk *n.* -(e)s, -e 〔-mine *f.* -n〕.
염교 〖식물〗 Schalotte *f.* -n.
염글리다 reif machen; 《일을》 vollenden[4]; durch|führen[4]; verwirklichen[4]; aus|führen[4]. ¶ 일을 ~ ein Unternehmen durch|führen.
염기(厭忌) Abneigung *f.* -en; Widerwille *m.* -ns; Abscheu *m.* -(e)s. **~하다** verabscheuen[4]; nicht lieben[4]; hassen[4]; Abscheu

haben《vor^3》.
염기(塩基) 〖화학〗 Base *f.* -n. ¶ ~성의 basisch.
‖ ~류 die Basen 《*pl.*》. ~성 Basizität *f.* -en. ~성 반응 die basische Reaktion, -en. ~성암 der basische Fels, -en, -en. ~성 염 das basische Salz, -es, -e. ~성 염료 die basische Farbe, -n. 유기~ die organische Base, -n.
염낭(—囊) Geld¦beutel *m.* -s, - (-börse *f.* -n); Portemonnaie *n.* -s, -s.
염담(恬淡) Einfachheit *f.*; Selbstlosigkeit *f.* ~하다 frei (구애받지 않다); einfach (꾸밈 없다); 《무관심》 gleichgültig (sein). ¶ ~무욕한 selbstlos; uneigennützig.
염두(念頭) Sinn *m.* -(e)s, -e; Denken *n.* -s. ¶ ~에 있다 im Kopf haben[4]; im Sinne liegen* / ~에 두다 im Kopf behalten*[4]; denken* 《an^4》 / ~에 두지 않다 nicht denken* 《an^4》; [4]sich nicht kümmern 《um^4》 / ~에 떠오르다 *jm.* ein|fallen* Ⓢ; *jm.* in den Sinn kommen*Ⓢ / ~를 떠나지 않다 *jm.* nicht aus dem Sinn kommen* / 그것을 ~에 두어라 Behalte es im Kopf! / 이 생각이 갑자기 ~에 떠올랐다 Der Gedanke schoß mir plötzlich durch den Kopf. / 그 불쌍한 개가 ~를 떠나지 않는다 Der arme Hund kommt mir nicht aus dem Sinn.
염라대왕(閻羅大王) der höchste Richter des Hades; Totengott *m.* -(e)s. ¶ ~ 같은 얼굴 das häßlich verdrehte, finstere Gesicht, -(e)s, -er; der durch [4]Zorn u. Unmut verzerrte Gesichtsausdruck, -(e)s, ⸗e; die ins Widerliche verzogene Miene, -n.
염량(炎涼) Hitze u. Kälte; 《성쇠》 Blüte u. Verfall; Aufschwung u. Niedergang; 《판별력》 Unterscheidungskraft *f.* ⸗e; Urteilskraft *f.* ⸗e.
염려(念慮) Furcht *f.*; Angst *f.* ⸗e; Bangigkeit *f.* -en; 《걱정》 Unruhe *f.* -n; Sorge *f.* -n; Besorgnis *f.* -se; Bange *f.*; Kummer *m.* -s. ~하다 ([4]sich) ängstigen[(4)]; [4]sich fürchten 《vor^3》; bange sein 《vor^3》; [3]sich Sorge machen; [4]sich sorgen 《um^4》; besorgt sein 《$für^4$; um^4》; [4]sich kümmern 《um^4》; [3·4]sich vor [3]*et.* 《$für^4$》 bangen. ¶ ~없는 sicher; zuverlässig; ohne Zweifel / …을 ~하여 aus [3]Furcht 《vor^3》 / 그 여자는 아이의 건강을 ~하고 있다 Sie ist um die Gesundheit ihres Kindes besorgt. / ~하실 것 없읍니다 Sie brauchen sich darüber k-e Sorge zu machen. / ~마십시오 Machen Sie sich darum (darüber) k-e Sorgen mehr!¦ Machen Sie k-e Gedanken mehr darüber! / 그럴 ~는 없다 Das ist nicht zu befürchten.
염려(艶麗) die entzückende Schönheit, -en; Reiz *m.* -es, -e. ~하다 reizend; bezaubernd; entzückend; fesselnd (sein).
염료(染料) Farbe *f.* -n; Farb¦stoff (Färbe-) *m.* -(e)s, -e; Färbemittel *n.* -s, -.
‖ ~공업 Farbenindustrie *f.* -n. 인조 (합성) ~ der künstlich hergestellte (der synthetische) Farbestoff -(e)s, -e. 천연~ die natürliche Farbe, -n.
염류(塩類) die Salze 《*pl.*》.
염마(閻魔) =염라대왕(閻羅大王).
염매(廉賣) Ausverkauf *m.* -s, ⸗e; Ramschverkauf *m.*; das Billigverkaufen*, -s; Verkauf zu [3]Schleuderpreisen; Schleudergeschäft; Sonderangebot *n.* -(e)s, -e. ~하다 billig (zu Spottpreisen) verkaufen[4]; (das Warenlager) aus|verkaufen.
‖ ~품 Ramsch *m.* -es, -e; Schleuderware *f.* -n.
염모(染毛) Haarfärbung *f.* -en. ~하다 das Haar (schwarz) färben.
‖ ~제 Haarfärbemittel *n.* -s, -.
염문(艶文) =염서(艶書).
염문(艶聞) Liebesaffäre *f.* -n; die galante Affäre; Liebesgeschichte *f.* -n; Skandal *m.* -s, -e. ¶ ~이 나다 wegen s-r Liebesaffäre ins Gerede kommen*Ⓢ / 도처에 ~이 퍼지고 있다 überall spricht man von s-n Liebesverhältnissen.
염밭(塩—) Salzfeld *n.* -(e)s, -er; Salzgarten *m.* -s, ⸗.
염백(廉白) Reinheit (Redlichkeit) *f.* -en. ⌈Ernst *m.* -es.
염병(染病) 《장티푸스》 Unterleibstyphus *m.* -; Hospitalfieber *n.* -s, -; 《전염병》 Epidemie *f.* -n; die ansteckende Krankheit, -en. ¶ ~에 걸리다 an Typhus leiden* / ~할 Zum Teufel!; Verflucht! / ~할 녀석 Zum Teufel mit dir!
염복(艶福) Liebesglück *n.* -(e)s; erfolgreiche galante Abenteuer 《*pl.*》.
‖ ~가 der von Frauen Angebetete*, -n, -n; Galan *m.* -s, -s; Liebesheld *m.* -en, -en.
염분(塩分) Salz¦gehalt *m.* -(e)s, -e (-haltigkeit *f.*); Salzigkeit *f.* ¶ ~이 있는 salzig; salzhaltig / ~이 많이 포함된 salzreich; reich an [3]Salz (gehalt) / 고기를 ~에 절이다 Fleisch in Salz legen / 바닷물엔 ~이 많다 Meerwasser hält viel Salz.
염불(念佛) Bittgebet 《*n.* -(e)s, -e》 zu Buddha. ~하다 zu [3]Buddha beten; Buddha an|rufen*. ¶ 공~하다 tauben Ohren predigen; in den Wind reden / 노는 입에 ~하기 Etwas ist besser als gar nichts.
염산(塩酸) Chlor¦säure (Salz-) *f.*
‖ ~칼리 Chlorkali *n.* -s, -s.
염색(染色) das Färben*, -s; Färbung *f.* -en. ~하다 färben[4]; bedrucken[4] (날염). ¶ 재~하다 wieder färben[4]; auf|färben[4]; um|färben[4] / 붉게 ~하다 rot färben[4].
‖ ~공 Färber *m.* -s, -. ~공장 Färberei *f.* -en; Färbe *f.* -n. ~물 die gefärbte Ware, -n. ~법 Färbekunst *f.* ⸗e; die Art u. Weise zu färben. ~질 〖생물〗 Chromatin *n.* -s, -e. ~체 〖생물〗 Chromosom *n.* -s, -en. 머리 ~약 Haarfärbemittel *n.* -s, -.
염서(炎暑) die brennende (glühende) Hitze. ☞ 염열(炎熱). ¶ ~의 계절 die glühende Jahreszeit, -en.
염서(艶書) =연서(戀書).
염세(厭世) Weltschmerz *m.* -es, -en; Lebensüberdruß *m.* ..drusses (-verneinung *f.*); Pessimismus *m.* -. ¶ ~적 weltschmerzlich; lebens¦überdrüssig (-verneinend); grau in grau; pessimistisch / ~ 자살을 하다 aus Lebensüberdruß Selbstmord begehen*.
‖ ~가 Weltschmerzler *m.* -s, -; Pessimist *m.* -en, -en; Schwarzseher *m.* -s, -. ~관 die pessimistische Lebensanschauung; die düstere Ansicht (-en) des Lebens. ~주의 Pessimismus. ~철학 die pessimistische Philosophie. ⌈-(e)s, ⸗e.
염세(塩稅) Salzsteuer *f.* -n; Salzzoll *m.*
염소 Ziege *f.* -n (총칭, 특히 암컷); 〖방언〗 Geiß *f.* en.
‖ ~가죽 Ziegenleder *n.* -s, -; Kid [kid]

n. -s, -s; Ziegenfell *n.* -(e)s, -e (모피): ~가죽 장갑 Glacéhandschuh [glasé:..] *m.* -(e)s, -e. ~수염 Knebel¦bart (Bocks-; Ziegen-) *m.* -(e)s, ⸚e. 새끼~ Zicklein *n.* -s, -; Zickchen *n.* -s, -; Kitz *n.* -es, -e; Kitze *f.* -n. 수~ Ziegenbock *m.* -(e)s, ⸚e.

염소(塩素) 〖화학〗 Chlor *n.* -s 《기호:Cl》. ¶ ~의 chlorig / ~ 작용하다 (처리하다) chlorieren[4].

염수(塩水) Salzwasser *n.* -s, -; Sole *f.* -n; See¦wasser (Meer-) (해수); Brackwasser (하구의 짠 물); (Salz)lake *f.* -n (간수).

염습(殮襲) das (Aus)waschen* u. das Bekleiden der Leiche. ~하다 die Leiche waschen u. bekleiden.

염연하다(恬然—) ungestört; sorg¦frei (-los); gleichgültig (sein).

염열(炎熱) die brennende (drückende; glühende; höllische; wahnsinnige) Hitze; versengende Sonnenstrahlen 《*pl.*》.

염오(厭惡) Abscheu *m.* -(e)s; Widerwille *m.* -ns. ~하다 verabscheuen[4]; nicht lieben[4]; hassen[4]. ¶ ~를 품다 Abscheu haben 《*vor*[3]》.

염원(念願) Herzenswunsch *m.* -es, ⸚e; ein großes Anliegen, -s, -. ~하다 (herzlich) wünschen[4]; hoffen[4]; begehren[4]; bitten*[4]; verlangen 《*nach*[3]》. ¶ 행운의 때를 ~하다 auf bessere Tage hoffen / ~이 성취되었다 Der Wunsch ist in Erfüllung gegangen.

염의없다 schamlos; unverschämt; frech (sein).

염장(塩漿) Gewürz *n.* -es, -e; Salz u. Sauce.

염장이(殮匠—) Unterkontrahent *m.* -en, -en; Begräbnissorger *m.* -s, -.

염전(塩田) Salz¦feld *n.* -(e)s, -er (-garten *m.* -s, ⸚); Meersaline *f.* -n. ¶ ~을 만들다 ein Salzfeld (e-n Salzgarten) an|legen 《*aus*[3]》.

염접 die Faltung des Saumes vom Tuch (Papier). ~하다 den Saum des Tuches (Papiers) falten.

염좌(捻挫) 〖의학〗 Distorsion *f.* -en; Verstauchung *f.* -er. ~하다 [3]sich verstauchen[4].

염주(念珠) Rosenkranz *m.* -es, ⸚e; Gebetschnur *f.* ⸚e. ¶ ~를 세다 Perlender Gebetschnur fingern / ~를 굴리며 기도하다 den Rosenkranz (ab|)beten.

‖ ~알 Rosenkranzperle *f.* -n.

염증(炎症) Entzündung (Inflammation) *f.* -en. ¶ ~을 일으키다 [4]sich entzünden; e-e Entzündung herbei|führen (verursachen).

염증(厭症) Widerwille *m.* -ns; Abscheu *m.* -(e)s; Übersättigung *f.* -en; Überdruß *m.* ..sses. ¶ ~이 나다 *jm.* zuwider werden; überdrüssig[2] (satt[2]) werden / ~이 나도록 들었다 Ich habe es zum Überdruß gehört.

염직(染織) das Färben* u. Weben*. ~하다 färben* u. weben[(*)4].

‖ ~공장 Färber u. Weberei.

염직(廉直) Rechtsschaffenheit *f.* -en; Unbescholtenheit *f.* -en; Ehrgefühl *n.* -(e)s. ~하다 ehrlich; aufrichtig; rechtschaffen; unbestochen; unbescholten (sein). ¶ ~한 사람 ein Mann 《*m.* -(e)s, ⸚er》 von Ehre.

염천(炎天) die versengende (brennende) Sonne; die glühende Sonnenhitze. ¶ ~의 더위였다 Es herrschte glühende Hitze.

염출하다(捻出—) 《돈을》 auf|bringen*[4]; auf|treiben*[4]; 《생각을》 aus|klügeln[4]; aus|denken*[4]; erdenken*[4]; ersinnen*[4]. ¶ 돈을 ~ [4]Geld auf|bringen* (auf|treiben*) / 나는 새로운 계획을 염출했다 Ich hatte mir e-n Plan ausgedacht.

염치(廉恥) Redlichkeit *f.*; Ehr¦gefühl *n.* -(e)s (-liebe *f.*). ¶ ~없는 ehrlos; schamlos; unverschämt / ~를 차리다 (streng) auf (s-e) Ehre halten* (bedacht sein); k-n Fleck auf s-r Ehre dulden / ~가 없다 überhaupt k-e Ehre im Leibe haben; k-n Funken Ehrgefühl im Leibe haben; alle Scham ab|werfen* (ab|tun*); jedes Schamgefühls bar sein*.

염탐(廉探) die geheime Untersuchung, -en; die geheime Nachforschung, -en; Spionage [spioná:ʒə] *f.* -n. ~하다 im geheimen forschen 《*nach*[3]》; im geheimen Erkundigungen ein|ziehen* 《*über*[4]》; spionieren[4]; aus|spähen[4]. ‖ ~꾼 Spion *m.* -s, -e; der geheime Agent, -en, -en.

염통 Herz *n.* -ens, -en.

염통머리 ＝염치(廉恥).

염포(殮布) Leichentuch *n.* -(e)s, ⸚er (-e).

염하다(廉—) ① 《싸다》 billig (sein). ② ☞ 청렴하다.

염하다(殮—) ＝염습하다(殮襲—).

염해(塩害) der von salzhaltigem Wasser (*od.* Wind) (von salzhaltiger Luft) verursachte Schaden, -s, ⸚; Salzschaden.

염화(塩化) das Chlorieren*, -s; das in Chloride Verwandeln*, -s. ~하다 chlorieren[4]; verchloren[4].

‖ ~물 Chlorid *n.* -(e)s, -e. ~연(鉛)(철(鐵)) Bleichlorid (Eisenchlorid) *n.* -(e)s, -e. ~은 (나트륨) Silberchlorid (Natriumchlorid).

엽견(獵犬) Jagd¦hund (Hetz-; Spür-) *m.* -(e)s, -e; Rüde *m.* -n, -n.

엽관(獵官) Ämter¦jagd (Stellen-) *f.* (-jägerei *f.*; -sucht *f.*); das Ämter¦jagen* (Stellen-) -s. ¶ ~의 nach Ämtern (Stellen) jagend (suchend) / ~ 운동을 하는 사람 Ämter¦jäger (Stellen-) *m.* -s, - / ~ 운동을 하다 auf Ämterjagd gehen* ⓢ.

엽궐련(葉—) Zigarre *f.* -n; Zigarillo *m.* -s, -s (가는). ¶ ~을 피우다 e-e Zigarre rauchen; e-e Zigarre qualmen (뻐끔뻐끔).

‖ ~꽁초 (Zigarren)stummel *m.* -s, -. ~자르개 Zigarren¦(ab)schneider *m.* -s, - (-schere *f.* -n).

엽기(獵奇) der Hang 《-(e)s》 zur Groteske (zu etwas Absonderlichem *od.* Unnatürlichem). ¶ ~적인 grotesk; absonderlich; unnatürlich.

‖ ~심 die verkehrte Neugier(de): ~심이 강한 사람이 적지 않다 Es gibt nicht wenige Groteskenjäger. ~욕 die Sucht nach Groteske *usw.*

엽기(獵期) ＝사냥철.

엽록소(葉綠素) 〖식물〗 Chlorophyll *n.* -s; Blattgrün *n.* -(e)s.

엽록체(葉綠體) Chloroplasten *m.* -s, -.

엽맥(葉脈) Blattader *f.* -n; Blattaderung *f.* -en; Blattrippe *f.* -n.

엽사(獵師) ＝사냥꾼.

엽서(葉書) (Post)karte *f.* -n. ¶ ~를 내다 e-e (Post)karte schicken 《*jm.*》 / ~를 우체국에 내다 e-e Karte auf die Post geben* / 너는 그에게 간단한 ~를 보내기만 하면 된다 Du brauchst ihm nur e-e kurze Karte zu schreiben. ‖ 그림~ Ansichtskarte. 봉함~ Briefkarte *f.* -n. 왕복~ Postkarte mit (Rück)antwort.

엽연초(葉煙草) das getrocknete Tabakblatt, -(e)s, ⸚er.

엽전(葉錢) Kupfermünze *f.* -n.

엽조(獵鳥) Jagdvogel *m.* -s, ⸚.

엽차(葉茶) gemeiner 〔minderwertiger〕 Tee, -s, -s; e-e geringe Sorte Tee.

엽초(葉草) das getrocknete Tabakblatt, -(e)s, ¨er.

엽초(葉鞘) 〖식물〗 Vagina *f.* ..ginen; Halmscheide *f.* -n.

엽총(獵銃) Jagd¦gewehr *n.* -(e)s, -e 〔-flinte *f.* -n〕; 《새잡이용》 Vogelflinte *f.* -n.

엽치다 rauh hülsen[4].

엿 süßes Gluten, -s; Bonbon [bõbõ:] *m.* (*n.*) -s, -s. ¶ 엿을 빨다 Er saugt an s-m süßen Gluten.

‖ 엿장수 Bonbon-Verkäufer *m.* -s, -.

엿- sechs. ¶ 엿새 sechs Tage.

엿가락 der Stab《-(e)s, ¨e》 des süßen Reisgallerts.

엿기름 Malz *n.* -es (맥아). ¶ ~을 만들다 malzen[4]; Malz her|stellen.

엿듣다 horchen[4]; lauschen[4]; heimlich zu|hören[3]. ¶ 문에서 ~ an der [3]Tür horchen 〔lauschen〕 / 엿듣는 것은 수치스러운 일이다 Der Horcher an der Wand hört s-e eigne Schand. / 그는 눈을 감고 자기 내심에서 우러나오는 소리를 엿듣는다 Er lauscht mit geschlossenen Augen auf die Stimme in s-m Innern.

엿물 die Flüssigkeit《-en》 des süßen Reisgallerts.

엿밥 der Überrest《-es, -e》 des gekochten Reisgallerts.

엿보다 lauern《*auf*[4]》; ab|passen[4]; verstohlen 〔heimlich〕 an|blicken[4]; e-n verstohlenen 〔heimlichen〕 Blick werfen* 〔tun*〕《*auf*[4]》; e-n lauernden Blick haben. ¶ 엿보는 눈치 ein lauernder Blick / 기회를 ~ auf e-e 〔passende〕 Gelegenheit lauern; e-e günstige Gelegenheit ab|passen / 천하의 형세를 ~ die Lage 〔den Lauf〕 der Welt beobachten.

엿살피다 e-n heimlichen Blick werfen《*auf*[4]》; *jn.* verstohlen an|sehen*.

엿새 sechs Tage; 《엿샛날》 der sechste Tag des Monats.

엿자박 das Stück《-(e)s, -e》 des süßen Reisgallerts.

엿장수 der Verkäufer《-s, -》 des süßen Reisgallerts.

엿죽(방망이) 《방망이》 der Stock, den man benutzt, das kochende Reisgallert umzurühren; 《쉬운 일》 leichte Arbeit, -en.

엿치기 ein Spiel, bei dem man nach den Löchern des gebrochenen Reisgallerts den Kampf entscheidet.

영[1] die klare u. saubere Atmosphäre, -n. ¶ 영이 돌다 über [3]*et.* e-e saubere Atmosphäre haben.

영[2] ☞ 이엉.

영(令) 《명령》 Befehl *m.* -(e)s, -e; Anordnung *f.* -en; 《법령》 Verordnung *f.* -en; Vorschrift *f.* -en; Bestimmung *f.* -en; Gesetz *n.* -es, -e (법률).

영(零) null; Null *f.* -en. ¶ 영을 하나〔둘〕 붙이다 e-e Null 〔zwei Nullen〕 an die Zahl an|hängen; der Zahl ein Null 〔zwei Nullen〕 hinzufügen / 이대 영으로 이기다 〔지다〕 zwei zu null gewinnen* 〔verlieren*〕.

영(領) Territorium *n.* -s, ..rien; Besitz *m.* -es, -e; Gebiet *n.* -(e)s, -e.

영(嶺) 《재》 hoher Hügel, -s, -; Gipfel *m.* -s, -; Bergpaß *m.* ..passes, ..pässe.

영(靈) Seele *f.* -n; Geist *m.* -(e)s, -er; 《죽은 사람의》 Lemure *m.* -n, -n 《주로 *pl.*》; Manen 《*pl.*》. ¶ 영적 geistig; seelisch; spiritual / 영과 육 Leib u. Geist; Geist u. Körper / 영을 모시다 die Seele des Verstorbenen als göttlich verehren 〔zum Gott weihen〕.

영각 《황소 울음》 das Muhen*, -s; das Gebrüll, -(e)s (e-r Kuh).

영감(令監) 《남편》 (Ehe)mann *m.* -(e)s, ¨er; 《노인》 der alte Mann, -(e)s, ¨er; 《지체높은 사람》 Herr *m.* -n, -en; 〖희어〗 Göttergatte *m.* -n, -n. ¶ 우리 집 ~ mein Mann, -(e)s / 여보 ~ mein hoher Herr / ~을 얻다 e-n Mann bekommen* 〔kriegen〕 / 아무를 ~으로 삼다 zum Manne bekommen* 〔kriegen〕《*jn.*》.

영감(靈感) Eingebung *f.* -en 〖innere; plötzlich; göttlich; religiös 따위의 형용사와 함께〗; Erleuchtung *f.* -en; Inspiration *f.* -en. ¶ ~을 받은, ~이 깃든 begeistert; inspiriert / ~을 받다 〖Gott, Himmel, Geist 등을 주어로 해서 「영감을 주다」라고 능동으로 말한다〗: ein|geben[4]; erleuchten[4]; inspirieren[4]; begeistern[4] / ~을 받고 행동하다 e-r plötzlichen Eingebung 〔s-r inneren Eingebung〕 folgen.

영걸(英傑) 《사람》 Held *m.* -en, -en; Gigant *m.* -en, -en; Heroe *m.* -n, -n; 《성질》 heroische Qualität, -en; heroischer Charakter, -s, -e.

영검(靈一) Wunderkraft *f.* ¨e; Wunder *n.* -s, -; Gottes Gnade *f.* -n 〔Segen *m.* -s, -〕. **~하다, ~스럽다** [4]sich als gnädig 〔segenspendend〕 zeigen; *js.* Bitte an [4]Gott wird erhört. ¶ ~이 있는 wundertätig; wundertuend; wunderbar 〔überraschend〕 wirkend / ~이 있는 약(藥) Wundermittel *n.* -s, -.

영겁(永劫) Äon *m.* -s, Äonen; Ewigkeit *f.* -en; der unendlich lange Zeitraum, -(e)s, ¨e. ¶ ~의 äonenlang; in [4]Äonen; in (alle) Ewigkeit.

영결(永訣) der letzte Abschied, -(e)s, -e; das finale Lebewohl, -(e)s, -e. **~하다** von e-m Toten Abschied nehmen*.

‖ **~식** Begräbnisfeier *f.* -n; die Zeremonie《-n》 des Leichenbegräbnisses.

영계(一鷄) Hähnchen *n.* -s, -.

‖ **~백숙** gekochtes Hähnchen mit Reis.

영계(靈界) 《정신계》 die seelische Welt, -en; Geisteswelt *f.* -en; 《영혼의 세계》 Geisterwelt *f.* -en; Geisterreich *n.* -s; Schattenreich *m.* -(e)s, -e (저승). ¶ ~와 통하다 mit der Geisterwelt in Verkehr 〔Gedankenaustausch〕 stehen*.

영고(성쇠)(榮枯(盛衰)) Wechselfälle 《*pl.*》; Aufstieg u. Verfall, des - u. -(e)s; Gedeihen* u. Verderben*, des - u. -s. ¶ 인생의 ~ die Wechselfälle des Lebens / ~를 다한 일생 ein wechselvolles Leben / ~는 인간 상사다 Das Menschenleben ist wie Ebbe u. Flut.

영공(領空) Territorialluft *f.*

‖ **~권** Territorialluftsgebiet *n.* -(e)s, -e. **~침범** Einfall ins Territorialluftsgebiet e-s anderen Landes.

영관(領官) Stabsoffizier *m.* -s, -e.

영관(榮冠) Sieges¦kranz 〔Lorbeer-〕 *m.* -es, ¨e; Sieger¦krone 〔Lorbeer-〕 *f.* -n; Lorbeer *m.* -s, -en (월계관). ¶ 승리의 ~을 쓰다 sieggekrönt sein.

영광(榮光) Ehre *f.* -n; Ruhm *m.* -(e)s; Glorie *f.* -n. ¶ ~스러운 ehren¦voll 〔-haft〕; glor¦reich 〔ruhm-〕 / ~스런 승리 der glorreiche 〔ruhmreiche〕 Sieg, -(e)s, -e / ~으

로 여기다 für e-e Ehre halten*; ³sich e-e Ehre machen 《aus³》; ⁴sich geehrt fühlen; ³sich zur Ehre an|rechnen⁴ / ~스럽게도 … 하다 die Ehre haben, ⁴et. zu tun; ⁴sich beehren, ⁴et. zu tun / 나는 그것을 ~으로 생각한다 Ich rechne es mir zur großen Ehre an.¦Dadurch fühle ich mich sehr geehrt. / 당신과 알게 된 것은 큰 ~입니다 Ich bin sehr stolz auf Ihre Bekanntschaft.

영교(靈交) Spiritusverkehr *m.* -(e)s.
‖ ~술 Spiritismus *m.* -, ..men; das Geisterklopfen, -s; Geisterbannung *f.* -en; Geisterbeschwörung *f.* -en.

영구(永久) Ewigkeit *f.* -en; Permanenz *f.* ☞ 영원. ¶ ~적인 ewig; immerwährend; dauernd; permanent / ~히 auf ewig; für immer; auf immer / 명성을 ~히 남기다 s-n Ruhm der Nachwelt überliefern.
‖ ~성 Dauerhaftigkeit *f.* -en; Konstanz *f.* ~자석 Permanentmagnet *m.* -en, -en; Dauermagnet. ~치(齒) der feste Zahn, -(e)s, ⸗e; der zweite Zahn; das zweite Gebiß, ..bisses, ..bisse.

영구(靈柩) Sarg *m.* -(e)s, ⸗e; Sarkophag *m.* -s, -e. ‖ ~차 Leichenwagen *m.* -s, -; Totenwagen *m.* -s, -; Katafalk *m.* -s, -e.

영국(英國) England *n.* -s; Großbritannien *n.* -s; Vereinigtes Königreich, -(e)s 《United Kingdom》; Britisches Reich, -(e)s (대영 제국, 연합 왕국). ¶ ~의 englisch; britisch; großbritannisch / ~제의 in England gemacht (verfertigt).
‖ ~국기 die National¦flagge (Reichs-) von Großbritannien. ~사람 Engländer *m.* -s, -; Brite *m.* -n, -n; das englische Volk, -(e)s: ~ 사람 기질 das englische Wesen, -s; die englische Gemütsart. ~숭배 Engländerei *f.* -en; Anglomanie *f.*: ~ 숭배자 Englandfreund *m.* -(e)s, -e; Anglomane *m.* -n, -n. ~영어 das englische Englisch, -s. ~톤 die englische Tonne, -n. ~해협 Ärmelkanal *m.* -s, -e. ~황태자 der englische Kronprinz, -en, -en.

영규(令閨) Ihre Frau Gemahlin, -r - -; 《제삼자인 경우》 Frau ... *f.* der - ....

영금 《곤욕》 heftige (harte) Schande, -n. ¶ ~을 보다 gedemütigt (erniedrigt) werden; Schande erleiden*.

영남(嶺南) *Yeongnam* (=südöstliches Korea).

영내(營內) Lager *n.* -s, -; Kaserne *f.* -n; Truppenhaus *n.* -es, ⸗er.
‖ ~근무 Kasernendienst *m.* -(e)s, -e. ~생활 Kasernenleben *n.* -s.

영내(領內) Herrschaftsgebiet *n.* -(e)s, -e; Hoheitsgebiet *n.* -(e)s, -e. ¶ ~에서(의) innerhalb des (Herrschafts)gebiet(e)s; Hoheitsgebiet(e)s; im Bereich(e); auf dem Gebiet (e-s Landes).

영년(永年) Jahr u. Tag; lange (viele) Jahre; lange Zeit. ¶ ~의 lang; langjährig; vieljährig.

영농(營農) Betreibung 《*f.* -en》 der Landwirtschaft (des Ackerbaus). ~하다 Landwirtschaft (Ackerbau) treiben*.
‖ ~자 Land¦wirt (Acker-) *m.* -(e)s, -e; Bauer *m.* -s (-n), -n. ~자금 Agrarkredit *m.* -(e)s, -e.

영단(英斷) der entscheidende (ausschlaggebende) Schritt, -(e)s, -e; die drastische Maßnahme, -n. ¶ ~을 내리다 e-n entscheidenden (ausschlaggebenden) Schritt tun*; drastische Maßnahmen 《*pl.*》 treffen* (ergreifen*) / 그대의 ~을 바라오 Hier kommt es auf d-e weise Entscheidung an.

영단(營團) Korporation *f.* -en; Körperschaft *f.* -en; Verband *m.* -(e)s, ⸗e. ¶ ~의 korporativ.

영달(榮達) die glänzende Laufbahn, -en; die große Karriere, -n; das Vorwärtskommen* 《-s》 im Leben. ~하다 Karriere machen*. ¶ ~이 눈앞에 다가오다 e-e glänzende Laufbahn vor ³sich haben / ~이 극치에 달하다 zu den höchsten Würden gelangen.

영당(影堂) 〖불교〗 der Tempel 《-s, -》, wo das Portrait [..trɛ́:] e-r angesehenen Person aufbewahrt ist.

영대(永代) Ewigkeit *f.* -en; Dauerhaftigkeit *f.* -en; Ständigkeit *f.* -en; Unaufhörlichkeit *f.* -en.
‖ ~소유권 das ewige Besitzrecht; der zeitlich unbegrenzte Besitz, -es, -e. ~차지권(借地權) das ewige Pachtrecht, -(e)s, -e. ~차지인 der ewige Pächter (Grundstückmieter) -s, -.

영도(零度) Null *f.* -en; null Grad 《*m.* -(e)s, -e》; Null¦punkt (Gefrier-) *m.* -(e)s, -e. ¶ ~ 이하로 내리다 unter Null sinken* [s] / 오늘은 ~이다 Heute sind null Grad.¦Das Thermometer steht heute auf Null.
‖ 절대~ der absolute Nullpunkt, -(e)s, -e.

영도(領導) Leitung *f.* -en; Führung *f.* -en; Direktion *f.* -en. ~하다 leiten⁴; führen⁴; dirigieren⁴. ¶ …의 ~하에 unter *js.* Leitung (Führung).
‖ ~자 Leiter (Führer) *m.* -s, -.

영독(獰毒) Heftigkeit *f.*; Grausamkeit *f.*; Strenge *f.*; Härte *f.* ~하다 heftig; hart; streng; grausam (sein).

영독(英獨) englisch-deutsch.

영동(嶺東) *Yeongdong* (=*Gangwon* Provinz 《*f.* -en》 in Korea).

영락(零落) Untergang *m.* -(e)s; das Herabsinken*, -s; Ruin *m.* -s; Verarmung *f.* -en; Verfall *m.* -(e)s (쇠퇴). ~하다 unter|gehen* [s]; herab|sinken* [s]; arm werden; in Armut geraten* [s]; verfallen* [s]; herunter|kommen* [s]; verlottern [s]; verarmen [s]; 《생활이》 in Armut leben; kümmerlich das Leben fristen; in dürftigen Verhältnissen leben. ¶ ~한 사람 der Ruinierte*, -n, -n / ~한 귀족 der heruntergekommene Adlige, -n, -n / ~해서 거지가 되다 an den Bettelstab kommen*.

영락없이(零落—) sicher; ein für allemal; ganz bestimmt; gewiß; offenbar; ohne ⁴Zweifel; unbestreitbar; zweifellos. ¶ ~ 그렇다 Ohne Zweifel ist es so. / ~ 그라고 생각했다 Ich glaubte bestimmt, er sei es. / ~ 길을 잃은 줄 알았다 Ich glaubte, ich hätte mich ganz bestimmt verlaufen.

영랑(令郞) =영식(令息).

영령(英領) das englische Staatsgebiet, -(e)s, -e; die Kronkolonien 《*pl.*》 (직할 식민지); die Dominions 《*pl.*》 (자치령).

영령(英靈) die abgeschiedene Seele, -n; der Geist 《-(e)s, -er》 e-s Toten* (von Toten*); Helden¦seele *f.* -n (-sinn *m.* -(e)s). ¶ ~이여 고이 잠드소서 Ruhe sanft! (묘비에) / 이 공동 묘지에는 많은 전쟁 ~이 잠들어 있다 Auf diesem Friedhof ruhen viele Opfer des Krieges.

영롱(玲瓏) Klarheit *f.*; Nüchternheit *f.* ~

하다 klar; rein; nicht trübe; ungetrübt; verständlich; klar u. hell (sein). ¶ ～한 빛깔 klare (reine) Farbe, -n / ～한 눈 klare Augen 《*pl.*》 / 하늘은 ～하다 Der Himmel ist klar.

영리(營利) (Geld)erwerb *m.* -(e)s, -e; (Geld-)profit *m.* -(e)s, -e; Gewinn *m.* -(e)s, -e; Ertrag *m.* (e)s, ⸚e. ¶ ～의 gewinn¦bringend (nutz-); vorteilhaft; einträglich; lohnend; rentabel; ertragfähig; ertraggebend /～를 추구하는 vorteilsuchend / ～에 급급하다 auf ⁴(Geld)gewinn [(Geld)profit] erpicht (aus; versessen) sein; nur auf ⁴(Geld-)gewinn [(Geld)profit] sehen*.

‖ ～가치 Ertragswert *m.* -(e)s, -e. ～사업(단체, 법인) das (die) gewinnbringende Unternehmen, -s (Körperschaft, -en). ～주의 Handelsgeist *m.* -(e)s.

영리하다(怜悧—) weise (현명함); klug; vernünftig; verständig; verständnisvoll; gescheit; gelehrt; gebildet; gewitzt; schlau; aufgeweckt (sein). ¶ 영리한 사람 der Weise*, -n, -n; der Kluge*, -n, -n / 영리한 체하는 사람 Klug¦schnacker (-schmuser; -scheißer; -schwätzer; -sprecher) *m.* -s, -. der Neunmalkluge*, -n, -n; Herr Neunmalklug / 영리한 체하다 klug behandeln / 영리해지다 an Weisheit wachsen*Ⓢ.

영림(營林) Forst¦wirtschaft *f.* -en (-kultur *f.* -en; -wesen *n.* -s, -).

‖ ～국(서) Forstverwaltungsbehörde *f.* -n;

영마루(嶺—) der Höhepunkt 《-(e)s, -》 des Bergpasses.

영망(令望) das Ansehen*, -s; der gute Ruf, -(e)s, -e; Ruhm *m.* -(e)s.

영매(令妹) s-e Schwester, -r -, - -n; 《당신의》 Ihr Fräulein Schwester, -es -s -, -e - -n; 《기혼자인 경우》 Ihre Frau Schwester, -r - -, - - -n ※ 특히 연하(年下)를 강조할 때만 jünger 를 형용사로 붙인다.

영매(英邁) Hervorragung *f.* -en. ～하다 hervorragend; ausgezeichnet; erlaucht; glänzend (sein). ¶ ～한 군주 der hervorragender Herrscher, -s, -. ⌈..dien.

영매(靈媒) das spiritistische Medium, -s,

영면(永眠) der ewige Schlaf, -(e)s; der letzte Schlaf, -(e)s; Tod *m.* -(e)s. ～하다 zur (ewigen) Ruhe (ein|)gehen*Ⓢ; in die Ewigkeit ein|gehen*Ⓢ; den ewigen Schlaf schlafen*; in Grube ruhen. ¶ 그는 지하에 ～하고 있다 Er ruht im Grube.

영명(令名) (der gute) Name, -ns, -n; das Ansehen*, -s; (der gute) Ruf, -(e)s, -e; der hohe Ruhm, -(e)s; Glanz *m.* -(e)s. ¶ ～이 높은 namhaft; angesehen; berühmt; bekannt / ～을 높이다 ³sich e-n Namen machen; s-m Namen Ehre machen; 《날리다》 e-n guten Namen (Ruf) haben / ～은 익히 듣고 있읍니다 Ihr werter Name ist mir bekannt.

영명하다(英明—) weise; scharfsinnig; hochbegabt (sein).

영묘(靈廟) Mausoleum *n.* -s, ..leen.

영묘하다(靈妙—) mysteriös; geheimnisvoll; orakelhaft; okkult; übernatürlich (sein).

영문 《뜻》 Bedeutung *f.* -en; Sinn *m.* -(e)s, -e; 《까닭》 Grund *m.* -(e)s, ⸚e; Ursache *f.* -n; Anlaß *m.* ..lasses, ..lässe; 《형편》 Lage *f.* -n; Stelle *f.* -n; Situation *f.* -en; Umstände 《*pl.*》; Verhältnisse 《*pl.*》. ¶ ～ 모르고 ohne allen Anlaß / ～ 모를 이야기 Rätsel *n.* -s, -; die undurchsichtige Angelegenheit, -en / 무엇의 ～을 규명하다 e-r ³Sache auf den Grund gehen* (kommen*)Ⓢ/ 어찌된 ～이냐 Was soll denn das (eigentlich) heißen (bedeuten)? / 어쩐지 ～을 모르겠다 Daraus kann ich nicht schlau (klug) werden.¦Ich weiß nicht, was man damit gemeint hat (was er damit sagen wollte). / 그런 소리를 내다니 어찌된 ～이냐 Was ist denn los mit diesem Geräusch?

영문(英文) der englische (Auf)satz, -es, ⸚e; Englisch *n.* -(s). ¶ ～의 englisch / ～으로 번역하다 ins Englische übersetzen⁴ / ～으로 쓰다 auf englisch schreiben*⁴.

‖ ～과 《학과》 die Abteilung 《-en》 der englischen Literatur. ～기자 der (auf) englisch schreibende Journalist [zur..] -en, -en. ～편지 die (auf) englisch geschriebene Brief, -(e)s, -e. ～학 die englische Literatur (Dichtung): ～학자 Anglist *m.* -en, -en. ～학사(史) die Geschichte der englischen Literatur (Dichtung). ～학회 der Verein für englische Literatur. ～한역 die Übersetzung 《-en》 aus dem Englischen ins Koreanische. ⌈-e.

영문(營門) Baracken¦tor (Kasernen-) *n.* -(e)s,

영물(靈物) das spirituelle Dasein, -s.

‖ ～학 Pneumatik *f.* -en.

영미(英美) Angloamerika *n.* -s; England u. Amerika, des -s u. -s. ¶ ～의 angloamerikanisch.

‖ ～인 Angloamerikaner *m.* -s, -; Engländer u. Amerikaner, des -s u. -s, - u. -.

영민(英敏) Scharfsinn *m.* -(e)s; Klugheit *f.* -en. ～하다 scharfsinnig; klug; einsichtig; einsichtsvoll (sein). ¶ ～한 머리 der helle (klare) Kopf, -(e)s, ⸚e / 그는 머리가 ～하다 Er ist ein heller Kopf.

영바람 Hochmut *m.*; Aufgeblasenheit *f.*; gehobene Stimmung. ¶ ～이 나다 aufgeblasen (stolz) sein / ～이 나서 frohlockend; jauchzend; triumphierend.

영법(英法) das englische Recht, -(e)s.

영법(泳法) Schwimmkunst *f.* ⸚e.

영봉(靈峰) der heilige (geheiligte) Berg, -(e)s, -e.

영부인(令夫人) Ihre Frau Gemahlin. ¶ 김씨 ～ Frau *Kim;* sehr verehrte Frau *Kim* (편지따위) / 대통령 ～ Frau Präsident / 김씨 및 동～ Herr *Kim* u. Frau Gemahlin (봉투 겉봉에 쓸 때는 Herrn ...로 한다); Sehr verehrte, gnädige Frau *Kim,* Sehr geehrter Herr *Kim* ※ 편지의 호칭에서는 여성을 먼저 쓰고 두 줄로 쓸 것; Herr und Frau *Kim* (형식적인 경우).

영분(領分) Machtbereich (Tätigkeits-; Wirkungs-) *m.* -(e)s, -e (*od.* -kreis *m.* -es, -e); Domäne *f.* -n; Territorium *n.* -s, ..rien.

영불(英佛) englisch-französisch.

영빈관(迎賓館) Gästehaus *n.* -es, ⸚er.

영사(映射) Reflexion *f.* -en; Widerschein *m.* -(e)s, -e. ～하다 reflektieren⁴; zurück|-strahlen⁴ (-biegen*⁴); widerspiegeln⁴.

영사(映寫) Vorführung *f.* -en; Projektion *f.* -en. ～하다 den Film 《-s, -e》 vor|führen; im Film zeigen⁴; projizieren⁴.

‖ ～기 Vorführapparat *m.* -(e)s, -e. ～기사 Vorführer *m.* -s, -. ～막 Leinwand *f.* ⸚e; (Bild)schirm *m.* -(e)s, -e. ～실 Vorführraum *m.* -(e)s, ⸚e.

영사(領事) Konsul *m.* -s, -n (사람); Konsulat

n. -(e)s, -e (직책). ¶ ~의 konsularisch.
‖ ~관 Konsulat: ~관원 das Mitglied 《-(e)s, -er》 e-s Konsulat(e)s / ~관 서기 Konsulatssekretär *m.* -s, -e / ~관 증명서 Konsularausweis *m.* -es, -e. **~대리** Konsular¦agent *m.* -en, -en (-verweser *m.* -). **~보** Konsulatsattache [..ʃɛ:] *m.* -s, -s. **~재판(소)** Konsulargericht *n.* -(e)s, -e: ~재판권 Konsular¦gerichtsbarkeit *f.* (-jurisdiktion *f.*). **명예~** Ehrenkonsul. **부~** Vizekonsul. **총~** Generalkonsul (사람); Generalkonsulat (직책). **총~관** Generalkonsulat.

영사(影寫) Pause *f.* -n; Durchzeichnung *f.* -en. **~하다** pausen⁴; durch|zeichnen⁴.

영사(營舍) Kaserne *f.* -n; Baracke *f.* -n.

영상(映像) (Spiegel)bild *n.* -(e)s, -er; Schattenbild; Schattenriß *m.* ..sses, ..sse; (Wider)spiegelung *f.* -en; Silhouette *f.* -n.

영상(零上) über Null.

영상(領相) Premier *m.* -s, -s; Premierminister *m.* -s, -; Minister *m.* -s, -; Präsident *m.* -en, -en.

영생(永生) das ewige Leben, -s; Immortalität *f.* **~하다** ewig leben; Immortalität genießen*. ⌈-n.

영생이 〖식물〗 Pfefferminze *f.* -n; Minze *f.*

영서(令婿) *js.* Schwiegersohn, -(e)s, ⸚e; Ihr Herr Schwiegersohn.

영서(永逝) =영면(永眠).

영서(英書) ein englisches Buch, -(e)s, ⸚er.

영선(營繕) Bau 《*m.* -(e)s, -e》 u. Reparatur 《*f.* -en》. **~하다** (auf|)bauen⁴ u. reparieren⁴.
‖ **~과** die Abteilung für Bau u. Reparatur. **~비** Bau- u. Reparaturkosten 《*pl.*》.

영성(靈性) Geistigkeit *f.* -en; das Seelische*, -n; Göttlichkeit *f.*; Gottheit *f.*; das göttliche Wesen, -s, -. ¶ ~의 geistig; seelisch; göttlich. ⌈-en.

영성체(領聖體) 〖가톨릭〗 heilige Kommunion,

영세(永世) das ewige Leben, -s, -; Ewigkeit *f.* -en (der Generationen); Dauerhaftigkeit *f.* -en (in der Welt). ¶ ~의 ewig; immerwährend; zeitlos; fortwährend.
‖ **~중립국** der auf ewig neutralisierte Staat, -(e)s, -en.

영세(零細) Kleinigkeit *f.* -en; Geringheit *f.* -en; Geringfügigkeit *f.* -en. **~하다** gering; geringfügig; klein; unbedeutend; dürftig (sein).
‖ **~기업** Kleinbetrieb *m.* -(e)s, -e. **~농민** Kleinbauer *m.* -s (-n), -n. **~농업** der kleinbäuerliche Betrieb *m.* -(e)s, -e. **~민** Kleinbürger *m.* -s, -: ~민을 돕다 den Armen helfen*. **~어민** armer Fischer, -s, -. **~업자** kleiner Unternehmer, -s, -.

영세(領洗) 〖가톨릭〗 Taufe *f.* -n; Kindstaufe *f.* -n (유아의). ☞ 세례. ¶ ~를 받다 getauft werden; die Taufe empfangen*; ⁴sich taufen lassen* / ~를 주다 taufen 《*jm.*》.

영세불망(永世不忘) die unendliche Erkenntlichkeit (Dankbarkeit) -en; die unaufhörliche Erinnerung, -en; das ewige Gedächtnis, -ses, -se.

영소(營所) Larger *n.* -s, -; Truppenhaus *n.* -es, ⸚er.

영속(永續) Dauer¦haftigkeit *f.* (-bestand *m.* -(e)s); das Fortbestehen*, -s; Fortdauer *f.*; Permanenz *f.*; das Verharren*, -s. **~하다** lange (fort)dauern; an|dauern; aus|halten* (지속); bestehen bleiben*Ⓢ; (fort-)währen. ¶ ~적인 dauerhaft; (fort)dauernd; (be)ständig; bleibend; fortwährend; permanent; unausgesetzt / ~적인 수입 das ständige Einkommen, -s, - / 우리들의 우정은 ~한다 Unsere Freundschaft wird ewig dauern.

영손(令孫) *js.* Enkel *m.* -s, -; *js.* Enkelsohn *m.* -(e)s, ⸚e; Ihr Herr Enkelsohn (남자); Ihr Fräulein Enkeltochter (여자).

영솔(領率) Kommando *n.* -s, -s; Leitung *f.* -en; Führung *f.* -en. **~하다** das Kommado führen; leiten⁴; befehligen⁴.

영송하다(迎送—) *jn.* empfangen* u. beim Abschied begleiten (abreisen sehen*).

영쇄(零瑣) Geringfügigkeit *f.* -en; Unbedeutenheit *f.* -en; Untauglichkeit *f.* -en. **~하다** gering; geringfügig; unerheblich; unbedeutend (sein).

영수(領收) Empfang *m.* -(e)s, ⸚e; Erhalt *m.* -(e)s; Erhaltung *f.* -en. **~하다** empfangen*⁴; erhalten*⁴; bezahlt (quittiert) bekommen*⁴. ¶ 일금 1만 원을 정히 ~하였음 Hiermit bestätige ich, daß ich 10000 (in Worten zehntausend) *Won* empfangen (erhalten; bezahlt bekommen) habe.
‖ **~인** Empfänger *m.* -s, -; Erhalter *m.* -s, -. **~증** Empfangsschein *m.* -(e)s, -e; Empfangsbescheinigung (Quittung) *f.* -en. **~필**(畢) „Bezahlt"; „Empfangen"; „Erhalten"; „Quittiert". **가~증** die vorläufige Empfangsbescheinigung (Quittung) -en; Interimsschein *m.* -(e)s, -e.

영수(領袖) Führer *m.* -s, -; Leiter *m.* -s, -; Boß *m.* ..sses, ..sse; Haupt *n.* -(e)s, ⸚er; Chef *m.* -s, -s; die führenden Männer 《*pl.*》. ¶ 정당의 ~ die Führer (die führenden Männer) 《*pl.*》 e-r (politischen) Partei; Parteichef *m.* -s, -s.

영시(英詩) die englische Poesie (총칭); das englische Gedicht, -(e)s, -e.

영시(零時) 0 Uhr; 12 Uhr nachts; 24 Uhr; Mitternacht *f.*

영식(令息) *js.* Sohn *m.* -(e)s, ⸚e; Ihr Herr Sohn, -es -n -(e)s, -e -en ⸚e (당신의).

영아(嬰兒) das neugeborene Kind, -(e)s, -er; Kleinstkind *n.* -(e)s, -er; Säugling *m.* -s, -e; Wickelkind *n.*
‖ **~살해** 《범행》 Kindes¦mord (Kinder-) *m.* -(e)s, -e; Kindestötung *f.* -en: ~살해범 Kindesmörder *m.* -s, -. **~위탁소** Kinderheim *n.* -(e)s, -e; Kinderhort *m.* -(e)s, -e; Kinderkrippe *f.* -n.

영악(獰惡) Wildheit *f.*; Grausamkeit *f.* **~하다** wild; grausam; grimmig; ungestüm (sein). ¶ ~한 인간 der Wilde*, -n, -n; der rauhe Mensch, -en, -en.

영악하다 klug; gescheit (sein).

영애(令愛) =영양(令孃).

영약(靈藥) Wundermittel *n.* -s, -; Elixier *n.* -s, -e; Allheilmittel (만능약).

영양(令孃) Tochter *f.* ⸚; Fräulein *n.* -s, -; 《당신의》 Ihr Fräulein Tochter 〖2격: Ihres -s -; sein 등의 소유 대명사를 쓸 때도 이에 준함〗. ¶ 김씨의 ~ Die Tochter Herrn *Kim.*

영양(羚羊) 〖동물〗 Antilope (Gemse) *f.* -n.

영양(營養) Ernährung *f.* -en; Nahrung *f.* -en. ¶ ~이 있는 (er)nährend; nahrhaft / ~이 좋은 wohlgenährt; gut ernährt; eutroph / ~이 나쁜 unterernährt; schlecht ernährt; oligotroph.
‖ **~가** Nähr¦wert (Ernährung-) *m.* -(e)s, -e. **~과다** Übernährung *f.* -en. **~물** Nah-

rungs¦stoff *m.* -(e)s, -e (-mittel *n.* -s, -); Nähr¦mittel (-stoff). ~사 der Praktiker 《-s, -》 der Diätetik. ~실조 (불량) Unterernährung *f.* -en; die schlechte Ernährung, -en; Oligotrophie *f.*: ~ 실조가 되다 an ^{3}Unterernährung (schlechter Ernährung; Obligotrophie) leiden*. ~연구소 das Forschungsinstitut 《-(e)s, -e》 für ^{4}Diätetik. ~요법 Diätkur *f.* -en; Ernährungstherapie *f.* -n. ~제 Nahrungspräparat *n.* -(e)s, -e. ~학 Diätetik *f.* -en: ~학자 Diätetiker *m.* -s, -; der Erfoscher 《-s, -》 der Diätetik. ~학교 die Schule 《-n》 für ^{4}Diätetik.

영어(英語) Englisch *n.* -(s); das Englische*, -n; die englische Sprache. ¶ ~의 englische; (auf) englisch geschrieben / ~화하다 anglisieren^{4}; englisieren^{4}/~로 말하다 (auf) Englisch sprechen* / ~를 잘 하다 gut englisch können*; Englisch beherrschen; in der englischen Sprache bewandert sein; des Englischen kundig sein / ~로 번역하다 ins Englischen übersetzen^{4} / 개는 ~로 뭐라고 하느냐 Wie heißt „*Gae*" auf englisch?
‖ ~선생 der Lehrer 《-s, -》 des Englischen. ~지식 *js* Kenntnisse 《*pl.*》 im Englischen. ~학 Anglistik *f.*; die englische Sprachwissenschaft; die englische Philologie; die englische Kulturwissenschaft. ~학도 der Student 《-en, -en》 der englischen Philologie. ~회 die Gesellschaft für englische Philologie.

영어(囹圄) Gefängnis *n.* -ses, -se. ¶ ~의 몸이 되다 ins Gefängnis kommen*.

영업(營業) Gewerbe *n.* -s, -; Geschäft *n.* -(e)s, -e; Handel *m.* -s, ⁼ ~하다. ein Gewerbe aus¦üben ((be)treiben*); ein Geschäft (e-n Handel) (be)treiben*. ¶ ~상의 geschäftlich / 성행하는 ~ blühender (lebhafter) Handel / 비밀 ~을 하다 《밀무역 따위》 schwarze (dunkle) Geschäfte treiben* / ~을 시작하다 ein Geschäft gründen (eröffnen) / ~이 잘 되어 가는가 Wie gehen die Geschäfte? / ~이 성하다 (성하지 않다) Handel u. Gewerbe stehen in Blüte (liegen danieder).
‖ ~감찰 Gewerbeschein *m.* -(e)s, -e. ~금지 Geschäftsverbot *n.* -(e)s, -e. ~기구 Betriebsmaschine *f.* -n. ~대리인 Geschäftagent *m.* -en, -en. ~방침 Geschäftsprinzip *n.* -s, -e (...pien). ~보고 Geschäftsbericht *m.* -(e)s, -e. ~부 Geschäftsabteilung *f.* -en: ~부 주임 der Leiter 《-s, -》 der Geschäftsabteilung; Prokurist *m.* -en, -en. ~부문 Geschäftszweig *m.* -(e)s, -e. ~비 Geschäfts¦kosten (-spesen) 《*pl.*》. ~(상의) 관례 Geschäftsgebrauch *m.* -(e)s, ⁼e. ~(상의) 비밀 Geschäftsgeheimnis *n.* -ses, -se. ~세 Gewerbe¦steuer (Betriebs-) *f.* -n. ~소 Geschäftsstelle *f.* -n: 임시 ~소 die zeitweilige Geschäftsstelle, -n; das provisorische Büro, -s, -s. ~시간 Geschäftsstunden 《*pl.*》. ~안내 Geschäftsprogramm *n.* -s, -e. ~인 Geschäft¦treibende (Gewerb-) *m.* -n, -n. ~정지 das zeitweilige (provisorische) Geschäftsverbot, -(e)s, -e. ~조합 Gewerbe¦verein (Handwerker-) *m.* -(e)s, -e. ~주 Geschäftsinhaber *m.* -s.

영역(英譯) die englische Übersetzung, -en (Übertragung, -en; Wiedergabe, -n). ~하다 ins Englische übersetzen^{4}(übertragen*^{4}). ¶ ~된 im Englischen übersetzt (übertragen; wiedergegeben); in englischer Übersetzung (Übertragung; Wiedergabe) / …의 ~을 하다 die englische Übersetzung von ^{3}*et.* machen* (an¦fertigen; liefern).
‖ 국문~ die englische Übersetzung aus dem Koreanischen; die Übersetzung vom Koreanischen ins Englische.

영역(領域) Bezirk *m.* -(e)s, -e; Bereich *m.* (*n.*) -(e)s, -e; Gebiet *n.* -(e)s, -e; Region *f.* -en; Sphäre *f.* -n; Revier *n.* -s, -e; Gehege *n.* -s, -. ¶ 자기 ~ 안에 innerhalb s-s Bereiches / 자연 과학의 ~ das Gebiet der Naturwissenschaften / ~을 지배하다 ein Gebiet beherrschen / 그는 정치 ~에서의 전문가이다 Er ist ein Fachmann auf politischem Gebiet.
‖ 작업~ Arbeitsbereich *m.* -es, -e. 활동~ Wirkungskreis (-bereich).

영역(靈域) der heilige Distrikt, -(e)s, -e.

영영(永永) ewig; auf (für) ewig; immerwährend; 《부정》 durchaus nicht; nicht das geringste. ¶ 조국을 ~ 떠나다 sein Vaterland auf ewig verlassen* / 그에게서는 ~ 소식이 없었다 Er hat gar nichts von sich hören lassen.

영영무궁(永永無窮) Ewig¦keit (Unendlich-) *f.* ~하다 ewig; unendlich; endlos (sein).

영예(榮譽) Ehre *f.* -n; Beehrung *f.* -en; Ruhm *m.* -(e)s; Ruf *m.* -(e)s, -e (명성); das Ansehen*, -s (체면). ¶ ~로운 ruhmvoll; glorreich; ehren¦haft (-voll; -wert) / 국가의 ~ Nationalehre *f.*; der Glanz des Landes / 헛된 ~ eitler (falscher; nichtiger) Ruhm / ~가 되다 〖사물을 주어로 삼고〗 *jm.* zur Ehre gereichen; *jm.* Ehre machen / ~로 여기다 ^{4}sich rühmen$^{(2)}$ 《*mit*^{3}》; ^{3}sich ^{4}*et.* zur Ehre an¦rechnen; s-e Ehre darein setzen, daß... (^{4}*et.* zu *tun*) / ~의 정상에 오르다 die Höhe des Ruhmes erreichen / 이 사업이 그에게 ~를 안겨 줄 것이다 Dieses Werk wird ihm Ruhm einbringen. / 이 책은 그 출판업자에게 ~를 안겨다 준다 Dieses Buch gereicht dem Verleger zur Ehre. / 그와 같은 남자는 자기 조국에 ~를 안겨다 준다 Ein Mann wie er macht seinem Vaterlande Ehre.

영외(領外) ¶ ~에 außerhalb (jenseits) des Territoriums.

영외(營外) ¶ ~에 außerhalb der Kaserne.
‖ ~거주 das Leben außerhalb der Kaserne: ~에 거주하다 außerhalb der Kaserne wohnen.

영요(榮耀) das Gedeihen*, -s; das Wohlergehen*, -s; Glorie *f.* -n; Herrlichkeit *f.* -en; Ehre *f.* -n.

영욕(榮辱) Glorie u. Scham; Ehre u. Schande.

영웅(英雄) Held *m.* -en, -en; Heros *m.* -, ..roen. ~화하다 heroisieren^{4}. ¶ ~의(적인) heroisch; heldenhaft; heldenmäßig; heldenmütig / ~적 생애 Heldenbahn *f.* -en / ~(적) 정신 Helden¦geist *m.* -(e)s (-seele *f.*; -sinn *m.*) / ~적 행위 Heldentat *f.* -en.
‖ ~숭배 Heldenverehrung *f.* -en; Heroenkult *m.* -(e)s, -e; Heroenkultus *m.* -, ..kulte. ~(서사)시 Heldengedicht *n.* -(e)s, -e; Heldenlied *n.* -(e)s, -er. ~심 Heldenherz *n.* ~전설 Heldensage *f.* -n. ~주의 Heroismus *m.* -.

영원(永遠) Ewigkeit *f.* -en; Permanenz *f.*; Zeitlosigkeit *f.* -en. ¶ ~한 ewig; bleibend; permanent; zeitlos; 《불멸의》 unsterblich;

《지속적인》 dauernd / ～한 생명 das ewige Leben, -s / ～히 auf immer; für immer (u. ewig); in Äonen; in Zeit u. Ewigkeit; in alle Ewigkeit / 이름을 ～히 남기다 e-n unsterblichen Namen hinterlassen*; s-n Ruhm verewigen / ～한 사랑을 맹세하다 jm. ewige Liebe schwören* / ～한 평화〔휴식〕을 찾다 《죽다》 in den ewigen Frieden 〔in die ewige Ruhe〕 ein|gehen* ⓢ / ～히 여성적인 것 das Ewig-Weibliche*.

‖～성 Ewigkeit *f.* -en; Konstanz *f.*; Unsterblichkeit *f.*

영원(蠑蚖) 〖동물〗 Aalmolch *m.* -(e)s, -e; die kleine Eidechse, -n.

영위(營爲) Verwaltung *f.* -en; Leitung *f.* -en; Führung *f.* -en; Betrieb *m.* -(e)s, -e. ～하다 verwalten[4]; führen[4]; (be)treiben*[4].

영위법(零位法) 〖물리〗 Nullmethode *f.* -n.

영유(領有) Besitz *m.* -es; Besitznahme *f.* ～하다 besitzen*[4]; als Eigengut inne|haben*[4] 〔in Händen haben[4]; sein eigen nennen*[4]〕; herrschen 《*über*[4]》. ¶ …의 ～가 되다 in die Hände fallen* ⓢ 《*jm.*》; *js.* 〔*jm.* zu〕 Besitz werden; in *js.* [4]Besitz über|gehen*[4] ⓢ; zu|fallen* ⓢ 《*jm.*》.

‖～권 Besitzrecht *n.* -(e)s, -e. ～물 Besitztum *n.* -(e)s, ⸗er; Eigentum *n.* -(e)s, ⸗er. ～자 Besitzer *m.* -s, -.

영육(靈肉) Leib u. Seele, des -(e)s u. der -; Geist u. Körper, des - u. -s. ¶ ～의 갈등 der Konflikt 《-(e)s, -e》 zwischen Leib u. Seele. ‖～일치 die Einigkeit 《-en》 von Leib u. Seele.

영윤(令胤) *js.* Sohn *m.* -(e)s, ⸗e; Ihr Herr Sohn.

영이별(永離別) Abschied 《*m.* -(e)s, -e》 für immer; Abschied fürs Leben. ～하다 [4]sich für immer verabschieden 《von *jm*》; den Abschied für immer nehmen*. ¶ 그것이 ～이 되었다 Und da habe ich ihn zum letzten Mal gesehen.|Seitdem sehe ich ihn nie (mehr).

영일(寧日) Ruhetag *m.* -(e)s, -e; arbeitsfreier Tag, -(e)s, -e. ¶ ～을 지내다 e-n Ruhetag ein|legen / 나는 거의 ～이 없다 Ich habe kaum noch ruhige Tage.

영자(英字) die englischen 〔europäischen〕 Buchstaben 《*pl.*》.

‖～신문 die (auf) englisch redigierte Zeitung, -en.

영자(英姿) e-e herrliche Figur, -en; e-e imposante Erscheinung, -en; e-e edele Gestalt, -en; e-e majestätische Erscheinung, -en. ¶ 그의 ～가 나타난다 S-e heilige Gestalt zeigt sich.

영자(影子) Schatten *m.* -s, -; die Silhouette 《-n》 ohne Substanz.

영작(榮爵) Adel *m.* -s; Adelstitel *m.* -s, -.

영장(令狀) (der schriftliche) Befehl, -(e)s, -e; 《체포의》 Haftbefehl *m.*; Steckbrief *m.* -(e)s, -e; 《수사의》 Durchsuchungsbefehl *m.* ¶ 체포 ～을 발부하다 e-n Haftbefehl gegen *jn.* erlassen* / ～을 집행하다 den Befehl aus|führen 〔vollziehen*〕.

‖～발부 Erlassung des Haftbefehls. 구속 ～ der schriftliche Befehl zur Verhaftung.

영장(靈長) Krone *f.* -n; Herr *m.* -n, -en ※ 단 die Krone der Schöpfung 은 「여자」, die Herren der Schöpfung 은 「남자」의 뜻. ¶ 인간은 만물의 ～이다 Der Mensch ist die Krone aller Schöpfungen.

‖～류 Primaten 《*pl.*》.

영장(靈場) der heilige Ort, -(e)s, -e 〔⸗er〕.

영재(英才) 《재능》 Geistesfunke(n) *m.* ..kens ..ken; Genie [ʒeníː] *n.* -s, -s; Begabung *f.*; 《사람》 der große Geist, -(e)s, -er; Genie; Welterleuchter *m.* -s, -; Begabter *m.* -en, -en. ¶ ～의 genial; begabt / 여러 방면의 ～ ein vielseitiges Genie / 그는 음악의 ～이다 Er ist ein musikalisches Genie.

‖～반 Begabtenklasse *f.* -n. ～(선발) 시험 Begabtenprüfung *f.* -en. ～숭배 Geniekult *m.* -(e)s, -e.

영전(榮轉) die ehrenvolle Versetzung, -en 《*in*[4]》; die Versetzung mit Beförderung. ～하다 mit Ehren in e-e höhere Stellung befördert u. versetzt werden; an e-e bessere Stelle setzen[4]. ¶ 그는 ～되었다 Er hat e-e bessere Stelle gefunden.|Er wird mit Ehren in e-e höhere Stellung befördert u. versetzt.

영전(影殿) der Tempel 《-s, -》, wo das Porträt [pɔrtrɛ́ː] des Konigs bewahrt ist.

영전(靈前) ein Altar für den Seligen. ¶ ～에 바치다 für e-n Seligen* dar|bringen*[4] 〔opfern[4]〕.

영절스럽다 plausibel; annehmbar; wahrscheinlich; glaubwürdig (sein).

영점(零點) 《무득점》 Null *f.* -en; Nichts *n.* -; Nullpunkt *m.* -(e)s, -e; 《빙점》 Gefrierpunkt *m.* ¶ ～을 맞다 (im Examen) k-e Punkte bekommen* 〔속어: bauen〕 können / ～으로 패하다 punktlos 〔mit null Punkten; torlos (럭비에서)〕 verlieren* / 학문적으로 보면 그 책은 ～이다 Der wissenschaftliche Wert des Buches ist gleich Null.

영접(迎接) Willkommen *n.* 〔*m.*〕 -s, -. ～하다 *jm.* Ehre bezeigen; entgegen|jubeln[3]; festlich empfangen*[4]; *jn.* willkommen heißen*.

영정(影幀) der Rahmen 《-s, -》 des Porträts.

영제(令弟) Ihr Bruder *m.* -s, ⸗; Ihr Herr jünger Bruder. ☞ 영형(令兄).

영조(靈鳥) der heilige Vogel, -s, ⸗.

영조물(營造物) Bau *m.* -(e)s, -ten; Baulichkeit *f.* -en; Bauwerk *n.* -(e)s, -e; Gebäude *n.* -s, -.

영존(永存) Dauerhaftigkeit *f.*; Stetigkeit *f.*; Ewigkeit *f.* ～하다 lange aus|dauern 〔dauern〕 bleiben* ⓢ; bestehen*.

‖～성 Permanenz *f.*; Ständigkeit *f.*

영주(永住) das ständige Wohnen*, -s; Ansässigkeit *f.*; Seßhaftigkeit *f.* ～하다 ständig wohnen 《*in*[3]》; ansässig sein 《*in*[3]》; wohnhaft sein; [4]sich ansässig machen. ¶ ～하는 ansässig; seßhaft / …의 셋집에 ～하다 zur Miete bei *jm.* ununterbrochen wohnen / 그는 서울에 ～한다 Er wohnt in Seoul ständig.

‖～권 Recht 《*n.* -(e)s, -e》 der Bewohnerschaft; Dauerwohnrecht. ～민 der ständige Bewohner, -s, -; der Ansässige*, -n, -n. ～지 der Ort 《-(e)s, -e》, wo man ständig wohnt 〔ansässig ist〕.

영주(英主) der weise Herrscher, -s, -.

영주(領主) Fürst *m.* -en, -en; mein hoher [1]Herr (호칭); Leh(e)nsherr *m.* -n, -en (봉건 영주).

영지(領地) ① ＝영토. ② 《봉토》 Leh(e)n *n.* -s, -.

영지(靈地) das Heilige Land, -(e)s, ⸗er (팔레스티나); der heilige 〔geheiligte; geweihte〕 Ort, -(e)s, -e; Heiligtum *m.* -(e)s, ⸗er (교

회 따위의).
영지학(靈智學) Theosophie *f.*; die mystische Glaubenslehre, -n.
영진(榮進) Beförderung *f.* -en; Avancement [avãsəmã:] *n.* -s, -s; Rangerhöhung *f.* -en. ∼하다 befördert (im Rang erhöht) werden 《*zu*^{3}》; avancieren ⓢ; empor|kommen* ⓢ.
영질(令姪) *js.* Neffe *m.* -n, -n (Nichte *f.* -n); Ihr Herr Neffe (Fräulein Nichte).
영차 ☞ 이영차.
영창(映窓) 〖건축〗 das Fenster 《-s, -》 für das Licht.
영창(詠唱·咏唱) Arie *f.* -n; Aufsagung *f.* -en; Rezitation *f.* -en.
영창(營倉) Arrest¦gebäude *n.* -s, - (-haus *n.* -es, ¨er). ¶ ∼에 갇히다 ins Arrestgebäude kommen* ⓢ. ‖ ∼금고(禁錮) Kasernenarrest *m.* -es, -e.
영채(映彩) die brillante Farbe, -n; Glorie *f.* -n.
영천(靈泉) der magische Brunnen, -s, -; 《온천》 Wunderquelle *f.* -n; die heiße Quelle 《-n》 mit wunderbarer Wirksamkeit. ¶ 불로불사의 ∼ die Quelle der ewigen Jugend.
영철(英哲) 《성질》 Scharfsinn *m.* -(e)s; die geistige Schärfe, -n; Weisheit *f.*; Klugheit *f.*; 《사람》 der Weise*, -n, -n; der Kluge*, -n, -n; der scharfe Beobachter, -s, -. ∼하다 klug; weis; scharfsinnig (sein).
영치(領置) Einziehung *f.* -en; Beschlagnahme *f.* -n; Beschlaglegung *f.* -en. ∼하다 ein|ziehen*^{4}; Beschlag legen 《*auf*^{4}》; mit Beschlag belegen^{4}; in Beschlag nehmen*^{4}.
‖ ∼물 das beschlagene Gut, -(e)s, ¨er.
영탄(詠嘆) 《읊조림》 Rezitation *f.* -en; 《감탄》 Bewunderung *f.* -en; Verwunderung *f.* -en; das Erstaunen*, -s. ∼하다 rezitieren; bewundern^{4}; verwundern^{4}; erstaunen 《*über*^{4}》.
영토(領土) (Herrschafts)gebiet (Hoheitsgebiet) *n.* -(e)s, -e; Territorium *n.* -s, ..rien; Domäne *f.* -n. ¶ ∼의 territorial / ∼가 많은 reich an ^{3}(Herrschafts)gebiet *usw.*; länderreich/∼적 야심 Länder¦gier (-sucht) *f.* / ∼를 확장하다 das (Herrschafts)gebiet *usw.* erweitern (vergrößern) / 왕의 ∼가 둘로 분할되었다 Das Land (Gebiet) des Königs wurde in zwei Teile geteilt.
‖ ∼권 Territorialrecht *n.* -(e)s, -e. ∼보전 die Aufrechterhaltung e-s (Herrschafts-)gebiet(e)s *usw.*; die territoriale Sicherheit. ∼침략 der Raub 《-(e)s》 e-s (Herrschafts-)gebiet(e)s *usw.*; Länderraub. ∼ 확장 정책 Territorialpolitik *f.*
영특하다(英特—) hervorragend; ausgezeichnet; weis; klug (sein). ¶ 영특한 아이 das kluge Kind, -(e)s, -er.
영판 ① 《길흉을 맞힘》 das genaue (richtige; bestimmte) Wahrsagen*, -s. ¶ 내가 올해 장가들 것이라더니 ∼이었다 Er hat vorher gesagt, daß ich heuer heirate. Das war richtig. ② 《꼭》 genau so; 《아주》 sehr; schrecklich. ¶ 그이 아버지와 ∼ 같다 Er ist das Ebenbild s-s Vaters.¦ Er ist s-m Vater wie aus den Augen geschnitten.
영패(零敗) Nullspiel *n.* -(e)s, -e; Nullpartie *f.* -n (테니스의 러브 게임). ∼하다 verlieren*^{4}, ohne e-n Punkt erzielen (machen) zu können; punktlos verlieren*^{4}; torlos verlieren*^{4} (축구). ¶ ∼시키다 punktlos (torlos; vernichtend) schlagen*^{4}.
영피다 aus|spannen; auf|spannen; 《긴장하다》 an|spannen; an|strengen.
영하(零下) unter Null; unter den Nullpunkt. ¶ ∼ 5도 5 Grad unter Null (5 Grad minus; minus 5 Grad) / 기온이 ∼로 내려간다 Die Temperatur fällt (sinkt) unter Null (unter den Nullpunkt). / 온도계가 ∼ 10도를 가리킨다 Das Thermometer zeigt minus 10 Grad. / ∼15도이다 Es sind 15 Grad unter Null. ✽ Heute sind..., 또는 Es sind... 처럼 *pl.*로 할 것.
영하다(靈—) ☞ 영검하다.
영한(英韓) ¶ ∼의 englisch-koreanisch. ¶ ∼대역 die dem englischen Original gegenübergestellte Übersetzung, -en.
‖ ∼사전 das englisch-koreanische Wörterbuch, -(e)s, ¨er; englisch-koreanisches Wörterbuch, -(e)s, ¨er.
영합(迎合) Willfährigkeit *f.* -en; Willfahrung *f.* -en; Entgegenkommen *n.* -s. ∼하다 entgegen|kommen*^{3} ⓢ; ^{4}sich richten 《nach ^{3}*et.* (*jm.*)》; *jm.* willfahren 《*in*^{3}; *pp.* (ge)willfahrt》; ^{4}sich ein|schmeicheln《*bei*^{3}》; den Mantel nach dem Winde drehen (hängen); *jm.* nach dem Mund reden. ¶ ∼하는 entgegenkommend; willfährig; wetterwendisch; opportunistisch / ∼적 태도 die entgegenkommende Haltung / 스승의 학설에 ∼하다 der Meinung s-s Lehrers nach|sprechen*; s-m Lehrer nach dem Munde reden.
‖ ∼주의 Opportunismus *m.* -; Anpassungspolitik (Nützlichkeits-) *f.*
영해(領海) Territorial¦gewässer *n.* -s, - (-meer *n.* -(e)s, -e). ‖ 외국∼ das fremde Territorialgewässer *usw.* 한국∼ das Territorialgewässer *usw.* von Korea.
영향(影響) Einfluß *m.* ..flusses, ..flüsse; Effekt *m.* -(e)s, -e; (Nach)wirkung *f.* -en. ¶ ∼을 미치다 beeinflussen^{4}; Einfluß (aus|-)üben 《*auf*^{4}》; wirken 《*auf*^{4}》; e-e Wirkung aus|üben 《*auf*^{4}》 / ∼을 받다 unter *js.* ^{4}Einfluß geraten* ⓢ; beeinflußt werden 《*von*^{3}》 / 중대한 ∼을 미치다 schwerwiegende Einflüsse 《*pl.*》 aus|üben 《*auf*^{4}》 / 갖가지 ∼을 받으며 unter verschiedenen Einflüssen 《*pl.*》 / 대전의 ∼을 받다 unter den Folgeerscheinungen des Weltkrieg(e)s leiden* / 이 돌발 사고는 다음 처사에 ∼을 미쳤다 Dieser Zwischenfall beeinflußte die weiteren Verhandlungen. / 이 작가는 계속 괴테의 ∼을 받았다 Dieser Schriftsteller ist von Goethe nachhaltig beeinflußt. / 물가의 등귀는 일상 생활에 커다란 ∼을 미친다 Die Preissteigerung übt e-e große Wirkung auf das tägliche Leben aus.
‖ ∼권 (범위) Einfluß¦sphäre *f.* -n (-bereich *m.* -(e)s, -e); Wirkungskreis *m.* -es, -e.
영험(靈驗) ☞ 영검.
영현(英顯) 《전사자의》 die Seele 《-n》 e-s Gestorbenen (Toten).
영형(令兄) =백씨(伯氏).
영혼(靈魂) Seele *f.* -n; Manen 《*pl.*》; Lemure *m.* -n, -n (죽은 사의).
‖ ∼불멸 die Unsterblichkeit der Seele. ∼설 Animismus *m.* -.
영화(英貨) die englische Währung *f.*; Pfund Sterling *n.* -es -, - -. ¶ ∼ 5파운드 fünf Pfd. St. (£5) / ∼의 등귀 das Steigen des Pfund(e)s / ∼의 하락 der Fall des Pfund(e)s / ∼로 환산하다 in englisches Geld um|setzen (um|wechseln).
‖ ∼공채 Sterlinganleihe *f.* -n. ∼어음 Ster-

lingwechsel *m.* -s, -.

영화(映畫) Film *m.* -s, -e; Kinematogramm *n.* -s, -e; Kino *n.* -s, -e; Lichtspiel *n.* -(e)s, -e. **~화하다** verfilmen⁴. ¶ ~를 제작하다 e-n Film produzieren / ~를 상연하다 e-n Film drehen (inszenieren; vor|führen; spielen) / ~ 각본을 쓰다 das Drehbuch zu e-m Film schreiben* (liefern) / 소설을 ~ 대본으로 각색하다 e-n Roman für den Film bearbeiten; das Drehbuch zu e-m Film schreiben* / 슈토름의 단편을 각색한 ~ ein Film nach e-r Novelle von Storm / 이 ~는 벌써 3주째 상연된다 Der Film läuft schon in der dritten Woche. / 이 ~는 지금 여러 영화관에서 상연된다 Dieser Film läuft jetzt in vielen Kinos.

‖ **~각본** Drehbuch *n.* -(e)s, ¨er; Filmmanuskript *n.* -(e)s, -e. **~감독** Filmregisseur [...rəʒisø:r] *m.* -s, -e. **~검열** Filmzensur *f.* -en. **~관** Kino *n.* -s, -s; Kino¦theater (Film-) *n.* -s, -; Lichtspielbühne *f.* -n. **~계** Filmwelt *f.*; Lichtspielwesen *n.* -s. **~배우** Film¦schauspieler (-künstler) *m.* -s, -. **~스타** Filmstar *m.* -s, -s (남녀); Filmgröße *f.* -n (남녀); Filmdiva *f.* -s (..ven) (여자). **~윤리위원회** Ausschuß 《*m.* ..schusses, ..schüsse》 für Sittlichkeitskontrolle 《*f.*》 der Kinofilme 《*pl.*》. **~제** Filmfestspiele 《*pl.*》: 베니스 ~제 Filmfestspiele von Venedig. **~제작** Filmproduktion *f.* -en: ~ 제작소 (Film)atelier *n.* -s, -s / ~ 제작자 Filmproduzent *m.* -en, -en. **~줄거리** die Handlung 《-en》 e-s Filmdramas. **~팬** Filmfreund *m.* -(e)s, -e; Kinonarr *m.* -en, -en. **~편집** Filmmontage [..ta:ʒə] *f.* -n. **교육~** Lehrfilm *m.* -s, -e. **극~** Filmdrama *n.* -s, ..men. **단편~** Kurzfilm. **무성~** Stummfilm. **선전~** Reklamefilm. **유성~** Tonfilm. **천연색~** Farbfilm.

영화(榮華) Herrlichkeit *f.* -en; Pracht u. Herrlichkeit; Glanz *m.* -es; Luxus *m.* -; Wohlleben *n.* -s. **~롭다** glanzvoll; herrlich; luxuriös; prächtig (sein). ¶ ~를 누리다 auf großem Fuße leben; in größter Pracht u. Herrlichkeit leben; in aller Pracht u. Herrlichkeit sein / ~를 극하다 auf dem Höhepunkt s-s Glückes sein / ~에 도취하다 ⁴sich dem Luxus hin|geben*; großen Aufwand treiben* / ~는 오래 계속되지 않는다 Die Herrlichkeit wird nicht lange dauern.

옅다 ① ☞ 얕다 ①,②,③. ② 《빛이》 hell; fahl (sein). ¶ 옅은 푸른 빛의 hellblau.

옆 ① 《곁》 Seite *f.* -n; Nähe *f.* ¶ 옆을 지나치다 vorbei|gehen* (vorüber|-)Ⓢ 《*an*³》. ② 《딴데》 der andere Ort, -(e)s, -e (¨er). ¶ 옆에 《방향》 an⁴ (neben⁴) die Seite 《*von*³》; seitwärts; in der Nähe; beiseite; daneben (나란히); woanders (딴데) / 옆을 보다 weg|sehen*; den Blick ab|wenden⁽*⁾ (눈을 돌리다) / 어딘가 옆으로 새다 woanders hin|gehen* Ⓢ / 옆으로 비키다 beiseite|treten* Ⓢ; aus|weichen*³ Ⓢ / 옆으로 다가가다 heran|treten*³Ⓢ; treten* Ⓢ 《*an*⁴》; auf die Seite gehen* Ⓢ / 한 발 옆으로 비키다 e-n Schritt seitwärts treten* Ⓢ / 옆에 놓다 beiseite|setzen⁴; 《비켜》 beiseite|legen⁴; auf die Seite legen⁴ / 아무의 옆에 앉다 neben *jm.* sitzen*; *jm* zur Seite sitzen*; ⁴sich neben *jn.* setzen / 옆의 가게 der benachbarte Laden, -s, - (¨) (이웃의); der Laden nebenan (곁의) / 강 옆의 집 ein Haus 《*n.* -es, ¨er》 am Fluß / 개가 주인 옆에 붙어 달린다 Der Hund läuft neben seinem Herrn her. / 옆에서 잔소리 말게 Rede doch nicht dazwischen!

옆갈비 Seitenrippe *f.* -n.

옆구리 Seite *f.* -n; Flanke *f.* -n; Weiche *f.* -n. ¶ ~에 unter dem Arm / ~에 끼다 unter dem Arm tragen*⁴ / ~가 아프다 Seitenstiche haben*; Schmerzen in der Seite haben / ~에 손을 대다 die Hand in die Seite stemmen / ~를 차다 *jm.* mit dem Fuß in die Seite stoßen*.

옆길 Ab¦weg (Neben-; Seiten-) *m.* -(e)s, -e; Abschweifung *f.* -en (이야기의). ¶ ~로 새다 ab|biegen* Ⓢ 《*von*³》; vom Thema ab|schweifen Ⓢ (이야기가); (vom geraden Weg) ab|schweifen Ⓢ. 「ware.

옆널 das Seitenbrett 《-(e)s, -er》 der Holz-

옆들다 *jm.* helfen*; *jm.* zur Seite stehen*; *jm.* Hilfe leisten; *jm.* zur Hand gehen*Ⓢ. ¶ 일을 ~ *jm.* bei der Arbeit helfen*.

옆막이 Seitenwand *f.* ¨e.

옆면(一面) Seite *f.* -n.

옆모습(一貌襲) Profil *n.* -s, -e; das Gesicht 《-(e)s, -er》 im Profil; Seitenansicht (des Gesichts). ¶ ~을 그리다 *jn.* im Profil zeichnen (malen) / 멋있는 ~이다 ein hübsches Profil haben.

‖ **~사진** Profilaufnahme *f.* -n.

옆바람 Seitenwind *m.* -(e)s, -e.

옆발치 der Platz 《-es, ¨e》 zu Füßen e-r liegenden Person.

옆방(一房) Neben¦zimmer (Nachbar-) *n.* -s, -; das Zimmer 《-s, -》 nebenan; das nächste Zimmer, -s, -. 「Seiten.

옆옆이 auf dieser u. jener Seite; auf allen

옆줄 Seitenlinie *f.* -n.

옆질 das Rollen*, -s. **~하다** rollen Ⓗ,Ⓢ; schlingern.

옆집 die Wohnung 《-en》 nebenan; das benachbarte Haus, -es, ¨er; das nächste Haus. ¶ 오른쪽 ~ das nächste Haus rechts / 왼쪽 ~ das nächste Haus links / 한 집 건너 ~ das übernächste Haus.

‖ **~사람** Nachbar *m.* -n (-s), -n; Nachbarin *f.* -nen (여자).

옆쪽 Seite *f.* -n; Flanke *f.* -n.

옆찌르다 *jm.* an die Seite stoßen*. ¶ 그녀는 그의 옆을 찔러 귀엣말을 했다 Sie stoß ihm an die Seite u. flüsterte ihm ins Ohr.

옆폭 das dicke Seitenbrett, -(e)s, -er.

옆훑이 〖공구〗 Werkzeuggerät für Holzbearbeitung (eine Art Meißel).

예¹ ☞ 옛날. ¶ 예로부터 seit alten (undenklichen) Zeiten; seit (von) alters her; schon immer; von jeher / 예대로 wie früher; so wie es vor Jahr u. Tag war / 예나 지금이나 다름이 없다 ewig gleich bleiben* Ⓢ; immer ¹derselbe* (unverändert) bleiben* Ⓢ; gleich|bleiben* Ⓢ; k-e Veränderung zeigen.

예² 《대답》 Ja!; O ja!; Jawohl!; 《긍정》 richtig; natürlich; genau; freilich; 《출석했을 때》 Hier! ¶ 예 《뭐라구요》 Wie bitte?¦ Was machen Sie? / 예 알았읍니다 Damit bin ich einverstanden. / 너 헤엄 못 치니—예 Kannst du nicht schwimmen?—Nein, ich kann nicht. / 다시 거기에 가서는 안 된다—예 Geh nie wieder dorthin!—Nein, ich will nicht mehr.

예(例) 《관례》 Gepflogenheit *f.* -en; Brauch *m.* -s, ¨e; Gewohnheit *f.* -en; Sitte *f.* -n; 《선례》 Präzedenzfall *m.* -(e)s, ¨e; 《실례》 Beispiel *n.* -(e)s, -e; Beispielsfall *m.* -(e)s, ¨e; Vorbild *n.* -(e)s, -er (모범); 《경우》 Fall *m.* -(e)s, ¨e; 《경험》 Erfahrung *f.* -en. ¶ 예의 《관례의》 gewöhnlich; üblich; 《현안의》 in Frage; 《기지의》 bekannt; berühmt (비꼬아서)/예와 같이 wie gewöhnlich; wie (es) üblich (ist); wie immer / 예에 없이 ungewöhnlich(erweise); ausnahmsweise / 같은 예 das gleiche Beispiel; derselbe (der gleiche) Fall / 이런 예 so(lch) ein Fall / 예가 없는 beispiellos; ohne Beispiel / 예를 들면 zum Beispiel; beispielsweise; um ein Beispiel anzuführen / 예를 들다 ^{4}*et.* als Beispiel an|führen; ein Beispiel zu ^{3}*et.* an|führen / 예를 들어 설명하다 ^{3}*et.* an Beispiel zeigen (erklären) / 예에 따르다 dem Beispiel (e-r Person) folgen; ^{3}sich an *jm.* (^{3}*et.*) ein Beispiel nehmen* / 그것은 예로부터 예로 되어 있는 것이다 Das ist ein Gepflogenheit von alters her. / 그런 예는 여태까지 없었다 Es ist bisher kein solcher Präzedenzfall gewesen. / 예의 그 은행은 파산지경이란다 Die betreffende Bank soll dem Bankerott nahe sein. / 예외 없는 규칙은 없다 K-e Regel ohne Ausnahme. / 한국도 또한 이 예에서 벗어나지 못한다 Korea ist auch k-e Ausnahme von dieser Regel.

예(禮) ① 《인사》 Gruß *m.* -es, ¨e; Begrüßung *f.* -en; Salut *m.* -(e)s, -e (경례); Verbeugung *f.* -en (고개를 숙이는). ¶ 예를 하다 (be)grüßen^4; ^{4}sich verbeugen 《*vor*^{3}》; e-e Verbeugung (e-n Diener) machen; knicksen (e-n Knicks machen) (여자가 무릎을 굽히고). ② 《예의》 (die guten (feinen)) Umgangsformen 《*pl.*》; die guten Manieren 《*pl.*》; Höflichkeit *f.* -en; Etikette *f.* -en. ¶ 예를 결하다 unhöflich sein / 예를 다하여 sehr höflich; respektvoll / 예를 다하다 *jm.* e-e Höflichkeit erweisen* (bezeigen) / 예를 모르는 사람 der grobe (ungezogene) Mensch, -en, -en / 그는 예를 모른다 Er hat k-e Manieren. / 예가 지나치면 실례가 된다 Zuhöflich ist auch unhöflich.¦Übertriebene Höflichkeit wirkt unhöflich.

예각(銳角) 〖수학〗 der spitze Winkel, -s, -.
‖ ~삼각형 das spitzwink(e)lige Dreieck, -(e)s, -e.

예감(豫感) (Vor)ahnung *f.* -en; Vorgefühl *n.* -(e)s, -e; Omen *n.* -s, ..mina; (An¦)zeichen (Vor-) *n.* -s, -. **~하다** 《예감이 들다》 ahnen^4; e-e Ahnung (ein Vorgefühl) haben 《*von*^{3}》; es ahnt 《*jm.*》; es schwant 《*jm.*; *jn.*》. ¶ 나쁜 ~ böse (schlimme) Ahnung (흉조) / 죽음을 ~하다 Todesahnung haben / 좋지 않은 ~이 들었다 Mir hat nichts Gutes geahnt. / 나는 어쩐지 그가 곧 올 것 같은 ~이 든다 Ich habe so e-e Ahnung, als ob er gleich kommt. / 그녀의 ~은 적중했다 Ihre Ahnung hat sich erfüllt.

예견(豫見) Voraussicht *f.* -en; das Vorhersehen*, -s; Erwartung *f.* -en; Spekulation *f.* -en (투기). **~하다** voraus|sehen*^{4}; vorher|sehen*^{4}; erwarten^4; im voraus wissen*^{4}. ¶ …을 ~하여 in ^{3}Voraussicht^2 (Erwartung^2).

예고(豫告) vorherige Bekanntgabe, -n; Voranzeige *f.* -n; Vorankündigung *f.* -en; Voranmeldung *f.* -en; Ankündigung *f.* -en. **~하다** im voraus bekannt|geben*^{4}; an|kündigen^4; an|sagen^4. ¶ 해고를 (…의 해약을) ~하다 *jm.* (*jm.* ^{4}*et.*) kündigen / ~ 없이 ohne ^{4}Ankündigung (Anmeldung); ohne vorherige ^{4}Warnung / ~대로 wie angekündigt / 그는 방문을 ~했다 Er kündigte seinen Besuch an. / 나는 어제 구두로 사퇴를 ~했다 Ich habe gestern mündlich gekündigt.
‖ **~편** 《영화의》 Voranzeige im Kinoprogramm; Vorspannfilm *m.* -(e)s, -e. **신간~** Ankündigung 《*pl.*》 der ^{2}Neuerscheinungen.

예과(豫科) Vorbereitungskursus *m.* -, ..kurse (예비과정); Vorbereitungslehrgang *m.* -(e)s, ¨e; Vorbereitungsschule *f.* -n (예비학교). ¶ ~를 졸업하다 die Vorbereitungsschule durch|machen (absolvieren).
‖ **~생** Vorbereitungsstudent *m.* -en, -en.

예광탄(曳光彈) 〖군사〗 schimmernde Bombe, ⌊-n.

예궐(詣闕) =입궐(入闕).

예규(例規) die bestehende Regel, -n. ¶ 사건을 ~에 따라 처리하다 e-e Sache nach den bestehenden Regeln erledigen.

예금(預金) Depositum *n.* -s, ..ten; Geldeinlage *f.* -n; Buchgeld *n.* -(e)s, -er; Depositengeld *n.* -(e)s, -er. **~하다** Geld nieder|legen (hinter|-); deponieren 《bei der Bank》. ¶ 은행에서 ~을 찾다 ^{4}Geld von der Bank holen / 은행에 ~이 있다 Geld auf der Bank (auf dem Bankkonto) (liegen) haben.
‖ **~계정** Depositenkonto *n.* -s, ..ten (..ti). **~액** Depositeneinlagen 《*pl.*》; Depositengelder 《*pl.*》. **~은행** Depositenbank *f.* -en; Depositenkasse *f.* -n. **~이자** Depositenzins *m.* -es, -en; Habenzins *m.* -es, -en. **~제도** Depositenwesen *n.* -s, -. **~주** Einleger *m.* -s, -; Hinterleger *m.* -s, -; Depositenhaber *m.* -s, -; Deponent *m.* -en, -en. **~준비** die Reserve (-n) für Depositum. **~증서** Depositenschein *m.* -en. **~통장** Bankbuch *n.* -(e)s, ¨er; Sparbuch *n.* -(e)s, ¨er; Depositenbuch *n.* -(e)s, ¨er. **단기~** kurzfristige Einlage. **당좌~** Kontokorrentkonto *n.* -s, -s (..ten). **보통~** täglich fällige (kündbare) Geldeinlage. **은행~** Bankdepositen 《*pl.*》; Bankeinlagen 《*pl.*》. **저축~** Spareinlagen 《*pl.*》. **정기~** langfristige Geldeinlage. **통지~** Depositen auf Abruf (Kündigung). **특별~** Sonderdepositen 《*pl.*》.

예기(銳氣) der feurige Geist, -es; Feuer *n.* -s; Hitze *f.* ¶ ~에 찬 voll Geist u. Leben; lebhaft; lebendig; energisch; tatkräftig / ~를 꺾다 mutlos stimmen 《*jn.*》; *js.* feurigen Geist nieder|drücken / ~를 기르다 wieder zu Kräften bringen* 《*jn.*》; ^{4}sich erholen / ~찬 신진 작가 ein strebsamer, angehender Schriftsteller.

예기(豫期) 《기대》 das Erwarten, -s; Erwartung *f.* -en; 《예견》 Voraussicht *f.* **~하다** 《기대함》 erwarten^4; 《예견함》 voraus|sehen*^{4}; 《계산에 넣다》 rechnen 《*mit*^{3}》. ¶ ~한 erwartet; vorhergesehen / ~한 대로 wie erwartet / ~에 반하여 wider ^{4}Erwarten / ~하지 못한 unerwartet; unvorhergesehen / 그 일이 발생하리라 아무도 ~하지 못했다 Niemand hat voraussehen können, daß das geschehen würde. / 휴가는 ~한 것

이상으로 멋있었다 Der Urlaub war über Erwarten schön. / 그에게서 더 이상 ~할 수는 없다 Von ihm ist nichts Besseres zu erwarten. / 오실 줄 ~하지 못했읍니다 Ich erwartete nicht im Geringsten, Sie hier zu sehen. ⌈f. -nen.

예기(藝妓) koreanische *Gisaeng*; Sängerin

예기, 예끼 Verdammt!; Verflucht! ¶ ~ 고얀 놈 Du Schurke (Spitzbube; Taugenichts)!

예납(豫納) =전납(前納).

예년(例年) das gewöhnliche Jahr, -(e)s, -e (평년); jedes Jahr, -(e)s (매년). ¶ ~의 des gewöhnlichen Jahres (평년의); (all)jährlich (매년의) / ~과 같이 wie jedes Jahr; wie gewöhnlich / ~에 없이 ungewöhnlich; anders als im gewöhnlichen Jahr / ~과 같이 올해도 in diesem Jahr auch wie gewöhnlich / ~의 온도 Durchschnittsjahrestemperatur *f.* -en / ~의 행사 die (all)jährliche Veranstaltung, -en / ~보다 2할증 zwanzig prozentige Erhöhung (Vermehrung) (*od.* 20% iger Zuwachs) als bisheriger Jahresdurchschnitt / 금년 여름은 ~보다 3도가 높다 In diesem Jahr ist es 3 Grad höher als gewöhnlich.

예능(藝能) die Kunstfertigkeiten 《*pl.*》; das künstlerische Talent, -(e)s, -e; das Künstlerische*, -s; 《연예의》 Vorstellung *f.* -en; Aufführung *f.* -en; Unterhaltung *f.* -en. ☞ 연예(演藝).
‖~과 der künstlerische Kurs, -es, -e. ~교육 die künstlerische Erziehung, -en.

예니레 sechs od. sieben Tage 《*pl.*》.

예닐곱 sechs od. sieben.

예단(豫斷) Annahme *f.* -n; Voraussetzung *f.* -en; Vorhersage *f.* -n; Weissagung *f.* -en; Prophezeiung *f.* -en. ~하다 im voraus (von vornherein) an|nehmen*[4]; voraus|setzen[4]; vorher|sagen[4]; prophezeien[4]. ¶ 결과를 ~할 수 없다 Das Ergebnis ist noch nicht vorauszusehen. | Man muß das Ergebnis abwarten. ⌈haben.

예답다(禮—) höflich (sein); gute Manieren

예대(禮待) höfliche Behandlung, -en; freundliche Empfang, -(e)s, ⸚e. ~하다 *jm.* Höflichkeit erweisen*; *jn.* mit Achtung behandeln.

예도(藝道) Kunst *f.* ⸚e; Kunstfertigkert *f.* -en. ¶ ~에 정진하다 [4]sich e-r Kunst (mit Eifer) widmen.

예둔(銳鈍) Schärfe u./od. Dummheit; Scharfsinn u./od. Stumpfsinn; Empfindlichkeit u./od. Unempfindlichkeit.

예라 ① 《그만둬라·비켜라》 Höre auf!; Weg! ¶ ~ 그런 말 하지 말라 Hör' auf, so zu sagen! / ~ 저리 가라 Weg mit dir! ② 《결심·체념》 gut; wohl; nun gut. ¶ ~ 네가 못하면 내가 하겠다 Du sagst, du kannst es nicht tun? Nu gut, ich will es übernehmen. / ~ 빌어먹을 거, 지갑을 놓쳤네 Wie dumm! Ich habe m-n Geldbeutel verloren.

예레미아 〖성서〗 Jeremia. ‖~서 das Buch Jeremia.

예령(豫鈴) das erste Klingelzeichen, -s, -.

예로부터 von alters her; seit alten Zeiten.

예루살렘 《이스라엘의 도시》 Jerusalem *n.* -s.

예리(銳利) Schärfe *f.* -n; Schneide *f.* -n; das Schneidende*, -n. ~하다 scharf 《schärfer, schärft》; 《베는 듯한》 schneidend; einschneidend (sein).

예망(曳網) Schleppnetz *n.* -es, -e; Großgarn *n.* -(e)s, -e.

예매(豫賣) Vorverkauf *m.* -(e)s, ⸚e; vorheriger Verkauf, -(e)s, ⸚e. ~하다 im (zum) voraus verkaufen[4]. ¶ 극장표의 ~ vorheriger Verkauf von Theaterkarten.
‖~권 Vorverkaufskarte *f.* -n. ~소 Vorverkaufsstelle *f.* -n. ~창구 Vorverkaufskasse *f.* -n. ~표 Vorverkaufsbillett *n.* -(e)s, -e.

예멘 《나라이름》 (der) Jemen, -s; Demokratische Volksrepublik J. ¶ ~의 jemenitisch.
‖~사람 Jemenit *m.* -en, -en. ~아랍공화국 Jemenitische Arabische Republik.

예명(藝名) Künstlername *m.* -ns, -n; Pseudonym *n.* -s, -e. ¶ ~의 pseudonym.

예모(禮貌) Höflichkeit *f.* -en; Etikette *f.* -n; das gute Manieren*, -s. ¶ ~가 있다(없다) höflich (unhöflich) sein / ~를 지키다 den Anstand wahren; das Dekorum beobachten / 그런 것을 묻는 것은 ~에 어긋난다 Es gehört sich nicht, e-e derartige Frage zu stellen.

예물(禮物) Geschenk *n.* -(e)s, -e; Gabe *f.* -n; Dankgeschenk *n.* -(e)s, -e; 《결혼의》 das zwischen Braut u. Bräutigam ausgetauschte Geschenk als Ehezeichen. ¶ ~을 주다 [4]*et.* schenken; *jm.* e-e Gabe widmen; ein Geschenk schicken (senden*); *jm.* [4]*et.* zum Geschenk machen; *jm.* ein Geschenk machen / ~을 받다 Gabe erhalten* (empfangen*; an|nehmen*).

예물(穢物) dreckige Sache, -n; schmutziges Material, -s, -ien; Unsauberkeit *f.* -en; Fälschungsmittel *n.* -s, -.

예민(銳敏) Empfindlichkeit *f.* -en; Empfänglichkeit *f.* -en; Feingefühl *n.* -(e)s, -e; Scharfsinnigkeit *f.* -en; die geistige Schärfe, -n. ~하다 《감각》 empfindlich; empfänglich; fein; feinfühlig; scharf; scharfsinnig; zartfühlend; 《재질》 gescheit; gewandt; (auf)geweckt; gewitz(ig)t (sein). ¶ ~하게 행동하다 gescheit handeln[4] / 귀가 ~하다 ein feines (scharfes) Gehör haben / 코가(눈이) ~하다 e-n guten Geruch (gute Augen) haben / 머리가 ~하다 e-n klaren (hellen) Kopf (Verstand) haben / 그 여자는 신경이 너무 ~하다 Sie ist zu nervös.

예바르다(禮—) höflich; anstandsvoll; artig; fein (sein).

예방(豫防) Vorbeugung *f.* -en; Verhütung *f.* -en; Verhinderung *f.* -en; Schutz *m.* -es. ~하다 verhüten[4]; verhindern[4]; vor|beugen[3]; vor|bauen[3]; zuvor|kommen[3]; Vorkehrungen treffen* 《*gegen*[4]》. ¶ ~의 vorbeugend; verhütend; präventiv; prophylaktisch (의학); Vorsichts- / ~할 수 있는 vorbeugend, zu verhütend / 질환을 ~하다 e-r [3]Krankheit vor|beugen; die Verbreitung e-r Epidemie verhüten / 사고를 ~하다 ein Unglück verhüten (verhindern) / ~선을 치다 *jm.* zuvor|kommen* (s) / ~은 치료보다 낫다 Vorbeugung ist besser als Heilmittel (Behandlung).
‖~법(책(策), 수단) Vorbeugungs|mittel (Verhütungs-, Schutz-) *n.* -s, -. ~약 Vorbeugungs|mittel (Schutz-; Verhütungs-) *n.* -s, -. ~전쟁 Präventivkrieg *m.* -(e)s, -e. ~접종 e-e vorbeugende Impfung, -en; Schutzimpfung *f.* -en. ~조치

Vorbeugungsmaßregel *f.* -n; Vorsichtsmaßnahme *f.* -n; 〖의학〗 Prophylaxis *f.* **～주사** e-e vorbeugende Einspritzung, -en; Vorbeugungs¦injektion (Schutz-) *f.* -en.

예방(禮訪) Höflichkeitsbesuch *m.* -es, -e; Anstandsbesuch *m.* -es, -e. **～하다** e-n Höflichkeitsbesuch machen 《*bei*³》.

예배(禮拜) Andacht *f.* -en; Gottesdienst *m.* -es, -e; Kult *m.* -(e)s, -e; Kultus *m.* -e, ..te. **～하다** e-e Andacht halten* (verrichten); e-n Gottesdienst ab|halten* (목사가); beten; ⁴sich verbeugen 《*vor*³》. ¶ ～에 나가다 dem Gottesdienst bei|wohnen / ～종이 울린다 Die Glocken läuten zur Andacht.
‖ **～당** Kirche *f.* -n; Kapelle *f.* -n; Gotteshaus *n.* -es, ⸚er; Kultstätte *f.* -n. **～자** Kirchenbesucher *m.* -s, -. **아침～** Morgenandacht *f.* -en. **저녁～** Abendandacht.

예법(禮法) Etikette *f.* -en; die Manieren 《*pl.*》; Höflichkeit *f.* -en; Anständigkeit *f.* -en; Zeremonie *f.* -n. ¶ 식탁의 ～ Tischsitten 《*pl.*》 / ～을 지키다 den Anstand wahren / ～을 무시하다 nicht auf die Etikette achten / 그녀는 ～을 모른다 Sie hat k-e Manieren. / 그는 윗사람에 대한 ～을 모른다 Er weiß nicht, wie er sich gegen s-e Höherstehenden zu benehmen hat.

예보(豫報) Voraus¦sage (Vorher-) *f.* -n; Prognose *f.* -n. **～하다** voraus|sagen⁴; vorher|sagen⁴. ¶ ～한 대로 wie vorausgesagt (vorhergesagt).
‖ **일기～** Wettervorhersage *f.* -n; Wetterprognose *f.* -n: 일기～계 Wettervorhersager *m.* -s, - / 일기 ～에 의하면 내일은 비가 온단다 Nach der Wettervorhersage soll es morgen regnen.

예복(禮服) 《남자용》 Abend¦anzug (Gesellschafts-) *m.* -(e)s, ⸚e; der dunkle Anzug, -(e)s, ⸚e (짙은 감색 또는 짙은 회색의 약식); Frack *m.* -(e)s, ⸚e (연미복); Staatskleid *n.* -(e)s, -er; Galaanzug *m.*; Hofkleidung *f.* -en (궁중복); 《군인용》 Parade¦uniform (Gala-) *f.* -en; 《여성용》 Abend¦kleid (Gesellschafts-) *n.* -(e)s, -er. ¶ ～을 입고 in Gala; in Frack / ～을 착용치 않아도 무방함 Straßenanzug. (초대장 등에서의 지시) / ～을 착용할 것 《구체적으로 지정》 Schwarze Binde. (스모킹)¦ Weiße Binde. (연미복) / ～을 착용하다 (입다) den Abendanzug tragen* (an|ziehen*).

예봉(銳鋒) der heftige Anstoß, -(e)s, ⸚e; der Brennpunkt 《-(e)s, -e》 des Angriffs; Spitze *f.* -n (의논 따위의). ¶ ～을 꺾다 den heftigen Anstoß (Anprall) s-r Schärfe berauben / 적의 ～을 꺾다 den Angriff des Feindes ab|schwächen / 그는 상대방의 ～을 꺾었다 Er nahm ihrer Bemerkung die Spitze. / 아군은 적의 ～에 용감히 맞섰다 Unsere Armee hielt tapfer den heftigen Angriffen des Feindes stand.

예불(禮佛) 〖불교〗 die Ehre vor dem Buddhabild. **～하다** vor der Buddhastatue Achtung (Respekt) hegen (haben).

예비(豫備) 《준비》 Vorbereitung *f.* -en; 《여벌》 Reserve *f.* -n; 《보충》 Ersatz *m.* -es; 《비축》 Vorrat *m.* -(e)s. **～하다** 《여분을 둠》 reservieren⁴; auf|bewahren⁴; 《조심함》 sorgen 《*für*⁴》; Fürsorge treffen* 《*für*⁴》; 《예방함》 Vorkehrung treffen* 《*gegen*⁴》; 《준비함》 ⁴sich vor|bereiten 《*auf*⁴》. ¶ ～의 vorbereitend; Vorbereitungs-; Reserve-; für den Notfall (위급시) / ～로 갖다 ⁴*et.* vorrätig haben; ⁴*et.* in Reserve haben.
‖ **～계획** Reserveplan *m.* -(e)s, ⸚e; der abwechselnde (alternierende) Plan, -(e)s, ⸚e. **～공작** Vorbereitungs¦handlung *f.* **～(학)교 (학원)** Vorbereitungs¦schule *f.* -en; Vorschule; Vorbereitungsanstalt *f.* -en. **～교섭** Vorverhandlung *f.* -en: ～교섭을 하다 vorläufig (erstmals) besprechen*⁴. **～군** Reservearmee *f.* -n: ～군을 소집하다 die Reserve ein|berufen* / ～군에 편입시키다 in die Reserve versetzen⁴; auf die Reserveliste schreiben* / 향토 ～군 Lokalreserve (-armee) *f.* / 산업 ～군 industrielle (gewerbliche) Reserve(armee). **～금, ～비** Reservefonds [..fɔ̃:, ..fɔ̃:s] *m.*; das Geld für den Notfall. **～단계** Vorstufe *f.* -n. **～병** Reservist *m.* -en, -en: ～병이 되다 in die Reserve über|treten*[s]. **～부품** Ersatzteil *m.* -(e)s, -e. **～사단** Reservedivision *f.* -en. **～선거** Vorwahlen 《*pl.*》. **～시험** Vorprüfung *f.* -en; Vorexamen *n.* -s, - (..mina). **～역(役)** Dienst 《*m.* -es, -e》 in der (ersten) Reserve: ～역 장교 Reserveoffizier *m.* -s, -e / ～역에 편입되다 in die Reserve versetzt werden; auf die Reserveliste geschrieben werden. **～지식** Vorkenntnisse 《*pl.*》. **～차량** Reserve¦rad (Ersatz-) *n.* -(e)s, ⸚er. **～탱크** Reserve¦tank *m.* -(e)s, -e (-s). **～품** das Gesparte*, -en, -en; das Aufgesparte*, -en, -en; Vorrat *m.* -(e)s, ⸚e. **～회담** Vorkonferenz *f.* -en.

예쁘다 schön; hübsch; fein; lieblich; nett; elegant; zierlich; niedlich; reizend (sein). ¶ 예쁜 여자 die schöne (hübsche; reizende) Frau, -en / 옷을 예쁘게 입다 ⁴sich schön kleiden / 예쁘게 쓰다 schön schreiben* / 그녀는 얼굴이 ～ Sie ist schön von Gesicht.

예쁘장하다, 예쁘장스럽다 lieblich; zierlich; niedlich; nett; gut aussehend (sein).

예사(例事) ① 《보통》 (Ge)brauch *m.* -(e)s, ⸚e; Gewohnheit *f.* -en; Herkommen *n.* -s; Sitte *f.* -n. ¶ ～로운 gebräuchlich; gewöhnlich; herkömmlich; konventionell; üblich; allgemein; alltäglich / ～가 아닌 ungewöhnlich; ungebräuchlich; nicht üblich; extraordinär / 그것은 ～가 아니었다 Es ging nicht mit rechten Dingen zu. / 그는 실패해도 ～로 안다 Sein Mißerfolg bleibt ihm immer noch gleichgültig (gleichgeltend). / 한국에선 설날에 세배가는 것이 ～다 Es ist üblich, in Korea am Neujahrestag Höflichkeitsbesuch zu machen. ② 《일상사》 das Tägliche*; die alltägliche Wiederkehrende*; die tägliche Routine, -n. ③ 《버릇》 Gewohnheit *f.* -en; Neigung *f.* -en; Hang *m.* -es, ⸚e.

예사롭다(例事一) täglich; alltäglich; gewöhnlich; üblich (sein). ¶ 예사로운 일 das alltägliches Ereignis, -ses, -se / 정부를 비난하는 것쯤 예사로운 일이었다 Es war etwas Alltägliches, die Regierung zu kritisieren.

예산(豫算) 《견적》 Voranschlag *m.* -(e)s, ⸚e; Überschlag *m.* -(e)s, ⸚e; Schätzung *f.* -en; vorläufige Kostenberechnung, -en; 《정부의》 Etat *m.* -s, -s; Budget [bʏdʒé:] *n.* -s, -s. **～하다** schätzen⁴; ab|schätzen⁴; rechnen⁴; berechnen⁴; veranschlagen*⁴. ¶ ～을 초과하다 den Etat überschreiten* / ～을 편성(심의)하다 den Haushaltsplan auf|stellen

〔beraten*〕/ ~을 세우다 e-n Voranschlag machen; die Kosten (im voraus) berechnen / ~을 확보하다 das genügende Budget in Sicherheit bringen* / ~의 균형을 잡다 das Budget balancieren 〔aus|gleichen*; saldieren〕/ ~이 틀렸다 Die Rechnung ging nicht auf.¦Man hat falsch kalkuliert. / 건축비는 천만 원 ~이다 Die Baukosten werden auf 10000000 *Won* veranschlagt.

‖ ~결손, ~부족 Defizit《*n.* -es》〔Fehlbetrag *m.* -(e)s, ⸚e〕 im (am) Budget. ~심의 Etatberatung *f.* -en. ~연도 Haushaltjahr *n.* -(e)s, -e. ~외 지출 außeretatmäßige Ausgaben《*pl.*》. ~위원회 Budgetkom(m)itee *n.* -s, -s 〔-ausschuß *m.* ..sses, ..schüsse〕. ~조처(를 취하다) Budgetmaßnahme《*f.* -n》 treffen* (ergreifen*; nehmen*). ~편성 Etataufstellung *f.* -en. 내년도~ der Etat für das kommende (Haushalt)jahr. 본~ der originale Etat, -s, -s. 수정~ der revidierte 〔geänderte; verbesserte〕 Etat, -s, -s. 잠정〔임시〕~ provisorisches 〔vorläufiges〕 Budget. 전시~ Kriegsetat *m.* -s, -s. 총~ der gesamte 〔totale〕 Etat. 추가~ Nachtragsetat *m.* -s, -s; Zusatzbudget *n.* -s, -s. 평시~ Friedensetat *m.* -s, -s.

예산안(豫算案) Budget [bʏdʒé:] *n.* -s, -s; Etat [etá:] *m.* -s, -s; Budgetentwurf *m.* -(e)s, ⸚e. ¶ ~을 국회에 제출하다 das Budget im Parlament ein|bringen.

‖ ~심의 die Beratung《-en》 über das Budget. 추가~ Nachtragsetat *m.* -s, -s.

예상(豫想) 《예기》 Erwartung *f.* -en; das Erwarten*, -s; 《예견》 Voraussicht *f.*; 《예언》 Voraussage *f.* -n; 《억측》 Vermutung *f.* -en; 《견적》 Schätzung *f.* -en; 《희망》 Hoffnung *f.* -en. ~하다 《예기하다》 erwarten⁴; 《예견하다》 voraus|sehen*⁴; 《억측하다》 vermuten⁴; 《견적하다》 schätzen⁴; 《희망하다》 hoffen⁴. ¶ ~대로 wie erwartet / ~외로 unerwartet; unvorhergesehen / ~ 이상으로(에 어긋나게) über 〔wider〕 ⁴Erwarten / …을 ~하여 in der ³Erwartung 〔Voraussicht〕, daß...; in ³Erwartung / 나의 ~은 어긋났다 M-e Erwartungen 〔Hoffnungen〕 haben sich nicht erfüllt.¦Ich sehe mich in m-n Erwartungen getäuscht. / 결과는 ~한 것 이상이었다 Das Ergebnis übertraf alle m-e Erwartungen.

‖ ~고 Voranschlag *m.* -(e)s, ⸚e.

예상사(例常事) die gewöhnliche Sache, -n; die alltägliche Affäre, -n.

예새 das hölzerne Messer《-s, -》 des Töpfers.

예서(隷書) die ornamentale Schreibkunst, ⸚e.

예선(豫選) Vorwahl *f.* -en; 《경기의》 Vorkampf *m.* -(e)s, ⸚e; Vorrunde *f.* -n; Ausscheidungskampf *m.* -(e)s, ⸚e. ~하다 vorwählen⁴; vorherkämpfen; *jn.* zum Vorkampf auf|stellen. ¶ ~서 실패하다 der Vorkampf verloren geben* / ~에 통과하다 als Bewerber vorgeschlagen werden 《*für*⁴》/ ~ 상황은 어떤가 Wie ist die Vorwahl ausgegangen?

‖ **100** 미터 ~ der 100-Meter-Probelauf, -(e)s. 최종~ Endausscheidung *f.* -en.

예속(隷屬) Unterordnung *f.*; Unterstellung *f.* -en; Abhängigkeit *f.* -en. ~하다 ⁴sich *jm.* unter|ordnen 〔unterwerfen*; unterstellen〕; *jm.* untergeordnet 〔unterstellt〕 sein; abhängig sein 《*von*³》. ¶ ~적 지위 die untergeordnete Stellung.

‖ ~국 der abhängige Staat, -(e)s, -en; die unterworfene Nation, -en. ~지역 das abhängige Gebiet, -(e)s, -e.

예수 Jesus Christus.

‖ ~교 Christentum *m.* -s, -: ~교인 Christ *m.* -en, -en. ~재림 die Wiederkunft des Christus 〔Christi〕: ~재림론자 Adventist *m.* -en, -en. 아기~ Christ¦kind *n.* -(e)s 〔-kindchen *n.* -s; -kindlein *n.* -s〕.

예순 sechzig. ¶ ~살 sechzig Jahre.

예술(藝術) Kunst *f.* ⸚e; ästhetisches Schaffen*, -s. ¶ ~적 künstlerisch; ästhetisch / ~적 재능 künstlerische Begabung, -en.

‖ ~가 Künstler *m.* -s, -. ~계 das Gebiet der Kunst; die Welt der Künstler. ~대학 die Hochschule für die bildenden Künste. ~본능 Instinkt 〔Naturtrieb〕 für Kunst; Kunstanlage *f.* -n. ~비평 Kunstkritik *f.* -en: ~비평가 Kunstkritiker *m.* -s, -. ~사진 Kunstphoto *n.* -s, -s. ~원(院) Kunstakademie *f.* -n. ~작품 Kunstwerk *n.* -(e)s, -e. ~제 Kunst¦fest 〔-festival〕 *n.* -(e)s, -e. ~지상주의 Kunst um der Kunst willen; l'art pour l'art. ~지상파 Ästhetizismus *m.*

예스럽다 altmodisch; altertümlich; veraltet; überholt; antiquarisch; obsolet (sein). ¶ 예스런 말투 altmodischer Ausdruck; altertümliche Redeweise / 예스런 습관 altmodische Sitte 〔Gebräuche〕.

예습(豫習) Vorbereitung *f.* -en; Vorübung *f.* -en. ~하다 ⁴sich vor|bereiten 《*auf*⁴; *für*⁴》; präparien⁴. ¶ ~을 하지 않고 ohne Vorbereitung / 나는 독일어 시간의 ~을 막 끝마쳤다 Ich habe gerade die Vorbereitung auf die Deutschstunde beendet.

예시(例示) Erläuterung 〔Erklärung〕 durch Beispiele. ~하다 beispielhaft veranschaulichen⁴; durch Beispiele belegen⁴; an e-m Beispiel zeigen; an e-m Beispiel 〔an Hand e-s Beispiel〕 erklären⁴.

예시(豫示) Andeutung *f.* -en; Hinweis *m.* -es, -e; Voranzeige *f.* -n; Vorzeichen *n.* -s, -. ~하다 an|deuten; hin|weisen 《auf ⁴*et.*》; im voraus an|kündigen⁴.

예식(例式) Formular *n.* -s, -e; e-e exemplarische Übung, -en.

예식(禮式) 《예법》 gesellschaftliche Umgangsformen 《*pl.*》; 《의식》 Zeremonie *f.* -n; Ritus *m.* -, ..ten (종교의); Feierlichkeiten 《*pl.*》; Formalität *f.* -en; 《결혼의》 Heiratszeremonie. ¶ 오래된 ~을 지키다(따르다) althergebrachte Formalitäten beobachten. ‖ ~장 die Halle für die Hochzeitszeremonie.

예심(豫審) (gerichtliche) Voruntersuchung, -en. ¶ 그는 아직도 ~중이다 Er ist noch in der Untersuchungshaft.

‖ ~법정 Untersuchungsgericht *n.* -(e)s, -e. ~조서 Untersuchungsprotokoll *n.* -s, -e. ~판사 Untersuchungsrichter *m.* -s, -.

예약(豫約) Vorbestellung *f.* -en; Reservierung *f.* -en; 《서적의》 Subskription *f.* -en; 《신문·잡지 따위의》 Abonnement [..mã:] *n.* -s, -s. ~하다 vor|bestellen⁴; reservieren⁴; subskribieren⁴; abonnieren⁴. ¶ ~되다 reserviert 〔besetzt〕 sein / ~ 주문을 받다 Vorbestellung an|nehmen* 〔entgegen|-nehmen*〕/ 좌석을 ~하다 e-n Platz reservieren / 호텔의 방을 ~하다 ein Hotelzimmer reservieren / 내일 부산행 특급 좌석표

를 하나 ～해 주오 Reservieren Sie bitte für mich e-e Platzkarte für den morgigen D-Zug nach Busan. / 이 방은 벌써 ～되었다 Dieses Zimmer ist schon vorbestellt.

‖ ～가격 《책·신문 따위의》 Subskriptionspreis (Abonnements-) *m.* -es, -e. ～석 ein reservierter Platz, -es, ⸚e; 《게시》 Reserviert! ～자 Subskribent *m.* -en, -en; Abonnent *m.* -en, -en. ～출판 Subskriptions¦publikation *f.*; Veröffentlichung durch Subskription. ～판매 Subskriptionsverkauf *m.*

예언(例言) Vorwort *n.* -s, ⸚er; Vorbemerkung *f.* -en; Einleitung *f.* -en.

예언(豫言) Vorhersage *f.* -n; Voraussage *f.* -n; Prophezeiung *f.* -en; Weissagung *f.* -en; Prophetie *f.* -n. ～하다 voraus|sagen; prophezeien; weissagen. ¶ ～적 prophetisch; hellseherisch / ～할 수 있는 voraussagbar / ～이 맞다(틀린다) Die Vorhersage erweist sich (als) wahr (falsch). / 그의 ～은 적중했다 S-e Prophezeiung bewahrheitet sich. ‖ ～자 Prophet *m.* -en, -en; Weissager *m.* -s, -; 《여자》 Prophetin *f.* ..tinnen; Weissagerin *f.* ..rinnen.

예외(例外) Ausnahme *f.* -n; Ausnahme¦fall (Einzel-; Sonder-) *m.* -(e)s, ⸚e. ¶ ～ 없이 ohne Ausnahme; ausnahmslos / ～적으로 ausnahmsweise / ～로 하다 Ausnahme machen[4]; aus|nehmen*[4]; aus|schließen*[4] / …은 ～로 하고 außer[3], daß...; ausgenommen, (daß); es sei (wäre) denn, daß... 〖접속법 1식 혹은 2식을 사용하고 회화체에서는 직설법도 쓴다〗 / 자네라고 ～를 만들 수 없네 Wir können auch bei (mit) dir k-e Ausnahme machen. / 모든 법칙엔 ～가 있다 Es gibt k-e Regel ohne Ausnahme. / 이것은 ～다 Das ist e-e Ausnahme (ein Ausnahmefall). / 이 규칙에는 하나의 ～가 있다 Diese Regel hat e-e Ausnahme.

예우(禮遇) die aufmerksame (respektvolle) Behandlung; die höfliche Aufnahme. ～하다 aufmerksam (respektvoll; zuvorkommend) behandeln[4]; höflich empfangen*[4] (auf|nehmen*[4]). ¶ ～를 받다 höflich (herzlich) empfangen werden.

‖ ～정지 《의원·외교관 따위의》 Entzug 《*m.* -(e)s, ⸚e》 des Privileg(ium)s.

예의(銳意) 〖부사적〗 eifrig; eifernd; emsig; ernstlich; allen [2]Ernstes; in allem (vollem) Ernst; hitzig. ¶ ～ 검토하다 in vollem Ernst untersuchen[4] / …에 ～ 힘쓰다 [4]sich mit vollem Einsatz der Persönlichkeit widmen[3]; [4]sich in allem Ernst hin|geben*[3].

예의(禮儀) Anstand *m.* -(e)s, ⸚e; Etikette *f.* -n; Schicklichkeit *f.* -en; die feinen Umgangsformen 《*pl.*》; die gute Sitte, -n. ¶ ～를 모르는 k-n Anstand haben; unschicklich; schlecht erzogen / ～바르게 mit Anstand; anständig / ～상 aus Höflichkeit; anstandshalber; der [2]Form wegen / 형식적 ～ formelle Höflichkeit / 온갖 ～를 다해 in aller Höflichkeit / ～를 지키다 den Anstand wahren; auf Anstand halten* / ～를 무시하다 den Anstand verletzen; kein Wert auf den Anstand legen / ～를 결하다, ～를 소홀히 하다 k-n Anstand haben; die Regeln des Anstands nicht beachten / ～바르다 gute Manieren haben. ☞ 예바르다 / 그는 ～ 법도를 모른다 Er hat k-e Manieren (kein Benehmen). / 그는 윗사람에 대한 ～를 모른다 Er weiß nicht, wie er sich s-m Vorgesetzten benehmen soll. / 그렇게 하면 ～에 벗어난다 Das verstoßt gegen gute Sitten.¦Das verbietet schon den Anstand. / 친한 사이에도 ～가 있어야 한다 Unter Freunden muß man auch den Anstand halten.

예인선(曳引船) Schlepper *m.* -s, -; Schleppboot *n.* -(e)s, -e; Schlepp¦dampfer *m.* -s, - (-kahn *m.* -(e)s, -e). ¶ 그 난파선은 해군 ～에 의하여 예인되어 왔다 Das zerstörte Schiff wurde von dem Schlepperboot der Marine abgeschleppt.

‖ ～료(料) Bugsierlohn *m.* -(e)s, ⸚e; Abschleppgebühr *f.* -en. ～업 Treidelei *f.*

예장(禮狀) Danksagung *f.* -en; Dankadresse *f.* -n; Dankbrief *m.* -(e)s, -e. ¶ ～을 보내다 e-n Dankbrief schicken; *jn.* mit Danksagung erwidern.

예장(禮裝) =예복. ～하다 Zeremonietracht an|ziehen*; den Gesellschaftsanzug an|legen. ¶ ～을 하고 in Gala; mit der Zeremonietracht; mit dem Abendkleid (여자); in Gesellschaftsanzug (남자).

예전 frühere (alte) Zeit. ¶ ～의 früher; vorig; vergangen / ～대로 wie früher / ～부터 von alters her; seit der früheren (alten) Zeit; seit langer Zeit / ～에는 in der früheren (alten) Zeit / ～의 그 (사람) der Mann zu jener (s-r) Zeit / 그것은 ～부터 행해지고 있다 Das ist schon e-e alte Praxis. / 모든 것이 ～과 달라졌다 Nichts ist beim alten geblieben. / ～에 비하면 오늘날 모든 것이 편리하다 Im Vergleich mit früher, ist heutzutage alles bequem.

예절(禮節) Sitte *f.* -n; Sittlichkeit *f.*; Anstand *m.* -es, ⸚e; Manieren 《*pl.*》; Etikette *f.* -n. ¶ ～을 아는 anständig; artig / ～을 중시하다 großen Wert auf die guten Manieren legen / ～에 밝다 [4]sich artig benehmen* / 아버지는 ～에 매우 까다로운 분이었다 Mein Vater achtete genau auf die guten Manieren. / 의식(衣食)이 족해야 ～을 안다 Die gute Sitte kommt erst in Frage, wenn wir unsere elementaren Bedürfnisse befriedigt haben.¦Wohlgenährt, wohlerzogen.

예정(豫定) Vorbestimmung *f.* -en; 《계획》 Plan *m.* -(e)s, ⸚e; Programm *n.* -s, -e; 《의도》 Vorhaben *n.* -s, -; Absicht *f.* -en; 《예상》 Erwartung; Voraussicht. ～하다 vor|bestimmen[4]; planen[4]; erwarten[4]. ¶ ～의 vorbestimmt; geplant; vorprogrammiert / ～대로 wie geplant; wie vorgesehen; planmäßig; programmäßig / ～보다 이틀 빨리(늦게) zwei Tage früher (später) als erwartet / ～시간에 in der vorgesehenen Stunde; in der verabredeten Stunde / 그는 거기에 이틀 체류할 ～이다 Er wird dort voraussichtlich (aller Voraussicht nach) zwei Tage bleiben. / 이번 여름방학 때 무슨 특별한 ～이라도 있습니까 Haben Sie in diesen Sommerferien etwas Bestimmtes vor? / 모든 일은 ～대로 잘 되어 갔다 Es ging alles planmäßig vonstatten. / 그것은 전혀 ～에 없던 일이었다 Das war gar nicht vorgesehen.¦Damit haben wir gar nicht gerechnet. / 기차는 밤 8시에 서울에 도착할 ～이다 Der Zug soll um 20 Uhr in Seoul ankommen. / 그는 3년 ～으로 독일 유학을 갔다 Er ging nach Deutschland, um auf (für) drei Jahre dort zu studieren.

‖ ~액 berechneter Betrag. ~일 der erwartete (vorgesehene) Tag: 출산 ~일 der erwartete Tag der Geburt. ~조화 〖철학〗 prästabilierte Harmonie. ~표 Programm *n.* -s, -e. ~ (행동 개시) 시각 〖군사〗 Null-zeit *f.* 입후보 ~자 der mögliche Kandidat, -en, -en; Anwärter auf die Kandidatur. 졸업 ~자 cand. 《phil. *etc.*》 Diplom.

예제 《여기저기》 dieser Ort u. jener Ort; hier u. dort; überall.

예제(例題) (Übungs)aufgabe *f.* -n; 《모범예로서》 Beispiel *n.* -s, -e; Übung *f.* -en. ¶ ~를 주다 Aufgaben geben*[3].

예조(禮曹) 《육조의》 Ministerium für offizielle Zeremonien u. Protokolle (in Zeiten der *Yi*-Dynastie).

예증(例證) Erläuterung 《*f.* -en》 durch Beispiele; Exemplifikation *f.* -en. ~하다 durch Beispiele erläutern[4] (belegen[4]; beweisen*[4]); beispielhaft zeigen[4]. ¶ ~할 수 있는 mit Beispiel belegbar / ~으로서 als ein Beispiel / ~이 되다 als Beispiel dienen.

예지(叡智) Weisheit *f.* -en; Lebenserfahrung *f.* -en; die tiefste Einsicht, -en; Intelligenz *f.* -en.

예지(豫知) das Vorherwissen*, -s; das Voraus¦ahnen* (-sehen*) -s. ~하다 im voraus wissen*[4]; vorher|wissen*[4]; voraus|ahnen[(4)].

예진(豫診) 〖의학〗 e-e medizinische Voruntersuchung. ~하다 e-e medizinische Voruntersuchung durch|führen (ein|leiten; vor|nehmen*).

예진(豫震) das Vorzeichen des Erdbebens; Vorbeben *n.* -s, -.

예찬(禮讚) Lob *n.* -(e)s; Lobpreisung *f.* -en; Verherrlichung *f.* -en; Würdigung *f.* -en; Huldigung *f.* -en; Kompliment *n.* -(e)s. ~하다 loben[4]; lobpreisen[(*)4]; bewundern[4]; an|beten[4]; *jm.* ein Kompliment machen. ¶ 모성애의 ~ Lob der Mutterliebe / 미(美)의 ~ Verherrlichung der Schönheit.
‖ ~자 Bewunderer *m.* -s, -; Anbeter *m.* -s, -; Verehrer *m.* -s, -.

예측(豫測) das Voraussehen*, -s; Vermutung *f.* -en; das Erraten*, -s; Aussicht *f.* -en 《auf [4]*et.*》. ~하다 voraus|sehen*[4]; im voraus ahnen[(4)]; rechnen 《*mit*[3]》. ¶ ~불능의 unvoraussehbar; unberechenbar / 인플레를 ~하고 in Erwartung e-r Inflation / ~을 벗어나다 [4]sich in s-n Erwartungen getäuscht sehen / 금후의 정국은 ~을 불허한다 Niemand weiß, wie sich die politische Lage entwickelt wird. / 나의 ~이 틀렸다 Ich habe damit falsch gerechnet.¦M-e Vermutung erwies sich falsch. / 승패를 ~할 수 없다 Man kann den Ausgang des Kampfes nicht voraussehen. / 어떻게 될지 ~도 못한다 Niemand kann voraussagen, wie es sich ergeben wird.

예탁(預託) Depositum *n.* -s, ..ta; Anzahlung *f.* -en; Kaution *f.*; Hinterlegung *f.* -en; Deponierung *f.* -en. ~하다 deponieren[4]; hinter|legen[4].
‖ ~금 Depositgeld *n.* -(e)s, -er. ~물 Depositum; Depot *n.* -s, -s. ~자 Deponent *m.* -en, -en; Hinterleger *m.* -s, -.

예탐(豫探) Sondierung *f.* -en; Erforschung *f.* -en. ~하다 erforschen[4]; sondieren[4]. ¶ 적정을 ~하다 die Lager des Feindes spionieren (erspähen). ‖ ~꾼 Spion *m.* -en, -en; Agent *m.* -en, -en.

예편하다(豫編—) die Militär-Uniform ab|legen; in Zivil sein; Reservist werden.

예포(禮砲) Salve *f.* -n; Salut *m.* -(e)s, -e. ¶ 21 발의 ~ e-e Salve von 21 Schüssen / ~를 쏘다 e-e Salve ab|geben (ab|feuern); Salut schießen*.

예풍(藝風) 《개인의》 Stil *m.* -(e)s, -s; Darstellungsweise *f.* -(e)n; 《예술적 전통》 Kunsttradition *f.* -en; Kunstform *f.* -en.

예항(曳航) das Bugsieren*, -s; Schleppschifffahrt *f.* -en. ~하다 bugsieren[4]; am Tau schleppen[4]; ins Schlepptau nehmen*[4].

예해(例解) Erläuterung durch Beispiele; Beispiel *n.* -(e)s, -e. ~하다 durch Beispiel erläutern[4].

예행(豫行) Vorbereitung (Vorübung) *f.* -en; Probe *f.* -n. ~하다 vor|üben[4]; proben[4].
‖ ~연습 Probe: ~연습을 하다 《연극의》 e-e Generalprobe (ab|)halten* (spielen).

예회(例會) die Routine-Sitzung [ru..]; die regelmäßige Versammlung; der ordentliche Abend. ‖ 월~ die monatliche Sitzung (Versammlung).

예후(豫後) 《병세》 Prognose *f.* -n; 《회복》 Genesung *f.* -en; Rekonvaleszenz *f.* -en. ¶ ~가 (안) 좋다 e-n (un)günstigen Genesungsverlauf nehmen* / ~ 판정을 하다 e-e Prognose stellen; prognositizieren[4].
‖ ~보양소 Erholungsheim *n.* -(e)s, -e.

옌장 《실망을 보일 때》 verdammt!; mein Gott!; scheiße!

옛 《지나간》 alt; uralt; ehemalig; aus alter Zeit (alten Zeiten). ¶ 옛싸움터 ein ehemaliger Kampfplatz / 옛사람들 die Menschen in alten Zeiten; die Alten 《*pl.*》.

옛글 alte Schriften 《*pl.*》; ein altes (archaisches) Wort.

옛길 der alte Weg; die ehemalige Straße.

옛날 die alten (früheren; vergangenen) Zeiten (Tage; Jahre); Urzeit *f.* -en; Vergangenheit *f.* -en; Gestern *n.* -s; Altertum *n.* -(e)s. ¶ ~에 früher; einst; ehemals; in alten Zeiten; damals; in alter Zeit; vor alten Zeiten / ~ 사람들 Menschen der alten (früheren) Zeiten / ~ 애인 die alte (gewesene) Freundin, -nen / ~ 이야기 die alte Geschichte; Sage *f.* -n / ~ 일 das alte Ding; die alte Geschichte (Sache). / ~ 풍속(風俗) alte (Volks)sitte *f.* -n; altes Brauchtum, -s / ~ 옛적(에) es war einmal ...; in alter Zeit; vor alten Zeiten. / 그리운 ~ die gute alte Zeit / ~에 심 청이라는 소녀가 있었다 Es war einmal ein Mädchen namens *Schim-cheong*. / 그 상점은 ~과 다름없이 번창하고 있다 Der Laden floriert genau so gut wie früher. / 그는 ~을 되새긴다 Er erinnert sich an die Vergangenheit.

옛말 ① 《고어》 ein archaisches (veraltetes) Wort. ¶ 이 말은 ~이다 Dieses Wort ist veraltet (unbrauchbar). ② 《격언》 alter Spruch, -(e)s, ⸗e; altes Sprichwort, -(e)s, ⸗er. ¶ 「옥도 갈지 않으면 빛이 안 난다」는 ~이 있다 „Der Edelstein glänzt auch nicht, wenn man ihn nicht schleift.", so heißt ein alter Spruch.

옛모습(—貌襲) (Über)rest *m.* -es, -e; Überbleibsel *n.* -s, -; Spur *f.* -en; die alte Kontur; 《사람의》 Schatten *js.* früheren Selbst(es); 《도시의》 Schatten (Spuren) e-r Stadt. ¶ 현재 서울에는 이조 시대의 ~은 거

의 찾아볼 수 없다 In Seoul sind heutzutage die Spuren von *Yi*-Dynastie kaum zu finden.

옛사람 Vorfahren 《*pl.*》; Menschen 《*pl.*》 der alten Zeiten. ¶ ~이 되다 sterben* [s]; verscheiden* [s].

옛사랑 alte Liebe, -n; die einstige (vergangene) Liebe.

옛상처(一傷處) alte Wunde, -n. ¶ ~를 건드리다 an e-e alte Wunde rühren; *jm.* die alte Wunde wieder auf|reißen*.

옛식(一式) der alte Stil, -(e)s, -e; die alte Mode, -n; die herkömmliche Art (u. Weise). ¶ ~에 따라 nach dem alten Stil; nach der alten Mode.

옛이야기 die alte Geschichte. ¶ 이젠 그것도 다 ~가 되었다 Es ist schon e-e alte Geschichte geworden.

옛일 das Vergangene*, -n; Vergangenheit *f.* -en. ¶ ~을 상고(詳考)하다 das Vergangene genau prüfen (untersuchen); über die Vergangenheit nach|denken* / ~을 생각하다 ⁴sich an⁴ die Vergangenheit (das Vergangene) erinnern / 그것도 이제는 ~이 되었다 Es ist schon e-e Vergangenheit geworden. / ~은 ~이다 Laß das Vergangene ruhen!

옛적 =옛날.

옛정(一情) alte Freundschaft, -en. ¶ ~을 새롭게 하다 alte (unwandelbare) Freundschaft vertiefen; das Wiedersehen feiern.

옛집 das alte Haus, -es, ⸗er; die frühere Wohnung, -en; 《보금자리》 Brutstätte *f.* -n. ¶ ~으로 돌아오다 zum Elternhaus zurück|kommen* [s] / ~이 그립다 Sehnsucht nach der Heimat haben; Heimweh nach dem Elternhaus haben.

옛추억(一追憶) die alte Erinnerung, -en. ¶ ~을 더듬다 ⁴sich an die gute alte Zeit erinnern; an die alten Tage denken*; die alten Erinnerungen zurück|verfolgen.

옛친구(一親舊) der alte Freund, -(e)s, -e; die alte Freundin, -nen (여자).

옜네 《여기 있네》 Hier ist das!

옜다 《여기 있다》 Hier ist das! ¶ ~ 이것 가져라 Hier, nimm das! ¦ Da, nimm das!

옜소 《여기 있소》 Hier ist das (es)!

오 ① 《아》 O!; Oh. ② 《의외》 ach!; weh!; leider! ¶ 오 슬프다 O weh! ¦ Weh mir! / 오 하느님 구해 주옵소서 Oh, Gott, rette uns! ③ 《오냐》 Ja; Oh. ¶ 오 그러냐 Oh, ist es wahr? / 오 이제 알겠다 Ja, ich habe es verstanden.

오(五) fünf; Fünf *f.* -en. ¶ 5분의 일 ein Fünftel / 5원 fünf *Won* / 제 5 장 5 (Fünftes) Kapitel, -s, -; Kapitel 5 (Fünf) / 제 5의 fünfte.

오(午) 〖민속〗 ① 《십이지의》 das Zeichen des Pferdes (=die fünfte Reihe der 12 Kategorien der Erde). ② ☞ 오방(午方). ③ ☞ 오시(午時).

오가다 kommen* [s] u. gehen* [s]; hin u. her gehen* [s]; auf u. ab wandern [s,h]. ¶ 오가는 사람들 die Vorübergehenden 《*pl.*》; die Passanten 《*pl.*》.

오가리 ① 《호박 말린 것》 Schnitte 《*pl.*》 des getrockneten Kürbis. ② 〔형용사적〕 vertrocknet; erschlafft; geschrumpft. ¶ ~(가) 들다 ☞ 오갈들다 ①.

오각(五角) Fünfeck *n.* -(e)s, -e; 〔형용사적〕 fünfeckig. ‖ ~형 Fünfeck *n.* -(e)s, -e; Pentagon *n.* -s, -e.

오갈들다 ① 《말라》 welken [s]; vertrocknet sein. ② 《두려워》 ⁴sich ducken; kriechen* [h,s]; hübsch bescheiden sein; kleinlaut werden.

오갈피 〖한의학〗 Linde e-s strauchartigen Baumes, die als Heilmittel dient.

오감(五感) die fünf Sinne 《*pl.*》.

오감스럽다 《경망스럽다》 leichtsinnig; unbedacht; täppisch; launenhaft (sein).

오거리(五一) die Kreuzung 《-en》 mit fünf Straßen (Wege).

오계(五戒) 〖불교〗 die fünf Gebote des Buddhismus (gegen Töten, Stehlen, Ehebruch, Lüge u. Ungeduld).

오계(誤計) die mißglückte Planung, -en; die falsche Kalkulation, -en.

오고가다 ☞ 오가다.

오곡(五穀) ① 《곡식》 fünf Getreide (=Reis, Hirse, Bohne, Weizen, Gerste). ② 《총칭》 Getreide *n.* -s, -.
‖ ~밥 Essen mit fünf Getreide. ~풍양(豐穰) e-e gute (reiche) Getreideernte, -n.

오공이(梧空一) ein untersetzter, kräftiger Mensch (별명).

오관(五官) die fünf Sinnesorgane (Sinneswerkzeuge) 《*pl.*》.

오구 《어구》 e-e Art Korb für den Fischgang.

오구(烏口) Reiß¦feder (Zieh-) *f.* -n; Tintenzirkel *m.* -s, - (제도용).

오귀발 〖동물〗 ein Sternfisch *m.* -es, -e; Seestern *m.* -(e)s, -e.

오그라들다 ⁴sich zusammen|ziehen*; zusammen|schrumpfen [s]; ⁴sich ducken; ⁴sich erniedrigen; verwelken [s]. ¶ 손이 ~ die Hände werden starr (vor Kälte) / 구두가 오그라들었다 Die Schuhe ist eng (schroff) geworden. / 목재는 마르면 오그라든다 Holz zieht sich zusammen, wenn es vertrocknet ist. / 서리가 와서 잎들이 오그라들었다 Mit der Frost schrumpften die Blätter zusammen.

오그라뜨리다 =오그리다.

오그라지다 ① 《오그라들다·좋아들다》 ⁴sich kräuseln; zusammen|schrumpfen; ⁴sich locken. ¶ 햇빛에 오그라진 나무판 die von der Sonne verzogene Holzplatte, -n / 나뭇잎이 ~ Blätter schrumpfen zusammen. ② 《찌그러지다》 verbogen (gekrümmt) sein. ¶ 오그라진 남비 ein verbogener (gekrümmter) Topf, -(e)s, ⸗e / 오그라진 차 ein zerquetschtes Auto, -s, -s / 모자가 오그라졌다 Der Hut ist zerdrückt.

오그랑오그랑 runzlig; faltig (sein). ~하다 viele Falten haben.

오그랑이 ① 《물건》 ein geschrumpftes Ding, -(e)s, -e. ② 《사람》 ein krummer (unredlicher) Mensch, -en, -en.

오그랑장사 ein kleines Geschäft, dessen Kapital immer kleiner wird; ein uneinträgliches Geschäft, -(e)s, -e.

오그랑하다 krumm; gekrümmt; zusammen|-geschrumpft (sein).

오그르르 《물이》 kurz auf|kochend; 《벌레가》 wimmelnd. ~하다 kurz u. heftig auf|-kochen [s,h]; ⁴sich drängen; wimmeln.

오그리다 ① 《몸을》 hocken; ⁴sich zusammen|kauern; ⁴sich ducken. ¶ 추워서 몸을 ~ ⁴sich vor Kälte bücken (zusammen|-kauern) / 몸을 오그리고 자다 gekrümmt (gebückt) schlafen* / 방 한 구석에 오그리고 앉다 in der Ecke des Zimmers hocken. ②

《물건을》 drücken⁴; (zer)quetschen⁴.

오글거리다 ①《물이》 brodeln [h,s]; wallen [s,h]; sieden*. ②《벌레가》 wimmeln. ¶ 개미가 ~ Es wimmelt von Ameisen.

오글보글 《물·찌개가》 brodelnd; wallend; sprudelnd; schäumend. ~하다 brodeln [h,s]; (auf)wallen [h,s].

오글오글¹ 《물이》 brodelnd; 《벌레가》 wimmelnd. ¶ 물이 ~ 끓다 Wasser kocht auf. / 벌레가 ~ 끓다 Es wimmelt von Würmen.

오글오글², 오글쪼글 《주름잡힌 모양》 eingeschrumpft; gefaltet; runzelig. ~하다 eingeschrumpft; zusammengeschrumpft; runzelig; schrumpelig (sein); ⁴sich zusammen|ziehen*. ¶ 오글쪼글한 손 eingeschrumpfte Hände《*pl.*》; Hände mit vielen Falten / 오글쪼글 늙은 사람 ein eingeschrumpfter alter Mensch; Schrumpel *f.* -n (노파); ein alter Mensch mit vielen Falten / 내 옷에 주름이 오글쪼글 갔다 Mein Kleid hat viele Falten bekommen. / 사과가 시들어 오글쪼글하다 Der Apfel ist eingeschrumpft.

오금 ①《무릎·팔의》 die Innenkurve der Knie (des Ellbogens). ¶ ~을 못쓰다 ⁴sich nicht bewegen; 《비유적》 ⁴sich einschüchtern lassen*; in Gewalt *js.* (vor *jm.*) scheu (bange) werden / 그는 부인 앞에서 ~을 못 쓴다 Er ist in Gewalt s-r Frau.¦Er steht unter dem Pantoffel (공처가). ② ☞ 한오금.

오금뜨다 ⁴sich immer bewegen (ohne Ruhe); laufen* [s,h] u. treißen* [h,s] (überhastet).

오금박다 *js.* Widersprüchlichkeit heraus|finden* u. damit ihn ein|schüchtern; *jn.* in die Sackgasse drängen; *jn.* zum Schweigen bringen*. ¶ 아무를 꼼짝 못하게 ~ *js.* Widersprüchlichkeit aus|nutzen u. ihn zum Schweigen drängen.

오금박히다 wegen s-r Widersprüchlichkeit ertappt u. von *jm.* zum Schweigen gebracht (eingeschüchtert) werden.

오금탱이 der Innenwinkel 《-s, -》 e-r Krümmung.

오긋오긋 hier u. da gekrümmt. ~하다 überall gekrümmt (sein). ¶ 남비 밑이 ~ 욱었다 Der Topfboden ist überall gekrümmt.

오긋이 gekrümmt; eingebogen; ausgebogen.

오긋하다 ein bißchen (hübsch) gekrümmt (sein). ¶ 남비 밑이 오긋하게 들어갔다 Der Topfboden ist schön eingebogen.

오기(誤記) Schreibfehler *m.* -s, -. ~하다 ⁴sich verschreiben*; falsch schreiben*⁴; e-n Schreibfehler machen.

오기(傲氣) Hochmut *m.* -(e)s; Trotzigkeit *f.* -en; Eigensinn *m.* -(e)s; Stolz *m.* -es; 《지기 싫어하는》 Selbstbewußtsein *n.* -s; Herrschsucht *f.*; Herrensinn *m.* -(e)s, -e. ¶ ~가 나서 aus Hochmut; aus Trotz / ~가 세다 starkes Selbstbewußtsein haben; trotzig sein / ~를 꺾다 *jm.* die Hochnäsigkeit aus|treiben*.

오나가나 immer; ununterbrochen; dauernd; überall, wo er hingeht. ¶ 그는 ~ 사람을 골탕먹인다 Er bereitet uns immer Schwierigkeiten.

오냐 Ja!; Jawohl!

오년(午年) 【민속】 das Jahr 《-es, -e》 des Pferdes.

오뇌(懊惱) Qual *f.* -en; Herzleid *n.* -(e)s; Seelenschmerz *m.* -(e)s, -en. ~하다 Qualen empfinden*; ⁴sich quälen. ¶ 몹시 ~하고 있다 Seelenschmerz empfinden* (haben).

오누이 Geschwister *n.* -s, -; der Bruder u. die Schwester.

오뉘죽(一粥) Schleim, der aus Reis u. roten Bohnen besteht.

오뉴월(五六月) Mai u. Juni. ¶ ~ 쇠불알 떨어지기만 기다린다 vergeblich ab|warten⁴; auf Unmögliches warten.

오는 kommend; nächst. ¶ ~ 토요일 am nächsten (kommenden) Samstag.

오늘 heute; dieser Tag; heutiger Tag; diesen Tag. ¶ ~따라 ausgerechnet heute / ~부터 von heute an (ab) / ~까지 bis heute; bis auf den heutigen Tag / ~안에 heute noch; noch heute; im Laufe des Tages / ~ 신문 heutige Zeitung / ~ 오후(아침) heute nachmittag (morgen) / 작년(내년)의 ~ heute vor e-m Jahr (heute übers Jahr) / 내주(지난주) ~ heute in acht Tagen (heute vor acht Tagen) / ~날짜로 유효하다 ab heute gültig sein; mit dem heutigen Tage gültig / ~은 무슨 요일(며칠)인가 Welches Datum haben wir heute?¦Welchen Wochentag haben wir heute?¦Den wievielsten Tag haben wir heute? / ~은 일요일 (내 생일)이다 Heute ist Sonntag (mein Geburtstag). / ~은 그를 만났다 Heute habe ich ihn gesehen. / 드디어 ~에야 왔어 Heute bist du endlich gekommen.

오늘날 heutzutage; gegenwärtig; heutigentags; zur Zeit; in unseren Tagen; in der Gegenwart. ¶ ~에는 heutzutage; zur Zeit / 원자력 시대인 ~ in Zeitalter der Atomenergie / ~의 한국 Korea von heute / ~ 한국에는 문맹이 거의 없다 Heutzutage gibt es in Korea kaum Analphabeten.

오늘밤 heute abend; dieser Abend, -(e)s, -e. ¶ ~중에 im Laufe des heutigen Abends / ~은 이 집에서 묵자 Übernachten wir heute abend in diesem Haus! / 환자는 ~을 넘기기 힘들 걸세 Der Patient kann kaum die heutige Nacht durchstehen.

오늬 Nock *n.* -(e)s, -e (*f.* -en). ¶ 화살에 ~를 붙이다 den Pfeil ein|schneiden* (ein|kerben) / ~를 시위에 걸다 den Nock auf die Pfeilsehne legen; den Nock in die Pfeilsehne ein|legen (ein|schieben*).

오다 ①《일반적으로》 kommen* [s]. ¶ 왔다 gekommen sein / 이리 오너라 Komm her! / 잘 오셨읍니다 Willkommen!¦Es freut mich, Sie bei mir empfangen zu können. / 서울로 꼭 한번 놀러 오십시오 Besuchen Sie uns einmal in Seoul! / 무슨 일로 왔느냐 Aus welchem Grunde bist du gekommen? ②《도착》 kommen* [s]; an|kommen* [s]; an|langen [s]; ein|treffen* [s]. ¶ 미국에서 온 사람 e-e Person aus Amerika / 기차가 올 때까지 bis der Zug ankommt / 가지러 (데리러) ~ ab|holen⁴ / 그는 오늘은 오지 않는다 Heute kommt er nicht. / 편지가 왔느냐 Ist der Brief für mich da? / 너한테 전화가 왔다 Hier ist ein Telephon für dich. / 버스가 온다 Der Bus (Ohmnibus; Autobus) ist da.¦Da kommt unserer Bus. / 전투 증원군이 왔다 Der Nachschub ist gekommen (da). / 선생님이 아직 안 오셨다 Der Lehrer ist noch nicht erschienen. ③《다가옴》 ⁴sich nähern; her|kommen* [s]; nahe kommen* [s]; heran|nahen [s]. ¶ 좀 있으면 여름방학이 온다 Bald haben wir die Sommerferien. / 어느새 봄이 왔다 Stil u. leise ist der Frühling gekommen.¦Unbe-

merkt ist der Frühling schon da. / 시험이 곧 다가온다 Das Examen ist in greifbarer Nähe herangerückt. / 장마철이 벌써 왔다 Die Regenzeit hat schon begonnen.
④ 《불·비·눈이》 brennen*; es regnet; es schneit. ¶ 불이 〔전기가〕 와 있다 Das Licht brennt. / 눈이 〔비가〕 온다 Es schneit 〔regnet〕. / 서리가 온다 Es reift.¦Reif fällt. / 소나기가 온다 Es schauert.
⑤ 《유래·전래》 kommen* [s] 《aus^3》; stammen 《aus^3》; ein|geführt sein. ¶ 미국에서 온 정치 사상 die aus Amerika eingeführte politische Idee / 중국어에서 온 말 das aus dem Chinesischem stammende Wort / 미국에서 온 춤 der Tanz des amerikanischen Ursprungs / 그 습관은 불교에서 왔다 Diese Sitte kommt aus dem Buddhismus. ¦Diese Sitte ist auf den Buddhismus zurückzuführen.
⑥ 《원인·결과》 entstehen* [h,s] 《aus^3》; her|kommen* [s]; ^{4}sich ergeben* 《aus^3》; ^{4}sich zurück|führen sein 《auf^4》; ^{4}sich heraus stellen. ¶ 연습에서 오는 손재주 die aus Übung kommende 〔erworbene〕 Geschicklichkeit / 과식에서 오는 병 die aus Überessen entstandene Krankheit; die auf das Überessen zurückführende Krankheit / 가난은 전쟁에서 온다 Armut ist auf den Krieg zurückzuführen.
⑦ 《조동사》 langsam kommen* [s]; ^{4}sich nähern; heran|rücken [s]. ¶ 떠날 날이 점점 가까와온다 Der Abfahrtstag rückt langsam heran.
⑧ 《산책·구경 따위를》 kommen* [s] (etwas zu tun). ¶ 산보(를) ~ für den Spaziergang kommen* [s] / 영화(映畫)(를) 구경 ~ um e-n Film anzusehen kommen* [s].

오다가다 《어쩌다가》 ab u. zu; gelegentlich; bei Gelegenheit; dann u. wann; zufällig. ¶ ~ 만난 부부 das bei e-r Gelegenheit getroffene Paar; das durch freie Liebe geschlossene Ehepaar / ~ 있는 일 e-e gelegentlich passierende Sache / 그녀로부터 ~ 소식이 있다 Ab u. zu hören wir von ihr. / 비행기는 안전하지만 ~ 떨어지는 수도 있다 Der Flugzeug ist sicher, aber gelegentlich stürzt er zusammen.

오달지다 《여무지다》 solid; fest; kompakt; zusammengedrängt (sein); 《피륙이》 dicht u. fest gewebt; 《사람이》 solid 〔kompakt〕 gebaut; charakterfest; ordentlich (sein).

오대양(五大洋) die Fünf Seen 〔Ozeane〕 《pl.》.

오대주(五大洲) die Fünf Kontinenten 〔Erdteile〕 《pl.》.

오데르강(一江) 《유럽의 강》 die Oder.

오도(悟道) 〖불교〗 das Erkennen 〔Begreifen〕 der Wahrheit 〔des Weges〕; das geistige Erwachen*, -s. ~하다 ein Licht auf|gehen* [s]; erwachen [s]; durchschauen^4.

오도깝스럽다 =호들갑스럽다.

오도독 knirschend. ~거리다 knirschen. ¶ ~ 오도독 knirschend / ~오도독 먹다 geräuschvoll kauen* / ~ 씹다 knirschen; zermalmen. ‖ ~뼈 Knorpel *m.* -(e)s, -.

오도미 〖어류〗 (See)brasse *f.* -n.

오도방정 Leichtsinn *m.* -(e)s, -e; Frivolität *f.* -en; Flatterhaftigkeit *f.* -en. ¶ ~을 떨다 ^{4}sich leichtsinnig 〔frivol〕 benehmen*.

오도카니 einsam; allein; müßig; untätig; verlassen. ¶ ~ 생각에 잠기다 ganz allein in Gedanken versunken sein.

오독(誤讀) Verlesung *f.* -en; falsche Interpretation, -en. ~하다 《잘못 읽다》 ^{4}sich verlesen*^{4}; 《뜻을 잘못 짚다》 falsch interpretieren^4 〔aus|legen^4〕.

오독도기 ① 〖식물〗 *Lycoctonum Pseudolaeve* var. *erectum* (학명). ② 《불꽃》 ein Feuerwerkkörper *m.* -s, -; Schwärmer *m.* -s, -.

오돌오돌 hart u. klumpig 《zu kauen》; zäh(e). ~하다 hart u. klumpig (sein).

오동(烏銅) oxydiertes 〔schwarzes〕 Kuper, -s, -.

오동나무(梧桐一) 〖식물〗 Paulownia *f.* ..nien; Kaiserbaum *m.* -(e)s, ⸚e.

오동보동하다 dick u. untersetzt; korpulent; fleischig; pausbackig (sein).

오동지(五冬至) der fünfte u. elfte Monat des Mondkalenders 〔des Mondjahres〕.

오동철갑(烏銅一) schwarze Färbung wegen des Schmutzes.

오동통하다 klein u. dick; fleischig; pausbackig; voll; rundlich (sein). ¶ 오동통한 뺨 Pausbacken 《pl.》 / 오동통한 소년 Pausback *m.* -s, -e; ein pausbackiger Junge, -n, -n.

오두막(一幕), 오두막집 Hütte *f.* -n; Berghütte; Baracke *f.* -n; Häuschen *n.* -s, -; Kate *f.* -n (소작농 등의). ¶ ~을 짓다 e-e Hütte auf|schlagen*; ein Häuschen bauen 〔errichten〕.

오둠지 ① 《옷의》 die Innenseite des Kragens bei der koreanischen Tracht. ② 《그릇의》 der obere Teil des Tellers.

오둠지진상하다 ① 《높이 붙음》 zu hoch liegen*. ② 《멱살·상투의》 *js.* Kragen hoch|ziehen*.

오들오들 zitternd; bebend; erschrocken. ¶ ~ 떨게 하다 ein|schüchtern^4; terrorisieren^4; *jm.* Schrecken ein|flößen / 추워서 ~ 떨다 vor Kälte zittern / 무서워서 ~ 떨다 vor Angst zittern / 온몸이 ~ 떨리다 am ganzen Leibe zittern; wie Espenlaub zittern.

오등(吾等) wir; uns.

오디 Maulbeere *f.* -n.

오디션 Hörprobe *f.* -n; das Anhören*, -s. ¶ 텔레비전의 ~을 받다 ^{4}sich e-r Hörprobe unterziehen* 《*jn.* …로 하면 「받게 하다」》.

오뚝 ☞ 우뚝.

오뚝이 Stehaufmännchen *n.* -s, -.

오라^1 《포승》 Fesseln 《pl.》; Band *n.* -(e)s, -e; Kette *f.* -n; Strick *m.* -(e)s, -e. ¶ 사람을 ~로 묶다 fesseln 《*jn.*》; binden* 《*jn.*》; in Fesseln legen^4 / 한 오랏줄로 묶다 an e-e Kette binden* 《*jn.*》 / ~지우다 *jm.* die Hände hinten auf dem Rücken binden.

오라^2 《옳아》 ja; gut; jawohl. ¶ ~ 네가 옳다 Jawohl, du hast recht.

오라기 Teil (des Garns, Kleides, Papiers); Faden *m.* -s, -. ¶ 헝겊 ~ ein Stück des Stoffes / 실~ 하나 걸치지 않고 ganz nackt / 실~ 같은 희망을 갖다 e-e schwache Hoffnung haben; an e-m Zwirnsfaden hängen*.

오라버니, 오라범 der ältere Bruder e-s Mädchens.

오라범댁 Schwägerin *f.* ..rinnen.

오라비 ① =오라버니. ② 《남동생》 der jüngere Bruder e-s Mädchens.

오라이 《승낙》 Alles in Ordnung!¦Alles O.K.!¦Recht so!¦《출발》 Fertig!¦Ab!¦Abfahrt!

오라지다 fest geschnürt sein.

오라토리오 〖음악〗 Oratorium *n.* -s, ..rien.

오락(娛樂) Vergnügen *n.* -s; Belustigung *f.* -en; Erholung *f.* -en; Unterhaltung *f.* -en; Zerstreuung *f.* -en; Vergnügung *f.* -en; Divertissement *n.* -s, -s.
‖ ~가(街) Vergnügungszentrum *n.* -s, ..tren. ~기관, ~설비 Vergnügungseinrichtung *f.* -en. ~물 Spielsachen《*pl.*》;《영화의》Spielfilm *m.* -(e)s, -e. ~비(費) Kosten《*pl.*》für die Unterhaltungen. ~잡지 Unterhaltungszeitschrift *f.* -en. ~장 Vergnügungszentrum *n.* -s, ..tren; Vergnügungslokal *n.* -(e)s, -e.

오락가락 hin u. her; schwebend. ~하다 kommen* ⓢ u. gehen* ⓢ; ⁴sich auf u. ab (hin u. her) bewegen. ¶ 구름이 ~하다 Wolken kommen*ⓢ u. gehen*ⓢ; Wolken schweben am Himmel / 정신이 ~하다 *js.* Bewußtsein schwebt; verschwommenes (unklares) Bewußtsein haben / 생명이 ~한다 Er schwebt zwischen Leben u. Tod. / 비가 ~한다 Es regnet mit Unterbrechungen.

오랏줄 ☞ 오라¹.

오랑캐《여진》unzivilisierte Ureinwohner, die nördlich des Tumen-Flusses lebten;《만족》Barbar *m.* -en, -en; der Wilde*, -n.

오랑캐꽃 Veilchen *n.* -s, -.

오래¹《사는 구역》die Einheit e-r Nachbarschaft innerhalb e-s Dorfes.

오래²《동안》lang(e); lange Zeit⁴; e-e ganze Weile⁴. ¶ ~ 전에 vor langen Jahren; vor langer Zeit / ~ 계속되다 lange dauern / ~ 걸리다 lange Zeit erfordern (in Anspruch nehmen) / ~ 살다 lange leben / ~ 끌다 ⁴sich hin|ziehen*; ⁴sich lange auf|halten*/ 처보다 ~ 살다 s-e Frau überleben / ~ 걸리지는 않습니다 Es wird nicht lange dauern. / ~ 기다리셨읍니다 Es tut mir leid, daß Sie so lange gewartet haben. / 그렇게까지 하려면 ~ 걸린다 Es dauert lange, bis man es so weit bringt. / 그는 ~ 살지 못할 것이다 Er wird es nicht mehr lange machen. / 형제 중에서 제일 ~ 살았다 Er überlebt alle s-e Gebrüder. / 독어를 잘 하려면 ~ 걸린다 Es nimmt lange Zeit in Anspruch, um die deutsche Sprache zu beherrschen.

오래가다 dauern; (⁴sich) halten*; aus|halten*; bestehen*; fest|stehen*. ¶ 그 유행은 오래가지 않는다 Diese Mode hält sich nicht lange. / 여름에 고기는 오래가지 않는다 Im Sommer hält sich der Fleisch nicht lange. / 좋은 날씨가 오래 갈 것 같지 않다 Das gutes Wetter scheint nicht lange zu bestehen.

오래간만 e-e lange Zeit; e-e lange Weile《*nach*³》. ¶ ~의 좋은 날씨 ein gutes Wetter seit langer Zeit (seit langem) / ~의 해후 die Begegnung seit langen Jahren / 참 ~입니다 Es ist lange (Zeit) her, seit ich Sie letztes Mal gesehen habe.¦Wir haben uns lange nicht gesehen. / 그 한테서 ~에 편지가 왔다 Nach langer Zeit habe ich e-n Brief von ihm bekommen. / 그는 ~에 독일에서 돌아왔다 Nach dem langen Aufenthalt in Deutschland ist er wieder nach Hause gekommen. / 그들은 ~에 만나 매우 기뻤다 Sie freuten sich sehr über das Wiedersehen nach langer Zeit.

오래다 lang; lange bestehend (sein). ¶ 오랜 습관 die lange bestehende Gewohnheit; die alte Gewohnheit (Sitte) / 오랜 옛날 uralte (lange, lange) Zeiten; undenkliche Zeiten / 오랜 이야기 e-e alte Geschichte / 오래지 않아 bald; in kurzem; früher od. später / 오랜 시일이 걸린다 Es dauert lange Zeit.¦Es nimmt viel Zeit in Anspruch. / 그도 이제 오래지 않을 걸세 Es kommt mir vor, daß s-e Tage gerade zu zählen sind (gezählt sind). / 그가 미국에 간지도 ~ Es ist schon lange her, daß er nach Amerika gegangen ist. / 그가 죽은 지 ~ Nach s-m Tod sind schon viele Jahre vergangen.

오래도록 lange ⁴Zeit; auf einige Zeit. ¶ 밤에 ~ 앉아 있다 bis in den späteren Abend bleiben* ⓢ / 아버지한테서 ~ 소식이 없다 Seit langem habe ich nichts von m-m Vater gehört. / ~ 소식 전하지 못하여 미안합니다 Ich bitte Sie um Entschuldigung, daß ich so lange nichts von mir hören lassen habe.

오래뜰 der Hof《-(e)s, ⸗e》vor der Haustür.

오래오래 lange; lange Zeit; lange Jahre hindurch. ¶ ~ 살다 lange leben / 병을 ~ 앓다 an e-r langen Krankheit leiden*.

오랫동안 seit längerer Zeit; lange dauernd; lange bestehend. ¶ ~의 가뭄 e-e lange dauernde Dürre / ~의 분쟁 (교제) ein lange bestehender (alter) Streit (e-e alte Freundschaft) / 서울에 ~ 계십니까 Halten Sie sich lange in Seoul auf?

오량집(五梁─) ein Haus《*n.* -es, ⸗er》mit fünf Balken; ein großes Haus.

오레오마이신 〖약〗 Aureomyzin *n.* -s.

오렌지 Orange [orã:ʒə] *f.* -n; Apfelsine *f.* -n. ¶ ~색의 orange; orangen¦farben (-farbig). ‖ ~주스 Orangensaft *f.* -en.

오려내다 (her)aus|schneiden*⁴; e-n Ausschnitt machen.

오련하다《희미》unklar; undeutlich; finster; düster;《빛깔이》blaß u. schwach (sein).

오로라 Aurora *f.* -s; Polarlicht *n.* -(e)s, -er.

오로지 ausschließlich; ganz u. gar; einzig u. allein; lediglich; nur; völlig; vollkommen; unentwegt; unbeirrt; unerschüttert. ¶ ~ 너 때문에 ausschließlich deinetwegen/ 그는 ~ 공부에만 열중했다 Er widmet sich nur dem Studium. / 그 책임은 ~ 너한테 있다 Du bist allein schuld daran. / 친구라곤 ~ 너뿐이다 Du bist für mich ein einziger Freund. / 내 성공은 ~ 네 덕분이다 Dir verdanke ich lediglich m-n Erfolg. / ~ 용서를 빌 뿐이다 Ich bitte Sie ergebenst um Entschuldigung dafür.

오롯하다 vollkommen; vollständig; völlig; ganz; genug; reichlich; perfekt (sein).

오롱이조롱이 e-e Gruppe, -n; ein Bund *m.* -(e)s, -e. ¶ 그녀는 우리 집에 ~ 다 데리고 왔다 Sie ist mit e-r Gruppe vor ihren Kindern zu uns gekommen.

오롱조롱 in Gruppen; in Büschen od. Trauben. ¶ 포도가 ~ 열려 있다 Weintrauben hängen ganz dicht. / 사과나무에 사과가 ~ 달렸다 Äpfel hängen ganz dicht am Apfelbaum.

오류(誤謬) Irrtum *m.* -(e)s, ⸗er; Fehler *m.* -s, -; Täuschung *f.* -en; Falschheit *f.* -en;《고의의》Versehen *n.* -s, -. ¶ ~를 깨닫다 den Fehler ein|sehen* / ~를 범하다 e-n Irrtum (Fehler) begehen* / ~를 시정하다 e-n Irrtum richtig|stellen; e-n Fehler korrigieren.

오륜(五倫) die fünf Sittenkodex des Konfuzianismus.

오륜(五輪) =올림픽.

오르간 〖악기〗 Orgel *f.* -n (파이프 오르간); Harmonium *n.* -s, ..nien (풍금).

오르내리 Auf u. Ab *n.*; das Steigen* u. Fallen*, -s; das Auf- u. Absteigen*, -s.

오르내리다 ① 《높은 곳을》 hinauf|- u. hinab|-steigen* ⓢ. ¶ 층계를 ~ Treppen hinauf|- u. hinab|steigen*ⓢ. ② 《물가 등이》 steigen* ⓢ u. fallen*ⓢ; auf|- u. ab|steigen*ⓢ. ¶ 물가가 ~ die Preise schwanken sehr. ③ 《먹은 것이》 schlecht zu verdauen sein. ¶ 먹은 것이 ~ unter der schlechten Verdauung leiden*. ④ 《남의 입에》 in aller Leute Munde sein; zum Schlagwort (Alltagswort) geworden sein; (der Welt) wohl bekannt sein. ¶ 사생활이 사람 입에 오르내리고 있는 배우들이 많다 Es gibt viele Schauspieler, deren Privatleben in aller Leute Munde ist.

오르다 ① 《높은 곳에》 steigen* ⓢ; auf|steigen*ⓢ; besteigen[4]; ersteigen*[4]; klettern ⓗ,ⓢ 《*auf*[4]》; erklettern[4]. ¶ 산에 ~ auf den Berg besteigen* (erklettern) / 나무에 ~ auf den Baum klettern ⓗ,ⓢ / 지붕에 ~ auf das Dach klettern ⓗ,ⓢ / 온도가 오른다 Die Temperatur steigt.
② 《차·배·말·단상·지위에》 ein|steigen* ⓢ; 《*in*[4]》; an Bord gehen*ⓢ; [4]sich ein|schiffen; auf der Rednerbühne auf|treten* ⓢ; vor das Publikum treten* ⓢ. ¶ 말에 ~ ein Pferd besteigen* / 기차에 ~ in den Zug ein|steigen* ⓢ / 왕위에 ~ den Thron besteigen* / 여행(귀로)에 ~ [4]sich auf die Reise (den Heimweg) machen.
③ 《승진》 auf|steigen*ⓢ; auf|streben; empor|kommen* ⓢ (voran|-). ¶ 지위가 장관에까지 ~ Er hat es bis zum Minister gebracht. / 봉급이 ~ das Gehalt steigt.
④ 《값이》 steigen*ⓢ; hinauf|gehen*ⓢ. ¶ 물가가 오름에 따라 방세도 만 원 올랐다 Mit der Preiserhöhung ist auch die Miete um 10000 *Won* gestiegen.
⑤ 《효과가》 [4]sich bewähren; mit [3]*et.* Erfolg haben. ¶ 해 보았지만 효과가 오르지 않았다 Der Versuch (Die Mühe) blieb ohne Erfolg.
⑥ 《진보·숙달》 in [3]*et.* Fortschritt machen. ¶ 그는 학교 성적이 올랐다 Er hat e-e bessere Leistung. | Er macht Fortschritte in der Schule.
⑦ 《실리다》 [4]sich ein|tragen*. ¶ 이름이 전화 번호부에 올라 있다 Sein Name ist im Telefonbuch eingetragen. / 추문이 신문에 ~ ein Skandal steht auf der Zeitung / 공적이 역사에 올라 있다 Sein Verdienst ist in die Geschichte eingegangen. / 새 말이 사전에 올라 있다 Ein neues Wort ist ins Wörterbuch aufgenommen (eingetragen).
⑧ 《식탁·의회·무대에》 aufgetragen werden; vorgelegt werden. ¶ 생선이 상에 ~ fisch wird auf dem Tisch serviert / 법안이 의회에 ~ die Gesetzvorlage wird vor dem Parlament vorgelegt (gebracht) / 춘향전이 무대에 ~ das Stück *Chunhyang* ist auf die Bühne aufgetragen.
⑨ 《병독이》 infiziert (eingesteckt) sein. ¶ 옴이 ~ von der Krätze (dem Jucken) infiziert sein.
⑩ 《살이》 zu|nehmen*; dick werden.
⑪ 《입에》 in aller Leute Munde sein; ([3]der Welt) wohl bekannt sein. ¶ 그녀의 소행이 사람들 입에 올랐다 Ihr schlechtes Benehmen ist in aller Leute Munde geworden.
⑫ 《연기·불길이》 steigen*ⓢ; auf|lodernⓢ. ¶ 굴뚝에서 연기가 오른다 Der Rauch steigt aus dem Schornstein. / 불길이 오르고 있다 Die Flamme lodert auf.
⑬ 《물·기운이》 steigen* ⓢ; an|schwellen* ⓢ; entstehen* ⓗ,ⓢ. ¶ 나무에 물이 ~ der Baum hat das erste Grün / 그의 얼굴에 술이 올랐다 Sein Gesicht wird vom Alkohol rot.
⑭ 《약이》 bis zum vollen Geschmack gereift sein (고추); wütend (böse; zornig) werden.
⑮ 《때가》 schmutzig werden.
⑯ 《화면·막 따위가》 auf|gehen* ⓢ; an|-fangen*.
⑰ 《신이》 bei der Kommunikantin mit dem Teufel (im Schamanismus) erscheinen* ⓢ 《[4]sich zeigen》.

오르되브르 hors d'œuvre [ordœ́:vr] *n.* -s, -e; Vorspeise *f.* -n.

오르락내리락 Auf u. Ab *n.* -s; das Auf- u. Absteigen*, -s; Aufstieg u. Fall. ~하다 =오르내리다. ¶ 요사이 물가가 ~하여 몹시 변동이 심하다 Heutzutage schwanken die Preise sehr.

오르르 ① 《바삐》 eilig; flüchtig (황급히); plötzlich (별안간). ② 《떠는 꼴》 zitternd; erschrocken.

오르막 steigender Abhang, -(e)s, ⸚e; Steilhang *m.* (가파른 오르막).
‖ ~길 ein steigender Abhang.

오른 recht. ¶ ~손 die rechte Hand, ⸚e / ~팔 der rechte Arm, -(e)s, -e; 《심복》 s-e rechte Hand / 그는 오랫동안 김씨의 ~팔로서 일하여 왔다 Er arbeitet lange als e-e rechte Hand von Herrn *Kim.*

오른쪽 die rechte Seite; 〖부사적〗 auf der rechten Seite; rechts. ¶ ~에 auf der rechten Seite; zur Rechten / ~에 있는 사람 der Mensch 《-en, -en》 auf der rechten Seite / ~에 앉다 [4]sich rechts setzen / ~으로 꾸부러지다 rechts ab|biegen* ⓢ / ~으로 가다 rechts gehen* (fahren*) ⓢ.

오른편 die rechte Seite. ☞ 오른쪽.

오름세(一勢) die steigende Tendenz 《-en》 der Preise; die Tendenz des Preisaufschlags; Haussebewegung [hó:sə.., ho:s..] *f.* -en (특히 증권에서). ¶ 시세가 ~를 보인다 Der Börsenkurs ist fest.

오름차(一次) 〖수학〗 e-e steigende Serie, -n.

오리[1] 《가는 조각》 ein Streifen *m.* -(e)s, -e.
‖ 나무~ ein Streifen 《*m.*》 von Holz. 대~ ein Streifen von Bambus; Bambusstange *f.* -n.

오리[2] 〖조류〗 (Wild)ente *f.* -n; Enterich *m.* -s, -e.
‖ ~사냥 Entenfang *m.* -(e)s, ⸚e; Entenjagd *f.* -en.

오리(五里) fünf *Ri.*

오리(汚吏) der bestechliche (käufliche) Beamte*, -n, -n.

오리나무 〖식물〗 Erle *f.* -n; Else *f.* -n; 〖방언〗 Eller *f.* -n.

오리너구리 〖동물〗 Schnabeltier *n.* -(e)s, -e.

오리다 heraus|schneiden*[4]; in Streifen schneiden*[4]. ¶ 가위로 종이를 ~ mit der Schere Papier in Streifen schneiden* / 신문의 사진을 ~ Photo-Ausschnitte aus

Zeitungen machen.

오리목(一木) 〖건축〗 (Dach)latte *f.* -n; das Schnittchen des Brettes.

오리무중(五里霧中) im Finstern tappend 《*nach*³》; ³sich k-n Rat wissend; ³sich nicht zu helfen wissend; hilf- u. ratlos. ¶ ~에서 찾다 im Finstern tappen ⓗ,ⓢ / 이 문제는 여전히 ~이다 Diese Frage ist noch im Finstern (in der Dunkelheit). / 우리는 아직도 ~에서 더듬고 있다 Wir tappen noch völlig im Dunkeln.

오리발 ① 《물갈퀴》 Schwimmfuß *m.* -es, ⸚e; 《사람》 die Hand 《⸚e》 (der Fuß) mit Schwimmhäuten zwischen den Fingern (Zehen).
② 《단짝》 Kamerad *m.* -en, -en; Busenfreund (Stuben-) *m.* -(e)s, -e.

오리엔테이션 Orientierung *f.* -en.

오리엔트 《동양》 Orient *m.* -(e)s. ⌈-(e)s, ⸚e.

오리엔티어링 〖경기〗 Orientierungslauf *m.*

오리온자리 〖천문〗 Orion *m.* -s.

오리지날 original; schöpferisch; ursprünglich; 《원본·원작》 Original *n.* -s, -e.

오리지낼리티 Originalität *f.* -en.

오림장이 Holzfäller *m.* -(e)s, -; Sägemüller ⌊*m.* -(e)s, -.

오막 ☞ 오두막.

오막살이 Grashütte *f.* -n; verfallenes (baufälliges) Haus, -es, ⸚er; Bude *f.* -n. ~하다 in e-r Grashütte leben; ein Leben in der Grashütte führen.

오만(五萬) ① 《수》 fünfzig Tausend. ② 《잡다함》 tausend verschiedene Dinge 《*pl.*》; Tausend *n.* -(e)s, -e; Tausende u. Abertausende; Millionen von (Dinge); unzählig. ¶ ~ 일 Tausend Dinge; e-e Unzahl von Dinge / ~ 가지 물건을 팔다 Waren in allen Sorten u. Preislagen verkaufen / ~상을 찌푸리다 schmollen; das Maul hängen lassen* / ~ 소리 다 하다 Unsinn reden.

오만(傲慢) Hochmut *m.* -(e)s; Anmaßung *f.* -en; Arroganz *f.*; Dünkel *m.* -s; Dünkelhaftigkeit *f.*; Selbstverherrlichung *f.* -en; Überheblichkeit *f.* -en; Überhebung *f.* -en; Übermut *m.* -(e)s. ~하다 hochmütig; arrogant (sein); ⁴sich an|maßen; e-e trotzige Haltung an|nehmen*. ¶ ~한 태도를 취하다 ⁴sich arrogant (hochmütig) benehmen*; e-e arrogante Haltung nehmen*.

오망(迂妄) Leichtsinn *m.* -(e)s, -e; Grillenhaftigkeit *f.* -en; Launenhaftigkeit *f.*; Flatterhaftigkeit *f.* -en. ~스럽다 leichtsinnig; launisch (sein). ¶ ~(을) 떨다, ~부리다 ⁴sich leichtsinnig benehmen*.

오망부리 e-e schlechte Gestalt, deren Teil proportionsmäßig zu klein ist; Mißform *f.* -en.

오망하다 eingesunken u. flach (sein).

오매불망(寤寐不忘) das Erinnern* 《-s》 im Erwachen od. im Schlaf; Urvergeßlichkeit *f.* -en. ~하다 ⁴sich beständig an *jn.* erinnern.

오명(汚名) =누명(陋名). ¶ ~을 남기다 üblen Ruf hinter|lassen*.

오목 eingebogen; eingepreßt; eingefallen; hohl; konkav; vertieft.
‖ ~거울 Hohlspiegel *m.* -s, -; der Konkave Spiegel. ~다리 e-e Art Baby-Strumpf 《*m.* -(e)s, ⸚e》. ~렌즈 Hohllinse *f.* -n. ⌈《*n.* -(e)s, -e》.

오목(五目) e-e Art koreanisches Brettspiel

오목눈이 〖조류〗 e-e Art Vogel 《*m.* -s, ⸚》 mit e-m langen Schwanz; *Aegithalos caudatus caudatus* (학명).

오목오목, 오목조목 scharf geprägt; dicht eingepreßt; (rund)hohl; hier u. da vertieft. ~하다 scharf geprägt (sein). ¶ 비에 땅이 오목오목 파였다 Der Boden ist nach dem Regen überall tief gehöhlt.

오목하다 konkav; hohl; gehöhlt; vertieft (sein). ¶ 오목한 눈 die tiefliegenden Augen 《*pl.*》.

오묘(奧妙) Tiefsinnigkeit *f.* -en; Geheimnis *n.* ..nisses, ..nisse; Rätsel *n.* -s, -. ~하다 tiefsinnig; bedeutsam; überirdisch; wundersam; geheimnisvoll (sein). ¶ ~한 섭리 (geheimnisvolle) Providenz.

오무래미 ein alter Mensch ohne Zähne.

오물(汚物) Dreck *m.* -(e)s; Müll *m.* -(e)s; Schmutz *m.* -es; Unrat *m.* -(e)s; Kot *m.* -(e)s; Mist *m.* -(e)s.
‖ ~운반인 Müllfuhrmann *m.* -(e)s, ⸚er; Müllkutscher *m.* -s, -. ~차 Müll(abfuhr)-wagen (Kot-) *m.* -s, -. ~처리 Müllbeseitigung *f.* ~통 Müllschlucker *m.* -s, -.

오물거리다 ① 《…이》 wimmeln; schwärmen. ¶ 설탕에 개미가 ~ Es wimmelt von Ameisen im Zucker. ② 《…을》 mit dem geschloßenen Mund kauen. ③ 《말을》 murmeln; mummeln.

오물오물 ① 《벌레 따위가》 in Schwärmen; schwarmweise schlängeln (in e-r großer Zahl). ¶ 지렁이가 ~ 기어간다 Der Wurm schlängelt (krummt; windet) sich.
② 《입속에서》 unhörbar kauend; nicht hoch kauend. ¶ 사과를 ~ 씹다 den Apfel leise kauen. ③ 《말을》 murmelnd. ¶ ~ 말하다 murmeln.

오므라들다 kleiner (enger; schmäler) werden; ein|schrumpfen ⓢ. ¶ 오므라든 입 der gespitzte Mund, -(e)s, -e / 이 꽃병은 위가 오므라들었다 Diese Vase verjüngt sich nach oben.

오므리다 zusammen|ziehen*⁴; kleiner (enger; schmäler) machen⁴; schließen*⁴. ¶ 입을 ~ den Mund (die Lippen) spitzen (schließen*) / 날개를 ~ die Flügel zusammen|legen / 그는 추워서 몸을 오므린다 Er macht sich krumm vor Kälte.

오믈렛 Omelette *f.* -n. ⌈boden.

오미 der ein bißchen versenkte naße Erd-

오미(五味) die fünf Geschmäcke (=sauer, bitter, süß, scharf, salzig).

오미자(五味子) 〖한의학〗 Frucht des *Maximowiczia chinensis* (학명).
‖ ~차(茶) *Omiza*-Tee *m.*

오밀조밀하다(奧密稠密一) ① 《면밀》 übergenau; peinlich genau; penibel; minuziös (sein). ¶ 오밀조밀한 필치 minuziöse (penible) Handschrift, -en.
② 《솜씨가》 sorgfätig; kunstvoll (sein). ¶ 오밀조밀한 세공품 die sorgfältig gemachte Handarbeit / 오밀조밀하게 꾸민 정원 ein kunstvoller Garten, -s, ⸚.

오발(誤發) Schuß 《*m.* ..schusses, ..schüsse》 aus Versehen; Fehlschuß *m.* ~하다 aus Versehen schießen*⁽⁴⁾; fehl|schießen*⁽⁴⁾.

오밤중(一中) mitten in der ³Nacht; um Mitternacht; mitternachts.

오방(午方) 〖민속〗 e-e der 24 Himmelsrichtungen; die Richtung des Süden.

오버 über; übermäßig.
‖ ~코트 Mantel *m.* -s, ⸚; Überzieher *m.*

-s, -. ~타임 Überarbeit *f.* -en; Überstunde *f.* -n (초과근무). 털~ Pelz¦mantel *m.* -s, ⸚ (-überzieher *m.* -s, -).
오버랩 〖영화·텔레비전〗 Überblenden *n.* -s; Überschneidung *f.* -en; 〖공학〗 Überlappung *f.* -en. ~하다 überblenden[4] (…시키다); [4]sich überschneiden* 《*mit*[3]》; überlappen[4].
오버론 〖경제〗 Kapitalüberziehung *f.* -en; Überziehungskredit *n.* -s, -s.
오벨리스크 《기념탑》 Obelisk *m.* -en, -en.
오변형(五邊形) Fünfeck *n.* -(e)s, -e; Pentagon *n.* -s, -. ¶ ~의 fünfeckig.
오보(誤報) die falsche Nachricht, -en (Auskunft, ⸚e; Information, -en; Mitteilung, -en); der falsche Bericht, -(e)s, -e. ~하다 falsch berichten[4] (informieren[4]). ¶ 그것은 ~였다 Der Bericht erwies sich falsch. / 그 신문은 가끔 ~를 낸다 Diese Zeitung erstattet öfters falschen Bericht.
오보록하다 [4]sich häufen (kleine Dinge in e-m Ort).
오보에 《악기》 Hoboe *f.* -n.
오복(五福) die Fünf Glück (Glückseligkeiten) (=langes Leben, Reichtum, Gesundheit, Vorliebe für Tugend, friedlicher Tod).
오붓이 unter [3]sich; für [3]sich; reich; ungestört; gemütlich; im engen Kreise.
오붓하다 reich; gemütlich; solid (sein). ¶ 오붓한 가정 e-e solide u. gemütliche Familie, -n / 친구들만의 오붓한 모임 im engen Kreise des Freundes / 오붓하게 살다 ungestört für sich leben.
오븐 Backofen *m.* -s, ⸚. ¶ ~에 굽다 in e-m Ofen backen[4].
오블라토 Oblate *f.* -n; Waffel *f.* -n; Siegelmarke *f.* -n.
오비 die Alten Herren 《*pl.*》 《생략: A.H.》. ¶ 고대·연대 축구 ~전 Das Fußballwettspiel der A.H. der *Korea* Universität gegen die A.H. der *Yonsei*-Universität.
오비다 ☞ 우비다.
오비이락(烏飛梨落) das Zusammentreffen*, -s; Übereinstimmung *f.* -en; Koinzidenz *f.* -en; (reiner; purer; bloßer) Zufall, -(e)s, ⸚e.
오빠 Bruder 《*m.* -s, ⸚》 e-s Mädchens.
오사리 die im hohen Flut gefangenen Fische. ‖ ~잡놈 Halunke *m.* -n, -n; Bandit *m.* -en, -en.
오사바사하다 sanftmütig (aber wankelmütig); angenehm (sein).
오산(誤算) Verrechnung *f.* -en; Verzählung *f.* -en; das Sich-Verrechnung*, -s; die falsche Rechnung, -en. ~하다 [4]sich verrechnen; falsch rechnen; falsch kalkulieren. ¶ ~에 의한 전쟁의 가능성 die Möglichkeit 《-en》 e-s Krieges durch die Fehlkalkulation / 전략상의 ~ strategische Fehlkalkulation, -en.
오살(誤殺) das Töten* 《-s》 aus Versehen. ~하다 aus Versehen töten[4].
오색(五色) die fünf Farben 《*pl.*》.
오색딱따구리(五色—) 〖조류〗 Buntspecht *m.* -(e)s, -e.
오색영롱(五色玲瓏) Regenbogenfarben 《*pl.*》; Buntheit *f.* ~하다 schillern (in allen Regenbogenfarben); buntschillern; bunt (sein).
오색잡놈(五色雜—) Schurke *m.* -n, -n; Halunke *m.* -n, -n; Gauner *m.* -s, -.
오선지(五線紙) 〖음악〗 Notenpapier *n.* -(e)s, -e.
오성(悟性) Verstand *m.* -(e)s; Intelligenz *f.*
오세아니아 《대양주》 Ozean *m.* -(e)s, -e.
오소리 〖동물〗 Dachs *m.* -(e)s, -e.
오손(汚損) Schaden *m.* -s, ⸚; Beschädigung *f.* -en. ~하다 beschädigen[4]; Schaden an|richten (zu|fügen); verderben*[4]. ¶ 물품의 ~이 심하다 Die Waren sind schwer beschädigt.¦Die Beschädigung der Waren ist sehr bedeutend.
오솔길 der schmale Weg, -(e)s, -e; Steg *m.* -(e)s, -e.
오수(午睡) Mittagsschlaf *m.* -(e)s, -; Siesta *f.* ..sten.
오수(汚水) Abwasser *n.* -s, -; Dreckwasser *n.*; Kloakenwasser *n.*
‖ ~관(管) Abwasserkanal *m.* -(e)s, ⸚e. ~처리 die Beseitigung (die Kanalisation, -en) des Abwassers.
오순도순 friedlich; freundschaftlich; freundlich; verträglich. ¶ 어린애들이 ~ 잘 논다 Die Kinder spielen friedlich zusammen. / 부부가 ~ 잘 지낸다 Das Ehepaar lebt friedlich zusammen.¦Mann u. Frau sind ein Herz u. e-e Seele.
오스트레일리아 Australien *n.* -s. ¶ ~의 australisch.
‖ ~사람 Australier *m.* -s, - (남자); Australierin *f.* ..rinnen (여자).
오스트리아 Österreich *n.* -s. ¶ ~의 österreichisch. ‖ ~사람 Österreicher *m.* -s, - (남자); Österreicherin *f.* ..rinnen (여자).
오슬로 《노르웨이의 수도》 Oslo.
오슬오슬 frierend; fröstelig; schauernd; schauervoll; schauererregend; vor Kälte (Frost) bebend. ~하다 schaudern; frösteln; zittern. ¶ ~ 떨다 vor Kälte zittern; Frostschauer haben / 열이 나서 ~하다 Fieberschauer (Schüttelfrost) haben / ~ 춥다 Es fröstelt mich.
오시(午時) 〖민속〗 die Stunde des Pferdes: ① die siebente von den zwölf Doppelstunden (=die Periode zwischen 11 a.m. -1 p.m.). ② die 13te Uhr der 24 Stunden (=11 : 30 a.m.-12 : 30 p.m.; mittag).
오식(誤植) 〖인쇄〗 Druckfehler *m.* -s, -; Fehldruck *m.* -(e)s, -e. ~하다 e-n Druckfehler machen. ¶ ~이 많다 voll vom Druckfehler sein; viele Druckfehler haben / ~을 정정하다 den Druckfehler korrigieren.
‖ ~정정표(訂正表) Druckfehlerverzeichnis *n.* -ses, -se.
오신(誤信) der falsche Glaube(n), ..bens; Irrglaube(n) *m.* ..bens. ~하다 [4]sich im Glauben irren; fälschlich glauben 《*an*[4]》; e-n irrigen Glauben hegen.
오실로그래프 〖물리〗 Oszillograph *m.* -en, -en.
오심(誤審) Fehl¦urteil *n.* -(e)s, -e; (-spruch *m.* -(e)s, ⸚e) (재판); die falsche Entscheidung 《-en》 e-s Schiedsrichters (경기). ~하다 falsch urteilen; e-e falsche Entscheidung treffen*.
오십(五十) Fünfzig. ¶ ~보 백보 Zwischen beiden ist gar kein wesentlicher Unterschied.¦Das ist gehüpft (gehupft) wie gesprungen.¦Das läuft auf eins hinaus.
‖ ~년 축전 das fünfzigjährige Jubiläum [..lɛ:um] -s, ..läen; die Gedenkfeier 《-n》 zum fünfzigjährigen Bestehen.
오싹 schauderhaft; fröstelig; schauerlig; gruselig. ~하다 [4]sich kalt (kühl) fühlen; es fröstelt mich; es schaudert mich vor Kälte (Angst); vor Kälte zittern. ¶ ~하게 하다 schaudern[4]; schrecken[4] / 등골이 ~

한다 Ein Schauer rieselt mir über den Rücken (durch die Glieder). | Es ist so schauderhaft, daß man davon die Gänsehaut bekommt. / 생각만 해도 ~하다 Der bloße Gedanke erschreckt mich.

오싹오싹 schauderhaft; fröstelig. ~하다 es schaudert mich; es fröstelt mich.

오아시스 Oase *f.* -n.

오얏 Pflaume *f.* -n.
‖ ~나무 Pflaumenbaum *m.* -(e)s, ⸚e.

오언절구(五言絕句) 〖문학〗 e-e Art chinesischer Vers, -es, -e; vierzeilige Strophe mit Reimen.

오엑스식테스트 Multiple Choice *f.* -, -; Test 《*m.* -es, -e》 der mehrfachen Auswahl.

오역(誤譯) die falsche Übersetzung, -en; Fehlübersetzung *f.* -en; Übersetzungsfehler *m.* -s, -. ~하다 falsch übersetzen⁴; Übersetzungsfehler machen. ¶ ~을 지적하다 auf den Übersetzungsfehler hin|weisen* / ~이 몇 군데 있다 Es gibt mehrere Übersetzungsfehler.

오연하다(傲然—) hochmütig; arrogant; hochnäsig (sein). ¶ 오연한 태도를 취하다 ⁴sich arrogant benehmen*; s-n Hochmut zeigen.

오열(五列) die Fünfte Kolonie, -n; Agent *m.* -en, -en.

오열(嗚咽) das Schluchzen*, -s; Klage *f.* -n; Jammer *m.* -s, -. ~하다 schluchzen; jammern; bitter weinen (klagen).

오염(汚染) Verunreinigung *f.* -en; Besudelung *f.* -en; Verschmutzung *f.* -en; Verseuchung *f.* -en; Infektion *f.* -en. ~하다 verschmutzen⁴; schmutzig machen⁴. ¶ ~된 verschmutzt; infiziert / 콜레라 ~ 지구 das von der Cholera infizierte Gebiet, -(e)s, -e / 방사능으로 ~된 radioaktiv verseucht / 공기를 ~하다 die Luft verschmutzen / 대기가 방사능에 ~되었다 Die Luft ist von der Radioaktivität verschmutzt.
‖ 대기~ Luftverschmutzung *f.* -en; Luftverseuchung (-verpestung) *f.* -en. 수은 ~ Verpestung mit Quecksilber. 환경~ Umweltverschmutzung *f.* -en.

오욕(汚辱) Schande *f.* -n; Schmach *f.*; Demütigung *f.* -en; Unehre *f.*; 《악평》 Verruf *m.* -(e)s, -. ¶ ~을 참다 Schande ertragen*; Demütigung erdulden.

오용(誤用) Mißbrauch *m.* -(e)s, ⸚e; der falsche (verkehrte) Gebrauch, -(e)s, ⸚e; die falsche (unrichtige) Anwendung (Benutzung; Verwendung) -en. ~하다 mißbrauchen⁴; falsch gebrauchen⁴ (an|wenden*⁴; benutzen⁴; verwenden*).

오월(五月) Mai *m.* -(e)s, -(e). ¶ ~의 여왕 Maikönigin *f.* -nen; Maibraut *f.* ⸚e.
‖ ~단오 Maifest *n.* -(e)s, -e.

오월동주(吳越同舟) die unerbittlichen Feinde im selben Boot; die unwillige Zusammenarbeit der Gegenparteien für e-n bestimmten Zweck.

오유(烏有) ¶ ~로 돌아가다 in Nichts zurück|kehren ⓢ; eingeäschert (niedergebrannt) werden; in Flammen auf|legen⁴; ein Raub der Flammen werden.

오의(奧義) die letzten (esoterischen) Geheimnisse 《*pl.*》 (e-r Kunst); die geheimnisvollen Prinzipien 《*pl.*》. ¶ ~를 터득하다 in die letzten (esoterischen) Geheimnisse (die geheimnisvollen Prinzipien) eingeweiht werden; der letzten Geheimnisse (e-r Kunst) Herr werden.

오이 〖식물〗 Gurke *f.* -n.
‖ ~지 gepickelte Gurken 《*pl.*》.

오인(吾人) ① 《나》 Ich. ② 《우리》 wir; uns.

오인(誤認) das Mißkennen*, -s; die falsche (irrige) Auffassung, -en; Mißdeutung *f.* -en; Mißverständnis *n.* ..nisses, ..nisse; das Versehen*, -s. ~하다 verkennen*⁴; mißkennen*⁴; falsch (irrig) auf|fassen*⁴; für ⁴*et.* falsch halten*⁴; von falscher Warte aus betrachten⁴.

오일(午日) 〖민속〗 der Tag des Pferdes.

오일(五日) fünf Tage 《*pl.*》; der fünfte Tag 《-(e)s, -e》 des Monats.

오일 Öl *n.* -(e)s, -e. ‖ ~스토브 Ölofen *m.* -s, ⸚. ~종이 Ölpapier *n.* -s, -e.

오입(誤入) Ausschweifung *f.* -en; Schwelgerei *f.* -en; Liederlichkeit *f.* -en.
‖ ~장이 Herzenbrecher *m.* -s, -; Herzendieb *m.* -(e)s, -e; Weiberheld *m.* -en, -en; Frauen|jäger (Schürzen-) *m.* -s, -; Liebesritter *m.* -s, -; Hofmacher *m.* -s, -; Don Juan *m.* - -s, - -s. ~판 Demimonde *f.*; Halbwelt *f.* -en.

오자(誤字) das falsche Schriftzeichen, -s, -; Schreibfehler *m.* -s, -; der schriftliche Fehler, -s, -. ¶ 이 책은 ~투성이다 Dieses Buch ist mit vielen Druckfehler versehen; 《오식》 Druckfehler *m.* -s, -.

오장육부(五臟六腑) Eingeweide 《*pl.*》; Gedärm *n.* -(e)s, -e. ¶ ~ 없는 사람 ein feiger (kleinmütiger; temperamentloser) Mensch, -en, -en / ~에 스미다 in den Eingeweiden brennen*.

오쟁이 ein kleiner Strohhaufe(n), ..fens, ..fen; Bundstroh *n.* -s, -e; Strohschütte *f.* -n. ¶ ~지다 S-e Frau verkehrt sich heimlich mit dem anderen Mann.

오전(午前) Vormittag *m.* -(e)s, -e; Morgen *m.* -s, -. ¶ ~에 vormittags 《생략: vorm.; vm.》; des Vormittags (Morgens); vormittäglich (매일 오전에) / ~ 8시 8 Uhr vormittags / ~ 다섯 시 차 der 5 Uhr Vormittagszug; der Zug 5 (Uhr) / ~ 중에 im Laufe des Vormittags / 일요일 ~ Sonntag vormittags / ~ 중에는 집에 있다 vormittags (im Laufe des Vormittags) zu Hause bleiben* ⓢ.

오전(誤傳) e-e falsche Information, -en. ~하다 falsch informieren⁴; e-n falschen Bericht erstatten.

오점(汚點) Fleck *m.* -(e)s, -e; Flecken *m.* -s, -; Klecks *m.* -(e)s, -e; 《결점》 Makel *m.* -s, -. ¶ ~이 없는 flecklos; makellos / 한국 역사의 ~ ein Makel in der koreanischen Geschichte / ~을 남기다 e-n (Schand)fleck hinterlassen* / ~을 찍다 ⁴*et.* beflecken (beschmutzen).

오젓 gepickelte Garnele, -n.

오정(午正) Mittag *m.* -(e)s, -e; Mittagszeit *f.* -en.

오조 〖식물〗 Frühhirse *f.* -n.

오존 〖화학〗 Ozon *n.* -s. ¶ ~의 ozonhaltig.
‖ ~발생 장치 Ozonapparat *m.* -(e)s, -e.

오졸거리다 ☞ 우줄거리다.

오종경기(五種競技) (moderner) Fünfkampf, -(e)s, ⸚e.

오종종하다 《빽빽하다》 dicht; kompakt; 《얼굴이》 klein; kleinig (sein).

오죽 sehr; bestimmt; wirklich; wieviel. ¶ 배가 ~ 고프겠느냐 Du bist bestimmt sehr hungrig. / 그 애가 ~ 아프면 울겠느냐 Das

Kind hat wirklich große Schmerzen, sonst wird er nicht weinen. / 어머니가 너를 보면 ~ 기뻐하시겠니 D-e Mutter wird sich bestimmt sehr freuen, wenn sie dich sieht. / ~이나 낙담했겠나 Ich kann mir sehr gut vorstellen, wie du enttäuscht bist. / ~이나 좋으랴 《반어》 Das wäre ja noch schöner. / ~이나 화를 내리 Er ist doch wohl recht böse.

오죽잖다 bedeutungslos; nicht besonders; unwichtig (sein).

오줌 Urin *m.* -s, -e; Harn *m.* -(e)s. ¶ ~을 누다 harnen; Wasser lassen* (machen; ab|schlagen*); urinieren; pinckeln; pissen / ~이 마렵다 ein menschliches Rühren fühlen; ein Bedürfnis haben¦Es pissiert mich. ¦Ich muß mal austreten. ¦Ich muß mal zum Klo (Klosett) gehen. / ~이 잦다 häufig zum Klo gehen* ⓢ / 자다가 ~을 싸다 das Bett nässen (naß machen) / 이 아이는 아직도 이따금 ~을 싼다 Der Kleine macht sich immer noch manchmal naß. / 이 아이는 ~똥을 가린다 Der Kleine weiß, s-e Notdurft zu erledigen.
‖ **~똥** Exkrement *n.* -s, -; Kot *m.* -(e)s, -s; Dreck *m.* -(e)s. **~소태** der (krankhafte) Harndrang, -(e)s, ⸚e. **~싸개** Bettpisser *m.* -s, -. **~장군** der Behälter für Urine. **~통** 《방광》 Blase *f.* -n.

오지(奧地) das Innere* 《-n》 e-s Landes; Hinterland *n.* -(e)s.

오지그릇 der schwarzbraun farbige Topf, -(e)s, ⸚e.

오지다 ☞ 오달지다.

오지랖 Rockaufschlag *m.* -(e)s, ⸚e. ¶ ~(이) 넓다 《참견》 [4]sich ein|mischen 《*in*[4]》; die Nase stecken 《*in*[4]》.

오직 ausschließlich; nur; einzig; hauptsächlich; insbesond(e)re. ¶ ~ 공부만 하다 [4]sich hauptsächlich dem Studium widmen / ~ 울기만 한다 Er tut nichts anders als weinen. / 이것이 ~ 하나의 기회다 Das ist m-e einzige u. letzte Gelegenheit. / 가진 거라곤 ~ 그것뿐일세 Das ist alles, was ich habe. / 친구라곤 ~ 자네 하나뿐일세 Du bist für mich ein einziger Freund.

오직(汚職) =독직(瀆職).

오진(誤診) 〖의학〗 die falsche Diagnose, -n (Diagnosis, ..sen); die irrtümliche Erkennung (Feststellung) -en (e-r Krankheit). **~하다** falsch (irrtümlich) diagnostizieren[4] (diagnosieren[4]; erkennen*[4]; fest|stellen[4]); e-e falsche (irrtümliche) Diagnose (Diagnosis) stellen 《*über*[4]》.

오짓물 Lasur 《*m.* -s, -e》 (Schmelzfarbe *f.* -n) in der Töpferei.

오징어 Tintenfisch *m.* -(e)s, -e; die gemeine Sepia (Sepie) -n.
‖ **~포** ein getrockneter Tintenfisch.

오차(誤差) 〖수학〗 Fehler *m.* -s, -; Abweichung *f.* -en (편차).
‖ **관측~** Beobachtungsfehler *m.* -s, -. **불변적 (평균, 주기) ~** der konstante (durchschnittliche, periodische) Fehler.

오착(誤錯) =착오(錯誤).

오찬(午餐) Mittag(s)¦mahl *n.* -(e)s, -e (⸚er) (-brot *n.* -(e)s, -e; -essen *n.* -s, -; -mahlzeit *f.* -en); Lunch *m.* -(es), -e(s). ¶ ~회를 베풀다 e-e Mittagsmahlgesellschaft geben* (veranstalten).

오채(五彩) die fünf Farben 《*pl.*》 (=blau, braun, rot, weiß, schwarz).

오체(五體) der ganze Körper, -s, - (Leib, -(e)s, -er); vom Kopf bis zu den Füßen (von [3]Kopf bis [4]Fuß).

오촌(五寸) der Sohn des Vetters; Vetters Sohn; Vaters Vetter. ‖ **~아저씨** Onkel *m.* -s, -. **~조카** Neffe *m.* -n, -n.

오층(五層) fünf Stocke 《*pl.*》; der fünfte Stock, -(e)s, -e.

오카리나 《악기》 Okarina *f.* -s.

오케스트라 Orchester *n.* -s, -.
‖ **~연주석** Orchesterraum *m.* -(e)s, ⸚e.

오케이 O.K.!; alles in Ordnung!; prima in Ordnung!; ganz richtig!; ganz einverstanden! **~하다** an|erkennen*[4]; billigen[4]; für gut halten*[4]; gut|heißen*[4].

오타와 《캐나다의 수도》 Ottawa.

오탁(汚濁) Schmutz *m.* -(e)s; Dreck *m.* -(e)s; Verschmutzung *f.* -en. **~하다** schmutzig; dreckig; verschmutzt (sein).

오토대제(一大帝) 《독일의》 Otto der Große (912-973).

오토매틱 Automatik *f.* -en. ¶ ~의 automatisch.

오토메이션 Automation *f.* -en; Fließarbeit *f.* -en. ¶ ~으로 제조하다 durch Fließarbeit produzieren[4] / ~화하다 automatisieren[4].
‖ **~공장** die automatisierte Fabrik, -en.

오토바이 Motorrad *n.* -(e)s, ⸚er.
‖ **~경주** Motorradrennen *n.* -s.

오토자이로 Windmühlenflugzeug *n.* -(e)s, -e; Drehflügelflugzeug *n.* -(e)s, -e.

오톨도톨하다 ☞ 우툴두툴하다.

오트밀 Haferflocken 《*pl.*》; Haferflockenschleim (-brei) *m.* -(e)s, -e.

오트볼타 《나라이름》 Obervolta [..vɔ́l..] *n.* -s; Republik 《*f.*》 O. ¶ ~의 obervoltaisch.
‖ **~사람** Obervoltaer *m.* -s, -.

오판(誤判) Fehlurteil *n.* -(e)s, -e; das falsche (irrige) Urteil, -(e)s, -e; Irrtum *m.* -(e)s, ⸚er; Mißverständnis *n.* -ses, -se.

오팔 〖광물〗 Opal *m.* -s, -e.

오퍼레이션리서치 Operations-research [ɔpəréiʃənzrisəːtʃ] *f.* 《생략: O.R.》; Unternehmensforschung *f.*; Optimalplanung *f.*; mathematische Entscheidungsvorbereitung *f.*

오페라 Oper *f.* -n. ¶ ~ 구경을 가다 in die Oper gehen* ⓢ.
‖ **~가수** Opernsänger *m.* -s, -; Opernsängerin *f.* ..rinnen. **~극장** Opernhaus *n.* -es, ⸚er. **~글라스** Opernglas *n.* -es, ⸚er. **국립 ~ (극장)** Staatsoper *f.* **그랜드~** die Große Oper.

오페레타 Operette *f.* -n.

오프더레코드 《공식》 ohne Protokoll; 《사적》 unter uns 《bleiben* ⓢ》. ¶ 회담은 ~로 하기로 되었다 Das Gespräche ist nicht ins Protokoll gekommen.

오프리미츠 Zutritt verboten!

오프셋 〖인쇄〗 Offsetdruck *m.* -(e)s, -e.
‖ **~인쇄기** Offset¦presse *f.* -n (-(druck)maschine *f.* -n).

오픈 offen; eröffnend.
‖ **~게임** Eröffnungsspiel *n.* -(e)s, -e. **~카** offner Wagen, -s, -; Sportwagen *m.*

오픈어카운트 〖경제〗 laufendes Konto, -s, ..ten; laufende Rechnung, -en; Kontokorrentkonto *n.* -s, ..ten.

오피스 (Geschäfts)büro *n.* -s, -s.
‖ **~걸** Büro¦mädchen *n.* -s, - (-dame *f.* -n; -fräulein *n.* -s, -).

오한(惡寒) Schüttelfrost *m.* -es, ⸚e. ¶ ~이 나다 frösteln; Schüttelfrost haben; es

überläuft *jn.* kalt.
오할(五割) fünfzig Prozent; die Hälfte, -n.
오합무지기(五合—) fünf Unterröcke mit der jeweils verschiedenen Länge.
오합지졸(烏合之卒) ein bunt zusammengewürfelter Haufen, -s, -; die undisziplinierten Truppen《*pl.*》.
오해(誤解) Mißverständnis *n.* -ses, -se; Mißverstand *m.* -(e)s; die falsche Auffassung 〔Beurteilung〕《-en》 e-r Sache; Irrtum *m.* -(e)s, ⸗er; Verwechs(e)lung *f.* -en (혼동). ～하다 mißverstehen*[4]; falsch auf|fassen 〔beurteilen〕[4]; e-e irrige Ansicht fassen《*von*[3]》; im Irrtum sein《*über*[4]》; mißdeuten[4]; [4]sich irren《*in*[3]》; [4]sich täuschen《*in*[3]》; übel|nehmen* (악의로 해석하다); verwechseln[4]《*mit*[3]》. ¶ ～를 사기 쉽다 leicht mißverstanden 〔mißdeutet〕 werden; leicht Mißverständnisse《*pl.*》 hervor|rufen*; leicht Anlaß zu [3]Mißverständnissen《*pl.*》 geben*; sehr irreführend 〔irreleitend〕 sein / ～를 사다 mißverstanden werden / ～를 풀다 ein Mißverständnis auf|klären〔beseitigen〕; die Augen öffnen《*jm. über*[4]》; über e-n Irrtum auf|klären《*jn.*》/ 너는 그 사람을 ～하고 있다 Da haben Sie ihm unrecht getan.¦Da sind Sie ihm gegenüber im Unrecht gewesen. / 그것은 전혀 너의 ～다 Das ist völlig dein Mißverständnis. / ～하지 마십시오 Verstehen Sie mich bitte nicht falsch! / 너는 민주주의를 ～하고 있다 Du hast e-e irrtümliche 〔falsche〕 Auffassung von der Demokratie.
오행(五行) 〖민속〗 die Fünf Elemente (=Metall; Holz; Wasser; Feuer; Erde).
오호(嗚呼) ach!; weh!; leider! ¶ ～라 =오호 / ～ 슬프다 그는 가고 이젠 없도다 Ach! er ist eingeschlafen u. nicht mehr da.
오호츠크해(—海) 《소련 동쪽의 바다》 das Ochotskische Meer, -(e)s.
오호호 Ha-ha. ¶ ～ 웃다 kichern.
오활(迂闊) 《부주의》 Unaufmerksamkeit *f.*; Fahrlässigkeit *f.*; Gedankenlosigkeit *f.*; Zerstreutheit *f.*; 《사정에 어두움》 Unwissenheit *f.*; Unvertrautheit *f.*; Dummheit *f.* ～하다 unaufmerksam; unvorsichtig; zerstreut; uninformiert; isoliert (sein).
오후(午後) Nachmittag *m.* -(e)s, -e 《생략: nachm.; nm.》; P.M.; p.m. ¶ ～의 nachmittägig; nachmittäglich; Nachmittags- / 일요일 ～에 Sonntag nachmittags / ～ 3시 10분발 기차 der 3:10 Uhr Nachmittagszug; der Zug 15[10] 〔15.10 Uhr〕.
오히려 ① 《차라리》 vielmehr; (oder) besser 〔richtiger〕; eher; lieber. ¶ ～ 집에 있는 편이 낫다 Es ist viel besser, zu Hause zu bleiben / 수치를 당하느니보다 ～ 죽는 편이 낫다 den Tod der Schande vor|ziehen*; lieber der Tod als der Spott der Welt zu sein / 그는 시인이라기보다는 ～ 소설가이다 Er ist eher ein Romancier als ein Lyriker.¦Er ist nicht so sehr ein Lyriker als ein Romancier.
③ 《도리어》 umgekehrt; im Gegenteil; mehr; statt. ¶ ～ 해가 되다 *jm.* mehr Schaden zu|fügen als Gutes tun / 고마와하기는 커녕 ～ 나를 비난했다 Er wirft mir vor, statt mir dankbar zu sein.
옥(玉) ① Edelstein *m.* -(e)s, -e; Jade *m.* ② 《보석》 Juwelier *m.* -s, -; Schmuck *m.* -(e)s, -e. ③ 《비유적》 Glanz¦stück 〔Pracht-〕 *n.* -(e)s, -e. ¶ 옥의 티 der Fleck in der Perle; Schönheitsfehler *m.* -s, - / 그 사람은 게으른 것이 옥의 티다 Faulheit ist sein einziger Fehler.
‖ 옥가락지 der Fingerring aus Jade.
옥(獄) Gefängnis *n.* -ses, -se; Karzer *m.* 〔*n.*〕 -s, -; Kerker *m.* -s, -; Verlies *n.* -es, -e (성 안의 지하 감옥); Zuchthaus *n.* -es, ⸗er. ¶ 옥에 가두다 ein|kerkern《*jn.*》; ins Gefängnis setzen 〔schicken; sperren; werfen*〕《*jn.*》; hinter [4]Schloß u. [4]Riegel setzen[4] / 옥에서 도망치다 aus dem Gefängnis aus|brechen* ⓢ.
옥고(玉稿) (Ihr; sein) hochgeschätztes Manuskript, -(e)s. -e.
옥내(屋內) das Innere des Hauses. ¶ ～에서 im Hause; im Inneren e-s Hauses.
‖ ～배선 Hausdrahtleitung *f.* -en. ～풀 Hallen(schwimm)bad *n.* -(e)s, ⸗er.
옥니 《옥은 이》 die nach innen 〔hinten〕 gerichteten Zähne.
‖ ～박이 die Person, deren Zähne nach hinten stehen*.
옥다 ① 《안으로》 ein bißchen nach innen gebogen. ② 《밑지다》 Verluste《*pl.*》 haben 〔erleiden*〕.
옥답(沃畓) fruchtbares Reisfeld, -(e)s, ⸗er.
옥당목(玉唐木) e-e Art Kattun (von e-r schlechten Qualität).
옥도(沃度) 〖화학〗 Jod *n.* -(e)s 《기호: I》.
‖ ～정기(丁幾) Jodtinktur *f.* -en.
옥돌(玉—) Edelstein *m.* -(e)s, -e; Jade *m.* ¶ 경주돌이라고 다 ～이냐 Es ist nicht alles Gold, was glänzt.
옥동자(玉童子) ein kostbarer Sohn, -(e)s, ⸗e.
옥란(玉蘭) 〖식물〗 die weiße Magnolie.
옥문(獄門) Tor des Gefängnisses; Kerkerpforte *f.* -n 〔-tor *n.* -(e)s, -e〕.
옥밀이 e-e Art Handbohrer 《*m.* -s, -》.
옥바라지(獄—) Versorgung 《*f.* -en》 des Gefangenen. ～하다 den Gefangenen mit Kleidung u. Essen 〔mit allem Notwendigen〕 versehen*.
옥사(獄死) Tod im Gefängnis. ～하다 in Gefangenschaft 〔als Gefangener; im Gefängnis〕 sterben* ⓢ.
옥사(獄舍) Gefängnis *n.* -ses, -se; Kerker *m.* -s, -; Gefängnisgebäude *n.* -s, -.
옥사(獄事) Administration des Kapitalverbrechens wie Hochverrat u. Schwerverbrechen; die Angelegenheit des Kapitalverbrechens.
옥살이(獄—) das Sitzen* 《-s》 hinter den Gittern. ～하다 im Gefängnis sitzen*; hinter den Gittern sitzen*.
옥상(屋上) Dach *n.* -(e)s, ⸗er; Dachterrasse *f.* -n. ¶ ～에서 auf dem Dach; auf der Dachterrasse. ‖ ～정원 Dachgarten *m.* -s, ⸗. ～주택 Dachhaus *n.* -(e)s, ⸗er.
옥새 der mißgeformte Dach¦stein 〔-ziegel〕.
옥새(玉璽) Staatssiegel *n.* -s, -; das königliche Siegel.
옥색(玉色) Jadegrün *n.* -s.
옥생각하다 vorurteilsvoll 〔voreingenommen〕 sein 《*gegen*[4]》; von e-m Minderwertigkeitskomplex befangen sein.
옥석(玉石) ① 《옥돌》 Edelstein *m.* -(e)s, -e. ② 《좋은 것과 나쁜 것》 Jade u. Stein. ¶ ～을 혼효(混淆)하다 〔구분하지 못하다〕 die Spreu vom Weizen nicht sondern.
‖ ～구분(俱焚) Verbrennung der guten u.

schlechten Dinge ohne Unterschied.
옥셈 falsche Kalkulation gegen s-e Interessen. ~하다 für [4]sich nachteilig rechnen.
옥소(沃素) 〖화학〗 Jod *n.* -(e)s.
옥쇄(玉碎) ein ehrenvoller Tod, -(e)s, -e. ~하다 e-n ehrenvollen Tod sterben* ⓢ; sterben* ⓢ, ohne sich zu ergeben.
‖ ~전법 die Taktik des Selbstmordes.
옥수(玉水) klares Wasser, -s, -.
옥수(玉手) ① 《임금의》 die Hand 《⸚e》 des Königs. ② 《미인의》 die schöne Hand e-r hübschen Frau.
옥수수 〖식물〗 Mais *m.* -es.
‖ ~가루 Maismehl *n.* -(e)s, -e.
옥스퍼드 《잉글랜드의 도시》 Oxford.
‖ ~대학 Oxford Universität.
옥시단트 Oxydationsmittel *n.* -s, -; 〖구어〗 Fotochemischer Smog, -(s), -s; Giftgase 《*pl.*》; Abgase.
옥시풀 Wasserstoffsuperoxyd *n.* -(e)s.
옥신각신 streitend; zankend; raufend. ~하다 scharmützeln; plänkeln; mit *jm.* in Zwist (Streit) geraten* ⓢ; streiten; stänkeln. ¶ 서로 ~하다 [4]sich gegenseitig streiten / 아무와 사소한 일을 가지고 ~하다 [4]sich mit *jm.* um die Kleinigkeiten zanken / 나는 여자 친구와 사소한 일로 ~했다 Ich zankte mich mit m-r Freundin um die Kleinigkeiten.
옥안(玉顔) ① 《용안》 das Gesicht des Königs. ② 《미인의》 das Gesicht e-r schönen Frau.
옥야(沃野) fruchtbares Land, -(e)s, -.
옥양목(玉洋木) Kaliko *m.* -s, -s; Schirting *m.* -s, -e (-s).
옥양사(玉洋紗) feiner Kaliko, -s, -s.
옥외(屋外) das Freie, -n; die freie Luft. ¶ ~의 außen / ~에서 im Freien; in der freien (frischen) Luft; (dr)außen; an der Luft; bei Mutter Natur (Grün); unter freiem Himmel / 나는 ~로 나갔다 Ich gang ins Freie.
‖ ~극장 Freilicht¦bühne *f.* -n (-theater *n.* -s, -). ~근무 Außendienst *m.* ~노동자 (유희, 운동) die Arbeiter 《-s, -》 (die Spiele 《*pl.*》, die Sporte 《*pl.*》) im Freien. ~연설 die Rede 《-n》 im Freien. ~풀 Freibad *n.* -(e)s, ⸚er.
옥이다 ☞ 욱이다.
옥자강이 〖식물〗 e-e Art von der frühreifen Reispflanze. ⌈⸚c.
옥자귀 Breitbeil *n.* -(e)s, -e; Krummaxt *f.*
옥잠화(玉簪花) 〖식물〗 Wegerich *m.* -(e)s, -e.
옥장사 ☞ 오그랑장사.
옥장이(玉匠一) Goldschmied *m.* -(e)s, -e; Edelstein-Schleifer *m.* -s, -.
옥졸(獄卒) Gefängnis¦wärter (Gefangenen-) *m.* -s, -; Kerkermeister *m.* -s, -.
옥좌(玉座) Thron *m.* -(e)s, -e. ¶ ~에 앉다 den Thron besteigen*.
옥죄이다 straff ((zu)eng; gespannt) sein; [4]sich zu eng (straff) fühlen. ¶ 옥죄이는 옷 ein enges (straffes) Kleid / 옷의 겨드랑이가 너무 옥죄인다 Die Ärmel 《*pl.*》 drücken in den Achseln.
옥중(獄中) eingekehrt; ins Gefängnis gesetzt (gesperrt; geworfen); hinter den Gittern; hinter Schloß u. Riegel (sitzend); 《우스개》 hinter schwedischen Gardinen.
‖ ~기(記) ein im Gefängnis geschriebenes Tagebuch; ein Gefängnis-Tagebuch *n.* -(e)s, ⸚er.
옥체(玉體) ① 《임금의》 der Körper des Königs; die Person des Königs. ② 《편지에서》 der vornehme Körper (Mensch); sehr geehrte(r) Frau (Herr); Sie.
옥타브 〖음악〗 Oktave *f.* -n.
옥탄가(一價) 〖화학〗 Oktanzahl *f.* -en. ¶ ~가 높은 von hoher Oktanzahl / 100 ~ 가솔린 Gas mit 100 Oktanzahl / ~가 높은 가솔린 Gas mit der hohen Oktanzahl.
옥토(沃土) fruchtbare Erde, -n; fruchtbarer Boden, -s, - (⸚); fruchtbares Land, -(e)s.
옥토끼(玉一) 《흰 토끼》 der weiße Hase, -en, -en; 《달 속의》 der Hase im Mond.
옥편(玉篇) das chinesisch-koreanisches Wörterbuch, -(e)s, ⸚er; das Wörterbuch der chinesischen Zeichen.
옥호(屋號) Firmenname *m.* -ns, -n.
옥화물(沃化物) 〖화학〗 Jodverbindung *f.* -en.
옥황상제(玉皇上帝) der Namen des Gottes im Taoismus; Himmel *m.* -s, -.
온 ① 《모든》 ganz; voll; alles; ganz u. gar; gänzlich; insgesamt; total. ¶ 온 백성 die ganze Nation; alle Leute / 온 세상 die ganze Welt / 온 한국 ganz Korea / 온 나라 안에 im ganzen Lande / 온 마을이 그를 열렬히 환영했다 Das ganze Dorf begrüßt ihn herzlich. ② =온갖. ③ 《꼬박》 völlig; durchweg; vollständig.
온각(溫覺) Wärmegefühl *n.* -(e)s, -e; die Empfindung für die Wärme.
온갖 〖단수명사와 함께〗 jeder; 〖복수명사와 함께〗 aller; allerlei; verschieden; alles; mögliche. ¶ ~ 수단 jedes Mittel; alle Mittel / ~ 방법으로 auf verschiedene Weise; auf vielerlei Art u. Weise / ~ (종류의) 책 alle verschiedene Bücher / ~ 수단을 다하다 alle erdenklichen (die äußersten) Mittel an|wenden*; kein Mittel unversucht lassen*; jedes mögliche Mittel versuchen / ~ 고생을 다 했다 Er hat viel durchgemacht.¦Er hat sich in der Welt versucht. / ~ 범죄를 다 저지르다 Er hat allerlei Kriminalitäten begangen. / ~ 생각이 우리들 마음 속에 떠오른다 E-e Menge von Ideen fällt uns ein.
온건(穩健) Mäßigkeit *f.* -en; Mittelmäßigkeit *f.* -en. ~하다 mäßig; gemäßigt; maßvoll; ausgeglichen; gesund (sein). ¶ ~한 생각 e-e gemäßigte Ansicht, -en / 그의 사상은 ~하다 Er hat e-e gemäßigte Meinung. ‖ ~주의자 ein Gemäßigter *m.* -s, -. ~파 die gemäßigte Partei.
온고지신(溫古知新) das Erlernen* 《-s》 durch das Studium der Vergangenheit.
온골 die ganze Länge des Papiers (des Stoffes).
온기(溫氣) Wärme *f.*; warme Luft.
온난(溫暖) Wärme *f.* ~하다 warm u. mild (sein). ¶ ~한 기후 ein mildes Klima, -s.
‖ ~전선(前線) Warmfront *f.* -en.
온달 Vollmond *m.* -(e)s, -.
온당(穩當) Vernünftigkeit *f.*; Angemessenheit *f.*; Richtigkeit *f.* ~하다 richtig; vernünftig; angemessen (sein). ¶ ~한 언사 angemessene Sprache / ~한 조치 angemessene Maßnahme / ~치 않다 unangemessen (ungebührlich; ungehörig; unpassend; ungerecht) sein / 그것이 ~한 해석이다 Das ist e-e angemessene Interpretation.
온대(溫帶) die gemäßigte Zone, -n.
‖ ~식물 Pflanze der gemäßigten Zone. ~지방 das Gebiet der gemäßigten Zone.

온데간데없다 plötzlich verschwinden* Ⓢ; k-e Spur finden*¦ Da fand ich nur ein leeres Nest.
온도(溫度) Temperatur *f.* -en; Wärmegrad *m.* -(e)s, -(e). ¶ ~를 재다 Temperatur messen* / ~가 높다 (낮다) Die Temperatur ist hoch (niedrig). / ~가 오르다 (내리다) Die Temperatur steigt (sinkt). / 간밤에 ~가 0 도로 내려갔다 Gestern nacht ist die Temperatur unter Null gesunken.
‖ ~계 Thermometer *n.* -en, -en; Wärmemesser *m.* -s, -: 섭씨 (화씨) ~계 Celsiusthermometer (Fahrenheit-) *n.* / 나의 ~계는 섭씨 20 도를 나타내고 있다 Mein Thermometer zeigt Celsius 20 Grad. ~조절 장치 Thermostat *m.* -s, - (-e); Wärmeregeler *m.* -s, -. 실내~ Zimmertemperatur. 절대(표준) ~ die absolute (normale) Temperatur. 최고~ Maximumthermometer. 최저~ Minimumthermometer. (연)평균~ die durchschnittliche Temperatur (des Jahres).
온돌(溫突) die koreanische Fußbodenheizungsanlage, -n.
온두라스 《북아메리카의 공화국》 Honduras *n.*; Republik 《*f.*》 H. ¶ ~의 honduranisch.
‖ ~사람 Honduraner *m.* -s, -.
온디콩 e-e Art gelbe Bohnen.
온라인 ‖ ~시스템 On-line-System [ɔ́n-lain..] *n.* -(e)s, -e: 그 계좌는 ~시스템으로 되어 있다 Das Konto ist on-line.
온면(溫麵) heiße Glasnudelsuppe.
온몸 der ganze Körper, -s; 〔부사적으로〕 im ganzen Körper. ¶ 그는 ~에 화상을 입었다 Er hat sich den ganzen Körper verbrannt. / 그녀는 ~을 떨면서 흐느꼈다 Sie weinte (den ganzen Körper) zitternd. / 독이 ~에 퍼졌다 Das Gift geht ihm durch Mark u. Bein.¦Das Gift ist bis ins Mark (durch den ganzen Körper) gegangen.
온밤 die ganze Nacht. ¶ ~을 꼬박 뜬 눈으로 새우다 die ganze Nacht kein Auge zu|tun* (zu|machen); die Nacht über ganz wach bleiben* Ⓢ.
온상(溫床) Mistbeet *n.* -(e)s, -e; Nährboden *m.* -s, -; Brutstätte *f.* -n (부화장); Frühbeet *m.* -s, -e. ¶ 혁명의 ~ der Nährboden der Revolution / 악의 ~ ein Nährboden für Laster; e-e Brutstätte des Verbrechens / 빈민굴은 질병과 죄악의 ~이다 Das Armenviertel ist die Brutstätte der Krankheit u. des Verbrechens.
온새미로 intakt; ganz; unverletzt; unbeschädigt; heil. ¶ 그릇이 아직 ~ 남아 있다 Der Teller ist noch heil geblieben.
온색(溫色) e-e warme Farbe, -n.
온수(溫水) warmes Wasser, -s, -.
온순(溫順) Sanftheit *f.*; Gehorsamkeit *f.* ~하다 sanftmütig; fügsam; gehorsam (sein).
온스 Unze *f.* -n.
온실(溫室) 《식물의》 Treib¦haus (Gewächs-) *n.* -es, ⸚er; 《방》 ein warmes Zimmer. ¶ ~에서 피게 하다 im Gewächshaus pflanzen⁴ / 그는 ~에서 자랐다 Er ist e-e Treibhauspflanze.
‖ ~꽃 Treibhausblume *f.* -n. ~식물 Gewächshauspflanze *f.* -n. ~재배 Treibhausanbau *m.*: ~ 재배하다 im Treibhaus an|-bauen⁴.
온아(溫雅) Anmut *f.*; Eleganz *f.*; Milde *f.*; Sanftheit *f.* ~하다 anmutig; zierlich; sanftmütig; graziös (sein). ¶ ~한 사람 ein sanftmütiger u. anmutiger Mensch.
온욕(溫浴) Warm(wasser)bad *n.* -(e)s, ⸚er. ~하다 ein Warmbad (ein warmes Bad) nehmen*; warm baden.
‖ ~요법 Warmwasserbadkur *f.*
온유(溫柔) Sanftheit *f.*; Sanftmütigkeit *f.* ~하다 sanftmütig; milde; nachsichtig (sein).
온음(一音) 〖음악〗 Ganzton *m.* -(e)s.
‖ ~계 das europäische Dur-Moll-System, -s, -e. ~표 e-e ganze Note, -n.
온이로 ganz; unverkürzt; als ganzes; in s-r Gesamtheit.
온장(一張) das ganze Blatt (des Papiers); ungeschnittenes Papier, -(e)s, -e.
온장고(溫藏庫) Thermosschrank *m.* -(e)s, ⸚e.
온전(穩全) ~하다 gesund; heil; vollkommen; vollständig; völlig; intakt; unversehrt (sein).
온정(溫井) ein heißer Brunnen, -s, -.
온정(溫情) Warmherzigkeit *f.* -en; Wärme *f.*; Milde *f.* ¶ ~있는 warmherzig; warm; mild / ~있는 사람 warmherziger Mensch, -en, -en.
온존(溫存) Aufbewahrung *f.* -en. ~하다 auf|bewahren⁴; reservieren⁴; sparen⁴.
온종일(一終日) den ganzen Tag. ¶ ~ 비가 온다 Es regnet den ganzen Tag. / 어제는 ~ 자네를 기다렸네 Gestern habe ich den ganzen Tag auf dich gewartet.
온집안 das ganze Haus; die ganze Wohnung; die ganze Familie; alle Familienmitglieder 《*pl.*》. ¶ ~을 뒤지다 das ganze Haus um|wühlen (untersuchen).
온채 das ganze Haus, -(e)s, ⸚er. ¶ ~를 빌다 das ganze Haus mieten.
온천(溫泉) e-e heiße Quelle, -n; ein heißes Quellenbad, -(e)s, ⸚er. ¶ ~에 가다 zum heißen Quellenbad gehen* Ⓢ; e-n Badeort besuchen; ins Bad reisen Ⓢ.
‖ ~물 das heiße Quellenwasser. ~요법 Quellenbadkur *f.* ~장 Badeort *m.* -(e)s, -e. 온양~ Bad *Onjang*.
온천하다 ziemlich (beträchtlich) viel (sein).
온축(蘊蓄) tiefe (viele) Kenntnisse 《*pl.*》; Gelehrsamkeit *f.*
온탕(溫湯) ① 《온천》 das heiße Quellenbad, -(e)s, ⸚er. ② 《더운 물》 das heiße Wasser, -s, - (⸚).
온통 gänzlich; insgesamt; vollständig; alles ohne ⁴Ausnahme; alles; überall. ¶ ~ 물바다가 되다 vollständig unter Wasser stehen* / ~ 불바다가 되다 völlig in Flammen stehen* / (어딜가나) ~ …이야기 뿐이다 das einzige Stoff des Gesprächs ist... / 그것은 ~ 거짓말이다 Das ist lauter Lüge. / 이익은 그가 ~ 다 차지했다 Er hat allein Profit geschlagen.
온폭(一幅) die ganze Breite des Stoffes (des Papiers).
온혈동물(溫血動物) Warmblüter *m.* -s, -; ein warmblütiges (gleichwarmes) Tier, -(e)s, -e.
온화(溫和) Milde *f.*; Sanftmütigkeit *f.* ~하다 mild; sanftmütig; gutmütig; ruhig; friedlich; sanft (sein). ¶ ~한 미소 ein sanftes Lächeln / ~한 기후 ein mildes Klima / ~한 성품 ein sanftes Wesen / ~한 얼굴 freundliches (mildes) Gesicht.
온후(溫厚) Sanftmütigkeit *f.*; Milde *f.*; Freundlichkeit *f.* ~하다 sanftmütig; freundlich (sein). ¶ ~한 사람 ein sanfter Mensch, -en, -en.

올[1] ☞ 올해. ¶올 여름 휴가 Urlaub dieses Jahres / 올 안에 innerhalb dieses Jahres; im Laufe des Jahres.
올[2] Gewebe *n.* -s, -. ¶올이 성긴 (고운) 직물 die locker (fein) gewebte (gewobene) Textil / 나일론 양말은 올이 가끔 풀어진다 Der Nylonstrumpf bekommt öfters die Laufmasche.
올- 《조숙한》 frühreif. ¶올벼 der frühreife Reis, -(e)s; Frühreis *m.* -(e)s.
올가미 Falle *f.* -n; Fallgrube *f.* -n (함정); Fallstrick *m.* -(e)s, -e (새끼); Fußangel *m.* -s, - (갈고리); Schlinge *f.* -n (올무); Schleife *f.* -n (고리); 《술책》 Trick *m.* -s, -e (-s); Masche *f.* -n; Machenschaft *f.* -en (계략). ¶~를 씌우다 e-e Schlinge legen 《*gegen*[4]》; e-e Falle auf|stellen 《*gegen*[4]》; 《사람에게》 *jm.* e-e Falle stellen; *jn.* in e-e Falle locken / 사슴을 ~로 잡다 Reh in (mit) der Schlinge fangen* / ~에 걸리다 [4]sich in der Schlinge fangen*; in die Falle gehen* (geraten*) ⓢ.
올강거리다 ① 《…을》 an [3]*et.* kauen[(4)]; hin u. her kauen[(4)]; muffeln[(4)]. ¶질긴 고기를 ~ an zähen Fleisch kauen. ② 《…이》 zu hart (zu zäh (zu kauen)) sein. ¶고기가 올강거려 잘 씹히지 않는다 Der Fleisch ist zu hart zu kauen.
올강올강 kauend; muffelnd. ¶~ 씹다 muffeln[(4)]; mummeln[(4)].
올곧다 ① 《마음이》 aufrecht; aufrichtig; ehrlich (sein). ¶올곧은 사람 ein aufrichtiger Mensch, -en, -en. ② 《줄이》 gerade; in gerader Linie (sein).
올내년(一來年) dieses od. (u.) nächstes Jahr.
올되다 ① 《일되다》 frühreif (alt|klug(früh-); früh entwickelt) sein. ¶올된 소녀 das altkluge (frühreife) Mädchen / 그 애는 ~ Das Kind ist frühreif. ② 《피륙의 올이》 dicht sein.
올드미스 e-e alte Jungfer, -n.
올딱 [4]sich alles übergeben* (erbrechen*), was man gerade gegessen hat.
올라가다 ① 《높은 데로》 auf|gehen* ⓢ; auf|steigen* ⓢ; steigen* ⓢ 《*auf*[4]》; klettern 《*auf*[4]》. ¶층계를 ~ die Treppe hinauf|gehen*ⓢ / 연단에 ~ auf die Bühne treten* ⓢ / 산 꼭대기까지 ~ auf die Bergspitze steigen* (klettern*) ⓢ / 굴뚝에서 연기가 ~ Der Rauch steigt aus dem Schornstein. / 기온이 30도로 ~ Die Temperatur steigt auf 30 Grad. / 불길이 ~ Die Flamme lodert auf.
② 《서울로》 (nach Seoul) gehen* (fahren) ⓢ. ¶(서울로) 올라가는 기차 der nach Seoul fahrende Zug, -(e)s, ⸗e.
③ 《지위·명성·봉급이》 auf|steigen*ⓢ; auf|streben; empor|kommen* (voran|-) ⓢ; [4]es bringen* 《*bis zu*[3]》; befördert sein. ¶지위가 ~ e-e höhere Stellung bekommen* / 과장으로 ~ zum Abteilungschef befördert werden / 이름이 ~ Karriere machen; e-n guten Ruf machen / 월급이 ~ das Gehalt steigt (erhöht sich) / 그는 대위로 올라갔다 Er hat es bis zum Kapitän gebracht.
④ 《진보》 Fortschritte machen. ¶성적이 ~ e-e bessere Leistung zeigen; in der Schule Fortschritte machen.
⑤ 《물가가》 steigen* ⓢ. ¶물가가 ~ Die Preise steigen. / 이 증권은 올라가는 기세이다 Diese Papiere haben Neigung zum steigen.
⑥ 《없어지다》 《Geld》 verlieren*; verlustig gehen* ⓢ.
⑦ 《강을》 e-n Fluß hinauf fahren*ⓢ. ¶강을 거슬러 ~ gegen den Strom fahren* ⓢ / 이 강은 배로 몇 마일이나 올라갈 수 있는가 Wieviel Meile ist dieser Fluß schiffbar (fahrbar)?
⑧ 《천당에》 sterben* ⓢ.
올라오다 auf|kommen*ⓢ; hinauf|kommen* ⓢ. ¶서울에 ~ nach Seoul kommen* ⓢ / 2층에 ~ nach oben kommen*.
올라타다 rittlings sitzen* 《*auf*[3]》; auf|sitzen* ⓗ,ⓢ; reiten*. ¶말에 ~ ein Pferd besteigen*; aufs Pferd steigen* ⓢ / 말에 올라타고 있는 나폴레옹 der zu Pferde sitzende Napoleon / 기차 (버스)에 ~ in den Zug (Bus) ein|steigen* ⓢ / 배 (비행기)에 ~ das Schiff (Flugzeug) besteigen*; an Bord gehen*ⓢ.
올랑촐랑 《물·물결 등이》 plätschernd. ~하다 plätschern; planschen. ¶물통의 물이 ~ 흔들린다 Wasser schwankt leise im Eimer. / 물결이 ~ 강가에 부딪친다 Die kleinen Wellen plätschern an der Flußufer.
올려본각(一角) 〖수학〗 Erhöhungswinkel *m.* -s, -; Elevation [..va..] *f.* -en; Elevationswinkel *m.* -s, -.
올록볼록 uneben; holperig. ~하다 uneben (sein).
올리다 ① 《위로》 (er)heben*[4]; auf|heben*[4]; auf|setzen[4] (-|legen[4]). ¶손을 ~ die Hand erheben* / 연을 ~ e-n Drachen steigen lassen* / 기를 ~ die Flagge auf|hissen (auf|ziehen*) / 책을 선반 위에 ~ ein Buch auf dem Regal auf|legen / 닻을 ~ die Anker lichten / 불꽃을 ~ das Feuerwerk laufen lassen*.
② 《지위·비율을》 befördern[4]; erhöhen[4]. ¶월급을 ~ das Gehalt erhöhen / 지위를 ~ *jn.* befördern 《*zu*[3]》 / 값을 ~ erhöhen[4]; steigern[4].
③ 《바치다》 an|bieten*[4] 《*jm.*》; beschenken 《*jn. mit*[3]》; dar|bieten*[4] (-|reichen[4]); widmen. ¶기도를 ~ ein Gebet sprechen*; sein Gebet verrichten / 찬사를 ~ Lob erteilen (spenden; zollen) / 제가 써 올리지요 Ich werde es aufschreiben für Sie.
④ 《기록하다》 [4]sich ein|tragen*; registrieren[4]. ¶전화 번호부에 이름을 ~ s-n Namen im Telefonbuch ein|tragen* / 사건을 역사에 ~ e-e Sache zu Protokoll nehmen* / 새 말을 사전에 ~ ein neues Wort im Wörterbuch ein|tragen*.
⑤ 《내놓다》 dar|bieten*[4]; vor|legen[4]; an|bieten*[4]. ¶음식을 밥상에 ~ das Essen auf den Tisch legen (servieren) / 회의에 문제를 ~ ein Problem in der Sitzung vor|legen; ein Problem in die Diskussion werfen*.
⑥ 《병을》 ein|stecken[4]; infizieren[4]. ¶질병을 ~ von der Epidemie eingesteckt sein.
⑦ 《점수·성과를》 ¶훌륭한 성과를 ~ gute Ergebnisse erzielen; in [3]*et.* Fortschritte machen / 이익을 ~ Profit erzielen / 경기에서 5점을 ~ fünf Punkt gewinnen*.
⑧ 《칠을》 an|streichen[4]; bestreichen[4]; überstreichen[4]. ¶집에 칠을 ~ das Haus mit Farbe bestreichen / 사진틀에 금박을 ~ das Photo mit dem Blattgold ein|rahmen; dem Photo goldige Rahmen geben*.
⑨ 《소리를》 schreien*; rufen*. ¶환성을 ~ vor Freude jauchzen / 비명을 ~ ein großes

Geschrei erheben*.
⑩《식을》feiern⁴; (e-e Zeremonie) ab|halten*. ¶결혼식을 ~ Hochzeit feiern.
⑪《기타》¶지붕에 기와를 ~ das Dach mit dem Ziegelstein bedecken / 약을 ~ *jn.* wütend machen.
올리브 〖식물〗 Öl¦baum (Oliven-) *m.* -(e)s, ⸚e; Olive *f.* -n (열매). ¶~색의 olivenfarben (-farbig).
‖~유 Olivenöl *n.* -(e)s, -e.
올림 ①《증정》das Schenken*, -s; Einreichung *f.*; Überreichung *f.* ¶남 교수님께 지은이 ~ geschenkt vom Autor an Herrn Prof. *Nam*¦ Ich schenke Ihnen (Herrn *Nam*) mein Buch. ②《편지에서》Ihr ergebener; Mit vielen Grüßen; Hochachtungsvoll.
올림표(一標) 〖음악〗 Kreuz *n.* -es, -e《기호: 「#」》.
올림픽 ‖~경기 (대회) Olympische Spiele《*pl.*》; Olympiade *f.* -n. ~성화 das Olympische Feuer, -s. ~촌 das Olympische Dorf, -(e)s. ~출전 선수 Olympia¦kämpfer (-teilnehmer) *m.* -s, -. 국제 ~위원회 Internationales Olympisches Komitee, -s. 동계 ~대회 Olympische Winterspiele《*pl.*》.
올망(一網) das Netz für den Tiefsee-Fischgang. ‖~대 die Stange, die zur Auswerfung des Fischnetzes gebraucht wird.
올망졸망 ein Haufen von kleinen Dinge. ~하다 ⁴sich zusammen|scharen. ¶~한 어린애들 e-e Gruppe von kleinen Kindern / 사과가 ~ 여러 개 달려 있다 Viele Äpfel hängen am Apfelbaum. / 어린애들의 키가 ~하다 Die Kinder sind ungleich in der Größe.
올무 Schleife *f.* -n; Schlinge *f.* -n. ¶~로 새를 잡다 mit der Schleife den Vogel fangen*.
올바로 aufrichtig; gerade; 《정직하게》ehrlich; redlich; 《정확하게》genau; richtig. ¶~ 말하면 ehrlich (genau) gesagt / ~살다 ein ehrliches (aufrichtiges) Leben führen / ~ 행동하다 ⁴sich redlich benehmen* / 마음을 ~ 먹어라 Sei ehrlich!
올바르다 aufrichtig; ehrlich; redlich (sein). ¶올바른 사람 der rechtsbeschaffene (aufrichtige; redliche) Mensch, -en, -en / 올바른 답 treffende (richtige) Antwort, -en.
올밤 Frühkastanie *f.* -n.
올벼 Frühreis *m.* -es.
올봄 der Frühling dieses Jahres.
올빼미 Eule *f.* -n; Kauz *m.* -es, ⸚e. ¶~가 울다 E-e Eule heult.
‖~새끼 junge Eule, -n.
올새 Gewebe *n.* -s, -; Webeart *f.* -en. ¶~가 굵다 (가늘다) Das Gewebe ist dicht (fein).
올지다 ☞ 오달지다.
올차다 energisch; vital; kompakt; derb; rüstig; stark (sein). ¶올찬 사람 ein energischer Mensch, -en, -en.
올챙이 Kaulquappe *f.* -n. ‖~기자 der junge Journalist [ʒur..] -en, -en.
올케 Schwägerin *f.* ..rinnen; die Ehefrau des älteren Bruders.
올콩 Frühbohnen《*pl.*》.
올통볼통하다 ☞ 울퉁불퉁하다.
올팥 Frührotebohnen《*pl.*》.
올해 dieses Jahr. ¶~ 안으로 innerhalb (im Lauf) dieses Jahres / ~ 가을에 in diesem Herbst / ~는 비가 많이 왔다 In diesem Jahr hat es viel geregnet. / ~도 며칠 남지 않았다 Die Tage dieses Jahres sind noch zu zählen. / ~는 풍년이다 Dieses Jahr ist sehr fruchtbar.
옭걸다 binden*⁴ u. hängen⁴.
옭다 ①《잡아매다》binden*⁴; befestigen⁴; zusammen|binden*⁴; um|schlingen*⁴; verbinden*⁴. ¶짐을 새끼로 ~ das Gepäck ein|schnüren (ein|windeln) / 단단히 ~ fest ein|schnüren⁴. ②《올가미로》⁴sich in die Schlinge legen. ¶개를 ~ den Hund in die Schlinge legen. ③《죄를 씌우다》e-s Vergehens beschuldigen⁴ (belasten⁴). ¶옭아 넣다 *jn.* e-s Vergehens beschuldigen u. *jn.* in Haft nehmen*.
옭매다 fest ein|schnüren⁴. ¶구두끈을 ~ (³sich) den Riemen enger schnallen.
옭매듭 falscher Knoten, -s, -.
옭아내다 ①《올가미로》Schlinge ziehen*. ¶아무를 ~ *jn.* zusammen|binden* u. hin|schleppen. ② =우려내다.
옭아매다 ①《잡아매다》zusammen|binden*⁴; ein|schnüren⁴. ¶개의 목을 새끼로 ~ den Hals des Hundes binden* / 목을 ~ die Schlinge um den Hals legen (교수형).
②《없는 죄를》*jn.* e-s Vergehens beschuldigen.
옭히다 ①《올가미에》in die Falle gehen* ⓢ; gefangen werden. ¶사슴이 올가미에 ~ Ein Hirsch ist in die Falle gegangen. ②《얽히다》geknollt (verstrickt) sein. ¶털실이 옭혀 풀려지지 않다 Die Wolle ist zu geknollt zu lösen. ③《걸려 들다》verwickelt sein. ¶살인 사건에 옭혀서 욕보다 ⁴sich ins Mordverbrechen verwickeln u. dabei ins Bedrängnis geraten* ⓢ / 증회사건에 ~ in e-n Bestechungsskandal verwickelt werden.
옮기다 ①《이전》um|ziehen* ⓢ; ziehen* ⓢ《*in*⁴; *nach*³》. ¶집을 시골로 ~ das Haus aufs Land um|ziehen* ⓢ / 포도주를 딴 병에 ~ den Wein in e-e andere Flasche um|füllen / 다른 당으로 ~ zu e-r andern Partei über|treten* ⓢ / 눈길을 ~ den Blick wenden《*von*³》.
②《변화·전환》⁴sich verändern; wechseln⁴; ⁴sich wandeln; über|gehen* ⓢ《*von*³ ... *zu*³ ...》; verlegen⁴. ¶직업을 ~ den Beruf wechseln / 장면이 이번에는 부산으로 옮기어졌다 Der Schauplatz wurde jetzt nach Busan verlegt.
③《실행·이송》aus|führen⁴; durch|führen⁴. ¶결심을 실행에 ~ s-n Entschluß aus|führen / 바께쓰에서 대야로 ~ den Eimer in e-e Wanne leeren / 다음 문제로 옮기자 Gehen wir weiter zur nächsten Frage.
④《돌리다》um|kehren⁴; (wieder)zurück|gehen* ⓢ. ¶발길을 ~ s-n Weg um|kehren; ⁴sich zur Umkehr entschließen* / 집으로 발을 ~ nach Hause um|kehren.
⑤《감염》an|stecken. ¶감기를 나에게 옮겼다 Er hat mich mit s-r Erkältung angesteckt.
⑥《말을》sein Wort dem anderen weiter geben* (leiten); Geheimnis verraten*.
⑦《번역》übersetzen⁴; übertragen⁴. ¶다음 글을 한국어로 옮기시오 Übersetzen Sie die folgenden Sätze ins Koreanisch!
옮다 《병이》(⁴sich) an|stecken; ³sich zu|ziehen* (holen); angesteckt werden《*von*³》. ¶옮기 쉬운 병 die ansteckende Krankheit / 티푸스가 ~ Typhus steckt an / 남한테서

감기가 옮았다 Ich habe von den anderen e-e Erkältung geholt (zugezogen). / 하품은 옮는다 Gähnen ist ansteckend.

옮아가다 ① 《이사·전근》 um|ziehen* ⓢ. ¶ 서울로 ~ nach Seoul um|ziehen* ⓢ. ② 《퍼져가다》 ⁴sich verbreiten. ¶ 홍역이 이웃 마을로 옮아 갔다 Masern verbreitet sich ins Nachbardorf. ③ 《넘어감》 über|gehen* ⓢ; überhändigen⁴; übergeben*⁴. ¶ 남의 수중으로 ~ *jm.* in die Hand fallen* ⓢ / 얘기는 정치문제로 옮아갔다 Das Gespräch ist auf die politischen Themen übergegangen.

옮아오다 ① 《다른 데서》 über|kommen* ⓢ; um|ziehen* ⓢ. ¶ 서울에서 부산으로 ~ von Seoul nach Busan umziehen / 지점에서 본점으로 ~ von der Zweigstelle zum Hauptbüro versetzt werden. ② 《퍼져오다》 ⁴sich verbreiten.

옶 Ersatz *m.* -es; Kompensation (Entschädigung) *f.* -en; Ausgleich *m.* -(e)s, -e.

옳다¹ 《마음이》 rechtsschaffen; gerecht; redlich; aufrichtig; 《행동·일·경우가》 richtig; korrekt; recht; billig; 《합법적》 gesetzmäßig; gesetzlich; rechtsmäßig; 《건전》 gesund (sein). ¶ 옳지 않은 ungerecht; unrichtig; falsch; unehrlich; unrechtsmäßig; gesetzwidrig / 옳은 사람 ein aufrichtiger Mensch, -en, -en / 옳은 말 weiser Spruch, -(e)s, ⸚e / 옳은 길 der rechte Weg, -(e)s, -e / 문제의 옳은 대답 die richtige Antwort 《-en》 des Problems / 옳은 일을 하다 das Richtige* tun*; recht tun* / 도중에 그만두는 것은 옳지 않다 Es ist unklug (nicht richtig), halbwegs darauf zu verzichten. / 네 말이 옳아 Du hast recht! / 둘 중에 누가 옳은가 Wer hat recht zwischen euch beiden?

옳다² 《옳지·그래》 O.K.; Gut!; Richtig!; Du hast recht! ¶ ~ 네 말이 맞았다 Ganz richtig, du hast recht. / ~ 이제 알았다 Endlich habe ich es ja verstanden. / ~ 됐다 Schön, so ist es gut.

옳아 ＝옳다².

옳은길 der richtige Weg, -es, -e. ¶ 아무를 ~로 이끌다 *jn.* zum richtigen Weg führen / ~을 가다 den Weg der Gerechtigkeit gehen* ⓢ; e-e ehrliche Laufbahn an|treten* ⓢ.

옳은말 richtiges Wort, -(e)s, ⸚er (-e); Wahrheit *f.* -en. ¶ ~을 하는 사람 ein Mensch, der die Wahrheit sagt / ~을 하다 die Wahrheit sagen.

옳지 ＝옳다².

옴¹ 〖의학〗 Krätze *f.* -n; Räude *f.* -n (개, 말 따위의). ¶ 옴이 오르다 von der Krätze infiziert werden; die Krätze bekommen*.

옴² 〖물리〗 Ohm *n.* -s, -. ¶ 옴의 법칙 das Ohmsche Gesetz, -es, -e.
‖ ~계 Ohmmeter *n.* -s, -.

옴나위 Spielraum *m.* -(e)s, ⸚e; Bewegungsfreiheit *f.* -en. ¶ ~없다 Es gibt k-n Spielraum (k-e Bewegungsfreiheit).

옴니암니 Ausgaben 《*pl.*》 einschließlich der kleinsten Kosten; verschiedene Kosten

옴두꺼비 e-e Art Kröte 《*f.* -n》. ⌊《*pl.*》.

옴살 Busen⁝freund (Herzens-) *m.* -(e)s, -e.

옴종(一腫) der Schlag der Krätze.

옴질거리다 ① 《입을》 langsam (anhaltend) kauen⁽⁴⁾. ¶ 옴질거리며 씹다 muffeln⁽⁴⁾ / 껌을 넣고 입을 ~ anhaltend an den Kaugummi kauen. ② 《주저》 zögern; ⁴sich hin|ziehen*. ¶ 일을 ~ zögernd tun*⁴ (arbeiten). ③ 《움직임》 ⁴sich langsam bewegen. ¶ 벌레가 ~ Ein Wurm bewegt sich langsam.

옴질옴질 ① ~하다 《입을》 langsam kauen. ¶ 밥을 ~ 씹다 Reis langsam kauen. ② ~하다 《꾸물댐》 zögern. ③ ~하다 《움직임》 ⁴sich schlängeln; ⁴sich hin u. her bewegen. ¶ 벌레가 ~ 기어가다 Ein Wurm kriecht langsam.

옴쭉달싹 ¶ ~않다 schön in die Tinte geraten* ⓢ; es gibt kein Aus- u. Weiterkommen (mehr); felsenfest stehen*; ⁴sich nicht erschrecken lassen* / ~ 못하다 weder vorwärts noch rückwarts können*; weder ein noch aus wissen*; in der Klemme sein; schön in der Tinte (Patsche) sitzen* / 빚에 몰려 ~ 못하다 bis über die Ohren (tief) in Schulden stecken*.

옴찔 ☞ 움찔.

옴츠러들다 ⁴sich zusammen|drängen (-|ziehen; -|schrumpfen; -|kauern); kleiner werden; zurück|schrecken. ¶ 추워서 ~ ⁴sich vor Kälte zusammen|schrumpfen / 무서워서 ~ vor Angst zurück|schrecken.

옴츠러뜨리다 ① 《몸을》 zusammen|ziehen*⁴; verengen⁴; ein|engen⁴; beschränken⁴; beengen⁴. ¶ 머리를 ~ den Kopf ducken / 발을 ~ die Füße ein|ziehen* / 목을 ~ den Hals ein|ziehen* / 몸을 ~ den Körper zusammen|ziehen*. ② 《지질리게 하다》 *jn.* erschrecken; *jn.* einschüchtern. ¶ 고함으로 아무를 ~ *jn.* nieder|schreien.

옴츠러지다 ＝옴츠러들다.

옴츠리다, 옴치다 ＝옴츠러뜨리다.

옴큼 Handvoll *f.* -. ¶ 한 ~의 쌀 e-e Handvoll Reis.

옴키다 ☞ 움키다.

옴파다 bohren⁴; aus|bohren⁴; ein|bohren⁴. ¶ 나무판에 구멍을 ~ im Holzbrett ein Loch bohren.

옴파리 ein kleiner, schöner Porzellantopf, -(e)s, ⸚e.

옴팍눈 die tiefliegende Augen 《*pl.*》.

옴패다 hohl werden; ein|sinken* ⓢ; ⁴sich ein|sinken*; ⁴sich vertiefen. ¶ 폭탄에 땅이 옴팼다 Der Boden hat durch Bombe viele Aushöhlungen.

옴포동이같다 《아이가》 dick u. mollig (sein); 《옷이》 Das Kleid ist wattiert u. dick.⁝ Das Kleid (mit dem Wattefutter) ist dick (aufgeschwollen).

옴폭 hohl; tief; tiefliegend; eingefallend; (aus)gehöhlt. ~하다 hohl; tief (sein). ¶ 눈이 ~한 사람 ein Mensch mit tiefliegenden Augen / 눈이 ~하다 die tiefliegenden Augen haben.

옴폭옴폭 ☞ 움푹움푹.

옷 《복장》 Kleidung *f.* -en (총칭); 《의복》 Kleid *n.* -(e)s, -er; Kleidungsstück *n.* -(e)s, -e; Tracht *f.* -en; Gewand *n.* -(e)s, ⸚er; Kostum *n.* -s, -e; 《한벌의》 Anzug *m.* -(e)s, ⸚e; 《제복》 Uniform *f.* -en. ¶ 비옷 Regenmantel *m.* -s, ⸚ / 잠옷 Schlafanzug *m.* / 옷을 마추다 ³sich e-n Anzug (ein Kleid) machen lassen* / 옷을 입다 das Kleid an|ziehen* / 옷을 벗다 das Kleid aus|ziehen* / 좋은 옷을 입다 fein angezogen sein / 그는 검은 (최신 유행의) 옷을 입고 있다 Sie ist in Schwarz (nach der neuesten Mode) gekleidet. / 그 옷은 나에게 잘 어울린다 Der Anzug steht dir gut (sitzt gut). / 나는 입고 나갈 옷이 없다 Ich habe kein Kleid

zum Ausgehen. / 아이가 자라서 옷이 맞지 않는다 Das Kind ist zu groß für s-e Kleidung geworden. / 옷이 날개다 《속담》 Kleider machen Leute.
옷가슴 der Vorderteil e-s Kleides.
옷가지 verschiedene Arten von Kleidern.
옷감 Stoff *m.* -(e)s; Zeug *n.* -(e)s, -e; Kleidstück *n.* -(e)s, -e. ¶ ~을 마르다 Kleidstück schneiden*.
옷거리 die äußere Erscheinung s-s Kleides. ¶ ~가 좋다 kleidsam sein.
옷걸이 Bügel *m.* -s, -; Kleiderhaken *m.* -s, -. ¶ 옷을 ~에 걸다 Kleider auf den Bügel hängen.
옷고름 Bindfaden *m.* -s, -. ¶ ~을 매다(풀다) den Bindfaden binden* (auf|binden*).
옷기장 die Breite des Kleides.
옷깃 der Kragen 《-s, -》 des Überziehers. ¶ ~을 세우다 den Kragen des Überziehers auf|schlagen* / ~을 여미다 s-e Kleidung zurecht|machen / 그 초상은 ~을 여미게 한다 Das Porträt erfüllt e-n mit Ehrfurcht.
옷농(—籠) Kleiderschrank *m.* -(e)s, ⸚e; Kommode *f.* -n.
옷단 der Saum e-s Kleides. ¶ ~을 감치다 ein Kleid (e-n Rock) säumen.
옷단장(—丹粧) Kleidung *f.* -en; Putz *m.* -es; Ausschmückung *f.* -en; Dekoration *f.* -en; Pracht *f.* -en. ~하다 ⁴sich (gut) an|kleiden; ⁴sich heraus|putzen.
옷보(—褓) 《보자기》 die Kleid-Hülle 《-n》 zur Packung der Kleidung.
옷상자(—箱子) die Kiste (Truhe) 《-n》 der Kleidung.
옷섶 Zwickel *m.* -s, -; Gehre *f.* -n.
옷셋집(—貰—) Kleid-Leihladen *m.* -s, ⸚.
옷자락 Schleppe *f.* -n. ¶ ~을 마루에 끌다 das Kleid am (über dem) Flur schleifen*/ ~을 걷어 올리다 das Kleid auf|schürzen (auf|schlagen*) / ~ 스치는 소리 das Rauschen* (Rascheln*) 《-s》 von Kleidern.
옷장(—欌) (Kleider)schrank *m.* -(e)s, ⸚e; Kommode *f.* -n.
옷차림 Kleidung (Tracht) *f.* -en; Putz *m.* -es; die äußere Erscheinung, -en. ¶ ~에 신경쓰다 viel auf das Äußere geben* (achten) / ~을 잘 (얌전히)하다 ⁴sich gut (bescheiden) an|kleiden / ~이 단정하다 Er ist gut gekleidet.
옷치레 Kleiderpracht *f.*; prächtige (kostbare) Kleider 《*pl.*》. ~하다 (⁴sich) aus|schmücken; (⁴sich) heraus|putzen; prachtvoll an|ziehen*⁴.
-옹(翁) ein alter Herr; alter Herr.... ¶ 김옹 der alte Herr *Kim.*
옹고집(甕固執) Hartnäckigkeit *f.* -en; Halsstarrigkeit *f.* -en; Unbeugsamkeit *f.* -en; Eigensinn *m.* -(e)s, -e; ein halsstarriger (eigensinniger) Mensch. ¶ ~부리는 stur; hartnäckig; eigensinnig / ~부리지 말게 Sei nicht so stur! / ~을 부리다 eigensinnig sein*; auf s-m Kopfe bestehen*.
‖ ~장이 der Hartnäckige*, -n, -n.
옹골지다 solid(e); hart (sein). ¶ 옹골진 살림 ein solider Haushalt / 옹골진 과일 die feste Früchte 《*pl.*》 / 몸이 ~ e-e harte Konstitution haben; gut gebaut sein.
옹골차다 solid(e); kompakt; massiv; muskulös; gediegen (sein). ¶ 옹골찬 사람 ein Mensch mit der soliden Konstitution.
옹구 =걸채.
옹구바지 die runter gehängte Hose, -n.
옹그리다 ① =옹송그리다. ¶ 옹그리고 자다 gekauert schlafen*. ② 《다리를》 ³sich die Beine in den Leib (Bauch) stehen*. ③ 《팔을》 den Arm (die Arme) hinein|ziehen*.
옹글다 intakt; unversehrt; heil (sein). ¶ 옹근 수 die vollkommene Nummer, -n.
옹긋옹긋, 옹긋쫑긋 hier u. da keimend (sprießend); borstig. ~하다 hier u. da sprießen*.
옹기(甕器) die unglasierte Tonware, -n.
‖ ~장수 Topfverkäufer *m.* -s, -. ~장이 Töpfer *m.* -s, -; Keramiker *m.* -s, -. ~전 Topfladen *m.* -s, ⸚.
옹기옹기, 옹기종기 dicht; in Gruppen.
옹달- klein u. hohl. ¶ ~샘 e-e kleine Quelle / ~솥 ein kleiner Kessel, -s, - / ~시루 ein kleines Dampfkochtopf, -(e)s, ⸚er.
옹동고라지다 =오그라지다.
옹두라지 kleiner Knoten, -s, -.
옹두리 Knorren *m.* -s, -; Knoten *m.* -s, -; Holzklotz *m.* -es, ⸚e.
‖ ~뼈 der Beinknochen (des Tiers) -s, -.
옹립하다(擁立—) 《임금으로》 auf den Thron bringen*⁴; zur Krone verhelfen*³; 《떠받듦》 unterstützen⁴.
옹망추니 ① e-e mißgeformte kleine Gestalt, -en. ② =옹춘마니.
옹방구리 kleine Wasserkanne, -n.
옹배기 ☞ 옹자배기.
옹색하다(壅塞—) ① 《군색함》 in Not sein; knapp; mittellos; arm (sein). ¶ 돈에 ~ in Geldnot sein; in finanzieller Not sein / 옹색하게 살다 in Armut leben; in dürftigen (kümmerlichen) Verhältnisse leben / 식량 사정이 옹색해지다 Unsere Lebensmittel werden knapp. ② 《좁음》 eingeschränkt; eng (sein). ¶ 옹색한 방 ein enges Zimmer / 옹색한 생각 beschränkte (formelle) Ansicht, -en / 당분간 옹색한 대로 그냥 지내야겠다 Wir werden vorläufig in diesen dürftigen Verhältnissen weiter leben.
옹생원(—生員) ein engstirniger Mensch, -en, -en; der Engherzige*, -en, -en; Frömmler *m.* -s, -; Fanatiker *m.* -s, -.
옹송그리다 kauern; hocken; ⁴sich zusammen|-ziehen*. ¶ 방 한 구석에 몸을 옹송그리고 앉다 Er hockt in der Ecke des Zimmers. / 추워서 몸을 ~ ⁴sich vor Kälte zusammen|kauern.
옹송망송하다 =옹송옹송하다.
옹송옹송하다 unklar; unbestimmt; undeutlich; verschwommen; nebelig (sein).
옹솥 ☞ 옹달솥.
옹솥(甕—) der aus dem Ton gemachte Kessel, -s, -.
옹시루 ☞ 옹달시루.
옹알- ☞ 옹얼-.
옹위(擁衛) Schutz *m.* -(e)s; Sicherheit *f.*; Eskorte *f.* -n. ~하다 schützen⁴; eskortieren⁴.
옹이 Knorren *m.* -s, -; Knoten *m.* -s, -; Astloch *n.* -(e)s, ⸚e; Holzklotz *m.* -es, ⸚e. ¶ ~있는 knorrig.
옹자배기 ein kleiner Tonteller, -s, -.
옹잘거리다 ☞ 옹절거리다.
옹졸하다(壅拙—) pedantisch; engstirnig; intolerant; klein; kariert (sein). ¶ 옹졸한 사람 ein engstirniger Mensch; der Kleinkeitskrämmer; kleinlicher Mensch.
옹종하다 kleinig; klein kariert (sein).
옹추 Erzfeind *m.* -(e)s, -e. ¶ 그들은 서로 ~

다 Sie sind bittere Feinde gegeneinander.
옹춘마니 ein engstirniger (klein karierter) Mensch, -en, -en.
옹크리다 ☞ 옹그리다.
옹하다 ☞ 옹졸하다.
옹호(擁護) 《보호》 Schutz *m.* -es; Beschützung *f.* -en; 《방위》 Verteidigung *f.* -en; 《지지》 Unterstützung *f.* -en. ～하다 schützen[4]; in [4]Schutz nehmen*[4]; verteidigen; unterstützen[4]. ¶ 평화를 ～하다 den Frieden bewahren / 헌법을 ～하다 die Verfassung schützen / 입장을 ～하다 *js.* [4]Standpunkt unterstützen / …의 ～하에 unter dem Schutz[(2)] 《*von*[3]》.
‖ ～자 Beschutzer (Verteidiger; Unterstützer) *m.* -s, -.
옻 Lack *m.* -(e)s, -e; Lackbaum *m.* -(e)s, ⸗e. ¶ 옻세공 Lackarbeit *f.* / 옻오르다 [4]sich durch Lack vergiften; [3]sich e-e Lackvergiftung zu|ziehen*; [3]sich e-e Lackvergiftung holen / 옻을 칠하다 lackieren[4].
옻나무 〖식물〗 Lackbaum *m.* -(e)s, ⸗e; Firnisbaum *m.* -(e)s, ⸗e.
옻칠(一漆) Lack *m.* -(e)s, -e. ～하다 lackieren[4].
옻타다 für den Lack allergisch sein.
와[1] 《일제히》 mit e-m Geschrei. ～하다 ein Gebrüll (Getöse) machen. ¶ 와 놀려대다 *jn.* unter Gejohle necken / 와 몰려오다 in Haufen (dicht gedrängt) kommen* ⓢ / 와 웃다 in schallendes Gelächter aus|brechen* / 와 울다 in Tränen (Weinen) aus|brechen* / 친구들이 우리집으로 와 몰려왔다 M-e Freunde sind in Gruppen (gruppenweise) zu uns gekommen.
와[2] 《마소를 멈출 때》 brr!; halt!
와[3] ① 《함께》 mit; zusammen. ¶ 내 친구와 함께 zusammen mit m-m Freund.
② 《연결사》 und; sowie. ¶ 너와 나 du u. ich.
③ 《대항》 mit; gegen. ¶ 친구와 싸우다 [4]sich mit dem Freund streiten.
④ 《합치·협력》 ¶ 친구와 협력하다 mit dem Freund zusammen|arbeiten.
⑤ 《접촉》 ¶ 친구와 만나다 [4]sich mit dem Freund treffen*.
⑥ 《분리》 mit; von. ¶ 친구와 작별하다 von e-n Freund Abschied nehmen*.
⑦ 《관계》 mit. ¶ 나는 너와 아무 관계가 없다 Ich habe mit dir gar nichts zu tun.
⑧ 《비교》 mit. ¶ 너는 그와 비교해서는 안된다 Du darfst dich nicht mit ihm vergleichen.
⑨ 《유사》 mit; wie; sowie; ähnlich. ¶ 바다와 비슷한 호수 ein See wie das Meer.
⑩ 《혼합》 mit. ¶ 달걀을 우유와 잘 섞으십시오 Vermischen Sie bitte die Eier mit Milch.
와가(瓦家) das Haus mit dem Ziegeldach.
와가두구 《오트볼타의 수도》 Ouagadougou.
와각거리다 rasseln; klappen; prasseln. ¶ 마차 위에서 기와가 와각거린다 Die Ziegelsteine rasseln auf dem Karren.
와각와각 rasselnd; klappend; knarrend.
와그르르 ☞ 와르르.
와글거리다 ① 《북적이다》 [4]sich scharen; [4]sich drängen. ¶ 정거장에 사람들이 와글거린다 Der Bahnhof ist mit Menschen überfüllt. ② 《떠들다》 lärmend (geräuschvoll; laut; unruhig) sein. ¶ 와글거리는 사람들 die lärmende Menschenmasse / 와글거리며 떠들어 대다 ein starkes Geräusch machen.
와글와글 《북적임》 schwarm¦weise (massen-); in [3]Scharen; 《시끄럽게》 lärmend; ohrenbetäubend; schreiend; 《끓는소리》 zisch. ¶ ～ 끓다 überkochen / ～떠들다 tosenden Lärm machen / 거리는 ～ 사람들로 북적이고 있다 Die Straßen wimmeln von Menshen.
와니스 Firnis *n.* -ses, -se. ¶ ～를 칠하다 firnissen[4]; mit Firnis bestreichen*[4] (an|-streichen*[4]).
와닥닥 plötzlich; blitzschnell; auf einmal; hastig; Knall u. Fall. ¶ ～ 일어나다 auf|-springen* ⓢ 《vom Sitz》 / ～ 방에서 뛰어나간다 Er rennt aus dem Zimmer wie gestürzt.
와당탕 geräuschvoll; tobend. ～하다 ein starkes Geräusch machen; toben. ¶ 아이들이 마루 위에서 ～ 뛰어다닌다 Die Kinder toben auf dem Flur.
와당탕퉁탕 klaps! ～하다 toben. ¶ ～ 상자들이 찬장에서 떨어졌다 Klaps fielen die Kästen von dem Schrank herunter.
와드등와드등 rasselnd; polternd; dröhnend. ～하다 rasseln; poltern.
와들와들 wie Espenlaub zittern; bebbern; bibbern; schlottern; schauern 《*vor*[3]》. ¶ 온몸이 ～ 떨리다 am ganzen Leibe (an allen Gliedern) zittern (beben).
와락 mit e-r plötzlichen Bewegung; plötzlich; auf einmal. ¶ 줄을 ～ 잡아당기다 den Strick ruckartig ziehen* / 그 여자는 ～ 그의 목에 매달렸다 Sie fiel ihm um den Hals.
와락와락 (zum Himmel) lodernd.
와르르 ① 《사람이》 zusammengedrängt; in Gruppen. ¶ ～ 밀려 오다 an|stürmen; an|-stürzen / 군중들이 ～ 건물로 몰려갔다 Ein Haufen Menschen drängt sich ins Gebäude (bestürzt das Gebäude). ② 《무너짐》 stürzen ⓢ; zer|bröckeln ⓢ. ¶ 집이 ～ 무너진다 Das Haus stürzt. ③ 《끓음》 siedend; aufwallend.
와륵(瓦礫) Schutt *m.* -(e)s; Gebröckel *n.* -s; Trümmer 《*pl.*》.
와병(臥病) ¶ ～하다 (중이다) krank (im Bett) liegen*; auf dem Krankenbett liegen*; (wegen Krankheit) bettlägerig sein / 오래 ～중인 조부 mein lange bettlägeriger Großvater.
와삭 raschelnd; knisternd. ～하다, ～거리다 knistern; rascheln. ¶ 옷의 ～거리는 소리 das Rascheln des Kleides / ～거리는 치마 der raschelnde Rock, -(e)s, ⸗e / 나뭇잎이 바람에 ～거린다 Die Baumblätter rascheln im Wind.
와삭와삭 (anhaltend) raschelnd; knisternd.
와상(臥床) Liege¦stuhl *m.* -(e)s, ⸗e (-sofa *n.* -s, -e); Couch *f.* -es.
와셀린 〖화학〗 Vaselin *n.* -s; Vaseline *f.*
와스스 《떨어짐》 raschelnd; zischelnd; knisternd; 《붕괴》 bröckelig; hinfällig. ¶ 마른 잎이 ～ 떨어지다 die getrockneten Blätter fallen zusammen / 모래성이 ～ 무너진다 Die Sandburg fällt zusammen (ein).
와신상담(臥薪嘗膽) Überwindung aller Schwierigkeiten um e-r Rache willen; ein mühevolles Streben nach e-m Ziel. ～하다 viele Schwierigkeiten überwinden* (durch|machen); [4]sich zu e-m Ziel fest entschließen*; im Hintergrunde auf e-e Gelegenheit warten. ¶ ～하기를 10년 nach

e-m 10 jährigen mühsamen Streben.
와싹 ☞ 우썩.
와어(訛語) Dialekt *m.* -s, -; Mundart *f.* -en.
와언(訛言) ① 《와설》 die falsche Geschichte, -n; Lüge *f.* -n; Gerücht *n.* -(e)s, -e. ② = 사투리.
와우(蝸牛) Schnecke *f.* -n. ¶ ~ 각상(角上)의 싸움 e-e kleine Streitigkeit, -en.
‖ ~각(殼) Schneckenhaus *n.* -(e)s, ⸚er.
와음(訛音) die entartete Phonetik (Laute); die Variante e-r Musteraussprache.
와이더블류시에이 Y.W.C.A. [◀Young Women's Christian Association]; Christlicher Verein junger Frauen 《생략: CVJF》.
와이드스크린 die breite Leinwand, ⸚e.
와이샤쓰 Oberhemd *n.* -(e)s, -en. ¶ ~ 바람으로 nur im Oberhemd (im bloßen Hemd).
와이어 Draht *f.* -en.
와이엠시에이 Y.M.C.A. [◀Young Men's Christian Association]; Christlicher Verein junger Männer 《생략: CVJM》.
와이퍼 《자동차 등의》 Scheibenwischer *m.* -s, ⌊-.
와이프 Frau *f.* -en; Gattin *f.* -nen.
와인 Wein *m.* -(e)s, -e.
‖ ~글라스 Weinglas *n.* -es, ⸚er.
와전(瓦全) das Hinvegetieren* 《-s, -》 ohne Ehre. ~하다 ein sicheres, mittelmäßiges Leben führen, ohne Risiko einzugehen. ¶ ~을 부끄러워하다 [4]sich s-s mittelmäßigen (unehrenhaften) Lebens schämen.
와전(訛傳) die falsche Information (Geschichte); die falsche Auskunft, ⸚e; der falsche Bericht, -(e)s, -e. ~하다 falsch mit|teilen[4]; falsch überliefern[4]; falsch berichten[4]. ¶ 얘기는 ~되었다 Die Geschichte ist falsch überliefert.
와중(渦中) Wirbel (Trubel; Strudel) *m.* -s, -. ¶ …의 ~에 휩쓸리다 in e-n Wirbel geraten* Ⓢ (kommen* Ⓢ; verwickelt werden) / 사건의 ~에 휘말리다 in den Strudel der Geschehnisse hineingerissen werden.
와지끈 krach!; krachend. ~하다 krachen; zusammen|stoßen* Ⓗ,Ⓢ; zerschmettern Ⓢ (부서지다). ¶ 그릇들을 ~ 부수다 den Teller zerschmettern.
와짝 ① 《힘껏》 energisch; kräftig. ¶ 줄을 ~ 잡아당기다 den Strick kräftig ziehen*. ② 《갑자기》 plötzlich. ¶ 날이 ~ 추워지다 Es wird plötzlich kalt. ③ 《부쩍》 in großen Zahlen. ¶ 요새 그의 환자가 ~ 늘었다 Die Zahlen s-r Patienten haben sich neulich sehr viel vergrößert.
와트 《영국의 발명가》 James Watt (1736–1819); 〖물리〗 Watt (=Maßeinheit der elektrinischen Leistung).
‖ ~시(時) Wattstunde *f.* -n.
와해(瓦解) Zusammenbruch *m.* -(e)s, ⸚e; Desorganisation *f.* -en; Fall *m.* -(e)s, ⸚e; Sturz *m.* -es, ⸚e; Untergang *m.* -(e)s; Zerrüttung *f.* -en. ~하다 zusammen|brechen* Ⓢ; desorganisiert werden; fallen* Ⓢ; stürzen Ⓢ; unter|gehen* Ⓢ; zerrüttet werden. ¶ 이 기업은 ~돼 버렸다 Das Unternehmen ist zusammengebrochen./전쟁으로 경제가 완전히 ~돼 버렸다 Die Wirtschaft ist durch den Krieg vollkommen zerrüttet worden.
왁다그르르 rasselnd; klappernd; klirrend. ~하다 rasseln; klappern; klirren.
왁다글닥다글 rasselnd; klappernd. ~하다 rasseln.
왁달박달 grob; derb; leichtfertig; barsch. ~하다 grob; derb; barsch (sein).
왁댓값 Alimente 《*pl.*》, die der Ehemann von Ehebrecher bekommt.
왁살스럽다 ☞ 우악살스럽다.
왁스 Wachs *n.* -es, -e. ¶ ~를 칠하다 wachsen[4]; mit Wachs ein|reiben* / 마루에 ~를 칠하다 den Fußboden wachsen.
왁시글 voll gedrängt; scharenweise; in Gruppen (Scharen). ~거리다 [4]sich drängen; zusammengedrängt (wimmelnd) sein; schwärmen; zusammen|strömen; wimmeln. ¶ 개미들이 ~거린다 Es wimmelt von Ameisen.
왁시글덕시글 =왁시글왁시글.
왁시글왁시글 ein Schwarm von Bienen (Bettlern).
왁자그르 sehr laut; lärmend. ~하다 viel ⌈Lärm machen.
왁자지껄하다, 왁자하다 lärmend; geräuschvoll; ohrenbetäubend; schreiend (sein); tosenden Lärm machen; großen Spektakel machen. ¶ 교실 안이 ~ Die Schüler machen tosenden Lärm im Klassenzimmer.
왁친 〖의학〗 Vakzin *n.* -s, -e; Vakzine *f.* -n; Impfstoff *m.* -(e)s, -e.
‖ ~주사 Vakzination *f.* -en; Schutzimpfung *f.* -en: ~주사를 놓다 (맞다) vakzinieren[4] (vakzinieren lassen*). 생(生)~ Lebend¦vakzine *f.* -n (-impfstoff *m.* -(e)s, -e): 생~ 접종 (내복) Schluckimpfung *f.* -en.
완강(頑強) Hartnäckigkeit (Halsstarrigkeit; Beharrlichkeit; Unnachgiebigkeit) *f.* ~하다 hartnäckig; beharrlich; stur (sein). ¶ ~하게 hartnäckig; eigensinnig / 그는 ~히 자기 설을 굽히지 않는다 Er ist hartnäckig in s-n Ansichten. / 그들은 ~히 자기의 고집을 주장했다 Er blieb mit verbissener Hartnäckigkeit bei s-r Behauptung. / 그들은 ~히 저항했다 Sie haben e-n hartnäckigen Widerstand geleistet.
완결(完決) die endgültige Entscheidung. ~하다 e-e endgültige Entscheidung treffen*.
완결(完結) (Ab)schluß *m.* ..lusses, ..lüsse; Beendigung *f.* -en; Vollendung *f.* -en. ~하다 [4]sich ab|schließen*; abgeschlossen (beendigt; vollendet) werden; zum (Ab-)schluß *usw.* kommen* (gelangen) Ⓢ. ¶ ~되다 fertig werden; zu Ende kommen* Ⓢ; zustande|kommen* Ⓢ; (gut)aus|fallen* Ⓢ.
완고(頑固) Eigensinn *m.* -(e)s; Eigensinnigkeit *f.*; Halsstarrigkeit *f.*; Hartnäckigkeit *f.*; Starr¦sinn *m.* -(e)s (-sinnigkeit *f.*). ¶ ~한(하게) bockbeinig; eigensinnig; halsstarrig; hartnäckig; quer¦köpfig (-steif); starrsinnig; störrig; trotzig; widerspenstig / ~한 사람 Starrkopf *m.* -(e)s, ⸚e / 저 여자도 여간 ~하지가 않다 Sie ist ein kleiner Eigensinn.
완곡(婉曲) ~하다 glimpflich; beschönigend; euphemistisch; mildernd; verblümt; verzuckert (sein). ¶ ~한 말씨로 in verhüllenden Worten / ~하게 말하다 durch die Blume (um den Brei herum) sagen; das Kind nicht beim rechten (wahren) Namen nennen*; geschickt zu verstehen geben*[(4)] 《*jm.*》 / ~히 거절하다 höflich (mit Umschweifen) ab|lehnen* / ~한 표현(법) Periphrase *f.* -n; Umschreibung *f.* -en.
완구(玩具) Spielzeug *n.* -(e)s, -e; Tand *m.* -(e)s. ‖ ~상 Spielwarenhandlung *f.*: ~상

인 Spielwarenhändler *m.* -s, -. ~점 Spielzeugladen *m.* -s, ⸗.
완급(緩急) 《속도》 Langsamkeit u. Schnelligkeit. ‖~기호 〖음악〗 Geschwindigkeitsbezeichnung *f.* -en.
완납(完納) die völlige (Ab)bezahlung, -en; die vollständige Ablieferung, -en. ~하다 völlig (ab)bezahlen[4]; vollständig ab|liefern[4]. ¶ 회비를 ~하다 den Mitgliedsbeitrag voll ein|bezahlen / 공출미(米)를 ~하다 die Reisquoto vollständig ab|liefern / 세금을 ~하다 Steuern vollständig (be)zahlen.
완두(豌豆) 〖식물〗 Erbse *f.* -n.
완력(腕力) Stärke 《*f.* -n》 (der Arme); Körper¦kraft (Muskel-) *f.* ⸗e; Gewalt *f.* -en (폭력). ¶ ~으로 mit (roher; nackter) Gewalt / ~이 세다 Mumm in den Knochen haben; e-e herkulische Kraft haben / ~있는 stark; kräftig / ~ 강한 사나이 ein Mann mit starken (eisernen) Armen / ~을 쓰다 mit Brachialgewalt vor|gehen*ⓢ; Gewalt an|wenden(*); *jm.* Gewalt an|tun* (폭력, 폭행) / ~ 사태에 이르다 zu e-r Schlägerei (Prügelei; Rauferei) kommen*ⓢ / ~을 휘두르다 gegen *jn.* Gewalt brauchen / 그는 곧잘 ~에 호소한다 Er hat e-e lockere Hand.¦S-e Hand sitzt locker.
완료(完了) Vollendung *f.* -en; Abschluß *m.* ..schlusses, ..schlüsse; Fertigmachung *f.* -en. ~하다 《끝내다》 vollenden[4]; zum Abschluß bringen*[4]; fertig|machen[4]; 《끝나다》 vollendet werden; zum Abschluß kommen* ⓢ; fertiggemacht werden.
‖~시제 〖문법〗 die perfektivischen Zeitformen (Tempora) 《*pl.*》. 과거~ Plusquamperfekt *n.* -(e)s, -e; Plusquamperfektum *n.* -s, ..ta; Vorvergangenheit *f.* 지불~ Bezahlt! 현재~ Perfekt *n.* -(e)s, -e; Perfektum *n.* -s, ..ta; Vorgegenwart *f.*
완만(緩慢) Langsamkeit *f.*; Schlaffheit *f.*; Schneckengang *m.* -(e)s; Schwerfälligkeit *f.*; Trägheit *f.* ~하다 langsam; schlaff; lax; sanft; schneckenhaft; schwerfällig; träg(e); untätig (sein). ¶ ~한 언덕 (경사면) sanfter Hügel (Abhang) / 시장 거래가 ~하다 Der Markt ist flau.
‖금융(金融)~ Flauheit *f.*; Flaue *f.*; Geschäftsstille *f.*
완미(頑迷) Halsstarrigkeit *f.*; Eigensinnigkeit *f.*; 《종교상의》 Bigotterie *f.* ~하다 hartnäckig; eigensinnig; halsstarrig; starr¦sinnig (-gläubig); störrig; widerspenstig; bigott (sein).
완벽(完璧) Vollkommenheit *f.* -en; das Beste*, -n; Fehler¦losigkeit (Makel-; Tadel-) *f.*; Vollendetheit *f.*; Vollendung *f.* ~하다 vollkommen; best; fehler¦los (makel-; tadel-); vollendet (sein); [4]es zu höchster Vollendung bringen*; frei von allen Fehlern (Makeln) sein; nichts zu wünschen übrig lassen*. ¶ 그의 독일어는 ~하다 Er spricht tadellos Deutsch.
완본(完本) das vollständige Exemplar, -s, -e; die vollständige Handschrift, -en; das vollstandige Manuskript, (e)s, -e.
완비(完備) Voll¦ständigkeit (-kommenheit) *f.* ~하다 vervollständigen[4]; vervollkommnen[4]; komplett machen[4]; vollständig ein|richten[4]; aus|rüsten[4]. ¶ ~한 vollständig; komplett; vollkommen; eingerichtet / 냉방 (난방)~의 mit e-r Klimaanlage (Zentralheizungsanlage) ausgerüstet.
완상(玩賞) das Vergnügen*, -s; das Genießen*, -s. ~하다 [4]sich gütlich tun* 《*an*[3]》; [4]sich ergötzen 《*an*[3]; *über*[4]》; Vergnügen haben 《*an*[3]》; [4]sich weiden 《*an*[3]》.
완성(完成) Vollendung *f.* -en; Ausarbeitung *f.* -en; Vervollkommnung *f.*; Vervollständigung *f.* ~하다 vollenden[4]; zur Vollendung bringen*[4]; aus|arbeiten[4]; vervollkommnen[4]; vervollständigen[4]. ¶ 집이 ~됐다 Mein Haus ist fertig gebaut worden. / 일이 90퍼센트 ~됐다 Die Arbeit ist 90 Prozent fertig.
‖~품 fertige Ware, -n. 자기~ die Vollendung *js.* eigenen Ich(s).
완수(完遂) Vollendung *f.* -en; die erfolgreiche Vollziehung, -en. ~하다 vollenden[4]; erfolgreich vollziehen*[4]; fertig|bringen*[4]; durch|führen[4].
완승(完勝) der vollkommene Sieg, -es, -; der Sieg auf der ganzen Linie. ~하다 e-n vollkommenen Sieg erzielen; den Sieg auf der ganzen Linie erzielen.
완악하다(頑惡—) schlecht; böse; boshaft; ungezogen (sein). ¶ 완악한 사람 der böse (boshafte; gottlose) Mensch, -en, -en.
완역(完譯) die vollständige Übersetzung, -en. ~하다 vollständig übersetzen (übertragen). ¶ 우리말로 ~하다 ins Koreanische vollständig übersetzen[4].
완연하다(宛然—) deutlich; klar; sichtbar; bemerkbar; handgreiflich (sein). ¶ 완연한 사실 die unbestreitbare (klare) Tatsache, -n / 봄이 벌써 ~ Der Frühling ist schon sichtbar (bemerkbar).
완우(頑愚) Dummheit *f.*; Albernheit *f.*; Stumpfsinn *m.* -es, -e.
완월(玩月) den Mond genießen*. ~하다 den Mond genießend betrachten.
완인(完人) 《흠없는》 ein makelloser (vollkommener) Mensch, -en, -en; 《병이 나은》 ein(e) Genesender(de) *m.* -s, - (-n); ein(e) Rekonvaleszent(in) [..va..] *m.* -en, -en (*f.* -nen).
완자 e-e Art Bulette 《*f.* -n》.
‖~탕(湯) e-e Art *Wantan*-Suppe 《*f.* -n》.
완자(卍字) =만자(卍字). ‖~창(窓) das Fenster 《-s, -》 mit dem Hakenkreuz-Rahmen.
완장(腕章) Arm¦abzeichen (Armel-) *n.* -s, -; Arm¦binde *f.* -n.
완전(完全) Vollkommenheit *f.* -en; Perfektion *f.* -en; Vollendetheit *f.*; Vollständigkeit *f.* ~하다 vollständig; gänzlich; ganz u. gar; völlig (sein). ¶ ~무결한 vollkommen; tadellos; makellos; vollendet / ~한 성공 (실패) ein vollständiger (totaler) Erfolg (Mißerfolg) / ~하게 하다 vollenden[4]; vervollständigen[4]; vollkommen (vollendet; vollständig) machen / ~해지다 vollkommen (vollendet; vollständig) werden; [4]sich vervollkommnen / ~을 기하다 auf e-e Perfektion zielen / ~이 정시에 도달하다 e-e Perfektion erreichen / ~히 잊다 (취하다) gänzlich vergessen (total betrunken sein) / 그러나 그것은 예술품으로서는 ~했다 Das ist aber als Kunstwerk perfekt (makellos). / 그녀는 여자로서 ~무결하다 Sie ist die Krone (Beste) der Frauen.
‖~고용 Vollbeschäftigung *f.* ~범죄 ein vollkommenes Verbrechen. ~수(數) Integral *n.* -s, -e. ~조업, ~가동 der

hundertprozentige Betrieb; Vollbetrieb *m.* ~주의 Perfektionismus *m.* -: ~주의의 perfektionistisch / ~주의자 Perfektionist *m.* -en, -en. 불~고용 Teilbeschäftigung *f.*

완제(完濟) Vollbezahlung *f.* -en; Begleichung *f.* -en; Tilgung *f.* (빌린 돈의). ~하다 ganz〔voll〕 bezahlen⁴; Schulden tilgen 〔begleichen*〕.

완주하다(完走一) die volle Strecke 〔des Marathonlaufes〕 laufen* (s,h).

완초(莞草) =왕골.

완충(緩衝) die Ausgleichung aufeinanderstoßender Kräfte; das Brechen* 《-s》 e-r Stoßkraft. ~하다 die Erschütterung 〔die Stoßkraft〕 ab|stumpfen.

‖~국 Pufferstaat *m.* -(e)s, -en. ~기 Puffer *m.* -s, -; Stoßpolster *n.* -s, -. ~장치 Pufferapparat *m.* -(e)s, -e. ~지대 Pufferzone *f.* -n.

완치(完治) die vollständige 〔vollkommene〕 Heilung 〔Genesung〕; Ausheilung *f.* ~하다 aus|heilen(s); vollständig 〔völlig〕 heilen (h,s). ¶2개월 만에 그 상처는 ~되었다 Die Wunde ist in zwei Monaten vollkommen geheilt.

완쾌(完快) die völlige Wiederherstellung 〔Genesung〕 -en. ~하다 wieder gesund werden; völlig wiederhergestellt sein; vollkommen genesen* (s) 《*von*³》.

완패(完敗) e-e totale Niederlage. ~하다 alle Spiele 〔Wettkämpfe〕 verlieren*; e-e totale 〔vollständige〕 Niederlage erleiden*.

완하제(緩下劑) Abführmittel *n.* -s, -; Laxiermittel *n.* -s, -.

완행(緩行) langsames Laufen 〔Fahren〕 -s. ~하다 langsam laufen* 〔fahren*〕 (s,h).

‖~열차 der Zug dritter Klasse; Lokalzug *m.* -es, ⸗e; Personenzug *m.* -(e)s, ⸗; Bummelzug *m.* -(e)s, ⸗e.

완화(緩和) Mäßigung *f.*; Erleichterung *f.* -en; Abschwächung *f.*; Linderung *f.* -en. ~하다 mäßigen⁴; erleichtern⁴; ab|schwächen⁴; lindern⁴. ¶국제간의 긴장 ~ Détente *f.* -n / 정치적 긴장을 ~하다 die politische Spannung lindern / 교통난을 ~하다 die Verkehrsstockung erleichtern / 주의를 ~하다 die Wachsamkeit ab|schwächen.

‖~정책 Befriedungspolitik *f.* ~제(劑) Linderungsmittel *n.* -s, -. ~책(策) Ausgleichungsversuch *m.* -(e)s, -e; Milderungsmaßregel *f.*

왈가닥 Weibsbild *n.*; Fratz *m.* -es, -e; Range *f.* -n.

왈가닥거리다 rasseln; klirren; klappern; dröhnen; knattern. ¶기차가 왈가닥거리며 다리를 지난다 Der Zug dröhnt 〔fährt dröhnend〕 über die Brücke.

왈가닥달가닥, 왈각달각 rasselnd; klappernd. ~하다 rasseln; klappern.

왈가왈부(曰可曰否) das Pro u. das Kontra der Auseinandersetzung; das Für u. (das) Wider e-r Sache. ~하다 erörtern hin u. her; diskutieren pro u. kontra. ¶~할 필요 없다 es bedarf k-r Diskussion 〔Debatte〕; nicht mehr zur Debatte stehen* / 이제와서 ~해 보았자 소용 없다 Nun hilft die Diskussion nichts mehr. / 이 문제에 대해서는 ~ 이야기가 많았다 In dieser Frage gab es viel für u. wider.

왈각거리다 ☞ 왈가닥거리다.

왈딱 plötzlich; auf einmal; barsch; schroff. ¶먹은 것을 ~ 게우다 ⁴sich plötzlich erbrechen*, was er gegessen hat / 자동차가 ~ 뒤집히다 Ein Wagen fällt 〔stürzt〕 plötzlich um.

왈왈하다 hitzig; heftig; reizbar; gewaltsam; rauh; grob; stürmisch (sein).

왈츠 Walzer *m.* -s, -. ¶~를 추다 walzen; Walzer tanzen.

왈칵 plötzlich; auf einmal; ruckartig. ¶~ 성내다 in Zorn aus|brechen* (s) / ~ 잡아당기다 mit e-m Ruck ziehen*⁴.

왈칵하다 hitzig; heftig (sein).

왈패(曰牌) =왈가닥.

왔다갔다 auf u. ab 〔hin u. her〕 gehend. ~하다 auf u. ab gehen* (s); hin u. her gehen*(s); umher|schlendern(s); bummeln. ¶거리를 ~하다 e-n Bummel machen; (herum) schlendern / 그 두사람 사이에 편지가 여러번 ~했다 Sie beiden haben mehrmals Briefe gewechselt.

왕 《마소를 멈출 때》 brr!; halt!

왕(王) 《임금》 König *m.* -(e)s, -e; Königin *f.* -nen (여왕); Monarch *m.* -en, -en (군주); Fürst *m.* -en, -en (소국의). ¶퇴위한 왕 der abgedankte König / 왕중의 왕 der König der Könige / 백수의 왕 der König der Tiere / 꽃중의 왕 die Königin der Blumen / 석유(의) 왕 Ölmagnat *m.* -en, -en; Petroleumkönig / 왕을 세우다 auf den Thron setzen⁴ / 왕을 폐하다 entthronen⁴.

왕-(王) 《큰》 groß; riesig. ¶왕밤 große Kastanie, -n.

왕가(王家) die königliche 〔kaiserliche〕 Familie, -n.

왕가(枉駕) =왕림(枉臨).

왕개미(王一) 〖곤충〗 e-e Art große Ameise 《-n》.

왕거미(王一) 〖곤충〗 e-e Art große Spinne 《-n》.

왕겨 Reiskleie *f.* -n.

왕고모(王姑母) die Schwester s-s Großvaters; Großtante *f.* -n.

왕고장(王考丈) Ihr gestorbener Großvater.

왕골 〖식물〗 e-e Art Schilf(gras).

‖~자리 Schilfmatte *f.* -n.

왕관(王冠) Krone *f.* -n; Diadem *n.* -s, -e. ¶~을 씌우다 *jm.* e-e Krone auf|setzen / ~을 쓰다 ³sich die Krone auf|setzen.

왕국(王國) Königreich *n.* -(e)s, -e; Monarchie *f.* -n [..çíːən] (군주국).

왕궁(王宮) Königsschloß *n.* ..losses, ..lösse; Royalpalast *m.* -es, ⸗e.

왕권(王權) die königliche (Ober)gewalt 〔Oberhoheit〕; königliche Hochheitsrechte 《*pl.*》; die königlichen Rechte 《*pl.*》; Königtum *n.* -(e)s; Königs|würde *f.* -n 〔-privileg(ium) *n.* -s〕.

‖~신수설(神授說) die Providenz der königlichen Rechte 〔Gewalt〕.

왕기 der große Teller, -s, -.

왕기(王旗) die königliche Fahne, -n.

왕녀(王女) die königliche Prinzessin, -nen.

왕년(往年) vergangene Jahre 《*pl.*》; frühere Zeiten 《*pl.*》; Vergangenheit *f.* ¶그에게서는 ~의 원기를 찾아볼 수 없다 Ich vermisse bei ihm s-e frühere Energie. / 그는 ~을 돌이켜 보았다 Er blickte in die Vergangenheit zurück.

왕눈이(王一) ein Mensch mit großen Augen.

왕당(王黨) Königspartei *f.* -en; die royalistische Partei; die Tories; Royalisten 《*pl.*》.

왕대(王一) 〖식물〗 e-e Art großer Bambus 《- 〔-ses〕, - 〔-se〕》.

왕대부인(王大夫人) 《Ihre, seine》 geehrte Großmutter.

왕대비(王大妃) Königinmutter *f.*; Königinwitwe *f.* -n.

왕대인(王大人) 《Ihr, sein》 geehrter Großvater.

왕도(王都) Königshof *m.* -(e)s, ⸚e; der königliche Wohnsitz.

왕도(王道) die gerechte Herrschaft; die Herrschaft des Gerechten. ¶ 학문에 ～없다 In den Wissenschaften gibt es k-n mühelosen Weg zum Erfolg.

왕둥발가락(王—) e-e Art grob gewebte Kleidung.

왕래(往來) ① 《통행》 das Hin- u. Hergehen*; Verkehr *m.* -(e)s (교통). **～하다** verkehren; gehen* Ⓢ u. kommen* Ⓢ. ¶ 사람의 ～ die Verkehr der Leute; Fußgängerverkehr *m.* / 차량의 ～ Vehikels¦verkehr (Auto-) *m.* / 미국을 ～하는 배 das Schiff (auf) der Amerikalinie / ～가 많다 (적다) verkehrsreich (-schwach) / 이 길은 차의 ～가 잦다 Auf dieser Straße herrscht reger (lebhafter) Verkehr. / 최근 이 근방은 사람 ～가 부쩍 늘었다 In der letzten Zeit ist dieses Viertel sehr belebt.
② 《친교》 Freundschaft *f.*; Umgang *m.* -(e)s; Kontakt *m.*; Verkehr *m.* -(e)s; Verbindung *f.* -en; Korrespondenz *f.* (서신교환). ¶ 그와는 ～가 없다 Wir sehen uns kaum.¦Ich habe k-n Kontakt mit ihm. / 그들은 아직도 ～가 잦다 Sie haben noch miteinander enge Verbindung.¦Sie sehen sich sehr häufig. / 아버지가 돌아가신 후로는 우리집에는 사람 ～가 줄었다 Nach dem Tod unseres Vaters sind Besuche bei uns seltener geworden.

왕릉(王陵) das königliche Mausoleum, -s, -en; die königliche Grabstätte, -n.

왕림(枉臨) Besuch *m.* -(e)s, -e. **～하다** besuchen[4]; *jn.* mit s-m Besuch beehren. ¶ 일요일 무도회에 모쪼록 ～해 주시기를 앙망하나이다 Wir beehren uns, Sie zum Ball am Sonntag einzuladen.

왕마디(王—) ein großer Knorren.

왕명(王命) der Befehl des Königs; die königliche Anordnung. ¶ ～으로 nach der königlichen Anordnung / ～에 따라 nach dem Befehl des Königs.

왕모래(王—) grober Sand, -(e)s, -e; Standstein *m.* -(e)s, -e; Kies *m.* -es, -e.

왕밤(王—) große Kastanie, -n.

왕방(往訪) Besuch *m.* -(e)s, -e. **～하다** besuchen[4]; Besuch ab¦statten. ¶ ～한 기자 Interviewer *m.* -s, -.

왕방울(王—) große Glocke, -n. ¶ 눈이 ～ 같다 Glotzaugen 《*pl.*》 haben.

왕벌(王—) 〖곤충〗 ① 《장수벌》 Bienenkönigin *f.* -nen. ② 《큰벌》 große Biene, -n; Hornisse *f.* -n.

왕복(往復) das Hin u. Zurück, des - u. -(e)s; Hin- u. Herweg (Rückweg) *m.* -(e)s -e 〖-weg 대신에 -fahrt *f.* -en; -reise *f.* -n〗. **～하다** hin¦- u. her¦gehen* Ⓢ (-¦fahren* Ⓢ; -¦fliegen* Ⓢ; -¦reisen Ⓢ,Ⓗ); regelmäßig verkehren. ¶ ～으로 hin u. her (zurück) / 부산, 2등 ～한 장 《표를 살 때》 Eins zweiter Busan, hin u. zurück / 사무실까지 ～ 세 시간 걸린다 Zu m-m Büro brauche ich hin u. zurück drei Stunden. / 집과 사무실 사이를 ～하다 zwischen dem Büro u. der Wohnung hin- u. zurück¦fahren* Ⓢ.
‖ **～비행** Hin- u. Herflug (Rückflug) *m.* -(e)s, ⸚e. **～엽서** die Postkarte 《-n》 mit Rückantwort. **～운행** Pendelverkehr *m.* -(e)s. **～표(票)** Rückfahrkarte *f.* -n.

왕봉(王蜂) 〖곤충〗 Bienenkönigin *f.* -nen.

왕부(王父) *js.* Großvater, -s, ⸚.

왕비(王妃) Königin *f.* -nen.

왕생극락(往生極樂) 〖불교〗 Nirwana *n.* -s, -. **～하다** ins Nirwana eingehen; in den Himmel kommen* Ⓢ; sterben* Ⓢ.

왕성(王城) ＝왕도(王都).

왕성(旺盛) **～하다** lebendig; lebhaft; gedeihlich; frisch u. gesund; munter (sein). ¶ 원기가 ～하다 energisch sein; in guter Kondition sein / 정욕이 ～하다 energisch sein/ 식욕이 ～하다 e-n guten Appetit haben / 군대의 사기는 매우 ～하였다 Die Moral der Truppen war ausgezeichnet.

왕세손(王世孫) der älterste Sohn des Kronprinzen.

왕세자(王世子) Kronprinz *m.* -en, -en.
‖ **～비** die Gemahlin des Kronprinzen.

왕손(王孫) der Enkel des Königs; der königliche Nachkömmling, -s, -e.

왕수(王水) 〖화학〗 Königswasser *n.* -s.

왕시(往時) die vergangenen Zeiten (Tage); Vergangenheit *f.* ¶ ～를 회상하다 [4]sich an längst vergangene Zeiten (Tage) zurück¦-erinnern.

왕신 ein unumgänglicher Mensch, -en, -en.

왕실(王室) die königliche Familie, -n; Hof *m.* -(e)s, ⸚e.

왕엮이(王—) 《새끼의》 der dicht gewebte Strohstrick, -(e)s, -e; 《짚신》 die dicht gewebte Strohsandale, -n.

왕업(王業) die königliche Herrschaft, -en; Königtum *m.* -s, ⸚er.

왕왕(往往) manchmal; mitunter; dann u. wann; ab u. zu; öfters; oft; häufig. ¶ 이런 일은 ～ 일어난다 Das kommt öfters vor. / 그는 ～ 큰 실수를 저지른다 Oft begeht er e-n großen Fehler.

왕위(王位) Thron *m.* -(e)s, -e; Herrscherstuhl *m.* -(e)s ⸚e. ¶ ～에 오르다 den Thron besteigen*; auf den Thron steigen* (kommen*) Ⓢ; gekrönt werden; [4]sich krönen (lassen*); zur Krone gelangen Ⓢ/～에 앉히다 auf den Thron erheben* (setzen) 《*jn.*》/ ～를 계승하다 auf dem Throne folgen 《*jm.*》/ ～를 찬탈하다 den Thron (die Krone) usurpieren (an [4]sich reißen* 《*jm.*》) / ～를 물러나다 vom Thron steigen* Ⓢ; dem Thron entsagen / ～를 다투다 um den Thron (die Krone; den Herrscherstuhl) streiten*.
‖ **～계승자** Thronerbe *m.*

왕자(王子) Prinz *m.* -en, -en; der königliche (kaiserliche) Prinz, -en, -en.

왕자(王者) 《임금》 König *m.* -(e)s, -e; Monarch *m.* -en, -en; 《통치자》 Herrscher *m.* -s, -; Fürst *m.* -en -en; 《일인자》 Meister *m.* -s, -; Sieger *m.* -s, -. ¶ 탁구의 ～ 한국 Korea, der Sieger der Tischtennis Meisterschaft.

왕자(往者) die letzte (vergangene) Zeit, -en.

왕정(王政) Monarchie *f.* -n.
‖ **～복고** Restauration *f.* -en.

왕조(王朝) Dynastie *f.* -n.
‖ **이씨～** *Yi*-Dynastie.

왕족(王族) die königliche Familie, -n.

왕존장(王尊長) Ihr Großvater, -s, ⸚.

왕좌(王座) Thron *m.* -(e)s, -e; Supremat *m.* -s, -. ¶ ～에 오르다 den Thron besteigen/

～를 차지하다 den ersten Platz ein|nehmen* / ～를 다투다 für die Meisterschaft kämpfen (ringen*).
왕지 〖건축〗 das mit Ziegelstein gemachte dreieckige Ding, -(e)s, -e.
왕지(王旨) die königliche Anordnung, -en.
왕지네(王—) 〖동물〗 ein großer Zehnfüßer.
왕지도리(王—) 〖건축〗 der Balken, der in der Ecke e-r Säule liegt.
왕진(往診) Kranken|besuch *m.* -(e)s, -e (-visite *f.* -n). ～하다 e-n Kranken besuchen. ¶ 야간 ～에 10,000원을 받다 für die nächtliche Krankenvisite 10000 *Won* bekommen*
‖ ～료 das Honorar 《-s, -e》 für Krankenvisite. ～시간 Krankenbesuchzeit *f.* -en.
왕청되다, 왕청스럽다 vollkommen verschieden; ungleichbar; disparat (sein).
왕토(王土) die königliche (fürstliche) Domäne, -n.
왕화(王化) die sittliche (tugendhafte) königliche Herrschaft, -en.
왕후(王后) Königin *f.* -nen.
왕후(王侯) die Könige 《*pl.*》; Herzöge 《*pl.*》; Fürsten 《*pl.*》. ¶ ～ 귀속 die Personen 《*pl.*》 von königlichem u. adlichem Geblüt(e); die im Purpur Geborenen / ～의 영화 königliche (fürstliche) Herrlichkeit / ～처럼 살다 wie ein Fürst leben; fürstlich leben / ～의 대접을 받다 wie e-n Fürsten behandelt werden.
왜(倭) Japan-; japanisch.
왜 ① 《어째서》 warum; weshalb; weswegen; wieso; 《무슨 근거로》 aus welchem Grunde; wozu. ¶ 왜냐하면 weil; da; denn / 왜 그런지 모르겠다 Ich weiß nicht, weshalb die Sache so ist. / 왜 늦었느냐 Warum bist du so spät? / 왜 그렇게 성적이 나쁘냐 Aus welchem Grunde ist d-e schulische Leistung so schlecht geworden? / 왜 그런지 모르게 그는 눈물이 자꾸 났다 Ohne den Grund bricht er in Tränen aus.|Er weiß nicht warum, aber er bricht in Tränen aus. ② 〖감탄사적〗 warum!
왜가리 〖조류〗 Reiher *m.* -s, -.
왜간장(倭—醬) japanische Soja-Soße.
왜곡(歪曲) Verbiegung *f.* -en; Krümmung *f.* -en; Verdrehung *f.* -en. ～하다 krümmen; verziehen*; verbiegen*. ¶ ～된 verdreht / ～된 해석 die verdrehte Auffassung, -en / 사실을 ～하다 die Wahrheit (den Tatbestand) verdrehen / 이것은 사실을 ～한 것이다 Das ist die Verdrehung der Wahrheit.
왜골 e-e große wilde (unbändige; grimmige) Person, -en; ein ungebildeter Mensch, -en, -en.
왜골참외 e-e Art Honigmelone 《*f.* -n》.
왜구(倭寇) 〖역사〗 die seeräuberischen japanischen Angreifer 《*pl.*》.
왜그르르 bröckelig; hinfällig. ～하다 bröcklig (sein). ¶ 밥이 ～하다 Reis ist körnig.
왜글왜글 ＝왜그르르. ⌈-(e)s, -e.
왜나막신(倭—) die japanische Holzschuh,
왜난목(倭—木) ＝내공목(內供木).
왜낫(倭—) die scharfe Sichel, -n.
왜녀(倭女) das japanische Mädchen, -s, -; Japanerin *f.* ..rinnen.
왜놈(倭—) Japaner *m.* -s, -.
왜떡(倭—) das japanische Gebäck, -(e)s, -e.
왜뚜리 das große (umfangreiche) Ding, -(e)s, -e.
왜뚤삐뚤 Zickzack *m.* -s, -. ¶ ～ 걸어가다 im Zickzack laufen* ⓢ / 글을 ～ 쓰다 im Zickzack schreiben*(4) / 산에 길이 ～ 났다 Es gibt e-n zickzackförmigen Pfad auf dem Berg. ⌈-es, -e.
왜림(矮林) Dickicht *n.* -(e)s, -e; Gebüsch *n.*
왜말(倭—) japanische Sprache, -n; japanischen Wörter 《*pl.*》.
왜모시(倭—) japanischer Kambrik, -s.
왜바람 ein wechselvoller Wind, -(e)s, -e.
왜반물(倭—) 《검푸른 물감》 schwarzblauer Farbstoff, -(e)s, -e.
왜색(倭色) japanische Art u. Weise; japanischer Stil, -(e)s, -e. ¶ ～을 일소하다 japanischen Stil aus der Welt schaffen*.
왜소(矮小) ～하다 kurz u. klein; zwerghaft (sein).
왜식(倭式) japanischer Stil, -(e)s, -e.
왜식(倭食) japanisches Essen.
‖ ～집 ein japanisches Restaurant [..torã:], -s, -s. ⌈⸗er.
왜옥(矮屋) ein kleines u. flaches Haus, -(e)s,
왜이이(倭—) die Technik, die Holzschnitte zusammenzukleben.
왜인(倭人) Japaner *m.* -s, -.
왜인(矮人) Zwerg *m.* -(e)s, -e.
왜자기다 lärmen; Lärm machen. ⌈(sein).
왜자하다 《풍문이》 weit u. laut verbreitet
왜장(倭將) der japanische General.
왜장녀(—女) ① 《여자》 das männliche Weib; Amazone *f.* -n. ② 《산디놀음의》 der weibliche Darsteller (Imitator).
왜적(倭賊) die japanischen Angreifer (Piraten). ⌈sche Gegner.
왜적(倭敵) der Feind-Japaner; der japani-
왜정(倭政) japanische Herrschaft.
‖ ～시대 die Periode der japanischen kolonialherrschaft in Korea (1910–1945).
왜죽왜죽 mit eiligen Schritten. ¶ ～ 걷다 mit eiligen Schritten laufen* ⓢ.
왜쭉왜쭉하다 vor Zorn leicht den Mundwinkel zittern. ¶ 왜쭉왜쭉 성내다 [4]sich mit verzogenen Lippen ärgern.
왜청(倭青) japanischer blauer Farbstoff, -(e)s, -e.
왜태(—太) e-e Art großer Pollack, -s, -e.
왜퉁스럽다 sonderbar; wunderlich; albern; einfältig (sein).
왜풍(—風) ＝왜바람.
왜풍(倭風) japanische Sitte u. Gebräuche; japanischer Stil, -(e)s, -e.
왝왝 kotzen[4]; erbrechen*[4]. ¶ 먹은 것을 ～ 다 게우다 alles erbrechen*, was er gerade gegessen hat.
왱 pfeifend; heulend. ～하다 pfeifen*; heulen; summen.
왱그랑댕그랑 klirrend; rasselnd. ¶ 종을 ～ 울리다 die Glocke schlagen*.
왱왱 ① 《바람을 차는 소리》 summend; klirrend. ～거리다 summen; klirren. ¶ 바람이 돛줄 사이를 ～ 스친다 Der Wind saust durch die Takelage. ② 《길게 뽑는 소리》 laut lesen*(4). ¶ 아이들이 ～ 글을 읽는다 Die Kinder lesen laut in dem Buch. ③ 《벌레가》 ～거리다 summen; dröhnen; brummen. ¶ 파리가 ～ 날다 die Fliege summt herum.
외(外) ① 《밖》 außerhalb[2]; außer[3]; draußen; im Freien.
② 《접두어》 mütterliche Seite.

③ 《그밖》 außer³; mit Ausnahme 《von³》; von ³et. abgesehen; ausgenommen 〖앞이나 뒤에 4격을 취함〗; außer, daß; es sei denn. ¶ 한씨 외 5명 Herr *Han* u. fünf andere / 나 외에는 모두 alle außer mir / 나에겐 자네 외에 친구가 없네 Außer dir habe ich k-n Freund. ¦ Du bist mein einziger Freund. / 그것을 하는 외에는 다른 방법은 없었다 Es blieb mir nichts anderes übrig, als es zu tun. / 이외에는 아무것도 가진 것이 없다 Das ist alles, was ich habe. / 독서하고 산책하는 것 외에는 아무 것도 하는 것이 없다 Ich habe gar nichts zu tun als zu lesen u. spazierenzugehen. / 이 백화점은 첫 일요일 외에는 매일 열려 있다 Dieses Kaufhaus ist täglich offen, ausgenommen am Montag des Monats. / 그 외에는 다른 도리가 없다 Das ist die einzige Möglichkeit, die wir haben. / 이 과제 외에도 할일이 많다 Abgesehen von dieser Ausgabe, haben wir sehr viel zu tun.

외(椳) 〖건축〗 Latte *f.* -n.

외- einzig; allein; singular. ¶ 외아들 der einzige Sohn, -(e)s, ⸗e.

외가(外家) das Elternhaus der Mutter.

외가닥 die einschichtige Litze.

외각(外角) 〖수학〗 Außenwinkel *m.* -s, -.

외각(外殼) Kruste *f.* -n; Rinde *f.* -n; Schale *f.* -n.

외간(外艱) der Trauerfeier für den kürzlich verstorbenen Vater. ‖ ~상(喪) ☞ 외간.

외갈래 die einzige Abzweigung (des Weges). ‖ 외갈랫길 der (Scheid)weg mit der einzigen Abzweigung.

외감(外感) Erkältung *f.* -en; 《감각》 Sinnlichkeit *f.*; Gefühl *n.*; Sensibilität *f.*

외객(外客) Gast *m.* -(e)s, ⸗e; Besucher *m.* -s, -.

외견(外見) =외관(外觀).

외겹 die einfache Schicht (Falte).

외경(外徑) die äußere Durchmesser.

외경(畏敬) Ehrfurcht *f.* ☞ 외구(畏懼).

외계(外界) Außen¦welt (Erscheinungs-; Sinnen-) *f.*; die physische Welt (정신계에 대한 대칭). ¶ ~로 부터 von außen her / ~와의 교통(연락)이 두절되다 von der (Außen)welt abgesperrt werden.

외고리눈이 der Einäugige mit dem weißen Regenbogen.

외고집(一固執) Widerspenstigkeit *f.*; Halsstarrigkeit *f.*; Hartnäckigkeit *f.* ¶ ~의 widerspenstig; halsstarrig; starrköpfig; stur; einsinnig; dickköpfig; verstockt / ~을 부리다 stur (störrisch) sein (werden).

‖ ~장이 der (die) ' Widerspenstige; der (die) Halsstarrige; Dickkopf *m.* -(e)s, ⸗e.

외골목 Sackgasse *f.* -n.

외곬 Geradlinigkeit *f.* ¶ ~으로 생각하는 사람 ein geradlinig (einseitig) denkender Mensch / ~으로 나아가다 der Nase nach gehen* ⓢ; nicht vom Wege ab|gehen* ⓢ; nicht links noch rechts / ~으로 공부하다 durch eisernen Fleiß arbeiten / ~으로 믿다 steif u. fest glauben, daß... / ~으로 생각하다 an ⁴et. ständig glauben.

외과(外科) Chirurgie *f.* -n; 《병원의》 die chirurgische Klinik, -en. ¶ ~적인 chirurgisch. ‖ ~수술 Operation *f.* -en: ~수술을 받다(하다) ⁴sich e-r Operation unterziehen* (e-e Operation unternehmen). ~의(醫) Chirurg *m.* -en, -en; Wundarzt *m.* -es, ⸗e. 정형~ Orthopädie *f.* -n.

외과피(外果皮) Exo¦karp (Epi-) *n.* -(e)s, -e.

외곽(外廓) Außenwand *f.* ⸗e; Einzäunung *f.* -en; Ringmauer *f.* -n; Umwallung *f.* -en. ‖ ~단체 der angegliederte Verband, -(e)s, ⸗e.

외관(外觀) das Aussehen*, -s; Anschein *m.* -(e)s; Aufmachung *f.* -en; das Äußere*, -n; Erscheinung *f.* -en; Äußerlichkeit *f.* -en. ☞ 외양(外樣). ¶ ~(상)으로 dem Schein nach; äußerlich; anscheinend / ~으로 사람을 판단하다 *jn.* vom Aussehen her beurteilen / ~을 중시하다 auf Äußerlichkeiten großen Wert legen / 그 사람 집은 ~이 참 좋다 Sein Haus hat e-e schöne Fassade.

외교(外交) ① 《외국과의》 Diplomatie *f.* -n; 《교섭》 die diplomatische Beziehung; 《정책》 Außenpolitik *f.* -en. ¶ ~상의, ~적 diplomatisch; außenpolitisch / ~를 재개하다 diplomatische Beziehung wieder|her|stellen / 분쟁을 ~로 해결하다 e-n Streit durch die Diplomatie bei|legen.

② 《섭외》 Außendienst *m.* -(e)s, -e; Kundenwerber *m.* -s, -; Abonnentensammler *m.* -s, -. ¶ ~에 능하다 diplomatische Fähigkeiten haben.

‖ ~가 Diplomat *m.* -en, -en; 《교제가》 ein diplomatischer Mensch. ~계 die diplomatischen Kreise 《*pl.*》. ~관 Diplomat *m.* -en, -en: ~관시험 Diplomatenprüfung *f.* -en / ~관이 되다 ein Diplomat werden; ins Außenministerium ein|treten* ⓢ / 직업 ~관 der beruflicher Diplomat; der Beamte 《-n, -n》 des auswärtigen Dienstes. ~관계 die diplomatische Beziehung: ~관계를 수립하다 die diplomatische Beziehung herstellen / ~관계를 끊다 die diplomatische Beziehung unterbrechen. ~교섭(담판) die diplomatische Unter¦handlung (Ver-). ~기관 die diplomatische Maschinerie, -n. ~단 das diplomatische Korps [ko:r] (파견된); die diplomatische Delegation, -en. ~문서 das diplomatische Dokument, -(e)s, -e. ~문제 die diplomatische Frage, -n. ~백서 Weißbuch *n.* -(e)s, ⸗er. ~사령 die diplomatische Sprache. ~사절단 die diplomatische Mission, -en. ~수완 der diplomatische Takt, -(e)s, -e; die diplomatischen Fähigkeiten 《*pl.*》; Kunst der Diplomatie. ~원 Kundenwerber *m.* -s, -. ~정세 die außenpolitische Situation. ~정책, ~방침 Außenpolitik *f.* ~특권 das diplomatische Sonderrecht, -(e)s, -e. 비밀(공개)~ die geheime (offene) Diplomatie. 초당파~ die überparteiliche Diplomatie.

외구(外寇) der fremde Angreifer (Eindringling).

외구(畏懼) Ehrfurcht *f.*; Verehrung *f.* -en. ~하다 von Ehrfurcht (Scheu) ergriffen werden. ¶ ~심을 갖게 하다 Ehrfurcht ein|flößen 《*jm.*》; Verehrung empfinden lassen* 《*jn.*》 / ~심을 갖다 Ehrfurcht empfinden* 《für *jn.*》; Verehrung erweisen* (dar|bieten*) 《*jm.*》; in höchster Bewunderung hoch|achten 《*jm.*》.

외국(外國) Ausland *n.* -(e)s; 《낯선 땅》 das fremde Land. ¶ ~의 ausländisch; fremd; 《외국풍의》 exotisch / ~제의 im Ausland gefertigt / ~ 태생의 im Ausland geboren / ~에서 오다 aus dem Ausland zurück|kommen (-|kehren) ⓢ / ~으로 가다 ins Ausland (in die Fremde) gehen* ⓢ / ~에 살다 im Ausland leben.

‖ ~무역 Außen¦handel (Übersee-) *m.* -s, ⸗. ~상사 das ausländische Firma, ..men. ~시장 der ausländische Markt, -(e)s, ⸗e. ~어 die fremde Sprache: ~어대학 Hochschule für Fremdensprachen. ~인 Ausländer *m.* -s, -: ~인 관광객 der ausländische Tourist [tu..] -en, -en. ~자본 das ausländische Kapital. ~항로 Überseeroute [..ru:tə] *f.* -n. ~환 Devise *f.* -n: ~환 관리 Devisenbewirtschaftung *f.* -en.

외근(外勤) Außendienst *m.* -(e)s, -e; 《보험 따위의》 Kundenwerber *m.* -s, -. ¶ 그는 ~하고 있다 Er ist im Außendienste (außerhalb) tätig.
‖ ~기자 Berichterstatter *m.* -s, -. ~순경 Außendienstpolizei *f.* ~직원 der den Außendienst leistende Angestellte.

외기(外氣) die frische (freie) Luft. ¶ ~에 쏘이다 an die Luft gehen* ⓢ; in frischer Luft sein / ~를 쐬다 an die Luft setzen[4]; lüften[4].
‖ ~권 Luftraum *m.* -(e)s, ⸗e.

외길 der einzige Weg. ‖ ~목 der schmale Eingang zur Sackgasse.

외김치 Gurken-*Kimchi*.

외나무다리 (Lauf)steg *m.* -(e)s, -e. ¶ ~를 건너다 über den Laufsteg gehen* ⓢ / 원수는 ~에서 만난다 Man kann s-m eigenen Vergehen nicht entrinnen.

외날 〖형용사적〗 einklingig (칼날의).

외눈 〖형용사적〗 einäugig. ☞ 애꾸.

외다[1] 《불편하다》 nicht an der rechten Stelle; am unrechten Orte; unerreichbar; unzugänglich (sein). ¶ 손이 왼 곳 der unerreichbare Ort / 손이 ~ nicht zur Hand sein; nicht dicht neben sein.

외다[2] 《암기》 auswendig lernen[4]; rezitieren[4]; ein|packen[4] (주입). ¶ 시를 ~ ein Gedicht auswendig lernen; rezitieren[4] / 내일까지 1 과를 외야 한다 Bis morgen müssen wir die erste Lektion auswendig lernen.

외대다[1] 《말을》 falsch (her)sagen[4] (erzählen[4]).

외대다[2] 《푸대접》 *jn.* unfreundlich (unwürdig) behandeln; 《배척》 ab|lehnen[4]; nicht auf (an) nehmen*[4]; zurück|weisen*[4].

외대머리 die unverheiratete Frau, die Frisur trägt wie verheiratet.

외대박이 《배》 das einmastige Schiff; 《애꾸눈이》 der Einäugige; 《무우·배추의》 das Bund Radieschen (Chinakohl).

외도(外道) 《오입》 Ausschweifung *f.* -en; Liederlichkeit *f.* -en; 《길을 어김》 vom rechten Wege ab|kommen* ⓢ. ~하다 e-n falschen Weg ein|schlagen*; ein liederliches Leben führen. 「ⓢ.

외돌다 [4]sich fern halten*; neutral bleiben*

외돌토리 《사람》 Alleingänger *m.* -s, -; Einzelgänger *m.* -s, -; der Verlassene*, -n, -n. ¶ ~의 allein; einzig; verlassen. ¶ ~가 되다 allein stehend sein (werden); verlassen zurück|bleiben* ⓢ.

외동딸 die einzige Tochter.

외동이 das einzige Kind, -(e)s; *js.* einziger Sohn, -(e)s.

외등(外燈) Torlampe *f.* -n.

외따로 isoliert; abgelegen; entlegen; entfernt; einsam; verlassen. ¶ 도시에서 멀리 떨어져서 ~ 살다 Er lebt ganz allein weit entfernt von der Stadt.

외딴 ① 《떨어진》 isoliert; abgelegen; einsam; entlegen. ¶ ~ 섬 die entlegene (einsame) Insel, -n / ~집 das einsam stehende Haus / ~ 곳에서 살다 in e-m abgelegen Ort leben. ② 《혼자 판침》 ¶ ~치다 von allein leisten[4]; das Spiel beherrschen.

외딸 die einzige Tochter, ⸗.

외딸다 abgelegen; abseits liegend; einsam; entlegen (sein).

외떡잎 Einkeimblättler *m.* -s, -; Monokotyledone *f.* -n. ¶ ~의 einkeimblättrig.
‖ ~식물 die einkeimblättrige Pflanze, -n.

외람(猥濫) Anmaßung *f.* -en. ~되다 impertinent; vermessen; unverschämt (sein). ¶ ~된 일이오나 서면으로 감사드리겠읍니다 Ich nehme mir die Freiheit, Ihnen brieflich zu danken.

외래(外來) ~하다 aus dem Ausland (Übersee) kommen* ⓢ (importieren). ¶ ~의 ausländisch; exotisch; fremd; importiert.
‖ ~사상 die fremde (importierte) Idee, -n. ~어 Fremdwort *n.* -(e)s, ⸗er; Lehnwort *n.* (차용어). ~자 der Fremde, -n, -n; Ausländer *m.* -s, -. ~진료소 Ambulatorium *n.* -s, ..rien. ~진찰(소) Poliklinik *f.* -en. ~품 die importierte Ware, -n; Einfuhrartikel *m.* -s, -; das ausländische Erzeugnis, -ses, -se. ~환자 der ambulatorische Patient, -en, -en.

외력(外力) 〖물리〗 die äußere Kraft, ⸗e; die Kraft von außen. ¶ ~을 가하다 äußere Kraft geben* (verleihen*).

외로 nach links; links; in die falsche Richtung. ¶ 쇠줄을 ~ 감다 die Draht nach links auf|rollen/~ 가다 nach links gehen* ⓢ; den falschen (schlechten) Weg ein|schlagen*.

외로이 allein; einsam; verlassen. ¶ ~ 지내다 ein einsames Leben führen / 혼자 ~ 죽다 e-n einsamen Tod sterben* ⓢ / ~ 울다 leise vor sich hin weinen.

외롭다 einsam; allein; einzeln (sein). ¶ 외로움 Einsamkeit *f.* / 외로운 마음 das einsame Gefühl; das Gefühl der Einsamkeit / 외로운 사람 der einsame Mensch, -en, -en / 외롭게 살다 ein einsames Leben führen / 외로와하다 [4]sich einsam fühlen / 그이가 없어서 무척 ~ Er fehlt mir sehr.¦ Ich vermisse ihn sehr. / 그는 외로움에 지쳐서 결혼을 했다 Er war des Alleinseins müde und heiratete.

외루(外壘) Außen¦werk (Vor-) *n.* -(e)s, -e; Palisade *f.* -n.

외륜산(外輪山) 〖지질〗 der äußere Kraterrand, -(e)s, ⸗er.

외마디 《동강》 Einzelstück *n.* -es, -e; 《소리》 Schrei *m.* -(e)s, -e; Notschrei *m.*; Hilfeschrei.
‖ ~설대 der Pfeifenstiel, der aus e-m Knotenlosen Bambus besteht. ~소리 Notschrei *m.*; Geschrei *m.*: 그는 칼에 맞아 ~소리를 지르며 쓰러졌다 Er fiel durch das Schwert u. machte ein Geschrei./~소리가 정적을 깨뜨렸다 ein Schrei zerriß die Stille.

외면(外面) Außenseite *f.* -n; das Äußere*, -n; Äußerlichkeit *f.* -en. ¶ ~의 äußerlich.
‖ ~묘사 die äußere Beschreibung.

외면하다(外面—) das Gesicht (die Augen 《*pl.*》) ab|wenden* (weg|wenden*) 《*von*[3]》; e-n Seitenblick werfen*. ¶ 그는 외면하고 지나갔다 Er wandte sein Gesicht ab und ging vorbei.

외모(外貌) das Aussehen*, -s; das Äußere*,

-n; Anschein *m.* -(e)s, -e; Erscheinung *f.* -en; Miene *f.* -n (용모). ¶ ~로 판단하다 nach dem Äußere urteilen[4] / ~를 꾸미다 das Äußere auf|putzen; aus|statten[4]; auf|machen[4] / 장사꾼 같은 ~를 갖다 Er sieht aus wie ein Kaufmann.

외목 ① ☞ 외길목. ② 《외목 장사》 Monopol(geschäft) *n.* -(e)s, -e.

외무(外務) 《나라의》 die auswärtigen Angelegenheiten 《*pl.*》; 《섭외》 =외교(外交).
‖ ~부 das Auswärtige Amt, -(e)s, ¨er; Außenministerium *n.* -s, ..rien: ~부 장관 Außenminister *m.* -s, -. ~(분과) 위원회 der Ausschuß für die auswärtigen Angelegenheiten. ~원 =외교원.

외미(外米) der importierte Reis, -es, -e; der ausländische Reis.

외박(外泊) das Ausbleiben*, -s. ~하다 außerhalb übernachten (schlafen*); die ganze Nacht aus|bleiben* ⓢ.

외발제기 das Hochfliegen* 《-s》 des Federballs mit e-m Fuß.

외방(外方) ① 《외국》 die fremden Länder; die fremde Gegend. ② 《바깥》 außerhalb. ③ 《서울 밖》 die außerhalb Seoul liegenden Gegenden. ¶ ~에서 살다 in einer Vorstadt wohnen.
‖ ~살이 das Leben des Regierungsbeamten, der in der Provinz arbeitet.

외벌 der einzige Anzug, -(e)s, -e; die einzige Garnitur, -en. ‖ ~매듭 der einfache Knoten.

외벽(外壁) Außenwand *f.* ¨e; Außenwall *m.* -s, ¨e.

외부(外部) Außenseite *f.* -n; das Äußere*; Außenwelt *f.*; Oberfläche *f.* -n. ¶ ~의 äußerlich; außen; draußen / ~에서보면 von außen her gesehen / ~ 간섭(원조) die Einmischung (Hilfe) von außen / ~에 나타나다 auf der Oberfläche erscheinen*ⓢ; in Erscheinung treten*ⓢ / ~와의 교통이 두절되다 die Verkehr mit der Außenwelt unterbrochen sein / 비밀이 ~에 샜다 Das Geheimnis sickert durch.
‖ ~사람 der Außenstehende*, -n, -n.

외분(外分) 〖수학〗 Außenteilung *f.* -en.

외비(外備) die Verteidigung von den ausländischen (fremden) Angriffen; Abwehr von den ausländischen Angriffen; Schütz gegen Angriffe.

외빈(外賓) 《외국의》 der ausländische Besucher, -s, -; 《외부의》 Gast *m.* -(e)s, ¨e.

외사(外史) 《외국역사》 Geschichte e-s fremden Landes; 《야사》 die offiziell nicht anerkannte Geschichte.

외사(外事) die ausländischen Angelegenheiten 《*pl.*》. ‖ ~과(課) Abteilung für ausländische Angelegenheiten.

외사촌(外四寸) Cousin [kuzɛ́:] 《*m.* -s, -s》 von mütterlicherseite.

외삼촌(外三寸) Onkel 《*m.* -s, -》 von mütterlicher Seite (mütterlicherseits).

외상 Kredit *m.* -(e)s, -e. ¶ ~을 주다 auf Kredit (Rechnung; Borg; Zeit) geben*[4] / ~으로 팔다 auf Kredit verkaufen[4] / ~으로 사다 auf Kredit kaufen[4] / ~값을 받다 die Rechnung kassieren / ~값을 갚다 die Rechnung bezahlen (begleichen) / ~으로 해주시오 Bitte, schreiben Sie es an.
‖ ~거래 das Geschäft auf Kredit. ~매출 der Verkauf auf Kredit. ~사절 Auf Kredit kein Verkauf. ~질 Kauf auf Kredit. ~판매 der Verkauf auf Kredit.

외상(一床) ein Eßtisch für e-e Person; der einzelne Eßtisch.

외상(外相) Außenminister *m.* -s, -.
‖ ~회의 Außenministerkonferenz *f.* -en.

외상(外傷) die (äußere) Wunde, -n; Verletzung *f.* -en. ¶ ~을 입다(당하다) e-e äußere Verletzung bekommen* (erhalten*).
‖ ~환자 Externist *m.* -en, -en.

외생(外甥) Ihr ergebener Schwiegersohn.

외서(外書) das ausländische Buch, -(e)s, ¨er.

외선(外線) Drahtleitung 《*f.* -en》 draußen; Drahtnetz 《*n.* -es, -e》 draußen. ¶ ~ 부탁합니다 Können Sie bitte mich mit der Apparat? Kann ich mit diesem Apparat die Außenverbindung bekommen?
‖ ~공사 Installation 《*f.* -en》 außerhalb des Hauses; Drahtlegung draußen. ~작전 die Operation auf der Außenlinie.

외설(猥褻) Unanständigkeit *f.* -en; Anstößigkeit *f.* -en; Schlüpfrigkeit *f.* -en; Unzüchtigkeit *f.* -en; Obszönität *f.* -en. ~하다 zotig; anstößig; obszön; unzüchtig; pornographisch (sein). ¶ ~한 말 Zöte *f.*
‖ ~문학 Pornographie *f.* -en. ~죄 Sittlichkeitsverbrechen *n.* -s, -. ~책(그림) das obszöne Buch (Bild); Pornographie *f.* -n. ~행위 Unzucht *f.*

외세(外勢) 《형세》 die Kondition (Situation) draußen (im Ausland); 《세력》 der fremde (ausländische) Einfluß; die fremde Macht. ¶ ~에 의존하다 auf die fremde Macht angewiesen sein.

외소박이 Gurken-*Kimchi.*

외손 e-e Hand. ‖ ~뼉 die e-e Handfläche: ~뼉이 울지 못한다 《속담》 Nur mit e-r Handfläche kann man nicht klatschen. ~잡이 der einhändige Mensch, -en, -en.

외손(外孫) ein(e) Enkel(in) der Tochter; Nachkömmlinge auf der Seite der Tochter.

외손지다 *jn.* des Gebrauchs der rechten (linken) Hand beraubt; nicht handlich.

외수(外數) Betrug *m.* -(e)s, ¨e; Täuschung *f.* -en; Tücke *f.* -n. ¶ ~를 쓰다 mit Betrug um|gehen* ⓢ; *jn.* betrügen.

외숙(外叔) Onkel 《*m.* -s, -》 von mütterlicher Seite (mütterlicherseits).
‖ ~모 die Frau des Onkels von mütterlicher Seite.

외시골(外一) die abgelegene ländliche Gegend; die entlegene Provinz.

외식(外食) das Essen außer dem Hause. ~하다 außer dem Hause essen*. ‖ ~자 e-r, der (oft) außer dem Hause speist.

외식(外飾) die äußerliche Dekoration; Schmuck *m.* -(e)s, -e; Prunk *m.* -(e)s, -e; Pracht *f.* -en; Prahlerei *f.* -en. ~하다 schmücken[4]; prahlen[4].

외신(外臣) der fremde Untertan, -s (-en), -en.

외신(外信) die Auslandsnachrichten 《*pl.*》; Telegram aus dem Ausland. ☞ 외전(外電). ¶ ~에 의하면 e-r ausländischen Nachricht nach. ‖ ~부(장) Abteilung (Abteilungsleiter) für die Auslandsnachrichten.

외실(外室) das Außenzimmer, -s, - (für Mannsleute).

외심(外心) 〖수학〗 Außenzentrum *n.*
‖ ~각 der nicht zentrale Winkel. ~점 Metazentrum *n.*

외씨버선 e-e Art kleine Socke.

외아들 der einzige Sohn, -(e)s, ¨e.

외알제기 ein Pferd (Esel), der e-e Huf schleppt.
외야(外野) 〖야구〗 Außenfeld *n.* -(e)s, -er.
‖ ~석 unbedeckte Zuschauersitze. ~수 der Außenfeldspieler.
외양(外洋) Weltmeer *n.* -(e)s, -e; die offene See, -n; Ozean *m.* -s, -.
외양(外樣) Aussehen *n.* -s; das Äußere*, -n; Schein *m.* -(e)s, -e. ¶ ~만의 scheinbar; angeblich / ~이 그럴 듯하다 ein gutes Aussehen haben / ~을 꾸미다 auf|machen[4]; den Schein wahren; [3]sich den Anschein geben* / ~으로는 정직한 체한다 Er tut nur so, als ob er ehrlich wäre. / 그는 ~이 반반하다 Nach dem Außen sieht er gut aus.
외양간(喂養間) Kuhstall *m.* -(e)s, ⸚e. ¶ 소 잃고 ~ 고치는 격이다 Da steht er wie die Kuh am neuen Tor.¦Nachrede ist wie ein Schneeball.¦Wenn das Kind ertrunken ist, wird der Brunnen zugedeckt.
외어서다 beiseite stehen*; aus dem Wege gehen* Ⓢ. ¶ 자동차가 오니 외어서라 Der Wagen kommt, gehe aus dem Wege!
외연(外延) 〖논리〗 Extension *f.* -en; Ausdehnung *f.* -en. ¶ ~적 extensiv.
외올 =외가닥.
외욕질 Übelkeit *f.* -en; Brechreiz *m.* -es, -e; Ekel *m.* -s, -.
외용(外用) der äußerliche Gebrauch. ¶ ~의 für den (zum) äußerlichen Gebrauch / 이 약은 ~에 한한다 Diese Arznei passt nur zum äußerlichen Gebrauch.
‖ ~약 Arzneimittel 《*n.* -s, -》 zum äußerlichen Gebrauch.
외우(外憂) 《외간(外艱)》 Trauer um den Tod des Vaters; der Tod m-s Vaters; 《외환》 Furcht vor dem fremden Angriff; Konflikt mit dem Ausland; Schwierigkeit der äußeren Angelegenheiten.
외우(畏友) der wertvolle (verehrte) Freund, -(e)s, -e.
외유(外遊) Auslandsreise *f.* -n. ~하다 ins Ausland gehen* (reisen) Ⓢ. ¶ 그는 3년간 ~하고 귀국했다 Nach dreijährigem Aufenthalt im Ausland kehrte er zurück (heim).
외의(外衣) Oberkleidung *f.* -en; Überkleidung *f.* -en.
외이(外耳) das äußere Ohr, -(e)s, -en; Ohrmuschel *f.* -n (귀바퀴).
‖ ~염 Außenohrenentzündung *f.* -en.
외인(外人) 《외국인》 Ausländer *m.* -s, -; 《밖의 사람》 Fremde *m.* (*f.*) -n, -n; der Außenstehende*, -n, -n / 이 일은 ~이 알아선 안 된다 Diese Sache muß zwischen uns bleiben.
‖ ~노무자 Gastarbeiter *m.* -s, -. ~부대 Fremdenlegion *f.* -en. ~사회 die Gemeinschaft der Ausländer. ~상사 die ausländische Firma, ..men. ~촌 Ausländerwohnviertel *n.* -s, -. 재류~ die ausländischen Bewohner 《*pl.*》.
외자(外字) die fremde Schrift, -en.
‖ ~신문 die fremdsprachige Zeitung, -en.
외자(外資) das fremde Kapital, -s, -e (-ien).
‖ ~국 Abteilung für das fremde Kapital. ~도입 Einführung fremden Kapitals. ~유입 das Einströmen 《-s》 fremden Kapitals.
외장골(外腸骨) Darmbein *n.* -(e)s, -e.
외적(外的) äußerlich; auswärtig; Außen-; extern. ‖ ~증거 der äußerliche Beweis.
외적(外敵) das feindliche (feindselige) Ausland, -(e)s; Feind 《*m.* -(e)s, -e》 des Vaterlandes. ¶ ~의 침입을 받다 vom Feind angegriffen (beherrscht) werden.
외전(外電) Überseetelegramm *n.* -(e)s, -e; Kabel *n.* -s, -; Kabelnachricht *f.* -en; Auslandsnachrichten 《*pl.*》. ¶ ~에 의하면 Nach den Auslandsnachrichten ....
외접(外接) 〖수학〗 Umschreibung *f.* -en; Begrenzung *f.* -en. ~하다 um|schreiben*[4].
‖ ~원 Umkreis *m.* -es, -e.
외정(外征) Feldzug *m.* -(e)s, ⸚e. ~하다 e-n Feldzug machen.
‖ ~군 die Truppen des Feldzuges.
외정(外政) auswärtige Angelegenheiten 《*pl.*》.
외조모(外祖母) die Großmutter (mütterlicherseits).
외조부(外祖父) der Großvater (mütterlicherseits).
외족(外族) die Verwandten von mütterlicher Seite.
외종사촌(外從四寸) Vetter von mütterlicher Seite.
외주(外周) Umkreis *m.* -es, -e; Peripherie *f.* -n.
외주물 ‖ ~구석 der Ort, wo sich viele offene Hütte sammeln. ~집 die schäbige offene Hütte, die dicht neben der Straße liegt.
외줄 Einzellinie *f.*; der einfache Streif, -(e)s, -e.
외줄기 einzelner Stengel, -s, -; einzelner Stamm, -(e)s, ⸚e.
외지 ☞ 오이지.
외지(外地) Übersee *f.*; Ausland *n.* -(e)s; fremde Länder. ¶ ~로 건너가다 ins Ausland gehen* Ⓢ. ‖ ~근무 Übersee¦dienst (Auslands-) *m.* -(e)s, -e. ~수당 die Zulage für den Auslandsdienst.
외지(外紙) die ausländische Zeitung; die ausländische Presse.
외지다 abgelegen; entlegen; weit entfernt (sein). ¶ 외진 산길 der abgelegene Bergpfad.
외직(外職) die lokale (provinzielle) Dienststelle.
외진(外診) 《외래환자의》 die ambulatorische ärztliche Beratung; 《가정으로의》 ärztliche Konsultation im Haus des Patienten.
외짝 〖형용사적〗 einzeln; nichtzusammengehörig; unpaar.
외쪽 e-e Seite; e-e Richtung.
‖ ~생각 die einseitige Erwägung (Überlegung), ohne auf die Meinung des Partners zu achten.
외채 das alleinstehende Gebäude.
‖ 외챗집 das alleinstehende Haus.
외채(外債) 〖경제〗 die fremde Anleihe, -n; die Anleihe 《-n》 vom Ausland 《*n.*》; die Schulden 《*pl.*》 im Ausland; ausländischer Kredit, -(e)s, -e (외국 발행의 공사채 따위). ¶ ~를 모집하다 e-e fremde Anleihe machen (auf|nehmen*)
‖ ~상환자금 der Rückzahlungsfonds [..fɔ̃:] für die fremde Anleihe.
외척(外戚) der Verwandte 《-n, -n》 mütterlicherseits.
외청도(外聽道) 〖해부〗 der äußere Ohrenkanal, -s, ⸚e.
외촌(外村) die außerhalb des Dorfes liegende Ortschaft, -en.
외축하다(畏縮—) zusammen|fahren* Ⓢ; zurück|schrecken (-weichen*) Ⓢ.
외출(外出) das Ausgehen*, -s; Ausgang *m.* -(e)s, ⸚e; Urlaub *m.* -(e)s, -e. ~하다 aus|gehen* Ⓢ. ¶ ~을 싫어하는 stubenhocke-

risch / ~을 좋아 (싫어)하는 사람 Bummler (Stubenhocker) *m.* -s, - / ~중이다 nicht zu Hause sein; abwesend (unterwegs) sein; vom Hause aus|bleiben* ⓢ (weg|-bleiben* ⓢ) / ~이 허가되다 auszugehen erlaubt sein / ~하지 않다 zu Hause bleiben* ⓢ; das Haus hütten / ~할 채비를 하다 [4]sich zum Ausgehen vor|bereiten / ~서 돌아오다 (von Urlaub) nach Hause zurück|-kehren ⓢ / 이런 폭풍우로는 ~할 수 없다 In diesem stürmischen Wetter kann man nicht ausgehen. / 그가 왔을 때 나는 마침 ~중이었다 Als er zu uns kam, war ich gerade nicht zu Hause. / 비가 와서 ~하지 못했다 Wegen des Regens konnte ich nicht ausgehen.

‖~금지 Ausgeheverbot *n.* -(e)s, -e. ~날 Ausgehetag *m.* -(e)s, -e; Urlaubstag *m.* -(e)s, -e. ~복 Ausgehe¦anzug (Sonntags-; Gesellschafts-) *m.* -(e)s, ⸗e. ~시간 Ausgehezeit *f.*

외치(外治) ① =외교(外交). ② 〖의학〗 die chirurgische Behandlung. ~하다 äußerliche Krankheit ärztlich be|handeln.

외치다 rufen*; schreien*; lärmen; 《비명을》 schreien*; laut auf|schreien*; kreischen; 《창도》 befürworten[4]; verteidigen[4]. ¶「도둑야」하고 외쳤다 „Da ist ein Dieb“ schrie er. / 살려달라고 ~ um Hilfe rufen* (schreien*) / 찬성이라고 ~ schreiend s-e Zustimmung geben* / 반대라고 ~ Klage erheben* 《*gegen*[4]》 / 찢어지는 소리로 ~ mit der schrillen Stimme schreien* / 목청껏 ~ aus voller Kehle schreien* / 목이 쉬도록 ~ [4]sich heiser schreien* / 개혁을 ~ die Reform befürworten / 남북통일을 ~ nach der Vereinigung Koreas verlangen.

외침 Schrei *m.* -(e)s, -e; Ruf *m.* -(e)s, -e; Geschrei *n.* -(e)s, -e; 《놀람·감탄의》 Ausruf *m.* -(e)s, -e; 《항의》 Klage *f.* -n; 《노호》 Gebrüll *n.* -(e)s, -e. ¶ 장사꾼의 ~ der Ausruf des Marktschreiers / 개혁의 ~ der Ausruf für die Reform.

외탁하다(外—) e-e Person schlägt der mütterlichen Seite nach. ¶ 그 애는 성질이 외탁했다 Das Kind vererbt sein Temperament aus der mütterlichen Seite.

외톨 die einzahlig (einzeln) wachsende Kastanie; der Knoblauch mit einer Knolle.
‖~박이 ☞ 외톨.

외통 《장기》 (Schach)mattzug *m.* -(e)s, ⸗e. ¶ ~에 몰리다 (schach)matt werden.

외투(外套) Mantel *m.* -s, ⸗; Überzieher *m.* -s, -; Ulster *m.* -s, -. ¶ ~를 입다(벗다) den Mantel an|ziehen* (aus|-) / ~를 입혀 (벗겨)주다 *jm.* den Mantel zum Anziehen (Ausziehen) halten* / ~는 여기 맡기십시오 Bitte, geben Sie hier Ihren Mantel ab.
‖~걸이 Kleider¦ständer (Garderobe-) *m.* -s, -; Kleider¦leiste *f.* -n (-haken *m.* -s, -).

외팔 ein Arm *m.* -(e)s, -e.
‖~이 e-e Person mit e-m Arm.

외풍(外風) ① 《바람》 Luftzug *m.* -(e)s, ⸗e. ¶ 이 방에 ~이 있다 In diesem Zimmer zieht es. / 벽이 엷어 사방서 ~이 들어온다 Die Wände sind so undicht, daß überall der Wind durchweht. ② 《외국풍》 fremde (ausländische) Art u. Weise; exotische Mode. ¶ ~에 물들다 vom ausländischen Stil beeinflußt sein.

외피(外皮) =겉껍질.

외할머니(外—) Großmutter auf mütterliche Seite.

외할아버지(外—) Großvater auf mütterliche Seite.

외항(外港) Reede *f.* -n; Vor¦hafen (Außen-) *m.* -s, ⸗.

외항선(外航船) Übersee¦dampfer (Ozean-) *m.* -s, -.

외해(外海) die offene (hohe) See, -n.

외향성(外向性) 〖심리〗 die Einstellung auf die Außenwelt. ¶ ~의 extravertiert / ~의 사람 der Extravertierte*, -n, -n.

외형(外形) die äußere Form, -en; Kontur *f.* -en 〖*pl.*은 윤곽〗; Äußerlichkeit *f.* -en. ¶ ~(상)의 äußerlich; formal; der Form nach / 그는 ~에는 구애받지 않는다 Er geht nichts auf Äußerlichkeiten.

외화(外貨) das ausländische Geld, -(e)s, -er; die fremde Währung, -en; Devise *f.* -n. ¶ ~는 받지 않음 Die fremde Währung ist nicht anzunehmen.
‖~관리 die Verwaltung für die fremde Währung. ~보유고 Devisenreserve *f.* -n. ~시세 Wechselkurs *m.* -es, -e. ~시장 Devisenmarkt *m.* -(e)s, ⸗e. ~어음 der ausländische Wechsel, -s, -. ~예산 Devisen-Budget [bydʒé:] *n.* -s, -s. ~자금 Devisenfonds [..fɔ̃:] *m.* ~절약 Devisenersparnisse 《*pl.*》. ~준비금 der Reservefonds der Devisen. ~채권(債券) die Devisenschulden 《*pl.*》. ~획득 der Erwerb der Devisen. 보유~ Devisenreserve *f.* -n.

외화(外畫) ein ausländischer Film, -(e)s, -e.

외환(外患) die außenpolitische Spannung (Verwicklung) -en; die erschwerende äußere Umstände 《*pl.*》; Konflikt mit dem Ausland; die Schwierigkeit der äußeren Angelegenheiten.

외환(外換) Devisenwechsel *m.* -s, -.
‖~은행 Wechselgeschäftsbank *f.* -en.

왹질 ☞ 외욕질.

왼 link. ¶ 왼손 die linke Hand / 왼쪽 die linke Seit.

왼구비 der hoch-fliegende Pfeil, -s, -.

왼발 der linke Fuß, -es, ⸗e.

왼소리 die Nachricht s-s Todes.

왼손 die linke Hand, ⸗e; Linkhand *f.*; Linkhändigkeit *f.* (상태). ¶ ~으로 글을 쓰다 mit der linken Hand schreiben*[(4)].
‖~잡이 der Linkshändige*, -n, -n; Linkshänder *m.* -s, -; Linker *n.* -s, - 《속어》: ~잡이 투수 der linkshändige Werfer, -s, -.

왼쪽 die linke Seite. ¶ ~의 link / 길 ~에 auf der linken Seite der Straße / ~으로 돌다 nach links biegen* ⓢ / ~으로 가리마를 타다 die Haare 《*pl.*》 links scheiteln (teilen) / 그는 ~ 눈이 멀었다 Er ist auf dem linken Auge blind.

왼팔 der linke Arm, -(e)s.

왼편(쪽) (—便—) lechte Seite; lechte Richtung.

욀총(—聰) Erinnerungsvermögen *n.* -s, -; die Fähigkeit (Intelligenz), auswendig zu lernen.

욋가지(椳—) 〖건축〗 Latte *f.* -n.

요 ① 《얕잡을 때》 solche kleine Sache. ¶ 요까짓 것을 못 해 Kannst du nicht so e-e kleine Sache erledigen? / 요놈 du Bursche!; du Schaf! ② 《시간·거리》 in der Nähe von hier; ganz nahe. ¶ 요새, 요즈음 neulich; jüngst / 요 바로 앞에 정거장이 있다 Ganz vorne gibt es e-e Station.

요(要) Haupt¦punkt *m.* -(e)s, -e (-sache *f.* -n); das Wesentliche* (Wichtigste*) -n. ¶ 요는, 요컨대 kurz (gefaßt); mit e-m Wort; die Hauptsache ist, daß...; 《결국은》 am

Ende; schließlich / 요는 연습에 있다 Die Hauptsache ist die Übung. / 요는 끈기에 있다 Wichtig ist, daß man nicht aufgibt.

요(褥) Matratze *f.* -n. 「-s, -s.

요가 Joga (Yoga) *m.* -s. ¶ ~ 수련자 Jogi *m.*

요강(尿綱) Nacht¦topf (Urin-) *m.* -(e)s, ⸚e; Urin¦flasche (Harn-) *f.* -n.

요강(要綱) die Prinzipien 《*pl.*》; Umriß *m.* ..risses, ..risse; Zusammenfassung *f.* -en; 《취지서》 Prospekt *m.* -s, -e.
‖ 세계사~ der Überblick der Weltgeschichte. 입학~ Prinzipien (Anforderungen) für die Aufnahmeprüfung.

요건(要件) 《중요용건》 e-e wichtige Angelegenheit, -en; 《필요조건》 e-e notwendige Voraussetzung, -en; Vorbedingung *f.* -en. ¶ ~을 구비하다 notwendige Voraussetzungen erfüllen / 건강은 성공의 제일 ~이다 Gesundheit ist die erste Voraussetzung für den Erfolg.

요격(邀擊) versteckter (plötzlicher) Angriff, -(e)s, -e. ~하다 aus dem Hinterhalt über|-fallen*; plötzlich an|greifen*; gegen den eindringenden Feind kämpfen; dem eindringenden [3]Feinde entgegen kämpfen; Gegenangriff leisten (반격).
‖ ~기 Abwehr¦jäger (Verteidigungs-; Abfang-) *m.* -s, -. ~미사일 Abfangrakete *f.* -n; *antimissile missile* 《생략: AMM》.

요결(要訣) Geheimnis *n.* -ses, -se; Schlüssel *m.* -s, -; Hauptsache *f.* -n. ¶ 성공의 ~ der Schlüssel zum Erfolg.

요관(尿管) 〖해부〗 Harnleiter *m.* -s, -; Ureter *m.* -s, -en.

요괴(妖怪) Gespenst *n.* -es, -er; Kobold *m.* -(e)s, -e; 《괴물》 Ungeheuer *n.* -s, -. ¶ ~스러운 leichtsinnig; launisch; unheimlich.
‖ ~담 Gespenstgeschichte *f.* -n.

요구(要求) 《청구》 Forderung *f.* -en; Verlangen *n.* -s, -; 《보통 직권에 의한》 Anforderung *f.* -en; 《문서에 의한》 Requisition *f.* -en; 《권리에 의한》 Anspruch *m.* -(e)s, ⸚e; 《필요》 Erfordernis *n.* -ses, -se; 《욕구》 Bedürfnis *n.* -ses, -se. ~하다 verlangen[4]; fordern[4]; erfordern[4]; beanspruchen[4]; in Anspruch nehmen*[4]. ¶ 정당한 ~ die gerechte (angemessen; vernünftige) Forderung/시대의 ~ Erfordernisse der Zeit/~에 따라 nach der Forderung (Anforderung) / 임금 인상을 ~하다 e-e Lohnerhöhung verlangen / ~에 응하다 e-e Forderung erfüllen; der [3]Anforderung entsprechen* / 손해 배상을 ~하다 den Anspruch auf den Schadenersatz stellen (erheben*) / 과반수 회원의 ~로 총회를 열다 Auf Verlangen der Mehrzahl eröffnen wir die Vollversammlung. / 너의 ~에는 응할 수가 없다 Ich kann nicht d-r Forderung nachkommen. / 노동자들은 그들의 ~를 관철했다 Die Arbeiter haben ihre Forderung durchgesetzt. / 회사측은 노동자의 임금 인상 ~에 응하기로 결정했다 Auf Verlangen haben sich die Arbeitgeber entschlossen, die Lohn der Arbeitnehmer zu erhöhen.
‖ ~불 Sichtwechsel *m.* -s, -.

요귀(妖鬼) Gespenst *n.* -(e)s, -er; der böse Geist. ¶ 낡은 성에 ~들이 돌아다닌다 In dem verfallenen Schloß gehen Geister um.

요금(料金) die Gebühren 《*pl.*》; Abgabe *f.* -n. ¶ ~을 받다 Gebühren 《*pl.*》 erheben* / ~을 안 받은 ohne Gebühren (zu erheben*); gratis; kosten¦los (-frei); umsonst; unentgeltlich / ~을 내다 Gebühren 《*pl.*》 zahlen (entrichten) / ~을 내지 않고 차를 타다 mit dem Nulltarif fahren* (s) / ~을 내야 하는 공원 Park der Gebührenpflichtige.
‖ ~표 Gebührentabelle *f.* -n; Tarif *m.* -s, -e. 가스 (수도, 전기)~ Gas¦tarif (Wasser-, Elektrik-) *m.* -s, -e.

요기 gerade diese Stelle; gerade hier.

요기(妖氣) gespenstische (geisterhafte; unheimliche) Atmosphäre. ¶ ~가 서렸다 Da herrscht eine gespenstische Atmosphäre.

요기(療飢) Stillen des Hungers. ~하다 den Hunger stillen. ¶ 사과로 ~하다 den Hunger mit Äpfel stillen / 그는 생감자로 ~하려 했다 Er versuchte, seinen Hunger mit rohen Kartoffeln zu stillen.
‖ ~차(次) Trinkgeld *n.* -(e)s, -er.

요긴(要緊) die große Wichtigkeit (Bedeutung) -en. ~하다 sehr wichtig; unentbehrlich; durchaus notwendig (sein). ¶ 그것은 우리 일상 생활에 ~한 것이 아니다 Das ist nicht unbedingt notwendig für das alltägliche Leben. / 그는 ~한 때는 오지 않는다 Er kommt nicht, wo wir ihn gerade brauchen. ‖ ~목 e-e Position (Stelle) von großer Wichtigkeit.

요까짓 ☞ 이까짓.

요녀(妖女) Hexe *f.* -n; Zauberin *f.* -nen; 《그리스 신화의》 Sirene *f.* -n.

요담(要談) ein wichtiges Gespräch, -s, -e; e-e wichtige Besprechung (Unterredung) -en. ~하다 ein wichtiges Gespräch führen; e-e wichtige Besprechung haben. ¶ ~이 있다 ein Wichtiges zu besprechen haben / ~ 중이다 wir führen gerade ein wichtiges Gespräch.

요도(尿道) Harnweg *m.* -(e)s, -e; Harnröhre *f.* -n.
‖ ~검사 Harnweguntersuchung *f.* -en. ~경(鏡) der Spiegel für die Harnweguntersuchung. ~관 Harnleiter *m.* -s, -. ~염 Harnwegentzündung *f.* -en. ~협착 Harnstauung *f.* -en. 「giftung *f.*

요독증(尿毒症) 〖의학〗 Urämie *f.*; Harnver-

요동(搖動) das Schütteln*, -s; Erschütterung *f.* -en; Schwankung *f.* -en. ~하다 schüttern; erschüttern; schwanken; beben; auf|-rütteln. ¶ 천지를 ~하다 Himmel u. Erde in Bewegung setzen / 박수 갈채는 홀 안을 ~ 시켰다 Durch den stürmischen Beifall ist die Halle in Schwankung geraten.

요동(遼東) 《중국의 지명》 *Liaotung* in China.
‖ ~반도 die *Liaotung* Halbinsel.

요때기(褥一) schmutzige Bettwäsche, -n.

요란(擾亂) ① 《어지러움》 Verwirrung *f.* -en; Erregung *f.* -en. ② 《시끄러움》 Tumult *m.* -(e)s, -e; Aufruhr *m.* -(e)s, -e. ~하다, ~스럽다 aufrührerisch; verwirrt; lärmend (sein). ¶ ~하게 lärmend / ~하게 떠들어 대다 viel Lärm machen.

요람(要覽) Zusammenfassung *f.* -en; Abriß *m.* ..sses, ..sse; Überblick *m.* -es, -e; (Reise-) führer *m.* -s, -; Handbuch *n.* -(e)s, ⸚er.

요람(搖籃) 《채롱》 Wiege *f.* -n; Schaukelbettchen *n.* -s, -; 《기원》 Wiege *f.*; Geburtsort *m.* -(e)s, -e. ¶ ~에서 무덤까지 von der Wiege bis zum Grab.
‖ ~기 Anfangsstudium *n.*; Kindheit *f.* ~지 Geburtsort *m.* -(e)s, -e: 문명의 ~지 die Wiege der Zivilisation.

요략(要略) Zusammenfassung *f*. -en; Abriß *m*. -es, -e; kurze Inhaltsangabe; Resümee *n*. -s, -s. ～하다 zusammen|fassen; resümieren[4].

요량(料量) das Gutdünken* (Belieben*; Ermessen*; Erachten*) -s; Urteil *n*. -(e)s, -e; Plan *m*. -(e)s, ⸗e; Intention *f*. -en; Absicht *f*. -en. ～하다 erraten[4]; vermuten[4]; planen[4]; ein|schätzen[4]; überlegen[4]. ¶ 어머니를 볼 ～으로 mit der Absicht, die Mutter zu sehen / ～이 없다 falsch ermessen*[4] (urteilen[4]; ein|schätzen[4]) / ～없는 말 die unüberlegte Aussprache / 네 ～대로 해라 Du kannst nach d-m Gutdünken entscheiden (tun). | Ich stelle es in dein Ermessen.

요러하다 ☞ 이렇다.

요령(要領) ① 《요점》 Haupt|punkt (Kern-) *m*. -(e)s, -e. ¶ ～ 있는 zutreffend; deutlich; klar / ～ 없는 unklar; verschwommen / ～ 있는 연설 e-e lakonische (klare) Rede / 사건의 ～ der Kern der Sache / ～이 있다 sachgemäß; zutreffend / 그는 언제나 ～있게 말한다 Er redet immer kurz u. deutlich (zutreffend).

② 《개략》 Zusammenfassung *f*. -en; Abriß *m*. ..risses, ..risse; Hauptinhalt *m*. -(e)s, -e. ¶ ～만을 대충 말하다 zusammen|fassen[4]; den Abriß skizzieren.

③ 《비결》 Kniff *m*. -(e)s, -e; Kunstgriff *m*. -(e)s, -e; Trick *m*. -s, -e. ¶ ～있는(없는) 사람 ein ganz schlauer (taktloser) Mensch, -en, -en / ～을 터득하다 den Rank finden*; Kniffe (Kunstgriffe) kennen* / 골프의 ～을 터득하다 den Kniff des Golfs heraus|haben / ～을 가르치다 *jm*. e-n Tip (Tips) geben* / 좀 더 ～있게 해라 Mach doch es ein bißchen geschickter!

요령(搖鈴) Handglocke *f*. -n; Schelle *f*. -n.

요령부득(要領不得) ～하다 nicht zur Sache gehörig; nicht den Nagel auf den Kopf treffend; unklar; verschwommen (sein). ¶ 자네 말은 도무지 ～이다 Ich kann überhaupt nicht verstehen, was du eigentlich meinst. / 그의 얘기는 언제나 ～이라 도저히 종잡을 수가 없다 Er kommt immer vom Hundersten ins Tausendste u. trifft nie den Nagel auf den Kopf.

요로(要路) 《요직》 e-e wichtige Stellung, -en; Schlüssel|stellung (-position) *f*. -en; 《긴요한 길》 ein wichtiger Weg, -(e)s, -e; Hauptlinie *f*. -n; Hauptverkehrsstraße *f*. -n; Verkehrsader *f*. -n. ¶ ～에 있는 사람들 die Leute, die wichtige Stellungen innehaben / 교통의 ～에 있다 in der Hauptverkehrsstraße liegen*.

요론(要論) e-e wichtige Diskussion; ein wichtiges (wesentliches; notwendiges) Argument, -(e)s, -e.

요르단 《나라이름》 Jordanien *n*. -s; Haschemitisches Königreich Jordanien. ¶ ～의 jordanisch. ‖ ～사람 Jordanier *m*. -s, -.

요리(料理) ① 《만들기》 das Kochen*, -s; Kocherei *f*.; Kochkunst *f*.; Küche *f*.; 《음식》 Gericht *n*. -(e)s, -e; Kost *f*.; Speise *f*. -n; das Angerichtete* (Zubereitete*). ¶ ～를 만들다 kochen[4]; an|richten[4]; zu|bereiten[4] / ～ 솜씨가 뛰어나다 e-e ausgezeichnete Kochkunst haben; gut zu Kochen verstehen*; [4]sich auf das Kochen verstehen* / ～를 잘하다 (못하다) gut (schlecht) kochen[4].

② 《일 처리》 ～하다 behandeln[4]; leiten[4]; handhaben[4]; verwalten[4]; bewältigen[4]. ¶ 나라 일을 ～하다 e-n Staat leiten / 이 일은 혼자서 도저히 ～할 수 없다 Ich kann nicht allein diese Angelegenheit bewältigen.

‖ ～기구 Koch|gerät (Küchen-) *n*. -(e)s, -e; Kochgeschirr *n*. -s, -e. ～대 Küchentisch (Anrichte-) *m*. -(e)s, -e. ～법 Kochkunst *f*.; die kulinarische Kunst. ～사 Koch *m*. -(e)s, ⸗e; 〖속어〗 Küchenbulle *m*. -n, -n; Küchenpersonal *n*. -s, - (총칭적); Küchenmeister *m*. -s, - (요리장). ～점, 요릿집 Gast|haus (Speise-; Wirts-) *n*. -es, ⸗er; Restaurant [..torã:] *n*. -s, -s: 중국요릿집 das chinesische Restaurant. ～책 Kochbuch *n*. -(e)s, ⸗er. ～학원 Kochschule *f*. -n. 생선 (고기, 야채)～ Fisch|gericht (Fleisch-, Gemüse-). 서양～ die europäische Küche (Speise). 일품～ Ein|topf *m*. -(e)s, ⸗e (-gericht *n*. -(e)s, -e). 중국～(를 먹다) e-e chinesische Speise (haben). 평양식～ Gericht à la *Pyeongyang*. 한국～ die koreanische Küche.

요리 《요렇게》 in dieser Weise; 《요리로》 hier; in diese Richtung.

요리조리 hier u. da; hierhin u. dorthin; diese Richtung u. jene Richtung. ¶ 책임을 ～ 피하다 [4]sich geschickt der Verantwortung entziehen* / ～ 핑계하다 aus|weichen* ⓢ; Ausrede (Ausflüchte; Winkelzüge) machen / 자동차를 ～ 피해 가다 dem Auto geschickt aus|weichen*ⓢ; er schlängelt [4]sich durch die Autos hindurch.

요마(妖魔) Kobold *m*. -(e)s, -e; Dämon *m*. -s, -en; Spuk *m*. -(e)s, -e; Nachtgeist *m*. -(e)s, -er; Geist *m*. -(e)s, -e; Gespenst *n*. -(e)s, -er.

요만 ☞ 이만.

요만것 diese kleine (winzige) Sache. ¶ ～도 모르느냐 Weißt du sogar diese Sache nicht? / ～을 다 못 먹느냐 Kannst du sogar dieses nicht aufessen?

요만큼 nur ein bißchen; kein bißchen; zum geringsten Grad. ¶ 그의 증언에 거짓이라고는 ～도 없다 Es gibt kein bißchen Falschheit. / ～의 손해로 그쳤다는 것은 다행한 일이다 Es ist ein Glück, daß wir den Verlust bis zum geringsten Grad vermindert haben.

요망(妖妄) Wankelmut *m*. -(e)s, -; Unbeständigkeit (Leichtsinnigkeit; Unzuverlässigkeit) *f*. -en; Grille *f*. -n; Treulosigkeit *f*. -en. ～떨다, ～부리다 leichtsinnig tun*[4]. ～스럽다, ～하다 wankelmütig; leichtsinnig; unzuverlässig; frivol (sein).

요망(要望) Wunsch *m*. -es, ⸗e; Verlangen *n*. -s; Forderung *f*. -en; Nachfrage *f*. -n (수요). ～하다 verlangen[4]; fordern[4]. ¶ 국민의 ～으로 auf das Verlangen des Volkes / ～에 응하다 *js*. Wünschen nach|kommen* (entgegen|kommen*) ⓢ / 학생에게 자각이 ～된다 Wir erwarten von der Studentenschaft die Gewissenhaftigkeit.

요면(凹面) die konkave Fläche; Aushöhlung *f*. -en.

요모조모 ☞ 이모조모.

요목(要目) Hauptpunkt *m*. -(e)s, -e.

‖ 교수～ Richtlinien 《*pl*.》 für den Unterricht; Lehrplan *m*. -(e)s, ⸗e.

요무(要務) e-e wichtige Pflicht (Angelegenheit) -en; ein dringendes Geschäft, -(e)s, -e.

요물(妖物) 《물건》 die unheimliche Sache, -n; 《사람》 e-e schlechte (böswillige) Per-

son, -en.
요민(饒民) wohlhabender Bürger, -s, -; die wohlhabenden Untertanen (Staatsangehörigen).
요밀요밀하다 sehr klein; peinlich genau; sorgfältig; detailiert [..taji:rt] (sein). ¶ 요밀요밀하게 sorgfältig; ins Detail [detái; detai:j]; penibel / 요밀요밀한 사람 ein penibler Mensch, -en, -en.
요밀하다(要密—) 《주도》 sorgfältig; genau; umsichtig (sein); 《세밀》 minuziös; sehr genau; eingehend (sein); ins Detail gehen* ⓢ.
요번(—番) dieses Mal.
요법(療法) ☞ 옷법.
요변(妖變) ① 《사건》 ein seltsames (unheimliches) Ereignis, -ses, -se. ② 《행동》 ein seltsames (verdächtiges; unberechenbares; fragliches; unzuverlässiges) Verhalten. ～스럽다 unberechenbar; seltsam; unzuverlässig (sein). ～떨다, ～부리다 [4]sich seltsam (unzuverlässig) benehmen*.
‖ ～장이 ein unberechenbarer (unzuverlässiger) Mensch, -en, -en.
요부(妖婦) Vamp *m.* -s, -; e-e verführerische Frau, -en. ¶ ～형의 여자 e-e vamphafte Frau.
요부(要部) ein wichtiger Teil, -(e)s, -e; Hauptpunkt *m.* -(e)s, -e.
요부(腰部) Hüfte *f.* -n.
요부(饒富) Wohlstand *m.* -es, ⸚e; hoher Lebensstandard, -(e)s, -s; Begütertsein *n.* -s; Wohlhabenheit *f.* -n. ～하다 im Wohlstand leben; wohlhabend (sein).
요분질 die Bewegung der Hüfte (beim Geschlechtsverkehr).
요사(夭死) der frühzeitige Tod, -(e)s. ～하다 jung sterben*ⓢ; in der Blüte der Jugend sterben*ⓢ.
요사(妖邪) Launenhaftigkeit *f.* -en; Wankelmut *m.* -(e)s, -e; Leichtsinn *m.* -(e)s, -e; Unbeständigkeit *f.* -en; Treulosigkeit *f.* -en; Oberflächlichkeit *f.* -en; Schlauheit *f.* -en; Listigkeit *f.* -en; Unheimlichkeit *f.* -en. ～하다, ～스럽다 launenhaft; wankelmütig; leichtsinnig; unbeständig; oberflächlich; schlau; listig; unheimlich; launisch (sein). ¶ ～피우다 =요사떨다.
요사(寮舍) ① 〖불교〗 der Heim im buddhistischen Tempel (für die Mönche). ② 《기숙사》 (Studenten)heim *m.* -(e)s, -e.
요사떨다, 요사부리다(妖邪—) [4]sich schlau und unheimlich benehmen; [4]sich wankelmütig benehmen; [4]sich leichtsinnig verhalten.
요사이 ☞ 요새.
요산(尿酸) 〖화학〗 Harnsäure *f.* -n.
요새 vor einigen (ein paar) Tagen; vor einiger (kurzer) Zeit; jüngst; kürzlich; neulich; vor kurzem; neuerdings. ¶ ～의 neulich; jüngst; heute; heutzutage; gegenwärtig / ～ 사람 die Menschen von heute; die modernen Menschen / ～ 청년 die Jugend von heute / ～ 일어난 일들 die jüngsten Ereignisse 《*pl.*》 / ～ 흔히 볼 수 없는 책이다 Dieses Buch ist heuzuttage kaum zu finden. / ～ 어떻게 지내십니까 Wie geht es Ihnen neulich? / ～ 비가 많이 왔다 Vor kurzem hat es viel geregnet.
요새(要塞) 〖군사〗 Festung *f.* -en. ¶ 바다의 ～ e-e schwimmende Festung, -en; Kriegsschiff *n.* -(e)s, -e / ～화하다 befestigen[4] / ～를 구축하다 e-e Festung bauen.
‖ ～전 Festungskrieg *m.* -(e)s, -e. ～지대 Festungsbereich *m.* -(e)s, -e; Festungsrayon *m.* -s, -s.
요서(夭逝) =요사(夭死).
요석(尿石) Harnstein *m.* -(e)s, -e.
요설(饒舌) =수다.
요소(尿素) 〖화학〗 Harnstoff *m.* -(e)s, -e.
요소(要所) e-e wichtige Stelle, -n; ein wichtiger Punkt, -(e)s, -e. ¶ ～에 in e-r wichtigen Position.
요소(要素) (ein wesentlicher) Bestandteil, -(e)s, -e; Element *n.* -(e)s, -e; wichtiger Umstand, -(e)s, ⸚e; Faktor *m.* -s, -en; Moment *n.* -s, -e. ¶ 생산의 3대～ drei Faktoren der Produktion / 사회 생활의 한 ～ ein Bestandteil des gesellschaftlichen Lebens / 건강은 행복의 ～이다 Gesundheit ist ein wesentlicher Bestandteil vom Glück.
요술(妖術) Taschenspielerei *f.* -en; Taschenspieler¦kunst *f.* ⸚e (-streich *m.* -(e)s, -e); Zauberei *f.* -en; Zauber¦kunst *f.* ⸚e (-(kunst)stück); Gaukelei *f.* -en; Gaukelkunst. ¶ ～을 부리다 Taschenspieler(kunst-)stücke 《*pl.*》 machen; gaukeln; jonglieren; e-n Trick vorführen (zeigen).
‖ ～객 =～장이. ～방망이 Wunschhammer *m.* -s, ⸚. ～장이 Taschenspieler (Zaub(e)rer; Zauberkünstler; Gaukler) *m.* -s, -; Jongleur [ʒɔ̃gló:r] *m.* -s, -e.
요승(妖僧) der unmoralische (lasthafte) buddhistische Mönch, -(e)s, -e.
요시찰인(要視察人) Mensch 《*m.* -en, -en》 auf der schwarzen Liste.
‖ ～명부 die schwarze Liste, -n; Überwachungsliste *f.* -n: ～ 명부에 올리다 auf die schwarze Liste setzen.
요식(要式) Formalitäten 《*pl.*》; Förmlichkeit *f.* -en; übliche Form; Formular *n.* -(e)s, -e. ¶ ～의 formell; formal; vorschriftsmäßig; konventionell.
‖ ～계약 formaler Vertrag, -(e)s, ⸚e; formelles Abkommen*.
요신(妖神) der böswillige Geist, -(e)s, -er.
요아힘 《독일 음악가》 Joseph Joachim (1830–1907).
요약(要約) Zusammenfassung *f.* -en; Resümee *n.* -s, -s. ～하다 zusammen|fassen[4]; resümieren[4]. ¶ ～해서 말하면 um es kurz zu fassen; kurz (gesagt).
요양(療養) (Heil)behandlung *f.* -en; Heilverfahren *n.* -s, -; Kur *f.* -en; Pflege *f.* -n. ～하다 [4]sich heilen (kurieren) lassen*; [4]sich e-r (Heil)behandlung unterziehen*; e-e (Heil)behandlung (Kur) durch|machen; s-e Gesundheit wieder|her|stellen. ¶ 병 ～을 하기 위하여 um die Krankheit zu heilen (kurieren); zur Wiederherstellung s-r Gesundheit.
‖ ～소 Heil¦anstalt *f.* -en (-stätte *f.* -n); Sanatorium *n.* -s, ..rien; Kranken¦heim (Genesungs-) *n.* -(e)s, -e. 자택～ Hausbehandlung; die Kur zu Hause.
요언(要言) Zusammenfassung der wichtigen Punkte; wichtige Inhaltsangabe.
요얼(妖孽) Katastrophe (Unheil) von dem bösen Geist; das vom bösen Geist verursachte Unglück, -(e)s, -.
요업(窯業) Keramik¦industrie (Porzellan-) *f.* -en; Töpferei *f.* -en (수공업적).
요연하다(瞭然—) klar; deutlich; übersichtlich (sein). ¶ 그것은 일목 ～ Das ist mit

e-m Blick zu erfassen.¦Das ist sehr übersichtlich.

요염(妖艶) e-e sinnliche (verführerische) Schönheit; e-e bezaubernde (reizende; entzückende) Schönheit; Zauber (Bezauber) *m.* -s, -; Koketterie *f.* -n. ～하다 bezaubernd (bestrickend) schön; kokett; wollüstig; erotisch; sinnlich; verführerisch schön; scharmant (sein). ¶～한 눈매(입술)로 mit den sinnlichen Augen (Lippen) / ～한 여인 e-e bezaubernd schöne Frau; e-e sinnliche (kokette) Frau / ～한 눈길을 보내다 *jm.* e-n kokettischen Blick zu|werfen*. ⌈liegend (sein).

요요하다(遙遙—) fern; weit entfernt; fern-

요용(要用) nötiges Benutzen*; der Gebrauch im nötigen (dringenden) Moment. ～하다 nötig benutzen; unentbehrlich benutzen; gut gebrauchen; davon guten Gebrauch machen.

요우(僚友) Kamerad *m.* -en, -en; Genosse (Kollege) *m.* -n, -n; Mitarbeiter *m.* -s, -.

요원(要員) der nötige (benötigte) Arbeiter, -s, -; 《총체적》 Personal *n.* -s, -e. ‖지상～ Bodenpersonal *n.*

요원(遙遠) ～하다 weit entfernt; unerreichbar; sehr weit (fern) (sein). ¶전도 ～하다 e-n langen Weg vor [3]sich haben; der Weg ist sehr weit; das steht noch in weitem Feld / 우리의 전도는 아직 ～하다 Wir sind noch weit entfernt von unserem Ziel.

요원(燎原) die verbrennende Steppe, -n; verheerendes Feuer. ¶～의 불길 Lauffeuer *n.* -s, -; die Flamme in der Steppe; griechisches Feuer, -s, -; verheerender Brand, -(e)s, ⸚e / ～의 불길처럼 퍼지다 [4]sich wie ein Lauffeuer verbreiten ¦ Es verbreitetet sich wie das Feuer in der Grassteppe.

요의(尿意) kleines Bedürfnis, -ses, -se. ☞ 오줌.

요인(要人) e-e führende (wichtige) Person (Persönlichkeit) -en; Schlüsselfigur *f.* -en. ‖당～ Parteifunktionär *m.* -s, -e. 산업계～ die führenden Persönlichkeiten der Industrie. 정부～ die führenden Mitglieder der Regierung. ⌈-(e)s, -e.

요인(要因) Faktor *m.* -s, -en; Moment *n.*

요일(曜日) Wochentag *m.* -(e)s, -e. ¶오늘은 무슨 ～입니까 Welchen Wochentag haben wir heute?

요전(一前) neulich; dieser Tage; kürzlich; jüngst; vor kurzem; vor einigen (ein paar) Tagen; vor kurzer Zeit. ¶바로 ～ gerade vor einigen Tagen / ～ 월요일 am letzten Montag / ～ 음악회 das neuliche Konzert, -(e)s, -e / ～ 편지에 말한 대로 wie ich im letzten Brief gesagt habe / ～에 그를 만났을 때 in der letzten Zeit, wo ich ihn sah / ～에 약속하신 것은 어찌 되었읍니까 Darf ich Sie an ihr Versprechen von neulich erinnern? / ～엔 실례가 많았읍니다 Letztes Mal habe ich Ihnen viele Unannehmlichkeiten bereitet.

요절(夭折) =요사(夭死).

요절나다 ①《못쓰게 되다》unbrauchbar (beschädigt; dienstunfähig; kaputt) werden. ②《부서지다》zerstört (beschädigt; kaputt) werden. ¶내 구두가 요절났다 M-e Schuhe sind kaputt. / 수화기가 떨어져서 요절났다 Der Telephonhörer ist auf dem Boden gefallen u. dabei kaputt gegangen. ③《일이》verderbt (vereitelt; verfehlt) sein. ¶지난번 폭풍우로 모든 계획이 요절났다 Wegen des letzten stürmischen Wetters sind alle Pläne völlig vereitelt.¦Der letzte Sturm hat alle Pläne zunichte gemacht.

요절내다 zerbrechen*; entzwei|machen; kaputt|machen; ruinieren; beschädigen; vernichten.

요절하다(腰絕—) [4]sich vor Lachen* krümmen; *jm.* das Zwerchfell erschüttern; zu Tode lachen; Tränen lachen; totlachen. ¶참 요절할 일이다 Das ist ja lächerlich.¦Das ist zum Tod lachen!¦Da kriege ich (ja) e-n Lachkampf.

요점(要點) ☞ 욧점.

요정(了定) 《결정》Entscheidung *f.* -en; 《끝마침》Vollendung *f.* -en; (Ab)schluß *m.* ..lusses, ..lüsse; Ende *n.* -s, -n. ～나다 entschieden (fest; beendet; fertig; geschlossen) sein. ～짓다 entscheiden*; beendigen; schließen*; vollenden; [4]*et.* zum Abschluß bringen*; entschließen*; fest|setzen; arrangieren; beschließen*.

요정(妖精) Elfe *f.* -n; Fee *f.* -n; Nixe *f.* -n. ¶숲의 ～ Waldnymphe *f.* -n; Dryade *f.* -n / 바다의 ～ Seejunfer *f.* -n; Wassernixe *f.* -n / 샘의 ～ Najade *f.* -n; Wassernixe *f.* -n / 물의 ～ Nymphe *f.* -n.

요정(料亭) Gastwirtschaft *f.* -en; Gaststätte (mit *Gisaeng*-Bedingung). ‖～정치 die politische Unterhandlung hinter den Kulissen (in der Gastwirtschaft).

요조(窈窕) ～하다 anmutig; graziös; elegant; geziemend; angebracht (sein). ‖～숙녀 die anmutige (anständige) Frau, -en.

요즈막 =요즈음.

요즈음 heutzutage; neulich; kürzlich; unlängst; in letzter Zeit; seit einiger Zeit; vor kurzem. ¶～까지 bis vor kurzem; noch bis vor kurzem (아주 최근까지) / ～의 학생 der Student 《-en, -en》 von heute; der jetzige Student / ～의 경향 die jüngste Richtung (Tendenz) -en.

요즘 ☞ 요즈음.

요지(要地) ein wichtiger Ort, -(e)s, -e. ¶전략상의 ～ ein strategisch wichtiger Punkt, -(e)s, -e.

요지(要旨) Hauptinhalt *m.* -(e)s, -e; Hauptpunkt *m.* -(e)s, -e; Kern *m.* -(e)s, -e; das Wesentliche*, -n, -n; Hauptsache *f.* -n; wesentliche Punkte 《*pl.*》; 《취지》 Inhalt *m.* -(e)s, -e; Sinn *m.* -(e)s, -e; Bedeutung *f.* -en; 《의론 따위의》 Argument *n.* -(e)s, -e; Beweisgrund *m.* -(e)s, ⸚e; Schlußfolgerung *f.* -en; Hauptthese *f.* -n. ¶강연 ～는 …과 같다 Der Hauptinhalt des Vortrages ist, daß.... / ～를 말하다 wesentliche Punkte erläutern (dar|legen; dar|tun*).

요지경(瑤池鏡) Guckkasten *m.* -s, - (⸚).

요지부동(搖之不動) Festigkeit *f.* -en; Standhaftigkeit *f.* -en; Unüberwindlichkeit *f.* -en; Unerschütterlichkeit *f.* -en. ～하다 fest (standhaft; unentwegt; unerschütterlich; sehr hart; unüberwindlich; unbesieglich) sein. ¶～의 결심 (신념) unerschütterlicher Entschluß (Glaube).

요직(要職) ein wichtiger Posten, -s, -; e-e wichtige Stellung, -en; Schlüssel¦stellung (-position) *f.* -en. ¶～의 안배(按配) die

Verteilung der wichtigen Posten (Stellungen) / 정부 ~에 있다 e-e wichtige Stellung innerhalb der Regierung bekleiden (inne|haben).

요진(要津) 《나루》 wichtige Fähre, -n; 《요직》 wichtige Stellung; wichtige Position; verantwortliche Stellung.

요처(要處) strategisch wichtige Stelle, -n.

요철(凹凸) Hebung u. Senkung; Unebenheit *f.* -en; Ungleichmäßigkeit *f.* -en.

요청(要請) Ersuchen *n.* -s, -; Gesuch *n.* -(e)s, -e; Bitte *f.* -n; (Auf)forderung *f.* -en; Verlangen *n.* -s, -. ~하다 *jn.* ersuchen (bitten*) 《*um*⁴》; von *jm.* verlangen⁴. ¶ ~에 따라 auf *js.* Ersuchen (Verlangen) / 시대 ~에 응하다 der Forderung der Zeit entsprechen* / ~을 수락하다 ein Gesuch (e-e Bitte) bewilligen (befürworten) / 5 천원을 ~하다 von *jm.* 5000 *Won* verlangen / 그는 연설을 해 달라는 ~을 받았다 Man hat ihn gebeten, e-e Rede zu halten.

요추(腰椎) Lenden¦wirbel (Lumbal-) *m.* -s, -. ‖ ~마취 Lumbalanasthesie *f.* -n.

요충(要衝) 《군사상의》 ein strategisch wichtiger Punkt, -(e)s, -e; 《중요지점》 Schlüsselpunkt *m.* -(e)s, -e; e-e wichtige Stelle, -n. ¶ 지브롤터는 지중해의 ~이다 Gibraltar ist der Schlüsselpunkt des Mittelmeeres.

요충(蟯蟲) Fadenwurm *m.* -(e)s, ⸗er.

요컨대(要—) kurz; kurz u. gut; um es kurz zu sagen; alles in allem; schließlich; am Ende. ¶ ~ 그 문제는 이렇게 된다 Um es kurz zu sagen, kommt die Sache auf folgendes heraus.

요탓조탓 unter diesem u. jenem Vorwand. ~하다 e-e faule Ausrede machen.

요통(腰痛) Lendenschmerz *m.* -es, -en; Lumbago *f.*

요트 Segelboot *n.* -(e)s, -e; Jacht *f.* -en; Jolle *f.* -n (소형의). ¶ ~를 타다 segeln ⓢ/ ~를 달리다 mit der Jacht segeln. ‖ ~레이스, ~경주 Segel¦sport (Jacht-) *m.* -(e)s; Segelregatta *f.* ..tten. ~조종자 Segler *m.* -s, -; Segelsportler *m.* -s, -.

요판인쇄(凹版印刷) Tiefdruck *m.* -(e)s, ⸗e.

요포대기(褥—) Steppdecke für die Kinder.

요하(遼河) 《중국의 강》 der *Liao-ho* (Fluß).

요하다(要—) brauchen⁴; erfordern⁴; benötigen⁴; nötig haben⁴; bedürfen². ¶ 주의를 ~ die Aufmerksamkeit erfordern / 휴식을 ~ die Ruhe nötig haben / 설명을 ~ der ²Erläuterung bedürfen* / 다루는 데 주의를 ~ e-e sorgfältige Behandlung erfordern / 이 일은 많은 인내를 요한다 Diese Arbeit erfordert (verlangt) viel Geduld.

요함(僚艦) Geleit¦schiff (Kamerad-) *n.* -(e)s, -e; Schwester(kriegs)schiff *n.*

요항(要項) die wichtig(st)en Punkte 《*pl.*》; Prospekt *m.* -(e)s, -e. ¶ 노트에 ~을 적다 die wichtigen Punkte ins Heft ein|tragen*. ‖ 지시~ Richtlinie *f.* -n.

요항(要港) ein strategisch wichtiger Hafen, -s, ⸗. ‖ 군사~ Marineversorgungsstützpunkt *m.* -(e)s, -e.

요해(要害) ① =요충(要衝). ② 《몸의》 die wichtige (gefährliche) Stelle des Körpers.

요행(僥倖) der glückliche Zufall, -(e)s, ⸗e; Glücksfall *m.*; Glück *n.* -(e)s; das unerwartete Glück. ¶ ~으로 zum Glück; glücklicherweise / ~을 바라다 ⁴*et.* dem Zufall überlassen*; ⁴sich auf sein Glück verlassen*; spekulieren 《*auf*⁴》 / 시험에서 ~을 바라다 Im Examen auf e-n glücklichen Zufall rechnen / 학교에 입학된 것은 ~이다 Es war ein reines Glück, daß ich von jener Schule aufnommen wurde. / ~으로 그를 만났다 Glücklicherweise (Zu m-m Glück) habe ich ihn getroffen. / 참 ~이로군 Was für (Welch) ein Glück! ‖ ~수(數) Glücksfall *m.* -(e)s, ⸗e.

요혈(尿血) 〖의학〗 Blutharnen *n.* -s; Hämaturie *f.*; mit Urin gemischtes Blut.

요희(妖姬) Vamp *m.* -s, -s; Hexe *f.* -n; Zauberin *f.* -nen; Versucherin *f.* -nen; Verführerin *f.* -nen.

욕(辱) ① 《욕설》 die üble Nachrede; Schmähung *f.* -en; Schimpfwort *n.* -(e)s, -e; Beschimpfung *f.* -en; 《중상》 Verleumdung *f.* -en. ¶ 욕을 하다 beschimpfen⁴; vorwerfen*⁴; verfluchen⁴; üble Nachrede über *jm.* führen (verbreiten).
② 《치욕》 Schande *f.* -n; Unehre *f.* -n; Beleidigung *f.* -en. ¶ 욕을 보다 (당하다) beleidigt werden; gekränkt werden; mit Schande beladen sein.
③ 《능욕》 Schändung (Vergewaltigung) *f.* -en. ¶ 욕을 보다 vergewaltigt werden / 욕을 보이다 vergewaltigen⁴; schänden⁴.
④ 《고생》 Not *f.* ⸗e; Mühsal *n.* -(e)s, -e; Mühe *f.* -n; Härte *f.* -n; Leiden *n.* -s, -. ¶ 욕을 보다 e-e harte Schule (viel) durch|machen; schwere Prüfungen hinter sich haben; ³sich viel Mühe machen / 그의 집 찾기에 욕을 봤다 Mit großer Mühe u. Not habe ich sein Haus ausfindig gemacht.

욕(慾) 《욕심》 Habgier *f.*; Habsucht *f.*; Geiz *m.* -es; 《욕망》 Begierde *f.* -n; Begehren *n.* -s, -; Lust *f.* ⸗e; Gier *f.*; Verlangen *n.* -s, -; Wunsch *m.* -(e)s, ⸗e. ¶ 명예욕 Ehrgeiz / 재산욕 Geldgier / 지식욕 Wißbegierde / 지식욕에 불타다 e-n großen Wissens¦durst (-drang) haben.

욕가마리(辱—) e-e Person, die e-r Gesellschaft als Zielscheibe des Spottes dient.

욕감태기(辱—) ein Mann, der von allen beschimpft wird; e-e Person, die schlechten Ruf haben.

욕객(浴客) Badegast *m.* -(e)s, ⸗e; der Badende*, -n, -n.

욕계(慾界) 〖불교〗 die Welt des Begehrens*; habgierige Welt.

욕구(慾求) Bedürfnis *n.* -ses, -se; Verlangen *n.* -s; Trieb *m.* -(e)s, -e; Begierde *f.* -n; Wunsch *m.* -es, ⸗e. ~하다 verlangen⁴; wünschen⁴; ⁴sich nach *jm.* (³*et.*) sehnen. ¶ 생의 ~ das Verlangen nach dem Leben; Lebenswille *m.* -ns, -n / 성의 ~를 채우다 sexuelles Bedürfnis befriedigen. ‖ ~불만 〖심리〗 Frustration *f.* -en.

욕기부리다(慾氣—) auf ⁴*et.* gierig sein; *jn.* um ⁴*et.* beneiden; nach ³*et.* trachten; begehren 《⁴*et.*; nach ³*et.*》. ¶ 남의 것을 ~ den Besitz der anderen Leute beneiden (begieren) / 왜 그렇게 욕기를 부리나 Wie begehrlich (gierig; habsüchtig) bist du!

욕념(慾念) das Begehren*, -s; Begierde *f.* -n; Trieb *m.* -(e)s, -e; das Verlangen*, -s; Passion *f.* -en; 《정욕》 Leidenschaft *f.* -en; Sehnsucht *f.* ⸗e.

욕되다(辱—) *jm.* Schande machen (bringen); ⁴sich blamieren. ¶ 남을 욕하면 되레 내게 욕된다 《속담》 „Der Horcher an der

Wand hört s-e eigene Schand.“ / 너 같은 자식은 가문에 욕된다 Du bist e-e Schande 〔ein Schandfleck〕 für unsere Familie.¦ Du machst unserer Familie Schande. / 욕된 일생을 보내다 Er hat ein Leben in Schmach u. Schande gelebt 〔geführt〕./ 그는 아랫사람한테 묻는 것을 욕되게 생각한다 Er hält es für e-e Schande, s-e Untergebenen zu fragen.

욕망(慾望) Begierde *f.* -n; Begier *f.*; Gelüste *n.* -s, -; Verlangen *n.* -s, -; Bedürfnis *n.* -ses, -se. ¶ ~을 억제하다 Begierde unterdrücken / ~을 부추기다 Begierde 〔Verlangen〕 reizen / ~을 채우다 Begierde stillen 〔bezähmen〕; Bedürfnis befriedigen/ ~을 품다 e-e Ambition hegen 〔wahren〕.

욕먹다(辱—) ① 《욕설을》 vorgeworfen werden; Vorwürfe 《*pl.*》 auf ^{4}sich nehmen. ② 《악평·비난을》 verleumdet 〔verschrien〕 werden; in Verruf kommen* 〔geraten*〕ⓢ; 《신문 따위에서》 scharf 〔ungünstig〕 kritisiert 〔rezensiert〕 werden; e-e scharfe Kritik bekommen*. ¶ 그 책은 욕을 먹었다 Das Buch ist unter alle Kritik.

욕보다(辱—) ① 《치욕》 e-n Schimpf erleiden*; e-e Schande hin|nehmen*; geschändet 〔entehrt〕 werden. ¶ 섣불리 여자한테 말을 걸었다가 욕봤다 Sie hat auf sein taktloses Ansprechen überhaupt nicht geachtet.¦ Sie demütigte ihn, als er sie taktlos ansprach. ② 《고생》 ^{3}sich Mühe geben*; ^{3}sich viel Mühe machen; e-e harte Schale durch|machen / 준비하느라 욕봤읍니다 Sie haben sich mit der Vorbereitung viel Mühe gegeben. ③ 《겁간》 vergewaltigt werden.

욕보이다(辱—) ① 《치욕을》 beleidigen^{4}; entehren^{4}; insultieren^{4}; herab|würdigen^{4}; verunglimpfen^{4}; Schande bringen*《über *jn.*》. ② 《여자를》 vergewaltigen^{4}; schänden^{4}.

욕설(辱說) 《악담》 Fluch *m.* -(e)s, ⸚e; Verfluchung *f.* -en; Verdammung *f.* -en; Schmährede *f.* -n; 《모욕적인 말》 Schimpfwort *n.* -(e)s, ⸚er; Beschimpfung *f.* -en; Verleumdung *f.* -en. ¶ ~을 퍼붓다 auf *jn.* fluchen 〔schimpfen〕; *jm.* mit e-r Flut 〔e-m Schwall〕 von Schimpfwörtern 〔Schimpfworten〕 überschütten.

욕실(浴室) Badezimmer *n.* -s, -.

욕심(慾心) Habgier *f.*; Habsucht *f.*; Geiz *m.* -es; Begierde *f.* -n; Gier *f.*; Verlangen *n.* -s. ¶ ~에서 aus der Habgier; aus dem Egoismus / ~을 부려서 habgierig; habsüchtig; geizig / ~없이 anspruchslos; selbstlos; bescheiden; uneigennützig; freigebig; großzügig / 돈의 ~ Geldsucht *f.*/ ~을 누르다 s-e Begierde unterdrücken / ~이 크다 〔많다〕 habgierig 〔habsüchtig; gierig〕 sein / ~에 눈이 멀다 ^{4}sich durch die Habgier verleiten lassen* 《*zu*^{3}》; ^{4}sich durch den Mammon blenden lassen* / ~을 지나치게 부리지 말게 Sei nicht so gierig !/ 그는 ~덩어리다 Er ist die Verkörperung der Habgier.¦ S-e Habgier kennt k-e Grenze. / 그는 어림도 없는 ~을 부린다 Er wirft die Wurst nach der Speckseite. ‖ ~꾸러기 der Habgierige*, -n, -n; Geizhals *m.* -(e)s, ⸚e.

욕의(浴衣) Badeanzug *m.* -(e)s, ⸚e; Badekostüm *n.* -s, -e; Bademantel *m.* -s, -.

욕장이(辱—) e-e Person, die schmutzige Reden führt; Verleumder *m.* -s, -; 《험담꾼》 Lästermaul *n.* -(e)s, ⸚er; Klatschbase *f.* -n; Klatsche *f.* -n.

욕정(慾情) 〔geschlechtliche〕 Begierde, -n; sexuelles Bedürfnis, ..nisses, ..nisse; Verlangen *n.* -s, -; Leidenschaft *f.* -en. ¶ ~을 누르다 s-e Leidenschaften zügeln 〔zurück|halten*〕. ☞ 정욕(情慾).

욕조(浴槽) Badewanne *f.* -n. ¶ ~에 물을 채우다 Wasser in die Badewanne ein|lassen*.

욕지거리(辱—) beißende 〔schneidende; scharfe〕 Zunge, -n (독설); Hohn *m.* -(e)s 〔Stichelei *f.* -en〕; das Zischen*, -s (야유, 비난); Geschimpfe *n.* -s. ~하다 beschimpfen^{4}; Schimpfworte gebrauchen; *jn.* aus den Lumpen schütteln; 〔fluchen u.〕 schimpfen; fluchen 《*auf*^{4}》; geifern; bitter sagen; schelten*; auf|schelten*^{4}.

욕지기 das Erbrechen*, -s; Übelkeit *f.* -en; Ekel *m.* -s; 〖의학〗 Brechreiz *m.* -es, -e. ~하다 ekelhaft 〔ekelerregend; eklig; abscheulich; widerlich〕 sein. ¶ ~ 나는 ekelhaft / ~(가) 나다 (e-n) Brechreiz empfinden*; ^{4}sich ekeln 《*vor*^{3}》; Ekel haben 〔empfinden*〕; ^{4}sich erbrechen wollen* / 그가 알랑거리는 말을 들으면 ~가 날 지경이다 S-e Schmeichelei ist mir einfach zum Kotzen. / 그 냄새에 그녀는 ~가 났다 Der Geruch hat sie ekelhaft gemacht.

욕창(褥瘡) die wundgelegenen 〔aufgelegenen; durchgelegene〕 Stellen 《*pl.*》. ¶ ~이 나다 ^{4}sich auf|liegen*; ^{4}sich durch|liegen*; ^{4}sich wundliegen; wundgelegene Stellen haben / 그 환자에게 ~이 생겼다 Der Kranke hat sich wundgelegen.

욕탕(浴湯) Badeanstalt *f.* -en; das öffentliche Bad, -(e)s, ⸚er.

욕화(浴化) Einfluß durch Tugend. ~하다 durch Tugend beeinflußt werden.

욕하다(辱—) ☞ 욕(辱) ①.

욕화(慾火) glühendes Begehren*, -s; heftiges Verlangen*, -s.

욥 〖성서〗 Hiob. ‖ 욥기(記) Das Buch Hiob.

욧법(療法) Kur *f.* -en; Heil¦methode *f.* -n 〔-verfahren *n.* -s, -〕; Therapie *f.* -n. ‖ 단식 〔절식〕~ Hungerkur. 쇼크~ Schocktherapie. 전기~ Elektrotherapie. 지압~ Osteopath *m.*

욧속(褥—) Baumwollwatte *f.* -n.

욧의(褥衣) Matratzendecke *f.* -n.

욧잇(褥—) Matratzendrell *m.* -(e)s, -e.

욧점(要點) Hauptsache *f.* -n; das Wesentliche*, -n; Kernpunkt *m.* -(e)s, -e; Kern *m.* -(e)s, -e (der Sache); des Pudels Kern; Angelpunkt *m.* -(e)s, -e; Hauptpunkt *m.* -(e)s, -e. ¶ ~을 들다 die Hauptpunkte an|führen / 이야기의 ~을 알다 〔모르다〕 die Pointe der Geschichte verstehen* 〔vermissen〕 / ~을 잡다 das Wesentliche 〔den Kernpunkt〕 treffen* / ~만 따서 말하다 kurz zusammen|fassen^{4}; e-e zusammenfassende Darstellung geben* / ~을 벗어나다 den Kernpunkt verfehlen / 그것이 ~이다 Das ist der Kern der Sache./ ~을 말하면 다음과 같다 Die Hauptpunkte können folgendermaßen zusammengefaßt werden. / 자네 말은 ~을 모르겠다 Ich kann den Kernpunkt d-r Rede nicht verstehen.

용(用) ① 《용무(用務)》 Angelegenheit *f.* -en. ¶ 공(사, 상)용 offizielle 〔private; geschäftliche〕 Angelegenheit.

② 《사용》 Gebrauch *m.* -(e)s, ⸗e. ¶ …용(의) nach³; für⁴ / 가정용(의) für Hausgebrauch/ 남자용 Herren-; für Herren / 여자용 Damen-; für Damen/신사 〔부인〕용 장갑 Handschuh 《*m.* -(e)s, -e》 für ⁴Herren 〔Damen〕; Herrenhandschuh 〔Damenhandschuh〕 / 남자용 물품 Herrenartikel *m.* -s, - / 수출용 견(絹)제품 die Seidenwaren 《*pl.*》 für das Ausland 〔zum Export〕 / 이 수건은 손님용이다 Diese Handtücher sind für die Gäste.
③ 《씀씀이》 Aufwand *m.* -(e)s; Ausgabe *f.* -n; Kosten 《*pl.*》. ¶ 가용(家用) Haushaltskosten 《*pl.*》. 「-n.

용(茸) Geweih *n.* -(e)s, -e; Geweihsprosse *f.*

용(龍) Drache *m.* -n, -n. ¶ 용이 구름을 얻은 듯하다 Er ist in s-m Element. / 개천에서 용이 났다 E-e schwarze Henne hat weiße Eier gelegt.

용감(勇敢) Tapferkeit *f.*; Kühnheit *f.*; Beherztheit *f.* **~하다** tapfer; kühn; mutig; beherzt; wacker; unerschrocken; 《저돌적》 wagehalsig (sein). ¶ 노한 사자같이 ~하게 tapfer wie ein Löwe / ~한 사내 der tapfere Junge, -n, -n / ~한 무사 ein tapferer Krieger, -s, - / ~한 행위 heroische 〔heldenmutige〕 Tat, -en/~히 싸우다 tapfer 〔ritterlich〕 kämpfen.

용강(勇剛) Unerschrockenheit *f.* -en; Furchtlosigkeit *f.* -en; Kräftigkeit *f.* -en; Robustheit *f.* -en; Standhaftigkeit *f.* -en. **~하다** unerschrocken; furchtlos; robust; kräftig; standhaft; stramm; stämmig (sein).

용건(用件) Geschäft *n.* -(e)s, -e; Angelegenheit *f.* -en; geschäftliche Angelegenheit. ¶ 급한 ~으로 wegen e-r dringenden Angelegenheit / ~을 묻다 nach *js.* Angelegenheit fragen / 어떤 ~으로 면회하다 mit *jm.* über e-e Angelegenheit sprechen* / ~이 무엇입니까 Was kann ich für Sie tun?¦ Was wollen 〔möchten〕 Sie?

용고뚜리 Kettenraucher *m.* -s, -; starker Raucher.

용골(龍骨) Spant *n.* -(e)s, -en 《보통 *pl.*》; Schiffs¦rippe *f.* -n 〔-gerippe *n.* -s, -〕; Kiel *m.* -(e)s, -e. ¶ ~상 〔모양〕의 kielförmig.

용공(容共) die Duldung 〔Bejahung〕 des Kommunismus. ¶ 그는 ~파다 Er sympathisiert mit dem Kommunismus. ‖ **~정책** e-e prokommunistische Politik; e-e Politik, die den Kommunismus toleriert.

용관(冗官) überflüssiges Amt, -(e)s, ⸗er; überflüssiger Beamte*, -n, -n.

용광로(鎔鑛爐) Schmelzofen *m.* -s, ⸗; Hochofen (특히 제철용의).

용구(用具) Gerät *n.* -(e)s, -e; Werkzeug *n.* -(e)s, -e; Utensilien 《*pl.*》.
‖ **~상자** Gerät(e)kasten *m.* -s, - (⸗). **농업~** Werkzeuge für Landwirtschaft. **운동~** Sportgerät *n.* **필기~** Schreibzeug *n.*

용궁(龍宮) Drachenpalast *m.* -es; das Märchenschloß 《..schlosses》 der Meerkönigin.

용기(用器) Instrument *n.* -(e)s, -e; Gerät *n.* -(e)s, -e; Werkzeug *n.* -(e)s, -e; Apparat *m.* -(e)s, -e. ‖ **~화(畫)** instrumentale Malerei; technische Zeichnung, -en.

용기(勇氣) Mut *m.* -(e)s; Tapferkeit *f.*(용감); Kühnheit *f.* (과감); Beherztheit *f.*; Mannhaftigkeit *f.*; 〖속어〗 Schneid *m.* -(e)s. ¶ ~있는 mutig; beherzt; furchtlos; kühn; mannhaft; tapfer; wacker; 〖속어〗 schneidig / ~없는 mutlos; kleinmütig; hasenherzig; memmenhaft; feige/무모한 ~ unvernünftige 〔rohe; dumme; gefühllose〕 Tapferkeit, -en/~없는 사람 Feigling *m.* -(e)s, -e / ~를 내다 Mut fassen 〔auf|bringen*〕; ³sich ein Herz fassen / ~를 잃다 den Mut sinken lassen*; den Mut verlieren* / ~를 북돋우어 주다 *jm.* Mut geben* 〔ein|-flößen; machen; zu|sprechen*〕 / ~백배하다 ⁴sich doppelt beherzt fühlen; voll unbezähmbaren Mutes sein / 그의 ~에 감동되어 von s-m Mut beeindruckt; auf s-n Mut erwidernd / ~를 내 Durchsetzen! (잘해라)¦ Nur Mut! / ~를 잃지 말라 Nur nicht den Mut verlieren! / 그것에는 ~가 필요하다 Dazu gehört Mut. / 그것을 말할 ~가 없었다 Ich habe k-n Mut gehabt, es zu sagen.

용기(容器) Gefäß *n.* -es, -e; Behälter *m.* -s, -; Kiste *f.* -n; Kasten *m.* -s, ⸗; Schachtel *f.* -n; Gehäuse *n.* -s. ¶ ~에 넣다 in ein Gehäuse *usw.* stecken.

용기병(龍騎兵) Dragoner *m.* -s, -.

용꿈(龍—) schöner Traum; Traum von Drachen. ¶ ~ 꾸다 von Drachen träumen; e-n schönen Traum träumen.

용납(容納) 《허용》 Erlaubnis *f.* -se; Zulassung *f.* -en; 《용서》 Vergebung *f.* -en; Verzeihung *f.* -en. **~하다** erlauben⁴ 《*jm.*》; gestatten⁴ 《*jm.*》; zu|lassen*⁴; vergeben*⁴ 《*jm.*》; verzeihen*⁴ 《*jm.*》. ¶ ~할 수 없는 unverzeihlich / 지연을 ~치 않다 Verspätung nicht erlaubt / 변명을 ~치 않는다 Es läßt sich nicht entschuldigen. / 나는 절대 ~하지 않겠다 Ich kann 〔werde〕 das auf k-n Fall zulassen.

용녀(傭女) Dienstmädchen *n.* -s, -; Zimmermädchen *n.* -s, -; Magd *f.* ⸗e.

용녀(龍女) die Tochter des Drachenkönigs.

용뇌(龍腦) 〖약〗 Borneokampfer *m.* -s.

용단(勇斷) e-e ausschlaggebende 〔maßgebende; entscheidende〕 Maßnahme; ein entschlossener 〔drastischen〕 Schritt, -e. ¶ ~을 내리다 e-e mutige Entscheidung 《-en》 treffen* / 당국의 ~을 요망하다 e-r drastischen Entscheidung der Behörde erwartungsvoll entgegen|sehen*.

용달(用達) (Ab)lieferung *f.* -en. **~하다** ab|-liefern 〔aus|-〕; übergeben; überbringen*; liefern.
‖ **~업** das Speditions¦geschäft 〔Fracht-〕 《-(e)s, -e》 in kleinem Maß(stab). **~차** Liefer(kraft)wagen *m.* -s, -.

용담(用談) ein dienstliches 〔geschäftliches〕 Gespräch, -s, -e; Besprechung *f.* -en; Unterredung *f.* -en. **~하다** mit *jm.* e-e ⁴Angelegenheit besprechen*; ⁴sich mit *jm.* unterreden. ¶ ~ 중이다 mit ³*et.* beschäftigt sein / 나는 이 건으로 그와 ~했다 Ich hatte mit ihm e-e Besprechung über diese Angelegenheit.

용도(用度) Verbrauch *m.* -(e)s; Ausgaben 《*pl.*》. ‖ **~과(課)** Belieferungsabteilung *f.* -en; Einkaufsabteilung *f.* -en.

용도(用途) Verwendungszweck *m.* -(e)s, -e; Verwendungsmöglichkeit *f.* -en (가능한 사용 범위); Verwendung *f.* -en; Gebrauch *m.* -(e)s, ⸗e (사용); Benutzung *f.* -en (이용); Beschäftigung *f.* -en (사람의). ¶ ~가 넓다 vielseitig verwendbar sein / ~가 없다 unbrauchbar sein; (zu) nichts nützen / 돈의 ~를 밝히다 erklären 〔begründen〕, wie das Geld verwendet wird / 이 도구의 ~는 무엇

이냐 Wozu gebraucht (benutzt) man dieses Gerät? / 이 약의 ~는 넓다 Das Arzneimittel ist vielseitig verwendbar.

용돈(用—) Taschengeld *n.* -(e)s, -er; 《남편이 아내에게 주는》 Nadelgeld. ¶ ~벌이로 als Nebenbeschäftigung / 한 달에 오천 원을 ~으로 주다 《e-r Person》 5000 *Won* im Monat als Taschengeld geben* / ~이 떨어지다 Das Taschengeld ist mir ausgegangen. / 이것이 이 달 네 ~이다 Das ist dein Taschengeld für diesen Monat.

용두(龍頭) Krone *f.* -n (der Uhr).

용두레 〖농업〗 Schöpfeimer *m.* -s, -.

용두사미(龍頭蛇尾) guter Anfang u. dummes Ende; dumme (lahme; fade) Vollendung; ein schwacher Entschluß. ¶ ~로 끝나다 kräftig zu|packen[4], doch schlaff auf|geben*[4]; entschlossen drein|schlagen*, doch entmutigt nach|lassen* / 계획은 ~로 끝났다 Der Plan (Das Unternehmen) war ein Versager nach blendendem Start. ¦ Das war ein Schlag ins Wasser.

용두질 Onanie *f.*; Selbstbefleckung *f.*; Masturbation *f.* ~하다 onanieren; masturbieren. ¶ ~하는 사람 Onanist *m.* -en, -en.

용략(勇略) Mut u. Strategie; Kühnheit u. Ränke; Tapferkeit u. List.

용량(用量) Dosis (Dose) *f.* ..sen; 《약의》 Dosierung *f.*

용량(容量) Kapazität *f.* -en; Fassungsvermögen *n.* -s; Aufnahmefähigkeit *f.* -en; 《용적》 (Körper)maß *n.* -es, -e. ¶ 그 발전소는 천만 킬로와트의 ~을 갖고 있다 Das Kraftwerk hat e-e Kapazität von 10 Millionen kw. ‖ ~분석 〖화학〗 Maßanalyse *f.* -n. 열(전기)~ die thermische (elektrische) Kapazität.

용력(用力) (geistige) Anstrengung, -en; (körperliche) Arbeit, -en; Mühe *f.* -n.; Anstrengung. ~하다 arbeiten; [4]sich an|strengen; [4]sich bemühen.

용력(勇力) männliche Kraft, ⸗e; männliche Stärke, -n; körperlicher Mut, -(e)s; physische Tapferkeit, -en.

용렬하다, 용렬스럽다(庸劣—) dumm; mittelmäßig; unklug; blöd; stumpfsinnig (sein). ¶ 용렬한 사람 Dummkopf *m.* -(e)s, ⸗e / 용렬한 짓 Stümperei *f.* -n / 용렬한 짓을 하다 e-n groben Fehler machen; [4]sich dumm benehmen*.

용례(用例) Beispiel *n.* -(e)s, -e. ¶ ~를 들다 ein Beispiel geben*; [4]*et.* als Beispiel nennen* (setzen) / ~를 들면 zum Beispiel (z.B.).

용립(聳立) das Aufstehen*, -s; das Hochsteigen*, -s; Erhebung *f.* -en. ~하다 auf|stehen* ⓢ; hoch|steigen* ⓢ; empor|steigen* ⓢ; [4]sich erheben*; hoch|ragen.

용마(龍馬) schnelles Pferd, -(e)s, -e; schnelles Roß, ..sses, ..sse.

용마루(龍—) (Dach)first *m.* -es, -e. ‖ ~기와 Firstziegel *m.* -s, -.

용만(冗漫) Umständlichkeit *f.* -en; Weitläuf(t)igkeit *f.* -en; Weitschweifigkeit *f.* -en. ¶ ~한 umständlich; weitläuf(t)ig; weitschweifig.

용매(溶媒) 〖화학〗 Lösungs¦mittel (Löse-) *n.* -s, -.

용맹(勇猛) Mut *m.* -es, -e; Tapferkeit *f.*; Furchtlosigkeit *f.*; Unerschrockenheit *f.*; Kühnheit *f.*; Heldenmut *m.* -(e)s. ~하다 kühn; beherzt; furchtlos; unerschrocken; verwegen; wacker; wage¦mutig (-halsig) (sein). ‖ ~심 das kühne Herz, -ens, -en; der kühne Geist, -(e)s, -er (Mut, -(e)s): ~심을 일으키다 keck frischen Mut fassen / ~심으로 벅차 있다 voll unzähmbaren Mutes sein.

용명(勇名) Ruhm für die Tapferkeit. ¶ ~을 떨치다 (날리다) [3]sich e-n Ruf erwerben* 《*wegen*[2]》; [4]sich e-s Weltrufes erfreuen.

용명(溶明) 〖영화〗 das Einblenden*, -s. ~하다 auf|blenden (ein|-; über|-).

용모(容貌) Gesicht *n.* -(e)s, -er; (Gesichts-) züge 《*pl.*》; das Aussehen*, -s (외양); 〖시어〗 Antlitz *n.* -es, -e; Gesichtsbildung *f.* -en; Miene *f.* -n. ¶ ~가 아름다운 von gutem Aussehen*; von guten Gesichtszügen; schön; hübsch; nett; niedlich; (s)charmant / ~가 추한 사람 ein häßlicher Mann, -(e)s, ⸗er / ~가 괴위(魁偉)한 사람 ein Mann, der ein mächtiges Aussehen hat / ~보다 마음씨 „Schön ist, wer schön handelt." / ~가 변하다 neue Gesichtszüge bekommen* / 그녀는 ~가 단정하다 Sie hat e-e schöne (feine; hübsche) Gestalt (Figur). / 그 여자의 ~가 마음에 안 든다 Ihr Aussehen* gefällt mir nicht.

용무(冗務) unbedeutende Tätigkeit, -en; unwichtige Arbeit, -en; banale Sache, -n; alltägliche Angelegenheiten 《*pl.*》.

용무(用務) Sache *f.* -n; Angelegenheit *f.* -en; Arbeit *f.* -en; Ihr Anliegen* *n.* -s; Ihr Begehr *m.* (*n.*) -(e)s, -e; Ihr Geschäft *n.* -(e)s, -e. ¶ 급한 ~로 wegen e-r dringenden Angelegenheit / ~를 띠고 beruflich; geschäftlich / ~를 마치다 die Sache erledigen / 무슨 ~십니까 Womit kann ich Ihnen dienen? / ~없는 이는 들어오지 마시오 Kein Eintritt ohne Angelegenheiten. / 자네에게 잠깐 ~가 있네 Ich habe mit dir etwas zu besprechen.

용법(用法) 《사용법》 Gebrauchs¦weise (Anwendungs-) *f.* -n; 《사용법에 관한 지시》 Gebrauchsanweisung *f.* -en; Benutzungs¦vorschrift (Verwendungs-) *f.* -en. ¶ ~이 틀리다 falsch gebrauchen[4]; e-n falschen Gebrauch machen 《*von*[3]》 / 그 ~을 가르쳐 주시오 Sagen Sie mir, wie man es benutzen (gebrauchen) soll! / ~을 잘 읽고 이 약품을 써라 Lesen Sie sorgfältig die Gebrauchsanweisung, u. benutzen Sie die Medizin!

용변(用便) Stuhlgang *m.* -(e)s, ⸗e; Ausleerung *f.* -en; Entleerung. ¶ ~보다 sein Bedürfnis (s-e Notdurft) verrichten; 〖속어〗 ein (großes (kleines)) Bedürfnis (Geschäft) verrichten; Stuhlgang haben.

용병(用兵) Truppenverwendung *f.* -en. ~하다 die Truppe ein|setzen (beschäftigen; an|(ein)stellen). ¶ ~에 통달하다 in der Taktik bewandert (beschlagen; versiert) sein. ‖ ~술 Taktik *f.* -en (전술); Strategie *f.* -n [..gíːən] (전략).

용병(傭兵) Mietsoldat *m.* -en, -en; Söldner *m.* -s, -; Söldling *m.* -s, -e.

용봉탕(龍鳳湯) die Suppe aus Hännchen u. Karpfen.

용부(勇夫) der tapfere Mann; der Tapfere*, ⌈-n, -n.

용부(庸夫) kleiner Geist, -es, -er; mittelmäßiger Mensch; unbedeutender Mensch.

용불용(用不用) Gebrauch u. Nichtgebrauch. ‖ ~설 〖생물〗 Lamarckismus *m.*

용비(冗費) unnötige (zwecklose; sinnlose)

Kosten 《pl.》; Unkosten 《pl.》; Verschwendung f. -en. ¶ ~를 절약하다 unnötige 〔zwecklose; sinnlose〕 Kosten beschneiden* 〔verringern〕.

용사(勇士) Held m. -en, -en; der Tapfere*, -n, -n; der kühne Held, -en, -en; der tapfere Degen, -s, -; ein tapferer Mann, -(e)s, ⸚er.

용상(龍床) der Sessel des Königs; der Stuhl 《-(e)s, ⸚e》 des Königs; königlicher Stuhl.

용색(用色) Geschlechtsverkehr 〔Beischlaf〕 m. -(e)s; Geschlechtsakt m. -(e)s, -e. ~하다 bei|schlafen*; den Beischlaf aus|üben; Geschlechtsverkehr haben 〔ausüben〕.

용서(容恕) 《사죄》 Verzeihung f. -en; Entschuldigung f. -en; Vergebung f. -en; Pardon [pardɔ̃:] m. -s; 《가차》 (Ver)schonung f. -en; Nachsicht f. ~하다 entschuldigen⁴; verzeihen*; vergeben*; durchgehen lassen*; jn. (ver)schonen; mit jm. Nachsicht haben 〔üben〕. ¶ ~할 수 없는 unentschuldbar; unverzeihlich / ~없이 ohne ⁴Schonung 〔Nachsicht〕; erbarmungslos; hart; schonungs|los 〔rücksichts-〕; unerbittlich / 실수를 ~하다 jm. den Fehler verzeihen*; jm. sein Vergehen* vergeben* / 부디 ~를 바랍니다 Ich bitte Sie tausendmal um Entschuldigung 〔Verzeihung〕. / 그러한 행위는 ~할 수 없다 So ein Betragen ist nicht zu verzeihen.

용석(熔石) vulkanisches Gestein, -(e)s, -e; Lava f. ..ven.

용선(傭船) 《배를 세냄》 das Chartern* [(t)ʃártərn] -s; 《세낸 배》 Charterschiff n. -(e)s, -e. ~하다 ein Schiff mieten 〔chartern〕.

‖ ~계약 Chartervertrag m. -(e)s, ⸚e; Befrachtungsvertrag m. -(e)s, ⸚e: ~계약서 Chartepartie f. -n. ~료 Chartergebühr f. -en.

용설란(龍舌蘭) 〖식물〗 Agave f. -n.

용성(溶性) Auflösbarkeit f. ¶ ~의 auflösbar.

용소(龍沼) das Becken des Wasserfalls.

용속하다(庸俗—) banal; vulgär; blöd; dumm; mittelmäßig (sein).

용솟음치다 (hervor|)strömen ⓢ; ⁴sich ergießen*; (aus|)spritzen ⓢ; wirbeln (소용돌이치다). ¶ 용솟음치는 큰 파도 brausende 〔stürmische; wilde〕 Wogen 《pl.》 / 상처에서 피가 용솟음친다 Das Blut strömt aus der Wunde.

용수 Weinsieb n. -(e)s, -e. ¶ ~지르다 filtern; seihen. ‖ ~뒤 Rückstand beim Filtern des Weins.

용수(用水) Gebrauchswasser n. -s; 《천수》 Regenwasser n.; 《우물의》 Quellwasser n.

‖ ~로(路) Bewässerungsgraben m. -s, ⸚. ~지(池) Wasserreservoir [..voa:r] n. -s, -e.

용수철(龍鬚鐵) Feder f. -n; Sprung|feder 〔Spring-; Trieb-〕. ¶ 그것은 ~로 움직인다 Das wird von der Sprungfeder angetrieben.

‖ ~장치 Federwerk n. -(e)s, -e; Uhrwerk (시계 장치); Federgetriebe n. -s, -; Federung f. -en (마차 자동차의 스프링 장치). ~저울 Federwaage f. -n.

용신(容身) ① 《몸의 놀림》 das Bewegen*, -s; Bewegung f. -en. ~하다 ⁴sich bewegen. ¶ ~ 못하다 ⁴sich kaum bewegen können*/방에 사람들이 꽉 들어차서 ~할 수도 없다 der Raum war so überfüllt, daß man ⁴sich kaum bewegen konnte. ② 《겨우 살아감》 mühseliges Leben; kümmerliches Durchschlagen*. ~하다 ⁴sich kümmerlich durchschlagen; in kümmerlichen Verhältnissen leben; sien Leben kümmerlich fristen.

용신(龍神) Drachengott m. -(e)s, ⸚er.

‖ ~제(祭) das Fest für den Drachengott.

용심(用心) ① 《주의》 Vorsicht f. -en; Achtung f. -en; Warnung f. -en; Behutsamkeit f. -en; Beachtung f. -en; Achtsamkeit f. -en. ② 《심술》 Boshaftigkeit f. -en; Arglist f. -en; Bosheit f. -en; Gehässigkeit f. -en; Tücke f.-en; Groll m. -(e)s, -e. ~부리다 jn. ärgern; jn. kränken; jm. Bosheiten sagen.

‖ ~꾸러기, ~장이 boshaftiger Mensch, -en, -en; böswilliger Mensch.

용쓰다 ⁴sich ins Zeug werfen* 〔legen〕; mit vollem Dampf 〔aus Leibeskräften〕 arbeiten; alle ⁴Kräfte an|strengen〔auf|bieten*〕.

용안(龍眼) 〖식물〗 Zwillingspflaumenbaum m. -(e)s, ⸚e.

용안(龍顔) königlicher Gesichtsausdruck, -(e)s, ⸚e; das Gesicht 《-(e)s》 des Königs.

용암(溶暗) 〖영화〗 das Ausblenden*, -s. ~하다 aus|blenden.

용암(熔岩) 〖지리〗 Lava f. ..ven. ¶ ~이 분출한다 Der Lavastrom strömt 〔ergießt sich〕. ‖ ~류(流) Lavastrom m. -(e)s, ⸚e. ~층 das Bett 《-(e)s, -en》 der Lava.

용액(溶液) Lösung f. -en.

‖ 농(희박)~ e-e gesättigte 〔dünne〕 Lösung. 화학~ chemische Lösung.

용약(勇躍) gehobene Stimmung, -en; Stolz m. -es; Jubel m. -s; das Frohlocken*, -s; Triumph m. -(e)s, -e. ~하다 frohlocken; jubeln; triumphieren. ¶ ~하여 mutig u. stolz; in gehobener Stimmung.

용어(用語) Ausdruck m. -(e)s, ⸚e; Wort n. -(e)s, ⸚er. ¶ ~에 주의하다 bei der ³Wahl der ²Ausdrücke vorsichtig sein; ⁴sich sorgfältig aus|drücken.

‖ 관청~ Amts|sprache 〔Behörden-〕 f. -n. 전문~ Fachwort n. -(e)s, ⸚er; Fachausdruck m. -(e)s, ⸚e; Terminologie f. -n [..gí:ən] (총칭). 학술~ wissenschaftlicher Ausdruck.

용언(冗言) unnötige Worte; Scherz m. -es, -e; Spaß m. -es, ⸚e; Witz m. -es, -e.

용언(用言) ein deklinierbares Wort, -(e)s, ⸚er.

용역단(用役團) Dienstgruppe f. -n.

용왕(龍王) Drachenkönig m. -(e)s, -e.

용왕매진(勇往邁進) das Vorwärtsgehen*, -s; Vormarsch m. -es, ⸚e. ~하다 ohne Zögern vorwärts|gehen* ⓢ; ohne Angst vor|dringen* ⓗⓢ; vor|marschieren ⓗⓢ. ¶ ~의 기상 kühner Geist.

용원(冗員) das über|flüssige 〔-zählige〕 Personal, -s, -e; die überflüssigen 〔überzähligen〕 Angestellten* 《pl.》. ¶ ~을 정리하다 das überflüssige Personal entlassen*.

용원(傭員) der Gelegenheitsbeschäftigte*, -n, -n; Extraarbeiter m. -s, -.

용융점(熔融點) Schmelzpunkt m. -es, -e.

용의(用意) Vorbereitung f. -en (준비); Vorsicht f. (조심). ¶ ~주도하다 vorsichtig 〔gut vorbereitet; umsichtig; behutsam; sorgfältig; genau; gründlich; eingehend; bedachtsam〕 sein / ~주도한 계획 ein gut vorbereiteter Plan, -(e)s, ⸚e / ~가 되어 있다 vorbereitet 〔bereit; fertig〕 sein 《auf⁴》.

용의(容疑) Verdacht m. -(e)s. ☞ 혐의(嫌疑). ¶ 살인 ~로 unter dem Verdacht des Mor-

des. ‖ ~자 der Verdächtige*, -n, -n; der wahrscheinliche Täter, -s, -.
용의(庸醫) mittelmäßiger Doktor (Arzt).
용이(容易) Leichtigkeit *f.* -en; Einfachkeit *f.* ~하다 leicht; einfach; mühelos; unkompliziert (sein). ¶ ~치 않은 사태 die bedenkliche Lage, -n / ~하게 하다 erleichtern[4]; vereinfachen[4] / 그것은 아주 ~한 일이다 Das ist kinderleicht (sehr einfach). / 그를 납득시키는 일은 ~한 일이 아니다 Es ist nicht leicht (ganz einfach), ihn davon zu überzeugen.
용익(用益) 〖법〗 Nutzung (Nutznießung) *f.* ‖ ~권 Nutzungsrecht *n.* -(e)s, -e; Nießbrauch *m.* -(e)s. ~자 Nutznießer *m.* -s, -.
용인(容認) Toleranz *f.* -en; Duldung *f.* -en; Duldsamkeit *f.* -en; Billigung *f.* -en; Anerkennung *f.* -en; Zulassung *f.* -en. ~하다 dulden; zulassen; tolerieren; leiden*; gelten*; billigen; akzeptieren.
용인(傭人) Diener (Arbeitsnehmer) *m.* -s, -.
용자(容姿) Gestalt *f.* -en; Figur *f.* -en; das Aussehen*, -s; das Äußere*, -n; (die äußere) Erscheinung, -en. ¶ 그녀는 ~가 단려(端麗)하다 Sie hat e-e schöne (feine; hübsche) Gestalt (Figur).
용잠(龍簪) die Haarnadel 《-n》, die wie ein Drachenkopf aussieht.
용잡(冗雜) Unbrauchbarkeit *f.* -en; Nutzlosigkeit *f.* -en; Zwecklosigkeit *f.* -en; Kleinigkeit *f.* -en. ~하다 unbrauchbar; nutzlos; zwecklos; kleinig (sein).
용장(勇壯) Tapferkeit *f.* -en; Mut *m.* -es. ~하다 beherzt; heldenhaft; kühn; tapfer; wacker (sein).
용장(勇將) der tapfere (kühne) Feldherr, -n (드물게 -en), -en. ¶ ~밑에 약졸 없다 Wie der Feldherr, so die Leute. ¦ „Wie der Herr, so der Knecht."
용재(用材) Holzmaterial *n.* -s, ..lien; Material *n.* -s, ..lien (재료 전반). ¶ 이 문의 ~는 무엇이냐 Aus welchem Holz ist die Tür gemacht?
‖ 건축~ Bau¦holz *n.* -es, ⸗er (-material).
용재(庸才) unbedeutende Begabung, -en; kleines Talent, -(e)s, -e; ein lockerer Vogel, -s, ⸗; leichtsinniger Mensch, -en, -en.
용적(容積) Rauminhalt *m.* -(e)s, -e; Volumen *n.* -s, - (..mina); Umfang *m.* -(e)s, ⸗e; Kapazität *f.* -en. ¶ ~이 큰 geräumig; weit; umfassend / 이 통의 ~은 8갤론이다 Dieser Kanister (diese Kanne) hat acht Gallonen. ‖ ~량 das Maß (Ausmaß) der Kapazität. ~톤수 Tonnengehalt *m.* -(e)s.
용전(用箋) Brief¦papier *n.* -es, -e (-bogen *m.* -s, -).
용전(勇戰) tapferer Kampf, -es, ⸗e. ~하다 tapfer (mutig; heldenmütig) kämpfen.
용전여수(用錢如水) Ausgeben* des Geldes wie Wasser; das Verschwenden des Geldes. ~하다 das Geld wie Wasser aus|geben*; mit dem Geld verschwenderisch sein; Geld zum Fenster hinaus|werfen*; mit dem Geld um sich werfen*.
용점(鎔點) 〖물리〗 Schmelzpunkt *m.* -(e)s, -e.
용접(容接) die Aufnahme der Gäste; der Empfang der Gäste. ~하다 den Gast (den Besucher) herzlich empfangen*.
용접(鎔接) das Schweißen*, -s; Schweißung *f.* -en. ~하다 (zusammen)schweißen[4].
‖ ~공 Schweißer *m.* -s, -. ~기 Schweißmaschine *f.* -n (-brenner *m.* -s, -). ~제 Schweiß¦pulver (-mittel) *n.* -s, -. 가스~ das Gasschweißen*, -s. 전기~ das elektrische Schweißen*, -s.
용제(溶劑) (Auf)lösungsmittel (Schmelzmittel) *n.* -s, -.
용졸(庸拙) Ungeschicklichkeit *f.* -en; Schäbigkeit *f.* -en; Taktlosigkeit *f.* ~하다 ungeschickt; schäbig; taktlos; unbeholfen; kleinlich (sein).
용지 Fackel *f.* -n.
용지(用地) ein dafür erforderlicher (dazu nötiger) Platz, -es, ⸗e; ein Grundstück 《*n.* -s, -e》, das dazu gebraucht wird.
‖ 건축~ Bau¦stelle *f.* -n (-platz *m.* -es, ⸗e). 목장~ Weideland *n.* -(e)s, ⸗er. 주택~ Grundstück 《-(e)s, -e》 für Wohnungen. 철도~ Bahngrundstück *n.* -(e)s, -e.
용지(用紙) Formular *n.* -s, -e; Formblatt *n.* -(e)s, ⸗er.
‖ 신청(지원)~ Bewerbungsformular *n.* -s, -e. 전보~ Telegrammformular *n.* 투표~ Stimmzettel *m.* -s, -.
용지판(一板) 〖건축〗 Tafelwerk *n.* -(e)s, -e; Wandtäfelung (Holzverkleidung) *f.* -en.
용진(勇進) tapferer Vormarsch; mutiges Vorwärtsgehen*. ~하다 mutig vorwärts|gehen* ⓢ; mutig vor|marschieren.
용질(溶質) 〖화학〗 Lösungsmittel *n.* -s, -.
용처(用處) Gebrauch *m.* -(e)s, ⸗e; Beschäftigung *f.* -en (사람의). ☞ 용도(用途).
용출(湧出) Ausbruch *m.* -(e)s, ⸗e; das Hervorbrechen*, -s. ~하다 hervor|quellen* ⓢ 《*aus*[3]》; hervor|sprudeln ⓢ 《*aus*[3]》.
용출(聳出) das Erheben*, -s; das Erhobenwerden*, -s; Erhebung *f.* -en. ~하다 [4]sich erheben 《*über*[4]》; [4]sich empor|springen*.
용춤추이다 *jn.* durch Schmeicheln zu [3]*et.* überreden.
용층줄 Tau *n.* -(e)s, -e.
용태(容態) Zustand *m.* -(e)s, ⸗e; Befinden *n.* -s. ¶ 그의 ~는 시원치 않다 Es geht ihm nicht gut. / 환자의 ~는 악화(호전)되었다 Der Zustand des Kranken verschlechterte (besserte) sich. / 환자의 ~는 어떠합니까 Wie befindet sich der Kranke?
용퇴(勇退) (freiwilliger) Rücktritt, -(e)s, -e. ~하다 zurück|treten* ⓢ 《von s-m Amt》; von [3]sich aus (freiwillig) auf sein Amt verzichten; [4]sich zurück|ziehen* 《vom Geschäft; von der Bühne》. ¶ 정계에서 ~하다 von der politischen Bühne zurück|treten*; [4]sich vom politischen Leben zurück|ziehen*.
용통하다 sehr dumm; stumpfsinnig; unempfindlich (sein).
용트림 absichtliches hörbares Aufstoßen*; Rülps *m.* -es, -e. ~하다 absichtlich laut auf|stoßen*; absichtlich laut rülpsen.
용틀임(龍—) Drachenbild 《*n.* -(e)s, -er》 im Palastgesims.
용품(用品) Artikel *m.* -s, - (품목); Gerät *n.* -(e)s, -e (도구, 기구). ‖ 사무(가정)~ Büroartikel (Haushaltsartikel) *m.* -s, -. 주방~ Küchengerät *n.* -(e)s, -e.
용하다 ① 《재주가》 geschickt; gewandt; geübt; hochbegabt; flink; glänzend; behend (sein); [4]sich auf [4]*et.* verstehen*; in [3]*et.* kundig sein. ¶ 무엇에나 ~ Er hat sehr geschickte Hände. / 그는 기타 연주에 ~ Er ist sehr geschickt im Gitarrenspielen. ② 《장하다》 wunderbar; großartig; bewun-

dernswert; herrlich; toll (sein). ③ 《뛰어나다》 ausgezeichnet; hervorragend; bewundernswert; besonders; außerordentlich; außergewöhnlich (sein). ¶ 용한 재주 besonders Talent; ein großes Talent.

용해(溶解) Auflösung *f.* -en; Lösung. ~하다 ⁴sich (auf)lösen 《*in*³》. ¶ ~한 aufgelöst; geschmolzen; gelöst / 설탕은 물에 ~된다 Zucker löst sich in Wasser.

‖ ~력 Auflösungskraft *f.* ⸚e: ~이 있는 (auf)lösend. ~성 Auflösbarkeit *f.*: ~성의 sich (leicht)verflüssigend (schmelzend). ~액 =용액. ~제 Lösungsmittel *n.* -s, -.

용해(鎔解) Schmelzung *f.* -en. ~하다 schmelzen*⁴ 〔자동사의 경우에 ⓢ〕. ¶ ~성의 schmelzbar / 불~성의 unschmelzbar / 불에 ~하다 im Feuer schmelzen*.

‖ ~로(爐) Schmelzofen *m.* -s, ⸚. ~점 Schmelzpunkt *m.* -(e)s, -e.

용호상박(龍虎相搏) der Kampf 《-(e)s, ⸚e》 zwischen „Drache u. Tiger"; der verzweifelte 〔erbitterte〕 Kampf zwischen zwei Gleichstarken.

용화(熔化) das Schmelzen*, -s; Verflüssigung *f.* -en. ~하다 〖타동사〗 schmelzen*⁴; verflüssigen⁴; 〖자동사〗 schmelzen*ⓢ; ⁴sich verflüssigen.

용훼(容喙) Einmischung *f.* -en; das Dazwischen*, -s. ~하다 ⁴sich ein|mischen 〔-|mengen〕 《*in*⁴》; die Nase stecken 《*in*⁴》; dazwischen|reden. ¶ 남의 일에 ~하다 ⁴sich in fremde Angelegenheiten ein|mischen / 너는 그 사건에 ~해서는 안 된다 Du darfst in die Angelegenheit nicht die Nase stecken.

용히 geschickt; flink; großartig; wunderbar; außerordentlich.

우(右) rechte Seite, -n; die Rechte*, -n, -n. ¶ 우의 recht / 우로 rechts; auf der rechten Seite; zur Rechten; rechterhand / 우로 돌다 rechts ein|biegen*ⓢ; nach rechts gehen*ⓢ / 우측 통행 Rechts gehen! / 독일에서 차는 우측 통행을 한다 In Deutschland fährt man rechts. / 우로 나란히 Rechts richt euch! / 우향 우 Rechts um! / 우로 봐 Augen rechts! / 우회전 금지 Rechts einbiegen verboten!

우 ¶ 우 몰려오다 ⁴sich in dichten Massen heran|stürzen; in hellen Haufen herbei|-strömenⓗ,ⓢ; wie e-e Lawine herangestürzt zusammen|laufen*ⓢ.

우(羽) 〖음악〗 A Tonleiter in der Koreanischen Pentatonik.

우(愚) Dummheit 〔Albernheit〕 *f.* -en; Blödsinn *m.* -(e)s; Narrheit *f.* -en; Stumpfsinn 〔Unsinn; Unverstand〕 *m.* -(e)s.

우(優) 《성적의》 Eins *f.*; ausgezeichnet; vorzüglich; sehr gut. ¶ 우를 받다 e-e Eins bekommen*.

우각(牛角) Ochsenhorn *n.* -(e)s, ⸚er.

우간다 《나라이름》 Uganda *n.* -s; Republik 《*f.*》 U. ¶ ~의 ugandisch.

‖ ~사람 Ugander *m.* -s, -.

우거(寓居) die vorläufige 〔einstweilige; intermistische; provisorische; temporäre〕 Wohnung, -en 〔Unterkunft, ⸚e〕; Logierhaus [..ʒiːr..] *n.* -es, ⸚er. ~하다 vorläufig wohnen 《*in*³》; e-e zeitweilige Unterkunft finden* 《*bei*³》; logieren [..ʒíː..] 《*bei*³》.

우거지 ① 《푸성귀의》 äußerliche Blätter der Kohlpflanze. ② 《새우젓·김치 등의》 getrocknete gesalzte Gemüse.

우거지다 wild 〔geil; üppig〕 wachsen* ⓢ; wuchern. ¶ 우거진 wild 〔geil; üppig〕 wachsend; wuchernd; 《잎이 우거진》 dicht belaubt (무성하게) / 덤불이 무성하게 ~ mit wildem Gestrüpp überwachsen / 풀이 ~ mit ³Gras bedeckt; grasbewachsen; im hohen ³Grase versteckt / 삼림이 ~ dicht wuchernd; üppig bewaldet.

우거지상(一相) ein verzogenes 〔verzerrtes〕 Gesicht, -(e)s, -er; Grimasse *f.* -en; Fratze *f.* -en. ¶ ~을 하다 das Gesicht verziehen* 〔verzerren〕; Grimassen 〔Fratzen〕 machen 〔schneiden*〕.

우걱뿔 gebogenes Horn des Rindes. ‖ ~이 der Ochs mit dem gebogenen Horn.

우겨대다 auf ³*et.* bestehen*; auf ⁴*et.* dringen; verlangen; auf 〔bei〕 ³*et.* beharren; bei ³*et.* bleiben*. ¶ 제 생각만 ~ auf s-r Meinung beharren; bei s-r Meinung bleiben / 증명할 수도 없으면서 우겨대지 말라 Das kannst du nicht einfach behaupten, wenn du es nicht beweisen kannst.

우격다짐 Anmaßung *f.* -en; Willkürlichkeit *f.* -en; Gewalt *f.* -en. ~하나 mit ³Gewalt durch|setzen⁴; mit aller Gewalt betreiben*⁴; mit dem Kopf durch die Wand wollen*; forcieren⁴ [fɔrsíːrən]. ¶ ~으로 gewalt¦sam 〔-tätig〕; gebieterisch; herrisch; zwingend / ~으로 아무를 누르다 *jn.* mit Gewalt ein|schüchtern.

우격으로 zwingend; gewaltsam; eindringlich.

우견(愚見) m-e (bescheidene) Meinung, -en 〔Ansicht, -en〕. ¶ 나의 ~으로는 m-r Meinung 〔Ansicht〕 nach; nach m-m Dafürhalten; wie mich 〔mir〕 dünkt.

우경(右傾) 〖형용사〗 rechtsparteiisch; rechtsstehend. ~하다 nach rechts tendieren; e-e Rechtstendenz haben.

‖ ~파 rechter Flügel, -s, -. ~학생 ein rechtsstehender Student, -en, -en.

우계(雨季) Regen¦zeit *f.* -en 〔-monat *m.* -(e)s, -e〕.

우고좌면(右顧左眄) ~하다 bald nach rechts, bald nach links sehen*; schwanken; zögern; unschlüssig sein.

우곡(紆曲) Windung *f.* -en; Krümmung *f.* -en. ~하다 ⁴sich winden*; ⁴sich krümmen; ⁴sich schlängeln.

우골(牛骨) Ochsenknochen *m.* -s, -.

우구(憂懼) Kummer *m.* -s; Sorge *f.* -n; Besorgnis *f.* -se; Angst *f.* ⸚e; Furcht *f.* ~하다 ⁴sich sorgen 《um ⁴*et.*》; ⁴sich um ⁴*et.* kümmern; um ⁴*et.* besorgt sein; ⁴sich vor ³*et.* fürchten; vor ³*et.* Angst haben.

우국(憂國) die vaterländische Gesinnung, -en; Patriotismus *m.* -.

‖ ~지사 Patriot *m.* -en, -en; Vaterlandsfreund *m.* -(e)s, -e. ~지심(之心) die patriotische Gesinnung. ~충정 der intensive 〔starke; heftige〕 Patriotismus e-r Person.

우군(友軍) unsere 〔verbündete〕 Truppen 《*pl.*》.

우그러뜨리다 ein|beulen.

우그러지다 ³sich e-e Beule fallen*; ³sich e-e Beule schlagen*. ¶ 물통이 우그러졌다 Die Kanne war voller Beulen. / 자동차기 우그러졌다 Das Auto hatte mehere Beulen.

우그렁- ☞ 오그랑-.

우그르르 《물이》 siedend; wallend; 《벌레가》 in Schwärmen; schwarmweise.

우그리다 ☞ 오그리다.

우글거리다 wimmeln; schwärmen. ¶ 거리는 사람들로 우글거린다 Die Straßen wimmeln von Menschen. / 길바닥에 개미가 ～ Der weg wimmelt von Ameisen. / 거리에 도둑들이 ～ Es schwärmte von Räubern auf der Straße.

우글다 eingebeult; gekratzt (sein).

우글부글 drodelnd; rauschend; siedend; wallend. ～하다 wallen; sieden; brodeln; rauschen.

우글우글^{1} schwarmweise (massen-); in ^{3}Scharen. ～하다 wimmeln (schwärmen) [h,s] 《von^{3}》. ¶ 벌이 나무 주위에 ～ 뒤끓고 있다 Die Bienen schwärmen um den Baum. / 찬방에는 개미가 ～했다 Die Speisekammer wimmelte von Ameisen.

우글우글^{2} ＝우글쭈글.

우글쭈글 faltig; zerknittert. ～하다 runzelig; zerknittert; faltig; zusammengeknüllt; verschrumpelt (sein). ¶ ～한 얼굴 runzeliges Gesicht, -(e)s, -e / ～한 샤쓰 zerknittertes Hemd, -(e)s, -e / 그의 손이 ～하다 S-e Hände sind welk u. faltig.

우금 ein enges, steiles Bergtal, wo ein reißender Bach durchfließt.

우금(于今) bis jetzt.

우긋- ☞ 오긋-.

우기(右記) das Oben|erwähnte* (-genannte*) -n; das Obige*, -n.

우기(雨氣) das Zeichen 《-s, -》 des Regens. ¶ ～를 띤 하늘 Regenhimmel *m.* -s, -.

우기(雨期) Regenzeit *f.* -en.

우기다 sophistisch dar|stellen^{4}; eigens zurecht|machen^{4}; bestehen* 《auf^{3}》; beteuern^{4}; beharren 《auf^{3}》; dabei bleiben* [s]; an s-r Meinung fest|halten*; sein Recht behaupten. ¶ 채반이 용수가 되도록 ～ den Reiher durch Worte so schwarz machen wie e-n Raben; ein X für ein U (vor|-) machen 《jm.》 / 그는 자기 말을 우긴다 Er hält an s-r Meinung fest.|Er besteht auf s-e Meinung. / 그는 자기만 옳다고 우겼다 Er behauptete, daß er alle in Recht hatte. / 그는 아무것도 모른다고 우겼다 Er behauptete, daß er darüber nichts wußte.

우김성(一性) Hartnäckigkeit *f.* -en; Eigensinn *m.* -(e)s, -e; Beharrlichkeit *f.* -en; Starrsinn *m.* -(e)s, -e; Standhaftigkeit *f.* -en. ¶ ～이 많은 hartnäckig; eigensinnig; beharrlich; standhaftig; rechthaberisch; halsstarrig / ～이 많은 사람 ein beharrlicher (rechthaberischer; standhafter) Mensch.

우꾼하다 viele Leute schreien gleichzeitig so laut, daß sie sich bewegen.

우내(宇內) die ganze Welt.

우는살 der Pfeil mit hohlem Kopf.

우는소리 das Wimmern* (Winseln*; Jammern*) -s. ～하다 wimmern; winseln; jammern 《nach ^{3}et.; über ^{4}et.; um ^{4}et.》; kläglich weinen; leise klagen 《über ^{4}et.》.

우단(羽緞) Sam(me)t *m.* -(e)s, -e. ¶ ～(제)의 samten / ～과 같은 samtig; samtartig.

‖ 면사～ Baumwollsamt *m.* -(e)s, -e.

우당(友黨) alliierte Partei, -n; verbündete Partei; befreundete Partei.

우당탕 dröhnend; bumsend; klappernd; trampelnd; mit Krach; mit Klirren. ～하다, ～거리다 dröhnen; bumsen; dumpf auf|schlagen*. ¶ 무엇인지 마루에 ～ 떨어졌다 Etwas fällt schwer auf den Flur.

‖ ～퉁탕 ＝우당탕.

우대(優待) die freundliche (bevorzugte; gute) Behandlung, -en; Begünstigung *f.* -en (총애); Bevorzugung *f.* -en (우선); 《환대》 die freundliche Aufnahme, -n; der sehr gute Empfang, -(e)s, ⸚e; Gastfreundlichkeit. ～하다 bevorzugen^{4} 《vor^{3}》; bevorzugt (gut; sehr freundlich) behandeln^{4}; begünstigen^{4}; (gast)freundlich empfangen*^{4}; e-n guten Empfang bereiten 《für^{4}》. ¶ ～받다 e-e freundliche (herzliche; warme) Aufnahme finden* 《bei^{3}》; sehr freundlich empfangen werden.

‖ ～권 Ehren|karte (Frei-) *f.* -n; Rabattmarke *f.* -n (할인 우대권).

우도(友道) die Regeln 《*pl.*》 der Freundschaft.

우도할계(牛刀割鷄) mit Kanonen nach Spatzen schießen*.

우두(牛痘) Kuhpocken 《*pl.*》; Vakzin [vak..] *n.* -s, -e (우두종); (Pocken)impfung *f.* -en; Einimpfung *f.* -en. ¶ ～맞은 geimpft / ～를 놓다 die Blattern (Pocken) impfen 《jm.》; impfen (gegen ^{4}Blattern (Pocken)) 《jn.》 / ～를 맞다 ^{4}sich impfen lassen* / ～가 잘 됐다 (잘 되지 않았다) Die Impfung war positiv (negativ). ‖ ～증명서 Impfschein *m.* -(e)s, -e. ～침 Impfnadel *f.* -n. 강제～ Impfzwang *m.* -(e)s.

우두덩거리다 mit großem Lärm fallen*.

우두덩우두덩 mit großem Lärm fallend.

우두둑 ① ☞ 오도독. ② 《떨어지는 소리》 prasselnd; platschend; klatschend. ¶ 비가 지붕에 ～ 떨어진다 Der Regen trommelt aufs Dach. / 우박이 창에 ～ 떨어진다 Der Hagel prasselt gegen die Scheiben.

우두망찰하다 verwirren; irre|machen; verblüffen; verlegen machen; in Verwirrung bringen*; durcheinander|bringen*.

우두머리 Haupt *n.* -(e)s, ⸚er; der „Alte", -n, -n; Boß *m.* ..osses, ..osse; Chef [ʃɛf] *m.* -s, -s; Führer *m.* -s, -; Häuptling *m.* -s, -e; Rädelsführer *m.* (괴수); Anführer *m.* (보스). ¶ ～의 hauptsächlichst; erst; höchst; oberst; vornehmst; wichtigst; Chef-; Führer-; Haupt- / 회사의 ～ der Boß (der Chef) e-r Firma.

우두커니 müßig; untätig; geistesabwesend; zerstreut; lustlos; teilnahmslos; geistlos; leer. ¶ ～서 있다 müßig da|stehen* / 또 아무것도 안하고 ～ 있구나 Du bist schon wieder verträumt (geistesabwesend)!

우둔(愚鈍) Torheit *f.* -en; Albernheit *f.* -en; Blödheit *f.* -en; Dummheit *f.* -en; Narrheit *f.*; Stumpf|sinn (Blöd-) *m.* -(e)s. ～하다 stumpf|sinnig (blöd-; schwach-) sein; e-n schweren Kopf haben.

우둔우둔하다 nervös werden; ^{4}sich auf|regen 《über ^{4}et.》; das Herz hämmern.

우둥퉁하다 ☞ 오동통하다.

우듬지 (Baum)wipfel *m.* -s, -; (Baum)gipfel *m.* -s, -; (Baum)krone (-spitze) *f.* -n.

우등(優等) Auszeichnung *f.* -en; Ehre *f.* -n; Vorzüglichkeit *f.* ¶ ～의 ausgezeichnet; vorzüglich / ～으로 시험에 급제하다 die Prüfung mit Ehren (mit Auszeichnung) bestehen*.

‖ ～생 Primus *m.* -, ..mi (..musse); der (Klassen)erste*, -n, -n; der beste Schüler, -s, -; Musterschüler *m.* -s, -. ～졸업생 ein Graduierter mit Auszeichnung.

우뚝 ¶ ～한 himmel|hoch (turm-); hoch emporragend / ～하게 erhaben; imponierend;

imposant; hehr; grandios; hoheitsvoll; majestätisch; stattlich; über|ragend (-wältigend) / 구름 위로 ~ 솟아 있다 himmelan über die Wolken empor|ragen; majestätisch über den Wolken schweben / ~ 서 있다 (aufrecht) stehen*; stecken(*)(박혀 있다).

우뚝우뚝 hochragend; emporragend; hoch. ¶그 도시엔 굴뚝들이 ~서 있다 Die Schornsteine ragen hoch über den Dächern der Stadt.

우라늄 Uran *n.* -s《기호: U, Ur》.
‖ ~방사선(線) Uranstrahlen《*pl.*》. ~원자 Uranatom *n.* -s, -e: ~원자로 Uran|brenner *m.* -s, - (-pile [..pail] *m.* -s, -s); Reaktor *m.* -s, -en. ~폭탄 Uranbombe *f.* -n.

우락부락하다 derb; brutal; holperig; grob; klotzig; plump; rauh; schroff; steif; uneben; ungehobelt; ungeschliffen; ungeschlacht (sein). ¶우락부락한 행동 grobes Benehmen* (Verhalten*) -s / 우락부락하게 말하다 ungeschickt (plump) sprechen* / 우락부락한 사람 ein rauher (barscher) Kerl, -s, -e / 우락부락하게 굴다 ⁴sich grob benehmen* (betragen*).

우랄 〖지리〗 Ural.
‖ ~산맥 Uralgebirge *n.* -s. ~알타이 Uralaltai. ~어족(語族) uralische Sprachen《*pl.*》; die uralische Sprachfamilie.

우람지다 ☞ 우렁차다 ②.

우람하다, 우람스럽다 ☞ 우렁차다 ②. ¶우람스러운 모습 würdige Gestalt / 그는 우람한 모습을 하고 있다 Er hat e-e gute Figur.

우량(雨量) Regenmenge *f.* -n; Niederschlag *m.* -(e)s, ⸗e; Regen *m.* -s, -. ¶어제의 ~은 15 밀리였다 Gestern hatten wir 15 Millimeter Regen./~이 적어서 저수지의 물이 줄었다 Wegen Mangel an Regen sank das Wasser des Reservoirs. ‖ ~계 Regenmesser *m.* -s, -; Pluviometer *n.* -s, -.

우량(優良) Überlegenheit *f.* -en; Vortrefflichkeit *f.* -en. ~하다 ausgezeichnet; hervorragend; (vor)trefflich; vorzüglich; von Qualität (상등의); auserlesen (가려낸); 《일류의》 erstklassig (sein).
‖ ~아 das kräftige Kind《-(e)s, -er》(vom) gesunden Blut. ~종《특히 말》Vollblut *n.* -(e)s; Vollblüter *m.* -s, -; Vollbluthengst *m.* -es, -e; das gute Zuchttier, -(e)s, -e (종축(種畜)의); Vollblutpferd *n.* -(e)s, -e; das Pferd von (edler; guter; vornehmer) Rasse; das rassige Pferd. ~주 die (mündel)sicheren Papiere《*pl.*》. ~품 Qualitätsware *f.* -n.

우러나다 durch|sickern[s]; hinaus|fließen*[s].

우러나오다 von Herzen kommen*. ¶진정에서 우러나온 연설 von Herzen kommende Rede / 진심에서 우러나오는 감사의 말 von Herzen kommende Danksagung.

우러러보다 《위를 보다》 hinauf|blicken (-|sehen*; -|schauen)《*zu*³》; empor|blicken(-|sehen*; -|schauen)《*zu*³》; 《존경》 verehren⁴; an|beten*⁴; andächtig an|sehen*⁴; Achtung erweisen* (zollen)⁴; auf|sehen*《zu *jm.*》; hoch|achten《*jm.*》; voller Ehrfurcht sein《vor *jm.*》; 《감탄하다》 bewundern⁴; hoch|schätzen⁴. ¶우러러 볼 만한 행위 e-e bewundernswerte Tat, -en / 하늘을 ~ zum Himmel hinauf|schauen.

우러르다 ①《쳐들다》den Kopf heben*. ②《마음으로》hoch|schätzen (-|achten); ehren; vor ³*et.* (*jm.*) Respekt haben; verehren.

우러리 der gewobene Deckel, -s, -.

우럭우럭 in Flammen hoch aufbrennend; auflodernd; aufflammend; glühend. ¶뺨이 ~해진다 S-e Wangen beginnen zu glühen.

우렁우렁 donnernd; dröhnend; trampelnd. ~하다 donnern; dröhnen; trampeln; rollen; poltern. ¶가슴이 ~ 울린다 Das Herz pocht (schlägt). / 천둥이 멀리서 ~ 울린다 Der Donner rollt in der Ferne.

우렁이 〖조개〗 Uferschnecke *f.* -n.
‖ 우렁잇속 Kompliziertheit *f.* -en; Unergründlichkeit *f.* -en; das Unerforschliche,* -n, -n: 그는 우렁잇속 같다 Er ist ein komplizierter Mensch.

우렁차다 ①《소리가》 erschallend; ertönend; widerhallend; volltönend; brüllend (sein). ¶우렁찬 목소리 volltönende (dröhnende) Stimme. ②《우람함》 impressiv; eindrucksvoll; imponierend; grandios; imposant; gewaltig; prächtig (sein). ⌈*f.* -n.

우레 Vogelpfeife *f.* -n; Lock|flöte (-pfeife)

우려(憂慮) Sorge *f.* -n《*um*⁴》; Besorglichkeit *f.* -en; Besorgnis *f.* ..nisse; Angst *f.* ⸗e (불안); 《근심》 das Bedenken*, -s; Befürchtung *f.* -en; Furcht *f.* ~하다 ⁴sich sorgen《*um*⁴》; befürchten⁽⁴⁾; ⁴sich Sorge (Gedanken) machen《*um*⁴; *über*⁴》; besorgt sein《*um*⁴; *über*⁴》; kein Auge schließen können*. ¶~하지 않을 수 없다 in Sorge ersticken; schwere Sorgen drücken (plagen) *jn.* / ~할 ernst; kritisch; beunruhigend / ~할 사태 die ernste Situation / 너무 ~해서 몸이 마르다 ⁴sich ab|härmen《*um*⁴》/ …할 ~가 있다 Es besteht Gefahr, daß...; Es ist leicht möglich, daß....

우려내다 ⁴*et.* erpressen; erzwingen*《*von*³》. ¶돈을 ~ dringend um ⁴Geld bitten*《*jn.*》; e-e pekuniäre Hilfe zu|muten《*jn.*》; Geld erpressen《(von) *jm.*》.

우련하다 unklar; düster; trübe; dunkel (sein). ¶우련하게 나타나다 undeutlich sichtbar werden / 배가 안개 속에 우련하게 나타났다 Das Schiff erscheint undeutlich durch den Nebel.

우로(雨露) Regen u. Tau *m.* des - u. -s. ¶~를 막다 ⁴sich vor dem Regen schützen; vor dem Regen unters Dach kommen*[s]; ⁴sich unter|stellen (비를 긋다) / ~를 피할 곳을 찾다 ein schützendes Dach auf|suchen; Obdach suchen.

우론(愚論) die inhaltlose Meinung, -en; die dumme Bemerkung, -en.

우롱(愚弄) Spott *m.* -(e)s; Hohn *m.* -(e)s; Neckerei *f.* -en. ~하다 lächerlich machen⁴; spotten《*über*⁴》; verspotten⁴; verhöhnen⁴; necken⁴; s-n Spaß treiben*《*mit*⁴》; zum Gespött machen; ⁴sich über *jn.* lustig machen. ¶사람들에게서 ~받다 den Leuten zum Hohngelächter werden / 사람을 ~해도 정도가 있지 너무하는군 Das geht über den Spaß.

우뢰 =천둥.

우료(郵料) Porto *n.* -s, -s (..ti).

우루과이 Uruguay [..guá:i].
‖ ~사람 Uruguayer [..guái..] *m.* -s, -.

우룬디 《아프리카의 공화국》 Burundi.

우르르 ¶~ 몰려들다 in Menge zu|strömen [s]《*zu*³》; in Massen kommen*[s]; zu|drängen [s]《*zu*³》〖ein Haufen Menschen 따위를 주어로 하여〗/ ~ 몰려오다《여럿이》 ⁴sich in dichten Massen heran|stürzen; in hellen

Haufen herbei|strömen [h,s]; wie e-e Lawine herangestürzt zusammen|laufen*[s] / ~울리다 《우뢰 따위가》 (dahin|)rollen; dröhnend tönen.

우리¹ 《짐승의》 Käfig *m.* -(e)s, -e; Zwinger *m.* -s, - (맹수의); Hürde *f.* -n (양의); Koben *m.* -s, - (돼지의); Stall *m.* -(e)s, ⸗e (가축의). ¶ 호랑이를 ~에 가두다 Den Tiger in e-n Käfig ein|sperren.

우리² ich* (나); wir* (우리들); unsereiner (우리 따위); 《나의》 mein*; unser*. ¶ ~ 집 mein (unser) Haus *n.* -es, ⸗er / ~ 집에서 in eigenem Heim; bei mir zu Hause; daheim / ~ 나라 unser Land *n.* -(e)s, ⸗er / ~ 나라에서 bei uns (zu Hause); daheim / ~ 한국인 wir Koreaner / ~말 unsere Sprache; Muttersprache *f.* -n; Koreanisch / ~끼리의 이야깁니다만 unter uns gesagt / ~ 집보다 나은 곳은 없다 „Mein Haus, m-e Welt."¦„Eigener Herd ist Goldes wert."

우리³ 《기와 세는 단위》 zwei tausend Ziegel.

우리다¹ ① 《물에》 ein|weichen*. ② 《때리다》 schlagen*; klapsen; *jm.* e-e Ohrfeige geben*. ¶ 나는 그 뻔뻔스러운 놈의 뺨을 우렸다 Ich gab dem unverschämten Burschen eine Ohrfeige. ③ =우려내다.

우리다² 《볕이》 aus|strömen [s].

우마(牛馬) Kühe u. Pferde.

우매(愚昧) Stumpf¦sinn (Blöd-; Schwach-) *m.* -(e)s; die geistige Blindheit. **~하다** stumpf¦sinnig (blöd-; schwach-); geistig blind; unaufgeklärt; unwissend (sein). ¶ ~한 백성 unaufgeklärtes (ungebildetes) Volk, -(e)s / ~한 행동 e-e dumme (alberne; läppische) Tat (Handlung) -en / ~한 백성을 선동하다 das Gesindel (den Pöbel) agitieren (hetzen; wühlen).

우맹(愚氓) =우민(愚民).

우멍거지 Phimose *f.* -n; angeborene Vorhautverengung des Penis.

우멍하다 hohl; nach innen gekrümmt (sein).

우모(羽毛) Feder *f.* -n; Flaum *m.* -(e)s (솜털).

우목(疣目) Warze *f.* -n; Hautanwuchs *m.* -es, ⸗e.

우무 =한천 ①.

우묵- ☞ 오목-.

우물 Brunnen *m.* -s, -. ¶ ~을 파다 e-n Brunnen graben* ((er)bohren) / ~ 파는 사람 Brunnen¦gräber (-macher) *m.* -s, - / ~의 도르래 Brunnenrad *n.* -(e)s, ⸗er / ~안 개구리 Der Frosch, der im Brunnen hockt, hat k-e Ahnung, was das Meer sei / ~을 파도 한 ~을 파라 Wer zweierlei zugleich will, bekommt k-s von beiden.

‖ **~가** Brunnen¦(ein)fassung *f.* -en (-mauer *f.* -n): ~가의 쑥덕공론 Weibergeklatsche *n.* -s. **~물** Brunnenwasser *n.* -s, -. **~천장** die kassettierte Decke, -n; Kassettendecke *f.* **~청소** das Brunnen¦reinigen* (-fegen*) -s (행위); Brunnen¦reiniger (-feger) *m.* -s, - (사람). **~틀** Brunnen(ein)fassung *f.* -en. **~펌프** Brunnenpumpe *f.* -n.

우물(愚物) Dumm¦kopf (Schafs-) *m.* -(e)s, ⸗e; Däm(e)lack *m.* -s, -e (-s).

우물거리다 muffeln; mummeln; murmeln.

우물우물¹ 《여럿이》 mit Schwarm.

우물우물² 《입속에서》 murmelnd.

우물지다 《보조개가》 Grübchen bekommen*; 《우묵해지다》 e-e Grube bekommen*. ¶ 그녀는 웃으면 볼에 우물이 진다 Wenn sie lachte, zeigten sich ihre Grübchen.

우물쩍주물쩍 =우물쭈물.

우물쭈물 langsam; langweilig; unentschlossen; zaudernd; verschleppend; träge; säumig; unschlüssig; zögernd. **~하다** zu k-r Entscheidung kommen* [s]; zögern 《*mit*³; *über*⁴》; trödeln; zaudern; Bedenken hegen (tragen*). ¶ ~하지 않고 ohne ⁴Bedenken* (Zögern*) / 그는 ~하는 녀석이다 Ein langweiliger Kerl ist er. / 무엇을 ~하고 있나 Was zögerst du so lange? / ~할 때가 아니다 Wir haben k-e Zeit (k-n Augenblick) zu verlieren.¦Die Sache leidet k-n Verzug.

우뭇가사리 〖식물〗 Agar-Agar *m.* (*n.*) -s.

우므러들다 ☞ 오므라들다.

우미(愚迷) Dummheit und Unwissenheit; Blöd¦sinn (Stumpf-) *m.* -(e)s, -e.

우미(優美) Grazie *f.* -n; Anmut *f.*; Liebreiz *m.* -es, -e; Vornehmheit *f.* -en; Eleganz *f.* **~하다** graziös; anmutig; reizend; elegant; vornehm (sein).

우미인초(虞美人草) =개양귀비.

우민(愚民) die ungebildete (dumme) Masse, -n; das gemeine Volk, -(e)s, ⸗er.

‖ **~정치** Pöbelherrschaft *f.* -en.

우민(憂悶) Kummer *m.* -s; Besorgnis *f.* -se; Seelenangst *f.* ⸗e; die innere Unruhe; der heftige Schmerz. **~하다** ⁴sich beunruhigen; ⁴sich quälen (plagen); ⁴sich Sorgen machen 《um ⁴*et.*》; ⁴sich um ⁴*et.* kümmern.

우박(雨雹) Hagel *m.* -s; Hagelkorn *n.* -(e)s, ⸗er; Schloße (Schlosse) *f.* -n. ¶ ~처럼 쏟아지다 heftig wie Hagelkörner (Schloßen) 《*pl.*》 (her)nieder|fallen* [s] / ~이 온다 Es hagelt (schloßt). / 돌이 ~처럼 날라온다 Es hagelt ⁴Steine 《*pl.*》.

우발(偶發) Zwischenfall *m.* -(e)s, ⸗e; das zufällige Ereignis, -ses, -se. **~하다** zufällig geschehen*. ¶ ~적으로 zufällig; unerwartet / ~적인 일이 없는 한 wenn dazwischen nichts vorkommt.

‖ **~사건** Zufall *m.* -(e)s, ⸗e; die plötzliche Wendung 《-en》 der Dinge; Unfall *m.* -(e)s, ⸗e (사고). **~전쟁** ein Unbeabsichtigter Krieg, -(e)s, -e.

우방(友邦) das befreundete Land, -(e)s, ⸗er; Bundesgenosse *m.* -n, -n (맹방).

우변(右邊) die rechte Seite, -n (등식의).

우부(愚夫) ein dummer Mann; der Dumme*, -n, -n.

우부(愚婦) e-e dumme Frau; die Dumme*, -n, -n.

우부룩하다 dicht; über u. über bedeckt 《von ³*et.*》 (sein).

우비(雨備) Regenschirm u. Mantel, des -(s) u. -s. ¶ 고무 입힌 ~ Gummiregenmantel *m.* -s, ⸗ / ~를 갖추고 가다 e-n Regenschirm (e-n Regenmantel) mit|nehmen*; ⁴sich auf Regen ein|richten; ⁴sich zum Regen (aus|)rüsten / ~를 입다 e-n Regenmantel tragen* (an|ziehen*).

우비다 bohren⁴; höhlen⁴; wühlen⁴; popeln (코딱지를); (aus|)stochern (이를); aus|höhlen⁴ (-|bohren⁴); 《후벼파다》 aus|graben*⁴; unterhöhlen⁴. ¶ 담뱃대를 ~ die Pfeife reinigen / 나무 속을 우비어 파다 e-n Baum aus|höhlen / 코(이)를~ in der Nase bohren (in den Zähnen stocheln; ³sich die Zähne stochern).

우비어넣다 ⁴*et.* durch Drehen stecken 《in ⁴*et.*》.

우비어파다 aus|höhlen; bohren; ab|kratzen; durch drehende Bewegung her|stellen. ¶ 벽에 구멍을 ~ ein Loch in die Wand bohren / 그는 구두 뒤꿈치로 땅바닥을 우비어팠다 Er bohrte mit dem Absatz e-e Vertiefung in den Boden.

우비적거리다 ununterbrochen bohren; aus|höhlen.

우비칼 Graviermesser *n.* -s, -.

우빙(雨氷) Glasur *f.* -en; Glätte *f.* -n; Glanz *m.* -es, -e.

우사(牛舍) Kuhstall *m.* -(e)s, ⸗e.

우산(雨傘) Regenschirm *m.* -(e)s, -e. ¶ 접는 ~ Knirps *m.* -es, -e / 청우 겸용 ~ En-tout-cas [ãtuká(:)] *m.* -, - / 지 ~ (koreanischer) gewöhnlicher Papierregenschirm, -(e)s, -e / 찢어진 ~ ein zerrissener (kaputter) Schirm / ~을 같이 쓰고 gemeinsam unter e-m Regenschirm / ~을 펴다 den Regenschirm auf|spannen.
‖ ~걸이 《스탠드》 Schirmständer *m.* -s, -. ~대 Schirmstock *m.* -s, ⸗e. ~살 Schirmrippe *f.* -n.

우산이끼(雨傘—) 〖식물〗 Lebermoos *n.* -es, -e.

우상(羽狀) ¶ ~의 gefiedert.

우상(偶像) Götze *m.* -n, -n; Götzenbild *n.* -(e)s, -er; Abgott *m.* -(e)s, ⸗er; Idol *n.* -s, -e. ¶ ~화하다 *jn.* vergöttern / ~을 숭배하다 Abgötterei treiben*; Götzen an|beten / ~처럼 떠받들다 *jn.* abgöttisch verehren.
‖ ~숭배 Abgötterei *f.* -en; Bilderanbetung *f.* -en; Götzendienst *m.* -es, -e; Ido(lo-)latrie *f.* -n: ~숭배자 Götzendiener *m.* -s, -. ~타파 Bilder¦sturm *m.* -(e)s (-stürmerei *f.* -en); Ikonoklasmus *m.* -: ~타파자 Bilderstürmer *m.* -s, -; Ikonoklast *m.* -en, -en.

우상복엽(羽狀複葉) 〖식물〗 das gefièderte ⌈Blatt, -(e)s, ⸗er.

우색(憂色) die besorgte (betrübte; kummervolle) Miene, -n. ¶ ~을 띠다 sorgenvoll aus|sehen* / ~을 띠고 die Stirn faltend (furchend; runzelnd); mit besorgter Miene.

우생(優生) Eugenik *f.*; Eugenetik *f.* (드물게). ¶ ~(학상)의 eugenisch; eugenetisch.
‖ ~결혼 die eugenische Heirat, -en. ~보호법 Sterilisierungsgesetz *n.* -es, -e. ~학 Eugenik *f.*; Eugenetik (드물게): ~학자 Rassenhygieniker *m.* -s, -.

우선(于先) fürs [4]erste; vorläufig; einstweilen; für den Augenblick; augenblicklich. ¶ 만일 내가 시인 한 분의 이름을 들어야 된다면 ~ 괴테를 들어야겠죠 Wenn ich e-n Dichter nennen soll, so liegt es mir nahe, Goethe zu nennen? / ~ 사의를 표합니다 Ich beeile mich, Ihnen zu danken.

우선(羽扇) Federfächer *m.* -s, -.

우선(郵船) Postschiff *n.* -(e)s, -e; Postdampfer *m.* -s, -.
‖ ~회사 Schiffahrtsgesellschaft *f.* -en.

우선(優先) das Vorziehen*, -s; Vorzug *m.* -(e)s, ⸗e; Vergünstigung *f.* -en; 〖형용사적〗 Vorzugs-; Vergünstigungs-. ~하다 bevorrechtet (bevorrechtigt; bevorzugt) sein. ¶ ~적으로 vorzugsweise; vorzüglich; vornehmlich.
‖ ~권 Vor(zugs)recht *n.* -(e)s, -e; Priorität *f.* -en; Bevorzugung *f.* -en: ~권이 있다 das Vorrecht genießen* (haben) / ~권을 주다 das Vor(zugs)recht (die Priorität) geben*[3] (erteilen[3]); bevorrecht(ig)en[4]; bevorzugen[4] 《*vor*[3]》; besonderen Vorrang geben*[3] 《*vor*[3]》 / ~권을 얻다 das Vor(zugs-)recht (erteilt) bekommen*. ~주 Vorzugsaktie *f.* -n; Prioritätsaktie *f.*

우성(偶性) Eventualität *f.* -en; Zufälligkeit *f.* -en; zufällige Eigenschaft, -en.

우성(優性) 〖생물〗 Überlegenheit *f.* -en; Vorherrschaft *f.* -en.
‖ ~유전 stärkere Vererbungskraft. ~형질 dominanter Charakter.

우세 Schamhaftigkeit *f.* -en; Erniedrigung *f.* -en; Demütigung *f.* -en. ~하다 [4]sich lächerlich machen; in Schande geraten* Ⓢ. ~스럽다 schamhaftig; verschämt; demütig (sein).

우세(郵稅) Porto *n.* -s, -s (..ti); Post¦gebühr (Porto-) *f.* -en.
‖ ~무료 Portofreiheit *f.*: ~무료의 portofrei. ~미납 unfrankiert; nicht frankiert. ~선납 Nachnahme *f.* -n; Nachnahmesendung *f.* -en: ~ 선납으로 부치다 gegen (per) Nachnahme senden[(*)4].

우세(優勢) Überlegenheit *f.*; Oberhand *f.*; Oberwasser *n.* -s; Vorsprung *m.* -(e)s, ⸗e; Übergewicht *n.* -(e)s, -e; Übermacht *f.* ⸗e. ~하다 überlegen[3] 《*an*[3]》; überwiegend; übermächtig; führend (sein); die Oberhand (das Übergewicht; die Übermacht) haben 《*über*[4]》. ¶ ~를 유지하다 das Übergewicht (die Übermacht) behaupten (behalten*); die Oberhand behalten* / ~를 차지하다 die Oberhand (das Oberwasser; die Übermacht) gewinnen* 《*über*[4]》; e-n bedeutenden Vorsprung gewinnen* 《*vor*[3]》.
‖ ~승 Sieg 《*m.* -(e)s, -e》 nach Punkten.

우송(郵送) das Durchgeben*, -s; Durchgabe *f.* -n; das Weiter¦befördern* (-geben*) -s; Weiter¦beförderung *f.* -en (-gabe, -n; -leitung, -en) 《*pl.*은 드묾》; Postsendung *f.* -en. ~하다 durch|geben*[4]; weiter|befördern[4]; weiter|geben*[4]; mit der Post senden*[4] (schicken[4]).
‖ ~료 Porto *n.* -s, -s (..ti); Postgebühr *f.* -en. ~무료 portofrei; franko.

우수 ① 《덤》 Bonus *m.* -(ses), -(se); Prämie *f.* -n; Extradividende *f.* -n; Sondervergutung *f.* -en; Gratifikation *f.* -en; Sonderausschüttung *f.* -en. ② =우수리.

우수(右手) die rechte Hand.

우수(雨水) ① 《빗물》 Regenwasser *n.* -s, -. ② 《절기》 die zweite von den 24 jahreszeitlichen Teilungen (ca. 18. Feb.).

우수(偶數) die gerade Zahl, -en. ¶ ~의 geradzahlig / ~의 날 die geraden Tage 《*pl.*》.

우수(憂愁) Trübsinn *m.* -(e)s; (Be)trübnis *f.* ..nisse; Melancholie *f.* -n [..lí:ən]; Schwermut *f.*; Traurigkeit *f.* -en. ¶ ~의 trübsinnig; trübselig; düster; melancholisch; schwermütig; traurig / ~의 빛 die besorgte (betrübte; kummervolle) Miene, -n / ~에 잠기다 tief betrübt sein; in Trübsinn (dem Trübsinn) verfallen* Ⓢ; 〖속어〗 Trübsal blasen*.

우수(優秀) Auszeichnung *f.* -en; Vorzüglichkeit *f.* -en; Vortrefflichkeit *f.* -en. ~하다 ausgezeichnet; hervorragend; (vor)trefflich; vorzüglich; 〖속어〗 famos; 〖무변화〗 prima (sein). ¶ ~한 학생 Musterschüler *m.* -s, -; Primus *m.* -, ..mi (..musse) (수석) / ~한 성적으로 시험에 붙다 mit Auszeichnung die Prüfung bestehen*.
‖ ~작 Meisterstück *n.* -(e)s, -e.

우수리 ① 《거스름돈》 Kleingeld *n.* -(e)s, -er; Wechselgeld *n.*; übriges Geld. ¶ ~는 네가 가져라 Rest für dich. / ~ 여기 있읍니다

Hier ist Ihr Kleingeld. ② 《끝수》 Rest *m.* -(e)s, -e.

우수수 das Rauschen*, -s; das Rascheln*, -s. ~하다 rauschen; rascheln. ¶ 바람에 나뭇잎이 ~했다 Die Blätter hatten im Wind geraschelt.

우숨부라 《부룬디의 옛수도》 Usumbura.

우스개 Scherzhaftigkeit *f.* -en; Heiterkeit *f.* -en; Lustigkeit *f.* -en.
‖ 우스갯소리 =소화(笑話).

우스꽝스럽다 ☞ 우습광스럽다.

우스팃 Kammgarn *n.* -(e)s, -e; Kammgarnstoff *m.* -(e)s, -e.

우습게보다 verachten⁴; gering|achten⁴ (-|schätzen⁴); mißachten⁴ 〖*p.p.* mißachtet〗; miß|achten⁴ 〖*p.p.* mißgeachtet〗; nicht viel halten* 《*von*³》. ¶ 남의 학식을 ~ das Wissen* (die Gehehrsamkeit) e-s Anderen unterschätzen / 아무를 ~ auf *jn.* herab|sehen* (herunter|-) / 상관을 ~ respektlos gegen den Vorgesetzten* sein.

우습광스럽다 drollig; lächerlich; possierlich; spaßhaft; ulkig (sein).

우습다 ① 《재미롭다》 lustig; komisch; belustigend; erheiternd; amüsant; unterhaltsam (sein); 《가소롭다》 lächerlich; lachhaft; drollig (sein); 《익살맞다》 ulkig; humoristisch; spaßig; humorvoll; spaßhaft (sein); 《기이하다》 sonderbar; merkwürdig (sein). ¶ 우스운 이야기 e-e komische Erzählung (Geschichte) / 무엇이 그리 우스우냐 Was ist so lustig? / 그의 모습은 매우 ~ Sein Aussehen ist sehr komisch. / 그는 우스운 사람이다 Er ist ein komischer Kerl. / 난 조금도 우습지 않다 Ich finde das gar nicht komisch. / 그것은 우스운 생각이다 Das ist eine merkwürdige Vorstellung (Idee).
② 《하찮다》 klein; trivial; banal (sein); 《쉽다》 einfach; leicht; mühelos (sein). ¶ 우스운 일 kleine Sachen / 그것은 그리 우습게 여길 일이 아니다 Das ist nicht so einfach. / 그것은 네게는 우스운 일이다 Das ist für dich eine Kleinigkeit.

우승(優勝) Sieg *m.* -(e)s, -e; Meisterschaft *f.* -en. ~하다 siegen 《*in*³》; als Sieger hervor|gehen* ⓢ 《aus e-m Wettkampf》; den Sieg davon|tragen* (erkämpfen; erringen*); die Meisterschaft gewinnen* (erringen*); die Siegespalme erringen*; den ersten Platz nehmen* 《*in*³》 (일등); als Erster ans Ziel kommen*ⓢ; das Zielband zerreißen* 《*in*³》 (일착); ³sich die Goldmedaille [..dáljə] holen; der Sieg krönt *jn.* ¶ ~을 놓치다 hinter dem Sieger bleiben* ⓢ.
‖ ~기 Siegesfahne *f.* -n; Siegerflagge *f.* -n. ~배(컵) Siegespokal *m.* -(e)s, -e; Trophäe *f.* -n (트로피): ~배를 타다 den Siegespokal erkämpfen (erringen*); ³sich den Siegespokal holen. ~자 Sieger *m.* -s, -; Meister *m.* -s: ~자 표창식 Siegerehrung *f.* -en. ~팀 Siegermannschaft *f.* -en; die siegreiche (sieggekrönte) Mannschaft, -en. ~퍼레이드 Siegeszug *m.* -(e)s, ⸚e.

우승열패(優勝劣敗) das Überleben* 《-s》 der Tüchtigsten; die natürliche Zuchtwahl, -en. ~하다 die Tüchtigsten leben über; die Schwachsten gehen zugrunde. ¶ 요즈음은 ~의 세상이다 Der Schwächere wird heutzutage immer beiseite gedrängt (gelassen; geschoben).

우시장(牛市場) Kuhmarkt *m.* -(e)s, ⸚e.

우심하다(尤甚―) äußerst; höchst; übertrieben; außergewöhnlich; radikal; extrem; übermäßig (sein); 《추위가》 hart (sein); 《손해가》 schwer; schlimm (sein).

우썩 immer mehr; zunehmend. ¶ ~ 늘다 《학문·기술이》 große Fortschritte machen / ~ 추워지다 Es wird immer kälter. / 날이 ~ 더워 온다 Das Wetter wird immer heißer.

우아 ① 《뜻밖에 기쁠 때》 Oh, prima!; Oh, Freude!; Oh, wunderbar! ② ☞ 와¹.

우아(優雅) Eleganz *f.*; Vornehmheit *f.* -en; Gepflegtheit *f.* -en; Anmut *f.*; Schönheit *f.*; Grazie *f.* ~하다 schön; anmutig; elegant; fein; geschmackvoll; stilvoll; verfeinert; graziös (sein).

우악(優渥) Gnade *f.* -n; Güte (Huld) *f.* ~하다 gütig; wohlwollend; freundlich (sein).

우악(살)스럽다(愚惡―) =무지막지하다.

우안(右岸) das rechte Ufer, -s, -. ¶ ~에 am rechten Ufer / 라인강 ~에 rechts (auf der rechten Seite) des Rheins (vom Rhein).

우안(愚案) ein dummer Plan. ¶ 나의 ~으로는 nach m-r unmaßgeblichen Meinung.

우애(友愛) Freundesliebe *f.* -n; Freundschaft (Brüderschaft; Kameradschaft) *f.* -en. ~롭다 freundschaftlich; brüderlich (sein). ‖ ~결혼 Kameradschaftsehe *f.* -n.

우양(牛羊) Kuh u. Schaf.

우어 halt!; brr! (Ausruf zum Anhalten von Zugtieren).

우언(寓言) Fabel *f.* -n; Allegorie *f.* -n.

우엉 Klette *f.* -n.

우여 husch!; sch! 《Scheuchruf》.

우여곡절(紆餘曲折) Wechselfälle 《*pl.*》; das Auf u. Ab; Schicksalsschläge 《*pl.*》; Komplikation *f.* -en; Verwicklung *f.* -en; Erschwerung *f.* -en. ¶ 인생의 ~ das Auf u. Ab des Lebens / ~을 거쳐 nach vielem Wenn u. Aber; nach vielem Hin u. Her.

우역(牛疫) Rinder¦pest *f.* -en (-seuche *f.* -n).

우연(偶然) Zufall *m.* -(e)s, ⸚e; Zufälligkeit *f.* -en. ¶ ~한 zufällig; gelegentlich; unerwartet / ~히 zufällig; zufälligerweise; durch Zufall; unvorhergesehen / 고의냐 ~이냐 ob durch Zufall od. mit Absicht / ~한 일치 zufälliges Zusammentreffen*, -s / ~한 일 zufälliges Ereignis, -ses, -se / 그건 순전히 ~이다 Das ist ein reiner Zufall.¦ Das ist ein Spiel des Zufalls (ein bloßer Zufall). / ~히 그를 만났다 Ich traf ihn durch Zufall (zufällig; unerwartet). / ~히 그 말을 들었다 Das habe ich zufällig gehört.

우연만하다 ☞ 웬만하다.

우열(愚劣) Albernheit (Dummheit) *f.* -en. ¶ ~한 albern; dumm; töricht; unsinnig.

우열(優劣) Überlegenheit u. Minderwertigkeit; Übergewicht u. Rückständigkeit, des -(e)s u. der -; Vor- u. Nachteile 《*pl.*》 (장단); Qualität *f.* -en; Güte *f.*; Wert *m.* -(e)s, -e; Vorzug *m.* -(e)s, ⸚e. ¶ ~이 없는 ebenbürtig; gleichwertig; gar nicht schlecht als... / ~을 다투다 ⁴sich messen* 《*mit*³》; *jm.* den Vorrang streitig machen; konkurrieren 《*mit*³》 / 양자 사이에는 거의 ~이 없다 Zwischen den beiden ist fast kein Unterschied.

우왕좌왕(右往左往) das Hin u. Her. ~하다 hin u. her laufen* ⓢ; durcheinander geraten* ⓢ (혼란 상태에 빠지다).

우울(憂鬱) Melancholie *f.*; Schwermut *f.*; Bedrücktheit *f.*; Trübsinn *m.* -s; Düsterkeit *f.*; Depression *f.*; Trübsal *f.* -e (*n.* -(e)s, -e). ～하다 in gedrückter (trüber) [3]Stimmung sein; trübsinnig; melancholisch; schwermütig; betrübt (sein); [4]sich ganz trostlos fühlen. ¶ ～증의 melancholisch; hypochondrisch / ～한 얼굴 ein trauriges (verdrießliches) Gesicht, -(e)s, -er/ ～한 얼굴을 하다 ein trauriges (verdrießliches) Gesicht machen; 〖속어〗 ein [4]Gesicht wie sieben Tage Regenwetter machen; trübe Miene machen / ～해지다 [4]sich betrüben 《*über*[4]》; schwermütig (düster; melancholisch) werden.

‖ ～증 Gemütskrankheit *f.*; Melancholie *f.*; Hypochondrie *f.*: ～증 환자 Hypochonder *m.* -s, -; Melancholiker *m.* -s, -.

우원(迂遠) Weitläufigkeit *f.* ～하다 weitläufig (-schweifig) (sein).

우월(優越) Überlegenheit *f.*; Übergewicht *n.* -(e)s (우세); Übermacht *f.* (우세); Vorrang *m.* -(e)s (우위). ～하다 überlegen (sein); das Übergewicht (die Übermacht; den Vorrang) haben.

‖ ～감 Überlegenheitsgefühl *n.* -(e)s, -e.

우위(優位) Oberhand *f.*; Überlegenheit *f.*; Übergewicht *n.* -(e)s, -e; Vorrang *m.* -(e)s; Oberwasser *n.* -s, -. ¶ ～에 서다 Oberhand gewinnen* 《*über*[4]》; Übergewicht bekommen* 《*über*[4]》; Vorrang haben 《*über*[4]》; Oberwasser kriegen 《*über*[4]》 / ～를 지니다 die Oberhand behalten* (haben) 《*über*[4]》; vor|herrschen / ～를 다투다 um den Vorrang kämpfen.

우유(牛乳) (Kuh)milch *f.* ¶ ～를 짜다 melken* / 애기를 ～로 키우다 mit der Flasche nähren[4]; ohne Muttermilch auf|ziehen*[4].

‖ ～배달(운반)차 Milchwagen *m.* -s, -. ～병 Milchflasche *f.* -n. ～빛 Milchfarbe *f.* ～소독기 Milchsterilisator *m.* -s, -en. ～장수 Milchhändler *m.* -s, -; Milchmann *m.* -(e)s, ⸚er (우유팔이, 배달원); Milchwirtschaft *f.* -en (착유소); Milchgeschäft *n.* -(e)s, -e (매점). 탈지～ abgerahmte Milch.

우유(偶有) ¶ ～의 zufällig.

‖ ～성 Zufälligkeit *f.*

우유부단(優柔不斷) ein ewiges Hin u. Her, e-s -en - u. -; Zauderhaftigkeit *f.* -en. ～하다 unschlüssig; unentschlossen; schwankend; zauderhaft; zögernd (sein). ¶ ～한 태도를 취하다 e-e unschlüssige Haltung 《-en》 ein|nehmen* 《*in*[3]》; unschlüssig bleiben* Ⓢ; in s-n Entschlüssen schwankend sein / 그는 ～한 사람이다 Bei ihm ist ein ewiges Hin u. Her (Entweder-Oder).¦Er ist ein schwankendes Rohr.

우육(牛肉) Rindfleisch *n.* -es.

우음마식하다(牛飮馬食—) unmäßig (viel) essen* u. trinken*; fressen* u. saufen*.

우의(友誼) Freundschaft *f.* -en; Freundschaftsgefühl *n.* -s, -e; freundschaftliche Beziehungen 《*pl.*》. ¶옛 ～로서 aus alter Freundschaft; als alter Freund. ‖국제～ die internationale Kameradschaft, -en.

우의(羽衣) das Kleid 《-(e)s, -er》 aus Feder.

우의(羽蟻) e-e geflügelte Ameise, -n.

우의(雨衣) Regen¦mantel (Wetter-) *m.* -s, ⸚.

우의(寓意) die verborgene Bedeutung, -en; Allegorie *f.* -n.

‖ ～극 das allegorische Schauspiel, -(e)s, -e; Moralität *f.* -en. ～소설 Fabel *f.* -n.

우이(牛耳) ① 《두령》 Führer *m.* -s, -; Leiter *m.* -s, -; Chef *m.* -s, -s; Vorsteher *m.* -s, -; Vorstand *m.* -(e)s, ⸚e. ¶ ～를 잡다 das Zepter schwingen; die Zügel führen; den Ton an|geben* 《in e-r [3]Gesellschaft》. ② ＝쇠귀.

‖ ～독경(讀經) „tauben [3]Ohren predigen"; „in den Wind schlagen* (reden)".

우익(右翼) ① der rechte Flügel, -s, - (대형의); 〖군사〗 die rechte Flanke, -n; 〖야구〗 Rechtsfeldspieler *m.* -s, -; 〖축구〗 Rechtsaußen *m.* -, -. ¶ ～에 속하다 auf dem rechten Flügel stehen*. ② 《사상》 die Rechte*, -n; 《사람》 der Rechtsstehende*, -n, -n. ¶ ～의 rechts¦parteiisch (-stehend) / ～에 가깝다 rechts eingestellt sein.

우익(羽翼) 《새 날개》 Flügel *m.* -s, -; 《보좌》 Gehilfe *m.* -s, -; Hilfe *f.* -n.

우자(愚者) der Dumme*, -n, -n; Idiot *m.* -en, -en; Dummkopf *m.* -(e)s, ⸚e. ～스럽다 dumm; stumpfsinnig; schwachsinnig; idiotisch (sein).

우장(雨裝) Regen¦mantel (Gummi-) *m.* -s, ⸚.

우적우적 ① ＝우썩. ② 《씹다》 mampfend; schmatzend. ¶그는 오이 샐러드를 ～ 씹고 있다 Er kaut schmatzend Gurkensalat. ③ 《무너지다》 knarrend; knirschend; quietschend.

우접다 ① 《뛰어나게 되다》 besser werden; außergewöhnlich (hervorragend; überragend) werden. ② 《이겨내다》 *jn.* übertreffen*; den Vorgänger überholen.

우정(友情) Freundschaft *f.* -en; Kameradschaft *f.* -en; Freundschaftlichkeit *f.* -en. ¶ ～이 두텁다 herzlich freundschaftlich 《*zu*[3]》 (recht freundlich 《*zu*[3]》) sein / ～으로써 als Freund; freundschaftlich / ～을 맺다 (지니고 있다) Freundschaft schließen* (halten*) 《*mit*[3]》 / 진실하고 변함 없는 ～을 나타내다 *jm.* Beweise s-r wahren u. unwandelbaren Freundschaft geben*.

우정(郵政) Postverwaltung *f.* -en; postalischer Dienst.

우제(雩祭) ＝기우제(祈雨祭).

우제(虞祭) aufopferungsvolle Zeremonie am Ende der Beerdigung.

우조(羽調) 〖음악〗 C Tonleiter in der koreanischen Pentatonik.

우족(右族) ① 《적자 계통》 Erbe *m.* -n, -n; der Nachkomme des gesetzlichen Sohnes. ② 《귀족》 der Adelige*, -n, -n; Edelmann *m.* -(e)s, ⸚er.

우졸(愚拙) Dummheit u. Ungeschicklichkeit. ～하다 dumm u. ungeschickt (sein).

우주(宇宙) Welt¦raum *m.* -(e)s (-all *n.* -s); Kosmos *m.* -; Universum *n.* -s. ¶ ～의 (all)umfassend; universal; kosmisch / ～를 탐험하다 den Weltraum erforschen (untersuchen; erkunden; sondieren) / ～를 여행하다 e-e Raumfahrt machen / 인간을 ～에 보내다 e-n Menschen in den Weltraum lancieren.

‖ ～로케트 Raumrakete *f.* -n. ～문제 Weltraumfrage *f.* -n. ～물리 Astrophysik *f.* ～병 Raumkrankheit *f.* -en. ～복 Raumanzug *m.* -(e)s, ⸚e. ～비행 (여행) Raumfahrt *f.* -en: ～비행사 Raumpilot *m.* -en, -en; Raumfahrer *m.* -s, -; Astronaut *m.* -en, -en. ～선(線) kosmische Ultrastrahlung, -en; Höhenstrahlung *f.* -en. ～선(船) Raumschiff *n.* -(e)s, -e. ～속도 Fluchtgeschwindigkeit *f.* ～유영 Welt-

raum|ausflug *m.* -(e)s, ⁼e (-spazierengehen *n.* -s). ~의학 Raummedizin *f.* ~정거장 Raumstation *f.* -en. ~진(塵) kosmischer Staub, -(e)s. ~진화론 Kosmogonie *f.* ~탐험 Weltraumforschung *f.* -en. ~학, ~론 Kosmologie *f.*: ~학자 Kosmolog(e) *m.* -(e)n, -(e)n; Kosmograph *m.* -en, -en. 대(소)~ Makrokosmos (Mikrokosmos) *m.* -.
우죽 der Wipfel 《-s, -》 des Baumes.
우줄거리다 《몸체를》 schwanken; hin u. her schwingen; 《뽐냄》 stolzieren [h,s]; prahlen.
우줄우줄 《몸체를》 schwankend; schwingend; tanzend; 《걸음을》 prahlend; stolz; prahlerisch.
우줅거리다 (mühsam) stapfen; [4]sich (mühsam) fort|schleppen; watscheln.
우줅우줅 stapfend; schleppend; watschelnd. ~하다 stapfen [h,s]; [4]sich schleppen; watscheln [h,s].
우중(雨中) ¶ ~에 외출하다 im Regen aus|gehen* [s].
우중충하다 trübe; wolkig; düster; dunkel; finster; bedeckt (sein). ¶ 우중충한 날씨 trübes Wetter / 방이 매우 ~ Das Zimmer ist sehr finster.
우지 kleiner Schreihals, -es, ⁼e; Heulsuse *f.* -n; Heultrine *f.* -n.
우지(牛脂) Rinde|fett *n.* -(e)s, -e (-talg *m.* -(e)s, -e); Rindstalg.
우지끈 krachend; mit e-m Krach. ¶ ~ 소리나다 krachen.
우지끈거리다 krachen; knacken; knallen; prasseln; knattern; knirschen. ¶ 집이 우지끈거리며 무너졌다 Das Haus brach krachend entzwei.
우지끈뚝딱 mit dem Krach; krachend; prasselnd; knallend.
우지직 ① 《타는 소리》 knackend; raschelnd; knisternd. ¶ 나뭇가지들이 ~ 불에 타다 Holzscheite knacken im Feuer. ② 《부러지는 소리》 brechend; knirschend; quietschend; kreischend; knarrend; krachend.
우지직거리다 ① 《타다》 knistern; knacken; vascheln. ¶ 마른 가지들이 불 속에서 ~ Trockne Zweige knistern im Feuer. ② 《나무가》 krachen; knacken; knirschen.
우직(愚直) einfältige Ehrlichkeit; Simplizität *f.*; die dumme Offenherzigkeit; Einfalt *f.*; die verstockte Ehrlichkeit. ~하다 offenherzig bis zur Dummheit; ehrlich bis zur Verstocktheit (sein).
우집다 ① *jn.* unterschätzen; verachten. ② =우접다.
우짖다 heulen; brüllen; sausen; brausen. ¶ 우짖는 바람 heulender Wind.
우쩍 ☞ 와짝.
우쩍우쩍 ☞ 우적우적.
우쭐거리다 ☞ 우줄거리다.
우쭐우쭐 ☞ 우줄우줄.
우쭐하다 [4]sich überheben*[(2)] 《*wegen*[2]》; eingebildet sein; [4]sich arrogant benehmen*; stolz (anmaßend; eingebildet; hochmütig; aufgeregt) sein. ¶ 우쭐해서 aufgeblasen (wie ein Frosch); dummstolz; hoch|mütig (-fahrend) / 우쭐해서 이야기하다 stolz reden / 우쭐해 하다 anmaßend werden; 《호의·친절 따위에》 durch *js.* Freundlichkeit ermutigt werden; übermütig werden; [4]sich auf|blähen 《*vor*[3]》 / 성공으로 우쭐해 있다 Der Erfolg ist ihm in den Kopf gestiegen.
우차(牛車) Ochsenwagen *m.* -s, -.
우천(雨天) Regenwetter *n.* -s, -. ¶ 계속되는 ~ das anhaltende Regenwetter / ~일 경우에는 wenn es regnet; bei Regen.
‖ ~순연(順延) Falls es regnet, wird die Sache auf den nächsten schönen Tag verschoben; Bei Regen bis zum nächsten schönen Tag verschoben. ~체조장 《체육관》 Turnhalle *f.* -n.
우체(郵遞) =우편(郵便).
‖ ~국 Postamt *n.* -(e)s, ⁼er; Post *f.* -en: ~국원 Postbeamte *m.* -n, -n. ~부 Briefträger *m.* -s, -; Postbote *m.* -n, -n. ~통 Brief|kasten (Post-) *m.* -s, - (⁼): 편지를 ~통에 넣다 den Brief in den Briefkasten ein|werfen*.
우측(右側) rechte Seite; rechte Hand. ¶ 길 ~에 auf der rechten Straßenseite / ~통행 Rechtsverkehr *m.* -(e)s / ~으로 회전하다 rechts ab|biegen*.
우케 das Getreide, das fürs Mahlen getrocknet wird.
우쿨렐레 Ukulele *n.* -, -n.
우크라이나 Ukraine *f.* ¶ ~의 ukrainisch.
‖ ~사람 Ukrainer *m.* -s, -.
우택(雨澤) die Gnade des Regens; der Nutzen des Regens.
우툴두툴하다 knorrig; holperig; gerauht; uneben; körnig (sein). ¶ 우툴두툴한 길 holperige Straße; holperiger Weg / 우툴두툴한 가죽 gerauhtes (genarbtes) Leder / 우툴두툴한 나무 knorriges Holz.
우파(右派) die Rechte*, -n, -n.
‖ ~정당 Rechtspartei *f.* -en. 온건 (과격)~ die gemäßigte (äußerste) Rechte.
우편(右便) rechte Seite; rechte Richtung.
우편(郵便) Post *f.* -en. ¶ ~으로 mit der [3]Post; per Post / ~으로 보내다 mit der Post schicken[4]; per Post senden[4] / 편지를 ~으로 보내다 e-n Brief zur Post geben* / ~을 배달하다 die Post aus|tragen* (bestellen; zu|stellen) / ~물이 와 있읍니다 Die Post ist da.
‖ ~규칙 Postordnung *f.* -en. ~낭 (가방) Postbeutel *m.* -s, -. ~료, ~요금 Postgebühr *f.* -en; Porto *n.* -s, -s. ~마차 Postkutsche *f.* (-wagen *m.* -s, -). ~물 검열 Postzensur *f.* -en. ~받이 Briefkasten *m.* -s, - (⁼). ~배달 Post|bestellung *f.* -en (-zustellung *f.* -en). ~번호 Postleitzahl *f.* -en: 정동(貞洞)의 ~ 번호는 100이다 *Jeong-dong* hat die Postleitzahl 100. ~사서함 Post(schließ)fach *n.* -(e)s, ⁼er. ~스탬프 Poststempel *m.* -s, -. ~엽서 Postkarte *f.* -n. ~저금 Postsparkasse *f.* -n. ~제도 Postwesen *n.* -s, -. ~조약 Postvertrag *m.* -(e)s, ⁼e. ~주문 Postversand *m.* -(e)s, -e. ~집배원 Briefträger *m.* -s, -. ~차 Postwagen *m.* -s, -; Postauto *n.* -s, - (자동차). ~함 Briefkasten *m.* -s, ⁼. ~환(換) Postanweisung *f.* -en. 국내 (외국) ~ inländische (ausländische) Post. 군사~ Feldpost *f.* -en. 등기~ Einschreib(e)brief *m.* -(e)s, -e. 만국 ~연합 Weltpostverein *m.* -(e)s. 배달불능 ~(물) unzustellbarer Brief, -(e)s, -e. 소포~ Postpaket *n.* -(e)s, -e; Postgut *n.* -(e)s, ⁼er (7 kg 이하); Päckchen *n.* -s, - (2 kg 이하). 속달~ Eilbrief *m.* -(e)s, -e. 유치~ postlagernd: 유치 ~으로 보내다 e-n Brief postlagernd schicken. 항공~ Luftpost *f.* -en.
우표(郵票) Briefmarke *f.* -n; Marke *f.* -n;

Postwertzeichen *n.* -s, -. ¶ 십 원 짜리 ～ Briefmarke von 10 *Won*; die 10 *Won*-Marke, -n / 5원 짜리 ～ 열 장 zehn Briefmarken zu 5 *Won* / ～를 수집하다 Briefmarken sammeln / 편지에 ～를 붙이다 e-e Marke auf|kleben; (e-n Brief) frankieren (frei|machen); mit e-r Briefmarke versehen*.

‖ ～수집 Briefmarkensammlung *f.* -en: ～수집가 Briefmarkensammler *m.* -s, -. ～첩 Briefmarken¦album *n.* -s, ..ben (-heft *n.* -es, -e).

우피(牛皮) Ochsenhaut *f.* ⸗e; Rind(s)leder *n.* -s, -.

우합(偶合) zufälliges Zusammentreffen*, -s. ～하다 zufällig zusammen|treffen*.

우향(右向) ¶ ～우 Rechtsum kehrt! (구령).

우현(右舷) 〖항해〗 Steuerbord *n.* -(e)s, -e; die rechte Schiffsseite, -n. ¶ ～ 전방에 적 잠수함 출현 Voraus an Steuerbord feindliches U-Boot! / 키를 ～으로 잡다 das Steuer nach Steuerbord halten.

우호(友好) Freundschaft *f.* -en. ¶ ～적인 freundschaftlich; in Freundschaft / ～적으로 auf gütlichem Wege.

‖ ～관계 die freundschaftliche Beziehung, -en; das freundschaftliche Verhältnis, ..nisses, ..nisse: ～ 관계를 맺다 mit *jm.* freund(schaft)liche Beziehungen an|knüpfen. ～국 die befreundete Nation, -en; der befreundete Staat, -(e)s, -en. ～조약 Freundschaftsvertrag *m.* -(e)s, ⸗e.

우화(寓話) Fabel *f.* -n; Parabel *f.* -n; Allegorie *f.* -n; Gleichnis *n.* ..nisses, ..nisse (비유).

‖ ～작가 Fabeldichter *m.* -s, -; Fabler *m.* -s, -. ～집 Fabelbuch *n.* -(e)s, ⸗er.

우환(憂患) Krankheit *f.* -en; Kummer *m.* -s; Sorgen 《*pl.*》. ¶ 오랜 ～ e-e lang anhaltende Krankheit / ～이 있다 Kummer (Sorgen) haben / 반 식자 ～이라 Nichtwissen ist besser als Halbwissen.

우황(牛黃) 〖한의학〗 (Ochsen)bezoar *m.* -(e)s, -e.

우회(迂回) Umgehung *f.* -en; Umleitung *f.* -en (교통표지 등의); Umweg *m.* -(e)s, -e (우회로). ～하다 umgehen*^{4}; e-n Umweg machen; e-n großen Bogen machen 《*um*^{4}》 (피해 지나감).

‖ ～로(路) Abstecher *m.* -s, -; Um¦weg (Ab-) *m.* -(e)s, -e.

우회전(右廻轉) ～하다 nach rechts ab|biegen* ⓢ. ¶ ～ 금지 Abbiegen nach rechts verboten. (표지는 그림으로만 나타냄).

우후(雨後) ¶ ～에 바로 gerade nach e-m Regenfall / ～이니까 weil es bis jetzt geregnet hat / ～ 죽순처럼 wie die Pilze nach dem Regen.

욱기(一氣) Hitzköpfigkeit *f.* -en; Heftigkeit *f.* -en; Ungestüm *n.* -(e)s; Hast *f.* ¶ ～가 있는 jähzornig; heftig; hastig; hitzköpfig; aufbrausend; ungestüm / 젊은 ～로서 mit jugendlichem Ungestüm.

욱다 ① 《안으로》 nach innen gebeugt; nach innen gebogen. ② 《힘이》 arm an Kraft; schwach; geschwächt.

욱대기다 ① ＝으르다. ② ＝우겨대다.

욱둥이 Hitzkopf *m.* -(e)s, ⸗e; ungestümer Mensch, -en, -en.

욱시글거리다 schwärmen; ^{4}sich im Schwarm bewegen. ¶ 벌들이 ～ die Bienen schwärmen.

욱시글욱시글 schwärmend.

욱신거리다 ① 《쑤시다》 e-n bohrenden (stechenden) Schmerz haben (spüren). ¶ 등어리가 ～ Stechen im Rücken haben. ② 《북적임》 wimmeln; schwärmen. ¶ 장터에 사람이 욱신거린다 Der Marktplatz wimmelt (schwärmt) von Menschen.

욱신욱신 ¶ ～ 아프다 Es sind unbestimmte Schmerzen.

욱여싸다 ① ＝에워싸다. ② 《가엣것을》 rollen; wickeln; zusammen|schlingen*; herumwinden*.

욱이다 nach innen beugen; nach innen biegen*.

욱일(旭日) die aufgehende Sonne, -n. ¶ ～승천의 기세이다 Sein Stern ist im Aufgehen.¦Er fährt (läuft) mit vollen Segeln.

욱적거리다 drängeln; zusammen|stoßen.

욱적욱적 drängelnd; zusammenstoßend.

욱죄이다 den Druck verstärken.

욱지르다 ☞ 욱박지르다.

욱질리다 e-e dicke (fürchterliche) Zigarre (verpaßt) kriegen; eins aufs Dach bekommen*; ab|blitzen (übel ab|fahren*) 《*mit*^{3}》.

욱하다 auf|brausen; plötzlich in Zorn geraten* ⓢ. ¶ 그는 걸핏하면 욱한다 Er ist immer gleich aufgebraust.

운(運) 《운명》 Schicksal *n.* -(e)s, -e; Geschick *n.* -(e)s, -e; Los *n.* -es, -e; 《행운》 Glück *n.* -(e)s; 《불운》 Unglück *n.* -(e)s; Verhängnis *n.* ..nisses, ..nisse; 《기회》 Gelegenheit *f.* -en; Chance [ʃãːs(ə)] *f.* -n. ¶ 운이 좋은 (나쁜) glücklich (unglücklich); 《유리(불리)한》 günstig (ungünstig) / 운 좋게 (나쁘게) zum Glück (Unglück); glücklicherweise (unglücklicherweise) / 운이 좋다 (나쁘다) Glück (Pech; Dusel) haben / 운이 좋으면 Wenn man Glück hat/운이 트이다 ^{4}Glück haben; vom Glück begünstigt sein / 그는 요즘 운이 트였다 Zur Zeit ist das Glück ihm gnädig (gewogen). / 운을 시험해 보다 sein Glück versuchen / 운을 하늘에 맡기다 ^{4}sich auf sein Glück verlassen*; ^{4}sich dem Schicksal überlassen* (anheim|stellen) / 운을 하늘에 맡기고 aufs Geratewohl; auf gut ^{4}Glück / 운은 하늘에 달렸다 Unser Schicksal ist in Gottes Händen. / 그는 운이 다했다 Das Glück hat ihn verlassen.¦Das Glück hat ihm den Rücken gekehrt. / 운 좋게도 그는 일등에 당첨되었다 Glücklicherweise hat er das Große Los gezogen (gewonnen).¦Er war glücklich genug, den Haupttreffer zu gewinnen. / 운나쁘게 근처엔 그때 아무도 없었다 Das Unglück wollte, daß sich in dem Augenblick niemand in der Nähe befand. / 운이 좋았다 Ich habe Glück (Schwein) gehabt. / 자넨 운이 좋았어 Da hast du (großes) Schwein gehabt!

운(韻) Reim *m.* -(e)s, -e. ¶ 운이 있는 (없는) reimhaft (reimlos) / 운을 맞춘 gereimt / 운을 맞추다 (^{4}sich) reimen. ☞ 두운, 각운.

운각(雲刻) wolkenförmig geschnittene Zierden (Verzierungen) 《*pl.*》.

운구(運柩) Beförderung (Transport) von Leichen im Sarg. ～하다 die Leiche (in Sarg) befördern.

운김 ① 《남은 기운》 ein Rest warmer Luft (des Dampfes). ② 《…하는 바람》 Ergebnis *n.* -ses, -se (gemeinsamer Bemühungen). ¶ ～에 bewirkt 《*durch*^{4}》.

운니지차(雲泥之差) ein himmelweiter Unterschied, -(e)s, -e.

운동(運動) ① 《신체의》 Bewegung *f.* -en; 《체육》 Leibesübung *f.* -en; 《스포츠》 Sport *m.* -(e)s, -e. ～하다 ^{4}sich bewegen; ^{3}sich Bewegung machen; Sport treiben*. ¶ 가벼운(격심한) ~ leichte (übermäßige) Bewegung / ~부족 Mangel an ³Bewegung / 하루에 2시간 ~하다 jeden Tag zwei Stunden Sport treiben* / ~ 좋아하는 사람 Sportliebhaber *m.* -s, - (-freund *m.* -(e)s, -e).

② 《물체의》 Bewegung *f.* -en; Gang *m.* -(e)s, ⸚e. ~하다 ⁴sich bewegen; ⁴sich rühren; ⁴sich fort|bewegen.

③ 《정치·사회의》 Bewegung *f.* -en; Kampagne [..pánjə] *f.* -n; Feldzug *m.* -(e)s, ⸚e.

④ 《분주하게 움직임》 (Be)werbung *f.* -en. ~하다 ⁴sich bemühen 《*um*⁴》; werben* 《*um*⁴》; ⁴sich bewerben* 《*um*⁴》. ¶ 선거 ~을 하다 um ⁴Stimmen werben* / 취직 ~을 하다 ⁴sich um e-e Stelle (Stellung) bewerben* (bemühen).

‖ ~가, ~선수 Sportler *m.* -s, -; Sportsmann *m.* -(e)s, ..leute. ~구 Sportgerät *n.* -(e)s, -e: ~구점 Sport(artikel)geschäft *n.* -(e)s, -e. ~량 Bewegungsgröße *f.* -n; Impuls *m.* -es, -e. ~모자 Sportmütze *f.* -n. ~법칙 Bewegungsgesetz *n.* -es, -e. ~복 Sportanzug *m.* -(e)s, ⸚e (남자의); Sportkleid *n.* -(e)s, -er (여자의). ~부 Sport¦klub (-club) *m.* -s, -s; Sportverein *m.* -(e)s, -e. ~시설 Sportartikel *m.* -s, -. ~에네르기 Bewegungsenergie *f.* -n; kinetische Energie. ~장 Sportplatz *m.* -es, ⸚e: 서울 ~장 das Seoul-Stadion *n.* -s, ..dien. ~정신 Sportlichkeit *f.* -en. ~학 Bewegungslehre *f.*; Kinematik *f.* ~화 Tuchschuh 《*m.* -s, -e》 mit Gummisohle; Segeltuchschuhe 《*pl.*》. ~회 Sportfest *n.* -es, -e. 금주~ Abstinenzbewegung *f.* -en. 노동자~ Arbeiterbewegung *f.* 등속(가속)~ e-e gleichförmige (beschleunigte) Bewegung. 선거~ Wahlagitation *f.* -en. 실내~ Hallensport *m.* -(e)s, -e. 야외~ Sport im Freien. 임금 인상~ Kampagne für höhere Löhne. 정치 (종교)~ e-e politische (religiöse) Bewegung. 학생~ Studentenbewegung.

운두 Seitenhöhe e-s Schuhs (Gefäßes). ¶ ~가 높은(낮은) 신 hoch¦geschnittene (niedrig-) Schuhe 《*pl.*》.

운명(運命) Schicksal *n.* -(e)s, -e; Geschick *n.* -(e)s, -e; Los *n.* -es, -e; Fatum *n.* -s, ..ta. ¶ ~의 총아 Liebling 《*m.* -s, -e》 des Glückes; Glückskind *n.* -(e)s, -er / 가혹(기구)한 ~ grausames (sonderbares) Schicksal / ~을 감수하다 sein Schicksal auf ⁴sich nehmen*; ⁴sich in sein ⁴Schicksal ergeben*; sein Los geduldig tragen* / ~에 맡기다 dem Schicksal anheim|stellen / 아무개와 ~을 같이 하다 *js.* ⁴Los mit *jm.* teilen / ~을 결정하다 *js.* Schicksal bestimmen (entscheiden*) / ~에 희롱당하다 ein Spielball des Schicksals sein / ~을 회피하다 s-m Schicksal entgehen* Ⓢ / 그는 교사가 되도록 ~지어져 있다 Ihm ist bestimmt, ein Lehrer zu werden. / 그의 ~은 결정되었다 Sein Schicksal ist besiegelt (entschieden).

‖ ~론 Fatalismus *m.* -; Schicksalsglaube *m.* ..bens: ~론자 Fatalist *m.* -en, -en.

운명(殞命) letzter Atemzug, -s; Tod *m.* -(e)s. ~하다 s-n letzten Atemzug tun*; sterben* Ⓢ; um|kommen* Ⓢ.

운모(雲母) 〖광물〗 Glimmer *m.* -s, -.

‖ 백~ Muskowit *m.*

운무(雲霧) Wolken u. Nebel; Dunst *m.* -es. ¶ ~에 싸이다 in Wolken u. Nebel verhüllt (eingehüllt) sein; wolkig sein.

‖ ~중(中) inmitten von Wolken u. Nebel (=zweifelhaft; verdächtig).

운문(雲紋) „Wolkenmusterung" *f.*; Moiré *m.* (*n.*) -s, -s; ripsbindiges Gewebe, -s, -.

운문(韻文) Verse 《*pl.*》; Reimprosa *f.*; Gedicht *n.* -(e)s, -e. ¶ ~으로 in ³Versen.

운반(運搬) Transport *m.* -(e)s, -e; Beförderung *f.* -en. ~하다 transportieren⁴; befördern⁴. ☞ 운송(運送).

‖ ~비 Transport¦kosten (Beförderungs-) 《*pl.*》. ~인 Überbringer *m.* -s, -; Bote *m.* -n, -n; Frachtführer *m.* -s, -; Spediteur [ʃpeditø:r] *m.* -s, -e; Transportunternehmer *m.* -s, -. ~차 Last¦wagen (Liefer-) *m.* -s, -.

운산(運算) 《계산》 das Rechnen*, -s; 《연산(演算)》 Operation *f.* -en.

운산무소(雲散霧消) ~하다 in alle Winde zerstreut werden u. verschwinden* Ⓢ.

운석(隕石) Meteorit *m.* -(e)s, -e; Meteorstein *m.* -(e)s, -e.

운성(隕星) =운석(隕石).

운세(運勢) Stern *m.* -(e)s, -e; Schicksal *n.* -s, -e; Glück *n.* -(e)s. ¶ ~를 보다 in den Sternen lesen* / ~가 좋다(나쁘다) unter e-m glücklichen Stern geboren sein (unter k-m guten Stern stehen*).

운송(運送) Transport *m.* -(e)s, -e; Beförderung *f.* -en; Spedition *f.* -en. ~하다 transportieren⁴; befördern⁴; spedieren⁴. ¶ 철도(배)로 ~하다 mit der Bahn (mit dem Schiff) transportieren.

‖ ~비 Transport¦kosten (Speditions-) 《*pl.*》; Fracht *f.* -en. ~선 Transportschiff *n.* -(e)s, -e. ~시설 Transportanlage *f.* -n. ~업 Transportgewerbe *n.* -s, -; Spedition *f.* -en; Frachtgeschäft *n.* -(e)s, -e: ~업자 Spediteur [..tø:r] *m.* -s, -e; Fuhrunternehmer *m.* -s, -. ~인 Transporteur [..tø:r] *m.* -s, -e. ~점 Speditionsgeschäft *n.* -(e)s, -e; Spediteur. ~장 Frachtbrief *m.* -(e)s, -e. ~회사 Transportgesellschaft *f.* -en; Speditionsfirma *f.* ..men. 육상~ Landtransport *m.* -(e)s, -e.

운수(雲水) ein reisender Priester, -s, -; Wanderpriester *m.* -s, -.

운수(運數) 《운수》 Schicksal *n.* -(e)s, -e; 《운》 Glück *n.* -(e)s; 《운수별》 Stern *m.* -(e)s, -e. ¶ ~를 보다 *js.* Schicksal lesen*; *jm.* das Horoskop stellen (별점에 의해) / ~를 시험하다 in ³*et.* sein Glück versuchen / ~ 사납게도 Unglück (Pech; Panne) haben / ~ 사납다 wie es das Unglück will; das Unglück will es, daß... / 그는 ~가 좋다 Er ist unter e-m glücklichen Stern geboren. ¦ Das Glück ist ihm gewogen (hold).

‖ ~대통 die glückliche Wendung des Schicksals. ~소관 Glückssache *f.* -n. ~점(占) Schicksalsdeutung *f.* -en.

운수(運輸) 《운송》 Transport *m.* -(e)s, -e; 《교통》 Verkehr *m.* -(e)s.

‖ ~국 Transportabteilung *f.* -en. ~기관 Transport¦mittel (Verkehrs-) *n.* -s, -. ~노동자 Transportarbeiter *m.* -s, -. ~협정 Transportvereinbarung *f.* -en; Transportabkommen *n.* -s, -. ~회사 Transportgesellschaft *f.* -en. 여객~ Passagier¦transport (-verkehr) *m.*

운신(運身) Regung *f.* -en; Bewegung *f.* -en.

~하다 ⁴sich regen (rühren; bewegen). ¶ ~도 못하다 kein Glied regen (rühren) können*; ⁴sich nicht bewegen können*.

운영(運營) Betrieb *m.* -(e)s, -e; Leitung *f.* -en; Direktion *f.* -en; Führung *f.* -en; 《관리》 Verwaltung *f.* -en. ~하다 leiten⁴; führen⁴; verwalten⁴.

‖~비 Betriebskosten 《*pl.*》. ~위원회 Betriebsausschuß *m.* ..sses, ..schüsse. ~자금 Betriebskapital *n.* -s, -e (-ilen).

운용(運用) Anwendung *f.* -en; 《실시》 Durchführung *f.* -en. ~하다 an|wenden⁽*⁾⁴; durch|führen⁴; in die Praxis um|setzen⁴. ¶ 법률을 ~하다 das Gesetz an|wenden / 자금을 ~하다 《투자》 das Kapital (das Geld) an|legen (stecken) 《in ⁴*et.*》.

운운(云云) so und so; 《등등》 und so weiter 《생략: usw.》; und so fort 《생략: usf.》. ~하다 das und das (so und so) sagen; viel reden 《*über*⁴》; 《비평함》 kritisieren⁴; 《용훼(容喙)하다》 dazwischen|reden.

운율(韻律) Rhythmus *m.* -, ..men; Metrum *n.* -s, ..tren (..tra). ¶ ~의 rhythmisch; metrisch.

‖~학 Metrik *f.* -en; Verslehre *f.* -n.

운임(運賃) Fracht¦kosten (Transport-) 《*pl.*》; Frachtgeld *n.* -(e)s. ¶ 베를린에서 뮌헨까지의 화물~은 …이다 Die Fracht von Berlin nach München beträgt.... / ~은 선불되었다 Die Fracht ist vorausbezahlt.

‖~인상 die Erhöhung der Transportkosten. ~초과 Zuschlag *m.* -(e)s, ⸚e (과태료). ~표(율) Tarif *m.* -s, -e. 여객~ Fahrgebühr *f.* -en (-geld *n.* -(e)s); 《가격》 Fahrpreis *m.* -es, -e.

운자(韻字) reimende Schriftzeichen 《*pl.*》 in e-m chinesischen Gedicht.

운전(運轉) 《기계 따위의》 Betrieb *m.* -(e)s, -e; Gang *m.* -(e)s, ⸚e; Tätigkeit *f.* -en; 《탈것의》 das Fahren*, -s; 《조종》 Lenkung *f.* -en; Steuerung *f.* -en. ~하다 fahren*⁴; 《조종》 lenken⁴; steuern⁴. ¶ ~ 중이다 in ³Betrieb (Tätigkeit) sein; im Gange sein / ~을 시작하다 in ⁴Betrieb (Tätigkeit) setzen; in ⁴Gang bringen*⁴ / ~을 쉬고 있다 außer ³Betrieb sein / 자동차를 (트럭을) ~하다 ein Auto (e-n Lastwagen) fahren* / 그 자동차는 여자가 ~하고 있었다 In dem Auto saß e-e Frau am Steuer.

‖~대 Führer¦stand *m.* -(e)s, ⸚e (-sitz *m.* -es, -e). ~면허 시험 Fahrprüfung *f.* -en. ~면허증 Führerschein *m.* -(e)s, -e. ~사 《선박의》 Steuermann *m.* -(e)s, ⸚er (..leute); Führer *m.* -s, -; 《자동차의》 Fahrer *m.* (운전자); Chauffeur [ʃɔfǿ:r] *m.* -s, -e (직업상); 《기관차의》 Lokomotiv¦führer (Lok-) *m.*; 《택시의》 Taxi¦fahrer (-chauffeur).

운지법(運指法) 〖음악〗 Fingersatz *m.* -es, ⸚e; Applikatur *f.* -en.

운집하다(雲集—) wimmeln [h,s]; ⁴sich drängen; ⁴sich zusammen|ballen.

운철(隕鐵) 〖광물〗 Meteoreisen *n.* -s, -.

운치(韻致) etwas Gewinnendes*; etwas Ansprechendes*; Edelmut *m.* -(e)s; Ehrerbietung *f.* ¶ ~있는 geschmackvoll; elegant/ ~ 없는 geschmacklos; unelegant; unfein; sachlich; nüchtern / ~ 없는 사람 ein prosaischer (nüchterner) Mann, -(e)s, ⸚er.

운필(運筆) Pinselführung *f.* -en; Pinselstrich *m.* -(e)s, -e.

운하(運河) Kanal *m.* -s, ⸚e. ¶ ~를 만들다 e-n Kanal bauen; kanalisieren.

‖~통행료 Kanalabgabe *f.* -n; Durchfahrtsgebühren 《*pl.*》. 갑문식~ Schleusenkanal *m.* -s, ⸚e. 파나마 (수에즈)~ Panamakanal (Suezkanal).

운항(運航) Fahrt *f.* -en; 《항행》 Schiffahrt *f.* -en; Seefahrt *f.* -en. ~하다 fahren* [s].

운해(雲海) 《바다》 wolkenbedecktes Meer, -(e)s; 《구름의》 Wolkenmeer *n.* -(e)s.

운행(運行) Bewegung *f.* -en; Umlauf *m.* -(e)s, ⸚e. ~하다 ⁴sich bewegen; um|laufen* [s]. ¶ 천체의 ~ die Bewegung der Himmelskörper / 버스의 ~ 노선 die Buslinie *f.* -n / 열차는 횟수를 줄여 ~한다 Die Züge 《*pl.*》 verkehren in größeren Abständen. / 지구가 태양의 둘레를 ~한다 Die Erde bewegt sich um die Sonne.

‖~정지 die Einstellung des Betriebs (der Fahrt). 임시(열차)~ Sonderfahrt *f.* -en. 정기~ fahrplan¦mäßiger (regel-) Verkehr, -s, -; regelmäßige Fahrt, -en.

운형자(雲形—) Kurvenlineal *n.* -s, -e.

운휴(運休) (zeitweiliges) Einstellen des Verkehrs. ¶ 특급 열차가 ~되었다 Der Dienst des D-Zuges ist (zeitweilig) eingestellt worden.

울¹ 《멀거지》 der Verwandte*, -n, -n; (Bluts-) verwandtschaft *f.* -en; Familie *f.* -n; Stamm *m.* -(e)s, ⸚e.

울² ① 《울타리》 Einfriedigung *f.* -en; Umzäunung *f.* -en; Zaun *m.* -(e)s, ⸚e. ¶ 울을 치다 ein|zäunen; umzäunen. ② 《그릇 등의》 Rand *m.* -(e)s, ⸚er (e-r Vase *usw.*).

울³ Wolle *f.* -n. ¶ 울의 wollen; Woll-; wollig (울 같은).

‖ 울샤쓰 Wollhemd *n.* -(e)s, -er.

울가망하다 ⁴sich verzweifelt (bekümmert; ängstlich) fühlen.

울거미 《얽어맨 것의》 der äußere Rand, -(e)s, ⸚er; 《짚신의》 Schnur, mit der Sohle u. Seitenteil der Strohsandalen vernäht sind.

울걱거리다 gurgeln. ¶ 양치질하느라고 ~ ³sich den Mund aus|spülen; gurgeln.

울걱울걱 gurgelnd. ¶ ~ 양치질하다 gurgeln; ³sich den Mund aus|spülen.

울겅거리다 ☞ 울강거리다.

울겅울겅, 울겅불겅 =울근울근.

울결(鬱結) Niedergeschlagenheit *f.*; Schwermut *f.* ~하다 ⁴sich niedergeschlagen fühlen; trübsinnig (schwermütig) sein.

울골질 Einschüchterung *f.* ~하다 *jn.* ein|schüchtern; erpressen.

울근거리다 kauen; muffeln.

울근불근 ① 《불화》 uneinig. ¶ 그들은 늘 ~한다 Sie haben immer Streit.¦Sie liegen sich ständig in den Haaren. ② 《앙상함》 knochig; mager. ¶ 그는 너무 말라서 갈빗대가 ~하게 보인다 Man kann ihm die Rippen (im Leibe (unter der Haut)) zählen.

울근울근 《씹는 모양》 kauend. ¶ 무엇을 ~ 씹다 an ³*et.* kauen.

울긋불긋 bunt; vielfarbig. ~하다 bunt (sein). ¶ 나뭇잎이 ~하게 물든다 Die Blätter färben sich.

울기(鬱氣) Niedergeschlagenheit *f.*; Schwermut *f.*

울걱하다 husten. ¶ 피를 울꺽하고 토하다 Blut husten.

울남(—男) kleiner Schreier, -s, -; Heulpeter *m.* -s, -; weinerlicher kleiner Schreihals, -es, ⸚e.

울녀(—女) kleine Schreierin, -nen; Heulsuse (-trine) *f.* -n.

울다 ①《사람이》 weinen; Tränen vergießen* 《vor Freude; um *jn.*》; heulen (jammern) (소리치며); schluchzen (흐느끼며); (weh-)klagen (jammern; schreien*; wimmern) (통곡하며); schreien* (gellen; kreischen)(날카로운 소리로); quäken (maunzen) (갓난아이가 약한 소리로). ¶울면서 weinend / 아파서 ~ vor Schmerz weinen / 기뻐서 ~ vor Freude weinen / 흐느껴 ~ schluchzen / 엉엉 ~ bitterlich weinen / 목놓아 ~ wie ein Schoßhund (Kettenhund) heulen; laut weinen / 따라 ~ 《가여워서》 aus Mitleid mit|-weinen; zu Tränen gerührt werden / 울며 매달리다 inständig (flehentlich) um ^{4}Hilfe bitten* 《*jn.*》; um Hilfe an|flehen 《*jn.*》; um Hilfe flehen 《zu *jm.*》; mit Bitten bestürmen 《*jn.*》; mit Bitten zu|setzen 《*jm.*》 (귀찮게).
② 《기타》 schreien*; heulen (짖다); 《고양이》 miauen; schnurren (그르렁대다); 《소》 brüllen; laut schreien*; muhen; 《말》 wiehern; 《당나귀》 schreien*; 《원숭이》 plappern; 《사슴》 röhren; schwatzen; 《양·염소》 blöken; 《범·사자》 brüllen; 《코끼리》 trompeten; 《쥐》 quiek(s)en; piep(s)en; 《개구리》 quaken; 《벌레·새》 zwitschern; zirpen; 《까마귀》 krächzen; 《닭》 krähen (수탉); glucken (암탉); piep(s)en (병아리); 《오리》 quaken; 《부엉이》 schreien*; 《뻐꾹새》 „kuckuck" rufen*; 《비둘기》 gurren; 《귀뚜라미》 zirpen; zwischern; 《칠면조》 kollern; 《종달새》 trillern; singen*; schmettern; 《벌》 summen; 《거위》 stieren; glotzen; 《학》 laut schreien*; brüllen; keuchen; 《매미》 singen*.
③ 《종·천둥 등이》 =울리다 ⑤.
④ 《세간·물체가》 knarren; kreischen; knirschen; quietschen; quiek(s)en.
⑤ 《옷 등이》 runz(e)lig (gefaltet; geknifft; zerknittert) werden.
⑥ 《귀가》 klingen*; ihm klingen (sausen) die Ohren.
⑦ 《우는 소리하다》 klage führen 《*über*^{4}》; brummen (murren; schimpfen; quengeln) 《*über*^{4}》; winseln; wimmern; greinen; jammern. ¶아무에게 우는 소리를 하다 (통사정하다) *jm.* die Ohren voll winseln.

울대^{1} 《울타리의》 (Zaun)pfahl *m.* -(e)s, ⸚e.

울대^{2} 《새의》 Syrinx *f.* ..ringen 《Stimmorgan der Vögel》.

울뚝 ungestüm; heftig; stürmisch; jähzornig. ~하다 jähzornig; hitzig (sein).

울뚝불뚝, 울뚝울뚝 mit wiederholtem Ungestüm.

울띠 Riegel 《*m.* -s, -》 am Lattenzaun.

울란바토르 《몽고의 수도》 Ulan-Bator.

울렁거리다 ① 《가슴이》 Lampenfieber haben (무대에서); das Herz klopft 《*vor*^{3}》; klopfen; pochen. ¶가슴을 울렁거리며 klopfenden Herzens / 울렁거리는 가슴을 안고 mit klopfendem (pochendem) Herzen / 기대에 가슴이 울렁거린다 Das Herz klopft (pocht) vor Erwartung. / 그녀의 가슴은 울렁거렸다 Ihre Brust wogte.
② 《메슥거림》 zum Erbrechen geneigt sein; Ekel empfinden*; ^{3}sich ekeln 《*vor*^{3}》.

울렁울렁 ① 《가슴이》 klopfend; schlagend; pochend. ¶가슴이 ~한다 Das Herz klopft (schlägt; pocht) mir. ② 《물결이》 rollend; wogend.

울력 Zusammenarbeit *f.* -en. ~하다 mit|-wirken 《*zu*^{3}; *an*^{3}; *bei*^{3}》; bei|tragen* 《*zu*^{3}》; zusammen|arbeiten 《*mit*^{3}》.

울룩불룩하다 rauh; grob; uneben; holperig (sein).

울릉대다 =올러메다.

울리 wollig; wollartig; wollen. ¶~ 나일론 das wollartige Nylon, -s.

울리다 ① 《사람을》 *jn.* weinen lassen*; *jn.* zu Tränen rühren (감루).
② 《소리를》 ertönen (erklingen) lassen*^{4}. ¶경적을 ~ 《자동차 등이》 hupen / 벨을 ~ klingeln / 종을 ~ die Glocke läuten.
③ 《명성을》 weit u. breit bekannt (in weiten Kreisen bekannt) sein. ¶명성이 전국에 ~ e-n allgemeinen Ruhm davon|tragen* (erlangen; erwerben*).
④ 《세력을》 einflußreich sein; von großem Einfluß sein; Macht (Einfluß) aus|üben 《*über*^{4}》.
⑤ 《소리가》 klingen*; tönen; schallen; echoen; knallen; e-n Laut von ^{3}sich geben*; (wider|)hallen; brummen. ¶잘 ~ e-n guten (schönen) Klang haben; schön (gut) klingen* / 벨(종)이 울린다 Es klingelt (läutet). / 전화가 울린다 Das Telefon klingelt. / 천둥이 울린다 Es donnert. / 귀가 울린다 Die Ohren klingen (sausen). / 사이렌이 울린다 Die Sirenen heulen. / 북이 울린다 Die Trommel dröhnt (wirbelt).
⑥ 《울려 퍼지다》 donnern; dröhnen; krachen; erklingen* Ⓢ; ertönen Ⓢ; erschallen Ⓢ; weit u. breit klingen*; in weite Fernen erschallen* Ⓢ. ¶포성이 울린다 Der Donner der Geschütze dröhnt.
⑦ 《풍악을》 spielen^{4}; hören lassen*^{4}; produzieren^{4}.

울림 Klang *m.* -(e)s, -e; Echo *n.* -s, -e (반향); Knall *m.* -(e)s, -e (폭음); Schall *m.* -(e)s, ⸚e; Widerhall *m.* -(e)s, -e (반향); das Donnern* (Dröhnen*) -s; das Klopfen* (Pochen*) -s (심장의). ¶우뢰의 ~ das Rollen* 《-s》 des Donners.

울먹거리다 e-n weinerlichen Ton von ^{3}sich geben*; auf|schluchzen. ¶울먹거리는 목소리 die weinerliche Stimme, -n; der mit ^{3}Weinen durchmischte Ton, -(e)s, ⸚e / 울먹거리며 mit weinerlicher Stimme; in weinerlichem Ton / 그는 울먹거리며 이 말을 했다 Es waren Tränen in s-r Stimme, als er es sagte.

울먹줄먹, 울멍줄멍 haufenweise; bündelweise; in Hülle u. Fülle.

울밀하다(鬱密一) üppig; dicht (sein).

울바자 Strohgeflecht 《*n.* -(e)s, -e》 für e-n Zaun; Geflecht (aus Stroh, Bambus, Rohr *u.ä.*) für Zäune.

울병(鬱病) Melancholie *f.* -n.

울보 Schrei|balg *m.* (*n.*) (-hals *m.*) -es, ⸚e.

울부짖다 heulen; schreien*; lamentieren; weh|klagen; jammern. ¶울부짖는 소리 Geheul *n.* -(e)s (포효).

울분(鬱憤) Groll *m.* -(e)s; Erbitterung *f.* -en. ¶~을 풀다 (터뜨리다) s-m Groll ^{4}Luft machen.

울상(一相) das weinerliche Gesicht, -(e)s, -er. ¶~을 짓다 (하다) ein weinerliches Gesicht machen; 〖속어〗 flennen.

울새 〖조류〗 Rotkehlchen *n.* -s, -.

울섶 zum Zaunbau gebrauchte Zweige (Äste) 《*pl.*》.

울세다 e-e große Familie haben; viele Verwandte haben.

울쑥불쑥 zackig; gezähnt; jäh; schroff; uneben. ¶ 산봉우리가 ~ 솟아 있다 Die Bergspitzen ragen nebeneinander schroff auf.

울안 eingezäunter (umfriedeter) Platz, -es, ⸚e. ⌈wachsen*[s].

울울창창하다(鬱鬱蒼蒼—) üppig (sein); üppig

울울하다(鬱鬱—) ① 《답답하다》 deprimiert; trübselig; schwermütig; trübsinnig; verdüstert; melancholisch [..ko:..]; 《저기압》 verdrießlich; 《의기소침》 niedergeschlagen (sein). ¶ 울울히 지내다 Trübsal blasen*; trübselig u. trostlos sein. ② 《울창하다》 üppig (sein).

울음 das Weinen*, -s; das Klagen*, -s. ¶ ~이 터지다 in Tränen aus|brechen* / ~을 참다 die Tränen hinunter|schlucken (unterdrücken) / ~을 그치다 auf|hören zu weinen / ~으로 날을 보내다 die Tage in Tränen verbringen*. ‖ ~소리 das Weinen*, -s; das Schreien*, -s (어린애의).

울적(鬱寂) Einsamkeit *f.* -en; Verlassenheit *f.* -en; Depression *f.* -en. ~하다 entmutigt; bedrückt; deprimiert; niedergedrückt; niedergeschlagen; betrübt; freudlos; melancholisch; schwermütig; düster; trüb; trostlos; untröstlich; kopfhängerisch; trübsinnig (-selig); traurig; in gedrückter Stimmung (sein); gar k-n Mut mehr haben. ¶ ~한 이야기 die düstere Geschichte, -n / ~한 기분 die trübe (trübselige; düstere; gedrückte) Stimmung, -en / ~한 마음을 풀다 s-m Herzen (Schwermut; Zorn *usw.*) Luft machen / 요즘은 몹시 ~하다 Dieser Tage fühle ich mich äußerst bedrückt.

울증(鬱症) Melancholie *f.*; 〖의학〗 Hypochondrie *f.*

울짱 Zaun *m.* -(e)s, ⸚e; Staket *n.* -(e)s, -e. ¶ ~을 치다 mit e-m Zaun umgeben*[4]; umzäunen[4].

울창(鬱蒼) ~하다 dicht; dicht|belaubt (-bewachsen); üppig; wuchernd (sein). ¶ ~하게 자라다 wuchernd (üppig) wachsen* [s] / ~한 나무들 dichtbelaubte Bäume 《*pl.*》.

울컥 《토하는 모양》 [4]sich plötzlich erbrechen*; 《치미는 모양》 gereizt werden; sauer reagieren.

울타리 Zaun *m.* -(e)s, ⸚e; Einzäumung *f.* -en; Einfried(ig)ung *f.* -en; Umzäunung *f.* -en; Gehege *n.* -s, -; Gatter (Gitter) *n.* -s, -; Hecke *f.* -n (산울타리); Geländer *n.* -s, -; die lebende Einfried(ig)ung, -en. ¶ ~를 만들다 (치다) mit e-r (lebenden) Hecke versehen*[4]; ein|fried(ig)en (-|zäunen)[4]; umzäunen[4]; mit e-m Zaun umgeben[4]; ein|hegen[4]; umhecken[4]; e-n Zaun auf|führen.

울툭불툭하다 holp(e)rig; rauh; uneben (sein).

울퉁불퉁하다 uneben; ungleich; holperig; höckerig; rauh; 《밭이랑 따위》 gefurchtet; 《톱니모양의》 gekerbt; 《마디투성이의》; knotig 《물결 모양》 wellig (sein). ☞ 울툭불툭하다. ¶ 울퉁불퉁한 길 e-e unebene Straße, -n; ein holperiger Weg, -(e)s, -e / 울퉁불퉁한 근육 《팔 따위의》 pralle Muskeln 《*pl.*》.

울혈(鬱血) 〖의학〗 Blutstauung *f.* -en.

울화(鬱火) aufgestauter (unterdrückter) Zorn, -(e)s, -e. ¶ ~가 치밀다 Aufwallung des Zornes fühlen.

‖ ~병 Hypochondrie *f.*

움[1] 《싹》 Knospe *f.* -n; Auge *n.* -s, -n; Sproß *m.* ..rosses, ..rosse; Sprößling *m.* -s, -e. ¶ 움트다 knospen; Knospen 《*pl.*》 treiben* (an|setzen); auf|sprießen* (hervor|-) [s]; keimen [s,h]; Keime 《*pl.*》 entwickeln; sprießen* [h,s]; sprossen [h,s].

움[2] 《집》 Keller *m.* -s, -; Grotte *f.* -n; 《건조실》 Trockenraum *m.* -(e)s, ⸚e; Treibhaus (Gewächs-; Warm-) *n.* -es, ⸚er (온실). ¶ ~의 꽃 Treib|hausblume (Gewächs-; Warm-) *f.* -n.

움돋다 sprießen* [s]; keimen [h,s].

움돋이 ☞ 움[1].

움딸 zweite Ehefrau des nach dem Tod der Tochter verstoßenen Schwiegersohnes.

움라우트 〖문법〗 Umlaut *m.* -(e)s, -e. ¶ ~로 하다 um|lauten[4].

움막(—幕) Höhlenwohnung *f.* -en; Lehmhütte *f.* -n (토막(土幕)).

‖ ~살이 das Leben in e-r Lehmhütte.

움벼 Reissprößling *m.* -s, -e (,der nach der Ernte aus der Wurzel nachwächst).

움실거리다 schwärmen [h,s]; wimmeln.

움쑥하다 hohl; tief eingesenkt; eingedrückt

움씰하다 ☞ 움찔하다. ⌊(sein).

움죽거리다 [4]sich bewegen; [4]sich rühren.

움직거리다 [4]sich rühren; [4]sich bewegen. ¶ 지렁이가 움직거린다 Der Regenwurm krümmt (windet) sich.

움직씨 〖문법〗 Zeitwort *n.* -(e)s, ⸚er; Verb *n.* -s, -en.

움직이다[1] 〖타동사〗 bewegen[4]; in [4]Bewegung setzen[4]; rühren[4]; regen[4]; rücken[4] (밀다); in Gang bringen*[4] (기계 따위를); in [4]Betrieb setzen[4] (기계 따위를); verändern[4] (변경하다); beeinflussen[4] (영향을 줌); erschüttern[2] (흔들다). ¶ 기계를 ~ e-e Maschine in Betrieb setzen (in Gang bringen*) / 마음을 ~ *jn.* bewegen (rühren; ergreifen*; erschüttern; beeinflussen) / 움직일 수 있는 bewegbar; beweglich / 움직이기 어려운 nicht bewegbar; unbeweglich; unveränderlich (불가변의); unerschütterlich (동요되지 않는); unleugbar (부인할 수 없는).

움직이다[2] 〖자동사〗 [4]sich bewegen; [4]sich rühren; [4]sich regen; gehen*[s] (시계 등이); in [3]Betrieb sein (운전 중이다). ¶ 움직이기 시작하다 [4]sich in [4]Bewegung setzen; in [4]Gang kommen*[s] / 움직이고 있다 in Bewegung sein; in Betrieb sein.

움직임 Bewegung *f.* -en; Regung *f.* -en (기분, 마음의); Gang *m.* -(e)s, ⸚e (동태); Lauf *m.* -(e)s, ⸚e (동태); Tendenz *f.* -en (경향). ¶ 물가의 ~ die Tendenz der Preise / 여론의 ~ die Tendenz öffentlicher Meinung.

움집 Höhlenwohnung *f.* -en; Unterstand *m.* -(e)s, ⸚e; Lehmhütte *f.* -n (토막(土幕)).

움쭉거리다 ☞ 움죽거리다.

움쭉달싹 ¶ ~ 못 하고 wie in e-e Sackgasse geraten 《*p.p.*》.

움찔하다 zurück|weichen* (-schrecken*) [s] 《*vor*[3]》; Bedenken hegen (tragen*) 《*über*[4]》; scheu werden 《*vor*[3]》; [4]sich ducken; [4]sich entsetzen 《*vor*[3]》; [4]sich klein machen; zusammen|fahren*; e-n Schreck(en) kriegen. ¶ 움찔하게 하다 *jm.* e-n (schönen) Schrecken ein|jagen; *jn.* in Schrecken setzen; *jm.* e-n Schock geben* / 움찔하여 betroffen; vom Donner gerührt; wie vom Blitz getroffen / 온 몸이 움찔하였다 Der Schreck ist mir in die Glieder gefahren. / 그는 그녀를 보고 움찔하였다 Er fuhr bei ihrem Anblick zusammen.

움츠러들다 zurück|schrecken* [s]; zusammen|fahren* [s] 《vor [3]Furcht *usw.*》; [4]sich verkriechen* 《vor³; gegen⁴》; ⁴sich zusammen|kauern; zusammen|zucken (움찔하다); wie gelähmt werden (마비된 것처럼). ¶ 놀란 나머지 몸이 움츠러들었다 Lähmendes Entsetzen befiel (erfaßte) ihn.

움츠리다 zurück|ziehen*⁴ (ein|-); zusammen|schrumpfen (ein|-)Ⓢ; verkümmernⓈ; ⁴sich zusammen|kauern. ¶ 움츠린 zusammen¦geschrumpft (ein-); bedrückt; gelähmt; niedergeschlagen; starr; verderbt; verkümmert; verkrüppelt / 목을 ~ den Kopf ein|ziehen* / 몸을 ~ ⁴sich (nieder-) ducken / 손을 ~ s-e Hand zurück|ziehen* / 어깨를 ~ die Schulter ein|ziehen*; die Achseln (mit den Achseln) zucken.

움켜잡다 fest packen⁴ (멱살 따위를). ¶ 그는 그 남자의 팔을 움켜 잡았다 Er packte ihn am Arm.

움켜쥐다 fest (er)greifen*⁴; fassen⁴; fest|halten*; packen⁴. ¶ 주먹을 ~ die (Hand zur) Faust ballen / 남의 손을 ~ *jm.* herzlich die Hand drücken / 정권을 ~ (immer noch) die Macht aus|üben; die Macht übernehmen*.

움큼 Handvoll *f.* ¶ 쌀을 한 ~ 움키다 e-e Handvoll Reis nehmen*.

움키다 mit der ³Hand fassen⁴ (greifen*⁴); ergreifen*⁴. ¶ 움키어 쥐다 drauflos packen⁴ (greifen*⁴).

움트다 Knospen (Sprossen) 《*pl.*》 treiben*; (auf|)keimenⓈ; auf|schießen*Ⓢ; (hervor|-) sprossenⓈ; knospen; sprießen* ⓗ,ⓢ. ¶ 움트는 연정 aufkeimende Liebe.

움파 im Dunkeln gewachsene Schalotte, -n.

움파다 ☞ 옴파다.

움파리 ① 《움막》 Höhlenwohnung *f.* -en; Unterstand *m.* -(e)s, ⸚e. ② 《물이 괸 곳》 Pfütze (Lache) *f.* -n; Pfuhl *m.* -(e)s, -e.

움패다 ☞ 옴패다.

움펑눈 hohle Augen 《*pl.*》; tiefliegende Augen 《*pl.*》. ‖ ~이 der Hohläugige*, -n, -n.

움푹움푹 leer; tief; eingesunken. ¶ 땅이 ~ 패었다 Die Erde ist tief ausgegraben.

움푹하다 hohl; (aus)gehöhlt; eingefallen; nach innen gekrümmt; versunken; vertieft; tiefliegend (sein). ¶ 움푹하게 들어간 눈(뺨) hohle Augen (Wangen) 《*pl.*》.

웁쌀 Reis, der auf (ein)anderes gekochtes Getreide geschichtet ist.

웃- ober; höher; Ober-. ¶ 웃니 Oberzähne 《*pl.*》 / 웃입술 Oberlippe *f.* -n / 웃사람 der Ältere*, -n, -n (연장자); der Vorgesetzte*, -n, -n (상사).

웃간(一間) höherliegendes Zimmer, -s, -.

웃기다 zum Lachen bringen*⁴; 《재미있게》 belustigen⁴ 《*mit*³》; fröhlich stimmen⁴. ¶ 웃기는 lächerlich; lachenswert; komisch / 웃기는군 Es lächelt mich. / 그거 웃기는구나 Das ist zum Lachen. / 웃기는구나, 웃기지마 Lächerlich!¦Ach, wie albern!¦Daß ich nicht lache! / 그가 프랑스말을 가르치다니 정말 웃긴다 Er lehrt Französisch? Da muß ich nicht lachen (Das ist zum Lachen)!

웃날들다 《날씨가》 ⁴sich auf|klären; hell werden. ¶ 웃날들었다 Das Wetter klärte sich auf.

웃다 ① 《일반적》 lachen; lächeln (미소하다); an|lachen⁴ (웃음을 던지다); feixen (히죽이); kicheln (킬킬); glucksen (소리 없이); grienen; grinsen (이를 드러내고); schmunzeln (싱글싱글). ¶ 웃으면서 lachend; lächelnd; strahlend / 웃는 얼굴 das lächelnde (glückliche) Gesicht, -(e)s, -er / 웃는 얼굴로 맞다 *jn.* lächelnd grüßen; *jn.* mit lächelndem (glücklichem) Gesicht(e) (lächelnd) willkommen heißen* / 빙긋이 ~ lächeln; schmunzeln; vor Freude strahlen (glänzen) / 억지로 ~ ³sich ein Lächeln ab|ringen* / 웃고 싶은 것을 참다 ³sich das Lachen verbeißen* / 웃을 만한 lachhaft; drollig; putzig / 웃을 기분이 나지 않다 *jm.* nicht lächerlich zumute sein / 웃어 얼버무려 넘기다 ⁴*et.* mit e-m Lachen (Scherz) ab|tun*; lachend über ⁴*et.* hinweg|-gehen* Ⓢ / 웃어서 불쾌함을 잊다 Ärger durch Lachen verscheuchen / 웃지 않을 수 없다 das Lachen nicht halten können*; nicht umhin können, zu lachen / 와 ~ in ein schallendes Gelächter aus|brechen* Ⓢ / 배꼽을 잡고 ~ ³sich (vor Lachen) die Seite halten*; ³sich ein Loch in den Bauch lachen; ⁴sich vor Lachen biegen* (몸을 꼬며); ³sich e-n Ast lachen (포복 절도) / 배가 아프도록 ~ ⁴sich krank lachen / 눈물이 나올 정도로 ~ Tränen lachen; so lachen, daß *jm.* die Tränen kommen* / 크게 ~ laut (herzlich) lachen; ⁴sich tot|-lachen / 잘 웃는 사람 Lacher *m.* -s, -; der Lachlustige*, -n, -n / 잘 웃는 lachlustig / 웃을 일이 아니다 Es ist nicht (nichts) zum Lachen.¦Das ist kein Spaß.¦Ich sage es nicht zum Spaß.¦Spaß (Scherz) beiseite! ② 《비웃다》 lachen 《*über*⁴》; spöttisch lachen; aus|lachen⁴; belachen⁴; verlachen⁴; hohn|lachen (-|lächeln) 《*über*⁴》 ✻ 과거에는 hohnlachte; lachte hohn의 2가지 형이 있음. ¶ 웃을 만한 lächerlich; 《어리석은》 albern; blöde / 고소하다고 ~ schadenfroh lachen / 뒤에서 좋아라고 ~ ³sich ins Fäustchen lachen; heimlich (im geheimen) lachen; vor ⁴sich hin lachen / 비꼬듯이 ~ ein sarkastisches Lächeln auf|setzen.

웃더껑이 Film *m.* -(e)s, -e; Häutchen *n.* -s, -.

웃도리 Rock *m.* -(e)s, ⸚e (남자의); Sakko *m.* (*n.*) -s, -s (신사복의); Jacke *f.* -n. ¶ 《일반적으로》 ~를 입혀 주다 *jm.* in die Jacke helfen* / ~를 벗겨주다 *jm.* den Rock ausziehen helfen* / ~를 벗고 in Hemd(s)ärmeln (Hemdsmangen).

웃돈 Geldbetrag (Bargeld), mit dem beim Tauschhandel der Preisunterschied der getauschten Waren angeglichen wird.

웃목 Platz im Zimmer, der von der Feuerstelle (der Bodenheizung) entfernt ist; schlechter Platz, -es, ⸚e.

웃물 das Wasser im oberen Teil e-s Stromes. ¶ ~이 맑아야 아랫물이 맑다 Wie der Herr, so der Knecht.

웃변(一邊) die Oberseite eines Vielecks.

웃비 aufklarender Regen, -s, -. ¶ ~걷다 der Regen hört auf; es hört auf zu regnen; es hat aufgehört zu regnen.

웃사람 der Obere* (Vorgesetzte*) -n, -n. ¶ ~한테 굽신거리다 nach oben buckeln.

웃아귀 Gabelung 《*f.* -en》 zwischen Daumen u. Zeigefinger.

웃어른 Ältere* 《*pl.*》.

웃옷 ① 《겨죽 옷》 Außengewand *n.* -(e)s, ⸚er; Mantel *m.* -s, ⸚. ② 《상의》 Rock *m.* -(e)s, ⸚e.

웃을일 etwas zum Lachen. ☞ 웃다. ¶ 그것은 ~이 아니다 Es ist nichts zum Lachen.

웃음 das Lachen*, -s; Lache *f.* -n; Gelächter *n.* -s, -; das Lächeln*, -s (미소); das Hohn¦lachen* (-lächeln*) -s (조소); Heiterkeit *f.* -en (희극 따위의). ¶ ~소리 Lachsalve *f.* -n (요란한); Heiterkeit *f.* -n(홍소)/큰~ lautes (herzliches) Lachen*, -s; lautes (schallendes) Gelächter, -s, - / ~이 자꾸 나오다 aus dem Lachen nicht heraus|kommen* ⓢ / ~을 참다 ³sich das Lachen verbeißen*; ⁴sich des Lachens erwehren (enthalten); das Lachen unterdrücken / ~을 자아내다 ein Gelächter verursachen; ein Lachen hervor|rufen* / ~을 사다 zum Gelächter werden; ⁴sich lächerlich machen / ~을 참을 수 없다 ⁴sich vor Lachen nicht halten können*; nicht umhin können zu lachen; ⁴sich des Lachens nicht enthalten (erwehren) können*; ³sich das Lachen nicht verbeißen können*. ¶ ~을 터뜨리다 an|fangen* zu lachen; auf|lachen; in Lachen aus|brechen*ⓢ; los|lachen; e-e Lache aus|schlagen*; heraus|platzen; los|-platzen / ~을 팔다 ⁴sich (den Körper) verkaufen; ⁴sich für Geld hin|geben* / 조롱하는 듯한 ~을 띄고 ein mokantes (spöttisches) Lächeln aufsetzend.
‖ ~거리 《익살》 Komik *f.*; Drolligkeit *f.* -en; Possierlichkeit *f.* -en; Ulkigkeit *f.* -en; die Zielscheibe 《-n》 des Gelächters (des Spottes): ~거리가 되다 ⁴sich blamieren; ⁴sich lächerlich machen; zum Gespött werden; *jm.* zum Gespött dienen; ausgelacht werden; *jn.* auf den Arm nehmen* 《*jn.* ~거리가 되는 사람》 / ~거리로 만들다 *jn.* lächerlich machen; *jn.* zum Gespött machen; *jn.* dem Gelächter preis|geben*; 《사물을》 verzerren⁴; ins Lächerliche ziehen*⁴; Vogelscheuche machen 《*aus*³》 / 그는 만사를 ~거리로 만든다 Erzieht alles ins Lächerliche. / ~거리가 되지 말게 Laß dich nicht auslachen! / 그건 웃음거리인데 Das ist zum Lachen. / 그런 소리를 해서 ~거리가 되지 말게 Laß dich mit d-r Bemerkung nicht auslachen.
웃자리 《상좌》 der beste Platz, -(e)s, ⸚e; Ehrenplatz *m.* (주빈석); 《높은 지위》 höhere Stellung, -en; Vorrang *m.* -(e)s, ⸚e; Vorrangstellung *f.* ¶ ~를 차지하다 die Vorrangstellung ein|nehmen* / 그는 나의 ~를 차지하고 있다 Er rangiert über (vor) mir. ¦Er hat den Vorrang vor mir.
웃짐 die obere Ladung (Last) -en. ¶ ~을 싣다 oben auf|laden*⁴.
웃통 der obere Teil des Körpers. ¶ ~을 벗다 das Oberhemd ab|streifen*; ⁴sich des Unterhemdes entledigen; ³sich die Schultern entblößen / ~을 벗고(서) ohne Hemd; entblößten Oberkörpers.
웅거하다(雄據一) eigenes Gebiet halten* u. schützen. 「stark (sein).
웅건(雄健) Größe u. Stärke. ~하다 groß u.
웅걸(雄傑) außergewöhnlicher Mensch, -en, -en; Held *m.* -en, -en. ¶ 당대의 ~ der größte Held der Zeit.
웅그리다 ☞ 웅그리다.
웅긋쭝긋 borstenartig; hier u. dort hervorstehend. ~하다 hier u. dort hervor|stehen*. 「웅기중기.
웅기중기, 웅기웅기 dicht; in Scharen. ☞
웅담(熊膽) 〖한의학〗 Bärengalle *f.* -n.
웅대(雄大) Großartigkeit *f.* -en; Pracht *f.* -en; Herrlichkeit *f.* -en; Erhabenheit *f.*; Hoheit *f.* ~하다 großartig; grandios; prächtig (장려한); überwältigend (압도적); 《당당한》 imposant (sein). ¶ ~한 경치 e-e herrliche Landschaft, -en / ~한 구상 ein großartiger Plan (Entwurf) -(e)s, ⸚e.
웅덩이 Pfütze *f.* -en; Pfuhl *m.* -(e)s, -e; Lache *f.* -n.
웅도(雄圖) das kühne Vorhaben* (Unternehmen*) -s; Ehrgeiz *m.* -es. ¶ ~는 수포로 돌아갔다 Sein kühner Unternehmen wurde zu Wasser.
웅변(雄辯) Redegewandtheit *f.*; Beredsamkeit *f.*; Zungenfertigkeit *f.* ¶ ~의 redegewandt; beredt; zungenfertig / ~을 토하다 mit großer Beredsamkeit sprechen* / ~은 은이요, 침묵은 금이다 „Reden ist Silber, Schweigen ist Gold."
‖ ~가 ein guter (gewandter) Redner, -s, -; Rhetoriker *m.* -s, -. ~술 Redekunst *f.*; Rhetorik *f.*
웅보(雄一) Großmut *f.*; Hochherzigkeit *f.*; Edelmut *m.* -(e)s. 「Biene, -n.
웅봉(雄蜂) 〖곤충〗 Drohne *f.* -n; männliche
웅비(雄飛) Aufschwung *m.* -(e)s, ⸚e; Aufstieg *m.* -(e)s, -e. ~하다 ⁴sich auf|schwingen*. ¶ 해외로 ~하다 mit ³Tatendrang nach ³Übersee gehen* ⓢ; sein Glück im Ausland versuchen / 학계에 ~하다 ⁴sich in den Wissenschaften hervor|tun*.
웅성(雄性) männliches Geschlecht, -(e)s; „das starke Geschlecht"; 〖식물〗 Unfruchtbarkeit *f.*; Sterilität *f.* ¶ ~의 unfruchtbar; steril.
‖ ~배우자 männlicher* Gamet, -en, -en.
웅성거리다 laut werden; ⁴sich erregen (청중 등이). ¶ 회장이 웅성거린다 Es ist geräuschvoll im Saal. ¦ Das Publikum erregt sich. / 청중이 웅성거렸다 Es entstand e-e allgemeine Erregung (große Bewegung) unter den Zuhörern. / 출석자는 불만으로 웅성거렸다 Das Murmeln der Mißstimmung wurde laut unter den Anwesenden (lief durch die Versammlung).
웅숭깊다 tief; unergründlich; subtil; großmütig; edelmütig (sein). ¶ 웅숭깊은 사람 unergründlicher Charakter, -s, -e; unerforschlicher Mensch, -en, -en / 웅숭깊은 생각 tiefe (weitreichende) Gedanken 《*pl.*》.
웅시(雄視) ~하다 von vorherrschendem Einfluß sein; schwer ins Gewicht fallen*ⓢ.
웅신하다 ① 《덥다》 warm; gutgeheizt (sein). ② 《불기운이》 schwach brennen*; glimmen⁽*⁾.
웅얼거리다 murmeln; murren; grunzen; brummen; nörgeln; plappern; in den Bart murmeln. ¶ 혼자 ~ vor ⁴sich hin brummen.
웅얼웅얼 murmelnd; murrend; grunzend; brummend; nörgelnd. ¶ 그는 무어라고 ~ 혼잣말을 하며 가 버렸다 Er ist etwas vor ³sich hin brummend weggegangen.
웅예(雄蕊) 〖식물〗 Staubblatt *n.* -(e)s, ⸚er; Stamen *n.* -s, ..mina; Staubfaden *m.* -s, ⸚ (수술의 꽃실).
웅자(雄姿) die stattliche (prächtige) Figur, -en (Gestalt, -en); die pompöse (imposante) Erscheinung, -en; das imponierende Gepränge, -s, -. ¶ ~를 나타내다 e-e stattliche Erscheinung machen.
웅장(雄壯) Größe *f.*; Herrlichkeit *f.*; Majestät *f.*; Pracht *f.* ~하다 großartig; herr-

lich; prächtig; stattlich (sein). ¶ ~한 경치 herrliche Aussicht, -en; großartiger Anblick, -(e)s, -e / ~한 구상 großartiger Plan, -(e)s, ⸚e.

웅절거리다 murren 《über (gegen) *jn.*》; klagen; ⁴sich beklagen 《*über*⁴》; winseln; grunzen; brummen 《*über*⁴》; nörgeln; plappern. ¶ 찬이 나쁘다고 ~ ⁴sich über das Essen beklagen.

웅천 Schwätzer *m.* -s, -; unzuverlässiger Kerl, -(e)s, -e.

웅크리다 ☞ 웅크리다.

웅편(雄篇) ein großes Werk, -(e)s, -e; Meisterwerk *n.* -(e)s, -e.

웅필(雄筆) ① 《필세》 schwungvolle Schriftzüge 《*pl.*》 《beim Pinselschreiben》. ② 《작품》 außergewöhnliches, großartiges (Wortkunst)werk, -(e)s, -e.

웅혼(雄渾) Hoheit *f.* -en; Erhabenheit *f.* -en; Größe *f.* -en. **~하다** dynamisch; schwungvoll; kräftig (sein).

웅화(雄花) 〖식물〗 männliche Blüten 《*pl.*》; unfruchtbare Blüte, -n.

워 《마소를 멈출 때》 halt!

워낙 von Natur; 《실로》 wirklich; 《무척》 so; sehr; 《처음부터》 von vornherein; von Anfang an. ¶ 그는 ~ 몸이 약하다 Er ist schwach geboren. / 그는 ~ 정직해서 나쁜 짓은 못 한다 Er ist von Natur ehrlich, und kann nichts schlechtes tun.

워라말 scheckiges Pferd, -(e)s, -e; Pferd von mehr als zwei Farben.

워리 《개 부르는 소리》 Bei Fuß! 《Befehl für e-n Hund》.

워밍업 das Aufwärmen*, -s. **~하다** ⁴sich auf|wärmen.

워싱턴 ① 《미국 초대 대통령》 George Washington (1732-99). ② 《미국의 수도》 Washington. ③ 《미국의 주》 Washington 《생략: Wash., W.》.

워크북 Übungsheft *n.* -(e)s, -e.

워터 Wasser *n.* -s. ‖ **~슈트** Wasserrutschbahn *f.* -en. **~컬러** Wasserfarbe *f.* -n; Aquarell *n.* -s, -e; Aquarellfarbe *f.* -n. **~폴로** 《수구》 Wasserball *m.* -(e)s, ⸚e.

워트카 Wodka *m.* -s, -s.

워더그르르 ratternd. **~하다** rattern; klappern.

원¹ 〖감탄사〗 Ei!; Ach du m-e Güte!

원² 《화폐 단위》 Won *m.* -s, -s 《기호: ₩》.

원(圓) 《원형》 Kreis *m.* -es, -e; Zirkel *m.* -s, -. ¶ 원을 그리다 e-n Kreis (Zirkel) bilden (schließen*; ziehen*) / 비행기는 크게 원을 그리다가 착륙했다 Das Flugzeug machte e-e große Schleife und landete.

원(願) 《소망》 Wunsch *m.* -es, ⸚e; 《요청》 Bitte *f.* -n; 《간원》 das Anliegen*, -s; 《청원》 Gesuch *n.* -(e)s, -e. ¶ 원을 들어주다 *js.* Bitte gewähren; *js.* Wunsch erfüllen (erhören; gewähren); ein Gesuch genehmigen (청원을) / …원을 내다 bei *jm.* nach|suchen 《*um*⁴》 / 원을 품다 e-n Wunsch hegen / 오랜 원을 이루다 *js.* langgehegten Wunsch erfüllen / 나의 원이 이루어졌다 Mein Wunsch ist in Erfüllung gegangen. ¦ Mir ging alles nach Wunsch. / 그는 그의 원에 의해 면직되었다 Auf s-n eigenen Wunsch hin wurde er aus dem Amt entlassen.

원-(元·原) original; ursprünglich; erst; Ur-; Grund-; Haupt-. ¶ 원계획 초안 Rohentwurf *m.* -(e)s, ⸚e / 원주소 ursprüngliche Adresse, -n / 나의 원계획 mein ursprünglicher Plan, -(e)s, ⸚e.

-원(員) Mitglied *n.* -(e)s, -er; der Angestellte*, -n, -n. ¶ 사무원 der Büroangestellte*, -n, -n.

원가(原價) Einstandspreis *m.* -es, -e; Kosten 《*pl.*》; (Selbst)kosten¦preis (Einkaufs-) *m.* -es, -e; Herstellungspreis. ¶ ~로 zum (Selbst)kostenpreis (Einkaufspreis).
‖ **~계산** Kosten(be)rechnung *f.* -en; Preisfestsetzung *f.* -en. **구입~** Einkaufspreis *m.* -es, -e; Anschaffungskosten 《*pl.*》. **생산~** Gestehungspreis *m.* -es, -e. **제조~** Fabrikpreis *m.* -es, -e.

원거리(遠距離) e-e große Entfernung *f.* -en. ¶ ~에 in der Ferne; auf (e-e) große Entfernung (hin); weit entfernt 《*von*³》.

원격(遠隔) **~하다** abgelegen; entlegen; entfernt; fern; weit weg (sein).
‖ **~조종** Fernlenkung *f.* -en; Fernsteuerung *f.* -en.

원경(遠景) Aussicht *f.* -en; Ausblick *m.* -(e)s, -e; Aus¦schau (Fern-) *f.*; Fernsicht *f.* -en; Perspektive *f.* -n; Hintergrund *m.* -(e)s, ⸚e.

원고(原告) (An)kläger *m.* -s, -; der Anklagende*, -n, -n; Beschuldiger *m.* -s, -.
‖ **~대리인** der Vertreter 《-s, -》 (Bevollmächtigte*, -n, -n; Sachwalter, -s, -) des (An)klägers.

원고(原稿) Manuskript *n.* -(e)s, -e 《생략: Mskr.; Ms.; *pl.* Mss.》; Hand¦schrift (Nieder-; Ur-) *f.* -en; Satzvorlage *f.* -n. ¶ 타이프로 친 ~ Maschinenschrift *f.* -en; maschienengeschriebener Text, -es, -e / ~없이 연설하다 ohne Manuskript reden.
‖ **~료** (Autor)honorar (Schriftstellerhonorar) *n.* -s, -e; Schriftsold *m.* -(e)s, -e. **~용지** Konzept¦papier (Entwurfs-; Manuskript-) *n.* -s. **연설~** das Manuskript für e-n Vortrag, -(e)s, ⸚e.

원광(圓光) Heiligen¦schein (Glorien-) *m.* -(e)s, -e; Glorie *f.* -n; Nimbus *m.* -; Strahlenkranz *m.* -es, ⸚e.

원광(遠光) entfernte Aussicht, -en.

원교(遠郊) von der Stadt entfernter Ort, -(e)s, -e; entlegener Ort.

원교근공(遠交近攻) die feindselige Politik gegen Nachbarstaaten in Verbindung mit den entfernten; Umkreisungspolitik *f.* -en.

원국(遠國) Ferne *f.* -n; Ausland *n.* -(e)s; Weite *f.* -n.

원군(援軍) Verstärkung *f.* -en; Nachschub *m.* -(e)s, ⸚e; Zuzug *m.* -(e)s, ⸚e; Entsatz *m.* -(e)s. ¶ ~을 보내다 verstärken⁴; nach|schieben*⁴; zu|ziehen*; entsetzen⁴ 《e-e Festung》 / ~을 요청하다 um Verstärkungstruppen bitten* / ~을 기다리다 auf Verstärkungstruppen warten.

원근(遠近) Ferne u. Nähe 《*pl.* -n u. -n》; Entfernung *f.* -en. ¶ ~에 nah u. fern; weit u. breit / ~을 불구하고 wie fern (entfernt) es sein mag.
‖ **~법** 〖미술〗 Perspektive *f.* -n. **~화법** die perspektive Darstellung, -en.

원금(元金) Kapital *n.* -s, -e (..lien); Stammkapital (Grund-). ¶ ~과 이자 Kapital u. Zins(en).

원급(原級) die alte (ursprüngliche) Klasse; 〖문법〗 Grundstufe *f.* -n; Positiv *m.* -s, -e.

원기(元氣) Saft 《*m.*》 u. Kraft 《*f.*》; Energie *f.* -n; Lebens¦kraft *f.* ⸚e (-fähigkeit *f.*

-en); 〖속어〗 Mumm *m.* -s; Mut *m.* -(e)s; Tatkraft *f.* ⸚e; Vitalität *f.* ¶ ~를 내다 ⁴sich auf|raffen; allen Mut (s-e Kräfte) zusammen|nehmen*; Mut fassen; ³sich ein Herz fassen / ~를 돋우다 auf|muntern 《*jn.*》; ermutigen 《*jn.*》; Mut ein|flößen 《*jm.*》; frischen Auftrieb geben* 《*jm.*》 / 그는 ~가 왕성하다 Er strotzt vor Kraft. ‖ ~부족 Mangel 《*m.* -s》 an Kräften. ~회복 das Wieder¦erwachen* (Neu-) 《-s》 der Lebenskraft (Energie); Erfrischung *f.* -en; Erquickung *f.* -en: ~를 회복하다 wieder zu Kräften kommen* ⓢ.

원기둥(圓一) 《기둥》 Säule *f.* -n; 〖수학〗 Zylinder *m.* -s, -.

원내(院內) ¶ ~의 parlamentarisch. ‖ ~총무 Fraktionsleiter *m.* -s, -; Einpeitscher *m.* -s, -.

원년(元年) das erste Jahr.

원단(元旦) der erste Tag 《-(e)s, -e》 des Jahres; Neujahrstag *m.* -(e)s, -e; Neujahr *n.* -(e)s, -e.

원대(原隊) *js.* Truppe *f.* -n. ☞ 본대. ¶ ~복귀하다 wieder bei der Truppe sein 《nach dem Urlaub. *usw.*》.

원대(遠大) ~하다 weit¦reichend (-tragend); grandios; großartig (sein). ¶ ~한 계획 der hochfliegende Plan, -(e)s, ⸚e / ~한 뜻 die hohe Gesinnung, -en; das große Ideal, -s, -e.

원동기(原動機) Motor *m.* -s, -en.

원동력(原動力) Triebkraft *f.* ⸚e; die bewirkende Kraft, ⸚e. ¶ 사회의 ~ die treibende Kraft der Gesellschaft / 생산의 ~ Grundkraft der Produktion / 활동의 ~ die Triebfeder der Tätigkeit.

원두(園頭) auf dem Feld gepflanzte Melonen 《*pl.*》. ¶ ~ 놓다 Melonen pflanzen (an|bauen). ‖ ~막 Ausguck 《*m.* -(e)s, -e》 im Melonenfeld.

원래(元來) 《본래》 eigentlich; ursprünglich; im Grund; in Wahrheit; in Wirklichkeit; von Natur (aus) (태어나면서); wesentlich; 《무엇보다도》 vor allen Dingen; in erster Linie (Stelle). ¶ 이 말의 ~의 뜻은 아직도 알려져 있지 않습니다 Die eigentliche (ursprüngliche) Bedeutung dieses Wortes ist noch unbekannt. / 이것은 ~ 이러한 것이다 In Wirklichkeit ist die Sache die, daß.... ¦In Wirklichkeit liegt die Sache so.¦Es verhält sich in Wahrheit so. / ~는 저 사람의 일을 맨 먼저 고려했어야만 했다 Wir hätten ihn in erster Linie berücksichtigen sollen. / 그는 ~ 소심하다 Er ist von Natur schüchtern.

원래(遠來) ~하다 aus weiter Ferne kommen* ⓢ. ¶ ~의 손님 der Besucher 《-s, -》 (Besuch, -(e)s, -e) aus weiter Ferne (aus e-m entfernten Ort).

원려(遠慮) Weitsichtigkeit *f.* -en; Umsichtigkeit *f.* -en. ¶ ~가 없다 Es fehlt an Weitsichtigkeit.¦unklug (unüberlegt) sein.

원령(怨靈) ein rache¦schreiender (-durstiger) Geist, -es, -er; Gespenst *n.* -es, -er (유령).

원로(元老) der Älteste* (Altgediente*) -n, -n; Altmeister *m.* -s, -; Veteran *m.* -en, -en. ¶ 당의 ~ der Älteste* 《-n, -n》 der politischen Partei.

원로(遠路) weiter Weg, -(e)s, -e; der lange Weg; die große Entfernung, -en. ¶ ~의 여행 e-e lange Reise / ~의 노고를 치하하다 für die Mühe, e-n langen (weiten) Weg gemacht zu haben, danken 《*jm.*》; Dank sagen dafür, daß sich jemand bemüht hat, von weither zu kommen 《*jm.*》 / ~를 가다 e-n weiten Weg gehen* ⓢ.

원론(原論) Grundbegriffe (Prinzipien) 《*pl.*》. ‖ 경제학~ die Prinzipien der Ökonomie.

원뢰(遠雷) ferner Donner, -s, -; der in weiter Ferne rollende Donner, -s, -; das Grollen* 《-s》 des fernen Donners.

원료(原料) (Roh)stoff (Grundstoff) *m.* -(e)s, -e; (Roh)material *n.* -s, ..lien.

원리(元利) Kapital u. Zinsen, des -s u. der - *od.* von - u. -. ¶ ~금 합계 6,400 마르크를 청구합니다 Unser Guthaben beläuft sich mit Kapital u. Zinsen auf DM 6400.

원리(原理) Prinzip *n.* -s, ..pien; Grundbegriffe (-gedanken; -wahrheiten) 《*pl.*》; Grundsatz *m.* -es, ⸚e; Hauptgesichtspunkte 《*pl.*》. ¶ 생활의 지도 ~ das leitende (führende) Prinzip des Lebens / ~를 구명하다 Grundbegriffe erforschen, ³Prinzipien 《*pl.*》 nach|forschen. ‖ 근본~ das grundlegende Prinzip: 민주주의의 근본 ~ das grundlegende Prinzip (die Grundgedanken) der Demokratie.

원림(園林) Gartengebüsch *n.* -es, -e.

원만(圓滿) Vollendung *f.*; Vollkommenheit *f.* (완성); Eintracht *f.*; Harmonie *f.*; Verträglichkeit *f.* (조화); Glätte *f.*; Glattheit *f.* (원활); Friede(n) *m.* ..dens, ..den. ~하다 vollendet; vollkommen; einträchtig; harmonisch; verträglich; glatt (sein). ¶ ~한 인격 der in ³sich geschlossene Charakter, -s, -e / ~한 해결 die befriedigende Lösung, -en; der zufriedenstellende Ausgleich, -(e)s, -e; der friedliche Abschluß, ..schlusses, ..schlüsse / ~한 가정 die einträchtige Familie, -n; das gemütliche Heim, -(e)s, -e; Eheglück *n.* -(e)s (부부) / ~한 교육 die vielseitige Erziehung, -en / ~하게 살다 in (süßer) Eintracht leben; ein einträchtiges Leben führen / ~치 못하다 nicht in Frieden leben 《mit *jm.*》; nicht fertig werden 《*mit*³》; ⁴sich miteinander nicht vertragen* / ~한 관계 die friedlichen Beziehungen 《*pl.*》 / ~하게 처신하다 so handeln, daß man andere nicht kränkt (verletzt); zurückhaltend sein / ~히 해결하다 zu e-m friedlichen Ende führen⁴; in Frieden bei|legen⁴ / ~해지다 abgerundet (abgeschliffen) werden / 성격이 ~해지다 ³sich die Hörner ab|laufen* ⓢ (따끔한 맛을 보고).

원망(怨望) Ressentiment [rɛsãtimã:] -s [..ã:s], -s [..ã:s]; Groll *m.* -(e)s; Vorwurf *m.* -(e)s, ⸚e; Tadel *f.* -n; 《원한》 Haß *m.* ..sses; 《불평》 Klage *f.* -n; Beschwerde *f.* -n; Beanstandung *f.* -en. ~하다 böse sein 《auf *jn.*; mit *jm.*》; (mit) *jm.* grollen; *jm.* ⁴*et.* nach|tragen*; e-n Groll hegen 《*gegen*⁴》; e-n Groll haben 《*auf*⁴》; *jm.* ⁴*et.* verübeln; *jm.* ⁴*et.* übel|nehmen*; *jm.* ⁴*et.* verärgen. ¶ ~스러운 얼굴 die saure Miene, -n / ~스럽다 nachtragend (nachträgerisch; grollend; verbittert; 《유감》 bedauerlich) sein / ~스럽게 생각하다 e-n Groll hegen 《*gegen*⁴》; *jm.* ⁴*et.* nach|tragen* / 그렇게 ~하지 말게 Sei nicht so böse.¦Nimm es mir nicht so übel! / 그 이후 그는 나를 ~하고 있다 Seitdem ist er mir nicht mehr grün.

원망(遠望) Ausblick *m.* -(e)s, -e; die weite

Aussicht, -en; der Blick in die Ferne; Fern¦schau *f.* -en (-sicht *f.* -en); die perspektivische Schau (Sicht).

원망(願望) Wunsch *m.* -es, ⸚e; Begehr *m.* (*n.*) -s, -e; Sehnsucht *f.* ⸚e; das Verlangen (Wollen)* -s; (Wunsch)traum *m.* -s, ⸚e.

원맨 das absolute Haupt, -(e)s, ⸚er; der alleinige Tonangeber, -s, -.
‖ ~쇼 Einmannbetrieb *m.* -(e)s, -e. ~카 Einmann-Bus *m.* -ses, -se. ~회사 die Einmann-Gesellschaft, -en.

원면(原綿) Rohbaumwolle *f.*

원명(原名) der eigentliche (richtige) Name, -ns, -n.

원모(原毛) Rohwolle *f.* -n; die unverarbeitete Wolle, -n.

원모(遠謀) Weitblick *m.* -(e)s; die Weite 《-n》 des Blickes; Weitsichtigkeit *f.*; die weitreichende Überlegung, -en; Vorbedacht *m.* -(e)s.

원무(圓舞) Reigen *m.* -s, -; Reihen¦tanz (Rund-) *m.* -es, ⸚e; Walzer *m.* -s, -.
‖ ~곡 Walzer.

원문(原文) Urtext *m.* -es, -e; Original *n.* -s, -e; Urschrift *f.* -en; Originalwerk *n.* -(e)s, -e; Wortlaut *m.* -(e)s. ¶ ~대로 Sic!; So!; wörtlich (so)!¦So steht es da!¦Nicht etwa ein Druckfehler! / ~에 충실하게 번역하다 den Text nach dem Original wörtlich (buchstäblich; sinngemäß) in e-e andere Sprache übersetzen.

원반(圓盤) 〖체육〗 (Wurf)scheibe *f.* -n; Diskus *m.* -, ..ken (..kusse). ‖ ~던지기 das Diskuswerfen*, -s; Diskuswurf *m.* -(e)s, ⸚e: ~던지기 선수 Diskuswerfer *m.* -s, -.

원방(遠方) die weite Ferne, -n; die große Weite, -n; der weit entfernte Ort, -(e)s, -e; der lange Weg, -(e)s, -e. ¶ ~의 fern; abgelegen; entfernt; entlegen; weit.

원배하다(遠配—) in die Ferne verbannen⁴.

원병(援兵) =원군.

원본(原本) Urtext *m.* -es, -e; Original *n.* -s, -e; Originalwerk *n.* -(e)s, -e; Erstausgabe *f.* -n; 《번역 따위의》 das originäre Buch, -(e)s, ⸚er; 〖법〗 Urschrift *f.* -en.

원부(怨婦) boshafte (gehässige) Frau, -en.

원부(原簿) Hauptbuch *n.* -(e)s, ⸚er.
‖ ~계원(係員) Hauptbuchführer *m.* -s, -.

원비(元肥) Hauptdüngemittel *n.* -s, -.

원뿔(圓—) Konus *m.* -, -se (..nen); Kegel *m.* -s, -. ¶ ~꼴의 konisch; kegelförmig.
‖ ~대(臺) Kegel¦stumpf (Pyramiden-) *m.* -(e)s, ⸚e. ~면 e-e konische (Ober)fläche, -n.

원사(遠射) Weitschießen *n.* -s, -.

원사하다(冤死—) auf Grund e-r falschen Anschuldigung getötet (hingerichtet) werden.

원산물(原產物) Dinge, die an e-m Ort vor|kommen.

원산지(原產地) Heimat *f.* -en; Heimat(s)¦ort (Ursprungs-) *m.* -(e)s, -e; Provenienz *f.* -en. ¶ 설탕의 ~ Provenienz von Zucker.
‖ ~증명서 Bescheinigung 《*f.* -en》 des Ursprungslandes 《*n.*》; Heimatbescheinigung *f.* -en.

원상(原狀) der frühere (ursprüngliche) Zustand, -(e)s, ⸚e; die alte Ordnung, -en; das Gewesene*, -n; der Zustand vor der Änderung; der Status 《-, - (..tusse)》 quo ante. ¶ ~ 복구하다 ⁴sich mit *jm.* gütlich ab|finden*.
‖ ~회복 die Wiederherstellung des früheren (ursprünglichen) Zustandes; die Wiedereinsetzung in den alten Zustand.

원색(原色) Grundfarbe *f.* -n.
‖ ~사진(술) Heliochromie *f.* -n; Farbenphotographie *f.* -n 《-ph- 는 -f- 로도 쓴다》. ~영화 =천연색 영화. ~판 〖인쇄〗 Heliotypie *f.* -n. 삼~ drei Grundfarben 《*pl.*》.

원생(原生) ¶ ~의 uranfänglich; urzeitlich; primär; Ur-.
‖ ~동물 Protozoon *n.* -s, ..zoen; Urtierchen *n.* -s, -. ~림 Ur¦wald (Natur-) *m.* -(e)s, ⸚er. ~암(岩) Urgestein *n.* -(e)s, -e.

원서(原書) Urschrift *f.* -en; Original *n.* -s, -e. ¶ 괴테의 작품을 ~로 읽다 Goethes Werke im Urtext lesen*.

원서(願書) Gesuch *n.* -(e)s, -e; Bitt¦schreiben *n.* -s, - (-schrift *f.* -en). ¶ ~를 내다(제출하다) ein Gesuch an|bringen* (ein|reichen; stellen) / ~를 접수하다 ein Gesuch an|nehmen*. ‖ ~용지 das Formular 《-s, -e》 für Gesuche. 입학~ Aufnahmegesuch *n.* -(e)s, -e.

원성(怨聲) das Murren*, -s (aus Unzufriedenheit).

원소(元素) Element *n.* -(e)s, -e; Grund¦stoff (Ur-) *m.* -(e)s, -e.
‖ ~분석 die Analyse der Elemente. ~주기율 periodisches Gesetz der Elemente. 동위(同位)~ Isotop *n.* -s, -e.

원손(遠孫) entfernter Nachkomme, -n, -n.

원수(元首) Staatsoberhaupt *n.* -(e)s, ⸚er; Herrscher *m.* -s, -; Landesherr *m.* -n, -en; Souverän [suvə..] *m.* -s, -e.

원수(元帥) (Feld)marschall *m.* -s, ⸚e (육군); Großadmiral *m.* -s, -e (해군).
‖ ~봉(棒) Marschall(s)stab *m.* -(e)s, ⸚e. 대~ Oberbefehlshaber *m.* -s, -.

원수(元數) Grundzahl *f.* -en; Kardinalzahl *f.* -en.

원수(怨讐) 《적》 Feind *m.* -(e)s, -e; Gegner *m.* -s, -; 《복수》 (Blut)rache *f.* -n; Ahndung *f.* -n; Revanche [..vɑ́ːʃə] *f.* -n; Vergeltung *f.* -en. ¶ ~를 갚다 ⁴sich rächen 《an *jm.* für ⁴*et.*》; die Rache nehmen* 《an *jm.* für ⁴*et. od.* wegen ²*et*》; *jn.* rächen (아무를 위하여); *jn.* 《für ⁴*et.*》 rächen; *jm.* ⁴*et.* vergelten* / ~를 은혜로 갚다 Böses* mit Gutem* vergelten*; feurige Kohlen auf *js.* Haupt sammeln / 은혜를 ~로 갚다 an *jm.* undankbar handeln / 아버지의 ~를 갚나 s-n Vater rächen / 정말 ~ 같은 자식이다 Das ist mir ja ein sauberer Freund!

원수(員數) Zahl *f.* -en; Stärke *f.* -n.

원수폭(原水爆) Atom- u. Wasserstoffbombe *f.* -n.

원숙(圓熟) Reife *f.*; Ausgereiftheit *f.*; Durchgebildetheit *f.*; Vollendung *f.* ~하다 reif werden; ausgereift (durchgebildet; vollendet) sein; zur Reife kommen* (gelangen) Ⓢ. ¶ ~한 reif; ausgereift; durchgebildet; vollendet / ~한 작가 ein Schriftsteller 《-s, -》 in s-r Reife (Vollendung).

원숭이 Affe *m.* -n, -n. ¶ ~같은 affenartig; affig (흉내 잘 내는); äffisch (우매한) / ~도 나무에서 떨어진다 Auch der Meisterschütze schießt fehl.¦„Zuweilen schläft selbst (der heilige) Homer."¦„Auch Homer schläft."¦Niemand ist ohne Fehler.
‖ 긴꼬리~ ein langschwänziger Affe, -n, -n; Langschwanzaffe *m.* -n, -n.

원시(原始) Urfang *m.* -(e)s, ⸚e; Primitivität *f.*; Genese *f.* -n; Genesis *f.* ¶ ~적(인) primitiv; uranfänglich; ur¦zeitlich (vor-); vorsintflutlich; vorweltlich / ~적 생활 ein primitives Leben, -s, - / ~적 본능 der primitive Instinkt [..st..] -(e)s, -e.

‖ ~림 Urwald *m.* -(e)s, ⸚er. ~민족 die Primitiven 《*pl.*》; die primitiven Völker 《*pl.*》; Naturmensch *m.* -en, -en. ~생활 Naturleben *n.* -s, -; das primitive Leben. ~시대 die primitive Zeit, -en; Ur¦zeit (Vor-) *f.* -en; Vorwelt *f.* -en. ~예술 die primitive Kunst, ⸚e. ~인 Urmensch *m.* -en, -en. ~종교 Ur¦religion (Natur-) *f.* -en; die primitive Religion.

원시(遠視) 《원시안》 Weit¦sichtigkeit (Fern-) *f.* -en; Hypermetropie *f.* -n. ¶ 그는 ~다 Er ist weitsichtig (fernsichtig; hypermetropisch).

‖ ~안경 die Brille 《-n》 mit Konvexlinsen (bei Weitsichtigkeit).

원심(原審) das erste (ursprüngliche) (richterliche) Urteil, -(e)s, -e. ¶ ~을 파기하다 das ursprüngliche Urteil auf|heben*.

원심(怨心) grollendes (mißvergnügtes) Herz, -ens, -en; Groll *m.* -(e)s; Haß *m.* ..sses.

원심(圓心) 〖수학〗 Kreismittelpunkt *m.* -(e)s, [-e.

원심력(遠心力) Zentrifugalkraft *f.* ⸚e.

원심분리기(遠心分離機) Zentrifuge *f.* -n.

원심탈수기(遠心脫水機) Zentrifugal-Dehydrierungspumpe *f.* -n.

원아(園兒) das im Kindergarten betreute Kind, -(e)s, -er.

원안(原案) der ursprüngliche Entwurf, -(e)s, ⸚e; die erste Fassung, -en; Urentwurf *m.* -(e)s, ⸚e; Urkonzeption *f.* -en. ¶ ~을 수정하다 den ursprünglichen Entwurf ab|-ändern / 이 법안은 ~대로 통과되었다 Die Gesetzesvorlage ist in ihrer ursprünglichen Gestalt durchgegangen.

원앙(鴛鴦) Braut¦ente (Mandarinen-) *f.* -n. ¶ 한쌍의 ~ ein gutes (passendes) Paar, -(e)s, -e / ~같은 부부 ein gut zusammenpassendes Ehepaar, -(e)s, -e.

원액(元額·原額) (Original)summe *f.* -n.

원액(原液) Stammlösung *f.* -en; unverdünnte Lösung, -en.

원야(原野) Wildnis *f.* -se.

원양(遠洋) Ozean *m.* -s, -e; Welt¦meer *n.* -(e)s, -e (-see *f.* -n).

‖ ~어업 Hochseefischerei *f.* -en. ~항로 Ozean¦linie (Übersee-) *f.* -n. ~항해 Ozean¦schiffahrt (Hochsee-) *f.* -en; Überseefahrt *f.* -en.

원어(原語) Ursprache *f.* -n; die Sprache 《-n》 des Urtextes; die Sprachform 《-en》 der Urschrift.

원언(怨言) gehässige Bemerkung *f.* -en; bittere Worte 《*pl.*》.

원예(園藝) Garten¦bau *m.* -(e)s (-arbeit *f.* -en; -kunst *f.* ⸚e); (Kunst)gärtnerei *f.* -en; Hortikultur *f.* -en.

‖ ~가(사) Gartenbautechniker *m.* -s, -; Garten¦ingenieur [..ǿ:r] *m.* -s, -e (-künstler *m.* -s, -); (Kunst)gärtner *m.* -s, -; Hortikulturist *m.* -en, -en. ~술 Gartenbaukunst *f.* ⸚e. ~식물 Gartenpflanze *f.* -n. ~용구 Gartengerät *n.* -(e)s, -e; Handwerksgerät zum Gartenbau. ~장 Baum¦schule (Pflanz-) *f.* -n.

원옥(寃獄) Einkerkerung auf Grund e-r falschen Anschuldigung.

원외(員外) Nichtmitglied *n.* -(e)s, -er.

‖ ~교수 außerordentlicher Professor, -s, -en 《생략: a.o. Prof.》. ~자 Nichtmitglied.

원외(院外) ¶ ~의 außerhalb des Bundestags (서독의); außerhalb des Parlaments.

‖ ~단 Lobbyist [lɔbiíst] *m.* -en, -en. ~운동 Lobbying [..biiŋ] *n.* -s, -s; Lobbyismus *m.* -. ~자 Lobbyist *m.* -en, -en.

원용하다(援用—) ⁴sich berufen* 《*auf*⁴》; 《인용》 an|führen⁴ 《*aus*³》; zitieren⁴ 《*aus*³》.

원유(原油) Rohöl *n.* -(e)s, -e; das ungereinigte Erdöl.

원유회(園遊會) Garten¦fest *n.* -es, -e (-gesellschaft *f.* -en). ¶ ~를 열다 ein Gartenfest geben* (veranstalten; feiern).

원음(原音) 〖음악〗 Grundton *m.* -(e)s, ⸚e.

원의(原義) Urbedeutung *f.* -en; die ursprüngliche Bedeutung, -en.

원의(原意) eigentliche, ursprüngliche Absicht, -en; Beweggrund *m.* -(e)s, ⸚e.

원의(院議) Parlamentsbeschluß *m.* ..schlusses, ..schlüsse.

원인(原人) Urmensch *m.* -en, -en; das menschliche Urbild, -(e)s, -en.

‖ ~시대 die vorgeschichtliche (prähistorische) Zeit, -en.

원인(原因) Ursache *f.* -n; Anlaß *m.* ..lasses, ..lässe; (Beweg)grund *m.* -(e)s, ⸚e; Veranlassung *f.* -en; Wurzel *f.* -n. ¶ ~ 불명의 unerklärlich; unerklärbar; von unbekannter Ursache / 무슨 일에나 ~이 있다 Alles hat s-e Ursache.

‖ ~결과 Ursache u. Wirkung 《*f.* -n u. -en》; Kausalität *f.* -en; Ursächlichkeit *f.* -en. ~론 Ätiologie *f.* -n; die Lehre 《-n》 von der Ursächlichkeit. 간접~ die mittelbare Ursache, -n. 주요~ Hauptursache *f.* -n. 직접~ die unmittelbare Ursache, -n.

원인(遠因) die entfernte (mittelbare; schwache; unbedeutende) Ursache, -n.

원인(願人) Bittsteller *m.* -s, -; Bewerber *m.* -s, -.

원일(元日) der erste Tag e-s neuen Jahres; Neujahrstag *m.* -(e)s, -e.

원일점(遠日點) 〖천문〗 Sonnenferne *f.* -n; Aphel *n.* -s, -e; sonnenfernster Punkt der Erdbahn.

원자(原子) Atom *n.* -s, -e. ¶ ~의 atomar; atomisch.

‖ ~가 Valenz *f.* -en. ~기호 Atomzeichen *n.* -s, -. ~량 Atomgewicht *n.* -(e)s, -e. ~력 Atomenergie *f.* -n; Atomkraft *f.* ⸚e: ~력 관리 기구 Atomkraftkontrollsystem *n.* -s, -e / ~력 발전소 Atomkraftwerk *n.* -(e)s, -e / ~력 병기 Atomwaffe *f.* -n / ~력선(船) Atomschiff *n.* -(e)s, -e / ~력 위원회 Atomenergiekommission *f.* -en / ~력 잠수함 Unterseeboot 《*n.* -(e)s, -e (Böte)》 mit Kernenergieantrieb; Atom-Unterseeboot *n.* -(e)s, -e / ~력 항모(航母) Atomflugzeugträger *m.* -s, -. ~로(爐) Atombrenner *m.* -s, -; Reaktor *m.* -s, -en. ~로케트 Atomrakete *f.* -n. ~론 Atomlehre (-theorie) *f.* -n: ~론자 Anhänger des Atomismus. ~물리학 Atomphysik *f.*: ~물리학자 Atomphysiker *m.* -s, -. ~번호 Atomnummer *f.* -n. ~부피 Atomvolum *n.* -s, -e; Atomvolumen *n.* -s, - [..minə]. ~설 Atomhypothese *f.* -n. ~시계 Atomuhr *f.* -en; atomare Uhr, -en. ~시대 Atomzeitalter *n.* -s, -. ~열 Atomwärme *f.* -n. ~운(雲) Atompilz *m.* -es, -e. ~포(砲)

Atomgeschütz *n.* -es, -e: ～포탄 Atomgeschoß *n.* ..geschosses, ..geschosse. ～폭탄 Atombombe *f.* -n. ～핵 Atomkern *m.* -(e)s, -e: ～핵 반응 Kernreaktion *f.* -en / ～핵 분열 Kernspaltung *f.* -en.
원작(原作) Original *n.* -(e)s, -e; Urschrift *f.* -en. ‖ ～자 Autor *m.* -s, -en; Urheber *m.* -s, -; Verfasser *m.* -s, -.
원잠종(原蠶種) die Kokons 《*pl.*》 der Seidenraupe. ‖ ～제조소 die Verteilungsanstalt 《-en》 von Kokons der Seidenraupe.
원장(元帳) Hauptbuch *n.* -(e)s, ¨er. ¶ ～에 기입하다 in das Hauptbuch ein|tragen*[4].
원장(院長) Direktor *m.* -s, -en.
원장(園長) der Direktor 《-s, -en 〔Chef [ʃɛf] -s, -s; Prinzipal, -s, -e〕 e-s Kindergartens 〔e-r Schule; e-s Zoo(s), *usw.*〕.
원저(原著) Originalwerk *n.* -(e)s, -e; Original *n.* -s, -e; Urfassung *f.* -en.
‖ ～자 (Original)verfasser *m.* -s, -; Autor *m.* -s, -en; 《여자》 Verfasserin *f.* -nen; Autorin *f.* -nen.
원적(原籍) Heimat(s)¦ort 〔Stamm-〕 *m.* -(e)s, ¨er; das ursprüngliche Domizil, -s, -e.
원전(原典) Urtext *m.* -(e)s, -e.
원점(原點) Ausgangspunkt *m.* -(e)s, -e. ¶ ～으로 되돌아가다 zum Ausgangspunkt zurück|kehren ⓢ; die Abirrung von der ursprünglichen Absicht korrigieren; zur ursprünglichen Absicht zurück|kehren ⓢ.
원정(遠征) Expedition *f.* -en; Feld¦zug 〔Kriegs-〕 *m.* -(e)s, ¨e; Heerfahrt *f.* -en; Invasion *f.* -en (침입). ～하다 auf e-e Expedition gehen* ⓢ; e-n Feldzug 〔e-n Kriegszug; e-e Heerfahrt〕 machen; e-e Entdeckungs¦reise 〔Forschungs-〕 machen; invadieren ⓢ 《*in*[4]》 (침입).
‖ ～대 Expeditions¦truppen 《*pl.*》 〔-mannschaft *f.* -en〕.
원정(遠程) ＝원로(遠路).
원조(元祖) Gründer *m.* -s, -; Stifter *m.* -s, -; Urheber *m.* -s, -; Vater *m.* -s, ¨.
원조(援助) Beistand *m.* -(e)s, ¨e; (Bei)hilfe *f.* -n; Hilfeleistung *f.* -en; Mitwirkung *f.* -en; das (Unter)stützen*, -s; Unterstützung *f.* -en. ～하다 bei|stehen* 《*jm. bei*[3] 〔*in*[3]〕》; behilflich sein《*jm. in*[3]》; bei|helfen*《*jm.*》; Hilfe 〔Beistand〕 leisten 《*jm. bei*[3] 〔*in*[3]〕》; mit|wirken 《*bei*[3]; *zu*[3]; *an*[3]》; unterstützen[4]. ¶ ～를 청하다 um [4]Beistand 〔Beihilfe; Mitwirkung; Unterstützung〕 bitten* 《*jn.*》.
‖ ～금 Unterstützungsfonds [..fɔ̃:]; Beistandgelder 《*pl.*》. ～자 Unterstützer *m.* -s, -. 재정～ die finanzielle Unterstützung, -en.
원족(遠足) ＝소풍(逍風).
원죄(原罪) Erbsünde *f.*
원죄(寃罪) falsche Beschuldigung, -en. ¶ ～를 입다 falsch 〔zu Unrecht〕 beschuldigt werden / ～를 씻다 [4]sich von e-r falschen Beschuldigung rein|waschen*.
원주(圓周) Peripherie *f.* -n [..rí:ən]; (Kreis-)umfang *m.* -(e)s, ¨e; Umkreis *m.* -es, -e.
‖ ～율 〖수학〗 das Zahlenverhältnis 《-ses, -se》 des Kreisumfanges zum Durchmesser; Kreiszahl *f.* -en; die Zahl π.
원주(圓柱) Säule *f.* -n; Walze *f.* -n; Zylinder *m.* -s, -. ¶ ～모양의 säulen¦förmig 〔walzen-〕; zylindrisch.
원주민(原住民) der Eingeborene*, -n, -n; der Einheimische*, -n, -n; Urbewohner *m.* -s, -.
원지(原紙) Matrize *f.* -n; Patronenpapier *n.* -s (등사판의); Papier 《*n.* -s》 zum Eierlegen der Seidenraupe (잠란지).
원지(遠志) weitreichende Absicht, -en; großer Plan, -(e)s, ¨e; riesiges 〔ehrgeiziges〕 Vorhaben, -s, -.
원지점(遠地點) Apogäum *n.* -s, ..äen; der am weitesten entfernte Punkt 《-es》 von der Erde auf der Satellitenbahn (위성의) 〔Planetenbahn (혹성의)〕; Erdferne *f.*
원질(原質) Grundsubstanz *f.* -en.
원차관(一借款) Darlehen 《*n.* -s, -》 (대부) 〔Anleihe *f.* -n (차입)〕 auf *Won*-Basis.
원채[1] ＝위낙.
원채[2] 〖건축〗 Hauptflügel 《*m.* -s, -》 des Hauses.
원천(源泉) Quelle *f.* -n; 〖시어〗 Quell *m.* -(e)s, -e; Born *m.* -(e)s, -e; Urquell; Urquelle. ¶ 지식의 ～ die Quelle des Wissens.
‖ ～과세 die von Einnahme unmittelbar abgezogenen Steuern 《*pl.*》.
원촌(原寸) ¶ ～의 lebensgroß; in [3]Lebensgröße.
원촌(遠寸) entfernte Verwandtschaft, -en. ¶ ～의 entfernt verwandt / ～이 되는 사람 der entfernt Verwandte*, -n, -n.
원추리 〖식물〗 Taglilie *f.* -n; *Hemerocallis aurantiaca* (학명).
원추형(圓錐形) Kegel *m.* -s, -. ¶ ～의 kegelförmig.
원추화서(圓錐花序) 〖식물〗 Rispe *f.* -n.
원칙(原則) Grund¦satz *m.* -es, ¨e 〔-regel *f.* -n〕; Prinzip *n.* -s, -e 〔..pien〕; Prinzipium *n.* -s, ..pien. ¶ ～(적)으로 grundsätzlich; im Prinzip; in der Regel; prinzipiell / ～적으로 이의는 없다 Prinzipiell bin ich damit einverstanden.
‖ 근본～ Grundprinzip *n.* -s, ..pien.
원컨대(願一) Ich hoffe; bitte; hoffentlich. ¶ 하느님, ～ 이 불쌍한 소녀를 구해 주소서 Gott helfe dem armen Mädchen!
원탁(圓卓) der runde Tisch, -es, -e; die runde Tafel, -n. ‖ ～회의 Rundtischsitzung *f.* -en; Rundtafelkonferenz *f.* -en.
원통(寃痛) Groll *m.* -(e)s; Rachgefühl *n.* -(e)s, -e; Ressentiment *n.* -s, -s. ～하다 bedauerlich; beklagenswert (sein). ¶ ～한 일 etwas Bedauerliches; die bedauerliche Sache, -n; Unglück *n.* -(e)s, (드물게) -e; ein großes Unglück; das bedauerliche 〔beklagenswerte〕 Geschehnis, -ses, -se 〔Vorkommen*, -s〕 / ～하게 생각하다 Gram 〔Groll〕 empfinden*; bedauern (유감); [4]sich gekränkt fühlen / …이 ～하다 Es ist sehr zu bedauern, daß ....¦Es ist ewig schade, daß ....
원통(圓筒) Zylinder *m.* -s, -; Walze *f.* -n.
‖ ～기관(汽罐) der zylindrische (Dampf-)kessel, -s, -.
원판 Urzustand *m.* -(e)s, ¨e; der Originalzustand der Dinge. ☞ 원래.
원판(原板) 〖사진〗 Platte *f.* -n; Negativ *n.* -s, -e; Negativbild *n.* -(e)s, -er.
원판결(原判決) ＝원심.
원폭(原爆) Atombombe *f.* -n.
‖ ～실험 Atombombenversuch *m.* -(e)s, -e. ～전(쟁) Atomkrieg *m.* -(e)s, -e.
원피스 Kleid *n.* -(e)s, -er; ein Hauskleid 《*n.* -(e)s, -er》 für [4]Frauen.
원하다(願一) wünschen[4] (소망); mögen*; *jn.* bitten* (의뢰, 간청); verlangen 《*nach*[3]》 (갈망); hoffen[4] (희망); (haben) wollen*[4]; (zu haben) wünschen[4]; haben mögen*[4]〖접속법 제2식을 씀〗; es verlangt *jn.* 《*nach*[3]》; 〖원

하는 것을 주어로》 erwünscht sein; 《필요하다는 뜻에서》 bedürfen[4·2]; brauchen[4]; nötig haben[4]. ¶원한다면 wenn Sie wollen / 원하는 것을 말씀하시오 Sagen Sie, was Sie gern haben wollen. / 돈과 명예 어느 쪽을 원하십니까 Welches ziehen Sie vor, Geld od. Ruhm? / 무엇을 원하십니까 Was wollen Sie haben?¦ Was brauchen (wünschen) Sie? / 핸드백을 원합니다만 Ich möchte gern e-e Handtasche haben. (물건을 살 때 쓰는 말).

원한(怨恨) Gram *m.* -(e)s; Groll *m.* -(e)s; Haß *m.* ..sses; Feindseligkeit *f.* -en; Aufsässigkeit *f.* -en; Ressentiment [rεsãtimã:] *n.* -s, -s; Verbitterung *f.* -en; Rachgefühl *n.* -(e)s, -e. ¶~을 사다 [3]sich Haß zu|ziehen*; *js.* Haß auf [4]sich ziehen* (laden*) / ~을 풀다 rächen 《*jn*,; [4]*et.* an *jm.*》; *jm.* heim|zahlen[4]; *jm.* entgelten lassen*[4] / ~을 품다 e-n Groll hegen 《*gegen*[4]》; e-n Groll haben 《*auf*[4]》; *jm.* [4]*et.* nach|tragen*; böse auf *jn.* 《mit *jm.*》 sein / ~을 잊다 den Groll gegen *jn.* vergessen*; das Vergangene* vergangen sein lassen* / ~이 뼈에(골수에) 사무치다 der beißendeste Gram frißt an *jm.*; den bittersten Groll empfinden*; diese Verbitterung geht *jm.* durch Mark u. Bein (〖속어〗 Pfennige).

원항(遠航) Seefahrt *f.* -en; weite Seereise, -en. ~하다 Überseeschiffahrt treiben*. ¶~ 중이다 auf e-r langen Seereise sein.

원해(遠海) =원양(遠洋).
‖~어 Hochseefisch *m.* -(e)s, -e.

원행(遠行) e-e lange (weite) Reise, -n; Distanzfahrt *f.* -en (자동차 따위를 타고). ~하다 e-e lange Reise (e-e Distanzfahrt) machen.

원형(原形) Urform *f.* -en; ursprüngliche Form, -en. ¶~을 유지하다 die Urform bewahren (bei|behalten*) / ~으로 복구시키다 die ursprüngliche Gestalt (Form) wieder|herstellen / ~으로 돌아가다 die ursprüngliche Form wieder an|nehmen*.
‖~질 Protoplasma *n.* -s, ..men.

원형(原型) Ur¦typ (Proto-) *m.* -s, -e(n); Muster *n.* -s, -; Urbild *n.* -(e)s, -er.

원형(圓形) Kreis¦form (Zirkel-) *f.* -en. ¶~의 rund; kreis¦förmig (zirkel-); zirkulär; Kreis-. ‖~극장 Amphitheater *n.* -s, -.

원호(圓弧) 〖수학〗 Kreisbogen *m.* -s, - (¨).

원호(援護) (Bei)hilfe *f.* -n; Beistand *m.* -(e)s, ¨e; Rückendeckung *f.* -en; Unterstützung *f.* -en. ~하다 (bei|)helfen* 《*jm.*》; bei|stehen* 《*jm.*》; *js.* Rücken decken; unterstützen[4]; Schutz angedeihen lassen* (gewähren) 《*jm.*》.
‖~기금 Unterstützungsfonds *m.* -, -.

원혼(寃魂) der Geist e-s fälschlich zum Tode Verurteilten.

원화(一貨) *Won m.* -s, -s.
‖~시세 *Won*-(Wechsel)kurs *m.* -es, -e; *Won*-Preis *m.* -es, -e; *Won*-Wert *m.* -(e)s, -e: ~시세를 유지하다 den *Won*-Kurs (vor weiterem Fall) wahren.

원화(原畫) Urbild *n.* -(e)s, -er; Orginalgemälde *n.* -s, -.

원활(圓滑) Glattheit *f.* -en; Glätte *f.*; Reibungslosigkeit *f.* ~하다 glatt 《glätter, am glättesten》; reibungslos (sein). ¶~하게 ohne [4]Anstoß (Stockung; Reibungen).

원훈(元勳) der altbewährte (altgediente; erprobte) Staatsmann, -(e)s, ¨er.

원흉(元兇) Rädelsführer *m.* -s, -; Anstifter *m.* -s, -.

월 《문장》 Satz *m.* -es, ¨e.

월(月) 《달》 Mond *m.* -(e)s, -e; 《한달》 monat *m.* -(e)s, -e. ¶월평균 im monatlichen Durchschnitt.

월간(月刊) die monatliche Herausgabe, -n. ¶~의 monatlich. ‖~잡지 Monats¦schrift *f.* -en (-heft *n.* -(e)s, -e).

월갈 〖언어〗 Syntax *f.*; Satzlehre *f.* -n.

월거덕-, 월걱- ☞ 왈가닥-.

월경(月經) Menstruation *f.* -en; die monatliche Reinigung *f.* -en; das Monatliche*, -n; Monatfluß *m.* ..flusses, ..flüsse; Regel *f.* -n. ¶그 여자는 ~ 중이다 Sie hat ihre Zeit.
‖~과다 die überfließende Menstruation. ~기 Menstruation *f.* -en; Periode *f.* -n. ~대 Damenbinde *f.* -n. ~불순 Menstruationsfehler *m.* -s, -; die unregelmäßige Menstruation. ~순조 die regelmäßige Menstruation. ~폐쇄기 Menopause *f.* -n; Wechseljahre 《*pl.*》.

월경(越境) Grenzübertritt *m.* -(e)s, -e. ~하다 auf ein fremdes Gebiet über|treten*[s]; die Grenze 《-n》 überschreiten*.

월계(月計) die monatliche Abrechnung, -en.

월계(月桂) Lorbeer *m.* -s, -en; Lorbeerbaum *m.* -(e)s, ¨e.
‖~관 Lorbeer; Lorbeerkranz *m.* -es, -e: ~관을 획득하다 Lorbeeren ernten / ~관을 수여하다 *jm.* den Lorbeer (Lorbeerkranz) reichen. ~수(樹) ☞ 월계(月桂).

월계화(月季花) 〖식물〗 die chinesische Rose, -n; *Rosa chinensis* (학명).

월광(月光) Mond¦licht *n.* -(e)s (-schein *m.* -(e)s; -strahl *m.* -(e)s, -en).
‖~곡 Mondscheinsonate *f.*

월권(越權) Anmaßung *f.* -en; Eigenmächtigkeit *f.* -en; Überheblichkeit *f.* -en; das Hinausgehen* über *js.* [4]Befugnis. ¶~ 행위를 하다 [3]sich an|maßen[4]; Maßnahmen, die über *js.* Befugnis hinausgehen, ergreifen*.

월급(月給) Monats¦gehalt *n.* -(e)s, ¨er (-lohn *m.* -(e)s, ¨e; -geld *n.* -(e)s, -er). ¶5만원의 ~ ein Gehalt von 50000 *Won* / ~을 받다 ein Monatsgehalt *usw.* beziehen* (erhalten*) / ~으로 살다 von dem Gehalt leben.
‖~날(일) Gehalts¦tag (Lohn-) *m.* -(e)s, -e. ~봉투 Gehalts¦tüte (Lohn-) *f.* -n. ~장이 der monatlich besoldete Angestellte*, -n, -n; Gehaltsempfänger *m.* -s, -; der Büroangestellte*, -n, -n.

월남[1](越南) 《나라 이름》 Vietnam. ¶~의 vietnamesisch. ‖~말 Vietnamesisch *n.* -(s). ~사람 Vietnamese *m.* -n, -n.

월남[2](越南) ~하다 nach Süden kommen*[s] (aus Nordkorea); über die Waffenstillstandslinie nach Südkorea kommen* [s].

월내(月內) 〖부사적〗 innerhalb e-s Monats; in Monatsfrist.

월년(越年) Jahreswende *f.* -n.

월다말 〖동물〗 das rote Pferd mit schwarzer Mähne.

월당(月當) Monatsbetrag *m.* -(e)s, ¨e; Monatsrate *f.* -n; 〖부사적〗 pro Monat; monatlich. ¶~ 3만원의 용돈 monatlich 30000 *Won* Taschengeld.

월동(越冬) Überwinterung *f.* -en. ~하다 überwintern; den Winter überdauern; ein Winterlager beziehen* (군대의).
‖~자금 (수당) der Bonus 《-ses, -se》 zur

Überwinterung.
월드시리즈 〖야구〗 Weltserie *f.* -n; Weltmeisterschaft (im Baseball).
월등(越等) Vortrefflichkeit *f.* -en; Vorzüglichkeit *f.* -en. **~하다** vortrefflich; vorzüglich; ausgezeichnet (sein). ¶ 반에서 ~한 학생 der beste Schüler in der Klasse; der Klassenbeste*, -n, -n; Primus *m.* -, ..mi (..musse) / ~히 bei weitem / 그게 ~히 낫다 Das ist viel (bei weitem) besser.
월력(月曆) Kalender *m.* -s, -.
월령(月齡) Mondalter *n.* -s.
월례(月例) ¶ ~의 monatlich; jeden Monat stattfindend (wiederkehrend).
‖ **~회** die monatliche Sitzung, -en.
월말(月末) Monatsende *n.* -s, -n; das Ende des Monat(e)s. ¶ ~에 [4]Ende des Monats.
‖ **~계정** die (Be)zahlung 《-en》 (die Löhnung, -en) am Monatsende.
월면(月面) die Oberfläche des Mondes.
‖ **~차** Mond¦auto *n.* -s, -s (-mobil *n.* -(e)s, -e).
월면도(月面圖) Mondkarte *f.* -n.
월반하다(越班—) e-e Klasse überspringen*. ¶ 나는 한 학년 월반했다 Ich habe e-e Klasse übersprungen.
월변(月邊) monatliche Zinsen 《*pl.*》.
월보(月報) Monats¦bericht *m.* -(e)s, -e (-schrift *f.* -en).
월봉(月俸) =월급.
월부(月賦) e-e monatliche Zahlung, -en; die monatliche Ab¦zahlung (Raten-; Teil-) -en. ¶ ~로 auf monatliche Abzahlung / ~로 사다 auf Monatsraten kaufen / ~로 치르다 in Monatsraten bezahlen / ~의 auf [4]Abschlag (ratenweise u. zwar monatlich) / ~로 1,000 원씩 지불하다 e-e Monatsteilzahlung von 1 000 *Won* leisten / 6 개월 ~로 사다 in sechsmonatigen Raten kaufen[4].
‖ **~판매** der Kauf 《-(e)s, ⁼e》 auf Abzahlung; Ab¦zahlungsgeschäft (Raten-) *n.* -(e)s, -e.
월북(越北) **~하다** nach Nordkorea kommen (gehen)*[s]; über die Waffenstillstandslinie nach Nordkorea kommen* [s].
월비(月費) die monatlichen Ausgaben 《*pl.*》.
월사금(月謝金) das (monatliche) Schulgeld, -(e)s, -er. ☞ 수업료. ¶ ~을 내다 das Schulgeld bezahlen / ~ 면제 gratis.
월삭(月朔) der erste Tag im Monat.
월산(月產) die monatliche Produktion, -en (Herstellung, -en); der monatliche Ertrag, -(e)s, ⁼e.
월색(月色) Mondlicht *n.* -(e)s; Mondschein *m.* -(e)s.
월세(月貰) die monatliche Miete, -n. ¶ 이 집은 ~ 80,000 원입니다 Die Miete dieses Hauses beträgt monatlich 80 000 *Won.*
월세계(月世界) ① 《달의 세계》 Mond *m.* -(e)s, -e; Mondwelt *f.* -en. ¶ ~ 여행 die Reise 《-n》 nach dem Mond / ~로 로케트를 발사한다 Man schießt e-e Rakete zum Mond. ② 《루너파크》 Vergnügungspark *m.* -s, -s.
월수(月收) Monats¦einkommen *n.* -s (-einnahmen 《*pl.*》; -einkünfte 《*pl.*》). ¶ 그의 ~는 9만 원이다 Sein Monatseinkommen beträgt 90 000 *Won.*
월수당(月手當) die monatliche (Gehalts)zulage, -n; Monatsbetrag *m.* -(e)s, ⁼e; Monatsgehalt *m.* -(e)s, -e.
월식(月蝕) Mondfinsternis *f.* -se; die Verdunk(e)lung 《-en》 des Mondes. ‖ 개기(부분)**~** e-e totale (partielle) Finsternis.
월액(月額) Monats¦betrag *m.* -(e)s, ⁼e (-summe *f.* -n); der monatliche Betrag.
월야(月夜) die mondhelle Nacht, ⁼e; Mondnacht *f.* ⁼e.
월여(月餘) mehr als ein Monat. ¶ ~간이나 über e-n Monat.
월요일(月曜日) Montag *m.* -(e)s, -e 《생략: Mo》.
월일(月日) Tage u. Monate 《*pl.*》; Datum *n.* -s, ..ten (날짜).
‖ **생년~** das Geburtsdatum, -s, ..ten.
월입(月入) Monduntergang *m.* -(e)s.
월전(月前) vor e-m Monat.
월정(月定) ¶ ~의 monatlich; Monats- / ~으로 monatsweise / 이것은 ~ 고용의 일입니다 Das ist e-e Anstellung, bei der man den Vertrag monatlich erneuern muß.
‖ **~독자** Subskribent (Abonnent) *m.* -en, -en; Subskribentin *f.* -nen (여자).
월초(月初) Anfang 《*m.* -(e)s, ⁼e》 des Monats. ¶ ~에 am Anfang des Monats; am Monatsersten (초하루에).
월출(月出) Mondaufgang *m.* -(e)s.
월컥 ☞ 왈칵.
월파(月波) Wellen 《*pl.*》 im Mondschein.
월편(越便) die andere Seite, -n; die entgegengesetzte Seite, -n.
월평(月評) die monatliche Kritik *f.* -en; die monatliche Besprechung, -en. ‖ 문단**~** die monatliche Literaturkritik, -en.
월표(月表) Monatsverzeichnis *n.* -ses, -se.
월하(月下) ¶ ~에서(의) im Mondlicht; im (bei) Mondschein; in der mondhellen Nacht (Mondnacht); mondbeglänzt; vom Mond erleuchtet.
월훈(月暈) Hof 《*m.* -(e)s》 um den Mond.
웨딩 Hochzeit *f.* -en.
‖ **~드레스** Hochzeitskleid *n.* -(e)s, -er; Brautkleid *n.* -(e)s, -er. **~마치** Hochzeitsmarsch *m.* -es, ⁼e.
웨이브 Welle *f.* -n. **~하다** 《머리에》 wellen[4]; ondulieren[4]. ¶ ~진 머리 gewellte Locken 《*pl.*》; welliges Haar, -(e)s, -e.
웨이스트 Taille [táljə] *f.* -n.
‖ **~라인** Gürtellinie *f.* -n.
웨이터 Kellner *m.* -s, -; Ober *m.* -s, -.
웨이트레스 Kellnerin *f.* ..rinnen; Serviererin *f.* ..rinnen; Fräulein *n.* -s, - (주로 호칭).
웨이퍼스 Waffel *f.* -n.
웬 was für eine* Art von...?; was für ein...? ¶ 웬 사람이냐 Wer ist dieser Mann?
웬걸 Ach du Schreck!; Mein Gott!; um Gottes willen!; sowas Dummes!; ei! ¶ 산책 나가려고 했더니, ~ 소낙비가 쏟아졌다 Ich wollte spazierengehen, aber sowas Dummes, fing an zu regnen. / ~ 그가 모임에 올라고 Mein Gott, ob er heute überhaupt zu der Versammlung kommt?
웬곡절(一曲折) warum; welche Ursache, -n. ¶ 저 색시가 저렇게 슬프게 우니 ~이오 Jene junge Frau weint so traurig, was ist los mit ihr? / ~로 우시오 Warum weinst du?
웬까닭 ¶ ~으로 warum; aus welchem Grund / ~으로 그가 자살을 했느냐 Warum hat er Selbstmord begangen? / ~인지 그이한테서 답장이 없다 Ich weiß nicht, warum er mir nicht schreibt.
웬만큼 《어느 정도》 einigermaßen; 《어지간히》 erträglich; ziemlich; 《알맞게》 recht; angemessen; zweckmäßig. ¶ 그는 독일어를 ~ 한다 Er spricht einigermaßen Deutsch. / 술에 ~ 취했다 Er ist ziemlich betrun-

ken. / 고기가 ~ 익었다 Der Fisch ist recht gebraten. / 농담도 ~ 해라 Spaß beiseite! / ~ 마셔라 Trink nicht so viel! / 그에게는 그때 재산도 ~ 있었다 Er war damals ziemlich reich.

웬만하다 ansehnlich; beträchtlich; leidlich; hübsch; 《비꼬는 투로》 ungeheuer; „toll"; phantastisch; großartig (sein). ¶ 웬만한 재산 《상당한》 ein hübsches Vermögen, -s, - / 웬만한 일 e-e Kleinigkeit, -en / 생김생김이 ~ ziemlich gutaussehend sein.

웬일 ¶ ~인지 나는 가고 싶지 않다 Ich weiß nicht warum, aber ich mag nicht hingehen*. / ~인지 (모르지만) 그 놈이 싫다 Ich kann ihn, ich weiß nicht warum, nicht leiden*. / ~이냐 Was ist los?

웰링턴 《뉴질랜드의 수도》 Wellington.

웰터급(一級) 〖권투〗 Weltergewicht *n.* -(e)s.

웽 ☞ 왱.

위 ①《위쪽》 die obere Seite, -n; 《상부》 Oben *n.* -s; das Obere*, -n; Oberteil *m.* -(e)s, -e; der obere Teil, -(e)s, -e. ¶ 위의 ober; Ober- / 위에 oben; oberhalb[2] (위쪽에); auf[3]; über[3] (떨어진 위쪽에) / 위로 auf[4]; über[4] / 위에서 말한 바와 같이 wie oben (vorher) (schon erwähnt) / 구름이 산 위에 떠 있다 Die Wolken stehen über dem Berg. / 오른쪽 눈 위에 oberhalb des rechten Auges.
② 《꼭대기》 Gipfel *m.* -s, -e. ¶ 맨 위의 oberst; höchst / 위에서 von oben / 위에서 아래까지 von oben bis unten / 위로 향하여 aufwärts; nach oben / 위로는 제후에서 아래로는 백성에 이르기까지 von dem Fürsten bis herab zum Volk / 산 위에 auf (über) dem Berg.
③ 《표면》 Oberfläche *f.* -n; auf[3]. ¶ 책상 위의 책 das Buch auf dem Tisch.
④ 《비교》 ¶ 위의 《높은》 höher; 《연상》 älter / 위의 단계 die obere (höhere) Stufe, -n / 제일 위의 아이 das älteste Kind, -(e)s, -er / 윗 학교에 가다 e-e höhere Schule besuchen / 남의 위에 앉다 *jm.* vor|stehen* (vor|sitzen*); über *jm.* stehen*; leiten[4]; verwalten[4]; regieren[4] / 위에서 내려다보다 《경멸적으로》 *jn.* von oben an|sehen* / 누이는 나보다 두살 위다 M-e Schwester ist um zwei Jahre älter als ich.
⑤ 《더욱·게다가》 ¶ 그 위에 außerdem; dazu noch; obendrein; überdies; zudem; daneben; zusätzlich; ferner; weiter.

위(位) ① 《지위·등급》 Stelle *f.* -n; Rang *m.* -(e)s, ¨e. ¶ 제 1 위를 차지하다 die erste Stelle ein|nehmen*; den ersten Rang inne|haben.
② 《제왕의》 Thron *m.* -(e)s, -e. ¶ 위에 오르다 den Thron besteigen*; auf den Thron gelangen* (kommen*) ⓢ.

위(胃) Magen *m.* -s, - (¨); Kropf *m.* -(e)s, ¨e (조류의); Pansen *m.* -s, - (반추 동물의 첫번째 위). ¶ 위의 Magen-; Gastro- / 위가 아프다 der Magen tut *jm.* weh; Magenschmerzen (Leibes-) 《*pl.*》 haben.
‖ 위경련 Magenkrampf *m.* -(e)s, ¨e; Anfall *m.* -(e)s, ¨e: 위경련을 일으키다 e-n Anfall von [4]Magenkrampf bekommen*. 위궤양 Magengeschwür *n.* -(e)s, -e. 위세척 Magenspülung *f.* -en. 위액 Magensaft *m.* -(e)s, ¨e.

위(緯) 《위도》 (geographische) Breite, -n; Breitengrad *m.* -(e)s, -e; 《씨》 Einschuß *m.* ..usses, ..üsse; Einschlag *m.* -(e)s, ¨e.

위격(違格) 《격식 따위의》 Formwidrigkeit *f.* -en; Formfehler *m.* -s, -; 《예의 따위의》 der Bruch der Zeremonie (Etikette). ¶ ~의 formwidrig; gegen [4]Etikette verstoßend.

위경(危境) Gefahr *f.* -en; kritische Situation, -en. ¶ ~을 당하다 gefährdet sein / ~을 벗어났다 Er ist außer Gefahr.

위경(胃鏡) 〖의학〗 Gastroskop *n.* -s, -e; Magenspiegel *m.* -s, -.

위경련(胃痙攣) 〖의학〗 Gastralgie *f.* -n [..gí:ən]; Magenkrampf *m.* -(e)s, ¨e. ¶ ~을 일으키다 [4]Magenkrampf bekommen*.

위계(位階) Hofrang *m.* -(e)s, ¨e.

위계(僞計) trügerischer Plan, -(e)s, ¨e; List *f.* -en; Betrug *m.* -(e)s, ¨e. ¶ ~의 falsch; (be)trügerisch; täuschend. ¶ ~를 쓰다 zu e-r List greifen*; e-e List an|wenden(*); zu allerlei Listen (Kunstgriffen) greifen*.

위공(偉功) das große (glänzende; unsterbliche) Verdienst, -(e)s, -e; die hervorragende Leistung, -en; Heldentat *f.* -en.

위관(尉官) Subalternoffizier *m.* -s, -e.

위관(偉觀) Prachtanblick *m.* -(e)s, -e; der grandiose (herrliche; majestätische) Anblick, -(e)s, -e; Herrlichkeit *f.* -en.

위광(威光) Würde *f.*; Ansehen *n.* -s; Einfluß *m.* ..usses, ..üsse; Geltung *f.*; Machtstellung *f.* -en; Prestige *n.*

위구(危懼) Befürchtung *f.* -en; die bange Ahnung, -en; Ängstlichkeit *f.* -en. ~하다 befürchten[4]; in Sorge ahnen[4]; [3]sich Gedanken machen 《*über*[4]》. ¶ 내가 ~한 그대로였다 M-e bange Ahnung hat sich erfüllt (hat mich nicht getrogen).

위국(危局) Krisis *f.* ..sen; Krise *f.* -n; kritische Situation, -en (Lage, -n). ☞ 위기.

위국하다(爲國一) dem Vaterland dienen; [4]sich um das Wohl (Gedeihen) des Vaterlandes bemühen; [4]alles für das Vaterland tun* (모든 것을 바쳐).

위궤양(胃潰瘍) Magengeschwür *n.* -(e)s, -e.

위급(危急) Not *f.* ¨e; Notlage *f.* -n; der ernste Augenblick, -(e)s, -e; die schwere Zeit, -en. ~하다 bedenklich; brenzlich (수상한); drohend; ernst; gefährlich; kritisch; verfänglich; zugespitzt (sein). ¶ ~에 처하다 im Notfall sein; auf der Kippe (auf Messers Schneide) stehen*; in drohender Gefahr sein / ~에서 구해 주다 aus der [3]Not (Gefahr) retten 《*jn.*》; der [3]Not (Gefahr) entreißen* 《*jn.*》 / ~ 존망의 시기 der Ernst der Zeit; Notzeit *f.* -en; wo es auf [4]Tod u. [4]Leben geht; wo Not an Mann ist / ~시에 im Notfalle; notfalls / 절박한 ~에서 구해 주다 aus e-r dringenden [3]Gefahr befreien (retten) 《*jn.*》.

위기(危機) Krise (Krisis) *f.* ..sen; der entscheidende Augenblick, -(e)s, -e; Entscheidungs¦punkt (Höhe-; Wende-) *m.* -(e)s, -e. ¶ ~일발로 um ein Haar; bei e-m Haar; mit knapper (genauer) Not / 이런 ~를 당하여 angesichts dieser [2]Krise (Krisis); in diesem kritischen Augenblick / ~에 처해 있다 e-r [3]kritischen Lage gegenüber gestellt sein; am Rande des Untergangs stehen* / ~를 극복하다 Krise überwinden*; [4]sich in e-r Krise bewähren / ~일발로 살아났다 Ich wäre ums Haar zugrunde gegangen. | Ich bin mit knapper Not davongekommen. / ~ 일발의 사태에 처해 있다 Unser Schicksal hängt an e-m dünnen (seidnen) Faden. | Noch ein Schlag, dann ist es aus mit uns.

‖ ~일발(一髮) der kritischer Augenblick (Zeitpunkt) -(e)s, -e.

위기(位記) Ehrenbrief *m.* -(e)s, -e; die Bescheinigung 《-en》 (das Diplom, -s, -e) des Hofrang(e)s.

위기(圍碁·圍棊) =바둑.

위기(違期) Versäumnis *f.* -se; Unterlassung *f.* -en. ~하다 e-n Termin versäumen; den Termin nicht ein|halten*.

위난(危難) Gefahr *f.* -en; Klippe *f.* -n; Notlage *f.* -n. ¶ ~에 빠지다 In [4]Gefahr (in die Klemme; in die Patsche) kommen* (geraten*) ⓢ / ~을 면하다 e-r Gefahr entgehen* ⓢ / ~이 닥치다 es droht Gefahr.

위남자(偉男子) der große Mann, -(e)s, ⸚er; Mann mit e-m guten Charakter; ein Mann von edlem Charakter.

위대(偉大) Größe *f.* -n; Wichtigkeit *f.* -en. ~하다 groß 《größer, größt》; mächtig (sein). ¶ ~한 업적 ein großes Verdienst, -(e)s, -e / ~한 국민 e-e große Nation, -en.

위덕(威德) Erhabenheit *f.* -en; Würde *f.* -n; das Ansehen*, -s; Tugend *f.* -en.

위도(緯度) die (geographische) Breite, -n; Breitengrad *m.* -(e)s, -e. ‖ 고(저, 중)~ die hohe (niedere, mittlere) Breite.

위독(危篤) der kritische Zustand der Krankheit. ~하다 gefährlich; ernstlich; kritisch; bedenklich; 《절망적인》 hoffnungslos (sein). ¶ ~해지다 in e-n gefährlichen (hoffnungslosen) Zustand kommen* ⓢ; e-e kritische Wendung nehmen* / 어머니의 병이 ~하다 M-e Mutter befindet sich in e-m bedenklichen (kritischen) Zustand. | M-e Mutter liegt auf dem Totenbett. | M-e Mutter ist ernstlich krank.

위락(萎落) das Verwelken* 《-s》 u. das Fallen* 《-s》 (der Blätter). ~하다 verwelken ⓢ u. fallen* ⓢ.

위란(危亂) Krise *f.* -n; kritische Lage, -n. ~하다 gefährlich; kritisch (sein).

위략(偉略) die gute Kriegslist (Taktik) -en; der gute Kriegsplan, -(e)s, ⸚e.

위력(偉力) die große Macht, ⸚e; der große Einfluß, ..usses, ..üsse; die große Stärke.

위력(威力) Macht *f.* ⸚e; Kraft *f.* ⸚e; Stärke *f.* -n; Autorität *f.* -en; 《효과》 Wirkung *f.* -en. ¶ ~ 있는 mächtig; kräftig; einflußreich / ~으로 durch die Ausübung s-r [2]Macht; mit [3]Gewalt / ~을 떨치다 s-e Macht aus|üben; s-n Einfluß geltend machen.

위령(威令) der autoritative Befehl, -(e)s -e; der entscheidende (maßgebende) Befehl.

위령(違令) Befehlsverweigerung *f.* -en. ~하다 den Befehl verweigern.

위령제(慰靈祭) Gedenkgottesdienst *m.* -es, -e; Gedenkfeier *f.*

‖ 전몰 용사~ Gefallenengedenkfeier *f.*

위령탑(慰靈塔) Ehrenmal *n.* -(e)s, -e (⸚er); Gedächtnisstein *m.* -(e)s, -e; Gedenkstein *m.* -(e)s, -e (in Pagodenform).

위로(慰勞) ① 《치사》 ~하다 *js.* Dienste anerkennen. ② 《위무》 Trost *m.* -es. ~하다 trösten 《*jn. wegen*[2]》; beruhigen[4]. ¶ …에서 ~를 찾다 Trost finden* 《*in*[3]》; Trost schöpfen 《*aus*[3]》.

‖ ~금 die Belohnung 《-en》 für *js.* Dienste; Ehrengabe *f.* -n; Prämie *f.* -n.

위막(胃膜) Magenhaut *f.* ⸚e; Magenschleimhaut *f.* ⸚e.

위망(位望) Rang 《*m.* -(e)s》 u. Namen 《*m.* -s》.

위망(威望) Macht 《*f.*》 u. Ruhm 《*m.* -(e)s》; Autorität 《*f.*》 u. Popularität 《*f.*》.

위망(僞妄) Falschheit *f.* -en.

위명(威名) der klingende Name(n), ..mens, ..men (Ruf, -(e)s); der weitverbreitete Ruhm, -(e)s. ¶ ~이 혁혁한 장군 ein General vom verbreiteten Ruhm.

위명(僞名) der falsche (angenommene) Name, -ns, -n; Deckname *m.* -ns, -n; Pseudonym *n.* -s, -e. ¶ ~으로 unter e-m falschen (angenommenen) Namen / ~을 쓰다 e-n falschen Namen an|nehmen*; unter falscher (fremder) Flagge segeln ⓢ,ⓗ.

위모레스크 〖음악〗 Humoreske *f.* -n.

위무(威武) Autorität 《*f.*》 u. militärische Stärke.

위무(慰撫) Befriedung *f.* -en; Beruhigung *f.* -en; Besänftigung *f.* -en; Stillung *f.* -en. ~하다 befrieden 《*jn.*》; beruhigen 《*jn.*》; besänftigen 《*jn.*》; stillen 《보기: *js.* Schmerzen》. ¶ 성난 사람을 ~하다 e-n Wütenden* besänftigen.

위문(慰問) Trostbesuch *m.* -(e)s, -e; Tröstung *f.* -en; Beileid *n.* -(e)s (조위); die liebevolle Unterstützung, -en. ¶ 아이 잃은 어머니를 ~하다 e-r [3]Mutter zu ihres Kindes Tod sein Beileid aus|drücken; e-r [3]Mutter wegen Verlustes ihres Kindes s-e Teilnahme aus|sprechen*.

‖ ~대 Liebesgabenpaket *n.* -(e)s, -e. ~사업 Hilfswerk *n.* -(e)s, -e. ~편지 Brief 《*m.* -(e)s, -e》 an die Front; Trostbrief *m.* ~품 Liebesgabengeschenk *n.* -(e)s.

위미(萎靡) Schwäche *f.* -n; Mattigkeit *f.* -en; Schlaffheit *f.* -en; Trägheit *f.* -en; Verfall *m.* -(e)s. ~하다 verwelken ⓢ; verdorren ⓢ; verfallen* ⓢ; in Verfall geraten* ⓢ.

위반(違反) 《법규의》 Verletzung *f.* -en; Übertretung *f.* -en; das Vergehen*, -s; Verstoß *m.* -es, ⸚e 《*gegen*[4]》; 《명령 따위의》 Gehorsamsverweigerung *f.* -en; 《약속 따위의》 Bruch *m.* -(e)s, ⸚e. ~하다 [4]sich vergehen* 《*gegen*[4]; *wider*[4]》; ein Vergehen* begehen*; übertreten*[4]; verletzen[4]; verstoßen* ⓢ 《*gegen*[4]; *wider*[4]》. ¶ …을 ~하여 gegen[4]; wider[4]; entgegen[3] / 규칙을 ~하다 gegen die Regel verstoßen*.

‖ ~자 der sich Vergehende*, -n, -n; Verletzer *m.* -s, -; Übertreter *m.* -s, -. 교통~ der Verstoß gegen die Verkehrsregelung. 법률~ Rechts|widrigkeit (Gesetz-) *f.* -en; die Übertretung (Verletzung) des Rechts (e-s Gesetzes).

위배(違背) =위반.

위법(違法) Rechts|widrigkeit (Gesetz-) *f.* -en; Illegalität *f.* -en; Ungesetzlichkeit *f.* -en; Unrechtmäßigkeit *f.*; Widerrechtlichkeit *f.* -en. ¶ ~의 rechts|widrig (gesetz-); illegal; ungesetzlich; unrechtmäßig; widerrechtlich. ‖ ~자 der Übertreter 《-s, -》 (Verletzer, -s, -) e-s Gesetzes. ~행위 die rechtswidrige (gesetzwidrige) Handlung, -en; Illegalität *f.* -en.

위벽(胃壁) Magenwand *f.* ⸚e.

위병(胃病) 〖의학〗 Magen|krankheit *f.* -en (-leiden *n.* -s, -).

위병(衛兵) (Schild)wache *f.* -n; Wachmannschaft *f.* -en; Wacht *f.* -en. ¶ ~을 서다 Wache stehen* / ~을 교대하다 Wache ab|lösen. ‖ ~근무 Wacht¦dienst (Wach-) *m.* -es, -e. ~소 Wachlokal *n.* -(e)s, -e; Schilderhaus *n.* -es, ⸚er (초소); Wachthaus (Posten-; Schilde-) *n.*

위복하다(威服—) 《복종시킴》 zur Unterwerfung zwingen*⁴; unterjochen⁴; 《굴복함》 ⁴sich ergeben* 《*jm.*》.

위본(僞本) der unrechtmäßige Nachdruck, -(e)s, -e; 《해적판》 Raub¦druck *m.* (-ausgabe *f.* -).

위부(委付) 〖법〗 Abandon [..dɔ̃ː] *m.* -s, -s; Abandonnement [abɑ̃dɔnəmɑ̃ː] *n.* -s, -s. ~하다 abandonnieren⁴.

위산(胃散) 〖약〗 Pulver 《*n.* -s, -》 gegen Magenschmerzen.

위산(胃酸) Magensäure *f.* -n.
‖ ~과다(증) 〖의학〗 Hyperazidität *f.*; 《가슴앓이》 Sodbrennen *n.* -s.

위산(違算) die falsche Rechnung, -en; Rechenfehler *m.* -s, -; Verrechnung. ~하다 falsch rechnen; e-n Fehler begehen*.

위상(位相) 〖물리〗 Phase *f.* -n.
‖ ~기하학 〖수학〗 Topologie *f.* ~차 Phasendifferenz *f.* -en.

위생(衛生) Gesundheitspflege *f.* -n; Hygiene *f.*; Sanität *f.* ¶ ~적인 gesundheitlich; gesundhaft; hygienisch; sanitär / ~에 좋은 gesundheitsfördernd; bekömmlich; wohltuend; zuträglich / ~에 나쁜 gesundheitsschädlich (-widrig); unbekömmlich; ungesund; verderblich.
‖ ~가 Diätetiker *m.* -s, -; jemand, der nach s-r Gesundheit lebt; der auf die Lehre von gesunder Lebenshaltung viel hält. ~계(관) Sanitätspersonal *n.* -s, -e; Sanitäter *m.* -s, -. ~국 Gesundheitsamt *n.* -es, ⸚er; Sanitätsbehörde *f.* -n. ~규칙 Gesundheitsvorschriften 《*pl.*》. ~밴드, ~대 《월경대》 Damenbinde *f.* -n. ~법 Hygiene *f.* ~병 Sanitätstruppe *f.* -n. ~상태 Gesundheitszustand *m.* -(e)s, ⸚e. ~시설 Sanitätseinrichtung *f.* -en. ~시험소 das hygienische Institut, -(e)s, -e. ~학 Hygiene *f.*; Gesundheitslehre *f.* -n: ~학자 Hygieniker *m.* -s, -. 공중~ die öffentliche Gesundheit. 정신~ geistige Hygiene.

위서다 《후행하다》 die Braut (den Bräutigam) zum Hochzeitsplatz begleiten; 《따라가다》 e-e wichtige Person begleiten.

위선(胃腺) 〖해부〗 Magendrüse *f.* -n; Verdauungsweg *m.* -(e)s, -e; Verdauungskanal *m.* -(e)s, ⸚e.

위선(僞善) Heuchelei *f.* -en; Frömmelei *f.* -en; Gleisnerei *f.* -en; Schein¦frömmigkeit *f.* -en (-heiligkeit *f.* -en). ¶ ~적인 heuchlerisch; frömmlerisch; gleisnerisch; schein¦fromm (-heilig).
‖ ~자 Heuchler *m.* -s, -; Frömmler *m.* -s, -; Frömmling *m.* -s, -e; Gleisner *m.* -s, -; Hypokrit *m.* -en, -en; der Scheinfromme* (Scheinheilge*) -n, -n. ⌐-e.

위선(緯線) Breiten¦kreis (Parallel-) *m.* -es,

위성(衛星) Satellit *m.* -en, -en; Trabant *m.* -en, -en. ¶ 지구의 ~ Erdsatellit *m.*
‖ ~국가 Satellitenstaat *m.* -(e)s, -en. ~도시 Satellitenstadt *f.* ⸚e. ~중계 Satellitenübertragung *f.* -en. 소련~국 der sowjetische Satellitenstaat, -(e)s, -en. 인공~ der künstliche (Erd)satellit, -en

위세(威勢) 《세력》 Macht *f.*; Kraft *f.*; Einfluß *m.* ..flusses, ..flüsse; Autorität *f.*; 《원기》 Mut *m.* -(e)s; 《위망》 das Ansehen*, -s. ¶ ~ 좋은 mächtig; bedeutend; einflußreich; ansehnlich / ~ 좋게 munter; lebhaft; energisch / ~ 없는 mutlos; kraftlos; matt / ~를 보이다 ⁴sich geltend machen; ³sich ⁴Ansehen zu verschaffen wissen*.

위수(衛戍) Garnison (Besatzung) *f.* -en.
‖ ~근무 Garnisonsdienst *m.* -(e)s, -e. ~령 Besatzungsvorschrift *f.* -en. ~병 Besatzungstruppen 《*pl.*》. ~병원 Militärhospital *n.* -s, -e (⸚er); (Garnison)lazarett *n.* -(e)s, -e. ~사령관 Besatzungskommandeur *m.* -s, -e. ~지 Besatzungszone *f.* -n.

위스키 Whisky [víski] *m.* -s, -s.
‖ 스코치~ Schottischer Whisky.

위시하다(爲始—) beginnen* (an|fangen*) 《*mit*³》. ¶ …을 위시해서 ...und ...; sowohl ...als (auch)...; nicht nur... sondern (auch) ...; ...und außerdem (noch)... / 김박사를 위시해서 Dr. *Kim* u. ...; sowohl Dr. *Kim* als... / 총리를 위시해서 전 각료가 출석했다 Der Premierminister u. sämtliche Kabinettsmitglieder waren anwesend.

위신(威信) das Ansehen*, -s; Würde *f.* -n; Autorität *f.* -en; 《명성》 Ruf *m.* -(e)s. ¶ ~을 상하다 die Würde (die Prestige) verletzen / ~을 지키다 s-e Würde behalten* (bewahren) / ~을 잃다 sein Ansehen verlieren* / 그것은 ~ 문제이다 Das ist e-e Prestigefrage 《*für*⁴》. / 이것은 그의 ~에 관계된다 Das ist unter s-r Würde.

위아래 oben u. unten; 《신분의》 hoch u. niedrig; die Hohen* 《*pl.*》 u. Niedrigen* 《*pl.*》; die Über- u. Unterlegenen* 《*pl.*》.
¶ ~를 훑어보다 *jn.* von Kopf bis Fuß prüfen; *jn.* von oben bis unten prüfen.

위아랫물지다 《사람이》 Hoch u. Niedrig (Jung u. Alt) verträgt sich nicht.

위아토니(胃—) 〖의학〗 Magenatonie *f.* -n.

위안(慰安) Trost *m.* -es; Tröstung *f.* -en; das Behagen*, -s; Erquickung *f.* -en; Erholung *f.* -en; Komfort *m.* -(e)s; das Vergnügen*, -s. ~하다 trösten 《*jn.*》; erholen (erquicken; vergnügen) 《*jn*》. ¶ ~을 주다 Trost ein|flößen (spenden; ein|sprechen*; zu|sprechen*) 《*jm.*》; Behagen (Erquickung; Erholung; Vergnügen) geben* 《*jm.*》 / ~의(적) tröstlich; behaglich; erquicklich; komfortabel; vergnüglich.
‖ ~부 Soldatendirne *f.* -n; die Prostituierte*, -n. ~소 (Volks)vergnügungsplatz *m.* -es, ⸚e. ~회 Gesellschaft 《*f.* -en》 zur Unterhaltung. ⌐*m.* -es, -e).

위암(胃癌) Magen¦karzinom *n.* -s, -e (-krebs

위압(威壓) Zwang *m.* -(e)s (Nötigung *f.* -en; Unterdrückung *f.* -en) durch ⁴Autorität. ~하다 durch ⁴Autorität zwingen* (nötigen; unterdrücken) 《*jn.*》.

위액(胃液) Magendrüse *f.* -n; Magensaft *m.* -(e)s, ⸚e. ‖ ~선(腺) Verdauungsweg *m.* -(e)s -e; Verdauungskanal *m.* -(e)s ⸚e.

위약(胃弱) 〖의학〗 Magenschwäche *f.* -n; Dyspepsie *f.* -n; Schwerverdaulichkeit *f.* -en; Magenverstimmung *f.* -en. ~하다 schwer verdaulich; dyspeptisch; magenschwach (sein).

위약(違約) 《계약의》 Vertrags¦bruch (Kontrakt-) *m.* -(e)s, ⸚e; 《약속의》 Wortbruch *m.* -(e)s, ⸚e; der Bruch 《-(e)s, ⸚e》 des Versprechens. ～하다 e-n Vertrag (Kontrakt) brechen*; sein Wort brechen*; sein Versprechen nicht halten*. ¶ ～하지 않다 sein Wort halten*.

‖ ～금(金) Abstand *m.* -(e)s, ⸚e; Abstandsgeld *n.* -(e)s, -er. ～자 der Wortbrüchige*, ⌊-n, -n.

위언(違言) =위약(違約).

위엄(威嚴) Würde *f.*; Erhabenheit *f.*; Gravität *f.*; Majestät *f.* ¶ ～ 있는 würdevoll; erhaben; gravitätisch; hehr; majestätisch/ ～ 없는 würdelos; unwürdig; erbärmlich / ～을 지키다 s-e Würde bewahren (aufrecht|erhalten*); nichts von s-r Würde lassen*; e-e feierliche Haltung an|nehmen* / 그같은 바보짓에 관계하는 것은 ～에 관계된다 Auf e-e solche Dummheit einzugehen, halte ich für unter m-r Würde.

위업(偉業) Großtat *f.* -en; Werk *n.* -(e)s, -e; Leistung *f.* -en; Errungenschaft *f.* -en; ein großes Unternehmen*, -s, -. ¶ ～을 성취하다 Erstaunliches* leisten; Beispielloses* vollbringen*.

위없다 unvergleichlich; beispiellos (sein); Spitze sein.

위여 《쫓는 소리》 Sch! 《Ausruf zum Verscheuchen, Vertreiben von Vögeln》.

위여일발(危如一髮) der entscheidende (kritische) Augenblick, -(e)s, -e. ☞ 위기일발.

위연하다(喟然—) seufzen; beklagen[4]. ¶ 위연히 wehklagend.

위염(胃炎) 〖의학〗 Magen(schleimhaut)entzündung *f.* -en.

위요(圍繞) Einschließung *f.* ～하다 umgeben*[4]; umringen[4]; umfassen[4]. ¶ …을 ～하고 (rings) um [4]*et.*; 《비유적》 in Verbindung mit [3]*et.*; in Zusammenhang mit [3]*et.*

위용(偉容·威容) das würdevolle Aussehen, -s, -; die majestätische Haltung, -en. ¶ ～을 보이다 großartige* Haltung zeigen.

위원(委員) 《전체》 Komitee *n.* -s, -s; Kommission *f.* -en; Ausschuß *m.* ..schusses, ..schüsse; 《일원》 Komitee¦mitglied (Kommissions-; Ausschuß-) *n.* -(e)s, -er. ¶ ～을 임명하다 *jn.* zum Kommissionsmitglied ernennen*; *jn.* als Kommissionsmitglied berufen / 그는 ～으로 선출되었다 Er wurde zum Komiteemitglied gewählt. / ～은 몇사람입니까 Wie viele Mitglieder zählt das Komitee?

‖ ～장 der Vorsitzende* 《-n, -n》 e-s Komitees. 국무～ Minister *m.* -s, -. 집행～ das geschäftsführende Komiteemitglied.

위원회(委員會) 《조직》 Komitee *n.* -s, -s; Kommission *f.* -en; Ausschuß *m.* ..schusses, ..schüsse; 《집회》 Komitee¦sitzung (Kommissions-; Ausschuß-) *f.* -en. ¶ ～를 조직하다 das Komitee gründen.

‖ 군사 정전～ Waffenstillstandskomitee *n.* -s, -s. 분과～ Unterausschuß *m.* ..schusses, ..schüsse. 상임～ das ständige Komitee. 소～ das kleine Komitee. 예산～ Haushaltausschuß *m.* ..schusses, ..schüsse. 운영～ Lenkungsausschuß *m.* 집행～ Vorstand *m.* -(e)s, ⸚e: 중앙 집행～ das zentrale geschäftsführende Komitee.

위의(威儀) Würde *f.*; die würdevolle Miene, -n. ¶ ～ 당당히 würdevoll; hehr; hoheitsvoll; majestätisch; vornehm (점잖히) / ～를 갖추어 mit entsprechender Würde; auf würdevolle Weise; höflich (예의 바르게).

위의당당(威儀堂堂) die eindrucksvolle (würdevolle) Haltung *f.* -en. ☞ 위풍.

위인(爲人) die Persönlichkeit (das Temperament; die Disposition; die Verhaltensweise) e-s Menschen.

위인(偉人) der große Mann, -(e)s, ⸚er; Held *m.* -en, -en; führende Persönlichkeit, -en; überlegener Geist, -es, -e.

위임(委任) das Anvertrauen, -s; Auftrag *m.* -(e)s, ⸚e (위임 받은 일); Beauftragung *f.* -en; Kommission *f.* -en; Mandat *n.* -(e)s, -e (전권); Vollmacht *f.* -en (전권); Bevollmächtigung *f.* -en (위임하는 것); Ermächtigung *f.* -en (권능을 주는 것); Überweisung (양도하는 것). ～하다 an|vertrauen[4] 《*jm.*》; *jm.* den Auftrag (Vollmacht) geben*; beauftragen[4] 《mit [3]*et.*》. ¶ ～받다 e-n Auftrag bekommen* (erhalten*).

‖ ～국 Mandatsstaat *m.* -(e)s, -en. ～령 Mandatsgebiet *n.* -(e)s, -e. ～자 Mandant *m.* -en, -en; Auftrag¦geber *m.* -s, - (Vollmacht-) *m.* -s, -. ～장 Vollmacht *f.* -en; Vollmachtsbrief *m.* -(e)s, -e. ～통치 Mandat *n.* -(e)s, -e; Mandatverwaltung *f.* -en.

위자(慰藉) Trost *m.* -es; Beruhigung *f.* -en; Erquickung *f.* -en.

‖ ～료 Schmerzensgeld *n.* -(e)s, -er; Abfindungs¦geld *n.* -(e)s, -er (-summe *f.* -n); Aliment *n.* -(e)s, -e (별거 수당): ～료를 청구하다 das Schmerzensgeld fordern.

위작(位爵) (Hof)rang 《*m.* -(e)s, ⸚e》 u. Titel 《*m.* -s, -》. ☞ 작위.

위작(僞作) Fälschung *f.* -en; das gefälschte (verfälschte; nachgeahmte; nachgemachte; unechte) Werk, -(e)s, -e.

위장(胃腸) Magen 《*m.* -s, -》 u. Darm 《*m.* -(e)s, ⸚e》; Eingeweide *n.* -s, -. ¶ ～이 튼튼하다 e-n guten Magen haben / ～병을 앓다 an [3]Magen u. Darm leiden*; Verdauungsstörungen haben.

‖ ～병 Gastroenteropathie *f.* -n [..tíːən]; Magen- u. Darmkrankheit *f.* -en. ～약 Magenarznei *f.* ～카타르 〖의학〗 Gastroenteritis *f.* ..riden.

위장(僞裝) Tarnung *f.* -en; das Tarnen*, -s; Camouflage *f.* [kamufláːʒə] -n. ～하다 tarnen; verschleiern; camouflieren.

위재(偉才) der große (ausgezeichnete; bemerkenswerte; vorzügliche) Mann, -(e)s, ⸚er.

위적(偉績) Heldentat *f.* -en; Großtat *f.* -en; das große Werk, -(e)s, -e; die bedeutende (hervorragende) Leistung *f.* -en.

위점막(胃粘膜) Magenschleimhaut *f.*

위정자(爲政者) Staatsmann *m.* -(e)s, ⸚er; Administrator *m*, -s, -en.

위조(僞造) (Ver)fälschung *f.* -en; das (Ver-)fälschen*, -s; Nachahmung *f.* -en; Nachmachung *f.* -en; das Nachmachen*, -s; Unterschiebung *f.* -en. ～하다 (ver)fälschen[4]; nach|ahmen[4]; nach|machen[4]; unter|schieben*[4]; unberechtigt nach|bauen[4]; falsch|münzen (화폐를). ¶ ～의 falsch; verfälscht; Falsch-; unecht; gefälscht; nachgemacht; unterschoben / 어음을(지폐를) ～하다 Wechsel (Banknoten) fälschen.

‖ ～자 (Ver)fälscher *m.* -s, -; Falschmünzer *m.* -s, -; Nachmacher *m.* -s, -. ～죄 Fälschung *f.* -en. ～화폐(지폐) Falschmünze *f.* -n; das falsche Geld, -(e)s, -er; die falsche Banknote, -n. 문서～ Urkundenfälschung *f.* -en; die Nachahmung echter Dokumente.

위족(僞足) 〖생물〗 Pseudopodium *n.* -s, ..dien; Scheinfüßchen *n.* -s, - 《보통 *pl.*을 씀》.
위주(爲主) Hauptsache *f.* -n. ¶ ~로 하다 in erste Linie stellen⁴; hauptsächlich darauf achten, daß...; (Haupt)gewicht legen *auf*⁴... / 자기 이익 ~로만 생각하다 Er ist auf s-e eigenen Interessen bedacht. / 이 집은 어린이 ~로 설계되어 있다 Das Haus ist ganz für die Kinder eingerichtet.
위중하다(危重—) gefährlich; kritisch (sein).
위증(危症) 《증세》 das gefährliche Symptom, -s, -e (e-r Krankheit); 《증상》 ein kritischer 〔bedenklicher〕 Zustand, -(e)s, ⸚e.
위증(僞證) Meineid *m.* -(e)s; der wissentliche Falscheid; das falsche Zeugnis, ..nisses, ..nisse. ~하다 e-n Meineid leisten; falsch schwören*; meineidig werden.
‖ ~자 der Meineidige*, -n, -n. ~죄 Meineid *m.* -(e)s: ~죄를 범하다 e-n Meineid schwören*.
위지(危地) Gefahr *f.* -en; die kritische 〔bedrohende; gefährliche〕 Lage, -n; Krise *f.* -n; der Rachen 《-s, -》 des Todes (사지(死地)). ¶ ~에 뛰어들다 ⁴sich in Gefahr begeben* / ~에서 헤어나다 (mit knapper Not) der Gefahr entgehen 〔entkommen*; entrinnen*〕 ⓢ.
위집(蝟集) Gedränge *n.* -s; Schwarm *m.* -(e)s, ⸚e. ~하다 schwärmen ⓗ,ⓢ; wimmeln ⓗ,ⓢ; ⁴sich drängen.
위쪽 ¶ ~의 ober; höher; Ober... / 이 강의 하구 바로 ~에 다리가 있다 Ein bißchen oberhalb der Mündung dieses Flusses ist e-e Brücke.
위차(位次) Reihenfolge *f.* -n; Rangfolge *f.* -n.
위채 der obere 〔hintere〕 Flügel e-s koreanischen Hauses.
위촉(委囑) 《의뢰》 Bitte *f.* -n; 《위임》 Auftrag *m.* -(e)s, ⸚e; das Anvertrauen*, -s; Übertragung *f.* -en; 《전권》 Vollmacht *f.* -en. ~하다 *jn.* bitten* 《⁴*et.* zu *tun*》; *jm.* den Auftrag geben*; an|vertrauen 《*jm.* ⁴*et.*》; *jm.* Vollmacht geben* 《*zu*³》. ¶ ~으로 auf ⁴Bitte 〔Ersuchen〕 《*von*³》.
위축(萎縮) das (Ver)welken* 〔Einschrumpfen*〕 -s; Verschrumpfung *f.* -en; 〖의학〗 Schrumpfung *f.* -en; Atrophie *f.* -n. ~하다 (ver)welken*; ein|schrumpfen; verschrumpfen; 〖의학〗 schrumpfen; atrophieren. ¶ ~되다 《사람이》 eingeschüchtert 〔entmutigt〕 werden; beängstigt werden; ins Bockshorn gejagt werden; von ³Angst 〔Furcht〕 ergriffen werden.
‖ ~병 〖식물〗 Kräuselkrankheit *f.* -en. ~신(腎) 〖의학〗 Schrumpfniere *f.* -n. 간~ Leberatrophie *f.*
위층(—層) das obere Stockwerk, -(e)s, -e. ¶ ~에(서) im oberen Stockwerk; oben (im Hause) / ~으로 die Treppe hinauf; nach oben.
위치(位置) Lage *f.* -n; Situation *f.* -en; Stelle *f.* -n; Stellung *f.* -en; Standort *m.* -(e)s, -e; Stätte *f.* -n; Bauplatz *m.* -es, ⸚e (부지). ~하다 gelegen sein; liegen*; stehen*. ¶ ~가 좋다 gutsituiert sein / ~를 정하다 die Lage bestimmen; e-n Ort ausfindig machen / 학교는 좋은 ~에 자리잡고 있다 Die Schule 〔Das Schulgebäude〕 erfreut sich e-r guten Lage. / 일본은 한국의 동쪽에 ~하고 있다 Japan liegt 〔befindet sich〕 östlich von Korea. / 자네가 만일 내 ~에 있다면 어떻게 하겠나 Was würdest du tun, wenn du in m-r Lage wärest?
위친하다(爲親—) die eigenen Eltern ehren.
위카메라(胃—) Magenkamera *f.* -s.
위카타르(胃—) 〖의학〗 Magenkatarrh *m.* -s, -e.
위크 Woche *f.* -n. ‖ ~데이 Wochen¦tag 〔Werk-〕 *m.* -(e)s, -e (평일). ~엔드 =주말.
위클리 《주간지》 Wochen¦blatt *n.* -(e)s, ⸚er 〔-zeitschrift *f.* -en〕.
위탁(委託) Auftrag *m.* -(e)s, ⸚e; Übertragung *f.* -en; Kommission *f.* -en; Konsignation *f.* -en (판매의). ~하다 beauftragen 《*jn. mit*³》; an|vertrauen 《*jm.* ⁴*et.*》; kommittieren 《*jn. zu*³》; überweisen* 《*jm.* ⁴*et.*》. ¶ ~으로 상품을 보내다 die Waren in Konsignation schicken 〔versenden*; transportieren; liefern〕.
‖ ~금 Auftragsgeld *n.* -(e)s, -er. ~자 Auftraggeber *m.* -s, -. ~판매 Kommissionsverkauf *m.* -(e)s; Agentur *f.* -en; Kommissionsgeschäft *n.* -(e)s, -e: ~판매하다 als Agent handeln; ⁴Zwischenhandel treiben* / ~판매인 Agent *m.* -en, -en; (Geschäfts-) vermittler *m.* -s, -. ~품 Kommissionsartikel *m.* -s, -.
위태롭다, 위태하다(危殆—) in ⁴Gefahr kommen* 〔geraten*〕 ⓢ; 《병세·목숨 등》 in ³Gefahr sein 〔liegen*〕; kritisch; ernst; unsicher; bedenklich; ungewiß; unzuverlässig (sein). ¶ 위태롭게 여기다 《불안》 ⁴sich unsicher fühlen; das unsichere Gefühl haben; für ⁴*et.* fürchten⁴; ⁴*et.* für gefährlich halten* / 위태롭게 하다 gefährden⁴; in Gefahr bringen*⁴; aufs Spiel setzen; kompromittieren⁴; in ⁴Gefahr setzen⁴ / 위태로운 짓을 하다 e-n Sprung ins Ungewisse tun* / 어쩐지 위태로와 보인다 Das scheint mir doch etwas bedenklich. / 위태로운 목숨을 구했다 Um ein Haar hätte er sein Leben eingebüßt. / 그의 건강은 ~ S-e Gesundheitslage ist kritisch. / 어린애의 병세는 매우 ~ Das Kind ist ernstlich krank. ¦ Das kranke Kind schwebt in äußerster Gefahr.
위턱 Oberkiefer *m.* -s, -; Gaumen *m.* -s, - (입천장의).
위통(胃痛) Magenschmerzen 《*pl.*》; 〖의학〗 Gastralgie *f.* -n.
위트 Witz *m.* -es, -e. ☞ 기지. ¶ ~가 있는 witzig; geistreich.
위패(位牌) Totentafel *f.* -n.
위폐(僞幣) das falsche Geld, -(e)s, -er; die gefälschte Banknote, -n (지폐). ‖ ~주조자 Falschmünzer *m.* -s, -. ☞ 위조지폐.
위품(位品) Dienstrang *m.* -s, ⸚e; Hofrang.
위풍(威風) Stattlichkeit *f.*; Erhabenheit *f.*; Majestät *f.*; Würde *f.* ¶ ~ 당당한 stattlich; Ehrfurcht gebietend; erhaben; imposant; imponierend; majestätisch; würdevoll.
위필(僞筆) die verfälschte 〔gefälschte; nachgemachte; unechte〕 Handschrift, -en; das verfälschte 〔gefälschte, *usw.*〕 Gemälde, -s, -. ~하다 nach|machen⁴; (ver)fälschen⁴. ¶ ~로 in verfälschter 〔gefälschter, *usw.*〕 Handschrift / ~의 verfälscht; gefälscht; nachgemacht; unecht.
‖ ~자 (Ver)fälscher *m.* -s, -; Nachahmer *m.* -s, -.
위하(威嚇) =위협(威脅).
위하다(爲—) 《공경·받들다》 schätzen⁴; lieben⁴; sorgsam 〔behutsam〕 behandeln⁴; schonen⁴. ¶ 예술을 〔인생을〕 위한 예술 Kunst 《*f.* ⸚e》 für die Kunst 〔das Leben〕 / 부모를 ~ den

Eltern treu sein; s-e Eltern ehren / 어린애들을 ~ s-e Kinder lieben / 제 몸을 ~ ⁴sich pflegen (schonen); s-n Leib pflegen.

위하수(胃下垂) Gastroptose *f.* -n; die Senkung ⟪-en⟫ des Magens; Magensenkung.

위하여(爲—) ① ⟪이익·편의⟫ für⁴; wegen²; um² ...willen; zu *js.* ³Gunsten (Besten; Nutzen); im Interesse von. ¶ 나를 ~ für mich; meinetwegen / 나라를 ~ 일하다 für sein ⁴Vaterland arbeiten / 장래를 ~ für die Zukunft. ② ⟪목적⟫ zu dem Zweck; zum eigenen Nutzen; damit; so daß; um ... zu; zwecks; mit (in) der Absicht zu tun. ¶ …하(지 않)기 ~ um... (nicht) zu tun / 독문학 연구를 ~ um Germanistik zu studieren / 사람은 살기 ~ 먹는 것이지 먹기 ~ 사는 것은 아니다 Man ißt, um zu leben u. lebt nicht, um zu essen.

위해(危害) Gefahr ⟪*f.* -en⟫ u. Schaden ⟪*m.* -s, ⸗⟫; Verletzung *f.* -en. ¶ ~를 가하다 Schaden zu|fügen³; *jn.* gefährden; *jn.* schädigen; *jn.* verletzen; *jn.* verwunden; *jm.* ⁴*et.* an|haben* 〖대개의 경우 부정사로〗 / ~를 면하다 unversehrt (unverletzt; mit heiler Haut) davon|kommen* ⓢ; ³*et.* (glücklich) entkommen* ⓢ; e-r ³Gefahr entgehen*.

‖ ~물 der gefährliche Artikel, -s, -.

위헌(違憲) Verfassungsbruch *m.* -s, ⸗e; Verfassungs|verletzung (-widrigkeit) *f.* -en. ¶ ~적 unkonstitutionell; verfassungswidrig; gegen⁴ das Gesetz; verfassungsverletzend / ~적 조치 die verfassungswidrige Maßregel, -n / 그것은 ~이다 Das verstößt gegen die Verfassung. ‖ ~입법 die verfassungswidrige Gesetzgebung, -en.

위험(危險) ① Gefahr *f.* -en; Gefährlichkeit *f.* -en; 〖시어〗 Fährnis *f.* -se; Unsicherheit *f.* -en. ~하다 gefährlich; gefahrvoll (sein); es droht Gefahr ⟪*von*³⟫; ⟪피해의 염려⟫ in ³Gefahr sein; ⁴Gefahr laufen* ⓢ; auf dem Spiel stehen*. ¶ ~천만한 äußerst (ganz besonders; höchst; überaus) gefährlich / ~할 때에 im Falle der Gefahr; in der Not / ~을 무릅쓰고 der ³Gefahr trotzend; unbekümmert um die Gefahr; mit großer Gefahr (Lebensgefahr); auf eigene Gefahr hin / ~에 빠지다 in Gefahr geraten* ⓢ,ⓗ / ~을 벗어나다 e-r Gefahr entgehen* ⓢ (entrinnen* ⓢ; entkommen* ⓢ) / ~이 따르다 mit Gefahr verbunden sein / ~한 일을 당하다 ⁴sich e-r ³Gefahr aus|setzen (preis|geben*) / ~에 빠뜨리다 in ⁴Gefahr bringen*⁴; gefährden⁴; aufs Spiel setzen⁴; daran|setzen⁴ / ~천만이다 Das hängt an e-m Haar. / 그는 생명이 ~하다 Sein Leben ist gefährdet (³Gefahren ausgesetzt). / ~! ⟪표지판 따위에⟫ Vorsicht! | Vorsehen!

② ⟪모험⟫ Abenteuer *n.* -s, -; Risiko *n.* -s, -s (..ken); Wagnis *n.* -ses, -se; Wag(e)stück *n.* -(e)s, -e / ~을 무릅쓰고 덤비다 auf ⁴Abenteuer aus|gehen* ⓢ; riskieren⁴; wagen⁴; ⁴es ankommen lassen* ⟪*auf*⁴⟫.

③ ⟪위기⟫ Krise (Krisis) *f.* ..sen.

‖ ~기 Krise *f.* -n. ~물 etwas Gefährliches* (Gefahrbringendes*). ~사상 der gefährliche Gedanke(n), ..kens, ..ken; die gefährliche Idee, -n: 그는 ~ 사상에 빠져 있다 Er ist von gefährlichen Gedanken erfüllt (besessen). ~상태 der gefährliche (kritische) Zustand, -(e)s, ⸗e: 환자는 ~ 상태에 있다 Der Kranke befindet sich in kritischen Zustand. ~신호 Notsignal *n.* -s, -e. ~인물 der gefährliche Mensch, -en, -en (Charakter, -s, -e): ~인물로 보다 *jn.* als e-n gefährlichen Menschen an|sehen*. ~지역 Gefahrenzone *f.* -n; das gefährliche Gebiet, -(e)s, -e.

위협(威脅) Androhung (Bedrohung) *f.* -en; Erpressung *f.* -en (강탈); Abschreckung *f.* -en; Einschüchterung *f.* -en. ~하다 an|drohen⁽³⁴⁾ ⟪*jn.*⟫; bedrohen ⟪*jn. mit*³⟫; drohen ⟪*jm.*⟫; ab|schrecken ⟪*jn. von*³⟫; ein|schüchtern ⟪*jn.*⟫; Furcht ein|jagen ⟪*jm.*⟫; ins Bockshorn jagen ⟪*jn.*⟫; Drohungen ⟪*pl.*⟫ aus|stoßen*. ¶ ~적인 androhend; bedrohend; bedrohlich; einschüchternd / ~적 언사 Drohworte ⟪*pl.*⟫; drohende Worte ⟪*pl.*⟫ / ~적 태도를 취하다 ⁴sich drohend verhalten*; e-e drohende Haltung an|nehmen* / 부단한 ~ die bleibende Drohung / 죽인다고 ~하다 mit dem Tod bedrohen ⟪*jn.*⟫; den Tod an|drohen ⟪*jm.*⟫; mit den Worten, ihn ums Leben zu bringen, drohen ⟪*jm.*⟫ / ~해서 승낙시키다 *jm.* die Zustimmung ab|drohen / 그는 그 여자를 ~해서 돈을 빼앗았다 Er drohte ihr Geld ab. / 독일의 재군비는 프랑스 및 전유럽을 ~하고 있다 Die Aufrüstung Deutschlands bedroht Frankreich wie das ganze Europa.

‖ ~사격 Einschüchterungsfeuer *n.* -s, -. ~수단 Einschüchterungs|mittel (Zwangs-) *n.* -s, -. ~자 der Drohende*, -n, -n; Droher *m.* -s, -. ~정책 Einschüchterungssystem *n.* -s, -e.

위화감(違和感) ein unangenehmes Gefühl, -(e)s, -e.

위확장(胃擴張) Magen|dilatation *f.* -en (-erweiterung *f.* -en). ¶ 과식하면 ~이 된다 Die Überladung des Magens führt zu der Magenerweiterung.

위황증(萎黃症) 〖의학·식물〗 Bleichsucht *f.* ⸗e.

위효(偉効) ¶ ~를 나타내다 starke Wirkung aus|üben.

위훈(偉勳) =위공(偉功).

윈치 〖기계〗 Winde *f.* -n; Haspel *f.* -n; Aufzug *m.* -(e)s, ⸗e; Förderhaspel *f.* -n (드물게 *m.* -s, -); Fördermaschine *f.* -n.

윈터스포츠 Wintersport *m.* -(e)s, -e.

윗 ⟪위의⟫ ober; Ober-; höher (보다 높은); älter (연상의). ¶ 윗누이 die ältere Schwester, -n / 윗학교에 가다 in die Oberschule gehen* ⓢ.

윗길 die bessere Qualität, -en; der höhere Grad, -(e)s, -e. ¶ …보다 ~이다 tüchtiger sein ⟪*als*⟫; *jm.* überlegen sein / 그가 자네보다 ~이다 Er steht e-n Grad über dir. / 그가 너보다 모든 점에서 ~이다 Er ist dir in jeder Beziehung überlegen. / 그의 솜씨가 훨씬 ~이다 Er kann es viel besser.

윗니 der Zahn ⟪-(e)s, ⸗e⟫ des Oberkiefers; Oberzahn *m.* -(e)s, ⸗e.

윗동(아리) ① =웃통. ② ⟪어깨사이⟫ Spanne ⟪*f.*⟫ zwischen den Schultern.

윗막이 Jacke *f.* -n; Rock *m.* -(e)s, ⸗e (남자의); ⟪겉옷⟫ Oberbekleidung *f.*; Mantel *m.* -s, ⸗.

윗배 Bauch *m.* -(e)s, ⸗e; Leib *m.* -(e)s, ⸗er. ¶ ~가 아프다 Leibschmerzen haben.

윗입술 Oberlippe *f.* -n.

윗잇몸 das obere Zahnfleisch, -(e)s, -e.

윙 ⟪벌 등이⟫ ¶ ~ 하다 summen; brummen; schnarren; schwirren / 귀가 ~ 하다 Es gellt mir in den Ohren. / 내 귓전에다 대고 으르렁댔기 때문에 귀가 아직도 ~ 한다 Man hat mir die Ohren vollgeschrieen (vollgelärmt), so klingen die Ohren immer noch. / 바람이 ~ 하고 불어댄다 Der Wind heult.¦Es pfeift der Wind.

윙윙거리다, 윙윙하다 《곤충·팽이가》 brummen; 《대포가》 brüllen; 《바람·사이렌이》 heulen; 《기계·곤충이》 surren; 《곤충·경적 따위가》 summen; 《바람·총알·기계가》 sausen. ¶ 윙윙거리는 소리 《벌·곤충·파리·팽이 따위의》 das Brummen*, -s; Gebrumme *n.* -s.

윙크 Wink *m.* -(e)s, -e; das Blinzeln*, -s. ~하다 *jm.* (mit den [3]Augen) winken (blinzeln).

유(有) ① 《존재·실재》 Existenz *f.* -en; Dasein *n.* -s. ¶ 무에서 유는 생기지 않는다 Aus Nichts wird nichts. ② 《소유》 Besitz *m.* -es, -e. ¶ 국유 Staatsbesitz *m.*; Staatseigentum *n.* -(e)s, ⸗er. ③ 《또》 und. ¶ 10 유 3 년 dreizehn Jahre 《*pl.*》.

유(類) ① 《종류》 Art *f.* -en; Sorte *f.* -n; Gattung *f.* -en (속(屬)); Genus *n.* -, ..nera (유(類)); Geschlecht *n.* -(e)s, -er; Klasse *f.* -n (강(綱)); Ordnung *f.* -en (목(目)). ② 《근사》 Parallele *f.* -n; Äquivalent *n.* -(e)s, -e; Seiten¦stück (Gegen-) *n.* -(e)s, -e; Artgenosse *m.* -n, -n (같은 성질의 사람). ¶ 유가 없는 beispiellos; bahnbrechend; einmalig; nur einmal vorhanden; einzigartig; einzig in s-r Art; nicht dagewesen / 이러한 유의 인간 ein Mensch dieser [2]Art (Sorte); solche Menschen (Leute) 《*pl.*》.

유가(有價) Schätzbarkeit *f.* ¶ ~의 bewertbar; begebbar; börsenfähig; Wert-.
‖ ~물 Wertgegenstand *m.* -(e)s, ⸗e; Wertsachen (Kostbarkeiten) 《*pl.*》. ~증권 (das begebbare) Wertpapier, -s, -e.

유가(儒家) Konfuzianist *m.* -en, -en; der konfuzianische Gelehrte*, -n, -n.
‖ ~서 konfuzianische Schriften 《*pl.*》.

유가족(遺家族) die hinterlassene Familie, -n; die Hinterlassenen* 《*pl.*》. ¶ 군경 ~ 원호 die Unterstützung der Hinterbliebenen; die Fürsorge für die Hinterbliebenen.

유감(遺憾) Bedauern *n.* -s; Betrübnis *f.* -se; Leidwesen *n.* -s; Verdruß *m.* ..drusses ..drusse. ¶ ~스럽지만 Ich bedau(e)re, daß ....; zu m-m Leidwesen (Bedauern) / ~ 없이 zu friedenstellend; nach [3]Herzenslust / ~이 없다 [4]nichts zu wünschen übrig lassen*; nichts zu bedauern haben; vollkommen zufrieden¦stellen 《*jn.*》/ ~ 천만이다 Es ist ein wahrer Jammer, daß.... / 실로 ~스럽다 Wie (jammer)schade! / ~스러운 bedauerlich; zu bedauernd; beklagens¦wert (bejammerns-) / ~으로 여기다 bedauern[4]; bejammern[4]; beklagen[4]; beweinen[4]; Reue u. Leid empfinden* 《*über*[4]》/ ~ 없이 재능을 발휘하다 s-m Talente freien Spielraum lassen* / ~의 뜻을 표하다 *jm.* sein Bedauern bezeigen (aus¦drücken) / 그가 수영을 할 수 없어 ~이다 Leider Gottes! Schwimmen kann er gerade nicht. / ~이지만 같이 갈 수 없군요 Es tut mir leid, daß ich Sie nicht begleiten kann.¦Ich kann Sie leider nicht begleiten. / 그런 일이 자주 일어나는 것은 실로 ~이다 Es ist wirklich zu beklagen, daß so etwas so oft vorkommt. / 이 작품엔 작가의 인생관이 ~ 없이 나타나 있다 In diesem Werke ist die Lebensanschauung des Verfassers deutlich zu erkennen.

유감(각)지진(有感(覺)地震) 〖지진〗 das spürbare Erdbeben, -s, -.

유개(有蓋) ¶ ~의 gedeckt.
‖ ~마차 der gedeckte Wagen, -s, -. ~자동차 das gedeckte Auto, -s, -s. ~화차 ein gedeckter (geschlossener) Güterwagen, -s, -. ⌈-s, -.

유객(幽客) Einsiedler *m.* -s, -; Klausner *m.*

유객(遊客) ① 《유람꾼》 Tourist *m.* -en, -en; Wanderer *m.* -s, -. ② 《건달》 Taugenichts *m.* -es, -e; Müßiggänger *m.* -s, -; Bummler *m.* -s, -.
‖ ~한화(閑話) gemütliche Unterhaltung, die Touristen zum Zeitvertreib führen.

유객(誘客) die Anlockung der Kunden. ¶ ~을 하다 die Kunden an¦locken. ‖ ~꾼 Kunden¦werber *m.* -s, - (-fänger *m.* -s, -).

유거(幽居) 《장소》 Einsiedelei *f.* -en; Klause *f.* -n; die einsame Wohnung, -en; 《생활》 Abgeschiedenheit *f.* -en; Abgeschlossenheit *f.* -en. ~하다 ein einsames (abgeschiedenes; zurückgezogenes; stilles) Leben führen; in Abgeschlossenheit leben.

유격(遊擊) Diversion *f.* -en; Ablenkungsangriff *m.* -(e)s, -e. ~하다 e-n feindlichen Einfall machen 《*in*[4]》; plündern.
‖ ~대(隊) ein fliegendes Korps [ko:r], - [ko:r(s)], - [ko:rs]; Guerilla *f.* -s (..llen); Freischärler *m.* -s, -. ~병 Partisan *m.* -s (-en), -en; Parteigänger *m.* -s, -. ~술 Guerillataktik *f.* -en. ~전 Guerillakrieg *m.* -(e)s, -e; Partisanenkampf *m.* -(e)s, ⸗e.

유견(謬見) Irrtum *m.* -(e)s, ⸗er; Irrwahn *m.* -(e)s; Täuschung *f.* -en; Wahn *m.* -(e)s.

유경(幽境) die einsame Entlegenheit, -en (Gegend, -en); Erdenwinkel *m.* -s, -.

유경식물(有莖植物) Kormophyt *m.* -en, -en.

유계(幽界) Schattenreich *m.* -(e)s, -e; Schattenland *n.* -(e)s, ⸗er; Hades *m.* - (저승); Jenseits *n.* -; Unterwelt *f.*; jene (die künftige) Welt.

유고(有故) Problem *n.* -(e)s, -e; Unglück *n.* -(e)s, -e; Ausflucht *f.* ⸗e. ~하다 für [4]*et.* Grund haben.
‖ ~결석 begründete Abwesenheit; Abwesenheit mit e-r Einwilligung. ~시 die Zeit des Ereignisses; 〖부사적〗 bei unerwarteten Ereignissen.

유고(遺稿) das hinterlassene (nachgelassene; post(h)ume) Manuskript, -(e)s, -e (Werk, -(e)s, -e); das nach dem Tode aufgefundene Manuskript (Werk); Nachlaß *m.* ..lasses, ..lasse (..lässe). ¶ ~를 출판하다 *js.* hinterlassene Manuskript heraus¦geben*.

유고(諭告) 《타이름》 Zurechtweisung *f.* -en; 《관청에서의》 Bekanntmachung *f.* -en. ~하다 *jn.* zurecht¦weisen* 《*wegen*[2]》; amtlich bekannt¦machen[4] (verkünd(ig)en[4]).

유고슬라비아 Jugoslawien *n.* -s. ¶ ~의 jugoslawisch. ‖ ~ 사람 Jugoslawe *m.* -n, -n (남자); Jugoslawin *f.* -nen (여자).

유곡(幽谷) das tiefe Tal, -(e)s, ⸗er; Schlucht *f.* -en (시어: ⸗e).
‖ 심산~ hohe Berge u. tiefe Täler.

유골(遺骨) die Gebeine 《*pl.*》; die letzten Reste 《*pl.*》; Asche *f.* -n. ¶ ~을 모으다 *js.* Gebeine sammeln (zusammen¦tragen*).

유공(有功) Verdienst *m.* -es, -e. ¶ ~의 verdienstlich; verdienstvoll.
‖ ~자 ein verdienter Mann, -(e)s, ⸗er; ein

Mann von großen Verdiensten. ∼훈장 Verdienstmedaillon [..daljɔ̃:] *n.* -s, -s.

유공충(有孔蟲) 〖동물〗 Foraminifere *f.* -n 《meeresbewohnende Wurzelfüßler》.

유과(油果) ☞ 유밀과.

유과(乳菓) Milchbonbon *m.* 〔*n*〕 -s, -s; Laktokuchen *m.* -s, -.

유곽(遊廓) Bordell *n.* -s, -e; Dirnen|haus 〔Freuden-; Huren-; Lust-〕 *n.* -es, ⸗er; das öffentliche Haus; 〖속어〗 Puff *n.* 〔*m.*〕 -(e)s, -e. ‖ ∼출입 Bordelbesuch *m.* -(e)s, -e.

유관절류(有關節類) 〖동물〗 Gliedertiere 《*pl.*》; *Articulata* (학명).

유광지(有光紙) Glanzpapier *n.* -s, -e.

유괴(誘拐) Entführung *f.* -en; Raub *m.* -(e)s, -e. ∼하다 entführen[4]; *jn.* rauben; kidnappen[4]. ¶ 어린애(소녀)를 ∼하다 ein Kind 〔Mädchen〕 entführen 〔rauben〕.
‖ ∼사건 Entführung *f.* -en; der Fall 《-(e)s, ⸗e》 e-s Kindesraubes. ∼범 Entführer *m.* -s, -; Kidnapper *m.* -s, -; Kindesräuber *m.* -s, -.

유교(儒教) Konfuzianismus *m.* -. ¶ ∼의 konfuzianisch. ‖ ∼사상 die konfuzianische Philosophie.

유교(遺教) =유명(遺命).

유구(悠久) Ewigkeit *f.* -en; Unsterblichkeit *f.* ∼하다 ewig; stets u. ständig (sein). ¶ ∼하게 für immer / ∼한 옛날부터 von alters her; seit alten Zeiten.

유구(琉球) die Liukiuinseln 《*pl.*》.

유구(類句) die sinnverwandte Redensart, -en; die synonymische Phrase, -n.

유구무언(有口無言) ¶ ∼이다 „nur ein Mund, keine Worte"; k-e Entschuldigung haben; k-e Worte finden*.

유권자(有權者) der Berechtigte*, -n, -n (일반적); 《선거의》 der Wahl|berechtigte* 〔Stimm-〕 -n, -n; Wähler *m.* -s, -; Stimmgeber *m.* -s, -. ¶ ∼ 총수는 5백만에 달했다 Die ganzen Wahlberechtigten zählten 5 Millionen.

유권해석(有權解釋) die autoritative Interpretation, -en.

유근(幼根) 〖식물〗 (Keim)würzelchen *n.* -s, -.

유금류(游禽類) 〖조류〗 Schwimmer 《*pl.*》; Schwimmvögel 《*pl.*》; *Natatores* (학명).

유급(有給) ¶ ∼의 bezahlt; besoldet. ‖ ∼외무원 der besoldete Abonnentensammler, -s, -. ∼휴가 der bezahlte Urlaub, -(e)s, -e.

유급(留級) ∼하다 sitzen|bleiben*Ⓢ; nicht zur höheren Klasse auf|rücken Ⓢ; nicht versetzt werden.
‖ ∼자 der Sitzengebliebene*, -n, -n.

유기(有期) ¶ ∼의 befristet; (zeitlich) begrenzt; Zeit-. ‖ ∼공채 Tilgungsanleihe *f.* -n. ∼임대차 Zeitpacht *f.* ⸗e. ∼징역, ∼형 die befristete Zuchthausstrafe, -n.

유기(有機) ¶ ∼적 organisch / ∼적 관계 der organische Zusammenhang, -(e)s, ⸗e.
‖ ∼물 die organische Substanz, -en; die organischen Stoffe 《*pl.*》; die organische Verbindung, -en(화합물). ∼체 Organismus *m.* -, ..men. ∼화학 organische Chemie.

유기(遺棄) das Aufgeben*, -s; das Verzichten*, -s; Verzichtleistung *f.* -en. ∼하다 auf|geben*[4]; im Stich lassen*[4]; verzichten 《*auf*[4]》; Verzicht leisten 《*auf*[4]》. ¶ 전쟁터에 ∼하다 《전사자를》 *jn.* tot auf dem Schlachtfelde zurück|lassen*.
‖ ∼물 das herrenlose Gut, -(e)s, ⸗er; Wrack *n.* -(e)s, -e 〔-s〕 (해상의). ∼시체 die überlassene Leiche, -n. 직무∼ Pflichtvergessenheit *f.* -en.

유기(鍮器) 《놋그릇》 Messingwaren 《*pl.*》.

유기음(有氣音) Aspirata *f.* ..ten 〔..tä〕; Hauchlaut *m.* -(e)s, -e; der aspirierte Verschlußlaut, -(e)s, -e.

유나(柔懦) Schwäche 《*f.*》 u. Furchtsamkeit 《*f.*》. ∼하다 schwach u. furchtsam (sein).

유난 Exzentrizität *f.* -en; Eigentümlichkeit *f.* -en; Seltsamkeit *f.* -en. ∼하다, ∼스럽다 ungewöhnlich; ausnehmend; außerordentlich; außergewöhnlich; nicht üblich; seltsam; auffallend; merkwürdig; eigentümlich; exzentrisch; verdrießlich; schwer zu befriedigend (sein). ¶ ∼부리다, ∼떨다 [4]sich auffallend 〔verdrießlich〕 benehmen* / 꼴이 ∼스럽다 Er sieht sonderbar aus. / 올 여름은 ∼히 덥다 In diesem Sommer ist es außergewöhnlich warm.

유네스코 UNESCO [unέsko] *f.* (=Organisation der Vereinten Nationen für Erziehung, Wissenschaft u. Kultur).

유년(幼年) Kindheit *f.*; Kinderjahre 《*pl.*》. ¶ ∼의 kindlich / ∼때부터 von [3]Kind an; von [3]Kindesbeinen an / ∼ 시절에 in der Kindheit 〔Kinderzeit〕 / 그는 이미 ∼을 벗어나 있다 Er ist den Kinderschuhen schon entwachsen. / 나는 그녀를 ∼ 시절부터 알고 있었다 Ich kannte sie von Kindesbeinen an.

유념(留念) Überlegung *f.* -en; Erwägung *f.* -en; Aufmerksamkeit *f.* -en. ∼하다 überlegen[4]; erwägen*[4]; in Betracht ziehen*[4]; beachten[4].

유뇨증(遺尿症) 〖의학〗 Enurese *f.* -n; Bettnässen *n.* -s (야뇨증).

유능(有能) Tüchtigkeit *f.* -en; Fähigkeit *f.* -en. ∼하다 fähig; befähigt; brauchbar; gewandt; tüchtig (sein). ¶ ∼한 사람 der fähige Kopf, -(e)s, ⸗e; der befähigte 〔fähige〕 Mensch, -en, -en / 그는 ∼한 선생이다 Er ist ein tüchtiger Lehrer. ¦Er ist ein Lehrer von Fähigkeiten.

유능제강(柔能制剛) Die nachgiebige Weide kann mit ungebrochenen Zweigen dastehen. ¦„Besser biegen als brechen." ¦Milde erreicht mehr als Härte. ¦Durch Sanftmut gewinnt man mehr als durch Gewalt.

유니버설 universell; gesamt; umfassend; allgemein; universal.

유니버시아드 Universiade *f.* -n.

유니버시티 Universität *f.* -en; Hochschule 「*f.* -n.

유니세프 UNICEF *m.* -, - (=Internationaler Kinderhilfsfonds).

유니언 Union *f.* -en. ‖ ∼잭 Union Jack [ju:njən dʒæk] *m.* -s, -s.

유니언숍 〖노동〗 der gewerkschaftspflichtige Betrieb, -(e)s, -e.

유니크 ¶ ∼한 einzig (in s-r Art); ohneglei「chen.

유니트 Einheit *f.* -en.
‖ ∼가공 Set-Verarbeitung *f.* -en.

유니폼 Uniform *f.* -en; die einheitliche Dienstkleidung; der einheitliche Sportanzug, -(e)s, ⸗e. ¶ 같은 ∼을 입고 im einheitliche Sportanzug.

유다 〖성서〗 Juda; Judas (Ischariot) (가룟 유「다).

유다르다(類—) vornehmlich; außerordentlich; außergewöhnlich (sein). ¶ 유달리 außerordentlich; besonders; außergewöhnlich; ungemein; ungewöhnlich / 유달리 눈

에 띄다 *jm.* besonders auf|fallen* Ⓢ / 오늘은 유달리 바쁘다 Heute bin ich außergewöhnlich beschäftigt.
유단자(有段者) Titelinhaber *m.* -s, -.
유당(乳糖) 〖화학〗 Laktose *f.*; Milchzucker *m.* -s.
유대류(有袋類) 〖동물〗 Beuteltiere 《*pl.*》.
유덕(有德) Tugendhaftigkeit *f.*; Sittsamkeit *f.* ～하다 tugend|haft (-reich) (sein).
‖ ～지사(之士) ein Mann 《*m.* -(e)s, ⸗er》 von Tugend; Tugendheld *m.* -en, -en.
유덕(遺德) das geistige Erbe, -s; überlieferte Tugend, -en. ⌐-n.
유도(乳道) Milchdrüse *f.* -n; Brustdrüse *f.*
유도(柔道) Judo *n.* -s.
‖ ～가 *Judo*-Ringer *m.* -s, -. ～사범 der Judoexperte*, -n, -n.
유도(誘導) Anleitung *f.* -en; Leitung *f.* -en; Führung *f.* -en; Induktion *f.* -en; Derivation *f.* -en. ～하다 führen⁴ (이끌다); leiten⁴ (이끌다); lenken⁴ (조종); 〖전기〗 induzieren; 〖수학·화학·의학〗 ableiten; derivieren.
‖ ～기(機) Induktionsmaschine *f.* -n. ～단위 die derivierte Einheit, -en. ～력, ～성 Induktion *f.* -en. ～로 Induktionsofen *m.* -s, ⸗. ～법 〖의학〗 Ableitungsmittel *n.* -s, -. ～병기 die fernlenkende Waffe *f.* -n. ～심문 Suggestivfrage *f.* -n; e-e verfängliche Frage, -n: ～심문을 하다 *jm.* e-e verfängliche Frage stellen / ～심문에 걸리다 in e-e Suggestivfrage verfallen* / ～심문을 하여 실토케 했다 Ich habe ihm verfängliche Frage gestellt u. endlich ihm die Würmer aus der Nase gezogen. ～요법 〖의학〗 Ableitungstherapie *f.* ～운동 Einleitungsbewegung *f.* -en. ～자 Anleiter ((Ein)führer) *m.* -s, -. ～자계(磁界) Induktionsfeld *n.* -(e)s, -e. ～장치 Leitungssystem *n.* -s, -e. ～전기 Induktionselektrizität *f.* -en. ～전동기 Induktionsmotor *m.* -s, ..toren. ～전류 〖전기〗 Induktionsstrom *m.* -(e)s, ⸗e. ～체 Derivat *n.* -(e)s, -e (..ta). ～코일 〖전기〗 Induktionsspule *f.* -n. ～탄 ein ferngelenkter Flugkörper, -s, -: 지대공 ～탄 Boden-Luft-Fernlenkgeschoß *n.* ..sses, ..sse (-Raketengeschoß). 전자～ die elektromagnetische Induktion, -en.
유독(有毒) Schädlichkeit *f.* -en. ～하다 giftig; gifthaltig; toxisch; virulent (sein).
‖ ～가스 Giftgas *n.* -es, -e. ～식물 Giftpflanze *f.* -n.
유독(惟獨·唯獨) nur; bloß; lediglich. ¶ ～ 돈벌이만이 인생의 목적은 아니다 Es ist nicht das Lebensziel, nur Geld zu verdienen.
유동(流動) das Fließen* (Im-Fluß-Sein*) -s. ～하다 fließen* Ⓢ; in (im) Fluß sein. ¶ ～적 labil; schwankend; unsicher / 아랍 사태는 아직 ～적이다 Die arabische Situation (Sachlage) ist noch im Fluß.
‖ ～물 Flüssigkeit *f.* -en; flüssige Speise, -n. ～상태 die Lage 《-n》 des beständigen Wechsels. ～성 Flüssigkeit *f.*; Fluidität *f.*; Liquidität *f.*; die flüssige Beschaffenheit. ～식 die flüssige Kost (Speise, -n). ～자본 das flüssige (bewegliche; umlaufende) Kapital, -s, -e. ～체 Fluidum *n.* -s, ..da.
유동원목(遊動圓木) Balkenschaukel *f.* -n.
유동활차(遊動滑車) die lose Rolle, -n.
유두(乳頭) =젖꼭지.
유두(油頭) das mit Pomade behandelte Haar, -(e)s, -e.
유두(流頭) 〖민속〗 *Yudu*-Festival *n.* -s, -s; der 15. Juni nach dem Mondkalender, an diesem Tag wascht man sich nach der Überlieferung den Kopf (die Haare), um im Sommer gegen Hitzschlag gefeit zu sein.
유드호스텔 Jugendherberge *f.* -n.
유들유들 Frechheit *f.* -en; Unverschämtheit; anmaßend. ～하다 frech; unverschämt (sein). ¶ 자네 어지간히 ～하군 그래 Du bist ziemlich frech.
유라시아 Eurasien; Europa u. Asien. ¶ ～의 eurasisch. ‖ ～대륙 der eurasische Kontinent, -(e)s. ～사람 Eurasier *m.* -s, -.
유락(遊樂) Unterhaltung *f.* -en; Vergnügen *n.* -s, -. ～하다 ⁴sich vergnügen.
유람(遊覽) Vergnügungsreise *f.* -n (여행); Ausflug *m.* -(e)s, ⸗e (소풍); Rundfahrt *f.* -en (일주); Tour [tu:r] *f.* -en. ～하다 zum Vergnügen reisen Ⓢ; e-e Vergnügungsreise (e-n Ausflug; e-e Rundreise) machen; Sehenswürdigkeiten besuchen.
‖ ～객 Tourist *m.* -en, -en; der Vergnügungsreisende*, -n, -n; Ausflügler *m.* -s, -; der Schaulustige*, -n, -n. ～단체 Reisegesellschaft *f.* -en. ～버스 Rundfahrtbus *m.* ..sses, ..sse; Aussichtswagen *m.* -s, -. ～선 Rund(fahrt)boot *n.* -(e)s, -e. ～안내 Reiseführer *m.* -s, - (책, 사람); Fremdenführer *m.* -s, - (사람 또는 책명). ～여행 Rundreise *f.* -n. ～열차 Sonderzug 《*m.* -(e)s, ⸗e》 für die Rundreise. ～지 Erholungs|ort (Kur-; Ausflugs-) *m.* -(e)s, -e. ～지도 Reisekarte *f.* -n.
유랑(流浪) (ziellose) Wanderung, -en; das Herumwandern*, -s; das Herumstreifen*, -s; das Herumstreichen*, -s. ～하다 ziellos wandern; herum|streichen*; herum|wandern (umher|-); ⁴sich herum|treiben; strolchen Ⓢ; stromern; vagabundieren. ¶ ～의 (하는) reisend; umherziehend; wandernd.
‖ ～극단 Wandertruppe *f.* -n; e-e wandernde Schauspielertruppe, -n; 〖속어〗 Schmiere *f.* -n: ～극단의 배우 ein umherziehender Schauspieler, -s, -. ～민 Wandervolk *n.* -(e)s; Zigeuner *m.* -s, -. ～생활 Wander|schaft *f.* -en (-leben *n.* -s); Vagabundentum *n.* -(e)s. ～인 (Herum)wand(e)rer *m.* -s, -; Strolch *m.* -(e)s, -e; Stromer *m.* -s, -; Vagabund *m.* -en, -en.
유래(由來) ① 《근원·출처》 Ursprung *m.* -(e)s, ⸗e; Herkunft *f.* ⸗e; Quelle *f.* -n; Wiege *f.* -n (기원); Ursache *f.* -n (원인). ② 《내력》 Geschichte *f.* -n. ～하다 s-n Ursprung nehmen* (haben) 《*in*³》; her|kommen* Ⓢ 《*von*³》; ³*et.* entstammen Ⓢ; her|rühren 《*von*³》; ⁴sich her|leiten 《*von*³》. ¶ 거기에는 ～가 있다 Dazu gehört e-e schöne Geschichte. | Es hat e-e lange Geschichte.
‖ ～어 das abgeleitete Wort, -(e)s, ⸗er.
유량(流量) Fluß *m.* ..usses, ..üsse; Strommenge *f.* -n. ‖ ～계 Strommesser *m.* -s, -.
유량하다(嚠喨—) 《나팔 따위의 소리》 hell u. laut (er)tönend (erschallend) (sein).
유럽 Europa *n.* -s; die alte Welt (신세계에 대하여). ¶ ～의 europäisch / ～화하다 europäisieren⁴ / 어제 그는 제트기로 ～으로 떠났다 Gestern ist er mit e-m Düsenflugzeug nach Europa geflogen (abgereist).
‖ ～(경제)공동체 Europäische Wirtschaftsgemeinschaft 《생략: EWG》; Europäische

Gemeinschaft 《생략: EG》. ~경제협력기구 Organisation für europäische wirtschaftliche Zusammenarbeit 《생략: OEEC》. ~공동시장 Europäischer gemeinsamer Markt, -(e)s, ⸗e. ~대륙 der europäische Kontinent, -(e)s. ~방위 공동체 Europäische Verteidigungsgemeinschaft 《생략: EVG》. ~사람 Europäer *m.* -s, -; Europäerin *f.* ..rinnen (여자). ~열강 europäische Mächte 《*pl.*》. ~의회(議會) Europäisches Parlament, -(e)s.

유려하다(流麗—) flott u. schön; flink u. herrlich; glatt u. elegant (sein). ¶ 유려한 문체 der flüssige, schöne Stil, -(e)s, -e / 유려한 필치로 쓰인 편지 der mit e-r flüssigen u. schönen Handschrift geschriebene Brief, -(e)s, -e.

유력(有力) ~하다 《사람에 대해》 angesehen; einflußreich; führend; gewichtig; maßgebend; 《증거 등이》 sprechend; schlagend; überzeugend; zwingend (sein). ¶ ~한 원조 die kräftige Unterstützung, -en / ~한 단서 der überzeugende Anhalt, -(e)s, -e / ~한 증거 der schlagende Beweis, -es, -e / ~한 용의자 der wahrscheinliche Täter, -s, - / 그 신문은 국내에서도 ~지다 Die Presse ist e-e Macht im Staate geworden.

‖ ~자 die einflußreiche [maßgebende] Persönlichkeit, -en.

유력(遊歷) Vergnügungsreise *f.* -n; Rundreise *f.* -n; Rundfahrt *f.* -en. ~하다 e-e Vergnügungsreise [Rundreise] machen; durchreisen[4].

유령(幽靈) Gespenst *n.* -es, -er; Erscheinung *f.* -en; Geist *m.* -es, -er; Phantom *n.* -s, -e; Spuk *m.* -(e)s, -e. ¶ ~같은 geisterhaft; gespensterhaft; gespenstig; gespenstisch; spukhaft; spukig / ~이 나오다 spuken [gespenstern; geistern] 《*in*[3]》; um|gehen* ⓢ / 저 집에는 ~이 나온다 Es spukt in dem Haus da.¦Es geht in diesem Haus um.

‖ ~선 Gespensterschiff *n.* -(e)s, -e. ~인구 die falsche Bevölkerung, -en. ~주택 Spukhaus *n.* -es, ⸗er. ~회사 Schwindel¦firma *f.* ..firmen [-gesellschaft *f.* -en].

유례(類例) Analogon *n.* -s, ..ga; der ähnliche Fall, -(e)s, ⸗e; das ähnliche Beispiel, -(e)s, -e. ¶ ~없는 beispiellos; einmalig; einzig dastehend; einzigartig; einzig in s-r Art; ohnegleichen / 역사상 ~가 없다 in der Geschichte beispiellos sein.

유로(流露) Ausfluß *m.* ..flusses, ..flüsse; Erguß *m.* ..gusses, ..güsse (토로).

유료(有料) ¶ ~의 gebührenpflichtig; zollpflichtig; (nur) gegen Bezahlung [Entgelt] / ~입니다 Benutzung nur gegen Bezahlung! (변소 따위의 게시).

‖ ~도로 die zollpflichtige Straße, -n; Zollstraße *f.* -n. ~변소 der gebührenpflichtige Abort, -(e)s, -s. ~시사회 die Probevorführung e-s Films gegen Entgelt *n.* [*m.*] -(e)s. ~주차장 der gebührenpflichtige Parkplatz, -es, ⸗e.

유루(遺漏) Auslassung *f.* -en; Fehler *m.* -s, - (빠짐); das Versehen*, -s (빠짐); Versäumnis *f.* ..nisse (실수). ¶ ~ 없이 ohne [4]Auslassung (빠짐없이); ohne Fehler (틀림없이); ohne Versehen (틀림없이); fehlerlos (틀림없이); gründlich (철저히) / 만사 ~ 없이 하시오 Sorgen Sie dafür, daß alles gut erledigt wird. / 이 사건에 대해서 관계당국은 ~ 없이 조사했다 Die zuständige Behörde untersuchte diese Angelegenheit gründlich.

유류(遺留) Hinter¦lassung [Zurück-] *f.* -en. ~하다 zurück|lassen*[4]; hinterlassen*[4] (재산 등을); nach|lassen*[4] (재산 등을); vererben[4].

‖ ~분(分) 〖법〗 Pflichtteil *m.* -(e)s, -e. ~품 die liegengelassenen [zurückgelassenen] Sachen 《*pl.*》.

유리(有理) ¶ ~의 〖수학〗 rational.

‖ ~수 die rationale Zahl, -en. ~식 der rationale Ausdruck, -(e)s, ⸗e.

유리(流離) Landstreicherei *f.* -en; das Umherstreifen*, -s. ~하다 wandern ⓢ; umher|streifen ⓢ. ‖ ~걸식 das Umherstreifen* u. Betteln*, -s; Landstreicherei *f.*

유리(琉璃) Glas *n.* -es, ⸗er; Kristall *m.* -s, -e (질이 좋은). ¶ ~의[로 된] gläsern; Glas-; Kristall- / ~같은 glasig; glasartig / ~를 끼우다 mit Glasscheiben versehen*[4] [bedecken[4]]; verglasen[4] / 채광 ~를 붙이다 mit Glasbaustein pflastern.

‖ ~공(工) Glas¦arbeiter [-bläser] *m.* -s, -. ~공업 Glasindustrie *f.* -n. ~공장 Glasfabrik *f.* -en [-hütte *f.* -n]. ~그릇 Glasgeschirr *n.* -(e)s, -e; Glas¦waren [Kristall-] 《*pl.*》. ~병 Kristall¦flasche [Glas-] *f.* -n. ~상점 [상인] Glasladen *m.* -s, ⸗ [Glaser *m.* -s, -]. ~섬유 Glasfaser *f.* -n. ~알 Glasperle *f.* -n. ~창(문) Glastür *f.* -en. ~칼 Glasdiamant *m.* -en, -en [-schneider *m.* -s, -]. 방탄(방풍)~ Sicherheitsglas. 색~ das bunte Glas. 젖빛~ Milchglas; das matte Glas. 창~ Fensterscheibe *f.* -n.

유리(遊離) Abscheidung *f.* -en; Absonderung *f.* -en; Trennung *f.* -en. ~하다 [4]sich ab|scheiden* 《*von*[3]》; [4]sich ab|sondern 《*von*[3]》; [4]sich trennen[4] 《*von*[3]》. ¶ ~된 frei; abgeschieden; abgesondert; abgetrennt / ~시키다 ab|scheiden*[4] 《*von*[3]》; ab|sondern[4] 《*von*[3]》; trennen[4] 《*von*[3]》.

‖ ~상태 der freie Zustand, -(e)s, ⸗e. ~에너지 die freie Energie, -n. ~체 〖화학〗 Edukt *n.* -(e)s, -e. ~탄소 der freie Kohlenstoff, -(e)s, -e.

유리(瑠璃) 〖광물〗 Azur *m.* -s. ¶ ~빛 Azurblau [Himmels-] *n.* -s / ~빛의 azur¦blau [himmels-].

유리론(唯理論) Rationalismus *m.* -. ¶ ~적 rationalistisch.

‖ ~자 Rationalist *m.* -en, -en.

유리하다(有利—) vorteilhaft 《*für*[4]》; günstig[3]; 《이익》 ertragfähig (sein). ¶ 유리한 지위에 있다 im Vorteil vor *jm.* sein / 유리한 지위에 서다 Oberhand gewinnen* [erringen*] 《*über*[4]》 / 모든 점에서 ~ Das bietet allerhand Vorteile. / 그 사람 편이 ~ Er hat den Vorteil. / 전세(戰勢)가 유리했다 Das Kriegsglück war ihm hold [gnädig].

유린(蹂躪) das Niedertreten*, -s; Verwüstung *f.* -en; Verletzung *f.* -en; 《정조의》 Schändung *f.* -en; Entehrung *f.* -en; Vergewaltigung *f.* -en. ~하다 mit Füßen treten*[4]; überrennen*[4]; über den Haufen rennen*[4]; verheeren[4] (짓밟다); verwüsten[4] (짓밟다); Gewalt an|tun*[3]; schänden 《*jn.*》 (창피주다); notzücht(ig)en[4] (강간). ¶ 정조를 ~하다 die Keuschheit vergewaltigen [rauben]; entjungfern[4] 《ein Mädchen》; die Ehre rauben 《e-m Mädchen》 / 국토를 ~하다 ein Land unter die Füße treten*; ein Land verwüsten [verheeren] / 우리의 권리

는 ~당할 것이다 Wir werden unsere Rechte mit Füßen getreten sehen.

‖인권~ die Verletzung der Menschenrechte: 인권을 ~하다 *js.* Menschenrechte vernichten; zuschanden (zu Schanden) machen; auf die Folterbank spannen《*jn.*》.

유림(儒林) die konfuzianischen Gelehrten*《*pl.*》; Konfuzianisten《*pl.*》.

유만부동하다(類萬不同—) unterschiedlich; verschieden (sein); [4]sich unterscheiden*.

유망(有望) die hoffnungsvolle Aussicht, -en; vielversprechende Beschaffenheit, -en. ~하다 hoffnungsvoll; aussichtsreich (sein). ¶전도 ~한 viel|verheißend (-versprechend) / ~한 장래 die glänzende Zukunft / 그는 전도 ~하다 Er hat e-e große (glänzende) Zukunft. / 이 회사는 전도가 ~하다 Diese Gesellschaft hat e-e Zukunft. / 그 지위는 장차 ~하다 Es ist e-e Stellung, die für die Zukunft viel verspricht (verheißt).

유망(流網) Treibnetz *n.* -es, -e.

‖~어업 Treibnetzfischerei *f.* -en.

유머 Humor *m.* -s, (드물게) -e; Witz *m.* -es, -e. ¶~가 많은(없는) humorvoll(humorlos) / ~를 알다(모르다) Humor (k-n Humor) haben.

‖~소설 die humorvolle Novelle, -n. ~작가 Humorist *m.* -en, -en.

유머리스트 Humorist *m.* -en, -en.

유명(幽明) Unterwelt u. Oberwelt; Diesseits u. Jenseits. ¶~을 달리하다 ins Jenseits abberufen werden; das Zeitliche segnen.

유명(遺命) der letzte Wille, -ns, -n (Willen, -s, -); die letztwillige Verfügung, -en; Testament *n.* -(e)s, -e. ¶그의 ~에 따라 s-m letzten Willen gemäß; nach s-m letzten Willen; s-m letzten Willen zufolge.

유명론(唯名論) Nominalismus *m.* -.

유명무실(有名無實) ~하다 [1]*et.* nur dem Namen nach existieren (sein); nur auf dem Papier stehen*. ¶~한 nur dem Namen (Titel) nach; Titular-; nominell / ~한 사장 〖속어〗 Frühstückspräsident *m.* -en, -en / ~한 편집장 〖속어〗 Sitzredakteur *m.* -s, -e / 이 조약은 이제 ~하게 되었다 Der Vertrag ist nun ein Fetzen Papier geworden.

유명세(有名稅) Verpflichtung wegen der Popularität; Adel verpflichtet; *noblesse oblige.*

유명인(有名人) e-e berühmte Person (Persönlichkeit) -en; Berühmtheit *f.* -en.

유명하다(有名—) berühmt《*wegen*[2]》; (wohl-) bekannt《*für*[4]》; namhaft (저명); vielgenannt; viel besprochen; weit verbreitet; stadtbekannt (동네에서); weltberühmt (세계적으로); weltbekannt (세계적으로); 《악명높다》 allbekannt; berüchtigt; verrufen (sein). ¶유명한 사람 der berühmte (bekannte) Mensch, -en, -en / 유명한 악한 der berüchtigte Bösewicht, -(e)s, -e / 유명해지다 berühmt werden; [3]sich e-n Namen machen; Berühmtheit erlangen / 일약 유명해지다 mit e-m Sprung zu Ruhm gelangen / 서울에서 그는 ~ In Seoul ist er bekannt (hat er e-n Namen). / 세계적으로 유명한 학자다 Er ist ein weltberühmter Gelehrter. ¦Er steht im Weltruf e-s Gelehrten. / 모르는 사람이 없을 정도로 ~ 〖속어〗 Er ist bekannt wie ein scheckiger (bunter) Hund. / 한국은 수려한 산수로 ~ Korea ist wegen s-r schönen Landschaft berühmt.

유모(乳母) Amme *f.* -n; Kinderfrau *f.* -en. ¶아기를 ~한테 맡기다 ein Kind in die Hut e-r Amme geben*.

‖~차 Kinderwagen *m.* -s, -; Schiebewagen *m.* -s, -: ~차를 밀고 가다 e-n Kinderwagen schieben*.

유목(流木) Treibholz *n.* -es, ⸚er. ~하다 Holz treiben* (flößen; triften).

유목(遊牧) Nomadismus *m.* -; Nomadentum *n.* -s. ~하다 nomadisieren. ‖~민 Nomade *m.* -n, -n. ~민족 Nomadenvolk *n.* -(e)s, ⸚er. ~생활 Nomadenleben *n.* -s.

유무(有無) Sein od. Nichtsein; vorhanden sein od. nicht vorhanden sein; 《존재》 das Vorhandensein*, -s; Existenz *f.* -en. ¶~상통하다 [4]sich gegenseitig ergänzen / 돈의 ~를 확인하다 fest|stellen, ob das Geld vorhanden ist od. nicht. / 이상의 ~를 보고하시오 Lassen Sie mich wissen, ob sich irgend etwas verändert hat!

유문(幽門) 〖해부〗 Pylorus *m.* -, ..ren; Magenpförtner *m.* -s, -.

유물(唯物) ¶~적 materialistisch.

‖~론 Materialismus *m.* -: ~론자 Materialist *m.* -en, -en. ~변증법 die materialistische Dialektik. ~사관 die materialistische Geschichtsauffassung, -en; der historische Materialimus (사적유물론).

유물(遺物) Überrest *m.* -(e)s, -e (-er); Reste《*pl.*》; Überbleibsel *n.* -s, -; Erbstück *n.* -(e)s, -e (선조로부터의); Reliquie *f.* -n (성도의). ¶이조 시대의 ~ (Über)reste aus der *Yi*-Dynastie / 그는 전세기의 ~이다 Er hat sich selbst überlebt.

유미(乳糜) Milchsaft *m.* -(e)s, ⸚e.

유미(柳眉) die wohlgeformten weiblichen Augenbrauen《*pl.*》.

유미(唯美) Ästhetik *f.* ¶~적인 ästhetisch.

‖~주의 Ästhetizismus *m.* -: ~주의자 Ästhet *m.* -en, -en.

유미류(有尾類) 〖동물〗 Schwanzlurche《*pl.*》; Urodelen《*pl.*》.

유민(流民) umherziehendes Volk, -(e)s; die Landstreicher《*pl.*》. ☞ 유랑민.

유민(遊民) Tagedieb *m.* -(e)s, -e; Nichtstuer *m.* -s, -; Drohne *f.* -n. ‖고등~ der beschäftigungslose Gebildete*, -n, -n.

유밀과(油蜜果) Küchlein aus Öl u. Honig.

유바지(油—) geölte Hose (als Regenschutz) Ölzeughose *f.* -, -n.

유발(乳鉢) Mörser *m.* -s, -. ¶~에 갈다 in e-m Mörser (zer)reiben*[4].

유발(遺髮) das von e-m Toten hinterlassene Haar, -(e)s, -e.

유발하다(誘發—) hervor|rufen*[4]; verursachen[4].

유방(酉方) 〖민속〗 Die Richtung des Hahns (=Westen).

유방(乳房) Busen *m.* -s, -; Brüste《*pl.*》. ¶~이 볼록하다 Der Busen ist geschwollen.

유배(流配) ~하다 verbannen[4]. ¶~되다 verbannt (exiliert) werden《*aus*[3]》; des Landes verwiesen werden.

‖~인 der Verbannte* (Exilierte*) -n, -n. ~지 Verbannungsort *m.* -(e)s, -e.

유백(乳白) ¶~색의 milchweiß.

유별(有別) Unterschied *m.* -(e)s, -e; Differenz *f.* -en. ~나다 unterscheiden; verschieden (sein). ¶~나게 unterschieden; insbesondere; besonders / ~난 사람 ein Sonderling / 남녀 ~하다 Es gibt einen Unterschied zwischen Mann und Frau.

유별(類別) Einstufung *f.* -en; Klassifikation *f.* -en. ~하다 ein|stufen[4] ⟪*in*[4]⟫; klassifizieren[4] ⟪*in*[4]⟫; sortieren.

유보(留保) Vorbehalt *m.* -(e)s, -e; Reservation *f.* -en. ~하다 vor|behalten*[4] ⟪*jm.*⟫; reservieren[4] ⟪*jm.*⟫; zurück|legen[4] ⟪*jm.*⟫. ¶ …을 ~하여 mit (unter) [3]Vorbehalt[2].

유보(遊步) Spaziergang *m.* -(e)s, -e; Promenade *f.* -n. ~하다 spazieren|gehen* ⓢ; e-n Spaziergang machen; promenieren ⓢ. ‖ ~갑판 Promenadendeck *n.* -(e)s, -e (-s).

유복(有服) nahe Verwandte, für die man das Trauerkleid an|ziehen muß. ‖ ~지친(之親) ☞ 유복(有服).

유복(有福) Glückseligkeit *f.* ~하다 glücklich; gesegnet (sein).

유복(裕福) Wohlhabenheit *f.*; Bemitteltheit *f.*; Reichtum *m.* -(e)s, ¨er. ~하다 wohlhabend; reich; begütert; bemittelt; vermögend (sein). ¶ ~한 사람 die wohlhabende (reiche) Person; ein Mann in guten Umständen / ~한 가정에 태어나다 aus wohlhabender (reicher) [3]Familie sein; mit e-m silbernen Löffel geboren sein / ~하게 살다 im Überfluß leben; in guten [3]Verhältnissen leben / ~해지다 reich werden; Reichtum erlangen / 그리 ~하지 못하다 in beschränkten Verhältnissen sein / ~하게 자라다 in guten Verhältnissen auf|wachsen* (aufgezogen werden).

유복자(遺腹子) der Nachgeborene*, -n, -n; 〖법〗 Post(h)umus *m.* -, ..mi.

유부(油腐) der gebackene Bohnenstich, -(e)s, -e.

유부간(有夫姦) Ehebruch *m.* -(e)s, ¨e.

유부녀(有夫女) ① ⟪남의 아내⟫ die Frau ⟪-en⟫ e-s [2]anderen. ② ⟪결혼한 여자⟫ die verheiratete Frau, -en.

유비무환(有備無患) „Vorsorge ist besser als Nachsorge“ ¦ „Vorsorge verhütet Nachsorge.“

유빙(流氷) = 성에[1] ②.

유사(有史) ¶ ~ 이래의 seit Menschengedenken; ohne [4]Vorgang in der Geschichte; in der Menschengeschichte nie gesehen (noch nie vorgekommen) / ~ 이전(以前)의 vorgeschichtlich / ~ 이래의 대재변 die unerhörte Katastrophe, -n.

유사(有事) das (plötzlich eingetretene) Ereignis, -ses, -se. ¶ ~시에 im Notfall; im Fall der Not / ~시에 대비하다 für den Notfall zurück|legen (auf|bewahren; auf|sparen) (저장하다); gegen unvorhergesehene Fälle Vorkehrungen treffen*.

유사(流砂) Treibsand *m.* -(e)s, -e; Flugsand *m.*

유사(類似) Ähnlichkeit *f.* -en; Analogie *f.* -n [..gí..ən]; Gleichartigkeit *f.* -en; Verwandtschaft *f.* -en. ~하다 ähnlich (analog(isch[3]); gleichartig ⟪*mit*[3]⟫; verwandt ⟪*mit*[3]⟫) (sein); ähneln[3]; [3]sich ähnlich sehen*; Ähnlichkeit haben ⟪*mit*[3]⟫; aus|sehen* ⟪*wie*⟫; erinnern ⟪*an*[4]⟫; gemahnen ⟪*an*[4]⟫; nach|arten[4] (-schlagen*[3]) ⓢ. ¶ 양쪽이 다 ~한 점이 많다 Die beiden haben viel Gemeinsames. / ~품을 주의하시오 Man hüte sich vor Nachahmungen! ¦ Vor Nachahmungen (Imitationen) wird gewarnt!

유산(有產) ‖ ~계급 die besitzende Klasse, -n; Bourgeoisie [burʒoa..] *f.* -n. ~자 der Besitzende* (Vermögende*; Wohlhabende*) -n, -n; Bourgeois [burʒoá] *m.* - [..ʒoá(s)], - [..ʒoás].

유산(乳酸) Milchsäure *f.* ‖ ~균 Milchsäurenbazillus *m.* -, ..zillen. ~염(塩) Laktat *n.* -(e)s, -e; Milchsäurensalz *n.* -es, -e.

유산(流產) Fehlgeburt *f.* -en; Abortus *m.* -, -; Abort *m.* -es, -e. ~하다 ① ⟪아이를⟫ e-e Fehlgeburt haben; fehl|gebären*; abortieren; e-e Fehlgeburt (e-n Abort(us)) herbei|führen (verursachen) (고의로). ¶ 아주머니는 ~했다 Die Tante hat e-e Fehlgeburt gehabt. ② ⟪비유적⟫ fehl|schlagen*; mißglücken ⓢ; mißlingen* ⓢ; mißraten* ⓢ; scheitern ⓢ; k-n Erfolg haben; zu k-m Ergebnis kommen* ⓢ. ¶ 그의 계획은 모두 ~되었다 All s-e Pläne sind zu Wasser geworden. ¦ S-e Pläne haben sich alle ergebnislos (fruchtlos) bewiesen.

유산(硫酸) = 황산(黃酸).

유산(遊山) Ausflug *m.* -s, ¨; Exkursion *f.* -en; Picknick *n.* -s, -e (-s); Spaziergang *m.* -s, -s. ~하다 e-n Ausflug machen. ‖ ~객 Ausflügler *m.* -s, -.

유산(遺產) 〖법〗 Erbe *n.* -s; Erbgut *n.* -(e)s, ¨er; Erbschaft *f.* -en; Nachlaß *m.* ..lasses, ..lässe; Hinterlassenschaft *f.* -en. ¶ ~을 받다 *js.* Vermögen erben ⟪von *jm.*⟫ / (많은) ~을 남기다 ein (großes) Vermögen (Eigentum) nach|lassen* (hinterlassen*) / 아버지의 ~을 받다 die Erbe des Vaters an|treten* / 아버지의 ~이 좀 있다 Mein Vater hat mir etwas hintergelassen. ‖ ~관리 Erbschaftsverwaltung *f.* -en: ~관리인 Erbschafts¦verwalter *m.* -s, -(남자) (-verwalterin *f.* ..rinnen (여자)). ~분할 die Verteilung des Erbgutes. ~상속 Erbfolge *f.*: ~상속세 Erbschaftssteuer *f.* -n / ~상속인 Erbe *m.* -n, -n (남자); Erbin *f.* ..binnen (여자).

유산탄(榴散彈) Schrappnell *n.* -s, -e (-s); Schrappnell¦granate *f.* -n (-kugel *f.* -n).

유삼(油衫) Regenmantel *m.* -s, -; wasserdichte Jacke, -n.

유상(有償) Entschädigung *f.* -en; Ersatzleistung (Gegen-) *f.* -en; Vergütung *f.* -en. ¶ ~의 gegen e-e Entschädigung (Ersatzleistung). ‖ ~계약 Vertrag ⟪*m.* -(e)s, ¨e⟫ unter der Bedingung e-r Gegenleistung. ~몰수 die Beschlagnahme ⟪-n⟫ mit Vergütung (Entgelt). ~원조 die Unterstützung mit Vergütung (auf Kredit).

유상(油狀) Ölig-sein *n.* -s, -. ¶ ~의 ölig; wie Öl.

유상(乳狀) ¶ ~의 milchig.

유상무상(有象無象) ① ⟪만상⟫ alles im Weltall. ② ⟪어중이 떠중이⟫ Krethi u. Plethi; Hinz u. Kunz; Hans u. Franz; Pöbel *m.* -s, -; Krämervolk *n.* -(e)s, ¨er.

유색인종(有色人種) die farbige Rasse, -n.

유생(有生) das Lebendige*, -n. ‖ ~기원설 〖생물〗 Biogenese *f.* ~물 Lebewesen *n.* -s, -; Organismus *m.* -, ..men.

유생(儒生) Konfuzianist *m.* -en, -en (Gelehrter *od.* Schüler).

유서(由緖) Geschichte *f.* -n (내력). ¶ ~ 있는 가문의 aus gutem Geschlecht; von hoher Geburt; von guter (edler) Abkunft (Herkunft) / ~ 깊은 in Geschichte (Sage) berühmt / ~ 깊은 집안 die alte (vornehme; historische) Familie / 이 나무는 ~가 깊다 Dieser Baum hat e-e Geschichte. ¦ Mit dem Baum ist e-e Geschichte verknüpft.

유서(遺書) Testament *n.* -(e)s, -e; der letzte Wille, -ns, -n; ⟪유저⟫ das hinterlassene

Werk, -(e)s, -e; 《유필》 das hinterlassene Schreiben*, -s. ¶ ～를 쓰다 sein Testament machen / 자살의 동기가 ～에 담겨 있었다 Das Motiv zum Selbstmord war in e-m hinterlassenen Brief angegeben.

유서(類書) dergleichen Bücher 《*pl.*》; Bücher 《*pl.*》 dieser Art.

유선(有線) ¶ ～의 Draht- / ～으로 mit (per) Draht / ～으로 송신하다 mit Draht übermitteln[4] (중계 따위). ‖ ～방송 Drahtfunk *m.* -(e)s. ～전화 Drahttelephon *n.* -(e)s, -e. ～텔레비전 Kabelfernsehen *n.* -s.

유선(乳腺) Mamma *f.* ..mae; Brust¦drüse (Milch-) *f.* -n. ‖ ～염 Brustdrüsenentzündung *f.* -en; Mastitis *f.* ..stitiden.

유선(遊船) Jacht *f.* -en (요트); das sportliche Motorboot, -(e)s, -e.

유선형(流線型) Stromlinien¦form (Tropfen-) *f.* -en. ¶ ～의 stromlinienförmig (tropfenförmig); in [3]Stromlinienform *usw.* / ～으로 하다 e-e Stromlinienform geben*[3].
‖ ～자동차 Stromlinien¦wagen (Tropfen-) *m.* -s, - (*od.* -auto *n.* -s, -s).

유설(謬說) e-e falsche (irrige; irrtümliche) Ansicht (Meinung) *f.*; e-e falsche (irreführende) Theorie, -n.

유성(有性) ¶ ～의 geschlechtlich. ‖ ～생식 die geschlechtliche Fortpflanzung, -en.

유성(有聲) ¶ ～의 〖음성〗 stimmhaft; weich (탁음) / ～으로 발음하다 stimmhaft (weich) aus|sprechen*[4].
‖ ～영화 Ton¦film (Sprech-) *m.* -(e)s, -e. ～음 der stimmhafte Laut, -(e)s, -e: ～음화 Vokalisation *f.* -en. ～자음 der stimmhafte Konsonant, -en, -en.

유성(油性) fettig; schmierig; glitschig.
‖ ～도료 Ölfarbe *f.* -n. ～페니실린 Penicillinöl *n.* -s, -.

유성(流星) Stern¦schnuppe *f.* -n (-schuß *m.* ..sses, ..schüsse); Meteor *m.* -s, -e. ‖ ～우(雨) Sternschnuppenschwarm *m.* -(e)s, ⸗e.

유성(遊星) 〖천문〗 Planet *m.* -en, -en. ¶ ～의 planetarisch.
‖ 내(외)～ die inneren (äußeren) Planeten 《*pl.*》. 소～ Planetoid *m.* -en, -en. 1등(2등) ～ Hauptplanet *m.* -en, -en (Planetenmond *m.* -(e)s, -e).

유성기(留聲器) ＝축음기.

유세(有稅) ¶ ～의 steuer¦pflichtig (zoll-).
‖ ～지(地) der steuerpflichtige Boden, -s, ⸗ (-). ～품 die zoll¦pflichtige (steuer-) Sache, -n (Ware, -n).

유세(有勢) ① ～하다 《세력이 있다》 einflußreich; von großen Einfluß; (ge)wichtig; e-e Machtstellung innehabend; mächtig (sein).
② ～하다 《세력부리다》 s-n Einfluß geltend machen (zur Geltung bringen*); s-e Macht geltend machen (권력을); 《뽐내다》 hochmütig (stolz) sein; [3]sich e-n Stiefel ein|bilden 《*auf*[4]》; [4]sich wie ein Pfau brüsten 《*mit*[3]》; 《큰 체하다》 e-e große Miene an|nehmen*; [4]sich breit (dick; groß; wichtig) machen. ¶ 부모의 위세를 믿고 ～하다 den Nimbus des elterlichen Einflusses geltend machen; hinter u. unter dem elterlichen Ansehen groß|tun* / ～떨다, ～부리다 ＝유세하다.

유세(遊說) Volks¦rede (Wahl-) *f.* -n. ～하다 Volksreden (Wahlreden) halten* (im Lande); als Volksredner (Wahlredner; Parteiwerber) durchziehen*[4] (umher|ziehen*).
¶ 전국을 ～하며 다니다 Wahlreden haltend im Lande umher|ziehen* ⓢ; im ganzen Lande agitieren / 선거구를 ～하며 돌아다니다 in Wahlkreisen Volksreden halten*; den Wahlkreis bearbeiten / 당수 자신이 ～에 나섰다 Der Parteiführer selbst hat e-e Agitationsreise angetreten. / 그는 지금 지방 ～중이다 Er ist jetzt auf dem Lande, um Wahlreden zu halten.
‖ ～여행 Werbefeldzug *m.* -(e)s, ⸗e. ～원 Volks¦redner (Wahl-) *m.* -s, -.

유세(誘說) Überredung *f.* -en; Überzeugung *f.* -en. ～하다 überreden[4]; überzeugen[4].

유소(幼少) Kindheit *f.* -en; Minderjährigkeit *f.* -en; Unmündigkeit *f.* -en. ～하다 jung; kindlich; jugendlich (sein).
‖ ～년 Kind *n.* -es, -er; ältere und jüngere Kinder.

유속(流俗) (Ge)brauch *m.* -(e)s, ⸗e; Sitte *f.* -n; Gewohnheit *f.* -en; 《세속》 Welt *f.*; das irdische Leben, -s.

유속(流速) Stromgeschwindigkeit *f.* -en.
‖ ～계 Stromgeschwindigkeitsmesser *m.* -s, -; Strommesser *m.* -s, -. ～측정 Stromgeschwindigkeitsmessung *f.* -en.

유속(遺俗) Überlieferung *f.* -en; überlieferte Gebräuche 《*pl.*》; überkommenes Brauchtum, -s.

유수(幼樹) ein junger Baum, -(e)s, ⸗e.

유수(有數) ～하다 führend; hervorragend; prominent; profiliert (sein). ¶ ～한 어학자 der hervorragende Sprachforscher, -s, - / ～한 학자 ein Gelehrter erster Größe / ～한 작가 ein Schriftsteller ersten Ranges.

유수(幽囚) Gefangenschaft *f.*;Einkerkerung *f.* -en; Einsperrung *f.* -en.
‖ 바빌론～ Babylonische Gefangenschaft.

유수(幽邃) ～하다 abgelegen und einsam (sein). ¶ ～의 경(境) der einsame Platz -es, ⸗e (Ort, -(e)s, -e).

유수(流水) Fließwasser *n.* -s, -; das fließende Wasser. ¶ 세월이 ～같다 Die Zeit fliegt wie ein Pfeil.

유숙(留宿) das Übernachten*, -s; Übernachtung *f.* -en; 《체재》 Aufenthalt *m.* -(e)s, -e. ～하다 《bei *jm.*》 bleiben* ⓢ (übernachten; ab|steigen*); eingekehrt (abgestiegen) sein* 《bei *jm.*; *in*[3]》; unter|kommen* ⓢ 《bei *jm.*》; wohnen 《bei *jm.*》. ¶ 하룻밤 ～하다 über [4]Nacht bleiben* ⓢ / 여관에 ～하다 in e-m Gasthof bleiben* ⓢ.

유순(柔順) Sanftheit *f.*; Sanftmütigkeit *f.*; Milde *f.* ～하다 sanft(mütig); mild(e) (sein). ¶ 그는 양같이 ～하다 Er ist lammfromm. / 개는 ～한 짐승이다 Der Hund ist ein sanftmütiges Tier. / 마음이 ～한 처녀다 Sie ist ein mildherziges Mädchen.

유스타카오관(一管) 〖해부〗 die Eustachische Röhre (Tube) -n; Ohrtrompete *f.* -n.

유습(遺習) überlieferter Brauch, -(e)s, ⸗e.

유시(幼時) Kindheit *f.* -en; Kindesalter *n.* -s; Kinderzeit *f.*

유시(酉時) 〖민속〗 die Stunde des Hahns: ① die 10. Stunde der 12 Doppel Stunden (＝zwischen 17 u. 19 Uhr). ② die 19. Stunde der 24 Stunden (＝zwischen 17, 30 u. 18, 30 Uhr).

유시(流矢) verirrter Pfeil, -s, -e; Zufallsschuß 《*m.* -es, ⸗e》 mit e-m Pfeil.

유시(諭示) Ermahnung *f.* -en; Verweis *m.*

-es, -e; Zurechtweisung *f.* -en. ~하다 ermahnen[4]; *jm.* verweisen*[4]; zurecht|weisen*[4]. ¶ 대통령의 ~ die Botschaft des Präsidenten.

유시계비행(有視界飛行) Sichtflug *m.* -(e)s, ⸚e.

유시류(有翅類) 〖곤충〗 Fluginsekten 《*pl.*》; *Pterygogenea* (학명).

유시무종(有始無終) Anfang ohne Ende; Unvollständigkeit *f.* -en. ~하다 unvollständig (sein).

유시유종(有始有終) Vollständigkeit *f.* -en; Vollkommenheit *f.* -en. ~하다 vollständig; vollkommen (sein).

유식(有識) Gelehrsamkeit *f.*; Gelehrtheit *f.* ~하다 gelehrt; belesen; gebildet (sein). ¶ ~한 사람 der Gelehrte* (Gebildete*) -n, -n; der hochgebildete Mensch, -en, -en; ein Mensch von hoher Bildung / ~하게 말하다 elegant (wie gebildet) sprechen* / ~한 체하다 [4]sich stellen, viel zu wissen* / 그가 ~한 데 놀랐다 Ich fürchtete, daß er so gebildet ist.

‖ ~계급 Intelligenz *f.*; der intellektuelle (gebildete) Kreis, -es, -e; Schichte 《*f.* -n》 der Intellektuellen. ~자 der Intellektuelle* (Gebildete*) -n, -n; Kulturmensch *m.* -en, -en (문화인).

유식(遊食) Müßiggang *m.* -(e)s. ~하다 müßig gehen*[s]; ein müßiges Leben führen; auf der Bärenhaut liegen* (빈들빈들).

‖ ~자 Bärenhäuter *m.* -s, -; Müßiggänger *m.* -s, -; Tagedieb *m.* -(e)s, -e.

유신(維新) 《혁신》 Erneuerung *f.* -en. ~하다 erneuern[4]; aus|bessern[4]; [4]*et.* in Ordnung bringen*.

유신(遺臣) der überbliebene Untertan; der Staatsmann (Minister) aus der vorangegangenen (vorherigen) Dynastie.

유신론(有神論) 〖철학〗 Theismus *m.* -. ¶ ~의 theistisch. ‖ ~자 Theist *m.* -en, -en.

유실(流失) ~하다, ~되다 vom Strom(e) (von der Flut) weg|gespült (fort-) (*od.* -gerissen; -geschwemmt; -getragen) werden. ¶ 홍수로 ~된 가옥이 약 2백 채나 된다 Ungefähr 200 Häuser wurden von der Überschwemmung mitgerissen.

유실(遺失) das Verlieren*, -s; Verlust *m.* -es. ~하다 verlieren*[4]; zurück|lassen*[4].

‖ ~물 das Liegengelassene*, -n, -n; Fundsache *f.* -n; die verlorene Sache, -n: 차내의 ~물 die im Wagen zurückgelassenen (verlorenen) Sachen 《*pl.*》 / ~물 센터 Fundbüro *n.* -s, -s; Fundabgabestelle *f.* -n. ~신고 die (An)meldung 《-en》 e-s Verlustes. ~자 Verlierer *m.* -s, -.

유심론(唯心論) Spiritualismus *m.* -; Idealismus *m.* -. ¶ ~적 spiritualistisch.

‖ ~자 Spiritualist *m.* -en, -en.

유심하다(有心—) acht|geben*[s] 《*auf*[4]》; sorgfältig; aufmerksam (sein). ¶ 유심히 aufmerksam; sorgfältig / 유심히 듣다 aufmerksam hören; zu|hören[3].

유아(幼兒) Kleinkind *n.* -(e)s, -er; 《젖먹이》 Säugling *m.* -s, -e; Baby [bé:bi:] *n.* -s, -s.

‖ ~사망율 Kindersterblichkeit *f.* -en. ~살해 (살해범) Kinder|mord *m.* -(e)s, -e (-mörder *m.* -s, -).

유아(幼芽) Sprößling *m.* -s, -e; Sproß *m.* ..sses, ..sse; Keim *m.* -(e)s, -e.

유아(乳兒) Säugling *m.* -s, -e; Baby [bé:bi:] *n.* -s, -s. ‖ ~각기 Säuglingsberiberi *f.* ~사망율 Säuglingssterblichkeit *f.* ~식 künstliche Ernährung des Säuglings.

유아(遺兒) das Kind 《-(e)s, -er》 e-s Gestorbenen*; Waisenkind *n.* -(e)s, -er.

유아독존(唯我獨尊) ① 〖불교〗 Ich, der einzige Heilige. ¶ 천상천하 ~ Ich bin nicht anderer Herren Diener, sondern gehöre nur mir selbst (an).|Ich bin der Erste u. der Letzte. ② 《도도함》 das Sichfernhalten*, -s; Selbstüberhebung *f.*

유아등(誘蛾燈) Lichtfalle *f.* -n; Locklampe *f.* -n; Köderlampe *f.* -n.

유아론(唯我論) 〖철학〗 Solipsismus *m.* -.

유안(留案) das schwebende (unentschiedene) Problem; die schwebende (unentschiedene) Frage; die offene Frage. ~하다 e-e [4]Sache (Frage; Problem) unentschieden lassen*; (das Gesetz) für künftige Diskussion unentschieden lassen*; [4]*et.* offen lassen*.

유안(硫安) 〖화학〗 Ammoniumsulfat *n.* -(e)s.

유암(乳癌) 〖의학〗 Brust|krebs (Mamma-) *m.* -es, -e.

유압(油壓) Öldruck *m.* -(e)s, ⸚e. ‖ ~계 Öldruckmesser *m.* -s, -. ~브레이크 Öldruckbremse *f.* -n. ~펌프 Öldruckpumpe *f.* -n.

유액(乳液) Milchsaft *m.* -(e)s, ⸚e (식물의); 《화장용》 Milch-Hautwasser *n.* -s, -; Lotion *f.*

유야무야(有耶無耶) ~하다 vernebelt; zweideutig; vage (sein). ¶ ~가 되다 zunichte werden; [4]sich unauffällig entfernen / ~로 덮어버리다 《e-e [4]Sache》 vernebeln [h.s]; verheimlichen; vertuschen / 결과를 ~로 만들다 《die [4]Sache》 verdunkeln.

유약(柔弱) Weichlichkeit *f.*; Schwächlichkeit *f.*; Verweichlichung *f.*; das weibische Wesen, -s. ~하다 weichlich; schwächlich; verweichlicht; weibisch (sein). ¶ 성격의 ~ die Schwäche des Charakters.

‖ ~성 Schwäche *f.* -n.

유약(釉藥) Glasur *f.* -en; Schmelz *m.* -es, -e; Email [emái(l)] *n.* -s, -s. ¶ ~을 칠하다 glasieren[4]; mit Glasur überziehen*[4].

유약하다(幼弱—) jung u. gebrechlich; jugendlich u. schwach (sein).

유어(類語) Synonym *n.* -s, -e; das sinn|verwandte (-gleiche) Wort, -(e)s, ⸚er. ¶ ~이다 synonymisch (sinnverwandt) sein 《*mit*[3]》. ‖ ~사전 das synonymische Wörterbuch, -(e)s, ⸚er.

유언(流言) das falsche (haltlose) Gerücht, -(e)s, -e; die falsche (haltlose) Aussage, -n; Ente *f.* -n (신문의); Falschmeldung *f.* -en. ¶ ~을 퍼뜨리다 ein falsches (haltloses) Gerücht verbreiten (umlaufen lassen*; in [4]Umlauf bringen*[4]; unter die Leute bringen*[4]; umher|streuen). ‖ ~비어 =유언.

유언(遺言) der letzte Wille, -ns, -n; Testament *n.* -(e)s, -e; Vermächtnis *n.* -ses, -se. ~하다 ein Testament machen. ¶ ~을 쓰다 ein Testament errichten (auf|setzen) / ~을 남기다 ein Testament hinterlassen* / ~에 따라서 durch Testament; letztwillig; testamentarisch / ~으로 남기다 *jm.* [4]*et.* testamentarisch vermachen / ~ 없이 죽다 ohne [4]Hinterlassung e-s Testamentes (ohne (ein) Testament) sterben*[s].

‖ ~자 Testator *m.* -s, -en. ~장 das (eigenhändige) Testament; Vermächtnis *n.* ~집행인 Testamentsvollstrecker *m.* -s, -.

유업(乳業) Molkerei *f.* -en; Milchwirtschaft

f. -en; Meierei *f.* -en.

유업(遺業) die hinterlassene Arbeit, -en; die unfertige (unvollendete) Arbeit, -en. ¶ ~을 계승하다 *js.* unvollendete Arbeit übernehmen* / 아버지의 ~을 대성시키다 das von s-m Vater hinterlassene unvollendete Werk 《-(e)s, -e》 vollenden.

유에스 U.S. [◀the United States]; die Vereinigte Staaten.

유에스에이 U.S.A. [◀the United States of America]; die Vereinigten Staaten von Amerika (미국).

유엔 U.N. [◀the United Nations]; die Vereinten Nationen 《생략: VN》. ¶ ~의 승인 die Anerkennung durch die Vereinten Nationen.

‖ ~경찰군 die Polizeistreitkräfte der U.N. ~군 die Armee der Vereinten Nationen: ~군 방송 die (Radio)sendung der Vereinten Nationen / ~군 사령부 der Oberbefehl der Armee der Vereinten Nationen. ~데이 Tag der Vereinten Nationen. ~본부 das Hauptquartier der Vereinten Nationen. ~사무총장 der Generalsekretär der U.N. ~총회 die Vollversammlung der U.N. ~한국대사 der koreanische Botschafter bei den U.N. ~헌장 die Charta der Vereinten Nationen. ~회원국 die Mitgliedsstaaten der U.N.

유여(有餘) mehr als; gut über[4]. ¶ 30 ~년전 vor mehr als dreißig Jahren / 2 시간 ~ gut über zwei Stunden.

유역(流域) Fluß¦gebiet (Strom-) *n.* -(e)s, -e. ¶ 압록강 ~ die vom Yalu durchflossenen Gebiete 《*pl.*》; die Gegend 《-en》 längs des Yalu (dem Yalu).

유연(油然) ① 《물이》 ¶ ~히 ausgiebig; reichlich; ergiebig / ~히 솟다 ausgiebig heraus|strömen [s,h] (sprudeln [s]) 《*aus*[3]》; brodelnd über|quellen* [s]. ② 《흥이》 reichlich; überschüssig. ¶ 흥미가 ~히 솟는다 Das Interesse wird plötzlich rege.

유연(油煙) Lampen¦ruß *m.* -es (-schwarz *n.* ⌈-es).

유연(柔軟) Weichheit *f.*; Biegsamkeit *f.*; Dehnbarkeit *f.*; Elastizität *f.*; Federkraft *f.*; Geschmeidigkeit *f.* ~하다 weich; biegsam; dehnbar; elastisch; federkräftig; federnd; geschmeidig; nachgebend (sein).

‖ ~성 Weichheit *f.*; Geschmeidigkeit *f.*; Biegsamkeit *f.*; Gelenkigkeit *f.*; Elastizität *f.* -en. ~체조 die (rhythmische) Freiübung, -en; (Mädchen)gymnastik *f.*; Kallisthenie *f.*

유연탄(有煙炭) Fettkohle *f.* -n.

유연하다(悠然—) gemessen; gesetzt; gelassen; beherrscht; ruhig (sein). ¶ 유연한 태도로 (걸음으로) in gemessener Haltung (mit gemessenem Schritt) / 소란한 가운데 그는 유연히 퉁소를 불고 있었다 Er blies mitten in dem wirren Lärme ruhig s-e Flöte.

유영(遊泳) das Schwimmen*, -s. ~하다 schwimmen* [s,h]; baden; 《처세》 weiter|rücken; weiter|kommen* [s].

‖ ~기관 Schwimmblase *f.* -n. ~류 〖동물〗 Nekton *n.*; die schwimmenden Insekten 《*pl.*》 ~술 Schwimmkunst *f.* ⸚e.

유예(猶豫) Aufschub *m.* -(e)s, ⸚e; Frist *f.* -en (연기); Stundung *f.* -en (지불의); Verzögerung *f.* -en; Verzug *m.* -(e)s (지체); Verspätung *f.* -en(지연). ~하다 auf|schieben* 《*auf*[4]》; *jm.* (die[4] Zahlung) stunden; anstehen lassen*; fristen[4]; *jm.* e-e Frist geben* (gewähren); e-e Gnadenfrist gewähren[3] (형벌 따위를). ¶ ~없이 unverzüglich; ohne [4]Verzug; fristlos/~를 허락치 않다 k-n Aufschub dulden (leiden*); [4]sich nicht länger aufschieben lassen* / 일각의 ~도 할 수 없다 Kein Augenblick ist zu verlieren. / 3 일간의 ~를 주다 e-e Frist von drei Tagen (noch drei Tage Frist) gewähren[3] (bewilligen[3]).

‖ ~기간 Frist *f.* -en; Stundungsfrist *f.* -en (지불의); Gnadenfrist *f.* -en (형의). 지불~ Stundung *f.* -en. 집행~ Strafaufschub *m.* -(e)s, ⸚e.

유용(有用) Nützlichkeit *f.*; Brauchbarkeit *f.* ~하다 nützlich; dienlich; tauglich; zweckmäßig; 《이용할 수 있는》 brauchbar; verwendbar (sein). ¶ ~한 인재 der nützliche Mensch, -en, -en/돈을 ~하게 쓰다 von s-m Gelde guten Gebrauch machen; Geld zweckmäßig gebrauchen; mit Geld gut umzugehen wissen*.

‖ ~식물 Nutzpflanze *f.* -n.

유용(流用) die Verwendung 《-en》 zu e-m anderen Zweck; Andersverwendung. ~하다 zu e-m anderen Zweck(e) (anders) verwenden*. ¶ 공금을 ~하다 öffentliche Gelder 《*pl.*》 unrechtmäßig (zu e-m illegalen Zweck(e)) verwenden*.

유원(悠遠) Entfernung *f.* -en. ~하다 fern; weit entfernt (sein).

유원지(遊園地) (Kinder)spielplatz *m.* -es, ⸚e (놀이터); Rummelplatz *m.* -es, ⸚e (구경거리, 탈것 따위의 시설이 있는).

유월(六月) Juni 《생략: Jun.》.

유월(流月) der 6. Monat des Mondkalenders.

유월(榴月) der 5. Monat des Mondkalenders.

유월절(逾越節) 〖성서〗 Passah *n.* -s; Passahfest *n.* -es.

유위(有爲) Tüchtigkeit *f.* -en; Fähigkeit *f.* -en. ~하다 fähig; begabt; befähigt; tauglich; brauchbar; tüchtig (sein). ¶ ~한 인재 ein Mensch, der viel verspricht / ~한 청년 der vielversprechende (vielverheißende) Jüngling, -s, -e.

유위전변(有爲轉變) Wechselfälle 《*pl.*》; Vergänglichkeit *f.* (무상).

유유낙낙(唯唯諾諾) ~하다 bereitwillig (bejahend; sanftmütig) sein. ¶ ~ 그저 시키는 대로 일하다 auf Geheiß u. Befehl arbeiten.

유유도일하다(悠悠度日—) faul fort|leben; müßiggehen.

유유범범하다(悠悠泛泛—) langsam(besonnen); gemächlich (sein).

유유상종(類類相從) ~하다 „Gleich u. gleich gesellt sich gern."¦Verwandtes ruft seinesgleichen. ⌈-s, -s.

유유아(乳幼兒) Säugling *m.* -s, -e; Baby *n.*

유유자적하다(悠悠自適—) ruhig (gelassen; in aller Ruhe; gemächlich; in aller Muße; ohne Eile) sein. ¶ 유유자적한 나날을 보내다 ein geruhiges (geruhsames; beschauliches) Leben führen; zurückgezogen (aber zufrieden) leben; 〖속어〗 s-n Kohl bauen.

유유하다(悠悠—) 《침착하게》 ruhig (gelassen; geruhsam; gefaßt; unerschütterlich; 《태평》 langsam; faul; gemächlich) sein. ¶ 유유하게 《한가》 müßig; bequem / 유유하게 살다 gemächlich leben / 유유하게 일을 시작하다 gemächlich an die Arbeit gehen* [s].

유음(溜飮) 〖한의학〗 übersäuerter Magen.

유의(有意) 《마음에 있음》 Freiwilligkeit *f.* -en; Neigung *f.* -en; 《의식적》 Absicht *f.* -en. **~하다** freiwillig (sein); Absicht haben; Vorsatz haben.
유의(油衣) =유삼(油衫).
유의(留意) Aufmerksamkeit *f.*; Acht *f.*; 《고려》 Rücksicht *f.*; Berücksichtigung *f.* **~하다** berücksichtigen⁴; Rücksicht (Bedacht) nehmen* 《*auf*⁴》; besorgt sein 《*um*⁴》; ³sich angelegen sein lassen*⁴. ¶ ~하지 않다 außer acht lassen*; nicht in acht nehmen*; k-e Achtung geben* 《*auf*⁴》; 《고려하지 않다》 k-e Rücksicht nehmen* 《*auf*⁴》 / ~해야 할 beachtenswert; merkwürdig / ~해서 듣다 aufmerksam (achtsam) hören / 그런 위험에는 ~하지도 않는다 Er gibt der Gefahr k-e Achtung.
유의유식(遊衣遊食) =무위도식.
유의의(有意義) **~하다** bedeutungsvoll; sinnvoll; inhaltsreich; bedeutsam (sein). ¶ ~한 일 e-e lohnende Arbeit, -en / ~한 생활을 하다 ein Leben mit Zweck u. Ziel führen.
유익(有益) ① 《유용》 Nutzen *m.* -s, -; Nützlichkeit *f.* ② 《이득》 Gewinn *m.* -(e)s, -e; Profit *m.* -(e)s, -e; Verdienst *m.* -es, -e; Vorteil *m.* -(e)s, -e. **~하다** nützlich; gewinnbringend; profitabel; verdienstlich; vorteilhaft; 《교훈적》 lehrreich; 《계몽적》 aufschlußreich; 《유용》 brauchbar (sein). ¶ ~한 이야기 die lehrreiche Geschichte (Rede) -n / ~한 경험 die nützliche Erfahrung, -en / ~한 책 die nützliche Lektüre, -n / ~한 사업 die einträgliche Unternehmung, -en / 국가에 ~한 dem Staate dienlich / ~하게 쓰다 aus|nützen⁴ (-nutzen⁴); ³sich zunutze machen / 이 책은 재미 있고 ~하다 Dieses Buch ist interessant u. auch lehrreich.
유익(遊弋) das Kreuzen*, -s. **~하다** kreuzen; hin u. her fahren* ⓢ. ¶ 적함을 찾아서 ~하다 auf der Suche nach der feindlichen Flotte hin u. her fahren* / 동해 바다를 ~하다 auf dem Ostmeer kreuzen.
유인(有人) ¶ ~의 bemannt 《Raumschiff》.
‖ **~위성** der bemannte Satellit, -en, -en.
유인(誘引) Anlockung *f.* -en; das Herbeiführen*, -s. **~하다** an|locken⁴; herbei|führen⁴. ¶ ~해 내다 heraus|locken 《*aus*³》 / 감언이설로 ~하다 *jn.* durch Versprechungen (Hoffnungen) locken / 소동을 일으키도록 ~하다 andere zum Aufstand an|stacheln ((an)reizen) / 그는 남의 딸을 ~했다 Er hat die Tochter e-s andern entführt.
유인(誘因) Anlaß *m.* ..lasses, ..lässe; Veranlassung *f.* -en; die veranlassende (direkte) Ursache, -n; Antrieb *m.* -(e)s, -e; Anstoß *m.* -es, ⸗e (동인); Beweggrund *m.* -(e)s, ⸗e; Triebfeder *f.* -n (동기). ¶ ~이 되다 Anlaß geben* 《*zu*³; zu 부정법》; veranlassen⁴; verursachen⁴; bewirken⁴; herbei|führen⁴ / 사소한 사건이 국제 전쟁의 ~이 되는 수가 있다 Ein unbedeutender Vorfall kann e-n internationalen Krieg verursachen.
유인물(油印物) Drucksache *f.* -n.
유인성(柔靭性) Flexibilität *f.* -en; Elastizität *f.* -en; Spannkraft *f.* -en. ¶ ~이 있다 flexibel (elastisch) sein.
유인원(類人猿) 〖동물〗 Anthropoid *m.* -en, -en; Menschenaffe *m.* -n, -n.
유일(酉日) 〖민속〗 der Tag des Hahns.
유일(唯一) **~하다** einzig; einzigartig; alleinig; ohnegleichen (sein). ¶ ~한 예 das einzige Beispiel, -(e)s, -e / ~한 친구 *js.* einziger Freund, -(e)s, -e / 그가 할 수 있는 ~한 일 das einzige, was er tun kann / ~한 상속자 der einzige Erbe, -n. -n / ~한 희망도 사라지고 말았다 M-e einzige Hoffnung ist geschwunden.
유일무이(唯一無二) das ein u. alles Sein. ¶ ~한 친구 der einzige Freund / 독서가 그의 ~한 즐거움이다 Bücherlesen ist sein einziges Vergnügen.
유임(留任) das Behalten* 《-s》 (das Nicht-Aufgeben*, -s) s-s Amt(e)s (s-s Postens; s-r Stellung); das (Ver)bleiben* 《-s》 im Amte (im Posten; in der Stellung). **~하다** sein Amt (s-n Posten; s-e Stellung) behalten* (nicht auf|geben*); im Amt(e) (im Posten; in der Stellung) (ver)bleiben* ⓢ. ¶ ~되다 bestehen* 《*auf*³》; zurück|halten werden 《*von*³》 / ~을 권하다 *jm.* raten*, im Amte zu bleiben.
‖ **~운동** der Versuch 《-(e)s, -e》, sein Amt (s-n Posten; s-e Stellung) zu behalten (nicht aufzugeben); der Versuch, im Amte (im Posten) zu (ver)bleiben.
유입(流入) das Ein¦fließen* (Zu-) -s (*od.* -strömen*, -s); Ein¦fluß (Zu-) *m.* ..flusses; das Einmünden (강의). **~하다** ein|fließen* (zu|-) ⓢ (*od.* -|strömen ⓢ). ¶ 외자의 ~ der Zufluß (das Zufließen*; das Einströmen*) von (an) ausländischem Kapital.
유자(柚子) 〖식물〗 Bergamottzitrone *f.* -n; Pomeranze *f.* -n.
‖ **~나무** Zitronenbaum *m.* -(e)s, ⸗e.
유자(遊資) 〖경제〗 ☞ 유휴자금.
유자격(有資格) ¶ ~의 qualifiziert; fähig; berechtigt.
‖ **~교사** der konzessionierte Lehrer, -s, -. **~자** der Berechtigte* (Qualifizierte*; Konzessionierte*) -n, -n; der Placierte*, -n, -n (예선을 통과한 사람).
유자생녀하다(有子生女—) viele Söhne und Töchter zur (auf die) Welt bringen*.
유자형(—字型) U-formig.
‖ **~볼트** (관) die U-Bolzen (Tube). **~커브** die U-Kurve.
유작(有爵) ¶ ~의 ad(e)lig.
‖ **~자** der Ad(e)lige*, -n, -n; Adel *m.* -s (계급으로서의); ein Herr 《-n, -en》 von.
유작(遺作) das nachgelassene (hinterlassene) Werk, -(e)s, -e.
유장(乳漿) Molke *f.* -n; Molken *m.* -s, -.
유장하다(悠長—) 《길고 오램》 langzeitlich; gemächlich (sein); 《지루함》 langweilig; lästig (sein); 《성미가》 langsam (sein).
유저(遺著) das hinterlassene (post(h)ume) Werk 《-(e)s, -e》 e-s Schriftstellers; die nachgelassenen Schriften 《*pl.*》. ¶ 김박사의 ~ das hintergelassene Werk 《-(e)s, -e》 von Doktor *Kim*.
유적(幽寂) Einsamkeit *f.*; Abgeschiedenheit *f.*; Verlassenheit *f.* **~하다** einsam u. totenstill (sein).
유적(流賊) Bandit *m.* -en, -en; Plünderer *m.* -s, -; Strolch *m.* -s, -e.
유적(遺跡) Ruine *f.* -n; Trümmer 《*pl.*》; Überrest *m.* -(e)s, -e. ¶ 고대 문명의 ~ die Überbleibsel 《*pl.*》 der alten Zivilisation / 역사상의 ~ der Ort (die Stelle) von geschichtlicher Wichtigkeit; der geschichtliche Überrest / 로마의 ~ die Ruine von

Rom / ~을 찾다 die Ruine besuchen.

유전(油田) (Erd)ölfeld *n.* -(e)s, -er; Petroleumfeld *n.* -(e)s, -er. ¶ ~을 발견하다 Öl in der Erde suchen 〔finden*〕/ ~을 개발하다 e-e Ölquelle erschließen*.

‖ ~지대 (Erd)ölgebiet *n.* -(e)s, -e. ~탐사, ~개발 die Erschließung des Erdölfeldes.

유전(流典) Verfall *m.* -(e)s. ¶ ~시키다 《저당물을》 verfallen lassen*[4]; für verfallen erklären / ~된 시계 die ungetilgte Uhr, -en.

‖ ~물 verfallenes Pfand, -(e)s, ⸗er: ~물 공매 처분 die Zwangsversteigerung des verfallenen Pfandes.

유전(流傳) Verbreitung *f.* -en; Zirkulation *f.* -en; Ausstreuung *f.* -en; Umlauf *m.* -es, ⸗e. ~하다 ([4]sich) ver|breiten[4]; zirkulieren; aus|streuen; in Umlauf bringen*; in Umlauf setzen*.

유전(流轉) ① 《윤회》 Metempsychose *f.* -n; Seelenwanderung *f.* -en. ~하다 über|gehen; [4]sich wandeln. ¶ 만물은 ~한다 Alles wandelt sich fortwährend.

② 《이전》 ~하다 herum|wandern 〔umher|-〕 (*od.* -|schwärmen; -|ziehen*) ⓢ; [4]sich umher|treiben*; von e-m Ort zum andern wandern.

유전(遺傳) Vererbung *f.* -en; Erblichkeit *f.* ~하다 vererben[4]; [4]sich vererben 《von *jm.* auf *jn.*》; (ver)erblich 〔hereditär; vererbt〕 sein. ¶ ~성의, ~적인 (ver)erblich; vererbt; hereditär / ~적으로 erblich / 아무에게 병을 ~하다 *jm.* 〔auf *jn.*〕 e-e Krankheit vererben / 아무에게서 병이 ~되다 e-e Krankheit erben 《von *jm.*》/ 폐병은 ~한다고 한다 Lungenkrankheit soll erblich sein. / 그 집안엔 정신병이 ~이다 Der Familie liegt 〔steckt〕 Geisteskrankheit im Blute. | Geisteskrankheit ist in der Familie erblich.

‖ ~론 Vererbungstheorie *f.* -n. ~병 Erbkrankheit *f.* -en. ~성 Heredität *f.*; Erblichkeit *f.* ~(인)자 Erbfaktor *m.* -s, ..ren; Gen *n.* -s, -e. ~정보 e-e genetische Information, -en. ~학 Genetik *f.*

유전기(流電氣) 〖전기〗 die galvanische Elektrizität, -en.

유전스 〖상업〗 Usance [yzɑ́:s(ə)] *f.* -n; Gepflogenheit *f.* -en (im Geschäftsverkehr); Handelsbrauch *m.* -(e)s, ⸗e; Usanz *f.* -en (스위스 방언). ⌈-(e)s, -e.

유절음(有節音) 〖음성〗 der artikulierte Laut,

유정(有情) Menschlichkeit *f.* -en; Warmherzigkeit *f.* -en; das sympathische Gefühl, -s, -e; Mitleid *n.* -(e)s. ~하다 menschlich; warmherzig (sein).

유정(油井) Petroleumquelle *f.* -n.

유정(遺精) 〖의학〗 der unwillkürliche Samenabgang, -es, ⸗e.

유제(乳劑) 〖약〗 Emulsion *f.* -en.

유제(遺制) das ererbte System, -s, -e; die altüberlieferte Institution, -en.

유제(類題) das ähnliche Problem, -s, -e.

유제동물(有蹄動物) 〖동물〗 Huftier *n.* -s, -e.

유제류(有蹄類) 〖동물〗 Huftiere 《*pl.*》.

유제품(乳製品) Milchprodukt *n.* -(e)s, -e.

유조(油槽) Ölbehälter *m.* -s, -.

‖ ~기 Tankflugzeug *n.* -(e)s, -e. ~선 Tanker *m.* -s, -; Tankschiff *n.* -(e)s, -e. ~차 Tankwagen *m.* -s, -.

유조(遺詔) das königliche Testament, -(e)s, -e; der letzte Wille des Herrschers.

유조하다(有助—) hilfreich; behilflich[3]; nützlich[3·4] (sein).

유족(遺族) der Hinterbliebene* 〔Hinterlassene*〕 -n, -n; Nachgelassenen 《*pl.*》. ¶ 그는 ~으로 부인과 아들을 남겼다 Er hinterließ s-e Frau u. s-n Sohn. / 그의 ~은 생활이 곤란하지 않다 S-e Familie ist in gesicherten Verhältnissen zurückgelassen worden. / ~ 부조를 위해서 zur Unterstützung der [2]Hinterlassenen.

‖ ~부조금 (Witwen- u. Waisen)pension *f.* -en. ~연금 die Rente für die Hinterlassenen. 전사자~ die Hinterbliebenen der Gefallenen im Krieg.

유족하다(裕足—) genug; genügend; ausreichend; befriedigend (sein). ¶ 유족하게 살다 im Überfluß leben; in guten, behaglichen Umständen leben.

유종(有終) ¶ ~의 미를 거두다 von Erfolg krönen; „Das Ende krönt das Werk."

유종(乳腫) 〖의학〗 Brusttumor *m.* -s, -en; Brustgeschwulst *f.* ⸗e; *Mastitis* (학명).

유죄(有罪) Schuld *f.*; Strafbarkeit *f.* ~하다 schuldig; schuldhaft; sträflich (sein). ¶ ~를 선고하다 schuldig sprechen*[4]; für schuldig erklären[4] / ~로 결정되다 für schuldig befinden*[4]; schuldig geschieden sein / 나는 그의 ~를 믿는다 Ich bin von s-r Schuld überzeugt.

‖ ~인 der Schuldige*, -n, -n; Verbrecher *m.* -s, -. ~판결 Schuldspruch *m.* -(e)s, ⸗e.

유죄(流罪) Verbannungsstrafe *f.* -n; Exilstrafe *f.* -n; Strafe durch Exil.

유주(幼主) 《임금》 der junge Prinz, -en, -en; der junge Fürst, -en, -en; 《주인》 der junge Meister, -s, -.

유주무량(有酒無量) das ungezähmte 〔maßlose〕 Trinken*, -s, -; Sauferei *f.* -en.

유주지물(有主之物) Gegenstand 《*m.* -s, ⸗e》, der 〔die〕 e-n Eigentümer hat 〔haben〕.

유즙(乳汁) Milch *f.*

유증(遺贈) Vermächtnis *n.* ..nisses, ..nisse; Legat *n.* -(e)s, -e. ~하다 vermachen[4].

‖ ~물 Vermächtnis *n.* ..sses, ..sse; Legat *n.* -(e)s, -e. ~자 〖법〗 Vermächtnisaussetzer *m.* -s, -; Erblasser *m.* -s, -: 피~자 Legatar *m.* -s, -e; Vermächtnisnehmer *m.* -s, -; Erbe *m.* -n, -n.

유지(有志) der Alte*, -n, -n; Anführer *m.* -s, -; Chef [ʃɛf] *m.* -s, -s; Einflußreiche* *m.* -n, -n; der tonangebende Mann, -(e)s, ⸗er; der Interessierte* 〔Gleichgesinnte*〕 -n, -n; Gönner *m.* -s, -; Unterstützer *m.* -s, - (지지자); der Freiwillige*, -n, -n. ¶ ~의 freiwillig / ~ 일동으로 im Namen aller Gleichgesinnten 〔Unterstützer〕/ ~제위의 참석을 환영합니다 Wer dafür Interesse hat, ist herzlich eingeladen.

‖ 지방~ Landesheilige *m.* -n, -n.

유지(油脂) Öl u. Fett *n.* des - u. -(e)s.

‖ ~공업 Öl- u. Fett-Industrie *f.* -n; 《종종》 Seifen- u. Waschmittel-Industrie.

유지(油紙) Ölpapier *n.* -s, -e.

유지(維持) Erhaltung *f.* -en; Bewahrung *f.* -en; Instandhaltung *f.* -en; Unterhaltung *f.* -en; Unterstützung *f.* -en. ~하다 aufrecht|(er)halten*[4]; bewahren[4]; erhalten*[4]; instand|halten*[4]; unterhalten*[4]; unterstützen[4]. ¶ 체면을 ~하다 den Schein (be)wahren; das Ansehen aufrecht|erhalten* / 가정을 ~하다 s-e Familie unterhalten* 〔erhalten*〕/ 평화를 ~하다 den Frieden erhalten* / 질서를 ～하다 die Ordnung erhalten* / 건강을 ～하다 [3]sich die Gesundheit erhalten*; 《남의》 *jm.* die Gesundheit erhalten* / 지위를 ～하다 [4]sich behaupten; s-e Stellung behalten* / 체력을 ～하다 [4]sich in Kraft erhalten / 그는 글을 써서 생활을 ～하고 있다 Er erhält sich durch die Feder.

‖ **～비** Erhaltungs¦kosten(Unterhaltungs-) 《*pl.*》: 자동차 한 대의 ～비는 얼마나 되느냐 Wie viel sind die Erhaltungskosten e-s Wagens? / 그 건물의 ～비는 1년에 2만원이다 Das Gebäude kostet ein Jahr zur Erhaltung zwanzigtausend *Won*. **～자** Erhalter; Beschützer; Bewahrer; Unterstützer; Verteidiger 《이상 모두 *m.* -s, -》. **～책** die Erhaltungsmaßregeln 《*pl.*》.

유지(遺志) der Wille 《-ns, -n》 e-s [2]Verstorbenen* (Toten*); *js.* letzter Wille; Testament *n.* -(e)s, -e. ¶ 선친의 ～에 따라서 dem Willen m-s Vaters zufolge / 고인의 ～에 따르다 dem Willen e-s Verstorbenen folgen.

유지(遺址) ＝유적(遺跡).

유지(諭旨) das Zuraten* (Zureden*) -s. ¶ ～면관되다 auf *js.* Zureden (hin) das Amt nieder|legen.

유직(有職) Beschäftigung *f.* -en; Geschäft *n.* -(e)s, -e; Beruf *m.* -(e)s, -e.

‖ **～자** Angestellter *m.* -n, -n; Arbeitnehmer *m.* -s, -.

유진무퇴(有進無退) Fortschritt 《*m.* -s》 ohne Rückschritt. **～하다** fort|schreiten*Ⓢ.

유질(流質) ＝유전(流典).

유착(癒着) 〖의학〗 Verwachsung *f.* -en; Verklebung *f.* -en; Adhäsion *f.* -en. **～하다** verwachsen* Ⓢ 《*mit*[3]》; zusammen|wachsen* Ⓢ. ¶ 상처는 완전히 ～됐다 Die Wunde hat sich ganz geschlossen.

‖ **늑막～** 〖의학〗 Brustfellverwachsung *f.*

유착하다 sehr groß; ungeheuer (sein).

유찬(流竄) ＝유배.

유찬(類纂) klassifizierte Sammlung in Buchform. ‖ **법규～** die klassifizierte Gesetzsammlung.

유창 der langste Darm eines Ochsen, gebraucht für Suppe.

유창(流暢) Geläufigkeit *f.*; Sprach¦fertigkeit (Rede-) *f.* (*od.* -gewandtheit *f.*); Redefluß *m.* ..flusses (능변). **～하다** fließend; flüssig; geläufig; gewandt; perfekt (sein). ¶ ～하게 ohne Stocken; tadellos, fließend/ ～한 문장을 쓰다 in e-m gewandten (klaren; leichtleserlichen) Stil schreiben* / 독일어를 ～하게 말하다 fließend (flüssig; geläufig; gewandt; perfekt; ohne Stocken) Deutsch sprechen*; tadellos Deutsch beherrschen.

유채(油菜) 〖식물〗 Raps *m.* -es, -e.

유체(有體) Körperlichkeit *f.* -en. ¶ ～의 materiell. ‖ **～동산** Habseligkeit *f.* -en; die bewegliche Habe. **～물** der materielle Gegenstand, -(e)s, ⸚e. **～자산** Sachvermögen *n.* -s, -.

유체(流體) Flüssigkeit *f.* -en; Strömung *f.* -en. ‖ **～공학** Hydrotechnik *f.* -en. **～역학** Hydro¦mechanik *f.*

유체스럽다 anmaßend; affektiert; eingebildet (sein).

유촉(遺囑) letztwillige Verfügung *f.* -en. **～하다** an|vertrauen 《*jm.* [4]*et.*》 (für die Zeit nach dem Tode).

유추(類推) Analogie *f.* -n [..gí:ən]; Anlehnung *f.* -en. **～하다** analogisieren[4]; [4]sich an|lehnen 《an etwas Ähnliches》. ¶ ～적 analogisch / ～해서 nach Analogie 《*von*[3]》; [4]sich anlehnend 《*an*[4]》 / 일부로 전체를 ～하다 das Ganze aus dem Teil analogisieren.

유출(流出) das Aus¦fließen* (-strömen*) -s; Ausfluß *m.* ..flusses, ..flüsse; Ausströmung *f.* -en. **～하다** aus|fließen (-|strömen) Ⓢ. ¶ 금(달라)의 ～ der Ausfluß des Goldes (Dollars) / 금이 국외로 ～되다 Das Gold strömt aus dem Lande aus.

‖ **～구** Auslauf *m.* -(e)s, ⸚e. **～물** Ausfluß *m.* ..flusses, ..flüsse. **정화(正貨)～** der Ausfluß des Metallgeldes (Hartgeldes) aus dem Lande.

유충(幼蟲) ＝애벌레.

유취(類聚) Gruppierung in Klassen (Kategorie); Sammlung gemäß der Kategorie. **～하다** klassifizieren[4]; gruppieren[4].

유취만년(遺臭萬年) für immer schlechten Ruf hinterlassen.

유층(油層) Ölschicht *f.* -en; Ölablagerung *f.* -en.

유치(乳齒) Milchzahn *m.* -(e)s, ⸚e; die Kinderzähne 《*pl.*》; *dens lactei* 《라틴》.

유치(留置) ① Gewahrsam *m.* -(e)s, -e; Detention *f.* -en; Gefangenhaltung *f.* -en (구류); Haft *f.* (구류). **～하다** in [4]Gewahrsam nehmen* 《*jn.*》; detenieren 《*jn.*》; gefangen halten* 《*jn.*》; in [3]Haft halten* 《*jn.*》. ¶ 경찰에 ～하다 *jn.* in Haft der Polizei behalten*; *jn.* im Polizeibüro detenieren/ ～당하다 in Haft gebracht (gesetzt) werden. ② 《우편의》 **～하다** bis zum Abholen liegen lassen*; zurück|halten*. ¶ ～ 우편으로, ～ 우편의 postlagernd.

‖ **～권** 〖법〗 Detentionsrecht *n.* -(e)s, -e. **～료** Liegegeld *n.* -(e)s, -e. **～우편** die postlagernde Post, -en; poste restante. **～장** Gewahrsam *m.* -(e)s, -e; (Haft)zelle *f.* -n: ～장에 갇히다 in e-e Haftzelle eingeliefert werden. **～전보** das postlagernde Telegramm, -s, -e. **불법～** die illegale Einsperrung, -en.

유치(誘致) (An)lockung *f.* -en (꾀여들이기); Werbung *f.* -en (초치하는 선전). **～하다** (an|)locken[4]; werben[4]; an|ziehen*[4] (끌어들이다). ¶ 외자를 ～하다 fremdes Kapital an|ziehen* / 외국 관광객을 ～하다 ausländische Touristen an|ziehen*.

‖ **～책** Lock¦mittel (Werbe-) *n.* -s, -.

유치원(幼稚園) Kindergarten *m.* -s, ⸚. ¶ 아이를 ～에 보내다 ein Kind in den Kindergarten schicken.

‖ **～보모** Kindergärtnerin *f.* ..rinnen.

유치하다(幼稚—) kindisch; infantil; 《미발달의》 noch unentwickelt (sein). ¶ 유치한 질문 e-e kindische Frage, -n / 유치한 생각 der unreife (kindische) Gedanke, -ns, -n / 유치한 논문 der unreife Aufsatz, -es, ⸚e / 유치한 연극 das zuckersüße Drama, -s, ..men / 그 나라의 농업은 아직 매우 ～ Die Landwirtschaft des Landes ist noch sehr primitiv.

유칼리나무 〖식물〗 Eukalyptus *m.* -, ..ten.

유쾌(愉快) Fröhlichkeit *f.* -en; Freudigkeit *f.* -en; Frohmut *m.* -(e)s; Heiterkeit *f.* -en; Lustigkeit *f.* -en; Vergnüglichkeit *f.* -en. **～하다** fröhlich; freudig; aufgeräumt; heiter; lustig; vergnüglich; munter u. vergnügt (sein). ¶ ～한 기분으로 in froher (freudiger; gehobener) Stimmung / ～한 사

람 der angenehme (lustige) Mensch, -en, -en / ~한 이야기 die hübsche (erheiternde) Geschichte, -n / ~한 여행 die vergnügte (angenehme) Reise, -n / 정말 ~했다 Das war ein Vergnügen!¦Das war himmlisch! ¦Das ging hoch her! / ~하게 지내다 frohe (schöne; heitere) Stunden verbringen* 《mit[3]》; e-e frohe Zeit haben / ~하게 하룻밤을 보내다 e-e angenehme Nacht haben (zu|bringen*; verbringen*) / ~하게 웃다 freudig lachen / ~하게 마시자 Das muß begossen werden!

유클리드 《그리스의 수학자》 Euklid (B.C. 3000 년경). ‖(비)~ 기하학 (nicht)euklidische Geometrie.

유탄(流彈) die verirrte Kugel, -n; der verlorene Schuß, ..usses, ..üsse. ¶ ~을 맞다 von e-r verirrten Kugel getroffen werden / ~에 맞아 죽었다 durch e-e verirrte Kugel getötet werden.

유탄(榴彈) Granate *f.* -n; Granatkugel *f.* -n. ‖ ~파편 Granat¦splitter *m.* -s, - (-stück *n.* -(e)s, -e). ~포 Haubitze *f.* -n.

유탈(遺脫) Auslassung; Ausfall e-s Schriftzeichens. ~하다 aus|gefallen sein.

유탕(遊蕩) Ausschweifung *f.* -en; Orgie *f.* -n; Verschwendung *f.* -en; Zügellosigkeit *f.* -en; Lüsternheit *f.* -en. ☞ 방탕. ¶ ~한 생활 liederliches Leben.

‖ ~문학 die Pornographische Literatur, -en; Pornographie *f.* -n.

유태(猶太) Judäa, -s. ¶ ~의 jüdisch.

‖ ~교 Judentum *n.* -(e)s; die jüdische Religion. ~민족 Judenvolk *n.* -(e)s: ~민족주의 Zionismus *m.* ~인 Jude *m.* -n, -n; Jüdin *f.* ..dinnen (여자): ~인 거리 Ghetto *m.* (*n.*) -s, -s / ~인 교회 Synagoge *f.* -n / ~인 문제 Judenfrage *f.* -n / ~인 박해 Judenverfolgung *f.* -en; Pogrom *m.* -s, -e. 반~주의 Antisemitismus *m.* -.

유택(幽宅) Grab *n.* -es, ⸗er; Grabstätte *f.* -n; Ruhestätte *f.* -n.

유턴 《회전》 das Wenden*, -s, -.

유토피아 Utopie *f.* -n [..pí:ən]; Ideal¦land (Traum-) *n.* -(e)s, ⸗er. ¶ ~의 utopisch.

유통(流通) ① 《화폐의》 Umlauf *m.* -(e)s, ⸗e; Kurs *m.* -es, -e; Zirkulation *f.* -en. ~하다 《돈이》 in Umlauf kommen* ⓢ; um|laufen* ⓢ; in Umlauf sein (stehen*); kursieren; im Kurs sein (stehen*); zirkulieren; in Zirkulation sein (stehen*). ¶ ~시키다 in Umlauf bringen* (setzen) / 돈의 ~이 나쁘다 Der Umlauf des Geldes stockt (ist gehemmt).

② 《공기의》 Lüftung *f.* -en; Ventilation *f.* -en; Luft¦wechsel *m.* -s, - (-erneuerung *f.* -en). ¶ ~시키다 lüften; ventilieren; (frische) Luft zu|führen 《*in*[4]》 / 공기의 ~이 좋다 (나쁘다) gut (schlecht) gelüftet od. ventiliert sein; e-e gute (schlechte) Lüftung od. Ventilation haben / 공기 ~이 잘 되게 하다 e-n Raum besser lüften (ventilieren); e-e bessere Lüftung (Ventilation) bewirken (hervor|rufen*); frische Luft hereinkommen lassen*.

‖ ~기구 Güter¦verteilungsmaschinerie (Waren-) *f.* -n. ~량 die Höhe (Summe) des sich in Umlauf befindlichen Geldes. ~산업 Verteilungsindustrie *f.* -n. ~성 《어음 따위의》 Verkäuflichkeit *f.*; Indossierbarkeit *f.* ~어음 Umlaufs¦wechsel *m.* -s, -; der Wechsel in Umlauf (im Kurs; in Zirkulation). ~자본 das umlaufende Kapital, -s, -e (..lien); Umlaufskapital. ~증권 Umlaufs¦papier *n.* -s, -e (-dokument *n.* -(e)s, -e). ~화폐 das umlaufende (kursierende; zirkulierende) Geld, -(e)s, -er; Umlaufs¦geld (-mittel *n.* -s, -; -münze *f.* -n); das Geld in Umlauf (im Kurse; in Zirkulation); Währung *f.* -en (통화).

유파(流派) Schule *f.* -n. ¶ 오래된 ~ die alte Schule.

유폐(幽閉) Einsperrung *f.* -en; Einschließung *f.* ~하다 ein|sperren[4]; ein|schließen*[4]; *jn.* der [2]Freiheit berauben. ¶ ~ 중이다 eingeschlossen sein. ⌈-s, ⸗er.

유포(油布) Öltuch *n.* -s, ⸗er; Wachstuch *n.*

유포(流布) Zirkulation *f.* -en; Kreislauf *m.* -(e)s, ⸗e; Verbreitung *f.* -en. ~하다 (her-)um|gehen* (-|laufen*)ⓢ; im Umlauf sein; [4]sich verbreiten; zirkulieren. ¶ ~ 중이다 verbreitet sein; herrschen; die Oberhand haben / ~시키다 [4]*et.* zirkulieren lassen* / 이상한 소문이 세상에 ~되고 있다 Seltsame Gerüchte gehen unter dem Volk um.

유표하다(有表—) hervorragend; beachtlicht; ausnehmend; vortrefflich; ausgezeichnet; klar ersichtlich; bemerkenswert (sein).

유품(遺品) Überbleibsel *n.* -s, -; Überrest *m.* -(e)s, -e; Relikt *n.* -(e)s, -e; Nachlaß *m.* ..lasses, ..lasse (..lässe). ¶ 보잘것 없는 ~ ein kläglicher Überrest.

유풍(遺風) alte Sitten u. Gebräuche 《*pl.*》; das ewig Gestrige* (Herkömmliche*) -n; Tradition *f.* -en. ¶ 이것은 고대의 ~이다 Dieser Brauch ist uralt.¦Dieses Herkommen stammt aus uralten Zeiten. / 이 도시에는 아직 봉건시대의 ~이 남아 있다 Einige Sitten aus der Feudalzeit sind in der Stadt noch erhalten.

유프라테스강(—江) 《아시아 서부의 강》 Euphrat *m.* -(s).

유피(鞣皮) Leder *n.* -s, -. ‖ ~법 Gerbung *f.* -en; Gerbverfahren *n.* -s, -. ~업 Gerberei *f.* -en: ~업자 Gerber *m.* -s, -.

유하다(柔—) ① 《부드럽다》 zart; mild(e); gütig; freundlich (sein). ¶ 유한 성질 ein sanftes Gemüt, -(e)s / 마음이 ~ mildherzig sein. ② 《걱정이 없다》 sorglos; fahrlässig; optimistisch; getrost (sein).

유하다(留—) [4]sich auf|halten*; übernachten. ¶ 유하게 하다 beherbergen*[4] / 대구에서 하룻밤 ~ in Taegu einmal übernachten / 여관에 ~ im Gasthaus übernachten.

유학(留學) das Studium 《-s, ..dien》 im Ausland(e) (im fremden Land(e)). ~하다 im Auslande studieren; [4]sich zum Studium auf|halten* 《*in.*》. ¶ ~가다 Studien halber nach dem Auslande gehen*ⓢ; zum Studienzweck gehen* ⓢ 《*nach*[3]》 / 국비로 ~하다 im Auslande auf Staatskosten studieren / ~명령을 받다 beordert (befohlen) werden, im Ausland(e) (im fremden Land(e)) zu studieren / ~을 끝내고 귀국하다 vom Studium im Auslande zurück|kehren.

‖ ~생 der im Ausland(e) (im fremden Land(e)) Studierende*, -n, -n; der studienhalber nach dem (im) Ausland Geschickte*, -n, -n: 재미 한국 ~생 koreanische Studenten in Amerika / 외국인 ~생 ausländische Studenten.

유학(儒學) Konfuzianismus *m.* -; die Lehre

(Philosophie) des Konfutse (Konfuzius); die konfuzianische Lehre (Philosophie).
‖ ~자 Konfuzianist *m.* -en, -en; der Anhänger 《-s, -》 der konfuzianischen Lehre (Philosophie).

유한(有限) Beschränktheit *f.*; Begrenztheit *f.*; Endlichkeit *f.* ~하다 begrenzt; beschränkt; endlich (sein).
‖ ~급수 die endlich Reihe, -n. ~법화 das gesetzliche Zahlungsmittel, -s, -. ~수 die endliche Zahl, -en. ~직선 die endliche gerade Linie, -n. ~책임 beschränkte Haftung, -en. ~회사 Gesellschaft 《*f.* -en》 mit beschränkter Haftung 《생략: GmbH》.

유한(有閑) ~하다 müßig; unbeschäftigt; frei (sein).
‖ ~계급 die Wohlhabenden 《*pl.*》; Bonvivant *m.* -s, -s. ~마담 Lebedame *f.* -n.

유한(遺恨) Groll *m.* -(e)s; Grimm *m.* -(e)s; Erbitterung *f.* -en; Haß *m.* ..sses; Rachsucht *f.* ⸗e; Feindschaft *f.* -en (적개심); Feindseligkeit *f.* -en (적개심). ¶ ~을 품다 e-n Groll haben (fassen; hegen) 《auf *jn.*》; erbittert (ergrimmt) sein 《gegen (über) *jn.*》; von Rachsucht erfüllt sein 《gegen *jn.*》; Feindschaft (Feindseligkeit) hegen 《gegen *jn.*》. ☞ 원한.

유해(有害) Schädlichkeit *f.*; Nachteiligkeit *f.*; Verderblichkeit *f.* ~하다 schädlich; abträglich; nachteilig; nicht gut (sein); schaden[3]. ¶ 건강에 ~하다 der Gesundheit schädlich sein; ungesund sein / 풍기상 ~하다 der öffentlichen Sittlichkeit verderblich sein / 심신에 ~하다 körperlich wie geistig schädlich sein / 그것은 ~무익이다 Das bringt mehr Schaden als Nutzen.
‖ ~곤충 das schädliche Insekt, -(e)s, -en. ~물 Übel *n.* -s, -; das Schädliche*, -n, -n; Gift *n.* -(e)s, -e. ~식품 die schädliche Lebensmittel 《*pl.*》.

유해(遺骸) Leiche *f.* -n; Leichnam *m.* -(e)s, -e; Gebeine 《*pl.*》. ¶ ~를 안고 울다 die Leiche umklammernd weinen.

유행(流行) Mode *f.* -n; das Modische*, -n; der letzte Schrei, -(e)s, -e; der neueste Geschmack, -(e)s, ⸗e (우스개: ⸗er); Zeitgeschmack; Fashion [fǽʃən] *f.*; Modetorheit *f.* -en (일시적); Beliebtheit *f.* -en (인기); 《병·사상 따위의》 das Überhandnehmen*, -s; Überhandnahme *f.*; das Umsichgreifen*, -s. ~하다 《유행 중》 in (der) Mode sein; im Schwang(e) sein; 《유행하기 시작함》 in (die) Mode (in [4]Schwang) kommen*.
¶ ~의 (neu)modisch; nach der Mode; modegerecht; überhandnehmend; um [4]sich greifend; epidemisch / ~을 좇는 사람 Mode¦mensch *m.* -en, -en (-herrchen *n.* -s, -; -narr *m.* -en, -en); 《남자》 Modeherr *m.* -n, -en; 《여자》 Mode¦dame *f.* -n (-närrin *f.* ..rinnen; -puppe *f.* -n) / ~을 소개하는 잡지 Mode¦journal [..jur..] *n.* -s, -e (-heft *n.* -(e)s, -e; -zeitschrift *f.* -en) / ~의 창시 das Modeschaffen*, -s / ~품 전시회 Mode(n)-schau *f.* -en / 일시적 ~ die vorübergehende (kurzlebige) Mode / ~에 뒤진 aus der Mode; unmodern; altmodisch / ~에 뒤진 옷을 입고 있다 [4]sich unmodern kleiden; unmodische Kleider tragen* / ~에 뒤지다 hinter der Mode zurück|bleiben*Ⓢ (-|sein); die Mode nicht mit|machen / ~의 첨단을 걷다 der Vorbote (Vorläufer) der Mode sein; die Mode ins Leben rufen* / ~을 좇다 mit der Mode gehen*Ⓢ; der [3]Mode gehorchen (folgen Ⓢ); die Mode (alle Moden) mit|machen; der Mode nach|jagen Ⓢ; auf die Mode versessen sein / ~을 만들어 내다 e-e neue Mode auf|bringen* (schaffen*; ins Leben rufen*); die Mode an|geben* (ein|führen); als erster die Mode auf|bringen* / 대~이다 (die) große Mode (ganz die Mode) sein; den großen Zeitgeschmack dar|stellen; völlig die Modewelt beherrschen; sehr beliebt sein; [4]sich großer [2]Beliebtheit erfreuen / 최신 ~이다 die neueste Mode (der letzte Schrei) sein; den neuesten Zeitgeschmack dar|stellen; der modernste Zeitstil sein / ~은 곧 변한다 Die Moden ändern sich rasch. ¦K-e Mode ist dauernd. / ~이 지나다 aus der Mode (außer Mode) kommen* Ⓢ (sein); k-e Mode mehr sein / ~시키다 in (die) Mode (in Schwang) bringen*[4] / 금년에는 어떤 모자가 ~하고 있나 Was für Hüte sind in diesem Jahr Mode? / 그것이 한때 대~이었다 Es war einmal große Mode.
‖ ~가 Schlager (Gassenhauer) *m.* -s, -; Modelied *n.* -(e)s, -er: ~가 가수 Schlagersänger *m.* -s, -. ~광 Modesucht *f.* -en. ~병 Modekrankheit *f.* -en; Epidemie *f.* -n; Seuche *f.* -n: ~병에 걸리다 an der Epidemie leiden* / ~병이 돌다 die Epidemie greift um sich. ~복 Mode¦tracht *f.* -en (-anzug *m.* -(e)s, ⸗e; -kleid *n.* -(e)s, -er): ~복지 Modestoff *m.* -(e)s, -e. ~어 Modeausdruck *m.* -(e)s, ⸗e (-wort *n.* -(e)s, ⸗er). ~작가 Mode¦schriftsteller (-dichter) *m.* -s, -. ~지 《병의》 der verseuchte (von e-r epidemischen Krankheit heimgesuchte) Ort, -(e)s, -e. ~품 Mode¦artikel *m.* -s, - (-ware *f.* -n). ~형 Mode¦form *f.* -en (-stil *m.* -(e)s, -e).

유행성감기(流行性感氣) Grippe *f.* -n; Influenza *f.* ¶ ~에 걸리다 an der Grippe leiden* / 서울에는 지금 ~가 돌고 있다 Die Influenza greift jetzt in Seoul um sich.

유행성뇌염(流行性腦炎) epidemische Gehirnentzündung, -en; *Enzephalitis epidemica* (학명).

유행하다(遊行―) eine Tour machen; einen Ausflug machen; wandern Ⓢ,ⓗ.

유향(乳香) Weihrauch *m.* -es, -.

유현(幽玄) ~하다 《그윽함》 unergründlich tief; tiefgründig; 《신비적임》 geheimnisvoll; mystisch (sein).

유현(儒賢) der konfuzianische Weise, -n, -n.

유혈(流血) das Blutvergießen*, -s. ¶ ~ 참사 Blut¦vergießen *n.* -s (-bad *n.* -(e)s); Metzelei *f.* -en (학살) / ~을 보지 않고 ohne Blutvergießen; ohne Verlust an Menschenleben / ~ 사태로 번졌다 Es ist viel Blut vergossen worden (geflossen).

유형(有形) Körperlichkeit *f.* ¶ ~의 körperlich; konkret; materiell; 《실재의》 real; existent; seiend; wesenhaft / ~무형의 materiell u. immateriell; sichtbar u. unsichtbar / ~무형의 원조를 하다 *jm.* mit Rat u. Tat zur Seite stehen*.
‖ ~계 die materielle (körperliche) Welt, -en. ~무역 Waren¦handel *m.* -s, ⸗ (-austausch *m.* -(e)s). ~물 der konkrete Gegenstand, -(e)s, ⸗e. ~자본 das körperliche Kapital, -(e)s, -e. ~재산 der materielle

Vermögenswert, -(e)s, -e.

유형(流刑) Verbannung *f.* -en; Ausweisung *f.* -en; Exil *n.* -s, -e; Landesverweisung *f.* -en. ¶ ~에 처하다 zur Verbannung (zum Exil) verurteilen《*jn.*》.
‖ ~수 der Verbannte* (Exilierte*) -n, -n; der des Landes Ausgewiesene*, -n, -n. ~지 Strafkolonie *f.* -n; Strafinsel *f.* -n; Verbannungsort *m.* -(e)s, -e.

유형(類型) Typus *m.* -, ..pen; Typ *m.* -s, -en; Grundform *f.* -n. ¶ ~적 typisch / 이 소설의 인물들은 ~에 기울어지고 있다 Die Charakter in diesem Roman sind lauter Typen. ‖ ~학 Typologie *f.*

유혹(誘惑) Verführung *f.* -en; Verlockung *f.* -en; Versuchung *f.* -en. ~하다 verführen[4]; verleiten[4]; verlocken[4]; versuchen[4]《이상 *zu*[3]》. ¶ 대도시의 ~ die Verlockungen der Großstadt / ~적 verlockend; verführerisch / ~에 이기다 der Verführung widerstehen*; den Versuchungen entgehen* ⓢ (widerstehen*) / ~에 넘어가다 der Verführung erliegen ⓢ; der Versuchung nach|geben* (unterliegen* ⓢ) / ~에 빠지다 in Versuchung fallen* (geraten*) ⓢ / 돈으로 ~하다 mit Geld verlocken[4] / 처녀를 ~하다 ein Mädchen verführen (in Fall bringen*) / ~과 싸우다 gegen die Verführung (an-)kämpfen / ~이 너무 컸다 Die Verführung (Versuchung) war zu groß. / 서울엔 학생을 망치는 ~이 많다 Es gibt in Seoul vielerei Versuchungen, die den Studenten oft ins Verderben stürzen.
‖ ~물 etwas Verführerisches. ~자 Verführer (Versucher; Verlocker) *m.* -s, -.

유화(油畫) Öl¦gemälde *n.* -s, - (-malerei *f.* -en). ¶ ~를 그리다 mit Ölfarben malen[4].
‖ ~가 Ölmaler *m.* -s, -. ~구《물감》 Ölfarbe *f.* -n.

유화(乳化) Emulsion *f.* -en. ~하다 emulgieren[4]. ‖ ~제 Emulgierungsmittel *n.* -s, -.

유화(宥和) Befriedigung《*f.* -en》 (durch Nachgeben); Aussöhnung (Versöhnung) *f.* -en. ~하다 [4]sich untereinander (miteinander) aus|söhnen; [4]sich versöhnen《*mit*[3]》.
‖ ~자 Versöhner(in) *m.* -s, - (*f.* ..rinnen). ~정책 Versöhnungspolitik *f.* -en.

유화(硫化) =황화(黃化).

유화(類化) Assimilation *f.* -en; Assimilierung (Angleichung) *f.* -en. ~하다 [4]sich assimilieren[3]; [4]sich an|gleichen*《*an*[4]》.

유화식물(有花植物) Blütenpflanze *f.* -n.

유화하다(柔和—) mild; sanftmütig; lind; zart; zahm (sein).

유환류(有環類) *Annulata* (학명).

유황(硫黃) Schwefel *m.* -s《기호: S》. ¶ ~의 schwefelig; Schwefel-; schwefelhaltig (내포된) / ~으로 표백하다 schwefeln[4].
‖ ~가스 Schwefel¦dampf *m.* -(e)s, ⸗e (-dunst *m.* -(e)s, ⸗e). ~천 Schwefel¦quelle *f.* -n (-bad *n.* -(e)s, ⸗er).

유회(流會) das Nicht-Stattfinden* (das Nicht-Zustandekommen*《-s》) e-r Versammlung; die Verschiebung《-en》 e-r Versammlung《auf e-n ander(e)n Tag》.
¶ ~되다 Die Versammlung findet nicht statt (kommt nicht zustande).¦(auf e-n ander(e)n Tag) verschoben werden / 정원 미달로 ~되었다 Die Versammlung wurde wegen ungenügender Anwesenheit von Teilnehmern verschoben.

유효(有效) Gültigkeit *f.*; Geltung *f.* -en;《효능》 Wirksamkeit *f.*; Wirkung *f.* -en; Effekt *m.* -(e)s, -e. ~하다 geltend; gültig; rechtsgültig (법률상); wirksam; effektiv; wirkungsvoll (sein). ¶ ~하게 gültig; wirksam《*gegen*[4]》; gut; nützlich; vorteilhaft / ~ 적절한 wirksam u. passend / ~한 방법 die wirksame Methode, -n / ~한 계약 der rechtsgültige Vertrag, -(e)s, ⸗e (Kontrakt, -(e)s, -e) / 시간을 ~하게 쓰다 s-e (die) Zeit gut aus|nutzen[4]; die Zeit zweckmäßig an|wenden*[4] (verwenden*[4]) / ~하게 하다 gut machen[4]; wirksam machen[4]; legalisieren[4] (법적으로) / ~하게 되다 in Kraft treten* ⓢ (법규 등이); Gültigkeit erlangen[4]; wirksam werden / 당일 (발행일) 한 ~ gültig nur am betreffenden Tag (am Tage der Herausgabe) / 7월 1일부터 ~ gültig ab 1. Juli; mit Wirkung vom 1. Juli / 이 계약은 1년간 ~하다 Dieser Vertrag ist ein Jahr lang gültig. / 이 차표는 며칠 동안 ~합니까 Wieviel Tage ist diese Fahrkarte gültig?
‖ ~기간 Gültigkeitsdauer *f.*: ~ 기간 3개월 gültig für (auf) drei Monate. ~사거리 die wirksame Schuß¦weite (Reich-) -n / ~수요 『경제』 der effektive Bedarf, -(e)s. ~숫자 die effektive Zahl, -en. ~열량 Nutzwärme *f.* ~증명 Gültigkeitsnachweis *m.* -es, -e. ~타 der durchschlagende Streich, -(e)s, -e. ~투표 die gültige Stimme, -n.

유훈(遺訓) die von e-m Verstorbenen hinterlassenen Instruktionen (Anweisungen; Verhaltungs(maß)regeln; Vorschriften)《*pl.*》. ¶ 조상의 ~ die von den Vätern her erbliche Richtschnur / ~을 받들다 den hinterlassenen Vorschriften folgen[3].

유휴(遊休) Muße *f.*; Untätigkeit *f.*; Eitelkeit *f.*; Müßiggang *m.* -(e)s, ⸗e. ¶ ~의 müßig; unbeschäftigt.
‖ ~물자 das brachliegende Material, -(e)s, -ien. ~생산력 die müßige Produktivität, -en (Erzeugungskraft, ⸗e; Produktionskraft, ⸗e). ~시설 die nicht ausgenutzte Betriebsanlage, -n. ~자본 das brachliegende Kapital, -s, -e (..lien).

유휴자금(遊休資金) das brachliegende (tote) Kapital, -s, -e (..lien).

유흥(遊興) Belustigung *f.* -en; Lustbarkeit *f.* -en; Unterhaltung *f.* -en; das Vergnügen*, -s; Vergnügung *f.* -en; Ausschweifung *f.* -en (방탕); Klimbim *m.* (*n.*) -s (홍청댐). ~하다 [4]sich belustigen《*an*[3]; *mit*[3]》; [4]sich vergnügen《*an*[3]; *mit*[3]》; auf den Bummel gehen* ⓢ (이곳저곳 다니며 마심); ein Zechgelage haben (주연). ¶ ~에 빠지다 e-r Belustigung (der Ausschweifung) frönen; aus|schweifen ⓢ.ⓗ; ein ausschweifendes Leben führen; in Saus u. Braus leben; schwelgen u. prassen.
‖ ~가(街) Vergnügungs¦lokal (-viertel) *n.* -(e)s, -e (*n.* -s, -). ~비 Belustigungsaufwand *m.* -(e)s, ⸗e(지출); Vergnügungsgeld *n.* -(e)s, -er. ~세 Lustbarkeits¦steuer (Vergnügungs-) *f.* -n. ~업소 Vergnügungsgewerbe *n.* -s, -. ~음식세 Vergnügungs- u. Zehrsteuer *f.* -n. ~자 der Vergnügungssüchtige*, -n, -n; Genießer *m.* -s, -; Lüstling *m.* -(e)s, -e; Nachtschwärmer *m.* -s, -. ~장, ~지 Vergnügungsstätte *f.* -n.

유희(遊戲) Spiel *n.* -(e)s, -e; Unterhaltung

f. -en (오락); Zeitvertreib *m.* -(e)s, -e (소일). ~하다 spielen. ¶ ~적인 spielerisch / ~중이다 am Spiel sein; im Spiel begriffen sein.
‖ ~본능 Spieltrieb *m.* -(e)s, -e. ~실 Spielzimmer *n.* -s, -. ~장 Spielplatz *m.* -es, ⸚e; Spielhalle *f.* -n (오락 시설이 있는).

육(六) sechs; ein halbes Dutzend (반 다스). ¶ 6 위(位)의 《자릿수》 sechsstellig / 6 중(重)〔배(倍)〕의 sechs¦fach 〔-fältig〕/ 6 3 3 제 das Sechs-Drei-Drei-System 《-s》 im Schulwesen / 6 연발의 sechs¦schüssig 〔-läufig〕/ 6 두마차의 sechsspännig / 제 6 der 〔die; das〕 sechste* / 6 배하다 versechsfachen; mit sechs multiplizieren / 6 곱하기 6은 36 Sechsmal sechs gleich 〔ist; macht〕 sechsunddreißig.

육(肉) Fleisch *n.* -es, -; Körper *n.* -s, -. ¶ 영과 육 Körper und Seele.

육각(六角) ① 《악기》 die sechs Musikinstrumente (der traditionellen koreanischen Musik). ② 《육모》 Sechseck *n.* -(e)s, -e 〔-en〕. ¶ ~의 hexagonal; sechseckig.
‖ ~형 Hexagon *n.* -s, -e.

육감(六感) Spürsinn *m.* -(e)s, -e; Fingerspitzengefühl *n.* -(e)s, -e; die feine Nase, -n; Spürnase *f.* -n; Witterung *f.* -en; Instinkt *m.* -(e)s, -e (본능). ¶ ~이 빠르다 e-n raschen Kopf haben; scharfsinnig sein (맹인들이) / ~으로 mit dem 〔der〕 Spür¦sinn 〔-nase〕; mit e-m Stoß; sofort / ~으로 알았다 Ich habe es sofort geahnt. / 그런 일엔 ~이 필요하다 Dazu gehört ein gewisses Fingerspitzengefühl.
‖ 제~ der sechste Sinn, -(e)s.

육감(肉感) 《느낌》 das sinnliche 〔fleischliche〕 Gefühl, -(e)s, -e. ¶ ~적 sinnlich; fleischlich; animalich; lüstern / ~적 쾌락 die Befriedigung der Fleischeslust / ~적 미인 e-e aufreizende Schönheit, -en / ~을 도발하다 fleischliche 〔sündliche〕 Lüste reizen.

육갑(六甲) Sechzigerzyklus *m.* -, ..klen.

육개장(肉—) scharfe Suppe mit dünnen Rindfleischscheiben.

육계(肉桂) 〚한약〛 Zimt *m.* -(e)s, -e.

육괴(肉塊) ① 《고깃덩이》 Fleisch¦masse *f.* -n 〔-klumpen *m.* -s, -; -kloß *m.* -es, ⸚e〕. ② 《살진 사람》 dicker Mensch; Fettwanst *m.*

육교(肉交) =성교(性交).

육교(陸橋) Überführung *f.* -en; Viadukt *m.* -(e)s, -e; die Brücke 《-n》 über ein Tal; Hochbrücke *f.* -n. ¶ ~ 밑의 길 der Weg 《-(e)s, -e》 unter der Überführung.

육군(陸軍) Armee *f.* -n; (Land)heer *n.* -(e)s, -e; Landmacht *f.* ⸚e; Landsoldat *m.* -en, -en (군인); Landtruppen 《*pl.*》 (부대). ¶ ~의 Armee-; Heer(es)-; Militär- / ~에 복무하다 bei der Armee 〔im Heer〕 dienen / ~에 입대하다 ins Heer ein|treten* Ⓢ / ~에서 제대하다 das Heer verlassen*[4].
‖ ~국 Landmacht *f.* ⸚e 《Seemacht 에 대해서》. ~기 Armee¦flugzeug 〔Heeres-〕 *n.* -(e)s, -e. ~당국(자) die Armeebehörden; die führenden Militärs. ~대장 General *m.* -s, -e 〔⸚e〕. ~대학 Kriegs¦akademie 〔Militär-〕 *f.* -n. ~무관 der Militärattache [..taʃé:] -s, -s (대, 공사관부). ~병원 Militärhospital *n.* -s, -e 〔..täler〕. ~비행대 Armeeflugtruppe *f.* -n. ~사관생도 Kadett *m.* -en, -en. ~사관학교 Offiziersschule *f.* -n. ~성 Kriegs¦ministerium *n.* -s, ..rien 〔-department *n.* -s, -s〕 (미국의). ~장관 der Chef [ʃɛf] 《-s, -s》 des Kriegsdepartments (미국의). ~장교 (Armee)offizier *m.* -s, -e: 퇴역 ~ 장교 ein (Armee)offizier a.D. ~참모총장 der Chef des Generalstabs (der Armee).

육담(肉談) obszönes 〔vulgäres〕 Gespräch, -(e)s, -e; zweideutiges Gerede, -s; schlüpfrige Unterhaltung, -en.

육대주(六大洲) die Sechs Kontinente 《*pl.*》.

육덕(肉德) Korpulenz *f.* -en; (Wohl)bebleibtheit *f.* -en; Leibesfülle *f.* -n.

육도(陸稻) Berg¦reis 〔Hochland-〕 *m.* -es, -e 《*pl.*은 종류를 나타낼 때》.

육두구(肉荳蔻) 〚식물〛 Muskat *m.* -(e)s, -e; Muskatnuß *f.* ..nüsse.

육력(戮力) die äußerste Anstrengung, -en; unmenschliche Anstrengung, -en.

육로(陸路) Überland(s)¦weg *m.* -(e)s, -e 〔-route [..ru:tə] *f.* -n〕; Land¦weg 〔-route〕. ¶ ~로 über [4]Land; zu Lande / ~로 부산에 가다 über Land 〔zu Lande〕 nach *Busan* gehen* Ⓢ 〔fahren* Ⓢ; reisen Ⓢ,Ⓗ〕/ 수로 또는 ~로 zu Wasser u. zu Lande / ~로 여행하다 zu Lande reisen.
‖ ~수송 der Transport 《-(e)s, -e》 zu Lande; die Beförderung 《-en》 des Überland(s)wegs. ~여행 die Reise 《-n》 zu Lande.

육류(肉類) Fleischwaren 《*pl.*》.

육륜(肉輪) die zwei (oberes u. unteres) Augenlider 《*pl.*》.

육면체(六面體) 〚수학〛 Hexaeder *n.* -s, -; Sechsflächner *m.* -s, -; Würfel *m.* -s, -.

육모(六—) Hexagon *n.* -s, -e. ¶ ~가 나다 hexagonal 〔sechseckig〕 sein.
‖ ~방망이 ein sechseckiger Knüppel, -s, -.

육미(六味) sechs Geschmacksrichtungen 《*pl.*》 (=bitter, sauer, süß, salzig, scharf, schal).

육미(肉味) Fleischgericht *n.* -(e)s, -e.
‖ ~붙이 Fleischgericht *n.* -(e)s, -e.

육박(肉薄) Anrückung *f.* -en. ~하다 an|rücken 《*an*[4]》 Ⓢ; angerückt kommen* Ⓢ; *jm.* zu Leibe gehen* 〔rücken〕 Ⓢ (공격하다); *jm.* auf der Ferse folgen 〔auf den Felsen sein〕 (바싹 뒤쫓다); [4]sich mit *jm.* an [3]*et.* messen (können*) (필적함). ¶ 적진에 ~하다 bis an die feindliche Lage heran|kommen* Ⓢ.
‖ ~전 Handgemenge *n.* -s, -; der blutige Kampf, -(e)s, ⸚e.

육발이(六—) e-e Person 《-en》 mit sechs Zehen am Fuß.

육방망이(六—) die 6 Tragegriffe der (koreanischen) Leichenbahre.

육배(六倍) sechsmal.

육법(六法) die sechs Grundgesetze 《*pl.*》.
‖ ~전서 die Sammlung der sechs Grundgesetze; die gesammelten sechs Grundgesetze.

육보(肉補) die Ernährung 《-en》 des Körpers durch Fleischessen; Fleischdiät *f.* -en. ~하다 Fleischdiät halten*; [4]sich mit Fleischnahrung kräftigen.

육봉(肉峰) Buckel *m.* -s, -; Höcker *m.* -s, -.

육부(六腑) sechs Eigeweide 《*pl.*》 (=Dickdarm, Dünndarm, Magen, Gallenblase, Blase, „dreifacher Erwärmer"—der traditionellen ostasiatischen Medizin).

육분의(六分儀) Sextant *m.* -en, -en.

육산(陸產) Ackerbauprodukte 《*pl.*》; Feldfrucht *f.* ⸚e.

육삼삼제(六三三制) 〖교육〗 6-3-3 Schulsystem *n.* -s, -e (=6 Jahre Volksschule, 3 Jahre Mittelschule, 3 Jahre Oberschule).

육상(陸上) ¶ ~에서 auf dem (festen) Lande (Boden).
‖ ~경기 Leichtathletik *f.*; die (leicht)athletischen Wettspiele 《*pl.*》. ~근무 Dienst 《*m.* -(e)s, -e》 zu Lande. ~비행기 Landflugzeug *n.* -(e)s, -e. ~운송 Landtransport *m.* -(e)s, -e.

육색(肉色) Fleischfarbe *f.* -n. ¶ ~의 fleischfarbig / ~내의(內衣) das fleischfarbige Hemd, -(e)s, -e.

육서(陸棲) ¶ ~하는 auf dem Lande lebend.
‖ ~동물 Landtiere 《*pl.*》.

육성(肉聲) s-e eigene Stimme, -n. ¶ ~과 같은 음색을 내다 lebenswahre menschliche Stimmen erzeugen[4].

육성(育成) das Auf(er)ziehen* (Großziehen*) -s; Pflege *f.* -n. ~하다 erziehen*[4]; auf|-ziehen*[4]; auf|erziehen*[4]; pflegen[4] (보호·조성하다); fördern[4]; nähren[4].
‖ ~재배(栽培) das Auf(er)ziehen* u. Anbauen* 《-s》. ~회비 der Elternvereinsbeitrag 《-(e)s, ⸚e》 e-r Schule.

육속(陸續) die ununterbrochene Folge, -n. ¶ ~하여 ununterbrochen; eins nach dem andern; fortgesetzt; kontinuierlich; ohne [4]Unterbrechung / ~하여 탈당하다 eins nach dem andern die Partei verlassen*[4].

육손이(六—) Person 《*f.* -en》 mit sechs Fingern an e-r Hand.

육송(陸送) Landtransport *m.* -(e)s, -e.

육수(肉水) Fleischsaft *m.* -(e)s, ⸚e; Bratensoße *f.* -n; Fleischbrühe *f.* -n (수프).

육시처참(戮屍處斬) postume Enthauptung, -en. ~하다 postum enthaupten[4].

육식(肉食) Fleischkost *f.* ~하다 hauptsächlich von Fleisch leben; [4]sich von (mit) Fleisch nähren; Fleisch fressen* (essen*). ¶ ~의 fleischfressend (동물의); [4]sich von Fleisch nährend (사람) / ~보다 채식을 좋아한다 Ich ziehe Gemüse den Fleischspeisen vor. / 중들은 대개 ~을 절대로 삼간다 Manche buddhistische Priester enthalten sich vollständig der [2]Fisch- u. Fleischspeisen.
‖ ~가 Fleischesser *m.* -s, -. ~동물 《육식수》 Fleischfresser *m.* -s, -; Raubtier *n.* -(e)s, -e: 사자는 ~ 동물이다 Der Löwe ist ein Raubtier. ~조 Raubvogel *m.* -s, ⸚. ~충 Raubkäfer *m.* -s, -; das fleischfressende Insekt, -(e)s, -en.

육식처대하다(肉食妻帶—) 〖불교〗 Fleisch essen* u. e-e Frau nehmen* (als buddhistischer Mönch).

육신(肉身) Fleisch *n.* -es; Körper *m.* -s, -.

육십(六十) sechzig. ¶ 제 60 das sechzigste / 60분의 1 ein sechzigstel / 60대의 남자 ein sechzigjähriger Mann, -(e)s, ⸚er; e-e sechzigjährige Person, -en.

육십갑자(六十甲子) ☞ 육갑(六甲).

육아(肉芽) 〖의학〗 Granulation *f.* -en; Granulationsgewebe *n.* -s, -; Körnchen *n.* -s, -. ¶ ~가 생기다 granulieren; körnen.
‖ ~종(腫) Granulom *n.* -(e)s, -e.

육아(育兒) das Großziehen* 《-s》 des Kindes; Kinder¦pflege (Säuglings-) *f.* ~하다 (ein Kind) auf|ziehen*[4] (groß|-); erziehen*[4].
‖ ~법 die Methode 《-n》 der Kinderpflege; die Art u. Weise, wie ein Kind großzuziehen ist. ~비 die Kosten 《*pl.*》 für die Kinderpflege. ~식(食) Kindernährmittel *n.* -s, -. ~실 Kinderstube *f.* -n. ~원 Kinder¦heim *n.* -(e)s, -e (-hort *m.* -(e)s, -e) (탁아소); Findel¦haus (Waisen-) *n.* -es, ⸚er (고아원).

육안(肉眼) das bloße Auge, -s, -n. ¶ ~으로 보다 (알다) mit bloßem Auge sehen*[4] (erkennen können*) / ~으로 보이는 곳에 in *js.* [3]Sehfeld / ~에 보이다 (안 보이다) dem bloßen Auge sichtbar (unsichtbar) sein.

육양(育養) =양육(養育).

육양(陸揚) =양륙(揚陸).

육영(育英) Erziehung *f.* -en; Bildung *f.* en. ~하다 erziehen*[4]; bilden[4].
‖ ~사업 die Tätigkeit 《-en》 (die Beschäftigung, -en) der Jugenderziehung: ~ 사업에 일생을 바치다 sein Leben für die Tätigkeit der Jugenderziehung hin|geben*[4]. ~자금 Stipendium *n.* -s, ..dien; Studienbeihilfe *f.* -n. ~회 der Verein 《-(e)s》 für [4]Jugenderziehung.

육영(育嬰) Das Großziehen* 《-s》 der Kinder. ~하다 Kinder groß|ziehen*.

육욕(肉慾) die fleischliche Begierde, -n; die fleischliche Lust, ⸚e; die Lust des Fleisches; Wollust *f.* ⸚e. ¶ ~적인 fleischlich; sinnlich; wollüstig; geil; lüstern / ~의 노예가 되다 (~에 빠져 있다) ein Knecht (ein Sklave) s-r fleischlichen Lüste sein (e-r Lust des Fleisches frönen) / ~을 채우다 fleischliche Gelüste befriedigen[4] / ~을 억제하다 s-e Leidenschaft zurück|halten*[4] (zügeln[4]); enthaltsam sein.

육욕(戮辱) Scham *f.*; Schande *f.*; Schmach *f.*; Schimpf *m.* -(e)s, -e.

육우(肉牛) Rindvieh *n.* -(e)s.

육운(陸運) Landtransport *m.* -(e)s, -e.
‖ ~국 Landtransportamt *n.* -(e)s, ⸚er. ~회사 Landtransportgesellschaft *f.* -en.

육자배기(六字—) lebhafte, liebliche Volksmusik, -en (mit sechs Worten in e-r Zeile).

육장(六場) 《장날》 die sechs Markttage des Monats; 〖부사적〗 immer.

육장(肉醬) in Sojabrühe hartgekochtes Rindfleisch 《-es》 in Scheiben.

육적(肉炙) schaschlikartiges Fleisch, -es; am Spieß gebratenes Rindfleisch mit Zwiebeln u. Gemüse.

육전(陸戰) Landkrieg *m.* -(e)s, -e. ~하다 auf dem Lande kämpfen.

육젓(六—) die im Juni (nach dem Mondkalender) eingelegten gesalzenen Garnellen 《*pl.*》.

육정(六情) sechs Gefühle 《*pl.*》 (=Freude, Ärger, Sorge, Vergnügen, Liebe u. Haß).

육정(肉情) =육욕(肉慾).

육종(肉腫) 〖의학〗 Geschwulst *f.* ⸚e.

육종(育種) Tierzucht *f.* ⸚e.

육중하다(肉重—) 《몸피가》 schwer; 《몸집이》 schwergebaut; 《건물이》 massiv (sein). ¶ 육중한 걸음걸이로 mit schweren Schritten / 몸이 ~ e-n dicken plumpen Körper haben.

육즙(肉汁) Fleischsaft *m.* -(e)s, ⸚e; Bratensoße *f.* -n; Fleischbrühe *f.* -n (수프).

육지(陸地) Land *n.* -(e)s, ⸚er (-e); das feste Land. ¶ ~쪽으로 landein(wärts); landwärts; ins Land hinein / ~에 오르다 an Land gehen* (steigen*) ⓢ / ~에서 나다 (살다) auf dem Land(e) wachsen* ⓢ (wohnen)

/ ~를 떠나다 ⁴sich vom Lande entfernen 〔los|machen〕/ ~를 여행하다 über ⁴Land 〔zu ³Lande〕 reisen ⓢ / ~를 밟다 das Land betreten*⁴.

‖ ~면(棉) Hochlandbaumwolle *f.*

육지니(育—) junger Falke 《-n, -n》, der eben flügge geworden (ist).

육징(肉癥) Krankhafte Lust zum Fleischessen.

육찬(肉饌) Fleischgerichte 《*pl.*》.

육체(肉滯) 〖의학〗 Magenschmerz 《*m.* -es, -en》〔Verdauungsstörungen *f.* -en〕 durch Fleischessen.

육체(肉體) Körper *m.* -s, -; Leib *m.* -(e)s, -e; Fleisch *n.* -es. ¶ ~의 körperlich; leiblich; physisch; fleischlich / ~와 정신 Körper u. Geist / ~적 쾌락 der sinnliche 〔fleischliche〕 Genuß, ..nusses, ..nüsse / ~적 욕망 das Verlangen des Fleisches; die fleischlichen Lüste 《*pl.*》/ ~적 만족 die Befriedigung des Fleisches / ~적 고통 der körperliche Schmerz, -es, -en / ~의 유혹 die Versuchung des Fleisches.

‖ ~관계 geschlechtliche Beziehung, -en; Geschlechtsverkehr, -(e)s. ~노동 die körperliche Arbeit, -en; Muskelarbeit *f.* -en. ~문학 geschlechtliche Literatur, -en. ~미 die körperliche Schönheit, -en; der robuste Körperbau, -(e)s (근육이 발달한). ~파 Glamourgirl [glǽmərgə:rl] *n.* -s, -s (사람).

육초(肉—) Talgkerze *f.* -n.

육촌(六寸) 《재종》 der Vetter 《-s, -n》 zweiten Grades.

육축(六畜) sechs Haustiere 《*pl.*》 (=Rind, Pferd, Schwein, Schaf, Huhn, Hund).

육층(六層) fünfter Stock, -(e)s; fünf Stockwerke 《*pl.*》.

육친(六親) sechs familiäre Beziehungen 〔sechs Verwandschaftsbeziehungen〕《*pl.*》 (= Vater, Mutter, Ehefrau, Kinder, ältere Geschwister, jüngere Geschwister).

육친(肉親) Blutsverwandtschaft *f.* -en; der Blutsverwandte*, -n, -n; *js.* eigen(es) Fleisch u. Blut, - u. -s. ¶ ~의 blutsverwandt; leiblich / 그들 사이는 ~ 못지 않다 Sie vertragen sich wie Geschwister.

육탄(肉彈) Menschengeschoß *n.* ..schosses, ..schosse.

‖ ~공격 Sturmangriff *m.* -(e)s, -e. ~전 Handgemenge *n.* -s, -; Sturm *m.* -(e)s, ⸚e; die blutige Schlacht, -en: ~전을 하다 e-n blutigen Kampf kämpfen⁴; Mann gegen Mann kämpfen.

육탈(肉脫) Abmagerung *f.*; Verlust 《*m.* -(e)s, -e》 des Körpergewichtes. ~하다 (Körper)gewicht verlieren*; ab|magern; ab|nehmen*.

육탕(肉湯) Fleischsuppe *f.* -n.

육태질(陸駄—) das Entladen*, 《-s》 von Schiffen; Abladung *f.* -en; Transport 《*m.* -(e)s, -e》 auf dem Landwege. ~하다 ab|laden*⁴; auf dem Landwege transportieren.

육통터지다(六通—) (ein Plan) scheitert im letzten Augenblick („bis zur 6. von 7. Aufgaben vordringen").

육포(肉脯) getrocknete Rindfleischscheibe.

육풍(陸風) der Wind, der vom Land zur See weht.

육필(肉筆) Handschrift *f.* -en; Autogramm *n.* -(e)s, -e; Handschreiben *n.* -s, -. ¶ ~의 mit der Hand geschrieben; handschriftlich; eigenhändig; autographisch.

육해공(陸海空) ¶ ~의 Land-, Luft- u. See-. ‖ ~군 Land-, Luft- u. See|truppen 〔-einheiten〕《*pl.*》: ~군의 장병 Land-, Luft- u. Seesoldaten 《*pl.*》/ ~군 합동 작전 die gemeinsame Operation der Land-, Luft- u. Seetruppe / ~군 입체 공격 der gemeinsame Angriff der Land-, Luft- u. Seetruppe.

육해군(陸海軍) Armee u. Marine; Heer u. Flotte; Land- u. Seesoldat *m.* -en, -en (군인). ¶ ~의 확장 die Verstärkung der Armee u. Marine.

육행(陸行) Reise 《*f.* -n》 auf dem Landweg. ~하다 auf dem Landweg reisen; über Land reisen.

육혈포(六穴砲) Pistole *f.* -n; der Revolver [..vɔ́lvər] 《-s, -》 mit sechs Schuß.

육회(肉膾) Gericht 《*n.* -(e)s, -e》 aus roh gehacktem Rindfleisch.

육후하다(肉厚—) fett; korpulent; dick (sein).

윤(潤) Glanz *m.* -es, -e; Glätte *f.*(반드러움). ¶ 윤이 나는 glanzvoll; glänzend / 윤 없는 glanzlos; matt / 윤이 나다 Glanz bekommen* / 윤을 내다 Glanz geben³; polieren⁴ /윤이 없어지다 s-n Glanz verlieren* / 윤을 없애다 mattieren⁴; matt 〔glanzlos〕 machen⁴; entglänzen / 윤내는 걸레 Polierlappen *m.* -s, -.

윤(閏) Schalt-.

윤가(允可) =윤허(允許).

윤간(輪姦) Gruppennotzucht *f.*; Gruppenvergewaltigung *f.* -en. ~하다 vergewaltigen (der Reihe nach).

윤강하다(輪講—) der Reihe nach aus|legen⁴ 〔aus|deuten⁴; interpretieren⁴〕.

윤곽(輪廓) Umriß *m.* ..risses, ..risse; Außen|linie 〔Umriß-〕 *f.* -n; Kontur *f.* -en. ¶ ~이 뚜렷한 klar 〔deutlich; genau〕 umrissen; scharf geschnitten / 얼굴의 ~ Gesichts|schnitt *m.* -(e)s, -e 〔-züge 《*pl.*》〕/ ~을 그리다 die (äußeren) Umrisse ziehen* 〔zeichnen〕; umreißen*⁴; konturieren⁴; in kurzen Zügen dar|stellen⁴ 〔entwerfen*⁴〕/ ~을 잡다 mit Umrissen versehen*⁴ / 한국 문학의 ~을 말하다 die Hauptzüge der koreanischen Literatur geben*⁴.

‖ ~지도 Umrißkarte *f.* -n.

윤기(倫紀) sittliche Disziplin 〔Gesetze 《*pl.*》; Vorschrift, -en〕; Moralvorschrift *f.*

윤기(潤氣) Reiz *m.* -es, -e. ¶ ~ 있는 anmutig; geschmackvoll; liebreizend; holdselig / ~ 있는 목소리 die liebliche Stimme, -n / ~ 없는 trocken; kahl; prosaisch / 그는 건강해서 ~가 흐르고 있다 Er strahlt vor Gesundheit.

윤나다(潤—) strahlend 〔hell; scheinend〕 sein.

윤납(輪納) abwechselnde Zahlungen; turnusmäßige Zahlung. ~하다 abwechselnd 〔der Reihe nach〕 zahlen.

윤년(閏年) Schaltjahr *n.* -(e)s, -e. ¶ 2월은 ~엔 29일이다 Der Februar hat im Schaltjahr 29 Tage. / ~은 4년마다 든다 Das Schaltjahr kommt alle vier Jahre heran.

윤달(閏—) Schaltmonat *m.* -(e)s, -e. ¶ ~은 29일이다 Der Schaltmonat hat 29 Tage.

윤독(輪讀) das Lesen* 《-s》 in e-r bestimmten Reihenfolge; das abwechselnde Lesen*, -s. ~하다 in e-r Reihenfolge 〔der ³Reihe nach〕 lesen*⁴; abwechselnd lesen*⁴.

윤똑똑이 Klugredner 〔Gescheittuer〕 *m.* -s, -.

윤락(淪落) (Sitten)verderbnis *f.* -se; Sitten-

verfall *m.* -(e)s; Verderbtheit *f.* ~하다 sittlich verderben(*) (verfallen*) ⓢ. ¶ ~의 구렁텅이에 빠지다 [4]sich in den Abgrund der (Sitten)verderbnis stürzen; in die (sittlich) verderbte Gesellschaft geraten* ⓢ.
‖ ~여성 der gefallene Engel, -s, -; das gefallene Mädchen, -s, -; die verderbte Frau, -en.

윤리(倫理) Moral *f.* -en; Sittlichkeit *f.* ¶ ~적 ethisch; sittlich; Sitten- / ~적 비판 die ethische Kritik, -en; die Kritik vom Standpunkt der Sittenlehre aus.
‖ ~학 Ethik *f.*; Sittenlehre *f.*: ~학자 Ethiker *m.* -s, -; Sittenlehrer *m.* -s, -. 실천 ~ die praktische Ethik. 방송 (신문) ~위원회 Zensurkomitee 《*n.* -s, -s》 für Rundfunk (Presse).

윤몰(淪沒) das Versinken*, -s. ¶ 그는 도덕적으로 ~했다 Er ist sittlich gesunken.

윤무(輪舞) Reigen *m.* -s, -; Rund¦tanz (Kreis-; Reigen-) *m.* -es, ⸚e. ~하다 reigen; Ringelreihen tanzen.
‖ ~곡 Reigen *m.*; Rondo *n.* -s, -s.

윤번(輪番) Reihenfolge *f.* -n; Reihe *f.* -n.
‖ ~제 Kreislaufsystem *n.* -s, -e; das System, in dem einer nach dem andern an die Reihe kommt: ~제로 der [3]Reihe nach; nach der Reihenfolge; wechselweise; abwechselnd / ~제로 근무하다 mit (in) e-r Beschäftigung (e-m Dienste) ab|wechseln / 의장을 ~제로 하다 den Vorsitzenden ab|wechseln[4].

윤벌(輪伐) die abwechselnde (teilweise) Abholzung, -en.

윤삭(閏朔) Schaltmonat im Mondkalender.

윤색(潤色) Ausschmückung *f.* -en; Floskel *f.* -n; Schnörkelei *f.* -en; die (literarische) Verschönerung, -en (Verzierung, -en). ~하다 aus|schmücken[4]; mit Floskeln (Schnörkeleien) versehen*[4]; (literarisch) verschönern[4] (verzieren[4]). ¶ ~한 문체 der gezierte Stil, -(e)s, -e.

윤생(輪生) 〖식물〗 Quirlstellung *f.* -en.
‖ ~엽 Quirlblätter (Wirtelblätter) 《*pl.*》.

윤선(輪船) Dampfschiff *n.* -(e)s, -e; Raddampfer *m.* -s, -.

윤시하다(輪示一) rund herum zeigen.

윤음(綸音) Worte 《*pl.*》 des Herrschers; königliche Botschaft.

윤일(閏日) Schalttag *m.* -(e)s, -e.

윤작(輪作) Frucht¦folge *f.* -n (-wechsel *m.* -s, -); Wechselfeldbau *m.* -(e)s. ~하다 Getreide wechselweise pflanzen.

윤전(輪轉) Umdrehung *f.* -en; Rotation *f.* -en. ~하다 um|drehen.
‖ ~기(機) Rotationsmaschine *f.* -n.

윤지(綸旨) =윤음(綸音).

윤질(輪疾) Epidemie *f.* -n.

윤차(輪次) Reihenfolge *f.* -n; Turnus *m.* -, -se.

윤창(輪唱) Rundgesang *m.* -es, ⸚e; Kanon *m.* -s, -e. ~하다 im Rundgesang singen*; einen Kanon singen*.

윤척없다(倫脊一) nichtübereinstimmend; widersprüchlich (sein).

윤택(潤澤) Überfluß *m.* ..flusses; Abundanz *f.*; Fülle *f.*; Reichtum *m.* -(e)s, ⸚er; das Strotzen*, -s; Überfülle *f.*; Unmenge *f.* -n. ~하다 überflüssig; abundant; reichlich; strotzend; in Überfülle (Unmenge); vollauf (sein). ¶ ~해지다 reich werden; gedeihen* ⓢ; Nutzen ziehen* 《*aus*[3]》 / 살림이 ~하다 in Wohlstand leben; ein Wohlleben führen[4] / 자금이 ~하다 über ein großes Kapital verfügen; *jm.* stehen riesige Geldmittel zur Verfügung / 백성을 ~하게 하다 das Volk (auf den Weg) zur Wohlfahrt (zum Wohlstand) bringen*[4].

윤허(允許) königliche Erlaubnis, -se.

윤형(輪形) die kreisartige Form, -en; Ring *m.* -(e)s, -e; Kreis *m.* -es, -e. ¶ ~의 kreisförmig (ring-).

윤형진(輪型陣) Ring-Formation *f.* -en 《im Seekrieg》.

윤화(輪禍) Verkehrsunfall *m.* -s, ⸚e. ¶ ~를 입다 Verkehrsunfall haben / ~로 죽다 sterben* bei e-m Verkehrsunfall.

윤활(潤滑) Schlüpfrigkeit *f.*; das Schlüpfrigmachen*, -s. ~하다 sanft; weich; mild; schlüpfrig (sein).
‖ ~유 Schmieröl *n.* -(e)s, -e.

윤회(輪廻) 〖불교〗 Metempsychose *f.* -n; Seelenwanderung *f.* -en; Wiederkehr *f.*
‖ ~설(說) die Lehre von der Seelenwanderung.

율(律) ① 《법》 Satzung *f.* -en; Statut *n.* -es, -en; Gesetz *n.* -es, -e. ② 《계율》 Gebot *n.* -(e)s, -e. ③ 《시의》 Metrik *f.* -en.
‖ 도덕율 Moralgesetz. 불문율 das ungeschriebene Gesetz; Gewohnheitsrecht *n.* -(e)s, -e (관습법). 자연율 Naturgesetz.

율(率) Verhältnis *n.* ..nisses, ..nisse; Satz *m.* -es, ⸚e; Rate *f.* -n; 《계수》 Index *m.* -(es), -e (..dizes); Koeffizient *m.* -en, -en.
¶ 백분율 Prozentsatz / 결혼(출산)율 Heiratsverhältnis (Geburtsverhältnis) / 굴절율 Brechungskoeffizient / 사망율 Sterblichkeit *f.* 《*an*[3]》 / 결핵 사망율 die Sterblichkeit an [3]Tuberkulose / …의 율로 in dem (Prozent)satz (Verhältnis) von … zu / …의 일정율로 in dem festgesetzten (konstanten) (Prozent)satz (Verhältnis(se)) von … zu / 율을 높이다 (낮추다) das Verhältnis (die Rate; den Satz) erhöhen (erniedrigen) / 율을 정하다 e-n Satz fest|setzen (bestimmen).

율격(律格) 《규칙》 Gesetz *n.* -(e)s, -e; Regel 《*f.* -n》 der Verse (시의).

율동(律動) die rhythmische Bewegung, -en. ¶ ~적 rhythmisch.
‖ ~댄스 der rhythmische Tanz, -es, ⸚e. ~미(美) die rhythmische Schönheit, -en. ~체조 die rhythmische Gymnastik; das rhythmische Turnen*, -s.

율령(律令) Gesetz *m.* -(e)s, -e; Satzung *f.* -en; Verordnung *f.* -en.

율례(律例) Paragraphen 《*pl.*》 (Auslegung 《*f.* -en》) des Strafgesetzes.

율모기 e-e Schlangenart mit roten und blauen Punkten auf dem Kopf; *Natrix tigrina* (학명).

율무 〖식물〗 Perlgraupe *f.* -n. *Coix agrestis* (학명).

율문(律文) 《법조문》 Artikel des Strafgesetzes; 〖문학〗 chinesisches Gedicht in *lü*-Form (=Achtzeiler mit fünf (oder sieben) chinesischen Zeichen pro Zeile, vorgeschriebenen Reimen und Tönen).

율시(律詩) chinesische Gedichtform (Achtzeiler mit fünf (oder sieben) chinesischen Zeichen pro Zeile, vorgeschriebenem Reim und parallelem Aufbau einzelner Zeilen).

율학(律學) Strafjustiz *f.*

융(絨) Flanell *m.* -s, -e.

융기(隆起) (Erd)erhebung *f.* -en; Bodenerhebung; Erhöhung *f.* -en; Wölbung *f.*

-en; Höcker *m.* -s, - (볼록한); Protuberanz *f.* -en (돌기). ～하다 ⁴sich erheben*; hervor|springen*[s] (솟다); ⁴sich wölben; e-n Höcker (e-e Protuberanz) bilden.
‖～산호초 erhobenes Korallenriff, -(e)s,-e. ～해안 erhobene Küste, -n.

융단(絨緞) Teppich *m.* -(e)s, -e; Läufer *m.* -s, - (길쭉한 것); Vorleger *m.* -s, - (소형). ¶…에 ～을 깔다 mit e-m Teppich belegen⁴ (bedecken⁴); e-n Teppich legen《*auf*⁴》/ 두터운 ～을 깐 마루 der mit dickem Teppich bedeckte Fußboden, -s, ⸚(-).
‖～폭격 Bombenteppich *m.*: ～ 폭격을 하다 e-n Bombenteppich legen《*auf*⁴》.

융동(隆冬) der Strenge Winter.

융로(隆老) die alten Leute (über 70).

융모(絨毛) Wolle *f.* -n; 〖해부〗 Darmzotte *f.* -n.

융병(癃病) 〖의학〗 senile Atrophie.

융비술(隆鼻術) Rhinoplastik *f.* -en; die rhinoplastische Operation, -en.

융성(隆盛) Gedeihen *n.* -s; das Florieren* (Prosperieren*) -s; das Empor|kommen* (Vorwärts-) -s; Aufschwung *m.* -(e)s, ⸚e (비약); Aufstieg *m.* -(e)s, -e (흥륭). ～하다 gedeihend; gedeihlich; blühend; florierend; prosperierend; emporkommend in Blüte stehend (sein). ¶～해지다 gedeihen* [s]; florieren; empor|kommen* [s]; auf dem Wege zum Gedeihen *usw.* sein / 한창 ～하고 있다 auf der Höhe des Gedeihens *usw.* sein; in voller (höchster) Blüte sein (stehen*) / 그 당시 국운이 크게 ～했다 Damals war das Land in voller Blüte.

융숭(隆崇) Gastfreundlichkeit *f.*; Freigebigkeit *f.* ～하다 gastfreundlich; herzlich; freigebig (sein). ¶～한 대접 die freundliche (warme; herzliche) Aufnahme, -n; die (gast)freundliche Behandlung, -en; Gastfreundlichkeit *f.* -en / ～한 대접을 하다 freundlich auf|nehmen*⁴; *jn.* freundlich behandeln; *jm.* e-e freundliche Aufnahme bereiten / ～한 대접을 받다 freundlich aufgenommen werden; freundliche Aufnahme finden*《bei *jm.*》.

융자(融資) Finanzierung *f.* -en; Darlehen *n.* -s, - (대부); Investierung (Investition) *f.* -en (투자). ～하다 finanzieren⁴; ein Darlehen geben*³; Geld (Kapital) an|legen (investieren).
‖～금 Anleihe *f.* -n; Darlehen *n.* ～알선 die Förderung《-en》für das Darlehen. ～회사 Finanzierungsgesellschaft *f.* -en. 단기～ das kurzfristige Darlehen. 장기～ das langfristige Darlehen. 조건부～ das gebundene Darlehen.

융점(融點) Schmelzpunkt *m.* -(e)s, -e.

융통(融通) 《금전》 Aushilfe *f.* -n (mit Geld); das geldliche Entgegenkommen*, -s; 〖속어〗 Pump *m.* -(e)s, -e; Darlehen *n.* -s, -; das Darleihen*, -s; (Geld)anleihe *f.* -n (차입); 《유통》 Zirkulation *f.* ～하다 《돈을》 Geld verleihen* (aus|leihen*; dar|leihen*); 〖속어〗 Geld pumpen; mit Geld aus|helfen*³; Geld aus|legen《*für*⁴》(입체). ¶자금을 ～하다 mit Kapital versehen* / 돈을 ～해 주다 *jm.* mit Geld aus|helfen*³.
‖～력 *js.* Finanzierungsfähigkeit *f.* -en. ～어음 Gefälligkeits|wechsel *m.* -s, - (-akzept *n.* -(e)s, -e). ～자본 das zirkulierende Kapital, -s, -e. ～증권 Umlaufspapier *n.* -s, -e; Dokument *n.* -(e)s, -e.

융통성(融通性) Anpassungsfähigkeit *f.* -en; Anwendbarkeit *f.* -en; Elastizität *f.* -en; Geschmeidigkeit *f.* -en; Vielseitigkeit *f.* -en. ¶～이 있는 anpassungsfähig; elastisch; geschmeidig; taktisch; vielseitig; wendig / ～이 없는 beschränkt; stur; starrsinnig; hartköpfig / ～이 없는 녀석이다 Er ist steif wie ein Brett. | Ist das ein Holzkopf!

융합(融合) Verschmelzung *f.* -en; Fusion *f.* -en. ～하다 verschmelzen* [s]. ¶～시키다 verschmelzen⁴《*mit*³》; fusionieren⁴《*mit*³》.
‖～유전 Mischerblichkeit *f.* -en. 핵～ Kern|verschmelzung (-fusion) *f.* -en.

융해(融解) (Ver)schmelzung *f.* -en; das Schmelzen*, -s. ～하다 (ver)schmelzen* [s]; zergehen* [s]; zerfließen* [s].
‖～열 Schmelzwärme *f.* -n. ～온도 (점) Schmelzpunkt *m.* -(e)s, -e.

융화(融化) das Zergehen*, -s; das Zerfließen*, -s. ～하다 zerfließen*[s]; schmelzen.

융화(融和) Harmonie *f.* -n [..níːən]; Verträglichkeit *f.* ～하다 harmonieren《*mit*³; *miteinander*》; ⁴sich vertragen*《*mit*³》; zusammen|passen. ¶양국의 ～를 도모하다 versuchen, die verschiedenen Bestrebungen (die Ansprüche) der beiden Mächte in Einklang zu bringen.
‖～정책 Versöhnungspolitik *f.* -en.

융흥(隆興) das Gedeihen*, -s; Zuwachs *m.* -es; Wohlstand *m.* -s. ～하다 gedeihen* [s]; blühen.

윷 ①《놀이》 das koreanische Würfelspiel《-(e)s, -e》 mit vier Holzstäben; *Yuch.* ②《끗수》 vier Punkte《*pl.*》 auf dem *Yuch*-Spielbrett. ③ ＝윷짝.

윷놀이 *Yuch*spiel *n.* -(e)s, -e. ～하다 *Yuch* spielen.

윷밭 das Brett《-(e)s, -er》(Brettähnliches*), mit dem *Yuch* gespielt wird.

윷짝 die Holzstäbe《*pl.*》, die für das *Yuch*spiel verwendet werden. ¶～가르듯 (unterscheiden) scharf; klar / ～가르듯 흑백을 가리다 unterscheiden klipp und klar zwischen Gutem und Bösem (Richtigem und Falschem).

윷판《윷노는 자리》Ort《*m.* -(e)s, -e》, wo man *Yuch* spielt.

윷판 (一板)《말판》 *Yuch*brett *n.* -(e)s, -er.

으깨다 《부숨》 erdrücken⁴; zerdrücken⁴; zermalmen⁴; zerquetschen⁴; 《잘게 하다》 zerreiben*⁴; klein|reiben*⁴. ¶으깨어지다 zerdrückt (zerquetscht) werden.

으끄러지다 zerquetscht (zermalmt; zerdrückt) werden.

-으나 ①《…하지만》 aber; allein; doch; jedoch; indessen; dagegen; (da)hingegen; 〖종속문을 써서〗 während; wo|gegen (wohin-); 《임에도 불구하고》 dennoch; dessenungeachtet; obgleich; obwohl; wenn... auch. ¶갔으나 만나지 못했다 Ich war bei ihm, allein ich traf ihn nicht an. / 가고 싶으나 갈 수가 없다 Ich möchte zwar gern kommen, aber es ist ganz unmöglich. / 옷은 좋으나 돈이 없다 Trotz s-r guten Kleidung hat er wenig Geld. / 수입은 대단치 않으나 먹고는 살 수 있다 Wenn mein Einkommen auch nicht groß ist, kann ich doch davon leben. / 번역을 맡았으나 그 일이 점점 짐스럽기만 하다 Die Übersetzung habe ich übernommen, was mir allmählich zur Last fällt. / 괴롭히진 않았으나 참을 수가 없다 Obgleich er mir nie etwas zuleide getan hat, kann ich ihn (doch) nicht ausstehen.

② 《모두…간에·어쨌든》 gleichgültig sein, ob...; nichts anderes, als.... ¶ 있으나 없으나 매 한가지다 Es ist mir ganz gleichgültig, ob ich es habe oder nicht. / 좋으나 싫으나 가야 한다 Es bleibt mir nichts anderes übrig, als zu gehen.

③ 《퍽으나 …한》 unermeßlich; unendlich; grenzenlos; weit ausgedehnt. ¶ 넓으나 넓은 들 das weit ausgedehnte Feld, -(e)s, -er / 높으나 높은 산 der unermeßlich hohe Berg, -(e)s, -e / 깊으나 깊은 물 das unermeßlich tiefe Wasser, -s, - / 넓으나 넓은 바다 das grenzenlose, -(e)s, -e.

-으나마 zwar..., aber. ¶ 집은 적으나마 자리가 좋다 Das Haus ist zwar klein, aber schön gelegen.

-으니 ① 《…하니까》 da es ist [tut]; deshalb. ¶ 우리 할 일이 없으니 산책이나 할까요 Wir haben nichts zu tun, deshalb machen wir einen Spaziergang. / 시간이 너무 늦었으니 택시를 타고 갑시다 Da es zu spät ist, nehmen wir Taxi.

② 《설명의 계속》 und zwar. ¶ 출세를 했으니 그때 그의 나이 스물이었다 Er machte Karriere, und zwar im Alter 20 Jahre.

-으니까 ① 《…하므로》 da; weil; denn; infolge²; wegen²; um²... willen*. ¶ 이미 때가 늦었으니까 da es nun spät ist / 나이 들었으니까 거기까지 갈 수 없다 Ich bin zu alt, bis dorthin zu Fuß zu gehen. / 일찍 일어났으니까 그런대로 첫차에 댔다 Ich stand so früh auf, damit ich den ersten Zug erreichte. / 열심히 노력을 했으니까 성공을 했다 Sein Erfolg ist s-m Fleiß zuzuschreiben. / 돈이 없었으니까 그런 짓을 한 것이다 Aus Mangel an Geld hat er es getan.

② 《…한즉》 als. ¶ 나이를 물으니까 30 미만이라고 했다 Als ich ihn nach s-m Alter gefragt hatte, sagte er (mir), daß er noch unter 30 ist.

으드득 mit knirschendem Ton. ¶ 이를 ~ 갈다 mit den Zähnen knirschen.

으드득거리다 ① 《…이》 knirschen. ② 《…을》 ¶ 이를 ~ mit den Zähnen knirschen.

으드득으드득 ① 《깨무는 모양》 knirschend 《zermalmen》. ② 《갈리는 모양》 knirschend.

으드등거리다 knurren; bissig anfahren. ¶ 그 부부는 앙숙처럼 늘 으드등거린다 Das Ehepaar streitet sich immer wie Katze und Hund.

으드등으드등 zankend; hadernd; knurrend.

으등그러지다 《말라》 ⁴sich verdrehen; ⁴sich verzerren; ⁴sich entstellen; 《날씨가》 wolkig [bewölkt; betrübt; düster] sein.

으뜸 ① 《첫째》 der [die; das] Erste [Beste] -n, -n.

② 《일류·최고》 der beste Rang, -(e)s, ⸗e; der höchste Grad, -(e)s, -(e). ¶ ~의 der erste*; der beste* / ~으로 vor allen Dingen / 세계서 ~가는 독일 Deutschland über ⁴alles / ~가다 zuerst stehen*; der beste sein; an erster Stelle sein / 건강이 ~이다 Gesundheit zuerst. ¦ Nichts geht über (die) Gesundheit. / 돈이 ~이다 Für Geld bekommt man alles. ¦ Geld steht an erster Stelle. / ~가는 학자이다 Er ist e-r der besten Gelehrten. / 그는 수영에 있어서는 반에서 ~이다 Im Schwimmen ist er der beste in der Klasse. / 그는 서울에서 ~가는 부호이다 Er ist der reichste Mann in Seoul. / 부 전체에서 ~가는 민완가이다 Er ist der tüchtigste Mann im ganzen Ministerium.

-으라 《명령·소원》 tu(e)!; möge! ¶ 앉으라 Setze dich! / 한국에 통일이 있으라 Möge Korea vereinigt sein! / 있으라 Bleib! / 있으라 하다 sagen, er soll bleiben.

-으라고 《명령》 jemandem sagen, daß.... ¶ 손을 씻으라고 일러라 Sag ihm, daß er die Hände waschen soll. / 이것을 먹으라고 하시오 Sag ihm, er soll das essen.

-으라는 《…하라는》 besagend, daß... soll; heißend. ¶ 그 물은 식사를 한 후에 손을 씻으라는 것입니다 Das Wasser ist dazu da, nach dem Essen die Hände zu waschen.

-으락 《반복·단속적》 ¶ …으락말락 mal ... mal; bald... bald / 얼굴이 붉으락푸르락한다 Sein Gesicht wird mal rot, mal blau vor Zorn.

-으려고 《하고자 하는 뜻》 mit dem Gedanken; mit der Absicht; mit der Meinung; mit dem Ziel 《이상 *et.* zu tun》. ¶ 만나지 않으려고 한다 Er will mich nicht (gern) sehen./약을 먹으려고 하지 않는다 Er nimmt nicht gern Arznei. / …으려고 한다 die Absicht haben; die Neigung haben 《이상 *et.* zu tun》; wollen*; beabsichtigen⁴ / …으려고 들다 drohen; im Begriffe sein; eben daran sein / 무슨 일이 있어도 그것을 수중에 넣으려고 한다 Er will es unbedingt haben. / 얼마나 한국에 있으려고 하느냐 Wie lange willst du in Korea bleiben? / 어린애가 양잿물을 사탕으로 알고 먹으려고 들었다 Das Kind verwechselte die kaustische Soda mit Kandiszucker u. war nahe daran, sie zu essen.

-으려도 ☞ -려도. ¶ 죽으려도 죽을 수 없다 Er kann trotz s-s Willens nicht sterben.

-으려면 《…으려하면》 wenn... will; um zu.... ¶ 냉면을 먹으려면 모두 그리 간다 Um kalte Nudeln zu essen, gehen alle dorthin.

-으련만 Ich wünschte, daß.... ¶ 그가 빨리 집에 오면 좋으련만 Ich wünschte, daß er bald nach Hause käme.

으레 ① 《관례적인》 gewöhnlich; herkömmlich; 《당연히》 selbstverständlich; ohne Frage; zweifellos; ganz gewiß. ¶ 겨울이면 ~ 그는 독감에 걸린다 Gewöhnlich kriegt im Winter er die Grippe. / 그것은 ~ 너희들이 해야할 일이다 Es ist zweifellos euere Aufgabe.

② 《어김없이》 immer; stets; ohne Ausnahme. ¶ 나는 식전에 ~ 산책을 한다 Ich mache immer vor dem Frühstück einen Spaziergang. / 만나면 ~ 싸운다 Jedesmal streiten sie sich, wenn sie sich treffen.

으로 ① 《수단》 vermittels²; mittels²; vermöge²; durch⁴; mit³; zu³; an³. ¶ 이런 방법 ~ auf diese Art [Weise] / 펜~ 쓰다 mit der Feder schreiben* / 육안~ 보다 mit bloßem Auge sehen* / 돈~ 사다 für Geld kaufen / 농담~ 말하다 im Scherz sprechen* / 편지를 항공우편~ 보내다 e-n Brief mit der Luftpost schicken / 연금(붓)~ 살아가다 von s-n Renten [der Feder] leben/ 서면~ 알리다 schriftlich benachrichtigen⁴.

② 《원료·재료》 aus³; mit³; von³. ¶ 대리석 ~ 지은 집 das Haus 《-es, ⸗er》 aus Marmor; Marmorhaus *n.* -es, ⸗er / 금~ 만든 관 die Krone ((-n)) aus Gold / 헌 옷~ 아이들의 옷을 만들다 aus alten Kleidern (der Mutter) die Kleidung für die Kinder machen / 이 금속은 구리와 주석~ 만들었다 Dies Metall ist von Kupfer u. Zinn legiert.

③ ((원인·경과·이유)) in³; an³; von³; aus³; vor³; durch⁴; über³·⁴; wegen²; infolge²; um²... willen; auf Grund ((*von*³)); ²halber. ¶그 까닭~ deswegen; deshalb; da (weil) es mit den Dingen so ist / 질병~ krankheitshalber; infolge der ²Krankheit; der ²Krankheit halber / 특별한 사정~ infolge besonderer ²Umstände / 상용~ 여행하다 in Geschäften reisen / 돈의 부족~ aus Mangel an ³Geld / 숙환~ 세상을 떠났다 Er erlag endlich s-r langen Krankheit. / 직무태만~ 면직되었다 Er hat wegen Nachlässigkeit im Dienste s-e Stellung verloren.

④ ((지위·신분·자격)) als; zu³; für⁴. ☞ 으로서. ¶변명~ als Entschuldigung / 종~ 태어나다 als Sklave geboren sein / 보병~ 복무하다 zu Fuß dienen/여성~는 키가 크다 Für e-e Frau ist sie groß. / 학교 선생~ 그런 행동을 할 수 있나 Es ist e-e Handlung, die sich für e-n Lehrer nicht schickt.

⑤ ((변화)) in⁴; zu²; ((교환)) gegen⁴. ¶새 옷 ~ 갈아입다 ⁴sich neu um|kleiden / 바람이 남풍~ 바뀌었다 Der Wind hat sich nach Süden gedreht. / 지전을 잔전~ 바꾸었다 Ich habe Papiergeld gegen Kleingeld umgewechselt. / 밭이 초원~ 변했다 Der Acker ((-s, -)) ist in e-e Weide verwandelt. / 유충이 나방~ 변했다 Raupe verwandelte sich in e-n Nachtfalter.

⑥ ((방향)) zu³; nach³; gegen⁴; an⁴; auf⁴; bis auf⁴. ¶이 쪽~ in diese Richtung / 부산~ 가다 nach Busan fahren*Ⓢ / 연못 속~ 빠지다 in die Teiche fallen*Ⓢ / 방 안~ 들어오다 ins Zimmer kommen*Ⓢ / 미국~ 가다 nach Amerika fahren*Ⓢ / 현관~ 들어가다 durch die Haustür (zur Haustür) hinein|gehen*Ⓢ / 창문~ 볕이 든다 durchs Fenster (zum Fenster) herein|scheinen* / 왼쪽~ 가시오 Gehen Sie nach links! / 산~ 가자 Wollen wir auf den Berg steigen!

⑦ ((액수·단위)) zu³; um⁴; für⁴. ¶5백원 권~ der fünfhundert-*Won*-Schein, -(e)s, -e / 시간~ 고용하다 auf Stundenlohn engagieren⁴ [ãgaʒí:rən]; stundenweise mieten⁴ / 중량~ 달아 팔다 nach dem Gewichte verkaufen⁴ / 하루 천원의 수입~는 살아가기 힘들다 Mit dem täglichen Einkommen von tausend *Won* könnte er schwer auskommen.

⑧ ((근거·기준)) in³; an³; nach³; mit³; auf³. ¶안색~ in (nach) *js.* ³Gesicht / 일급(시간급)~ 일하다 auf Tagelohn (Stundenlohn) in Dienst treten*Ⓢ (arbeiten) / 겉~ 판단하다 nach dem Äußeren (Aussehen) schließen*⁴ (urteilen⁴).

⑨ ((구성·성립)) aus³. ¶…~ 돼 있다 bestehen* ((*aus*³)); gebildet werden / 일본은 섬 ~ 구성되어 있다 Japan besteht aus vielen Inseln. / 미국 국회는 상하 양원~ 구성되어 있다 Amerikanisches Parlament besteht aus zwei Häusern, Ober- u. Unterhaus.

⑩ ((내용)) von³; mit³. ¶승객~ 가득찬 열차 der Zug ((-(e)s, ⸗e)) voll von Fahrgästen/ 강당에는 청중~ 가득 차 있다 Die Zuhörer füllen die Halle.¦ Die Halle ist voll von Zuhörer.

⑪ ((정도)) als; in³. ¶보통~ normal; gewöhnlich; allgemein; im allgemeinen.

⑫ ((시간의 경과)) an³. ¶아침 저녁~ 서늘해졌다 Morgens u. abends wurde es kühler.

⑬ ((목적어가 선택의 결과일 때)) ¶무엇~ 할래 Was möchtest du? / 그것~ 주시오 Das möchte ich haben. / 무엇~ 당신에게 감사의 뜻을 표하리오 Womit kann ich Ihnen danken?

으로나 sowohl..., als auch. ¶그 책은 양 ~ 질로나 매우 우수하다 Das Buch ist sowohl dem Umfang als auch dem Inhalt nach sehr gut.

으로는 für (*jn.*; ⁴*et.*); als; mit. ¶양반~ 태어나지 않았지만 Obwohl er nicht als Adliger geboren ist / 일본인~ 키가 큰 편이다 Für e-n Japaner ist er ziemlich groß. / 돈~ 내 결심을 바꾸지 못한다 Mit dem Geld kann man nicht meinen Entschluß ändern. / 이것~ 안 된다 Damit wird es nicht gehen.

으로도 auch (als). ¶그는 시인~ 이름이 있다 Er ist berühmt auch als Dichter. / 그는 선생~ 신문기자로도 실패했다 Er scheitert sowohl als Lehrer wie auch als Journalist. / 그 장관은 말로도 붓~ 형용할 수 없다 Die Herrlichkeit der Szene ist kaum zu beschreiben, weder durch Reden noch durch Schreiben.

으로서 als. ¶ 그는 정치가로서보다 시인~ 더 잘 알려져 있다 Er ist bekannt nicht so sehr als Politiker viel mehr als Dichter.

으로써 mit; durch; wegen. ☞ 로써. ¶그의 세력~ mit seiner Macht / 이것~ 그의 진의를 짐작할 수 있다 Daran kann man s-e wahren Absichten erkennen.

으르다 drohen ((*jm.*)); an|drohen⁴ ((*jm.*)); bedrohen ((*jn. mit*³)); Drohungen äußern (aus|sprechen*; ein|schüchtern) ((*jn.*)); Gewalt an|kündigen ((*jm.*)). ¶을러도 달래도 weder durch Drohungen noch (durch) Schmeicheleien/을러대어 복종시키다 durch Drohungen zum Gehorsam zwingen* ((*jn.*)) / 죽이겠다고 ~ mit e-r Todesdrohung ein|schüchtern ((*jn.*)); mit dem Tode bedrohen ((*jn.*)).

으르대다 ¶으르대는 소리로 일갈하다 mit Schreck einflößender Stimme an|brüllen (an|schnauzen; an|donnern).

으르렁 brummend; knurrend.

으르렁거리다 ① ((맹수가)) brüllen; brummen; heulen. ② ((사람이)) ⁴sich an|knurren; ⁴sich zanken; ⁴sich beißen*; ⁴sich herum|schlagen*; ⁴sich balgen; ⁴sich vertragen* wie Hund u. Katze.

으르렁으르렁 knurrend; brüllend; wie Hund u. Katze.

으르르 frierend; zitternd. ~하다 frieren; schauern; zittern. ¶추워서 몸이 ~ 떨린다 Es friert mich vor Kälte.

으름 〖식물〗 Waldrebe *f.* -n; *Akebia quinata* (학명). ‖~덩굴 Waldrebe (Strauch).

으름장 Einschüchterung *f.* -en; Bedrohung *f.* -en. ~놓다 bedrohen; ein|schüchtern; Furcht ein|jagen.

-으리까 Endungsform der Frage. ¶누가 읽으리까 Wer liest es?

-으리니 während; indem. ¶내가 시를 읊으리니 너는 노래를 불러라 Du singst, während ich ein Gedicht vor|lese.

으리으리하다 stattlich; prächtig; imposant; grandios (sein). ¶ 으리으리한 저택 ein imposantes Haus / 으리으리한 성당 eine stattliche Kathedrale.

-으며 《동시에》 und gleichzeitig tun. ¶ 웃으며 말한다 Er lacht und zugleich redet.

-으면 《가설적 조건》 wenn; falls; im Falle, daß ...; ausgenommen, daß .... ¶ 시간이 있으면 Wenn du Zeit hast, ... / 좀 더 있으면 nach e-r Weile / 그렇지 않으면 sonst; oder sonst / 집에 있지 않으면 안 된다 zu Hause bleiben sollen* / …했으면 한다 Ich wünsche (hoffe), daß.... / …으면 좋겠다 Ich möchte (hätte) gerne einmal.... / 아직 살았으면 좋으련만 Wäre er doch noch am Leben! | Wenn er doch noch lebte! / 내일 날씨가 좋으면 꼭 오겠네 Wenn morgen schönes Wetter ist, komme ich sicher. / 독어를 잘했으면 좋겠다 Ich hoffe, daß ich noch besser Deutsch spreche. | Ich spräche noch besser Deutsch! / 자동차를 가졌으면 좋겠는데 Ich hätte ein Auto! / 너무 많이 걸으면 피곤하다 Wenn man zu weit läuft, fühlt man sich müde.

-으면서 《동작·상태의 겸함》 während; indem. ¶ 음악을 들으면서 고향 생각을 하고 있다 Er denkt an die Heimat, indem er Musik hört. / 아우는 웃으면서 집으로 돌아갔다 Der jüngere Bruder kehrte lächelnd nach Hause zurück.

-으면서도 obgleich ... dennoch. ¶ 돈은 없으면서도 잘 쓴다 Obgleich er kein Geld hat, gibt er dennoch viel aus.

-으므로 ☞ -므로. da; so; so ... daß; weil; denn; infolge 《*von*[3]》; wegen[2·3]. ¶ 돈이 없으므로 weil ich kein Geld habe / 해가 짧으므로 일을 많이 할 수 없다 Weil der Tag kurz ist, kann man nicht so viel arbeiten. / 키가 작으므로 그를 꼬마라고 불렀다 Wir nennen ihn „Zwerg", weil er zu klein ist.

으밀아밀 flüsternd; leise sprechend.

-으소서 bitte; ich bitte Sie ... zu tun. ¶ 저의 간청을 들으소서 Bitte, hören Sie meine dringende Bitte.

으스대다 e-e stramme Haltung nehmen* (가슴을 펴다); [4]sich in die Brust werfen* (뽐내는 뜻); [4]sich (mit den Ell(en)bogen) breit machen (어깨를 펴다). ¶ 안다고 ~ sein Wissen zeigen.

으스러- =바스러-.

으스름달 der durch Wolken (Nebel) hindurch schimmernde Mond, -(e)s. ‖ ~밤 die wolkige (neblige) Mondnacht, ⸗e.

으스름하다 《Mondschein》 dunstig; dämmerig; verschwommen (sein).

으스스하다 halt; kühl; unruhig; ängstlich (sein). ¶ 으스스 춥다 kalt (kühl) sein; [4]sich kalt (kühl) fühlen; frösteln[4] / 오늘은 조금 ~ Es ist heute etwas zu kühl. / 밖에 나가니까 몸이 ~ Es fröstelte mich, als ich ausging. / 그런 생각을 하니 몸이 으스스해진다 Es schaudert mich, wenn ich daran denke.

으슥하다 zurückgezogen; abgelegen; dunkel; düster; einsam (sein). ¶ 으슥한 숲속에서 im düsteren Walde / 으슥한 곳 die einsame Stelle; abgelegener Ort / 으슥한 방구석 die düstere Ecke des Zimmers.

으슬으슬 ☞ 오슬오슬.

으슴푸레하다 dämmerig; trübe; düster (sein). ¶ 달빛이 ~ Der Mond scheint trüb und matt.

으쓱[1] 《추위·무서움으로》 schaudernd (wegen der Kälte oder der Angst). ¶ 그 생각을 하면 온 몸이 ~한다 Es schaudert mich bei dem Gedanken.

으쓱[2] 《어깨를》 ~하다 die Achseln 《*pl.*》 (die Schultern; mit den Achseln; mit den Schultern) zucken. ¶ 어깨를 ~하고 걷다 stolzieren. [h,s]

으쓱거리다 prahlen; groß|tun*.

으악 《외마디 소리》 schrill (schreiend).

으지적 ☞ 아지작.

으츠러지다 zerquetscht werden; zerdrückt werden.

으크러뜨리다 zerquetschen; zerdrücken.

윽물다 ¶ 이를 ~ die Zähne aufeinander|-beißen.

윽박다 ein|schüchtern; grob an|fahren.

윽박지르다 *jn.* an|fauchen; *jm.* aufs Dach steigen* [s]; *jm.* eins darauf geben*; *jm.* den Marsch blasen*; *jn.* abblitzen lassen*; *jn.* an die Luft setzen. ¶ 그를 한껏 윽박질렀다 Ich habe ihm gehörig den Kopf gewaschen.

은(恩) Gnade *f.* -n (은혜); Gunst *f.* (은혜); Wohltat *f.* -en (선행); Freundlichkeit *f.* (친절); Wohlwollen *n.* -s, - (호의).

은(銀) 〖광물〗 Silber *n.* -s. ¶ 순은 reines (echtes; feines; gediegenes) Silber, -s / 은으로 된 Silber-; aus (von) [3]Silber; silbern / 은빛의 silbern; silber|farben (-farbig; -glänzend; -grau; -hell; -weiß) / 은을 입힌 versilbert; silberplattiert / 은도금하다 versilbern[4]; mit Silber plattieren.

-은 ① 〔부정관사로〕 ¶ 저것은 제트기다 Das ist eine Düsenmaschine.
② 〔정관사로〕 ¶ 그 사람은 가난했다 Der Mann war arm.
③ 〔전치사로〕 ¶ 이름만은 지배자다 nur dem Namen nach ein Herrscher sein / 직업은 재봉사다 Er ist Schneider von Beruf.
④ 〔형용사로〕 ¶ 작은 나무 der kleine Baum, -(e)s, ⸗e.
⑤ 〔동사로〕 ..., der [4]*et.* getan hat. ¶ …을 받은 사람 der Mann, der [4]*et.* bekommen hat / 그가 받은 편지 der Brief, den er erhalten hat / 그가 점심 먹은 식당 das Gasthaus, in dem er zu Mittag gegessen hat.

-은가 《의문》 ist es?; tut er? ¶ …은가 보다 Es scheint.... / 같은가 Ist es das Gleiche?

은감(殷鑑) Fehler 《*m.* -s, -》 der anderen als Mahnung *bzw.* Vorbild für sich selbst; Warnung *f.* -en; Lektion *f.* -en.

은거(隱居) Rücktritt *m.* -(e)s, -e; Pensionierung *f.* -en (정년 따위). ~하다 pensionieren; in den Ruhestand treten*.
‖ ~인(자) Pensionär *m.* -s, -e.

은고(恩顧) Gunst *f.*; Gönnerschaft *f.* ¶ ~를 입다 *js.* [4]Gunst genießen*.

은공(恩功) Gunst *f.* -en; Dank *m.* -(e)s. ¶ ~을 입다 *jm.* zum Dank verpflichten.

은광(銀鑛) 〖광물〗 Silbermine *f.* -n; Silbergrube *f.* -n.

은괴(銀塊) Silberklumpen *n.* -s, -; Klumpensilber *n.* -s; 《막대 모양의》 Silberbarre *f.* -n; Silberbarren *m.* -s, -.

은근(慇懃) ① 《정중》 Höflichkeit *f.* -en; Artigkeit *f.* -en; Herzlichkeit *f.* -en (친절); Bescheidenheit *f.* -en (겸손). ~하다 höflich; artig; herzlich; bescheiden (sein). ¶ ~히 höflich; artig; herzlich; freundlich / ~한

인사를 하다 (~히 감사하다) höflich grüßen[4] (danken《jm. für[4]》).
② 《함축》 Umweg m. -(e)s, -e; 《은밀》 Heimlichkeit f. -en. ~하다 heimlich; geheim; verborgen (sein). ¶ ~히 heimlich; in heimlicher Weise; persönlich / ~히 생각하다 bei [3]sich denken; heimlich lieben 《jn.》 (사랑하다) / ~히 골리다 jn. insgeheim quälen / ~히 걱정하다 [3]sich innerlich Sorge machen 《um[4]》 / ~히 기뻐하다 [4]sich innerlich freuen.
③ 《정》 Aufmerksamkeit f. -en; Gefälligkeit f. -en. ~하다 aufmerksam; gefällig; freundlich; vertraut; dickbefreundet (sein). ¶ ~한 사이다 mit jm. sehr vertraut sein; mit jm. auf vertrautem Fuße stehen*.
은근짜 käufliches (öffentliches) Mädchen, -s, -; Animiermamsell f. -en.
은기(銀器) Silberwaren 《pl.》.
은니(銀泥) Silberbronze [..brɔ̃:sə] f.-n; Silberfarbe f. -n.
은닉(隱匿) Verheimlichung f. -en; Verhehlung f. -en; das Verstecken*, -s. ~하다 verstecken[4]; verbergen*[4]; verhehlen[4] (은폐); verheimlichen[4] (비밀로 하다); auf|nehmen*[4] (사람을 숨기다).
‖ ~물자 verborgene Sachen 《pl.》. ~처 Versteck n. -(e)s, -e. 범죄~(죄) die unterlassene Anzeige e-s Vergehens. 장물~ Hehlerei f. -en; das Verhehlen* 《-s》 gestohlener Sachen 《pl.》.
은덕(恩德) Gunst f. -en (⸗e); die gütige Beihilfe, -n.
은덕(隱德) die heimliche Tugend, -en. ¶ ~을 베풀다 heimlich Gutes tun.
은둔(隱遁) Zurückziehung f. -en; Abgeschiedenheit f. -en. ~하다 [4]sich von der Welt zurück|ziehen*; [4]sich ab|scheiden* 《von[3]》; der [3]Welt entsagen. ¶ ~하여 abgeschieden; eingezogen / 조용한 (행복한) ~생활을 하다 in ruhiger (glücklicher) Geborgenheit leben (ruhen; sein); ein zurückgezogenes Leben führen.
‖ ~자 Einsiedler (Klausner) m. -s, -.
-은들 ☞ -ㄴ들.
은딴 der Chef [ʃɛf] 《-s, -s》 einer Schlangefängergruppe.
은로(銀露) der silberige Tau, -(e)s.
은막(銀幕) (Film)leinwand f.; Leinwandschirm m. -(e)s, -e. ¶ ~의 여왕 die Königin《-nen》 der Leinwand; Star m. -s, -s.
은메달(銀—) Silbermedaille [..daljə] f. -n; die silberne (Denk)schaumünze f. -n.
은명(恩命) ein gnädiger Befehl, -(e)s, -e; gnädige Worte 《pl.》.
은미(隱微) Schwerverständlichkeit f. -en; Unklarheit f. -en. ~하다 schwerverständlich; okkult; tiefsinnig (sein).
은밀(隱密) Geheimnis n. ..nisses, ..nisse; Geheimhaltung f. -en; Heimlichkeit f. -en; Verschwiegenheit f.; Vertraulichkeit f. -en. ~하다 geheim; heimlich; innig; intim; persönlich (sein). ¶ ~히 im geheimen; unter der Hand; unter vier Augen; vertraulich / ~히 이야기를 나누다 ein vertrautes Zwiegespräch führen 《mit jm.》; e-e private Unterredung halten*《mit jm.》.
은박(銀箔) Blattsilber n. -s; das fein getriebene Silber, -s.
‖ ~지 Silberpapier n. -s, -e.
은반(銀盤) die (künstliche) Eisbahn, -en. ¶ ~의 여왕 die Königin 《-nen》 (auf) der Eisbahn.
은발(銀髮) das silberige Haar, -(e)s, -e; graues Haar. ¶ ~의 silberhaarig.
은방(銀房) Juwelengeschäft n. -(e)s, -e.
은배(銀杯) Silberbecher m. -s, -; der silberne Pokal, -s, -e (발이 긴).
은백(銀白) silberweiß; silbergrau.
은벽(隱僻) Abgelegenheit f. -en. ~하다 abgelegen (sein). ‖ ~처 die abgelegene Stelle, -n; der einsame Ort, -(e)s, -e.
은복(隱伏) das Verstecken*, -s. ~하다 [4]sich verstecken; auf der Lauer liegen.
은부(殷富) Fülle f. -n; Überfluß m. ..sses; Reichtum m. -(e)s, ⸗er. ~하다 üppig; reichlich; in Hülle und Fülle (sein).
은분(銀粉) Silberpulver n. -s; das fein gemahlene Silber, -s.
은비(隱庇) Verbergung f. -en; Deckung f. -en. ~하다 verbergen; decken; verstecken. ¶ 사실을 ~하다 die Wahrheit verbergen.
은빛(銀—) Silberfarbe f. -n. ¶ ~의 silberig.
은사(恩師) js. (geehrter; guter) Lehrer, -s, -; ein Lehrer, dem man viel verdankt.
은사(恩赦) Amnestie f. -n [..tí:ən]; Begnadigung f. -en; Straferlaß m. ..lasses, ..lasse. ¶ ~를 내리다 amnestieren[4]; begnadigen[4].
은사(恩賜) e-e königliche Schenkung, -en; ein königliches Geschenk, -(e)s, -e. ¶ ~받은 vom König geschenkt.
은사(隱士) Einsiedler m. -s, -; der zurückgezogene Gelehrte*, n, -n; Eremit m. -en, -en.
은사(隱事) die geheime Angelegenheit, -en; Geheimnis n. -ses, -se.
은산(銀山) Silber|grube f. -n (-mine f. -n; -bergwerk n. -(e)s, -e).
은산덕해(恩山德海) die unermeßliche Dankbarkeit (Freundlichkeit).
은상(恩賞) Belohnung f. -en. ~하다 jn. belohnen. ¶ 막대한 ~을 받다 reichlich belohnt werden 《für[4]》.
은색(銀色) =은빛.
은서(隱棲) 《생활》 das zurückgezogene Leben, -s, -; 《집》 Klause f. -n. ~하다 in Abgeschiedenheit leben.
은설(銀屑) Silberstaub m. -(e)s.
은성(殷盛) das Gedeihen*, -s; Blüte f. -n; Gedränge n. -s. ~하다 lebhabt; belebt (sein); (blühen u.) gedeihen*.
은세계(銀世界) Schneelandschaft f. -en; die verschneite Landschaft, -en. ¶ 온 누리가 ~로 변했다 Die Welt hat sich in e-e Schneelandschaft verwandelt.
은세공(銀細工) Silber|arbeit f. -en (-ware f. -n). ‖ ~사 Silberarbeiter m. -s, -; Silberschmied m. -(e)s, -e. ~품 Silberzeug n. -(e)s, -e.
은수저(銀—) Silberbesteck n. -(e)s, -e (Löffel u. Stäbchen).
은시계(銀時計) die silberne Uhr, -en.
은신(隱身) das Verbergen*, -s, -. ~하다 [3]sich verstecken. ‖ ~처 Versteck n. -(e)s, -e; Schlupfwinkel m. -s, -.
은실(銀—) Silberfaden m. -s, ⸗.
은애(恩愛) Liebe f. (애정); Anhänglichkeit f. (애착).
은어(銀魚) (e-e Art der) Forelle 《f. -n》.
은어(隱語) Geheimsprache f. -n; Argot [argó:] n. -s (도적, 걸인 등의); Bettlersprache f. -n (걸인의); Gaunersprache f. -n (도적의); Rotwelsch n. -es (도적의); 《각종 직

업상의 독특한》 Jargon [zargɔ̃:] *m.* -s, -s; Slang [slæŋ] *m.* -s, -s. ¶ ~로 말하다 in e-r Geheimsprache sprechen* 〔reden〕.

은연중(隱然中) insgeheim; im geheimen; hinter den Kulissen. ¶ 친구를 ~에 돕다 dem Freund insgeheim helfen.

은연하다(隱然—) versteckt; heimlich verborgen (sein). ¶ 은연한 세력을 가지다 e-n unsichtbaren Einfluß haben 《*auf*^{4}》.

은옥색(銀玉色) Blaßgrün *n.* -s.

은우(恩遇) die großzügige (Gast)freundlichkeit; großzügige Behandlung; gastliche Aufnahme. ~하다 gut auf|nehmen*; großzügig behandeln.

은원(恩怨) Gunst u. Mißgunst; Dankbarkeit u. Rache.

은위(恩威) Milde u. Strenge. ¶ ~가 병행되었다 Strenge, aber gnädige Gerechtigkeit wurde geübt.

은유(隱喩) Metapher *f.* -n. ¶ ~적(으로) metaphorisch.

은은하다(殷殷—) dröhnend; donnernd (sein). ¶ 은은한 포성 das Donnern 《-s》 der Geschütze / 은은히 울리다 (dumpf) dröhnen; donnern / 멀리서 은은한 포성이 들렸다 In der Ferne hörte man das Donnern der Geschütze.

은은하다(隱隱—) ① 《아련함》 unklar; verschwommen (sein). ¶ 은은히 보이다 unklar zu sehen sein. ② 《소리가》 undeutlich; schwach (sein). ¶ 은은한 포성 der aus der Ferne kommende Kanonendonner.

은의(恩義) Verpflichtung *f.* -en; Verbindlichkeit *f.* -en. ¶ ~를 느끼다 ^{4}sich zu Dank verpflichtet fühlen.

은인(恩人) Wohltäter *m.* -s, -. ¶ 생명의 ~ Lebensretter *m.* -s, - / 그는 나의 생명의 ~이다 Er hat mir das Leben gerettet. / 그는 나의 ~이다 Ich bin ihm zu Dank verpflichtet. / 그는 한국 음악계의 ~이다 Er ist ein großer Wohltäter für koreanische Musik.

은인(隱忍) Geduld *f.*; Ausdauer *f.* ~하다 Geduld haben 《*mit*^{3}; *in*^{3}》; geduldig sein; aus|halten*^{4}; ertragen*^{4}; erdulden*^{4}; vertragen*^{4}. ¶ ~자중하며 기다리는 게 좋다 Besser müssen Sie geduldig.

은일(隱逸) ① 《사람》 Einsiedler *m.* -s, -; Eremit *m.* -en, -en. ② 《숨음》 das Einsiedeln, -s; Absonderung *f.* -en. ~하다 ^{4}sich absondern; einsiedeln; abgeschlossen 〔in der Einsamkeit〕 leben.

은자(銀字) Silberschrift *f.* -en; die mit Silber geschrieben.

은자(隱者) Einsiedler *m.* -s, -; Eremit *m.* -en, -en; Klausner *m.* -s, -; Anachoret *m.* -en, -en (은수사(隱修士)).

은잔(銀盞) Silberbecher *n.* -es, ⸚er.

은장도(銀粧刀) das silberverzierte Schwert.

은재(隱才) das unbekannte 〔verborgene〕 Talent.

은저울(銀—) =은칭(銀秤).

은적(隱迹) das Verwischen der Spuren. ~하다 ^{4}sich verbergen.

은전(恩典) Begünstigung *f.* -en. ¶ ~을 베풀다 *jm.* (besondere) Begünstigungen gewähren; *jn.* begünstigen / ~을 입다 begnadigt werden / 상이군인에겐 특별한 ~이 베풀어진다 Kriegsbeschädigten werden besondere Begünstigungen gewährt.

은전(銀錢) Silbermünze *f.* -n.

은정(恩情) die wohlwollende Zuneigung (Güte) -n.

은제(銀製) Silberware *f.* -n.

은조사(銀造紗) die dünne Seide.

은족반(隱足盤) der runde Schale 《-n》 mit flachem Boden.

은종이(銀—) Silberpapier *n.* -s, -e; Aluminium¦folie 〔Zinn-〕 *f.* -n; Stanniol *n.* -s, -e.

은줄(銀—) der Gang 《-(e)s, ⸚e》 des Silbers; Silberader *f.* -n.

은진(殷賑) 《가멸음》 Überfluß *m.* ..flusses; Üppigkeit *f.* -en; 《흥성함》 das Gedeihen*, -s. ~하다 üppig (sein); gut gehen*.

은짬 Geheimnis *n.* -ses, -se.

은총(恩寵) Gnade *f.* -n; Gunst *f.* ¶ 신의 ~ die Gnade Gottes / ~을 입다 in ^{3}Gnade(n) 〔Gunst〕 stehen* 《bei *jm.*》 / ~을 잃다 *js.* ^{4}Gnade 〔Gunst〕 verlieren* / ~을 베풀다 *jn.* zu Gnaden auf|nehmen* / ~을 빌다 um Gottesgnade bitten*.

은총이(銀—) das Pferd 《-(e)s, -e》 mit weißen Hoden.

은침(銀鍼) Silbernadel *f.* -n (zur Akupunktur)

은칭(銀秤) die Waage 《-n》 für Edelmetal (wie Silber).

은택(恩澤) Wohltat *f.* -en (선행); Nutzen *m.* -s, - (이익); Vorteil *m.* -(e)s, -e (이익). ¶ ~을 입다 e-e Wohltat genießen*; Vorteil 〔Nutzen〕 ziehen* 《*aus*^{3}; *von*^{3}》.

은테안경(銀—眼鏡) die Brille 《-n》 mit der Silberfassung.

은퇴(隱退) Zurück¦ziehung *f.* -en 〔-treten *n.* -s, -〕. ~하다 zurück|treten* Ⓢ; ^{4}sich zurück|ziehen*; ^{4}sich von der Arena zurück|ziehen* (선수가). ¶ 무대생활(일)에서 ~하다 ^{4}sich von der Bühne 〔vom Geschäft ins Privatleben〕 zurück|ziehen* / 관직에서 ~하다 vom Amt zurück|treten* / 문단에서 ~하다 ^{4}sich von der literarischen Öffentlichkeit zurück|ziehen*; das Schriftstellern auf|geben* / 현역서 ~하다 ^{4}sich pensionieren lassen / 정계에서 ~하다 ^{4}sich von der politischen Welt zurück|ziehen*.

은파(銀波) Schaumwellen 《*pl.*》.

은패(銀牌) ☞ 은메달.

은폐(隱蔽) Verheimlichung *f.* -en; Verbergung *f.* -en; Geheimhaltung *f.* -en. ~하다 verbergen*^{4} 《*vor*^{3}》; verstecken^{4} 《*vor*^{3}》; verdecken^{4}; verhüllen^{4}; verschleiern^{4} (비밀에 붙이다); verhehlen^{4} 《(vor) *jm.*》; verheimlichen^{4} 《(vor) *jm.*》; verschweigen*^{4}; geheim 〔heimlich〕 halten*^{4}. ☞ 숨기다. ¶ 사실을 ~하다 e-e Tatsache verhehlen; die Wahrheit verhüllen / 죄상을 ~하다 *js.* Schuld verhüllen.

은피(隱避) das Verbergen*, -s; Flucht *f.* -en. ~하다 ^{4}sich heimlich davon machen; ^{4}sich verbergen.

은하(銀河) Milchstraße *f.*

‖ ~계 〖천문〗 Milchstraßensystem *n.* -s; Galaxis *f.*: ~계의 galaktisch. ~면 die galaktische Ebene, -n. ~수 =은하(銀河). ~좌표 die galaktische Koordinate, -n.

은행(銀行) Bank *f.* -en; Bankgebäude *n.* -s, - (건물); Bankhaus *n.* -es, ⸚er (건물); Bankgeschäft *n.* -(e)s, -e (영업). ¶ ~을 경영하다 Bankgeschäfte 《*pl.*》 treiben* / ~에 돈을 맡기다 Geld in e-r Bank hinterlegen; Geld auf e-r Bank deponieren / ~에서 돈을 찾다 Geld aus e-r Bank ziehen* 〔entnehmen*〕 / ~ 예금이 만 원 있다 ein Bankkonto 《*n.* -s, -s 〔..ten〕》 von 10000 *Won* haben; 10 000 *Won* in e-r Bank stehen haben / ~과 거래를 트다 〔끊다〕 ein Konto 《-s, -s 〔..ten〕》 in e-r Bank eröffnen 〔schließen*) / ~과 거래하다 ein Konto 《-s, -s (..ten)》 bei e-r Bank haben; mit e-r Bank in Rechnung stehen* / ~에서 돈을 대부받다 Geld von e-r Bank leihen*.

‖ ~가 Bankier *m.* -s, -; Bankherr *m.* -n, -en. ~감독원 Bankkontrollamt *n.* -(e)s, ⸗er. ~강도 Bankräuber *m.* -s, -. ~거래 Bankkonto *n.* -s, -s (..ten). ~계정 Bankkonto *n.* -s, -s (..ten). ~권 Bank¦note *f.* -n (-schein *m.* -(e)s, -e). ~법 Bankrecht *n.* -es, -e. ~부기 Bankbuchführung *f.* -en. ~수표 Bank¦anweisung *f.* -en (-scheck *m.* -s, -e (-s)). ~신용장 Bankkredit *m.* -(e)s, -e. ~어음 Bankwechsel *m.* -s, -. ~업 Bankwesen *n.* -s, -. ~영업시간 Bankgeschäftsstunden 《*pl.*》. ~예금 Bankdepositum *n.* -s, ..siten (..ta): ~예금주 Bankdeponent *m.* -en, -en. ~원 der Bankbeamte* (-angestellte*) -n, -n. ~운영자금 Bankkapital *n.* -s, -e (..lien). ~융자 (대출) Bankdarlehen *n.* -s, -. ~이자 Bankrate *f.* -n(이율). ~장 Bankdirektor *m.* -s, -en. ~주 Bank¦aktie *f.* -n (-anteilschein *m.* -(e)s, -e). ~지점장 der Geschäftsführer 《-s, -》 (Prokurist *m.* -en, -en) der Bank. ~통장 Bank(konto)buch *n.* -(e)s, ⸗er. ~할인 Bankermäßigung *f.* -en. ~환 Bank¦rimesse *f.* -n (-anweisung *f.* -en). 국제 결제~ die Bank für internationalen Ausgleich. 보통~ e-e gewöhnliche Handelsbank, -en. 세계~ Weltbank *f.* -en; die Internationale Bank 《-en》 für Wiederaufbau u. Entwicklung. 수출입~ Außenhandelsbank *f.* -en. 시중~ Stadtbank *f.* -en. 예금~ Depositenbank *f.* -en. 일반~, 상업~ Handelsbank *f.* -en. 저축~ Sparbank *f.* -en. 중앙~ Zentralbank *f.* -en. 지방~ Lokalbank *f.* -en. 지폐 발행~ Zettel¦bank (Noten-) *f.* -en. 혈액~ Blutbank *f.* -en.

은행(銀杏) Ginkjo (Ginkgo) *m.* -s, -s.
‖ ~나무 Ginkjobaum *m.* -(e)s, ⸗e. ~열매 Ginkjonuß *f.* ..nüsse.

은현(隱現) das Verschwinden* 《-s》 u. das Erscheinen* 《-s》 (wechselweise). ~하다 verschwinden* u. erscheinen*; verschwinden* u. wieder auf|tauchen.

은혈(銀穴) 〖광산〗 Silbergang *m.* -(e)s, ⸗e; Silbergrube *f.* -n.

은혈(隱穴) die nicht zusehende Höhle, -n; die versteckte Öffnung, -en. ‖ ~못 der Klammer 《-s, -》 mit dem doppelten Punkt.

은혜(恩惠) Gnade *f.* -n; Gunst *f.*; Wohltat *f.* -en. ¶부모의 ~ Elternliebe *f.* / ~를 아는 dankbar / ~를 모르는 undankbar / ~를 모르는 사람 ein undankbarer Mensch, -en, -en / ~를 모르다 undankbar sein/~를 베풀다 e-e Gnade (Gunst; Wohltat) erweisen* 《*jm.*》 / ~를 입다 e-r Gnade (Gunst; Wohltat) teilhaftig werden; e-e Gnade (Gunst; Wohltat) genießen* / ~를 느끼다 ⁴sich zu ³Dank verpflichtet fühlen 《*jm.*》 / ~를 원수로 갚다 e-e Wohltat mit Undank (⁴Gutes mit Bösen) vergelten* / ~는 백골난망이다 ⁴sich sehr zu Dank verpflichtet fühlen 《gegen *jn.*》; ⁴sich s-r ²Verpflichtung erinnern / ~에 보답코자 aus Dankbarkeit; zum (als) Dank 《*für*⁴》; um *js.* Wohltat zu vergelten*; um ⁴sich für ⁴*et.* erkenntlich zu zeigen/~는 잊지 않겠읍니다 Ich werde Ihnen für immer dankbar sein. / 여러 가지로 그의 ~를 입고 있다 Er hat mir viel Gutes erwiesen. / ~의 만분의 1이라도 갚겠읍니다 Ich möchte mich, obgleich nicht genügend, für Ihre Wohltaten erkenntlich zeigen.

은혼식(銀婚式) die silberne Hochzeit, -en.

은홍색(隱紅色) Blaßrot *n.* -(e)s.

은화(銀貨) Silber¦münze *f.* -n (-geld *n.* -(e)s). ‖ 은(화)본위 Silberwährung *f.* -en; Silbermünzsystem *n.* -s, -e (제도).

은화식물(隱花植物) Kryptogame *f.* -n; Sporenpflanze *f.* -en. ☞ 민꽃식물.

은휘(隱諱) Verheimlichung *f.* -en; Geheimhaltung *f.* -en. ~하다 verheimlichen; verbergen; verschweigen.

을(乙) ① 《십간의》 der Zweite der 10 Himmelsstämme. ② ☞ 을방(乙方). ③ ☞ 을시(乙時). ④ 《성적》 die Zwei; „2".

을 〔조사〕 ① 《동사의 목적》 ¶꽃을 보다 Blüten an|sehen* / 소설을 읽다 e-e Novelle (e-n Roman) lesen* / 문을 두들기다 an die Tür klopfen / 손을 이끌다 *jn.* an die Hand führen (halten*)/얼굴을 때리다 *jm.* (*jn.*) ins Gesicht schlagen* / 이름을 부르다 *jn.* beim Namen rufen* / 돈을 빼앗다 das Geld rauben 《*jm.*》; des Geldes berauben 《*jn.*》 / 잔에 물을 채우다 ein ⁴Glas mit ³Wasser füllen; Wasser in ein Glas gießen* / 등을 두들기다 auf den Rücken klopfen (klapsen) 《*jn.*》 / 달을 보다 (³sich) den Mond an|sehen* / 왼발을 절다 auf dem linken Bein (Fuß) hinken.

② 《수동태의 목적》 ¶손을 쏘이다 《벌에》 in die Hand gestochen werden / 약점을 잡히다 an s-r empfindlichen Stelle gepackt werden / 목을 잘리다 enthauptet (geköpft) werden; abgesetzt werden (면직).

③ 《목표·방향》 ☞ 를.

④ 《움직임의 위치》 ¶하늘을 날다 durch die Luft fliegen* Ⓢ / 강을 건너다 über den Fluß fahren* Ⓢ (타고) (schwimmen* Ⓢ (헤엄쳐서); waten Ⓢ (걸어서).

⑤ 《동안》 ¶사흘을 타고 가다 drei ⁴Tage fahren* Ⓢ / 두 시간을 자다 zwei ⁴Stunden schlafen*.

⑥ 《목적》 ¶여행을 떠나다 verreisen Ⓢ; ⁴sich auf e-e Reise begehen* Ⓢ (machen) / 영화 구경을 가다 ins Kino gehen* Ⓢ.

⑦ 《차례》 ☞ 를.

⑧ 《동족 목적어》 ¶잠을 자다 schlafen* / 춤을 추다 tanzen / 숨을 쉬다 atmen; Atem holen (schöpfen); Luft schöpfen.

⑨ 《구어적》 ¶앞장을 서다 ⁴sich an die Spitze stellen; an der Spitze stehen*.

⑩ 《관계》 ¶…을 구실로 unter dem Vorwand (Deckmantel) 《*von*³》; ⁴*et.* vorschützend / 병을 핑계삼다 ⁴sich mit Krankheit entschuldigen / 서울을 중심으로 um Seoul.

⑪ 《생략부분의 직접목적어》 ¶왜 그 일을 (말하지 않고) 잠자코 있었니 Warum hast du es mir verschwiegen?

을근거리다 bedrohen; ein|schüchtern.

을근을근 drohend; mit Drohungen; einschüchternd.

-을까 ☞ -ㄹ까.

을러메다 bedrohen; bange machen; bluffen. ¶죽인다고 ~ mit dem Tod bedrohen / 돈을 내지 않으면 그 일을 폭로하겠다고 나에게 을러메었다 Er bedroht mich damit, daß er die Sache an die Öffentlichkeit bringt, falls ich ihm kein Geld gebe.

을모 die Ecke mit drei Seiten.

을묘(乙卯) 〖민속〗 die 52te Zweierkombination des 60er-Zyklus.
을미(乙未) 〖민속〗 die 32te Zweierkombination des 60er-Zyklus.
을밋을밋 (verschieben) unbestimmt; von Tag zu Tag; zögernd. ¶ 빚을 ~ 밀고 나간다 Er schiebt seine Schulden von Tag zu Tag hinaus.
을방(乙方) 〖민속〗 Ostsüdost.
을사(乙巳) 〖민속〗 die 42te Zweierkombination des 60 er-Zyklus.
을시(乙時) 〖민속〗 die 8 te von 24 Stunden (=6:30-7:30 Uhr).
을씨년스럽다 ① 《보기에》 elend und schäbig aussehen. ¶ 옷이 너절해서 그는 을씨년스럽게 보인다 Er sieht schäbig aus mit seinen lumpigen Kleidern. ② 《살림이》 arm (sein). ¶ 살림이 ~ Er lebt in Armut.
을야(乙夜) die zweite Nachtstunde (ungefähr 22 Uhr).
을유(乙酉) 〖민속〗 die 22 te Zweierkombination des 60 er-Zyklus.
을종(乙種) die zweite Klasse, -n.
-을지언정 ☞ -ㄹ지언정.
을축(乙丑) 〖민속〗 die zweite Zweierkombination des 60 er-Zyklus.
을해(乙亥) 〖민속〗 die 12. Zweierkombination des 60 er-Zyklus.
읊다 《시문을》 her|sagen[4]; deklamieren[4]; rezitieren[4]; (vor|)singen*[4]; 《짓다》 dichten[4]; in Versen verfassen[4]; ein Gedicht machen. ¶ 시를 ~ ein Gedicht rezitieren.
읊조리다 summen; vor [4]sich hin singen*; leise singen*.
음(音) ① 《소리》 Ton *m.* -(e)s, ⸗e; Laut *m.* -(e)s, -e (성음). ¶ 음의 고저 (강약) Tonhöhe *f.* -n (Tonstärke *f.* -n) / 아름다운 음 der musikalische Ton, -(e)s, ⸗e / 장 (단)음 der lange (kurze) Ton, -(e)s, ⸗e / 음을 내다 e-n Ton (Laut) von [3]sich geben*. ② 《한문》 Aussprache *f.* -n. ¶ 음으로 읽다 (chinesische Schriften 《*pl.*》) phonetisch lesen*.
음(陰) 〖수학〗 ¶ 음의 negativ; minus; unter [3]Null / 음수(數) die negative Zahl, -en (Größe, -n). ☞ 음으로.
음가(音價) der phonetische Wert.
음각(陰角) der negative Winkel.
음각(陰刻) 〖미술〗 Intaglio *n.* -s, ..glien; Einprägung *f.* -en; das Gravieren, -s. ~하다 gravieren; ein|prägen.
음감(音感) Tonempfindung *f.* -en. ‖ ~교육 Gehör|bildung *f.* -en (-schulung *f.* -en).
음건(陰乾) Trocknen im Schatten. ~하다 im Schatten trocknen.
음경(陰莖) Penis *m.* -, ..nisse (..nes); das männliche Glied, -(e)s, -er; Phallus *m.* -, - (..lli *od.* ..llen).
음계(音階) Tonleiter *f.* -n; (Ton)skala *f.* ..len. ‖ 반~ die chromatische Tonleiter. 온~ Ganztonleiter.
음계(陰界) die Welt der Toten.
음곡(音曲) Musik *f.* (음악); Musikstück *n.* -(e)s, -e (악곡). ‖ ~금지 Musikverbot *n.* -(e)s, -e.
음공(陰功) das geheime (unbekannte) Verdienst.
음극(陰極) 〖전기〗 der negative Pol, -s, -e; Kathode *f.* -n. ‖ ~선 die Kathodenstrahlen 《*pl.*》.
음기(陰氣) Schauer *m.* -s; Kälte *f.*; Düsterheit *f.* -en; Dunkelheit *f.* -en.
음낭(陰囊) Hodensack *m.* -(e)s, ⸗e; Skrotum *n.* -s, ..rota.
음녀(淫女) die liederliche (geile) Frau, -en; das verdorbene Weibsbild, -(e)s, -er.
음담(淫談) Zote *f.* -n; der schlüpf(e)rige (zweideutige) Witz, -es, -e. ¶ ~을 하다 Zoten (zweideutige Witze) reißen*; [4]sich über das menschliche Geheimnis lustig machen. ‖ ~가 Zotenreißer *m.* -s, -. ~패설 =음담(淫談).
음덕(陰德) die geheime (unbekannte) Tugend. ¶ ~을 베풀다 Gutes insgeheim tun.
음덕(蔭德) die Tugend der Vorfahren.
음독(飮毒) Vergiftung *f.* -en. ~하다 [4]sich vergiften. ¶ ~ 자살하다 Selbstmord begehen durch Gift.
음독하다(音讀—) 《한자를》 laut lesen*[4].
음동(陰冬) der düstere (kalte) Winter.
음락(淫樂) sexueller Genuß.
음란(淫亂) Wollust *f.* ⸗e; Geilheit *f.*; Lüsternheit *f.*; Unzüchtigkeit *f.* ~하다 wollüstig; geil; lüstern; unzüchtig (sein).
음랭하다(陰冷—) dunkel und kalt; düster; trüb (sein).
음량(音量) Laut|stärke (Klang-) *f.* -n. ‖ ~조절 Lautstärkeregelung *f.* -en: ~조절기 Lautstärkeregler *m.* -s, -.
음력(陰曆) Mondkalender *m.* -s. ¶ ~ 8월 15일 der 15. August nach dem Mondkalender / ~으로 따지다 nach dem Mondkalender zählen. ‖ ~설 der Neujahrstag nach dem Mondkalender.
음료(飮料) Getränk *n.* -s, -e; Trank *m.* -(e)s, ⸗e; 《알콜의》 Drink *m.* -(s), -s; Erfrischung *f.* -en. ¶ ~에 적합한 trinkbar. ‖ ~수 Trinkwasser *n.* -s. 청량~ das kühlende (erfrischende) Getränk; Erfrischung *f.* -en. 혼합~ Cocktail *m.* -s, -s; der Whisky mit Soda.
음률(音律) 〖음악〗 Stimmung *f.* -en.
음매 《소 울음》 das Muhen*, -n.
음모(陰毛) die Schamhaare 《*pl.*》.
음모(陰謀) Anschlag *m.* ⸗e; Komplott *n.* -(e)s, -e; Intrige *f.* -n; Ränke 《*pl.*》; Verschwörung *f.* -en. ¶ ~를 꾸미다 e-n Anschlag machen 《*auf*[4]; *gegen*[4]》; intrigieren; Ränke schmieden (spinnen*); komplottieren[4] / ~를 뒤엎다 e-n Anschlag zunichte machen / 암살을 ~하다 e-n Anschlag auf *js.* Leben machen / ~를 눈치채다 Wind von e-r Intrige bekommen*; e-r Intrige auf der Spur kommen* ⓢ / ~에 가담하다 an e-r Verschwörung teil|haben*. ‖ ~단 die Bande von Ränkeschmieden. ~자 Ränkeschmied *m.* -(e)s, -e; Ränkespieler *m.* -s, -; Intrigant *m.* -en, -en.
음문(陰門) Schamspalte *f.* -n.
음물(淫物) die liederliche (unsittliche) Person.
음미(吟味) Prüfung *f.* -en; Untersuchung *f.* -en; Erforschung *f.* -en; Nachforschung *f.* -en; Auslese *f.* -n (정선); Auswahl *f.* -en (정선); die gerichtliche Untersuchung (심문); Verhör *n.* -(e)s, -e (심문); Probe *f.* -n (시험). ~하다 prüfen[4]; untersuchen[4]; erforschen[4]; nach|forschen[3]; aus|lesen*[4]; aus|wählen[4]; gerichtlich untersuchen 《*jn.*》; ein Verhör an|stellen 《mit *jm.*》; ins Verhör nehmen* 《*jn.*》; probieren[4]. ¶ ~하여 sorgfältig; mit[3] Sorgfalt.
음미(淫靡) Geilheit *f.* -en; Lüsternheit *f.* -en. ~하다 geil; lüstern; scharf (sein).
음반(音盤) Schallplatte *f.* -n.

음복(陰伏) Liegen auf der Lauer; das Verstecken*, -s. ～하다 auf der Lauer liegen.

음부(淫婦) die liederliche (schamlose; unzüchtige) Frau, -en. ☞ 음녀(淫女).

음부(陰部) Scham¦teile (Geschlechts-) 《*pl.*》.

음분(淫奔) das unsittliche Tun (einer Frau). ～하다 ausschweifen; unsittlich (zügellos; unzüchtig; lüstern) sein.

음비(陰秘) Hinterhalt *m.* -(e)s, -e; Schlich *m.* -(e)s, -e; Charakterlosigkeit *f.* -en. ～하다 hinterlistig (sein).

음사(陰事) ① 《비밀》 geheime Sache. ② 《잠자리》 sexueller Verkehr; Beischlaf. ～하다 Geschlechtsverkehr haben.

음사(淫祠) Schrein 《*m.* -s, -e》 zur Geisterverehrung.

음사(淫辭) die obszöne Sprache.

음산하다(陰散—) düster u. kalt (sein). ¶ 음산한 날씨 ein (mit ³Regen) drohendes Wetter, -s, -.

음색(音色) Klangfarbe *f.* -n; Timbre [tɛ̃:br] *m.* (*n.*) -s, -s. ‖ ～조절 die Kontrolle 《-n》 der Klangfarbe.

음서(淫書) das obszöne Buch, -(e)s, ⸗er; Pornographie *f.* -n.

음성(音聲) Stimme *f.* -n. ¶ 가짜 ～으로, ～을 속이어 mit falscher Stimme / 여자 ～을 내다 e-e Frauenstimme von ³sich geben*.
‖ ～기호 das phonetische Zeichen, -s, -. ～체계 das phonetische System, -(e)s, -e. ～테스트 Stimmprobe *f.* -n; das Vorsingen, -s. ～학 Phonetik *f.*: ～학자 Phonetiker *m.* -s, -.

음성(陰性) Dusternheit *f.*; Schwermut *m.* -(e)s; trübe Stimmung, -en; passiver Charakter, -s, -e; Negativität *f.* -en. ¶ ～의 (적인) negativ; düster (기질이) / 조사 결과는 ～적이었다 Die Resultat 《-en》 der Untersuchung war negativ.
‖ ～거래 ungesetzlicher Handel, -s, -. ～대전(帶電) die negative Elektrisierung, -en. ～반응 die negative Reaktion, -en. ～수입 《관리의》 Nebeneinkünfte 《*pl.*》; Akzidenzien 《*pl.*》: ～수입을 얻다 Nebeneinkünfte haben. ～콜레라 latende Cholera.

음성(淫聲) obszöne Worte, -(e)s, ⸗e; das unzüchtiges Lied, -(e)s, -er.

음소(音素) 〖음성〗 Phonem *n.* -s, -e.
‖ ～기호 das phonemische Symbol, -s, -e. ～론 die Theorie 《-n》 von dem Phonem. ～문자(文字) alphabetische (phonemische) Schrift, -en. ～체계 phonemisches System, -s, -e.

음속(音速) 〖물리〗 Schallgeschwindigkeit *f.* ¶ 초～의 überschallschnell / ～이하로 unter Schallgeschwindigkeit / ～의 3배 속도 3 Mach / ～의 벽을 돌파하다 die Schallbarriere 《-n》 brechen*.
‖ 초～ Überschallgeschwindigkeit: 초～ 전투기 Überschalljäger *m.* -s, -.

음수(陰數) 〖수학〗 die negative Zahl, -en; Minusquantität *f.* -en; Minus *n.* -, -.

음순(陰脣) Schamlippe *f.* -n.
‖ 대(소)～ die große (kleine) Schamlippe.

음슬(陰虱) =사면발이.

음습(淫習) Unsittlichkeit *f.* -en; Sittenlosigkeit *f.*; Immoralität *f.*

음습하다(陰濕—) dunkel (schattig) u. feucht (sein).

음식(飮食) Essen u. Trinken. ¶ 요리집 ～ das Gericht 《-(e)s, -e》 von dem Restaurant / 끓인 ～ die warme Speise, -n; etwas Gekochtes* / ～을 끓이다 kochen / ～을 먹다 essen* u. trinken* / ～에 조심하다 über Essen u. Trinken vorsichtig sein / ～에 손도 대지 않다 die Speise nicht rühren (liegen lassen*) / 저 집의 ～은 먹을 만하다 Man bekommt in jenem Gasthof Schönes zu essen.
‖ ～물 Essen *n.* -s; Speise *f.* -n; Kost *f.*; Nahrung *f.* -en. ～점 Gast¦hof *m.* -(e)s, ⸗e (-stätte *f.* -n); Restaurant *n.* -s, -s.

음신(音信) 《소식》 Nachricht *f.* -en; Mitteilung *f.* -en; 《통신》 Korrespondenz *f.* -en; Briefwechsel *m.* -s, -.

음심(淫心) der obszöner Gedanke, -ns, -n; die Neigung zur Obszönität, -en; Sexbesessenheit *f.*

음악(音樂) Musik *f.*; Tonkunst *f.* ¶ ～적인 musikalisch / ～을 좋아하다 Musik gerne hören / ～의 밤 Musikabend *m.* -s, -e / ～의 대가 der große Musiker, -s, - / ～을 배우다 bei *jm.* Musikunterricht nehmen* / ～을 연주하다 Musik spielen / ～을 이해하다 Musik verstehen*; musikalisch sein / ～에 맞추어 춤추다 mit Musikbegleitung (nach Musik) tanzen / ～에 소질이 있다 Er hat e-e musikalische Veranlagung.
‖ ～가 Musiker *m.* -s, -. ～감상실 Musikhalle *f.* -n. ～계 der musikalische Kreis, -es, -e; Musikleben *n.* ～교사 Musiklehrer *m.* -s, -. ～교육 Musikerziehung *f.* -en. ～당 Musik¦saal *m.* -(e)s, ..säle (-halle *f.* -n; -pavillon *m.* -s, -s). ～대(隊) Musikkapelle *f.* -n. ～사 Musikgeschichte *f.* ～애호가 Musikfreund *m.* -(e)s, -e; Musikliebhaber *m.* -s, -. ～영화 Musikfilm *m.* -(e)s, -e. ～제 Musik¦fest *n.* -es, -e (-festspiele 《*pl.*》). ～콩쿠르대회 Musikwettbewerb *m.* -(e)s, -e. ～통 Musikkenner *m.* -s, -. ～학교 Musikhochschule *f.* -n; Konservatorium *n.* -s, ..rien. ～회 Konzert *n.* -(e)s, -e. ～효과 der musikalische Effekt, -(e)s, -e; Hintergrundmusik *f.* 경～ e-e leichte Musik; Unterhaltungsmusik *f.* 고전～ die klassische Musik. 교회～ Kirchenmusik *f.* 극장～ Bühnenmusik *f.* 근대～ die moderne Musik. 레코드～ Schallplattenmusik *f.* 반주～ Begleitmusik *f.* 실내～ Kammermusik *f.* 전자～ die elektronische Musik. 표제～ Programmusik *f.* 피아노～ Klaviermusik *f.* 한국～ koreanische Musik.

음약(陰約) die geheime Verabredung, -en; die geheime Vereinbarung, -en. ～하다 geheim verabreden⁴ (vereinbaren⁴).

음양(陰陽) das Positive* 《-n》 u. das Negative* 《-n》; das männliche u. das weibliche Prinzip, -s (남성과 여성).
‖ ～가, ～장이 Schwarzkünstler *m.* -s, -. ～각(刻) erhabenes Relief [..reliɛ́f] u. versenktes Relief.

음양(陰痒) 〖한의학〗 Scheidenjuckreiz *m.* -es, -e.

음역(音域) Tonumfang *m.* -s, ⸗e; der musikalischer Bereich, -(e)s, -e; Umfang *m.* -(e)s, ⸗e. ¶ ～이 넓은 목소리 die Stimme mit großem Tonumfang / 그는 ～이 넓다 S-e Stimme hat e-n großen Umfang.

음역(音譯) Transkription *f.* -en. ～하다 transkribieren⁴.

음염(淫艶) Wollust *f.* ⸗e; Sinnenlust *f.* ⸗e. ～하다 wollüstig (sein).

음영(吟咏) Gedichtvortrag *m.* -(e)s, ⸗e; das Hersagen* e-s Gedichts. ～하다 (Gedichte)

her|sagen[4]; rezitieren.
음영(陰影) 《그림자》 Schatten *m.* -s, -; Schattierung *f.* -en. ¶ ~을 넣다 schattieren[4].
음예(陰翳) von dem Wolken beschattet 〔bewölkt〕 sein.
음예(淫穢) Obszönität und Unreinheit, -en. ~하다 obszön und unrein (sein).
음욕(淫慾) Sinnen|lust 〔Fleisch-〕 *f.*; Sinnlichkeit *f.* ¶ ~에 빠지다 [4]sich der Sinnlichkeit ergeben* / ~을 억제하다 s-e (sinnliche) Leidenschaften zügeln; die Begierde zurück|halten*.
음용(音容) Stimme und Aussehen.
음용(飮用) ~하다 trinken*. ¶ ~의 zum Trinken; trinkbar / ~에 적당하다 gut zu trinken sein; trinkbar sein / ~에 부적당하다 nicht gut zu trinken sein; untrinkbar sein. ‖ ~수 Trinkwasser *n.* -s.
음우(陰雨) der Dauerregen.
음우(霪雨) (langwieriger) Dauerregen, -s, - (in der Regenzeit).
음운(音韻) Laut *m.* -(e)s, -e.
‖ ~론 Lautlehre *f.* -n. ~조직 Lautsystem *n.* -s, -e. ~학 Phonologie *f.* -n: ~학자 Phonologe *m.* -n, -n.
음울(陰鬱) 《사물에 대한》 Düsterheit *f.* -en; Dunkelheit *f.* -en; 《사람에 대한》 Trübsinn *m.* -(e)s; Traurigkeit *f.* -en; Schwermut *f.*; Melancholie *f.* ~하다 düster; dunkel; trüb(e); traurig; schwermütig; trübsinnig; melancholisch (sein). ¶ ~한 날씨 das düstere Wetter / ~한 표정을 하다 ein finsteres Gesicht ziehen*. ☞ 음침하다.
음원탐지법(音源探知法) die Erforschung 《-en》 der Schallquelle.
음월(陰月) der 4. Monat, -(e)s, -e (nach dem Mondkalender).
음위(陰痿) 〖의학〗 Impotenz *f.* -en. ¶ ~의 impotent; zeugungsunfähig.
음유시인(吟遊詩人) der fahrende Spielmann, -s, ..leute; der wandernde Sänger, -s, -; Troubadour *m.* -s, -e(s).
음으로(陰―) privat; indirekt; heimlich; implizit; außeramtlich; geheim; nichtöffentlich. 「하다 schluchzen.
음읍(飮泣) 《흐느낌》 das Schluchzen*, -s. ~
음의(音義) die Aussprache 《-n》 u. die Bedeutung 《-en》 e-s (chinesischen) Schriftzeichen.
음이온(陰―) 〖화학〗 Anion *n.* -s, -en [..ó:nən]; das negative Ion, -s, -en.
음일(淫佚) Ausschweifung *f.* -en; Schwelgerei *f.* -en; Orgie *f.* -n. ~하다 ausschweifend 〔schwelgerisch〕 sein.
음자(音字) ☞ 표음 문자.
음전 《언어와 행동》 Vornehmheit *f.* -en; Feinheit *f.* -en; Anständigkeit *f.*; Anstand *m.* -(e)s; Würde *f.* -n. ~하다 vornehm; fein; anständig; würdig (sein). ¶ ~한 색시 eine vornehme Dame, -n.
음전(音栓) 《오르간의》 Ventil *n.* -s, -e; Klappe *f.* -n. 「zität.
음전기(陰電氣) 〖물리〗 die negative Elektri-
음전자(陰電子) 〖물리〗 Negatron *n.* -s, -en; negatives Elektron, -s, -en.
음절(音節) Silbe *f.* -n. ¶ ~의 syllabisch; Silben- / 단 〔2〕~의 einsilbig 〔zweisilbig〕 / ~로 나누다 syllabieren[4].
‖ ~문자 die syllabische Schrift, -en. 단〔이, 다〕~어 das einsilbige 〔zweisilbige; vielsilbige〕 Wort, -(e)s, ⸚er.
음정(音程) 〖음악〗 Intervall *n.* -s, -e; Stufe *f.* -n. ‖ 반~ die halbe Stufe, -n. 온~ die ganze Stufe, -n.
음정증(陰挺症) 〖의학〗 ein Fall 《*m.* -(e)s, ⸚e》 für e-e gefallene Gebärmutter; Uterusprolaps(us) *m.* -es, -e.
음조(音調) Ton *m.* -(e)s, ⸚e; Tonhöhe *f.* (높낮이); Melodie *f.* -n [..dí:ən] (곡조). ¶ ~가 좋은 wohlklingend; euphonisch; melodisch.
음조(陰助) heimliche Hilfe, -n. ~하다 *jm.* heimlich 〔im geheimen; privat; vertraulich〕 helfen*.
음종(陰腫) 〖의학〗 Tumor 《*m.* -s, -en》 〔Geschwulst *f.* ⸚e〕 auf der äußeren Vulva.
음주(飮酒) das Trinken*, -s. ¶ ~의 폐 die üblen Wirkungen 《*pl.*》 des Trinkens / ~는 건강에 해롭다 Trinken schadet der Gesundheit. / ~로 망쳤다 Er ist dem Trunk verfallen. ‖ ~가 Trinker *m.* -s, -; 《대주가》 Zecher *m.* -s, -; Säufer *m.* -s, -. ~벽 Trunksucht *f.*
음지(陰地) der schattige 〔schattenreiche〕 Platz, -es, ⸚e; Schattenland *n.* -(e)s, ⸚er. ¶ ~에서 살다 《비유적》 als Verstoßener leben; [4]sich auf der Schattenseite 《-n》 des Lebens befinden*.
음질(音質) Tonqualität *f.* -en. ¶ ~이 좋다 e-n guten 〔schönen〕 Ton 〔Klang〕 haben.
음집 Vagina 《*f.* ..nen》 des Tiers.
음차(音叉) 〖음악〗 Stimmgabel 〔Stimmgabeluhr〕 *f.* -n.
음창(陰瘡) Geschwür 《*n.* -(e)s, -e》 〔Schanker *m.* -s, -〕 auf der Vulva.
음청(陰晴) der wolkige od. klare Tag, -(e)s, -e; Bewölkung 《*f.* -en》 u. 〔od.〕 Klarheit 《*f.* -en》 (des Himmels).
음축(陰縮) Atrophie 《*f.*》 〔Schrumpfung *f.* -en〕 des Penis.
음충맞다, 음충스럽다 ☞ 음충하다.
음충하다 heimtückisch; hinterlistig; arglistig; hinterhältig; lauernd (sein). ¶ 음충한 사람 der heimtückische Mensch, -en, -en; die Schlange, -n.
음치(音痴) ¶ ~의 unmusikalisch / 그는 ~다 Er hat kein musikalisches Gehör.
음침하다(陰沈―) düster; dunkel; finster (sein). ¶ 음침한 날씨 das düstere Wetter / 음침한 집 〔방〕 das dunkle Haus, -es, ⸚er 〔Zimmer, -s, -〕.
음탕(淫蕩) Ausschweifung *f.* -en; Liederlichkeit *f.* -en. ~하다 liederlich; unzüchtig; unanständig; unsittlich; zotig (sein). ¶ ~한 이야기 die unanständige Geschichte, -n; Zote *f.* -n. 「-n.
음택(陰宅) Grab *n.* -(e)s, ⸚er; Grabstätte *f.*
음파(音波) Schallwelle *f.* -n.
‖ ~측정 Phonometrie *f.*: ~측정기 Phonometer *m.* -s, -. ~탐지기 Sonar *n.* -(e)s, -e. 초~ Ultraschall *m.* -(e)s.
음표(音標) 〖음악〗 Tonschrift *f.* -en; Note *f.* -n. ¶ ~를 적다 Noten schreiben* / ~를 읽다 Noten lesen*.
‖ 온 (2 분)~ e-e ganze 〔halbe〕 Note. **4** 분 〔**8** 분, **16** 분〕~ Viertelnote 〔Achtelnote, Sechzehntelnote〕 *f.* -n. **32** 분~ Zweiunddreißigstelnote *f.* -n.
음표문자(音標文字) 〖언어〗 e-e phonetische Schrift, -en; Lautschrift *f.* -en.
‖ 만국~ das internationale phonetische Zeichen, -s, -. 「-(e)s, -e.
음풍(陰風) der kalte 〔eisige; frostige〕 Wind,

음풍(淫風) =음습(淫習).
음풍농월(吟風弄月) geschmackvolles Dichten*, -s. ~하다 geschmackvoll dichten; geschmackvolle Verse 《pl.》 machen*.
음하다(淫—) liederlich; unzüchtig (sein).
음해(陰害) die geheime Schädigung, -en. ~하다 jm. heimlich Schaden zufügen; heimlich schädigen 〔beschädigen〕.
음핵(陰核) Kitzler m. -s, -; Klitoris f. ‖ ~두 Kitzlereichel f. -n; Klitoriseichel.
음행(淫行) Unzucht f.; unzüchtige Handlung, -en.
음향(音響) Schall m. -(e)s, ⸗e; Ton m. -(e)s, ⸗e; Klang m. -(e)s, ⸗e; Geräusch n. -es, -e (소음). ¶ ~적인〔적으로〕 akustisch / ~을 막는 벽 die akustische Wand, ⸗e / 이 홀은 ~ 효과가 매우 좋다 〔나쁘다〕 Dieser Saal hat e-e ausgezeichnete 〔schlechte〕 Akustik.
‖ ~전파 die Verbreitung des Tones. ~조절 das Temperieren (des Tones). ~측심기 Echolot n. -(e)s, -e. ~측정기 Schallmesser m. -s, -. ~폭탄 Knallbombe f. -n. ~학 Schallehre f. -n. ~효과 (Raum)akustik f.
음험하다(陰險—) hinterlistig; hinterhältig; heimtückisch; arglistig; lauernd; ränkevoll (sein). ¶ 음험한 사람 der hinterlistige Mensch, -en, -en; die Schlange, -n / 음험한 수작을 부리다 heimtückische Streiche 《pl.》 machen.
음화(陰畫) Negativ n. -s, -e; Negativbild n. -(e)s, -er.
음훈(音訓) die Aussprache 《-n》 und Bedeutung 《-en》 e-s (chinesischen) Schriftzeichen n. -s, -.
음흉(陰凶) Heimtücke f.; Hinterhältigkeit f. ~하다 heimtückisch; hinterhältig; hinterlistig; arglistig; lauernd (sein). ¶ ~한 사람 der heimtückische Mensch, -en, -en; Schlange f. -n.
‖ ~주머니 geheimer Feind, -(e)s, -e; verborgene Gefahr, -en.
읍(邑) Städtchen n. -s, -; Gemeinde f. -n. ¶ 여주 읍 die Stadt *Yeoju* / 읍내에 가다 in die Stadt gehen* ⓢ.
‖ 읍장 Orts¦vorsteher 〔Gemeinde-〕 m. -s, -; Bürgermeister m. -s, -: 이천 읍장 der Vorsteher des Ort(e)s *Icheon*.
읍각부동(邑各不同) Andere Länder, andere Sitten.
읍간(泣諫) weinerlicher Rat, -(e)s, ⸗e; weinerliche Ermahnungsrede, -n. ~하다 jm. unter Tränen einen Rat geben*; unter Tränen ein|wenden* 〔ermahnen〕.
읍례(揖禮) eine tiefe Verbeugung, -en (mit gefaltenen Händen). ~하다 vor jm. mit gefaltenen Händen eine tiefe Verbeugung machen*.
읍민(邑民) die Bewohner 〔Einwohner〕 《pl.》 e-r Stadt f. ⸗e; Stadtbewohner 《pl.》.
읍사무소(邑事務所) Gemeindehaus n. -es, ⸗er.
읍소(泣訴) die flehentliche Bitte, -n. ~하다 kniefällig bitten*[4] 《um[4]》.
읍양(揖讓) 《예로서 사양함》 die höfliche Einräumung, -en; 《태도》 die höfliche 〔liebenswürdige〕 Haltung, -en. ~하다 jm. höfliche Zugeständnisse 《pl.》 machen.
읍청(泣請) sehnliches Verlangen*, -s (unter Tränen); dringende Bitte, -n (unter Tränen). ~하다 jn. unter Tränen inständig 〔flehentlich; dringend〕 bitten*.
읍체(泣涕) das Weinen*, -s. ~하다 bitterlich weinen; Tränen 《pl.》 vergießen*.
읍촌(邑村) Städte 《pl.》 und Dörfer 《pl.》.
읍하다(揖—) vor jm. 〔mit gefaltenen Händen 《pl.》〕 e-e tiefe Verbeugung 《-en》 machen.
읍호(邑豪) ein reicher Mann 《-(e)s, ⸗er》 〔Frau f. -en; Familie f. -n〕 in der Stadt f. ⸗e.
응 ① 《대답》 ja; hm; 《부정》 Nein!; Nee! ¶ 응하고 대답하다 ja sagen / 응 곧 갈께 Also gut, ich komme gleich. / 너 안 갈래—응 안 간다 Willst du nicht gehen?—Nein, ich will nicht. / 가도 좋습니까—응 Darf ich gehen?—Ja, gut! ② 《대답을 구할 때》 Ja? Nun? ¶ 응 그래 Ja, wirklich? / 영화관에 가자 응 Wollen wir ins Kino gehen, ja?
응결(凝結) das Gefrieren* 〔Gerinnen*〕 -s; Erstarrung f. -en; Koagulation f. -en; Kondensation f. -en. ~하다 dick 〔fest〕 werden; gerinnen*ⓢ; gefrieren*ⓢ (결빙하다); [4]sich kondensieren. ¶ ~된 피〔우유〕 das 〔die〕 geronnene Blut 〔Milch〕 -(e)s / 우유를 ~시키다 Milch gerinnen lassen*.
‖ ~기 Kondensator m. -s, -en; Verdichtungsapparat m. -(e)s, -e. ~물 die gefrorene 〔geronnene〕 Masse, -n; Klumpen m. -s, -. ~열 Kondensationswärme f. -n. ~점 Gefrierpunkt m. -(e)s, -e. ~제 Gerinnungsmittel n. -s, -.
응고(凝固) das Festwerden*, -s; Verdichtung f. -en (응축). ~하다 fest werden; gefrieren* ⓢ; erstarren ⓢ; [4]sich verdichten; [4]sich kondensieren ⓢ; gerinnen* ⓢ.
‖ ~점 Gefrierpunkt m. -(e)s, -e.
응급(應急) Not f. ⸗e; Notbehelf m. -(e)s, -e; Nothilfe f. -n. ¶ ~의 Not-; (Aus)hilfs-; Behelfs-; behelfsmäßig; Versuchs-.
‖ ~물자 die Artikel 《pl.》 für die Notleidenden. ~수단 (Not)behelf m. -(e)s, -e. ~수당 die erste Hilfe, -n; Nothilfe f. -n. ~수리 die zeitweilige Reparatur, -en; Notreparatur f. -en. ~조처 Notmaßnahme f. -n; Ausweg m. -(e)s, -e. ~차 Unfallwagen m. -s, -; Ambulanz f. -en. ~치료 die behelfsmäßige Behandlung, -en; Notverband m. -(e)s, ⸗e (가붕대): ~치료소 der erste Behandlungsraum, -(e)s, ⸗e / 환자의 ~치료를 하다 e-m Kranken behelfsmäßige Behandlung angedeihen lassen*.
응낙(應諾) Zustimmung f. -en; Einwilligung f. -en; Bewilligung f. -en; Erlaubnis f. -se; Annahme f. -n. ~하다 ein|willigen 《in[4]》; [4]et. bewilligen; e-r [3]Sache zustimmen; jm. seine Einwilligung 〔Zustimmung〕 geben* 《zu[3]》; [4]et. an|nehmen*. ¶ ~없이 ohne Zustimmung 〔Genehmigung〕; ohne Erlaubnis; ohne Einverständnis.
응달 Schatten m. -s, -; der schattige 〔schattenreiche〕 Platz, -es, ⸗e. ¶ ~이 지다 e-n Schatten werfen* 《auf[4]》 / ~에서 쉬다 im Schatten ruhen / 여기는 ~이라 땅이 마르지 않는다 Weil hier Schatten ist, wird der Boden nicht trocknen.
응답(應答) Antwort f. -en; Erwiderung f. -en. ~하다 antworten; erwidern; entgegnen. ¶ 어떤 질문에도 척척 ~한다 Er findet auf jede Frage sofort e-e passende Antwort. ‖ ~자 Respondent m. -en, -en. 질의 ~ Fragen u. Antworten 《pl.》.
응당(應當) sicher; selbstverständlich; gewiß; notwendigerweise.
응대(應待) =응접(應接).

응대(應對) 《영접》 Empfang *m.* -(e)s, ⸗e; 《대화》 Unterhaltung *f.* -en. ～하다 empfangen* (영접); ein Gespräch führen; ⁴sich unterhalten* 《이상 mit *jm.*》 (대화); *jm.* Gesellschaft leisten (상대). ¶ ～에 능한 [서투른] mit geschickten [unbeholfenen] Umgangsformen / 어머니는 ～에 바쁘다 Mutter ist mit dem Empfang der Gäste beschäftigt.

응등그러지다 verdreht werden; (⁴sich) verkrümmern.

응등그리다 《*js.* Körper》 zusammenziehen*; zusammenfahren*; zusammenschrecken*.

응모(應募) Bewerbung *f.* -en (지원, 신청); Subskription *f.* -en (주식 따위의); Zeichnung *f.* -en. ～하다 ⁴sich bewerben* 《*um*⁴》 (…에); subskribieren; (e-e Anleihe) zeichnen. ¶ 주식 모집에 ～하다 auf die Aktien 《*pl.*》 zeichnen.

‖ ～신청 Bewerbungsanmelden *n.* -s; die Meldung 《-en》 der Zeichnung. ～액 die gezeichnete Summe, -n: ～액이 예상을 넘었다 Die gezeichneten Summen haben den erforderlichen Betrag überstiegen. ～자 Bewerber *m.* -s, -; Zeichner *m.* -s, -; der sich zu ³*et.* Meldende*, -n, -n: 공립 학교의 ～자는 해마다 증가한다 Die Anmeldungen an den staatlichen Schulen steigen jedes Jahr. ～자본 das gezeichnete Kapital,-s,-e.

응받다 verziehen; verwöhnen; verzärteln.

응변(應變) ☞ 임기응변.

응보(應報) Vergeltung *f.* -en; 《천벌》 Nemesis *f.*; Schicksalsstrafe *f.* -n. ¶ 인과 ～ Wie man sich bettet, so schläft [liegt] man.¦Wie man säet, (so) wird man ernten.¦Wie die Saat, so die Ernte.

응분(應分) ¶ ～의 entsprechend; angemessen; gebührend; passend; schicklich; dem Anstand [den Verhältnissen; dem Vermögen] entsprechend / ～의 도움을 주다 anständige Hilfe leisten 《*jm.*》; auf angemessene [in angemessener] Weise bei|stehen* 《*jm.*》 / ～의 기부를 하다 den eigenen Verhältnissen entsprechend bei|steuern / ～의 일을 하다 nach Kräften tun*.

응사(應射) das Zurückschießen*, -s. ～하다 zurückschießen*. ¶ ～를 받다 zurückschießen (vom Gegner).

응석 ¶ ～동이 Schoßkind *n.* -(e)s, -er; ein verwöhntes Kind; Hätschelkind / ～부리다 ⁴sich an *jn.* schmiegen (매달리다) / 얘, 그렇게 ～ 부리지 마 Sei doch artig, mein Kind! / 그녀는 언제나 ～투로 말한다 Sie spricht immer in dem kokettierenden Ton.

응성(應聲) Echo *n.* -s, -s; Widerhall *m.* -s, -e. ～하다 wider|hallen; ein Echo geben*; antworten 《*auf*⁴》.

응소(應召) ～하다 dem Gestellungsbefehl ⁴Folge leisten; zum Militärdienst eingezogen werden. ‖ ～자 [병] ein durch Gestellungsbefehl eingezogener Soldat, -en, -en.

응소(應訴) 〖법〗 Einlassung *f.* -en. ～하다 sich auf eine Klage 《-n》 ein|lassen*.

응송(應訟) =응소(應訴).

응수(應酬) Beantwortung *f.* -en; Erwiderung *f.* -en; Entgegnung *f.* -en; Antwort *f.* -en (대답). ～하다 antworten 《*auf*⁴》; beantworten⁴; erwidern⁴; entgegnen 《*auf*⁴》.

응수(應數) 《바둑 등에서》 Gegenspiel *n.* -(e)s, -e. ～하다 *jm.* das Gegenspiel machen [halten*].

응시(凝視) das Starren*, -s; das Anstarren*, -s. ～하다 an|starren⁴; starren 《*auf*⁴》; nicht aus den Augen lassen*.

응시(應試) die Bewerbung 《-en》 um eine Prüfung, -en. ～하다 ⁴sich einer Prüfung unterziehen*; in eine Prüfung steigen*; e-e Prüfung machen; ⁴sich prüfen lassen*. ‖ ～자 Prüfling *m.* -s, -e; Examinand *m.* -en, -en; Prüfungskandidat *m.* -en, -en.

응어리 ① 《근육의》 Verhärtung *f.* -en; Knoten *m.* -s, -; Fleischauswuchs *m.* -es, ⸗e. ¶ ～가 생기다 e-e harte Beule bekommen* / 종창이 ～가 되었다 Die Geschwulst hat sich verhärtet. ② 《마음 속의》 Steifheit *f.*; Hemmung *f.* -en; Befangenheit *f.* ¶ 그들 사이에 맺힌 ～는 쉽게 풀리지 않는다 Da herrschen immer noch innere Hemmungen zwischen Ihnen. ③ 《과일 등의》 Kernhaus *n.* -es, ⸗er; Gehäuse *n.* -s, -; Kern *m.* -(e)s, -e.

응용(應用) (praktische) Anwendung, -en; Nutzanwendung. ～하다 an|wenden(*)⁴ 《*auf*⁴》. ¶ ～적인 angewandt; praktisch / ～할 수 있는 anwendbar / ～할 수 없는 unanwendbar / ～되다 angewandt werden 《*auf*⁴》 / 학문을 실지에 ～하다 e-e Wissenschaft auf die Praxis an|wenden(*) / 실생활에 널리 ～되다 weite Anwendung auf das praktische Leben finden* / 공식을 개개의 경우에 ～하다 die Formel auf einzelne Fälle anwenden* / 그 발명은 ～ 범위가 넓다 Die Erfindung ist auf weite Gebiete anzuwenden.

‖ ～경제학 die praktische Ökonomie *f.* -n. ～과학 [수학] die angewandte Wissenschaft [Mathematik] -en. ～문제 e-e angewandte Aufgabe, -n (자연과학 관계); e-e unvorbereitete Aufgabe, -n. ～물리학(화학) die angewandte Physik [Chemie]. ～미술 die angewandte Kunst, ⸗e. ～식물학 die praktische Biologie.

응원(應援) 《도와줌》 (Bei)hilfe *f.* -n; Beistand *m.* -(e)s, ⸗e; das Einspringen*, -s; Hilfeleistung *f.* -en; Unterstützung *f.* -en; Ermutigungszuruf *m.* -(e)s, -e (성원); das Beifallklatschen*, -s (갈채); Verstärkung *f.* -en (원병). ～하다 bei|helfen* 《*jm.*》; bei|stehen* 《*jm.*》; ein|springen*[s] 《für *jn.*》; Hilfe leisten 《*jm.*》; 《성원》 ermutigend zu|rufen* 《*jm.*》; Beifall klatschen [geben*] 《*jm.*》; verstärken⁴ (원병이). ¶ ～을 청하다 *jn.* um Hilfe bitten* / 후보자를 ～하다 e-n Kandidaten unterstützen.

‖ ～가 Anfeuerungs¦lied *n.* -(e)s, -er [-gesang]. ～군, ～병 Verstärkungen 《*pl.*》; Nachschub *m.* -(e)s, ⸗e. ～기 Fanklubfahne *f.* -n. ～꾼 =～대. ～단 e-e Gruppe 《-n》 Beifallrufer; die organisierte Beifallklatscher 《*pl.*》: ～단장 der Führer 《-s, -》 e-r Gruppe Beifallrufer; der Anführer 《-s, -》 beim organisierten Beifallklatschen. ～대 die Beifallrufer 《*pl.*》. ～석 die Abteilung für die Beifallrufer 《*pl.*》. ～자 Beisteher *m.* -s, -; der Hilfeleistende*, -n, -n; Unterstützer *m.* -s, -; Ermutigungszurufer *m.* -s, - (성원); Beifallklatscher *m.* -s, -.

응전(應戰) die Annahme 《-n》 e-r Schlacht (e-s Gefechtes); die Erwiderung 《-en》 des Feuers. ～하다 das Feuer erwidern. ¶ 아군 포화에 대한 적의 ～은 미약했다 Die feindliche Erwiderung gegen unser Feuer war schwach.

응접(應接) 《응대》 Empfang *m.* -(e)s, ⸚e; Audienz *f.* -en (알현); Interview [..vjúː] *n.* -s, -s (회견). ～하다 empfangen*[4]; behandeln[4]; bedienen. ‖～시간 Empfangszeit *f.* -en. ～실 Empfangszimmer *n.* -s, -; Gesellschaftsraum *m.* -(e)s, ⸚e.

응종(應從) Gehorsam *m.* -(e)s; Unterwürfigkeit *f.* -en; Obedienz *f.* -en; Willfährigkeit *f.* -en. ～하다 gehorchen[3]; Folge leisten[3]; befolgen; ein|willigen.

응집(凝集) Kohäsion *f.* (분자간의); Agglutination *f.* -en (박테리아 따위의). ～하다 kohärieren; agglutinieren. ¶ ～성(性)의 kohärent. ‖～력 Kohärenz *f.* ～상태 Aggregatzustand *m.* -(e)s, ⸚e (물질의).

응징(膺懲) Züchtigung *f.* -en; Bestrafung *f.* -en; Zurechtweisung *f.* -en. ～하다 züchtigen 《*jn.*》; bestrafen 《*jn.*》; zurecht|weisen(*) 《*jn.*》.

응체(凝滯) Stockung *f.* -en; Stauung *f.* -en; Stillstand *m.* -(e)s; Verstopfung *f.* -en. ～하다 stocken; [4]sich tauen; still|stehen*; verstopft sein.

응축(凝縮) Verdichtung *f.* -en; Kondensation *f.* -en. ～하다 [4]sich verdichten. ‖～기(器) Kondensator *m.* -s, -en; Kondensationsapparat *m.* -(e)s, -e.

응취(凝聚) ☞ 응집.

응하다(應—) ① 《응답》 antworten 《*auf*[4]》; erwidern[4]; 《수락》 an|nehmen*[4]. ¶ 질문에 ～ auf e-e Frage antworten; e-e [4]Frage beantworten / 소환에 ～ e-r Vorladung Folge leisten / 요구에 ～ e-e Forderung an|nehmen* / 소송에 ～ e-e Klage an|nehmen* / 제안에 ～ auf e-n Vorschlag ein|gehen* [s]; e-n Vorschlag an|nehmen* / 명령에 ～ e-m Befehl Folge leisten; e-n Befehl befolgen / 초대에 ～ e-r Einladung folgen; e-e Einladung an|nehmen* / 도전에 ～ e-e Herausforderung an|nehmen* / 조건에 ～ e-e Bedingung an|nehmen*; auf e-e Bedingung ein|gehen* [s].

② 《상응》 entsprechen*[3]. ¶ …에 응해서 entsprechend[3]; gemäß[3]; nach[3] / 필요에 응해서 wie die Lage es erfordert / 능력에 응해서 den Fähigkeiten entsprechend / 국력에 응해서 군비를 제한하다 die Rüstung auf die Kräfte des Landes beschränken.

③ 《응모하다》 [4]*et.* zeichnen (채권 따위에); [4]sich melden (학교,회사 모집에). ¶ 모집에 ～ [4]sich an|nehmen lassen* / 공채 〔주〕 모집에 ～ e-e Anleihe 〔Aktien〕 zeichnen / 현상모집에 ～ [4]sich um e-n Preis bewerben* / 입학 시험에 ～ [4]sich zum Eintrittsexamen melden / 학생 모집에 ～ [4]sich zum Eintritt in e-e Schule melden.

④ 《수요에》 ¶ 수요에 응해서 wenn es gilt; wenn es nötig ist; je nach Bedarf / 시대의 요구에 ～ [4]sich den Erfordernissen der Zeit an|passen / 목하의 수요에 ～ den Bedürfnissen des Augenblicks entsprechen*.

응혈(凝血) das geronnene Blut, -(e)s; Blutgerinnsel *n.* -s, -. ～하다 koagulieren; gerinnen*.

응화(應和) ＝화응(和應).

의 ① 《소유·소속》 an[3]; von[3]; gehören[3] 〔소유주가 3격〕; gehörig[3]; 〔그외는 2격, 소유대명사를 씀〕. ¶ X대학의 교수 Professor 《*m.* -s, -en》 an der Universität X / 서울의 주민 Einwohner 《*pl.*》 von Seoul / 그의 친구 ein Freund 《*m.* -(e)s, -e》 von ihm; sein Freund / 옷의 빛깔 die Farbe e-s Anzugs / 그의 재산 das ihm gehörige Eigentum, -(e)s, ⸚er / 이것은 나의 집이다 Dieses Haus gehört mir.

② 《…에 관한》 für[4]; in[3]; von[3]; über[4]; zu[3]. ¶ 피아노의 대가 der Meister 《-s, -》 auf dem Klavier; Meisterklavierspieler *m.* -s, - / 장기의 명수 der Meister im Schachspiele / 삼위일체의 교리 die Lehre von der Dreieinigkeit / 정책의 해설 der Kommentar 《-s, -e》 über die Regierungspolitik / 괴테의 파우스트의 주석 Erläuterungen 《*pl.*》 zu Goethes Faust.

③ 《…에 있는》 an[3]; auf[3]; in[3]; zu[3]. ¶ 라인강변의 도시 Städte 《*pl.*》 am Rhein / 시골의 삼촌 der Onkel 《-s, -》 auf dem Lande / 대구의 대학 die Universität 《-en》 zu 〔in〕 *Daegu* / 독일의 출장소 die Zweigstelle 《-n》 in Deutschland / 쾰른의 대성당 der Dom 《-(e)s, -e》 in Köln.

④ 《…에 대한》 gegen[4]; für[4]; über[4]; zu[3]. ¶ 기침의 명약 ein gutes Mittel 《-s, -》 gegen Husten / 도매의 시세 Preis 《*m.* -es, -e》 für Wiederverkäufer / 전달의 계산 die Rechnung 《-en》 für den letzten Monat / 1만 원짜리의 수표 ein Scheck 《*m.* -s, -s》 über 10 000 *Won* / 그 금액의 영수 der Schein 《-(e)s, -e》 über den Betrag / 이곡의 가사 der Text zu dieser Musik.

⑤ 《…에 의한》 von[3]; durch[4]. ¶ 실러의 저작 Werke 《*pl.*》 von Schiller; Schillers Werke / 항공편의 소포 das Paket 《-(e)s, -e》 durch (die) Luftpost 〔mit Luftpost〕.

⑥ 《관계》 von[3]; mit[3]; zwischen[3]. ¶ 사제의 관계 die Beziehung 〔das Verhältnis〕 zwischen Lehrer u. Schüler / 김군의 조카 Herrn *Kims* Neffe *m.* -n, -n / 국무총리의 비서 der Privatsekretär 《-s, -e》 des Premierministers.

⑦ 《…가 이룬》 von[3]. ¶ 신라의 통일 die *Sinra* Vereinigung / 고대의 문화 die antike Kultur, -en / 백제의 부흥 die *Baegje* Restauration, -en.

⑧ 《기타》 〔형용사를 써서〕 ¶ 스위스의 치즈 Schweizer Käse *m.* -s, - / 그림의 동화 die Grimm(i)schen Märchen 《*pl.*》 / 〔복합어로〕 국경의 도시 Grenzstadt *f.* ⸚e / 언론 출판의 자유 Pressefreiheit *f.* -en / 독일어의 인사 e-e Ansprache auf deutsch / 의지의 사나이 ein Mann vom eisernen Willen.

의(義) ① 《옳은 일·정의》 Gerechtigkeit *f.*; Billigkeit *f.*; Redlichkeit *f.*; Rechtmäßigkeit *f.*; Rechtschaffenheit *f.*; 《신의》 (Pflicht)treue *f.*; Ehrlichkeit *f.*; Pflicht *f.* -en (의리); Menschlichkeit *f.* -en (인정). ¶ 의를 위하여 싸우다 für gerechte Sache alles auf|bieten*; bereit sein, für die Gerechtigkeit zu kämpfen / 의를 보고 행하지 아니함은 용기가 없음이로다 Es heißt Feigheit, das Seine nicht zu tun, wo es gilt, für die Gerechtigkeit einzutreten.

② 《관계》 Verwandtschaft *f.* -en; Beziehung *f.* -en; Band *n.* -(e)s, -e; Bündnis *n.* ..nisses, ..nisse / 형제의 의를 맺다 [4]sich verbrüdern; [4]sich brüderlich vereinigen; als Brüder die Hand zum Bunde reichen.

③ 《뜻》 Bedeutung *f.* -en; Sinn *m.* -(e)s, -e.

의(誼) Verhältnis *n.* -ses, -se; Beziehung *f.* -en. ¶ 아무와 의가 좋다 〔나쁘다〕 mit *jm.* gut 〔schlecht〕 aus|kommen* [s] / 의가

상하다 in ⁴Mißhelligkeit (Zwietracht) geraten*[s]; entfremdet werden³ / 부부가 의좋게 산다 Das Ehepaar lebt in Eintracht. / 그는 이웃과 의좋게 지낸다 Er steht mit s-n Nachbaren in freundschaftlichen Verhältnis.

의(醫) 《의술》 Medizin *f.*; Heilkunde *f.*; Heilkunst *f.* ⸗e; 《의사》 Doktor *m.* -s, -en; Arzt *m.* -(e)s, ⸗e. ¶ 의를 업으로 삼다 von ³Beruf (Profession) ¹Arzt sein; als ¹Arzt (Doktor) praktizieren.

의가(衣架) Kleiderbügel *m.* -s, -; Kleiderständer *m.* -s, -.

의가(醫家) Mediziner *m.* -s, -.
‖ ～서(書) medizinisches Buch, -(e)s, ⸗er.

의각지세(犄角之勢) ¶ ～에 있다 mit *jm.* auf gespanntem Fuß stehen*.

의거(依據) ～하다 《근거함》 beruhen 《*auf*⁴》; ⁴sich gründen 《*auf*⁴》; ⁴sich stützen 《*auf*⁴》; basieren 《*auf*³》; 《준거함》 ⁴sich richten 《*nach*³》. ¶ …에 ～하여 auf Grund⁽²⁾ 《*von*³》; gemäß³ / 헌법에 ～하여 der Verfassung gemäß / 계약 제 4 조에 ～하여 gemäß Artikel 4 des Vertrags / 그 사건은 법률에 ～해서 처리되었다 Die Sache wurde dem Gesetze entsprechend erledigt.

의거(義擧) Heldentat *f.* -en; die würdige (edle; menschenfreundliche; philanthropische) Unternehmung, -en; 《의협적 행위》 die ritterliche Tat, -en.

의걸이(衣―) Kleiderbügel *m.* -s, -; Kleiderhaken *m.* -s, -.
‖ ～장 Kleiderschrank *m.* -(e)s, ⸗e; Garderobenschrank.

의견(意見) ① Meinung *f.* -en; Ansicht *f.* -en; Auffassung *f.* -en; Idee *f.* -n [idé:ən]; Stand¦punkt (Gesichts-) *m.* -(e)s, -e. ¶ ～의 대립 Meinungsstreit *m.* -(e)s, -e; der Gegensatz 《-es, ⸗e》 der Meinungen / 내 ～으로는 m-r ³Meinung (Ansicht) nach; ich bin der Meinung, daß...; m-e Meinung (Ansicht) ist, daß... / ～의 차이 Meinungsverschiedenheit *f.* -en / 반대의 ～ Gegenmeinung *f.* -en / 공평한 ～ die unparteiische (vorurteilsfreie; unbefangene) Meinung / ～이 일치하다 einer (derselben) Meinung sein; die gleiche Meinung teilen 《mit *jm.*》; überein|stimmen 《mit *jm.* *in*³》 ¦Unsere Meinungen sind gleich (einig). / ～을 달리하다 anderer (verschiedener) Meinung sein¦Unsere Meinungen sind geteilt (gehen weit auseinander). / ～을 고집하다 auf s-r Meinung (s-m Kopf) bestehen*; bei s-r Ansicht beharren; an s-m Standpunkt fest|halten* / ～을 묻다 nach *js.* Meinung fragen; ⁴sich nach *js.* Ansicht erkundigen 《bei *jm.*》 / ～을 교환하다 Meinungen 《*pl.*》 aus|tauschen 《mit *jm.*》 / 아무의 ～에 찬성하다 *js.* ³Meinung bei|treten*[s] (zu|stimmen); ⁴sich *js.* ³Meinung an|schließen* / 이 점에 있어서는 모두 ～이 일치한다 Darin stimmen alle Leute überein. / 당신과 같은 ～이다 Ich bin ganz Ihrer Meinung. ② 《충고》 Ratschlag *m.* -(e)s, ⸗e; Tip *m.* -s, -s; 《간언》 Ermahnung *f.* -en; 《힐책》 Verweis *m.* -es, -e. ¶ ～에 따르다 *js.* ³Rat folgen (gehorchen; Folge leisten); *js.* ⁴Rat befolgen / 그는 남의 ～을 받아들이지 않는다 Er ist gegen jeden Rat taub.¦Er nimmt k-n Rat an. ‖ ～서 die schriftliche Meinungsäußerung, -en.

의결(議決) Beschluß *m.* ..schlusses, ..schlüsse; Beschluß¦fassung *f.* -en (-nahme *f.* -n); Resolution *f.* -en; Abstimmung *f.* -en (표결). ～하다 beschließen*⁴; e-n Beschluß fassen; zum Beschluß vor|legen⁴; resolvieren⁴; 《표결하다》 ab|stimmen 《*über*⁴》; zur Abstimmung bringen*⁴; votieren 《*für*⁴》. ¶ 안을 ～하다 über e-n (vorgelegten) Entwurf ab|stimmen / 내각 불신임안을 ～하다 ein Mißtrauensvotum gegen das Kabinett beschließen*.
‖ ～권 Stimmrecht *n.* -(e)s, -e; Votum *n.* -s, ..ten (..ta). ～기관 Beschlußorgan *n.* -(e)s, -e. ～사항 die Artikel 《*pl.*》 zur Resolution (zum Beschluß).

의고(擬古) die Nachahmung 《-en》 der antiken Literatur. ¶ ～적인 klassizistisch; die Antike nachahmend; antikisierend.
‖ ～문 der klassische Stil, -(e)s, -e. ～주의 Klassizismus *m.* -; die Nachahmung der Antike. ～체 Klassizität *f.* -en.

의곡(歪曲) ＝ 왜곡.

의과(醫科) das medizinische Fach, -(e)s, ⸗er; 《의학부》 die medizinische Fakultät, -en. ¶ ～를 나오다 die medizinische Hochschule durch|machen.
‖ ～대학 die medizinische Hochschule, -n (Fakultät, -en). ～학생 der medizinische Hochschüler, -s, -; Mediziner *m.* -s, -.

의관(衣冠) (Gala)kleidung 《*f.* -en》 u. Hut 《*m.* -(e)s, ⸗e》. ¶ ～을 갖추다 ⁴sich in Gala werfen*; in Gala erscheinen*.
‖ ～문물(文物) Zivilization 《*f.* -en》 einer Nation.

의관(醫官) Sanitätsoffizier *m.* -s, -e; 《육군》 Militärarzt *m.* -es, ⸗e; 《해군》 Marinearzt.

의구(依舊) wie früher; unverändert; wie ehedem. ～하다 wie früher; unverändert; wie ehedem (sein). ¶ 산천은 ～한데 인걸은 간 곳 없네 Die Berge und Flüsse sind wie früher, wo aber sind die großen Menschen?

의구(疑懼) Angst *f.* ⸗e; Bangigkeit *f.* -en; Bange *f.*; Unruhe *f.*; Besorgnis *f.* -se; Befürchtung *f.* -en; Furcht *f.*; Ängstlichkeit *f.* ～하다 befürchten⁴; Furcht haben 《*vor*³》; ängstlich (unruhig; besorgt) sein.
‖ ～심 Befürchtung; Furcht; Besorgnis; Unruhe; Argwohn *m.* -(e)s.

의기(意氣) Mut *m.* -(e)s; Courage [kurá:ʒə] *f.*; Herz *n.* -ens, -en; Mumm *m.* -(e)s; Schneid *f.* (*m.* -(e)s); Moral *f.* (사기). ¶ ～양양하게 mutig; frischen Mutes; voll unbezähmbaren Mutes; triumphierend; voller Schneid / ～ 충천하다 gehobener Stimmung sein; Kopf hoch stolzieren / ～ 소침하다 niedergeschlagen sein; die Flügel hängen lassen*; den Mut verlieren* / ～ 상통하다 Sympathie empfinden* 《mit *jm.*》; ⁴sich gleichgesinnt fühlen 《mit *jm.*》 / 그런 ～로 나가라 Beharre bei dieser Gesinnung!

의기(義氣) Edel¦mut *m.* -(e)s (-sinn *m.* -(e)s); Galanterie *f.*; Ritterlichkeit *f.*; Großmut *f.*; Heldenmut *m.* -(e)s. ¶ ～ 있는 사람 der Edelmütige*, -n, -n; Kavalier *m.* -s, -e.

의녀(義女) Stieftochter *f.* ⸗.

의념(疑念) Zweifel *m.* -s, -; Argwohn *m.* -(e)s (시의); Verdacht *m.* -(e)s (혐의).

의논(議論) Besprechung *f.* -en; Rücksprache *f.* -n; Unterredung *f.* -en (상담); 《교섭·협

상》 Unterhandlung *f.* -en; Verhandlung *f.* -en; 《회의》 Konferenz *f.* -en; Sitzung *f.* -en. ～하다 besprechen*[4]; e-e Besprechung 《mit *jm. über*[4]》 haben; zu e-r Besprechung zusammen|kommen* ⓢ; e-e Rücksprache 《mit *jm.*》 haben 〔nehmen*; pflegen*〕; [4]sich unterreden 《mit *jm.*》; unterhandeln 《mit *jm.* (über) [4]*et.*》; verhandeln 《mit *jm.*; (über) [4]*et.*; *wegen*[2]》. ¶ ～해서 nach Rücksprache 《*mit*[3]》 / ～끝에 합의를 보았다 Schließlich wurde e-m Ausgleich zugestimmt. / 사장은 이 건을 ～하기 위해서 중역 회의를 열었다 Der Vorstand berief e-e Direktionssitzung zur Besprechung dieser Angelegenheit. / 그 문제에 대해서 장시간 ～했다 Wir hatten miteinander e-e lange Erörterung darüber.

의당(宜當) 《옳음》 gerecht; richtig; 《적당》 gebührend; gehörig; 《…할만함》 wohlverdient; 《자연》 natürlich; 《필연》 notwendig. ¶ 그의 행위는 ～ 칭찬받을 만하다 S-e Tat verdient e-e Anerkennung.

의대(衣帶) Kleidung 《*f.* -en》 und Gürtel 《*m.* -s, -》.

의도(義徒) die rechtschaffene Gruppe, -n.

의도(意圖) Absicht *f.* -en; Plan *m.* -(e)s, ⸚e; Vorsatz *m.* -es, ⸚e; Vorhaben *n.* -s, -. ¶ …할 ～로 in 〔mit〕 der Absicht zu... / 죽일 ～로 in 〔mit〕 der Absicht zu töten / 그의 ～를 전연 모르겠다 Ich weiß gar nichts, was er vorhat. / 그것은 나의 ～가 아니었다 Es lag nicht in m-r Absicht.

의량(衣糧) Kleidung 《*f.* -en》 und Lebensmittel 《*pl.*》.

의례(儀禮) Höflichkeit *f.*; Entgegenkommen *n.* -s; Zuvorkommenheit *f.* ¶ ～적 zeremoniell; formal / ～적 방문 Höflichkeits¦besuch 〔Anstands-〕 *m.* -(e)s, -e.
‖ 가정～ das Ritualgesetz 《-es, -e》 in e-r Familie.

의례히(依例―) ＝으레.

의론(議論) Rede 《*f.* -n》 u. Gegenrede; Auseinandersetzung *f.* -en; Debatte *f.* -n; Diskussion *f.* -en; Disputation *f.* -en; Erörterung *f.* -en. ～하다 《토론》 debattieren 《*über*[4]》; diskutieren; disputieren 《*über*[4]》; 《토의》 erörtern 《[4]*et.* mit *jm.*》.

의롭다(義―) rechtschaffen; gerecht (sein). ¶ 의로운 사람(일) der rechtschaffene Mensch, -en, -en 〔die rechtschaffene Tat, -en〕.

의롱(衣籠) Kleiderschrank *m.* -(e)s, ⸚e; Garderobenschrank.

의뢰(依賴) 《위임》 Auftrag *m.* -(e)s, ⸚e; 《부탁》 Bitte *f.* -n; 《의존함》 Abhängigkeit *f.* ～하다 beauftragen[4] 《*mit*[3]》; bitten*[4] 《*um*[4]》; abhängig sein 《*von*[3]》; 《의지하다》 [4]sich verlassen* 《*auf*[4]》; rechnen 《*auf*[4]》; 《신뢰하다》 sein Vertrauen setzen 《*auf*[4]》. ¶ 당신의 ～에 따라 auf Ihre Bitte / ～에 응하다 *js.* [3]Wünschen nach|kommen* ⓢ.
‖ ～심 Abhängigkeitsgefühl *n.* -(e)s, -e: 그는 ～심이 지나치다 Er rechnet zu viel auf andere.

의료(衣料) Kleidung *f.* -en; Kleidungsstück *n.* -(e)s, -e. ‖ ～비 Kleidungskosten 《*pl.*》.

의료(醫療) die ärztliche Behandlung, -en.
‖ ～기관 die medizinische Institution, -en. ～기계 das ärztliche Instrument, -(e)s, -e. ～반 die ärztliche Abteilung, -en. ～법인 die ärztliche Körperschaft, -en. ～보험 Krankenversicherung *f.* ～비 die Kosten 《*pl.*》 für die ärztliche Behandlung. ～사회화제 das sozialisierte medizinische System, -s, -e. ～시설 die medizinische Einrichtung, -en. ～실 Krankenzimmer *n.* -s, - (in Heimen *od.* Schulen). ～품 die medizinische Nachfrage, -n. 국립 ～원 Staatskrankenhaus *n.* -es, ⸚er.

의류(衣類) Kleider 《*pl.*》; Anzug *m.* -(e)s, ⸚e; Kleidung *f.* -en; Kleidungsstücke 《*pl.*》; Gewand *n.* -(e)s, ⸚er; Tracht *f.* -en. ¶ ～ 한 벌 ein Anzug *m.* -(e)s, ⸚e / ～ 한 점 ein Kleidungsstück *n.* -(e)s, -e.

의리(義理) Verpflichtung *f.* -en; Muß *n.* -; die gesellschaftliche Bindung, -en; das bindende Übereinkommen, -s. ¶ ～ 있는 gewissenhaft; pflichteifrig; pflicht(ge)treu; (ge)treu / ～ 없는 〔모르는〕 사람 ein undankbarer 〔dankvergessener; unerkenntlicher〕 Mensch, -en, -en / ～에 끌려 aus lauter [3]Pflichtgefühl; durch [4]Verpflichtung gezwungen / ～를 잊다 [4]es an [3]Anständigkeit fehlen lassen*; s-e Pflicht vergessen* 〔versäumen〕 / ～와 인정의 갈림길에 서있다 zwischen [3]Pflicht u. [3]Liebe schwanken / 친구에게 ～를 지키다 an s-m Freunde s-e Pflicht 〔Schuldigkeit〕 tun* / ～상 나는 그렇게 하지 않을 수 없다 Ich fühle mich verpflichtet, es zu tun. / ～도 인정도 모르는 자식이다 Er ist ein Schurke 《-n, -n》 ohne Pflichtgefühl u. Menschlichkeit.

의모(義母) Adoptiv¦mutter 〔Pflege-〕 (양모); Stiefmutter (계모).

의무(義務) Pflicht *f.* -en (윤리적 필연성); Obliegenheit *f.* -en (자발적 또는 타의에 의한); Schuldigkeit *f.* -en (타인에게 대한); Verantwortlichkeit *f.* -en (책임); Verbindlichkeit *f.* -en (구속력); Verpflichtung *f.* -en (법 관계에 의한). ¶ ～적인 Pflicht-; pflichtmäßig; bindend; obligatorisch; verbindlich; verpflichtend; vorgeschrieben; Zwangs- / ～적으로 als Pflicht; aus Pflicht / ～를 다하다 s-e Pflicht (u. Schuldigkeit) tun*; s-e Pflicht beobachten 〔erfüllen; leisten〕 / …할 ～가 있다 müssen*; [4]sich verpflichten 《*zu*[3]》; verpflichtet sein 《*zu*[3]》; schuldig sein[4] / ～를 부과하다 *jn.* verpflichten 《*zu*[3]》; *jm.* e-e Pflicht auf|erlegen / ～를 태만히 하다 s-e Pflicht versäumen 〔vernachlässigen〕.
‖ ～감 Pflichtbewußtsein *n.* -s; Pflichtgefühl *n.* -(e)s, -e: 다만 ～감에서 aus bloßem Pflichtgefühl. ～교육 Schulzwang *m.* -(e)s; der pflichtmäßige Schulbesuch, -(e)s; die allgemeine Schulpflicht, -en. ～론 Pflichtenlehre *f.* -n; Deontologie *f.* ～연한 die obligatorische Amtszeit, -en. ～자 ein verpflichteter Mensch, -en, -en; der Verpflichtete*, -n, -n; Schuldner *m.* -s, -.

의무(醫務) Medizinalwesen *n.* -s; die medizinischen Angelegenheiten 《*pl.*》.
‖ ～국 das Büro 《-s, -s》 〔die Abteilung, -en〕 für medizinische Angelegenheiten. ～실 Apotheke *f.* -n.

의문(疑問) Frage *f.* -n; Problem *n.* -s, -e; Zweifel *m.* -s (의심). ¶ ～의 인물 e-e fragliche 〔rätselhafte〕 Person, -en; ein geheimnisvoller Mensch, -en, -en / ～의 여지가 없다 k-m Zweifel unterliegen / ～을 품다 bezweifeln[4]; e-n Zweifel hegen 《*über*[4]》; im Zweifel sein 《*über*[4]》; in [4]Frage stellen[4] / 그 환자가 오늘 밤을 넘길는지 ～이다

Es fragt sich, ob der Kranke die Nacht überleben wird.

‖ ~문 Frage¦satz (Interrogativ-) *m.* -es, ⸚e. ~부, ~표 Fragezeichen *n.* -s, -. ~사 Fragewort *n.* -(e)s, ⸚er; Interrogativ *n.* -s, -e. ~점 der zweifelhafte (streitige) Punkt, -(e)s, -e; der in Frage stehende Punkt, -(e)s, -e.

의뭉스럽다 heimtückisch; hinterlistig; arglistig; hinterhältig; boshaft (sein).

의미(意味) Bedeutung *f.* -en; Sinn *m.* -(e)s, -e; Tragweite *f.*; Wichtigkeit *f.* (중요성). ~하다 bedeuten[4]; besagen[4]; dar|stellen[4]. ¶ ~ 있는 bedeutsam; bedeutungsvoll; vielsagend / ~ 심장한 bedeutungs¦reich (-voll; -schwer); sinn¦reich (-voll); von tiefer Bedeutung; von tiefem Sinn / ~ 없는 bedeutungs¦los (sinn-); ohne [4]Bedeutung (Sinn) / 어떤 ~로(는) in gewissem (e-m gewissen) Sinne; gewissermaßen / 좁은 (엄밀한, 넓은, 문자그대로의) ~로 in eng(er)em (genau(er)em, weit(er)em, buchstäblichem *od.* wörtlichem) Sinne; in eng(er)er (genau(er)er, weit(er)er, buchstäblicher *od.* wörtlicher) Bedeutung / 그것은 무슨 ~입니까 Was meinen Sie (damit)? / 네 말은 아무 ~도 없다 Was du da sagst, hat gar k-n Sinn (ist sinnlos). / 나는 그런 ~로 말한 것이 아니다 Das habe ich nicht, in dem Sinne gesagt.¦So etwas habe ich nicht andeuten wollen. / 그것은 아무 ~가 없는 짓이다 Das hat k-n Zweck.¦Es ist sinnlos so etwas zu tun. / 그녀는 ~있는 듯이 나에게 시선을 보냈다 Sie hat e-n bedeutsamen Blick auf mich geworfen.

‖ ~론 Semantik *f.*; Bedeutungslehre *f.*

의발(衣鉢) 〖불교〗 Priesterkleid u. Bettelnapf; Doktrin *f.* -en.

의법(依法) laut des Gesetzes; dem Gesetz entsprechend.

‖ ~처단 die dem Gesetz entsprechende Bestrafung (Maßregelung) -en.

의병(義兵) der treue (patriotische) Soldat, -en, -en; der Freiwillige* (의용병); 《군》 das treue Heer, -(e)s, -e; Freiwilligenkorps *m.* -, -. ¶ ~을 일으키다 eine Armee für eine gerechte Sache sammeln.

의병(疑兵) Scheintruppe *f.* -n.

의복(衣服) die Kleider 《*pl.*》; Kleidung *f.* -en. ☞ 옷. ¶ ~ 한 벌 e-e Kleidung, -en; ein Anzug *m.* -(e)s, ⸚e; ein Kleid *n.* -(e)s, -er / 좋은 ~을 입다 [4]sich gut kleiden.

‖ ~비 Anzugskosten 《*pl.*》; Kleidungszuschuß *m.* ..schusses, ..schüsse.

의부(義父) Adoptiv¦vater (Pflege-) (양부); Stiefvater (계부).

의분(義憤) die aus Gerechtigkeitsgefühl empfundene Entrüstung, -en (Empörung, -en); der gerechte Zorn, -(e)s. ¶ ~을 터뜨리며 in gerechtem Zorn; indem *jn.* sein Gerechtigkeitsgefühl aufgebracht hat; indem jemand in gerechten Zorn gebracht wird / ~을 느끼다 aus Gerechtigkeit Unwillen empfinden*.

의붓 Stief-.

‖ ~딸 Stieftochter *f.* ⸚. ~아들 Stiefsohn *m.* -(e)s, ⸚e. ~아비 Stiefvater *m.* -s, ⸚. ~어미 Stiefmutter *f.* ⸚. ~자식 Stiefkind *n.* -(e)s, -er: ~ 자식 취급하다 stiefmütterlich behandeln 《*jn.*》; links liegen|lassen* 《*jn.*》.

의사(義士) der gerechte (edelherzige; gemeinnützige; selbstlose; für [4]Gerechtigkeit alles aufbietende) Mensch, -en, -en.

의사(意思) Wille *m.* -ns, -n; Absicht *f.* -en; Vorsatz *m.* -es, ⸚e; Vorhaben *n.* -s, -; Gedanke *m.* -ns, -n; Idee *f.* -n [idé:ən]; Gesinnung *f.* -en. ¶ ~ 표시 Willens¦äußerung *f.* -en (-erklärung *f.* -en) / ~의 자유 Willensfreiheit *f.* / 자유 ~에서 aus freiem Willen / ~를 표시하다 s-n Willen äußern (erklären) 《*jm.*》 / ~가 통하다 verstanden werden 《von *jm.*》 / ~ 소통을 꾀하다 [4]sich verständigen 《mit *jm.* *über*[4]》 / …할 ~가 없다 k-e Absicht (Lust) haben 《[4]*et.* zu *tun*》 / 나의 ~에 반하여 wider (gegen) meinem Willen / 타인의 ~에 따르다 dem fremden Willen gehorchen / 그녀와 결혼할 ~는 없다 Ich habe k-e Absicht (Ich denke nicht daran), sie zu heiraten.

의사(擬似) After-; Pseud(o)-; Quasi-; Schein-; falsch; gefälscht; scheinbar; unecht; vermeintlich. ¶ ~ 콜레라 Cholera 《*f.*》 indigena. ☞ 유사(類似).

의사(醫師) Arzt *m.* -es, ⸚e; 〖속어〗 Doktor *m.* -s, -en [..tó:rən]; der praktische Arzt (개업의); Hausarzt (단골의사). ¶ 환자가 많은 ~ der gesuchte Arzt / ~의 진찰(진단)을 받다 e-n Arzt konsultieren (zu [3]Rate ziehen*) / ~의 치료를 받고 있다 in ärztlicher Behandlung sein / ~의 진찰을 받게 하다 von e-m Arzt behandeln lassen* 《*jn.*》 / ~가 되다 [1]Arzt werden / ~ 개업을 하다 e-e ärztliche Praxis an|fangen* / ~를 부르다 e-n Arzt rufen* (holen lassen*) / ~에게 가보십시오 Sie müssen sich an e-n Arzt wenden.

‖ ~면허 die medizinische Lizenz, -en. ~회 Ärztekammer *f.* -n. 단골~ Hausarzt *m.* -es, ⸚e. 돌팔이~ Quacksalber *m.* -s, -. 수석~ 《병원의》 Oberarzt *m.* -es, ⸚e.

의사(議事) Verhandlung (Besprechung) *f.* -en. ¶ ~를 진행시키다 die Verhandlung 《-en》 glatt vonstatten gehen lassen*.

‖ ~당 Parlamentsgebäude *n.* -s, -: 국회~당 Nationalparlamentsgebäude *n.* -s, -. ~록 Sitzungsberichte 《*pl.*》. ~방해 Obstruktion *f.* -en; die Verhinderung 《-en》 der Beschlußfassung. ~봉 Hammer *m.* -s, ⸚. ~상정 das Einbringen der von der Sitzung zu behandelnden Fragen. ~일정 Tagesordnung *f.* -en; der Plan 《-(e)s, ⸚e》 der Beratung; die Reihenfolge 《-n》 der von e-r Sitzung zu behandelnden Fragen. ~진행(進行) der Fortgang 《-(e)s, ⸚e》 der Verhandlung.

의상(衣裳) Kleidung *f.* -en; Kleid *n.* -(e)s, -er; Gewand *n.* -(e)s, ⸚er; Anzug *m.* -(e)s, ⸚e (특히 남자의); Toilette [toalέtə] *f.* -n (특히 여자의); Garderobe *f.* -n (소유하고 있는 의상 전부); Kostüm *n.* -s, -e. ¶ 연극의 ~ (Theater)kostüm *n.* -s, -e / 신부의 ~ Brautkleid *n.* -(e)s, -er / ~을 입다 ein Kleid (Kostüm) an|legen / 그녀는 ~이 많다 Sie hat e-e wunderbare Garderobe.

‖ ~담당 Garderobenaufseher *m.* -s, -; Ankleider *m.* -s, -. ~실 Garderobenzimmer *n.* -s, -; 《양장점》 Modesalon *m.* -s, -s.

의서(醫書) das medizinische Buch, -(e)s, ⸚er; das Buch über [4]Medizin.

의석(議席) Abgeordnetensitz *m.* -es, -e; Sitzungssaal *m.* -(e)s, ..säle (총칭). ¶ ~을 갖다 Sitz u. Stimme haben 《im Rat》 / ~에 앉

다 den (Abgeordneten)sitz nehmen*.

의성어(擬聲語) Onomatopoetikon *n.* -s, ..ka; das schall¦nachahmende (klang-) Wort, -(e)s, ⸚er.

의수(義手) die künstliche (falsche) Hand, ⸚e; der künstliche (falsche) Arm, -(e)s, -e; Prothese *f.* -n (의지(義肢)).

의술(醫術) Medizin *f.*; Heil¦kunde (-kunst) *f.*; die medizinische Kunst. ¶ ~상의 medizinisch; was die Heilkunde (Heilkunst) (an)betrifft / ~은 인술이다 Bei ärztlicher Tätigkeit handelt es sich um Humanität. ¦Heilkunde ist Menschenliebe.

의식(衣食) Nahrung 《*f.* -en》 u. Kleidung 《*f.* -en》; 《생계》 Lebensunterhalt *m.* -(e)s; das Auskommen*, -s. ¶ ~의 방도 das Mittel 《-s, -》 des Auskommens; Lebensunterhalt / ~에 궁하다 (충족하다) ein knappes (gutes; anständiges) Auskommen haben / ~을 대다 mit Nahrung u. Kleidung versehen* 《*jn.*》 / ~의 방도를 강구하다 Mittel u. Wege zum Leben finden* / ~이 족해야 예절을 안다 Wohlgenährt, wohlerzogen.
‖ **~주** die Nahrung, Kleidung u. Wohnung.

의식(意識) Bewußtsein *n.* -s; Besinnung *f.* -en. **~하다** bewußt² werden; 《지각》 wahr¦nehmen*⁴; gewahr⁴·² werden. ¶ ~적으로 bewußt; absichtlich (고의로) / 무~적으로 unbewußt / 충분히 ~하고 bei vollem Bewußtsein / ~불명이 되다 ohnmächtig (bewußtlos) werden / ~이 뚜렷(몽롱)하다 ein klares (verworrenes) Bewußtsein haben / ~을 되찾다 (wieder) zum Bewußtsein kommen*Ⓢ; das Bewußtsein wieder¦gewinnen* / ~을 잃다 das Bewußtsein (die Besinnung) verlieren*; bewußtlos werden / 죄 ~이 있다 schuldbewußt sein / 환자는 ~이 또렷하다 Der Kranke hat ein klares Bewußtsein. / ~을 회복했을 때 나는 병원에 누워 있었다 Als ich zu mir kam, lag ich in dem Bett e-s Krankenhauses.
‖ **잠재~** Unterbewußtsein *n.* -s.

의식(儀式) Feierlichkeit *f.* -en; Zeremonie *f.* -n; Fest *n.* -es, -e; Festlichkeit *f.* -en; 《제식》 Ritual *n.* -s, -e; Ritus *m.* -, ..ten; 《형식》 Förmlichkeit *f.* -en. ¶ ~상의 feierlich; zeremoniell; festlich; rituell; förmlich/성대한 ~ die große (imposante) Festlichkeit, -en; die prunkvolle Feier, -n / ~을 올리다 e-e Zeremonie ab¦halten*.
‖ **~주의** Formalismus *m.* -, ..men.

의심(疑心) 《의혹》 Zweifel *m.* -s, -; 《의념》 das Bedenken*, -s; 《불신》 Mißtrauen *n.* -s; 《혐의》 Verdacht *m.* -(e)s; Argwohn *m.* -(e)s; 《의문》 Frage *f.* -n. **~하다** zweifeln 《*an*³》; bezweifeln⁴; in Zweifel haben⁴; Zweifel hegen⁴ 《*an*³》; Verdacht schöpfen (hegen) 《gegen *jn.*》. ¶ ~ 많은 zweifelsüchtig; mißtrauisch; argwöhnisch; skeptisch (회의적) / ~ 많은 사람 der argwöhnische (skeptische) Mensch, -en, -en / ~이 없는 zweifellos; zweifelsfrei; fraglos; unanfechtbar; unbezweifelbar; unbestreitbar; unumstößlich; unverkennbar; unzweifelhaft; ohne ⁴Zweifel; zweifelsohne; unstreitig; außer allem Zweifel; über allen Zweifel erhaben / ~을 품다 in Zweifel ziehen*⁴; Bedenken tragen* (hegen; haben) 《zu 부정구, 자신없는 모양》; Mißtrauen hegen (haben) 《*gegen*⁴》; in Verdacht haben; Verdacht hegen 《*gegen*⁴; *über*⁴》 / ~을 두다 *jn.* verdächtigen²; den Verdacht auf *jn.* lenken (wälzen) (혐의의 전가) / ~을 받다 (사다) in Verdacht kommen* (geraten*) Ⓢ; den Verdacht auf ⁴sich ziehen*; ⁴sich verdächtig machen / ~이 일다 *jm.* auf¦steigen* Ⓢ 〖Verdacht를 주어로 하여〗; mißtrauisch (argwöhnisch) werden; Verdacht erregen (erwecken) 〖일이 주어〗 / ~을 풀다 Zweifel (Bedenken; Verdacht) zerstreuen (beseitigen) / ~할 여지가 없다 Darüber herrscht (besteht; ist) nicht der geringste (mindeste; leiseste) Zweifel. / 그가 ~을 받았다 Der Verdacht fiel auf ihn. ¦Dies warf e-n Verdacht auf ihn. / 너의 성공을 ~치 않는다 Ich zweifle nicht an d-m Erfolg. / 내 눈을 ~했다 Ich traute m-n Augen nicht. / 내 귀를 ~했다 Ich dachte, mein Ohr habe mich wohl getäuscht.

의심스럽다(疑心—) ① 《의혹》 zweifelhaft; fraglich; fragwürdig (sein). ② 《수상함》 bedenklich; verdächtig; 《불확실》 unsicher; ungewiß; dubiös; ominös (sein). ¶ 그의 성공이 ~ Ich zweifle an s-m Erfolg. / 내 눈이 의심스러웠다 Ich konnte m-n eigenen Augen nicht trauen. / 그가 정말 그런 일을 했는지 ~ Es ist zweifelhaft, ob er wirklich so etwas getan hat. / 그의 행동은 의심스러웠다 Sein Benehmen hat in mir Verdacht erweckt.

의아(疑訝) **~하다, ~스럽다** zweifelnd; fragend; mißtrauisch (sein). ¶ ~스러운 눈초리 ein fragender Blick, -(e)s, -e / ~스러운 얼굴을 하다 ein mißtrauisches Gesicht machen.

의안(義眼) das künstliche Auge, -s, -n; Glasauge *n.* -s, -n. ¶ ~을 끼고 있다 ein künstliches Auge haben.

의안(議案) (Gesetzes)vorlage *f.* -n; Gesetzantrag *m.* -(e)s, ⸚e (-entwurf *m.* -(e)s, ⸚e); Konzept *n.* -(e)s, -e (초안). ¶ 심의 중의 ~ der unerledigte Gesetzantrag, -(e)s, ⸚e / ~을 제출하다 e-e (Gesetzes)vorlage (e-n Antrag) ein¦bringen* / ~이 부결됐다 Die Gesetzesvorlage (Der Antrag) ist abgelehnt worden / ~을 철회하다 e-n Gesetzantrag 《-(e)s, ⸚e》 zurück¦ziehen* (zurück¦nehmen*) / ~을 수정하다 e-n Gesetzentwurf 《-(e)s, ⸚e》 ab¦ändern / ~을 초안하다 e-e Vorlage entwerfen* / ~을 통과시키다 die Vorlage 《-n》 auf¦nehmen* / ~은 무난히 통과되었다 Der Gesetzantrag ging glatt durch.
‖ **~통과** die Aufnahme 《-n》 e-r (Gesetz-) vorlage.

의약(醫藥) Arznei *f.* -en; (Arznei)mittel *n.* -s, -; Medizin *f.* -en.
‖ **~분업** die Absonderung 《-en》 der Apotheke u. der ärztlichen ²Behandlung. **~품** Arznei *f.* -en; Arzneimittel *n.* -s, -.

의업(醫業) der ärztliche Beruf, -(e)s, -e; die Tätigkeit 《-en》 e-s Mediziners. ¶ ~을 차리다 als ¹Arzt praktizieren; die ärztliche Praxis aus¦üben / 대대로 ~을 직업으로 삼다 den medizinischen Beruf in der Familie erblich aus¦üben.

의역(意譯) die freie Übersetzung, -en. **~하다** frei übersetzen⁴. ¶ ~한다면 frei übersetzt / 그의 번역은 너무 ~에 치우친다 S-e Übersetzung ist zu frei.

의연(義捐) Beisteuer *f.* -n; Beitrag *m.* -(e)s,

=e; Kontribution *f.* -en; Liebesgabe *f.* -n; Spende *f.* -n. **~하다** beisteuern[4]; beitragen*[4]; spenden[4].

‖ **~금** Beitragssumme *f.* -n; Subskriptionsbetrag *m.* -(e)s, =e: ~금을 거두다 Almosen《*pl.*》(ein)|sammeln; Geld zusammen|-bringen* / ~금을 모집하다 um [4]Beisteuern ([4]Beiträge) werben* / 수해 ~금 Beitragssumme für die unter Hochwasser Leidenden. **~자** der Beitragende*, -n, -n.

의연하다(依然—) wie früher (sonst) sein. ¶ 의연히 immer noch; noch immer; nach wie vor; wie früher (sonst) / 의연히 그대로 있다 unverändert bleiben* ⓢ / 구태 ~ Es bleibt beim Alten. / 직물계는 의연히 불경기다 Das Webegewerbe ist nach wie vor flau.

의연하다(毅然—) standhaft; fest; entschlossen; unerschrocken; 《결연함》 entschieden (sein). ¶ 의연한 태도 unerschrockene (standhafte; entschlossene) Haltung, -en / 그는 의연히 역경을 견디었다 Er ertrug das Mißgeschick mit Heroismus.

의열(義烈) Seelenadel *m.* -s, -; Seelengröße *f.*; Heldenmut *m.* -(e)s. **~하다** edel; heroisch; ritterlich (sein).

의예과(醫豫科) Vorbereitungs|kursus 《*m.* -, -se》 (-abteilung *f.* -en) e-r medizinischen Hochschule, -n (Fakultät *f.* -en).

의옥(疑獄) der komplizierte Kriminalprozeß, ..zesses, ..zesse; Skandal *m.* -s, -e. ¶ ~사건에 연루되다 in e-n komplizierten Kriminalprozeß (e-n Skandal) verwickelt werden.

의외(意外) ¶ ~의 《뜻밖의》 unerwartet; überraschend; unverhofft; unvermutet; unvorhergesehen; 《우연의》 zufällig; durch Zufall; 《놀라운》 erstaunlich; überraschend / ~로 unerwarteterweise; gegen Erwarten*; zu *js.* Erstaunen*; unvorhergesehen / ~의 일 der unvorhergesehene Vorfall, -s, =e / ~의 결과 die unerwartete Wirkung / ~의 소식 die unerwartete Nachricht / ~로 생각하다 《놀라다》 erstaunen 《über [4]*et.*》; [4]sich getäuscht finden* 《in [3]*et.*》 (낙담하다) / ~로 어렵다 schwerer sein, als man erwartet hat / 그것은 ~의 일이다 Ich bin nicht darauf vorbereitet.¦ Ich hatte k-e Ahnung davon. / ~의 일로 실패하였다 Durch e-n unvorhergesehenen Zufall ist es mißlungen. / ~로 시간이 걸렸다 Das nahm viel mehr Zeit in Anspruch, als ich vorhergesehen hatte. / 신청자가 ~로 없었다 Zu unserer Enttäuschung hat sich fast k-r gemeldet. / 그 시험은 ~로 어려웠다 Das Examen war über Erwarten schwierig.

의욕(意慾) das Wollen*, -s; die Äußerung des Willens; die Äußerung des Wunsches. ¶ ~적 hochstrebend; nach oben strebend / ~이 강한 사람 ein Mann mit starkem Willen / …에 대한 ~이 대단하다 den starken Willen haben, [4]*et.* zu tun.

‖ **생산~** der Wille 《-ns, -n》 zur Produzierung. **생활~** der Wille zum Leben.

의용(義勇) Heldenmut *m.* -(e)s; der ritterliche Mut, -(e)s; das Eintreten* 《-s》 für eine gerechte Sache.

‖ **~군** die Freiwilligentruppen 《*pl.*》; Freiwilligenheer *n.* -(e)s, -e; Freiwilligenkompanie *f.* -n; Freikorps *n.* -, -. **~병** der Freiwillige*, -n, -n.

의용(儀容) Haltung *f.* -en; Miene *f.* -n; das Äußere*; Erscheinung *f.* -en; 《거동》 das Betragen*, -s; das Benehmen*, -s. ¶ 당당한 ~ die edle Miene; die gebieterische Haltung.

의원(依願) auf eigenen Wunsch (auf eigenes Ersuchen*). ‖ **~면직** die Amtsentlassung, -en (die Amtsentsetzung, -en; der Abschied, -(e)s, -e) auf eigenen Wunsch (auf eigenes Ersuchen): ~ 면직되다 auf eigenen Wunsch hin entlassen werden.

의원(醫院) Privatklinik *f.* -en. ¶ 강~ Dr. *Kangs* Klinik; „Dr. *Kang* ⟨Internist⟩" (냇과); „Dr. *Kang* ⟨Chirurg⟩" (욋과).

‖ **~장** der Chef [ʃɛf] 《-s, -s》 e-r Privatklinik.

의원(醫員) Mediziner *m.* -s, -; (Medizinal)stab *m.* -(e)s, =e (전체); der Stab 《-(e)s, =e》 e-s Krankenhauses.

의원(議院) Volksvertretung *f.* -en; (Abgeordneten)haus *n.* -es, =er; Kammer *f.* -n; Landtag *m.* -(e)s, -e; Parlament *n.* -(e)s, -e; Reichstag (제국의); Bundestag (연방의).

‖ **~내각제** die Parlamentarische Regierung; Parlamentarismus *m.* -. **~제도** das parlamentarische System, -s, -e.

의원(議員) der Abgeordnete*, -n, -n; Mitglied *n.* -(e)s, -er; Parlamentarier *m.* -s, -; Volksvertreter *m.* -s, -; die beiden Häuser (총칭적으로 양원 의원). ¶ 서울 출신 ~ ein Abgeordneter für Seoul / 찬성 ~ der beistimmende Abgeordnete / ~으로 당선되다 zum Abgeordneten (Mitglied) gewählt werden / ~이 되다 e-n Sitz im Parlament bekommen* / ~이다 ein Abgeordneter sein; e-n Sitz im Parlament haben.

‖ **~석** Abgeordnetensitz *m.* -(e)s, -e; Sitzungssaal *m.* -(e)s, ..säle (회의장). **~임기** der Termin (die Frist) der Mitgliedschaft. **~총회** Plenarsitzung *f.* -en. **평~** ein gewöhnliches Mitglied, -es, -er; Durchschnittsmitglied, -es, -er. **국제~연맹** Interparlamentarische Union 《생략: IPU》.

의음(擬音) Schall|nachahmung (Klang-; Laut-) *f.* -en; Tonmalerei *f.* -en; Onomatopöie *f.* -n [..íːən].

의의(意義) Bedeutung *f.* -en; Sinn *m.* -(e)s, -e; Bedeutsamkeit *f.* (중요성). ¶ ~깊은 bedeutend; sinnvoll / ~있는 말 e-e sinnvolle Bemerkung / ~(가) 있다 bedeutsam (bezeichnend; (sinnreich) sein / ~(가) 없다 unbedeutend (sinnlos) sein / ~있는 생활을 하다 ein lebenswertes Leben führen; e-n Lebenszweck haben/1945 년 8 월 15 일은 한국민에게 ~깊은 날이다 Der 15. August 1945 ist ein sehr bedeutsamer Tag für Koreaner. / 그의 한국 방문에 정치적 ~는 없다 Sein Besuch Koreas hat k-n politischen Zweck.

의의(疑義) Zweifel *m.* -s, -; Bedenken *n.* -s, -. ☞ 의심. ¶ ~를 품다 [4]Zweifel ([4]Bedenken) hegen (haben; tragen*) 《*an*[4]》; bezweifeln[4].

의인(義人) ☞ 의사(義士).

의인(擬人) 〖수사학〗 Personifikation *f.* -en; Personifizierung *f.* -en; Verkörperung *f.* -en; Vermenschlichung *f.* -en. **~(화)하다** personifizieren[4]; verkörpern[4]; vermenschlichen[4]. ‖ **~법** Personifikation *f.* -en.

의자(椅子) Stuhl *m.* -(e)s, =e. ¶ 긴 ~ Bank *f.* =e; Sofa *n.* -s, -s / 접~ Falt|stuhl (-hocker *m.* -s, -) / 흔들~ Schaukelstuhl /

～에 앉다 ⁴sich auf e-n Stuhl setzen / ～를 권하다 e-n Stuhl an|bieten* 《*jm.*》.
‖～커버 Stuhlbezug *m.* -(e)s, ⸗e. 안락(등받이)～ (Lehn)sessel *m.* -s, -; Lehnstuhl *m.* -(e)s, ⸗e; Armsessel *m.* 전기～ der elektrische Stuhl. 회전～ Drehstuhl.

의장(衣欌) Kleiderschrank *m.* -(e)s, ⸗e; Garderobenschrank *m.*

의장(意匠) Entwurf *m.* -(e)s, ⸗e; Plan *m.* -(e)s, ⸗e; Muster *n.* -s, -; Dessin *n.* -s, -s. ¶ 참신한 ～ das neue Muster / ～을 고안하다 ein Muster aus|denken* (ersinnen*).
‖～가 Musterzeichner *m.* -s, -; künstlicher Zeichner. ～등록부 Musterregister *n.* -s, -. ～보호 Musterschutz *m.* -es: ～보호법 Musterschutzgesetz *n.* -es, -e.

의장(儀仗) (Ehren)gefolge *n.* -s, -; (Ehren-)geleit *n.* -(e)s, -e. ¶ ～대를 사열하다 die ⁴Front 《-n》 der ²Ehrenkompanie ab|-schreiten*. ‖～병(대) Ehren¦wache *f.* -n (-wacht *f.* -en).

의장(艤裝) Ausrüstung *f.* -en; Ausstattung *f.* -en; Betak(e)lung *f.* -en; Equipierung *f.* -en. ～하다 ein Schiff aus|rüsten (aus|-statten; betakeln; equipieren).

의장(議長) der Vorsitzende*, -n, -n; Präsident *m.* -en, -en; Sprecher *m.* -s, - (영, 미 의회의). ¶ ～이 되다 den Vorsitz haben (führen); das Präsidium übernehmen* (führen); präsidieren³ / ～님 Herr Vorsitzender (Präsident)! (호칭).
‖～대리 der Stellvertreter des Präsidenten. ～직권 die Befugnis des Vorsitzenden. 국회～ der Vorsitzende des Parlaments. 부～ Vizepräsident *m.* 임시～ der stellvertretende Präsident (Vorsitzende*).

의장(議場) Sitzungs¦saal (Verhandlungs-) *m.* -(e)s, ..säle; 《의회의》 Kammer *f.* -n; Abgeordnetensitz *m.* -es, -e(의석). ¶ ～에 질서를 회복하다 im Hause die Ordnung wieder|herstellen / ～에서 소동을 일으키다 im Haus Unruhe verursachen / ～이 혼란에 빠졌다 Der Sitzungssaal geriet in heilloses Durcheinander.

의적(義賊) der edle (ritterliche) Räuber, -s, -; Räuber mit ritterlichem Geist.

의전(儀典) ☞ 의식(儀式).
‖～관 Zeremoniemeister *m.* -s, -. ～비서 der Sekretär 《-s, -e》 des Protokolls. ～실 Protokollbüro *n.* -s, -s.

의절(義絕) 《가족과의》 Enterbung *f.* -en; Verstoßung *f.* -en; 《관계를》 der Bruch (der Freundschaft); Verruf *m.* -(e)s, -e. ～하다 verleugnen⁴; verstoßen*⁴ (자녀와); pflichtmäßig mit *jm.* brechen*; die verwandtschaftlichen Beziehungen zu *jm.* ab|brechen* (-|lösen). ¶ ～되다 enterbt (verstoßen) werden; brechen* 《mit *jm.*》; *jm.* die Freundschaft kündigen; den Verkehr ab|brechen* 《mit *jm.*》; *jn.* verrufen*.

의젓이 ruhig u. majestätisch. ☞ 의젓하다.

의젓하다 ruhig u. majestätisch; ruhig u. achtungsgebietend; langsam u. gebieterisch (hoheitsvoll) (sein); würdevoll bleiben* ⓢ; ohne arrogant zu sein. ¶ 의젓하게 걷다 langsam u. gebieterisch gehen* ⓢ / 의젓하게 행동하다 ⁴sich ruhig u. majestätisch benehmen*.

의정(議定) Abkommen *n.* -s; Übereinkommen *n.* -s; Verständigung *f.* -en. ～하다 ⁴sich beraten* u. Vereinbarungen treffen* (zu e-r ³Verständigung kommen* ⓢ); unterhandeln 《mit *jm.* über ⁴*et.*》 u. miteinander im Einverständnis sein.
‖～서 Protokoll *n.* -s, -e; Sitzungsbericht *m.* -(e)s, -e; Verhandlungsprotokoll.

의제(義弟) Schwager *m.* -s, ⸗; der jüngere Bruder 《-s, ⸗e》 seiner Frau; der Gemahl 《-(e)s, -e》 der jüngeren Schwester.

의제(擬制) Fiktion *f.* -en; Annahme *f.* -n. ¶ 법률의 ～ die juristische Fiktion.
‖～자본 das fiktive Kapital, -s, -e (..lien).

의제(議題) der zu besprechende Gegenstand, -(e)s, ⸗e; Tagesordnung *f.* (전체).

의족(義足) das künstliche Bein, -(e)s, -e; Stelz¦bein (Holz-); Prothese *f.* -n (의지).

의존(依存) Abhängigkeit *f.* -en; das Angewiesensein*, -s. ～하다 ab|hängen* 《*von³*》; abhängig sein 《*von³*》; angewiesen sein 《*auf⁴*》; ⁴sich verlassen* 《auf *jn⁴*》. ¶ (…의 공급을) 외국에 ～하다 (mit der Versorgung) vom Ausland ab|hängen* (abhängig sein); aus dem Ausland beziehen*
‖상호～ die gegenseitige Abhängigkeit, -en: 상호 ～하고 있다 in Wechselbeziehung stehen*; aufeinander angewiesen (voneinander abhängig) sein ¦ „E-e Hand wäscht die andere."

의중(意中) *js.* Gedanke(n) *m.* ..kens, ..ken; *js.* Ansicht *f.* -en; *js.* Meinung *f.* -en; *js.* Vorhaben *n.* -s, -. ¶ ～의 인물 der Mensch 《-en, -en》, den man im Sinne hat; der Mensch, dem *js.* Neigung gilt / ～을 떠보다 *jm.* auf den Zahn fühlen; *jn.* aus|horchen; *jn.* aus|forschen / ～을 밝히다 ⁴sich an|vertrauen 《*jm.*》; sein Herz aus|schütten 《*jm.*》 / 그녀는 ～의 인물이 있다 Sie hat ihr Herz vergeben.

의지(依支) 《도움》 Unterstützung *f.* -en; Beistand *m.* -(e)s, ⸗e; Stütze *f.* -n; Hilfe *f.* -n; 《보호》 Schutz *m.* -es; Schild *m.* -(e)s, -e; Protektion *f.* -en; Obdach *n.* -(e)s. ～하다 ⁴sich lehnen 《*auf⁴*; *an⁴*》; ⁴sich verlassen* 《*auf⁴*》; ab|hängen* 《von ³*et.*》; bauen 《*auf⁴*》. ¶ ～ 할 만한 친구 ein zuverlässiger (verlässlicher) Freund, -(e)s, -e / ～할 곳 없는 hilflos; einsam; verlassen; obdachlos; heimatlos / ～할 곳 없는 신세 *js.* hilflose Situation; hilfloser Umstand, -(e)s, ⸗e / ～할 곳 없는 사람 e-e einsame Person, -en; e-e obdachlose Person / ～가 되다 *js.* Unterstützung (Hilfe) werden; *jm.* als Stütze dienen / ～할 수 있다 verläßlich sein; auf *jn.* rechnen können* / 아들에게 ～하다 auf *js.* Sohn bauen (rechnen); ⁴sich auf *js.* Sohn verlassen* / 지팡이에 ～하고 걷다 mit Hilfe von e-m Stock (mittels e-s Stockes; auf e-n Stock gelehnt) gehen* ⓢ / ～할 이가 없다 Ich habe niemand, auf den ich mich verlassen kann. / 벽에 몸을 ～한다 Er lehnt sich an die Wand. / 벽이 바람 ～가 된다 Die Wand schützt uns vor dem Wind. / 그는 친구를 ～해서 서울에 왔다 Er kam, gestützt auf s-n Freund, nach Seoul. / 형 밖에 ～할 사람은 아무도 없다 Außer m-m Bruder habe ich niemand, auf den ich bauen kann. / 곤란할 때 가장 ～할 수 있는 것은 친구이다 Die Freunde sind die beste Stütze, wenn man in Not ist. / 남에게 ～하지 말라 Vertraue sich selbst!

의지(意志) Wille *m.* -ns, -n; 《의욕》 das

Wollen*, -s. ¶ ~가 박약한 willensschwach / ~가 강한 〔약한〕 사람 ein Mensch 《m. -en, -en》 von starkem 〔schwachem〕 Willen / ~를 관철하다 s-n Willen durch|setzen.
‖ ~력 Willenskraft f. ⸗e. 자유~ Freiheitswille m. -ns, -n.

의지(義肢) =의족.

의지가지없다 ganz verlassen; auf sich allein angewiesen (sein). ¶ 의지가지없는 이 ein entwurzelter Mensch, -en, -en / 난 ~ Ich habe weder Freunde noch Verwandte.

의지간(倚支間) Schuppen m. -s, -.

의처증(疑妻症) krankhafte Eifersucht 《⸗e》 des Mannes.

의초 tiefe Freundschaft 《-en》 zwischen Brüdern 《pl.》 und Schwestern 《pl.》.

의치(義齒) 《총의치》 das künstliche 〔falsche〕 Gebiß, ..sses, ..sse; 《개개의》 künstlicher 〔falscher〕 Zahn, -(e)s, ⸗e. ¶ ~를 해 넣다 ³sich künstliche Zähne einsetzen lassen*.

의탁(依託) Abhängigkeit f.; das Anvertrauen*, -s; Auftrag m. -(e)s, ⸗e. ~하다 von jm. 〔³et.〕 ab|hängen; ⁴sich auf jn. 〔⁴et.〕 verlassen*; auf jn. 〔⁴et.〕 rechnen. ¶ ~할 곳 vertrauenswürdige 〔zuverlässige〕 Freunde 〔Verwandte*〕 《pl.》 / ~할 곳 없다 hilflos 〔ratlos; schutzlos〕 sein.

의태(擬態) ① 『생물』 Mimikry f.; Anähnlichung f. -en. ¶ 가랑잎으로 ~를 한 유충 e-e Raupe 《-n》, die sich e-m verwelkten Blatt anähnelt.
② 《흉내냄》 Nachahmung 《f. -en》 von Gebärden; Mimesis f. ..mesen.

의표(意表) ¶ ~를 찌르다 e-e Überraschung bereiten 《jm.》; Unerwartetes* verwirklichen; verblüffen 《jn.》.

의표(儀表) =의용(儀容).

의하다(依—) 《의존》 ab|hängen* 《von³》; abhängig sein; an|kommen* 《auf⁴》; rechnen 《auf⁴》; bauen 《auf⁴》; 《근거》 beruhen 《auf³》; ⁴sich stützen 《auf⁴》; ⁴sich gründen 《auf⁴》; 《따름》 folgen³; überein|stimmen 《mit³》; 《기인》 schuldig sein; e-e Folge 《von³》 sein; her|rühren 《von³》; her|kommen* 《von³》; 《수단》 ⁴sich bedienen²; ⁴sich wenden⁽*⁾ 《an⁴》. ¶ …에 의하여 laut²; gemäß³ kraft²; vermöge²; 《수단》 mittels²; durch⁴; vermittels²; mit Hilfe von³ / 형법 제 80 조에 의하여 laut Paragraph 80 des Strafgesetzbuches / 관습법에 의하여 laut des Gewohnheitsrechtes / 당국의 명령에 의하여 auf Befehl der Behörde; dem Befehl der Behörde gemäß / 형편에 의해서 den Umständen gemäß / 소문에 의하면 nach dem Gerücht / 호의에 의해서 durch die Freundlichkeit 《von jm.》 / 권고에 의하여 auf js. Bitte 〔Rat〕 / 아무의 조력에 의하여 mit Hilfe 《von jm.》 / 그의 의견에 의하면 s-r Meinung 〔Ansicht〕 nach / 일전의 편지에 의하면 laut früherer Briefe / 미확인 베를린 발 보도에 의하면 nach e-r unbestätigten Nachricht aus Berlin / 그의 말에 의하면 nach s-r Aussage; wie ich es von ihm erfahren habe / 서울에서 온 전보에 의하면 nach e-m Telegramm aus Seoul; ein Telegramm aus Seoul sagt 〔teilt mit〕, daß... / 신문에 의하면 국회는 8월에 휴회하리라고 한다 Nach der Zeitung wird das Parlament im August die Sitzung vertagen. / 포로는 각기 국적에 의하여 수용되었다 Die Kriegsgefangenen wurden je nach Staatsangehörigkeiten untergebracht worden. / 나의 회복은 그녀의 간호에 의한 것이다 Mit Hilfe von ihrer Pflege bin ich genesen. / 사상은 언어에 의하여 표현된다 Gedanken werden durch Worte ausgedrückt.

의학(醫學) Medizin f. -en; die medizinische Wissenschaft, -en; Heilkunde f. -n. ¶ ~상(으로) medizinisch / 병원에서 ~ 실습을 하다 im Krankenhaus die Medizin praktisch studieren / ~을 연구하다 die Medizin studieren / 한국의 ~은 현저히 발달하였다 Die medizinische Wissenschaft in Korea hat große Fortschritte gemacht. / 그는 ~을 연구하려고 도독했다 Er fuhr nach Deutschland, um Medizin zu studieren.
‖ ~계 die medizinische Kreise, -n; die medizinische Welt. ~박사 die Doktor 《-s, -en》 der Medizin 《생략: D.M.; Dr. med.》. ~부 die medizinische Fakultät, -en. ~사 *Bachelor* der Medizin 《생략: B.M.》. ~생 Mediziner m. -s, -. ~실습생 der medizinische Praktikant, -en, -en.

의합하다(意合—) 《의가 좋음》 freundlich; freundschaftlich; harmonisch (sein); 《뜻이 맞음》 geistesverwandt; gesinnungsverwandt; gleichgesinnt (sein).

의향(意向) Absicht f. -en; Vorhaben n. -s, -; Vorsatz m. -es, ⸗e; Hang m. -(e)s, ⸗e; Lust f. (마음에 당김). ¶ ~이 있다 gesonnen sein; beabsichtigen⁴; die Absicht haben / ~이 없다 k-e Absicht haben / ~을 떠보다 js. Gedanken 《pl.》 zu erfahren 〔erforschen; ergründen〕 suchen; sondieren 《jn.》; auf den Zahn 〔an den Puls〕 fühlen 《jm.》; auf den Busch klopfen (간접적으로) / ~을 비추다 Neigung 《zu ³et.》 zeigen; js. Absicht verraten* / ~을 확인하다 ⁴sich js. Absichten vergewissern / ~을 물어 보다 jn. nach Absichten fragen / 지금 결혼할 ~은 없다 Zur Zeit habe ich k-e Absicht zum Heiraten.

의협(義俠) Ritterlichkeit f.; Edelmütigkeit f.; Großmut f.; Heldenmut m. -(e)s; die ritterliche Tat, -en (행위). ¶ ~적인 ritterlich; edel|mütig 〔groß-; helden-〕.
‖ ~심 ritterliche Gesinnung, -en; Mannesmut m. -es: ~심이 많다 voll von Ritterlichkeit sein; außerordentlich ritterlich sein.

의형제(義兄弟) Schwager m. -s, ⸗; die intime Freunde 《pl.》 im brüderlichen Bunde (맹우(盟友)). ¶ ~를 맺다 Brüderschaft schließen* 《mit jm.》.

의혹(疑惑) Zweifel m. -s, -; Verdacht m. -(e)s; Argwohn m. -(e)s. ¶ ~을 품다 in 〔im〕 Zweifel sein 〔⁴sich befinden*〕 《über⁴》; die Zweifel 《pl.》 hegen 〔haben〕 《über⁴》; Zweifel 《pl.》 setzen 《in⁴》; ¹Zweifel steigen auf / ~을 일으키다 〔사다〕 Argwohn erwecken; Mißtrauen erregen 〔verursachen〕; Verdacht erregen 〔erwecken〕 / ~을 풀다 js. Zweifel beheben* / ~을 일소하다 allen Verdacht zerstreuen / ~의 눈으로 보다 jn. mit Verdacht an|schauen / ~을 살 만한 것은 조금도 없다 Es gibt nichts, was man bezweifeln kann.

의혼(議婚) die Heirat 《-en》 laut gegenseitiger Übereinkunft.

의화학(醫化學) medizinische Chemie.

의회(議會) Volksvertretung f. -en (일반적); Bundes|tag 〔Reichs-; Land-〕 m. -(e)s, -e (독

일); Parlament *n.* -(e)s, -e (한국 등); Kongreß *m.* ..gresses, ..gresse (미국). ¶ ~의 Volksvertretungs-; Bundes¦tags- (Reichs-; Land-); Parlaments-; Kongreß- / 제 75차 ~ die 75. Session (Tagung) des Bundestags (Parlaments, *usw.*); der 75. Bundestag; das 75. Parlament / 금번 ~ die laufende (gegenwärtige) Session (Tagung(szeit)) / ~를 소집하다 den Bundestag zusammen|-rufen* / ~를 해산하다 den Bundestag auf|lösen / 의안의 ~ 통과를 추진하다 versuchen, e-n Gesetzantrag im Parlament durchzusetzen / 내일 ~가 개회된다 Morgen hält das Haus e-e Tagung (ab). / ~는 개회 중이다 Das Parlament tagt jetzt.

‖ ~공작 Lobbyismus *m.* -. ~소집 die Einberufung des Parlaments. ~정치 Parlamentarismus *m.* -; das parlamentarische System, -s, -e. 임시~ die außerordentliche Bundestags¦session (Parlaments-). 특별~ die Extrasession des Parlaments.

이¹ ① 《이빨》 Zahn *m.* -(e)s, ⁼e. ¶ 이가 좋다 (나쁘다) gute (schlechte) Zähne haben / 이가 나다 Zähne bekommen* / 이가 아프다 Zahnschmerzen haben / 이를 갈다 mit den Zähnen knirschen / 이를 쑤시다 ⁴sich in die Zähne (in den Zähnen) stochern / 이를 빼다 *jn.* e-n Zahn ziehen* / 이를 닦다 Zähne putzen / 이를 해 박다 e-n (falschen) Zahn ein|setzen / 이를 악물다 die Zähne aufeinander|beißen*; die Zähne zusammen|-beißen* / 이를 드러내다 die Zähne zeigen / 분하여 이를 갈다 vor Wut mit den Zähnen knirschen / 잇속이 고르다 dichtstehende Zähne haben / 잇속이 고르지 않다 die weit auseinander stehende Zähne haben / 이를 치료받다 s-e Zähne behandeln lassen* / 이를 들어내며 웃다 grinsen / 이가 빠지다 die Zähne gehen *jm.* aus / 나는 이를 치료받기 위하여 의사에게 갔다 Ich bin zum Zahnarzt gegangen, um m-e Zähne behandeln zu lassen. / 그 아이는 이제 이갈이를 한다 Das Kind wechselt jetzt die Zähne.

② 《빗·톱니》 Zahn *m.* -(e)s, ⁼e; Zähnchen *n.* -s, -. ¶ 이가 있는 gezahnt; gezähnt.

③ 《그릇의》 Rand *m.* -(e)s, ⁼er (e-s Glases); 《날의》 Schneide *f.* -n (e-s Messers).

이² 〔곤충〕 Laus *f.* ⁼e. ¶ 이가 끓다 voll von Läusen sein / 이 투성이의 머리 das verlauste Haar, -(e)s, -e / 이를 없애다 Läuse (mit Läusepulver) vernichten / 이를 잡다 Läuse ab|suchen (knacken) / 이 잡듯이 뒤지다 durch|kämmen⁴; genau durchsuchen⁴.

이³ ① 〔관형사〕 dieser; diese 《*pl.*》; laufend; 《금일의》 gegenwärtig; heutig. ¶ 이 날 dieser Tag; der laufende Tag / 이 달 dieser Monat; der laufende Monat / 이 세상 diese Welt / 너의 이 책 das Buch von dir / 이 바보야 Du, Dummkopf! / 이 한 달 동안 참 바빴다 Diesen ganzen Monat hindurch war ich sehr beschäftigt.

② 〔명사〕 das; dies*; es. ¶ 이후 danach; in Zukunft / 이 외에 außerdem; überdies / 이와는 반대로 im Gegensatz dazu / 이는 곧 das heißt; nämlich; das ist / 이에 불구하고 trotzdem / 이는 그의 무식을 증명할 뿐이다 Das beweist nur s-e Unwissenheit. / 십만 원짜리 수표를 이에 동봉합니다 Hier lege ich e-n Scheck für 100000 *Won* bei. / 이로써 그의 진의를 짐작할 수 있다 Damit kann man s-e wahre Absicht erkennen.

이⁴ 〔조사〕 ¶ 간장이 나쁘다 an Leber krank sein / 한 쪽 눈이 멀다 auf e-m Auge blind sein / 교제술이 능란하다 im Umgang gewandt sein / 어떤 점이 선임자와 닮았다 In e-r gewissen Hinsicht erinnert er uns an s-n Vorgänger.

이(二) zwei. ¶ 제 2 der zweite* / 2, 3 의 zwei bis drei; ein paar; einige / 2자 택일 Entweder-Oder *n.* - / 2주일 후에 in zwei Wochen; in 14 Tagen / 2대 zwei Generationen; 《치세》 zwei Herrscher / 2대 정당주의 das System 《-(e)s, -e》 der zwei Parteien / 이 삼은 육이다 Zweimal drei ist 6.

이(利) ① 《이익》 Gewinn *m.* -(e)s, -e; Nutzen *m.* -s, -; Ertrag *m.* -(e)s, -e; Profit *m.* -(e)s, -e. ¶ 이가 있는 gewinnbringend; einbringlich; einträglich; nutzbringend; vorteilhaft; rentabel / 이에 밝다 aufs Gewinnaussicht (auf e-e Gewinnbeteiligung) erpicht sein; wissen*, wo Barthel den Most holt / 이에 밝은 사람 der berechnende (geschäftstüchtige) Mensch, -en, -en / 이를 보다 Gewinn ziehen* 《*an*³》; Gewinn (Vorteil) haben 《*von*³》; Nutzen ziehen* 《*aus*³; *durch*⁴》; Vorteil ziehen* 《*aus*³; *von*³》 / 이를 추구하는 데에 급급하다 sehr gewinnsüchtig sein; auf e-e Gewinnchance [..ʃã:sə] versessen sein / 자신의 이를 추구하다 selbstsüchtig (eigennützig) sein; auf s-n Vorteil bedacht sein.

② 《이자》 Zins *m.* -es, -en; 《이율》 Zinsenfuß *m.* -es, ⁼ (-satz *m.* -es, ⁼e). ¶ 5 푼 이의 공채 Anleihe 《*f.* -n》 mit 5 % / 그 투자는 5푼의 이가 붙는다 Die Geldanlage trägt 5 % Zinsen.

③ 《유익》 Vorteil *m.* -(e)s, -e; Nutzen *m.*; Gewinn *m.*; Interesse *n.* -s, -n. ☞ 이롭다. ¶ 자연의 이 natürlicher Gewinn, -(e)s, -e / 서로 이가 되다 einander nützlich sein / 이가 되다 *jm.* nützlich (zum Vorteil) sein / 사람을 욕해서 이로울 것이 없다 Es bringt dir k-n Vorteil, schlecht von anderen Menschen zu reden. / 그러한 책을 읽어서 무슨 이가 되겠는가 Wozu nützt es, so ein Buch zu lesen? / 지형의 이를 얻다 durch die geographische Lage begünstigt sein; geographisch günstig sein.

이(里) Einzeldorf *n.* -(e)s, ⁼er (e-r ²Dorfgemeinde).

이(理) ① 《사리·도리》 Vernunft *f.*; Logik *f.*; 《정당》 Recht *n.* -(e)s, -e; 《원리》 Prinzip *n.* -s, -e (..pien); Theorie *f.* -n. ¶ 이에 닿는 (닿지 않는) vernunftmäßig; vernunftgemäß; Vernunftgründen zugänglich (vernunftwidrig; widersinnig).

② 《이치·법칙》 Prinzip *n.* -s, -ien. ¶ 음양의 이 das Prinzip des Positiven u. des Negativen.

이가(二價) Zweiwertigkeit *f.* ¶ ~의 zweiwertig.

‖ ~원소 Dyade *f.* -n.

이가하다(離家一) *js.* Haus verlassen*.

이간(離間) Entfremdung *f.* -en; Zwist *m.* -(e)s, -e; Spaltung *f.* -en. ~하다 entfremden⁴ 《*jm.*》; Zwist säen; böses Blut verursachen 《*unter*³》; e-n Keil treiben*; e-n Zankapfel werfen*. ¶ ~ 당하다 (einander) entfremdet werden / 그는 부부를 ~붙였다 Er hat zwischen Eheleuten Zwist gestiftet (Uneinigkeiten gebracht).

‖ ~장이 Unheilstifter *m.* -s, -. ~질 = 이간. ~책 Entfremdungsmaßnahme *f.* -n.

이같은 (ein) solcher*; solch ein*; so ein*; derartig; dergleichen 〔불변화〕. ¶ ~ 일 so etwas; so was; solches / ~ 사정으로 unter diesen 〔solchen〕 Umständen; da es der Fall ist / ~ 이유로 aus diesem Grunde.

이같이 so; wie dies; auf diese Weise; in dieser Weise; derart; dergestalt. ¶ ~ 한국어를 잘하는 외국인은 아주 드물다 Es gibt sehr wenig Ausländer, die so gut Koreanisch sprechen. / 그것은 ~ 해야한다 Auf diese Weise muß man das machen.

이거(移去) Fortzug *m.* -(e)s, ⸚e; Fortbewegung *f.* -en; Verlegung *f.* -en.

이거(移居) Übersied(e)lung *f.* -en; Auswanderung *f.* -en (국외로); Einwanderung *f.* -en (국외에서). ☞ 이주(移住).

이것 ①《지시》 dieser*; der*. ¶ ~으로 damit; hiermit / ~뿐 nicht mehr; nur das / ~으로 미루어 보아 um hiernach zu schließen; im Hinblick auf diese Tatsachen 《*pl.*》/ ~은 싫다 Das mag ich nicht leiden. / ~은 안 된다 Das darf man nicht.¦Das geht nicht./~ 참 mein Gott! / ~ 참 희한하다 Das ist einfach herrlich! / ~ 참 야단났다 Ich bin einfach ratlos! ②《부를 때》 ¶ ~ 좀 봐 He!¦Hallo!¦Achtung!¦Schau mal!/~ 봐, 어디 가나 Hallo, wohin gehst du?

이것저것 《피차》 dieser* u. jener*; der* u. der*; 《대략》 etwa; annähernd; circa 〔zirka〕 《생략: ca.》; fast; gegen; nahezu; rund; schatzungsweise; (so) an die ...; um ... (herum); ungefähr. ¶ ~ 열 개 ein Stücker zehn / ~ 할 것 없이 ohne weiteres; ohne etwas zu sagen; ohne allerlei Einwendungen; ohne Beschwerde zu führen; ohne zu klagen / ~ 생각하다 an dieses u. jenes denken* / ~ 해 보다 dieses u. jenes versuchen / ~ 생각하면 아무 결정도 할 수 없다 Wenn ich an das u. das denke, kann ich k-e Entscheidung treffen. / ~ 일거리가 생긴다 Ich muß mich mit dem u. dem beschäftigen.

이겨내다 《극복》 besiegen^4; überwinden*^{4}; bestehen* (견디다); 《참다》 ertragen*^{4}; dulden$^{(4)}$; aus|halten*; aus|stehen*^{4}; aus|harren; überstehen*; stand|halten* ¶ 자기를 ~ ^{4}sich überwinden*^{4}; ^{4}sich beherrschen (억제하다) / 시련을 ~ e-e Prüfung 〔Probe〕 bestehen* / 곤란을 ~ die Schwierigkeiten überwinden* / 그는 어떤 곤란도 이겨냈다 Er ist jeder schwierigen Lage gewachsen.

이격(二格) der zweite Fall, -(e)s, ⸚e; Genitiv *m.* -(e)s, -e; Wesfall *m.* -(e)s, ⸚e. ¶ 이 동사는 ~을 지배한다 Dieses Zeitwort regiert 〔fordert〕 den zweiten Fall.

이결(已決) die entschiedene 〔festgesetzte〕 Sache, -n. ¶ ~의 entschieden; 《정해진》 bestimmt; beschlossen.

‖ ~사건 die entschiedene Sache; der entschiedene Fall, -(e)s, ⸚e.

이겹실(二一) der zweifädige Faden, -s, ⸚.

이경(二更) gegen 10 Uhr abends.

이경하다(離京一) die Hauptstadt (Seoul) verlassen*; von der Hauptstadt Seoul weg|reisen 🅢,🅗.

이골나다 geschickt 〔gewandt〕 werden; ^{4}sich gewöhnen 《*an*^{4}》; ^{3}sich an|gewöhnen.

이곳 ¶ ~에(서) hier; an 〔auf〕 dieser Stelle; an diesem Ort / ~으로 hierher / ~의 hiesig / ~까지 bis hierher / ~ 저곳에 hie(r) u. da; hier u. dort / ~으로부터 von hier aus.

이공(理工) Naturwissenschaft 《*f.* -en》 und Technik 《*f.* -en》.

‖ ~과 〔대학〕 naturwissenschaftliche und technische Abteilung, -en 〔Hochschule, -n〕. ~학부 naturwissenschaftliche und technische Fakultät, -en.

이과(耳科) Otologie *f.* ‖ ~의사 Ohrenarzt *m.* -(e)s, ⸚e; Otolog(e) *m.* ..gen, ..gen.

이과(理科) 《학문》 Naturwissenschaft *f.* -en; 《학부》 die naturwissenschaftliche Abteilung 〔Fakultät〕 -en. ‖ ~대학 die naturwissenschaftliche Hochschule, -n.

이관(移管) Übertragung *f.* -en; Überweisung *f.* -en. ~하다 die (Ober)aufsicht 〔Geschäftsführung; Leitung; Verwaltung〕 (e-r Einrichtung) übergeben* 〔an|vertrauen〕 《*jm.*》. ¶ 국고에 ~하다 der Staatskasse übertragen*^{4}.

‖ 군원~ die Übertragung des Militärunterstützungsprogramms 《auf *jn.*》.

이교(異教) Heidentum *n.* -s; Häresie *f.* -n; Irr¦glaube(n) *m.* ..bens 〔-gläubigkeit *f.*; -lehre *f.* -n〕; Ketzerei *f.* -en; Ketzerglaube(n). ¶ ~의 heidnisch; häretisch; irrgläubig; ketzerhaft; ketzerisch.

‖ ~국 Heidentum *n.* -s (총칭); das heidnische Land, -(e)s, ⸚er. ~도 Heide *m.* -n, -n; Heidenvolk *n.* -(e)s, ⸚er; Häretiker *m.* -s, -; der Irrgläubige*, -n, -n; Ketzer *m.* -s, -.

이구동성(異口同聲) Einstimmigkeit *f.* ¶ ~으로 einstimmig; mit einer Stimme; wie aus einem Munde 〔im Chor〕 / ~으로 찬성하다 einstimmig bei|stimmen 〔zu|-〕《*jm.*》.

이국(異國) das fremde Land, -(e)s, ⸚er; Ausland *n.* -(e)s; Fremde *f.* ¶ ~적인 exotisch; fremdartig / ~ 땅에서 죽다 in der Fremde sterben* 🅢.

‖ ~사람 der 〔die〕 Fremde*, -n, -n; Ausländer *m.* -s, -. ~정서 das Exotische* 〔Ausländische*; Befremdende*〕 -n. ~풍(風) Exotik *f.*

이궁(離宮) 《태자궁》 der Palast 《-es, ⸚e》 für den Kronprinz; 《행궁》 Lustschloß *n.* ..schlosses, ..schlösser; Sommerpalast *m.*

이권(利權) Recht *n.* -(e)s, -e; das erworbene Recht (기득권); Vorrecht *n.* -(e)s, -e (특권); Konzession *f.* -en (광산, 철도 따위의); Gewerbeberechtigung *f.* -en (산업의). ¶ ~ 다툼 Streit 《*m.* -(e)s, -e》 um e-e Konzession /~ 운동하는 사람 Konzessions¦kettenhändler 〔-schacherer〕 *m.* -s, - / 한국에서의 독일의 ~ deutsches Interesse in Korea / ~을 얻다 die Konzession erwerben* / 외국인에게 산업의 ~을 넘겨주다 dem Fremden die Konzession für ein Gewerbe geben*.

‖ ~양도〔획득〕 die Übertragung 〔Erwerbung〕 《-en》 der Vorrechte. ~추구 das Streben* 《-s》 nach der Konzession. ~회복 die Rückgewinnung der Vorrechte.

이극(二極) ¶ ~의 zweipolig; bipolar.

‖ ~관(管) Zweipolröhre *f.* -n; Diode *f.* -n.

이글이글 brennend; glühend. ¶ ~ 불타는 태양 die brennende 〔glühende; heiße〕 Sonne / (불이) ~ 타오르다 (empor|)lodern 🅢; auf|flammen 🅢 / 질투로 ~ 불타다 von Eifersucht entflammt sein / 그녀의 눈은 사랑으로 ~ 불탔다 Ihr Auge entflammte vor

Liebe.

이금(泥金) der in Leimwasser getränkte Goldstaub, -(e)s, -e; Goldleim *m.* -(e)s, -e.

이급(二級) ¶ ～의 zweitklassig; zweiten Ranges. ‖ **～품** Waren 《*pl.*》 zweiter Güte.

이기(利己) 《이기심》 Selbst¦sucht (Eigen-; Ich-) *f.* ⸚e; Eigennutz *m.* -es. ¶ ～적(인) selbst¦süchtig (eingen-; ich-); eigennützig; selbstisch; selbstig / ～적이 아닌 selbstlos; uneigennützig / 그는 ～적인 동기에서 이것을 한 것은 아니다 Das hat er nicht aus dem selbstsüchtigen Beweggrund getan. ‖ **～심** Selbstsucht *f.* ⸚e; Eigennutz *m.* -es. **～주의** Egoismus *m.* -: ～주의자 Egoist *m.* -en, -en; Selbst¦ling (Ich-) *m.* -s, -e.

이기(利器) ① 《잘 드는 칼》 Messerwaren《*pl.*》; Schneidewerkzeug *n.* -(e)s, -e; Waffe *f.* -n (무기). ② 《편리한 기구》 Bequemlichkeiten 《*pl.*》; die neuzeitliche, bequeme Einrichtung, -en. ¶ 문명의 ～ die neuzeitlichen Bequemlichkeiten. ③ 《재능》 Fähigkeit *f.* -en; Talent *n.* -(e)s, -e.

이기다[1] ① 《승리하다》 siegen; den Sieg davon|tragen* (erringen*; gewinnen*); besiegen 《*jn.*》; 《정복하다》 erobern[4]; überwältigen[4]. ¶ 싸움에 ～ die Schlacht gewinnen*; den Sieg in der Schlacht gewinnen* / 경주 (경기)에 ～ den Wettlauf (das Spiel) gewinnen* / 내리 ～ Sieg auf Sieg gewinnen* / 문제 없이 (쉽게) ～ den Sieg leicht gewinnen* / 겨우 ～ den Sieg mit knapper Not (mit Mühe) gewinnen* / 근소한 차로 ～ knapp gewinnen*; um Brustbreite (e-e Kopflänge) gewinnen* / 이길 자신이 있다 (없다) das Selbstvertrauen (kein Selbstvertrauen) zum Gewinnen haben / 적을 ～ den Feind besiegen; den Sieg über den Feind davon|tragen*; dem Feind e-e Niederlage bei|bringen* (zu|fügen) / 재판 (소송)에 ～ e-n Prozeß gewinnen* / 자기 자신을 ～ [4]sich (selbst) überwinden*; Herr über [4]sich sein; [4]sich beherrschen / 어려움을 ～ [2]e-r Schwierigkeit Herr werden / 그는 선거에서 가까스로 이겼다 Er hat mit knapper Mehrheit (mit Ach u. Krach) bei Wählen den Sieg gewonnen. / 그도 나이에는 이기지 못했다 Das Alter hat ihn allmählich mitgenommen./ 축구 경기에서 K대가 Y대를 3대 1로 이겼다 Die K-Universität hat das Fußballspiel gegen die Y-Universität mit 3 zu 1 gewonnen. ② 《이겨냄》 =이겨내다.

이기다[2] ① 《반죽하다》 kneten[4]; an|rühren[4]; mengen[4]. ¶ 모르타르를 ～ Mörtel an|rühren / 물에 가루를 이겨 반죽을 만들다 Mehl u. Wasser zu e-m Teig mengen / 진흙을 ～ Lehm kneten. ② 《짓찧다》 zerdrücken[4]; zermalmen[4]; zerquetschen[4].

이기죽거리다 unsinniges Zeug schwatzen; *jm.* Gehässigkeiten 《*pl.*》 sagen.

이기죽이기죽 gehässig u. unsinnig (reden).

이김수(一手) 《Schach》 entscheidender Zug, -(e)s, ⸚e; entscheidender Schritt, -(e)s, -e.

이까짓 so gering(fügig) (knapp; spärlich; unbedeutend; winzig). ¶ ～ 일 solch e-e Kleinigkeit, -en (Bagatelle, -n; Belanglosigkeit, -en; Geringfügigkeit, -en; Lappalie, -n; Unbedeutendheit, -en).

이깔나무 〖식물〗 e-e Art Lärche 《*f.* -n》.

이끌다 《인도》 führen[4]; leiten[4]; 《지도》 an|leiten[4]; die Leitung haben; 《인솔》 (an|-)führen[4]; leiten[4]; 《지휘》 kommandieren[(4)]. ¶ 군대를 이끌고 an der Spitze e-r Armee; ein Herr kommandierend (führend) / 노구를 이끌고 trotz s-s hohen Alters / 누구를 바른 길로 ～ *jn.* auf den rechten Weg bringen* (weisen*; führen) / 후진을 ～ die Jüngeren leiten / 연대를 이끌고 그는 전투에 나갔다 Er hat ein Regiment ins Treffen (in die Schlacht) geführt.

이끌리다 (an)gezogen (angeführt; geleitet) werden (끎을 당함); 《정·마음에》 (voran-) getrieben werden; [4]sich (voran)treiben lassen*; angespornt (angestachelt; bewegt; genötigt; fortgerissen; hingerissen) werden; gefangen (gefesselt) werden 《*von*[3]; *durch*[4]》. ¶ 호기심에 이끌려 aus [3]Neugier (-de); von [3]Neugier(de) getrieben / 애정에 ～ von der Liebe gefesselt werden 《zu *jm.*》 / 감정에 이끌려 행동하다 triebhaft (impulsiv) handeln; [4]sich von Leidenschaften beherrschen lassen*.

이끗(利—) Vorteil *m.* -(e)s, -e; Vorzug *m.* -(e)s, ⸚e; Gewinn *m.* -(e)s, -e; Nutzen *m.* -s, -; Profit *m.* -(e)s, -e. ¶ ～에 밝다 aufs Gewinnaussicht (auf e-e Gewinnbeteiligung) erpicht sein; berechnend sein; wissen*, wo Barthel den Most holt / ～에 밝은 사람 der berechnende (geschäftstüchtige) Mensch, -en, -en.

이끼[1] Moos *n.* -es, -e; Lebermoos *n.* -es, -e; Flechte *f.* -n. ¶ ～가 낀 bemoost; mit Moos bedeckt; moosig; moosbewachsen / ～낀 돌들 mit Moos bewachsene Steine 《*pl.*》 / 정원석에 ～가 끼었다 An den Steinen im Garten hat sich Moos angesetzt.

이끼[2] Ach!; O!; Oh!; Ach Gott!; Mein Gott!; Ach du lieber Gott! ¶ ～나 =이끼[2] / ～ 또 불상사가 발생했구나 Mein Gott, noch ein Unglück ist passiert.

이나 ① 《그러나》 aber; und doch; doch; jedoch; 《한편》 andererseits; obgleich; obwohl; ob auch. ¶ 분명히 그는 학자～ 상식이 없다 Er ist sicher ein Gelehrter, hat aber keinen Menschenverstand. ② 《정도》 so viel (gut; weit) wie; nichts minder (weniger) als.... ¶ 세 살～ 위다 um drei Jahre älter als... / 이 책을 천 원～ 주고 샀다 Für das Buch habe ich nichts weniger als 1000 *Won.* / 한 시간씩～ 걸리지는 않는다 Das dauert nicht so viel wie e-e Stunde. / 죽은 것～ 다름 없다 Er ist so gut wie tot. ③ 《선택》 oder; entweder ... oder. ¶ 김군～ 내가 가야 한다 Entweder Herr *Kim* oder ich muß gehen. / 어느 것～ 상관 없다 mir ist egal.

이날 dieser Tag, -(e)s; 〖부사적〗 heute; an diesem Tag. ¶ 내년 (작년)의 ～ heute über ein [4]Jahr (vor e-m Jahr).

이날저날 [4]Tag für [4]Tag; e-n Tag nach dem andern; von Tag zu Tag.

이남(以南) südlich von[3].... ¶ 서울 ～ südlich von Seoul / 38선 ～ südlich vom 38. Breitengrad / 한강 ～ südlich von dem *Han*-Fluß.

이내 ① 《바로》 auf der [3]Stelle (그 자리에서); im Nu; im Handumdrehen; sofort; (so-) gleich; augenblicklich; in nächster Zeit; nächstens; binnen kurzem. ¶ 그는 나를 보자마자 ～ 사라져 버렸다 Als er mich sah, war er schon verschwunden. / 역에 닿거든 ～ 전화 걸어라 Ruf mich an, sobald

du auf dem Bahnhof angekommen bist!
② 《내쳐》 gar nichts. ¶ 그가 집을 떠난 후 ~ 소식이 없었다 Ich hörte gar nichts von ihm, seit er das Haus verlassen hatte.

이내(以內) ¶ ~의 (에) innerhalb[2·3]; in; 《이하》 weniger als; unter[3]. ¶ 한시간 ~에 unter (in) e-r Stunde / 2 주일 ~ innerhalb vierzehn Tage(n) / 십 리 ~ nicht weiter als 10 *Ri* / 천 원 ~의 금액 e-e Geldsumme unter 1000 *Won* / 수입 ~에서 살다 innerhalb von m-m Einkommen leben / 3 일 ~에 책을 돌려 주겠다 Ich werde dir innerhalb von drei Tagen das Buch zurückgeben. / 월 10 만원 ~의 수입 밖에 없다 Ich verdiene monatlich weniger als 100000 *Won.* / 그 절은 여기에서 10 리 ~에 있다 Der Tempel liegt weniger als 10 *Ri* entfernt.

이네(들) diese Leute 《*pl.*》.

이년 diese Hündin, -nen; dieses böse (gemeine) Weib, -(e)s, -er.

이념(理念) Idee *f.* -n; Doktrin *f.* -en; Ideologie *f.* -n.
‖ ~세계 Ideenwelt *f.* ~형(型) Idealtypus *m.* -, ..pen.

이놈 dieser Kerl, -s, -e (사람); dieses Ding, -(e)s, -e (물건). ¶ ~아 Du Scheusal!¦Zum Teufel!¦Zum Kuckuck!

이농(離農) Landflucht *f.* -en. ~하다 landflüchtig werden.

이뇨(利尿) Diurese *f.* -n; Harn¦ausscheidung *f.* -en (-absonderung *f.* -en).
‖ ~곤란 Harnbeschwerde *f.* -n; Harnzwang *m.* -(e)s, ⸗e.

이뇨제(利尿劑) Diuretikum *n.* -s, ..ka; harntreibendes Mittel, -s, -.

이니 ① und; oder. ② ☞ -이니까.

-이니까 《…이므로·하므로》 da; denn; weil; daß; so daß; so..., daß; zu..., um zu (als daß); 〔전치사〕 aus[3]; infolge[2]; wegen[2]. ¶ …이(하)니까 infolge [2]*et.*; um[2]... willen; darum (deshalb; deswegen), weil... / …이니까 더욱(더) um so mehr...(,) als (da)... / 이러한 사정이니까 da dem so ist, ...; da (weil) es mit den Dingen so ist; nun die Dinge so sind / …이니까 안 된단 말야 Es geht (deshalb) nicht, weil.... / 자네(이)니까 이런 말을 하네만 Das bleibt unter uns.¦Dies unter uns. / 어쨌든 그는 힘이 센 놈이니까 힘으로는 아무도 못 당한다 Stark, wie er ist, kommt ihm niemand an Kräften gleich. / 그러니까 내가 뭐라고 그랬지 Habe ich es dir nicht gleich gesagt?¦Ich habe es dir ja (gleich gesagt).

이니셜 Anfangsbuchstabe *m.* -ns, -n; Initial *n.* -s, -e.

이니시어티브 Initiative *f.* ¶ ~를 잡다 die Initiative 《-n》 ergeifen* 《*in*[3]》 / 누구에게서 ~를 빼앗다 *jm.* die Initiative weg|nehmen*.

이다[1] 《머리 위에》 auf dem Kopf tragen*[4]. ¶ 물동이를 머리에 ~ e-n Wassereimer dem Kopf tragen*.

이다[2] 《지붕을》 bedachen[4] (überdachen[4]). ¶ 지붕을 ~ das Dach (ein Haus mit e-m Dach) decken; ein Dach mit Stroh (Ziegeln, Schindeln, Schiefern) decken (짚, 기와, 판자, 슬레이트로).

-이다 ① 《지정하는 말》 sein. ¶ A는 B이다 A ist B. / X이다 Es ist X. / 그 여자는 보기드문 미인이다 Sie ist selten schön. / 화재 현장은 처참한 광경이다 Die Brandstätte bietet e-n grausigen Anblick. ② 《…이 되다》 aus|machen; fallen 《*auf*[4]》 (때). ¶ 계산은 4000 원이다 Die Rechnung macht 4 000 *Won* (aus). / 3 더하기 3은 6이다 Drei u. drei macht (ist) 6. / 우리들의 우정은 이제 끝장이다 Unsere Freundschaft ist vorbei. / 1982 년 1월 1일은 금요일이다 Der Neujahrstag fällt 1982 auf Freitag. ③ 《수량》 zählen (수); wiegen* (무게); messen* (도량형); breit sein (면적). ¶ 그의 키는 173 cm 이다 Er ist 173 cm groß. / 1 톤은 1000 kg 이다 Die Tonne wiegt 1000 kg.

이다지 so; so weit; solchermaßen; bis zu solchem Grad; auf solche (in solcher) Weise. ¶ ~(도) 많이 so viel / ~(도) 도움이 되는 것은 본 일이 없다 So etwas Nützliches (Zweckmäßiges) habe ich noch nie gesehen.¦Das ist das Allernützlichste, was ich je gesehen habe.

이단(異端) ① Ketzerei *f.* -en; Häresie *f.* -n; Irrlehre *f.* -n; Heterodoxie *f.* -n. ¶ ~의 ketzerisch; häretisch; heterodox / ~을 배격하다 die Ketzerei an|greifen* / ~적 견해를 표명하다 e-e ketzerische Ansicht verfechten* (behaupten).
② 《사람》 Ketzer *m.* -s, -; Häretiker *m.* -s, -; Irrlehrer *m.* -s, -. ¶ ~시하다 *jn.* als Ketzer an|sehen*.
‖ ~사설(邪說) Heterodoxie *f.* -n; Irrlehre *f.* -n. ~자 =이단 ②.

이달 dieser Monat, -(e)s 《생략: d.M.》; der laufende Monat. ¶ ~에 diesen Monat; in diesem Monat; im laufenden Monat / ~중으로 noch im Lauf dieses Monats / ~ 5일에 am 5. dieses Monats / ~ 16일자의 귀한(貴翰) Ihr Brief vom 16. d.M. / ~ 그믐께 (gegen) Ende dieses Monats / ~ 중에 im Laufe dieses Monats / ~ 월급 der Gehalt für diesen Monat / ~호 die laufende Nummer dieses Monats / 그는 ~ 말까지는 돌아올 것이다 Er wird bis Ende dieses Monats zurück sein.

이대로 wie dies. ¶ ~ 가면 auf diese Weise; so; unter diesen Umständen; wie die Dinge liegen; wenn es so weitergeht; wie es scheint; dem jetzigen Anschein(e) nach; wie es ist / ~ 열흘간 비가 오면 wenn es auf diese Weise zehn Tage lang regnet / 모임에 ~ 가도 좋으냐 Darf ich zur Versammlung gehen, wie ich bin? / 가뭄이 ~ 오래 가다간 금년은 흉년이 들겠다 Wenn die Trockenheit so andauert, werden wir dieses Jahr die schlechte Ernte haben. / ~ 가다간 성공을 기대할 수 없다 Wie die Dinge liegen (Unter diesen Umständen), ist kein Erfolg zu erwarten. / 나를 ~ 가만히 내버려 두십시오 Lassen Sie mich bitte in Ruhe (allein)! / ~ 가다가는 어쩔 수 없다 Die Sache kann so nicht weitergehen.¦So kommen wir nicht weiter. / ~ 두지는 않겠다 《불만》 Ich werde es dabei nicht bewenden lassen.

이대정당주의(二大政黨主義) Zweiparteiensystem *n.* -(e)s, -e.

이데올로기 Ideologie *f.* -n. ¶ ~의 ideologisch / ~의 분열(상충) ideologische Spaltung, -en (ideologischer Konflikt, -(e)s, -e).

이동(以東) östlich 《*von*[3]》. ¶ 서울 ~ östlich von Seoul.

이동(異同) Unterschied *m.* -(e)s, -e; Differenz *f.* -en; das unterscheidende Merkmal, -(e)s, -e.

이동(移動) (Fort)bewegung *f.* -en; Ortsveränderung *f.* -en; das Wandern*, -s. ~하다 ⁴sich (fort|)bewegen; den Ort verändern; von Ort zu Ort ziehen* ⓢ. ¶게르만 민족의 대~ Germanische Völkerwanderung, -en.

‖~경찰 Eisenbahnpolizei *f.* ~극단 Wanderbühne *f.* -n. ~기중기 Eisenbahn¦kran (Lauf-) *m.* -(e)s, ¨e. ~노동자 Wanderarbeiter *m.* -s, -. ~도서관 Wanderbibliothek *f.* -en. ~무대 Drehbühne *f.* -n. ~병원 Ambulanz *f.* -en. ~성 고기압(권) wandernde Antizyklone, -n. ~신고 die Angabe 《-n》 der Wohnungsveränderung; Umzugsmeldung *f.* -en. ~장치 Schiebevorrichtung *f.* -en; Verstellvorrichtung *f.* -en. ~전람회 Wanderausstellung *f.* -en. ~증명 die Bescheinigung 《-en》 der Wohnungsveränderung. ~진료소 Wanderklinik *f.* -en. ~촬영 die Filmaufnahme in Bewegung. 민족~ Völkerwanderung *f.* -en. 인구~ Bevölkerungswechsel *m.* -s, -.

이동(異動) (Ver)änderung *f.* -en; Wechsel *m.* -s, -. ¶~을 단행하다 Wechsel (in der Regierung) vor|nehmen*/공무원의 ~이 자주 발표된다 Der Wechsel der Beamten wird oft veröffentlicht. / 근간에 우리 회사에서는 대 ~이 있을 것으로 예상된다 Wir rechnen damit, daß es bald e-n umfangsreichen Personenwechsel im Innern unseres Büros gibt.

‖내각~ Kabinettsumbildung *f.* -en. 인사~ Personenwechsel *m.* -s, -.

이득(利得) Gewinn *m.* -(e)s, -e; Vorteil *m.* -(e)s, -e; Erwerb *m.* -(e)s, -e; Profit *m.* -(e)s, -e; Verdienst *m.* -es, -e; Nutzen *m.* -s, -; Ertrag *m.* -(e)s, ¨e. ¶~이 많은 gewinnbringend; einträglich.

‖부당~ Übervorteilung *f.* -en; Schiebung *f.* -en; Schiebergeschäft *n.* -(e)s, -e.

이들이들하다 glatt; fettglänzend (sein).

이듬¹ 《다음》 nächst; folgend; darauffolgend; nächstfolgend.

‖~해 folgendes Jahr, -(e)s, -e.

이듬² 《논밭의》 die zweite Ackerbestellung, -en; die zweite Bebauung, -en. ~하다 zum zweiten Mal beackern.

이듭 zwei Jahre alt 《Pferd, Rind》.

이등(二等) die zweite Klasse, -n (기차 따위의); der zweite Rang, -(e)s, ¨e (극장, 단 독일에서는 3층석); Sperrsitz *m.* -es, -e (영화관, 아래층 가운데쯤); der zweite Platz, -es, ¨e (경기의). ¶~의 der zweiten Klasse; des zweiten Ranges (이급의); zweitklassig; zweitrangig (이류의) / ~으로 여행하다 zweiter fahren* ⓢ; ²Touristenklasse [tú:..] fliegen* ⓢ / ~으로 골인하다 als zweiter ins (durchs) Ziel kommen* ⓢ; zweiter hinter dem Sieger sein (werden) / 고작해야 ~밖에 바라지 못하다 allenfalls ein Anwärter auf Platz 2 sein. ¶부산까지 ~(왕복) 두 장 zwei Zweiter (Rückfahrkarten) nach Busan / 두 번째 투척에서 그는 이미 ~으로 떨어졌다 Schon nach dem zweiten Wurf fiel er auf den zweiten Rang zurück.

‖~국가 e-e Macht zweiten Ranges. ~병 der Gemeine*, -n, -n. ~상 der zweite Preis, -es, -e. ~선실 die Kabine 《-n》 der Touristenklasse (der zweiten Klasse). ~승객 der Fahrgast zweiter Klasse. ~차(차표) der Wagen (die Fahrkarte) zweiter Klasse. ~품 Waren 《*pl.*》 zweiter Güte.

이등변삼각형(二等邊三角形) das gleichschenklige Dreieck, -(e)s, -e.

이등분(二等分) Halbierung *f.* -en. ~하다 【수학】 halbieren⁴; in zwei Hälften teilen⁴; in zwei gleiche Teile zerschneiden*⁴.

‖~선 Mittellinie *f.* -n.

이디엄 Idiom *n.* -s, -e.

이디오피아 《아프리카의 국가》 Abessinien *n.* -s; Äthiopien *n.* -s.

‖~사람 Abessinier *m.* -s, -; Äthiopier *m.* -s, -.

이따 nachher; später; nach einiger Zeit. ¶~가 =이따 / ~ 산책하자 Nachher gehen wir spazieren.

이따금 ab u. zu; dann u. wann; von ³Zeit zu ³Zeit; gelegentlich; selten; bisweilen. ¶~씩 ab u. zu; dann u. wann; von Zeit zu Zeit; gelegentlich / ~ 아이들한테서 편지가 오다 ab u. zu Briefe von *js.* Sohn erhalten* / 옆 방의 이야기 소리는 ~씩 밖에는 들리지 않았다 Die Stimmen von nebenan hörte man nur bruchstücksweise.

이따위 《물건》 so etwas; etwas Derartiges; ein solcher; ein solches; eine solche; 《사람》 ein Mensch dieser (solcher) ²Art (Sorte); solche Menschen (Leute) 《*pl.*》. ¶~의 solch*; solch ein*; so ein*; dieser ⁴Art.

이때 in diesem Augenblick; im selben Augenblick (동시에); dabei; da. ¶~까지 bis jetzt / 바로 ~ gerade in diesem Moment; gerade in diesem Augenblick / 이미 ~에는 schon in diesem Augenblick / 바로 ~ 한 남자가 왔다 Gerade in diesem Augenblick kam ein Herr. / ~까지 이렇게 훌륭한 사람을 보지 못했다 Bis jetzt habe ich noch nie so e-n großen Mann. / ~에는 음악회가 이미 끝났다 Da war das Konzert schon zu Ende.

이똥 《치석(齒石)》 Zahnstein *m.* -(e)s, -e.

이라고는 wie es heißt; was es heißt; als; für⁴. ¶우연~ 생각되지 않는다 Es kann kein (nicht) bloßer Zufall sein. / 그를 큰 인물~ 할 수 없다 Wir können ihn nicht e-n großen Mann nennen. / 그 산에 꿩~ 한 마리도 없다 In dem Berg gibt es k-n Fasan. / 그는 작품~ 별로 없다 Er hat k-e besonderen literarischen Werke. / 그를 악인~ 생각지 않는다 Ich denke nicht, daß er ein Lump ist.

이라든가 oder; und. ¶김~ 하는 남자 (여자) ein gewisser Herr (e-e gewisse Frau) *Kim* / 부산~ 인천~ 하는 큰 항구 große Häfen wie Busan od. Incheon / 책~ 연필 등 Bücher, Bleistifte u. dergleichen.

이라크 《나라이름》 Irak *m.* -s. ¶~의 irakisch.

‖~사람 Iraker *m.* -s, -. ~어 irakische Sprache.

이락(利落) ¶~의 dividenden¦los (zinsen-).

‖~채권 die dividendenlose (zinsenlose) Anleihe, -n.

이란¹ 《이라고 하는》 wie es heißt; was es heißt; namens; mit dem Namen von ³*et.* ¶김~ 사람 ein Mann namens *Kim* / 인생~ 무엇인가 Was ist das Leben? / 운명~ 야릇하다 „Das Schicksal" ist seltsam.

이란² 《나라이름》 Iran *m.* -s. ¶~의 iranisch.

‖~말 iranische Sprache. ~사람 Iran(i)er *m.* -s, -.

이란성(二卵性) ¶~의 zweieiig.

‖ ~쌍생아 zweieiige Zwillinge 《*pl.*》.

이랑 Bodenerhöhung 《*f.* -en》 zwischen [3]Ackerfurchen; Rain *m.* -(e)s, -e; Feldrain *m.*

-이랑 und; zusammen mit[3]. ¶당신이랑 나랑 Sie und ich / 그는 자기 부인이랑 함께 그 책을 썼다 Er hat zusammen mit seiner Frau das Buch geschrieben.

이래(以來) seit; seitdem; von da an. ¶그때 ~ seit der Zeit / 한국 해방 ~ seit der Befreiung Koreas / 그는 독일에 간 ~ 소식이 없다 Ich hörte gar nichts von ihm, seit er nach Deutschland gefahren ist. / 그는 일주일전 사동차 사고를 낭한 ~ 자리에 누워 있다 Er hütet das Bett, seit er vor e-r Woche ein Autounfall gehabt hat. / 이런 비는 10년 ~ 처음이다 Seit 10 Jahren hat es noch nie wie dies geregnet. / 그가 서울을 떠난 ~ 3개월이 되었다 Es ist drei Monate her, daß er Seoul verließ.

이래저래 《이것저것》 mit diesem u. jenem; mit e-r Sache u. der anderen. ¶ ~ 손해다 Alle diese bringt mir Schaden. / ~ 바쁘다 Wegen dieser u. jener Geschäfte bin ich beschäftigt.

이랬다저랬다하다 veränderlich (wandelbar; wechselnd; wechselhaft; unbeständig; schwankend; launisch; launenhaft; wankelmütig) sein.

이러니저러니 =이러쿵저러쿵.

이러저러하다, 이러이러하다 der* u. der*; so u. so (sein); ein gewisser. ¶이러저러한 사정으로 unter den u. den Umständen / 이러저러하게 행동하다 so u. so tun / 이러이러한 집에(서) in dem u. dem Hause / 이러저러한 사람 der u. der (Mann); ein Herr (Mann) so u. so / 이러이러한 사람에게 편지를 쓰다 an die u. die (Personen) (Briefe) schreiben* / 이러저러한 곳에 an dem u. dem Platz; da u. da / 이러저러한 이유로 aus dem u. dem Grund / 사정이 이러저러하다고 얘기해 주었다 Ich habe ihm erzählt, daß sich die Sache so u. so verhält.

이러쿵저러쿵 ¶ ~ 말하다 meckern; 《이유를》 räsonnieren; 《비평하다》 kritisieren; kritteln; herum|nörgeln; bekritteln; bemängeln; 《반대》 Einwände erheben* (vor|-bringen*); ein|wenden(*); [4]*et.* dagegen zu sagen haben; an allem [4]*et.* auszusetzen haben; immer [4]*et.* zu nörgeln haben; nörgeln; 《불평》 [4]sich beklagen 《*über*[4]》; [4]sich beschweren 《*über*[4]》 / 남의 일에 ~ 말하지 말아라 Kümmere dich nicht um fremde Sache! / 그는 무슨 일에나 ~한다 Er hat an allem zu nörgeln. ¦ Er findet immer ein Haar in der Suppe. / 그에게는 ~ 소문이 떠돈다 Man redet dies u. das über ihn.

이러하다 so; so ein*; solcher*; solch ein*; derartig; dergleichen 〔변화 없음〕; so ... wie ...; wie dies (sein). ¶이러한 식으로 so; auf diese (solche) Art (Weise); derart; dergestalt / 이러한 사정으로 weil die Sache (nun einmal) so steht; da es [4]sich mit der Sache so verhält; unter diesen (solchen) Umständen; unter den obwaltenden Verhältnissen / 이러한 것은 본 적이 없다 So etwas habe ich noch nie gesehen.

이럭저럭 irgendwie; auf irgend e-e Weise; leidlich; auf die e-e od. andere Weise; 《어느덧》 bevor (ehe) man weiß; im Nu; unterdessen; in kürzester Zeit; inzwischen; mittlerweile; über ein Weilchen. ¶ ~하는 동안 mittlerweile; unterdessen; währenddessen / ~해 나가다 [4]*et.* irgendwie schaffen* / ~ 살아가다 [4]sich durchschlagen* / ~ 대학을 마치다 auf die e-e od. andere Weise die Universität absolvieren / ~할 수 있을 것입니다 Ich glaube, ich kann es irgendwie schaffen. / ~ 열 시가 되었다 Unterdessen ist es schon zehn Uhr. / ~ 어떻게 해내었다 Auf irgend e-e Weise habe ich es ausgeführt. / 지붕을 고치는 데 ~ 5만 원이 들었다 Alles in allem habe ich 50000 *Won* ausgegeben, um das Dach zu renovieren. / 그가 미국에 간 지 ~ 10년이 지났다 Es ist schon 10 Jahre her, daß er nach Amerika gefahren ist.

이런[1] 《이와 같은》 solch*; so ein*; dieser [2]Art. ¶ ~ 고로 deswegen; aus diesem Grund; daher; deshalb / ~ 때에 in dieser Zeit; in so e-r Zeit / ~ 일 solch e-e Sache; so e-e Sache / ~즉 weil der Fall so liegt; weil das der Fall ist / ~ 재미있는 책은 처음 읽었다 So ein interessantes Buch habe ich noch nie gelesen.

이런[2] 〔감탄사〕 um Himmels willen!; ach je! ¶ ~, 너로구나 Ah, du bist es? / ~, 벌써 12시군 Mein Gott, es ist schon zwölf! / ~, 문이 열려 있네 Guck mal! Die Tür ist auf!

이렁저렁 =이럭저럭.

이렇게 auf diese Weise; in dieser Weise; so; auf solche Weise; folgendermaßen; wie dies. ¶ ~ 나쁜 so schlecht / ~ 비가 오는데도 obwohl es so stark regnet / ~ 부탁을 하는데도 trotz m-r herzlichen Bitte / ~ 말하고 mit dieser Bemerkung; mit diesen Worten / ~ 생각해보면 wenn man von diesem Standpunkt aus denkt / ~된 이상 da es einmal so ist / 일이 ~ 될 줄이야 누가 알았으랴 Daß so etwas kommen muß! ¦ Daß die Sache so ein Ende nehmen muß! ¦ Wer hätte gedacht, daß so etwas vorkommen würde! / ~ 추운 날씨는 처음이다 So kaltes Wetter habe ich noch nie erlebt. / ~ 시간이 걸리리라곤 미처 생각 못했다 Ich habe nicht erwartet, daß es so lange dauert. / ~ 재미있는 소설은 읽은 적이 없다 Ich habe noch nie so ein interessantes Buch gelesen. / ~ 해라 Mach das so! / 나는 ~ 생각한다 Ich denke wie folgt. / ~ 하면 문이 간단히 열린다 Auf diese Weise kannst du die Tür leicht öffnen. / 그가 ~까지 어리석을 줄은 몰랐다 Ich habe nie gedacht, daß er so dumm ist.

이렇다 sein, wie folgt. ☞ 이러하다. ¶ ~할 nennenswert; erwähnenswert / ~할 이유도 없이 ohne nennenswerten (besonderen) Grund; ohne, daß ein stichhaltiger (vernünftiger) Grund anzugeben wäre / ~할 영화 ein erwähnenswerter Film, -(e)s, -e; ein besonders interessanter Film / 그의 이야기는 대강 ~ S-e Geschichte verhält sich zum größten Teil wie folgt. / 대통령이 발표한 성명은 ~ Die vom Präsidenten abgegebene Erklärung ist wie folgt. / 여자란 ~ Das sind die Frauen. ¦ Die Frauen sind so. / 나는 ~할 특기도 없다 Ich habe kein besonderes Talent. / 어찌 사람이 이렇담 Wie könnte man so sein? / ~하게 내세워 말할 만한 것이 없다 Das ist nicht der Rede wert.

이렇든저렇든 jedenfalls; auf jeden Fall; in jedem Fall; auf alle Fälle; unter allen Umständen 《*pl.*》; so oder so; immerhin.

이렇듯 so; wie dies; auf diese Weise; in dieser Weise; derart. ¶ ~이 =이렇듯 / ~ 많은 so viel / ~ 잘 되어 가리라곤 나는 생각하지 않았다 Daß es so gut gehen wird, habe ich nicht gedacht.

이레 《일곱날》 sieben Tage; 《초이레》 der siebente Tag, -(e)s, -e (des Monats); 《이레째》 der siebente Tag.

이렛날 der siebente Tag; der siebente (des Monats).

이력(履歷) Lebens¦lauf *m.* -(e)s, ⸗e 〔-geschichte *f.* -n〕; Vorleben *n.* -s. ¶ ~이 나쁘다 〔좋다〕 e-n schlechten 〔guten〕 Lebenslauf hinter ³sich haben; von schlechter 〔guter〕 Lebensgeschichte sein / ~이 좋은 사람 ein Mensch 《-en, -en》, der auf ein gutes Vorleben zurückblicken kann; ein Mensch mit guter Lebensgeschichte 〔Vergangenheit〕 / ~이 나다 geschickt werden / 그는 ~이 좋으니까 어데든지 일자리는 있다 Er wird überall e-e Stellung finden, weil er ein Mann mit guter Vorbildung ist.
‖ ~서 Lebenslauf *m.* -(e)s, ⸗e; *Curriculum vitae* [kurí:kulum ví:tɛ:].

이례(異例) 《예외》 Ausnahmefall *m.* -(e)s, ⸗e; Ausnahme *f.* -n; 《전례 없던》 der besondere Fall, -(e)s, ⸗e; Sonderfall *m.* -(e)s, ⸗e. ¶ ~적인 beispiellos; unerhört; regelwidrig; ungewöhnlich / 그는 ~적인 대우를 받았다 Er wurde mit unerhörter Höflichkeit behandelt.

이로부터 ① 《시간》 von jetzt 〔nun〕 an 〔ab〕; fernerhin; fort¦ab 〔-an〕; fürder(hin); hernach; in ³Zukunft; (zu)künftig. ¶ ~ 조심해라 Sei von jetzt an vorsichtig! ② 《이유·결과》 daraus; daher; in der Folge 《*von*³》. ¶ ~ 여러 문제가 일어났다 Daraus erhoben sich manche Fragen.

이론(異論) 《다른》 die andere 〔entgegengesetzte〕 Meinung 〔Absicht〕 -en; 《반대》 Einwendung *f.* -en; Einspruch *m.* -(e)s, ⸗e; Einwurf *m.* -(e)s, ⸗e. ¶ ~없이 einstimmig (만장일치로) / ~을 들고 나오다 ein|wenden*⁴ 《*gegen*⁴》 / 그것에 대해서 아무 ~도 없다 Ich habe nichts dagegen (einzuwenden). / ~이 있을 수 없다 Es läßt sich nichts dagegen sagen. / 일본은 독도의 한국 경비대 주둔에 많은 ~을 제기했다 Japan hat viele Einsprüche gegen den Aufenthalt der koreanischen Wachtruppe auf der *Dogdo*-Insel erhoben.

이론(理論) Theorie *f.* -n. ¶ ~적 연구 theoretische Forschung, -en; theoretisches Studium, -s, ..ien / ~적 공산주의자 Doktrinärkommunist *m.* -en, -en / ~과 실제 Theorie u. Praxis / ~상으로는 thoretisch / ~은 제쳐놓고 ohne zu räsonieren; Vernünftelei beiseite / ~을 세우다 e-e Theorie auf|stellen / ~을 실천에 옮기다 e-e Theorie praktisch an|wenden*; e-e Theorie in die Praxis um|setzen / 되지 않는 ~을 캐다 vernünfteln / 모두가 ~으로는 좋다 Das alles ist theoretisch gut. / ~과 실제는 일치하지 않는다 Theorie u. Praxis lassen sich nicht vereinen.¦Etwas anderes ist die Theorie, etwas anderes die Praxis. / ~보다 실제 Probieren geht über Studieren.
‖ ~가 Theoretiker *m.* -s, -. ~경제 〔물리학〕 theoretische Wirtschaft, -en 〔Physik〕. ~과학 theoretische Naturwissenschaft: ~과학자 theoretischer Naturwissenschaftler, -s, -. ~수학 theoretische Mathematik. ~투쟁 der theoretische Disput, -(e)s, -e.

이롭 sieben Jahre alt 《Rind, Pferd》.

이롭다(利—) nützlich; vorteilhaft 《*für*⁴》; von Nutzen 〔Vorteil〕 (sein); nutzen 〔nützen〕; 《유리》 günstig; gewinnbringend; 《좋다》 gut; 《교훈적》 erbaulich; 《도움 되는》 hilfreich; dienlich (sein). ¶ 이로운 장사 ein gewinnbringendes Geschäft, -(e)s, -e; ein vorteilhaftes Geschäft / 이로운 조건 günstige Bedingung, -en / 소년들에게 이로운 책 das für Kinder nützliche Buch, -(e)s, ⸗er / 이롭지 않다 schlecht 〔unnützlich〕 sein 《*für*⁴》; *jm.* schädlich sein; ungünstig sein / 그의 말을 좇는 것이 ~ Es wäre gut, s-m Rat zu folgen. / 햇빛은 몸에 ~ Sonnenschein ist der Gesundheit nützlich. / 모든 것이 그에게 이롭게 됐다 Alles hat sich für ihn zum Günstigen gewendet. / 그런 것은 전혀 이로울 바가 없다 Das ist zu nichts nütze. / 때가 이롭지 못했다 Die Zeit war nicht gelegen.

이롱(耳聾) Taubheit *f.*; das Taubsein*, -s; Gehörlosigkeit *f.*
‖ ~증 ein Anzeichen der Gehörlosigkeit.

이루 durchaus (nicht können); in allen Fällen (nicht können); unmöglich; völlig (unmöglich); gänzlich (unmöglich); keineswegs (möglich). ¶ ~ 헤아릴 수 없는 zahllos; unzählbar/~ 헤아릴 수 없다 unzählbar sein; nicht zu zählen sein / ~ 말할 수 없는 unsagbar; unsäglich; unbeschreiblich / ~ 말할 수 없다 unbeschreiblich sein; jeder Beschreibung spotten / 그 참상은 ~ 말할 수 없었다 Das Unglück spottet jeder Beschreibung.¦Das Unglück ist über alle Beschreibungen.¦Das Unglück übersteigen alle Beschreibungen.

이루(二壘) das zweite Laufmal, -(e)s, -e. ¶ ~타를 치다 e-n Zwei-Mal-Lauf erzielen.
‖ ~수 Spieler 《*m.* -s, -》 am zweiten Mal.

이루(耳漏) 〖의학〗 Ohrenfluß *m.* ..flusses, ..flüsse.

이루다 ① 《성취》 vollenden⁴; vollführen⁴; zustande bringen*⁴; erfüllen⁴; ⁴*et.* zu Ende bringen*; durch|führen⁴; 《완성》 vervollständigen⁴; erfüllen⁴; vollenden⁴; vollständig machen⁴; 《실현》 aus|führen⁴; verwirklichen⁴; realisieren⁴; vergegenwärtigen⁴; 《완료》 beenden⁴; zu Ende führen⁴. ¶ 이루지 못할 unausführbar; unerfüllbar; unerreichbar / 이루지 못할 소망 unerfüllbarer 〔unerreichbarer〕 Wunsch, -es, ⸗e / 이루지 못할 사랑 hoffnungslose Liebe; unerfüllbare Liebe / 목적을 ~ den Zweck 〔das Ziel〕 erreichen / 뜻을 ~ s-e Absicht 〔s-n Traum〕 verwirklichen / 소원을 ~ s-n Wunsch erfüllen 〔in Erfüllung bringen*〕 / 대망을 ~ s-n großen Wunsch erfüllen 〔in Erfüllung bringen*〕 / 대사업을 ~ sein großes Werk verwirklichen 〔aus|führen〕 / 일가를 ~ Meister werden; e-e Autorität 〔auf e-m Gebiet〕 sein.
② 《형성》 bilden⁴; formen⁴; machen⁴. ¶ 사회를 〔촌락을〕 ~ e-e Gesellschaft 〔ein Dorf〕 bilden / 기암과 노송이 절경을 이루었다 Die sonderbar gestalteten Felsen u. alten Kiefern machen e-e unbeschreibliche schöne Landschaft.

이루어지다 ①《성취》in Erfüllung gehen*ⓢ; ⁴sich erfüllen; ⁴sich verwirklichen; ausgeführt werden. ¶ 뜻이 ~ S-e Absichten verwirklichen sich. / 오랜 소망이 이제야 이루어졌다 Mein lange gehegter Wunsch ist erst jetzt in Erfüllung gegangen. ②《형성》geformt (gebildet; gemacht) werden; aus ³et. bestehen*. ¶ 로마는 하루 아침에 이루어지지 않았다 „Rom ist nicht an e-m Tag erbaut worden." / 이 대학교는 10 개 단과대학으로 이루어져 있다 Die Universität besteht aus 10 Fakultäten.

이룩하다 ①《세우다》auf|richten; auf|bauen; errichten; erbauen; auf|stellen. ¶ 로마는 하루 아침에 이룩한 것이 아니다 Rom ist nicht an einem Tage erbaut worden. ②《성취》vollbringen*; zustande bringen*; ausführen; vollenden; erlangen; erreichen; erfüllen; durchführen; leisten; verwirklichen. ¶ 경제의 기적을 ~ ein Wirtschaftswunder vollbringen* / 나의 소원은 이룩되었다 Mein Wunsch hat sich erfüllt.

이류(二流) ¶ ~의 zweitklassig; zweiter ²Klasse; zweiten ²Ranges;《시시한》niedrig; minderwertig.
‖ ~시인 Reimschmied *m.* -(e)s, -e; Dichterling *m.* -s, -e; der Dichter《-s, -》zweiten Ranges. ~작가 der Autor《-s, -en》zweiten Ranges. ~호텔 das Hotel《-s, -s》zweiten Ranges.

이륙(離陸) Abflug *m.* -(e)s, ⸚e; Aufstieg *m.* -(e)s, -e; Start *m.* -(e)s, -e (-s)(이상은 비행기의); das In-See-Stechen*, -s (배의). ~하다 ab|fliegen*ⓢ; auf|steigen*ⓢ; starten ⓢ; in ⁴See stechen*ⓢ. ¶ 비행기는 순식간에 ~했다 Das Flugzeug ist im Nu vom Boden losgekommen. ‖ ~시간 Abflugszeit *f.* -en. ~지 Abflugsort *m.* (*n.*) -(e)s, -e. ~활주 das Abrollen*, -s.

이륜(二輪) zwei Räder《*pl.*》(두개); Doppelrad *n.* -(e)s, ⸚er (한쌍). ¶ ~의 zweiräd(e)rig.

이르다¹《때가》früh(zeitig); (vor)zeitig; unverzüglich;《상조》verfrüht (sein). ¶ 이른 아침 in frühen Morgenstunden / 이른 봄 im Vorfrühling / 이른 꽃 frühe Blume (Blüte) -n / 조금 이르게 떠나자 Brechen wir etwas frühzeitig auf!¦Brechen wir etwas früher auf! / 출발하기에는 아직 ~ Es ist noch zu früh, um aufzubrechen. / 이르면 이를수록 좋다 Je eher, desto besser. / 결혼하기에는 아직 ~ Sie sind noch zu jung, um zu heiraten. / 금년에는 벼가 ~ Der Reis reift dieses Jahr etwas vorzeitig. / 네가 독립하기에는 좀 ~ Du bist noch zu jung, um dich auf eigene Füße zu stellen.

이르다² ①《알리다》benachrichten⁴; berichten⁴; informieren⁴; erzählen⁴. ¶ 내가 오늘 저녁 늦게 집에 가겠다고 어머니에게 일러라 Erzähle der Mutter, daß ich heute abend etwas spät nach Haus komme!
②《가르쳐 주다》erklären⁴; lehren⁴; im (zum) voraus Weisungen geben*⁴《*jm.*》; an|weisen*⁴; ein|prägen⁴; instruieren⁴; unterweisen*⁴《*in*³》. ¶ 글을 일러 주다 lesen lehren; Sätze erklären / 위험에 주의하라고 ~ vor e-r Gefahr warnen⁴ / 그것에 대해서 너무 말하지 말라고 일렀다 Ich habe ihn gewarnt, nicht viel davon zu sprechen.
③《고자질》sprechen*《von *jm.*》; reden《von *jm.*》; erzählen《von *jm.*》; schwatzen⁽⁴⁾. ¶ 일러바치는 사람 Verräter *m.* -s, -; Angeber *m.* -s / 아버지한테 이르겠다 Ich werde dem Vater erzählen.
④《부르다·말하다》¶ 이것이 소위 만유인력의 법칙이라고 이르는 것이다 Das ist das sogenannte Gravitationsgesetz.

이르다³ ①《도달》an|kommen*ⓢ《*in*³》; an|langen ⓢ; gelangen ⓢ; erreichen⁴. ¶ 이르는 곳마다 überall; allenthalben; auf allen Gebieten / 목적지에 ~ das Ziel erreichen / 성년에 ~ volljährig werden / 결론에 ~ zu e-m Schluß (e-r Folgerung) kommen* ⓢ (gelangen) / 그의 빚은 100만 원에 이른다 S-e Schulden belaufen sich auf e-e Million *Won.*
②《인도》führen⁴《*zu*³》. ¶ 행복에 이르는 길 der Weg zum Glück / 서울에서 경주를 거쳐 부산에 이르는 철도 die Eisenbahnlinie, die von Seoul über Gyongju nach Busan führt / 이 길로 가면 우체국에 이른다 Dieser Weg führt zur Post.
③《결과》zu ³*et.* kommen* ⓢ; ⁴*et.* zur Folge haben; hinaus|laufen* ⓢ《*auf*⁴》; folgen《*aus*³》; so weit gehen* ⓢ. ¶ 믿기에 ~ zum Glauben kommen* ⓢ / 자살하기에 ~ so weit gehen* ⓢ, e-n Selbstmord zu begehen / 결국 그녀와 결혼하기에 이르렀다 Letzten Endes kam es dazu, daß er sie heiratet. / 일이 여기까지 이르리라고 누가 생각 했겠는가 Wer hätte gedacht, daß die Sache so zu Ende führen würde?
④《미치다》⁴sich erstrecken《*auf*⁴》; kommen* ⓢ《*zu*³》; ⁴sich aus|dehnen; ⁴sich betragen*⁴. ¶ 오늘에 이르기까지 bis heute; bis jetzt; bisher / 위에서 아래로 이르기까지 von oben bis unten / 정월에서 삼월에 이르기까지 vom Januar bis zum März / 상세한 점에까지 ~ ⁴sich auf die einzelnen Umständen erstrecken / 그 사막은 수마일에 이른다 Die Wünste erstreckt sich meilenweit. / 이 산은 국경까지 이른다 Das Gebirge erstreckt sich bis zur Grenze. / 현대 과학에 관한 한 독일은 미국에 이르지 못한다 Was die moderne Wissenschaft betrifft, steht Deutschland weit hinter Amerika zurück.

이르집다《껍질을》schälen; ab|schälen;《말썽을》bei dem geringsten Anlaß Streit《*m.* -(e)s, -e》beginnen.

이른바 sogenannt; an¦geblich (vor-); sozusagen; wie man zu sagen pflege. ¶ ~ 멘델의 법칙 die sogenannte Mendelischen Regeln / 이런 남자가 ~ 신사이다 So ein Mann ist ein sogenannter Gentleman (Herr). / ~ 그는 어른 아이다 Es ist, sozusagen, ein großes Kind.

이를테면 ①《말하자면》sozusagen; gleichsam; gewissermaßen; sogenannt (소위);《요약하면》mit e-m Wort; (um es) kurz (zu sagen). ¶ ~ 그는 산 사전이다 Er ist sozusagen ein wandelndes Lexikon.
②《예컨대》zum Beispiel《생략: z.B.》; um ein Beispiel anzuführen; beispiels¦weise (-halber).

이름 ①《일반적》Name *m.* -ns, -n;《성》Nachname *m.*; Zuname *m.*; Familienname *m.*;《부르는》Vorname *m.*; Taufname *m.*;《명칭》Benennung *f.* -en; Bezeichnung *f.* -en; Titel *m.* -s. ¶ 그 ~대로 wie der Name sagt / 그 ~과 같이 wie es heißt / ~뿐인 nur dem Namen nach; nominell; angeblich; Namen-; Schein- / A라는 ~의 목수 ein Zimmermann namens A; ein Zimmermann mit dem Namen von A / ~을 짓다 e-n Namen geben*; taufen[4](세례); heißen[(4)]; 《칭호》 benennen*[4]; betiteln[4]; bezeichnen[4] / ~을 대다 den Namen nennen (sagen) / ~을 속이다 [4]sich fälschlich aus|geben*; fälschlich behaupten, [1]*et.* zu sein; e-n falschen Namen sagen; [4]sich als [4]*et.* hin|stellen; [4]sich als [4]*et.* gelten wollen* / ~만은 알고 있다 nur dem Namen nach kennen*[4] / 아무의 ~을 부르다 *js.* Namen rufen*; auf|rufen*[4] (호명) / ~을 묻다 *jn.* nach dem Namen fragen / ~을 바꾸다 (고치다) den Namen wechseln (um|taufen); den Namen ändern / ~을 빼다 den Namen (von der Liste) streichen* / 하느님의 ~으로 기도하다 in Gottes Namen beten / 아들의 ~으로 저금하다 Geld unter dem Namen des Sohnes (in e-r Bank) deponieren / 아버지의 ~으로 장사하다 ein Geschäft unter dem Namen des Vaters führen / 이 꽃의 ~은 무엇입니까 Wie heißt die Blume?¦Wie ist der Name der Blume? / 당신 ~은 무엇이요 《사무적으로》 Ihr Name bitte?¦Wie heißen Sie?¦Wie ist Ihr Name? / 내 ~은 김입니다 Ich heiße *Kim.*¦Mein Name ist *Kim.* / 그런 ~을 가진 사람을 나는 모른다 Ich kenne niemand mit diesem Namen. / 그 사람은 ~만 안다 Ich kenne ihn nur dem Namen nach. / 그는 ~만의 교수이다 Er ist nur dem Namen nach Professor. / 그 별은 발견자의 ~을 따서 지었다 Der Stern wird nach s-m Entdecker benannt. / 그는 신문에 ~이 나는 것을 좋아하지 않는다 Er liebt nicht, daß sein Name in der Zeitung erwähnt wird. / 양친은 아이를 조부 ~을 따라 칼이라고 지었다 Die Eltern nannten ihr Kind nach s-m Großvater Karl. / 그 어린애의 ~을 어떻게 지을까요 Welchen Namen sollen wir dem Kind geben? / 사람은 죽어도 ~은 남는다 Stirbt der Mensch, so gilt sein Name. / 약한 자여, 그대 ~은 여자이니라 Schwachheit, dein Name ist Weib.

② 《명성》 der (gute) Name, -ns, -n; Ruf *m.* -(e)s; Ruhm *m.* -(e)s; Geltung *f.* ¶ ~있는 사람 ein bekannter (bedeutender; berühmter) Mann, -(e)s, ¨er / ~없는 사람 ein namenloser (unbedeutender; unberühmter) Mann; ein Niemand *m.* -(e)s; e-e Null; e-e Unbedeutenheit / ~이 나다 bekannt (berühmt; bedeutend) werden / ~을 후세(역사)에 전하다 s-n Namen der Nachwelt (der Geschichte) überliefern; s-n guten Namen den Nachkommen hinter|lassen* / 후세(역사)에 ~이 남아 있다 in der Erinnerung der Nachwelt (der Geschichte) fort|leben / ~에 어울리다 s-s Namens würdig sein; s-n Namen mit Recht führen / ~을 내다 (날리다) [4]sich berühmt machen; [3]sich e-n Namen machen; [4]sich aus|zeichnen; [4]sich hervor|tun*; von [3]sich reden machen / 부친의 ~을 더럽히다 den Namen s-s Vaters schänden; dem Ruf (Ruhm) s-s Vaters Schandfleck an|hängen (auf|setzen); den Namen s-s Vaters beschmutzen / ~이 아깝다 Dazu gebe ich m-n Namen nicht her.¦Dazu ist mir mein Name (wirklich) zu schade. / 그의 ~은 전세계에 퍼졌다 Sein Ruf ist über die Welt geklungen. / 그 작품으로 그는 ~이 났다 Er machte sich durch sein Werk berühmt. / 정계에선 그의 ~이 알려져 있다 Er genießt hohen Ruhm in den politischen Kreisen.¦Er ist bekannt in der politischen Welt. / 아버지의 ~을 더럽히지 말아라 Erweise dich d-s Vaters würdig!

③ 《명목》 Name *m.*; 《구실》 Deckmantel *m.* -s, ¨; Vorwand *m.* -es, ¨e. ¶ 종교라는 ~하에 unter dem Deckmantel der Religionen / 자선이란 ~으로 unter dem Deckmantel der Mildtätigkeit / 국민의 ~으로 in dem Namen des Volkes / 대통령의 ~으로 in dem Namen des Präsidenten.

이름씨 〖문법〗 =명사.

이리[1] 《물고기의》 Rogen *m.* -s, -; Milch *f.*

이리[2] Wolf *m.* -(e)s, ¨e.

이리[3] ① 《이렇게》 auf diese Weise; in dieser Weise; wie dies; so. ② 《이곳으로》 hierher; an diesen Ort; an diese Stelle. ¶ ~ 오십시오 Kommen Sie bitte hierher! / ~ 앉아라 Nehmen Sie bitte hier Platz!

이리듐 〖화학〗 Iridium *n.* -s.

이리저리 《이쪽저쪽》 hin u. her; hierher u. dorthin; auf u. ab; auf u. nieder; hin u. zurück (왕복); auf e-e od. andere Weise; bald dies, bald jenes machend (이렇게 저렇게). ¶ ~ 돌아다니다 hin u. her gehen* Ⓢ; umher|schlendern Ⓢ; umher|irren Ⓢ; umher|wandern Ⓢ; 《여행》 umher|reisen Ⓢ; von Ort zu Ort reisen Ⓢ / ~ 돌아보다 herum|sehen*[4]; umher|blicken[4]; [4]sich nach allen Seiten umsehen* / 배가 ~ 표류하고 있다 Das Schiff läßt sich hin u. her treiben. / ~ 찾아 보았지만 그것을 찾을 수 없었다 Ich habe überall gesucht, kann es aber nicht finden.

이마 ① 《사람의》 Stirn *f.* -en. ¶ 넓은 ~ die breite (hohe) Stirn / 좁은 ~ die niedrige Stirn / ~를 맞대고 이야기하다 die Köpfe zusammen stecken / ~를 찌푸리다 die Stirn runzeln / ~에 땀흘리며 일하다 im Schweiß des Angesichtes arbeiten / 그는 ~에 흉이 있다 Er hat eine Narbe auf der Stirn. ② 《이맛돌》 Schlußstein *m.* -(e)s, -e; Nabel *m.* -s, ¨.

‖ **~받이** der Stoß mit dem Kopf. **~빼기** =이마 ①. **이맛돌** =이마 ②. **이맛살** die Runzel (Falte) auf der Stirn: 이맛살을 찌푸리다 die Stirn runzeln.

이마마하다 so viel wie dies (sein).

이마적 kürzlich; vor kurzem; jüngst; neulich; unlängst; heutzutage.

이만 so viel. ¶ …은 ~ so viel [4]für… / 오늘은 ~하자 So viel für heute.

이만저만 〖흔히 부정적〗 《어지간함》 genügend; außer¦gewöhnlich (un-); ungemein; außerordentlich; 《적지않음》 nicht wenig; 《형언키 어려움》 unaussprechlich; unbeschreiblich; 《쉽지 않음》 nicht leicht; nicht ohne [4]Mühe. ¶ 힘이 ~ 들지 않다 große Mühe kosten 《*jn.*》 〖사물이 주어〗 / 그는 ~한 녀석이 아니다 Er ist kein gewöhnlicher Mensch. / 그건 ~ 어려운 일이 아니었다 Es war gar nicht einfach.¦Das war außerordentlich schwer.¦Es ging nicht mit rechten Dingen zu. / 그는 고생을 ~ 한 게 아니었다 Er hat in s-m Leben viel Bitteres erfahren.¦Er hat schon viel Schweres durchgemacht. / 그는 ~ 당황한 것이 아니었다 Er befand sich in nicht geringer

Verlegenheit. / 그를 납득시킨다는 것은 ~ 한 일이 아니다 Es ist nicht leicht (ganz einfach), ihn davon zu überzeugen.

이만큼 《양·길이》 etwa so; ungefähr so; 《정도》 so; solchermaßen; auf solche (in solcher) Weise. ¶ ~의 etwa (ungefähr) so groß (크기) (lang (길이); viel (양)) / 나비는 ~이면 되겠죠 Ist es so ungefähr breit genug? / ~ 소용에 닿는 물건은 본 적이 없다 So etwas Nützliches (Zweckmäßiges) habe ich noch nie gesehen.

이맘때 ungefähr jetzt (um diese Stunde); um diese Zeit; etwa in diesem Augenblick. ¶ 내년 ~ nächstes Jahr um diese Zeit.

이며 〖조사〗 und; oder; sowie; sowohl... als auch. ¶ 돈~ 책~ 여러 가지 잃어버렸다 Ich habe Geld, Bücher, und vieles andere verloren. / 그는 화가~ 시인이다 Er ist sowohl ein Maler als auch ein Dichter.

이면 〖조사〗 wenn; falls; im Fall(e), daß.... ¶ 만일 내가 당신~ (wenn ich) an Ihrer Stelle (wäre) / 돈~ 다 된다 Mit Geld läßt sich alles machen.

이면(二面) ① 《두 면》 zwei Seiten 《*pl.*》; 《양면》 die beiden Seiten 《*pl.*》; Doppelseite *f.* -n. ② 《둘째 면》 die zweite Seite, -n.
‖ **~기사** 《신문의》 Nachrichten 《*pl.*》 auf der zweiten Seite der Zeitung.

이면(裏面·裡面) Kehr¦seite (Hinter-; Rück-) *f.* -n; die umgekehrte (hintere; andere) Seite, -n; 《내면》 die innere Seite; Innenseite *f.*; 《내막》 die inneren Umstände 《*pl.*》; Hintergrund *m.* -(e)s, ⸚e; 《암흑면》 Kehrseite *f.*; Schattenseite *f.* ¶ 표지의 ~ die Innenseite e-s Deckels / 화폐의~ die Rückseite (der Rivers) e-r Münze; die andere Seite e-r Münze / ~의 뜻 die verborgene Bedeutung, -en / ~에서 heimlich; hinter *js.* Rücken; hinter den Kulissen (der Szene); im geheimen / ~서 공작 (조종) 하다 den Draht ziehen*; den Hintermann spielen; im geheimen am Gängelband führen; die Fäden in s-r Hand halten*; hinter e-r Sache stecken* / ~에서 활약하다 im Hintergrund e-e aktive Rolle spielen / ~에서 책동하다 im Hintergrund agitieren / ~을 관찰하다 die Kehrseite durchschauen; in die innere Seite hinein¦sehen*; hinter die Kulisse sehen* / ~에 뭣인가 있다 Dahinter steckt etwas. / ~을 보라 Bitte wenden! / 인생에 있어서는 때때로 복잡한 ~의 사정을 통찰할 필요가 있다 Im Leben kommt es oft darauf an, die verwickelten inneren Umstände zu durchschauen.
‖ **~공작** die geheimen Manipulationen 《*pl.*》. **~부지**(不知) e-e unvernünftige Person, -en; das leichtsinnige Benehmen*, -s. **~사** die innere Geschichte; die Geschichte der inneren Geheimnisse. **~사정**(사실) innere Umstände 《*pl.*》 (Tatsache, -n). **~생활** das innere Leben, -s. **~술책** Drahtzieherei *f.* -en.

이명(耳鳴) das Ohrenklingen*, -s; das Ohrensausen*, -s. ¶ ~이 있다 Ich habe Ohrenklingen (-sausen). ☞ 귀울다.
‖ **~증** das Ohrklingen*, -s.

이명(異名) Bei¦name(n) (Deck-; Neck-; Spitz-) *m.* ..mens, ..men; der andere (angenommene) Name; Pseudonym *n.* -s, -e.

이모(姨母) Tante *f.* -n; die Schwester 《-n》 der Mutter.

이모부(姨母夫) Onkel *m.* -s, -; der Mann 《-(e)s, ⸚er》 der Schwester der Mutter.

이모작(二毛作) die zwei Ernten 《*pl.*》 im Jahr. ¶ 여기서는 ~을 한다 Hier erntet man zweimal im Jahr.

이모저모 ¶ ~로 mit forschenden Augen 《*pl.*》 / ~로 뜯어 보다 genau betrachten⁴.

이목(耳目) 《귀와 눈》 Auge u. Ohr; 《주의》 Aufmerksamkeit *f.* -en. ¶ ~을 끌다 Aufmerksamkeit erregen; *js.* Aufmerksamkeit auf ⁴sich ziehen* / ~을 피하다 die Öffentlichkeit scheuen / ~을 피해 처리하다 diskret erledigen⁴; vertraulich behandeln⁴.

이무기 〖동물〗 Riesenschlange *f.* -n; Python *m.* -s, -s (-en [..tóːnən]); Boa *f.* -s.

이문(利文) Verdienst¦spanne (Gewinn-) *f.* -n; Marge [márʒə] *f.* -n; Gewinn *m.* -(e)s, -e; Profit *m.* -(e)s, -e; Vorteil *m.* -(e)s, -e; Nutzen *m.* -s, -; Ertrag *m.* -(e)s, ⸚e. ☞ 마진. ¶ ~이 있다 gewinnbringend (einträglich; profitabel; vorteilhaft) sein / ~이 없다 gewinnlos (uneinträglich; unvorteilhaft) sein / ~이 적다 von geringem Vorteil (Gewinn) sein / 그 장사는 ~이 많다 Das Geschäft bringt viel ein.

이문(異聞) das seltsame (merkwürdige; sonderbare; wunderliche) Gerücht, -(e)s, -e; die seltsame *usw.* Episode, -n.

이물 Bug *m.* -(e)s, ⸚e; Schiffsschnabel *m.* -s, ⸚; Vorschiff *n.* -(e)s, -e. ¶ ~에서 고물까지 vom Bug bis zum Heck.

이물(異物) 〖의학〗 Fremdkörper *m.* -s, -.

-이므로 ☞ -므로.

이미 ① 《벌써》 schon; bereits. ¶ ~ 때가 늦었다 Es ist jetzt zu spät. / 그것은 ~ 끝났다 Das ist schon fertig. / 수업은 ~ 시작했나 Hat der Unterricht schon begonnen? / 나는 ~ 틀렸다 Mit mir ist es schon aus. ② 《앞서》 vorher; früher; im voraus; vor kurzem. ¶ ~ 말한 바와 같이 wie vorher gesagt / 그 일은 ~ 얘기가 되어 있다 Die Sache ist bereits früher besprochen worden. / 나는 ~ 오래 전부터 알고 있었다 Ich habe es längst gemerkt.

이미지 Vorstellung *f.* -en; Gedankenbild *n.* -(e)s, -er.

이민(移民) 《이주》 Auswanderung *f.* -en; Emigration *f.* -en (출국); 《입국》 Einwanderung *f.* -en; Immigration *f.* -en; 《이주자》 Auswandrer *m.* -s; Emigrant *m.* -en, -en (출국한); 《입국한》 Einwandrer *m.* -s; Immigrant *m.* -en, -en. **~하다** 《출국》 aus¦-wandern ⓢ; emigrieren ⓢ; 《입국》 ein¦-wandern ⓢ; immigrieren ⓢ. ¶ 많은 사람이 우리 나라에서 브라질로 ~갔다 E-e Menge Leute sind von unserem Land nach Brasilien ausgewandert. / 해마다 많은 ~이 미국으로 온다 Viele Immigranten kommen jedes Jahr nach Amerika.
‖ **~관** der Beamte für Auswanderungsangelegenheiten. **~교섭** Auswanderungsverhandlung *f.* **~단** e-e Gruppe Immigranten. **~문제** Auswanderungsproblem *n.* -(e)s, -e (해외로); Einwanderungsproblem *n.* (국내로). **~법** Auswanderungsgesetz *n.* -(e)s, -e; Einwanderungsgesetz *n.* **~제한** Einwanderungs¦beschränkung (Auswanderungs-) *f.* **~협회** Auswanderungsgesellschaft *f.* -en.

이바지하다 ① 《공급》 *jn.* mit ³*et.* versorgen

(versehen*); im voraus an|schaffen⁴; besorgen⁴. ②《공헌》 dienen; mit|wirken; bei|tragen* 《zu³》; e-n Beitrag tun*; helfen*³; tätig (tatkräftig) unterstützen⁴. ¶ 건강 (평화, 복지)에 ~ der Gesundheit (dem Frieden, dem Wohl) dienen / 나라에 ~ ³sich Verdienste ums Land erwerben* / 한국의 경제 발전에 ~ zur Entwicklung der koreanischen Wirtschaft bei|tragen* / 한국의 인구 과잉 문제 해결에 ~ zu der Lösung der Überbevölkerungsfrage Koreas viel bei|tragen* / 선교사들은 한국 교육계에 이바지한 바 크다 Missionare haben zu der koreanischen Erziehung viel beigetragen.

이박자(二拍子) Zweivierteltakt *m.* -(e)s, -e.

이반(離反·離叛) Entfremdung *f.* -en; Abtrünnigkeit *f.* -en; Entzweiung *f.* -en. ~하다 (⁴sich) *jm.* entfremden; *jm.* abtrünnig (abspenstig) werden; ab|fallen* (s) 《*von*³》. ¶ 민심은 현 정부에 ~되어 있다 Die jetzige Regierung hat sich dem Herzen des Volks entfremdet.

이발(理髮) das Haarschneiden* (Frisieren*) -s; Frisur *f.* -en. ~하다 ³sich die Haare schneiden lassen*.

‖ ~기 Haarschneidemaschine *f.* ~사 Barbier *m.* -s, -e; Friseur *m.* -s, -e; Friseuse *f.* -n (여자). ~소 Frisiersalon [..zalɔ̃] *m.* -s, -s; Friseurladen *m.* -s, ⸚ (-). ~요금 Frisurgeld *n.* -es, -er. ~용구 Barbierwerkzeug *n.* -(e)s, -e; Barbierutensilien 《*pl.*》.

이밥 der gekochte Reis, -es.

이방(異邦) ein fremdes Land, -(e)s, ⸚er; Fremde *f.*; Ausland *n.* -(e)s. ¶ ~의 ausländisch; fremd. ‖ ~인 der Fremde*; Ausländer *m.* -s, -; Ausländerin *f.* -nen (여자).

이백(李白) 《중국의 시인》 Li Po (701-762).

이번(一番) ①《금번》 diesmal; dieses Mal; jetzt; nun; nunmehr. ¶ ~ 시험 das letzte Examen, -s, - (..mina); die letzte Prüfung, -en (지난); 《다가오는》 das nächste (kommende) Examen/~만 nur dieses (e-e) Mal; einmal für allemal / ~에는 für diesmal / ~에 오신 선생님 der neue Lehrer, -s, - / ~ 계획 der diesmalige Plan, -(e)s, ⸚e / ~만은 용서해 주시오 Verzeihen Sie (Entschuldigen Sie) für diesesmal! / ~ 전쟁에 사람이 얼마나 죽었소 Wie viele Menschen sind während des letzten Krieges gestorben? ②《다음》 das nächste Mal; bald; in kurzem; nächstens; das andere Mal; ein andermal; bevorstehend; nächst; kommend; folgend; neu. ¶ ~ 일요일에 am nächsten (kommenden) Sonntag / ~ 여름 방학 die kommenden (nächsten) Sommerferien / 그는 ~에는 미국에 간다 Er fährt nächstens nach Amerika. / ~에 가실 때는 저도 함께 데리고 가주시오 Nehmen Sie mich mit, wenn Sie das nächste Mal gehen!

이번(二番) Nummer zwei; Nr. 2; der zweite*.

이법(理法) Gesetz *n.* -es, -e. ¶ 자연의 ~ Naturgesetz *n.*

이베리아반도(一半島) die Iberische Halbinsel.

이변(異變) 《변고》 das ungewöhnliche Phänomen, -s, -e; die ungewöhnliche Veränderung, -en; Wunder *n.* -s; 《사고》 Unfall *m.* -(e)s, ⸚e; Unglück *n.* -s (재해); Katastrophe *f.* -n (재난); das schwere Mißgeschick, -(e)s, -e; Notfall *m.* -(e)s, ⸚e (급변). ¶ 기후의 ~ die klimatische ungewöhnliche Veränderung / 태양의 ~ das ungewöhnliche Phänomen in der Sonne / 금융계의 ~ Störung in der Finanzwelt / 그의 신상에 무슨 ~이라도 있는 것이 아닌가 Ich habe Angst, ob irgend etwas mit ihm los ist.

이별(離別) 《작별》 Abschied *m.* -(e)s, -e; Trennung *f.* -en; Scheidung *f.* -en (이혼); das Ehescheiden*, -s. ¶ ~을 고하다 Abschied nehmen* 《*von*³》; auf Wiedersehen sagen; ⁴sich trennen 《*von*³》; ⁴sich verabschieden 《*von*³》; ⁴sich empfehlen* / ~에 즈음하여 beim Abschied / ~의 인사 Abschiedsworte 《*pl.*》; Abschiedsansprache *f.* -en; Abschiedsrede *f.* -en (연설) / ~의 괴로움 Abschieds¦schmerz (Trennungs-) *m.* -es, -en / ~을 아쉬워하다 e-n schweren Abschied nehmen*; den Abschied feiern / ~은 괴롭다 Scheiden tut weh.

‖ ~가 Abschiedslied *n.* -(e)s, ⸚er. ~주 Abschiedstrunk *m.* -(e)s, ⸚e.

이병(罹病) Erkrankung *f.* -en. ~하다 erkranken (s); krank werden; 《어떤 병에》 ³sich holen⁴; ³sich zu|ziehen*⁴ 〖병명을 4격 목적어로 함〗.

‖ ~율 Erkrankungsprozent *n.* -(e)s, -e. ~자 der Erkrankte* (Angegriffene*; Leidende*) -n, -n; Fall *m.* -(e)s, ⸚e.

이보다 (mehr, weniger) als das. ¶ ~ 앞서 davor; hiervor; vor diesem / ~ 나쁘다 schlechter als das sein / 저것이 ~ 낫다 Jenes ist besser als dieses. / ~ 더 불행한 일은 없다 Es gibt k-e größere Katastrophe als diese.

이복(異腹) ¶ ~의 halbbürtig.

‖ ~동생 der jüngere Halbbruder, -s, ⸚. ~형제 Halb¦bruder *m.* -s, ⸚ (-schwester *f.* -n); Stiefgeschwister 《*pl.*》.

이봐 《부를 때》 Hallo!¦He!¦Weißt du was?¦Sieh mal an!¦Mensch!

이부(二部) 《두 부분》 zwei Teile 《*pl.*》; zwei Bände 《*pl.*》 (권); zwei Exemplare 《*pl.*》 (책); 《제 2부》 der zweite Teil, -s, -e; der zweite Band (Band II) (책 차례의). ¶ 계약서를 ~ 발송하다 den Vertrag in zweifacher Ausfertigung schicken.

‖ ~수업 Unterricht 《*m.* -(e)s, -e》 in zwei Schichten. ~합창, ~합주 Duett *n.* -(e)s, -e: ~ 합창을 하다 im Duett singen*.

이부(異父) Stiefvater *m.* -s, ⸚.

‖ ~형제 Halbbruder *m.* -s, ⸚. ~형제자매 Halbgeschwister 《*pl.*》.

이부자리 Bettzeug *n.* -(e)s, -e; Decke *f.* -n (이불); Matratze *f.* -n (요). ¶ ~를 펴(개)다 das Bett machen (auf|räumen; weg|räumen) / ~를 말리다 das Bett (die Decke; die Matratze) lüften (sonnen; sömmern).

이북(以北) 《북쪽》 Nord(en) *m.* -s; 《북한》 Nordkorea. ¶ …의 ~ nördlich 《*von*³》 / 서울 ~ nördlich von Seoul / 삼팔선 ~ nördlich von dem 38. Breitengrad / ~에서 온 사람 e-e Person aus Nordkorea.

이분(二分) Halbierung *f.* -en. ~하다 in zwei (gleiche) Teile teilen⁴; halbieren⁴. ¶ ~의 일 ein halb-*; e-e Hälfte / ~박자 alla-breve-Takt.

‖ ~법 〖논리〗 Dichotomie *f.* -n. ~음표 die halbe Note.

이분자(異分子) fremde (heterogene) Elemente 《*pl.*》; Außenseiter *m.* -s, -.

이불 Decke *f.* -n; Bettdecke *f.* -n. ¶ ~ 속에서 활개 치는 사람 Im Hause ein Held, draußen ein Hasenfuß / ~을 덮다 *jn.* zu|-

decken; e-e Decke legen《auf *jn.*》/ ~을 뒤집어 쓰다 die Decke über den Kopf ziehen* / ~을 덮고 자다 unter der Decke schlafen* / ~을 개다 Decke u. Matratze zusammen|legen; das Bettzeug zusammen|falten / ~을 깔다 das Bett machen; das Bett auf|schlagen*.

‖ ~솜 e-e wattierte Bettdecke, -n. 겹~ Doppeldecke *f.* -n. 누비~ Steppdecke *f.* -n. 비단~ e-e Decke aus Seide.

이불줄 〖광산〗 der horizontale (Erz)gang, └-(e)s, ⸗e.

이브 《아담의 아내》 Eva *f.*

이브닝 Abend *m.* -s, -e. ‖ ~드레스 Gesellschafts¦kleid (Abend-) *n.* -(e)s, -er. ~코트 Gesellschaftsanzug *m.* -(e)s, ⸗e.

이비(耳鼻) die Nase u. die Ohren.

‖ ~인후과 (Spezial)fach《*n.* -(e)s, ⸗er》für Hals-Nasen-Ohren: ~인후과 병원 Klinik《*f.* -en》für Hals-Nasen-Ohren / ~인후과 의사 Hals-Nasen-Ohren-Arzt *m.* -(e)s, ⸗e.

이비(理非) Recht《*n.* -(e)s, -e》und Unrecht《*n.*》;《선악》Gutes* und Schlechtes*.

이사(理事) Vorstand *m.* -(e)s, ⸗e; Direktion *f.* -en (총칭); Vorstandsmitglied *n.* -(e)s, -er; Ausschuß *m.* ..schusses, ..schüsse; Direktor *m.* -s, -en [..tó:rən]; Geschäftsführer *m.* -s, -; Manager [mέnədʒər] *m.* -s, -. ¶ ~가 되다 Vorstand werden.

‖ ~관 Sekretär *m.* -s, -e. ~장 Vorstand *m.*; der Vorsitzende*, -n, -n. ~회 Direktorium *n.* -s, ..rien; Direktorensitzung *f.* -en; Vorstandssitzung *f.* -en. 대표~ der vertretende Direktor. 상무~ der geschäftsführende Direktor. 전무~ Hauptgeschäftsverwalter. 국제 연합 ~국 der Völkerbundsrat, -(e)s, ⸗e.

이사(移徙) Umzug *m.* -(e)s, ⸗e; das Umziehen*, -s; Wohnungswechsel *m.* -s, -. ~하다 um|ziehen* ⓢ; die Wohnung wechseln; aus|ziehen (weg|-) ⓢ (나감); in ein Haus ziehen*ⓢ(들다); ein Haus beziehen*; s-n Wohnsitz verlegen; s-e Wohnung wechseln; verziehen*. ¶ 언제 ~하십니까 Wann ziehen Sie um? / 우리는 우이동으로 ~했다 Wir sind nach *Uidcng* umgezogen. / 그가 ~간 곳을 아십니까 Kennen Sie seine Adresse? / 이 달 말에 ~할 작정이다 Meine Absicht ist, Ende des Monats umzuziehen.

‖ ~비용 Umzugskosten《*pl.*》. 이삿날 Umzugstag *m.* -(e)s. 이삿짐차 Möbelwagen └*m.* -s, -.

이사이, 이새 ☞ 요새.

이삭 Ähre *f.* -n. ¶ ~같은 (모양의) ährenförmig / 벼~ Reisähre *f.* -n / 떨어진 ~ die liegengebliebenen Ähren《*pl.*》/ ~줍기 das Ährenlesen*, -s / ~이 패다 (나오다) in Ähren schießen* / 밭에서 ~을 줍다 Ähren auf dem Feld lesen* / 보리 ~이 다 나왔다 Die Gersten haben völlig in Ähren geschossen.

이산(離散) Zerstreuung *f.* -en; das Auseinandergehen*, -s. ~하다 ⁴sich zerstreuen; zerstreut werden; auseinander|gehen*ⓢ. ¶ 일가는 ~했다 Die ganze Familie ging in alle Himmelsrichtungen auseinander.

‖ ~가족 die zerstreute Familie: ~ 가족 찾기 운동 die Bewegung für die Familienzusammenführung / ~ 가족의 결합 die Zusammenführung der zerstreuten Familie.

이산화(二酸化) 〖화학〗 Dioxyd *n.* -(e)s, -e.

‖ ~탄소 Kohldioxyd *n.* -(e)s, -e.

이삼(二三) ¶ ~의 zwei od. drei; einige; ein paar; etliche / ~일 후에 in einigen (ein paar) Tagen / ~일 이내에 binnen ein paar Tagen; innerhalb zwei, drei Tagen.

이상(以上) ①《수량》mehr als...; über; darüber (hinaus). ¶ 세 시간 ~ mehr als drei Stunden; über drei Stunden / 10마일 ~ mehr als 10 Meilen; 10 Meilen u. darüber / 50 ~ über fünfzig / 6세 ~의 아동 Kinder über 6 Jahre / 500원 ~ über 500 *Won* / 50근 ~ ein Gewicht von 50 *Kun* u. darüber / 3분의 2 ~의 다수 (소수) die Mehrheit (Minderheit) von mehr als zwei Drittel / 정한 시간 ~ 일하다 über die Zeit arbeiten.
②《정도》über; mehr als; über ⁴*et.* hinaus. ¶ 수입 ~의 생활을 하다 über s-e Verhältnisse leben; über s-e Mittel hinaus leben / 예상 ~이다 über alle Erwartungen (über alles Erwarten) sein / 상상 ~이다 über alle Vorstellungen sein / 그 ~은 모른다 Ich weiß nichts mehr. / 그 ~ 말할 것은 없다 Ich habe nichts, weiter zu sagen. ¦ Weiter habe ich darüber nichts zu sagen. / 그 ~ 더 견디지 못하겠다 Das dulde ich nicht länger. / 이 ~ 더 바랄 수는 없다 Mehr kann man nicht verlangen. / 그 ~ 더 잘 할 수는 없다 Das ist das beste, was ich tun kann.
③《…한 바엔》da einmal; da ja; nun einmal; jetzt da; jetzt, wo...; nun, da...; solange (als). ¶ 이렇게 된 ~ da es nun einmal so ist / 약속을 한 ~ 지켜야 한다 Nun, da ich das Wort gegeben habe, muß ich es halten. / 내가 온 ~ 걱정할 필요는 없다 Jetzt, da ich bin, brauchst du k-e Angst zu haben. / 네가 그걸 본 ~ 우리에게 얘기해야 한다 Da du es ja gesehen hast, mußt du uns davon erzählen. / 몸이 다시 건강해진 ~ 다시 일을 해야 한다 Jetzt, wo Ihre Gesundheit wieder hergestellt ist, müssen Sie arbeiten. ¦ Sie müssen an die Arbeit, da Sie nun (ja) wieder gesund sind.
④《상기》¶ ~에 말한 obenerwähnt; obengenannt; vorher gesagt; obenangegeben / ~에 말한 것과 같이 wie oben gesagt; wie obenerwähnt; wie wir gesehen haben / ~은 그의 연설의 개요이다 Das Besagte gibt den Inhalt s-r Rede im wesentlichen wieder. / ~ 말한 것으로 문제는 명백하다 Die Sache erklärt sich aus dem, was ich oben gesagt habe.

이상(異狀) Abnormität *f.* -en; Außerordentlichkeit *f.* -en;《고장》Störung *f.* -en; Unordnung *f.* -en; Hemmung *f.* -en;《변화》Veränderung *f.* -en;《몸 따위》Anomalie *f.* -n; das abnormale Symptom -s, -e. ¶ ~이 없다 in Ordnung sein; in guter Verfassung sein; richtig bestellt sein《*mit*³》;《정신 상태》bei vollem (gesundem) Verstande sein; geistig gesund sein; normal sein; in normalem Zustande sein / ~이 있다《기계》nicht in Ordnung sein; außer Betrieb stehen*;《사람》geistig gestört sein; nicht normal sein; im Kopfe nicht richtig sein; von Sinnen sein / ~없이 ohne Störung / 정신에 ~이 생기다 geistesgestört (verrückt) werden; aus dem Häuschen sein; nicht bei Troste sein / 서부 전선에 ~없음 Im Westen nichts Neues. / 아무런 ~이 없다 Da war nichts Ungewöhnliches zu bemerken. / 당신의 페

에는 별로 ~이 없다 Ihre Lunge zeigt k-e Anomalie. / 전깃줄에 ~이 있다 Es ist e-e Störung in der elektrischen Leitung.

이상(異常) Ungewöhnlichkeit *f.* -en; Außerordentlichkeit *f.* -en; Abnormität *f.* -en (변칙). **~하다, ~스럽다** 《기이함》 ungewöhnlich; ungemein; außergewöhnlich; sonderbar; außerordentlich; eigenartig; abnorm; merkwürdig; ungeheuer; 《수상》 verdächtig (sein). ¶ ~하게 ungewöhnlich; eigenartig; sonderbar; verdächtig (수상) / ~한 얼굴 das komische Gesicht, -(e)s, -er / ~하게 들리다 eigenartig (ungewöhnlich) klingen* / ~하게 보이다 eigenartig (komisch; ungewöhnlich) aus|sehen* / ~하게 느끼다 ⁴sich fremd fühlen; *jm.* unangenehmen zumute sein / ~하게 여기다 ⁴sich wundern 《*über*⁴》 / ~히 여길 것 없다 kein Wunder, daß (wenn)...; es nimmt *jn.* nicht Wunder, daß (wenn)...; es wundert *jn.* nicht, daß (wenn)... / 말하긴 ~하지만 sonderbarerweise; merkwürdigerweise / ~하게 들릴 지 모르지만 Das mag zwar seltsam klingen, aber.... / ~하다 내 시계가 어디 갔지 Das ist eigenartig, wo ist denn m-e Uhr? / 자네가 그렇게 생각하다니 ~하다 Das ist eigenartig, daß du so denken solltest. / 그가 병이 났다니 정말 ~한데 Das ist ja merkwürdig, daß er krank ist. / 오늘은 ~하게도 일찍 왔군 Du kommst ja so früh heute. / 그의 행동이 ~하다 Sein Benehmen ist verdächtig. / ~한 일도 다 있네 Ich wundere mich, daß so etwas vorkommt. / 자네 오늘 좀 ~한 데가 있군 Du bist ja heute nicht in Ordnung. / ~한 사람이다 Er ist wirklich eigenartig (komisch).

‖ **~건조** die abnormale Dürre (Trockenheit). **~경기** die unsolide Hochkonjunktur, -en; Scheinblüte *f.*; die unsichere Wirtschaftsblüte, -n. **~난동** der ungewöhnlich warme Winter. **~반응** Allergie *f.* -n. **~아** das abnormale Kind, -(e)s, -er. **정신~** Geistesstörung *f.*

이상(理想) Ideal *n.* -s, -e; Hochziel *n.* -(e)s, -e. ¶ 높은 ~ das hohe Ideal / ~적인 ideal / ~을 품다 ein Ideal hegen (haben) / ~을 좇다 e-m Ziel nach|streben; sein Ideal verfolgen / ~을 세우다 ein Ideal auf|stellen (bilden) / ~을 달성하다 sein Ideal erreichen / ~을 실현하다 sein Ideal verwirklichen (aus|führen).

‖ **~주의** Idealismus *m.* -: ~주의자 Idealist *m.* -en, -en. **~파** die idealistische Schule. **~향(계)** die ideale Welt; Utopie *f.* -n.

이상화(理想化) Idealisierung *f.* -en. **~하다** idealisieren⁴; verschönern⁴; verklären⁴.

이색(二色) zwei Farben 《*pl.*》. ¶ ~의 zweifarbig. ‖ **~인쇄, ~판** Zweifarbendruck *m.* -(e)s, -e.

이색(異色) 《색》 die verschiedene Farbe, -n; 《진기》 Rarität *f.* -en; Seltenheit *f.* -en; das Ungewöhnliche*, -n. ¶ ~적인 einzig (-artig); auffallend; eigenartig / ~적인 인물 ein Mensch 《*m.* -en, -en》 von Charakter / ~지다 eigenartig (rar; merkwürdig) sein.

‖ **~인종** e-e Rasse von e-r anderen Farbe. **~작가(화가)** der eigenartige Autor, -s, -en (Maler *m.* -s, -). **~작품** das eigenartige (bizzare) Werk, -(e)s, -e.

이생(一生) irdisches Leben, -s; das ganze Leben.

이서(以西) ¶ ~에 westlich 《*von*³》; westwärts / 서울 ~ westlich von Seoul.

이설(異說) die verschiedene (andere; entgegengesetzte) Meinung, -en (Ansicht, -en); 《이단》 Häresie *f.* -n [..zí:ən]; Ketzerei *f.* -en. ¶ ~을 세우다 in der Meinung ab|weichen*; e-e andere Meinung auf|stellen 《*gegen*⁴》; Einwendung machen 《*gegen*⁴》; e-n Einwand erheben* 《*gegen*⁴》 / 이처럼 ~이 분분하리라고는 생각지 않았다 Ich habe wirklich nicht erwartet, daß das zu so verschiedenen Meinungen Anlaß geben würde. / 이 문제에 관하여 ~이 분분하다 Die Meinungen über diesen Gegenstand (diese Angelegenheit) sind geteilt.

이성(理性) Vernunft *f.*; 〖철학〗 Logos *m.* -, ..goi. ¶ ~이 있는 vernünftig; vernunftbegabt; mit Vernunft versehen / ~이 없는 vernunft|los (-widrig); unvernünftig / ~적인 vernünftig; rationalistisch; vernunftgemäß / ~에 호소하다 ⁴sich an *js.* ⁴Vernunft wenden⁽*⁾; ⁴es mit *js.* Vernunft versuchen / ~을 따르다 Vernunft an|nehmen*; den Vernunftgründen folgen / ~을 갖추다 mit Vernunft begabt (versehen) sein / ~을 잃다 die Vernunft verlieren*; nicht mehr der ²Vernunft Herr sein / 자네의 행동에는 ~이 결여되어 있네 D-m Handeln fehlt es an ³Vernunft.

‖ **~론** Rationalismus *m.* **순수~** die reine Vernunft.

이성(異性) 《남녀·자웅》 das andere (gegenteilige) Geschlecht, -(e)s; 《성질》 die verschiedene Natur; 〖화학〗 Isomerie *f.* ¶ ~을 알다 (대하다) e-e Frau 《-en》 (e-n Mann 《≃er》) erkennen / ~을 알 만한 나이가 되다 Pubertätsalter erreichen / 그는 ~에게 인기가 있다 Er ist beim schönen Geschlecht beliebt. / 그는 ~ 사이에 교제가 넓다 Er hat e-n großen Bekanntenkreis unter dem anderen (zarten) Geschlecht.

‖ **~애** Geschlechtsliebe *f.* -n.

이성(異姓) der verschiedene Familienname, -ns, -n; 《딴 혈통》 andere Abstammung, -en; 〖형용사적〗 von verschiedener Abstammung.

이성지합(二姓之合) Verbindung (durch Heirat) zwischen zwei verschiedenen Familien; Eheschließung.

이세(二世) ① 《현세와 내세》 das gegenwärtige u. zukünftige Leben; zwei Leben; Diesseits u. Jenseits. ② 《제2세》 der Zweite; 《2대째》 die zweite Generation. ¶ 빌헬름 ~ Wilhelm der Zweite* / 나폴레옹 ~ Napoleon der Zweite / 한국계의 미국인 ~ Koreanisch-Amerikaner *m.* -s, - / ~ 국민 die Kinder 《*pl.*》 der zweiten Generation.

이속(異俗) unterschiedliche Gewohnheiten 《*pl.*》; fremd(artig)e Gebräuche 《*pl.*》.

이솝 Äsop (619?-564 B.C.).

‖ **~이야기** Äsops Fabeln 《*pl.*》.

이송(移送) Fortschaffung *f.* -en; Beförderung *f.* -en; Versendung *f.* -en; Transport *m.* -(e)s, -e. **~하다** fort|schaffen⁴; befördern⁴; versenden*⁴; transportieren⁴.

이수(利水) Bewässerung (Bewäßrung) *f.* -en; Wasserzuführung *f.* -en.

‖ **~공사** Bewässerungsarbeit *f.* -en. **~시설** Bewässerungsanlage *f.* -n.

이수(里數) Meilen|länge *f.* -n (-zahl *f.* -en); Entfernung *f.* -en (거리).

이수(移囚) Verlegung 《*f.* -en》 e-s Gefangenen*.

이수(履修) Absolvierung *f.*; Vollendung *f.* ~하다 durch|machen⁴; absolvieren⁴. ¶ 3 년의 과정을 ~하다 e-n Kursus 《Kurse》 von drei Jahren durch|machen 〔absolvieren〕.
이수하다(離水一) 《비행기가》 vom Wasser ab|fliegen* Ⓢ; 《비행기를》 vom Wasser ab|heben*⁴.
이순(耳順) sechzig Jahre alt.
이스라엘 Israel. ¶ ~인의 israelitisch / ~ 공화국의 israelisch.
‖ ~사람 Israelit *m.* -en, -en.
이스탄불 《터키의 옛 수도》 Istanbul.
이스터 《부활절》 Ostern 《*pl.*》〔보통 무관사〕.
이스트 《균》 Hefe *f.* -n.
이스파니아 =스페인.
이슥하다 spät (sein). ¶ 이슥한 밤에 in der späten Nacht / 밤이 이슥하도록 bis spät in die Nacht / 밤이 이슥함에 따라 wie die Nacht später wird / 밤이 벌써 이슥해졌다 Die Nacht ist schon sehr vorgerückt. / 그는 밤이 이슥해서야 집에 돌아왔다 Er kam nach Hause zurück, nachdem die Nacht spät geworden war.
이슬 《일반적》 Tau *m.* -(e)s, -e; Tautropfen *m.* -s, -; 《눈물》 Träne *f.* -n; Tränentropfen *m.* -s. ¶ 아침 ~ Morgentau *m.* -(e)s, -e / ~이 맺히다 《풀에》 der Tau hängt 《an den Gräsern》; 《눈물》 voll von Tränen werden / ~이 맺힌 꽃 die betaute Blume / ~같은 목숨 das vergängliche Leben, -s / ~에 젖다 vom Tau feucht werden; betaut werden / 교수대의 ~로 사라지다 an Galgen enden / ~이 내리다 Tau fällt.¦Es taut. / ~ 내린 아침 der betaute Morgen, -s / 그녀의 눈에 ~이 맺혀 있었다 Die Tränen standen ihr in den Augen.
‖ ~떨이 ein Stock, der gebraucht wird, um Tau auf dem Pfad wegzuschaffen. ~방울 Tautropfen *m.* -s, -.
이슬라마바드 《파키스탄의 수도》 Islamabad.
이슬람 Islam *m.* -s; Mohammedanismus *m.* -. ☞ 회교. ¶ ~교의 islamitisch; mohammedanisch.
‖ ~교도 Mohammedaner *m.* -s, -.
이슬비 Staub¦regen 〔Sprüh-; Niesel-〕 *m.* -s, -; der feine Regen. ¶ ~가 내리다 Es sprüht.¦Es nieselt.
이승 〖불교〗 das irdische Leben, -s; Diesseits *n.* -; diese Welt; hier unten. ¶ ~에서 auf der Welt; in dieser Welt / ~의 괴로움 die Qual dieser Welt / ~의 지옥 die Hölle auf der Welt / ~을 떠나다 sterben* Ⓢ; von der Welt Abschied nehmen* / ~의 괴로움에서 벗어나다 der Welt entsagen / 그게 ~에서 우리의 마지막 해후였다 Es war unsere letzte Zusammenkunft im Diesseits.
이식(利息) Zinsen 《*pl.*》. ☞ 이자(利子).
‖ ~계산 Zinsrechnung *f.* -en. ~법 Zinsgesetz *n.* -es, -e. ~조견표 die fertige Zins(rechnungs)tabelle, -n.
이식(利殖) die Aufspeicherung 《-en》 von ³Zinsen; Gelderwerb *m.* -(e)s, -e; das Anwachsen* 《-s》 des Geldes durch Zins u. Zinseszinsen. ~하다 Geld erwerben* ³sich Geld machen (나쁜 의미로서).
‖ ~법 die Methode des Gelderwerbs.
이식(移植) Umpflanzung *f.* -en; Verpflanzung *f.* -en; 〖의학〗 Transplantation *f.* -en (피부조직 따위의). ~하다 um|pflanzen⁴; verpflanzen⁴; 〖의학〗 transplantieren⁴.
‖ ~수술 Transplantation *f.* -en: 심장 ~수술 die Operation der Herztransplantation. 피부~ Hauttransplantation.
이신동체(異身同體) ein Leib und eine Seele werden. ¶ 부부는 ~다 Mann u. Frau sind eins.
이신론(理神論) 〖철학〗 Deismus *m.* -.
이실직고(以實直告) der wahrheitsgemäße Bericht, -(e)s, -e. ~하다 wahrheitsgemäß berichten 《*jm.* über⁴》.
이심(二心) Untreue *f.*; Doppelrolle *f.* -n; Falschheit *f.* -en; Unredlichkeit *f.* -en; Verräterei *f.* -en; Vertrauensmißbrauch *m.* -(e)s, ⸗e. ¶ ~있는 untreu; abtrünnig; falsch; unredlich; verräterisch / ~을 품다 Doppelrolle spielen.
이심(已甚) Übermäßigkeit *f.*; Übertriebenheit *f.* ~하다, ~스럽다 übermäßig; übertrieben (sein).
이심(異心) Heuchelei *f.* -en; die verräterische Absicht, -en; der verräterische Anschlag, -(e)s, ⸗e; Illoyalität *f.* -en. ¶ ~을 품다 verräterische Absichten hegen.
이심(離心) 〖수학〗 Exzentrizität *f.* -en. ¶ ~적 exzentrisch; ohne gemeinsamen Mittelpunkt.
‖ ~각(角) der exzentrische Winkel, -s, -. ~권(圈), ~궤도 das exzentrische Gebiet, -(e)s, -e. ~율(率) Exzentrizität *f.* -en.
이심전심(以心傳心) Telepathie *f.* -n [..tí:ən]; das Fernfühlen*, -s; das stillschweigende Einverständnis, ..nisses, ..nisse. ~하다 in stillschweigendem Einverständnis verstehen*; telepathisch verstehen*⁴. ¶ ~으로 telepathisch; in stillschweigendem Einverständnis.
이십(二十) zwanzig. ¶ 제 ~의 der 〔die; das〕 zwanzigste* / ~ 번째에 zwanzigstens / ~분의 3 drei zwanzigstel / 천 팔백 ~년대에 in den zwanziger Jahren des achtzehnten 〔vergangenen〕 Jahrhunderts / ~대이다 in den Zwanzigern sein.
‖ ~세기 das 20. Jahrhundert, -(e)s, -e.
이십사(二十四) vierundzwanzig. ¶ ~ 시간 이내에 innerhalb vierundzwanzig Stunden.
‖ ~방위 die vierundzwanzig Unterteilungen des Kompasses. ~시간제 vierundzwanzigstündiges System, -s, -e. ~절기 die vierundzwanzig Jahresfeste 〔Jahreseinteilungen〕 (des chinesischen Kalenders).
이쑤시개 Zahnstocher *m.* -s, -. ¶ ~로 쑤시다 mit e-m Zahnstocher in den Zähnen stochern; ⁴sich e-s Zahnstochers bedienen.
이아치다 ① 《손해입힘》 beschädigen⁴; schädigen⁴; Schaden an|richten³. ② 《방해하다》 hindern⁴; hemmen⁴; stören⁴; verhindern⁴; unterbrechen*⁴.
이악하다 gewinnsüchtig; habgierig (sein).
이안레프(二眼一) 〖사진〗 zweiäugige Spiegelreflexkamera, -s.
이알 ein Körnchen gekochten Reises. ¶ ~이 곤두서다 „Das Reiskörnchen (, das man gegessen hat), steht auf dem falschen Ende" (=Was ist in dich gefahren?).
이앓이 Zahnweh *n.* -(e)s, -e; Zahnschmerzen 《*pl.*》. ¶ ~를 하다 Zahnschmerzen haben.
이앙(移秧) =모내기.
이야 ich sage, ...; das kann ich dir sagen; ich kann Sie versichern; glaube mir; garantiert; sage u. schreibe. ¶ 뒷일~ 누가 알 수 있으랴 Wer weiß, was in Zukunft vorkommt! / 그것은 실로 대단한 것~ Es ist tatsächlich, glaube mir, grandios.

이야기 ①《일반적인》Gespräch *n.* -(e)s, -e; Unterhaltung *f.* -en; 《한담》Geschwätz *n.* -es, -e; das Plaudern*, -s; Unterhaltung *f.* -en; 《연설》Rede (Ansprache) *f.* -n. **~하다** sprechen*; plaudern; ^{4}sich unterhalten 《mit *jm.*》; ein Gespräch führen. ¶ ~할 때의 버릇 Sprech¦art *f.* -en (-weise *f.* -n) / ~ 상대 Gesprächpartner *m.* -s / 장사 ~ ein geschäftliches Gespräch, -(e)s, -e / 우리끼리 ~지만 unter uns (ganz vertraulich; im Vertrauen) gesagt / 간단히 ~해서 um es kurz zu sagen; mit zwei Worten / 그의 ~로는 nach s-r Bemerkung / 이상한 ~를 하는 것 같지만 das klingt zwar eigenartig, aber... / ~를 걸다 *jn.* an|sprechen*; *jn.* an|reden; das Wort richten 《an *jn.*》; 〖속어〗 *jn.* an|hauen* / ~를 시작하다 zu sprechen(reden) an|fangen*(beginnen*) / ~를 가로막다 *jm.* das Wort ab|schneiden*; *jm.* in die Rede fallen* / ~를 돌리다 das Gespräch auf ^{4}*et.* bringen* / ~를 꺼내다 ein Wort hervor|bringen* / 그는 ~를 잘한다 ein guter Erzähler sein / ~를 그치다 ein Gespräch unterbrechen* / 지난 ~를 서로 나누다 Erlebnisse aus|tauschen 《mit *jm.*》/ 털어놓고 ~하다 *jm.* ein Geheimnis an|vertrauen / 독일어로 ~하다 auf deutsch sprechen* / ~로 밤을 새우다 ^{3}sich die ganze Nacht vertreiben* / ~를 늘어놓다 ^{4}sich (die Zeit) verplaudern; mit gemütlichem Plaudern verbringen*; ein langes Gespräch führen (haben) / 그는 ~를 보태 말한다 Er bauschte e-e Sache immer mächtig auf.¦Er macht immer aus e-r Sache e-e Staatsaktion. / 그의 ~투를 듣고 그의 태생을 알 수 있다 S-e Sprache verrät s-e Herkunft. / 하고 싶은 ~가 좀 있읍니다 Ich habe etwas, Ihnen zu erzählen (sagen).¦Ich möchte mit Ihnen etwas sprechen. / 우리들은 식사를 하면서 ~했다 Wir haben uns während des Essens unterhalten. / ~할 상대가 없다 Ich habe k-n Gesprächpartner. / 그거 재미있는 ~로군 Die Geschichte ist ja interessant. / 그것은 ~가 다르다 Das ist e-e andere Frage (Sache).
②《설화》Erzählung *f.* -en; Geschichte *f.* -n; 《우화》Fabel *f.* -n; 《삽화》Episode *f.* -n; 《사실담》Beschreibung *f.* -en; Darstellung *f.* -en. ¶ 호랑이 ~ die Geschichte über den Tiger / 신상 ~ *js.* Lebens¦geschichte *f.* -n (-beschreibung *f.* -en) / 꾸민 ~ Erdichtung *f.* -en; Erfindung *f.* -en; die ersonnene (erdachte) Geschichte / 전쟁 ~를 하다 e-e Kriegsgeschichte erzählen / 어쩨 꾸며낸 ~같다 Es sieht aus, als wäre es e-e Erfindung. / 아이들은 ~를 듣기 좋아한다 Kinder mögen gern die Geschichte hören. / 그것은 정말 거짓말 같은 ~다 Das ist wirklich wie e-e erdachte Geschichte.
③《화제》Thema *n.* -s, ..men; Gespräch *n.* -(e)s, -e; Gesprächgegenstand *m.* es, ⸚e. ¶ ~는 다르지만 übrigens; wenn ich von etwas anderem sprechen darf / ~는 바뀌어 unterdessen / ~를 돌리다 das Gespräch von ^{3}*et.* weg|lenken (auf ^{4}*et.* hin|lenken) / ~를 바꾸다 das Thema ändern (wechseln); über etwas anderes erzählen / 이런 저런 ~를 하다 drum herum reden; über dieses u. jenes sprechen* / 할 ~가 많다 Ich habe vieles, Ihnen zu erzählen. / 이제 그 ~는 그만둡시다 Reden wir nicht mehr davon! / 그래 무슨 ~를 하시려는 겁니까 Nun, worüber wollen Sie mit mir sprechen? / 무슨 ~인지 전혀 모르겠는데요 Ich kann gar nicht verstehen, was Sie sagen. / ~의 꽃이 피다 Die Unterhaltung wird lebhafter. / 그는 그것을 재미있게 ~했다 Er schildert das in bunten Farben.
④《소문》Gerücht *n.* -(e)s, -e; Gerede *n.* -s; Neuigkeit *f.* -en; Nachricht *f.* -en. **~하다** man sagt, daß....; von ^{3}*et.* sprechen* (erzählen). ¶ 사실 무근의 ~ das grundlose Gerücht / ~를 퍼뜨린 사람 die Person, die Gerüchte in Umlauf setzt / 그렇다는 ~다 Das Gerücht verbreitet sich so.¦Man sagt so.¦Ich habe so gehört.¦Ein Gerücht ist im Umlaufe, daß.... / 네 ~는 자주 들었다 Ich habe oft von dir gehört. / 재미있는 ~가 있다 Ich habe etwas Interessantes, dir zu erzählen. / 그 ~는 들었다 Ich habe *jn.* sagen hören, daß....
⑤《상담》Konsultation *f.* -en; Verhandlung *f.* -en; Unterredung *f.* -en (교섭); Übereinstimmung *f.* -en (합의); Verständigung (의사소통). **~하다** sprechen* 《mit *jm.*》; verhandeln (unterreden) 《mit *jm.*》. ¶ ~가 되다 (^{3}sich) einig werden (^{4}sich einigen) 《mit *jm.* über ^{4}*et.*》; überein|kommen*Ⓢ 《mit *jm.* über ^{4}*et.*》; ^{4}sich vergleichen* 《mit *jm.* *über*^{4} (*wegen*^{2})》; handelseinig werden; ab|machen^{4}; Abmachung treffen* 《*über*^{4}》. ¶ ~가 상통하다 ^{4}sich verständigen 《mit *jm.* über^{4}》/ ~가 다르지 않소 Das ist gegen unsere Vereinbarung. / 나는 결정할 수 없으니 사장님과 ~하는 것이 나을 걸세 Das kann ich nicht entscheiden, deswegen wäre es besser, wenn du mit dem Direktor sprichst.
⑥《진술》Angabe *f.* -n; Aussage *f.* -n. **~하다** an|geben*^{4}; aus|sagen^{4}; erwähnen^{4}. ¶ 의견을 ~하다 s-e Meinung äußern / 그의 ~는 듣기 매우 힘들다 S-e Angabe ist schwer zu verstehen. / 그들의 ~가 일치하고 있다 Sie erwähnen alle von demselben.
‖ **~꾼** =~장이. **~상대** =말벗. **~장이** der gute Unterhalter, -s, -; Geschichtenerzähler *m.* -s, -. **~책** Geschichtenbuch *n.* -(e)s, ⸚er. **~투** Sprech¦weise (-art) *f.* -n (-en). **이야깃주머니** Geschichtenerzähler *m.* -s, -.

이야깃거리 Unterhaltungsgegenstand *m.* -es, ⸚e; Gesprächsthema *n.* -s, ..men; Gesprächsstoff *m.* -(e)s, -e. ¶ ~가 되다 zur Sprache kommen* Ⓢ; zum Gesprächsthema dienen; zum Gegenstand e-s Gesprächs werden / 이것은 두고두고 ~가 될 것이다 Diese Geschichte wird in der Nachwelt weiter erzählt werden. / ~가 없어지다 Das Gesprächsstoff ist erschöpft.

이야말로 ① 〖부사〗 《이것이야말로》 genau das (der); gerade das (der). ② 〖조사〗 tatsächlich; wirklich. ¶ 독일말~ 세계에서 가장 어려운 말이다 Deutsch ist wirklich die schwerste Sprache in der Welt.

이양(移讓) Übertragung *f.* -en; Abtretung *f.* -en; Überlassung *f.* -en. **~하다** übertragen*^{4} 《*auf*^{4}》; überlassen*^{34}; ab|treten*^{34}. ¶ 정권을 ~하다 die Macht ab|treten*; die Macht ab|geben*.

이어(俚語) 《격언》Sprichwort *n.* -(e)s, ⸚er; Redensart *f.* -en; Maxime *f.* -n; 《상말》

Slang *m.* (*n.*) -s, -s; niedere Umgangssprache, -n; Gossensprache *f.*
이어(移御) Verlegung (*f.* -en) der Königsresidenz. ~하다 die Königsresidenz verlegen.
이어 (귀) Ohr *n.* -(e)s, -en.
‖ ~링 Ohrring *m.* -(e)s, -e. ~폰 Kopfhörer: 강연을 ~폰으로 듣다 e-n Vortrag durch den Kopfhörer hören.
이어받다 (상속) erben⁴; (인계) übernehmen*⁴; (뒤를) *jm.* (*auf jn.*) folgen ⓢ; (혈통) her|stammen ⓢ (*von*³); ab|stammen ⓢ (*von*³). ¶ 어머니로부터 재능을 ~ die Begabung von s-r ³Mutter erben / 명문의 피를 ~ aus vornehmer Familie stammen / 아버지의 사업을 이어받아서 한다 Er ist s-m Vater im Geschäft gefolgt.
이어서 (다음에) nächst; demnächst; zweitens; an zweiter Stelle; (그 후에) danach; dann; darauf; später. ¶ ~ 김씨가 등단하였다 Dann (Als Nächster) trat Herr *Kim* auf. / 연~ nacheinander; hintereinander; e-r nach dem andern / 오늘에 ~ von heute an / 삼일간 ~ drei Tage hintereinander.
이어지다 verbunden (verknüpft) sein.
이언(俚言) Mundart *f.* -en; Slang *m.* -s, -s.
이언(俚諺) Sprichwort *n.* -(e)s, ⸚er; Spruch *m.* -(e)s, ⸚e; Sentenz *f.* -en.
이언정 〔조사〕 obgleich; obwohl; obschon; wenn auch; wenngleich. ☞ -ㄹ지언정. ¶ 슬픈 일~ 참아라 Auch wenn es eine traurige Sache ist, du mußt es ertragen.
이엄이엄 ununterbrochen; andauernd.
이엉 Dachstroh *n.* -(e)s. ¶ ~으로 지붕을 인 집 Strohgedecktes Haus, -es, ⸚er / 지붕을 ~으로 이다 das Dach mit Stroh decken.
이에 daher; darum; deshalb; deswegen; (und) so; also; folglich; infolgedessen.
이에서 als dieses. ☞ 이보다. ¶ ~ 더 슬픈 일이 어디 있으랴 Wo gibt es etwas Traurigeres als dieses?
이에짬 Fuge *f.* -n; Naht *f.* ⸚e; Stoß *m.* -es, ⸚e (특히 레일의).
이여(爾餘) Rest *m.* -es, -e(r); das Übrige*, ⌊-n.
이여차 hau ruck!; ho ruck!
이역(二役) Doppelspiel *n.* -(e)s, -e. ¶ 1인 ~을 하다 Doppelspiel treiben*.
이역(異域) (외국) das fremde Land, -(e)s, ⸚er; Ausland *n.* -(e)s; Fremde *f.*; (타향) die andere Gegend, -en; das fremde Land, -(e)s, ⸚er. ¶ ~에서 죽다 in der Fremde sterben* ⓢ; von der Heimat entfernt sterben* ⓢ. ⌈mer noch.
이역시(一亦是) auch dies(es); ebenfalls; im-
이연(移延) Aufschub *m.* -(e)s, ⸚e; Verschiebung *f.* -en; Zurückstellung *f.* -en. ~하다 auf|schieben*⁴; verschieben*⁴; zurück|stellen⁴.
이연(離緣) (부부의) Ehescheidung *f.* -en; (양자 관계의) das Verstoßen*, -s. ~하다 ⁴sich scheiden lassen* (*von*³); die Ehe auf|lösen; die Frau verstoßen*; (아내를); das Adoptivkind verstoßen* (양자를).
‖ ~장(狀) Scheidebrief *m.* -(e)s, -e.
이연발총(二連發銃) Doppel|büchse *f.* -en (-flinte *f.* -n).
이연하다(怡然一) ⁴sich freuen; entzückt (sein). ¶ 이연히 froh; freudig.
이열(二列) Doppelreihe *f.* -n; zwei Reihen (*pl.*). ¶ ~의 zweireihig; doppelreihig / ~로 행진하다 in Doppelreihen (in zweier Reihen; in Reihen zu zweien) marschieren ⓢ / ~로 정렬하다 ⁴sich in Doppelreihen auf|stellen / 앞에서 ~째에 앉다 in der zweiten Reihe (vorne) sitzen.
이열(怡悅) Freude *f.* -n; Fröhlichkeit *f.* -en; Vergnügen *n.* -s, -. ~하다 ⁴sich freuen; entzückt (sein).
이열치열(以熱治熱) „Auf e-n groben Klotz gehört ein großer Keil."; den Teufel durch Beelzebub aus|treiben*; 〔속어〕 Hundehaare auf|legen.
이염(耳炎) 〔의학〕 Otitis *f.*; Ohrenentzündung *f.* -en. ‖ 내~ die Entzündung des inneren Ohrs. 외~ die Entzündung des äußeren Gehörgangs; *Otitis externa.* 중~ Mittelohrentzündung; *Otitis media.*
이염화(二塩化) 〔화학〕 Bichlorid *n.* -(e)s.
‖ ~물 Bichlorid *n.* -(e)s, -e.
이영차 ☞ 이여차.
이오늄 〔화학〕 Ionium *n.* -s (기호: Io).
이오니아 Ionien *n.* -s. ¶ ~식의 ionisch.
이온 Ion *n.* -s, -en. ¶ ~화하다 ionisieren⁴.
‖ ~요법 Ionthraphie *f.* -n. ~전기 Ionenstrom *m.* -s, ⸚e. ~층 Ionspähre *f.* -n. 양~ das positive Ion; Kation *n.* -s, -en. 음~ Anion *n.* -s, -en; das negative Ion.
이완(弛緩) Schlaffheit *f.* -en; Lockerheit *f.*; Abspannung *f.* -en (마음의); Erschlaffung *f.* -en. ~하다 schlaff werden; erschlaffen ⓢ; entspannen ⓢ. ¶ 마음이 ~하다 ⁴sich ab|spannen.
이왕(已往) ① 〔명사〕 Vergangenheit *f.* -en. ¶ ~지사 das Vergangene*, -n / ~의 일은 묻지 말자 Laß die Vergangenheit ruhen (begraben sein; Schwamm darüber)! ② 〔부사〕 bereits; schon; wenn schon; wenn es so ist, dann...; wenn man... muß, dann.... ¶ ~ 그 일을 시작했으니, 다 마치도록 해라 Wenn du schon damit angefangen hast, mußt du es auch zu Ende führen. / ~ 늦었으니 내일 해야겠다 Da ich mich verspätet habe, will ich's morgen tun.
이왕이면(已往一) wenn schon; wenn es so ist (steht). ¶ ~ 독어를 배우겠읍니다 Wenn ich e-s (von beiden) lernen muß, will ich Deutsch lernen.
이외(以外) ¶ ~의(에) mit Ausnahme von ³*et.*; außer ³*et.*; abgesehen davon, daß...; ausschließlich² / ~에도 außerdem; sonst; überdies; zudem; noch dazu / 일요일 ~에는 außer dem Sonntag / 나 ~ 남은 사람이 없었다 Außer mir blieb keiner am Leben. / 항복 ~에는 도리가 없었다 Es gab keinen Ausweg, es sei denn, daß man sich ergäbe. / 그는 봉급 ~에 다른 수입이 있다 Er hat noch verschiedene Einnahmen neben seinem Gehalte. / 나의 어머니 ~에는 내가 외국으로 가는 데 모두 찬성이다 Außer m-r Mutter sind alle dafür, daß ich ins Ausland gehe.
이욕(利慾) Gewinn|sucht (Hab-) *f.*; Habgier (Geld-) *f.* ¶ ~이 강하다 von der (schnöden) Sucht nach Vorteil getrieben werden; e-e wahre Gier nach Gewinn haben / ~에 눈이 멀다 ⁴sich von Gewinnsucht (Habsucht) verblenden lassen*; Gewinnsucht beraubt *jn.* der ²Einsicht.
이용(利用) ① (이롭게 씀) Benutzung (Benützung) *f.* -en; Ausnutzung *f.* -en (착취); Auswertung *f.* -en (철저한); Nutzwendung *f.* -en; Verwertung *f.* -en; Nutzbarma-

chung *f.* -en. ~하다 benutzen⁴ (benützen⁴); aus|nutzen⁴ (-|nützen⁴); verwerten⁴; Vorteil ziehen* 《aus ³*et.*》; nutzbar machen⁴; nützlich verwenden⁽*⁾⁴. ¶ ~할 수 있는 benutzbar; verwertbar; gebrauchbar / ~할 수 없는 unbenutzbar; unverwertbar; ungebrauchbar / …을 ~해서 mit (unter) Benutzung (Benützung) von ³*et.* / 시간을 잘 ~하다 die Zeit nützlich verwenden (aus|nützen) / 천연자원을 ~하다 die natürlichen Hilfsquellen aus|nutzen / 너의 지식을 잘 ~해라 Wende deine Kenntnisse gut an! ② 《방편》 ~하다 *jn.*|als Werkzeug gebrauchen; *jn.* zur Erreichung s-r Zwecke benutzen; aus|beuten⁴. ¶ 방학을 ~하다 die Ferien benutzen / 가능한 한 기회를 ~하다 möglichst viel aus e-r Gelegenheit machen / 약점을 ~하다 die schwache Seite (die Schwäche) anderer benutzen (aus|nutzen) / 사람을 ~하다 *jn.* als Werkzeug benutzen / 남에게 ~당하다 die Kastanien aus dem Feuer holen 《für *jn.*》.

‖ ~가치 Nutzwert *m.* -(e)s, -e: ~가치가 있다 Nutzwert haben. ~법 Gebrauchsanweisung *f.* -en. ~자 Benutzer (Gebraucher) *m.* -s, -; 《도서관 등의》 Besucher *m.* -s, -.

이용(理容) =이발(理髮).

‖ ~사 Frisör (Friseur) [..zø:r] *m.* -s, -e; Haar¦schneider *m.* -s, - (-pfleger *m.* -s, -). ~원 Haarschneidesalon *m.* -s, -s.

이우다 *jm.* helfen* ⁴*et.* auf den Kopf zu setzen (stellen).

이울다 ① 《시들다》 verwelken ⓢ; ab|welken ⓢ; welk werden. ¶ 잎들이 이울었다 Blätter sind verwelkt. ② 《달이》 ab|nehmen* ⓢ. ¶ 달이 이울어져 간다 Der Mond nimmt ab. ③ 《쇠약》 schlaff (kraftlos) werden; erschlaffen ⓢ; nach|geben*; schwach (schwächer) werden; von Kräften kommen* ⓢ. ¶ 가운이 ~ Die Familie ist im Verfall begriffen.

이웃 Nachbarschaft *f.* -en; die nahe Umgebung, -en; Nähe *f.* -n; 《사람》 Nachbar *m.* -s (-n), -n; der Nächste*, -n, -n; Nebenhausbewohner *m.* -s (이웃집 사람); Zimmernachbar *m.* -s (-n), -n (옆방 사람); Nachbarsleute 《*pl.*》 (총칭); Nachbarschaft *f.* (총칭); Anlieger 《*pl.*》 (총칭); Anwohner *m.* -s, -. ¶ ~의 (에) benachbart; angrenzend; naheliegend; in der Nachbarschaft (der Nähe) / 한 집 건너 ~집 das übernächste Haus, -es, ⸗er / ~집 das nächste Haus / 오른 쪽 (왼 쪽) ~집 das nächste Haus rechts (links) / 바로 ~ *js.* unmittelbare Nachbarschaft; der Nächste*, -n, -n / ~간 Nachbarn 《*pl.*》 / ~ 사촌 die gute Nachbarschaft; Nächstenliebe *f.* / 서로 ~하고 있다 ⁴sich benachbarn / ~ 사촌은 먼 일가보다 낫다 《속담》 Besser ein Nachbar an der Hand als ein Bruder über Land. / 그이는 내 ~ 집에서 산다 Er wohnt dicht neben mir.

이웃나라 =인국(隣國).

이원(二元) Dualität *f.* -en. ¶ ~적(론)의 dualistisch.

‖ ~론 Dualismus *m.* -: ~론자 Dualist *m.* -en, -en. ~방송 simultane Ausstrahlung von zwei Rundfunkstationen.

이원(利源) Einnahmequelle *f.* -n.

이원제도(二院制度) Zweikammersystem *n.* -(e)s, -e.

이월(二月) Februar *m.* -(s), -e 《생략: Febr.》.

이월(移越) Übertragung *f.* -en; Überschreiben *n.* -s; Transport *m.* -(e)s, -e. ~하다 übertragen*⁴ (überschreiben*⁴) 《*auf*⁴》; transportieren*⁴. ¶ 후기로 ~하다 auf das nächste Konto übertragen*⁴ / 전기에서 ~하다 von der letzten Abrechnung übertragen*⁴ / 차입금을 ~하다 die Schulden übertragen* / 미불금의 청산은 새 회사에 ~해 주시기 바랍니다 Wir bitten Sie, die Abrechnung des Ausstandes auf die neue Firma zu übertragen.

‖ ~금 Übertrag *m.* -(e)s, -e; Kassensalde *m.* -s, -n (현금): 전기 ~금 der Übertrag der letzten Abrechnung. ~손익 〖상업〗 die übertragenen Verluste u. Gewinne. ~잔액 〖상업〗 《전기로부터》 der übertragene Überschuß (von der letzten Abrechnung); 《차기로의》 der transportierte Überschuß (auf das nächste Konto).

이유(理由) Grund *m.* -(e)s, ⸗e (근거); Ursache *f.* -n (원인); 《동기》 Beweggrund *m.* -(e)s, ⸗e; Motiv *n.* -s, -e; Veranlassung *f.* -en (계기); 《구실》 Vorwand *m.* -(e)s, ⸗e. ¶ ~가 있는 wohlbegründet; gut motiviert; berechtigt / ~가 없는 grundlos; unbegründet; unmotiviert; unberechtigt; aus der Luft gegriffen / 결석의 ~ der Grund der Abwesenheit / 자살의 ~ das Motiv des Selbstmordes / 정당한 (부당한) ~ der gute (ungerechte) Grund / ~가 있어서 aus gutem Grund / ~없이 ohne Grund; grundlos / 이렇다할 ~없이 ohne allen (vernünftigen) Grund / 무슨 ~로 warum; weshalb; aus welchem Grund / …한 ~로 aus dem Grund, daß…; deswegen; weil…; wegen²·³ / ~를 들다 ⁴*et.* an|geben* (vor|bringen*) als Grund für ⁴*et.*/ ~를 말하다 Gründe an|geben* (dar|tun*) / ~를 규명하다 die Ursachen untersuchen 《*von*³》; nach den Ursachen forschen 《*von*³》 / ~가 없는 것도 아니다 Es ist nicht ohne Grund. / 그가 미쳤다고 할 만한 충분한 ~가 있다 Ich habe allen Grund zu glauben, daß er verrückt ist. / 그는 언제나 ~를 붙인다 Er sucht jederzeit nach e-n vernünftigen Grund (Vernunftgrund).¦Er sucht (trachtet) jederzeit s-e Gedanken zu entwickeln. / 그가 의견을 고집하는 데는 ~가 있다 Mit Recht beharrt er auf s-r Meinung. / 한탄할 아무런 ~도 없다 Ich habe keinerlei (k-e) Gründe zum Jammern. / 그가 거절했는데 그 ~는 모르겠다 Er hat abgesagt, ich weiß nicht aus welchen Gründen. / 다만 가난하다는 ~로 남을 업신여겨서는 안된다 Du sollst k-n Menschen verachten, weil er arm ist.

‖ ~서 die schriftlichen Gründe 《*pl.*》.

이유(離乳) Ablaktation *f.* -en; Absäugung (Entwöhnung) *f.* -en. ~하다 e-n Säugling ab|laktieren (ab|säugen; entwöhnen).

‖ ~기 Ablaktationsperiode *f.* -n; Absäugungs¦zeit (Entwöhnungs-) *f.* -en. ~식 Nahrungen für Ablaktation. ~아 das entwöhnte Kind, -(e)s, -er.

이윤(利潤) Gewinn *m.* -(e)s, -e; Ertrag *m.* -(e)s, ⸗e. ¶ ~이 많은 gewinnreich; viel profitbringend / 상당한 ~을 올리다 ziemlich großen Vorteil (Nutzen) bringen.

‖ ~추구 die Verfolgung e-s Gewinns. ~통제 Gewinnkontrolle *f.* -n.

이율(利率) Zinsfuß *m.* -es, ⸗e; Zinstaxe *f.*

-n. ¶ ~ 인상 Zinserhöhung *f.* -en / ~ 인하 Abzug *m.* / 높은 (낮은) ~로 zu e-m hohen (niedrigen) Zinsfuß / ~을 인상(인하)하다 den Zinsfuß erhöhen (erniedrigen) / ~이 좋다 ⁴sich gut verzinsen (lassen*); gute Zinsen 《*pl.*》 ab|werfen* (tragen*) / ~이 5 푼이 되다 ⁴sich mit (zu) 5% verzinsen (lassen*); 5% Zinsen ab|werfen* (tragen*).
‖ 법정~ der gesetzliche Zinsfuß. 은행(시장)~ Bank|zinsfuß (Markt-). 협정~ der vertragsmäßige Zinsfuß.

이율배반(二律背反) 〖논리〗 Antinomie *f.* -n.

이윽고 bald (danach); nach kurzem; kurz danach; nach e-r kleinen Weile. ¶ ~ 그는 그것을 발견했다 Es dauerte nicht lange, bis er es fand. / ~ 그는 병이 나았다 Es dauerte nicht lange, bis er geheilt ist.

이음(異音) 〖음성〗 Allophon *n.* -s, -e.

이음매 Fuge *f.* -n; Naht *f.* ⸚e (특히 솔기); Stoß *m.* -es, ⸚e (특히 레일의); Schienenstoß *m.* (레일); Verbindungsstelle *f.* -n. ¶ ~가 터지다 aus den (allen) Fugen gehen* Ⓢ.

이의(異意) ① 《의견의》 die verschiedene Meinung, -en; andere Ansicht *f.* -en. ② =이심(異心).

이의(異義) unterschiedliche Bedeutung, -en; das verschiedene Prinzip, -s, -e (-ien).

이의(異議) Einwand *m.* -(e)s, ⸚e; Ein|rede *f.* -n (-sprache *f.* -n); Einspruch *m.* -(e)s, ⸚e; Protest *m.* -es, -e. ¶ ~있다 „Einwand!" |„Einspruch!" / ~ 없다 „Einwandfrei!" / ~없이 ohne ⁴Einwand; einwandfrei; tadellos / ~ 없이 만장 일치로 ohne daß jemand Einwand erhoben hätte; einmütig; einstimmig; übereinstimmend / ~를 제기하다 e-n Einwand (Einsprache; Einspruch; e-n Protest) erheben* 《bei *jm.* *gegen*⁴》; Einwände 《*pl.*》 machen (vor|bringen*) 《*gegen*⁴》; ein|wenden⁽*⁾⁴ 《gegen *jn.*》; ein|sprechen* 《gegen *jn.* (⁴*et.*)》; protestieren (Verwahrung ein|legen) 《*gegen*⁴》.
‖ ~신청 Rechtseinwand: ~ 신청인 jemand, der den Rechtseinwand erhebt.

이익(利益) ① 《이윤》 Gewinn *m.* -(e)s, -e; Ertrag *m.* -(e)s, ⸚e; Erträgnis *n.* ..nisses, ..nisse; Marge *f.* -n (마진); Rente *f.* -n (재산, 투자 등에서 나오는); Zins|einkommen *n.* -s, - (-erträge; -erträgnisse) 《*pl.*》 (이자에서 나오는). ¶ ~이 있는 gewinnbringend; gewinnreich; ertragreich; einträglich; rentabel; lohnend (수지맞다); wirtschaftlich (경제적인) / ~이 없는 uneinträglich; gewinnlos / ~이 적은 nur wenig Gewinn abwerfend; ⁴sich kaum bezahlt machend / (10만원의) ~을 보다 e-n Gewinn (von hunderttausend *Won*) erzielen (ein|streichen*) / ~의 배분을 받다 am Gewinn beteiligt sein; e-n Gewinnanteil haben 《*von*³》.
② 《편익》 Vorteil *m.* -(e)s, -e; Nutzen *m.* -s, -; Interesse *n.* -s, -n (이해). ¶ ~이 있는 vorteilhaft; nutzbringend; günstig / ~이 없는 nachteilig; ungünstig / ~에 반(反)하다 gegen *js.* Interesse sein / …의 ~을 위하여 zum Besten 《*von*³》; zugunsten²; zu *js.* Vorteil; in *js.* Interesse / ~을 얻다 Nutzen ziehen* 《*aus*³》; Vorteil ziehen* (haben) 《*aus*³; *von*³》; e-n Vorteil heraus|schlagen* 《*aus*³》; *jm.* zum Vorteil gereichen 〔사물이 주어가 됨〕 / ~을 주다 für *js.* Vorteil sorgen; begünstigen⁴ / 자신의 ~을 꾀하다 auf s-n Vorteil bedacht sein; ein sehr interessierter Mensch 《-en, -en》 sein.
‖ ~금 Gewinn *m.*: 총(순)~금 Brutto|gewinn (Netto-). ~배당, ~분배 Gewinn|verteilung *f.* -en (-beteiligung); Dividende *f.* -n: ~분배를 받다 am Gewinn beteiligt sein; e-n Gewinnanteil haben 《von ³*et.*》.

이인(二人) zwei Personen (Menschen; Leute).
‖ ~삼각 Dreibeinlauf *m.* -(e)s, ⸚e; der Wettlauf auf drei Beinen. ~승 Zweisitzer *m.* -s: ~승의 zweisitzig. ~합주 Duett *n.* -(e)s, -e. ~칭 〖문법〗 die zweite Person.

이인(異人) ① 《비범한》 Genius *m.* -, ..nien; der geniale Mensch, -en, -en; Hexenmeister *m.* -s. ② 《다른 사람》 der Fremde*, -n, -n; Ausländer *m.* -s, -. ¶ ~종간의 zwischen verschiedenen Rassen / ~종간의 결혼 Mischehe *f.* -n.
‖ 동명~ die verschiedenen Personen mit denselben Namen.

이인종(異人種) e-e fremde (e-e andere) Rasse, -n.

이임하다(離任—) vom Amte zurück|treten*; aus e-m Amte scheiden*; s-n Abschied nehmen*.

이입(移入) Einfuhr *f.* -en; Import *m.* -(e)s, -e. ~하다 ein|führen⁴; importieren⁴.
‖ 감정~ Einfühlung *f.* -en: 감정~설 Einfühlungstheorie *f.*

이자 〖해부〗 Bauchspeicheldrüse *f.* -n; Pankreas *f.* (*n.* -).

이자(一者) dieser*; diese Person, -en.

이자(利子) Zins *m.* -es, -en (-e). ¶ 비싼(싼) ~로 zu hohen (niedrigen) Zinsen / 무~로 ohne Zinsen; zinsenfrei / 6 푼의 ~로 zu 6 Prozent Zinsen / 5 푼의 ~로 꾸어주다 zu 5 Prozent Zinsen aus|leihen*⁴ / 6 푼의 ~가 붙다 6 Prozent Zinsen tragen* (bringen*) / ~로 생활하다 von den Zinsen leben / ~를 계산하다 die Zinsen berechnen / ~를 붙여서 갚다 mit ³Zinsen zurück|geben*⁴ / ~가 붙다 Zinsen ab|werfen* (ein|bringen*) |Zinsen kommen hinzu / ~물기가 벅차다 die Schwierigkeit haben, die Zinsen zu bezahlen.
‖ ~부(附) einschließlich ²Stückzinsen 《*pl.*》; verzinslich: 8 푼 6 리의 ~부 채권 zu 0.086 verzinsliche Anleihe, -n (verzinsliches Anleihepapier, -(e)s, -e). ~소득 Gewinn 《*m.* -(e)s, -e》 von Zinsen. ~지불 Zinszahlung *f.* -en: ~지불정지 Einstellung 《*f.* -en》 der Zinszahlung. ~표 Zinstabelle *f.* -n. 미불~ unbezahlte Zinsen 《*pl.*》.

이자택일(二者擇一) Entweder-Oder *n.* -; Alternative *f.* -n. ~하다 eins von zwei Dingen wählen.

이작(移作) der Wechsel des Pächters. ~하다 den Pächter wechseln.

이작(裏作) die zweite Ernte, -n.

이장(里長) Gemeindevorsteher *m.* -s, -; Dorfbürgermeister *m.* -s, -.

이장하다(移葬—) exhumieren u. anderswo wieder begraben*.

이재(理財) Finanz *f.* -en; Ökonomie *f.* -n [mí:ən]; Volkswirtschaft *f.* -en. ~하다 bewirtschaften⁴. ¶ ~에 밝다 geschickt mit Geld umzugehen wissen* (verstehen*); ein tüchtiger Finanzmann (Geldmann) sein.
‖ ~가 Finanzier *m.* -s, -s; Finanz|mann (Geld-) *m.* -(e)s, ⸚er (..leute 《*pl.*》). ~국 Finanzabteilung *f.*

이재(罹災) die Leiden 《*pl.*》. ~하다 unter der Naturkatastrophe (dem großen Unglück) leiden*; das Opfer e-r Naturkatastrophe werden.

‖ ~구호금 Hilfs¦fonds (Unterstützungs-) [..fɔ̃:] 《m. - [fɔ̃:(s)], - [fɔ̃:s]》 für die von Unglück (von der Naturkatastrophe) Betroffenen. ~민 der vom Unglück (von e-r Naturkatastrophe) Betroffene*, -n, -n; Opfer 《n. -s, -》 e-s Unglücks; der Verunglückte*, -n, -n (조난자): 수해 ~민 das Opfer e-s Hochwassers / ~민을 구호하다 den von der Naturkatastrophe Betroffenen unterstützen. ~율 die Häufigkeit der Katrastrophe u. ihr Verlust. ~지역 die vom Unglück betroffene Gegend, -en.

이재발신(以財發身) das Emporkommen* 《-s》 durch Vermögen. ~하다 durch Vermögen vorwärt|kommen* [s]; [3]sich s-n Erfolg kaufen.

이적(夷狄) Barbar m. -en, -en.

이적(利敵) ~하다 für den Feind vorteilhaft sein; den Feind begünstigen.

‖ ~행위 Feindkollaboration f. -en.

이적(移籍) Änderung des Familienregisters (bei e-r Hochzeit, Adoption). ~하다 das Familienregister ändern; den Personenstand um|registrieren (미혼자가).

이적(異蹟) Wunder n. -s, -. ¶ ~을 행하다 Wunder tun* (wirken).

이적(離籍) das Streichen s-s Namens aus dem Familienregister. ~하다 js. Namen aus dem Familienregister entfernen (streichen) lassen*.

이전(以前) ① 《…전에》 vor[3]; vorher 〖명사 뒤에〗; seit (이래); 〖종속 접속사〗 bevor; ehe. ¶ 제 1차 세계 대전 ~에 vor dem ersten Weltkrieg / 해방 ~으로 돌아가다 zu der Zeit vor der Befreiung zurück|kehren [s]. ② 《왕년에》 früher; einst; ehemals; ehedem; vormals; einmal. ¶ ~에 한번 뵌 일이 있읍니다 Ich habe Sie einmal gesehen. / 그는 ~에 변호사였다 Früher war er Rechtsanwalt. / ~의 내가 아니다 Ich bin nicht mehr, was ich war. / ~과 비교하여 오늘날은 모든 것이 편하다 Im Vergleich mit früher, ist heutzutage alles bequem. / ~에는 이 길 모퉁이에 유명한 사원이 있었다 Früher stand an dieser Straßenecke ein bekannter Tempel.

이전(利錢) Gewinn m. -(e)s, -e; Profit m. -(e)s, -e; Zinsen 《pl.》 (이자).

이전(移轉) 《이사》 Umzug m. -(e)s, ⸗e; 《거주지》 Wohnungs¦wechsel m. -s, - (-veränderung f. -en); 《권리》 Übertragung f. ~하다 um|ziehen* [s]; s-e Wohnung wechseln (verändern). ¶ ~할 수 있는 권리 das übertragbare Recht, -(e)s, -e / 주식의 ~ die Übertragung der Aktien / 그는 종로로 ~했다 Er ist nach *Jongro* umgezogen.

‖ ~공고, ~통고 die Mitteilung 《-en》 vom Umzug. 등기 ~부 das Umschreibungsregister, -s, -.

이절(二折) 《종이》 ¶ ~지 Folio n. -s, -s (..lien); Folioblatt n. -(e)s, ⸗er.

‖ ~판 Foliant m. -en, -en.

이점(利點) Vorteil m. -s, -e; Vorzug m. -(e)s, ⸗e. ¶ ~을 인정하다 js. Vorzüge an|erkennen* / ~을 가지고 있다 den Vorteil besitzen* / 이것이 그의 ~이다 Das ist s-e Stärke.

이접(移接) Umzug m. -s, ⸗e. ~하다 um|ziehen* [s].

이정(里程) Meilen¦länge f. (-zahl f. -en); Entfernung f. -en. ¶ 서울까지의 ~ die Entfernung bis Seoul.

‖ ~표(標) Meilenstein m. -(e)s, -e. ~표(表) Distanz¦tabelle (Entfernungs-) f. -n.

이정(釐正·理正) Ordnung f. -en; Verbesserung f. -en; Korrektur f. -en. ~하다 verbessern[4]; in Ordnung bringen*[4].

이제 jetzt; 《이상은》 nicht mehr; niemehr, nicht länger. ¶ ~부터 von nun (jetzt) an (ab), hinfort; künftighin; nächstens; später / ~까지 bis jetzt; bisher; bislang; bis zu diesem Zeitpunkt / ~도 jetzt noch; noch jetzt; immer noch; noch immer; selbst (sogar) jetzt / ~는 für jetzt / ~막 soeben; eben erst; ganz vor kurzem; vor e-m Augenblick; vor ganz kurzer Zeit / ~나 저제나 하고 기다리다 voller Ungeduld erwarten[4]; jeden Augenblick warten 《auf[4]》 / ~ 와서 돌이켜 생각하면 wenn ich mich jetzt daran erinnere; denke ich jetzt daran zurück / 때는 ~다 Jetzt gilt es.¦Jetzt od. nie. / ~라도 jeden Augenblick; alle Augenblicke / ~곧 jetzt gleich; gleich jetzt; augenblicklich; momentan; ohne Verzug; unverzüglich / ~라도 …할 것 같다 drohen zu...; auf dem Punkte (Sprunge) stehen*, zu...; im Begriff sein, zu...; nahe daran sein, zu... / 그는 ~ 막 나갔읍니다 Er ist gerade jetzt ausgegangen. / 그는 ~ 아이가 아니다 Er ist kein Kind mehr. / ~ 더 할 말이 없다 Ich habe nichts mehr zu sagen. / ~ 돌아갈 시간이다 Jetzt ist es Zeit, zu gehen. / ~ 마음이 놓인다 Ich habe keine Angst mehr. / ~는 더 참을 수 없다 Ich kann es nicht länger ertragen. / ~ 남은 것이 없다 Es bleibt nichts mehr übrig. / 나는 ~ 틀렸다 Mit mir ist es schon aus. / ~ 그건 딱 질색이다 Nie mehr, nie wieder.

이제와서 nun die Dinge soweit sind; jetzt, wo es sich mit den Dingen so verhält; unter den jetzigen Umständen. ¶ ~ 말할 필요는 없지만 Es ist kaum nötig zu sagen, daß...; es versteht sich (von selbst), daß... / ~는 어쩔 수 없다 zu spät sein 《für[4]》; jetzt nicht mehr möglich sein / ~ 후회하여 보았자 소용 없다 Jetzt nützt die Reue nichts mehr.

이조(李朝) die *Yi*-Dynastie (1392-1910 n. Chr.). ‖ ~실록 „Wahrhaftige Aufzeichnungen vom Hofe der *Yi*"; Offizielle Reichsgeschichte der *Yi*-Dynastie.

이조(移調) 〖음악〗 Transposition f. ~하다 transponieren.

이족(異族) 《다른 민족》 andere Rasse, -n; 《딴 성받이》 der andere Familienname, -ns, -n; 《다른 씨족》 das andere Geschlecht, -(e)s, -er; der andere Clan.

이종(二種) zwei Arten 《pl.》. ‖ 제~ 우편물 die Postsache 《-n》 zweiter Klasse.

이종(姨從) Vetter m. -s, -n; der Vetter mütterlicherseits; 《여자》 Cousine f. -n; die Cousine mütterlicherseits.

이종(異種) die verschiedene Art (Gattung) -en; die verschiedene Sorte, -n; 《변종》 Abart f. -en. ¶ ~의 verschiedenartig; andersgeartet von verschiedener Gattung.

‖ ~교배, ~번식 Hybridisation f. -en.

이주(移住) ① 《이사》 Umzug m. -(e)s, ⸗e; Wohnungswechselung f. -en. ~하다 um|ziehen* [s]; s-e Wohnung wechseln. ② 《이

동》 Auswanderung *f.* -en (외지로); Einwanderung *f.* -en(외지에서); Übersiedlung *f.* -en (식민); Wand(e)rung *f.* -en (이동); Zug *m.* -(e)s, ⸗e (새 등의). ～하다 aus|siedeln (ein|-; über|-) ⓢ; ⁴sich an|siedeln (besiedeln); kolonisieren (식민); ziehen* ⓢ (철새가). ¶ 미국으로 ～하다 nach ³Amerika aus|wandern (emigrieren) ⓢ.

‖ ～민 Auswandrer *m.* -s, - (외지로); Einwandrer *m.* -s, - (국내로); Kolonist *m.* -en, -en (식민); Ansiedler *m.* -s, -.

이죽- ☞ 이기죽-.

이중(二重) das Doppelte* (Zweifache*) -n. ¶ ～의 (으로) doppelt; Doppel-; zweifach / ～의 뜻 Doppelsinn *m.* -(e)s, -e / ～(의) 턱 Doppelkinn *n.* -s, -e / ～ 연료의 von Doppelbrennstoff / ～으로 하다 verdoppeln⁴ / ～으로 되다 ⁴sich verdoppeln / ～으로 싸다 zweifach (doppelt) ein|wickeln / ～으로 기입하다 zweifach (doppelt) ein|schreiben*⁴ / ～의 목적을 이루다 Das erfüllt zwei Zwecke gleichzeitig. / 그것은 ～ 수고이다 Das würde die Mühe verdoppeln. / 일이 ～으로 되었다 Die Arbeit muß zum zweiten Mal gemacht werden / 그것은 ～으로 보인다 Man sieht es doppelt.

‖ ～가격(제) Zweifaches Preissystem, -s, -e. ～결혼 Doppelehe *f.* -n (중혼); Doppelhochzeit *f.* -en (동시에). ～ 곡가제 Zweifaches Preissystem (beim Reisverkauf). ～과세(課稅) Doppel¦besteuerung (-versteuerung) *f.* ～과세(過歲) die Feste von zwei Neujahren, die einmal nach dem Sonnenkalender u. andersmal nach dem Mondkalender gefeiert werden. ～국적 die doppelte Nationalität: ～국적자 e-e Person, die e-e doppelte Nationalität hat. ～노출 Doppelbelichtung *f.* -en. ～모음 Doppellaut *m.* -(e)s, -e; Diphthong *m.* -(e)s, -e. ～방송 doppelte Ausstrahlung (bei der Sendung). ～생활 Doppelleben *n.* -s. ～외교 die doppelte Außenpolitik. ～인격 Doppelpersönlichkeit *f.*: ～인격자 e-e Person, die Doppelpersönlichkeit hat. ～장부 die doppelte Buchführung (Buchhaltung) -en. ～적분 Doppelintegral *n.* -s, -e. ～주 Duett *n.* -(e)s, -e. ～창 Duett *n.* -(e)s, -e; Zweigesang *m.* -(e)s, ⸗e. ～창(窓) Doppelfenster *n.* -s, -. ～촬영 die doppelte Fotoaufnahme, -n.

이즈막 ☞ 요즈막.

이즈음, 이즘¹ ☞ 요즈음.

이즐 〖미술〗 Staffelei *f.* -en; Gestell *n.* -s, -.

이즘² 《주의·설》 Ismus *m.* -, ..men; 〖접미어〗 -ismus.

이지(異志) ＝이심(異心).

이지(理智) Intellekt *m.* -(e)s; Verstand *m.* -(e)s; Intelligenz *f.* -en. ¶ ～적인(으로) intelligent; vernünftig / ～적인 용모 das intelligente Gesicht, -(e)s, -er; der intelligente Gesichtsausdruck, -(e)s, -e (표정).

‖ ～주의 Intellektualismus *m.*

이지다 fett werden; mästen; dick werden.

이지러지다 ① 《달이》 ab|nehmen*. ¶ 달이 ～ Der Mond nimmt ab. ② 《귀퉁이》 (⁴sich) ab|bröckeln ⓢ.

이지렁- ☞ 야지랑-.

-이지마는 ① 《그러나》 aber; allein; dennoch; doch; obgleich. ¶ 그는 부자이지마는 행복하지 않다 Obgleich er reich ist, ist er nicht glücklich. / 기차가 3시에 도착 예정이지마는 아직 오지를 않는다 Der Zug, der eigentlich um drei Uhr ankommen soll, kommt noch nicht.

② 《단순히 문장과 문장의 결합》 ¶ 내 친구 한군은 아직 무명 배우이지마는 성공하리라고 생각한다 〖동격명사를 써서〗 Mein Freund *Han*, ein noch unbekannter Schauspieler, wird noch Erfolg haben, glaube ich.

③ 《삽입구》 um ... zu; ohne ... zu; damit; daß. ¶ 우리끼리 하는 말이지마는 unter uns gesagt. ☞ -지마는.

이지오더 Maßkonfektion *f.* -en.

이직(移職) ＝전직(轉職).

이직(離職) das Aufgeben* 《-s》 e-s Berufs; der Rücktritt von *js.* Stellung. ～하다 den Beruf auf|geben*; s-e Entlassung nehmen*; zurück|treten* 《*von*³》 ⓢ.

이진법(二進法) binäres System, -s.

이질(姨姪) Kinder 《*pl.*》 der Schwestern der (Ehe)frau.

이질(異質) Heterogenität *f.*; Ungleichartigkeit *f.*; 《재주》 das unterschiedliche Talent, -(e)s, -e. ¶ ～의 heterogen; andersgeartet; ungleichartig; fremdstoffig.

이질(痢疾) Ruhr *f.*; Dysenterie *f.*

‖ 아메바성～ Amöbenruhr *f.*

이질풀(痢疾—) Geranium *nepalense* 《Durchfallmittel der Volksmedizin》.

이집트 Ägypten *n.* -s.

‖ ～사람 Ägypter *m.* -s, -. ～아랍공화국 Arabische Republik Ägypten.

이징가미 Scherbe *f.* -n; Splitter *m.* -s, -; Bruchstück *n.* -(e)s, -e.

이쩍 《이똥》 Zahnstein *m.* -(e)s, -e.

이쪽 ① 《장소》 hier; dieser Ort, -(e)s; 《이편》 diese Seite; 《이 방면》 diese Richtung; dieser Weg, -(e)s; diese Gegend. ¶ ～에 diesseits²; auf dieser ³Seite / ～으로 hierher / 다리 ～에 diesseits (auf dieses Seite) der Brücke; dicht vor der Brücke / ～으로 오십시오 Bitte, kommen Sie hierher!¦Bitte, kommen Sie hier herein! (방안으로 모실 때) / ～의 hier; hierzulande / 승리는 ～것이다 Der Sieg ist unser (mein). / ～으로 오실 때에는 Falls Sie zufällig in diese Gegend kommen würden, ... ② 《우리측》 unsere Partei, -en; wir; uns. ¶ ～ 저쪽 wir u. sie.

이차(二次) 〖형용사적〗 zweit; sekundär. ¶ 제 ～ 내각 das zweite Kabinett, -(e)s, -e / ～적인 sekundär; untergeordnet; nebensächlich; Neben-/～ 대전 der Zweite Weltkrieg / ～색 Ergänzungsfarbe *f.* -n (보색) / 그런 일은 ～적인 문제다 Die Sache ist nebensächlich.

‖ ～방정식 die quadratische Gleichung, -en. ～전지 Sekundärbatterie *f.* -n.

이차피(以此彼) ＝어차피.

이차회(二次會) 《술 자리의》 Nachfeier *f.* -n. ¶ ～를 하다 nach|feiern⁴ (weiter-).

이착(二着) ¶ ～의 zweit; der zweite (Sieger, -s, -) / ～을 하다 als Zweiter ans Ziel kommen*ⓢ / 유감스럽게도 ～이었다 Leider mußte ich hinter dem Sieger bleiben.

이착륙(離着陸) Abflug u. Landung.

이채(異彩) Glanz *m.* -es, -e. ～롭다 glänzend; bemerkenswert; hervorragend; auffallend (sein). ¶ ～를 띠다 ⁴sich hervor|tun*; die Aufmerksamkeit auf ⁴sich lenken; glänzen 《*in*³》.

이처럼 so; auf diese Weise. ¶ ～ 많이 so viel / ～ 아름다운 것은 본 적이 없다 So etwas schönes habe ich noch nie gesehen. / 어머니의 병환이 ~ 위중할 줄은 몰랐다 Ich dachte nicht, daß m-e Mutter so schwer krank ist.

이첩(移牒) Übersendung von amtlichen Schriftstücken. ~하다 (amtliche Schriftstücke) übersenden*; schriftlich e-r zuständigen ³Behörde übersenden*⁴.

이체동심(異體同心) ¶ ~이다 ein Herz u. e-e Seele sein; in vollständiger Harmonie handeln.

이초(二秒) zwei Sekunden《*pl.*》.

이초(離礁) ~하다 ⁴sich von e-r Klippe frei machen; ⁴sich flott machen. ¶ ~시키다 wieder flott machen⁴.

이촉 Zahnwurzel *f.* -n.

이촛점(二焦點) ¶ ~의 bifokal / ~ 안경알 Bifokalgläser《*pl.*》.

이출(移出) Verschiffung *f.* -en; Ausfuhr *f.* -en. ~하다 verschiffen⁴; aus|führen⁴.

이취(異臭) (Ge)stank *m.* -(e)s; der schlechte 〔üble〕 Geruch, -(e)s, ⸚e. ¶ ~를 발하다 stinken*; schlecht 〔übel〕 riechen*.

이층(二層) der erste Stock, -(e)s, ⸚e; die erste Etage [..ʒə] -n. ¶ 중간 ~ Zwischenstock *m.* -(e)s, ⸚e / ~에 살다 e-e Treppe hoch 〔im ersten Stock〕 wohnen / ~으로 올라가다 〔~에서 내려오다〕 e-e Treppe hinauf|gehen* 〔hinunter|gehen*〕 Ⓢ / ~에서 떨어지다 (vom ersten Stock) die Treppe hinab|fallen* Ⓢ.

‖ ~집 das zweistöckige Haus, -es, ⸚er.

이치(理致)《도리》der vernünftige Grund, -(e)s, ⸚e; Ursache *f.* -n;《원칙》Prinzip *n.* -s, ..pien. ¶ 자연의 ~ Naturgesetz *n.* -es, -e / ~로 ausgeklügelt; vernünftelt / ~에 따라서 vernunftgemäß / ~에 맞다 der Vernunft gemäß sein; vernunftgemäß sein / ~에 맞지 않다 der Vernunft zuwider sein / ~를 따져 꺽소리 못하게 하다 durch Vernunftgründe mundtot machen《*jn.*》/ 그것은 ~에 닿지 않는다 Das ist ein Denkfehler. / 이 문제는 ~을 따져볼 때 납득이 가지 않는 데가 있다 Da liegt etwas in dieser Angelegenheit, was man nur mit Vernunft allein nicht regeln kann.

이치다 ☞ 이아치다.

이칭(異稱) der andere Name, -ns, -n; anderer Titel, -s, -.

이커서니 ho!

이퀄 gleich; ist; macht. ¶ 5 플러스 3 ~ 8 Fünf und drei gleich 〔ist; macht〕 acht. / 5 곱하기 4 ~ 20 Fünfmal vier macht zwanzig. / 8 나누기 2 ~ 4 Acht durch zwei macht vier. / 7 마이너스 4 ~ 3 Sieben weniger 〔minus〕 vier ist drei.

이키(나) Oh!; Mein Gott!

이타(利他) Altruismus *m.* -. ¶ ~적 altruistisch. ‖ ~주의 Altruismus *m.*: ~주의자 Altruist *m.* -en, -en.

이탄(泥炭) Torf *m.* -(e)s, -e 〔⸚e〕.

‖ ~지 Torfmoor *n.* -(e)s, -e.

이탈(離脫) Austritt *m.* -(e)s, -e; Absonderung *f.*; Trennung *f.* ~하다 aus|treten* Ⓢ《*aus*³》; gehen* Ⓢ《*von*³》; verlassen*⁴; ab|fallen* Ⓢ (떨어져 나감). ¶ 당을 ~하다 ⁴sich aus dem Parteiregister streichen lassen*; aus dem Parteiregister aus|scheiden* / 직장을 ~하다 *js.* Stellung verlassen* / 현 정부로부터 민심이 차츰 ~되었다 Die jetzige Regierung hat sich nach u. nach dem Volksgefühl entfremdet.

‖ ~자 Ausreißer *m.* -s, -.

이탈리아 Italien, -s. ¶ ~의 italienisch ※ italisch는 고대 이탈리아를 말함; von 〔aus〕 Italien. ‖ ~사람 Italiener *m.* -s, - (남자); Italienerin *f.* ..rinnen (여자). ~어 das Italienische*; die italienische Sprache.

이탓저탓 bald unter diesem, bald unter jenem Vorwand.

이태 zwei Jahre《*pl.*》. ¶ ~ 동안 zwei Jahre lang.

이탤릭 〖인쇄〗 Kursiv¦schrift 〔Schräg-〕 *f.* -en; Kursive *f.* -n. ¶ ~의 kursiv / ~으로 in ³Schrägdruck; kursiv / ~으로 하다 in ³Kursivschrift 〔kursiv〕 drucken.

이토(泥土) Lehm *m.* -(e)s; Schlamm *m.* -(e)s.

이토록 so; soviel. ☞ 이처럼. ¶ ~ 부탁을 하는데도 trotz all m-r Bitten / ~ 수고를 해 주셨으니 감사하기 그지없읍니다 Ich danke Ihnen herzlich dafür, daß Sie sich so sehr darum bemüht haben.

이통(耳痛) =귀앓이.

이튿날 ①《다음날》der nächste 〔folgende〕 Tag, -(e)s, -e. ¶ ~ 아침에 am nächsten 〔folgenden〕 Morgen / ~ 새벽에 nächsten Tag in der Frühe. / 그 ~에 am Tage darauf / 화재가 났던 그 ~에 am Tage nach dem Brand / ~인 5월 10일에 am nächsten Tag, dem 10. Mai. ②《초이틀》der zweite* (Tag).

이틀¹ ①《2일》zwei Tage《*pl.*》. ¶ ~마다 alle zwei Tage; jeden zweiten Tag; e-n Tag um den andern / ~ 연휴 zwei Feiertage hintereinander / 연~ 동안 새벽녘에 눈이 왔다 Zwei Tage hintereinander schneite es bei Tagesanbruch. ②《초이틀》der zweite (Tag); der zweite des Monates. ¶ 정월 초~ der zweite Januar.

이틀² ①《턱뼈》Kinnlade *f.* -n. ②《의치》Gebiß *n.* ..bisses, ..bisse. ¶ ~을 해박다 ³sich künstliche Zähne 〔Gebiß〕 einsetzen lassen*.

이틀거리 〖한의학〗 Tertianafieber *n.* -s; Wechselfieber *n.* -s; Sumpfieber *n.* -s; Malaria *f.* ¶ ~에 걸리다 vom Tertianafieber befallen sein; an Malaria leiden*.

이판새판 biegen od. brechen; auf Biegen od. Brechen; auf Gedeih u. Verderb. ¶ ~이다 es darauf ankommen lassen*; alles auf e-e Karte 〔auf e-n Wurf〕 setzen; sein Glück versuchen; va banque [vabã́:k] spielen.

이판암(泥板岩) Schieferton *m.* -(e)s, -e.

이팔(二八) Sechzehn. ‖ ~청춘 sechzehn Jahre; die goldene siebzehn.

이페릿 〖화학〗 Yperit *n.* -(e)s; Senfgas *n.* -es, -e.

이편 ①《이쪽》diese Seite, -n. ¶ ~에 diesseits²; auf dieser Seite. ¶ 정거장은 길 ~에 있다 Der Bahnhof ist auf dieser Seite der Straße 〔diesseits der Straße〕. ②《우리 편》m-e 〔unsere〕 Seite. ¶ ~의 잘못 mein 〔unser〕 Fehler, -s, - / ~에서 auf m-r 〔unserer〕 Seite.

이풀 Reispaste *f.* -n.

이핑계저핑계 unter dem e-n od. dem anderen Vorwand; bald unter diesem, bald unter jenem Vorwand. ¶ 그는 학교에 가지 않으려고 ~ 댄다 Er benutzt bald dieses u. bald jenes als Vorwand, (von) der Schule fernzubleiben.

이하(以下) ①《수량》unter³; unterhalb²; weniger 〔minder〕 als. ¶ 4세 ~의 unter 〔unterhalb von) vier Jahren; das Alter von vier Jahren u. darunter / 0 도 ~로 내려가다 unter ⁴Null sinken* ⓢ. ② 《정도》 unter; minder (weniger) als.... ¶ 성적이 예상 ~다 Das Resultat ist schlechter, als wir erwartet haben. / 평년작 ~다 Die Ernte ist unter dem Durchschnittsjahr. ③ 《하기의》 das Folgende*, -n; das Unten¦benannte* (-stehende*) -n. ¶ ~ 같음 wie folgt; folgender¦maßen (-gestalt; -weise) / ~ 다음 호에 Fortsetzung folgt.¦Wird fortgesetzt. / ~ 생략 Der Rest wird ausgelassen. / ~ 이것에 준함 Der Sachverhalt ist wie folgt. / 상세한 것은 ~에 Details sollen unten gegeben werden.

이하부정관(李下不整冠) „Unter e-m Pflaumenbaum sollte man sich nicht einmal den Hut geraderücken."¦Man soll auch den Schein des Bösen vermeiden.

이하선(耳下腺) Ohrspeicheldrüse *f.* -n; Parotis *f.* ..tiden. ‖ ~염 Ohrspeicheldrüsenentzündung *f.*-en; Parotitis *f.*

이학(理學) Naturwissenschaft *f.* -en (자연과학); Physik *f.* (물리학). ¶ ~적 naturwissenschaftlich; physikalisch.
‖ ~계 die naturwissenschaftliche Welt, -en. ~박사 Doktor 《*m.* -s, -en》 der Naturwissenschaften (habil.) 《생략: Dr. phil. nat. (habil.)》. ~부 die naturwissenschaftliche Fakultät, -en. ~자 Naturwissenschaft(l)er *m.* -s, -; Physiker *m.* -s, -.

이할(二割) zwanzig Prozent 《수사 뒤: *pl.* -》; 20 v. H. (=vom Hundert).

이합사(二合絲) Zwirn 《*m.* -(e)s, -e》 aus zwei Fäden.

이합집산(離合集散) Treffen u. Trennen, des - u. -s. ¶ ~은 세상의 상사이다 Wir kommen nie zusammen, ohne wieder auseinanderzugehen. / 정당의 ~ Amalgamierung u. Entflechtung der politischen Parteien.

이항(二項) ¶ ~(식)의 binominal; binomisch.
‖ ~계수 Binomialkoeffizient *m.* ~식 Binom *n.* -(e)s, -s; Binominalreihe *f.* -en. ~정리(定理) binomischer Lehrsatz, -s, ⸗e.

이항(移項) Umsetzung *f.* -en; 〖수학〗 die Umstellung 《-en》 e-s Gliedes. ~하다 um|setzen⁴; ein Glied um|stellen.

이해 dieses Jahr, -(e)s. ¶ ~는 풍년이다 Dieses Jahr ist sehr fruchtbar. / 이해는 비가 많았다 Wir haben dieses Jahr sehr viel Regen gehabt.

이해(利害) Belang *m.* -(e)s, -e; Interesse *n.* -s, -n; 《이해 득실》 Vor- u. Nachteile 《*pl.*》.
¶ ~의 일치 die Übereinstimmung der Interessen / ~의 충돌 Interessenkollision *f.* -en / 유럽에 있어서 독일의 ~ deutsches Interesse in Europa / ~를 초월한 uneigennützig; unparteiisch; interesselos / ~에 관계되다 in *js.* Interesse stehen* (liegen*); von (großem) Belang (Interesse) sein 《*für*⁴》 / ~를 같이하다 gemeinsame Interesse haben 《*mit*³; *an*³》 / 쌍방의 ~에 관계되다 in unserem beiderseitigen Interesse gelegen sein / 우리의 ~는 상반되지 않는다 Unsere Interesse laufen parallel.
‖ ~관계 Interesse *n.* -s, -: ~관계자 Interessent *m.* -en, -en / ~관계가 있다 interessiert sein 《*an*³; *bei*³》; Interesse haben 《*an*³; *für*⁴》; beteiligt sein 《*an*³》. ~득실 Vor- u. Nachteile 《*pl.*》. ~상반 das entgegengesetzte (widerstreitende) Interesse: ~상반하다 das entgegengesetzte (widerstreitende) Interesse haben.

이해(理解) Verständnis *n.* ..nisses, ..nisse; das Verstehen* (Begreifen*) -s; das Fassungsvermögen*, -s; das Erfassen*, -s. ~하다 begreifen*⁴; verstehen*⁴; erfassen⁴; fassen⁴; auf|fassen⁴; Sinn haben 《*für*⁴》.
¶ 상호간의 ~ das gegenseitige Verständnis / ~심이 있는 남편 der verständnisvolle Gatte, -n, -n; der einsichtsvolle Gatte / ~심이 없는 아내 e-e unverständige Frau / ~가 곤란하다 unbegreiflich (unverständlich sein / ~가 부족하다 nicht vollständig (gänzlich) verstehen*⁴ (begreifen*⁴) / ~를 못 하다 k-n Sinn haben 《*für*⁴》; kein Verständnis haben 《*für*⁴》 / 바로 ~하다 richtig verstehen*⁴; ein rechtes Verständnis haben 《*für*⁴》 / ~가 빠르다 e-e schnelle Auffassungsgabe haben; schnell von Begriffen sein; ein feines Ohr haben 《*für*⁴》/ ~가 더디다 e-e langsame Auffassungsgabe haben; langsam von Begriff(en) sein; e-e lange Leitung haben / …에 대해서 ~가 깊다 Sinn haben 《*für*⁴》 / 상호간의 ~를 증진시키다 das gegenseitige Verständnis fördern / 더 잘 ~하다 besser verstehen*⁴ / ~할 수 있다 ⁴*et.* verstehen können*; verständlich sein / 문장의 뜻을 ~하다 den Sinn e-s Satzes verstehen* / 나는 자네 말을~ 할 수 없네 Ich kann dich nicht verstehen.¦Ich kann nicht verstehen, was du sagst. / 내 입장을 좀 ~해 주게 Hab doch etwas Verständnis für m-e Lage!

이해력(理解力) Verständnis *n.* -ses, -se; das Verstehenkönnen*, -s; das Einfühlungsvermögen*, -s; Verstandeskraft *f.* ⸗e.
¶ ~을 기르다 die Verstandeskraft aus|bilden (entwickeln) / ~ 있다 aufgeweckt (gescheit; scharfsinnig; schlagfertig) sein / ~이 없다 schwerfällig (stumpfsinnig) sein; ein Bretter vom Kopf haben.

이행(移行) Verschiebung *f.* ~하다 ⁴sich hinüber|schieben*; ⁴sich verlagern; ⁴sich verschieben*; verschoben werden.

이행(履行) Aus¦führung (Durch-) *f.* -en; Erfüllung *f.* -en; Verrichtung *f.* -en. ~하다 aus|führen⁴ (durch|-); erfüllen⁴; in die Tat um|setzen⁴; verrichten⁴. ¶ 약속을 ~하다 das Wort (das Versprechen) erfüllen; e-m Versprechen nach|kommen*ⓢ; sein Wort halten* / 의무를 ~하다 s-r Pflicht nach|kommen*ⓢ; s-e Pflicht erfüllen / 그는 약속은 꼭 ~했다 Er hat immer sein Wort erfüllt.
‖ ~자 Vollzieher (Vollstrecker) *m.* -s, -.

이향(異鄕) das fremde Land, -(e)s, ⸗er; Ausland *n.* -(e)s; Fremde *f.*

이향하다(離鄕—) s-e Heimat verlassen*; vom Heimatdorf weg|ziehen* (aus|-)ⓢ; 〖고향을 주어로 하여〗 ⁴sich entvölkern.

이혼(離婚) Ehescheidung *f.* -en. ~하다 ⁴sich scheiden lassen* 《*von*³》; die Ehe auf|lösen; die Frau verstoßen (아내와). ¶ …와 ~하다 ⁴sich von *jm.* scheiden lassen* / ~을 요구하다 e-e Ehescheidung von *jm.* wünschen (fordern) / 그녀는 ~(을)했다 Sie hat sich scheiden lassen.
‖ ~소송 (Ehe)scheidungsklage *f.* : ~ 소송을 제기하다 die Ehescheidungsklage ein|reichen. ~수속 das Scheidungsverfahren*, -s. ~신고 Scheidungsantrag *m.* -(e)s, -e: ~신고를 하다 e-e Scheidung beantragen;

e-n Scheidungsantrag stellen. ∼자 der (die) Geschiedene*, -n, -n. ∼장 Scheidebrief *m.* -(e)s, -e. ∼판결 Scheidungserkenntnis *n.* -ses, -se. 합의∼ die Ehescheidung laut gegenseitiger Übereinkunft.

이화(李花) Pflaumenblüte *f.* -n.

이화(梨花) Birnenblüte *f.* -n.

이화학(理化學) Physik u. Chemie, der - u. -. ‖ ∼교실 der physikalisch-chemische Hörsaal. ∼기계 die physikalischen u. chemischen Instrumente (Vorrichtungen (장치)) 《*pl.*》. ∼연구소 (Forschungs)institut 《*n.* -(e)s, -e》 für Physik u. Chemie.

이환(罹患) Erkrankung *f.* -en. ☞ 이병. ‖ ∼율 Prozentsatz 《*m.* -es, ⸚e》 der Krankheitsfälle. ∼자 der Erkrankte*, -n, -n; Patient *m.* -en, -en.

이회(二回) zweimal. ¶ ∼째 das zweite Mal, -(e)s, -e / ∼째에 zum zweiten Male / 월 ∼ zweimal im Monat; monatlich zweimal / 연 ∼ jährlich zweimal; zweimal im Jahr / 제 ∼ der (die; das) zweite.

이후(以後) ① 《금후》 von jetzt (nun) an (ab); hernach; (zu)künftig; später; in ³Zukunft. ¶ ∼의 kommend; (zu)künftig; folgend (그 후의) / ∼는 조심하게 Nimm dich doch von jetzt an in acht!

② 《이래》 nach³; seit³; seit¦dem (-her). ¶ 그 ∼ danach; nach¦her (seit-); seit der Zeit; von da an / 5년 ∼ nach 5 Jahren / 세계대전 ∼ seit dem Weltkrieg / 그 ∼ 곧 bald darauf (danach) / 그 ∼ 1년 ein Jahr darauf / 5월 30일 및 그 ∼ am 30. Mai u. später / 그로부터 100년 ∼에 hundert Jahre danach (später) / 그 ∼ 오늘날까지 von jener Zeit bis heute / 신청은 8월 15일 ∼ 접수한다 Das Gesuch wird nach dem 15. August erhalten werden.

익곡(溺谷) überschwemmtes Tal, -(e)s, ⸚er.

익년(翌年) ＝다음해.

익다 ① 《익숙》 gewohnt 《***an***⁴》 (geschickt; erfahren) sein; Übung (Routine) haben 《***in***³》; ⁴sich (durch langen Gebrauch) gewöhnen 《***an***⁴》. ¶ 손에 익은 gewohnt; geschickt / 익지 않은 ungeschickt; ungewohnt; neu / 익지 않은 일 ungewohnte Arbeit / 귀에 익은 목소리 wohlbekannte Stimme / 익은 솜씨로 geschickt; gewandt; mit geschickten Händen / 눈(귀)에 ∼ zu sehen (hören) pflegen (gewohnt sein); den Augen (den Ohren) wohlbekannt (vertraut) sein; gewohnheitsmäßig sehen* (hören) / 고된 일에 ∼ an die schwere Arbeit gewohnt sein; ⁴sich an die schwere Arbeit gewöhnen / 가난한 농부의 아들인 그는 어려운 일에 익었다 Der Sohn e-s armen Bauern, er ist an die schwehre Arbeit gewohnt. / 이 기계에는 손이 익지 않았다 Ich bin diese Maschine noch nicht gewohnt.¦Ich bin an diese Maschine noch nicht gewöhnt.

② 《음식이》 gekocht sein; ganz gar sein. ¶ 잘 익은 gut gekocht / 너무 ∼ übergekocht sein / 고기가 잘 익었다 Das Fleisch ist gar gekocht. / 감자가 잘 익지 않았다 Die Kartoffeln sind noch nicht ganz gar gekocht.

③ 《과실·기회가》 reifen Ⓢ; reif (mürbe; saftig; süß) werden. ¶ 익은 reif; mürbe; saftig; süß / 너무 익은 (익지 않은) 사과 der überreife (grüne) Apfel / 기회가 무르익었다 Die Gelegenheit (Zeit) ist reif.

④ 《장·술이》 gären* Ⓢ; in Gärung übergehen*; abgelagert sein. ¶ 잘 익은 gut abgelagert.

익더귀 〖조류〗 weiblicher Sperber, -s, -.

익명(匿名) Anonymität *f.*; 《가명》 Pseudonymität *f.* ¶ ∼의 anonym; pseudonym / ∼으로 unter dem angenommenen Namen; inkognito.

‖ ∼광고 die Anzeige unter dem angenomenen Namen. ∼기부 der anonyme Beitrag, -es, -e. ∼기증 das anonyme Schenken*, -s. ∼비평 die Rezension unter dem angenommen Namen. ∼사원 der stille Teilhaber, -s, -. ∼자 Anonymus *m.* -, ..mi. ∼작가 der anonyme Verfasser, -s, -. ∼조합 die anonyme Gesellschaft, -en. ∼투고 der anonyme schriftliche Beitrag, -(e)s, ⸚e. ∼투서(投書) der anonyme Brief, -(e)s, -e.

익모초(益母草) 〖식물〗 Herzgespann *n.* -(e)s, -e; *Leonurus sibiricus* (학명).

익사(溺死) das Ertrinken* (Ersaufen*) -s. ∼하다 ertrinken* Ⓢ; ersaufen* Ⓢ; ein feuchtes Grab (sein Grab in den Wellen) finden*; ⁴sich ertränken (투신). ¶ ∼ 직전의 아이 das ertrinkende Kind, -(e)s, -er / ∼ 직전에 사람을 구하다 *jn.* vom Ertrinken retten / 나는 하마터면 ∼할 뻔했다 Ich wäre um ein Haar ertrunken.

‖ ∼자 der (die) Ertrunkene*, -n, -n. ∼체 Wasserleiche *f.* -n: ∼체가 해변에 떠올랐다 Ein Ertrunkner wurde am Ufer gelandet.

익살 Witzelei *f.* -en; der faule (schlechte; verbrauchte) Witz, -es, -e; Kalauer *m.* -s, -; Scherz *m.* -es, -e; Posse *f.* -n; Possen *m.* -s, -; Schwank *m.* -(e)s, ⸚e; Schnurre *f.* -n; Spaß *m.* -es, ⸚e; Witz *m.* -es, -e; Wortspiel *n.* -(e)s, -e; 〖속어〗 Jux *m.* -es, -e. ∼스럽다 (맞다) witzig; neckisch; drollig; schnurrig; schwankhaft; spaßhaft; komisch; humoristisch; scherzhaft; spaßig; possierlich; putzig; ulkig; lächerlich (sein). ¶ ∼떨다, ∼피우다 ＝익살부리다 / ∼스럽게 말하다 humoristisch sprechen* / ∼좀 그만 떨어라 Laß d-n faulen Witz!¦Scherz (Spaß) beiseite!

‖ ∼꾼 Faxenmacher *m.* -s, -; Hanswurst *m.* -es, -e (⸚e); Spaßvogel *m.* -s, ⸚; Witzbold *m.* -(e)s, -e; Possenmacher *m.* -s, -; Scherzmacher *m.*; Possenreißer *m.* -s, -: 그놈 ∼꾼이야 Ne' putzige (drollige) Kruke ist er!

익살부리다 faseln; Faxen machen; e-n Witz machen (reißen*; erzählen); ein Wortspiel machen; witzen 《***über***⁴》. ¶ 그는 언제나 익살을 부린다 Er reißt immer Witze.

익수(一手) der Erfahrene* (Bewanderte*; Geübte*; Sachverständige*) -n, -n 《***in***³》; der Experte *m.* -n, -n.

익숙하다 《친숙》 ⁴sich gewöhnen 《***an***⁴》; ⁴sich an|gewöhnen⁴; *jm.* zur Gewohnheit werden; ⁴sich ein|leben 《***in***³》 (생활에); ⁴sich heimisch (wie zu Hause) fühlen (생활에); vertraut (wohlbekannt) mit *jm.* sein; 《능숙》 geschickt; vertraut; erfahren 《***in***³》; gewohnt 《***an***⁴》; gewöhnt 《***an***⁴》; bewandert 《***in***³》; geübt; erprobt; meisterhaft; sachverständig 《***in***³》 (sein); in ³*et.* große Fertigkeiten erlangen. ¶ 익숙한 일 e-e gewohnte Arbeit / 독일 사정에 익숙한 사람 e-e Person, die in deutschen Verhältnissen bewandert ist / 익숙하게 =익숙히 / …에 익숙해지다 ^{4}sich an ^{4}*et.* gewöhnen; mit ^{3}*et.* vertraut werden / 교수법에 ~ bewandert im Lehren sein / 무대에 ~ Die Bühne ist 《*jm.*》 nichts Neues. / 그는 무슨 일이나 익숙하게 잘 한다 Er ist in allen Arbeiten sehr geschickt. / 그는 연설에 ~ Er ist im Reden geübt (erfahren; bewandert). / 이 길에 익숙합니까 Kennen Sie den Weg gut? / 한국말에 점점 익숙해지는 것 같다 Ich denke, ich verstehe allmählich besser Koreanisch. / 나는 자취에 ~ Ich bin gewöhnt, für mich selbst zu kochen.

익숙히 geschickt; gewandt; geübt.

익스프레셔니즘 Expressionismus *m.* -.

익애(溺愛) Affenliebe *f.*; Vernarrtheit *f.* ~하다 zu *jm.* e-e Affenliebe haben; ^{4}sich in *jn.* vernarren; in *jn.* vernarrt sein.

익월(翌月) =다음달.

익은이 gares Fleisch, -es.

익일(翌日) der nächste (folgende) Tag, -(e)s.

익장(翼長) Spannweite *f.*

익조(益鳥) der nützliche Vogel, -s, ⸚.

익찬(翼賛) Beistand *m.* -(e)s, ⸚e; Unterstützung *f.* -en. ~하다 *jm.* bei|stehen*; *jn.* unterstützen.

익충(益蟲) das nützliche Insekt, -(e)s, -en.

익히 ☞ 익숙히.

익히다 ① 《익숙하게 하다》 ^{4}sich gewöhnen 《an ^{4}*et.*》; ^{4}sich mit ^{3}*et.* vertraut machen; ^{4}*et.* kennen|lernen; ^{4}sich mit ^{3}*et.* bekannt machen; ^{3}sich Fertigkeit in ^{3}*et.* an|eignen; erlernen^4; beherrschen^4. ¶ 글씨를 ~ schreiben lernen / 자동차 운전을 ~ lernen, wie man Auto fährt / 독일어 회화를 ~ deutsche Konversation erlernen / 풍토에 몸을 ~ ^{4}sich an ein fremdes Klima gewöhnen / 일을 익히게 하다 *jn.* an die Arbeit gewöhnen.
② 《음식》 kochen^4; sieden^4; gar machen^4; fertig zu|bereiten. ¶ 감자를 ~ Kartoffeln gar machen / 고기를 잘 ~ Fleisch schön gar machen.
③ 《과실》 reifen^4; reif machen^4; zur Reife bringen*^{4}. ¶ 풋과실을 ~ grüne Früchte zur Reife bringen*.
④ 《술·장을》 brauen^4; zu|bereiten^4; in Gärung bringen*^{4}. ¶ 술을 ~ Reiswein brauen.

인(仁) ① Edel¦mut *m.* -(e)s (-sinn *m.* -(e)s); Humanität *f.*; Menschenliebe *f.*; Wohltätigkeit *f.* -en. ¶ 살신성인 ^{4}sich opferbereit (opferfreudig) für das Wohl anderer ein|setzen. ② 〖생물〗 Zellkern *m.* -(e)s, -e; Nukleus [..leus] *m.* -, ..klei [..klei:].

인(印) =도장.

인(燐) Phosphor *m.* -s 《기호: P》. ¶ 인의 phosphorisch / 인 중독 Phosphorvergiftung *f.* -en / 인을 함유한 phosphorig; phosphorhaltig / 인과 화합한 phosphorisiert / 인과 화합시키다 phosphorisieren^4.

-인(人) ¶ 문화인 ein gebildeter Mensch, -en, -en / 한국인 Koreaner *m.* -s, - / 2인승 Zweisitzer *m.* -s, - (자동차, 자전거 따위).

인가(人家) (Wohn)haus *n.* -es, ⸚er; Wohnung *f.* -en. ¶ ~가 드문 dünn bevölkert; zerstreut bewohnt / ~가 조밀한 stark (dicht) bevölkert / ~가 없는 unbewohnt; verlassen; wüst; öde / 깊은 산중이라 ~가 드물다 Da es tief im Gebirge ist, gibt es hier wenige Häuser.

인가(認可) Genehmigung *f.* -en; Lizenz *f.* -en; Billigung *f.* -en; Erlaubnis *f.* ..nisse; Sanktion *f.* -en (재가). ~하다 genehmigen^{34}; billigen^4; erlauben^{34}; autorisieren^4; sanktionieren^4. ¶ ~를 얻다 (받다) genehmigt (bewilligt) werden; sanktioniert (bestätigt) werden 〔이상 사물이 주어〕; die Genehmigung (die Lizenz) (erteilt) bekommen 《*für*^{4}》 / 정부의 ~가 났다 Die Zustimmung der Regierung ist erlangt worden. ‖ ~영업 das genehmigte Gewerbe, -s, -. ~증 Erlaubnisschein *m.* -(e)s, -e; Erlaubniskarte *f.* -n; Lizenz *f.* -en; Zeugnis *n.* ..nisses, ..nisse; die obrigkeitliche Bestätigung, -en (당국의). ~학교 die anerkannte Schule, -n; die Schule, die vom Erziehungsministerium genehmigt ist.

인가(隣家) Nachbarhaus *n.* -es, ⸚er; das nächste Haus; das Haus nebenan.

인가난(人—) Mangel 《*m.* -s, ⸚》 an Talenten.

인각(印刻) Gravieren *n.* -s, -; Gravierung *f.* -en. ~하다 ein Siegel gravieren.

인간(人間) 《사람》 Mensch *m.* -en, -en; Person *f.* -en; der Sterbliche*, -n, -n; das menschliche Wesen, -s, -; Erden¦bürger *m.* -s, - (-kind *n.* -(e)s, -er; -sohn *m.* -(e)s, ⸚e; -wurm *m.* -(e)s, ⸚er); 《인물》 Persönlichkeit *f.* -en; Geist *m.* -(e)s, -er; 《인류》 Menschengeschlecht *n.* -(e)s, -er; Menschheit *f.* ¶ ~의 menschlich; Menschen- / ~이상의 übermenschlich / ~이하의 untermenschlich; entmenscht / ~다운 menschlich; menschenwürdig / ~다운 생활 das menschenwürdige Leben, -s, - / ~으로서는 할 수 없다 Das übersteigt menschliche Kräfte.|Es hilft kein menschliches Mittel.| 〖속어〗 Das ist (ja) nicht menschenmöglich. / ~만사 새옹지마 Nichts Wahres läßt sich von der Zukunft wissen. 《*Schiller*》.|Das Glück gleicht e-m Balle. ‖ ~개조 die Veränderung der Menschen. ~계 die irdische Welt. ~고 das menschlich (irdische) Leiden, -s. ~고락 Freud' u. Leid des Lebens. ~관계 die menschliche Beziehung. ~국보 ein hochgeschätzter Mensch. ~도크 klinische Untersuchung: ~도크에 들어가다 zur klinischen Untersuchung gehen*ⓢ; ins Krankenhaus gedockt werden. ~문화재 der kulturelle Erbe, der als „Staatsschatz" ausgezeichnet wird. ~미 Menschlichkeit *f.*; Menschenfreundlichkeit *f.*: ~미가 있는 human; wohlgesinnt; menschenfreundlich; humanitär. ~사회 (생활) Menschengesellschaft *f.* -en (Menschenleben *n.* -s, -). ~성 Humanität *f.*; die menschliche Natur; Menschentum *n.* -s, ⸚er; Menschheit *f.*; Menschlichkeit *f.* -en. ~송충 Parasit *m.* -en, -en. ~증오 Menschenhaß *m.* ..hasses; Misanthropie *f.* ~폭탄 Menschenbombe *f.*

인감(印鑑) der Abdruck 《-(e)s, -e》 des Petschafts. ‖ ~증명서 die Bescheinigung《-en》 des Siegels.

인갑(鱗甲) 《비늘과 껍데기》 Schuppen u. Schale; 《갑옷》 Schuppenpanzer *m.* -s, -; 《동물의》 Schale *f.* -n (der Krustentiere, Schildkröten, Krokodile, *usw.*).

인건비(人件費) Personalaufwendung *f.* -en; Gehälter u. Löhne 《*pl.*》.

인걸(人傑) ein hervorragender Mensch, -en,

-en; e-e ausgezeichnete Person, -en; e-e bedeutende Persönlichkeit, -en.

인격(人格) Charakter *m.* -s, -e [..té:rə]; Persönlichkeit *f.* -en; Wesen *n.* -s, -; Wesenart *f.* -en. ¶ ~적 감화 der sittliche Einfluß, ..flusses, ..flüsse / ~이 없는 willenlos; charakterlos / ~을 갖추다 e-e starke Persönlichkeit haben / ~을 도야하다 den Charakter bilden / ~을 존중(무시)하다 *js.* Persönlichkeit verehren (vernachlässigen; ignorieren).

‖ ~교육, ~양성 Charakterbildung *f.* -en. ~권 die Persönlichkeitsrechte 《*pl.*》. ~문제 Ehrenfrage *f.* -n. ~분열 die Spaltung der Persönlichkeit. ~상실 Depersonalisation *f.* ~자 ein Mann von Charakter. ~적 교육학 Individualspädagogik *f.* ~화 Personifikation *f.*: ~화하다 personifizieren[4]. 이중~ Doppelpersönlichkeit *f.*

인견(人絹) Kunstseide *f.*; Rayon [rɛjɔ̃:] *m.* -s. ‖ ~사 Rayongarn *n.* -(e)s, -e.

인견(引見) Audienz *f.* -en; Empfang *m.* -(e)s, ⸗e; Interview *n.* -s, -s. ~하다 in Audienz empfangen*[4]; ein Interview geben[3]. ‖ ~실 Audienzhalle *f.* -n; Empfangsraum *m.* -s, ⸗e.

인경 die in der Sperrzeit angeschlagene Glocke, -n; Glockenschlag 《*m.* -(e)s, ⸗e》 Anzeigen der Sperrzeit (Ausgehverbotszeit).

인경(隣境) ein anliegendes (angrenzendes; benachbartes) Gebiet, -(e)s, -e; Nachbarland *n.* -(e)s, ⸗er.

인계(引繼) Übernahme *f.* -n (사무를); Überlieferung *f.* -en (넘김); Amtsfolge *f.* -n (사무). ~하다 *jm.* [4]*et.* überliefern. ¶ ~받다 übernehmen*[4] / 사무를 ~받다 ein Geschäft übernehmen* / 나는 내달 초하루에 사무를 ~ 받는다 Ich übernehme am 1. des nächsten Monats das Geschäft. / 사무 ~가 끝났다 Die Übernahme (Überlieferung) des Geschäfts ist fertig.

인고(忍苦) Ausdauer *f.*; das Ausstehen* (Erdulden*; Ertragen*) -s. ¶ ~가 목적 달성의 관건 Ausdauer führt zum Ziel. / ~하고 결핍을 참아라 „Ertrage u. entbehre!"

인공(人工) Menschenwerk *n.* -(e)s, -e; Künstelei *f.* -en; Künstlichkeit *f.* ¶ ~의, ~적 künstlich; unnatürlich / ~적으로 künstlich / ~을 가하다 bearbeiten[4]; verarbeiten[4]; Kunst verwenden 《*auf*[4]》 / 자연과 ~이 잘 조화되어 있다 Natur u. Kunst stehen in Harmonie. / 자연계에는 ~으로 모방할 수 없는 것이 많다 Es gibt viele Dinge in der Natur, die über die Nachahmungskraft der Künstler gehen.

‖ ~감미료 die künstliche Süßigkeitsmittel 《*pl.*》. ~강우 der künstliche Regen, -s. ~두뇌 das mechanische Gehirn, -s, -e. ~미 die künstliche Schönheit. ~부화 künstliche Ausbrütung. ~수정 (수태) künstliche Befruchtung, -en; künstliche Schwängerung; künstliche Besamung, -en: ~수정아 das künstlich geschwängerte Kind, -(e)s, -er. ~영양 die künstliche Ernährung, -en: ~영양아 das mit der Flasche beköstigte Kind. ~위성 der künstliche Satellit, -en, -en: 기상 (관측) ~위성 Wetter(beobachtungs)satellit *m.* -en, -en ~유산 (künstliche) Fehlgeburt, -en. ~접종 die künstliche Ansteckung, -en. ~진주 die künstliche Perle, -n. ~태양 광선 das künstliche Sonnenlicht. ~피임 künstliche Geburtskontrolle, -n. ~혜성 der künstliche Komet, -en, -en. ~호흡 künstliche Atmung, -en: ~호흡기 Pulmotor *m.* -s, -en. ~혹성 der künstliche Planet, -en, -en.

인과(因果) 《원인과 결과》 Ursache u. Wirkung; Kausalität *f.* -en (인과 관계); 〖불교〗 Wiedervergeltung (응보). ¶ 전세의 ~ Karma *n.* -s / 피할 수 없는 ~ unvermeidliche Wiedervergeltung / ~로 여겨 체념하다 [4]sich in sein Schicksal ergeben*; [4]sich in sein Schicksal fügen; [4]sich s-m Schicksal unterwerfen*.

‖ ~관계 Kausalität *f.* -en. ~법칙, ~율 Kausalgesetz *n.* -(e)s, -e. ~성 Kausalität *f.* -en. ~응보 Wiedervergeltung *f.* -en; Vergeltung *f.* -en; Wie man sich bettet, so schläft man.

인광(燐光) das phosphoreszierende Licht, -(e)s, -er; Phosphoreszenz *f.* -en. ¶ ~을 발하다 phosphoreszieren. ‖ ~체 der phosphoreszierende Körper, -s, -.

인광(燐鑛) 〖광물〗 Phosphometall *n.* -s, -e. ‖ ~석 Phosphatstein *m.* -(e)s, -e.

인구(人口) Einwohner¦zahl *f.* (-schaft *f.* -en); Bevölkerung *f.* -en. ¶ ~가 조밀한 (희박한) 곳 die dicht bevölkerte (dünn bevölkerte) Gegend / ~ 500만의 도시 e-e Stadt mit 5 Millionen Einwohner (Bewohner) / ~의 증가 (감소) Bevölkerungs¦zunahme (-abnahme) *f.* / 농촌 ~의 감소 die Bevölkerungsabnahme auf dem Land / ~의 도시 유입 das Einströmen* der Bevölkerung in die Stadt / ~가 많다 (적다) e-e große (kleine) Einwohnerzahl haben / 서울은 ~가 조밀하다 Seoul ist dicht bevölkt. / ~가 늘다 (줄다) die Bevölkerung nimmt zu (ab).

‖ ~계획 Bevölkerungsplan *m.* -(e)s, ⸗e. ~과잉 Bevölkerungsüberschuß *m.* ..schusses, schüsse. ~동태 die Bewegung der Bevölkerung. ~문제 Bevölkerungsfrage *f.*; Bevölkerungsproblem *n.* -s, -e. ~밀도 Bevölkerungsdichtigkeit *f.* -en. ~정책 Bevölkerungspolitik *f.* ~조사 Volkszählung *f.* -en; Einwohnerzählung *f.* -en; Zensus *m.* -, -: ~조사를 하다 e-e Volkszählung ab|halten*. ~증가율 der Prozent der Bevölkerungszunahme. ~통계 Bevölkerungsstatistik *f.* ~폭발 Bevölkerungsexplosion *f.* -en. ~학 Bevölkerungslehre *f.* -n. 적정~ die günstige Bedingung der Bevölkerung.

인구(印歐) 〖형용사적〗 indoeuropäisch. ☞ 인도유럽. ‖ ~어족 die indogermanische Sprachfamilie.

인국(隣國) Nachbar¦land *n.* -(e)s, ⸗er (-staat *m.* -(e)s, -en); das benachbarte Land; der benachbarte Staat.

인권(人權) Menschenrecht *n.* -(e)s, -e; das menschliche Recht, -(e)s, -e; Grundrechte 《*pl.*》. ¶ ~을 박탈하다 proskribieren[4] / ~을 지키다 persönliche Rechte verteidigen / ~을 유린하다 in Menschenrechte ein|greifen*; in persönliche Menschenrechte über|greifen* / ~을 침해당했다고 주장한다 Er behauptet, daß sein Menschenrecht übergriffen worden ist.

‖ ~문제 die Frage 《-n》 der Menschenrechte. ~선언 Erklärung 《*f.* -en》 der Menschenrechte. ~옹호운동 die Aktivität der Verteidigung der Menschenrechte.

~옹호 한국 연맹 Koreanische Union für Verteidigung der Menschenrechte. ~유린 der Eingriff (Übergriff) in Menschenrechte. 기본적~ die Grundmenschenrechte 《*pl.*》. 세계 ~선언 die Internationale Erklärung der Menschenrechte.

인근(隣近) Nachbarschaft *f.* ¶ ~의 nächst; erst best (erstbest); in der Nähe; in der (nächsten) Nachbarschaft / ~ 파출소 die nächste (erste beste) Polizeiwache, -n.

인금(人—) Persönlichkeit *f.* -en; Charakter *m.* -s, -e; der Wert des Menschen. ¶ ~이 잘나다 e-e hervorragende Persönlichkeit haben; ein Mensch von Charakter sein / ~이 못나다 ein wertloser Mensch sein; ein Nichtsnutz sein.

인기(人氣) (allgemeine) Beliebtheit; Popularität *f.*; Ruf *m.* -(e)s (평판). ¶ ~ 있는 beliebt 《*bei*[3]》; populär 《*bei*[3]》; von gutem Ruf / ~가 없는 unbeliebt; berüchtigt / ~가 있다 beliebt (populär) sein; e-n guten Ruf haben; im guten Ruf stehen*; [4]sich großer Beliebtheit erfreuen; große Popularität genießen* / 여자 (남자)들한테 ~가 있다 [4]sich großer Beliebtheit bei Frauen (Männern) erfreuen / ~가 없다 unbeliebt (unpopulär) sein; beim Volk in Ungunst stehen*/~를 잃다 s-e Popularität verlieren* (ein|büßen; verscherzen) / ~가 높아지다 mehr u. mehr populär werden / ~가 대단하다 sehr zugkräftig (ein Reißer) sein 〖사물이 주어〗; beim Publikum gute Aufnahme finden* (책 따위가) / ~를 얻다 [4]sich beliebt machen; das Publikum gewinnen*; Aufsehen* erregen 《*mit*[3]》 / ~를 노리다 nach Popularität haschen; nach dem Beifall der Menge haschen / 그는 하룻밤새 ~의 대상이 됐다 Über Nacht wurde er Gegenstand allgemeiner Bewunderung. / 그는 대중에 ~가 있다 Er ist e-e volkstümliche Popularität. / 그녀는 학급에서 단연 ~다 Sie ist der unbestrittene Liebling der Klasse. / 그는 학계에서 대~를 끌고 있다 Er genießt große Popularität im akademischen Kreise. / 그 시인은 ~ 절정에 죽었다 Der Dichter starb, als er auf dem Gipfel s-r Popularität war.

‖ ~경쟁 Popularitätskonkurrenz *f.* -en. ~배우 Star *m.* -s, -s; Stern *m.* -(e)s, -e; der populäre Filmschauspieler, -s, - (영화의); 《무대의》 der beliebte Schauspieler, -s, -; Bühnengröße *f.* -n; Theatergröße *f.* -n. ~선수 Sportkanone *f.* -n. ~소설 der aufsehenerregende Roman, -s, -e. ~연기자 der beliebte Darsteller, -s, -; der beliebte Künstler, -s, -. ~작가 der Löwe 《-n, -n》 der literarischen Welt (Kreise). ~전술 Effekthascherei *f.* -en; Schaumschlägerei *f.* -en. ~정책 die nach Beifall haschende Politik. ~주(株) die populäre Aktie, -n. ~투표 die Wahl der Beliebtheit (durch Abstimmung; durch Fragebogen). ~프로 Hauptattraktion *f.* -en; Glanznummer *f.* -n (서커스 등의).

인기척(人—) das Zeichen e-s nahenden Menschen (e-s Menschen in der Nähe). ¶ ~이 있다 (없다) es gibt ein (kein) Zeichen e-s nahenden Menschen / ~ 없는 거리 e-e verlassene, einsame Straße, -n / 누가 따라오는 ~이 있다 Ich höre jemanden mir folgen. / 그 집에는 ~이 없다 Im Haus gibt es kein Lebenszeichen.

인꼭지(印—) der (Hand)griff 《-(e)s, -e》 des Siegels (der Stempels).

인끈(印—) die am Siegel- od. Stempelgriff gebundene Schnur, ¨-e; Siegelschnur.

인날(人—) der 7. Januar (nach dem Mondkalender).

인내(人—) Körpergeruch *m.* -(e)s, ¨-e.

인내(忍耐) Geduld *f.*; Ausdauer *f.*; Beharrlichkeit *f.* (불굴의); Langmut *f.* (성급하지 않은). ~하다 Geduld (Ausdauer) haben; aus|dauern; aus|halten*[4]; beharren 《*bei*[3]》; erdulden[4]; ertragen*[4]. ¶ ~력이 강한 geduldig; ausdauernd; beharrlich; langmütig; zäh / ~있게 계속하다 beharrlich fort|setzen[4]; beharrlich weiter machen 《*mit*[3]》 / 그는 ~력이 있다 Er ist zäh. / 이 일은 비상한 ~력을 필요로 한다 Zu dieser Arbeit gehört große Geduld. / ~력 없이는 성공 못 한다 Nur Ausdauer führt zum Erfolg. / 그는 ~로 성공했다 Er hat es durch s-e Ausdauer so weit gebracht.

인년(寅年) 〖민속〗 Tigerjahr *n.* -(e)s, -e; das Jahr des Tigers.

인대(靭帶) 〖해부〗 Band *n.* -(e)s, ¨-er; Sehne *f.* -n. 「② =인복.

인덕(人德) ① e-e angeborene Tugend, -en.

인덕(仁德) Tugend *f.* -en; Sittlichkeit *f.*; Wille 《*m.* -ns, -n》 zum Guten.

인데 〖조사〗 ① 〖연결형〗 und; aber. ¶ 이것은 내책~ 보고 주게 Dies (Das) ist mein Buch, gib es mir zurück, wenn (nachdem) du es ausgelesen hast (du damit fertig bist). ② 〖종결형〗 ¶ 좋은 곳~ Es ist hier sehr schön!

인덱스 Index *m.* -(es), -e (..dizes).

인도(人道) ① 《도덕》 Humanität *f.*; Menschlichkeit *f.*; Moral *f.* -en. ¶ ~적 human; menschenfreundlich; humanitär / 비~적 unmenschlich; grausam / ~적 견지에서 von dem humanistischen Gesichtspunkt aus / ~를 위하여 um der Humanität willen; für die Humanität / ~에 어긋나다 gegen Humanität sein.

② 《보도》 Bürgersteig *m.* -(e)s, -e; Gehweg *m.* -(e)s, -e; Fußweg *m.* -(e)s, -e; Trottoir *n.* -s, -s (-e). ¶ ~와 차도가 구별이 없는 곳 e-e Stelle, wo der Gehweg u. der Fahrweg nicht zu unterscheiden sind.

‖ ~교(教) die humanistische Religion, -en. ~문제 die Frage der Humanität. ~주의 Humanismus *m.* -: ~주의자 Humanist *m.* -en, -en / ~주의의 이름으로 in dem Namen des Humanismus.

인도(引渡) Ablieferung *f.* -en (양도); Auslieferung *f.* -en (책, 상품, 도망간 범인의); Lieferung *f.* -en (상품); Abgabe *f.* -n (상품, 제출); Übergabe *f.* -n (성, 포위된 도시); Aushändigung (Einhändigung) *f.* -en. ~하다 liefern[4]; aus|händigen[4]; ein|händigen[4]; aus|liefern[4]; übergeben*[4]. ¶ 화물을 ~하다 Waren aus|liefern / ~받다 ausgeliefert bekommen*[4] (kriegen[4]; erhalten*[4]) / 재산을 ~하다 *jm.* sein Vermögen ab|treten* / 도둑을 경찰에 ~하다 der Polizei e-n Dieb aus|liefern / 시체를 유족에게 ~하다 den Hinterbliebenen die Leiche aus|händigen / 가게를 채권자에게 ~하다 dem Gläubiger e-n Laden übergeben*.

‖ ~부족 Minderlieferung *f.* -en. ~식 Auslieferungszeremonie *f.* -n. ~일 der

Tag der Aushändigung. ~장소 Auslieferungsplatz *m.* -es, ⸚e. ~필 eingehändigt; ausgeliefert. 도착항~ Freihafen *m.* -s, ⸚. 본선~ portofrei bis an Bord《생략: f.o.b.》. 선측(船側)~ ab Schiff. 역〔부두〕~ Frei Bahnhof〔Frei Hafen〕. 죄인~ 협정 Auslieferungsvertrag *m.* -(e)s, ⸚e. 철도~ portofrei mit der Bahn《생략: F.O.R》. 현장~ Lokoverkauf *m.* -(e)s, ⸚e.

인도(引導) Führung *f.* -en; Leitung *f.* -en. ~하다 führen[4]; leiten[4]. ¶아무를 바른 길로 ~하다 *jn.* auf den rechten Weg bringen*.
‖~자 Führer *m.* -s, -; Leiter *m.* -s, -.

인도(印度) Indien *n.* -s. ¶~의 indisch.
‖~공화국 Republik Indien. ~교 Hinduismus *m.* -. ~남(藍) Indigo *m.*〔*n.*〕-s, -s. ~말 das Indische*, -n; Indisch *n.* -(s). ~사람 Inder *m.* -s, -(남자); Inderin *f.* -nen (여자). ~양 der Indische Ozean, -s. ~연방 die Indische Union. ~지(紙)=인디아지. ~철학 die indische Philosophie.

인도네시아 Indonesien. ¶~의 indonesisch.
‖~공화국 die Republik Indonesien. ~사람 Indonesier *m.* -s, -.

인도어스포츠 Indoor-Sport *m.* -(e)s, -e; Hallensport *m.* -(e)s, -e.

인도유럽 〖형용사적〗 indoeuropäisch.
‖~어족 die indoeuropäischen Sprachen; die indogermanische Sprachfamilie.

인도지나(印度支那) Indochina.

인동(忍冬) 〖식물〗 das (durchwachsene) Geißblatt, -(e)s, ⸚er; Jelängerjelieber *m.*〔*n.*〕-s -; *Lonicera caprifolium* (학명).

인두 《바느질의》 Bügeleisen *n.* -s, -; Brennschere〔Locken-〕*f.* -n (두발용); Lötkolben *m.* -s, -; Löteisen *n.* -s (납땜용).
‖~질 das Bügeln*, -s (다림질); das Verlöten*, -s: ~질하다 bügeln; plätten. ~판 Bügel¦brett〔Plätt-〕*n.* -es, -er.

인두(咽頭) Schlund *m.* -(e)s, ⸚e; Schlundkopf *m.* -(e)s, ⸚e; Rachen *m.* -s, -.
‖~염 Rachenbräune *f.* -n.

인두겁(人—) Menschengestalt *f.* -en. ¶~을 쓴 악마 ein Teufel《*m.* -s, -》in Menschengestalt / 그는 ~만 썼지 사람이 아니다 Er ist ein Tier in Menschengestalt.

인두세(人頭稅) Kopfsteuer *f.* -n.

인둘리다(人—) vom Gedränge〔vom Haufen; von der Menge〕schwind(e)lig sein; das Gedränge macht *jn.* schwind(e)lig; [4]sich vom Anstoßen des Gedränges schwach〔ohnmächtig; krank〕fühlen.

인들 obwohl; wenn auch; auch sogar. ¶세살 먹은 아이~ auch ein dreijähriges Kind / 아무리 무정한 사람~ 그 광경을 보고 눈물을 안 흘릴 수 없을 것이다 Auch ein außerordentlich〔äußerst〕herzloser Mensch (*od.* Der grausamste Mensch) würde bei dem Anblick weinen. / 낙화~ 꽃이 아니랴 쓸어 무삼하리요 gefallenen Blumen sind auch Blumen. Fege sie doch nicht.

인디아 ☞ 인도(印度).
‖~지 Dünndruckpapier *n.* -s.

인디언 Indianer *m.* -s, -.
‖아메리카~ ein (amerikanischer) Indianer.

인력(人力) Menschenkraft *f.* ⸚e; die menschliche Kraft, ⸚e. ¶~으론 불가능하다 Das geht über Menschenkraft.¦Da hilft kein menschliches Mittel.
‖~감사(監査) die Untersuchung der Menschenkraft.

인력(引力) 〖물리〗 Anziehungskraft *f.* ⸚e (물질간의); Schwerkraft *f.* (우주의); Gravitation *f.* (우주의). ¶~ 있는 anziehend; magnetisch / ~의 법칙 das Gesetz der Universalgravitation / 조수의 간만은 달의 ~ 때문이다 Ebbe u. Flut sind der Gravitation des Mondes zuzuschreiben〔sind e-e Folge der Mondgravitation〕.
‖~설 Gravitationslehre *f.* 만유~ Universalgravitation *f.* 모세관~ Haarröhrchenanziehung〔-wirkung〕*f.* -en. 반대~ Gegenanziehung *f.*; die entgegengesetzte Anziehungskraft. 지구~ Erdgravitation *f.*

인력거(人力車) Rikscha *f.* -s. ¶~에 타다 e-e Rikscha nehmen* / ~로 가다 mit dem Rikscha fahren* ⓢ / ~를 끌다 e-e Rikscha ziehen*.
‖~꾼 Rikschamann *m.* -(e)s, ..leute.

인류(人類) Mensch *m.* -en, -en; Menschengeschlecht *n.* -(e)s, -er; Menschentum *n.* -(e)s; Menschheit *f.* ¶~의 human; menschlich / ~복지〔행복〕das Wohl der Menschheit / ~ 역사상에 in der Geschichte der Menschheit / ~의 행복을 증진하다 das Wohl der Menschheit fördern.
‖~발생론 Anthropogenie *f.* ~사 die Geschichte der Menschheit; Anthropogenese *f.* ~애 Menschenliebe *f.* -n; Menschlichkeit *f.* ~학 Anthropologie *f.* -n: ~학자 Anthropologe *m.* -n, -n.

인륜(人倫) ①《인도·도덕》Menschlichkeit *f.*; Humanität *f.*; Menschenpflicht *f.* -en; Menschentum *n.* -(e)s; Moral *f.* (드물게) -en; Sittlichkeit *f.* ②《인적 관계》die menschliche Beziehung, -en; das geistige Band, -(e)s, -e. ¶~에 어긋나는 unsittlich; unmoralisch / ~에 어긋나는 행위 die unsittliche Handlung, -en; das unmoralische Verhalten*, -s / ~에 어긋나다 gegen die Moral verstoßen* / ~을 짓밟다 die Moral verletzen.

인마(人馬) Mensch u. Pferd, des -(en) u. (des) -(e)s; Reiter u. Pferd, des -(s) u. (des) -(e)s. ¶~일체가 되어 als ob Tier u. Mensch aus e-m Guß wären; als ob er mit dem Pferd〔Sattel〕verwachsen sei; als ob er am Sattel geboren wäre.

인망(人望) das Ansehen*, -s; Beliebtheit *f.*; Volksgunst *f.*; Popularität *f.* -en. ¶~이 있는 ansehnlich; beliebt; populär / ~이 있다 in (hohem) Ansehen stehen*; Ansehen genießen*; sehr angesehen sein; beliebt sein / ~이 높다 großes Ansehen genießen* / ~을 얻다 Popularität erwerben*; beliebt〔populär〕werden / ~이 떨어지다 *js.* Popularität〔Beliebtheit〕verlieren* / 그 선생은 학생에게 ~이 있다 Jener Lehrer ist bei den Schülern beliebt. / ~이 있다 Er ist Gegenstand allgemeiner Verehrung.
‖~가 die beliebte Person, -en; Idol *n.* -s, -e (우상시되는).

인면(人面) Gesicht *n.* -(e)s, -e; Antlitz *n.* -es, -e
‖~수심(獸心) ein Tier《*n.* -(e)s, -e》in Menschengestalt; ein Teufel《*m.* -s, -》in Menschengestalt; ein Satan《*m.* -s, -e》in Menschengestalt; ein Mensch《*m.* -en, -en》von tierischer Roheit〔분철: Ro-heit〕.

인멸(湮滅) 《자연적인》das Erlöschen*, -s;《고의적인》Zerstörung *f.* -en; Vernichtung *f.* ~하다《…을》zerstören[4]; vernichten[4]. ¶…

이 ~되다 erlöschen* ⓢ; ausgelöscht (verschwunden; vernichtet) sein / 증거를 ~하다 e-n Beweis (Beleg) vernichten.

인명(人名) Personenname *m.* -ns, -n.
‖ ~부 Namen(s)verzeichnis *n.* -ses, -se; Adreßbuch *n.* -(e)s, ¨er. ~사전 das biographische Handbuch. 현대~록 „Wer ist's"; „Wer ist Wer".

인명(人命) das (menschliche) Leben, -s, -; Menschenleben *n.* -s, -. ¶ ~의 구조 die Rettung des Menschenlebens / ~의 피해 Lebensopfer *n.* -s; die tödliche Verletzung, -en; Verlust *m.* -(e)s, -e / ~을 희생하여 《군대》 mit dem Opfer von dem Menschenleben; auf Kosten von dem Menschenleben / ~에 관계되다 das Menschenleben gefährden (in Gefahr bringen*) / ~을 구조하다 *jm.* das Leben retten / ~을 존중하다 das Leben hoch|schätzen / 그것은 ~에 관한 중대한 일이다 Es geht dabei um Menschenleben. / ~ 피해는 없다 Es ist kein Menschenopfer zu beklagen. / 이 요새는 많은 ~을 희생하고 얻은 것이다 Diese Festung ist unter vielen Menschenopfern eingenommen worden.

인문(人文) Kultur *f.* -en; Zivilisation *f.* -en; Humanität *f.* ¶ ~적 kulturell; Kultur- / ~이 발달한 kultiviert; zivilisiert; aufgeklärt.
‖ ~과목 Humaniora 《*pl.*》. ~과학 Kulturwissenschaft *f.* ~주의 Humanismus *m.* -: ~주의의 humanistisch / ~주의자 Humanist *m.* -en, -en. ~지리 Kulturgeographie *f.* -n.

인물(人物) 《사람》 Mensch *m.* -en, -en; Mann *m.* -(e)s, ¨er; Charakter *m.* -s, -e (별난); 《인품》 Charakter *m.* -s, -e; Persönlichkeit *f.* -en; 《인재》 der tüchtige Mann, -(e)s, ¨er; der talentvolle (begabte) Mann, -(e)s, ¨er; Talent *n.* -es, -e; 《작품중의》 Person *f.* -en; Geist *m.* -(e)s, -er; Wesen *n.* -s; Seele *f.* -n; 《그림》 Gestalt *f.* -en; Figur *f.* -en. ¶ 위대한 ~ ein großer Mann, -(e)s, ¨er (Geist, -es, -er); e-e große Persönlichkeit, -en / 세계적 ~ e-e weltberühmte Person / 작은 ~ ein kleiner (kleinlicher) Mann, -(e)s, ¨er / 훌륭한 ~ ein ausgezeichneter Mann, -(e)s, ¨er / 변변치 않은 ~ e-e unbedeutende (unwichtige) Person, -en / ~이 못생긴 사람 e-e häßliche Person, -en / ~이 좋다 von gutem Charakter sein; wohlgestaltet (von angenehmen Äußern) sein / ~을 양성하다 *js.* Charakter bilden / ~을 시험하다 *js.* Charakter prüfen / ~을 보증하다 für *js.* Charakter bürgen / ~을 그리다 e-e Person (Gestalt) malen; 《소설에》 charaktersieren[4]; e-n Charakter schildern (zeichnen) / 결혼에는 ~을 본위로 하여야 한다 Man muß bei der Heirat auf den Charakter sehen. / 그는 어떠한 ~인가 Was für e-e Person ist er? / 그는 장래가 기대되는 ~이다 Er ist ein vielversprechender Mensch. / 그는 재주는 있지만 ~이 작다 Er ist sehr begabt, aber kein großer Mann. / 지금 정계에는 ~이 적다 Im politische Kreise gibt es jetzt k-e bedeutenden Personen. / 이 소설에는 ~이 잘 묘사되어 있다 In diesem Roman sind Personen ausgezeichnet geschildert. / ~의 양성이 학교의 최대 목적이라고 한다 Die Bildung des Charakters sollte das erste Ziel der Schule sein. / 인간의 가치는 재산에 있는 것이 아니고 ~에 있다 Der Wert e-s Menschen liegt weniger in dem, was er hat, als (vielmehr) in dem, was er ist.
‖ ~가난 Mängel an großer Persönlichkeit. ~묘사 Porträtmalerei *f.* -en. ~시험 Charakterprüfung *f.* -en. ~양성 die Bildung des Charakters. ~평 Charakteristik *f.* ~화 Porträt *n.* -s, -s. 등장~ die handelnden Personen 《*pl.*》. 위험~ die gefährliche Person, -en. 중요~ die bedeutende (wichtige; große) Person; der führende Mann, -(e)s, ¨er.

인민(人民) Volk *n.* -(e)s, ¨er; Volksmasse *f.* -n; Leute 《*pl.*》; Publikum *n.* -s; 《공민》 Bürger *m.* -s, -; der Staatsangehörige*, -n, -n (개개인); Staatsvolk *n.* -(e)s, ¨er (국민). ¶ ~의 völkisch / ~의 권리 Volksrecht *n.* -(e)s, -e / ~을 보호하다 das Volk schützen.
‖ ~경찰 Volkspolizei *f.* -en. ~공사 《중공의》 Volkskommune *f.* ~공화국 Volksrepublik *f.* ~당 Volkspartei *f.* -en. ~위원 Volkskommissar *m.* -(e)s, -e: ~위원회 Volkskommisariat *m.* -(e)s, -e. ~재판 Volksgericht *n.* -(e)s, -e: ~재판을 하다 ein Volksgericht halten*. ~전선 Volksfront *f.* -en. ~정부 Volksregierung *f.* ~투표 Volksabstimmung *f.* -en.

인박이다 an [4]*et.* gewöhnt sein; [4]sich an [4]*et.* gewöhnen. ¶ 인박인 사람 Gewohnheitsmensch *m.* -en, -en. ⌈-s -.

인발(印—) Petschaft *n.* -(e)s, -e; Siegel *n.*

인방(引枋) 〖건축〗 Querbalken *m.* -s, - (zwischen zwei Pfeilern, oberhalb od. unterhalb von Fenstern, Türen).

인방(寅方) 〖민속〗 die Richtung des Tigers (=Nordostosten).

인방(隣邦) =인국(隣國).

인버네스 《외투》 Havelock *m.* -s, -s.

인보(印譜) Stempelalbum *n.* -s, ..ben (-s).

인보(隣保) Nachbar *m.* -n, -n (-s, -n); Nachbarschaft *f.* ‖ ~사업 Sozialhilfswerk *n.* -(e)s, -e; Armenpflege *f.* -n. ⌈ben.

인복(人福) das Glück, gute Freunde zu haben.

인본(印本) ein gedrucktes Buch, -(e)s, ¨er.

인본주의(人本主義) 〖철학〗 Humanismus *m.* -. ‖ ~자 Humanist *m.* -en, -en.

인봉(印封) 《봉인》 Siegelung *f.*; 《관인의》 Abdruck 《*m.* -(e)s, -e》 e-s offiziellen Stempels (Siegels); e-e offizielle Siegelung; das Verschließen* 《-s》 mit e-m offiziellen Siegel (Stempel); Verschluß 《*m.* ..schlusses, ..schlüsse》 durch Siegeln. ~하다 stempeln[4]; siegeln[4]; mit Siegel (Stempel) verschließen*[4].

인부(人夫) Arbeiter *m.* -s, -; Tagelöhner *m.* -s, - (날품팔이꾼); Erdarbeiter *m.* -s, - (미장이); Lastträger *m.* -s, - (운반하는); Hafenarbeiter *m.* (부두의); Kuli *m.* -s, -s.
‖ ~십장 Vorarbeiter *m.* -s, -. 철도(선로)~ Eisenbahn|arbeiter (Strecken-) *m.* -s, -.

인분(人糞) Menschenkot *m.* -(e)s; die menschlichen Exkremente 《*pl.*》; Mist *m.* -es, -e.
‖ ~비료 der menschliche Dünger, -s, -.

인비(人秘) persönliches Geheimnis, -ses, -se.

인비(燐肥) 《인산 비료》 Phosphatdünger *m.* -s, -; Superphosphat *n.*

인비늘(人—) e-e schuppige Menschenhaut, ¨e; Hautschalen 《*pl.*》; Kopfschuppen 《*pl.*》 (비듬).

인비인(人非人) Bestie *f.* -n; der tierische Mensch, -en, -en; Unmensch *m.* -en, -en.
인사(人士) e-e bedeutende Person, -en (auf e-m gewissen Gebiet); Personen《*pl.*》; Leute《*pl.*》.
‖저명∼ e-e berühmte Person (Persönlichkeit) -en; Berühmtheit *f.* -en.
인사(人事) ①《사교장의》Gruß *m.* -es, ¨-e; Begrüßung *f.* -en; Kompliment *n.* -(e)s, -e; Salut *m.* -(e)s, -e (경례); der Gruß des Tages (아침, 저녁의). **∼하다** *jn.* grüßen; *jn.* begrüßen; *jm.* salutieren; *jm.* die Tageszeit an|bieten*; *jm.* ein Kompliment machen. ¶아침 (작별) ∼를 하다 „Guten Morgen" (Auf Wiedersehen) sagen / ∼를 주고 받다 ⁴sich grüßen; Grüße wechseln《mit *jm.*》/ ∼시키다 bekannt machen《*jn.* mit *jm.*》; vor|stellen《*jn. jm.*》(소개) / ∼도 없이 가버리다 ⁴sich auf französich empfehlen*; weg|gehen* [s], ohne ⁴sich zu verabschieden (Abschied zu nehmen) / ∼드리지 못했군요, 제 이름은 한 일수입니다 Darf ich mich Ihnen vorstellen? Ich heiße *Ilsu Han.* / 두 분이 ∼하셨읍니까 Haben Sie sich schon miteinander bekannt gemacht? / 김 박사와는 이미 ∼를 나눈 사이일세 Ich habe schon Dr. *Kim* kennengelernt. / 신사숙녀 여러분, 몇마디 ∼ 말씀드리겠읍니다 M-e Damen u. Herren! Erlauben Sie mir einige Worte zu sprechen!
②《절》Verbeugung *f.* -en; Verneigung *f.* -en; Bückling *m.* -s, -e; Kompliment *n.* -(e)s, -e. **∼하다** e-e Verbeugung (ein Kompliment; e-n Bückling) machen; ⁴sich verbeugen (verneigen). ¶정중하게 ∼하다 e-e höfliche Verbeugung machen; ein höfliches Kompliment machen; ⁴sich höflich verbeugen / 어른한테 ∼를 하다 e-m Altern e-e Verbeugung machen / ∼를 받다 e-e Verbeugung kriegen (bekommen*).
③《감사》Antwort *f.* -en; Dank *m.* -es; Bescheid *m.* -es; Erwiderung (Anerkennung) *f.* -en. **∼하다** danken《*jm.*; für ⁴*et.*》; antworten《*jm.*》; ⁴sich bedanken《bei *jm.* für ⁴*et.*》; erwidern; Antwort (Bescheid) geben*. ¶퉁명스런 ∼를 하다 e-e barsche (unhöfliche) Antwort geben* / 어떻게 ∼를 해야 할 지 모르겠읍니다 Ich weiß nicht, was ich Ihnen sagen soll. / 선물을 받았는데 무엇으로 ∼를 할까 Womit soll ich Ihnen für das Geschenk danken?
④《예의》Höflichkeit *f.* -en; Artigkeit *f.* -en; Gefälligkeit *f.* -en; Etikette *f.* -n; Manieren《*pl.*》; Dekorum *n.* -s; Anstand *m.* -(e)s, ¨-e. ¶∼를 알다 (모르다) e-n Sinn (k-n Sinn) für gute Sitte haben / ∼차 방문하다 Höflichkeitsbesuche《bei *jm.*》machen / ∼치례 하다 *jm.* Kompliment machen; *jm.* Artigkeit sagen / ∼차 돌아다니다 e-e Runde machen, um ⁴sich zu bedanken / ∼치례로 aus Höflichkeit / 그런 질문을하는 것은 ∼가 아니다 Es gehört sich nicht, e-e derartige Frage zu stellen. / 그는 연장자에 대한 ∼를 모른다 Er weiß nicht, wie er sich gegen s-e Höherstehenden benehmen soll.
⑤《사람의 일》die menschliche Angelegenheit, -en; Personalangelegenheit *f.* -en; alles Menschenmögliche*. ¶∼를 다하다 alles Menschenmögliche* tun* / ∼를 다하고 천명을 기다려라 Tu d-e Pflicht u. stelle das Weitere dem Himmel anheim.
⑥《의식》das Bewußtsein, -s; Sinn *m.* -(e)s, -e. ☞ 인사불성(人事不省).
‖**∼과** Personalabteilung *f.* -en; Personalamt *n.* -(e)s, ¨-er: ∼과장 der Chef (Leiter) der Personalabteilung. **∼관리** (행정) Personalverwaltung *f.* -en. **∼난** Personalienspalte *f.* -n. **∼비밀** Personaliengeheimnis *n.* -ses, -se. **∼상담소** Auskunftsbüro *n.* -s, -s. **∼장** Grußkarte *f.* -n;《전임·이전 따위의》Ernennungs¦brief *m.* -(e)s, -e (-kunde *f.* -n). **작별∼** Abschiedsgruß *m.* -es, ¨-e; Abschied *m.* -(e)s, -e; auf Wiedersehen.
인사불성(人事不省) ①《기절》Ohnmacht *f.* -en; Bewußt¦losigkeit (Besinnungs-) *f.* -en; der Zustand ohne Besinnung. ¶∼의 ohnmächtig; besinnungslos; bewußtlos / ∼이 되다 in Ohnmacht fallen* [s]; ohnmächtig (besinnungslos; bewußtlos) werden. ②《무례》kein Sinn für gute Sitte.
인산(因山) Begräbnisfeier《*f.* -n》im königlichen Hause; Staatsbegräbnis *n.* -ses, -se.
인산(燐酸)〖화학〗Phosphorsäure *f.* -n. ¶∼을 함유한 phosphatisch.
‖**∼비료** Phosphatdünger *m.* -s, -. **∼석회** der phosphorsaure Kalk, -(e)s, -e. **∼소다** die (das) phosphorsaure Soda〖*n.* 일때 -s〗. **∼염** Phosphat *n.* -(e)s, -e.
인산인해(人山人海) e-e große Menge Leute. ¶교회 앞에는 ∼를 이루었다 Vor der Kirche sind e-e große Menge Leute zusammengelaufen.
인삼(人蔘) Ginseng *m.* -s, -s.
인상(人相) Physiognomie *f.* -n [..mí:ən]; Gesichts¦bildung *f.* -en (-linie *f.* -n); Gesichtszüge《*pl.*》; Visage [vizá:ʒə] *f.* -n. ¶∼이 안 좋은 mit dem bösen (häßlichen; unfreundlichen) Blick (in den Augen); mit e-r Visage wie ein Verbrecher; Galgengesicht *n.* -(e)s, -er (악당의) / 천한 ∼ gemeine Gesichtszüge《*pl.*》/ ∼이 나쁜 남자 ein Mensch mit unangenehmer Physiognomie; der finsterblickende (verächtig aussehende) Mensch, -en, -en / ∼을 보다 aus der Gesichtsbildung (den Gesichtszügen) wahr|sagen; den Gesichtsausdruck deuten.
‖**∼서** Personalbeschreibung *f.* -en: ∼서를 만들다 e-e Personalbeschreibung aus|fertigen / ∼서와 부합하다 der Personalbeschreibung entsprechen*. **∼학** Physiognomik *f.*: ∼학자 Physiognom *m.* -en, -en; Gesichtsdeuter *m.* -s, -.
인상(引上)《끌어올림》Heraufsetzung *f.* -en; Erhöhung *f.* (급료 따위의). **∼하다** erhöhen⁴; empor|schrauben⁴; vergrößern⁴; vermehren⁴. ¶운임을 ∼하다 Fahrgelder verteuern; die Fahrkosten erhöhen (herauf|setzen) / 기본임금의 ∼을 요구하다 fordern, Grundlohn zu erhöhen / 가격이 2백원 ∼되었다 Der Preis hat sich auf 200 *Won* erhöht.
‖**물가∼** Preiserhöhung *f.* -en. **임금(賃金)∼** Lohnerhöhung *f.* -en.
인상(印象) Eindruck *m.* -(e)s, ¨-e; Impression *f.* -en. ¶∼적 eindrucksvoll; einprägsam; wirkungsvoll / 첫∼ der erste Eindruck / 좋은 ∼ der gute Eindruck / 나쁜 ∼ der schlechte Eindruck / 사라지지 않는 ∼ der tiefe (unauslösliche) Eindruck / 잊을 수 없는 ∼ der unvergeßliche Eindruck / 유쾌

한 ~ der angenehme Eindruck / 불유쾌한 ~ der unangenehme Eindruck / ~을 주다 e-n Eindruck machen; *jn.* beeindrücken / ~을 남기다 ^{4}sich ein|prägen / ~을 받다 e-n Eindruck empfangen* 〔haben〕 / 깊은 ~을 받다 e-n tiefen Eindruck empfangen* / 첫 ~을 말하다 vom ersten Eindruck sprechen* / 서울 ~이 어떻습니까 Welchen Eindruck hat Seoul auf Sie gemacht?¦Wie hat es Ihnen in Seoul gefallen? / 이것이 독일에서 받은 ~이다 Das sind die Eindrücke, die ich in Deutschland gesammelt habe. / 나는 지난 여행에서 잊지 못할 ~들을 받았다 Ich habe auf m-r letzten Reise unvergeßliche Eindrücke gesammelt. / 그의 ~이 깊이 남아 있다 Sein Eindruck bleibt tief in m-m Gedächtnis haften. / 그의 연설은 청중에게 깊은 ~을 주었다 S-e Rede machte e-n starken Eindruck aufs Publikum gemacht.

‖ **~주의** Impressionismus *m.* -: ~주의자 Impressionist *m.* -en, -en. **~파** die impressionistische Schule.

인상(鱗狀) ¶ ~의 schuppig; schuppen¦artig 〔-förmig〕.

인색(吝嗇) Knauserei *f.* -en; Geiz *m.* -es; Knickerei *f.* -en; Filzigkeit *f.* **~하다** geizig; knauserig; knickerig (sein); 〖동사적〗 geizen 《*mit*^{3}》; knausern 《*mit*^{3}》. ¶ ~하지 않다 freigebig 〔großzügig〕 sein; ^{4}*et.* nobel geben* / ~한 사람 Geizhals *m.* -(e)s, ⸚e; Filz *m.* -es, -e; Knicker 〔Knauser; Geizkragen〕 *m.* -s, - / 그는 돈에는 ~하다 Er zieht nicht gern den Beutel. / ~하게 굴지 말라 Sei nicht so geizig!

인생(人生) 《생명》 Menschenleben *n.* -s; das menschliche Leben, -s. ¶ ~의 Lebens- / ~의 부침(浮沈) das Auf u. Ab des Lebens / ~의 맛 Lebensgewürz *n.* -es, -e / ~의 목적 Lebenszweck *m.* -(e)s, -e; Lebensziel *n.* -es, -e; Lebenssinn *m.* -(e)s, -e / ~의 종말 Lebensende *n.* -s, -n / ~의 쾌락 Lebensfreude *f.* -n 〔-genuß *m.* ..nusses, ..nüsse〕; Lebenslust *f.* ⸚e / ~에 지치다 vom Leben müde sein / ~을 낙관하다 e-e optimistische Lebensanschauung haben; die beste Seite vom Leben nehmen* / ~을 비관하다 e-e pessimistische Lebensanschauung haben; das Leben schwarz sehen*; die dunkle Seite vom Leben nehmen* / ~을 꿈결처럼 보내다 das Leben wie ein Traum verbringen* 〔verleben〕 / ~ 불과 50년 Die Lebenszeit dauert nur 50 Jahre. / 그것이 ~이야 Das ist doch nun einmal so in der Welt 〔in Leben〕.¦So ist nun einmal das Leben.

‖ **~관** Lebensanschauung *f.* -en. **~기록** Lebensdokument *n.* -(e)s, -e. **~문제** Lebens¦frage *f.* -n 〔-problem *n.* -s, -e〕. **~철학** Lebensphilosophie *f.* -n. **~항로, ~행로** Lebenslauf *m.* -(e)s, ⸚e; Lebensweg *m.* -(e)s, -e; Lebenspfad *m.* -(e)s, -e.

인석(人石) die zwei steinernen Statuen vor dem königlichen Grab.

인석(茵席) 《거적자리》 Matte *f.* -n; eine aus Rohr geflochtene Matte.

‖ **~장이** Mattenmacher *m.* -s, -; Rohrflechter *m.* -s, -.

인선(人選) Auswahl 《*f.* -en》 e-r (geeigneten; passenden) Person. **~하다** e-e geeignete Person suchen〔aus|suchen; aus|wählen; erwählen〕. ¶ 각료의 ~ die Auswahl der Staatsminister / ~난이다 Die Schwierigkeit liegt in der Auswahl der Personen. / 후임자는 목하 ~중이다 Der Nachfolger ist noch unbestimmt.

인성(人性) die menschliche Natur, -en; Menschlichkeit *f.* (인간다운 것, 약한 것); Menschentum *n.* -(e)s (인간성). ¶ 그게 바로 ~이다 Es liegt in der Natur der Menschen. / ~은 본래 선한 것이다 Die menschliche Natur ist ursprünglich gut.

‖ **~론** die Behandlung der Ethologie. **~학** Ethologie *f.* -n.

인성(人聲) Menschenstimme *f.* -n; e-e menschliche Stimme, -n.

인성만성 ① 《군집》 angefüllt mit Menschen; wimmelnd von Menschen; lärmend. ② 《혼미》 schwindlig. **~하다** schwindlig; betäubt (sein).

인세(印稅) Tantieme *f.* -n [tãtiέ:mə].

인솔(引率) Anführung *f.*; Leitung *f.* **~하다** (an|)führen^4; leiten^4.

‖ **~자** Leiter *m.* -s, -; (An)führer *m.* -s, -.

인쇄(印刷) Druck *m.* -(e)s. **~하다** drucken^4. ¶ ~의 잘못 Druckfehler *m.* -s, - / ~중이다 im Druck begriffen sein; in der Presse sein; unter der Presse sein; im Druck sein / ~를 끝내다 mit dem Druck fertig werden; fertig drucken^4 / ~에 부치다 in Druck geben* / ~에 부쳐지다 in Druck gehen* ⓢ; in die 〔zur〕 Presse gehen* ⓢ / 작은 〔큰〕 글자로 ~하다 klein 〔groß〕 drucken^4 / 2도 쇄(刷)로 ~하다 in Zweifarben drucken^4 / ~가 선명하다 〔나쁘다〕 deutlich 〔schlecht〕 gedruckt sein.

‖ **~공** Drucker *m.* -s, -. **~공장** Druckerei *f.* -en. **~국** Preßbüro *n.* -s, -s; Preßstelle *f.* -n. **~기계** Druckmaschine *f.* -n; Druckwalze *f.* -n (윤전기). **~물** Drucksache *f.* -n. **~비** Druckkosten 《*pl.*》. **~술** Druckkunst *f.* ⸚e; Typographie *f.* -n. **~업** Druckerei *f.* -en. **~용지** Druckpapier *n.* -s, -e. **~인** Drucker *m.* -s, -; Typograph *m.* -en, -en. **~잉크** Druckfarbe *f.* -n. **~판** Druckplatte *f.* -n. 색도~ Farbendruck *m.* -(e)s, ⸚e.

인수(人數) die Zahl der Personen; die Anzahl (von Menschen); Stärke *f.* -n; Kopfzahl *f.* -en (머리수). ¶ ~를 세다 die Personen 〔die Köpfe〕 zählen / ~가 늘다 〔줄다〕 an Zahl größer 〔kleiner〕 werden / ~가 차다 Die Zahl ist voll.¦Alle sind da. / 우리 쪽 ~는 80명이다 Wir sind unserer 80. / 공원 ~는 얼마냐 Wie groß 〔stark〕 ist die Belegschaft?

인수(引水) Bewässerung 〔Bewäßrung〕 *f.* -en. **~하다** (das Reisfeld) bewässern. ¶ 아전~(를)하다 s-n eigenen Vorteil suchen; sein Schäfchen ins trockene bringen*.

인수(引受) Übernahme *f.* -n (일, 사건); Bürgschaft *f.* -en (보증); 《어음》 Akzept *n.* -(e)s, -e; Annahme *f.* -n. **~하다** übernehmen*^{4} (청부); auf ^{4}sich nehmen*^{4} (책임, 일); akzeptieren^4 (어음); ^{4}sich verbürgen (보증); bürgen^4 (보증); sorgen 《*für*^{4}》 (돌봄). ¶ ~필의 akzeptiert; garantiert / 부채를 ~하다 ^{4}sich für die Schulden verantwortlich machen; die Schulden auf ^{4}sich nehmen* / 사건을 ~하다 e-e Angelegenheit 〔e-e Arbeit〕 übernehmen / 책임을 ~하다 die Verantwortung übernehmen* 〔tragen*〕

《für⁴》/ 이 어음을 ~한 사람은 누구냐 Wer hat diesen Wechsel akzeptiert?
‖ ~가격 Übernahmepreis *m.* -es, -e. ~거절(拒絶) Annahmeverweigerung *f.* -en. ~어음 der akzeptierte Wechsel, -s. ~은행 Akzeptbank *f.* -en. ~인 Übernehmer *m.* -s, -; Bürge *m.* -n, -n (보증인); Akzeptant *m.* -en, -en (어음). ~조건 Übernahmebedingungen 《*pl.*》.

인수(印綬) die am Griff des Amtssiegels befestigte Schnur, ⸗e; 《인끈》 Siegelschnur (Stempel-) *f.* ⸗e.

인수(因數) 〖수학〗 Faktor *m.* -s, -en [..tóːrən]. ¶ 2와 3의 ~는 6이다 Zwei u. drei sind Faktoren von sechs.
‖ ~분해 die Auflösung 《-en》 (die Zerlegung 《-en》) in Faktoren: ~분해하다 in Faktoren auf|lösen (zerlegen). 소(素)~ ein einfacher (unteilbarer) Faktor.

인술(仁術) Wohltat *f.* -en; Menschenliebe *f.*

인슐린 〖약〗 Insulin *n.* -s, -.

인스턴트 Instant-. ‖ ~식품 Instantlebensmittel 《*pl.*》. ~음료 Instantgetränke *n.* -s. ~커피 Instantkaffee *m.* -s.

인스피레이션 Erleuchtung *f.* -en; Inspiration *f.* -en; Eingebung *f.* -en. ¶ ~을 얻다 e-e Inspiration bekommen*.

인습(因襲) das Herkommen*, -s; Tradition *f.* -en; Konvention *f.* -en. ¶ ~적인 konventionell; herkömmlich; traditionell / ~을 좇다 der Tradition (Konvention) folgen / ~을 타파하다 mit dem alten Herkommen brechen* / ~에 얽매이다 konventionell sein; ein Sklave des Herkommens sein / ~에서 벗어나다 ⁴sich von der althergebrachten Sitte befreien.

인시(寅時) 〖민속〗 die Stunde des Tigers. ① der 3. Zeitraum nach der alten Tageseinteilung in 72 Doppelstunden: die Zeitspanne zwischen 3 u. 5 Uhr morgens. ② der 5. Zeitraum, wenn ein Tag in 24 Stunden geteilt wird: die Zeit-Spanne zwischen 3.30 u. 4.30 morgens.

인시류(鱗翅類) 〖곤충〗 Schmetterlinge 《*pl.*》; Schuppenflügler 《*pl.*》; Lepidopteren 《*pl.*》; *Lepidoptera* (학명).

인식(認識) Erkenntnis *f.* -se; das Erkennen*, -s; Verständnis *n.* -ses, -se. ~하다 erkennen*⁴ 《*an*³》; ein|sehen*⁴; verstehen*⁴. ¶ 바로 ~하다 ⁴*et.* richtig erkennen* (begreifen*; verstehen*; auf|fassen) / ~을 새로이 하다 ⁴*et.* aufs neue erkennen* (verstehen*) / 그는 아직 사태를 ~하지 못하고 있다 Er erkennt die Situation noch nicht.¦Er hat noch k-e Einsicht auf die Lage.
‖ ~력 Erkenntniskraft *f.* ⸗e. ~론 Erkenntnistheorie (Epistemologie) *f.* -n: ~론자 Epistemologist *m.* -en, -en. ~부족 Mangel 《*m.* -s, ⸗》 an Erkenntnisvermögen; Einsichtslosigkeit *f.* -en; Unwissenheit *f.* -en. ~비판 Erkenntniskritik *f.* -en. ~표 〖군사〗 Erkenntniszeichen *n.* -s, -.

인신(人臣) Untertan *m.* -s (-en), -en.

인신(人身) Menschenkörper *m.* -s, -.
‖ ~공격 Verunglimpfung *f.* -en; die anzüglichen Bemerkungen 《*pl.*》; der persönliche Angriff, -(e)s, -en: ~공격을 하다 e-n persönlichen Angriff auf *jn.* (gegen *jn.*) machen; verunglimpfen⁴ / ~공격을 하는 이야기는 그만두세 Wir wollen ein Gespräch abbrechen, das zu persönlichen Angriffen führt. ~매매 Menschenhandel *m.* -s; Sklavenhandel (노예의); Mädchenhandel (부녀의). ~보호법 Habeaskorpus-Akte *f.*

인심(人心) ① 《사람의 마음》 das menschliche Herz, -ens, -en. ¶ ~이 좋다 großmütig (hochherzig; freigebig) sein.
② 《백성의 마음》 Volksstimmung *f.* -en; die öffentliche Meinung, -en (여론); Volksstimme *f.* -n (민중의 소리); Volkswille *m.* -ns, -n (민의). ¶ ~을 얻다 das Herz des Volks (für ⁴sich) gewinnen* / ~을 동요시키다 dem Volk Unruhe bereiten (verursachen; bringen*) / ~을 안정시키다 die öffentliche Ruhe her|stellen / ~을 알다 die Volkssinnung erkennen* / ~을 통일시키다 die öffentliche Meinung einheitlich machen / ~ 동요의 징조가 있다 Es sind Anzeichen von Erregung im Volk.
‖ ~소관 die Abhängigkeit vom Menschenherzen.

인심(仁心) ein gütiges Herz, -ens, -en; ein warmes (wohltätiges; mildes; freigebiges) Gefühl, -(e)s, -e; Wohlwollen *n.* -s; Güte *f.*; Mildtätigkeit *f.*; Menschenliebe *f.* ¶ ~쓰다 großmütig (edelmütig; hochherzig; freigebig) sein; *jm.* Schutz (Hilfe; Obdach) gewähren; *jm.* e-e Bitte (ein Gesuch) gewähren; *jm.* e-e Gunst erweisen*; *jm.* e-n Gefallen tun* (erweisen*); ⁴sich großmütig (freigebig) benehmen* / 남의 것으로 ~쓰다 hier borgen, um dort zu zahlen; auf Kosten anderer großmütig (freigebig) sein.

인애(仁愛) Milde *f.*; Menschlichkeit *f.*; Humanität *f.* ¶ ~심이 있는 philanthropisch; menschenfreundlich; humanitär; wohltätig (자선심 있는).

인양(引揚) das Herauf¦ziehen* (Hinauf-) -s; Bergung *f.* -en (침몰 선박의); das Wiederflottmachen*, -s (침몰선의). ~하다 《배를》 bergen*⁴; wieder flott machen⁴; hinauf|ziehen*⁴; herauf|ziehen*⁴. ¶ 배를 기슭으로 ~하다 das Schiff aufs Ufer ziehen* / 난파 화물을 ~하다 gestrandete Güter bergen*.
‖ ~작업 Bergungsarbeiten 《*pl.*》.

인어(人魚) ① 《상상의》 See¦jungfer (Meer-) *f.* -n; Meerweib *n.* -(e)s, -er; Meermann *m.* -(e)s, ⸗er (남자). ② 〖동물〗 Dugong *m.* -s, -s (-e).

인연(因緣) Schicksalsfügung *f.* -en (섭리); Karma(n) *n.* -s (인과); Grund *m.* -(e)s, ⸗e (이유); Ursache *f.* (원인); 《숙명》 Schicksal *n.* -(e)s, -e; Geschick *n.* -(e)s; Verhängnis *n.* ..nisses, ..nisse; 《유래》 Ursprung *m.* -(e)s, ⸗e; Herkunft *f.*; 《연분》 Zusammenhang *m.* -(e)s, ⸗e; Beziehung *f.* -en; Verwandtschaft *f.* -en; Verbindung *f.* -en. ¶ ~을 맺다 Beziehungen an|knüpfen 《*mit*³; *zu*³》 / ~을 끊다 die Beziehungen zu *jm.* ab|brechen*; die Beziehungen zu *jm.* lösen / ~이 깊다 unlöslich verknüpft sein 《mit *jm.*》 / ~이 멀다 (miteinander) wenig verknüpft sein / 부부의 ~을 끊다 Ehe auf|lösen / ~이라고 체념하다 ⁴sich in sein Schicksal ergeben* / 이것도 ~일 게다 Das Schicksal hätte es wohl bestimmt. / 우리들의 친밀한 우정도 어떠한 ~임에는 틀림없다 Unsere intime Freundschaft muß e-e Fügung des Schicksals sein.

인영(印影) Siegelabdruck *m.* -s, -e.

인왕(仁王) der Dewa-König, -(e)s, -e.

‖ ~문 das Tempeltor mit Dewa-Wächtern.

인욕(忍辱) Geduld *f.*; das Erdulden*, -s; das Ertragen*, -s.

인용(引用) Anführung *f.* -en; das Zitieren*, -s. ~하다 an|führen⁴ (zitieren⁴) 《*aus*³》. ¶책에서 문장을 ~하다 e-e Stelle aus dem Buch an|führen / 시인의 말을 ~하다 e-n Dichter zitieren / 잘못 ~하다 falsch an|führen⁴ (zitieren⁴).

‖ ~구, ~문 Anführung *f.* -en; Zitat *n.* -(e)s, -e: ~구의 출처를 밝히다 auf e-e Seite in e-m Text verweisen*. ~부 Anführungszeichen *n.* -s, -; Gänsefüßchen *n.* -s, -. ~서 Literatur *f.* -en; das benutzte Buch, -(e)s, ⸗er.

인용(認容) Einräumung *f.* -en; Zugeständnis *n.* ..nisses, ..nisse; Konzession *f.* -en. ~하다 zu|geben*⁴; ein|räumen⁴.

‖ ~문 Einräumungs¦satz (Konzessive-) *m.* -(e)s, ⸗e.

인원(人員) 《인원수》 Zahl 《*f.* -en》 der Personen; Kopfzahl *f.* -en (머리수); 《직원》 Personal *n.* -s, -e; Personalbestand *m.* -(e)s, ⸗e; Arbeitskraft *f.* ⸗e; Belegschaft *f.* -en; Beamtenschaft *f.* -en; Leute 《*pl.*》. ¶ ~이 남다 e-e überschüssige Kopfzahl haben / ~이 부족이다 ohne hinreichende Kopfstärke sein; 《군대》 schwach bemannt sein / ~을 제한하다 die Zahl der Personen ein|schränken.

‖ ~구성 Personalbestand *m.* -(e)s, ⸗e. ~점호 Apell *m.* -s, -e; Namenaufruf *m.* -(e)s, -e: ~점호를 하다 appellieren⁴; auf|rufen*⁴ / 알파벳순으로 ~ 점호를 하다 die Leute dem Alphabet nach auf|rufen*. ~정리 Personalabbau *m.* -(e)s, -e: ~ 정리를 하다 das Personal ab|bauen. ~표 Personalliste *f.* -n. 가동~ das verfügbare Menschenmaterial, -s, -ien.

인원수(人員數) ☞ 인수(人數).

인위(人爲) Menschenwerk *n.* -(e)s, -e; Kunst *f.* ⸗e; Künstelei *f.* -en; Künstlichkeit *f.*; Unnatürlichkeit *f.* ¶ ~적인 (으로) künstlich; gekünstelt; von Menschen gemacht; unnatürlich / ~로는 회복할 수 없다 Es läßt sich nicht durch menschliche Kraft wieder gutmachen.

‖ ~도태 die künstliche Zuchtwahl.

인유(人乳) Muttermilch *f.*

인육(人肉) Menschenfleisch *n.* -es.

‖ ~시장 Sklavenmarkt *m.* -(e)s, ⸗e; Bordell *n.* -s, -e; Freudenhaus *n.* -es, ⸗er.

인의(仁義) Humanität u. Gerechtigkeit.

‖ ~충효 Humanität *f.*; Gerechtigkeit *f.*; Loyalität u. Pietät.

인인(認印) Stempel *m.* -s, -.

인일(寅日) 〖민속〗 der Tag des Tigers; Tigertag *m.* -(e)s, -e.

인자(仁者) Menschenfreund *m.* -(e)s, -e; Philanthrop *m.* -en, -en; Wohltäter *m.* -s, -.

인자(仁慈) Milde *f.*; Sanftmut *f.*; Barmherzigkeit *f.*; Mildtätigkeit *f.*; Engelsgüte *f.* ~하다 mild(e); sanftmütig; barmherzig (sein).

인자(因子) Faktor *n.* -s, -en.

‖ ~분석 〖심리〗 Faktoranalyse *f.* -n. 가속도~ 〖경제〗 Beschleunigungsfaktor. 유전~ 〖유전〗 Erbfaktor; Gen *n.* -s, -e.

인장(印章) Siegel *n.* -s, -; Petschaft *n.* -(e)s, -e; Stempel *m.* -s, -.

‖ ~위조 Siegelfälschung *f.* -en: ~을 위조하다 ein Siegel fälschen (nach|machen) / ~위조자 Siegelfälscher *m.* -s, -. 위조~ das gefälschte Siegel, -s, -.

인재(人材) Talent *n.* -(e)s, -e; der Befähigte* (Begabte*) -n, -n; der fähige (talentierte; talentvolle) Mensch, -en, -en; Fähigkeit *f.* -en. ¶ 천하의 ~ alle Talente der Welt / ~ 결핍 Mangel 《*m.* -s, ⸗》 an Talenten / ~를 등용하다 die Befähigten fördern / ~를 구하다 die Befähigten suchen / ~중심으로 관리를 임명하다 Beamte ihren Talenten entsprechend befördern.

인재(印材) Materialien, aus denen man Siegel schneidet; Siegel¦materialien (Stempel-) 《*pl.*》.

인적(人的) persönlich; Menschen-.

‖ ~손해 der Verlust der Arbeitskraft. ~자원 Menschenmaterial *n.* -(e)s, -ien; Arbeitskraft *f.* ⸗e: ~ 자원이 풍부하다 reich an Menschenmaterial sein.

인적(人跡) die menschlichen Spuren 《*pl.*》. ¶ ~미답의 unerforscht; unbetreten / ~미답지 das unerforschte, noch nicht bearbeitete Gebiet, -(e)s, -s; der jungfräuliche Boden, -s, - (⸗) / ~이 드문 verlassen; einsam; unbewohnt; öde; wüst / ~이 드문 심산이다 Es ist im Gebirge, wo kaum Menschen hinkommen. / ~이 닿지 않는 곳이 없다 Es gibt k-e Stelle, wohin des Menschen Fuß nicht gedrungen ist.

인절미 Reiskuchen *m.* -s, - (aus Fettreis).

인접(隣接) das Anstoßen*, -s; Angrenzung *f.* -en; das Angrenzen*, -s. ~하다 an|grenzen 《*an*⁴》; an|stoßen*⁴. ¶ ~한 benachbart; angrenzend; anliegend; anstoßend; nah(e) 《näher, nächst》; in nächster Nähe befindlich / ~ 마을 die benachbarten Ortschaften 《*pl.*》; die Ortschaften in der Umgebung / 우리 집은 교회에 ~해 있다 Mein Haus grenzt an die Kirche. / 바이에른과 바덴뷔르텐베르크는 서로 ~해 있다 Bayern u. Baden-Würtenberg grenzen aneinander.

인정(人情) 《욕망》 der Wunsch des Menschen; 《인성》 die menschliche Natur, -en; Menschennatur *f.* -en; 《마음》 Herz *n.* -ens, -en; Volksgefühl *n.* -s, -e; das Herz des Volks; 《물정》 die öffentliche Stimmung, -en; die öffentliche Gesinnung, -en; 《동정》 Mitleid *n.* -es; 《자애심》 Freundlichkeit *f.*; Liebe *f.* -n; die herzliche Zuneigung, -en; 《인간성》 Humanität *f.* -en; Menschlichkeit *f.* ¶ ~스럽다 menschenfreundlich (warmherzig; weichherzig; mitleidsvoll) (sein) / 따뜻한 ~ ein warmes Herz; ein weiches Herz; ein gutes Herz / ~이 있다 mitleid(s)voll (hilfsbereit; gefühlsvoll; warmherzig; menschenfreundlich) sein / ~이 없다 unmenschlich (gefühllos; kaltherzig; herzlos) sein / ~ 있는 사람 e-e warmherzige Person, -en / ~이 많다 gütig (gutmütig; freundlich; wohlwollend) sein / ~에 끌리다 von Mitleid getrieben sein / ~을 알다 viel Lebenserfahrung u. Einsehen haben; die Menschen kennen* / ~상 그것은 할 수 없다 Ich kann es nicht übers Herz bringen, so etwas zu tun. / ~상 그렇게 생각하는 것이 당연한 이치다 Das ist doch natürlich, daß man so denkt. / 쾌락을 추구하는 것이 ~이다 Das ist doch menschlich, dem Vergnügen nachzugehen. / 어디를 가나 ～에는 변함이 없다 Menschliche Natur ist überall gleich in der Welt. / 세상 ～은 얼음장처럼 차다 Das Menschenherz der Welt ist eiskalt. / 그를 ～상 해고시킬 수는 없다 Ich kann es nicht übers Herz bringen, ihn zu entlassen.

‖ **～담** e-e Erzählung aus dem wirklichen Leben. **～미** das menschliche Gefühl, -(e)s, -e: ～미 넘치는 warmherzig; wohlwollend; freundlich. **～풍속** Sitten u. Gebräuche des Volks: ～ 풍속을 관찰하다 Sitten u. Gebräuche des Volks beobachten.

인정(仁政) die milde Regierung, -en. ¶ ～을 베풀다 mild regieren[4].

인정(認定) 《승인》 Anerkennung *f.* -en; das Erkennen*, -s; 《확인·보증》 Bestätigung *f.* -en; 《인가》 Genehmigung *f.*; Beglaubigung *f.* **～하다** anerkennen*[4] 《*als*[4]》; erkennen* 《*für*[4]; *als*[4]》; beglaubigen[4]; bestätigen[4]; genehmigen[4]; gut|heißen[4]; 《인용》 zu|billigen[4]; zu|geben*[4]; ein|räumen[4]. ¶ …에게 권리를 ～하다 *jm.* ein Recht zu|billigen / 일반에게 ～받다 öffentlich anerkannt werden/크게 ～받다 in hohem Grade anerkannt werden / 시인으로서 ～받다 als Dichter anerkannt werden / 무죄 〔유죄〕로 ～받다 für unschuldig 〔schuldig〕 erklärt werden / 당신이 옳다고 ～합니다 Ich gebe zu, daß Sie recht haben. / 나는 그 요구가 옳다고 ～한다 Ich sehe diese Forderung als richtig an. / 한국 정부는 모든 신앙의 자유를 ～한다 Die Koreanische Regierung ist nachsichtig gegen alle religiösen Glauben. / 그가 나보다 뛰어난 것을 ～한다 Ich gebe zu, daß er viel vortrefflicher ist als ich. / 그는 유망한 작가로서 ～되고 있다 Er ist als vielversprechender Autor anerkannt. / 그는 자기의 과오를 ～하려 들지 않는다 Er wollte nicht zugeben, daß er falsch gehandelt hat.

‖ **～서(書)** die Bestätigung 《der Meisterschaft》. **문교부 ～ 교과서** ein vom Erziehungsministerium genehmigtes Schulbuch, -(e)s, ⸚er.

인제 《지금》 nun; jetzt; 《앞으로》 von nun an; von jetzt an. ¶ ～ 도리가 없다 Nun, nichts zu machen! / ～ 그렇게 안하겠읍니다 Ich werde so was nie mehr tun 〔machen〕.¦ Ich will mich von nun an nie mehr so benehmen. / ～야 그이가 왔다 Er ist erst jetzt gekommen. / ～ 와서 그런 말을 해야 소용이 없다 Es hat jetzt k-n Sinn mehr, so etwas zu sagen.

인조(人造) Künstlichkeit *f.* ¶ ～의 künstlich; 《모조》 unecht; nachgemacht; 《합성》 synthetisch.

‖ **～견** Kunstseide *f.* -n: ～견사 Kunstseidenfaden *m.* -s, ⸚. **～고무** der synthetische Kautschuk, -s; künstlicher Gummi, -s, -s. **～금** das unechte Gold, -s; Flittergold *n.* -s. **～버터** Margarine *f.* **～비료** Kunstdünger *m.* -s. **～빙** das künstliche Eis. **～상아** das künstliche 〔imitierte〕 Elfenbein, -s, -e. **～석** der künstliche Stein, -(e)s, -e. **～섬유** der künstliche Faserstoff, -(e)s, -e; syntheische Textilfaser, -n. **～인간** Maschinenmensch *m.* -en, -en; Roboter *m.* -s, -. **～진주** die künstliche Perle, -n. **～피혁** Kunstleder *f.* -n.

인종(人種) Rasse *f.* -n; Menschenrasse *f.* -n. ¶ ～적 rassisch; Rassen-; 《인종학상의》 ethnologisch; 《언어·풍습상의》 ethnisch / ～적 편견 Rassenvorurteil *m.* -s, -e / ～ 반감 Rassenhaß *m.* ..hasses / ～적 감정 das rassische Gefühl, -s, -e; Rassengefühl *n.* -s, -e / ～적(인) 차별 대우 die unterschiedliche Behandlung der Rassen / 같은 ～이다 von derselben Rasse sein.

‖ **～개량** die Verbesserung der Rasse. **～문제** Rassenfrage *f.* -n. **～상쟁** Antagonismus 《*m.* -》 der Rasse. **～차별** Rassenunterscheidung *f.* -en: ～ 차별의 철폐 die Abschaffung der Rassenvorurteile 〔der unterschiedlichen Behandlung der Rassen〕 / ～ 차별 철폐론자 der Verfechter der Rassenunterscheidung / ～ 차별을 없애다 die Rassenunterscheidung ab|schaffen. **～평등** Rassengleichheit *f.* -en. **～학** Ethnologie *f.* -n: ～학적 ethnologisch / ～학자 Ethnologe *m.* -n, -n. **백색～** die weiße Rasse 〔die Weißen* 《*pl.*》〕. **황색～** die gelbe Rasse 〔die Gelben* 《*pl.*》〕. **흑색～** die schwarze Rasse 〔die Schwarzen* 《*pl.*》〕.

인종(忍從) Ergebung *f.* -en; Demut *f.*; Demütigung *f.* -en; Unterwerfung *f.* -en; Unterwürfigkeit *f.* -en. **～하다** [4]sich unterwerfen*[3]; [4]sich *jm.* (auf Gnade u. Ungnade) ergeben*; erleiden*[4].

인주(印朱) die rote Stempelfarbe, -n.

‖ **～합** Stempelkissen *n.* -s, -.

인주머니(印—) Siegelfutteral *n.* -s, -e.

인줄(人—) 〖민속〗 Strohseil mit Paprikaschoten (=Sohn) oder Holzkohlestücken (=Tochter), die nach der Geburt eines Kindes als Schutz vor bösen Geistern über dem Hoftor aufgehängt wird.

인중(人中) Philtrum *n.* -s, ..tren; Oberlippenrinne *f.* -n.

인중독(燐中毒) Phosphorvergiftung *f.* -en.

인즉 〖조사〗 wenn man von [3]*et.* spricht…; Was *jn.* ([4]*et.*) angeht 〔anbelangt; betrifft〕, …. ¶ 사실～ in der Tat; in Wirklichkeit; um die Wahrheit zu sagen / 기회～ 좋은 기회다 Es ist e-e gute Gelegenheit. / 말～ 옳소 Was er sagt, ist wahr.

-인즉 weil 〔da〕 es so ist. ☞ -인지라(서).

인증(人證) 〖법〗 Zeugenaussage *f.* -n.

인증(引證) Bezugnahme *f.* -n; 《인증문》 Beleg *m.* -(e)s, -e; 《인용문》 Zitat *n.* -(e)s, -e; Anführung *f.* -en. **～하다** belegen[4]; zitieren[4]; an|führen[4]; [4]*et.* als e-n Beweis 〔ein Zeugnis〕 an|führen.

인증(認證) 〖법〗 Beglaubigung *f.* -en; Vereidigung *f.* -en. **～하다** beglaubigen[4]; vereidigen[4]. ¶ 장관을 ～하다 e-n Minister beim Amtsantritt vereidigen / 아무의 언명을 ～하다 *js.* Aussage beglaubigen.

‖ **～식** Verteidigung *f.* -en; Investitur *f.* -en.

인지(人指) Zeigefinger *m.* -s, -.

인지(人智) Menschenverstand *m.* -(e)s; Intellekt *m.* -(e)s, -e; Kenntnisse 《*pl.*》; Geist *m.* -(e)s. ¶ ～의 발달 die Entwicklung des Menschenverstandes / 거기까지는 ～가 미치지 못한다 Dazu reicht der Menschenverstand nicht aus.¦ Da steht uns Menschen der Verstand still.

인지(印紙) Stempelmarke *f.* -n; Stempel *m.* -s, -; Steuermarke *f.* -n (수입 인지). ¶ 20 원짜리 ～ Steuermarke zu 〔für〕 20 *Won* / ～를 붙이다 mit e-r Stempelmarke versehen* 《[4]*et.*》 / ～로 납부하다 mit Steuermarken bezahlen[4].

‖ ~세 Stempelsteuer *f*. -n. ~판매소 Stempelmarkenverkaufsstelle *f*. -n. 수입(收入) ~ Steuermarke *f*. -n.

인지(認知) Anerkennung *f*. -en. ~하다 an|erkennen*⁴. ¶ 사생아를 ~하다 das uneheliche Kind als sein eigenes an|erkennen*.

-인지 《막연한 의문》 Ich weiß nicht, 《ob; welch-; was; wie; wann; wei; wo》. ¶ 정말인지 Kann es wahr sein? ¦ Ich weiß nicht, ob es wahr sein kann. / 오늘이 무슨 요일인지 모르겠다 Ich weiß nicht, welchen Tag wir heute haben.

-인지라(서) weil (da) es so ist; so; da; daher; deshalb. ¶ 학교에 가는 길인지라 지금 들르지 못하겠소 Ich bin auf dem Weg zur Schule, daher kann ich Sie jetzt nicht besuchen. ¦ Ich gehe in die Schule. Daher kann ich jetzt nicht bei Ihnen vorbeikommen.

인지상정(人之常情) Menschlichkeit *f*.; die menschliche Natur. ¶ 그렇게 생각하는 것이 ~이다 Es ist ganz natürlich, daß man so denkt.

인질(人質) Geisel *m*. -s, - (*f*. -n); Leibbürge *m*. -n, -n. ¶ ~로 보내다 Geiseln stellen (geben*) / ~로 삼다 als ⁴Geisel nehmen* 《*jn*.》 / ~이 되다 als ¹Geisel genommen werden 《von *jm*.》.

인찰지(印札紙) liniertes Papier, -s, -e.

인책(引責) Verantwortlichkeit *f*. -en; Verantwortung *f*. -en.

‖ ~사직 die Niederlegung durch die Verantwortung: ~사직하다 die Verantwortung für *et*. auf ⁴sich nehmen* u. sein Amt nieder|legen.

인척(姻戚) der Verwandte* 《-n, -n》 durch ⁴Heirat; der Verwandte*, -n, -n. ¶ ~관계이다 mit *jm*. Verwandt sein.

인체(人體) Menschenkörper *m*. -s, -; der menschliche Körper, -s, -. ¶ ~에 영향을 주다 auf den Menschenkörper wirken / ~에 위해를 가하다 *jm*. e-n körperlichen Schaden zu|fügen.

‖ ~구조 die Konstruktion e-s Menschenkörpers. ~기생충 Parasit *m*. -en, -en; Schmarotzer *m*. -s, -. ~모형 Modell 《*n*. -(e)s, -e》 e-s Menschen. ~실험 die Untersuchung (Prüfung) e-s Menschenkörpers. ~학 Somatologie *f*. ~해부학 Anatomie 《*f*.》 des Menschenkörpers.

인촌(隣村) Nachbardorf *n*. -(e)s, ⸚er.

인축(人畜) Menschen u. Tiere 《*pl*.》; Lebewesen *n*. -s, -. ¶ ~의 피해는 없었다 Menschen u. Tiere bleiben unversehrt.

인출(引出) 《예금의》 Abhebung *f*. -en. ~하다 《예금을》 ab|heben*⁴; zurück|ziehen*⁴.

인치(引致) Verhaftung *f*. -en. ~하다 verhaften⁴; in ⁴Haft bringen*⁴; in Gewahrsam nehmen*⁴.

인치 Zoll *m*. -(e)s, -. ¶ 2 ~의 zweizöllig / 5 피트 6 ~ fünf Fuß sechs Zoll.

인칭(人稱) 〖문법〗 Person *f*. -en. ¶ 1 (2, 3) ~ die erste (zweite, dritte) Person.

‖ ~대명사 Personalpronomen *n*. -(e)s, - (..mina); das persönliche Fürwort, -(e)s, ⸚er. 비~동사 das unpersönliche Zeitwort, -(e)s, ⸚er (Verb, -s, -en).

인터내셔널 international; 《국제 노동자 협회》 Internationale *f*. -n.

‖ 인터내셔널리즘 Internationalismus *m*. -.

인터뷰 Interview [intərvjúː] *n*. -s, -s. ~하다 interviewen⁴. ¶ 기자와의 ~ Pressekonferenz *f*. -en / 전화 ~ telephonisches Interview, -s, -s / …와 ~에서 in e-m Interview mit *jm*. / 아무와 ~하다 ein Interview ab|halten* 《mit *jm*.》 / 신문기자와 ~하다 mit der Presse ein Interview ab|halten*.

인터체인지 Autobahn¦einfahrt (-auffahrt) *f*.; Autobahn¦ausfahrt (-zufahrt); Zubringerstraße *f*. -n; Zubringer *m*. -s, -.

인터폰 Haussprechanlage *f*. -n; das interne Telephonsystem, -s, -e.

인터폴 《국제 형사 경찰 기구》 Interpol *f*.

인턴 《수련의》 Praktikant *m*. -en, -en; Assistenzarzt *m*. -(e)s, ⸚e.

인테르 〖인쇄〗 Durchschuß *m*. ..schusses, ..schüsse.

인텔리 der Intellektuelle*, -n, -n; Intelligenzler *m*. -s, -; Intelligenz *f*. -en (인텔리 계급). ¶ 그는 상당한 ~다 Er ist recht intellektuell. ‖ ~실직자 der gebildete Arbeitslose*, -n, -n.

인토네이션 Intonation *f*. -en; Tonfall *m*. -(e)s.

인파(人波) e-e Menge Menschen; Gedränge *n*. -s, -; Menschen¦menge *f*. -n (-gedränge *n*. -s); Menschenmasse *f*. -n. ¶ ~에 휩쓸려 von der Menschenmenge gedrängt (getrieben) / ~를 헤치고 나아가다 ⁴sich durch die Menschenmenge drängen / 거리에는 ~가 대단했다 Die Straßen wimmelten von Menschen.

인편(人便) ¶ ~에 (으로) durch *jn*. / ~이 닿는 (있는)대로 보내다 *jm*. ⁴*et*. bei der ersten besten Gelegenheit senden(*) (schicken); *jm*. ⁴*et*. so bald wie möglich senden(*) (schicken); *jm*. ⁴*et*. bei günstiger Gelegenheit senden(*) (schicken).

인품(人品) 《풍채》 das Aussehen*, -s; das Äußere*, -n; Erscheinung *f*. -en; 《인격》 Persönlichkeit *f*.; Wesen *n*. -s; Charakter *m*. -s, -e. ¶ ~이 좋지 않다 übel (schlecht) aussehend; ein abstoßendes (unangenehmes) Wesen haben / ~이 좋은 gut (elegant) aussehend / ~이 좋다 ein angenehmes (ansprechendes) Wesen haben; e-e angenehme Persönlichkeit sein / ~이 야비하다 ungeschliffene Manieren 《*pl*.》 haben / 그 사람의 ~이 어떠냐 Was für ein Mensch ist er?

인플레(이션) 〖경제〗 Inflation *f*. -en. ¶ ~의 inflationistisch / ~를 초래하다 Inflation verursachen (herbei|führen) / ~를 막다 die Inflation bekämpfen (verhindern) / ~로 물가가 폭등하였다 Infolge der Inflation sind die Warenpreise heftig aufgestiegen.

‖ ~경기 Inflationskonjunktur *f*. -en. ~경향 Inflationstendenz *f*. -en. ~대책 die Maßnahme gegen die Inflation. ~악화 die Verschlimmerung der Inflation. ~정책 Inflationspolitik *f*. 악성~ die vitiöse Inflation. 잠행성~ die schleichende Inflation, -en.

인플루엔자 〖의학〗 Influenza *f*.; Grippe *f*. -n. ¶ ~에 걸리다 an der Grippe leiden*.

인피(人皮) (menschliche) Haut, ⸚e.

인피(靭皮) 〖식물〗 Bast *m*. -es, -e.

인하(引下) das Senken*, -s; das Herabsetzen*, -s; Abbau *m*. -(e)s; (Preis)abzug *m*. -(e)s, ⸚e; Ermäßigung *f*. -en; Rabatt *m*. -(e)s, -e; Reduktion *f*. -en. ~하다 senken⁴; ab|bauen⁴; (ab|)kürzen⁴; ab|ziehen*⁴; herunter|schrauben⁴; reduzieren⁴; ermäßigen⁴; herab|setzen⁴; sinken lassen*⁴; fallen lassen*[4]; Rabatt geben*. ¶ 값을 2 할 ~하여 mit e-r Ermäßigung von 20% / 가격을 ~하다 die Preise herab|setzen (senken).

‖ 임금~ Senkung 《f. -en》 des Gehalts; Gehaltskürzung f. -en.

인하다(因―) kommen* Ⓢ 《von[3]》; stammen 《von[3]》; verursacht werden 《von[3]》; zuzuschreiben[3] sein. ¶ 부주의로 인한 aus Mangel an Vorsicht / 병으로 인해 결석하다 wegen Krankheit fehlen (abwesend sein) / 사고로 인하여 죽다 durch e-n Unfall sterben* Ⓢ / 그 사고는 부주의한 운전으로 인해 일어났다 Der Unfall ist durch die unvorsichtige Fahrt geschehen. / 그의 병은 과음으로 인해 생긴 것이다 S-e Krankheit kommt vom Trinken.

인해(人海) die Wellenbewegung der Menschen. ‖ ~전술 Taktik 《f. -en》 der Wellenbewegung der Menschen; Infiltrationstaktik f. -en.

인행(印行) =간행.

인허(認許) Genehmigung f. -en; Einwilligung f. -en; Billigung f.; Autorisation f. -en. ~하다 genehmigen[34]; ein|willigen 《in[4]》; billigen[34]; autorisieren[4].

인형(人形) Puppe f. -n; Marionette f. -n (꼭두각시); Gliederpuppe f. -n (손발을 움직이는). ¶ 실물같은 ~ die lebende (lebenswahre; naturgetreue) Puppe, -n / ~놀리는 사람 Puppenspieler m. -s, -.

‖ ~극 Puppen¦spiel (Marionetten-) n. -s, -e; Puppentheater n. -s.

인형(仁兄) Du; Lieber Freund! (편지에서).

인화(人和) friedliches Zusammenleben* zwischen den Menschen; Friede u. Freundschaft; Harmonie f. -n. ¶ 가정의 ~ die Harmonie des Familienlebens / ~가 이루어지면 강하다 Einigkeit macht stark.

인화(引火) das An¦zünden* (Ent-) -s; Entzündung f. ~하다 [4]sich entzünden; Feuer fangen*. ¶ ~성의 entzündbar; entzündlich / 발화 또는 ~의 염려가 있다 in Gefahr stehen*, zu entflammen od. zu entzünden/ ~성이 높은 등유 das Leuchtöl mit hohem Flammpunkt.

‖ ~물질 entzündbarer Stoff, -(e)s, -e. ~성 Entzündbarkeit f. ~점 Entzündungspunkt m. -(e)s, -e.

인화(印畫) Abzug m. -(e)s, ⸗e; das Abziehen*, -s; das Kopieren*, -s; 《양화》 Abzug; Kopie f. -n. ¶ 사진을 ~하다 [4]Bilder ab|-ziehen* (kopieren) / 다섯 장만 더 ~해 주시오 Ich möchte davon noch fünf Abzüge haben.

‖ ~지 Kopierpapier n. -s, -e.

인화(燐火) 《인광석의》 Phosphoreszenz f. -en; das Leuchten* im Dunklen; 《도깨비불》 Elfenlicht n. -(e)s, -e.

인환(引換) (Aus)tausch m. -es; das (Um-) wechseln*, -s. ¶ ~불로 하다 bei [3]Lieferung bezahlen / 상품을 대금 ~으로 보내다 e-e Ware gegen (durch) Nachnahme senden(*) 《jm.》. ‖ ~권 Austauschschein m. -(e)s, -e; die vorläufige Bescheinigung, -en.

인회석(燐灰石) 〖광물〗 Apatit m. -es, -e.

인후(咽喉) 《목구멍》 Kehle f. -n. ¶ ~가 상해 있다 Halsweh haben.

‖ ~병 〖의학〗 Halskrankheit f. -en. ~염, ~통 Halsentzündung f. -en. ~카타르 Kehlkopfkatarrh m. -s, -e.

일 ① 《건(件)》 Sache f. -n; Angelegenheit f. -en; Geschäft n. -(e)s, -e; Aufgabe f. -n; 《우발적》 Ereignis n. -ses, -se; Vorfall m. -(e)s, ⸗e; Zwischenfall; 《사정》 Umstand m. -(e)s, ⸗e; Sachlage f. -n; 《사고》 Unfall m. -(e)s, ⸗e; Unglücksfall m. -(e)s, ⸗e; Geschehnis n. -ses, -se; Ereignis n. -ses, -se; 《말썽》 Beschwerde f. -n. ¶ 좋은 일 e-e angenehme Sache; etwas Angenehmes* / 기분나쁜 일 e-e unangenehme Sache; etwas Unangenehmes*/ 빤한 일 klare Tatsache, -n; unverkennbare Tatsache / 중대한 일 e-e wichtige Angelegenheit, -en / 귀찮은 일 die widerwärtige Aufgabe, -n / 돈에 관한 일 Geldangelegenheiten 《pl.》; Geldsache f. -n / 무슨 일이 있더라도 unter allen Umständen; auf jeden Fall; auf alle Fälle / 급한 일이 있을 때는 im Fall der Not; im Fall dringender Not / 아무 일 없이 friedlich; glatt; ruhig; ohne Zwischenfall / 그 일이라면 was das anlangt (betrifft) / 그 일에 관해서는 in bezug auf die Sache; in dieser Hinsicht / 일을 저지르다 den Frieden stören; e-e Störung verursachen / 학교 일에 관해서 이야기하다 von der Schule erzählen / 아주 사소한 일에 화를 내다 [4]sich über die kleinliche Sache ärgern / 이 일은 전적으로 당신 재량에 달렸읍니다 Das hängt ausschließlich von Ihnen ab.... ¦Es kommt ausschließlich auf Sie an, ... / 내가 관여할 일은 아니다 Das ist nicht m-e Sache.¦ Das ist nicht mein Geschäft. / 내 일은 염려 말라 Kümmere dich nicht um mich! / 모든 일이 복잡해지지나 않을까 Ich habe Angst, daß alles verwickelt (kompliziert) wird. / 일이 이렇게 되었으니 할 수 없다 Jetzt ist es unvermeidlich, weil es nun einmal soweit gekommen ist. / 무슨 일이냐, 어디 아프냐 Was ist denn los ?(Was gibt's denn ?) Bist du krank oder was ? / 참 이상한 일이다 Das ist tatsächlich eigenartig (komisch). / 이것을 어머니가 아시면 큰 일이다 Wenn die Mutter davon weiß, werde ich aus den Sorgen nicht herauskommen.

② 《노동》 Arbeit f. -en; 《일거리》 Beschäftigung f. -en; Besorgung f. -en; Aufgabe f. -n; Berufung f. -en; Beruf m. -(e)s, -e; 《사업》 Geschäft n. -(e)s, -e; das Unternehmen*, -s; 《임무》 Pflicht f. -en; Auftrag m. -(e)s, ⸗e; Mission f. -en. ☞ 일하다. ¶ 쉬운 일 die leichte Arbeit / 힘든 일 die schwere Arbeit; die schwere Aufgabe / 하루 일 e-e eintägliche Arbeit / 일하는 시간 Arbeitzeit f. -en / 일이 빠른 (느린) 사람 der schnelle (langsame) Arbeiter, -s, - / 남의 밑에서 일하다 unter e-r Person arbeiten / 일을 찾다 Arbeit suchen / 일에 착수하다 an die Arbeit gehen* Ⓢ; [4]sich an die Arbeit machen / 일에 몰리다 von Geschäft bedrängt sein; mit Arbeit überhäuft sein / 일을 얻다 Arbeit finden* (bekommen*; erhalten*) / 일을 쉬다 nicht an die Arbeit gehen* Ⓢ / 일을 끝내다 die Arbeit beenden; mit der Arbeit auf|hören / 일을 맡기다 jn. arbeiten lassen*; jm. e-e Arbeit (Aufgabe) anvertrauen / 일을 너무 시키다 jn. zuviel arbeiten lassen* / 일이 없다 nichts zu tun haben / 일이 없어 놀다 nicht auf Arbeit gehen* Ⓢ / 일을 배우다 arbeiten lernen / 일을 가르치다 jm. e-e Arbeit ein|üben; jn. aus|bilden / 일을 해 주고도

치사를 못 받다 k-n Dank für die Arbeit erhalten* (bekommen*) / 일이 손에 잡히지 않다 ⁴sich nicht auf die Arbeit konzentrieren können* / 어떤 일에 종사하다 ⁴sich mit e-r Arbeit beschäftigen / 일이 산더미처럼 쌓여 있다 mit Arbeiten (Geschäften) über|laden (-häuft) sein / 오늘은 일이 없었다 Heute hatte ich frei. / 나는 오늘 할 일이 많다 Heute habe ich viel zu tun.¦Heute habe ich alle Hände voll zu tun. / 당신의 아들은 어떤 일을 하십니까 Was für e-e Arbeit hat Ihr Sohn? / 일이 잘 되어 갑니까 Was macht Ihre Arbeit?

③ 《용무》 Geschäft *n.* -(e)s, -e; Auftrag *m.* -(e)s, ⸚e; Angelegenheit *f.* -en. ¶ 일이 있어서 geschäftlich; in e-r geschäftlichen Angelegenheit / 회사 일로 wegen des Geschäfts der Firma / 일을 보지 않고 unverrichteter Dinge (Weise) / 일을 다 보다 ein Geschäft verrichten; e-e Angelegenheit erledigen / 무슨 일인가 묻다 ⁴sich über näheres erkundigen / 무슨 일인가요 Was wünschen Sie? / 그는 일이 있어 못 온다 Er ist geschäftlich verhindert. / 서울엔 무슨 일로 오셨어요 Was für ein Geschäft haben Sie hier in Seoul? / 무슨 일이든지 분부만 내리시지요 Ich stehe Ihnen immer zu Gebote. / 일없는 사람은 들어오지 마시오 《게시》 Eintritt nur geschäftlich!

④ 《계획》 Plan *m.* -(e)s, ⸚e; das Vorhaben*, -s; Programm *n.* -(e)s, -e; Projekt *n.* -(e)s, -e; 《음모》 Intrige *f.* -n; Ränke 《*pl.*》; Komplott *n.* -(e)s, -e. ¶ 일을 꾀하다 e-n Plan auf|stellen; 《음모》 Ränke schmieden / 일을 진행시키다 e-n Plan fort|-führen / 일이 순조롭게 잘 되어 간다 Der Plan ist auf dem besten Weg zum Ziel.

⑤ 《경험》 Erfahrung *f.* -en; Erlebnis *n.* -ses, -se. ¶ …한 일이 있다 Erfahrung haben; erfahren haben; erlebt haben / 비행기 타 본 일이 없다 Ich bin noch nie geflogen. / 그에게서 편지를 한 번 받은 일이 있다 Ich habe nur einmal e-n Brief von ihm bekommen.

⑥ 《공적》 Verdienst *n.* -(e)s, -e; das große Werk, -(e)s, -e; die hervorragende Leistung, -en. ¶ 훌륭한 일을 하다 das große Werk tun*; ³sich um ⁴*et.* große Verdienste erwerben* / 국가를 위하여 큰 일을 했다 Er war ein Mensch, der große Verdienste um den Staat hatte.

일(一) 《하나》 eins; Eins *f.* -en; 《첫째》 erst; zuerst. ¶ 하트의 일 das Herz-As / 주사위의 일 die Eins 《auf Würfeln》 / 일원 ein *Won* / 일등 an erster Stelle.

일가(一家) ① 《가정》 Familie *f.* -n; Haushalt *m.* -(e)s, -e; Haushaltung *f.* -en. ¶ ~의 häuslich; zur Familie gehörig; zum Hause gehörig; Haus-; Familien- / ~의 주인 Hausvater *m.* -s, ⸚; Hausherr *m.* -n, -en; Haushaltungsvorstand *m.* -(e)s, ⸚e / ~를 이룩하다 e-n eigenen Herd gründen; ⁴sich häuslich ein|richten / ~를 다스리다 e-n eigenen Haushalt führen; haushalten*.

② 《친척》 Verwandschaft *f.* -en; Blutsverwandtschaft *f.* -en; der Verwandte*, -n, -n (친척되는 사람). ¶ 가까운 ~ der nahe Verwandte* / 먼 ~ der weitläufige Verwandte* / 그는 나의 먼 ~이다 Er ist mein weitläufiger Verwandter.

③ 《유파》 e-e Schule, -n. ¶ ~를 이루다 e-e Schule bilden; e-e Schule machen; e-e Autorität (Kapazität) sein; e-e Klasse für ⁴sich sein; 《대가》 ein Meister sein / 그는 독문학자로서 ~를 이루고 있다 Er ist ein deutscher Gelehrter von Rufe.

‖ ~견 *js.* eigene Meinung, -en. ~단란 der harmonische Familienkreis; der häusliche Herd: ~단란하다 im glücklichen häuslichen Kreis sitzen*; (in Liebe u.) Eintracht der Familie leben. ~몰살 die Vernichtung e-r ganzen Familie. ~문중 Familienstamm *m.* -(e)s, ⸚e. ~붙이 die Verwandten 《*pl.*》; Verwandtschaft *f.* ~집단자살 Selbstmord e-r ganzen Familie: ~집단 자살하다 zusammen Selbstmord begehen*; ³sich gemeinsam das Leben nehmen*. ~친척(親戚) Familienmitglieder u. Verwandte 《*pl.*》. ~화합(和合) Eintracht e-r ganzen Familie: ~화합하다 in Eintracht e-r Familie leben; harmonisch sein.

일가(一價) ¶ ~의 〖화학〗 einwertig.

일각(一角) e-e Ecke, -n. ¶ ~을 무너뜨리다 e-e Ecke zerstören.

‖ ~대문 das mit e-m Dach versehene Tor, -(e)s, -e. ~수(獸) Einhorn *n.* -(e)s, ⸚er. ~어(魚) Narwal *m.* -s, -e.

일각(一刻) e-e (kleine; kurze) Weile; e-e (kurze) Spanne Zeit; Augenblick *m.* -(e)s, -e; Moment *m.* -(e)s, -e. ¶ ~이라도 빨리 so bald (schnell) wie nur (irgend) möglich; ohne jede Verzögerung / ~을 아끼다 ³sich nicht einmal e-e Minute Zeit gönnen / ~이 천금같은 밤 ein köstlicher Abend, an dem jeder Augenblick tausend Goldstücke wert ist; e-e himmlische Abendstunde, -n / ~이 여삼추 vor Ungeduld wie auf Kohlen sitzen* (stehen*) ¦ Sekunden verstreichen so langsam wie ebenso viele Jahre. / ~을 다투는 일이다 Da ist k-e Minute (kein Augenblick) zu verlieren.¦Das leidet k-n Aufschub mehr.

일간(日刊) die tägliche Ausgabe, -n. ¶ ~의 Tages-. ‖ ~신문, ~지 Tageszeitung *f.* -en; Tagespresse *f.* -n (총칭).

일간(日間) bald; binnen kurzem; in den nächsten Tagen; in nächster (absehbarer) Zeit; über ein kleines; über kurz od. lang; inzwischen (조만간); mittlerweile; unterdessen; zwischendurch; eines Tages (언젠가는). ¶ ~ 데리고 가마 Ich will dich in absehbarer Zeit mitnehmen. / ~ 와 보게 Komm bald zu mir!

일간두옥(一間斗屋) ein einfaches kleines Haus, -es, ⸚er (mit nur einem Raum); Hütte *f.* -n; Hüttchen *n.* -s, -.

일갈(一喝) das Andonnern*, -s; das schmetternde Schimpfwort, -(e)s, -e (⸚er); die ausgestoßene Drohung, -en. ~하다 an|-donnern 《*jn.*》; mit schmetternder Stimme schimpfen 《*jn.*》; e-e Drohung aus|stoßen*.

일감 =일거리.

일개(一介) einfach; schlicht; gewöhnlich. ¶ ~의 서생 der einfache (gewöhnliche; schlichte) Studierende*, -n, -n; nichts als ein Student, -en / 나는 ~ 가난한 서생이다 Ich bin nichts als ein armer Student.

일개(一箇) eins; ein Stück *n.* -(e)s, -e. ¶ ~년 ein Jahr *n.* -(e)s, -e / ~월 ein Monat *m.* -(e)s, -e / 만 ~년 ein ganzes Jahr / ~년의 수입 einjährliches Einkommen*, -s.

일개인(一個人) der Einzelne*, -n, -n; Einzelwesen *n.* -s, -; Individuum *n.* -s, -en; (man) selbst. ☞ 개인. ¶ ~의 자격으로 als Privatperson; in s-r Eigenschaft als Privatmann / 나 ~의 생각 m-e eigene Meinung, -en; mein eigenes Urteil, -(e)s, -e; mein freier Wille, -ns, -n (Willen, -s, -).

일거(一擧) ein Schlag *m.* -(e)s, ⸗e; ein Hieb *m.* -(e)s, -e; e-e Anstrengung, -en; Kraftaufwand *m.* -(e)s. ¶ ~에 auf e-n Schlag (Hieb); mit e-m Schlage (Hiebe) / ~ 양득이다 zweierlei auf einmal erledigen; mit e-r Klappe zwei Fliegen schlagen* (töten) / 적을 ~에 분쇄하다 e-n Feind mit e-m Schlag vernichten / ~에 일을 결정하다 ⁴*et.* auf e-n Schlag entscheiden*.

일거리 Arbeit *f.* -en; Beschäftigung *f.* -en; Aufgabe *f.* -n; Beruf *m.* -(e)s, -e. ¶ ~를 얻다 Arbeit finden* (bekommen*; erhalten*) / ~가 없다 nichts zu tun haben / ~를 찾다 Arbeit suchen.

일거무소식(一去無消息) nichts von ³sich hören lassen* 〖「아무」로부터의 「아무」를 주어로 하여〗 kein Lebenzeichen von ³sich geben*. ¶ 그는 ~이다 Er läßt immer noch nichts von sich hören.

일거수일투족(一擧手一投足) jede einzelne Handlung, -en (Bewegung, -en); jeder Schritt u. Tritt, jeden - u. -(e)s.

일거일동(一擧一動) Tun* u. Lassen*, des - u. -s; jede einzelne Handlung; alles*, was man tut. ¶ ~을 주시하다 scharf beobachten, wie ⁴sich e-r aufführt / 그는 그녀의 ~을 주시한다 Er ist sehr aufmerksam gegen sie. / 사람들은 내각의 ~에 주의를 기울이고 있다 Man verfolgt jeden Schritt des Kabinetts mit Aufmerksamkeit.

일건(一件) Angelegenheit *f.* -en; Affäre *f.* -n; Sache *f.* -n.
‖ ~서류 die Akten 《*pl.*》; die Papiere 《*pl.*》; die betreffende Sache, -n.

일격(一擊) ein (einziger) Schlag, -(e)s (Hieb, -(e)s; Streich, -(e)s). ¶ ~에 auf e-n (einzigen) Schlag *usw.* / ~을 가하다 e-n Schlag *usw.* versetzen 《*jm.*》.

일견(一見) ein Blick *m.* -(e)s, -e; der flüchtige Blick, -(e)s, -e. ~하다 an|blicken⁴; e-n Blick werfen* 《*auf*⁴》; flüchtig (plötzlich) (er)blicken⁴; ins Auge fassen⁴. ¶ ~에 beim ersten Anblick; auf e-n Blick; mit e-m Blicke / ~한즉 dem Anschein nach; anscheinend; äußerlich; wie es scheint / ~하여 auf den ersten Blick; beim ersten Anblick; augenscheinlich (분명히) / ~ 친절해 뵈는 노인 ein freundlich aussehender alter Mann, -(e)s, ⸗er; ein wie es scheint liebenswürdiger Alter*, ..ten, ..ten / 백문은 불여 ~이다 „Sehen ist Glauben.“¦ Probieren geht über Studieren.

일견폐형백견폐성(一犬吠形百犬吠聲) Wenn ein Hund etwas Unwahres bellt, so verbreiten es zehn tausend Hunde als Wahrheit.

일결(一決) Entscheidung *f.* -en; Übereinstimmung *f.* -en; Zustimmung *f.* -en. ~하다 zum Schluß (zu e-r Entscheidung; e-m Entschluß) kommen* (gelangen)ⓢ.
¶ 중의(衆議)~하여 einstimmig beschlossen.

일계(一計) Plan *m.* -(e)s, ⸗e. ¶ ~를 생각해 내다 einen Plan entwerfen*.

일계(日系) ¶ ~의 von japanischer Herkunft / ~미국인 Japaner 《*m.* -s, -》 mit amerikanischer Staatsangehörigkeit.

일계(日計) tägliche Berechnung, -en; tägliche Abrechnung, -en.
‖ ~표 tägliche Bilanz, -en.

일고(一考) Überlegung *f.* -en; Erwägung *f.* -en. ~하다 Überlegungen anstellen 《über ⁴*et.*》; ⁴*et.* überlegen; ⁴*et.* in Erwägung ziehen*; Erwägungen anstellen 《über ⁴*et.*》. ¶ ~의 여지가 있다 Überlegungen anzustellen brauchen 〖사람이 주어〗 / 이것은 ~를 요하는 문제다 Das muß in Erwägung gezogen werden.

일고(一顧) (Be)achtung *f.*; Berücksichtigung *f.* ¶ ~의 가치도 없다 k-r ²(Be)achtung (Berücksichtigung) würdig (wert) sein; nicht e-n Pfennig (k-n Pfifferling) wert sein; vollkommen wertlos sein / ~도 하지 않다 ⁴*et.* außer acht lassen*; außer Betracht lassen*⁴; nicht berücksichtigen⁴; vernachlässigen⁴; nicht beachten⁴.

일고동 Totpunkt *m.* -(e)s, -e; Drehpunkt *m.* -(e)s, -e; Angelpunkt *m.* -(e)s, -e.

일고삼장(日高三丈) später Morgen, -s; spät am Morgen; am hellen Tag.

일곱 sieben. ¶ ~째 der (die; das) siebte / ~살 먹은 아이 das siebenjährige Kind; das Kind im Alter von sieben Jahren / ~시 반 halb acht. ‖ ~이레 der 49. Tag nach Geburt eines Kindes.

일공(日工) 《날품일》 Tagarbeit *f.*; 《날품삯》 Tagelohn *m.* -(e)s, -e.
‖ ~장이 Tagelöhner *m.* -s, -.

일과(日課) Tagewerk *n.* -(e)s, -e; die tägliche Arbeit, -en; das tägliche Pensum, -s, ..sen (..sa); der tägliche Arbeitsturnus, -, ..nusse; der alltägliche Geschäftsgang, -(e)s, ⸗e. ¶ ~를 과하다 *jm.* e-e tägliche Arbeit übertragen*; *jm.* tägliche Aufgaben geben* / ~를 게을리하다 die tägliche Arbeit vernachlässigen (versäumen; liegen lassen*) / 저녁식사 후에 산책하는 것을 ~로 한다 Ich nehme es mir zur Regel, nach dem Abendessen spazierenzugehen.
‖ ~표 die tägliche Arbeitseinteilung, -en; Stundenplan *m.* -(e)s, ⸗e (학교의).

일곽(一郭) Block *m.* -(e)s, ⸗e.

일관(一貫) ① 《시종여일》 Konsequenz *f.* -en; Folgerichtigkeit *f.* -en. ~하다 konsequent (folgerichtig) sein. ¶ ~된 folgerichtig; konsequent; streng durchgeführt / ~하여 vom Anfang bis zu Ende / ~된 이념 e-e konsequente Idee / 독신으로 ~하다 ledig (unverheiratet) bleiben*ⓢ / 그는 시종~ 방관자였다 Er war u. blieb ein Zuschauer. ¦Er ließ sich nicht beeinflussen u. blieb ein Zuschauer.
② 《성취》 Ausführung *f.* -en; Verwirklichung *f.* -en; Vollendung *f.* -en. ~하다 aus|führen⁴; verwirklichen⁴; vollenden⁴. ¶ 초지 ~하다 *js.* Willen durch|setzen; sein Ziel erreichen; *js.* Plan aus|führen.
‖ ~작업 die ununterbrochene Arbeit, -en; die stetig dauernde Arbeit.

일괄(一括) in Bausch u. Bogen. ~하다 in ⁴Bündel packen⁴ (zusammen|binden*); zusammen|packen⁴; 《요약》 zusammen|fassen⁴; in ein Ganzes vereinigen⁴. ¶ ~하여 im großen (u. ganzen); in ³Bausch u. ³Bogen; im Ramsch; en bloc [ãblɔ́k].
‖ ~계약 Kollektivvertrag *m.* -(e)s, ⸗e.

~구입 der Kauf ((-(e)s, ⸚e)) in Bausch u. Bogen. ~배급 die gemeinsame (kollektive) Zuteilung. ~사표 der gemeinsame Rücktritt, -(e)s, -e. ~소송 zusammengefaßte Behandlung von Prozessen. ~제안 zusammengefaßter Vorschlag, -(e)s, ⸚e. ~지불 runde Summe, -n; auf einmal gezahlte Summe. ~타결 zusammengefaßte Vereinbarung, -en. ~판매 der Verkauf ((-(e)s, ⸚e)) in Bausch u. Bogen.

일광(日光) Sonnen¦licht *n.* -(e)s, -er (-strahl *m.* -(e)s, -en; -schein *m.* -(e)s, -e). ☞ 햇빛. ¶ ~을 잘 받는 sonnen¦beschienen (-überflutet).
‖ ~반사기 Heliotrop *n.* -s, -e. ~시 die Zeit des Tageslichts; ((길이)) die Zeitspanne des Tageslichts. ~소독 die Desinfektion durch Sonnenstrahl. ~요법 Sonnentherapie *f.* -n. ~욕 Sonnenbad *n.* -(e)s, ⸚er: ~욕을 하다 in der Sonne liegen* (sitzen*). ~절약 das Sparen* des Tageslichts. 직사~ der unmittelbare (direkte) Sonnenstrahl, -(e)s, -en.

일구난설(一口難說) eine Sache, die mit e-m Wort nicht zu erklären ist.

일구다 ① ((개간)) kultivieren[4]; bebauen[4]; urbar machen[4]. ¶ 산을 ~ den Wald lichten. ② ((두더지가)) Löcher in die Erde groben*; [4]sich ein|graben*; in e-e Erdhöhle verkriechen*.

일구월심(日久月深) ((시간)) der Verlauf der Zeit; 〔부사적〕 herzlich; im Ernst; inbrünstig mit Inbrunst. ¶ 그녀는 ~ 그 남자만을 생각한다 Sie denkt inbrünstig an den Mann.

일구이언(一口二言) Doppelzüngigkeit *f.* ~하다 sein Wort brechen*. ¶ ~의 doppelzüngig / 그는 ~한다 Er redet mit gespaltener Zunge. / 남자는 ~ 않는다 „Ein Mann ein Wort."

일국(一國) ein Staat *m.* -(e)s, -en; eine Nation, -en; ein Land *n.* -(e)s, ⸚er.

일군(一軍) ((전군)) die Armee; ((1군)) die Erste Armee. ¶ ~의 지휘관 der Oberbefehlshaber / ~ 사령관 der Kommandeur der ersten Armee.

일군(一郡) ein Landkreis *m.* -(e)s, -e; der ganze Landkreis.

일그러뜨리다 entstellen[4] (모양을).

일그러지다 [4]sich verschieben*; rutschen (s); die Form verlieren*.

일근(日勤) tägliche Arbeit (Pflicht) -en; täglicher Dienst, -(e)s, -e. ~하다 jeden Tag arbeiten; jeden Tag Dienst tun* (leisten).

일급(一級) die erste Klasse (Stufe) -n; die erste Ordnung, -en; der erste Rang, -(e)s, ⸚e. ☞ 일류(一流). ¶ ~의 erst¦klassig (-rangig); führend; ersten Ranges; vorzüglich; Haupt-.
‖ ~도로 Straße ((*f.* -n)) erster Ordnung. ~예술가 ein Künstler ((*m.* -s, -)) erster Klasse.

일급(日給) Tag(e)lohn *m.* -(e)s, ⸚e. ¶ ~ 300 원 300 *Won* als Tageslohn; 300 *Won* täglich / ~으로 일하다 im Tagelohn arbeiten / ~으로 고용하다 im Tagelohn nehmen*[4].
‖ ~노동자 Tagelöhner *m.* -s, -.

일굿거리다 rütteln (zittern; wackeln; unsicher; wackelig) sein. ¶ 책상다리가 좀 일굿거린다 Der Tisch wackelt ein bißchen.

일굿일굿 zitterig; zitternd; wackelig; unsicher.

일기(一期) ① ((일생)) *js.* ganzes Leben, -s; *js.* Erdentage ((*pl.*)). ¶ 25 세를 ~로 죽다 im Alter von 25 Jahren, noch in der Blüte des Lebens, sterben* (s). ② ((기간)) ein Termin *m.* -s, -e; e-e Frist, -en; ein Halbjahr *n.* -s, -e. ¶ ~에 5,000 원 소득세를 내다 die Einkommensteuer in Höhe von 5000 *Won* für ein Halbjahr bezahlen.
‖ ~배당금 Dividende für ein Halbjahr.

일기(一騎) der einzelne Reiter, -s, -. ¶ ~당천의 용사 der einzig dastehende (unvergleichliche) Haudegen, -s, -; ein Kämpfe ((-n, -n)), der es mit tausend Gegnern aufnehmen kann.

일기(日記) Tagebuch *n.* -(e)s, ⸚er (일기장); Logbuch *n.* (항해 일지); Taschenkalender *m.* -s, - (포켓용). ¶ ~를 쓰다 (ein) Tagebuch führen / ~에 적다 ins Tagebuch schreiben*[4]. ‖ ~문학(文學) Tagebuch (als Literatur). ~장 Tagebuch; ((부기)) Journal *n.* -s, -e.

일기(日氣) Wetter *n.* -s; Witterung *f.* -en (기상 상황). ☞ 날씨.
‖ ~개황 die allgemeine Wetterlage, -n. ~불순 ungünstige Wetterlage; widriges Wetter; schlechtes Wetter: ~ 불순으로 wegen ungünstiger Wetterlage; infolge widrigen Wetters. ~예보 Wettervoraussage *f.* -n; Wettervorhersage *f.* -n; Wetterbericht *m.* -(e)s, -e; Wetterprognose *f.* -n; Wetterprophezeiung *f.* -en; Wetterfunk *m.* -(e)s: ~예보에 의하면 날이 갠다고 한다 Nach dem Wetterbericht wird es schön sein.

일기죽거리다 ☞ 얄기죽거리다.

일긴하다(一緊一) sehr wichtig (bedeutsam) (sein).

일깨우다 ① ((자는 사람을)) *jn.* wecken; *jn.* aufwecken. ② ((가르쳐서)) *jn.* in [3]*et.* unterrichten; [4]*et.* erkennen lassen*; *jm.* über [4]*et.* erzählen. ¶ 나는 그의 잘못을 일깨워주었다 Ich habe ihn seinen Fehler erkennen lassen.

일껏 ① ((애써서)) unter [3]Angebot (Anspannung) der letzten (aller) Kräfte. ¶ ~ 그만큼 해 놓았는데도 obwohl er es mit großen Mühen so weit gebracht hat. ② ((친절히)) freundlich; liebenswürdig; nett. ¶ ~ 애써 주시니 고맙기는 합니다만 Es ist wirklich sehr nett von Ihnen, (es mir anzubieten *usw.*,) doch... / ~ 찾아 주셨는데 제가 집을 비워서 죄송합니다 Es tut mir wirklich leid, daß ich nicht zu Hause war, als Sie sich liebenswürdigerweise zu mir bemüht hatten.

일꾼 ① ((품팔이)) Arbeiter *m*, -s, -; Tagelöhner *m.* -s, -; Kuli *m.* -s, -s; Lastträger *m.* -s, -; Bauer *m.* -s, - (-n, -n) (농가). ② ((역량있는 사람)) der fleißige Arbeiter, -s, -; Ernährer *m.* -s, - (한 집안의); die tüchtige Kraft, ⸚e (회사, 공장 따위에서).

일끝 das Ende einer Arbeit (einer Sache); (ein wenig; ein bißchen) Verdruß *m.* ..sses, ..sse; Kummer *f.* -n; Sorge *f.* -n. ¶ ~을 맺다 e-e Sache erledigen; e-e Arbeit beenden / ~이 벌어지다 Schwierigkeiten entstehen* (s) (ausbrechen* (s)).

일난풍화(日暖風和) warmes Wetter u. sanfter Wind.

일년(一年) ein Jahr *n.* -(e)s, -e. ¶ ~에 한 번

씩 jährlich einmal; einmal im Jahr / ~에 두 번씩 jährlich zweimal; zweimal im Jahr / ~내내 das ganze Jahr hindurch / ~ 걸러 jedes zweite Jahr; alle zwei Jahre / ~반 anderthalb Jahre; eineinhalb Jahre; ein u. ein halbes Jahr.

‖ **~감** Tomate *f.* -n. **~생** der Schüler 《-s, -》 der ersten Klasse; Fuchs *m.* -es, ⸚e (대학의). **~생 식물**, **~초** die einjährige Pflanze, -n; Jährling *m.* -s, -e (동물).

일념(一念) die ganze Seele; das innigste Begehren, -s; der heißeste Wunsch, -es. ¶ ~으로 일하다 mit Inbrunst arbeiten / 나는 너를 맞나고 싶은 ~만을 가졌었다 Ich habe nur den Wunsch gehegt, dich noch einmal wiederzusehen.

일다[1] 《연기·바람이》 auf|gehen* ⓢ; auf|steigen* ⓢ; in die Höhe steigen*; in die Luft steigen*; [4]sich erheben*; 《불이》 entbrennen* ⓢ; [4]sich entflammen; erglühen ⓢ; lustig brennen*. ¶ 물결이 ~ Die Wellen gehen auf (steigen auf). / 바람이 ~ Der Wind erhebt sich. / 먼지(연기, 안개)가 ~ Staub (Nebel, Rauch) steigt auf.

일다[2] 《쌀 따위를》 waschen[4]; schrubben[4]; scheuern[4]. ¶ 사금을 ~ Gold waschen* / 쌀을 ~ Reis waschen*.

일단(一旦) 《한번》 einmal; 《우선》 für e-e Weile; momentan; augenblicklich; 《먼저》 zuerst; erst. ¶ ~ 한 이상은 wenn... einmal... / ~ 유사시에는 im Notfall; notfalls; nötigenfalls / ~ 약속한 것은 지켜야 한다 Du sollst es halten, was du einmal versprochen hast. / ~ 결정하면 변경할 수 없다 Wenn man e-e Entscheidung trifft, ist es nicht zu ändern. / 그 사건은 ~ 끝났다 Die Sache ist nun erledigt. / ~ 그의 의견을 들어보자 Hören wir ihn einmal sagen.

일단(一段) ① 《단계》 Etappe *f.* -n; Stadium *n,* -s, ..dien; Stufe *f.* -n. ¶ 제~ die erste Stufe (Etappe). ② 《층계》 e-e Stufe. ③ 《등급》 Grad *m.* -(e)s, -e; Rang *m.* -(e)s, ⸚e. ④ 《문장의》 Abschnitt *m.* -(e)s, -e; Absatz *m.* -(e)s, ⸚e; Paragraph *m.* -en, -en.

일단(一團) Gruppe *f.* -n; 《악당들의》 Bande *f.* -n; Horde *f.* -n; Rotte *f.* -n; 《극단배우의》 Trupp *m.* -s, -s (-e); Truppe *f.* -n. ¶ ~이 되어 in e-r Gruppe (Rotte; Horde) / ~의 관광객 e-e Gruppe Touristen / 악당의 ~ e-e Gruppe Banditen / 뜻맞는 사람들이 모여 ~을 조직했다 Die Gleichgesinnten bildeten e-e Gruppe. / 모든 마을에서 폭도들이 ~이 되어 몰려왔다 Die Aufständischen aus allen Dörfern kamen in Haufen herangestürmt.

일단(一端) 《한쪽 끝》 ein Ende *n.* -s; 《일부》 ein Teil *m.* (*n.*) -(e)s; 《대강》 ein Umriß *m.* ..risses; e-e ungefähre Vorstellung; e-e Skizze; e-e allgemeine Idee. ¶ 사건의 ~ die Hauptpunkte e-s Ereignisses / 문제의 ~을 논하다 e-n Teil des Problems behandeln / 감상의 ~을 피력하다 e-n Teil des Eindrucks an|geben* / 이것으로 그 ~을 알리는데 족합니다 Dies genügt, Ihnen e-e allgemeine Idee der Sache zu geben.

일단락(一段落) Abschnitt *m.* -(e)s, -e; (Ab-)schluß *m.* ..schlusses, ..schlüsse; Ende *n.* -s, -n; Pause *f.* -n. ¶ ~ 짓다 [4]*et.* zum Abschluß bringen* / 내가 그와 ~ 지으면 Wenn ich mit ihm zum Abschluß komme / 이것으로 일은 ~ 지어졌다 Hiermit ist die Arbeit vorläufig abgeschlossen.

일당(一堂) ¶ ~에 모이다 sich in einem Saal (in einer Halle) versammeln.

일당(一黨) e-e Partei, -en; Gesellschaft *f.* -en; Haufe(n) *m.* ..fens, ..fen; Schar *f.* -en; Trupp *m.* -s, -s (-e). ¶ ~ 30명 e-e (Reise)gesellschaft (ein Trupp) von dreißig Personen / ~에 치우치지 않다 unparteiisch sein / ~은 체포되었다 Die e-e Bande wurde verhaftet. ‖ **~국회** das Parlament aus der einzigen Partei. **~독재** Diktatur 《*f.*》 der einzigen Partei.

일당(日當) Tagegeld *n.* -(e)s, -er (출장 여행 등의); Tagelohn *m.* -(e)s, ⸚e (노무자 등의). ¶ ~으로 일하다 im Tagelohn arbeiten / ~으로 계산하다 auf den Tag berechnen[4]; nach dem Tage berechnen[4] / ~으로 지불하다 tageweise bezahlen[4] / 그는 ~ 5,000원 받는다 Sein Lohn beträgt 5000 *Won* pro Tag.

일당백(一當百) eine Person im Wert von 100 Personen.

일대(一大) 〖형용사적〗 sehr ernst (schwerwiegend; wichtig). ¶ ~장관을 이루다 e-n großartigen (herrlichen) Anblick dar|bieten* / ~ 성황을 이루었다 Es war sehr lebhaft. ¦〖속어〗 Da war es viel los.

일대(一代) ① 《일세》 e-e Generation. ¶ ~에 in einer Generation. ② 《일생》 *js.* Lebens¦zeit (-dauer) *f.* ¶ 이 소설은 그의 ~의 걸작이다 Das ist der beste Roman, den er in s-m Leben geschrieben hat. ③ 《그 시대》 Periode *f.* -n; Epoche *f.* -n; 《년대》 Zeitalter *n.* -s; Zeit *f.* -en. ¶ ~의 영웅 der Held dieser Zeit.

‖ **~기** Biographie *f.* -n [..fí:ən]; Lebensbeschreibung *f.* -en (-geschichte *f.* -n).

일대(一隊) Truppe *f.* -n; Sippschaft *f.* -en; Kompanie *f.* -n; Rotte *f.* -n.

일대(一帶) ein Gebiet *n.* -(e)s, -e; e-e Zone; e-e Gegend. ¶ 호남~ über ganz *Honam* / 부근 ~ die ganze Nachbarschaft / … ~에 durch[4] ... ganz; über[3·4] ... ganz (…에 지명을 넣는다); überall in[3].

일대사(一大事) das ernste (schwerwiegende) Ereignis, ..nisses, ..nisse; etwas sehr Ernstes* (Schwerwiegendes*) -n. ¶ 신변의 ~ ein drohender Schicksalsschlag, -(e)s, ⸚e / 국가의 ~ e-e Angelegenheit vor außerordentlicher Bedeutung für den Staat.

일더위 die Hitze des Vorsommers.

일도(一度) ein Grad.

일도양단(一刀兩斷) **~하다** mit einem Messerschlag in zwei Teile schneiden*; den gordischen Knoten durchhauen*. ¶ ~의 조처를 취하다 eine energische Maßnahme treffen*.

일독(一讀) das einmalige Durchlesen*, -s. **~하다** einmal durch|lesen*[4] (durchlesen*[4]); einmal durchsehen*[4] (통독하다). ¶ ~할 만하다 lesenswert sein.

일동(一同) alle* (u. jede*); alle Anwesenden[4]; alle betreffenden Personen 《*pl.*》; die ganze Gesellschaft (회사); alle zusammen. ¶ 가내 ~ die ganze Familie; all die Familie / 회원 ~ alle Mitglieder 《*pl.*》 / 사원 ~ die ganze Gesellschaft / 저희들 ~ wir alle / ~이 모두 alle zusammen / ~을 대신하여 감사의 뜻을 올리고자 합니다 Im Namen aller Mitglieder möchte ich mich bei Ihnen dafür bedanken.

일동일정(一動一靜) jede Einzelheit seines Benehmens (Verhaltens); Detail (Phase) seines Benehmens.

일되다 frühzeitig reifen; frühreif werden; vorzeitig reifen. ¶올해는 벼가 일되었다 Dieses Jahr ist der Reis frühzeitig gereift.

일득일실(一得一失) ein Vor- u. Nachteil *m.* -(e)s; ein Gewinn《*m.* -(e)s》u. ein Verlust《*m.* -es》.

일등(一等) die erste Klasse, -n; der erste Rang, -(e)s, ⸚e; der erste Platz, -es, ⸚e; die erste Stelle, -n; der erste Grad, -(e)s (한 등급). ¶~의 erstklassig; des ersten Ranges; vom ersten Rang; prima / ~품의 차 der Tee《-s, -s》von erster Güte; prima Tee.

‖~국 Großmacht *f.* ⸚e: ~국이 되다 e-e der Großmächte werden. ~급 der erste Grad, -(e)s, -e. ~기관사 der erste Ingenieur. ~병〖육군·해병〗der Gemeine* erster Klasse. ~상 der erste Preis: ~상을 타다 den ersten Preis gewinnen* (bekommen*). ~성〖천문〗der Stern《-es, -e》erster Größe. ~승객 der Fahrgast《-(e)s; ⸚e》erster Klasse; der Passagier [..zi:r] erster Klasse. ~차(차표) der Wagen (die Fahrkarte) erster Klasse: ~차로 가다 erster Klasse reisen (fahren*) ⓢ (기차편); in der ersten Kajüte reisen ⓢ (배편). ~품 die erstklassigen Waren《*pl.*》. ~항해사 der erste Offizier (e-s Handelsschiffes).

일떠나다[1] 《떠나다》[4]sich morgens früh auf den Weg machen.

일떠나다[2] 《일어섬》springen* ⓢ; auf|springen*.

일락(逸樂) Lebenslust *f.* ⸚e; Vergnügen *n.* -s; Genuß *m.* ..sses, ..sse. ¶~에 빠지다 [4]sich dem Vergnügen hin|geben*.

‖~생활 das dem Vergnügen hingegebene Leben.

일락서산하다(日落西山—) Die Sonne geht hinter dem Berg unter (im Westen).

일란성(一卵性)〖형용사적〗eineiig.

‖~쌍생아 eineiiger Zwilling, -s, -e.

일람(一覽) ein (Über)blick *m.* -(e)s; Ansicht *f.*; Durchsicht *f.* ~하다 durch|sehen*[4]; durchsehen*[4]; durch|lesen*[4]; durchlesen*[4]; e-n Blick werfen*《*auf*[4]》; überblicken[4]; e-n Überblick haben《*über*[4]》. ¶~후 nach Sicht / ~후 3개월불 die Zahlung nach Ablauf von 3 Monaten nach Sicht.

‖~불(拂) die Zahlung《-en》auf Sicht (bei Sicht): ~불 어음 Sichtwechsel *m.* -s / ~불의 die Zahlung auf Sicht. ~표 die übersichtliche Tabelle, -n; Liste *f.* -n; Schema *n.* -s, -s (..mata); Synposis *f.* ..posen; Übersicht *f.* -en. 대학~ Universitätskatalog *m.* -(e)s, -e.

일러두기 Vorbemerkungen *f.* -en; Erläuterung *f.* -en.

일러두다 *jn.* bitten[4]《um [4]*et.*》; *jn.* ersuchen《um [4]*et.*》; berichten[4]; erzählen[4]; befehlen[4]. ¶집을 잘 보라고 일러두었다 Ich habe ihn gebeten, das Haus gut zu bewachen.

일러바치다 informieren; [4]sich von[3] (über [4]*et.*) unterrichten; *jm.* Auskunft erteilen an|geben*;《학생이》petzen. ¶일러바치는 사람 Angeber *m.* -s; Geschichtenerzähler *m.* -s, -; Petze *f.* -n / 엄마한테 일러바치지 말아라 Erzähle doch der Mutter nicht!

일러주다 ①《알려주다》benachrichten; aufklären; unterrichten; bekanntgeben*; von [3]*et.* in Kenntnis setzen; mitteilen. ¶형은 나에게 어머님 병환을 일러주지 않았다 Mein Bruder hat mich nicht von der Krankheit meiner Mutter benachrichtigt.

②《가르침》erzählen; raten*; lehren; ein|prägen; unterrichten. ¶글을 ~ *jn.* lesen lehren / 다음부터 조심하라고 일러주어라 Rate ihm, von jetzt an vorsichtig zu sein!

일렁이다, 일렁거리다 auf- u. unter|tauchen ⓗ,ⓢ; baumeln; rütteln; schaukeln. ¶일렁이는 파도 wogende Wellen《*pl.*》.

일렁일렁 baumelnd; hin u. her wälzend; schaukelnd.

일렉트론〖물리〗Elektron *n.* -s, -en.

일력(日曆) Kalendertag *m.* -(e)s, -e.

일련(一連) ①《연속》Serie *f.* -n; eine Kette《*von*[3]》; Reihenfolge *f.* -n. ¶~의 aufeinanderfolgend; e-e Reihe (e-e Serie) von[3] / ~의 사건 eine Kette von Ereignissen / ~의 범죄 eine Serie von Verbrechen / ~의 거래 der aufeinanderfolgende wechselseitige Geschäftsverkehr. ②《종이 따위》ein Ries《Papier》.

‖~번호 aufeinanderfolgende Nummer.

일련탁생(一蓮托生) miteinander das gleiche Schicksal teilen; auf dem gleichen Boot sein (sitzen*); [4]sich in der gleichen Lage befinden*.

일렬(一列)《가로의》eine Linie;《세로의》eine Reihe; einer hinter dem andern. ¶~로 서다 in einer Reihe (einer Linie) stehen*; hintereinanderstehen*; Schlange stehen* (무엇을 사려고) / ~을 짓다 eine Reihe bilden / ~로 행진하다 in e-r Reihe marschieren ⓢ.

일례(一例) ein Beispiel *n.* -(e)s, -e; ein Exempel *n.* -s, -; ein Muster *n.* -s, - (범례). ¶~를 들면 zum Beispiel (Exempel)《생략: z.B.》; um ein Beispiel anzuführen / ~를 들다 ein Beispiel an|führen / …의 ~가 되다 ein Beispiel liefern; zum Beispiel dienen; als Beispiel dienen / 이것은 ~를 든데 불과하다 Das ist nur ein Beispiel.

일로(一路)〖명사적〗der gerade Weg, -(e)s, -e;〖부사적〗direkt; unmittelbar; stehenden Fußes. ¶증가 ~에 있다 ständig zu|nehmen* / 물가가 상승 ~에 있다 Die Preise steigen immer weiter. / 병세는 악화 ~에 있다 Der Zustand des Kranken wird immer schlimmer. / ~ 프랑크푸트트로 향했다 Er begibt sich direkt (unmittelbar) nach Frankfurt.

일루(一縷) ¶~의 희망 e-e schwache Hoffnung; Hoffnungsschimmer *m.* -s, - / ~의 희망을 품고 기다리다 am Grabe noch die Hoffnung auf|pflanzen / ~의 희망을 잃다 e-e schwache Hoffnung verlieren* / ~의 희망도 없다 Es besteht k-e Hoffnung mehr. / 그 환자는 회복할 ~의 희망이 있다 Bei dem Kranken besteht es immer noch e-e schwache Hoffnung auf s-e Genesung. / 그는 다음 소식에 ~의 희망을 걸고 있다 Er baut s-e Hoffnung auf die nächste Nachricht.

일루(一壘)〖야구〗das erste (Lauf)mal, -(e)s.

일류(一流) ①《제일위》der erste Rang, -(e)s. ¶~의 erst|klassig (-rangig); führend; leitend; ersten Ranges; Haupt- / 당대의 ~음악가 e-r der besten Musiker dieser Zeit. ②《유파》e-e Schule. ¶~를 이루다 e-e Schule bilden (machen).

‖ ~가수 der Sänger erster Klasse. ~교 e-e Schule ersten Ranges. ~극장 das Theater erster Klasse. ~기술자 der erste 〔A-Klasse〕 Ingenieur. ~신문 die führende Zeitung, -en. ~정치가 ein Politiker ersten Ranges. ~학자 e-r der besten Gelehrten. ~호텔 das Hotel erster Klasse. ~회사 die führende Firma, ..men.

일류미네이션 Illumination *f.* -en; Festbeleuchtung *f.* -en. ¶ ~ 장치를 한 festbeleuchtet; illuminiert.

일륜(日輪) Sonne *f.* -n.

일륜차(一輪車) Schub¦karre 〔Schieb-〕 *f.* -n; Schub¦karren 〔Schieb-〕 *m.* -s, -.

일률(一律) 《한결같이》 Einförmigkeit *f.* -en; Gleichheit *f.* -en; Gleichmäßigkeit *f.*; Unterschiedslosigkeit *f.* (무차별). ¶ ~적으로 《똑 같이》 gleichmäßig; gleich; 《무차별》 ohne Unterschied; unterschiedslos; 《전체적으로》 allumfassend; 《무조건》 absolut; unbedingt / 모든 것을 ~적으로 하다 alles über e-n Kamm scheren 〔über e-n Leisten schlagen*〕 / ~적으로 3할 감봉 die gleichmäßigen Herabsetzung des Gehaltes um 3 Prozente / 그 둘은 ~적으로 생각할 수 없다 Die beiden können nicht unterschiedslos behandelt werden. / ~적으로 나쁘다고는 할 수 없다 Das alles kann man nicht wahllos verwerfen.

일리(一理) ein gewisser Grund, -(e)s, ⸗e; e-e gewisse Wahrheit, -en. ¶ ~가 있다 teilweise recht haben; e-n gewissen plausibeln Grund haben 《*zu*[3]》¦Es ist zwar wahr, aber.... / 네 말에도 ~가 있다 Es steckt etwas Wahres in dem, was du sagst.¦Du sagst es mit gutem Recht. / 그것은 그 나름대로 ~가 있다 Das hat auch s-n Grund.

일리일해(一利一害) ein Vorteil u. ein Nachteil. ¶ 모든 일에 ~가 있다 Wie es zu gehen pflegt, bringt ein Vorteil zwangsläufig e-n Nachteil mit sich.¦„K-e Rose ohne Dornen.“ / 그것도 ~가 있다 Das hat zugleich s-e Licht- u. Schattenseite.¦Das ist k-e ungemischte Freude.

일막(一幕) ein Akt, -(e)s, -e; 《제 일막》 der erste Akt. ‖ ~극 ein Drama mit einem Akt; Einakter *m.* -s.

일말(一抹) ¶ ~의 ein bißchen; (um) e-e Kleinigkeit; ein wenig / ~의 불안을 느끼다 [4]sich ein bißchen 〔ein bissel〕 unberuhigt fühlen / ~의 애수를 느끼다 [4]sich ein bißchen wehmütig fühlen / ~의 암영이 그의 얼굴에 감돌았다 Ein Schatten überzog über sein Gesicht.

일망무제(一望無際) Endlosigkeit *f.* Grenzlosigkeit *f.* -en. ~하다 endlos; grenzenlos (sein). ¶ ~한 바다 unbegrenzte Ausdehnung von Gewässern; unbegrenzter Ozean, -s, -e.

일망타진(一網打盡) Razzia *f.* ..zien; Streifjagd 〔Diebs-; Verbrecher-〕 *f.* -en (깡패, 범죄자 따위의); Massenverhaftung *f.* -en. ~하다 mit e-m Wurf verhaften 《*jn.*》; e-e Massenverhaftung aus¦führen; e-e Razzia machen 〔veranstalten〕. ¶ 경찰이 범죄자들을 ~했다 Die Polizei verhaftete die Verbrecher mit e-m Wurf.

일매지다 eben; gerade; gleich; gleichmäßig; glatt (sein). ¶ 풀밭을 일매지게 깎다 den Rasen glatt mähen 〔schneiden*〕 / 이 김단은 일매지지 않다 Dieses Seetangbündel ist nicht gleichförmig.

일맥(一脈) Ader *f.* -n. ¶ ~ 상통하다 e-e gewisse [4]Ähnlichkeit 〔etwas Gemeinsames〕 haben 《*mit*[3]》 / 양자 간에는 ~ 상통하는 점이 하나도 없다 Zwischen beiden besteht k-e Ähnlichkeit.

일면(一面) ① 《한면》 e-e Seite, -n; die andere Seite, -n. ¶ 세상의 ~ die Zeichen der Zeit / 그에게는 이런 묘한 ~이 있다 Er hat auch solch e-e komische Seite. / 그의 이런 ~은 내게는 매우 새롭다 Diese Seite an ihm ist mir ganz neu. / 나는 그의 이런 ~을 전혀 모른다 Von dieser Seite kenne ich ihn gar nicht.
② 《신문의》 die erste Seite (der Zeitung).
③ 《반면》 während...; andererseits. ¶ 이 옷감은 내 맘에 드는 ~ 너무 비싸다 Einerseits gefällt mir dieser Stoff, andererseits ist er mir zu teuer.
④ 《행정 구역》 ein Bezirksteil von *Kun; Myon.*
⑤ 《한번 만남》 ein Treffen*, -s; ein Interview, -s, -en.

일면식(一面識) e-e flüchtige Bekanntschaft. ¶ ~도 없는 사람 ein wildfremder 〔vollkommen unbekannter〕 Mensch, -en, -en / ~이 있다 e-e flüchtige Bekanntschaft 〔Grußbekanntschaft〕 haben / 나는 ~도 없는 사람을 추천할 수 없다 Ich kann e-n vollkommen unbekannten Menschen nicht empfehlen.

일면여구(一面如舊) das Hingezogenheitsgefühl beim ersten Zusammentreffen.

일명(一名) ①《한 사람》 e-e Person; jeder*. ¶ ~에 pro [4]Kopf 〔Nase〕 / ~에 대하여 100 원의 회비 Mitgliedsbeitrag 《*m.* -(e)s, ⸗e》 von 100 *Won* pro Kopf / 여비서 ~ 채용 《광고》 „E-e Sekretärin gesucht.“ ② 《별명》 ein anderer Name(n), ..mens; alias; anders; od. auch... genannt. ¶ 이군의 ~은 세돌이다 *Sedol* ist ein anderer Name von Herrn *Lee* 〔*Yi*〕.

일모(日暮) (Abend)dämmerung *f.* -en; der Einbruch 《-(e)s, ⸗e》 der Nacht; Halbdunkel *n.* -s; Zwielicht *n.* -(e)s. ¶ ~에 an der Abenddämmerung; am Einbruch der Nacht.

일모작(一毛作) die einmalige Ernte, -n.
‖ ~전답 einmalig beernter Acker, -s, -; einmalig bepflanzter 〔besäter〕 Acker.

일목(一目) Blick *m.* -(e)s. ¶ ~ 요연하다 auf den ersten Blick klar sein; [4]sich von selbst verstehen*; über jeden 〔allen〕 Zweifel erhaben sein.

일몰(日沒) Sonnenuntergang *m.* -(e)s, ⸗e. ¶ ~전 〔경, 후〕 vor 〔gegen, nach〕 Sonnenuntergang.

일무(一無) nichts; keins.
‖ ~가관(可觀) das Nichtsehenswerte*. ~소득 Profitlosigkeit *f.* ~소식 kein einziges Wort 《gehört haben》.

일문(一門) ① 《일족》 die ganze Sippe 〔Familie〕 -n. ② 《집안》 *js.* Verwandte* 《*pl.*》.

일문(日文) Japanische Schrift, -en.

일문(逸聞) Anekdote *f.* -n.

일문일답(一問一答) Frage u. Antwort; aufeinanderfolgende Fragen u. Antworten; Interview *n.* -s, -s. ~하다 auf jede Frage antworten; ein Interview abhalten*; interviewen.

일물(逸物) ＝일품(逸品).

일미(一味) ausgezeichneter Geschmack, -(e)s, ⸗e 《Speise》.

일박(一泊) das Übernachten*, -s. ～하다 ⁴sich über e-e Nacht auf|halten* 《bei *jm.*; in ³*et.*》. ¶이 방은 ～에 얼마요 Was kostet dieses Zimmer die Nacht? / 나는 부산에서 ～했다 Ich habe mich in Busan über e-e Nacht aufgehalten. / ～과 아침 식사에 3,000원이다 Es kostet 3000 *Won* für Übernachtung und Frühstück.

일반(一般) ¶～의, ～적 《전반의》 allgemein; im allgemeinen; 《보통》 gewöhnlich; üblich; gebräuchlich; 《대체로》 in der ³Regel; im Ganzen / ～적으로 알려진 allgemein bekannt / ～적인 문제점들 allgemeine Probleme 《*pl.*》 / ～적으로 말하면 allgemein gesprochen; im allgemeinen 〔im großen u. ganzen〕 gesagt / ～적으로 통용되는 allgemeingültig / ～에 공개하다 der ³Öffentlichkeit unterbreiten / 그는 ～적으로 꽤 시간을 잘 지킨다 Gewöhnlich ist er sehr pünktlich. / 그것은 ～의 관심사다 Das liegt im allgemeinen Interesse. / 그 행동은 ～적 관심을 불러 일으켰다 Die Tat erregte allgemeines Aufsehen. / 그것이 우리들의 ～적 의견이다 Das ist die allgemeine Ansicht von uns allen. / 성적은 ～적으로 우수하다 Die Resultate 〔Ergebnisse〕 waren im allgemeinen sehr gut.

‖～감각 allgemeines Aufsehen*, -s. ～개념 allgemeiner Begriff, -(e)s, -e; allgemeine Idee, -n. ～경향 allgemeine Tendenz, -en. ～교양 Allgemeinbildung *f.* -en. ～대중 die (breite) Öffentlichkeit; das gewöhnliche Volk, -(e)s. ～독자 Durchschnittsleser *m.* -s, -. ～명사 Substantiv *n.* -s, -e. ～사면 (allgemeine) Amnestie, -n. ～성(性) Allgemeingültigkeit *f.* -n; allgemeine Regel, -n. ～원칙 allgemeines Prinzip, -s, -e. ～의 praktischer Arzt, -(e)s, ⸗e. ～입찰 öffentliche Ausschreibung *f.* -en. ～투표 Volksabstimmung *f.* -en. ～화 Verallgemeinerung *f.* -en: ～화하다 verallgemeinern⁴; 《보급》 populär machen⁴. ～회계 allgemeine Rechnung, -en.

일발(一發) 《총 따위의》 ein Schuß 《*m.* ..usses》. ¶～로 mit e-m Schuß / ～의 총성 der Knall e-s Schusses / ～의 총성이 들린다 Ein Schuß knallt.

일방(一方) e-e Seite *f.*; andere Seite *f.* ¶～적 einseitig / ～적인 판단 die einseitige Beurteilung, -en / ～적 승리 ein klarer Sieg, -(e)s, -e / ～적 승리를 거두다 e-n klaren Vorsprung haben; mit e-m klaren Ergebnis 〔Vorsprunge〕 gewinnen*; leicht besiegen / 이 조치들은 매우 ～적이다 Diese Maßnahmen sind sehr einseitig.

‖～통로 Einbahnstraße *f.* -e; Einbahnweg *m.* -(e)s, -e. ～통행 Einbahnverkehr *f.*

일배(一杯) ein Glas *m.* -es; ein Becher *m.* -s; eine Tasse (차를 마실 때).

일번(一番) der Erste*, -n, -n; Nr. 1 〔Eins〕. ¶～의 erst / ～으로 도착했다 Erst komme ich an die Reihe. / 시험을 ～으로 합격했다 Er bestand die Prüfung als der Erste.

‖～열차 der erste Zug, -(e)s, ⸗e. ～타자 〖야구〗 der erste Schläger, -s, -. 「*f.* -nen.

일벌 〖곤충〗 Arbeitsbiene *f.* -n; Arbeiterin

일변(一邊) 《한쪽》 eine Seite; 《한편》 die eine Seite; die andere Seite.

일변(一變) vollständige 〔plötzliche〕 Veränderung. ～하다 ⁴sich vollständig 〔plötzlich〕 verändern; ganz anders werden; ein neues Aussehen 〔e-n neuen Aspekt〕 ein|nehmen*. ¶정세는 ～했다 Die Lage hat sich auf einmal verändert. / 사람이 ～하다 ein völlig anderer ¹Mensch werden; ein neues Leben beginnen* / 국면이 ～했다 Die Situation veränderte sich plötzlich.¦ Die Situation nahm e-n neuen Aspekt 〔ein neues Aussehen〕. / 그의 낯빛이 ～했다 Sein Gesicht veränderte sich plötzlich. / 병세가 ～하다 der Zustand der Krankheit nimmt e-e neue Wendung; der Zustand der Krankheit wendet sich plötzlich.

일변(日邊) die tägliche Rate, -n; der tägliche Zinsfuß, -es. ¶～ 1원의 이자 die Rate 〔der Zinsfuß〕 zu 1 *Won* täglich.

일변도(一邊倒) Vorliebe *f.*; Manie *f.* -n [..níːən]. ¶～이다 Vorliebe haben 〔zeigen〕 《*für*⁴》 / 대미 ～이다 Vorliebe für die Vereinigten Staaten zeigen; in voller Unterstützung der Vereinigten Staaten sein.

일별(一別) Trennung *f.* -en. ～하다 ⁴sich trennen 《*von*³》; Abschied nehmen* 《*von*³》. ¶～ 이래 seit wir uns zum letztenmal gesehen haben; seit unserer Trennung / ～한 지 10년이나 됩니다 그려 Fast 10 Jahre sind vergangen, seit wir uns zum letzten Mal gesehen haben.

일별(一瞥) der flüchtige Blick, -(e)s, -e; das flüchtige Sehen*, -s. ～하다 e-n flüchtigen Blick werfen* 《*auf*⁴》; flüchtig an|sehen*⁴. ¶～하여 auf den ersten Blick; beim ersten Anblick / ～하고 그녀라는 것을 알았다 Er erkannte sie auf den ersten Blick.

일보(一步) ein Schritt *m.* -(e)s. ¶～ 일보 ⁴Schritt für ⁴Schritt / ～ 전진하다 e-n Schritt vor|treten* [s] / ～ 후퇴하다 e-n Schritt zurück|treten* [s] / ～ 양보하다 e-n Schritt weichen* 《*jm.*》 / 그는 ～도 양보하지 않았다 Er wich nicht um ein Haar zurück. / ～ 앞으로 E-n Schritt vorwärts!

일보(日報) 《신문》 Tagesblatt *n.* -(e)s, ⸗er; Tagespresse *f.* -n; 《보고》 Tagesbericht *m.* -(e)s, -e; Tagesmeldung *f.* -en; Tagesneuigkeiten 《*pl.*》 (일일 뉴스). ¶동아～ Die *Dong-A* Tageszeitung.

‖～표 Tagesberichtblatt *n.* -(e)s, ⸗er; Tagesmeldebogen *m.* -s, -.

일보다 besorgen; Besorgung machen; arbeiten. ¶과장 부재중에는 그가 대리로서 일본다 Während der Abwesenheit des Ableitungschefs vertritt er die Ableitung.

일본(日本) Japan *n.* -s. ¶～의 japanisch / ～식으로 im japanischen Stil / ～화하다 japanisieren.

‖～뇌염 die japanische Gehirnentzündung, -en. ～물건 das japanische Erzeugnis, -ses, -se. ～사람 《남자》 Japaner *m.* -s, -; 《여자》 Japanerin *f.* -nen. ～식〔풍〕 die japanische Art 〔u. Weise〕; der japanische Stil, -(e)s, -e. ～알프스 die Japanische Alpen 《*pl.*》. ～어 die japanische Sprache, -n; das Japanische,* -n; Japanisch *n.*: ～어로 auf Japanisch; im Japanischen; japanisch. ～요리 die japanische Küche, -n. ～정부 die japanische Regierung. ～학 Japanologie *f.*; Japankunde *f.* -n.

일본할미꽃(日本—) 〖식물〗 e-e Art Windröschen 《*n.* -s》.

일봉(一封) Geldhülle *f.* -n (beim Schenken).

¶금~ eine Geldhülle / 그는 금~을 받았다 Er bekam ein gehülltes Geldgeschenk.
일봉(日捧) tägliche Einsammlung 《von Geld》. **~하다** täglich einsammeln.
일부(一夫) ein Mann *m.*; ein Gemahl *m.*
‖**~다처** Polygamie *f.*: ~다처의 polygamisch / ~다처 주의자 Polygamist *m.* -en, -en. **~양처** Bigamie *f.*; Doppelehe *f.* **~일처** Monogamie *f.*: ~일처의 monogamisch / ~ 일처 주의자 Monogamist *m.* -en, -en.
일부(一部) ① 《부분》 ein Teil *m.* -(e)s; ein Bruchstück *n.* -s; e-e Kleinigkeit. ¶~의 teilweise; zum Teil; partiell / ~의 사람들 einige Personen 《*pl.*》 / ~를 수정하다 teilweise verbessern[4] (ergänzen[4]; ändern[4]) / ~는 …, ~는… zum Teil ..., zum Teil ...; teils..., teils... / ~는 현금으로, ~는 물품으로 teils in Geld, teils in Gut / ~를 이루다 einen Teil bilden / 나는 책의 ~만을 읽었다 Ich habe das Buch zum kleinen Teil gelesen. / 그 ~는 내 잘못이다 Das war zum Teil (teils) meine Schuld. / 그 얘기는 ~만이 정말이다 Nur ein Teil der Geschichte ist wahr. / ~ 학생은 게으르다 Ein Teil der Schüler ist faul.
② 《책》 ein Exemplar *n.* -s 《생략: Ex.》; ein Band *m.* -(e)s 《생략: Bd.》. ¶근저 ~를 증정합니다 Ich schenke Ihnen ein Exemplar von meinem neuen Werk.
③ 《한 벌》 ein Paar *n.* -s.
‖**~개념** Teilbegriff *m.* -(e)s, -e. **~결정** Teilbeschluß *m.* ..lusses, ..lüsse. **~수정** teilweise Änderung (Ergänzung; Verbesserung) -en. **~점유자** Teilbesitzer *m.* -s, -.
일부(日付) =날짜[1].
‖**~변경선** Datumsgrenze *f.* -n. **~인**(印) Datums¦stempel (Tages-) *m.* -s, -.
일부(日賦) 《저금 따위의》 die tägliche Teilzahlung, -en. ¶~로 갚다 durch tägliche Teilzahlungen bezahlen[4].
‖**~금** der tägliche Teilbezahlungsbetrag, -(e)s, ⸚e. **~판매** Verkauf 《*m.* -(e)s, ⸚e》 auf tägliche Teilbezahlung.
일부러 《고의로》 absichtlich; bewußt; geflissentlich; gewollt; mit [3]Absicht; mit Vorbedacht (Vorsatz; Willen); vorsätzlich; willentlich; wissentlich; 《특히》 extra; besonders; ausdrücklich; eigens. ¶~ …을 하다 es [3]sich angelegen sein lassen* 《zu 부정구》; [3]sich extra Mühe machen 《zu 부정구》 / ~ 한 짓은 아니었네 Ich habe es nicht absichtlich (vorsätzlich) getan. / 그런 일을 ~할 필요는 없지 않은가 Wozu sich's angelegen sein lassen, so was zu tun? / 그는 ~ 그것을 일러주러 왔다 Er kam eigens, um es mir zu sagen. / 먼 데를 ~ 와 주셔서 감사합니다 Das ist sehr nett von Ihnen, den langen Weg nicht gescheut und uns aufgesucht zu haben. / ~ 울다 Tränen 《*pl.*》 fallen lassen* / 그건 ~한 말이다 Das habe ich mit Absicht gesagt. / 너를 보려고 ~ 서울에 왔다 Ich bin extra (eigens) nach Seoul gekommen, um dich zu sehen. / 너 ~ 그랬지 Du hast das absichtlich getan, nicht?
일부분(一部分) ein Teil *m.* -(e)s; e-e Portion, -en; e-e Anzahl; ein Stück *n.* -(e)s, -e.
일부토(一抔土) ① 《흙》 eine Handvoll Erde. ② 《묘》 Grab *n.* -s, ⸚er.
일분(一分) 《시간》 eine Minute. ¶~ 일초 jede Minute und Sekunde.
일비(日費) tägliche Ausgabe, -n.
일비지력(一臂之力) kleine Hilfe; hilfreiche Hand. ¶~을 빌리다 helfen*; *jm.* eine hilfreiche Hand bieten*; *jm.* Hilfe anbieten*; *jm.* Hilfe leisten.
일사(一事) eine (einzige) Sache, -n; der einzige Punkt, -(e)s, -e. ¶~ 부재리(不再理)의 원칙 eine unwiderrufliche Sache.
일사(逸史) die in der Welt unbekannte Tatsache; die im verborgenen bleibende Tatsache; Anekdote *f.* -n.
일사병(日射病) 〚의학〛 Sonnenstich *m.* -(e)s, -e; Hitzschlag *m.* -(e)s, ⸚e. ¶~에 걸리다 e-n Sonnenstich bekommen*.
일사분기(一四分期) das erste Viertel 《des Jahres》.
일사불란(一絲不亂) beste (gute) Ordnung. **~하다** in bester (guter) Ordnung sein. ¶~하게 (으로) in bester (guter) Ordnung / ~한 논지 ein durchaus logisches Argument, -(e)s, -e.
일사천리(一瀉千里) große Beredsamkeit (Geschwindigkeit; Schnelligkeit) -en. ¶~로 mit großer Schnelligkeit (Geschwindigkeit); blitzschnell / ~로 설명하다 mit großer Beredsamkeit [4]etwas erklären / 의안이 ~로 통과되었다 Der Gesetzentwurf wurde blitzschnell angenommen. / ~로 일을 처리하다 die Arbeit mit großer Schnelligkeit erledigen (aus|führen) / 그는 ~로 작품을 써 나갔다 Er arbeitete ununterbrochen an s-m Werk (Roman).
일삭(一朔) ein Monat *m.* -(e)s, -e.
일삯 Lohn *m.* -(e)s, -e; Gehalt *n.* -(e)s, -e.
일산(日産) 《생산고》 Tagesleistung *f.* -en (기계 등의); Tagesförderung *f.* -en (석탄 등의); 《일본산》 japanisches Produkt, -(e)s, -e.
일삼다 《일로삼다》 [3]sich [4]*et.* angelegen sein; 《전념》 [4]sich mit [3]*et.* beschäftigen; [4]sich [3]*et.* widmen; [4]sich hingeben*; [4]sich ergeben*. ¶음주를 ~ dem Trinken ergeben sein / 도박을 ~ [4]sich dem Spiel ergeben / 악습을 ~ [4]sich schlechten Gewohnheiten ergeben.
일상(日常) Alltag *m.* -(e)s, -e. ¶~의 gewöhnlich; alltäglich; täglich; häufig; ständig; immer / ~ 일어나는 일 tägliche Affäre, -n; tägliches Geschehnis, -ses, -se.
‖**~복** Alltagskleidung *f.* -en. **~사** Tretmühle *f.* -n: 휴가가 끝나고 월요일이 되면 다시 ~사로 되돌아가야만 한다 Nach dem Urlaub müssen wir am Montag wieder zurück in die Tretmühle. **~생활** das (all-) tägliche Leben, -s. **~어** Alltagssprache *f.* -n. **~업무** alltägliche Arbeit (Beschäftigung) -en. **~회화** tägliche Unterhaltung, -en; tägliches Gespräch, -(e)s, -e.
일색(一色) ① 《한 빛》 e-e Farbe. ¶~의 einfarbig; einfärbig; monochromatisch. ② 《미인》 die Schöne*, -n; Schönheit *f.* -en. ¶그녀는 천하 ~이다 Sie ist e-e große (außerordentliche) Schönheit. ¦〚속어〛 Sie ist selten schön. ③ 《비유적》 ¶서울은 신민당 ~이었다 Seoul ist mit der Neuen Demokratischen Partei überflutet.
일생(一生) das ganze Leben, -s; die Lebenszeit. ¶~의 lebenslänglich / ~동안 für das ganze Leben; Zeit s-s Lebens; auf lebenslang; das ganze [4]Leben hindurch (lang) / ~의 사업 *js.* Lebens¦werk *n.* -(e)s, -e (-arbeit *f.* -en) / ~에 한번 einmal im Leben /

~을 그르치다 das Leben unnütz vergeuden / ~을 바치다 sein ganzes Leben widmen[3] / ~ 소원이니 들어주게 Ich beschwöre dich, mich anzuhören! / ~을 독신으로 지내다 das ganze Leben hindurch ledig bleiben* / 구사~으로 도망치다 mit dem (nackten) Leben davon|kommen*Ⓢ; das nackte Leben davon|tragen* / 시인의 ~과 작품 Leben und Werk des Dichters / ~동안 그것을 단 한번 봤다 Ich habe das zum ersten Mal in m-m Leben gesehen. / ~일대의 역작 *js.* Lebenswerk *n.* -(e)s, -e; *js.* letztes u. größtes Meisterwerk, -(e)s, -e.

‖ **~일사**(一死) das Leben* und Sterben*; Leben und Tod. ⌈=er.

일서(逸書) das verlorengegangene Buch, -(e)s,

일석이조(一石二鳥) ¶ ~다 zwei [4]Fliegen mit e-r [3]Klappe schlagen*.

일선(一線) ① 《한 선》 e-e Linie; erste Linie. ② 《전선》 Front *f.* -en.

‖ **~근무** Frontdienst *m.* -es, -e: ~근무다 in der Front dienen. **~병사** Frontsoldat *m.* -en, -en. **~장교** Frontoffizier *m.* -(e)s, -e.

일설(一說) e-e Ansicht; e-e Meinung; e-e Auffassung. ¶ ~에 의하면 nach e-r [3]Ansicht; nach e-r Meinung.

일성(一聲) e-e Stimme; ein Schrei *m.* -(e)s. ¶ ~을 올리다 (발하다) e-n Schrei aus|stoßen*; ein Geschrei erheben*.

일세(一世) 《그 시대》 die Zeit; das (Zeit)alter, -s; 《일대》 e-e Generation; ein Alter *n.* -s; 《일생》 e-e Lebens|zeit (-dauer); ein Leben, -s; 《왕조》 der Erste*, -n. ¶ 오토 ~ Otto I. (der Erste*) / ~의 영웅 der größte Held 《-en, -en》 der Zeit / ~를 놀라게 하다 die (ganze) Welt in [4]Erstaunen setzen.

일세기(一世紀) ein Jahrhundert *n.* -(e)s 《생략: Jh.》; 100 Jahre 《*pl.*》. ☞ 세기.

일소(一笑) ein Lachen* *n.* -s. **~하다** lachen. ¶ ~에 부치다 lachend über [4]*et.* hinweg|gehen* Ⓢ.

일소(一掃) das Wegfegen*, -s; das Wegtreiben*, -s; das Reinigen*, -s; das Beseitigen*, -s; das Ausrotten*, -s. **~하다** weg|fegen[4] (-|kehren[4]; -|treiben*[4]); reinigen[4]; ab|fegen[4]; 《근절》 aus|rotten[4]; 《제거》 beseitigen[4]. ¶ 부패 분자를 ~하다 die verdorbenen Elemente 《*pl.*》 aus|rotten / 여러 가지 장애를 ~하다 Hindernisse 《*pl.*》 beseitigen. / 모든 어려움을 ~하다 alle Schwierigkeiten 《*pl.*》 beseitigen / 악을 ~하다 das Übel aus|rotten / 적을 ~하다 den Gegner beseitigen / 폐해를 ~하다 Mißstände beseitigen / 세상의 오해를 ~하다 ein Mißverständnis aus der Welt schaffen.

일손 ① 《일》 Arbeit *f.* -en. ¶ ~을 놓다 mit der Arbeit auf|hören; die Arbeit ein|stellen / ~을 쉬다 Pause machen / ~을 잡다 an|fangen* zu arbeiten.

② 《솜씨》 Geschicklichkeit *f.* -en; Gewandtheit *f.* -en.

③ 《사람》 Hände 《*pl.*》; Hilfe *f.*; Arbeitskräfte 《*pl.*》. ¶ ~이 모자라다 es fehlt (mangelt *jm.* an Arbeitskräften (Händen; Helfern); wenig Arbeitskräfte haben; unter Mangel an Arbeitskräften leiden* / ~을 구하다 Arbeitskräfte (Hilfskräfte) suchen / ~을 빌려주다 zur (an die) Hand gehen* Ⓢ 《*jm.*》 / 우리는 ~을 구하지 못했다 Wir haben k-e Hilfe zur Hand.

일수(日收) das tagweise Darleh(e)n, -s, -; die Leihe 《-n》 von [3]Tag zu [3]Tag (auf e-n Tag). ¶ ~로 돈을 꾸다 [4]sich das Geld auf e-n Tag leihen*.

‖ **~장이** der Geld(ver)leiher, der anderen (gegen Zinsen) Geld auf e-n Tag leiht.

일수(日數) ① 《날수》 die (An)zahl der Tage; Tage 《*pl.*》; Zeit *f.* -en. ¶ 그렇게 ~가 걸리지는 않습니다 So viele Tage brauchen wir nicht. ② 《날의 운수》 der Glück des Tages. ¶ 그는 오늘 ~가 좋다 Er hat heute einen guten Tag. / 그는 오늘 ~가 좋지 않다 Er hat heute k-n guten Tag.

일수불퇴(一手不退) ¶ ~다 Zurücknehmen darf man beim Spiel nicht; Zurücknehmen ist beim Spiel verboten.

일수판매(一手販賣) Alleinhandel *m.* -s, -; Alleinverkauf *m.* -(e)s, =e; Alleinvertrieb *m.* -(e)s, -e. **~하다** Alleinhandel treiben*.

일숙박(一宿泊) die einmalige Übernachtung. **~하다** übernachten; über Nacht bleiben* Ⓢ; eine Nacht verbringen* (zubringen*). ¶ ~ 일등 5천원 5 tausend *Won* für eine erstklassige Übernachtung.

일순(一巡) e-e Runde; ein Rundgang; e-e Rundreise. **~하다** e-e Runde (e-n Rundgang; e-e Rundreise) machen 《*um*[4]》.

일순간(一瞬間) ein Augenblick *m.* -(e)s; ein Moment *m.* -(e)s. ¶ ~에 für e-n Augenblick (Moment); in e-m Augenblick (Moment); augenblicks / ~의 augenblicklich; momentan / ~도 소홀히 해서는 안된다 Wir dürfen keinen Augenblick verlieren.

일습(一襲) die ganze Ausstattung, -en; die vollständige Ausrüstung. ¶ ~의 옷 Anzug *m.* -es, =e (남자); Kostüm *n.* -s, =e (여자) / 동복 ~ Winteranzug.

일승일패(一勝一敗) einmal gewonnen, einmal verloren.

일시(一時) ① 《한때》 einmal; einst; zu e-r Zeit. ¶ 그는 ~ 서울에 살았다 Einmal wohnte er in Seoul. / 그는 ~ 목숨이 위태로왔다 Einst zweifelte man an s-m Leben.

② 《동시》 alle zusammen in e-r Zeit; zugleich; gleichzeitig; auf einmal. ¶ 학생들이 ~에 소리쳤다 Auf einmal schrien die Studenten aus. / 관중들이 ~에 일어났다 Das Publikum stand gleichzeitig auf.

③ 《잠시》 e-e Zeitlang; provisorisch; vorläufig; einstweilen. ¶ ~적(인) einstweilig; provisorisch; vorläufig; vorgänglich; flüchtig; zeitlich; temporär; zeitweilig / ~적 기분 die vorübergehende Laune, -n / ~적 슬픔 der flüchtige Kummer, -s / ~적 한파 기습 ein vorübergehender Kälteeinbruch, -(e)s, =e / 그것은 ~적 현상이다 Das ist e-e vorübergehende Erscheinung. / 상점이 ~ 문을 닫았다 Das Geschäft ist vorübergehend geschlossen.

‖ **~금** Pauschalbetrag *m.* -(e)s, =e. **~차입금** die schwebende Schuld, -en; das zeitweilige Darlehen*, -s. **~하사금** Sonderbelohnung *f.* -en.

일시(日時) Zeit *f.* -en; Datum *n.* -s, ..ten (연월일). ¶ 회합의 ~를 정하다 Tag u. Stunde der Versammlung fest|legen.

일시거주(一時居住) das Verweilen*, -s; der vorübergehende (zeitweilige) Aufenthalt, -(e)s, -e. **~하다** ([4]sich) verweilen; [4]sich vorübergehend (zeitweilig) auf|halten*.

일시동인(一視同仁) Brüderlichkeit *f.* -en; Weltbürgertum *n.* -s, =er; Kosmopolitismus *m.* -, ..men. ¶ ~의 brüderlich; kosmopolitisch.

일시에(一時—) plötzlich; im Nu; auf einmal; alle gleichzeitig (동시); über Nacht (눈 깜박하는 사이). ¶ 그는 ~ 부자가 되었다 Er wurde über Nacht Millionär. / 그는 이 소설로 ~ 유명해졌다 Er wurde über Nacht durch diesen Roman berühmt.

일식(日蝕) Sonnenfinsternis *f.* ..nisse.

일신(一身) das Selbst; die eigene Person; das Ich. ¶ ~상의 persönlich; privat / ~상의 이해를 돌보지 않고 ohne Rücksicht auf eigenes Interesse / ~상의 문제 die persönliche Angelegenheit / ~상의 사정에 의해서 wegen der persönlichen ²Angelegenheiten 《*pl.*》 / ~상의 중대사 die Sache 《-n》 von großer persönlicher Wichtigkeit / ~을 바치다 ⁴sich opfern 《*für*⁴》 / 그는 항시 ~의 이익만 생각한다 Er denkt immer an sein eigenes Interesse.

일신(一新) **~하다** reformieren⁴; erneuern⁴; verändern⁴; innovieren⁴. ¶ 인심을 ~하다 die Volksstimmung ändern / 면목을 ~하다 ein anderes Aussehen bekommen*; ⁴sich vollständig (ver)ändern.

일신(日新) tägliche Erneuerung 〔Verbesserung; Vervollkommnung〕 -en. **~하다** täglich erneuert werden; täglich verbessert werden.

일신교(一神敎) Monotheismus *m.* -. ¶ ~의 monotheistisch.

‖ **~도** Monotheist *m.* -en, -en.

일심(一心) ① 《한마음》 ein Herz *n.* -ens; e-e Seele; Solidarität *f.* ¶ 국민이 ~이 되다 Die ganze Nation vereinigt sich miteinander.

② 《전심》 die Sammlung aller Gedanken auf ein Problem; Konzentration *f.* ¶ ~으로 von ganzem Herzen; mit Leib u. Seele / ~으로 …하다 ⁴sich konzentrieren 《*auf*⁴》; alle Gedanken auf ein Problem konzentrieren.

‖ **~동체** eins 〔identisch〕 sein 《*mit*³》: 부부는 ~동체다 Mann u. Frau sind eins.

일심(一審) erste Instanz, -en. ¶ ~에서 in der ersten ³Instanz, -en / 사건을 ~에서 결판짓다 die Sache in der ersten Instanz entscheiden / 그는 ~에서 무죄가 되었다 Er wurde in der ersten Instanz freigesprochen.

일심(日甚) das tägliche Verschlechtern 〔Verschlimmern〕. **~하다** ⁴sich täglich verschlechtern 〔verschlimmern〕; täglich schlechter werden.

일심불란(一心不亂) ein ganzes Herz, -ens, -en; ein ganzes Gemüt, -(e)s; 《전념》 Ergebenheit *f.* -en; Hingabe *f.* -n; Hingebung *f.* **~하다** ⁴sich ³*et.* ergeben*; ⁴sich ³*et.* widmen; ⁴sich mit Leib u. Seele hin|geben*; ⁴sich ganz in ⁴*et.* vertiefen; mit Feuer u. Flamme werden. ¶ ~으로 von ganzem Herzen; mit Leib u. Seele.

일쑤 Gewohnheit *f.* -en; Angewohnheit *f.* -en. ¶ …하기가 ~이다 an ⁴*et.* gewohnt sein; Gewohnheit haben; ³*et.* zu tun pflegen / 그는 남을 비웃기 ~다 Er ist daran gewohnt, die andere Person zu verlachen. / 그는 거짓말하기가 ~다 Er hat die Gewohnheit zum Lügen. / 그는 울기가 ~였다 Er hat die Gewohnheit zum Heulen.

일안레프(一眼—) Spiegelreflex *m.* 《bei Kamera》.

일야(日夜) Tag u. Nacht.

일약(一躍) mit e-m Satz(e) 〔Sprung〕; mit einemmal. ¶ ~ 유명해지다 (ur)plötzlich berühmt werden; über ⁴Nacht Berühmtheit erlangen / 그녀는 ~ 유명한 여배우가 되었다 Sie wurde über Nacht e-e berühmte Schauspielerin. / 그는 무일푼에서 ~ 백만장자가 되었다 Aus dem armen Mann wird er plötzlich ein Millionär.

일양일(간)(一兩日(間)) auf ein od. zwei Tage; auf ein paar Tage. ¶ ~중에 in ein od. zwei Tagen; in ein paar Tagen.

일어(日語) das Japanische*, -n; Japanische Sprache, -n.

일어나다 ① 《잠·병석에서》 auf|stehen* Ⓢ; ⁴sich aus dem Bett auf|richten; das Bett verlassen*; auf|wachen Ⓢ. ¶ 일어나 있다 auf sein; wach sein; auf|bleiben* Ⓢ / 일찍 ~ früh auf|stehen / 침대에 일어나 앉다 ⁴sich im Bett auf|richten / 병으로 일어날 수 없다 wegen Krankheit nicht auf|stehen können; zu krank sein, als daß man aufstehen könnte / 밤 늦게까지 자지 않고 일어나 있으면 안 된다 Du sollst nicht bis spät in die Nacht wach bleiben.

② 《일어섬》 ⁴sich auf|richten; ⁴sich empor|heben*; ⁴sich auf die Beine stellen. ¶ 벌떡 ~ ⁴sich sprunghaft auf die Beine stellen / 의자에서 ~ ⁴sich vom Stuhl auf|richten / 남의 부축을 받아 억지로 ~ ⁴sich mühsam mit fremder Hilfe auf|richten.

③ 《발생》 geschehen* 〔passieren; erfolgen〕 Ⓢ; ⁴sich ereignen; statt|finden*; aus|brechen*Ⓢ; vor|fallen*Ⓢ; ⁴sich begeben*; ein|treten*Ⓢ; ⁴sich zu|tragen*; vor|kommen*Ⓢ. ¶ 무슨 일이 일어났느냐 Was ist (hier) passiert? / 한바탕 무슨 일이 일어날 것 같다 Es wird gleich etwas geben. / 중대한 사건이 일어났다 Etwas Ernstes ist los. / 경련이 ~ Krämpfe bekommen; von ³Krämpfen befallen werden / 한국 전쟁이 일어났다 Der Korea-Krieg ist ausgebrochen. / 그러한 일은 매일 일어난다 So etwas geschieht täglich. / 사고가 일어났을 때 어린아이에겐 아무 일도 없었다 Dem Kind ist bei dem Unfall nichts geschehen.

④ 《발흥》 plötzlich auf|kommen*Ⓢ; entstehen*Ⓢ. ¶ 최근 각종 회사들이 일어났다 Neulich sind allerei Fabriken entstanden.

⑤ 《불이》 aus|brechen*Ⓢ. ¶ 불이 일어났다 Ein Feuer ist ausgebrochen.

⑥ 《바람이》 auf|kommen*Ⓢ. ¶ 잔잔한 바람이 ~ ein leichter Wind kommt auf.

⑦ 《열·전기가》 erzeugt werden. ¶ 물체를 마찰하면 열과 전기가 일어난다 Bei der Reibung der Stoffe gegeneinander werden Hitze und Elektrizität erzeugt.

⑧ 《기인》 s-n Ursprung haben 〔nehmen*〕 《*in*³》; ⁴sich ab|leiten 〔her|leiten〕 (lassen*) 《*von*³》; ab|stammen 《*von*³》; entspringen*³; her|kommen*Ⓢ 《*von*³》. ¶ 그런 일이 일어난 데는 원인(遠因)이 있다 Das läßt sich von weit her ableiten 〔herleiten〕. / 우리들의 다툼은 오해에서 일어났다 Unser Streit beruhte auf e-m Mißverständnis.

일어서다 ① 《기립》 auf|stehen*Ⓢ; ⁴sich auf die Beine stellen; ⁴sich auf|richten; ⁴sich erheben*; ⁴sich in die Höhe richten. ¶ 벌떡 ~ plötzlich ⁴sich auf|richten 〔erheben〕

/ 자리에서 ~ [4]sich vom Stuhl auf|richten (auf|stehen) / 내가 들어오자 그가 일어섰다 Er stand auf, als ich eintritt.
② 《분기·봉기》 [4]sich empören 《*gegen*[4]》; [4]sich auf|raffen 《*zu*[3]》; auf|stehen 《*gegen*[4]; *wider*[4]》. ¶ 군중들이 압제자에 반항하여 일어섰다 Das Volk war gegen die Unterdrücker aufgestanden. / 이제야말로 무기를 들고 일어설 때다 Es ist die höchste Zeit, mit Waffen aufzustehen.

일어탁수(一魚濁水) Der Fehler einer Person verursacht (zufügen; anrichten; bringen) allen anderen Schaden.

일언(一言) ein (einziges) Wort. **~하다** ein Wort sagen (vor|bringen*). ¶ ~지하에 sofort; auf der Stelle; direkt; einfach; kurzweg; ohne weiteres; sogleich; unverzüglich; mit e-m Wort; grob (거칠없이) / ~일구에 신중을 기하다 jedes Wörtlein abwägen / 남아 ~은 중천금 Ein Mann, ein Wort.
‖ **~일행** Ein Wort und e-e Tat.

일언반구(一言半句) ein einziges Wörtchen, -s, -; das Bruchstück 《-(e)s, -e》 e-r Rede. ¶ ~도 없다 k-n Laut von [3]sich geben / ~의 사과도 없이 ohne einzige Endschuldigung / 그는 ~의 말도 없이 자리를 떴다 Ohne ein einziges Wörtchen verließ er uns.

일언이폐지(一言以蔽之) **~하다** mit einem Wort ausdrücken; [4]*et.* kurz sagen. ¶ ~하고 mit einem Wort; um es kurz zu sagen.

일없다 unbrauchbar; unnötig; nutzlos; unnütz; unnützlich (sein). ¶ 의사는 나한테 ~ Ich brauche keinen Arzt. / 옷은 일 없으니 돈이나 주시오 Geben Sie mir Geld, denn ich brauche keine Kleider. / 이렇게 많이는 ~ Ich brauche nicht so viel.

일여덟 sieben oder acht.

일엽편주(一葉片舟) ein kleines Boot, -(e)s, -e (Schiffchen, -s, -); Kahn *m.* -(e)s, ⸗e.

일요(日曜) ☞ 일요일. ‖ **~판** Sonntagsausgabe *f.* -n. **~학교** Sonntagsschule *f.* -n. **~화가** Sonntagsmaler.

일요일(日曜日) Sonntag *m.* -(e)s, -e. ¶ ~에 am Sonntag / ~마다 jeden Sonntag; sonntags; sonntäglich / 다음 ~에 (am) nächsten (kommenden) Sonntag.

일용(日用) täglicher Gebrauch, -(e)s; tägliche Benutzung. ¶ ~의 täglich; alltäglich; zum täglichen Gebrauch.
‖ **~기구** Geräte zum täglichen Gebrauch; Gebrauchsgegenstand *m.* -(e)s, ⸗e. **~독일어** Gebrauchs¦deutsch (Rede-) *n.* **~사전** Volkslexikon *n.* -s, ..ka (..ken). **~품** der tägliche Bedarf, -s; der tägliche Bedarfsartikel, -s, -; die täglichen Bedarfsgegenstände 《*pl.*》; Haushaltsware *f.* -n.

일우(一隅) (Zimmer)ecke *f.* -n; (Schlupf-) winkel *m.* -s, -.

일울다 《ein Hahn》 früh am Morgen krähen.

일원(一元) die einzige Quelle; der einzige Ursprung, -(e)s. ¶ ~적 monistisch.
‖ **~론** 〖철학〗 Monismus *m.* -: ~론자 Monist *m.* -en, -en. **~설** 〖생물〗 Monogenesis *f.*; Monogenese *f.* **~화** Vereinheitlichung *f.* -en; Zentralisation *f.* -en: ~화하다 vereinheitlichen[4]; zentralisieren[4].

일원(一員) Mitglied *n.* -(e)s; der Mitbeteiligte*, -n, -n. ¶ 그도 그 ~이다 Er zählt auch mit.¦Er zählt zu den Mitgliedern. / 나도 사회의 ~이다 Ich bin auch ein Mitglied der Gesellschaft.

일원(一圓) =일대(一帶). ¶ 서울 ~에 in ganz Seoul.

일원제(一院制) Einkammersystem *n.* -s, -e.
‖ **~의회** die eine Kammer.

일월(一月) Januar *m.* -(s), -e 《생략: Jan.》.

일월(日月) 《해와 달》 die Sonne und der Mond; 《시간》 Zeit *f.* -en.
‖ **~성신** Gestirn *n.* -(e)s, -e; Himmelskörper. **~식** Sonnen(finsternis) und Mondfinsternis 《*f.* -se》.

일위(一位) ① 《첫째》 die erste Stelle; Spitze *f.* -n; die erste Position. ¶ ~를 차지하다 an der Spitze stehen*; an erster Stelle rangieren 《*unter*[3]》; die erste Stelle ein|-nehmen* 《*unter*[3]》. ② 〖수학〗 Einer *m.* -s, -(한자리 수).

일으키다 ① 《세우다》 [4]sich auf|richten; in die Höhe richten[4]; auf die Beine stellen[4]; auf|heben*[4]; empor|heben. ¶ 넘어진 사람을 ~ den gestürzten Mann aufrichten / 그는 끙끙거리며 몸을 일으켰다 Er hob sich ächzend auf. / 개가 귀를 일으켜 세웠다 Der Hund richtete die Ohren auf.
② 《야기》 verursachen[4]; Anlaß (Gelegenheit) geben* 《*zu*[3]》; bewirken[4]; erwirken[4]; herauf|beschwören*[4]; herbei|führen[4]; hervor|rufen*[4]; in die Wege leiten[4]; veranlassen[4]; nach [3]sich ziehen*[4]; zur Folge haben; mit [3]sich bringen*[4]; führen[4] 《*zu*[3]》; hinaus|laufen*[4] 《*auf*[4]》; erzeugen[4]; auf|-wecken; erwecken[4]; aus|lösen[4]. ¶ 마찰을 ~ Reibung verursachen / 전쟁을 ~ Krieg führen / 소동을 ~ Turmult verursachen / 그게 호흡 곤란을 일으켰다 Das verursachte die Atemnot.¦ Es rief die Atemnot hervor.¦Das hatte die Atemnot zur Folge. / 그것이 중대한 문제를 일으킬는지도 모른다 Das mag wohl etwas Bedenkliches hervorrufen. / 흥미를 ~ Interesse erwecken / 그의 연설이 물의를 일으켰다 Er verursachte durch s-e Rede große Anregung.
③ 《개시·창시》 an|fangen*[4]; beginnen; 《발기》 organisieren; gründen. ¶ 새로운 사업을 ~ ein neues Geschäft gründen; [4]sich auf (in) e-e neue Unternehmung ein|lassen / 반공 운동을 ~ eine antikommunistische Bewegung ins Leben rufen.
④ 《불을》 an|zünden[4]; Feuer machen[4]. ¶ 난로에 불을 ~ das Feuer im Ofen anzünden (anmachen) / 불어 불을 ~ durch Blasen Feuer machen.
⑤ 《파도를》 durchfurchen[4]; durchpflügen. ¶ 배가 파도를 일으키며 나아간다 Das Schiff durchpflügt das Meer.
⑥ 《깨우다》 auf|wecken[4]; wach machen. ¶ 잊지 말고 여섯 시에 일으켜 다오 Vergiß nicht, mich um 6 aufzuwecken!
⑦ 《발생》 erzeugen[4]; entwickeln[4]. ¶ 전기를 ~ [4]Elektrizität erzeugen.
⑧ 《제기》 ¶ 소송을 ~ e-n Prozeß an|-strengen; prozessieren; den Rechtsweg beschreiten* (ein|schlagen*).
⑨ 《발병》 erkranken; von e-r Krankheit befallen werden. ¶ 기관지염을~ Bronchitis verursachen / 뇌빈혈을 ~ von der Anämie befallen werden.

일의대수(一衣帶水) die schmale Meerenge, -n. ¶ 한국과 일본은 ~로 격해 있다 Japan ist von Korea durch die schmale Meerenge getrennt.

일익(日益) mehr u. mehr; immer mehr; von Tag zu Tag; täglich. ¶ 사태가 ~ 악화하다 die Lage verschlechtert sich von Tag zu Tag; die Situation wird immer schlechter.

일인(一人) e-e Person; jeder*.
‖ ~당 pro Kopf (Nase): ~당 5백원 500 *Won* pro Kopf. ~독재 Einmann-Diktatur *f.* -en. ~분 e-e Portion; der zugemessene (An)teil: ~분의 für e-e Person / 빵 ~분 e-e Portion Brot. ~승 인력거 die einsitzige (Jin)rikscha. ~이역 Doppelrolle *f.* -n; zwei Tätigkeiten 《*pl.*》: ~ 이역 하다 e-e Doppelrolle spielen; zwei Tätigkeiten aus|üben. ~일기 ein Mann ein Handwerk (Beruf). ~자 der Erste*, -n, -n; (An)führer *m.* -s, -. ~지도 체제 einheitliche Führung (Führerschaft) -en. ~칭 〖문법〗 die erste Person.

일인(日人) Japaner *m.* -s (남자); Japanerin *f.* -nen (여자).

일인전허만인전실(一人傳虛萬人傳實) Unwahre Gerüchte verbreiten sich schnell.

일일(一日) ein (einziger) Tag, -(e)s. ¶ 제~ der erste Tag / ~지장(長)이 있다 ein (ganz klein) wenig übertreffen* 《*jn. in*³》; um e-n Grad überlegen sein 《*jm. in*³》.
‖ ~일선 e-e gute Tat pro Tag. ~학(瘧) Quotidianfieber *n.* -s.

일일이 《일마다》 alles; alle Sachen; jedes einzeln; im einzelnen; eins nach dem andern; ohne Auslassung. ¶ ~ 간섭하다 ⁴sich in alle Angelegenheiten ein|mischen (ein|lassen) / ~ 살피다 jedes einzeln durch|sehen* / 하는 일에 ~ 잔소리하다 tadeln alles, was man tut.

일일이(一一一) ① 《하나씩》 eins nach dem andern; eins ums andere; jedes* einzeln; gesondert (따로 따로); separat (따로 따로). ¶ ~ 조사하다 eins nach dem andern prüfen / ~ 세다 einzeln auf|zählen / 모든 사람과 ~ 악수한다 Er schüttelt allen Herren die Hand. ② 《상세히》 ins einzelne gehend; im einzeln; ausführlich; genau. ¶ ~ 설명하다 ausführlich erklären⁴; genau schildern / ~ 보고하다 ausführlich berichten⁴.

일임(一任) das Anvertrauen*, -s; das Überlassen*, -s. ~하다 an|vertrauen⁴ 《*jm.*》; betrauen 《*jn. mit*³》; der Obhut e-s andern übergeben*; zu treuen Händen überlassen*; freie Hand geben* 《*jm.*》 (자유 재량); ⁴sich ergeben* 《*in*⁴》; ⁴sich fügen 《*in*⁴》. ¶ 그에게 ~하자 Er soll tun, was er will. | Laß ihn handeln, wie's ihm beliebt. / 아무에게 사업의 경영을 ~하다 *jm.* die Leitung des Unternehmens an|vertrauen.

일자(日字) ¶ … ~의 datiert vom … / 9월 18 ~의 편지 Ihr Brief vom 18. September.

일자리 Stellung *f.* -en; Stelle *f.* -n; Arbeit *f.* -en (일). ¶ ~를 찾다 e-e Stellung suchen; Arbeit suchen / ~를 잃다 e-e Stellung verlieren* / ~를 버리다 e-e Stellung auf|geben* / 그는 ~를 종종 바꾸었다 Er hat häufig s-e Stellung gewechselt.

일자무식(一字無識) Analphabetentum *n.* -s, ⸗er. ‖ ~꾼 Analphabet *m.* -en, -en; der unwissende Analphabet.

일자이후(一自以後) seitdem; seither; von da ab; seit jener Zeit; seit damals.

일잠 das frühe Zubettegehen* (Schlafengehen*) -s. ¶ ~자다 früh zu Bette gehen* Ⓢ; früh schlafen gehen* Ⓢ.

일장(一場) ① 《연극의》 Szene *f.* -n. ② 《한바탕》 Runde *f.* -n.
‖ ~연설 e-e Rede: ~ 연설을 하다 e-e Rede halten*; an e-e das Wort richten. ~춘몽 ein leerer Traum: 인생은 ~ 춘몽이다 Das Leben ist ein (leerer) Traum.

일장기(日章旗) die Flagge 《-n》 der Aufgehenden Sonne.

일장일단(一長一短) Vor- u. Nachteile; Stärke u. Schwäche; Licht- u. Schattenseite. ¶ ~이 있다 s-e Vor- u. Nachteile haben / 모든 것에는 ~이 있다 Alles hat seine Stärke und seine Schwäche.

일재(逸才) der große Charakter, -s, -e [..té:rə]; Talent *n.* -(e)s, -e. ¶ 그는 ~다 Er ist ein (Mann von) Charakter.

일전(一戰) e-e Schlacht; ein Kampf *m.* -(e)s; 《장기 따위의》 e-e Partie. ¶ ~을 벌이다 kämpfen 《*mit*³》.

일전(一轉) plötzliche Änderung, -en. ~하다 plötzlich (auf einmal) ändern. ¶ 그는 심기 ~했다 Er hat s-e Gesinnung plötzlich geändert.

일전(日前) vor einigen Tagen; neulich; vor kurzem; kürzlich; dieser ²Tage 《*pl.*》. ¶ ~부터 seit einigen Tagen 《*pl.*》; seit kurzem / ~ 편지에 im letzten Brief / ~ 만났을 때엔 아주 건강하게 보였다 Als ich ihn zum letzten Mal sah, war er noch ganz gesund.

일절(一切) ganz; durchaus; überhaupt; gar. ¶ ~ …하지 않다 gar (überhaupt; durchaus; ganz u. gar) nicht; keineswegs / 외상 ~ 사절 Kredit wird keinesfalls gewährt. / 본건에 관해서는 ~ 관계 없다 Ich habe mit dieser Sache gar nichts zu tun.

일절(一節) Abschnitt *m.* -(e)s, -e; Teil *m.* -(e)s, -e; Paragraph *m.* -en, -en; 《시의》 Stanze *f.* -n; Strophe *f.* -n. ¶ 제 3 장 제 1 절 drittes Kapital, erster Paragraph; Kapital III, Paragraph 1.

일점(一點) 《한점》 ein Punkt *m.* -(e)s; ein Fleck *m.* -(e)s; 《한개》 ein Stück *m.* -(e)s; ein Artikel *m.* -s; eins*.

일점홍(一點紅) =홍일점.

일정(一定) Fixierung *f.* -en; Befestigung *f.* -en; Festlegung *f.* -en; Festsetzung *f.* -en; Regelmäßigkeit *f.* -en; 《획일》 Gleichmäßigkeit *f.* -en; 《표준》 Standard *m.* -(e)s, -e; Muster *m.* -s, -. ~하다 standardisieren⁴; normen⁴; fixieren⁴; fest|legen⁴; fest|setzen⁴. ¶ ~한 bestimmt; gewiß; fest; regelmäßig; üblich; ausgemacht; ständig; dauernd; stetig; unveränderlich; normal; musterhaft / ~한 액수 e-e gewisse Summe / ~한 목적을 위하여 für e-n bestimmten Zweck / ~한 규칙 die feste Regel / ~한 수입 das feste Einkommen, -s, - (..künfte) / ~한 시간에 zur bestimmten (festgesetzten) Zeit / ~한 기간 die bestimmte Periode, -n; der festgesetzte Termin, -s, -e / ~ 비율 bestimmte Rate, -n / ~ 불변의 ständig; unveränderlich; festgelegt; fest; festgesetzt; standadisiert / 그는 ~한 직업이 없다 Er hat k-n festen Beruf.

일정(日程) Tagesprogramm *n.* -(e)s, -e; die Festsetzung 《-en》 des Tages (Datums); die tägliche Verteilung, -en; 《의사 진행의》 Tagesordnung *f.* -en; 《여행의》 Reiseprogramm *n.* -(e)s, -e; 《운동의》 festgesetzte Veranstaltung, -en. ¶ 빡빡한 ~ anstrengender Plan, -(e)s, ⸚e / 시험 ~을 발표하다 das Prüfungsprogramm veröffentlichen / ~에 포함시키다 auf die Tagesordnung setzen[4] / ~에 포함되어 있다 auf der Tagesordnung stehen* / ~에서 제외하다 von der Tagesordnung ab|setzen[4]; aus der Tagesordnung streichen*[4].

‖ ~표 Notizkalender *m.* -s, -; Merk¦block *m.* -(e)s, ⸚e (-buch *n.* -(e)s, ⸚er); Agenda *f.* ..den; 《여행의》 Reiseplan *m.*

일제(一齊) ¶ ~히 alle zusammen; 《동시에》 gleichzeitig; zu gleicher [3]Zeit; 《이구 동성으로》 einstimmig; im Chor; mit e-r [3]Stimme / ~히 박수를 치다 alle zusammen in die Hände 《*pl.*》 klatschen / 관중들이 ~히 휘파람을 불렀다 Es gab Pfiffe gleichzeitig vom Publikum.

‖ ~검거 Massenverhaftung *f.* -en: ~ 검거하다 e-e Massenverhaftung vor|nehmen*. ~사격 Salve *f.* -n; Salvenfeuer *n.* -s, -: ~ 사격하다 e-e Salve ab|geben*.

일제(日製) japanische Herstellung, -en; japanisches Fabrikat; in Japan hergestellt.

일조(一助) ¶ ~가 되다 zu [3]Hilfe kommen* Ⓢ 《*jm.*》; Hilfe leisten 《*jm.*》; bei|steuern[4] 《*zu*[3]》; sein Scherflein bei|tragen* (spenden) 《*zu*[3]》.

일조(一條) ① 《한줄》 e-e Linie; ein Streifen *m.* -s; ein Strich *m.* -s. ② 《한건》 Angelegenheit *f.* -en; 〖속어〗 Geschichte *f.* -n. ③ 《법령의》 Artikel *m.* -s, -. ¶ 대한 민국 헌법 제 ~ der Artikel 1 des Koreanischen Verfassungsrecht(e)s.

일조(一朝) ① 《일조일석》. ¶ ~에 in e-m Tag; von heute auf morgen. ② 《일조유사시》 im Ernstfall; im Notfall; notfalls.

일조(日照) Sonnenschein *m.* -(e)s, -e (일사); Sonnen¦strahl *m.* -(e)s, -en (-hitze *f.* (태양열)). ‖ ~권 (An)recht 《*n.* -(e)s, -e》 auf Sonnenschein. ~시간 Zeit 《*f.*》 der Sonnenanstrahlung (Bestrahlung). ⌈《*pl.*》.

일족(一族) die ganze Familie u. Verwandte

일종(一種) e-e Art (Sorte); e-e Gattung. ¶ ~의(…의 ~) e-e Art ... / 원숭이의 ~ e-e Art Affe / 견직물은 호박직의 ~이다 Der Stoff ist e-e Art Taft. / 벼는 풀의 ~이다 Der Reis ist e-e Gattung der Gräser. / 그는 ~의 독특한 사람이다 Er ist e-e merkwürdige Sorte von Mensch.

일주(一周) e-e Runde; ein Kreis *m.* -es; ein Kreislauf *m.* -(e)s; ein Zirkel *m.* -s; 《배》 Umsegelung *f.* -n; Umschiffung *f.* -en; Umfahrt *f.* -en. ~하다 in der [3]Runde gehen* Ⓢ; e-e Runde machen; kreisen Ⓗ,Ⓢ ([4]sich drehen) 《*um*[4]》; 《배로》 umsegeln[4]; umschiffen[4]. ¶ 그들은 여름 방학에 세계를 ~했다 Sie reisten in den Sommerferien um die Welt. / 위성들이 지구를 ~한다 Satelliten umkreisen die Erde. / 그는 자동차로 공원을 ~했다 Er machte e-e Runde mit dem Auto durch den Park.

‖ ~기 die erste Wiederkehr *js.* Todestages. ~년 der erste Jahrestag, -(e)s: ~년 기념일 die Feier 《-n》 zum ersten Jahrestag. ~여행 Rund¦fahrt (Um-) *f.* -en; Rundreise *f.* -n. 세계 ~ 여행 Weltreise *f.* -n.

일주(一週) e-e Woche; acht Tage 《*pl.*》. ¶ ~일 전(후)에 vor (nach) e-r [3]Woche (acht [3]Tagen) / ~일에 한(두) 번 einmal (zweimal) in der [3]Woche; wöchentlich einmal (zweimal) / ~ 전(후) 일요일 Sonntag vor (in) acht Tagen / ~일 휴가 e-e Woche Urlaub.

‖ ~5일제 fünf Tage Arbeit pro Woche.

일주년(一周年) ein Jahr 《*m.* -(e)s, -e》 danach.

‖ ~기념 die erste Jahresfeier, -n; der erste Jahrestag: 창립 ~ 기념식을 거행하다 den ersten Jahrestag (einer Schule) feiern.

일주야(一晝夜) ein Tag 《*m.* -(e)s, -e》 u. eine Nacht 《⸚e》. ⌈drehung, -en.

일주운동(日周運動) 〖천문〗 die tägliche Um-

일지(日誌) Tagebuch *n.* -(e)s, ⸚er. ☞ 일기.

일직(日直) Tag(es)dienst *m.* -es, -e. ~하다 Dienst haben; im Dienst sein. ¶ 오늘 ~이다 Heute habe ich Dienst am Tage.¦Ich bin heute im Tagesdienst.

‖ ~장교 Ordonanzoffizier *m.* -s, -; Offizier vom Dienst.

일직선(一直線) e-e gerade Linie. ¶ ~으로 in gerader [3]Linie; gerade(aus) / ~으로 가다 gerade(aus) gehen* Ⓢ.

일진(一陣) ① 《군사의》 Feldlager *m.* -s, -; Heerlager *m.* -s, -. ② 《선봉》 Vorhut *f.* -en; Spitze *f.* -n; Vorausabteilung *f.* -en; Vortrupp *m.* -(e)s, -e. ③ 《바람》 Windstoß *m.* -es, ⸚e. ‖ ~광풍 Windstoß; Bö *f.* -en. ~청풍 Brise *f.*; leichter Wind, -(e)s.

일진(日辰) 〖민속〗 《간지》 zwei Teilung des Tages in Übereinstimmung mit dem 60 jährigen Zyklus; 《운수》 Glückstag *m.* -(e)s, -e. ¶ 오늘은 ~이 나쁘다 Heute habe ich einen Unglückstag.

일진월보(日進月步) rascher Fortschritt, -(e)s, -e; das ständige Vorwärtskommen*, -s. ~하다 Tag für Tag, Monat für Monat fort|schreiten* Ⓢ; Tag um Tag, Monat um Monat vorwärts|kommen* Ⓢ. ¶ ~하는 Tag für Tag, Monat für Monat (immer) fortschreitend / ~하는 오늘날 in diesem Zeitalter der raschen Fortschritte.

일진일퇴(一進一退) das Vorwärtsgehen* u. Rückziehen*; Ebbe u. Flut. ~하다 vorwärts|gehen* u. [4]sich rück|ziehen*; ebben u. fluten; schwankend (in der [3]Schwebe) sein. ¶ ~의 경기 heißer (heftiger u. wechselvoller) Wettkampf, -(e)s, ⸚e / ~의 접전을 벌이다 e-n heftigen Kampf führen.

일쩝다 ärgerlich; verdrießlich; lästig; beschwerlich (sein).

일쭉얄쭉 glatt u. schlüpfrig; glatt u. glitschig. ~하다 glatt u. schlüpfrig sein; hin u. her wackeln. ¶ ~ 일긋거리다 wackelig (unzuverlässig; schwach) sein.

일찌감치 früher als gewöhnlich (sonst; üblich); vorzeitig; etwas (ein wenig) früher (eher). ¶ ~ 떠나다 etwas früher weg|gehen* Ⓢ; vorzeitig weg|gehen* Ⓢ / ~ 오시면 더 좋겠읍니다 Wenn Sie ein bißchen früher kommen, so ist es natürlich um so besser. / ~ 문을 닫다 früher als sonst Feierabend machen.

일찌기 ① 《이르게》 früh(zeitig). ☞ 일찍. ¶ 아침~ früh morgen; am frühen Morgen / ~ 죽다 jung sterben* Ⓢ / 좀 ~ 오십시오 Kommen Sie so früh wie nur möglich. / 새도 ~ 일어나야 먹이를 얻는다 Morgenstunde hat Gold im Munde. / 좀더 ~ 왔더라면 좋았을 것을 Sie sollten früher kommen! / 열차가 10분 ~ 닿았다 Der Zug kam 10 Minuten früher an.

② 《전에》 früher; einst; einmal; vormals; ehemals; längst. ¶ ~ 먹어 보지도 못한 맛

있는 과자다 Dies ist der köstlichste Kuchen, den ich je genossen habe. / 그는 ~ 잘 살던 때가 있었다 Er hat früher bessere Tage gesehen. / ~ 본 적이 없는 예쁜 처녀다 Das ist ein schönes Mädchen, wie ich noch keines gesehen habe.

일찍 ☞ 일찌기. ¶ ~ 일어나다 früh (frühzeitig) auf|stehen* ⓢ (das Bett verlassen*) / ~ 일어나는 습관을 들이다 ³sich das Frühaufstehen an|gewöhnen / ~ 일어나는 사람 Frühaufsteher *m.* -s, - / ~ 자고 ~ 일어나다 früh schlafen gehen und früh auf|stehen.

일차(一次) ① 《한번》 ¶ ~의 erst; primär / 제 ~ 처칠 내각 das erste Kabinett von Churchill / 제 ~ 세계 대전 der Erste Weltkrieg. ② 〖수학·물리〗 einfach; Primär-.
‖ **~방정식** die einfache Gleichung, -en. **~시험** Vorprüfung *f.* -en. **~전류** Primärstrom *m.* -(e)s, ⸗e. **~투표** Vorwahl *f.* -en. **~회로** Primärkreis *m.* -(e)s, -e.

일착(一着) ① 《경주의》 der erste Platz, -es; der (die) Erste*, -n, -n (사람). **~하다** den ersten Platz gewinnen* (nehmen*). ¶ 그가 ~했다 Er war der Erste. ② 《옷》 =한벌.

일책(一策) ein Plan *m.* -(e)s; ein Rat *m.* -(e)s; ein Notbehelf *m.* -(e)s (궁여지책); e-e Idee. ¶ ~을 강구하다 Rat schaffen*; e-n Plan aus|denken* 《*für*⁴》.

일처다부(一妻多夫) Polyandrie *f.*; Vielmännerei *f.* ¶ ~의 polyandrisch; vielmännig.

일천(日淺) **~하다** nicht lange her sein; Es ist noch nicht lange her, seit.... ¶ 교제한 지 ~하다 *jm.* nicht näher (nur flüchtig) bekannt sein / …한 지 아직 ~하다 Es ist noch nicht lange her, daß (seit) ....

일체(一切) alles; ganz; der ganze Kram, -(e)s, -e; 〖속어〗 der ganze Salat, -(e)s, -e; 〖부사적〗 alles mögliche; samt u. sonders; mit Stumpf u. Stiel; gänzlich; gesamt; völlig. ¶ ~의 비용 alle Kosten 《*pl.*》 / ~의 편의 alle Vergünstigungen / 당신에게 ~를 맡기겠읍니다 Ich überlasse Ihnen alles. / 그녀와의 ~의 관계를 끊었다 Ich habe mit ihr nichts mehr zu tun.
‖ **~중생** alles lebendige Wesen, -s.

일체(一體) ein Körper *m.* -s; ein Leib *m.* -(e)s; ein Fleisch *n.* -es. ¶ ~가 되어 in e-m Körper; als ein ¹Körper / ~가 되어 일하다 ⁴etwas vereint (geschlossen) tun* / 부부는 ~다 Mann u. Frau sind ein Fleisch. ‖ **~화** Integration *f.* -en; Vereinheitlichung *f.* -en.

일촉즉발(一觸即發) die bedenkliche (gefährliche) Situation 《-en》 (Sachlage, -n). ¶ 양국 관계는 ~의 위기에 있다 Die Beziehung zwischen beiden Ländern begab sich in gefährliche (auswegslose) Situation.

일축(一蹴) 《참》 Stoß *m.* -es, ⸗e; 《거절》 entschiedene Ablehnung, -en; Absage *f.* -n; 《이김》 leichter Sieg, -(e)s, -e. **~하다** 《차다》 stoßen*⁴; 《거절하다》 ab|sagen⁴; ab|lehnen⁴; aus|schlagen*⁴; 《경기에서》 leicht besiegen 《*jn.*》. ¶ 가볍게 ~하다 《거절》 entschieden ab|sagen⁴ (ab|lehnen⁴; aus|schlagen*⁴); 《경기에서》 leicht besiegen 《*jn.*》.

일출(日出) Sonnenaufgang *m.* -(e)s, ⸗e.

일취월장(日就月將) der schnelle Fortschritt, -(e)s, -e; das beständige Vorwärtsgehen*, -s. **~하다** beständig vorwärts|gehen*; immer fort|schreiten*. ¶ ~의 immer fortschreitend. 「⸗e.

일취지몽(一炊之夢) der leere Traum, -(e)s,

일층(一層) ① 《건물》 Erdgeschoß *n.* ..schosses, ..schosse; das ebenerdige Stockwerk, -(e)s, -e; Parterre *n.* -s, -s. ¶ ~집 eingeschossiges Haus, -es, ⸗er. ② 《한결》 mehr; weiter. ¶ ~ 더 재미있는 mehr interessant / ~의 진보 weiterer Fortschritt, -(e)s, -e / ~ 더 낫게 보이다 mehr günstig (vorteilhaft) aus|sehen*.

일치(一致) ① 《합치》 Übereinstimmung *f.* -en; das Übereinkommen*, -s; Einigkeit *f.*; Übereinkunft *f.* ⸗e; Eintracht *f.*; Einklang *m.* -(e)s, ⸗e; Entsprechung *f.* -en. **~하다** entsprechen*³; überein|stimmen 《*mit*³》; überein|kommen* ⓢ; einig sein 《*mit*³》; im Einklang stehen* 《*mit*³》. ¶ 그의 견해와 나의 견해는 완전 ~한다 S-e Ansichten entsprechen genau den meinen. / 그는 언행이 ~하지 않는다 S-e Worte u. s-e Taten stehen nicht miteinander in Einklang. / 그들은 거기에 대하여 아직 의견의 ~를 보지 못하고 있다 Sie sind sich darüber noch nicht einig.
② 《부합》 das Zusammentreffen*, -s; Übereinstimmung *f.* -en; das Zusammenfallen*, -s; Entsprechung *f.* **~하다** entsprechen*³; zusammen|fallen* ⓢ 《*mit*³》; überein|stimmen 《*mit*³》. ¶ 수요와 공급이 ~한다 Nachfrage u. Angebot stimmen (miteinander) überein. / 그는 지명 수배서의 내용과 ~한다 Er entspricht der Beschreibung im Steckbriefe.
③ 《단합》 Vereinigung *f.* -en; Einigkeit *f.*; Einstimmigkeit *f.*; Mitwirkung *f.* -en. **~하다** vereinigen⁴. ¶ ~하여 vereinigt; zusammen / 만장 ~로 einstimmig / 행동을 ~시키다 e-e einheitliche Haltung annehmen* / 제안은 만장~로 채택되었다 Der Vorschlag wurde einstimmig angenommen. / 그는 만장 ~로 회장에 선출되었다 Er wurde einstimmig zum Vorsitzenden gewählt.
‖ **~단결** Solidarität *f.*; Vereinigung *f.* -en: ~ 단결하다 ⁴sich vereinigen / ~ 단결하여 일하다 gemeinsam arbeiten; ⁴*et.* vereint tun*; ⁴*et.* in Übereinstimmung tun* 《*mit*³》. **~협력** Kooperation *f.* -en; Zusammenarbeit *f.* -en.

일컫다 ① 《칭하다》 nennen*; heißen*. ☞ 칭하다. ¶ 명삼이라고 일컫는 사람 der Mann namens *Myeongsam* / 그를 보스라고 ~ ihn „Chef" nennen*. ② 《빙자》 vor|geben*⁴; vor|täuschen⁴; Vorwand ziehen*. ¶ 병을 일컬어 krank spielend; unter Vorwand (Vortäuschung) der Krankheit. ③ 《칭찬》 (lob|)preisen⁴; rühmen. ¶ 모든 사람이 그 덕을 일컬었다 Alle preisten s-e Tugend lob.

일탈(逸脫) Abweichung *f.* -en; das Abweichen*, -s. **~하다** ab|weichen* ⓢ 《*von*³》; ab|gehen* ⓢ 《*von*³》.

일터 Arbeitsplatz *m.* -es, ⸗e; Arbeitsstelle *f.* -n; Werkstatt *f.* ⸗en; Werkstätte *f.* -n; 《사무소》 Büro *n.* -s, -s; 《공사장》 Bauplatz *m.* -es, ⸗e.

일파(一派) Schule *f.* -n (유파); Sekte *f.* -n (종파); Konfession *f.* -en (기독교의); Partei *f.* -en (당파); Anhänger *m.* -s, - (동류). ¶ ~를 창설하다 e-e Schule gründen.

일패도지(一敗塗地) die vollständige Niederlage; das völlige Zurückschlagen*, -s. **~하다** eine vollständige Niederlage erleiden*;

vernichtet werden.

일편(一片) ein Stück *n.* -(e)s; 《작은 조각》 ein Schnittchen *n.* -s; 《동강》 ein Schnitzel *n.* 〔*m.*〕 -s.

‖~단심 Aufrichtigkeit *f.*; Ehrlichkeit *f.*; treues Herz, -ens: ~ 단심의 aufrichtig; ehrlich / ~ 단심으로 봉사하다 ehrlich 〔aufrichtig; treu〕 dienen 《*jm.* 〔³*et.*〕》.

일편(一篇) ein Stück *n.* -(e)s. ¶ ~의 시 ein Gedicht *n.* -(e)s.

일평생(一平生) das ganze Leben, -s; Lebtag *m.* -(e)s, -e. ¶ ~ 잊지 못할 unvergeßlich / ~의 소원 der Wunsch des ganzen Lebens / ~ 독신으로 지내다 fürs ganze Leben ledig 〔unverheiratet〕 bleiben* ⓢ.

일품(一品) ① 《요리》 Gericht *n.* -(e)s, -e. ¶ ~ 요리로 à la carte. ② 《상등품》 Spitzenklasse *f.*

‖~요리점 Kneipe *f.* -n; ein kleines, billiges Restaurant [..stoŕã:] -s, -s.

일품(逸品) der vortreffliche Artikel, -s, -; 《걸작》 Meisterwerk *n.* -(e)s, -e.

일필(一筆) ein Pinselstrich *m.* -(e)s. ¶ ~ 휘지하다 e-n Pinselstrich machen; begeistert mit e-m Pinselstrich aufs Papier werfen*.

일하다 arbeiten; in Arbeit sein; eine Arbeit tun*; 《근무》 dienen; Dienst leisten; 《bei einer Firma》 angestellt sein. ☞ 일. ¶ 일하러 가다 an die Arbeit gehen* ⓢ / 생계를 위하여 ~ für den Lebensunterhalt arbeiten; ⁴sich s-n Lebensunterhalt verdienen / 농장에서 ~ auf der Farm arbeiten / 집의 식모는 열심히 일한다 Mein Dienstmädchen arbeitet fleißig. / 그 여자는 부지런히 일한다 Sie arbeitet fleißig.

일한(日限) Frist *f.* -en; das angesetzte Datum, -s, ..ten. ☞ 기한(期限). ¶ ~까지 innerhalb von der Frist.

일할(一割) 10 Prozent. ¶ 연필 한 다스 사시면 ~ 할인해 드립니다 Wenn Sie ein Dutzend Bleistifte kaufen, bekommen Sie 10 Prozent Ermäßigung.

일행(一行) ① 《동아리》 Gesellschaft *f.* -en; Begleitung *f.* -en; Gefolge *n.* -s, -; Suite [sví:tə] *f.* -n; 《배우 등의》 Truppe *f.* -n; Schauspielergesellschaft *f.* -en; Theaterpersonal *n.* -s, -e. ¶ 관광단 ~ Touristengruppe *f.* -n / 강씨와 그 ~ *Gang* u. s-e Begleiterschaft / ~에 끼다 ⁴sich an die Gesellschaft an|schließen. ② 《한줄》 e-e Zeile, -n. ¶ ~씩 걸러 쓰다 auf jeder zweiten Linie schreiben*.

일혈(溢血) 〖의학〗 (Blut)erguß *m.* ..gusses, ..güsse; Austritt *m.* -(e)s, -e. ☞ 뇌일혈.

일호(一毫) Haarbreit *n.* -(e)s, -e; das kleinste Bruchstück, -(e)s, -e; Kleinigkeit *f.* -en. ¶ ~도 um kein Haarbreit; nicht im geringsten; nicht im entferntesten / ~도 물러서지 않다 um kein Haarbreit zurückweichen* ⓢ.

‖~반점(半點) =일호(一毫).

일호(一號) Nummer eins; Nr. eins.

일화(日貨) die japanische Ware, -n; die japanischen Fabrikaten 〔Konsumgüter; Gebrauchsgüter〕 《*pl.*》; das japanische Geld, -(e)s, -er (화폐). ¶ ~ 배척 der Boykott 《-(e)s, -e》 der japanischen Waren.

일화(逸話) Anekdote *f.* -n. ¶ ~가 많은 voll von 〔reich an〕 Anekdoten / ~ 같은 anekdotenhaft; anekdotisch / 그에게 많은 ~가 있다 Viele Anekdoten erzählen über ihn.

‖~집 Anekdotensammlung *f.* -en.

일확천금(一攫千金) der auf e-n 〔mit e-m〕 Wurf erzielte Riesengewinn, -(e)s, -e. ¶ ~의 nach leicht verdientem Geld gierig / ~을 꿈꾸다 Glückspilz werden wollen*; davon träumen, plötzlich ein Millionär zu werden.

일환(一環) ein (Ketten)glied. ¶ …의 ~을 이루다 ein Glied in der Kette ab|geben*.

일회(一回) 《회수》 einmal; ein (einziges) Mal, -(e)s; 《승부의》 e-e Runde. ¶ ~전 das erste Dransein, -s / ~초 〖야구〗 die erste Hälfte des ersten Spielabschnitt(e)s / 주 ~ einmal in der Woche / 연 ~씩 jährlich einmal / ~분 《약의》 e-e Dose.

일후(日後) =뒷날.

일흔 siebzig.

일희일비(一喜一悲) das gemischte Gefühl 《-(e)s, -e》 von Freud u. Leid; das bald freudige, bald traurige Gefühl. ¶ 그는 사소한 일에도 ~한다 Selbst bei Kleinigkeiten fühlt er sich jetzt gehoben, jetzt niedergeschlagen.

읽다 lesen*⁴; durch|lesen*⁴; 《암송》 auswendig her- od. auf|sagen. ¶ 읽기 das Lesen*, -s / 읽고 쓰기 Lesen* u. Schreiben* / 읽고 쓰기를 배우다 lesen u. schreiben lernen / 읽기 쉬운 leicht zu lesen; lesbar; leserlich (필적) / 잘못 ~ falsch lesen*⁴; ⁴sich ver|lesen* / 읽기 어려운 schwer zu lesen; unlesbar; schwer lesbar 〔leserlich〕 / 끝까지 다 ~ zu ³Ende lesen*⁴; fertig lesen*⁴; aus|lesen*⁴ 〔durch|-〕 / 대충대충 ~ querdurch lesen*⁴; flüchtig (durch|)lesen*⁴; durch|blättern⁴; überblicken⁴ / 빠뜨리고 ~ überlesen*⁴; beim Lesen nicht bemerken⁴; übersehen*⁴ / 큰 소리로 ~ laut lesen* / 급히 ~ eilig lesen* / 다시 ~ wieder lesen*; nochmals lesen* / 읽어주다 *jm.* vor|lesen*⁴ / 읽을거리 Lektüre *f.* -n / 그는 읽고 쓰기조차 못 한다 Er kann nicht einmal lesen noch schreiben. / 그의 글씨는 거의 읽을 수 없다 S-e Schrift ist kaum lesbar. / 나는 이 책을 읽어 낼 수 없다 Das Buch ist mir zu schwer. / 이 책은 읽기가 재미있다 Dieses Buch ist interessant zu lesen. | Das Buch liest sich gut. / 나는 그 책을 단숨에 다 읽었다 Ich habe das ganze Buch in e-m Zug gelesen. / 그것은 신문에서 읽었다 Das habe ich in der Zeitung gelesen. / 이 책을 다시 한번 읽어 보시오 Lesen sie das Buch noch einmal. / 이 책은 읽을 만하다 Es lohnt sich, dieses Buch zu lesen. / 뭔가 읽을거리를 갖고 계십니까 Haben Sie etwas zu lesen bei sich?

읽히다 《읽게 하다》 lesen lassen*; 《읽혀지다》 ³sich auf vielen Gebieten Belesenheit erwerben*. ¶ 많이 읽혀지는 책 das viel gelesene Buch / 어린아이들한테 논어를 ~ den Kindern die Analekten von Konfutze lesen lassen*.

잃다 verlieren*⁴ 《*an*³》; verlustig² gehen* ⓢ; ein|büßen⁴; kommen* ⓢ 《*um*⁴》; 《뺏기다》 beraubt werden; 《없어지다》 verloren|gehen*ⓢ; abhanden kommen*ⓢ. ¶ 기회를 ~ e-e Gelegenheit verpassen 〔versäumen〕 / 목숨을 ~ das Leben verlieren* / 이성을 ~ aller ²Vernunft bar sein; ⁴sich wahnsinnig auf|legen / 지반 〔명성〕을 ~ viel an Boden 〔an Ansehen〕 verlieren* / 지위를 〔면

목을) ~ s-e Stellung (das Gesicht) verlieren*/정신을 ~ von Sinnen sein; bewußtlos (besinnungslos; ohnmächtig) werden / 침착을 ~ die Beherrschung verlieren / 처를 ~ s-e Frau verlieren* / 열쇠를 ~ den Schlüssel verlieren* / 혼잡 속에서 그를 잃어버렸다 Im Gewimmel habe ich ihn aus den Augen verloren.

잃어버리다 =잃다.

임 《남자》 der Liebe*, -n, -n; der Geliebte*, -n, -n; 《여자》 Schatz *m.* -es; die Geliebte*, -n, -n. ¶ 그녀는 나의 옛임이다 Sie ist e-e alte Liebe von mir.

임(壬) 〖민속〗 der 9. Himmel im 10-Himmel-System.

임간(林間) ¶ ~에서 im Wald. ‖ ~학교 Waldschule *f.* -n; die Camping-Schule [kέmpiŋ..]; die Sommerschule im Walde.

임갈굴정(臨渴掘井) Mangel an Bereitschaft; Kurzsichtigkeit *f.* -en.

임검(臨檢) Durch¦suchung (-schnüffelung; -stöberung) *f.* -en; Untersuchung *f.* -en; Visitation *f.* -en; Fahndungsstreife *f.* -n; Razzia *f.* -s. ~하다 durchsuchen⁴; durchschnüffeln⁴; durch|stöbern⁴; untersuchen⁴; visitieren⁴; e-e Fahndungsstreife (Razzia) machen (unternehmen*). ¶ 선박을 ~하다 ein Schiff durchsuchen.

‖ ~관 der Untersuchungsbeamte*, -n, -n; Visitator *m.* -s, -en. ~세관리 der durchsuchende (visitierende) Zollbeamte*, -n, -n. ~수사권 Durchsuchungs¦recht (Untersuchungs-; Visitations-) *n.* -(e)s, -e.

임계(臨界) 〖물리〗 ¶ ~의 kritisch.

‖ ~각(角) Grenzwinkel *m.* -s, -. ~고도 die kritische Höhe, -n. ~상태 der kritische Zustand, -(e)s, ⸗e. ~압력 der kritische Druck, -(e)s, ⸗e. ~온도 die kritische Temperatur, -en.

임관(任官) Amtsantritt *m.* -(e)s, -e (취임); Ernennung *f.* -en (임명). ~하다 ein Amt (e-e Stelle; e-n Dienst) an|treten* ⓢ; ernannt werden 《*zu*³》; eingesetzt werden 《*zu*³; *als*¹》. ¶ 그는 대령으로 ~되었다 Er wurde zum Oberst ernannt.

‖ ~장교 (durch Patent bestallter) Offizier, -s, -.

임균(淋菌) 〖의학〗 Gonokokkus *m.* -, ..kokken.

임금 König *m.* -(e)s, -e. ¶ ~께 문안을 드리나 ⁴sich nach dem Befinden des Königs erkundigen.

임금(賃金) (Arbeits)lohn *m.* -(e)s, ⸗e; Löhnung *f.* -en; Gehalt *n.* -(e)s, ⸗er; Sold *m.* -(e)s, -e; Vergütung *f.* -en. ¶ 높은 ~ ein hoher Lohn / 낮은 ~ ein niedriger Lohn / 형편 없는 ~ ein kärglicher Lohn / 하루치의 ~ Tagelohn / 이틀치의 ~ zweitägiger Lohn / ~을 깎다 den Lohn kürzen / ~을 받다 den Lohn beziehen* (empfangen*; erarbeiten; erhalten*; erwerben*; in Empfang nehmen*; verdienen); belohnt werden / ~을 올리다 den Lohn erhöhen / ~을 내리다 den Lohn senken / ~을 지불하다 die Löhne zahlen / …의 ~으로 gegen e-n Lohn von... / ~이 떨어지고 있다 Die Löhne werden rückwirkend. / ~이 1월 1일부터 7% 오른다 Die Löhne werden ab 1. Jan. um 7% erhöht. / 그것은 그의 수고에 비해 형편없는 ~이다 Das ist ein schlechter Lohn für s-e Mühen. / 그는 괜찮은 ~을 받고 있다 Er ist gut belohnt.

‖ ~격차 Unterschiedenheit 《*f.* -en》 der Löhne. ~공제 Lohnabzug *m.* -(e)s, ⸗e. ~기금 Lohnfonds *m.* -, -. ~노동 Lohnarbeit *f.* -en: ~노동자 Lohnarbeiter *m.* -s, -. ~대장 《지불표》 Lohn(bezahlungs)liste *f.* -n. ~물가 체제 Lohn-Preissystem *n.* -s, -e; Lohn-Preis-Gefüge *n.* -s, -. ~베이스 Gehalts¦basis (-base) *f.* ..basen. ~생활자 Lohn¦empfänger (-arbeiter) *m.* -s, -; Gehaltsempfänger *m.* -s, -. ~수준 Lohnniveau *n.* -s, -s (-skala *f.* -s, ..len). ~인상 Lohnerhöhung *f.* -en. ~인하 Lohnsenkung (-kürzung) *f.* -en. ~정책 Lohnpolitik *f.* -en. ~제도 Lohnsystem *n.* -s, -e. ~지불일 Lohn¦tag (Zahl-) *m.* -(e)s, -e. ~지수 Lohnindex *m.* -es, -e. ~철칙 das eherne Lohngesetz, -es, -e. ~투쟁 der Streik 《-(e)s, -e》 für höhere Löhne; Lohnkampf *m.* -(e)s, ⸗e. 기본~ Grundlohn. 기아~ Hungerlohn. 기준~ Standardlohn. 능률~ Stücklohn; Akkordlohn. 명목~ Nominallohn. 시간~ Stundenlohn. 실질~ Reallohn. 최고~ Maximal¦lohn (Höchst-). 최저~ Minimal¦lohn(Mindest-).

임기(任期) Amtsdauer *f.*; Dienstzeit *f.* -en; Dienstalter *n.* -s (재직 연수). ¶ ~중 in der Dienstzeit; während der Dienstzeit / ~를 연장하다 die Amtsdauer (Dienstzeit) verlängern / 그의 ~는 끝났다 Er hat s-e Dienstzeit abgedient.¦ Er hat die Altersgrenze erreicht (정년이 되다). / 대통령의 ~는 6년이다 Die Amtszeit des Präsidenten ist 6 Jahre.

‖ ~만료 der Ablauf der Amtsdauer: ~ 만료후 nach Ablauf der Amtsdauer.

임기응변(臨機應變) ¶ ~의 aus dem Stegreif gemacht; aus dem Boden gestampft; extemporiert; improvisiert (즉석의); opportun (기회주의적인); wetterwendisch (줏대 없는); proteusartig (변화 무쌍한) / ~의 재능 die Begabung 《-en》, sich in die jeweiligen Umstände zu fügen; die rasche Anpassungsfähigkeit, -en (재빨리 적응하는) / ~의 조치 die behelfsmäßigen Maßnahmen 《*pl.*》; Notlösung *f.* -en (미봉책).

임대(賃貸) Vermietung *f.* -en; Verpachtung *f.* -en; das Verleihen*, -s. ~하다 vermieten³⁴; verpachten³⁴; verleihen*³⁴. ¶ 집을 ~하다 die Wohnung vermieten / 자전거를 ~하다 das Fahrrad verleihen (vermieten) / 피아노를 ~하다 Klavier vermieten.

‖ ~가격 Miet¦wert (Pacht-) *m.* -(e)s, -e. ~계약 Miet¦vertrag (Leih-; Pacht-) *m.* -(e)s, ⸗e. ~인 Vermieter *m.* -s, -; der Verpachtende*, -n, -n. ~차(借) Miete *f.* -n.

임대책중(任大責重) eine große u. schwierige Aufgabe, -n; die große u. wichtige Verantwortlichkeit, -en.

임독(淋毒·痳毒) Gonorrohe *f.* -n; Gonorrhöe *f.* -n. ‖ ~균 Gonokokkus *m.* -, ..ken.

임률(賃率) Lohnsatz *m.* -(e)s, ⸗e; Lohntarif *m.* -s, -e; 《화물의》 Frachtgeld *n.* -s; Heuergeld; 《노임의》 Lohnskala *f.* ..len (-s).

임립(林立) das dichte Beieinanderstehen*, -s; das dichte Aneinanderstehen*, -s. ~하다 dicht beieinander (aneinander) stehen*; e-n Wald dar|stellen (bilden). ¶ ~한 dicht beieinander (aneinander) stehend; e-n Wald darstellend (bildend) 《*von*³》 (마스트, 굴뚝 따위) / 항구에 마스트가 ~해 있었다 Im Hafen lag Schiff an Schiff.¦Man erblickte im Hafen e-n Wald von Masten.

임면(任免) Ernennung u. Entlassung, der - u. -. ~하다 ernennen*⁴ u. kündigen³.

‖ ~권 Ernennungs- u. Kündigungsrecht *n.* -(e)s, -e.

임명(任命) Ernennung *f.* -en. ~하다 ernennen*⁴ 《*zu*³》. ¶ 그는 대사로 ~되었다 Er ist zum Botschafter ernannt worden. / 그는 장관으로 ~되었다 Er wurde zum Minister ernannt. ‖ ~권 Ernennungsrecht *n.* -(e)s, -e. ~장 Ernennungsbrief *m.* -(e)s, -e; Ernennungsurkunde *f.* -n.

임목(林木) die Bäume des Waldes.

임무(任務) Aufgabe *f.* -n; Amt *n.* -(e)s, ⸗er (직무); Obliegenheit *f.* -en; Pflicht *f.* -en (의무); Sendung *f.* -en (사명). ¶ 중대 ~ wichtige Aufgabe (Pflicht) / 신문의 ~ die Funktion der Zeitung / ~를 태만히 하다 s-e Aufgabe vernachlässigen / ~를 다하다 (수행하다) e-e Aufgabe (e-e Pflicht) erfüllen; ein Amt gut aus|üben; e-n Auftrag aus|führen / 어떤 ~를 띄고 mit e-r (gewissen) Aufgabe beauftragt; von e-r Sendung übertragen / 그것은 내 ~가 아니다 Das ist nicht m-e Aufgabe.

임박(臨迫) das Drängen*, -s; das Herannahen*, -s; das Bevorstehen*, -s; Drohung *f.* -en. ~하다 bevor|stehen*; drohen³; drängen; heran|nahen ⓢ. ¶ ~한 nah(e) bevorstehend; dringend; drohend; drängend / ~해서 im entscheidenden (letzten) Moment / 시간이 ~하다 Die Zeit drängt. / 시험이 ~하다 Es steht Examen bevor. / 죽음이 ~했어도 용기를 잃지 않았다 Angesichts des Todes verlor er den Mut nicht.

임방(壬方) 〖민속〗 Nordnordwesten *m.* -s.

임부(姙婦) die schwangere Frau, -en; Frau in gesegneten Umständen; die werdende Mutter, ⸗ (초산부); Frauen 《*pl.*》 in den Wochen (임산부).

‖ ~복 Umstandskleid *n.* -(e)s, -er

임산(林產) die Erzeugnisse aus dem Wald.

‖ ~물 die Erzeugnisse aus dem Wald.

임상(臨床) Klinik *f.* -en. ¶ ~의(적) klinisch.

‖ ~강의 Klinik *f.* -en; klinischer Unterricht, -(e)s, -e. ~검사 die klinische Untersuchung, -en. ~병리학 die klinische Pathologie, -n. ~실습 die klinische Ausbildung, -en. ~의(醫) Kliniker *m.* -s, -. ~의학 die klinische Medizin, -en. ~일지 Kurve *f.* -n; Krankenbericht *m.* -(e)s, -e. ~치료 die klinische Behandlung, -en.

임석(臨席) Anwesenheit *f.*; Beisein *n.* -s; Gegenwart *f.*; Teilnahme *f.*; Überwachung *f.* -en (감독). ~하다 anwesend (gegenwärtig) sein; dabei sein; teil|nehmen* 《*an*³》; überwachen⁴. ¶ 대통령 ~하에 in Anwesenheit (Gegenwart) des Präsidenten.

‖ ~경관 der überwachende Polizeibeamte*, -n, -n; der anwesende (beiwohnende) Polizist, -en, -en. ~자 der Anwesende*, -n, -n; die Anwesenheit (총칭).

임술(壬戌) 〖민속〗 die 59. Periode der 60-jährigen Zyklus.

임습(霖濕) die Feuchtigkeit während der Regenszeit. ⌈11:30 P.M.

임시(壬時) 〖민속〗 die Zeit von 10:30 bis

임시(臨時) vorläufiger Zustand, -(e)s, ⸗e; Provisorium *n.* -s, ..rien. ¶ ~의 einstweilig; zeitweilig; außergewöhnlich; außerordentlich; provisorisch; temporär; vorläufig; vorübergehend; (Aus)hilfs-; Behelfs-; Extra-; Not- / ~로 수선하다 ⁴*et.* provisorisch reparieren / 그것은 모두 ~적이다 Das ist alles nur provisorisch. / 그는 ~로 고용됐다 Er wurde provisorisch eingestellt.

‖ ~각의 die außergewöhnliche Kabinettssitzung, -en; der außergewöhnliche Kabinettsrat, -(e)s. ~결정 der vorläufige Entschluß, ..lusses, ..lüsse. ~고용인 Gelegenheitsarbeiter *m.* -s, -; Aushilfe *f.* -n; Hilfsarbeiter *m.* ~국회 Extraparlamentsperiode *f.* -n; Extrasession *f.* -en. ~근무 Extraarbeit *f.* -en; Gelegenheitsbeschäftigung *f.* -en. ~뉴스 Sondernachrichten 《*pl.*》; Extranachrichten. ~비 Extra¦ausgaben (Sonder-) (*od.* -kosten) 《*pl.*》. ~세입 Extrastaatseinkünfte 《*pl.*》; Sonderstaatseinkünfte 《*pl.*》. ~세출 Extrastaatsausgaben 《*pl.*》; Sonderstaatsausgaben 《*pl.*》. ~소집 Notstandseinberufung *f.* -en. ~수당 Extrazuschuß *m.* ..schusses, ..schüsse. ~수입 Extraeinkommen *n.* -s, -. ~시험 Extraexamen *n.* -s, - (..mina); Sonderprüfung *f.* -en. ~열차 Extra¦zug(Sonder-) *m.* -(e)s, ⸗e. ~영업소 die temporäre Geschäftsstelle, -n. ~예산 das provisorische Budget, -(e)s, -e. ~의장 der stellvertretende Vorsitzende*, -n, -n. ~작업 die zeitweilige (vorübergehende) Arbeit, -en; Gelegenheitsarbeit. ~점호 der außergewöhnliche Namenaufruf, -(e)s, -e; Extraappell *m.* -s, -. ~정부 die provisorische Regierung, -en. ~조치 die vorläufige (provisorische; vorübergehende) Maßnahme, -n. ~증간 Extra¦nummer (Sonder-) *f.* -n; Extraausgabe *f.* -n. ~총회 Extra¦versammlung (-plenarsitzung) *f.* -en. ~휴업 Extra¦arbeitsruhe (Sonder-) *f.*; die zeitweilige (vorübergehende) Arbeitseinstellung, -en.

임시변통(臨時變通) Notbehelf *m.* -(e)s, -e; vorübergehende Lösung, -en; unzureichendes Ersatzmittel, -s. ~하다 ⁴sich mit ³*et.* behelfen*; als Notbehelf dienen; ⁴sich durch|schlagen*. ¶ ~의 Notbehelf dienend; behelfsmäßig; intermistisch / ~으로 durch vorübergehende Lösung; notgedrungenerweise / ~의 대책 e-e notgedrungene Maßnahme; e-e vorübergehende Maßnahme / ~의 자리 der provisorische Sitzgelegenheit / 이것으로 ~할까 한다 Damit will ich mich behelfen. / 이만큼 있으면 ~이 된다 Mit dem Geld kann ich mich behelfen.

임시채용(臨時採用) Probezeit *f.* -n; vorläufige Anstellung, -en. ~하다 *jn.* vorübergehend anstellen; *jn.* auf die Probe stellen. ¶ ~의 zur Probe (Prüfung) dienend.

‖ ~자 Novise *m.* -n, -n; Novisin *f.* -nen.

임신(壬申) 〖민속〗 die 9. Periode des 60-jährigen Zyklus.

임신(姙娠) Schwangerschaft *f.* -en; Schwängerung *f.* -en; Empfängnis *f.* -se (수태); Gravidität *f.* ~하다 schwanger werden; empfangen. ¶ ~한 여자 e-e schwangere Frau, -en / ~중에 während der Schwangerschaft / ~중이다 schwanger sein; in anderen Umständen sein; gesegneten ²Leibes sein; ein Kind unter dem Herzen tragen*; ein Kind erwarten / ~8 개월이다 im 8. Monat schwanger sein; seit 8 Monaten schwanger sein / 처녀를 ~시키

다 ein Mädchen schwängern.

‖ ~중절 Schwangerschaftsunterbrechung *f.* -en; der künstliche Abort, -s, -e. ~징후 Schwangerschaftszeichen *n.* -s, -.

임야(林野) Wald u. Feld, des - u. -(e)s; Waldung u. Gefilde, der - u. -.

임어(臨御) kaiserlicher Besuch, -(e)s, -e; kaiserliche Anwesenheit, -en. ~하다 einen Besuch abstatten 《Kaiser oder König》.

임업(林業) Forst¦wirtschaft *f.* -en 〔-wesen *n.* -s〕. ‖ ~시험장 die Versuchsanstalt 《-en》 〔das Laboratorium, -s, ..rien〕 für Forstwesen.

임오(壬午) 〖민속〗 die 19. Periode des 60-jährigen Zyklus. ‖ ~군란 der militärische Aufruhr von *Im-O* Jahre im Juni (1882).

임용(任用) Einsetzung *f.* -en; Anstellung *f.* -en; Ernennung *f.* -en. ~하다 ein|setzen[4] 《*in*[4]》; an|stellen[4] 《*als*[4]》; ernennen*[4] 《*zu*[3]》; ein|stellen.

임우(霖雨) Landregen *m.* -s, -; der anhaltende Regen, -s, -. ☞ 장마.

임원(任員) Vorstands¦mitglied 〔Komitee-〕 *n.* -(e)s, -er (회사, 위원회의); Funktionär *m.* -s, - (정당의). ‖ ~회 Vorstand *m.* -(e)s, ⸚e; Komitee *n.* -s, -s (위원회).

임의(任意) Freiwilligkeit *f.*; Willkürlichkeit *f.* -en; das Belieben*, -s. ¶ ~의 beliebig; willkürlich; freiwillig / ~로 nach Belieben 〔Wahl; eigenem Ermessen〕; wie es beliebt; ungeheißen; spontan; aus freiem Stück / ~의 장소에 an irgend e-r Stelle; gleichgültig wo / ~의 시간에 zur beliebiger Zeit; gleichgültig wann / ~로 행동하다 [4]sich freiwillig benehmen / 가고 안가는 것은 너의 ~다 Es steht dir frei, zu gehen od. zu bleiben. / 직선 1상의 ~의 점을 P라고 하자 P sei ein beliebiger Punkt auf der Geraden 1.

‖ ~선택 freie Wahl. ~청산 die freiwillige Liquidation, -en. ~추출 검사 Stichprobe *f.* -n. ~출두 das freiwillige Erscheinen*, -s.

임인(壬寅) die 39. Periode des 60-jährigen Zyklus.

임자 ① 《소유주》 Besitzer *m.* -s, -; Eigentümer *m.* -s, -; Eigner *m.* -s, -; Herr *m.* -n, -en. ¶ ~없는, ~를 알 수 없는 herrenlos; nicht als Eigentum beansprucht / ~없는 집 das unbewohnte 〔verlassene〕 Haus, -es, ⸚er / ~있는 여자 die verheiratete Frau, -en / 이 책의 ~는 누구냐 Wem gehört dieses Buch? / 이 자동차의 ~가 누구요 Wessen Auto ist das?

② 《당신》 du; Sie.

임자(壬子) 〖민속〗 die 49. Periode des 60-jährigen Zyklus.

임전(臨戰) die Teilnahme an e-m Krieg 〔e-r Schlacht〕. ~하다 an e-m Krieg 〔e-r Schlacht〕 teil|nehmen*; an der Front sein.

‖ ~무퇴 kein Zurückweichen vor dem Gegner. ~태세 die Vorbereitung 《-en》 zu e-r Operation.

임정(林政) Forst¦politik 〔-verwaltung〕 *f.* -en.

임정(臨政) Interimsregierung *f.* -en; vorübergehende Regierung, -en.

‖ ~요인 die Minister der vorübergehenden Regierung 〔Interimsregierung〕.

임종(臨終) ① 《죽음에 임함》 dem Tod nahe sein; dem Tod ins Auge sehen*; 《죽을 때》 Todesstunde *f.* -n; Sterbestunde *f.* -n; die letzte Stunde, -n. ¶ ~의 말 *js.* letzte Worte 《*pl.*》 / ~의 고백 das Geständnis 《-(e)s, -se》 auf dem Sterbebett / ~시에 bei *js.* Tode; auf dem Sterbebett; an der Schwelle des Todes; beim Sterben; in der Todesstunde / ~이 다가오다 kurz vor dem Tod sein; auf dem Sterbebett liegen*; *js.* Ende kommen* ⓢ 〔nahen ⓢ〕

② 《임종의 배석》 die Anwesenheit bei *js.* Tode. ~하다 bei *js.* Tode anwesend 〔dabei〕 sein; *js.* Tode bei|wohnen. ¶ 그는 아버지가 돌아가실 때 ~을 하지 못했다 Er war beim Tode s-s Vaters nicht anwesend.

임지(任地) Posten *m.* -s, -; Amt *n.* -(e)s, ⸚er. ¶ ~로 떠나다 zu s-m (neuen) Posten gehen* ⓢ 〔[4]sich begeben*〕 / 이번 ~는 대구로 바뀌었다 Ich bin diesmal nach Daegu versetzt worden.

임직(任職) Amtsernennung *f.* -en; die Ernennung zum Amt.

임진(壬辰) die 29. Periode des 60-jährigen Zyklus. ‖ ~왜란 *Hideyoshis* Invasion von Korea im Jahre 1592.

임질(淋疾) 〖의학〗 Gonorrhöe *f.* -n; Tripper *m.* -s, -. ¶ ~의 gonorrhoisch / ~에 걸리다 an Gonorrhöe leiden*.

‖ ~균 Gonokokkus *m.* -, ..kokken.

임차(賃借) das Mieten*, -s; Miete *f.* -n; das Pachten*, -s; Pachtung *f.* -en. ~하다 mieten 《bei *jm.*》; pachten; (pauschal) mieten[4].

‖ ~가격 Miet¦wert 〔Pacht-〕 *m.* -(e)s, -e. ~권 Miet¦recht 〔Pacht-〕 *n.* -(e)s, -e. ~료 Miete *f.* -n; Miet¦geld *n.* -(e)s, -er 〔-preis *m.* -(e)s, -e; -zins *m.* -es, -en〕; Pacht *f.* -en 〔*m.* -(e)s, -e〕; Pacht¦geld *n.* -(e)s, -er 〔-preis *m.* -es, -e; -zins *m.* -es, -en〕. ~부동산 Pachtbesitz *m.* -es, -e; Pachtvermögen *n.* -s, -. ~인 Pächter *m.* -s, -; Mieter *m.* -s, -; Insaß *m.* ..sassen, ..sassen. ~지 das gemietete 〔gepachtete〕 Grundstück, -(e)s, -e; Pachtstück *n.* -(e)s, -.

임치(任置) Depot *n.* -s, -s; Einlage *f.* -n; Depositum *n.* -s, ⸚er. ~하다 einlegen; einzahlen.

‖ ~자 Deponent *m.* -en, -en; Deponentin *f.* -nen; Einzahler *m.* -s; Einzahlerin *f.* -nen. ~증서 Depotschein *m.* -(e)s, -e.

임파(淋巴) Lymphe *f.* -n. ¶ ~성의 lymphatisch / ~성 체질 die lymphatische Konstitution. ‖ ~관 〖해부〗 Lymphgefäß *n.* -es, -e. ~선 〖해부〗 Lymphdrüse *f.* -n: ~선염 Lymphdrüsenentzündung *f.* -en.

임하다(臨―) ① 《면하다》 (mit der Front) stehen* 〔liegen*〕 《*nach*[3]》; (hinaus|)gehen* ⓢ 《*auf*[4]》; blicken 《*auf*[4]》. ¶ 큰 정원에 임한 방 ein Zimmer 《*m.* -s, -》, das auf den großen Garten hinausgeht / 별장은 바다에 임해 있다 Die Villa blickt aufs Meer. / 그 창문은 남쪽에 〔거리에〕 임해 있다 Das Fenster steht nach Süden 〔geht auf die Straße〕. ② 《직면》 stehen* 《*vor*[3]》; [4]sich [3]*et.* gegenüber|sehen*; entgegen|sehen*[3] 〔-|treten*[3] ⓢ〕. ¶ 위험(죽음)에 ~ e-r Gefahr 〔dem Tode〕 entgegen|sehen* 〔entgegen|treten*〕 / 이런 경우에 임하여 ausgerechnet gerade jetzt; ausgerechnet gerade hier / 죽음에 임하여 am Sterbebett; beim Eintritt des Todes; als s-e Stunde kam. ③ 《출석·도착》 kommen* ⓢ 《*zu*[3]》; [4]sich begeben* 《*zu*[3]》; anwesend sein 《*bei*[3]》. ¶ 개회식에 ~ bei der Eröffnungsfeier dabei 〔anwesend〕 sein / 전

쟁터에 임하여 auf dem Kampfplatz. ④《대도》 begegnen 《*jm.*; *mit*³》. ¶관대〔친절〕하게 ~ *jm.* mit Nachsicht 〔Güte〕 begegnen.

임학(林學) Forst¦kunde *f.* 〔-wissenschaft *f.*〕 ‖ ~박사 der Doktor 《-s, -en》 der Forstkunde 〔Forstwissenschaft〕. ~자 der Forstkundige*, -n, -n 〔-wissenschaftler *m.* -s, -〕.

임항(臨港) ‖ ~선 Hafenbahn *f.* -en. ~열차 Hafenbahnzug *m.* -(e)s, ⸚e.

임해(臨海) Seeküste *f.* -n; Meeresküste *f.* -n. ¶ ~(의) an der See 〔Küste〕 gelegen; am Meer; Küsten-; Strand-.

‖ ~공업지대 Küstenindustriegebiet *n.* -(e)s, -e. ~실습 die praktische Übung 《-en》 am Strand. ~실험소 Strand¦laboratorium *n.* -s, ..rien 〔-versuchsanstalt *f.* -en〕. ~학교 Strandschule *f.* -n.

임협(任俠) Großmut *f.*; Ritterlichkeit *f.* ¶ ~한 großmütig; ritterlich (gesinnt). 「-n.

임화(臨畫) Nachzeichnung *f.* -en; Kopie *f.*

입 ①《사람·동물의》 Mund *m.* -(e)s, ⸚er; Maul *n.* -(e)s, ⸚er; 《입술》 Lippe *f.* -n. ¶ 입의 mündlich / 한 입 가득 mundvoll; maulvoll / 입이 예쁘다 e-n lieblichen 〔reizenden〕 Mund haben / 꽉 다문 입 fest zusammengezogener Mund; scharf geschnittener Mund; 《결연히》 entschiedener Mund / 입을 크게 벌리고 mit weit aufgerissenem 〔offenem〕 Mund(e) / 입가에 미소를 띄고 mit e-m Lächeln um den Mund / 입을 닦다 den Mund ab|wischen / 입을 다물다 den Mund zu|machen 〔schließen*〕; die Lippen geschlossen halten*; den Mund halten* / 입에서 구린내가 나다 übelriechenden Atem haben; aus dem Munde riechen* / 입에 풀칠하다 s-n Lebensunterhalt verdienen; ⁴sich ernähren 《*durch*⁴》 / 놀라서 입을 딱 벌리다 vor ³Erstaunen sprachlos sein; den Mund auf|reißen* 《vor ³Schreck》 / 그렇게 마구 입 속에 처넣지 말아라 Stopf dir doch den Mund nicht so voll!

②《말》 Sprache *f.* -n; Rede *f.* -n; das Sprechen*, -s; Sprechweise *f.* -n. ¶ 입이 가벼운 schwatzhaft; plauderhaft; klatschhaft; geschwätzig; redselig; wortreich; zungenfertig / 입이 가벼운 사람 Schwätzer *m.* -s, -; Plauderer *m.* -s, -; Plauderhans *m.* -en, -en; Klatschhase *f.* -n; Klatsche *f.* -n; Zungendrescher *m.* -s, - / 입이 무거운 verschwiegen; diskret; vertraulich; zugeknöpft; schweigsam; mundfaul; schwerfällig im Reden; einsilbig; wortkarg / 입이 더러운 derb; schmähend; beleidigend; beschimpfend; schimpflich; schmählich; gemein; mit böser Zunge; lästersüchtig; verleumderisch; klatschhaft; geschwätzig; zynisch; sardonisch/입에 발린 glattzüngig; honigsüß; schmeichlerisch / 입을 열다 sprechen*; reden; das Wort nehmen*; plaudern/입밖에 내다 verraten*⁴; das Schweigen brechen*; enthüllen 《*jm.*》 / 입 밖에 내지 않다 verschweigen*⁴; reinen Mund halten* 《*über*⁴》; für ⁴sich behalten* / 이 일은 입 밖에 내지 마시오 Sagen Sie k-m e-e Silbe davon!¦ Bitte um Diskretion!¦ Es bleibt unter uns.¦ Ganz im Vertrauen!¦ Lassen Sie es bitte nicht laut werden!¦ Ich möchte Sie bitten, reinen Mund zu halten. / 입을 모아 im Chor; einstimmig; wie aus e-m Munde; alle wie ein Mann sprechend / 입에 담지 못할 욕을 하다 mit beleidigenden 〔derben; gemeinen〕 Worten aus|schimpfen 《*jn.*》 / 입만 살아 있는 nur in Worten tapfer / 입에 발린 간사를 떨다 leere Komplimente 《*pl.*》 machen / 입이 열 개라도 할 말이 없다 kein Wort kennen*, um ⁴sich selbst zu entschuldigen; gar k-n Vorwand haben / 입에 오르내리다 ins Gerede kommen* ⓢ; rasch von Mund zu Mund gehen* ⓢ; ⁴sich wie ein Lauffeuer verbreiten; Staub auf|wirbeln (물의를 일으키다); ⁴sich herum|sprechen*.

③《식구》 abhängige Person, -en; der Familienangehörige*, -n, -n. ¶ 입이 많다 e-e Großfamilie haben.

④《부리》 Schnabel *m.* -s, ⸚.

⑤《구미》 Geschmack *m.* -(e)s, ⸚e. ¶ 입에 맞는 schmackhaft; wohlschmeckend; delikat; köstlich; lecker / 입 안이 달콤하다 e-n süßlichen Geschmack im Munde haben / 나는 평생에 술을 입에 대 본 일이 없다 Ich habe in meinem Leben niemals *Sul* getrunken. / 입에 꼭 맞는다 Es schmeckt mir recht gut.

입가심하다 den Geschmack neutralisieren; (³sich) den Hals gurgeln; den üblen 〔unangenehmen〕 Nachgeschmack entfernen. ¶ 입가심으로 um den Nachgeschmack loszuwerden.

입각(入閣) der Eintritt 《-(e)s, -e》 ins Kabinett. ~하다 ins Kabinett ein|treten* ⓢ; ¹Kabinettsmitglied werden; e-n Platz im Kabinett bekommen*.

입각(立脚) ~하다 füßen 《*auf*³》; basieren 《*auf*³》; ⁴sich gründen 《*auf*⁴》; folgen 《*aus*³》; ⁴sich stützen 《*auf*⁴》; beruhen 《*auf*⁴》. ¶ …에 ~하여 auf dem Standpunkt stehend, daß …; vom Gesichtspunkt aus, daß… / 사실에 ~하다 auf Tatsachen beruhen; in Tatsachen s-e Ursache haben / 그의 주장들은 진실에 ~하고 있다 S-e Behauptungen beruhen auf Wahrheit.

‖ ~점 Standpunkt *m.* -(e)s, -e; Gesichtspunkt *m.* -(e)s, -e; Standplatz *m.* -es, ⸚e.

입감(入監) Gefangensetzung *f.* -en; Einlieferung *f.* -en. ~하다 ins Gefängnis ein|-liefern; *jn.* ins Gefängnis bringen*. ¶ ~중(中)이다 im Gefängnis sitzen*; hinter Schloß u. Riegel sitzen*.

입거(入渠) das (Ein)docken*, -s; die Unterbringung 《-en》 im Dock. ~하다 ⁴sich (ein|)docken; ins Dock kommen* 〔gehen*〕 ⓢ. ¶ ~시키다 (ein Schiff) (ein|)docken 〔im Dock unter|bringen*〕.

‖ ~료 Dockgebühren 《*pl.*》; Unterbringungsgebühren 《*pl.*》. ~선 das auszubessernde Schiff 《-(e)s, -e》 im Dock.

입건하다(立件—) *jn.* zur Verantwortung 〔zur Rechenschaft〕 ziehen*. ¶ 경찰은 이 사고에 대하여 그를 입건하려고 한다 Die Polizei will ihn zur Verantwortung für diesen Unfall ziehen.

입경(入京) die Ankunft in der Hauptstadt; das Eintreffen* in Seoul. ~하다 in der Hauptstadt an|kommen*ⓢ; in Seoul ein|-treffen* ⓢ.

입고(入庫) ① das Einspeichern* 〔(Ein)lagern*〕 -s (von Waren) (상품의). ②《차량의》 das Einfahren* 《-s》 (e-s Wagens) ins Depot; das Abstellen* 《-s》 e-s Wagens. ~하다 《상품을》 Waren 《*pl.*》 ein|speichern 〔(ein|)lagern〕; 《차량을》 ins Depot ein|-

werden. ¶ ~시키다 *jn.* ins Gefängnis ein|liefern (stecken); *jn.* ins Gefängnis werfen* / ~ 중이다 im Gefängnis sitzen*; ein|sitzen*.

입속말 Gemurmel *n.* -s; das Murmeln*, -s. **~하다** murmeln; vor ⁴sich hin sprechen*; murren (über ⁴*et.*; gegen *jn.*).

입수(入手) Erlangung *f.* -en; Erhaltung *f.* -en; Erreichung *f.* -en; Erwerbung *f.* -en; Beschaffung *f.* -en. **~하다** erlangen⁴; ³sich beschaffen⁴; erhalten*⁴; erreichen⁴; erwerben*⁴. ¶ 겨우 그 책을 ~할 수 있었다 Endlich habe ich mir das Buch anschaffen können.

‖ **~경로** der Weg (-(e)s, -e) der Erlangung (Erhaltung; Beschaffung); das Mittel (-s, -) der Erlangung. **~난(難)** Schwierigkeiten (*pl.*) zur Erlangung: ~난이다 Es ist schwer zu erlangen (erhalten).

입숟가락 der einfache Löffel, -s.

입술 Lippe *f.* -n. ¶ 두꺼운 ~ dicke (wulstige) Lippen (*pl.*) / 얇은 ~ dünne Lippen / ~을 비쭉 내밀다 die Lippen schmollend spitzen (auf|werfen*); maulen / ~을 깨물다 ³sich in die Lippen beißen* / 그는 그녀의 ~에 입을 맞추었다 Er küßte sie auf die Lippen (auf den Mund).

‖ **~소리** 〖언어학〗 Labiallaut *m.* -(e)s, -e. 윗(아랫)**~** Ober¦lippe (Unter-) *f.* -n.

입시(入侍) e-e Audienz beim König. **~하다** e-e Audienz beim König haben; vom König empfangen werden.

입시(入試) Eintrittsexamen *n.* -s; Aufnahmeprüfung *f.* -en. ¶ ~를 치르다 e-e Aufnahmeprüfung (ein Eintrittsexamen) machen (ab|legen) / ~에 합격하다 e-e Aufnahmeprüfung bestehen* / ~ 준비를 하다 ⁴sich auf das Eintrittsexamen vor|bereiten.

‖ **~문제** der Prüfungsbogen für das Eintrittsexamen. **~지옥** Prüfungshölle *f.*

입시울 Mundwinkel *m.* -s, -.

입식(立食) der im Stehen eingenommene Imbiß, ..bisses, ..bisse. **~하다** stehend essen*. ¶ 식(式)이 끝나고 ~의 연회가 있었다 Nach der Zeremonie sind kalte Speisen serviert worden.

입신(入神) ¶ ~의 göttlich / ~의 기량 göttliches Können, -s, - (Spiel, -s, -e).

입신(立身) das Vorrücken* (Emporkommen*) -s; das Vorwärts¦kommen* (Weiter-) -s. **~하다** empor|kommen* ⓢ; vor|rücken ⓢ; vorwärts|kommen* (weiter|-) ⓢ; ⁴es weit (zu ³etwas) bringen*; Karriere machen; auf e-n grünen Zweig kommen* ⓢ; ⁴sich in die Höhe schwingen*. ¶ 이 사건은 그의 ~에 지장을 주었다 Diese Affäre schadete s-r Karriere.

‖ **~양명** das Vorwärtskommen* u. Namenmachen*. **~출세** die erfolgreiche (gute) Karriere, -n; der Erfolg im Leben: ~ 출세하다 e-e gute Karriere machen / ~ 출세주의 Karrierismus *m.* - / ~ 출세주의자 Karrierist *m.* -en, -en; Postenjäger (Streber; Karrieremacher) *m.* -s, -.

입심 die kühne Redeweise, -n; die freche Sprechweise; Zungenferigkeit *f.* -en; Beredsamkeit *f.* ¶ ~이 좋다 zungenfertig sein; beredsam sein; kühn behaupten.

입싸다 unüberlegt (leichtsinnig) sprechen*.

입쌀 (gewöhnlicher) Reis, -es.

입씨름 Wortstreit *m.* -(e)s, -e; Wortgefecht *n.* -(e)s, -e; das Hin- u. Herreden*, -s; Wort¦wechsel *m.* -s, - (-streit *m.* -(e)s, -e); Disput *m.* -(e)s, -e; Krach *m.* -(e)s, -e (-s *od.* 〖속어〗 ⸚e); Szene *f.* -n; Zank *m.* -(e)s. **~하다** e-n Wort¦wechsel (-streit) haben (mit *jm.* *über*⁴); disputieren (mit *jm.* *über*⁴); Krach haben (mit *jm.* *über*⁴); e-e Szene erleben (mit *jm.* *über*⁴); zanken (mit *jm.* *über*⁴ (*um*⁴)). ¶ 두 사람 사이에는 ~이 벌어졌다 Zwischen den beiden kam es zum Krach.

입씻기다 *js.* Stillschweigen kaufen; Schweigegeld zahlen. ¶ 나는 그에게 일만 원을 주어 입을 씻겼다 Ich gab ihm 10000 *Won*, um sein Mund zu schließen. / 그는 나의 입을 씻기기 위하여 만 원을 나에게 주었다 Er bot mir 10000 *Won* an, damit ich meinen Mund halte.

입씻이 ① (입씻기는) Schweigegeld *n.* -(e)s, -er. ② **~하다** =입가심하다.

입아귀 Mundwinkel *m.* -s, -.

입안(立案) ① (안을 세움) das Planen* (Entwerfen*) -s; das Pläne¦machen* (Projekt-) -s; das Skizzieren* (Vorbereiten*) -s. **~하다** planen⁴; entwerfen*⁴; e-n Plan (ein Projekt) machen; skizzieren⁴; vor|bereiten⁴. ② (인증서) die offizielle Bestätigung, -en.

‖ **~자** Planer *m.* -s, -; Plänemacher *m.* -s, -; Projektmacher *m.* -s, -; Entwerfer *m.* -s, -; Vorbereiter *m.* -s, -.

입양(入養) Adoption *f.* -en. **~하다** adoptieren. ¶ ~한 adoptiv.

‖ **~관계** Adoptivverhältnis *n.* -ses, -se.

입영(入營) der Eintritt (-(e)s, -e) ins Heer. **~하다** ins Heer ein|treten* ⓢ; (zur Fahne) einberufen werden; ¹Soldat werden. ¶ ~중이다 im Militär sein; in der Armee sein. ‖ **~식** die Zeremonie (-n) des Heereseintritt(e)s.

입영(立泳) das Wassertreten*, -s. **~하다** ins Wasser treten* ⓢ.

입옥(入獄) Einkerkerung *f.* -en; das Im-Gefängnis-Sitzen*, -s. **~하다** eingekerkert werden; ins Gefängnis (in den Kerker) gesteckt werden. ¶ ~시키다 ein|kerkern (*jn.*); ins Gefängnis stecken⁽*⁾.

입욕(入浴) Bad *n.* -(e)s, ⸚er; das Baden*, -s. **~하다** baden; ein Bad nehmen*. ¶ ~시키다 *jn.* baden / 어린애를 ~시키다 ein Kind baden.

입원(入院) der Eintritt (-(e)s, -e) ins Krankenhaus (Hospital); die Aufnahme (-n) ins Krankenhaus (Hospital). **~하다** ins Krankenhaus aufgenommen werden. ¶ ~시키다 *jn.* ins Krankenhaus bringen*; in e-m Krankenhaus unter|bringen* (*jn.*) / ~ 중이다 im Krankenhaus liegen* / ~ 가료를 요하다 der ärztlichen ²Behandlung im Krankenhaus bedürfen.

‖ **~료** Krankenhauskosten (*pl.*); Hospitalkosten (*pl.*). **~수속** die zum Eintritt (zur Aufnahme) ins Krankenhaus (Hospital) nötigen Formalitäten (*pl.*). **~환자** der klinische Patient, -en, -en (Kranke*, -n, -n); Krankenhauspatient *m.* -en, -en.

입자(粒子) 〖물리〗 Atom *n.* -s, -e; Teilchen *n.* -s, -; Partikel *f.* -n; Partikelchen *n.* -s, - (미립자).

‖ **~량** Teilchengewicht *n.* -s, -e; Atomgewicht *n.* -s, -e. 경(輕)**~** Lepton *n.* -s,

..ta. 반(反)~ Antiatom *n.* -s, -e; Antiteilchen *n.* -s, -.

입장(入場) Eintritt *m.* -(e)s, -e; Zutritt *m.* -(e)s, -e; Einlaß *m.* ..lasses, ..lässe; Zulaß *m.* ..lasses, ..lässe. **~하다** ein|treten* [s]; zu|treten* [s]; hinein|gehen* [s]; hinein|-lassen*^{4}; ein|lassen*^{4}. ¶ 경기장에 ~하다 ins Stadion ein|treten* [s] / ~을 허락하다 ein|-lassen*^{4} / ~ 금지 《게시》 Eintritt verboten! / ~ 무료 《게시》 Eintritt frei! / 옆문으로 ~하다 durch die Seitentür eintreten / ~ 환영 《게시》 Jedermann zugänglich! / 연소자 ~ 불허 《게시》 Nur für Erwachsene!
‖ **~권** Eintrittskarte *f.* -n; Zutrittskarte *f.* -n; Einlaßkarte *f.* -n; Zulassungskarte *f.* -n: ~권 판매소 Kasse *f.* -n (극장 따위의); Fahrkartenschalter *m.* -s, - (역 따위의). **~료** Eintrittsgeld *n.* -(e)s, -er; Eintrittsgebühren 《*pl.*》. **~세(稅)** Eintrittskartensteuer *f.* -n. **~식** Eröffnungs|feier *f.* -n 〔-zeremonie *f.* -n〕. **~자** Besucher *m.* -s, -; Publikum *n.* -s; 《총칭적》 Besucherschaft *f.*

입장(立場) Standpunkt *m.* -(e)s, -e; Gesichtspunkt *m.* -(e)s, -e (관점); Lage *f.* -n (경우). ¶ 정치적 ~에서 aus politischem Standpunkt 〔Gesichtspunkt〕 / 학문의 ~에서 vom Standpunkt der Wissenschaft (aus) / …의 ~에 서다 auf dem Standpunkt stehen*, daß… / 자기의 ~을 고수하다 s-n Stand behaupten / 난처한 ~에 처해 있다 ^{4}sich in e-r schwierigen Lage befinden* / 곤란한 ~에 빠지다 in e-e schlimme Lage geraten* [s] / ~을 분명히 하다 Stellung nehmen* 《*zu*^{3}; *gegen*^{4}》 / ~을 달리하다 auf verschiedenen Standpunkten stehen*; von verschiedenen Gesichtspunkten sein; verschiedene Blickwinkel 〔Gesichts-〕 ein|nehmen* / …에게 자신의 ~을 밝히다 *jm.* s-n Standpunkt dar|legen 〔erklären〕 / 그는 자신의 ~을 고수한다 Er beharrt auf s-m Standpunkt. / 내 ~에 서 보시오 Versetzen Sie sich bitte in meine Lage! / 내가 당신의 ~이라면 그렇게 하지 않았을 것이다 An Ihrer Stelle hätte ich nicht so gehandelt. / 나는 너를 도울 수 있는 ~이 못 된다 Ich bin nicht in der Lage, dir zu helfen.

입장단(一長短) das Mitsummen* 《-s》 e-r Melodie. ¶ ~을 치다 mit|summen.

입적(入寂) Nirwana *n.* -(s).

입적(入籍) die Eintragung 《-en》 (des Namens) ins Familienregister. **~하다** *js.* Namen 《*m.*》 ins Familienregister ein|tragen* (lassen*).

입전(入電) das eingetroffene Telegramm, -s, -e; die angekommene Drahtnachricht, -en. ¶ …한 뜻의 ~이 있음 Ein Telegramm ist eingetroffen, in dem es heißt, daß…. | E-e Drahtnachricht ist angekommen, des Inhalts, daß…. / 홍콩으로부터 ~된 바에 의하면 nach 〔laut〕 ^{3}Telegramm aus Hongkong.

입절(立節) die Treue bis zum Tode. **~하다** *jm.* bis zum Tode die Treue halten*.

입정(入廷) das Eintreten* 《-s》 in den Gerichtssaal. **~하다** in den Gerichtssaal ein|treten* [s]; den Gerichtssaal betreten*.

입정(入定) 〖불교〗 《선정(禪定)에》 Meditation *f.* -en (der Buddhisten); die religiöse Meditation; 《수행방》 das Sichzurückziehen* 《-s》 in e-e Zelle zum Zweck religiöser (Selbst)besinnung; 《죽음》 der Tod e-s buddhistischen Mönchs. **~하다** ^{4}sich in die (Zen)meditation vertiefen; ^{4}sich in e-e Zelle zum Zweck religiöser (Selbst-) besinnung zurück|ziehen*; sterben* [s].

입정놀리다 ^{4}*et.* pausenlos in den Mund nehmen*; ^{4}*et.* laufend essen* 〔fressen*〕; ^{4}*et.* ununterbrochen essen* (zwischen den festen Mahlzeiten).

입정사납다 ein loses Maul haben; ein grobes 〔ungewaschenes; schandbares〕 Maul haben; schmutzige Reden führen; freche Reden führen; mit dem Mund vorneweg sein.

입조(入朝) der Gang in den Königshof; der Besuch des Königshof. **~하다** in den Königshof gehen*[s]; den Königshof besuchen.

입주(入住) **~하다** ein|ziehen* [s] 《*in*^{4}》; in e-e Wohnung ziehen* [s]; beziehen* 〔ein Haus 나 e-e Wohnung 따위가 목적어〕. ¶ 새 집에 ~하다 in e-e neue Wohnung ein|ziehen* [s]. ‖ **~자** (Haus)bewohner *m.* -s, -; Einwohner; Mieter *m.* -s, - (세든 사람); Insasse *m.* -n, -n (시설 등의).

입증(立證) Beweisführung *f.* -en; Bestätigung *f.* -en; Darlegung *f.* -en. **~하다** beweisen*^{4}; e-n Beweis führen; bestätigen^4; dar|legen^4. ¶ …을 ~하기 위하여 um zu beweisen, daß… / 무죄를 ~하다 s-e Unschuld beweisen* / 유죄를 ~하다 *js.* Strafbarkeit nach|weisen* / …을 ~하다 ^{4}*et.* unter Beweis stellen / 그는 자기 주장의 정당성을 ~했다 Er wies die Richtigkeit s-r Behauptung nach.
‖ **~자료** Beweismaterial *n.* -s, -ien.

입지(立志) die Zielsetzung des Lebens. **~하다** Lebensziel setzen; e-n Erfolg im Leben machen wollen.
‖ **~전** die Biographie 〔Geschichte〕 e-s aus eigener Kraft Emporgekommenen: ~전적인 인물 der aus eigener Kraft Emporgekommene*, -n, -n; Selfmademan *m.* -s, ..men.

입지조건(立地條件) Ortsbedingung *f.* -en. ¶ ~이 좋다 〔나쁘다〕 günstig 〔ungünstig〕 gelegen sein; in e-r günstigen 〔ungünstigen〕 Lage sein.

입직(入直) Tagdienst *m.* -(e)s, -e; Feiertagsdienst *m.* -(e)s, -e; 《숙직》 Nachtdienst *m.* -(e)s, -e; Nachtwache *f.* -n. **~하다** Tagdienst 〔Nachtdienst〕 haben.

입질 《낚시질에서》 das (An)beißen*, -s 《beim Angeln》. **~하다** beißen*; an|beißen*.

입짓 Lippensprache *f.* -n; Gedankenäußerung durch die Lippenbewegung.

입짧다 wählerisch (sein) 《beim Essen》; anspruchsvoll 《beim Essen》 (sein); wie ein Spatz essen*.

입찬말, 입찬소리 Prahlerlei 〔Aufschneiderei〕 *f.* -en.

입찰(入札) (Lieferungs)angebot *n.* -(e)s, -e; (Arbeits)ausschreibung *f.* -en; Submission *f.* -en; Verdingung *f.* -en. **~하다** submittieren; an e-r Submission teil|nehmen*; ^{4}sich um e-n Auftrag bewerben*. ¶ ~에 부치다 durch 〔in〕 Submission kaufen^4 od. verkaufen^4; in ^{4}Submission geben*^{4}.
‖ **~매매** Kauf od. Verkauf durch ^{4}Submission. **~보증금** die Kaution 《-en》 für Submission. **~자** Bewerber *m.* -s, -; Bieter *m.* -s, -; Submittent *m.* -en, -en. 공개~, 경쟁~, 일반~ öffentliche Ausschreibung. 최고 ~자 der Meistbietende*, -n, -n.

입천장(一天障) 〖해부〗 Gaumen *m.* -s, -. ¶ 목

이 말라 혀가 ~에 붙었다 Die Zunge klebt mir am Gaumen (vor Durst).

입체(立替) Auslage *f.* -en; das Auslegen* (-s) von Geld; Vorschuß *m.* ..sses, ..schüsse (전불). ~하다 aus|legen[4] (für *jn.*); vor|schießen*[4]; Vorschüsse (*pl.*) leisten.
‖ ~금 das vorgelegte Geld, -(e)s, -er.

입체(立體) Körper *m.* -s, -; Kubus *m.* -, -(..ben). ¶ ~의 stereo-; Körper-; kubisch.
‖ ~각 der kubische Winkel, -s, -. ~감 die kubische Wirkung. ~경 Stereoskop *n.* -s, -e. ~기하학 Stereometrie *f.* ~묘사 die kubische Darstellung, -en. ~방송 Stereorundfunksendung *f.* -en. ~사진 Stereographie (Anaglyphe) *f.* -n. ~영화 Stereofilm *m.* -(e)s, -e. ~음악 Stereomusik *f.* ~음향 Stereoton (Raumton) *m.* -(e)s, ⸚e: ~ 음향학 Stereoakustik *f.* ~주차장 Autosilo *m.* -s, -s; Parkhochhaus *n.* -es, ⸚er. ~카메라 Stereokamera *f.* -s. ~파 Kubismus *m.* -: ~파 화가 Kubist *m.* -en, -en. ~화학 Stereochemie *f.*

입초(入超) 〖경제〗 der Überschuß (..schusses, ..schüsse) der Einfuhr (des Imports) über die Ausfuhr (den Export); die Unterbilanz (-en) im Außenhandel. ¶ ~를 제한하다 Einfuhrüberschüsse beschränken / 지난 달에 50 만 마르크의 ~를 냈다 Der Import überstieg den Export um 500 000 DM letzten Monat.

입초(立哨) Wache *f.* -n; Posten *m.* -s, -. ¶ ~ 서다 [4]Wache (Posten) stehen*.
‖ ~병 Wache *f.*; Posten *m.* -s, -.

입추(立秋) Herbstanfang *m.* -(e)s.

입추(立錐) ¶ ~의 여지도 없다 gedrängt (gepfropft; gepreßt) voll sein; wie die Heringe geschichtet sein (sitzen*; stehen*); eingepfercht (zusammengepfercht) sein.

입춘(立春) Frühlingsanfang *m.* -(e)s.

입태자(식)(立太子(式)) die (feierliche) Ernennung (-en) zum Thronfolger.

입하(入荷) die Ankunft (⸚e) neuer, den Vorrat ergänzender Waren. ~하다 (an-)kommen* ⓢ; empfangen werden; ein|laufen* ⓢ. ¶ 이 책은 ~한 지가 얼마 안 된다 Dieses Buch ist gerade (eben) gekommen.
‖ ~물(物) die eingelaufenen (empfangenen) Güter (*pl.*).

입하(立夏) Sommerbeginn *m.* -s; e-e der 24 jahreszeitlichen Perioden im Mondkalender (etwa 5–6. Mai Greg. Kalender).

입학(入學) der Eintritt (-(e)s, -e) in die Schule; Aufnahme *f.* -n; Immatrikulation *f.* -en (대학). ~하다 ein|treten* ⓢ (in die Schule); aufgenommen werden (in die Schule); immatrikuliert werden. ¶ ~을 허가하다 auf|nehmen* (*jn.* in die Schule); zum Studium zu|lassen*[4]; *jn.* immatrikulieren (대학으로) / ~을 지원하다 Zulassung zum Studium beantragen / 아버지의 소망은 아들을 대학에 [illegible] 일이다 Der Wunsch des Vaters geht dahin, s-n Sohn studieren (die Hochschule besuchen) zu lassen.
‖ ~규칙 Eintritts¦bestimmungen (Aufnahme-) (*pl.*); Bestimmungen (*pl.*) über Immatrikulation. ~금 Eintritts¦geld (Aufnahme-) *n.* -(e)s, -er. ~기 Eintritts¦zeit (Aufnahme-) *f.* -en; Eintritts¦frist (Aufnahme-) *f.* -en; Eintritts¦termin (Aufnahme-) *m.* -s, -e. ~난 Eintrittsnot *f.*; Eintrittsschwierigkeit *f.* -en. ~시험 Eintritts¦prüfung (Aufnahme-) *f.* -en; Eintrittsexamen (Aufnahme-) *n.* -s, ..mina: ~ 시험을 치루다 [4]sich der Eintrittsprüfung unterziehen*; Eintrittsexamen machen. ~식 die feierliche Eintrittszeremonie in die Schule. ~안내서 Zulassungsinformationen (*pl.*). ~원서 Eintritts¦gesuch (Aufnahme-) *n.* -(e)s, -e; Antrag (*m.* -(e)s, -e) auf Zulassung zum Studium: ~ 원서를 내다 den Antrag auf Zulassung zum Studium stellen. ~자격 Voraussetzungen (*pl.*) für Zulassung. ~절차 Eintritts¦formalitäten (Aufnahme-) (*pl.*). ~지원자 Eintrittsaspirant *m.* -en, -en; Eintrittsbewerber *m.* -s, -. ~허가 Eintritts¦erlaubnis (Aufnahme-) *f.* -se; (대학의) Immatrikulation; Zulassung zum Studium. 재~ Wiedereintritt in die Schule; Wiederzulassung zum Studium.

입항(入港) das Einlaufen* (-s) (in e-n Hafen); Einlauf *m.* -(e)s, ⸚e; Hafeneinfahrt *f.* -en. ~하다 in e-n Hafen ein|laufen* (ein|fahren*) ⓢ; e-n Hafen an|laufen* (erreichen). ¶ 배가 ~했다 Das Schiff fuhr in den Hafen ein. / 멕시코호가 10 일 인천에 ~했다 Die Mexiko ist am 10. in Inchon eingelaufen.
‖ ~선 das einfahrende (ankommende) Schiff, -(e)s, -e. ~세 Hafenzoll *m.* -(e)s, ⸚e; Hafensteuer *f.* -n. ~수속 Einfahrtsverfahren *n.* -s; Einfahrtsformalitäten (*pl.*). ~수수료 Hafengebühren (*pl.*). ~신고 Einfahrtsanmeldung *f.* -en. ~증명서 das Zertifikat (-(e)s, -e) über das Einlaufen.

입향순속(入鄕循俗) „Mit den Wölfen muß man heulen."

입헌(立憲) Verfassungsgebung *f.* -en; das Geben* (-s) e-r Konstitution. ¶ ~적 verfassungsmäßig; konstitutionell / ~적 수단으로 durch verfassungsmäßige Mittel.
‖ ~국 der verfassungsmäßige (konstitutionelle) Staat, -(e)s, -en; Verfassungsstaat *m.* ~군주 (민주) 정체 die konstitutionelle (verfassungsmäßige) Monarchie, -n [..çíːən] (Demokratie, -n [..tíːən]). ~정체 die verfassungsmäßige (konstitutionelle) Regierung, -en; das verfassungsmäßige (konstitutionelle) Gouvernement [guvɛr-n(ə)mã́ː] -s, -s. ~주의 verfassungsmäßige Regierungsform: ~주의자 Anhänger (*m.* -s, -) der verfassungsmäßigen Regierungsform.

입회(入會) Eintritt (*m.* -(e)s, -e) in e-n Verein; Beitritt *m.* -(e)s, -e; das Mitgliedwerden*, -s; das Teilnehmerwerden*, -s. ¶ ~를 신청하다 um den Eintritt an|suchen; [4]sich um Mitgliedschaft bewerben* / ~를 허락하다 *jn.* als Mitglied auf|nehmen*.
‖ ~권 〖법률〗 Mitbenutzungsrecht *n.* -(e)s, -e. ~금 Eintrittsgeld *n.* -(e)s, -er; Beitrittsgeld *n.*; Aufnahmegebühr *f.* -en. ~식 feierliche Aufnahmezeremonie, -n. ~자 der Beitretende*, -n, -n; das neue Mitglied, -(e)s, -er; der neue Aufgenommene*, -n, -n. ~허가 Eintrittserlaubnis *f.* -se; Aufnahmeerlaubnis *f.* -se.

입회(立會) Anwesenheit *f.*; Gegenwart *f.*; das Dabeisein*, -s. ~하다 anwesend (zugegen) sein (*bei*[3]); bei|wohnen[3]; dabei sein; teil|nehmen* (*an*[3]); (결투에) sekundieren[3].

¶전 간부의 ~하에 in (bei) [3]Anwesenheit sämtlicher [2]Vorstandsmitglieder / 증인 ~하에 in Anwesenheit der Zeugen / ~를 요청하다 *js.* Anwesenheit verlangen / 개표에 ~하다 bei der Öffnung der Wahlurnen anwesend sein.

‖~경관 der anwesende (beiwohnende) Polizist, -en, -en. ~인 Zeuge *m.* -n, -n; 《결투의》 Sekundant *m.* -en, -en. ~증인 Zeuge *m*; Beglaubiger *m.* -s, -.

입후보(立候補) das Kandidieren* (Sich-Bewerben*) -s; Kandidatur (Bewerbung) *f.* -en. ~하다 kandidieren; [4]sich bewerben* 《*um*[4]》; [4]sich aufstellen lassen*; um den Sitz kämpfen; [4]sich zur Wahl stellen. ¶~를 선언하다 erklären, daß einer kandidieren will; s-e Kandidatur bekannt|geben* / …를 ~로 내세우다 *jn.* als Kandidaten auf|stellen / 서울에서 ~하다 in Seoul kandidieren / 그는 국회 의원 (대통령) 선거에 ~하려고 한다 Er will für das Parlament (für das Amt des Präsidenten) kandidieren.

‖~등록 das Registrieren* 《-s》 der Kandidatur. ~사퇴 Zurückziehung 《*f.* -en》 der Kandidatur. ~자 Kandidat *m.* -en, -en: ~자 명단 Kandidatenliste *f.* -n.

입히다 ① 《옷을》 an|ziehen* 《*jn.*》; an|kleiden 《*jn.*》; bekleiden 《*jn.*》; bedecken[4]; mit [3]Kleidung versehen* 《*jn.*》. ¶외투를 입혀 주다 *jm.* in den Mantel helfen* / 옷을 입혀 보다 Kleider 《*pl.*》 an|probieren / 어머니가 아이에게 옷을 ~ Die Mutter zieht das Kind an. ② 《거죽에》 bedecken[4] 《*mit*[3]》; überziehen*[4] 《*mit*[3]》. ¶고무를 입힌 gummiert / 은을 입힌 versilbert / 금을 입힌 vergoldet / 떼를 ~ Rasen an|legen / 은을 입힌 술잔 versilbertes Weinglas, -es, ⸗er. ③ 《손해를》 an|richten[34]; zu|fügen; *jm.* zur Last fallen*[4]; verursachen[34]; 《상처를》 *jm.* e-e Wunde bei|bringen* (schlagen*). ¶큰 손해를 ~ großen Schaden an|richten (zu|fügen) / 전쟁이 그 나라에 많은 상처를 입혔다 Der Krieg hat dem Land viele Wunden geschlagen.

잇[1] 《이불 따위의》 Bezug *m.* -(e)s, ⸗e (der Matratze; des Kissens). ¶베갯잇 Kissenbezug *m.*

잇[2] 〖식물〗 ☞ 잇꽃.

잇꽃 Saflor *m.* -s, -e; Färberdistel *f.* -n.

잇다 ① 《접합·연결》 aneinander|fügen[4]; zusammen|fügen[4]; zusammen|schließen*[4]; miteinander verbinden*[4]; zusammen|setzen[4]; 《접착제로》 aneinander|leimen[4]; 《시멘트로》 zusammen|kitten[4]; 《사슬로》 zusammen|ketten[4]; 《풀로》 zusammen|kleben[4]; 《용접으로》 zusammen|schweißen[4]. ¶끈을 ~ die Schnüre miteinander verknüpfen / 실을 ~ die Fäden verknüpfen / 조각을 ~ die Stücke zusammen|fügen / 책상을 이어 붙이다 die Tische zusammen|stellen / 책상다리를 ~ das Bein an dem Tisch befestigen.

② 《계승함》 *jm.* nach|folgen Ⓢ; erben[4]; über|nehmen*[4]; 《계속》 folgen[3] 《*auf*[4]》; kommen* Ⓢ 《*nach*[3]》. ¶왕위를 ~ den Thron erben / 가산을 ~ das Vermögen erben / 그는 뒤를 이을 손이 없다 Er hat k-n Erben. / 내 자리를 이을 사람을 아직 찾지 못했다 Ich finde noch k-n Nachfolger von mir. / 이어서 A 씨가 등단했다 Als Nächster trat Herr A auf die Bühne.

③ 《생명을》 bewahren[4]; behüten[4]; erretten[4]. ¶겨우 생명을 이어가다 sein Leben (Dasein) kümmerlich fristen.

잇달다 ① 《…이》 folgen[(3)] Ⓢ 《*auf*[4]》; fort|dauern; kommen* eins nach dem andern. ¶잇달아 e-r nach dem andern; aufeinander; nacheinander; hintereinander; aufeinanderfolgend; fortgesetzt; 《새로》 von neuem; ununterbrochen; kontinuierlich; ohne Unterbrechung / 잇달아 질문하다 *jm.* [4]Frage auf [4]Frage stellen / 잇단 불행 Pechsträhne *f.* -n; Unglückskette *f.* -n / 불행이 잇달아 일어났다 Ein Unglück folgte auf das andere. / 잇달아 다섯 번 이기다 5 mal nacheinander gewinnen* / 잇달아 좋은 (나쁜) 소식이 들어왔다 Es kommen gute (schlimme) Nachrichten in rascher Folge. / 전쟁에 잇달아 기근이 왔다 Auf den Krieg folgte die Hungersnot. / 잇달아 사람들이 왔다 Es kam einer nach dem andern.

② 《…을》 zusammen|fügen[4]; zusammen|kleben (풀로); zusammen|nageln (바늘로); zusammen|nähen. ¶두 헝겊을 ~ zwei Kleidungsstücke zusammen|nageln (-fügen; -nähen).

잇닿다 in Berührung bleiben* Ⓢ; in Verbindung bleiben* Ⓢ; Kontakt behalten*.

잇대다 ① 《연결》 zusammen|fügen[4]; zusammen|stellen[4]; aneinander|fügen[4]; zusammen|schließen*[4]; an|koppeln[4]. ¶두 책상을 ~ zwei Tische zusammen|stellen / 기관차를 객차에 ~ die Lokomotive mit den Wagen an|koppeln. ② 《계속》 [4]sich fort|setzen; weiter|gehen* Ⓢ; fort|dauern; an|dauern. ¶잇대어(서) ununterbrochen; fortlaufend; unaufhörlich; andauernd; kontinuierlich.

잇따르다 =연달다.

잇몸 Zahnfleisch *n.* -es. ¶~을 드러내며 웃다 grinsen.

잇새 Lücke *f.* -en 《zwischen den Zähnen》. ¶~가 떴다 S-e Zähne stehen weit auseinander. / ~에 고기가 끼었다 Ich habe ein Stückchen Fleisch zwischen m-e Zähne.

잇소리 〖음성〗 Zischlaut *m.* -(e)s, -e; Sibilant *m.* -(e)s, -e; Zahnlaut *m.* -es, -e.

잇속 Zahnzustand *m.* -s, ⸗e. ¶~이 좋다 Er hat gute Zähne.

잇속(利—) die Quelle des Ertrags (des Gewinns; des Profits). ¶~이 있다 vorteilhaft (einträglich; nützlich) sein / ~이 없다 unvorteilhaft (ungünstig) sein / ~ 있는 장사 vorteilhaftes Geschäft; vorteilhafter Verkauf.

잇자국 Bißspur *f.* -en; Bißabdruck *m.* -s, ⸗e. ¶~이 나다 Bißspur haben.

잇줄(利—) die gewinnbringende Verbindung, -en; die einträgliche Verbindung.

잇집 Zahnbein *n.* -(e)s, -e.

있다 ① 《존재하다》 sein Ⓢ; existieren; vorhanden sein; es gibt; 《생존》 leben; stehen* (서서); liegen* (누워); sitzen* (앉아); hocken (웅크리고). ¶있으나마나한 《극히 적은》 winzigst / 있는 대로 《모두》 ohne zu sparen; ohne Einschränkung; rücksichtslos / 그 여자는 오늘은 집에 ~ Sie ist heute zu Haus. / 여기 열쇠가 ~ Hier ist (liegt) der Schlüssel. / 김군 집에 있소 Ist Herr *Kim* zu Hause? / 그건 지금도 ~ Es existiert noch. / 잘못은 나에게 ~ Mich trifft die Schuld 《*an*[3]》. |Ich bin daran schuld. / 내 책

이 어디 있냐—책상 위에 ~ Wo ist mein Buch? — Es liegt (ist) auf dem Tisch. / 이 반에는 학생이 30명 ~ Es sind dreißig Schüler in dieser Klasse. / 옛날에 어진 임금이 있었다 Es war einmal ein weiser König. / 여기 독어하시는 분 있읍니까 Ist hier jemand, der Deutsch spricht? / 너 어디 있느냐 Wo bist du?
② 《머무르다》 bleiben* [s]; weilen. ¶여기 있거라 Bleib(e) hier!
③ 《살고 있다》 wohnen; leben; ^{4}sich auf|halten*; bewohnen^{4}. ¶나는 아주머니 집에 살고 ~ Ich wohne bei m-r Tante.
④ 《위치》 befindlich sein; liegen*; stehen*. ¶산 뒤에는 시내가 ~ Hinter dem Berg fließt ein Bach. / 교회는 마을 한 복판에 ~ Die Kirche steht in der Mitte des Dorfes. / 일본은 한국 동쪽에 ~ Japan liegt östlich von Korea. / 학교 뒤엔 산이 ~ Hinter der Schule ist ein Berg. / 강가에 절이 ~ Der Tempel steht am Ufer. / 뮌헨은 이자르 강가에 ~ München ist an der Isar gelegen.
⑤ 《내재》 bestehen* (*in*^{3}); liegen*. ¶덕은 행위에 ~ Tugend besteht im Handeln.
⑥ 《소유》 haben. ¶아들이 둘 ~ Ich habe zwei Söhne. / 누구나 장점은 있는 법이다 Ein jeder hat s-e Stärke. / 그의 딸은 음악에 재주가 ~ S-e Tochter hat Talent (Begabung) in der Musik. / 있는 돈을 다 썼다 Ich habe all mein Geld ausgegeben. / 1월은 31일까지 ~ Januar hat 31 Tage.
⑦ 《휴대》 haben; bei sich tragen*; 《발견》 gefunden werden. ¶비누 있읍니까 Haben Sie Seife? / 틀림없이 설합 속에 있읍니다 Sie finden es bestimmt in der Schublade. / 독일 담배 있니 Hast du deutsche Zigaretten bei dir? / 그것은 어느 가게에나 ~ Du kannst das bei allen Geschäften finden (kaufen). / 본디 있었던 곳에 갖다 놓아라 Bring es zurück, wo es war!
⑧ 《시간 경과》 vergehen* [s]; verstreichen* [s]. ¶좀 더 있으면 ein bißchen später.
⑨ 《개최·거행》 statt|finden*. ¶다음 모임은 언제 있느냐 Wann findet nächste Sitzung statt? / 어제 기하 시험이 있었다 Gestern hatten wir die Prüfung in der Geometrie. / 송별식은 언제 있느냐 Wann haben wir Abschiedsfeier?
⑩ 《사실》 sein. ¶있을 수 없는 unmöglich; undenkbar; unwahrscheinlich; ungeeignet / 있을 수 있는 möglich / 있을 법한 wahrscheinlich; vermutlich; mutmaßlich / 그런 일이 있을 지도 모른다 Es könnte sein. / 학생으로서 있을 수 없는 행동이다 Für e-n Studenten ist e-e solche Handlung unerlaubt. / 그런 일이 있을 수 있을까 Wie kann das sein? / 그것은 있을 법하지도 않다 Es ist ganz unwahrscheinlich.
⑪ 《발생》 aus|brechen* [s]; passieren; geschehen* [s]; ^{4}sich ereignen; vor|fallen* [s]. ¶교통 사고가 있었던 장소 der Ort (die Stelle), wo der Verkehrsunfall passierte / 무슨 일이 있든지 was es auch geschieht / 무슨 일이 있었느냐 Was ist passiert? / 만일 내게 불행한 일이 있다면 네게 도움을 청하겠다 Wenn mir etwas Schlimmstes passiert, werde ich um d-e Hilfe bitten. / 일 년 동안에 여러 가지 일이 있었다 In e-m Jahr ist manches geschehen. / 어제 이 곳에 지진이 있었다 Gestern wurde hier das Erdbeben gespürt. / 어제 화재가 있었다 Gestern brach ein Feuer (Brand) aus.
⑫ 《경험》 haben(+과거분사); erfahren sein (*in*^{3}); viel Erfahrung (-en) haben (*in*^{3}). ¶…한 일이 ~ einmal haben / 학교에서 가르친 일이 있읍니까 Haben Sie einmal in der Schule unterrichtet? / 그 사람과는 한번 만난 일이 있다 Ich habe einmal ihn getroffen. / 독일에 가 본 일이 있읍니까 Waren Sie einmal in Deutschland? / 그 영화를 본 적이 있읍니까 Haben Sie einmal den Film gesehen? / 축구를 해 본 적이 있읍니까 Haben Sie einmal den Fußball gespielt?
⑬ 《포함》 eingeschlossen (enthalten) sein. ¶그 책에는 중요한 연구 결과와 300개의 사진이 ~ Das Buch enthält wichtige Forschungsergebnisse u. 300 Abbildungen. / 신선한 과일에는 비타민이 ~ Frisches Obst enthält Vitamine. / 이 책에는 재미있는 이야기가 많이 ~ Das Buch enthält viele interessante Geschichte. / 그 책엔 저서 목록이 ~ In dem Buch sind Bibliographien.
⑭ 《부속》 haben; gehören (*zu*^{3}); 《설비》 versehen (ausgestattet) sein. ¶우리 집에는 피뢰침이 달려 ~ Unser Haus wurde mit Blitzableitern versehen.
⑮ 《유복》 reich sein; wohlhabend sein. ¶있는 사람 der Wohlhabende*, -n, -n / 있는 집에 태어나다 in reicher Familie geboren sein / 그녀는 있는 집에서 태어났다 Sie stammt aus e-r wohlhabenden Familie.
⑯ 《동작의 계속》 bleiben* 〖동사의 현재형으로〗. ¶서 ~ stehen bleiben* / 자지 않고 ~ wach bleiben* / 독신으로 ~ ledig bleiben* / 책을 읽고 ~ Er liest ein Buch. / 그는 일을 하고 ~ Er ist bei der Arbeit.|Er arbeitet. / 내 동생은 아직도 학교에 다니고 ~ Mein jüngerer Bruder geht noch in die Schule.

잉걸불 gut brennendes (loderndes) Holzkohlenfeuer, -s.

잉글랜드 ＝영국.

잉꼬 〖조류〗 Sittich *m.* -(e)s, -e; Papagei *m.* -(e)s (-en), -en (앵무새).

잉모(孕母) ＝잉부(孕婦).

잉부(孕婦) Schwangere *f.* -n; schwangere Frau, -en.

잉손(仍孫) die Nachkommenschaft in der siebten Generation.

잉아 Kettfaden *m.* -s, ⸚.

잉앗대 Kettbaum *m.* -(e)s, ⸚e.

잉어 〖어류〗 Karpfen *m.* -s, -; 《금잉어》 der rote Karpfen, -s, -.

잉여(剩餘) (Über)rest *m.* -es, -e (상업: -er *od.* 스위스에서는: -en); Rückstand *m.* -(e)s, ⸚e; Überschuß *m.* ..schusses, ..schüsse.
‖ ~가치 Mehrwert *m.* -(e)s, -e: ~ 가치설 Mehrwerttheorie *f.* -n. ~금 das überschüssige Geld, -(e)s, -er; die überschüssige Summe, -n. ~노동력 überschüssige Arbeitskraft, ⸚e.

잉잉 wimmernd; winselnd. ¶~ 울다 wimmern; winseln.

잉존(仍存) die Erhaltung des alten Zustands; die Erhaltung alter Sachen. ~하다 ^{4}*et.* im alten (früheren) Zustand belassen* (erhalten*); alte Sachen bewahren.

잉카 Inka *m.* -s, -s.
‖ ~문명 die Inka-Zivilisation. ~사람 Inka *m.* -s, -s. ~제국 Inkareich *n.* -s, -e. ~족 das Inka-Volk.

잉크 Tinte *f.* -n. ¶ ~ 같은 tintig / 검은 〔붉은, 파랑, 초록〕 ~ schwarze 〔rote, blaue, grüne〕 Tinte / ~가 채 마르지 않았다 Die Tinte ist noch nicht trocken. / ~가 얼룩지다 die Tinte kleckst / ~로 쓰다 mit Tinte schreiben* / ~가 번진다 Die Tinte fließt. ‖ ~병 Tintenflasche *f.* -n. ~스탠드 Tintenfaß *n.* ..fasses, ..fässer. ~자국 Tintenfleck *m.* -(e)s, -e; Tintenklecks *m.* -es, -e. ~지우개 Entfärbungsmittel *n.* -s, -. 등사~ Kopiertinte. 만년필(용)~ Fülltinte; Füllfedertinte. 인쇄~ Druckerfarbe *f.* -n.

잉태(孕胎) =임신(姙娠).

잊다 ① 《물건을》 liegen lassen*[4]; verlegen[4]; verkramen[4]. ¶ 잊은 물건 das Liegengelassene*, -n; Fundsache *f.* -n (습득물) / 잊은 물건이 없도록 Nichts liegen lassen! / 나는 우산을 기차 안에 잊고 내렸다 Ich habe m-n Schirm im Zug liegen lassen.
② 《망각》 vergessen*[4]; aus dem Gedächtnis 〔der Erinnerung〕 verlieren*[4]; *jm.* entfallen* ⓢ; 《생각안나다》 [4]sich nicht erinnern (können*) 《*an*[4]》; [4]sich nicht entsinnen*[2] (können*); 〖속어〗 verschwitzen[4]; verbummeln[4]; 《배운 것을》 verlernen[4]. ¶ 곧잘 잊는 vergeßlich; unaufmerksam / 잊지 못할 unvergeßlich / 잠시도 잊지 않다 immer im Gedächtnis behalten*[4]; nie vergessen*[4] / 그는 곧잘 그것을 잊어버리곤 한다 Er vergißt es leicht. / 영어는 다 잊었다 Englisch habe ich vollkommen verlernt. / 이름을 잊었다 Der Name ist mir entfallen. / 걱정을 ~ die Sorgen ab|schütteln 〔vergessen*; verscheuchen; vertreiben*〕 / 그런 일은 잊어라 Schlag dir das aus dem Sinn. / 잊지 말고 알려 주시오 Vergessen Sie bitte nicht, mich davon wissen zu lassen. / 잊지 말고 오너라 Du wirst ganz bestimmt kommen! / 잊기 전에 말해 두겠는데 … Bevor ich (es) vergesse, möchte ich darauf hinweisen, daß.... / 일하느라 먹는 것도 잊고 있다 Er vergißt über die Arbeit Essen u. Trinken. / 베푸신 친절은 결코 안 잊겠읍니다 Ich werde Ihre Freundlichkeit nie vergessen. / 《회화·작문에서》 「sich」를 넣는 것을 잊었다 Ich habe „sich" vergessen gehabt. / 나를 잊지 말아 다오 Vergiß mein(er) nicht! / 그는 그녀를 잊지 못한다 Er kann sie nicht vergessen. ¦ Er kann sie nicht aus dem Gedächtnis tilgen. / 그것은 잊을래야 잊을 수 없는 사건이었다 Es war ein Ereignis, das man nicht leicht vergessen kann.

잊어버리다 [4]*et.* ganz 〔völlig〕 vergessen*.

잊히다 in Vergessenheit geraten* ⓢ; aus dem Gedächtnis schwinden*; [4]sich vergessen*. ¶ 그녀의 모습이 좀처럼 잊히지 않는다 Ihr Bild schwebt mir immer vor Augen. / 그런 일은 곧 잊힌다 Das vergißt sich schnell. / 그 일은 벌써 잊혀진 지 오래다 Die Sache ist längst vergessen.

잎 Blatt *n.* -(e)s, ⸗er (초목의); Nadel *f.* -n (침엽); Wedel *m.* -s, - (양치류의); Laub *n.* -(e)s (총칭적으로); Halm *m.* -(e)s, -e (엽편). ¶ 잎이 많은 dicht belaubt / 잎이 없는 blattlos; entblättert (잎이 떨어진); bloß; nackt / 잎이 나다 Blätter bekommen* / 잎이 떨어지다 [4]sich entblättern / 나무에 잎이 돋아난다 Die Bäume schlagen aus. / 나무들의 잎이 몽땅 떨어졌다 Die Bäume sind ganz entblättert.

잎나무 Dickicht *n.* -(e)s, -e; Gestrüpp *n.* -(e)s, -e.

잎담배 das getrocknete Tabakblatt, -(e)s, ⸗er.

잎맥(一脈) 〖식물〗 Ader *f.* -n (des Blattes); (Blatt)rippe *f.* -n; Nerv *m.* -s, -en.

잎사귀 Blatt *n.* -(e)s, ⸗er.

잎사귀머리 Rindermagen *m.* -s, ⸗.

잎샘 Frühlingsfrost *m.* -(e)s, ⸗e; Märzfrost *m.* -(e)s, ⸗e.

잎줄기 Faser *f.* -n; Fiber *f.* -n.

잎파랑이 〖식물〗 Chlorophyll *n.* -s; Blattgrün *n.* -(e)s.